Die neue deutsche Rechtschreibung

Die neue deutsche Rechtschreibung

verfasst von Ursula Hermann

völlig neu bearbeitet und erweitert von
Prof. Dr. Lutz Götze

mit einem Geleitwort von
Dr. Klaus Heller

BERTELSMANN LEXIKON VERLAG

Dr. Lutz Götze ist Professor für das Fach Deutsch als Fremdsprache der Fachrichtung Germanistik an der Universität des Saarlandes, Saarbrücken

Dr. Klaus Heller ist wissenschaftlicher Mitarbeiter am Institut für deutsche Sprache, Mannheim

Redaktionsleitung: Rudolf Radler
Textredaktion: Susanne Bacher, Inge Götze,
Alfred Konitzer, Werner Lord, Rita Seuß
Herstellung: Augustin Wiesbeck, Max Widmaier

Lizenzausgabe der Bertelsmann Lexikon Verlag GmbH, Gütersloh 1996
mit Genehmigung des Lexikographischen Instituts, München
Titel früherer Ausgaben: Knaurs Rechtschreibung

Satz: Grafoline T·B·I·S GmbH, L.-Echterdingen
Druck und Bindung: Fabrieken Brepols n.v., Turnhout/Belgien

ISBN 3-577-10625-5

15 14 13 12 11 10 9 8

INHALT

ZUM GELEIT

Unter den allgemeinen einsprachigen Wörterbüchern der deutschen Gegenwartssprache, die sich – besonders unter dem Aspekt der Orthografie – an einen breiten Benutzerkreis richten, nahm *›Knaurs Rechtschreibung‹* lange Jahre einen festen Platz ein. Sie vereinte in sich Eigenschaften, die alle Rat Suchenden zu schätzen wussten – der im Nachschlagen geübte Schreibprofi nicht weniger als der sich dieses Hilfsmittels eher zögerlich bedienende Wenigschreiber: eine sorgfältige, wissenschaftlich fundierte Bearbeitung, eine übersichtliche, die rasche und sichere Handhabung erleichternde Darstellung und – vor allem im Hinblick auf den dargestellten Wortschatz – eine spürbare Aktualität. Eben diesen Ansprüchen sieht sich auch ihre Nachfolgepublikation, die *›Neue deutsche Rechtschreibung‹* des Bertelsmann Lexikon Verlages, verpflichtet. Sie erscheint zu einem Zeitpunkt, der unter orthografiegeschichtlichem Aspekt nachgerade als historisch zu bezeichnen ist und die Bearbeiter eines Nachschlagewerkes dieser Art vor besondere Aufgaben stellen musste: Ein knappes Jahrhundert nach den Reformbeschlüssen von 1901, denen wir vor allem die Einheitlichkeit der deutschen Rechtschreibung verdanken, haben sich Deutschland, Österreich und die Schweiz neuerlich auf eine Reform der Orthografie geeinigt. Viele Jahre wissenschaftlicher Vorarbeiten, umfassende öffentliche Diskussionen und immer erneute Abstimmungen mit den politisch verantwortlichen Stellen der deutschsprachigen Staaten waren dieser Übereinkunft vorausgegangen. Anliegen der Neuregelung ist es, Vereinfachung durch Systematisierung zu erreichen. Mit Rücksicht auf die Tradition der deutschen Schreibkultur wird dabei äußerst behutsam vorgegangen. Die Lesbarkeit von Texten in der bisherigen Orthografie wird nicht gefährdet; das gewohnte Schriftbild bleibt soweit wie irgend möglich erhalten. Um den Geltungsbereich der Grundregeln auszuweiten, werden vor allem Ausnahmen und widersprüchliche Formen beseitigt, mitunter auch solche, die es nur aus heutiger Sicht sind. Zum Teil handelt es sich dabei um Änderungen, die schon 1901 beabsichtigt waren, zum Teil aber auch um Korrekturen, die sich erst infolge unsystematischer lexikografischer Einzelfallentscheidungen in den Wörterbuchbearbeitungen der letzten Jahrzehnte als nötig erwiesen haben. Angesichts der langfristigen Übergangsregelungen – die alte Schreibung soll bis zum Jahre 2005 zwar als überholt, aber nicht als falsch gelten – und angesichts der Tatsache, dass uns ein großer Teil der vorhandenen Texte auch weiterhin oder doch für längere Zeit in der alten Orthografie begleiten wird, hat es sich die *›Neue deutsche Rechtschreibung‹* des Bertelsmann Lexikon Verlages zur Aufgabe gemacht, in allen Fällen Auskunft sowohl über die alte als auch über die neue Schreibweise zu geben. Eine sinnreiche, augenfällige Darstellungsmethode ermöglicht es dem Benutzer, ein Wort auch bei geänderter Schreibung schnell zu finden. Der alten Funktion eines jeden Wörterbuchs, Ratgeber und Wegweiser zu sein, wird damit auch die *›Neue deutsche Rechtschreibung‹* in schöner Weise gerecht.

Mannheim, im Frühjahr 1996

Dr. Klaus Heller
Institut für deutsche Sprache

EINFÜHRUNG UND REGELTEIL

Hinweise für den Benutzer

Was dieses Buch will

Dieses Buch will allen helfen, die deutsch sprechen, lesen und schreiben und dabei Rat oder Auskunft suchen. Es versucht durch Schriftwahl, übersichtliche Anordnung und rote Markierungen das schnelle Auffinden des Gesuchten zu erleichtern.
Die Neuregelung der deutschen Rechtschreibung, wie sie nunmehr in Österreich, der Schweiz und in Deutschland beschlossen wurde, ist hier in der endgültigen Form entsprechend dem Beschluss der Ständigen Konferenz der Kultusminister der Länder der Bundesrepublik Deutschland dargestellt und im Wörterverzeichnis sowie in allen anderen Teilen dieses Buches durchgeführt worden.
Der Wortlaut der Neuregelung findet sich im Regelteil. Um dem Benutzer eine schnelle Orientierung über Veränderungen zu ermöglichen, ist hier bei jedem Paragraphen der Unterschied zur bisherigen Regelung aufgezeigt.
Im Wörterverzeichnis ist in Fällen, in denen die Rechtschreibung nach der Neuregelung zu neuen Formen führt, auch die bisher übliche Schreibung aufgeführt und mit einem Verweis auf die neue Form versehen. Der Benutzer kann daher das Wörterverzeichnis auch als ein umfassendes Protokoll der Veränderungen ansehen, das ihm, durch die roten Markierungen leicht erfassbar, alle Neuerungen in der Schreibung wie in der Worttrennung aufzeigt.

Auswahl des Wortguts

Diese Rechtschreibung bietet den Wortschatz der heutigen deutschen Standard- und Umgangssprache einschließlich der Fremdwörter aller Lebens- und Wissensgebiete, soweit sie dem Leser außerhalb spezieller Fachliteratur begegnen können, dazu eine Auswahl veralteter oder im Veralten begriffener Wörter, die in der bis heute gelesenen klassischen Literatur vorkommen.
Den Wortschatz einer lebenden Sprache lückenlos zu sammeln, ist weder ein erreichbares noch ein sinnvolles Ziel. Wörter von nur lokaler Verbreitung, täglich neu aufkommende Fachwörter und anderes stehen dem im Wege, vor allem aber auch die Leichtigkeit, mit der gerade unsere Sprache neue Zusammensetzungen bildet. Deshalb sind Komposita zwar in reicher Zahl aufgenommen, doch ist Vollständigkeit nicht angestrebt worden; neben »Verkehrsminister« bietet »Verkehrsministerium« keine neuen rechtschreiblichen Probleme, es kann daher entfallen.

Österreich, Schweiz

Große Aufmerksamkeit wurde den Besonderheiten der deutschen Schriftsprache Österreichs und der Schweiz gewidmet.

weibliche Formen

Weibliche Formen sind nicht aufgeführt, wenn sie durch einfaches Anhängen der Silbe -in gebildet werden können (Freund/Freundin). Dagegen sind sie immer aufgeführt, wenn bei ihrer Bildung die männliche Form etwas verändert wird, z. B. Zauberer/Zauberin (nicht: Zaubererin), Sklave/Sklavin, Landsmann/Landsmännin.

Namen

Geographische Namen sind aufgenommen worden sowie eine Reihe von Personennamen, soweit sie rechtschreibliche Schwierigkeiten aufwerfen können. Soweit biblische Namen aufgeführt sind, wurde neben der konventionellen Schreibweise die neue Schreibung nach den ökumenischen Loccumer Richtlinien angeführt.

Abkürzungen als Stichwort

Allgemein verbreitete Abkürzungen sind als Stichwort aufgenommen, z. B.: **h. c.** *Abk. für* honoris causa. Das ausgeschriebene Wort erscheint an seiner eigenen Stelle im Alphabet und wird erklärt – außer wenn die Auflösung keiner weiteren Erklärung bedarf, z. B.: **ABGB** *Abk. für* Allgemeines Bürgerliches Gesetzbuch (Österreich).

Hinweise für den Benutzer

Abc-Ordnung Die Umlaute ä, ö, ü erscheinen in der alphabetischen Ordnung wie die einfachen Vokale a, o, u; ae und oe werden jedoch als zwei Buchstaben behandelt. Es erscheint also **Pädagoge** mit dem Wortteil Päda- zwischen Packung und Paddel; dagegen steht das lateinische Wort **Graecum** zwischen Graduierung und Graf, ebenso das Stichwort **Goetheana** zwischen Godel und Gof.

Markierung von Veränderungen bei der Schreibung Wird durch die Neuregelung der Rechtschreibung eine bisher übliche Schreibung durch eine neue ersetzt, werden beide Schreibungen im Wörterverzeichnis aufgeführt. Die neue zulässige Schreibung ist durch ein ► (=wird zu) gekennzeichnet, z. B. **Gäßchen** ► **Gässchen**. Oft rückt die neue Schreibung alphabetisch an eine andere Stelle (z. B. **Gemse** ► **Gämse**). Die Erklärung findet sich dann bei der neuen, zulässigen Schreibung (**Gämse**).

mehrere zulässige Schreibungen, Haupt- und Nebenvarianten Gibt es von einem Wort mehrere zulässige Schreibungen, so sind beide im Wörterverzeichnis aufgeführt, z. B. **Gouache** *frz. Schreibung von* Guasch. Die Erklärung findet sich beim Stichwort Guasch.

Wird durch die Neuregelung der Rechtschreibung eine neu eingeführte Schreibung als Nebenvariante zulässig, eine bisher übliche aber weiterhin als Hauptvariante empfohlen, so sind beide im Wörterverzeichnis aufgeführt. Von der Nebenvariante wird auf die Hauptvariante verwiesen, z. B. **Grafit** = Graphit. Bei der Hauptvariante wird die neue Nebenvariante mit aufgeführt, z. B. **Graphit** ► *auch:* **Grafit.** Die Erklärung findet sich dann bei der Hauptvariante.

Wird eine neu eingeführte Schreibung empfohlen, daneben aber eine bisher übliche gleichfalls akzeptiert, ist die bisher übliche Schreibung als Nebenvariante (*Nv.*) gekennzeichnet und auf die neue, empfohlene Schreibung als Hauptvariante (*Hv.*) verwiesen, z. B. **Ketchup** *Nv.* ► **Ketschup** *Hv.*

Verweise Das Gleichheitszeichen (=) dient als Verweiszeichen (Aufforderung, das betreffende Wort nachzuschlagen), und zwar bei orthographischen Verschiedenheiten: **Katode** = Kathode (Erklärung bei Kathode); bei Synonymen: **Leukodermie** = Albinismus (Erklärung bei Albinismus); bei Verdeutschung von Fremdwörtern: **Pantograph** = Storchschnabel (Erklärung bei Storchschnabel).

Betonung Der betonte Vokal eines Wortes ist, wenn er lang gesprochen wird, durch einen untergesetzten Strich markiert: **Bla̱se;** wenn er kurz ist, durch einen Punkt: **Mịtleid.** Die Angabe der Betonung erfolgt beim Stichwort; folgt jedoch eine Ausspracheangabe in phonetischer Schrift, ist die Betonung bei dieser gegeben.

Aussprache Wo Zweifel über die richtige Aussprache bestehen können, ist sie in eckigen Klammern hinter dem Stichwort angegeben, und zwar in den Zeichen des internationalen phonetischen Alphabetes (vgl. S. 13).

Bei langen Reihen von Zusammensetzungen und Ableitungen, wie z. B. bei Chemie, Chemiefaser, Chemikalien usw., wurde die Aussprache (sofern sie unverändert bleibt) nur beim ersten Wort gegeben, sie gilt also auch für die folgenden Wörter.

Worttrennung am Zeilenende Die Worttrennung wird durch senkrechten Strich markiert: **Man|tel, Chi|li|as|mus.** Entsteht durch die Neuregelung eine Trennungsmöglichkeit an einer anderen Stelle des Wortes als nach der bisherigen Regel, so wird diese Trennung mit einem roten senkrechten Strich hervorgehoben: **gus|tie|ren, Zu|cker.** Die deutschen Wörter sowie die englischen und französischen sind nach deutschen Regeln getrennt, z. B. **Bo|dy|buil|ding, Figh|ting,** Fremdwörter aus dem Griechischen und Lateinischen großenteils nach Sprachsilben. Bei mehreren sich ausschließenden Trennungsalternativen werden in der Regel alle Möglichkeiten aufgezeigt, z. B. **Ge|o|me|trie** *auch:* **-met|rie.** Bei langen Reihen von Zusammensetzungen und Ableitungen, z. B. bei Magnet, magnetisieren usw., wurden Trennungsalternativen in dem vorangestellten, rot umrandeten Kasten angegeben, teilweise auch nur beim ersten Wort.

Herkunft Die Herkunft ist nur für Fremd- und Kunstwörter gegeben, und zwar durch Angabe der Ursprungssprache in eckigen Klammern hinter dem Stichwort bzw. hinter der Ausspracheangabe: [arab.]. Gelegentlich wird auch die Vermittlungssprache genannt, durch die ein Wort ins Deutsche eingedrungen ist: [arab.-frz.].

grammatikalische Angaben Alle Substantive sind nach der Geschlechtsangabe *(m., w., s.)* mit einer Ziffer versehen, die auf das betreffende Deklinationsschema hinweist. Ist ein Wort nicht im Schema unterzubringen, so sind der Gen. Ez. und der Nom. Mz. angegeben, z. B. **Album** *Gen.* -s *Mz.* -ben (Genitiv: des Albums, Mehrzahl: Alben) oder **Informatik** *Gen.* - *nur Ez.* (nur in der Einzahl vorkommend).

Bei Verben stehen die Angabe *tr.* = transitiv, *intr.* = intransitiv, *refl.* = reflexiv sowie eine Ziffer, die auf das betreffende Konjugationsschema verweist.
Bei Präpositionen ist häufig neben der Bezeichnung *Präp.* der Kasus angegeben, mit dem sie verbunden werden.

Erklärungen zur Wortbedeutung

Die Bedeutung eines Wortes wird erläutert, wenn sie nicht ohne weiteres als bekannt vorausgesetzt werden kann. Hat ein Wort neben einer allgemein bekannten Bedeutung noch eine Sonderbedeutung, so ist häufig nur diese erklärt. Dies kann auch durch eine Redewendung geschehen, die den übertragenen Gebrauch oder eine sonstige Sonderbedeutung erkennen lässt. Beispiel: **verbreiten** *tr. 2;* sich über etwas verbreiten: sich ausführlich zu etwas äußern. **Löffel** *m. 5; auch Jägerspr.:* Ohr (von Hase und Kaninchen). **Lanze** *w. 11;* eine Lanze für jmdn. brechen:... **Lehre** *w. 11; auch:* Messwerkzeug.

Anwendungsbeispiele

Der Gebrauch eines Wortes wird häufig durch Anwendungsbeispiele und stehende Redewendungen veranschaulicht, z. B.
Hạnd *w. 2;* die öffentliche Hand: Behörde, Verwaltung; rechter, linker Hand: rechts, links; Ausgabe letzter Hand: letzte Ausgabe eines Schriftwerkes, die vom Verfasser selbst durchgesehen worden ist; die Sache war von langer Hand vorbereitet: seit langem.
In Anwendungsbeispielen wird das Stichwort, sofern keine Missverständnisse auftreten können, abgekürzt: lernen; laufen l., Auto fahren l.

Warenzeichen

Das Zeichen Ⓦⓩ gibt an, dass eine Bezeichnung urheber- oder wettbewerbsrechtlich geschützt ist. Aus seinem Fehlen kann jedoch nicht geschlossen werden, dass der betreffende Name nicht geschützt sei.

Aufbau eines Artikels

1 2 3 4 5 6

An|ci|en|ni|tät [ãsjɛni-, frz.] *w. 10 nur Ez. veraltet:* Reihenfolge nach dem Alter im Dienst, Dienstalter

6

1. Stichwort (halbfett); Worttrennung durch |; Betonung durch _ (langes, betontes ä) markiert;
2. Aussprache in phonetischen Zeichen, hier eingeschränkt auf den einer solchen Angabe bedürftigen Wortteil;
3. Herkunft (Ursprungssprache);
4. grammatikalische Angaben: Geschlecht (*w.* = weiblich); Nummer des Deklinationsschemas *(10)*; Besonderheiten: *nur Ez.,* d. h., es kann keine Mehrzahl gebildet werden;
5. Angabe des Gültigkeitsbereichs oder der Sprachschicht, z. B. *veraltet; ugs.* = umgangssprachlich; *Med.* = Medizin;
6. Erklärung; Begriffsdefinition.

1 2 3 4 2 3 5

ạn|spie|len 1 *tr. 1* probeweise spielen (Musikstück); **2** *intr. 1* auf etwas a.: etwas andeuten

5

1. Stichwort (halbfett); Worttrennung durch |; Betonung durch . (kurzes, betontes a) markiert;
2. das Stichwort hat zwei Bedeutungen, die durch die halbfetten Ziffern **1, 2** angezeigt werden;
3. grammatikalische Angaben: *tr.* = transitiv, d. h., das Verb kann ein Akkusativobjekt nach sich ziehen, z. B.: Wir spielen jetzt den ersten Satz an; Nummer des Konjugationsschemas *(1); intr.* = intransitiv, d. h., das Verb kann auch ohne Akkusativobjekt gebraucht werden;
4. Bedeutung des Wortes;
5. die Bedeutung ist hier durch ein Anwendungsbeispiel erläutert.

Kommentare zur Neuregelung; Zweifelsfälle

Zu verschiedenen Stichwörtern, bei denen Fragen und Zweifel über die Anwendung der neuen Regeln auftreten könnten, sind kurze Erläuterungen rot umrahmt in das Wörterverzeichnis eingestreut. Häufig ist von dort auf den entsprechenden Paragraphen des Regelteils verwiesen.

Verzeichnis der verwendeten Abkürzungen

Abk.	Abkürzung
Adv.	Adverb
afrik.	afrikanisch
ahd.	althochdeutsch
Akk.	Akkusativ
alem.	alemannisch
allg.	allgemein
amerik.	amerikanisch
Anat.	Anatomie
aram.	aramäisch
Archit.	Architektur
argent.	argentinisch
Astrol.	Astrologie
Astron.	Astronomie
AT	Altes Testament
austr.	australisch
Bankw.	Bankwesen
Bauw.	Bauwesen
bayr.	bay(e)risch
bes.	besonders
Bez.	Bezeichnung
Bgb.	Bergbau
Biol.	Biologie
Bot.	Botanik
BR Dtld.	Bundesrepublik Deutschland
Buchw.	Buchwesen
bzw.	beziehungsweise
Chem.	Chemie
chin.	chinesisch
Dat.	Dativ
DDR	Deutsche Demokratische Republik
dt.	deutsch
Dtschl.	Deutschland
ehem.	ehemals, ehemalig(e)
eigtl.	eigentlich
Elektr.	Elektrotechnik
europ.	europäisch
ev., evang.	evangelisch
Ez.	Einzahl
Fot.	Fotografie
Frkr.	Frankreich
frz.	französisch
geb.	geboren
Gen.	Genitiv
Geol.	Geologie
Ggs.	Gegensatz
Gramm.	Grammatik
hebr.	hebräisch
hl.	heilig
Hst.	Hauptstadt
Hv.	Hauptvariante
idg.	indogermanisch
i. e. S.	im engeren Sinn
intr.	intransitiv
ital.	italienisch
i. w. S.	im weiteren Sinn
jap.	japanisch
Jh.	Jahrhundert
jmd.	jemand
jmdm.	jemandem
jmdn.	jemanden
jmds.	jemandes
kath.	katholisch
kfm.	kaufmännisch
Konj.	Konjunktion
Kunstw.	Kunstwort
Kurzw.	Kurzwort
landsch.	landschaftlich
Landw.	Landwirtschaft
lat.	lateinisch
Lit.	Literatur
luth.	lutherisch
m.	männlich
MA	Mittelalter
mal.	malaiisch
Math.	Mathematik
Med.	Medizin
Meteor.	Meteorologie
mhd.	mittelhochdeutsch
Mil.	Militär
Mio.	Million
mlat.	mittellateinisch
Mus.	Musik
Myth.	Mythologie
Mz.	Mehrzahl
nat.-soz.	nationalsozialistisch
n. Chr.	nach Christus
nddt.	niederdeutsch
ndrl.	niederländisch
neulat.	neulateinisch
Nom.	Nominativ
norw.	norwegisch
NT	Neues Testament
Nv.	Nebenvariante
o. Ä.	oder Ähnliche(s)
österr.	österreichisch
Österr.	Österreich
Part. II	Partizip II
Philos.	Philosophie
Phys.	Physik
port(ug).	portugiesisch
Präp.	Präposition
Pron.	Pronomen
prot.	protestantisch
Psych.	Psychologie
Rechtsw.	Rechtswesen
refl.	reflexiv
relig.	religiös
Relig.	Religion
rotw.	rotwelsch
s.	sächlich
sanskr.	sanskritisch
scherzh.	scherzhaft
Schimpfw.	Schimpfwort
schweiz.	schweizerisch
Seew.	Seewesen
skand.	skandinavisch
sog.	sogenannt
Soziol.	Soziologie
Sp.	Sport
Spr.	Sprache
Sprachw.	Sprachwissenschaft
Stud.	Studentensprache
Tech.	Technik
Theol.	Theologie
tr.	transitiv
tschech.	tschechisch
u.	und
u. a.	und andere(s)
u. Ä.	und Ähnliche(s)
übertr., übtr.	im übertragenen Sinn
u. dgl.	und dergleichen
ugs.	umgangssprachlich
ung.	ungarisch
urspr.	ursprünglich
usw.	und so weiter
v. Chr.	vor Christus
vgl.	vergleiche
VR	Volksrepublik
vulg.	vulgär
w.	weiblich
Wirtsch.	Wirtschaft
Wiss.	Wissenschaft
zig.	zigeunerisch
Zool.	Zoologie
Zus.	Zusammensetzung

Aussprachebezeichnung
(internationales phonetisches Alphabet)

Im Wörterverzeichnis ist für Fremdwörter und für alle Wörter, bei denen es notwendig erscheint, die korrekte Aussprache in eckigen Klammern angegeben. Der Genauigkeit halber verwenden wir nicht ein Behelfssystem, sondern die internationale Lautschrift, mit der die Aussprache der in den europäischen Sprachen vorkommenden Laute genau bezeichnet werden kann.

[a] M*a*nn

[aː] N*a*se

[ɑ̃] frz. ch*a*mbre, J*ea*n
nasales a

[ʌ] engl. l*u*nch
kurzer, dunkler a-Laut

[e] l*e*bendig
geschlossen, kurz

[eː] L*e*ben
geschlossen, lang

[ɛ] R*e*ttich, H*ä*nde
offen, kurz

[ɛː] K*ä*se
offen, lang

[æ] engl. h*a*nd, c*a*tch
heller, offener ä-Laut, nicht zu kurz

[ɛ̃] frz. m*ai*n
nasales ä [ɛ]

[ə] Gab*e*
schwach, kurz

[əː] Callg*i*rl
offenes ö, lang

[i] R*i*vale
geschlossen, kurz

[iː] L*ie*be
geschlossen, lang

[ɪ] F*i*sch
offen, kurz

[o] Krok*o*dil
geschlossen, kurz

[oː] M*oh*r, M*oo*r
geschlossen, lang

[ɔ] H*o*rn
offen, kurz

[ɔː] engl. *a*ll
offen, lang

[ɔ̃] frz. garç*o*n
nasales offenes o

[øː] K*ö*nig
geschlossen, lang

[œ] F*ö*rster
offen, kurz

[œː] frz. *œu*vre
offen, lang

[œ̃] frz. Verd*u*n
nasales œ

[u] K*u*riosität
geschlossen, kurz

[uː] Sp*u*r
geschlossen, lang

[y] parf*ü*mieren, M*ü*cke
geschlossen oder offen, kurz

[yː] G*ü*te
geschlossen, lang

[aɪ] H*ai*n, *Ei*s
ai- oder ei-Diphthong

[ɔɪ] H*äu*ser, h*eu*te, ah*oi*
äu- oder eu-Diphthong

[aʊ] H*au*s
au-Diphthong

[ɛɪ] engl. r*ai*n, Sh*a*kespeare
Diphthong für engl. ai, a

[oʊ] engl. n*o*se, Fl*oa*ting u. a.
Diphthong für engl. o, oa u. a.

[b] *B*all
stimmhafter Verschlusslaut

[ç] i*ch*
stimmloser Reibelaut

[x] Ba*ch*
stimmloser Reibelaut

[d] *D*ach
stimmhafter Verschlusslaut

[ð] engl. mo*th*er, span. Alma*d*en
stimmhafter Reibelaut

[θ] engl. Commonweal*th*
span. *C*ervantes
stimmloser Reibelaut

[f] *F*eld, *v*iel
stimmloser Reibelaut

[g] *G*arten
stimmhafter Verschlusslaut

[h] *h*eute
Hauchlaut

[j] *j*a, frz. fi*ll*e
stimmhafter Reibelaut

[k] *K*ind
stimmloser Verschlusslaut

[l] *l*eben, a*ll*e
Liquida

[m] *M*ann
Nasal

[n] *N*ase
Nasal

[ŋ] Fa*ng*
Nasal

[p] *P*ilz
stimmloser Verschlusslaut

[r] *R*iese
Liquida

[z] Ro*s*e
stimmhafter Reibelaut

[s] Sto*ß*
stimmloser Reibelaut

[ʒ] *G*enie
stimmhafter Reibelaut

[ʃ] *sch*ön
stimmloser Reibelaut

[t] *T*ag
stimmloser Verschlusslaut

[v] *W*elt, *V*illa
stimmhafter Reibelaut

[w] engl. *W*ales
konsonantisches u

Griechisches, kyrillisches und hebräisches Alphabet

griechische Schrift: 1 altgriechische Majuskeln bzw. neugriechische Großbuchstaben; 2 byzantinische Minuskeln bzw. neugriechische Kleinbuchstaben; 3 Buchstabenname; 4 altgriechischer, 5 neugriechischer Lautwert

1	2	3	4	5
Α	α	alpha	a	a
Β	β	beta	b	v
Γ	γ	gamma	g	g, j
Δ	δ	delta	d	δ
Ε	ε	epsilon	e	ε
Ζ	ζ	zeta	ds	z
Η	η	eta	e	i
Θ	ϑ	theta	th	θ
Ι	ι	iota	i	i, j
Κ	ϰ	kappa	k	k, kj
Λ	λ	lambda	l	l
Μ	μ	my	m	m, mj
Ν	ν	ny	n	n, nj
Ξ	ξ	xi	ks	ks
Ο	ο	omikron	o	ɔ
Π	π	pi	p	p
Ρ	ρ	rho	r	r
Σ	σ	sigma	s	s, z
Τ	τ	tau	t	t, d
Υ	υ	ypsilon	ü	i
Φ	φ	phi	ph	f
Χ	χ	chi	kh	x, ç
Ψ	ψ	psi	ps	ps
Ω	ω	omega	o	o

kyrillische Schrift: der lateinischen Schrift angenäherte »bürgerliche Schrift« in der modernen russischen Form: 1,2 Druckschrift, 3,4 Kursive; 5 wissenschaftliche Transliteration; 6 Lautwert im Russischen

1	2	3	4	5	6
А	а	*А*	*а*	a	a
Б	б	*Б*	*б*	b	b
В	в	*В*	*в*	v	v
Г	г	*Г*	*г*	g	g
Д	д	*Д*	*∂, g*	d	d
Е	е	*Е*	*е*	e	jɛ
Ж	ж	*Ж*	*ж*	ž	ʒ
З	з	*З*	*з*	z	z
И	и	*И*	*и*	i	i
Й	й	*Й*	*й*	j	j
К	к	*К*	*к*	k	k
Л	л	*Л*	*л*	l	l
М	м	*М*	*м*	m	m
Н	н	*Н*	*н*	n	n
О	о	*О*	*о*	o	o
П	п	*П*	*п*	p	p
Р	р	*Р*	*р*	r	r
С	с	*С*	*с*	s	s
Т	т	*Т*	*т*	t	t
У	у	*У*	*у*	u	u
Ф	ф	*Ф*	*ф*	f	f
Х	х	*Х*	*х*	ch	x
Ц	ц	*Ц*	*ц*	c	ts
Ч	ч	*Ч*	*ч*	č	tʃ
Ш	ш	*Ш*	*ш*	š	ʃ
Щ	щ	*Щ*	*щ*	šč	ʃtʃ
Ъ	ъ	*Ъ*	*ъ*	['hartes' Zeichen]	–
Ы	ы	*Ы*	*ы*	y	y
Ь	ь	*Ь*	*ь*	['weiches' Zeichen]	–
Э	э	*Э*	*э*	ė	ɛ
Ю	ю	*Ю*	*ю*	ju	ju
Я	я	*Я*	*я*	ja	ja

hebräische Schrift: 1 Buchstabenform (Quadratschrift unpunktiert); 2 Buchstabenname; 3 Lautwert für das biblische Hebräisch; 4 wissenschaftliche Transliteration

1	2	3	4
א	alef	ʾ	ʾ
ב	be~~th~~	b, w	b, b̲
ג	gimel	g, ~~gh~~	g, g̲
ד	dale~~th~~	d, ~~dh~~	d, d̲
ה	he	h	h
ו	waw	w	w
ז	sajin	s	z
ח	che~~th~~	ḥ	ḥ
ט	te~~th~~	ṭ	ṭ
י	jo~~dh~~	j	j
כ	kaf	k, ch	k, k̲
ל	lame~~dh~~	l	l
מ	mem	m	m
נ	nun	n	n
ס	samech	s	s
ע	ajin	ʿ	ʿ
פ	pe	p, f	p, p̄
צ	ṣa~~dhe~~	ṣ	ṣ
ק	qof	q	q
ר	resch	r	r
שׂ	śin	ś	ś
שׁ	schin	sch	š
ת	taw	t, ~~th~~	t, t̲

Römische Ziffern und Zahlen

Es gibt sieben verschiedene Zeichen:
I = 1, V = 5, X = 10, L = 50, C = 100, D = 500, M = 1000

Die Zahlen werden von links nach rechts gelesen und addiert; steht jedoch eine kleinere Zahl vor einer größeren, so muss sie abgezogen werden:

II = 2, III = 3, IV = 4, VI = 6, VII = 7, VIII = 8, IX = 9, XI = 11, XIX = 19, XX = 20, XXX = 30, XL = 40, LX = 60, XC = 90, XCIX = 99, CI = 101, CCCXLIX = 349, MCMXCVI = 1996

Korrekturzeichen, nach DIN 16511

Hauptregeln

Die Eintragungen sind so deutlich vorzunehmen, dass kein Irrtum entstehen kann.
Jedes eingezeichnete Korrekturzeichen ist am Papierrand zu wiederholen. Die erforderliche Änderung ist rechts neben das wiederholte Korrekturzeichen zu schreiben, sofern das Zeichen nicht (wie z. B. ⊓⊔, ═) für sich selbst spricht.
Das Einzeichnen von Korrekturen innerhalb des Textes ohne den dazugehörigen Randvermerk ist unbedingt zu vermeiden. Das an den Rand Geschriebene muss in seiner Reihenfolge mit den innerhalb der Zeile angebrachten Korrekturzeichen übereinstimmen und in möglichst gleichem Abstand neben den betreffenden Zeilen untereinander stehen.
Bei mehreren Korrekturen innerhalb einer Zeile sind unterschiedliche Korrekturzeichen anzuwenden. Ergeben sich in einem Absatz umfangreichere Korrekturen, wird das Neuschreiben des Absatzes empfohlen.
Erklärende Vermerke zu einer Korrektur sind durch Doppelklammern zu kennzeichnen.
Es wird empfohlen, die Korrekturen farbig anzuzeichnen. Jeder gelesene Satzabzug ist zu signieren.

Anwendung

1. Falsche Buchstaben oder Wörter werden durchgestrichen und am Pipierrand mit die richtigen ersetzt; versehentlich umgedrehte Buchstaben werden in gleicher Weise angezeichnet.
Kommen in einer Zeile mehrere solcher Feller vor so erhalten sie ihrer Reihenfolge nach unterschiedliche Zeichen.

2. Überflüssige Buchstaben oder Wörter werdenn durchgestrichen durchgestrichen und am Papierrand durch ₰ (Abkürzung für deleatur = »es werde getilgt«) angezeichnet.

3. Fehlende Buchstaben werden angezeichnet, indem der vorangende oder der folgende chstabe durchgestrichen und am Rand zusammen mit dem fehlenden Buchstaben wiederholt wird. Es kann auch das ganze Wort der die Silbe durchgechen und am Rand berichtigt werden.

4. Fehlende oder überflüssige Satzzeichen werden wie fehlende oder überflüssige Buchstaben angezeichnet.

Beispiele: *Satzzeichen beispielsweise Komma oder Punkt*
»Die Ehre ist das äußere Gewissen«, heißt es bei Schopenhauer
»und das Gewissen die innere Ehre.«

5. Beschädigte Buchstaben werden durchgestrichen und am Rand einmal unterstrichen.
Fälschlich **aus anderer Schrift gesetzte Buchstaben** werden am Rand zweimal unterstrichen.
Verschmutzte Buchstaben und zu stark erscheinende Stellen werden umringelt. Dieses Zeichen wird am Rand wiederholt.
Neu zu setzende Zeilen. Zeilen mit porösen oder beschädigten Stellen erhalten einen waagerechten Strich. Ist eine solche Stelle nicht mehr lesbar, wird sie durchgestrichen und deutlich an den Rand geschrieben.

Korrekturzeichen

6. Wird nach **Streichung eines Bindestriches oder Buchstabens** die Getrennt- oder Zusammenschreibung der verbleibenden Teile zweifelhaft, so ist wie folgt zu verfahren:

Beispiele: *Der Schnee war blendend weiß, la coufronne*

7. Ligaturen (zusammengegossene Buchstaben) werden verlangt, indem man die fälschlich einzeln gesetzten Buchstaben durchstreicht und am Rand mit einem darunter befindlichen Bogen wiederholt.
Fälschlich gesetzte Ligaturen werden durchgestrichen, am Rand wiederholt und durch einen Strich getrennt.

Beispiel: *Auflage*

8. Verstellte Buchstaben werdne durchgestrichen und am Rand richtig angebe-gen.
Verstellte Wörter werden das durch Umstellungszeichen berichtigt. Die Wörter werden bei größeren Umstellungen beziffert.
Verstellte Zahlen sind immer ganz durchzustreichen und in der richtigen Ziffernfolge an den Rand zu schreiben.

Beispiel: 1694

9. Fehlende Wörter sind in der Lücke durch Winkelzeichen kenntlich zu machen und am anzugeben.
Bei größeren Auslassungen wird auf die Manuskriptseite verwiesen. Die Stelle ist auf dem Manuskript zu markieren.

Beispiel: *Die Erfindung Gutenbergs ist Entwicklung*

10. Falsche Trennungen werden am Zeilenschluss und am folgenden Zeilen-fang angezeichnet.

11. Fehlender Wortzwischenraum wird durch Z, zu enger Zwischenraum durch Y, zu weiter Zwischenraum durch T angezeichnet.

Beispiel: *Soweit du gehst, die Füße laufen mit.*

Ein Doppelbogen gibt an, dass der Zwischenraum ganz weg fallen soll.

12. Andere Schrift wird verlangt, indem man die betreffende Stelle unterstreicht und die gewünschte Schrift am *Rand* vermerkt.

13. Die Sperrung oder Aufhebung einer Sperrung wird – wie beim Verlangen einer a n d e r e n Schrift – durch Unterstreichen angezeichnet.

14. Nicht Linie haltende Stellen werden durch parallele Striche angezeichnet.

15. Unerwünscht mitdruckende Stellen (z. B. Spieße) werden unterstrichen und ■ am Rand mit Doppelkreuz angezeichnet.

16. Ein Absatz wird durch das Zeichen im Text und am Rand verlangt.

Beispiel: *Die ältesten Drucke sind so gleichmäßig schön ausgeführt, dass sie die schönste Handschrift übertreffen. Die älteste Druckerpresse scheint von der, die uns Jost Amman im Jahre 1568 im Bilde vorführt, nicht wesentlich verschieden gewesen zu sein.*

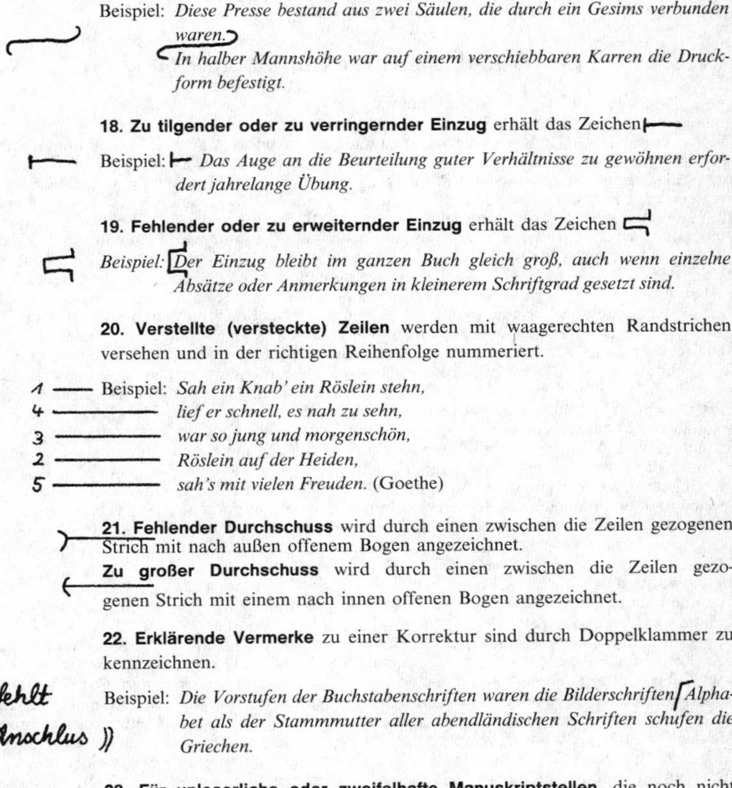

17. Das Anhängen eines Absatzes wird durch eine verbindende Schleife verlangt.

Beispiel: *Diese Presse bestand aus zwei Säulen, die durch ein Gesims verbunden waren.*
In halber Mannshöhe war auf einem verschiebbaren Karren die Druckform befestigt.

18. Zu tilgender oder zu verringernder Einzug erhält das Zeichen

Beispiel: *Das Auge an die Beurteilung guter Verhältnisse zu gewöhnen erfordert jahrelange Übung.*

19. Fehlender oder zu erweiternder Einzug erhält das Zeichen

Beispiel: Der Einzug bleibt im ganzen Buch gleich groß, auch wenn einzelne Absätze oder Anmerkungen in kleinerem Schriftgrad gesetzt sind.

20. Verstellte (versteckte) Zeilen werden mit waagerechten Randstrichen versehen und in der richtigen Reihenfolge nummeriert.

1 Beispiel: *Sah ein Knab' ein Röslein stehn,*
4 *lief er schnell, es nah zu sehn,*
3 *war so jung und morgenschön,*
2 *Röslein auf der Heiden,*
5 *sah's mit vielen Freuden.* (Goethe)

21. Fehlender Durchschuss wird durch einen zwischen die Zeilen gezogenen Strich mit nach außen offenem Bogen angezeichnet.
Zu großer Durchschuss wird durch einen zwischen die Zeilen gezogenen Strich mit einem nach innen offenen Bogen angezeichnet.

22. Erklärende Vermerke zu einer Korrektur sind durch Doppelklammer zu kennzeichnen.

((hier fehlt Ms.-Anschluss)) Beispiel: *Die Vorstufen der Buchstabenschriften waren die Bilderschriften Alphabet als der Stammmutter aller abendländischen Schriften schufen die Griechen.*

23. Für unleserliche oder zweifelhafte Manuskriptstellen, die noch nicht blockiert sind, zeichnet man eine Blockade an (⊠), um auf die noch notwendige Korrektur oder Ergänzung aufmerksam zu machen.

Beispiel: *Hyladen sind Insekten mit unbeweglichem Prothorax (s. S ...).*

aufdem **24. Irrtümlich Angezeichnetes** wird unterpunktiert. Die Korrektur am Rand ist durchzustreichen.

Rechtschreibung und Zeichensetzung der deutschen Sprache

Zur Geschichte der Rechtschreibung

von Lutz Götze

Die Norm der deutschen Rechtschreibung ist beinahe einhundert Jahre alt. Am 18. Dezember 1902 beschloss der deutsche Bundesrat, »die Bundesregierungen zu ersuchen, die einheitliche Rechtschreibung nach Maßgabe der beiliegenden Regeln ›für die deutsche Rechtschreibung nebst Wörterverzeichnis‹ in den Schulunterricht und den amtlichen Gebrauch einzuführen«. Seither wogt der Streit zwischen Befürwortern der Norm und Reformern hin und her. Beide Parteien berufen sich dabei übrigens auf denselben Zeugen, einen der geistigen Väter der Regelung der II. Orthographischen Konferenz 1901/02 in Berlin: KONRAD DUDEN. Die einen verweisen auf seine Worte, die er dem *›Orthographischen Wörterbuch der deutschen Sprache‹* 1902 vorausschickte: »Dieser endlich errungene Erfolg der lange Jahre hindurch sich hinziehenden Verhandlungen von Regierung zu Regierung und der mehrfach wiederholten Beratungen in größeren und kleineren Konferenzen erscheint so bedeutsam und erfreulich, daß daneben die der jetzt allgemein gültigen Rechtschreibung in der Tat noch anhaftenden Mängel nicht so schwer ins Gewicht fallen. Wer das vorliegende Ergebnis der gemeinsamen Arbeit von Regierungen und Fachmännern mit Billigkeit beurteilen will, der muß sich vergegenwärtigen, welche Aufgabe zu lösen war. Das zunächst und vor allen Dingen zu erstrebende Ziel war die Einheit der Rechtschreibung. Dieses Ziel konnte man bei besonnenem Vorgehen zu erreichen hoffen. Hätte man damit eine gründliche Reform der Rechtschreibung verbinden wollen, so hätte man alsbald den Boden unter den Füßen verloren und wäre einem in der Luft schwebenden Trugbilde nachgejagt.«

Die Gegner der Rechtschreibnorm freilich betonen, dass Duden schon kurze Zeit später lakonisch feststellte, dass die »deutsche Rechtschreibung weit davon entfernt ist, ein Meisterwerk zu sein«. Reformen, so ihr Argument, habe der Meister der Rechtschreibung selbst bereits früh gewollt, doch nicht verwirklichen können. Dies sei daher die Aufgabe der nachfolgenden Generationen.

Die Anfänge

Begonnen hatte alles weitaus früher. Hier sei in aller Kürze die Geschichte der deutschen Rechtschreibung erläutert.

Die Erfindung des Buchdrucks durch JOHANNES GUTENBERG und seine Herstellung der 42-zeiligen Bibel (1452–55) hatten eine nachhaltige Vermehrung gedruckter Texte zur Folge. Die beweglichen Lettern bereiteten die Neuzeit vor. Da aber die Texte von Ort zu Ort unterschiedlich geschrieben wurden, erscholl seit Beginn des 16. Jahrhunderts der Ruf nach Vereinheitlichung der Orthographie (Rechtschreibung). Handel und Gewerbe, die sich schnell ausbreiteten, brauchten Verträge, auf die Verlass war; Könige, Fürsten und Herzöge wollten, dass ihre Erlasse überall im deutschen Sprachraum verstanden wurden. Auch die riesige Zahl der Reformationsdrucke LUTHERS und seiner Nachfolger verlangte eine Vereinheitlichung der Schrift. Insbesondere die Grammatiker HIERONYMUS FREYER mit seiner *›Anweisung zur Teutschen Orthographie‹* (1722), JOHANN CHRISTOPH GOTTSCHED mit der *›Grundlegung einer deutschen Sprachkunst‹* (1748, 1762[5]) und JOHANN CHRISTOPH ADELUNGS *›Vollständige Anweisung zur Deutschen Orthographie‹* (1788) waren wegweisend für die weitere Entwicklung. Gottsched wie Adelung fußten auf dem obersächsischen Deutsch – dem »Lutherdeutsch« aus der Meißner Gegend –, von dem Gottsched sagte, »daß das mittelländische, oder obersächsische Deutsch, die beste hochdeutsche Mundart sey«.

Die Grammatiker stellten vor allem phonetische und inhaltliche Überlegungen an: Homonyme Wörter *(Lärche – Lerche, Weise – Waise)* sollten in der Schrift auseinander gehalten werden, die Umlautschreibung des *a* sollte inhaltliche Verwandtschaften zum Wortstamm verdeutlichen: *älter (elter), fällen (vellen).* Ansonsten – nämlich bei etymologischen Verdunklungen – blieb man beim *e: edel* (zu *Adel*), *Eltern* (zu *alt*), *fertig* (zu *fahren*) und *behende* (zu *Hand*). Seit Gottsched ist zudem die Großbuchstabenschreibung der Substantive (weil Hauptwort) Norm.

Diese phonetische und logische Schreibung wurde im 19. Jahrhundert durch JACOB GRIMMS Reformen ergänzt, die dem historischen Prinzip, also der Etymologie, verpflichtet waren. Grimm forderte die unbedingte Anerkennung historischer Lautgesetze und somit die Abschaffung des Dehnungs-*h*, wo es sprachgeschichtlich nicht zu begründen war: so sollten *Mohn* [mhd. mâhen] und *Gemahl* [mhd. gemahel] neben *Lon* [mhd. lôn] stehen. Er wetterte: »Wenn man nahm, lahm, zahm schreibt, warum nicht auch kahm? oder umgekehrt: wir schreiben grün und schön, warum nicht auch kün?« Auch die radikale Kleinschreibung der Substantive stand auf seinem Programm.

Nachfolger wie Wilhelm Wackernagel verlangten das im 16./17. Jahrhundert für stimmloses *s* entwickelte *ß* an jenen Stellen, wo dem Laut ein germanisches *t* entspricht: *Waßer* [nddt. water], *Schweiß* [mnddt. *swét*].
Vehemente Kritiker forderten hingegen eine lautgerechte Schreibung unter Missachtung aller historischen Gesetze und Regeln. Ihnen schwebte als Idealfall vor, dass einem jeden Laut ein Buchstabe entspreche, also eine 1:1-Relation von Phonem (Laut) und Graphem (Buchstabe). Eine vermittelnde Position nahm Rudolf von Raumer ein, der lautgetreue und historisch begründete Schreibweisen zu vereinigen vorschlug.
Denn die Not im 19. Jahrhundert war groß, vor allem in den Schulen. Nahezu jede Druckerei und jeder Verlag verwendeten ihre eigene Rechtschreibung in den Schulbüchern; wechselte ein Vater den Wohnort, so sahen sich die Kinder häufig mit den größten Schwierigkeiten beim Schreiben konfrontiert. Einzelne Städte und Länder schufen selbständige Lösungen, so Hannover 1854, Leipzig 1857, Stuttgart 1861 und Berlin 1871. Das Ergebnis zahlreicher Konferenzen waren gemeinsame *›Regeln und Wörterverzeichnisse für deutsche Rechtschreibung‹*.
Auf der I. Orthographischen Konferenz 1876 in Berlin legte von Raumer den Entwurf einer Vereinheitlichung vor, der freilich bei den konservativen Kräften vehementen Protest hervorrief: Sie waren einer vereinfachten und lauttreueren Schreibung abhold. In der konservativen *›Nationalzeitung‹* hieß es: »Die Abschaffung des Dehnungs-*h* und des *th* ist nichts als ein Angriff auf die befestigte Einheit in unserer classischen Literatur.« Konrad Duden fasste die Ergebnisse in seinem *›Vollständigen Orthographischen Wörterbuch der deutschen Sprache. Nach den neuen preußischen und bayrischen Regeln‹* (1880) zusammen und schuf mit diesem ersten *›Duden‹* die Grundlage für die kommende einheitliche deutsche Rechtschreibung. Er wusste, dass er maßvoll agieren musste, um das Einigungswerk nicht schon im Vorfeld scheitern zu lassen. Philologenverbände, Industriellenklubs, aber auch Kanzler Otto von Bismarck – der drohte, er werde jedem Diplomaten eine Ordnungsstrafe auferlegen, der sich der neuen Orthographie bediene, und obendrein die Orthographieregelung für den Reichsdienst verbot – standen gegen jede Reform.
Doch Dudens Kompromiss aus preußischen und bayrischen Rechtschreibregeln wurde ein Riesenerfolg. 1892 bereits bestimmte die Schweiz, dass Dudens Wörterbuch die Norm für die Schreibung in den deutschsprachigen Kantonen festlege. Die deutschen Länder Baden, Mecklenburg, Sachsen und Württemberg schlossen sich ihrerseits dem bayrisch-preußischen Vorbild an; um 1900 wurden bereits fünf Sechstel aller Bücher und drei Fünftel aller Zeitschriften im deutschen Sprachraum nach der Schulorthographie gedruckt.

II. Orthographische Konferenz in Berlin 1901

Diese Konferenz sollte ein Meilenstein auf dem Wege zu einer Vereinheitlichung der deutschen Rechtschreibung werden. Doch – wie so häufig in der deutschen Geschichte – wurden die nach nur zwei Tagen am 14. September 1901 beschlossenen *›Regeln für die deutsche Rechtschreibung nebst Wörterverzeichnis‹* diesem Anspruch nicht gerecht: Eine »Kleine Lösung« war das Ergebnis. Allen grundsätzlichen Fragen – Kleinschreibung der Substantive, lautgetreue Schreibung, Fremdwortschreibung, Silbentrennung usw. – wich man aus; stattdessen einigte man sich lediglich darauf, in allen deutschen Wörtern das *th* durch *t (thun – tun, Thor – Tor)* zu ersetzen, lediglich der *Thron* blieb beim Atavismus: wohl auf Drängen des Kaisers. Weiterhin wurde festgelegt, das *c* in »geläufigen Fremdwörtern« entsprechend der jeweiligen Aussprache als *k* oder *z (Akkusativ, Porzellan)* zu schreiben; in Wörtern freilich mit »undeutlicher Lautbezeichnung« sollte das *c* beibehalten werden: *Café, Chef, Chocolade, Coiffeur* usw. Schließlich galt das *c* als *chic/chique*, aber nicht als *schick*.
Immerhin aber stellen die Ergebnisse der Berliner Tagung, 1902 erneut von Konrad Duden im *›Orthographischen Wörterbuch der deutschen Sprache‹* veröffentlicht, die erste einheitliche Regelung der Schreibnorm im deutschen Sprachraum dar und gelten seither in ihren Grundzügen unverändert bis heute. Dies ist ein bemerkenswerter Erfolg.
Doch Konrad Duden wusste um das Vorläufige des Werkes. Im Vorwort der 7. Auflage seines Wörterbuches schrieb er bereits 1902, »daß nach der Meinung derer, die am Zustandekommen der neuen, einheitlichen Rechtschreibung mitgearbeitet haben, jetzt keineswegs für alle Zeiten ein Stillstand eintreten soll. Nur ein Zwischenziel ist erreicht ... Es fehlt auch nicht an Wegweisern, die auf ein ferneres Ziel hindeuten: Wann ein neuer Schritt dahin getan werden soll, darüber braucht sich jetzt noch niemand den Kopf zerbrechen«.

Die Jahre nach 1901

Freilich dauerte dieser Stillstand lange an, wenngleich es an Reformvorschlägen nicht gemangelt hat. Den Anfang machte Oskar Brenner, Vertreter Bayerns auf der II. Orthographischen Konferenz. Er forderte in seiner Schrift *›Die lautlichen und geschichtlichen Grundlagen unserer Rechtschreibung‹* (1902) eine Vereinfachung bei der Groß- und Kleinschreibung der Substantive; 1908 folgte ihm Konrad Duden auf dem Fuße, indem er die Tilgung der Dehnungszeichen vorschlug, also *Zal, Mel, Bole, Al* und *Bot,* weiterhin vereinheitlichte Schreibungen von Fremdwör-

tern wie *Scharitee, Schossee, Büro, Frisör, Kor, Krist* und *Kronik* verlangte und, wahrhaft radikal, die Beseitigung der großen Anfangsbuchstaben (Majuskeln) postulierte, die er »für Lehrer und Schüler ein wahres Kreuz« nannte. Das hinderte ihn aber nicht, 1915 die 9. Auflage seines Wörterbuches vorzulegen, die alles beim Alten beließ.
1912 publizierte der Breslauer Lehrer O. Kosog eine Streitschrift *›Unsere Rechtschreibung und die Notwendigkeit ihrer Gründlichen Reform‹*, in der er ein von J. Lammertz verfasstes Diktat *›Aus dem Testamente einer Mutter‹* wiedergab, das von Schwierigkeiten, Zweifelsfällen und Absurditäten der Duden-Norm voll war. Ein Beispielsatz: *Befolgt das Vorstehende, so braucht euch nicht angst zu sein, ohne Angst könnt ihr dann zu guter Letzt auf das beste standhalten, auf das Beste hoffen und dem Schicksal Trotz bieten.* Kosog merkte an, »der einzige Oberlehrer endlich, der sich der Prüfung unterzog, lieferte eine Arbeit mit 18 Fehlern«.

Die Gegenwart

Nach der Machtergreifung der Nazis war 1933 erst einmal Schluss mit Überlegungen zur Reform der deutschen Rechtschreibung; das amtliche Regelwerk von 1901/02 wurde bis in die vierziger Jahre unverändert aufgelegt, doch ist heute bekannt, dass Nazi-Reichsminister Bernhard Rust noch 1944 eine *›Neuordnung der Rechtschreibung‹* auf den Markt bringen wollte, die eine Schreibung vorsah, »die klar, schlicht und stark ist«. Das Kriegsende verhinderte diesen Plan zum Glück.
Bis zur 13. Auflage der *›Duden-Rechtschreibung‹* 1947 wurde unablässig auf die amtliche Regelung von 1901 verwiesen; danach verschwand diese Information. 1955 entschied die Konferenz der Kultusminister der Länder, dass die Regelungen von 1901 auch weiterhin amtliche Gültigkeit beanspruchen durften; der jeweils neuesten Auflage der *›Duden-Rechtschreibung‹* wurde Quasi-Amtlichkeit attestiert: Wer Zweifel beim Schreiben hatte, sollte hier nachschlagen.
Im Beschluss der Kultusministerkonferenz vom 18./19.11.1955 heißt es entsprechend: »Die in der Rechtschreibreform von 1901 und den späteren Verfügungen festgelegten Schreibweisen und Regeln für die Rechtschreibung sind auch heute noch verbindlich für die deutsche Rechtschreibung. Bis zu einer etwaigen Neuregelung sind diese Regeln die Grundlage für den Unterricht in allen Schulen. In Zweifelsfällen sind die im *›Duden‹* gebrauchten Schreibweisen und Regeln verbindlich.«
Doch in Wahrheit häuften sich die Zweifelsfälle. Ein Beispiel: Trennte ein Schüler in einem Diktat *Inte-resse* und *Helikop-ter,* so gab ihm die amtliche Regelung recht. Im *›Duden‹* wurde dies aber als falsch bezeichnet *(Inter-esse, He-li-ko-pter):* Der Lehrer hielt sich an diese Norm, und der Schüler hatte einen Fehler mehr im Diktat. Dennoch: Die Reformbemühungen gingen weiter. Die Stuttgarter Empfehlungen von 1955, vor allem aber die Wiesbadener Empfehlungen von 1959, waren wichtige Dokumente reformerischen Bemühens, wenn sie auch, wie die vorausgegangenen Vorschläge, zum Scheitern verurteilt waren. So heißt es in den Empfehlungen des Arbeitskreises für Rechtschreibregelung vom 15.10.1958:

> Der Arbeitskreis für Rechtschreibregelung empfiehlt zur Reform unserer Rechtschreibung folgende Änderungen gegenüber der zur Zeit gültigen Regelung. Die jeweiligen Begründungen und die sich aus den Empfehlungsgrundsätzen ergebenden Einzelrichtlinien stehen in der Anlage.
>
> 1. *Zur Groß- oder Kleinschreibung*
> Die jetzige Großschreibung der ›Hauptwörter‹ (vgl. Duden, 14. Auflage, S. 32 ff.) soll durch die *gemäßigte Kleinschreibung* ersetzt werden. Danach werden künftig nur noch groß geschrieben: die Satzanfänge, die Eigennamen, einschließlich der Namen Gottes, die Anredefürwörter und gewisse fachsprachliche Abkürzungen (z.B. H_2O).
>
> 2. *Das Komma*
> Das Komma soll weitgehend auf die Fälle beschränkt werden, in denen das rhythmische Empfinden des Schreibenden mit der grammatischen Gliederung des Satzes übereinstimmt.
>
> 3. *Zur Silbentrennung*
> Das Schriftbild soll bei der Trennung so wenig wie möglich verändert werden. Der sogenannte Trennungsstrich ist als ein Verbindungszeichen zu fassen, das über den Zeilenwechsel hinweg das Wort als schriftliche Einheit gegenwärtig hält. Dementsprechend sind auch die Trennungsstellen nicht in erster Linie als Sinneinschnitte zu betrachten, sondern als Artikulationsgrenzen, die im wesentlichen den Sprechsilben folgen.
>
> . . .
>
> 6. *Zur Zusammen- und Getrenntschreibung*
> Künftig sollen nur noch echte Zusammensetzungen zusammengeschrieben werden. Selbständige Satzglieder oder Gliedteile schreibt man dagegen getrennt. In Zweifelsfällen ist die Getrenntschreibung vorzuziehen.

Eine neue Rechtschreibregelung

Mitte der siebziger Jahre – ein Dreivierteljahrhundert nach den amtlichen Festlegungen von 1901 – bildeten die vier deutschsprachigen Staaten Bundesrepublik Deutschland, Deutsche Demokratische Republik, Österreich und die Schweiz Arbeitsgruppen, die, zunächst unabhängig voneinander, Vorschläge zur Reform der deutschen Rechtschreibung entwickelten.

Im Einzelnen ging es um die Bereiche: Laut-Buchstaben-Zuordnung, Groß- und Kleinschreibung, Getrennt- und Zusammenschreibung, Schreibung mit Bindestrich, Fremdwortschreibung, Worttrennung am Zeilenende.

Doch bald stellte sich heraus, dass nationale Aktivitäten oder auch Alleingänge das Stigma der Erfolglosigkeit von Anbeginn an in sich trugen. So wurden ab 1980 gemeinsame Sitzungen des Internationalen Arbeitskreises für Orthographie veranstaltet, der in seiner Abschlusserklärung der 1. Wiener Gespräche 1986 feststellte: »Grundsätzliches Einvernehmen wurde darüber erzielt, die auf der Orthographischen Konferenz von 1901 in Berlin erreichte einheitliche Regelung der deutschen Rechtschreibung den heutigen Erfordernissen anzupassen. Insbesondere geht es darum, die in vielen Teilbereichen der Rechtschreibung im Laufe der Zeit kompliziert gewordenen Regeln zu vereinfachen.«

Vereinfachung und Verständlichkeit der Rechtschreibregeln waren das Ziel der Reformer seit Konrad Duden; jetzt sollte ein neues Regelwerk dem Rechnung tragen.

Bereits ein Jahr später, 1987, erteilten die Kultusministerkonferenz und der zuständige Bundesminister des Innern dem Mannheimer Institut für deutsche Sprache (IdS) und seiner Kommission für Rechtschreibfragen den Auftrag, Reformvorschläge zu allen Teilgebieten der Rechtschreibung mit Ausnahme der Groß- und Kleinschreibung – dem fehlerträchtigsten Bereich – auszuarbeiten. Die offizielle Begründung für diese Aussparung war, dass es keine überzeugende Definition dessen gibt, was ein Substantiv ist und damit großgeschrieben werde, insbesondere aber die Abgrenzung von Gattungsnamen (nomina appellativa) und Eigennamen (nomina propria) nicht schlüssig sei.

Das Auftragswerk wurde 1988 übergeben und führte zu einer heftigen, teilweise hitzigen Diskussion, vor allem deshalb, weil die Kommission vorgeschlagen hatte, *Keiser* statt *Kaiser* zu schreiben (was sprachgeschichtlich korrekt ist) sowie *Bot* statt *Boot* und *Al* statt *Aal* (was bekanntlich bereits Konrad Duden 1908 empfohlen hatte). Die Mehrzahl der anderen Reformvorschläge wurde angesichts der Vehemenz des Streites kaum beachtet, auch nicht die drei Regelungsvarianten zur Groß- und Kleinschreibung: Status-quo-Regelung, modifizierte Großschreibung, Substantivkleinschreibung.

Unter dem Eindruck dieser lautstarken und gelegentlich polemischen Auseinandersetzung überarbeitete der Internationale Arbeitskreis für Orthographie seine Reformvorschläge und legte 1992 eine Neufassung vor: *›Deutsche Rechtschreibung. Vorschläge zu ihrer Neuregelung‹*. Die am häufigsten kritisierten Neuregelungen (*Keiser, Mos* usw.) waren wieder getilgt, die gemäßigte Großschreibung der Substantive wurde zumindest indirekt empfohlen, die Konjunktion *daß* sollte, weil ein kurzer Vokal vorliegt, in Zukunft *dass* geschrieben werden.

Die Behutsamkeit der Reformvorschläge ist das eine wesentliche Phänomen, die Tatsache, dass hier zum ersten Mal in der Geschichte der deutschen Rechtschreibung ein für alle Teilbereiche ausgearbeitetes und sorgsam aufeinander abgestimmtes Regelwerk vorgelegt wurde, ein anderes. Zwar blieben die bisherigen Grundregeln unangetastet, doch wurden die Regeln einfacher, übersichtlicher und verständlicher formuliert und von der Unmenge bestehender Sonder- und Ausnahmeregelungen befreit, die das Schreiben in der Vergangenheit gelegentlich zur Last werden ließen.

Die folgende Wiener Konferenz vom 22. bis 24. November 1994 beschloss letzte Veränderungen und schuf damit die Grundlage für die Neuregelung der deutschen Rechtschreibung, die in diesem Wörterbuch präsentiert wird. Damit ist ein Prozess der Vereinheitlichung und der Reform der Orthographie abgeschlossen, der seit Dudens *›Vollständigem Orthographischen Wörterbuch der deutschen Sprache. Nach den neuen preußischen und bayrischen Regeln‹* des Jahres 1880 andauert und seinen ersten Höhepunkt mit der Rechtschreibkonferenz von 1901 fand.

Mit dieser Reform werden die gröbsten Missstände beseitigt; ein radikaler Neuanfang wurde freilich vermieden. Ziel ist nicht nur die Vereinheitlichung und Verständlichkeit der Regeln, sondern es soll auch der Überbewertung der Rechtschreibung in Gesellschaft und Schule entgegengetreten werden: Sie hat in der Vergangenheit zahllosen Menschen Angst und Schrecken eingejagt und sie oftmals am Schreiben gehindert. Die *communis opinio* ging im Einzelfall so weit, Rechtschreibleistung und Intelligenz gleichzusetzen; im Umkehrschluss hieß das, dass jener dumm sei, der Kommaregeln oder Groß- und Kleinschreibung nicht beherrsche. Damit soll jetzt ein Ende sein.

Ehrlicherweise muss gesagt werden, dass dieser Missstand nur teilweise überwunden sein wird. Neben zahlreichen vernünftigen Änderungen, Vereinfachungen und Verbesserungen (z.B. die Abschaffung der Regel »Trenne nie *st*, denn es tut ihm weh!«) bleiben Kompromisse. Die entscheidenden Probleme wie die Groß- oder Kleinschreibung wurden nicht gelöst; ein Bruch mit der Rechtschreibtradition wurde nicht vollzogen. So bleibt die deutsche Sprache auch in Zukunft

die einzige Sprache auf der Welt, in der Substantive in der Satzmitte mit großem Anfangsbuchstaben geschrieben werden.
Nach der Zustimmung der verantwortlichen Gremien der Bundesrepublik Deutschland, Österreichs und der Schweiz ist die Neuregelung der deutschen Rechtschreibung am 1. Juli 1996 in Kraft getreten. Eine Übergangs- und Erprobungszeit bis zum Jahr 2005 ist vorgesehen, damit sich die Menschen mit der Neuregelung vertraut machen können. Ein langer Prozess ist damit an seinem vorläufigen Ende angelangt.

Literatur

Adelung, Johann Christoph: *Vollständige Anweisung zur Deutschen Orthographie.* Leipzig 1788.
Brenner, Oskar: *Die lautlichen und geschichtlichen Grundlagen unserer Rechtschreibung.* Halle 1902.
Duden, Konrad: *Vollständiges Orthographisches Wörterbuch der deutschen Sprache. Nach den neuen preußischen und bayrischen Regeln.* Leipzig 1880 (= Sammlung Duden Band 1. Mannheim o.J.).
Duden, Konrad: *Orthographisches Wörterbuch der deutschen Sprache. Nach den für Deutschland, Österreich und die Schweiz gültigen amtlichen Regeln.* Siebente Auflage. Leipzig/Wien 1902.
Duden, Konrad: *Ausblick in die weitere Entwicklung unserer Rechtschreibung.* Leipzig/Wien 1908.
Duden-Rechtschreibung: *Duden, Rechtschreibung der deutschen Sprache und der Fremdwörter.* Neunte, neubearbeitete und vermehrte Auflage. Leipzig/Wien 1915.
Duden-Rechtschreibung: *Duden. Rechtschreibung der deutschen Sprache und der Fremdwörter.* Bearbeitet von der Duden-Schriftleitung des Bibliographischen Instituts. Hrsg. von Horst Klien. 13. Auflage. Wiesbaden 1947.
Freyer, Hieronymus: *Anweisung zur Teutschen Orthographie.* Halle 1722.
Gottsched, Johann Christoph: *Vollstandigere und Neuerlauterte Deutsche Sprachkunst/Nach den Mustern der besten Schriftsteller des vorigen und itzigen Jahrhunderts abgefasset, und bey dieser funften Auflage merklich verbessert.* Leipzig 1762 (= Documenta Linguistica Reihe V. Hildesheim/New York. 1. Auflage 1748).
Grimm, Jacob: *Deutsche Grammatik.* Band I, 2. Ausgabe. Göttingen 1822 (1. Ausgabe 1819).
Internationaler Arbeitskreis für Orthographie (Hrsg.): *Deutsche Rechtschreibung. Vorschläge zu ihrer Neuregelung.* Tübingen 1992.
Kosog, O.: *Unsere Rechtschreibung und die Notwendigkeit ihrer Gründlichen Reform.* Breslau 1912.
Mentrup, Wolfgang: *Wo liegt eigentlich der Fehler? Zur Rechtschreibung und zu ihren Hintergründen.* Stuttgart/Düsseldorf/Berlin/Leipzig 1993.
Raumer, Rudolf von: *Regeln und Wörterverzeichnis für die deutsche Orthographie.* In: Verhandlungen der zur Herstellung größerer Einigung in der Deutschen Rechtschreibung berufenen Konferenz. Berlin, den 4. bis 15. Januar 1876. Veröffentlicht im Auftrage des Königl. Preußischen Unterrichtsministers. Halle 1876, S. 9–46.
Wiesbadener Empfehlungen: *Empfehlungen des Arbeitskreises für Rechtschreibregelung* (= Duden-Beiträge Band 2). Mannheim 1959.

Die neuen Regeln mit Erläuterungen

ÜBERBLICK ÜBER DIE NEUREGELUNG

Die Neuregelung der Rechtschreibung und Zeichensetzung der deutschen Sprache verfolgt das Ziel, mehr Systematik und mehr Einfachheit in die Orthographie zu bringen, die Zahl der Ungereimtheiten und Zweifelsfälle drastisch zu verringern sowie den Sprachbenutzern klare Regeln anzubieten.

Da die Schreibung der deutschen Sprache seit langem im Wesentlichen auf zwei Ebenen – der der Regeln sowie jener der Einzelfestlegungen – beschrieben ist, ist auch der Regelteil des Wörterbuches nach diesem Grundschema organisiert: Rechtschreibregeln wie beispielsweise jene, dass Substantive mit großem Anfangsbuchstaben geschrieben werden, stehen neben Einzelfestlegungen, bei denen zwei unterschiedliche Schreibweisen (Haupt- und Nebenvariante) gelten und die gesondert nachgeschlagen werden müssen (z. B. *Bonbonniere – Bonboniere, Grafik – Graphik, Ketschup – Ketchup, Portmonee – Portemonnaie, substanziell – substantiell usw.*).

Der Regelteil ist gegliedert nach den sechs Großbereichen der Rechtschreibreform:

- Laut-Buchstaben-Zuordnung einschließlich der Fremdwortschreibung
- Getrennt- und Zusammenschreibung
- Schreibung mit Bindestrich
- Groß- und Kleinschreibung
- Zeichensetzung
- Worttrennung am Zeilenende

Am Ende jedes Paragraphen wird zur leichteren Orientierung die jeweilige Neufassung bzw. die Beibehaltung der bisherigen Norm erläutert.

Laut-Buchstaben-Zuordnung einschließlich der Fremdwortschreibung

Der Idealfall einer Sprache, dass nämlich einem Laut jeweils ein Buchstabe entspricht (Lautprinzip), ist nur in Ausnahmefällen wie dem Türkischen durch eine Radikalreform geschaffen worden. Im Deutschen herrscht, bedingt durch das historisch gewachsene Schriftbild der Sprache, eine gewisse Willkür: So wird das stimmlose *f* [f] auf vierfache Weise geschrieben: *f (fallen), ff (Schiff), v (viel)* und *ph (Philosophie)*. Im Grundsatz wird dieser Zustand durch die Reform nicht verändert, doch konzentriert sich die neue Regelung darauf, das Stammprinzip durchzusetzen und bisherige Verstöße (numerieren, überschwenglich) zu beseitigen. Dagegen werden weiterhin *Tal, Qual* usw. mit einfachem *-a-*, hingegen *Saal, Aal* und *Zahl* mit Doppel-*a* bzw. *-ah-* geschrieben.

Im Einzelnen bringt die Neuregelung Veränderungen in den folgenden Bereichen:

- Umlautschreibung
- Verdoppelung der Konsonantenbuchstaben nach kurzem Vokal (Einzelfestlegungen)
- s-Schreibung *(s, ss, ß)*
- Zusammentreffen dreier gleicher Buchstaben
- Fremdwortschreibung
- sonstige Einzelfälle

Umlautschreibung

bisherige Schreibung	neue Schreibung	
Schenke	*Schenke*	(weil: *ausschenken*)
	oder: *Schänke*	(weil: *Ausschank*)
schneuzen	*schnäuzen*	(weil: *Schnauze)*
Stengel	*Stängel*	(weil: *Stange*)

Verdoppelung der Konsonantenbuchstaben nach kurzem Vokal

Veränderungen gibt es weiterhin bei Verdoppelung des Konsonanten nach kurzem Vokal: (numerieren ▶ *nummerieren* (weil: *Nummer*), plazieren ▶ *platzieren* (weil: *Platz*) usw. Auch hier gilt in Zukunft das Stammprinzip.

s-Schreibung *(s, ss, ß)*

Beibehalten wird künftig, dass *-ß-* nur nach langem Vokal bzw. Diphthong stehen soll (*Maß, Straße, draußen*); nach kurzem Vokal herrschte bisher Arbitrarität (Fluß - Flüsse). In Zukunft soll hier generell *-ss-* stehen: *der Fluss, die Flüsse*; *der Kuss, sie küssten sich; er sagte, dass sie kommt*. Unterschieden werden somit: *das Floß* und *der Rhein floss*. In der Schweiz gibt es seit langem kein *-ß*.

Zusammentreffen dreier gleicher Buchstaben

Die bisherige Regelung, dass beim Zusammentreffen dreier gleicher Buchstaben und nachfolgendem Konsonantenbuchstaben (*Schifffracht ← Schiff + Fracht*) alle drei Buchstaben geschrieben werden, wird in Zukunft auch auf jene Fälle angewendet, bei denen ein Vokalbuchstabe folgt, also: *Schifffahrt* (bisher: Schiffahrt, bei Trennung bereits jetzt Schiff-fahrt). Es herrscht also dann Einheitlichkeit. Somit wird auch verändert: *Flusssenke* (da *-ss* statt bisher *-ß*). Erhalten bleiben lediglich jene Fälle, die bereits bisher nicht als Zusammensetzungen galten: *Mittag, dennoch* (Trennung: *Mit-tag, den-noch*).

Fremdwortschreibung

Fremdwörter und teilweise auch Lehnwörter bereiten dem Lexikographen seit langem große Schwierigkeiten: Im Widerstreit stehen der Respekt vor der Schreibweise in der fremden Sprache einerseits und das Bemühen andererseits, den deutschen Sprachbenutzern eine verständliche und nachvollziehbare Regelung anzubieten. Die Reform folgt hier zwei Grundprinzipien:

- Die Anpassung an die deutsche Schreibweise wird behutsam vorgenommen.
- Daneben werden Varianten angeboten, die beide korrekt und jeweils im Wörterverzeichnis aufgeführt sind: Neben der Hauptvariante *Fotografie* gilt auch die Nebenvariante *Photographie*, neben der Hauptvariante *essenziell* (da: *Essenz*) gilt weiterhin die Nebenvariante *essentiell*.

Sonstige Einzelfälle

Einige sonstige Veränderungen betreffen Anpassungen an die Laut-Buchstaben-Beziehung bzw. Analogieschlüsse: *rau* (bisher: rauh), weil *blau, schlau* usw.; *Rohheit* (bisher: Roheit), weil: *roh*; *selbstständig* bzw. *selbständig* (bisher: selbständig); *Känguru* (bisher: Känguruh) weil: *Gnu* und *Kakadu* und einige weitere Fälle.

Getrennt- und Zusammenschreibung

In diesem Bereich herrschte seit langem eine immense Unsicherheit, war er doch im amtlichen Regelwerk von 1901/02 nicht generell geregelt. Dies führte zu einer Unzahl von Einzel- und Sonderregelungen, die selbst für den Rechtschreibexperten unüberschaubar geworden waren. Die schwammigen und kaum handhabbaren Unterscheidungsmerkmale (bei ursprünglicher Bedeutung Getrenntschreibung, bei übertragener Bedeutung oder bei Entstehung eines neuen Begriffs Zusammenschreibung) verlangten nach Klarstellung. In Zukunft gelten folgende Grundsätze:

- Die Getrenntschreibung gilt als Normalfall.
- Die Zusammenschreibung ist an formal-grammatische Kriterien (z. B. fehlende Steigerungsmöglichkeit) gebunden.

Eine beispielhafte Auswahl von Neuregelungen (in Klammern die alte Norm):

Rad fahren (radfahren), *Staub saugen* (staubsaugen), *sitzen bleiben* (sitzenbleiben = in der Schule), *nahe gehen* (nahegehen = seelisch ergreifen), *übrig bleiben* (übrigbleiben), *irgendetwas* (irgend etwas) analog zu: *irgendwer, so viel, wie viel* (soviel, wieviel) analog zu: *wie viele usw*.

Schreibung mit Bindestrich

Die Schreibung mit Bindestrich bietet dem Sprachbenutzer die Möglichkeit zur übersichtlichen Gliederung komplexer Zusammensetzungen. Dies soll in Zukunft noch verstärkt werden. Hier einige Beispiele (alte Form in Klammern): *8-seitig* (8seitig), *17-jährig* (17jährig), *der 40-Jährige* (der 40jährige) usw. Andererseits soll der Bindestrich bewusst als Stilmittel eingesetzt werden: *Blumentopf-Erde* statt Blumentopferde.

Groß- und Kleinschreibung

Die Frage, ob Gattungsnamen wie *Baum*, *Tisch* usw. auch in Zukunft in der Satzmitte großgeschrieben werden sollen oder nicht – bekanntlich ist die deutsche Sprache die einzige auf der Welt, die so verfährt –, wurde bei der Erarbeitung des Reformvorschlages heftig diskutiert. Einigkeit herrschte bei der Wiener Konferenz 1994 lediglich darüber, dass die anderen drei Bereiche der Großschreibung – am Satzanfang, bei der höflichen Anrede sowie bei Eigennamen – nicht verändert werden sollten. Für den Bereich der Gattungsnamen und damit das Riesenfeld substantivierter Verben, Adjektive, Pronomen usw. entschied sich die Mehrheit der Kommission für die modifizierte Großschreibung und damit gegen die gemäßigte Kleinschreibung, die von der Mehrzahl der Germanisten befürwortet wird. Im Kern des Reformvorschlages stehen die Vereinheitlichung, Vereinfachung und Beseitigung bestehender Ungereimtheiten.

So sollen in Zukunft:

- nach einem Doppelpunkt immer groß fortgefahren werden, wenn es sich um einen ganzen Satz handelt (*Alles war neu: Das Haus war renoviert, der Garten und die Einfahrt neu gestaltet.*),
- die höfliche Anrede stets großgeschrieben werden *(Sehr geehrter Herr Müller, wir danken Ihnen und Ihren Kollegen für Ihre Unterstützung)*, aber die Duzform stets mit kleinem Anfangsbuchstaben,
- bei den Eigennamen nur die wirklichen Eigennamen (Personennamen, Titel, Arten und Rassen, Kalendertage und historische Ereignisse) mit Majuskel geschrieben werden, nicht aber die bisher großgeschriebenen Ableitungen auf *-isch, -sch,* es sei denn, bei Betonung des Eigenständigen und mit Apostroph. Also: *das ohmsche Gesetz/das Ohm'sche Gesetz*. Eigennamen werden weiterhin großgeschrieben.

Hier werden beispielhaft einige Änderungen aufgelistet (in Klammern die alte Schreibung): *in Bezug* (in bezug), *im Großen und Ganzen* (im großen und ganzen), *auf dem Trockenen sitzen* (auf dem trockenen sitzen), *Bange machen* (bange machen), *heute Mittag* (heute mittag), *am Sonntagabend* (am Sonntag abend) usw.

Insgesamt sollen sehr viel mehr Substantive und substantivierte Formen mit großem Anfangsbuchstaben geschrieben werden.

Zeichensetzung

Erfahrungen der Vergangenheit in Sprachberatungsstellen belegen nachdrücklich, dass die bisher gültigen Interpunktionsregeln neben der Groß- und Kleinschreibung zu den Bereichen gehören, die den Deutschen bei der Rechtschreibung die meisten Probleme bereiten. Kein Wunder übrigens: Schließlich wurde dieser Aspekt im amtlichen Regelwerk 1901/1902 nicht behandelt. Entsprechend schossen in den Folgejahren die Einzelregelungen nahezu aus dem Boden und machten, zumal bei den Infinitiv- und Partizipialsätzen, den Schreibenden das Leben schwer. Hier werden dem/der Schreibenden in Zukunft größere Freiheiten als bisher eingeräumt, um seine/ihre Aussage zu verdeutlichen: *Ich rate ihm, zu helfen. Ich rate, ihm zu helfen.*

Entsprechendes gilt für Partizipialgruppen. In Zukunft braucht kein Komma mehr gesetzt zu werden bei Sätzen wie: *Vor Freude wild gestikulierend rannte sie auf uns zu.* Oder aber es werden zwei Kommas zur stilistischen Akzentuierung gesetzt: *Sie rannte, vor Freude wild gestikulierend, auf uns zu.*

Und/oder: Im Gegensatz zur bisherigen Norm sollen durch *und* bzw. *oder* verbundene Hauptsätze nicht durch Komma getrennt werden: *Sie fuhr in die Stadt und er blieb zu Haus.* Freilich kann der/die Schreibende ein Komma setzen, wenn er/sie dies um der Verständlichkeit des Satzes willen für sinnvoll hält: *Wir fahren in die Stadt, oder sie kommen übermorgen zu uns auf das Land.*

Worttrennung am Zeilenende

Auch hier folgt die Reform dem Grundprinzip: Vereinfachung und Verbesserung der Überschaubarkeit bzw. Verständlichkeit. Vor allem wird die aus den Frühzeiten der beweglichen Lettern sowie der Frakturschrift stammende Regel, *-st-* nicht zu trennen, aufgehoben und, wie bereits seit langem bei *-sp-*, getrennt: *flüs-tern, meis-tens, Mus-ter* (analog der Trennung mehrerer Konsonantenbuchstaben: *leug-nen*, *Ris-pe, schimpfen* usw.).

Weitere Neuregelungen:

- *-ck-:* *-ck-* wird nicht mehr als -k-k- getrennt, sondern behandelt wie *-ch-* und *-sch-*; die Trennung erfolgt also vor dem Konsonantenbuchstaben: *Ba-cke, fli-cken, tro-cken, Zi-cke, Zu-cker.*
- *-r-, -l-, -gn-, -kn-:* Die bisherige Regel, dass in romanischen Wörtern Verbindungen mit diesen Buchstaben nicht getrennt werden dürfen, wird modifiziert. Neben dieser Trennmöglichkeit kann auch nach Sprechsilben getrennt werden: *Ma-gnet* bzw. *Mag-net, mö-bliert* bzw. *möb-liert, Qua-drat* bzw. *Quad-rat* usw.
- Fremdwörter griechischen oder lateinischen Ursprungs können nach der alten, etymologisch begründeten Regel getrennt werden oder nach der Aussprache, also entsprechend der üblichen deutschen Trennung nach Wortbestandteilen: *He-li-ko-pter* bzw. *He-li-kop-ter*, *Päd-ago-gik* bzw. *Pä-da-go-gik*, *par-al-lel* bzw. *pa-ral-lel* usw.
- Gleiches gilt für ursprünglich zusammengesetzte Wörter, die heute nicht mehr als solche erkannt werden: *hin-auf* bzw. *hi-nauf, war-um* bzw. *wa-rum* usw.

Lutz Götze

LAUT-BUCHSTABEN-ZUORDNUNGEN

Vorbemerkungen

(1) Die Schreibung des Deutschen beruht auf einer Buchstabenschrift. Jeder Buchstabe existiert als Kleinbuchstabe und als Großbuchstabe (Ausnahme *ß*):

a b c d e f g h i j k l m n o p q r s t u v w x y z ä ö ü ß

A B C D E F G H I J K L M N O P Q R S T U V W X Y Z Ä Ö Ü

Die Umlautbuchstaben *ä, ö, ü* werden im Folgenden mit den Buchstaben *a, o, u* zusammen eingeordnet; *ß* nach *ss.* Zum Ersatz von *ß* durch *ss* oder *SS* siehe § 25 E_2 und E_3.

In Fremdwörtern und fremdsprachigen Eigennamen kommen außerdem Buchstaben mit zusätzlichen Zeichen sowie Ligaturen vor (zum Beispiel *ç, é, â, œ*).

(2) Für die Schreibung des Deutschen gilt:

(2.1) Buchstaben und Sprachlaute sind einander zugeordnet. Die folgende Darstellung bezieht sich auf die Standardaussprache, die allerdings regionale Varianten aufweist.

(2.2) Die Schreibung der Wortstämme, Präfixe, Suffixe und Endungen bleibt bei der Flexion der Wörter, in Zusammensetzungen und Ableitungen weitgehend konstant (zum Beispiel *Kind, die Kinder, des Kindes, Kindbett, Kinderbuch, Kindesalter, kindisch, kindlich; Differenz, Differenzial, differenzieren;* aber *säen, Saat; nähen, Nadel*). Dies macht es in vielen Fällen möglich, die Schreibung eines Wortes aus verwandten Wörtern zu erschließen.

Dabei ist zu beachten, dass Wortstämme sich verändern können, so vor allem durch Umlaut (zum Beispiel *Hand – Hände, Not – nötig, Kunst – Künstler, rauben – Räuber*), durch Ablaut (zum Beispiel *schwimmen – er schwamm – geschwommen*) oder durch e/i-Wechsel (zum Beispiel *geben – du gibst – er gibt*).

In manchen Fällen werden durch verschiedene Laut-Buchstaben-Zuordnungen gleich lautende Wörter unterschieden (zum Beispiel *malen ≠ mahlen, leeren ≠ lehren*).

(3) Der folgenden Darstellung liegt die deutsche Standardsprache zugrunde. Besonderheiten sind bei Fremdwörtern und Eigennamen zu beachten.

(3. 1) Fremdwörter unterliegen oft fremdsprachigen Schreibgewohnheiten (zum Beispiel *Chaiselongue, Sympathie, Lady*). Ihre Schreibung kann jedoch – und Ähnliches gilt für die Aussprache – je nach Häufigkeit und Art der Verwendung integriert, das heißt dem Deutschen angeglichen werden (zum Beispiel *Scharnier* aus französisch *charnière, Streik* aus englisch *strike*).

Manche Fremdwörter werden sowohl in einer integrierten als auch in einer fremdsprachigen Schreibung verwendet (zum Beispiel *Fotograf / Photograph*).

Nicht integriert sind üblicherweise

a) zitierte fremdsprachige Wörter und Wortgruppen (zum Beispiel: *Die Engländer nennen dies „one way mind“*);

b) Wörter in international gebräuchlicher oder festgelegter – vor allem fachsprachlicher – Schreibung (zum Beispiel *City;* medizinisch *Phlegmone*).

Für die nicht oder nur teilweise integrierten Fremdwörter lassen sich wegen der Vielgestaltigkeit fremdsprachiger Schreibgewohnheiten keine handhabbaren Regeln aufstellen. In Zweifelsfällen siehe das Wörterverzeichnis.

(3.2) Für Eigennamen (Vornamen, Familiennamen, geographische Eigennamen und dergleichen) gelten im Allgemeinen amtliche Schreibungen. Diese entsprechen nicht immer den folgenden Regeln.

Eigennamen aus Sprachen mit nicht lateinischem Alphabet können unterschiedliche Schreibungen haben, die auf die Verwendung verschiedener Umschriftsysteme zurückgehen (zum Beispiel *Schanghai / Shanghai*).

(4) Beim Aufbau der folgenden Darstellung sind zunächst Vokale (siehe Abschnitt 1) und Konsonanten (siehe Abschnitt 2) zu unterscheiden.

Unterschieden sind des Weiteren in beiden Gruppen grundlegende Zuordnungen (siehe Abschnitt 1.1 und 2.1), besondere Zuordnungen (siehe Abschnitte 1.2 bis 1.7 und 2.2 bis 2.7) sowie spezielle Zuordnungen in Fremdwörtern (siehe Abschnitte 1.8 und 2.8).

Laute werden im Folgenden durch die phonetische Umschrift wiedergegeben (zum Beispiel das lange a durch [a:]). Sind die Buchstaben gemeint, so ist dies durch kursiven Druck gekennzeichnet (zum Beispiel der Buchstabe *h* oder *H*).

Bisherige Regelung

Sie entspricht weitgehend den hier beschriebenen Regelungen. Bei der Neuregelung der deutschen Rechtschreibung werden aber konsequent bisherige Zweifelsfälle beseitigt; freilich sind häufig Kompromisse geschlossen worden. Daneben stehen zahlreiche Doppelschreibungen, also zugelassene Varianten, die den Schreibenden mehr Entscheidungsmöglichkeiten einräumen.

Von entscheidender Bedeutung bei der Neuregelung ist das Stammprinzip, also die gleiche Schreibung eines Wortstammes in möglichst allen Wörtern einer Wortfamilie. Damit sollen Widersprüchlichkeiten der bisherigen Rechtschreibung beseitigt werden (vgl. § 13).

Weiterhin werden jetzt anders geschrieben:

bisher	neu
Roheit	*Rohheit* (weil: *roh*)
Zäheit	*Zähheit* (weil: *zäh*)
Zierat	*Zierrat* (weil: *Vorrat*)

Dies gilt auch beim Zusammentreffen dreier gleicher Konsonanten (bisher fiel vor einem nachfolgenden Vokal der dritte Konsonant aus):

bisher	neu
Flanellappen	*Flanelllappen*
Flußsenke	*Flusssenke*
Schiffahrt	*Schifffahrt*

Vor allem wird die bisherige behutsame Angleichung der Fremdwortschreibung konsequent fortgesetzt; es werden zwei Schreibweisen (Haupt- und Nebenvariante) zugelassen (vgl. § 32). Als Hauptvariante wird die jeweils zuerst genannte Schreibweise empfohlen: *fantastisch/phantastisch, Fotograf/Photograph.*

Vokale

Grundlegende Laut-Buchstaben-Zuordnungen

§ 1

Als grundlegend im Sinne dieser orthographischen Regelung gelten die folgenden Laut-Buchstaben-Zuordnungen.

Laute	Buchstaben	Beispiele
(1) Kurze einfache Vokale		
[a]	*a*	*ab, Alter, warm, Bilanz*
[ɛ], [e]	*e*	*enorm, Endung, helfen, fett, penetrant, Prozent*
[ə]	*e*	*Atem, Ballade, gering, nobel*
[ɪ], [i]	*i*	*immer, Iltis, List, indiskret, Pilot*
[ɔ], [o]	*o*	*ob, Ort, folgen, Konzern, Logis, Obelisk, Organ*
[œ], [ø]	*ö*	*öfter, Öffnung, wölben, Ökonomie*
[ʊ], [u]	*u*	*unten, Ulme, bunt, Museum*
[ʏ], [y]	*ü*	*Küste, wünschen, Püree*
(2) Lange einfache Vokale		
[aː]	*a*	*artig, Abend, Basis*
[eː]	*e*	*edel, Efeu, Weg, Planet*
[ɛː]	*ä*	*äsen, Ära, Sekretär*
[iː]	*ie*	(in einheimischen Wörtern:) *Liebe, Dieb*
	i	(in Fremdwörtern:) *Diva, Iris, Krise, Ventil*
[oː]	*o*	*oben, Ofen, vor, Chor*
[øː]	*ö*	*öde, Öfen, schön*
[uː]	*u*	*Ufer, Bluse, Muse, Natur*
[yː]	*ü*	*üben, Übel, fügen, Menü, Molekül*
(3) Diphthonge		
[aɪ]	*ei*	*eigen, Eile, beiseite, Kaleidoskop*
[aʊ]	*au*	*auf, Auge, Haus, Audienz*
[ɔʏ]	*eu*	*euch, Eule, Zeuge, Euphorie*

Besondere Kennzeichnung der kurzen Vokale

Folgen auf einen betonten Vokal innerhalb des Wortstammes – bei Fremdwörtern betrifft dies auch den betonten Wortausgang – zwei verschiedene Konsonanten, so ist der Vokal in der Regel kurz; folgt kein Konsonant, so ist der Vokal in der Regel lang; folgt nur ein Konsonant, so ist der Vokal kurz oder lang. Deshalb beschränkt sich die besondere graphische Kennzeichnung des kurzen Vokals auf den Fall, dass nur ein einzelner Konsonant folgt.

Bisherige Regelung Identisch

§ 2

> Folgt im Wortstamm auf einen betonten kurzen Vokal nur ein einzelner Konsonant, so kennzeichnet man die Kürze des Vokals durch Verdopplung des Konsonantenbuchstabens.

Das betrifft Wörter wie:
Ebbe; Paddel; schlaff, Affe; Egge; generell, Kontrolle; schlimm, immer; denn, wann, gönnen; Galopp, üppig; starr, knurren; Hass, dass (Konjunktion), *bisschen, wessen, Prämisse; statt (≠ Stadt), Hütte, Manschette*

Bisherige Regelung Identisch mit Ausnahme der *ss*-Schreibung nach kurzem Vokal:

bisher	neu
daß	*dass*
bißchen	*bisschen*
Fluß	*Fluss*

§ 3

> Für *k* und *z* gilt eine besondere Regelung:
> (1) Statt *kk* schreibt man *ck*.
> (2) Statt *zz* schreibt man *tz*.

Das betrifft Wörter wie:

Acker, locken, Reck; Katze, Matratze, Schutz

Ausnahmen: Fremdwörter wie *Mokka, Sakko; Pizza, Razzia, Skizze*

E zu § 2 und § 3: Die Verdopplung des Buchstabens für den einzelnen Konsonanten bleibt üblicherweise in Wörtern, die sich aufeinander beziehen lassen, auch dann erhalten, wenn sich die Betonung ändert, zum Beispiel:

Galopp – galoppieren, Horror – horrend, Kontrolle – kontrollieren, Nummer – nummerieren, spinnen – Spinnerei, Stuck – Stuckatur, Stuckateur

Bisherige Regelung Teilweise unterschiedlich

bisher	neu
Ak|ker (bei Silbentrennung)	*A|cker*
lok|ken (bei Silbentrennung)	*lo|cken*
numerieren	*nummerieren*
Stukkateur	*Stuckateur*
Stukkatur	*Stuckatur*

§ 4

> In acht Fallgruppen verdoppelt man den Buchstaben für den einzelnen Konsonanten nicht, obwohl dieser einem betonten kurzen Vokal folgt.

Dies betrifft

(1) eine Reihe einsilbiger Wörter (besonders aus dem Englischen), zum Beispiel:

Bus, Chip, fit, Gag, Grog, Jet, Job, Kap, Klub, Mob, Pop, Slip, top, Twen

E_1: Ableitungen schreibt man entsprechend § 2 mit doppeltem Konsonantenbuchstaben: *jobben – du jobbst – er jobbt; jetten, poppig, Slipper;* außerdem: *die Busse* (zu *Bus*)

(2) die fremdsprachigen Suffixe *-ik* und *-it,* die mit kurzem, aber auch mit langem Vokal gesprochen werden können, zum Beispiel:

Kritik, Politik; Kredit, Profit

(3) einige Wörter mit unklarem Wortaufbau oder mit Bestandteilen, die nicht selbstständig vorkommen, zum Beispiel:

Brombeere, Damwild, Himbeere, Imbiss, Imker (aber *Imme*), *Sperling, Walnuss;* aber: *Bollwerk*

(4) eine Reihe von Fremdwörtern, zum Beispiel:

Ananas, April, City, Hotel, Kamera, Kapitel, Limit, Mini, Relief, Roboter

(5) Wörter mit den nicht mehr produktiven Suffixen *-d, -st* und *-t,* zum Beispiel:

Brand (trotz *brennen*), *Spindel* (trotz *spinnen*); *Geschwulst* (trotz *schwellen*), *Gespinst* (trotz *spinnen*), *Gunst* (trotz *gönnen*); *beschäftigen, Geschäft* (trotz *schaffen*), *(ins)gesamt, sämtlich* (trotz *zusammen*)

(6) eine Reihe einsilbiger Wörter mit grammatischer Funktion, zum Beispiel:

ab, an, dran, bis, das (Artikel, Pronomen), *des* (aber *dessen*), *in, drin* (aber *innen, drinnen*), *man, mit, ob, plus, um, was, wes* (aber *wessen)*

E_2: Aber entsprechend § 2:

dann, denn, wann, wenn; dass (Konjunktion)

(7) die folgenden Verbformen:

ich bin, er hat; aber nach der Grundregel (§ 2): *er hatte, sie tritt, nimm!*

(8) die folgenden Ausnahmen:

Drittel, Mittag, dennoch

Bisherige Regelung Identisch (aber: *Imbiss, Walnuss;* vgl. § 2).

§ 5

> In vier Fallgruppen verdoppelt man den Buchstaben für den einzelnen Konsonanten, obwohl der vorausgehende kurze Vokal nicht betont ist.

Dies betrifft

(1) das scharfe (stimmlose) *s* in Fremdwörtern, zum Beispiel:

Fassade, Karussell, Kassette, passieren, Rezession

2) die Suffixe *-in* und *-nis* sowie die Wortausgänge *-as, -is, -os* und *-us,* wenn in erweiterten Formen dem Konsonanten ein Vokal folgt, zum Beispiel:

-in:	*Ärztin – Ärztinnen, Königin – Königinnen*
-nis:	*Beschwernis – Beschwernisse, Kenntnis – Kenntnisse*
-as:	*Ananas – Ananasse, Ukas – Ukasse*
-is:	*Iltis – Iltisse, Kürbis – Kürbisse*
-os:	*Albatros – Albatrosse, Rhinozeros – Rhinozerosse*
-us:	*Diskus – Diskusse, Globus – Globusse*

(3) eine Reihe von Fremdwörtern, zum Beispiel:

Allee, Batterie, Billion, Buffet, Effekt, frappant, Grammatik, Kannibale, Karriere, kompromittieren, Konkurrenz, Konstellation, Lotterie, Porzellan, raffiniert, Renommee, skurril, Stanniol

E: In Zusammensetzungen mit fremdsprachigen Präfixen wie *ad-, dis-, in-, kon-/con-, ob-, sub-* und *syn-* ist deren auslaufender Konsonant in manchen Fällen an den Konsonanten des folgenden Wortes angeglichen, zum Beispiel:

Affekt, akkurat, Attraktion (vgl. aber *Advokat, addieren*); ebenso: *Differenz, Illusion, korrekt, Opposition, suggerieren, Symmetrie*

(4) wenige Wörter mit *tz* (siehe § 3 (2)), zum Beispiel:

Kiebitz, Stieglitz

Besondere Kennzeichnung der langen Vokale

Folgt im Wortstamm auf einen betonten Vokal kein Konsonant, ist er lang. Die regelmäßige Kennzeichnung mit *h* hat auch die Aufgabe, die Silbenfuge zu markieren, zum Beispiel *Kü | he*; vgl. § 6. Folgt nur *ein* Konsonant, so kann der Vokal kurz oder lang sein. Die Länge wird jedoch nur bei einheimischen Wörtern mit [iː] regelmäßig durch *ie* bezeichnet; vgl. § 1. Ansonsten erfolgt die Kennzeichnung nur ausnahmsweise:

a) in manchen Wörtern vor *l, m, n, r* mit *h;* vgl. § 8;

b) mit Doppelvokal *aa, ee, oo;* vgl. § 9;

c) mit *ih, ieh;* vgl. § 12.

Zum *ß* (statt *s*) nach langem Vokal und Diphthong siehe § 25.

Bisherige Regelung Identisch

§ 6

> Wenn einem betonten einfachen langen Vokal ein unbetonter kurzer Vokal unmittelbar folgt oder in erweiterten Formen eines Wortes folgen kann, so steht nach dem Buchstaben für den langen Vokal stets der Buchstabe *h.*

Dies betrifft Wörter wie:

ah:	*nahen, bejahen* (aber *ja*)
eh:	*Darlehen, drehen*
oh:	*drohen, Floh* (wegen *Flöhe*)
uh:	*Kuh* (wegen *Kühe*), *Ruhe, Schuhe*
äh:	*fähig, Krähe, zäh* (Ausnahme *säen*)
öh:	*Höhe* (Ausnahme *Bö,* trotz *Böe, Böen*)
üh:	*früh* (wegen *früher*)

Zu *ieh* siehe § 12 (2).
Zu *See* u. a. siehe § 9.

Bisherige Regelung Identisch

§ 7

> Das *h* steht ausnahmsweise auch nach dem Diphthong [aɪ].

Das betrifft Wörter wie:

gedeihen, Geweih, leihen (≠ *Laien*)*, Reihe, Reiher, seihen, verzeihen, weihen, Weiher,* aber sonst: *Blei, drei, schreien*

Bisherige Regelung Identisch

§ 8

> Wenn einem betonten langen Vokal einer der Konsonanten [1], [m], [n] oder [r] folgt, so wird in vielen, jedoch nicht in der Mehrzahl der Wörter nach dem Buchstaben für den Vokal ein *h* eingefügt.

Dies betrifft

(1) Wörter, in denen auf [l], [ml, [n] oder [r] kein weiterer Konsonant folgt, zum Beispiel:

ah: *Dahlie, lahm, ahnen, Bahre*
eh: *Befehl, benehmen, ablehnen, begehren*
oh: *hohl, Sohn, bohren*
uh: *Pfuhl, Ruhm, Huhn, Uhr*
äh: *ähneln, Ähre*
öh: *Höhle, stöhnen, Möhre*
üh: *fühlen, Bühne, führen*

Zu *ih* siehe § 12 (1).

(2) die folgenden Einzelfälle:

ahnden, fahnden, Fehde

E_1: Zu unterscheiden sind gleich lautende, aber unterschiedlich geschriebene Wortstämme wie:

Mahl ≠ Mal, mahlen ≠ malen, Sohle ≠ Sole; dehnen ≠ denen; Bahre ≠ Bar, wahr ≠ er war, lehren ≠ leeren, mehr ≠ Meer, Mohr ≠ Moor, Uhr ≠ Ur, währen ≠ sie wären

E_2 zu § 6 bis 8: Das *h* bleibt auch bei Flexion, Stammveränderung und in Ableitungen erhalten, zum Beispiel:

befehlen – befiehl – er befahl – befohlen, drehen – gedreht – Draht, empfehlen – empfiehl – er empfahl – empfohlen, gedeihen – es gedieh – gediehen, fliehen – er floh – geflohen, leihen – er lieh – geliehen, mähen – Mahd, nähen – Naht, nehmen – er nahm, sehen – er sieht – er sah – gesehen, stehlen – er stiehlt – er stahl – gestohlen, verzeihen – er verzieh – verziehen, weihen – geweiht – Weihnachten

Ausnahmen, zum Beispiel: *Blüte, Blume* (trotz *blühen*), *Glut* (trotz *glühen*), *Nadel* (trotz *nähen*)

E_3: In Fremdwörtern steht bis auf wenige Ausnahmen wie *Allah, Schah* kein *h*.

Bisherige Regelung Identisch

§ 9

> Die Länge von [aː], [eː] und [oː] kennzeichnet man in einer kleinen Gruppe von Wörtern durch die Verdopplung *aa, ee* bzw. *oo.*

Dies betrifft Wörter wie:

aa: *Aal, Aas, Haar, paar, Paar, Saal, Saat, Staat, Waage*
ee: *Beere, Beet, Fee, Klee, scheel, Schnee, See, Speer, Tee, Teer;* außerdem eine Reihe von Fremdwörtern mit *ee* im Wortausgang wie: *Armee, Idee, Kaffee, Klischee, Tournee, Varietee*
oo: *Boot, Moor, Moos, Zoo*

Zu *die Feen, Seen* siehe § 19.

E_1: Zu unterscheiden sind gleich lautende, aber unterschiedlich geschriebene Wortstämme wie:

Waage ≠ Wagen; Heer ≠ her, hehr; leeren ≠ lehren; Meer ≠ mehr; Reede ≠ Rede; Seele, seelisch ≠ selig; Moor ≠ Mohr

E_2: Bei Umlaut schreibt man nur *ä* bzw. *ö,* zum Beispiel:

Härchen – aber: *Haar; Pärchen* – aber: *Paar; Säle* – aber: *Saal; Bötchen* – aber: *Boot*

Bisherige Regelung Identisch mit einer Ausnahme: Konsequent werden Fremdwörter (im Regelfall französischer Herkunft) mit der Endung *-é* an die deutsche Schreibung angeglichen:

bisher	neu
Dekolleté	*Dekolletee/Dekolleté*
Exposé	*Exposee/Exposé*
Varieté	*Varietee/Varieté*

§ 10

> Wenige einheimische Wörter und eingebürgerte Entlehnungen mit dem langen Vokal [iː] schreibt man ausnahmsweise mit *i*.

Dies betrifft Wörter wie:

dir, mir, wir; gib, du gibst, er gibt (aber *ergiebig*); *Bibel, Biber, Brise, Fibel, Igel, Liter, Nische, Primel, Tiger, Wisent*

E: Zu unterscheiden sind gleich lautende, aber unterschiedlich geschriebene Wörter wie:

Lid ≠ Lied; Mine ≠ Miene; Stil; ≠ Stiel; wider ≠ wieder

Bisherige Regelung Identisch

§ 11

> Für langes [iː] schreibt man *ie* in den fremdsprachigen Suffixen und Wortausgängen *-ie, -ier* und *-ieren.*

Dies betrifft Wörter wie:

Batterie, Lotterie; Manier, Scharnier; marschieren, probieren

Ausnahmen, zum Beispiel: *Geysir, Saphir, Souvenir, Vampir, Wesir*

Bisherige Regelung Identisch

§ 12

> In Einzelfällen kennzeichnet man die Länge des Vokals [iː] zusätzlich mit dem Buchstaben *h* und schreibt *ih* oder *ieh.*

Im Einzelnen gilt:

(1) *ih* steht nur in den folgenden Wörtern (vgl. § 8):

ihm, ihn, ihnen; ihr (Personal- und Possessivpronomen), außerdem *Ihle*

(2) *ieh* steht nur in den folgenden Wörtern (vgl. § 6):

fliehen, Vieh, wiehern, ziehen

Zu *ieh* in Flexionsformen wie *befiehl* (zu *befehlen*) siehe § 8 E_2.

Bisherige Regelung Identisch

Umlautschreibung bei [ɛ]

§ 13

> Für kurzes [ɛ] schreibt man *ä* statt *e,* wenn es eine Grundform mit *a* gibt.

Dies betrifft flektierte und abgeleitete Wörter wie:

Bänder, Bändel (wegen *Band*); *Hälse* (wegen *Hals*); *Kälte, kälter* (wegen *kalt*); *überschwänglich* (wegen *Überschwang*)

E_1: Man schreibt *e* oder *ä* in *Schenke / Schänke* (wegen *ausschenken / Ausschank*), *aufwendig / aufwändig* (wegen *aufwenden / Aufwand*).

E_2: Für langes [eː] und langes [ɛː], die in der Aussprache oft nicht unterschieden werden, schreibt man *ä,* sofern es eine Grundform mit *a* gibt, zum Beispiel *quälen* (wegen *Qual*). Wörter wie *sägen, Ähre (≠ Ehre), Bär* sind Ausnahmen.

Bisherige Regelung Teilweise unterschiedlich

Hier wird jetzt konsequent das Stammprinzip angewendet, also *-ä-* statt des bisherigen *-e-* bei einer Grundform auf *-a-*, aber *-e-* bei einer Grundform auf *-e-*:

bisher	neu
aufwendig	*aufwändig/aufwendig* (weil: *Aufwand, aufwenden*)
belemmert	*belämmert* (weil: *Lamm*)
Bendel	*Bändel* (weil: *Band*)
Gemse	*Gämse* (weil: *Gams*)
Quentchen	*Quäntchen* (weil: *Quantum*)
Schenke	*Schenke/Schänke* (weil: *ausschenken, Ausschank*)
Stengel	*Stängel* (weil: *Stange*)
überschwenglich	*überschwänglich* (weil: *Überschwang*)

§ 14

> In wenigen Wörtern schreibt man ausnahmsweise *ä*.

Dies betrifft Wörter wie:

ätzen, dämmern, Geländer, Lärm, März, Schärpe

E: Zu unterscheiden sind gleich lautende, aber unterschiedlich geschriebene Wörter wie:

Äsche ≠ Esche; Färse ≠ Ferse; Lärche ≠ Lerche

Bisherige Regelung Identisch

§ 15

> In wenigen Wörtern schreibt man ausnahmsweise *e*.

Das betrifft Wörter wie:

Eltern (trotz *alt*); *schwenken – schwanken*

Bisherige Regelung Identisch

Umlautschreibung bei [ɔʏ]

§ 16

> Für den Diphthong [ɔʏ] schreibt man *äu* statt *eu*, wenn es eine Grundform mit *au* gibt.

Dies betrifft flektierte und abgeleitete Wörter wie:

Häuser (wegen *Haus*), *er läuft* (wegen *laufen*), *Mäuse, Mäuschen* (wegen *Maus*); *Gebäude* (wegen *Bau*), *Geräusch* (wegen *rauschen*), *sich schnäuzen* (wegen *Schnauze*), *verbläuen* (wegen *blau*)

Bisherige Regelung Teilweise unterschiedlich

Auch hier – wie in § 13 – wird jetzt das Stammprinzip angewendet:

bisher	neu
(sich) schneuzen	*(sich) schnäuzen* (weil: *Schnauze*)
verbleuen	*verbläuen* (weil: *blau*)

§ 17

> In wenigen Wörtern schreibt man ausnahmsweise *äu.*

Das betrifft Wörter wie:
Knäuel, Räude, sich räuspern, Säule, sich sträuben, täuschen

Bisherige Regelung Identisch

Ausnahmen beim Diphthong [aɪ]

§ 18

> In wenigen Wörtern schreibt man den Diphthong [aɪ] ausnahmsweise *ai.*

Das betrifft Wörter wie:
Hai, Kaiser, Mai

E: Zu unterscheiden sind gleich lautende, aber unterschiedlich geschriebene Wortstämme wie:
Bai ≠ bei; Laib ≠ Leib; Laich ≠ Leiche; Laie, Laien ≠ leihen; Saite ≠ Seite; Waise ≠ Weise, weisen

Bisherige Regelung Identisch

Besonderheiten beim e

§ 19

> Folgen auf *-ee* oder *-ie* die Flexionsendungen oder Ableitungssuffixe *-e, -en, -er, -es, -ell,* so lässt man ein *e* weg.

Das betrifft Wörter wie:
die Feen; die Ideen; die Mondseer, des Sees; die Knie, knien; die Phantasien; sie schrien, geschrien; ideell; industriell

Bisherige Regelung Identisch

Spezielle Laut-Buchstaben-Zuordnungen in Fremdwörtern

§ 20

> Über die bisher dargestellten Laut-Buchstaben-Zuordnungen hinaus treten in Fremdwörtern auch fremdsprachige Zuordnungen auf. In den folgenden Listen sind nur die wichtigeren angeführt.

Dabei ist zu beachten, dass Kürze und Länge der Vokale von der Betonung abhängen. Vokale, die in betonten Silben lang sind, werden in unbetonten Silben kurz gesprochen, zum Beispiel *Analyse* mit langem Vokal [yː] *analysieren* mit kurzem Vokal [y].

(1) Fremdsprachige Laut-Buchstaben-Zuordnungen

Laute	Buchstaben	Beispiele
[a], [aː]	*u*	*Butler, Cup, Make-up, Slum*
	at	*Eklat, Etat*
[ɛ], [ɛː]	*a*	*Action, Camping, Fan, Gag*
	ai	*Airbus, Chaiselongue, fair, Flair, Saison*
[e], [eː]	*é*	*Abbé, Attaché, Lamé*
	er	*Atelier, Bankier, Premier*
	et	*Budget, Couplet, Filet*
	ai	*Cocktail, Container*
[i], [iː]	*y*	*Baby, City, Lady, sexy*
	ea	*Beat, Dealer, Hearing, Jeans, Team*
	ee	*Evergreen, Spleen, Teenager*

Laute	Buchstaben	Beispiele
[o], [oː]	*au*	*Chaussee, Chauvinismus*
	eau	*Niveau, Plateau, Tableau*
	ot	*Depot, Trikot*
[øː]	*eu*	*adieu, Milieu;* häufig in den Suffixen *-eur, -euse: Ingenieur, Souffleuse*
[ʊ], [u], [uː]	*oo*	*Boom, Swimmingpool*
	ou	*Journalist, Rouge, Route, souverän*
[ʏ], [y], [yː]	*y*	*Analyse, Hymne, Physik, System, Typ;* auch in den Präfixen *dys- (≠dis-), hyper-, hypo-, syl-, sym-, syn-: dysfunktional, hyperkorrekt, Hypozentrum, Syllogismus, Symbiose, synchron*
[ɑ̃], [ɑ̃ː]	*an*	*Branche, Chance, Orange, Renaissance, Revanche*
	ant	*Avantgarde, Pendant, Restaurant*
	en	*engagiert, Ensemble, Entree, Pendant, Rendezvous*
	ent	*Abonnement, Engagement*
[ɛ̃], [ɛ̃ː]	*ain*	*Refrain, Souterrain, Terrain*
	eint	*Teint*
	in	*Bulletin, Dessin, Mannequin*
[ɔ̃], [ɔ̃ː],	*on*	*Annonce, Chanson, Pardon*
[œ̃], [œ̃ː]	*um*	*Parfum*
[aʊ]	*ou*	*Couch, Countdown, Foul, Sound*
	ow	*Clown, Countdown, Cowboy, Power(play)*
[aɪ]	*i*	*Lifetime, Pipeline*
	igh	*Copyright, high, Starfighter*
	y	*Nylon, Recycling*
[ɔʏ]	*oy*	*Boy, Boykott*
[oa]	*oi*	*Memoiren, Repertoire, Reservoir, Toilette*

(2) Doppelschreibungen

Im Prozess der Integration entlehnter Wörter können fremdsprachige und integrierte Schreibung nebeneinander stehen. (Zu Haupt- und Nebenform siehe das Wörterverzeichnis.)

Laute	Buchstaben	Beispiele
[ɛ], [ɛː]	*ai – ä*	*Drainage – Dränage, Mayonnaise – Majonäse, Mohair – Mohär, Polonaise – Polonäse*
[e], [eː]	*é – ee*	*Bouclé – Buklee, Doublé – Dublee, Exposé – Exposee*
		Café – Kaffee (mit Bedeutungsdifferenzierung), *Kommuniqué – Kommunikee, Varieté – Varietee*
[o], [oː]	*au – o*	*Sauce- Soße*
[ʊ], [u], [uː]	*ou – u*	*Bravour – Bravur, Bouquet – Buket(t), Doublé – Dublee, Coupon – Kupon, Nougat – Nugat*

Bisherige Regelung

Teilweise unterschiedlich

Die in der Neuregelung unter Ziffer (1) aufgeführten Schreibweisen von Fremdwörtern entsprechen der bisherigen Regelung.

Die in Ziffer (2) aufgelisteten Doppelschreibungen verzeichnen bisherige Regelungen sowie die jetzt zugelassenen Angleichungen an die deutsche Schreibweise:

bisher	neu
Mayonnaise	*Majonäse/Mayonnaise*
Nougat	*Nugat/Nougat*
Sauce	*Soße/Sauce*

Beide Schreibweisen sind fortan zugelassen; als Hauptvariante wird die jeweils zuerst genannte Schreibweise empfohlen.

§ 21

> Fremdwörter aus dem Englischen, die auf *-y* enden und im Englischen den Plural *-ies* haben, erhalten im Plural ein *-s.*

Das betrifft Wörter wie:

Baby – Babys, Lady – Ladys, Party – Partys

E: Bei Zitatwörtern gilt die englische Schreibung, zum Beispiel: *Grand Old Ladies.*

Bisherige Regelung Teilweise unterschiedlich

Konsequent werden fortan Pluralformen englischer Fremdwörter, die auf *-y* enden, mit *-s* geschrieben (statt wie im Englischen mit *-ies*):

bisher	neu
Babies/Babys	*Babys*
Hobbies/Hobbys	*Hobbys*
Ladies/Ladys	*Ladys*
Parties/Partys	*Partys*

Konsonanten

Grundlegende Laut-Buchstaben-Zuordnungen

§ 22

> Als grundlegend im Sinne dieser orthographischen Regelung gelten die folgenden Laut-Buchstaben-Zuordnungen.

Besondere Zuordnungen werden in den sich anschließenden Abschnitten behandelt.

Laute	Buchstaben	Beispiele
(1) Einfache Konsonanten		
[b]	*b*	*backen, Baum, Obolus, Parabel*
[ç], [x]	*ch*	*ich, Bücher, lynchen; ach, Rauch*
[d]	*d*	*danken, Druck, leiden, Mansarde*
[f]	*f*	*fertig, Falke, Hafen, Fusion*
[ɡ]	*g*	*gehen, Gas, sägen, Organ, Eleganz*
[h]	*h*	*hinterher, Haus, Hektik, Ahorn, vehement*
[j]	*j*	*ja, Jagd, Boje, Objekt*
[k]	*k*	*Kiste, Haken, Flanke, Majuskel, Konkurs*
[l]	*l*	*laufen, Laut, Schale, lamentieren*
[m]	*m*	*machen, Mund, Lampe, Maximum*
[n]	*n*	*nur, Nagel, Ton, Natur, nuklear*
lŋ]	*ng*	*Gang, Länge, singen, Zange*
[p]	*p*	*packen, Paste, Raupe, Problem*
[r], [ʀ], [ʁ]	*r*	*rauben, Rampe, hören, Zitrone*
[s]	*s*	*skurril, Skandal, Hast, hopsen*
[z]	*s*	*sagen, Seife, lesen, Laser*
[ʃ]	*sch*	*scharf, Schaufel, rauschen*
[t]	*t*	*tragen, Tür, fort, Optimum*
[v]	*w*	*wann, Wagen, Möwe*
(2) Konsonantenverbindungen (innerhalb des Stammes)		
[kv]	*qu*	*quälen, Quelle, liquid, Qualität*
[ks]	*x*	*xylographisch, Xenophobie, boxen, toxisch*
[ts]	*z*	*Zart, Zaum, tanzen, speziell, Zenit*

Bisherige Regelung Identisch

Auslautverhärtung und Wortausgang *-ig*

§ 23

> Die in großen Teilen des deutschen Sprachgebiets auftretende Verhärtung der Konsonanten [b], [d], [g], [v] und [z] am Silbenende sowie vor anderen Konsonanten innerhalb der Silbe wird in der Schreibung nicht berücksichtigt.

E_1: Bei vielen Wörtern kann die Schreibung aus der Aussprache erweiterter Formen oder verwandter Wörter abgeleitet werden, in denen der betreffende Konsonant am Silbenanfang steht, zum Beispiel:

Konsonant am Silbenende usw.	Konsonant am Silbenanfang
Lob, löblich, du lobst	*Lobes, belobigen* (aber *Isotop – Isotope*)
trüb, trübselig, eingetrübt	*trübe, eintrüben* (aber *Typ – Typen*)
Rad, Radumfang	*Rades, rädern* (aber *Rat – Rates*)
absurd	*absurde, Absurdität* (aber *Gurt – Gurte*)
Sieg, siegreich, er siegt	*siegen* (aber *Musik – musikalisch*)
Trug, er betrog, Betrug	*betrügen* (aber *Spuk – spuken*)
gläubig	*gläubige* (aber *Plastik – Plastiken*)
Möwchen	*Möwe* (aber *Öfchen – Ofen*)
naiv, Naivling, Naivheit	*Naive, Naivität* (aber *er rief – rufen*)
Preis, preislich, preiswert	*Preise* (aber *Fleiß – fleißig*)
Haus, häuslich, behaust	*Häuser* (aber *Strauß – Sträuße*)

E_2: Bei einer kleinen Gruppe von Wörtern ist es nicht oder nur schwer möglich, eine solche Erweiterung durchzuführen oder eine Beziehung zu verwandten Wörtern herzustellen. Man schreibt sie trotzdem mit *b, d, g* bzw. *s,* zum Beispiel:

ab, Eisbein (Eis – Eises), flugs (Flug), Herbst, hübsch, jeglich, Jugend, Kies (Kiesel), Lebkuchen, morgendlich, ob, Obst, Plebs (Plebejer), preisgeben, Rebhuhn, redlich (Rede), Reis (Reisig), Reis (= Korn; *Reise* fachsprachlich = Reissorten; aber *Grieß), ihr seid (≠ seit), sie sind, und, Vogt, weg (Weges), weissagen (weise)*

Bisherige Regelung Identisch

§ 24

> Für den Laut [ç] schreibt man regelmäßig *g,* wenn erweiterte Formen am Silbenanfang mit dem Laut [g] gesprochen werden.

Das betrifft Wörter wie:

ewig, Ewigkeit (wegen *ewige*), *gläubig* (wegen *gläubige*); aber: *unglaublich* (wegen *unglaubliche*); *heilig, Käfig, ruhig*

E: In einigen Sprachlandschaften wird *-ig* mit [k] gesprochen; dann gilt § 23.

Bisherige Regelung Identisch

Besonderheiten bei [s]

§ 25

> Für das scharfe (stimmlose) [s] nach langem Vokal oder Diphthong schreibt man *ß,* wenn im Wortstamm kein weiterer Konsonant folgt.

Das betrifft Wörter wie:

Maß, Straße, Grieß, Spieß, groß, grüßen; außen, außer, draußen, Strauß, beißen, Fleiß, heißen

Ausnahme: *aus*

Zur Schreibung von [s] in Wörtern mit Auslautverhärtung wie *Haus, graziös, Maus, Preis* siehe § 23.

E_1: In manchen Wortstämmen wechselt bei Flexion und in Ableitungen die Länge und Kürze des Vokals vor [s]; entsprechend wechselt die Schreibung *ß* mit *ss.* Beispiele:

fließen – er floss – Fluss – das Floß
genießen – er genoss – Genuss
wissen – er weiß – er wusste

E_2: Steht der Buchstabe *ß* nicht zur Verfügung, so schreibt man *ss.* In der Schweiz kann man immer *ss* schreiben. Beispiel:

Straße – Strasse

E_3: Bei Schreibung mit Großbuchstaben schreibt man *SS,* zum Beispiel:

Straße – STRASSE

Bisherige Regelung Teilweise unterschiedlich

In Zukunft soll *-ß-* nur nach langem Vokal und nach Diphthong stehen (*Straße, außen*). Nach kurzem Vokal hingegen wird konsequent *-ss-* geschrieben (*dass, der Fluss, es passt, wässerig* usw.). Daher:

bisher	neu
er floß	*er floss*
der Fluß	*der Fluss*
er genoß	*er genoss*
sie läßt	*sie lässt*
der Schluß	*der Schluss*
sie wußte	*sie wusste*

Damit werden also unterschieden: *fließen – der Fluss – das Floß – er floss; wissen – er weiß – er wusste* usw.

§ 26

> Folgt auf das *s, ss, ß, x* oder *z* eines Verb- oder Adjektivstammes die Endung *-st* der 2. Person Singular bzw. die Endung *-st(e)* des Superlativs, so lässt man das *s* der Endung weg.

Das betrifft Wörter wie:

du reist (zu *reisen*), *du hasst* (zu *hassen*), *du reißt* (zu *reißen*), *du mixt* (zu *mixen*), *du sitzt* (zu *sitzen*); *(groß – größer –) größte*

Bisherige Regelung Identisch

Besonderheiten bei [ʃ]

§ 27

> Für den Laut [ʃ] am Anfang des Wortstammes vor folgendem [p] oder [t] schreibt man *s* statt *sch.*

Das betrifft Wörter wie:

spielen, verspotten; starren, Stelle, Stunde

Bisherige Regelung Identisch

Besonderheiten bei [ŋ]

§ 28

> Für den Laut [ŋ] vor [k] oder [g] im Wortstamm schreibt man *n* statt *ng.*

Das betrifft Wörter wie:

Bank, dünken, Enkel, Schranke, trinken; Mangan, Singular

Bisherige Regelung Identisch

Besonderheiten bei [f] und [v]

§ 29

> Für den Laut [f] schreibt man *v* statt *f* in *ver-* (wie in *verlaufen*) sowie am Anfang einiger weiterer Wörter.

Das betrifft Wörter wie:

Vater, Veilchen, Vettel, Vetter, Vieh, viel, vielleicht, vier, Vlies, Vogel, Vogt, Volk, voll (aber *füllen*), *von, vor, vordere, vorn;* auch in: *Nerv, Nerven*
Dazu kommen *Frevel, Nerv (Nerven).*

Bisherige Regelung Identisch

§ 30

> Für den Laut [v] schreibt man in Fremdwörtern regelmäßig und in wenigen eingebürgerten Entlehnungen *v* statt *w.*

Das betrifft Wörter wie:

privat, Revolution, Universität, Virus, zivil, Malve, Vase; Suffix bzw. Endung *-iv, -ive: Aktivität, die Detektive, Motivation; Initiative, Perspektive*

E: Bei einigen Wörtern schwankt die Aussprache von *v* zwischen [v] und [f] wie bei *Initiative, Larve, Pulver, evangelisch, Vers, Vesper, November, brave.*

Bisherige Regelung Identisch

Besonderheiten bei [ks]

§ 31

> Für die Lautverbindung [ks] schreibt man in einigen Wortstämmen ausnahmsweise *chs* bzw. *ks* statt *x.*

Das betrifft Wörter wie:

Achse, Achsel, Büchse, Dachs, drechseln, Echse, Flachs, Fuchs, Lachs, Luchs, Ochse, sechs, Wachs, wachsen, Wechsel, Weichsel(kirsche), wichsen

Keks, schlaksig

E: Die bei Flexion und in Ableitungen entstehende Lautverbindung [ksl wird je nach dem zugrunde liegenden Wort *gs, ks* oder *cks* geschrieben, zum Beispiel:

du hegst (wegen *hegen*), *du hinkst* (wegen *hinken*), *Streiks* (wegen *Streik*), *Häcksel* (wegen *hacken*)

Bisherige Regelung Identisch

Spezielle Laut-Buchstaben-Zuordnungen in Fremdwörtern

§ 32

> Über die bisher dargestellten Laut-Buchstaben-Zuordnungen hinaus treten in Fremdwörtern auch fremdsprachige Zuordnungen auf.

In den folgenden Listen sind nur die wichtigeren angefiihrt.

(1) Fremdsprachige Laut-Buchstaben-Zuordnungen

Laute	Buchstaben	Beispiele
(1.1) Einfache Konsonanten		
[f]	*ph*	*Atmosphäre, Metapher, Philosophie, Physik*
[k]	*c*	*Clown, Container, Crew*
	ch	*Chaos, Charakter, Chlor, christlich*
	qu	*Mannequin, Queue*

Laute	Buchstaben	Beispiele
(1.1) Einfache Konsonanten		
[r]	*rh*	*Rhapsodie, Rhesusfaktor*
	rt	*Dessert, Kuvert, Ressort*
[s]	*c, ce*	*Annonce, Chance, City, Renaissance, Service*
[ʃ]	*ch*	*Champignon, Chance, charmant, Chef*
	sh	*Geisha, Sheriff, Shop, Shorts*
[ʒ]	*g*	*Genie, Ingenieur, Loge, Passagier, Regime;* auch im Suffix *-age: Blamage, Garage*
	j	*Jalousie, Jargon, jonglieren, Journalist*
[t]	*th*	*Ethos, Mathematik, Theater, These*
[v]	*v*	*Virus, zivil* (vgl. § 30)
(1.2) Konsonantenverbindungen		
[dʒ]	*g*	*Gentleman, Gin, Manager, Teenager*
	j	*Jazz, Jeans, Jeep, Job, Pyjama*
[lj] / [j]	*ll*	*Billard, Bouillon, brillant, Guerilla, Medaille, Pavillon, Taille*
[nj]	*gn*	*Champagner, Kampagne, Lasagne*
[ts]	*c*	*Aceton, Celsius, Cellophan*
	t (vor [i] + Vokal)	sehr häufig im Suffix *-tion;* außerdem häufig in Fällen wie *-tie, -tiell, -tiös: Funktion, Nation, Produktion; Aktie, partiell, infektiös*
[tʃ]	*c*	*Cello, Cembalo*
	ch	*Chip, Coach, Ranch*
	ge, dge	*College, Bridge*

(2) Doppelschreibungen

Im Prozess der Integration entlehnter Wörter können fremdsprachige und integrierte Schreibung nebeneinander stehen. (Zu Haupt- und Nebenformen siehe das Wörterverzeichnis.)

Laute	Buchstaben	Beispiele
[f]	*ph – f*	*-photo- – -foto-*, zum Beispiel *Photographie – Fotografie* *-graph- – -graf-*, zum Beispiel *Graphik – Grafik* *-phon- – -fon-*, zum Beispiel *Mikrophon – Mikrofon*
		Delphin – Delfin, phantastisch – fantastisch
[g]	*gh – g*	*Ghetto – Getto, Yoghurt – Joghurt – Jogurt, Spaghetti – Spagetti*
[j]	*y – j*	*Yoga – Joga, Yoghurt – Joghurt – Jogurt, Mayonnaise – Majonäse*
[k]	*c – k*	*Calcit – Kalzit, Caritas – Karitas, Code – Kode, codieren – kodieren, circa – zirka*
	qu – k	*Bouquet – Buket(t), Kommuniqué – Kommunikee*
[r]	*rh – r*	*Katarrh – Katarr, Myrrhe – Myrre*
[s]	*c – ss, ß*	*Facette – Fassette, Necessaire – Nessessär, Sauce – Soße*
[ʃ]	*ch – sch*	*Anchovis – Anschovis, Chicoree – Schikoree, Sketch – Sketsch*
[t]	*th – t*	*Panther – Panter, Thunfisch – Tunfisch*
[ts]	*c – z*	*Acetat – Azetat, Calcit – Kalzit, Penicillin – Penizillin, circa – zirka*
	t – z (vor [i] + Vokal)	*pretiös – preziös, Pretiosen – Preziosen; potentiell – potenziell* (wegen *Potenz*), *substantiell – substanziell* (wegen *Substanz*)

Bisherige Regelung Teilweise unterschiedlich

Die in Ziffer (1) aufgeführten Schreibweisen entsprechen der bisherigen Regelung der Fremdwortschreibung.

Die in Ziffer (2) aufgelisteten Doppelschreibungen gleichen häufig gebrauchte Fremdwörter an die deutsche Schreibnorm an und lassen daneben die bisherige Schreibweise zu. Als Hauptvariante wird die jeweils zuerst genannte Schreibweise empfohlen:

bisher	neu
Chicorée	*Chicorée/Schikoree*
Delphin	*Delphin/Delfin*
Ghetto	*Getto/Ghetto*
Panther	*Panther/Panter*
Penicillin	*Penizillin/Penicillin*
potentiell	*potenziell/potentiell*
Yoghurt/Joghurt	*Joghurt/Jogurt*

GETRENNT- UND ZUSAMMENSCHREIBUNG

Vorbemerkungen

(1) Die Getrennt- und Zusammenschreibung betrifft die Schreibung von Wörtern, die im Text unmittelbar benachbart und aufeinander bezogen sind. Handelt es sich um die Bestandteile von Wortgruppen, so schreibt man sie voneinander getrennt. Handelt es sich um die Bestandteile von Zusammensetzungen, so schreibt man sie zusammen. Manchmal können dieselben Bestandteile sowohl eine Wortgruppe als auch eine Zusammensetzung bilden. Die Verwendung als Wortgruppe oder als Zusammensetzung kann dabei von der Aussageabsicht des Schreibenden abhängen.

(2) Bei der Regelung der Getrennt- und Zusammenschreibung wird davon ausgegangen, dass die getrennte Schreibung der Wörter der Normalfall und daher allein die Zusammenschreibung regelungsbedürftig ist.

(3) Soweit dies möglich ist, werden zu den Regeln formale Kriterien aufgeführt, mit deren Hilfe sich entscheiden lässt, ob man im betreffenden Fall getrennt oder ob man zusammenschreibt. So wird zum Beispiel stets zusammengeschrieben, wenn der erste oder der zweite Bestandteil in dieser Form als selbständiges Wort nicht vorkommt (wie bei *wissbegierig, zuinnerst*). So wird zum Beispiel stets getrennt geschrieben, wenn der erste oder der zweite Bestandteil erweitert ist (wie bei *viele Kilometer weit,* aber *kilometerweit; irgend so ein,* aber *irgendein*).

(4) Bei den verschiedenen Wortarten sind – auch in Abhängigkeit von sprachlichen Entwicklungsprozessen – spezielle Bedingungen zu beachten. Daher ist die folgende Darstellung nach der Wortart der Zusammensetzung gegliedert:

1 Verb (§§ 33–35)
2 Adjektiv und Partizip (§ 36)
3 Substantiv (§§ 37–38)
4 Andere Wortarten (§ 39)

Verb

Zusätzlich zu der generellen Einteilung in Wortgruppen (wie *in die Ferne sehen*) und Zusammensetzungen (wie *fernsehen*) sind bei Verben zu unterscheiden:

a) untrennbare Zusammensetzungen wie *maßregeln, langweilen*

Untrennbare Zusammensetzungen erkennt man daran, dass die Reihenfolge der Bestandteile stets unverändert bleibt.

maß + regeln: Wer jemanden *maßregelt* . . . Man *maßregelte* ihn. Niemand wagte, ihn zu *maßregeln.* Er wurde offiziell *gemaßregelt.*

Siehe im Einzelnen § 33.

b) trennbare Zusammensetzungen wie *hinzukommen, fehlgehen, bereithalten, wundernehmen*

Trennbare Zusammensetzungen erkennt man daran, dass die Reihenfolge der Bestandteile in Abhängigkeit von ihrer Stellung im Satz wechselt.

hinzu + kommen: Wenn dieses Argument *hinzukommt* . . . Dieses Argument scheint *hinzuzukommen.* Dieses Argument ist *hinzugekommen.*

Dieses Argument *kommt hinzu.* Dieses Argument *kommt* erschwerend *hinzu.*

Siehe im Einzelnen § 34.

Bisherige Regelung Da die Getrennt- und Zusammenschreibung der Wörter in der Geschichte der Rechtschreibung nie offiziell geregelt worden war, bildeten sich seither zahlreiche Zweifelsfälle heraus: *Dank sagen/danksagen, sitzen bleiben/sitzenbleiben, gut gehen/gutgehen* usw. Die zumeist gebrauchte Erklärung zur Unterscheidung beider Schreibweisen war: wörtlicher bzw. übertragener Gebrauch. Freilich traten dabei immer wieder Unsicherheiten auf, wie im konkreten Fall geschrieben werden sollte.

Für die neue Regelung gelten drei Prinzipien:

- Getrenntschreibung gilt als Normalfall, Zusammenschreibung als Ausnahme, die geregelt worden ist;
- Zusammenschreibung ist an formalgrammatische Kriterien gebunden (fehlende Steigerungsmöglichkeit, fehlende Erweiterbarkeit oder der Fall, dass der erste Wortteil nicht mehr selbständig vorkommt);
- Fehlen formalgrammatische Kriterien, so ist die Zusammenschreibung über das Wörterverzeichnis erschließbar.

§ 33

> Substantive, Adjektive oder Partikeln können mit Verben untrennbare Zusammensetzungen bilden. Man schreibt sie stets zusammen.

Dies betrifft

(1) Zusammensetzungen aus Substantiv + Verb, zum Beispiel:

brandmarken (gebrandmarkt, zu brandmarken), handhaben, lobpreisen, maßregeln, nachtwandeln, schlafwandeln, schlussfolgern, wehklagen, wetteifern

E_1: In einzelnen Fällen stehen Zusammensetzung und Wortgruppe nebeneinander, zum Beispiel:

danksagen (er danksagt) oder *Dank sagen (er sagt Dank); gewährleisten (sie gewährleistet)* oder *Gewähr leisten (sie leistet Gewähr)*

E_2: Eine Reihe untrennbarer Zusammensetzungen wird fast nur im Infinitiv oder substantivisch, in Einzelfällen auch im Partizip I und im Partizip II gebraucht, zum Beispiel:

bauchreden, bergsteigen, bruchlanden, bruchrechnen, brustschwimmen, kopfrechnen, notlanden, punktschweißen, sandstrahlen, schutzimpfen, segelfliegen, seiltanzen, seitenschwimmen, sonnenbaden, wettlaufen, wettrennen, zwangsräumen

(2) Zusammensetzungen aus Adjektiv + Verb, zum Beispiel:

frohlocken (frohlockt, zu frohlocken), langweilen, liebäugeln, liebkosen, vollbringen, vollenden, weissagen

(3) Zusammensetzungen mit den Partikeln *durch-, hinter-, über-, um-, unter-, wider-, wieder-* + Verb (mit Ton auf dem zweiten Bestandteil), zum Beispiel:

durchbrechen (er durchbricht die Regel, zu durchbrechen), hintergehen, übersetzen (er übersetzt das Buch), umfahren, unterstellen, widersprechen, wiederholen

Bisherige Regelung Identisch

§ 34

> Partikeln, Adjektive oder Substantive können mit Verben trennbare Zusammensetzungen bilden. Man schreibt sie nur im Infinitiv, im Partizip I und im Partizip II sowie im Nebensatz bei Endstellung des Verbs zusammen.

Zur Verbindung mit dem Verb *sein* siehe § 35.

Dies betrifft

(1) Zusammensetzungen aus Partikel + Verb mit den folgenden ersten Bestandteilen:

ab- (Beispiele: *abändern, abbauen, abbeißen, abbestellen, abbiegen), an-, auf-, aus-, bei-, beisammen-, da-, dabei-, dafür-, dagegen-, daher-, dahin-, daneben-, dar-, d(a)ran-, d(a)rein-, da(r)nieder-, darum-, davon-, dawider-, dazu-, dazwischen-, drauf-, drauflos-, drin-, durch-, ein-, einher-, empor-, entgegen-, entlang-, entzwei-, fort-, gegen-, gegenüber-, her-, herab-, heran-, herauf-, heraus-, herbei-, herein-, hernieder-, herüber-, herum-, herunter-, hervor-, herzu-, hin-, hinab-, hinan-, hinauf-, hinaus-, hindurch-, hinein-, hintan-, hintenüber-, hinterher-, hinüber-, hinunter-, hinweg-, hinzu-, inne-, los-, mit-, nach-, nieder-, über-, überein-, um-, umher-, umhin-, unter-, vor-, voran-, vorauf-, voraus-, vorbei-, vorher-, vorüber-, vorweg-, weg-, weiter-, wider-, wieder-, zu-, zurecht-, zurück-, zusammen-, zuvor-, zuwider-, zwischen-*. Auch: *auf- und abspringen, ein- und ausführen, hin- und hergehen* usw.

E_1: Aber als Wortgruppe: *dabei* (bei der genannten Tätigkeit) *sitzen, daher* (aus dem genannten Grund) *kommen, wieder* (erneut, nochmals) *gewinnen, zusammen* (gemeinsam) *spielen* usw.

E_2: Zu den trennbaren Zusammensetzungen gehören auch Zusammensetzungen mit *haben* und *werden* wie: *innehaben, vorhaben, voraushaben; innewerden.* Zu Verbindungen mit dem Verb *sein* siehe § 35.

(2) Zusammensetzungen aus Adverb oder Adjektiv + Verb, bei denen

(2.1) der erste, einfache Bestandteil in dieser Form als selbständiges Wort nicht vorkommt, zum Beispiel:

fehlgehen, fehlschlagen, feilbieten, kundgeben, kundtun, weismachen

(2.2) der erste Bestandteil in dieser Verbindung weder erweiterbar noch steigerbar ist, wobei die Negation *nicht* nicht als Erweiterung gilt, zum Beispiel:

bereithalten, bloßstellen, fernsehen, festsetzen (=bestimmen), freisprechen (= für nicht schuldig erklären), gutschreiben (=anrechnen), hochrechnen, schwarzarbeiten, totschlagen, wahrsagen (= prophezeien)

Zu Zweifelsfällen siehe § 34 E_3.

(3) Zusammensetzungen aus (teilweise auch verblasstem) Substantiv + Verb mit den folgenden ersten Bestandteilen:

heim-	zum Beispiel: *heimbringen, heimfahren, heimführen, heimgehen, heimkehren, heimleuchten, heimreisen, heimsuchen, heimzahlen*
irre-	*irreführen, irreleiten;* außerdem: *irrewerden*
preis-	*preisgeben*
stand-	*standhalten*
statt-	*stattfinden, stattgeben, statthaben*
teil-	*teilhaben, teilnehmen*
wett-	*wettmachen*
wunder-	*wundernehmen*

E_3: In den Fällen, die nicht durch § 34 (1) bis (3) geregelt sind, schreibt man getrennt. Siehe auch § 34 E_4.

Dies betrifft

(1) Partikel, Adverb, Adjektiv oder Substantiv + Verb in finiter Form am Satzanfang, zum Beispiel:

Hinzu kommt, dass . . .
Fehl ging er in der Annahme, dass . . .
Bereit hält er sich für den Fall, dass . . .
Wunder nimmt nur, dass . . .

(2) (zusammengesetztes) Adverb + Verb, zum Beispiel:

abhanden kommen, anheim fallen (geben, stellen), beiseite legen (stellen, schieben), fürlieb nehmen, überhand nehmen, vonstatten gehen, vorlieb nehmen, zugute halten (kommen, tun), zunichte machen, zupass kommen, zustatten kommen, zuteil werden

Zu Fällen wie *zu Hilfe (kommen)* siehe § 39 E_2 (2.1); zu Fällen wie *infrage (stellen) / in Frage (stellen)* siehe § 39 E_3 (1).

aneinander denken (grenzen, legen), aufeinander achten (hören, stapeln), auseinander gehen (laufen, setzen), beieinander bleiben (sein, stehen), durcheinander bringen (reden, sein)

auswendig lernen, barfuß laufen, daheim bleiben; auch: *allein stehen, (sich) quer stellen*

abseits stehen, diesseits/jenseits liegen; abwärts gehen, aufwärts streben, rückwärts fallen, seitwärts treten, vorwärts blicken

(3) Adjektiv + Verb, wenn das Adjektiv in dieser Verbindung erweiterbar oder steigerbar ist, wenigstens durch *sehr* oder *ganz*, zum Beispiel:

bekannt machen (etwas noch bekannter machen, etwas ganz bekannt machen), fern liegen (ferner liegen, sehr fern liegen, zu fern liegen), fest halten, frei sprechen (= ohne Manuskript sprechen), genau nehmen, gut gehen, gut schreiben (= lesbar, verständlich schreiben), hell strahlen, kurz treten, langsam arbeiten, laut reden, leicht fallen, locker sitzen, nahe bringen, sauber schreiben, schlecht gehen, schnell laufen, schwer nehmen, zufrieden geben (lassen, stellen)

Fälle, in denen der erste Bestandteil eine Ableitung auf *-ig, -isch, -lich* ist, zum Beispiel:

lästig fallen, übrig bleiben; kritisch denken, spöttisch reden; freundlich grüßen, gründlich säubern

(4) Partizip + Verb, zum Beispiel:

gefangen nehmen (halten), geschenkt bekommen, getrennt schreiben, verloren gehen

(5) Substantiv + Verb, zum Beispiel:

Angst haben, Auto fahren, Diät halten, Eis laufen, Feuer fangen, Fuß fassen, Kopf stehen, Leid tun, Maß halten, Not leiden, Not tun, Pleite gehen, Posten stehen, Rad fahren, Rat suchen, Schlange stehen, Schuld tragen, Ski laufen, Walzer tanzen

(6) Verb (Infinitiv) + Verb, zum Beispiel:

kennen lernen, liegen lassen, sitzen bleiben, spazieren gehen

E_4: Lässt sich in einzelnen Fällen der Gruppe aus Adjektiv + Verb zwischen § 34 (2.2) und § 34 E_3 (3) keine klare Entscheidung für Getrennt- oder Zusammenschreibung treffen, so bleibt es dem Schreibenden überlassen, ob er sie als Wortgruppe oder als Zusammensetzung verstanden wissen will.

Zu den Wortgruppen mit einem Partizip als letztem Bestandteil wie *abhanden gekommen, sitzen geblieben* siehe § 36 E_1 (1).

Zu den Substantivierungen wie d*as Abhandenkommen, das Autofahren, das Sitzenbleiben* siehe § 37 (2).

Bisherige Regelung Teilweise unterschiedlich

Die Zusammenschreibungen (Ziffern 1, 2) entsprechen der bisherigen Regelung. Neu sind zahlreiche Getrenntschreibungen, um Zweifelsfälle zu beseitigen, z. B. bei Verbindungen mit Adverbien (*überhand nehmen*), Substantiven (*Rad fahren* analog zu *Auto fahren*), steigerbaren Adjektiven (*fern liegen*), Ableitungen auf *-ig, -isch, -lich* (*lästig fallen*) sowie Verbindungen mit Infinitiven (*kennen lernen, sitzen bleiben*). Hier einige ausgewählte Beispiele:

bisher	neu
abhandenkommen	*abhanden kommen*
anheimfallen	*anheim fallen*
bestehenbleiben	*bestehen bleiben*

bisher	neu
eislaufen	*Eis laufen*
festhalten	*fest halten*
kegelschieben	*Kegel schieben*
kennenlernen	*kennen lernen*
kopfstehen	*Kopf stehen*
liegenlassen	*liegen lassen*
maßhalten	*Maß halten*
nottun	*Not tun*
radfahren	*Rad fahren*
sitzenbleiben (in der Schule)	*sitzen bleiben*
sitzen bleiben (auf der Bank)	*sitzen bleiben*
spazierengehen	*spazieren gehen*
überhandnehmen	*überhand nehmen*
übrigbleiben	*übrig bleiben*

Wichtig ist darüber hinaus die Toleranzregel: Ist sich der/die Schreibende nicht klar, ob es sich um eine Wortgruppe – also Getrenntschreibung – oder eine Zusammensetzung – also Zusammenschreibung – handelt, so bleibt die Schreibweise ihm/ihr überlassen (*schlecht gehen – schlechtgehen*).

Dieser toleranten Regelauffassung entspricht auch die Möglichkeit, bei Präpositionalgefügen – die als Präposition, Adverb oder Verbzusatz verstanden werden können – zwischen zwei Schreibweisen auszuwählen. Es werden also zugelassen: *in Frage/infrage stellen, auf Grund/aufgrund von, zu Gunsten/zugunsten von, zu Lasten/zulasten von, außer Stande/außerstande sein, an Stelle/anstelle von* (vgl. § 39 E_3).

§ 35

> Verbindungen mit *sein* gelten nicht als Zusammensetzung. Dementsprechend schreibt man stets getrennt.

Beispiele:

außerstande sein (auch: *außer Stande sein;* § 39 E_3 (1)), *beisammen sein (wenn sie beisammen sind), da sein, fertig sein, inne sein, los sein, pleite sein* (siehe auch § 56 (1)), *vonnöten sein, vorbei sein, vorhanden sein, vorüber sein, zufrieden sein, zuhanden sein, zumute sein* (auch: *zu Mute sein;* § 39 E_3 (1)), *zurück sein, zusammen sein*

Bisherige Regelung Weitgehend identisch
Neu sind die alternativen und in beiden Fällen zugelassenen Schreibweisen: *außerstande/außer Stande sein* sowie *zumute/zu Mute sein* [vgl. § 39 E_3 (1)].

Adjektiv und Partizip

Für Partizipien gelten dieselben Regeln wie für Adjektive; zu diesen werden hier auch die Kardinal- und die Ordinalzahlen gerechnet.

Bei den Adjektiven/Partizipien sind zu unterscheiden

(1) Zusammensetzungen wie: *angsterfüllt, altersschwach, schwerstbehindert, wehklagend, blaugrau, bitterböse, dreizehn, siebzehnte*

(2) Wortgruppen wie: *abhanden gekommen, Rat suchend, sitzen geblieben, riesig groß, blendend weiß, mehrere Jahre lang; zwei Milliarden*

Siehe im Einzelnen § 36.
Zu Fällen wie *nicht öffentlich / nichtöffentlich* siehe § 36 E_2.

§ 36

> Substantive, Adjektive, Verbstämme, Adverbien oder Pronomen können mit Adjektiven oder Partizipien Zusammensetzungen bilden. Man schreibt sie zusammen.

Dies betrifft

(1) Zusammensetzungen, bei denen der erste Bestandteil für eine Wortgruppe steht, zum Beispiel:

angsterfüllt (= von Angst erfüllt), bahnbrechend (= sich eine Bahn brechend), butterweich (= weich wie Butter), fingerbreit (= einen Finger breit), freudestrahlend (= vor Freude strahlend), herzerquickend (= das Herz erquickend), hitzebeständig (= gegen Hitze beständig), jahrelang (= mehrere Jahre lang), knielang (= lang bis zum Knie), meterhoch (= einen oder mehrere Meter hoch), milieubedingt (= durch das Milieu bedingt)

denkfaul, fernsehmüde, lernbegierig, röstfrisch, schreibgewandt, tropfnass; selbstbewusst, selbstsicher

Mit Fugenelement, zum Beispiel: *altersschwach, anlehnungsbedürftig, geschlechtsreif, lebensfremd, sonnenarm, werbewirksam*

(2) Zusammensetzungen, bei denen der erste oder der zweite Bestandteil in dieser Form nicht selbständig vorkommt, zum Beispiel:

einfach, zweifach; letztmalig, redselig, saumselig, schwerstbehindert, schwindsüchtig; blauäugig, großspurig, kleinmütig, vieldeutig

(3) Zusammensetzungen, bei denen das dem Partizip zugrunde liegende Verb entsprechend § 33 bzw. § 34 mit dem ersten Bestandteil zusammengeschrieben wird, zum Beispiel:

wehklagend (wegen *wehklagen); herunterfallend, heruntergefallen; brachliegend, brachgelegen; irreführend, irregeführt; teilnehmend, teilgenommen*

(4) Zusammensetzungen aus gleichrangigen (nebengeordneten) Adjektiven, zum Beispiel:

blaugrau, dummdreist, feuchtwarm, grünblau, nasskalt, taubstumm

Zur Schreibung mit Bindestrich siehe § 45 (2).

(5) Zusammensetzungen mit bedeutungsverstärkenden oder bedeutungsmindernden ersten Bestandteilen, die zum Teil lange Reihen bilden, zum Beispiel:

bitter- (bitterböse, bitterernst, bitterkalt), brand-, dunkel-, erz-, extra-, gemein-, grund-, hyper-, lau-, minder-, stock-, super-, tod-, ultra-, ur-, voll-

(6) mehrteilige Kardinalzahlen unter einer Million sowie alle mehrteiligen Ordinalzahlen, zum Beispiel:

dreizehn, siebenhundert, neunzehnhundertneunundachtzig; der siebzehnte Oktober, der einhundertste Geburtstag, der fünfhunderttausendste Fall, der zweimillionste Besucher

Beachte aber Substantive wie *Dutzend, Million, Milliarde, Billion,* zum Beispiel: *zwei Dutzend Hühner, eine Million Teilnehmer, zwei Milliarden fünfhunderttausend Menschen*

E_1: In den Fällen, die nicht durch § 36 (1) bis (6) geregelt sind, schreibt man getrennt. Siehe auch § 36 E_2.

Dies betrifft

(1) Fälle, bei denen das dem Partizip zugrunde liegende Verb vom ersten Bestandteil getrennt geschrieben wird, und zwar

(1.1) entsprechend § 35, zum Beispiel:

*beisammen gewesen (*wegen *beisammen sein), zurück gewesen*

(1.2) entsprechend § 34 E_3 (2) bis (6), zum Beispiel:

abhanden gekommen (abhanden kommen), auseinander laufend, auswendig gelernt, vorwärts blickend
hell strahlend (hell strahlen), laut redend
gefangen genommen (gefangen nehmen), verloren gegangen
Rat suchend (Rat suchen), Not leidend, Rad fahrend
kennen gelernt (kennen lernen), sitzen geblieben

(2) Fälle, bei denen der erste Bestandteil eine Ableitung auf *-ig, -isch, -lich* ist, zum Beispiel:

riesig groß, mikroskopisch klein, schrecklich nervös

Zur Schreibung mit Bindestrich in Fällen wie *wissenschaftlich-technisch* siehe § 45 (2).

(3) Fälle, bei denen der erste Bestandteil ein (adjektivisches) Partizip ist, zum Beispiel:

abschreckend hässlich, blendend weiß, gestochen scharf, kochend heiß, leuchtend rot, strahlend hell

(4) Fälle, bei denen der erste Bestandteil erweitert oder gesteigert ist bzw. erweitert oder gesteigert werden kann, zum Beispiel:

vor Freude strahlend, gegen Hitze beständig, zwei Finger breit, drei Meter hoch, mehrere Jahre lang, seiner selbst bewusst; sehr ernst gemeint, leichter verdaulich

dicht behaart, dünn bewachsen, schwach bevölkert

E_2: Lässt sich in einzelnen Fällen der Gruppen aus Adjektiv, Adverb oder Pronomen + Adjektiv/Partizip zwischen § 36 und § 36 E_1 keine klare Entscheidung für Getrennt- oder Zusammenschreibung treffen, so bleibt es dem Schreibenden überlassen, ob er sie als Wortgruppe oder als Zusammensetzung verstanden wissen will, zum Beispiel *nicht öffentlich* (Wortgruppe) / *nichtöffentlich* (Zusammensetzung).

Bisherige Regelung Teilweise unterschiedlich

Die in den Ziffern 1-6 genannten Zusammenschreibungen entsprechen der bisherigen Rechtschreibnorm. Neu sind Getrenntschreibungen wie *abhanden gekommen, dicht behaart, gefangen nehmen, hell strahlend, leuchtend rot, schwach bevölkert, verloren gehen* usw.

Auch hier gilt die Toleranzregel, dass die Schreibweise dem/der Schreibenden überlassen bleibt, wenn er/sie sich nicht sicher ist, ob es sich um eine (getrennt geschriebene) Wortgruppe oder eine (in einem Wort geschriebene) Zusammensetzung handelt: *nicht öffentlich/nichtöffentlich.*

Substantiv

Bei den Substantiven sind zu unterscheiden

(1) Zusammensetzungen, bei denen der letzte Bestandteil ein Substantiv ist, zum Beispiel: *Feuerstein, Fünfkampf, Achtelliter*

(2) substantivisch gebrauchte Zusammensetzungen, bei denen der letzte Bestandteil kein Substantiv ist, zum Beispiel: *das Autofahren, das Stelldichein*

(3) Zusammensetzungen mit einem Eigennamen oder einer Einwohnerbezeichnung als erstem Bestandteil, zum Beispiel: *Goethegedicht, Danaergeschenk*

(4) Zusammensetzungen, die als Ganzes einen Eigennamen bilden, zum Beispiel: *Bahnhofstraße*

§ 37

> Substantive, Adjektive, Verbstämme, Pronomen oder Partikeln können mit Substantiven Zusammensetzungen bilden. Man schreibt sie ebenso wie mehrteilige Substantivierungen zusammen.

Dies betrifft

(1) Zusammensetzungen, bei denen der letzte Bestandteil ein Substantiv ist, zum Beispiel:

Feuerstein, Lebenswerk, Kirschbaum, Kohlenwasserstoff, Wochenlohn, Dienstagabend

Airbag, Bandleader, Football, Ghostwriter, Mountainbike, Nightclub, Streetwork, Weekend, Worldcup

*Zweierbob, Fünfkampf, Selbstsucht, Leerlauf, Faultier, Außenpolitik, Rastplatz, Nichtraucher, Ichsucht, Achtzigerjahre (*auch *achtziger Jahre), Vierachteltakt, Dreiviertelliterflasche*

Background, Bestseller, Bluejeans, Bypassoperation, Clearingstelle, Hardware, Secondhandshop, Selfmademan, Swimmingpool, Upperclass; Bigband, Blackbox, Softdrink

E_1: Bei Verbindungen aus Adjektiv und Substantiv wie in *Bigband, Blackbox, Softdrink* ist in Anlehnung an die Herkunftssprache auch Getrenntschreibung möglich: *Big Band, Black Box, Soft Drink.* Zur Groß- und Kleinschreibung siehe § 55 (3); zur Schreibung mit Bindestrich siehe § 45 (2).

ein Viertelkilogramm, drei Achtelliter, fünf Hundertstelsekunden

E_2: In Verbindung mit einer unmittelbar folgenden Maßbezeichnung kann die Bruchzahl auch als Zahladjektiv aufgefasst werden, zum Beispiel:

ein viertel Kilogramm, drei achtel Liter, fünf hundertstel Sekunden

(2) Substantivisch gebrauchte Zusammensetzungen, bei denen der letzte Bestandteil kein Substantiv ist, zum Beispiel:

das Autofahren (aber *Auto fahren*), *das Ratholen, das Abhandenkommen, das Unrechttun, das Aufrechtgehen, das Bekanntmachen, das Sitzenbleiben, das Liegenlassen, das Infragestellen; das Suppengrün; das Stelldichein, das Vergissmeinnicht*

(3) Zusammensetzungen mit einem Eigennamen oder einer Einwohnerbezeichnung als erstem Bestandteil, zum Beispiel:

Goethegedicht, Europabrücke, Jakobsplan, Brennerpass, Glocknergruppe; Schweizergarde, Römerbrief, Danaergeschenk

(4) Zusammensetzungen, die als Ganzes einen Eigennamen bilden, insbesondere Straßennamen, zum Beispiel:

Bahnhofstraße, Drosselgasse, Neugraben

Bisherige Regelung Weitgehend identisch
Neu ist die Möglichkeit der Zusammen- oder Getrenntschreibung: *ein Viertelkilogramm/ein viertel Kilogramm, fünf Hundertstelsekunden/fünf hundertstel Sekunden* sowie bei Fremdwörtern: *Blackbox/Black Box* usw.

§ 38

Ableitungen auf *-er* von geographischen Eigennamen, die sich auf die geographische Lage beziehen, schreibt man von dem folgenden Substantiv getrennt.

Beispiele:

Allgäuer Alpen, Brandenburger Tor, Naumburger Dom, Potsdamer Abkommen, Thüringer Wald, Wiener Straße

Bisherige Regelung Identisch

Andere Wortarten

Manche mehrteilige Adverbien, Konjunktionen, Präpositionen und Pronomen sind aus Elementen verschiedener Wortarten entstanden. Zum Teil sind sie als Wortgruppe erhalten geblieben, zum Teil haben sie sich zu einer Zusammensetzung entwickelt.

In Zweifelsfällen siehe das Wörterverzeichnis.

§ 39

> Mehrteilige Adverbien, Konjunktionen, Präpositionen und Pronomen schreibt man zusammen, wenn die Wortart, die Wortform oder die Bedeutung der einzelnen Bestandteile nicht mehr deutlich erkennbar sind.

Dies betrifft

(1) Adverbien, zum Beispiel:

bergab, bergauf; kopfüber; landaus, landein; stromabwärts, stromaufwärts; tagsüber; zweifelsohne

-dessen	*indessen, infolgedessen, unterdessen*
-dings	*allerdings, neuerdings, schlechterdings*
-falls	*allenfalls, ander(e)nfalls, keinesfalls, schlimmstenfalls*
-halber	*ehrenhalber, umständehalber*
-mal	*diesmal, einmal, zweimal, keinmal, manchmal*
-mals	*erstmals, letztmals, vielmals*
-maßen	*dermaßen, einigermaßen, gleichermaßen, solchermaßen, zugegebenermaßen*
-orten	*allerorten, mancherorten*
-orts	*allerorts, ander(e)norts, mancherorts*
-seits	*allseits, allerseits, and(e)rerseits, einerseits, meinerseits*
-so	*ebenso, genauso, geradeso, sowieso, umso, wieso*
-teils	*einesteils, großenteils, meistenteils*
-wärts	*himmelwärts, meerwärts, seitwärts*
-wegen	*deinetwegen, deswegen, meinetwegen*
-wegs	*geradewegs, keineswegs, unterwegs*
-weil	*alldieweil, alleweil, derweil*
-weilen	*bisweilen, derweilen, zuweilen*
-weise	*probeweise, klugerweise, schlauerweise*
-zeit	*all(e)zeit, derzeit, jederzeit, seinerzeit, zurzeit*
-zeiten	*beizeiten, vorzeiten, zuzeiten*
-zu	*allzu, geradezu, hierzu, immerzu*
bei-	*beileibe, beinahe, beisammen, beizeiten*
der-	*derart, dereinst, dergestalt, dermaßen, derweil(en), derzeit*
irgend-	*irgendeinmal, irgendwann, irgendwie, irgendwo, irgendwohin*
nichts-	*nichtsdestominder, nichtsdestoweniger*
zu-	*zuallererst, zuallerletzt, zuallermeist, zuerst, zuhauf, zuhinterst, zuhöchst, zuletzt, zumal, zumeist, zumindest, zunächst, zuoberst, zutiefst, zuunterst, zuweilen, zuzeiten*

E_1: Zu Fällen wie *abhanden kommen, anheim fallen* siehe § 34 E_3 (2); zu Fällen wie *außerstand setzen / außer Stand setzen, imstande sein / im Stande sein* siehe unten E_3 (1).

(2) Konjunktionen, zum Beispiel:

anstatt (dass/zu), indem, inwiefern, sobald, sofern, solange, sooft, soviel, soweit

(3) Präpositionen, zum Beispiel:

anhand, anstatt (des/der), infolge, inmitten, zufolge, zuliebe

(4) Pronomen, zum Beispiel:

irgend-: irgendein, irgendetwas, irgendjemand, irgendwas, irgendwelcher, irgendwer

E_2: In anderen Fällen schreibt man getrennt. Siehe auch § 39 E_3 (1).

Dies betrifft

(1) Fälle, bei denen ein Bestandteil erweitert ist, zum Beispiel:

dies eine Mal (aber *diesmal*), *den Strom abwärts* (aber *stromabwärts*)

der Ehre halber (aber *ehrenhalber*), *in keinem Fall, das erste Mal, ein einziges Mal, in bekannter Weise, zu jeder Zeit, eine Zeit lang*

irgend so ein/eine/einer (aber *irgendein*), *irgend so etwas*

(2) Fälle, bei denen die Wortart, die Wortform oder die Bedeutung der einzelnen Bestandteile deutlich erkennbar sind, und zwar

(2.1) Fügungen in adverbialer Verwendung, zum Beispiel:

zu Ende (gehen, kommen), zu Fuß (gehen), zu Hause (bleiben, sein) (österreichisch und schweizerisch auch: *zuhause bleiben, sein*), *zu Hilfe (kommen), zu Lande, zu Wasser und zu Lande, zu Schaden (kommen)*

darüber hinaus, nach wie vor, vor allem

(2.2) mehrteilige Konjunktionen, zum Beispiel:

ohne dass, statt dass, außer dass

(2.3) Fügungen in präpositionaler Verwendung, zum Beispiel:

zur Zeit (Goethes), zu Zeiten (Goethes)

(2.4) *so, wie* oder *zu* + Adjektiv, Adverb oder Pronomen, zum Beispiel:

so (wie, zu) hohe Häuser; er hat das schon so (wie, zu) oft gesagt; so (wie, zu) viel Geld; so (wie, zu) viele Leute; so (wie, zu) weit

(2.5) *gar kein, gar nicht, gar nichts, gar sehr, gar wohl*

E_3: In den folgenden Fällen bleibt es dem Schreibenden überlassen, ob er sie als Zusammensetzung oder als Wortgruppe verstanden wissen will:

(1) Fügungen in adverbialer Verwendung, zum Beispiel:

außerstand setzen / außer Stand setzen; außerstande sein / außer Stande sein; imstande sein / im Stande sein; infrage stellen / in Frage stellen; instand setzen / in Stand setzen; zugrunde gehen / zu Grunde gehen; zuleide tun / zu Leide tun; zumute sein / zu Mute sein; zurande kommen / zu Rande kommen; zuschanden machen, werden / zu Schanden machen, werden; zuschulden kommen lassen / zu Schulden kommen lassen; zustande bringen / zu Stande bringen; zutage fördern, treten / zu Tage fördern, treten; zuwege bringen / zu Wege bringen

(2) die Konjunktion

sodass / so dass

(3) Fügungen in präpositionaler Verwendung, zum Beispiel:

anstelle / an Stelle; aufgrund / auf Grund; aufseiten / auf Seiten; mithilfe / mit Hilfe; vonseiten / von Seiten; zugunsten / zu Gunsten; zulasten / zu Lasten; zuungunsten / zu Ungunsten

Bisherige Regelung Teilweise identisch

Neu sind die folgenden Schreibweisen, beispielhaft aufgeführt:

bisher	neu
anstelle	*an Stelle/anstelle*
auf Grund	*auf Grund/aufgrund*
aufseiten	*auf Seiten/aufseiten*
außerstande sein	*außer Stande/außerstande sein*
imstande sein	*im Stande/imstande sein*
irgend etwas	*irgendetwas*
mithilfe	*mit Hilfe/mithilfe*
so daß	*sodass/so dass*
zugrunde gehen	*zu Grunde/zugrunde gehen*
zugunsten	*zu Gunsten/zugunsten*
zumute sein	*zu Mute/zumute sein*
zuschulden kommen lassen	*zu Schulden/zuschulden kommen lassen*
zustande bringen	*zu Stande/zustande bringen*

SCHREIBUNG MIT BINDESTRICH

Vorbemerkungen

(1) Der Bindestrich bietet dem Schreibenden die Möglichkeit, anstelle der sonst bei Zusammensetzungen und Ableitungen üblichen Zusammenschreibung die einzelnen Bestandteile als solche zu kennzeichnen, sie gegeneinander abzusetzen und sie dadurch für den Lesenden hervorzuheben.

(2) Die Schreibung mit Bindestrich bei Fremdwörtern (zum Beispiel bei *7-Bit-Code, Stand-by-System*) folgt den für das Deutsche geltenden Regeln.

Die Schreibung mit Bindestrich bei Eigennamen entspricht nicht immer den folgenden Regeln, so dass nur allgemeine Hinweise gegeben werden können. Zusammensetzungen aus Eigennamen und Substantiv zur Benennung von Schulen, Universitäten, Betrieben, Firmen und ähnlichen Institutionen werden so geschrieben, wie sie amtlich festgelegt sind. In Zweifelsfällen sollte man nach §§ 46–52 schreiben.

Steht ein Bindestrich am Zeilenende, so gilt er zugleich als Trennungsstrich.

(3) Zu unterscheiden sind:

- Zusammensetzungen und Ableitungen, die keine Eigennamen als Bestandteile enthalten (§§ 40–45)
- Zusammensetzungen und Ableitungen, die Eigennamen als Bestandteile enthalten (§§ 46–52)
- Gruppen, in denen man den Bindestrich setzen muss (§§ 40–44; § 46 und §§ 48–50), und solche, in denen der Gebrauch des Bindestrichs dem Schreibenden freigestellt ist (§ 45, §§ 51–52).

Zum Ergänzungsstrich (zum Beispiel in *Haupt- und Nebeneingang*) siehe § 98.

Bisherige Regelung Obligatorisch sind Bindestrichschreibungen (*UKW-Sender, BMW-Motorrad* usw.), wenn der Bindestrich zur Verdeutlichung der unterschiedlichen Wortbestandteile dient. Neu ist die Verwendung des Bindestrichs bei Zahlen in Ziffernform (Zahlzeichen; vgl. § 40).
Auf der anderen Seite lässt die Neuregelung weitaus mehr eigene Entscheidungsfreiheit bei der Bindestrichsetzung, um stilistische Akzente zu setzen (vgl. § 45).

Zusammensetzungen und Ableitungen, die keine Eigennamen als Bestandteile enthalten

§ 40

> Man setzt einen Bindestrich in Zusammensetzungen mit Einzelbuchstaben, Abkürzungen oder Ziffern.

Dies betrifft

(1) Zusammensetzungen mit Einzelbuchstaben, zum Beispiel:

A-Dur (ebenso *Cis-Dur), b-Moll, β-Strahlen, i-Punkt, n-Eck, S-Kurve, s-Laut, s-förmig, T-Shirt, T-Träger, x-beliebig, x-beinig, x-mal, y-Achse; Dativ-e, Zungenspitzen-r, Fugen-s*

(2) Zusammensetzungen mit Abkürzungen und Initialwörtern, zum Beispiel:

dpa-Meldung, D-Zug, Kfz-Schlosser, km-Bereich, UNO-Sicherheitsrat, VIP-Lounge; Fußball-WM, Lungen-Tbc; H_2O*-gesättigt, DGB-eigen, Na-haltig, UV-bestrahlt; Abt.-Leiter, Inf.-Büro*

Abt.-Ltr. (= Abteilungsleiter), Dipl.-Ing. (= Diplomingenieur), Tgb.-Nr. (= Tagebuchnummer), Telegr.-Adr. (= Telegrammadresse)

E: Aber ohne Bindestrich bei Kurzformen von Wörtern (Kürzeln), zum Beispiel: *Busfahrt, Akkubehälter*

(3) Zusammensetzungen mit Ziffern, zum Beispiel:

3-Tonner, 2-Pfünder, 8-Zylinder; 5-mal, 4-silbig, 100-prozentig, 1-zeilig, 17-jährig, der 17-Jährige

8:6-Sieg, 2:3-Niederlage, der 5:3-(2:1-)Sieg (auch 5:3(2:1)-Sieg)

2/3-Mehrheit, 3/4-Takt, 2" -Eck

Bisherige Regelung Weitgehend identisch
Neu ist die Bindestrichschreibung bei Ziffern: *3-Tonner, 40-Pfünder, 20-prozentig, 25-jährig, 5-mal* usw.

§ 41

Vor Suffixen setzt man nur dann einen Bindestrich, wenn sie mit einem Einzelbuchstaben verbunden werden.

Beispiele:

der x-te, zum x-ten Mal, die n-te Potenz

E: Aber: *abclich, ÖVPler; der 68er, ein 32stel, 100%ig, 25fach, das 25fache*

Bisherige Regelung Identisch

§ 42

Bilden Verbindungen aus Ziffern und Suffixen den vorderen Teil einer Zusammensetzung, so setzt man nach dem Suffix einen Bindestrich.

Beispiele:

ein 100stel-Millimeter, die 61er-Bildröhre, eine 25er-Gruppe, in den 80er-Jahren (auch *in den 80er Jahren*)

E: Aber ausgeschrieben: *die Zweierbeziehung, die Zehnergruppe, die Achtzigerjahre* (auch *die achtziger Jahre*)

Bisherige Regelung Weitgehend identisch
Neu ist die Bindestrichschreibung bei einem folgenden Wortteil: *eine 20er-Mannschaft, in den 70er-Jahren/70er Jahren, der 59er-Jahrgang* usw.
ausgeschrieben: *eine Zwanzigermannschaft, die Siebzigerjahre (*auch: *die siebziger Jahre)*

§ 43

Man setzt Bindestriche in substantivisch gebrauchten Zusammensetzungen (Aneinanderreihungen), insbesondere bei substantivisch gebrauchten Infinitiven mit mehr als zwei Bestandteilen.

Beispiele:

das Entweder-oder, das Teils-teils, das Als-ob, das Sowohl-als-auch; der Boogie-Woogie, das Walkie-Talkie; das Make-up, das Rooming-in

das Auf-die-lange-Bank-Schieben, das An-den-Haaren-Herbeiziehen, das In-den-Tag-Hineinträumen, das Von-der-Hand-in-den-Mund-Leben

E: Dies gilt nicht für einfache Zusammensetzungen mit Infinitiv, zum Beispiel:

das Autofahren, das Ballspielen, beim Walzertanzen

Zur Groß- und Kleinschreibung siehe § 57 E_3.

Bisherige Regelung Identisch

§ 44

> Man setzt einen Bindestrich zwischen allen Bestandteilen mehrteiliger Zusammensetzungen, in denen eine Wortgruppe oder eine Zusammensetzung mit Bindestrich auftritt.

Beispiele:

A-Dur-Tonleiter, D-Zug-Wagen, S-Kurven-reich (aber *kurvenreich*), *Vitamin-B-haltig* (aber *vitaminhaltig*), *K.-o.-Schlag, UV-Strahlen-gefährdet* (aber *strahlengefährdet*), *Dipl.-Ing.-Ök.*

2-Mark-Stück, 800-Jahr-Feier, 35-Stunden-Woche, 10-Pfennig-Briefmarke, 8-Zylinder-Motor, 400-m-Lauf, 2-kg-Büchse, 3-Zimmer-Wohnung, 1/2-kg-Packung

Berg-und-Tal-Bahn, Frage-und-Antwort-Spiel, Kopf-an-Kopf-Rennen, Mund-zu-Mund-Beatmung, Wort-für-Wort-Übersetzung

Arzt-Patient-Verhältnis, Grund-Folge-Beziehung, Links-rechts-Kombination, Hals-Nasen-Ohren-Klinik, Ost-West-Gespräche, September-Oktober-Heft (auch *September/Oktober-Heft;* siehe § 106 (1))

Ad-hoc-Bildung, Als-ob-Philosophie, De-facto-Anerkennung, Do-it-yourself-Bewegung, Erste-Hilfe-Lehrgang, Go-go-Girl, Rooming-in-System; Make-up-freie Haut, Ruhe-vor-dem-Sturm-artig, Fata-Morgana-ähnlich; Trimm-dich-Pfad

Abend-Make-up, Wasch-Eau-de-Cologne

Bisherige Regelung Identisch

§ 45

> Man kann einen Bindestrich setzen zur Hervorhebung einzelner Bestandteile, zur Gliederung unübersichtlicher Zusammensetzungen, zur Vermeidung von Missverständnissen, in Zusammensetzungen aus gleichrangigen (nebengeordneten) Adjektiven oder beim Zusammentreffen von drei gleichen Buchstaben.

Dies betrifft

(1) Hervorhebung einzelner Bestandteile, zum Beispiel:

der dass-Satz, die Ich-Erzählung, das Ist-Aufkommen, die Kann-Bestimmung, die Soll-Stärke, die Hoch-Zeit, das Nach-Denken, Vor-Sätze, be-greifen

(2) Unübersichtliche Zusammensetzungen, auch mit Fremdwörtern, zum Beispiel:

Arbeiter-Unfallversicherungsgesetz, Haushalt-Mehrzweckküchenmaschine, Lotto-Annahmestelle, Mosel-Winzergenossenschaft, Software-Angebotsmesse, Ultraschall-Messgerät, Desktop-Publishing, Midlife-Crisis

der wissenschaftlich-technische Fortschritt, ein lateinisch-deutsches Wörterbuch, deutsch-österreichische Angelegenheiten; physikalisch-chemisch-biologische Prozesse

Zu Verbindungen wie *Blackbox / Black Box* siehe § 37 E_1.

(3) Vermeidung von Missverständnissen, zum Beispiel:

Drucker-Zeugnis und *Druck-Erzeugnis, Musiker-Leben* und *Musik-Erleben; re-integrieren*

(4) Zusammentreffen von drei gleichen Buchstaben in Zusammensetzungen, zum Beispiel:

Hawaii-Inseln, Kaffee-Ersatz, See-Elefant, Zoo-Orchester; Bett-Tuch, Schiff-Fahrt, Schrott-Transport

Bisherige Regelung Unterschiedlich

Hier wird die Möglichkeit gegeben, einzelne Bestandteile durch Bindestrich hervorzuheben, Missverständnisse zu klären oder unübersichtliche Zusammensetzungen zu gliedern:

bisher	neu
Druckerzeugnis	*Drucker-Zeugnis*/aber: *Druck-Erzeugnis*
Kaffeeersatz	*Kaffee-Ersatz/Kaffeeersatz*
Sollstärke	*Soll-Stärke/Sollstärke*

Zusammensetzungen und Ableitungen, die Eigennamen als Bestandteile enthalten

§ 46

> Man setzt einen Bindestrich in Zusammensetzungen, die als zweiten Bestandteil einen Eigennamen enthalten oder die aus zwei Eigennamen bestehen.

Dies betrifft

(1) Zusammensetzungen mit Personennamen, zum Beispiel:

Frau Müller-Weber, Herr Schmidt-Wilpert; Eva-Maria (auch *Eva Maria, Evamaria*), *Karl-Heinz* (auch *Karl Heinz, Karlheinz*)

die Bäcker-Anna, der Schneider-Karl; Blumen-Richter, Foto-Müller, Möbel-Schmidt; Müller-Lüdenscheid, Schneider-Partenkirchen

E_1: Die standesamtliche Schreibung mehrteiliger Personennamen kann von dieser Regelung abweichen.

(2) geographische Eigennamen, zum Beispiel:

Annaberg-Buchholz, Baden-Württemberg, Flughafen Köln-Bonn, Neu-Bamberg, Rheinland-Pfalz, Sachsen-Anhalt

E_2: Die amtliche Schreibung von Zusammensetzungen mit einem geographischen Eigennamen, die ihrerseits zu einem geographischen Eigennamen geworden sind, kann von dieser Regelung abweichen.

Adjektiv + Eigenname, zum Beispiel:

Neu Seehagen, Neubrandenburg

Immer Getrenntschreibung bei *Sankt,* zum Beispiel: *Sankt Georgen (St. Georgen)*

Substantiv + Eigenname, zum Beispiel:

Nordkorea, Königs Wusterhausen, Marktredwitz, Markt Indersdorf, Stadtlauringen, Stadt Rottenmann

Immer Getrenntschreibung bei *Bad,* zum Beispiel: *Bad Säckingen*

Zwei Eigennamen, zum Beispiel:

Grindelwald Grund, Rostock Lütten Klein; Berlin Schönefeld (auch *Berlin-Schönefeld*)

Bisherige Regelung Identisch

Die bisherige Bindestrichschreibung bei Personennamen *(Schmidt-Henkel)* oder bei geographischen Eigennamen *(Rheinland-Pfalz)* bleibt erhalten.

Die Sonderformen *(Neubrandenburg, Königs Wusterhausen, Stadtallendorf, Grindelwald Grund* usw.) werden ebenso beibehalten.

§ 47

> Werden Zusammensetzungen mit einem ursprünglichen Personennamen als Gattungsbezeichnung gebraucht, so schreibt man ohne Bindestrich zusammen.

Beispiele:

Gänseliesel, Heulsuse, Meckerfritze

Bisherige Regelung Identisch

§ 48

> Bei Ableitungen von Verbindungen mit einem Eigennamen als zweitem Bestandteil bleibt der Bindestrich erhalten.

Beispiele:

baden-württembergisch (Baden-Württemberg), rheinland-pfälzisch, alt-wienerische / Alt-Wiener Kaffeehäuser, Spree-Athener

Bisherige Regelung Identisch

§ 49

> Bei Ableitungen von mehreren Eigennamen, von Titeln und Eigennamen oder von einem mehrteiligen Eigennamen setzt man einen Bindestrich.

Beispiele:

die sankt-gallischen / st.-gallischen Klosterschätze (St. Gallen), die gräflich-rieneckische Güterverwaltung (Graf Rieneck)

die kant-laplacesche Theorie (Kant und Laplace), der de-costersche Roman (de Coster), die gräflich-rienecksche Güterverwaltung (Graf Rieneck)

die Kant-Laplace'sche Theorie (Kant und Laplace), der de-Coster'sche Roman (de Coster), die Gräflich-Rieneck'sche Güterverwaltung (Graf Rieneck)

Zur Groß- und Kleinschreibung und zur Schreibung mit Apostroph siehe § 62.

E: Bei Ableitungen auf *-er* kann man den Bindestrich weglassen, zum Beispiel:

die Bad-Schandauer (Bad Schandau) / Bad Schandauer, die Sankt-Galler / Sankt Galler, die New-Yorker / New Yorker

Bisherige Regelung Identisch

§ 50

> Man setzt einen Bindestrich zwischen allen Bestandteilen mehrteiliger Zusammensetzungen, deren erste Bestandteile aus Eigennamen bestehen.

Beispiele:

Albrecht-Dürer-Allee, Heinrich-Heine-Platz, Kaiser-Karl-Ring, Ernst-Ludwig-Kirchner-Straße, Rainer-Maria-Rilke-Promenade, Thomas-Müntzer-Gasse

Elbe-Havel-Kanal, Oder-Neiße-Grenze, La-Plata-Mündung

Albert-Einstein-Gedenkstätte, Georg-Büchner-Preis, Jacob-und-Wilhelm-Grimm-Preis, Goethe-Schiller-Archiv, Johann-Sebastian-Bach-Gymnasium, Van-Gogh-Ausstellung

am Lago-di-Como-seitigen Abhang, Fidel-Castro-freundlich

Bisherige Regelung Identisch

§ 51

> Man kann einen Bindestrich in Zusammensetzungen setzen, die als ersten Bestandteil einen Eigennamen haben, der besonders hervorgehoben werden soll, oder wenn der zweite Bestandteil bereits eine Zusammensetzung ist.

Beispiele:

Goethe-Ausgabe, Johannes-Passion, Kafka-Kolloquium, Richelieu-freundlich; Goethe-Geburtshaus, Brecht-Jubiläumsausgabe

Ganges-Ebene, Krim-Treffen, Mekong-Delta; Elbe-Wasserstandsmeldung, Helsinki-Nachfolgekonferenz

Bisherige Regelung Teilweise identisch

Hier wird erneut dem/der Schreibenden die Möglichkeit der Akzentsetzung durch die Bindestrichschreibung gegeben.

bisher	neu
Goetheausgabe	*Goethe-Ausgabe/Goetheausgabe*
Helsinkinachfolgekonferenz	*Helsinki-Nachfolgekonferenz/ Helsinkinachfolgekonferenz*

§ 52

> Wird ein geographischer Eigenname von einem nachgestellten Substantiv näher bestimmt, so kann man einen Bindestrich setzen.

Beispiele:

Frankfurt Hauptbahnhof / Frankfurt-Hauptbahnhof, München Ost / München-Ost

Bisherige Regelung Teilweise identisch

Der Bindestrich kann gesetzt werden, um einen geographischen Eigennamen genauer zu bestimmen.

bisher	neu
Frankfurt Hauptbahnhof	*Frankfurt-Hauptbahnhof/ Frankfurt Hauptbahnhof*
München Flughafen	*München-Flughafen/ München Flughafen*

GROSS- UND KLEINSCHREIBUNG

Vorbemerkungen

(1) Die Großschreibung, das heißt die Schreibung mit einem großen Anfangsbuchstaben, dient dem Schreibenden dazu, den Anfang bestimmter Texteinheiten sowie Wörter bestimmter Gruppen zu kennzeichnen und sie dadurch für den Lesenden hervorzuheben.

(2) Die Großschreibung wird im Deutschen verwendet zur Kennzeichnung von

- Überschriften, Werktiteln und dergleichen
- Satzanfängen
- Substantiven und Substantivierungen
- Eigennamen mit ihren nichtsubstantivischen Bestandteilen
- bestimmten festen nominalen Wortgruppen mit nichtsubstantivischen Bestandteilen
- Anredepronomen und Anreden

(3) Die Abgrenzung von Groß- und Kleinschreibung, wie sie sich in der Tradition der deutschen Orthographie herausgebildet hat, macht es erforderlich, neben den Regeln für die Großschreibung auch Regeln für die Kleinschreibung zu formulieren. Diese werden in den einzelnen Teilabschnitten jeweils im Anschluss an die Großschreibungsregeln angegeben. In einigen Fallgruppen ist eine eindeutige Zuweisung zur Groß- oder Kleinschreibung fragwürdig. Hier sind beide Schreibungen zulässig.

(4) Entsprechend gliedert sich die folgende Darstellung in die Abschnitte:

1 Kennzeichnung des Anfangs bestimmter Texteinheiten durch Großschreibung (§ 53: Überschriften, Werktitel und dergleichen; § 54: Ganzsätze)

2 Anwendung von Groß- oder Kleinschreibung bei bestimmten Wörtern und Wortgruppen

2.1 Substantive und Desubstantivierungen (§§ 55–56)

2.2 Substantivierungen (§§ 57–58)

2.3 Eigennamen mit ihren nichtsubstantivischen Bestandteilen sowie Ableitungen von Eigennamen (§§ 59–62)

2.4 Feste Verbindungen aus Adjektiv und Substantiv (§§ 63–64)

2.5 Anredepronomen und Anreden (§§ 65–66)

Kennzeichnung des Anfangs bestimmter Texteinheiten durch Großschreibung

§ 53

> Das erste Wort einer Überschrift, eines Werktitels, einer Anschrift und dergleichen schreibt man groß.

Dies betrifft unter anderem

(1) Überschriften und Werktitel (etwa von Büchern und Theaterstücken, Werken der bildenden Kunst und der Musik, Rundfunk- und Femsehproduktionen), zum Beispiel:

Allmähliche Normalisierung im Erdbebengebiet
Hohe Schneeverwehungen behindern Autoverkehr
Keine Chance für eine diplomatische Lösung!
Kleines Wörterbuch der Stilkunde
Wo warst du, Adam?
Der kaukasische Kreidekreis
Der grüne Heinrich
Hundert Jahre Einsamkeit
Ungarische Rhapsodie
Unter den Dächern von Paris
Ein Fall für zwei

(2) Titel von Gesetzen, Verträgen, Deklarationen und dergleichen sowie Bezeichnungen für Veranstaltungen, zum Beispiel:

Bayerisches Hochschulgesetz
Potsdamer Abkommen
Internationaler Ärzte- und Ärztinnenkongress
*Grüne Woche (*in Berlin*)*

E_1: Die Großschreibung des ersten Wortes bleibt auch dann erhalten, wenn eine Überschrift, ein Werktitel und dergleichen innerhalb eines Textes gebraucht wird, zum Beispiel:

Das Theaterstück „Der kaukasische Kreidekreis" steht auf dem Programm. Sie lesen Kellers Roman „Der grüne Heinrich".

Wird dabei am Anfang ein Titel und dergleichen verkürzt oder sein Artikel verändert, so schreibt man das nächstfolgende Wort des Titels groß, zum Beispiel:

Wir haben im Theater Brechts „Kaukasischen Kreidekreis" gesehen. Sie lesen den „Grünen Heinrich".

Zur Schreibung nach Gliederungsangaben oder nach Auslassungszeichen und Zahlen siehe § 54 (5) und (6). Zum Gebrauch der Anführungszeichen siehe § 94 (1).

(3) Anschriften, Datumszeilen und Anreden sowie Grußformeln etwa in Briefen, zum Beispiel:

Mittwoch, 15. Februar 1995

Frau
Ulla Schröder
Rüdesheimer Str. 29
D-65197 Wiesbaden

Sehr geehrte Frau Schröder,
entsprechend unserer telefonischen Vereinbarung erwarten wir Ihre Antwort.
...
Mit freundlichen Grüßen
Werner Meier

E_2: Wenn man nach der Anrede – wie in der Schweiz üblich – auf ein Satzzeichen verzichtet, schreibt man das erste Wort des folgenden Abschnitts groß. Siehe auch § 69 E_3.

Bisherige Regelung Identisch

Wichtig ist, dass in Briefen nach der Anrede sowohl ein Komma wie ein Ausrufezeichen möglich sind. Nach dem Komma wird – außer bei Substantiven – klein, nach dem Ausrufezeichen mit großem Anfangsbuchstaben geschrieben:

Sehr geehrte Frau Nussek, ich danke Ihnen aufrichtig für ...
Sehr geehrte Frau Nussek! Ich danke Ihnen aufrichtig für ...

Der Gebrauch eines Kommas nach der Anrede wirkt freundlicher und setzt sich immer mehr durch.

§ 54

> Das erste Wort eines Ganzsatzes schreibt man groß.

Beispiele:

Gestern hat es geregnet. Du kommst bitte morgen! Hat er das wirklich gesagt?

Nachdem sie von der Reise zurückgekehrt war, hatte sie den dringenden Wunsch, ein Bad zu nehmen. Im Hausflur war es still, ich drückte erwartungsvoll auf die Klingel. Meine Freundin hatte den Zug versäumt, deshalb kam sie eine halbe Stunde zu spät. Wir sehen nach, was Paul macht. Sehen Sie nur, wie schön die Aussicht ist. Haben Sie ihn aufgefordert, die Wohnung zu verlassen?

Kommt doch schnell! Bitte die Türen schließen und Vorsicht bei der Abfahrt des Zuges!

Ob sie heute kommt? Nein, morgen. Warum nicht? Gute Reise!

Vorwärts! Vgl. Anlage 3, Ziffer 7.

Alles war zerstört: das Haus, der Stall, die Scheune. Die Teeküche kann zu folgenden Zeiten benutzt werden: morgens von 7 bis 8 Uhr, abends von 18 bis 19 Uhr.

Im Einzelnen ist zu beachten:

(1) Wird die nach dem Doppelpunkt folgende Ausführung als Ganzsatz verstanden, so schreibt man das erste Wort groß, zum Beispiel:

Beachten Sie bitte folgenden Hinweis: Alle Bänke sind frisch gestrichen. Die Regel lautet: Würfelt man eine Sechs, dann . . .

(2) Das erste Wort der wörtlichen Rede schreibt man groß, zum Beispiel:

Sie fragte: „Kommt er heute?" Er sagte: „Wir wissen es nicht." Alle baten: „Bleib!"

(3) Folgt dem wörtlich Wiedergegebenen der Begleitsatz oder ein Teil von ihm, so schreibt man das erste Wort nach dem abschließenden Anführungszeichen klein, zum Beispiel:

„Hörst du?", fragte sie. „Ich verstehe dich gut", antwortete er. „Mit welchem Recht", fragte er, „willst du das tun?" Sie rief mir zu: „Wir treffen uns auf dem Schulhof", und lief weiter.

(4) Das erste Wort von Parenthesen schreibt man klein, wenn es nicht nach einer anderen Regel großzuschreiben ist, zum Beispiel:

Eines Tages, es war mitten im Sommer, hagelte es. Er behauptete – so eine Frechheit! –, dass er im Kino gewesen sei. Sie hat das (erinnerst du dich?) gestern gesagt.

Zu den Satzzeichen siehe § 77 (1), § 84 (1), § 86 (1).

(5) Gliederungsangaben wie Ziffern, Paragraphen, Buchstaben gehören nicht zum nachfolgenden Ganzsatz; entsprechend schreibt man das folgende Wort groß. Dies gilt auch für Überschriften, Werktitel und dergleichen. Beispiele:

3. Die Besitzer und Besitzerinnen von Haustieren sollten . . .
§ 13 Die Behandlung sollte sofort einsetzen.
c) Vgl. Anlage 3, Ziffer 7.
2 Die Säugetiere

(6) Auslassungspunkte, Apostroph oder Zahlen zu Beginn eines Ganzsatzes gelten als Satzanfang; entsprechend bleibt die Schreibung des folgenden Wortes unverändert. Dies gilt auch für Überschriften, Werktitel und dergleichen. Beispiele:

. . . und gab keine Antwort.
's ist schade um sie.
52 volle Wochen hat das Jahr.

Bisherige Regelung

Teilweise identisch

Wichtig ist vor allem, dass in Zukunft nach einem Doppelpunkt das nachfolgende Wort immer mit großem Anfangsbuchstaben geschrieben wird, wenn es sich um einen ganzen Satz handelt, die bisherigen Unsicherheiten sind damit beseitigt.

Er sagte: „Komm bitte morgen!"

Alle waren da: Die Kinder waren gekommen, alle Freunde, zahlreiche Verehrer.

Handelt es sich jedoch – z.B. in einer Aufzählung – nicht um vollständige, sondern um elliptische Sätze, wird kleingeschrieben:

Alle waren da: die Kinder, alle Freunde, zahlreiche Verehrer.

Anwendung von Groß- oder Kleinschreibung bei bestimmten Wörtern und Wortgruppen

Substantive und Desubstantivierungen

§ 55

Substantive schreibt man groß.

Beispiele:

Tisch, Wald, Milch, Mond, Genie, Team, Ladung, Feuer, Wasser, Luft, Sandkasten

Verständnis, Verantwortung, Freiheit, Aktion

Gabriela, Markus, Europa, Wien, Alpen

Substantive dienen der Bezeichnung von Gegenständen, Lebewesen und abstrakten Begriffen. Sie besitzen in der Regel ein festes Genus (Maskulinum, Femininum, Neutrum) und sind im Numerus (Singular, Plural) und im Kasus (Nominativ, Genitiv, Dativ, Akkusativ) bestimmt.

Die Großschreibung gilt auch

(1) für nichtsubstantivische Wörter, wenn sie am Anfang einer Zusammensetzung mit Bindestrich stehen, die als Ganzes die Eigenschaften eines Substantivs hat, zum Beispiel:

die Ad-hoc-Entscheidung, der A-cappella-Chor (vgl. auch § 55 E_2), *das In-den-Tag-hinein-Leben* (vgl. auch § 57 (2)), *der Trimm-dich-Pfad, die X-Beine, die S-Kurve*

Abkürzungen sowie zitierte Wortformen und Einzelbuchstaben und dergleichen bleiben allerdings unverändert, zum Beispiel:

die km-Zahl, die ph-Wert-Bestimmung, der dass-Satz, die x-Achse, der i-Punkt (der Punkt auf dem kleinen *i*)

(2) für Substantive – auch Initialwörter (§ 102 (2)) und Einzelbuchstaben, sofern sie nicht als Kleinbuchstaben zitiert sind – als Teile von Zusammensetzungen mit Bindestrich, zum Beispiel:

die Natrium-Chlor-Verbindung, der 400-Meter-Lauf, zum Aus-der-Haut-Fahren (vgl. auch § 57 (2))

Napoleon-freundlich, Formel-1-tauglich, S-Kurven-reich, pH-Wert-neutral

UV-empfindlich, T-förmig (in der Form eines großen *T*), *S-förmig* oder *s-förmig* (in der Form eines großen *S* bzw. eines kleinen *s*), *x-beliebig*

(3) für Substantive aus anderen Sprachen, wenn sie nicht als Zitatwörter gemeint sind. Sind sie mehrteilig, wird der erste Teil großgeschrieben. Beispiele:

das Crescendo, der Drink, das Center, die Ratio; die Conditio sine qua non, das Cordon bleu, eine Terra incognita; das Know-how, das Make-up

Substantivische Bestandteile werden auch im Innern mehrteiliger Fügungen großgeschrieben, die als Ganzes die Funktion eines Substantivs haben, zum Beispiel:

die Alma Mater, die Ultima Ratio, das Desktop-Publishing, der Full-Time-Job, der Soft Drink, der Sex-Appeal, der Cash-Flow, das Corned Beef, der Chewing-Gum

E_1:Teilweise wird auch zusammengeschrieben, siehe Getrennt- und Zusammenschreibung, § 37 (1), und Schreibung mit Bindestrich, § 44 und § 45. Beispiele:

der Fulltimejob, der Softdrink, der Sexappeal, das Cornedbeef, der Chewinggum

(4) für Substantive, die Bestandteile fester Gefüge sind und nicht mit anderen Bestandteilen des Gefüges zusammengeschrieben werden (siehe dazu auch Teil B, Getrennt- und Zusammenschreibung, §§ 34 (3) und 39), zum Beispiel:

auf Abruf, in Bälde, in/mit Bezug auf, im Grunde, auf Grund (auch *aufgrund*); *zu Grunde gehen* (auch *zugrunde gehen*), *an Hand* (auch *anhand*), *zu Händen von* (aber *zuhanden von; abhanden kommen*), *in Hinsicht auf* (aber *infolge*), *zur Not* (aber *vonnöten*), *zur Seite, von Seiten, auf Seiten* (auch *aufseiten, vonseiten;* aber nur *beiseite*)

etwas außer Acht lassen, die Haare stehen jemandem zu Berge, in Betracht kommen, zu Hilfe kommen, in Kauf nehmen

Auto fahren, Rad fahren, Maschine schreiben, Kegel schieben, Diät leben, Folge leisten, Maß halten, Hof halten, Kopf stehen, Leid tun, Not leiden, Not tun, Pleite gehen (aber nach § 56 (1): *pleite sein*), *Eis laufen* (aber nach § 34 (3): *irreführen, preisgeben, stattfinden, teilnehmen, wundernehmen*)

Recht haben/behalten/bekommen, Unrecht haben/behalten/bekommen, Ernst machen mit etwas, Wert legen auf etwas, Angst haben, jemandem Angst (und Bange) machen, (keine) Schuld tragen (vgl. aber Fügungen mit Adjektiven: *recht sein, unrecht sein, ernst sein/werden, etwas ernst nehmen, wert sein, angst (und bange) sein* (§ 56 (1)), *schuld sein* (§ 56 (1))

zum ersten Mal (aber nach § 39 (1): *einmal, diesmal, nochmal*)

eines Abends, des Nachts, letzten Endes, guten Mutes, schlechter Laune (aber nach § 56 (3): *abends, nachts;* aber nach § 39 (1): *keinesfalls, andernorts*)

E_2: In festen adverbialen Fügungen, die als Ganzes aus einer fremden Sprache entlehnt worden sind, gilt Kleinschreibung, zum Beispiel:

a cappella, in flagranti, à discrétion, de jure, de facto, in nuce, pro domo, ex cathedra, coram publico

Zu Schreibungen wie *A-cappella-Chor, De-facto-Anerkennung* siehe oben Absatz (1).

(5) für Zahlsubstantive, zum Beispiel:

ein Dutzend, das Schock (= 60 Stück), *das Paar* (aber *ein paar* = *einige*), *das Hundert* (zum Beispiel: d*as erste Hundert Schrauben*), *das Tausend, eine Million, eine Milliarde, eine Billion*

Zu *Dutzend, Hundert* und *Tausend* siehe auch § 58 E_5.

(6) für Ausdrücke, die als Bezeichnung von Tageszeiten nach den Adverbien *vorgestern, gestern, heute, morgen, übermorgen* auftreten, zum Beispiel:

Wir treffen uns heute Mittag. Die Frist läuft übermorgen Mitternacht ab. Sie rief gestern Abend an.

Zu Verbindungen wie *(am) Dienstagabend* siehe § 37 (1).

Bisherige Regelung

Teilweise identisch

Wichtig sind die folgenden Änderungen, die bisherige Zweifelsfälle beseitigen:

bisher	neu
gestern abend	*gestern Abend*
aber (weil kein Adverb, sondern ein Substantiv vorn steht):	*Dienstag mittag/Dienstagmittag*
außer acht lassen	*außer Acht lassen*
in bezug auf	*in Bezug auf* (weil: *mit Bezug auf*)
auf Grund	*auf Grund/aufgrund*
zugrunde gehen	*zu Grunde/zugrunde gehen*
heute mittag	*heute Mittag*
recht haben/behalten/ bekommen	*Recht haben/behalten/ bekommen*
auf seiten	*auf Seiten/aufseiten*
von seiten	*von Seiten* (auch: *vonseiten*)

§ 56

> Klein schreibt man Wörter, die ihre substantivischen Merkmale eingebüßt und die Funktion anderer Wortarten übernommen haben (= Desubstantivierungen).

Dies betrifft

(1) folgende Wörter, die in Verbindung mit den Verben *sein, bleiben,* werden als Adjektive gebraucht werden:

angst, bange, gram, leid, pleite, schuld

Beispiele:

Mir wird angst. Uns ist angst und bange. Wir sind ihr gram. Mir ist das alles leid. Die Firma ist pleite. Er ist schuld daran.

E_1: Zu Wörtern wie *recht, unrecht, ernst* vgl. § 55 (4).

(2) den ersten Bestandteil unfest zusammengesetzter Verben auch in getrennter Stellung (siehe auch § 34 (3)), zum Beispiel:

Ich nehme daran teil (teilnehmen). Die Besprechung findet am Freitag statt (stattfinden). Er führt uns irre (irreführen). Wir geben unser Ziel nicht preis (preisgeben). Es nimmt mich wunder (wundernehmen).

E_2: Wird ein Substantiv mit dem Infinitiv nicht zusammengeschrieben, so schreibt man es entsprechend § 55 (4) groß, zum Beispiel:

Ich nehme daran Anteil (Anteil nehmen). Du fährst Auto, und ich fahre Rad (Auto fahren, Rad fahren). Sie leistete der Aufforderung nicht Folge (Folge leisten). Meine Schwester läuft Eis (Eis laufen).

(3) Adverbien, Präpositionen, Konjunktionen auf *-s* und *-ens,* zum Beispiel:

abends, anfangs, donnerstags, schlechterdings, morgens, hungers (hungers sterben), willens, rechtens (rechtens sein, etwas rechtens machen); abseits, angesichts, mangels, mittels, namens, seitens; falls, teils . . . teils

(4) die folgenden Präpositionen:

dank, kraft (kraft ihres Amtes), laut, statt, an . . . statt (an Kindes statt, an seiner statt), trotz, wegen, von . . . wegen (von Amts wegen), um . . . willen, zeit (zeit seines Lebens)

(5) die folgenden unbestimmten Zahlwörter:

ein bisschen (= ein wenig), ein paar (= einige)

Beispiele:

ein bisschen Leim, dieses kleine bisschen Leim; ein paar Steine, diese paar Steine (aber nach § 55 (5): *ein Paar Schuhe*)

(6) Bruchzahlen auf *-tel* und *-stel*

(6.1) vor Maßangaben (siehe auch § 37 E_2), zum Beispiel:

ein zehntel Millimeter, ein viertel Kilogramm, in fünf hundertstel Sekunden, nach drei viertel Stunden

E_3: Hier ist auch Zusammenschreibung nach § 37 (1) möglich, zum Beispiel:

ein Zehntelmillimeter, ein Viertelkilogramm, in fünf Hundertstelsekunden, nach drei Viertelstunden

(6.2) in Uhrzeitangaben unmittelbar vor Kardinalzahlen, zum Beispiel:

um viertel fünf, gegen drei viertel acht

E_4: In allen übrigen Fällen schreibt man Bruchzahlen auf *-tel* und *-stel* entsprechend § 55 groß, zum Beispiel:

ein Drittel, das erste Fünftel, neun Zehntel des Umsatzes, um drei Viertel größer, um (ein) Viertel vor fünf

Bisherige Regelung Unterschiedlich

In Zukunft werden konsequent alle jene Wörter kleingeschrieben, die keine Substantive mehr sind (desubstantivierte Wörter: Adjektive, Verben usw.). Zahlreiche Zweifelsfälle der Vergangenheit sind damit beseitigt: *angst / bange / gram / leid / pleite / schuld sein.*

Hingegen werden echte Substantive mit unfesten Verbverbindungen konsequent mit großem Anfangsbuchstaben geschrieben (bisher: eislaufen, radfahren; Auto fahren). Deshalb nun: *Auto fahren, Eis laufen, Folge leisten, Rad fahren, Schlitten fahren* usw.

Handelt es sich aber (§34 (3)) um Verbindungen, deren erster Teil semantisch verblasst ist (*heim-, irre-, preis-, stand-, statt-, teil-, wett-, wunder-: heimkehren, preis-*

geben, stattfinden, wundernehmen. Er kehrt heim usw.), so wird das Wort – auch in der gebeugten/flektierten Form – kleingeschrieben.

Vorteilhaft ist auch die Toleranzregel, die dem Schreibenden die Entscheidung überlässt, wie er Bruchzahlen auf *-tel* oder *-stel* schreiben will. Es gilt, dass mit kleinem Anfangsbuchstaben und getrennt geschrieben oder mit großem Anfangsbuchstaben und zusammengeschrieben wird: *ein viertel Pfund, nach dreiviertel Stunden, acht hundertstel Sekunden* bzw. *ein Viertelpfund, nach Dreiviertelstunden, acht Hundertstelsekunden.*

Substantivierungen

§ 57

> Wörter anderer Wortarten schreibt man groß, wenn sie als Substantive gebraucht werden (= Substantivierungen).

Substantivierte Wörter nehmen die Eigenschaften von Substantiven an (vgl. § 55). Man erkennt sie im Text an zumindest einem der folgenden Merkmale:

a) an einem vorausgehenden Artikel *(der, die, das; ein, eine, ein),* Pronomen *(dieser, jener, welcher, mein, kein, etwas, nichts, alle, einige . . .)* oder unbestimmten Zahlwort *(ein paar, genug, viel, wenig . . .),* die sich auf das substantivierte Wort beziehen;

b) an einem vorangestellten adjektivischen Attribut oder einem nachgestellten Attribut, das sich auf das substantivierte Wort bezieht;

c) an ihrer Funktion als kasusbestimmtes Satzglied oder kasusbestimmtes Attribut.

Siehe dazu folgende Beispiele:

Das Inkrafttreten (a, b, c) des Gesetzes verzögert sich. Er übersah alles Kleingedruckte (a, c). Das Ausschlaggebende (a, b, c) für ihre Einstellung war ihr sicheres Auftreten (a, b, c). Nichts Menschliches (a, c) war ihr fremd. Das Deutsche (a, c) gilt als schwere Sprache. Sie bot ihr das Du (a, c) an. Der Beschluss fiel nach langem Hin und Her (b, c). Bananen kosten jetzt das Zweifache (a, b, c) des früheren Preises. Lesen und Schreiben (c) sind Kulturtechniken. Sie brachte eine Platte mit Gebratenem (c). Du sollst Gleiches (c) nicht mit Gleichem (c) vergelten. Man sagt, Liebende (c) seien blind.

E_1: Zahlreiche Substantivierungen sind ein fester Bestandteil des Substantivwortschatzes geworden, zum Beispiel:

das Essen, das Herzklopfen, das Leben, das Deutsche, die Grünen, die Studierenden, der/die Angestellte, das Durcheinander, das Jenseits, das Vergissmeinnicht

Die folgende Aufgliederung der Großschreibung von Substantivierungen ist nach Wortarten geordnet.

(1) Substantivierte Adjektive und adjektivisch gebrauchte Partizipien, besonders auch in Verbindung mit Wörtern wie *alles, allerlei, etwas, genug, nichts, viel, wenig,* zum Beispiel:

Wir wünschen alles Gute. Zum Aperitif gab es Süßes und Salziges. Geh nicht mit Unbekannten! Das Ausschlaggebende für die Einstellung war ihre Erfahrung. Er hat nichts/wenig/etwas/viel Bedeutendes geschrieben. Das nie Erwartete trat ein. Sie hatte nur Angenehmes erlebt. Der Umsatz war dieses Jahr um das Dreifache höher. Das andere Gebäude war um ein Beträchtliches höher. Das ist das einzig Richtige, was du tun kannst. Es wäre wohl das Richtige, wenn wir noch einmal darüber reden. Bitte lesen Sie das unten Stehende / unten Stehendes genau durch. Wir haben das Folgende / Folgendes verabredet. Wir werden das im Folgenden noch genauer darstellen. Des Näheren vermag ich mich nicht zu entsinnen. Sie hat mir die Sache des Näheren erläutert. Wir haben alles des Langen und Breiten diskutiert. Wir wohnen im Grünen. Beim Umweltschutz liegen noch viele Dinge im Argen. Wir sind uns im Großen und Ganzen einig. Die Arbeiten sind im Allgemeinen nicht schlecht geraten. Das ist im Wesentlichen richtig. Im Einzelnen sind aber noch Verbesserungen möglich. Plötzlich ertönte eine Stimme aus dem Dunkeln. Die Polizei tappt im Dunkeln. Die Direktorin war auf dem Laufenden.

Sie war unsere Jüngste. Das Beste, was dieser Ferienort bietet, ist die Ruhe. Es ist das Beste, wenn du kommst. Es änderte sich nicht das Geringste. Dies geschieht zum Besten unserer Kinder. Er gab wieder einmal eine seiner Geschichten zum Besten. Sie konnte uns vor dem Ärgsten bewahren. Daran haben wir nicht im Entferntesten gedacht. Sie war bis ins Kleinste vorbereitet. Sie war aufs Schrecklichste / auf das Schrecklichste gefasst. Sie hat uns aufs Herzlichste / auf das Herzlichste begrüßt (siehe auch § 58 E_1).

Die Pest traf Hohe und Niedrige / Hoch und Niedrig. Diese Musik gefällt Jungen und Alten / Jung und Alt. Die Teilnehmenden diskutierten über den Konflikt zwischen Jungen und Alten / zwischen Jung und Alt. Das ist ein Fest für Junge und Alte / für Jung und Alt.

Sie trug das kleine Schwarze. Der Zeitungsbericht traf ins Schwarze. Wenn man Schwarz mit Weiß mischt, entsteht Grau. Die Ampel schaltete auf Rot. Wir liefern das Gerät in Grau oder Schwarz.

Das Englische ist eine Weltsprache. Ihr Englisch hatte einen südamerikanischen Akzent. Mit Englisch kommt man überall durch. In Ostafrika verständigt man sich am besten auf Swahili oder auf Englisch.

E_2: Gelegentlich ist Groß- oder Kleinschreibung möglich, zum Beispiel:

Sie spricht Englisch (was? – die englische Sprache) / englisch (wie?).

Ordnungszahladjektive sowie sinnverwandte Adjektive, zum Beispiel:

Die Miete ist am Ersten jedes Monats zu bezahlen. Er ist schon der Zweite, der den Rekord des vergangenen Jahres überboten hat. Jeder Fünfte lehnte das Projekt ab. Endlich war sie die Erste im Staat. Dieses Vorgehen verletzte die Rechte Dritter. Er kam als Dritter an die Reihe. Er kam vom Hundertsten ins Tausendste. Fürs Erste wollen wir nicht mehr darüber reden. Die Nächste bitte! Liebe deinen Nächsten wie dich selbst! Trotz ihrer Verletzung wurde sie noch Viertletzte. Als Letztes muss der Deckel angeschraubt werden. Arthur und Armin gingen unterschiedliche Wege: der Erste / Ersterer wurde Beamter, der Zweite / der Letzte / Letzterer hatte als Schauspieler Erfolg.

Unbestimmte Zahladjektive (siehe aber auch § 58 (5)), zum Beispiel:

Den Kometen haben Unzählige (Ungezählte, Zahllose) gesehen. Ich muss noch Verschiedenes erledigen. Er hatte das Ganze rasch wieder vergessen. Der Kongress war als Ganzes ein Erfolg. Das muss jeder Einzelne mit sich selbst ausmachen. Anita war die Einzige, die alles wusste. Alles Übrige besprechen wir morgen. Er gab sein Geld für alles Mögliche aus.

(2) Substantivierte Verben, zum Beispiel:

Das Lesen fällt mir schwer. Sie hörten ein starkes Klopfen. Wer erledigt das Fensterputzen? Viele waren am Zustandekommen des Vertrages beteiligt. Die Sache kam ins Stocken. Das ist zum Lachen. Euer Fernbleiben fiel uns auf. Uns half nur noch lautes Rufen. Die Mitbewohner begnügten sich mit Wegsehen und Schweigen.

Sie wollte auf Biegen und Brechen gewinnen. Er klopfte mit Zittern und Zagen an. Ich nehme die Tabletten auf Anraten meiner Ärztin.

Sie hat ihr Soll erfüllt. Dies ist ein absolutes Muss.

Bei mehrteiligen Fügungen, deren Bestandteile mit einem Bindestrich verbunden werden, schreibt man das erste Wort, den Infinitiv und die anderen substantivischen Bestandteile groß (siehe auch § 55 (1) und (2)), zum Beispiel:

es ist zum Auf-und-davon-Laufen, das Hand-in-Hand-Arbeiten, das In-den-Tag-hinein-Leben

E_3: Gelegentlich ist bei einfachen Infinitiven Groß- oder Kleinschreibung möglich, zum Beispiel:

Der Gehörgeschädigte lernt Sprechen. (Wie: *Der Gehörgeschädigte lernt das Sprechen/das deutliche Sprechen.*) Oder: *Der Gehörgeschädigte lernt sprechen.* (Wie: *Der Gehörgeschädigte lernt deutlich sprechen.*) (Ebenso:) *Bekanntlich ist Umlernen/umlernen schwieriger als Dazulernen/dazulernen. Doch geht Probieren/probieren über Studieren/studieren.*

(3) Substantivierte Pronomen (vgl. aber auch § 58 (4)), zum Beispiel:

Sie hatte ein gewisses Etwas. Er bot ihm das Du an. Das ist ein Er, keine Sie. Wir standen vor dem Nichts. Er konnte Mein und Dein nicht unterscheiden.

(4) Substantivierte Grundzahlen als Bezeichnung von Ziffern, zum Beispiel:

Er setzte alles auf die Vier. Sie fürchtete sich vor der Dreizehn. Der Zeiger nähert sich der Elf. Sie hat lauter Einsen im Zeugnis. Er würfelt eine Sechs.

(5) Substantivierte Adverbien, Präpositionen, Konjunktionen, Interjektionen, zum Beispiel:

Es gab ein großes Durcheinander. Mich störte das ewige Hin und Her. Ich will das noch im Diesseits erleben. Auf das Hier und Jetzt kommt es an. Das Danach war ihr egal. Es gibt kein Übermorgen. Sie hatte so viel wie möglich im Voraus erledigt. Im Nachhinein wussten wir es besser. Er stand im Aus. Sie überlegte sich das Für und Wider genau. Sein ständiges Aber stört mich. Es kommt nicht nur auf das Dass an, sondern auch auf das Wie. Er erledigte es mit Ach und Krach. Ein vielstimmiges Ah ertönte. Ihr freudiges Oh freute ihre Kolleginnen. Das Nein fällt ihm schwer.

E_4: Bei mehrteiligen substantivierten Konjunktionen, die mit einem Bindestrich verbunden werden (siehe § 43), schreibt man nur das erste Wort groß, zum Beispiel:

ein Entweder-oder, das Als-ob, das Sowohl-als-auch

Bisherige Regelung Unterschiedlich

Entscheidend ist bei der Neuregelung, dass grundsätzlich substantivierte Adjektive, Partizipien, Verben, Zahladjektive, Präpositionen, Konjunktionen und Interjektionen großgeschrieben werden. Kennzeichen der Substantivierung sind:

- vorangestellte Artikelwörter: *der, die, das, ein, eine, dieser, jener, welcher, alle, einige, mein, kein, etwas* usw.
- vorangestellte unbestimmte Numerale: *ein paar, genug, viel, wenig, mehr* usw.

Einige Beispiele von Substantivierungen: *das Beste, das Französische, das Schwimmen, ein Guter, jener Angestellte, einige Hundert, ein paar Junge, viel Neues, beim Alten bleiben, im Allgemeinen, im Großen und Ganzen, im Nachhinein, als Zehnter, auf Russisch, das Sie anbieten, er spricht Englisch, sein Warum, vor der Zwanzig* usw.

§ 58

> In folgenden Fällen schreibt man Adjektive, Partizipien und Pronomen klein, obwohl sie formale Merkmale der Substantivierung aufweisen.

(1) Adjektive, Partizipien und Pronomen, die sich auf ein vorhergehendes oder nachstehendes Substantiv beziehen, zum Beispiel:

Sie war die aufmerksamste und klügste meiner Zuhörerinnen. Der Verkäufer zeigte mir seine Auswahl an Krawatten, die gestreiften und gepunkteten gefielen mir am besten. Vor dem Haus spielten viele Kinder, einige kleine im Sandkasten, die größeren am Klettergerüst. Es waren neun Teilnehmer erschienen, auf den zehnten wartete man vergebens. Alte Schuhe sind meist bequemer als neue. Dünne Bücher lese ich in der Freizeit, dicke im Urlaub. Zwei Männer betraten den Raum; der erste trug einen Anzug, der zweite Jeans und Pullover. Leih mir bitte deine Farbstifte, ich habe meine / die meinen / die meinigen vergessen.

(2) Superlative mit „am“, nach denen mit „Wie?“ gefragt werden kann, zum Beispiel:

Dieser Weg ist am steilsten. (Frage: *Wie ist der Weg?*) *Dieser Stift schreibt am feinsten.* (Frage: *Wie schreibt dieser Stift?*) *Der ICE fährt am schnellsten.*

E_1: Superlative mit „am“ gehören zur regulären Flexion des Adjektivs; „am“ ist in diesen Fügungen nicht in „an dem“ auflösbar. Beispiele: *Dieser Weg ist steil – steiler – am steilsten. Dieser Stift schreibt fein – feiner – am feinsten.*

In Anlehnung an diese Fügungen kann man auch feste adverbiale Wendungen mit „aufs“ oder „auf das“, die mit „Wie?“ erfragt werden können, kleinschreiben, zum Beispiel:

Sie hat uns aufs / auf das herzlichste begrüßt (Frage: *Wie hat sie uns begrüßt?*). *Der Fall ließ sich aufs / auf das einfachste lösen.*

Superlative, nach denen mit „Woran?“ („An was?“) oder „Worauf?“ („Auf was?“) gefragt werden kann, schreibt man nach § 57 (1) groß, zum Beispiel:

Es fehlt ihnen am / an dem Nötigsten. (Frage: *Woran fehlt es ihnen?*) *Wir sind aufs / auf das Beste angewiesen.* (Frage: *Worauf sind wir angewiesen?*)

(3) Bestimmte feste Verbindungen aus Präposition und nichtdekliniertem oder dekliniertem Adjektiv ohne vorangehenden Artikel, zum Beispiel:

Ich hörte von fern ein dumpfes Grollen. Die Pilger kamen von nah und fern. Die Ware wird nur gegen bar ausgeliefert. Die Mädchen hielten durch dick und dünn zusammen. Das wird sich über kurz oder lang herausstellen. Damit habe ich mich von klein auf beschäftigt.

Das werde ich dir schwarz auf weiß beweisen. Die Stimmung war grau in grau.

Aus der Brandruine stieg von neuem Rauch auf. Wir konnten das Feuer nur von weitem betrachten. Der Fahrplan bleibt bis auf weiteres in Kraft. Unsere Pressesprecherin gibt Ihnen ohne weiteres Auskunft. Der Termin stand seit längerem fest.

E_2: Substantivierungen, die auch ohne Präposition üblich sind, werden nach § 57 (1) auch dann großgeschrieben, wenn sie mit einer Präposition verbunden werden, zum Beispiel:

Die Historikerin beschäftigt sich mit dem Konflikt zwischen Arm und Reich. Das ist ein Fest für Jung und Alt. (Vgl.: *Die Königin lud Arm und Reich ein. Das Fest gefiel Jung und Alt.*)

Die Ampel schaltete auf Rot. Wir liefern das Gerät in Grau (= in grauer Farbe). (Vgl.: *Das ist ein grelles Rot. Sie hasst Grau.)*

Mit Englisch kommst du überall durch. In Ostafrika verständigt man sich am besten auf Swahili oder Englisch. (Vgl.: *Bekanntlich ist Englisch eine Weltsprache. Sein Englisch war gut verständlich.*)

(4) Pronomen, auch wenn sie als Stellvertreter von Substantiven gebraucht werden, zum Beispiel:

In diesem Wald hat sich schon mancher verirrt. Ich habe mich mit diesen und jenen unterhalten. Wenn einer eine Reise tut, so kann er was erzählen. Das muss (ein) jeder mit sich selbst ausmachen. Wir haben alles mitgebracht. Sie hatten beides mitgebracht. Man muss mit (den) beiden reden.

Zur Großschreibung der Anredepronomen siehe §§ 65, 66.

E_3: In Verbindung mit dem bestimmten Artikel oder dergleichen lassen sich Possessivpronomen auch als substantivische possessive Adjektive bestimmen, entsprechend kann man hier nach § 57 (1) auch großschreiben, zum Beispiel:

Grüß mir die deinen / Deinen (die deinigen Deinigen)! Sie trug das ihre / Ihre (das ihrige / Ihrige) zum Gelingen bei. Jedem das seine/Seine!

(5) die folgenden Zahladjektive mit allen ihren Flexionsformen:

viel, wenig; (der, die, das) eine, (der, die, das) andere

Beispiele:

Das haben schon viele erlebt. Zum Erfolg trugen auch die vielen bei, die ohne Entgelt mitgearbeitet haben. Nach dem Brand war nur noch weniges zu gebrauchen. Sie hat das wenige, was noch da war, in eine Kiste versorgt. Die meisten haben diesen Film schon einmal gesehen. Die einen kommen, die anderen gehen. Was der eine nicht tut, soll der andere nicht lassen. Die anderen kommen später. Das können auch andere bestätigen. Alles andere erzähle ich dir später. Sie hatte noch anderes zu tun. Unter anderem wurde auch über finanzielle Angelegenheiten gesprochen.

E_4: Wenn hervorgehoben werden soll, dass das Adjektiv nicht als unbestimmtes Zahlwort zu verstehen ist, kann nach § 57 (1) auch großgeschrieben werden, zum Beispiel:

Sie strebte etwas ganz Anderes (= völlig Neues) an.

(6) Kardinalzahlen unter einer Million, zum Beispiel:

Was drei wissen, wissen bald dreißig. Diese drei kommen mir bekannt vor. Sie rief um fünf an. Wir waren an die zwanzig. Er sollte die Summe durch acht teilen. Dieser Kandidat konnte nicht bis drei zählen. Wir fünf gehören zusammen. Der Abschnitt sieben fehlt im Text. Der Mensch über achtzig schätzt die Gesundheit besonders.

E_5: Wenn *hundert* und *tausend* eine unbestimmte (nicht in Ziffern schreibbare) Menge angeben, können sie auch auf die Zahlsubstantive *Hundert* und *Tausend* bezogen werden (vgl. § 55 (5)); entsprechend kann man sie dann klein- oder großschreiben, zum Beispiel:

Es kamen viele tausende / Tausende von Zuschauern. Sie strömten zu aberhunderten / Aberhunderten herein. Mehrere tausend / Tausend Menschen füllten das Stadion. Der Beifall zigtausender / Zigtausender von Zuschauern war ihr gewiss.

Entsprechend auch: *Der Stoff wird in einigen Dutzend / dutzend Farben angeboten. Der Fall war angesichts Dutzender /dutzender von Augenzeugen klar.*

Bisherige Regelung Unterschiedlich

Eine Reihe von Adjektiven, Pronomen und Partizipien wird dennoch kleingeschrieben, wenn sie – obwohl substantiviert – die folgenden Bedingungen erfüllen:

- Bezugspunkt ist ein vorausgehendes oder nachfolgendes Substantiv: *Sie sah sich zahlreiche Kleider an; am Ende wählte sie das blaue;*
- Superlativformen mit *am* oder feste Wendungen: *Er ist am besten in Mathematik. Ich begrüßte sie auf das herzlichste;*
- einzelne feste Verbindungen (lexikalisierte Formen): *bis auf weiteres, schwarz auf weiß* usw. (aber: *Jung und Alt, Arm und Reich* usw.);
- Artikelwörter als Stellvertreter von Substantiven mit ihren Flexionsformen: *alles, mancher, viel, die vielen, wenig;*
- Kardinalzahlen unter einer Million: *acht, vierhundert, fünfundzwanzigtausend;* aber: *Mehrere tausend/Tausend Menschen füllten das Stadion.*

Eigennamen mit ihren nichtsubstantivischen Bestandteilen sowie Ableitungen von Eigennamen

§ 59

> Eigennamen schreibt man groß.

Eigennamen sind Bezeichnungen zur Identifizierung bestimmter einzelner Gegebenheiten (eine Person, ein Ort, ein Land, eine Institution usw.). Viele sind einfache, zusammengesetzte oder abgeleitete Substantive, zum Beispiel *Peter, Wien, Deutschland, Europa, Südamerika, Bahnhofstraße, Sigmaringen, Albrecht-Dürer-Allee, Ostsee-Zeitung.* Sie werden nach § 55 großgeschrieben. Daneben gibt es mehrteilige Eigennamen, die häufig auch nicht substantivische Bestandteile enthalten, zum Beispiel *Kap der Guten Hoffnung, Norddeutsche Neueste Nachrichten, Vereinigte Staaten von Amerika.* Im Folgenden wird die Groß- und Kleinschreibung dieser Gruppe von Eigennamen dargestellt.

Bisherige Regelung Identisch

Eigennamen werden wie bisher mit großem Anfangsbuchstaben geschrieben. Dazu gehören Personennamen, geographische Namen, Firmennamen, Namen von Zeitungen und Zeitschriften sowie von Organisationen.

§ 60

> In mehrteiligen Eigennamen mit nichtsubstantivischen Bestandteilen schreibt man das erste Wort und alle weiteren Wörter außer Artikel, Präpositionen und Konjunktionen groß.

E_1: Ein vorangestellter Artikel ist in der Regel nicht Bestandteil des Eigennamens und wird darum kleingeschrieben. Zu Ausnahmen siehe unten, Absatz (4.4).

Als Eigennamen im Sinne dieser orthographischen Regelung gelten:

(1) Personennamen, Eigennamen aus Religion, Mythologie sowie Beinamen, Spitznamen und dergleichen, zum Beispiel:

Johann Wolfgang von Goethe, Gertrud von Le Fort, Charles de Coster, Ludwig van Beethoven, der Apokalyptische Reiter, Walther von der Vogelweide, Holbein der Jüngere, der Alte Fritz, Katharina die Große, Heinrich der Achte, Elisabeth die Zweite; Klein Erna

Präpositionen wie *von, van, de, ten, zu(r)* in Personennamen schreibt man im Satzinnern auch dann klein, wenn ihnen kein Vorname vorausgeht, zum Beispiel:

Der Autor dieses Buches heißt von Ossietzky.

(2) Geographische und geographisch-politische Eigennamen, so

(2.1) von Erdteilen, Ländern, Staaten, Verwaltungsgebieten und dergleichen, zum Beispiel:

Vereinigte Staaten von Amerika, Freie und Hansestadt Hamburg (als Bundesland), *Tschechische Republik*

(2.2) von Städten, Dörfern, Straßen, Plätzen und dergleichen, zum Beispiel:

Neu Lübbenau, Groß Flatow, Rostock-Lütten Klein, Unter den Linden, Lange Straße, In der Mittleren Holdergasse, Am Tiefen Graben, An den Drei Pfählen, Hamburger Straße, Neuer Markt

(2.3) von Landschaften, Gebirgen, Wäldern, Wüsten, Fluren und dergleichen, zum Beispiel:

Kahler Asten, Hohe Tatra, Holsteinische Schweiz, Schwäbische Alb, Bayerischer Wald, Libysche Wüste, Goldene Aue, Thüringer Wald

(2.4) von Meeren, Meeresteilen und -straßen, Flüssen, Inseln und Küsten und dergleichen, zum Beispiel:

Stiller Ozean, Indischer Ozean, Rotes Meer, Kleine Antillen, Großer Belt, Schweriner See, Straße von Gibraltar, Kapverdische Inseln, Kap der Guten Hoffnung

(3) Eigennamen von Objekten unterschiedlicher Klassen, so

(3.1) von Sternen, Sternbildern und anderen Himmelskörpern, zum Beispiel:

Kleiner Bär, Großer Wagen, Halleyscher Komet (auch: *Halley'scher Komet;* § 62)

(3.2) von Fahrzeugen, bestimmten Bauwerken und Örtlichkeiten, zum Beispiel:

die Vorwärts (Schiff), *der Blaue Enzian* (Eisenbahnzug), *der Fliegende Hamburger* (Eisenbahnzug), *die Blaue Moschee* (in Istanbul), *das Alte Rathaus* (in Leipzig), *der Französische Dom* (in Berlin), *die Große Mauer* (in China), *der Schiefe Turm* (in Pisa)

(3.3) von einzeln benannten Tieren, Pflanzen und gelegentlich auch von Einzelobjekten weiterer Klassen, zum Beispiel:

der Fliegende Pfeil (ein bestimmtes Pferd), *die Alte Eiche* (ein bestimmter Baum)

(3.4) von Orden und Auszeichnungen, zum Beispiel:

das Blaue Band des Ozeans, Großer Österreichischer Staatspreis für Literatur

(4) Eigennamen von Institutionen, Organisationen, Einrichtungen, so

(4.1) von staatlichen bzw. öffentlichen Dienststellen, Behörden und Gremien, von Bildungs- und Kulturinstitutionen und dergleichen, zum Beispiel:

Deutscher Bundestag, Statistisches Bundesamt, Mecklenburgisches Staatstheater Schwerin, Museum für Deutsche Geschichte (in Berlin), *Naturhistorisches Museum* (in Wien), *Grünes Gewölbe* (in Dresden), *Klinik für Innere Medizin der Universität Rostock, Akademie für Alte Musik Berlin, Zweites Deutsches Fernsehen, Eidgenössische Technische Hochschule* (in Zürich)

(4.2) von Organisationen, Parteien, Verbänden, Vereinen und dergleichen, zum Beispiel:

Vereinte Nationen, Internationales Olympisches Komitee, Deutscher Gewerkschaftsbund, Sozialdemokratische Partei Deutschlands, Christlich-Demokratische Union, Allgemeiner Deutscher Automobilclub, Börsenverein des Deutschen Buchhandels, Österreichisches Rotes Kreuz

(4.3) von Betrieben, Firmen, Genossenschaften, Gaststätten, Geschäften und dergleichen, zum Beispiel:

Deutsche Bank, Österreichischer Raiffeisenverband, Bibliographisches Institut (in Mannheim), *Deutsche Bahn, Weiße Flotte, Städtisches Klinikum Berlin-Buch, Hotel*

Vier Jahreszeiten, Gasthaus zur Neuen Post, Zum Goldenen Anker (Gaststätte), *Salzburger Dombuchhandlung, Rheinisch-Westfälisches Elektrizitätswerk AG*

(4.4) von Zeitungen und Zeitschriften und dergleichen, zum Beispiel:

Berliner Zeitung, Sächsische Neueste Nachrichten, Deutsch als Fremdsprache, Dermatologische Monatsschrift, Die Zeit

Wird der Artikel am Anfang verändert, so schreibt man ihn klein, zum Beispiel:
Sie hat das in der Zeit gelesen.

(5) inoffizielle Eigennamen, Kurzformen sowie Abkürzungen von Eigennamen, zum Beispiel:

Schwarzer Kontinent, Ferner Osten, Naher Osten, Vereinigte Staaten

A. Müller, Astrid M., A. M. (=Astrid Müller), J. W. v. Goethe; SPD (= Sozialdemokratische Partei Deutschlands), DGB (= Deutscher Gewerkschaftsbund), EU (= Europäische Union), SBB (= Schweizerische Bundesbahnen), ORF (= Österreichischer Rundfunk)

E_2: In einigen der oben genannten Namengruppen kann die Schreibung im Einzelfall abweichend festgelegt sein, zum Beispiel:

neue deutsche literatur, profil, konkret (Zeitschriften); *Institut für deutsche Sprache, Akademie für Musik und darstellende Kunst „Mozarteum"; Zur letzten Instanz* (Gaststätte)

Zur Kennzeichnung der Namen von Zeitungen und Zeitschriften mit Anführungszeichen siehe § 94 (1).

Bisherige Regelung Identisch

Wichtig ist dabei, dass Präpositionen in Personennamen (*von, van, de, ten, zu(r)*) kleingeschrieben werden, auch wenn ihnen kein Vorname vorausgeht: *Der Erfinder dieser Maschine heißt von Miller.*

§ 61

> Ableitungen von geographischen Eigennamen auf *-er* schreibt man groß.

Beispiele:

die Berliner Bevölkerung, die Mecklenburger Landschaft, der Schweizer Käse, das St. Galler / Sankt Galler Kloster, das Bad Krozinger Kurgebiet, die New Yorker Kunstszene

Zur Schreibung mit oder ohne Bindestrich siehe § 49 E.

Bisherige Regelung Identisch

§ 62

> Kleingeschrieben werden adjektivische Ableitungen von Eigennamen auf *-(i)sch,* außer wenn die Grundform eines Personennamens durch einen Apostroph verdeutlicht wird, ferner alle adjektivischen Ableitungen mit anderen Suffixen.

Beispiele:

die darwinsche / die Darwin'sche Evolutionstheorie, das wackernagelsche / Wackernagel'sche Gesetz, die goethischen / goetheschen / Goethe'schen Dramen, die bernoullischen / Bernoulli'schen Gleichungen

die homerischen Epen, das kopernikanische Weltsystem, die darwinistische Evolutionstheorie, tschechisches Bier, indischer Tee, englischer Stoff

mit eulenspiegelhaftem Schalk, eine kafkaeske Stimmung

Zur Schreibung mit Apostroph siehe auch Zeichensetzung, § 97 E.
Zur Schreibung mehrteiliger Ableitungen mit Bindestrich siehe § 49 E.

Bisherige Regelung Unterschiedlich

Im Gegensatz zur bisherigen Regelung, bei der einerseits zwischen persönlicher Leistung oder Zugehörigkeit (das Platonische Höhlengleichnis) und sekundärer Benennung (platonische Liebe) unterschieden wurde, werden in Zukunft alle adjektivischen Eigennamen auf *-sch* und *-isch* kleingeschrieben; eine Ausnahme bildet die in Zukunft zulässige Schreibung mit Apostroph: Dann wird großgeschrieben: *das schillersche Werk/das Schiller'sche Werk.* Kleingeschrieben werden auch alle anderen adjektivischen Ableitungen von Eigennamen: *die kafkaesken Zustände, das musilhafte Erzählen.*

Feste Verbindungen aus Adjektiv und Substantiv

§ 63

> In substantivischen Wortgruppen, die zu festen Verbindungen geworden, aber keine Eigennamen sind, schreibt man Adjektive klein.

Beispiele:

der italienische Salat, der blaue Brief, das autogene Training, das neue Jahr, die gelbe Karte, das gelbe Trikot, der goldene Schnitt, die goldene Hochzeit, das große Los, die höhere Mathematik, die innere Medizin, die künstliche Intelligenz, die grüne Lunge, das olympische Feuer, der schnelle Brüter, das schwarze Brett, das schwarze Schaf, die schwedischen Gardinen, der weiße Tod, das zweite Gesicht, die graue Eminenz

Bisherige Regelung Teilweise identisch

Die Unsicherheit, ob man feste Verbindungen (lexikalisierte Formen) mit großem oder kleinem Anfangsbuchstaben schreibt, ist beseitigt. Solche, die keine Eigennamen sind, werden grundsätzlich in Zukunft kleingeschrieben: *das schwarze Schaf, der weiße Tod.*

§ 64

> In bestimmten substantivischen Wortgruppen werden Adjektive großgeschrieben, obwohl keine Eigennamen vorliegen.

Dies betrifft

(1) Titel, Ehrenbezeichnungen, bestimmte Amts- und Funktionsbezeichnungen, zum Beispiel:

der Heilige Vater, die Königliche Hoheit, der Erste Bürgermeister, der Regierende Bürgermeister, der Technische Direktor

(2) fachsprachliche Bezeichnungen bestimmter Klassifizierungseinheiten, so von Arten, Unterarten oder Rassen in der Botanik und Zoologie, zum Beispiel:

die Schwarze Witwe, das Fleißige Lieschen, der Rote Milan, die Gemeine Stubenfliege

(3) besondere Kalendertage, zum Beispiel:

der Heilige Abend, der Weiße Sonntag, der Internationale Frauentag, der Erste Mai

(4) bestimmte historische Ereignisse und Epochen, zum Beispiel:

der Westfälische Frieden, der Deutsch-Französische Krieg 1870/1871, der Zweite Weltkrieg, die Goldenen Zwanziger, die Jüngere Steinzeit

Bisherige Regelung Teilweise identisch

Hier bleibt die Unsicherheit bestehen; die aufgelisteten substantivischen Wortgruppen werden großgeschrieben.

Anredepronomen und Anreden

§ 65

> Die Anredepronomen *Sie* und das entsprechende Possessivpronomen *Ihr* sowie die zugehörigen flektierten Formen schreibt man groß.

Beispiele:

Würden Sie mir helfen? Wie geht es Ihnen? Ist das Ihr Mantel? Bestehen Ihrerseits Bedenken gegen den Vorschlag?

E_1: Großschreibung gilt auch für ältere Anredefornnen wie: *Habt Ihr es Euch überlegt, Fürst von Gallenstein? Johann, führe Er die Gäste herein.*

E_2: In Anreden wie *Seine Majestät, Eure Exzellenz, Eure Magnifizenz* schreibt man das Pronomen ebenfalls groß.

Bisherige Regelung Identisch

Sie bzw. *Ihr* und die deklinierten Formen schreibt man mit großem Anfangsbuchstaben: *Liebe Frau Müller, ich danke Ihnen für die Einladung.*

§ 66

> Die Anredepronomen *du* und *ihr*, die entsprechenden Possessivpronomen *dein* und *euer* sowie das Reflexivpronomen *sich* schreibt man klein.

Beispiele:

Würdest du mir helfen? Hast du dich gut erholt? Haben Sie sich schon angemeldet?

Lieber Freund,
ich schreibe dir diesen Brief und schicke dir eure Bilder . . .

Bisherige Regelung Unterschiedlich

Während bisher in Briefen das Anredepronomen *Du* großgeschrieben wurde, wird es in Zukunft – ebenso wie die entsprechenden Possessivpronomen sowie *sich* – mit kleinem Anfangsbuchstaben geschrieben: *Lieber Manfred, ich danke dir für die Einladung.*

ZEICHENSETZUNG

Vorbemerkungen

(1) Die Satzzeichen sind Grenz- und Gliederungszeichen. Sie dienen insbesondere dazu, einen geschriebenen Text übersichtlich zu gestalten und ihn dadurch für den Lesenden überschaubar zu machen. Zudem kann der Schreibende mit den Satzzeichen besondere Aussageabsichten oder Einstellungen zum Ausdruck bringen oder stilistische Wirkungen anstreben.

Zu unterscheiden sind Satzzeichen

- zur Kennzeichnung des Schlusses von Ganzsätzen: Punkt, Ausrufezeichen, Fragezeichen
- zur Gliederung innerhalb von Ganzsätzen: Komma, Semikolon, Doppelpunkt, Gedankenstrich, Klammern
- zur Anführung von Äußerungen oder Textstellen bzw. zur Hervorhebung von Wörtern oder Textteilen: Anführungszeichen

(2) Daneben dienen bestimmte Zeichen

- zur Markierung von Auslassungen: Apostroph, Ergänzungsstrich, Auslassungspunkte

- zur Kennzeichnung der Wörter bestimmter Gruppen: Punkt nach Abkürzungen bzw. Ordinalzahlen, Schrägstrich

Kennzeichnung des Schlusses von Ganzsätzen

Der Kennzeichnung des Schlusses von Ganzsätzen dienen:

- der Punkt
- das Ausrufezeichen
- das Fragezeichen

Ganzsätze im Sinne dieser orthographischen Regelung zeigen Beispiele wie:

Gestern hat es geregnet. Du kommst bitte morgen! Hat er das wirklich gesagt? Im Hausflur war es still, ich drückte erwartungsvoll auf die Klingel. Ich hoffe, dass wir uns bald wiedersehen. Meine Freundin hatte den Zug versäumt; deshalb kam sie eine halbe Stunde zu spät.

Niemand kannte ihn. Auch der Gärtner nicht. Bitte die Türen schließen und Vorsicht bei der Abfahrt des Zuges! Ob er heute kommt? Nein, morgen. Warum nicht? Gute Reise! Hilfe!

Zu den Zeichen in Verbindung mit Gedankenstrich oder Klammern siehe § 85 bzw. § 88.
Zu den Zeichen bei wörtlich Wiedergegebenem siehe § 90.
Zum Gedankenstrich zwischen zwei Ganzsätzen siehe § 83.

§ 67

Mit dem Punkt kennzeichnet man den Schluss eines Ganzsatzes.

Ich habe ihn gestern gesehen. Sie kommt morgen. Das Kind weinte, weil es seinen Schlüssel verloren hatte.

Wir sehen nach, was Paul macht. Sie habe ihn gestern gesehen, behauptete sie. Sie forderte ihn auf die Wohnung sofort zu verlassen. Ich wünschte, die Prüfung wäre vorbei. Sie fragte ungeduldig, ob er endlich käme. Der Redner stellte die Frage, wie es nach diesen Umweltschäden weitergehen solle.

Im Hausflur war es still. Ich drückte erwartungsvoll auf die Klingel.

E_1: Wenn aber als mehrteiliger Ganzsatz verstanden, entsprechend § 71 (1) bzw. § 80 (1) mit Komma oder Semikolon:

Im Hausflur war es still, ich drückte erwartungsvoll auf die Klingel.
Im Hausflur war es still; ich drückte erwartungsvoll auf die Klingel.

E_2: Bei Aufforderungen, denen man keinen besonderen Nachdruck geben will, setzt man einen Punkt und kein Ausrufezeichen (hierzu siehe § 69):

Rufen Sie bitte später noch einmal an. Nehmen Sie doch Platz. Vgl. S. 25 seiner letzten Veröffentlichung.

E_3: In den folgenden Fällen setzt man keinen Punkt:
- am Ende von freistehenden Zeilen (siehe § 68)
- am Ende einer kolumnenartigen Aufzählung ohne schließende Satzzeichen (siehe § 71 E_2)
- am Ende von Parenthesen (mit Gedankenstrich siehe § 85, mit Klammern siehe § 88)
- bei wörtlich Wiedergegebenem am Anfang oder im Inneren von Ganzsätzen (siehe § 92)
- nach Auslassungspunkten (siehe § 100)
- nach Punkt zur Kennzeichnung von Abkürzungen (siehe § 103) und Ordinalzahlen (siehe § 105)

Bisherige Regelung Identisch

Die Regelung, wann in Zukunft ein Punkt gesetzt wird, bringt zahlreiche Klärungen. Entscheidend ist stets, ob es sich um einen ganzen Satz handelt (dann wird ein Punkt gesetzt) oder nicht (kein Punkt). Entsprechend wird bei Aufzählungen, bei freistehenden Zeilen, bei Parenthesen (Einschüben) oder Abkürzungen kein Punkt gesetzt.

§ 68

> Nach frei stehenden Zeilen setzt man keinen Punkt.

Dies betrifft unter anderem

(1) Überschriften und Werktitel (etwa von Büchern und Theaterstücken, Werken der bildenden Kunst und der Musik, Rundfunk- und Fernsehproduktionen):

Allmähliche Normalisierung im Erdbebengebiet
Schneeverwehungen behindern Autoverkehr
Chance für eine diplomatische Lösung
Einführung in die höhere Mathematik
Der kaukasische Kreidekreis
Die Zauberflöte

Zum Ausrufezeichen siehe § 69 E_2 (1); zum Fragezeichen siehe § 70 E_2.

(2) Titel von Gesetzen, Verträgen, Deklarationen und dergleichen sowie Bezeichnungen für Veranstaltungen:

Bundesgesetz über den Straßenverkehr
Konferenz über Sicherheit und Zusammenarbeit in Europa
Internationaler Ärztekongress

(3) Anschriften und Datumszeilen sowie Grußformeln und Unterschriften etwa in Briefen:

Werner Meier *Donnerstag, 15. Februar 1995*
Gerichtsweg 12
04103 Leipzig

Herrn Rudolf Schröder
Rüdesheimer Str. 29
62123 Wiesbaden

Sehr geehrter Herr Schröder,
entsprechend unserer telefonischen Vereinbarung . . .

Mit freundlichen Grüßen
Ihr Werner Meier

Zur Zeichensetzung bei der Anrede etwa in Briefen siehe § 69 E_3.

Bisherige Regelung Identisch

§ 69

> Mit dem Ausrufezeichen gibt man dem Inhalt des Ganzsatzes einen besonderen Nachdruck wie etwa bei nachdrücklichen Behauptungen, Aufforderungen, Grüßen, Wünschen oder Ausrufen.

Ich habe ihn gestern bestimmt gesehen! Komm bitte morgen! Du kommst morgen! Lasst uns keine Zeit verlieren! Du musst die Arbeit abgeben, weil morgen der letzte Termin ist!

Seht nach, was Paul macht! Sehen Sie nur, wie schön die Aussicht ist! Bitte fordern Sie ihn auf die Wohnung sofort zu verlassen! Frag ihn, ob er kommt!

Ruhe! Bitte nicht stören! Zurücktreten! Bitte die Türen schließen und Vorsicht bei der Abfahrt des Zuges! Guten Morgen! Hoffentlich sehen wir uns bald wieder! Wäre nur die Prüfung erst einmal vorbei! Wenn ich dich noch einmal erwische, kannst du was erleben! Das ist ja großartig! Welch ein Glück! Au! Das tut weh! Nein! Nein!

Zum Punkt nach Aufforderungen ohne besonderen Nachdruck siehe § 67 E_2.

E_1: Wenn aber als mehrteiliger Ganzsatz oder als Teile einer Aufzählung verstanden, entsprechend § 71 mit Komma (siehe auch § 79 (2) und (3)):

Das ist ja großartig, welch ein Glück! Au, das tut weh! Nein, nein!

E_2: Zur Kennzeichnung eines besonderen Nachdrucks setzt man auch nach freistehenden Zeilen ein Ausrufezeichen.

Dies betrifft

(1) Überschriften und Werktitel:

Chance für eine diplomatische Lösung!
Kämpft für den Frieden!
Endlich!

Zum Punkt siehe § 68 (1); zum Fragezeichen siehe § 70 E_2

(2) die Anrede:

Sehr geehrter Herr Präsident! Meine Damen und Herren!

E_3: Nach der Anrede etwa in Briefen kann man ein Ausrufezeichen oder entsprechend § 79 (1) ein Komma setzen:

Sehr geehrter Herr Schröder!
Entsprechend unserer telefonischen Vereinbarung . . .

Sehr geehrter Herr Schröder,
entsprechend unserer telefonischen Vereinbarung . . .

In der Schweiz auch ohne Zeichen am Ende:

Sehr geehrter Herr Schröder
Entsprechend unserer telefonischen Vereinbarung . . .

Bisherige Regelung Identisch

Das Setzen des Ausrufezeichens in der Briefanrede nimmt deutlich ab; stattdessen wird immer häufiger ein Komma verwendet: *Lieber Herr Müller, es sind nun schon fünf Wochen her, seit . . .*

§ 70

Mit dem Fragezeichen kennzeichnet man den Ganzsatz als Frage.

Hast du ihn gestern gesehen? Wann kommst du? Kommst du wirklich morgen? Ob er morgen kommt? Soll er ihm einen Brief schreiben oder ist es besser, dass er ihn anruft?

Habt ihr nachgesehen, was Paul macht? Sehen Sie, wie schön die Aussicht ist? Haben Sie ihn aufgefordert die Wohnung sofort zu verlassen? Hat er gefragt, ob Fritz kommt?

Warst du im Kino? In welchem Film? Dein Freund war auch mit? Was möchtet ihr trinken: Bier, Wein oder Apfelmost? Ist das nicht großartig? Ist das nicht ein Glück? Warum? Weshalb? Weswegen?

E_1: Wenn aber als mehrteiliger Ganzsatz oder als Teile einer Aufzählung verstanden, entsprechend § 71 mit Komma:

Ist das nicht großartig, ist das nicht ein Glück? Warum, weshalb, weswegen?

E_2: Zur Kennzeichnung einer Frage setzt man auch nach freistehenden Zeilen, zum Beispiel nach Überschriften und Werktiteln, ein Fragezeichen:

Chance für eine diplomatische Lösung? Wo warst du, Adam? Quo vadis?

Zum Punkt siehe § 68 (1); zum Ausrufezeichen siehe § 69 E_2.

Bisherige Regelung Identisch

Gliederung innerhalb von Ganzsätzen

(1) Der Gliederung des Ganzsatzes dienen die folgenden Satzzeichen:

- das Komma
- das Semikolon
- der Doppelpunkt
- der Gedankenstrich
- die Klammern

Zu den Auslassungspunkten siehe §§ 99 bis 100.

(2) Das Komma wird sowohl einfach als auch paarig gebraucht:

Er trug einen schwarzen, breitkrempigen Hut. Seine Kopfbedeckung, ein schwarzer und breitkrempiger Hut, lag auf dem Tisch.

Dasselbe gilt für den Gedankenstrich.

Nur paarig werden die Klammern gebraucht, nur einfach das Semikolon und der Doppelpunkt.

(3) Manchmal kann man zwischen verschiedenen Zeichen wählen:

Im Hausflur war es still, ich drückte erwartungsvoll auf die Klingel.
Im Hausflur war es still; ich drückte erwartungsvoll auf die Klingel.
Im Hausflur war es still – ich drückte erwartungsvoll auf die Klingel.

Zur stärkeren Abgrenzung kann man entsprechend § 67 auch einen Punkt setzen:

Im Hausflur war es still. Ich drückte erwartungsvoll auf die Klingel.

Eines Tages, es war mitten im Sommer, hagelte es. Eines Tages – es war mitten im Sommer – hagelte es. Eines Tages (es war mitten im Sommer) hagelte es.

Komma

§ 71

> Gleichrangige (nebengeordnete) Teilsätze, Wortgruppen oder Wörter grenzt man mit Komma voneinander ab.

Dies betrifft (siehe aber § 72)

(1) gleichrangige Teilsätze:

Im Hausflur war es still, ich drückte erwartungsvoll auf die Klingel. Die Musik wird leiser, der Vorhang hebt sich, das Spiel beginnt. Er dachte angestrengt nach, aber ihr Name fiel ihm nicht ein. Ich wollte ihm helfen, doch er ließ es nicht zu. Ich wollte ihm helfen, er ließ es jedoch nicht zu. Das ist ja großartig, welch ein Glück! Ist das nicht großartig, ist das nicht ein Glück?

Zur Möglichkeit der Wahl zwischen Komma, Semikolon oder Punkt siehe § 80 (1).

Er log beharrlich, er wisse von nichts, er sei es nicht gewesen. Wenn das wahr ist, wenn du ihn wirklich nicht gesehen hast, brauchst du dir keine Vorwürfe zu machen. Er erkundigte sich, was es Neues gebe, ob Post gekommen sei. Dass sie ihn nicht nur übersah, sondern dass sie auch noch mit anderen flirtete, kränkte ihn sehr.

(2) gleichrangige Wortgruppen oder Wörter in Aufzählungen:

Der Nachbar hatte versprochen den Briefkasten zu leeren, die Blumen zu gießen, hin und wieder zu lüften. Völlig erschöpft, hungrig und frierend, vom Regen durchnässt kamen sie nach Hause. Er hat nicht behauptet in Berlin gewesen zu sein, sondern in Mainz seinen Onkel besucht zu haben. Sie ärgerte sich ständig über ihren Mann, über die Kinder, über die Hausbewohner.

Er trug einen schwarzen, breitkrempigen Hut. Das ist ein ausgesprochen süßes, widerlich klebriges Getränk. (Siehe aber unten E_1.)

Zu Fällen wie den folgenden siehe § 77 (4): *Auf der Ausstellung waren viele ausländische, insbesondere holländische Firmen vertreten. Als er sein Herz ausgeschüttet, das heißt alles erzählt hatte, fühlte er sich besser.*

Die Buchstaben x, y, z bilden den Schluss des Alphabets. Frühling, Sommer, Herbst, Winter.

Er fährt nicht mit dem Auto, sondern mit dem Zug. Er ist klug, (dabei) aber faul. Einerseits ist er klug, andererseits faul. Der März war teils freundlich, teils regnerisch, aber im Ganzen zu kalt. Sie lächelte halb verlegen, halb belustigt.

Nein, nein! Warum, weshalb, weswegen?

Zum Ausrufe- oder Fragezeichen siehe § 69 bzw. § 70.
Zum Komma bei mehrteiligen Orts-, Wohnungs-, Zeit- und Literaturangaben siehe § 77 (3).

E_1: Sind zwei Adjektive nicht gleichrangig, so setzt man kein Komma.

die letzten großen Ferien, eine neue blaue Bluse, dunkles bayerisches Bier, die allgemeine wirtschaftliche Lage, zahlreiche wertende Stellungnahmen

Gelegentlich kann der Schreibende dadurch, dass er ein Komma setzt oder nicht, deutlich machen, ob er die Adjektive als gleichrangig verstanden wissen will oder nicht.

Gleichrangig: *neue, umweltfreundliche Verfahren* (neben den bisherigen Verfahren, die nicht umweltfreundlich sind, gibt es nunmehr neue und umweltfreundliche Verfahren)

Nicht gleichrangig: *neue umweltfreundliche Verfahren* (zusätzlich zu den bisherigen umweltfreundlichen Verfahren gibt es weitere umweltfreundliche Verfahren)

E_2: Das Komma (und gegebenenfalls der Schlusspunkt) kann in kolumnenartigen Aufzählungen fehlen, zum Beispiel:

Unser Sonderangebot:
– Äpfel
– Birnen
– Orangen

Bisherige Regelung Teilweise unterschiedlich

Bei der Kommasetzung herrscht in Zukunft größere Toleranz, insbesondere bei erweiterten Infinitiv- und Partizipgruppen (Infinitiv- und Partizipialsätze, vgl. § 76). Ziel dieser Neuregelung ist vor allem(,) den/die Schreibende(n) in die Lage zu versetzen, mithilfe des Kommas besondere Akzentsetzungen und Betonungen vorzunehmen. Dies gilt auch für die Zeichensetzung bei mehreren attributiv gebrauchten Adjektiven:

neue, computergestützte Lehrverfahren (neben den bisherigen Lehrverfahren, die nicht computergestützt waren, gibt es jetzt neue und computergestützte Methoden)

neue computergestützte Lehrverfahren (es gab bereits computergestützte Lehrverfahren; jetzt sind neue dazugekommen)

Weiterhin kann bei Aufzählungen in Kolumnen ein Komma, Semikolon und am Ende ein Punkt gesetzt werden; sie können aber auch weggelassen werden:

Sommerschlussverkauf

Hemden,	*Hemden;*	*– Hemden*
Blusen,	*Blusen;*	*– Blusen*
Anzüge,	*Anzüge;*	*– Anzüge*
Schuhe.	*Schuhe.*	*– Schuhe*

§ 72

> Sind die gleichrangigen Teilsätze, Wortgruppen oder Wörter durch *und, oder, beziehungsweise / bzw., sowie (= und), wie (= und), entweder . . . oder, nicht . . . noch, sowohl . . . als (auch), sowohl . . . wie (auch)* oder durch *weder . . . noch* verbunden, so setzt man kein Komma.

Dies betrifft

(1) gleichrangige Teilsätze (siehe aber § 73):

Die Musik wird leiser und der Vorhang hebt sich und das Spiel beginnt. Ich habe sie oft besucht und wir saßen bis spät in die Nacht zusammen. Seid ihr mit meinem Vorschlag einverstanden oder habt ihr Einwände vorzubringen? Sie wisse Bescheid und der Vorgang sei ihr völlig klar, sagte sie. Er erkundigte sich, was es Neues gebe und ob Post gekommen sei. Alle wollten wissen, wie es gewesen war und warum es so lange gedauert hatte. Ich hoffe, dass es dir gefällt und dass du zufrieden bist.

(2) gleichrangige Wortgruppen oder Wörter in Aufzählungen:

Der Nachbar hatte versprochen den Briefkasten zu leeren und die Blumen zu gießen und hin und wieder zu lüften. Völlig erschöpft und vom Regen durchnässt kamen sie nach Hause.

Sie fährt sowohl bei gutem als auch bei schlechtem Wetter. Der März war kalt und unfreundlich. Das ist ein ausgesprochen süßes sowie widerlich klebriges Getränk. Feuer, Wasser, Luft und Erde

Sie fährt entweder mit dem Auto oder mit dem Zug. Er ist klug und dabei faul. Nein und abermals nein! Wie und warum und wozu?

E_1: Ein Komma vor *und* usw. kann dadurch begründet sein, dass mit ihm entsprechend § 74 ein Nebensatz, entsprechend § 77 ein Zusatz oder Nachtrag bzw. entsprechend § 93 ein wörtlich wiedergegebener Satz abgeschlossen wird:

Er sagte, dass er morgen komme, und verabschiedete sich. Mein Onkel, ein großer Tierfreund, und seine Katzen leben in einer alten Mühle. Sie fragte: „Brauchen Sie die Unterlagen?“, und öffnete die Schublade.

E_2: Bei entgegenstellenden Konjunktionen wie *aber, doch, jedoch, sondern* steht nach der Grundregel (§ 71) ein Komma, wenn sie zwischen gleichrangigen Wörtern oder Wortgruppen stehen:

Sie fährt nicht nur bei gutem, sondern auch bei schlechtem Wetter. Der März war sonnig, aber kalt. Er hat mir ein süßes, jedoch wohlschmeckendes Getränk eingeschenkt.

Bisherige Regelung Unterschiedlich

Im Gegensatz zur bisherigen Norm wird in Zukunft bei durch *und, oder, weder . . . noch, sowohl . . . als (auch), entweder . . . oder, sowie, wie* (= und) usw. verbundenen Hauptsätzen kein Komma gesetzt: *Er ging nach Haus und sie blieb noch im Restaurant. Seid ihr damit einverstanden oder habt ihr andere Vorstellungen?*

Hingegen wird bei adversativen (entgegenstellenden) Konjunktionen wie *aber, doch, jedoch* und *sondern* im einfachen Satz (Verbindung zweier Wortgruppen) bzw. zwischen gleichrangigen Sätzen (zwei Hauptsätze) ein Komma gesetzt: *Die Geschichte ist wunderbar, aber leider nicht wahr. Sie hatte Jürgen nicht geheiratet, sondern sie wollte weiter allein leben.*

§ 73

> Bei gleichrangigen Teilsätzen, die durch *und, oder* usw. verbunden sind, kann man ein Komma setzen, um die Gliederung des Ganzsatzes deutlich zu machen.

Ich habe sie oft besucht(,) und wir saßen bis spät in die Nacht zusammen, wenn sie in guter Stimmung war. Es war nicht selten, dass er sie besuchte(,) und dass sie bis spät in die Nacht zusammensaßen, wenn sie in guter Stimmung war.

Er traf sich mit meiner Schwester(,) und deren Freundin war auch mitgekommen. Wir warten auf euch(,) oder die Kinder gehen schon voraus. Ich fotografierte die Berge(,) und meine Frau lag in der Sonne.

Bisherige Regelung Teilweise unterschiedlich

Will man aus stilistischen Gründen bei durch *und, oder* usw. (§ 72) verbundenen Hauptsätzen dennoch ein Komma setzen, so ist dies möglich: *Sie hatten sich sehr auf das Wiedersehen gefreut (,) und dass er obendrein seine Kinder mitgebracht hatte, machte ihr Glück noch größer.*

§ 74

> Nebensätze grenzt man mit Komma ab; sind sie eingeschoben, so schließt man sie mit paarigem Komma ein.

Am Anfang des Ganzsatzes:

Was ich anfangen soll, weiß ich nicht. Als wir nach Hause kamen, war es schon spät. Dass es dir wieder besser geht, freut mich sehr. Obwohl schlechtes Wetter war, suchten wir die Ostereier im Garten. Ist dir der Weg zu weit, kannst du mit dem Bus fahren. Er komme morgen, sagte er. Als er sich niederbeugte, weil er ihre Tasche aufheben wollte, stießen sie mit den Köpfen zusammen.

Eingeschoben:

Das Buch, das ich dir mitgebracht habe, liegt auf dem Tisch. Seine Annahme, dass Peter käme, erfüllte sich nicht. Sie konnte, wenn sie wollte, äußerst liebenswürdig sein. Er sagte, dass er morgen komme, und verabschiedete sich. Er sagte, er komme morgen, und verabschiedete sich.

Am Ende des Ganzsatzes:

Ich weiß nicht, was ich anfangen soll. Sie beobachtete die Kinder, die auf der Wiese ihre Drachen steigen ließen. Gestern traf ich eine Freundin, von der ich lange nichts mehr gehört hatte. Das Kind weinte, weil es seinen Schlüssel verloren hatte. Ich hätte nie gedacht, dass du mich so enttäuschen würdest. Sie sah gesünder aus, als sie sich fühlte. Seine Tochter war ebenso rothaarig, wie er es als Kind gewesen war. Sie sagte, sie komme morgen. Er war zu klug, als dass er in die Falle gegangen wäre, die man ihm gestellt hatte.

E_1: Besteht die Einleitung eines Nebensatzes aus einem Einleitewort und weiteren Wörtern, so gilt:

(1) Man setzt das Komma vor die ganze Wortgruppe:

Ich habe sie selten besucht, aber wenn ich bei ihr war, saßen wir bis spät in die Nacht zusammen. Er rannte, als ob es um sein Leben ginge, über die Straße. Sie rannte, wie wenn es um ihr Leben ginge. Ein Passant hatte bereits Risse in den Pfeilern der Brücke bemerkt, zwei Tage bevor sie zusammenbrach.

(2) In einigen Fällen kann der Schreibende zusätzlich ein Komma zwischen den Bestandteilen der Wortgruppe setzen:

Morgen wird es regnen, angenommen(,) dass der Wetterbericht stimmt. Wir fahren morgen, ausgenommen(,) wenn es regnet. Ich glaube nicht, dass er anruft, geschweige(,) dass er vorbeikommt. Ich glaube nicht, dass er anruft, geschweige denn(,) dass er vorbeikommt. Ich komme morgen, gleichviel(,) ob er es will oder nicht. Ich werde ihnen gegenüber abweisend oder entgegenkommend sein, je nachdem(,) ob sie hartnäckig oder sachlich sind.

(3) Der Schreibende kann durch das Komma deutlich machen, ob er Wörter als Bestandteil der Nebensatzeinleitung verstanden wissen will oder nicht:

Ich freue mich, auch wenn du mir nur eine Karte schreibst. Ich freue mich auch, wenn du mir nur eine Karte schreibst. Die Rehe bemerkten ihn, gleich als er sein Versteck verließ. Die Rehe bemerkten ihn gleich, als er sein Versteck verließ. Er ärgerte sich zeitlebens, so dass er schon früh graue Haare bekam. Er ärgerte sich zeitlebens so, dass er schon früh graue Haare bekam. Sie sorgt sich um ihn, vor allem(,) wenn er nachts unterwegs ist. Sie sorgt sich um ihn vor allem, wenn er nachts unterwegs ist.

E_2: Wenn eine beiordnende Konjunktion wie *und, oder* (§ 72) Satzglieder oder Teile von Satzgliedern mit Nebensätzen verbindet, so steht zwischen den Bestandteilen einer solchen Reihung kein Komma:

Außerordentlich bedauert hat er diesen Vorfall und dass das hier geschehen konnte.

Bei großer Dürre oder wenn der Föhn weht, ist das Rauchen hier streng verboten.
Wenn der Föhn weht oder bei großer Dürre ist das Rauchen hier streng verboten.
Das Rauchen ist hier streng verboten bei großer Dürre oder wenn der Föhn weht.
Das Rauchen ist hier streng verboten, wenn der Föhn weht oder bei großer Dürre.

E_3: Vergleiche mit *als* oder *wie* in Verbindung mit einer Wortgruppe oder einem Wort sind keine Nebensätze; entsprechend setzt man kein Komma (zu *wie* siehe auch § 78 (2)):

Früher als gewöhnlich kam er von der Arbeit nach Hause. Wie im letzten Jahr hatten wir auch diesmal einen schönen Herbst. Er kam früher als gewöhnlich von der Arbeit nach Hause. Er kam wie am Vortage auch heute zu spät. Peter ist größer als sein Vater. Heute war er früher da als gestern. Das ging schneller als erwartet. Er ist genauso groß wie sie.

Bisherige Regelung Teilweise identisch

Bei Nebensätzen gelten die alten Interpunktionsregeln weiterhin: Man setzt ein Komma vor die einleitende Konjunktion (Nachsatz) bzw. an das Ende des Nebensatzes (Vordersatz). Ist der Nebensatz eingeschoben (Zwischensatz), steht ein Komma davor und danach (paariges Komma):

(Nachsatz)	*Er wollte erreichen, dass sie zur Premiere singt.*
(Vordersatz)	*Dass sie zur Premiere singt, wollte er erreichen.*
(Zwischensatz)	*Seine Thesen, die er bereits mehrfach vorgetragen hatte, überzeugten nicht.*

Eine besondere Rolle spielen Wortgruppen wie *angenommen(,) dass, geschweige(,) dass, geschweige(,) denn, gleichviel(,) ob, je nachdem(,) ob, vorausgesetzt(,) dass* usw. Hier kann ein Komma gesetzt werden, wenn der/die Schreibende einen besonderen Akzent setzen will. Es kann aber auch entfallen: *Wir werden auf die Vorschläge ablehnend oder zustimmend reagieren, je nachdem(,) ob sie rechthaberisch oder kompromissbereit auftritt.*

Wie bisher wird bei den Satzteilkonjunktionen *als* bzw. *wie* kein Komma gesetzt: *Sie ist natürlich künstlerisch beeindruckender als ihr Mann. Das geht uns so wie allen Menschen.*

§ 75

> Bei formelhaften Nebensätzen kann man das Komma weglassen.

Wie bereits gesagt(,) verhält sich die Sache anders. Ich komme(,) wenn nötig(,) bei dir noch vorbei.

Bisherige Regelung Unterschiedlich

Im Gegensatz zur bisherigen Regelung – Kommasetzung obligatorisch – ist es fortan dem/der Schreibenden überlassen, ob er/sie bei formelhaften (verkürzten) Nebensätzen ein Komma setzt: *Die Eltern haben(,) wie bereits erwähnt (,) ihre Kinder umgeschult.*

§ 76

> Bei Infinitiv-, Partizip- oder Adjektivgruppen oder bei entsprechenden Wortgruppen kann man ein (gegebenenfalls paariges) Komma setzen, um die Gliederung des Ganzsatzes deutlich zu machen bzw. um Missverständnisse auszuschließen.

Sie ist bereit(,) zu diesem Unternehmen ihren Beitrag zu leisten. Etwas Schöneres(,) als bei dir zu sein(,) gibt es nicht. Durch eine Tasse Kaffee gestärkt(,) werden wir die Arbeit fortsetzen. Darauf aufmerksam gemacht(,) haben wir den Fehler beseitigt. Er sah sich(,) ihn laut und wütend beschimpfend(,) nach einem Fluchtweg um. Sie suchte(,) den etwas ungenauen Stadtplan in der Hand(,) ein Straßenschild.

Ich hoffe(,) jeden Tag(,) in die Stadt gehen zu können. Ich rate(,) ihm(,) zu helfen. Die Kranke versuchte(,) täglich(,) etwas länger aufzubleiben. Sabine versprach(,) ihrem Vater(,) einen Brief zu schreiben(,) und verabschiedete sich. Er ging(,) gestern(,) von allen wütend beschimpft(,) zur Polizei.

Zum Komma bei Infinitivgruppen usw. in Verbindung mit einem hinweisenden Wort siehe § 77 (5).

Zum Komma bei nachgetragenen Infinitivgruppen oder entsprechenden Wortgruppen siehe § 77 (6), bei nachgetragenen Partizip-, Adjektivgruppen oder entsprechenden Wortgruppen auch am Ende des Ganzsatzes siehe § 77 (7).

Zur Möglichkeit der Wahl, Infinitivgruppen usw. mit Komma als Zusatz oder Nachtrag zu kennzeichnen, siehe § 78 (3).

Bisherige Regelung Unterschiedlich

Im Gegensatz zur bisher gültigen Interpunktionsnorm können in Zukunft bei erweiterten Infinitiv- und Partizipialsätzen Kommas gesetzt werden (bei eingeschobenen Sätzen paariges Komma); sie können aber auch entfallen: *Er ist bereit(,) seine Erklärungen schriftlich nachzureichen und zu beeiden. Mit zahlreichen Karten versehen(,) machten wir uns auf die Bergwanderung. Ihn verlieren zu sehen(,) war unerträglich.*

Manchmal freilich ist ein Komma nötig, um Missverständnisse zu vermeiden: *Er hofft(,) jeden Tag(,) besser sprechen zu können.*

§ 77

> Zusätze oder Nachträge grenzt man mit Komma ab; sind sie eingeschoben, so schließt man sie mit paarigem Komma ein.

Möglich sind in bestimmten Fällen auch Gedankenstrich (siehe § 84) oder Klammern (siehe § 86); mit diesen Zeichen kennzeichnet man stärker, dass man etwas als Zusatz oder Nachtrag verstanden wissen will.

Dies betrifft (1) Parenthesen, (2) Substantivgruppen als Nachträge (Appositionen), (3) Orts-, Wohnungs-, Zeit- und Literaturangaben ohne Präposition, (4) Erläuterungen, (5) angekündigte Wörter oder Wortgruppen, (6) Infinitivgruppen und (7) Partizip- oder Adjektivgruppen.

(1) Parenthesen:

Eines Tages, es war mitten im Sommer, hagelte es. Dieses Bild, es ist das letzte und bekannteste des Künstlers, wurde nach Amerika verkauft. Ihre Forderung, um das noch einmal zu sagen, halten wir für wenig angemessen.

Zum Gedankenstrich oder zu Klammern siehe § 84 (1) bzw. § 86 (1).

(2) Substantivgruppen als Nachträge (Appositionen), insbesondere auch Titel, Berufsbezeichnungen und dergleichen in Verbindung mit Eigennamen:

Mein Onkel, ein großer Tierfreund, und seine Katzen leben in einer alten Mühle. Wir gingen in die Hütte, einen kalten Raum mit kleinen Fenstern. Wir gingen in die Hütte, einen kalten Raum mit kleinen Fenstern, und zündeten ein Feuer an. Walter Gerber, Mannheim, und Anita Busch, Berlin, verlobten sich letzte Woche.

Mainz ist die Geburtsstadt Johannes Gutenbergs, des Erfinders der Buchdruckerkunst. Johannes Gutenberg, der Erfinder der Buchdruckerkunst, wurde in Mainz geboren. Professor Dr. med. Max Müller, Direktor der Kinderklinik, war unser Gesprächspartner. Franz Meier, der Angeklagte, verweigerte die Aussage. Gertrud Patzke, Hebamme des Dorfes, wurde 60 Jahre alt.

Zum Gedankenstrich oder zu Klammern siehe § 84 (2) bzw. § 86 (2).

E_1: Folgt der Eigenname einem Titel, einer Berufsbezeichnung und dergleichen, so kann man nach § 78 (4) das Komma weglassen:

Der Erfinder der Buchdruckerkunst(,) Johannes Gutenberg(,) wurde in Mainz geboren.

E_2: Bestandteile von mehrteiligen Eigennamen und vorangestellte Titel ohne Artikel sind keine Zusätze oder Nachträge; entsprechend setzt man kein Komma.

Wilhelm der Eroberer unterwarf ganz England. Direktor Professor Dr. med. Max Müller führte uns durch die Klinik.

Frau Schmidt geb. Kühn hat dies mitgeteilt.

Nach der Grundregel (§ 77) auch mit Komma: *Frau Schmidt, geb. Kühn, hat dies mitgeteilt.*

(3) Mehrteilige Orts-, Wohnungs-, Zeit- und Literaturangaben ohne Präposition (das schließende Komma kann hier auch weggelassen werden):

Orts-, Wohnungs- und Zeitangaben:

Gustav Meier, Wiesbaden, Wilhelmstr. 24, 1. Stock(,) hat diese Annonce aufgegeben. Gabi Schmid aus Berlin, Landsberger Allee 209, 3. Stock(,) gewann eine Reise in den Harz. Aber: Gabi hat lange in Köln am Kirchplatz 4 gewohnt.

Die Tagung soll Mittwoch, (den) 14. November(,) beginnen. Die Tagung soll am Mittwoch, dem 14. November(,) beginnen. Die Tagung soll am Mittwoch, dem 14. November, (um) 9.00 Uhr(,) im Rosengarten beginnen.

Mehrteilige Hinweise auf Stellen aus Büchern, Zeitschriften und dergleichen:

Die Zeitschrift Spektrum, Jahrgang 29, Heft 2, S. 134(,) hat darüber berichtet. In der Zeitschrift Spektrum, Jahrgang 29, Heft 2, S. 134(,) findet sich ein entsprechendes Zitat.

Ausnahme: In mehrteiligen Hinweisen auf Gesetze, Verordnungen und dergleichen setzt man kein Komma:

§ 6 Abs. 2 Satz 3 der Verordnung

(4) Nachgestellte Erläuterungen, die häufig mit *also, besonders, das heißt (d. h.), das ist (d. i.), genauer, insbesondere, nämlich, und das, und zwar, vor allem, zum Beispiel (z. B.)* oder dergleichen eingeleitet werden:

Sie isst gern Obst, besonders Apfelsinen und Bananen. Obst, besonders Apfelsinen und Bananen, isst sie gern. Wir erwarten dich nächste Woche, und zwar am Dienstag. Nachmittags kommt Gewitterneigung auf, vor allem im Süden. Mit einem Scheck über 2000 DM, in Worten: zweitausend Mark, hat er die Rechnung bezahlt. Sie bezahlte mit einem Scheck über 2000 DM, in Worten: zweitausend Mark.

Auf der Ausstellung waren viele ausländische Firmen, insbesondere holländische [Maschinenhersteller/Firmen], vertreten. Wir erwarten dich nächste Woche, das heißt vielleicht auch übernächste [Woche], zu einem Gespräch. Als sie ihr Herz ausgeschüttet hatte, das heißt alles erzählt hatte, fühlte sie sich besser.

Wird – im Unterschied zu den letztgenannten Beispielen – die Erläuterung in die substantivische oder verbale Fügung einbezogen, so grenzt man sie mit einfachem Komma ab:

Auf der Ausstellung waren viele ausländische, insbesondere holländische Firmen vertreten. Wir erwarten dich nächste, das heißt vielleicht auch übernächste Woche zu einem Gespräch. Als er sein Herz ausgeschüttet, das heißt alles erzählt hatte, fühlte er sich besser.

Zum Gedankenstrich oder zu Klammern siehe § 84 (3) bzw. § 86 (3).

(5) Wörter oder Wortgruppen, die durch ein hinweisendes Wort oder eine hinweisende Wortgruppe angekündigt werden:

Sie, die Gärtnerin, weiß das ganz genau. Wir beide, du und ich, wissen es genau.

Daran, den Job länger zu behalten, dachte sie nicht. Sie dachte nicht daran, den Job länger zu behalten, und kündigte. Sein größter Wunsch ist es, eine Familie zu gründen. Dies, eine Familie zu gründen, ist sein größter Wunsch.

So, aus vollem Halse lachend, kam sie auf mich zu. So, mit dem Rucksack bepackt, standen wir vor dem Tor. So bepackt, den Rucksack auf dem Rücken, standen wir vor dem Tor.

Werden Wörter oder Wortgruppen durch ein hinweisendes Wort oder eine hinweisende Wortgruppe wieder aufgenommen, so grenzt man sie mit einfachem Komma ab:

Denn die Gärtnerin, die weiß das ganz genau. Und du und ich, wir beide wissen das genau. Wie im letzten Jahr, so hatten wir auch diesmal einen schönen Herbst.

. . . und den Job länger zu behalten, daran dachte sie nicht und kündigte. Eine Familie zu gründen, das ist sein größter Wunsch.

Aus vollem Halse lachend, so kam sie auf mich zu. Mit dem Rucksack bepackt, so standen wir vor dem Tor. Den Rucksack auf dem Rücken, so bepackt standen wir vor dem Tor.

Zum Gedankenstrich siehe § 84 (4).

(6) nachgetragene Infinitivgruppen oder entsprechende Wortgruppen (siehe dazu auch § 78 (3)):

Er, ohne den Vertrag vorher gelesen zu haben, hatte ihn sofort unterschrieben. Er, ohne jede Kenntnis des Vertragsinhalts, hatte sofort unterschrieben. Er, statt ihm zu Hilfe zu kommen, sah tatenlos zu.

(7) nachgetragene Partizip- oder Adjektivgruppen oder entsprechende Wortgruppen auch am Ende des Ganzsatzes (siehe auch § 78 (3)):

Sie, aus vollem Halse lachend, kam auf mich zu. Er, außer sich vor Freude, lief auf sie zu und umarmte sie. Sie, ganz in Decken verpackt, saß auf der Terrasse. Er kam auf mich zu, aus vollem Halse lachend. Er lief auf sie zu und umarmte sie, außer sich vor Freude. Sie saß auf der Terrasse, ganz in Decken verpackt. Die Klasse, zum Ausflug bereit, war auf dem Schulhof versammelt. Wir, den Rucksack auf dem Rücken, standen vor dem Tor. Die Klasse war auf dem Schulhof versammelt, zum Ausflug bereit. Wir standen vor dem Tor, den Rucksack auf dem Rücken.

Suchen Mitarbeiter, sprachkundig und schreibgewandt. Mehrere Mitarbeiter, sprachkundig und schreibgewandt, werden gesucht. Der November, kalt und nass, löste eine Grippe aus.

E_3: In einer festen Verbindung mit einem nachgestellten Adjektiv setzt man kein Komma.

Hänschen klein, Forelle blau, Whisky pur

Bisherige Regelung Teilweise identisch

Wie bisher werden Kommas gesetzt bei Parenthesen (Einschüben), Appositionen (Beifügungen im gleichen Kasus), Erläuterungen, Angaben zur Wohnung, Literaturangaben oder zum Titel usw. Das abschließende Komma bei Angaben kann weggelassen werden:

Morgens, es war schon hell, klingelte es.

Herr Prof. Schulze, Lehrstuhlinhaber seit fünf Jahren, zeigte uns das neue Institut.
Er trinkt gern Wein, vor allem rote Burgunderweine
Ilse Müller, geb. Schlegel, Rostock, Goethestraße 4, hat den ersten Preis gewonnen.
Der Kongress beginnt Montag, (den) 13. August(,) in Vancouver.
Der Kongress beginnt am Montag, dem 13. August(,) in Vancouver.

Wichtig ist die Ausnahmeregelung bei mehrteiligen Hinweisen auf Gesetze und Verordnungen. Hier wird kein Komma gesetzt: *§ 14 Abs. 5 Satz 2 des Ausländergesetzes.*

Eine weitere Besonderheit ist das Komma bei Wortgruppen mit einem Hinweiswort:
Vor Anstrengung heftig atmend, so kam er auf uns zu. (Komma!)
Ohne Hinweiswort: *Vor Anstrengung heftig atmend kam er auf uns zu.* (kein Komma!)

§ 78

> Oft liegt es im Ermessen des Schreibenden, ob er etwas mit Komma als Zusatz oder Nachtrag kennzeichnen will oder nicht.

Dies betrifft

(1) Gefüge mit Präpositionen, entsprechende Wortgruppen oder Wörter:

Die Fahrtkosten(,) einschließlich D-Zug-Zuschlag(,) betragen 25,00 Mark. Die Fahrtkosten betragen 25,00 Mark(,) einschließlich D-Zug-Zuschlag. Sie hatte(,) trotz aller guten Vorsätze(,) wieder zu rauchen angefangen. Sie hatte(,) bedauerlicherweise(,) wieder zu rauchen angefangen. Der Kranke hatte(,) entgegen ärztlichem Verbot(,) das Bett verlassen. Das war(,) nach allgemeinem Urteil(,) eine Fehlleistung. Er hatte sich(,) den ganzen Tag über(,) mit diesem Problem beschäftigt. Die ganze Familie(,) samt Kindern und Enkeln(,) besuchte die Großeltern.

(2) Gefüge mit *wie* (zu *wie* in Vergleichen siehe § 74 E_3):

Ihre Ausgaben(,) wie Fahrt- und Übernachtungskosten(,) werden Ihnen ersetzt.

(3) Infinitiv-, Partizip- oder Adjektivgruppen oder entsprechende Wortgruppen (siehe auch § 77 (6) und (7)):

Er hatte den Vertrag(,) ohne ihn vorher gelesen zu haben(,) sofort unterschrieben. Er hatte(,) ohne jede Kenntnis des Vertragsinhalts(,) sofort unterschrieben. Er hatte den Vertrag sofort unterschrieben(,) ohne ihn vorher gelesen zu haben. Er hatte sofort unterschrieben(,) ohne jede Kenntnis des Vertragsinhalts. Er sah(,) statt ihm zu Hilfe zu kommen(,) tatenlos zu. Er sah tatenlos zu(,) statt ihm zu Hilfe zu kommen. Sie hatte(,) um nicht zu spät zu kommen(,) ein Taxi genommen. Sie hatte ein Taxi genommen(,) um nicht zu spät zu kommen. Sein Wunsch(,) eine Familie zu gründen(,) war groß. Unfähig(,) einen Kompromiss zu schließen(,) beendete er die Verhandlung.

Sie kam(,) aus vollem Halse lachend(,) auf mich zu. Er lief(,) außer sich vor Freude(,) auf sie zu und umarmte sie. Sie saß(,) ganz in Decken verpackt(,) auf der Terrasse. Die Klasse war(,) zum Ausflug bereit(,) auf dem Schulhof versammelt. Wir standen(,) den Rucksack auf dem Rücken(,) vor dem Tor. Er sah(,) den Spazierstock in der Hand(,) tatenlos zu.

(4) Eigennamen, die einem Titel, einer Berufsbezeichnung und dergleichen folgen (siehe auch § 77 (2)):

Der Erfinder der Buchdruckerkunst(,) Johannes Gutenberg(,) wurde in Mainz geboren. Der Direktor der Kinderklinik(,) Professor Dr. med. Max Miiller(,) war der Gesprächspartner. Der Angeklagte(,) Franz Meier(,) verweigerte die Aussage. Die Hebamme des Dorfes(,) Gertrud Patzke(,) wurde 60 Jahre alt.

Bisherige Regelung Unterschiedlich

In Zukunft ist es, bei Zusätzen und erläuternden Nachträgen, in das Ermessen des/der Schreibenden gestellt, ob er/sie ein Komma (bzw. paariges Komma) setzt oder nicht: *Das Essen kostete(,) alle Getränke eingeschlossen(,) 220,– DM. Sie wollte das Urteil(,) ohne vorher die schriftliche Fassung gelesen zu haben(,) akzeptieren.*

§ 79

> Anreden, Ausrufe oder Ausdrücke einer Stellungnahme, die besonders hervorgehoben werden sollen, grenzt man mit Komma ab; sind sie eingeschoben, so schließt man sie mit paarigem Komma ein.

Dies betrifft

(1) Anreden:

Kinder, hört doch mal zu. Hört doch mal zu, Kinder. Hört, Kinder, doch mal zu. Du, stell dir vor, was mir passiert ist! Kommst du mit ins Kino, Klaus-Dieter? Für heute sende ich dir, liebe Ruth, die herzlichsten Grüße.

Zur Möglichkeit der Wahl zwischen Komma oder Ausrufezeichen nach der Anrede etwa in Briefen siehe § 69 E_3.

(2) Ausrufe:

Oh, wie kalt das ist! Au, das tut weh! He, was machen Sie da? Was, du bist umgezogen? Du bist umgezogen, was? So ist es, ach, nun einmal. So ist es nun einmal, ach ja. Ach ja, so ist es nun einmal.

Aber ohne Hervorhebung:

Oh wenn sie doch käme! Ach lass mich doch in Ruhe!

(3) Ausdrücke einer Stellungnahme wie etwa einer Bejahung, Verneinung, Bekräftigung oder Bitte:

Ja, daran ist nicht zu zweifeln. Nein, das sollten Sie nicht tun, nein! Tatsächlich, das ist es. Das ist es, tatsächlich. Leider, das hat er gesagt. Das hat er gesagt, leider. Sie hat uns angerufen, eine gute Idee. Er hat, eine Unverschämtheit, uns auch noch angerufen.

Bitte, komm doch morgen pünktlich. Komm doch, bitte, morgen pünktlich. Komm doch morgen pünktlich, bitte. Danke, ich habe schon gegessen. Ich habe schon gegessen, danke.

Aber ohne Hervorhebung:

Bitte komm doch morgen pünktlich!

Zum Ausrufezeichen siehe § 69.
Zur Möglichkeit der Wahl zwischen Komma, Gedankenstrich oder Doppelpunkt siehe § 82.

Bisherige Regelung Identisch

Semikolon

§ 80

> Mit dem Semikolon kann man gleichrangige (nebengeordnete) Teilsätze oder Wortgruppen voneinander abgrenzen. Mit dem Semikolon drückt man einen höheren Grad der Abgrenzung aus als mit dem Komma und einen geringeren Grad der Abgrenzung als mit dem Punkt.

Zur Abgrenzung mit Punkt siehe § 67; zur Abgrenzung mit Komma siehe § 71.

Dies betrifft

(1) gleichrangige, vor allem auch längere Hauptsätze (mit Nebensatz):

Im Hausflur war es still; ich drückte erwartungsvoll auf die Klingel. Meine Freundin hatte den Zug versäumt; deshalb kam sie eine halbe Stunde zu spät. Steffen wünscht sich schon lange einen Hund; aber seine Eltern dulden keine Tiere in der Wohnung. Die Angelegenheit ist erledigt; darum wollen wir nicht länger streiten. Wir müssen uns überlegen, mit welchem Zug wir fahren wollen; wenn wir den früheren Zug nehmen, müssen wir uns beeilen.

Möglich sind hier auch das schwächer abgrenzende Komma oder der stärker abgrenzende Punkt:

Im Hausflur war es still, ich drückte erwartungsvoll auf die Klingel.

Im Hausflur war es still. Ich drückte erwartungsvoll auf die Klingel.

Zum hier ebenfalls möglichen Gedankenstrich siehe § 82.

(2) gleichrangige Wortgruppen gleicher Struktur in Aufzählungen:

Unser Proviant bestand aus gedörrtem Fleisch, Speck und Rauchschinken; Ei- und Milchpulver; Reis, Nudeln und Grieß.

Möglich ist hier auch das schwächer abgrenzende, nicht untergliedernde Komma:

Unser Proviant bestand aus gedörrtem Fleisch, Speck und Rauchschinken, Ei- und Milchpulver, Reis, Nudeln und Grieß.

Bisherige Regelung Teilweise identisch

Das Semikolon dient zur Trennung von gleichrangigen Teilsätzen oder Satzteilen (Wortgruppen); für den Gebrauch gibt es keine festen Regeln. In Zukunft soll es noch mehr als bisher in das Ermessen des/der Schreibenden gestellt werden, ob er/sie ein Semikolon (weniger als ein Punkt, aber mehr als ein Komma) verwendet: *Es war ein faszinierender Abend; nur das Essen ließ zu wünschen übrig.*

Weiterhin wird das Semikolon bei Aufzählungen gleichrangiger Wortgruppen jeweils unterschiedlichen Inhalts verwendet: *Im Sommerschlussverkauf werden alle Waren billiger angeboten: Kleider, Anzüge und Mäntel; Badehosen und Badeanzüge; Gartengeräte und Bänke; Haushaltsartikel, Reinigungsmittel und Küchengeräte.*

Doppelpunkt

§ 81

> Mit dem Doppelpunkt kündigt man an, dass etwas Weiterführendes folgt.

Zur Schreibung des ersten Wortes nach Doppelpunkt siehe § 54 (1) und (2).

Dies betrifft

(1) wörtlich wiedergegebene Äußerungen oder Textstellen, wenn der Begleitsatz oder ein Teil von ihm vorausgeht:

Er sagte: „Ich komme morgen." Er sagte zu ihr: „Komm bitte morgen!" Er fragte: „Kommst du morgen?" Sie sagte: „Brauchen Sie die Unterlagen?", und öffnete die Schublade. Die Zeitung schrieb, dass die Bahn erklären ließ: „Wir haben die feste Absicht die Strecke stillzulegen."

Zu den Anführungszeichen siehe § 89.

(2) Aufzählungen, spezielle Angaben, Erklärungen oder dergleichen:

Er hat schon mehrere Länder besucht: Frankreich, Spanien, Rumänien, Polen. Die Namen der Monate sind folgende: Januar, Februar, März usw. Er hatte alles verloren: seine Frau, seine Kinder und sein ganzes Vermögen.

Wir stellen ein: *Maschinenschlosser*
Reinigungskräfte
Kraftfahrer

Nächste Arbeitsberatung: 30. 9. 1997

Familienstand: ledig

Latein: befriedigend

Robert Musil: Der Mann ohne Eigenschaften

Gebrauchsanweisung: Man nehme jede zweite Stunde eine Tablette.

Beachten Sie bitte folgenden Hinweis: Infolge der anhaltenden Trockenheit besteht Waldbrandgefahr.

(3) Zusammenfassungen des vorher Gesagten oder Schlussfolgerungen aus diesem:

Haus und Hof, Geld und Gut: alles ist verloren.

Wer immer nur an sich selbst denkt, wer nur danach trachtet, andere zu übervorteilen, wer sich nicht in die Gemeinschaft einfügen kann: der kann von uns keine Hilfe erwarten.

Möglich ist hier auch ein Gedankenstrich:

Haus und Hof, Geld und Gut – alles ist verloren.

Zur Möglichkeit der Wahl zwischen Doppelpunkt, Gedankenstrich und Komma siehe § 82.

Bisherige Regelung Identisch

Zur Schreibung nach dem Doppelpunkt: siehe § 54.

Gedankenstrich

§ 82

> Mit dem Gedankenstrich kündigt man an, dass etwas Weiterführendes folgt oder dass man das Folgende als etwas Unerwartetes verstanden wissen will.

Sie trat in das Zimmer und sah – ihren Mann. Im Hausflur war es still – ich drückte erwartungsvoll auf die Klingel. Zuletzt tat er etwas, woran niemand gedacht hatte – er beging Selbstmord. Plötzlich – ein vielstimmiger Schreckensruf!

Möglich sind hier teilweise auch Doppelpunkt oder Komma:

Plötzlich: ein vielstimmiger Schreckensruf! Plötzlich, ein vielstimmiger Schreckensruf!

Zur Möglichkeit der Wahl zwischen Gedankenstrich und Doppelpunkt siehe § 81 (3).

Bisherige Regelung Identisch

Der Gedankenstrich drückt im Regelfall aus, dass eine neue und zumeist überraschende Information folgt. Er dient damit der semantischen Gliederung des Textes:

Sie blickte ihren Partner strahlend an – und plötzlich begriff sie, dass er sie nicht mehr liebte.

§ 83

> Zwischen zwei Ganzsätzen kann man zusätzlich zum Schlusszeichen einen Gedankenstrich setzen, um – ohne einen neuen Absatz zu beginnen – einen Wechsel deutlich zu machen.

Dies betrifft

(1) den Wechsel des Themas oder des Gedankens:

Wir sind nicht in der Lage diesen Wunsch zu erfüllen. – Nunmehr ist der nächste Punkt der Tagesordnung zu besprechen.

(2) den Wechsel des Sprechers:

Komm bitte einmal her! – Ja, ich komme sofort.

Bisherige Regelung Identisch

Das semantische Gliederungsprinzip wird hier deutlich: Der Gedankenstrich wird, zusätzlich zum Schlusszeichen des Satzes, gesetzt, um das Ende eines Gedankens oder den Sprecherwechsel zu markieren:

Das war das Ende der Rundfahrt. – Morgen sind wir schon in alle Winde zerstreut. Lasst doch diesen Unfug! – Im Gegenteil, jetzt geht es erst richtig los!

§ 84

> Mit dem Gedankenstrich grenzt man Zusätze oder Nachträge ab; sind sie eingeschoben, so schließt man sie mit paarigem Gedankenstrich ein.

Möglich sind auch Komma (siehe § 77) oder Klammern (siehe § 86).

Dies betrifft
(1) Parenthesen:

Eines Tages – es war mitten im Sommer – hagelte es. Eines Tages – es war mitten im Sommer! – hagelte es. Eines Tages – war es mitten im Sommer? – hagelte es. Dieses Bild – es ist das letzte und bekannteste des Künstlers – wurde nach Amerika verkauft. Ihre Forderung – um das noch einmal zu sagen – halten wir für wenig angemessen.

Zum Komma oder zu Klammern siehe § 77 (1) bzw. § 86 (1).

(2) Substantivgruppen als Nachträge (Appositionen):

Mein Onkel – ein großer Tierfreund – und seine Katzen leben in einer alten Mühle. Wir gingen in die Hütte – einen kalten Raum mit kleinen Fenstern. Wir gingen in die Hütte – einen kalten Raum mit kleinen Fenstern – und zündeten ein Feuer an. Johannes Gutenberg – der Erfinder der Buchdruckerkunst – wurde in Mainz geboren.

Zum Komma oder zu Klammern siehe § 77 (2) bzw. § 86 (2).

(3) nachgestellte Erläuterungen, die häufig mit *also, besonders, das heißt (d. h.), das ist (d. i.), genauer, insbesondere, nämlich, und das, und zwar, vor allem, zum Beispiel (z. B.)* oder dergleichen eingeleitet werden:

Sie isst gern Obst – besonders Apfelsinen und Bananen. Obst – besonders Apfelsinen und Bananen – isst sie gern. Wir erwarten dich nächste Woche – und zwar am Dienstag. Mit einem Scheck über 2000 DM – in Worten: zweitausend Mark – hat er die Rechnung bezahlt. Er bezahlte mit einem Scheck über 2000 DM – in Worten: zweitausend Mark.

Auf der Ausstellung waren viele ausländische Maschinenhersteller – insbesondere holländische – vertreten. Auf der Ausstellung waren viele ausländische Maschinenhersteller – vor allem holländische Firmen – vertreten. Auf der Ausstellung waren viele ausländische – insbesondere holländische – Maschinenhersteller vertreten.

Zum Komma oder zu Klammern siehe § 77 (4) bzw. § 86 (3).

(4) Wörter oder Wortgruppen, die durch ein hinweisendes Wort oder eine hinweisende Wortgruppe angekündigt werden:

Sie – die Gärtnerin – weiß es ganz genau. Wir beide – du und ich – wissen das genau. Das – eine Familie zu gründen – ist sein größter Wunsch.

Werden Wörter oder Wortgruppen durch ein hinweisendes Wort oder eine hinweisende Wortgruppe wieder aufgenommen, so grenzt man sie mit einfachem Gedankenstrich ab.

Denn die Gärtnerin – die weiß das ganz genau. Und du und ich – wir beide wissen das genau. Eine Familie zu gründen – das ist sein größter Wunsch.

Zum Komma siehe § 77 (5).

Bisherige Regelung Identisch

Der Gedankenstrich grenzt Textteile voneinander ab und gliedert so den Text:

Gestern – es war gerade Mittag – zog plötzlich ein Gewitter auf. Er behauptete stets, dass das nicht wahr sei – warum er das tat, vermag ich nicht zu erklären.

§ 85

> Ausrufe- oder Fragezeichen, die zum Zusatz oder Nachtrag im paarigen Gedankenstrich gehören, setzt man vor den abschließenden Gedankenstrich; ein Schlusspunkt wird weggelassen.
>
> Satzzeichen, die zum einschließenden Satz gehören und daher auch bei Weglassen des Zusatzes oder Nachtrags stehen müssten, dürfen nicht weggelassen werden.

Er behauptete – so eine Frechheit! –, dass er im Kino gewesen wäre. Sie hat das – erinnerst du dich nicht? – gestern gesagt.

Sie betonte – ich weiß es noch ganz genau –, dass sie für einen Erfolg nicht garantieren könne. Vgl.: *Sie betonte, dass sie für einen Erfolg nicht garantieren könne.*

Bisherige Regelung Identisch

Ausrufe- oder Fragezeichen stehen vor dem Gedankenstrich:
Er log – es war wirklich nicht zu glauben! –, dass sich die Balken bogen.

Klammern

§ 86

Mit Klammern schließt man Zusätze oder Nachträge ein.

Möglich sind auch Komma (siehe § 77) oder Gedankenstrich (siehe § 84).
Dies betrifft

(1) Parenthesen:

Eines Tages (es war mitten im Sommer) hagelte es. Eines Tages (es war mitten im Sommer!) hagelte es. Eines Tages (war es mitten im Sommer?) hagelte es. Dieses Bild (es ist das letzte und bekannteste des Künstlers) wurde nach Amerika verkauft. Ihre Forderung (um das noch einmal zu sagen) halten wir für wenig angemessen.

Zum Komma oder zum Gedankenstrich siehe § 77 (1) bzw. § 84 (1).

(2) Substantivgruppen als Nachträge (Appositionen):

Mein Onkel (ein großer Tierfreund) und seine Katzen leben in einer alten Mühle. Wir gingen in die Hütte (einen kalten Raum mit kleinen Fenstern). Wir gingen in die Hütte (einen kalten Raum mit kleinen Fenstern) und zündeten ein Feuer an. Johannes Gutenberg (der Erfinder der Buchdruckerkunst) wurde in Mainz geboren.

Zum Komma oder zum Gedankenstrich siehe § 77 (2) bzw. § 84 (2).

(3) nachgestellte Erläuterungen, die häufig mit *also, besonders, das heißt (d. h.), das ist (d. i.), genauer, insbesondere, nämlich, und das, und zwar, vor allem, zum Beispiel (z. B.)* oder dergleichen eingeleitet werden:

Sie isst gern Obst (besonders Apfelsinen und Bananen). Obst (besonders Apfelsinen und Bananen) isst sie gern. Wir erwarten dich nächste Woche (und zwar am Dienstag). Mit einem Scheck über 2000 DM (in Worten: zweitausend Mark) hat er die Rechnung bezahlt. Er bezahlte mit einem Scheck über 2000 DM (in Worten: zweitausend Mark).

Auf der Ausstellung waren viele ausländische Maschinenhersteller (insbesondere holländische) vertreten. Auf der Ausstellung waren viele ausländische Maschinenhersteller (vor allem holländische Firmen) vertreten. Auf der Ausstellung waren viele ausländische (insbesondere holländische) Maschinenhersteller vertreten.

Zum Komma oder zum Gedankenstrich siehe § 77 (4) bzw. § 84 (3).

(4) Worterläuterungen, geographische, systematische, chronologische, biographische Zusätze und dergleichen:

Frankenthal (Pfalz)

Grille (Insekt) – Grille (Laune)

Als Hauptwerke Matthias Grünewalds gelten die Gemälde des Isenheimer Altars (vollendet 1511 oder 1515).

Bisherige Regelung Identisch

Die Klammer dient – wie der Gedankenstrich – zur Gliederung des Textes sowie zur weiteren Erläuterung:

Herr Müller (ein großer Briefmarkensammler) ist unser Nachbar.
Herrsching (Ammersee)

§ 87

> Mit Klammern kann man neben einzelnen Ganzsätzen insbesondere auch größere Textteile einschließen und auf diese Weise als selbstständige Texteinheit kennzeichnen.

Sie betonte, dass sie für den Erfolg garantieren könne. (Ich weiß es noch ganz genau, da ich mir das notiert hatte. Und ich habe ihr diese Notiz auch gezeigt.) Aber heute will sie nichts mehr davon wissen.

Bisherige Regelung Identisch

§ 88

> Ausrufe- oder Fragezeichen, die zum Zusatz oder Nachtrag in Klammern gehören, setzt man vor die abschließende Klammer.
>
> Ist der Zusatz oder Nachtrag in einen anderen Satz einbezogen, so lässt man seinen Schlusspunkt weg; wird er als Ganzsatz oder als selbstständige Texteinheit verstanden, so setzt man den Schlusspunkt.
>
> Satzzeichen, die zum einschließenden Satz gehören und daher auch bei Weglassen des Zusatzes oder Nachtrags stehen müssten, dürfen nicht weggelassen werden.

Das geliehene Buch (du hast es schon drei Wochen!) hast du mir noch nicht zurückgegeben. Er hat das (erinnerst du dich nicht?) gestern gesagt.

Damit wäre dieses Thema vorerst erledigt (weitere Angaben siehe Seite 145).
Damit wäre dieses Thema vorerst erledigt. (Weitere Angaben siehe Seite 145.)

Er sagte (dabei senkte er seine Stimme), dass das nicht alle wissen müssten. „Der Staat bin ich" (Ludwig der Vierzehnte).

Bisherige Regelung Identisch

Anführung von Äußerungen oder Textstellen bzw. Hervorhebung von Wörtern oder Textstellen

Anführungszeichen

§ 89

> Mit Anführungszeichen schließt man etwas wörtlich Wiedergegebenes ein.

Dies betrifft

(1) wörtlich wiedergegebene Äußerungen (direkte Rede):

„Es ist unbegreiflich, wie ich das hatte vergessen können", sagte sie. „Immer muss ich arbeiten!", seufzte sie. „Dass ich immer arbeiten muss!", seufzte sie. Er fragte: „Kommst du morgen?" „Kommst du morgen?", fragte er. Er fragte: „Kommst du morgen?", und verabschiedete sich. „Du siehst", sagte die Mutter, „recht gut aus." „Wir haben die feste Absicht die Strecke stillzulegen", erklärte der Vertreter der Bahn, „aber die Entscheidung der Regierung steht noch aus."

Dies gilt auch für Beispiele wie:

„Das war also Paris!", dachte Frank. „Du hast schon Recht", lächelte sie.

(2) wörtlich wiedergegebene Textstellen (Zitate):

Über das Ausscheidungsspiel berichtete ein Journalist: „Das Stadion glich einem Hexenkessel. Das Publikum stürmte auf das Spielfeld und bedrohte den Schiedsrichter."

Zum Doppelpunkt siehe § 81 (1).

Bisherige Regelung Identisch

§ 90

> Satzzeichen, die zum wörtlich Wiedergegebenen gehören, setzt man vor das abschließende Anführungszeichen; Satzzeichen, die zum Begleitsatz gehören, setzt man nach dem abschließenden Anführungszeichen.

Bisherige Regelung Identisch

Im Einzelnen gilt:

§ 91

> Sowohl der angeführte Satz als auch der Begleitsatz behalten ihr Ausrufe- oder Fragezeichen.

„Du kommst jetzt!“, rief sie. „Kommst du morgen?“, fragte er. Du solltest ihm sagen: „Ich kann das auf keinen Fall akzeptieren“! Hast du gesagt: „Ich kann das auf keinen Fall akzeptieren“? Sag ihm: „Ich habe keine Zeit!“! Fragtest du: „Wann beginnt der Film?“?

Bisherige Regelung Teilweise identisch

Neu ist, dass ein Komma nach dem Ausrufe- oder Fragezeichen sowie den Anführungszeichen gesetzt wird, wenn der Begleitsatz hinter dem angeführten Satz steht:

bisher	neu
„Du kommst jetzt!“ rief sie.	*„Du kommst jetzt!“, rief sie.*

§ 92

> Beim angeführten Satz lässt man den Schlusspunkt weg, wenn er am Anfang oder im Innern des Ganzsatzes steht.
>
> Beim Begleitsatz lässt man den Schlusspunkt weg, wenn der angeführte Satz oder ein Teil von ihm am Ende des Ganzsatzes steht.

„Ich komme morgen“, versicherte sie. Sie sagte: „Ich komme gleich wieder“, und holte die Unterlagen.

Die Bahn erklärte: „Wir haben die feste Absicht die Strecke stillzulegen.“ Sie versicherte: „Ich komme morgen!“ Er rief: „Du kommst jetzt!“ Er fragte: „Kommst du?“ „Komm bitte“, sagte er, „morgen pünktlich.“

Bisherige Regelung Identisch

§ 93

> Folgt nach dem angeführten Satz der Begleitsatz oder ein Teil von ihm, so setzt man nach dem abschließenden Anführungszeichen ein Komma.
>
> Ist der Begleitsatz in den angeführten Satz eingeschoben, so schließt man ihn mit paarigem Komma ein.

„Ich komme gleich wieder“, versicherte sie. „Komm bald wieder!“, rief sie. „Wann kommst du wieder?“, rief sie. Sie sagte: „Ich komme gleich wieder“, und holte die Unterlagen. Sie fragte: „Brauchen Sie die Unterlagen?“, und öffnete die Schublade.

„Ich werde“, versicherte sie, „bald wiederkommen.“ „Kommst du wirklich“, fragte sie, „erst morgen Abend?“

Bisherige Regelung Teilweise identisch

Neu ist (vgl. § 91), dass bei nachgestelltem Begleitsatz zusätzlich zum Ausrufe- oder Fragezeichen ein Komma gesetzt wird:

bisher	neu
„Wann kommst du wieder?“ rief sie.	*„Wann kommst du wieder?“, rief sie.*

§ 94

> Mit Anführungszeichen kann man Wörter oder Teile innerhalb eines Textes hervorheben und in bestimmten Fällen deutlich machen, dass man zu ihrer Verwendung Stellung nimmt, sich auf sie bezieht.

Dies betrifft

(1) Überschriften, Werktitel (etwa von Büchern und Theaterstücken), Namen von Zeitungen und dergleichen:

Sie las den Artikel „Chance für eine diplomatische Lösung" in der „Wochenpost". Sie liest Heinrich Bölls Roman „Wo warst du, Adam?". Kennst du den Roman „Wo warst du, Adam?"? Wir lesen gerade den „Kaukasischen Kreidekreis" von Brecht.

Zur Groß- und Kleinschreibung siehe § 53 E_2.

(2) Sprichwörter, Äußerungen und dergleichen, zu denen man kommentierend Stellung nehmen will:

Das Sprichwort „Eile mit Weile" hört man oft. „Aller Anfang ist schwer" ist nicht immer ein hilfreicher Spruch.

Sein kritisches „Der Wein schmeckt nach Essig" ärgerte den Kellner. Ihr bittendes „Kommst du morgen?" stimmte mich um. Seine ständige Entschuldigung „Ich habe keine Zeit!" ist wenig glaubhaft. Mich nervt sein dauerndes „Ich kann nicht mehr!".

Textteile dieser Art werden nicht mit Komma abgegrenzt. Im Übrigen gilt § 90 bis § 92.

(3) Wörter oder Wortgruppen, über die man eine Aussage machen will:

Das Wort „fälisch" ist gebildet in Anlehnung an West„falen". Der Begriff „Existenzialismus" wird heute vielfältig verwendet. Alle seine Freunde nannten ihn „Dickerchen". Die Präposition „ohne" verlangt den Akkusativ.

(4) Wörter oder Wortgruppen, die man anders als sonst – etwa ironisch oder übertragen – verstanden wissen will:

Und du willst ein „treuer Freund" sein? Für diesen „Liebesdienst" bedanke ich mich. Er bekam wieder einmal seine „Grippe". Sie sprang diesmal „nur" 6,60 Meter.

Bisherige Regelung Identisch

§ 95

> Steht in einem Text mit Anführungszeichen etwas ebenfalls Angeführtes, so kennzeichnet man dies durch die sogenannten halben Anführungszeichen.

Die Zeitung schrieb: „Die Bahn hat bereits im Frühjahr erklärt: ‚Wir haben die feste Absicht die Strecke stillzulegen', und sie hat das auf Anfrage gestern noch einmal bestätigt." „Das war ein Satz aus Bölls ‚Wo warst du, Adam?', den viele nicht kennen", sagte er.

Bisherige Regelung Identisch

Markierung von Auslassungen

Apostroph

Mit dem Apostroph zeigt man an, dass man in einem Wort einen Buchstaben oder mehrere ausgelassen hat.

Zu unterscheiden sind:

a) Gruppen, bei denen man den Apostroph setzen muss (siehe § 96),

b) Gruppen, bei denen der Gebrauch des Apostrophs dem Schreibenden freigestellt ist (siehe § 97).

§ 96

> Man setzt den Apostroph in drei Gruppen von Fällen.

Dies betrifft

(1) Eigennamen, deren Grundform (Nominativform) auf einen s-Laut (geschrieben: *-s, -ss, -ß, -tz, -z, -x, -ce*) endet, bekommen im Genitiv den Apostroph, wenn sie nicht einen Artikel, ein Possessivpronomen oder dergleichen bei sich haben:

Aristoteles' Schriften, Carlos' Schwester, Ines' gute Ideen, Felix' Vorschlag, Heinz' Geburtstag, Alice' neue Wohnung

E_1: Aber ohne Apostroph:

die Schriften des Aristoteles, die Schwester des Carlos, der Geburtstag unseres kleinen Heinz

E_2: Der Apostroph steht auch, wenn *-s, -z, -x* usw. in der Grundform stumm sind:

Cannes' Filmfestspiele, Boulez' bedeutender Beitrag, Giraudoux' Werke

(2) Wörter mit Auslassungen, die ohne Kennzeichnung schwer lesbar oder missverständlich sind:

In wen'gen Augenblicken . . . 's ist schade um ihn. Das Wasser rauscht', das Wasser schwoll.

(3) Wörter mit Auslassungen im Wortinneren wie:

D'dorf (= Düsseldorf), M'gladbach (= Mönchengladbach), Ku'damm (= Kurfürstendamm)

Bisherige Regelung Identisch

§ 97

> Man kann den Apostroph setzen, wenn Wörter gesprochener Sprache mit Auslassungen bei schriftlicher Wiedergabe undurchsichtig sind.

der Käpt'n, mit'm Fahrrad

Bitte, nehmen S' (= Sie) doch Platz! Das war'n (= ein) Bombenerfolg!

E: Von dem Apostroph als Auslassungszeichen zu unterscheiden ist der gelegentliche Gebrauch dieses Zeichens zur Verdeutlichung der Grundform eines Personennamens vor der Genitivendung *-s* oder vor dem Adjektivsuffix *-sch:*

Carlo's Taverne, Einstein'sche Relativitätstheorie

Zur Schreibung der adjektivischen Ableitungen von Personennamen auf *-sch* siehe auch § 49 und § 62.

Bisherige Regelung Teilweise identisch.
Vor dem Genitiv-*s* von Namen stand bisher in keinem Fall ein Apostroph.

Ergänzungsstrich

§ 98

> Mit dem Ergänzungsstrich zeigt man an, dass in Zusammensetzungen oder Ableitungen einer Aufzählung ein gleicher Bestandteil ausgelassen wurde, der sinngemäß zu ergänzen ist.

Zum Bindestrich wie in *A-Dur* siehe § 40 ff.

Dies betrifft

(1) den letzten Bestandteil:

Haupt- und Nebeneingang (= Haupteingang und Nebeneingang); Eisenbahn-, Straßen-, Luft- und Schiffsverkehr, vitamin- und eiweißhaltig, saft- und kraftlos, ein- und ausladen

Natur- und synthetische Gewebe, Standard- und individuelle Lösungen; zurück-, voraus- oder abwärts fahren; (in umgekehrter Abfolge:) *synthetische und Naturgewebe, individuelle und Standardlösungen; abwärts, voraus- oder zurückfahren*

(2) den ersten Bestandteil:

Verkehrslenkung und -überwachung (= Verkehrslenkung und Verkehrsüberwachung); Schulbücher, -hefte, -mappen und -utensilien; heranführen oder -schleppen, bergauf und -ab

Mozart-Symphonien und -Sonaten (= Mozart-Symphonien und Mozart-Sonaten)

(3) den letzten und den ersten Bestandteil:

Textilgroß- und -einzelhandel (= Textilgroßhandel und Textileinzelhandel), Eisenbahnunter- und -überführungen

Werkzeugmaschinen-Import- und -Exportgeschäfte

Bisherige Regelung Identisch

Auslassungspunkte

§ 99

> Mit drei Punkten (Auslassungspunkten) zeigt man an, dass in einem Wort, Satz oder Text Teile ausgelassen worden sind.

Du bist ein E . . . ! Scher dich zum . . .

„. . . ihm nicht weitersagen", hörte er ihn gerade noch sagen. Der Horcher an der Wand . . .

Vollständiger Text: *In einem Buch heißt es: „Die zahlreichen Übungen sind konkret auf das abgestellt, was vorher behandelt worden ist. Sie liefern in der Regel Material, mit dem selbst gearbeitet und an dem geprüft werden kann, ob das, was vorher dargestellt wurde, verstanden worden ist oder nicht. Die im Anhang zusammengestellten Lösungen machen eine unmittelbare Kontrolle der eigenen Lösungen möglich".*

Mit Auslassung: *In einem Buch heißt es: „Die . . . Übungen . . . liefern . . . Material, mit dem selbst gearbeitet . . . werden kann . . . Die . . . Lösungen machen eine . . . Kontrolle . . . möglich."*

Bisherige Regelung Identisch

§ 100

> Stehen die Auslassungspunkte am Ende eines Ganzsatzes, so setzt man keinen Satzschlusspunkt.

Ich habe die Nase voll und . . .
Diese Szene stammt doch aus dem Film „Die Wüste lebt" . . .
Mit „Es war einmal. . ." beginnen viele Märchen.
Viele Märchen beginnen mit den Worten: „Es war einmal . . ."

Aber: *Verflixt! Ich habe die Nase voll und . . .!*

Bisherige Regelung Identisch

Kennzeichnung der Wörter bestimmter Gruppen

Punkt

§ 101

> Mit dem Punkt kennzeichnet man bestimmte Abkürzungen (abgekürzte Wörter).

Dies betrifft Fälle wie:

Tel. (= Telefon), Pf. (= Pfennig), Ztr. (= Zentner), v. (= von), Bd. (= Band), Bde. (=Bände), Ms. (= Manuskript), Jg. (= Jahrgang), Jh. (= Jahrhundert), Jh.s (= des Jahrhunderts), f. (= folgende Seite), ff. (= folgende Seiten); lfd. Nr. (= laufende Nummer), z. B. (= zum Beispiel), u. A. w. g. (= um Antwort wird gebeten); Weißenburg i. Bay. (= Weißenburg in Bayern), Bad Homburg v. d. H. (= Bad Homburg vor der Höhe); Reg.-Rat (= Regierungsrat), Masch.-Schr. (= Maschinenschreiben); Abt.-Leiter (= Abteilungsleiter), Rechnungs-Nr. (= Rechnungsnummer); Tsd. (= Tausend), Mio. (= Million(en)), Mrd. (= Milliarde(n))

Dr. med., stud. med., stud. phil., a. D., h. c.

Bisherige Regelung Identisch

§ 102

> Bestimmte Abkürzungen, Kurzwörter und dergleichen stehen üblicherweise ohne Punkt.

Dies betrifft

(1) Abkürzungen, die national oder international festgelegt sind, wie etwa Abkürzungen

(1.1) für Maße in Naturwissenschaft und Technik nach dem internationalen Einheitssystem:

m (= Meter), g (= Gramm), km/h (= Kilometer pro Stunde), s (= Sekunde), A (= Ampere), Hz (= Hertz)

(1.2) für Himmelsrichtungen:

NO (= Nordost), SSW (= Südsüdwest)

(1.3) für bestimmte Währungsbezeichnungen:

DM (= Deutsche Mark)

(2) sogenannte Initialwörter und Kürzel:

BGB (= Bürgerliches Gesetzbuch), TÜV (= Technischer Überwachungsverein), Na (= Natrium; so alle chemischen Grundstoffe); *des PKW(s), die EKG(s), KFZ-Papiere, FKKler, U-Bahn*

E_1: Ohne Punkt stehen teilweise auch fachsprachliche Abkürzungen wie:

RücklVO (= Rücklagenverordnung), LArbA (= Landesarbeitsamt)

E_2: In einigen Fällen gibt es Doppelformen.

Co. / Co (ko) (= Companie), M. d. B. / MdB (= Mitglied des Bundestages), G.m.b.H./ GmbH (= Gesellschaft mit beschränkter Haftung); WW / Wirk. Wort (= Wirkendes Wort; Titel einer Zeitschrift), AA / Ausw. Amt (= Auswärtiges Amt)

Bisherige Regelung Teilweise identisch

Neu ist die Anerkennung von Doppelschreibungen, die sich in der bisherigen Schreibpraxis bereits teilweise eingebürgert hatten:

M.d.B./MdB (Mitglied des Bundestages)
Ausw. Amt/AA (Auswärtiges Amt)

Auch hier wird die Tendenz deutlich, den Sprachteilnehmerinnen und -nehmern individuelle Schreibvarianten zu ermöglichen.

§ 103

> Am Ende eines Ganzsatzes setzt man nach Abkürzungen nur *einen* Punkt.

Sein Vater ist Regierungsrat a. D.

Aber: *Ist sein Vater Regierungsrat a. D. ?*

Bisherige Regelung Identisch

§ 104

Mit dem Punkt kennzeichnet man Zahlen, die in Ziffern geschrieben sind, als Ordinalzahlen.

der 2. Weltkrieg, der II. Weltkrieg; Sonntag, den 20. November; Friedrich II., König von Preußen; die Regierung Friedrich Wilhelms III. (des Dritten)

Bisherige Regelung Identisch

§ 105

Am Ende eines Ganzsatzes setzt man nach Ordinalzahlen, die in Ziffern geschrieben sind, nur einen Punkt.

Der König von Preußen hieß Friedrich II.

Aber: *Wann regierte Friedrich II.?*

Bisherige Regelung Identisch

Schrägstrich

§ 106

Mit dem Schrägstrich kennzeichnet man, dass Wörter (Namen, Abkürzungen), Zahlen oder dergleichen zusammengehören.

Dies betrifft

(1) die Angaben mehrerer (alternativer) Möglichkeiten im Sinne einer Verbindung mit *und, oder, bzw., bis* oder dergleichen:

die Schüler/Schülerinnen der Realschule, das Semikolon / der Strichpunkt als stilistisches Zeichen, Männer/Frauen/Kinder; Abfahrt vom Dienstort/Wohnort, die Rundfunkgebühren für Januar/Februar/März, Montag/Dienstag, Wien/Heidelberg 1967, September/Oktober-Heft (auch *September-Oktober-Heft;* siehe § 44)

die Koalition CDU/FDP, die SPÖ/ÖVP-Koalition

das Wintersemester 1996/97, am 9./10. Dezember 1997

(2) die Gliederung von Adressen, Telefonnummern, Aktenzeichen, Rechnungsnummern, Diktatzeichen und dergleichen:

Linzer Straße 67/I/5–6, 0621/1581–0, Az III/345/5, Re-Nr 732/24, me/la

(3) die Angabe des Verhältnisses von Zahlen oder Größen im Sinne einer Verbindung mit *je/pro:*

im Durchschnitt 80 km/h, 1000 Einwohner/km²

Bisherige Regelung Identisch

WORTTRENNUNG AM ZEILENENDE

Vorbemerkungen

(1) Wörter mit mehr als einer Silbe kann man am Ende einer Zeile trennen.

(2) Steht am Zeilenende ein Bindestrich, so gilt er zugleich als Trennungsstrich.

§ 107

Geschriebene Wörter trennt man am Zeilenende so, wie sie sich bei langsamem Sprechen in Silben zerlegen lassen.

Beispiele:

Bau-er, Ei-er, steu-ern, na-iv, Mu-se-um, in-di-vi-du-ell; eu-ro-pä-i-sche, Ru-i-ne, na-ti-o-nal, Fa-mi-li-en; Haus-tür, Be-fund, ehr-lich

E: Die Abtrennung eines einzelnen Vokals am Ende ist überflüssig, da der Trennungsstrich den gleichen Raum in Anspruch nimmt, zum Beispiel:

Kleie, laue (nicht: *Klei-e, lau-e*)

Bisherige Regelung Identisch

Die Regelung, dass im Regelfall die Sprechsilben darüber entscheiden, wie am Zeilenende getrennt wird, wird beibehalten. Das gilt auch für Fremdwörter. Die Trennung nach etymologischen (sprachhistorischen) Prinzipien gibt es als Variante weiterhin.

Dabei gilt im Einzelnen:

§ 108

> Steht in einfachen Wörtern zwischen Vokalbuchstaben ein einzelner Konsonantenbuchstabe, so kommt er bei der Trennung auf die neue Zeile. Stehen mehrere Konsonantenbuchstaben dazwischen, so kommt nur der letzte auf die neue Zeile.

Beispiele:

Au-ge, A-bend, Bre-zel, He-xe, bei-ßen, Rei-he, Wei-mar; Trai-ning, ba-nal, trau-rig, nei-disch, Hei-mat

El-tern, Gar-be, Hop-fen, Lud-wig, ros-ten, leug-nen, sin-gen, sin-ken, sit-zen, Städ-te; Bag-ger, Wel-le, Kom-ma, ren-nen, Pap-pe, müs-sen, beis-sen (wenn *ss* statt *ß*, vgl. § 25 E_2 und E_3), *Drit-tel, zän-kisch, Ach-tel, Rech-ner, ber-gig, wid-rig, Ar-mut, freund-lich, frucht-bar, ernst-lich, sechs-te; imp-fen, Karp-fen, kühns-te, knusp-rig, dunk-le*

Bisherige Regelung Unterschiedlich

Neu ist die Regel, einen einzelnen Vokalbuchstaben abzutrennen:

bisher	neu
Abend	*A-bend*
aber	*a-ber*
eben	*e-ben*
Ofen	*O-fen*

Beibehalten wird die Regelung, dass bei mehreren Konsonantenbuchstaben der letzte auf die folgende Zeile kommt: *Fin-ger, El-tern, knusp-rig.*

Neu ist weiterhin die Trennung des *-st-:*

bisher	neu
Aku-stik	*A-kus-tik*
brem-ste	*brems-te*
Ka-sten	*Kas-ten*
ro-sten	*ros-ten*
sech-ste	*sechs-te*

Neu ist auch die Regelung, *-ss-* auch dann zu trennen, wenn es statt bisherigem *-ß-* steht (z.B. bei einer Schreibmaschine ohne *-ß-*):

bisher	neu
bei-ssen	*beis-sen*
Grü-sse	*Grüs-se*

§ 109

> Stehen Buchstabenverbindungen wie *ch, sch; ph, rh, sh* oder *th* für *einen* Konsonanten, so trennt man sie nicht. Dasselbe gilt für *ck.*

Beispiele:

la-chen, wa-schen, Deut-sche; Sa-phir, Ste-phan, Myr-rhe, Bu-shel, Zi-ther, Goe-the; bli-cken, Zu-cker

Bisherige Regelung Unterschiedlich

Neu ist die Regelung, *-ck-* bei der Silbentrennung beizubehalten und davor abzutrennen, statt – wie bisher – in *-k-k-* aufzulösen:

bisher	neu
bak-ken	*ba-cken*
blik-ken	*bli-cken*
Zuk-ker	*Zu-cker*
Zwik-kau	*Zwi-ckau*

§ 110

> In Fremdwörtern können die Verbindungen aus Buchstaben für einen Konsonanten + *l, n* oder *r* entweder entsprechend § 108 getrennt werden, oder sie kommen ungetrennt auf die neue Zeile.

Beispiele:

nob-le / no-ble, Zyk-lus / Zy-klus, Mag-net / Ma-gnet, Feb-ruar / Fe-bruar, Hyd-rant / Hy-drant, Arth-ritis / Ar-thritis

Bisherige Regelung Unterschiedlich

Im Gegensatz zur bisherigen Regelung, die etymologische Kenntnisse voraussetzte und die Buchstabenverbindungen *bl, pl, fl, cl, kl, phl; br, pr, dr, tr, fr, vr, gr, cr, kr, phr, str, thr; chth; gn* und *kn* in Fremdwörtern nicht trennte *(Pu-bli-kum, Di-plom, Fe-bru-ar, Sa-kra-ment, Ma-gnet* usw.) lässt die Neuregelung zwei Schreibvarianten zu: einmal die nach Sprechsilben – die vielen Schreibenden die geläufigere sein wird —, zum andern die bisherige nach sprachhistorischen Prinzipien:

bisher	neu
Pu-bli-kum	*Pub-li-kum/Pu-bli-kum*
Zy-klus	*Zyk-lus/Zy-klus*
Hy-drant	*Hyd-rant/Hy-drant*
Ar-thri-tis	*Arth-ri-tis/Ar-thri-tis*
Ere-chthei-on	*Erech-thei-on/Ere-chthei-on*
Ma-gnet	*Mag-net/Ma-gnet*

Im Wörterverzeichnis wird die bisherige, also die etymologisch begründete Trennung zuerst angegeben und danach – als Variante – die Trennung nach Sprechsilben. Sollten die Benutzerinnen oder Benutzer Zweifel haben, kann dort nachgeschlagen werden.

§ 111

> Zusammensetzungen und Wörter mit Präfix trennt man zwischen den einzelnen Bestandteilen.

Beispiele:

Heim-weg, Schul-hof, Week-end; Ent-wurf, Er-trag, Ver-lust, syn-chron, Pro-gramm, At-traktion, kom-plett, In-stanz

E_1: Die Bestandteile selbst trennt man entsprechend § 108 bis § 110 wie einfache Wörter, zum Beispiel:

Papp-pla-kat, Schwimm-meis-ter, Po-ly-tech-nik, Kon-zert-di-rek-tor, Lud-wigs-hafen, ab-fah-ren, be-rich-ten, emp-fan-gen, a-ty-pisch, Des-il-lu-si-on, in-of-fi-zi-ell, ir-re-al

E_2: Irreführende Trennungen sollte man vermeiden, zum Beispiel:

Altbau-erhaltung (nicht *Altbauer-haltung*)
Sprech-erziehung (nicht *Sprecher-ziehung*)
See-ufer (nicht *Seeu-fer*)

Zum Bindestrich zur Vermeidung von Missverständnissen siehe § 45 (3).

Bisherige Regelung Teilweise identisch

Die bisherige Regelung, Zusammensetzungen sowie Ableitungen durch Präfixe nach ihren Bestandteilen zu trennen, gilt weiterhin. Empfohlen wird jedoch, Trennungen zu vermeiden, die irreführend wären oder beim Lesen behindern könnten. Daher:

Gehör-nerven	(nicht: Gehörner-ven)
Spar-gelder	(nicht: Spargel-der)
Sprech-erziehung	(nicht: Sprecher-ziehung)
See-ufer	(nicht: Seeu-fer)

§ 112

Wörter, die sprachhistorisch oder von der Herkunftssprache her gesehen Zusammensetzungen sind, aber oft nicht mehr als solche empfunden oder erkannt werden, kann man entweder nach §§ 108–110 oder nach § 111 trennen.

Beispiele:

hi-nauf / hin-auf, he-ran / her-an, da-rum / dar-um, wa-rum / war-um

ei-nan-der / ein-an-der, vol-len-den / voll-en-den, Klei-nod / Klein-od, Lie-be-nau / Lie-ben-au

Chry-san-the-me / Chrys-an-the-me, Hek-tar / Hekt-ar, He-li-kop-ter / He-li-ko-pter, in-te-res-sant / in-ter-es-sant, Li-no-le-um / Lin-ole-um, Pä-da-go-gik / Päd-a-go-gik

Bisherige Regelung Unterschiedlich

Wie in §110 wird hier davon ausgegangen, dass etymologische (sprachhistorische) Kenntnisse bei den Schreibenden nicht oder nur in geringem Maße vorausgesetzt werden können. Die Liberalisierung der Worttrennung wird betont: Deshalb werden zwei Varianten zugelassen, deren eine die Trennung nach Sprechsilben und die andere nach etymologischen bzw. grammatischen Prinzipien vorsieht. Die Neuregelung betrifft deutsche und fremdsprachige Wörter:

bisher	neu
hin-auf	*hi-nauf/hin-auf*
dar-um	*da-rum/dar-um*
her-un-ter	*he-run-ter/her-un-ter*
ein-an-der	*ei-nan-der/ein-an-der*
Klein-od	*Klei-nod/Klein-od*
Main-au	*Mai-nau/Main-au*
Hekt-ar	*Hek-tar/Hekt-ar*
He-li-ko-pter	*He-li-kop-ter/He-li-ko-pter*
in-ter-es-sant	*in-te-res-sant/in-ter-es-sant*
Päd-ago-gik	*Pä-da-go-gik/Päda-go-gik*
Chrys-an-the-me	*Chry-san-the-me/Chrys-an-the-me*
swing-ing Lon-don	*swin-ging/swing-ing Lon-don*

Anmerkung: Die alte Regel, dass der bei drei gleichen Konsonanten vor nachfolgendem Vokal gestrichene dritte Konsonant bei der Worttrennung wieder erscheint (Schiffahrt, aber: Schiff-fahrt), ist hinfällig, da fortan stets alle drei Konsonanten geschrieben werden, unabhängig davon, ob ein Vokal oder ein weiterer (anderer) Konsonant folgt.

Die Grammatik

Ein Abriss in Stichworten

abhängige Rede →indirekte Rede

abhängiger Satz →Nebensatz

Abkürzungen 1. Mit Punkt schreibt man Abkürzungen, wenn sie ungekürzt gesprochen werden, z. B.: *d. h. = das heißt, m. E. = meines Erachtens, s. o. = siehe oben, usw. = und so weiter.* Ausnahmen sind Maßbezeichnungen wie *kg, cm.*
2. Ohne Punkt schreibt man Abkürzungen, wenn sie in der Kurzform gesprochen werden, z. B.: *Pkw* [pekawe], *CDU* [tsedeu].
3. Abkürzungen am Satzanfang werden großgeschrieben, wenn sie nur ein Wort bezeichnen, z. B.: *Vgl. die ersten Kapitel.* Abkürzungen, die für mehrere Wörter stehen, werden ausgeschrieben, z. B.: *Das heißt* (statt *D. h.*). Die Abkürzung des Adelsprädikats *von* wird auch am Satzanfang kleingeschrieben, z. B. *v. Richthofen.*
4. Sind Abkürzungen mit einem anderen Wort bzw. einer weiteren Abkürzung verbunden, so steht zwischen beiden ein Bindestrich, z. B.: *EDV-System, US-amerikanisch, K.-o.-Schlag, Dipl.-Kfm.*
5. Flexion: Im Genitiv haben Abkürzungen einen Apostroph, wenn die ungekürzt gesprochenen Wörter ein Genitiv-*s* haben: *Sh.' Dramen = Shakespeares Dramen.* Abkürzungen, die als solche gesprochen werden, haben ein Genitiv-*s*, aber ohne Apostroph; sie können jedoch auch ohne *-s* verwendet werden: *die Karosserie des Pkws* (oder: *des Pkw*), entsprechend im Plural: *die Pkws* (oder: *die Pkw*).

Ablaut Regelmäßiger Wechsel des Stammvokals in wurzelverwandten Wörtern. Man unterscheidet den qualitativen Ablaut, auch Abtönung genannt, der einen Wechsel von Vokalen gleicher Dauer darstellt (z. B. *binden, band, gebunden*), und einen quantitativen Ablaut, auch Abstufung genannt, bei dem lange und kurze Vokale abwechseln (z.B. *brechen, brach, gebrochen*). Der Ablaut ist besonders in der Konjugation zu beobachten, doch tritt er auch bei der Bildung von Substantiven auf, z. B. *reiten - Ritter, trinken – Trunk, geben – Gabe.*

Absichtssatz →Finalsatz, →Angabesatz

Abtönungspartikel →Modalpartikel

Adjektiv (Eigenschaftswort) Wort, das eine Eigenschaft von Dingen, Lebewesen oder Begriffen bezeichnet. Es kann attributiv *(ein langer Weg),* prädikativ *(Der Weg ist lang)* sowie als Apposition *(die Frau, schön und intelligent)* oder als Angabe über Seinszustände *(Er war offensichtlich betrunken)* verwendet werden, und es kann im Regelfall gesteigert werden *(der längere, längste Weg).* Steht das Adjektiv als Attribut, wird es dekliniert (vgl. Deklinations- und Konjugationstabellen); in prädikativer Stellung bleibt es unflektiert: *Hier ist ein unerträglicher Lärm; der Lärm ist unerträglich.* Manche Adjektive werden nur prädikativ verwendet, z. B. *quitt* (*wir sind quitt,* aber nicht: eine quitte Angelegenheit), *gewärtig, nütze,* sowie die von Substantiven abgeleiteten Adjektive: *gram, leid, schuld* usw.
Eine Reihe von Adjektiven kann nicht dekliniert werden, vor allem die aus fremden Sprachen übernommenen Farbbezeichnungen wie *lila, beige, orange* usw.
Bei der Deklination von Adjektiven mit der Endung *-er* und *-en* bleibt das *-e-* nur in der geschriebenen Sprache erhalten *(ein heiterer Tag),* in der gesprochenen Sprache sowie bei fremdsprachigen Adjektiven fällt es aus *(ein integrer Politiker).* Bei der Endung auf *-el* entfällt das *-e-* grundsätzlich: *ein dunkles Kleid.*
Eine Reihe von Adjektiven kann nicht gesteigert werden, insbesondere die fremdsprachigen und deutschen Farbadjektive (außer im metaphorischen Gebrauch: *ein schwärzerer Tag war nie!*) sowie Adjektive, deren Bedeutung eine Steigerung nicht erlaubt: *angeblich, falsch, mutmaßlich, richtig, schwanger, tot* usw.
Zwei hintereinander stehende Adjektive werden im Regelfall gleich dekliniert: *bei schönem, sonnigem Wetter.* Bei Zahladjektiven wird hingegen unterschiedlich dekliniert: *die Ursachen mancher großen Kriege.*

Bei zusammengesetzten Adjektiven wird nur der zweite Teil dekliniert: *ein blaugrüner Mantel, ein sauersüßes Lächeln.*
Das Adjektiv wird zum Adverb, wenn es mit einem Vollverb verbunden wird, und es wird dann nicht dekliniert: *Er übertreibt maßlos.* Auch als Attribut wird es nicht dekliniert: *eine unglaublich schnelle Reaktion.*
Zu den Adjektiven gehören auch die Zahlen:
1. Kardinalzahlen: *eins, zwei, tausend* usw.
2. Ordinalzahlen: *der erste, zweite, hundertste* usw.
3. Bruchzahlen: *drittel, fünftel* usw.
4. Gattungszahlen: *einerlei, dreierlei* usw.
5. Wiederholungszahlen: *zweimal, hundertfach*
6. Einteilungszahlen: *erstens, zehntens* usw.
7. unbestimmte Zahladjektive: *einzeln, verschieden, viel* usw.
Das Adjektiv kann substantiviert werden und wird dann wie ein Substantiv dekliniert: *die Alten und die Jungen.*

Adverb (Umstandswort)
Wort, das ein Verb, Substantiv, Adjektiv, ein weiteres Adverb oder den ganzen Satz näher bestimmt und auf *w*-Fragen (*wo, wie lange* usw.) antwortet oder selbst ein *w*-Fragewort ist: *Ich komme gern. Die Straße hier rechts führt zum Bahnhof. Es ist sehr kalt. Sie schwimmen besonders gern.*
Ursprüngliche (»echte«) Adverbien (*fast, immer, noch, schön* usw.) sind endungslos und können im Regelfall nicht gesteigert werden; dagegen sind adverbial gebrauchte Adjektive unbegrenzt steigerbar. Die folgenden ursprünglichen Adverbien sind steigerbar: *bald – eher/früher – am ehesten/frühesten; gern(e) – lieber – am liebsten; oft – öfter/häufiger – am häufigsten; sehr/viel – mehr – am meisten; wenig – weniger/minder – am wenigsten/am mindesten; wohl – besser/wohler – am besten/wohlsten.*
Adverbien werden ihrer Bedeutung nach unterschieden in
1. Lokaladverbien (des Ortes): *dort, hierher, hinaus, oben, wo?*
2. Temporaladverbien (der Zeit): *bald, jetzt, nachher, täglich, wann? wie lange?*
3. Kausaladverbien (des Grundes): *andernfalls, daher, infolgedessen, trotzdem, weshalb?*
4. Modaladverbien (der Art und Weise bzw. der Modifizierung): *dagegen, gern, sehr, teilweise, wie, inwiefern?*
5. Instrumentaladverbien: (des Mittels): *damit, dadurch, womit?*
6. Finaladverbien (des Zwecks): *dafür, dazu, hierfür, wozu?*
Ihrer Form nach werden Adverbien unterschieden in:
1. unveränderliche Adverbien: *immer, noch, schon*
2. veränderliche Adverbien: *bald, eher/früher, am ehesten/frühesten*
3. getrennte Adverbien: *auch immer, wann immer, dort … hin*
4. Präpositionaladverbien (Pronominaladverbien): *da(r), hier, wo(r)* + *an, auf, aus, bei, durch, für, gegen, hinter, in, mit, nach, neben, über, um, unter, vor, zu, zwischen*
Anmerkung: In der gesprochenen Sprache wird häufig die Kurzform der Präpositionaladverbien benutzt: *dran, drüber, drin, raus, rein, rüber* usw.

Adverbialsatz
→ Angaben

Adversativsatz
→ Angaben

Affix
Ableitungssilbe; zum Wortstamm hinzutretendes Formelement, das vor den Stamm treten (Vorsilbe; → Präfix) oder an ihn angehängt werden kann (Nachsilbe; → Suffix).

Affrikata
»Angeriebener Laut«; → Konsonant

Akkusativ (4. Fall)
Deklinationsfall des → Nomens, der auf die Frage *Wen?* oder *Was?* antwortet: *Ich sehe ihn. Wir besichtigen das Museum.* In der Valenzstruktur (→ Valenz) zahlreicher Verben (obligatorischer) Ergänzungskasus. Traditionell: Kasus der transitiven Verben.

Aktionsart
Handlungsart des Verbs, die das vom Verb ausgedrückte Geschehen in Bezug auf seinen zeitlichen (Beginn, Dauer, Ende des Geschehens) sowie inhaltlichen (Veranlassung, Wiederholung, Verstärkung des Geschehens) Verlauf bezeichnet. Man kann folgende Gruppen unterscheiden:

1. inchoative oder ingressive Verben bezeichnen den Beginn einer Handlung, z. B. *entzünden, erblühen, erwachen*;
2. iterative oder frequentative Verben drücken die Wiederholung eines Geschehens aus, z. B. *hüsteln* (= immer wieder husten), *kränkeln* (= oft ein wenig krank sein), *sticheln* (= immer wieder stechen);
3. perfektive oder resultative Verben drücken die Vollendung eines Geschehens aus, z. B. *austrinken, verklingen, verwelken*;
4. kausative oder faktitive Verben bezeichnen das Bewirken einer Tätigkeit, z. B. *erheitern, fällen, tränken*;
5. intensive Verben drücken die Verstärkung einer Tätigkeit aus, z. B. *nicken* (zu *neigen*), *schnitzen* (zu *schneiden*), *schnupfen* (zu *schnaufen*). Man kann die Aktionsart auch durch zusätzliche Wörter ausdrücken, z. B.: *Er schläft gerade. Er verspricht sich ständig. Ich lasse ihn trinken. Der Tag geht zur Neige. Die Maschine wird in Gang gesetzt.*

Aktiv (traditionell Tätigkeitsform)

Finite Form des Verbs, die ausdrückt, dass das Geschehen im Satz vom Subjekt (Agens) ausgeht. Die Aktivform bezeichnet:
1. Handlungen: *Ich fahre mit dem Fahrrad.*
2. Vorgänge: *Das Wasser fließt. Sie erhält die Auszeichnung.*
3. Zustände: *Die Sonne scheint.*
4. unpersönliche Sachverhalte: *Es regnet.*
Damit ist deutlich, dass die deutsche Bezeichnung »Tätigkeitsform« irreführend ist, denn die Aktivform bezeichnet weit mehr als lediglich Tätigkeiten.

Akzent

Die Betonung einer Silbe im Wort oder eines Wortes im Satz. Die Betonung kann durch Steigerung der Tonhöhe (musikalischer Akzent), der Lautstärke (qualitativer oder Druckakzent) oder durch Dehnung (quantitativer oder temporaler Akzent) erfolgen. Die Akzentzeichen Akut (´), Gravis (`), Zirkumflex (ˆ) kommen im Deutschen nur in Fremdwörtern und fremden Namen, vorwiegend aus dem Französischen, vor: *Moiré, Molière, Pietà, Lemaître.* Vgl. diakritische Zeichen.

als oder wie

Wenn in einem Vergleich ein Adjektiv im Komparativ steht, muss *als* gesetzt werden, z. B.: *Es ist größer als ich.* Aber: *Er ist so groß wie ich* (Gleichsetzung).

Anapher

Im Satz oder Text zurückverweisendes Element, also auf etwas, das bereits gesagt/geschrieben wurde: *Dass sie mitfährt, darauf besteht er.* Gegenteil: → Katapher.

Anführungszeichen (umgangssprachlich: Gänsefüßchen)

Zeichen zur Kennzeichnung der direkten Rede und zur Hervorhebung von Wörtern oder Sätzen. Das Anführungszeichen steht vor und nach der Anführung, d. h. dem wörtlich angeführten oder hervorgehobenen Satz oder Satzteil. Man nennt es, wenn es am Ende steht, auch „Aus-“ oder „Abführungszeichen“ oder „schließendes Anführungszeichen“. Neben der Form „“ bzw. “ “ kommt auch die französische Form « » oder » « vor.
1. Bei der direkten Rede stehen Punkt, Frage- und Ausrufezeichen vor dem schließenden Anführungszeichen, wenn sie zur Rede gehören: *„Das ist nicht wahr!“, rief sie empört.* Das Komma steht immer hinter dem schließenden Anführungszeichen: *„Wenn kein Glatteis ist“, sagte er, „können wir mit dem Auto fahren.“*
Wird die Rede angekündigt, steht davor ein Doppelpunkt, z. B.: *Ernst fragte mich: „Hast du das Buch schon gelesen?“ Als mich Ernst fragte: „Hast du das Buch schon gelesen?“, mußte ich verneinen.*
In der wissenschaftlichen Literatur schließt man wörtlich angeführte Zitate anderer Autoren in Anführungszeichen ein. Vgl. direkte Rede.
2. Anführungszeichen dienen auch zur Hervorhebung von einzelnen Wörtern, Sätzen oder Satzteilen sowie von Buchtiteln u. a.: *Der Begriff der „unbewältigten Vergangenheit“ war lange Zeit Gegenstand heftiger Auseinandersetzungen. Ich kenne Musils Roman „Der Mann ohne Eigenschaften“ nicht.* Vgl. Titel von Büchern, Zeitungen u. Ä.
Frage- und Ausrufezeichen stehen nach dem schließenden Anführungszeichen, es sei denn, sie gehören zum angeführten Text: *Kennen Sie Musils Roman „Der Mann ohne Eigenschaften“?* Aber: *Kennen Sie das Buch „Kleiner Mann – was nun?“? Und so etwas nennst du nun „Ordnung halten“!* Aber: *Ich kann dein ständiges „Ich habe keine Zeit!“ schon nicht mehr hören!*

3. Halbe Anführungszeichen werden gesetzt, wenn innerhalb eines Zitats oder einer wörtlichen Rede erneut Äußerungen eines andern, ein Buchtitel o. Ä. kenntlich gemacht werden, z. B.: *Ernst fragte mich: „Hast du schon Musils Roman ‚Der Mann ohne Eigenschaften' gelesen?"*

Angaben (adverbiale Bestimmung)

Angaben sind Satzteile oder Sätze (Nebensätze), die weglassbar bzw. frei zum Verb hinzufügbar sind, also nicht – wie die Ergänzungen – von der Valenz des Verbs abhängen: *Sie hat ihn letztes Jahr geheiratet. Er lebt gern in Hamburg.*
Unterschieden werden: Situative Angaben (traditionell: adverbiale Bestimmungen), modifizierende Angaben *(Sie kommt rechtzeitig)* und Angaben über Seinszustände *(Er ist offenbar geflüchtet).*
Die situativen Angaben – die traditionellen adverbialen Bestimmungen – treten auf als Adverb *(Sie lebt ruhig),* als Substantiv mit Präposition *(Sie warteten auf dem Bahnhof)* sowie als Nebensatz *(Sie wohnen jetzt dort, wo früher Müllers ihr Haus hatten).*
Semantische Unterscheidung:
1. Lokalangaben (des Ortes); Frage: *Wo? Woher? Wohin? – Sie wohnen in Leipzig. Ich fahre nach Berlin.*
2. Temporalangaben (der Zeit); Frage: *Wann? Wie lange? Wie oft? – Er war früher Lehrer. Bis zum 5. Januar ist er krank. Zum achten Mal fehlt er schon.*
3. Kausalangaben (des Grundes); Frage: *Warum? Weshalb?* usw. – *Darum können wir nichts tun. Weil er noch krank ist, verschieben wir die Sitzung. Er hat das nur aus Verlegenheit getan. Vor Freude fiel sie ihm um den Hals.*
4. Modalangaben (der Art und Weise); Frage: *Wie? – Er fährt schneller als sie. Er lässt das Radio in voller Lautstärke laufen.*
5. Finalangaben (des Zwecks); Frage: *Wozu? – Dafür gab er sein Leben. Hans studierte, um einmal Lehrer zu werden.*
6. Instrumentalangaben (des Mittels); Frage: *Womit? Wodurch? – Er öffnete die Tür mit einem Spezialschlüssel. Der Brief wird durch Boten überbracht. Wir steigerten den Umsatz, indem wir eine neue Technik einsetzten.*
7. Konditionalangaben (der Bedingung); Frage: *Unter welcher Bedingung? – Dann hatten wir noch eine Chance. Falls er kommt, lassen wir ihn noch hinein.*
8. Konsekutivangaben (der Folge); Frage: *Mit welcher Folge? – Sie hat in der Lotterie gewonnen, sodass sie nicht mehr arbeiten muss. Er spricht so schnell, dass niemand ihn verstehen kann.*
9. Konzessivangaben (der Einschränkung); Frage: *Trotz welchen Umstands? – Ungeachtet seiner Verletzung spielte er weiter. Sie ging spazieren, obwohl es blitzte und donnerte.*
10. Adversativangabe (des Gegensatzes); Frage: *Was stattdessen? – Er fuhr nach Haus, während sie noch im Lokal blieb. Anstatt zu arbeiten, verjubelte er sein Geld.*
Anmerkung: Zahl und Art der Angaben sind relativ unbegrenzt, Überschneidungen möglich. Die Unterscheidung von den Präpositionalergänzungen (→ Ergänzungssatz) ist einfach: Bei den Präpositionalergänzungen ist die Präposition fest mit dem Verb verbunden: *Sie wartet auf ihren Freund* (Präpositionalergänzung). Dagegen: *Sie wartet auf dem Bahnhof* (Lokalangabe).

Angabesatz

In der Valenzgrammatik (→ Valenz) bzw. Dependenz-Verb-Grammatik ein satzförmiger Ausbau einer Angabe, also eines freien/weglassbaren Satzgliedes, z. B.: *Wir können sie treffen, wo wir uns damals gesehen haben.* Es gibt lokale, kausale, temporale, modale, konditionale, finale und andere Angabesätze.

Anlaut

Laut (Vokal oder Konsonant), mit dem eine Silbe oder ein Wort beginnt, z. B. das *A* in *Anlaut* oder das *L* in *Laut*. Vgl. Auslaut.

Anrede

1. Im Satz wird die Anrede durch Komma abgetrennt, z. B.: *Petra, hast du deine Aufgaben schon gemacht? Ihr beide, Thomas und Ulrich, geht mit mir. Entschuldigen Sie, Herr Müller, kann ich Sie einen Augenblick sprechen?*
2. Am Briefanfang wird die Anrede heute meist mit einem Komma anstelle des bisher üblichen Ausrufezeichens vom eigentlichen Brieftext getrennt. Das erste Wort des Brieftextes schreibt man danach klein (außer Substantiv und Anredefürwort): *Sehr geehrte Herren, auf Ihre Anfrage teilen wir Ihnen mit …*
3. Die Pronomen *du, ihr, dein, euer* schreibt man in Briefen, Inschriften, Widmungen usw. klein: *Lieber Gerold, über deine Karte habe ich mich sehr gefreut. Dieses Buch sei dir zugedacht. Ich grüße euch alle herzlich.*

Sie, Ihr, Ihnen usw. als Anrede schreibt man immer groß: *Haben Sie diesen Film schon gesehen? Ich danke Ihnen vielmals.*
Ihr und *euer* werden ferner in bestimmten Höflichkeitsformeln großgeschrieben: *Darf ich Eure Exzellenz bitten …*
Die Pronomen *ihre* und *seine* schreibt man in Höflichkeitsformeln auch dann groß, wenn sie nicht der Anrede dienen: *Ihre Majestät die Königin. Seine Majestät der König.*

Anschrift

Die Anschrift im Brief oder auf dem Umschlag wird in Deutschland folgendermaßen geschrieben: 1. Name des Empfängers, 2. Straße und Hausnummer oder Postfach, 3. Postleitzahl und Bestimmungsort:

Herrn Direktor	*Bayerischer Rundfunk*
Theodor Zauzich	*Pressestelle*
Sanddünenweg 21	
26316 Varel	*80300 München*

Akademische Titel stehen vor dem Namen, Berufs- oder Dienstbezeichnungen hinter *Herr* bzw. *Frau.* Auf Briefen ins Ausland steht der Name des Landes in international vereinbarter Kurzform vor der Postleitzahl oder ausgeschrieben unter dem Bestimmungsort. In manchen Ländern steht die Hausnummer mit Komma vor der Straße:

Herrn	*Dr. Eric Forbes*	*Firma*
Prof. Dr. H.-H. Voigt	*23, Carfrae Road*	*Residenz Verlag Ges. mbH*
Calsowstr. 15	*2 Edinburgh EH4 3QG*	*Gaisbergstr. 6*
D-37085 Göttingen	*Großbritannien*	*A-5025 Salzburg*

Antonym (Gegensatzwort)

Wörter mit dem entgegengesetzten Wortsinn: *hoch – tief, dick – dünn* usw.; Gegensatz: → Synonym.

Apostroph (Auslassungszeichen)

Der Apostroph (') weist stets auf die Auslassung eines oder zweier Buchstaben hin; er wird also dort gesetzt, wo sonst der Buchstabe stünde, z. B.: *Hier steht's ja. Willst du noch 'n Stück Kuchen?*
1. Steht der Apostroph am Satzbeginn, wird der folgende Buchstabe (trotz des Satzanfangs) kleingeschrieben, z. B.: *'s ist wirklich schade.* Der Apostroph steht nicht, wenn Präposition und Artikel zusammengezogen werden: *ins Haus, aufs Dach, übers Jahr, beim Bahnhof.*
2. Bei Eigennamen, die auf *s, ß, tz, x* oder *z* enden, kennzeichnet der Apostroph den Genitiv, da das Genitiv-*s* hier wegfällt: *Sokrates' Fragen galten in Athen als umstürzlerisch. Gauß' Theorie der Kreisteilung.*
Der Apostroph wird auch beim abgekürzten Eigennamen im Genitiv gesetzt: *S.' Reden* (= Sokrates' Reden).
Der Apostroph steht nicht, wenn das Genitiv-*s* geschrieben werden kann, z. B. *Shakespeares Werke* (nicht: Shakespeare's Werke), und auch nicht, wenn der Name mit Punkt abgekürzt wird: *G.s Gedichte* (= Goethes Gedichte). Er steht nicht bei der Ableitung auf *-sch: die Straußschen Walzer, die Straussschen Lieder.*
3. Bei Substantiven, die auf *-e* enden, kann aus stilistischen Gründen das *e* durch den Apostroph ersetzt werden: *Mit einer Gabel und mit Müh' zieht ihn die Mutter aus der Brüh'* (Wilhelm Busch). Der Apostroph steht jedoch nicht bei festen Wendungen dieser Art: *mit Müh und Not, in Reih und Glied.*
4. Bei Adjektiven fällt im poetischen Sprachgebrauch oft das *i* bei der Endung *-ig* weg und wird durch den Apostroph ersetzt: *Er sprach von ew'ger Liebe.* Bei Kurzformen einiger Adjektive fällt der Apostroph weg: *Ich bin so müd.*
5. Bei einigen Verbformen kann das *e* am Ende wegfallen und durch den Apostroph ersetzt werden: *Das hätt' ich mir denken können. Das rat' ich dir! Ich lass' es nicht zu.* Derartige Formen kommen jedoch auch ohne Apostroph vor: *Den Film hab ich schon gesehen. Das lass ich nicht zu.*
Beim Imperativ in der zweiten Person Singular fällt das *e* heute fast immer weg und braucht auch nicht durch den Apostroph ersetzt zu werden: *Frag ihn doch! Setz dich! Bleib hier! Fass mal mit an!*

Apposition (Beisatz)

Satzteil (kein Satz), der einem Substantiv oder Pronomen »beigesetzt« ist. Die Apposition ist ein substantivisches → Attribut, das im gleichen Kasus steht wie das Wort, zu dem es gehört: *Das Königreich Belgien; Edison, der Erfinder der Glühlampe. Ich habe den Brief an Herrn Prof. Becker, den Chefarzt des Krankenhauses, adressiert.*

Apposition im engeren Sinn: Die Apposition kann sehr eng mit dem zugehörigen Wort verbunden sein und wird dann nicht durch Komma abgetrennt. Das ist der Fall bei Vornamen, Beinamen, Gattungsbegriffen, bei Berufen, Titeln usw. und bei der Fügung mit *als*: *Johann Wolfgang von Goethe; Peter der Große; die Londoner Tageszeitung ›Times‹; in dem Roman ›Stiller‹ von Max Frisch; Staatssekretär Professor Mayer; er als Leiter des Institutes.*
Apposition im weiteren Sinn: Die Apposition kann auch selbständigeren Charakter haben; sie wird dann nachgestellt und durch Kommas abgetrennt: *Ernst, der beste Turner unserer Klasse. Hast du ›Stiller‹, den Roman von Max Frisch, schon gelesen?*

Artikel (traditionell: Geschlechtswort, Begleiter)

Teil der Wortart →Artikelwörter. Der Artikel verdeutlicht Genus (grammatisches Geschlecht), Kasus (Fall) und Numerus (Ein- oder Mehrzahl) des nachfolgenden Substantivs, substantivierten Adjektivs oder Infinitivs. Man unterscheidet den bestimmten Artikel *(der, die, das)* und den unbestimmten Artikel *(ein, eine, ein)*. Beispiele: *der Vater, ein Vater; die Mutter, eine Mutter; das Kind, ein Kind; Friedrich der Große; das Gute; die Sache hat ein Gutes; das Gehen.*
Der bestimmte Artikel bezeichnet, wie der Name sagt, eine bestimmte Person oder Sache, der unbestimmte dagegen eine beliebige oder jedenfalls nicht näher bezeichnete Person oder Sache. Im Plural fällt der unbestimmte Artikel entweder weg, oder es tritt ein unbestimmtes Pronomen für ihn ein, z. B.: *manche, viele Väter.* →Deklinations- und Konjugationstabellen.

Artikelwörter

Wörter, die stets vor einem Substantiv, Adjektiv, Verb oder Pronomen stehen und mit diesem in Genus, Kasus und Numerus übereinstimmen. Andere Wörter (z. B. Adjektive, Partizipien) können zwischen das Artikelwort und das Substantiv treten: *eine schöne Frau, jene überzeugenden Argumente.*
Artikelwörter verhalten sich syntaktisch gleich, d. h. wie der bestimmte bzw. unbestimmte Artikel.
Liste der Artikelwörter:
1. bestimmter Artikel: *der, die, das, die*
2. unbestimmter Artikel: *ein, eine, ein*
3. Nullartikel: (ohne Artikel, z. B. *Häuser*)
4. Demonstrativpronomen: *dieser, jener, derselbe, solch ein* usw.
5. Possessivpronomen: *mein, eure, ihr* usw.
6. Interrogativpronomen: *wer, welcher, welch ein, was für* usw.
7. Indefinitpronomen: *mancher, etliche, alle, jeder, kein, mehrere* usw.

Attribut (Beifügung)

Syntaktisches Glied, das nicht von einem Verb abhängt, sondern von einem Substantiv, Adjektiv oder Adverb und diese näher bestimmt. Beim Substantiv und Adjektiv antwortet das Attribut auf die Frage: *Was für ein?* Attribute können ganz verschiedene Formen haben. Ein Attribut kann sein:
1. ein Adjektiv oder Partizip, das dem Substantiv meist vorangestellt wird: *eine großartige Aufführung, die längste Strecke, ein strahlender Tag, ein gefeierter Künstler.*
In poetischer Sprache oder in Namen wird es oft unflektiert gebraucht: *Klein-Ilse, Alt-Heidelberg, all mein Gedanken.*
Gelegentlich kann das Attribut nachgestellt werden, dann wird es ebenfalls unflektiert gebraucht, in poetischer Sprache allerdings auch – mit Wiederholung des Artikels – flektiert: *ein Tag, strahlend und unvergesslich; so weit er die Stimme, die rufende, schicket.*
2. ein Substantiv im Genitiv: *ein Mann der Tat, die Mitglieder unseres Vereins.* Steht das Attribut im gleichen Kasus wie das Substantiv *(Peter der Große)*, dann handelt es sich um eine → Apposition.
3. ein Substantiv oder Pronomen mit Präposition: *ihre Empörung über diesen Vorfall*, oder: *ihre Empörung darüber; ein Geschenk von mir. Der Weg zum Bahnhof führt hier rechts hinunter.*
4. ein Infinitiv mit *zu*: *das Bedürfnis zu sprechen; die Gewohnheit, die Brauen zu heben.*
5. ein Adverb: *dieser Mann hier* (Attribut beim Substantiv); *eine erstaunlich gute Leistung* (beim Adjektiv); *das tue ich äußerst ungern* (beim Adverb).
6. ein Nebensatz: → Attributsatz.

Attributsatz (Beifügungssatz)

Nebensatz, der anstelle eines Attributs (Gliedteil, kein Satzglied) ein Substantiv näher bestimmt, z. B.: *Ein Mann, der krank ist, darf nicht arbeiten.* Attribut: *ein kranker Mann.*

Der Attributsatz antwortet auf die Frage *Was für ein?* oder *Welcher?* Er kann sein:
1. ein Relativsatz beim Substantiv, beim substantivierten Adjektiv, beim substantivierten Partizip, beim Pronomen: *Gestern wurde der neue Kollege, den ich schon kannte, eingeführt. Wenn ich ihm nur das Gute, das er mir getan hat, einmal vergelten könnte! Alle Verletzten, die gehfähig waren, wurden wieder entlassen. Jeder, der sich an dem Wettbewerb beteiligt hatte, bekam einen Preis.*
2. ein Konjunktionalsatz: *Ich bin der Meinung, dass wir ihm helfen müssen.*
3. ein indirekter Fragesatz: *Die Frage, wie es zu dem Unfall kam, ist noch immer nicht geklärt.*
4. ein Infinitivsatz: *Ich habe die Absicht, im Sommer ins Gebirge zu fahren.*

Aufforderungssatz Eine der →Satzarten. Der Aufforderungssatz drückt eine Bitte, eine Aufforderung oder einen Befehl eines Sprechers/Schreibers aus. Der bekannteste Aufforderungssatz ist der Imperativ (Befehlsform):

1. Imperativ: *Komm! Kommt! Kommen Sie!*
2. Indikativ Präsens/Futur: *Du kommst sofort zurück, Claudia!*
3. Fragesatz: *Kommst Du morgen nach?*
4. Konjunktiv I + *man*: *Man nehme ein Pfund Zucker und drei Zitronen.*
5. Infinitiv: *Aufpassen!*
6. Partizip II: *Stillgestanden!*
7. unpersönliches Passiv: *Morgen wird gearbeitet!*
8. Nebensätze mit *dass*: *Dass du pünktlich bist!*
9. Modalverben: *Ihr sollt kommen!*
10. *lassen*: *Lass sie endlich in Ruhe!*
11. 1. Person Plural (zu einem Partner): *Wir sind morgen zu Haus, nicht wahr?*
12. Verben des Aufforderns: *Ich verlange, dass sie anwesend ist!*
13. Ellipsen: *Ruhe! Schneller!*
14. implizite Aufforderung: *Es zieht!* (Machen Sie die Tür zu!)

Auslassungssatz →Ellipse

Auslassungszeichen →Apostroph

Auslaut Laut (Vokal oder Konsonant), mit dem eine Silbe oder ein Wort endet, z. B. das *e* in *Silbe*. Vgl. Anlaut.

Ausrufesatz Eine der →Satzarten, Unterkategorie des Aussagesatzes. Ausrufesätze drücken Emotionen (Angst, Erstaunen, Entzücken usw.), aber auch Mitteilungen aus. Das Verb steht dabei an der zweiten Stelle *(Du bist aber groß geworden!)*, an der Satzspitze *(Bist Du aber dick geworden!)* oder nach einem *w*-Wort am Satzende *(Was sie aber essen können!)*. Am Ende steht ein Ausrufezeichen.

Ausrufezeichen Das Ausrufezeichen (!) steht:
1. nach Wunsch- und Befehlssätzen: *Seid doch still! Hätten wir nur so lange gewartet! Gib mir den Brief!* Vgl. aber Punkt.
2. nach gefühlsbetonten Ausrufen: *Wie schön! So ein Unsinn! Au! Nein!*
3. nach Ausrufen in Frageform: *Wie konntest du das tun!*
Das Ausrufezeichen stand bisher nach der Anrede im Brief, doch hat sich weitgehend das Komma durchgesetzt: *Sehr geehrter Herr Professor! Wir danken Ihnen für Ihren Brief*... Heute stattdessen: *Sehr geehrter Herr Professor, wir danken Ihnen für Ihren Brief*...
Das Ausrufezeichen kann auch in Klammern im Satz stehen, wenn damit auf ein Wort oder einen Sachverhalt besonders aufmerksam gemacht werden soll: *Er wurde gestern zum dritten Mal (!) operiert.*
Ausrufezeichen in Verbindung mit anderen Satzzeichen: vgl. ›Die neuen Regeln mit Erläuterungen‹.

Aussageform, Aussageweise des Verbs → Modus

Aussagesatz Eine der → Satzarten. Der Aussagesatz dient zum Ausdruck eines realen oder irrealen Sachverhalts. Das Verb steht an der zweiten Stelle: *Letzte Woche habe ich ihn in Berlin getroffen.*

Äußerung Während sich die Linguistik mit Wörtern, Sätzen und Texten beschäftigt, untersucht die Pragmatik (Lehre vom Gebrauch sprachlicher Zeichen) Äußerungen. Äußerungen sind kommunikative Einheiten und stellen die einzelsprachliche (deutsche, englische, französische usw.) Realisierung von Sprechakten dar. Satz und Äußerung sind also im Regelfall nicht identisch; Sätze werden nach ihrer grammatischen Korrektheit, Äußerungen nach ihrem Verständigungszweck beurteilt. So kann *Morgen kommt sie zurück* entweder eine Sachaussage, ein Wunsch, eine Hoffnung oder auch eine Drohung sein.

Auxiliarverb (traditionell Hilfsverb) Auxiliarverben wie *haben, sein* und *werden* dienen zur Bildung zusammengesetzter Zeitformen (Perfekt, Futur usw.) sowie des Passivs: *Ich bin gekommen. Er wird befördert.*
Wegen der semantischen Nähe werden auch die Verben der »Passiversatzformen« zu den Auxiliarverben gerechnet: *bekommen, erhalten, kriegen, gehören: Sie bekommt ein Fahrrad geschenkt.*

Bedingungsgefüge, Bedingungssatz → Konditionalsatz

Befehlsform → Imperativ

Befehlssatz → Aufforderungssatz

Beifügung → Attribut

Beifügungssatz → Attributsatz

Berufsbezeichnungen 1. Die meisten männlichen Berufsbezeichnungen werden von Verben oder Substantiven mittels des Suffixes *-er* abgeleitet. Beispiele: *Bäcker, Maurer, Bauer, Lehrer, Gärtner.* Selten sind die nur aus dem Wortstamm gebildeten Berufsbezeichnungen wie *Koch, Arzt.* Viele Bezeichnungen sind aus Fremdsprachen entlehnt, vor allem solche technischer oder wissenschaftlicher Berufe: *Professor, Ingenieur, Apotheker, Pilot.*
2. Die weiblichen Berufsbezeichnungen werden im Allgemeinen durch Anhängen des Suffixes *-in* an die männliche Form oder an den Wortstamm gebildet (manchmal mit Umlaut): *Lehrerin, Gärtnerin, Beamtin, Anwältin, Ärztin.* Bei weiblichen Berufsbezeichnungen, die aus Fremdsprachen übernommen worden sind, finden sich auch fremdsprachliche Formen: *Friseuse/Frisöse* neben *Friseurin.*
Daneben werden zunehmend geschlechtsspezifische Berufsbezeichnungen durch Anhängen von *-frau* (vgl. *-mann*) an die Stammsilbe gebildet: *Kauffrau, Amtsfrau*, Plural: *die Kauffrauen* (falsch: die Kaufmännin).
Die Anrede lautet je geschlechtsspezifisch: *Herr Präsident/Frau Präsidentin!*; → Motionsbildung.
3. Berufsbezeichnungen werden nicht dekliniert, wenn der Artikel fehlt, das Genitiv-*s* wird an den Namen angehängt, z. B.: *Bäcker Meyers Brote sind die bekömmlichsten.* Geht jedoch der Artikel voraus, wird die Berufsbezeichnung dekliniert, wohingegen der Familienname ungebeugt bleibt: *Die Brote des Bäckers Meyer sind die bekömmlichsten.*

besitzanzeigendes Fürwort → Artikelwörter, → Possessivpronomen

Betonung → Akzent

Beugung → Flexion, → Deklination, → Konjugation

bezügliches Fürwort → Relativpronomen

Bilingualismus Zweisprachigkeit des Individuums: *Er ist zweisprachig.* Im Allgemeinen wird zwischen aktiver und passiver Zweisprachigkeit unterschieden sowie zwischen synchroner (zeitgleich bzw. parallel werden beide Sprachen erworben), additiver (zeitlich nacheinander) und subtraktiver (eine Sprache geht zurück, während die andere erworben wird) Zweisprachigkeit.

Binde-s →Fugenzeichen

Bindewort →Konjunktion

Bindestrich Vgl. ›Die neuen Regeln mit Erläuterungen‹.

Bruchzahl Teil der Zahladjektive. Sie bestehen aus dem Zähler (Kardinalzahl) und dem Nenner (Ordinalzahl mit der Endung *-el*): *ein viertel/Viertel, fünf tausendstel/Tausendstel.*

c, k oder z Das in Fremdwörtern vorkommende *c* wird bei der Eindeutschung zunehmend durch *k* und *z* ersetzt. Ausgenommen sind Familien- und geographische Namen sowie bestimmte fachsprachliche Bezeichnungen.
Die allgemeine Ausspracheregel ist: vor *a, o, u* und Konsonanten wird *c* wie *k* gesprochen, vor *e* und *i* wie *z* [ts], z. B. *Calcium, Curriculum, Celsius.* Vgl. diakritische Zeichen.
Für nicht eingedeutschte Fremdwörter kann als Anhalt gelten: In englischen und französischen Wörtern wird *c* vor *a, o, u* und vor Konsonanten wie *k* gesprochen *(camel, Camille),* vor *e* und *i* wie *s* (Cecil, Cézanne).
Das *c* in italienischen Wörtern wird vor *a, o, u* und Konsonanten wie *k* gesprochen *(Condottiere),* vor *e* oder *i* aber wie [tʃ] *(Cesare, Cicerone).* Doppel-*c* wird vor *e* und *i* ebenfalls wie [tʃ] gesprochen (*Riccione* [-tʃo̱-]).

Circumposition →Präposition

Consecutio temporum (Zeitenfolge) Regel, nach der die Zeitform des Nebensatzes von der des Hauptsatzes abhängig ist. Die strenge Zeitenfolge verlangt im Nebensatz Präsens oder Perfekt, wenn im Hauptsatz Präsens steht; sie verlangt im Nebensatz Präteritum oder Plusquamperfekt, wenn im Hauptsatz Präteritum steht. Zum Beispiel: *Wenn ich gerade weggehen will, klingelt bestimmt das Telefon. Als ich weggehen wollte, klingelte das Telefon. Nachdem ich weggegangen war, klingelte das Telefon.* Im Deutschen wird die Consecutio temporum jedoch nur bei *nachdem* konsequent eingehalten: *Nachdem er gekommen war, begann das Konzert.* Bei *als* steht Präteritum oder Plusquamperfekt *(Als er kam/gekommen war),* aber zur Erhöhung der Spannung auch Präsens: *Als sie zur Tür hereinkommt, bricht der Applaus los.*

Dativ (3. Fall) Deklinationsfall des →Nomens, →Adjektivs oder →Artikelwortes, der auf die Frage *Wem?* antwortet: *Sie hilft ihm. Er dankt ihr.* In der Valenzstruktur (→Valenz) zahlreicher Verben (obligatorischer) Ergänzungskasus (Dativergänzung). Traditionell: intransitive Verben.
Dativus commodi: fakultativer Dativ, der den vorteilhaft Betroffenen ausdrückt: *Ich trage ihr den Koffer.*
Dativus ethicus: fakultativer Dativ, der die emphatische Anteilnahme ausdrückt: *Dass du mir ja nicht zu spät kommst!*
Dativus incommodi: fakultativer Dativ, der den bezeichnet, der einen Nachteil erleidet: *Er hat mir den Wagen kaputt gefahren.*
Pertinenzdativ: fakultativer Dativ, der die Zugehörigkeit bzw. einen Körperteil bezeichnet: *Er legte ihr die Hand auf die Schulter.* →Pertinenzdativ.

Datum Die Zahlen für den Tag und Monat werden mit Punkt geschrieben, z. B.: *Er wurde am 27.9.1943 geboren.* Tritt vor das Datum eine Ortsangabe, so wird diese durch Komma vom Datum getrennt: *Mainz, den 1. Dezember 1995,* oder: *Mainz, 1.12.95.* Auf Briefköpfen, am Schluss von Verträgen u. Ä., steht das Datum ohne abschließenden Punkt.
In Datumsangaben mit *am* vor dem Wochentag kann der nachfolgende Monatstag im Dativ stehen (erklärender Beisatz, in Kommas eingeschlossen): *Ich treffe am Montag, dem 17. Juli, bei Ihnen ein.* – Der Monatstag kann auch im Akkusativ stehen (dann ohne schließendes Komma): *Ich treffe bei meinem Freund am Montag, den 17. Juli ein.* – Fehlt *am* vor der Angabe des Wochentags, so steht der nachfolgende Monatstag im Akkusativ: *Montag, den 17. Juli, werde ich bei Ihnen eintreffen.*

Treten Zeitangaben zum Datum hinzu, dann werden sie von diesem durch Kommas getrennt: *Der Vortrag findet am Dienstag, dem 4. Februar 1992, (um) 10 Uhr statt.* – Die Minutenzahl wird von der Stundenzahl durch Punkt getrennt oder durch Hochstellen abgesetzt: *10.30 Uhr* – *10*^{30} *Uhr.* Vgl. Zahlen und Ziffern.

deiktisches Element
Wörter, die auf die außersprachliche Realität verweisen: Personale Deixis *(du)*, lokale Deixis *(hier)*, temporale Deixis *(gestern)*.

Deklination (traditionell Beugung)
Mit der → Konjugation Unterkategorie der → Flexion: das Bilden der vier Fälle des Nomens, Adjektivs, Pronomens oder der Artikelwörter im Singular und Plural. Man unterscheidet die starke, schwache und die gemischte Deklination; die starke ist durch verschiedenartige Endungen, z. B. im Genitiv Singular *-(e)s,* und manchmal den Umlaut des Stammvokals im Plural gekennzeichnet, die schwache hat (außer im Nominativ Singular) immer die Endung *-n* oder *-en,* die gemischte ist im Singular stark, im Plural schwach. Vgl. Deklinations- und Konjugationstabellen.

Demonstrativpronomen
→ Artikelwörter

diakritische Zeichen
Zeichen über oder unter Buchstaben zur Bezeichnung ihrer Aussprache. Die wichtigsten diakritischen Zeichen sind:
der Akut (´); er bezeichnet im Französischen (accent aigu [aksãtɛgy]) die Betonung und geschlossene Aussprache des *e,* z. B. *Gérard* [ʒera̲r], im Spanischen die Betonung: *Córdoba* [kọrdova], im Ungarischen und Tschechischen die lange Aussprache (nicht die Betonung): *Molnár* [mọlna:r], *Bartók* [bọrto:k], *Husák* [husa:k];
der Gravis (`); er bezeichnet im Französischen (accent grave [aksãgra̲v]) die lange und offene Aussprache des *e*: *Molière* [mɔljɛ̲r], im Italienischen die kurze, betonte Aussprache: *Pietà* [pietạ];
der Zirkumflex (ˆ); er bezeichnet im Französischen (accent circonflexe [aksãsirkɔ̃flẹks]) die lange, offene Aussprache eines Vokals oder Diphthongs: *fenêtre* [fənɛ̲trə], *maître* [mɛ̲trə], *Table d'hôte* [tabl do̲t], *âne* [a̲n]. Er deutet zugleich an, dass in der lateinischen Grundform des betreffenden Wortes ein *s* auf den bezeichneten Vokal folgte: *fenestra, magister, hostis, asinus;*
das Háček (eindeutschend Hatschek: ˇ); es bezeichnet in slawischen Sprachen über dem *c* die Aussprache wie [tʃ], z. B. *Čechov* [tʃẹxof], über dem *z* die Aussprache wie [ʒ], z. B. *Žatec* [ʒạtɛts] (Saaz an der Eger), über dem *s* die Aussprache wie [ʃ], z. B. *Beneš* [beneʃ] (tschech. Politiker), über dem *r* die Aussprache wie [rʒ], z. B. *Dvořák* [dvọrʒa:k];
das Trema (¨); bezeichnet die getrennte Aussprache zweier nebeneinander stehender Vokale, z. B. *Alëuten;*
die Tilde (˜); sie bezeichnet im Spanischen über dem *n* die Aussprache wie [nj] z. B. *Señor* [sɛnjo̲r], im Portugiesischen über Vokalen die nasale Aussprache z. B. *São* [sã̲u] (Sankt);
die Cedille [sedịjə] (¸); sie bezeichnet im Französischen unter dem *c* die Aussprache wie [s] vor *a, o* und *u,* z. B. *Façon* [fasɔ̲̃].

Diminutiv (Verkleinerungsform)
Form des Substantivs, die die Kleinheit einer Person oder Sache kennzeichnet. Das Diminutiv wird durch Anhängen eines Diminutivsuffixes (*-chen* oder *-lein*) gebildet, z. B. *das Tischchen, das Entchen, das Zicklein.* Dabei ist *-chen* eher norddeutsch, *-lein* dagegen im Süddeutschen verbreitet. Gelegentlich werden auch zwei Suffixe angehängt, z. B. *das Tüchelchen.* Diminutiva sind immer Neutra; ihre Bildung erfordert häufig den Umlaut, z. B. *der Bursche, das Bürschlein.* In den Mundarten dienen auch Endungen wie *-le (Gläsle), -li (Müsli), -erl (Haserl)* als Diminutivsuffixe. Schließlich haben manchmal auch mit dem Suffix *-ling* gebildete Wörter eine diminutive Abschattung *(Pflegling, Liebling).* Das Diminutiv dient häufig als Koseform; in solchen Fällen wird es auch gelegentlich von Adjektiven gebildet, z. B. *Kleinchen, Liebchen.* Zahlreiche dieser Diminutiva wirken heute veraltet (*Liebchen, Altchen* usw.).

Dingwort
→ Substantiv

Diphthong (Zwielaut)
Verbindung zweier verschiedener Vokale, von denen der erste etwas stärker gesprochen wird. Im Deutschen treten auf: *ai, ei, au, eu, äu, oi.* In Eigennamen wird statt des *i* oft ein *y* geschrieben, also *Mayer, Meyer,* außerdem kommt *oy* vor. Vgl. Doppellaut.

direkte Rede (wörtliche Rede) Wortgetreue Wiedergabe der Äußerungen einer oder mehrerer Personen. Die direkte Rede wird durch Anführungszeichen gekennzeichnet. Geht ihr ein Einführungssatz voraus, so steht nach diesem der Doppelpunkt, z. B.: *Er sagte zu mir: »Das habe ich nicht gewollt.«* Nach dem Doppelpunkt wird großgeschrieben. Steht die direkte Rede voran, trennt man durch Komma: *»Ich verstehe kein Wort«, sagte sie.* Endet die Rede mit einem Frage- oder Ausrufezeichen, steht ein Komma: *»Was wollen Sie eigentlich von mir?«, fragte er.*
Das Zitat (aus Büchern, Zeitungen u. Ä.) ist grammatisch eine Form der direkten Rede, wird also ebenso behandelt. Bei sehr bekannten Zitaten aus Geschichte oder Literatur kann man auf die Anführungszeichen verzichten, z. B.: *Die Türen habe ich selbst gestrichen – die Axt im Haus erspart den Zimmermann.*

Doppellaut Verbindung zweier gleicher Laute, entweder Doppelvokal, z. B. *aa, ee,* oder Doppelkonsonant, z. B. *tt, mm.*
Der Doppelvokal darf nicht mit dem Zwielaut oder → Diphthong verwechselt werden.

Doppelpunkt (Kolon) Den Doppelpunkt *(:)* setzt man, um anzukündigen

1. die direkte Rede, z. B.: *Der Arzt sagte zu dem Kranken: »Sie sollten einige Tage das Bett hüten!«*
2. Sätze oder Satzteile, z. B.: *Denke immer daran: Wer andern eine Grube gräbt, fällt selbst hinein. Benzinverbrauch: 10 Liter.*
3. Aufzählungen, z. B.: *Er beherrscht mehrere Sprachen: Englisch, Französisch und Italienisch.* Ausnahme: Steht vor der Aufzählung eine Fügung wie *d. h., d. i., z. B., und zwar,* dann setzt man statt des Doppelpunktes ein Komma: *Er beherrscht mehrere Sprachen, z. B. Englisch, Französisch und Italienisch.*
4. Sätze, die eine vorangegangene Aufzählung zusammenfassen bzw. daraus eine Folgerung ableiten, z. B.: *Freie Wahlen und Gerechtigkeit, Pressefreiheit und Chancengleichheit: sie sind die Grundlagen jeder Demokratie.*

Doppelpunkt in Verbindung mit Gedankenstrich, Gedankenstrich anstelle des Doppelpunktes vgl. Gedankenstrich.
Groß- oder Kleinschreibung nach dem Doppelpunkt: Folgt dem Doppelpunkt ein Satzteil oder eine Aufzählung, so schreibt man das erste Wort klein, z. B.: *Nur an eins hatte sie in der Hast des Einpackens nicht gedacht: an die Fahrkarte. Ihm war alles gleichgültig: seine Familie, seine Karriere, sein Ansehen.* Man schreibt dagegen gewöhnlich groß, wenn nach einem ganzen Satz mit Doppelpunkt wieder ein vollständiger Satz folgt, z. B.: *Es ist immer wieder dasselbe: Wenn es zu schnell gehen muss, macht man Fehler.* Vgl. ›Die neuen Regeln mit Erläuterungen‹.

Eigenname (nomen proprium) Bezeichnung von Lebewesen, Gegenständen oder Ideen, die im Regelfall nur einmal vorkommen: → Familiennamen, → Schiffsnamen, → Straßennamen usw.

Eigenschaftswort → Adjektiv

Einräumungssatz → Konzessivsatz, → Angaben

Einzahl → Singular

Ellipse (Auslassungssatz) Satz oder Satzgefüge, in dem ein oder mehrere Satzteile fehlen, dessen Inhalt aber in der Sprachsituation verstanden wird. Es können der Hauptsatz oder der Nebensatz oder beide verkürzt sein: *Immer mit der Ruhe! Licht aus! Ende gut, alles gut.*

Empfindungswort → Interjektion (Ausrufewort)

Ergänzung Valenzgebundener (obligatorischer) Teil im Satz; → Valenz.

Ergänzungssatz Nebensatz in der Funktion einer (valenzgebundenen) Ergänzung des Verbs. Zu unterscheiden sind:
1. Subjektsatz: *dass*-Satz, *ob*-Satz, *wenn*- Satz, *wer*-Satz, *wie*-Satz, Fragesatz, Infinitivsatz: *Dass sie kommt, freut uns. Ob er fährt, wissen wir nicht. Wer das getan hat, ist ein Verbrecher. Wie es ihr geht, ist uns nicht egal. Täglich in die Sauna gehen wäre ungesund.*

2. Objektsatz
a) Akkusativergänzung: *dass*-Satz, *ob*-Satz, *wann*- Satz, *wer*-Satz, *wenn*-Satz, *wie-Satz,* Fragesatz, Infinitivsatz: *Sie sagte uns, dass sie nach München umzieht. Klaus fragt, ob du kommst. Sie will wissen, wann der Zug abfährt. Sie hoffen, bald in ihr neues Haus umzuziehen.*
b) Genitivergänzung: *dass*-Satz, *ob*-Satz, Fragesatz, Infinitivsatz: *Er erinnerte sich, dass schon einmal eingebrochen worden war. Er erinnerte sich nicht mehr, ob sie damals schwanger war. Er war sich nicht mehr bewusst, was er gesagt hatte/ damals gelogen zu haben.*
c) Präpositionalergänzung: *dass*-Satz, *ob*-Satz, Fragesatz, Infinitivsatz mit Korrelat: *Sie besteht darauf, dass er sich entschuldigt. Das hängt davon ab, ob er kommt. Er bittet sie darum, etwas zu tun.*
d) Verbalergänzung: *was immer, wer auch immer* + Modalverb: *Was immer er gewollt haben mag, es war am Ende ein Chaos. Wer auch immer der Täter gewesen sein soll, er wird vor Gericht gestellt werden.*
e) Vergleichsergänzung (irreale Vergleichssätze): *Sie tun so, als ob nichts geschehen wäre. Er benimmt sich, als ob er der Chef wäre.*
Anmerkung: Bei zahlreichen dieser Sätze steht ein Korrelat (Bezugswort) im Hauptsatz: *es* (*enttäuschen, gehören* usw.), Pronominaladverbien (*damit, darauf* usw.), *dessen.*

ethischer Dativ → Dativ

Euphemismus Verschleierndes, schönfärberisches Sprachmittel: *vollschlank, Entsorgungspark* usw.

exozentrisches Kompositum → Kompositum

f oder ph Bei Vornamen aus der deutschen Sprache gilt die Schreibung mit *ph* statt *f* als veraltet; man schreibt heute: *Rudolf* statt *Rudolph.* Bei Vornamen aus anderen Sprachen, besonders aus dem Griechischen, behält man in der Regel die fremde Schreibweise bei, z. B. *Philipp.* Bereits stark eingedeutschte Namen können auch mit *f* geschrieben werden, z. B. *Josef.* Vgl. Vornamen.
Bei den übrigen aus Fremdsprachen stammenden Wörtern gelten ähnliche Regeln. Je weiter die Eindeutschung fortgeschritten ist, desto häufiger findet sich die Schreibung mit *f.* Beispiele: *Fotograf* (statt *Photograph*), *Telefon* (statt *Telephon*). Selten verwendete Fremdwörter behalten meist *ph,* z. B. *Epitaph, Chronograph.* Vgl. ›Die neuen Regeln mit Erläuterungen‹.

Fachsprachen Fachsprachen sind mündliche oder schriftliche Varianten der Gemeinsprache, die entwickelt werden, um Fachbereiche zu bezeichnen und zur Kommunikation zwischen Vertretern des Faches (z. B. Wissenschaftssprachen, Sprachen der Technik), Vertretern unterschiedlicher Fächer (interdisziplinärer Dialog) oder zwischen Fachleuten und Laien (populärwissenschaftliche Fachsprachen) beizutragen. Fachsprachen sind gekennzeichnet durch:
1. Fachwortschatz (Fachtermini) und spezielle Wortbildungsmuster (Verschmelzungen: *Esther* ← *Essig* + *Äther*, Neuschöpfungen: *Quarks, Illokution* usw.);
2. Besonderheiten des Satzbaus und des Stils (Nominalstil, Passiv, Vermeidung der 1. Person Singular usw.);
3. schriftliche Textgliederung und äußere Textform (Zusammenfassung, thematische Gliederung, Grafiken im Text usw.).
Es gibt Fachsprachen der Wissenschaft, der Technik, des Handels und Gewerbes, des Journalismus, der Werbung, des Sports, der technischen Medien usw. Sie treten vor allem in bestimmten Textsorten auf wie z. B. Referat, wissenschaftlicher Artikel, Monographie, Lexikon, Rezension, Kommentar, Werbetexte, Gebrauchsanweisungen, Zeitungsartikel, Nachricht, Reportage, Sachbuch usw.; → Textlinguistik.

Fall → Kasus

Familiennamen 1. Schreibung
Die Schreibung der Familiennamen richtet sich nicht immer nach den Rechtschreibregeln, sondern gewöhnlich nach der überlieferten Schreibweise. Selbst irrige Schreibweisen, z. B. in Taufbüchern, können sich manchmal durchsetzen. So finden sich oft verschiedene Schreibungen desselben Familiennamens, z. B. *Goethe* und *Göthe, Schulze* und *Schultze, Mayer, Meyer, Meier* usw. Familiennamen werden immer großgeschrieben. Das Adelsprädikat *von* jedoch schreibt man auch am Satzanfang klein, wenn es abgekürzt wird, z. B.: *v. Brauchitsch war ein bekannter Rennfahrer.*

Doppelnamen schreibt man mit Bindestrich: *Schröder-Devrient, von Droste-Hülshoff, Jochum-von Moltke*. Auch hier gibt es Ausnahmen, für die oft besondere Gründe gelten: *Walther Leisler Kiep*.
In Zusammensetzungen mit Substantiven wird der Name im Allgemeinen mit dem Substantiv durch Bindestrich verbunden: *Schiller-Nationalmuseum*; wird dagegen die Zusammensetzung als einheitlicher Begriff empfunden, dann schreibt man sie zusammen: *Nobelpreis, Wankelmotor*. Ist der Name mehrgliedrig, dann werden sämtliche Teile durch Bindestrich verbunden: *Richard-Strauss-Liederabend, Werner-von-Siemens-Gymnasium*.
Steht der Familienname als Grundwort, so wird er mit dem Bestimmungswort durch Bindestrich verbunden: *Pfeifen-Huber*.
Zusammensetzungen von Namen mit Adjektiven schreibt man klein und zusammen: die marxabhängige Soziologie. Vgl. ›Die neuen Regeln mit Erläuterungen‹.
Über Adjektive, die von Familiennamen abgeleitet sind (z. B. *lutherisch*), vgl. den Artikel »Goethisch oder goethisch?«.
2. Deklination
Der Genitiv von Familiennamen wird durch Anfügen von *s* gebildet, wenn kein Artikel vor dem Namen steht: *Picassos Bilder, die Musik Mozarts*. Steht der Artikel vor dem Namen, fällt das Genitiv-*s* weg: *die Werke des Lukas Cranach*. Das Genitiv-*s* kann auch dann gesetzt werden, wenn der Name abgekürzt ist: *H.s Gedichte (Heines Gedichte)*.
Familiennamen mit *von, van, de* u. Ä. bilden den Genitiv ebenfalls mit *s: August von Kotzebues Theaterstücke*. Nur wenn der Familienname eigentlich ein geographischer Name ist – meist bei Adelsnamen – und an zweiter Stelle steht, rückt das Genitiv-*s* an den Vornamen, z. B.: *die Werke Hartmanns von Aue*, aber: *Hartmann von Aues Werke*.
Beim Genitiv von Familiennamen, die auf *s, ss, ß* oder *z* enden, setzt man entweder einen Apostroph *(Richard Strauss' Lieder)*, oder man fügt die Endung *-ens* an *(Richard Straussens Lieder);* man kann auch den Artikel oder das Wort *von* voranstellen *(die Schriften des Lukrez, die Walzer von Johann Strauß)*. Vgl. Apostroph.
Steht vor dem Namen ein → Titel oder eine → Berufsbezeichnung mit Artikel, so wird nur der Titel bzw. die Berufsbezeichnung dekliniert: *des Studienrats Mayer, des Oberbürgermeisters Ude*. Steht kein Artikel davor, so wird der Name gebeugt: *Studienrat Mayers Unterricht*. Der Plural wird im allgemeinen mit *s* gebildet: *die Bismarcks, bei Hartmanns*. Will man jedoch das ganze Geschlecht bezeichnen, so fällt das *s* weg: *die Hohenzollern, die Medici*. Gelegentlich wird der Plural auch durch die Ableitung auf *-er* gebildet: *die Oranier* (zu *Oranien*), *die Wittelsbacher* (zu *Wittelsbach*).

Farbadjektive

Zusammengesetzte Farbbezeichnungen werden zusammengeschrieben, wenn man eine Mischfarbe benennen will, z. B. *blaurot*. Sind jedoch beide Farben ungemischt vertreten, schreibt man sie mit Bindestrich: *blau-rot* (= blau und rot gemustert), *die schwarz-rot-goldene Flagge*.
Substantivierte Farbbezeichnungen schreibt man groß, z. B.: *Dieses Rot gefällt mir. Er konnte seine Zukunft nur Grau in Grau sehen*.
Deklination: Farbadjektive können dekliniert werden, mit Ausnahme der fremdsprachigen wie *beige, lila, orange: ein lila Kleid, ein beigefarbener Mantel* (nicht: ein beiger Mantel). Farbsubstantive werden im Singular dekliniert, haben aber keinen Plural (allenfalls in der Umgangssprache): *Die Wirkung dieses leuchtenden Grüns. Das sind verschiedene Rot* (besser: *verschiedene Tönungen in Rot*). Farbadjektive können, außer im metaphorischen Gebrauch, nicht gesteigert werden (*braun – brauner – am braunsten). Stattdessen werden Differenzierungen gebraucht wie: *burgunderrot, blaurot, karmesinrot* usw.; vgl. ›Die neuen Regeln mit Erläuterungen‹.

Femininum

Weibliches grammatisches Geschlecht; → Genus

figura etymologica

Stilmittel der Verstärkung: *ein Leben leben, lieber lieben*.

Finalsatz (Absichtssatz)

Angabesatz, der den Zweck/die Absicht des personalen Subjekts ausdrückt. Die Konjunktionen lauten: *damit, dass, um … zu*, die Frage: *wozu*. Als Korrelat im Hauptsatz kann *darum/deshalb/in der Absicht* stehen: *Wir sehen uns den Film (deshalb) heute an, damit wir morgen darüber diskutieren können/um morgen darüber zu diskutieren. Sie geht (in der Absicht) nach München, dass sie eine Filmrolle bekommt*. (*dass* nur in der gesprochenen Sprache).

Infinitivsätze ohne *um*, also nur mit *zu* – vorangestellt oder nachgestellt – kommen in gewählter Redeweise vor: *Sie kamen, uns Lebewohl zu sagen.* → Angabesatz, Angaben.

Flexion Sammelbegriff für die → Deklination des → Nomens/Substantivs, → Adjektivs, der → Artikelwörter, des → Pronomens sowie die → Konjugation des → Verbs.

Folgesatz → Konsekutivsatz, → Angabesatz, → Angaben

Fragefürwort → Interrogativpronomen, → Artikelwörter

Fragesatz (Interrogativsatz) Satz, der entweder ein Geschehen, Verhalten oder einen Zustand klären will oder der nach einer Person, einer bestimmten Sache oder einem Umstand fragt. Den ersten Typ nennt man Entscheidungsfrage (Satzfrage), z. B.: *Kennst du ihn? Ist das wahr? Hast du das gesehen?.* Den zweiten Typ nennt man Ergänzungsfrage (*w*-Frage), z. B.: *Wie alt ist er? Was für ein Zeichen soll hier stehen?*
Beide Fragesatztypen sind im Schriftbild durch das Fragezeichen am Ende gekennzeichnet, beim Sprechen durch die Hebung des Tons am Satzende im Entscheidungsfragesatz (→ interrogative Tonführung); beim Ergänzungsfragesatz steigt die Tonhöhe nicht (→ Tonhöhenverlauf). Die Entscheidungsfrage wird mit dem Verb eingeleitet (bei zusammengesetzten Verbformen mit dem Hilfsverb), die Ergänzungsfrage mit einem → Interrogativpronomen. Für die Entscheidungsfrage wird gelegentlich auch die Form des → Aussagesatzes benutzt, vor allem, wenn mit besonderem Nachdruck oder Erstaunen gefragt wird, z. B.: *Du hast das nicht gewusst?*
Alle diese Beispiele sind direkte Fragesätze; der Fragesatz kann jedoch auch ein indirekter Fragesatz sein. Er wird dann durch ein Fragepronomen *(wer, was)* oder Frageadverb *(wo, warum)* oder durch die Konjunktion *ob* eingeleitet und hat am Ende kein Fragezeichen, sondern einen Punkt: *Ich fragte ihn, wer gekommen sei. Ich bin mir nicht klar darüber, was eigentlich geschehen ist. Ich weiß nicht, ob er schon zurückgekommen ist.* Manchmal wird jedoch auch ein indirekter Fragesatz um des größeren Nachdrucks willen mit einem Fragezeichen versehen: *Wo ich gewesen sei?, fuhr er mich an.* Steht ein durch *ob* eingeleiteter Fragesatz allein, erhält er ein Fragezeichen: *Ob er wohl schon da ist?* Vgl. → indirekte Rede sowie → Satzarten.

Fragezeichen 1. Das Fragezeichen muss nach einem direkten Fragesatz stehen, z. B.: *»Kommst du morgen?« »Warum kommst du morgen nicht?«, fragte er.*
Es steht auch, wenn der direkte Fragesatz als Überschrift oder Titel erscheint: *Wer hat Angst vor Virginia Woolf?, heißt ein Theaterstück von Edward Albee.* Vgl. Anführungszeichen.
Nach Fragewörtern muss auch dann ein Fragezeichen gesetzt werden, wenn sie allein stehen. Beispiele: *Wer? Warum? Woher?*
Will man ein einzelnes Wort in einem Satz in Frage stellen, so setzt man das Fragezeichen in Klammern hinter das betreffende Wort, z. B.: *Er beruft sich auf zuverlässige (?) Zeugen.*
2. Kein Fragezeichen steht nach indirekten Fragesätzen. Ausnahmen sind möglich (→ Fragesatz).
3. → Gedankenstrich; vgl. ›Die neuen Regeln mit Erläuterungen‹.

Fugenzeichen Das Fugenzeichen (Kompositionsfuge) bezeichnet die Nahtstelle zwischen den einzelnen Gliedern eines → Kompositums, bei mehr als zwei Gliedern die Hauptfuge: *Arbeit-s-platz, Weih-nacht-s-geld* usw.
Das häufigste Fugenzeichen ist das *-(e)s,* die Genitivendung Maskulinum und Neutrum. Andere Fugenzeichen sind:
-en: die Bär-en-tatze
-er: der Hühn-er-hof
-e: die Hund-e-steuer
In Analogiebildung wird das Fugenzeichen *-(e)s* aber auch bei Feminina *(die Leistung-s-prämie)* eingesetzt, vor allem aus Gründen der besseren Aussprache sowie der deutlicheren Gliederung. Gelegentlich wird fast willkürlich verfahren: *Rindfleisch – Rindsbraten – Rindermagen.*
Bedeutungsdifferenzierend ist das Fugenzeichen bei:
Landmann (= Bauer) – *Landsmann* (= aus derselben Gegend stammend). Bei der Silbentrennung bleibt das Fugenzeichen bei der vorausgehenden Silbe: *Leistungs-prämie.*

Fürwort →Pronomen, →Artikelwörter

Funktionsverbgefüge Syntaktische Struktur, bestehend aus einem (weitgehend bedeutungsverblassten) Funktionsverb + Substantiv (mit oder ohne Artikel) + Präposition: *zur Diskussion stellen* (mit Artikel: *zu* + *der* →*zur*), *in Anspruch nehmen* (ohne Artikel). Auch akkusativische Strukturen werden zu den Funktionsverbgefügen gerechnet: *Vereinbarungen treffen, Abschied nehmen.*
Funktionsverbgefüge treten vor allem in Textsorten des öffentlichen Sprachgebrauchs *(zur Abstimmung stellen, zum Abschluss bringen)* sowie der Fachsprachen *(in Betrieb gehen, zu Protokoll nehmen)* auf. Vor übermäßiger Verwendung sei gewarnt, zumal vor Sprachverhunzungen der Behördensprache: *in Wegfall kommen, zur Ausfertigung gelangen, zum Vorgang erklären* usw.

Futur Im Deutschen werden die Zeitformen Futur I und Futur II für Handlungen und Sachverhalte in der Zukunft (Zeitstufe) sowie zum Ausdruck der Modalität (Unsicherheit, Wahrscheinlichkeit usw.) benutzt. Futur I wird mit *werden* + Infinitiv des Verbs *(Sie wird kommen),* Futur II mit *werden* + Partizip II des Verbs sowie dem Infinitiv von *haben* oder *sein* gebildet *(Sie wird gekommen sein).* Die traditionellen Bezeichnungen einfache Zukunft bzw. vollendete Zukunft sind irreführend, wie ein Beispiel verdeutlicht: *Letzte Woche wird er in Tokio angekommen sein* (= bereits vergangen, nicht zukünftig, aber vollzogen und eher vermutend). Die Tempusform Futur II drückt im Grunde eher Modus (Art und Weise) als einen Bezug auf Zukünftiges aus. Das Futur I dient auch als Aufforderung: *Du wirst jetzt schlafen!*

Gänsefüßchen →Anführungszeichen

Gattungsname (Appellativum) Unter den Substantiven werden →Eigennamen und →Gattungsnamen unterschieden. Während Eigennamen unverwechselbare, weil im Regelfall nur einmal vorkommende Lebewesen, Gegenstände oder Ideen bezeichnen, benennen Gattungsnamen Personen, Tiere, Pflanzen oder Gegenstände als Gattung: *Erwachsene, Buddhisten, Hund, Nelke, Eiche, Auto, Sessel* usw.

Gebirgsname →geographische Namen

Gedankenstrich Der Gedankenstrich (–) steht
1. zwischen Sätzen, um einen gedanklichen Einschnitt zu kennzeichnen: *Der Architekt hat einen ausgezeichneten Entwurf geliefert. – Das Studium der Architektur hätte mich übrigens auch interessiert.*
2. innerhalb eines Satzes, wenn eine längere Sprech- bzw. Gedankenpause verdeutlicht werden soll, insbesondere
a) zwischen Überschriften, z. B.: *Das Buch hat folgende Kapitel: Kindheit – Jugend – Reife – Alter.*
b) zwischen Ankündigungs- und Ausführungsbefehl: *Auf die Plätze – fertig – los!*
c) wenn auf ein unerwartetes oder erschreckendes Ereignis hingewiesen werden soll: *Es läutet, ich öffne die Tür, und vor mir steht – der Totgeglaubte.*
d) wenn man einen Gedanken abbricht: *»Du willst doch nicht etwa – ?«, fragte er entsetzt.*
e) wenn man einen Gedanken einschiebt: *Das alte Haus – ein historisch wertvoller Bau – wurde leider abgerissen.* Vgl. Parenthese.
3. Der Gedankenstrich kann auch in Verbindung mit anderen Satzzeichen stehen:
a) mit Komma, wenn auch ohne den eingeschobenen Redeteil ein Komma gesetzt werden müsste: *Er besuchte uns – es ging ihm wieder gut –, wenn seine Zeit es eben erlaubte.* Es steht jedoch kein Komma, wenn der Satz ohne Einschub auch kein Komma erhielte: *Der Maler Paul Gauguin – er hatte seine bürgerliche Existenz aufgegeben – lebte einige Zeit auf Tahiti.*
b) mit Ausrufe- und Fragezeichen, die sinngemäß dort stehen, wo der Ausruf bzw. die Frage endet, also vor dem zweiten Gedankenstrich: *Kurz nach meinem achten Geburtstag kam – welche Freude! – mein Vater aus der Gefangenschaft zurück. – In unserer Kindheit – erinnerst du dich noch? – ließen wir im Herbst oft Drachen steigen.*
c) mit Doppelpunkt, der bei einem eingeschobenen Gedanken nach dem zweiten Gedankenstrich stehen muss, weil er auf den folgenden Satz hinweisen soll: *Der Redner rief – und dabei streckte er den Arm vor –: »Es liegt bei Ihnen, das zu ändern!«*

4. Der Gedankenstrich kann statt des Kommas oder des Doppelpunkts gesetzt werden,
a) wenn das Komma einen Gegensatz nicht genug verdeutlichen würde: *Er könnte schon – aber er will nicht.*
b) wenn der Doppelpunkt nicht stark genug wäre: *In Wahrheit hatte er immer nur eins im Sinn – Geld zu verdienen.*
5. Zwei Gedankenstriche können durch runde Klammern ersetzt werden, wenn der eingeschobene Satz nicht besonders hervorgehoben werden soll: *Klaus war schließlich (so glaubte er jedenfalls) sein bester Freund.*

Gegenstandssatz → Subjektsatz, → Ergänzungssatz

Gegenwart Kategorien der Zeit (drei Zeitstufen) sind: Gegenwart, Vergangenheit und Zukunft. Ihnen stehen im Deutschen sechs Zeitformen (Tempora; → Tempus) gegenüber, die teils vergangenheitsbezogen (Präteritum, Plusquamperfekt), teils vergangenheits- sowie gegenwartsbezogen (Perfekt), sind, teils zeitstufenneutral (Präsens). Futur I und II sind teilweise zukunftsbezogen, teils modal: *Er wird wohl kommen. Morgen wird sie angekommen sein.* Eine Gleichsetzung von Gegenwart (Zeitstufe) und Präsens (Zeitform/Tempus) ist daher unzulässig: Mit der Präsensform können Vergangenes *(Goethe geht 1765 nach Leipzig),* Gegenwärtiges *(Ich wohne in Herrsching),* Zukünftiges *(Sie fahren morgen nach Rom)* sowie Zeitneutrales/allgemein Gültiges *(Die Gesetze sind liberal)* ausgedrückt werden.

Genitiv (zweiter Fall) Deklinationsfall des → Nomens/Substantivs; er antwortet auf die Frage *Wessen?,* z. B.: *Der Sohn unseres Freundes. Die Einführung neuer Methoden. Er rühmte sich seiner Tat.* In der gesprochenen Sprache wird der Genitiv oft durch *von* gekennzeichnet, z. B.: *Die Einführung von neuen Methoden.* Bestimmte Verben verlangen den Genitiv, z. B.: *bedürfen, gedenken, sich entledigen, sich erbarmen.* → Valenz. Vgl. Abkürzungen, Familiennamen, geographische Namen, Maß- und Mengenangaben, Titel, Vornamen.

Genus (grammatisches Geschlecht) Jedes Substantiv der deutschen Sprache gehört im Regelfall einem von drei grammatischen Geschlechtern (Genera) an: Maskulinum (männliches Geschlecht): *der Mann;* Femininum (weibliches Geschlecht): *die Frau;* Neutrum (sächliches Geschlecht): *das Kind.* Manche Substantive haben drei Genera: *der/die/das Dschungel,* manche zwei: *der/das Curry, die/das Cola* usw.
Im Deutschen lässt sich für die Geschlechtszugehörigkeit der Substantive kaum eine Regel aufstellen, jedenfalls keine ohne Ausnahme, denn selbst die naheliegende Annahme, dass Lebewesen weiblichen Geschlechts auch in der Grammatik als Feminina behandelt werden, trifft nicht immer zu *(das Weib);* vor allem aber werden alle Lebewesen durch Diminutivsuffixe (Verkleinerungsendungen) sogleich in Neutra verwandelt: *der Mann, das Männlein; die Frau, das Frauchen, das Fräulein.*
Das grammatische Geschlecht der zusammengesetzten Substantive (→ Kompositum) richtet sich nach dem Grundwort *(die Eisenbahn),* das Geschlecht von Abkürzungen und Kurzwörtern ebenfalls nach dem Grundwort des ausgeschriebenen Gesamtbegriffs *(die GmbH, das StGB, die Uni).* Vgl. Kurzwort.
Bei Fremdwörtern richtet sich das grammatische Geschlecht entweder nach dem des entsprechenden deutschen Wortes: *die Band* (weil: *die Kapelle*), *das Callgirl* (weil: *das Girl, das Mädchen*), oder nach dem des fremden Wortes: *der Ponte Vecchio* (obwohl: *die Brücke,* weil ital. *il ponte*).
Zum schwankenden Sprachgebrauch in Bezug auf das Genus *(der* oder *das Liter, der* oder *das Sakko*); vgl. die einzelnen Wörter im Wörterverzeichnis.

Genus verbi Art des verbalen Geschehens: → Aktiv oder → Passiv.

geographische Namen 1. Schreibung
Adjektive, die zum Namen gehören, schreibt man groß: *das Rote Meer, der Wilde Kaiser, die Kleinen Antillen, der Große Bärensee, das Nördliche Eismeer.* Man schreibt sie klein, wenn sie nicht zum Namen gehören, z. B.: *im nördlichen China.* Zusammensetzungen mit unflektiertem Adjektiv schreibt man zusammen: *Mittelamerika, Oberbayern, Neuguinea, Großbritannien, Kleinasien, Osteuropa, Westeuropa.* Jedoch schwankt hier die Schreibung häufig: *Alt-Wien, Neu-Ulm,* aber *Neuaubing* (bei München), *Klein Auheim* (bei Hanau), aber *Kleinbardorf* (bei Bad Neustadt).

Ableitungen auf *-er* schreibt man groß und getrennt: *die Schweizer Kantone, Schweizer Käse, Neusiedler See, Straßburger Münster.* Eine Ausnahme ist z. B.: *Zugersee.* Trifft die Ableitungssilbe *-er* auf auslautendes *-ee,* wie in den Namen von Seen, so werden nur zwei *e* geschrieben: *Tegernseer Tal.* Manchmal ist die Silbe *-er* keine Ableitungssilbe, sondern gehört zum Namen; dann schreibt man das Wort zusammen: *Großglocknerstraße, Brennerbad.*
Flektierte Ableitungen auf *-isch* (also *-ischer, -ische, -isches*) schreibt man groß, wenn sie zum Namen gehören: *Bayerischer Wald, Sächsische Schweiz,* aber: *die bayerischen Seen, das sächsische Industriegebiet.* Namen mit unflektierter Ableitungssilbe *-isch* schreibt man im Allgemeinen mit Bindestrich: *Französisch-Guayana, Spanisch-Sahara.* Ausnahmen sind einige amtliche Schreibungen wie *Schwäbisch Hall, Bayrischzell.*
Mit Bindestrich schreibt man Zusammensetzungen von geographischen Bezeichnungen und anderen Substantiven, wenn sie sonst unübersichtlich wären oder wenn das geographische Bestimmungswort besonders hervorgehoben werden soll: *Mosel-Winzergenossenschaft.* Man schreibt sie zusammen, wenn das Wort gut lesbar ist: *Neckarlandschaft.* Mit Bindestrich schreibt man Zusammensetzungen, wenn das Wort aus zwei oder drei geographischen Bestandteilen besteht oder wenn der geographische Bestandteil mehrgliedrig ist: *Österreich-Ungarn, Baden-Württemberg, Berlin-Tempelhof, Rhein-Main-Donau-Kanal.* Die Schreibung schwankt bei Zusammensetzungen mit Personennamen: *Wrangel-Insel,* aber: *Humboldtstrom.*
Ein Bindestrich wird immer gesetzt, wenn der Personenname mehrgliedrig ist: *Königin-Luise-Land, König-Georg-V.- Land.*
Zusammensetzungen mit *Sankt (St.)* werden in deutschen Namen getrennt geschrieben: *Sankt Andreasberg (St. Andreasberg).* Die englischen Namen mit *Sankt* werden ebenso geschrieben: *Saint Andrews (St. Andrews),* die französischen jedoch mit Bindestrich: *Sainte-Croix.* Italienische und spanische Zusammensetzungen mit *San* oder *Santa* werden getrennt geschrieben: *San Sebastian, Santa Cruz.* Zusammensetzungen von *Santo* und einem Namen, der mit Vokal beginnt, werden mit Apostroph und zusammengeschrieben, der Name wird jedoch großgeschrieben: *Sant'Angelo.*
Zusammensetzungen mit *Bad* werden gewöhnlich getrennt geschrieben: *Bad Nauheim* (aber: *Badgastein* – analog *Hofgastein*). Bei Zusammensetzung mit einem anderen geographischen Namen setzt man einen Bindestrich: *Stuttgart-Bad Cannstatt.*

2. Deklination und Ableitung
Der Genitiv erhält ein *-s,* wenn kein Artikel vorausgeht: *Deutschlands, Europas, Australiens.* Geht der Artikel voraus, so schwankt der Gebrauch. Korrekt ist bei Ländernamen das Anhängen eines *-s,* doch setzt sich zunehmend die Schreibung ohne *-s* durch: *des heutigen Amerikas* oder *Amerika.* Bei deutschen Flussnamen wird das Genitiv-*s* immer gesetzt: *an den Ufern des Rheins.* Bei ausländischen Flussnamen fällt es meist weg: *des Missouri, des Rio de la Plata.* Ebenso verfährt man bei Namen von Bergen: *des Brockens, des Kilimandscharo(s).*
Zusammensetzungen mit Adjektiven werden bei Getrenntschreibung dekliniert: *des Großen Bärensees, des Roten Meeres, des Indischen Ozeans, des Hohen Venns.* Zusammensetzungen aus zwei geographischen Namen, die mit Bindestrich geschrieben werden, können Ableitungen bilden: *die Rheinland-Pfälzer, rheinland-pfälzisch; der Schleswig-Holsteiner, schleswig-holsteinisch.* Ableitungen von zusammengesetzten Namen werden zusammengeschrieben: *Nordkoreaner.* Vgl. ›Die neuen Regeln mit Erläuterungen‹.

Geschlecht →Genus

Geschlechtswort →Artikelwörter

Gleichsetzungsnominativ, Gleichsetzungsakkusativ →Prädikat

Gliedsatz →Nebensatz

Goethisch oder goethisch

Nach der Rechtschreibreform werden Ableitungen von Personennamen auf *-(i)sch* kleingeschrieben: *das ohmsche Gesetz, die goethische Dichtung.* Groß wird der Name nur dann geschrieben, wenn die Grundform betont werden soll und ein

Apostroph gesetzt wird: *die Grimm'schen Märchen*. Vgl. ›Die neuen Regeln mit Erläuterungen‹.

Gradpartikel →Partikel

grammatisches Geschlecht →Genus

Groß- und Kleinschreibung Die Reform der Rechtschreibung betrifft die Bereiche: Laut-Buchstaben-Zuordnung, Getrennt- und Zusammenschreibung, Schreibung mit Bindestrich, Groß- und Kleinschreibung, Zeichensetzung, Worttrennung am Zeilenende. Vgl. ›Die neuen Regeln mit Erläuterungen‹.

Grundform des Verbs →Infinitiv

Grundstellung →Hauptstellungstypen im Satz

Grundstufe →Positiv

Grundwort Teil des →Kompositums

Grundzahl →Kardinalzahl

Gruppensprache Sprachliche Ausdrucksformen, die die Zugehörigkeit zu einer sozialen Gruppe kennzeichnen, z. B. Jugendsprache (*ätzend, geil, volle power haben, abchecken* usw.).

haben und sein im Perfekt der Verben 1. Folgende Verben bilden das Perfekt mit *haben:*
a) alle traditionell transitiven Verben: *Ich habe eine Wanderung gemacht. Ich habe das Buch gelesen.*
b) alle reflexiven Verben: *Ich habe mich gewundert. Er hat sich beeilt.*
c) diejenigen traditionell intransitiven Verben, die einen Vorgang in seiner Dauer bezeichnen: *Ich habe lange gut geschlafen. Wir haben drei Jahre in München gewohnt.*
d) alle unpersönlichen Verben: *Es hat gedonnert/geblitzt/geregnet/geschneit/gehagelt.*
e) alle Modalverben: *Ich habe nicht kommen dürfen.*
2. Folgende Verben bilden das Perfekt mit *sein:*
a) Verben, die eine Bewegung und Ortsveränderung bezeichnen: *Ich bin gelaufen/geritten/geschwommen/gekommen.* Verben, die zwar eine Bewegung, aber weniger eine Ortsveränderung bezeichnen, können beide Formen bilden: *Sie hat die ganze Nacht hindurch getanzt.*
Aber: *Sie ist vor Freude durch alle Zimmer getanzt.*
b) diejenigen traditionell intransitiven Verben, die den Abschluss eines Vorgangs bezeichnen: *Das Jahr ist schnell vergangen. Die Blumen sind aufgeblüht. Das Kind ist eingeschlafen.*
c) die Verben *sein, werden, bleiben: Wir sind gestern im Zirkus gewesen. Sie ist sehr hübsch geworden. Ich bin zu Hause geblieben.*
3. Viele Verben können das Perfekt sowohl mit *haben* als auch mit *sein* bilden, je nachdem, ob sie transitiv oder intransitiv gebraucht werden: *Ich bin nach Hause gefahren. Er hat mich nach Hause gefahren. Er hat früher einen VW gefahren. – Der Arzt hat ihn von seiner Krankheit geheilt. Die Wunde ist schnell geheilt. – Ich habe den Kühlschrank abgetaut. Das Eis ist abgetaut.* Bei den Verben *liegen, sitzen, stehen* wird in Norddeutschland die Form mit *haben* verwendet, die als standardsprachlich gilt, im süddeutschen Sprachraum die Form mit *sein: Ich habe (bin)vor dem Haus gestanden. Ich habe (bin) in der Sonne gesessen.*

Halbpräfix Ursprünglich selbständige Wörter, die in Reihenbildungen (Analogieformen) die Funktion von Vorsilben (Präfixen) übernehmen: *Erz-: Erzgauner, Erzkatholik; Super-: Superessen, Superwetter.*

Halbsuffix Ursprünglich selbständige und teilweise noch in ihrer Bedeutung erkennbare Wörter, die in Reihenbildungen zu Suffixen (Nachsilben) werden: *-werk: Schuhwerk, Blattwerk; -zeug: Fahrzeug, Flugzeug.*

Handlungsrichtung →Aktionsart, →Aktiv, →Passiv

Handlungsstrategie →Strategie

Hauptsatz Unterschieden werden einfache Sätze *(Der Mann steht an der Ecke)* und zusammengesetzte Sätze, bestehend aus Haupt- und Nebensätzen. Innerhalb der einfachen Sätze werden nach ihrer Funktion vier →Satzarten unterschieden: Aussagesätze, Aufforderungssätze, Fragesätze und Wunschsätze.
Innerhalb der zusammengesetzten Sätze werden nach ihrer Struktur Satzverbindung (Parataxe) und Satzgefüge (Hypotaxe) unterschieden. Die Satzverbindung besteht aus zwei oder mehreren Hauptsätzen, verbunden durch nebenordnende Konjunktionen, oder unverbunden: *Er geht nach Haus(,) und sie fährt in ihr Büro. An der Ecke steht ein Mann, er raucht eine Zigarette.* Das Satzgefüge besteht aus einem Hauptsatz (Obersatz) und einem oder mehreren (abhängigen) Nebensätzen (Gliedsätzen). Nebensätze sind in ihrem Verhältnis zum Hauptsatz →Ergänzungssätze, →Angabesätze oder →Attributsätze. Der Nebensatz steht voran (Vordersatz), hinter dem Hauptsatz (Nachsatz) oder wird eingeschoben (Zwischensatz). Er wird im Regelfall mit einer unterordnenden Konjunktion (*weil, dass, obwohl* usw.) eingeleitet: *Weil er sie noch immer mag, umarmte er sie. Sie teilte uns mit, dass sie nach München umzieht.*

Hauptstellungstypen im Satz Im deutschen Satz werden drei Hauptstellungstypen unterschieden: Kernsatz, Stirnsatz und Spannsatz. Beim Kernsatz steht das Verb an zweiter Stelle (Typ: Aussagesatz): *Er fährt nach München.* Beim Stirnsatz (Typ: Entscheidungsfragesatz, Aufforderungssatz) steht das Verb an der Spitze des Satzes: *Kommt ihr morgen mit? Gib mir endlich das Geld!*. Beim Spannsatz (Typ: eingeleiteter Nebensatz) steht das Verb am Satzende: ..., *weil er sie ins Theater eingeladen hat.*

Hauptwort →Substantiv, →Nomen

Hilfsverb (Hilfszeitwort, →Auxiliarverb) Sammelbegriff für die Verben *haben, sein* und *werden*, mit deren Hilfe Perfekt, Plusquamperfekt, Futur I, Futur II und Passiv gebildet werden. Beispiele: *Ich habe (hatte) gelesen. Ich bin (war) gekommen. Ich werde arbeiten (gearbeitet haben). Ich werde gefragt.* Das Hilfsverb kann auch als selbständiges Verb (Vollverb) verwendet werden: *Er hat Mut. Daraus wird nichts. Wer sind Sie?* Vgl. Modalverben.

hinweisendes Fürwort →Demonstrativpronomen

Höchststufe →Superlativ

Homonym Wort mit gleicher Schreibung und Aussprache bei unterschiedlicher Bedeutung: *Bank, Leiter* usw.

Hyperonym Oberbegriff: z. B. *Geld* für *Dollar, Mark, Franc* usw.

Hyponym Unterbegriff: z. B. *Dollar, Mark* usw. für *Geld.*

Hypotaxe →Nebensatz

Illokution Im Rahmen des →Sprechakts jener Teil, der darauf abzielt, den Gesprächspartner zu einer Handlung/Reaktion zu bewegen (z. B. Aufforderung, Bitte, Frage usw.): *Ich bitte dich, mir die Zeitung zu geben. Können Sie mir sagen, wie spät es ist?*

Imperativ (Befehlsform) Form des Verbs (→Modus), die einen Befehl, eine Bitte, einen Wunsch (an jemanden), eine Aufforderung, eine Mahnung, Warnung, Drohung o. Ä. ausdrückt. Die zweite Person (Singular und Plural) besitzt dafür eine eigene Verbform, bei den übrigen Personen verwendet man den Infinitiv (mit Ausnahme von *sein*): *Iss! Gib her! Kommt! Seht euch vor! Gehen wir! Kommen Sie! Haben Sie keine Angst! Seien Sie unbesorgt!* Vgl. auch Ausrufezeichen.
In der zweiten Person Singular wird in der gesprochenen Sprache (nicht nur in der Umgangssprache) das *-e-* immer häufiger weggelassen, z. B.: *Frag!* statt *Frage!*, *Schlaf!* statt *Schlafe!* In der poetischen Sprache sind die Formen mit *-e-* jedoch noch häufig zu finden. Bei den Verben auf *-nen, -ern, -eln* bleibt das *-e-* immer erhalten: *Rechne! Räuspere dich! Handle!* (oder: *Handele!*). Vgl. auch Apostroph.
Der Imperativ ist eine formale Möglichkeit der →Aufforderungssätze. Weitere Formen: Infinitiv *(Nicht rauchen!)*, Partizip II *(Stillgestanden!)*, *dass*-Sätze *(Dass du mir ja nicht erst um 12 nach Haus kommst!)* usw.

Imperativsatz (Aufforderungssatz)

Satz, der einen Befehl, eine Bitte, einen (an einen anderen gerichteten) Wunsch, eine Aufforderung, Mahnung, Drohung o. Ä. ausdrückt: *Sei doch still! Freu dich deiner Freiheit! Bitte lass das! Schauen wir uns das an!* Gelegentlich steht in der förmlichen Anrede wie auch in der nachdrücklichen Aufforderung statt der Befehlsform die Aussageform: *Du bleibst hier! Sie wollen bitte zur Kenntnis nehmen, dass…!* In der zweiten Person Singular und Plural ist die Person bereits in der Befehlsform enthalten und wird nur dann ausdrücklich genannt, wenn sie besonders hervorgehoben werden soll: *Sei du nur still! Kümmert ihr euch doch um eure eigenen Angelegenheiten! Rede du mit ihm, ich kann es nicht!* Vgl. Ausrufezeichen, Satzarten, Aufforderungssatz.

Imperfekt

→ Präteritum

Indefinitpronomen (unbestimmtes Fürwort, Indefinitum)

Fürwort, das eine oder mehrere nicht genau bestimmte Personen oder Sachen bezeichnet: *man, jemand, einer, einige, keiner, nichts, etwas.* Die Indefinitpronomen *jemand, einer, einige* usw. werden wie der bestimmte Artikel (→ Artikelwörter) dekliniert; *nichts* und *etwas* sind undeklinierbar, *man* tritt nur im Nominativ auf und wird in den übrigen Deklinationsfällen durch die Formen von *einer* ersetzt: *Das kann einem leid tun. Es freut einen, wenn …*
Zur Deklination eines Adjektivs nach einem unbestimmten Fürwort vgl. die Deklinations- und Konjugationstabellen; → Artikelwörter.

Indikativ

Derjenige → Modus des Verbs, durch den eine Feststellung mitgeteilt bzw. ein Sachverhalt als real gekennzeichnet wird: der neutrale Modus, z. B.: *Fritz ist krank,* im Unterschied zu: *Fritz sagte, er sei krank. – Er konnte nicht kommen, da er keine Zeit hatte.* Dagegen: *Er wäre gekommen, wenn er Zeit gehabt hätte* (Konjunktiv). Doch drückt der Indikativ nicht nur Reales, sondern auch Fiktives oder Konditionales aus: *Das Raumschiff landete auf der Venus. Wenn sie krank ist, kann sie nicht arbeiten.* Vgl. Konjunktiv.

indirekte Rede (abhängige Rede)

Sie wird verwendet, wenn man die Mitteilungen einer anderen Person wiedergibt. Die indirekte Rede steht gewöhnlich im → Konjunktiv. Sie wird durch einen Hauptsatz eingeleitet, z. B.: *Er erklärte, er habe keine Zeit gehabt.* Aber: *Er erklärte dem Kind, dass sich die Erde um die Sonne dreht.* (Indikativ, ausschießlich in der gesprochenen Sprache).
Das → Tempus der indirekten Rede ist nicht abhängig von dem des einleitenden Hauptsatzes, sondern von der Zeitstufe (Vergangenheit, Gegenwart, Zukunft), in der der mitgeteilte Sachverhalt stattgefunden hat: *Sie sagte, er treibe gern Sport. – Sie sagte, er habe schon früher gern Sport getrieben.*
In der Regel wird in der indirekten Rede der Konjunktiv I verwendet, es sei denn, die Verbformen stimmen mit denen des Indikativs überein. Um Missverständnisse zu vermeiden, verwendet man in diesem Fall den Konjunktiv II (Ersetzungsregel): *Er sagte, er habe keine Zeit (gehabt).* Aber: *Ich sagte, ich hätte keine Zeit (gehabt).* In der gesprochenen Sprache können auch die umschriebenen Formen des Konjunktivs mit *würde* verwendet werden: *Sie erzählte, er würde schon fragen, wenn er den Mut dazu hätte* (nicht: Sie erzählte, er würde immer wieder fragen). Wird eine solche Einschränkung nicht gemacht, dann steht der Konjunktiv I: *Sie erzählte, er frage immer wieder.* Oder: *Sie erzählte, er habe immer wieder gefragt.* Konjunktiv II statt des Konjunktivs I wird in der direkten Rede – neben der Ersetzungsregel – im privaten Gespräch häufig vorgezogen, weil der Konjunktiv I – zu Unrecht – als veraltet gilt. Daneben gebraucht man Konjunktiv II statt des Konjunktivs I, um nicht lediglich eine Aussage zu referieren, sondern ihren Wahrheitsgehalt zu bestreiten. Vgl.: *Sie sagt, er sei krank.* (Wiedergabe einer Information). *Sie sagt, er wäre krank* (sie glaubt es nicht). → Konjunktiv.

Infinitiv (Grundform des Verbs)

Die nicht konjugierte/finite Form des Verbs *(gehen, fragen);* sie bringt das durch das Verb bezeichnete Geschehen oder Sein ohne Bindung an Person, Zahl oder Zeit zum Ausdruck.
Neben dem ursprünglichen Infinitiv kommen im Deutschen als abgeleitete Formen vor: Infinitiv des Perfekts: *gefragt haben*; ferner bei traditionell transitiven Verben die passiven Infinitivformen: Präsens: *gefragt werden*; Perfekt: *gefragt worden sein.*
Der Infinitiv kann substantiviert werden; er wird dann großgeschrieben und erhält meistens einen Artikel: *(Das) Rauchen ist schädlich.*
Im Satzzusammenhang kommt der Infinitiv außer in reiner Form *(Ich möchte gehen. Das Kind lernt sprechen.)* besonders häufig mit *zu, um zu, (an)statt zu, ohne*

zu vor. Dieser erweiterte Infinitiv wird vom übrigen Satz meist durch Beistrich abgetrennt. Vgl. ›Die neuen Regeln mit Erläuterungen‹.

infiniter Prädikatsteil Zum infiniten Teil des →Prädikats gehören der Infinitiv des Verbs *(Sie muss morgen arbeiten)*, das Partizip I *(Das ist für uns entscheidend)*, das Partizip II *(Wir haben das Auto gekauft)*, *sich (Er weigert sich)* und *es (Es regnet)*.

Infinitivsatz Verkürzter Nebensatz bei Subjektgleichheit im Haupt- und Nebensatz: *Er glaubt, dass er die Frau kennt.* →*Er glaubte(,) die Frau zu kennen.* Beim erweiterten Infinitivsatz muss grundsätzlich kein Komma gesetzt werden (im Gegensatz zur früheren Regelung), es sei denn, man will die Gliederung des Satzes verdeutlichen bzw. Missverständnisse vermeiden: *Ich rate, ihm zu helfen.* Aber: *Ich rate ihm, zu helfen.* Vgl. ›Die neuen Regeln mit Erläuterungen‹.

Instrumentalsatz (Modalsatz) →Angabesatz, Angaben. Beim Instrumentalsatz wird das Mittel genannt, das zur Lösung des Problems/Sachverhaltes im Hauptsatz (Obersatz) geeignet ist. Die häufigste Konjunktion ist *indem*; bei *dass* steht im Hauptsatz das Korrelat *dadurch*. Die Frage lautet: *Wodurch? Womit?* Beispiel: *Er verbesserte die Betriebsbilanz, indem/dadurch/dass er eine neue Technik verwendete.*

Interjektion (Ausrufewort) Wort, das unmittelbar ein Gefühl zum Ausdruck bringt, z. B. Staunen *(aha!, oh!)*, Schmerz *(au!)*, Schadenfreude *(ätsch!)*, Ekel *(ih!)* oder Abscheu *(pfui!)*, oder Geräusche nachahmt *(peng!, bums!)*. Interjektionen sind unveränderlich.

Interpunktion (Zeichensetzung) Die Handhabung der Satzzeichen, die die Satzglieder und seine Betonung bestimmen: →Ausrufezeichen, →Bindestrich, →Doppelpunkt, →Fragezeichen, →Gedankenstriche, →Klammern, →Komma, →Punkt, →Semikolon. Zur Neuregelung der Interpunktion vgl. ›Die neuen Regeln mit Erläuterungen‹.

interrogative Tonführung Steigende Intonation, z. B. bei Entscheidungsfragesätzen: *Kommst Du morgen?* (———↑). →Tonhöhenverlauf.

Interrogativpronomen (Fragefürwort) Pronomen, das eine Frage zum Ausdruck bringt oder einleitet. Die Pronomen *wer* und *was* werden allein stehend verwendet, sie fragen nach Personen oder Sachen: *Wer hat das gesagt? Was ist das?* Die Pronomen *welcher* und *was für (ein)* fragen nach der Beschaffenheit einer Person oder Sache oder zielen auf die Auswahl aus einer Menge. Sie werden in Verbindung mit einem Substantiv gebraucht: *Welcher Wagen? Was für ein Wagen? Was für Geräusche? Welcher* kann auch allein gebraucht werden, bezieht sich aber immer auf ein bereits genanntes Substantiv: *Welchen sollen wir nehmen?*
Die Interrogativpronomen können statt einer Frage auch einen Ausruf einleiten: *Was für eine Überraschung!* →Ausrufesatz, →Satzarten. Vgl. Fragesatz.

Interrogativsatz →Fragesatz

Irrealis (Nichtwirklichkeit) Der Irrealis drückt Nichtwirkliches/Unwirkliches aus; seine grammatische Form ist der →Konjunktiv II. Er steht in →Aussagesätzen *(Er wäre gern gekommen)*, in Fragesätzen *(Hätte er anders gelebt als seine Vorfahren?)*, in irrealen Vergleichssätzen *(Wenn die Haifische Menschen wären,…)* sowie irrealen Wunschsätzen *(Wenn sie nur wieder gesund wäre!)*. →Konjunktiv.

Kardinalzahl (Grundzahl, Numerale) Zahladjektiv, das eine der »natürlichen« Grundzahlen (*eins, zwei, drei* usw.) bezeichnet. Unterschieden werden: einfache Kardinalzahlen (*eins, zehn* usw.), zusammengesetzte Kardinalzahlen (*vierundzwanzig* usw.), abgeleitete Kardinalzahlen (*dreißig, achtzig* usw.) und Kombinationen von Kardinalzahlen *(sechs Millionen)*. Von den Kardinalzahlen werden nur die Zahlen *eins, zwei* und *drei* dekliniert: *eins* wie der Artikel *ein (die Aussage eines Zeugen allein); zwei* und *drei* haben jedoch nur den Genitiv *(die Aussagen zweier Zeugen)*; im Übrigen bleiben die Zahlwörter unverändert. Die Wörter *Million, Milliarde, Billion* usw. sind Substantive und werden dekliniert: *eine Million, vier Millionen*. Vom Grundzahlwort abgeleitet sind die Wiederholungszahlen *(dreimal, vierfach)*. Vgl. Zahladjektiv.

Kasus (grammatischer Fall) Die Form des →Nomens, →Adjektivs, →Pronomens oder der →Artikelwörter. Es gibt im Deutschen vier grammatische Fälle: →Nominativ, →Genitiv, →Dativ und →Akkusativ.

Katapher Im Satz vorausweisendes Element: *Er besteht darauf, dass sie mitfährt.* Gegenteil: →Anapher (zurückverweisendes Element).

Kausalsatz (Begründungssatz) Unterkategorie der →Angabesätze. Satz, der die Begründung zu einem im über- oder nebengeordneten Hauptsatz ausgedrückten Geschehen angibt. Er antwortet auf die Fragen *warum?, weshalb?* Als Hauptsatz wird er durch die Konjunktionen *denn, darum* oder *deshalb* eingeleitet: *Ich konnte gestern nicht mit ins Konzert gehen, denn ich hatte keine Karte mehr bekommen. Ich hatte keine Karte mehr bekommen, deshalb konnte ich nicht mit ins Konzert gehen.*

Als Nebensatz vertritt er eine adverbiale Bestimmung des Grundes (Kausalangabe) und wird durch die Konjunktionen *da* oder *weil* eingeleitet: *Ich konnte gestern nicht mit ins Konzert gehen, da ich keine Karte mehr bekommen hatte.*

Kernsatz →Hauptstellungstypen im Satz

Klammern Als Satzzeichen werden hauptsächlich runde und eckige Klammern verwendet: ( ),[ ].

1. runde Klammern: Erklärende Zusätze schließt man in runde Klammern ein, z. B.: *Einmal in der Woche (meist mittwochs) gehe ich zum Schwimmen.* Ausgelassene Buchstaben oder Wortteile stehen in Klammern: *Werk(s)bücherei; Rinder(schmor)braten.* Schaltsätze kann man in runde Klammern einschließen; →Parenthese. Satzzeichen in Verbindung mit Klammern: Nach der abschließenden Klammer steht das Satzzeichen, das auch ohne die Klammer geschrieben werden müsste: *Er wohnt in dem grünen Haus (an der Dorfstraße). Ich muss wirklich sagen (man verzeihe mir das Wort): Das ist eine Schweinerei.*

Vor der abschließenden Klammer steht dasjenige Satzzeichen, das der eingeklammerte Zusatz erfordert: *Der Briefträger brachte ihm (welch unverhofftes Glück!) eine Geldüberweisung.* Der Punkt steht innerhalb der Klammer, wenn ein in sich geschlossener Satz in Klammern einem anderen abgeschlossenen Satz folgt: *Dieses Buch handelt von der Sprache. (Ein weiteres über die Mathematik wird vorbereitet.)*

2. eckige Klammern: Erläuterungen zu einem schon in Klammern stehenden Zusatz stellt man in eckige Klammern: Eingedeutschte Namen (z. B. *Franziska* [von lat. Franciscus]) schreibt man wie deutsche Wörter. – Einschübe in Zitate setzt man in eckige Klammern, um zu verdeutlichen, dass der Zusatz nicht Teil des Zitats ist, z. B.: *Er schrieb mir über seinen derzeitigen Zustand: »Ich habe zwar starke Schmerzen, aber die Ärzte hier [er lag im Krankenhaus] lindern sie nach Kräften.«*

Kolon →Doppelpunkt

Komma Vgl. ›Die neuen Regeln mit Erläuterungen‹.

Komparation (Steigerung) Durch die Komparation des Adjektivs werden mehrere Dinge, Begriffe oder Wesen, Zustände oder Tätigkeiten miteinander verglichen, z. B.: *Das Haus ist hoch. Dieses ist höher. Jenes Haus ist das höchste,* oder: *am höchsten. – Ich schwimme schnell. Er schwimmt schneller. Sie schwimmt am schnellsten.*

Man unterscheidet bei der Komparation drei Stufen:

1. die Grundstufe, den Positiv. Er wird mit dem unflektierten Adjektiv gebildet: *Er schwimmt schnell.* Auch: *Er schwimmt sehr schnell.*

2. die erste Steigerungsstufe, der Komparativ (auch: Mehr- oder Vergleichsstufe), stellt die Ungleichheit zweier Dinge oder Wesen fest; das Vergleichswort ist *als: Er läuft schneller als die andern.* Zur Verstärkung tritt oft noch ein Adverb hinzu, z. B.: *Er läuft viel schneller,* oder: *bei weitem schneller als die andern.*

Sollen nicht zwei Dinge oder Personen miteinander verglichen werden, sondern zwei Eigenschaften einer Sache oder Person, so kann statt der Steigerungsstufe des Adjektivs die Grundstufe zusammen mit *mehr* oder *weniger* gebraucht werden: *Das Haus ist mehr breit als hoch.*

In manchen Fällen bedeutet in der Umgangssprache der Komparativ weniger als der Positiv, eigentlich sogar das Gegenteil von dem, was das Wort ausdrückt. So ist eine *ältere Frau* noch keine *alte Frau,* eine *jüngere Frau* ist älter als eine *junge Frau;* die *größeren Kinder* sind noch keine *großen Kinder,* und wenn es dem Kranken heute schon *besser* geht, so geht es ihm noch nicht *gut.*

Das Vergleichswort *denn* statt *als* ist veraltet, es wird nur noch gebraucht, wenn zweimal *als* hintereinander stehen müsste, und auch dann nur in der gehobenen Sprache: *Er ist als Musiker bedeutender denn als Dichter.*

3. die zweite Steigerungsstufe, der Superlativ (auch: Meist- oder Höchststufe) wird mit der Endung *-st* oder *-est* gebildet. Steht er beim Substantiv, so wird er mit dem Artikel gebraucht, steht er beim Verb, tritt zu ihm das Wort *am: Diese Arbeit ist die beste. Er läuft am schnellsten.* Zur Bezeichnung des sehr hohen Grades kann auch der Elativ oder absolute Superlativ (Endung *-ens* oder *-st*) sowie der

Superlativ mit *aufs* verwendet werden: *Er hat alles bestens geregelt,* oder: *aufs beste. Ich war höchst erfreut. Das Pulver wird in der Flüssigkeit feinstens verteilt.*
Bei zusammengesetzten Adjektiven wird der zweite Wortteil gesteigert: *eine vielseitige Bildung, eine vielseitigere Bildung, die vielseitigste Bildung;* ist der erste Wortteil jedoch steigerbar, wird getrennt geschrieben: *ein schwer wiegender Fehler, ein schwerer wiegender Fehler, der am schwersten wiegende Fehler; eine gut angezogene Frau, eine besser angezogene, die bestangezogene,* oder: *die am besten angezogene Frau.*
Eine Reihe von Adjektiven hat unregelmäßige Steigerungsformen, z. B.: *viel, mehr, am meisten* oder: *meist; hoch, höher, am höchsten* oder: *höchst.*
Farbadjektive können nicht gesteigert werden, vor allem solche, die auch nicht flektiert werden können, wie: *lila, beige;* daneben solche, die einen bestimmten Zustand ausdrücken, wie: *tot, nackt* sowie solche zusammengesetzten Adjektive, deren erster Wortteil bereits einen hohen Grad ausdrücken soll, wie: *blutjung, urkomisch, mordsmäßig, überschlank.*
Auch Adverbien können gesteigert werden: *gern – lieber – am liebsten; bald – eher – am ehesten; oft – öfter/häufiger – am häufigsten; sehr/viel – mehr – am meisten; wenig – weniger/minder – am wenigsten/am mindesten; wohl – besser/wohler – am besten/am wohlsten.*
Oft wird für den Komparativ auch *mehr* oder *weiter* zu Hilfe genommen, z. B.: *Du mußt dich mehr rechts halten. Der Schlüssel liegt weiter hinten.*

Komparativ

Erste Steigerungsstufe des → Adjektivs; vgl. Komparation.

Komparativsatz (Irrealer Vergleichssatz)

1. Nebensatz, der angibt, wie sich das Geschehen im Hauptsatz vollzieht, oder der den Inhalt im Hauptsatz mit einem anderen Inhalt vergleicht. Der Komparativsatz ist ein modaler Attributsatz und antwortet wie dieser auf die Frage *wie?* Er wird durch die Konjunktionen *als, als ob* oder *wie* eingeleitet: *Er rannte, als wäre ihm der Teufel auf den Fersen. Du tust, als ob du noch nie etwas davon gehört hättest. Er hat sich so verhalten, wie ich es von ihm erwartet habe.*
2. Eine andere Form des Vergleichssatzes ist nicht genau erfragbar, sie steht immer nach dem Komparativ und wird durch *als* eingeleitet: *Der Weg ist doch weiter, als ich es anfangs vermutet hätte.*

Kompositum (Zusammensetzung)

Zusammensetzung zweier oder mehr selbständiger Wörter: Substantiv + Substantiv *(Haustür),* Verb + Substantiv *(Esstisch),* Adjektiv + Substantiv *(Blaupapier, Schnellzug),* Präposition + Substantiv *(Aufwind),* Adverb + Substantiv *(Rechtsverkehr),* Adjektiv + Adjektiv *(weißblau).* Das Kompositum besteht aus dem hinten stehenden Grundwort – das Wortart und Genus bestimmt – sowie dem davor stehenden Bestimmungswort, das den Wortakzent trägt. Oft gibt es ein → Fugenzeichen *(-(e)s, -en, -er, – e),* das jedoch nicht regelhaft gebraucht wird. Häufig steht es aus Aussprachegründen bzw. markiert die Hauptfuge bei mehrsilbigen Komposita: *der Vertrags-bruch, die Wiederaufbereitungs-anlage.*
Unterschieden werden:
1. Determinativkompositum (das Bestimmungswort bestimmt die Bedeutung des Grundworts näher): *Segelboot, Schreibtischsessel*
2. Kopulativkompositum (Additionswort): Grund- und Bestimmungswort sind gleichgeordnet: *Hemdbluse, blau-weiß-rot*
3. verdunkeltes Kompositum (nicht mehr als Kompositum erkennbar): *Bräutigam, Drittel*
4. Verstärkungskompositum: *funkelnagelneu, singsang.*
Eine Sonderform des Determinationskompositums sind die exozentrischen Komposita (Bahuvrihi-Bildungen); sie sind nicht die Summe der Bedeutungen der Einzelteile, sondern prägen eine neue Bedeutung: *Hasenfuß, Spießbürger.*

Konditionalsatz (Bedingungssatz)

Satz, der die Bedingung für ein im neben- oder übergeordneten Hauptsatz ausgedrücktes Geschehen angibt. Er antwortet auf die Frage: *Unter welcher Bedingung?* Als Hauptsatz wird er durch Konjunktionen wie *sonst, ander(e)nfalls* eingeleitet: *Ich muss die Brille aufsetzen, sonst kann ich nichts sehen.*
Als Nebensatz vertritt er eine adverbiale Bestimmung der Bedingung (→ Angabesatz) und wird durch Konjunktionen wie *wenn, falls* eingeleitet: *Falls ich nicht kommen kann, gebe ich Ihnen noch Bescheid.*
Wenn die Bedingung nur angenommen oder ihre Erfüllung unwahrscheinlich ist, steht im Haupt- und im Nebensatz der Konjunktiv: *Wenn ich Zeit hätte, würde ich gern mitkommen.*

Kongruenz

Formale Abstimmung zwischen dem Subjekt und dem finiten Verb in Person und Numerus *(Der Mann liest eine Zeitung),* zwischen Substantiv und Artikelwort in Genus, Numerus und Kasus *(die Frau, der Mann),* Substantiv und Adjektiv *(ein kleines Haus)* sowie dem *es* und Substantiv bzw. Verb *(Es sind große Versprechungen gemacht worden).*

Konjugation (Beugung)

Die Abwandlung des →Verbums nach →Person, →Numerus, →Modus →Tempus und →Aktionsform. Man unterscheidet die regelmäßige und unregelmäßige Konjugation. Die unregelmäßige Konjugation ist durch die Veränderung des Stammvokals (→Ablaut) gekennzeichnet: *schwimmen, schwamm, geschwommen.* Die regelmäßige Konjugation ist dadurch gekennzeichnet, dass der Stammvokal nicht verändert, das Präteritum mit der Endung *-te* und das Partizip II mit der Silbe *ge-* und der Endung *-t* gebildet werden, z. B. *kaufen, kaufte, gekauft.* – Einige Verben haben gemischte Formen, z. B. *bringen, brachte, gebracht; brennen, brannte, gebrannt.* Bei manchen Verben ist das Präteritum in die unregelmäßige Form übergegangen, im Partizip II hat sich jedoch die regelmäßige noch erhalten, z. B. *hauen, haute* (neben: *hieb*), *gehauen; mahlen, mahlte, gemahlen.*

Konjunktion (Bindewort)

Wort, das Satzteile oder Sätze miteinander verknüpft. Ihrer Form nach kann man die Konjunktionen einteilen in einfache *(und, oder, denn)*, zusammengesetzte *(vielmehr, trotzdem)* und mehrgliedrige *(weder … noch; sowohl … als auch).* Wichtiger ist die Einteilung nach ihrer Funktion im Satzzusammenhang. Es gibt Konjunktionen, die zwischen zwei Sätzen ein Verhältnis der Nebenordnung, und solche, die ein Verhältnis der Unterordnung herstellen. Nebenordnende Konjunktionen verbinden zwei →Hauptsätze; unterordnende Konjunktionen machen den durch sie eingeleiteten Satz zum →Nebensatz: *Er hatte keinen Pfennig bei sich, trotzdem ging er mit. Er ging mit, obwohl er keinen Pfennig bei sich hatte.* Schließlich kann man die Konjunktionen einteilen nach der besonderen Art des Verknüpfungsverhältnisses, das sie ausdrücken (z. B. begründend. einräumend). Die nachfolgende Tabelle führt die wichtigsten Konjunktionen auf.

Art des Verknüpfungsverhältnisses	koordinierend (beiordend, nebenordnend), leitet Hauptsatz ein	subordinierend (unterordnend), leitet Nebensatz ein
kopulativ (anfügend)	*und, oder, sowohl … als auch*	
temporal (zeitlich)		*als, nachdem, bis, bevor, ehe, sobald, solange, während*
kausal (begründend)	*denn*	*weil, da*
konsekutiv (folgend)	*folglich, infolgedessen, also, demnach*	*dass, sodass, als dass*
adversativ (entgegenstellend)	*aber, allein, sondern, dennoch, doch, jedoch, vielmehr, nur, oder, entweder … oder*	*während, wohingegen*
konzessiv (einräumend)		*obgleich, obwohl, wenngleich*
final (bezweckend)	*dazu, darum*	*dass, damit, um … zu*
konditional (bedingend)	*ander(e)nfalls, sonst*	*wenn, falls, sofern*
modal (Art und Weise bestimmend, vergleichend)		*indem, dadurch … dass, als*
instrumental (das Mittel angebend)		*dadurch dass, indem*
konkretisierend	*das heißt, nämlich, und zwar*	

Konjunktionalsatz (Bindewortsatz)

In der traditionellen Grammatik ein Satz, der durch eine →Konjunktion eingeleitet wird. Er kann Hauptsatz sein, dann wird er durch eine koordierende (nebenordnende) Konjunktion eingeleitet, oder Nebensatz, dann wird er durch eine subordinierende (unterordnende) Konjunktion eingeleitet. Konjunktionalsätze sind: →Adversativsatz, →Finalsatz, →Instrumentalsatz, →Kausalsatz, →Konditionalsatz, →Konsekutivsatz, →Konzessivsatz, →Modalsatz, →Temporalsatz.

Es besteht jedoch auch die Möglichkeit, einen Gedanken in einem Nebensatz ohne Konjunktion auszudrücken; man spricht dann von einem verkürzten Nebensatz (nicht eingeleiteter Nebensatz).

Konjunktiv

Derjenige →Modus des Verbs, der eine Irrealität (→Irrealis), eine Bedingung oder einen Wunsch (Konjunktiv II) ausdrückt bzw. in der →indirekten Rede (Konjunktiv I) verwendet wird.

Die Formen des Konjunktivs I werden durch Anhängen eines *-e-* an den Verbstamm gebildet *(leb-en : du leb-e-st),* die Formen des Konjunktivs II durch (falls noch nicht vorhanden) Anhängen eines *-e-* an den Stamm der Präteritumsform *(du sag-t-est, du lief- est).* Die umlautfähigen Vokale werden umgelautet (*a, o, u: du käm-est, du wär-est, du möcht-est, du müsst-est* usw.).

Bei den Tempusformen gibt es – im Gegensatz zu den sechs Indikativtempora (Präsens, Präteritum, Perfekt, Plusquamperfekt, Futur I, Futur II) – nur drei Zeitstufen: Konjunktiv I/II der Verlaufsstufe, Vollzugsstufe bzw. Erwartungsstufe:

Verlaufsstufe: *Hans sagt, dass er heute ins Kino gehe/ginge.*

Vollzugsstufe: *Hans sagte, dass er letzte Woche ins Kino gegangen sei/wäre.*

Erwartungsstufe: *Hans sagte, dass er morgen ins Kino gehen werde/würde.* (→indirekte Rede)

Anmerkung: Wegen der zahlreichen formalen Übereinstimmungen zwischen Präteritum und Konjunktiv-II-Formen *(Er sagte)* wird, zumal in der gesprochenen Sprache, die *würde*-Umschreibung benutzt *(Er würde sagen).* Dies gilt auch für Konjunktiv I in der indirekten Rede sowie zur Vermeidung umlautender veralteter Formen (*Er schwämme, gewänne/gewönne* usw.).

Konsekutivsatz (Folgesatz)

Satz, der die Folge eines im neben- oder übergeordneten Hauptsatz ausgedrückten Geschehens angibt. Er antwortet auf die Frage: *Mit welcher Folge?* Als Hauptsatz wird er durch Konjunktionen wie *folglich, infolgedessen, also* eingeleitet: *Die Arbeit nimmt ihn völlig in Anspruch, infolgedessen hat er für seine Hobbys keine Zeit mehr.*

Als Nebensatz (Unterkategorie des →Angabesatzes) vertritt er eine adverbiale Bestimmung der Folge (→Angaben) und wird durch die Konjunktionen *dass* oder *sodass* eingeleitet: *Die Arbeit nimmt ihn völlig in Anspruch, sodass er für seine Hobbys keine Zeit mehr hat. Er stürzte so unglücklich, dass er sich ein Bein brach.*

Konsonant (Mitlaut)

Laut, bei dem die ausströmende Atemluft durch Lippen, Zähne, Zunge gehemmt wird. Man kann die deutschen Konsonanten nach der Art und nach der Stelle ihrer Bildung (Artikulationsart, Artikulationsstelle) einteilen, außerdem danach, ob sie stimmhaft oder stimmlos sind, das heißt, ob die Stimmbänder mitschwingen oder nicht.

1. Artikulationsart: Bei den Explosivlauten (Verschlusslauten) ist der Mundkanal zunächst gesperrt, dann wird der Verschluss gesprengt: *p, t, k* (stimmlos), *b, d, g* (stimmhaft). Die stimmlosen Verschlusslaute nennt man auch Tenues (Ez.: die Tenuis), die stimmhaften Verschlusslaute auch Mediä oder Medien (Ez.: die Media).

Bei den Frikativlauten oder Spiranten (Reibelauten) ist der Mundkanal verengt: *s, sch* [ʃ], *ch* [ç, x], *f* (stimmlos); *s* [z], *w* (stimmhaft).

Bei den Nasalen (Nasenlauten) ist der Mundkanal versperrt, sodass nur der Weg durch die Nase frei ist: *m, n, ng.*

Bei den Liquiden (Fließ-, Schmelz- oder Schwinglauten) wird ein Teil der Zunge in Schwingung versetzt: *l, r* (Zungen-*r*, Zäpfchen-*r*).

Bei den Affrikaten (»angeriebenen« Lauten oder Lautverbindungen) verbinden sich Verschluss- und Reibelaut: *pf, z* [ts], *tsch* [tʃ].

2. Artikulationsstelle: Die Labiale (Lippenlaute) werden mit beiden Lippen gebildet: *b, m, p* (Bilabiale), oder mit Unterlippe und Oberzähnen: *f, w* (Labiodentale). Die Dentale oder Alveolare (Zahnlaute) werden durch Verschluss oder Reibung von Zähnen und Zunge gebildet: *d, t, l, n, s,* Zungen-*r*.

Die Gutturale (Kehl- oder Gaumenlaute) werden mit Zunge und Gaumen gebildet: *ch* [ç], *g, k* vor *e* und *i* (Palatale oder Vordergaumenlaute), *ch* [x], *g, k* vor *a, o* und *u*, Zäpfchen-*r* (Velare, Laryngale, Hintergaumen- oder Kehllaute). Eine Sonderstellung nimmt der Hauchlaut *h* ein; er wird im Kehlkopf gebildet, doch wird bei ihm nicht, wie bei den übrigen Konsonanten, die Atemluft gehemmt, sondern strömt frei aus.
3. In anderen Sprachen gibt es noch weitere Laute, z. B. im Englischen zwischen den Zähnen gebildete Laute (Interdentale): stimmhaftes und stimmloses *th* [ð, θ] wie in *father* [fa̲ðə], *thing* [θi̯ŋ]; im Französischen, Italienischen und Spanischen mouillierte Laute (erweichte oder palatalisierte Laute), z. B. das *l* in frz. *famille* [famij̲ə], das *n* in span. *Señor* [sɛnjo̲r]; im Französischen, Ungarischen und in slawischen Sprachen stimmhafte Reibelaute wie das *j* in frz. *Jean* [ʒã] oder das *zs* in ung. *József* [jo̲ʒɛf]; im Englischen und Italienischen stimmhafte Affrikaten wie das *j* in engl. *Jack* [dʒæk] oder das *g* vor *e* und *i* in ital. *Agrigento* [agridʒe̜ntɔ] und *Giovanni* [dʒɔva̜ni]. Vgl. Zusammentreffen von drei gleichen Konsonanten.

	Labiale		*Dentale oder*	*Gutturale*	
	Bilabiale	Labiodentale	*Alveolare*	Palatale	Velare
Explosivlaute					
stimmhaft	b		d	g } vor e	g } vor
stimmlos	p		t	k } und i	k } a, o, u
Frikative oder Spiranten					
stimmhaft		w	s [z], sch [ʒ]		
stimmlos		f	s, sch [ʃ]	ch [ç]	ch [x]
Nasale	m		n	ng	
Liquiden			l, Zungen-r		Zäpfchen-r
Hauchlaute					h

Konzessivsatz (Einräumungssatz) Satz, der einen Gegengrund zu der im neben- oder übergeordneten Hauptsatz ausgedrückten Handlung angibt. Er antwortet auf die Frage: *Trotz welchen Umstands?* Als Hauptsatz wird er durch Konjunktionen wie *trotzdem* und *zwar* eingeleitet: *Zwar war er schwer verletzt, aber er konnte sich noch bis zum nächsten Dorf schleppen.*
Als Nebensatz (Unterkategorie des →Angabesatzes) vertritt er eine adverbiale Bestimmung der Einräumung und wird durch die Konjunktionen *obgleich* oder *obwohl* eingeleitet: *Obgleich er schwer verletzt war, schleppte er sich noch bis zum nächsten Dorf.*

Kopula Satzband; in der traditionellen Grammatik Teil des zusammengesetzten →Prädikats. Folgende Verben sind danach Kopulaverben: *sein, werden, bleiben, scheinen* (= den Anschein haben).

Kopulativkompositum →Kompositum

Kurzwort Kurzwörter entstehen durch Weglassen eines oder mehrerer Wortteile z. B. *Kripo* aus Kri*minal*po*lizei*, *Mofa* aus Mo*tor*fa*hrrad*, *Profi* aus Prof*essional*, *Konsum* aus Konsum*genossenschaft;* sie entstehen ferner durch Zusammenziehen von Silben oder auch Einzelbuchstaben zu sprechbaren Wörtern, z. B. *NATO, Agfa.* Die Kurzwörter werden mehr als Wort empfunden, weniger als Abkürzung, sie erhalten deshalb keinen Punkt. Sie haben im allgemeinen das Geschlecht des Wortes, aus dem sie entstanden sind: *das Auto (das Automobil), die Interpol (die Internationale Kriminalpolizeiliche Kommission), das Motel* (aus engl. *motorist's hotel,* das Hotel), doch bilden sich im Sprachgebrauch auch Abweichungen von dieser Regel: *der Konsum,* obwohl *die Konsumgenossenschaft, das Taxi,* obwohl *der Taxameter.* Aus Einzelbuchstaben gebildete Wörter haben überwiegend das grammatische Geschlecht des Grundworts: *die UNO, weil die Organisation (der Vereinten Nationen).* Kurzwörter werden großenteils wie Substantive dekliniert. Vgl. im Einzelnen das Wörterverzeichnis.

Laut →Konsonant, →Vokal, →Diphthong, →Umlaut. Vgl. auch Doppellaut.

Lexem Wort einer natürlichen Sprache: Sprachliche Einheit oberhalb des Morphems (bedeutungstragende Silbe) und unterhalb der Wortgruppe (Syntagma) sowie des Satzes.

Lokalsatz →Angabesatz, der eine adverbiale Bestimmung des Ortes vertritt. Er antwortet auf die Fragen: *Wo?, Wohin?, Woher?, Wie weit?* und wird häufig durch ein solches Fragewort eingeleitet. Oft weist ein Adverb im Hauptsatz *(da, dahin, dort)* auf den Nebensatz hin: *Wir bleiben im Urlaub gern dort, wo wir Ruhe und Sonne haben. Stell das Buch wieder dorthin, wohin es gehört.*

Lokalangabe Nicht valenzgebundener und damit (relativ) frei hinzufügbarer bzw. weglassbarer Teil des Satzes, auf die Fragen: *Wo? Wohin? Woher?* antwortend: *in Berlin, nach Italien, von Athen* usw.

männliches Geschlecht Maskulinum; →Genus

Majuskel Großbuchstabe; vgl. ›Die neuen Regeln mit Erläuterungen‹.

Maskulinum Männliches grammatisches Geschlecht; →Genus

Maß- und Mengenangaben 1. Männliche und sächliche Maß- und Mengenangaben werden im Singular dekliniert, z. B.: *wegen eines Liters Milch, wegen eines Zentimeters.* Im Plural werden sie in Verbindung mit Zahlen nicht dekliniert: *fünf Paar Schuhe, drei Bund Radieschen, 50 Pfennig*. Bei Geldangaben schwankt der Gebrauch: *50 Dollar, 50 Centavo(s).* In Verbindung mit unbestimmten Zahlwörtern werden sie im Plural meist dekliniert: *ein paar Dollar(s), einige Pfennig(e).*
Ausnahmen: Steht vor der Zahl eine Präposition, kann die Maßangabe dekliniert werden: *eine Strecke von 100 Meter(n).* Die Maßangabe muss dekliniert werden, wenn damit der Gegenstand gemeint ist: *Er kaufte zwei Fass Sauerkraut.* Aber: *Er kann noch zwei Fässer aufladen. 1000 Stück Zigarren,* aber: *Das Glas zersprang in tausend Stücke.*
2. Weibliche Maß- und Mengenangaben werden im Plural gebeugt: *drei Tonnen, 50 Peseten* (Ez.: *Peseta*), *zwei Millionen.*
3. In einzelnen Fällen kann die Maßbezeichnung wegfallen: *Wir haben drei Kaffee und vier Bier zu zahlen,* statt: *drei Tassen Kaffee, vier Glas Bier.*
4. Bei der Verbindung von Maßangabe mit Adjektiv und Substantiv müssten korrekterweise sowohl das Adjektiv als auch das darauffolgende Substantiv im Genitiv stehen, z. B.: *ein Glas frischen Wassers, ein Paar neuer Schuhe, mit einer Flasche alten Rotweins, nach einer Stunde intensiven Übens.* Doch wird heute der Genitiv nach der Maßangabe meist als gespreizt empfunden, sodass er nur noch in der gehobenen Sprache verwendet wird. In der Umgangssprache bestimmt der Kasus der Maßangabe den Kasus des folgenden Adjektivs und Substantivs: *ein Glas frisches Wasser, wegen eines Glases frischen Wassers; er kam mit einer Flasche altem Rotwein, nach einer Stunde intensivem Üben; er brachte mir eine Flasche alten Rotwein.*

Mehrstufe Erste Steigerungsstufe; →Komparativ

Mehrzahl →Plural

Meiststufe Zweite Steigerungsstufe; →Superlativ

Metapher Bildhaft übertragener sprachlicher Ausdruck: *am Fuß des Berges.*

Metonymie »Namensvertauschung«: übertragener Gebrauch eines Wortes/einer syntaktischen Fügung für einen verwandten Begriff: *Stahl* für *Dolch*, *jung und alt* für *alle.*

Mitlaut →Konsonant

mitschwingende Bedeutung Konnotation, z. B.: *schönes, alleinstehendes Haus* bei *Villa.*

Mittelwort →Partizip

Modaladverb Unterklasse der →Adverbien. Modaladverbien antworten auf die Frage *Wie?* und bestimmen die Art und Weise des Geschehens näher. Unterschieden werden »echte« Modaladverbien (*anders, gern, nebenbei, so, vergebens* usw.) und adverbial gebrauchte Adjektive (beim Vollverb): *Sie arbeitet fleißig/schlecht/schnell.*

modaler Attributsatz Modale Attributsätze mit einem adjektivischen Kern werden mit *wie* eingeleitet und sind Vergleichssätze. Im Hauptsatz steht *so* beim Adjektiv, bei Substantiven *solch.* Die Frage lautet: *Wie?: Er fuhr so schnell, wie er noch nie gefahren war. Der Mann war von einer solchen Hässlichkeit, wie wir es nicht glauben wollten.* Auch *ebenso, genauso: Sie schrieb ebenso gut, wie schon ihre Mutter es gekonnt hatte.*

Modalpartikel Die Modalpartikeln wie *aber, denn, doch, eben, schon, ja, vielleicht, wohl* usw. variieren die Aussage des Satzes und drücken Erstaunen, Enttäuschung, Drohungen usw. aus: *Das ist aber teuer! Das ist doch nicht zu glauben! Meyer ist vielleicht ein Pechvogel!*
Diese Partikeln haben im Regelfall gleichlautende Vertreter mit unterschiedlicher Bedeutung (→Homonyme): *Schon gestern war sie krank.* (Temporaladverb). *Das geht schon in Ordnung* (Modalpartikel). Die Partikeln können im Aussagesatz nicht am Beginn stehen (nicht erststellenfähig), sondern stehen normalerweise direkt hinter dem Verb. Sie können weiterhin nicht erfragt oder verneint werden und sind im Regelfall nicht betont (Ausnahme sind die Drohungen: *Komm' ja nicht erst um Mitternacht nach Haus!*).

Modalsatz Modalsätze charakterisieren die Art und Weise des Geschehens im Hauptsatz näher. Die Frage lautet: *Wie?* Dazu gehören: der Instrumentalsatz (*Er steigerte den Umsatz, indem er ein neues Verfahren anwendete)*, der Proportionalsatz (*Je mehr sie arbeitet, desto missmutiger wird sie*), der Modalsatz der Ausschließung (*Er probierte den Kuchen, ohne dass er ihm schmeckte)* sowie der einschränkende Modalsatz (*Er hatte alles erreicht, außer dass er Professor war).* →Angabesatz.

Modalverben Die Verben *dürfen, können, mögen, müssen, sollen, wollen* sowie *brauchen zu;* sie haben die Funktion des Hilfsverbs übernommen und dienen dazu, eine Möglichkeit, Unmöglichkeit, einen Wunsch, eine Ungewissheit bzw. eine Notwendigkeit auszudrücken, wobei ihnen immer ein Verb im Infinitiv (sei es des Präsens, des Perfekts oder auch eine passive Form) folgt: *Das Kind mag nicht essen. Ich muss jetzt gehen. Willst du heute Nachmittag kommen? Der Kranke darf heute wieder aufstehen. Du brauchst das nicht zu tun* (= du musst das nicht tun). *Du kannst ihn nicht gesehen haben.* Im Perfekt stehen sie, wenn sie mit einem Verb im Infinitiv verbunden sind, ebenfalls im Infinitiv: *Ich habe doch noch kommen können* (nicht: kommen gekonnt). *Ich habe lachen müssen.* Treten sie jedoch allein auf, was umgangssprachlich oft der Fall ist, dann stehen sie im Partizip II: *Ich habe nicht gekonnt. Er hat nicht gewollt. Sie hat nicht gedurft.*
Die Modalverben können auch als Vollverben verwendet werden: *Ich habe ihn nie gemocht. Wenn sie nicht will, hilft kein Zureden. Ich glaube, dass ich das kann.*

Modalwort Teil der →Modaladverbien mit syntaktischen Besonderheiten. Vgl.: *Sie arbeitet fleißig.* (Modaladverb) *Sie arbeitet sicherlich/wahrscheinlich.* (Modalwort)
Modalwörter sind Aussagen über den gesamten Satz und antworten auf →Entscheidungsfragen (Satzfragen), Modaladverbien hingegen auf →Ergänzungsfragen (*w*-Fragen): *Arbeitet sie? Sicherlich. – Wie arbeitet sie? Fleißig.* Zudem steht die Negationspartikel hinter dem Modalwort, aber vor dem Modaladverb: *Sie arbeitet sicherlich nicht. Sie arbeitet nicht fleißig.*

Modus (Aussageform) Eine Aussageweise des Verbs. Im Deutschen unterscheidet man drei Modi: →Indikativ, →Konjunktiv, →Imperativ.

Möglichkeitsform →Konjunktiv

Motionsbildung (movierte Form) Bildung der weiblichen Berufsbezeichnung durch Anhängen der Silbe *-in: Lehrer – Lehrerin, Präsident – Präsidentin* usw.

Nachfeld (Ausklammerung) Teil des →Satzfeldes hinter dem zweiten Teil des Prädikats. Häufig zur stilistischen Hervorhebung (Betonung) werden Satzteile ausgeklammert, rücken also in das Nachfeld: *Sie war erst spät nach Haus gekommen, um 4 Uhr!*

Nachsilbe →Suffix

Namen →Familiennamen, →geographische Namen, →Völkernamen, →Vornamen

Nebensatz (Gliedsatz) Satz, der anstelle eines Satzteils steht und immer von einem Hauptsatz abhängig ist. Man unterscheidet Nebensätze
1. nach ihrer Stellung zum Hauptsatz:
Vordersatz: *Nachdem er lange nichts von sich hatte hören lassen, rief er mich gestern plötzlich an.*
Zwischensatz: *Er rief mich gestern an, nachdem er lange nichts von sich hatte hören lassen, und erzählte …*
Nachsatz: *Er rief mich gestern an, nachdem er lange nichts von sich hatte hören lassen.*
2. nach der Art ihres Anschlusses an den Hauptsatz: →Relativsatz, →Konjunktionalsatz/eingeleiteter Nebensatz, indirekter →Fragesatz, →nicht eingeleiteter Nebensatz/ verkürzter Nebensatz
3. nach ihrem Inhalt (d. h. dem Satzteil, den sie vertreten): →Angabesatz, →Attributsatz, →Ergänzungssatz.

Negation Verneinung. Im Regelfall verneint die Partikel *nicht* den Satz; vor Substantiven mit unbestimmtem Artikel steht *kein: Sie kommt nicht. Er ist kein Lehrer.* Normalerweise steht die Negationspartikel *nicht* im Aussagesatz am Satzende, ansonsten negiert sie (außer bei präpositionalen →Valenzergänzungen) das (betonte) Satzglied, vor dem sie steht: *Er kommt nicht heute, sondern morgen.* Andere Verneinungsmöglichkeiten: *nichts, nie(mals), miss- , un-* usw.

Nennform →Infinitiv

Nennwort →Substantiv

Neutrum Sächliches grammatisches Geschlecht; →Genus

Nomen Mz.: die Nomina; →Substantiv. Nomina haben im Regelfall ein festes →Genus, sind deklinierbar und werden mit großem Anfangsbuchstaben geschrieben.

nomen actionis Tätigkeits- oder Vorgangsbezeichnung, meist von einem Verb abgeleitet: *das Handeln, die Handlung, die Reparatur*.

nomen agentis Täterbezeichnung, Bezeichnung des Urhebers einer Handlung: *der Besucher, der Dirigent.*

nomen patientis Benennung des »Opfers« bzw. Objekts einer Handlung: *der Doktorand, der Aufkleber.*

nomen instrumentalis Gegenstandsbezeichnung: *der Zeiger, der Hammer.*

Nominativ (erster Fall) Deklinationsfall des →Nomens; er anwortet auf die Frage *Wer oder was?,* z. B.: *Die Kinder spielen im Schulhof. Wir fahren morgen nach Berlin. Peter hatte am Mittwoch Geburtstag.* Das Subjekt steht im Nominativ.

Numerale Zahladjektiv, das eine Zahl, Größe, Menge angibt, z. B.: *zehn Mark, das dritte Mal, ein Viertel des Gesamtbetrags.* Die Zahlwörter lassen sich nicht eindeutig als Wortart abgrenzen; z. B. sind *Million, Milliarde, Schock, Dutzend* Substantive; andererseits werden »unbestimmte« Zahlwörter wie *mehrere, alle* heute meist unter die →Indefinitpronomen eingereiht.
Nach ihrer Funktion kann man die Zahlwörter in folgende Gruppen gliedern: Grundzahlen: *eins, zwei* (→Kardinalzahlen); Ordnungszahlen: *der erste, die zwanzigste* (→Ordinalzahlen); Wiederholungszahlen: *zweimal, dreifach*; Einteilungszahlen: *erstens, drittens*; Bruchzahlen: *zwei Drittel*; unbestimmte Zahladjektive: *andere, einige, halb, ganz, viel(e), wenig(e).*

Numerus (Zahlform) Der Numerus gibt an, ob ein Substantiv, ein Adjektiv, ein Verb, ein Artikelwort oder ein Pronomen im →Singular (Einzahl) oder →Plural (Mehrzahl) auftritt.

Objekt →Ergänzung

Objektsatz →Ergänzungssatz

obliquer Kasus (casus obliquus) Nach der traditionellen Lehre der Rektion der Verben fordern diese einen bestimmten Kasus: Genitiv, Dativ oder Akkusativ (casus obliqui), z. B. *helfen* den Dativ, *sehen* den Akkusativ. Im Gegensatz zu diesen vom Verb abhängigen Kasus steht der unflektierte Nominativ (casus rectus): der Kasus des Subjekts.

Onomatopöie Laut- oder Schallnachahmung in der Sprache: *kikeriki, tatütata, mäh, miau.*

Ordinalzahl (Ordnungszahl) Zahladjektiv (→Numerale), das eine Reihenfolge oder Rangordnung angibt: *der erste, der zweite.* Die Ordinalzahlen werden – mit Ausnahme der Sonderformen *erste* und *dritte* – durch Anfügen der Endung *-(s)te* an das Grundzahlwort gebildet und haben im Allgemeinen den Artikel bei sich *(der siebente, die zwanzigste).*

Ordnungszahl →Ordinalzahl

Paraphrase Umschreibung, Umformulierung eines Sachverhalts, häufig beginnend mit *das heißt (d. h.): Er ist ein erfolgreicher Manager, d. h., er hat die Firma aus den roten Zahlen gebracht.*

Parataxe (Satzverbindung) Ein zusammengesetzter Satz, bestehend aus zwei oder mehr selbständigen Hauptsätzen. Gegensatz: →Hypotaxe.

Parenthese Einschub, eingeschalteter Teil der Rede, z. B.: *In der Erregung – das habe ich schon oft beobachtet – fängt er an zu stottern.* Die Parenthese wird in Gedankenstriche, Kommas oder runde Klammern eingeschlossen. Unterschieden werden Kontaktparenthesen: *Der Müller – du weißt schon, der aus dem dritten Semester – soll einen Preis bekommen!* und Kommentarparenthesen: *Der Müller – ich habe es ja schon immer gewusst – ist ein richtiges Genie!*

Partikel (Fügewort, Gradpartikel) Im weiteren Sinne werden zu den Partikeln alle – von wenigen Ausnahmen abgesehen – nicht deklinierbaren Wortarten gerechnet: →Adverbien, →Präpositionen, →Konjunktionen und →Interjektionen.
Im engeren Sinne versteht man darunter die →Modalpartikeln (Abtönungswörter) wie *denn, doch, ja, schon, vielleicht* usw. bzw. die Gradpartikeln wie *einzig, erst, noch, nur, selbst, sogar* usw.

Partizip (Mittelwort) Vom Verb abgeleitete Form, die wie ein Adjektiv dekliniert werden kann (es nimmt also eine Mittelstellung zwischen Verb und Adjektiv ein, daher die deutsche Bezeichnung), z. B.: *Er gab nur zögernd Auskunft; seine zögernde Antwort.* Man unterscheidet das Partizip I *(zögernd)* und das Partizip II *(gezögert).* Das Partizip I drückt die Gleichzeitigkeit einer Handlung mit einer anderen aus: *Murrend ging er aus dem Zimmer.* Das Partizip II wird zur Bildung des →Perfekts und →Plusquamperfekts verwendet; es drückt die Vollendung einer Handlung und oft ihr Ergebnis aus: *Ich habe mich darüber sehr gefreut. Erfreut nahm er das Angebot an.*
Oft hat das Partizip II passivischen Sinn, z. B.: *der geschriebene Brief, die geladenen Gäste.* Gelegentlich wird es jedoch auch in aktivischem Sinn verwendet, z. B.: *der gelernte Arbeiter* (= der Arbeiter, der etwas gelernt hat, nicht: gelernt worden ist), *ungefrühstückt weggehen* (= ohne gefrühstückt zu haben). Viele solche Formen werden nicht mehr als ironisch oder umgangssprachlich empfunden, z. B.: *eine studierte Frau, die berittene Polizei.*

Partizipialsatz Ein →verkürzter Nebensatz.

Passiv Das Passiv drückt einen agensabgewandten Vorgang bzw. Handlung aus, d. h., nicht der Handelnde steht – wie im Aktiv – im Vordergrund, sondern der Vorgang selbst. Unterschieden werden das persönliche Passiv (*werden-* und *sein-*Passiv bei Verben mit einer Akkusativergänzung: *Er wird geschlagen. Die Rechnung ist bezahlt.*) und das unpersönliche Passiv mit *es (Es wurde getanzt).*
Das Passiv wird gebraucht, wenn das Agens nicht bekannt ist *(Die Bank wurde überfallen),* nicht genannt werden muss, weil bekannt oder alltäglich *(Die Briefkästen werden um 6 Uhr geleert)* oder weil der/die Handelnde bewusst verschwiegen werden soll *(In Sarajewo wurden im letzten Jahr 5000 Menschen erschossen).*

Perfekt (2. Vergangenheit) Das Perfekt ist die Erzählform der Vergangenheit in der gesprochenen Sprache *(Gestern sind wir schnell 'mal nach München gefahren)* und wird allgemein verwendet, wenn eine Handlung in der Gegenwart, Vergangenheit oder Zukunft abgeschlossen *(Er hat die Prüfung bestanden)* bzw. ein Zustand beendet ist *(Die Periode ist morgen abgeschlossen),* aber häufig bis unmittelbar an den Sprechzeitpunkt heranreicht *(Soeben ist er angekommen).*
Das Perfekt wird mit *haben* oder *sein* gebildet. In der süddeutschen Umgangssprache wird das Perfekt als Form der Erzählung gegenüber dem Imperfekt bevorzugt. Es wird häufig auch anstelle des Futur II verwendet, z. B.: *Bis du zurückkommst, habe ich das Buch zu Ende gelesen,* statt: *werde ich das Buch zu Ende gelesen haben.*

Person Erste (sprechende) Person: *ich,* Mz.: *wir;* zweite (angesprochene) Person: *du,* Mz.: *ihr;* dritte (besprochene) Person: *er, sie, es,* Mz.: *sie.*

Personalpronomen (persönliches Fürwort) Pronomen, das stellvertretend für Namen und Bezeichnungen von Personen oder Sachen steht: *Gib mir die Schere! Ich finde sie nicht.* Nur in der 3. Person Singular gibt es für die drei Geschlechter die drei Formen *er, sie, es;* bei allen übrigen Personen, auch für die Anrede *Sie,* wird kein Unterschied nach Geschlechtern gemacht.
Die Genitiv-Form wird häufig präpositional ersetzt: *Wir erinnern uns seiner → an ihn.* Zur Deklination des Personalpronomens siehe die Deklinations- und Konjugationstabellen. Vgl. auch Anrede.

Pertinenzdativ (Körperteildativ) Besondere Form des Dativs; im Gegensatz zur Dativergänzung *(Sie hilft ihm)* ist diese Form nur möglich (als Attribut) zu einem im Akkusativ stehenden Körperteil: *Er streichelt ihr die Haare. Sie legt ihm den Arm um die Schulter.* Gelegentlich schwankt der Gebrauch zwischen Dativ und Akkusativ: *Der Hund biss mir/mich in die Wade. Er küsste ihr/sie auf den Mund.*

Plural (Mehrzahl) Flexionsform des →Nomens und →Verbs, die angibt, dass von mehreren Lebewesen, Dingen oder Begriffen gesprochen wird, z. B.: *Die Kinder spielen im Garten. Ihr kommt spät.* Manche Substantive können zwei verschiedene Pluralformen bilden, je nach ihrer Bedeutung, z. B. *Bank : Bänke* (= zum Sitzen) und *Banken* (= Geldinstitute). Andere Substantive treten nur im Plural auf, z. B. *Leute, Einkünfte, Kosten, Wirren.* Man nennt ein solches Substantiv »Pluraletantum«. Zu den einzelnen Pluralformen vgl. die Deklinations- und Konjugationstabellen.

Plusquamperfekt (3. Vergangenheit, Vorvergangenheit) Tempus (Zeitform) des Verbs; bezeichnet eine abgeschlossene Handlung in der Vergangenheit, die noch vor einem anderen Geschehen (das im Präteritum steht) abgelaufen ist, und mit dem Partizip II und einer Präteritumsform von *haben* oder *sein* gebildet wird. Bei den Konjunktionen *nachdem* und teilweise *als* ist die Tempusfolge (consecutio temporum) Plusquamperfekt – Präteritum regelhaft: *Nachdem er gegessen hatte, zündete er sich eine Zigarette an. Als die Sonne untergegangen war, wurde es schnell dunkel.*

Positiv (Grundstufe) Die Form des →Adjektivs vor der Steigerung zum Komparativ oder Superlativ. Vgl. Komparation.

Possessivpronomen (besitzanzeigendes Fürwort) Unterkategorie der →Artikelwörter, die ein Besitzverhältnis *(mein Wagen)* oder eine diesem ähnliche Beziehung *(mein Arzt)* anzeigt. Das Possessivpronomen ist abgeleitet aus dem Genitiv des Personalpronomens *(ich – meiner – mein).* Welches Pronomen zu verwenden ist, hängt im Deutschen vom Besitzer ab; es heißt, wenn der Besitzer eine Frau ist, *ihr Mann, ihr Kind* – ohne Rücksicht darauf, dass *Mann* männlich, *Kind* sächlich ist (anders z. B. im Französischen und Italienischen: *son oncle = sein* oder *ihr Onkel, sa tante = seine* oder *ihre Tante,* weil *oncle* männlich, *tante* weiblich ist). Dagegen richtet sich die Deklinationsendung des Pronomens nach Person, Genus und Numerus des Objekts, das Gegenstand des Besitzverhältnisses ist: *sein Onkel, seine Tante.* Das Possessivpronomen wird nicht dekliniert, wenn es bei der Kopula steht: *Ich bin dein, und du bist mein.*

Prädikat (Satzaussage) In traditionellen Grammatiken ist das Prädikat jener Satzteil, der etwas über das →Subjekt (Satzgegenstand) aussagt. Neuere Grammatiken nennen stattdessen das finite (gebeugte) Verb den zentralen Teil im Satz, von dem aus sich →Valenzklassen mit unterschiedlichen →Ergänzungen eröffnen. Traditionelle Verbzusätze *(Müller fährt Auto. Ich gehe die Treppe hinauf.)* gehören zum Verb. Das traditionelle Prädikativum ist Einordnungsergänzung *(Sein Vater ist Arzt. Er nannte ihn einen Betrüger.)*, prädikativ gebrauchtes Adjektiv/Adverb gehört zur Artergänzung *(Die Äpfel sind reif. Ich halte das für gefährlich. Sie kaufen das Obst ungespritzt.)*

Präfix (Vorsilbe)
Vor den Wortstamm gestellte Silbe, im Deutschen ein wesentliches Mittel zur differenzierenden Wortbildung, z. B.: *anheben, aufheben, beheben, entheben, erheben, hervorheben* usw.; vgl. Affix. Trennbare Präfixe *(ankommen)* tragen den Wortakzent, untrennbare *(bedienen)* sind unbetont.

Präposition (Verhältniswort)
Wortart, die undeklinierbar ist und räumliche bzw. zeitliche Verhältnisse oder logische Beziehungen zwischen Personen, Sachen und Vorgängen kennzeichnet, z. B.: *Er ist in der Stadt. Während der Arbeit kann ich nicht Musik hören. Wir kamen zu Fuß.*
Jede Präposition fordert einen oder zwei bestimmte Fälle:
1. den Genitiv: *während der Pause; innerhalb des Gartens*;
2. den Dativ: *gegenüber dem Haus; mit der Hand*;
3. den Akkusativ: *ohne mein Wissen; für seinen Freund*;
4. den Genitiv oder Dativ: *trotz seines Widerstandes, trotz allem; längs des Flusses, längs dem Fluss* (gesprochene Sprache), *wegen seines Bruders, wegen ihm* (gesprochene Sprache);
5. den Dativ oder Akkusativ, je nachdem, ob eine Ruheposition (Dativ) oder eine Richtung (Akkusativ) bezeichnet werden soll: *Das Buch liegt auf dem Tisch.* Aber: *Ich lege das Buch auf den Tisch.*
Neben den Präpositionen (= vor dem Substantiv oder einer anderen Wortart) gibt es auch Postpositionen (nachgestellt): *den Fluss entlang gehen, der Einfachheit halber, seiner Familie zuliebe* sowie Circumpositionen (das entsprechende Satzglied einrahmend): *um seiner Familie willen* (= umwillen seiner Familie); → Rektion.

Präteritum (Imperfekt, 1. Vergangenheit)
Das Präteritum wird gebraucht, um eine Handlung/ein Geschehen mitzuteilen, die zum Sprechzeitpunkt vergangen oder abgeschlossen ist, also immer in der Vergangenheit liegt. Darüber hinaus ist es das charakteristische Erzähltempus der schönen Literatur: *Er kam nach Hause und war schlechter Laune.* Vor allem dominiert das Präteritum bei *haben, sein* (als Vollverben) und den modalen Hilfsverben: *Sie hatte viele Kinder. Er war oft krank. Wir wollten nicht mehr.*
In der gesprochenen Sprache drückt es eine besonders lebhafte Erinnerung oder eine intensive Frage aus: *Der Müller kam doch immer zu spät! Wer bekam den Kaffee?*; → Tempus.

Pronomen (Fürwort)
Wort, das im Satz anstelle eines → Substantivs steht: → Personalpronomen, → Demonstrativpronomen, → Possessivpronomen, → Interrogativpronomen, → Indefinitpronomen, → Reflexivpronomen, → Artikelwörter. Vgl. Anrede.

Pronominalisierung
Ersetzung eines Substantivs durch ein Personalpronomen oder ein anderes Pronomen im Text: *Der Mann → er.*

Punkt
1. Nach Aussagesätzen steht ein Punkt, wenn die Aussage vollständig ist und deutlich vom folgenden Gedanken getrennt werden soll, z. B.: *Dieses Buch wurde mir von einem Kollegen empfohlen. Sobald ich es gelesen habe, werde ich Ihnen meinen Eindruck mitteilen.*
2. Nach dem indirekten Fragesatz und der indirekten Rede steht der Punkt.
3. Ohne Nachdruck geäußerte Wunsch- oder Befehlssätze haben anstelle des Ausrufezeichens den Punkt: *Bitte bleiben Sie. Begleiten Sie ihn doch über die Straße.*
4. Nach Ordnungszahlen in Ziffern steht der Punkt: *Morgen ist der 15. Februar. Friedrich II. war König von Preußen.*
5. Nach bestimmten Abkürzungen steht ein Punkt. Vgl. auch Kurzwort.
6. Nach Datumsangaben steht kein Punkt, wenn sie allein stehen, z. B.: *Wien, den 3. 2. 1992*
7. Nach Unterschriften steht kein Punkt: Mit herzlichen Grüßen
Ihre
Barbara Voigt
8. Nach frei stehenden Überschriften und Buchtiteln steht kein Punkt.
Punkt in Verbindung mit anderen Satzzeichen → Anführungszeichen, → Klammern; → Semikolon; vgl. ›Die neuen Regeln mit Erläuterungen‹.

reflexive Verben (rückbezügliche Verben)

Verben, die sich mit Hilfe eines Pronomens, des → Reflexivpronomens, auf das Subjekt zurückbeziehen. Kennzeichen der echten (obligatorischen) reflexiven Verben ist, dass das Reflexivpronomen im Akkusativ steht und dass sie kein persönliches Passiv bilden können, z. B. *sich beeilen, sich betrinken, sich bedanken, sich erkälten, sich freuen, sich schämen, sich wundern.*
Das Reflexivpronomen ist obligatorisch (Teil des Verbs) und kann daher nicht durch ein Substantiv oder ein anderes Pronomen ersetzt werden: *Ich freue mich.* → *Ich freue Mathilde/sie.
Ausnahmen sind z. B. *sich etwas aneignen, sich etwas vornehmen, sich etwas anschauen* oder *anhören.* Bei diesen Verben steht das Reflexivpronomen im Dativ, und die Verben sind eigentlich traditionell transitive Verben (Verben mit Akkusativergänzung): *etwas anschauen.*
Manche reflexiven Verben sind eigentlich traditionell transitive Verben, doch gewinnen sie beim reflexiven Gebrauch eine vom transitiven Gebrauch abweichende Bedeutung, und sie können – in dieser Bedeutung – kein persönliches Passiv bilden. Zum Beispiel:

transitiv	reflexiver Gebrauch
Ich sammle Beeren (Die Beeren werden von mir gesammelt.)	*Ich sammle mich.* (Ich nehme meine Gedanken zusammen.
Ich spiele ein Tonband ab. (Das Tonband wird von mir abgespielt.)	*Gestern hat sich eine Tragödie abgespielt.* (sich ereignet)
Ich entscheide die Angelegenheit. (Die Angelegenheit wird von mir entschieden.)	*Ich entscheide mich.* (Ich fasse einen Entschluss.
Ich stelle die Blumen auf den Tisch. (Die Blumen werden von mir auf den Tisch gestellt.)	*Er stellt sich der Polizei.* (Er meldet sich freiwillig bei der Polizei.)

Eine zweite Klasse reflexiver Verben wird lediglich reflexiv gebraucht (»unechte«/fakultative reflexive Verben). Die Bedeutung dieser Verben bleibt bei reflexivem Gebrauch dieselbe, und sie können ein persönliches Passiv bilden. Das Reflexivpronomen steht im Akkusativ oder Dativ und ist Ergänzung, also nicht Teil des Verbs. Entsprechend kann es durch ein Substantiv oder ein anderes Pronomen ersetzt werden. Man nennt sie fakultative reflexive Verben. Beispiele: *beschäftigen, ändern, fragen, opfern, kaufen, waschen. Ich beschäftige ihn. Ich beschäftige mich. – Sie ändert mir ein Kleid. Sie hat sich in den letzten Jahren nicht geändert. – Ich wasche ihn. Ich wasche mich. Ich wasche ihm/mir die Hände. – Diese Übung strengt die Beinmuskeln an. Ich strenge mich an.* Zu diesen Verben setzt man manchmal zur Verdeutlichung, dass wirklich das Subjekt gemeint ist, das Wort *selbst* hinzu: *Er belügt sich selbst. Das Kind kann sich schon selbst waschen. Sie hat sich selbst geopfert.*

Reflexivpronomen (rückbezügliches Fürwort)

Wortart, die angibt, dass sich das Geschehen des Satzes auf das Subjekt zurückbezieht. *Sich* ist das einzige echte Reflexivpronomen, es wird in der 3. Person Singular und Plural verwendet *(sie freut sich, sie freuen sich).* Für die übrigen Personen werden die Formen des Personalpronomens verwendet: *Ich begnüge mich; du erkältest dich; wir bewerben uns; ihr bedankt euch.*
Das Pronomen *sich* kann auch im Dativ stehen, z. B.: *Da hat er sich etwas Schlimmes eingebrockt. Das bildet er sich nur ein. Sie haben sich ein Auto gekauft.* Bestimmte Verben können nur mit dem Reflexivpronomen verwendet werden, man nennt sie → reflexive Verben. Bei → reziproken Verben kann gelegentlich der wechselseitige Bezug außer durch *sich* auch durch *einander/sich gegenseitig* ausgedrückt werden:
Sie trafen sich zum letzten Mal. Sie trafen einander zum letzten Mal (lit.). – *Die Kinder halfen sich. Die Kinder halfen sich gegenseitig.*

Rektion

Im Gegensatz zur → Valenz der Verben, Adjektive und Substantive handelt es sich bei der Rektion der → Präpositionen nicht um eine von der Bedeutung gesteuerte (semantische), sondern um eine rein syntaktische Einwirkung auf den Kasus des Substantivs: *an der Wand, in die Stadt, nach der Halbzeit* usw.

Relativpronomen (bezügliches Fürwort)

Pronomen, das einen Nebensatz auf ein Wort des übergeordneten Satzes oder auf diesen insgesamt bezieht; es leitet zugleich den Nebensatz ein. Die Relativpronomen sind die → Artikelwörter *der, die, das, welcher, welche, welches, wer, was.* Das Pronomen *welcher, welche, welches* wird nur im schriftlichen Gebrauch verwendet und ist im Schwinden, da es literarisch wirkt. Stattdessen wird *der, die,*

das verwendet, auch auf die Gefahr hin, dass gelegentlich zweimal nacheinander dasselbe Wort steht, nämlich Pronomen und bestimmter Artikel, z. B.: *Es ist dieselbe Lehrerin, die die Kinder schon im letzten Jahr unterrichtet hat.*
Das Relativpronomen richtet sich im Genus und Numerus nach dem Wort, auf das es verweist: *der Film, der heute läuft; die kritischen Bemerkungen, die hier stehen.* Der Kasus des Relativpronomens richtet sich jedoch nach der Funktion, die es im Nebensatz hat: *der Hund, der dort läuft* ... (Nominativ); *der Hund, den Sie dort sehen* ... (Akkusativobjekt).
Die Pronomen *wer* und *was* beziehen sich auf eine unbestimmte Person bzw. auf einen ganzen Sachverhalt: *Wer das behauptet hat, muss auch dazu stehen. Das ist alles, was ich dazu sagen kann. Er hat ein Stipendium für ein Studienjahr in Amerika bekommen, was mich sehr für ihn freut.*
Die Genitiv- und Dativformen werden wie die des Demonstrativpronomens gebildet: *Das sind Fehler, denen man häufig begegnet. Ein Mensch, von dessen Fähigkeiten jeder überzeugt ist.*

Relativsatz Charakteristischer Vertreter des →Attributsatzes; er wird durch ein →Relativpronomen eingeleitet und charakterisiert semantisch ein Substantiv im Hauptsatz oder den gesamten Inhalt des Satzes näher: *Der Mann, der dort steht, ist der Staatssekretär.* Der Regelfall (s. o.) ist der Zwischensatz; vorangestellte Nebensätze werden in der Regel durch ein *w*-Element eingeleitet: *Wer das gesagt hat, ist ein Lügner.* Neben den eingeleiteten (restriktiven) Relativsätzen gibt es auch uneingeleitete (ergänzende, nichtrestriktive) Relativsätze, die in der →Apposition stehen: *Goethe, geboren 1749, ...; mein Vater, von Beruf Lehrer für alte Sprachen, ...*
Es gibt auch Relativsätze zu Pronomina: *Sie, die uns immer geholfen hat; das, was mich hier besonders interessiert; keiner, der sich hier auskennt; etwas, das/was ich seit langem kenne.*

reziproke Verben Bei reziproken Verben gibt es ein Wechselverhältnis zwischen A und B, also keinen Rückbezug auf das Subjekt; stets sind (mindestens) zwei Personen beteiligt: *sich treffen, sich begegnen, sich wiedersehen* usw. Auch hier gibt es »echte« (obligatorische) und »unechte« (fakultative) reziproke Verben. Bei den obligatorischen Verben ist das Reflexivpronomen Teil des Verbs und daher nicht austauschbar gegen eine andere Wortart, bei den fakultativen Verben ist das Reflexivpronomen Ergänzung und somit austauschbar:
Obligatorische reziproke Verben: *sich anfreunden (wir freunden uns an →* *wir freunden Hans an), *sich einigen, sich verfeinden.*
Fakultative reziproke Verben: *sich aussprechen (wir haben uns ausgesprochen – wir haben das Wort ausgesprochen), sich auseinandersetzen, sich begegnen, sich besprechen, sich streiten, sich treffen, sich vertragen.*

Rhema In der →Textlinguistik (funktionale Satzperspektive, die jede Äußerung nach ihrem Mitteilungswert gliedert) jene Teile im Satz bzw. Text, die die neue Information beinhalten; das, was über das →Thema (das Bekannte) ausgesagt wird: (Ein Mann steht an der Ecke.)

Er	*liest*	*eine Zeitung.*
(Thema)		(Rhema)

rückbezügliches Fürwort →Reflexivpronomen

rhetorische Frage Mittel der Rhetorik (Redekunst), um eine Aussage zu verstärken bzw. eine Aufforderung auszudrücken: *Wer glaubt denn schon so etwas? Was gibt es da noch zu diskutieren?*

s, ss, ß 1. Einfaches *s*
Als erster Buchstabe eines Wortes kann nur *s* stehen, z. B.: *singen, See, sauber.* Innerhalb des Wortes steht *s* am Silbenanfang oder -ende: *Ferse, hänseln, weise, raspeln, rösten.* Bei Fremdwörtern gehört das *s* häufig zum Beginn der Sprachsilbe: *Arterio|sklerose, sub|skribieren.* Die auf *-nis, -us, -as* und *-es* endenden Wörter haben ein auslautendes *s,* obwohl die deklinierten Formen das *ss* im Inlaut haben: *Ereignis (Ereignisse), Atlas (des Atlasses), des (dessen).*
2. Doppel-*s (ss)* oder *ß?*
Als Folge der Rechtschreibreform steht *ß* nur nach langem Vokal/Umlaut oder →Diphthong (Doppellaut): *das Maß – des Maßes, sie fließen, die Füße.* Dagegen steht *ss* immer nach kurzem Vokal: *der Fluss – die Flüsse; der Schlüssel passt; wässrig; misslich; er sagte, dass es nicht geht.* Unterschieden werden so: *das Floß – es floss, das Maß – das Fass.*

3. Zusammentreffen dreier gleicher Buchstaben
Beim Zusammentreffen (in Komposita) dreier *-s* werden diese in jedem Fall geschrieben: *Flussstrecke, Passsignal.*

sächliches Geschlecht Neutrum; →Genus

Satz Relativ selbständige und inhaltlich abgeschlossene Einheit mit dem finiten (gebeugten) Verb im Zentrum, die durch den →Tonhöhenverlauf als Klangeinheit gekennzeichnet ist und zwischen Punkten oder vergleichbaren Satzzeichen steht. Die →Syntax ist die Lehre vom Satz und analysiert ihn.
Unterschieden werden einfache Sätze *(Der Mann lacht)* und zusammengesetzte Sätze (→Hypotaxe, →Parataxe).
Während die traditionelle Satzgliedlehre behauptete, ein Satz bestehe mindestens aus Subjekt und Prädikat, nennen moderne Grammatiken auch Ein-Wort-Äußerungen Sätze: *Komm! Hoch! Feuer!*

Satzabbruch (Anakoluth) Herausfallen aus einer begonnenen syntaktischen Kontruktion: *Ich komme zu dir, weil, ... und was ich dir schon immer sagen wollte).*

Satzarten Nach ihrer Funktion bzw. den Absichten der Sprecher/Schreiber werden vier Satzarten unterschieden, die sich auch in der jeweiligen Position des Verbs unterscheiden:
1. Aussagesätze (Verb in Zweitstellung): *Er fährt nach Berlin.* Unterkategorie: Ausrufesätze: *Du bist aber groß geworden!*
2. Aufforderungssätze (Verb an unterschiedlichen Positionen): *Gib mir das Geld! Herhören! Stillgestanden! Dass du ja pünktlich bist!*
3. Wunschsätze (Konjunktiv I, II; Verb in Spitzen-, Zweit- oder Endstellung): *Wenn sie doch endlich käme! Käme sie doch endlich! Gott helfe ihm!*
4. Fragesätze (Verb in Spitzen- oder Zweitstellung):
Fliegst du morgen? (Entscheidungsfrage)
Wann fliegst du? (Ergänzungsfrage)
Du warst in Australien? (Vergewisserungsfrage, Echofrage)
Habe ich es nicht immer gesagt? (rhetorische Frage)
Wer glaubt schon diesen Blödsinn? (rhetorische Frage)
Anmerkung: Es gibt Überschneidungen, so Fragesätze mit Aufforderungscharakter: *Machst du das Fenster zu?*

Satzaussage →Prädikat

Satzbauplan Satzmuster in der →Valenzgrammatik, bei dem Verben mit ihren Ergänzungen Klassen zugeordnet werden (Verb + Substantiv, Verb + Substantiv + Akkusativergänzung usw.).

Satzergänzung → Ergänzung, → Objekt, →Valenz

Satzfeld Das Satzfeld gliedert den Aussagesatz in drei Teile: Vorfeld, Mittelfeld und Nachfeld. Das Verb markiert die Grenze:

Vorfeld	Mittelfeld	Nachfeld
Er hat	*sie gestern gesehen,*	*und zwar am Bahnhof.*

Satzgefüge →Hypotaxe

Satzgegenstand →Subjekt

Satzglied In der traditionellen Grammatik gibt es fünf Satzglieder: Subjekt, Prädikat, Objekt, adverbiale Bestimmung und Attribut. In der Valenzgrammatik sind Satzglieder die Ergänzungen des Verbs:
Subjekt *(Er atmet),* Genitivergänzung *(Sie bedarf der Pflege),* Dativergänzung *(Er hilft seiner Mutter),* Akkusativergänzung *(Sie bezahlen die Rechnung),* Präpositionalergänzung *(Sie wartet auf ihren Freund),* Situativergänzung *(München liegt an der Isar. Der Unfall passierte am Montag.),* Richtungsergänzung *(Wir reisen nach Japan),* Einordnungsergänzung *(Hans ist Lehrer),* Artergänzung *(Sie ist intelligent)* und Infinitivergänzung/Verbergänzung *(Müllers wollen jetzt gehen. Er hört Margot Klavier spielen.).*

Satzgliedstellung In den drei →Hauptstellungstypen im Satz ist die Stellung der Satzglieder (traditionell Wortstellung) wie folgt geregelt:
1. Kernsatz: Verb an 2. Position; davor (Vorfeld) das Subjekt oder jedes andere Satzglied, aber keine Modalpartikeln (z. B. →Aussagesatz).
2. Stirnsatz: Verb in Spitzenstellung (z. B. Entscheidungsfragesatz, →Fragesatz).
3. Spannsatz: Verb in Endstellung (z. B. eingeleiteter Nebensatz, →Nebensatz).
Im Mittelfeld (vgl. Satzfeld) des Satzes gilt, dass Kasusergänzungen nahe beim Verb (Linkstendenz) und präpositionale Ergänzungen am Ende stehen; zwischen beiden gruppieren sich die Angaben. Die Negationspartikel steht so weit wie möglich am Satzende (Satznegation), es sei denn, es soll nur ein Satzteil negiert werden: Dann steht sie direkt vor diesem (betonten) Teil des Satzes (Satzteilnegation). Infinite Teile (II b) bilden mit dem finiten Verb (II a) die Satzklammer (IIa, IIb):

I	IIa	III	IV	V	IIb
Er	*hat*	*gestern*	*seinen Freund*	*nicht*	*gesehen.*

Satzverbindung →Parataxe

Schaltsatz →Parenthese

Schiffsnamen Schiffsnamen sind meist feminin, auch wenn das ursprüngliche Geschlecht des Namens eigentlich maskulin oder neutrum ist, z. B.: *die München, die Europa.*

schönfärberischer Ausdruck →Euphemismus

schwaches Verb Regelmäßig konjugiertes Verb, das das Präteritum durch Anhängen von *-te* an den Stamm bildet: *legen – er legte*; ebenso: *hören, malen* usw.; →Konjugation.

Selbstlaut →Vokal

Semikolon (Strichpunkt) Man setzt das Semikolon (;), wenn der Punkt zu stark, das Komma zu schwach trennen würde.
1. Hauptsätze trennt man durch das Semikolon voneinander (statt durch Punkt), wenn sie inhaltlich verbunden sind, z. B.: *Blau und Gelb sind die Lieblingsfarben dieses Malers; sie finden sich in den meisten seiner Gemälde.*
2. Zwei nebengeordnete Sätze kann man durch das Semikolon abtrennen: *Er war am Ende seiner Kräfte; darum gab er auf.*
3. In mehrfach zusammengesetzten Sätzen trennt man der besseren Übersicht halber die Hauptgedanken durch Semikolon voneinander: *Die Regierung erklärt, sie werde keine Steuererhöhungen vornehmen; wie Äußerungen aus Oppositionskreisen erkennen lassen, schenkt man dort diesen Versicherungen keinen Glauben.*
4. In Aufzählungen trennt das Semikolon gleichartige Begriffe, z. B.: *Birnen, Äpfel, Orangen; Kuchen, Gebäck; Schokolade und Marzipan.* Vgl. ›Die neuen Regeln mit Erläuterungen‹.

Silbe Kleinste abtrennbare Lautgruppe bzw. Sprecheinheit eines Wortes. Man unterscheidet offene Silben, die auf einen Vokal auslauten (z. B. in *Belustigung* die Silben *Be-* und *-sti-*), und geschlossene Silben, die auf einen Konsonanten auslauten *(-gung)*. Außerdem unterscheidet man Sprach- und Sprechsilben, was für die Silbentrennung wichtig ist. Unter Sprachsilbe versteht man eine Silbe im Hinblick auf die Wortbildung: *Be-lust-ig-ung* (*-lust-* ist die →Stammsilbe, die übrigen sind Ableitungssilben); unter Sprechsilbe versteht man eine Silbe im Hinblick auf die flüssige Aussprache des Wortes (entsprechend wird abgetrennt): *Be-lus-ti-gung.*

Silbentrennung Vgl. ›Die neuen Regeln mit Erläuterungen‹.

Singular (Einzahl) Kategorie bei sämtlichen flektierbaren (deklinierbaren) Wortklassen, die angibt, dass nur von einem Lebewesen, Ding oder Begriff die Rede ist: *der Turm, ich lief, ein Mann, er* usw. Gegensatz: →Plural.
Manche Substantive treten ausschließlich im Singular auf (Singularetantum): *Hunger, Eifersucht, Obst, Zucker, Schnee* usw.

Spannsatz →Hauptstellungstypen im Satz

Sprechakt In der linguistischen Pragmatik nach John Searle eine sprachliche Handlung. Unterschieden werden direkte und indirekte Sprechakte. Bei direkten Sprechakten stimmen Satzart und Intention überein, bei indirekten nicht, z. B. Aufforderungssätze:
Komm her! (direkter Sprechakt)
Es zieht! (indirekter Sprechakt)
(→Machen Sie, bitte, das Fenster zu!)
Sprechakte werden unterteilt in den lokutiven Akt (das Sprechen selbst), den illokutiven Akt (die Absicht, das Ziel der Äußerung) und den perlokutiven Akt (die Wirkung beim Gesprächspartner).

Stammsilbe (Wurzel) Letzter Bestandteil eines Wortes, der übrig bleibt, wenn man Vor- und Nachsilben von ihm abgetrennt hat. An den Stamm werden die Ableitungssilben *(trinken, Trinker, Getränk)* und die Flexionssilben *(Getränkes, trinkst)* angefügt. Der Vokal der Stammsilbe wechselt bei der Wortbildung durch Ableitung und Flexion häufig, z. B.: *trinken, trank, getrunken, Getränk, Tränke, Trunk, Trank.* Vgl. Ablaut, Umlaut.

Standardsprache Traditionell Hochsprache: überregional gebrauchte und verstandene Variante des Deutschen, frei von Dialekten und fachsprachlichen Elementen.

starkes Verb Unregelmäßig konjugiertes Verb *(singen, sang, gesungen)*; →Konjugation.

Steigerung →Komparation

Stimmführung →Tonhöhenverlauf

Straßennamen 1. Bei Straßennamen, die aus einem Substantiv mit flektiertem Adjektiv oder mit Präposition bestehen, schreibt man das Adjektiv und die Präposition für sich und groß: *Alte Gasse, Hohe Straße, Kleine Freiheit, Am Karlstor, In der Rosenau.* Ist das Adjektiv jedoch nicht flektiert, so schreibt man nur ein Wort: *Altgasse, Hochtor.*
2. Setzt sich der Straßenname aus einem *Substantiv oder Personennamen als Bestimmungswort und einer Straßenbezeichnung als Grundwort* zusammen, so schreibt man beides in einem Wort: *Ludwigstraße, Schlossgasse, Lindenallee, Kurfürstendamm.* Ist die Zusammensetzung unübersichtlich, so ist auch die Schreibung mit Bindestrich zulässig: *Zeus-Straße.* Bei mehreren Bestimmungswörtern steht zwischen allen Teilen ein Bindestrich: *Richard-Wagner-Straße, Schwere-Reiter-Allee.*
3. Straßennamen, die mit einem nicht abgeleiteten Ortsnamen verbunden sind, schreibt man zusammen: *Chiemgaustraße.* Hat der Ortsname jedoch eine Ableitungssilbe, so schreibt man getrennt: *Chiemgauer Allee, Bayerische Straße.* Ist der abgeleitete Ortsname ein Familienname, wie z. B. *Altdorfer,* dann schreibt man zusammen: *Altdorferstraße* (nach dem Maler *Albrecht Altdorfer*), aber: *Altdorfer Straße* (nach dem Ort *Altdorf*).
4. Deklination: Bei Straßennamen, die mit einem flektierten Adjektiv zusammengesetzt sind, wird das Adjektiv auch im Genitiv und Dativ flektiert, z. B.: *Sie wohnt in der Hohen Straße. Unser Grundstück liegt jenseits der Schweren-Reiter-Allee.* Aber: *Sie wohnt Hohe Straße 35.* Vgl. ›Die neuen Regeln mit Erläuterungen‹.

Strategie In Gesprächen wendet jeder Dialogteilnehmer Strategien an, um seine Absichten verwirklichen zu können. Die wichtigsten sind:
1. kooperative Strategien: Aufforderungen, Fragen, Erläuterungen;
2. Abweisungsstrategien: Ablehnung von Aufforderungen bzw. Fragen, Widerspruch;
3. Vermeidungsstrategien: Ausweichen im Gespräch, Themenwechsel.

Strichpunkt →Semikolon

Subjekt (Satzgegentand) Wichtigstes Satzglied, von der Valenz des Verbs abhängig. Es ist durch folgende Kriterien gekennzeichnet:
1. Es steht im Nominativ.
2. Es kann ein Substantiv, Pronomen, substantiviertes Verb, ein Infinitiv mit oder ohne *zu (Spazierengehen ist gesund)* oder ein Nebensatz *(Dass du so etwas tust, gefällt mir nicht)* sein (→Subjektsatz).

3. Es wird mit *Wer?* (Personen) oder *Was?* (Sachen, Begriffe) erfragt.
4. Es stimmt in Person und Numerus mit dem finiten Verb überein (→Kongruenz).
5. Es ist im Regelfall das Agens (Träger der Handlung).
6. Es steht in unmarkierter Satzgliedfolge (»Normalstellung«) am Beginn des Aussagesatzes.
7. Es ist meistens →Thema (das Bekannte).

Subjektsatz Ein →Ergänzungssatz, der anstelle des Subjekts steht. Die Frage lautet: *Wer* oder *was?* Ein Subjektsatz kann formal ein *dass*-Satz (traditionell Konjunktionalsatz), *ob-* oder *w*-Satz (Fragesatz) oder ein Infinitivsatz sein:
Dass er mitfährt, freut mich. (←Es freut mich, dass er mitfährt). *Es interessiert mich nicht, ob er gesund ist/wann sie wieder gesund wird. Zum Vorsitzenden gewählt zu werden(,) ist eine Ehre für ihn.* Steht der Hauptsatz voran, erscheint ein Platzhalter *(es): Es ist wunderbar, dass sie den Unfall überlebt hat.*

Substantiv (Nomen, Dingwort, Hauptwort) Wort, das vor allem Lebewesen und Gegenstände benennt, aber auch abstrakte Begriffe, wie z.B. Fähigkeiten, Eigenschaften, Institutionen u. a. Folgende Kriterien definieren das Substantiv:
1. Es wird mit großem Anfangsbuchstaben (→Majuskel) geschrieben.
2. Es wird häufig mit einem Artikelwort *(der, die, das)* verbunden, an dem das grammatische Geschlecht (Genus) deutlich wird. Die Mehrzahl aller deutschen und fremdsprachigen Substantive hat ein Genus, wenige zwei (*die/das Cola, der/die Abscheu, der/das Gulasch* usw.) oder drei (*der/die/das Dschungel*). Andere Substantive weisen bei gleichem Genus Bedeutungsunterschiede auf: *die Bank, der Block, der Strauß* usw.
3. Es wird als Subjekt, Ergänzung oder Apposition gebraucht.
4. Verben, Adjektive und Pronomen können durch Voranstellen eines Artikelwortes substantiviert werden; sie werden dann großgeschrieben: *das Singen, die Schöne, das Wir/Unsere.*
Vgl. →Singular, →Plural, →nomen actionis, →nomen agentis.

Substantivierung Verwandlung in ein Substantiv. Man kann Wörter, die keine Substantive sind, als Substantive gebrauchen, z.B. Adjektive *(ein auffallendes Rot, viel Schönes),* Zahlwörter *(die Sieben)* oder Verbformen, z.B. das Präsens *(beim Gehen),* Partizip II *(der Angeklagte).* Verben kann man durch Ableitungssilben in Substantive verwandeln, z.B. *schreiben – Schreiber, verändern – Veränderung.* Häufig werden heute Verben durch ein solches abgeleitetes Substantiv und ein anderes Verb ersetzt (Funktionsverbgefüge), z.B. *zur Anwendung kommen* statt: *anwenden; zur Darstellung bringen* statt: *darstellen.* Diese substantivierten Formen sind jedoch immer etwas blasser und weniger aussagekräftig als das Verb, und die Funktionsverben *(kommen, bringen)* verlieren ihren eigentlichen Sinn.

Suffix (Nachsilbe) An den Wortstamm angehängte Silbe. Sie dient der Wortbildung: *Freiheit, freiheitlich, Feigling, Reichtum, Freundschaft, Gelächter.* Vgl. Affix.

Superlativ Zweite Steigerungsstufe des →Adjektivs. Vgl. Komparation

Synonym Bedeutungsgleiches oder bedeutungsähnliches Wort: *schauen – sehen, Fleischer – Metzger, Apfelsine – Orange, Zoo – Tiergarten.* Gegenteil: →Homonymie.

Syntax (Satzlehre) Teil der Grammatik. Die Syntax beschreibt die Struktur des Einzelsatzes, die Satzglieder, die Satzgliedstellung (traditionell Wortstellung), die Satzarten und die Satztypen, also (einfache und zusammengesetzte) Sätze. Die nächsthöhere Ebene über dem Satz ist der Text, der von der →Textlinguistik beschrieben wird.

Tätigkeitswort →Verb

Temporaladverb Adverb zur Zeitangabe: *jetzt, morgen, abends*; →Adverb.

Temporalangabe Freie (weglassbare) Zeitangabe: *nächste Woche, 1977, letzten Monat, im 18. Jahrhundert.* →Angabe.

Temporalsatz

→Angabesatz. Der Temporalsatz drückt eine Handlung oder ein Geschehen aus, die im Verhältnis zum Hauptsatz vorzeitig *(nachdem, als, seit, sobald),* gleichzeitig *(indem, sooft, während)* oder nachzeitig *(bevor, ehe, bis)* ablaufen. Beispiel: *Nachdem sie ihren Mann gesehen hatte, verließ die Frau das Zimmer* (Vorzeitigkeit). Die Frage lautet: *Wann? Wie lange? Wie oft? Seit wann?*

Tempus (Zeitform)

Konjugationsform des →Verbs zur zeitlichen Bestimmung einer Handlung, eines Vorgangs oder Zustands. Im Deutschen gibt es sechs Tempora; zwei eigentliche (Präsens und Präteritum) und vier zusammengesetzte (Perfekt, Plusquamperfekt, Futur I, Futur II). Vgl. Deklinations- und Konjugationstabellen.
Diesen sechs Zeitformen (Tempora) stehen drei Zeitstufen gegenüber: Vergangenheit, Gegenwart, Zukunft. Dabei ist es keineswegs so, dass eine Zeitform immer einer Zeitstufe entspricht, wie das Beispiel der Präsensform zeigt:
Mit dem Präsens können sowohl Gegenwärtiges *(Ich lebe in Herrsching),* Vergangenes *(Goethe geht 1765 nach Leipzig)* wie auch Zukünftiges *(Nächste Woche ist Gabriele in New York)* ausgedrückt werden. Deshalb ist die Gleichsetzung: Präsens = Gegenwart falsch, ebenso wie jene des Perfekt = Vergangenheit, weil mit der Zeitform Perfekt sowohl abgeschlossene Handlungen im Vergangenen wie Zukünftigen ausgedrückt werden, oder die des Futur I und Futur II, die sowohl Zukünftiges *(Er wird morgen abreisen)* wie die Vermutung bzw. Wahrscheinlichkeit (Modus) ausdrücken *(Er wird schon hier sein).* Lediglich Präteritum und Plusquamperfekt drücken immer Vergangenes aus, sind also vergangenheitsreferenziell.
Es muss daher stets zwischen den sechs Zeitformen (lateinische Termini) und den drei Zeitstufen (deutsche Benennungen) unterschieden werden.

Textlinguistik

Zweig der Sprachwissenschaft, der sich mit Problemen von Texten gesprochener und geschriebener Sprache beschäftigt. Die Textlinguistik untersucht Elemente der Satzverknüpfung (→Konjunktionen, voraus- und zurückverweisende Elemente wie →Anaphern und →Kataphern, →Thema-Rhema-Struktur), Probleme der sprachlichen →Deixis (Zeigefeld der Sprache) und klassifiziert Textsorten (private, wissenschaftliche, didaktische und publizistische Textsorten). In jüngster Zeit werden vor allem Texte der Jugendsprache und der Frauensprache auf ihre Besonderheiten untersucht.

Thema

Im Rahmen der Prager Untersuchungen zur funktionalen Satzperspektive jener Teil des Satzes, der bereits bekannt ist. Gegenteil: →Rhema.

Thema-Rhema-Struktur

Abfolge von Gliedern im Text, häufig als Wechsel von bekannten und neuen Aussagen mit wachsender Informationsverdichtung zu verstehen. Unterschieden werden fünf Typen der Textprogression: einfache lineare Progression, Progression mit einem durchlaufenden Thema, Progression mit gespaltenem(en) Thema(en), Progression mit abgeleiteten Themen, Progression mit einem thematischen Sprung.

Titel

1. Schreibung: Adjektive, Pronomen und Zahlwörter als Bestandteile eines Titels oder Namens schreibt man groß: *Ludwig der Strenge, der Alte Fritz, der Erste Sekretär der Kommunistischen Partei; Seine Durchlaucht.*
Steht ein Adjektiv nicht am Beginn des Titels, kann man es auch kleinschreiben: *Verein für christlich-jüdische Zusammenarbeit; Club der hanseatischen Kaufleute.*
2. Deklination: Titel mit dem vorausgehenden Artikel werden dekliniert: *des Studienrats Mayer, die Studienräte Mayer, Klein und Hofer.* Stehen Titel und Name ohne Artikel, so wird der Name dekliniert: *Studienrat Mayers Vorschläge.* Der Titel »Herr« wird immer dekliniert, ob mit oder ohne Artikel: *der Brief des Herrn Hofer, Herrn Hofers Brief, mit Herrn Hofer, für Herrn Hofer, die Herren Klein und Hofer.* Steht »Herr« vor einem weiteren Titel, so wird in der Regel auch der zweite Titel dekliniert: *die Anweisungen des Herrn Doktors* (auch: *des Herrn Doktor*), *die Rede des Herrn Bundespräsidenten.* Die beiden Titel »Doktor« und »Professor« nehmen eine gewisse Sonderstellung ein, da sie als zum Namen gehörig empfunden werden. Sie werden deshalb in Verbindung mit dem Namen meist nicht dekliniert: *die Anweisungen des Herrn Doktor Klein, des Herrn Professor Voigt,* aber: *die Rede des Herrn Bundespräsidenten von Weizsäcker, des Herrn Bundespräsidenten Professor Dr. Herzog.* Vgl. ›Die neuen Regeln der Rechtschreibung‹.

Titel von Büchern, Zeitungen u. Ä.

Titel von Schrift- und Musikwerken, Zeitschriften usw. werden auch dann dekliniert, wenn sie in Anführungszeichen stehen, z. B.: *Gottfried Kellers »Grüner Heinrich«, eine Stelle aus der »Versunkenen Glocke« von Gerhart Hauptmann, die Maler des »Blauen Reiters«, der erste Teil des »Tagebuchs« von Max Frisch.* Will man den vollständigen, unveränderten Titel angeben, so muss man die Gattungsbezeichnung zu Hilfe nehmen: *eine Stelle aus Kellers Roman »Der grüne Heinrich«, aus dem Schauspiel »Die versunkene Glocke« von Hauptmann.*

Tonhöhenverlauf

Bei der Aussprache von Sätzen werden unterschieden:
1. terminaler (abschließender) Tonhöhenverlauf:
Gestern ist er abgereist. ------↓
2. progredienter (weitergehender) Tonhöhenverlauf:
Gestern ist er gekommen, und heute … --------→
3. interrogativer (steigender) Tonhöhenverlauf: *Kommst du morgen?* -------↑

transitive und intransitive Verben

In der traditionellen Grammatik sind transitive (»zielende«) Verben solche, die ein Akkusativobjekt bei sich haben müssen oder können *(bringen, essen),* intransitive Verben hingegen jene, die kein Akkusativobjekt bei sich haben können: Verben ohne Ergänzung (*regnen, schneien*, aber auch *blühen*), Verben mit Genitivobjekt *(gedenken),* Dativobjekt *(helfen)* oder Präpositionalobjekt *(abhängen von);* gelegentlich wird noch zwischen transitivem und intransitivem Gebrauch unterschieden *(Ich trockne die Wäsche. Die Wäsche trocknet.).* Vor allem aber werden obligatorische Ergänzungen und fakultative/weglassbare Teile nicht genau unterschieden (vgl. *bringen* + obligatorische Akkusativergänzung, *essen* + fakultative Akkusativergänzung).
In modernen Grammatiken wurde wegen dieser Ungenauigkeit die Unterscheidung transitiv-intransitiv verworfen und stattdessen der Begriff der →Valenz eingeführt.

trennbare Vorsilbe bei Verben

→Präfix

Umlaut

Die Laute *ä, ö, ü* sowie *äu.* Der Umlaut ist hauptsächlich in der Konjugation *(ich laufe, du läufst),* bei der Pluralbildung *(Nuss, Nüsse)* und bei Ableitungen *(Rose, Röschen; jung, Jüngling)* zu beobachten.
Da die Umlaute in unserem aus dem Lateinischen übernommenen Alphabet nicht vorkommen, bereitet ihre Einordnung in alphabetisch geführten Schriftstücken, Büchern, Verzeichnissen usw. Schwierigkeiten. Während nach den DIN-Regeln für die alphabetische Ordnung *ä = ae, ö = oe* usw. zu setzen und entsprechend einzuordnen ist – eine Regelung, der z. B. unsere Telefonbücher folgen –, haben Nachschlagewerke und insbesondere Wörterbücher vielfach den Grundsatz, *ä* als *a, ö* als *o* usw. zu behandeln, also beim Einordnen den Umlaut unbeachtet zu lassen. Für Wörterbücher ist diese Regelung vorzuziehen, da sie der Herkunft nach zusammengehörende Wörter besser zusammenhält. Auf Schreibmaschinen, die keine besonderen Zeichen für die Umlaute aufweisen, wird gewöhnlich *ä* durch *ae, ö* durch *oe* usw. ersetzt. Einwandfrei ist jedoch nur die Schweibweise mit *ä, ö* usw., auch in Fremdwörtern wie z. B. *Diät, Diözese.*

Überkreuzstellung von Satzgliedern

Chiasmus. Beim Chiasmus stehen, aus Gründen der stilistischen Hervorhebung, Satzglieder einander gegenüber: *Groß war der Einsatz, der Gewinn war klein!*

Valenz (Wertigkeit)

Unter »Valenz« wird die Eigenschaft von Verben, Substantiven und Adjektiven verstanden, nach Art und Zahl (Wertigkeit) unterschiedliche →Ergänzungen an sich zu binden. Umgekehrt sind diese Ergänzungen abhängig vom Verb, Substantiv oder Adjektiv.
Eine Grammatik, die eine Wortart – im Deutschen zumeist das Verb – in das Zentrum des Satzes stellt und von hier aus Klassen von (obligatorischen) Ergänzungen analysiert, heißt Valenzgrammatik. Mithilfe syntaktischer Proben (Austauschprobe, Ersatzprobe usw.) werden jene Satzglieder (Ergänzungen) ermittelt, die beim jeweiligen Verb konstitutiv, also für das grammatische Minimum unverzichtbar sind (nicht weglassbar). Danach werden folgende Verbklassen unterschieden:
1. nullwertige Verben: *Es regnet. Es schneit.* (subjektlos)
2. einwertige Verben: *Michaela schläft.* (Subjekt)

3. zweiwertige Verben: *Ich kenne den Mann.* (Subjekt + Akkusativergänzung)
Sie hilft ihrer Mutter.
(Subjekt + Dativergänzung)
4. dreiwertige Verben: *Sie stellt die Vase auf den Tisch.*
(Subjekt + Akkusativergänzung + Richtungsergänzung)
Sie ernennt ihn zum Nachfolger.
(Subjekt + Akkusativergänzung + Präpositionalergänzung)
Sie wirft ihm das Buch an den Kopf.
(Subjekt + Akkusativergänzung + Richtungsergänzung mit Pertinenzdativ)

Die Beschreibung der Valenzen von Verben, Substantiven *(Hoffnung auf, Abhängigkeit von)* und Adjektiven *(verantwortlich sein für, dankbar sein)* hat sich als geeignet für die Syntax (Satzlehre) der deutschen Sprache erwiesen und wird in zahlreichen modernen Grammatiken und Lehrbüchern der Gegenwartssprache angewendet.

Varianten (Varietäten) Die →Standardsprache mit ihrer geschriebenen und gesprochenen Form stellt die Norm der deutschen Gegenwartssprache dar. Daneben existieren zahlreiche Varianten der Sprache: diastratische Varianten (schichtenspezifische Varianten, z.B. Unterschicht, Mittel- und Oberschicht einer Gesellschaft), diatopische Varianten (Dialekte, Mundarten), diaphasische Varianten (Stilvarianten wie familiärer, offizieller oder poetischer Stil) sowie diachronische Varianten (Sprachwandelprozesse in der historischen Entwicklung).

Verb(um) (Tätigkeitswort) Wort zur Bezeichnung von Handlungen, Vorgängen und Zuständen mit der Fähigkeit, andere Wortarten als Ergänzungen an sich zu binden (→Valenz). Strukturelles Zentrum des Satzes, das durch die →Konjugation (Flexion) in der →Person, im →Numerus, →Genus verbi, →Modus, →Tempus und in der →Aktionsart bestimmt wird. Beispiel: *Er ist geschwommen;* Person: dritte; Numerus: Singular; Genus: Aktiv; Modus: Indikativ; Tempus: Perfekt; Aktionsart: durativ. – Im Satz steht das Verb meist als →Prädikat: *Ich schwimme gern;* als substantivierter Infinitiv kann es Subjekt sein: *Schwimmen ist gesund.*
Diejenigen Formen des Verbs, die Person und Numerus erkennen lassen, nennt man »finite« (bestimmte) Formen; z.B. ist die Form *schwimmst* durch die zweite Person Singular bestimmt. Die »infiniten« (unbestimmten) Formen des Verbs sind Infinitiv *(schwimmen),* Partizip I *(schwimmend)* und Partizip II *(geschwommen);* sie sagen allein stehend nichts über Person und Numerus aus. Es gibt einfache Verben *(gehen),* zusammengesetzte Verben *(kennenlernen)* und abgeleitete Verben *(buchstabieren).* Unterschieden werden ferner →regelmäßige (schwache) und →unregelmäßige (starke) Verben, daneben →reflexive und →reziproke Verben sowie →Hilfsverben und →Modalverben. Vgl. transitive und intransitive Verben, reflexive Verben, *haben* oder *sein* im Perfekt der Verben, Valenz.

Verbzusatz Trennbares Präfix des Verbs, kann nicht allein im Vorfeld (→Satzfeld) stehen: *heim-fahren, offen-halten.*

Vergangenheit Eine der drei Zeitstufen jeder natürlichen Sprache. Im Deutschen sind Präteritum und Plusquamperfekt die charakteristischen Zeitformen (Tempora) der Vergangenheit, daneben das Perfekt für den Ausdruck abgeschlossener Handlungen, die aber, im Zusammenhang mit einer Temporalangabe, auch zukünftig sein können *(Morgen habe ich die Arbeit beendet).*

Vergleichssatz →Angabesatz

Verhältniswort →Präposition

Verkleinerungsform →Diminutiv

verkürzter Nebensatz Nebensatz ohne konjunktionale Einleitung, der mit einem Partizip gebildet wird: *Von der Aussicht auf Millionengewinne geblendet, stürzte er sich in Investitionen, die ihn ruinierten.* (Umzuformen in einen Nebensatz: *Weil er von der Aussicht auf Millionengewinne geblendet war, stürzte er …).*

Vokal
(Selbstlaut)

Laut, bei dem die Atemluft frei ausströmen kann (im Unterschied zum →Konsonanten): *a, e, i, o, u;* vgl. Diphthong, Umlaut. In anderen Sprachen, z. B. im Französischen und Portugiesischen, gibt es auch nasalierte Vokale (Nasalvokale), bei denen ein Teil des Atemstroms durch die Nase geleitet wird, z. B. in frz. *Chanson* [ʃɑ̃sɔ̃], *Saint* [sɛ̃], *Verdun* [verdɑ̃], portugies. *São* [sɑ̃u].

Völkernamen

Zusammensetzungen von Völkernamen als Bezeichnungen für Personen schreibt man mit Bindestrich, wenn beide Bestandteile gleichermaßen betont sein sollen: so ist *Anglo-Amerikaner* der Sammelbegriff für Engländer und Amerikaner. Dagegen ist ein *Angloamerikaner* ein Amerikaner englischer Herkunft. Ebenso schreibt man zusammen: *Deutschfranzose, Deutschschweizer:* Franzose bzw. Schweizer mit einem deutschen Elternteil. Adjektivisch gebrauchte Völkernamen schreibt man in Zusammensetzungen mit Bindestrich, wenn beide Bestandteile eine gewisse Eigenständigkeit behalten haben: *das deutsch-belgische Kulturabkommen, die spanisch-französische Grenze, der Deutsch-Französische Krieg von 1870/71.* Man kann solche Verbindungen jedoch auch zusammenschreiben, besonders wenn ein Bestandteil der näheren Bestimmung des anderen dient, z. B.: *die frankokanadische Minderheit.* Vgl. ›Die neuen Regeln mit Erläuterungen‹.

Vorfeld

Teil des →Satzfeldes.

Vornamen

1. Schreibung: Die Schreibung der Vornamen richtet sich nicht immer nach den Rechtschreibregeln, sondern wird oft von individuellen Gesichtspunkten beeinflusst. Es kommen vor: *Claus* neben *Klaus, Eckehart* neben *Ekkehart, Eckhart, Eckart, Eckard* oder *Eckhard, Günther* neben *Günter, Siegrid* neben *Sigrid.* Die Schreibung fremdstämmiger Vornamen mit *ph, th, ch* wird zunehmend der deutschen Schreibung angeglichen. So findet man heute fast nur noch *Josef* u. a. statt *Joseph;* gelegentlich schreibt man *Teo* und *Käte* statt *Theo* und *Käthe;* es gibt auch vereinzelt Schreibungen wie *Kristine* und *Kristof* statt *Christine* und *Christoph.*

Doppelnamen kann man zusammen- oder mit Bindestrich schreiben, man findet sie jedoch auch getrennt: *Marieluise, Marie-Luise* oder *Marie Luise, Fritz-Heinrich* oder *Fritzheinrich.* Immer getrennt schreibt man diejenigen Doppelnamen, bei denen jeder einen Hauptton trägt: *Anna Amalia, Wolfgang Amadeus.*

Zusammensetzungen, die einen einheitlichen Begriff bilden, schreibt man zusammen: *Gänseliesel, Heulpeter, Prahlhans, Transuse.* Die besonders mundartlich gebräuchlichen Zusammensetzungen mit Berufsbezeichnungen schreibt man meist mit Bindestrich: *Schreiner- Sepp, Jager-Loisl.*

2. Deklination: Der Genitiv wird mit dem Genitiv-*s* gebildet, wenn kein Artikel vorausgeht: *Peters Zimmer, Giselas Bruder, die Politik Friedrichs des Großen,* oder: *Friedrichs des Zweiten (Friedrichs II.).*

Bei den Namen, die auf *s* oder *z* enden, wird das Genitiv-*s* durch einen Apostroph ersetzt: *Hans' Zimmer, Heinz' Schwester.* Geht dem Namen eine Verwandtschaftsbezeichnung oder ein Titel ohne Artikel voraus, so erhält der Name ebenfalls ein *s: Onkel Heinrichs Brief, Tante Evas Geschenk, König Friedrichs Politik.* Geht der Artikel dem Namen voraus, so erhält der Name kein *s: des kleinen Peter.* Geht dem Namen eine Verwandtschaftsbezeichnung oder ein Titel mit Artikel bzw. Pronomen voraus, so erhalten Verwandtschaftsbezeichnung und Titel das *-s: der Brief meines Onkels Heinrich, die Politik des Königs Friedrich des Zweiten (des Königs Friedrich II.).*

Gelegentlich und häufig mit ironischem Unterton werden Vornamen auch in den Plural gesetzt. Dafür gibt es Bildungen mit angehängtem *-e (Wir haben in unserer Schule drei Heinriche),* mit *-s (zwei Evas, vier Michaels),* mit *-n* oder *-en (zwei Christianen, drei Gudrunen)* oder ohne Endung *(zwei Peter, zwei Gretel,* ugs. auch: *Gretels*) gegebenenfalls auch mit verdoppeltem *-s* und *-e (ihr seid ja zwei ungläubige Thomasse).* Vgl. ›Die neuen Regeln mit Erläuterungen‹.

Vorsilbe

→Präfix

Vorvergangenheit

→Plusquamperfekt

weibliches Geschlecht

Femininum; →Genus

Wemfall →Dativ

Wenfall →Akkusativ

Werfall →Nominativ

werden-Passiv (Vorgangspassiv) →Passiv

Wertigkeit →Valenz

Wesfall →Genitiv

w-Satz →Ergänzungssatz

Witterungsverb →Verb, →Valenz

Wortklasse Je nach der Grammatiktheorie lassen sich alle Wörter einer natürlichen Sprache wie des Deutschen Wortklassen zuordnen. Die →Valenzgrammatik klassifiziert fünf flektierbare (deklinierbare bzw. konjugierbare) und fünf (im Regelfall) unflektierbare Wortklassen:
1. flektierbare Wortklassen: Verb, Substantiv, Adjektiv, Artikelwörter, Pronomen;
2. unflektierbare Wortklassen: Adverb, Präposition, Konjunktion, Partikel, Interjektion/Satzwort.

Wortstellung →Satzgliedstellung

wörtliche Rede →direkte Rede

Wunschsatz Unterkategorie der →Satzarten im →Konjunktiv I oder Konjunktiv II mit dem Verb in Spitzen-, Zweit- oder Endstellung: *Wäre ich doch Millionär! Wenn ich doch Millionär wäre! Edel sei der Mensch, hilfreich und gut!* Oft werden zur Verstärkung des Wunsches Modalpartikeln *(doch, nur)* hinzugefügt.

Zahladjektiv Syntaktisch verhalten sich die traditionellen Zahlwörter (→Numerale) wie attributiv gebrauchte Adjektive; sie werden deshalb zu den Adjektiven gerechnet. Unterschieden werden:
1. Kardinalzahlen (Grundzahlen): *eins, drei, hundert*;
2. Ordinalzahlen (Ordnungszahlen): *der erste, die vierhundertste*;
3. Bruchzahlen: *drittel, zehntel*;
4. Gattungszahlen: *dreierlei, hunderterlei*;
5. Wiederholungszahlen: *zweimal, zweifach*;
6. Einteilungszahlen: *erstens, zehntens*;
7. unbestimmte Zahladjektive: *einzeln(e), viel(e)*.

Zahlen und Ziffern 1. Groß- oder Kleinschreibung: In Verbindung mit einem Substantiv oder Pronomen schreibt man Zahlen klein: *drei Äpfel, wir zwei, drei von uns.* In Verbindung mit dem Artikel schreibt man sie groß: *die Sieben, ein knappes Hundert.*
Ordnungszahlen werden kleingeschrieben, wenn sie ein Glied oder eine Person in einer Reihenfolge bezeichnen: *Er war der zehnte in der Schlange vor der Kasse.* Man schreibt sie jedoch groß, wenn sie einen Rang bezeichnen: *Er wurde bei dem Wettkampf Zweiter.* In Verbindung mit Namen schreibt man sie ebenfalls groß: *Friedrich der Zweite.*
2. Zusammen- oder Getrenntschreibung: Zahlen bis zu einer Million schreibt man zusammen: *dreihundert, achttausend.* Daher: *eine Million vierhundert(und)achtzig.* Steht eine Zahl als Bestimmungswort in einer Zusammensetzung, so schreibt man diese zusammen: *Zwölftonmusik, Zwanzigmarkschein, vierhändig, dreiteilig.* Will man die Zahl in Ziffern schreiben, so schreibt man sie in Verbindung mit zwei Wörtern mit Bindestrich: *20-Mark-Schein, 100-Meter-Lauf;* in Verbindung mit nur einem Substantiv schreibt man Zahlen am besten in Buchstaben, z. B. *Achttonner.*

3. Schreibung in Buchstaben oder Ziffern: Zahlen unter zwölf schreibt man im laufenden Text meist in Buchstaben, über zwölf in Ziffern, besonders wenn es sich um sehr hohe, in Buchstabenschrift unübersichtliche Zahlen handelt. Man schreibt die Ziffern in Dreiergruppen, von hinten nach vorn gegliedert: *1 400 570.* Ausnahmen sind die Telefonnummern, die nach postamtlicher Regelung in Zweiergruppen, von hinten nach vorn gegliedert, geschrieben werden: *6 12 43 46.*
4. Zahlenbereiche können mit Bindestrich oder mit *bis* verbunden werden: *1985–1995,* oder: *1985 bis 1995,* oder: *von 1985 bis 1995; 16–18 Uhr,* oder: *von 16 bis 18 Uhr; 12–14 Kilo,* oder: *12 bis 14 Kilo.* Bei zwei aufeinander folgenden Jahreszahlen kann man statt des Bindestrichs auch einen Schrägstrich setzen: *1995/1996* oder: *1995/96.*
5. In Datumsangaben werden die Ziffern für Tag und Monat mit Punkt geschrieben: *27.9.1995* oder: *27.9.95.* Neuerdings begegnet man auch dieser Schreibweise: *95-09-27;* →Datum. Vgl. ›Die neuen Regeln mit Erläuterungen‹.

Zeichenfunktion Nach Karl Bühler hat das sprachliche Zeichen (Wort, Satz, Text) drei Funktionen: Appell (»*du*-Funktion«), Ausdruck (»*ich*-Funktion«), Darstellung (»*es*-Funktion«). So wird mit dem Verb *auffordern* ein Appell an einen Gesprächspartner gerichtet, mit Verben des Sagens, Denkens und Fühlens *(glauben, denken, lieben)* einer Empfindung Ausdruck verliehen, während mit Verben der sachlichen Kommunikation *(diskutieren, beschreiben, analysieren)* etwas dargestellt bzw. erläutert wird.

Zeichensetzung Vgl. ›Die neuen Regeln mit Erläuterungen‹.

Zeitangabe →Datum, →Zahlen und Ziffern

Zeitenfolge →Consecutio temporum

Zeitform →Tempus

Zeitstufe →Vergangenheit, →Gegenwart, →Zukunft

Zukunft Zeitstufe des sich demnächst Ereignenden bzw. noch nicht eingetretenen Geschehens. Die dafür verwendeten Tempusformen sind im Regelfall Futur I und Futur II (beide mit starkem modalen Akzent: *Er wird morgen (wohl) angekommen sein.)* sowie, vor allem in der gesprochenen Sprache, das Präsens mit einer Temporalangabe: *Nächste Woche bin ich in Paris.*

Zusammen- und Getrenntschreibung Vgl. ›Die neuen Regeln mit Erläuterungen‹

zusammengesetzter Satz →Satz, →Parataxe, →Hypotaxe, →Nebensatz

zusammengesetztes Verb →Verb

zusammengesetztes Wort →Kompositum

Zusammentreffen von drei gleichen Konsonanten Mit dem Inkrafttreten der Rechtschreibreform werden sowohl bei nachfolgendem Konsonanten wie Vokal alle drei gleichen Konsonanten geschrieben: *Schifffracht, Schifffahrt.* Vgl. ›Die neuen Regeln mit Erläuterungen‹.

Zustandspassiv →Passiv

Zweitstellung des Verbs im Aussagesatz →Hauptstellungstypen im Satz, →Satzgliedstellung

Zwielaut → Diphthong

Deklinations- und Konjugationstabellen

Deklination des Personalpronomens

	Singular					Plural		
Nominativ	ich	du	er	sie	es	wir	ihr	sie
Genitiv	meiner	deiner	seiner	ihrer	seiner	unser	euer	ihrer
Dativ	mir	dir	ihm	ihr	ihm	uns	euch	ihnen
Akkusativ	mich	dich	ihn	sie	es	uns	euch	sie

Deklination des Demonstrativpronomens

Singular	*Nominativ*	der	die	das
	Genitiv	dessen	deren	dessen
	Dativ	dem	der	dem
	Akkusativ	den	die	das
Plural	*Nominativ*	die	die	die
	Genitiv	derer, deren	derer, deren	derer, deren
	Dativ	denen	denen	denen
	Akkusativ	die	die	die
Singular	*Nominativ*	dieser Mann	diese Frau	dieses Kind
	Genitiv	dieses Mannes	dieser Frau	dieses Kindes
	Dativ	diesem Mann(e)	dieser Frau	diesem Kind(e)
	Akkusativ	diesen Mann	diese Frau	dieses Kind
Plural	*Nominativ*	diese Männer	diese Frauen	diese Kinder
	Genitiv	dieser Männer	dieser Frauen	dieser Kinder
	Dativ	diesen Männern	diesen Frauen	diesen Kindern
	Akkusativ	diese Männer	diese Frauen	diese Kinder

Deklination des Interrogativpronomens

Singular	*Nominativ*	wer, was	welcher Mann	welche Frau	welches Kind
	Genitiv	wessen	welches / welchen } Mannes	welcher Frau	welches / welchen } Kindes
	Dativ	wem	welchem Mann(e)	welcher Frau	welchem Kind(e)
	Akkusativ	wen, was	welchen Mann	welche Frau	welches Kind
Plural	*Nominativ*		welche Männer	welche Frauen	welche Kinder
	Genitiv		welcher Männer	welcher Frauen	welcher Kinder
	Dativ		welchen Männern	welchen Frauen	welchen Kindern
	Akkusativ		welche Männer	welche Frauen	welche Kinder

Deklination des Possessivpronomens

1. Person Singular

Singular	*Nominativ*	mein Bruder	meine Schwester	mein Kind
	Genitiv	meines Bruders	meiner Schwester	meines Kindes
	Dativ	meinem Bruder	meiner Schwester	meinem Kind(e)
	Akkusativ	meinen Bruder	meine Schwester	mein Kind
Plural	*Nominativ*	meine Brüder	meine Schwestern	meine Kinder
	Genitiv	meiner Brüder	meiner Schwestern	meiner Kinder
	Dativ	meinen Brüdern	meinen Schwestern	meinen Kindern
	Akkusativ	meine Brüder	meine Schwestern	meine Kinder

2. Person Singular

Singular	*Nominativ*	dein Bruder	deine Schwester	dein Kind
	Genitiv	deines Bruders	deiner Schwester	deines Kindes

	Dativ	deinem Bruder	deiner Schwester	deinem Kind(e)
	Akkusativ	deinen Bruder	deine Schwester	dein Kind
Plural	*Nominativ*	deine Brüder	deine Schwestern	deine Kinder
	Genitiv	deiner Brüder	deiner Schwestern	deiner Kinder
	Dativ	deinen Brüdern	deinen Schwestern	deinen Kindern
	Akkusativ	deine Brüder	deine Schwestern	deine Kinder

3. Person Singular

Singular	*Nominativ*	sein, ihr Bruder	seine, ihre Schwester	sein, ihr Kind
	Genitiv	seines, ihres Bruders	seiner, ihrer Schwester	seines, ihres Kindes
	Dativ	seinem, ihrem Bruder	seiner, ihrer Schwester	seinem, ihrem Kind(e)
	Akkusativ	seinen, ihren Bruder	seine, ihre Schwester	sein, ihr Kind
Plural	*Nominativ*	seine, ihre Brüder	seine, ihre Schwestern	seine, ihre Kinder
	Genitiv	seiner, ihrer Brüder	seiner, ihrer Schwestern	seiner, ihrer Kinder
	Dativ	seinen, ihren Brüdern	seinen, ihren Schwestern	seinen, ihren Kindern
	Akkusativ	seine, ihre Brüder	seine, ihre Schwestern	seine, ihre Kinder

1. Person Plural

Singular	*Nominativ*	unser Bruder	unsere Schwester	unser Kind
	Genitiv	unseres Bruders	unserer Schwester	unseres Kindes
	Dativ	unserem Bruder	unserer Schwester	unserem Kind(e)
	Akkusativ	unseren Bruder	unsere Schwester	unser Kind
Plural	*Nominativ*	unsere Brüder	unsere Schwestern	unsere Kinder
	Genitiv	unserer Brüder	unserer Schwestern	unserer Kinder
	Dativ	unseren Brüdern	unseren Schwestern	unseren Kindern
	Akkusativ	unsere Brüder	unsere Schwestern	unsere Kinder

2. Person Plural

Singular	*Nominativ*	euer Bruder	eure Schwester	euer Kind
	Genitiv	eures Bruders	eurer Schwester	eures Kindes
	Dativ	eurem Bruder	eurer Schwester	eurem Kind(e)
	Akkusativ	euren Bruder	eure Schwester	euer Kind
Plural	*Nominativ*	eure Brüder	eure Schwestern	eure Kinder
	Genitiv	eurer Brüder	eurer Schwestern	eurer Kinder
	Dativ	euren Brüdern	euren Schwestern	euren Kindern
	Akkusativ	eure Brüder	eure Schwestern	eure Kinder

3. Person Plural

Singular	*Nominativ*	ihr Bruder	ihre Schwester	ihr Kind
	Genitiv	ihres Bruders	ihrer Schwester	ihres Kindes
	Dativ	ihrem Bruder	ihrer Schwester	ihrem Kind(e)
	Akkusativ	ihren Bruder	ihre Schwester	ihr Kind
Plural	*Nominativ*	ihre Brüder	ihre Schwestern	ihre Kinder
	Genitiv	ihrer Brüder	ihrer Schwestern	ihrer Kinder
	Dativ	ihren Brüdern	ihren Schwestern	ihren Kindern
	Akkusativ	ihre Brüder	ihre Schwestern	ihre Kinder

Starke Deklination des Substantivs

		Singular	*Plural*	*Singular*	*Plural*
			Maskulinum		
1	*Nominativ*	der Weg	die Wege	der Greis	die Greise
	Genitiv	des Weg(e)s	der Wege	des Greises	der Greise
	Dativ	dem Weg(e)	den Wegen	dem Greis(e)	den Greisen
	Akkusativ	den Weg	die Wege	den Greis	die Greise

		Singular	*Plural*	*Singular*	*Plural*
	Nominativ	der Kürbis	die Kürbisse	der Riss	die Risse
	Genitiv	des Kürbisses	der Kürbisse	des Risses	der Risse
	Dativ	dem Kürbis	den Kürbissen	dem Riss	den Rissen
	Akkusativ	den Kürbis	die Kürbisse	den Riss	die Risse
			Femininum		
	Nominativ	die Drangsal	die Drangsale	die Kenntnis	die Kenntnisse
	Genitiv	der Drangsal	der Drangsale	der Kenntnis	der Kenntnisse
	Dativ	der Drangsal	den Drangsalen	der Kenntnis	den Kenntnissen
	Akkusativ	die Drangsal	die Drangsale	die Kenntnis	die Kenntnisse
			Neutrum		
	Nominativ	das Pferd	die Pferde	das Gleis	die Gleise
	Genitiv	des Pferd(e)s	der Pferde	des Gleises	der Gleise
	Dativ	dem Pferd(e)	den Pferden	dem Gleis(e)	den Gleisen
	Akkusativ	das Pferd	die Pferde	das Gleis	die Gleise
	Nominativ	das Ereignis	die Ereignisse	das Geschoss	die Geschosse
	Genitiv	des Ereignisses	der Ereignisse	des Geschosses	der Geschosse
	Dativ	dem Ereignis	den Ereignissen	dem Geschoss	den Geschossen
	Akkusativ	das Ereignis	die Ereignisse	das Geschoss	die Geschosse
	Nominativ	das Maß	die Maße		
	Genitiv	des Maßes	der Maße		
	Dativ	dem Maß(e)	den Maßen		
	Akkusativ	das Maß	die Maße		
			Maskulinum		
2	*Nominativ*	der Sohn	die Söhne	der Hals	die Hälse
	Genitiv	des Sohn(e)s	der Söhne	des Halses	der Hälse
	Dativ	dem Sohn(e)	den Söhnen	dem Hals(e)	den Hälsen
	Akkusativ	den Sohn	die Söhne	den Hals	die Hälse
	Nominativ	der Fluss	die Flüsse	der Spaß	die Späße
	Genitiv	des Flusses	der Flüsse	des Spaßes	der Späße
	Dativ	dem Fluss(e)	den Flüssen	dem Spaß(e)	den Späßen
	Akkusativ	den Fluss	die Flüsse	den Spaß	die Späße
			Femininum		
	Nominativ	die Maus	die Mäuse	die Nuss	die Nüsse
	Genitiv	der Maus	der Mäuse	der Nuss	der Nüsse
	Dativ	der Maus	den Mäusen	der Nuss	den Nüssen
	Akkusativ	die Maus	die Mäuse	die Nuss	die Nüsse
			Neutrum		
	Nominativ	das Floß	die Flöße		
	Genitiv	des Floßes	der Flöße		
	Dativ	dem Floß(e)	den Flößen		
	Akkusativ	das Floß	die Flöße		
			Maskulinum		
3	*Nominativ*	der Leib	die Leiber		
	Genitiv	des Leib(e)s	der Leiber		
	Dativ	dem Leib(e)	den Leibern		
	Akkusativ	den Leib	die Leiber		
			Neutrum		
	Nominativ	das Rind	die Rinder	das Ei	die Eier
	Genitiv	des Rind(e)s	der Rinder	des Ei(e)s	der Eier
	Dativ	dem Rind(e)	den Rindern	dem Ei(e)	den Eiern
	Akkusativ	das Rind	die Rinder	das Ei	die Eier

		Singular	Plural	Singular	Plural
			Maskulinum		
4	*Nominativ*	der Mann	die Männer	der Strauch	die Sträucher
	Genitiv	des Mann(e)s	der Männer	des Strauch(e)s	der Sträucher
	Dativ	dem Mann(e)	den Männern	dem Strauch(e)	den Sträuchern
	Akkusativ	den Mann	die Männer	den Strauch	die Sträucher
			Neutrum		
	Nominativ	das Blatt	die Blätter	das Gras	die Gräser
	Genitiv	des Blatt(e)s	der Blätter	des Grases	der Gräser
	Dativ	dem Blatt(e)	den Blättern	dem Gras(e)	den Gräsern
	Akkusativ	das Blatt	die Blätter	das Gras	die Gräser
	Nominativ	das Fass	die Fässer		
	Genitiv	des Fasses	der Fässer		
	Dativ	dem Fass(e)	den Fässern		
	Akkusativ	das Fass	die Fässer		
			Maskulinum		
5	*Nominativ*	der Kater	die Kater	der Sessel	die Sessel
	Genitiv	des Katers	der Kater	des Sessels	der Sessel
	Dativ	dem Kater	den Katern	dem Sessel	den Sesseln
	Akkusativ	den Kater	die Kater	den Sessel	die Sessel
			Neutrum		
	Nominativ	das Fenster	die Fenster	das Rätsel	die Rätsel
	Genitiv	des Fensters	der Fenster	des Rätsels	der Rätsel
	Dativ	dem Fenster	den Fenstern	dem Rätsel	den Rätseln
	Akkusativ	das Fenster	die Fenster	das Rätsel	die Rätsel
	Nominativ	das Gebirge	die Gebirge		
	Genitiv	des Gebirges	der Gebirge		
	Dativ	dem Gebirge	den Gebirgen		
	Akkusativ	das Gebirge	die Gebirge		
			Maskulinum		
6	*Nominativ*	der Vater	die Väter	der Vogel	die Vögel
	Genitiv	des Vaters	der Väter	des Vogels	der Vögel
	Dativ	dem Vater	den Vätern	dem Vogel	den Vögeln
	Akkusativ	den Vater	die Väter	den Vogel	die Vögel
			Femininum		
	Nominativ	die Tochter	die Töchter		
	Genitiv	der Tochter	der Töchter		
	Dativ	der Tochter	den Töchtern		
	Akkusativ	die Tochter	die Töchter		
			Neutrum		
	Nominativ	das Kloster	die Klöster		
	Genitiv	des Klosters	der Klöster		
	Dativ	dem Kloster	den Klöstern		
	Akkusativ	das Kloster	die Klöster		
			Maskulinum		
7	*Nominativ*	der Tropfen	die Tropfen		
	Genitiv	des Tropfens	der Tropfen		
	Dativ	dem Tropfen	den Tropfen		
	Akkusativ	den Tropfen	die Tropfen		

Deklinationstabellen

		Singular	*Plural*	*Singular*	*Plural*
			Neutrum		
	Nominativ	das Zeichen	die Zeichen		
	Genitiv	des Zeichens	der Zeichen		
	Dativ	dem Zeichen	den Zeichen		
	Akkusativ	das Zeichen	die Zeichen		
			Maskulinum		
8	*Nominativ*	der Graben	die Gräben		
	Genitiv	des Grabens	der Gräben		
	Dativ	dem Graben	den Gräben		
	Akkusativ	den Graben	die Gräben		
			Maskulinum		
9	*Nominativ*	der Kakadu	die Kakadus	der Trupp	die Trupps
	Genitiv	des Kakadus	der Kakadus	des Trupps	der Trupps
	Dativ	dem Kakadu	den Kakadus	dem Trupp	den Trupps
	Akkusativ	den Kakadu	die Kakadus	den Trupp	die Trupps
			Femininum		
	Nominativ	die Kobra	die Kobras	die Bar	die Bars
	Genitiv	der Kobra	der Kobras	der Bar	der Bars
	Dativ	der Kobra	den Kobras	der Bar	den Bars
	Akkusativ	die Kobra	die Kobras	die Bar	die Bars
			Neutrum		
	Nominativ	das Auto	die Autos	das Fräulein	die Fräuleins
	Genitiv	des Autos	der Autos	des Fräuleins	der Fräuleins
	Dativ	dem Auto	den Autos	dem Fräulein	den Fräuleins
	Akkusativ	das Auto	die Autos	das Fräulein	die Fräuleins

Schwache Deklination des Substantivs

		Singular	*Plural*	*Singular*	*Plural*
			Maskulinum		
10	*Nominativ*	der Held	die Helden		
	Genitiv	des Helden	der Helden		
	Dativ	dem Helden	den Helden		
	Akkusativ	den Helden	die Helden		
			Femininum		
	Nominativ	die Frau	die Frauen	die Bahn	die Bahnen
	Genitiv	der Frau	der Frauen	der Bahn	der Bahnen
	Dativ	der Frau	den Frauen	der Bahn	den Bahnen
	Akkusativ	die Frau	die Frauen	die Bahn	die Bahnen
	Nominativ	die Freundin	die Freundinnen		
	Genitiv	der Freundin	der Freundinnen		
	Dativ	der Freundin	den Freundinnen		
	Akkusativ	die Freundin	die Freundinnen		
			Maskulinum		
11	*Nominativ*	der Knabe	die Knaben	der Bauer	die Bauern
	Genitiv	des Knaben	der Knaben	des Bauern	der Bauern
	Dativ	dem Knaben	den Knaben	dem Bauern	den Bauern
	Akkusativ	den Knaben	die Knaben	den Bauern	die Bauern

	Singular	Plural	Singular	Plural
		Femininum		
Nominativ	die Blume	die Blumen	die Harmonie	die Harmonien
Genitiv	der Blume	der Blumen	der Harmonie	der Harmonien
Dativ	der Blume	den Blumen	der Harmonie	den Harmonien
Akkusativ	die Blume	die Blumen	die Harmonie	die Harmonien
Nominativ	die Feder	die Federn	die Wurzel	die Wurzeln
Genitiv	der Feder	der Federn	der Wurzel	der Wurzeln
Dativ	der Feder	den Federn	der Wurzel	den Wurzeln
Akkusativ	die Feder	die Federn	die Wurzel	die Wurzeln

Gemischte Deklination des Substantivs

		Singular	*Plural*	*Singular*	*Plural*
			Maskulinum		
12	*Nominativ*	der Strahl	die Strahlen	der Schmerz	die Schmerzen
	Genitiv	des Strahl(e)s	der Strahlen	des Schmerzes	der Schmerzen
	Dativ	dem Strahl(e)	den Strahlen	dem Schmerz(e)	den Schmerzen
	Akkusativ	den Strahl	die Strahlen	den Schmerz	die Schmerzen
			Neutrum		
	Nominativ	das Ohr	die Ohren	das Juwel	die Juwelen
	Genitiv	des Ohr(e)s	der Ohren	des Juwel(e)s	der Juwelen
	Dativ	dem Ohr(e)	den Ohren	dem Juwel	den Juwelen
	Akkusativ	das Ohr	die Ohren	das Juwel	die Juwelen
		Maskulinum		*Neutrum*	
13	*Nominativ*	der Doktor	die Doktoren	das Elektron	die Elektronen
	Genitiv	des Doktors	der Doktoren	des Elektrons	der Elektronen
	Dativ	dem Doktor	den Doktoren	dem Elektron	den Elektronen
	Akkusativ	den Doktor	die Doktoren	das Elektron	die Elektronen
			Maskulinum		
14	*Nominativ*	der Vetter	die Vettern	der Muskel	die Muskeln
	Genitiv	des Vetters	der Vettern	des Muskels	der Muskeln
	Dativ	dem Vetter	den Vettern	dem Muskel	den Muskeln
	Akkusativ	den Vetter	die Vettern	den Muskel	die Muskeln
	Nominativ	der See	die Seen		
	Genitiv	des Sees	der Seen		
	Dativ	dem See	den Seen		
	Akkusativ	den See	die Seen		
			Neutrum		
	Nominativ	das Auge	die Augen	das Marterl	die Marterln
	Genitiv	des Auges	der Augen	des Marterls	der Marterln
	Dativ	dem Auge	den Augen	dem Marterl	den Marterln
	Akkusativ	das Auge	die Augen	das Marterl	die Marterln
			Maskulinum		
15	*Nominativ*	der Name	die Namen		
	Genitiv	des Namens	der Namen		
	Dativ	dem Namen	den Namen		
	Akkusativ	den Namen	die Namen		

		Singular	*Plural*	*Singular*	*Plural*
		Neutrum			
16	*Nominativ*	das Herz	die Herzen		
	Genitiv	des Herzens	der Herzen		
	Dativ	dem Herzen	den Herzen		
	Akkusativ	das Herz	die Herzen		

Deklination des substantivierten Adjektivs

stark

		Singular	*Plural*
		Maskulinum	
17	*Nominativ*	ein Angestellter	viele Angestellte
	Genitiv	eines Angestellten	vieler Angestellter
	Dativ	einem Angestellten	vielen Angestellten
	Akkusativ	einen Angestellten	viele Angestellte
		Femininum	
	Nominativ	eine Angestellte	viele Angestellte
	Genitiv	einer Angestellten	vieler Angestellter
	Dativ	einer Angestellten	vielen Angestellten
	Akkusativ	eine Angestellte	viele Angestellte
		Neutrum	
	Nominativ	ein Ganzes	viele Ganze
	Genitiv	eines Ganzen	vieler Ganzer
	Dativ	einem Ganzen	vielen Ganzen
	Akkusativ	ein Ganzes	viele Ganze

schwach

		Maskulinum	
18	*Nominativ*	der Angestellte	die Angestellten
	Genitiv	des Angestellten	der Angestellten
	Dativ	dem Angestellten	den Angestellten
	Akkussativ	den Angestellten	die Angestellten
		Femininum	
	Nominativ	die Angestellte	die Angestellten
	Genitiv	der Angestellten	der Angestellten
	Dativ	der Angestellten	den Angestellten
	Akkusativ	die Angestellte	die Angestellten
		Neutrum	
	Nominativ	das Ganze	die Ganzen
	Genitiv	des Ganzen	der Ganzen
	Dativ	dem Ganzen	den Ganzen
	Akkusativ	das Ganze	die Ganzen

Deklination von Substantiven, die ein flektiertes Adjektiv enthalten

19	*Nominativ*	der Dummejungenstreich	die Dumme(n)jungenstreiche
	Genitiv	des Dumme(n)jungenstreichs	der Dumme(n)jungenstreiche
	Dativ	dem Dumme(n)jungenstreich	den Dumme(n)jungenstreichen
	Akkusativ	den Dumme(n)jungenstreich	die Dumme(n)jungenstreiche

Nominativ	ein Dummerjungenstreich	viele Dummejungenstreiche
Genitiv	eines Dumme(n)jungenstreichs	vieler Dumme(r)jungenstreiche
Dativ	einem Dumme(n)jungenstreich	vielen Dumme(n)jungenstreichen
Akkusativ	einen Dumme(n)jungenstreich	viele Dummejungenstreiche

Deklination des Adjektivs ohne Artikel, mit bestimmtem und unbestimmtem Artikel
(starke, schwache und gemischte Deklination)

Maskulinum

Singular

Nominativ	guter Freund	der gute Freund	ein guter Freund
Genitiv	guten Freundes	des guten Freundes	eines guten Freundes
Dativ	gutem Freund(e)	dem guten Freund(e)	einem guten Freund(e)
Akkusativ	guten Freund	den guten Freund	einen guten Freund

Plural

Nominativ	gute Freunde	die guten Freunde	keine guten Freunde
Genitiv	guter Freunde	der guten Freunde	keiner guten Freunde
Dativ	guten Freunden	den guten Freunden	keinen guten Freunden
Akkusativ	gute Freunde	die guten Freunde	keine guten Freunde

Femininum

Singular

Nominativ	schöne Blume	die schöne Blume	eine schöne Blume
Genitiv	schöner Blume	der schönen Blume	einer schönen Blume
Dativ	schöner Blume	der schönen Blume	einer schönen Blume
Akkusativ	schöne Blume	die schöne Blume	eine schöne Blume

Plural

Nominativ	schöne Blumen	die schönen Blumen	keine schönen Blumen
Genitiv	schöner Blumen	der schönen Blumen	keiner schönen Blumen
Dativ	schönen Blumen	den schönen Blumen	keinen schönen Blumen
Akkusativ	schöne Blumen	die schönen Blumen	keine schönen Blumen

Neutrum

Singular

Nominativ	kleines Kind	das kleine Kind	ein kleines Kind
Genitiv	kleinen Kindes	des kleinen Kindes	eines kleinen Kindes
Dativ	kleinem Kind(e)	dem kleinen Kind(e)	einem kleinen Kind(e)
Akkusativ	kleines Kind	das kleine Kind	ein kleines Kind

Plural

Nominativ	kleine Kinder	die kleinen Kinder	keine kleinen Kinder
Genitiv	kleiner Kinder	der kleinen Kinder	keiner kleinen Kinder
Dativ	kleinen Kindern	den kleinen Kindern	keinen kleinen Kindern
Akkusativ	kleine Kinder	die kleinen Kinder	keine kleinen Kinder

Vollständiges Konjugationsbeispiel (regelmäßiges Verbum)

Aktiv					**Passiv**		
Infinitiv		*Indikativ Präsens*			*Indikativ Präsens*	
fragen	ich frage wir fragen	du fragst ihr fragt	er (sie, es) fragt sie fragen	ich werde gefragt wir werden gefragt	du wirst gefragt ihr werdet gefragt	er (sie, es) wird gefragt sie werden gefragt
Imperativ		*Indikativ Präteritum*			*Indikativ Präteritum*	
frag! fragt!	ich fragte wir fragten	du fragtest ihr fragtet	er (sie, es) fragte sie fragten	ich wurde gefragt wir wurden gefragt	du wurdest gefragt ihr wurdet gefragt	er (sie, es) wurde gefragt sie wurden gefragt

	Indikativ Perfekt			*Indikativ Perfekt*	
ich habe gefragt wir haben gefragt	du hast gefragt ihr habt gefragt	er (sie, es) hat gefragt sie haben gefragt	ich bin gefragt worden	du bist gefragt worden	er (sie, es) ist gefragt worden
Im Folgenden ist als zweites Beispiel ein Verbum hinzugefügt, dessen Perfekt mit »sein« gebildet wird					
ich bin erkrankt wir sind erkrankt	du bist erkrankt ihr seid erkrankt	er (sie, es) ist erkrankt sie sind erkrankt	wir sind gefragt worden	ihr seid gefragt worden	sie sind gefragt worden
	Indikativ Plusquamperfekt			*Indikativ Plusquamperfekt*	
ich hatte gefragt wir hatten gefragt	du hattest gefragt ihr hattet gefragt	er (sie, es) hatte gefragt sie hatten gefragt	ich war gefragt worden	du warst gefragt worden	er (sie, es) war gefragt worden
ich war erkrankt wir waren erkrankt	du warst erkrankt ihr wart erkrankt	er war erkrankt sie waren erkrankt	wir waren gefragt worden	ihr wart gefragt worden	sie waren gefragt worden
	Indikativ Futur I			*Indikativ Futur I*	
ich werde fragen wir werden fragen	du wirst fragen ihr werdet fragen	er (sie, es) wird fragen	ich werde gefragt werden	du wirst gefragt werden	er (sie, es) wird gefragt werden
			wir werden gefragt werden	ihr werdet gefragt werden	sie werden gefragt werden

	Indikativ Futur II			*Indikativ Futur II*	
ich werde gefragt haben	du wirst gefragt haben	er (sie, es) wird gefragt haben	ich werde gefragt worden sein	du wirst gefragt worden sein	er (sie, es) wird gefragt worden sein
wir werden gefragt haben	ihr werdet gefragt haben	sie werden gefragt haben	wir werden gefragt worden sein	ihr werdet gefragt worden sein	sie werden gefragt worden sein
ich werde erkrankt sein	du wirst erkrankt sein	er (sie, es) wird erkrankt sein			
wir werden erkrankt sein	ihr werdet erkrankt sein	sie werden erkrankt sein			

	Konjunktiv I			*Konjunktiv II*	
ich frage	du fragest	er (sie, es) frage	ich fragte	du fragtest	er (sie, es) fragte
wir fragen	ihr fraget	sie fragen	wir fragten	ihr fragtet	sie fragten

Konjunktiv I/II der Verlaufsstufe: er frage/fragte
Konjunktiv I/II der Vollzugsstufe: er habe/hätte gefragt
Konjunktiv I/II der Erwartungsstufe: er werde/würde fragen; er werde/würde gefragt haben

Konjugation der regelmäßigen Verben

	Infinitiv	*Indikativ Präsens*			*Indikativ Präteritum*			*Imperativ*	*Partizip II*
1	lachen	lache	lachst	lacht	lachte	lachtest	lachte	lach!	gelacht
		-en	-t	-en	-ten	-tet	-ten	lacht!	
	fassen	fasse	fasst	fasst	fasste	fasstest	fasste	fass!	gefasst
		fassen	fasst	fassen	fassten	fasstet	fassten	fasst!	
2	baden	bade	badest	badet	badete	badetest	badete	bad(e)!	gebadet
		-en	-et	-en	-eten	-etet	-eten	badet!	
	zeichnen	zeichne	zeichnest	zeichnet	zeichnete	zeichnetest	-ete	zeichne!	gezeichnet
		-en	-et	-en	-eten	-etet	-eten	zeichnet!	
3	rasieren	rasiere	rasierst	rasiert	rasierte	rasiertest	rasierte	rasier(e)!	rasiert
		-en	-t	-en	-ten	-tet	-ten	rasiert!	

Konjugation der unregelmäßigen Verben

	Infinitiv	*Indikativ Präsens*			*Indikativ Präteritum*			*Imperativ*	*Partizip II*
4	backen	backe	bäckst	bäckt	buk	bukst	buk	back!	gebacken
		backen	backt	backen	-en	-t	-en	backt!	
	wird im Sprachgebrauch meist regelmäßig konjugiert								
5	befehlen	befehle	befiehlst	befiehlt	befahl	befahlst	befahl	befiehl!	befohlen
		befehlen	befehlt	befehlen	-en	-t	-en	befehlt!	
6	befleißen	befleiße	befleiß(es)t	befleißt	befliss	beflissest	befliss	befleiß(e)!	beflissen
		-en	-t	-en	-ssen	-sset	-ssen	befleißt!	
7	beginnen	beginne	beginnst	beginnt	begann	begannst	begann	beginn(e)!	begonnen
		-en	-t	-en	-en	-t	-en	beginnt!	
8	beißen	beiße	beißt	beißt	biss	bissest	biss	beiß!	gebissen
		-en	-t	-en	bissen	bisst	bissen	beißt!	

	Infinitiv	Indikativ Präsens			Indikativ Präteritum			Imperativ	Partizip II
9	bergen	berge bergen	birgst bergt	birgt bergen	barg -en	bargst -t	barg -en	birg! bergt!	geborgen
10	bersten	berste bersten	birst berstet	birst bersten	barst -en	barstest -et	barst -en	birst! berstet!	geborsten
11	bewegen	bewege -en	bewegst -t	bewegt -en	bewog -en	bewogst -t	bewog -en	beweg(e)! bewegt!	bewogen
	wird nur im Sinne von »veranlassen« unregelmäßig konjugiert								
12	biegen	biege -en	biegst -t	biegt -en	bog -en	bogst -t	bog -en	bieg! biegt!	gebogen
13	bieten	biete -en	bietest -et	bietet -en	bot -en	bot(e)st -et	bot -en	biet(e)! bietet!	geboten
14	binden	binde -en	bindest -et	bindet -en	band -en	band(e)st -et	band -en	bind(e)! bindet!	gebunden
15	bitten	bitte -en	bittest -et	bittet -en	bat -en	bat(e)st -et	bat -en	bitt(e)! bittet!	gebeten
16	blasen	blase blasen	bläst blast	bläst blasen	blies -en	blies(e)st -t	blies -en	blas! blast!	geblasen
17	bleiben	bleibe -en	bleibst -t	bleibt -en	blieb -en	bliebst -t	blieb -en	bleib! bleibt!	geblieben
18	braten	brate braten	brätst bratet	brät braten	briet -en	briet(e)st -et	briet -en	brat(e)! bratet!	gebraten
19	brechen	breche brechen	brichst brecht	bricht brechen	brach -en	brachst -t	brach -en	brich! brecht!	gebrochen
20	brennen	brenne -en	brennst -t	brennt -en	brannte -ten	branntest -tet	brannte -ten	brenne(e)! brennt!	gebrannt
21	bringen	bringe -en	bringst -t	bringt -en	brachte -ten	brachtest -tet	brachte -ten	bring! bringt!	gebracht
22	denken	denke -en	denkst -t	denkt -en	dachte -ten	dachtest -tet	dachte -ten	denk! denkt!	gedacht

	Infinitiv	*Indikativ Präsens*			*Indikativ Präteritum*			*Imperativ*	*Partizip II*
23	dingen	dinge	dingst	dingt	dang	dangst	dang	ding!	gedungen
		-en	-t	-en	-en	-t	-en	dingt!	
	wird auch regelmäßig konjugiert								
24	dreschen	dresche	drischst	drischt	drosch	droschst	drosch	drisch!	gedroschen
		dreschen	drescht	dreschen	-en	-t	-en	drescht!	
25	dringen	dringe	dringst	dringt	drang	drangst	drang	dring(e)!	gedrungen
		-en	-t	-en	-en	-t	-en	dringt!	
26	dürfen	darf	darfst	darf	durfte	durftest	durfte	–	gedurft
		dürfen	dürft	dürfen	-ten	-tet	-ten	–	
27	empfehlen	empfehle	empfiehlst	empfiehlt	empfahl	empfahlst	empfahl	empfiehl!	empfohlen
		empfehlen	empfehlt	empfehlen	-en	-t	-en	empfehlt!	
28	erbleichen	erbleiche	erbleichst	erbleicht	erblich	erblichst	erblich	erbleich(e)!	erblichen
		-en	-t	-en	-en	-t	-en	erbleicht!	
	wird heute meist regelmäßig konjugiert								
29	erkiesen	erkiese	erkies(es)t	erkiest	erkor	erkorst	erkor	erkies(e)	erkoren
		-en	-t	-en	-en	-t	-en	erkiest!	
30	erlöschen	erlösche	erlischst	erlischt	erlosch	erloschst	erlosch!	erlisch!	
		erlöschen	erlöscht	erlöschen	-en	-t	-en	erlöscht!	
						erlosch			
						-en			
31	essen	esse	isst	isst	aß	aßest	aß	iss!	gegessen
		essen	esst	essen	-en	-t	-en	esst!	
32	fahren	fahre	fährst	fährt	fuhr	fuhrst	fuhr	fahr!	gefahren
		fahren	fahrt	fahren	-en	-t	-en	fahrt!	
33	fallen	falle	fällst	fällt	fiel	fielst	fiel	fall!	gefallen
		fallen	fallt	fallen	-en	-t	-en	fallt!	
34	fangen	fange	fängst	fängt	fing	fingst	fing	fang!	gefangen
		fangen	fangt	fangen	-en	-t	-en	fangt!	
35	fechten	fechte	fichtst	ficht	focht	fochtest	focht	ficht!	gefochten
		fechten	fechtet	fechten	-en	-et	-en	fechtet!	
36	finden	finde	findest	findet	fand	fand(e)st	fand	find(e)!	gefunden
		-en	-et	-en	-en	-et	-en	findet!	

	Infinitiv	*Indikativ Präsens*			*Indikativ Präteritum*			*Imperativ*	*Partizip II*
37	flechten	flechte flechten	flichtst flechtet	flicht flechten	flocht -en	flochtest -et	flocht -en	flicht! flechtet!	geflochten
38	fliegen	fliege -en	fliegst -t	fliegt -en	flog -en	flogst -t	flog -en	flieg! fliegt!	geflogen
39	fliehen	fliehe -en	fliehst -t	flieht -en	floh -en	flohst -t	floh -en	flieh! flieht!	geflohen
40	fließen	fließe -en	fließ(es)t -t	fließt -en	floss flossen	flossest flosst	floss flossen	fließ(e)! fließt!	geflossen
41	fressen	fresse fressen	frisst fresst	frisst fressen	fraß -en	fraßest -t	fraß -en	friss! fresst!	gefressen
42	frieren	friere -en	frierst -t	friert -en	fror -en	frorst -t	fror -en	frier(e)! friert!	gefroren
43	gären	gäre -en	gärst -t	gärt -en	gor -en	gorst -t	gor -en	gär(e)! gärt!	gegoren
	wird auch regelmäßig konjugiert								
44	gebären	gebäre gebären	gebierst gebärt	gebiert gebären	gebar -en	gebarst -t	gebar -en	gebier! gebärt!	geboren
45	geben	gebe geben	gibst gebt	gibt geben	gab -en	gabst -t	gab -en	gib! gebt!	gegeben
46	gedeihen	gedeihe -en	gedeihst -t	gedeiht -en	gedieh -en	gediehst -t	gedieh -en	gedeih(e)! gedeiht!	gediehen
47	gehen	gehe -en	gehst -t	geht -en	ging -en	gingst -t	ging -en	geh! geht!	gegangen
48	gelingen	– –	– –	gelingt gelingen	– –	– –	gelang -en	geling! gelingt!	gelungen
49	gelten	gelte gelten	giltst geltet	gilt gelten	galt -en	galt(e)st -et	galt -en	gilt! geltet!	gegolten
50	genesen	genese -en	genes(es)t -t	genest -en	genas -en	genasest -t	genas -en	genes(e)! genest!	genesen
51	genießen	genieße -en	genießt -t	genießt -en	genoss genossen	genossest genosst	genoss genossen	genieß(e)! genießt!	genossen

	Infinitiv	*Indikativ Präsens*			*Indikativ Präteritum*			*Imperativ*	*Partizip II*
52	geschehen	–	–	geschieht	–	–	geschah	–	geschehen
		–	–	geschehen	–	–	-en	–	
53	gewinnen	gewinne	gewinnst	gewinnt	gewann	gewannst	gewann	gewinn(e)!	gewonnen
		-en	-t	-en	-en	-t	-en	gewinnt!	
54	gießen	gieße	gießt	gießt	goss	gossest	goss	gieß!	gegossen
		-en	-t	-en	-gossen	gosst	gossen	gießt!	
55	gleichen	gleiche	gleichst	gleicht	glich	glichst	glich	gleich(e)!	geglichen
		-en	-t	-en	-en	-t	-en	gleicht!	
56	gleiten	gleite	gleitest	gleitet	glitt	glitt(e)st	glitt	gleit(e)!	geglitten
		-en	-et	-en	-en	-et	-en	gleitet!	
57	glimmen	glimme	glimmst	glimmt	glomm	glommst	glomm	glimm!	geglommen
		-en	-t	-en	-en	-t	-en	glimmt!	
	wird auch regelmäßig konjugiert								
58	graben	grabe	gräbst	gräbt	grub	grubst	grub	grab!	gegraben
		graben	grabt	graben	-en	-t	-en	grabt!	
59	greifen	greife	greifst	greift	griff	griffst	griff	greif!	gegriffen
		-en	-t	-en	-en	-t	-en	greift!	
60	haben	habe	hast	hat	hatte	hattest	hatte	hab(e)!	gehabt
		haben	habt	haben	-en	-et	-en	habt!	
61	halten	halte	hältst	hält	hielt	hielt(e)st	hielt	halt(e)!	gehalten
		halten	haltet	halten	-en	-et	-en	haltet!	
62	hängen	hänge	hängst	hängt	hing	hingst	hing	häng!	gehangen
		-en	-t	-en	-en	-t	-en	hängt!	
	wird nur bei intransitivem Gebrauch unregelmäßig konjugiert								
63	hauen	haue	haust	haut	hieb	hiebst	hieb	hau!	gehauen
		-en	-t	-en	-en	-t	-en	haut!	
	mit den Vorsilben ein-, herunter-, hin-, ver- (sowie ab- bei intransivitem Gebrauch) Präteritum: -haute								
64	heben	hebe	hebst	hebt	hob	hobst	hob	heb!	gehoben
		-en	-t	-en	-en	-t	-en	hebt!	
65	heißen	heiße	heiß(es)t	heißt	hieß	hieß(es)t	hieß	heiß!	geheißen
		-en	-t	-en	-en	-t	-en	heißt!	

	Infinitiv	Indikativ Präsens			Indikativ Präteritum			Imperativ	Partizip II
66	helfen	helfe helfen	hilfst helft	hilft helfen	half -en	halfst -t	half -en	hilf! helft!	geholfen
67	kennen	kenne -en	kennst -t	kennt -en	kannte -ten	kanntest -tet	kannte -ten	kenn(e)! kennt!	gekannt
68	klimmen	klimme -en	klimmst -t	klimmt -en	klomm -en	klommst -t	klomm -en	klimm! klimmt!	geklommen
69	klingen	klinge -en	klingst -t	klingt -en	klang -en	klangst -t	klang -en	kling! klingt!	geklungen
70	kneifen	kneife -en	kneifst -t	kneift -en	kniff -en	kniffst -t	kniff -en	kneif! kneift!	gekniffen
71	kommen	komme -en	kommst -t	kommt -en	kam -en	kamst -t	kam -en	komm! kommt!	gekommen
72	können	kann können	kannst könnt	kann können	konnte -ten	konntest -tet	konnte -ten	– –	gekonnt
73	kriechen	krieche -en	kriechst -t	kriecht -en	kroch -en	krochst -t	kroch -en	kriech! kriecht!	gekrochen
74	laden	lade laden	lädst ladet	lädt laden	lud -en	lud(e)st -et	lud -en	lad! ladet!	geladen
75	lassen	lasse lassen	lässt (-ssest) lasst	lässt lassen	ließ -en	ließ(es)t -t	ließ -en	lass! lasst!	gelassen
76	laufen	laufe laufen	läufst lauft	läuft laufen	lief -en	liefst -t	lief -en	lauf! lauft!	gelaufen
77	leiden	leide -en	leidest -et	leidet -en	litt -en	litt(e)st -et	litt -en	leid(e)! leidet!	gelitten
78	leihen	leihe -en	leihst -t	leiht -en	lieh -en	liehst -t	lieh -en	leih! leiht!	geliehen
79	lesen	lese lesen	liest lest	liest lesen	las -en	lasest -t	las -en	lies! lest!	gelesen
80	liegen	liege -en	liegst -t	liegt -en	lag -en	lagst -t	lag -en	lieg! liegt!	gelegen

	Infinitiv	Indikativ Präsens			Indikativ Präteritum			Imperativ	Partizip II
81	lügen	lüge	lügst	lügt	log	logst	log	lüg!	gelogen
		-en	-t	-en	-en	-t	-en	lügt!	
82	meiden	meide	meidest	meidet	mied	miedst	mied	meid(e)!	gemieden
		-en	-et	-en	-en	-et	-en	meidet!	
83	melken	melke	melkst	melkt	molk	molkst	molk	melk! milk!	gemolken
			auch: milkst	auch: milkt	-en	-t	-en	melkt!	
		melken	melkt	melken					
	wird auch regelmäßig konjugiert								
84	messen	messe	misst	misst	maß	maßest	maß	miss!	gemessen
		messen	messt	messen	-en	-t	en	messt!	
85	misslingen	–	–	misslingt	–	–	misslang	–	misslungen
		–	–	misslingen	–	–	-en	–	
86	mögen	mag	magst	mag	mochte	mochtest	mochte	–	gemocht
		mögen	mögt	mögen	-ten	-tet	-ten	–	
87	müssen	muss	musst	muss	musste	musstest	musste	–	gemusst
		müssen	müsst	müssen	-ten	-tet	-ten	–	
88	nehmen	nehme	nimmst	nimmt	nahm	nahmst	nahm	nimm!	genommen
		nehmen	nehmt	nehmen	-en	-t	-en	nehmt!	
89	nennen	nenne	nennst	nennt	nannte	nanntest	nannte	nenn(e)!	genannt
		-en	-t	-en	-ten	-tet	-ten	nennt!	
90	pfeifen	pfeife	pfeifst	pfeift	pfiff	pfiffst	pfiff	pfeif!	gepfiffen
		-en	-t	-en	-en	-t	-en	pfeift!	
91	pflegen	pflege	pflegst	pflegt	pflog	pflogst	pflog	pfleg(e)!	gepflogen
		-en	-t	-en	-en	-t	-en	pflegt!	
	wird nur noch in Fügungen wie »Beziehungen pflegen« unregelmäßig konjugiert								
92	preisen	preise	preist	preist	pries	priesest	pries	preis(e)!	gepriesen
		-en	-t	-en	-en	-t	-en	preist!	
93	quellen	quelle	quillst	quillt	quoll	quollst	quoll	quill!	gequollen
		quellen	quellt	quellen	-en	-t	-en	quellt!	
	wird bei transitivem Gebrauch regelmäßig konjugiert								

	Infinitiv	*Indikativ Präsens*			*Indikativ Präteritum*			*Imperativ*	*Partizip II*
94	raten	rate raten	rätst ratet	rät raten	riet -en	riet(e)st -et	riet -en	rat(e)! ratet!	geraten
95	reiben	reibe -en	reibst -t	reibt -en	rieb -en	riebst -t	rieb -en	reib(e)! reibt!	gerieben
96	reißen	reiße -en	reißt -t	reißt -en	riss rissen	rissest risst	riss rissen	reiß! reißt!	gerissen
97	reiten	reite -en	reitest -et	reitet -en	ritt -en	rittst -et	ritt -en	reit(e)! reitet!	geritten
98	rennen	renne -en	rennst -t	rennt -en	rannte -ten	ranntest -tet	rannte -ten	renn(e)! rennt!	gerannt
99	riechen	rieche -en	riechst -t	riecht -en	roch -en	rochst -t	roch -en	riech! riecht!	gerochen
100	ringen	ringe -en	ringst -t	ringt -en	rang -en	rangst -t	rang -en	ring(e)! ringt!	gerungen
101	rinnen	rinne -en	rinnst -t	rinnt -en	rann -en	rannst -t	rann -en	rinn(e)! rinnt!	geronnen
102	rufen	rufe -en	rufst -t	ruft -en	rief -en	riefst -t	rief -en	ruf! ruft!	gerufen
103	saufen	saufe saufen	säufst sauft	säuft saufen	soff -en	soffst -t	soff -en	sauf! sauft!	gesoffen
104	saugen	sauge -en	saugst -t	saugt -en	sog -en	sogst -t	sog -en	saug! saugt!	gesogen
	wird auch regelmäßig konjugiert								
105	schaffen	schaffe -en	schaffst -t	schafft -en	schuf -en	schufst -t	schuf -en	schaff(e)! schafft!	geschaffen
	wird im Sinne von »arbeiten« und mit den Vorsilben an-, be-, ver-, hinaus- u. Ä. regelmäßig konjugiert								
106	schallen	schalle -en	schallst -t	schallt -en	scholl -en	schollst -t	scholl -en	schall(e)! schallt!	geschollen
	wird auch regelmäßig konjugiert								

	Infinitiv	Indikativ Präsens			Indikativ Präteritum			Imperativ	Partizip II
107	scheiden	scheide	scheidest	scheidet	schied	schied(e)st	schied	scheid(e)!	geschieden
		-en	-et	-en	-en	-et	-en	scheidet!	
108	scheinen	scheine	scheinst	scheint	schien	schienst	schien	schein(e)!	geschienen
		-en	-t	-en	-en	-t	-en	scheint!	
109	scheißen	scheiße	scheißt	scheißt	schiss	schissest	schiss	scheiß!	geschissen
		-en	-t	-en	schissen	schisst	schissen	scheißt!	
110	schelten	schelte	schiltst	schilt	schalt	schalt(e)st	schalt	schilt!	gescholten
		schelten	scheltet	schelten	-en	-et	-en	scheltet!	
111	scheren	schere	scherst	schert	schor	schorst	schor	scher!	geschoren
		-en	-t	-en	-en	-t	-en	schert!	
112	schieben	schiebe	schiebst	schiebt	schob	schobst	schob	schieb!	geschoben
		-en	-t	-en	-en	-t	-en	schiebt!	
113	schießen	schieße	schießt	schießt	schoss	schossest	schoss	schieß!	geschossen
		-en	-t	-en	schossen	schosst	schossen	schießt!	
114	schinden	schinde	schindest	schindet	schund	schund(e)st	schund	schind(e)!	geschunden
		-en	-et	-en	-en	-et	-en	schindet!	
115	schlafen	schlafe	schläftst	schläft	schlief	schliefst	schlief	schlaf(e)!	geschlafen
		schlafen	schlaft	schlafen	-en	-t	-en	schlaft!	
116	schlagen	schlage	schlägst	schlägt	schlug	schlugst	schlug	schlag(e)!	geschlagen
		schlagen	schlagt	schlagen	-en	-t	-en	schlagt!	
117	schleichen	schleiche	schleichst	schleicht	schlich	schlichst	schlich	schleich!	geschlichen
		-en	-t	-en	-en	-t	-en	schleicht!	
118	schleifen	schleife	schleifst	schleift	schliff	schliffst	schliff	schleif!	geschliffen
		-en	-t	-en	-en	-t	-en	schleift!	
	wird im Sinne von »zerstören« (Festung) regelmäßig konjugiert								
119	schleißen	schleiße	-(es)t	-t	schliss	schlissest	schliss	schleiß!	geschlissen
		-en	-t	-en	schlissen	schlisst	schlissen	schleißt!	
120	schließen	schließe	schließt	schließt	schloss	schlossest	schloss	schließ!	geschlossen
		-en	-t	-en	schlossen	schlosst	schlossen	schließt!	

	Infinitiv	Indikativ Präsens			Indikativ Präteritum			Imperativ	Partizip II
121	schlingen	schlinge	schlingst	schlingt	schlang	schlangst	schlang	schling!	geschlungen
		-en	-t	-en	-en	-t	-en	schlingt!	
122	schmeißen	schmeiße	schmeißt	schmeißt	schmiss	schmissest	schmiss	schmeiß!	geschmissen
		-en	-t	-en	schmissen	schmisst	schmissen	schmeißt!	
123	schmelzen	schmelze	schmilzt	schmilzt	schmolz	schmolzest	schmolz	schmilz!	geschmolzen
		schmelzen	schmelzt	schmelzen	-en	-t	-en	schmelzt!	
124	schnauben	schnaube	schnaubst	schnaubt	schnob	schnobst	schnob	schnaub(e)!	geschnoben
		-en	-t	-en	-en	-t	-en	schnaubt!	
	wird heute meist regelmäßig konjugiert								
125	schneiden	schneide	schneidest	schneidet	schnitt	schnitt(e)st	schnitt	schneid(e)!	geschnitten
		-en	-et	-en	-en	-et	-en	schneidet!	
126	schrecken	schrecke	schrickst	schrickt	schrak	schrakst	schrak	schreck(e)!	geschrocken
		schrecken	schreckt	schrecken	-en	-t	-en	schreckt!	
	wird bei transitivem Gebrauch regelmäßig konjugiert								
127	schreiben	schreibe	schreibst	schreibt	schrieb	schriebst	schrieb	schreib!	geschrieben
		-en	-t	-en	-en	-t	-en	schreibt!	
128	schreien	schreie	schreist	schreit	schrie	schriest	schrie	schrei!	geschrie(e)n
		-en	-t	-en	schrie(e)n	schrie(e)t	schrie(e)n	schreit!	
129	schreiten	schreite	schreitest	schreitet	schritt	schrittest	schritt	schreit(e)!	geschritten
		-en	-et	-en	-en	-et	-en	schreitet!	
130	schweigen	schweige	schweigst	schweigt	schwieg	schwiegst	schwieg	schweig!	geschwiegen
		-en	-t	-en	-en	-t	-en	schweigt!	
131	schwellen	schwelle	schwillst	schwillt	schwoll	schwollst	schwoll	schwill!	geschwollen
		schwellen	schwellt	schwellen	-en	-t	-en	schwellt!	
	wird bei transitivem Gebrauch regelmäßig konjugiert								
132	schwimmen	schwimme	schwimmst	schwimmt	schwamm	schwammst	schwamm	schwimm!	geschwommen
		-en	-t	-en	-en	-t	-en	schwimmt!	
133	schwinden	schwinde	schwindest	schwindet	schwand	schwand(e)st	schwand	schwind(e)!	geschwunden
		-en	-et	-en	-en	-et	-en	schwindet!	

	Infinitiv	Indikativ Präsens			Indikativ Präteritum			Imperativ	Partizip II
134	schwingen	schwinge	schwingst	schwingt	schwang	schwangst	schwang	schwing!	geschwungen
		-en	-t	-en	-en	-t	-en	schwingt!	
135	schwören	schwöre	schwörst	schwört	schwur	schwurst	schwur	schwör(e)!	geschworen
		-en	-t	-en	-en	-t	-en	schwört!	
					auch: schwor usw.				
136	sehen	sehe	siehst	sieht	sah	sahst	sah	sieh(e)!	gesehen
		sehen	seht	sehen	-en	-t	-en	seht!	
137	sein	bin	bist	ist	war	warst	war	sei!	gewesen
		sind	seid	sind	-en	-t	-en	seid!	
138	senden	sende	sendest	sendet	sandte	sandtest	sandte	send(e)!	gesandt
		-en	-et	-en	sandten	sandtet	sandten	sendet!	
	wird im Sinne von »ausstrahlen« (Rundfunk, Fernsehen) regelmäßig konjugiert								
139	sieden	siede	siedest	siedet	sott	sott(e)st	sott	sied(e)!	gesotten
		-en	-et	-en	-en	-et	-en	siedet!	
	wird bei intransitivem Gebrauch regelmäßig konjugiert								
140	singen	singe	singst	singt	sang	sangst	sang	sing!	gesungen
		-en	-t	-en	-en	-t	-en	singt!	
141	sinken	sinke	sinkst	sinkt	sank	sankst	sank	sink!	gesunken
		-en	-t	-en	-en	-t	-en	sinkt!	
142	sinnen	sinne	sinnst	sinnt	sann	sannst	sann	sinn(e)!	gesonnen
		-en	-t	-en	-en	-t	-en	sinnt!	
143	sitzen	sitze	sitzt	sitzt	saß	saß(es)t	saß	sitz!	gesessen
		-en	-t	-en	-en	-t	-en	sitzt!	
144	speien	speie	speist	speit	spie	spiest	spie	spei!	gespie(e)n
		-en	-t	-en	spie(e)n	spie(e)t	spie(e)n	speit!	
145	spinnen	spinne	spinnst	spinnt	spann	spannst	spann	spinn!	gesponnen
		-en	-t	-en	-en	-t	-en	spinnt!	

	Infinitiv	Indikativ Präsens			Indikativ Präteritum			Imperativ	Partizip II
146	sprechen	spreche sprechen	sprichst sprecht	spricht sprechen	sprach -en	sprachst -t	sprach -en	sprich! sprecht!	gesprochen
147	sprießen	sprieße -en	sprieß(es)t -t	sprießt -en	spross sprossen auch: sprosste sprossten	sprossest sprosst sprosstest sprosstet	spross sprossen sprosste sprossten	sprieß(e)! sprießt!	gesprossen
	wird auch regelmäßig konjugiert								
148	springen	springe -en	springst -t	springt -en	sprang -en	sprangst -t	sprang -en	spring! springt!	gesprungen
149	stechen	steche stechen	stichst stecht	sticht stechen	stach -en	stachst -t	stach -en	stich! stecht!	gestochen
150	stecken	stecke -en	steckst -t	steckt -en	stak -en	stakst -t	stak -en	steck! steckt!	gesteckt
	wird auch (transitiv immer) regelmäßig konjugiert								
151	stehen	stehe -en	stehst -t	steht -en	stand -en	stand(e)st -et	stand -en	steh! steht!	gestanden
152	stehlen	stehle stehlen	stiehlst stehlt	stiehlt stehlen	stahl -en	stahlst -t	stahl -en	stiehl! stehlt!	gestohlen
153	steigen	steige -en	steigst -t	steigt -en	stieg -en	stiegst -t	stieg -en	steig! steigt!	gestiegen
154	sterben	sterbe sterben	stirbst sterbt	stirbt sterben	starb -en	starbst -t –	starb -en	stirb! sterbt!	gestorben
155	stieben	stiebe -en	stiebst -t	stiebt -en	stob -en	stobst -t	stob -en	stieb(e)! stiebt!	gestoben
	wird auch regelmäßig konjugiert								
156	stinken	stinke -en	stinkst -t	stinkt -en	stank -en	stankst -t	stank -en	stink! stinkt!	gestunken

	Infinitiv	*Indikativ Präsens*			*Indikativ Präteritum*			*Imperativ*	*Partizip II*
157	stoßen	stoße stoßen	stößt stoßt	stößt stoßen	stieß -en	stieß(es)t -t	stieß -en	stoß! stoßt!	gestoßen
158	streichen	streiche -en	streichst -t	streicht -en	strich -en	strichst -t	strich -en	streich! streicht!	gestrichen
159	streiten	streite -en	streitest -et	streitet -en	stritt -en	stritt(e)st -et	stritt -en	streit(e)! streitet!	gestritten
160	tragen	trage tragen	trägst tragt	trägt tragen	trug -en	trugst -t	trug -en	trag! tragt!	getragen
161	treffen	treffe treffen	triffst trefft	trifft treffen	traf -en	trafst -t	traf -en	triff! trefft!	getroffen
162	treiben	treibe -en	treibst -t	treibt -en	trieb -en	triebst -t	trieb -en	treib! treibt!	getrieben
163	treten	trete treten	trittst tretet	tritt treten	trat -en	tratst -et	trat -en	tritt! tretet!	getreten
164	triefen	triefe -en	triefst -t	trieft -en	troff -en	troffst -t	troff -en	– –	getroffen
	wird auch regelmäßig konjugiert								
165	trinken	trinke -en	trinkst -t	trinkt -en	trank -en	trankst -t	trank -en	trink! trinkt!	getrunken
166	trügen	trüge -en	trügst -t	trügt -en	trog -en	trogst -t	trog -en	trüg(e)! trügt!	getrogen
167	tun	tue tun	tust tut	tut tun	tat -en	tat(e)st -et	tat -en	tu! tut!	getan
168	verderben	verderbe verderben	verdirbst verderbt	verdirbt verderben	verdarb -en	verdarbst -t	verdarb -en	verdirb! verderbt!	verdorben verderbt
169	verdrießen	verdrieße -en	verdrießt -t	verdrießt -en	verdross -ssen	verdrossest -sst	verdross -ssen	verdrieß! verdrießt!	verdrossen
170	vergessen	vergesse vergessen	vergisst vergesst	vergisst vergessen	vergaß -en	vergaß(es)t -t	vergaß -en	vergiss! vergesst!	vergessen

	Infinitiv	*Indikativ Präsens*			*Indikativ Präteritum*			*Imperativ*	*Partizip II*
171	verlieren	verliere -en	verlierst -t	verliert -en	verlor -en	verlorst -t	verlor -en	verlier! verliert!	verloren
172	wachsen	wachse wachsen	wächst wachst	wächst wachsen	wuchs -en	wuchs(es)t -t	wuchs -en	wachs(e)! wachst!	gewachsen
173	wägen	wäge -en	wägst -t	wägt -en	wog -en	wogst -t	wog -en	wäg! wägt!	gewogen
	wird auch regelmäßig konjugiert								
174	waschen	wasche waschen	wäschst wascht	wäscht waschen	wusch -en	wuschst -t	wusch -en	wasch! wascht!	gewaschen
175	weben	webe -en	webst -t	webt -en	wob -en	wobst -t	wob -en	web! webt!	gewoben
	wird auch regelmäßig konjugiert								
176	weichen	weiche -en	weichst -t	weicht -en	wich -en	wichst -t	wich -en	weich(e)! weicht!	gewichen
177	weisen	weise -en	weist -t	weist -en	wies -en	wies(es)t -t	wies -en	weis(e)! weist!	gewiesen
178	wenden	wende -en	wendest -et	wendet -en	wandte wandten	wandtest wandtet	wandte wandten	wend(e)! wendet!	gewandt
	wird auch (transitiv immer) regelmäßig konjugiert								
179	werben	werbe werben	wirbst werbt	wirbt werben	warb -en	warbst -t	warb -en	wirb! werbt!	geworben
180	werden	werde werden	wirst werdet	wird werden	wurde -en	wurdest -et	wurde -en	werd(e)! werdet!	geworden als Hilfsverb: worden
181	werfen	werfe werfen	wirfst werft	wirft werfen	warf -en	warfst -t	warf -en	wirf! werft!	geworfen
182	wiegen	wiege -en	wiegst -t	wiegt -en	wog -en	wogst -t	wog -en	wieg! wiegt!	gewogen
183	winden	winde -en	windest -et	windet -en	wand -en	wand(e)st -et	wand -en	wind(e)! windet!	gewunden

	Infinitiv	Indikativ Präsens			Indikativ Präteritum			Imperativ	Partizip II
184	wissen	weiß	weißt	weiß	wusste	wusstest	wusste	wisse!	gewusst
		wissen	wisst	wissen	wussten	wusstet	wussten	wisst!	
185	wollen	will	willst	will	wollte	wolltest	wollte	wolle!	gewollt
		wollen	wollt	wollen	-ten	-tet	-ten	wollt!	
186	zeihen	zeihe	zeihst	zeiht	zieh	ziehst	zieh	zeih(e)!	geziehen
		-en	-t	-en	-en	-t	-en	zeiht!	
187	ziehen	ziehe	ziehst	zieht	zog	zogst	zog	zieh!	gezogen
		-en	-t	-en	-en	-t	-en	zieht!	
188	zwingen	zwinge	zwingst	zwingt	zwang	zwangst	zwang	zwing!	gewzungen
		-en	-t	-en	-en	-t	-en	zwingt!	

WÖRTERVERZEICHNIS

A

a 1 *Abk. für* Ar; **2** *Mus.: Abk. für* a-Moll
à je, zu, zu je; 5 Stück à 2 Mark
a. *Abk. für* am; Frankfurt a. Main *oder* a. M.
A *s. Gen.* - *Mz.* -(s) **1** erster Buchstabe des Alphabets; **2** *Phys.: Abk. für* Ampere; **3** *Chem.: Abk. für* Atomgewicht; **4** *Mus.: Abk. für* A-Dur; **5** das A und das O: der Anfang und das Ende, Gott; *allg.:* das Wichtigste; von A bis Z: von Anfang bis Ende; **6** *Abk. für* Avance (**5**)
Å *Abk. für* Ångström(-Einheit)
A. *Abk. für* Anno
AA *Abk. für* Auswärtiges Amt
Aa|chen Stadt in Nordrhein-Westfalen
Aal *m. 1* schlangenähnl. Fisch; *aber:* Älchen; **aa|len** *refl. 1, ugs.:* sich behaglich ausruhen; **aal|glatt**
a. a. *Abk. für* ad acta
a. a. O. *Abk. für* am angeführten Ort (bei Zitaten)
Aar *m. 1, poet.:* Adler
Aar|au Hst. des Kantons Aargau; **Aar|gau** *m. Gen.* -s schweiz. Kanton
Aas 1 *s. 1* verwesende Tierleiche; **2** *s. Gen.* -es *Mz.* Äser *ugs., Schimpfwort;* **aa|sen** *intr. 1* verschwenderisch umgehen; **aa|sig** ekelhaft

> **A-** (Worttrennung): Allein stehende Vokale am Wortanfang oder in der Wortmitte können in Zukunft abgetrennt werden: *A|bend, a|ber, A|berglau|be, A|ba|kus,* auch: *o|der, U|fer* usw. Doch sollte im Interesse der Lesbarkeit wie des Schriftbildes von dieser Regel nur behutsam Gebrauch gemacht werden. →§ 108

ab 1 *Adv.:* ab und an, ab und zu: gelegentlich; **2** *Präp. mit Dat.;* ab München; ab Lager spesenfrei; ab erstem (*ugs. auch:* ersten) Mai; vom ersten Mai ab (*ugs. für* vom ersten Mai an); ab ein Uhr; ab sechs Jahre(n)
A|ba|ka [indones.] *m. Gen.* -s *nur Ez.* Manilahanf
A|ba|kus [griech.] *m. Gen.* - *Mz.* - **1** antikes Rechen-, Spielbrett; **2** Deckplatte über dem Säulenkapitell
Ab|a|li|e|na|ti|on [-li|e-, lat.] *w. 10, veraltet:* Veräußerung; **ab|a|li|e|nie|ren** *tr. 3* veräußern
A|ban|don [abɑ̃dɔ̃, frz.] *m. 9* Abtretung (von Rechten oder Sachen); **A|ban|don|ne|ment** [abɑ̃dɔnəmɑ̃] *s. 9* = Abandon; **a|ban|don|nie|ren** [abɑ̃-] *tr. 3* abtreten
Ab|art *w. 10;* **ab|ar|ten** *intr. 2, selten;* **ab|ar|tig**
A|ba|sie [griech.] *w. 11, Med.:* Unfähigkeit zu gehen
ab|äs|ten *tr. 2* von Ästen befreien
A|ba|te, Ab|ba|te [aram.-ital.] *m. Gen.* -(n) *Mz.* -ten *oder* -ti Titel ital. Weltgeistlicher
a|ba|tisch auf Abasie beruhend
A|ba|ton [griech.] *s. Gen.* -s *Mz.* -ta das Allerheiligste in der griech.-kath. Kirche
Abb. *Abk. für* Abbildung
Ab|ba [aram. »Vater«] *im NT Anrede für* Gott
Ab|ba|si|de [nach Abbas, dem Onkel Mohammeds] *m. 11* Angehöriger eines Kalifengeschlechts
Ab|ba|te *m. Gen.* -(n) *Mz.* -ten *oder* -ti = Abate
Ab|bau *m. Gen.* -s *nur Ez.*
Ab|bé [abe, frz.] *m. 9* Titel der niederen frz. Weltgeistlichen
Ab|be|vil|li|en [abəviljɛ̃, nach dem frz. Fundort Abbeville] *s. Gen.* -(s) *nur Ez.* Kulturstufe der älteren Altsteinzeit
Ab|bild *s. 3;* **ab|bil|den** *tr. 2*
Ab|bit|te *w. 11;* jmdm. A. tun; A. leisten; **ab|bit|ten** *tr. 15;* jmdm. etwas abbitten
ab|blen|den *tr. 2*
ab|blit|zen *intr. 1, ugs.:* abgewiesen werden; jmdn. a. lassen: jmdn. abweisen
Ab|brand *m. 2* Materialschwund beim Verbrennen und Schmelzen; **Ab|brand|ler** *m. 5, österr.:* durch Brand Geschädigter
Ab|bre|vi|a|ti|on [lat.] *w. 10,* **Ab|bre|vi|a|tur** *w. 10* Abkürzung (in Schrift und Druck); **ab|bre|vi|ie|ren** *tr. 3* abkürzen
ab|brö|ckeln *tr. u. intr. 1*
Ab|bruch *m. 2;* das tut der Sache keinen A.: das schadet ihr nicht
ab|brum|men *tr. 1;* eine Strafe a. *ugs.:* sie verbüßen
Abc *s. Gen.* - *Mz.* - Alphabet; **Abc-Buch** *s. 4* Buch zum Lesenlernen; **Abc-Code** [-ko:d] *m. 9 nur Ez.* internationaler Telegrammschlüssel; **abc|lich** *auch:* **a|be|ce|lich** dem Abc entsprechend, alphabetisch; **ABC-Staa|ten** *Mz.* Argentinien, Brasilien und Chile; **ABC-Waf|fen** *Mz.* atomare, biolog. und chem. Waffen
Ab|dampf *m. 2;* **ab|damp|fen** *intr. 1; auch ugs.:* abfahren
ab|dan|ken 1 *intr. 1* auf den Thron verzichten, zurücktreten; **2** *tr. 1, veraltet:* entlassen; **Ab|dan|kung** *w. 10* **1** Verzicht auf den Thron, Rücktritt, Abdikation; **2** *schweiz.:* Trauerfeier
ab|dar|ben *tr. 1;* sich etwas (vom Munde) abdarben
Ab|de|cker *m. 5* jmd., der für die menschl. Ernährung nicht verwertbare Tiere tötet und verarbeitet; **Ab|de|cke|rei** *w. 10*
Ab|de|rit *m. 10* Einwohner der altgriech. Stadt Abdera; *übertr.:* einfältiger Mensch
Ab|di|ka|ti|on [lat.] *w. 10* = Abdankung (**1**)
ab|ding|bar *Rechtsw.:* durch Vereinbarung veränderbar; **ab|din|gen** *tr. 23;* jmdm. etwas a.: jmdm. etwas für einen niedrigeren Preis abhandeln
ab|di|zie|ren [zu: Abdikation] *intr. 3* abdanken, dem Thron entsagen
Ab|do|men [lat.] *s. Gen.* -s *Mz.* - *oder* -mi|na Bauch, Unterleib; Hinterleib der Gliederfüßer; **ab|do|mi|nal** zum Abdomen gehörend

ab|dre|hen *tr. u. intr. 1*
Ab|drift *w. 10* = Abtrift
Ab|druck 1 *m. 1* Abbildung durch Druck; **2** *m. 2* Form, die ein Gegenstand durch Druck hinterlässt; **ab|dru|cken** *tr. 1;* **ab|drü|cken** *tr. 1*
Ab|duk|ti|on [lat.] *w. 10* Bewegung von der Körperachse weg, Abspreizen; **Ab|duk|tor** *m. 13* Streckmuskel; *Ggs.:* Adduktor; **ab|du|zie|ren** *tr. 3*
Abe|ce *s. Gen. - Mz. -* = Abc; **abe|ce|lich** ► **abc|lich**
ab|ei|sen *tr. 1, österr.:* abtauen
A|bel|mo|schus [arab.] *m. 1* trop. Strauch

> **abends, Abend:** Bezeichnungen für Tageszeiten werden in Verbindung mit *heute, morgen* bzw. *(vor)gestern* großgeschrieben: *heute Mittag, gestern Abend.* Die substantivische Zusammensetzung von Wochentag und Tageszeit wird in einem Wort geschrieben: *am Freitagabend, jeden Freitagabend, eines Freitagabends* (mit dem Adverb *freitagabends,* auch: *freitags abends*). →§ 55 (4), § 56 (3) • Das Adverb wird stets kleingeschrieben: *abends.* →§ 56 (3)

A|bend *m. 1;* gestern, heute, morgen Abend; *aber:* es war an einem Montagabend; jeden Freitagabend; diesen Abend; eines Abends; guten Abend!; (jmdm.) guten *auch:* Guten Abend sagen, wünschen; Abend für Abend; gegen Abend; zu Abend essen; **a|ben|de|lang,** *aber:* viele Abende lang; **A|bend|land** *s. Gen. -(e)s nur Ez.* Europa (und Amerika); *Ggs.:* Morgenland; **a|bend|län|disch; a|bend|lich; A|bend|mahl 1** *s. 1* eine gottesdienstliche Handlung; **2** *s. 1 oder s. 4* Abendmahlzeit; **a|bends** am Abend; um 9 Uhr abends; spätabends; montagabends *oder:* montags abends: jeden Montag am Abend; **A|bend|stern** *m. 1 nur Ez.;* **A|bend|stu|di|um** *s. Gen. -s nur Ez., ehem. DDR:* Form der Aus- und Weiterbildung von Berufstätigen zum Erwerb eines Hoch- oder Fachschulabschlusses; **a|bend|wärts** *poet.:* westwärts; **A|bend|wei|te** *w. 11* Winkelabstand eines Gestirns bei seinem Untergang vom Westpunkt; *Ggs.:* Morgenweite
A|ben|teu|er *s. 5;* **A|ben|teu|e|rin** *w. 10, Nebenform von* Abenteurerin; **a|ben|teu|er|lich; a|ben|teu|ern** *intr. 1* Abenteuer suchen; **A|ben|teu|rer** *m. 5;* **A|ben|teu|re|rin** *w. 10*

> **aber** (Kommasetzung): Vor entgegenstellenden (adversativen) Konjunktionen wie *aber, doch, jedoch* und *sondern* steht bei nebengeordneten Teilsätzen, Wortgruppen oder Wörtern ein Komma: *Er sah sie, aber er konnte sich nicht/an nichts erinnern. Das war ein schöner, aber anstrengender Ausflug.*

a|ber 1 *Konj.;* er ist (zwar) klug, aber faul; klein, aber fein; das ist aber schön!; aber, aber! (erstaunt u. leicht tadelnd); aber ja!, aber nein! (verstärkend); **2** *Adv.:* wieder; aber und abermals; abertausend, Abertausend; abertausende, Abertausende; aberhundert, abertausend *auch:* Aberhundert, Abertausend Blumen; aberhunderte, abertausende *auch:* Aberhunderte, Abertausende blühender Blumen; **A|ber** *s. Gen. -s Mz. -(s);* es ist ein (großes) Aber dabei; das Wenn und das Aber

> **aberhundert/Aberhundert:** Geben *aberhundert* bzw. *abertausend* eine unbestimmte Menge an, sind sie wie die Zahlwörter (Substantive) *Hundert* bzw. *Tausend* zu verstehen. Deshalb ist Klein- oder Großschreibung möglich: *aberhundert/Aberhundert* (viele hundert) *Menschen* bzw. *aberhunderte/Aberhunderte Menschen* (viele Hunderte). →§ 58 (6)

A|ber|glau|be *m. 15* auf primitiven relig. Vorstellungen beruhender Glaube; **a|ber|gläu|bisch**
a|ber|hun|dert vgl. aber
ab|er|ken|nen *tr. 67;* ich erkenne es ihm ab, *auch:* ich aberkenne es ihm: ich gestehe es ihm nicht zu; **Ab|er|ken|nung** *w. 10*
a|ber|ma|lig wiederholt, wieder vorkommend; **a|ber|mals** wieder, wiederum
ab|er|rant [lat.] abweichend; **Ab|er|ra|ti|on** *w. 10* **1** Abweichung; **2** *Astron.:* scheinbare Ortsveränderung eines Sterns; **3** *Optik:* sphärische A.: Bildunschärfe; chromatische A.: Farbabweichung
A|ber|rau|te *w. 11* eine Heilpflanze
ab|er|rie|ren [zu: Aberration] *intr. 3* abweichen
a|ber|tau|send vgl. aber
A|ber|witz *m. 1 nur Ez.* Wahnwitz; **a|ber|wit|zig**
A|bes|si|ni|en *frühere Bez. für Äthiopien;* **A|bes|si|ni|er** *m. 5;* **a|bes|si|nisch**
ABF *in der ehem. DDR Abkürzung für* Arbeiter-und-Bauern-Fakultät
ab|fa|ckeln *tr. 1, Tech.:* Gasgemische, die nicht anderweitig genutzt werden können, verbrennen
ab|fah|ren 1 *tr. 32;* eine Strecke a.; **2** *intr. 32, ugs.:* unfreundlich abgewiesen werden; jmdn. a. lassen: jmdn. unfreundlich abweisen; **Ab|fahrt** *w. 10;* **Ab|fahrts|be|fehl** *m. 1;* **Ab|fahrts|lauf** *m. 2* ein alpiner Skiwettbewerb; **Ab|fahrt(s)|si|gnal** *auch* **-sig|nal** *s. 1;* **Ab|fahrts|tag** *m. 1;* **Ab|fahrts|zeit** *w. 10*
Ab|fall 1 *m. 1 nur Ez.;* Abfall vom Glauben; **2** *m. 2* Überbleibsel, Kehricht, Müll; **Ab|fall|bör|se** *w. 11* Einrichtung, an der Industrieabfälle, Reststoffe u. ä. gehandelt werden; **ab|fal|len** *intr. 33;* **ab|fäl|lig** geringschätzig
ab|fan|gen *tr. 34*
ab|fär|ben *intr. 1*
ab|fas|sen *tr. 1;* **Ab|fas|sung** *w. 10*
ab|fei|ern *tr. 1;* Überstunden a.: statt Bezahlung Freizeit für sie nehmen
ab|fer|ti|gen *tr. 1;* **Ab|fer|ti|gung** *w. 10*
ab|feu|ern *tr. 1;* einen Schuss, die Pistole abfeuern
ab|fin|den *tr. 36;* **Ab|fin|dung** *w. 10*
ab|flau|en *intr. 1* schwächer werden (Wind, Interesse)
ab|fluch|ten *tr. 2, Bauw.:* in eine gerade Linie (Fluchtlinie) bringen
Ab|fluß ► **Ab|fluss** *m. 2*
Ab|fol|ge *w. 11* Reihenfolge
ab|for|dern *tr. 1;* jmdm. etwas abfordern

ab|fra|gen *tr. 1;* jmdn. oder jmdm. etwas abfragen
Ab|fuhr *w. 10; übertr.:* barsche Abweisung; jmdm. eine Abfuhr erteilen
ab|füh|ren 1 *tr. 1;* **2** *intr. 1* die Darmentleerung anregen; **Ab|führ|mit|tel** *s. 5*
ab|füt|tern *tr. 1, ugs.*
Abg. *Abk. für* Abgeordnete(r)
Ab|ga|be *w. 11, meist Mz.* Steuern, Zoll u. a.; **ab|ga|be(n)|frei; Ab|ga|be|pflicht** *w. 10;* **ab|ga|be(n)|pflich|tig**
Ab|gang *m. 2; Med.:* Fehlgeburt, Abort; einen Abgang haben; **Ab|gän|ger** *m. 5* von der Schule abgehender Schüler; **ab|gän|gig** vermisst
Ab|gas *s. 1* bei Verbrennungsvorgängen entweichendes Gas, Auspuffgas
ABGB *Abk. für* Allgemeines Bürgerliches Gesetzbuch (Österreichs)
ab|ge|ben 1 *tr. u. refl. 45;* **2** *intr. 45, schweiz.:* alt, gebrechlich werden; er hat abgegeben
ab|ge|brannt *ugs.:* ohne Geld, in Geldverlegenheit
ab|ge|brüht *ugs.:* durch böse Erfahrungen gleichgültig; moralisch unempfindlich
ab|ge|dro|schen *ugs.:* durch zu häufigen Gebrauch bedeutungs-, wirkungslos (Redensart)
ab|ge|feimt sehr schlau, gerissen
ab|ge|grif|fen abgenutzt; *auch übertr.:* abgedroschen
ab|ge|härmt
ab|ge|hen *intr. 47;* du bist mir abgegangen *süddt.:* du hast mir gefehlt
ab|ge|kämpft
ab|ge|kar|tet heimlich vereinbart
ab|ge|klärt ruhig und weise (geworden), gereift
Ab|geld *s. 3* = Disagio; *Ggs.:* Aufgeld
ab|ge|lebt 1 gebrechlich, altersschwach; **2** *poet.:* längst vergangen; in abgelebten Zeiten
ab|ge|le|gen
ab|gel|ten *tr. 49* bezahlen, ausgleichen; **Ab|gel|tung** *w. 10*
ab|ge|neigt; einer Sache a. sein
Ab|ge|ord|ne|te(r) *m., w. 17 bzw. 18* (*Abk.:* Abg.); **Ab|ge|ord|ne|ten|haus** *s. 4;* **Ab|ge|ord|ne|ten|kam|mer** *w. 11*
ab|ge|ris|sen 1 abgenutzt, schäbig; **2** *übertr.:* unzusammenhängend; etwas in abgerissenen Worten erzählen
Ab|ge|sand|te(r) *m. 18 (17)*
Ab|ge|sang *m. 2* letzter Teil der Strophe im Meistergesang; *Ggs.:* Aufgesang
ab|ge|schie|den
ab|ge|schmackt albern, geistlos
ab|ge|spannt
ab|ge|stan|den *übertr.:* abgedroschen
ab|ge|ta|kelt *übertr. ugs.:* heruntergekommen, verlebt, verblüht
ab|ge|trie|ben *übertr.:* überanstrengt und schlecht gepflegt (Pferd)
ab|ge|win|nen *tr. 53;* einer Sache nichts a. können: keinen Gefallen an ihr finden
ab|ge|wöh|nen *tr. 1*
ab|ge|zo|gen *eindeutschend für* abstrakt; abgezogener Begriff
ab|gie|ßen *tr. 54*
Ab|glanz *m. Gen.* -es *nur Ez.*
Ab|gott *m. 4* falscher Gott, Götze; *übertr.:* jmd., der übertrieben geliebt wird; **Ab|göt|te|rei** *w. Gen.* - *nur Ez.* Götzendienst, Idolatrie; **ab|göt|tisch;** jmdn. a. lieben (*übertr.*); **Ab|gott|schlan|ge** *w. 11* südamerikan. Riesenschlange, Königsschlange
ab|gra|ben *tr. 58;* jmdm. das Wasser a. *übertr.:* jmdm. die Existenzgrundlage entziehen oder gefährden
ab|gren|zen *tr. 1;* **Ab|gren|zung** *w. 10 nur Ez.*
Ab|grund *m. 2;* **ab|grün|dig; ab|grund|tief**
ab|gu|cken *tr. u. intr. 1*
Ab|gunst *w. Gen.* - *nur Ez., veraltet:* Missgunst; **ab|güns|tig**
Ab|guß ► **Ab|guss** *m. 2*
Abh. *Abk. für* Abhandlung
ab|ha|ben *tr. 60, ugs.:* den Hut, die Brille a.; etwas a. wollen
ab|ha|ken *tr. 1*
ab|half|tern *tr. 1, auch übertr.;* jmdn. abhalftern: jmdn. in seine Schranken verweisen, absetzen
ab|hal|ten 1 *tr. 61;* **2** *intr. 61;* vom Land a. *Seew.:* vom Land wegsteuern; **Ab|hal|tung** *w. 10*
ab|han|deln *tr. 1*
ab|han|den; a. kommen: verloren gehen
Ab|hand|lung *w. 10* (*Abk.:* Abh.) schriftl. (wissenschaftl.) Untersuchung, Aufsatz
Ab|hang *m. 2*
ab|hän|gen 1 *tr. 1;* ein Bild a.; einen Begleiter a. *übertr. ugs.:* ihn loswerden, ihm entfliehen; **2** *intr. 62* längere Zeit hängen; abgehangenes Fleisch; von jmdm. a.: von jmdm. abhängig sein; es hängt davon ab, ob...: es kommt darauf an, ob...; **ab|hän|gig;** abhängige Rede: indirekte Rede; abhäng. Satz: Nebensatz; **Ab|hän|gig|keit** *w. 10*
ab|här|men *refl. 1*
ab|här|ten *tr. 2;* **Ab|här|tung** *w. 10 nur Ez.*
ab|has|peln 1 *tr. 1;* **2** *refl. 1, ugs.:* sich abhetzen
ab|hau|en 1 *tr. 63;* **2** *intr. 1, ugs.:* weglaufen; *Schülerspr. mitteldt.:* abschreiben
ab|he|ben *tr., intr., refl. 64;* auf etwas a.: auf etwas hinweisen
ab|hef|ten *tr. 2*
ab|hei|len *intr. 1*
ab|hel|fen *intr. 66;* einer Sache abhelfen
ab|het|zen *refl. 1*
Ab|hil|fe *w. Gen.* - *nur Ez.;* Abhilfe schaffen, wissen
Ab|hit|ze *w. 11 nur Ez.* = Abwärme
ab|hold [auch: ab-]; jmdm. oder einer Sache abhold sein: jmdn. oder eine Sache nicht mögen
ab|hol|zen *tr. 1;* **Ab|hol|zung** *w. 10*
ab|hor|chen *tr. 1, Med.:* durch Horchen an Brust und Rücken Körpergeräusche prüfen, auskultieren
ab|hö|ren *tr. 1;* **Ab|hör|ge|rät** *s. 1*
ab|hor|res|zie|ren, ab|hor|rie|ren [lat.] *tr. 3, veraltet:* **1** verabscheuen; **2** *Rechtsw.:* ablehnen, verwerfen
Ab|hub *m. 1 nur Ez.* Reste, Abfall, Abschaum
A|bi|o|ge|ne|se [griech.] *w. 11 nur Ez.,* **A|bi|o|ge|ne|sis** *w. Gen.* - *nur Ez.* Urzeugung, Zeugung aus unbelebter Materie; **A|bi|o|se** *w. 11 nur Ez.* Leblosigkeit, Lebensunfähigkeit; **a|bi|o|tisch** leblos; **A|bi|o|tro|phie** *w. 11* vorzeitiges Absterben von Geweben, z. B. Grauwerden des Haars
Ab|i|tur *auch:* **A|bi|tur** [lat.] *s. 1* Reifeprüfung an der höheren Schule; **Ab|i|tu|ri|ent** *auch:* **A|bi|tu|ri|ent** *m. 10* jmd., der das Abitur ablegt oder gerade abgelegt hat, **Ab|i|tu|ri|um** *auch:*

► = wird zu

A|bi|tu|ri|um *s. Gen.* -s *Mz.* -rien, *veraltet* = Abitur
ab|ja|gen *tr. 1*
Ab|ju|di|ka|ti|on [lat.] *w. 10, Rechtsw.:* Aberkennung; **ab|ju|di|zie|ren** *tr. 3* aberkennen
Abk. *Abk. für* Abkürzung
ab|kan|zeln *tr. 1* heftig zurechtweisen
ab|ka|pi|teln *tr. 1* heftig ausschelten
ab|kap|seln *tr. 1;* **Ab|kap|se|lung, Ab|kaps|lung** *w. 10*
ab|kau|fen *tr. 1;* das kaufe ich dir nicht ab *übertr. ugs.:* das glaube ich dir nicht
ab|ket|te(l)n *tr. 1;* Maschen a.: sie so abstricken, dass sie sich nicht mehr lösen können
ab|kip|pen *tr. 1*
ab|klap|pern *tr. 1 ugs.;* Häuser, Wohnungen a.: in allen Häusern, Wohnungen nachfragen (um etwas zu verkaufen oder zu erfahren)
ab|klä|ren *tr. 1*
Ab|klatsch *m. 1* Abdruck, genaue Nachbildung; *übertr. ugs.:* Nachahmung ohne Wert
ab|klem|men *tr. 1*
ab|klin|gen *intr. 69*
ab|klop|fen 1 *tr. 1, Med.:* durch Klopfen mit dem Finger oder Perkussionshammer auf den Rücken auf krankhafte Geräusche im Brustkorb untersuchen, perkutieren; **2** *intr. 1* durch Klopfen mit dem Taktstock das Spiel der Musiker unterbrechen
ab|knal|len *tr. 1, ugs.:* sinnlos erschießen
ab|knap|pen, ab|knap|sen *tr. 1, ugs.;* jmdm. etwas (vom Lohn, vom Essen) a.
ab|knöp|fen *tr. 1; auch ugs.;* jmdm. etwas a.: mit Mühe von ihm erlangen
ab|ko|chen 1 *tr. 1* durch Kochen keimfrei machen; **2** *intr. 1* im Freien kochen; **Ab|ko|chung** *w. 10* = Absud
ab|kom|man|die|ren *tr. 3;* **Ab|kom|man|die|rung** *w. 10*
Ab|kom|me *m. 11* Nachkomme; **ab|kom|men** *intr. 71;* **Ab|kom|men** *s. 7* Abmachung, Vereinbarung, Vertrag; **Ab|kom|men|schaft** *w. 10* Nachkommenschaft; **ab|kömm|lich** entbehrlich (Person); **Ab|kömm|ling** *m. 1* **1** Nachkomme; **2** = Derivat (**1**)
ab|kon|ter|fei|en *tr. 1, veraltet:* abmalen, abzeichnen
ab|kra|gen *tr. 1, Bauw.:* abschrägen
ab|krat|zen 1 *tr. 1;* **2** *intr. 1, ugs.:* sterben
ab|küh|len *tr. u. intr. 1;* **Ab|küh|lung** *w. 10*
ab|kün|di|gen *tr. 1* von der Kanzel her bekannt geben; **Ab|kün|di|gung** *w. 10*
Ab|kunft *w. 2, veraltet:* Herkunft, Abstammung
ab|kup|fern *tr. 1, ugs.:* abzeichnen, abschreiben
ab|kür|zen *tr. 1;* **Ab|kür|zung** *w. 10* Verkürzung; verkürztes Wort, z. B. »Abk.«; **Ab|kür|zungs|spra|che** *w. 11* Sprache mit vielen Abkürzungen, Akü-sprache
Ab|la|ge *w. 11* **1** Stelle oder Raum zum Ablegen, Aufbewahren; **2** *schweiz.:* Agentur, Annahmestelle (z. B. einer Wäscherei)
ab|la|gern *tr. u. intr. 1;* **Ab|la|ge|rung** *w. 10* Sediment
Ab|lak|ta|ti|on [lat.] *w. 10 nur Ez.* Entwöhnung von der Muttermilch, Abstillen; **ab|lak|tie|ren** *tr. 3* **1** = abstillen; **2** *Obstbau:* veredeln
ab|lan|dig vom Land her wehend (Wind); *Ggs.:* auflandig
Ab|laß ▶ **Ab|lass** *m. 2* **1** Abfluss; **2** Nachlass (vom Preis); **3** *kath. Kirche:* Nachlass von Sündenstrafen
ab|las|sen 1 *tr. 75;* **2** *intr. 75;* von etwas a.: mit etwas aufhören
Ab|la|ti|on [lat.] *w. 10* Abschmelzen (von Gletschern); Abtragung, Einebnung (der Erdoberfläche) durch Wind;
Ab|la|tiv *m. 1* Beugungsfall der indogerman. Sprachen zur Angabe der Richtung von... her;
Ab|la|ti|vus ab|so|lu|tus *m. Gen.* -- *Mz.* -vi -ti, *im Latein.:* eine Ablativkonstruktion
Ab|lauf *m. 2;* **ab|lau|fen** *intr. u. tr. 76;* jmdm. den Rang a. *übertr.:* ihn übertreffen
Ab|laut *m. 1* Veränderung des Stammvokals in wurzelverwandten Wörtern, z. B. binden, Band, Bund; **ab|lau|ten** *intr. 2* dem Ablaut unterliegen
ab|le|ben *intr. 1* sterben
ab|le|gen *tr. 1;* **Ab|le|ger** *m. 5* abgeschnittener, in die Erde gesetzter Pflanzenteil, Senker
ab|leh|nen *tr. 1;* **Ab|leh|nung** *w. 10*
ab|lei|ten *tr. 2;* **Ab|lei|tung** *w. 10;* **Ab|lei|tungs|sil|be** *w. 11* Vor- oder Nachsilbe, die ihre Eigenbedeutung verloren hat, z. B. ent-, -lich, -heit
ab|len|ken *tr. 1;* **Ab|len|kung** *w. 10;* **Ab|len|kungs|ma|nö|ver** *s. 5*
ab|lich|ten *tr. 2* auf fotomechan. Wege eine Kopie herstellen; **Ab|lich|tung** *w. 10* fotomechan. Kopie
ab|lie|fern *tr. 1;* ich liefere es ab
ab|lie|gen *intr. 80; schweiz. auch:* sich hinlegen
ab|lis|ten *tr. 2;* jmdm. etwas a.
ab|lö|schen *tr. 1; auch Kochkunst:* mit kalter Flüssigkeit aufgießen
Ab|lö|se *w. 11* für eine Ablösung zu zahlender Betrag; **ab|lö|sen** *tr. 1;* Einrichtungsgegenstände a.: beim Mieten einer Wohnung mit übernehmen und bezahlen; **Ab|lö|sung** *w. 10*
ab|luch|sen *tr. 1, ugs.:* jmdm. etwas a.: durch List etwas von jmdm. erlangen
Ab|luft *w. 2* aus einem Raum abgeleitete, verbrauchte Luft
ABM *w. Gen.-* = Arbeitsbeschaffungsmaßnahme
ab|ma|chen *tr. 1;* **Ab|ma|chung** *w. 10*
ab|ma|gern *intr. 1;* **Ab|ma|ge|rung** *w. 10 nur Ez.*
ab|mark|ten *tr. 2;* jmdm. etwas a.: durch Feilschen von ihm erlangen
ab|mei|ern *tr. 1;* jmdn. a.: jmds. Pachtverhältnis für einen Meierhof kündigen
ab|mel|den *tr. 2;* **Ab|mel|dung** *w. 10*
ab|mes|sen *tr. 84;* **Ab|mes|sung** *w. 10*
ab|mü|hen *refl. 1*
ab|murk|sen *tr. 1, ugs.:* umbringen, töten
ab|mus|tern *Seew.:* **1** *intr. 1* den Dienst aufgeben; **2** *tr. 1* entlassen; *Ggs.:* anmustern; **Ab|mus|te|rung** *w. 10*
ab|na|beln *tr. 1* durch Abbinden und Zerschneiden der Nabelschnur vom Mutterleib trennen; **Ab|na|be|lung, Ab|nab|lung** *w. 10*
ab|nä|hen *tr. 1* durch eine Naht enger machen; **Ab|nä|her** *m. 5* Naht zum Verengern
ab|neh|men 1 *tr. 88;* das nehme ich dir nicht ab *ugs.:* das glaube ich dir nicht; **2** *intr. 88* geringer werden; **Ab|neh|mer** *m. 5*

Ab|nei|gung *w. 10*
ab|norm [lat.] von der Norm, der Regel abweichend, nicht normal, regelwidrig; **ab|nor|mal** *österr., schweiz.:* abnorm; **Ab|nor|mi|tät** *w. 10* Abweichung von der Norm, Regelwidrigkeit, krankhafte Erscheinung
ab|nö|ti|gen *tr. 1;* er nötigt mir Bewunderung, Respekt ab: ich muss ihn bewundern, muss Respekt vor ihm haben
ab|nut|schen *tr. 1, Chem.:* mit der Nutsche absaugen
ab|nut|zen, ab|nüt|zen *tr. 1;* **Ab|nut|zung, Ab|nüt|zung** *w. 10 nur Ez.*
ab|o|lie|ren [lat.] *tr. 3, veraltet:* abschaffen; begnadigen; **Ab|o|li|ti|on** *w. 10* Niederschlagung (eines Strafverfahrens); Abschaffung, Aufhebung; **Ab|o|li|ti|o|nis|mus** *m. Gen. - nur Ez., in den USA* Bewegung für die Abschaffung der Sklaverei, *in England* für die Abschaffung der Prostitution; **Ab|o|li|ti|o|nist** *m. 10* Anhänger des Abolitionismus
A|bon|ne|ment [abɔnəmɑ̃, schweiz. auch -bɔn-, frz.] *s. 9, schweiz. auch* [abɔnəmɛnt] *s. 1* Bezug von Zeitungen u. a. auf bestimmte oder unbestimmte Zeit; Miete eines Platzes im Theater oder Konzert für eine Spielzeit bzw. Saison; **A|bon|nent** *m. 10* Inhaber eines Abonnements; **a|bon|nie|ren** *tr. 3;* eine Zeitung a.; auf eine Zeitung abonniert sein *ugs.:* sie abonniert haben
ab|oral *auch:* **a|bo|ral** [lat.] vom Mund, von der Mundöffnung abgewendet, entgegengesetzt zum Mund liegend
Ab|ort *auch* **A|bort** **1** *m. 1* Klosett, Toilette; **2** [lat.] *m. 1,* Ab|or|tus *m. Gen. - Mz. -* Fehlgeburt; **ab|or|tie|ren** *auch:* **a|bor|tie|ren** *intr. 3* **1** einen Abort (**2**) haben; **2** *Gartenbau:* keine Früchte ansetzen; **ab|or|tiv** *auch:* **a|bor- 1** unreif, unfertig; **2** abtreibend (Mittel); **3** leicht, verkürzt verlaufend (Krankheit); **Ab|or|ti|vum** *auch:* **A|bor-** *s. Gen. -s Mz. -va* Mittel zur Abtreibung, Mittel, das eine Krankheit verkürzt oder ihren Ausbruch verhindert; **Ab|or|tus** *auch:* **A|bor|tus** *m. Gen. - Mz. -* = Abort (**2**)
ab o|vo [lat. »vom Ei an«] von Anfang an, weit ausholend; etwas ab ovo berichten
ab|pfei|fen *tr. 90;* ein Spiel a.: durch Pfiff das Zeichen zu seiner Beendigung geben
ab|pla|cken, ab|pla|gen *refl. 1*
Ab|pro|dukt *s. 1 meist Mz., ehem. DDR:* Rückstände aus Produktionsprozessen
ab|prot|zen *intr. 1, Mil.:* ein Geschütz von der Protze nehmen
ab|quä|len *refl. 1*
ab|qua|li|fi|zie|ren *tr. 3* abwertend beurteilen
ab|ra|ckern *refl. 1*
ab|rah|men *tr. 1;* Milch a.: den Rahm abschöpfen
A|bra|ka|da|bra *auch:* **Ab|ra|ka|da|bra** [vielleicht von Abraxas] *s. 9* ein Zauberwort; sinnloses Geschwätz
Ab|ra|sio [lat.] *w. Gen. - Mz. -sio|nen, Med.:* Ausschabung
Ab|ra|si|on *w. 10* **1** Abtragung (der Küste durch die Brandung); **2** *Med.:* Ausschabung (der Gebärmutter)
Ab|raum *m. 2* **1** Erdschicht über Bodenschätzen; **2** Abfall, Schutt
Ab|ra|xas [ägypt. oder pers.] *m. Gen. - nur Ez.* **1** *in der Gnostik Name für* Gott; **2** Zauberwort auf geschnittenen Steinen
ab|re|a|gie|ren *tr. 3* loswerden, entladen (Ärger, Erregung); sich a.: seinem Ärger Luft machen; **Ab|re|ak|ti|on** *w. 10*
ab|re|beln *tr. 1, österr.;* Beeren a.: einzeln abpflücken
Ab|rech|te *w. 11* linke Tuchseite
Ab|re|de *w. 11* Vereinbarung, Abmachung; etwas in Abrede stellen: etwas leugnen, für nicht wahr erklären
ab|re|gen *refl. 1, ugs.:* sich beruhigen
Ab|rei|bung *w. 10, ugs.:* scharfe Zurechtweisung, Prügel; kalte Abreibung *Med.:* Abreibung mit kaltfeuchtem Tuch
Ab|ri [frz.] *m. 9* steinzeitl. Wohnstätte unter Felsvorsprüngen
ab|rich|ten *tr. 2;* Tiere a.: lehren, dressieren; Hölzer, Bleche a.: glätten; **Ab|rich|ter** *m. 5* Tierlehrer, Dresseur
Ab|rieb *m. 1 nur Ez.* Materialschwund durch Abbröckeln oder Reibung (bei Kohle, Metall o. ä.); **ab|rieb|fest; Ab|rieb|fes|tig|keit** *w. 10 nur Ez.*
ab|rie|geln *tr. 1;* ich riegele, riegle die Tür ab; **Ab|rie|ge|lung, Ab|rieg|lung** *w. 10*
ab|rin|gen *tr. 100;* jmdm. etwas abringen
Ab|riß ► **Ab|riss** *m. 1* kurze (schriftl.) Darstellung, Überblick
Ab|ro|ga|ti|on *w. 10* Abschaffung, Aufhebung (eines Gesetzes); Zurücknahme (eines Auftrags); **ab|ro|gie|ren** *tr. 3, veraltet:* abschaffen, aufheben
Ab|ruf *m. 1;* etwas auf A. bestellen, liefern; **ab|ru|fen** *tr. 102*
ab|run|den *tr. 2;* **Ab|run|dung** *w. 10*
ab|rupt [lat.] ohne Übergang, plötzlich
Ab|ruz|zen *Mz.* ital. Gebirgslandschaft
Abs. 1 *Abk. für* Absender; **2** *Abk. für* Absatz (**1**)
ABS *s. Gen. - nur Ez.* = Antiblockiersystem
ab|sa|cken *intr. 1, ugs.:* versinken
Ab|sa|ge *w. 11;* **ab|sa|gen** *tr. 1*
ab|sä|gen *tr. 1; übertr., ugs.:* entlassen
ab|sah|nen *tr. 1; übertr., ugs.:* das Beste für sich nehmen
ab|sat|teln *tr. 1*
Ab|satz *m. 2* **1** (*Abk.:* Abs.) Abschnitt; **2** Teil des Schuhs; **3** *nur Ez.* Verkauf (von Waren)
ab|sau|fen *intr. 103, ugs.:* ertrinken; untergehen (Schiff)
ab|säu|gen *tr. 1* abstillen
ab|schal|ten *tr. u. intr. 2;* **Ab|schal|tung** *w. 10*
ab|schät|zen *tr. 1;* **ab|schät|zig** geringschätzig, verächtlich; **Ab|schät|zung** *w. 10*
Ab|schaum *m. 2 nur Ez.*
ab|schei|den 1 *tr. 107* trennen, ausscheiden; **2** *intr. 107* sterben, **Ab|schei|dung** *w. 10*
ab|schel|fern *intr. 1* = abschilfern; **Ab|schel|fe|rung** *w. 10* = Abschilferung
Ab|scheu *m. 1 (auch: w. 1) nur Ez.;* **ab|scheu|lich; Ab|scheu|lich|keit** *w. 10*
ab|schie|ben 1 *tr. 112;* **2** *intr. 112, ugs.:* weggehen; schieb ab!
Ab|schied *m. 1*
ab|schie|ßen *tr. 113*
ab|schil|fern, ab|schel|fern *intr. 1* sich in Schuppen ablösen; **Ab|schil|fe|rung,** Ab|schel|fe|rung *w. 10*
ab|schin|den *refl. 114*
ab|schir|men *tr. 1;* **Ab|schir|mung** *w. 10*

► = wird zu

ab|schir|ren *tr. 1;* ein Pferd a.
Ab|schlag *m. 2* **1** Teilzahlung, Akontozahlung; **2** *Bankw.* = Disagio; **3** *Hockey, Eishockey* = Bully; **4** *Golf:* erster Schlag; *auch:* Bahnbeginn; **ab|schlä|gig** ablehnend; abschlägiger Bescheid; **ab|schläg|lich** in Form eines Abschlags; abschlägliche Zahlung
ab|schläm|men *tr. 1* von Schlamm befreien
ab|schlep|pen *tr. 1*
ab|schlie|ßen *tr. u. intr. 120;*
Ab|schluß ► **Ab|schluss** *m. 2*
ab|schme|cken *tr. 1*
ab|schmei|cheln *tr. 1.;* jmdm. etwas abschmeicheln
ab|schmet|tern *tr. 1* energisch abweisen, zurückweisen
ab|schmin|ken *tr. 1* von Schminke befreien, reinigen; sich a.; das Gesicht a.; sich etwas a. *ugs.:* auf etwas verzichten, etwas aufgeben
ab|schnei|den *tr. u. intr. 125;*
Ab|schnitt *m. 1;* **Ab|schnitts|be|voll|mäch|tig|te(r)** *m. 18 (17) (Abk.:* ABV), *ehem. DDR:* für ein bestimmtes Gebiet verantwortlicher Volkspolizist; **ab|schnitt(s)|wei|se**
ab|schnü|ren *tr. 1;* **Ab|schnü|rung** *w. 10*
ab|schöp|fen *tr. 1;* von einer Sache den Rahm a. *übertr.:* das Beste für sich nehmen
ab|schre|cken *tr. 1; auch Kochkunst:* mit kaltem Wasser übergießen; **Ab|schre|ckung** *w. 10 nur Ez.*
ab|schrei|ben *tr. u. intr. 127;* **Ab|schrei|bung** *w. 10*
Ab|schrot *m. 1* meißelförmiger Ambosseinsatz; **ab|schro|ten** *tr. 2* trennen (metall. Werkstücke); **Ab|schrö|ter** *m. 5* **1** Abschrot; **2** Abschrothammer
ab|schuf|ten *refl. 2*
ab|schup|pen *tr. u. refl. 1;* **Ab|schup|pung** *w. 10*
ab|schür|fen *tr. 1* abkratzen, durch Kratzen verletzen; **Ab|schür|fung** *w. 10*
Ab|schuß ► **Ab|schuss** *m. 2;* **Ab|schuß|ba|sis** ► **Ab|schuss|ba|sis** *w. Gen. - Mz.* -sen Stätte zum Abschuss von Raketen; **ab|schüs|sig** steil geneigt, steil abfallend; **Ab|schüs|sig|keit** *w. 10 nur Ez.;* **Ab|schuß|ram|pe** ► **Ab|schuss|ram|pe** *w. 11* Vorrichtung zum Abschuss von Raketen

ab|schüt|teln *tr. 1*
ab|schwä|chen *tr. 1; Fot.:* aufhellen; **Ab|schwä|cher** *m. 5* Chemikaliengemisch zum Abschwächen von Negativen; **Ab|schwä|chung** *w. 10*
ab|schwat|zen *tr. 1 ugs.;* jmdm. etwas abschwatzen
ab|schwei|fen *intr. 1* abweichen, abkommen; vom Thema a.; **Ab|schwei|fung** *w. 10*
ab|schwel|len *intr. 131;* **Ab|schwel|lung** *w. 10 nur Ez.*
ab|schwen|ken *tr. u. intr. 1*
ab|schwin|deln *tr. 1, ugs.;* jmdm. etwas a.
ab|schwir|ren *intr. 1, ugs.:* weggehen, sich entfernen
ab|schwö|ren *intr. 135 mit Dat.;* seinem Glauben a.
ab|se|hen *tr. u. intr. 136;* abgesehen davon, dass...
ab|sei|hen *tr. 1* durch einen Seiher gießen
ab|sei|len *tr. 1*
ab|sein ► **ab sein** *intr. 137;* der Knopf ist ab, ist ab gewesen; ich bin ganz ab *ugs.:* ganz erschöpft
Ab|sei|te *w. 11* **1** Rückseite (bei Stoffen); **2** Raum, Verschlag unter dem schrägen Dach; **ab|sei|tig 1** abgelegen; **2** abwegig; **Ab|sei|tig|keit** *w. 10 nur Ez.;* **ab|seits 1** *Adv.* entfernt; a. stehen; *Theater:* für sich allein; *Sport:* in regelwidriger Stellung (bei Ballspielen); **2** *Präp. mit Gen.:* fern von; abseits der großen Menge; **Ab|seits** *s. Gen. - nur Ez., Sport:* regelwidrige Stellung
Ab|sence [absɑ̃s, frz.] *w. 11,* Ab|senz *w. 10* Geistesabwesenheit; kurze Bewusstseinstrübung oder Bewusstlosigkeit bei epileptischem Anfall
ab|sen|den *tr. 1;* **Ab|sen|der** *m. 5* (*Abk.:* Abs.)
ab|sent [lat.] abwesend; *Ggs.:* präsent; **ab|sen|tie|ren** *refl. 3* sich entfernen; **Ab|senz** *w. 10* Abwesenheit; *Ggs.:* Präsenz; vgl. Absence
ab|ser|vie|ren *tr. 3* **1** abräumen (Tisch), abtragen (Speisen); **2** *ugs.:* aus dem Amt entfernen
ab|set|zen *tr. 1*
Ab|sicht *w. 10;* **ab|sicht|lich** [auch: ab-]; **ab|sichts|los; Ab|sichts|satz** *m. 2* = Finalsatz
Ab|sinth [griech.] *m. 1* Wermutbranntwein
ab|sit|zen 1 *tr. 143;* eine Strafe a.: sie verbüßen; **2** *intr. 143* (vom Pferd, Fahrrad) absteigen
ab|so|lut [lat.] **1** *adjektiv.:* unabhängig, losgelöst; uneingeschränkt, unbedingt; *Ggs.:* relativ; zu jmdm. absolutes Vertrauen haben; absolutes Gehör: Fähigkeit, einen musikal. Ton nach dem Gehör zu bestimmen; absolute Mehrheit: Mehrheit mit über 50% aller abgegebenen Stimmen; absolute Monarchie: Monarchie, in der der Herrscher die unbeschränkte Gewalt ausübt, Absolutismus; absolute Musik: Musik, die nicht auf außermusikal. Vorstellungen beruht, *Ggs.:* Programmmusik; absoluter Nullpunkt: tiefste mögliche Temperatur, −273° C; absolute Temperatur: vom absoluten Nullpunkt aus gerechnete Temperatur; absolute Zahl: unabhängig von ihrem Vorzeichen betrachtete Zahl; **2** *adverbial:* durchaus, völlig, überhaupt; das ist absolut unmöglich; ich habe absolut keine Lust; absolut nicht: keineswegs; **Ab|so|lu|ti|on** *w. 10* Freisprechung von Sünden; jmdm. A. erteilen; **Ab|so|lu|tis|mus** *m. Gen. - nur Ez.* Regierungsform, bei der der Monarch die unbeschränkte Gewalt ausübt; **Ab|so|lu|tist** *m. 10* Anhänger des Absolutismus; **Ab|so|lu|to|ri|um** *s. Gen.* -s *Mz.* -ri|en, *veraltet:* **1** Freispruch; **2** die Bescheinigung darüber; **3** *österr. für* Abitur
Ab|sol|vent [lat.] *m. 10* jmd., der eine Schule, einen Lehrgang absolviert hat; **ab|sol|vie|ren** *tr. 3* **1** erfolgreich beenden (z. B. Lehrgang); **2** freisprechen
ab|son|der|lich; Ab|son|der|lich|keit *w. 10;* **ab|son|dern** *tr. 1*
Ab|sor|bens *s. Gen. - Mz.* -ben|zi|en *oder* -ben|tia [-tsja] Stoff, der einen anderen absorbiert; vgl. Absorptiv; **Ab|sor|ber** *m. 5* Anlage zum Absorbieren von Gasen, Dämpfen; **ab|sor|bie|ren** *tr. 3* aufsaugen; **Ab|sorp|ti|on** *w. 10* Aufnahme von Gas oder Dampf in Flüssigkeit oder festen Körper; Energieschwächung von Strahlung beim Durchdringen von Materie; **ab|sorp|tiv** zur Absorption fähig; **Ab|sorp|tiv** *s. 1* Stoff, der von einem andern absorbiert wird; vgl. Absorbens

ab|spä|nen *tr. 1* **1** mit Spänen reinigen; **2** Späne abheben; **3** entwöhnen, absäugen (Ferkel)
ab|span|nen *tr. 1;* ein Pferd a.
Ab|span|nung *w. 10 nur Ez.* Erschöpfung, Abgespanntheit
ab|spa|ren *tr. 1*
ab|spei|sen *tr. 1;* jmdn. mit einer Redensart abspeisen
ab|spens|tig; jmdm. den Freund, die Kunden, die Geliebte a. machen: wegnehmen, weglocken, entfremden
ab|spie|len *tr. u. refl. 1*
Ab|spra|che *w. 11* Vereinbarung, Abmachung; **ab|spre|chen** *tr. 146;* jmdm. etwas a.: nicht zugestehen; **ab|spre|chend** abfällig
ab|spu|len *tr. 1; auch ugs.;* Sätze a.: eintönig u. ohne Unterbrechung sprechen
ab|spü|len *tr. 1*
ab|stam|men *intr. 1;* **Ab|stam|mung** *w. 10 nur Ez.*
Ab|stand *m. 2;* von etwas A. nehmen: darauf verzichten, etwas zu tun; **ab|stän|dig 1** durch zu langes Stehen verdorben; **2** dürr, abgestorben
ab|stat|ten *tr. 2;* jmdm. einen Besuch a.; **Ab|stat|tung** *w. 10 nur Ez.*
ab|stau|ben *tr. u. intr. 1; auch ugs.:* wegnehmen, mitgehen lassen; **ab|stäu|ben** *tr. u. intr. 1* = abstauben (ugs.)
ab|ste|chen *tr. u. intr. 149;* **Ab|ste|cher** *m. 5* kleiner Ausflug oder Umweg
ab|ste|hen *intr. 151;* von etwas a.: darauf verzichten, etwas zu tun
Ab|stei|ge *w. 11* = Absteigequartier; **ab|stei|gen** *intr. 153;* **Ab|stei|ge|quar|tier** *s. 1,* Ab|stei|ge *w. 11* billige Unterkunft
ab|stel|len *tr. 1;* **Ab|stell|gleis** *s. 1*
ab|stem|peln *tr. 1;* ich stempele, stemple es ab; **Ab|stem|pe|lung, Ab|stemp|lung** *w. 10 nur Ez.*
ab|ster|ben *intr. 154*
Ab|stich *m. 1*
Ab|stieg *m. 1*
ab|stil|len *tr. 1;* ein Kind a.: ihm statt Muttermilch Kuhmilch geben, ablaktieren
ab|stim|men *tr. u. intr. 1;* **Ab|stim|mung** *w. 10*
ab|sti|nent *auch:* **abs|ti-** [lat.] enthaltsam, auf Alkohol verzichtend; a. leben; **Ab|sti|nenz** *auch:* **Abs|ti-** *w. 10 nur Ez.* Enthaltsamkeit; **Ab|sti|nenz|ler** *auch:* **Abs|ti-** *m 5* jmd., der enthaltsam lebt, bes. keinen Alkohol trinkt
ab|sto|ßen *tr. 157;* **ab|sto|ßend;** **Ab|sto|ßung** *w. 10 nur Ez.*
ab|stot|tern *tr. 1, ugs.:* in Raten bezahlen
ab|stra|hie|ren *auch:* **abs|tra-** [lat.] *tr. 3* das Allgemeine im Einzelnen erkennen und von ihm abheben; verallgemeinern, zum Begriff erheben; **ab|strakt** *auch:* **abs|trakt** begrifflich, unanschaulich; *Ggs.:* konkret; abstrakte Kunst: bes. bildende Kunst und Malerei, die ihre Themen nicht in der konkreten Wirklichkeit sucht, ungegenständl. Kunst; **Ab|strak|ti|on** *auch:* **Abs|trak-** *w. 10* Verallgemeinerung, Begriffsbildung; **Ab|strak|ti|ons|ver|mö|gen** *auch:* **Abs|trak-** *s. 7 nur Ez.* Fähigkeit zu abstrahieren; **Ab|strak|tum** *auch:* **Abs|trak-** *s. Gen.* -s *Mz.* -ta **1** allgemeiner, ungegenständlicher Begriff; **2** abstraktes Substantiv; *Ggs.:* Konkretum
ab|stram|peln *refl. 1, ugs.:* sich abmühen, sich anstrengen
ab|strei|ten *tr. 159* leugnen, nicht zugeben
Ab|strich *m. 1* **1** *Med.:* Entnahme einer Haut-, Schleimhaut-, Geschwulstabsonderung zur medizin. Untersuchung; *auch:* die entnommene Probe selbst; **2** *Metallurgie:* infolge geringerer Dichte auf Metallschmelzen schwimmende Verunreinigungen, die bei der Reinigung abgezogen werden
ab|strus *auch:* **abs|trus** [lat.] schwer verständlich, verworren
ab|stump|fen 1 *tr. 1* stumpf machen; **2** *intr. 1* stumpf werden; *übertr.:* unempfindlich, gleichgültig werden; **Ab|stump|fung** *w. 10 nur Ez.*
Ab|sturz *m. 2;* **ab|stür|zen** *intr. 1*
Ab|sud [auch: -sud] *m. 1* durch Kochen (Sieden) entstandener Auszug aus Heilkräutern, Abkochung, Dekokt
ab|surd unsinnig, unvernünftig; absurdes Theater: moderne Form der Dramatik zur Darstellung der Sinnlosigkeit des Lebens des von seinen metaphys. Wurzeln losgelösten Menschen unter Verzicht auf vernunftgemäße, logische Ausdrucksweise; **Ab|sur|di|tät** *w. 10*
ab|sze|die|ren *auch:* **abs|ze|die|ren** [lat.] *intr. 3* sich absondern; eitern, einen Abszess bilden; **Ab|szeß** ► **Ab|szess** *auch:* **Abs|zess** *m. 1, österr. ugs.: s. 1* Eitergeschwulst
Ab|szis|se *auch:* **Abs|zis|se** [lat.] *w. 11, Math.:* parallel zur Abszissenachse abgemessener Linienabschnitt; *Ggs.:* Ordinate; **Ab|szis|sen|ach|se** *auch:* **Abs|zis-** *w. 11* waagerechte Achse im Koordinatensystem, x-Achse; *Ggs.:* Ordinatenachse
Abt [aram.] *m. 2* Vorsteher eines Mönchsklosters oder Stifts
Abt. *Abk. für* Abteilung
ab|ta|keln *tr. 1;* ein Schiff a.: ihm das Takelwerk abnehmen, es außer Dienst stellen; **Ab|ta|ke|lung, Ab|tak|lung** *w. 10*
ab|tas|ten *tr. 2;* **Ab|tas|tung** *w. 10 nur Ez.*
ab|tau|en *intr. u. tr. 1;* den Kühlschrank abtauen
Ab|tei *w. 10* Kloster, dem ein Abt oder eine Äbtissin vorsteht
Ab|teil [auch: Ab-] *s. 1;* **ab|tei|len** *tr. 1;* **Ab|tei|lung** *w. 10* (*Abk.:* Abt.); **Ab|tei|lungs|lei|ter** *m. 5;* **Ab|tei|lungs|zei|chen** *s. 7*
ab|teu|fen *tr. 1, Bergbau;* einen Schacht a.: einen Schacht anlegen
ab|tip|pen *tr. 1* auf der Schreibmaschine abschreiben
Äb|tis|sin *w. 10* Vorsteherin eines Nonnenklosters oder Stifts
ab|tö|ten *tr. 2;* **Ab|tö|tung** *w. 10 nur Ez.*
Ab|trag *m. 2* Schaden; jmdm. A. tun; **ab|tra|gen** *tr. 160;* **ab|träg|lich** schädlich; einer Sache a. sein: ihr schaden
ab|trei|ben *tr. u. intr. 162;* ein Kind a.: eine Fehlgeburt herbeiführen; **Ab|trei|bung** *w. 10* künstlich herbeigeführte Fehlgeburt
ab|tre|ten *tr. u. intr. 163;* **Ab|tre|ter** *m. 5;* **Ab|tre|tung** *w. 10*
Ab|trieb *m. 1* **1** *Landw.:* das Abtreiben des Viehs von der Alm; **2** *Forstw.:* Abholzung; **3** *Tech.:* Endglied einer Maschine, an dem die Kraftabnahme erfolgt
Ab|trift, Ab|drift *w. 10* das Abgetriebenwerden des Schiffs oder Flugzeugs vom Kurs durch Seegang bzw. Wind
Ab|tritt *m. 1* Abort, Klosett
ab|trot|zen *tr. 1;* jmdm. etwas

► = wird zu

a.: es durch Trotz, Hartnäckigkeit von ihm erlangen
ab|trün|nig; a. werden: sich von einem Glauben, einer Partei lossagen, abwenden
ab|tun *tr. 167;* eine Sache mit einem Scherz a.; eine Frage mit einer kurzen Bemerkung a.; das ist erledigt und abgetan
Abu *in arab. Eigennamen:* Vater (des, der...), z. B. Abu Hassan
A|bu|lie [griech.] *w. 11* Willensschwäche, Willenlosigkeit, Unentschlossenheit
ab|un|dant *auch:* **a|bun-** [lat.] reichlich (vorhanden); **Ab|un|danz** *auch:* **A|bun-** *w. 10 nur Ez.* **1** Überfluss; **2** Bevölkerungsdichte; **3** Häufigkeit einer Tier- oder Pflanzenart in einem Gebiet
ab ur|be con|di|ta [lat.] *(Abk.:* a. u. c.) seit Gründung der Stadt (Rom): altröm. Zeitrechnung ab 753 v. Chr.
ab|ur|tei|len *tr. 1;* **Ab|ur|tei|lung** *w. 10*
ab|u|siv *auch:* **a|bu|siv** [lat.] missbräuchlich; **Ab|u|sus** *auch:* **A|bu|sus** *m. Gen. - Mz. -* Missbrauch, übermäßiger Gebrauch
ABV *Abk. für* Abschnittsbevollmächtigte(r)
Ab|ver|kauf *m. 2, österr. für* Ausverkauf
ab|ver|lan|gen *tr. 1*
ab|ver|mie|ten *tr. 2*
ab|vie|ren *tr. 3* vierkantig zuschneiden (Holz)
ab|wä|gen *tr. 173* genau überlegen
ab|wan|deln *tr. 1, Gramm.:* beugen; konjugieren bzw. deklinieren; **Ab|wand|lung** *w. 10, Gramm.:* Beugung; Konjugation bzw. Deklination
Ab|wär|me *w. 11 nur Ez.* Wärme, die nach einem techn. Vorgang übrig bleibt, Abhitze
Ab|wart *m. 1, schweiz.:* Hausmeister; **ab|war|ten** *tr. 2;* **Ab|war|tin** *w. 10, schweiz.:* Hausmeisterin
ab|wärts; die Treppe abwärts gehen; mit ihm wird es abwärts gehen
Ab|wasch *m. 1 nur Ez., ugs.:* **1** das Geschirrspülen; **2** das schmutzige Geschirr selbst; **3** *österr.: w. 10* Geschirrspülbecken, Spüle
Ab|was|ser *s. 6* abfließendes Schmutzwasser
ab|wech|seln *intr. 1;* **Ab|wech|se|lung, Ab|wechs|lung** *w. 10*
ab|wechs|lungs|reich
Ab|weg *m. 1;* auf Abwege geraten; **ab|we|gig** sonderbar, irrig
Ab|wehr *w. 10 nur Ez.;* **ab|weh|ren** *tr. 1*
ab|wei|chen *tr. u. intr. 176;* **Ab|wei|chung** *w. 10*
ab|wei|den *tr. 2*
ab|wei|sen *tr. 177;* **Ab|wei|sung** *w. 10*
ab|wen|den *tr. 178;* **ab|wen|dig** abspenstig
ab|wer|ben *tr. 179* durch Werben (Geschenke, Versprechungen usw.) abspenstig machen; Kunden, Arbeitskräfte a.; **Ab|wer|bung** *w. 10 nur Ez.*
ab|wer|fen *tr. 181*
ab|wer|ten *tr. 2;* **Ab|wer|tung** *w. 10*
ab|we|send nicht anwesend, nicht da; **Ab|we|sen|heit** *w. 10 nur Ez.*
ab|wet|tern *tr. 1;* einen Schacht a. *Bergbau:* abdichten; einen Sturm a. *Seew.:* auf offenem Meer einen Sturm überstehen
ab|wet|zen *tr. 1* abnutzen
ab|wi|ckeln *tr. 1;* ich wickele, wickle es ab; **Ab|wi|cke|lung, Ab|wick|lung** *w. 10 nur Ez.*
ab|wie|geln *tr. 1, ugs.:* beschwichtigen
ab|wie|gen *tr. 182*
ab|wim|meln *tr. 1, ugs.:* abweisen, zurückweisen
Ab|wind *m. 1* abwärts wehender Wind
ab|win|ken *intr. 1*
ab|wirt|schaf|ten *tr. 2* durch schlechtes Wirtschaften herunterbringen
ab|wra|cken *tr. 1;* ein Schiff a.: ein nicht mehr taugliches Schiff abbauen
Ab|wurf *m. 2*
ab|wür|gen *tr. 1*
a|bys|sal, a|bys|sisch [griech.] aus der Tiefe der Erde, des Meeres stammend; zur Tiefsee gehörig; abgrundtief; **A|bys|sus** *m. Gen. - nur Ez.* Tiefe der Erde, Abgrund; Unergründliches
ab|zah|len *tr. 1*
ab|zäh|len *tr. 1;* **Ab|zähl|reim** *m. 1*
Ab|zah|lung *w. 10*
ab|zap|fen *tr. 1;* jmdm. Geld a. *ugs.*
ab|zap|peln *refl. 1, ugs.;* ich zappele, zapple mich ab
ab|zäu|men *tr. 1;* ein Pferd a.
ab|zeh|ren *intr. 1*
Ab|zei|chen *s. 7*
ab|zeich|nen *tr. u. refl. 2*
Ab|zieh|bild *s. 3;* **ab|zie|hen** *tr. u. intr. 187*
ab|zie|len *intr. 1;* auf etwas a.: etwas anstreben
ab|zir|keln *tr. 1* wie mit dem Zirkel genau abmessen
Ab|zug *m. 2;* **ab|züg|lich** *Präp. mit Gen.:* nach Abzug; die Einnahmen a. der Steuern; **ab|zugs|fä|hig** abziehbar
ab|zwa|cken *tr. 1;* jmdm. etwas a. *ugs.:* entziehen; jmdm. etwas vom Lohn abzwacken
Ab|zwei|ge *w. 11* Abzweigung; **ab|zwei|gen** *tr. u. intr. 1;* **Ab|zwei|gung** *w. 10*
Ac *chem. Zeichen für* Actinium
a c. *Abk. für* a conto
a. c. *Abk. für* anni currentis
à c. *Abk. für* à condition
A|ca|de|my a|ward [əkædəmi əwɔd] *m. Gen. --s Mz. --s* amerik. Filmpreis; vgl. Oscar
a cap|pel|la [ital. »wie in der Kapelle«] ohne Instrumentalbegleitung; ein Lied a cappella singen; **A-cap|pel|la-Chor** *m. 2* ohne Begleitung singender Chor
acc. *Abk. für* accrescendo
ac|ce|le|ran|do [atʃɛl-, ital.] *(Abk.:* accel.) *Mus.:* beschleunigend, schneller werdend; *Ggs.:* ritardando
Ac|cent ai|gu [aksɑ̃tɛgy, frz.] *m. Gen. -- Mz.* -s -s [aksɑ̃tɛgy] *(Zeichen:* ´) im Frz. Zeichen für die geschlossene Aussprache des e, z. B. in Café; vgl. auch Akut; **Ac|cent cir|con|flexe** [aksɑ̃sirkɔ̃flɛks] *m. Gen. -- Mz.* -s -s [aksɑ̃sirkɔ̃flɛks] *(Zeichen:* ˆ) im Frz. Zeichen für die Dehnung eines Vokals oder Diphthongs infolge eines ausgefallenen s, z. B. fenêtre [fənɛtrə], lat. fenestra »Fenster«, maître [mɛtrə], lat. magister »Meister«; **Ac|cent grave** [aksɑ̃grav] *m. Gen. -- Mz. -* -s -s [aksɑ̃grav] *(Zeichen:* `) im Frz. Zeichen für die lange, offene Aussprache des e, z. B. mère [mɛːr]
Ac|cen|tus [aktsɛn-, lat.] *m. Gen. - Mz. -* Sprechgesang des Priesters in der Liturgie; *Ggs.:* Concentus
Ac|ces|soi|res [aksɛsoars, frz.] *nur Mz.* modisches Zubehör, z. B. Gürtel, Schmuck

Ac|com|pa|gna|to *auch:* **-pag|na|to** [-nja-, ital.], Ak|kom-pa|gna|to *s. Gen.* -s *Mz.* -ti, das vom Orchester begleitete Rezitativ; **Ac|com|pa|gne|ment,** Ak|kom|pa|gne|ment [-njəmã, frz.] *auch:* **-pag|ne|ment** *s. 9, Mus., veraltet:* Begleitung; **ac-com|pa|gnie|ren** [-nji-] *auch:* **-pag|nie|ren** ak|kom|pa|gnie|ren *tr. 3, Mus., veraltet:* begleiten

Ac|count [əkaʊnt, engl.] *m. 9* **1** Werbeetat; **2** Auftraggeber einer Werbeagentur

ac|cre|scen|do [-ʃɛn-, ital.] (*Abk.:* acc., accresc.), *Mus.:* anschwellend, lauter werdend; *Ggs.:* decrescendo

ac|cu|sa|ti|vus cum in|fi|ni|ti|vo [lat.] vgl. Akkusativ

A|ce|tal|de|hyd *auch:* **A|ce|tal-de|hyd** [lat.] *m. 1 nur Ez.* stechend riechende organ. Verbindung; **A|ce|tat** *s. 1* = Azetat; **A|ce|ton** *s. 1 nur Ez.* aromatisch riechendes Lösungsmittel; **A|ce|ty|len** *s. 1 nur Ez.* ungesättigter, gasförmiger Kohlenwasserstoff

ach; ach nein!, ach je!, ach so!, ach was!; ach und weh schreien; **Ach** *s. 9;* mit Ach und Krach *ugs.:* gerade noch

A|chä|ne [-xɛ-, griech.] *w. 11* einsamige Schließfrucht von Korbblütlern

A|chat [axat] *m. 1* ein Schmuckstein; **a|cha|ten** aus Achat

A|che [auch: axə] *w. 11* Fluss

A|chei|ro|poi|e|ta [axai-, griech. »nicht von Menschenhand gemacht«] *Mz.* byzantin. Bildnisse von Christus, Maria oder Heiligen, deren Ursprung man für außerirdisch hielt

A|che|ron [axərɔn] *m. Gen.* -s *nur Ez., griech. Myth.:* Fluss der Unterwelt; **a|che|ron|tisch** zum Acheron gehörig, unterweltlich

A|cheu|lé|en [aʃœleɛ̃, nach dem frz. Fundort St-Acheul] *s. Gen.* -(s) *nur Ez.* Kulturstufe der älteren Altsteinzeit

A|chill, A|chil|les [axil-] Held der griech. Sage; **A|chil|les|fer-se** *w. 11, übertr.:* verwundbare Stelle, schwacher Punkt; **A|chil-les|seh|ne** *w. 11* Sehne zwischen Wadenmuskeln und Fersenbein; **A|chil|leus** *griech. Form von* Achilles

a|chla|my|de|isch *auch:* **ach|la-** [axla-, griech.] ohne Blütenhülle

Ach-Laut *Nv.* ► **Achlaut** *Hv. m. 1* der Laut ch nach a, o, u; vgl. Ich-Laut

a. Chr. (n.) *Abk. für* ante Christum (natum): vor Christi Geburt

A|chro|it [-kro-, griech.] *auch:* **Ach|ro-** *m. 1* ein Mineral, ein Turmalin

A|chro|ma|sie *auch:* **Ach|ro-** [akro-, griech.] *w. 11,* A|chro-ma|tis|mus *m. Gen.* - *Mz.* -men, *bei optischen* Geräten: Brechung des Lichts ohne Zerlegung in Farben; **A|chro|mat** *auch:* **Ach|ro-** *m. 1* Linsensystem, das Licht nicht in Farben zerlegt; **A|chro|ma|tin** *auch:* **Ach|ro-** *s. 1 nur Ez.* der nicht färbbare Teil der Zellkernsubstanz; **a|chro|ma|tisch** *auch:* **ach|ro-** nicht in Farben zerlegend; **A|chro|ma|tis|mus** *auch:* **Ach|ro-** *m. Gen.* - *Mz.* -tismen = Achromasie; **A|chro|mat|op-sie** *auch:* **A|chro|ma|top|sie** *w. 11* Farbenblindheit

Ach|se *w. 11*

Ach|sel *w. 11;* **Ach|sel|höh|le** *w. 11;* **Ach|sel|klap|pe** *w. 11,* Achselstück *s. 1* Besatz auf der Schulter von Uniformen mit Rangabzeichen, Schulterklappe; **ach|sel|stän|dig** *Bot.:* in der Blattachsel stehend; **Ach|sel-stück** *s. 1* = Achselklappe; **Ach|sel|zu|cken** *s. Gen.* -s *nur Ez.*

Ach|sen|kreuz *s. 1* **1** *Math.:* ebenes Koordinatensystem; **2** Koordinatensystem zur Feststellung eines Kristallsystems

... ach|sig mit einer bestimmten Zahl von Achsen versehen, z. B. ein-, dreiachsig; **Achs|ki-lo|me|ter** *s. 5* Maßeinheit bei der Eisenbahn: Produkt aus Anzahl der Achsen und der gefahrenen Kilometer; **achs-recht** = axial; **Achs|sturz** *m. 2* Neigung eines Rades von der Senkrechten weg, Radsturz

acht 8 **1** 8fach, 8-jährig, 8-jährlich, 8-mal, 5–8-mal; 8 mal 2 ist (macht) 16; er verlor 13:8 (13 zu 8): mit 13 Punkten gegenüber 8 Punkten des Gegners; die Linie (Straßenbahn) 8, 8-Stunden-Tag; **2** es ist acht (Uhr), halb acht, um acht, Punkt, Schlag acht, fünf Minuten vor acht, (ein) Viertel nach acht; er kommt gegen acht; es ist schon nach acht; er kam noch vor acht; es geht auf acht; es schlägt acht; die Uhr zeigt acht; heute in acht Tagen: heute in einer Woche; wir sind (unser) acht, wir sind zu acht

> **acht/Acht:** Kleingeschrieben wird das Zahlwort: *acht,achtmal* (bei besonderer Betonung: *acht Mal*), *um acht, achtjährig* (*8-jährig*), *die ersten acht.* →§ 58 (6)
> In festen Verbindungen wird *Acht* großgeschrieben: *Acht geben, Acht haben, in Acht nehmen, außer Acht lassen.* →§ 55 (4)
> Großgeschrieben werden darüber hinaus Substantivierungen: *der/die/das Achte, die eine Acht.* Auch in Eigennamen: *Heinrich der Achte.*

Acht 1 *w. 10* die Zahl, Ziffer 8; eine Acht schreiben; eine arabische, römische Acht; mit der Acht fahren *ugs.:* mit der Straßenbahn, dem Autobus Nr. 8; Achten fahren (mit dem Rad, beim Eislaufen); **2** *w. 10 nur Ez.* Aufmerksamkeit; etwas außer Acht lassen; sie hat das Kind völlig aus der Acht gelassen; das Außerachtlassen, sich in Acht nehmen: aufpassen, vorsichtig sein; Acht geben; **3** *w. 10 nur Ez.* Ächtung, Ausschluss aus der Gemeinschaft unter Verlust des Rechtsschutzes; über jmdn. die Acht aussprechen; jmdn. in Acht und Bann tun

ach|te 8.; der achte März; das achte Mal; **Ach|te** *m., w., s. 18* er ist der Achte (der Reihenfolge, dem Rang, der Leistung nach) in seiner Klasse; Ludwig der Achte; am Achten des nächsten Monats

acht|ein|halb, acht|und|ein|halb, 8½

ach|tel ⅛; ein, drei achtel Liter, *aber:* ein Achtelliter; **Ach|tel** *s. 5, schweiz.: m. 5* der achte Teil vom Ganzen; drei Achtel Milch; ein Achtel des Zimmers; *Mus.:* Achtelnote; diese sechs Achtel sind gebunden zu spielen; Sechsachteltakt, (mit Ziffern:) 6/8-Takt; **ach|teln** *tr. 1* in acht gleiche Teile teilen; **Ach-tel|no|te** *w. 11, Mus.:* Note im Zeitwert eines Achtels einer ganzen Note; **Ach|tel|pau|se** *w. 11, Mus.:* Pause im Zeitwert einer Achtelnote

► = wird zu

ach|ten *tr. u. intr. 2;* auf etwas oder jmdn. a.; **äch|ten** *tr. 2* jmdn. ä.: die Acht über jmdn. aussprechen
Ach|ten|der *m. 5* Hirsch mit acht Enden am Geweih
ach|tens 8.; an achter Stelle, als achter Punkt
ach|tens|wert
ach|ter *Seew.:* hinter
Ach|ter *m. 5* **1** *süddt.:* die Ziffer 8; Figur in Form einer 8; **2** Autobus Linie 8; mit dem Achter fahren; **3** Ruderboot für acht Ruderer
ach|ter|aus *Seew.:* nach hinten
Ach|ter|bahn *w. 10*
Ach|ter|deck *s. 9, Seew.:* Hinterdeck; *Ggs.:* Vorderdeck;
ach|ter|las|tig *Seew.:* hinten mehr belastet als vorn (Schiff); *Ggs.:* vorderlastig
ach|ter|lei [auch: ạx-]
ach|tern *Seew.:* hinten
Ach|ter|ste|ven *m. 7, Seew.:* hinterer Abschluss eines Schiffes; *Ggs.:* Vordersteven
acht|fach 8fach: achtmal, in acht Schichten; der Stoff liegt a.; **Acht|fa|che** *s. 18* das 8fache;
Acht|flach *s. 1,* **Acht|fläch|ner** *m. 5* = Oktaeder; **Acht|fü|ßer, Acht|füß|ler** *m. 5* achtarmiger Kopffüßer, Oktopode
acht|ge|ben ► **Acht ge|ben** *intr. 45;* gib Acht!; ich habe nicht Acht gegeben; auf den Weg, auf ein Kind Acht geben;
acht|ha|ben ► **Acht ha|ben** *intr. 60* Acht geben; habt Acht! *(militär. Kommando)*
Acht|gro|schen|jun|ge *m. 11, ugs.:* **1** käuflicher Zuträger; **2** Strichjunge
acht|hun|dert 800; **Acht|hun|dert|jahr|fei|er** *w. 11* 800-Jahr-Feier: Feier zum 800-jährigen Bestehen; **acht|jäh|rig** 8-jährig: acht Jahre dauernd, acht Jahre alt; **Acht|jäh|ri|ge(r)** *m., w. 17 bzw. 18,* **Acht|jäh|ri|ge(s)** *s. 18 (17)* Kind von acht Jahren;
acht|jähr|lich 8-jährlich: alle acht Jahre
acht|los; Acht|lo|sig|keit *w. 10 nur Ez.*
acht|mal 8-mal, 6–8-mal; 8 mal 6 ist (macht) 48; sechs- bis achtmal; acht mal sechs; **acht|ma|lig; acht|mo|na|tig** 8-monatig: acht Monate lang, acht Monate alt; ein achtmonatiger Lehrgang; ein achtmonatiges Kind;
acht|mo|nat|lich 8-monatlich: alle acht Monate; **Acht|mo|nats|kind** *s. 3* nach 8 Monaten Schwangerschaft geborenes Kind
acht|sam; Acht|sam|keit *w. 10 nur Ez.*
acht|spän|nig mit 8 Pferden (bespannt); **Acht|stun|den|tag** *m. 1* 8-Stunden-Tag: Tag mit acht Arbeitsstunden; **acht|stün|dig** 8-stündig: acht Stunden lang dauernd; eine achtstündige Sitzung; **acht|stünd|lich** 8-stündlich: alle acht Stunden; in achtstündlichem Wechsel; eine Medizin a. einnehmen; **acht|tä|gig** 8-tägig: acht Tage lang dauernd; ein achttägiger Urlaub;
acht|täg|lich 8-täglich: alle acht Tage, wöchentlich; **acht|tau|send** 8000; **acht|und|ein|halb** 8½; **acht|und|vier|zig** 48; die Revolution von a.: von 1848;
Acht|und|vier|zi|ger *m. 5* Anhänger der Revolution von 1848; **Acht|und|vier|zig|stun|den|wo|che** *w. 11* 48-Stunden-Woche
Ach|tung *w. 10 nur Ez.*
Äch|tung *w. 10 nur Ez.*
Ach|tungs|ap|plaus *m. 1 nur Ez.;* **ach|tungs|voll**
acht|zehn 18; er ist achtzehn (Jahre alt); er ist Mitte achtzehn, über achtzehn; im Jahre achtzehn des 19. Jahrhunderts;
acht|zehn|hun|dert 1800; **acht|zig** 80; er (sie) ist Mitte der achtzig: etwa 85 Jahre alt; in die achtzig kommen: zwischen 85 und 89 Jahre alt; er ist schon weit über die achtzig; mit seinen achtzig ist er noch sehr rüstig; **Acht|zig** *w. 10* die Zahl 80;

> **achtzig:** Das Zahlwort *achtzig* wird kleingeschrieben: *achtzig Jahre, mit (seinen) achtzig, Mitte der achtzig, auf achtzig bringen.* → § 58 (6)
> Die Zusammensetzung *Achtzigerjahre* wird, weil substantiviert, großgeschrieben. Kleinschreibung ist möglich: *achtziger Jahre.* Ebenso: *80er Jahre* bzw. *80er-Jahre.* → § 37 (1)

acht|zi|ger 80er; in den Achtzigerjahren *auch:* in den achtziger Jahren, den 80er-Jahren; den 80er Jahren des 19. Jahrhunderts: von 1880 bis 1889; in seinen Achtzigerjahren: im Alter zwischen 80 und 89; ein achtziger Jahrgang: jmd., der 1880 geboren ist, Wein aus dem Jahr 1880; **Acht|zi|ger** *m. 5* Mensch von 80 Jahren oder zwischen 80 und 89 Jahren; Wein aus dem Jahr 1880; er ist ein rüstiger Achtziger; die Achtziger *Mz.,* die Achtzigerjahre *auch:* achtziger Jahre, 80er-Jahre, 80er Jahre: die Jahre 1880–1889, die (Lebens-)Jahre zwischen 80 und 89; er ist in den Achtzigern: über 80 Jahre alt; **Acht|zi|ger|jah|re** ► *auch:* **acht|zi|ger Jah|re, 80er-Jah|re, 80er Jah|re** *s. 1 Mz.* die (Lebens-)Jahre zwischen 80 und 89; vgl. achtziger; **acht|zig|fach; acht|zig|mal** vgl. acht;
acht|zig|jäh|rig vgl. acht; **acht|zigs|te** vgl. acht; **Acht|zy|lin|der** *auch:* **8-Zy|lin|der** *m. 5* Kraftfahrzeug mit einem Motor mit acht Zylindern
A|chy|lie [axy-, griech.] *w. 11* fehlende oder mangelhafte Saftbildung von Verdauungsorganen
äch|zen *intr. 1*
a. c. i. *Abk. für* accusativus cum infinitivo, vgl. Akkusativ
A|cid [ɛısıd, engl.] Deckname für LSD
A|ci|di|me|trie *auch:* **-met|rie** [lat. + griech.] *w. 11 nur Ez.* Verfahren zum Messen der Konzentration von Säuren;
A|ci|di|tät *w. 10 nur Ez.* Säuregrad (einer Flüssigkeit); **A|ci|do|se** *w. 11* krankhaftes Ansteigen des Säuregrades im Blut;
A|ci|dum *s. Gen.* -s *Mz.* -da Säure;
A|ci|dur *s. 1 nur Ez.* säurebeständiges, siliciumhaltiges Gusseisen
A|cker 1 *m. 5* altes Feldmaß, zwischen 19 und 65 a; 30 Acker Land; **2** *m. 6* landwirtschaftlich bebautes Stück Land, Feld;
A|cker|bau|er *m. 11;* **A|cker|bür|ger** *m. 5, früher:* Stadtbürger mit eigener Landwirtschaft;
A|cker|kru|me *w. 11* die oberste, pflügbare Erdschicht des Ackers; **a|ckern** *intr. 1; auch übertr. ugs.:* schwer arbeiten, angestrengt lernen; **A|cker|nah|rung** *w. 10 nur Ez.* Ackerland, das zur Ernährung einer vierköpfigen Familie ausreicht und von dieser allein bestellt werden kann
à con|di|tion [akõdisjõ, frz. »auf Bedingung«] (*Abk.:* à c.)

unter Vorbehalt, nicht fest (zu liefern bzw. geliefert)

A|co|ni|tin [lat.] *s. 1* = Akonitin

a cọn|to [ital.] (*Abk.:* a c.) auf Rechnung (von); einen Betrag a c. schreiben

Ac|quit [aki, frz.] *s. 9* Empfangsbescheinigung, Quittung

Ac|re [ɛikə, engl.] *m. 9* engl. und nordamerik. Flächenmaß, 4047 m²

Ac|ryl [griech.] *s. 1 nur Ez.* ein Kunststoff; **Ac|ryl|säu|re** *w. 11* Äthylenkarbonsäure, Ausgangsstoff vieler Kunstharze und synthetischer Fasern

Ạc|ta A|pos|to|lo|rum [lat.] *Mz.* die Apostelgeschichte des NT; **Ạc|ta Sanc|to|rum** *Mz.* Sammlung von Heiligenlegenden und -berichten

Ac|ti|ni|um [griech.] *s. Gen.* -s *nur Ez.* (*Zeichen:* Ac) radioaktives chem. Element

Ac|tion-Pain|ting *Nv.* ► **Ac|tion|pain|ting** *Hv.* [ækʃən pɛɪntiŋ, engl.] *w. Gen.* - - *nur Ez. wörtlich:* »Aktionsmalerei«, Richtung innerhalb der amerikanischen abstrakten Malerei

a d. *Abk. für* a dato

a. d. *Abk. für* an der; Neuburg a. d. Donau

a. D. *Abk. für* außer Dienst (hinter der Rang- oder Dienstbez. von Offizieren und Beamten)

a. D., A. D. *Abk. für* anno Domini, Anno Domini

A|da|bei *m. 9, österr. ugs.:* jmd., der bei allem »auch dabei« sein will, neugieriger Mensch, Wichtigtuer

ad ab|sụr|dum [lat.]; eine Behauptung ad absurdum führen: die unmögl. Folgen einer Behauptung zeigen und damit ihre Unsinnigkeit beweisen

ADAC *Abk. für* Allgemeiner Deutscher Automobil-Club

ad ạc|ta [lat.] (*Abk.:* a. a.); etwas ad acta legen: zu den Akten legen, es als erledigt betrachten

a|da|gio [adadʒo, ital.] *Mus.:* langsam, ruhig; **A|da|gio** [adadʒo] *s. 9* adagio zu spielendes Musikstück oder Teil davon

A|dak|ty|lie [griech.] *w. 11* angeborenes Fehlen der Finger

A|dam *im AT:* Stammvater der Menschheit; *übertr.:* der Mensch schlechthin; den alten Adam ausziehen: ein neuer Mensch werden; **A|da|mit** *m. 10* Angehöriger einer Sekte, die den paradies. Unschuldszustand des Menschen durch Nacktkultur wiederherstellen wollte; **A|dams|ap|fel** *m. 6* der Schildknorpel am Hals, beim Mann oft stark hervortretend; **A|dams|kos|tüm** *s. 1, nur in der Wendung* im A.: nackt

Ad|ap|ta|bi|li|tät *auch:* **A|dap|ta|bi|li|tät** [lat.] *w. Gen.* - *nur Ez.* Anpassungsvermögen; **Ad|ap|ta|ti|on,** Ad|ap|ti|on *auch:* **A|dap-** *w. 10 nur Ez.* Anpassung an die Umwelt, (bei Sinnesorganen) an äußere Reize, z. B. des Auges an Licht und Dunkelheit; **Ad|ạp|ter** *auch:* **A|dạp|ter** *m. 5* Ergänzungs-, Zusatzgerät; **ad|ap|tie|ren** *auch:* **a|dap|tie|ren** *tr. 3* anpassen; eine Wohnung a. *österr.:* neu herrichten; **Ad|ap|ti|on** *auch:* **A|dap|ti|on** *w. 10* = Adaptation; **ad|ap|tiv** *auch:* **a|dap|tiv** auf Adaption beruhend, (sich) anpassend

Ad|ä|quạnz *auch:* **A|dä|quạnz** [lat.] *w. 10 nur Ez.* Angemessenheit; **ad|ä|quat** *auch:* **a|dä|quat** angemessen, entsprechend

a da|to [lat.] (*Abk.:* a d.) vom Tag der Ausstellung (des Wechsels) an

ADB *Abk. für* Allgemeine Deutsche Biographie, 1875 bis 1912 erschienenes biograf. Nachschlagewerk mit mehr als 25000 Einzelbiografien; *seit 1953* →NDB

ad ca|lẹn|das grae|cas *in der Wendung* etwas a. c. g. verschieben: bis zu den griech. Kalenden, d. h. bis zu einem nie eintretenden Zeitpunkt (die Kalenden waren in der altröm. Zeitrechnung die ersten Monatstage, doch die Griechen hatten keine Kalenden)

Ad|dẹnd [lat.] *m. 10* = Summand; **Ad|dẹn|dum** *s. Gen.* -s *Mz.* -da Zusatz, Nachtrag; **ad|die|ren** *tr. 3* dazu-, zusammenzählen; **Ad|dier|ma|schi|ne** *w. 11* Maschine, die addiert und subtrahiert

ad|dio [ital.] adieu, leb wohl

Ạd|dis Ạ|be|ba [auch: Abeba] Hst. von Äthiopien

Ad|di|son|sche Krạnk|heit [ædisn-, nach dem engl. Arzt Addison] *w. 10 nur Ez.* Braunfärbung der Haut infolge fehlender oder mangelhafter Produktion des Nebennierenrindenhormons, Bronzekrankheit

Ad|di|ti|on [lat.] *w. 10* Hinzufügung, Zusammenzählung; *Ggs.:* Subtraktion; **ad|di|ti|o|nal** zusätzlich, nachträglich; **ad|di|tiv** auf Addition beruhend, hinzufügend; **Ad|di|tiv** *s. 1* Zusatz, der in geringer Menge die gewünschte Eigenschaft eines Stoffes verbessert (z. B. bei Treibstoffen); **ad|di|zie|ren** *tr. 3* zusprechen, zuerkennen, z. B. ein unsigniertes Bild einem bestimmten Maler

Ad|duk|ti|on [lat.] *w. 10* das Anziehen eines Glieds an den Körper; **Ad|dụk|tor** *m. 13* heranziehender Muskel; *Ggs.:* Abduktor

a|de [lat.] adieu, leb wohl; jmdm. Ade sagen *auch:* ade sagen; **A|de** *s. 9* Abschiedsgruß; jmdm. ein Ade zuwinken

A|de|bar *m. 1, nddt. Name für den* Storch; Meister Adebar

A|del *m. 5 nur Ez.*

a|de|lig, ad|lig; **A|de|li|ge(r),** Ad|li|ge(r) *m. 18 (17) bzw. w. 17 oder 18;* **a|deln** *tr. 1* in den Adelsstand erheben; **A|dels|brief** *m. 1;* **A|dels|stolz** *m. 1 nur Ez.;* **A|dels|ti|tel** *m. 5*

A|den Hafenstadt im südl. Jemen

A|de|ni|tis [griech.] *w. Gen.* - *Mz.* -ti|den Drüsen-, Lymphknotenentzündung; **a|de|no|id** drüsenartig, drüsig; **A|de|nom** *s. 1,* **A|de|no|ma** *s. Gen.* -s *Mz.* -mata gutartige Drüsengeschwulst; **a|de|no|ma|tös** in der Art eines Adenoms; **A|de|no|to|mie** *w. 11* operative Entfernung eines Adenoms im Nasen-Rachen-Raum

Ad|ẹpt *auch:* **A|dẹpt** [lat.] *m. 10* **1** *früher:* in eine Geheimlehre Eingeweihter, Meister; **2** Schüler, Jünger

A|der *w. 11;* **Ä|der|chen** *s. 7;* **a|de|rig,** ad|rig; **ä|de|rig,** äd|rig; **Ader|laß** ► **A|der|lass** *m. 2* Blutentnahme aus der Ader; **ä|dern** *tr. 1* mit Adern versehen; **Ä|de|rung** *w. 10*

A|dẹs|po|ta [griech.] *Mz.* Werke unbekannter Verfasser, bes. Kirchenlieder

à deux mains [adømɛ̃, frz.] mit zwei Händen (zu spielen, beim Klavierspiel)

Ạd|go *w. Gen.* - *nur Ez., Abk.*

für Allgemeine Deutsche Gebührenordnung (für Ärzte)

ad|hä|rent [lat.] anhaftend, zusammenhängend; **Ad|hä|renz** *w. 10* das Anhaften; **ad|hä|rie|ren** *intr. 3* anhängen, anhaften; **Ad|hä|si|on** *w. 10* **1** das Haften aneinander (von Stoffen); **2** Verwachsung (von Geweben); **ad|hä|siv** (an)haftend, (an)klebend

ad hoc [lat.] **1** zu diesem Zweck; **2** aus dem Augenblick heraus; eine Redewendung, ein Wort ad hoc bilden

ad ho|mi|nem [lat.] die Denkart des Menschen berücksichtigend

Ad|hor|ta|tiv [lat.] *m. 1* Ermahnungsform, Imperativ der 1. Person Mehrzahl, z. B. gehen wir!

a|di|a|ba|tisch [griech.] ohne Wärmeaustausch (mit der Umgebung; von Gasen, Luft)

A|di|a|pho|ra [griech.] *Mz.* gleichgültige, zwischen Gut und Böse liegende Dinge

a|dieu [adjø, frz.] leb wohl; jmdm. Adieu sagen, *auch:* adieu sagen; **A|dieu** *s. 9* Abschiedsgruß; jmdm. ein Adieu zurufen, zuwinken

Ä|di|ku|la [lat.] *w. Gen. - Mz.* -lae **1** Einfassung von Fenstern oder Nischen mit Säulen und Giebeln; **2** Nische (für ein Standbild, einen Sarkophag)

Ä|dil [lat.] *m. 10 oder m. 12, im alten Rom:* hoher Beamter

ad in|fi|ni|tum, in in|fi|ni|tum [lat.] bis ins Unendliche; und so weiter ad infinitum

a|di|pös [lat.] fettreich, verfettet; **A|di|po|si|tas** *w. Gen. - nur Ez.* Fettsucht

Ad|jek|tiv [lat.] *s. 1* Eigenschaftswort; **ad|jek|ti|visch** [auch: -ti-]

Ad|ju|di|ka|ti|on [lat.] *w. 10* Zuerkennung; **ad|ju|di|zie|ren** *tr. 3* zuerkennen

Ad|junkt [lat.] *m. 10, veraltet:* Gehilfe; *österr.:* Beamtentitel, z. B. Forstadjunkt

ad|jus|tie|ren [lat.] *tr. 3* anpassen, eichen; *österr.:* einkleiden, mit Uniform versehen

Ad|ju|tant [lat.] *m. 10* einem höheren Offizier zur Hilfe zugeteilter junger Offizier; **Ad|ju|tan|tur** *w. 10* Amt, Dienststelle eines Adjutanten

Ad|ju|tor [lat.] *m. 13* Helfer, Gehilfe

ad l. *Abk. für* ad libitum

Ad|la|tus [lat.] *m. Gen. - Mz. - oder* -ten Helfer, Amtsgehilfe

Ad|ler *m. 5* ein Raubvogel

ad lib. *Abk. für* ad libitum; **ad li|bi|tum** [lat.] (*Abk.:* ad l., ad lib.) nach Belieben

ad|lig, a|de|lig; **Ad|li|ge(r),** A|de|li|ge(r) *m. 18 (17) bzw. w. 17 oder 18*

ad ma|jo|rem De|i glo|ri|am [lat.] (*Abk.:* A. M. D. G.) *eigentlich* omnia...: (alles) zur größeren Ehre Gottes (Wahlspruch der Jesuiten)

Ad|mi|nis|tra|ti|on [lat.] *w. 10* Verwaltung, Verwaltungsbehörde; **ad|mi|nis|tra|tiv** zur Verwaltung gehörend, auf dem Verwaltungsweg, Verwaltungs...; **Ad|mi|nis|tra|tor** *m. 13* Verwalter; **ad|mi|nis|trie|ren** *tr. 3* verwalten; administrierter Preis: behördlich genehmigter oder festgesetzter Preis, z. B. Posttarif; *ehem. DDR:* bürokratisch, starr regeln

ad|mi|ra|bel *veraltet:* bewundernswürdig

Ad|mi|ral [arab.] *m. 1, österr. auch m. 2* **1** Seeoffizier im Generalsrang; **2** ein Schmetterling; **Ad|mi|ra|li|tät** *w. 10* Gesamtheit der Admirale, oberste Kommando- und Verwaltungsstelle der Kriegsmarine; **Ad|mi|rals|schiff** *s. 1;* **Ad|mi|ral|stab** *m. 2* oberste Leitung der Kriegsmarine

Ad|mis|si|on [lat.] *w. 10* Zulassung, Zutritt

Ad|mo|ni|ti|on [lat.] *w. 10* Ermahnung zur Buße bei der Beichte

ADN *Abk. für* Allgemeiner Deutscher Nachrichtendienst

Ad|nex [lat.] *m. 1* **1** Anhang, Anhängsel; **2** Eierstock und Eileiter (der Frau); **Ad|ne|xi|tis** *w. Gen. - Mz.* -ti|den Entzündung des Adnexes (**2**)

ad|no|mi|nal [lat.] zu einem Nomen gehörig oder hinzutretend; adnominales Attribut

ad no|tam [lat.]; etwas a. n. nehmen: zur Kenntnis nehmen, vormerken

ad o|cu|los [lat.] vor Augen; etwas a. o. demonstrieren: etwas vor Augen führen, durch Augenschein beweisen

a|do|les|zent [lat.] heranwachsend, im Jugendalter stehend; **A|do|les|zenz** *w. 10 nur Ez.* Jugendalter, die Zeit nach der Pubertät bis zum 20. Lebensjahr

A|do|nai [hebr. »mein Herr«] *im AT Name für* Gott

A|do|nis 1 griech. Sagengestalt; **2** *m. 1* schöner Jüngling; **3** *m. 1* ein Schmetterling; **a|do|nisch** schön wie Adonis; adonischer Vers: antiker Vers aus Daktylus und Trochäus; **A|do|nis|rös|chen** *s. 7* ein Hahnenfußgewächs; **A|do|ni|us** *m. Gen. - Mz.* - = adonischer Vers

ad|op|tie|ren *auch:* **a|dop-** *tr. 3* an Kindes Statt annehmen; **Ad|op|ti|on** *auch:* **A|dop-** [lat.] *w. 10* Annahme an Kindes Statt; **Ad|op|tiv|el|tern** *auch:* **A|dop-** *Mz.* Eltern durch Adoption; **Ad|op|tiv|kind** *auch:* **A|dop-** *s. 3*

ad|o|ral *auch:* **a|do|ral** [lat.] in der Nähe des Mundes gelegen

Ad|o|rant *auch:* **A|do|rant** [lat.] *m. 10* Anbetender; *in der Kunst:* Gestalt in betender Stellung; **Ad|o|ra|ti|on** *auch:* **A|do|ra-** *w. 10* **1** Anbetung; **2** Huldigung (der Kardinäle vor dem neu gewählten Papst); **ad|o|rie|ren** *auch:* **a|do|rie-** *tr. 3* anbeten

ad pu|bli|can|dum *auch:* **ad pub|li|can|dum** [lat.] zur Veröffentlichung

Adr. *Abk. für* Adresse

ad re|fe|ren|dum [lat.] zur Berichterstattung

ad rem [lat.] zur Sache

Ad|re|ma *w. 9* (Wz) *Kurzw. für* Adressiermaschine

Ad|re|na|lin [lat.] *s. 1 nur Ez.* Hormon des Nebennierenmarks; **Ad|re|nos|te|ron** *s. 1 nur Ez.* Hormon der Nebennierenrinde

> **Adress-** (Worttrennung): Neben der bisher üblichen Worttrennung kann auch nach Sprechsilben getrennt werden: *Ad|ress|buch, Ad|ress|ver|lag, Ad|res|se* usw. Möglich ist darüber hinaus: *A|dress|buch, A|dress|ver|lag, A|dres|se* usw. Doch sollten diese Varianten aus Gründen der Lesbarkeit vermieden werden. → § 108

Adres|sant [mlat.] *m. 10* Absender; **Adres|sat** *m. 10* Empfänger (einer Postsendung); **Adreß|buch** ▸ **Adress|buch** *s. 4;* **Adres|se** *w. 11* (*Abk.:* Adr.) **1** Anschrift; **2** polit. (schriftl.) Kundgebung, offizieller schriftlicher Gruß, Glückwunschschreiben; **3** *Datenverarbeitung:* Kennzeichen (meist Zahl), mit dem eine bestimmte Stelle im Speicher angesprochen wird, dient zur Identifizierung von gespeicherten Daten; **adres|sie|ren** *tr. 3* mit der Adresse versehen; einen Brief (an jmdn.) a.; **Adres|sier|maschi|ne** *w. 11*

a|drett [lat.-frz.] hübsch, sauber und ordentlich

A|dria *w. Gen. - nur Ez.,* **A|dri|a|ti|sches Meer** *s. Gen.* des -en -es Teil des Mittelmeeres zwischen Italien und der Balkanhalbinsel

ad|rig, a|de|rig, äd|rig, ä|de|rig

Ad|sor|bat [lat.] *s. 1* = Adsorptiv; **Ad|sor|bens** *s. Gen. - Mz.* -ben|zi|en *oder* -ben|tia, **Ad|sor|ber** *m. 5* bei der Adsorption der adsorbierende Stoff; vgl. Adsorptiv; **ad|sor|bie|ren** *tr. 3* auf der Oberfläche eines festen Stoffes anlagern, verdichten (Gase und gelöste Stoffe); **Ad|sorp|ti|on** *w. 10* Anlagerung, Verdichtung (eines Gases oder gelösten Stoffes) auf der Oberfläche eines festen Stoffes; **Ad|sorp|tiv** *s. 1,* Ad|sor|bat *s. 1* bei der Adsorption der adsorbierte Stoff; vgl. Adsorbens

Ad|strin|gens [lat.] *s. Gen. - Mz.* -gen|zi|en *oder* -gen|tia zusammenziehendes, blutstillendes Heilmittel; **Ad|strin|genz** *w. 10 nur Ez.* zusammenziehende Fähigkeit (eines Stoffes); **ad|strin|gie|ren** *tr. 3, Med.:* zusammenziehen

A|du|lar [fälschlich nach den Adula-Alpen in Graubünden] *m. 1* ein Feldspat, Schmuckstein

a|dult [lat.] erwachsen, geschlechtsreif

A-Dur *s. Gen. - nur Ez.* (*Abk.:* A) eine Tonart; **A-Dur-Ton|lei|ter** *w. 11*

ad us. prop. *Abk. für* ad usum proprium; **ad u|sum** [lat.] zum Gebrauch; **ad u|sum Del|phi|ni** [lat.] zum Gebrauch des Dauphins (des frz. Kronprinzen); *übertr.:* zum Gebrauch für den Schüler (früher bei Klassikerausgaben, aus denen anstößige Stellen entfernt worden waren); **ad u|sum pro|pri|um** *auch:* **-pro|pri|um** (*Abk.:* ad us. prop.) *auf ärztl. Rezepten:* zum eigenen Gebrauch

ad va|lo|rem [lat.] dem Wert nach

Ad|van|tage [ədvantɪdʒ, engl.] *m. 9* **1** Vorteil; **2** *Tennis:* der erste Fehler nach dem Einstand als Pluspunkt für den Gegner

Ad|vek|ti|on [lat.] *w. 10, Meteor.:* waagerechte Heranführung von Luftmassen; *Ggs.:* Konvektion; **ad|vek|tiv** auf Advektion beruhend

Ad|vent [lat. »Ankunft«] *m. 1* die vier Wochen vor Weihnachten; **Ad|ven|tist** *m. 10* Angehöriger einer Sekte, die an die baldige Wiederkunft Christi glaubt; **ad|ven|tiv** an ungewöhnl. Stelle befindlich; **Ad|ven|tiv|knos|pe** *w. 11* Knospe an ungewöhnl. Stelle, z. B. am Stamm; **Ad|ven|tiv|kra|ter** *m. 5* Nebenkrater; **Ad|vents|sonn|tag** *m. 1;* **Ad|vents|zeit** *w. 10*

Ad|verb [lat.] *s. Gen.* -s *Mz.* -bi|en, Wort, das ein Adjektiv oder Verb genauer bezeichnet, Umstandswort, z. B. sehr, sofort; **ad|ver|bi|al** in der Art eines Adverbs, umstandswörtlich; **Ad|ver|bi|al|be|stim|mung** *w. 10,* **Ad|ver|bi|a|le** *s. Gen.* -s *Mz.* -bia|li|en nähere Bestimmung eines Verbs, Umstandsbestimmung, z. B. am anderen Tag, mit großer Freude; **Ad|ver|bi|al|satz** *m. 2* eine Umstandsbestimmung enthaltender Nebensatz, Umstandssatz; **ad|ver|bi|ell** = adverbial

Ad|ver|sa|ria, Ad|ver|sa|ri|en [lat.] *Mz.* Aufzeichnungen, Notizen; **ad|ver|sa|tiv** entgegenstellend, gegensätzlich

Ad|ver|ti|sing [ædvətaiziŋ, engl.] *s. 9* Anzeigenwerbung, Anzeige

Ad|vo|ca|tus Dei [dei, lat. »Anwalt Gottes«] *m. Gen. - - Mz.* -ti Dei, *im kath. Heilig- bzw. Seligsprechungsprozess:* Geistlicher, der für den Betreffenden eintritt; **Ad|vo|ca|tus Di|a|bo|li** [»Anwalt des Teufels«] *m. Gen. - - Mz.* -ti, -, *im kath. Heilig- bzw. Seligsprechungsprozess:* Geistlicher, der die Bedenken vorbringt; *übertr.:* jmd., der bewusst eine schlechte Sache vertritt, *auch:* strenger Kritiker;

Ad|vo|kat *m. 10, veraltet:* Rechtsanwalt

A|dy|na|mie [griech.] *w. 11, Med.:* Kraftlosigkeit; **a|dy|na|misch** kraftlos, schwach

A|dy|ton [griech.] *s. Gen.* -s *Mz.* -ta das Allerheiligste

AE *Abk. für* Astronomische Einheit

A. E. *Abk. für* Antitoxin-Einheit

AEG *Abk. für* Allgemeine Elektricitäts-Gesellschaft

A|e|ri|al [griech.] *s. 1 nur Ez.* der Luftraum als Lebensbezirk der Landtiere; **a|e|ril, a|e|risch, ä|o|lisch** *Geol.:* durch Windeinwirkung entstanden; **a|e|rob** *Biol.:* Sauerstoff zum Leben brauchend; *Ggs.:* anaerob; **A|e|ro|bi|er** *m. 5,* **A|e|ro|bi|ont** *m. 10* Lebewesen, das nur mit Sauerstoff leben kann; *Ggs.:* Anaerobier; **A|e|ro|bus** [lat.] *m. 1* Hubschrauber im Zubringerdienst; **A|e|ro|dy|na|mik** *w. 10 nur Ez.* Lehre von der Bewegung gasförmiger Stoffe; **A|e|ro|dy|na|mi|ker** *m. 5* Wissenschaftler auf dem Gebiet der Aerodynamik; **a|e|ro|dy|na|misch; A|e|ro|fo|to|gra|fie** *w. 11* Luftaufnahme; **A|e|ro|gramm** *s. 1* Luftpostleichtbrief; **A|e|ro|kar|to|graph** *m. 10* Gerät zum Entzerren von Luftaufnahmen zur kartograph. Auswertung; **A|e|ro|lith** *m. 10, veraltet:* Meteorstein; **A|e|ro|lo|gie** *w. 11 nur Ez.* Lehre von den höheren Luftschichten; **a|e|ro|lo|gisch; A|e|ro|me|cha|nik** *w. 10 nur Ez.* Lehre vom Gleichgewicht und von der Bewegung der Gase; **A|e|ro|me|di|zin** *w. 10 nur Ez.* Gebiet der Medizin, das sich mit den Wirkungen der Luftfahrt auf den Körper befasst; **A|e|ro|me|ter** *s. 5* Gerät zum Messen von Gewicht und Dichte der Luft; **A|e|ro|naut** *m. 10, veraltet:* Flieger; **A|e|ro|nau|tik** *w. 10 nur Ez., veraltet:* Luftfahrt; **A|e|ro|na|vi|ga|ti|on** *w. 10 nur Ez.* Steuerung und Standortbestimmung von Luftfahrzeugen; **A|e|ro|no|mie** *w. 11 nur Ez.* Lehre von den höchsten Luftschichten; **A|e|ro|pha|gie** *w. 11 nur Ez.* krankhaftes, unbewusstes Verschlucken von Luft; **A|e|ro|pho|bie** *w. 11* krankhafte Scheu vor Luft und Luftbewegung; **A|e|ro|phon** *s. 1* Musikinstrument, bei dem der Ton durch Luft erzeugt wird, z. B. alle Blasinstrumente; **Ae|ro|pho|to|gramme|trie** ► **A|e|ro|pho|to|gramm|me|trie** *auch:* **-met|rie** *w. 11* Luftbildmessung; **A|e|ro|phyt** *m. 10* auf

► = wird zu

einer anderen Pflanze lebende, den Boden nicht berührende Pflanze, Luftpflanze; **A|e|ro|plan** *m. 1, veraltet:* Flugzeug; **A|e|ro|sol** *s. 1* **1** Luft- oder Gasmenge, in der feinste flüssige oder gasförmige Teilchen schweben, z. B. Nebel, Rauch; **2** Heilmittel zum Einatmen; **A|e|ro|sta|tik** *w. 10 nur Ez.* Lehre von den Gleichgewichtszuständen der Gase; **a|e|ro|sta|tisch; A|e|ro|ta|xe** *w. 11* Mietflugzeug für kurze Strecken; **A|e|ro|tro|pis|mus** *m. Gen. - nur Ez.* Wachstumsbewegung von Pflanzen nach Stellen mit höherem Sauerstoff- oder Kohlendioxidgehalt

A|e|tit [ae-, griech.] *m. 1* Adlerstein, Eisenmineral

a. f. *Abk. für* anni futuri

a|fe|bril *auch:* **a|feb|ril** [lat.] ohne Fieber

Af|fä|re [frz.] *w. 11* **1** Angelegenheit, (unangenehmer) Vorfall; **2** Liebschaft

Äff|chen *s. 7;* **Af|fe** *m. 11*

Af|fekt [lat.] *m. 1* starke Gemütsbewegung, Erregung; **Af|fek|ta|ti|on** *w. 10* Ziererei, Getue; **af|fek|tiert** geziert, unnatürlich; **Af|fek|tiert|heit** *w. 10 nur Ez.;* **Af|fek|ti|on** *w. 10* **1** *Med.:* krankhafter Vorgang oder Zustand, Erkrankung; **2** *veraltet:* Zuneigung, Wohlwollen; **af|fek|ti|o|niert** *veraltet:* zugeneigt, wohlgesinnt; **Af|fek|ti|ons|wert** *m. 1* Liebhaberwert; **af|fek|tiv** affekt-, gefühlsbetont; **Af|fek|ti|vi|tät** *w. 10 nur Ez.* Gefühlsleben, Ansprechbarkeit des Gefühls

af|fen *refl. 1, Schülerspr.;* sich a.: sich geziert benehmen; **äf|fen** *tr. 1* nachahmen, nachäffen; **Af|fen|brot|baum** *m. 2* ein afrik. Baum, Baobab; **Af|fen|lie|be** *w. 11 nur Ez.* übertriebene Liebe; **Af|fen|pin|scher** *m. 5* eine Hunderasse, kleiner Schnauzer; **Af|fen|schan|de** *w. 11 nur Ez.;* **Äf|fe|rei** *w. 10*

af|fet|tu|o|so [ital.] *Mus.:* ausdrucksvoll, leidenschaftlich

Af|fi|che [-fiʃ(ə), frz.] *w. 11* Anschlagzettel, Plakat; **af|fi|chie|ren** [-ʃi-] *tr. 3* durch Affiche bekannt machen, aushängen, anschlagen

Af|fi|da|vit [lat.] *s. 9* **1** eidesstattl. Erklärung; **2** Bürgschaft für einen Einwanderer

af|fig; Af|fig|keit *w. 10 nur Ez.*

Af|fi|li|a|ti|on [lat.] *w. 10* Aufnahme (in eine Gemeinschaft), An-, Eingliederung; **af|fi|li|ie|ren** *tr. 3* aufnehmen; an-, eingliedern

af|fin [lat.] verwandt; *Math.:* parallel verwandt; affine Figuren: Figuren, bei denen entsprechende Punkte auf Parallelen liegen; **Af|fi|ni|tät** *w. 10 nur Ez.* Wesensverwandtschaft; Schwägerschaft; *Math.:* Parallelverwandtschaft

Af|fir|ma|ti|on [lat.] *w. 10* Bejahung, Zustimmung; **af|fir|ma|tiv** bejahend, zustimmend; **Af|fir|ma|ti|ve** *w. 11* bejahende Aussage; **af|fir|mie|ren** *tr. 3* bejahen, zustimmen

äf|fisch wie ein Affe

Af|fix [auch: af-, lat.] *s. 1* Vor- oder Nachsilbe, Präfix bzw. Suffix; **af|fi|zie|ren** *tr. 3* **1** reizen, erregen; **2** *Med.:* krankhaft verändern

Af|fo|dill, As|pho|dill [griech.] *m. 1* ein Liliengewächs

Af|fri|ka|ta [lat.] *w. Gen. - Mz.* -tä, **Af|fri|ka|te** *w. 11* Verschlusslaut mit folgendem Reibelaut, z. B. pf, z (= ts)

Af|front [-frɔ̃, frz.] *m. 9* Beleidigung, Kränkung; **af|fron|tie|ren** [-frɔ̃] *tr. 3, veraltet:* beleidigen

Af|gha|ne *m. 11* **1** Einwohner von Afghanistan; **2** eine Windhundrasse; **Af|gha|ni** *m. 9* afghan. Währungseinheit; **af|gha|nisch; Af|gha|nis|tan** vorderasiat. Staat

AFL *Abk. für* American Federation of Labor [əmɛ̩rɪkən fedərɛɪʃn əv lɛɪbə] (amerik. Gewerkschaftsverband)

AFN *Abk. für* American Forces Network [əmɛ̩rɪkən fɔsiz nɛ̩twəːk] (Rundfunkanstalt für die außerhalb der USA stationierten US-Soldaten)

à fonds per|du [afɔ̃ pɛrdy̩, frz. »bei verlorenem Kapital«] ohne Aussicht auf Wiedererstattung oder Gegenleistung

AFP *Abk. für* Agence France Presse [aʒɑ̃s frɑ̃s prɛ̩s] (frz. Nachrichtenagentur)

a fres|co [ital.] »auf frischen« Kalk (gemalt)

A|fri|ka *auch:* **Af|ri|ka** einer der fünf Erdteile; **A|fri|kaa|ner** *m. 5* weißer Bürger Südafrikas (mit Afrikaans als Muttersprache); **A|fri|kaans** *s. Gen. - nur Ez.* Sprache der Buren, Kapholländisch; **A|fri|kan|der** *m. 5* eine südafrik. Rinderrasse; **A|fri|ka|ner** *m. 5;* **a|fri|ka|nisch; A|fri|ka|nist** *m. 10;* **A|fri|ka|nis|tik** *w. 10 nur Ez.* Wissenschaft von den afrik. Sprachen und Kulturen; **A|frik|an|thro|pus** [griech.] *m. Gen. - nur Ez.* nach den Fundorten in Afrika benannter Urmensch der Eiszeit; **afro|ame|ri|ka|nisch** ▶ **a|fro|a|me|ri|ka|nisch; afro-asia|tisch** ▶ **a|fro|a|si|a|tisch**

Af|ter *m. 5* Darmausgang; **Af|ter|le|hen** *s. 7* von einem Nichtlehensfähigen bewirtschaftetes Lehensgut; **Af|ter|re|de** *w. 11, veraltet:* böswillige Nachrede, Verleumdung

Af|ter-Shave-Lo|tion *Nv.* ▶ **Af|ter|shave|lo|tion** *Hv.* [aftəʃɛɪfloʊʃn, engl.] *w. 10* Flüssigkeit zur Hautpflege

Ag *chem. Zeichen für* Silber (Argentum)

a. G. *Abk. für* **1** als Gast; **2** auf Gegenseitigkeit

AG, A. G., A.-G. *Abk. für* Aktiengesellschaft

Aga [türk.] *m. 9, früher im Osman. Reich:* Offiziers- und Beamtentitel

Ä|gä|is *w. Gen.* -, **Ä|gä|i|sches Meer** *s. 1 nur Ez.* Teil des Mittelmeeres zwischen Griechenland und Kleinasien

A|ga Khan *m. Gen.* - -s *Mz.* - -e erbliches Oberhaupt der Hodschas

a|gam [griech.] sich ohne Befruchtung fortpflanzend

A|ga|mem|non Held der griech. Sage

A|ga|mie *w. 11 nur Ez.* Ehelosigkeit; **a|ga|misch** ehelos; ungeschlechtlich; **A|ga|mo|go|nie** *w. 11 nur Ez.* ungeschlechtl. Fortpflanzung

A|ga|pe [griech. »Liebe«] *w. 11* **1** *in der altchristl. Gemeinde:* gemeinsame Mahlzeit mit Armenspeisung, Liebesmahl; **2** *nur Ez.* Liebe Gottes

A|gar-A|gar [mal.] *m. 9 oder s. 9 nur Ez.* Extrakt aus Rotalgen als Geliermittel für Lebensmittel und Bakterienkulturen

A|ga|ve [griech.] *w. 11* der Aloe ähnliche tropische und subtropische Pflanze, Amaryllisgewächs

A|gen|da [lat.] *w. Gen. - Mz.* -den **1** Schreibtafel, Notizbuch,

Terminkalender; **2** Zusammenstellung von zu erörternden Fragen; **A|gen|de** *w. 11* Buch für die Gottesdienstordnung
Agens [lat.] *s. Gen. - Mz.* A|gen|zi|en **1** tätige Kraft, wirkendes Prinzip; **2** *Med.:* wirkendes Mittel; **3** *Gramm.:* Träger des Geschehens im Satz; *Ggs.:* Patiens; **A|gent** *m. 10* **1** Vertreter, Vermittler; **2** Spion; **A|gen|tie** *w. 11, österr.:* Geschäftsstelle der Donau-Dampfschifffahrtsgesellschaft; **a|gen|tie|ren** *intr. 3, österr.:* Kunden werben; **A|gen|tin** *w. 10;* **A|gent pro|vo|ca|teur** ► **A|gent Pro|vo|ca|teur** [aʒɑ̃prɔvokatœr, frz.] *m. Gen. - - Mz.* -s -s Lockspitzel; **A|gen|tur** *w. 10* Geschäftsstelle eines Agenten, Vertretung
Ag|glo|me|rat [lat.] *s. 1* Ablagerung von scharfkantigen, unverfestigten Gesteinsbrocken; Masse von Lavabrocken; *Ggs.:* Konglomerat (**2**); **Ag|glo|me|ra|ti|on** *w. 10* Anhäufung; Ballung von städtischen Siedlungen und Industrieanlagen; **ag|glo|me|rie|ren** *tr. u. intr. 3* (sich) anhäufen
Ag|glu|ti|na|ti|on [lat.] *w. 10* **1** Zusammenballung, Verklumpung, Verklebung; **2** *Gramm.:* Anhängen eines Suffixes an den Wortstamm; **ag|glu|ti|nie|ren** *intr. 3* zusammenballen, verkleben, verklumpen; agglutinierende Sprachen: Sprachen, in denen die grammat. Beziehungen durch Anhängen von Suffixen an den Wortstamm wiedergegeben werden, z. B. das Ungarische; **Ag|glu|ti|nin** *s. 1* Abwehrstoff im Blutserum; **Ag|glu|ti|no|gen** *s. 1* Stoff zur Bildung von Agglutininen
Ag|gra|va|ti|on [lat.] *w. 10 nur Ez.* **1** Verschlimmerung, Erschwerung; **2** Übertreibung von Krankheitserscheinungen; **ag|gra|vie|ren** *tr. 3* **1** verschlimmern, erschweren; **2** übertreiben
Ag|gre|gat [lat.] *s. 1* **1** mehrgliedriges Ganzes; **2** mehrgliedrige math. Größe; **3** Satz aus mehreren gekoppelten Maschinen; **Ag|gre|ga|ti|on** *w. 10* Vereinigung mehrerer Moleküle; **Ag|gre|gat|zu|stand** *m. 2* Erscheinungsform der Materie; fester, flüssiger, gasförmiger Aggregatzustand
Ag|gres|si|on [lat.] *w. 10* Angriff; **ag|gres|siv** angreifend, angriffslustig; **Ag|gres|si|vi|tät** *w. 10;* **Ag|gres|sor** *m. 13* Angreifer
Agha *m. 9* = Aga
Ägi|de [griech.] *w. 11 nur Ez.* Schutz, Obhut, Schirmherrschaft; *meist in der Wendung:* unter der Ägide von…
a|gie|ren [lat.] *intr. 3* handeln, wirken; a. als…: die Rolle spielen von…
a|gil [lat.] flink, beweglich, behände; **A|gi|li|tät** *w. 10 nur Ez.* Flinkheit, Beweglichkeit
Ägi|na 1 griech. Insel; **2** griech. Stadt; **Ägi|ne|ten** *Mz.* die Giebelfiguren des Tempels von Ägina
A|gio [adʒo, auch: aʒio, ital.] *s. 9 nur Ez.* Betrag, um den der Kurs einer Währung oder eines Wertpapiers über dem Nennwert steht, Aufgeld; *Ggs.:* Disagio; **A|gio|ta|ge** [aʒiotaʒə] *w. 11* Börsenspekulation unter Ausnutzung des Agios; **A|gio|teur** [aʒiotør] *m. 1* Börsenspekulant, der das Agio ausnutzt; **a|gio|tie|ren** [aʒio-] *intr. 3* Börsenspekulation betreiben
Ägir *nord. Myth.:* Meerriese
Ägis *w. Gen. - nur Ez., griech. Myth.:* Schild des Zeus und der Athene
A|gi|ta|ti|on [lat.] *w. 10* aufreizende polit. Werbung; **a|gi|ta|to** [adʒi-, ital.] *Mus.:* sehr bewegt; **A|gi|ta|tor** *m. 13* jmd., der für etwas agitiert; **a|gi|ta|to|risch; a|gi|tie|ren** *intr. 3* politisch aufreizend werben; **A|git|prop** [Kurzw. aus: Agitation und Propaganda] *w. Gen. - nur Ez.* Beeinflussung mit den Mitteln der Kunst im Sinne der kommunist. Doktrin
A|glo|bu|lie [lat.] *w. 11 nur Ez.* Verringerung der Anzahl der roten Blutzellen
Ag|nat [lat.] *m. 10* männl. Blutsverwandter der männl. Linie; vgl. Kognat; **Ag|na|ti|on** *w. 10* Blutsverwandtschaft väterlicherseits; vgl. Kognation; **ag|na|tisch**
Ag|no|men [lat.] *s. Gen.* -s *Mz.* -mi|na Beiname
Agno|sie *auch:* **Ag|no|sie** [griech.] *w. 11* **1** *Med.:* Unfähigkeit, das sinnlich Wahrgenommene geistig zu verarbeiten, Seelenblindheit, -taubheit; **2** *Philos.:* Nichtwissen; **Agnos|ti|ker** *auch:* **Ag|nos|ti|ker** *m. 5* Vertreter des Agnostizismus; **Agnos|ti|zis|mus** *auch:* **Ag|nos|ti|zis|mus** *m. Gen. - nur Ez.* Lehre von der Unerkennbarkeit des übersinnl. Seins; **agnos|zie|ren** *auch:* **ag|nos-** *tr. 3* **1** anerkennen; **2** *österr.:* identifizieren (einen Toten), feststellen
Ag|nus Dei [lat. »Lamm Gottes«] **1** Bezeichnung Christi nach Johannes 1,29; **2** Gebetshymnus im kath. Gottesdienst; **3** vom Papst geweihtes Wachstäfelchen mit dem Bild des Lamms
A|go|gik [griech.] *w. 10 nur Ez., Mus.:* Lehre von den Tempi als Ausdrucksmittel; **a|go|gisch**
A|gon [griech.] *m. 1* **1** altgriech. Wettkampf; **2** Hauptteil der attischen Komödie; **A|go|nie** *w. 11* Todeskampf; **A|go|nist** *m. 10* altgriech. Wettkämpfer
A|go|ra [griech.] *w. Gen. - nur Ez.* altgriech. Markt und Versammlungsplatz; **A|go|ra|pho|bie** *w. 11 nur Ez.* Platzangst, krankhafte Scheu, freie Plätze zu überqueren
A|graf|fe *auch:* **Ag|raf|fe** [frz.] *w. 11* **1** Brosche, Schmuckspange; **2** *Med.:* Wundklammer; **3** *Baukunst:* klammerförmige Verzierung am Rundbogen
Ag|ram, früherer Name von Zagreb, kroat. Stadt
A|gra|nu|lo|zy|to|se [lat. + griech.] *w. 11* Schwund der weißen Blutkörperchen
A|gra|pha [griech.] *Mz.* nicht im NT überlieferte Aussprüche Christi
A|gra|phie [griech.] *w. 11* Verlust der Schreibfähigkeit
A|gra|ri|er [lat.] *m. 5* **1** Grundbesitzer, Landwirt; **2** Interessenvertreter des Großgrundbesitzes; **a|gra|risch** landwirtschaftlich; **A|grar|re|form** *w. 10*
A|gree|ment [əgriːmənt, lat.-engl.] *s. 9* Vereinbarung, Übereinkunft; **a|gre|ie|ren** [lat.-frz.] *tr. 3* genehmigen; **A|gré|ment** [agremɑ̃] *s. 9* Zustimmung einer Regierung zum Empfang eines ausländ. Diplomaten
A|gri|gent *amtlich:* Agrigento [-dʒɛn-] Stadt auf Sizilien
A|gri|kul|tur [lat.] *w. 10* Landwirtschaft; **A|gro|nom** [griech.] *m. 10* Landwirtschaftswissen-

► = wird zu

schaftler; **A|gro|no|mie** *w. 11 nur Ez.* Landwirtschaftswissenschaft; **a|gro|no|misch; A|gro|tech|nik** *w. 10 nur Ez.* Lehre von der Technik in der Landwirtschaft; **A|gros|to|lo|ge** [griech.] *m. 11;* **A|gros|to|lo|gie** *w. 11 nur Ez.* Gräserkunde

A|gru|men, A|gru|mi [mlat.] *Mz., Sammelbez. für* Zitrusfrüchte

A|gryp|nie [griech.] *w. 11 nur Ez.* Schlaflosigkeit

A|gu|ti [indian.] *m. 9* südamerik. Nagetier, Goldhase

Ä|gyp|ten nordafrikan. Staat; **Ä|gyp|ter** *m. 5;* **ä|gyp|tisch;** ägyptische Finsternis: völlige Finsternis; Ägyptische Augenkrankheit = Trachom; **Ä|gyp|to|lo|gie** *w. 11 nur Ez.* Wissenschaft vom ägypt. Altertum; **ä|gyp|to|lo|gisch**

Ah *Abk. für* Amperestunde

ah!; ah ja; ah so!; **äh!; a|ha!** [auch: aha, aha]; **A|ha-Er|leb|nis** *s. 1* plötzl. Erkenntnis

A|has|ver, A|has|ve|rus 1 jüd. Sagengestalt, »Ewiger Jude«; **2** *m. Gen.* -(s) *nur Ez., übertr.:* ruhelos umherirrender Mensch; **a|has|ve|risch**

Ah|le *w. 11* = Pfriem

ah|men *tr. 1* eichen; **Ah|ming** *w. 1 oder w. 9* Tiefgangsmarkierung am Schiff

Ahn *m. 12* Vorfahr(e)

ahn|den *tr. 2* strafen, strafrechtlich verfolgen; **Ahn|dung** *w. 10*

Ah|ne *m. 11 oder w. 11* **1** männl. oder weibl. Vorfahr; **2** *bayr.:* (Ur-)Großvater oder -mutter

äh|neln *intr. 1;* ich ähnele, ähnle ihm

ah|nen *tr. 1*

Ah|nen|for|schung *w. 11* = Genealogie; **Ahn|frau** *w. 10;* **Ahn|herr** *m. Gen.* -n *oder* -en *Mz.* -en; **Ah|nin** *w. 10* Ahne, Ahnfrau

ähn|lich; Ähn|li|ches: Solches; und Ähnliches (*Abk.:* u. Ä.); jmdm. ähnlich sehen, ähnlich sein

Ah|nung *w. 10;* **ah|nungs|los; ah|nungs|voll**

a|hoi! seemänn. Anruf eines Schiffes; Schiff, Boot ahoi!

A|horn *m. 1* ein Laubbaum; **a|hor|nen** aus Ahornholz

Äh|rchen *s. 7;* **Äh|re** *w. 11*

Ai [auch: ai] *s. Gen.* -(s) *Mz.* -s eine Faultierart

Aide [ɛ:d, frz.] *m. 11* **1** Gehilfe, Beistand; **2** *Kartenspiel:* Spielpartner; **3** *schweiz.:* Hilfskoch;

Aide-mé|moire [ɛ:dmemoar, frz.] *s. Gen.* - *Mz.* -(s) Niederschrift einer mündl. diplomat. Erklärung

Aids, AIDS [ɛids, engl.] *ohne Artikel, Abk. für* acquired immune deficiency syndrome: tödliche Immunschwächekrankheit

Ai|gret|te *auch:* **Aig|ret|te** [ɛgrɛt(ə), frz.] *w. 11* **1** Federbusch; **2** Bündel, Büschel, z. B. Strahlenbüschel beim Feuerwerk

Ai|gui|è|re [ɛgjɛr(ə), frz.] *w. 11* metallenes Tischkännchen

Ai|ki|do [jap.] *s. Gen.-(s) nur Ez.* jap. Form der Selbstverteidigung

Ai|ma|ra, Ay|ma|ra *m. 9 oder Gen.* - *Mz.* - Angehöriger eines Indianervolkes in Bolivien und Peru

Ai|nu *m. 9 oder Gen.* - *Mz.* - Angehöriger des Ureinwohnervolkes von Japan

Air [ɛr, frz.] *s. 9* **1** Aussehen, Haltung; sich ein Air geben: vornehm tun; sich ein Air von etwas geben: so tun, als ob; **2** Lied, Arie; liedartiges Instrumentalstück

Air|bag [ɛrbæg, engl.] *s. 9* mit Luft gefülltes Kissen; Luftsack (als Sicherheitsvorrichtung am Lenkrad von Kraftfahrzeugen);

Air|bus [ɛr-] *m. 1* Flugzeug im Passagierverkehr auf kurzen Strecken; **Air|con|di|tion** [ɛrkɔndɪʃn] *s. 9* Lüftung und Temperaturregelung durch Klimaanlage

Aire|dale|ter|ri|er [ɛrdɛɪl-, engl.] *m. 5* eine Hunderasse

Air France [ɛrfrɑ̃s, frz.] *w. Gen.* - - *nur Ez.* (*Abk.:* AF) frz. Luftfahrtgesellschaft

Air|fresh [ɛrfrɛʃ, engl.] *s. 9* Mittel zur Luftverbesserung; **Air mail** [ɛrmɛɪl] *w. Gen.* - *nur Ez.* Luftpost

ais, Ais *s. Gen.* - *Mz.* -, *Mus.:* das um einen halben Ton erhöhte a bzw. A; **ai|sis, Ai|sis** *s. Gen.* - *Mz.* -, *Mus.:* das um zwei halbe Töne erhöhte a bzw. A

Ais|chy|los [aisçylɔs] *griech. Form von* Äschylus

A|ja|tol|lah *m. 9* = Ayatollah

à jour [aʒur] **1** bis zum (heutigen) Tag; à jour sein: auf dem Laufenden sein; **2** (*österr.:* ajour) eingefaßt (Edelstein); durchbrochen (Gewebe);

A|jour|ar|beit [aʒur-] *w. 10* Durchbruchsarbeit, -stickerei; **a|jou|rie|ren** *tr. 3, österr.:* in Ajourarbeit herstellen

AK *Abk. für* Alaska

A|ka|de|mie [griech.] *w. 11* **1** der Forschung dienende Vereinigung von Gelehrten oder Künstlern; **2** Fachhochschule; **3** Forschungsanstalt; **4** *österr.:* literar. oder musikal. Veranstaltung; **5** *ehem. DDR:* aufwertende Bez. für Institutionen der Erwachsenenbildung ohne Voraussetzung der Hochschulreife (z. B. Betriebs-, Frauen-, Fernsehakademie); **A|ka|de|mi|ker** *m. 5* jmd., der auf der Universität oder einer Akademie studiert hat; **a|ka|de|misch** *übertr.:* trocken-lehrhaft; akademische Freiheit: *Bez. für* die besonderen Freiheiten im Hochschulbereich; akademisches Viertel: Viertelstunde nach dem für eine Vorlesung angesetzten Zeitpunkt; **A|ka|de|mis|mus** *m. Gen.* - *nur Ez.* in Regeln erstarrte Betätigung in einer Kunst oder Wissenschaft

A|kan|thit [griech.] *m. 1* Silberglanz, ein Mineral

A|kan|thus [griech.] *m. Gen.* - *Mz.* - **1** ein Staudengewächs, Bärenklau; **2** Schmuckform an Säulenkapitellen

A|ka|ro|id|harz [griech.] *s. 1* ein gelbes oder rotes Baumharz für Lack und Firnis

a|ka|ta|lek|tisch *in der antiken Verslehre:* unverkürzt, mit vollständigem letztem Fuß; *Ggs.:* katalektisch; vgl. hyperkatalektisch

A|ka|tho|lik [griech.] *m. 10* Nichtchrist, nichtkatholischer Christ, abgefallener Katholik; **a|ka|tho|lisch**

A|ka|zie [-tsjə, griech.] *w. 11* ein tropischer Laubbaum, Kameldorn

A|kel|lei [mlat.] *w. 10* ein Hahnenfußgewächs

a|ke|phal = azephal

A|ki *s. 9 Kurzw. für* Aktualitätenkino

A|ki|ne|sie [griech.] *w. 11 nur Ez.* **1** Bewegungslosigkeit; **2** Totstellen (von Tieren)

Ak|kad 1 Reich im antiken Mesopotamien; **2** dessen Hauptstadt; **ak|ka|disch**

Ak|kla|ma|ti|on [lat.] *w. 10* **1** Beifall, zustimmender Zuruf;

2 Wahl oder Abstimmung durch Zuruf; **ak|kla|mie|ren** *tr. 3;* jmdn. a.: jmdm. Beifall spenden, jmdn. durch Zuruf wählen
Ak|kli|ma|ti|sa|ti|on [lat.] *w. 10* Anpassung an veränderte Klima- oder Umweltverhältnisse; **ak|kli|ma|ti|sie|ren** *tr. 3, meist refl.* (sich) anpassen; **Ak|kli|ma|ti|sie|rung** *w. 10* = Akklimatisation
Ak|ko|la|de [frz.] *w. 11* **1** zeremonielle Umarmung beim Ritterschlag und bei Ordensverleihungen; **2** geschweifte Klammer ({), Nasenklammer
ak|kom|mo|da|bel [frz.] anpassungsfähig; zweckmäßig; **Ak|kom|mo|da|ti|on** *w. 10* Anpassungsfähigkeit, bes. des Auges an wechselnde Entfernungen; **ak|kom|mo|die|ren 1** *tr. 3, veraltet:* anpassen; **2** *refl. 3* sich mit jmdm. über etwas einigen
Ak|kom|pa|gna|to [-nja-] *s. Gen.* -(s) *Mz.* -ti = Accompagnato; **Ak|kom|pa|gne|ment** [-panjəmã] *s. 9* = Accompagnement; **ak|kom|pa|gnie|ren** [-nji-] *tr. 3* = accompagnieren
Ak|kord [lat.-frz.] *m. 1* **1** Übereinstimmung; **2** Leistungs-, Stücklohn; im Akkord arbeiten; **3** *Rechtsw.:* Vereinbarung mit Gläubigern; **4** *Mus.:* Zusammenklang mindestens zweier verschiedener Töne; **Ak|kord|ar|beit** *w. 10;* **Ak|kor|de|on** *s. 9* Handharmonika mit Tastatur; **Ak|kor|de|o|nist** *m. 10* Akkordeonspieler; **ak|kor|die|ren 1** *tr. 3* vereinbaren; **2** *intr. 3, veraltet:* einen Vertrag abschließen
ak|kre|di|tie|ren [lat.] *tr. 3;* jmdn. a.: **1** jmdm. Kredit gewähren; **2** jmdn. beglaubigen (diplomatischen Vertreter); **Ak|kre|di|tiv** *s. 1* **1** Anweisung durch die Hausbank des Importeurs an die Hausbank des Exporteurs, diesem einen bestimmten Geldbetrag auszuzahlen; **2** Beglaubigungsschreiben
Ak|kres|zenz [lat.] *w. 10* Wachstum (eines Erbteils); **ak|kres|zie|ren** *intr. 3, veraltet:* anwachsen (Erbteil)
Ak|ku *m. 9, Kurzw. für* Akkumulator
Ak|kul|tu|ra|ti|on [neulat.] *w. 10* kulturelle Angleichung
Ak|ku|mu|la|ti|on [lat.] *w. 10* Anhäufung; **Ak|ku|mu|la|tor** *m. 13* **1** Gerät zum Speichern von elektr. Energie; **2** Druckwasserbehälter; **ak|ku|mu|lie|ren** *tr. 3* anhäufen
ak|ku|rat [lat.] genau, sorgfältig; a. so ist es! *süddt.:* genauso; **Ak|ku|ra|tes|se** *w. 11 nur Ez.* Genauigkeit, Sorgfalt
Ak|ku|sa|tiv [lat.] *m. 1* vierter Fall der Deklination, Wenfall; A. mit Infinitiv, *lat.* accusativus cum infinitivo (*Abk.:* a. c. i.): eine lat. Satzkonstruktion
Ak|me [griech.] *w. 11 nur Ez.* Höhepunkt (einer Krankheit)
Ak|ne [griech.] *w. 11* eitrige Entzündung einer Talgdrüse
A-Koh|le *w. 11, Kurzw. für* Aktivkohle
A|ko|luth [griech.] *m. 12 oder m. 10* kath. Geistlicher im vierten Grad der niederen Weihen
A|ko|nit [griech.] *m. 1* **1** Eisenhut, Sturmhut, eine Heilpflanze; **2** = Akonitin; **A|ko|ni|tin,** Aco|ni|tin *s. 1* aus den Wurzeln des Akonits gewonnenes Heilmittel gegen Fieber und Gesichtsreißen
A|kon|to [ital.] *s. Gen.* -s *Mz* -s *oder* -ten, *österr.:* Anzahlung; **A|kon|to|zah|lung** *w. 10* Teilzahlung, Anzahlung
A|ko|rie [griech.] *w. 11* Ausbleiben des Sättigungsgefühls beim Essen
a|ko|ty|le|don [griech.] keimblattlos; **A|ko|ty|le|do|ne** *w. 11* keimblattlose Pflanze
ak|qui|rie|ren [lat.] *tr. 3* erwerben, anschaffen; **Ak|qui|si|teur** [-tør] *m. 1* Werber von Kunden, bes. für Anzeigen in einer Zeitung; **Ak|qui|si|ti|on** *w. 10* **1** Anschaffung, Erwerbung; **2** Kundenwerbung; **ak|qui|si|to|risch**
A|kra|ni|er *auch:* **Ak|ra|ni|er** [griech.] *m. 5 Mz.* schädellose Meerestiere mit →Chorda dorsalis
A|kri|bie [griech.] *w. 11 nur Ez.* höchste Genauigkeit, äußerste Sorgfalt
a|kri|tisch nicht kritisch, unkritisch, kritiklos
A|kro|bat *auch:* **Ak|ro|bat** [griech.] *m. 10* Artist, der im Varietee turnerische und Gelenkigkeitsübungen vorführt; **A|kro|ba|tik** *w. 10 nur Ez.* Kunst des Akrobaten; **a|kro|ba|tisch**
A|kro|ke|pha|lie *w. 11* = Akrozephalie
A|kro|le|in [lat.] *s. 1 nur Ez.* übel riechende chem. Verbindung zur Herstellung von Lack, Parfüm, Tränengas
A|kro|lith *auch:* **Ak|ro|lith** [griech.] *m. 10* altgriech. Bildwerk, bei dem die unbekleideten Körperteile aus Marmor, die bekleideten aus bemaltem oder vergoldetem Holz bestehen
A|kro|me|ga|lie *auch:* **Ak|ro|me|ga|lie** [griech.] *w. 11* übermäßiges Wachstum einzelner Körperteile
A|kro|nym *auch:* **Ak|ro|nym** [griech.] *s. 1* aus den Anfangsbuchstaben mehrerer Wörter gebildetes Kurzwort, Initialwort, z. B. Agfa, UNO
A|kro|po|lis *auch:* **Ak|ro|po|lis** [griech.] *w. Gen.* - *Mz.* -po|len altgriech. Stadtburg, bes. die von Athen
A|kro|sti|chon *auch:* **Ak|ro|sti|chon** [-çɔn, griech.] *s. Gen.* -s *Mz.* -chen *oder* -cha Lied oder Gedicht, bei dem die Anfangsbuchstaben, -silben oder -wörter ein Wort oder einen Satz ergeben
a|kro|ze|phal *auch:* **ak|ro|ze|phal** [griech.], ak|ro|ke|phal spitzköpfig; **A|kro|ze|pha|lie,** A|kro|ke|pha|lie *w. 11* nach oben spitz zulaufende Kopfform
A|kryl|säu|re *w. 11 nur Ez.* = Acrylsäure
äks! *ugs.:* pfui!
Akt [lat.] *m. 1* **1** Handlung, Tat, Vorgang; **2** künstler. Darstellung des nackten Körpers; **3** Abschnitt eines Bühnenwerkes, Aufzug; **4** *m. 12* = Akte; **Ak|te** *w. 11,* Akt *m. 12* alle schriftl. Unterlagen eines geschäftl. Vorgangs; **Ak|tei** *w. 10* Aktensammlung; **ak|ten|kun|dig** in den Akten vermerkt
Ak|teur [-tør, lat.-frz.] *m. 1* **1** handelnde Person; **2** Schauspieler
Akt|fo|to *s. 9* Fotografie eines nackten Menschen
Ak|tie [-tsjə, lat.] *w. 11* Urkunde über den Anteil am Grundkapital einer Aktiengesellschaft; **Ak|ti|en|ge|sell|schaft** *w. 10* (*Abk.:* AG, A. G. oder A.-G.) Handelsgesellschaft, bei der das Kapital durch Einlagen der Gesellschafter aufgebracht wird
Ak|ti|nie [-njə, griech.] *w. 11* ein Meerespolyp, Seerose, Seeane-

mone; **ak|ti|nisch** durch Strahlung hervorgerufen (Krankheit); **Ak|ti|ni|um** *s. Gen.* -s *nur Ez.* (*Zeichen:* Ac) chem. Element; **Ak|ti|no|graph** *m. 10* mit einem Aktinometer verbundenes Schreibgerät; **Ak|ti|no|meter** *s. 5* Gerät zum Messen von Lichtstrahlen, bes. der Sonne; **Ak|ti|no|me|trie** *auch:* **-met|rie** *w. 11* **1** *nur Ez.* Lichtstrahlenmessung; **2** Sternkatalog mit Angabe der Helligkeiten; **ak|ti|no|morph** strahlenförmig; **Ak|ti|no|my|ko|se** *w. 11* = Strahlenpilzkrankheit; **Ak|ti|no|my|zet** *w. 10* Strahlenpilz, ein Fadenbakterium; **Ak|ti|no|my|zin** *s. 1 nur Ez.* ein Antibiotikum

Ak|ti|on [lat.] *w. 10* Handlung, Tat, Unternehmung, Maßnahme; **Ak|ti|o|när** *m. 1* Inhaber einer Aktie; **Ak|ti|ons|art** *w. 10* Art und Weise, wie das durch ein Verb ausgedrückte Geschehen vor sich geht, z. B. beginnend (»erblühen«), vollendend (»verblühen«), wiederholend (»kränkeln«); **Ak|ti|ons|form** *w. 10* Form des Geschehens, der Handlung beim Verb, Aktiv und Passiv, Handlungsrichtung, Genus verbi; **Ak|ti|ons|ra|di|us** *m. Gen. - Mz.* -di|en Wirkungs-, Reichweite, Fahr-, Flugbereich

ak|tiv [lat.] **1** wirksam, handelnd, tätig; aktives Wahlrecht: das Recht, zu wählen; *Ggs.:* passives Wahlrecht; **2** *Mil.:* ständig im Dienst stehend; aktiver Offizier; **3** [ạk-], *auch:* ak|ti|visch *Gramm.:* in der Tatform stehend (Verb); *Ggs.:* passiv; **4** *Chem.:* wirksam, reaktionsfähig; **Ạk|tiv 1** *s. 1 nur Ez.,* Aktionsform des Verbs, die ausdrückt, dass das Subjekt des Satzes etwas tut oder sich in einem Zustand befindet, Tatform, Tätigkeitsform; *Ggs.:* Passiv; **2** [-tiv] *s. 1, früher in kommunist. Ländern:* Arbeitsgruppe, die an einer bestimmten Aufgabe arbeitete und überdurchschnittl. Leistungen anstrebte; **Ak|ti|va** *Mz.* Vermögenswerte, Guthaben; *Ggs.:* Passiva; **Ak|ti|va|tor** *m. 13* **1** Stoff, der die Wirksamkeit eines Katalysators beschleunigt, ohne selbst Katalysator zu sein; **2** *Zahnmed.:* Vorrichtung zur Kieferregulierung; **Ak|tiv|bür|ger** *m. 5, früher, noch schweiz.:* Bürger mit sämtl. polit. Rechten; *Ggs.:* Passivbürger; **ak|ti|vie|ren** *tr. 3* **1** zu größerer Wirkung bringen; **2** in die Buchführung und Bilanz aufnehmen; **Ak|ti|vie|rung** *w. 10;* **ak|ti|visch** = aktiv (**3**); **Ak|ti|vis|mus** *m. Gen. - nur Ez.* betont zielstrebiges Handeln; **Ak|ti|vist** *m. 10* **1** (bes. politisch) zielstrebig handelnder Mensch; **2** *ehem. DDR:* jmd., der für vorbildliche Arbeit mit einem staatlichen Ehrentitel ausgezeichnet worden war; **ak|ti|vis|tisch** auf Aktivismus beruhend; **Ak|ti|vi|tas** *w. Gen. - nur Ez., in student. Verbindungen:* alle, die zur aktiven Beteiligung verpflichtet sind; **Ak|ti|vi|tät** *w. 10* **1** Tätigkeit, Wirksamkeit **2** *Mz.:* Handlungen, Unternehmungen; **Ak|tiv|koh|le** *w. 11* aus Holz, Knochen u. a. gewonnene, als Adsorbens zur Reinigung und Entgiftung verwendete Kohle; **Ak|tiv|pos|ten** *m. 7 Mz.* = Aktiva

Ak|tri|ce [-sə, lat.-frz.] *w. 11, veraltet:* Schauspielerin

Ak|tu|al|ge|ne|se [lat. + griech.] *w. 11, Psych.:* Entstehung einer Gestalt als Vorgang im aktuellen Erleben; **ak|tu|a|li|sie|ren** [lat.] *tr. 3* aktuell, zeitnah machen; **Ak|tu|a|lis|mus** *m. Gen. - nur Ez.* Auffassung, dass die heute wirksamen Naturkräfte die gleichen sind wie in früheren Erdzeitaltern; **ak|tu|a|lis|tisch** auf dem Aktualismus beruhend; **Ak|tu|a|li|tät** *w. 10* Zeitnähe, Bedeutung für die Gegenwart; **Ak|tu|a|li|tä|ten|ki|no** *s. 9* (*Kurzw.:* Aki)

Ak|tu|ar [lat.] *m. 1* **1** *auch:* Ak|tu|a|ri|us *m. Gen. - Mz.* -ri|en, *veraltet:* Gerichtsangestellter; **2** *schweiz.:* Schriftführer einer Behörde oder eines Vereins

ak|tu|ell [lat.] zeitnah, für die Gegenwart interessant oder wichtig

Ạkt|zeich|nung *w. 10* Zeichnung eines nackten Menschen

A|ku|punk|tur [lat.] *w. 10* sehr altes Heilverfahren durch Stiche mit Gold- oder Silbernadeln in bestimmte Hautstellen

A|kü|spra|che *w. 11, Kurzw. für* Abkürzungssprache

A|kus|tik [griech.] *w. 10* **1** Schallwirkung, Schallwiedergabe (eines Raumes); **2** Lehre vom Schall, von den Tönen; **a|kus|tisch** die Akustik betreffend, auf ihr beruhend, mit dem Gehör wahrnehmbar; *Ggs.:* visuell; akustischer Typ: Mensch, der sich Gehörtes besser merken kann als Gesehenes

a|kut [lat.] **1** im Augenblick wichtig, brennend, dringend; **2** *Med.:* plötzlich auftretend, rasch und heftig verlaufend (Krankheit); *Ggs.:* chronisch; **A|kut** *m. 1* (*Zeichen:* ′) Zeichen im Französischen für die geschlossene Aussprache des e, im Ungarischen für die geschlossene Aussprache des e und o sowie für die offene Aussprache des a, in einigen Sprachen, z. B. im Spanischen, für die Betonung

Ak|ze|le|ra|ti|on [lat.] *w. 10* Beschleunigung; *Ggs.:* Retardation; **Ak|ze|le|ra|tor** *m. 13* **1** Beschleuniger; **2** *Wirtschaft:* Koeffizient, der angibt, welche Investitionsausgaben bei Erhöhung der Konsumausgaben oder des Volkseinkommens um eine Einheit eintreten; **ak|ze|le|rie|ren** *tr. 3* beschleunigen

Ak|zent [lat.] *m. 1* **1** (*Zeichen:* ´, `, ^) Zeichen für die Betonung, Länge, geschlossene oder offene Aussprache eines Vokals; vgl. Akut, Gravis, Zirkumflex; **2** Betonung, Nachdruck; **3** Tonfall, Aussprache; **Ak|zen|tu|a|ti|on** *w. 10* = Akzentuierung; **ak|zen|tu|ie|ren** *tr. 3* betonen; genau und deutlich aussprechen; **Ak|zen|tu|ie|rung** *w. 10* Betonung

Ak|zept [zu: akzipieren] *s. 1* **1** durch Unterschrift angenommener Wechsel; **2** Annahmeerklärung auf dem Wechsel; **ak|zep|ta|bel** annehmbar; **Ak|zep|tant** *m. 10* jmd., der einen Wechsel akzeptiert, Bezogener; **Ak|zep|tanz** *w. 10 nur Ez.* Bereitschaft, etwas anzunehmen, zu akzeptieren; **Ak|zep|ta|ti|on** *w. 10* Annahme; **ak|zep|tie|ren** *tr. 3* annehmen, billigen; **Ak|zep|tor** *m. 13* Stoff, der bei einer chem. Reaktion andere Stoffe annimmt, bindet

Ak|zeß ► **Ak|zess** [lat.] *m. 1* **1** Zutritt; **2** Zulassung; **Ak|zes|si|on** *w. 10* **1** Zugang, Erwerb; **2** Beitritt (zu einem bereits abgeschlossenen Staatsvertrag); **Ak|zes|sist** *m. 10, österr.:* Anwärter auf den Gerichts- und Verwaltungsdienst; **ak|zes|so|risch** hinzutretend, nebensächlich; **Ak|zes|so|ri|um** *s. Gen.* -s *Mz.* -ri|en **1** Nebensache, Beiwerk; **2** Nebenanspruch

Ak|zi|dens [lat.] *s. Gen.* - *Mz.* -den|zi|en oder -den|tia Zufälliges, Nebensächliches, Hinzutretendes; **Ak|zi|den|ta|li|en** *Mz.* Nebenpunkte (bei Rechtsgeschäften); *Ggs.:* Essentialien; **ak|zi|den|tell, ak|zi|den|ti|ell** zufällig, unwesentlich, nebensächlich; **Ak|zi|denz** *w. 10* Drucksache, meist von geringem Umfang, z. B. Anzeige, Glückwunsch, Formular

ak|zi|pie|ren [lat.] *tr. 3* annehmen, empfangen; vgl. Akzept

Ak|zi|se [lat.] *w. 11* indirekte Verbrauchssteuer, Zoll

Al *chem. Zeichen für* Aluminium

Al. *Abk. für* Alinea

AL *Abk. für* Alabama

à la [frz.] nach Art von..., so wie...; Spaghetti à la Bolognese

alaaf! *niederrhein.:* hoch!

à la baisse [alabɛs, frz.]; à la baisse spekulieren: mit dem Fallen von Börsenkursen rechnend spekulieren; vgl. à la hausse

Al|la|ba|ma (*Abk.:* AL) Staat der USA

Al|la|bas|ter [griech.] *m. 3* dem Marmor ähnl. Gipsart; **al|la|bas|tern** aus Alabaster

à la bonne heure! [alabɔnœr, frz.] recht so!, bravo!

à la carte [alakart, frz.]; à la carte essen: nach der Speisekarte essen

à la hausse [alaos, frz.]; à la hausse spekulieren: mit dem Steigen der Börsenkurse rechnend spekulieren; vgl. à la baisse

à la Jar|di|niè|re [alaʒardinjɛr(ə), frz. »nach Art der Gärtnerin«] mit Gemüse garniert (Fleisch)

Al|la|lie [griech.] *w. 11* Unfähigkeit, artikuliert zu sprechen

à la mode [alamɔd, frz.]; sich à la mode kleiden: sich nach der Mode kleiden; **Al|la|mode|li|te|ra|tur** [alamɔd-] *w. 10 nur Ez.* die dt. höfische Unterhaltungsliteratur des 17./18. Jh., die frz. und ital. Vorbilder nachahmte

Al|land *m. 1* karpfenähnl. Süßwasserfisch, Nerfling

Al|la|nin *s. 1 nur Ez.* eine Aminosäure

Al|lant [vulgärlat.] *m. 1, Sammelbez. für* mehrere Gewürz- und Heilpflanzen, Inula

Al|larm [frz. »zur Waffe!«] *m. 1* **1** Gefahrensignal, Warnzeichen; **2** *während des 2. Weltkriegs:* Zeit zwischen Warnung und Entwarnung; **al|lar|mie|ren** *tr. 3* **1** durch Alarmsignal warnen; **2** zur Hilfe herbeirufen

Al|las|ka (*Abk.:* AK) Staat der USA; **al|las|kisch**

à la suite [alasyit, frz.] im Gefolge von...

Al|laun [lat.] *m. 1 nur Ez.,* Alumen *s. 7 nur Ez.* Kalium-Aluminium-Sulfat, zum Gerben, Beizen und als blutstillendes Mittel verwendet

Alb 1 *w. 10* Juragebirge; Fränkische Alb, Schwäbische Alb; **2** *m. 12* Alp *m. 1 meist Mz.* Elf, Naturgeist

Al|ba [lat.] **1** *w. Gen.* - *Mz.* -ben, Al|be *w. 11* langes, weißes liturg. Gewand der kath. und anglikan. Geistlichen, Messhemd; **2** *w. 9* Tagelied der Troubadoure

Al|ba|ner *m. 5* Einwohner von Albanien; **al|ba|ne|sisch; Al|ba|ni|en** Staat auf dem Balkan; **al|ba|nisch**

Al|ba|tros [arab.] *m. 1* ein Sturmvogel der südl. Meere

Alb|druck *m. 2,* **Alb|drü|cken** *s. Gen.* -s *nur Ez.* = Alpdruck, Alpdrücken

Al|be *w. 11* = Alba (**1**)

Al|be|do [lat.] *w. 9 nur Ez.* Verhältnis des auf eine Fläche fallenden Lichts zum zurückgestrahlten Licht; **Al|be|do|me|ter** [lat. + griech.] *s. 5* Gerät zum Messen der Albedo

Al|ben *Mz. von* Alb (**2**), Alba (**1**) und Album

Al|be|rich *dt. Myth.:* Elfenkönig, Wächter des Nibelungenhortes

al|bern 1 Adj.; **2** *intr. 1;* ich albere, albre; **Al|bern|heit** *w. 10*

Al|ber|ti|ni|sche Li|nie *w. 11* sächsische Linie der Wettiner (Fürstengeschlecht)

Al|bi|gen|ser [nach der frz. Stadt Albi] *m. 5* Angehöriger einer frz. Sekte des 12./13. Jh.

Al|bi|nis|mus [lat.] *m. Gen.* - *nur Ez.* fehlende Farbstoffbildung in Haut, Augen und Haaren; **Al|bi|no** *m. 9* Mensch oder Tier mit Albinismus; **al|bi|no|tisch** in der Art eines Albinos

Al|bi|on [kelt.-lat.] *alter poet. Name für* England

Al|bit [lat.] *m. 1* ein Natronfeldspat

Alb|traum *m. 2* = Alptraum

Al|bum [lat.] *s. Gen.* -s *Mz.* -ben Gedenk-, Sammelbuch (für Gedichte, Lieder, Bilder u. ä.)

Al|bu|men [lat.] *s. Gen.* -s *nur Ez.* Eiweiß; **Al|bu|min** *s. 1 meist Mz.* Gruppe von Eiweißstoffen; **al|bu|mi|no|id** eiweißähnlich; **al|bu|mi|nös** eiweißhaltig; **Al|bu|min|u|rie** *auch:* **-mi|nu|rie** [lat. + griech.] *w. 11* Vorkommen von Eiweiß im Urin; **Al|bu|mo|se** *w. 11* Zwischenprodukt bei der Eiweißverdauung

Al|bus [lat.] *m. Gen.* - *Mz.* -busse alte dt. Münze, 6–10 Pfennig, Weißpfennig, *in Westdeutschland:* Silbergroschen

Al|can|ta|ra *s. Gen.* -(s) *nur Ez.* ein wildlederähnl., waschbarer Kunststoff (für Kleidung)

Al|che|mie *w. 11 nur Ez., veraltet für* Alchimie

Äl|chen *s. 7* ein Fadenwurm

Al|chi|mie [arab.-griech.] *w. 11 nur Ez.* Vorstufe der wissenschaftl. Chemie, Goldmacherei; **Al|chi|mist** *m. 10* jmd., der sich mit Alchimie beschäftigt; **al|chi|mis|tisch**

Al|de|ba|ran [arab.] *m. 1 nur Ez.* Stern im Sternbild Stier

Al|de|hyd [neulat.] *m. 1* Gruppe von chem. Verbindungen, die durch Entzug von Wasserstoff aus Alkoholen gewonnen werden

Al|der|man [ɔldəmən, engl.] *m. Gen.* -s *Mz.* -men [-mən], *in angelsächs. Ländern:* Mitglied der gesetzgebenden Körperschaft einer Gemeinde

Al|di|ne *w. 11* **1** durch mustergültige Qualität gekennzeichneter Druck des venezian. Druckers Aldus Manutius; **2** halbfette Antiquaschrift

Ale [ɛil, engl.] *s. 9 nur Ez.* engl. helles Bier

Al|ea ia|cta est [lat. »Der Würfel ist gefallen«] Die Entscheidung ist getroffen (angebl. Ausspruch Cäsars)

Al|e|a|to|rik [lat.] *w. 10 nur Ez.* moderne Kompositionsweise, die dem Interpreten weitgehenden Spielraum lässt; **al|e|a|to|risch** vom Zufall abhängig

Al|le|man|ne *m. 11* Angehöriger eines westgerman. Volksstammes; **al|le|man|nisch**

al|lert [ital.-frz.] munter, flink

Al|leu|ron [griech.] *s. Gen.* -s *nur Ez.* ein Eiweißstoff, Kleber

Al|e|u|ten *Mz.* Inselgruppe südwestlich von Alaska; **al|e|u|tisch**

Al|ex|an|dria *auch:* **Al|e|xan-** Stadt in Ägypten; **Al|ex|an|dri|ner** *auch:* **Al|e|xan-** *m. 5* **1** Einwohner von Alexandria; **2** sechsfüßiger, gereimter jambischer Vers; **al|ex|an|dri|nisch** *auch:* **al|e|xan-; Al|ex|an|drit** *auch:* **Al|e|xan-** [nach dem Zaren Alexander II.] *m. 1* grünes, bei Lampenlicht rotes Mineral

Al|ex|i|a|ner *auch:* **Al|e|xi|a-** *m. 5* Angehöriger einer kath. Brudergenossenschaft, die sich urspr. (seit dem 14. Jh.) der Pflege und Bestattung Pestkranker, später der allg. Krankenpflege widmete, Lollarde

Al|e|xie [griech.] *w. 11 nur Ez.* Verlust der Lesefähigkeit, Buchstabenblindheit

Al|e|xin [griech.] *s. 1 meist Mz.* eiweißartiger Schutzstoff im Blutserum gegen Bakteriengifte

Al|fa [arab.] *w. Gen.* - *nur Ez.* = Esparto; **Al|fa|gras** *s. 4 nur Ez.* = Espartogras

al|fan|zen [ital.] *intr. 1, veraltet:* Possen treiben, närrisch reden; schwindeln; **Al|fan|ze|rei** *w. 10* närrisches Benehmen; Schwindelei

al fi|ne [ital.] *Mus.:* bis zum Schluss (zu spielen); vgl. da capo

al fres|co = a fresco

Al|ge [lat.] *w. 11* eine niedere Wasserpflanze

Al|ge|bra [österr. -ge-, arab.] *w. Gen.* - *nur Ez.* Zweig der Mathematik, Buchstabenrechnung, Rechnen mit Gleichungen, Gruppen u. a.; **al|ge|bra|isch**

Al|gen|säu|re *w. 11 nur Ez.* = Alginsäure

Al|ge|ri|en nordafrik. Staat; **Al|ge|ri|er** *m. 5* Einwohner von Algerien; **al|ge|risch**

Al|ge|sie [griech.] *w. 11* Schmerz, Schmerzempfindlichkeit

Al|gier [-ʒiːr] Hst. von Algerien

Al|gin|säu|re, Al|gen|säu|re *w. 11 nur Ez.* aus Algen gewonnene, vielseitig verwendbare Säure

Al|gol [auch: al-] *m. 1 nur Ez.* Stern im Sternbild Perseus

ALGOL [engl.], eine vereinbarte Programmiersprache

Al|go|lo|gie [griech.] *w. 11 nur Ez.* Lehre von den Algen; **al|go|lo|gisch**

Al|gon|kin 1 *m. 9 oder Gen.* - *Mz.* - Angehöriger einer Gruppe nordamerik. Indianerstämme; **2** *s. Gen.* -(s) *nur Ez.* deren Sprache; **al|gon|kisch; Al|gon|ki|um** *s. Gen.* -s *nur Ez.* = Archäozoikum

Al|go|rith|mus [pers.] *m. Gen.* - *Mz.* -men Rechenverfahren

Al|gra|phie ► *auch:* **Al|gra|fie** [lat. + griech.] *w. 11* ein Flachdruckverfahren

Al|hi|da|de [arab.] *w. 11* drehbarer Teil an Winkelmessgeräten

a|li|as [lat.] anders, sonst, auch, auch… genannt; Franz Müller alias Huber

A|li|bi [lat. »anderswo«] *s. 9* Nachweis der Abwesenheit (eines Verdächtigen) vom Tatort des Verbrechens zur Tatzeit

a|li|cy|clisch [lat.] mit ringförmig angeordneten Kohlenstoffatomen; *Ggs.* aliphatisch

A|li|e|na|ti|on [ali|e-, lat.] *w. 10* **1** *veraltet für* Entfremdung; **2** Verkauf, Veräußerung; **3** eine Form der Psychose; **a|li|e|nie|ren** [ali|e-] *tr. 3, veraltet:* **1** entfremden; **2** veräußern

A|li|gne|ment *auch:* **A|lig|ne-** [alinjəmɑ̃, frz.] *s. 9* Abstecken einer Richtlinie beim Straßen- und Streckenbau; **a|li|gnie|ren** *auch:* **a|lig|nie-** [alinji-] *tr. 3* abmessen, abstecken

a|li|men|tär [lat.] mit der Ernährung, mit Nahrungsmitteln zusammenhängend; **A|li|men|ta|ti|on** *w. 10* Gewährung von Alimenten; **a|li|men|ta|ti|ons|pflich|tig; A|li|men|te** *s. 1 Mz.* Beitrag zum Lebensunterhalt (bes. für unehel. Kinder); **a|li|men|tie|ren** *tr. 3;* jmdn. a.: jmdm. Alimente zahlen

a li|mi|ne [lat.] von vornherein, ohne die Sache zu prüfen

A|li|nea [lat.] *s. 9* (*Abk.:* Al.) Absatz, neuer Zeilenanfang; **a|li|ne|ie|ren** *tr. 3* mit einer neuen Zeile beginnen, absetzen

a|li|pha|tisch [griech.] mit in offenen Ketten angeordneten Kohlenstoffatomen (in chem. Strukturformeln); *Ggs.:* alicyclisch

a|li|quant [lat.] nur mit Rest teilbar (Zahl); **a|li|quot** ohne Rest teilbar (Zahl); **A|li|quo|te** *w. 11* Zahl, durch die eine andere ohne Rest geteilt werden kann; **A|li|quot|flü|gel** *m. 5* Flügel (Klavier) mit Aliquotsaiten; **A|li|quot|sai|te** *w. 11* Saite, die mit der angeschlagenen (tieferen) Saite mitschwingt, Resonanzsaite; **A|li|quot|ton** *m. 2* mitschwingender Oberton

A|li|za|rin [arab.] *s. 1* ein Pflanzenfarbstoff (heute synthetisch hergestellt)

Alk [schwed.] *m. 1* ein Meeresvogel der Arktis

Al|ka|hest [arab.] *s. 1, in der Alchimie:* Mittel angeblich zur Lösung aller Stoffe

Al|kal|de [arab.-span.] *m. 11* span. Bürgermeister

Al|ka|li [arab.] *s. Gen.* -s *Mz.* -lien chem. Verbindung, die in wässriger Lösung alkalisch (basisch) reagiert; **Al|ka|li|me|trie** *auch:* **-met|rie** [arab. + griech.] *w. 11* Bestimmung des Alkaligehalts einer Lösung; **al|ka|lin** alkalisch reagierend; alkalihaltig; **Al|ka|li|ni|tät** *w. 10 nur Ez.* die Eigenschaft (eines Stoffes), alkalisch zu reagieren; **al|ka|lisch** laugenartig; **al|ka|li|sie|ren** *tr. 3* alkalisch machen; **Al|ka|li|tät** *w. 10 nur Ez.* = Basizität; **Al|ka|lo|id** *s. 1* organ. Verbindung, Heilmittel

Al|kan|na *w. Gen.* - *nur Ez.* eine Pflanze, deren Wurzel roten Farbstoff (Henna) liefert

Al|ka|zar [-kaθar, auch: -θar, span.] *m. 1* Burg, Schloss in Spanien

Al|ko|hol [arab.] *m. 1, i. w. S.:* organische chem. Verbindung; *i. e. S.:* Äthylalkohol, Grundlage aller Spirituosen; **Al|ko|ho|lat** *s. 1* **1** Metallverbindung eines Alkohols; **2** = Alkolat; **Al|ko|ho|li|ka** *Mz.* alle alkoholischen Getränke; **Al|ko|ho|li|ker** *m. 5* gewohnheitsmäßiger Trinker; **al|ko|ho|lisch** Alkohol enthaltend; **al|ko|ho|li|sie|ren** *tr. 3* mit Alkohol vermischen; **al|ko|ho|li|siert** *ugs.:* betrunken; **Al|ko|ho|lis|mus** *m. Gen.* - *nur Ez.* **1** Trunksucht; **2** Alkoholvergiftung; **Al|ko|ho|lo|me|ter** *s. 5* Gerät zum Bestimmen des Alkoholgehalts einer Flüssigkeit; **Al|ko|hol|spie|gel** *m. 5* Menge des im Blut enthaltenen Alkohols;

Al|ko|lat, Al|ko|hol|lat *s. 1* wenig Alkohol enthaltendes Getränk
Al|ko|ven [-vən, auch: -ko-, arab.-span.] *m. 7* kleiner Nebenraum, Bettnische
Al|kyl [arab. + griech.] *s. 1* einwertiger Kohlenwasserstoff; **al|ky|lie|ren** *tr. 3* mit Alkylgruppen versetzen
al|ky|o|nisch [griech.], hal|ky|o|nisch, windstill; friedlich, ruhig; alkyonische Tage
all; all mein Geld; all die vielen Kinder; vgl. alle, alledem, alles; **All** *s. 9 nur Ez.* Weltall
all…, All… vgl. allo…, Allo…
all|a|bend|lich, all|a|bends
al|la bre|ve [ital.] in straffem Tempo; **Al|la-bre|ve-Takt** *m. 1* Takt, bei dem statt vier Vierteln zwei Halbe gezählt werden
Al|lah *im Islam Name für* Gott
al|la mar|cia [-martʃa, ital.] *Mus.:* in der Art eines Marsches
Al|lan|to|is [griech.] *w. Gen. - nur Ez.* embryonaler Harnsack
al|la pol|lac|ca [ital.] *Mus.:* in der Art einer Polonäse
al|la pri|ma [ital.] *in der Wendung* alla prima malen: mit nur einer Farbschicht, ohne Unter- und Übermalung
Al|lasch [nach dem Gut Allasch bei Riga] *m. 1* ein Kümmellikör
al|la te|des|ca [ital.] *Mus.:* nach deutscher Art, in der Art eines deutschen Tanzes
al|la tur|ca [ital.] *Mus.:* nach türk. Art, in der Art der Janitscharenmusik
al|la Zin|ga|re|se [ital.] *Mus.:* in der Art von Zigeunermusik
all|da *veraltet:* da
all|dem = alledem
all|die|weil *veraltet:* weil

> **all/alle:** Die unbestimmten Zahlwörter werden kleingeschrieben: *Sie waren alle da; alle Tage; ein für alle Male.* Ebenso: *allzeit/allezeit.* →§58 (4)

al|le 1 *Pron.:* wir, ihr, sie alle; alle waren da; alle kleinen Kinder; das Leben aller kleinen Kinder; allen Ernstes; der Urgrund allen Seins (*früher:* alles Seins), *aber:* alles Schönen; das Ergebnis aller (großen) Mühe; alle (*ugs.:* aller) drei Tage; aller Nasen lang, *aber:* alle naslang; ein für alle Male, *aber:* ein für allemal; für alle Zeiten, *aber:* allzeit, allezeit; **2** *Adv., ugs.:* zu Ende, verbraucht; der Vorrat ist, wird alle
al|le|dem; bei, mit, nach, trotz alledem
Al|lee [frz.] *w. 11* beidseitig von Bäumen gesäumte Straße; *in Straßennamen:* Kirschallee, Wittelsbacherallee, *aber in Verbindung mit Ortsnamen:* Landshuter Allee
Al|le|gat [lat.] *s. 1* angeführte Textstelle, Berufung auf ein Schriftwort; **Al|le|ga|ti|on** *w. 10* Anführung einer Textstelle, Berufung darauf
Al|le|gha|nies, Al|le|ghe|nies [æligeini:z, engl.] *Mz.* Gebirge in den USA
al|le|gie|ren [lat.] *tr. 3* anführen (Textstelle, Schriftwort)
Al|le|go|re|se [griech.] *w. 11* Ausdeutung eines relig. Textes, wobei vorausgesetzt wird, dass sich ein tieferer Sinn hinter ihm verbirgt; **Al|le|go|rie** *w. 11* bildhafte, gleichnishafte Darstellung eines Begriffs oder Vorgangs; **al|le|go|risch** in der Art einer Allegorie; **al|le|go|ri|sie|ren** *tr. 3* allegorisch darstellen
al|le|gret|to [lat.-ital.] *Mus.:* weniger schnell als allegro, mäßig schnell; **Al|le|gret|to** *s. Gen.* -s *Mz.* -ti mäßig schnelles Musikstück oder Teil eines solchen; **al|le|gro** *Mus.:* lebhaft, bewegt; **Al|le|gro** *s. Gen.* -s *Mz.* -gri lebhaftes, bewegtes Musikstück
al|lein 1 *Adv.;* allein sein, bleiben; jmdn. allein lassen; allein stehen; allein stehende Menschen; einzig und allein, von allein; **2** *Konj., poet.:* doch, aber; die Botschaft hör ich wohl, allein mir fehlt der Glaube (Goethe); **Al|lein|gang** *m. 2;* **Al|lein|herr|schaft** *w. 10;* **al|lei|nig** einzig; **al|lein|se|lig|ma|chend** ▶ **al|lein se|lig ma|chend; al|lein|ste|hend** ▶ **al|lein ste|hend; Al|lein|ver|kauf** *m. 2*
al|lel [griech.] das Allel betreffend; **Al|lel** *s. 1* die Zustandsform einer Erbanlage, bezogen auf homologe Chromosomen; **Al|le|lie** *w. 11,* **Al|le|lo|mor|phis|mus** *m. Gen. - nur Ez.* Vorkommen einer Erbeinheit in verschiedenen Zuständen; **Al|le|lo|pa|thie** *w. 11* gegenseitige Beeinflussung von Pflanzen durch Stoffwechselausscheidungen
al|le|lu|ja, *Nebenform von* halleluja
al|le|mal 1 vgl. alle; **2** *ugs.:* auf jeden Fall, bestimmt; allemal!; das kannst du allemal noch tun: immer noch
Al|le|man|de [almɑ̃d(ə), frz.] *w. 11* **1** Gesellschaftstanz im 16./17. Jh., aus einem dt. Volkstanz entstanden; **2** *Mus.:* ein Satz der Suite
al|len|falls; al|lent|hal|ben
al|ler|art vgl. alle
Al|ler|bar|mer *m. 5 nur Ez.* Gott, Christus, der sich aller erbarmt

> **allerbest:** Das substantivierte Adjektiv wird großgeschrieben: *Es ist das Allerbeste, wenn …* (bisher: allerbeste).

al|ler|best; es wäre das Allerbeste (= am allerbesten), wenn du…; das Allerbeste, was du tun kannst, ist…; du bist der Allerbeste; ich wünsche dir das Allerbeste
Al|ler|christ|lichs|te Ma|jes|tät *w. 10 nur Ez., seit 1469:* Titel der frz. Könige
al|ler|dings [auch: -diŋs]
al|ler|en|den *poet.:* überall
al|ler|erst vgl. zuallererst
Al|ler|gen *auch:* **Al|ler|gen** [griech.] *s. 1 meist Mz.* Stoff, der allergische Erscheinungen hervorruft; **Al|ler|gie** *auch:* **Al|ler|gie** *w. 11* Überempfindlichkeit gegen bestimmte Stoffe; **Al|ler|gi|ker** *auch:* **Al|ler|gi|ker** *m. 5* jmd., der an einer Allergie leidet; **al|ler|gisch** *auch:* **al|ler|gisch** auf Allergie beruhend, überempfindlich
al|ler|hand; a. schöne Dinge; das ist ja allerhand!
Al|ler|hei|li|gen *ohne Artikel;* an, zu A.; **Al|ler|hei|li|gen|fest** *s. 1;* **al|ler|hei|ligst;** die allerheiligste Jungfrau; *aber:* das Allerheiligste Sakrament; **Al|ler|hei|ligs|te** *s. 18*
al|ler|höchst; aufs allerhöchste gespannt; **Al|ler|höchs|te(r)** *m. 18 (17)* Gott; **al|ler|höchs|tens**
Al|ler|ka|tho|lischs|te Ma|jes|tät *w. 10 nur Ez.* Titel der span. Könige
al|ler|lei; a. gute Sachen; er weiß, kann allerlei; **Al|ler|lei** *s. 9 nur Ez.;* Leipziger A.: Gericht aus Möhren, Kohlrabi, Erbsen, Blumenkohl

▶ = wird zu

al|ler|letzt vgl. zuallerletzt; er war der Allerletzte *ugs.*
al|ler|liebst; das ist a.; er ist mir am allerliebsten; ein allerliebstes Kind
al|ler|meist; das Allermeiste wusste ich; am allermeisten
al|ler|min|dest; das Allermindeste, was du tun solltest, ist…
al|ler|nächst; der Allernächste; am allernächsten
al|ler|or|ten, al|ler|orts
Al|ler|see|len *ohne Artikel;* an, zu A.; **Al|ler|see|len|tag** *m. 1*
al|ler|seits
al|ler|wärts
al|ler|we|ge(n) *veraltet:* überall
Al|ler|welts… *ugs.:* Durchschnitts…, häufig vorkommend; **Al|ler|welts|ge|sicht** *s. 3;* **Al|ler|welts|wort** *s. 4*
al|ler|we|nigst; das Allerwenigste; am allerwenigsten
Al|ler|wer|tes|te(r) *m. 18 (17), ugs. scherzhaft:* Gesäß

> **alles:** Das nachfolgende Adjektiv wird großgeschrieben: *alles Böse, alles Einzelne, alles Gute, alles Schöne, alles Übrige.* →§ 57 (1)

al|les; alles und jedes; mein Ein und Alles; alles Einzelne; alles Übrige; das alles; was alles; alles das; um alles in der Welt nicht; alles in allem; alles Gute; der Inbegriff alles Guten
al|le|samt
Al|les|fres|ser *m. 5*
Al|les|kle|ber *m. 5*
al|le|we|ge = allerwegen
al|le|wei|le *veraltet:* immer
al|lez! [ale, frz. »geht!«] vorwärts!
al|le|zeit, allzeit
all|fäl|lig *österr., schweiz.:* möglicherweise (vorkommend), gegebenenfalls
All|gäu *s. Gen.* -s Landschaft in den Alpen; **all|gäu|isch**
All|ge|gen|wart *w. 10 nur Ez.;* **all|ge|gen|wär|tig**
all|ge|mach *veraltet:* allmählich

> **allgemein:** Die Form *im Allgemeinen* wird, weil substantiviert, großgeschrieben (bisher: im allgemeinen). →§ 57 (1)

all|ge|mein [auch: all-]; im Allgemeinen (*Abk.:* i. Allg., im Allg.); diese Währung ist allgemein (= überall) gültig; allgemein gültige Gesetze; seine Stimme ist allgemein (= überall) verständlich; in allgemein verständlichem Deutsch reden; das Allgemeine und das Besondere; *Großschreibung in offiziellen Bez. wie:* Allgemeiner Deutscher Automobil-Club; **all|ge|mein|bil|dend** ▶ **all|ge|mein bil|dend; All|ge|mein|bil|dung** *w. 10 nur Ez.;* **all|ge|mein|gül|tig** ▶ **all|ge|mein gül|tig; All|ge|mein|gut** *s. 4 nur Ez.;* **All|ge|mein|heit** *w. 10 nur Ez.;* **all|ge|mein|ver|ständ|lich** ▶ **all|ge|mein ver|ständ|lich; All|ge|mein|wohl** *s. 1 nur Ez.*
All|ge|walt *w. 10;* **all|ge|wal|tig**
All|heil|mit|tel *s. 5*
Al|li|anz *w. 10* **1** Bündnis zwischen Staaten; **2** Vereinigung, Interessengemeinschaft
al|lie|bend ▶ **all|lie|bend**
Al|li|ga|ti|on [lat.] *w. 10* Mischung (z. B. von Metallen)
Al|li|ga|tor [lat.-span.] *m. 13* ein Krokodil
al|li|ie|ren [frz.] *refl. 3* sich verbünden; **Al|li|ier|te(r)** *m. 18 (17)* Verbündeter
Al|li|te|ra|ti|on [lat.] *w. 10* Gleichheit des Anfangsbuchstabens mehrerer aufeinanderfolgender Wörter, Stabreim; **al|li|te|rie|ren** *intr. 3*
all|lie|bend
All|macht *w. 2 nur Ez.;* **all|mäch|tig; All|mäch|ti|ge(r)** *m. 18 (17);* der A.: Gott
all|mäh|lich
All|men|de *w. 11, schweiz.:* Allmend *w. 10, früher:* ungeteiltes, gemeinsam genutztes Gemeindeeigentum an Wald, Weide und Wasser
all|mo|nat|lich
All|mut|ter *w. 6 nur Ez.* die Natur
all|nächt|lich
al|lo…, Al|lo… [griech.] *in Zus.:* anders, fremd, gegensätzlich, z. B. Allolalie
Al|lo|cho|rie [-ko-, griech.] *w. 11* Verbreitung von Früchten und Pflanzensamen durch Einwirkung von außen, z. B. durch Wind oder Tiere
al|lo|chro|ma|tisch [-kro-, griech.] anders gefärbt, als es der Substanz nach zu erwarten wäre; *Ggs.:* idiochromatisch
al|lo|chthon *auch:* **al|loch|thon** [griech.] *Geologie:* in fremdem Boden oder andernorts entstanden; *Ggs.:* autochthon
Al|lod *s. 1,* Al|lo|di|um *Gen.* -s *Mz.* -di|en **1** Freigut; **2** *früher:* persönl. Grundeigentum, im Unterschied zum Lehen; **al|lo|di|al; Al|lo|di|um** *s. Gen.* -s *Mz.* -di|en = Allod
al|lo|gam, al|lo|ga|misch [griech.] auf Allogamie beruhen; **Al|lo|ga|mie** *w. 11* Fremdbestäubung, Blütenbestäubung; **al|lo|ga|misch** = allogam
Al|lo|ku|ti|on [lat.] *w. 10* feierliche Ansprache des Papstes an die Kardinäle
Al|lo|la|lie [griech.] *w. 11, bei psych. Störungen:* Fehlsprechen
Al|lo|me|trie *auch:* **-met|rie** [griech.] *w. 11* verschiedene Geschwindigkeit des Wachstums (von Körperorganen)
Al|lo|mor|phie [griech.] *w. 11* = Allotropie
Al|lon|ge [alɔ̃ʒ frz.] *w. 11* Verlängerungsstreifen für zusätzl. Angaben (an Wechseln); **Al|lon|ge|pe|rü|cke** *w. 11* Männerperücke mit langen Locken
al|lons! [alɔ̃, frz. »gehen wir!«] vorwärts!, los!
al|lo|nym *auch:* **al|lo|nym** [griech.] ein Allonym tragend; **Al|lo|nym** *auch:* **Al|lo|nym** *s. 1* Name eines anderen als Deckname für sich selbst
Al|lo|path [griech.] *m. 10* nach der Allopathie arbeitender Arzt; *Ggs.:* Homöopath; **Al|lo|pa|thie** *w. 11 nur Ez.* herkömml. Heilverfahren, gegen eine Krankheit ein der Ursache entgegenwirkendes Mittel anzuwenden; *Ggs.:* Homöopathie; **al|lo|pa|thisch;** *Ggs.:* homöopathisch
Al|lo|phon [griech.] *s. 1* Variante eines Phonems
Al|lo|plas|tik [griech.] *w. 10* **1** Ersatz von Gewebe durch anorgan. Stoffe; **2** das Ersatzstück; **al|lo|plas|tisch**
Al|lo|tria [griech.] *früher: Mz., heute meist: s. 9 nur Ez.* Unfug, Dummheiten
al|lo|trop [griech.]; **Al|lo|tro|pie,** Al|lo|mor|phie *w. 11* Eigenschaft eines chem. Stoffes, in verschiedenen festen Zustandsformen (Kristallsystemen) vorzukommen, z. B. des Kohlenstoffs als Graphit und Diamant
all'ot|ta|va [ital.] (*Zeichen:* 8va) *Mus.:* eine Oktave höher bzw. tiefer (zu spielen)

Alllradlanltrieb *m. 1*
all right! [ɔ:lraɪt, engl.] in Ordnung!, gut!, einverstanden!
Alllrounlder [ɔ:lraʊndə, engl.] *m. 5, ugs. kurz für* Allroundman; **Alllroundlman** [ɔ:lraʊndmæn, engl.] *m. Gen.* -s *Mz.* -men [-mən] jmd., der in vielen Gebieten einsetzbar ist; **Alllroundsportller** *m. 5* Sportler, der viele Sportarten ausübt
alllseiltig; Alllseiltiglkeit *w. 10 nur Ez.*; **alllseits**
Alllstromlgelrät *s. 1* Gerät für Gleich- und Wechselstrom
alllstündllich
Allltag *m. 1 nur Ez.*; **allltägllich; Allltägllichlkeit** *w. 10 nur Ez.*; **allltags**
all'u. *Abk. für* all'unisono
alllüberlall [auch: -über-] *poet.*
all'unlghelrelse [ital.] *Mus.:* nach ungar. Art
all'ulnilsolno [ital.] (*Abk.:* all'u.) *Mus.:* im Gleichklang oder/und in der Oktave (zu spielen, zu singen)
Alllülre [frz.] *w. 11* Gangart (des Pferdes); **Alllülren** *Mz.* ungewöhnl. Benehmen
Alllulsilon [lat.] *w. 10* Anspielung (z. B. auf Werke, Personen, Aussprüche oder histor. Ereignisse)
alllulvilal [lat.] aus dem Alluvium stammend; **Alllulvilon** *w. 10* angeschwemmtes Land; **Alllulvilum** *s. Gen.* -s *nur Ez.* jüngste Abteilung des Quartärs, *neuere Bez.:* Holozän
Allvalter *m. 6 nur Ez.* Gott
alllweil *bayr., österr.:* immer
alllwislsend Doktor Allwissend (Märchenfigur); **Alllwislsenheit** *w. 10 nur Ez.*
alllwölchentllich
Alllyllallkolhol [lat. + griech. + arab.] *m. 1* ein ungesättigter Alkohol
alllzeit, allelzeit
alllzu; allzu sehr; allzu oft; er redet allzu viel
alllzulmal alle zusammen
Alm *w. 10* Bergwiese, Alp
Allma malter ► **Allma Malter** [lat. »nährende Mutter«] *w. Gen.* - - *nur Ez., poet. Bez. für* Universität
Allmalnach [arab.] *m. 1* Kalender, Jahrbuch (meist mit Bildern oder Textproben)
Allmanldin [nach dem Fundort Alabanda in Kleinasien] *m. 1* ein Mineral
Allmenlrausch, Almlrausch *m. 1 nur Ez.* Alpenrose
Allmer *m. 5, österr.: Senn;* **Allmelrin** *w. 10, österr.:* Sennerin;
Almlhütlte *w. 11*
Allmolsen [auch: al-, griech.-mlat.] *s. 7* **1** Gabe an Bedürftige; **2** *übertr.:* dürftiges Geschenk; **Allmolselnier** *m. 1, früher:* geistl. Würdenträger, der die Almosen verteilte
Almlrausch *m. 1 nur Ez.* = Almenrausch
Alloe [aloe:, hebr.-griech.] *w. 11* eine Heilpflanze
allolgisch nicht logisch
Allolpelzie [griech.] *w. 11* krankhafter Haarausfall
Alp 1 *w. 10,* Allpe *w. 11* Alm, Gebirgswiese; **2** ► *auch:* **Alb** *m. 1* Gespenst, das schwere Träume hervorruft, Nachtmahr
Allpalca *s. 9 nur Ez.* = Alpaka (**3**); **Allpalka** *s. 9* **1** südamerik. Lama; **2** *nur Ez.* dessen Wolle; **3** [chin.?] Allpalca Ⓦ *nur Ez.* = Neusilber
al palri [ital. »zum gleichen« (Wert)] zum Nennwert (bei Aktien)
Alpldruck, Albldruck *m. 2,* **Alpdrülcken,** Albldrülcken *s. 7 nur Ez.* Angsttraum mit Beklemmungsgefühl
Allpe *w. 11* = Alp (**1**); **allpen** *intr. 1, schweiz.:* Vieh auf der Alp halten; **Allpen** *Mz.* Gebirgszug in Europa; **Allpenlglülhen** *s. 7;* **Allpenlveillchen** *s. 7;* **Allpenlverlein** *m. 1 nur Ez.*
Allpha [griech.] *s. Gen.* -(s) *Mz.* -s (*Zeichen:* α, A) erster Buchstabe des griech. Alphabets; das A. und das Omega: Anfang und Ende; **Allphalbet** [nach den griech. Buchstaben alpha und beta] *s. 1* die Buchstaben einer Sprache in geordneter Reihenfolge, Abc; **allphalbeltisch** in der Ordnung des Alphabets, abclich; **allphalbeltilsielren** *tr. 3* in alphabetische Reihenfolge bringen; **Allphalstrahllen,** α-Strahllen *m. 12 Mz.* aus Alphateilchen bestehende, radioaktive Strahlung; **Allphalteilchen** *s. 7, Physik:* Heliumkern
Alplhorn *s. 4*
allpid, allpildisch, zu d. Alpiden gehörend; **Allpilden** *Mz.* junge, in der Kreide und im Tertiär entstandene Faltengebirge
allpin die Alpen betreffend, darin vorkommend; alpine Kombination: Wettkampf aus Abfahrts- und Torlauf; **Allpilni** [ital.] *Mz., Ez.* -no, ital. Gebirgsjäger; **Allpilnislmus** *m. Gen.* - *nur Ez.* = Alpinistik; **Allpilnist** *m. 10;* **Allpilnisltik** *w. 10 nur Ez.,* Allpilnislmus *m. Gen.* - *nur Ez.* sportlich betriebenes Bergsteigen; **Allpinum** *s. 9* Steingarten mit Alpenblumen
Älpller *m. 5* Alpenbewohner
Alpltraum, Albltraum *m. 2,* Angsttraum
Allraun *m. 1,* **Allraulne** *w. 11* menschenähnlich gestaltete, früher als Zaubermittel geltende Wurzel eines Nachtschattengewächses, Springwurz

> **als:** Fügungen mit *als* und Zahladjektiven werden großgeschrieben, weil es sich um Substantivierungen handelt: *als Erstes, als Letztes, als Nächstes.*

als; größer, kleiner als; *aber:* so groß, so klein wie; mehr als; er ist mehr schön als klug; es gibt nichts Schöneres als das; ich erschrak, als ich das hörte; als Nächstes, als Erstes, als Letztes; ich schätze ihn mehr als Menschen denn als Künstler; als dass; als ob; so bald als möglich *falsch für* so bald wie möglich; **alslbald; alslbalddig; alsdann**
al s. *Abk. für* al segno
al seclco [ital.] *Malerei:* auf trockenen (Putz); vgl. Seccomalerei
al selgno [alzenjo, ital.] (*Abk.:* al s.) *Mus.:* bis zum Zeichen (wiederholen)
allso; also gut!; also doch!; also los!
Als-ob *s. Gen.* - *nur Ez.*
allsolbald *veraltet:* alsbald
Als-ob-Phillolsolphie *w. 11*
allsolgleich *veraltet:* sogleich
alt 1 *Kleinschreibung:* er war der älteste von vier Söhnen; *aber:* er ist unser Ältester; sich alt fühlen; etwas alt kaufen; immer wieder die alte Geschichte; *aber:* →Alte Geschichte; mein alter Herr: mein Vater; *aber:* →Alter Herr; ein alter Mann; *aber:* →Alter Mann; alter Meister: Künstler des MA bzw. dessen Werk; **2** *Großschreibung:* der, die Alte: alter Mensch; die Alten: die alten Leute bzw.

► = wird zu

Völker; mein Alter *ugs.:* mein Vater, mein Mann; beim Alten bleiben; es beim Alten lassen; ganz der Alte sein; am Alten hängen; Alt und Jung; Alte und Junge; Altes und Neues; der Älteste: der Gemeindeälteste; mein Ältester: mein ältester

> **alt/Alt:** Die Großschreibung dominiert: *Alt und Jung, beim Alten bleiben, es beim Alten lassen, am Alten hängen, (ganz) der/die/das Alte.*
> →§ 57 (1)
> Kleingeschrieben wird das Adjektiv vor dem Substantiv: *der alte Mann, meine alte Mutter.* In Eigennamen wird das Adjektiv großgeschrieben: *das Alte Testament, der Alte Fritz.*
> →§ 59 (1)

Sohn; Hans Holbein der Ältere (*Abk.:* d. Ä.); der Alte Fritz: Friedrich der Große; Alte Geschichte: Geschichte des Altertums; Alter Herr: Mitglied einer Studentenverbindung nach dem Studium; Alter Mann: abgebauter Teil eines Bergwerks; das Alte Testament; die Alte Welt: Europa

Alt [ital. alto »hoch«] *m. Gen.* -s *nur Ez.* **1** Altstimme, tiefe Stimmlage bei Frauen und Knaben; **2** Stimmlage bei Musikinstrumenten; **3** Sänger(in) mit Altstimme; **4** Gesamtheit der tiefen Knaben- oder Frauenstimmen im Chor

Al|tai *m. Gen.* -(s) Gebirge in Innerasien; **Al|tai|er** *m. 5* Angehöriger eines Turkvolkes; **al|ta|isch**

Al|tan [ital.] *m. 1* vom Boden aus gestützter Balkon, Söller; (umlaufender) Holzbalkon

Al|tar [lat.] *m. 2;* **Al|tar|bild** [auch: al-] *s. 3*

Alt|a|zi|mut [lat. + arab.] *s. 1 od. m. 1* Gerät zum Messen von Höhe und Azimut eines Gestirns

alt|ba|cken

Alt|bau *m. Gen.* -s *Mz.* -bauten; **Alt|bau|woh|nung** *w. 10*

Alt-Ber|lin; alt|ber|li|nisch ► **alt-ber|li|nisch**

Alt|bun|des|kanz|ler *m. 5;* **Alt|bun|des|prä|si|dent** *m. 10*

alt|deutsch

alt|ein|ge|ses|sen

äl|teln *intr. 1* allmählich alt werden

Al|ten|heim *s. 1* Heim für alte Menschen mit mehr Wohnraum und Komfort als in einem Altersheim

Al|ten|teil *s. 1;* **Al|ten|tei|ler** *m. 5* jmd., der auf dem Altenteil lebt

Al|te|ran|ti|um [-tsjum, lat.] *s. Gen.* -s *Mz.* -tia [-tsja] *Med.:* umstimmendes Mittel

Al|te|ra|ti|on [lat.] *w. 10* **1** Erregung; **2** *Med.:* krankhafte Veränderung; **3** *Mus.:* chromat. Veränderung eines Akkordtons; **al|te|ra|tiv** *Med.*

Al|ter e|go ► **Al|ter E|go** [lat.] *s. Gen.* - - *nur Ez.* das »andere Ich«, vertrauter Freund

al|te|rie|ren 1 *tr. 3, Mus.:* chromatisch verändern (Akkordton); **2** *refl. 3;* sich a.: sich aufregen

Äl|ter|mut|ter *w. 6, veraltet:* Urgroßmutter

al|tern *intr. 1;* ich altere

Al|ter|nanz [lat.] *w. 10* **1** = Alternation; **2** *Obstbau:* Wechsel von Jahren mit und ohne Ertrag; **Al|ter|nat** *s. 1 nur Ez., bei Staatsverträgen:* Wechsel in der Aufzählung der Vertragschließenden und der Reihenfolge der Unterschriften; **Al|ter|na|ti|on,** Al|ter|nanz *w. 10* Wechsel zwischen zwei Dingen oder Möglichkeiten; **al|ter|na|tiv 1** die Wahl zwischen zwei Möglichkeiten bietend, wechselweise; **2** anders als üblich, z. B. a. leben; **Al|ter|na|ti|ve** *w. 11* Wahl zwischen zwei Möglichkeiten; **al|ter|nie|ren** *intr. 3* wechseln; zwei Vorgänge, Zustände alternieren

Al|terns|for|schung *w. 10 nur Ez.* = Gerontologie

al|ters; seit alters; von alters her; **Al|ters|für|sor|ge** *w. 11 nur Ez.;* **Al|ters|heil|kun|de** *w. 11 nur Ez.* = Geriatrie; **Al|ters|heim** *s. 1;* **al|ters|schwach; Al|ters|schwä|che** *w. 11 nur Ez.;* **Al|ters|ver|si|che|rung** *w. 10*

Al|ter|tum *s. 4 nur Ez.;* vgl. Altertümer; **Al|ter|tü|me|lei** *w. 10* übertriebenes Nachahmen eines alten Stils; **al|ter|tü|meln** *intr. 1;* ich altertümele, altertümle; **Al|ter|tü|mer** *nur Mz.* Gegenstände aus dem Altertum; **al|ter|tüm|lich; Al|ter|tüm|lich|keit** *w. 10 nur Ez.;* **Al|ter|tums|wis|sen|schaft** *w. 10* = Archäologie

Al|te|rung *w. 10 nur Ez.* Änderung spezifischer Stoffeigenschaften im Lauf der Zeit

Äl|ter|va|ter *m. 6, veraltet:* Urgroßvater

Al|tes Land, das Alte Land *s. Gen.* (des) -n -es Landschaft südl. der unteren Elbe

alt|frän|kisch; *übertr.:* altmodisch und hausbacken

alt|ge|dient

Alt|gei|ge *w. 11* = Bratsche

alt|ge|wohnt

Alt|grad *m. 1* = Grad (**2**); vgl. Neugrad, Gon

Al|thee [-tea, frz.] *w. 11* **1** eine Heilpflanze; **2** daraus gewonnenes Hustenmittel

Alt-Hei|del|berg

alt|her|ge|bracht

Alt|her|ren|mann|schaft *w. 10, Sport*

alt|hoch|deutsch; Alt|hoch|deutsch *s. Gen.* -(s) *nur Ez.*

Al|ti|graph ► *auch:* **Al|ti|graf** [lat. + griech.] *m. 10, Meteor.:* automat. Höhenschreiber; **Al|ti|me|ter** *s. 5* Höhenmesser

Al|tist *m. 10* Sänger mit Altstimme; **Al|tis|tin** *w. 10* Sängerin mit Altstimme

Alt|jahrs|abend *m. 1* Silvester; **Alt|jahrs|tag** *m. 1, österr.:* Silvester

alt|jüng|fer|lich

Alt|ka|tho|lik *m. 10;* **alt|ka|tho|lisch; Alt|ka|tho|li|zis|mus** *m. Gen.* - *nur Ez.* Religionsgemeinschaft, die sich nach der Verkündung des Dogmas von der päpstl. Unfehlbarkeit (1870) von der röm.-kath. Kirche trennte

alt|klug; Alt|klug|heit *w. 10 nur Ez.*

Alt|last *w. 10* umweltschädlicher Rückstand aus einer vergangenen Industrieepoche

ält|lich

Alt|meis|ter *m. 5* ältester, vorbildl. Vertreter (eines Fachgebietes)

Alt|mi|nu|te *w. 11* = Minute (**2**)

alt|nor|disch; Alt|nor|disch *s. Gen.* -(s) *nur Ez.*

Al|to A|di|ge [adidʒe, »obere Etsch«] *ital. Bez. für* Südtirol

Al|to|ku|mu|lus [lat.] *m. Gen.* - *Mz.* -li Haufenwolke in mittlerer Höhe; **Al|to|stra|tus** *m. Gen.* - *Mz.* -ti Schichtwolke in mittlerer Höhe

Alt|phi|lo|lo|ge *m. 11;* **Alt|phi|lo|lo|gie** *w. 11 nur Ez.* Wissenschaft von den Sprachen und

Literaturen des klass. Altertums (Griechisch, Latein); **alt|phi|lo|lo|gisch**
Alt-Rom
Al|tru|is|mus *auch:* **Alt|ru-** [lat.] *m. Gen. - nur Ez.* Uneigennützigkeit; *Ggs.:* Egoismus; **Al|tru|ist** *auch:* **Alt|ru-** *m. 10* uneigennütziger Mensch; *Ggs.:* Egoist; **al|tru|is|tisch** *auch:* **alt|ru-**
Alt|se|kun|de *w. 11* = Sekunde (**2**)
Alt|sitz *m. 1* Altenteil
Alt|sprach|ler *m. 5* Altphilologe; **alt|sprach|lich**
Alt|stadt|sa|nie|rung *w. 10* Erneuerung alter Stadtteile
Alt|stein|zeit *w. 10 nur Ez.* Paläolithikum
Alt|stim|me *w. 11* = Alt (**1**)
Alt|tes|ta|ment|ler *m. 5* Kenner, Erforscher des AT; **alt|tes|ta|ment|lich** zum AT gehörig
Alt|tier *s. 1, beim Elch-, Rot- und Damwild:* Muttertier
alt|vä|te|risch altmodisch; **alt|vä|ter|lich** großväterlich-ehrwürdig
Alt|vor|dern *Mz., veraltet:* Vorfahren, Ahnen
Alt|was|ser *s. 5* alter Flussarm mit stehendem Wasser
Alt|wei|ber|fast|nacht *w. 10 nur Ez.* Donnerstag vor Fastnacht;
Alt|wei|ber|som|mer *m. 5* **1** Spät-, Nachsommer; **2** vom Wind getragene Spinnwebfäden im Spätsommer
alt|welt|lich zur Alten Welt, zu Europa gehörend, von dort stammend
Alt-Wien *österr. auch:* **Altwien; alt|wie|ne|risch** ► **alt-wie|ne|risch**
Alu *Kurzw. für* Aluminium; **Alu|chip** [-tʃip] *m. 9, ehem. DDR, iron. Bez. für:* Münze der DDR; **Alu|fo|lie** [-ljə] *w. 11, Kurzw. für* Aluminiumfolie; **Al|u|men** *s. 7 nur Ez.* = Alaun; **Al|u|mi|nat** [lat.] *s. 1* aluminiumsaures Salz; **al|u|mi|nie|ren** *tr. 3* mit Aluminium überziehen; **Al|u|mi|nit** *m. 1 nur Ez.* ein Mineral; **Al|u|mi|ni|um** *s. Gen. -s nur Ez.* (*Zeichen:* Al) chem. Element, ein Metall; **Al|u|mi|ni|um|fo|lie** [-ljə] *w. 11* (*Kurzw.:* Alufolie) fein ausgewalztes Aluminium für Verpackungen u. a.
Al|um|nat [lat.] *s. 1* **1** zu einer Schule gehöriges Schülerheim; **2** *österr.:* Ausbildungsstätte für Geistliche; **Al|um|ne** *m. 11,* **Al|um|nus** *m. Gen. - Mz. -nen* Schüler eines Alumnats
Al|u|nit [lat.] *m. 1 nur Ez.* ein Mineral, Alaunstein
al|ve|o|lar [lat.] = dental; **Al|ve|o|lar** *m. 1* = Dental; **al|ve|o|lär** mit kleinen Hohlräumen versehen; **Al|ve|o|le** *w. 11* **1** Zahnfach im Kiefer; **2** Lungenbläschen
Al|weg|bahn [nach dem schwed. Industriellen A. L. Wenner-Gren] *w. 10* Einschienen-Hochbahn
am an dem; Frankfurt am Main (*Abk.:* a. M.); am Abend; am Dienstag, dem *oder:* den 3. Mai; ich war (gerade) am Schreiben: ich schrieb gerade; am besten, am meisten
Am *chem. Zeichen für* Americium
AM *Abk. für* Amplitudenmodulation
a. m. *Abk. für* ante meridiem, ante mortem
a|ma|bi|le [ital.] *Mus.:* liebenswürdig; lieblich
a|ma|gne|tisch *auch:* **a|mag|ne-** nicht magnetisch, nicht magnetisierbar
A|ma|ler *m. 5 Mz.* = Amelungen
A|mal|gam [arab.-griech.] *s. 1* eine Quecksilberlegierung; **A|mal|ga|ma|ti|on** *w. 10* Gewinnung von Gold und Silber aus Erz durch Lösen in Quecksilber; **a|mal|ga|mie|ren** *tr. 3* **1** mit Quecksilber legieren; **2** aus Erzen durch Lösen in Quecksilber gewinnen
a|ma|rant, **a|ma|ran|ten** [griech.] dunkelrot; **A|ma|rant** *m. 1* **1** eine Zierpflanze; **2** afrik. Vogelart; **3** ein Farbholz; **a|ma|ran|ten** = amarant
A|ma|rel|le [lat.-ital.] *w. 11* eine Sauerkirschenart
A|ma|ret|to [ital.] *m. 9* Bittermandellikör
A|ma|ryl [griech.] *m. 1* künstlich hergestellter, hellgrüner Saphir; **A|ma|ryl|lis** *w. Gen. - Mz. -len* eine Zierpflanze
A|ma|teur [-tør, lat.-frz.] *m. 1* jmd., der eine Beschäftigung nur aus Liebhaberei betreibt, Nichtfachmann; **A|ma|teur|fo|to|graf** *m. 10;* **A|ma|teur|sport|ler** *m. 5*
A|ma|ti *w. 9* Geige aus der Werkstatt der ital. Geigenbauerfamilie Amati im 16. u. 17. Jh.
A|mau|ro|se [griech.] *w. 11* Erblindung, »schwarzer Star«
A|mau|se [frz.] *w. 11, im MA Bez. für* Email und Schmuckstein aus Glas
A|ma|zo|na *w. Gen. - Mz. -nae* [-nɛ:] *oder* -nen eine Gattung mittel- und südamerik. Papageien; **A|ma|zo|nas** *m. Gen. -* Fluss in Südamerika; **A|ma|zo|ne** [griech.] *w. 11, griech. Myth.:* Angehörige eines kriegerischen Frauenvolkes; **A|ma|zo|nen|strom** *m. 2 nur Ez.* = Amazonas; **A|ma|zo|ni|en** Flussgebiet des Amazonas
Am|bas|sa|de [ã-, frz.] *w. 11, veraltet:* Botschaft, Gesandtschaft; **Am|bas|sa|deur** [ãbasadœr] *m. 1, veraltet:* Gesandter, Botschafter
Am|be [ital.] *w. 11, österr.:* Ambo *m. Gen. -s Mz. -s oder -ben* Doppeltreffer im Lotto
Am|ber *m. 5 oder m. 14* = Ambra
am|bi|dex|ter [lat.] mit beiden Händen gleich geschickt; **Am|bi|dex|trie** *w. 11*
Am|bi|en|te [lat.-ital.] *s. Gen. - nur Ez., Malerei:* Umgebung, Milieu (einer Gestalt)
Am|bi|gu|i|tät [lat.] *w. 10 nur Ez.* Zweideutigkeit, Doppelsinn (von Wörtern)
Am|bi|ti|on [lat.] *w. 10* Ehrgeiz, Streben; **am|bi|ti|o|nie|ren** *tr. 3* erstreben; ambitioniert sein *österr.:* ehrgeizig sein; **am|bi|ti|ös** [-tsjøs] ehrgeizig
Am|bi|tus [lat.] *m. Gen. - Mz. -* Tonumfang (einer Stimme, eines Instruments, einer Melodie)
am|bi|va|lent [lat.] doppelwertig; **Am|bi|va|lenz** *w. 10* **1** Doppelwertigkeit (von Gefühlen); Möglichkeit, auch das Gegenteil einzuschließen, z. B. Hassliebe; **2** zwischen Liebe und Hass schwankende Einstellung gegenüber einem Menschen
Am|bo *m. Gen. -s Mz. -s oder -ben* **1** *österr.:* = Ambe; **2** *in frühchristl. Kirchen:* erhöhtes Lesepult; **Am|bon** *m. Gen. -s Mz. -bonen* = Ambo (**2**)
Am|boß ► **Am|boss** *m. 1* **1** stählerner Block als Unterlage zum Schmieden von Eisen; **2** mittleres der drei Gehörknöchelchen
Am|bra [arab.] *w. 9,* **Am|ber** *m. 5 oder m. 14* für Duftstoffe verwendete Ausscheidung des Pottwals
Am|bro|sia [griech.] *w. Gen. - nur Ez.* **1** *griech. Myth.:* Götterspeise,

die Unsterblichkeit verleiht; vgl. Nektar (**1**); **2** *auch:* Am|bro|sie [-zjə] *w. 11* eine Pflanzengattung
am|bro|si|a|nisch auf den Kirchenlehrer Ambrosius zurückgehend; ambrosianische Liturgie; ambrosianischer Lobgesang
am|bro|sisch [griech.] himmlisch, göttlich
am|bu|lant [lat.] **1** wandernd, umherziehend; ambulanter Handel: Handel von Tür zu Tür; ambulantes Gewerbe: nicht ortsgebundenes Gewerbe, *vulg.:* Gewerbe der Straßendirnen; **2** am|bu|la|to|risch *Med.:* während der Sprechstunde, nicht stationär im Krankenhaus; ambulante Behandlung; **Am|bu|lanz** *w. 10* **1** bewegl. Feldlazarett; **2** *auch:* Am|bu|la|to|ri|um *s. Gen.* -s *Mz.* -ri|en kleine Station für ambulante Behandlung im Krankenhaus; **3** fahrbare Einrichtung für ärztl. Untersuchungen und Behandlungen; **4** *auch:* Krankenwagen; **Am|bu|lanz|wa|gen** *m. 7* = Ambulanz (**4**); **am|bu|la|to|risch** = ambulant (**2**); **Am|bu|la|to|ri|um** *s. Gen.* -s *Mz.* -ri|en = Ambulanz (**2**)
A. M. D. G. *Abk. für* ad maiorem Dei gloriam
A|mei|se *w. 11;* **A|mei|sen|bär** *m. 10;* **A|mei|sen|igel** *m. 5;* **A|mei|sen|säu|re** *w. 11*
A|me|lie [griech.] *w. 11* angeborenes Fehlen von Gliedmaßen
a|me|li|o|rie|ren *tr. 3;* **A|me|li|o|ri|sa|ti|on** [lat.] *w. 10* Verbesserung (des Bodens)
A|me|lun|gen, A|ma|ler *Mz.* ostgot. Herrschergeschlecht
a|men [hebr. »so sei es«] Gebetsschlusswort, Segens- und Bestätigungsformel; zu allem ja und amen sagen; **A|men** *s. 7;* sein Amen zu etwas geben *ugs.:* sein Einverständnis geben
A|men|de|ment [amãdəmã, lat.-frz.], A|mend|ment [əmẹndmənt, lat.-engl.] *s. 9* Zusatz-, Änderungsvorschlag zu Gesetz oder Gesetzesentwurf, in den USA auch zur Verfassung; **a|men|die|ren** [amã-] *tr. 3;* **A|mẹnd|ment** *s. 9* = Amendement
A|me|nor|rhö [griech.] *w. 10,* **A|me|nor|rhoe** [-rø] *w. 11* Ausbleiben der Menstruation; **a|me|nor|rho|isch** auf Amenorrhö beruhend
A|mẹn|tia [-tsja, lat.] *w. Gen. - Mz.* -ti|en, **A|mẹnz** *w. Gen. - Mz.* -zi|en vorübergehende geistige Verwirrung
A|me|ri|ca|na, A|me|ri|ka|na *Mz.* Bücher, Bilder, Dokumente über Amerika
A|me|ri|ci|um [nach Amerika] (Zeichen: Am) *s. Gen.* -s *nur Ez.* künstlich hergestelltes chem. Element, ein Transuran
A|me|ri|ka; A|me|ri|ka|na *Mz.* = Americana; **A|me|ri|ka|ner** *m. 5;* **a|me|ri|ka|nisch; a|me|ri|ka|ni|sie|ren** *tr. 3* nach amerikan. Vorbild gestalten; **A|me|ri|ka|nịs|mus** *m. Gen. - Mz.* -men **1** amerik. Spracheigentümlichkeit in einer anderen Sprache; **2** amerik. Eigenart in Lebensstil, Weltanschauung, Kultur, Wirtschaftsform usw.; **A|me|ri|ka|nịst** *m. 10;* **Ame|ri|ka|nịs|tik** *w. 10 nur Ez.* Wissenschaft von der Kultur und den Sprachen Amerikas; **a|me|ri|ka|nịs|tisch;** **A|me|ri|zi|um** *s. Gen.* -s *nur Ez.* = Americium
a me|tà [ital. »zur Hälfte«] *Kaufmannsspr.:* unter Teilung von Gewinn und Verlust
a|me|tho|disch nicht methodisch, nicht planvoll
A|me|thyst [griech.] *m. 1* ein Schmuckstein
A|me|trie *auch:* **A|met|rie** [griech.] *w. 11* Abweichung vom Ebenmaß, Ungleichmäßigkeit; **a|me|trisch** *auch:* **a|met|risch**
A|me|tro|pie *auch:* **A|met|ro|pie** [griech.] *w. 11* Sehfehler infolge Abweichung von der normalen Brechkraft des Auges
A|meu|ble|ment [amøbləmã, frz.] *s. 9, veraltet:* Gesamtheit der Möbel, Mobiliar
Am|ha|ra *m. 9 oder Gen. - Mz.* -, **Am|ha|rer** *m. 5* Angehöriger des (hamit.) Staatsvolkes des früheren Königreichs Äthiopien; **am|ha|risch; Am|ha|risch** *s. Gen.* -(s) *nur Ez.* amhar. Sprache
Ạ|mi *m. 9, ugs., Kurzw. für* Amerikaner
A|mi [frz.] *m. Gen. - Mz.* -s Freund, Geliebter
A|mi|ant [griech.] *m. 1* ein Mineral
A|mid [nach Ammoniak] *s. 1* chem. Verbindung des Ammoniaks von basenähnl. Charakter; **A|mi|da|se** *w. 11* Ferment, das Kohlenstoff-Stickstoff-Bindungen spaltet
A|min [nach Ammoniak] *s. 11* Verbindung des Ammoniaks mit organ. Molekülgruppen
A|mi|no|plast [griech.] *s. 1* ein Kunstharz; **A|mi|no|säu|re** *w. 11* eine organ. Säure
A|mi|to|se [griech.] *w. 11* direkte Kernteilung mittels einfacher Durchschnürung ohne Chromosomenbildung; *Ggs.:* Mitose
Am|man Hst. von Jordanien
Ạm|mann *m. 4, schweiz.:* Gemeindevorsteher
Ạm|me *w. 11;* **Ạm|men|mär|chen** *s. 7* unglaubwürdige Geschichte
Ạm|mer 1 *w. 11* ein Singvogel; **2** *w. Gen. -* Nebenfluss der Isar; im Unterlauf: Amper; **3** *w. Gen. -* Nebenfluss des Neckars
Ạm|mon *griech. Name des* → Amun
Am|mo|ni|ak [auch: ạm-, österr.: amọn-, griech.] *s. 1 nur Ez.* ein stechend riechendes Gas; **am|mo|ni|a|ka|lisch** Ammoniak enthaltend
Am|mo|nit [nach dem ägypt. Gott Ammon] *m. 10,* Ạm|mons|horn *s. 4* ausgestorbener, als Versteinerung erhaltener Kopffüßer
Am|mo|ni|ter *m. 5* Angehöriger eines semit. Volkes im AT
Am|mo|ni|um [griech.] *s. Gen.* -s *nur Ez.* eine Atomgruppe; **Am|mo|ni|um|sul|fat** *s. 1* ein Düngemittel
Ạm|mons|horn *s. 4* = Ammonit
Am|ne|sie [griech.] *w. 11* dauernder oder vorübergehender Gedächtnisschwund
Am|nes|tie [griech.] *w. 11* Begnadigung; Straferlass durch Gesetz; **am|nes|tie|ren** *tr. 3*
Am|nes|ty In|ter|na|tio|nal [ẹmnisti intənẹʃənəl] *ohne Artikel* internationale Hilfsorganisation zur Betreuung politischer Gefangener
Ạm|ni|on [griech. amnos »Lamm«] *s. 9 nur Ez.* innerste Embryonalhülle bei den höheren Wirbeltieren, Schafhaut, Eihaut; **Am|ni|o|te** *m. 11 meist Mz.* Angehöriger einer der drei obersten Wirbeltierklassen (Säugetiere, Vögel, Reptilien), deren Embryonen sich in einem Amnion entwickeln; *Ggs.:* Anamnier; **am|ni|o|tisch**
A|mö|be [griech. »Wechsel«] *w. 11* Wechseltierchen, ein Einzeller; **a|mö|bo|id** amöbenartig

A|mok|lau|fen [mal. amuk »Wut«] *s. Gen.* -s *nur Ez.* infolge Geistesstörung auftretendes, blindwütiges Umherlaufen mit einer Waffe, wobei der Betreffende jeden angreift, der ihm begegnet; er läuft Amok, ist Amok gelaufen; **A|mok|läu|fer** *m. 5*

a-Moll *s. Gen.* - *nur Ez.* (*Abk.:* a) eine Tonart; **a-Moll-Ton|lei|ter** *w. 11*

A|mom [griech.] *s. 1,* **A|mo|mum** *s. Gen.* -s *Mz.* -ma eine Gewürzpflanze

A|mor röm. Gott der Liebe

A|mo|ral [griech.] *w. Gen.* - *nur Ez.* Fehlen von Moral; **a|mo|ra|lisch** sich über jegliche sittl. Grundsätze hinwegsetzend, jenseits der Moral; vgl. immoralisch; **A|mo|ra|lis|mus** *m. Gen.* - *nur Ez.* Ablehnung von sittl. Grundsätzen überhaupt; vgl. Antimoralismus, Immoralismus; **a|mo|ra|lis|tisch; A|mo|ra|li|tät** *w. 10 nur Ez.* die Sittlichkeit ablehnende Einstellung; vgl. Immoralität

A|mo|ret|te [frz.] *w. 11, bildende Kunst:* Figur eines geflügelten Knaben mit Pfeil und Bogen, Eros (**4**)

A|mor fa|ti [lat.] *in der Philos. Friedrich Nietzsches* Liebe zum Schicksal

a|mo|ro|so [ital.] *Mus.:* zärtlich, innig

a|morph [griech.] form-, gestaltlos; **A|mor|phie** *w. 11 nur Ez.* **1** Form-, Gestaltlosigkeit; **2** *Phys.:* Zustand eines Stoffes zwischen festem und flüssigem Aggregatzustand

a|mor|ti|sa|bel amortisierbar, tilgbar; **A|mor|ti|sa|ti|on** [mlat.], A|mor|ti|sie|rung *w. 10* Tilgung, Abschreibung; **a|mor|ti|sie|ren** *tr. 3;* ein Gegenstand amortisiert sich: seine Anschaffungskosten werden durch den Ertrag getilgt; **A|mor|ti|sie|rung** *w. 10* = Amortisation

A|mou|ren [-mu-, frz.] *w. 10 Mz.* Liebschaften, Liebesabenteuer; **a|mou|rös** [-mu-] Liebes…; amouröse Abenteuer

Am|pel [lat.] *w. 11* **1** Hängelampe; **2** Verkehrssignalanlage

Am|pel|ko|a|li|ti|on *w. 10* Koalition von SPD, FDP und Grünen, Rot-Gelb-Grün-Koalition

Am|per *w. Gen.* - Name der unteren →Ammer (**2**)

Am|pere [ampɛr, nach dem frz. Physiker André Marie Ampère] *s. Gen.* -(s) *Mz.* - (*Zeichen:* A) Maßeinheit der elektr. Stromstärke; **Am|pere|me|ter** *s. 5* Stromstärkemesser; **Am|pere|se|kun|de** *w. 11* (*Zeichen:* As) die Elektrizitätsmenge, die Strom von 1 Ampere in 1 Sekunde transportiert; **Am|pere|stun|de** *w. 11* (*Zeichen:* Ah) die Elektrizitätsmenge, die Strom von 1 Ampere in 1 Stunde transportiert

Amp|fer *m. 5* eine Pflanze

am|phi…, Am|phi… [griech.] *in Zus.:* um… herum, doppel…, Doppel…

Am|phi|bie [-bjə, griech.] *w. 11,* Am|phi|bi|um *s. Gen.* -s *Mz.* -bi|en Tier, das im Wasser und auf dem Land leben kann; **Am|phi|bi|en|fahr|zeug** *s. 1* Land-Wasser-Kraftfahrzeug; **am|phi|bisch; Am|phi|bi|lum** *s. Gen.* -s *Mz.* -bi|len = Amphibie

am|phi|bol = amphibolisch; **Am|phi|bol** [griech.] *m. 1,* Am|phi|bo|lit *m. 1* Hornblende, ein Mineral; **Am|phi|bo|lie** *w. 11* Doppeldeutigkeit; **am|phi|bo|lisch** doppeldeutig; **Am|phi|bo|lit** *m. 1* = Amphibol

Am|phi|go|nie [griech.] *w. 11* zweigeschlechtl. Fortpflanzung (durch Ei und Samen)

Am|phik|ty|o|ne *auch:* **Am|phi|kty|o|ne** [griech.] *m. 11* Mitglied einer Amphiktyonie; **Am|phik|ty|o|nie** *auch:* **Am|phi|kty|o|nie** *w. 11* Verband altgriech. Stämme oder Staaten zum Schutz eines Heiligtums

am|phi|mik|tisch [griech.] durch Amphimixis entstanden; **Am|phi|mi|xis** *w. Gen.* - *nur Ez.* Vermischung der Erbanlagen bei der Amphigonie

Am|phi|o|le [griech., wahrscheinlich aus Ampulle und Phiole] *w. 11* Ⓦⓩ Ampulle mit spritzfertigem Arzneimittel

Am|phi|o|xus [griech.] *m. Gen.* - *nur Ez.* Lanzettfischchen

am|phi|pneus|tisch [griech.] durch Lungen und Kiemen atmend

Am|phi|po|de [griech.] *m. 11* Flohkrebs

Am|phi|pro|sty|los *auch:* **-pros|ty-** [griech.] *m. Gen.* - *Mz.* -sty|len altgriech. Tempel mit Säulenvorhalle an der Vorder- und Rückseite

Am|phi|the|a|ter [griech.] *s. 5* (urspr. antikes) Theater unter freiem Himmel mit kreis- oder ellipsenförmigem Grundriss und ansteigenden Sitzreihen; **am|phi|the|a|tra|lisch** *auch:* **-the|at|ra-**

Am|phi|try|on *griech. Myth.:* König von Tiryns

Am|pho|ra, Am|pho|re [griech.] *w. Gen.* - *Mz.* -pho|ren **1** altgriech. Gefäß mit engem Hals und zwei senkrechten Henkeln; **2** antikes Flüssigkeitsmaß

am|pho|ter [griech.] teils sauer, teils basisch reagierend

Am|pli|fi|ka|ti|on *auch:* **Amp|li|fi|ka|ti|on** [lat.] *w. 10* Erweiterung, ausführlichere Darstellung; **am|pli|fi|zie|ren** *auch:* **amp|li|fi|zie|ren** *tr. 3*

Am|pli|tu|de *auch:* **Amp|li|tu|de** [lat.] *w. 11* größter Ausschlag (eines schwingenden Körpers), Schwingungsweite (einer Welle); Schwankungsbreite (einer Größe); **Am|pli|tu|den|mo|du|la|ti|on** *auch:* **Amp|li-** *w. 10* (*Abk.:* AM) Beeinflussung der Schwingungsweite einer hochfrequenten Trägerwelle durch die zu übertragende niederfrequente Welle

Am|pul|le [lat.] *w. 11* **1** *i. w. S.:* kleines, bauchiges Gefäß; **2** *i. e. S.:* zugeschmolzenes Glasröhrchen mit Arzneimittel zum Einspritzen

Am|pu|ta|ti|on [lat.] *w. 10* operative Abtrennung eines Körpergliedes; **am|pu|tie|ren** *tr. 3*

Am|sel *w. 11* ein Singvogel, Schwarzdrossel

Ams|ter|dam [auch: -dam] Hst. der Niederlande; **Ams|ter|da|mer** [auch: -da-] *m. 5*

Amt *s. 4;* von Amts wegen; **Ämt|chen** *s. 7;* **am|ten** *intr. 2, veraltet* = amtieren; **am|tie|ren** *intr. 3* ein Amt versehen, innehaben; **amt|lich; Amt|mann** *m. 4, Mz. auch:* -leu|te; **Amts|an|ma|ßung** *w. 10;* **Amts|arzt** *m. 2;* **Amts|ge|richt** *s. 1;* **amts|hal|ber; Amts|hand|lung** *w. 10;* **amts|mü|de; Amts|per|son** *w. 10;* **Amts|schim|mel** *m. 5, ugs.:* übertriebenes Festhalten an amtl. Vorschriften; **Amts|sie|gel** *s. 5;* **Amts|tracht** *w. 10;* **Amts|weg** *m. 1;* **Amts|zim|mer** *s. 5*

A|mu|lett [lat.] *s. 1* am Körper getragenes Zauberschutzmittel

A|mun ein altägypt. Gott
A|mur *m. Gen.* -(s) Fluss in Ostasien
a|mü|sant [frz.] vergnüglich, unterhaltend; **A|mü|se|ment** [-mã] *s. 9* Vergnügen, Unterhaltung, heiterer Zeitvertreib; **a|mü|sie|ren** *tr. 3*
a|mu|sisch ohne Sinn für Kunst
A|myg|da|lin [griech.] *s. 1 nur Ez.* blausäurehaltiger Geschmacksstoff in bitteren Mandeln; **a|myg|da|lo|id** bittermandelähnlich
A|myl|al|ko|hol [griech.] *m. 1* ein giftiger Alkohol; **A|myl|a|se** *w. 11 nur Ez.* = Diastase; **a|my|lo|id** stärkeähnlich; **A|my|lo|se** *w. 11 nur Ez.* ein Bestandteil der Stärke; **A|my|lum** *s. Gen.* -s *nur Ez.* pflanzl. Stärke
a|my|thisch ohne Mythen

> **an:** der Gebrauch von *an was/woran* ist so geregelt: Die standardsprachliche Form lautet *woran (Woran ist er erkrankt?)*; *an was* ist umgangssprachlich. – *Anstatt* wird zusammengeschrieben; aber: *an Eides statt* (bisher: Statt).

an 1 *Präp.;* Halle an der (*Abk.:* a. d.) Saale; an München (*auf Fahrplänen*): Ankunft in München; von hier an, von heute an; es ist an der Zeit, sich umzuziehen; an die Arbeit gehen; an etwas arbeiten; an die 100 Menschen: etwa, fast 100 Menschen; **2** *Adv.;* ab und an: ab und zu; an und für sich: eigentlich; **3** *ugs. kurz für* angeschaltet: das Licht ist an; *kurz für* angezogen: ohne etwas an
A|na|bap|tis|mus [griech.] *m. Gen. - nur Ez.* Lehre der Wiedertäufer; **A|na|bap|tist** *m. 10* Wiedertäufer
A|na|ba|sis [griech.] *w. Gen. - nur Ez.* Hinaufmarsch; Titel eines Werkes von Xenophon; **a|na|ba|tisch** *Meteor.:* aufsteigend (Wind)
A|na|bi|o|se [griech.] *w. 11 nur Ez.* Überdauern und Wiederaufleben mancher Lebewesen nach längerem Scheintod
A|na|bo|lie [griech.] *w. 11* Erwerb neuer Merkmale im Lauf der Entwicklung des Individuums; **A|na|bo|li|ka** *Mz.* den Muskelaufbau fördernde Hormone
A|na|cho|ret [-xo- oder -ço- oder -ko-, griech.] *m. 10, frühchristl. Bez. für* Einsiedler
A|na|chro|nis|mus [-kro-, griech.] *m. Gen. - Mz.* -men **1** falsche zeitl. Einordung; **2** nicht mehr zeitgemäße Einrichtung; **a|na|chro|nis|tisch**
A|na|dy|o|me|ne [auch: -dyo- oder -dyo-, griech. »die (aus dem Meer) Auftauchende«] Beiname der griech. Göttin Aphrodite
an|a|e|rob [griech.] ohne Sauerstoff lebend; *Ggs.:* aerob; **An|a|e|ro|bi|er** *m. 5,* **An|a|e|ro|bi|ont** *m. 10* niederes Lebewesen, das ohne Sauerstoff leben kann; *Ggs.:* Aerobier; **An|a|e|ro|bi|o|se,** An|o|xy|bi|o|se *w. 11 nur Ez.* Unabhängigkeit der Lebensvorgänge vom Luftsauerstoff
A|na|ge|ne|se [griech.] *w. 11 nur Ez.* Höherentwicklung im Lauf der Stammesgeschichte
A|na|gramm [griech.] *s. 1* Buchstabenversetzrätsel, Umstellen von Buchstaben oder Silben eines Wortes zu einem neuen Wort, z. B. Unart – Natur; **a|na|gram|ma|tisch**
an|äh|neln *tr. 1* ähnlich machen
A|na|ko|luth [griech.] *m. 1* Satzbruch, formal falsche Weiterführung eines angefangenen Satzes (als Stilfigur)
A|na|kon|da *w. 9* südamerik., nicht giftige Riesenschlange
A|na|kre|on altgriech. Dichter (um 550 v. Chr.); **A|na|kre|on|tik** *w. 10 nur Ez.* die Dichtweise des Anakreon nachahmende Richtung in der deutschen Literatur des 18. Jh.; **A|na|kre|on|ti|ker** *m. 5;* **a|na|kre|on|tisch**
An|a|ku|sis *auch:* **A|na|ku|sis** [griech.] *w. Gen. - nur Ez.* Taubheit
a|nal [lat., zu Anus] zum After gehörig, in der Nähe des Afters gelegen
A|na|lek|ten [griech.], A|na|lek|ta *Mz.* Sammlung von Aufsätzen oder Auszügen aus Dichtwerken; **a|na|lek|tisch** auswählend
A|na|lep|ti|kum [griech.] *s. Gen.* -s *Mz.* -ka den Kreislauf anregendes Mittel; **a|na|lep|tisch**
A|na|le|ro|tik *w. 10 nur Ez., Psych.:* **1** frühkindl. Interesse am Anus; **2** Fixierung der sexuellen Wünsche auf den Anus
An|al|gen *auch:* **A|nal|gen** *s. 1* = Analgetikum; **An|al|ge|sie** *auch:* **A|nal-,** An|al|gie [griech.] *w. 11* Schmerzlosigkeit; **An|al|ge|ti|kum** *auch:* **A|nal-** *s. Gen.* -s *Mz.* -ka, An|al|gen *s. 1* schmerzstillendes Mittel; **an|al|ge|tisch** *auch:* **a|nal-;** **An|al|gie** *auch:* **A|nal-** *w. 11* = Analgesie
a|na|log [griech.] ähnlich, entsprechend; **A|na|lo|gie** *w. 11* Entsprechung, sinngemäße Übertragung oder Anwendung;
Ana|lo|gie|schluß ▶ **A|na|lo|gie|schluss** *m. 2,* A|na|lo|gis|mus *m. Gen. - Mz.* -men nicht zwingender, auf Vergleich oder Ähnlichkeit beruhender Schluss; **a|na|lo|gisch** = analog; **A|na|lo|gis|mus** *m. Gen. - Mz.* -men = Analogieschluss; **A|na|lo|gon** *s. Gen.* -s *Mz.* -ga ähnl. Fall; **A|na|log|rech|ner** *m. 5* mit variablen elektrischen Spannungen, nicht digital arbeitender Großrechner
An|al|pha|bet [griech.] *m. 10* des Lesens und Schreibens Unkundiger; **An|al|pha|be|ten|tum** *s. Gen.* -s *nur Ez.;* **an|al|pha|be|tisch;** **An|al|pha|be|tis|mus** *m. Gen. - nur Ez.* Lese- und Schreibunkundigkeit
A|na|ly|se [griech.] *w. 11* Zergliederung, Untersuchung; **a|na|ly|sie|ren** *tr. 3;* **A|na|ly|sis** *w. Gen. - nur Ez.* zergliederndes Verfahren zur Lösung mathemat. Aufgaben
A|na|ly|tik *w. 10 nur Ez.* Lehre, Kunst der Analyse; **A|na|ly|ti|ker** *m. 5;* **a|na|ly|tisch**
An|ä|mie *auch:* **A|nä|mie** [griech.] *w. 11* Blutarmut; **an|ämisch** *auch:* **a|nä|misch**
A|na|mne|se *auch:* **A|nam|ne|se** [griech.] *w. 11* **1** *griech. Philos.:* Erinnerung der Seele an ihre vorgeburtl. Ideen; **2** *Med.:* Vorgeschichte der Krankheit nach Angaben des Patienten; vgl. Katamnese; **a|na|mnes|tisch,** **a|na|mne|tisch** *auch:* **a|nam|nes|tisch,** **a|nam|ne|tisch** die Anamnese (**2**) betreffend, auf ihr beruhend
An|am|ni|er [griech.] *m. 5* Wirbeltier, dessen Embryo sich ohne Amnion entwickelt; *Ggs.:* Amniote
A|na|mor|phot [griech.] *m. 10* Linse, die bei Breitwand-Filmaufnahmen die Bilder verzerrt und bei der Vorführung wieder

entzerrt; **a|na|mor|pho|tisch** verzerrt
A|na|nas [indian.-port.] *w. 1* **1** eine trop. Frucht; **2** eine Erdbeersorte
A|na|nym [griech.] *s. 1* Deckname aus den rückwärts gelesenen (und wenig veränderten) Buchstaben des eigenen Namens, z. B. Ceram aus Marek
A|na|päst [griech.] *m. 1* Versfuß aus zwei unbetonten und einer betonten Silbe; **a|na|päs|tisch**
A|na|pher [griech.] *w. 11,* **A|na|pho|ra** *w. Gen. - Mz.* -rä Wiederholung des Anfangswortes in aufeinanderfolgenden Sätzen (Stilfigur); *Ggs.:* Epiphora (**2**); **a|na|pho|risch**
An|aph|ro|di|si|a|kum [griech.] *s. Gen.* -s *Mz.* -ka den Geschlechtstrieb dämpfendes Mittel
A|na|phy|la|xie [griech.] *w. 11* Überempfindlichkeit gegen artfremdes Eiweiß
An|ar|chie *auch:* **A|nar-** [griech.] *w. 11* Gesetzlosigkeit, polit. Unordnung; **an|ar|chisch** *auch:* **a|nar-** auf Anarchie beruhend; **An|ar|chis|mus** *auch:* **A|nar-** *m. Gen. - nur Ez.* Lehre, die jede Staatsgewalt und -ordnung ablehnt; **An|ar|chist** *auch:* **A|nar-** *m. 10;* **an|ar|chis|tisch** *auch:* **a|nar-**
a|na|sta|tisch [griech.] wiederauffrischend, neubildend; anastatischer Druck: veraltetes Nachdruckverfahren ohne Neusatz mit Hilfe von Umdruck auf Stein oder Metall
An|äs|the|sie *auch:* **A|näs-** [griech.] *w. 11* **1** Betäubung von Schmerzen; **2** Schmerzunempfindlichkeit; **an|äs|the|sie|ren** *auch:* **a|näs-,** an|äs|the|ti|sie|ren *tr. 3* schmerzunempfindlich machen; **An|äs|the|si|o|lo|ge** *auch:* **A|näs-** *m. 11;* **An|äs|the|si|o|lo|gie** *auch:* **A|näs-** *w. 11 nur Ez.* Lehre von der Anästhesie; **An|äs|the|sist** *auch:* **A|näs-** *m. 10* Facharzt für Narkose; **An|äs|the|ti|kum** *auch:* **A|näs-** *s. Gen.* -s *Mz.* -ka schmerzunempfindlich machendes Mittel; **an|äs|the|tisch** *auch:* **a|näs-;** **an|äs|the|ti|sie|ren** *auch:* **a|näs-** *tr. 3* = anästhesieren
An|astig|mat *auch:* **A|nas|tig|mat** [griech.] *m. 1 oder s. 1, Fotografie:* Objektiv, das unverzerrte Bilder ermöglicht

A|na|sto|mo|se *auch:* **A|nas|to|mo|se** [griech.] *w. 11* **1** Verbindung zwischen Adern, Lymphgefäßen und Nerven; **2** Verbindung zwischen Blattnerven; **3** operativ hergestellte Verbindung von Hohlorganen
A|na|stro|phe *auch:* **A|nas|tro|phe** [-fe:, griech.] *w. Gen. - Mz.* -stro|phen Umkehrung der Wortstellung, z. B. zweifelsohne *statt:* ohne Zweifel
A|na|them [griech.] *s. 1,* **A|na|the|ma** *s. Gen.* -s *Mz.* -the|ma|ta Kirchenbann, Verfluchung; **a|na|the|ma|ti|sie|ren** *tr. 3;* **A|na|the|ma|ti|sie|rung** *w. 10*
a|na|ti|o|nal nicht national, gleichgültig gegenüber Volk und Nationalität
A|na|to|li|en Kleinasien; **A|na|to|li|er** *m. 5;* **a|na|to|lisch**
A|na|tom [griech.] *m. 10* Lehrer, Kenner der Anatomie; **A|na|to|mie 1** *w. 11 nur Ez.* Wissenschaft vom Körperbau der Lebewesen; **2** Lehrbuch darüber; **3** Ausbildungsstätte für Anatomen an einer Universität; **a|na|to|mie|ren** *tr. 3* zerlegen, zergliedern (Leichen); **a|na|to|misch**
A|na|to|zis|mus [griech.] *m. Gen. - Mz.* -men Verzinsung rückständiger Zinsen
an|a|xi|al *auch:* **a|na|xi|al** [auch: an-, griech.] nicht in der Achsenrichtung angeordnet; *Ggs.:* axial
a|na|zy|klisch *auch:* **-zyk|lisch** vorwärts und rückwärts gelesen gleichlautend; vgl. Palindrom
an|bah|nen *tr. 1;* **An|bah|nung** *w. 10*
an|ban|deln, an|bän|deln *intr. 1*
An|bau 1 *m. Gen.* -s *nur Ez.* Anpflanzung; **2** *m. Gen.* -s *Mz.* -bau|ten angebautes Gebäude; **an|bau|en** *tr. 1;* **an|bau|fä|hig** (Boden); **An|bau|mö|bel** *s. 5 meist Mz.*
An|be|ginn *m. 1 nur Ez.;* seit A., von A. an
an|be|hal|ten *intr. 61*
an|bei [auch: an-]
an|bei|ßen *intr. u. tr. 8*
an|be|lan|gen *tr. 1* betreffen; was mich anbelangt
an|be|que|men *refl. 1* sich anpassen; sich fremden Gewohnheiten a. müssen
an|be|rau|men *tr. 1* festsetzen; die Versammlung wurde für ein Uhr anberaumt

an|be|ten *tr. 2;* **An|be|ter** *m. 5*
An|be|tracht *m., nur in Wendungen wie* in A. seiner Verdienste, in A. dessen: mit Rücksicht darauf
an|be|tref|fen *tr. 161* betreffen; was mich anbetrifft
An|be|tung *w. 10 nur Ez.*
an|bie|dern *refl. 1;* sich bei jmdm. a.; ich biedere, biedre mich nicht an; **An|bie|de|rung** *w. 10*
an|bie|ten *tr. 13*
an|bin|den *tr. 14;* kurz angebunden: mürrisch, abweisend
An|blick *m. 1;* **an|bli|cken** *tr. 1*
an|blin|zeln *tr. 1;* ich blinzele, blinzle ihn an
an|boh|ren *tr. 1;* **An|boh|rung** *w. 10*
An|bot *s. 1, österr. für* Angebot
an|bra|ten *tr. 18*
an|bre|chen *tr. u. intr. 19;* ein angebrochener Abend
an|bren|nen *tr. u. intr. 20*
an|brin|gen *tr. 21; süddt. auch:* loswerden, verkaufen
An|bruch *m. 2* **1** *nur Ez.* Beginn; **2** *Bergbau:* Stelle, an der ein Erzgang beginnt; **an|brü|chig** in Fäulnis übergehend (Holz, Wildbret)
An|cho|vis [-ʃo-] *Nv.* ▶ **An|scho|vis** *Hv. w. Gen. - Mz.* -
An|ci|en|ni|tät [ɑ̃sjɛni-, frz.] *w. 10 nur Ez., veraltet:* Reihenfolge nach dem Alter im Dienst, Dienstalter; **An|ci|en ré|gime** [ɑ̃siɛ̃reʒim] *s. Gen. - nur Ez.* **1** die absolutistische Regierung in Frankreich vor der Frz. Revolution; **2** *allg.:* die feudale europ. Staats- und Gesellschaftsform im 18. Jh.
An|dacht *w. 10* **1** *nur Ez.;* **2** kurze relig. Feier; **an|däch|tig; an|dachts|voll**
An|da|lu|si|en südspan. Landschaft; **An|da|lu|si|er** *m. 5;* **an|da|lu|sisch; An|da|lu|sit** *m. 1* ein Mineral
an|dan|te [ital. »gehend«] *Mus.:* ruhig; **An|dan|te** *s. 9* Musikstück oder Teil eines solchen in ruhigem Tempo; **an|dan|te con mo|to** *Mus.:* ruhig, (doch) mit Bewegung; **an|dan|ti|no** *Mus.:* etwas schneller als andante; **An|dan|ti|no** *s. Gen.* -s *Mz.* -s *oder* -ni Musikstück oder Teil eines solchen in etwas beschleunigtem Tempo
an|dau|en *tr. 1* anfangen zu verdauen; angedaute Nahrung

an|dau|ern *intr. 1;* **an|dau|ernd**
An|den|ken *s. 7* **1** *nur Ez.* Erinnerung; **2** Erinnerungsgegenstand

> **anders:** Bei den Fügungen *etwas anderes/Anderes* sind beide Schreibweisen möglich (bisher nur: etwas anderes). Im Regelfall schreibt man Zahladjektive jedoch klein: *der/die/das andere; viel/wenig/etwas anderes.* Auch: *niemand anderes.* Bei Betonung des Adjektivs kann großgeschrieben werden: *Sie wollte etwas ganz Anderes* (= völlig Neues). →§ 58 (5)

an|de|re (-r, -s); der, die, das andere, andre; die anderen, andern; der eine und der and(e)re; der eine oder der and(e)re; ein and(e)rer; *süddt., österr.:* jemand, niemand and(e)rer, mit jemand, niemand and(e)rem reden, jemand, niemand and(e)ren fragen, vgl. anders; alles and(e)re; etwas, nichts and(e)res, *auch:* etwas, nichts Anderes; und and(e)res (*Abk.:* u. a.), und and(e)res mehr (*Abk.:* u. a. m.), und vieles and(e)re mehr (*Abk.:* u. v. a. m.); unter and(e)rem (*Abk.:* u. a.); jmdn. eines and(e)ren belehren; sich eines and(e)ren besinnen; einmal um das (*oder:* ums) and(e)re, ein um das (*oder:* ums) and(e)re Mal; ein and(e)res Mal, *aber:* ein andermal; von einem Mal aufs and(e)re; einer nach dem ander(e)n; *Beugung* des nachfolgenden Adjektivs: *Nom.:* anderes kleines Getier, das andere kleine Mädchen, *Gen.:* des anderen kleinen Mädchens, und anderer schöner Dinge, *Dat.:* mit anderem täglichem (*auch:* täglichen) Bedarf, mit anderem kleinem (*auch:* kleinen) Getier, von anderer unterrichteter Seite, *Akk.:* den anderen kleinen Jungen
an|de|ren|falls, an|dern|falls;
an|de|ren|orts, an|dern|orts;
an|de|ren|tags, an|dern|tags;
an|de|ren|teils, an|dern|teils;
an|de|rer|seits, an|der|seits, and|rer|seits
an|der|mal vgl. andere
än|dern *tr. 1;* ich ändere es, ändre es
an|dern|falls, an|de|ren|falls; **an|dern|orts,** an|de|ren|orts; **an|dern|tags,** an|de|ren|tags; **an|dern|teils,** an|de|ren|teils
an|ders; jemand, niemand anders, *süddt., österr.:* vgl. andere; mit jemand, niemand anders reden; jemand, niemand anders fragen; irgendwie anders; wie anders soll ich es machen?; irgendwo anders; wo anders soll er gewesen sein?: wo sonst?; *aber:* das war woanders; wenn anders nicht mögl.; wer anders soll es sein?
an|ders|ar|tig; An|ders|ar|tig|keit *w. 10 nur Ez.*

> **anders denkend:** Im Gegensatz zur bisherigen Schreibung wird getrennt geschrieben: *ein anders denkender Mensch.* Ebenso: *anders geartet, anders gesinnt.* Substantivierung: *der anders Denkende/Andersdenkende.* →§ 34 E3 (2)

an|ders|den|kend ► **an|ders den|kend;** der anders Denkende, Andersdenkende
an|der|seits, an|de|rer|seits
an|ders|far|big; in einer anderen Farbe; ein a. Kleid; **An|ders|far|bi|ge(r)** *m. 18 (17) oder w. 17 (18)*
an|ders|ge|ar|tet ► **an|ders ge|ar|tet;** ein anders geartetes Problem
an|ders|ge|sinnt ► **an|ders ge|sinnt;** ich bin anders gesinnt als die Übrigen
an|ders|gläu|big; An|ders|gläu|big|keit *w. 10 nur Ez.*
an|ders|her|um *auch:* **-he|rum,** *ugs.:* **an|ders|rum**
an|ders|spra|chig; An|ders|spra|chig|keit *w. 10 nur Ez.*
an|ders|wie; an|ders|wo; an|ders|wo|her; an|ders|wo|hin
an|dert|halb einundeinhalb; a. Pfund, a. Stunden; **an|dert|halb|fach; An|dert|halb|fa|che** *s. 18;* **an|dert|halb|jäh|rig** [auch: an-]; **an|dert|halb|mal** [auch: -mal]
Än|de|rung *w. 10;* **Än|de|rungs|vor|schlag** *m. 2*
an|der|wär|tig; an|der|wärts; an|der|weit; an|der|wei|tig
An|de|sin [nach den Anden] *m. 1 nur Ez.* ein Mineral; **An|de|sit** *m. 1 nur Ez.* ein Ergussgestein
an|deu|ten *tr. 2;* **An|deu|tung** *w. 10;* **an|deu|tungs|wei|se**
an|die|nen *tr. 1, Kaufmannsspr.:* anbieten (Waren); **An|die|nung** *w. 10 nur Ez., bei Seeversicherungen:* Schadenersatzbeanspruchung
An|dorn *m. 1* eine Heilpflanze
An|dor|ra Zwergstaat in den Pyrenäen; **An|dor|ra|ner** *m. 5;* **an|dor|ra|nisch**
An|dra|go|gik *auch:* **And|ra|go|gik** [griech.] *w. 10 nur Ez.* Erwachsenenbildung
An|drang *m. 2 nur Ez.;* **an|drän|gen** *intr. 1*
and|re = andere
an|dre|hen *tr. 1;* jmdm. etwas a. *ugs.:* jmdn. veranlassen, etwas (Wertloses) anzunehmen oder zu kaufen
and|rer|seits, an|de|rer|seits
An|dro|ga|met *auch:* **And|ro-** [griech.] *m. 10* männl. Keimzelle
an|dro|gyn *auch:* **and|ro-** [griech.] zwitterig, zweigeschlechtlich; **An|dro|gy|nie** *auch:* **And|ro-** *w. 11* Ausbildung männl. Geschlechtsmerkmale bei Frauen; *Ggs.:* Gynandrie (**1**)
an|dro|hen *tr. 1;* **An|dro|hung** *w. 10*
An|dro|lo|gie *auch:* **And|ro-** [griech.] *w. 11 nur Ez.* Lehre von den Männerkrankheiten; *Ggs.:* Gynäkologie; **an|dro|lo|gisch** *auch:* **and|ro-**
An|dro|ma|che *auch:* **And|ro-** [-xe:] *griech. Myth.:* Gemahlin des Hektor
An|dro|me|da *auch:* **And|ro- 1** *griech. Myth.:* Gemahlin des Perseus; **2** *w. Gen. -* ein Sternbild
An|druck *m. 1* Probedruck; **an|dru|cken** *tr. 1;* **an|drü|cken** *tr. 1*
Ä|ne|as, griech. Ai|nai|as, griech.-röm. Sagenheld
an|e|cken *intr. 1*
an|eig|nen *tr. 2;* **An|eig|nung** *w. 10*
an|ein|an|der
Ä|ne|is, Ä|ne|i|de *w. Gen. - nur Ez.* Titel eines Epos von Vergil
An|ek|do|te *auch:* **A|nek|do|te** [griech.] *w. 11* kurze, witzige, nicht unbedingt verbürgte, aber charakterisierende Geschichte über eine histor. Persönlichkeit; **an|ek|do|tisch** *auch:* **a|nek|do|tisch**
an|e|keln *tr. 1*
a|ne|mo|gam [griech.] *Bot.:* durch Wind bestäubt; **A|ne|mo|ga|mie** *w. 11*

A|ne|mo|graph [griech.] *m. 10* selbstschreibender Windmesser, Windschreiber; **A|ne|mo|me|ter** *s. 5* Windmessgerät
A|ne|mo|ne [griech.] *w. 11* Windröschen, Buschwindröschen
an|emp|feh|len *tr. 27* empfehlen; jmdm. etwas a.
an|emp|fin|den *tr. 36, nur in Wendungen wie* das ist nur anempfunden: nicht selbst empfunden oder erlebt
An|en|er|gie *w. 11* = Anergie; **an|en|er|gisch** *auch:* **an|e|ner|gisch** = anergisch
An|e|pi|gra|phum [griech.] *s. Gen.* -s *Mz.* -pha Schrift ohne Titel; **an|e|pi|gra|phisch** ohne Titel, unbetitelt
An|er|be *m. 11* Erbe des (ungeteilten) Hofes; **An|er|ben|recht** *s. 1* Erbrecht, nach dem der Grundbesitz nicht geteilt werden darf
an|er|bie|ten *refl. 13* erbieten; ich erbiete mich an; **An|er|bie|ten** *s. 7*
An|er|gie [griech.], An|en|er|gie *w. 11* **1** Energielosigkeit; **2** Reizunempfindlichkeit; **3** nicht umwandelbare Energie; **an|er|gisch,** an|en|er|gisch
an|er|kann|ter|ma|ßen; an|er|ken|nen *tr. 67;* wir erkennen seine Forderung an, wir anerkennen seine Forderung; **an|er|ken|nens|wert; An|er|kennt|nis** *w. 1, rechtssprachl.: s. 1;* **An|er|ken|nung** *w. 10*
An|e|ro|id [griech.] *s. 1,* **An|e|ro|id|ba|ro|me|ter** *s. 5* ein Luftdruckmesser
An|e|ro|sie [griech.] *w. 11* Fehlen des Geschlechtstriebes
an|er|zie|hen *tr. 187;* **An|er|zie|hung** *w. 10 nur Ez.*
A|neu|rie [griech.] *w. 11* Nervenschwäche
A|neu|rin [griech.] *s. 1 nur Ez.* Vitamin B_1
An|eu|rys|ma *auch:* **A|neu-** [griech.] *s. Gen.* -s *Mz.* -men *oder* -malta sackartige Erweiterung einer Schlagader
an|fa|chen *tr. 1*
an|fah|ren *tr. u. intr. 23;* **An|fahrt** *w. 10*
An|fall *m. 2* **1** *Med.;* **2** *nur Ez.* Ertrag, Vorkommen, z. B. Arbeitsanfall; **an|fal|len 1** *tr. 33* überfallen; **2** *intr. 33* entstehen; anfallende Arbeit, Gebühren; **an|fäl|lig; An|fäl|lig|keit** *w. 10 nur Ez.;* **an|fall(s)|wei|se** in einzelnen Anfällen (auftretend)
An|fang *m. 2;* am Anfang, von Anfang an, zu Anfang; Anfang März; **an|fan|gen** *intr. u. tr. 34;* **An|fän|ger** *m. 5;* **an|fäng|lich; an|fangs; An|fangs|buch|sta|be** *m. 15;* **An|fangs|ge|halt** *s. 4;* **An|fangs|sta|di|um** *s. Gen.* -s *Mz.* -di|en
an|fecht|bar; An|fecht|bar|keit *w. 10 nur Ez.;* **an|fech|ten** *tr. 35;* **An|fech|tung** *w. 10*
an|fein|den *tr. 2;* **An|fein|dung** *w. 10*
an|fer|ti|gen *tr. 1;* **An|fer|ti|gung** *w. 10*
an|feuch|ten *tr. 2*
an|feu|ern *tr. 1;* ich feuere, feure ihn an; **An|feu|e|rung** *w. 10*
an|flie|gen *tr. 38;* **An|flug** *m. 2*
an|for|dern *tr. 1;* **An|for|de|rung** *w. 10*
An|fra|ge *w. 11;* große A., kleine A. (im Parlament); **an|fra|gen** *intr. 1;* bei jmdm. anfragen; *schweiz.:* jmdn. anfragen
an|freun|den *refl. 2*
An|fuhr *w. 10;* **an|füh|ren** *tr. 1;* **An|füh|rer** *m. 5;* **An|füh|rung** *w. 10;* **An|füh|rungs|stri|che** *m. 1 Mz.;* **An|füh|rungs|zei|chen** *s. 7*
an|fun|ken *tr. 1*
An|ga|be *w. 11; ugs.:* Protzerei
an|gän|gig erlaubt, zulässig
an|ge|ben *tr. 45, ugs. auch intr.;* **An|ge|ber** *m. 5;* **an|ge|be|risch**
An|ge|bin|de *s. 5* Geschenk
an|geb|lich
an|ge|bo|ren
An|ge|bot *s. 1*
an|ge|bracht passend, angemessen
an|ge|dei|hen *tr. 46, nur in der Wendung* jmdm. etwas a. lassen: zuteil werden, zugute kommen lassen (z. B. gute Pflege, Erziehung)
An|ge|den|ken *s. 7 nur Ez., poet. für* Andenken (**1**)
an|ge|gan|gen *mitteldt.:* in Fäulnis übergegangen; angegangenes Fleisch
an|ge|graut leicht ergraut (Haar)
an|ge|grif|fen erschöpft, matt
an|ge|hei|ra|tet durch Heirat verwandt
an|ge|hei|tert leicht betrunken
an|ge|hen 1 *intr. 47;* das geht nicht an: das ist nicht zulässig, nicht passend; gegen etwas a.; **2** *tr. 47;* das geht mich nichts an; jmdn. um etwas a.: jmdn. um etwas bitten
an|ge|hö|ren *intr. 1;* einer Partei (als Mitglied) a.; **an|ge|hö|rig; An|ge|hö|ri|ge(r)** *m. 18 (17) bzw. w. 17 oder 18*
an|ge|jahrt bejahrt
An|ge|klag|te(r) *m. 18 (17) bzw. w. 17 oder 18*
an|ge|knackst *ugs.:* leicht beschädigt; meine Gesundheit ist a.: lässt zu wünschen übrig
an|ge|krän|kelt nicht mehr ganz gesund
An|gel *w. 11*
An|geld *s. 3* = Handgeld
an|ge|le|gen *meist in der Wendung* sich etwas a. sein lassen: sich um etwas kümmern; **An|ge|le|gen|heit** *w. 10;* **an|ge|le|gent|lich** nachdrücklich; sich a. erkundigen
An|ge|li|ka *w. 9* Engelwurz, eine Heilpflanze
an|geln *tr. 1;* ich angele, angle
An|geln *Mz.* german. Volksstamm
An|gel|punkt *m. 1, übertr.:* Kern-, Hauptpunkt
An|gel|sach|sen *m. 11 Mz., Sammelbez. für* Angeln, Sachsen und Jüten; **an|gel|säch|sisch; An|gel|säch|sisch** *s. Gen.* -(s) *nur Ez.* die altengl. Sprache
An|ge|lus *m. Gen.* - *nur Ez., eigentl.* A. Domini: Engel des Herrn (Verkündigungsengel); **An|ge|lus|läu|ten** *s. Gen.* -s *nur Ez.*
an|ge|mes|sen; An|ge|mes|sen|heit *w. 10 nur Ez.*
an|ge|nehm
an|ge|nom|men; a., dass…
An|ger *m. 5* freier Grasplatz im oder am Dorf, Gemeindeweide; **An|ger|dorf** *s. 4* um einen Anger angelegtes Dorf
an|ge|säu|selt *ugs.:* angetrunken
an|ge|schrie|ben; bei jmdm. gut a. sein: in Gunst stehen
An|ge|schul|dig|te(r) *m. 18 (17) bzw. w. 17 oder 18*
an|ge|se|hen geachtet, geschätzt
An|ge|sicht *s. 3 oder s. 1, poet. für* Gesicht; **an|ge|sichts** *mit Gen.;* a. dieser Tatsache, a. dessen
an|ge|stammt ererbt
An|ge|stell|te(r) *m. 18 (17) bzw. w. 17 oder 18;* **An|ge|stell|ten|ver|si|che|rung** *w. 10*

an|ge|trun|ken leicht betrunken
An|ge|wen|de *s. 5* Feldstreifen am Rand des Ackers zum Wenden oder Abstellen von Ackergeräten
an|ge|wie|sen; auf etwas oder jmdn. a. sein: von etwas oder jmdm. abhängig sein
an|ge|wöh|nen *tr. 1;* **An|ge|wohn|heit** *w. 10*
an|gie|ßen *tr. 54;* der Anzug sitzt wie angegossen: passt genau
An|gi|na [griech.] *w. Gen. - Mz.* -nen fieberhafte Mandel-Rachen-Entzündung; **An|gi|na pec|to|ris** *w. Gen. -- nur Ez.* Erkrankung oder Verengung der Herzkranzgefäße mit Angstzuständen; **an|gi|nös** auf Angina beruhend
An|gi|o|gramm [griech.] *s. 1* Röntgenbild der Blutgefäße; **An|gi|o|lo|ge** *m. 11;* **An|gi|o|lo|gie** *w. 11 nur Ez.* Lehre von den Blutgefäßen; **an|gi|o|lo|gisch**
An|gi|om [griech.] *s. 1* Gefäßgeschwulst
An|gi|o|pa|thie *w. 11* Erkrankung eines Blutgefäßes
An|gi|o|sper|me *w. 11* = Bedecktsamer; *Ggs.:* Gymnosperme
An|glaise [ɑ̃glɛ̤z, frz.] *w. 11* »engl. Tanz«, alter Gesellschaftstanz
Ang|ler *m. 5*
an|glie|dern *tr. 1;* ich gliedere es an; **An|glie|de|rung** *w. 10*
an|gli|ka|nisch *auch:* **ang|li|ka|nisch;** anglikanische Kirche: die engl. Staatskirche; **An|gli|ka|nis|mus** *auch:* **Ang|li|ka|nis|mus** *m. Gen. - nur Ez.* Lehre, Ordnung und Kultus der anglikanischen Kirche; **an|gli|sie|ren** *auch:* **ang|li-** *tr. 3* dem engl. Wesen, Stil usw. angleichen; **An|gli|sie|rung** *auch:* **Ang|li-** *w. 10 nur Ez.;* **An|glist** *auch:* **Ang|list** *m. 10;* **An|glis|tik** *auch:* **Ang|lis|tik** *w. 10 nur Ez.* Wissenschaft von der engl. Sprache und Literatur; **an|glis|tisch** *auch:* **ang|lis|tisch;** **An|gli|zis|mus** *auch:* **Ang|li-** *m. Gen. - Mz.* -men in eine andere Sprache übernommene engl. Spracheigentümlichkeit
An|glo|a|me|ri|ka|ner *auch:* **Ang|lo-** *m. 5* **1** Amerikaner engl. Abstammung; **2** *Mz., Sammelbez. für* Engländer und Amerikaner; **An|glo-Ame|ri|ka|ner** ► **An|glo|a|me|ri|ka|ner;** **an|glo|a|me|ri|ka|nisch** *auch:* **ang|lo-;** **An|glo|ma|ne** *auch:* **Ang|lo-** *m. 11* jmd., der übertrieben für alles Englische schwärmt; **An|glo|ma|nie** *auch:* **Ang|lo-** *w. 11 nur Ez.;* **An|glo|nor|man|nisch** *auch:* **Ang|lo-** *s. Gen.* -(s) *nur Ez.* urspr. altfrz., durch die normann. Eroberung nach England verpflanzter Dialekt; **an|glo|phil** *auch:* **ang|lo-** [lat. + griech.] englandfreundlich; **An|glo|phi|lie** *auch:* **Ang|lo-** *w. 11 nur Ez.* Vorliebe für alles Englische; **an|glo|phob** *auch:* **ang|lo-** allem Englischen abgeneigt; **An|glo|pho|bie** *auch:* **Ang|lo-** *w. 11 nur Ez.* Abneigung gegen alles Englische
An|go|la Staat im südwestlichen Afrika; **An|go|la|ner** *m. 5;* **an|go|la|nisch**
An|go|ra|ka|nin|chen [nach Angora, dem heutigen Ankara] *s. 7;* **An|go|ra|wol|le** *w. 11*
An|gos|tu|ra *m. 9* aus der Rinde des Angosturabaumes gewonnener Likör
an|greif|bar; **an|grei|fen** *tr. 59;* **An|grei|fer** *m. 5;* **An|griff** *m. 1;* **an|grif|fig** *schweiz.:* angriffslustig; **An|griffs|krieg** *m. 1;* **an|griffs|lus|tig**
An|gry young men [æŋgrɪ jʌŋ mɛ̤n, engl.] *Mz.* »Zornige junge Männer«, Vertreter einer literar. Richtung in England nach 1950

> **Angst:** Im Unterschied zur bisher unsicheren Schreibweise werden Fügungen mit *Angst* großgeschrieben: *Er machte ihr Angst und Bange. Sie hatte Angst.* →§ 55 (4) Aber: *Ihr war angst und bange* (Adjektiv). →§ 35

Angst *w. 2;* Angst haben; *aber:* mir ist, wird angst; in Angst, in tausend Ängsten schweben; jmdm. Angst machen; mir ist angst und bange; **ängs|ten** *refl. 2, poet.;* sich ä.: sich ängstigen; **angst|er|füllt;** **Angst|hase** *m. 11;* **ängs|ti|gen** *tr. 1;* **ängst|lich;** **Angst|psy|cho|se** *w. 11*
Ång|ström *auch:* **Ångs|tröm,** **Ångst|röm** [ɔŋ-, auch: aŋ-, nach dem schwed. Physiker Anders Jonas Å.] *s. Gen.* -s *Mz.* -, **Ång|ström|ein|heit** *auch:* **Ångs|tröm-,** **Ångst|röm-** *w. 10* (*Abk.:* Å) nicht mehr zulässige Maßeinheit für die Wellenlänge von Licht- und Röntgenstrahlen
Angst|schweiß *m. 1 nur Ez.;* **angst|voll**
an|gu|lar [lat.] zu einem Winkel gehörig, Winkel..., eckig
An|guß ► **An|guss** *m. 2*
Anh. *Abk. für* Anhang
an|ha|ben *tr. 60;* er hat nichts an; weil er nichts anhat; er kann mir nichts a.: er kann mir nichts tun, nicht schaden
an|hä|gern *tr. 1* ablagern (Sand u. ä.); **An|hä|ge|rung** *w. 10*
An|halt **1** Teil von Sachsen-Anhalt; **2** *m. 1* Anhaltspunkt; **an|hal|ten** *tr. u. intr. 61;* **An|hal|ter** *m. 5, ugs.:* jmd., der ein Auto anhält, um mitgenommen zu werden; per A. fahren; **An|hal|ti|ner** *m. 5* Einwohner von Anhalt; **an|hal|ti|nisch;** **an|hal|tisch** Anhalt (**1**) betreffend, dazu gehörig; **An|halts|punkt** *m. 1*
an|hand ► *auch:* **an Hand** mit Hilfe; anhand eines Bildes, an Hand; anhand von Berichten, an Hand
An|hang *m. 2* (*Abk.:* Anh.); **an|han|gen** *intr. 62, veraltet:* anhängen (**2**); jmdm., einer Lehre a.; **an|hän|gen** **1** *tr. 1;* **2** *intr. 62;* jmdm. a.: an jmdm. hängen, ihm zugetan sein; **An|hän|ger** *m. 5;* **an|hän|gig;** ein Prozess ist a.: er schwebt; eine Klage a. machen: Klage erheben; **an|häng|lich** jmdm. zugetan, treu; **An|häng|lich|keit** *w. 10 nur Ez.;* **An|häng|sel** *s. 5;* **an|hangs|wei|se**
An|hauch *m. 1;* **an|hau|chen** *tr. 1*
an|hau|en *tr. 63, vulg.* **1** formlos anreden; **2** anbetteln, belästigen
an|häu|fen *tr. 1;* **An|häu|fung** *w. 10*
an|he|ben **1** *tr. 64;* **2** *intr. poet.:* anfangen; er hob, hub an zu sprechen; er hatte kaum angehoben zu sprechen, als...
an|heim; das Grundstück fiel dem Staat a.; der Vergessenheit a. geben; a. fallen
an|hei|meln *tr. 1;* die Atmosphäre heimelt mich an
an|heim|fal|len ► **an|heim fal|len;** **an|heim|ge|ben** ► **an|heim ge|ben;** **an|heim|stel|len** ► **an|heim stel|len;** ich stelle es dir anheim: ich überlasse es dir
an|hei|schig *nur in der Wendung* sich a. machen (etwas zu tun): sich erbieten, sich zutrauen

an|herr|schen *tr. 1*
an|heu|ern *tr. 1* für den Schiffsdienst einstellen, *auch allg.:* in Dienst nehmen; ich heuere, heure ihn an
An|hi|dro|se *auch:* **An|hid|ro|se** [griech.] *w. 11* Fehlen oder Verminderung der Schweißabsonderung
An|hieb *m. 1, nur in der Wendung* auf A.: sofort, gleich beim ersten Mal
an|him|meln *tr. 1, ugs.*
an|hin; bis anhin *schweiz.:* bis jetzt
An|hö|he *w. 11*
An|hy|drid *auch:* **An|hyd|rid** [griech.] *s. 1* Sauerstoffverbindung, die mit Wasser eine Säure oder Base bildet; **An|hy|drit** *auch:* **An|hyd|rit** *m. 1* wasserfreier Gips
A|ni|lin [arab.] *s. 1 nur Ez.* ein Öl, Ausgangsstoff für Farb- und Kunststoffe sowie Arzneimittel
a|ni|ma|lisch [lat.] tierisch, den Tieren eigen; **A|ni|ma|lis|mus** *m. Gen. - nur Ez.* relig. Verehrung von Tieren; **a|ni|ma|lis|tisch; A|ni|ma|li|tät** *w. 10 nur Ez.* tierische Wesensart
A|ni|ma|teur [-tør, frz.] *m. 1* = Animator; **a|ni|ma|to** [ital.] *Mus.:* belebt, beseelt; **A|ni|ma|tor** [engl.] *m. 13* **1** Zeichner der Bewegungsabläufe im Zeichentrickfilm; **2** Angestellter in der Touristik, der die Ferienreisenden dazu anregt, ihre Freizeit aktiv zu gestalten; **a|ni|mie|ren** [frz.] *tr. 3* anregen, in Stimmung bringen; **A|ni|mier|mäd|chen** *s. 7, in Tanzlokalen:* Mädchen, das die Gäste zum Trinken anregt; **A|ni|mis|mus** [lat.] *m. Gen. - nur Ez.* Glaube an die Beseeltheit der Natur; **a|ni|mis|tisch; A|ni|mo** [ital.] *s. 9 nur Ez., österr.:* Lust, Schwung; **A|ni|mo|si|tät** *w. 10 nur Ez.* Abneigung, Widerwille; **A|ni|mus** *m. Gen. - Mz.* -mi Geist, Seele, Neigung, Gefühl; *ugs. scherzh.:* Ahnung
An|i|on [griech.] *s. Gen.* -s *Mz.* -i|o|nen negatives Ion, bei der Elektrolyse zur Anode wanderndes Ion; *Ggs.:* Kation
A|nis [auch anis, griech.] *m. 1* eine Gewürz- und Heilpflanze; **A|ni|sett** *m. 1* mit Anis gewürzter Likör
An|i|so|ga|mie *auch:* **A|ni|so-** [griech.] *w. 11* Fortpflanzung niederer Pflanzen mit ungleichen männl. und weibl. Keimzellen
an|i|so|trop *auch:* **a|ni|so-** [griech.] **1** bei gleichen Bedingungen verschiedene Wachstumsrichtung aufweisend (von Pflanzenteilen); **2** nach verschiedenen Richtungen verschiedene physikal. Eigenschaften aufweisend (von Kristallen); *Ggs.:* isotrop; **An|i|so|tro|pie** *auch:* **A|ni|so-** *w. 11 nur Ez.* anisotrope Beschaffenheit; *Ggs.:* Isotropie
An|jou [ɑ̃ʒu] **1** histor. Landschaft in Nordwestfrankreich; **2** *m. 9 oder Gen. - Mz. -* Angehöriger eines frz. Herrschergeschlechts
An|ka|ra Hst. der Türkei
An|kauf *m. 2;* **an|kau|fen** *tr. 1;* **An|käu|fer** *m. 5*
An|ken *m. 7 nur Ez., alem.:* Butter
An|ker *m. 5* **1** altes Flüssigkeitsmaß, 35–45 l; **2** Doppelhaken zum Festmachen von Schiffen; vor Anker gehen, liegen; **3** Teil einer elektr. Maschine, in dessen Wicklung die Spannung erzeugt wird; **an|kern** *intr. 1;* **An|ker|spill** *s. 1* Ankerwinde
An|kla|ge *w. 11;* **An|kla|ge|bank** *w. 2;* **an|kla|gen** *tr. 1;* **An|klä|ger** *m. 5;* **an|klä|ge|risch**
An|klang *m. 2;* A. finden
an|klin|geln *tr. 1, ugs.:* (telefonisch) anrufen; ich klingele, klingle dich an
an|knüp|fen *tr. 1;* **An|knüp|fung** *w. 10 nur Ez.;* **An|knüp|fungs|punkt** *m. 1*
an|koh|len *tr. 1, ugs.:* anschwindeln
an|kom|men **1** *intr. 71;* es kommt (mir) nicht darauf an, ob…; **2** *tr. 71;* das Verlangen kam mich an, es kam mich das Verlangen an, zu…; **An|kömm|ling** *m. 1*
an|kop|peln *tr. 1;* ich koppele, kopple es an
an|kö|ren *tr. 1* zur Zucht auswählen (Zuchttier); **An|kö|rung** *w. 10*
an|krei|den *tr. 2;* jmdm. etwas a.: übelnehmen, nachtragen
an|kün|den *tr. 2;* **an|kün|di|gen** *tr. 1;* **An|kün|di|gung** *w. 10*
An|kunft *w. 2 nur Ez.*
an|kup|peln *tr. 1;* ich kuppele, kupple es an
an|kur|beln *tr. 1;* ich kurbele, kurble es an; **An|kur|be|lung** *w. 10 nur Ez.*
An|ky|lo|se [griech.] *w. 11* Gelenkversteifung
an|la|chen *tr. 1, ugs.;* sich jmdn. a.: eine Liebesbeziehung zu jmdm. anknüpfen
An|la|ge *w. 11;* **An|la|ge|ka|pi|tal** *s. Gen.* -s *Mz.* -li|en; **An|la|ge|pa|pier** *s. 1*
an|la|gern *tr. 1;* **An|la|ge|rung** *w. 10*
an|lan|den **1** *tr. 2* an Land bringen (Schiffsladung); **2** *intr. 2* sich verbreitern, neues Land bilden (Ufer); **An|lan|dung** *w. 10*
an|lan|gen **1** *tr. 1* betreffen, anbelangen; was mich anlangt; *süddt.:* anfassen; **2** *intr. 1* ankommen, eintreffen
An|laß ► **An|lass** *m. 2*
an|las|sen *tr. 75* **1** anschalten (Motor); **2** *ugs.:* angeschaltet, angezogen lassen; das Licht, den Mantel a.; **3** anfahren, zurechtweisen; jmdn. barsch a.; **4** *refl.;* die Sache lässt sich gut an: beginnt gut; **An|las|ser** *m. 5*
an|läß|lich ► **an|läss|lich** *mit Gen.;* a. meines Geburtstages
an|las|ten *tr. 2;* jmdm. etwas a.: jmdm. etwas zur Last legen, jmdn. für etwas verantwortlich machen
An|lauf *m. 2;* **an|lau|fen** **1** *intr. 76;* **2** *tr. 76;* einen Hafen anlaufen (Schiff); **An|lauf|zeit** *w. 10*
An|laut *m. 1* erster Laut eines Wortes oder einer Silbe; **an|lau|ten** *intr. 2* beginnen (Wort, Silbe)
an|läu|ten *tr. 2* (telefonisch) anrufen
an|le|gen **1** *tr. 1;* **2** *refl. 1, ugs.;* sich mit jmdm. a.: Streit anfangen; **An|le|ge|platz** *m. 2;* **An|le|ger** *m. 5* **1** jmd., der sein Geld anlegt; **2** Papiereinführer an der Druckpresse; **An|le|ge|steg** *m. 1;* **An|le|ge|stel|le** *w. 11*
an|leh|nen *tr. 1;* **An|leh|nung** *w. 10 nur Ez.;* **An|leh|nungs|be|dürf|nis** *s. 1 nur Ez.;* **an|leh|nungs|be|dürf|tig**
An|lei|he *w. 11*
an|lei|nen *tr. 1* an die Leine nehmen (Hund)
an|lei|ten *tr. 2;* **An|lei|tung** *w. 10*
An|lern|be|ruf *m. 1* Beruf mit Anlernzeit und Abschluss-, aber ohne Gesellenprüfung; **an|ler|nen** *tr. 1;* **An|lern|ling** *m. 1* jmd.,

der angelernt wird; **An|lern|zeit** *w. 10*

an|le|sen *tr. 79* **1** zu lesen beginnen und wieder aufhören; ich habe das Buch nur angelesen; **2** durch Lesen, aber nicht durch eigenes Erleben oder Nachdenken lernen; das hat er sich nur angelesen

an|lie|fern *tr. 1;* ich liefere, liefre es an; **An|lie|fe|rung** *w. 10*

an|lie|gen *intr. 80;* **An|lie|gen** *s. 7* Wunsch, Bitte; **An|lie|ger** *m. 5* jmd., der an einer öffentl. Straße, einem See o. ä. ein Grundstück hat

an|lu|ven *intr. 1* den Bug des Schiffes in Windrichtung drehen

Anm. *Abk. für* Anmerkung

an|ma|chen *tr. 1, ugs.:* **1** ansprechen, belästigen; mach mich nicht an! **2** gefallen; das macht mich an

an|ma|ßen *refl. 1;* du maßt dir das an; **an|ma|ßend; An|ma|ßung** *w. 10 nur Ez.*

an|mel|den *tr. 2;* **An|mel|de|pflicht** *w. 10 nur Ez.;* **An|mel|dung** *w. 10*

an|mer|ken *tr. 1;* **An|mer|kung** *w. 10* (*Abk.:* Anm.)

an|mus|tern **1** *tr. 1, Seew.:* in Dienst nehmen; **2** *intr. 1, Seew.:* in Dienst treten; ich mustere, mustre an; *Ggs.:* abmustern; **An|mus|te|rung** *w. 10*

An|mut *w. 10 nur Ez.;* **an|mu|ten** *tr. 2;* die Gegend mutet mich heimatlich an: kommt mir heimatlich vor; **an|mu|tig; An|mu|tung** *w. 10, Psych.:* Erlebnis eines (oft gefühlsbetonten) Eindrucks

an|na|deln *tr. 1, österr.:* mit Nadeln anstecken; ich nadele, nadle es an

an|na|geln *tr. 1;* ich nagele, nagle es an

an|nä|hern *tr. 1;* **an|nä|hernd; An|nä|he|rung** *w. 10;* **An|nä|he|rungs|ver|such** *m. 1*

An|nah|me *w. 11*

An|na|len [lat.] *w. 11 Mz.* geschichtl. Jahrbücher; **An|na|list** *m. 10* Verfasser von Annalen

An|na|ten [lat.] *nur Mz.* Abgaben an den päpstl. Stuhl für die Verleihung kirchlicher Pfründen

an|nehm|bar; an|neh|men *tr. 88;* angenommen, dass…; **an|nehm|lich; An|nehm|lich|keit** *w. 10*

an|nek|tie|ren [lat.] *tr. 3* sich (mit Gewalt) aneignen (Staat oder Staatsgebiet); **An|nek|tie|rung** *w. 10* = Annexion

An|ne|li|den [lat.] *w. 11 Mz.* Ringelwürmer

An|nex [lat.] *m. 1* Anhang, Anhängsel, Anbau; **An|nex|bau** *m. Gen.* -(e)s *Mz.* -bau|ten; **An|ne|xi|on** *w. 10,* An|nek|tie|rung *w. 10* (gewaltsame) Aneignung (fremden Gebietes); **An|ne|xi|o|nis|mus** *m. Gen.* - *nur Ez.* Streben nach Annexion; **An|ne|xi|o|nist** *m. 10*

an|ni cur|ren|tis [lat.] (*Abk.:* a. c.) des laufenden Jahres; **an|ni fu|tu|ri** (*Abk.:* a. f.) des kommenden Jahres

An|ni|hi|la|ti|on [lat.] *w. 10* **1** *veraltet:* Nichtigkeitserklärung; **2** *Phys.:* Umwandlung eines Elementarteilchenpaares in Strahlungsenergie; **an|ni|hi|lie|ren** *tr. 3*

an|ni prae|te|ri|ti [lat.] (*Abk.:* a. p.) vorigen Jahres

An|ni|ver|sar [lat.] *s. 1,* **An|ni|ver|sa|ri|um** *s. Gen.* -s *Mz.* -ri|en, *kath. Kirche:* jährlich abgehaltene Gedächtnisfeier

an|no, An|no [lat.] (*Abk.:* a., A.) im Jahre; anno *oder:* Anno 1848; anno dazumal *ugs.:* vor langer Zeit, einstmals; Anno Tobak *ugs. scherzh.:* einstmals; **an|no Do|mi|ni, An|no Do|mi|ni** (*Abk.:* a. D., A. D.) im Jahr des Herrn: nach Christi Geburt, z. B. a. D. 1483

An|non|ce [-nõsə, frz.] *w. 11* Zeitungsanzeige, Inserat; **An|non|cen|ex|pe|di|ti|on** [-nõsən-] *w. 10* Anzeigenvermittlungsbüro; **an|non|cie|ren** [-nõsi-] *tr. 3* durch eine Annonce bekannt geben

An|no|ta|ti|on [lat.] *w. 10* Anmerkung, Vermerk

an|nu|ell [lat.] **1** *veraltet:* jährlich; **2** *Bot.:* einjährig (Pflanzen); **An|nu|i|tät** *w. 10* jährl. Zahlung zur Verzinsung und Tilgung einer Schuld

an|nul|lie|ren [lat.] *tr. 3* für ungültig, nichtig erklären; **An|nul|lie|rung** *w. 10*

An|o|de *auch:* **A|no|de** [griech.] *w. 11* positive Elektrode; *Ggs.:* Kathode

an|ö|den *tr. 2, ugs.:* langweilen, lästig fallen

An|o|den|bat|te|rie *auch:* **A|no|den-** *w. 11;* **An|o|den|strom** *m. 2;* **an|o|disch** *auch:* **a|no|disch**

a|no|mal [griech.] nicht normal, von der Regel abweichend, regelwidrig; **A|no|ma|lie** *w. 11* Regelwidrigkeit, regelwidrige Bildung

A|no|mie [griech.] *w. 11* **1** Gesetz-, Normenlosigkeit; **2** *Soziol.:* Unfähigkeit, sich in der Gesellschaft zu orientieren; **a|no|misch**

an|onym *auch:* **a|no|nym** [griech.] ohne Angabe des Namens, ungenannt; **An|o|ny|mi|tät** *auch:* **A|no|ny|mi|tät** *w. 10 nur Ez.* Namenlosigkeit, Verschweigen des Namens; **An|o|ny|mus** *auch:* **A|no|ny|mus** *m. Gen.* - *Mz.* -mi Ungenannter; Künstler mit unbekanntem Namen

An|o|phe|les *auch:* **A|no|phe|les** [griech. »die Schädliche«] *w. Gen.* - *Mz.* -, **An|o|phe|les|mü|cke** *w. 11* trop. Stechmücke, Überträgerin von Malaria

An|o|pie *auch:* **A|no|pie** [griech.], **An|op|sie** *auch:* **A|nop|sie** *w. 11* Sehstörung durch Augenschaden

A|no|rak [eskimoisch] *m. 9* Windjacke, meist mit Kapuze

an|ord|nen *tr. 2;* **An|ord|nung** *w. 10*

a|no|rek|tal [lat.] in der Gegend von After und Mastdarm gelegen

an|or|ga|nisch nicht organisch, unbelebt; anorganische Chemie: Lehre von den Elementen und Verbindungen ohne Kohlenstoff-Kohlenstoff-Bindungen

An|or|gas|mie [griech.] *w. 11* Ausbleiben des Orgasmus

a|nor|mal [Bildung aus anomal und abnorm] nicht normal

An|or|thit [griech.] *m. 1* ein Mineral

An|os|to|se *auch:* **A|nos-** [griech.] *w. 11* Knochenschwund

An|ox|ä|mie *auch:* **A|nox-, An|o|xy|hä|mie** *auch:* **A|no|xy-** [griech.] *w. 11* Sauerstoffmangel im Blut

An|o|xy|bi|o|se *w. 11 nur Ez.* = Anaerobiose

an|pas|sen *tr. 1;* **An|pas|sung** *w. 10;* **an|pas|sungs|fä|hig; An|pas|sungs|fä|hig|keit** *w. 10 nur Ez.;* **An|pas|sungs|schwie|rig|kei|ten** *w. 10 Mz.*

an|pei|len *tr. 1, See- und Flugwesen:* ansteuern

an|pfei|fen **1** *intr. 90, Sport:* durch Pfiff das Zeichen zum Spielbeginn geben; **2** *tr. 90, ugs.:* scharf zurechtweisen; **An|pfiff** *m. 1, Sport u. ugs.*
an|pflan|zen *tr. 1;* **An|pflan|zung** *w. 10*
an|pflau|men *tr. 1, ugs.:* necken
an|pi|cken *tr. 1, österr.:* ankleben
an|pir|schen *refl. 1;* sich a.: sich anschleichen (Jäger)
An|pö|be|lei *w. 10;* **an|pö|beln** *tr. 1* zudringlich belästigen
An|prall *m. 1;* **an|pral|len** *intr. 1*
an|pran|gern *tr. 1;* ich prangere es an; **An|pran|ge|rung** *w. 10*
an|prei|en *tr. 1, Seew.:* (ein anderes Schiff) anrufen
an|prei|sen *tr. 92;* **An|prei|sung** *w. 10*
An|pro|be *w. 11;* **an|pro|bie|ren** *tr. 3*
an|pum|pen *tr. 1, ugs.;* jmdn. a.: sich von jmdm. Geld leihen
An|putz *m. 1 nur Ez.;* **an|put|zen** *tr. 1* (festlich) schmücken
An|rai|ner *m. 5* Anlieger, Anliegerstaat
an|ran|zen *tr. 1, ugs.:* unwirsch zurechtweisen; **An|ran|zer** *m. 5, ugs.:* unwirsche Zurechtweisung
an|ra|ten *tr. 94* raten, empfehlen; auf Anraten des Arztes
an|raun|zen *tr. 1, süddt. für* anranzen
an|rech|nen *tr. 2;* **An|rech|nung** *w. 10;* etwas in A. bringen, *besser:* etwas anrechnen
An|recht *s. 1* **1** Recht; **2** Abonnement, Platzmiete; **An|recht|ler** *m. 5* Abonnent; **An|rechts|kar|te** *w. 11*
An|re|de *w. 11;* **An|re|de|fall** *m. 2* Vokativ; **an|re|den** *tr. 2*
an|re|gen *tr. 1;* **An|re|ger** *m. 5;* **An|re|gung** *w. 10*
an|rei|chern *tr. 1;* ich reichere es an; **An|rei|che|rung** *w. 10*
an|rei|hen *tr. 1;* **An|rei|hung** *w. 10*
An|rei|se *w. 11* Anfahrt, Ankunft; **an|rei|sen** *intr. 1*
an|rei|ßen *tr. 96* **1** *Tech.:* auf Holz oder Metall vorzeichnen; **2** *ugs.:* aufdringlich anlocken (Käufer); **An|rei|ßer** *m. 5* **1** jmd., der Werkstücke anreißt; **2** Marktschreier; **an|rei|ße|risch**
An|reiz *m. 1;* **an|rei|zen** *tr. 1*
an|rem|peln *tr. 1;* ich rempele, remple ihn, sie an
An|rich|te *w. 11;* **an|rich|ten** *tr. 2*
An|riß ► **An|riss** *m. 1* Vorzeichnung auf Holz oder Metall
an|rü|chig; **An|rü|chig|keit** *w. 10*
An|ruf *m. 1;* **an|ru|fen** *tr. 102;* **An|ru|fer** *m. 5;* **An|ru|fung** *w. 10*
ans an das; ans Fenster klopfen
An|sa|ge *w. 11;* **an|sa|gen** *tr. 1;* **An|sa|ger** *m. 5*
an|sam|meln *tr. 1;* ich sammele, sammle es an; **An|samm|lung** *w. 10*
an|säs|sig wohnhaft, beheimatet
An|satz *m. 2;* **An|satz|punkt** *m. 1*
an|sau|fen *tr. 103, ugs.;* sich einen a.: sich betrinken
an|säu|seln *tr. 1, ugs.;* ich säusele, säusle mir einen an: betrinke mich ein wenig; er ist angesäuselt; jmdn. a.: scharf zurechtweisen
an|schaf|fen *tr. 1;* sich etwas a.; jmdm. etwas a. *süddt.:* jmdm. etwas zu tun auftragen; **An|schaf|fung** *w. 10;* **An|schaf|fungs|kos|ten** *nur Mz.*
an|schau|en *tr. 1;* **an|schau|lich;** **An|schau|lich|keit** *w. 10 nur Ez.;* **An|schau|ung** *w. 10;* **An|schau|ungs|un|ter|richt** *m. 1*

> **anscheinend:** *Anscheinend* bedeutet: »es hat den Anschein/ich glaube, dass ...« Also: *Er ist anscheinend krank und kann deshalb nicht kommen. Scheinbar* hingegen betont die Absicht des Täuschens, der Vorspiegelung falscher Tatsachen: *Er ist nur scheinbar krank; in Wirklichkeit fehlt es ihm an nichts.*

An|schein *m. 1 nur Ez.;* **an|schei|nend** offensichtlich; a. war er schon da; vgl. scheinbar
an|schei|ßen *tr. 109, vulg.:* grob zurechtweisen
an|schi|cken *refl. 1;* sich a., etwas zu tun: etwas zu tun beginnen
an|schir|ren *tr. 1;* ein Zugtier a.: ihm das Geschirr anlegen
An|schiß ► **An|schiss** *m. 1, vulg.:* grobe Zurechtweisung
An|schlag *m. 2;* **an|schla|gen** **1** *tr. 116;* **2** *intr. 116* warnend bellen; Wirkung zeigen; die Kur hat gut, hat nicht angeschlagen; **An|schlä|ger** *m. 5;* **an|schlä|gig** *norddt.:* schlau; **An|schlag|säu|le** *w. 11*
an|schläm|men *tr. 1* anschwemmen (Sand); **An|schläm|mung** *w. 10; auch:* ein Verfahren zur Bodenverbesserung
an|schlie|ßen *tr. 120;* **An|schluß** ► **An|schluss** *m. 2;* **An|schluß|ka|bel** ► **An|schluss|ka|bel** *s. 5;* **An|schluß|zug** ► **An|schluss|zug** *m. 2*
an|schmie|gen *tr. 1;* **an|schmieg|sam;** **An|schmieg|sam|keit** *w. 10 nur Ez.*
an|schmie|ren *tr. 1* **1** *ugs.:* betrügen; **2** *süddt.:* beschmutzen
an|schnau|zen *tr. 1, ugs.:* grob zurechtweisen; **An|schnau|zer** *m. 5* grobe Zurechtweisung
an|schnei|den *tr. 125;* ein Thema a.: von einem Thema zu sprechen beginnen; **An|schnitt** *m. 1*
An|scho|ve [span.-ndrl.] *w. 11,* **An|scho|vis,** An|cho|vis [-ʃo-] *w. Gen. - Mz. -* kleine, gesalzene Sardelle; **An|scho|vis|pas|te** *w. 11*
an|schrei|ben *tr. 127;* jmdn. a. *Bürodeutsch:* an jmdn. schreiben; **An|schrei|ben** *s. 7, Bürodeutsch:* Schreiben, Brief
an|schrei|en *tr. 128*
An|schrift *w. 10* Adresse
an|schu|hen *tr. 1* **1** mit Schuhen versehen (Stiefelschäfte); **2** mit Eisen beschlagen (Pfahl)
an|schul|di|gen *tr. 1;* **An|schul|di|gung** *w. 10*
an|schwär|zen *tr. 1; auch ugs.:* verdächtigen
an|schwei|gen *tr. 130, ugs.;* jmdn. a.: jmdm. schweigend gegenübersitzen
an|schwel|len *intr. 131;* **An|schwel|lung** *w. 10*
an|schwem|men *tr. 1;* **An|schwem|mung** *w. 10*
an|se|hen *tr. 136;* **An|se|hen** *s. 7 nur Ez.;* **an|sehn|lich;** **An|sehn|lich|keit** *w. 10 nur Ez.;* **An|se|hung** *w. 10 nur Ez., Behördenspr.;* in A. seiner Verdienste: mit Rücksicht auf seine V.; ohne A. der Person
an|sein ► **an sein** *intr. 137, ugs.:* angeschaltet sein; das Licht ist an, ist an gewesen
an|set|zen **1** *tr. 1;* **2** *intr. 1;* zum Sprung a.; **3** *refl. 1;* sich a.: sich festsetzen, haften bleiben
An|sicht *w. 10;* **an|sich|tig** *mit Gen.;* jmds. a. werden: jmdn. erblicken; ich wurde seiner a.; **An|sichts|kar|te,** **An|sichts|post|kar|te** *w. 11;* **An|sichts|sa|che** *w. 11;* das ist A.!

an|sie|deln *tr. 1;* ich siedele, siedle mich, sie an; **An|sied|ler** *m. 5;* **An|sied|lung,** An|sie|de-lung *w. 10*
An|sin|nen *s. 7* Forderung, Bitte; ein A. an jmdn. stellen
An|sitz *m. 1, Jägerspr.:* Stelle, wo der Jäger auf das Wild wartet, Anstand
an|sonst *schweiz.,* **an|sons|ten** *altertümelnd:* sonst, andernfalls
an|span|nen *tr. 1;* **An|span-nung** *w. 10 nur Ez.*
an|spei|len *tr. 144* anspucken
an|spie|len 1 *tr. 1* probeweise spielen (Musikstück); **2** *intr. 1* auf etwas a.: etwas andeuten; **An|spie|lung** *w. 10*
an|spin|nen *refl. 145;* zwischen den beiden hat sich etwas angesponnen *ugs.:* hat eine Beziehung begonnen
An|sporn *m. 1;* **an|spor|nen** *tr. 1*
An|spra|che *w. 11;* **an|spre-chen 1** *tr. 146;* jmdn. a.; ein Thema a.: auf ein Thema zu sprechen kommen; **2** *intr. 146* Klang, Ton geben; die Flöte spricht gut, schlecht an
An|spruch *m. 2;* **an|spruchs-los;** **An|spruchs|lo|sig|keit** *w. 10 nur Ez.;* **an|spruchs|voll**
An|stalt *w. 10;* **An|stalts|lei|ter** *m. 5*
An|stand *m. 2* **1** *nur Ez.* gutes Benehmen; **2** Stelle, wo der Jäger auf das Wild wartet, Ansitz; **3** Einwand; wir nehmen keinen A. daran: wir haben nichts dagegen; mach keine Anstände!: keine Schwierigkeiten; ich will keine Anstände haben: keine Scherereien; **an|stän|dig;** **An-stän|dig|keit** *w. 10 nur Ez.;* **an-stands|hal|ber;** **an|stands|los** ohne Einwände
an|statt *mit Gen.;* anstatt seiner; anstatt des Kindes; anstatt dass er…; anstatt zu kommen
an|ste|cken 1 *tr. 1;* **2** *intr. 1;* ansteckende Krankheiten; **An-ste|ckung** *w. 10 nur Ez.;* **An-ste|ckungs|ge|fahr** *w. 10*
an|ste|hen *intr. 151* **1** Schlange stehen; **2** *veraltet:* geziemen, sich schicken; es steht mir nicht an, zu…; **3** *veraltet:* Bedenken haben, sich scheuen (nur verneinend); ich stehe nicht an, zu erklären…; **4** *Bergbau:* zu Tage treten (Gestein)
an|stel|le ► *auch:* **an Stel|le** *mit Gen.;* anstelle eines Briefes, anstelle von Briefen

an|stel|len *tr. u. refl. 1;* **An|stel-le|rei** *w. 10 nur Ez., ugs.;* **an-stel|lig** geschickt und willig; **An|stel|lung** *w. 10*
An|stich *m. 1* (eines Fasses)
An|stieg *m. 1*
an|stif|ten *tr. 2;* **An|stif|ter** *m. 5;* **An|stif|tung** *w. 10*
an|stim|men *tr. 1*
an|stin|ken *intr. 156, vulg.;* gegen etwas oder jmdn. nicht a. können: nicht aufkommen, sich nicht auflehnen können
An|stoß *m. 2;* **an|sto|ßen** *tr. u. intr. 157;* **An|stö|ßer** *m. 5, schweiz.:* Inhaber des Nachbargrundstücks; **an|stö|ßig;** **An-stö|ßig|keit** *w. 10*
an|strei|chen *tr. 158;* **An|strei-cher** *m. 5*
an|stren|gen *tr. 1;* **An|stren-gung** *w. 10*
An|strich *m. 1*
an|stü|cke(l)n *tr. 1;* ich stückele, stückle etwas an
An|sturm *m. 2;* **an|stür|men** *intr. 1;* gegen etwas anstürmen
an|su|chen *tr. 1, Amtsdeutsch;* jmdn. um etwas a.: ersuchen, bitten; **An|su|chen** *s. 7* Bitte, Gesuch
Ant|ago|nis|mus *auch:* **An-ta|go|nis|mus** [griech.] *m. Gen.- Mz.*-men Widerstreit, (unversöhnl.) Gegensatz; **Ant-ago|nist** *auch:* **An|ta|go|nist** *m. 10* Gegner, Widersacher; **ant|ago|nis|tisch** *auch:* **an|ta|go|nis|tisch** unversöhnlich, gegensätzlich
Ant|ares *auch:* **An|ta|res** *m. Gen.-* Hauptstern im Sternbild Skorpion
Ant|ark|ti|ka [griech.] *w. Gen.- nur Ez.* der Kontinent am Südpol; **Ant|ark|tis** *w. Gen.- nur Ez.* Gebiet um den Südpol; *Ggs.:* Arktis; **ant|ark|tisch**
an|tas|ten *tr. u. intr. 2* berühren; dieses Recht darf von niemandem angetastet werden
An|tä|us, *griech.:* An|tai|os *griech. Myth.:* Riese, Sohn des Poseidon und der Gäa
an|te Chris|tum (na|tum) [lat.], *Abk.:* a. Chr. (n.): vor Christus bzw. vor Christi Geburt; *heute meist:* v. Chr.; *Ggs.:* post Christum (natum)
an|te|da|tie|ren [lat.] *tr. 3, veraltet:* mit einem früheren Datum versehen; *Ggs.:* postdatieren
An|teil *m. 1;* **an|tei|lig;** **An|teil-nah|me** *w. 11 nur Ez.*

an|te|le|fo|nie|ren *tr. 3*
an|te me|ri|di|em [lat.] (*Abk.:* a. m.) vormittags; *Ggs.:* post meridiem; **an|te mor|tem** (*Abk.:* a. m.) *Med.:* vor dem Tode
An|ten [lat.] *Mz.* die verlängerten Längswände des altgriech. Tempels, die mit zwei Säulen eine Vorhalle bilden
An|ten|ne [lat.] *w. 11* **1** Vorrichtung zum Empfangen oder Senden von elektromagnet. Wellen; **2** *meist. Mz.* Fühler der Gliedertiere
An|ten|tem|pel *m. 5* altgriech. Tempel mit →Anten
An|te|pän|ul|ti|ma *auch:* **-pä|nul-** [lat.] *w. Gen.- Mz.*-mae *oder* -men drittletzte Silbe (eines Wortes)
An|te|pen|di|um [ital.] *s. Gen.*-s *Mz.*-di|en Verkleidung des Altarunterbaus aus Stoff, Holz oder Metall
an|te por|tas [lat. »vor den Toren«] im Kommen, im Anmarsch
An|te|ze|dens [lat.] *s. Gen.- Mz.* -den|zi|en, An|te|ze|denz *w. 10* Voraussetzung, Ursache, Grund, Prämisse; **an|te|ze|dent** durch Antezedenz (**2**) entstanden; **An|te|ze|denz** *w. 10* **1** = Antezedens; **2** Talbildung an einem Fluss bei gleichzeitiger Erhebung eines Gebirges; **an|te-ze|die|ren** *intr. 3, veraltet:* vorhergehen, vorausgehen; **An|te-zes|sor** *m. 13, veraltet:* Amtsvorgänger
Ant|he|li|um [griech.] *s. Gen.*-s *Mz.*-li|en = Gegensonne
Ant|hel|min|thi|kum [griech.] *s. Gen.*-s *Mz.*-ka Mittel gegen Eingeweidewürmer
An|them [ænθəm, engl.] *s. 9* engl. motetten- oder kantatenartiges kirchenmusikal. Werk, Hymne
An|the|mi|on [griech.] *s. Gen.*-s *Mz.*-mi|en, *altgriech. Baukunst:* Blumenschmuckfries
An|the|mis [griech.] *w. Gen.- Mz.-* Hundskamille
An|the|re [griech.] *w. 11, Bot.:* Staubbeutel
An|tho|lo|gie [griech. »Blumenlese«] *w. 11* Sammlung von Gedichten, Sprüchen oder Prosastücken, Florilegium; **An|tho|lo-gi|on,** An|tho|lo|gi|um *s. Gen.*-s *Mz.*-gia *oder* -gi|en, *griech.-orthodoxe Kirche:* liturg. Gebetbuch; **an|tho|lo|gisch** ausge-

wählt; **An|tho|lo|gi|um** *s. Gen.* -s *Mz.* -gia *oder* -gi|en = Anthologion

An|tho|zo|on [griech.] *s. Gen.* -s *Mz.* -zo|en Korallentier

An|thra|cen *auch:* **Anth|ra-** [griech.] *s. 1* Bestandteil des Steinkohlenteers (für Farbstoffe); **An|thra|chi|non** [-çi-, aus Anthracen und Chinon] *s. 1 nur Ez.* Abkömmling des Anthracens; **An|thra|cit** [auch: -tsit] *m. 1* = Anthrazit; **An|thra|ko|se** *w. 11* Kohlenstaubablagerung in der Lunge; **An|thrax** *m. Gen. - nur Ez.* Milzbrand; **An|thra|zen** *s. 1, eindeutschende Schreibung von* Anthracen; **An|thra|zit,** An|thra|cit *m. 1 Steinkohle mit hohem Heizwert;* **an|thra|zit|far|ben, an|thra|zit|far|big** schwarzgrau

an|thro|po|gen *auch:* **anth|ro-** [griech.] vom Menschen geschaffen oder beeinflusst; **An|thro|po|ge|nie** *w. 11* Lehre von der stammesgeschichtl. Entwicklung des Menschen; **An|thro|po|go|nie** *w. 11* relig. Lehre von der Entstehung des Menschen; **An|thro|po|gra|phie** ► *auch:* **An|thro|po|gra|fie** *w. 11* Beschreibung der menschlichen Rassenmerkmale; **an|thro|po|id** menschenähnlich; **An|thro|po|id** *m. 10* Menschenaffe; **An|thro|po|lo|ge** *m. 11;* **An|thro|po|lo|gie** *w. 11 nur Ez.* Wissenschaft vom Menschen; **an|thro|po|lo|gisch; An|thro|po|me|trie** *auch:* **-met|rie** *w. 11* Lehre von den Maßverhältnissen des menschl. Körpers; **an|thro|po|me|trisch** *auch:* **-met|risch; an|thro|po|morph** menschenähnlich gestaltet; vermenschlicht, **an|thro|po|mor|phi|sie|ren** *tr. 3* vermenschlichen; **An|thro|po|mor|phis|mus** *m. Gen. - nur Ez.* Vermenschlichung; **An|thro|po|pha|ge** *m. 11;* **An|thro|po|pha|gie** *w. 11 nur Ez.* = Kannibalismus; **an|thro|po|phob; An|thro|po|pho|bie** *w. 11 nur Ez.* Menschenscheu; **An|thro|po|soph** *m. 10;* **An|thro|po|so|phie** *w. 11 nur Ez.* von Rudolf Steiner begründete Lehre vom Menschen in seiner Beziehung zum Übersinnlichen; **an|thro|po|so|phisch; an|thro|po|zen|trisch** *auch:* **-zent|risch** den Menschen in den Mittelpunkt stellend; **An|thro|pus** *m. Gen. - nur Ez.* Vorstufe des Menschen, Vormensch

an|ti..., An|ti... [griech.] gegen..., Gegen...

An|ti|al|ko|ho|li|ker *m. 5* Alkoholgegner

An|ti|asth|ma|ti|kum *s. Gen.* -s *Mz.* -ka Mittel gegen Bronchialasthma

an|ti|au|to|ri|tär gegen autoritäre Normen und Machtansprüche gerichtet

An|ti|ba|by|pil|le [-bebi-] *w. 11* empfängnisverhütendes Arzneimittel

an|ti|bak|te|ri|ell gegen Bakterien wirkend

An|ti|bar|ba|rus [griech. + lat.] *m. Gen. - Mz.* -ri, *veraltet:* Titel von Büchern, die gegen Sprachverwilderung ankämpfen

An|ti|bi|ont [griech.] *m. 10* Kleinstlebewesen, das Antibiose bewirkt; **An|ti|bi|o|se** *w. 11* Vernichtung von Kleinstlebewesen durch Stoffwechselprodukte anderer Kleinstlebewesen (Bakterien, Pilze); **An|ti|bi|o|ti|kum** *s. Gen.* -s *Mz.* -ka Stoff, der Antibiose bewirkt, als Heilmittel verwendet; **an|ti|bi|o|tisch** Antibiose bewirkend

An|ti|blo|ckier|sys|tem *s. 1* (*Abk.:* ABS) Anlage in einem Auto, die das Blockieren der Räder bei Vollbremsung verhindert

an|ti|cham|brie|ren [-ʃɑ̃-, frz.] *intr. 3* im Vorzimmer warten; *übertr.:* um Gunst betteln, katzbuckeln

An|ti|christ [auch: antikrist] **1** *m. 10* Gegner des Christentums; **2** *m. 1* der Teufel, Widerchrist; **an|ti|christ|lich** [auch: -krist-]

An|ti|di|ar|rho|i|kum [griech.] *s. Gen.* -s *Mz.* -ka Mittel gegen Durchfall

An|ti|dot [griech.] *s. 1,* **An|ti|do|ton** *s. Gen.* -s *Mz.* -ta Gegengift

An|ti|fa|schis|mus *m. Gen. - nur Ez.* Gegnerschaft, Bewegung gegen Faschismus und Nationalsozialismus; **An|ti|fa|schist** *m. 10*

An|ti|gen [griech.] *s. 1* artfremder Eiweißstoff, der im Blut die Bildung von Antikörpern bewirkt, die ihn selbst vernichten

An|ti|go|ne *griech. Myth.:* Tochter des Ödipus

an|tik [lat.-frz.] zur Antike gehörend, aus ihr stammend; *übertr.:* alt, altertümlich; **An|ti|ka|gli|en** [-kaljən, ital.] *auch:* **ka|gli|en** kleine, antike Kunstwerke

An|ti|ka|tho|de *w. 11* Anode einer Röntgenröhre

An|ti|ke [lat.-frz.] *w. 11 nur Ez.* das griech.-röm. Altertum; **An|ti|ken** *Mz.* antike Kunstwerke; **an|ti|kisch** die Antike nachahmend; **an|ti|ki|sie|ren** *tr. 3* nach dem Vorbild der Antike gestalten

an|ti|kle|ri|kal kirchenfeindlich; **An|ti|kle|ri|ka|lis|mus** *m. Gen. - nur Ez.* kirchenfeindliche Haltung

An|ti|kli|max *w. 1, Rhetorik:* Übergang vom stärkeren zum schwächeren Ausdruck; *Ggs.:* Klimax (**1**)

an|ti|kli|nal [griech.] *Geol.:* sattelförmig; **An|ti|kli|na|le, An|ti|kli|ne** *w. 11* Sattel (einer geolog. Falte)

an|ti|kon|zep|ti|o|nell empfängnisverhütend

An|ti|kör|per *m. 5* im Blut gebildeter Abwehrstoff gegen Krankheitserreger, Immunkörper

An|ti|kri|tik [auch: -tik] *w. 10* Gegenkritik, Erwiderung auf eine Kritik

An|ti|llen *Mz.* Inselgruppe Mittelamerikas; Große, Kleine Antillen

An|ti|lo|pe [griech.] *w. 11* ein Huftier, bes. in Asien und Afrika

An|ti|mi|li|ta|ris|mus *m. Gen. - nur Ez.* Einstellung gegen den Militarismus; **An|ti|mi|li|ta|rist** *m. 10;* **an|ti|mi|li|ta|ris|tisch**

An|ti|mon [griech.] *s. 1 nur Ez.* (*Zeichen:* Sb) chem. Element, ein Metall, Stibium; **An|ti|mo|nat** *s. 1* Salz der Antimonsäure; **An|ti|mon|blü|te** *w. 11* ein Mineral; **An|ti|mo|nit** [lat.] *m. 1* **1** Salz der antimonigen Säure; **2** ein Antimonerz, Antimonglanz, Grauspießglanz

An|ti|mo|ra|lis|mus *m. Gen. - nur Ez.* feindl. Einstellung gegenüber der herrschenden Moral; vgl. Amoralismus, Immoralismus; **An|ti|mo|ra|list** *m. 10*

An|ti|neur|al|gi|kum *auch:* **-neu|ral|gi|kum** [griech.] *s. Gen.* -s *Mz.* -ka schmerzstillendes Mittel

An|ti|no|mie [griech.] *w. 11* Wi-

► = wird zu

derspruch zweier an sich gültiger Sätze oder innerhalb eines Satzes, Widersprüchlichkeit; **an|ti|no|misch**

An|ti|o|che|ne [-xe-] *m. 11* Einwohner von Antiochia; **An|ti|o|chia** [-xia] Stadt im antiken Syrien, heute Antakya; **An|ti|o|chi|er** *m. 5* = Antiochene

An|ti|pa|pist [griech. + lat.] *m. 10* Gegner des Papsttums

An|ti|pas|sat *m. 1* Gegenpassat, dem Passat entgegengesetzter Wind der Tropen

An|ti|pas|to [ital.] *m. oder s. Gen.* -(s) *Mz.* -sti Vorspeise

An|ti|pa|thie [griech.] *w. 11* gefühlsmäßige Abneigung, Widerwille; *Ggs.:* Sympathie; **an|ti|pa|thisch**

An|ti|phon [griech.] *w. 10,* An|ti|pho|ne *w. 11,* An|ti|pho|nie *w. 11* liturg. Wechselgesang; **an|ti|pho|nal** im liturg. Wechselgesang; **An|ti|pho|na|le** *s. Gen.* -s *Mz.* -li|en, **An|ti|pho|nar** *s. Gen.* -s *Mz.* -ri|en Sammlung von Antiphonen; **An|ti|pho|ne** *w. 11* = Antiphon; **An|ti|pho|nie** *w. 11* = Antiphon

An|ti|phra|se [griech.] *w. 11* Stilmittel, bei dem das Gegenteil von dem gesagt wird, was gemeint ist, z. B. »Das ist ja eine schöne Bescherung!«

An|ti|po|de [griech. »Gegenfüßler«] *m. 11* **1** auf dem entgegengesetzten Punkt der Erde lebender Mensch, Gegenfüßler; **2** *übertr.:* den entgegengesetzten Standpunkt vertretender Mensch

An|ti|pol *m. 1* Gegenpol

An|ti|py|re|ti|kum [griech.] *s. Gen.* -s *Mz.* -ka fiebersenkendes Mittel; **an|ti|py|re|tisch**

An|ti|qua [lat. »die alte« (Schrift)] *w. Gen. - nur Ez., Sammelbez. für* mehrere lat. Druckschriften; **An|ti|quar** *m. 1* jmd., der mit gebrauchten Büchern handelt; *auch:* Antiquitätenhändler; **An|ti|qua|ri|at** *s. 1* Altbuchhandel, Altbuchhandlung; **an|ti|qua|risch** gebraucht, alt (von Büchern); **An|ti|qua|ri|um** *s. Gen.* -s *Mz.* -ri|en Sammlung von Altertümern; **an|ti|quiert** veraltet; **An|ti|qui|tät** *w. 10* altertüml. Kunstwerk, altertüml., wertvoller Gegenstand

An|ti|rheu|ma|ti|kum [griech.] *s. Gen.* -s *Mz.* -ka Mittel gegen Rheumatismus

An|ti|se|mit *m. 10* Judenfeind; **an|ti|se|mi|tisch; An|ti|se|mi|tis|mus** *m. Gen. - nur Ez.* feindselige Einstellung gegenüber den Juden

An|ti|sep|sis [griech.] *w. Gen. - nur Ez.,* **An|ti|sep|tik** *w. 10 nur Ez.* Abtötung von Krankheitskeimen, bes. in Wunden; **An|ti|sep|ti|kum** *s. Gen.* -s *Mz.* -ka Mittel zur Antisepsis; **an|ti|sep|tisch** keimtötend

An|ti|se|rum [griech. + lat.] *s. Gen.* -s *Mz.* -ren *oder* -ra Antikörper enthaltendes Heilserum, Immunserum

An|ti|spas|mo|di|kum, An|ti|spas|ti|kum [griech.] *s. Gen.* -s *Mz.* -ka krampflösendes Mittel; **an|ti|spas|tisch** krampflösend

An|tis|tes [lat. »Vorsteher«] *m. Gen. - Mz.* -tis|ti|tes **1** *kath. Kirche:* Titel für Bischof und Abt; **2** *schweiz. früher:* Titel des reformierten Oberpfarrers

An|ti|stro|phe *w. 11, im altgriech. Drama:* die von der zweiten Hälfte des Chors gesungene, der Strophe folgende Gegenstrophe

An|ti|the|se [auch: an-] *w. 11* der These entgegengestellte Behauptung, Gegenbehauptung; **An|ti|the|tik** *w. 10 nur Ez.* Lehre von den Widersprüchen und ihren Ursachen; **an|ti|the|tisch** in der Art einer Antithese, entgegenstellend

An|ti|to|xin *s. 1* Gegengift, Antikörper

An|ti|zi|pa|ti|on [lat.] *w. 10* Vorwegnahme; **an|ti|zi|pa|to|risch; an|ti|zi|pie|ren** *tr. 3* vorwegnehmen

an|ti|zy|klisch *auch:* **an|ti|zyk|lisch** einem Zyklus entgegengesetzt, unregelmäßig (wiederkehrend); *Ggs.:* prozyklisch

An|ti|zy|klo|ne *auch:* **An|ti|zyk|lo|ne** *w. 11* Hochdruckgebiet

An|ti|zy|mo|ti|kum [griech.] *s. Gen.* -s *Mz.* -ka gärungshemmendes Mittel

Ant|litz *s. 1, poet.:* Gesicht

an|tö|nen *tr. 1, schweiz.:* andeuten

an|tör|nen *intr. 1, ugs.:* in Rausch versetzen

Ant|o|no|ma|sie *auch:* **An|to|no|ma|sie** [griech.] *w. 11* **1** Umschreibung eines Eigennamens, z. B. »Dichterfürst« für Goethe; **2** Bez. eines Gattungsbegriffs durch einen Eigennamen, z. B. »ein Herkules« für »starker Mann«; **Ant|o|nym** *auch:* **An|to|nym** *s. 1* Wort mit entgegengesetzter Bedeutung, z. B. »schön« im Unterschied zu »hässlich«

An|trag *m. 2;* **An|trag|stel|ler** *m. 5*

an|trau|en *tr. 1* verheiraten; sie wurde ihm angetraut

an|trei|ben *tr. 162;* **An|trei|ber** *m. 5;* **An|trei|bung** *w. 10;* **An|trieb** *m. 1;* **An|triebs|kraft** *w. 2;* **An|triebs|schwä|che** *w. 11 nur Ez.*

an|trin|ken *tr. 165;* sich einen a.: sich betrinken; angetrunken sein

An|tritt *m. 1;* **An|tritts|vor|le|sung** *w. 10*

an|tun *tr. 167;* jmdm. etwas antun: zuleide tun; sich etwas antun: Selbstmord begehen; *österr.:* sich grundlos über etwas aufregen

an|tur|nen 1 *ugs.:* herbeieilen; **2** [-tə:-, engl.] = antörnen

Ant|wort *w. 10;* um Antwort wird gebeten (*Abk.:* u. A. w. g.); **ant|wor|ten** *tr. 2;* **ant|wort|lich** *mit Gen., Amtsdeutsch:* in Beantwortung Ihrer Anfrage; **Ant|wort|schein** *m. 1*

an und für sich eigentlich, im Grunde

An- und Ver|kauf *m. 2, ehem. DDR:* Geschäft für gebrauchte Waren, Secondhandgeschäft

An|u|rie *auch:* **A|nu|rie** [griech.] *w. 11* Versagen der Urinabsonderung

A|nus [lat.] *m. Gen. - Mz.* Ani After

an|ver|trau|en *tr. 1;* ich vertraue dir das Geld an, *selten auch:* ich anvertraue dir das Geld; ich vertraue mich dir an

an|ver|wandt verwandt; einander a. sein; **An|ver|wand|te(r)** *m. 18 (17) bzw. w. 17 oder 18* Verwandte(r)

an|vi|sie|ren *tr. 3*

An|wachs *m. 1 nur Ez., im Rechtsw.:* Zuwachs; **an|wach|sen** *intr. 172;* **An|wach|sung** *w. 10 nur Ez.* = Anwachs

An|walt *m. 2;* **An|wäl|tin** *w. 10;* **An|walts|bü|ro** *s. 9;* **An|walt|schaft** *w. 10 nur Ez.;* **An|walts|kam|mer** *w. 11*

an|wan|deln *tr. 1;* **An|wand|lung** *w. 10*

An|wär|ter *m. 5;* **An|wart|schaft** *w. 10*

an|wei|sen *tr. 177;* **An|wei|sung** *w. 10*
an|wend|bar; An|wend|bar|keit *w. 10 nur Ez.;* **an|wen|den** *tr. 178;* **An|wen|dung** *w. 10;* **An|wen|dungs|be|reich** *m. 1*
an|wer|ben *tr. 179;* **An|wer|bung** *w. 10*
An|wert *m. 1, österr.:* Wertschätzung; einen A. haben: geschätzt, geachtet werden
An|we|sen *s. 7* Grundstück mit Haus; **an|we|send; An|we|sen|de(r)** *m. 18 (17) bzw. w. 17 oder 18;* **An|we|sen|heit** *w. 10 nur Ez.;* **An|we|sen|heits|lis|te** *w. 11*
an|wi|dern *tr. 1*
An|woh|ner *m. 5, bayr.:* Anlieger, Nachbar; **An|woh|ner|schaft** *w. 10 nur Ez.*
An|wuchs *m. 2, Forstw.:* sehr junger Wald
An|wurf *m. 2* **1** *Sport:* erster Wurf; ▸ **2** Beleidigung, Beschimpfung
an|wur|zeln *intr. 1;* wie angewurzelt stehen bleiben
An|zahl *w. 10 nur Ez.;* **an|zah|len** *tr. 1;* **An|zah|lung** *w. 10*
an|zap|fen *tr. 1* **1** öffnen, anstechen (Wein-, Bierfass); **2** jmdn. a. *ugs.:* sich von jmdm. Geld leihen, jmdn. anpumpen
An|zei|chen *s. 7*
An|zei|ge *w. 11;* **an|zei|gen** *tr. 1;* **An|zei|ge|pflicht** *w. 10;* **an|zei|ge|pflich|tig; An|zei|ger** *m. 5* Titel von Zeitungen
an|zet|teln *tr. 1;* **An|zet|te|lung, An|zett|lung** *w. 10 nur Ez.*
an|zie|hen *tr. 187;* **An|zie|hung** *w. 10 nur Ez.;* **An|zie|hungs|kraft** *w. 2*
An|zucht **1** *w. 10* Aufziehen (von Pflanzen); **2** *w. 2, Bergbau:* Abwassergraben
An|zug *m. 2* **1** *nur Ez.;* im A. sein: im Kommen; **2** *schweiz. auch:* Antrag (im Parlament); **an|züg|lich; An|züg|lich|keit** *w. 10;* **An|zugs|kraft** *w. 2;* **An|zug|stoff** *m. 1*
an|zwei|feln *tr. 1;* ich zweifele, zweifle es an
ao., a.o. *Abk. für* außerordentlich(er); a.o. Professor
AOA [ει ου ει] *Abk. für* American Overseas Airlines: amerik. Übersee-Luftlinien
AOK *Abk. für* Allgemeine Ortskrankenkasse
Äo|li|en antike Landschaft an der Nordwestküste Kleinasiens; **Äo|li|er** *m. 5* Bewohner von Äolien; **äo|lisch** **1** zu Äolien gehörig; **2** [nach →Äolus] durch Windeinwirkung entstanden; **Äols|har|fe** [nach →Äolus] *w. 11* Harfe, deren Saiten durch Wind zum Schwingen gebracht werden, Windharfe, Pneumatochord; **Äo|lus,** *griech.:* Ai|o|los, griech. Gott der Winde
Äon [griech.] *m. 12* unendlich langer Zeitraum, Weltalter
A|o|rist [griech.] *m. 1* Form des Verbums, die eine einmalige, unbestimmte, abgeschlossene Handlung bezeichnet
A|or|ta [griech.] *m. Gen. - Mz.* -ten Hauptschlagader des Körpers; **A|ort|al|gie** *auch:* **A|or|tal|gie** *w. 11* von der Aorta ausgehender Schmerz; **A|or|ten|bo|gen** *m. 7*
AP *Abk. für* Associated Press (US-amerik. Nachrichtenbüro)
ap..., Ap... vgl. apo..., Apo...
a.p. *Abk. für* anni praeteriti
Ap|a|go|ge *auch:* **A|pa|go|ge** [griech.] *m. Gen. - nur Ez.* Schluss, der aus einer sicheren und einer nicht ganz sicheren Voraussetzung gezogen wird; **ap|a|go|gisch** *auch:* **a|pa|go|gisch** *nur in der Fügung* apagogischer Beweis: indirekter Beweis
A|pa|na|ge [-ʒə, frz.] *w. 11* Unterhalt für nicht regierende Angehörige eines regierenden Fürsten
a|part [frz. »beiseite«] eigenartig, ungewöhnlich und reizvoll
A|part|heid *w. 10 nur Ez., in der Republik Südafrika:* Rassentrennung
A|part|heit [zu apart] *w. 10* reizvolle Eigenart
A|part|ment [əpartmənt, engl.] *s. 9* kleine Wohnung; vgl. Appartement: Zimmerflucht im Hotel; **A|part|ment|haus** *s. 4* Mietshaus mit (meist nur) Kleinstwohnungen
A|pa|thie [griech.] *w. 11* Teilnahmslosigkeit; **a|pa|thisch**
A|pa|tit [lat.] *m. 1* ein Mineral
A|pen|nin *m. 12, auch:* **A|pen|ni|nen** *Mz.* Gebirge in Italien; **A|pen|ni|nen|halb|in|sel** *w. 11 nur Ez.* Italien; **a|pen|ni|nisch**
a|per *oberdt.:* schneefrei
A|per|çu [-sy, frz.] *s. 9* geistreiche Bemerkung
a|pe|ri|o|disch nicht periodisch, unregelmäßig
A|pe|ri|tif [frz. »öffnend«] *m. 9* alkohol. Getränk vor dem Essen; **A|pe|ri|ti|vum** [lat.] *s. Gen.* -s *Mz.* -va **1** mildes Abführmittel; **2** Appetit anregendes Mittel
a|pern *intr. 1, oberdt.:* tauen
A|per|tur [lat.] *w. 10* Öffnungsverhältnis der Blende eines Objektivs, das dessen Lichtstärke angibt
A|per|wind *m. 1, oberdt.:* Tauwind
A|pex [lat.] *m. Gen. - Mz.* Apizes **1** *Astron.:* Zielpunkt der Bewegung eines Gestirns; **2** *Sprachw.:* Zeichen für die Länge eines Vokals, z. B. ā; **3** *Metrik:* Zeichen für die Betonung einer Silbe (′)
Ap|fel *m. 6;* **Ap|fel|baum** *m. 2;* **Äp|fel|chen** *s. 7;* **ap|fel|grün; Ap|fel|koch, Äp|fel|koch** *s. Gen.* -s *nur Ez., österr. für* Apfelmus; **Ap|fel|schim|mel** *m. 5* weißes Pferd mit grauen Flecken oder Ringen; **Ap|fel|si|ne** *w. 11;* **Ap|fel|stru|del** *m. 5* eine Mehlspeise; **Ap|fel|wick|ler** *m. 5* Schmetterling, dessen Raupe Apfelkerngehäuse frisst
Aph|ä|re|se *auch:* **A|phä|re|se** [griech.] *w. 11,* **Aph|ä|re|sis** *auch:* **A|phä|re|sis** *w. Gen. - Mz.* -re|sen Wegfall des Anlauts, z. B. »'s« statt »es«; *Ggs.:* Apokope
A|pha|sie [griech.] *w. 11 nur Ez.* **1** *Philos.:* Urteilsenthaltung; **2** *Med.:* Verlust des Sprechvermögens (bei Gehirnstörung)
Ap|hel [aphel *auch:* afel] [griech.] *s. 1,* Ap|he|li|um *s. Gen.* -s *Mz.* -li|en Punkt der größten Entfernung eines Planeten von der Sonne; *Ggs.:* Perihel
A|phon|ge|trie|be [griech.] *s. 5* geräuscharmes Schaltgetriebe; **A|pho|nie** *w. 11, Med.:* tonloses Sprechen, Flüsterstimme
A|pho|ris|mus [griech.] *m. Gen. - Mz.* -men kurz und treffend formulierter Gedanke, Sinnspruch; **A|pho|ris|ti|ker** *m. 5* Verfasser von Aphorismen; **a|pho|ris|tisch**
A|phra|sie *auch:* **Aph|ra|sie** [griech.] *w. 11 Med.:* Unfähigkeit, richtige Sätze zu bilden
Aph|ro|di|si|a|kum [nach der griech. Liebesgöttin Aphrodite] *s. Gen.* -s *Mz.* -ka den Geschlechtstrieb anregendes Mittel; **Aph|ro|di|sie** *w. 11* krankhaft gesteigerter Geschlechts-

trieb; **aph|ro|di|sisch** den Geschlechtstrieb steigernd; **Aph|ro|di|te** griech. Liebesgöttin

Aph|the [griech.] *w. 11 meist Mz.* = Mundfäule; **Aph|then|seu|che** *w. 11* Maul- und Klauenseuche

A|phyl|len [griech.] *w. Mz.* blattlose Pflanzen; **A|phyl|lie** *w. 11* Blattlosigkeit (z. B. bei Kakteen); **a|phyl|lisch**

A|pi|a|ri|um [lat.] *s. Gen.* -s *Mz.* -ri|en Bienenhaus

a|pi|kal [lat.] an der Spitze gelegen

A|pis *m. Gen. - nur Ez.*, **A|pis|stier** *m. 1* heiliger Stier der alten Ägypter

apl. *Abk. für* außerplanmäßig(er); apl. Professor

A|pla|nat *auch:* **Ap|la|nat** [griech.] *m. 1* die Aberration korrigierendes Linsensystem; **a|pla|na|tisch** *auch:* **ap|la-**

A|pla|sie *auch:* **Ap|la-** [griech.] *w. 11* angeborenes Fehlen eines Organs; **a|plas|tisch**

A|plomb *auch:* **Ap|lomb** [aplõ, frz.] *m. 9 nur Ez.* **1** Sicherheit, Nachdruck im Auftreten; **2** *Ballett:* Abfangen einer Bewegung

APO *w. Gen. - nur Ez., Abk. für* außerparlamentar. Opposition

a|po..., **A|po...** [griech.] *in Zus.:* von... weg, entfernt von, ab...

A|po|chro|mat [-kro-, griech.] *m. 1* Farbfehler korrigierendes Linsensystem

A|po|dik|tik [griech.] *w. 10 nur Ez., Philos.:* Lehre vom Beweis; **a|po|dik|tisch** unwiderleglich; keinen Widerspruch duldend

A|po|ga|mie [griech.] *w. 11 nur Ez.* ungeschlechtl. Fortpflanzung, Apomixis

A|po|gä|um [griech.] *s. Gen.* -s *Mz.* -gä|en Punkt der größten Entfernung eines Planeten von der Erde; *Ggs.:* Perigäum

A|po|ka|lyp|se [griech. »Enthüllung«] *w. 11* prophet. Schrift über das (schreckliche) Weltende, bes. die Offenbarung des Johannes im NT; **A|po|ka|lyp|tik** *w. 10* **1** Lehre vom Weltende; **2** Gesamtheit der Schriften über die Apokalypse; **A|po|ka|lyp|ti|ker** *m. 5* Verfasser oder Deuter einer Apokalypse; **a|po|ka|lyp|tisch,** *aber:* die Apokalyptischen Reiter

A|po|ko|pe [-pe:, griech.] *w. Gen. - Mz.* -ko|pen Wegfall des Auslauts, z. B. »im Tal« statt »im Tale«; *Ggs.:* Aphärese; **a|po|ko|pie|ren** *tr. 3*

a|po|kryph, a|po|kry|phisch [griech.] zu den Apokryphen gehörend, unecht, später hinzugefügt; **A|po|kryph** *s. 12,* **A|po|kry|phe** *w. 11* nicht anerkannte, später hinzugefügte Schrift, bes. der Bibel, im Unterschied zum Kanon (**5**); **a|po|kry|phisch** = apokryph

a|po|li|tisch unpolitisch, politisch uninteressiert

A|poll = Apollo; **a|pol|li|nisch** in der Art des Apollo, maßvoll, ausgeglichen; *Ggs.:* dionysisch; **A|pol|lo 1** griech.-röm. Gott der Dichtkunst; **2** *m. 9,* **A|pol|lo|fal|ter** *m. 5* ein Schmetterling

A|po|log [griech.] *m. 1* lehrhafte Fabel oder Erzählung; **A|po|lo|get** *m. 10* Verfechter, Verteidiger, bes. des Christentums; **A|po|lo|ge|tik** *w. 10* Verteidigung, Rechtfertigung, bes. des christl. Glaubens, Fundamentaltheologie; **a|po|lo|ge|tisch;** **A|po|lo|gie** *w. 11* Verteidigungs-, Rechtfertigungsrede oder -schrift; **a|po|lo|gisch** in der Art eines Apologs, lehrhaft

A|po|mi|xis [griech.] *w. Gen. - nur Ez.* = Apogamie

A|po|phtheg|ma *auch:* **A|poph|theg|ma** [lat.] *s. Gen.* -s *Mz.* -men *oder* -ma|ta witziger, treffender Ausspruch; **a|po|phtheg|ma|tisch** *auch:* **a|poph|theg-**

A|po|phy|se [griech.] *w. 11* Knochenfortsatz

A|po|plek|ti|ker [griech.] *m. 5* jmd., der zu Apoplexien neigt; **a|po|plek|tisch;** **A|po|ple|xie** *w. 11* Schlaganfall

A|po|rem [griech.] *s. Gen.* -s *Mz.* -ma|ta Streitfrage, logische Schwierigkeit; **a|po|re|ma|tisch** zweifelhaft, strittig; **A|po|re|tik** *w. 10 nur Ez.* Auseinandersetzung mit philosoph. Problemen; **A|po|rie** *w. 11* Ausweglosigkeit, Unmöglichkeit, ein schwieriges Problem zu lösen

A|po|sta|sie *auch:* **A|pos|ta|sie** [griech.] *w. 11* Abfall vom Glauben; **A|po|stat** *auch:* **A|pos|tat** *m. 10* Abtrünniger

A|pos|tel *auch:* **A|pos|tel** [lat.] *m. 5* **1** Jünger Jesu; **2** Vertreter, Vorkämpfer einer Lehre; **A|pos|tel|ge|schich|te** *auch:* **A|pos|tel-** *w. 11*

a pos|te|ri|o|ri [lat. »vom Späteren«] aus der Erfahrung (gewonnen), nachträglich, später; *Ggs.:* a priori; **A|pos|te|ri|o|ri** *s. Gen. - Mz. -* aus der Erfahrung gewonnene Erkenntnis; *Ggs.:* Apriori; **a|pos|te|ri|o|risch** auf Erfahrung beruhend; *Ggs.:* apriorisch

A|po|stilb *auch:* **A|pos|tilb** [griech.] *s. Gen.* -s *Mz. - (Abk.:* asb) Maßeinheit der Leuchtdichte

A|po|sto|lat *auch:* **A|pos|to|lat** [griech.] *s. 1* **1** Amt eines Apostels; **2** geistl. Auftrag; **A|po|sto|li|kum** *auch:* **A|pos|to|li|kum** *s. Gen.* -s *nur Ez.* das Apostolische Glaubensbekenntnis; **a|po|sto|lisch** *auch:* **a|pos|to|lisch** die Apostel betreffend, von ihnen ausgehend; das Apostolische Glaubensbekenntnis; der Apostolische Stuhl: der Bischofssitz in Rom; die apostolischen Väter: die ältesten christl. Schriftsteller

A|po|stroph *auch:* **A|pos|troph** [griech.] *m. 1* Auslassungszeichen für einen Vokal, z. B. »er hat's« statt »er hat es«; **A|po|stro|phe** *auch:* **A|pos|tro|phe** [-fe:] *w. Gen. - Mz.* -stro|phen **1** Wendung des Redners an eine andere Person als die bisher angeredete; **2** feierliche Anrede, Anrufung; **a|po|stro|phie|ren** *auch:* **a|pos|tro|phie|ren** *tr. 3* feierlich anreden, nachdrücklich bezeichnen; jmdn. als Genie a.

A|po|the|ke [griech.] *w. 11;* **A|po|the|ker** *m. 5*

A|po|the|o|se [griech.] *w. 11* **1** Vergöttlichung, Verherrlichung; **2** *Theater:* prächtiges Schlussbild

a po|ti|o|ri [lat.] *veraltet:* der Hauptsache, der Mehrzahl nach

Ap|pa|la|chen [-xən] *Mz.* nordamerik. Gebirge

Ap|pa|rat [lat.] *m. 1* **1** mehrteiliges Gerät; **2** alle für eine Tätigkeit nötigen Hilfsmittel; **3** Telefon; **ap|pa|ra|tiv** mit Hilfe eines Apparats; **Ap|pa|rat|schik** *m. 9, abwertend:* führende Persönlichkeit im Staats»apparat« totalitärer Staaten; **Ap|pa|ra|tur** *w. 10* Gesamtheit von mehreren Apparaten

Ap|pa|ri|ti|on [frz.] *w. 10* **1** Erscheinung; **2** Sichtbarwerden (von Gestirnen)
Ap|par|te|ment [apart(ə)mɑ̃, frz.] *s. 9* Zimmerflucht (Wohn-, Schlafzimmer und Bad) im Hotel; vgl. Apartment: kleine Wohnung
ap|pas|si|o|na|to *Mus.:* leidenschaftlich
Ap|peal [əpiːl, engl.] *m. 9, Werbung:* Anreiz, Anziehungskraft
Ap|pell [frz.] *m. 1* **1** Aufruf, Mahnruf, **2** Ruf zum Antreten; **3** Gehorsam (des Jagdhundes); **ap|pel|la|bel** *veraltet:* durch Berufung bei Gericht anfechtbar; **Ap|pel|lant** [lat.] *m. 10, veraltet:* Berufungskläger; **Ap|pel|lat** *m. 10* Berufungsbeklagter; **Ap|pel|la|ti|on** *w. 10, veraltet:* Berufung; **Ap|pel|la|tiv** *s. 1,* **Ap|pel|la|ti|vum** *s. Gen.* -s *Mz.* -va Gattungsbegriff, z. B. Tier; vgl. Kollektivum; **ap|pel|lie|ren** *intr. 3;* an jmdn. oder etwas a.: sich an jmdn. wenden, jmdn. oder etwas anrufen
Ap|pend|ek|to|mie *auch:* **Ap|pen|dek|to|mie** [lat. + griech.] *w. 11* operative Entfernung des Appendix; **Ap|pen|dix** [lat.] *m. Gen.* -(es) *Mz.* -e *oder* -di|ces **1** Anhang **2** *Med.:* Wurmfortsatz des Blinddarms; **Ap|pen|di|zi|tis** [lat.] *w. Gen.* - *Mz.* -ti|den Entzündung des Appendix (**2**)
Ap|pen|zell schweiz. Kanton; A.-Außerrhoden, A.-Innerrhoden
Ap|per|zep|ti|on [lat.] *w. 10* bewusste Wahrnehmung eines Sinneseindrucks; **ap|per|zi|pie|ren** *tr. 3*
Ap|pe|tit [lat.-frz.] *m. 1;* **ap|pe|tit|an|re|gend; ap|pe|tit|lich; ap|pe|tit|los; Ap|pe|tit|lo|sig|keit** *w. 10 nur Ez;* **Ap|pe|ti|zer** [æpətaɪzər, engl. »Appetitanreger«] *m. 5*
ap|pla|nie|ren [lat.-frz.] *tr. 3* einebnen
ap|plau|die|ren [lat.] *intr. 3* Beifall klatschen; jmdm. a.; **Ap|plaus** *m. 1 nur Ez.* durch Händeklatschen ausgedrückter Beifall
ap|pli|ka|bel [lat.] anwendbar; **Ap|pli|ka|ti|on** *w. 10* **1** Verordnung und Anwendung von Heilmitteln; **2** auf ein Kleidungsstück aufgenähte Verzierung; **Ap|pli|ka|tur** *w. 10* Fingersatz (beim Instrumentalspiel); **ap|pli|zie|ren** *tr. 3* **1** verabreichen; **2** aufnähen
Ap|pog|gia|tur [-dʒa-, ital.] *w. 10, Mus.:* langer Vorschlag
Ap|point [apoɛ̃, frz. »auf den Punkt«] *m. 9* **1** eine Restschuld vollständig ausgleichender Wechsel; **2** Gelddokument, z. B. Wertpapier
ap|port! [frz.] bring es her! (Befehl an den Hund); **Ap|port** *m. 1* **1** *in Kapitalgesellschaften:* Sach- statt Bargeldeinlage; **2** Herbeibringen des erlegten Wildes durch den Hund; **ap|por|tie|ren** *tr. 3* herbeibringen (nur vom Jagdhund gesagt)
Ap|po|si|ti|on [lat.] *w. 10* **1** *Gramm.:* hauptwörtl. Beifügung im gleichen Kasus, z. B. Peter »der Große«, Beisatz; **2** *Bot.:* Dickenwachstum der Zellwände; **ap|po|si|ti|o|nell** in der Art einer Apposition
Ap|pre|hen|si|on [lat.] *w. 10* Erfassen, Begreifen, Begriffsvermögen; **ap|pre|hen|siv** reizbar, furchtsam
Ap|pret [frz.] *m. 9 oder s. 9* Mittel zum Appretieren; **Ap|pre|teur** [-tør, frz.] *m. 1* jmd., der Gewebe appretiert; **ap|pre|tie|ren** *tr. 3;* Gewebe a.: bearbeiten, um ihre Gebrauchsfähigkeit zu verbessern; **Ap|pre|tur** *w. 10*
Ap|pro|ba|tie *w. 11* = Approbation (**4**); **Ap|pro|ba|ti|on** [lat.] *w. 10* **1** Genehmigung, Bewilligung; **2** staatl. Zulassung zur Berufsausübung für Ärzte und Apotheker; **3** Bestätigung eines Priesters durch die Kurie; **4** Ap|pro|ba|tie *w. 11* Druckerlaubnis für relig. Schriften durch die Kirchenbehörde; **ap|pro|bie|ren** *tr. 3*
Ap|pro|pri|a|ti|on *auch:* **Ap|prop|ri|a-** [lat.] *w. 10* **1** Aneignung; **2** Zueignung
Ap|pro|xi|ma|ti|on [lat.] *w. 10* **1** Annäherung; **2** *Math.:* Näherungswert; **ap|pro|xi|ma|tiv** annähernd
Après nous le dé|luge [aprɛnu lədelyʒ, frz.] Nach uns die Sintflut (angeblicher Ausspruch der Marquise de Pompadour)
Après-Ski [aprɛʃi, frz. -ʃi] *s. Gen.* - *nur Ez.* **1** bequeme, modische Kleidung nach dem Skilaufen; **2** geselliges Beisammensein nach dem Skilaufen
A|pri|ko|se *auch:* **Ap|ri|ko|se** [lat.-ndrl.] *w. 11;* **A|pri|ko|sen|baum** *m. 2;* **a|pri|ko|sen|far|ben, a|pri|ko|sen|far|big**
A|pril [lat.] *m. Gen.* -(s) *nur Ez.;* **A|pril|wet|ter** *s. 5*
a pri|ma vis|ta [lat. »auf den ersten Blick«] vom Blatt (spielen, singen)
a pri|o|ri [lat. »vom Früheren«] aus dem Denken, aus der Vernunft her, ohne Erfahrungsgrundlage; von vornherein; *Ggs.:* a posteriori; **A|pri|o|ri** *s. Gen.* - *Mz.* - Vernunftsatz; *Ggs.:* Aposteriori; **a|pri|o|risch** nur aus dem Denken gewonnen, begrifflich, *Ggs.:* aposteriorisch; **A|pri|o|ris|mus** **1** *m. Gen.* - *Mz.* -men Erkenntnis a priori; **2** *nur Ez.* Lehre, die eine von der Erfahrung unabhängige Erkenntnis annimmt; **a|pri|o|ris|tisch**
a|pro|pos [-po, frz.] übrigens, nebenbei bemerkt, dabei fällt mir ein
Ap|si|de [griech.] *w. 11* **1** Punkt der kleinsten oder größten Entfernung eines Planeten von dem Gestirn, um das er sich bewegt; **2** = Apsis; **ap|si|di|al** zur Apsis gehörig; **Ap|sis** *w. Gen.* - *Mz.* -si|den, Ap|si|de *w. 11* halbrunde oder vieleckige Altarnische im Chor einer Kirche
a|pte|ry|got *auch:* **ap|te-** [griech.] flügellos; **A|pte|ry|go|ten** *auch:* **Ap|te-** *Mz.* flügellose Insekten
A|pu|li|en ital. Landschaft; **a|pu|lisch**
A|qua de|stil|la|ta [lat.] *auch:* **– des|til|la|ta** *s. Gen.* -- *nur Ez.* destilliertes (chemisch reines) Wasser
A|quä|dukt [lat.] *s. 1* (bes. altröm.) Wasserleitung, meist auf Brücken entlanglaufende Rinnen oder Rohre
A|qua|ma|ni|le [lat.] *s. 14, im MA:* Gefäß zur Handwaschung des Priesters während des Gottesdienstes
A|qua|ma|rin [lat. »Meerwasser«] *m. 1* meerblauer oder -grüner Edelstein
A|qua|naut [lat.] *m. 10* Tiefseeforscher
A|qua|pla|ning [auch. -plɛi-, engl.] *s. Gen.* -s *nur Ez.* Gleiten der Autoreifen auf nasser Straße, Wasserglätte

A|qua|rell [lat.-ital.] *s. 1* mit Wasserfarben gemaltes Bild; **a|qua|rel|lie|ren** *tr. 3;* **A|qua|rel|list** *m. 10* Maler von Aquarellen

A|qua|ri|a|ner [lat.] *m. 5* Aquarienliebhaber; **A|qua|rist** *m. 10* Aquarienkundler; **A|qua|ris|tik** *w. 10 nur Ez.* Aquarienkunde; **A|qua|ri|um** *s. Gen.* -s *Mz.* -ri|en Glasbehälter oder Gebäude (Museum) zur Pflege und Zucht kleiner Wassertiere

A|qua|tin|ta [lat.] **1** *w. Gen.* - *nur Ez.* ein Kupferstichverfahren, bei dem die Zeichnung aus der Platte herausgeätzt wird; **2** *w. Gen.* - *Mz.* -ten in diesem Verfahren hergestelltes Kunstblatt

Ä|qua|ti|ons|tei|lung [lat.] *w. 10* = Mitose

a|qua|tisch [lat.] zum Wasser gehörig, im Wasser lebend

Ä|qua|tor [lat.] *m. 13* der größte Breitenkreis der Erd- bzw. Himmelskugel; **ä|qua|to|ri|al** zum Äquator gehörig; **Ä|qua|tor|tau|fe** *w. 11*

A|qua|vit [lat.] *m. 1* ein Kümmelbranntwein

Ä|qui|li|bris|mus *auch:* **-lib|ris-** [lat.] *m. Gen.* - *nur Ez.* philosoph. Lehre, dass Handlungsfreiheit nur dann bestehe, wenn alle Motive zur Tat gleich stark sind; **Ä|qui|li|brist,** E|qui|li|brist *auch:* **-lib|rist** *m. 10* Artist im Varietee und Zirkus, der Übungen vorführt, bei denen es auf körperliche Gewandtheit, Geschicklichkeit und Balance ankommt (z. B. Seiltänzer, Jongleur), Gleichgewichtskünstler; **Ä|qui|li|bris|tik,** E|qui|li|bris|tik *auch:* **-lib|ris-** *w. 10 nur Ez.* Kunst des Äquilibristen, Gleichgewichtskunst; **ä|qui|li|bris|tisch,** e|qui|li|bris|tisch *auch:* **-lib|ris-;** **Ä|qui|li|bri|um** *auch:* **-lib|ri|um** *s. Gen.* -s *nur Ez.* Gleichgewicht

ä|qui|nok|ti|al [lat.] zum Äquinoktium gehörig, auf ihm beruhend; **Ä|qui|nok|ti|al|sturm** *m. 2;* **Ä|qui|nok|ti|um** *s. Gen.* -s *Mz.* -ti|en Tagundnachtgleiche

ä|qui|pol|lent [lat.] Gleiches bedeutend, aber verschieden ausgedrückt; **Ä|qui|pol|lenz** *w. 10 nur Ez.* gleiche Bedeutung bei verschiedener Formulierung

A|qui|ta|ni|en südwestfrz. histor. Landschaft; **a|qui|ta|nisch**

ä|qui|va|lent [lat.] gleichwertig; **Ä|qui|va|lent** *s. 1* Gleichwertiges, gleichwertiger Ersatz; **Ä|qui|va|lenz** *m. 10 nur Ez.* Gleichwertigkeit

ä|qui|vok [lat.] doppelsinnig, mehrdeutig; **Ä|qui|vo|ka|ti|on** *m. 10* Mehrdeutigkeit, Doppelsinnigkeit

Ar *s. 1, auch m. 1, nach Maßangaben Mz.* - (*Abk.:* a) Flächenmaß, 100 Quadratmeter

Ar *chem. Zeichen für* Argon

AR *Abk. für* Arkansas

A|ra [indian.], A|ra|ra *m. 9* südamerik. Langschwanzpapagei

Ä|ra [lat.] *w. Gen.* - *Mz.* Ä|ren Zeitalter, -abschnitt, Amtszeit

A|ra|ber [auch: a-, ugs. und schweiz.: -ra-] *m. 5* Einwohner Arabiens; **A|ra|bes|ke** [frz.] *w. 11* **1** Pflanzenornament; **2** heiteres Musikstück; **3** *Ballett:* Körperhaltung mit waagerecht nach hinten gestrecktem Bein; **a|ra|bisch;** arabische Ziffern; Arabische Republik Ägypten; Vereinigte Arabische Emirate (Bundesstaat am Pers. Golf); Arabisches Meer; **A|ra|bisch** *s. Gen.* -(s) *nur Ez.* arabische Sprache; vgl. Deutsch; **A|ra|bist** *m. 10;* **A|ra|bis|tik** *w. 10 nur Ez.* Wissenschaft von der arab. Sprache und Kultur

A|rach|ni|den, A|rach|no|i|den [griech.] *Mz.* Spinnentiere; **A|rach|no|lo|ge** *m. 11;* **A|rach|no|lo|gie** *w. 11 nur Ez.* Spinnenkunde

A|ra|go|ne|se *m. 11* = Aragonier; **A|ra|go|ni|en** histor. span. Provinz; **A|ra|go|ni|er** *m. 5,* A|ra|go|ne|se *m. 11* Einwohner von Aragonien; **a|ra|go|nisch;**

A|ra|go|nit [nach Aragonien] *m. 1 nur Ez.* ein Mineral

A|ra|lie [-ljə] *w. 11* efeuartiger nordamerik. und ostasiat. Strauch, Zimmerpflanze

A|ra|mä|er *m. 5* Angehöriger eines semit. Volksstammes; **a|ra|mä|isch;** **A|ra|mä|isch** *s. Gen.* -(s) *nur Ez.* aramäische Sprache

A|rä|o|me|ter [griech.] *s. 5* Gerät zum Messen des spezif. Gewichts von Flüssigkeiten, Senkwaage

Ä|rar [lat.] *s. 1* Staatsschatz, Staatsvermögen

A|ra|ra *m. 9* = Ara

ä|ra|risch zum Ärar gehörig

A|rau|ka|ner *m. 5* Angehöriger eines Indianervolkes in Chile und Argentinien; **a|rau|ka|nisch;** **A|rau|ka|rie** [-riə, nach den Araukanern] *w. 11* ein Nadelbaum, Zimmertanne

A|raz|zo [ital., nach der frz. Stadt Arras] *m. Gen.* -s *Mz.* -zi gewirkter Wandteppich

Ar|beit *w. 10;* **ar|bei|ten** *intr. u. tr. 2;* **Ar|bei|ter** *m. 5;* **Ar|bei|ter|fest|spie|le** *nur Mz., ehem. DDR;* **Ar|bei|ter|schaft** *w. 10 nur Ez.;* **Ar|bei|ter-und-Bau|ern-Fa|kul|tät** *w. 10* (*Abk.:* ABF), *ehem. DDR;* **Ar|bei|ter-und-Bau|ern-In|spek|ti|on** *w. 10* (*Abk.:* ABI), *ehem. DDR;* **Ar|bei|ter-und-Bau|ern-Macht** *w. 2, ehem. DDR,* **Ar|bei|ter-und-Bau|ern-Re|gie|rung** *w. 10, ehem. DDR;* **Ar|bei|ter-und-Bau|ern-Staat** *m. 12, ehem. DDR;* **Ar|bei|ter-und-Sol|da|ten-Rat** *m. 2;* **Ar|bei|ter|woh|nungs|bau|ge|nos|sen|schaft** *w. 10* (*Abk.:* AWG), *ehem. DDR;* **Ar|beit|ge|ber** *m. 5;* **Ar|beit|neh|mer** *m. 5;* **ar|beit|sam;** **Ar|beit|sam|keit** *w. 10 nur Ez.;* **Ar|beits|amt** *s. 4;* **Ar|beits|be|schaf|fungs|maß|nah|me** (*Abk.:* ABM) *w. 11;* **Ar|beits|bie|ne** *w. 11;* **Ar|beits|ein|heit** *w. 10, ehem. DDR;* **ar|beits|fä|hig;** **Ar|beits|fä|hig|keit** *w. 10 nur Ez.;* **Ar|beits|gang** *m. 2;* **Ar|beits|ge|richt** *s. 1;* **Ar|beits|kräf|te|len|kung** *w. 10, ehem. DDR;* **ar|beits|los;** **Ar|beits|lo|sig|keit** *w. 10 nur Ez.;* **Ar|beits|norm** *w. 10, ehem. DDR;* **Ar|beits|pa|pier** *s. 1* schriftl. Materialsammlung als Grundlage für eine Diskussion oder für die weitere Bearbeitung eines Problems; **Ar|beits|psy|cho|lo|gie** *w. 11 nur Ez.;* **Ar|beits|strei|fen** *m. 7* kurzer Unterrichtsfilm; **Ar|beits|tei|lung** *w. 10 nur Ez.;* **ar|beit|su|chend** ► **Ar|beit su|chend;** **ar|beits|un|fä|hig;** **Ar|beits|un|fä|hig|keit** *w. 10 nur Ez.;* **Ar|beits|ver|hält|nis** *s. 1;* **Ar|beits|zeit** *w. 10*; **Ar|beits|zeit|fonds** [-fɔ̃:] *m. Gen.* - *Mz.* -, *ehem. DDR*

Ar|bi|tra|ge *auch:* **Ar|bit|ra|ge** [-ʒə, lat.-frz.] *w. 11* **1** *Handelsrecht:* Schiedsspruch; **2** *Börse:* Ausnutzung von Kursschwankungen; **ar|bi|trär** *auch:* **ar|bit|rär** nach Ermessen; **ar|bi|trie|ren** *auch:* **ar|bit|rie|ren** *tr. 3* schätzen; **Ar|bi|tri|um** *auch:* **Ar|bit|ri|um** *s. Gen.* -s *Mz.* -tria Schiedsspruch

Ar|bo|re|tum [lat.] *s. Gen.* -s *Mz.* -ten Baumgarten mit verschiedenen Hölzern zu Studienzwecken
Ar|bu|se [Herkunft unsicher] *w. 11* Wassermelone
arc *Abk. für* Arcus
Ar|cha|i|kum [-ça-, griech.] *s. Gen.* -s *nur Ez.* = Azoikum; **ar|cha|isch** aus sehr früher Zeit (einer Kunst o. ä.) stammend; **ar|chä|isch** zum Archaikum gehörend, aus ihm stammend; **ar|cha|i|sie|ren** *tr. 3* altertüml. Sprach- oder Kunstformen nachahmen; **Ar|cha|is|mus** *m. Gen.* - *Mz.* -men altertüml. Form, altertüml. Wort; Nachahmung archaischer Kunstformen; **ar|cha|is|tisch**
Ar|chä|o|lo|ge [-çε-, griech.] *m. 11;* **Ar|chä|o|lo|gie** *w. 11 nur Ez.* Wissenschaft von den alten Kulturen, bes. auf Grund von Ausgrabungen, Altertumswissenschaft; **ar|chä|o|lo|gisch**
Ar|chä|op|te|ryx *auch:* **Ar|chä|opt|e|ryx** [griech.] *w. oder m. Gen.* - *Mz.* -e *oder* -pte|ry|ges ausgestorbener Vogel mit Reptilienmerkmalen, Urvogel
Ar|chä|o|zo|i|kum [griech.] *s. Gen.* -s *nur Ez.* Frühzeit der Erdgeschichte mit dem Beginn des organ. Lebens, Algonkium, Proterozoikum, Eozoikum
Ar|che [-çə, lat. arca »Kasten«] *w. 11* kastenähnl. Schiff; die A. Noah
Ar|che|go|ni|um [griech.] *s. Gen.* -s *Mz.* -ni|en weibl. Fortpflanzungsorgan der Moose und Farne
Ar|che|typ [griech.] *m. 12,* Ar|che|ty|pus *m. Gen.* - *Mz.* -pen Urbild, Urform; Muster, Vorbild; älteste verfügbare Vorlage eines Druckes oder einer Handschrift; **ar|che|ty|pisch** der Urform entsprechend, vorbildlich, musterhaft
Ar|chi|di|a|kon [griech.] *m. 1 oder m. 10* **1** *kath. Kirche:* Vorsteher eines Kirchensprengels, Erzdiakon; **2** *ev. Kirche:* zweiter Geistlicher; **Ar|chi|di|a|ko|nat** *s. 1* Amt und Amtsbereich eines Archidiakons
Ar|chi|man|drit [griech.] *m. 10, Ostkirche:* Klostervorsteher, Abt
ar|chi|me|disch; archimedische Schraube: ein Schneckenrad; archimedisches Prinzip: von Archimedes aufgestelltes Gesetz vom Auftrieb eines in eine Flüssigkeit eintauchenden Körpers
Ar|chi|pel [griech.] *m. 1* Inselgruppe
Ar|chi|tekt [griech.] *m. 10* Baufachmann, Baumeister; **Ar|chi|tek|to|nik** *w. 10 nur Ez.* **1** Wissenschaft von der Baukunst; **2** Aufbau, Bauart eines Bauwerkes; **ar|chi|tek|to|nisch; Ar|chi|tek|tur** *w. 10* Baukunst, Baustil
Ar|chi|trav [griech. + lat.] *m. 1, antike Baukunst:* die Säulen verbindender, den Oberbau tragender Querbalken, Epistyl
Ar|chiv [-çif, griech.-lat.] *s. 1* **1** Urkundensammlung; **2** Raum oder Gebäude dafür; **Ar|chi|va|li|en** *Mz.* Urkunden; **ar|chi|va|lisch** urkundlich; **Ar|chi|var** *m. 1* Leiter, Angestellter eines Archivs; **ar|chi|vie|ren** *tr. 3* in ein Archiv aufnehmen (Urkunden)
Ar|chi|vol|te [griech. + lat.] *w. 11* **1** Stirn-, Innenseite eines Rundbogens; **2** meist figürlich verzierter roman. oder got. Portalbogen
Ar|chon [-çon, griech.] *m. Gen.* -s *Mz.* -cho|nten, **Ar|chont** [-çont] *m. 10, in altgriech. Städten:* höchster Beamter
Ar|cus [lat.] *m. Gen.* - *Mz.* - **1** *Anat.:* bogenförmiges Gebilde; **2** *Math.* = Arkus
ARD *Abk. für* Arbeitsgemeinschaft der öffentlich-rechtl. Rundfunkanstalten der Bundesrepublik Deutschland
A|re *w. 11, schweiz. für* Ar
A|re|al [lat.] *s. 1* Bodenfläche, Gebiet; *schweiz. auch:* Grundstück
A|re|ka|nuß ► **A|re|ka|nuss** [drawid.-port.] *w. 2* Frucht der Areka- oder Betelpalme
a|re|li|gi|ös nicht religiös
A|re|na [lat.] *w. Gen.* - *Mz.* -nen **1** mit Sand bestreuter Kampfplatz; **2** Sportplatz mit Zuschauertribünen; **3** Zirkusmanege; **4** *österr.:* Sommerbühne
A|re|o|pag [griech.] *m. 1, im alten Athen:* höchster Gerichtshof
arg; im Argen liegen; ich dachte mir nichts Arges dabei; es soll nicht zum Ärgsten kommen; jmdn. vor dem Ärgsten bewahren; das Ärgste dabei ist, dass…; **Arg** *s. Gen.* -s *nur Ez.;* er ist ohne Arg; ich finde kein Arg an ihm

> **arg/Arg:** Im Gegensatz zur bisherigen Schreibweise wird *Arg* auch in festen Verbindungen großgeschrieben, weil es sich um ein substantiviertes Adjektiv handelt: *im Argen liegen; ich dachte mir nichts Arges dabei; es soll nicht zum Ärgsten kommen; er befürchtet Arges/das Ärgste.* → § 57 (1)

Ar|gen|tan [lat.] *s. 1 nur Ez.* Neusilber
Ar|gen|ti|ni|en südamerik. Staat; **Ar|gen|ti|ni|er** *m. 5;* **ar|gen|ti|nisch**
Ar|gen|tit [lat.] *m. 1 nur Ez.* Silberglanz, ein Mineral
Ar|gen|tum [lat.] *s. Gen.* -s *nur Ez.* (*Zeichen:* Ag) Silber
Är|ger *m. 5 nur Ez.;* **är|ger|lich; är|gern** *tr. 1;* ich ärgere, ärgre mich; **Är|ger|nis** *s. 1*
Ar|gi|nin [lat.] *s. 1* eine Aminosäure
Arg|list *w. 10 nur Ez.;* **arg|lis|tig; arg|los; Arg|lo|sig|keit** *w. 10 nur Ez.*
Ar|gon [auch: -gon, griech.] *s. 1 nur Ez.* (Zeichen: Ar) chem. Element, ein Edelgas
Ar|go|naut [griech.] *m. 10* **1** *griech. Myth.:* Angehöriger der Besatzung des Schiffes »Argo«; **2** ein Tintenfisch
Ar|got [-go, frz.] *s. 9* **1** die frz. Gaunersprache; **2** *auch:* Sondersprache einer sozialen Schicht, Jargon
Ar|gu|ment [lat.] *s. 1* Beweisgrund, einleuchtende Entgegnung; **Ar|gu|men|ta|ti|on** *w. 10* Beweisführung; **ar|gu|men|tie|ren** *intr. 3*
Ar|gus *griech. Myth.:* hundertäugiger Riese; **Ar|gus|au|gen** *w. 11 Mz., übertr.:* scharfe, wachsame Augen; etwas mit A. beobachten
Arg|wohn *m. 1 nur Ez.;* **arg|wöh|nen** *tr. 1;* **arg|wöh|nisch**
A|rhyth|mie *w. 11* = Arrhythmie
A|ri|ad|ne|fa|den [nach der griech. Sagengestalt Ariadne] *m. 8* Leitfaden, rettendes Mittel
A|ri|a|ner *m. 5* Anhänger des Arianismus; **a|ri|a|nisch;** *aber:* der Arianische Streit; **A|ri|a|nis|mus** *m. Gen.* - *nur Ez.* Lehre des Arius von Alexandria, dass Gott und Christus nicht we-

► = wird zu

sensgleich, sondern wesensähnlich sind; vgl. Athanasianer
a|rid [lat.] trocken, dürr (Boden, Klima); **A|ri|di|tät** *w. 10 nur Ez.*
A|rie [ariə, lat.-ital.] *w. 11* Sologesangsstück mit Instrumentalbegleitung
A|ri|el [griech.] **1** bibl. Name Jerusalems; **2** *bei den Juden:* ein Engel; **3** Luftgeist in Shakespeares »Sturm« und Goethes »Faust«
A|ri|er [griech.] *m. 5* **1** Angehöriger einer frühgeschichtl. Völkergruppe mit idg. Sprachen in Iran und Indien; **2** *nationalsozialistische Ideologie:* Nichtjude, Angehöriger der sog. nordischen Rasse
A|ri|et|ta [ital.] *w. Gen. - Mz.* -ten kleine Arie
a|ri|os, a|ri|o|so [ital.] arienartig, sanglich, melodiös; **A|ri|o|so** *s. Gen.* -s *Mz.* -s *oder* -si arienartiges Sologesangs- oder Instrumentalstück
a|risch zu den Ariern gehörend, von ihnen stammend
A|ri|sto|krat *auch:* **A|ris|tok|rat** [griech.] *m. 10* **1** Angehöriger der Aristokratie; **2** *übertr.:* vornehmer Mensch; **A|ri|sto|kra|tie** *auch:* **A|ris|tok|ra|tie** *w. 11* **1** Adel; **2** Adelsherrschaft; **3** *übertr.:* Oberschicht; **a|ri|sto|kra|tisch** *auch:* **a|ris|tok|ra|tisch**
A|ri|sto|nym *auch:* **A|ris|to-** [griech.] *s. 1* aus einem Adelsnamen bestehender Deckname
A|ri|sto|te|li|ker *auch:* **A|ris|to-** *m. 5* Anhänger der Lehre des Aristoteles; **a|ris|to|te|lisch**
A|rith|me|tik [griech.] *w. 10 nur Ez.* Zahlenlehre, Rechnen mit Zahlen und Buchstaben; **A|rith|me|ti|ker** *m. 5;* **'a|rith|me|tisch;** arithmetisches Mittel: Durchschnittswert
A|ri|zo|na (*Abk.:* AZ) Staat der USA
Ar|ka|de [lat.-frz.] *w. 11* auf zwei Säulen oder Pfeilern ruhender Bogen
Ar|ka|di|en griech. Landschaft; **ar|ka|disch;** arkadische Dichtung: Hirten-, Schäferdichtung
Ar|kan|sas (*Abk.:* AR) Staat der USA; **Ar|kan|sit** [nach Arkansas] *m. 1 nur Ez.* ein Mineral
Ar|ka|num [lat.] *s. Gen.* -s *Mz.* -na, *Pharmazie:* Geheimmittel

Ar|ke|bu|se [ndrl. »Hakenbüchse«] *w. 11, 15. Jh.:* schweres, beim Schießen in einen Haken zu hängendes Gewehr; **Ar|ke|bu|sier** *m. 1* Soldat mit Arkebuse
Ar|ko|se [frz.] *w. 11 nur Ez.* Feldspat und Glimmer enthaltender Sandstein
Ar|ko|so|li|um [lat.] *s. Gen.* -s *Mz.* -li|en, *in Katakomben:* Wandgrab unter einer bogenförmigen Nische
Ark|ti|ker *m. 3* Bewohner der Arktis; **Ark|tis** *w. Gen. - nur Ez.* Gebiet um den Nordpol; *Ggs.:* Antarktis; **ark|tisch**
Ark|tur *m. Gen.* -s, **Ark|tu|rus** *m. Gen.* - Stern im Sternbild Bootes
Ar|ku|bal|lis|te [lat.] *w. 11* Bogenschleuder, altröm. und mittelalterl. Belagerungsgerät
Ar|kus [lat.] *m. Gen. - Mz.* - (*Abk.:* arc) Kreisbogen eines Winkels
Arl|berg *m. 1 nur Ez.* ein Alpenpass
Ar|lec|chi|no [-ki-, ital.] *m. Gen.* -s *Mz.* -s *oder* -ni, *in der Commedia dell'arte:* Hanswurst

> **arm:** Das Adjektiv *arm* wird kleingeschrieben: *Er war damals sehr arm.* Dagegen wird *Arm und Reich* (= jedermann), weil es als substantiviertes Adjektiv verstanden wird, großgeschrieben: *Es trafen sich Arm und Reich.* Ebenso: *Jung und Alt.* → § 57 (1)

arm; Arm und Reich: jedermann; die Armen; du Armer; der Ärmste
Arm *m. 1;* zwei Arme voll Holz, *aber:* zwei Armvoll
Ar|ma|da *w. Gen. - Mz.* -s *oder* -den, Kriegsmacht, *bes.* die Flotte des span. Königs Philipp II.
Ar|ma|gnac *auch:* **Ar|mag|nac** [-njak, nach der frz. Landschaft A.] *m. 9* ein frz. Weinbrand
arm|am|pu|tiert
Ar|ma|ri|um [lat.] *s. Gen.* -s *Mz.* -ri|en **1** *Antike:* Schrank; **2** *MA:* Bücherschrank; **3** *kath. Kirche:* Wandschränkchen für Hostien u. a.
Ar|ma|to|len [neugriech.] *Mz., 18./19. Jh.:* griech. Freischaren gegen die Türken
Ar|ma|tur [lat.] *w. 10* Zubehör zu Maschinen und techn. Anlagen; **Ar|ma|tu|ren|brett** *s. 3*

Arm|brust *w. 1 oder w. 2* alte Schusswaffe mit Pfeilen; **Arm|brus|ter** *m. 5* Armbrustschütze, Armbrustmacher
arm|dick; ein armdicker Wasserstrahl
Ar|mee [frz.] *w. 11;* **Ar|mee-Ein|heit** *w. 10;* **Ar|mee|korps** [-ko:r] *s. Gen.* - [-ko:rs] *Mz.* - [-ko:rs]
Är|mel *m. 5;* **Är|mel|ka|nal** *m. 2 nur Ez.*
Ar|men|haus *s. 4;* **Ar|men|häus|ler** *m. 5*
Ar|me|ni|en Hochland in Vorderasien; **Ar|me|ni|er** *m. 5;* **ar|me|nisch**
Ar|mes|län|ge *w., nur in Wendungen wie:* jmdn. auf A. von sich fern halten, herankommen lassen
Ar|me|sün|der *m. Gen.* des Armensünders *Mz.* die Armensünder; ein Armersünder; **Ar|me|sün|der|glo|cke** *w. Gen.* der Armensünderglocke *Mz.* die Armensünderglocken, Arm|sün|der|glo|cke *w. 11* Glocke, die für die zum Tode Verurteilten geläutet wurde
Arm|fü|ßer, Arm|füß|ler *m. 5* Angehöriger einer Klasse festsitzender Meerestiere
ar|mie|ren [lat.] *tr. 3* bewaffnen; **Ar|mie|rung** *w. 10;* **Ar|mie|rungs|trup|pe** *w. 11* Truppe für Befestigungsarbeiten
...ar|mig mit einer bestimmten oder unbestimmten Anzahl von Armen versehen, z. B. einarmig, dreiarmiger Leuchter
arm|lang; ein armlanger Aal, *aber:* der Aal war etwa einen Arm lang; **Arm|län|ge** *w. 11;* **Arm|leuch|ter** *m. 5, derb, verhüllend für* Arschloch
ärm|lich; Ärm|lich|keit *w. 10 nur Ez.*
Ärm|ling *m. 1* Ärmel zum Überstreifen
Ar|mo|ri|al [frz.] *s. 1* Wappenbuch
Ar|mo|ri|ka *kelt. Name für die* Bretagne; **ar|mo|ri|ka|nisch;** *aber:* Armorikanisches Gebirge
Arm|reif *m. 1,* **Arm|rei|fen** *m. 7*
arm|se|lig; Arm|se|lig|keit *w. 10 nur Ez.*
Arm|sün|der|glo|cke *w. 11* = Armesünderglocke
Ar|mü|re [frz.] *w. 11* **1** kleingemustertes Seiden- oder Kunstseidengewebe; **2** Teil des Webstuhls

Ar|mut *w. Gen. - nur Ez.;* **Ar|muts|zeug|nis** *s. 1*
Arm|voll ► **Arm voll** *m. Gen. - Mz. -;* zwei Arme voll Holz
Ar|ni|ka *w. 9 nur Ez.* eine Heilpflanze
A|rom [griech.] *s. 1, poet. für* Aroma; **A|ro|ma** *s. Gen.* -s *Mz.* -men *oder* -s *oder* -ma|ta **1** Duft; **2** künstlich hergestellter Geschmacksstoff; **A|ro|mat** *m. 10, Chem.:* aromatische Verbindung; **A|ro|ma|the|ra|pie** *w. 11* Heilbehandlung durch ätherische Öle; **a|ro|ma|tisch;** aromatische Verbindung: Benzolverbindung; **a|ro|ma|ti|sie|ren** *tr. 3* mit einem Aroma versehen
A|ron|stab *m. 2 nur Ez.* eine Giftpflanze
Ar|peg|gia|tur [-dʒa-, ital.] *w. 10* Reihe von Arpeggien; **ar|peg|gie|ren** [-dʒi-] *tr. 3* einzeln nacheinander spielen (Akkordtöne); **ar|peg|gio** [-pɛdʒo] einzeln nacheinander (zu spielen); **Ar|peg|gio** [-pɛdʒo] *s. Gen.* -s *Mz.* -peg|gi|en [-pɛdʒən] in seinen einzelnen Tönen gespielter Akkord
Ar|rak [arab.] *m. 1 oder m. 9* Reisbranntwein
Ar|ran|ge|ment [arɑ̃ʒmɑ̃, frz.] *s. 9* **1** Anordnung; **2** Übereinkunft; **3** Bearbeitung eines Musikstücks für andere Instrumente; **Ar|ran|geur** [arɑ̃ʒør] *m. 1* jmd., der ein Musikstück arrangiert; **ar|ran|gie|ren** [arɑ̃ʒi-] *tr. 3* anordnen, bearbeiten; sich a.: sich mit dem Unvermeidlichen abfinden
Ar|rest [lat.] *m. 1* **1** leichte Freiheitsstrafe; **2** Beschlagnahme; **3** Strafstunde, Nachsitzen; **Ar|res|tant** *m. 10* Häftling; **ar|re|tie|ren** *tr. 3* **1** festnehmen; **2** *Tech.:* sperren, feststellen; **Ar|re|tie|rung** *w. 10* **1** Festnahme; **2** Hemmvorrichtung in der Uhr
Ar|rhyth|mie [griech.] *w. 11* **1** Störung des Rhythmus, Mangel an Gleichmaß; **2** *Med.:* Unregelmäßigkeit des Herzschlags
ar|ri|vie|ren [frz.] *intr. 3* beruflich vorwärtskommen, Erfolg haben; arriviert sein: anerkannt sein; arrivierter Schriftsteller
ar|ro|gant [lat.-frz.] dünkelhaft, anmaßend; **Ar|ro|ganz** *w. 10 nur Ez.*
ar|ron|die|ren [-rɔ̃-, frz.] *tr. 3* abrunden, zusammenlegen (Grundbesitz); **Ar|ron|dis|se|ment** [arɔ̃dis(ə)mɑ̃] *s. 9* Abteilung eines frz. Departements
Ar|ro|si|on [lat.] *w. 10* allmähliche Zerstörung von Gewebe durch Entzündung oder Geschwür
Ar|row|root [ærouru:t, engl. »Pfeilwurzel«] *s. 9* Stärkemehl aus Wurzeln oder Knollen verschiedener trop. Pflanzen
Ars an|ti|qua [lat. »alte Kunst«] *w. Gen. - - nur Ez.* die mehrstimmige Musik des 13. Jh. in Nordfrankreich
Arsch *m. 2*
Ar|schin *m. Gen.* -s *Mz.* - früheres russ. Längenmaß, 71 cm
Arsch|krie|cher *m. 5, vulg.:* widerlicher Schmeichler; **Arsch|le|der** *m. 5* Gesäßschutz der Bergleute; **Arsch|loch** *s. 4*
Ar|sen [griech. oder arab.] *s. 1 nur Ez.* (*Zeichen:* As) chem. Element
Ar|se|nal [lat.-ital.] *s. 1* Geräte-, Waffenlager, Zeughaus
Ar|se|nat *s. 1* Salz der Arsensäure; **Ar|se|nid** *s. 1* Verbindung aus Arsen und einem Metall; **ar|se|nig** Arsenik enthaltend; arsenige Säure: Arsensauerstoffsäure; **Ar|se|nik** *s. 1 nur Ez.* Verbindung von Arsen und Sauerstoff; **Ar|se|nit** *s. 1* Salz der arsenigen Säure; **Ar|sen|kies** *m. 1 nur Ez.* ein Mineral
Ar|sis [griech.] *w. Gen. - Mz.* Arsen **1** *antike Metrik:* unbetonter Taktteil; *Ggs.:* Thesis; **2** *neuere Metrik:* betonter Taktteil, Hebung; **3** *Mus.:* Aufheben des Fußes bzw. der Arme beim Taktschlagen
Ars no|va [lat. »neue Kunst«] *w. Gen. - - nur Ez.* die mehrstimmige Musik des 14./15. Jh. in Florenz und Frankreich
Art 1 *w. 10;* er gehört zu der Art von Männern, die..., *aber:* →derart; **2** [engl. »Kunst«] *w. 9* künstlerisch gestaltetes Erzeugnis, z. B. Foto, Blatt der Gebrauchsgraphik
Art-di|rec|tor ► **Art|di|rec|tor** [ɑ:tdaɪrɛktə, engl.] *m. Gen. - -s Mz. - -s Werbung:* künstler. Leiter eines Ateliers oder einer Layoutgruppe
ar|te|fakt [lat.] künstlich hervorgerufen (Verletzung); **Ar|te|fakt** *s. 1* **1** Kunsterzeugnis, Erzeugnis menschlichen Könnens, z. B. vorgeschichtl. Werkzeug; **2** *Med.:* künstlich hervorgerufener Körperschaden (z. B. Verletzung) zwecks Täuschung
ar|tei|gen für eine bestimmte Art kennzeichnend
Ar|tel [-tjɛl, russ.] *s. 9* **1** Form der sowjet. Kollektivwirtschaft; **2** *im zarist. Russland:* Arbeiter- oder Handwerkergenossenschaft
Ar|te|mis *griech. Myth.:* Göttin der Jagd
ar|ten *intr. 2;* nach jmdm. arten: sich wie jmd. entwickeln
Ar|te|rie [-riə, griech.] *w. 11* vom Herzen wegführendes Blutgefäß, Schlagader, Pulsader; **ar|te|ri|ell** zur Arterie gehörig; arterielles Blut: Sauerstoff enthaltendes Blut; **Ar|te|ri|en|ver|kal|kung** *w. 10;* **Ar|te|ri|i|tis** *w. Gen. - Mz.* -ri|i|ti|den Entzündung der Arterie; **Ar|te|ri|o|skle|ro|se** *auch:* **Ar|te|ri|os|kle|ro|se** *w. 11* Arterienverkalkung; **ar|te|ri|o|skle|ro|tisch** *auch:* **ar|te|ri|os|kle|ro|tisch**
ar|te|sisch [nach der frz. Grafschaft Artois]; artesischer Brunnen: durch Druck höherer Grundwasserschichten zutage tretendes Grundwasser, Springquell
art|fremd; art|gleich
Ar|thral|gie *auch:* **Arth|ral|gie** [griech.] *w. 11* Gelenkschmerz;
Ar|thri|ti|ker *auch:* **Arth|ri|ti|ker** *m. 5* jmd., der an Arthritis leidet; **Ar|thri|tis** *auch:* **Arth|ri|tis** *w. Gen. - Mz.* -ti|den Gelenkentzündung; **ar|thri|tisch** *auch:* **arth|ri|tisch**
Ar|thro|po|de *auch:* **Arth|ro|po|de** [griech.] *m. 11 meist Mz.* Gliederfüßler
Ar|thro|se *auch:* **Arth|ro|se** [griech.] *w. 11,* **Ar|thro|sis** *auch:* **Arth|ro|sis** *w. Gen. - Mz.* -sen auf Abnutzung beruhendes Gelenkleiden
ar|ti|fi|zi|ell [lat.] künstlich, gekünstelt
ar|tig; Ar|tig|keit *w. 10;* jmdm. Artigkeiten sagen: Schmeicheleien sagen
Ar|ti|kel [auch: -ti-, lat.] *m. 5* **1** das grammat. Geschlecht anzeigendes Wort, Geschlechtswort, der, die, das, ein, eine, ein; **2** Abschnitt (eines Gesetzes oder Vertrages); **3** kleiner Aufsatz; **4** Glaubenssatz (einer Religion); **5** Ware
ar|ti|ku|lar [lat.] zum Gelenk gehörig; **Ar|ti|ku|la|ten** *Mz.* Glie-

► = wird zu

dertiere; **Ar|ti|ku|la|ti|on** *w. 10* **1** *Anat.:* Gelenkverbindung; **2** *Sprachw.:* Lautbildung, Aussprache; **3** *Mus.:* sinnvolle Gliederung einer Tonfolge; **ar|ti|ku|lie|ren** *tr. 3* **1** aussprechen; **2** zum Ausdruck bringen (Gedanken)

Ar|til|le|rie [auch: ar-, frz.] *w. 11* **1** mit Geschützen ausgerüstete Truppe; **2** die Geschützausrüstung selbst; **Ar|til|le|rist** *m. 10* Soldat der Artillerie; **ar|til|le|ris|tisch**

Ar|ti|scho|cke [arab.] *w. 11* in wärmeren Ländern angebaute Gemüsepflanze

Ar|tist 1 [frz.] *m. 10* Varietee- oder Zirkuskünstler; **2** [artist, engl.] *m. 9, Werbung:* Gebrauchsgrafiker, Fotograf, Typograf usw.; **Ar|tis|tik** *w. 10 nur Ez.* Kunst des Artisten (**1**); **ar|tis|tisch**

Ar|to|thek [lat. + griech.] *w. 10* Institution, die Werke der bildenden Kunst ausleiht

Ar|tung *w. 10* Beschaffenheit

art|ver|wandt

Art-Work ► **Art|work** [art wəːk, engl.] *s. Gen. --s Mz. --s, Werbung, Sammelbez. für* graf., fotograf., typograf. Gestaltung einer Anzeige

Art|wort *s. 4* Adjektiv, Adverb

Arz|nei *w. 10;* **arz|nei|lich; Arz|nei|mit|tel** *s. 5*

Arzt *m. 2;* **Ärz|tin** *w. 10;* **ärzt|lich; ärzt|li|cher|seits**

as *s. Gen. - Mz. -, Mus.:* **1** das um einen halben Ton erniedrigte a; **2** = as-Moll; **As 1** *s. Gen. - Mz. -, Mus.:* das um einen halben Ton erniedrigte A; = As-Dur; **2** *s. Gen. - Mz.* As|se, Spielkarte ► **Ass**

As 1 *chem. Zeichen für* Arsen; **2** *Abk. für* Amperesekunde

a. S. *Abk. für* auf Sicht (auf Wechseln)

A|sa foe|ti|da, A|sa fö|ti|da [lat.] *w. Gen. -- nur Ez.,* **A|sant** *m. 1 nur Ez., Tiermed.:* krampflösendes Mittel

asb *Abk. für* Apostilb

As|best [griech.] *m. 1* ein faseriges Mineral; **As|bes|to|se** *w. 11* durch Asbeststaub hervorgerufene Lungenkrankheit

Asch *m. 2, ostmitteldt.:* Napf, Schüssel, kleine Wanne

Asch|be|cher, A|schen|be|cher *m. 5;* **asch|bleich; asch|blond;**

A|sche *w. 11*

Ä|sche *w. 11* lachsartiger Fisch

A|schen|bahn *w. 10;* **A|schen|be|cher,** Asch|be|cher *m. 5;* **A|schen|blu|me** *w. 11* eine Zimmerpflanze, Zinerarie; **A|schen|brö|del, A|schen|put|tel** *s. 5;* **A|schen|re|gen** *s. 7*

A|scher *m. 5* Aschenbecher

Ä|scher *m. 5* **1** Aschen- und Kalklauge; **2** Fass, Grube dafür

A|scher|mitt|woch *m. 1* der Tag nach Fastnacht

ä|schern *tr. 1* im Äscher enthaaren (Felle)

asch|fahl; asch|far|ben; asch|grau; das geht ja ins Aschgraue: ins Uferlose, ins Unendliche; **a|schig** wie Asche, aus Asche

Asch|ke|na|sim [auch: -sim, hebr.] *Mz., Sammelbez. für* die ost- und mitteleurop. Juden; vgl. Sephardim; **asch|ke|na|sisch**

Asch|ku|chen [zu: Asch] *m. 7, ostmitteldt.:* Napfkuchen

ä|schy|le|isch von Äschylus stammend; **Ä|schy|lus** *griech.:* Ais|chy|los [aɪsçy-] altgriech. Dichter (um 525–456 v. Chr.)

ASCII *Abk. für* American Standard Code for Information Interchange: international gebräuchliche Verschlüsselung von 128 Zeichen in Binärzahlen

As|cor|bin|säu|re [griech.] *w. 11 nur Ez.* = Askorbinsäure

> **As-Dur-Tonleiter:** Bei Einzelbuchstaben (*A-Dur, Cis-Dur, S-Kurve* usw.) wird ein Bindestrich gesetzt. Handelt es sich um mehrteilige Zusammensetzungen, in denen eine Wortgruppe oder eine Zusammensetzung mit Bindestrich auftreten, so steht ein Bindestrich zwischen allen Teilen: *As-Dur-Tonleiter, D-Zug-Wagen.* →§ 44

As-Dur *s. Gen. - nur Ez.* (*Abk.:* As) eine Tonart; **As-Dur-Ton|lei|ter** *w. 11*

A|se|bie [griech.] *w. 11 nur Ez.* Gottlosigkeit; *Ggs.:* Eusebie

a sec|co = al secco

ä|sen *intr. 1* fressen (vom Wild außer Schwarz- und Raubwild)

A|sen *m. 11 Mz.* die german. Götter

A|sep|sis [griech.] *w. Gen. - nur Ez.* Keimfreiheit; **a|sep|tisch;**

A|sep|tik *w. 10 nur Ez.* keimfreie Wundbehandlung

Ä|ser 1 *Mz. von* Aas; **2** *m. 5* Maul (vom Wild), Geäse

As|gard *german. Myth.:* Wohnsitz der Götter

A|si|at *m. 10* Einwohner von Asien; **A|si|a|ti|ka** *Mz.* Bücher, Bilder, Dokumente über Asien; **a|si|a|tisch;** asiatische Grippe;

A|si|en einer der fünf Erdteile

As|ka|ri [arab.] *m. 9* eingeborener Soldat im ehemaligen Deutsch-Ostafrika

As|ka|ri|a|sis [griech.], As|ka|ri|di|a|sis *w. Gen. - nur Ez.* Spulwurmkrankheit; **As|ka|ris** *m. Gen. - Mz. -*ri|den im Darm schmarotzender Spulwurm

As|ke|se [griech.] *w. 11 nur Ez.* streng enthaltsame Lebensweise, Selbstüberwindung; **As|ket** *m. 10* jmd., der Askese übt; **As|ke|tik** *w. 10 nur Ez.* Lehre von der Askese; **as|ke|tisch** in der Art eines Asketen

As|kle|pi|os *griech. Name des* Äskulap

As|kor|bin|säu|re *fachsprachl.:* As|cor|bin|säu|re [griech.] *w. 11 nur Ez., chem. Bez. für* Vitamin C

Äs|ku|lap *griech.-röm. Myth.:* Gott der Heilkunde; **Äs|ku|lap|nat|ter** *w. 11* mittel- und südeurop. Schlange; **Äs|ku|lap|stab** *m. 2* von einer Schlange umwundener Stab, Symbol der Ärzte

as-Moll *s. Gen. - nur Ez.* (*Abk.:* as) eine Tonart; **as-Moll-Ton|lei|ter** *w. 11*

a|so|ma|tisch [auch: -ma-, griech.] nicht somatisch, körperlos, unkörperlich

A|sow|sche(s) Meer [asɔf-] *Gen.* des Asowschen Meeres, *nur Ez.* Seitenbecken des Schwarzen Meeres

a|so|zi|al [auch: a-, griech.] nicht sozial, unfähig zum Leben in der Gemeinschaft; **A|so|zi|a|li|tät** *w. 10 nur Ez.*

As|pa|ra|gin [griech.] *s. 1 nur Ez.* eine Aminosäure; **As|pa|ra|gus** [auch: -pa-] *m. Gen. - nur Ez.* eine Gemüse- und Zierpflanze, Spargel

As|pekt [lat.] *m. 1* **1** eine Seite (einer Sache); **2** Betrachtungsweise; **3** *bes. in den slaw. Sprachen:* Aktionsart des Verbums, die ausdrückt, ob ein Vorgang vollendet ist oder nicht; **4** bestimmte Stellung der Planeten zueinander

As|per|gill [lat.] *s. 1* Weihwasserwedel
A|sper|ma|tis|mus *auch:* **As|per|ma|tis|mus** [griech.] *m. Gen.- nur Ez.,* **A|sper|mie** *auch:* **As|per|mie** *w. 11 nur Ez.* Fehlen der Samenzellen im Samenerguss
As|per|si|on [lat.] *w. 10* Besprengung mit Weihwasser
As|phalt [griech.] *m. 1* Mischung aus Bitumen und Mineralstoffen, Erdharz, Erdpech; **as|phal|tie|ren** *tr. 3*
As|pho|de|le [griech.] *w. 11,* **As|pho|dill** *m. 1* = Affodill
as|phyk|tisch [griech.] auf Asphyxie beruhend; **As|phy|xie** *w. 11* Erstickung infolge Lähmung des Atemzentrums
As|pik [lat.-frz.] *m. 1, österr. auch: s. 1* säuerliches Gallert zum Einlegen von Fleisch oder Fisch; Ente in Aspik
As|pi|rant [lat.] *m. 10* Anwärter, Bewerber; **As|pi|ran|tur** *w. 10* Stelle eines Aspiranten
As|pi|ra|ta [lat.] *w. Gen.- Mz.-* tae *oder* -ten = Hauchlaut
As|pi|ra|teur [-tør, frz.] *m. 1* Absaugvorrichtung, die das Getreide vor dem Mahlen reinigt; **As|pi|ra|ti|on** [lat.] *w. 10* **1** *veraltet:* Streben, Bestrebung; **2** behauchte Aussprache (eines Lautes); **3** Ansaugung (von Flüssigkeit); **As|pi|ra|tor** *m. 13* Vorrichtung zum Ansaugen von Luft oder Gas; **as|pi|ra|to|risch** mit Hauchlaut (auszusprechen); **as|pi|rie|ren** **1** *tr. 3* mit Hauchlaut aussprechen; aspirierte Laute; **2** *intr. 3;* auf etwas a. *österr.:* sich um etwas bewerben

> **Ass:** Nach kurzem Vokal wird konsequent *-ss-* geschrieben, also: *das Ass* (bisher: Aß).

Aß ▶ **Ass** *s. Gen.- Mz.* As|se Spielkarte mit dem höchsten Wert; vgl. Daus; *übertr.:* Spitzenkönner, der Beste
Ass. *Abk. für* Assessor, Assistent
as|sai [ital.] *Mus.:* ziemlich, genug, z. B. allegro assai
as|sa|nie|ren [lat.] *tr. 3;* Felder a.: gesunde Bodenverhältnisse für Felder schaffen; Stadtteile a.: hygien. Verhältnisse für sie schaffen; **As|sa|nie|rung** *w. 10*
As|sas|si|ne [arab., zu: Haschisch] *m. 11* **1** Angehöriger eines mittelalterl. muslim. Geheimbunds; **2** *veraltet:* Meuchelmörder
As|se|ku|rant [lat.] *m. 10, veraltet:* Versicherer; **As|se|ku|ranz** *w. 10, veraltet:* Versicherung; Versicherungsgesellschaft; **As|se|ku|rat** *m. 10, veraltet:* Versicherter; **as|se|ku|rie|ren** *tr. 3* versichern
As|sel *w. 11* ein Krebstier
As|sem|blee [asɑ̃blḙ, frz.] *w. 11* Versammlung; **As|sem|blée na|ti|o|nale** [asɑ̃blḙ nasjonạl] *w. Gen.-- nur Ez.* die frz. Nationalversammlung; **As|sem|bler** [əsẹm-, engl. »Zusammensteller«] **1** eine maschinenorientierte Programmiersprache; **2** Computerprogramm, das diese Sprache in die rechnereigene Sprache übersetzt; **As|sem|bling** [əsẹm-, engl.] *s. 9* Zusammenschluss von Industriebetrieben zur Rationalisierung
as|sen|tie|ren [lat.] *tr. 3* **1** beizustimmen; **2** *österr.:* für tauglich zum Militärdienst erklären
as|se|rie|ren [lat.] *tr. 3* behaupten, feststellen; **As|ser|ti|on** *w. 10* Behauptung, Feststellung; **as|ser|to|risch**
As|ser|vat [lat.] *s. 1* amtlich aufbewahrter Gegenstand (z. B. für eine Gerichtsverhandlung); **as|ser|vie|ren** *tr. 3*
As|ses|sor [lat.] *m. 13* (*Abk.:* Ass.) Anwärter auf die höhere Beamtenlaufbahn nach dem Staatsexamen; **As|ses|so|rin** *w. 10*
As|si|bi|la|ti|on [lat.] *w. 10* Verwandlung eines Verschlusslautes in einen Reibelaut, z. B. niederdt. »Tid« in hochdt. »Zeit«; **as|si|bi|lie|ren** *tr. 3;* **As|si|bi|lie|rung** *w. 10 nur Ez.*
As|si|gna|te *auch:* **As|sig|na|te** [frz.] *w. 11* Geldschein in der Frz. Revolution; **as|si|gnie|ren** *auch:* **as|sig|nie|ren** *tr. 3* anweisen (Geld)
As|si|mi|lat [lat.] *s. 1* durch Assimilation entstandenes Produkt, z. B. Zucker; **As|si|mi|la|ti|on** *w. 10,* **As|si|mi|lie|rung** *w. 10* Angleichung, Verschmelzung, Überführung; **as|si|mi|la|to|risch** durch Assimilation; **as|si|mi|lie|ren** *tr. 3* angleichen, sich einverleiben; **As|si|mi|lie|rung** *w. 10* = Assimilation
As|si|sen [frz.] *w. 11 Mz., in Frankreich u. der Schweiz:* **1** Schwurgericht; **2** dessen Sitzungen
As|sis|tent [lat.] *m. 10* (*Abk.:* Ass.) Helfer, Mitarbeiter (bes. wissenschaftl.); **As|sis|tenz** *w. 10* Hilfe, Mitwirkung; **As|sis|tenz|arzt** *m. 2* Hilfsarzt; **as|sis|tie|ren** *intr. 3*
As|so|cié [asɔsjḙ, frz.] *m. 9, veraltet:* Teilhaber
As|so|nanz [lat.] *w. 10* Gleichklang nur der Vokale, nicht aber der Konsonanten beim Reim, z. B. »Segen« und »Leben«
as|sor|tie|ren [frz.] *tr. 3* mit Waren versehen, vervollständigen (Lager)
As|so|zi|a|ti|on [lat.] *w. 10* Vereinigung, Zusammenschluss, Verknüpfung, Verbindung; *Ggs.:* Dissoziation; **as|so|zi|a|tiv** durch Verknüpfung von Vorstellungen bewirkt, verbindend; *Ggs.:* dissoziativ; **as|so|zi|ie|ren** *tr. 3* verbinden, verknüpfen; *Ggs.:* dissoziieren; **As|so|zi|ie|rung** *w. 10*
ASSR *früher Abk. für* Autonome Sozialistische Sowjetrepublik
As|su|an ägypt. Stadt; **As|su|an|stau|damm** *m. 2 nur Ez.*
As|sump|ti|on *w. 10 nur Ez.* = Assumtion; **As|sump|ti|o|nist** [lat.] *m. 10* Angehöriger der Kongregation der Augustiner von der Himmelfahrt Mariä; **As|sum|ti|on,** As|sump|ti|on *w. 10* **1** *nur Ez.* Himmelfahrt Mariä; **2** = Assunta, Assunzione; **As|sun|ta** *w. Gen.- Mz.* -ten, **As|sun|zi|o|ne** *w. 11* bildl. Darstellung der Himmelfahrt Mariä
As|sy|ri|en antikes Reich in Mesopotamien; **As|sy|ri|er,** As|sy|rer *m. 5;* **As|sy|ri|o|lo|ge** *m. 11;* **As|sy|ri|o|lo|gie** *w. 11 nur Ez.* Wissenschaft von den assyr.-babylon. Sprachen und Kulturen; **as|sy|ri|o|lo|gisch; as|sy|risch**
Ast *m. 2*
AStA *m. Gen.- nur Ez., Kurzw. für* Allgemeiner Studentenausschuss
A|sta|sie *auch:* **As|ta|sie** [griech.] *w. 11, Med.:* Unruhe, Unfähigkeit, ruhig zu stehen (bes. bei Hysterie)
A|sta|tin *auch:* **As|ta|tin** [griech.] *s. 1 nur Ez.* (*Zeichen:*

At) künstlich hergestelltes chem. Element
a|sta|tisch *auch:* **as|ta|tisch** **1** *Med.:* unstet, unruhig; **2** *Phys.:* gegen Beeinflussung durch äußere elektr. und magnet. Felder geschützt
Äst|chen *s. 7*
äs|ten *intr. 2, ugs.:* rennen, sich beeilen
As|ter [griech.] *w. 11* Sternblume, eine Zierpflanze; **as|terisch** sternähnlich; **As|te|ris|kus** *m. Gen. - Mz.* -ken, *Buchdruck:* Sternchen (*); **As|te|ro|id** *m. 12 oder m. 10* = Planetoid
Asthe|nie *auch:* **As|the|nie** [griech.] *w. 11* allgemeine Körperschwäche; **Asthe|ni|ker** *m. 5* schmächtiger, zart gebauter Mensch; **asthe|nisch**
Äs|the|sie [griech.] *w. 11 nur Ez.* Empfindungsvermögen; **Äs|thet** *m. 10* überfeinerter Freund des Schönen; **Äs|the|tik** *w. 10 nur Ez.* Wissenschaft vom Schönen; **Äs|the|ti|ker** *m. 5* Kenner der Ästhetik; **äs|the|tisch** im Sinne der Ästhetik, auf ihr beruhend; schön, geschmackvoll; **äs|the|ti|sie|ren** *tr. 3* einseitig nach den Gesetzen der Ästhetik gestalten oder beurteilen; **Äs|the|ti|zis|mus** *m. Gen. - nur Ez.* einseitig ästhetische Lebenshaltung oder Kunstbetrachtung; **Äs|the|ti|zist** *m. 10;* **äs|the|ti|zis|tisch**
Asth|ma [griech.] *s. 9 nur Ez.* anfallsweise auftretende Atemnot; **Asth|ma|ti|ker** *m. 5* jmd., der an Asthma leidet; **asth|ma|tisch**
As|ti *m. Gen.* -(s) *Mz.* - Wein aus der Gegend um die ital. Stadt Asti; Asti spumante: ital. Schaumwein
äs|tig astreich, stark verästelt
a|stig|ma|tisch *auch:* **as|tig|ma|tisch** [griech.] Punkte strichförmig verzerrend (von opt. Linsen, auch von der Augenlinse); **A|stig|ma|tis|mus** *auch:* **As|tig|ma|tis|mus** *m. Gen. - nur Ez.* Abbildungsfehler von Linsen, linear verzerrte Punktwiedergabe; *auch:* Augenfehler, Stabsichtigkeit
Äs|ti|ma|ti|on [lat.] *w. 10 nur Ez.* Hochschätzung, Beachtung, Würdigung; **äs|ti|mie|ren** *tr. 3* hochachten, schätzen; beachten
Äst|lein *s. 7;* **Ast|loch** *s. 4* als Loch oder Fleck im Brettholz sichtbare Ansatzstelle des Astes
As|tra|chan *auch:* **Ast|ra|chan** [-xa:n] **1** südruss. Stadt; **2** *m. 9* Fell eines südruss. Lammes
astral *auch:* **as|tral** *auch:* **ast|ral** [griech.] die Gestirne betreffend, von ihnen stammend; **Astral|leib** *auch:* **As|tral|leib** *m. 3, Okkultismus:* ätherischer, nach dem Tode fortlebender Leib des Menschen, Umhüllung der Seele; **Astral|re|li|gi|on** *auch:* **As|tral|re|li|gi|on** *w. 10* relig. Verehrung von Gestirnen
astrein *ugs.:* in Ordnung; die Sache ist nicht ganz astrein
Astro|bo|ta|nik *auch:* **As|tro|bo|ta|nik** *w. 10 nur Ez.* Erforschung der Lebensbedingungen für pflanzl. Lebewesen auf anderen Sternen; **Astro|fo|to|gra|fie** *auch:* **As|tro|fo|to|gra|fie** *w. 11 nur Ez.* Fotografie der Himmelskörper; **Astro|fo|to|me|trie** *auch:* **As|tro|fo|to|me|trie** *w. 11 nur Ez.* Wissenschaft von der wahren und scheinbaren Helligkeit der Gestirne; **Astro|graph** *auch:* **As|tro|graph** [griech.] *m. 10* **1** Fernrohr mit Einrichtung zum Fotografieren des Sternhimmels; **2** Gerät zum Zeichnen von Sternkarten; **Astro|gra|phie** *auch:* **As|tro|gra|phie** *w. 11 nur Ez.* Sternbeschreibung; **Astro|la|bi|um** *auch:* **As|tro|la|bi|um** *s. Gen.* -s *Mz.* -bi|en altes astronom. Instrument; **Astro|lo|ge** *auch:* **As|tro|lo|ge** *m. 11;* **Astro|lo|gie** *auch:* **As|tro|lo|gie** *auch:* **Ast|ro|lo|gie** *w. 11 nur Ez.* Lehre vom angebl. Einfluss der Gestirne auf das menschliche Schicksal; **astro|lo|gisch** *auch:* **as|tro|lo|gisch;** **Astro|me|ter** *auch:* **As|tro|me|ter** *s. 5* Gerät zum Messen der Helligkeit von Sternen; **Astro|me|trie** *auch:* **As|tro|me|trie** *w. 11 nur Ez.* Zweig der Astronomie, der sich mit der Bestimmung der Örter der Gestirne beschäftigt; vgl. Astrofotometrie; **Astro|naut** *auch:* **As|tro|naut** *m. 10* Weltraumfahrer; **Astro|nau|tik** *auch:* **As|tro|nau|tik** *w. 10 nur Ez.* Weltraumfahrt; **astro|nau|tisch** *auch:* **as|tro|nau|tisch;** **Astro|nom** *auch:* **As|tro|nom** *m. 10;* **Astro|no|mie** *auch:* **As|tro|no|mie** *w. 11 nur Ez.* Wissenschaft von den Gestirnen, Sternkunde; **astro|no|misch** *auch:* **as|tro|no|misch;** **Astro|phy|sik** *auch:* **As|tro|phy|sik** *w. 10 nur Ez.* Wissenschaft von der physikal. Beschaffenheit der Himmelskörper
Äs|tu|ar, **Äs|tu|a|ri|um** [lat.] *s. Gen.* -s *Mz.* -ri|en trichterförmige Flussmündung
As|tu|ri|en historische span. Provinz; **As|tu|ri|er** *m. 5;* **as|tu|risch**
ASU *w. 9, Abk. für* Abgassonderuntersuchung
Ä|sung *w. 10 nur Ez.* das Äsen; Nahrung (des Wildes), Geäse
A|syl [griech.] *s. 1* **1** Zufluchtsort (für Verfolgte), Freistatt; **2** Heim (für Obdachlose); **A|sy|lant** *m. 10* jmd., der um Asyl (**1**) bittet; **A|syl|recht** *s. 1*
A|sym|me|trie *auch:* **A|sym|met|rie** *w. 11 nur Ez.* Mangel an Symmetrie, Ungleichmäßigkeit; **a|sym|me|trisch** *auch:* **a|sym|met|risch**
A|symp|to|te *auch:* **A|symp|to|te** [griech.] *w. 11* Gerade, der sich eine Kurve nähert, ohne sie (im Endlichen) zu erreichen; **a|sym|pto|tisch** *auch:* **a|symp|to|tisch** in der Art einer Asymptote
a|syn|chrom [-krom, griech.] *nur in der Fügung* asynchromer Druck: Mehrfarbendruck, bei dem für jede Farbe eine Druckplatte verwendet wird
a|syn|chron [-kron, griech.] nicht gleichzeitig; *Ggs.:* synchron; **A|syn|chron|mo|tor** *m. 12* Elektromotor mit frequenzunabhängiger Drehzahlregelung
a|syn|de|tisch [griech.] nicht durch Bindewörter verbunden (Sätze, Satzteile); *Ggs.:* syndetisch; **A|syn|de|ton** *s. Gen.* -s *Mz.* -ta Aneinanderreihung von Sätzen oder Satzteilen ohne Bindewörter, z. B. »Ich kam, ich sah, ich siegte« (Cäsar); *Ggs.:* Polysyndeton
A|szen|dent *auch:* **As|zen|dent** [lat.] *m. 10* **1** Verwandter in aufsteigender Linie, Vorfahr; **2** aufgehendes Gestirn; **3** Aufgangspunkt eines Gestirns; *Ggs.:* Deszendent; **A|szen|denz** *auch:* **As|zen|denz** *w. 10* **1** Verwandtschaft in aufsteigender Linie; **2** Aufgang (eines Gestirns); *Ggs.:* Deszendenz; **a|szen|die|ren** *auch:* **as|zen-**

dieren *intr. 3* aufsteigen, aufgehen; *Ggs.:* deszendieren
As|ze|se *w. 11 nur Ez.* = Askese
at *veraltet, Abk. für* Atmosphäre, *heute:* Bar
At *chem. Zeichen für* Astatin
AT, A. T. *Abk. für* Altes Testament
a|tak|tisch [griech.] auf Ataxie beruhend, ungleichmäßig
A|ta|man *m. 1* Stammes- und militär. Führer der Kosaken
A|ta|ra|xie [griech.] *w. 11 nur Ez.* unerschütterliche Ruhe, Gleichmut
A|ta|vis|mus [lat.] *m. Gen. - Mz.* -men Wiederauftreten von Eigenschaften oder Anschauungen der Ahnen; **a|ta|vis|tisch**
A|ta|xie [griech.] *w. 11* Störung des geordneten Bewegungsablaufs in Form von schleudernden Bewegungen
A|te|lier [-lje, frz.] *s. 9* **1** Werkstatt eines Künstlers, eines Maßschneiders; **2** Raum für fotografische oder Filmaufnahmen
A|tel|la|ne [nach der altröm. Stadt Atella) *w. 11* altröm. Stegreifkomödie
A|tem *m. Gen. -s nur Ez.;* außer A. sein; zu A. kommen; **a|tem|be|rau|bend; a|tem|los; A|tem|not** *w. 2 nur Ez.*
a tem|po [ital.] **1** *Mus.:* wieder im gleichen Tempo (zu spielen); **2** *ugs.:* sofort, schnell; bitte (ein bisschen) a tempo!
Ä|than *fachsprachl.:* Ethan [griech.] *s. 1 nur Ez.* ein gasförmiger gesättigter Kohlenwasserstoff
A|tha|na|si|a|ner *m. 5* Anhänger der Lehre des Kirchenvaters Athanasius, dass Gott und Christus wesensgleich sind; vgl. Arianismus; **a|tha|na|si|a|nisch**
A|tha|na|sie [griech.] *w. 11 nur Ez.* Unsterblichkeit; **A|tha|na|tis|mus** *m. Gen. - nur Ez.* Lehre von der Unsterblichkeit
Ä|tha|nol *fachsprachl.:* Ethanol [Kurzw. aus Äthan und Alkohol] *s. 1 nur Ez.* = Äthylalkohol
A|tha|pas|ke, A|tha|bas|ke *m. 11* Angehöriger einer Gruppe nordamerik. Indianerstämme
A|the|is|mus [griech.] *m. Gen. - nur Ez.* Verneinung der Existenz Gottes; **A|the|ist** *m. 10;* **a|the|is|tisch**

A|then Hst. von Griechenland
A|the|nä|um *s. Gen. -s Mz. -nä|en* **1** Tempel der Göttin Athene; **2** Titel einer Literaturzeitschrift um 1800; **3** Name von wissenschaftl. Instituten, die sich mit dem Altertum beschäftigen
A|the|ne griech. Göttin der Weisheit
A|the|ner *m. 5* Einwohner von Athen; **a|the|nisch**
Ä|ther [griech.] *m. 5 nur Ez.* **1** Himmel, Himmelsluft; **2** *Chem., fachsprachl:* Ether Oxid eines Kohlenwasserstoffs; **ä|the|risch 1** *fachsprachl.:* etherisch, ätherartig; **2** himmlisch; **3** hauchzart; vergeistigt; **4** wohlriechend; **ä|the|ri|sie|ren** *fachsprachl.:* etherisieren *tr. 3* mit Äther behandeln
a|ther|man [griech.] undurchlässig für Wärmestrahlen; *Ggs.:* diatherman
A|the|rom [griech.] *s. 1* Talgdrüsengeschwulst, Grützbeutel
Ä|thi|o|pi|en ostafrik. Republik; **Ä|thi|o|pi|er** *m. 5;* **ä|thi|o|pisch**
Ath|let [griech.] *m. 10* **1** Wettkämpfer; **2** sehr starker, kräftig gebauter Mann; **Ath|le|tik** *w. 10 nur Ez.* **1** Wettkampflehre; **2** sportl. Wettkampf; **Ath|le|ti|ker** *m. 5* muskulöser, starkknochiger Menschentyp; **ath|le|tisch**
A|thos [griech. »heiliger Berg«] Mönchsrepublik auf einem Berg der südöstl. Spitze von Chalkidike

> **Äthyl/Ethyl** bzw. **Äther/Ether:** In der Gemeinsprache werden *Äthyl* bzw. *Äther* geschrieben, in den Fachsprachen der Naturwissenschaften *Ethyl* und *Ether.* →§ 32 (2)

Ä|thyl *fachsprachl.:* Ethyl [griech.] *s. 1 nur Ez.* organische, einwertige Molekülgruppe, vom Äthan abgeleitet; **Ä|thyl|al|ko|hol** *fachsprachl.:* Ethylalkohol *m. 1 nur Ez.* der gewöhnl. Alkohol; **Ä|thy|len** *s. 1 nur Ez. fachsprachl.:* Ethylen ein ungesättigter Kohlenwasserstoff
A|thy|mie [griech.] *w. 11 nur Ez.* Mutlosigkeit, Schwermut
Ä|ti|o|lo|gie [griech.] *w. 11 nur Ez.* Lehre von den Ursachen, bes. der Krankheiten; **ä|ti|o|lo|gisch**
At|lant [griech., zu: Atlas] *m. 10, Baukunst:* das Gebälk tragende Männergestalt; **At|lan|tik** *m. Gen. -s nur Ez.* der Atlant. Ozean; **At|lan|tis** Name eines sagenhaften, im Meer versunkenen Insellandes; **at|lan|tisch** zum Atlantik gehörig; *aber:* Atlantischer Ozean
At|las 1 *griech. Myth.:* die Himmelskugel tragender Riese; **2** *m. 1 oder Gen. - Mz.* -lan|ten Buch mit Landkarten; Buch mit Abbildungen über ein Wissensgebiet; **3** *m. Gen. - nur Ez.* nordwestafrik. Gebirge; **4** *m. Gen. - oder* -las|ses Name des obersten Halswirbels; **5** *m. 1* ein Seidengewebe; **at|las|sen** aus Atlas (**5**)
atm, Atm *veraltete Abk. für* Atmosphäre, *heute:* Bar
At|man [sanskr.] *m. 1, ind. Rel.:* Atem, Seele, Selbst
at|men *intr. 2*
At|mo|me|ter [griech.] *s. 5* Gerät zum Messen der Wasserverdunstung
At|mo|sphä|re *auch:* **At|mos|phä|re** [griech.] *w. 11* **1** Gashülle eines Planeten, *bes.:* die Lufthülle der Erde; **2** nicht mehr zulässige Maßeinheit für den Luftdruck, *heute:* Bar; **3** *übertr.:* Stimmung, Umwelt; **At|mo|sphä|ri|li|en** *auch:* **At|mos|phä|ri|li|en** *Mz.* Gesamtheit der in der atmosphärischen Luft enthaltenen Stoffe; **at|mo|sphä|risch** *auch:* **at|mos|phä|risch** die Atmosphäre (**1**) betreffend, in der Atmosphäre (**1**) befindlich; hinsichtlich der Atmosphäre (**3**)
At|mung *w. 10* **At|mungs|or|gan** *s. 1*
Ät|na *m. Gen. -s* Vulkan auf Sizilien
Ä|to|li|en historische griech. Landschaft; **ä|to|lisch**
A|toll [indones.?] *s. 1* ringförmige Koralleninsel
A|tom [griech.] *s. 1* kleinstes Teilchen eines chem. Elements; **a|to|mar 1** das Atom betreffend, auf ihm beruhend; **2** auf Atomwaffen beruhend; **A|tom|bom|be** *w. 11;* **A|tom|bun|ker** *m. 5* Schutzraum gegen Atomwaffen; **A|tom|en|er|gie** *auch:* **-e|ner-** *w. 11* Kernenergie; **A|tom|ge|wicht** *s. 1;* **a|to|mi|sie|ren** *tr. 3* in Atome zerkleinern, völlig zerstören; **A|to|mis|mus** *m. Gen. - nur Ez.,* **A|to|mis|tik** *w. 10 nur Ez.* Lehre, dass alle Materie aus kleinsten, unteilba-

ren Teilchen (Atomen) bestehe; **a|to|mis|tisch; A|tom|kern** *m. 1;* **A|tom|kraft|werk** *s. 1* Kernkraftwerk; **A|tom|mei|ler** *m. 5* = Reaktor; **A|tom|müll** *m. 1 nur Ez.;* **A|tom|phy|sik** *w. 10 nur Ez.;* **A|tom|re|ak|tor** *m. 13* = Reaktor; **A|tom|stopp** *m. 9, ugs. kurz für* Atomversuchsstopp; **A|tom-U-Boot** *s. 1;* **A|tom|ver|suchs|stopp** *m. 9* Einstellung der Versuche mit Atombomben

a|to|nal nicht tonal, nicht auf einen Grundton bezogen, zwölftonig; atonale Musik; **A|to|na|list** *m. 10* Vertreter der atonalen Musik; **A|to|na|li|tät** *w. 10 nur Ez.* atonale Kompositionsweise; *Ggs.:* Tonalität

A|to|nie [zu: Tonus] *w. 11* Erschlaffung, bes. der Muskeln; **a|to|nisch**

A|to|non [griech.] *s. Gen.* -s *Mz.* -na unbetontes, unvollständiges Wort, das sich an ein vorangehendes anlehnt, z. B. das »es« in »ich bin's«

A|tout [atu, frz.] *m. 9 oder s. 9, Kartenspiel:* Trumpf

à tout prix [atupri, frz.] um jeden Preis

a|to|xisch nicht toxisch, ungiftig

A|tre|sie *auch:* **At|re|sie** [griech.] *w. 11* angeborenes Fehlen einer Körperöffnung, z. B. des Afters

A|treus [atrɔis] griech. Sagengestalt, Vater des Agamemnon

A|tri|chie, A|tri|cho|se *auch:* **At|ri-** [griech.] *w. 11* Haarlosigkeit, Kahlheit

A|tri|den *auch:* **At|ri|den** *m. 11 Mz., griech. Myth.:* die Söhne des Atreus

A|tri|um *auch:* **At|ri|um** [lat.] *s. Gen.* -s *Mz.* -tri|en **1** Hauptraum des altröm. Hauses; **2** *Baukunst:* Innenhof; **3** *Anat.:* Vorhof des Herzens

A|tro|phie *auch:* **At|ro|phie** [griech.] *w. 11* Schwund von Muskeln, Zellgewebe, Organen, z. B. infolge mangelhafter Ernährung; **a|tro|phisch** *auch:* **at|ro|phisch**

A|tro|pin *auch:* **At|ro|pin** [griech.] *s. 1 nur Ez.* in der Tollkirsche enthaltenes Gift

At|ro|zi|tät [lat.] *w. 10* Grausamkeit

ätsch! *ugs.*

at|ta|cca [ital.] *Mus.:* ohne Unterbrechung anschließen

At|ta|ché [-ʃe, frz.] *m. 9* **1** Anwärter auf den diplomat. Dienst; **2** Sachverständiger einer Auslandsvertretung, z. B. Kulturattaché; **at|ta|chie|ren** [-ʃi-] *tr. 3* zugesellen, zuteilen

At|ta|cke [frz.] *w. 11* **1** Angriff, bes. der Kavallerie; **2** Krankheits-, Schmerzanfall; **at|ta|ckie|ren** *tr. 3* angreifen

At|ten|tat [auch: at-, lat.-frz.] *s. 1* polit. Mordanschlag; **At|ten|tä|ter** [auch: at-] *m. 5*

At|ten|ti|on! [atɑ̃sjɔ̃, frz.] Achtung!, Vorsicht!

At|ten|tis|mus [lat.-frz.] *m. Gen.* - *nur Ez.* Zurückhaltung der Entscheidung, bis eine von zwei streitenden Parteien erfolgreich ist

At|test [lat.] *s. 1* ärztl. Bescheinigung, Zeugnis; **At|tes|ta|ti|on** *w 10, ehem. DDR:* (bei langjähriger fachlicher Tätigkeit) Qualifikationsbescheinigung ohne Prüfungsnachweis; **at|tes|tie|ren** *tr. 3* bescheinigen

Ät|ti *s. 9, alem.:* Vater

At|ti|ka **1** griech. Halbinsel; **2** *w. Gen.* - *Mz.* -ken, *Baukunst:* brüstungsartige Wand über dem Hauptgesims; niedriges Obergeschoss

At|ti|la **1** Hunnenkönig (gest. 453); **2** *w. 9* mit Schnüren besetzte Husarenjacke

at|tisch zu Attika **(1)** gehörig, aus ihm stammend; attisches Salz: feiner Witz, Geist

At|ti|tü|de [frz.] *w. 11* **1** ausdrucksvolle Körperhaltung, Pose; **2** Einstellung, Haltung (gegenüber jmdm. oder etwas); **3** *Ballett:* Körperstellung mit nach hinten erhobenem Bein und angewinkeltem Unterschenkel

At|ti|zis|mus [zu: Attika] *m. Gen.* - *nur Ez.* Sprachgebrauch der att. Dichter sowie später dessen Pflege und Nachahmung; **At|ti|zist** *m. 10* Vertreter des Attizismus; **at|ti|zis|tisch**

At|to... *vor Maßeinheiten:* ein Trillionstel (10^{-18})

At|trak|ti|on [lat.] *w. 10* **1** Anziehung, Anziehungskraft; **2** Glanznummer (im Zirkus); **3** bes. gut gehende Ware; **at|trak|tiv** anziehend; **At|trak|ti|vi|tät** *w. 10 nur Ez.* Anziehungskraft

At|trap|pe [frz. »Falle«] *w. 11* **1** Nachbildung, Schaupackung; **2** Person oder Sache ohne Bedeutung oder ohne Einfluss

at|tri|bu|ie|ren [lat.] *tr. 3, Gramm.* **1** als Attribut verwenden; **2** mit einem Attribut versehen; **At|tri|but** *s. 1* **1** Merkmal, Eigenschaft; **2** bestimmter Gegenstand als Kennzeichen einer Person, z. B. der Schlüssel für den hl. Petrus; **3** *Gramm.:* nähere Bestimmung eines Substantivs, Adjektivs oder Adverbs, Beifügung; **at|tri|bu|tiv** *Gramm.:* als Attribut (gebraucht); **At|tri|but|satz** *m. 2* Beifügung in Form eines Gliedsatzes

At|tri|ti|on [lat.] *w. 10 nur Ez., kath. Kirche:* die unvollkommene, nur aus Furcht vor Strafe empfundene Reue; *Ggs.:* Kontrition

atü *veraltete Abk. für* Atmosphärenüberdruck, *heute:* Bar

a|ty|pisch [auch: aty-, griech.] von der Regel abweichend

at|zen *tr. 1* füttern (Raubvögel)

ät|zen *tr. 1* mit Säure oder Lauge behandeln; **ät|zend** *ugs.* unangenehm, verärgernd

Ätz|ka|li *s. 9* Kaliumhydroxid

At|zung *w. 10* Fütterung, Nahrung (von Raubvögeln)

Ät|zung *w. 10* **1** Behandlung mit Chemikalien; **2** Druckplatte mit durch Ätzen herausgearbeitetem Bild

au!; au Backe!, au verflixt!, *aber:* auweh!

Au *chem. Zeichen für* Gold (aurum)

Au *w. 10* = Aue

Au|ber|gi|ne [obɛrʒinə, arab.-frz.] *w. 11* eine Gemüseart, Eierfrucht

Au|bri|e|tie [obrietsjə, nach dem frz. Blumenmaler Aubriet] *w. 11* eine mittelmeer. Zierpflanze

a. u. c. *Abk. für* ab urbe condita

auch; auch wenn; wenn auch

Au|di|a|tur et al|te|ra pars [lat.] Auch der andere Teil muss gehört werden (röm. Rechtsgrundsatz); **Au|di|enz** *w. 10* feierlicher offizieller Empfang (bei hochgestellten Persönlichkeiten); **Au|dio-Art** [lat. + engl.] *w. Gen.* - *nur Ez.* moderne Kunst, die sich akustischer Mittel bedient (Rundfunk, Schallplatte, Tonband); **Au|di|o|gramm** [lat. + griech.] *s. 1* graf. Darstellung der mit dem Au-

diometer festgestellten Werte; **Au|di|o|me|ter** *s. 5* Gerät zum Messen des menschl. Hörvermögens; **Au|di|o|me|trie** *auch:* **-met|rie** *w. 11 nur Ez.;* **au|di|o|me|trisch** *auch:* **-met|risch**
Au|di|on [lat.] *s. Gen.* -s *Mz.* -s *oder* -di|o|nen Bauelement von Verstärkerschaltungen
Au|dio-Vi|deo-Tech|nik *w. 10* Technik des Übertragens und Empfangens von Ton und Bild; **au|di|o|vi|su|ell** [lat.] das Hören und Sehen betreffend; **Au|di|teur** [-tør, frz. »Zuhörer«] *m. 1, früher:* Rechtsgelehrter beim Militärgericht; **Au|di|ti|on** *w. 10* Vorsingen, Vorspielen (von Sängern, Schauspielern); **au|di|tiv** [lat.] das Hören betreffend, auf ihm beruhend; **Au|di|tor** *m. 13* **1** Richter, Beamter der röm. Kurie; **2** *schweiz.:* öffentl. Ankläger beim Militärgericht; **Au|di|to|ri|um** *s. Gen.* -s *Mz.* -ri|en **1** Hörsaal einer Universität; **2** Zuhörerschaft; A. maximum: größter Hörsaal einer Universität
Aue *w. 11,* Au *w. 10;* **Au|en|wald,** Au|wald *m. 4*
Au|er|hahn *m. 2;* **Au|er|hen|ne** *w. 11;* **Au|er|huhn** *s. 4*
Au|er|licht [nach dem Erfinder Auer von Welsbach] *s. 3 nur Ez.* Gasglühlicht; **Au|er|me|tall** *s. 1 nur Ez.* eine Zer-Eisen-Legierung
Au|er|och|se *m. 11* ausgestorbenes Wildrind, Ur

> **auf:** Substantivierte Präpositionen werden großgeschrieben: *das Auf und Ab;* auch: *Er stand im Aus.* →§ 57 (5)

auf **1** *Präp. mit Dat. u. Akk.;* auf dem Bett liegen; auf das Bett legen; aufgrund, *auch:* auf Grund; **2** *Adverb;* auf und ab gehen, auf und davon gehen; *aber:* das Auf und Ab des Lebens; **3** auf!: vorwärts!, los!
auf|ar|bei|ten *tr. 2;* **Auf|ar|bei|tung** *w. 10 nur Ez.*
auf|at|men *intr. 2*
auf|ba|cken *tr. 4*
auf|bah|ren *tr. 1;* **Auf|bah|rung** *w. 10*
Auf|bau **1** *m. Gen.* -s *nur Ez.;* **2** *m. Gen.* -s *Mz.* -bau|ten aufgesetzter Bauteil; *meist Mz.;* Schiffsräume auf Deck; **auf|bau|en** *tr. 1*
auf|bau|men *intr. 1, Jägerspr.:* auf einen Baum fliegen (Federwild), auf einen Baum klettern (kleine Raubtiere)
auf|bäu|men **1** *refl. 1;* **2** *tr. 1, Weberei:* auf den Kettbaum aufdrehen
auf|bau|schen *tr. 1, ugs.:* übertreiben
auf|be|geh|ren *intr. 1;* gegen etwas aufbegehren
auf|be|rei|ten *tr. 2* vorbereitend bearbeiten (Material); **Auf|be|rei|tung** *w. 10 nur Ez.*
auf|bes|sern *tr. 1;* ich bessere, bessre es, ihn auf; **Auf|bes|se|rung** *w. 10*
auf|be|wah|ren *tr. 1;* **Auf|be|wah|rung** *w. 10;* **Auf|be|wah|rungs|ort** *m. 1*
auf|bie|ten *tr. 13;* **Auf|bie|tung** *w. 10 nur Ez.*
auf|blä|hen *tr. 1;* **Auf|blä|hung** *w. 10*
auf|blei|ben *intr. 17* nicht schlafen gehen
auf|bre|chen *tr. u. intr. 19; auch Jägerspr.:* ausweiden (Wild)
auf|brin|gen *tr. 21* **1** jmdn. a.; **2** ein Schiff a.: kapern
Auf|bruch *m. 2; auch Jägerspr.:* die Organe des aufgebrochenen Wilds; *Bergbau:* Blindschacht
auf|brum|men *tr. 1;* jmdm. eine Strafe aufbrummen
auf|bü|geln *tr. 1;* ich bügele, bügle den Anzug auf
auf|bür|den *tr. 2*
auf dass *veraltet:* damit
auf|din|gen *tr. 23, österr.:* in Dienst nehmen
auf|don|nern *refl. 1, ugs.:* sich auffallend, überladen kleiden
auf|drän|gen *tr. 1*
auf|dring|lich; **Auf|dring|lich|keit** *w. 10 nur Ez.*
auf|drö|seln *tr. 1* aufdrehen (Faden), auftrennen (Gestricktes); ich drösele, drösle es auf

> **aufeinander:** Verbindungen aus mehrteiligem Adverb und Verb werden getrennt geschrieben: *aufeinander achten/prallen/liegen/stoßen.* Ebenso: *abhanden kommen, auseinander gehen, beiseite legen, zunichte machen.* →§ 34 E3 (2)

Auf|druck *m. 1;* **auf|dru|cken** *tr. 1*
auf|ein|an|der; *in Verbindung mit Verben Getrenntschreibung:* aufeinander legen; aufeinander stellen; aufeinander warten
Auf|ent|halt *m. 1;* **Auf|ent|hal|ter** *m. 5, schweiz.:* Durchreisender, Gast; **Auf|ent|halts|er|laub|nis** *w. 1;* **Auf|ent|halts|ge|neh|mi|gung** *w. 10;* **Auf|ent|halts|ort** *m. 1*
auf|er|le|gen *tr. 1;* **Auf|er|le|gung** *w. 10 nur Ez.*
auf|er|ste|hen *intr. 151;* **Auf|er|ste|hung** *w. 10 nur Ez.*
auf|er|we|cken *tr. 1*
auf|fah|ren *intr. 32;* **Auf|fahr|scha|den** *m. 8;* **Auf|fahr|un|fall** *m. 2;* **Auf|fahrt** *w. 10*
auf|fal|len *intr. 33;* **auf|fäl|lig;** **Auf|fäl|lig|keit** *w. 10 nur Ez.*
auf|fan|gen *tr. 34;* **Auf|fang|la|ger** *s. 5*
auf|fas|sen *tr. 1;* **Auf|fas|sung** *w. 10;* **Auf|fas|sungs|ga|be** *w. 11 nur Ez.*
auf|fin|den *tr. 36;* **Auf|fin|dung** *w. 10 nur Ez.*
auf|for|dern *tr. 1;* **Auf|for|de|rung** *w. 10*
auf|fors|ten *tr. 2* neu anpflanzen (Wald); **Auf|fors|tung** *w. 10*
auf|fri|schen **1** *tr. 1;* **2** *intr. 1* stärker wehen; auffrischende Winde; **Auf|fri|schung** *w. 10*
auf|füh|ren *tr. 1;* **Auf|füh|rung** *w. 10,* **Auf|füh|rungs|recht** *s. 1*
Auf|ga|be *w. 11*
auf|ga|beln *tr. 1, ugs.*
Auf|ga|ben|be|reich *m. 1;* **Auf|ga|be|ort** *m. 1;* **Auf|ga|be|stem|pel** *m. 5*
Auf|ga|lopp *m. 1 oder m. 9* **1** gemeinsamer Galopp der Pferde zum Start; **2** erstes Pferderennen der Saison; **3** *ugs.:* Auftakt (der Sportsaison)
Auf|gang *m. 2;* **Auf|gangs|punkt** *m. 1*
auf|ge|ben *tr. 45*
auf|ge|bla|sen; *übertr.:* eitel und wichtigtuerisch
Auf|ge|bot *s. 1*
auf|ge|dun|sen
auf|ge|hen *intr. 47*
auf|gei|len *tr. 1* unter den Rahen zusammenziehen (Segel)
auf|ge|kratzt *ugs.:* munter, guter Laune
Auf|geld *s. 3* **1** = Agio; *Ggs.:* Abgeld; **2** = Handgeld
auf|ge|legt; *übertr.:* gelaunt; gut, schlecht aufgelegt sein
auf|ge|räumt; *übertr.:* heiter, leutselig
Auf|ge|sang *m. 2* erster, längerer Teil der Strophe im Meistergesang; *Ggs.:* Abgesang
auf|ge|schlos|sen; *übertr.:* of-

fen, empfänglich; **Auf|ge|schlos|sen|heit** *w. 10 nur Ez.*
auf|ge|schmis|sen *ugs.:* ratlos, hilflos
auf|ge|schos|sen; hoch, lang a.
auf|ge|ta|kelt *ugs.:* auffallend und geschmacklos gekleidet
auf|ge|weckt lebhaft und intelligent; **Auf|ge|weckt|heit** *w. 10 nur Ez.*
auf|ge|wor|fen wulstig, breit (Lippen)
auf|glei|sen *tr. 1* auf Gleise setzen; **Auf|glei|sung** *w. 10*
auf|glie|dern *tr. 1;* **Auf|glie|de|rung** *w. 10*
auf|grei|fen *tr. 59*

> **aufgrund/auf Grund:** Substantive, die Bestandteile fester Gefüge sind, werden großgeschrieben. Es bleibt dem Schreibenden aber überlassen, ob er das Gefüge als Zusammensetzung oder als Wortgruppe versteht, daher: *aufgrund/auf Grund.* Beide Schreibweisen sind zulässig. Ebenso: *anstelle/an Stelle, aufseiten/auf Seiten.* →§ 39 E3 (3)

auf|grund ▶ *auch:* **auf Grund** *mit Gen.*
Auf|guß ▶ **Auf|guss** *m. 2;* **Auf|guß|tier|chen** ▶ **Auf|guss|tier|chen** *s. 7* = Infusorium
auf|ha|ben ▶ **auf haben** *tr. 60, ugs.:* den Hut auf haben; weil er seinen Hut auf hat; Schularbeiten auf haben; weil wir viel auf hatten
auf|hal|sen *tr. 1, ugs.:* aufbürden
auf|hal|ten *tr. u. refl. 61;* sich über etwas a.: sich ungehalten darüber äußern
auf|hän|gen *tr. 1;* ich hängte (*nicht:* hing) den Mantel auf; **Auf|hän|ger** *m. 5;* **Auf|hän|gung** *w. 10*
auf|he|ben *tr. 64;* viel, wenig Aufhebens von etwas machen
auf|hei|tern *tr. 1;* ich heitere, heitre ihn auf; **Auf|hei|te|rung** *w. 10*
auf|hel|len *tr. 1;* **Auf|hel|lung** *w. 10*
auf|het|zen *tr. 1*
auf|ka|schie|ren *tr. 3, österr.:* auf Karton kleben
Auf|kauf *m. 2;* **auf|kau|fen** *tr. 1;* **Auf|käu|fer** *m. 5*
auf|kla|ren *intr. 1;* **Auf|kla|rung** *w. 10 nur Ez.*
auf|klä|ren *tr. 1;* **Auf|klä|rer** *m. 5* Kundschafter; **auf|klä|re|risch;** **Auf|klä|rung** *w. 10;* **Auf|klä|rungs|film** *m. 1;* **Auf|klä|rungs|flug|zeug** *s. 1*
Auf|kle|be|a|dres|se *w. 11;* **auf|kle|ben** *tr. 1;* **Auf|kle|ber** *m. 5*
auf|knüp|fen *tr. 1; auch ugs.:* henken
auf|ko|chen *tr. u. intr. 1*
auf|kom|men *intr. 71;* **Auf|kom|men** *s. 7* **1** *nur Ez.* Genesung; **2** Ertrag, z. B. Steueraufkommen
auf|kün|di|gen *tr. 1* = kündigen; jmdm. die Freundschaft a.: die Freundschaft mit ihm beenden
Auf|la|ge *w. 11;* **Auf|la|gen|hö|he** *w. 11;* **auf|la|gen|schwach;** **auf|la|gen|stark;** **Auf|la|gen|zif|fer** *w. 11;* **Auf|la|ger** *s. 5* Stützfläche, auf der ein Balken oder Bogen aufliegt
auf|lan|dig auf das Land zu wehend (Wind), *Ggs.:* ablandig
auf|las|sen *tr. 75* **1** *Bergbau:* stilllegen (Grube); **2** *Rechtsw.:* übertragen, aufgeben (Grundstück, Grab); **auf|läs|sig** stillgelegt (Grube); **Auf|las|sung** *w. 10, Bergbau u. Rechtsw.*
auf|las|ten *tr. 2* aufbürden
auf|lau|ern *intr. 1;* jmdm. a.
Auf|lauf **1** *m. 2* Menschenansammlung; **2** *m. 2, österr.: m. 1* Mehlspeise; **auf|lau|fen** **1** *intr. 76* auf Grund stoßen (Schiff); anschwellen; sich ansammeln (Beträge); **2** *tr. 76;* sich die Füße a.: wundlaufen; **Auf|lauf|form** *w. 10*
auf|le|ben *intr. 1*
Auf|le|ge|ma|trat|ze *w. 11;* **auf|le|gen** *tr. 1;* **Auf|le|ger** *m. 5* = Auflegematratze
auf|leh|nen *tr. u. refl. 1;* **Auf|leh|nung** *w. 10 nur Ez.*
auf|lie|fern *tr. 1* zur Post geben, **Auf|lie|fe|rung** *w. 10*
auf|lie|gen **1** *intr. 80, Seew.:* in Ruhe liegen (Schiff); **2** *refl. 80* sich wundliegen
auf|lo|ckern *tr. 1;* **Auf|lo|cke|rung** *w. 10*
auf|lö|sen *tr. 1;* **Auf|lö|sung** *w. 10;* **Auf|lö|sungs|ver|mö|gen** *s. 7 nur Ez.;* **Auf|lö|sungs|zei|chen** *s. 7, Mus.* (♮)
auf|lu|ven *intr. 1, Seew.:* den Winkel zwischen Kurs und Windrichtung verringern
auf|ma|chen **1** *tr. 1;* **2** *refl. 1* sich auf den Weg machen; **Auf|ma|cher** *m. 3* wirkungsvoller Titel eines Zeitungsartikels; **Auf|ma|chung** *w. 10* **1** Aufputz, Kleidung; in großer A. erscheinen; **2** äußere Gestaltung, typograf. Bild (eines Druckwerkes)
Auf|marsch *m. 2;* **auf|mar|schie|ren** *intr. 3*
auf|mei|ßeln *tr. 1;* ich meißele, meißle es auf; **Auf|mei|ße|lung,** **Auf|meiß|lung** *w. 10 nur Ez.*
auf|mer|ken *intr. 1;* **auf|merk|sam;** **Auf|merk|sam|keit** *w. 10*
auf|mö|beln *tr. 1, ugs.:* aufmuntern; ich möbele, möble ihn auf
auf|mot|zen *tr. 1, ugs.:* auffälliger gestalten
auf|mu|cken *intr. 1* sich auflehnen, widersprechen
auf|mun|tern *tr. 1;* ich muntere, muntre ihn auf; **Auf|mun|te|rung** *w. 10 nur Ez.*
auf|müp|fen *intr. 1, ugs.:* sich auflehnen, aufbegehren; **auf|müp|fig** *ugs.:* widerspenstig, aufsässig
Auf|nah|me *w. 11;* **auf|nah|me|fä|hig,** *österr.:* auf|nahms|fä|hig; **Auf|nah|me|fä|hig|keit,** *österr.:* Auf|nahms|fä|hig|keit *w. 10 nur Ez.;* **Auf|nah|me|prü|fung,** *österr.:* Auf|nahms|prü|fung *w. 10*
auf|neh|men *tr. 88*
äuf|nen *tr. 2, schweiz.:* mehren, vergrößern (Sammlung, Fonds); **Äuf|nung** *w. 10*
auf|nö|ti|gen *tr. 1;* jmdm. etwas aufnötigen; **Auf|nö|ti|gung** *w. 10 nur Ez.*
auf|ok|troy|ie|ren [-oktroa-] *tr. 3, ugs.* = oktroyieren
auf|op|fern *tr. 1;* ich opfere, opfre mich für sie auf; **Auf|op|fe|rung** *w. 10 nur Ez.*
auf|päp|peln *tr. 1* sorgsam aufziehen oder pflegen (Kind, Kranken)
auf|pas|sen *intr. 1;* **Auf|pas|ser** *m. 5*
auf|pflan|zen *tr. 1;* das Bajonett a.; sich vor jmdm. a. *ugs.:* sich (breit) vor ihn hinstellen
auf|pfrop|fen *tr. 1;* ein Reis a.
auf|plus|tern *tr. 1*
auf|po|lie|ren *tr. 3*
auf|pols|tern *tr. 1;* ich polstere, polstre den Stuhl auf
Auf|prall *m. 1;* **auf|pral|len** *intr. 1*
Auf|preis *m. 1* Preisaufschlag
auf|prot|zen *tr. 1;* ein Geschütz a.: auf die Protze setzen
auf|put|schen *tr. 1*

Auf|putz *m. 1 nur Ez.;* **auf|put|zen** *tr. 1*
auf|raf|fen *tr. u. refl. 1*
auf|rap|peln *refl. 1, ugs.;* ich rappele, rapple mich auf
auf|räu|men *tr. 1;* **Auf|räu|mung** *w. 10 nur Ez.;* **Auf|räu|mungs|ar|bei|ten** *w. 10 Mz.*
auf|reb|beln *tr. 1* = aufribbeln
auf|rech|nen *tr. 2;* etwas gegen etwas anderes a.; **Auf|rech|nung** *w. 10 nur Ez.*

> **aufrecht halten/aufrechterhalten:** *Aufrecht halten* wird getrennt geschrieben, weil es sich um ein Gefüge aus einem zusammengesetzten Adverb mit einem Verb handelt. [→ § 34 E3 (3)]. Die substantivierte Form wird zusammen- und großgeschrieben: *das Aufrechtgehen, das Sitzenbleiben.* [→ § 37 (2)]. Hingegen wird *aufrechterhalten* zusammengeschrieben, weil der erste Teil der Verbindung *(aufrecht)* weder erweiterbar noch steigerbar ist. Ebenso: *totschlagen, hochrechnen* usw. → § 34 (2.2)

auf|recht; den Kopf aufrecht halten, sich aufrecht halten: gerade; aufrecht stehen, sitzen;
auf|recht|er|hal|ten *tr. 61* weiter erhalten, bestehen lassen; die Ordnung a.; **Auf|recht|er|hal|tung** *w. 10 nur Ez.*
auf|re|den *tr. 2;* jmdm. etwas a.
auf|re|gen *tr. 1;* **Auf|re|gung** *w. 10*
auf|rei|ben *tr. 95*
auf|rei|ßen *tr. 96;* jmdn. a. *ugs.:* ansprechen, mit ihm Kontakt suchen
auf|rei|zen *tr. 1;* **Auf|rei|zung** *w. 10*
auf|rib|beln *tr. 1, norddt.:* auftrennen (Gestricktes); ich ribbele, ribble es auf
Auf|rich|te *w. 11, schweiz.:* Richtfest; **auf|rich|ten** *tr. 2*
auf|rich|tig; **Auf|rich|tig|keit** *w. 10 nur Ez.*
Auf|rich|tung *w. 10 nur Ez.*
auf|rie|geln *tr. 1;* ich riegele, riegle die Tür auf
Auf|riß ► **Auf|riss** *m. 1* unperspektivische Zeichnung der Außenseite eines Gegenstandes
auf|rü|cken *intr. 1*
Auf|ruf *m. 1;* **auf|ru|fen** *tr. 102*
Auf|ruhr *m. 1;* **auf|rüh|ren** *tr. 1;* **Auf|rüh|rer** *m. 5;* **auf|rüh|re|risch**

auf|run|den *tr. 2;* **Auf|run|dung** *w. 10*
auf|rüs|ten *tr. 2;* **Auf|rüs|tung** *w. 10*
auf|rüt|teln *tr. 1;* ich rüttele, rüttle ihn auf
aufs = auf das; aufs Neue, aufs Dach steigen
auf|säs|sig; **Auf|säs|sig|keit** *w. 10 nur Ez.*
Auf|satz *m. 2*
auf|sau|gen *tr. 104*
auf|scheu|chen *tr. 1*
auf|schie|ben *tr. 112;* **Auf|schieb|ling** *m. 1* kleiner Balken auf dem Hauptsparren im Dachstuhl
Auf|schlag *m. 2;* **auf|schla|gen** *tr. 116;* **Auf|schlä|ger** *m. 5* Spieler, der den ersten Schlag (Aufschlag) tut
auf|schläm|men *tr. 1* (fein zerteilten, nichtlösl. Stoff) in einer Flüssigkeit verteilen; **Auf|schläm|mung** *w. 10*
auf|schlie|ßen *tr. 120*
auf|schlit|zen *tr. 1*
Auf|schluß ► **Auf|schluss** *m. 2*
auf|schlüs|seln *tr. 1;* ich schlüssele, schlüssle es auf; **Auf|schlüs|se|lung,** **Auf|schlüß|lung** ► **Auf|schlüss|lung** *w. 10 nur Ez.*
auf|schluß|reich ► **auf|schluss|reich**
auf|schnei|den 1 *tr. 125;* etwas a.; **2** *intr. 125* prahlen, übertreiben; **Auf|schnei|der** *m. 5;* **Auf|schnei|de|rei** *w. 10;* **auf|schnei|de|risch;** **Auf|schnitt** *m. 1 nur Ez.* in Scheiben geschnittene Wurst
auf|schre|cken *tr. 1* jmdn. a.; **2** *intr. 126;* ich schrak auf
Auf|schrei *m. 1;* **auf|schrei|en** *intr. 128*
Auf|schrift *w. 10*
Auf|schub *m. 2*
auf|schür|zen *tr. 1* = schürzen
auf|schüt|teln *tr. 1;* ich schüttele, schüttle die Kissen auf; **auf|schüt|ten** *tr. 2;* **Auf|schüt|tung** *w. 10*
auf|schwat|zen *tr. 1, ugs.;* jmdm. etwas a.
auf|schwem|men *tr. 1;* **Auf|schwem|mung** *w. 10*
auf|schwin|gen *refl. 134;* **Auf|schwung** *m. 2*
auf|se|hen *intr. 136;* **Auf|se|hen** *s. 7 nur Ez.;* kein A., großes A. erregen; **auf|se|hen|er|re|gend** ► **Auf|se|hen er|re|gend;** **Auf|se|her** *m. 5*

auf|sein ► **auf sein** *intr. 137, ugs.* **1** offen sein (Tür); **2** aufgestanden sein, noch nicht im Bett sein; ich bin, war auf, ich bin auf gewesen
auf sei|ten ► **auf|sei|ten** *auch:* **auf Sei|ten** *mit Gen.;* Verluste aufseiten des Gegners
Auf|sicht *w. 10 nur Ez.;* der die Aufsicht führende Lehrer; **Auf|sichts|be|am|te(r)** *m. 18 (17);* **Auf|sichts|pflicht** *w. 10;* **Auf|sichts|rat** *m. 2;* **Auf|sichts|rats|vor|sit|zen|de(r)** *m. 18 (17) bzw. w. 17 oder 18*
auf|sit|zen *intr. 143* **1** aufsteigen (aufs Pferd, Motorrad); **2** jmdm. a.: sich von jmdm. betrügen, täuschen lassen; ich bin ihm aufgesessen; **3** jmdn. a. lassen: jmdn. im Stich lassen; **Auf|sit|zer** *m. 5, österr.:* Reinfall, Täuschung
auf|spal|ten *tr. 2;* **Auf|spal|tung** *w. 10*
auf|spei|chern *tr. 1;* ich speichere, speichre es auf; **Auf|spei|che|rung** *w. 10 nur Ez.*
auf|spie|len 1 *tr. u. intr. 1;* zum Tanz a.; **2** *refl. 1* sich wichtig machen
auf|sta|cheln *tr. 1;* ich stachele, stachle ihn (zu etwas) auf
Auf|stand *m. 2;* **auf|stän|disch**
auf|sta|peln *tr. 1;* ich stapele, staple es auf
Auf|stau *m. 1;* **auf|stau|en** *tr. 1*
auf|ste|cken *tr. 1;* sich das Haar a.; seinen Beruf a. *ugs.:* aufgeben
auf|stei|gen *intr. 153*
auf|stel|len *tr. 1;* **Auf|stel|lung** *w. 10*
auf|stem|men *tr. 1*
Auf|stieg *m. 1;* **Auf|stiegs|mög|lich|keit** *w. 10*
auf|stö|bern *tr. 1;* ich stöbere, stöbre ihn auf
auf|sto|cken *tr. 1;* ein Gebäude a.: ein Stockwerk draufsetzen; **Auf|sto|ckung** *w. 10*
auf|sto|ßen 1 *tr. 157;* **2** *intr. 157;* es ist mir aufgestoßen: aufgefallen
Auf|strich *m. 1*
auf|stül|pen *tr. 1* den Hut, Ärmel a.
auf|stüt|zen *tr. u. refl.*
auf|ta|keln *tr. 1;* **1** mit Takelwerk versehen (Schiff); **2** sich a.: sich auffallend und geschmacklos kleiden; ich takele, takle mich auf; **Auf|ta|ke|lung,** **Auf|tak|lung** *w. 10 nur Ez.*

Auf|takt *m. 1*
auf|tan|ken *tr. u. intr. 1*
auf|ti|schen *tr. 1*
auf|top|pen *tr. 1, Seew.:* senkrecht hochziehen (Rah)
Auf|trag *m. 2;* im Auftrag (*Abk.:* i. A., I. A.; *Kleinschreibung, wenn davor der Behörden- oder Firmenname steht*); **auf|tra|gen** *tr. 160;* **Auf|trag|ge|ber** *m. 5;* **Auf|trag|neh|mer** *m. 5;* **Auf|trags|be|stä|ti|gung** *w. 10;* **auf|trags|ge|mäß**
auf|trei|ben *tr. 162* beschaffen
auf|tre|ten *intr. 163*
Auf|trieb *m. 1;* **Auf|triebs|kraft** *w. 2*
Auf|tritt *m. 1;* **Auf|tritts|ver|bot** *s. 1*
auf|trump|fen *intr. 1*
auf|tun *tr. 167*
auf|tür|men *tr. 1*
auf und ab; auf und ab gehen (ohne Ziel), *aber:* auf- und absteigen: hinauf und hinunter; das Auf und Ab; das Auf- und Abgehen; das Auf- und Absteigen
auf und da|von auf und davon gehen
auf|wal|len *intr. 1;* **Auf|wal|lung** *w. 10*

> **aufwändig/aufwendig:** Entsprechend dem Stammprinzip *(der Aufwand)* wird *aufwändig* geschrieben; das bisherige *aufwendig* ist als Nebenvariante zulässig. →§13

Auf|wand *m. Gen.* -(e)s *nur Ez.;* **auf|wän|dig,** auf|wen|dig; **Auf|wands|ent|schä|di|gung** *w. 10;* **Auf|wand|steu|er** *w. 11*
Auf|war|te|frau *w. 10;* **auf|war|ten** *intr. 2;* jmdm. mit etwas a.
auf|wärts; auf- und abwärts; den Berg aufwärts gehen; mit ihm wird es jetzt aufwärts gehen: besser gehen
Auf|war|tung *w. 10*
Auf|wasch *m. 1 nur Ez.* schmutziges Geschirr zum Spülen; das lässt sich in einem A. erledigen *ugs.:* auf einmal; **auf|wa|schen** *tr. 174;* **Auf|wasch|was|ser** *s. 5 nur Ez.*
Auf|weis *m. 1;* **auf|wei|sen** *tr. 177*
auf|wen|den *tr. 178;* **auf|wen|dig** *Nv.* ► **auf|wän|dig** *Hv.;* **Auf|wen|dung** *w. 10*
auf|wer|fen *tr. 181*
auf|wer|ten *tr. 2;* **Auf|wer|tung** *w. 10*
Auf|wie|ge|lei *w. 10;* **auf|wie|geln** *tr. 1;* ich wiegele, wiegle sie auf; **Auf|wie|ge|lung,** Auf|wieg|lung *w. 10;* **Auf|wieg|ler** *m. 5;* **auf|wieg|le|risch;** **Auf|wieg|lung,** Auf|wie|ge|lung *w. 10*
Auf|wind *m. 1*
auf|wir|beln *tr. 1*
Auf|wuchs *m. 1* **1** *nur Ez.* Nachkommenschaft; **2** Waldanpflanzung
Auf|wurf *m. 2* Aufschüttung
auf|zäh|len *tr. 1;* **Auf|zäh|lung** *w. 10*
auf|zeich|nen *tr. 2;* **Auf|zeich|nung** *w. 10*
auf|zei|gen *tr. 1* darlegen, zeigen
auf Zeit (*Abk.:* a. Z.)
auf|zie|hen *tr. u. intr. 187;* **Auf|zucht** *w. 10;* **Auf|zug** *m. 2;* **Auf|zug|füh|rer** *m. 5;* **Auf|zugs|schacht** *m. 2*
auf|zwin|gen *tr. 188;* jmdm. etwas a.
Aug|ap|fel *m. 6;* **Au|ge** *s. 14;* **Äu|gel|chen** *s. 7;* **äu|geln** **1** *intr. 1* zwinkern; hinschauen; ich äugele, äugle; **2** *tr. 1; Bot.:* okulieren; **äu|gen** *intr. 1;* **Au|gen|arzt** *m. 2;* **Au|gen|blick** *m. 1;* **au|gen|blick|lich;** **au|gen|blicks;** **Au|gen|braue** *w. 11;* **Au|gen|di|a|gno|se** *auch:* **-di|ag|no|se** *w. 11* = Iridologie; **au|gen|fäl|lig;** **Au|gen|licht** *s. 3 nur Ez.;* **Au|gen|lid** *s. 3;* **Au|gen|merk** *s. 1 nur Ez.;* sein A. auf etwas richten; **Au|gen|pul|ver** *s. 5 nur Ez.* zu kleine Schrift, zu feine Handarbeit; **Au|gen|schein** *m. 1 nur Ez.;* **au|gen|schein|lich;** **Au|gen|trost** *m. Gen.* -(e)s *nur Ez.* ein Kraut; **Au|gen|wei|de** *w. 11* erfreulicher Anblick; **Au|gen|wim|per** *w. 11;* **Au|gen|zahn,** Aug|zahn *m. 2* oberer Eckzahn; **Au|gen|zeu|ge** *m. 11;* **Au|gen|zwin|kern** *s. Gen.* -s *nur Ez.*
Au|gi|as|stall [nach dem König Augias der griech. Sage] *m. 2* verschmutzter Raum; vernachlässigte Arbeit; verrottete, korrupte Verhältnisse
Au|git [griech.] *s. 1* ein Mineral
Äug|lein *s. 7*
Aug|ment [lat.] *s. 1* **1** Zusatz; **2** dem Verbstamm vorangesetzter Wortbildungsteil, bes. im Griech.; **Aug|men|ta|ti|on** *w. 10* Vergrößerung, Vermehrung, Verlängerung; **Aug|men|ta|tiv|suf|fix** *s. 1* Vergrößerungssuffix, z. B. ital. -one: Violone = große Viola; **aug|men|tie|ren** *tr. 3* vergrößern, vermehren
Augs|burg Stadt in Schwaben; **Augs|bur|ger** *m. 5;* **augs|bur|gisch;** *aber:* Augsburgische Konfession
Aug|sproß ► **Aug|spross** *m. 1,* **Aug|spros|se** *w. 11* unterste Sprosse des Hirschgeweihs
Au|gur [lat. »Vogelschauer«] *m. 12 oder m. 10, im alten Rom:* Priester und Wahrsager, der aus dem Vogelflug die Zukunft voraussagte; **Au|gu|ren|lä|cheln** *s. 7 nur Ez.* wissendes Lächeln unter Eingeweihten als Zeichen geheimen Einverständnisses
Au|gust *m. Gen.* -(s) *nur Ez.* (*Abk.:* Aug.); **Au|gus|ta|na** *w. Gen.* - *nur Ez.* die Augsburg. Konfession, **au|gus|te|isch** den Kaiser Augustus betreffend, in der Art des Kaisers Augustus, *aber:* das Augusteische Zeitalter; **Au|gus|ti|ner** *m. 5* Angehöriger des Augustinerordens; **Au|gus|ti|ner|or|den** *m. 7* ein kath. Mönchsorden
Aug|zahn *m. 2* = Augenzahn
Auk|ti|on [lat.] *w. 10* Versteigerung; **Auk|ti|o|na|tor** *m. 13* Versteigerer; **auk|ti|o|nie|ren** *tr. 3* versteigern
Au|la [griech.] *w. Gen.* - *Mz.* -len **1** Innenhof des altgriech. Hauses; **2** altröm. Palast; **3** *MA:* Pfalz; **4** Vorhalle der altchristl. Basilika; **5** Versammlungssaal einer Schule oder Hochschule
au na|tu|rel [onatyrel, frz. »nach der Natur«] ohne künstl. Zusatz (bei Speisen und Getränken)
au pair [opɛr, frz.] auf Gegenleistung, ohne Bezahlung; **Au-pair-Mäd|chen** *Nv.* ► **Au|pair-mäd|chen** *Hv.* [opɛr-] *s. 7* Mädchen, das (gegen Unterkunft, Verpflegung und Taschengeld) in einer Familie im Ausland arbeitet, um die Landessprache zu erlernen
au por|teur [opɔrtœr, frz.] auf den Überbringer lautend (von Wertpapieren)
Au|ra [lat.] *w. Gen.* - *Mz.* -ren **1** *griech. Myth.:* Gefährtin der Artemis; **2** *Okkultismus:* Strahlenkranz, der (angeblich) einen Menschen umgibt; **3** *Med.:* von bestimmten Sinnesempfindungen begleitetes Gefühl vor epilept. u. a. Anfällen; **4** *übertr.:*

Gesamtheit der von einem Menschen ausgehenden Wirkungen

au|ral [lat.] zum Ohr gehörig

Au|rar *Mz. von* Eyrir

Au|re|o|le [lat.] *w. 11* **1** *bildende Kunst:* Heiligenschein um die ganze Gestalt; **2** *Bergbau:* bläul. Lichtschein um Grubenlampen bei Auftreten von Grubengas; **3** *Astron.:* Hof um Sonne und Mond infolge Wolkendunst; **3** *Elektrotechnik:* Lichterscheinung an elektrisch geladenen Körpern bei hoher Spannung

Au|ri|gna|ci|en [ɔrinjasjɛ̃, nach der frz. Stadt Aurignac] *s. 9 nur Ez.* Stufe der jüngeren Altsteinzeit; **Au|ri|gnac|ras|se** [ɔrinjąk-] *w. 11* Menschenrasse des Aurignacien

Au|ri|kel [lat. »Öhrchen«] *w. 11* eine Zierpflanze, Primelart

au|ri|ku|lar [lat.] zum Ohr gehörig

Au|ri|pig|mẹnt [lat.] *s. 1* ein Arsenmineral

Au|ri|punk|tur [lat.] *w. 10* Durchbohrung des Trommelfells des Ohrs

Au|ro|ra **1** röm. Göttin der Morgenröte; **2** *w. Gen. - nur Ez.* Morgenröte; **Au|ro|ra|fal|ter** *m. 5* ein Schmetterling

Au|rum *s. 9 nur Ez., lat. Bez. für* Gold

aus **1** *Präp. mit Dat.;* aus und ein gehen: häufig verkehren; *aber:* die aus- und eingehende Post; nicht mehr aus und ein, weder aus noch ein wissen; **2** *prädikativ;* auf etwas aus sein: eine Absicht verfolgen; **Aus** *s. Gen. - nur Ez.* Gelände außerhalb des Spielfeldes

aus|ar|bei|ten *tr. 2;* **Aus|ar|bei|tung** *w. 10*

aus|ar|ten *intr. 2*

aus|at|men *intr. 2;* **Aus|at|mung** *w. 10*

aus|ba|den *tr. 2, ugs.;* eine Sache a. müssen: die Folgen einer Sache tragen müssen

aus|bag|gern *tr. 1;* **Aus|bag|ge|rung** *w. 10 nur Ez.*

aus|ba|lan|cie|ren [-lãsi:-] *tr. 3* ins Gleichgewicht bringen

aus|bal|do|wern *tr. 1, ugs.:* auskundschaften

Aus|bau *m. Gen.* -(e)s *Mz.* -bauten

aus|bau|chen *tr. 1* bauchig machen, wölben; **Aus|bau|chung** *w. 10*

aus|bau|en *tr. 1;* **aus|bau|fä|hig;** **Aus|bau|woh|nung** *w. 10*

aus|be|din|gen *tr. 23;* sich etwas a.: etwas zur Bedingung machen

aus|bes|sern *tr. 1;* ich bessere, bessre es aus; **Aus|bes|se|rung** *w. 10;* **aus|bes|se|rungs|be|dürf|tig**

aus|beu|len *tr. 1;* **Aus|beu|lung** *w. 10*

Aus|beu|te *w. 11;* **aus|beu|ten** *tr. 2;* **Aus|beu|ter** *m. 5;* **Aus|beu|te|rei** *w. 10;* **Aus|beu|tung** *w. 10 nur Ez.*

aus|be|zah|len *tr. 1, ugs.* = auszahlen

aus|bil|den *tr. 2;* **Aus|bil|der** *m. 5;* **Aus|bil|dung** *w. 10;* **Aus|bil|dungs|gang** *m. 2*

aus|bit|ten *tr. 15;* sich etwas a.

aus|blei|ben *intr. 17*

aus|blei|chen **1** *tr. 1* bleich, farblos machen; Wasser und Sonne haben den Stoff ausgebleicht; **2** *intr. 28* bleich, farblos werden; der Stoff ist durch vieles Waschen ausgeblichen

Aus|blick *m. 1;* **aus|bli|cken** *intr. 1* ausschauen (nach)

aus|bo|jen *tr., nur im Infinitiv gebräuchlich:* mit Bojen versehen

aus|bom|ben *tr. 1; nur in den Wendungen* ausgebombt sein, werden

aus|boo|ten *tr. 2*

aus|bor|gen *tr. 1;* sich etwas a.

aus|bre|chen *intr. 19;* **Aus|bre|cher** *m. 5*

aus|brin|gen *tr. 21;* einen Trinkspruch auf jmdn. a.

Aus|bruch *m. 2;* **Aus|bruch|wein** *m. 1, in Ungarn u. im Burgenland:* Auslesewein

aus|bu|chen *tr. 1, nur im Perfekt üblich;* der Flug, das Hotel ist ausgebucht: alle Plätze bzw. Zimmer sind vergeben

aus|buch|ten *tr. 2;* **Aus|buch|tung** *w. 10*

Aus|bund *m. 2* Muster; er ist ein Ausbund an Fleiß, an Frechheit

aus|bür|gern *tr. 1;* **Aus|bür|ge|rung** *w. 10*

aus|bü|xen *intr. 1, ugs.:* ausreißen

Aus|dau|er *w. 11 nur Ez.;* **aus|dau|ern** *intr. 1 (selten);* **aus|dau|ernd**

aus|deh|nen *tr. 1;* **Aus|deh|nung** *w. 10;* **Aus|deh|nungs|ko|ef|fi|zi|ent** *m. 10* Faktor, der die Volumenveränderung eines Körpers bei Erwärmung um 1° C angibt

Aus|druck **1** *m. 2;* **2** *m. 1, Buchw.:* Fertigstellen des Druckes; **aus|dru|cken** *tr. 1* zu Ende, fertigdrucken; **aus|drü|cken** *tr. 1;* **aus|drück|lich;** **Aus|drucks|kraft** *w. 2 nur Ez.;* **Aus|drucks|kunst** *w. 2 nur Ez.* = Expressionismus; **aus|drucks|los;** **Aus|drucks|lo|sig|keit** *w. 10 nur Ez;* **Aus|drucks|tanz** *m. 2 nur Ez.;* **aus|drucks|voll,** **Aus|drucks|wei|se** *w. 11*

Aus|drusch *m. 1* **1** das Ausdreschen; **2** dessen Ertrag

aus|duns|ten, **aus|düns|ten** *intr. 2;* **Aus|duns|tung,** **Aus|düns|tung** *w. 10*

aus|ein|ạn|der; **aus|ein|ạn|der|fal|len** ► **aus|ein|ạn|der fal|len** *intr. 33;* **aus|ein|ạn|der|ge|hen** ► **aus|ein|ạn|der ge|hen**

> **auseinander gehen:** Verbindungen aus mehrteiligem Adverb und Verb werden getrennt geschrieben: *auseinander gehen.* Ebenso: *auseinander laufen.* →§ 34 E3 (2)

intr. 47; **aus|ein|ạn|der|hal|ten** ► **aus|ein|ạn|der hal|ten** *tr. 61* unterscheiden; **aus|ein|ạn|der|neh|men** ► **aus|ein|ạn|der neh|men** *tr. 88;* **aus|ein|ạn|der|set|zen** *tr. 1* erklären; **Aus|ein|ạn|der|set|zung** *w. 10*

aus|er|ko|ren auserwählt

aus|er|le|sen hervorragend, sehr fein

aus|er|se|hen *tr. 136*

aus|er|wäh|len *tr. 1;* **Aus|er|wäh|lung** *w. 10 nur Ez.*

aus|fah|ren *tr. u. intr. 32;* **aus|fah|rend** plötzlich, jäh, unkontrolliert (Bewegung); **Aus|fahr|si|gnal** *auch:* **-sig|nal** *s. 1, Fachspr.;* **Aus|fahrt** *w. 10;* **Aus|fahrt|si|gnal** *auch:* **-sig|nal** *s. 1;* **Aus|fahrts|stra|ße** *w. 11*

Aus|fall *m. 2;* **aus|fal|len** *intr. 33*

aus|fäl|len *tr. 1* **1** einen gelösten Stoff a. *Chem.:* durch Zugabe einer geeigneten Verbindung aus einer Lösung ausscheiden; **2** *schweiz.:* (Strafe) verhängen

aus|fal|lend, **aus|fäl|lig** unverschämt, beleidigend

Aus|fall(s)|er|schei|nung *w. 10;* **Aus|fall|stra|ße** *w. 11* große, aus einer Stadt hinausführende Straße; **Aus|fall(s)|win|kel** *m. 5*

Aus|fäl|lung *w. 10*

aus|fe|gen *tr. 1;* **Aus|fe|ger** *m. 5* **1** Besen; **2** Kehraus
aus|fer|ti|gen *tr. 1;* **Aus|fer|ti|gung** *w. 10*
aus|fin|dig *nur in der Wendung:* etwas oder jmdn. a. machen
aus|flip|pen 1 *intr. 1;* die Kugel flippt aus: sie rollt zwischen den Flippern hindurch u. scheidet aus; er ist ausgeflippt *übertr.:* 1. er ist im Drogenrausch; 2. er ist aus den gesellschaftl. Normen ausgebrochen **2** *tr. 1;* jmdn. a.: verdrängen, übertreffen
aus|flo|cken *tr. 1* in flockiger Form ausfällen; **Aus|flo|ckung** *w. 10*
Aus|flucht *w. 2;* Ausflüchte machen
Aus|flug *m. 2;* **Aus|flüg|ler** *m. 5;* **Aus|flugs|lo|kal** *s. 1*
Aus|fluß ► **Aus|fluss** *m. 2*
aus|fol|gen *tr. 1, Amtsdeutsch:* aushändigen
aus|for|schen *tr. 1;* **Aus|for|schung** *w. 10 nur Ez.*
aus|frie|ren *tr. u. intr. 42*
Aus|fuhr *w. 10;* **aus|führ|bar; Aus|führ|bar|keit** *w. 10 nur Ez.;* **aus|füh|ren** *tr. 1;* **aus|führ|lich; Aus|führ|lich|keit** *w. 10 nur Ez.;* **Aus|füh|rung** *w. 10;* **Aus|füh|rungs|be|stim|mung** *w. 10*
aus|fül|len *tr. 1*
Ausg. *Abk. für* Ausgabe
Aus|ga|be (*Buchw., Abk.:* Ausg.) *w. 11;* **Aus|ga|ben|buch** *s. 4;* **Aus|ga|be|stel|le** *w. 11*
Aus|gang *m. 2;* **aus|gangs** *Präp. mit Gen., Amtsdeutsch:* am Schluss; **Aus|gangs|punkt** *m. 1*
aus|ge|bufft raffiniert, gerissen, erfahren
Aus|ge|burt *w. 10;* Erzeugnis; eine A. seiner Fantasie
aus|ge|dient; die Schuhe haben ausgedient; ausgedienter Soldat
Aus|ge|din|ge *s. 5* Altenteil; **Aus|ge|din|ger** *m. 5* jmd., der auf dem Ausgedinge lebt
aus|ge|fal|len merkwürdig, ungewöhlich
aus|ge|feimt = abgefeimt
aus|ge|gli|chen; Aus|ge|gli|chen|heit *w. 10 nur Ez.*
aus|ge|hen *intr. 47;* **Aus|geh|ver|bot** *s. 1*
aus|ge|kocht *übertr. ugs.:* schlau und erfahren
aus|ge|macht 1 verabredet; eine ausgemachte Sache; **2** *übertr.:* eindeutig; ausgemachter Blödsinn
aus|ge|las|sen übermütig; **Aus|ge|las|sen|heit** *w. 10 nur Ez.*
aus|ge|mer|gelt
aus|ge|nom|men; wir haben alle wiedergesehen, ihn a., *oder:* a. ihn; ich erinnere mich seiner Freunde genau, a. des einen, *oder:* den einen ausgenommen
aus|ge|picht 1 = abgefeimt; **2** an scharfe Schnäpse gewöhnt; eine ausgepichte Kehle
aus|ge|pumpt erschöpft
aus|ge|rech|net; a. ich; a. dir muß das passieren; a. heute
aus|ge|schlos|sen unmöglich
aus|ge|spro|chen sehr, besonders; a. schön
aus|ge|stal|ten *tr. 2;* **Aus|ge|stal|tung** *w. 10*
aus|ge|zeich|net
aus|gie|big; Aus|gie|big|keit *w. 10 nur Ez.*
aus|gie|ßen *tr. 54;* **Aus|gie|ßung** *w. 10 nur Ez.*
Aus|gleich *m. 1;* **aus|glei|chen** *tr. 55;* **Aus|gleichs|ge|trie|be** *s. 5;* **Aus|gleichs|sport** *m. Gen. -s nur Ez.;* **Aus|glei|chung** *w. 10 nur Ez.*
aus|glü|hen *tr. 1;* **Aus|glü|hung** *w. 10 nur Ez.*
aus|gra|ben *tr. 58;* **Aus|grä|ber** *m. 5;* **Aus|gra|bung** *w. 10*
Aus|guck *m. 1;* **aus|gu|cken** *intr. 1*
Aus|guß ► **Aus|guss** *m. 2*
aus|han|deln *tr. 1;* ich handele, handle es aus
aus|hän|di|gen *tr. 1;* **Aus|hän|di|gung** *w. 10 nur Ez.*
Aus|hang *m. 2;* **Aus|hän|ge|bo|gen** *m. 7 Mz.* die fertigen Druckbogen eines Buches, Aushänger; **aus|hän|gen 1** *tr. 1;* ein Fenster a.; ich habe die Anzeige im Schaufenster ausgehängt; **2** *intr. 62;* die Anzeige hing lange aus; **Aus|hän|ger** *m. 5* = Aushängebogen; **Aus|hän|ge|schild** *s. 3*
Aus|hau *m. 1* Rodung
aus|hau|chen *tr. 1*
aus|hau|en *tr. 63*
aus|häu|sig *ugs.:* nicht zu Hause
aus|he|ben *tr. 64;* **aus|he|bern** *tr. 1* mit einem Heber Flüssigkeit entnehmen; ich hebere, hebre ihm den Magen aus; **Aus|he|be|rung** *w. 10;* **Aus|he|bung** *w. 10*
aus|he|cken *tr. 1, ugs.:* ausdenken
aus|hei|len *tr. u. intr. 1;* **Aus|hei|lung** *w. 10 nur Ez.*
aus|hel|fen *intr. 66*
Aus|hieb *m. 1* Entfernung alter oder dürrer Bäume, Auszugshieb
Aus|hil|fe *w. 11,* **Aus|hilfs|kraft** *w. 2;* **aus|hilfs|wei|se**
aus|höh|len *tr. 1;* **Aus|höh|lung** *w. 10*
aus|ho|len 1 *intr. 1;* zum Schlag a.; **2** *tr. 1* aushorchen
aus|hol|zen *tr. 1;* **Aus|hol|zung** *w. 10*
aus|hor|chen *tr. 1;* **Aus|hor|cher** *m. 5*
Aus|hub *m. 1 nur Ez.* ausgehobene Erde
aus|hun|gern *tr. 1;* **Aus|hun|ge|rung** *w. 10 nur Ez.*
aus|ixen *tr. 1* auf der Schreibmaschine mit dem Buchstaben x unleserlich machen
aus|ke|geln *tr. 1* auskugeln; ich kegele, kegle mir den Arm aus
aus|keh|len *tr. 1* mit einer Hohlkehle versehen, **Aus|keh|lung** *w. 10*
aus|kei|len *intr. 1* **1** ausschlagen (vom Pferd); **2** *Geol.:* keilförmig enden (von einer Schicht zwischen zwei andern); **Aus|kei|lung** *w. 10, Geol.*
aus|ken|nen *refl. 67*
aus|ker|ben *tr. 1;* **Aus|ker|bung** *w. 10*
aus|ker|nen *tr. 1*
aus|klam|mern *tr. 1;* ich klammere, klammre es aus; **Aus|klam|me|rung** *w. 10 nur Ez.*
Aus|klang *m. 2*
aus|kla|rie|ren *tr. 3* bei der Ausfahrt verzollen (Schiffsladung); **Aus|kla|rie|rung** *w. 10*
aus|klei|den *tr. 2;* **Aus|klei|dung** *w. 10* Bezug, Bespannung (eines Innenraums)
aus|klin|gen *intr. 69*
aus|klop|fen *tr. 1;* **Aus|klop|fer** *m. 5*
aus|klü|geln *tr. 1;* ich klügele, klügle es aus: ein ausgeklügelter Plan
aus|knei|fen *intr. 70, ugs.:* ausreißen
aus|knip|sen *tr. 1, ugs.:* ausschalten
aus|kno|beln *tr. 1* ausdenken, herausbringen
aus|kno|cken [nɔkən] *tr. 1* durch Knockout besiegen
aus|kof|fern *tr. 1* mit einem Untergrund versehen (Straße, Gleis); **Aus|kof|fe|rung** *w. 10*

aus|kol|ken *tr. 1* durch starke Strömung auswaschen (Flussbett); **Aus|kol|kung** *w. 10*
aus|kom|men *intr. 71;* **Aus|kom|men** *s. 7 nur Ez.;* sein (gutes) A. haben; **aus|kömm|lich**
aus|kos|ten *tr. 2*
aus|kra|gen *intr. 1* vorspringen (Bauteil); **Aus|kra|gung** *w. 10*
aus|krat|zen 1 *tr. 1; auch Med.:* ausschaben; **2** *intr. 1, ugs.:* ausreißen, davonlaufen; **Aus|krat|zung** *w. 10, Med.:* Ausschabung
Aus|kris|tal|li|sa|ti|on *w. 10;* **aus|kris|tal|li|sie|ren** *intr. 3* Kristalle aus Lösungen heraus bilden
aus|ku|geln *tr. 1* ausrenken; ich kugele, kugle mir den Arm aus
Aus|kul|ta|ti|on [lat.] *w. 10, Med.:* Untersuchung durch Abhorchen; **aus|kul|ta|to|risch** *Med.:* durch Abhorchen; **aus|kul|tie|ren** *tr. 3, Med.:* abhorchen
aus|kund|schaf|ten *tr. 2;* **Aus|kund|schaf|ter** *m. 5;* **Aus|kund|schaf|tung** *w. 10 nur Ez.*
Aus|kunft *w. 2;* **Aus|kunf|tei** *w. 10* Auskunftsbüro; **Aus|kunfts|be|am|te(r)** *m. 18 (17);* **Aus|kunfts|bü|ro** *s. 9*
aus|ku|rie|ren *tr. 3*
Aus|lad *m. 1 nur Ez., schweiz.:* Ausladung (bei der Eisenbahn); **aus|la|den** *tr. 74;* **aus|la|dend** breit gebaut; *übertr.:* weitschweifig; weit ausholend (Gebärde); **Aus|la|der** *m. 5*
Aus|la|ge *w. 11;* Auslagen: Ausgaben, ausgelegtes Geld
Aus|land *s. 4 nur Ez.;* **Aus|län|der** *m. 5;* **Aus|län|de|rei** *w. 10 nur Ez.* Nachahmung ausländischer Sitten, Sprache usw.; **aus|län|disch;** **aus|lands|deutsch,** **Aus|lands|deut|sche(r)** *m. 18 (17) bzw. w. 17 oder 18;* **Aus|lands|rei|se** *w. 11;* **Aus|lands|kun|de** *w. 11 nur Ez.* Lehre von Geographie, Verfassung, Wirtschaft und Geschichte fremder Staaten; **Aus|lands|ver|tre|tung** *w. 10*
Aus|laß ► **Aus|lass** *m. 2* Öffnung; *süddt., österr.:* Tür; **aus|las|sen** *tr. 75; süddt., österr. auch:* loslassen; **Aus|las|sung** *w. 10;* **Aus|las|sungs|punk|te** *m. 1 Mz.* (...); **Aus|las|sungs|satz** *m. 2* = Ellipse; **Aus|las|sungs|zei|chen** *s. 7* (') Apostroph; **Aus|laß|ven|til** ► **Aus|lass|ven|til** *s. 1* beim Verbrennungsmotor das Ventil, durch welches das Gasgemisch den Verbrennungsraum verlässt
aus|las|ten *tr. 2;* **Aus|las|tung** *w. 10*
aus|lat|schen 1 *tr. 1, ugs.:* austreten (Schuhe); **2** *intr. 1, vulg.:* sich ungehörig benehmen
Aus|lauf *m. 2;* **aus|lau|fen** *intr. 76;* **Aus|läu|fer** *m. 5; schweiz. auch:* Laufbursche, Bote
aus|lau|gen *tr. 1*
Aus|laut *m. 1* letzter Laut eines Wortes; **aus|lau|ten** *intr. 2*
aus|lee|ren *tr. 1;* **Aus|lee|rung** *w. 10*
aus|le|gen *tr. 1;* **Aus|le|ger** *m. 5;* **Aus|le|ger|boot** *s. 1* schmales Boot, dessen Stabilität durch Schwimmbalken verbessert ist; **Aus|le|ger|brü|cke** *w. 11;* **Aus|le|gung** *w. 10*
Aus|leih|bi|bli|o|thek *auch:* **-bib|li|o-** *w. 10; Ggs.:* Präsenzbibliothek; **Aus|lei|he** *w. 11* Ausgabestelle in Bibliotheken; **aus|lei|hen** *tr. 78;* **Aus|lei|her** *m. 5*
aus|ler|nen *tr. 1*
Aus|le|se *w. 11;* **aus|le|sen** *tr. 79*
aus|lie|fern *tr. 1;* ich liefere, liefre es aus; **Aus|lie|fe|rung** *w. 10*
aus|lo|ben *tr. 1;* etwas a.: öffentlich eine Belohnung für etwas aussetzen; **Aus|lo|bung** *w. 10*
aus|lo|gie|ren [-ʒi:-] *tr. 3* zum Auszug aus der Wohnung veranlassen
aus|loh|nen, **aus|löh|nen** *tr. 1* bei der Entlassung entlohnen; **Aus|loh|nung, -löh|nung** *w. 10*
aus|lo|sen *tr. 1*
aus|lö|sen *tr. 1;* **Aus|lö|ser** *m. 5*
Aus|lo|sung *w. 10*
Aus|lö|sung *w. 10*
aus|lo|ten *tr. 2;* etwas a.: mit dem Lot die Tiefe von etwas feststellen
Aus|lucht *w. 10* erkerartiger Vorbau, bes. in Nordddtschl.
Aus|lug *m. 1, veraltet:* Ausguck
aus|mah|len *tr. 1;* **Aus|mah|lung** *w. 10 nur Ez.*
aus|ma|len *tr. 1;* **Aus|ma|lung** *w. 10 nur Ez.*
aus|mar|chen *tr. 1, schweiz.:* abgrenzen (Rechte, Interessen)
Aus|maß *s. 1*
aus|mau|ern *tr. 1;* ich mauere es aus; **Aus|mau|e|rung** *w. 10*
aus|mei|ßeln *tr. 1; ich meißele, meißle es aus;* **Aus|mei|ße|lung,** **Aus|meiß|lung** *w. 10 nur Ez.*
Aus|mer|ze *w. 11 nur Ez.* aus der Zucht auszumerzende Tiere; **aus|mer|zen** *tr. 1;* du merzt sie aus
aus|mes|sen *tr. 84;* **Aus|mes|sung** *w. 10*
aus|mie|ten *tr. 2* **1** aus der Miete nehmen (Rüben); **2** *schweiz.:* vermieten
aus|mit|teln *tr. 1, selten:* ermitteln, **Aus|mit|te|lung,** Aus|mitt|lung *w. 10*
aus|mit|tig, au|ßer|mit|tig *eindeutschend für* exzentrisch
aus|mün|den *intr. 2* = münden; **Aus|mün|dung** *w. 10*
aus|mün|zen *tr. 1* **1** prägen (Münzen); **2** zum eigenen Vorteil auswerten; **Aus|mün|zung** *w. 10*
aus|mus|tern *tr. 1* aussondern; ich mustere, mustre es aus; aus dem Militärdienst (wegen Krankheit) entlassen; **Aus|mus|te|rung** *w. 10*
Aus|nah|me 1 *w. 11;* **2** *w. 11 nur Ez., österr.:* Altenteil; **Aus|nah|me|fall,** österr.: Aus|nahms|fall *m. 2;* **Aus|nah|me|zu|stand,** *österr.:* Aus|nahms|zu|stand *m. 2;* **aus|nahms|los;** **aus|nahms|wei|se**
aus|neh|men *tr. 88;* **aus|neh|mend** sehr; das gefällt mir a. gut; **Aus|neh|mer** *m. 5, österr.:* Altenteiler
aus|nüch|tern *tr. 1* nüchtern werden lassen; **Aus|nüch|te|rung** *w. 10 nur Ez.;* **Aus|nüch|te|rungs|zel|le** *w. 11*
aus|nut|zen, **aus|nüt|zen** *tr. 1;* **Aus|nut|zung,** **Aus|nüt|zung** *w. 10 nur Ez.*
aus|peit|schen *tr. 1*
aus|pfäh|len *tr. 1* **1** einzäunen; **2** *Bergbau:* durch Pfähle stützen (Gestein); **Aus|pfäh|lung** *w. 10*
aus|pfei|fen *tr. 90*
aus|pflan|zen *tr. 1;* **Aus|pflan|zung** *w. 10*
aus|pi|chen *tr. 1* mit Pech verschließen; vgl. ausgepicht
Au|spi|zi|um *auch:* **Aus|pi|zi|um** [lat.] *s. Gen.* -s *meist Mz.* -zi|en, *österr. nur Mz.* **1** *im alten Rom:* Weissagung nach dem Vogelflug; **2** Aussicht, Hoffnung; unter günstigen Auspizien; **3** Obhut, Leitung; unter günstigen Auspizien; etwas unter den Auspizien von..., des... tun
aus|plau|dern *tr. 1;* ich plaudere, plaudre es aus

► = wird zu

aus|plün|dern *tr. 1;* ich plündere, plündre ihn aus; **Aus|plün|de|rung** *w. 10 nur Ez.*
aus|pols|tern *tr. 1;* ich polstere, polstre es aus; **Aus|pols|te|rung** *w. 10 nur Ez.*
aus|po|sau|nen *tr. 1, ugs.:* überall weitererzählen
aus|po|wern [zu frz. pauvre »arm«] *tr. 1* ausplündern, ausbeuten; ich powere ihn aus
aus|prä|gen *tr. 1;* **Aus|prä|gung** *w. 10*
aus|pro|bie|ren *tr. 3*
Aus|puff *m. 1;* **Aus|puff|flam|me** *w. 11;* **Aus|puff|topf** *m. 2*
aus|punk|ten *tr. 2, Boxen:* nach Punkten besiegen
Aus|putz *m. 1 nur Ez.* **1** Zierde; **2** Abfälle bei der Getreidereinigung; **aus|put|zen** *tr. 1;* **Aus|put|zer** *m. 5* Ausbeuter
aus|quar|tie|ren *tr. 3;* **Aus|quar|tie|rung** *w. 10 nur Ez.*
aus|quet|schen *tr. 1, ugs.*
aus|ra|die|ren *tr. 3*
aus|ran|gie|ren [-rɑ̃ʒiː-, ugs.: raŋʒiː-] *tr. 3*
aus|räu|chern *tr. 1;* ich räuchere es aus; **Aus|räu|che|rung** *w. 10 nur Ez.*
aus|räu|men *tr. 1;* Möbel a.; Missverständnisse a.; **Aus|räu|mung** *w. 10 nur Ez.*
Aus|re|de *w. 11;* **aus|re|den** **1** *intr. 2;* jmdn. a. lassen; **2** *tr. 2;* jmdm. etwas ausreden
aus|rei|ben *tr. 95, österr.:* scheuern; **Aus|reib|tuch** *s. 4, österr.*
Aus|rei|se *w. 11;* **Aus|rei|se|er|laub|nis** *w. 1;* **aus|rei|sen** *intr. 1;* **Aus|rei|ser** *m. 5, ehem. DDR:* Bürger/in, der/die einen Antrag zum Verlassen der DDR gestellt hatte
aus|rei|ßen *tr. u. intr. 96;* **Aus|rei|ßer** *m. 5*
aus|ren|ken *tr. 1;* **Aus|ren|kung** *w. 10*
aus|rich|ten *tr. 2;* **Aus|rich|tung** *w. 10 nur Ez.*
aus|rin|gen *tr. 100* = auswringen
aus|ro|den *tr. 2;* **Aus|ro|dung** *w. 10*
aus|rot|ten *tr. 2;* **Aus|rot|tung** *w. 10 nur Ez.*
aus|rü|cken *tr. u. intr. 1*
Aus|ruf *m. 1;* **aus|ru|fen** *tr. 102;* **Aus|ru|fer** *m. 5;* **Aus|ru|fe|satz** *m. 2;* **Aus|ru|fe|zei|chen, Aus|ru|fungs|zei|chen** *s. 7,* **Aus|ruf|zei|chen** *s. 7, österr.*
aus|ru|hen *intr. 1*

aus|rüs|ten *tr. 2;* **Aus|rüs|ter** *m. 5;* **Aus|rüs|tung** *w. 10;* **Aus|rüs|tungs|ge|gen|stand** *m. 2*
aus|rut|schen *intr. 1;* **Aus|rut|scher** *m. 5, ugs.* **1** schlechtes Benehmen, Lapsus; **2** *Sport:* unerwartete Niederlage eines Favoriten
Aus|saat *w. 10;* **aus|sä|en** *tr. 1*
Aus|sa|ge *w. 11;* **aus|sa|gen** *tr. 1*
aus|sä|gen *tr. 1*
Aus|sa|ge|satz *m. 2;* **Aus|sa|ge|wei|se** *w. 11* = Modus
Aus|satz *m. 2 nur Ez.* = Lepra; **aus|sät|zig**
aus|scha|ben *tr. 1;* **Aus|scha|bung** *w. 10, Med.:* Abrasio
aus|schach|ten *tr. 2;* **Aus|schach|tung** *w. 10*
aus|scha|len *tr. 1* aus der Schale oder Verschalung nehmen
aus|schal|ten *tr. 2;* **Aus|schal|tung** *w. 10*
Aus|scha|lung *w. 10 nur Ez.*
Aus|schank *m. 2*
Aus|schau *w. Gen.- nur Ez., meist in der Wendung:* A. halten; **aus|schau|en** *intr. 1;* nach jmdm. a.
Aus|scheid *m. 2, ehem. DDR:* Ausscheidungskampf, Auswahlkampf; **aus|schei|den** *tr. u. intr. 107;* **Aus|schei|dung** *w. 10;* **Aus|schei|dungs|kampf** *m. 2;* **Aus|schei|dungs|spiel** *s. 1*
aus|schen|ken *tr. 1;* Bier, Wein ausschenken
aus|sche|ren *intr. 1* **1** aus der Reihe, Spur abbiegen (von Fahrzeugen); **2** sich von einer Gruppe absondern
aus|schie|ßen **1** *tr. 113;* **2** *intr. 113, Buchw.:* den Satz in der Druckform so anordnen, dass nach dem Falzen des bedruckten Bogens die Seiten richtig liegen
aus|schif|fen **1** *tr. 1;* Passagiere a.: vom Schiff ans Land bringen; **2** *refl. 1;* sich a.: an Land gehen; **Aus|schif|fung** *w. 10 nur Ez.*
aus|schlach|ten *tr. 2;* **Aus|schlach|tung** *w. 10 nur Ez.*
Aus|schlag *m. 2;* **aus|schla|gen** *tr. u. intr. 116;* **aus|schlag|ge|bend**
aus|schlie|ßen *tr. 120;* **aus|schließ|lich;** **Aus|schließ|lich|keit** *w. 10 nur Ez.;* **Aus|schlie|ßung** *w. 10 nur Ez.*
Aus|schlupf *m. 2;* **aus|schlüp|fen** *intr. 1*

Aus|schluß ► **Aus|schluss** *m. 2;* **Aus|schluß|tas|te** ► **Aus|schluss|tas|te** *w. 11* Taste zum Herstellen gleichmäßiger Wortzwischenräume
aus|schmie|ren *tr. 1; süddt. auch:* übers Ohr hauen
aus|schmü|cken *tr. 1;* **Aus|schmü|ckung** *w. 10*
aus|schnei|den *tr. 125;* **Aus|schnitt** *m. 1*
aus|schrei|ben *tr. 127* **1** ausfertigen; **2** öffentlich ausloben, ausbieten (Wettbewerb, Preisausschreiben); **Aus|schrei|bung** *w. 10*
aus|schrei|ten *intr. 129;* **Aus|schrei|tung** *w. 10*
aus|schro|ten *tr. 2* **1** zermahlen; **2** *österr.:* (zum Verkauf) zerlegen (Fleisch)
aus|schu|len *tr. 1* aus der Schule nehmen; **Aus|schu|lung** *w. 10*
Aus|schuß ► **Aus|schuss** *m. 2;* **Aus|schuß|sit|zung** ► **Aus|schuss|sit|zung** *w. 10;* **Aus|schuß|wa|re** ► **Aus|schuss|wa|re** *w. 11*
aus|schüt|teln *tr. 1;* ich schüttele, schüttle es aus
aus|schüt|ten *tr. 2;* **Aus|schüt|tung** *w. 10*
aus|schwei|fen *tr. 1;* **aus|schwei|fend;** **Aus|schwei|fung** *w. 10*
aus|schwem|men *tr. 1;* **Aus|schwem|mung** *w. 10*
aus|seg|nen *tr. 2;* **Aus|seg|nung** *w. 10* Segnung eines Toten, bevor er aus dem Haus getragen wird
aus|se|hen *intr. 136;* **Aus|se|hen** *s. 7 nur Ez.*
aus|sein ► **aus sein** *intr. 137;* die Schule ist aus, ist aus gewesen, weil die Schule schon aus war; auf etwas aus sein
au|ßen; außen am Fenster; nach außen (hin); von innen nach außen drehen; von außen (her); **Au|ßen** *m. 7, Sport:* Spieler außen, am Flügel der Mannschaft, *meist:* Linksaußen, Rechtsaußen
Au|ßen|an|ten|ne *w. 11*
Au|ßen|auf|nah|me *w. 11*
Au|ßen|bord|mo|tor *m. 12;* **au|ßen|bords;** *Ggs.:* innenbords, binnenbords
aus|sen|den *tr. 138*
Au|ßen|dienst *m. 1 nur Ez;* **au|ßen|dienst|lich**
Aus|sen|dung *w. 10 nur Ez.*
Au|ßen|han|del *m. 6 nur Ez.*

Au|ßen|mi|nis|ter *m. 5;* **Au|ßen|mi|nis|te|ri|um** *s. Gen.* -s *Mz.* -ri|en
Au|ßen|po|li|tik *w. 10 nur Ez.;* **au|ßen|po|li|tisch**
Au|ßen|sei|te *w. 11;* **Au|ßen|sei|ter** *m. 5*
Au|ßen|stän|de *m. 2 Mz.* nicht bezahlte Forderungen
Au|ßen|ste|hen|de(r) ► *auch:* **au|ßen Ste|hen|der** *m. 18 (17) bzw. w. 17 oder 18*
Au|ßen|welt *w. 10 nur Ez.*
Au|ßen|win|kel *m. 5*
au|ßer **1** *Präp. mit Dat.;* außer mir waren noch drei Leute da; ich war außer mir: empört; alle außer einem; die Maschine ist außer Betrieb; er ist außer Gefahr; er ist außer Haus; ich bin immer da außer dienstags; jmdn. außer der Reihe drannehmen; etwas außer Acht lassen; das steht außer allem Zweifel; **2** *mit Gen. nur in der Wendung* außer Landes gehen, *oder:* sein; **3** *Konj.;* außer dass, außer wenn; ich gehe täglich spazieren, außer wenn es neblig ist
Au|ßer|acht|las|sen *s. Gen.* -s *nur Ez.;* **Au|ßer|acht|las|sung** *w. 10 nur Ez.*
au|ßer|dem
au|ßer|dienst|lich
äu|ße|re (-r, -s); die äußeren Angelegenheiten (eines Staates); die Äußere Mission; **Äu|ße|re(s)** *s. 18 (17);* sein Äußeres; Minister des Äußeren
au|ßer|e|he|lich
au|ßer|eu|ro|pä|isch
au|ßer|ge|wöhn|lich
au|ßer|halb *Präp. mit Gen.;* außerhalb des Hauses
au|ßer|ir|disch
äu|ßer|lich; **Äu|ßer|lich|keit** *w. 10*
äu|ßerln *tr. 1, österr.:* (den Hund) ausführen
au|ßer|mit|tig = ausmittig
äu|ßern *tr. 1;* ich äußere, äußre etwas; sich äußern
au|ßer|or|dent|lich [auch; -ọr-]; außerordentlicher Professor (*Abk.:* ao., a. o. Prof.)
Au|ßer|par|la|men|ta|ri|sche Op|po|si|ti|on *w. 10 nur Ez.* (*Abk.:* APO [apo]) *zusammenfassende Bez. für* linksrevolutionäre polit. Gruppen
au|ßer|plan|mä|ßig; außerplanmäßiger Professor (*Abk.:* apl. Prof.)
au|ßer|schu|lisch

> **äußerst:** Substantivierte Adjektive werden großgeschrieben; feste adverbiale Verbindungen können aber auch – wie bisher – kleingeschrieben werden: *auf das äußerste/Äußerste gefasst sein; bis zum äußersten/Äußersten gehen.* →§ 57 (1), § 58 E1

äu|ßerst; ich war aufs äußerste, aufs Äußerste gespannt, gefasst; zwei Wochen sind das Äußerste; lass es nicht bis zum Äußersten kommen; treib es nicht (bis) aufs Äußerste; ich bin mit meinem Angebot bis zum Äußersten gegangen

> **außerstande/außer Stande:** Fügungen in adverbialer Verwendung können als Zusammensetzung oder als Wortgruppe verstanden werden. Der Schreibende kann zwischen beiden Varianten wählen: *außerstande/außer Stande sein.* →§ 39 E3 (1)

au|ßer|stạn|de ► *auch:* **au|ßer Stan|de** ich bin, sehe mich, fühle mich a., das zu tun
äu|ßers|ten|falls
Äu|ße|rung *w. 10*
aus|set|zen *tr. u. intr. 1;* **Aus|set|zung** *w. 10*
Aus|sicht *w. 10;* **aus|sichts|los;** **Aus|sichts|lo|sig|keit** *w. 10 nur Ez.;* **Aus|sichts|punkt** *m. 1;* **aus|sichts|reich;** **Aus|sichts|turm** *m. 2;* **aus|sichts|voll**
aus|sie|deln *tr. 1;* **Aus|sie|de|lung, Aus|sied|lung** *w. 10*
aus|söh|nen *tr. 1;* **Aus|söh|nung** *w. 10*
aus|son|dern *tr. 1;* ich sondere, sondre es aus; **Aus|son|de|rung** *w. 10*
aus|sor|tie|ren *tr. 3;* **Aus|sor|tie|rung** *w. 10*
aus|spä|hen *intr. 1;* nach jmdm. ausspähen
aus|span|nen *tr. u. intr. 1;* **Aus|span|nung** *w. 10 nur Ez.*
aus|spa|ren *tr. 1;* **Aus|spa|rung** *w. 10*
aus|sper|ren *tr. 1;* **Aus|sper|rung** *w. 10*
aus|spie|len **1** *intr. 1* das (Karten-)Spiel beginnen; **2** *tr. 1;* eine Karte a.; jmdn. gegen jmdn. a.
Aus|spra|che *w. 11;* **aus|spre|chen** *tr. 146;* **Aus|spruch** *m. 2*
aus|staf|fie|ren *tr. 3;* **Aus|staf|fie|rung** *w. 10 nur Ez.*

Aus|stand *m. 2;* **aus|stän|dig;** **Aus|ständ|ler** *m. 5*
aus|stat|ten *tr. 2;* **Aus|stat|tung** *w. 10,* **Aus|stat|tungs|film** *m. 1;* **Aus|stat|tungs|stück** *s. 1*
aus|ste|hen **1** *tr. 151* leiden, erleiden; viel a. müssen; jmdn. oder etwas nicht a. können: nicht mögen; **2** *intr. 151* fehlen; die Antwort, Rechnung steht noch aus
aus|stel|len *tr. 1;* **Aus|stel|ler** *m. 5;* **Aus|stel|lung** *w. 10;* **Aus|stel|lungs|ge|län|de** *s. 5;* **Aus|stel|lungs|stück** *s. 1*
Aus|ster|be|e|tat [-eta] *m. 9, nur in den Wendungen* auf dem A. stehen: zu Ende gehen; etwas auf den A. setzen: zu Ende gehen lassen; **aus|ster|ben** *intr. 154*
Aus|steu|er *w. 11;* **aus|steu|ern** *tr. 1;* ich steuere, steure es aus; **Aus|steu|e|rung** *w. 10 nur Ez.*
Aus|stich *m. 1* **1** das Beste (seiner Art, bes. vom Wein); **2** *schweiz., Sport:* Entscheidungskampf
Aus|stieg *m. 1*
aus|stop|fen *tr. 1;* **Aus|stop|fung** *w. 10*
Aus|stoß *m. 2;* **aus|sto|ßen** *tr. 157;* **Aus|sto|ßung** *w. 10*
aus|strah|len *tr. 1;* **Aus|strah|lung** *w. 10*
aus|ta|rie|ren *tr. 3;* einen Behälter a. *österr.:* auf der Waage das Leergewicht eines Behälters feststellen
Aus|tausch *m. 1;* **aus|tau|schen** *tr. 1;* **Aus|tau|scher** *m. 5;* **Aus|tausch|pro|fes|sor** *m. 13;* **Aus|tausch|schü|ler** *m. 5;* **aus|tausch|wei|se**
Aus|te|nit [nach dem engl. Forscher Roberts-Austen] *m. 1* ein Mischkristall von Eisen und Kohlenstoff
Aus|ter [lat.] *w. 11* eine essbare Meeresmuschel
Aus|te|ri|ty [ɔːstẹrɪtɪ, engl.] *w. Gen.* - *nur Ez.* staatl. Sparmaßnahmen, Einschränkung
Aus|tern|bank *w. 2;* **Aus|tern|fi|scher** *m. 5*
aus|til|gen *tr. 1* tilgen, auslöschen
aus|to|ben *tr. 1*
aus|ton|nen *tr. 1, nur im Präsens üblich* = ausbojen
Aus|trag *m. 2;* **aus|tra|gen** *tr. 160;* **Aus|trä|ger** *m. 5;* **Aus|trä|ge|rei** *w. 10* Klatsch; **Aus|träg|ler** *m. 5* Altenteiler; **Aus-**

► = wird zu

trag|stüb|chen *s. 7;* im A. sitzen *scherzh.:* Rentner sein; **Aus|tra|gung** *w. 10*
au|stral *auch:* **aus|tral** [zu lat. auster »Südwind«] *veraltet:* zur südl. Erdhalbkugel gehörend; **au|stra|lid** zu den Australiden gehörend;

> **Austra-, Austri-** (Worttrennung): In Fügungen mit *Austra-, Austri-* kann wie bisher üblich und auch nach Sprechsilben getrennt werden: *Aus|tra|li|en.*
> →§ 108

Au|stra|li|de(r) *m. 18 (17)* Ureinwohner Australiens; **Au|stra|li|en** einer der fünf Erdteile; **Au|stra|li|er** *m. 5;* **au|stra|lisch;** *aber:* der Australische Bund; **au|stra|lo|id** den Australiden ähnlich; **Au|stra|lo|i|de(r)** *m. 18 (17)* Mensch mit den Australiden ähnlichen Rassenmerkmalen
Au|stra|si|en, Au|stri|en unter den Merowingern der östl. Teil des Frankenreiches
aus|trei|ben *tr. 162;* **Aus|trei|bung** *w. 10*
aus|tre|ten *intr. u. tr. 163*
Au|stria *auch:* **Aus|tria** *lat. Name für* Österreich; **Au|stri|en** = Austrasien; **au|strisch;** austrische Sprachen: die austroasiat. und austrones. Sprachen
Aus|tritt *m. 1*
au|stro|a|si|a|tisch; austroasiatische Sprachen: die Sprachen in Vorder- und Hinterindien
aus|trock|nen *tr. u. intr. 2;* **Aus|trock|nung** *w. 10 nur Ez.*
Au|stro|mar|xis|mus *m. Gen. - nur Ez.* österr. Sonderform des Marxismus
aus|trom|pe|ten *tr. 2, ugs.:* überall weitererzählen
au|stro|ne|sisch; austronesische Sprachen: die Sprachen Indonesiens und Ozeaniens
aus|tüf|teln *tr. 1;* ich tüftele, tüftle es aus
aus|tup|fen *tr. 1;* an den Innenseiten durch Tupfen säubern; die Wunde a.
aus|tu|schen *tr. 1;* mit Tusche ausfüllen; die Umrisse der Abbildungen a.
aus|üben *tr. 1;* **Aus|übung** *w. 10*
aus|u|fern *intr. 1* **1** über die Ufer treten; **2** *übertr.:* das normale Maß überschreiten; **Aus|u|fe|rung** *w. 10*

> **Ausuferung** (Worttrennung): Getrennt werden können auch Silben, die nur aus einem Vokal bestehen. Daher: *Aus|u|fe|rung.* Doch sollte im Interesse der Lesbarkeit wie auch des Schriftbildes von dieser Regel nur behutsam Gebrauch gemacht werden.
> →§ 108

aus und ein vgl. aus
Aus|ver|kauf *m. 2;* **aus|ver|kau|fen** *tr. 1*
aus|wach|sen *intr. 172;* es ist zum Auswachsen *ugs.:* langweilig, zum Verzweifeln
Aus|wahl *w. 10 nur Ez.;* **aus|wäh|len** *tr. 1;* **Aus|wahl|mann|schaft** *w. 10;* **Aus|wahl|sen|dung** *w. 10*
aus|wal|ken *tr. 1*
aus|wal|len *tr. 1, süddt., schweiz.:* ausrollen (Teig)
aus|wal|zen *tr. 1*
Aus|wan|de|rer *m. 5;* **Aus|wan|de|rin** *w. 10;* **aus|wan|dern** *intr. 1;* **Aus|wan|de|rung** *w. 10*
aus|wär|tig; auswärtige Angelegenheiten; er ist im auswärtigen Dienst; *aber:* das Auswärtige Amt (*Abk.:* AA); Minister des Auswärtigen; **aus|wärts;** auswärts essen, wohnen; die Füße auswärts setzen
aus|wa|schen *tr. 174;* **Aus|wa|schung** *w. 10*
aus|wech|seln *tr. 1;* ich wechsele, wechsle es aus; **Aus|wech|se|lung, Aus|wechs|lung** *w. 10*
Aus|weg *m. 1;* **aus|weg|los;** **Aus|weg|lo|sig|keit** *w. 10 nur Ez.*
Aus|wei|che *w. 11;* **aus|wei|chen** *intr. 176;* **Aus|weich|la|ger** *s. 5;* **Aus|weich|stel|le** *w. 11*
aus|wei|den *tr. 2;* ein Tier, Wild a.: Eingeweide herausnehmen
Aus|weis *m. 1;* **aus|wei|sen** **1** *tr. 177;* **2** *refl.:* durch Urkunde nachweisen, wer man ist; **Aus|weis|pa|pie|re** *s. 1 Mz.*
Aus|wei|sung *w. 10*
aus|wen|dig; etwas a. lernen, können, hersagen; **Aus|wen|dig|ler|nen** *s. Gen. -s nur Ez.*
aus|wer|fen *tr. 181;* **Aus|wer|fer** *m. 5*
aus|wer|ten *tr. 2;* **Aus|wer|tung** *w. 10*
aus|wet|zen *tr. 1, nur in der Wendung* eine Scharte (wieder) a.: etwas wieder gutmachen
aus|wie|gen *tr. 182*
aus|win|den *tr. 183* auswringen
aus|win|tern *intr. 1* **1** durch Frost absterben (Saat); **2** unter dem Eis ersticken (Fische); **Aus|win|te|rung** *w. 10 nur Ez.*
aus|wir|ken *refl. 1;* **Aus|wir|kung** *w. 10*
aus|wi|schen *tr. 1;* jmdm. eins a.: jmdm. absichtlich Schaden zufügen
aus|wit|tern *intr. 1* **1** sich aus Mauerwerk o. Ä. ausscheiden; **2** durch Witterungseinflüsse leiden
aus|wrin|gen, *auch:* aus|rin|gen *tr. 100*
Aus|wuchs *m. 2*
Aus|wurf *m. 2;* **Aus|würf|ling** *m. 1* von einem Vulkan ausgeworfener Stein
aus|zah|len *tr. 1;* **aus|zäh|len** *tr. 1;* **Aus|zah|lung** *w. 10;* **Aus|zäh|lung** *w. 10*
aus|zeh|ren *tr. 1;* **Aus|zeh|rung** *w. 10 nur Ez., veraltet für* Schwindsucht, Abmagerung
aus|zeich|nen *tr. 2;* **Aus|zeich|nung** *w. 10*
aus|zie|hen *tr. u. intr. 187;* **Aus|zieh|tisch** *m. 1;* **Aus|zieh|tu|sche** *w. 11*
aus|zie|ren *tr. 1;* **Aus|zie|rung** *w. 10*
aus|zir|keln *tr. 1;* ich zirkele, zirkle es aus
aus|zi|schen *tr. 1* durch Zischen zum Schweigen bringen
Aus|zug *m. 2; schweiz. auch:* erste Altersklasse der Wehrpflichtigen; **Aus|züg|ler** *m. 5, österr.:* Altenteiler; *schweiz.:* Wehrpflichtiger der ersten Altersklasse; **Aus|zug|mehl** *s. 1 nur Ez.;* **Aus|zugs|hieb** *m. 1* = Aushieb; **aus|zugs|wei|se**
aut..., Aut... vgl. auto..., Auto...
aut|ark *auch:* **au|tark** [griech.] wirtschaftlich unabhängig; **Aut|ar|kie** *auch:* **Au|tar|kie** *w. 11* wirtschaftl. Unabhängigkeit vom Ausland
au|teln *intr. 1, schweiz.:* Auto fahren (aus Liebhaberei)
Au|then|tie *w. 11 nur Ez.* = Authentizität; **au|then|ti|fi|zie|ren** [griech. + lat.] *tr. 3* als echt bezeugen, beglaubigen; **au|then|tisch** [griech.] verbürgt, echt; **au|then|ti|sie|ren** *tr. 3* glaubwürdig machen; **Au|then|ti|zi|tät** *w. 10 nur Ez.,* Au|then|tie *w. 11 nur Ez.* Echtheit, Glaubwürdigkeit

au|thi|gen [griech.] am Fundort entstanden (Gestein)
Au|tis|mus [griech.] *m. Gen. - nur Ez.* extreme Kontaktunfähigkeit, krankhafte Ichbezogenheit; **Au|tist** *m. 10;* **au|tis|tisch**
Aut|ler *m. 5, schweiz.:* Autofahrer (aus Liebhaberei)
au|to..., Au|to... [griech.] *in Zus.:* selbst..., Selbst...
Au|to 1 [griech.] *s. 9, Kurzw. für* Automobil, Kraftwagen; Auto fahren, ich fahre Auto, bin Auto gefahren; **2** *s. 9, Kurzw. für* Autotypie; **3** [lat.] *s. 9* relig. einaktiges span. und portug. Schauspiel
Au|to|bahn *w. 10;* **Au|to|bahn|zu|brin|ger|stra|ße** *w. 11*
Au|to|bi|o|gra|fie, Au|to|bio|gra|phie [griech.] *w. 11* Beschreibung des eigenen Lebens; **au|to|bi|o|gra|fisch,** au|to|bi|o|gra|phisch; **Au|to|bi|o|gra|phie** *Nv.* ► **Au|to|bi|o|gra|fie** *Hv.*; **au|to|bi|o|gra|phisch** *Nv.* ► **au|to|bi|o|gra|fisch** *Hv.*
Au|to|bus *m. 1* Omnibus
Au|to|car [griech. + engl.] *m. 9, schweiz.:* Autobus für Gesellschaftsreisen, Ausflugsomnibus
au|to|chthon *auch:* **au|toch|thon** [griech.] alteingesessen, bodenständig, am Ort entstanden; *Ggs.:* allochthon; **Au|to|chtho|ne(r)** *auch:* **Au|toch|tho|ne(r)** *m. 18 (17) bzw. w. 17 oder 18* Eingeborene(r), Ureinwohner(in)
Au|to|da|fé [-fe, lat.-port.] *s. 9* Ketzerverbrennung, öffentl. Verbrennen verbotener Bücher
Au|to|di|dakt [griech.] *m. 10* jmd., der durch Selbstunterricht Wissen erworben hat; **au|to|di|dak|tisch**
Au|to|drom [griech.] *s. 1, österr.:* Fahrbahn für →Skooter
au|to|dy|na|misch [griech.] selbstwirkend
Au|to|e|ro|tik [griech.] *w. 10 nur Ez.* Triebefüllung am eigenen Körper
au|to|gam [griech.]; **Au|to|ga|mie** *w. 11* Selbstbefruchtung
au|to|gen [griech.] selbsttätig; autogenes Schweißen: Schweißen zweier Werkstücke durch Stichflamme; autogenes Training: allein auszuführende Entspannungsübungen
Au|to|gi|ro [-ʒi-, griech. + ital.] *s. 9* Hubschrauber
Au|to|gramm [griech.] *s. 1* eigenhändig geschriebener Namenszug
Au|to|graph ► *auch:* **Au|to|graf** [griech.] *m. 10* eigenhändig geschriebenes Schriftstück (einer bekannten Persönlichkeit); **Au|to|gra|phie** ► *auch:* **Au|to|gra|fie** *w. 11* veraltetes Druckverfahren, Umdruck: **au|to|gra|phie|ren** ► *auch:* **au|to|gra|fie|ren** *tr. 3;* **au|to|gra|phisch** ► *auch:* **au|to|gra|fisch; Au|to|gra|vü|re** *w. 11* ein Tiefdruckverfahren
Au|to|hyp|no|se [griech.] *w. 11* Selbsthypnose
Au|to|in|fek|ti|on *w. 10* Selbstansteckung
Au|to|in|to|xi|ka|ti|on *w. 10* Selbstvergiftung (bei Fäulnisprozessen im eigenen Körper)
au|to|ke|phal [griech.], au|to|ze|phal; **Au|to|ke|pha|lie, Au|to|ze|pha|lie** *w. 11 nur Ez.* kirchl. Unabhängigkeit, bes. der Ostkirche
Au|to|ki|no *s. 9* Freilichtkino, in dem man den Film vom Auto aus ansieht, Drive-in-Kino
Au|to|klav [griech. + lat.] *m. 12* Stahlgefäß zum Erhitzen bei Überdruck; **au|to|kla|vie|ren** *tr. 3*
Au|to|kna|cker *m. 5, ugs.:* jmd., der Autos gewaltsam öffnet und ausraubt
Au|to|krat [griech.] *m. 10* Alleinherrscher; *übertr.:* selbstherrlicher Mensch; **Au|to|kra|tie** *w. 11* Alleinherrschaft; **au|to|kra|tisch**
Au|to|ly|se [griech.] *w. 11* **1** Selbstauflösung, Auflösung abgestorbener pflanzlicher oder tierischer Lebewesen ohne Beteiligung von Bakterien; **2** *Med.:* Selbstverdauung, Abbau von Körpereiweiß ohne Bakterien
Au|to|mat [griech.] *m. 10* selbsttätiger Apparat; **Au|to|ma|tie** *w. 11* unbewusst ablaufende Handlung (Gehen) oder unwillkürliche Organtätigkeit (Herzschlag); **Au|to|ma|tik** *w. 10* Selbststeuerung, selbsttätige Wirkungsweise; **Au|to|ma|ti|on** *w. 10 nur Ez.* vollautomatische Fabrikation; **Au|to|ma|ti|sa|ti|on** *w. 10 nur Ez.* das Automatisieren; **au|to|ma|tisch; au|to|ma|ti|sie|ren** *tr. 3;* einen Betrieb a.: automatische Arbeitsgänge in einem B. einführen; **Au|to|ma|ti|sie|rung** *w. 10 nur Ez.;* **Au|to|ma|tis|mus** *m. Gen. - Mz. -men* unbewusster Ablauf von Bewegungen oder Handlungen; **Au|to|ma|to|graph** *m. 10* Gerät zum Aufzeichnen unwillkürlicher Bewegungen
Au|to|mo|bil [griech. + lat.] *s. 1* (*Kurzw.:* Auto) Kraftfahrzeug; **Au|to|mo|bi|list** *m. 10, schweiz.:* Autofahrer; **Au|to|mo|bil|klub** *m. 9; aber:* Allgemeiner Deutscher Automobil-Club (*Abk.:* ADAC); Automobilclub von Deutschland (*Abk.:* AvD)
au|to|morph [griech.] = idiomorph
au|to|nom [griech.] unabhängig, selbstständig, nach eigenen Gesetzen lebend; *Ggs.:* heteronom; **Au|to|no|mie** *w. 11* Unabhängigkeit; Recht zur Selbstverwaltung; *Ggs.:* Heteronomie; **Au|to|no|mist** *m. 10* Anhänger der Autonomie
aut|o|nym *auch:* **au|to|nym** [griech.] unter dem wirklichen Namen des Verfassers; **Aut|o|nym** *auch:* **Au|to|nym** *s. 1* autonym erschienenes Buch
Au|to|pi|lot *m. 10* automat. Steuerungsanlage im Flugzeug
Au|to|plas|tik *w. 10* Verpflanzung von Gewebe auf dem selben Körper
Aut|op|sie *auch:* **Au|top|sie** [griech.] *w. 11* **1** eigener Augenschein, Selbstwahrnehmung; **2** Leichenschau, Leichenöffnung
Au|tor [lat.] *m. 13* Verfasser, Urheber (eines Schrift- bzw. Kunstwerkes); **Au|to|ren|kor|rek|tur** *w. 10* = Autorkorrektur
Au|to|ri|sa|ti|on *w. 10* Ermächtigung, Vollmacht; **au|to|ri|sie|ren** *tr. 3* als Einzigen ermächtigen, berechtigen; autorisierte Übersetzung
au|to|ri|tär [lat.-frz.] mit uneingeschränkter Autorität (herrschend); autoritäres Regime; **Au|to|ri|tät** *w. 10* **1** *nur Ez.* Ansehen, Geltung; **2** anerkannter Fachmann; **au|to|ri|ta|tiv** maßgebend, entscheidend
Au|tor|kor|rek|tur, Au|to|ren|kor|rek|tur *w. 10* vom Autor selbst durchgeführte Korrektur (eines Schriftsatzes); **Au|tor|schaft** *w. 10* Urheberschaft
Au|to|sko|pie *auch:* **Au|tos|ko|pie** [griech.] *w. 11* unmittelbare Untersuchung des Kehlkopfes (ohne Spiegel)

Au|to|stra|da [ital.] *w. 9, in Italien:* Autobahn

Au|to|sug|ges|ti|on *w. 10 nur Ez.* Selbstbeeinflussung; **au|to|sug|ges|tiv**

Au|to|to|mie [griech.] *w. 11* Selbstverstümmelung (von Tieren) durch Abwerfen eines Körperteils bei Gefahr

Au|to|to|xin *s. 1* im eigenen Körper entstandenes Gift

au|to|troph [griech.] sich selbst ernährend (durch Umwandlung anorgan. Nahrung in organ. Stoffe); *Ggs.:* heterotroph; **Au|to|tro|phie** *w. 11 nur Ez.* Ernährung von anorgan. Stoffen; *Ggs.:* Heterotrophie

Au|to|ty|pie [griech.] *w. 11* **1** Druckstock mit durch Raster entstandenen Halbtönen, Rasterätzung; **2** das davon hergestellte Druckbild

Au|to|vak|zi|ne [griech. + lat.] *w. 11* Impfstoff, der aus Bakterien im Körper des Impflings hergestellt wurde

au|to|ze|phal = autokephal

Au|ver|gne *auch:* **Au|verg|ne** [ovɛrnjə] *w. Gen.-* histor. frz. Provinz

Au|wald, Au|en|wald *m. 4*

au|weh! [auch: au-]

au|xi|li|ar [lat.] *veraltet:* zur Hilfe, Hilfs...; **Au|xi|li|ar|verb** *s. 12, veraltet:* Hilfsverb

Au|xin [griech.] *s. 1* Pflanzenwuchsstoff

a v. *Abk. für* a vista

A|val [frz.] *m. 1, auch: s. 1* Wechselbürgschaft; **a|va|lie|ren** *tr. 3* als Bürge unterschreiben; (Wechsel); **A|va|list** *m. 10* Wechselbürge

A|van|ce [avā̃s(ə), frz.] *w. 11* **1** Vorsprung, Vorteil, Gewinn; **2** Entgegenkommen; jmdm. Avancen machen; **3** Vorschuss; **4** Preisunterschied zwischen Kauf und Verkauf; **5** *bei Uhrwerken:* Beschleunigung (*Abk.:* A); **A|van|ce|ment** [avā̃s(ə)mā̃] *s. 9, bes. Mil.:* Beförderung; **a|van|cie|ren** [avā̃si-] *intr. 3* aufrücken, befördert werden

A|van|ta|ge [avā̃taʒ(ə), frz.] *w. 11, veraltet:* Vorteil, Vorgabe

A|vant|gar|de [avā̃gard(ə), frz.] *w. 11* Vorhut; Vorkämpfer (für eine Idee, eine Bewegung); **A|vant|gar|dis|mus** *m. Gen.- nur Ez.* Eintreten für neue Ideen; **A|vant|gar|dist** *m. 10;* **a|vant|gar|dis|tisch**

a|van|ti! [ital.] vorwärts!, schnell!

A|van|tu|rin *m. 1* = Aventurin

AvD *Abk. für* Automobilclub von Deutschland

A|ve [ital.] **1** Sei gegrüßt!; **2** *s. 9, Kurzw. für* Avemaria; **A|ve Ma|ria** Anfangsworte eines kath. Gebets; **A|ve|ma|ria, A|ve-Ma|ria** *s. 9 oder Gen.- Mz.-* nach seinen Anfangsworten benanntes kath. Gebet, englischer Gruß; **A|ve-Ma|ria-Läu|ten** *s. Gen.-s nur Ez.*

A|ve|ni|da [span., portug.] *w. Gen.- Mz.*-den, *span. und port. Bez. für* Prachtstraße, Allee

A|ven|tin *m. Gen.-s nur Ez.* einer der Hügel Roms

A|ven|tu|rin, A|van|tu|rin [ital.] *m. 1* gelber, roter oder brauner, von vielen kleinen Rissen durchzogener Quarz

A|ve|nue [-ny, frz.] *w. 11* Allee, Prachtstraße

a|ve|rage [ævərɪdʒ, engl.] mittel, Durchschnitts... (von Waren); **A|ve|rage** [ævərɪdʒ] *m. Gen.- nur Ez.* **1** Mittelwert, Durchschnitt; **2** = Havarie

A|ver|bo [lat.] *s. Gen.-s Mz.-s od.* -bi Gesamtheit der Stammformen eines Verbums, aus denen sich andere Formen ableiten lassen, z. B. trinken, trank, getrunken

A|vers [frz.] *m. 1* Vorderseite (einer Münze oder Medaille); *Ggs.:* Revers (**2**)

A|ver|sal|sum|me *w. 11* = Aversum

A|ver|si|on [lat.] *w. 10* Widerwille, Abneigung; eine A. gegen etwas haben

A|ver|si|o|nal|sum|me *w. 11* = Aversum; **a|ver|si|o|nie|ren** [lat.] *tr. 3, veraltet:* abfinden; **A|ver|sum** *s. Gen.-s Mz.*-sa, A|ver|sal|sum|me, A|ver|si|o|nal|sum|me *w. 1* Abfindungssumme

A|ver|tis|se|ment [avɛrtismā̃] *s. 9, veraltet:* Benachrichtigung

A|ves|ta *s. Gen.- nur Ez.* = Awesta

AVG *Abk. für* Angestelltenversicherungsgesetz

A|vi|a|tik [lat.] *w. 10 nur Ez., veraltet:* Flugtechnik, Flugwesen; **A|vi|a|ti|ker** *m. 5, veraltet*

A|vi|gnon [avinjɔ̃] frz. Stadt

a|vi|ru|lent [griech. + lat.] nicht ansteckend; *Ggs.:* virulent

A|vis [avi, frz.] *s. Gen.- Mz.-* [avis] Benachrichtigung, Ankündigung; **a|vi|sie|ren** *tr. 3* anmelden, ankündigen; **A|vi|so** **1** *s. 9, österr. für* Avis; **2** [span.] *m. 9* kleines, schnelles Kriegsschiff

a vis|ta [ital. »bei Sicht«] (*Abk.:* a v.) bei Vorlage fällig (Wechsel); **A|vis|ta|wech|sel** *m. 5* Sichtwechsel

A|vit|a|mi|no|se *auch:* **A|vi|ta|mi|no|se** *w. 11* durch Vitaminmangel entstandene Krankheit

A|vi|va|ge [-vaʒə, frz.] *w. 11* Nachbehandlung von Geweben, um ihnen mehr Glanz und Farbe zu geben; **a|vi|vie|ren** *tr. 3*

A|vo|ca|do [aztek.] *w. 9* ölhaltige, birnenförmige Frucht aus Südamerika, Avokadobirne, Advokatenbirne

A|vus [Kurzw. aus Automobil-Verkehrs- und Uebungsstraße] *w. Gen.- nur Ez.* eine Autorennstrecke in Berlin

A|wa|re *m. 11* Angehöriger eines tatar. Volkes; **a|wa|risch**

A|wes|ta, A|ves|ta [pers. »Grundtext«] *s. Gen- nur Ez.* Sammlung heiliger Schriften der Parsen; **a|wes|tisch**

a|xi|al [lat.] auf eine Achse bezogen, in der Achsenrichtung, achsrecht, längsachsig, symmetrisch; *Ggs.:* anaxial; **A|xi|a|li|tät** *w. 10 nur Ez.* Anordnung in Achsenrichtung; **A|xi|al|sym|me|trie** *auch:* **-met|rie** *w. 11 nur Ez.;* **A|xi|al|ver|schie|bung** *w. 10*

a|xil|lar [lat.] **1** zur Achselhöhle gehörig, in ihr gelegen; **2** in der Blattachsel stehend, achselständig; **A|xil|lar|knos|pe** *w. 11*

A|xi|o|lo|gie [griech.] *w. 11* Wertlehre; **a|xi|o|lo|gisch**

A|xi|om [griech.] *s. 1* ohne Beweis einleuchtender, grundlegender Lehrsatz; **A|xi|o|ma|tik** *w. 10 nur Ez.* Lehre von den Axiomen; **a|xi|o|ma|tisch** auf Axiomen beruhend, unmittelbar einleuchtend

A|xis|hirsch *m. 1* eine kleine vorderind. Hirschart

Ax|mins|ter|tep|pich [ɛks-, nach der engl. Stadt Axminster] *m. 1* gewebter Florteppich

A|xo|lotl [atzek.] *m. 5* mexikan. Wassermolch

A|xon [griech.] *s. Gen.-s Mz.* A|xo|nen, Achsenzylinder, zentraler Teil einer Nervenfaser

A|xo|no|me|trie *auch:* **-met|rie** [griech.] *w. 11* eine geometr. Parallelprojektion; **a|xo|no|me-trisch** *auch:* **-met|risch**
Axt *w. 2;* **Axt|helm** *m. 1* Axtstiel
A|ya|tol|lah *m. 9* höchster schiitischer Ehrentitel
Aye-Aye [aijai, madagass.] *s. Gen. - Mz.* -s ein Halbaffe, Fingertier
Ay|ma|ra *m. 9 oder Gen. - Mz. -* = Aimara
A|yun|ta|mi|en|to [ajun-, span.] *m. oder s. Gen.* -(s) *Mz.* -s, *in spanischen Gemeinden:* Gemeinderat
a. Z. *Abk. für* auf Zeit
AZ *Abk. für* Arizona
A|za|lee *auch:* A|za|lie [-ljə, griech.] *w. 11* eine Zierpflanze
a|ze|phal [griech.], a|ke|phal **1** ohne Kopf; **2** azephaler Vers: Vers, dem am Anfang eine Silbe fehlt; **3** ohne Anfang, am Anfang verstümmelt (Buch); **A|ze|pha|lie,** A|ke|pha|lie *w. 11* Fehlen des Kopfes
A|zet|al|de|hyd *auch:* **A|zet|al-de|hyd** *m. 1 nur Ez.* = Acetaldehyd; **A|ze|tat** *fachsprachl.:* Acetat *s. 1* Salz der Essigsäure;
A|ze|ton *s. 1 nur Ez.* = Aceton; **A|ze|ty|len** *s. 1 nur Ez.* = Acetylen
A|zid *s. 1* Salz der Stickstoffwasserstoffsäure
A|zi|li|en [aziliẽ, nach dem frz. Fundort Le Mas-d'Azil] *s. Gen.* -(s) *nur Ez.* Stufe der Mittelsteinzeit
A|zi|mut [arab.] *m. 1 oder s. 1, Astron.:* Winkel zwischen Höhenkreis und Meridian; **a|zi-mu|tal**
A|zo|farb|stoff [zu: Azot] *m. 1* ein Teerfarbstoff; **A|zo|grup|pe** *w. 11* eine Stickstoffgruppe
A|zo|i|kum [griech.] *s. Gen.* -s *nur Ez.* ältestes Erdzeitalter ohne organ. Leben, Archaikum; **a|zo|isch**
A|zol|la *w. Gen. - nur Ez.* Gattung meist trop. Wasserfarne
A|zo|o|sper|mie [-tso|o-, griech.] *w. 11* Fehlen der Samenzellen in der Samenflüssigkeit
A|zo|ren *Mz.* portug. Inselgruppe im Atlant. Ozean
A|zot [azo, griech.] *s. 9 nur Ez.,* **A|zote** [azɔt] *m. Gen. - nur Ez., ältere frz. Bez. für* Stickstoff
Az|te|ke *m. 11* Angehöriger eines Indianerstammes in Mexiko; **az|te|kisch**
A|zu|bi [auch: -tsu-] *m. 9 oder w. 9,* Kurzw. für Auszubildende(r), Lehrling
A|zu|le|jos [asulɛxɔs, span.: aθu-] *Mz.* bunte, bes. blaue, von den Mauren in Spanien eingeführte Fayencefliesen
A|zur [pers.-frz.] *m. 1 nur Ez.* Himmelsblau, -bläue; **a|zur-blau**
A|zu|ree|li|ni|en [zu: Azur] *w. 11 Mz.* waagerechtes Linienfeld (für Wertangaben auf Formularen); **a|zu|riert** mit Azureelinien versehen
A|zu|rit [zu: Azur] *m. 1 nur Ez.* ein azurblaues Mineral; **a|zurn** azurblau
A|zy|gie [griech.] *w. 11* unpaariges Vorkommen, Unpaarigkeit; **a|zy|gisch** *Biol.:* nicht paarweise vorkommend, unpaarig (Organe)
a|zy|klisch *auch:* **a|zyk|lisch** [auch: -tsy-] **1** *allg.:* nicht zyklisch; **2** *Bot.:* nicht kreisförmig, spiralig; **3** *Med.:* zeitlich unregelmäßig

B

b *s. Gen. - Mz. -, Mus.:* **1** das um einen halben Ton erniedrigte h; **2** = b-Moll

B *s. Gen. - Mz. -* **1** internationales Kfz-Kennzeichen für Belgien; **2** *Mus.* = B-Dur; **3** *Phys.: Zeichen für* Bel; **4** *chemisches Zeichen für* Bor; **5** *auf Kurszetteln Abk. für* Brief; **6** *Abk. für* Beatus, Beata (»Seliger«, »Selige«) in der kath. Kirche

b. *Abk. für* bei, z. B. Aurach b. Kitzbühel

B. *Abk. für* Bachelor, Bolívar

Ba *chem. Zeichen für* Barium

BA *Abk. für* British Airways (Corporation), brit. Luftfahrtgesellschaft

Baal semit. Gott; **Baals|dienst** *m. 1 nur Ez.*

Baas [ndrl.] *m. 1, nddt.:* Herr, Meister, Vorgesetzter

Baath-Par|tei *w. 10 nur Ez.* arab. polit. Partei

bab|beln *intr. 1, ugs.:* schwatzen; ich babbele, babble

Bab|bitt [bæbɪt, nach dem Titelhelden des Romans von Sinclair Lewis] *m. 9* nordamerik. Durchschnittsmensch, geschäftstüchtiger Spießer

Bab|bitt|me|tall [bæbɪt-, nach dem nordamerik. Erfinder Isaac Babbitt] *s. 1, Sammelbez. für* bestimmte Lagermetalle

Ba|bel = Babylon

Ba|be|sia [nach dem rumän. Arzt V. Babes] *w. Gen. - Mz.* -si|en Erreger mehrerer durch Zecken übertragener Tierkrankheiten

Ba|bis|mus [pers.] *m. Gen. - nur Ez.* Lehre einer islam. Sekte; **Ba|bist** *m. 10*

Ba|bu [hind.] *m. 9* ind. Titel und Anrede für gebildete Männer, *eigtl.:* Fürst

Ba|bu|sche, Pam|pu|sche [frz.] *w. 11, nordostdt.:* Stoffpantoffel, warmer Hausschuh

Ba|by [bebi, engl.] *s. 9* Säugling

Ba|by|jahr [bebi-] *s. 1* Urlaub für eine Frau, die ihr Baby versorgt

Ba|by|lon, Ba|bel antike Stadt am Euphrat; **Ba|by|lo|ni|en** antikes Land am unteren Euphrat und Tigris; **Ba|by|lo|ni|er** *m. 5;* **ba|by|lo|nisch**

ba|by|sit|ten [bebi-] *intr., nur im Infinitiv gebräuchlich:* sich als Babysitter betätigen; **Ba|by|sit|ter** *m. 5* Beaufsichtiger eines Babys in Abwesenheit der Eltern

Bac|cha|nal [baxa-, lat.] *s. 1* Fest zu Ehren des röm. Weingottes Bacchus; *übertr.:* wüstes Trinkgelage; **bac|cha|na|lisch;** **Bac|chant** [-xant] *m. 10* Diener des Bacchus; **bac|chan|tisch** trunken, ausgelassen; **bacchisch** [baxiʃ] in der Art des Bacchus; **Bac|chus** [baxus] röm. Gott des Weines

Bach *m. 2*

Bach|blü|ten *w. 11 nur Mz.* bestimmte Blütenessenzen als Heilmittel

Ba|che *w. 11* weibl. Wildschwein

Ba|chel|lor [bætʃələr, engl.] *m. 9* (*Abk.:* B.) Bakkalaureus, niedrigster akadem. Grad in den angelsächs. Ländern

Ba|cher *m. 5, selten* = Keiler

Bach|stel|ze *w. 11*

back *Seew.:* zurück, hinten;

Back *w. 10, Seew.:* **1** Eßschüssel; **2** Tischgemeinschaft an Bord; **3** Aufbau auf dem Deck des Vorderschiffs

Back [bæk, engl.] *m. 9, schweiz., Sport:* Verteidiger

back|bord(s) *Seew.:* links; *Ggs.:* steuerbord(s); **Back|bord** *s. Gen.* -(s) *nur Ez.* linke Schiffsseite (von hinten gesehen); *Ggs.:* Steuerbord

Bäck|chen *s. 7;* **Ba|cke** *w. 11*

ba|cken **1** *tr. 4;* **2** *intr.* backte, gebacken: kleben (bes. vom Schnee); **3** *intr., Seew., in der Wendung* backen und banken: Essen fassen

Ba|cken *m. 7, süddt.* = Backe; **Ba|cken|bart** *m. 2;* **Ba|cken|brem|se** *w. 11;* **Ba|cken|streich** *m. 1;* **Ba|cken|zahn,** Back|zahn *m. 2*

Bä|cker *m. 5;* **Bä|cke|rei** *w. 10;* **Bä|cker|la|den** *m. 8;* **Bä|ckers|frau** *w. 10*

Back|fisch *m. 1, veraltet:* halbwüchsiges Mädchen, Teenager

Back|ground [bækgraʊnd, engl.] *m. 9* **1** *Film:* Projektion als Hintergrund einer Dekoration; **2** *Jazz:* Klanghintergrund beim Solo; **3** geistige Herkunft

Back|hand [bækhænd, engl.] *m. 9, Tennis:* Rückhandschlag; *Ggs.:* Forehand

Back|hendl *s. 14, österr.:* Backhuhn, Brathähnchen

Back|obst *s. 1 nur Ez.* Dörrobst

Back|pfei|fe *w. 11* Ohrfeige; **back|pfei|fen** *tr., fast nur im Infinitiv gebräuchlich, selten:* er hat ihn gebackpfeift

Back|pflau|me *w. 11* getrocknete Pflaume; **Back|pul|ver** *s. 5*

Back|schaft *w. 10, Seew.:* Tischgemeinschaft; **Back|schaf|ter** *m. 5, Seew.:* Essenholer

Back|stein *m. 1* gebrannter Ziegelstein

Back|wa|re *w. 11 meist Mz.;*

Back|werk *s. 1 nur Ez.*

Back|zahn, Ba|cken|zahn *m. 2*

Ba|con [beikən, engl.] *m. Gen.* -s *nur Ez.* leicht geräucherter und gesalzener, durchwachsener, magerer Speck; **Ba|con|schwein** *s. 1* Schwein mit zartem Fleisch und dünner Speckschicht

Bad *s. 4;* Bad Kissingen, *aber:* Badgastein; Stuttgart-Bad Cannstatt; **Ba|de|an|stalt** *w. 10;* **Ba|de|an|zug** *m. 2;* **Ba|de|arzt** *m. 2;* **Ba|de|gast** *m. 2;* **Ba|de|meis|ter** *m. 5;* **Ba|de|müt|ze** *w. 11*

ba|den *tr. u. intr. 2;* baden gehen; damit kannst du baden gehen *ugs.:* damit wirst du einen Misserfolg haben

Ba|den ehemaliges südwestdt. Land am Rhein; **Ba|den-Baden** Badeort im nördl. Schwarzwald; **Ba|de|ner** *m. 5;* **Ba|den|ser** *m. 5, veraltet für* Badener; **ba|den|sisch** *veraltet für* badisch; **Ba|den-Würt|tem|berg** südwestdt. Bundesland; **ba|den-würt|tem|ber|gisch**

Ba|de|ort *m. 1*

Ba|der *m. 5* **1** *früher:* Wärter im öffentl. Badehaus; *auch:* Inhaber eines solchen; **2** *veraltet:* Barbier, Heilgehilfe

Bad|gas|tein österr. Badeort

Badge [bædʒ, engl.] *s. Gen.* -(s) *Mz.* -s Namens- oder Firmenzeichen (für Tagungsteilnehmer)

Ba|di|na|ge [-ʒə, frz.], **Ba|di|ne|rie** *w. 19* schnelles, heiteres Musikstück, Satz der Suite im 18. Jh.
ba|disch zu Baden gehörig, von dort stammend
Bad|min|ton [bædmịntən, nach dem Besitztum des Herzogs von Beaufort in England] *s. 9 nur Ez.* Federballspiel
Bae|de|ker [nach seinem Begründer, dem Buchhändler Karl B.] *m. 5* Reiseführer, Reisehandbuch
Ba|fel [jidd.], Bo|fel *m. 14 nur Ez.* **1** Ausschussware; **2** Gerede, Geschwätz
baff *ugs., unflektierbar:* verblüfft
BA|föG, Ba|fög *s. Gen. - nur Ez., Abk. für* Bundesausbildungsförderungsgesetz; *ugs.:* Bafög bekommen: eine monatliche Zahlung für das Studium nach diesem Gesetz
Ba|ga|ge [-ʒə, frz.] *w. 11* **1** *veraltet:* Reisegepäck; **2** *Mil., veraltet:* Tross; **3** *ugs., abwertend:* Gesindel, Pack
Ba|gas|se [frz.] *w. 11* Rückstand bei der Rohrzuckergewinnung
Ba|ga|tel|le [frz.] *w. 11* **1** kurzes, leichtes Musikstück; **2** Kleinigkeit, Geringfügigkeit; **ba|ga|tel|li|sie|ren** *tr. 3* als geringfügig hinstellen; **Ba|ga|tell|sa|che** *w. 11* geringfügige Rechtssache
Bag|dad Hst. des Iraks
Bag|ger [ndrl.] *m. 5* Maschine zum Heben und Wegschaffen von Erdreich, Schutt u. a.; **Bag|ger|füh|rer** *m. 5;* **bag|gern** *tr. u. intr. 1;* ich baggere
Ba|gno *auch:* **Bag|no** [bạnjo, ital. »Bad«] *s. 9, Mz. auch:* -gni, *in Italien und Frankreich:* Kerker; **Ba|gno|sträf|ling** *auch:* **Bag|no|sträf|ling** [bạnjo-] *m. 1*
Bag|stall *m. 1 oder m. 2, österr.:* (»beigestellter«) Pfosten, Stützpfeiler
Ba|guette *auch:* **Ba|guet|te** [-gẹt, frz.] *w. 11* **1** längl. Schliff von Edelsteinen, bes. Diamanten; **2** langes dünnes frz. Weißbrot
Ba|ha|ma|in|seln, Ba|ha|mas *Mz.* mittelamerik. Inselstaat
bä|hen **1** *intr. 1* blöken (vom Schaf); **2** *tr. 1* leicht rösten (Brot); **3** *tr. 1* feucht wärmen
Bahn *w. 10;* **bahn|amt|lich;** **bahn|bre|chend;** eine bahnbrechende Entdeckung, *aber:* sich Bahn brechen; **Bahn|bre|cher** *m. 5;* **Bahn|bus** *m. 1* ein von der Bundesbahn betriebener Autobus; **Bahn|ca|mi|on|na|ge** [-ʒə, frz.] *w. 11, schweiz.:* Bahn-Haus-Lieferdienst; **Bahn|ca|mi|on|neur** [-nøːr] *m. 1, schweiz.:* Bahn-Haus-Spediteur
BahnCard [engl.] *w. 9* Fahrausweis der Deutschen Bahn AG
Bähn|chen *s. 7*
bah|nen *tr. 1*
bah|nen|wei|se in (Stoff-)Bahnen
Bahn|hof *m. 2* (Abk.: Bhf., Bf.); **Bahn|hofs|hal|le** *w. 11;* **Bahn|hofs|mis|si|on** *w. 10;* **Bahn|hofs|vor|ste|her** *m. 5;* **bahn|la|gernd;** bahnlagernde Sendung; **Bahn|meis|ter** *m. 5;* **Bahn|meis|te|rei** *w. 10;* **Bahn|ü|ber|gang** *m. 2;* **Bahn|wär|ter** *m. 5*
Bah|rain Bah|rein, Inselgruppe und Staat im Pers. Golf
Bah|re *w. 11;* **Bahr|tuch** *s. 4*
Baht *m. Gen. - Mz. -* Währungseinheit in Thailand
Bä|hung *w. 10* Heilverfahren mit feuchtwarmen Umschlägen
Bai [ndrl.] *w. 10* Meeresbucht
Bai|ram, Bei|ram *m. 9* türk. Fest am Ende des Ramadan
bai|risch; bairische Mundart; vgl. bayerisch
Bai|ser [bɛze, frz.] *s. 9* Gebäck aus Eischnee und Zucker
Bais|se [bɛs(ə), frz.] *w. 11* niedriger Stand (von Aktien, Preisen); *Ggs.:* Hausse; **Bais|sier** [bɛsje] *m. 9* jmd., der an der Börse auf Baisse spekuliert; *Ggs.:* Haussier
Ba|ja|de|re [portug.] *w. 11* ind. Tempeltänzerin
Ba|jaz|zo [ital.] *m. 9* Hanswurst
Ba|jo|nett [nach der frz. Stadt Bayonne] *s. 1* Stoß- und Stichwaffe, Seitengewehr; **ba|jo|net|tie|ren** *tr. u. intr. 3* mit dem Bajonett kämpfen oder aufspießen; **Ba|jo|nett|ver|schluß** ► **Ba|jo|nett|ver|schluss** *m. 2* leicht lösbare Verbindung von Rohren, Hülsen usw.
Ba|ju|wa|re *m. 11, veraltete, heute noch scherzh. Bez. für* Bayer; **ba|ju|wa|risch**
Ba|ke *w. 11* feststehendes Orientierungszeichen im Schiffs-, Luft-, Straßen- und Eisenbahnverkehr
Ba|ke|lit [nach dem belg. Erfinder L. H. Baekeland] *s. 1 nur Ez.* Ⓦⓩ ein Kunstharz: **ba|ke|li|tie|ren** *tr. 3* mit Bakelit überziehen
Bak|ka|lau|re|at [lat.] *s. 1* Würde eines Bakkalaureus; **Bak|ka|lau|re|us** *m. Gen. - Mz.* -rei [-re|i] niedrigster akadem. Grad in Großbritannien, Frankreich und den USA; vgl. Bachelor
Bak|ka|rat [-rạ, frz.] *s. 9 nur Ez.* ein Glücksspiel mit Whistkarten
Bak|ken [norw.] *m. 7, Skisport:* Sprunghügel
Bak|schisch [pers.] *s. 1* Trinkgeld; Bestechungsgeld

> **Bakteri-** (Worttrennung): Die Trennung einzelner Vokale ist zulässig: *Bak|te|ri|ä|mie, Bak|te|ri|o|lo|gie, bak|te|ri|o|lo|gisch, Bak|te|ri|u|rie* usw.
> → § 107

Bak|te|ri|ä|mie [griech.] *w. 11* Vorhandensein von Bakterien im Blut ohne sept. Krankheitserscheinungen; **Bak|te|rie** [-riə] *w. 11, fälschl. für* Bakterium; **bak|te|ri|ell** durch Bakterien hervorgerufen; **Bak|te|ri|en|trä|ger** *m. 5;* **Bak|te|ri|o|lo|ge** *m. 11;* **Bak|te|ri|o|lo|gie** *w. 11 nur Ez.* Wissenschaft von den Bakterien; **bak|te|ri|o|lo|gisch; Bak|te|ri|o|ly|se** *w. 11* Vernichtung von Bakterien; **bak|te|ri|o|ly|tisch; Bak|te|ri|o|pha|ge** *m. 11* bakterienvernichtendes Virus; **Bak|te|ri|o|se** *w. 11* durch Bakterien hervorgerufene Pflanzenkrankheit; **Bak|te|ri|um** *s. Gen.* -s *Mz.* -ri|en pflanzlicher Einzeller, Fäulnis- und Krankheitserreger; **bak|te|ri|zid** bakterientötend; **Bak|te|ri|zid** *s. 1* bakterientötendes Mittel
Ba|la|lai|ka [russ.] *w. Gen. - Mz.* -ken russ. Zupfinstrument mit drei Saiten und dreieckigem Klangkörper
Ba|lan|ce [-lɑ̃sə, frz.] *w. 11* Gleichgewicht; **Ba|lan|cé** [-lɑ̃se] *m. 9, Ballett:* Schwebeschritt; **Ba|lan|ce|akt** [-lɑ̃sə-] *m. 1;* **Ba|lan|ce|ment** [balɑ̃səmɑ̃] *s. 9, Mus.:* Bebung, Schwingung des Tons; **ba|lan|cie|ren** [-lɑ̃si-] *intr. u. tr. 3* (sich) im Gleichgewicht halten; **Ba|lan|cier|stan|ge** [-lɑ̃sir-] *w. 11*
Ba|la|ni|tis [griech.] *w. Gen. - Mz.* -ti|den Eichelentzündung, Eicheltripper

► = wird zu

Ba|la|tum *s. Gen.* -s *nur Ez.* Ⓦ mit Kautschuklösung getränkter Wollfilz als Fußbodenbelag
Bal|bier *m. 1* = Barbier; **balbie|ren** *tr. 3, nur noch in der Wendung* jmdn. über den Löffel balbieren: betrügen
Bal|boa [nach dem span. Entdecker B.] *m. Gen.- Mz.-* Währungseinheit in Panama
bald (Steigerung: eher, am ehesten); möglichst bald, so bald wie möglich
Bal|da|chin [-xi:n, nach Baldacco, der ital. Bez. für die Stadt Bagdad] *m. 1* Stoffdach über Bett oder Thron, steinernes Dach über einem Standbild
Bäl|de *nur noch in der Wendung* in Bälde: bald
Bal|der, Baldr = Baldur
bal|dig; bald|mög|lichst möglichst bald
bal|do|wern *tr. 1* = ausbaldowern
Bal|dri|an *auch:* **Bald|ri|an** *m. 1 nur Ez.* eine Heilpflanze
Bal|dur, Balder, Baldr, germ. Gott des Lichts
Ba|le|a|ren *Mz.* span. Inselgruppe im westl. Mittelmeer
Ba|le|ster *auch:* **Ba|les|ter** [lat.] *m. 5* Kugelarmbrust
Balg 1 *m. 2* Tierhaut, abgezogenes Fell; **2** *m. 2, auch* Balgen *m. 7* harmonikaartig ausziehbarer Teil, z. B. am Fotoapparat; **3** *s. 4, auch: m. 4, ugs.:* ungezogenes Kind; **4** *m. 2, kurz für:* Blasebalg
Bal|ge [frz.-nddt.] *w. 11* **1** Fahrwasser, Wasserlauf im Wattenmeer; **2** Abzugsgraben; **3** Waschfass, Eimer
bal|gen *refl. 1* sich spielerisch raufen
Bal|gen *m. 7* = *Balg* **(2)**
Bal|ge|rei *w. 10*
Balg|ge|schwulst *w. 2* = Atherom
Ba|li eine der Kleinen Sundainseln; **Ba|li|ne|se** *m. 11;* **ba|li|nesisch**
Ba|lint-Grup|pe *w. 11* psychoanalyt. Arbeitsgruppe
Bal|kan *m. 1 nur Ez.* Hauptgebirge der Balkanhalbinsel; **Balkan|halb|in|sel** *w. 11 nur Ez.;* **bal|ka|nisch; Bal|ka|no|lo|ge** *m. 11;* **Bal|ka|no|lo|gie** *w. 11 nur Ez.* Wissenschaft von den Sprachen und Literaturen der Balkanhalbinsel
Bälk|chen *s. 7;* **Bal|ken** *m. 7*

Bal|kon [-kõ, -kɔŋ, frz.] *m. 9, oder eindeutschend* [-kon] *m. 1;* **Bal|kon|lo|ge** [balkɔŋlo:ʒə] *w. 11*
Ball *m. 2;* Ball spielen
Bal|la|de [frz.] *w. 11* episch-lyrisches, dramatisch bewegtes Gedicht; **bal|la|desk** balladenhaft
Bal|lad-o|pe|ra, Bal|lad O|pe|ra [bæləd ɔpərə, engl.] *w. Gen. - - Mz. - -s, 17./18. Jh.:* volkstümliches engl. Singspiel
Bal|last [ndrl.] *m. 1* wertlose Fracht (bei Schiffen zum Ausgleich des Tiefgangs); *übertr.:* unnützes Beiwerk
Bal|la|watsch [ital.], Pallawatsch *m. 1 nur Ez., österr.:* Durcheinander; Unsinn
Bäll|chen *s. 7*
bal|len 1 *tr. 1* zusammendrücken; **2** *intr. 1* Ball spielen; **Ballen** *m. 7;* **bal|len|wei|se** in Ballen
Bal|lei [lat.] *w. 10* Verwaltungsbezirk eines Ritterordens
Bal|le|ri|na, Bal|le|ri|ne [ital.] *w. Gen. - Mz. -* nen Ballettsolistin
bal|lern *intr. 1, ugs.:* knallen
Bal|lett [ital.] *s. 1* **1** Bühnentanz; **2** Bühnentanzgruppe; **Bal|lett|tän|zer** ► **Bal|lett|tän|zer** *m. 5;* **Bal|let|teu|se** [-tø-, frz.] *w. 11* Balletttänzerin; **Bal|lett|meis|ter** *m. 5;* **Bal|lett|tän|zer** *m. 5;* **Bal|lett|trup|pe** *w. 11*
ball|hor|ni|sie|ren *tr. 3* = verballhornen
bal|lig ballförmig; ein Werkstück b. drehen
Bal|lis|te [griech.-lat.] *w. 11* antike Wurfmaschine; **Bal|lis|tik** *w. 10 nur Ez.* Lehre von der Flugbahn geworfener oder geschossener Körper; **bal|lis|tisch;** ballistische Kurve
Ball|jun|ge *m. 11,* **Ball|kind** *s. 3* Kind, das beim Tennis die Bälle aufhebt und den Spielern zurückwirft
Bal|lo|kal ► **Ball|lo|kal** *s. 1*
Bal|lon [-lõ, -lɔŋ, frz.] *m. 9 oder eindeutschend* [-lon] *m. 1* **1** mit Gas gefüllter Ball; **2** bauchiger Glasbehälter; **Bal|lo|nett** *s. 1* Luftkammer in Fesselballons und Luftschiffen
Bal|lot 1 [-lo, frz.] *s. 9* kleiner Warenballen; **2** [bælət, engl.] *s. 9, angloamerik. Recht:* geheime Abstimmung; vgl. Ballotage; **Bal|lo|ta|de** [frz.] *w. 11, hohe Schule:* ein Sprung des Pferdes mit angezogenen Vorderbeinen und nach hinten gerichteten Hufen; **Bal|lo|ta|ge** [-ʒe, frz.] *w. 11* geheime Abstimmung mit weißen und schwarzen Kugeln; **bal|lo|tie|ren** *intr. 3*
Bal|lung *w. 10;* **Bal|lungs|ge|biet** *s. 1*
Bal|mung *in der Nibelungensage:* Name von Siegfrieds Schwert
Bal|ne|o|gra|phie ► *auch:* **Bal|ne|o|gra|fie** [griech.] *w. 11* Bäder-, Heilquellenbeschreibung; **Bal|ne|o|lo|gie** *w. 11 nur Ez.* Bäder-, Heilquellenkunde; **bal|ne|o|lo|gisch; Bal|ne|o|the|ra|pie** *w. 11* Behandlung mit Heilbädern
Bal pa|ré [-re, frz.] *m. Gen. - - Mz.-* s-s [bal pare(s)] bes. festl. Ball
Bal|sa [span.] *s. 9* **1** floßartiges Boot aus Binsenbündeln oder Balsaholz bei südamerik. Indianern; **2** = Balsaholz; **Bal|sa|baum** *m. 2* trop. Baum aus sehr leichtem Holz; **Bal|sa|holz** *s. 4* bes. leichtes trop. Holz
Bal|sam [hebr.-lat.] *m. 1* **1** Gemisch von Harzen und äther. Ölen; **2** *übertr.:* Wohltat, Linderung; **bal|sa|mie|ren** *tr. 3* mit Balsam einreiben; **Bal|sa|mie|rung** *w. 10;* **Bal|sa|mi|ne** *w. 11* eine Zierpflanze; **bal|sa|misch**
Bal|te *m. 11* Einwohner des Baltikums
Bal|ti|kum *s. Gen.* -s *nur Ez.* zusammenfassende Bez. für die Republiken Estland, Lettland und Litauen
bal|tisch; *aber:* Baltischer Landrücken, Baltisches Meer
Ba|lus|ter [griech.-frz.] *m. 5,* **Ba|lus|ter|säu|le** *w. 11* kleine Säule als Geländerstütze; **Ba|lus|tra|de** *w. 11* Geländer, Brüstung mit Balustern
Ba|lut|sche *m. 11, Nebenform von* Belutsche
Balz *w. Gen. - nur Ez.* Paarungszeit, Vorspiel zur Paarung (bei Vögeln); **Balz|arie** [-riə] *w. 11* Laute, die ein Auerhahn beim Balzen ausstößt; **bal|zen** *intr. 1* werben (bes. von Vögeln); **Balz|ruf** *m. 1;* **Balz|zeit** *w. 10*
Bam|bi|no [ital.] *m. Gen.* -s *Mz.* -ni, *auch:* -s kleiner Junge, kleines Kind
Bam|bus [mal.] *m. 1* trop. Riesengras; **Bam|bus|rohr** *s. 1;* **Bam|bus|stab** *m. 2*

Bam|mel *m. 5 nur Ez., ugs.:* Angst, Lampenfieber
bam|meln *intr. 1, ugs.:* baumeln, hängen
Ban [serbokroat. »Herr«] **1** *auch:* Banus *m. Gen. - Mz. -; früher:* ungar. Statthalter; kroat. Würdenträger; **2** [rumän.] *m. Gen. -s Mz.* Bani rumän. Währungseinheit
ba|nal [frz.] alltäglich, fad, geistlos; **ba|na|li|sie|ren** *tr. 3* ins Banale ziehen, herabsetzen; **Ba|na|li|tät** *w. 10*
Ba|na|ne [Kongospr.] *w. 11* trop. Frucht; **Ba|na|nen|ste|cker** *m. 5, Elektrotechnik:* kleiner, schmaler Stecker
Ba|nat *s. 1* **1** ehemaliger, einem Ban unterstehender Verwaltungsbezirk; **2** *nur Ez.* Landschaft zwischen Donau, Theiß und den Südkarpaten; **Ba|na|ter** *m. 5*
Ba|nau|se [griech.] *m. 11* Mensch ohne Sinn für Kunst und Geistiges; **ba|nau|sisch**
Band 1 *s. 4* Gewebestreifen; Tonband; **2** *s. 1* Verbindung, Verknüpfung, Fessel; Bande der Freundschaft; außer Rand und Band sein; **3** *m. 2* (*Abk.:* Bd., *Mz.:* Bde.) einzelnes Buch; **4** [bænd, engl.] *w. 9* Gruppe von Musikern, bes. im Jazz und in der Rockmusik
Ban|da|ge [-ʒə, frz.] *w. 11* Stütz-, Schutz-, Wundverband; **ban|da|gie|ren** [-ʒi-] *tr. 3* mit einer Bandage versehen; **Ban|da|gist** [-ʒist] *m. 10* Hersteller, Verkäufer von Bandagen und künstl. Gliedmaßen
Band|auf|nah|me *w. 11* Tonbandaufnahme
Bänd|chen *s. 7*
Ban|de *w. 11* **1** Gruppe, Schar (von Verbrechern) unter einem Anführer; *scherzh.:* Gesellschaft (von Kindern, jungen Leuten); **2** [frz.] Umrandung des Billardtisches; Einfassung der Zirkusmanege und Reitbahn
Bän|del *s. 5, ugs.:* Bändchen; jmdn. am Bändel haben *scherzh.:* einen Liebhaber haben
Ban|de|lier [frz.] *s. 1, veraltet:* Schulterriemen, Wehrgehänge
Ban|den|spek|trum *s. Gen. -s Mz. -tren, Phys.:* von Molekülen erzeugtes Spektrum, das von zahlreichen Linien (Banden) durchsetzt ist

Bän|der|chen *Mz. von* Bändchen
Ban|de|ril|la [-rilja, span.] *w. 9* mit Fähnchen geschmückter Wurfspieß mit Widerhaken, der beim Stierkampf dem Stier in den Nacken gestoßen wird; **Ban|de|ril|le|ro** [-rilje-] *m. 9* Stierkämpfer, der den Stier mit Banderillas reizt
bän|dern *tr. 1* mit Bändern besetzen; ich bändere, bändre es
Ban|de|ro|le [frz.] *w. 11* Steuerband (bes. an Tabakwaren); **Ban|de|ro|len|steu|er** *w. 11;* **ban|de|ro|lie|ren** *tr. 3* mit Banderole versehen; versteuern; **Ban|de|ro|lie|rung** *w. 10*
Bän|der|tanz *m. 2*
...bän|dig aus einer Anzahl von Bänden bestehend,▸ z. B. drei-, mehrbändig
bän|di|gen *tr. 1;* **Bän|di|ger** *m. 5;* **Bän|di|gung** *w. 10 nur Ez.*
Ban|dit [ital.] *m. 10* Räuber
Band|ke|ra|mik *w. 10 nur Ez.*
Band|lea|der [bændli:dər] *m. 5* Leiter einer Jazz- oder Rockgruppe
Ban|do|la *w. 9* = Bandura
Ban|do|ne|on, Ban|do|ni|on [nach dem Erfinder Heinrich Band] *s. 9* Handharmonika mit Knöpfen auf beiden Seiten
Band|schei|be *w. 11*
Bänd|sel *s. 5; Seew.:* dünnes Tau
Ban|du|ra, Ban|do|la [griech.] *w. 9* ukrainisches Zupfinstrument mit 12 Saiten; **Ban|dur|ria** [griech.-span.] *w. 9* span. Zupfinstrument mit 10 Saiten
Band|wurm *m. 4*

> **bange/Bange:** Das Adjektiv wird kleingeschrieben: *Ihr ist angst und bange.* →§ 35
> Groß schreibt man dagegen Substantive, die Bestandteile fester Gefüge sind und nicht mit anderen Teilen des Gefüges zusammengeschrieben werden: *Er macht ihr Angst und Bange.* →§ 55 (4)

bang = bange; **Bang|büx** *w. 10,* **Bang|büxe** *w. 11, norddt.:* Angsthase; **ban|ge,** bang; **Ban|ge** *w. Gen. - nur Ez.* Angst; **ban|gen** *intr. 1;* um jmdn. bangen; **Ban|gig|keit** *w. 10 nur Ez.*
Bang|kok Hst. von Thailand
Ban|gla|desch *auch:* **Bang|la-** *englisch:* Ban|gla|desh, Staat in Vorderindien am Golf von Bengalen
bäng|lich; Bang|nis *w. 1*
Bang-Krank|heit [nach dem dän. Tierarzt B. Bang] *w. 10 nur Ez.* eine Infektionskrankheit der Rinder und Schweine
Ba|ni *Mz. von* Ban **(2)**
Ban|jo [auch: bændʒo, engl.] *s. 9* 4- bis 9-saitiges Zupfinstrument der amerik. Schwarzen
Bank 1 *w. 2* ein Sitzmöbel; **2** *w. 10* Geldinstitut; **3** *nur Ez., Ringen:* Ausgangsstellung im Bodenkampf; **Bank|ak|tie** [-tsjə] *w. 11;* **Bank|ak|zept** *s. 1* auf eine Bank gezogener Wechsel; **Bänk|chen** *s. 7*
Bän|kel|lied *s. 3, bes. im 17./18. Jh.:* einfaches Lied über ein schauriges Ereignis; **Bän|kel|sang** *m. Gen. -s nur Ez.;* **Bän|kel|sän|ger** *m. 5*
ban|ke|rott selten *für* bankrott
Ban|kert *m. 1, abwertend:* uneheliches Kind
Ban|kett [frz.] *s. 1* Festmahl; **Ban|ket|te** *w. 11* **1** Absatz einer Böschung oder des Fundaments unter dem Mauerwerk; **2** schmaler, unbefestigter Weg neben der Fahrstraße oder Eisenbahnschienen; **ban|ket|tie|ren** *intr. 3* ein Bankett abhalten, tafeln
Bank|ge|heim|nis *s. 1;* **Bank|hal|ter** *m. 5* Spielleiter beim Glücksspiel
Ban|kier [-kje-, frz] *m. 9* Inhaber oder Leiter einer Bank **(2)**
Bank|kon|to *s. Gen. -s Mz. -ten*
Bänk|lein *s. 7 poet.*
Bank|leit|zahl *w. 10* (*Abk.:* BLZ) achtstellige Zahl, die ein Kreditinstitut kennzeichnet
Bank|no|te *w. 11* Geldschein

> **bankrott/Bankrott:** Das Adjektiv wird klein und im Infinitiv getrennt geschrieben: *Die Firma muss bankrott sein.* →§ 35
> Substantive in festen Gefügen, die nicht mit anderen Teilen des Gefüges zusammengeschrieben werden, schreibt man groß: *Die Firma ging in (den) Bankrott. Sie machte Bankrott.* →§ 55 (4)

bank|rott [ital.] zahlungsunfähig; **Bank|rott** *m. 1;* **Bank|rot|teur** [-tør] *m. 1* jmd., der Bankrott gemacht hat; **bank|rot|tie|ren** *intr. 3*

Bann *m. 1* **1** *im MA:* obrigkeitl. Gebot oder Verbot; Gerichtsbarkeit; Herrschaftsgebiet, z. B. Bannwald; **2** *kath. Kirche:* Ausschluss aus der Kirche; **3** *übertr.:* Zauber, Verzauberung; **Bann|bul|le** *w. 11* päpstl. Bannurkunde; **ban|nen** *tr. 1*
Ban|ner *s. 5* Fahne; Banner der Arbeit *ehem. DDR:* staatlicher Orden für Einzelpersonen und Betriebe
Bann|fluch *m. 2*
ban|nig *norddt.* sehr; bannig heiß
Bann|kreis *m. 1;* **Bann|mei|le** *w. 11;* **Bann|strahl** *m. 12;* **Bann-wart** *m. 1, schweiz.:* Flurhüter
Ba|n|schaft [zu: Ban] *w. 10, früher:* Verwaltungsbezirk in Jugoslawien
Ban|tam|ge|wicht *s. 1 veraltet für* Gewichtsklasse in der Schwerathletik; **Ban|tam|huhn** [nach der javan. Stadt Bantam] *s. 4* engl. Zwerghuhn
Ban|tu 1 *m. 9 oder Gen. - Mz. -* Angehörige der über 400 Völker und Stämme Afrikas, die Bantusprachen sprechen; **2** *s. Gen. -(s) nur Ez.* afrik. Sprachfamilie; **Ban|tu|spra-chen** *w. 11 Mz.* weit verbreitete afrik. Sprachengruppe
Ba|nus *m. Gen. - Mz. - = Ban* **(1)**
Ba|o|bab [afrik.?] *m. 9* Affenbrotbaum
Bap|tis|mus [griech.] *m. Gen. - nur Ez.* Lehre einer christl. Gemeinschaft, die bewusste Glaubensentscheidung fordert und daher nur die Erwachsenentaufe zulässt; **Bap|tist** *m. 10;* **Bap-tis|te|ri|um** *s. Gen. -s Mz. -ri|en* Taufkapelle
bar *Zeichen für* Bar **(1)**
bar 1 nackt, bloß; bar aller Hoffnung sein: ohne jede Hoffnung; das ist barer Unsinn; **2** in Münzen oder Geldscheinen; bares Geld; bar zahlen; 10 DM in bar; etwas für bare Münze nehmen: es glauben, ernst nehmen
Bar 1 [griech.] *s. Gen. - Mz. -* (*Zeichen:* bar, *Meteor.:* b) frühere Maßeinheit des Luftdrucks; **2** [engl.] *w. 9* Lokal; Theke, Schanktisch
Bär *m. 10;* der Große, der Kleine Bär: zwei Sternbilder; jmdm. einen Bären aufbinden: ihn beschwindeln
Ba|ra|cke [frz.] *w. 11* ebenerdiges, nicht unterkellertes, zerlegbares Haus aus vorgefertigten Wandplatten; **Ba-ra|cken|la|ger** *s. 5*
Ba|rat|te|rie [lat.-ital.] *w. 11, Seerecht:* vorsätzliche Unredlichkeit von Kapitän oder Besatzung; **Ba|ratt|han|del** *m. 6 nur Ez.* Tauschhandel; **ba|rat-tie|ren** *tr. 3* tauschen (Waren)
Bar|ba|di|er *m. 5* Einwohner von Barbados; **bar|ba|disch;** **Bar|ba|dos** mittelamerik. Inselstaat
Bar|bar [griech.] *m. 10, urspr.:* Nichtgrieche; *heute:* roher, ungesitteter Mensch; **Bar|ba|rei** *w. 10 nur Ez.* Rohheit, Unmenschlichkeit; **bar|ba|risch;** **Bar|ba|ris|mus** *m. Gen. - Mz. -men* Verstoß gegen die Sprachregeln
Bar|be [lat.] *w. 11* ein Karpfenfisch
Bar|be|cue [-kju:, engl.] *s. 9* **1** Gartenfest mit Spießbraten; **2** Gerät zum Rösten von Fleisch; **3** das geröstete Fleisch selbst
bär|bei|ßig mürrisch, grimmig; **Bär|bei|ßig|keit** *w. 10 nur Ez.*
Bar|be|stand *m. 2* Bestand an Bargeld; **Bar|be|trag** *m. 2*
Bar|bier [frz.] *m. 1, veraltet:* Bartscherer, Friseur; **bar|bie-ren** *tr. 3* rasieren
Bar|bi|ton *s. 9,* **Bar|bi|tos** *m. oder w. Gen. - Mz. -toi* altgriech. harfenähnl. Saiteninstrument
Bar|bi|tur|säu|re *w. 11* Grundstoff vieler Schlafmittel
Bar|ce|lo|na [-tsə-, span. -θə-] span. Stadt
Bar|chent [arab.] *m. 1* Baumwollflanell
Bar|ches [hebr.] *Mz.* weißes Sabbatbrot der Juden
Bar Code [engl., -ko:d] *m. Gen. - -s nur Ez.* durch opt. Lesegeräte abtastbarer Strichcode mit unterschiedl. Strichstärken (z. B. auf Warenpackungen)
Bar|da|me *w. 11*
bar|dauz! *Nebenform von* pardauz!
Bar|de 1 [kelt.] *m. 11* kelt. Dichter und Sänger; *übertr.; oft iron.:* lyr. Dichter; **2** [arab.-frz.] *w. 11* Speckscheibe um gebratenes Geflügel; **bar|die|ren** *tr. 3* mit einer Barde umwickeln; **Bar|diet,** Bar|dit *m. 1,* Bar|di|tus *m. Gen. - Mz. -* vaterländ. Lied im Ton der Barden; **bar|disch;** **Bar|dit** *m. 1* = Bardiet
Bä|ren|dienst *m. 1* schlechter Dienst; **Bä|ren|fang** *m. 2* Likör mit Honig; **Bä|ren|haut** *w. 2, nur in Wendungen wie* auf der B. liegen, sich auf die B. legen: faulenzen; **Bä|ren|häu|ter** *m. 5* eine Märchengestalt; **Bä|ren-hun|ger** *m. 5 nur Ez.;* **Bä|ren-käl|te** *w. 11 nur Ez.;* **Bä|ren|klau** *m. oder w. Gen. -(s) nur Ez.* = Akanthus; **Bä|ren|müt|ze** *w. 11* **1** Mütze aus Bärenfell; **2** große, hohe Pelzmütze; **bä|ren|stark;** **Bä|ren|trau|be** *w. 11* eine Heilpflanze
Ba|rents|see [nach dem holländ. Seefahrer Willem Barents] *w. 11 nur Ez.* Teil des Nordpolarmeeres
Ba|rett [lat.-frz.] *s. 1* flache Kopfbedeckung ohne Rand, bes. zur Amtstracht von Richtern, Geistlichen usw.
Bar|fran|kie|rung, Bar|frei|ma-chung *w. 10* Frankierung mit Stempelmaschine
Bar|frost *m. 2* Frost ohne Schnee
bar|fuß; b. gehen; **Bar|fü|ßer** *m. 5,* **Bar|fü|ßer|mönch** *m. 1* barfuß (in Sandalen) gehender Mönch, z. B. Franziskaner; **Bar|fü|ßer|or|den** *m. 7;* **bar|fü-ßig**
Bar|geld *s. 3 nur Ez.;* **bar|geld-los;** bargeldloser Zahlungsverkehr; **Bar|ge|schäft** *s. 1*
bar|haupt, bar|häup|tig ohne Kopfbedeckung
ba|risch [zu: Bar **(1)**] *veraltet:* den Luftdruck betreffend, auf ihm beruhend; barisches Windgesetz
Ba|ri|ton [griech.-ital.] *m. 1* **1** Männerstimme in der Mittellage; **2** Ba|ri|to|nist *m. 10* Sänger mit dieser Stimme; **ba|ri|to|nal;** **Ba|ri|to|nist** *m. 10* = Bariton **(2)**
Ba|ri|um [griech.] *s. Gen. -s nur Ez.* (*Zeichen:* Ba) chem. Element
Bark *w. 10* Segelschiff mit drei oder mehr Masten; **Bar|ka|ne,** Bar|ko|ne [ital.] *w. 11* zwei- oder dreimastiges Fischerboot im Mittelmeer; **Bar|ka|ro|le** *w. 11* **1** Ruderboot; **2** Lied des Gondoliere, Gondellied; **Bar|kas|se** [ndrl.] *w. 11* **1** größtes Beiboot auf Kriegsschiffen; **2** kleines Dampfboot; **Bar|ke** [frz.] *w. 11* kleines Boot; *poet.:* Kahn, Boot

Bar|kee|per [-ki:-, engl.] *m. 5* **1** Inhaber einer Bar; **2** Kellner hinter der Bar
Bar|ko|ne *w. 11* = Barkane
Bär|lapp *m. 1* eine moosartige Pflanze
Bar|lauf *m. 2 nur Ez.* ein Laufspiel
Bär|me *w. 11, norddt.:* Hefe
bar|men *intr. 1, nord-, ostdt.:* klagen
barm|her|zig; Barmherzige Brüder, Schwestern: zwei Orden für Krankenpflege; **Barm|her|zig|keit** *w. 10 nur Ez.*
Bar|mi|xer [engl.] *m. 5* Getränkemischer an der Bar
ba|rock [portug.] **1** zum Barock gehörend, aus ihm stammend; **2** überladen; **Ba|rock** *m. 1 oder s. 1 nur Ez.* **1** schmuckreicher Kunst- und Literaturstil des 17./18. Jh.; **2** das Zeitalter selbst; **Ba|rock|kir|che** *w. 11*
Ba|ro|gramm [griech.] *s. 1* Aufzeichnung des Barographen; **Ba|ro|graph** ► *auch:* **Ba|ro|graf** *m. 10* selbstaufzeichnender Luftdruckmesser; **Ba|ro|me|ter** *s. 5* Luftdruckmesser; **Ba|ro|me|trie** *auch:* **-met|rie** *w. 11* Luftdruckmessung; **ba|ro|me|trisch** *auch:* **-met|risch;** barometrische Höhenformel, Höhenstufe, barometrisches Maximum, Minimum
Ba|ron [mlat.] *m. 1* Freiherr; **Ba|ro|nat** *s. 1,* Ba|ro|nie [frz.] *w. 11* Würde, Stammsitz eines Barons; **Ba|ro|nes|se** *w. 11* Freiin, Freifräulein; **Ba|ro|net** [bærənət, engl.] *m. 9* (*Abk.:* Bart.) unterster engl. Adelstitel; **Ba|ro|nie** *w. 11* = Baronat; **Ba|ro|nin** *w. 10* Freifrau; **ba|ro|ni|sie|ren** *tr. 3* in den Freiherrnstand erheben
Ba|ro|ther|mo|graph ► *auch:* **Ba|ro|ther|mo|graf** [griech.] *m. 10* Verbindung von Barograph und Thermograph
Bar|ras [jidd.] *m. Gen. - nur Ez.* **1** Kommissbrot; **2** Militär
Bar|re *w. 11* **1** Schranke; **2** Sand-, Schlammbank
Bar|rel [bærəl] *s. 9* brit. und nordamerik. Hohlmaß, Fass, Tonne
Bar|ren *m. 7* **1** ein Turngerät; **2** gegossenes Formstück aus Metall (Edelmetallbarren früher auch als Zahlungsmittel); **Bar|ren|gold** *s. 1 nur Ez.;* **Bar|ren|sil|ber** *s. 5 nur Ez.*
Bar|rie|re [frz.] *w. 11* Schranke, Schlagbaum, Sperre
Bar|ri|ka|de *w. 11* Straßensperre, Hindernis; **bar|ri|ka|die|ren** *tr. 3, selten für* verbarrikadieren
Bar|ris|ter [bær-, engl.] *m. 5, in England:* Rechtsanwalt bei höheren Gerichten
barsch unwirsch, grob
Barsch *m. 1* ein Fisch
Bar|schaft *w. 10* Besitz an Bargeld; **Bar|scheck** *m. 9* Scheck, der von der Bank gegen Bargeld eingelöst wird
Barsch|heit *w. 10 nur Ez.*
Bar|soi [sɔɪ, russ.] *m. 9* russ. Windhund
Bar|sor|ti|ment *s. 1* Zwischenbuchhandel, Buchhandelsbetrieb zwischen Verlag und Einzelbuchhandel
Bart. *Abk. für* Baronet
Bart *m. 2;* **Bärt|chen** *s. 7*
Bar|te *w. 11* **1** *früher:* Beil, Streitaxt; **2** *Mz.* vom Oberkiefer der Bartenwale herabhängende Hornplatten, liefern Fischbein; **Bar|teln** *Mz.* Bartfäden bei manchen Fischen; **Bar|ten|wal** *m. 1;* **Bar|terl** *s. 14, österr.:* Lätzchen; **Bart|flech|te** *w. 11* Hautausschlag im Bereich des Bartes; **Bart|haar** *s. 1*
Bär|tier|chen *s. 7* mikroskopisch kleines Wasserinsekt
bär|tig; Bär|tig|keit *w. 10 nur Ez.;* **bart|los; Bart|lo|sig|keit** *w. 10 nur Ez.;* **Bart|nel|ke** *w. 11* Gartennelke
Bart|sche|rer *m. 5* Barbier; **Bart|tracht** *w. 10*
Ba|rut|sche, Bi|rut|sche [lat.-ital.] *w. 11* zweirädrige Kutsche
Bart|wisch *m. 1, österr.:* Handbesen
Ba|ry|o|nen [griech.] *Mz., zusammenfassende Bez. für* die schweren Elementarteilchen
Ba|ry|sphä|re *auch:* **Ba|rys|phä|re** [griech.] *w. 11 nur Ez.* innerster Teil der Erde, Erdkern
Ba|ryt [griech.] *m. 1* ein Mineral, Schwerspat
Ba|ry|ton [griech.] *s. 1* gambenähnl. Streichinstrument des 18. Jh.
Ba|ry|to|non [griech.] *s. Gen.* -s *Mz.* -na Wort mit unbetonter letzter Silbe
Ba|ryt|pa|pier *s. 1* mit Bariumsulfat bestrichenes Papier mit glatter Oberfläche (für Fotografie und Reproduktion); **Ba|ryt|weiß** *s. Gen. - nur Ez.* weiße Malerfarbe
ba|ry|zen|trisch; Ba|ry|zen|trum *s. Gen.* -s *Mz.* -tren *oder* -tra Schwerpunkt
Bar|zah|lung *w. 10*
Bar|zel|let|ta [ital.] *w. 9, 15./16. Jh.:* Tanzlied
Ba|salt [lat.] *m. 1* ein Vulkangestein; **ba|sal|ten** aus Basalt
Ba|sal|tem|pe|ra|tur *w. 10* die morgens vor dem Aufstehen gemessene Körpertemperatur
ba|sal|tig wie Basalt; **Ba|salt|tuff** *m. 1* tuffartiges Verwitterungsprodukt von Basalt
Ba|sar [pers.], Ba|zar *m. 1* **1** *in oriental. Ländern:* Markt; **2** *früher:* Warenhaus; **3** Warenverkauf für wohltätige Zwecke
Bäs|chen *s. 7*
Basch|ki|re *m. 11* Angehöriger eines Turkvolkes im südl. Ural; **basch|ki|risch**
Basch|lik [türk.] *m. 9* kaukas. Wollkapuze
Ba|se *w. 11* **1** *veraltet:* Kusine; *österr., schweiz. auch:* Tante; **2** alkalisch reagierende chem. Verbindung
Base|ball [bɛisbɔ:l, engl.] *m. 9 nur Ez.* nordamerik., dem Schlagball ähnl. Spiel
Ba|se|dow-Krank|heit ► **Ba|se|dow|krank|heit** [-do-, nach dem Arzt Karl von Basedow] *w. 10 nur Ez.,* auf Überfunktion der Schilddrüse beruhende Krankheit
Ba|sel schweiz. Stadt; **Ba|sel|biet** *s. 1 nur Ez.* = Basel-Land; **Ba|sel|ler,** Bas|ler *m. 5;* **Ba|sel-Land** *s. Gen.* -es *nur Ez.,* Ba|sel|biet *s. Gen.* -s *nur Ez.* schweiz. Halbkanton; **Ba|sel-Stadt** *s. Gen.* - *nur Ez.* schweiz. Halbkanton
BASIC [be-, engl.] *Abk. für* Beginner's All Purpose Symbolic Instruction Code: eine einfache Programmiersprache
Ba|sic-Eng|lish [bɛisikiŋgliʃ] *s. Gen.- nur Ez.* Grundenglisch, vereinfachtes Englisch mit 850 Grundwörtern und einfachen Regeln
ba|sie|ren [zu: Basis] *intr. 3;* auf etwas b.: auf etwas beruhen, etwas zur Grundlage haben
Ba|si|li|a|ner [nach Basilius dem Großen] *m. 5* Angehöriger eines griech.-orthodoxen Mönchsordens; **ba|si|li|a|nisch**
Ba|si|lie [-ljə] *w. 11 nur Ez.,* **Ba-**

► = wird zu

si|li|en|kraut [-ljən-] *s. 4 nur Ez.*, Ba|si|li|kum *s. Gen.* -s *nur Ez.* eine Gewürzpflanze

Ba|si|li|ka [griech., nach dem Amtsgebäude des Archons Basileus in Athen] *w. Gen.* - *Mz.* -ken **1** altröm. Markt- und Gerichtshalle; **2** altchristl. Kirchenform mit Mittelschiff, zwei niedrigeren Seitenschiffen und (seit dem 4. Jh.) Querschiff; **ba|si|li|kal; Ba|si|li|kum** *s. Gen.* -s *nur Ez.* = Basilie

Ba|si|lisk [griech.] *m. 10* **1** *in orientalischen Sagen:* schlangenhaftes Ungeheuer, dessen Blick tötet; **2** mittel- und südamerik. Echse; **Ba|si|lis|ken|blick** *m. 1* stechender, böser Blick

Ba|sis [griech.] *w. Gen.* - *Mz.* -sen **1** Grundlage, Ausgangspunkt, Wurzel; **2** Grundzahl; **3** Grundlinie (einer geometr. Figur); **Ba|sis|grup|pe** *w. 11* Arbeitsgruppe linksorientierter Studenten, die versucht, die Basis (Arbeiterschaft) zu politisieren

ba|sisch *Chem.:* wie eine Base (**2**) (reagierend); **Ba|si|zi|tät** *w. 10 nur Ez.* **1** Basengehalt einer Lösung, Alkalität; **2** Maßbegriff für die Neutralisationsfähigkeit einer Säure

Bas|ke *m. 11* Angehöriger eines Volkes in den Pyrenäen; **Bas|ken|müt|ze** *w. 11*

Bas|ker|ville [-vil, nach dem engl. Buchdrucker John B.] *w. Gen.*- *nur Ez.* eine Druckschrift

Bas|ket|ball [engl.] *m. 2 nur Ez.* dem Korbball ähnl. Spiel

bas|kisch zu den Basken gehörend, von ihnen stammend; **Bas|kisch** *s. Gen.* -(s) *nur Ez.* einzige nichtindogerman. Sprache in Westeuropa

Bas|kül|le [frz.] *w. 11* Hebelverschluss für Fenster und Türen

Bäs|lein *s. 7*

Bas|ler *m. 5* = Baseler

Bas|re|li|ef [barəljɛf, auch: -jɛf, frz.] *s. 9 oder s. 1* = Flachrelief; *Ggs.:* Hautrelief

baß ► **bass** sehr; *fast nur noch in der Wendung:* bass erstaunt

Baß ► **Bass** *m. 2* **1** Kontrabass, Bassgeige; **2** tiefste Stimmlage der Männer; **3** Bassist *m. 10* Sänger mit dieser Stimme; **4** tiefste Stimmlage bei Musikinstrumenten, z. B. Bassflöte; **5** Gesamtheit der tiefen Männerstimmen im Chor bzw. der tiefsten Instrumente im Orchester

Bas|sa *m. 9, veraltete europ. Form von* Pascha

Baß|ba|ri|ton ► **Bass|ba|ri|ton** *m. 1* **1** Stimmlage zwischen Bass und Bariton; **2** Sänger mit dieser Stimme; **Baß|buf|fo** ► **Bass|buf|fo** *m. 9* Sänger mit Bassstimme für komische Rollen

Bas|se *m. 11, Jägerspr.:* starker Keiler

Bas|se|lis|se|we|be|rei *w. 10* Webart mit waagerechter Kette; *Ggs.:* Hautelisseweberei

Bas|set [engl. bæsət, frz. basɛ] *m. 9* kurzbeiniger Jagdhund mit Hängeohren

Bas|sett [lat.-ital.] *m. 1, veraltet für* Violoncello; **Bas|sett|horn** *s. 4* Altklarinette

Baß|flö|te ► **Bass|flö|te** *w. 11;* **Baß|gei|ge** ► **Bass|gei|ge** *w. 11*

Bas|sin [-sɛ̃, frz.] *s. 9* künstlich angelegtes Becken für Flüssigkeiten

Bas|sist *m. 10* **1** Bassgeiger; **2** = Bass **(3)**

Bas|so [ital.] *m. Gen.*- *Mz.* -si Bass; B. continuo (*Abk.:* B. c.), *im 17./18. Jh.:* Bassstimme zur Unterstützung oder Begleitung bei Instrumentalstücken, Generalbass; Basso ostinato: ständig wiederkehrendes Motiv im Bass

Baß|po|sau|ne ► **Bass|po|sau|ne** *w. 11;* **Baß|schlüs|sel** ► **Bass|schlüs|sel** *m. 5;* **Baß|stim|me** ► **Bass|stim|me** *w. 11* Stimme in tiefster Lage; tiefste Stimme einer Komposition; **Baß|tu|ba** ► **Bass|tu|ba** *w. Gen.*- *Mz.* -ben

Bast *m. 1* **1** Fasergewebe unter der Rinde; **2** Haut über dem wachsenden Geweih

bas|ta [ital. »es genügt«] genug, Punktum, Schluss; und damit basta!

Bas|tard [auch: ba-, frz.] *m. 1* **1** Mischling; **2** *abwertend:* uneheliches Kind; **Bas|tar|da** *w. Gen.* - *nur Ez.* Druckschrift, Abart der Gotisch; **bas|tar|die|ren** *tr. 3* kreuzen (Rassen, Arten); **Bas|tar|die|rung** *w. 10* Züchtung von Bastarden, Rassenmischung; **Bas|tard|schrift** *w. 10* eine Druckschrift mit Merkmalen der Fraktur und Antiqua

Bas|te [frz.] *w. 11* Trumpfkarte

Bas|tei *w. 10* **1** vorspringender Teil einer Festung, Bollwerk, Bastion; **2** *nur Ez.* Felsengruppe im Elbsandsteingebirge

Bas|te|lei *w. 10;* **bas|teln** *tr. 1;* ich bastele, bastle (etwas)

bas|ten aus Bast

Bas|til|le [bastijə, frz.] *w. 11* **1** befestigtes Schloss in Frankreich; **2** Burg in Paris, die als Staatsgefängnis diente

Bas|ti|on [ital.] *w. 10* Bollwerk, Schutzwehr; **bas|ti|o|nie|ren** *tr. 3* mit Bastionen versehen

Bast|ler *m. 5*

Bas|to|na|de [ital.] *w. 11* früher im Orient übliche Prügelstrafe, Stockhiebe, bes. auf die Fußsohlen

Ba|su|to *m. 9 oder Gen.*- *Mz.*- *ältere Bez. für* Angehörige eines Bantustammes

Bat. *Abk. für* Bataillon

BAT *Abk. für* Bundesangestelltentarif; **BAT O** *Abk. für* Bundesangestelltentarif in den neuen Bundesländern (seit 1991)

Ba|tail|le [batajə, frz.] *w. 11, veraltet:* Kampf, Schlacht; **Ba|tail|lon** [bataljon] *s. 1* (*Abk.:* Bat.) Teil eines Regiments; **Ba|tail|lons|kom|man|deur** [bataljonskɔmandø:r] *m. 1*

Ba|ta|te [indian.-span.] *w. 11* südamerik. Knollenpflanze, Süßkartoffel

Ba|ta|ver *m. 5* Angehöriger eines german. Volksstammes

Ba|tho|lith [griech.] *m. 1 oder m. 10* magmatischer, in der Tiefe erstarrter Gesteinskörper; **Ba|tho|me|ter** *s. 5* = Bathymeter

Bath|or|den [baθ-] *m. 7 nur Ez.* ein engl. Ritterorden, Verdienstorden

ba|thy|al [griech.] zum Bathyal gehörig; **Ba|thy|al** *s. 1 nur Ez.* Ablagerungen im Meer zwischen 200 und 800 m Tiefe; **Ba|thy|gra|phie** *w. 11 nur Ez.* Tiefseeforschung; **ba|thy|gra|phisch; Ba|thy|me|ter,** Batho|meter *s. 5* Gerät zum Messen der Meerestiefe; **Ba|thy|skaph** *auch:* **Ba|thys|kaph** *m. 10* Tiefseetauchgerät; **Ba|thy|sphä|re** *auch:* **Ba|thys|phä|re** *w. 11* **1** Tiefsee; **2** Tiefenzone der Erde, aus der Magma aufsteigt; **3** Tiefseetauchkugel

Ba|tik [javan.] *w. 10* **1** *nur Ez.* javan. Gewebefärbverfahren

durch Abdecken des Musters mit Wachs; **2** ein so gefärbter Stoff; **ba|ti|ken** *tr. 1*
Ba|tist [frz.] *m. 1* feines, leinenartiges Gewebe; **ba|tis|ten** aus Batist
Batt., Battr. *Abk. für* Batterie *(Mil.)*
Bat|te|rie [frz.] *w. 11* **1** *Mil.:* kleinste Einheit der Artillerie; **2** *Elektrotechnik:* Zusammenschaltung mehrerer Elemente zu einer Stromquelle; **3** *Schach:* eine Figurengruppierung
Bat|zen *m. 7* **1** Klumpen; **2** alte Münze, *in Dtschl.:* 4 Kreuzer, *schweiz. noch:* Zehnrappenstück
Bau 1 *m. Gen.* -(e)s *nur Ez.* das Bauen; Anbau (von Feldfrüchten); Baustelle; Wuchs, Gestalt; **2** *m. 1* Tierwohnung; *Bergbau:* Bergwerksanlage; **3** *m. Gen.* -(e)s *Mz.* Bau|ten, Gebäude; **Bau|ab|nah|me** *w. 11;* **Bau|a|ka|de|mie** *w. 11;* **Bau|auf|sichts|be|hör|de** *w. 11*
Bauch *m. 2;* **bau|chen** [-xən] *tr. 1, fast nur in:* gebaucht; **Bauch|fell** *s. 1;* **Bauch|fü|ßer, Bauch|füß|ler** *m. 5* Schnecke; **Bauch|grim|men** *s. 7* Bauchschmerzen; **Bauch|höh|le** *w. 11;* **Bauch|höh|len|schwan|ger|schaft** *w. 10;* **bau|chig; Bauch|knei|pen** *s. 7* Bauchschmerzen; **Bäuch|lein** *s. 7;* **bäuch|lings; bauch|re|den** *intr., nur im Infinitiv und Partizip II;* er kann b., er hat bauchgeredet; **Bauch|re|de|kunst** *w. 2 nur Ez.;* **Bauch|red|ner** *m. 5;* **Bauch|schmer|zen** *m. 12 Mz.;* **Bauch|spei|chel|drü|se** *w. 11;* **Bauch|tanz** *m. 2;* **Bauch|tän|ze|rin** *w. 10;* **Bau|chung** *w. 10;* **Bauch|weh** *s. 1 nur Ez.*
Bau|cis Frau des → Philemon
Baud [auch: bo, nach dem frz. Telegrafisten Baudot] *s. Gen.* -(s) *Mz.* - Einheit für die Telegrafiergeschwindigkeit
Bau|de *w. 11* Berggasthof
Bau|e|le|ment *s. 1;* **bau|en** *tr. 1;* **Bau|er 1** *m. 11;* **2** *s. 5* Vogelkäfig; **Bäu|er|chen** *s. 7;* **Bäu|e|rin** *w. 10;* **bäu|e|risch** = bäurisch; **Bäu|er|lein** *s. 7;* **bäu|er|lich; Bau|ern|auf|stand** *m. 2;* **Bau|ern|bur|sche** *m. 11;* **Bau|ern|fän|ger** *m. 5* Betrüger, der die Weltfremdheit anderer ausnutzt; **Bau|ern|fän|ge|rei** *w. 10;* **Bau|ern|früh|stück** *s. 1;* **Bau|ern|gut** *s. 4;* **Bau|ern|haus** *s. 4;* **Bau|ern|hof** *m. 2;* **Bau|ern|krieg** *m. 1;* **Bau|ern|le|gen** *s. Gen.* -s *nur Ez.* Aufkaufen von Bauernhöfen durch Großgrundbesitzer; **Bau|ern|sa|me** *w. 11 nur Ez., schweiz.:* Bauernschaft; **Bau|ern|schaft** *w. 10 nur Ez.;* **bau|ern|schlau; Bau|ern|schläue** *w. 11 nur Ez.;* **Bau|ern|tum** *s. Gen.* -s *nur Ez.;* **Bauer|sa|me** *w. 11 nur Ez.* = Bauernsame; **Bau|ers|frau** *w. 10;* **Bau|ers|leu|te** *Mz.;* **Bau|ers|mann** *m. Gen.* -(e)s *Mz.* -leu|te
Bau|fach *s. 4 nur Ez.;* **bau|fäl|lig; Bau|fäl|lig|keit** *w. 10 nur Ez.;* **Bau|füh|rer** *m. 5;* **Bau|ge|nos|sen|schaft** *w. 10;* **Bau|haus** *s. 4 nur Ez., 1919–33:* Schule für Baukunst, Malerei, Kunstgewerbe; **Bau|herr** *m. Gen.* -n *oder* -en *Mz.* -en; **Bau|kas|ten** *m. 8;* **Bau|klöt|ze(r)** *m. 2 oder m. 4 Mz.;* **Bau|kunst** *w. 2 nur Ez.;* **bau|lich; Bau|lich|kei|ten** *w. 10 Mz.* Gesamtheit von Gebäuden
Baum *m. 2;* **Baum|a|chat** *m. 1* ein Mineral; **Bäum|chen** *s. 7*
Bau|mé|grad [bome-, nach dem frz. Chemiker Antoine Baumé] *m. 1, nach Zahlenangaben Mz.* - (*Abk.:* Bé) Maßeinheit für das spezif. Gewicht von Flüssigkeiten
Baum|meis|ter *m. 5*
bau|meln *intr. 1*
bau|men *intr. 1* = aufbaumen
bäu|men *refl. 1* **1** sich erregt auf die Hinterbeine aufrichten; **2** *übertr.* sich gegen etwas bäumen: sich einer Sache widersetzen
Bau|mé|spin|del [bome-] *w. 11* nach Baumégraden geeichtes Instrument
Baum|fre|vel *m. 5* böswilliges Beschädigen von Bäumen; **Baum|gren|ze** *w. 11;* **Baum|grup|pe** *w. 11;* **Baum|kro|ne** *w. 11;* **Baum|ku|chen** *m. 7* ein Gebäck; **Baum|läu|fer** *m. 5* ein Singvogel; **Bäum|lein** *s. 7;* **Baum|mar|der** *m. 5;* **Baum|sä|ge** *w. 11;* **Baum|sche|re** *w. 11;* **Baum|schu|le** *w. 11;* **Baum|stamm** *m. 2;* **baum|stark; Baum|step|pe** *w. 11;* **Baum|woll|baum** *m. 2* = Kapokbaum; **Baum|wol|le** *w. 11;* **baum|wol|len** aus Baumwolle; **Baum|woll|spin|ne|rei** *w. 10*
Baun|zerl *s. 14, österr.:* Milchbrötchen
Bau|plan *m. 2;* **Bau|po|li|zei** *w. Gen.* - *nur Ez.:* **bau|po|li|zei|lich; Bau|rat** *m. 2;* **Bau|recht** *s. 1*
bäu|risch, *selten auch:* bäu|erisch
Bausch *m. 2;* in Bausch und Bogen: alles zusammen, ohne es genau zu nehmen; **Bäusch|chen** *s. 7*
Bäu|schel *m. 5, Bergbau:* schwerer Hammer
bau|schen *tr. 1;* **Bau|schen** *m. 7, österr.* = Bausch; **bau|schig**
bau|spa|ren *intr. 1, nur im Infinitiv und Partizip II;* zum Zweck des Bauens begünstigt sparen; **Bau|spa|rer** *m. 5;* **Bau|spar|kas|se** *w. 11;* **Bau|spar|ver|trag** *m. 2;* **Bau|stel|le** *w. 11;* **Bau|stil** *m. 1*
Bau|ta|stein *m. 1* bronzezeitl., skandinav. Gedenkstein
Bau|ten *Mz. von* Bau **(3); Bau|tisch|ler** *m. 5;* **Bau|un|ter|neh|mer** *m. 5;* **Bau|werk** *s. 1;* **Bau|we|sen** *s. 7 nur Ez.;* **Bau|wich** *m. 1* Zwischenraum zwischen Häusern; **bau|wür|dig** *Bergbau:* abbauwürdig, fündig
Bau|xerl *s. 14, österr.:* kleines, reizendes Kind
Bau|xit [nach dem Fundort Les Baux in Frankreich] *m. 1* ein Mineral
bauz!
Ba|va|ria 1 *lat. Bez. für* Bayern; **2** *w. Gen.* - *nur Ez.* Frauengestalt als Sinnbild Bayerns
Bay|er *m. 5;* **bay|e|risch,** bayrisch; Bayerischer Rundfunk (*Abk.:* BR); der Bayerische Wald; **Bay|er|land** *s. 4 nur Ez.;* **Bay|ern** Land der BR Dtld.
Bay|reuth Stadt in Oberfranken
bay|risch, bay|e|risch
Ba|zar *m. 1* = Basar
Ba|zi *m. 9, bayr., österr., scherzh.:* Gauner
ba|zil|lär [lat.] durch Bazillen hervorgerufen; **Ba|zil|len|trä|ger** *m. 5;* **Ba|zil|lus** *m. Gen.* - *Mz.* -len stäbchenförmiger Spaltpilz, oft Krankheitserreger
BBC [bi:bi:si] *Abk. für* British Broadcasting Corporation (britische Rundfunkgesellschaft)
B. c. *Abk. für* Basso continuo
B. C. [bi:si:] *Abk. für* Before Christ: vor Christus

BCD [bi:si:di] *Abk. für* Binary Coded Decimal: binär geschriebene Dezimalzahlen
Bd. *Abk. für* Band **(3)**
BDA 1 *Abk. für* Bund Deutscher Architekten; **2** *Abk. für* Bundesvereinigung Deutscher Arbeitgeberverbände
Bde. *Abk. für* Bände
BDÜ *Abk. für* Bundesverband der Dolmetscher und Übersetzer
B-Dur *s. Gen. - nur Ez.* (*Abk.:* B) Tonart; **B-Dur-Ton|lei|ter** *w. 11*
Be *chem. Zeichen für* Beryllium
BE *Abk. für* Broteinheit
Bé *Abk. für* Baumégrad
be|ab|sich|ti|gen *tr. 1*
be|ạch|ten *tr. 2;* **be|ạch|tens|wert; be|ạcht|lich; Be|ạch|tung** *w. 10 nur Ez.*
be|ạ|ckern *tr. 1;* ich beackere es
Beagle [bigəl, engl.] *m. 9* kleine Spürhundrasse
Be|ạm|ten|be|lei|di|gung *w. 10;* **Be|ạm|ten|schaft** *w. 10 nur Ez.;* **Be|ạm|ten|tum** *s. Gen. -s nur Ez.;* **Be|ạm|te(r)** *m. 18 (17);* **be|ạm|tet; Be|ạm|tin** *w. 10*
be|ạ̈ngs|ti|gend; Be|ạ̈ngs|ti|gung *w. 10*
be|ạn|spru|chen *tr. 1;* **Be|ạn|spru|chung** *w. 10*
be|ạn|stan|den, *österr. auch:* **be|ạn|stän|den** *tr. 2;* **Be|ạn|stan|dung** *w. 10*
be|ạn|tra|gen *tr. 1;* **Be|ạn|tra|gung** *w. 10*
be|ạnt|wor|ten *tr. 2;* **Be|ạnt|wor|tung** *w. 10*
be|ạr|bei|ten *tr. 2;* **Be|ạr|bei|tung** *w. 10*
be|ạrg|wöh|nen *tr. 1*
Beat [bit, engl.] *m. 9 nur Ez., im Jazz:* **1** gleichmäßiger Schlagrhythmus; **2** betonter Taktteil; **3** Musik mit gleichmäßigem Schlagrhythmus; **4** = Beatnik
bea|ten [bi-] *intr. 2 ugs.* Beatmusik spielen, nach Beatmusik tanzen
Beat|ge|ne|ra|tion [bitdʒɛnəreɪʃn, »geschlagene Generation«] *m. Gen. - nur Ez.* eine Gruppe amerik. Künstler nach dem 2. Weltkrieg, die sich gegen Staat und Gesellschaft auflehnte
Be|a|ti|fi|ka|ti|on [lat.] *w. 10* Seligsprechung; **be|a|ti|fi|zie|ren** *tr. 3*
be|at|men *tr. 2;* jmdn. b.: jmdm. Luft, Sauerstoff in die Atemwege einführen; **Be|at|mung** *w. 10*
Beat|nik [bitnik], Beat [bit] *m. 9* Vertreter der Beatgeneration
Beau [bo, frz.] *m. 9* schöner, eitler Mann, Dandy, Geck
be|auf|la|gen *tr. 1, ehem. DDR:* jmdn. b.: zu etwas (Arbeitsleistungen) verpflichten
Beau|fort|ska|la [bofət-, nach dem engl. Admiral Sir Francis Beaufort] *m. Gen. - Mz. -len* zwölfgradige Skala für Windstärken
be|auf|schla|gen *tr. 1* (die Turbinenschaufeln) treffen (vom Wasser)
be|auf|sich|ti|gen *tr. 1;* **Be|auf|sich|ti|gung** *w. 10 nur Ez.*
be|auf|tra|gen *tr. 1;* **Be|auf|trag|te(r)** *m. 18 (17) bzw. w. 17 oder 18;* **Be|auf|tra|gung** *w. 10 nur Ez.*
be|äu|gen *tr. 1;* **be|au|gen|schei|ni|gen** *tr. 1* selber anschauen
Beau|jo|lais [boʒɔlɛ, frz.] **1** *s. Gen.- Mz.-* frz. Landschaft; **2** *m. Gen. - Mz.-* ein von dort stammender Rotwein
Beau|té [bote, frz.] *w. 9* schöne Frau
Beau|ty|farm [bjuti-] *w. 10* Schönheitsfarm
be|bạ̈n|dern *tr. 1;* ich bebändere es; **Be|bạ̈n|de|rung** *w. 10 nur Ez.*
be|bau|en *tr. 1;* **Be|bau|ung** *w. 10 nur Ez.;* **Be|bau|ungs|plan** *m. 2*
Bé|bé [-be] *s. 9, schweiz.:* kleines Kind
be|ben *intr. 1;* **Be|ben** *s. 7, kurz für* Erdbeben
be|bil|dern *tr. 1;* ich bebildere, bebildre es; **Be|bil|de|rung** *w. 10*
Be|bop [bibɔp, engl.] *m. 9* Jazzstil nach 1940
be|brillt
be|brü|ten *tr. 2* ausbrüten
Be|bung *w. 10*
Bé|cha|mel|so|ße [-ʃamɛl-, nach dem Marquis de Béchamel] *w. 11* Soße aus Mehl, Milch, Butter und Gewürzen
Bẹ|cher *m. 5;* **bẹ|chern** *intr. 1* zechen; **Bẹ|cher|werk** *s. 1* eine Fördermaschine
be|cị̣r|cen *tr. 1* = bezirzen
Bẹ|cken *s. 7;* **Bẹ|cken|schlä|ger** *m. 5* Musiker im Orchester, der das Becken schlägt
Bẹck|mes|ser Gestalt aus Richard Wagners Oper »Die Meistersinger«; **Beck|mes|se|rei** *w. 10* kleinl. Kritik; **bẹck|mes|sern** *intr. 1* kleinlich tadeln
Bec|que|rel [bɛkərɛl] (*Abk.:* Bq) *s. Gen. -s Mz. -* Einheit für die Stärke der Radioaktivität
be|dạ|chen *tr. 1*
be|dạcht; auf etwas. b. sein;
Be|dạcht *m. Gen. -(e)s nur Ez.;* etwas mit B. tun; **be|dạ̈ch|tig; Be|dạ̈ch|tig|keit** *w. 10 nur Ez.;* **be|dạcht|sam; Be|dạcht|sam|keit** *w. 10 nur Ez.*
Be|dạ|chung *w. 10*
be|dạn|ken *refl. 1*
Be|dạrf *m. 1 nur Ez.;* nach B. einkaufen; B. an Lebensmitteln; keinen B., großen B. haben; **Be|dạrfs|fall** *m. 2;* im B.; **Be|dạrfs|hal|te|stel|le** *w. 11*
be|dau|er|lich; be|dau|er|li|cher|wei|se; be|dau|ern *tr. 1;* ich bedauere, bedaure es; **be|dau|erns|wert**
be|dẹ|cken *tr. 1;* **Be|dẹ|cker** *m. 5* männl. Zuchttier; **Be|dẹckt|sa|mer** *m. 5* Pflanze, deren Samen im Fruchtknoten liegen, Angiosperme; *Ggs.:* Nacktsamer; **be|dẹckt|sa|mig; Be|dẹ|ckung** *w. 10;* **Be|dẹ|ckungs|ver|än|der|li|che** *m. 17 oder 18 Mz.* Doppelsterne, die einander wechselweise mehr oder weniger bedecken und dadurch verschieden hell erscheinen
be|dẹn|ken *tr. 22;* **Be|dẹn|ken** *s. 7;* **be|dẹn|ken|los; Be|dẹn|ken|lo|sig|keit** *w. 10 nur Ez.;* **be|dẹnk|lich; Be|dẹnk|lich|keit** *w. 10 nur Ez.;* **Be|dẹnk|zeit** *w. 10*
be|dẹp|pert *ugs.:* eingeschüchtert, betreten, bestürzt

> **das Bedeutende:** Substantivierte Adjektive und Partizipien werden großgeschrieben: *Wir wollen das Bedeutende in seiner Karriere betonen. Sie war um ein Bedeutendes größer.* Ebenso: *das Folgende, alles Gute.* → § 57 (1)

be|deu|ten *tr. 2;* **be|deu|tend; be|deut|sam; Be|deut|sam|keit** *w. 10 nur Ez.;* **Be|deu|tung** *w. 10;* **be|deu|tungs|los; Be|deu|tungs|lo|sig|keit** *w. 10 nur Ez.;* **be|deu|tungs|voll; Be|deu|tungs|wan|del** *m. 5*
be|die|nen 1 *tr. 1;* **2** *refl. 1;* sich jmds. oder einer Sache b.; **Be|die|ne|rin** *w. 10, österr.:* Zugehfrau; **be|dienst|et; Be|diens|te-**

te(r) *m. 18 (17)* Beamter; **Be|die|n|te(r)** *m. 18 (17), veraltet:* Diener; **Be|die|nung** *w. 10* **1** *nur Ez.;* **2** jmd., der bedient, z. B. Kellner; **Be|die|nungs|an|lei|tung** *w. 10;* **Be|die|nungs|zu|schlag** *m. 2*

Be|ding *m. 1 oder s. 1 nur Ez., veraltet* = Bedingung; mit dem B., dass...; **be|din|gen** *tr. 1 oder 23;* das ist nur bedingt richtig: nur unter bestimmten Voraussetzungen; bedingter Reflex; **Be|dingt|gut** *s. 4* Kommissionsware, die bei Nichtverkauf zurückgegeben werden kann; **Be|dingt|heit** *w. 10 nur Ez.;* **Be|din|gung** *w. 10;* **Be|din|gungs|form** *w. 10* = Konditional; **be|din|gungs|los; Be|din|gungs|satz** *m. 2* = Konditionalsatz; **be|din|gungs|wei|se**

be|drän|gen *tr. 1;* **Be|dräng|nis** *w. 1;* **Be|drän|gung** *w. 10 nur Ez.*

be|dräu|en *tr. 1, poet., veraltet:* bedrohen

be|dripst *ugs.:* bedrückt, niedergeschlagen

be|dro|hen *tr. 1;* **be|droh|lich; Be|droh|lich|keit** *w. 10 nur Ez.;* **Be|dro|hung** *w. 10*

be|dru|cken *tr. 1*

be|drü|cken *tr. 1;* **Be|drü|ckung** *w. 10*

be|du|deln *refl. 1, ugs.:* sich leicht betrinken

Be|du|i|ne [arab.] *m. 11* arab. Nomade; **be|du|i|nisch**

be|dün|ken *tr. 1, veraltet:* scheinen; es bedünkt mich, es will mich b., als ob...: es scheint mir, will mir scheinen, als ob...; **Be|dün|ken** *s. Gen.* -s *nur Ez., veraltet:* meines Bedünkens, nach meinem B.: meiner Meinung nach

be|dür|fen *intr. 26;* einer Sache b.: eine S. brauchen, nötig haben; das bedarf keiner weiteren Erklärung; **Be|dürf|nis** *s. 1;* **Be|dürf|nis|an|stalt** *w. 10* öffentl. Toilette; **be|dürf|nis|los; Be|dürf|nis|lo|sig|keit** *w. 10 nur Ez.;* **be|dürf|tig; Be|dürf|tig|keit** *w. 10 nur Ez.*

be|du|seln *refl. 1, ugs.:* sich leicht betrinken

Beef|steak [bifste:k, engl.] *s. 9;* englisches B.: gebratene Rindslende; deutsches B.: gebratenes Fleischklößchen; **Beef|tea** [bifti:] *m. 9* Rindfleischbrühe

be|eh|ren *tr. 1*

be|ei|den *tr. 2;* **be|ei|di|gen** *tr. 1* mit Eid bekräftigen; **Be|ei|di|gung, Be|ei|dung** *w. 10*

be|ei|fern *refl. 1, selten:* sich eifrig bemühen

be|ei|len *refl. 1;* **Be|ei|lung** *w. 10 nur Ez.*

be|ein|dru|cken *tr. 1;* **Be|ein|dru|ckung** *w. 10 nur Ez.*

be|ein|fluß|bar ► **be|ein|fluss|bar; Be|ein|fluß|bar|keit** ► **Be|ein|fluss|bar|keit** *w. 10 nur Ez.;* **be|ein|flus|sen** *tr. 1;* ich beeinflusse ihn, habe ihn beeinflusst; **Be|ein|flus|sung** *w. 10*

be|ein|träch|ti|gen *tr. 1;* **Be|ein|träch|ti|gung** *w. 10*

be|el|len|den *tr. 2, schweiz.:* nahe gehen, leid tun; es beelendet mich

Be|el|ze|bub, *heute:* **Be|el|ze|bul** [auch: bel-, hebr.] *m. Gen.* - oberster Teufel im NT; den Teufel mit B. austreiben: ein Übel mit einem anderen vertreiben

be|en|den *tr. 2,* **be|en|di|gen** *tr. 1;* **Be|en|di|gung, Be|en|dung** *w. 10 nur Ez.*

be|en|gen *tr. 1;* **Be|en|gung** *w. 10 nur Ez.*

be|er|ben *tr. 1;* **Be|er|bung** *w. 10 nur Ez.*

be|er|di|gen *tr. 1;* **Be|er|di|gung** *w. 10*

Bee|re *w. 11;* **Bee|ren|aus|le|se** *w. 11;* **Bee|ren|obst** *s. 1 nur Ez.;* **Bee|ren|wein** *m. 1*

Beet *s. 1*

Bee|te *w. 11* = Bete

be|fä|hi|gen *tr. 1;* **Be|fä|hi|gung** *w. 10;* **Be|fä|hi|gungs|nach|weis** *m. 1*

be|fah|ren *tr. 32;* befahrener Bau *Jägerspr.:* bewohnte Tierhöhle; befahrenes Volk *Seew.:* erprobte Seeleute; eine wenig befahrene Straße

Be|fall *m. 2;* **be|fal|len** *tr. 33*

be|fan|gen **1** gehemmt; **2** voreingenommen; **Be|fan|gen|heit** *w..10 nur Ez.*

be|fas|sen *refl., auch tr. 1;* sich mit einer Sache, mit jmdm. b.; *auch:* jmdn. mit einer Sache b.

be|feh|den tr. 2; **Be|feh|dung** *w. 10 nur Ez.*

Be|fehl *m. 1;* **be|feh|len** *tr. 5;* **be|feh|le|risch; be|feh|li|gen** *tr. 1;* **Be|fehls|aus|ga|be** *w. 11;* **Be|fehls|emp|fän|ger** *m. 5;* **Be|fehls|form** *w. 10* = Imperativ; **Be|fehls|ha|ber** *m. 5;* **be|fehls|ha|be|risch; Be|fehls|not|stand** *m. 2;* **Be|fehls|satz** *m. 2* = Imperativsatz; **Be|fehls|ver|wei|ge|rung** *w. 10;* **be|fehls|wid|rig**

be|fein|den *tr. 2*

be|fes|ti|gen *tr. 1;* **Be|fes|ti|gung** *w. 10;* **Be|fes|ti|gungs|an|la|ge** *w. 11*

be|feuch|ten *tr. 2*

be|feu|ern *tr. 1;* **Be|feu|e|rung** *w. 10*

Beff|chen *s. 7 Mz.* Halsbinde mit vorn zwei kleinen, rechteckigen Läppchen (bei Amtstrachten)

Bef|froi [-froa, frz.] *m. 9* Hauptturm einer Burg, Bergfried

be|fie|dern *tr. 1* mit Federn versehen; befiederter Pfeil; der Vogel ist bunt befiedert; **Be|fie|de|rung** *w. 10*

be|fin|den **1** *intr. 36;* über etwas b.: etwas entscheiden; darüber habe ich nicht zu b.; **2** *tr. 36;* etwas für gut, richtig b.: für gut, richtig halten; **3** *refl. 36* sich aufhalten; **Be|fin|den** *s. 7 nur Ez.;* **be|find|lich** sich befindend, vorhanden; die dort befindlichen Bücher

be|fin|gern *tr. 1* befühlen; ich befingere, befingre es

be|flag|gen *tr. 1;* **Be|flag|gung** *w. 10 nur Ez.*

be|fle|cken *tr. 1;* **Be|fle|ckung** *w. 10*

be|fle|geln *tr. 1, österr.:* beschimpfen

be|flei|ßen *refl. 6, veraltet,* **be|flei|ßi|gen** *refl. 1;* sich einer Sache b.: sich um eine Sache bemühen; sich b., etwas zu tun

be|flie|gen *tr. 38;* eine Strecke b.; eine viel beflogene Linie

be|flis|sen eifrig bemüht, z. B. kunstbeflissen; **Be|flis|sen|heit** *w. 10 nur Ez.* Eifer; **be|flis|sent|lich** = geflissentlich

be|flü|geln *tr. 1;* ich beflügele, beflügle ihn

be|flu|ten *tr. 2* unter Wasser setzen; **Be|flu|tung** *w. 10 nur Ez.*

be|fol|gen *tr. 1;* **Be|fol|gung** *w. 10 nur Ez.*

Be|för|de|rer, Be|förd|rer *m. 5;* **be|för|der|lich** *schweiz.:* beschleunigt; **be|för|dern** *tr. 1;* ich befördere, befördre es; **Be|för|de|rung** *w. 10;* **Be|för|de|rungs|mit|tel** *s. 5;* **Be|förd|rer** *m. 5* = Beförderer

be|for|sten *tr. 2* forstlich bewirtschaften; **be|förs|tern** *tr. 1* durch staatl. Forstbeamte verwalten (Privatwald); **Be-**

fọrs|te|rung *w. 10 nur Ez.;* **Be|fọrs|tung** *w. 10 nur Ez.*
be|frạch|ten *tr. 2;* **Be|frạch|ter** *m. 5* Inhaber, Absender einer Fracht; **Be|frạch|tung** *w. 10 nur Ez.*
be|frạckt in einen Frack gekleidet
be|fra|gen *tr. 1;* **Be|fra|gung** *w. 10*
be|frạn|sen *tr. 1*
be|frei|en *tr. 1;* **Be|frei|er** *m. 5;* **Be|frei|ung** *w. 10;* **Be|frei|ungs|krieg** *m. 1*
be|frẹm|den *tr. 2;* **Be|frẹm|den** *s. 7 nur Ez.;* **be|frẹmd|lich**
be|freun|den *refl. 2*
be|frie|den *tr. 2;* ein Land b.: einem Land Frieden geben, bringen; **be|frie|di|gen** *tr. 1* zufriedenstellen; **Be|frie|di|gung** *w. 10;* **Be|frie|dung** *w. 10 nur Ez.*
be|frịs|ten *tr. 2;* **Be|frịs|tung** *w. 10 nur Ez.*
be|frụch|ten *tr. 2;* **Be|frụch|tung** *w. 10*
be|fu|gen *tr. 1* ermächtigen; *meist in Wendungen wie* (nicht) befugt sein (etwas zu sagen, zu tun); **Be|fug|nis** *w. 1;* jmdm. Befugnisse erteilen
be|fụm|meln *tr. 1, ugs.:* **1** befühlen; **2** erledigen, besorgen
Be|fụnd *m. 1;* ohne B. *Med.* (*Abk.:* o. B.)
be|fürch|ten *tr. 2;* **Be|fụ̈rch|tung** *w. 10*
be|für|sor|gen *tr. 1: österr. Amtsspr.:* betreuen; **Be|für|sor|gung** *w. 10, österr.*
be|für|wor|ten *tr. 2;* **Be|für|wor|ter** *m. 5;* **Be|für|wor|tung** *w. 10*
Bẹg [türk. »Herr«] *m. 9,* Bei, Bey *m. 9 oder m. 1* türk. Titel
be|ga|ben *tr. 1;* **be|gabt;** **Be|gab|ten|för|de|rung** *w. 10;* **Be|ga|bung** *w. 10*
be|gạf|fen *tr. 1, ugs.*
Be|gạ̈ng|nis *s. 1* feierliche Handlung, z. B. Leichenbegängnis: Bestattung
Be|gạrd [vgl. Begine] *m. 10,* **Be|gạr|de** *m. 11* Angehöriger einer im Kloster lebenden, aber nicht durch Gelübde gebundenen Männervereinigung
be|ga|sen *tr. 1* mit Gas behandeln (zur Schädlingsbekämpfung); **Be|ga|sung** *w. 10*
be|gạt|ten *tr. 2;* **Be|gạt|tung** *w. 10*
be|geb|bar übertragbar (Wechsel); **be|ge|ben** **1** *tr. 45* in Umlauf setzen, ausgeben (Wechsel, Anleihe); **2** *refl. 45;* es begab sich, dass...; sich an einen Ort b.; sich eines Rechtes, eines Vorteils b.: darauf verzichten; **Be|ge|ben|heit** *w. 10;* **Be|ge|ber** *m. 5* Girant (eines Wechsels); **Be|geb|nis** *s. 1;* **Be|ge|bung** *w. 10 nur Ez.* (eines Wechsels)
be|geg|nen *intr. 2;* jmdm. b.; **Be|geg|nis** *w. 1;* **Be|geg|nung** *w. 10*
be|ge|hen *tr. 47*
Be|gehr *m. 1 oder s. 1 nur Ez., veraltet:* Wunsch, Begehren; *nur noch in Wendungen wie* was ist sein B.?: was möchte er?; **be|geh|ren** *tr. 1;* **be|geh|rens|wert;** **be|gehr|lich;** **Be|gehr|lich|keit** *w. 10 nur Ez.*
Be|ge|hung *w. 10*
be|gei|fern *tr. 1*
be|geis|tern *tr. 1;* ich begeistere, begeistre ihn, mich für sie; **Be|geis|te|rung** *w. 10 nur Ez.;* **be|geis|te|rungs|fä|hig;** **Be|geis|te|rungs|fä|hig|keit** *w. 10 nur Ez.*
be|gịch|ten *tr. 2, Hüttenwesen:* (Erz) in den Schachtofen einbringen; **Be|gịch|tung** *w. 10 nur Ez.*
Be|gier *w. 10 nur Ez.;* **Be|gier|de** *w. 11;* **be|gie|rig**
Be|gi|ne [vielleicht nach dem Begründer Le Bègue] *w. 11* Angehörige einer im Kloster lebenden, nicht durch Gelübde gebundenen Frauenvereinigung
Be|gịnn *m. 1 nur Ez.;* **be|gịn|nen** *tr. 7*
be|glau|bi|gen *tr. 1;* **Be|glau|bi|gung** *w. 10;* **Be|glau|bi|gungs|schrei|ben** *s. 7*
be|glei|chen *tr. 55;* **Be|glei|chung** *w. 10 nur Ez.*
Be|gleit|a|dres|se *auch:* **-ad|resse** *w. 11;* **be|glei|ten** *tr. 2;* **Be|glei|ter** *m. 5;* **Be|gleit|er|schei|nung** *w. 10;* **Be|gleit|schrei|ben** *s. 7;* **Be|gleit|um|stand** *m. 2;* **Be|glei|tung** *w. 10*
be|glụ̈|cken *tr. 1;* **Be|glụ̈|ckung** *w. 10 nur Ez.;* **be|glück|wün|schen** *tr. 1;* **Be|glụ̈ck|wün|schung** *w. 10*
be|gna|den *tr. 2;* **be|gna|di|gen** *tr. 1;* **Be|gna|di|gung** *w. 10;* **Be|gna|di|gungs|ge|such** *s. 1*
be|gnü|gen *refl. 1;* sich mit etwas begnügen
Be|go|nie [-njə, nach dem Franzosen Michel Bégon] *w. 11* eine Zierpflanze
be|gọ̈n|nern *tr. 1, ugs.;* jmdn. b.: als jmds. Gönner auftreten; *auch:* herablassend behandeln; ich begönnere, begönnre ihn
begr. *Abk. für* begraben (*Zeichen:* ▭); **be|gra|ben** *tr. 58;* **Be|gräb|nis** *s. 1*
be|gra|di|gen *tr. 1* gerade machen; **Be|gra|di|gung** *w. 10*
be|grạnnt mit Grannen bewachsen
be|grei|fen *tr. 59;* **be|greif|lich;** **be|greif|li|cher|wei|se**
be|grẹn|zen *tr. 1;* **Be|grẹnzt|heit** *w. 10 nur Ez.;* **Be|grẹn|zung** *w. 10*
Be|grịff *m. 1;* **be|grịff|lich;** **be|grịffs|stut|zig,** *österr.:* **be|grịffs|stüt|zig;** **Be|grịffs|stut|zig|keit** *w. 10 nur Ez.*
be|grụ̈n|den *tr. 2;* **Be|grụ̈n|dung** *w. 10;* **Be|grụ̈n|dungs|satz** *m. 2* = Kausalsatz
be|grü|nen *refl. 1* grün werden (Bäume)
be|grü|ßen *tr. 1;* **be|grü|ßens|wert;** **Be|grü|ßung** *w. 10*
be|gụ|cken *tr. 1, ugs.*
Be|gum [Hindi] *w. 10, Titel für* ind. Fürstin
be|gụ̈ns|ti|gen *tr. 1;* **Be|gụ̈ns|ti|gung** *w. 10*
be|gut|ach|ten *tr. 2;* **Be|gut|ach|tung** *w. 10*
be|gü|tert
be|gü|ti|gen *tr. 1*
be|haa|ren *refl. 1;* **Be|haa|rung** *w. 10 nur Ez.*
be|hä|big; *schweiz. auch:* wohlhabend; **Be|hä|big|keit** *w. 10 nur Ez.*
be|hạ|cken *tr. 1* **1** mit der Hacke bearbeiten; **2** *ugs.:* betrügen
be|hạf|ten *tr. 2, schweiz.:* haftbar machen, **be|hạf|tet;** mit etwas b. sein
be|ha|gen *intr. 1;* es behagt mir (nicht); **Be|ha|gen** *s. 7 nur Ez.;* **be|hag|lich;** **Be|hag|lich|keit** *w. 10 nur Ez.*
be|hạl|ten *tr. 61;* **Be|hạ̈l|ter** *m. 5;* **Be|hạ̈lt|nis** *s. 1*

> **behänd:** Dem Stammprinzip entsprechend *(die Hand)* wird *behänd, behände* (bisher: behend, behende) geschrieben. →§ 13

be|händ; **be|hạ̈n|de;** **Be|hạ̈n|dig|keit** *w. 10 nur Ez.*
be|hạn|deln *tr. 1;* ich behandle es; **Be|hạnd|lung** *w. 10;* **Be|hạnd|lungs|stuhl** *m. 2*
be|hạnd|schuht

Be|hang *m. 2; Jägerspr. auch:* Ohr (des Jagdhundes); **be|hän|gen** *tr. 1*
be|har|ren *intr. 1;* **be|harr|lich; Be|harr|lich|keit** *w. 10 nur Ez.;* **Be|har|rung** *w. 10 nur Ez.;* **Be|har|rungs|ver|mö|gen** *s. 7 nur Ez.*
be|hau|chen *tr. 1;* behauchte Laute: Aspiraten
be|hau|en *tr. 63, nur Präsens und Partizip II;* behauener Stein
be|haup|ten *tr. 2;* **Be|haup|tung** *w. 10*
Be|hau|sung *w. 10*
Be|ha|vi|o|ris|mus [bihɛɪvjə-, engl.] *m. Gen. - nur Ez.* Richtung der Psychologie; **be|ha|vi|o|ris|tisch** [bihɛɪvjə-] auf Behaviorismus beruhend
be|he|ben *tr. 64;* **Be|he|bung** *w. 10 nur Ez.*
be|hei|ma|tet; wo sind Sie b.?: wo ist Ihre Heimat?
be|hei|zen *tr. 1;* **Be|hei|zung** *w. 10 nur Ez.*
Be|helf *m. 1;* **be|hel|fen** *refl. 66;* **Be|helfs|heim** *s. 1;* **be|helfs|mä|ßig**
be|hel|li|gen *tr. 1;* **Be|hel|li|gung** *w. 10*
be|helmt
be|hend ▶ be|händ
Be|hen|nuß ▶ Be|hen|nuss *w. 2* = Bennuss
be|her|ber|gen *tr. 1;* **Be|her|ber|gung** *w. 10 nur Ez.*
be|herr|schen *tr. 1;* **Be|herr|scher** *m. 5;* **Be|herrscht|heit** *w. 10 nur Ez.;* **Be|herr|schung** *w. 10 nur Ez.*
be|her|zi|gen *tr. 1;* **be|her|zi|gens|wert; Be|her|zi|gung** *w. 10 nur Ez.;* **be|herzt; Be|herzt|heit** *w. 10 nur Ez.*
be|he|xen *tr. 1*
be|hilf|lich; jmdm. b. sein
be|hin|dern *tr. 1;* ich behindere, behindre ihn; **Be|hin|de|rung** *w. 10*
be|hor|chen *tr. 1*
Be|hör|de *w. 11;* **be|hörd|lich; be|hörd|li|cher|seits**
be|host *ugs.:* in Hosen, Hosen tragend
Be|huf *m. 1, Amtsdeutsch:* Zweck; zu diesem B. brauche ich…; **be|hufs** *mit Gen., Amtsdeutsch:* zwecks, zum Zwecke von
be|hü|ten *tr. 2;* behüt' dich Gott!
be|hut|sam; Be|hut|sam|keit *w. 10 nur Ez.*
bei *Präp. mit Dat.;* bei weitem; bei all(e)dem; bei dem allem, *oder:* allen; bei diesem allem, *oder:* allen; bei Tisch; ich bin beim Essen; bei allem guten Willen
Bei, Bey *m. 9 oder m. 1* = Beg
bei|be|hal|ten *tr. 61;* **Bei|be|hal|tung** *w. 10 nur Ez.*
bei|bie|gen *tr. 12, ugs.:* jmdm. etwas b.; zu verstehen geben
Bei|blatt *s. 4*
Bei|boot *s. 1*
Bei|bre|che *w. 11* außer den Erzen mitabgebaute Nebengesteine
bei|brin|gen *tr. 21*
Beich|te *w. 11;* **beich|ten** *intr. 2;* **Beicht|for|mel** *w. 11;* **Beicht|ge|heim|nis** *s. 1;* **Beich|ti|ger** *m. 5 veraltet:* Beichtvater; **Beicht|kind** *s. 3* jmd., der beichtet; **Beicht|stuhl** *m. 2;* **Beicht|va|ter** *m. 6* Priester, der die Beichte hört
beid|ar|mig *Sport:* mit beiden Armen gleich geschickt

> **beide, beidemal:** Pronomen als Stellvertreter von Substantiven werden kleingeschrieben: *Sie hatte beide/beides mitgebracht; man muss mit beiden reden; die beiden waren gekommen; alle beide; euch beide; keiner von beiden; für uns/euch beide. Sie waren beidemal/beide Male hier.* →§ 58 (4), § 58 (6)

bei|de; bei|de|mal; *aber:* beide Male
bei|der|lei; Kinder b. Geschlechts; das Abendmahl in b. Gestalt
bei|der|sei|tig, beid|sei|tig; in beiderseitigem Einverständnis; er ist b. gelähmt; **bei|der|seits;** b. der Straße
Bei|der|wand *w. 2 oder s. 2 nur Ez.* grobes Leinen- oder Wollgewebe
beid|fü|ßig
Beid|hän|der *m. 5* **1** jmd., der mit beiden Händen gleich geschickt ist; **2** großes, mit beiden Händen zu führendes Schwert, Zweihänder; **beid|hän|dig**
beid|recht auf beiden Seiten gleich (Gewebe); **Beid|recht** *s. 1* beidrechtes Gewebe
bei|dre|hen *intr. 1, Seew.:* das Schiff dem Wind zuwenden, langsamer fahren
beid|sei|tig = beiderseitig; **beid|seits** *schweiz.:* = beiderseits

> **beieinander:** Verbindungen des Adverbs *beieinander* mit Verben werden getrennt geschrieben: *beieinander bleiben/liegen/stehen/sein. Sie wollten beieinander bleiben. Sie blieben beieinander stehen.* →§ 34 E3 (2)

bei|ein|an|der *auch:* **bei|ei|nan|der; bei|ein|an|der|lie|gen ▶ bei|ein|an|der lie|gen** *intr. 80;* **bei|ein|an|der|ste|hen ▶ bei|ein|an|der ste|hen** *intr. 151*
Bei|fah|rer *m. 5*
Bei|fall *m. 2 nur Ez.;* **bei|fal|len** *intr. 33, veraltet:* einfallen, in den Sinn kommen; **bei|fäl|lig; Bei|falls|kund|ge|bung** *w. 10*
Bei|film *m. 1*
bei|fol|gend (*Abk.:* beif.) *Amtsdeutsch:* beiliegend
bei|fü|gen *tr. 1;* **Bei|fü|gung** *w. 10, Gramm.* = Attribut
Bei|fuß *m. 2 nur Ez.* eine Gewürzpflanze
Bei|fut|ter *s. 5 nur Ez.* Zugabe zum Futter
Bei|ga|be *w. 11*
beige [beʒ, frz.] sandfarben, gelbbraun
Bei|ge *w. 11, süddt., schweiz.:* geschichteter Stoß, Stapel
bei|ge|ben **1** *tr. 45;* **2** *intr. 45;* klein b.: sich fügen
bei|gen *tr. 1, schweiz.:* schichten, stapeln
Bei|ge|ord|ne|te(r) *m. 18 (17)* gewählter Gemeindebeamter
Bei|ge|schmack *m. 2 nur Ez.*
bei|ge|sel|len *tr. 1, meist refl.:* sich jmdm. b.
Bei|gnet [bɛnje, frz.] *s. 9* Schmalzgebackenes mit Fruchtfüllung, Krapfen
Bei|hil|fe *w. 11*
Bei|hirsch *m. 1, Jägerspr.:* dem Rudel des Platzhirsches folgender, schwächerer Hirsch
Bei|koch *m. 2* Hilfskoch; **Bei|kö|chin** *w. 10*
bei|kom|men *intr. 71* **1** jmdm., einer Sache b.: mit jmdm. oder etwas fertig werden; **2** sich b. lassen: sich einfallen lassen
Bei|kost *w. 10 nur Ez.* zusätzl. Kost zur tägl. Nahrung
Beil *s. 1*
beil. *Abk. für* beiliegend
bei|la|den *tr. 74;* **Bei|la|dung** *w. 10*
Bei|la|ge *w. 11*

Bei|la|ger *s. 5, früher:* Hochzeitsfest (von fürstl. Personen)
bei|läu|fig 1 nebenbei; **2** *österr. auch:* ungefähr; **Bei|läu|fig|keit** *w. 10 nur Ez.*
bei|le|gen *tr. 1;* **Bei|le|gung** *w. 10*
bei|lei|be *nur in den Wendungen* b. nicht, b. kein, keine...: bestimmt nicht, bestimmt kein, keine...
Bei|leid *s. 1 nur Ez.;* **Bei|leids|be|zei|gung** *w. 10;* **Bei|leids|brief** *m. 1;* **Bei|leids|schrei|ben,** *österr.:* Bei|leid|schrei|ben *s. 7*
bei|lie|gen *intr. 80*
Beil|stein *m. 1* **1** Nephrit; **2** Serpentin (aus dem in vorgeschichtl. Zeit Beile hergestellt wurden)
beim bei dem; es bleibt beim Alten; beim Essen
bei|men|gen *tr. 1;* **Bei|men|gung** *w. 10*
bei|mes|sen *tr. 84*
bei|mi|schen *tr. 1;* **Bei|mi|schung** *w. 10*
Bein *s. 1*
bei|nah, bei|na|he [auch: -na-]
Bei|na|me *m. 15*
bein|am|pu|tiert
Bein|brech *m. 1* **1** *Bot.:* Ährenlilie; **2** *Geol.:* ein Mineral
Bein|bruch *m. 2;* Hals- u. B.!: viel Glück (bei der Prüfung)
bei|nern aus Knochen
bei|n|hal|ten *tr. 2* zum Inhalt haben
Bein|haus *s. 4, auf Friedhöfen:* Gebäude zum Aufbewahren der aus alten Gräbern ausgegrabenen Gebeine; **Bein|heil** *s. 1* = Beinwell; **Bein|kleid** *s. 3;* **Bein|ling** *m. 1* Oberteil des Strumpfes; **Bein|well** *m. oder s. 1,* Bein|heil *s. 1* eine Heilpflanze
bei|ord|nen *tr. 2;* **Bei|ord|nung** *w. 10*
Bei|pack *m. 1 nur Ez.* zusätzl. Fracht; **bei|pa|cken** *tr. 1*
Bei|pferd *s. 1* = Handpferd
bei|pflich|ten *intr. 2;* **Bei|pflich|tung** *w. 10*
Bei|pro|gramm *s. 1*
Bei|ram *m. 9* = Bairam
Bei|rat *m. 2*
Bei|ried *s. 1 oder w. 1, österr.:* Rippenstück vom Rind
bei|r|ren *tr. 1*
Bei|rut Hst. des Libanon
bei|sam|men; b. sein: beieinander sein; **Bei|sam|men|sein** *s. Gen.* -s *nur Ez.;* **bei|sam|men|sit|zen** *intr. 143;* **bei|sam|men|ste|hen** *intr. 151*

> **beisammen:** Zusammensetzungen aus der Partikel *beisammen* und Verben werden in den infiniten Formen zusammengeschrieben: *Sie wollten beisammenstehen.* Aber: *Sie standen beisammen.* In der Verbindung mit *sein* wird das Wort getrennt geschrieben, da dies keine Zusammensetzung ist: *Wenn sie beisammen sind; beisammen sein.*

Bei|sas|se *m. 11, im MA:* Einwohner ohne Bürgerrecht, Schutzbürger
Bei|satz *m. 2* = Apposition
Bei|schlaf *m. Gen.* -(e)s *nur Ez.* Geschlechtsverkehr; **Bei|schlä|fer** *m. 5, veraltet:* jmd., der mit einer Frau den Geschlechtsverkehr ausübt; **Bei|schlä|fe|rin** *w. 10, veraltet*
Bei|schlag *m. 2, an Barock- und Renaissancehäusern:* eingefasste, erhöhte Terrasse vor dem Hauseingang
bei|schlie|ßen *tr. 120* (einem Brief o. Ä.) beilegen; **Bei|schluß** ▶ **Bei|schluss** *m. 2* Anlage (zum Brief)
Bei|sein *s. Gen.* -s *nur Ez.* Anwesenheit; in meinem B., im B. von...
bei|sei|te; b. legen, lassen, schaffen, stellen
Bei|sel, Beisl *s. 5 oder s. 14, bair., österr.:* kleines Wirtshaus
bei|set|zen *tr. 1;* **Bei|set|zung** *w. 10*
Bei|sitz *m. 1* Amt des Beisitzers; **Bei|sit|zer** *m. 5* **1** Nebenrichter; **2** Kommissions-, Vorstandsmitglied neben dem Vorsitzenden
Bei|spiel *s. 1;* **bei|spiel|haft; bei|spiel|los; bei|spiels|wei|se**
bei|sprin|gen *intr. 148;* jmdm. b.: helfen
Bei|ßel *m. 5, Nebenform von* Beitel
bei|ßen *tr. 8;* **Beiß|korb** *m. 2;* **Beiß|zahn** *m. 2* Schneidezahn; **Beiß|zan|ge** *w. 11* = Kneifzange
Bei|stand *m. 2*
bei|ste|hen *intr. 151*
Bei|steu|er *w. 11;* **bei|steu|ern** *tr. 1;* ich steuere, steure etwas dazu bei
bei|stim|men *intr. 1;* **Bei|stim|mung** *w. 10 nur Ez.*
Bei|strich *m. 1* Komma
Bei|tel, Beu|tel *m. 5* Stechwerkzeug zur Holzbearbeitung
Bei|trag *m. 2;* **bei|tra|gen** *tr. 160;* **Bei|trä|ger** *m. 5;* **bei|trags|pflich|tig; Bei|trags|zah|lung** *w. 10*
bei|trei|ben *tr. 162* zwangsweise einziehen (Geld); **Bei|trei|bung** *w. 10*
bei|tre|ten *intr. 163;* **Bei|tritt** *m. 1;* **Bei|tritts|er|klä|rung** *w. 10*
Bei|wa|gen *m. 7*
bei wei|tem
Bei|werk *s. 1 nur Ez.*
bei|woh|nen *intr. 1* **1** einem Vorgang b.: bei einem Vorgang dabei sein; **2** jmdm. b.: mit jmdm. Geschlechtsverkehr haben; **Bei|woh|nung** *w. 10*
Bei|wort *s. 4, veraltet:* Adjektiv
Beiz *w. 10, schweiz.:* Schenke, Wirtshaus
Bei|ze *w. 11* **1** Mittel zur Oberflächenbehandlung, zum Färben, Einpökeln u. a.; **2** Beizjagd, Jagd mit abgerichteten Raubvögeln, z. B. Falkenbeize
bei|zei|ten
bei|zen *tr. 1* mit Beize **(1)** behandeln
bei|zie|hen *tr. 187;* **Bei|zie|hung** *w. 10*
Beiz|jagd *w. 10* = Beize **(2);**
Beiz|vo|gel *m. 6*
be|ja|hen *tr. 1;* **be|ja|hen|den|falls**
be|jahrt ziemlich alt (Person, Tier)
Be|ja|hung *w. 10*
be|jam|mern *tr. 1;* **be|jam|merns|wert**
be|ju|beln *tr. 1*
be|ka|keln *tr. 1, ugs.:* besprechen
be|kämp|fen *tr. 1;* **Be|kämp|fung** *w. 10 nur Ez.*

> **bekannt geben/machen/werden:** Getrennt geschrieben werden die Verbindungen aus Adjektiv und Verb, wenn das Adjektiv in dieser Verbindung erweiterbar ist: *Er wollte die Nachricht morgen bekannt machen.* →§ 34 E3 (3)
> Die substantivierte Form schreibt man groß und zusammen: *Das Bekanntmachen war schwierig.*
> →§ 37 (2)

be|kannt; Be|kann|te(r) *m. 18 (17) bzw. w. 17 oder 18;* **Be|kann|ten|kreis** *m. 1;* **be|kann-**

ter|ma|ßen; **Be|kannt|ga|be** *w. 11 nur Ez.;* **be|kannt|ge|ben** ► **be|kannt ge|ben** *tr. 45;* **be|kannt|lich; be|kannt|ma|chen** ► **be|kannt ma|chen** *tr. 1;* **Be|kannt|ma|chung** *w. 10;* **Be|kannt|schaft** *w. 10;* **be|kannt|wer|den** ► **be|kannt wer|den** *intr. 180*
Be|kas|si|ne [frz.] *w. 11* Sumpfschnepfe
be|keh|ren *tr. 1;* **Be|keh|rung** *w. 10*
be|ken|nen *tr. 67;* **Be|ken|ner|brief** *m. 1* Brief, mit dem sich jmd. zu einem politischen Verbrechen bekennt; **Be|kennt|nis** *s. 1;* **Be|kennt|nis|frei|heit** *w. 10 nur Ez.;* **be|kennt|nis|haft; Be|kennt|nis|schu|le** *w. 11* Schule, in der Schüler und Lehrer in der Regel dem gleichen Bekenntnis angehören, Konfessionsschule; *Ggs.:* Gemeinschaftsschule
be|kla|gen *tr. 1;* **be|kla|gens|wert, be|kla|gens|wür|dig; Be|klag|te(r)** *m. 18 (17) bzw. w. 17 oder 18* jmd., gegen den eine zivilrechtliche Klage erhoben worden ist
be|kle|ckern *tr. 1, ugs.;* **be|kleck|sen** *tr. 1*
be|klei|den *tr. 2;* ein Amt b.: innehaben; **Be|klei|dung** *w. 10 nur Ez.*
be|klem|men *tr. 1;* **Be|klem|mung** *w. 10*
be|klom|men; Be|klom|men|heit *w. 10 nur Ez.*
be|klop|fen *tr. 1*
be|kloppt *ugs.:* beschränkt, blöd
be|knien *tr. 1, ugs.:* oft u. dringend bitten
be|ko|chen *tr. 1, ugs., scherzh.:* mit Essen versorgen, verpflegen
be|kom|men *intr. 71;* **be|kömm|lich; Be|kömm|lich|keit** *w. 10 nur Ez.*
be|kös|ti|gen *tr. 1;* **Be|kös|ti|gung** *w. 10 nur Ez.*
be|kräf|ti|gen *tr. 1;* **Be|kräf|ti|gung** *w. 10*
be|krän|zen *tr. 1;* **Be|krän|zung** *w. 10 nur Ez.*
be|kreu|zen *tr. 1* mit dem Kreuzeszeichen segnen; **be|kreu|zi|gen** *refl. 1* das Kreuzeszeichen vor sich selbst machen; **Be|kreu|zi|gung** *w. 10 nur Ez.*
be|krie|gen *tr. 1*
be|krit|teln *tr. 1;* ich bekrittele, bekrittle ihn
be|krö|nen *tr. 1;* **Be|krö|nung** *w. 10*
be|küm|mern 1 *tr. 1;* **2** *refl. 1* sich kümmern; **Be|küm|mer|nis** *w. 1*
be|kun|den *tr. 2;* **Be|kun|dung** *w. 10*
Bel [nach dem Erfinder des Telefons, A. G. Bell] *s. Gen.* -s *Mz.* - (*Abk.:* B) Maßeinheit für die Dämpfung von Schwingungen
be|lä|cheln *tr. 1;* ich belächele, belächle es; **be|la|chen** *tr. 1*
be|la|den *tr. 74;* **Be|la|dung** *w. 10 nur Ez.*
Be|lag *m. 2*
Be|la|ge|rer *m. 5;* **be|la|gern** *tr. 1;* **Be|la|ge|rung** *w. 10;* **Be|la|ge|rungs|zu|stand** *m. 2 nur Ez.*
Be|la|mi [frz. »schöner Freund«] *m. 9* Frauenliebling
be|läm|mern *tr. 1 ugs.* **1** betrügen; **2** belästigen; **be|läm|mert** *ugs.* **1** hereingefallen; **2** unangenehm, peinlich, übel (Angelegenheit); **3** verlegen, betreten
Be|lang *m. 1;* das ist nicht von B.; **be|lan|gen** *tr. 1* **1** anbelangen, betreffen; **2** jmdn. b.: zur Rechenschaft ziehen; **be|lang|los; Be|lang|lo|sig|keit** *w. 10*
be|las|sen *tr. 75*
be|las|ten *tr. 2*
be|läs|ti|gen *tr. 1;* **Be|läs|ti|gung** *w. 10*
Be|las|tung *w. 10;* **Be|las|tungs|pro|be** *w. 11;* **Be|las|tungs|gren|ze** *w. 11;* **Be|las|tungs|zeu|ge** *m. 11*
be|lau|ben *refl. 1.*
be|lau|ern *tr. 1;* ich belauere, belaure ihn
Be|lauf *m. 2* **1** *veraltet:* Betrag; **2** Forstbezirk, Verwaltungsbezirk eines Försters; **be|lau|fen** *refl. 76;* die Kosten belaufen sich auf 100 DM
be|lau|schen *tr. 1;* **Be|lau|schung** *w. 10 nur Ez.*
Bel|can|to *Nv.* ► **Bel|kan|to** *Hv.*
Bel|che *w. 11* Blässhuhn
be|le|ben *tr. 1;* **Be|le|bung** *w. 10;* **Be|le|bungs|ver|such** *m. 1*
be|le|dern *tr. 1, österr.:* mit Leder beziehen (Sessel); mit neuer Dichtung versehen (Wasserhahn); **Be|le|de|rung** *w. 10 nur Ez.*
Be|leg *m. 1;* **be|le|gen** *tr. 1;* **Be|leg|ex|em|plar** *auch:* **-ex|em|plar** *s. 1;* **Be|leg|schaft** *w. 10;* **Be|leg|stück** *s. 1;* **Be|le|gung** *w. 10*
be|leh|nen *tr. 1;* **Be|leh|nung** *w. 10*
be|leh|ren *tr. 1;* jmdn, eines anderen, eines Besseren b.; **Be|leh|rung** *w. 10*
be|leibt; Be|leibt|heit *w. 10 nur Ez.*
be|lei|di|gen *tr. 1;* **Be|lei|di|gung** *w. 10*
be|lei|hen *tr. 78;* **Be|lei|hung** *w. 10*
be|lem|mern ► **be|läm|mern** *tr. 1, ugs.;* **be|lem|mert** ► **be|läm|mert** *ugs.*
Be|lem|nit [griech.] *m. 10* ausgestorbener Kopffüßer; fossiler Rest seines Gehäuses, Donnerkeil, Teufelsfinger
be|le|sen durch vieles Lesen viel wissend; **Be|le|sen|heit** *w. 10 nur Ez.*
Bel|es|prit [bɛlɛspri, frz.] *m. 9, veraltet:* Schöngeist
Bel|e|tage [bɛletaʒə, frz.] *w. 11, veraltet:* erstes Stockwerk, Hauptgeschoss
be|leuch|ten *tr. 2;* **Be|leuch|ter|brü|cke** *w. 11;* **Be|leuch|tung** *w. 10;* **Be|leuch|tungs|kör|per** *m. 5;* **Be|leuch|tungs|stär|ke** *w. 11*
be|eum|det, be|leu|mun|det; gut, schlecht b. sein: einen guten, schlechten Leumund (Ruf) haben
bel|fern *intr. 1* **1** heftig bellen; **2** keifen, schimpfen
Bel|fried *m. 1* Bergfried, Turm
Bel|gi|en [-gjən] Staat in Europa; **Bel|gi|er** *m. 5;* **bel|gisch;** belgische Francs (*Abk.:* bfr)
Bel|grad Hst. von Jugoslawien; **Bel|gra|der** *m. 5*
Be|li|al [hebr.] *m. 1 nur Ez., bibl. Bez. für* Teufel
be|lich|ten *tr. 2;* **Be|lich|tung** *w. 10;* **Be|lich|tungs|mes|ser** *m. 5;* **Be|lich|tungs|zeit** *w. 10*
be|lie|ben *intr. 1* **1** *persönl.:* er beliebt zu scherzen; **2** *unpersönl.:* es beliebt mir (nicht), zu kommen; **Be|lie|ben** *s. 7 nur Ez.;* nach B.; **be|lie|big;** jeder Beliebige; **be|liebt; Be|liebt|heit** *w. 10 nur Ez.*
be|lie|fern *tr. 1;* ich beliefere, beliefre ihn; **Be|lie|fe|rung** *w. 10 nur. Ez.*
Bel|kan|to, Bel|can|to [ital. »schöner Gesang«] *m. 9 nur Ez., bes. im 17.–19. Jh.:* ital. Kunstgesang

► = wird zu

Bel|la|don|na [ital. »schöne Frau«] **1** *w. Gen.- Mz.*-nen Tollkirsche, eine Gift- und Heilpflanze; **2** *nur Ez.* daraus gewonnenes Heil- und früher auch Schönheitsmittel
bel|len *intr. 1;* **Bel|ler** *m. 5*
Bel|le|trist [frz.] *m. 10* Schriftsteller der Belletristik; **Bel|le|tris|tik** *w. 10 nur Ez.* schöne Literatur, Unterhaltungsliteratur; **bel|le|tris|tisch**
Belle|vue [bɛlvy, frz. »schöne Aussicht«] **1** *w. 11* Aussichtspunkt; **2** *s. 9* Name von Schlössern
be|lo|ben, be|lo|bi|gen *tr. 1;* **Be|lo|bi|gung, Be|lo|bung** *w. 10*
be|loh|nen *tr. 1*
Be|lo|rus|se [russ.] *m. 11* Weißrusse; **be|lo|rus|sisch; Be|lo|rus|sisch** *s. Gen.*-(s) beloruss. Sprache
Bel-Pa|e|se [ital. »schönes Land«] *m. Gen. - Mz.* - ein ital. Weichkäse
Belt *m. 1;* Großer, Kleiner B.: zwei Meeresstraßen zwischen Ost- und Nordsee
Be|ludsch, Be|lutsch *m. 1* kleiner, dunkelfarbiger Orientteppich
be|lüf|ten *tr. 2;* **Be|lüf|tung** *w. 10*
Be|lu|ga [russ.] *m. 9* **1** Weißwal, ein Gründelzahnwal; **2** Hausen, Stör; **3** der aus dem Rogen von **(2)** hergestellte Kaviar
be|lü|gen *tr. 81*
be|lus|ti|gen *tr. 1;* **Be|lus|ti|gung** *w. 10*
Be|lutsch *m. 1* = Beludsch; **Be|lu|tsche** *auch:* **Be|lut|sche** *m. 11;* **Be|lu|tschi|stan** *auch:* **Be|lut|schis|tan** Hochland in Westpakistan
Bel|ve|de|re [ital. »schöne Aussicht«] *s. 9* **1** Aussichtspunkt; **2** Name von Schlössern
be|mäch|ti|gen *refl. 1 mit Gen.;* sich jmds. oder einer Sache b.
be|mä|keln *tr. 11;* ich bemäkele, bemäkle es
be|ma|len *tr. 1;* **Be|ma|lung** *w. 10*
be|män|geln *tr. 1;* ich bemängele, bemängle es; **Be|män|ge|lung** *w. 10 nur Ez.*
be|man|nen *tr. 1* mit Mannschaft ausstatten (Schiff); **Be|man|nung** *w. 10*
be|män|teln *tr. 1;* ich bemäntele, bemäntle es; **Be|män|te|lung, Be|mänt|lung** *w. 10 nur Ez.*
be|mas|ten *tr. 2* mit Mast(en) versehen (Schiff); **Be|mas|tung** *w. 10*
be|mei|stern *tr. 1;* ich bemeistere, bemeistre meinen Zorn
be|mer|ken *tr. 1;* **be|mer|kens|wert; be|merk|lich** *veraltet:* bemerkbar; **Be|mer|kung** *w. 10*
be|mes|sen *tr. 84;* **Be|mes|sung** *w. 10;* **Be|mes|sungs|grund|la|ge** *w. 11*
be|mit|lei|den *tr. 2;* **be|mit|lei|dens|wert; Be|mit|lei|dung** *w. 10 nur Ez.*
be|mit|telt wohlhabend
Bem|me *w. 11, sächs.:* belegtes Brot
be|mo|geln *tr. 1, ugs.:* betrügen; ich bemogele, bemogle ihn
be|moost *übertr.:* alt, ein bemoostes Haupt: ein alter (würdiger) Mann
be|mü|hen *tr. 1;* **Be|mü|hung** *w. 10*
be|mü|ßi|gen *tr. 1, nur noch im Partizip II gebräuchlich;* sich bemüßigt fühlen, etwas zu tun: sich veranlasst sehen
be|mut|tern *tr. 1*
Ben *vor hebr. und arab. Namen:* Sohn, Enkel
be|nach|bart
be|nach|rich|ti|gen *tr. 1;* **Be|nach|rich|ti|gung** *w. 10*
be|nach|tei|li|gen *tr. 1;* **Be|nach|tei|li|gung** *w. 10*
be|nam|sen *tr. 1, ugs. scherzh.:* mit einem Namen versehen
Ben|del ▶ **Bän|del** *s. 5*
be|ne|belt *ugs.:* betrunken
be|ne|dei|en [lat.] *tr. 1* segnen; gebenedeit seist du, Maria
Be|ne|dic|tus [lat.] *s. Gen.- Mz.-, in der kath. Messe:* Lobgesang, Hymnus
Be|ne|dik|ten|kraut *s. 4* eine Heilpflanze
Be|ne|dik|ti|ner *m. 5* **1** Angehöriger eines Mönchsordens; **2** ein (urspr. von den Benediktinern hergestellter) Kräuterlikör; **Be|ne|dik|ti|on** [lat.] *w. 10* Segnung; **be|ne|di|zie|ren** *tr. 3*
Be|ne|fiz *s. 1* **1** *kurz für* Benefizvorstellung; **2** *kurz für* Benefizium; **Be|ne|fi|zi|ant** *m. 10* **1** *veraltet:* Wohltäter; **2** Nutznießer einer Benefizvorstellung; **Be|ne|fi|zi|ar, Be|ne|fi|zi|at** *m. 1* Inhaber eines Benefiziums; **Be|ne|fi|zi|um** *s. Gen.*-s *Mz.*-zi|en, *im MA:* **1** zur Nutzung überlassenes, vererbbares Land; **2** mit einer Pfründe verbundenes Kirchenamt; **Be|ne|fiz|vor|stel|lung** *w. 10* Theater- oder Musikaufführung zugunsten eines Künstlers oder eines wohltätigen Zweckes
be|neh|men *refl. 88;* **Be|neh|men** *s. 7 nur Ez.;* sich mit jmdm. ins B. setzen: sich mit jmdm. über etwas verständigen
be|nei|den *tr. 2;* **be|nei|dens|wert**
Be|ne|lux|län|der *s. 4 Mz.,* **Be|ne|lux|staa|ten** *m. 12 Mz.* die seit 1947 in Zollunion zusammengefassten Länder Belgien, Niederlande (Nederland), Luxemburg
be|nen|nen *tr. 89;* **Be|nen|nung** *w. 10*
be|net|zen *tr. 1;* **Be|net|zung** *w. 10 nur Ez.*
Ben|ga|le *m. 11;* **Ben|ga|len** Landschaft in Vorderindien; **Ben|ga|li** *s. Gen.*-(s) *nur Ez.* indoar. Sprache; **ben|ga|lisch;** bengalisches Feuer: Buntfeuer
Ben|gel 1 *m. 5, ugs. auch: m. 9* Lausbub; **2** *m. 5, veraltet:* Stock, Knüppel
be|nie|sen *tr. 1*
be|ni|gne *auch:* **be|nig|ne** [lat.] *Med.:* gutartig (von Geschwülsten); *Ggs.:* maligne; **Be|ni|gni|tät** *auch:* **Be|nig|ni|tät** *w. 10 nur Ez., Med.:* Gutartigkeit; *Ggs.:* Malignität
Be|nimm *m. 1 nur Ez., ugs.:* gutes Benehmen; er hat keinen Benimm
Ben|ja|min [nach dem Sohn Jakobs und der Rahel im AT] *m. 1, übertr.:* der Jüngste
Ben|ne *w. 11, schweiz.:* Schubkarren
Ben|nuß ▶ **Ben|nuss,** Be|hennuss *w. 2* Frucht eines arab. Wüstenbaumes
be|nom|men leicht betäubt, noch schläfrig; **Be|nom|men|heit** *w. 10 nur Ez.*
be|no|ten *tr. 2* mit einer Note (Zensur) versehen; eine Arbeit benoten
be|nö|ti|gen *tr. 1*
Ben|thos [griech.] *s. Gen. - nur Ez.* Tier- und Pflanzenwelt auf dem Boden von Gewässern
Ben|to|nit [nach dem Fundort Fort Benton in Montana/USA] *m. 1 nur Ez.* Ton mit starker Quellfähigkeit
be|num|mern *tr. 1;* ich benummere es; **Be|num|me|rung** *w. 10 nur Ez.*

be|nut|zen, be|nüt|zen *tr. 1;* **Be|nut|zer** *m. 5;* **Be|nut|zung, Be|nüt|zung** *w. 10 nur Ez.*
Benz|al|de|hyd *m. 1* Bittermandelöl
ben|zen *intr. 1, bayr., österr.:* hartnäckig bitten, betteln
Ben|zin *s. 1;* **Ben|zin|tank,** *m. 9*
Ben|zoe [-tsoe:, arab.] *w. Gen. - nur Ez.,* **Ben|zo|e|harz** *s. 1 nur Ez.* wohlriechendes Harz des ostind. und indones. Benzoebaumes; **Ben|zo|e|säu|re** *w. 11 nur Ez.* ein Konservierungsmittel; **Ben|zol** [Kurzw. aus Benzoe und Alkohol] *s. 1 nur Ez.* ein Kohlenwasserstoff; **Ben|zyl** *s. 1 nur Ez.* Restgruppe des Moleküls Benzoesäure; **Ben|zyl|al|ko|hol** *m. 1* ein aromat. Alkohol, Ausgangsstoff für Parfüme
be|ob|ach|ten *auch:* **be|o|bach|ten** *tr. 2;* **Be|ob|ach|tungs|ga|be** *w. 11 nur Ez.*
Be|o|grad *serb. für* Belgrad
be|or|dern *tr. 1*
be|pa|cken *tr. 1;* **Be|pa|ckung** *w. 10 nur Ez.*
be|pflan|zen *tr. 1;* **Be|pflan|zung** *w. 10 nur Ez.*
be|pin|seln *tr. 1;* ich bepinsele, bepinsle es; **Be|pin|se|lung** *w. 10 nur Ez.*
be|plan|ken *tr. 1;* **Be|plan|kung** *w. 10 nur Ez.*
be|pu|dern *tr. 1;* ich bepudere, bepudre es
be|quas|seln, be|quat|schen *tr. 1, ugs.:* besprechen
be|quem; be|que|men *refl. 1;* sich zu etwas b.; **be|quem|lich; Be|quem|lich|keit** *w. 10*
Be|rapp *m. 1 nur Ez.* rauher Verputz; **be|rap|pen** *tr. 1* **1** mit grobem Verputz bewerfen; **2** [rotwelsch] *ugs.:* bezahlen
be|ra|ten *tr. 94;* **be|rat|schla|gen** *tr. 1;* **Be|rat|schla|gung** *w. 10 nur Ez.;* **Be|ra|tung** *w. 10;* **Be|ra|tungs|stel|le** *w. 11*
be|rau|ben *tr. 1;* jmdn. b.; jmdn. seines Geldes, seiner Freiheit b.; **Be|rau|bung** *w. 10* **be|rau|schen** *tr. 1;* **Be|rau|schung** *w. 10 nur Ez.*
Ber|be|rin [lat.] *s. 1 nur Ez.* Alkaloid der Berberitze
Ber|ber *m. 5* Angehöriger einer nordafrikan. Völkergruppe mit hamit. Sprache; **ber|be|risch**
Ber|be|rit|ze *w. 11* Sauerdorn, ein Zierstrauch
Ber|ceu|se [bɛrsøz(ə), frz.] *w. 11* Wiegenlied
Berch|ten *Mz.* = Perchten
be|rech|nen *tr. 2;* **Be|rech|nung** *w. 10*
be|rech|ti|gen *tr. 1;* **Be|rech|ti|gung** *w. 10;* **Be|rech|ti|gungs|schein** *m. 1*
be|re|den *tr. 2;* etwas b.; jmdn. b.; **be|red|sam; Be|red|sam|keit** *w. 10 nur Ez.;* **be|redt; Be|redt|heit** *w. 10 nur Ez.* = Beredsamkeit
be|reg|nen *tr. 2;* **Be|reg|nung** *w. 10*
Be|reich *m. 1 oder s. 1*
be|rei|chern *tr. 1;* ich bereichere mich; **Be|rei|che|rung** *w. 10*
Be|reichs|an|ga|be *w. 11*
be|rei|fen *tr. 1* **1** mit Reifen ausstatten; **2** mit Reif überziehen; **be|reift** mit Reif überzogen; **Be|rei|fung** *w. 10* Ausstattung mit Reifen
be|rei|ni|gen *tr. 1;* **Be|rei|ni|gung** *w. 10 nur Ez.*
be|rei|sen *tr. 1;* die Welt b.

bereit: Die Verbindung des Adverbs *bereit* mit *sein* gilt nicht als Zusammensetzung und wird dementsprechend getrennt geschrieben: *Sie wollten morgen bereit sein.* → § 35

be|reit; b. erklären
be|rei|ten **1** *tr. 2* zu-, vorbereiten; **2** *tr. 97* zureiten, ausbilden (Pferd); **Be|rei|ter** *m. 5* Zureiter, Ausbilder (eines Pferdes)

bereithalten, bereitstehen: Ist der erste Teil einer Verbindung aus Adjektiv/Adverb und Verb weder steigerbar noch erweiterbar, schreibt man zusammen: *Sie konnte das Geld bereithalten.* → § 34 (2.2)

be|reit|hal|ten *tr. 61;* **be|reit|le|gen** *tr. 1;* **be|reit|lie|gen** *intr. 80;* **be|reit|ma|chen** *tr. 1*
be|reits
Be|reit|schaft *w. 10 nur Ez.;* **Be|reit|schafts|dienst** *m. 1;* **Be|reit|schafts|po|li|zei** *w. 10 nur Ez.*
be|reit|ste|hen *intr. 151;* **be|reit|stel|len** *tr. 1*
Be|rei|tung *w. 10 nur Ez.* (zu: bereiten (**1**)
be|reit|wil|lig; Be|reit|wil|lig|keit *w. 10 nur Ez.*
Be|re|ni|ce [-tse:], **Be|re|ni|ke** Name mehrerer Königinnen der Ptolemäer; Haar der B.: ein Sternbild
be|ren|nen *tr. 98;* eine Festung berennen
be|ren|ten *tr. 2, Amtsdeutsch;* jmdn. b.: jmdm. eine Rente zuerkennen
be|reu|en *tr. 1*
Berg *m. 1;* **berg|ab;** b. fahren; **Berg|ab|hang** *m. 1;* **berg|ab|wärts; Berg|a|horn** *m. 1;* **Berg|a|ka|de|mie** *w. 11*

Bergahorn, Bergakademie (Worttrennung): Die Abtrennung eines Einzelvokals ist korrekt, da nach Sprechsilben getrennt wird: *Berg|a|horn, Berg|a|ka|de|mie.* → § 107

Ber|ga|mas|ka [nach der ital. Stadt Bergamo] *w. Gen. - Mz.* -ken Tanzlied des 17./18. Jh.; **Ber|ga|mas|ke** *m. 11* Einwohner von Bergamo; **ber|ga|mas|kisch; Ber|ga|mo** ital. Stadt
Ber|ga|mot|te [türk.] *w. 11* **1** Pomeranze, eine Zitrusfrucht; **2** eine Birnensorte; **Ber|ga|mott|öl** *s. 1* aus der Bergamotte **(1)** gewonnenes Öl für Parfüme
Berg|amt *s. 4;* **berg|an; Berg|ar|bei|ter** *m. 5;* **Berg|as|ses|sor** *m. 13;* **berg|auf;** b. fahren; **berg|auf|wärts; Berg|bahn** *w. 10;* **Berg|bau** *m. Gen.* -(e)s *nur Ez.;* **Berg|bau|be|flis|se|ne(r)** *m. 18 (17)* Bergbaustudent im prakt. Jahr; **Berg|be|stei|gung** *w. 10;* **Ber|ge** *m. 1 Mz.* taubes Gestein; **ber|ge|hoch,** berg|hoch
Ber|ge|lohn *m. 2* Lohn für die Bergung eines Schiffes in Seenot; **ber|gen** *tr. 9*
Ber|ge|nie [-njə, nach dem dt. Botaniker K. A. v. Bergen] *w. 11* ein Steinbrechgewächs, eine Zierstaude
Ber|ges|hö|he *w. 11;* **Berg|fach** *s. 4 nur Ez.;* **Berg|fahrt** *w. 10* Fahrt bergauf (bei Bergbahnen), flussaufwärts; *Ggs.:* Talfahrt; **Berg|fex** *m. 1* leidenschaftl. Bergsteiger; **Berg|fried,** Burg|fried *m. 1* Hauptturm einer Burg; **Berg|füh|rer** *m. 5;* **Berg|geist** *m. 3;* **Berg|hal|de** *w. 11;* **berg|hoch,** ber|ge|hoch; **Berg|haupt|mann** *m. Gen.* -(e)s *Mz.* -leute; **ber|gig; Berg|in|ge|ni|eur** [-inʒənjø:r] *m. 1;* **Berg|in|spek|tor** *m. 13;* **Berg|kamm** *m. 2;* **Berg|krank|heit** *w. 10;* **Berg|kris|tall** *m. 1;* **Berg|ler** *m. 5* jmd., der im Bergland

► = wird zu

wohnt; **Berg|mann** *m. Gen.* -(e)s *Mz.* -leu|te; **berg|män|nisch; Berg|not** *w. 2 nur Ez.;* in B. sein; **Berg|par|te** *w. 11* Paradebeil der Bergleute; **Berg|pre|digt** *w. 10 nur Ez.;* **Berg|recht** *s. 1 nur Ez.;* **Berg|rutsch** *m. 1;* **Berg|schuh** *m. 1;* **berg|schüs|sig** viel taubes Gestein enthaltend; **berg|stei|gen** *intr. 153, nur im Infinitiv und Partizip;* **Berg|stei|ger** *m. 5;* **Berg|stock** *m. 2;* **Berg|stra|ße** *w. 11 nur Ez.;* **Berg-und-Tal-Bahn** *w. 10*
Ber|gung *w. 10;* **Ber|gungs|damp|fer** *m. 5;* **Ber|gungs|mann|schaft** *w. 10*
Berg|wacht *w. 10;* **Berg|war|dein** *m. 1* Bergbeamter, der den Gehalt an Erzen prüft; **Berg|werk** *s. 1;* **Berg|werks|di|rek|tor** *m. 13;* **Berg|wis|sen|schaft** *w. 10*
Be|ri|be|ri [singhales.] *w. 9 nur Ez.* eine Vitamin-B-Mangelkrankheit
Be|richt *m. 1;* **be|rich|ten** *tr. 2;* **Be|richt|er|stat|ter** *m. 5;* **Be|richt|er|stat|tung** *w. 10*
be|rich|ti|gen *tr. 1;* **Be|rich|ti|gung** *w. 10*
Be|richts|jahr *s. 1*
be|rie|chen *tr. 99*
be|rie|seln *tr. 1;* **Be|rie|se|lung** *w. 10;* **Be|rie|se|lungs|an|la|ge** *w. 11*
be|rin|gen *tr. 1* mit einem Ring versehen (Vögel); mit Ring oder Ringen schmücken
Be|ring|meer [nach dem dän. Forscher Vitus Bering] *s. 1 nur Ez.* Meer zwischen Sibirien, Alaska und den Aleuten; **Be|ring|stra|ße** *w. 11 nur Ez.* Meerenge zwischen Sibirien und Alaska
Be|rin|gung *w. 10 nur Ez.* (von Vögeln)
Be|ritt *m. 1* **1** kleine Reiterabteilung; **2** Forstbezirk; **3** Dienstbezirk; **be|rit|ten** zu Pferde, mit Reittier(en) versehen; **Be|ritt|füh|rer** *m. 5* (zu: Beritt **1**)
Ber|ke|li|um [nach der kaliforn. Stadt Berkeley] *s. Gen.* -s *nur Ez. (Zeichen:* Bk) ein chem. Element
Ber|lin Hst. der BR Dtld.; **Ber|li|na|le** *w. 11* Filmfestspiele in Berlin; **Ber|li|ner Blau** *s. Gen.* -s *nur Ez.;* **ber|li|ne|risch,** ber|li|nisch; **ber|li|nern** *intr. 1* Berliner Dialekt sprechen; **ber|li|nisch,** ber|li|ne|risch
Ber|lo|cke [frz.] *w. 11* Schmuckanhänger für Uhrketten u. Ä.
Ber|me *w. 11* horizontaler Absatz in einer Böschung
Ber|mu|da|in|seln, Ber|mu|das *Mz.* Inselgruppe im westl. Atlantik
Bern 1 Hst. des Kantons Bern und der Schweiz; **2** schweiz. Kanton; Berner Alpen; Berner Oberland
Bern|har|di|ner *m. 5* eine Hunderasse; **Bern|har|di|ner|or|den** *m. 7 nur Ez., frz. Bez. für den* Zisterzienserorden
Bern|stein [eigtl. Brennstein] *m. 1 nur Ez.* fossiles Harz; **bern|stei|ne(r)n** aus Bernstein
Be|ro|li|na *w. Gen. - nur Ez.* Frauengestalt als Sinnbild Berlins
Ber|sa|glie|re *auch:* **Ber|sag|lie|re** [-saljɛrə, ital.] *m. Gen.* -s *Mz.* -ri Soldat der ital. Elitetruppe mit breitkrempigem Hut und Federbusch
Ber|ser|ker [altnord.] *m. 5, altnord. Myth.:* wilder, starker Kämpfer; **Ber|ser|ker|wut** *w. Gen. - nur Ez.*
bers|ten *intr. 10*
be|rüch|tigt
be|rü|cken *tr. 1*
be|rück|sich|ti|gen *tr. 1;* **Be|rück|sich|ti|gung** *w. 10 nur Ez.*
Be|rü|ckung *w. 10 nur Ez.*
Be|ruf *m. 1;* **be|ru|fen** *tr. 102;* **Be|ruf|kraut** *s. 4* eine Feldpflanze, Dürrkraut; **be|ruf|lich; be|rufs|be|glei|tend;** berufsbegleitende Schulen; **Be|rufs|be|ra|tung** *w. 10;* **Be|rufs|be|zeich|nung** *w. 10;* **be|rufs|bil|dend;** berufsbildende Schulen; **Be|rufs|e|thos** *s. Gen. - nur Ez.;* **be|rufs|fremd; Be|rufs|ge|heim|nis** *s. 1;* **Be|rufs|klei|dung** *w. 10 nur Ez.;* **Be|rufs|krank|heit** *w. 10;* **Be|rufs|le|ben** *s. 7 nur Ez.;* **be|rufs|los; Be|rufs|schu|le** *w. 11;* **Be|rufs|sport|ler** *m. 5;* **be|rufs|stän|disch; be|rufs|tä|tig; Be|rufs|tä|ti|ge(r)** *m. 18 (17) bzw. w. 17 oder 18;* **Be|rufs|tä|tig|keit** *w. 10 nur Ez.;* **be|rufs|un|fä|hig; Be|rufs|un|fä|hig|keit** *w. 10 nur Ez.;* **Be|rufs|ver|bot** *s. 1;* **Be|rufs|wahl** *w. 10;* **Be|ru|fung** *w. 10;* **Be|ru|fungs|ge|richt** *s. 1;* **Be|ru|fungs|ver|fah|ren** *s. 7;* **Be|ru|fungs|ver|hand|lung** *w. 10*
be|ru|hen *intr. 1;* das beruht auf Wahrheit; etwas auf sich b. lassen: etwas nicht weiter verfolgen oder besprechen
be|ru|hi|gen *tr. 1;* **Be|ru|hi|gung** *w. 10 nur Ez.;* **Be|ru|hi|gungs|mit|tel** *s. 5*
be|rühmt; be|rühmt-be|rüch|tigt; Be|rühmt|heit *w. 10* **1** *nur Ez.* das Berühmtsein; **2** berühmte Persönlichkeit
be|rüh|ren *tr. 1;* **Be|rüh|rung** *w. 10;* **Be|rüh|rungs|punkt** *m. 1*
be|ru|ßen *tr. 1*
Be|ryll [griech.] *m. 1* ein Edelstein; **Be|ryl|li|um** *s. Gen.* -s *nur Ez. (Zeichen:* Be) chem. Element, ein Metall
bes. *Abk. für* besonders
be|sa|gen *tr. 1;* das besagt gar nichts: das hat nichts zu bedeuten; **be|sagt** erwähnt; der besagte Schüler
be|sai|ten *tr. 2* mit Saiten bespannen; ein zartbesaiteter Mensch *übertr.* ein empfindsamer Mensch
be|sä|en *tr. 1;* mit Blumen besät
be|sa|men *tr. 1*
be|sam|meln *tr. 1, schweiz.:* sammeln (Truppen); **Be|samm|lung** *w. 10 nur Ez.*
Be|sa|mung *w. 10;* **Be|sa|mungs|zen|trum** *auch:* **-zent|rum** *s. Gen.* -s *Mz.* -tren
Be|san [arab.-ital.] *m. 1* Segel am Besanmast
be|sänf|ti|gen *tr. 1;* **Be|sänf|ti|gung** *w. 10 nur Ez.*
Be|san|mast *m. 12* hinterster Mast (eines Segelschiffes)
Be|satz *m. 2;* **Be|sat|zung** *w. 10;* **Be|sat|zungs|macht** *w. 2;* **Be|sat|zungs|sta|tut** *s. 12;* **Be|sat|zungs|trup|pe** *w. 11;* **Be|sat|zungs|zo|ne** *w. 11*
be|sau|fen *refl. 103;* **Be|säuf|nis** *w. 1 oder s. 1* Saufgelage
be|säu|seln *refl. 1, ugs.:* sich leicht betrinken
be|schä|di|gen *tr. 1;* **Be|schä|di|gung** *w. 10*
be|schaf|fen 1 *tr. 1* besorgen, herbeischaffen; **2** *Adj.* geartet, in einem bestimmten Zustand; wie ist das Haus b.?; **Be|schaf|fen|heit** *w. 10 nur Ez.;* **Be|schaf|fung** *w. 10 nur Ez.*
be|schäf|ti|gen *tr. 1;* **Be|schäf|ti|gung** *w. 10;* **be|schäf|ti|gungs|los; Be|schäf|ti|gungs|lo|sig|keit** *w. 10 nur Ez.;* **Be|schäf|ti|gungs|the|ra|pie** *w. 11*
be|schä|len *tr. 1* begatten (vom Pferd); **Be|schä|ler** *m. 5* Zuchthengst

be|schal|len *tr. 1, Med.:* mit Ultraschallwellen behandeln; **Be|schal|lung** *w. 10 nur Ez.*
Be|schäl|seu|che *w. 11* Geschlechtskrankheit der Pferde und Esel, Zuchtlähme, Dourine; **Be|schä|lung** *w. 10* Begattung (vom Pferd)
be|schä|men *tr. 1;* **Be|schä|mung** *w. 10*
be|schat|ten *tr. 2; auch übertr.:* beobachten (verdächtige Person); **Be|schat|tung** *w. 10 nur Ez.*
Be|schau *w. 10 nur Ez.;* **be|schau|en** *tr. 1;* **Be|schau|er** *m. 5;* **be|schau|lich; Be|schau|lich|keit** *w. 10 nur Ez.;* **Be|schau|zei|chen** *s. 7*
Be|scheid *m. 1;* **be|schei|den 1** *tr. 107;* jmdn. abschlägig b. *Amtsdeutsch:* jmds. Antrag ablehnen; jmdn. zu sich b.: zu sich bitten, rufen; **2** *refl. 107* sich zufrieden geben; **3** *Adj.;* b. sein; **Be|schei|den|heit** *w. 10 nur Ez.*
be|schei|nen *tr. 108*
be|schei|ni|gen *tr. 1;* **Be|schei|ni|gung** *w. 10*
be|schei|ßen *tr. 109, vulg.:* betrügen
be|schen|ken *tr. 1*
be|sche|ren *tr. 1;* **Be|sche|rung** *w. 10*
be|schich|ten *tr. 2;* **Be|schich|tung** *w. 10 nur Ez.*
be|schi|cken *tr. 1;* **Be|schi|ckung** *w. 10 nur Ez.*
be|schie|ßen *tr. 113;* **Be|schie|ßung** *w. 10*
be|schil|dern *tr. 1;* ich beschildere es; **Be|schil|de|rung** *w. 10 nur Ez.*
be|schimp|fen *tr. 1;* **Be|schimp|fung** *w. 10*
be|schir|men *tr. 1;* **Be|schir|mung** *w. 10 nur Ez.*
Be|schiß ► **Be|schiss** *m. 1 nur Ez., vulg.:* Betrug, Mogelei; **be|schis|sen** *vulg.:* sehr schlecht, unangenehm
be|schlab|bern *ugs.* **1** *tr. 1* überreden; **2** *refl. 1* sich beim Essen beschmutzen
Be|schlächt *s. 1* Uferschutz aus Bohlen
be|schla|fen *tr. 115;* eine Sache b.: sie sich über Nacht überlegen; eine Frau b. *(abwertend):* mit ihr Geschlechtsverkehr haben
Be|schlag *m. 2;* etwas mit B. belegen, in B. nehmen; **be|schla|gen 1** *tr. 116;* ein Pferd b.; ein weibl. Tier b.: begatten (z. B. vom Hirsch); **2** *intr. 116 schweiz.:* angehen, betreffen; **3** *Adj.:* angelaufen (z. B. Fenster); gut Bescheid wissend; auf einem Gebiet b. sein
Be|schlag|nah|me *w. 11;* **be|schlag|nah|men** *tr. 1*
be|schleu|ni|gen *tr. 1;* **Be|schleu|ni|gung** *w. 10 nur Ez.*
be|schleu|sen *tr. 1* mit Schleusen versehen
be|schlie|ßen *tr. 120;* **Be|schlie|ßer** *m. 5* Aufseher, Verwalter, Haushälter
Be|schluß ► **Be|schluss** *m. 2;* **be|schluß|fä|hig** ► **be|schluss|fä|hig; Be|schluß|fä|hig|keit** ► **Be|schluss|fä|hig|keit** *w. 10 nur Ez.;* **Be|schluß|fas|sung** ► **Be|schluss|fas|sung** *w. 10 nur Ez.*
be|schmie|ren *tr. 1*
be|schmei|ßen *tr. 122, ugs.*
be|schmut|zen *tr. 1;* **Be|schmut|zung** *w. 10*
be|schnei|den *tr. 125;* **Be|schnei|dung** *w. 10*
be|schneit
Be|schnitt *m. 1 nur Ez.:* **Be|schnit|te|ne(r)** *m. 18 (17)*
be|schnüf|feln *tr. 1, ugs.*
be|schnup|pern *tr. 1*
be|schö|ni|gen *tr. 1;* **Be|schö|ni|gung** *w. 10*
be|schot|tern *tr. 1;* **Be|schot|te|rung** *w. 10 nur Ez.*
be|schran|ken *tr. 1;* beschrankter Bahnübergang
be|schrän|ken *tr. 1;* **be|schränkt** engstirnig, dumm; **Be|schränkt|heit** *w. 10 nur Ez.*
Be|schran|kung *w. 10*
Be|schrän|kung *w. 10*
be|schrei|ben *tr. 127;* **Be|schrei|bung** *w. 10*
be|schrei|ten *tr. 129*
be|schrif|ten *tr. 2;* **Be|schrif|tung** *w. 10*
be|schu|hen *tr. 1;* **Be|schu|hung** *w. 10 nur Ez.*
be|schul|di|gen *tr. 1 mit Gen.;* jmdn. des Diebstahls b.; **Be|schul|dig|te(r)** *m. 18 (17) bzw. w. 17 oder 18;* **Be|schul|di|gung** *w. 10*
be|schum|meln *tr. 1, ugs.;* ich beschummele, beschummle ihn
be|schup|pen [rotwelsch] *tr. 1, ugs.:* betrügen
Be|schuß ► **Be|schuss** *m. 2*
be|schüt|zen *tr. 1*
be|schwat|zen *tr. 1, ugs.*
Be|schwer *s. 1 oder w. 1 nur Ez.* Last, Mühsal, Bedrängnis; **Be|schwer|de** *w. 11;* B. führen; **be|schwer|de|frei; Be|schwer|de|füh|rer** *m. 5;* **Be|schwer|de|weg** *m. 1;* auf dem B.; **be|schwe|ren** *tr. u. refl. 1;* **be|schwer|lich; Be|schwer|lich|keit** *w. 10;* **Be|schwer|nis** *w. 1 oder s. 1;* **Be|schwe|rung** *w. 10*
be|schwich|ti|gen *tr. 1;* **Be|schwich|ti|gung** *w. 10*
be|schwin|deln *tr. 1;* ich beschwindele, beschwindle ihn
be|schwin|gen *tr. 1;* **be|schwingt; Be|schwingt|heit** *w. 10 nur Ez.*
be|schwip|sen *refl. 1* sich leicht betrinken; **Be|schwips|theit** *w. 10 nur Ez.*
be|schwö|ren *tr. 135;* **Be|schwö|rung** *w. 10;* **Be|schwö|rungs|for|mel** *w. 11*
be|see|len *tr. 1;* **Be|seelt|heit** *w. 10 nur Ez.;* **Be|see|lung** *w. 10 nur Ez.*
be|sei|ti|gen *tr. 1;* **Be|sei|ti|gung** *w. 10*
be|se|li|gen *tr. 1;* **Be|se|li|gung** *w. 10 nur Ez.*
Be|sen *m. 7;* **Be|sen|bin|der** *m. 5;* **Be|sen|gins|ter** *m. 5;* **Be|sen|hei|de** *w. 11 nur Ez.;* **be|sen|rein**
be|ses|sen; Be|ses|sen|heit *w. 10 nur Ez.*
be|set|zen *tr. 1;* **Be|setzt|zei|chen** *s. 7;* **Be|set|zung** *w. 10*
be|sich|ti|gen *tr. 1;* **Be|sich|ti|gung** *w. 10*
be|sie|deln *tr. 1;* **Be|sie|de|lung, Be|sied|lung** *w. 10 nur Ez.*
be|sie|geln *tr. 1;* ich besiegele, besiegle es; **Be|sie|gel|lung,** Be|sieg|lung *w. 10 nur Ez.*
be|sie|gen *tr. 1;* **Be|sie|gung** *w. 10 nur Ez.*
Bésigue [besig, frz.] *s. 9 nur Ez.* ein Kartenspiel
be|sin|gen *tr. 140;* eine Tat besingen
be|sin|nen *refl. 142;* **be|sinn|lich; Be|sinn|lich|keit** *w. 10 nur Ez.;* **Be|sin|nung** *w. 10 nur Ez.;* **be|sin|nungs|los; Be|sin|nungs|lo|sig|keit** *w. 10 nur Ez.*
Be|sitz *m. 1 nur Ez.:* **be|sitz|an|zei|gend; be|sit|zen** *tr. 143;* **Be|sit|zer** *m. 5;* **be|sitz|los; Be|sitz|lo|sig|keit** *w. 10 nur Ez.;* **Be|sitz|tum** *s. 4;* **Be|sit|zung** *w. 10*
Be|sof|fen|heit *w. 10 nur Ez., ugs.*

be|soh|len *tr. 1;* **Be|soh|lung** *w. 10 nur Ez.*
be|sol|den *tr. 2;* **Be|sol|dung** *w. 10 nur Ez.*
be|söm|mern *tr. 1, Landw.:* nur im Sommer bebauen; ich besömmere den Boden; **Be|söm|me|rung** *w. 10 nur Ez.*

besonders: Neben dem Adverb *besonders* gibt es die substantivierte Form. Sie wird großgeschrieben: *Im Besonderen erklärte der Regierungssprecher, dass ...* Ebenso: *das Besondere, nichts Besonderes.* →§ 57 (1)

be|son|de|re (-r, -s); Be|son|der|heit *w. 10;* **be|son|ders** (*Abk.:* bes.)
be|son|nen umsichtig, überlegt; **Be|son|nen|heit** *w. 10 nur Ez.*
be|sonnt von der Sonne beschienen
be|sor|gen *tr. 1;* **Be|sorg|nis** *w. 1;* **be|sorg|nis|er|re|gend** ▶ **Be|sorg|nis er|re|gend; Be|sorgt|heit** *w. 10 nur Ez.;* **Be|sor|gung** *w. 10;* **Be|sor|gungs|gang** *m. 2*
be|span|nen *tr. 1;* **Be|span|nung** *w. 10 nur Ez.*
be|spie|geln *tr. 1;* ich bespiegele, bespiegle mich; **Be|spie|ge|lung, Be|spieg|lung** *w. 10 nur Ez.*
be|spie|len *tr. 1;* ein Tonband b.
be|spit|zeln *tr. 1;* ich bespitzele, bespitzle ihn; **Be|spit|ze|lung, Be|spitz|lung** *w. 10 nur Ez.*
be|spöt|teln *tr. 1;* ich bespöttele, bespöttle es
be|spre|chen *tr. 146;* **Be|spre|chung** *w. 10;* **Be|spre|chungs|ex|em|plar** *auch:* **-e|xem|plar** *s. 1*
be|sprin|gen *tr. 148* begatten (von manchen Tieren)
Bes|sa|ra|bi|en *auch:* **Bess|a|ra|bi|en** Landschaft östlich der Karpaten; **bes|sa|ra|bisch** *auch:* **bess|a|ra|bisch**
Bes|se|mer|bir|ne [nach dem engl. Ingenieur Sir Henry Bessemer] *w. 11* feuerfester Behälter, in dem Roheisen gereinigt und in Stahl verwandelt wird; **bes|se|mern** *tr. 1* in der Bessemerbirne herstellen; **Bes|se|mer|stahl** *m. 2 nur Ez.*
bes|ser; bes|ser|ge|stellt ▶ **bes|ser ge|stellt;** ich bin gehaltlich besser gestellt als du;

besser: Verbindungen des Adjektivs *besser* mit Verben werden getrennt geschrieben, wenn das Adjektiv in dieser Verbindung erweiterbar oder steigerbar ist: *Es dürfte ihr jetzt besser gehen.* Ebenso: *besser gestellt.* →§ 34 E3 (3)

Bes|ser|ge|stell|te(r) *m. 18 (17) meist Mz.;* **bes|sern** *tr. 1;* ich bessere, bessre es; **Bes|se|rung,** Bess|rung *w. 10;* **Bes|se|rungs-**

das Bessere/Bessre: Mit großem Anfangsbuchstaben werden Substantivierungen geschrieben, auch solche in festen Gefügen: *das Bessere/Bessre; jemanden eines Besseren belehren; sich eines Besseren besinnen; eine Wendung zum Besseren/Bessren nehmen.* →§ 57 (1)

an|stalt *w. 10;* **bes|se|rungs|fä|hig; Bes|se|rungs|fä|hig|keit** *w. 10 nur Ez.;* **Bes|ser|wes|si** [iron. Zusammenziehung aus Besserwisser und Wessi] *m. 9; ehem. DDR:* Bewohner der alten Bundesländer; **Bes|ser|wis|ser** *m. 5;* **bes|ser|wis|se|risch**
Best *s. 1, österr.:* Preis, Gewinn, z. B. beim Bestschießen (Wettschießen)
best... am meisten, am besten; der bestgehasste Mann, die bestangezogene Frau
be|stal|len *tr. 1* in ein Amt einsetzen; **Be|stal|lung** *w. 10;* **Be|stal|lungs|ur|kun|de** *w. 11*
Be|stand *m. 2* **1** *nur Ez.* Dauer, Fortbestehen; das hat (keinen) B.; das ist nicht von B.; **2** Vorrat; **be|stan|den;** mit Bäumen b.; **be|stand|fä|hig; be|stand|fest; be|stän|dig; Be|stän|dig|keit** *w. 10 nur Ez.;* **Be|stands|auf|nah|me** *w. 11;* **Be|stand|teil** *m. 1*
Best|ar|bei|ter *m. 5, ehem. DDR:* Berufstätiger, der für besondere Leistungen ausgezeichnet wurde
be|stär|ken *tr. 1;* **Be|stär|kung** *w. 10 nur Ez.*
be|stä|ti|gen *tr. 1;* **Be|stä|ti|gung** *w. 10*
be|stat|ten *tr. 2;* **Be|stat|ter** *m. 5*
Be|stät|ter, Be|stät|te|rer *m. 5, süddt.:* Fuhrunternehmer; **Be|stät|te|rei** *w. 10;* **Be|stät|te|rer** *m. 5* = Bestätter
Be|stat|tung *w. 10;* **Be|stat|tungs|in|sti|tut** *auch:* **-ins|ti|tut** *s. 1*
be|stau|ben *tr. 1;* **be|stäu|ben** *tr. 1;* **Be|stäu|bung** *w. 10 nur Ez.*

Beste/beste: Das substantivierte Adjektiv wird mit großem Anfangsbuchstaben geschrieben: *Er ist der Beste; der erste/nächste Beste; zum Besten haben/halten/kehren/stehen; sein Bestes tun. Ich halte es für das Beste.* [→§ 57 (1)]. Feste adverbiale Wendungen mit *am* oder *auf das/aufs* kann man in Anlehnung an Superlativformen auch kleinschreiben: *Wir wurden auf das beste/Beste bewirtet.* [→§ 58 E1]. Bei der Frage *Worauf?* wird großgeschrieben: *Wir sind aufs Beste angewiesen.* →§ 58 E1

bes|te (-r, -s)
be|ste|chen *tr. 149;* **be|stech|lich; Be|stech|lich|keit** *w. 10 nur Ez.* **Be|ste|chung** *w. 10;* **Be|ste|chungs|gel|der** *s. 3 Mz.*
Be|steck *s. 1;* **Be|steck|kas|ten** *m. 8*
Be|steg *m. 1* Tonschicht zwischen Gesteinsschichten

bestehen bleiben/lassen: Verbindungen aus Verb (Infinitiv) plus Verb werden getrennt geschrieben: *bestehen bleiben/lassen.* Ebenso: *liegen lassen, spazieren gehen* usw. →§ 34 E3 (6)

be|ste|hen 1 *tr. 151;* eine Prüfung b.; **2** *intr. 151;* auf etwas b.; in etwas b.; **be|ste|hen|blei|ben** ▶ **be|ste|hen blei|ben** *intr. 17;* **be|ste|hen|las|sen** ▶ **be|ste|hen las|sen** *tr. 75*
be|stei|gen *tr. 153;* **Be|stei|gung** *w. 10*
be|stel|len *tr. 1;* **Be|stell|lis|te** ▶ **Be|stell|lis|te** *w. 11;* **Be|stell|num|mer** *w. 11;* **Be|stell|schein** *m. 1;* **Be|stel|lung** *w. 10*
bes|ten|falls; Bes|ten|för|de|rung *w. 10, ehem. DDR:* Begabtenförderung; **bes|tens**
be|sternt mit Sternen bedeckt
be|steu|ern *tr. 1;* **Be|steu|e|rung** *w. 10 nur Ez.*
best|ge|haßt ▶ **best|ge|hasst**
bes|ti|a|lisch [lat.]; **Bes|ti|a|li|tät** *w. 10 nur Ez.;* **Bes|tie** [-tjə] *w. 11*

be|stim|men *tr. 1;* **be|stimmt; Be|stimmt|heit** *w. 10 nur Ez.;* **Be|stim|mung** *w. 10;* **Be|stim|mungs|bahn|hof** *m. 2;* **Be|stim|mungs|ort** *m. 1*
be|stirnt mit Sternen bedeckt (Himmel)
Best|leis|tung *w. 10;* **Best|mann** *m. 4; Seew.:* Vertreter des Schiffsführers (auf kleinen Küstenschiffen); **best|mög|lich;** in bestmöglicher Ausführung
be|sto|cken *refl. 1* **1** holzig werden; **2** Seitentriebe treiben; **Be|sto|ckung** *w. 10 nur Ez.* **1** Entwicklung von Seitentrieben; **2** Aufforstung; **3** Gesamtheit der Holzgewächse eines Waldes; **4** Viehbestand auf einer Weidefläche
be|sto|ßen *tr. 157;* **Be|stoß|zeug** *s. 1 nur Ez.* Vorrichtung zur Metallbearbeitung
be|stra|fen *tr. 1;* **Be|stra|fung** *w. 10*
be|strah|len *tr. 1;* **Be|strah|lung** *w. 10;* **Be|strah|lungs|raum** *m. 2*
be|stre|ben *refl. 1;* bestrebt sein; **Be|stre|bung** *w. 10*
be|strei|ken *tr. 1;* einen Betrieb b.; **Be|strei|kung** *w. 10 nur Ez.*
be|strei|ten *tr. 159;* **Be|strei|tung** *w. 10 nur Ez.*
be|stri|cken *tr. 1*
be|strumpft mit Strumpf, Strümpfen bekleidet
Best|sel|ler [engl.] *m. 5* Buch mit großem Verkaufserfolg; **Best|sel|ler|lis|te** *w. 11*
be|stü|cken *tr. 1* mit Teilstücken, mit Geschützen ausrüsten; **Be|stü|ckung** *w. 10 nur Ez.*
be|stuh|len *tr. 1* mit Stühlen versehen (Theater); **Be|stuh|lung** *w. 10 nur Ez.*
be|stür|men *tr. 1*
be|stür|zen *tr. 1;* **Be|stür|zung** *w. 10 nur Ez.*
Best|wert *m. 1*
Be|such *m. 1;* **be|su|chen** *tr. 1;* **Be|su|cher|strom** *m. 2;* **Be|su|cher|zahl** *w. 10;* **Be|suchs|zeit** *w. 10;* **Be|suchs|zim|mer** *s. 5*
be|su|deln *tr. 1;* ich besudele, besudle es; **Be|su|de|lung** *w. 10 nur Ez.*
Be|ta *s. Gen.* -(s) *Mz.* -s (*Zeichen:* β, B) griech. Buchstabe
Be|ta|blo|cker *m. 5* = Betarezeptorenblocker
be|tagt alt; **Be|tagt|heit** *w. 10 nur Ez.*
be|ta|keln *tr. 1, Seew.:* mit Takelwerk versehen, auftakeln; **Be|ta|ke|lung** *w. 10 nur Ez.*
Be|ta|re|zep|to|ren|blo|cker, Be|ta|blo|cker Arzneimittel für Herzkrankheiten
Be|ta|strah|len, β-Strah|len *m. 12 Mz.*
be|tä|ti|gen *tr. u. refl. 1;* **Be|tä|ti|gung** *w. 10;* **Be|tä|ti|gungs|feld** *s. 3*
Be|ta|tron [Kurzw. aus Betastrahlen und Elektron] *s. 1 oder s. 9* Gerät zum Beschleunigen von Betastrahlen
be|tat|schen *tr. 1, ugs.:* betasten
be|täu|ben *tr. 1;* **Be|täu|bung** *w. 10 nur Ez.;* **Be|täu|bungs|mit|tel** *s. 5*
Bet|bru|der *m. 6*
Be|te, Bee|te *w. 11* eine Futterpflanze; Rote B.: rote Rübe
Be|tei|geu|ze [arab.] *w. 11 nur Ez.* Stern im Sternbild Orion
be|tei|len *tr. 1, österr.:* beschenken (Kinder); **Be|tei|lung** *w. 10 nur Ez.;* **be|tei|li|gen** *tr. 1;* **Be|tei|li|gung** *w. 10 nur Ez.*
Be|tel [mal.] *m. 5* aus der Betelnuss hergestelltes Genussmittel; Betel kauen; **Be|tel|pal|me** *w. 11* südostasiat. Baum
be|ten *intr. 2;* **Be|ter** *m. 5*
be|teu|ern *tr. 1;* ich beteuere, beteure es; **Be|teu|e|rung** *w. 10*
Be|thel *Name der* evang. Anstalten bei Bielefeld für Epileptiker, psychisch Kranke und sozial benachteiligte Menschen
Beth|le|hem, Bet|le|hem Stadt im Westjordanland; **beth|le|he|mi|tisch**; der bethlehemitische Kindermord
Be|ting *m. 1 oder w. 1, auf Schiffen:* Gerüst zum Befestigen von Ketten und Tauen
be|ti|teln *tr. 1;* ich betitele, betitle es; **Be|ti|te|lung** *w. 10*
Be|ton [-tõ, lat.-frz.] *m. 9, eindeutschend* [-ton] *m. 1* ein Baustoff aus Zement, Wasser, Sand u. a.
be|to|nen *tr. 1*
Be|to|nie [-njə, lat.] *w. 11* eine Wiesenblume, Heilpflanze
be|to|nie|ren *tr. 3* mit Beton ausmauern; **Be|to|nie|rung** *w. 10 nur Ez.*
be|ton|nen *tr. 1* mit Tonnen (Seezeichen) versehen; **Be|ton|nung** *w. 10 nur Ez.*
Be|to|nung *w. 10;* **Be|to|nungs|zei|chen** *s. 7*
be|tö|ren *tr. 1;* **Be|tö|rung** *w. 10 nur Ez.*
betr. *Abk. für* betreffend, betreffs; **Betr.** *Abk. für* Betreff
Be|tracht *m. 1, nur noch in Fügungen wie* (nicht) in B. kommen, etwas (nicht) in B. ziehen, das bleibt außer B.; **be|trach|ten** *tr. 2;* **be|trächt|lich;** um ein Beträchtliches höher; **Be|trach|tung** *w. 10;* **Be|trach|tungs|wei|se** *w. 11*
Be|trag *m. 2;* **be|tra|gen 1** *tr. 160;* **2** *refl. 160* sich benehmen
be|trau|en *tr. 1;* jmdn. mit etwas b.
be|trau|ern *tr. 1;* ich betrauere, betraure ihn
be|träu|feln *tr. 1;* ich beträufele, beträufle es
Be|treff *m. 1* (*Abk.:* Betr.), *Amtsdeutsch:* in diesem B.: in dieser Beziehung; **be|tref|fen** *tr. 161;* was mich betrifft; der betreffende Beamte; der Betreffende hat…; **Be|treff|nis** *s. 1, schweiz.:* Anteil (einer Summe o. Ä.); **be|treffs** *Präp. mit Gen.* (Abk.: betr.); b. Ihrer Anfrage
be|trei|ben *tr. 162;* **Be|trei|bung** *w. 10, schweiz.:* Zwangsvollstreckung
be|tres|sen *tr. 1* mit Tressen versehen; *meist im Partizip II;* (mit Gold) betresste Uniform
be|tre|ten 1 *tr. 163;* **2** *Adj.:* beschämt, bestürzt; **Be|tre|ten|heit** *w. 10 nur Ez.*
be|treu|en *tr. 1;* **Be|treu|er** *m. 5;* **Be|treu|ung** *w. 10 nur Ez.;* **Be|treu|ungs|stel|le** *w. 11*
Be|trieb 1 *m. 1 nur Ez.;* eine Maschine in B. nehmen, setzen; in, außer B. sein; **2** *m. 1* Fabrik, Werkstatt; **be|trieb|lich** einen Betrieb betreffend; **Be|triebs|aka|de|mie** *w. 11, ehem. DDR:* Einrichtung in Betrieben für die berufliche Aus- und Weiterbildung; **be|trieb|sam; Be|trieb|sam|keit** *w. 10 nur Ez.;* **Be|triebs|an|recht** *s. 1, ehem. DDR;* **Be|triebs|arzt** *m. 2;* **Be|triebs|aus|flug** *m. 2;* **Be|triebs|be|rufs|schu|le** *w. 11, ehem. DDR;* **Be|triebs|fach|schu|le** *w. 11, ehem. DDR;* **be|triebs|fä|hig; Be|triebs|fä|hig|keit** *w. 10 nur Ez.;* **Be|triebs|fe|ri|en** *nur Mz.;* **Be|triebs|fe|ri|en|heim** *s. 1, ehem. DDR;* **Be|triebs|fe|ri|en|la|ger** *w. 11, ehem. DDR;* **be|triebs|fer|tig; be|triebs|fremd; Be|triebs|ge|werk|schafts|grup|pe** *w. 11, ehem. DDR;* **Be-**

triebs|ge|werk|schafts|lei|tung *w. 10* (*Abk.:* BGL, *ehem. DDR*); **Be|triebs|ka|pi|tal** *s. 1 nur Ez.;* **Be|triebs|kin|der|gar|ten** *m. 8, ehem. DDR;* **Be|triebs|kli|ma** *s. Gen.* -s *nur Ez.;* **Be|triebs|kol|lek|tiv|ver|trag** *m. 2* (*ehem. DDR*); **Be|triebs|par|tei|or|ga|ni|sa|ti|on** *w. 10, ehem. DDR;* **Be|triebs|rat** *m. 2;* **Be|triebs|schluß** ► **Be|triebs|schluss** *m. 2;* **be|triebs|si|cher; Be|triebs|si|cher|heit** *w. 10 nur Ez.;* **Be|triebs|stoff** *m. 1;* **Be|triebs|stö|rung** *w. 10;* **Be|triebs|sys|tem** *s. 1* Programmpaket, das die Vermittlerrolle zwischen Anwender, Arbeitsprogramm und Computersystem übernimmt (z. B. MS-DOS); **Be|triebs|un|fall** *m. 2;* **Be|triebs|ver|samm|lung** *w. 10;* **Be|triebs|wirt|schaft** *w. 10 nur Ez.;* **Be|triebs|zei|tung** *w. 10, ehem. DDR*

be|trin|ken *refl. 165*

Be|trof|fen|heit *w. 10 nur Ez.*

be|trü|ben *tr. 1;* **be|trüb|lich; be|trüb|li|cher|wei|se; Be|trüb|nis** *w. 1;* **Be|trübt|heit** *w. 10 nur Ez.*

Be|trug *m. 1 nur Ez.;* **be|trü|gen** *tr. 166;* **Be|trü|ger** *m. 5;* **Be|trü|ge|rei** *w. 10;* **be|trü|ge|risch**

Be|trun|ken|heit *w. 10 nur Ez.*

Bet|saal *m. Gen.* -(e)s *Mz.* -säle; **Bet|schwes|ter** *w. 11*

Be|tschu|a|na|land *auch:* **Bet|schu|a|na|land** *s. 4 nur Ez.*

Bett *s. 12*

Bet|tag *m. 1;* Buß- und Bettag

Bett|bank *w. 2, österr.:* als Bett und Bank benutzbares Möbel; **Bett|couch** [-kautʃ] *w. 9;* **Bett|de|cke** *w. 11*

Bet|tel *m. 5 nur Ez.* **1** das Betteln; **2** Gerümpel, alter Kram; **bet|tel|arm; Bet|tel|brief** *m. 1;* **Bet|te|lei** *w. 10 nur Ez.;* **Bet|tel|mönch** *m. 1;* **bet|teln** *intr. 1;* ich bettele, bettle; **Bet|tel|or|den** *m. 7;* **Bet|tel|stab** *m. 2, nur in der Wendung* jmdn. an den B. bringen: jmdn. arm machen

bet|ten *tr. 2;* **bett|lä|ge|rig; Bett|lä|ge|rig|keit** *w. 10 nur Ez.*

Bett|ler *m. 5*

Bett|näs|sen *s. Gen.* -s *nur Ez.;* **Bett|näs|ser** *m. 5;* **bett|reif** *ugs.;* **Bett|ru|he** *w. 11 nur Ez.;* **Bett|statt** *w. Gen.* - *Mz.* -stät|ten;

Bettuch ► **Bett|tuch** *s. 4*

Bett|um|ran|dung *w. 10;* **Bet|tung** *w. 10* Unterlage; **Bett|vor|le|ger** *m. 5;* **Bett|wä|sche** *w. 11 nur Ez.;* **Bett|zeug** *s. 1 nur Ez.*

be|tucht [hebr.] *ugs.:* vermögend, reich; gut b. sein

be|tu|lich; Be|tu|lich|keit *w. 10 nur Ez.*

be|tun *refl. 167, ugs.:* sich umständlich und geschäftig bemühen; **be|tu|sam**

Beu|che *w. 11* Lauge zum Entfernen von Fett und Holzsubstanzen aus Baumwolle u. a.: **beu|chen** *tr. 1*

Beu|ge *w. 11;* **Beu|gel** *s. 5,* Beugerl *s. 14, österr., süddt.:* bogenförmiges Gebäck; **beu|gen** *tr. 1;* **Beu|ger** *m. 5* Beugemuskel; **Beu|gerl** *s. 14* = Beugel; **Beu|gung** *w. 10;* **Beu|gungs|en|dung** *w. 10;* **beu|gungs|fä|hig; Beu|gungs|fä|hig|keit** *w. 10 nur Ez.*

Beu|le *w. 11;* **Beu|len|pest** *w. Gen. - nur Ez.*

be|un|ru|hi|gen *tr. 1;* **Be|un|ru|hi|gung** *w. 10 nur Ez.*

be|ur|kun|den *tr. 2;* **Be|ur|kun|dung** *w. 10 nur Ez.*

be|ur|lau|ben *tr. 1;* **Be|ur|lau|bung** *w. 10*

be|ur|tei|len *tr. 1;* **Be|ur|tei|lung** *w. 10*

Beu|schel *s. 5, österr.:* Gericht aus Lunge und Herz

Beu|te *w. 11* **1** *nur Ez.* Fang, Gewinn (bei Jagd, Krieg usw.); **2** Holzgefäß, Back-, Wassertrog; hohler oder ausgehöhlter Waldbaum als Bienenstock;

beu|te|gie|rig

Beu|tel *m. 5* **1** Säckchen; **2** = Beitel; **beu|teln 1** *tr. 1* schütteln; ich beutele, beutle ihn; **2** *intr. 1* einen Beutel bilden, sich bauschen (Kleid); **Beu|tel|schnei|der** *m. 5* Gauner; **Beu|tel|schnei|de|rei** *w. 10 nur Ez.;*

Beu|tel|tier *s. 1*

beu|te|lus|tig

beu|ten *tr. 2;* Bienen b.: in eine Beute einsetzen; **Beu|ten|ho|nig** *m. 1 nur Ez.* in Beuten gewonnener Honig von Waldbienen

Beu|te|stück *s. 1;* **Beu|te|zug** *m. 2*

Beut|ler *m. 5* **1** Beuteltier; **2** *früher:* Beutelmacher

Beut|ner *m. 5* Züchter von Waldbienen; **Beut|ne|rei** *w. 10 nur Ez.*

Be|va|tron [engl.] *s. 1 oder s. 9* in Berkeley (CA) erbauter Teilchenbeschleuniger

be|völ|kern *tr. 1;* **Be|völ|ke|rung** *w. 10;* **Be|völ|ke|rungs|dich|te** *w. 11 nur Ez.;* **Be|völ|ke|rungs|sta|tis|tik** *w. 10*

be|voll|mäch|ti|gen *tr. 1;* **Be|voll|mäch|tig|te(r)** *m. 18 (17);* **Be|voll|mäch|ti|gung** *w. 10 nur Ez.*

be|vor

be|vor|mun|den *tr. 2;* **Be|vor|mun|dung** *w. 10 nur Ez.*

be|vor|ra|ten *tr. 2* mit einem Vorrat versehen; **Be|vor|ra|tung** *w. 10 nur Ez.*

be|vor|rech|ten *tr. 2, veraltet,*

be|vor|rech|ti|gen *tr. 1;* **Be|vor|rech|ti|gung** *w. 10 nur Ez.*

be|vor|schus|sen *tr. 1;* **be|vor|schußt** ► **be|vor|schusst; Be|vor|schus|sung** *w. 10 nur Ez.*

be|vor|ste|hen *intr. 151*

be|vor|zu|gen *tr. 1;* **Be|vor|zu|gung** *w. 10*

be|wa|chen *tr. 1*

be|wach|sen *tr. 172;* **Be|wach|sung** *w. 10 nur Ez.*

Be|wa|chung *w. 10 nur Ez.;* **Be|wa|chungs|mann|schaft** *w. 10*

be|waff|nen *tr. 2;* Be|waff|ne|te Or|ga|ne der DDR *früher:* Gesamtheit der bewaffneten Kräfte (Volksarmee, Volkspolizei, Kampfgruppen); **Be|waff|nung** *w. 10 nur Ez.*

Be|wahr|an|stalt *w. 10;* **be|wah|ren** *tr. 1*

be|wäh|ren *refl. 1*

be|wahr|hei|ten *refl. 2* sich als wahr herausstellen

Be|wah|rung *w. 10 nur Ez.* **Be|wäh|rung** *w. 10 nur Ez.;* **Be|wäh|rungs|frist** *w. 10;* **Be|wäh|rungs|hel|fer** *m. 5;* **Be|wäh|rungs|pro|be** *w. 11*

be|wal|den *refl. 2;* **be|wald|rech|ten** *tr. 2;* Baumstämme b.: von Ästen, Wurzelresten befreien; **Be|wal|dung** *w. 10 nur Ez.*

be|wäl|ti|gen *tr. 1;* **Be|wäl|ti|gung** *w. 10 nur Ez.*

be|wan|dert erfahren, kenntnisreich; in etwas, auf einem Gebiet b. sein

be|wandt *veraltet:* beschaffen, geartet; die Dinge sind so b., dass…; **Be|wandt|nis** *w. 1*

be|wäs|sern *tr. 1;* ich bewässere, bewässre es; **Be|wäs|se|rung** *w. 10 nur Ez.;* **Be|wäs|se|rungs|an|la|ge** *w. 11*

be|we|gen 1 *tr. 1;* **2** *tr. 11;* jmdn. zu etwas b.: ihn dazu veranlassen, etwas zu tun; **Be|weg|grund** *m. 2;* **be|weg|lich; Be|weg|lich|keit** *w. 10 nur Ez.;* **Be-**

weg|heit *w. 10 nur Ez.;* **Be|we|gung** *w. 10;* **Be|we|gungs|frei|heit** *w. 10 nur Ez.;* **be|we|gungs|los; Be|we|gungs|lo|sig|keit** *w. 10 nur Ez.;* **Be|we|gungs|stu|die** [-djə] *w. 11;* **Be|we|gungs|the|ra|pie** *w. 11;* **be|we|gungs|un|fä|hig; Be|we|gungs|un|fä|hig|keit** *w. 10 nur Ez.*

be|weh|ren *tr. 1* bewaffnen, ausrüsten; **Be|weh|rung** *w. 10 nur Ez.*

be|wei|ben *refl. 1, ugs.:* sich verheiraten (vom Mann)

be|weih|räu|chern *tr. 1;* ich beweihräuchere es; **Be|weih|räu|che|rung** *w. 10 nur Ez.*

be|wei|nen *tr. 1;* **Be|wei|nung** *w. 10 nur Ez.;* B. Christi

Be|weis *m. 1;* **Be|weis|auf|nah|me** *w. 11;* **be|weis|bar; Be|weis|bar|keit** *w. 10 nur Ez.;* **be|wei|sen** *tr. 177;* **Be|weis|füh|rung** *w. 10;* **Be|weis|kraft** *w. 2 nur Ez.;* **be|weis|kräf|tig; Be|weis|mit|tel** *s. 5;* **Be|weis|stück** *s. 1*

be|wen|den *nur in den Wendungen* es dabei b. lassen: es gut sein lassen, sich damit begnügen; damit soll es sein Bewenden haben: damit soll es erledigt sein

be|wer|ben *refl. 179;* sich um eine Stelle b.; **Be|wer|ber** *m. 5;* **Be|wer|bung** *w. 10;* **Be|wer|bungs|schrei|ben** *s. 7*

be|werk|stel|li|gen *tr. 1;* **Be|werk|stel|li|gung** *w. 10 nur Ez.*

be|wer|ten *tr. 2;* **Be|wer|tung** *w. 10*

be|wet|tern *tr. 1, Bergbau:* Frischluft zuführen; eine Grube b.; **Be|wet|te|rung** *w. 10 nur Ez.*

be|wil|li|gen *tr. 1;* **Be|wil|li|gung** *w. 10 nur Ez.*

be|will|komm|nen *tr. 2;* **Be|will|komm|nung** *w. 10 nur Ez.*

Be|wim|pe|lung, Be|wimp|lung *w. 10 nur Ez.*

be|wir|ken *tr. 1*

be|wir|ten *tr. 2*

be|wirt|schaf|ten *tr. 2;* **Be|wirt|schaf|tung** *w. 10 nur Ez.*

Be|wir|tung *w. 10 nur Ez.*

be|wit|zeln *tr. 1*

be|wohn|bar; Be|wohn|bar|keit *w. 10 nur Ez.;* **be|woh|nen** *tr. 1;* **Be|woh|ner|schaft** *w. 10 nur Ez.*

be|wöl|ken *refl. 1;* **Be|wöl|kung** *w. 10 nur Ez.;* **Be|wöl|kungs|auf|lo|cke|rung** *w. 10;* **Be|wöl|kungs|zu|nah|me** *w. 11 nur Ez.*

Be|wuchs *m. 2 nur Ez.* das Bewachsensein (mit Pflanzen)

Be|wun|de|rer, Be|wund|rer *m. 5;* **be|wun|dern** *tr. 1* ich bewundere, bewundre es; **be|wun|derns|wert, be|wun|derns|wür|dig; Be|wun|de|rung** *w. 10 nur Ez.;* **be|wun|de|rungs|wür|dig; Be|wund|rer** *m. 5* = Bewunderer

Be|wurf *m. 2*

be|wur|zeln *refl. 1* Wurzeln bekommen

> **bewusst machen/werden:** Verbindungen aus Adjektiv und Verb, bei denen das Adjektiv in dieser Verbindung steigerbar oder erweiterbar ist, werden getrennt geschrieben: *Er wollte das Problem bewusst machen.* →§ 34 E3 (3)

be|wußt ► **be|wusst** *mit Gen.;* **Be|wußt|heit** ► **Be|wusst|heit** *w. 10 nur Ez.;* **be|wußt|los** ► **be|wusst|los; Be|wußt|lo|sig|keit** ► **Be|wusst|lo|sig|keit** *w. 10 nur Ez.;* **be|wußt|ma|chen** ► **be|wusst ma|chen** *tr. 1;* **Be|wußt|sein** ► **Be|wusst|sein** *s. 1 nur Ez.;* **Be|wußt|seins|bil|dung** ► **Be|wusst|seins|bil|dung** *w. 10 nur Ez.;* **Be|wußt|seins|trü|bung** ► **Be|wusst|seins|trü|bung** *w. 10*

Bey, Bei *m. 9 oder m. 1* = Beg

bez. *Abk. für* bezahlt, bezüglich

Bez. 1 *Abk. für* Bezeichnung; **2** *auch:* Bz., *Abk. für* Bezirk

be|zah|len *tr. 1;* **Be|zah|lung** *w. 10*

be|zähm|bar; Be|zähm|bar|keit *w. 10 nur Ez.;* **be|zäh|men** *tr. 1;* **Be|zäh|mung** *w. 10 nur Ez.*

be|zau|bern *tr. 1;* **Be|zau|be|rung** *w. 10 nur Ez.*

be|ze|chen *refl. 1* sich betrinken

be|zeich|nen *tr. 2;* **be|zeich|nend; be|zeich|nen|der|wei|se; Be|zeich|nung** *w. 10 (Abk.:* Bez.)

be|zei|gen *tr. 1* zeigen, zu erkennen geben, ausdrücken; jmdm. seine Hochachtung, Dankbarkeit b.; **Be|zei|gung** *w. 10*

be|zeu|gen *tr. 1* Zeugnis ablegen für; die Richtigkeit, Wahrheit einer Sache b.; **Be|zeu|gung** *w. 10*

be|zich|ti|gen *tr. 1;* **Be|zich|ti|gung** *w. 10*

be|zieh|bar; Be|zieh|bar|keit *w. 10 nur Ez.;* **be|zie|hen** *tr. 187;* **be|zie|hent|lich** *mit Gen., Amtsdeutsch:* mit Bezug auf; **Be|zie|her** *m. 5;* **Be|zie|hung** *w. 10;* **Be|zie|hungs|wahn** *m. 1 nur Ez.;* **be|zie|hungs|wei|se** *(Abk.:* bzw.)

be|zif|fern *tr. 1;* ich beziffere, beziffre es; **Be|zif|fe|rung** *w. 10*

Be|zirk *m. 1 (Abk.:* Bez., Bz.); **Be|zirks|arzt** *m. 2;* **be|zirk|lich; Be|zirks|stadt** *w. 2;* **be|zirks|wei|se**

be|zir|zen ► *auch:* **be|cir|cen** [nach der griech. Zauberin Circe] *tr. 1, ugs.:* bezaubern, verliebt machen, verführen

Be|zo|ar, Be|zo|ar|stein *m. 1* kleiner Ballen aus Pflanzenresten, Haaren u.a. im Magen von Ziege, Gämse, Lama, früher als Heilmittel benutzt; **Be|zo|ar|zie|ge** *w. 11*

Be|zo|ge|ne(r) *m. 18 (17)* jemand, auf den ein Wechsel gezogen, der also vom Aussteller zur Zahlung angewiesen ist, Akzeptant

> **Bezug:** Die bisherige Unsicherheit in der Schreibweise ist beseitigt. *Bezug* in festen Gefügen wird stets mit großem Anfangsbuchstaben geschrieben: *in Bezug auf, mit Bezug auf, Bezug nehmen.* →§ 55 (4)

Be|zug *m. 2;* mit Bezug auf; in Bezug auf; auf etwas B. nehmen; **Be|zü|ge** *Mz.* Einkommen; **Be|zü|ger** *m. 5, schweiz.:* Bezieher (von Zeitschriften); **be|züg|lich** *mit Gen. (Abk.:* bez.); b. Ihrer Anfrage; bezügliches Fürwort = Relativpronomen; **Be|zug|nah|me** *w. 11 nur Ez.;* unter B. auf...; **Be|zugs|per|son** *w. 10;* **Be|zugs|preis** *m. 1;* **Be|zugs|satz** *m. 2* = Relativsatz; **Be|zugs|stoff** *m. 1*

be|zu|schus|sen *tr. 1;* **be|zu|schußt** ► **be|zu|schusst; Be|zu|schus|sung** *w. 10 nur Ez.*

be|zwei|feln *tr. 1;* ich bezweifele, *meist:* bezweifle es

be|zwin|gen *tr. 188;* **Be|zwin|ger** *m. 5;* **Be|zwin|gung** *w. 10 nur Ez.*

Bf., Bhf. *Abk. für* Bahnhof

BfA *Abk. für* Bundesversicherungsanstalt für Angestellte

bfr *Abk. für* Belgische Franc
BGB *Abk. für* Bürgerliches Gesetzbuch
BGBl. *Abk. für* Bundesgesetzblatt
BGH *Abk. für* Bundesgerichtshof
BGL *ehem. DDR, Abk. für* Betriebsgewerkschaftsleitung
Bha|ga|vad|gi|ta [sanskr.] *s. Gen. - nur Ez.* einer der heiligen Texte des Hinduismus
Bhag|van, Bhag|wan *m. 9* Anrede und Titel einer ehrwürdigen Person im Hinduismus und Buddhismus
Bhf., Bf. *Abk. für* Bahnhof
Bhu|tan Königreich im Osthimalaya; **Bhu|ta|ner** *m. 5;* **bhu|ta|nisch**
Bi *chem. Zeichen für* Wismut (Bismutum)
bi..., Bi... [lat.] *in Zus.:* zwei..., doppelt...
Bi|ar|chie [lat. + griech.] *w. 11* Doppelherrschaft
Bi|as [baɪəs, engl. »Vorurteil«] *s. Gen. - nur Ez., Marktforschung:* das Verzerren von Meinungsumfrage-Ergebnissen durch subjektive Einflüsse oder systematische Fehler
Bi|ath|lon *s. Gen. -s nur Ez.* Kombination aus Skilanglauf und Schießen
bib|bern *intr. 1, ugs.:* zittern
Bi|bel [griech.] *w. 11;* **bi|bel|fest; Bi|bel|kon|kor|danz** *w. 10;* **Bi|bel|spruch** *m. 2;* **Bi|bel|über|set|zung** *w. 10;* **Bi|bel|wort** *s. 1*
Bi|ber 1 *m. 5* ein Nagetier; **2** *m. 5 oder s. 5* ein Baumwollgewebe; **Bi|be|ret|te** *w. 11* auf Biber zugerichtetes Kaninchenfell; **Bi|ber|geil** *s. 1* Absonderung aus der Afterdrüse des Bibers, für Seifen und Parfüms benutzt; **Bi|ber|nel|le** *w. 11* eine Wiesenpflanze, Pimpernelle; **Bi|ber|schwanz** *m. 2* Dachziegelart; **Bi|ber|wurz** *w. 10* Osterluzei
Bi|blia pau|pe|rum [lat.] *w. Gen. - - Mz.* Bi|bliae - Armenbibel, Bilderbibel mit Erläuterungen (für das einfache Volk)
Bi|blio|graf, Bi|blio|graph [griech.] *m. 10* Hersteller einer Bibliografie; **Bi|blio|gra|fie,** Bi|blio|gra|phie *w. 11* **1** Bücherkunde; **2** Bücherverzeichnis mit genauen Angaben von Titel, Verfasser, Erscheinungsort und -jahr, Seitenzahl usw.; **bi|blio|gra|fie|ren,** bi|blio|gra|phie|ren *tr. 3;* ein Buch b.: in eine Bibliografie aufnehmen; *auch:* seine Daten genau feststellen, ermitteln; **bi|blio|gra|fisch,** bi|blio|gra|phisch; **Bi|blio|graph** *Nv. m. 10* ▶ **Bi|blio|graf** *Hv.;* **Bi|blio|gra|phie** *Nv. w. 11* ▶ **Bi|blio|gra|fie** *Hv.;* **bi|blio|gra|phie|ren** *Nv. tr. 3* ▶ **bi|blio|gra|fie|ren** *Hv.;* **bi|blio|gra|phisch** *Nv.* ▶ **bi|blio|gra|fisch** *Hv.;* **Bi|blio|klast** *m. 10* jmd., der aus Sammelwut Seiten aus fremden Büchern herausreißt; **Bi|blio|ma|ne** *m. 11* übertrieben leidenschaftl. Büchersammler; **Bi|blio|ma|nie** *w. 11* Büchersammelwut; **bi|blio|ma|nisch; bi|blio|phil 1** bücherliebend; **2** schön und kostbar ausgestattet; bibliophile Ausgabe; **Bi|blio|phi|le** *m. 11* Bücherliebhaber; **Bi|blio|phi|lie** *w. 11 nur Ez.;* **bi|blio|phob** bücherfeindlich; **Bi|blio|pho|be** *m. 11* Bücherfeind; **Bi|blio|pho|bie** *w. 11 nur Ez.;* **Bi|blio|thek** *w. 10* **1** Büchersammlung, Bücherei; **2** Raum, Gebäude dafür; **Bi|blio|the|kar** *m. 1* Angestellter in einer Bibliothek (mit bes. Ausbildung); **bi|blio|the|ka|risch; Bi|blio|theks|we|sen** *s. 7 nur Ez.*

> **Bibliografie/Bibliographie:**
> Beide Schreibweisen sind zulässig, die eingedeutschte Form *Bibliografie* ist die empfohlene Hauptvariante. Die Trennung am Zeilenende ist unterschiedlich möglich: *Bi|blio|gra|fie* bzw. *Bi|blio|gra|phie, Bib|li|o|gra|fie* bzw. *Bib|li|o|gra|phie.* Ebenso bei den anderen Zusammensetzungen mit *Biblio-,* z. B. *Bi|blio|thek* bzw. *Bib|li|o|thek.*
> →§ 110

bi|blisch *auch:* **bib|lisch;** eine biblische Geschichte, *aber:* Biblische Geschichte (als Lehrfach)
Bi|bli|zis|mus *auch:* **Bib|li|zis|mus** *m. Gen. - nur Ez.* Auffassung, dass alle Aussagen der Bibel wörtlich zu verstehen seien und als Verhaltensnorm zu gelten hätten
Bi|car|bo|nat [lat.] *s. 1* = Bikarbonat
Bi|chro|mat [lat. + griech.] *s. 1, früher für* Dichromat; **Bi|chro|mie** *w. 11 nur Ez.* Zweifarbigkeit
Bi|ci|ni|um [lat.] *s. Gen. -s Mz.* -ni|en, *15./16. Jh.:* kurzes, zweistimmiges Musikstück
Bick|bee|re *w. 11, norddt.:* Heidel-, Blaubeere
Bi|det [-de, frz.] *s. 9* Sitzbadebecken
Bi|don|ville [bidõvil, zu frz. bidon »Kanister«] *s. 9* Elendsquartier (in nordafrikan. und frz. Städten)
bie|der; Bie|der|keit *w. 10 nur Ez.;* **Bie|der|mann** *m. 4;* **Bie|der|mei|er** *s. 5 nur Ez.* Bez. für die Kulturepoche in der ersten Hälfte des 19. Jh.; **bie|der|mei|er|lich; Bie|der|mei|er|zeit** *w. 10 nur Ez.;* **Bie|der|sinn** *m. 1 nur Ez.* rechtschaffene Gesinnung
bieg|bar; Bieg|bar|keit *w. 10 nur Ez.;* **Bie|ge** *w. 11* Biegung, Kurve; **Bie|ge|fes|tig|keit** *w. 10 nur Ez.;* **bie|gen** *tr. 12;* auf Biegen oder Brechen: unbedingt, unter allen Umständen; **bieg|sam; Bieg|sam|keit** *w. 10 nur Ez.;* **Bie|gung** *w. 10*
Bien *m. 1 nur Ez.* Gesamtheit des Bienenvolkes; **Bien|chen** *s. 7;* **Bie|ne** *w. 11;* **Bie|nen|fleiß** *m. 1 nur Ez., ugs.;* **Bie|nen|ho|nig** *m. 1 nur Ez.;* **Bie|nen|kö|ni|gin** *w. 10;* **Bie|nen|saug** *m. 1* Taubnessel; **Bie|nen|schwarm** *m. 2;* **Bie|nen|spra|che** *w. 11 nur Ez.;* **Bie|nen|stich** *m. 1;* **Bie|nen|stock** *m. 2;* **Bien|lein** *s. 7*
Bi|en|na|le [ital.] *w. 11* alle zwei Jahre stattfindende Ausstellung und Vorführung von Werken der bildenden Kunst, der Musik und des Films, bes. in Venedig; **Bi|en|ni|um** [lat.] *s. Gen. -s Mz.* -ni|en Zeitraum von zwei Jahren
Bier *s. 1;* **Bier|baß** ▶ **Bier|bass** *m. 2, ugs. scherzh.;* **Bier|ei|fer** *m. 5 nur Ez., ugs.;* **bier|eif|rig; Bier|ru|he** *w. 11 nur Ez., ugs. scherzh.;* **Bier|sei|del** *s. 5* Bierkrug
Bie|se *w. 11* schmales, abgenähtes Fältchen; farbiger Vorstoß an Uniformen
bie|sen *intr. 1* toll, unruhig werden (vom Vieh); **Bies|flie|ge** *w. 11* Bremse
Biest *s. 3* **1** *nddt.:* Vieh, Rind; **2** *ugs.:* boshafter, gemeiner Mensch; **Biest|milch** *w. 10 nur*

Ez. erste Milch der Kuh nach dem Kalben
Biet *s. 1, schweiz.:* Gebiet, meist in Verbindung mit Städtenamen, z. B. Baselbiet
bie|ten *tr. 13;* **Bie|ter** *m. 5*
bi|fi|lar [lat.] *Tech.:* zweifädig, zweidrahtig
Bi|fo|kal|glas *s. 4* Brillenglas mit zweifachem Schliff für Fern- und Nahsicht
Bi|ga [lat.] *w. Gen. - Mz.* -gen antiker, mit zwei Pferden bespannter, zweirädriger Streitwagen
Bi|ga|mie [lat. + griech.] *w. 11 nur Ez.* Doppelehe; **bi|ga|misch; Bi|ga|mist** *m. 10* jmd., der in Bigamie lebt
Big Band *Nv.* ► **Big|band** *Hv.* [- bænd, engl.] *w. Gen. - - Mz.* - -s großes Jazzorchester
Big Ben [engl. »großer Benjamin«] *m. Gen. - - nur Ez.* Glocke im Uhrturm des Londoner Parlamentsgebäudes
Big Busi|ness *Nv.* ► **Big|busi|ness** *Hv.* [- biznis, engl.] *s. Gen.- nur Ez.* Geschäftswelt der Großunternehmer
Bi|gno|nie *auch:* **Big|no|nie** [-njə, nach dem frz. Abbé Bignon] *w. 11* eine Zierpflanze
bi|gott [frz.] frömmelnd, blindgläubig; **Bi|got|te|rie** *w. 11*
Bi|jou [-ʒu, frz.] *s. 9 oder m. 9* Kleinod, Schmuckstück; **Bi|jou|te|rie** [-ʒu-] *w. 11* **1** (meist unechte) Schmuckwaren; **2** Schmuckgeschäft
Bi|kar|bo|nat *fachsprachl.:* Bicar|bo|nat *s. 1* doppeltsaures Salz der Kohlensäure
Bi|ki|ni [nach dem Atoll Bikini der Marshallinseln] *m. 9* sehr knapper, zweiteiliger Badeanzug
bi|kon|kav [lat.] beiderseits hohl geschliffen (Linse)
bi|kon|vex [lat.] beiderseits gewölbt geschliffen (Linse)
bi|la|bi|al [lat.] mit beiden Lippen gebildet (Laut); **Bi|la|bi|al** *m. 1* mit beiden Lippen gebildeter Laut (m, b, p)
Bi|lanz [ital.] *w. 10* **1** Gegenüberstellung von Vermögenswerten und Verpflichtungen zu einem bestimmten Zeitpunkt; **2** *übertr.:* Gegenüberstellung, abschließender Überblick; **bi|lan|zie|ren** *tr. 3* eine Bilanz aufstellen über; **Bi|lan|zie|rung** *w. 10*
bi|la|te|ral [lat.] zweiseitig; bilaterale Verträge; **Bi|la|te|ra|lis|mus** *m. Gen. - nur Ez.* Zweiseitigkeit der Verträge zwischen zwei Staaten
Bilch *m. 1,* **Bilch|maus** *w. 2* ein Nagetier, Schlafmaus
Bild *s. 3;* **Bild|band** *m. 2;* **Bild|be|richt** *m. 1;* **Bild|be|richt|er|stat|ter** *m. 5;* **Bild|chen** *s. 7*
bil|den *tr. 2;* bildende Kunst
Bil|der|bi|bel *w. 11;* **Bil|der|rah|men** *m. 7;* **Bil|der|rät|sel** *s. 5;* **Bil|der|schrift** *w. 10* Schrift, die ein Wort, einen Satz oder Sachverhalt durch ein bildliches Zeichen wiedergibt (z. B. die Hieroglyphen, die chines. Schrift, die Gaunerzinken), Piktographie; vgl. Lautschrift, Silbenschrift; **Bil|der|sturm** *m. 2 nur Ez.* = Ikonoklasmus; **Bil|der|stür|mer** *m. 5* = Ikonoklast; **Bil|der|stür|me|rei** *w. 10 nur Ez.;* **Bild|flä|che** *w. 11;* **bild|haft; Bild|haf|tig|keit** *w. 10 nur Ez.;* **Bild|hau|er** *m. 5;* **Bild|hau|e|rei** *w. 10 nur Ez.;* **Bild|hau|er|kunst** *w. 2 nur Ez.;* **bild|hau|ern** *intr. 1;* **bild|hübsch; Bild|kraft** *w. 2 nur Ez.;* **bild|kräf|tig; bild|lich; Bild|ner** *m. 5;* **Bild|ne|rei** *w. 10 nur Ez.* Bildhauerkunst; **bild|ne|risch; Bild|nis** *s. 1;* **bild|sam; Bild|sam|keit** *w. 10 nur Ez.;* **Bild|säu|le** *w. 11;* **Bild|schirm|text** *m. 1* = Btx; **Bild|schnit|zer** *m. 5;* **Bild|schnit|ze|rei** *w. 10;* **bild|schön; Bild|stock** *m. 2, süddt., österr.:* Marterl; **Bild|te|le|gramm** *s. 1;* **Bild|tep|pich** *m. 1*
Bil|dung *w. 10;* **bil|dungs|be|flis|sen; Bil|dungs|be|flis|sen|heit** *w. 10 nur Ez.;* **bil|dungs|fä|hig; Bil|dungs|fä|hig|keit** *w. 10 nur Ez.;* **Bil|dungs|hun|ger** *m. 5 nur Ez.;* **bil|dungs|hung|rig; Bil|dungs|lü|cke** *w. 11;* **Bil|dungs|stät|te** *w. 11;* **Bil|dungs|stu|fe** *w. 11*
Bild|wand|ler *m. 5* Gerät, das die Wellenlänge elektromagnetischer Strahlung verändert, meist nicht sichtbare Strahlen in sichtbare umwandelt; **Bild|wer|bung** *w. 10 nur Ez.;* **Bild|wer|fer** *m. 5* Projektionsapparat; **Bild|wir|ke|rei** *w. 10;* **Bild|wir|kung** *w. 10*
Bil|ge *w. 11* Kielraum (des Schiffes); **Bil|ge|was|ser** *s. 6* Leckwassser, das sich in der Bilge sammelt
Bil|har|zie [-zjə, nach dem dt. Arzt Theodor Bilharz] *w. 11* ein in menschl. Bauchvenen schmarotzender Saugwurm; **Bil|har|zi|o|se** *w. 11* durch Bilharzien hervorgerufene Krankheit
bi|lin|gu|al [lat.] zweisprachig
Bi|li|ru|bin [lat.] *s. 1 nur Ez.* Gallenfarbstoff
Bill [engl.] *w. 9* **1** *im engl. Parlament:* Gesetzesentwurf; **2** *engl.-amerik. Rechtsw. allg.:* Urkunde **3** *Bankw.:* Wechsel
Bil|lard [-lj-, frz.] *s. 1, österr.* [biljar oder bijar] Kugelstoßspiel auf einem tuchbespannten Tisch; **Bil|lard|ball** [-lj-] *m. 2;* **bil|lar|die|ren** [-lj-] *intr. 3* Billard regelwidrig spielen
Bill|ber|gia [nach dem schwed. Botaniker G. J. Billberg] *w. Gen. - Mz.* -gi|en, **Bill|ber|gie** [-gjə] *w. 11* eine Zimmerpflanze, z. B. Spanischer Hafer
Bil|le *w. 11* **1** *Seew.:* Rundung des Schiffshecks; **2** doppelschneidige Hacke
Bil|let|doux [bijɛdu, frz. »süßes Briefchen«] *s. 9, veraltet:* Liebesbriefchen; **Bil|le|teur** [bijɛtør, frz.] *m. 1 oder m. 9, österr.:* Platzanweiser (in Kino und Theater); **Bil|lett** [-ljɛt] *s. 9 oder s. 1* **1** *veraltet:* Briefchen, Zettel mit einer Mitteilung; **2** Eintritts-, Fahrkarte
Bil|li|ar|de [frz.] *w. 11* tausend Billionen
bil|lig; bil|li|gen *tr. 1;* **bil|li|ger|wei|se** bil|li|ger|ma|ßen; **Bil|lig|keit** *w. 10 nur Ez.;* **Bil|li|gung** *w. 10 nur Ez.*
Bil|li|on [frz.] *w. 10, in Dtschl., Großbritannien u. Frkr.:* eine Million Millionen; *in den USA und der GUS:* eine Milliarde; **Bil|li|ons|tel** *s. 5* der billionste Teil; vgl. Achtel
Bil|lon [biljɔ̃, frz.] *s. 9 oder m. 9* **1** Legierung aus Kupfer, Zinn und Zink; **2** Münze daraus
Bil|sen|kraut *s. 4* eine Gift- und Heilpflanze
Bi|lux|lam|pe [lat.] *w. 11* Glühlampe mit zwei getrennt schaltbaren Leuchtkörpern, z. B. als Fern- und Abblendlampe in Autoscheinwerfern
bim!; bim bam!
Bim|bam *nur in der Wendung* heiliger B.!: du liebe Zeit!
bi|ma|xil|lar [lat.] Ober- und Unterkiefer betreffend
Bi|mes|ter [lat.] *s. 5, veraltet:* Zeitraum von zwei Monaten

► = wird zu

Bi|me|tall *s. 1* zwei aufeinander geschweißte oder gewalzte Metallstreifen mit verschiedenen Ausdehnungskoeffizienten (für Thermometer, elektr. Kontakte); **bi|me|tal|lisch; Bi|me|tal|lis|mus** *m. Gen. - nur Ez.* auf zwei Metallen (meist: Gold und Silber) beruhende Währung; *Ggs.:* Monometallismus

Bim|mel *w. 11, ugs.;* Klingel, Glocke; **Bim|mel|bahn** *w. 10* Kleinbahn; **Bim|mel|lei** *w. 10 nur Ez.;* **bim|meln** *intr. 1, ugs.*

bim|sen *tr. 1, ugs.:* **1** etwas b.: intensiv lernen, pauken; **2** jmdn. b.: drillen, ihm etwas einpauken; **Bims|stein** *m. 1*

bi|när, bi|nar, bi|na|risch [lat.] aus zwei Einheiten bestehend (Ziffer, Stoff); **Bi|när|code** *m. 9, Kybernetik:* aus zwei Ziffern bestehendes Zahlensystem;

bi|na|ry di|git [baɪnərɪ dɪdʒɪt] = bit

bin|au|ral *auch:* **bi|nau-** [lat.] mit beiden Ohren

Bin|de *w. 11;* **Bin|de|ge|we|be** *s. 5;* **Bin|de|ge|webs|mas|sa|ge** [-ʒə] *w. 11;* **Bin|de|glied** *s. 3;* **Bin|de|haut** *w. 2;* **Bin|de|mit|tel** *s. 5;* **bin|den** *tr. 14;* **Bin|de|rei** *w. 10;* **Bin|de-s** *s. Gen. - Mz.-;* **Bin|de|strich** *m. 1;* **Bin|de|wort** *s. 4* = Konjunktion; **Bind|fa|den** *m. 8;* **bin|dig** schwer, zäh (Boden); **Bin|dig|keit** *w. 10 nur Ez.;* **Bin|dung** *w. 10;* **bin|dungs|los; Bin|dungs|lo|sig|keit** *w. 10 nur Ez.*

Bin|ge, Pin|ge *w. 11, Bergbau:* durch Einsturz alter Gruben entstandene, trichterförmige Erdvertiefung

Bin|gel|kraut *s. 4* eine Waldpflanze

Bin|gen Stadt in Rheinland-Pfalz; Binger Loch; **Bin|ger** *m. 5* Einwohner von Bingen; **bin|ge|risch**

Bin|kel *m. 14* **1** *österr.:* Bündel; dummer Kerl; **2** *bayr.:* Beule

bin|nen *mit Dat. oder Gen.;* b. kurzem; b. zwei Jahren, b. zweier Jahre

bin|nen|bords *Seew.:* innerhalb des Schiffes; *Ggs.:* außenbords; **Bin|nen|ha|fen** *m. 8;* **Bin|nen|han|del** *m. 6 nur Ez.;* **Bin|nen|land** *s. 4;* **bin|nen|län|disch; Bin|nen|meer** *s. 1;* **Bin|nen|schiffahrt** ► **Bin|nen|schiff|fahrt** *w. 10 nur Ez.*

Bin|ode *auch:* **Bi|no|de** [lat. + griech.] *w. 11* Elektronenröhre mit zwei Röhrensystemen in einem Glaskolben

Bin|okel *auch:* **Bi|no|kel** [lat.] **1** *s. 5* Brille, Fernrohr, Mikroskop für beide Augen; **2** *m. 5 oder s. 5, schweiz., veraltet:* Kartenspiel; *auch:* die Kombination von Karobube und Pikdame dabei; **bin|oku|lar** *auch:* **bi|no|ku|lar** für beide Augen zugleich eingerichtet

Bi|nom [lat.] *s. 1* **1** *Math.:* zweigliedriger Ausdruck; **2** *Bot.:* zweigliedriger Pflanzenname; **bi|no|misch**

Bin|se *w. 11* in die Binsen gehen: verloren gehen, kaputt gehen; **Bin|sen|wahr|heit, Bin|sen|weis|heit** *w. 10* allgemein bekannte Wahr- oder Weisheit

bi|o..., Bi|o... [griech.] *in Zus.:* leben(s)..., Leben(s)...

Bi|o|che|mie *w. 11 nur Ez.* Lehre von den chem. Vorgängen in Lebewesen; **Bi|o|che|mi|ker** *m. 5;* **bi|o|che|misch**

bi|o|gen [griech.] von Lebewesen stammend; **Bi|o|ge|ne|se** *w. 11* Entstehung, Entwicklungsgeschichte des Lebens; **bi|o|ge|ne|tisch; Bi|o|ge|nie** *w. 11 nur Ez.* = Biogenese

Bi|o|ge|o|gra|phie ► *auch:* **Bi|o|ge|o|gra|fie** [griech.] *w. 11 nur Ez.* Wissenschaft von der Verteilung der Tiere und Pflanzen auf der Erde; **bi|o|ge|o|gra|phisch** ► *auch:* **bi|o|ge|o|gra|fisch**

Bi|o|gramm [griech.] *s. 1, Verhaltensforschung:* Aufzeichnung der Lebensvorgänge in einer zusammengehörigen Gruppe

Bi|o|graf, Bi|o|graph [griech.] *m. 10* Verfasser einer Biografie; **Bi|o|gra|fie,** Bi|o|gra|phie *w. 11* Lebensbeschreibung; **bi|o|gra|fisch,** bi|o|gra|phisch; **Bi|o|graph** *Nv. m. 10* ► **Bi|o|graf** *Hv.;* **Bi|o|gra|phie** *Nv. w. 11* ► **Bi|o|gra|fie** *Hv.;* **bi|o|gra|phisch** *Nv.* ► **bi|o|gra|fisch** *Hv.*

Bi|o|kli|ma|to|lo|gie [griech.] *w. 11 nur Ez.* Wissenschaft von der Wirkung des Klimas auf das Leben; **bi|o|kli|ma|to|lo|gisch; Bi|o|la|den** *m. 8* Laden mit dem Anspruch, chemisch unbehandelte Lebensmittel zu verkaufen

Bi|o|lith [griech.] *m. 10 oder m. 12* Ablagerungsgestein tierischer oder pflanzlicher Herkunft

Bi|o|lo|ge [griech.] *m. 1;* **Bi|o|lo|gie** *w. 11 nur Ez.* Wissenschaft von den Lebewesen; **bi|o|lo|gisch; Bi|o|lo|gis|mus** *m. Gen. - nur Ez.* einseitige Anwendung biologischer Betrachtungsweisen auf andere Wissensgebiete; **bi|o|lo|gis|tisch**

Bi|o|lu|mi|nes|zenz [griech. + lat.] *w. 10 nur Ez.* Leuchtvermögen bestimmter Pflanzen und Tiere

Bi|o|ly|se [griech.] *w. 11* Zersetzung von organ. Substanz durch Lebewesen; **bi|o|ly|tisch**

Bi|o|mant [griech.] *m. 10;* **Bi|o|man|tie** *w. 11 nur Ez.,* **Bi|o|man|tik** *w. 10 nur Ez.* Wahrsagen aus Handlinien, Puls u. Ä.; **bi|o|man|tisch**

Bi|o|me|cha|nik *w. 10 nur Ez.* Lehre von den mechan. Vorgängen in Lebewesen; **bi|o|me|cha|nisch**

Bi|o|me|trie *auch:* **Bi|o|met|rie** [griech.] *w. 11 nur Ez.,* **Bio|me|trik** *auch:* **Bi|o|met|rik** *w. 10 nur Ez.* **1** Lehre von den Maß- und Zahlenverhältnissen bei Lebewesen; **2** = Biostatistik

bi|o|morph [griech.] von natürl. Lebenskräften geformt; vgl. soziomorph, technomorph; **Bi|o|mor|pho|se** *w. 11* die durch natürl. Vorgänge hervorgerufene Umwandlung der Lebewesen

Bi|o|mo|tor *m. 13* Gerät zur künstl. Beatmung; **Bi|o|müll** *m. Gen. -s nur Ez.* kompostierbarer Haushaltsmüll

Bi|o|nik [Kurzw. aus Biologie + Technik] *w. 10 nur Ez.* Wissenschaft, die die Funktionsweise von Organen zur Lösung technischer Probleme heranzieht; **bi|o|nisch**

Bi|o|no|mie [griech.] *w. 11 nur Ez.* Wissenschaft von den Gesetzen des Lebens

Bi|o|phy|sik *w. 10 nur Ez.* Wissenschaft von den physikal. Vorgängen in Lebewesen; **Bi|o|phy|si|ker** *m. 5;* **bi|o|phy|si|ka|lisch**

Bi|op|sie [griech.] *w. 11* Untersuchung von Gewebe u. Ä., das dem lebenden Organismus entnommen wurde

Bi|o|rheu|se [griech.], Bi|or|rheu|se *w. 11 nur Ez.* der Vorgang des Alterns

Bi|o|rhyth|mik *w. 10 nur Ez.,*

Bi|o|rhyth|mus *m. Gen. - nur Ez.* rhythm. Ablauf von Lebensvorgängen; **bi|o|rhyth|misch**
Bi|os [griech.] *m. Gen. - nur Ez.* die belebte Welt
Bi|o|se [griech.] *w. 11* einfacher Zucker mit zwei Sauerstoffatomen im Molekül
Bio|skop *auch:* **Bi|os|kop** [griech.] *s. 1* 1891 erfundenes kinematografisches Gerät
Bio|sphä|re *auch:* **Bi|os|phä|re** *w. 11* der belebte Teil der Erdoberfläche
Bi|o|sta|tis|tik *w. 10* biologische Statistik, Biometrik **(2)**
Bi|o|tech|nik *w. 10 nur Ez.* Nutzbarmachen biologischer Umwandlungen, z. B. der Hefegärung, für die Technik; **bi|o|tech|nisch; Bi|o|tech|no|lo|gie** *w. 11 nur Ez.* Wissenschaft von der Biotechnik; **bi|o|tech|no|lo|gisch**
Bi|o|tin *s. 1 nur Ez.* Vitamin H
bi|o|tisch zu Lebewesen gehörend, von ihnen stammend
Bi|o|tit [nach dem frz. Physiker J. B. Biot] *m. 1* schwarzer Glimmer
Bi|o|to|nus [griech.] *m. Gen. - nur Ez.* Lebenskraft, Spannkraft
Bi|o|top [griech.] *m. 1 oder s. 1* einheitlicher Lebensraum mit bestimmten Pflanzen- und Tierarten
bi|o|trop [griech.] auf Lebewesen bestimmend einwirkend; biotrope Faktoren: z. B. Luftdruck, Temperatur; **Bi|o|tro|pie** *w. 11* Witterungsempfindlichkeit des Organismus
Bi|o|typ *m. 12,* **Bi|o|ty|pus** *m. Gen. - Mz.* -pen Gesamtheit aller reinerbigen Exemplare einer Population
bio|zen|trisch *auch:* **bi|o|zent|risch** das Leben, seine Erhaltung und Höherentwicklung in den Mittelpunkt stellend
Bi|o|zö|no|se [griech.] *w. 11* Lebensgemeinschaft von Pflanzen und Tieren in einem Biotop; **bi|o|zö|no|tisch**
Bi|pe|de [lat.] *m. 11* Zweifüßer, zweifüßiges Tier; **bi|pe|disch; Bi|pe|di|tät** *w. Gen. - nur Ez.* zweifüßige Beschaffenheit, Zweifüßigkeit
bi|po|lar, bi|pol|ar zweipolig; **Bi|po|la|ri|tät** *w. 10*
Bi|qua|drat *auch:* **Bi|quad|rat** *s. 1* Quadrat des Quadrats, vierte Potenz; **bi|qua|dra|tisch** *auch:* **bi|quad|ra|tisch** in die vierte Potenz erhoben
Bi|quet [bike, frz.] *m. 9* Schnellwaage für Gold- und Silbermünzen; **bi|que|tie|ren** [-ke-] *tr. 3* auf dem Biquet abwiegen
Bir|cher-Mües|li [nach dem schweiz. Arzt Maximilian Oskar Bircher-Benner] *s. 9* Gericht aus Haferflocken, Milch, Obstsaft, geriebenen Nüssen und Zucker oder Honig
Bi|re|me [lat.] *w. 11* antikes Kriegsschiff mit zwei Reihen von Ruderbänken
Bi|rett *s. 1, Nebenform von* Barett
Bir|ke *w. 11;* **bir|ken** aus Birkenholz
Birk|hahn *m. 2;* **Birk|huhn** *s. 4*
Bir|ma, *heute:* My|an|mar, Staat in Hinterindien; **Bir|ma|ne** *m. 11;* **bir|ma|nisch**; vgl. Burma
Birn|baum *m. 2;* **Bir|ne** *w. 11*
Birsch *w. Gen. - nur Ez.* = Pirsch
Bi|rut|sche *w. 11* = Barutsche
bis; bis heute, bis jetzt, bis dahin; bis München, bis Montag; bis nächstes Jahr, bis zum nächsten Jahr; bis wann?; ich warte, bis du kommst; drei bis vier Mark (3–4 Mark); eine Höhe von drei bis fünf Metern (3–5 Metern); vier- bis fünfmal (4–5-mal); vom 4. bis zum 10. Jh. (*aber nur:* 4.–10. Jh.); Kinder bis zu fünf Jahren; alle bis auf einen
Bi|sam *m. 1* **1** Fell der Bisamratte; **2** *veraltet für* Moschus;
Bi|sam|och|se *m. 11* = Moschusochse; **Bi|sam|rat|te** *w. 11*
Bis|ca|ya = Biskaya
Bi|schof *m. 2;* **bi|schöf|lich; Bi|schofs|müt|ze** *w. 11;* **Bi|schofs|sitz** *m. 1;* **Bi|schofs|stab** *m. 2;* **Bi|schofs|stuhl** *m. 2*
Bi|se *w. 11,* Bis|wind *m. 1, schweiz.:* scharfer Nordostwind
Bi|sek|trix *auch:* **Bi|sekt|rix** [lat.] *w. Gen. - Mz.* -tri|zes Winkelhalbierende zwischen den Achsen eines Kristalls
Bi|se|xu|a|li|tät *w. 10 nur Ez.;* **1** *Biol.* = Zweigeschlechtigkeit; **2** auf beide Geschlechter gerichtete Sexualität; **bi|se|xu|ell 1** *Biol.* = zweigeschlechtig; **2** mit beiden Geschlechtern verkehrend

> **bisherig:** Substantivierungen werden mit großem Anfangsbuchstaben geschrieben: *Das Bisherige war sehr langweilig.* Ebenso: *beim Bisherigen, im Bisherigen.* →§57 (1)

bis|her [süddt., schweiz.: bis-]; **bis|he|rig**; im Bisherigen: im bisher Gesagten
Bis|ka|ya, Bis|ca|ya, Golf von B.: Bucht des Atlant. Ozeans an der Nordküste Spaniens
Bis|kot|te [ital.] *w. 11, österr.:* Biskuitplätzchen
Bis|kuit [-kvit, auch: bis-, lat.-frz.] *s. 9 oder s. 1* leichtes, feines Gebäck ohne Fett; **Bis|kuit|por|zel|lan** [-kvit-] *s. 1* zweimal gebranntes, unglasiertes Porzellan
bis|lang bis jetzt, bisher
Bis|marck|he|ring *m. 1*
Bis|mu|tit *m. 1* ein Mineral;
Bis|mu|tum *s. Gen.* -s *nur Ez.* (*Zeichen:* Bi) Wismut
Bi|son *m. 9* nordamerik. Wildrind
Biß ► **Biss** *m. 1;* **biß|chen** ► **biss|chen**; das b., ein b., ein kleines b.; ein b. Brot; ein b. schnell!; **Biß|chen** ► **Biss|chen** *s. 7, selten:* kleiner Bissen; **bis|sel** = bisschen
Bis|sen *m. 7,* **bis|sen|wei|se**
Biß|gurn ► **Biss|gurn** *w. Gen.- Mz.-, bayr., österr.:* zänkisches Weib
bis|sig, Bis|sig|keit *w. 10 nur Ez.*
Biß|wun|de ► **Biss|wun|de** *w. 11*
bis|ten *intr. 2* locken, rufen (vom Haselhuhn)
Bis|ter [frz.] *m. 5* aus Ruß gewonnene, braune Wasserfarbe
Bis|tou|ri [-tu-, frz.] *m. 9 oder s. 9* Operationsmesser mit bewegl. Klinge
Bis|tro(t) [-tro-, frz.] **1** *s. 9* kleine französische Gaststätte, Kneipe; **2** *m. 9* frz. Schankwirt
Bis|tum *s. 4* Amtsbezirk eines Bischofs
bis|wei|len
Bis|wind *m. 1* = Bise
bi|syl|la|bisch [lat.] zweisilbig
Bit *in der Datenverarbeitung Abk. für* binary digit: Informationseinheit
Bittag *m. 1* ► **Bitt|tag; Bitt|brief** *m. 1;* **bit|te;** b. gib mir das Buch; sei so freundlich, b!; wie b.?; b. sehr, b. schön; b. wen-

den! (*Abk.:* b.w.); **Bit|te** *w. 11;* **bit|ten** *tr. 15*
bit|ter; bit|ter|bö|se; Bit|te|rer *m. 17* Kräuterschnaps, Magenbitter; **bit|ter|ernst,** *aber:* es wird bitterer Ernst; **bit|ter|kalt; Bit|ter|keit** *w. 10 nur Ez.;* **Bit|ter|klee** *m. 9;* **bit|ter|lich; Bit|ter|ling** *m. 1* **1** ein Fisch; **2** ein Pilz; **Bit|ter|man|del|öl** *s. 1;* **Bit|ter|mit|tel** *s. 5;* **Bit|ter|nis** *w. 1;* **bit|ter|süß; Bit|ter|stoff** *m. 1;* **Bit|ter|was|ser** *s. 6;* **Bit|ter|wur|zel** *w. 11* gelber Enzian
Bitt|gang *m. 2;* **Bitt|ge|such** *s. 1;* **bitt|lich** *österr.;* wenn ich b. sein darf: wenn ich bitten darf; **Bitt|schrift** *w. 10;* **Bitt|stel|ler** *m. 5;* **Bitt|tag** *m. 1 kath. Kirche:* jeder der drei Tage vor Himmelfahrt
Bi|tu|men [lat.] *s. 7* Erdharz, Erdpech; **bi|tu|mig; bi|tu|mi|nie|ren** *tr. 3* mit Bitumen bestreichen; **bi|tu|mi|nös** Bitumen enthaltend
bit|zeln *intr. 1, südwestdt.:* **1** kitzeln, prickeln; **2** kleine Stückchen abschneiden; **Bit|zel|was|ser** *s. 6, südwestdt.:* Mineralwasser
bi|va|lent [lat.] *Chem.:* zweiwertig; **Bi|va|lenz** *w. 10* Zweiwertigkeit
Bi|wa [jap.] *w. 9* viersaitige jap. Laute
Bi|wak [nddt.] *s. 1 oder s. 9* Nachtlager im Freien, Feldlager; **bi|wa|kie|ren** *intr. 3*
bi|zarr [frz., ital.] **1** seltsam, ungewöhnlich (Form); **2** launenhaft, wunderlich (Person); **Bi|zar|re|rie** *w. 11*
Bi|zeps [lat.] *m. 1* zweiköpfiger Beugemuskel (z.B. am Oberarm)
Bi|zi|nie [-njə, lat.] *w. 11, eindeutschend für* Bicinium
bi|zy|klisch *auch:* **bi|zyk|lisch** [lat. + griech.] einen Kohlenstoffdoppelring enthaltend (chem. Verbindung)
Bk *chem. Zeichen für* Berkelium
Bl. *Abk. für* Blatt (Papier)
Bla|che *w. 11* **1** = Blahe; **2** = Blachfeld; **Blach|feld** *s. 3* **1** flaches Feld; **2** *poet.:* Schlachtfeld
Black|band [blækbænd, engl.] *s. 9 nur Ez.* geringwertiges Eisenerz
Black Box *Nv.* ► **Black|box** *Hv.* [blæk-, engl. »schwarzer Kasten«] *w. Gen. - nur Ez.* System, von dem man nicht weiß, wie es arbeitet
Black|out *Nv.* ► **Black-out** *Hv.* [blækaʊt, engl.] *s. 9* **1** plötzliches Dunkelwerden der Bühne beim Szenenschluss; **2** kurze, meist witzige Szene mit einem solchen Schluss; **3** Ausfall der Funkverbindung mit einem Raumschiff bei dessen Eintritt in die Atmosphäre; **4** vorübergehender Verlust der Sehfähigkeit unter Einwirkung extremer Beschleunigung; **5** Aussetzen der Wahrnehmungsfähigkeit oder des Bewusstseins
Black Po|wer *Nv.* ► **Black|po|wer** *Hv.* [blækpaʊər, engl.] *w. Gen. -- nur Ez.* Freiheitsbewegung der US-amerik. Schwarzen
blaff!; blaf|fen, bläf|fen *intr. 1* bellen, kläffen; **Blaf|fer, Bläf|fer** *m. 5*
Blag *s. 12,* **Bla|ge** *w. 11, abwertend:* kleines, ungezogenes, lästiges Kind
Bla|he, Bla|che, Pla|che *w. 11* Plane, Wagendecke
blä|hen *tr. u. intr. 1;* **Bläh|hals** *m. 2, volkstüml.:* Kropf; **Bläh|sucht** *w. Gen. - nur Ez.* = Trommelsucht; **Blä|hung** *w. 10*
bla|ken *intr. 1* schwelen, rußen, rauchen (Lampe)
blä|ken *intr. 1, sächs.:* schreien, plärren
Bla|ker *m. 5* reflektierender Metallschirm eines Wandleuchters; Leuchter mit solchem Schirm
bla|ma|bel beschämend; eine blamable Sache; **Bla|ma|ge** [-ʒə, frz.] *w. 11* peinl. Beschämung; **bla|mie|ren** *tr. 3*
blan|chie|ren [blɑ̃ʃi-, frz. »weiß machen«] *tr. 3* abbrühen (Geflügel, Mandeln)
bland [lat.] **1** mild, reizlos (Diät); **2** ruhig verlaufend (Krankheit)
blank; der blanke Hans: die Nordsee bei Sturm; blank putzen, reiben, polieren, scheuern; blank sein *ugs.:* kein Geld (mehr) haben
Blan|kett [ital.] *s. 1* nicht völlig ausgefülltes, aber unterschriebenes Formular (*bes.:* Wechsel); **blan|kie|ren** *tr. 3* verkaufen, ohne es selbst schon gekauft zu haben
Blank|le|der *s. 5* geglättetes Rindsleder
blan|ko unausgefüllt, aber unterschrieben; **Blan|ko|scheck** *m. 9;* **Blan|ko|ver|kauf** *m. 2* Leerverkauf, spekulativer Verkauf einer Sache, die man noch nicht besitzt; **Blan|ko|voll|macht** *w. 10* unbeschränkte Vollmacht
Blank|vers *m. 1* fünffüßiger Jambus ohne Reim; **blank|zie|hen** *tr. 187* aus der Scheide ziehen (Säbel, Degen)
Blas|balg *m. 2, österr. für* Blasebalg
Bläs|chen *s. 7;* **Bla|se** **1** *w. 11;* **2** *w. 11 nur Ez., vulg.:* Gruppe jugendlicher Rowdies, Bande
Bla|se|balg *m. 2;* **bla|sen** *tr. 16*
Bla|sen|ka|tarrh ► *auch:* **Bla|sen|ka|tarr** *m. 1;* **Bla|sen|stein** *m. 1;* **Bla|sen|wurm** *m. 4* ein Bandwurm
Blä|ser *m. 5;* **Bla|se|rei** *w. 10;* **Blä|se|rei** *w. 10;* **Blä|ser|quin|tett** *s. 1*
bla|siert
bla|sig
Blas|in|stru|ment *auch:* **Blas|ins|tru|ment** *s. 1*
Bla|son [-sɔ̃, frz.] *m. 9* Wappen, Wappenschild; **bla|so|nie|ren** *tr. 3* (ein Wappenschild) ausmalen oder erklären
Blas|phe|mie [griech.] *w. 11* Gotteslästerung, Beschimpfung von etwas Heiligem; **blas|phe|mie|ren** *tr. 3;* **blas|phe|misch**
Blas|rohr *s. 1*
blaß ► **blass;** blasse Haut; er wurde blass und blässer; **blaß|blau** ► **blass|blau; Bläs|se** *w. 11 nur Ez.;* vgl. Blesse; **blaß|grün** ► **blass|grün; Bläß|huhn** ► **Bläss|huhn,** Bless|huhn *s. 4* ein Wasservogel; **bläß|lich** ► **bläss|lich; blaß|rot** ► **blass|rot**
Blas|to|derm [griech.] *s. 1 nur Ez.* Zellwand der Blastula; **Blas|to|ge|ne|se** *w. 11* ungeschlechtl. Vermehrung durch Sprossung oder Knospung; **Blas|tom** *s. 1* nichtentzündl. Geschwulst; **Blas|to|my|zet** *m. 10* Sprosspilz; **Blas|to|po|rus** [griech.-lat.] *m. Gen. - nur Ez.* Öffnung des Urdarms, Urmund; **Blas|tu|la** *w. Gen. - nur Ez.* Blasenkeim, frühe Entwicklungsstufe des Embryos **Blatt** *s. 4 (mit Zahlenangaben Abk.:* Bl.); **Blätt|chen** *s. 7;* **Blat|te** *w. 11,* Blat|ter *m. 5* Instrument zum Nachahmen des Fiepens

der Ricke; **blat|ten** *intr. 2* mit der Blatte den Rehbock anlocken; **Blat|ter 1** *w. 11* Pockennarbe; **2** *m. 5* = Blatte; **blät|te|rig,** blätt|rig; **Blät|ter|ma|gen** *m. 8;* **Blat|tern** *w. 11 Mz.* = Pocken

blät|tern *intr. 1;* ich blättere, blättre

Blat|ter|nar|be *w. 11;* **blat|ter|nar|big**

Blät|ter|teig *m. 1;* **Blät|ter|werk,** Blätt|werk *s. 1 nur Ez.;* **Blatt|gold** *s. Gen. -(e)s nur Ez.;* **Blatt|grün** *s. Gen. -s nur Ez.;* **Blatt|laus** *w. 2;* **blatt|los; Blatt|pflan|ze** *w. 11;* **blätt|rig,** blät|te|rig; **Blatt|sil|ber** *s. Gen. -s nur Ez.;* **blatt|wei|se; Blatt|werk** *s. 1 nur Ez.* = Blätterwerk; **Blatt|zinn** *s. Gen. -s nur Ez.*

> **blau:** Getrennt geschrieben wird die Verbindung von Adjektiv und Verb, wenn das Adjektiv in dieser Verbindung erweiterbar oder steigerbar ist: *blau färben, blau malen, blau gestreift, blau sein.* Aber: *blaumachen* (= nicht arbeiten). →§ 34 E3 (3)
> Mit großem Anfangsbuchstaben wird das substantivierte Adjektiv geschrieben: *in Blau, auf Blau* usw. [→§ 57 (1)]. Aber in festen Verbindungen: *blau in blau.* →§ 58 (3)
> In Eigennamen wird *blau* großgeschrieben: *der Blaue Nil, der Blaue Planet* (= Erde), *das Blaue Band, der Blaue Eisenhut.* →§ 60 (2.4), § 60 (5), § 60 (3.4)
> Dagegen schreibt man *blau* in festen Verbindungen klein, wenn sie keine Eigennamen sind: *der blaue Brief, die blaue Blume der Romantik, sein blaues Wunder erleben.* →§ 63

blau; Blau *s. Gen. -s nur Ez.* blaue Farbe; **blau|äu|gig; Blau|bart** *m. Gen. -(e)s nur Ez.;* Ritter B.: eine Märchengestalt; **Blau|bee|re** *w. 11* Heidelbeere; **Blau|buch** *s. 4* amtl. Veröffentlichung mit blauem Umschlag in Großbritannien; **Blau|druck** *m. 1;* **Bläue** *w. 11 nur Ez.;* **blau|en** *intr. 1* blau sein (Himmel); **bläu|en** *tr. 1* blau färben, blau tönen; **Blau|fel|chen** *m. 7* ein Fisch; **blau|grau, blau|grün:** grau bzw. grün mit blauem Schimmer; *aber:* blau-grau: blau und grau gestreift oder gemustert; **Blau|helm** *m. 1* UN-Soldat; **Blau|hemd** *s. 12, ehem. DDR:* blaues Hemd, das zur FDJ-Kleidung gehörte; *iron. auch für* FDJ-Mitglied; **Blau|kreuz** *s. 1 nur Ez.;* **Blau|kreu|zer, Blau|kreuz|ler** *m. 5;* **Blau|kreuz|ver|ein** *m. 1 nur Ez.* christl. Suchtkrankenhilfeverband (bes. für Alkoholkranke und ihre Angehörige)

bläu|lich; b. grau

Blau|ling, Bläu|ling *m. 1* **1** ein Schmetterling; **2** ein Fisch; **Blau|mei|se** *w. 11;* **Blau|pau|se** *w. 11* bläuliche Kopie auf lichtempfindlichem Papier

blau|rot rot mit blauem Schimmer, *aber:* blau-rot: blau und rot gemustert; **blau|schwarz** schwarz mit blauem Schimmer; *aber:* blau-schwarz: blau und schwarz; **Blau|stich** *m. 1;* **blau|sti|chig; Blau|strumpf** *m. 2* ihre Emanzipiertheit u. geistige Bildung einseitig betonende Frau; **blau|weiß** weiß mit blauem Schimmer; *aber:* blau-weiß: blau und weiß; **Blau|weiß|por|zel|lan** *s. 1*

Bla|zer [blɛɪzər, engl.] *m. 5* leichte, sportl. Jacke mit aufgesetzten Taschen

Blech 1 *s. 1;* **2** *s. 1 nur Ez.* Gesamtheit der Blechblasinstrumente im Orchester; *übertr. ugs.:* Unsinn; **Blech|blas|in|stru|ment** *auch:* **-ins|tru|ment** *s. 1;* **ble|chen** *tr. 1, ugs.:* bezahlen; **ble|chern; Blech|mu|sik** *w. 10* Musik auf Blechblasinstrumenten; **Blech|ner** *m. 5, südwestdt.:* Klempner; **Blech|scha|den** *m. 8*

ble|cken *tr. 1, nur in der Wendung:* die Zähne b.

Blei 1 *s. 1 nur Ez.* (*Zeichen:* Pb) chem. Element; **2** *s. 1* Senkblei; zollamtliche Plombe; **3** *m. 1 oder m. 9, ugs.:* Bleistift; **4** *m. 1, auch:* Bleie *w. 11* Brachse

> **bleiben lassen:** Verbindungen aus Verb (Infinitiv) und Verb werden getrennt geschrieben: *Er sollte das endlich bleiben lassen.* Ebenso: *kennen lernen, sitzen bleiben, spazieren gehen.* →§ 34 E3 (6)

Blei|be *w. 11, ugs.:* Unterkunft; **blei|ben** *intr. 17;* **blei|ben|las|sen** ► **blei|ben las|sen** *tr. 75*

bleich; Blei|chart *m. 1* = Bleichert; **Blei|che** *w. 11;* **blei|chen** *tr. u. intr. 1;* **Bleich|er|de** *w. 11;* **Blei|chert,** Blei|chart *m. 1* blasser Rotwein; **Bleich|ge|sicht** *s. 3;* **Bleich|sucht** *w. Gen. - nur Ez.;* **bleich|süch|tig**

Bleie *w. 11* = Blei (4)

blei|en *tr. 1* mit Blei versehen; **blei|ern** aus Blei; wie Blei; **blei|ig** Blei enthaltend; **blei|schwer; Blei|stift** *m. 1;* **Blei|stift|spit|zer** *m. 5;* **Blei|stift|zeich|nung** *w. 10;* **Blei|weiß** *s. Gen. - nur Ez.* haltbare weiße Malerfarbe

Blend|ar|ka|de *w. 11;* **Blend|bo|gen** *m. 7;* **Blen|de** *w. 11;* **blen|den** *tr. u. intr. 2;* **blen|dend;** b. weiß; **Blen|der** *m. 5;* **Blend|la|ter|ne** *w. 11;* **Blend|schutz** *m. 1 nur Ez.;* **Blend|werk** *s. 1 nur Ez.*

Blen|nor|rhö [griech.] *w. 10* eitrige Schleimabsonderung, *bes.:* eitrige Bindehautentzündung

Ble|pha|ri|tis [griech.] *w. Gen. - Mz.* -ri|ti|den Lidrandentzündung

Bles|se *w. 11* **1** weißer Stirnfleck bei Tieren; **2** Tier mit solchem Fleck; **Bleß|huhn** ► **Bless|huhn** *s. 4* = Blässhuhn

bles|sie|ren [frz.] *tr. 3, veraltet:* verletzen; **Bles|sur** *w. 10, veraltet:* Verletzung

bleu [blø, frz.] *meist nicht flektiert:* grünlichblau

Bleu|el *m. 5* Holzstock zum Klopfen nasser Textilien; **bleu|en** ► **bläu|en**

Blick *m. 1;* **bli|cken** *intr. 1;* **Blick|fang** *m. 2;* **Blick|feld** *s. 3* Bereich, den man überblicken kann, ohne Kopf und Augen zu bewegen; vgl. Gesichtsfeld; **Blick|kon|takt** *m. 1;* mit jmdm. B. haben; **blick|los; Blick|punkt** *m. 1;* **Blick|win|kel** *m. 5*

blind; Blind|darm *m. 2;* **Blind|darm|ent|zün|dung** *w. 10;* **Blin|de|kuh** *w. 2 nur Ez.;* B. spielen; **Blin|den|an|stalt** *w. 10;* **Blin|den|heim** *s. 1;* **Blin|den|hund** *m. 1;* **Blin|den|schrift** *w. 10* aus erhabenen Punkten bestehende Schrift, die von Blinden getastet werden können, Brailleschrift, Punktschrift; **Blin|de(r)** *m. 18 (17) bzw. w. 17 oder 18;* **blind|flie|gen** *intr. 38;* **Blind|flug** *m. 2;* **Blind|gän|ger** *m. 5;* **Blind|heit** *w. 10 nur Ez.;* **blind|lings; Blind|schlei|che** *w. 11;* **blind|schrei|ben** *intr. 127;* **blind|spie|len** *intr. 1, beim Schach:*

spielen, ohne aufs Brett zu sehen; **blind|wü|tig**
blink *Nebenform von* blank, *nur in der Wendung:* blink und blank (reiben, putzen); **blin|ken** *intr. 1;* **Blin|ker** *m. 5;* **blin|kern** *intr. 1;* **Blink|feu|er** *s. 5* ein Seezeichen; **Blink|licht** *s. 3;* **Blink|zei|chen** *s. 7*
blin|zeln *intr. 1;* ich blinzele, blinzle
Blitz *m. 1;* **Blitz|ab|lei|ter** *m. 5;* **blitz|ar|tig; blitz|blank,** blitz|zeblank; **blitz|blau; blitz|dumm; blit|zen** *intr. 1;* **Blit|zer** *m. 5* **1** *Bergbau:* elektrische Grubenleuchte mit Scheinwerfer; **2** jmd., der sich unbekleidet an öffentlichen Plätzen zeigt; **Blit|zes|schnel|le** *w., nur in den Wendungen:* in, mit B.; **blitz|ge|scheit; Blitz|ge|spräch** *s. 1, früher:* sofort vermitteltes Ferngespräch gegen zehnfache Gebühr; **Blitz|licht** *s. 3;* **Blitz|röh|re** *w. 11* = Fulgurit (**1**); **blitz|sau|ber; Blitz|scha|den** *m. 8;* **Blitz|schlag** *m. 2;* **blitz|schnell; Blitz|strahl** *m. 12;* **Blitz|te|le|gramm** *s. 1* sofort weitergegebenes Telegramm gegen zehnfache Gebühr
Bliz|zard [blizərd, engl.] *m. 9* Schneesturm (in Nordamerika)
Bloch *m. 1, m. 4 oder s. 4 süddt., schweiz., österr.:* roh behauener Baumstamm, Holzblock
Block 1 *m. 2* Stein-, Holzblock; **2** *m. 9* Häuser-, Papierblock; **Blo|cka|de** *w. 11;* **blo|cken** *tr. 1, süddt.:* bohnern; **Blo|cker** *m. 5, süddt.: Bohnerbesen;* **Block|flö|te 1** *w. 11, ehem. DDR, iron. Bez. für:* Mitglied der mit der SED im sog. Demokratischen Block zusammengeschlossenen Parteien; **2** *w. 11* Musikinstrument; **Block|haus** *s. 4;* **blo|ckie|ren** *tr. 3;* **Blo|ckie|rung** *w. 10 nur Ez.;* **blo|ckig** klotzig; **Block|kon|den|sa|tor** *m. 13;* **Block|par|tei** *w. 10, ehem. DDR:* eine der im sog. Demokratischen Block zusammengeschlossenen Parteien; **Block|po|li|tik** *w. Gen. - nur Ez., ehem. DDR:* Politik des sog. Demokratischen Blocks; **Block|schrift** *w. 10;* **Block|sys|tem** *s. 1* System zur Sicherung von Eisenbahnstrecken
blöd, blö|de; Blö|de|lei *w. 10;* **blö|deln** *intr. 1;* **Blöd|heit** *w. 10;* **Blö|di|an** *m. 1;* **Blö|dig|keit** *w. 10 nur Ez.; veraltet:* Schüchternheit; **Blöd|ling** *m. 1;* **Blöd|mann** *m. 4;* **Blöd|sinn** *m. 1 nur Ez.;* **blöd|sin|nig; Blöd|sin|nig|keit** *w. 10 nur Ez.*
blö|ken *intr. 1*
blond; ihr Haar ist blond gelockt; **Blon|de 1** *w. 17/18* blonde Frau; ein Glas helles Bier; **2** [blɔ̃d, frz.] *w. 19* Seidenspitze mit Muster; **Blond|haar** *s. 1 nur Ez.;* **blond|haa|rig; blon|die|ren** *tr. 3* blond färben; **Blon|di|ne** *w. 11* blonde Frau; **Blond|kopf** *m. 2;* **blond|lo|ckig**

> **bloßstellen, bloß liegen:**
> Verbindungen aus Adjektiv/Adverb und Verb werden zusammengeschrieben, wenn der erste Teil weder erweiterbar noch steigerbar ist: *Sie wollten ihn bloßstellen.* →§ 34 (2.2)
> Getrennt geschrieben werden Fügungen mit dem Adverb *bloß* (= nur): *Der Chor soll bloß singen, nicht tanzen.* →§ 34 E3 (2)

bloß 1 *Adj.:* nackt, unbedeckt; **2** *Adv.:* nur; **Blö|ße** *w. 11;* **bloß|fü|ßig; bloß|le|gen** *tr. 1;* **bloß|lie|gen** *intr. 80; aber:* die Lungenkranken sollten bloß liegen (= nicht stehen). **bloß|stel|len** *tr. 1;* **Bloß|stel|lung** *w. 10;* **bloß|stram|peln** *refl. 1*
Blou|son [bluzɔ̃, frz.] *m. 9 oder s. 9* über dem Rock getragene, über der Hüfte anliegende Bluse
Blow-up [bloʊʌp, engl.] *s. Gen. - nur Ez.* Vergrößerung (eines Fotos u. a.)
blub|bern *intr. 1* sprudeln, glucksen; *ugs. auch:* undeutlich sprechen
Blue|jeans ► *auch:* **Blue Jeans** [blu dʒinz, engl.] *nur Mz.* blaue, widerstandsfähige Baumwollhose
Blues [bluz, engl.] *m. Gen. - Mz. -* **1** schwermütiges Tanzlied der nordamerikan. Schwarzen; **2** langsamer Gesellschaftstanz
Bluff [blʌf, auch noch: blœf, auch schon: bluf-, engl.] *m. 9* dreiste Täuschung, Irreführung; **bluf|fen** [blʌf-, auch noch: blœf-, auch schon: bluf-] *tr. 1* dreist täuschen, verblüffen
blü|hen *intr. 1;* **Blü|het** *m. 1 nur Ez.; schweiz.:* Blütezeit, Blust; **blüh|wil|lig** viel blühend
Blüm|chen *s. 7;* **Blüm|chen|kaf|fee** *m. 9, scherzh.:* dünner Kaffee; **Blu|me** *w. 11, auch:* Duft, Aroma (vom Wein); **Blu|men|freund** *m. 1;* **Blu|men|krip|pe** *w. 11;* **blu|men|reich; Blu|men|schmuck** *m. 1 nur Ez.;* **Blu|men|spra|che** *w. 11* Blumen als Zeichen für etwas, was man zum Ausdruck bringen möchte; **Blu|men|stock** *m. 2;* **Blu|men|stück** *s. 1* Stilleben mit Blumen
blü|me|rant [frz.] *ugs.:* schwindelig, flau, schwach; mir ist, wird ganz b. (zumute)
blu|mig; Blüm|lein *s. 7*
Blüs|chen *s. 7;* **Blu|se** *w. 11*
Blü|se *w., Seew.:* Leuchtfeuer
Blust *m. 1 nur Ez., veraltet, noch poet. und schweiz.:* Blütezeit, Blühen
Blut *s. Gen. -(e)s nur Ez.;* **Blut|a|chat** *m. 1* feuriger Achat; **Blut|a|der** *w. 11;* **Blut|al|ko|hol** *m. 1 nur Ez., ugs.:* Alkoholgehalt im Blut; **Blut|an|drang** *m. 2 nur Ez.;* **blut|arm; Blut|ar|mut** *w. 10 nur Ez.;* **Blut|bad** *s. 4;* **Blut|bank** *w. 10* Sammelstelle für Blutkonserven; **Blut|bu|che** *w. 11;* **Blut|druck** *m. 1 nur Ez.;* **Blut|durst** *m. Gen. -(e)s nur Ez.;* **blut|dürs|tig**
Blü|te *w. 11*
Blut|egel *m. 5;* **blu|ten** *intr. 2*
Blü|ten|ho|nig *m. 1 nur Ez.;* **Blü|ten|le|se** *w. 11* Sammlung, Auswahl, Auslese; **Blü|ten|pflan|ze** *w. 11;* **Blü|ten|stand** *m. 2;* **Blü|ten|staub** *m. Gen. -(e)s nur Ez.;* **blü|ten|weiß**
Blu|ter *m. 5* jmd., der an der Bluterkrankheit leidet; **Blut|er|guß** ► **Blut|er|guss** *m. 2;* **Blu|ter|krank|heit** *w. 10 nur Ez.* fehlende Gerinnungsfähigkeit des Blutes
Blü|te|zeit *w. 10*
Blut|fleck *m. 1;* **Blut|ge|fäß** *s. 1;* **Blut|geld** *s. 3 nur Ez.;* **Blut|ge|rinn|sel** *s. 5;* **Blut|ge|rin|nung** *w. 10 nur Ez.;* **Blut|gier** *w. Gen. - nur Ez.;* **blut|gie|rig; Blut|grup|pe** *w. 11;* **Blut|hund** *m. 1;* **Blut|hus|ten** *m. 7 nur Ez.;* **blu|tig; Blut|jas|pis** *m. Gen. - Mz. -jas|pis|se* ein Mineral, Heliotrop; **blut|jung; Blut|kon|ser|ve** *w. 11;* **Blut|kör|per|chen** *s. 7;* **Blut|kreis|lauf** *m. 2;* **Blut|la|che** *w. 11;* **blut|leer; Blut|lee|re** *w. 11;* **blut|los; Blut|o|ran|ge** [-orɑ̃ʒə] *w. 11;* **Blut|plas|ma** *s. Gen. -s Mz. -men;* **Blut|plätt|chen** *s. 7;* **Blut|pro|be** *w. 11;* **Blut|ra|che** *w. 11 nur Ez.;* **Blut-**

rei|ni|gung *w. 10 nur Ez.;* **blut|rot; blut|rün|s|tig; Blut|sau|ger** *m. 5;* **Bluts|bru|der** *m. 6;* **Bluts|brü|der|schaft** *w. 10 nur Ez.;* **Blut|schan|de** *w. 11 nur Ez.;* **blut|schän|de|risch; Blut|schuld** *w. 10 nur Ez.;* **Blut|sen|kung** *w. 10;* **Blut|se|rum** *s. Gen.* -s *Mz.* -ra *oder* -ren; **Blut|spen|der** *m. 5;* **Blut|stein** *m. 1* ein Mineral, Eisenglimmer, Hämatit; **blut|stil|lend; Bluts|trop|fen** *m. 7;* **Bluts|tröpf|chen** *s. 7; auch:* ein Schmetterling, Widderchen, Zygäne; **Blut|sturz** *m. 2;* **bluts|ver|wandt; Bluts|ver|wandt|schaft** *w. 10 nur Ez.;* **Blut|tat** *w. 10;* **Blut|trans|fu|si|on** *w. 10;* **Blut|über|tra|gung** *w. 10;* **Blu|tung** *w. 10;* **blut|un|ter|lau|fen; Blut|ver|gif|tung** *w. 10;* **blut|voll; Blut|wä|sche** *w. 11;* **blut|we|nig** sehr wenig; **Blut|wurst** *w. 2;* **Blut|zeu|ge** *m. 11;* **Blut|zu|cker** *m. 5 nur Ez.*

BLZ *Abk. für* Bankleitzahl

b-Moll *s. Gen. - nur Ez. (Abk.:* b) Tonart; **b-Moll-Ton|lei|ter** *w. 11*

BND *Abk. für* Bundesnachrichtendienst

Bö *w. 10,* Böe *w. 11* Windstoß

Boa *w. 9* **1** Riesenschlange; **2** langer, schmaler Pelz oder Schal zum Umhängen

Boar|ding|house [bɔːdiŋhaʊs, engl.] *s. Gen. - Mz.* -s [-haʊsiz], *in Großbritannien:* Pension, Fremdenheim

Boat peo|ple ▶ **Boat|peo|ple** [boʊt piːp(ə)l, engl.] *nur Mz.* mit Booten geflohene Vietnamesen

Bob *m. 9, Kurzw. für* Bobsleigh; **Bob|bahn** *w. 10* Rennbahn für Bobsleighs; **bob|ben** *intr. 1* beim Bobfahren den Oberkörper ruckweise nach vorn bewegen, um die Fahrt zu beschleunigen

Bob|by [nach dem Engländer Robert (Bobby) Peel] *m. Gen.* -s *Mz.* -bies Spitzname der Londoner Polizisten

Bo|ber *m. 5* schwimmendes Seezeichen

Bo|bi|ne [frz.] *w. 11* **1** Garnspule; **2** endloser Papierstreifen; **3** Trommel für Förderbänder

Bo|bi|net [auch: bo-, engl.] *m. 9* engl. Tüll

Bob|sleigh *auch:* **Bobs|leigh** [-slɛɪ, engl.] *(Kurzw.:* Bob) *m. 9* lenkbarer Rennschlitten

Boc|cia [bɔtʃa] *s. Gen. - nur Ez.* ital. Kugelspiel

Boche [bɔʃ, frz. »Schwein«] *m. 9, bes. im 1. Weltkrieg:* Schimpfname der Franzosen für den Deutschen

Bock 1 *m. 2;* Bock springen, *aber:* das Bockspringen; **2** *s. Gen.* -(s) *Mz. -, Kurzw. für* Bockbier; **bock|bei|nig** störrisch; **Bock|bier** *s. 1* ein Starkbier; **Böck|chen** *s. 7;* **böc|keln** *intr. 1* nach Bock riechen; **bo|cken** *intr. 1;* **Bo|ckerl** *s. 14, österr.:* Kiefernzapfen; **bo|ckig; Bock|kä|fer** *m. 5;* **Böck|lein** *s. 7;* **Bock|lei|ter** *w. 11;* **Bocks|bart** *m. 2;* **Bocks|beu|tel** *m. 5* flache, seitlich gebauchte Flasche bes. für Frankenwein; **Bocks|beu|te|lei** [nach dem Lederbeutel, in dem man früher Gesangbuch, Statutenbuch u. a. trug] *w. 10 nur Ez.* Festhalten an überlebten Gebräuchen; **Bocks|horn** *s. 4;* jmdn. ins B. jagen: einschüchtern; **Bocks|hörndl** *s. 14, österr.:* Frucht des Johannisbrotbaums; **Bock|sprung** *m. 2;* **Bock|wurst** *w. 2*

Bod|den [nddt.] *m. 7* durch Landzungen oder Inseln abgetrennte seichte Meeresbucht an einer Flachküste

Bo|de|ga *w. 9* span. Weinschenke

Bo|den *m. 8;* **Bo|den|kam|mer** *w. 11;* **bo|den|los; Bo|den|satz** *m. 2;* **Bo|den|schät|ze** *m. 2 Mz.;* **bo|den|stän|dig**

Bo|dhi|satt|va [sanskr.] *m. 9* buddhist. Heiliger

bo|di|gen *tr. 1, schweiz.:* zu Boden werfen, besiegen

bod|men *tr. 2* mit Bodmerei belasten; **Bod|me|rei** *w. 10* Darlehen an den Kapitän eines Schiffes zur Finanzierung der Weiterfahrt

Bo|do|ni [nach ihrem Schöpfer, dem ital. Buchdrucker Giambattista B.] *w. Gen. - nur Ez.* eine Antiqua-Druckschrift

Bo|dy|buil|ding [-bɪl-, engl.] *s. Gen.* -s *nur Ez.* Muskeltraining zur Ausbildung guter Körperformen; **Bo|dy|check** [-tʃɛk, engl.], *m. Gen.* -s *nur Ez.* erlaubtes Rempeln des Gegners im Eishockey; **Bo|dy|guard** [-gaːd, engl.] *m. Gen.* -s *Mz.* -s Leibwächter; **Bo|dy|suit** [-sjuːt, engl.], Bo|dy|sto|cking [-stɔkiŋ, engl.] *m. Gen.* -s *Mz.* -s eng anliegende, einteilige Unterbekleidung

Böe *w. 11* Bö

Bo|fel *m. 5* = Bafel

Bo|fist *m. 1* = Bovist

Bo|gen *m. 7, süddt.: m. 8;* **Bo|gen|gang** *m. 2;* **Bo|gen|lam|pe** *w. 11;* **Bo|gen|schie|ßen** *s. 7 nur Ez.;* **Bo|gen|zwi|ckel** *m. 5* = Spandrille; **bo|gig**

Bog|head|koh|le [-hɛd-, nach dem schott. Ort Boghead] *w. 11 nur Ez.* sehr fetthaltige Steinkohle

Bo|go|mi|le, Bo|gu|mi|le [slaw. »Gottesfreund« oder nach dem Gründer Bogomil] *m. 11* Angehöriger einer mittelalterl. Sekte in Osteuropa und Kleinasien

Bo|heme [boɛm, frz.] *w. 11 nur Ez.* **1** unbürgerliches, ungebundenes Künstlerleben oder -milieu; **2** Gesamtheit der Bohemiens; **Bo|he|mi|en** [boɛmjɛ̃] *m. 9* jmd., der in der Art der Boheme lebt

Boh|le *w. 11*; vgl. Bowle

Böh|me *m. 11;* **Böh|men** Landesteil der Tschech. Republik; **Böh|mer|wald** *m. 4 nur Ez.* Gebirge in der Tschech. Republik; **böh|misch;** böhmische Dörfer *übertr.:* etwas Unverständliches

Böhn|chen *s. 7;* **Boh|ne** *w. 11; auch* = Kunde **(5); Boh|nen|kaf|fee** *m. 9;* **Boh|nen|stan|ge** *w. 11*

Boh|ner *m. 5,* **Boh|ner|be|sen** *m. 7;* **boh|nern** *tr. 1;* **Boh|ner|wachs** *s. 1*

boh|ren *tr. 1;* **Boh|rer** *m. 5;* **Bohr|in|sel** *w. 11* künstl. Insel für Bohrungen in den Meeresuntergrund; **Bohr|ma|schi|ne** *w. 11;* **Bohr|turm** *m. 2;* **Boh|rung** *w. 10;* **Bohr|wurm** *m. 4*

bö|ig in Böen, mit Böen

Boi|ler [bɔɪ-, engl.] *m. 5* Gerät zum Warmwasserbereiten

Bo|jar [russ.] *m. 10, im alten Russland:* Angehöriger des Hochadels, *in Bulgarien und Rumänien:* adliger Großgrundbesitzer

Bo|je *w. 11* verankertes Seezeichen

Bok|mål, *früher:* Riks|mål [-mɔːl, norw.] *s. Gen.* -s *nur Ez.* vom Dänischen beeinflusste norwegische Schriftsprache, im Unterschied zum Landsmål

Bol *m. 1* = Bolus

Bo|la [span.] *w. 9* südamerik. Wurfwaffe

Bo|le|ro [span.] *m. 9* **1** span. Tanz; **2** kurzes Jäckchen

Bo|le|tus [griech.] *m. Gen.- Mz.*-ti ein Pilz
Bo|lid [griech.] *m. 1 oder m. 10* Meteor in Form einer Feuerkugel
Bo|li|var *m. Gen.*-s *Mz.*- Währungseinheit in Venezuela; **Bo|li|vi|a|ner,** *auch:* Bo|li|vi|er *m. 5* Einwohner von Bolivien; **bo|li|vi|a|nisch,** *auch:* bo|li|visch; **Bo|li|vi|a|no** *m. Gen.*-s *Mz.*-(s) Währungseinheit in Bolivien; **Bo|li|vi|en** südamerik. Staat; **Bo|li|vi|er** *m. 5* = Bolivianer; **bo|li|visch** = bolivianisch
böl|ken *intr. 1* brüllen (vom Rind, auch von Kindern)
Bol|le *w. 11* Zwiebel
Böl|ler *m. 5* **1** kleiner Mörser zum Schießen; **2** Knallbüchse; **böl|lern** *intr. 1*
Boll|werk *s. 1*
Bo|lo|gna *auch:* **Bo|lo|gna** [-nja] ital. Stadt; **Bo|lo|gne|ser** *auch:* **Bo|log|ne|ser** [-nje-] *m. 5,* Bo|lo|gne|se, Bo|log|ne|se [-nje-] *m. 11* Einwohner von Bologna; **bo|lo|gne|sisch** *auch:* **bo|log|ne|sisch**
Bo|lo|me|ter [griech.] *s. 5* Gerät zum Messen der Energie elektromagnetischer Strahlung
Bol|sche|wik [russ.] *m. Gen.*-en *Mz.*-en *oder* -ki, *oft abwertend,* Angehöriger der Kommunist. Partei der ehem. UdSSR; **bol|sche|wi|sie|ren** *tr. 3;* **Bol|sche|wis|mus** *m. Gen.- nur Ez.;* **Bol|sche|wist** *m. 10;* **bol|sche|wis|tisch**
Bo|lus [griech.] *m. Gen.- nur Ez.;* Bol *m. 1* **1** kalkhaltiger Ton; **2** Bissen, große Pille; **Bo|lus|tod** *m. 1 nur Ez.* Tod durch Ersticken an einem zu großen Bissen oder Fremdkörper
Bolz *m. 1, veraltet* = Bolzen; **bol|zen** *intr. 1, Fußball:* hart, regelwidrig spielen; **Bol|zen** *m. 7;* **bol|zen|ge|ra|de**
Bom|ba|ge [-ʒə, frz.] *w. 11* Biegung, Aufwölbung, gewölbte Form
Bom|bar|de [frz.] *w. 11* **1** altes Steinschleudergeschütz, Donnerbüchse; **2** tiefes Orgelregister; **3** *auch:* Bom|hart, Bomhard *m. 1* Holzblasinstrument, Pommer; **Bom|bar|de|ment** [-mã] *s. 9* Bombardierung; **bom|bar|die|ren** *tr. 3;* **Bom|bar|die|rung** *w. 10;* **Bom|bar|don** [-dõ] *s. 9* Blechblasinstrument, Vorläufer der Basstuba
Bom|bast [pers.-engl.] *m. 1 nur Ez.* Schreib-, Redeschwulst, Prunk, Überladenheit; **bom|bas|tisch**
Bom|be [frz.] *w. 11;* **Bom|ben|an|griff** *m. 1;* **Bom|ben|at|ten|tat** *s. 1;* **Bom|ben|e|le|ment!** Donnerwetter!; **Bom|ben|er|folg** *m. 1* großer Erfolg; **bom|ben|fest** ganz sicher; das steht b.; **Bom|ben|flug|zeug** *s. 1;* **Bom|ben|ge|schäft** *s. 1* sehr erfolgreiches Geschäft; **Bom|ben|rol|le** *w. 11* bes. erfolgssichere Rolle (für einen Schauspieler); **Bom|ben|scha|den** *m. 8;* **bom|ben|si|cher** **1** gegen Bomben gesichert; **2** *ugs.:* ganz sicher; **Bom|ben|stel|lung** *w. 10* sehr gut bezahlte Stellung; **Bom|ben|tep|pich** *m. 1;* **Bom|ber** *m. 5*
bom|bie|ren [frz.] **1** *tr. 3* biegen, aufwölben (Glas, Blech); **2** *intr. 3* sich biegen (Glas im Ofen), sich aufwölben (Deckel von Konservendosen); vgl. Bombage
bom|big *ugs.:* großartig
Bom|hard, Bom|hart *m. 1* = Bombarde **(3),** Pommer
Bom|mel, Bum|mel *w. 11* Troddel, Quaste
Bon [bõ, frz.], *m. 9* Kassenzettel, Gutschein
bo|na fi|de [lat.] im guten Glauben, auf Treu und Glauben
Bo|na|par|tis|mus *m. Gen.- nur Ez.* polit. Richtung, autoritäre Herrschaftsform; **Bo|na|par|tist** *m. 10*
Bon|bon [bɔŋbɔŋ, frz. bõbõ] *s. 9, auch: m. 9* **1** kleine Süßigkeit; **2** *ehem. DDR, iron. Bez. für* Parteiabzeichen der SED; **Bon|bon|nie|re** ► *auch:* **Bon|bo|nie|re** [bõbɔnjerə] *w. 11* Pralinen-Geschenkpackung
Bon|bon|trä|ger *m. 5, ehem. DDR, iron.:* SED-Mitglied
Bond [engl.] *m. 9 in Großbritannien und den USA Bez. für* Anleihe
bon|gen *tr. 1, ugs.,* bo|nie|ren *tr. 3* einen Bon (für etwas) an der Registrierkasse tippen
Bön|ha|se [nddt.] *m. 11* nichtzünftiger Handwerker, Pfuscher
Bon|ho|mie [bɔnɔmi, frz.] *w. 11 nur Ez.* Gutmütigkeit, Biederkeit; **Bon|homme** [bɔnɔm] *m. 9* gutmütiger, einfältiger Mensch
bo|nie|ren *tr. 3* = bongen
Bo|ni|fi|ka|ti|on [lat.] *w. 10* Vergütung, Entschädigung; **bo|ni|fi|zie|ren** *tr. 3;* vergüten, als Entschädigung zahlen; **Bo|ni|tät** *w. 10* **1** Güte, Wert; **2** kaufmänn. Ruf; **3** Zahlungsfähigkeit; **bo|ni|tie|ren** *tr. 3* schätzen, dem Wert nach einstufen (Grundstück, Waren); **Bo|ni|tie|rung** *w. 10*
Bon|mot [bõmo, frz.] *s. 9* witzige, geistreiche Bemerkung
Bonn Regierungsstadt, ehem. Hst. der BR Dtld.
Bon|ne [frz.] *w. 11, veraltet:* Kindermädchen
Bon|sai [jap. »im Topf kultiviert«] *m. 9* in Schale oder Topf gezüchteter Zwergbaum
Bo|nus [lat.] *m. 1 oder Gen.- Mz.-* **1** Gutschrift, einmalige Sondervergütung; **2** verbessernder Zuschlag auf Zeugnisnoten u. Ä.; *Ggs.:* Malus **(2)**
Bon|vi|vant [bõvivã, frz.] *m. 9* Lebemann; *im Theater:* Salonheld
Bon|ze [jap.] *m. 11* **1** lamaist. Mönch; **2** *übertr.:* engstirniger Parteifunktionär; **Bon|zo|kra|tie** *w. 11* Bonzenherrschaft
Boo|gie-Woo|gie [bugi wugi, engl.] *m., nur Ez.* **1** rasch gespielter Blues-Piano-Stil; **2** getanzte Variante des Rock 'n' Roll
Boom [bum, engl.] *m. 9* wirtschaftl. Aufschwung, Hochkonjunktur, Hausse
Boot *s. 1; aber:* Bötchen
boo|ten [bu-, engl.] *intr. 2* (den Computer) für die Eingabe bereit machen, starten
Bo|o|tes [griech. »Ochsentreiber«] *m. Gen.- nur Ez.* ein Sternbild
Bö|o|ti|en altgriech. Landschaft
Boot|leg|ger [but-, engl.] *m. 5, amerikan. Bez. für* Alkoholschmuggler, illegaler Schnapsbrenner
Boots|haus *s. 4;* **Boots|mann** *m. Gen.*-(e)s *Mz.*-leu|te; **Boots|manns|maat** *m. 1;* **Boots|steg** *m. 1*
Bop *m. 9, Kurzform für* Bebop
Bor *s. 1 nur Ez.* (*Zeichen:* B) chem. Element, Nichtmetall
Bo|ra [slaw.?] *w. 9* Fallwind, z. B. an der dalmatin. Küste
Bo|rat *s. 1* Salz der Borsäure; **Bo|rax** *s. 1 nur Ez.* Natriumsalz der Borsäure; **Bo|ra|zit** *s. 1 nur Ez.* ein borhaltiges Mineral

Bord 1 *s. 1* Wand-, Bücherbrett; **2** *m. 1* Schiffsrand, *nur noch in Wendungen wie:* an Bord gehen, sein, von Bord gehen; Mann über Bord!; **3** *s. 1, schweiz.:* kleiner Abhang, Böschung; **Bord|case** [-kɛ:s, engl.] *m. oder s. Gen.- Mz.* -s

Bör|de *w. 11* fruchtbare Ebene

Bor|deaux [-do, nach der frz. Stadt B.] *m. Gen.- Mz.-* [-dos] ein frz. Rotwein; **bor|deaux|rot** [-do-]; **Bor|de|lai|ser Brü|he** [-lɛ-] *w. 11* Kupferkalkbrühe, Mittel gegen Obst-, bes. Rebenkrankheiten

Bor|dell [frz.] *s. 1* Haus zur Ausübung der Prostitution, Freudenhaus

bör|deln *tr. 1* umbiegen, mit einem Rand versehen (Blech); ich bördele, bördle es

Bor|de|reau [-ro, frz.] *m. 9 oder s. 9* Liste, Verzeichnis eingelieferter Wertpapiere

Bord|funk *m. 1 nur Ez.;* **Bord|fun|ker** *m. 5*

bor|die|ren *tr. 3* mit einer Borte versehen, einfassen; **Bor|die|rung** *w. 10*

Bord|kan|te, Bord|schwel|le *w. 11;* **Bord|stein** *m. 1*

Bor|dun [frz.] *m. 1* **1** ständig mitklingender Basston, z. B. bei Dudelsack und Drehleier; **2** tiefes Orgelregister; **3** = Bordunsaite; **Bor|dun|sai|te** *w. 11* mitschwingende, neben dem Griffbrett liegende Saite

Bor|dü|re [frz.] *w. 11* farbiger Rand, Einfassung (von Geweben)

Bord|wa|che *w. 11;* **Bord|waf|fen** *w. 11 Mz.*

bo|re|al nördlich, kalt-gemäßigt; **Bo|re|as** [nach dem griech. Gott des Nordwindes B.] *m. Gen.- nur Ez.* Nordwind am Ägäischen Meer

Borg *m., nur noch in Wendungen wie:* auf Borg leben, geben, nehmen, kaufen; **bor|gen** *tr. 1;* jmdm., sich etwas borgen

Bor|ghe|se röm. Adelsgeschlecht; **bor|ghe|sisch;** *aber:* der Borghesische Fechter

Bor|gis [zu frz. bourgeois »bürgerlich«] *w. Gen.- nur Ez.* ein Schriftgrad (9 Punkt)

borg|wei|se auf Borg

Bo|rid *s. 1* Verbindung aus Bor und einem Metall

Bor|ke *w. 11* Rinde (vom Baum)

Bor|ken|flech|te *w. 11;* **Bor|ken|kä|fer** *m. 5;* **bor|kig** wie Borke

Born *m. 1, poet.:* Quell, Brunnen

Bor|neo größte Insel des Malaiischen Archipels

bor|niert [frz.] geistig beschränkt, engstirnig, stur; **Bor|niert|heit** *w. 10 nur Ez.*

Bor|ra|go *m. 9 nur Ez.,* **Bor|retsch** [arab.-frz.] *m. 1 nur Ez.* ein Küchenkraut, Salatgewürz

Bor|ro|me|i|sche In|seln *w. 11 Mz.* Inseln im Lago Maggiore

Bor|sal|be *w. 11 nur Ez.;* **Bor|säu|re** *w. 11 nur Ez.*

Borschtsch *m. Gen.- nur Ez.* russ. Kohlsuppe mit Fleisch

Bör|se [griech.-lat.-frz.] *w. 11* **1** Geldbeutel, Portemonnaie; **2** Markt zum Handel mit Wertpapieren und bestimmten Gütern; **3** Gebäude, in dem Börsengeschäfte getätigt werden; **4** Einnahmen eines Berufsboxers aus einem Wettkampf; **Bör|sen|job|ber** [-dʒɔbər] *m. 5* Börsenspekulant; **Bör|sen|mak|ler** *m. 5;* **Bör|sen|spe|ku|lant** *m. 10;* **Bör|sen|spe|ku|la|ti|on** *w. 10;* **Bör|sen|ver|ein** *m. 1;* **Bör|si|a|ner** *m. 5* Börsenmitglied, -besucher

Bors|te *w. 11;* **Bors|ten|vieh** *s. Gen.* -s *nur Ez.;* **bors|tig;** *auch übertr.:* widerspenstig; **Bors|tig|keit** *w. 10 nur Ez.*

Bor|te *w. 11;* **Bor|ten|we|be|rei** *w. 10;* **bor|tie|ren** *tr. 3* = bordieren

Bo|rus|se *m. 11* Preuße; **Bo|rus|sia** *w. Gen.- nur Ez.* Frauengestalt als Sinnbild Preußens

Bor|was|ser *s. 6 nur Ez.*

bös = böse; **bös|ar|tig; Bös|ar|tig|keit** *w. 10 nur Ez.*

bö|schen *tr. 1* abschrägen; **Bö|schung** *w. 10*

bö|se, bös; böser Blick; die böse Sieben; jenseits von Gut und Böse; **Bö|se** *m. 17* der Teufel; **Bö|se|wicht** *m. 3 oder m. 1*

bos|haft; Bos|haf|tig|keit *w. 10 nur Ez.;* **Bos|heit** *w. 10*

Bos|kett [frz.] *s. 1* Lustwäldchen

Bos|kop [nach dem niederl. Ort Boskoop] *m. 9* eine Apfelsorte

Bos|ni|a|ke *m. 11* **1** *auch:* Bosni|er *m. 5* Einwohner von Bosnien; **2** *nur Mz.* kurze, gestrickte Wollsocken

Bos|ni|ckel, Bos|nigl *m. 5, österr.:* boshafter Mensch

Bos|ni|en; Bos|ni|er *m. 5* = Bosniake **(1); bos|nisch**

Bos|po|rus *m. Gen.- nur Ez.* Meerenge zwischen der Balkanhalbinsel und Kleinasien

Boß ► **Boss** [amerik.] *m. 1* Chef, Partei-, Gewerkschaftsführer

Bos|se *w. 11* **1** die nach dem Behauen von Natursteinen zutage tretende Fläche; **2** Rohform einer aus dem Stein gehauenen Figur

Bo|ßel [nddt.] *w. 11* Kugel

bos|se|lie|ren *tr. 3* = bossieren; **bos|seln** *intr. 1* **1** leichte handwerkl. Arbeit sorgfältig ausführen; ich bossele, bossle; **2** Kegeln, Eisschießen spielen; **3** *tr. 1* = bossieren

bo|ßeln *intr. 1* mit der Boßel werfen; ich boßele

Bos|sen|qua|der *m. 5* roh behauener Naturstein; **Bos|sen|werk** *s. 1 nur Ez.* Mauerwerk aus bossierten Natursteinen; **Bos|sier|ei|sen** *s. 7;* **bos|sie|ren,** bos|se|lie|ren *tr. 3* roh behauen (Stein); formen (Wachs, Ton); **Bos|sie|rer** *m. 5;* **Bos|sier|wachs** *s. 1*

Bos|ton [bɔstən] **1** Stadt in England und den USA; **2** *s. 9 nur Ez.* ein Kartenspiel mit Whistkarten; **3** *m. 9* langsamer amerik. Walzer

bös|wil|lig; Bös|wil|lig|keit *w. 10 nur Ez.*

Bot *s. 1* Vorladung; vgl. Bott

Bo|ta|nik [griech.] *w. 10 nur Ez.* Pflanzenkunde; **Bo|ta|ni|ker** *m. 5;* **bo|ta|nisch;** botanischer Garten, *aber:* der Botanische Garten in München; botanisches Institut, *aber:* das Botanische Institut der Universität; **bo|ta|ni|sie|ren** *intr. 3* Pflanzen sammeln; **Bo|ta|ni|sier|trom|mel** *w. 11*

Böt|chen *s. 7* kleines Boot

Bo|te *m. 11*

Bo|tel [aus Boot und Hotel] *s. 9* als Hotel umgebautes, verankertes Schiff

Bo|ten|dienst *m. 1;* **Bo|ten|gang** *m. 2;* **Bo|ten|gän|ger** *m. 5;* **Bo|ten|lohn** *m. 2*

bot|mä|ßig 1 tributpflichtig, untertan; **2** gehorsam, fügsam; **Bot|mä|ßig|keit** *w. 10 nur Ez.*

Bo|to|ku|de *m. 11* brasilian. Indianer; **bo|to|ku|disch**

► = wird zu

Bot|schaft *w. 10;* **Bot|schaf|ter** *m. 5;* **Bot|schafts|rat** *m. 2;* **Bot|schafts|se|kre|tär** *auch:* **-sek|re|tär** *m. 1*
Bo|tsua|na *auch:* **Bot|su|a|na,** *engl.:* Bots|wa|na südafrik. Staat; **Bo|tsua|ner** *auch:* **Bot|su|a|ner,** Bots|wa|ner *m. 5;* **bo|tsua|nisch** *auch:* **bot|su|a|nisch,** bots|wa|nisch
Bott *s. 1, schweiz.:* **1** Vorladung; **2** Versammlung
Bött|cher *m. 5;* **Bött|che|rei** *w. 10*
Bot|te|ga *w. 9, ital. Mz.* -ghe ital. Weinschenke
Bot|te|lier [ndrl.-frz.] *m. 1,* Bott|ler *m. 5* Verwalter der Verpflegungsvorräte bei der Marine
Bött|ger|por|zel|lan [nach dem angebl. Erfinder, Johann Friedrich Böttger] *s. 1 nur Ez.* ältestes dt. Porzellan
Bot|tich *m. 1*
Bottle-Par|ty ▶ **Bot|tle|par|ty** [bɔtl-, engl.] *w. 9* Party, zu der die Gäste die Getränke selbst mitbringen
Bott|ler *m. 5* = Bottelier
Bo|tu|lis|mus [zu lat. botulus »Wurst«] *m. Gen. - nur Ez.* Lebensmittel-, bes. Wurst-, Konservenvergiftung
Bou|clé ▶ *auch:* **Bu|klee** [bukle, frz.] **1** *s. 9* frotteeartiger Zwirn; **2** *m. 9* Gewebe, Teppich daraus
Bou|doir [budoar, frz.] *s. 9* kleines, elegantes Damenzimmer
Bou|gain|vil|lea [bugɛ̃-, nach dem frz. Geographen L. A. de Bougainville] *w. Gen. - Mz.* -vil|len, ein tropischer Kletterstrauch, Zierpflanze
Bou|gie [buʒi, frz.] *w. 9* Stäbchen zum Dehnen krankhaft verengter Körpergänge; **bou|gieren** [buʒi-] *tr. 3* mit der Bougie dehnen
Bouil|la|baisse [bujabɛs, frz.] *w. Gen. - Mz.* -s [-bɛs] provenzal. Fischsuppe
Bouil|lon [buljɔ̃, *österr.* bujɔ̃, frz.] *w. 9* Fleischbrühe; **Bouil|lon|wür|fel** [buljɔ̃-] *m. 5*
Boule [bul, frz.] *s. 9 oder w. 9* ein frz. Kugelspiel
Bou|let|te [bu-] *w. 11* = Bulette
Bou|le|vard [buləvar, frz.] *m. 9* Ring-, Prachtstraße; **Bou|le|vard|the|a|ter** [buləvar-] *s. 5*
Boul|le|ar|beit [bul-, nach dem frz. Tischler A. Ch. Boulle] *w. 10* Intarsien mit Schildpatt, Elfenbein, Messing, Kupfer, Zinn
Bou|quet [bukɛ] *s. 9, veraltete Schreibung* von Bukett
Bou|qui|nist [buki-, frz.] *m. 10* Händler mit gebrauchten Büchern, bes. in Paris
Bour|bo|ne [bur-] *m. 11* Angehöriger eines frz. Herrschergeschlechts; **bour|bo|nisch** [bur-]
bour|geois [burʒoa, bei flektierten Formen: burʒoas, frz.] zur Bourgeoisie gehörend, bürgerlich; **Bour|geois** *m. Gen. - Mz. -, abwertend:* wohlhabender, selbstzufriedener Bürger;
Bour|geoi|sie [burʒoa-] *w. 11* **1** wohlhabendes Bürgertum; **2** *ehem. DDR:* herrschende Klasse in der kapitalist. Gesellschaft
Bour|rée [bure-, frz.] *w. 1* **1** altfrz., bäuerl. Tanz; **2** Teil der Suite
Bour|ret|te [burɛt(ə), frz.] *w. 11* **1** Abfallseide; **2** Gewebe daraus
Bou|teil|le [butɛj(ə), frz.] *w. 11* Flasche
Bou|tique [butik, frz.] ▶ *auch:* **Bu|ti|ke** *w. 11* kleiner Laden für Modeartikel
Bou|ton [butɔ̃, frz.] *m. 9* Schmuckknopf fürs Ohr, bes. in Form einer Knospe
Bou|zou|ki [busu-] *w. 9* = Busuki
Bo|vist [*auch:* -vist], Bo|fist *m. 1* rundlicher (Bauch-)Pilz
Bow|den|zug [baʊ-, nach dem engl. Erfinder Bowden] *m. 2* in Rohren u. ä. geführtes Drahtkabel zum Übertragen von Zugkräften; **Bow|den|zug|brem|se** [baʊ-] *w. 11*
Bo|wie|mes|ser [nach dem amerikan. Erfinder James Bowie] *s. 5* langes Jagdmesser
Bow|le [bo-, engl.] *w. 11* **1** Getränk aus Wein, Sekt, Früchten und Zucker; **2** Glasgefäß dafür;
Bow|len|glas [bo-] *s. 4*
Bow|ler [bou-, engl.] *m. 5* runder, steifer Hut, Melone
Bow|ling [bou-, engl.] *s. 9* **1** amerik. Art des Kegelspiels; **2** engl. Rasen-Kugelspiel
Box [engl.] *w. 10* **1** Abteil im Pferdestall oder in der Autogarage; **2** Unterstellraum; **3** Behälter; **4** einfache Kamera in Kastenform
Box|calf *s. 9* = Boxkalf
bo|xen 1 *tr. 1;* **Bo|xen** *s. 7 nur Ez.* sportl. Faustkampf; **Bo|xer** *m. 5* **1** Faustkämpfer; **2** eine Hunderasse
Bo|xin [engl.] *s. 1 nur Ez.* Kunstleder
Box|kalf ▶ *auch:* **Box|calf** [engl.: -ka:f] *s. 9* Kalbsleder
Box|kampf *m. 2;* **Box|ring** *m. 1;* **Box|sport** *m. 1 nur Ez.*
Boy [bɔɪ, engl.] *m. 9* Lauf-, Botenjunge; jugendl. Diener in Hotels
Boy|kott [nach dem geächteten ir. Gutsverwalter Boycott] *m. 1* Verrufserklärung, Waren-, Liefersperre; **boy|kot|tie|ren** *tr. 3* mit Boykott belegen
Boy-Scout *Nv.* ▶ **Boy|scout** *Hv.* [bɔɪskaʊt, engl.] *m. 9* engl. Pfadfinder
BP 1 *Abk. für* Bayern-Partei; **2** *Abk. für* British Petroleum (Mineralölgesellschaft)
Bq *Abk. für* Becquerel
Br *chem. Zeichen für* Brom
BR *Abk. für* Bayer. Rundfunk
Bra|ban|çonne [-bɑ̃sɔn, nach der belg. Provinz Brabant] *w. Gen. - nur Ez.* belg. Nationalhymne
brab|beln *tr. 1, ugs.:* undeutlich vor sich hinreden
brach unbebaut (Acker); **Bra|che** *w. 11,* Brach|feld *s. 3,* Brach|land *s. Gen.* -(e)s *nur Ez.* unbebauter, gepflügter Acker;
Bra|chet *m. 1,* Brach|mo|nat *m. 1, alter Name für* Juni;
Brach|feld *s. 3* = Brache
bra|chi|al [lat.] zum Oberarm gehörig; **Bra|chi|al|ge|walt** *w. 10 nur Ez.* rohe Körperkraft
Brach|land *s. Gen.* -(e)s *nur Ez.* = Brache; **brach|lie|gen** *intr. 80;* der Acker liegt brach, hat brachgelegen; **Brach|monat** *m. 1* = Brachet
Brach|se [braksə] *w. 11,* **Brach|sen** [braksən] *m. 7* ein Fisch, Blei
Brach|vo|gel *m. 6* eine Schnepfenart
Bra|chy|lo|gie [griech.] *w. 11 nur Ez.* gedrängte Kürze, Knappheit des Ausdrucks
bra|chy|ze|phal, bra|chy|ke|phal [griech.] kurz-, rundköpfig; **Bra|chy|ze|pha|lie,** Bra|chy|ke|pha|lie *w. 11* kurze, runde Kopfform; *Ggs.:* Dolichozephalie
Bra|cke *w. 11* ein Spürhund
bra|ckig [nddt.] mit Salzwasser gemischt, nicht trinkbar (Wasser)

Brack|vieh *s. 1 nur Ez.* untaugl. Vieh
Brack|was|ser *s. 6 nur Ez.* mit Salzwasser vermischtes Süßwasser (in Flussmündungen)
Bra|dy|kar|die [griech.] *w. 11* Verlangsamung der Herztätigkeit
Brä|gen *m. 7* = Bregen
Brah|ma [sanskr.] ind. Gott; Verkörperung des Brahmans; **Brah|ma|is|mus** = Brahmanismus; **Brah|man** *s. Gen. -s nur Ez., ind. Relig.:* Urgrund allen Seins, beherrschendes Weltprinzip; **Brah|ma|ne** *w. 11* Angehöriger der ind. Priesterkaste; **brah|ma|nisch; Brah|ma|nis|mus,** Brah|ma|is|mus *m. Gen. - nur Ez.* ind. Religion; **Brah|mi|ne** *m. 11, selten für* Brahmane
Braille|schrift [brajə-, nach ihrem Erfinder, dem Franzosen Louis Braille] *w. 10 nur Ez.* = Blindenschrift
Brain|drain [brɛɪndrɛɪn, engl.] *m. Gen. -s nur Ez.* Abwanderung von Wissenschaftlern
Brain|stor|ming [brɛɪn-, engl. »Gehirnstürmen«] *s. Gen. -s nur Ez.* eine Konferenzmethode, bei der in begrenzter Zeit spontan alle Vorschläge zu einem bestimmten Problem abgegeben werden, Ideenfindung, Ideenkonferenz
Brain|trust [brɛɪntrʌst, engl.] *m. 9* Beratungsausschuss aus Fachleuten; **Brain|trus|ter** [brɛɪntrʌstər] *m. 5* Angehöriger eines Brain-Trusts; Unternehmensberater
Brai|se [brɛzə, frz.] *w. 11* Würzbrühe; **brai|sen** [brɛ-] *tr. 1* in einer Braise dämpfen (Fleisch)
Brak|te|at [lat.] *m. 10* mittelalterl., einseitig geprägte Münze, Hohlmünze, Hohlpfennig
Bram [ndrl.] *w. 10,* Bram|stenge *w. 11, Seew.:* zweitoberste Verlängerung des Mastes
Bra|mar|bas [span.] *m. 1* Prahlhans, Aufschneider; **bra|mar|ba|sie|ren** *intr. 3* aufschneiden, großtun
Bram|bu|ri [tschech.] *Mz., österr., scherzh.:* Kartoffeln
Brä|me, Bra|me *w. 11* **1** kostbarer Besatz an Kleidungsstücken; **2** Einfassung (einer Wiese, eines Feldes) mit Bäumen
Bram|me *w. 11, Walztechnik:* Eisenblock
Bram|se|gel *s. 5;* **Bram|sten|ge** *w. 11* = Bram
bram|sig *norddt.:* protzig, prahlerisch
Bran|che [brãʃə, frz.] *w. 11* Geschäfts-, Wirtschaftszweig; **Bran|chen|kennt|nis** [brãʃən-] *w. 1;* **Bran|chen|ver|zeich|nis** *s. 1* Telefon- und Adressenverzeichnis nach Branchen
Bran|chi|at [-çi-, griech.] *m. 10* durch Kiemen atmendes Wassertier; **Bran|chi|en** [-çi-] *w. 11 Mz.* Kiemen; **Bran|chi|o|sau|ri|er** [-çio-] *m. 5* ausgestorbenes kleines Amphibium des Erdaltertums
Brand *m. 2;* **brand|ak|tu|ell; Brand|bla|se** *w. 11;* **Brand|brief** *m. 1, ugs.:* dringender Mahnbrief; **brand|ei|lig** *ugs.:* sehr eilig; **bran|deln** *intr. 1, süddt., österr.:* nach Brand riechen
Bran|den|burg **1** dt. Bundesland; **2** Stadt bei Berlin; **Bran|den|bur|ger** *m. 5;* **bran|den|bur|gisch,** *aber:* die Brandenburgischen Konzerte (von Bach)
Brand|fa|ckel *w. 11;* **Brand|fuchs** *m. 2* rötlichbraunes Pferd; **Brand|herd** *m. 1;* **bran|dig; Brand|mal** *s. 1;* **brand|mar|ken** *tr. 1;* **Brand|mau|er** *w. 11;* **brand|neu** *ugs.:* ganz neu; **Brand|sal|be** *w. 11;* **brand|schat|zen** *tr. 1;* gebrandschatzt; **Brand|schat|zung** *w. 10;* **Brand|soh|le** *w. 11;* **Brand|statt** *w. Gen. - nur Ez.,* **Brand|stät|te** *w. 11;* **Brand|stif|ter** *m. 5;* **Brand|stif|tung** *w. 10;* **Bran|dung** *w. 10;* **Bran|dungs|boot** *s. 1;* **Brand|wa|che** *w. 11;* **Brand|wun|de** *w. 11*
Bran|dy [brændi, engl.] *m. 9, engl. Bez. für* Branntwein
Branle, Bransle [brɑ̃l, frz.] *m. Gen. - nur Ez.* alter frz. Volkstanz
Brannt|kalk *m. 1* gebrannter Kalk; **Brannt|wein** *m. 1;* **Brannt|wein|bren|ne|rei** *w. 10;* **Brannt|wei|ner** *m. 5, österr.:* Branntweinschenker, Säufer
Bra|sil *m. 1 oder m. 9* Kaffee-, Tabaksorte; **2** *w. Gen. - Mz. -* Zigarre aus Brasiltabak; **Bra|sil|holz** *s. 4 nur Ez.* ein Farbholz; **Bra|si|lia** Hst. von Brasilien; **Bra|si|li|a|ner** *m. 5;* **bra|si|li|a|nisch; Bra|si|li|en** südamerik. Staat; **Bra|si|lin** *s. 1 nur Ez.* aus Brasilholz gewonnener Farbstoff; **Bra|sil|nuß** ► **Bra|sil|nuss** *w. 2* = Paranuss
Bras|se **1** *w. 11,* Bras|sen *m. 7, nddt., mitteldt. für* Brachse; **2** *w. 11, Seew.:* Tau zum Drehen der Segel
Bras|se|lett [frz.] *s. 1* **1** Armband; **2** *Mz., Gaunerspr.:* Handschellen
bras|sen *tr. 1, Seew.:* die Segel b.: mit der Brasse nach dem Wind drehen
Bras|sen *m. 7* = Brasse
Brat *österr.,* **Brät** *s. 1 nur Ez., schweiz.:* rohe Bratwurstmasse; **Brat|ap|fel** *m. 6;* **Brät|chen** *s. 7;* **brä|teln** *tr. 1* anbraten; ich brätele, brätle es; **bra|ten** *tr. 18;* **Bra|ten** *m. 7;* **Bra|ten|rock** *m. 2, scherzh.:* Gehrock; **Brat|hendl** *s. 14, bayr., österr.:* Brathähnchen; **Brat|kar|tof|feln** *w. 11 Mz.;* **Brat|ling** *m. 1* Klößchen aus Gemüse oder Sojamehl; **Brät|ling** *m. 1* ein Pilz
Brat|sche [ital.] *w. 11* Altgeige, Viola; **Brat|scher** *m. 5,* **Brat|schist** *m. 10* Bratschenspieler
Brat|spieß *m. 1;* **Brat|spill** *s. 1, Seew.:* Ankerwinde mit waagerechter Welle; **Brat|wurst** *w. 2*
Bräu *s. 1* **1** gebrautes Getränk; **2** Brauerei; zu einer Brauerei gehörende Gastwirtschaft
Brauch *m. 2;* **brauch|bar; Brauch|bar|keit** *w. 10 nur Ez.;* **brau|chen** *tr. 1;* **Brauch|tum** *s. 4 nur Ez.;* **Brauch|was|ser** *s. Gen. -s nur Ez.* (meist nicht aufbereitetes) Wasser, das in der Industrie genutzt wird
Braue *w. 11*
brau|en *tr. 1;* **Brau|e|rei** *w. 10;* **Brau|haus** *s. 4;* **Brau|meis|ter** *m. 5*
braun *Schreibung in Zus.* vgl. blau; b. gebrannt; **Braun** *s. 9 nur Ez.;* **braun|äu|gig; Bräu|ne** *w. 11 nur Ez.* **1** braune Hautfarbe; **2** Diphtherie, Angina; **Brau|nel|le** *w. 11* **1** ein Singvogel, Flühvogel; **2** Bru|nel|le eine Pflanze, Braunheil; **bräu|nen** *tr. u. intr. 1;* **Brau|ne(r)** *m. 18 (17)* braunes Pferd mit schwarzer Mähne; **braun|haa|rig; Braun|koh|le** *w. 11;* **bräun|lich;** vgl. blau
Braun|sche Röh|re ► **braun|sche Röh|re** *w. 11* Elektronenröhre
Bräu|nung *w. 10*
Braus *m., nur noch in der Wendung* in Saus und Braus leben

► = wird zu

Brau|sche *w. 11* Beule am Kopf; **brau|schig**
Brau|se *w. 11;* **Brau|se|bad** *s. 4;* **Brau|se|kopf** *m. 2* leicht erregbarer Mensch; **brau|se|köp|fig;** **brau|sen** *intr. 1;* **Brau|se|pul|ver** *s. 5*
Braut *w. 2;* **Bräut|chen** *s. 7;* **Braut|füh|rer** *m. 5;* **Bräu|ti|gam** *m. 1;* **Braut|jung|fer** *w. 11;* **Braut|kranz** *m. 2;* **Braut|leu|te** *nur Mz.;* **bräut|lich;** **Braut|mut|ter** *w. 6;* **Braut|paar** *s. 1;* **Braut|schau** *w. 10;* **Braut|schlei|er** *m. 5;* **Braut|va|ter** *m. 6*
brav; **Brav|heit** *w. 10 nur Ez.*
bra|vis|si|mo! [ital.] ausgezeichnet!; **bra|vo!** sehr gut!; **Bra|vo 1** *s. 9* Beifallsruf; **2** *m. 9, ital. Bez. für* gedungener Mörder; **Bra|vo|ruf** *m. 1*
Bra|vour [-vur, frz.] ▶ *auch:* **Bra|vur** *w. Gen.- nur Ez.* **1** Meisterschaft, sehr großes technisches Können; **2** Kühnheit, Schneid; **Bra|vour|a|rie** [bravu̲ra:riə] ▶ *auch:* **Bra|vur|a|rie** *w. 11;* **bra|vou|rös** [-vu-] ▶ *auch:* **bra|vu|rös 1** großes techn. Können erfordernd; **2** technisch hervorragend (gespielt); **Bra|vour|stück** [-vur-] ▶ *auch:* **Bra|vur|stück** *s. 1*
Bra|vur *w. Gen.- nur Ez.* = Bravour; **Bra|vur|a|rie** *w. 11* = Bravourarie; **bra|vu|rös** = bravourös; **Bra|vur|stück** *s. 1* = Bravourstück
BR Dtld. *Abk. für* Bundesrepublik Deutschland
break! [brɛɪk, engl.] trennt euch! (Kommando des Ringrichters beim Boxen); **Break** [brɛɪk] **1** *m. 9* lange, offene Kutsche für Gesellschaftsfahrten; **2** *m. 9* Kombiwagen; **3** *s. 9, Jazz:* Zwischensolo mit entgegengesetztem Rhythmus; **4** *s. 9, Sport:* unerwarteter Durchbruch
Break|dance [brɛɪkdɛns] *m. Gen.- nur Ez.* tänzerische Darbietung zu Popmusik
Break-e|ven-A|na|ly|se [brɛɪk-ivən-, engl.] *w. 11* Ermittlung der Gewinnschwelle
Brec|cie [brɛtʃə, ital.], Brek|zie [-tsjə] *w. 11* aus Gesteinstrümmern verkittetes Sedimentgestein
brech|bar; **Brech|bar|keit** *w. 10 nur Ez.;* **Brech|durch|fall** *m. 2;* **Bre|che** *w. 11* Werkzeug zum Brechen, bes. der Hanfstängel; **bre|chen** *tr. u. intr. 19;* den Stab über jmdn. (*nicht:* jmdm.) b.; **Bre|cher** *m. 5;* **Brech|mit|tel** *s. 5;* **Brech|stan|ge** *w. 11*
Bre|chung *w. 10,* **Bre|chungs|win|kel** *m. 5;* **Brech|wein|stein** *m. 1 nur Ez.* Salz der Weinsäure
Bre|douil|le [bredu̯ljə, frz.] *w. 11 nur Ez.* Bedrängnis, Verlegenheit; in die B. geraten
Bree|ches [britʃəz, engl.] *nur Mz.* oben weite, an der Wade enge Sport-, bes. Reithose
Bre|gen, Brä|gen *m. 7* Hirn (vom Schlachttier)
Bre|genz Hst. des Landes Vorarlberg (Österr.)
Brei *m. 1;* **brei|ig**
Breis|gau *m. 1 nur Ez.* südbadische Landschaft zwischen Rhein und Schwarzwald
breit; **breit|bei|nig;** **Brei|te** *w. 11;* geographische Länge und Breite; in die Breite gehen; **brei|ten** *tr. 2;* **Brei|ten|grad** *m. 1;* **Brei|ten|kreis** *m. 1;* **Breit|for|mat** *s. 1; Ggs.:* Hochformat; **breit|krem|pig;** **Breit|ling** *m. 1* ein Fisch, Sprotte; **breit|ma|chen** ▶ **breit ma|chen** *tr. 1;*

> **breit machen, breitschlagen:** Verbindungen aus Adjektiv und Verb, bei denen das Adjektiv in dieser Verbindung steigerbar oder erweiterbar ist, werden getrennt geschrieben. Daher: *Sie wollten sich (richtig) breit machen. Es war breit gefächert.*
> Aber: *Sie ließen sich breitschlagen* (= überreden). Ebenso: *eine Angelegenheit breittreten* (= überall erzählen). → § 34 E3 (3), § 36 E1 (1.2)
> Die substantivierte Form wird großgeschrieben: *Wir haben des Langen und Breiten diskutiert.* → § 57 (1)

Breit|na|se *w. 11* Neuweltaffe; *Ggs.:* Schmalnase; **breit|na|sig;** **breit|ran|dig;** **breit|schla|gen** *tr. 116, ugs.:* überreden; sich b. lassen; **breit|schul|te|rig, breit|schult|rig;** **Breit|schwanz** *m. 2* **1** junges Karakulschaf; **2** dessen Fell; **Breit|sei|te** *w. 11;* **breit|spu|rig** *übertr.:* wichtigtuerisch; **Breit|spu|rig|keit** *w. 10 nur Ez.;* **breit|tre|ten** *tr. 163;* eine Angelegenheit b. *ugs.:* überall erzählen, zu ausführlich behandeln; **Breit|wand** *w. 2;* **Breit|wand|film** *m. 1*
Brek|zie *w. 11* = Breccie
Bre|men 1 dt. Hafenstadt; **2** Land der BR Dtld.; **Bre|mer** *m. 5;* **Bre|mer|ha|ven** Stadt im Bundesland Bremen; **Bre|mer|ha|ve|ner** *m. 5;* **bre|misch**
Brems|ba|cke *w. 11;* **Brem|se** *w. 11* **1** Vorrichtung zum Verlangsamen der Fahrt; **2** Nasenklemme für Pferde; **3** Fliegenart; **brem|sen** *intr. u. tr. 1;* **Brem|ser|häus|chen** *s. 7;* **Brems|flie|ge** *w. 11;* **Brems|klotz** *m. 2;* **Brems|licht** *s. 3;* **Brems|spur** *w. 10;* **Brems|weg** *m. 1*
brenn|bar; **Brenn|bar|keit** *w. 10 nur Ez.;* **Brenn|ei|sen** *s. 7;* **bren|nen** *intr. u. tr. 20;* brennend gern; **Bren|ner 1** *m. 5;* **2** *m. 5 nur Ez.* ein Alpenpass; **Bren|ne|rei** *w. 10;* **Bren|nes|sel** ▶ **Brenn|nes|sel** *w. 11;* **Brenn|punkt** *m. 1;* **Brenn|stoff** *m. 1;* **Brenn|wei|te** *w. 11*
bren|zeln *intr. 1, süddt., österr.:* nach Brand riechen; **brenz|lig,** *österr. auch:* brenz|lich
Bre|sche *w. 11* Lücke; eine B. schlagen
Bres|lau *poln.* Wrocław [vrɔtswaf] Stadt an der Oder; **Bres|lau|er** *m. 5;* **bres|lau|isch**
brest|haft *veraltet:* mit einem Gebrechen behaftet
Bre|ta|gne *auch:* **Bre|tag|ne** [-tanjə] *w. Gen.- nur Ez.* westlichste Halbinsel Frankreichs; **Bre|to|ne** *m. 11* Einwohner der Bretagne; **bre|to|nisch;** **Bre|to|nisch** *s. Gen. -(s) nur Ez.* zu den kelt. Sprachen gehörende Sprache der Bretonen
Brett *s. 3;* **Brett|chen** *s. 7;* **Bret|ter|bu|de** *w. 11;* **bret|tern** aus Brettern; **Brettl** *s. 5 oder s. 14* Kabarett; **Brettln** *s. 14 Mz., bayr., österr.:* Skier; **Brett|spiel** *s. 1*
Bret|zel *w. 11 schweiz.* für Brezel
Bre|ve [lat. »kurz«] *s. 9 oder s. 14* kurzes päpstl. Schreiben; **Bre|vet** [brəve, frz.) *s. 9, früher:* Gnadenbrief des frz. Königs; *veraltet:* Verleihungs-, Schutzurkunde für Diplome usw.; **bre|ve|tie|ren** *tr. 3;* etwas b.: ein Brevet über etwas ausstellen
Bre|vi|ar [lat.] *s. 1,* **Bre|vi|a|ri|um** *s. Gen.-s Mz.-ri|en* kurze Übersicht, Auszug; **Bre|vier** *s. 1* **1** Gebetbuch der kath. Geistlichen; **2** *veraltet für* kleine Stellensammlung aus den Werken

eines Dichters; **Bre|vi|lo|quenz** *w. 10 nur Ez.* = Brachylogie **bre|vi ma|nu** [lat.] *veraltet:* kurzerhand; das hätte er b. m. erledigen können

Bre|zel, *süddt.:* Bre|ze, *schweiz.:* **Bret|zel** *w. 11, österr. auch:* **Bre|zen** *m. 7,* Gebäck etwa in Form einer 8

Bridge [bridʒ, engl.] *s. Gen. - nur Ez.* ein Kartenspiel mit frz. Karten; Bridge spielen

Brie *m. Gen.* -(s) *nur Ez., kurz für* Briekäse

Brief *m. 1; Börse* (*Abk.:* B) = Briefkurs; **Brief|a|del** *m. 5 nur Ez.;* **Brief|be|schwe|rer** *m. 5;* **Brief|chen** *s. 7;* **Brief|ge|heim|nis** *s. 1;* **Brief|kar|te** *w. 11;* **Brief|kas|ten** *m. 8;* **Brief|kopf** *m. 2;* **Brief|kurs** *m. 1, Börse:* Angebotskurs eines Wertpapiers; **Brief|lein** *s. 7;* **brief|lich; Brief|mar|ke** *w. 11;* **Brief|mar|ken|al|bum** *s. Gen. - Mz.* -ben; **Brief|öff|ner** *m. 5;* **Brief|schaf|ten** *w. 10 Mz.;* **Brief|schul|den** *w. 10 Mz.;* **Brief|ta|sche** *w. 11;* **Brief|tau|be** *w. 11;* **Brief|te|le|gramm** *s. 1* telegrafisch übermitteltes, mit der Briefpost ausgetragenes, verbilligtes Telegramm; **Brief|trä|ger** *m. 5;* **Brief|um|schlag** *m. 2;* **Brief|waa|ge** *w. 11;* **Brief|wech|sel** *m. 5*

Brie|kä|se [nach der frz. Landschaft Brie] *m. 11 nur Ez.* ein frz. Weichkäse

Bries *s. 1,* **Bries|chen,** Brös|chen *s. 7,* **Brie|sel** *s. 5* die Thymusdrüse von Tieren, bes. vom Kalb

Bri|ga|de [frz.] *w. 11* **1** *Mil.:* eine größere Truppeneinheit; **2** *ehem. DDR:* Arbeitsgruppe im Betrieb; **Bri|ga|de|stütz|punkt** *m. 1;* **Bri|ga|de|ta|ge|buch** *s. 4;* **Bri|ga|dier** [-dje] *m. 9* **1** *Mil.:* Brigadegeneral, Brigadeführer; **2** [auch -dir] *ehem. DDR:* Brigadeleiter

Bri|gant [ital.] *m. 10* Straßenräuber; **Bri|gan|ti|ne** *w. 11* leichtes, zweimastiges Segelschiff mit nur einem Gaffelsegel am hinteren Mast

Brigg [engl.] *w. 9* zweimastiges Segelschiff

Bri|kett [frz.] *s. 9* in Form gepresste Kohle; **bri|ket|tie|ren** *tr. 3* zu Briketts formen; **Bri|ket|tie|rung** *w. 10 nur Ez.*

Bri|ko|le [frz.] *w. 11, Billard:* Rückprall des Balles von der Bande; **bri|ko|lie|ren** *tr. 3* durch Brikole treffen

bril|lant [briljant, frz.] glänzend, ausgezeichnet; **Bril|lant** [briljant] **1** *m. 10* geschliffener Diamant; **2** *w. Gen. - nur Ez.* ein Schriftgrad; **Bril|lan|ti|ne** [-lj-] *w. 11 nur Ez., österr. auch:* Bril|lan|tin [-lj-] *s. Gen.* -s *nur Ez.* Haarpomade; **Bril|lanz** [briljants] *w. 10 nur Ez.* **1** Glanz, Feinheit; **2** meisterhafte Geschicklichkeit

Bril|le *w. 11;* **Bril|len|fut|te|ral** *s. 1;* **Bril|len|schlan|ge** *w. 11;* **Bril|len|trä|ger** *m. 5*

bril|lie|ren [frz.] *intr. 3* glänzen, sich durch sehr gute Leistung hervortun

Brim|bo|ri|um [lat.] *s. Gen.* -s *nur Ez.* unnützer Aufwand, Getue, Umschweife

Brim|sen [tschech.] *m. 7,* **Brim|sen|kä|se** *m. 11 nur Ez., österr.:* ein Schafskäse

Bri|nell|här|te [nach dem schwed. Ingenieur August Brinell] *w. 11 nur Ez.* (*Abk.:* HB) Maß für die Härte eines Werkstoffes

brin|gen *tr. 21;* **Brin|ger** *m. 5*

brio = con brio

Bri|oche [briɔʃ, frz.] *w. 9* ein feines Hefegebäck

bri|o|so = con brio

bri|sant [frz.] **1** sprengend, hochexplosiv; **2** sensationell; **Bri|sanz** *w. 10 nur Ez.* **1** *Tech.:* Sprengkraft; **2** *übertr.:* höchste Aktualität

Bri|se *w. 11* leichter Wind

Brise|so|leil [bri:zsɔlɛj, frz.] *m. 9* aus einzelnen beweglichen Lamellen bestehendes Sonnenrollo

Bri|so|lett [frz.] *s. 1,* **Bri|so|let|te** *w. 11* gebratenes Fleischklößchen

Bris|sa|go [nach dem Schweizer Herstellungsort B.] *w. 9* Schweizer Zigarrensorte

Bri|tan|nia *lat. Name für* die Brit. Inseln; **Bri|tan|ni|a|me|tall** *s. 1* eine Zinnlegierung; **Bri|tan|ni|en** [kelt.] zusammenfassend für England, Wales und Schottland; **bri|tan|nisch; Bri|te** *m. 11* Einwohner Großbritanniens; **bri|tisch,** *aber:* die Britischen Inseln, das Britische Museum

Broad|way [brɔdwɛı, engl.] *m. 9* eine der Hauptverkehrsstraßen in New York

Broc|co|li *nur Mz.* = Brokkoli

Bröck|chen *s. 7;* **bröcke|lig,** bröck|lig; **bröckeln** *intr. 1;* **bro|cken** *tr. 1;* **Bro|cken** *m. 7;* **Bröck|lein** *s. 7;* **bröck|lig,** bröcke|lig

Bro|del *m. 5,* **Bro|dem** *m. 7* Dampf, wallender Dunst; **bro|deln** *intr. 1; österr.:* trödeln; **Bro|dem** *m. 7* = Brodel

Bro|de|rie [frz.] *w. 11, veraltet:* Stickerei; **bro|die|ren** *tr. 3, veraltet:* besticken, einfassen

Broi|ler *m. 5, ehem. DDR:* Grill-, Brathähnchen

Bro|kat [ital.] *m. 1* schwerer Seidenstoff mit eingewebten Gold- oder Silberfäden (Goldbrokat, Silberbrokat); **Bro|ka|tell** *m. 1,* **Bro|ka|tel|le** *w. 11* schwerer Halbseidenstoff mit erhabenem Muster

Brok|ko|li [ital.], Broc|co|li *nur Mz.* Spargelkohl, eine ital. Kohlsorte

Brom [griech.] *s. 1 nur Ez. (Zeichen:* Br) chem. Element; **Bro|mat** *s. 1* Salz der Bromsäure

Bro|ma|tik, Bro|ma|to|lo|gie [griech.] *w. Gen. - nur Ez.* Lehre von der Zubereitung der Nahrungsmittel

Brom|bee|re *w. 11;* **Brom|beer|strauch** *m. 4*

Bro|mid [griech.] *s. 1* Salz der Bromwasserstoffsäure; **Bro|mis|mus** *m. Gen. - nur Ez.* Bromvergiftung; **Bro|mit** *m. 1 nur Ez.* ein Mineral; **Brom|ka|li** *s. Gen.* -s *nur Ez.* = Kaliumbromid; **Brom|säu|re** *w. 11 nur Ez.;* **Brom|sil|ber** *s. 5 nur Ez.;* **Brom|ver|gif|tung** *w. 10*

bron|chi|al [griech.] zu den Bronchien gehörend, von ihnen ausgehend; **Bron|chi|al|asth|ma** *s. Gen.* -s *nur Ez.;* **Bron|chi|al|ka|tarrh** ► *auch:* **Bron|chi|al|ka|tarr** *m. 1;* **Bron|chie** [-çiə] *w. 11 meist Mz.* Ast der Luftröhre; **Bron|chi|o|len** [-çio-] *w. 11 Mz.* feine Verzweigungen der Bronchien; **Bron|chi|tis** *w. Gen. - Mz.* -ti|den Bronchialkatarrh; **Bron|cho|pneu|mo|nie** [-ço-] *w. 11* eine Form der Lungenentzündung; **Bron|cho|skop** *auch:* **Bron|chos|kop** *s. 1* Gerät zur Untersuchung der Bronchien; **Bron|cho|sko|pie** *auch:* **Bron|chos|ko|pie** *w. 11* Untersuchung der Bronchien mit dem Bronchoskop; **Bron|chus** [-çus] *m. Gen. - Mz.* -chen Hauptast der Luftröhre

► = wird zu

Bronn *m. 12,* **Bronlnen** *m. 7, poet.:* Brunnen, Born
Bronltolsaulriler [griech.] *m. Gen. - Mz.* -riler riesiger Saurier der Kreidezeit in Nordamerika
Bronlze [brɔ̃sə, frz.] *w. 11* **1** eine Kupferlegierung; künstlerisch gestalteter Gegenstand daraus; **2** *nur Ez.* braungelber Farbton; **Bronlzelkranklheit** [brɔ̃sə-] *w. 10 nur Ez.* Erkrankung der Nebennieren mit Braunfärbung der Haut; **bronzen** [brɔ̃sən] aus Bronze; **Bronzelzeit** [brɔ̃sə-] *w. 10 nur Ez.* Abschnitt der menschl. Vorgeschichte; **bronlzielren** [brɔ̃si-] *tr. 3* mit Bronze überziehen; **Bronlzit** *m. 1 nur Ez.* ein Mineral
Brolsalme *w. 11 meist Mz.*
brosch. *Abk. für* broschiert
Brolsche *w. 11* Schmucknadel
Bröslchen *s. 7* = Bries
brolschielren [frz.] *tr. 3* heften und leimen (Druckbogen); **broschiert** *(Abk.:* brosch.); **Broschur** *w. 10;* **Brolschülre** *w. 11* Drucksache aus Buchblock und Umschlag
Brölsel *m. 5, ugs. auch: m. 14, österr.: s. 14* Krümel, winziges Bröckchen; **brölseln** *tr. u. intr. 1;* ich brösele, brösle es
Brot *s. 1;* **Brotlbeultel** *m. 5;* **Brötlchen** *s. 7;* **Brotlerlwerb** *m. 1;* **Brotlfruchtlbaum** *m. 2;* **Brotlgeltreilde** *s. Gen.* -s *nur Ez.;* **Brotlkrulme** *w. 11;* **Brotlaib** *m. 1;* **brotllos; Brotlneid** *m. 1 nur Ez.;* **Brotlröslter** *m. 5* Toaster; **Brotlstuldilum** *s. Gen.* -s *Mz.* -dilen auf schnellen Abschluss und Verdienst ausgerichtetes Studium; **Brotlteig** *m. 1;* **Brotlzeit** *w. 10, süddt.:* Vesper, kleine, meist kalte Mahlzeit; B. machen
brotlzeln *intr. u. tr. 1, Nebenform von* brutzeln
Browlning [braʊ-, nach dem amerik. Erfinder John B.] *m. 9* Selbstladepistole
BRT *Abk. für* Bruttoregistertonne
Brulcella [nach dem engl. Arzt D. Bruce] *w. Gen. - Mz.* -len Erreger einiger Infektionskrankheiten; **Brulcelllolse** *w. 11* durch Brucellen verursachte Infektionskrankheit bei Mensch und Tier
Bruch 1 *m. 2;* **2** *m. 2 oder s. 2* Moor, Sumpfland; **Bruchlbulde** *w. 11;* **bruchlfest; Bruchfeslltiglkeit** *w. 10 nur Ez.;* **Bruchlfläche** *w. 11;* **Bruchlgefahr** *w. 10;* **brulchig** moorig; **brülchig** morsch, rissig; **Brüchiglkeit** *w. 10 nur Ez.;* **bruchlanlden** *intr. 2, nur im Infinitiv und Partizip II üblich:* er ist bruchgelandet; **Bruchllanldung** *w. 10;* **bruchlrechlnen** *intr. 2, nur im Infinitiv übl.;* **Bruchrechlnung** *w. 10;* **Bruchlschaden** *m. 8;* **Bruchlscholkollalde** *w. 11;* **Bruchlsilber** *s. 5 nur Ez.;* **Bruchlstrich** *m. 1;* **Bruchlstück** *s. 1;* **bruchlstücklhaft; Bruchteil** *m. 1;* **Bruchlzahl** *w. 10*
Brücklchen *s. 7;* **Brülcke** *w. 11;* **Brülckenlkopf** *m. 2;* **Brülckenwaalge** *w. 11;* **Brücklein** *s. 7*
Bruder *m. 6;* **Brulderlbund** *m. 2, ehem. DDR, propagandistisch:* Bündnis mit Staaten des ehem. Warschauer Pakts; **Brülderlchen** *s. 7;* **Brülderlgelmeine** *w. 11 nur Ez.* eine pietist. Gemeinde; **Brulderlherz** *s. 16 nur Ez.;* **Brulderlkrieg** *m. 1;* **Brülderllein** *s. 7;* **brülderllich; Brülderllichlkeit** *w. 10 nur Ez.;* **Bruder Luslitig** *m. Gen.* - -s *oder* -(s) - *Mz.* Brüder -; **Brulderlmord** *m. 1;* **Brulderlmörder** *m. 5;* **brulderlmörlderlisch; Brulderlschaft** *w. 10* relig. Vereinigung; **Brülderlschaft** *w. 10 nur Ez.* brüderl. Verhältnis; B. trinken, schließen; **Brulderzwist** *m. 1*
Brülhe *w. 11;* **brülhen** *tr. 1;* **brühlheiß**
Brühl *m. 1, veraltet, nur noch in Straßen- und Platznamen:* Sumpfland
brühlwarm; Brühlwürlfel *m. 5*
Bruliltislmus [zu frz. bruit »Lärm«] *m. Gen. - nur Ez.* Richtung der Musik, in der Geräusche als Gestaltungsmaterial verwendet werden
Brülllaflfe *m. 11;* **brülllen** *intr. 1;* **Brülllerlkranklheit** *w. 10 nur Ez.* andauernde Brunst bei Kühen und Stuten
Brummlbär *m. 10;* **Brummlbaß** ▶ **Brummlbass** *m. 2;* **Brummeilsen** *s. 7;* **brumlmeln** *tr. 1;* **brumlmen** *tr. u. intr. 1;* **Brummer** *m. 5;* **brumlmig; Brummiglkeit** *w. 10 nur Ez.;* **Brummkreilsel** *m. 5;* **Brummlschäldel** *m. 5*
Brunch [brantʃ, engl.] *m. Gen.* -s *Mz.* -(e)s üppiges Frühstück
Brulnellle *w. 11* = Braunelle
brülnett [frz.] braunhaarig; **Brülnetlte** *w. 17 oder 18* brünette Frau
Brunft *w. 2, Jägerspr.:* Paarungszeit (beim Hochwild), Brunst; **brunflten** *intr. 2, Jägerspr.:* in der Brunft sein; **brunfltig; Brunftlschrei** *m. 1;* **Brunftlzeit** *w. 10*
brülnielren [frz.] *tr. 3* mit einer Oxidschutzschicht überziehen (Metall)
Brunn *m. 12, poet.:* Brunnen, Born
Brünnlchen *s. 7*
Brünlne *w. 11* mittelalterl. Panzerhemd
Brunlnen *m. 7;* **Brunlnenlkresse** *w. 11;* **Brunlnenlkur** *w. 10;* **Brunlnenlmeislter** *m. 5;* **Brunnenlstulbe** *w. 11, veraltet:* Raum oder Schacht, in dem Quellwasser gesammelt wird; **Brunlnenltrog** *m. 2;* **Brunlnenverlgifltung** *w. 10;* **Brünnllein** *s. 7*
Brunst *w. 2* Paarungszeit (bei manchen Tieren); starke geschlechtliche Erregung; vgl. Brunft; **brunslten** *intr. 2;* **brünsltig; Brunstlzeit** *w. 10*
brüsk [frz.] schroff, kurz; **brüskielren** *tr. 3* schroff, abweisend behandeln; **Brüslkielrung** *w. 10*
Brüslsel Hst. von Belgien; Brüsseler Spitzen; **Brüslseller** *m. 5* Einwohner von Brüssel
Brust *w. 2;* **Brustlbein** *s. 1;* **Brustlbild** *s. 3;* **Brüstlchen** *s. 7;* **Brustldrülse** *w. 11;* **brüslten** *refl. 2;* sich mit etwas b.; **Brustfell** *s. 1;* **Brustlfloslse** *w. 11;* **brustlhoch; Brustlhölhe** *w. 11 nur Ez.;* **Brustlkaslten** *m. 8;* **Brustlkind** *s. 3* mit Muttermilch ernährtes Kind; *Ggs.:* Flaschenkind; **Brustlkorb** *m. 2;* **Brustkrebs** *m. 1 nur Ez.;* **Brüstllein** *s. 7;* **brustlschwimlmen** *intr., nur im Infinitiv;* **Brustlschwimmen** *s. 7 nur Ez.;* **Brustlstimlme** *w. 11;* **Brustltalsche** *w. 11;* **Brustltee** *m. 9;* **Brustlton** *m. 2;* etwas im B. der Überzeugung sagen; **Brüslltung** *w. 10;* **Brustwarlze** *w. 11;* **Brustlwehr** *w. 10*
Brut *w. 10*
brultal [lat.]; **Brultallität** *w. 10 nur Ez.*
Brutlaplpalrat *m. 1;* **brülten** *tr. u. intr. 2;* **brültend;** es war brütend heiß; **Brülter** *m. 5* (meist: schneller Brüter) Kernreaktor,

der mehr spaltbares Material erzeugt, als er verbraucht; **Brut|hit|ze** *w. 11 nur Ez.;* **brü|tig,** *österr. auch:* **bru|tig** zum Brüten bereit (Henne); **Brut|kas|ten** *m. 8;* **Brut|o|fen** *m. 8;* **Brut|pfle|ge** *w. 11 nur Ez.;* **Brut|stät|te** *w. 11*
brut|to [ital.] *(Abk.:* btto.) **1** mit Verpackung; **2** ohne Abzug von Kosten; er verdient b. 2000 Mark; *Ggs.:* netto; **Brut|to|ein|kom|men** *s. 7;* **Brut|to|er|trag** *m. 2;* **Brut|to|ge|wicht** *s. 1;* **Brut|to|ge|winn** *m. 1;* **Brut|to|raum|zahl** *w. 10 (Abk.:* BRZ), *neu für* **Brut|to|re|gis|ter|ton|ne** *w. 11 (Abk.:* BRT) Raummaß für Schiffe; **Brut|to|ver|dienst** *m. 1*
Brut|zeit, Brüt|zeit *w. 10*
brut|zeln *tr. u. intr. 1, ugs.;* ich brutzele, brutzle etwas
Bruy|ère|holz [bryjɛr-, frz.] *s. 4 nur Ez.* rötliches Wurzelholz der Baumheide (für Tabakspfeifen)
Bry|o|lo|gie [griech.] *w. 11 nur Ez.* Mooskunde; **Bry|o|nie** [-njə] *w. 11* eine Kletterpflanze; **Bry|o|phy|ten** *m. 10, Mz.* Moospflanzen, Moose; **Bry|o|zo|en** *s., Mz.* Moostierchen
BRZ *Abk. für* Bruttoraumzahl
BSE *Abk. für* Bovine Spongioforme Enzephalopathie, Rinderwahnsinn
bst!, pst!
btto. *Abk. für* brutto
Btx *s. Gen. - nur Ez., Abk. für* Bildschirmtext, über das Telefonnetz und ein Fernsehgerät benutzbares Informations- und Mitteilungssystem
Bub *m. 10, süddt., österr., schweiz.:* Junge
bub|bern *intr. 1, ugs.:* klopfen, pochen (Herz)
Büb|chen *s. 7;* **Bu|be** *m. 11* **1** = Bub; **2** *abwertend:* Schurke, Spitzbube; **3** Figur im Kartenspiel; **bu|ben|haft; Bu|ben|haf|tig|keit** *w. 10 nur Ez.;* **Bu|ben|streich** *m. 1;* **Bu|ben|stück** *s. 1* Schandtat; **Bü|be|rei** *w. 10* Schurkerei; **Bu|bi** *m. 9* **1** *Koseform für* Bub; **2** *ugs.:* Geck; **Bu|bi|kopf** *m. 2;* **Bü|bin** *w. 10* weibl. Schurke; **bü|bisch; Büb|lein** *s. 7*
Bu|bo [griech.] *m. Gen.* -s *Mz.* -bo|nen entzündl. Lymphknotenschwellung in der Leistenbeuge; **Bu|bo|nen|pest** *w. Gen. - nur Ez.* Beulenpest
Bu|cen|taur *m. 10* = Buzentaur
Buch *s. 4;* Buch führen; *aber:* buchführend
Bu|cha|ra 1 Bo|cha|ra Oasenstadt in Usbekistan; **2** *m. 9* Teppich aus Buchara
Buch|be|spre|chung *w. 10;* **Buch|bin|der** *m. 5;* **Buch|bin|de|rei** *w. 10;* **Buch|druck** *m. 1;* **Buch|dru|cke|rei** *w. 10;* **Buch|dru|cker|kunst** *w. 2 nur Ez.*
Bu|che *w. 11;* **Buch|e|cker** *w. 11* Frucht der Buche; **Bu|chel** *w. 11, österr. für* Buchecker
Bü|chel|chen *s. 7*
bu|chen 1 *Adj.:* aus Buchenholz; **2** *tr. 1* in ein Geschäftsbuch oder eine Liste eintragen; eine Reise buchen
Bu|chen|holz *s. 4 nur Ez.;* **Bu|chen|scheit** *s. 1;* **Bu|chen|wald** *m. 4*
Bü|cher|bord *s. 1,* **Bü|cher|brett** *s. 3;* **Bü|che|rei** *w. 10;* **Buch|er|folg** *m. 1;* **Bü|cher|freund** *m. 1;* **Bü|cher|kun|de** *w. 11 nur Ez.* Bibliografie; **bü|cher|kund|lich;** **Bü|cher|narr** *m. 10;* **Bü|cher|re|gal** *s. 1;* **Bü|cher|re|vi|sor** *m. 13;* **Bü|cher|ver|zeich|nis** *s. 1;* **Bü|cher|weis|heit** *w. 10 nur Ez.* = Buchweisheit; **Bü|cher|wurm** *m. 4*
Buch|fink *m. 10*
Buch|füh|rung *w. 10;* **Buch|ge|lehr|sam|keit** *w. 10 nur Ez.;* **Buch|ge|mein|schaft** *w. 10;* **Buch|ge|wer|be** *s. 5;* **buch|ge|werb|lich;** **Buch|hal|ter** *m. 5;* **buch|hal|te|risch;** **Buch|hal|tung** *w. 10;* **Buch|han|del** *m. 6 nur Ez.;* **Buch|händ|ler** *m. 5;* **buch|händ|le|risch;** **Buch|hand|lung** *w. 10;* **Buch|la|den** *m. 8, ugs.:* Buchhandlung; **Büch|lein** *s. 7;* **Buch|ma|cher** *m. 5* gewerbsmäßiger Vermittler von Rennwetten, bes. bei Pferderennen; **Buch|ma|le|rei** *w. 10;* **Buch|markt** *m. 2;* **Buch|mes|se** *w. 11;* **Buch|prü|fer** *m. 5* Bücherrevisor
Buchs [bʊks] *m. 1;* **Buchs|baum** *m. 2;* **buchs|bau|men** aus Buchsbaumholz
Büchs|chen *s. 7;* **Buch|se** *w. 11* Hohlzylinder; **Büch|se** *w. 11* **1** Gefäß; **2** Schusswaffe, *meist:* Jagdgewehr; **Büch|sen|fleisch** *s. Gen.* -s *nur Ez.;* **Büch|sen|licht** *s. 3 nur Ez., Jagd:* gerade zum gezielten Schuss ausreichende Helligkeit; **Büch|sen|ma|cher** *m. 5;* **Büch|sen|milch** *w. 10 nur Ez.;* **Büch|sen|öff|ner** *m. 5;* **Büchs|lein** *s. 7, poet.*
Buch|sta|be *m. 15, selten auch: m. 11;* **Buch|sta|ben|rät|sel** *s. 5;* **Buch|sta|ben|rech|nung** *w. 10;* **buch|sta|bie|ren** *tr. 1;* **...buch|sta|big,** z. B. vierbuchstabiges Wort; **buch|stäb|lich**
Bucht *w. 10*
Buch|tel *w. 11, meist Mz., österr.:* süßer, meist mit Marmelade gefüllter Hefekloß
Buch|ti|tel *m. 5;* **Buch|weis|heit** *w. 10* nur aus Büchern, nicht aus Lebenserfahrungen gewonnene Weisheit
Buch|wei|zen *m. 7 nur Ez.* ein Knöterichgewächs, dessen Früchte früher zu Grütze verarbeitet wurden, Heidekorn
Buch|we|sen *s. 7 nur Ez.;* **Buch|wis|sen** *s. 7 nur Ez.* nur aus Büchern erlerntes Wissen; **Buch|zei|chen** *s. 7*
Bu|cin|to|ro [-tʃin-] *m. Gen.* -s *Mz.* -s *oder* -ri, *ital. Form von* Buzentaur **(2)**
Bu|ckel *m. 5;* **bu|cke|lig,** bucklig; **bu|ckeln 1** *intr. 1* einen Buckel machen, liebedienern; **2** *tr. 1* (Metall) treiben; **Bu|ckel|rind** *s. 3*
bü|cken *refl. 1*
buck|lig, bu|cke|lig
Bück|ling *m. 1* **1** Verbeugung; **2** geräucherter Hering
Buck|skin [engl.] *m. 9* **1** Schafoder Hirschleder; **2** ein Streichgarngewebe
Bück|wa|re *w. 11, ehem. DDR, iron. für:* Mangelware
Bu|da|pest Hst. von Ungarn; **Bu|da|pes|ter** *m. 5*
Büd|chen *s. 7* kleine Bude
Bud|del *w. 11, ugs.:* Flasche
Bud|de|lei *w. 10;* **bud|deln** *intr. 1;* ich buddele, buddle
Bud|dha [sanskr. »der Erleuchtete, Erhabene«] Stifter des Buddhismus; **Bud|dhis|mus** *m. Gen. - nur Ez.;* **Bud|dhist** *m. 10;* **bud|dhis|tisch**
Bu|de *w. 11*
Bu|del *w. 11, österr.:* Verkaufstisch
Bu|den|zau|ber *m. 5 nur Ez.*
Bud|get [bydʒe, frz.] *s. 9* (bes. staatl.) Haushaltplan, Etat; **bud|ge|tär** [bydʒe-] das Budget betreffend; **bud|ge|tie|ren** [bydʒe-] *intr. 1* ein Budget aufstellen; **Bud|ge|tie|rung** *w. 10*

Bu|di|ke *w. 11* = Butike
Büd|ner *m. 5, norddt.:* Häusler
Bue|nos Ai|res Hst. von Argentinien
Bü|fett [frz.] *österr., schweiz.:* Buf|fet [byfe] *s. 9* Anrichte; Schanktisch; Geschirrschrank; *österr. auch:* Gaststätte (Bahnhofsbuffet); kaltes Büfett: Auswahl kalter Gerichte; **Bü|fettfräu|lein** *s. 9;* **Bü|fet|tier** [-tje] *m. 9* jmd., der hinter dem Büfett Speisen und Getränke ausgibt; **Bü|fett|mam|sell** *w. 10 oder w. 9*
Büf|fel *m. 5;* **Büf|fel|le|der** *s. 5;* **Büf|fe|lei** *w. 10 nur Ez., ugs.;* **büf|feln** *intr. 1 ugs;* ich büffele, büffle
Buf|fet [byfe] *s. 9, österr., schweiz.* = Büfett
Büff|ler *m. 5; ugs.:* jmd., der viel büffelt, der angestrengt arbeitet
Buf|fo [ital.] *m. Gen.* -s *Mz.* -s *oder* -fi Sänger komischer Rollen; **Buf|fo|o|per** *w. 11* komische Oper
Bug *m. 1* **1** Vorderteil (des Schiffes); **2** *auch: m. 2* Schulter (von Pferd, Rind, Hochwild)
Bü|gel *m. 5;* **Bü|gel|brett** *s. 3;* **Bü|gel|ei|sen** *s. 7;* **Bü|gel|fal|te** *w. 11;* **bü|gel|fest; bü|gel|frei; bü|geln** *tr. 1;* ich bügele, bügle
Bug|gy [bʌgɪ, engl.] **1** zweirädriger, einspänniger Wagen für Trabrennen; **2** offenes kleines Auto (Selbstbau); **3** kleines Gefährt mit vier (Doppel-)Rädern
Büg|le|rin *w. 10*
bug|sie|ren [lat.-ndrl.] *tr. 3* **1** ins Schlepptau nehmen (Schiff); **2** mit einiger Mühe oder Geschicklichkeit an einen bestimmten Ort bringen; **Bug|sierer** *m. 5* Bugsierdampfer
Bug|spriet *s. 1 oder m. 1* über den Bug schräg hinausragende Segelstange; **Bug|wel|le** *w. 11*
Bü|hel *m. 5* = Bühl
bu|hen *intr. 1* buh rufen (als Missfallensäußerung)
Bühl *m. 1, süddt., österr., schweiz.:* Bü|hel *m. 5* Hügel
Buh|le **1** *m. 11, poet.:* Liebster; **2** *w. 11, poet.:* Liebste; **buh|len** *intr. 1;* **Buh|ler** *m. 5;* **Buh|le|rei** *w. 10 nur Ez.;* **Buh|le|rin** *w. 10;* **buh|le|risch; Buhl|schaft** *w. 10, veraltet:* Liebesverhältnis
Buh|mann *m. 4, ugs.:* böser Mann, Schreckgespenst
Bu|hne *w. 11* ins Wasser hineingebauter Damm als Uferschutz
Büh|ne *w. 11; schweiz. auch:* Heu-, Dachboden, Speicher; **Büh|nen|ar|beiter** *m. 5;* **Bühnen|aus|spra|che** *w. 11;* **Bühnen|bild** *s. 3;* **Büh|nen|bild|ner** *m. 5;* **Büh|nen|künst|ler** *m. 5;* **Büh|nen|stück** *s. 1;* **büh|nenwirk|sam; Büh|nen|wirk|samkeit** *w. 10 nur Ez.*
Buh|ruf *m. 1;* **Buh|ru|fer** *m. 5*
Bu|hurt [altfrz.] *m. 1* mittelalterl. Reiterkampfspiel
Bu|ka|ni|er [frz.] *m. 5* karib. Seeräuber im 17. Jh.
Bu|ka|rest Hst. von Rumänien; **Bu|ka|res|ter** *m. 5*
Bu|kett, Bou|quet [frz.] *s. 1 oder s. 9* **1** Blumenstrauß; **2** *nur Ez.* Duft, Aroma (des Weins)
Bu|ki|nist *m. 10, eingedeutschte Form von* Bouquinist
Bu|klee *s. 9 oder m. 9* = Bouclé
Bu|ko|lik [griech.] *w. 10 nur Ez.* Hirten-, Schäferdichtung; **Buko|li|ker** *m. 5;* **bu|ko|lisch**
Bu|ko|wi|na [»Buchenland«] *w. Gen. - nur Ez.* Landschaft in den Karpaten
bul|bös [lat.] knollig, zwiebelförmig
Bul|bus [lat.] *m. Gen. - Mz.* -bi **1** Zwiebel, Knolle; **2** rundl. Organ, z. B. Augapfel; **3** Anschwellung
Bu|let|te, Boul|et|te [frz.] *w. 11* gebratenes Fleischklößchen
Bul|ga|re *m. 11;* **Bul|ga|ri|en** europ. Staat; **bul|ga|risch; Bulga|risch** *s. Gen.* -(s) *nur Ez.* zu den slaw. Sprachen gehörende Sprache der Bulgaren
Bu|li|mie *w. Gen. - nur Ez.* krankhaft gesteigerte Esslust (mit anschließend selbst herbeigeführtem Erbrechen)
Bul|in *w. 10,* **Bu|li|ne** *w. 11, Seew.:* Haltetau für Rahsegel
Bulk|car|ri|er [bʌlkkæriər, engl.] *m. 5* Frachtschiff für Massen-, bes. Schüttgut; **Bulkla|dung** *w. 10, Seew.:* Schüttgut
Bul|la|ri|um *s. Gen.* -s *Mz.* -ri|en Sammlung päpstlicher Bullen
Bull|au|ge *s. 14* kleines rundes Fenster (am Schiff)
Bull|dog [engl.] *m. 9* Ⓦⓩ Zugmaschine
Bull|dog|ge *w. 11* eine mittelgroße, stämmige Hunderasse mit stumpfer Schnauze
Bull|do|zer [-dozər, engl.] *m. 5* schwere Planierraupe
Bul|le **1** *m. 11* männl. Zuchtrind, Zuchtstier; **2** *ugs. abfällig:* Polizist; **3** [frz.] *w. 11* Urkunde mit Metallsiegel, *bes.:* päpstl. Erlass; die Goldene Bulle
Bul|len|bei|ßer *m. 5* ausgestorbene, doggenartige Hunderasse; **Bul|len|hit|ze** *w. 11 nur Ez., ugs.:* große Hitze
bul|le|rig, bul|rig *ugs.:* polternd, aufbrausend; **bul|lern** *intr. 1, ugs.:* **1** kochen, wallen; **2** klopfen; **3** dröhnen
Bulle|tin [byltɛ̃, frz.] *s. 9* amtl. Tagesbericht; Bekanntmachung
Bull|finch [bulfintʃ, engl.] *m. 9* Hindernis bei Pferderennen
bul|lig *ugs.:* sehr; bullig warm
Bul|li|on [buljən, engl.] *s. 9* Barren aus Gold oder Silber
bul|lös [lat.] *Med.:* blasig
Bul|ter|ri|er [engl.] *m. 5* eine engl. Hunderasse
Bul|ly [engl.] *s. 9, Hockey und Eishockey:* auf bestimmte Weise geführter erster Schlag, der den Ball ins Spiel bringt, Abschlag
Bül|te [nddt.] *w. 11* feste Stelle im Moor, Hügelchen
Bult|sack *m. 2* Seemannsmatratze
bum!, bumm!; bim, bam, bum!
Bum|baß ▶ **Bumm|bass** *m. 2* Schellenbaum
Bum|boot [engl.] *s. 1* kleines Händlerschiff zur Versorgung größerer Schiffe
Bu|me|rang [austral.] *m. 1* gekrümmtes Wurfholz, das, wenn es sein Ziel verfehlt, zum Werfer zurückkehrt
bumm!
Bum|mel **1** *m. 5* gemächl. Spaziergang; **2** *w. 11* = Bommel;
Bum|mel|lant *m. 10;* **Bum|mel|lei** *w. 10;* **bum|me|lig,** bumm|lig;
Bum|mel|le|ben *s. 7;* **bum|meln** *intr. 1;* ich bummele, bummle;
Bum|mel|streik *m. 9;* **Bum|melzug** *m. 2;* **Bum|merl** *s. 14, österr.:* **1** Verlustpunkt beim Kartenspiel; **2** der Gefoppte, Benachteiligte; **Bumm|ler** *m. 5;* **bumm|lig,** bum|me|lig
bums!; Bums *m. 1, ugs.:* dumpfer Knall; **bum|sen** *intr. 1, ugs.:* **1** dumpf knallen; **2** Geschlechtsverkehr haben; *auch:* ein Mädchen b.: den Beischlaf mit ihm ausüben; **Bums|lo|kal** *s. 1, ugs.:* billiges, meist auch anrüchiges Vergnügungslokal
Bu|na [aus Butadien und Natrium] *m. oder s. Gen.* -s *nur Ez.* Ⓦⓩ synthet. Kautschuk

Bund 1 *m. 2* Verbindung, Gemeinschaft; **2** *s. 1, nach Zahlenangaben Mz.* - Bündel; drei Bund Radieschen

BUND *Abk. für* Bund Naturschutz in Deutschland e. V.

Bündlchen *s. 7;* **Bünldel** *s. 5;* **Bünldellei** *w. 10 nur Ez.;* **bündeln** *tr. 1;* ich bündele, bündle es; **bünldellweilse**

Bunldeslamt *s. 4;* **Bunldeslangelstellltentarif** *m. 1 (Abk.:* BAT); **Bunldeslanlstalt** *w. 10;* **Bunldeslbrulder** *m. 6;* **bunldesdeutsch; Bunldesldeutlsche(r)** *m. 18 (17) bzw. w. 17 oder 18;* **Bunldeslelbelne** *w. Gen. - nur Ez., meist in der Wendung* auf B.: für alle Bundesländer (verbindlich), von allen Bundesländern (beschlossen); *Ggs.:* Landesebene; **bunldesleilgen; Bundeslgelbiet** *s. 1;* **Bunldeslgenoslse** *m. 11;* **Bunldeslgelnossenlschaft** *w. 10 nur Ez.;* **bundeslgelnöslsisch; Bunldeslgericht** *s. 1;* **Bunldeslgelrichtslhof** *m. 2 (Abk.:* BGH); **Bunldeslgesetzlblatt** *s. 4 (Abk.:* BGBl.); **Bunldeslgrenzlschutz** *m. Gen.* -es *nur Ez.;* **Bunldeslhauptstadt** *w. 2;* **Bunldeslkanzller** *m. 5;* **Bunldeslkanzllerlamt** *s. 4;* **Bunldesllalde** *w. 11;* **Bunldesland** *s. 4;* **Bunldesllilga** *w. Gen. - Mz.* -gen; **Bunldesllilgist** *m. 10* Mitglied der Bundesliga; **Bundeslnachlrichltenldienst** *m. Gen.* -es *nur Ez. (Abk.:* BND); **Bunldeslpräsildent** *m. 10;* **Bunldeslrat** *m. 2;* **Bundeslrelgielrung** *w. 10;* **Bundeslrelpulblik Deutschlland** *(Abk.:* BR Dtld.); **Bunldesstaat** *m. 12;* **Bunldeslstadt** *w. 2, schweiz. Bez. für* Bern als Sitz der Bundesregierung und des Parlaments; **Bunldeslstraße** *w. 11;* **Bunldesltag** *m. 1;* **Bundeslverlfaslsung** *w. 10;* **Bundeslverlfaslsungslgelricht** *s. 1;* **Bunldeslverlsammllung** *w. 10;* **Bunldeslwehr** *w. 10*

Bundlholse *w. 11*

bünldig 1 kurz und überzeugend; **2** *Bauw.:* in einer Ebene liegend (Steine, Balken); **Bündiglkeit** *w. 10 nur Ez.;* **bündisch** einem Bund angehörend; Bündische Jugend; **bündllerisch; Bündlner** *m. 5* **1** *veraltet:* Angehöriger eines Bundes; **2** *schweiz. kurz für* Graubündner; **bündlnelrisch** *schweiz. kurz für* graubündnerisch; **Bündlnis** *s. 1;* **Bundlschuh** *m. 1;* **Bundlsteg** *m. 1, Buchw.:* innerer, schriftfreier Rand der Buchseite

Bunlgallow [-lo, engl.] *m. 9* kleines, ebenerdiges Wohnhaus

Bunlge *w. 11* **1** Fischreuse; **2** ein Primelgewächs

Bunlgee [bandʒi:, engl.] *s. 9* Gummiseil

Bunlker [engl.] *m. 5* **1** Behälter für Massengüter, z. B. Kohle; **2** betonierter Schutzraum; **bunlkern** *tr. 1* in einen Bunker füllen und dort speichern

Bunlsenlbrenlner [nach dem Erfinder Robert Bunsen] *m. 5* Gasbrenner

> **bunt färben/gestreift/gefleckt/gemustert:** Ist das Adjektiv in der Verbindung Adjektiv und Verb erweiterbar durch *sehr* bzw. steigerbar, wird getrennt geschrieben: *Sie wollte die Wäsche bunt färben. Das Kleid war bunt gemustert; ein bunt gemustertes Kleid.* →§ 34 E3 (3)

bunt; Buntldruck *m. 1;* **Buntfilm** *m. 1;* **Buntlheit** *w. 10 nur Ez.;* **Buntlmeltall** *s. 1;* **Buntsandlstein** *m. 1* untere Abteilung der Trias; **buntlschelckig; buntlschilllernd** ▶ **bunt schillernd; Buntlspecht** *m. 1;* **Buntstift** *m. 1*

Bunzllauler Steinlzeug [nach der niederschles. Stadt Bunzlau] *s. Gen.* --s *nur Ez.* Steingutgeschirr mit Glasur

Bulolnarlrolti, *Michelangelo* [-rɔ-, mikəlandʒəlo] ital. Maler und Bildhauer (1475 bis 1564)

Buphlthallmie [griech.] *w. 11,* **Buphlthallmus** *m. Gen. - nur Ez.* Augapfelvergrößerung

Bur *m. 10* = Bure

Bulran *m. 1* anhaltender Nordoststurm in Nordasien

Bulratltilno [ital.] *m. Gen.* -s *Mz.* -s *oder* -ni, *ital. Bez. für* Marionette

Bürlde *w. 11;* **Bürldel** *s. 5, österr.:* Bund; zwei B. Stroh; **bürldeln** *tr. 1, österr.:* zu Bündeln schnüren

Burldo [lat.] *m. Gen.* -s *Mz.* -donen aus einer Pfropfung hervorgegangener Bastard

Bulre [ndrl. »Bauer«] *m. 11,* Bur *m. 10* Südafrikaner niederländischer Herkunft; **Bulrenkrieg** *m. 1*

Bülretlte [frz.] *w. 11* Glasröhrchen zum Abmessen von Flüssigkeiten

Burg *w. 10*

Bürlge *m. 1;* **bürlgen** *intr. 1;* für jmdn. bürgen

Burlgenlland *s. 4 nur Ez.* Land in Österreich; **Burlgenllänlder** *m. 5;* **burlgenllänldisch**

Bürlger *m. 5;* **Bürlgerlinliltialtive** *auch:* **Bürlgerlilniltiltaltilve** *w. 11* Zusammenschluss vieler Bürger, um eine Behördenentscheidung zu verhindern, ein Anliegen durchzusetzen; **Bürgerlkrieg** *m. 1;* **bürlgerllich;** die bürgerlichen Ehrenrechte; bürgerliches Recht; *aber:* das Bürgerliche Gesetzbuch *(Abk.:* BGB); **Bürlgerlmeislter** *m. 5;* **Bürlgerlmeislterlamt** *s. 4;* **Bürgerlmeislterlrei** *w. 10;* **Bürlgerrecht** *s. 1;* **bürlgerlrechtllich; Bürlgerlschaft** *w. 10;* **Bürlgersmann** *m. Gen.* -(e)s *Mz.* -leulte; **Bürlgerlsteig** *m. 1;* **Bürlgerltum** *s. Gen.* -s *nur Ez.*

Burglfried *m. 1* = Bergfried; **Burglfrielde** *m. 15,* **Burglfrieden** *m. 7, früher:* Verbot der Fehde innerhalb einer Burg oder Stadt; **Burglgraf** *m. 10;* **Burglgrälfin** *w. 10;* **Burglgrafschaft** *w. 10;* **Bürlgin** *w. 10* weibl. Bürge

Burglsaslse *m. 11, im MA:* jmd., der zum Bereich einer Burg gehörte

Bürglschaft *w. 10*

Burlgund histor. Landschaft in Ostfrankreich; **Burlgunlder** *m. Gen.* -n, *Mz.* -n Angehöriger eines germ. Volksstammes; **Burlgunlder** *m. 5* Rotwein aus Burgund; **Burlgunlderlwein** *m. 1* = Burgunder; **burlgundisch;** *aber:* die Burgundische Pforte

Burglverllies *s. 1*

bulrisch zu den Buren gehörend, von ihnen stammend

Burljalte, Burljälte *m. 11* Angehöriger eines mongol. Volksstammes; **burljaltisch, burljätisch**

Burlkilna Falso Staat in Westafrika, früher Obervolta; **Burkilner** *m. 5;* **burlkilnisch**

Burllak [russ.] *m. 10, im alten Russland:* Schiffszieher an der Wolga

burllesk [ital.] possenhaft, derbkomisch; **Burllelske** *w. 11* Posse, Schwank

▶ = wird zu

Bur|ma *engl. und schweiz. Form von* Birma (*heute:* Myanmar); **Bur|me|se** *m. 11* Birmane; **bur|me|sisch** birmanisch

Bur|nus [arab.] *m. 1* Kapuzenmantel der Beduinen

Bü|ro [frz.] *s. 9;* **Bü|ro|krat** [frz. + griech.] *m. 10* pedantisch nach Vorschriften arbeitender Mensch, Kleinigkeitskrämer; **Bü|ro|kra|tie** *w. 11* **1** Beamtenschaft; **2** kleinliche Beamtenherrschaft; **bü|ro|kra|tisch; bü|ro|kra|ti|sie|ren** *tr. 3;* **Bü|ro|kra|tis|mus** *m. Gen. - nur Ez.;* kleinl. Auslegung von Vorschriften, Kleinigkeitskrämerei; **Bü|ro|kra|ti|us** *scherzh.:* »Heiliger« des Bürokratismus, personifizierte Kleinlichkeit von Behörden; **Bü|ro|zeit** *w. 10*

Bursch *m. 10;* **Bürsch|chen** *s. 7;* **Bur|sche** *m. 11;* **bur|schen|haft; Bur|schen|schaft** *w. 10;* **Bur|schen|schaf|ter** *m. 5;* **bur|schen|schaft|lich; bur|schi|kos** burschenhaft ungezwungen; **Bur|schi|ko|si|tät** *w. 10 nur Ez.;* **Bürsch|lein** *s. 7*

Bur|se *w. 11* **1** *im MA:* Studentenheim, dessen Bewohner aus einer gemeinsamen Kasse lebten; **2** *auch:* Studentenkantine, Mensa

Bur|si|tis [griech.] *w. Gen. - Mz.* -ti|den Schleimbeutelentzündung

Bürst|chen *s. 7;* **Bürs|te** *w. 11;* **bürs|ten** *tr. 2;* **Bürs|ten|ab|zug** *m. 2* Korrekturabzug (vom Schriftsatz), früher durch Klopfen mit einer Bürste auf das Papier hergestellt; **Bürs|ten|haar|schnitt** *m. 1;* **Bürs|ten|wa|ren** *w. 11 Mz.*

Bu|run|di ostafrik. Staat; **Bu|run|di|er** *m. 5;* **bu|run|disch**

Bür|zel *m. 5* Schwanz(wurzel) von Vögeln

Bus *m. 1* Autobus, Omnibus

Busch *m. 2;* **Büsch|chen** *s. 7;* **Bü|schel** *s. 5;* **Bü|schel|chen** *s. 7;* **Bü|schel|licht** *s. 3* = Sankt-Elms-Feuer; **Bu|schen** *m. 7, österr.:* Bündel (von Blumen, Zweigen u. Ä.); **Bu|schen|schen|ke** ▶ *auch:* **Bu|schen|schän|ke** *w. 11, österr. für* Straußwirtschaft

Bu|schi|do [jap.] *s. Gen.* -(s) *nur Ez.* Ehren- und Sittenkodex des altjapan. Kriegerstandes

bu|schig; Busch|klep|per *m. 5, veraltet:* Wilddieb, Straßenräuber; **Büsch|lein** *s. 7;* **Busch|mann** *m. 4* Angehöriger eines afrik. Urvolkes; **busch|män|nisch; Busch|mes|ser** *s. 5;* **Busch|wind|rös|chen** *s. 7*

Bü|se *w. 11* Fischerboot zum Heringsfang

Bu|sen *m. 7;* **Bu|sen|freund** *m. 1* sehr enger Freund

Bu|shel [bʊʃəl, engl.] *m. Gen.* -s *Mz.*- in den USA und Großbritannien verwendetes Hohlmaß

Bu|si|neß ▶ **Bu|si|ness** [bɪznis, engl.] *s. Gen. - nur Ez.* Geschäft, Geschäftsleben; **Bu|si|ness Card** [bɪznis -, engl.] *w. 9* firmenintern übertragbare Kreditkarte; **Bu|si|ness Class** [bɪznis -, engl.] *w. Gen. - nur Ez.* besser ausgestatteter Bereich im Flugzeug

Bus|sard *m. 1* ein Raubvogel

Bu|ße *w. 11 nur Ez.;* **bü|ßen** *tr. 1;* **Bü|ßer|hemd** *s. 12*

Bus|serl *s. 14,* Bus|si *s. 9, süddt., österr.:* Kuss

Bü|ßer|schnee *m. 9 nur Ez.* = Zackenfirn (die kegelförmigen Zacken sehen aus wie Gestalten in weißen Kutten); **buß|fer|tig; Buß|geld** *s. 3*

Bus|si *s. 9* = Busserl

Bus|so|le [frz.] *w. 11* Messgerät mit Magnetnadel zur Bestimmung des erdmagnet. Feldes

Buß|pre|di|ger *m. 5;* **Buß|tag** *m. 1;* **Buß- und Bet|tag** *m. 1*

Büs|te *w. 11;* **Büs|ten|hal|ter** *m. 5*

Bus|tro|phe|don [griech.] *s. Gen.* -s *nur Ez.* (bes. altgriech.) abwechselnd rechts- und linksläufige Schrift, Furchenschrift

Bu|su|ki *w. 9* lautenähnliches griech. Musikinstrument

Bu|ta|di|en [zu: Butan] *s. 1 nur Ez.* ungesättigter, gasförmiger Kohlenwasserstoff, Ausgangsstoff für synthet. Kautschuk; **Bu|tan** [lat.] *s. 1 nur Ez.* gesättigter, gasförmiger Kohlenwasserstoff; **Bu|ta|nol** *s. 1 nur Ez.* = Butylalkohol; **Bu|ten** *s. 1 nur Ez.* = Butylen

Bu|ti|ke [frz.], Bu|di|ke *w. 11* **1** kleiner Laden; vgl. Boutique; **2** Kneipe; **Bu|ti|ker** *m. 5* Besitzer einer Butike

But|ler [bʌtlər, engl.] *m. 5, in vornehmen Häusern:* Leiter des Hauspersonals

Butt *m. 1* ein Schollenfisch

But|te *w. 11, süddt., österr., schweiz.* = Bütte; **Büt|te** *w. 11* großes, hölzernes Gefäß, Waschzuber, Kiepe, Fass zum Herstellen von Papierbrei

But|tel *w. 11, Nebenform von* Buddel

Büt|tel 1 *s. 5, österr.:* kleine Butte mit nur einem Griff; **2** *m. 5* Gerichtsbote, -diener; Häscher, Henkersknecht

Büt|ten *s. 7,* **Büt|ten|pa|pier** *s. 1* aus der Bütte handgeschöpftes Papier mit gefranstem Rand; **Büt|ten|re|de** *w. 11* aus einem Fass (*rhein.* Bütt) heraus gehaltene Karnevalsrede; **Büt|ten|red|ner** *m. 5*

But|ter *w. Gen. - nur Ez.;* **But|ter|blu|me** *w. 11;* **But|ter|brot** *s. 1;* **But|ter|brot|pa|pier** *s. 1*

But|ter|fly|stil [bʌtərflaɪ-, engl.] *m. 1 nur Ez., Schwimmen:* Schmetterlingsstil

but|te|rig, butt|rig; **But|ter|milch** *w. 10 nur Ez.;* **but|tern 1** *intr. 1* Butter herstellen; **2** *tr. 1* mit Butter bestreichen; **But|ter|pilz** *m. 1;* **But|ter|säu|re** *w. 11 nur Ez.;* **But|ter|schmalz** *s. 1 nur Ez.;* **But|ter|stul|le** *w. 11, norddt., berlin.:* Butterbrot; **but|ter|weich**

Bütt|ner *m. 5, ostmitteldt.:* Böttcher, Küfer; **Bütt|ner|tanz** *m. 2*

But|ton [bʌtən, engl.] *m. 9* runde Ansteckplakette

butt|rig = butterig

Bu|tyl|al|ko|hol *m. 1 nur Ez.* aliphat. Alkohol mit 4 Kohlenstoffatomen, Butanol; **Bu|ty|len,** Bu|ten *s. 1 nur Ez.* ungesättigter gasförmiger Kohlenwasserstoff; **Bu|ty|rat** [lat.] *s. 1* Salz der Buttersäure; **Bu|ty|ro|me|ter** [lat. + griech.] *s. 5* Gerät zum Messen des Fettgehalts der Milch

Butz *m. 10,* Butz|ze *m. 11* **1** Kobold; **2** Knirps, kleines Kind; **But|ze 1** *m. 11* = Butz; **2** [nddt.] *w. 11* Wandbrett, Verschlag; **But|ze|mann** *m. 4* **1** Kobold; **2** vermummte Gestalt; **3** Vogelscheuche; **But|zen** *m. 7* **1** Kerngehäuse (vom Apfel); **2** Verdickung (im Glas); **3** Klümpchen; **4** *Bergbau:* unregelmäßige Erzanhäufung im Gestein; **But|zen|schei|be** *w. 11* kleine, runde Fensterscheibe mit einer Verdickung in der Mitte; **But|zen|schei|ben|ly|rik** *w. 10 nur Ez.* altertümelnde, leicht sentimentale Lyrik im 19. Jh.

Büx *w. 10,* **Bu|xe** *w. 11, norddt.:* Hose

Bu|zen|taur [griech.] *m. 10* **1** *griech. Myth.:* Stiermensch; **2** Bu|cin|to|ro [-tʃin-], Prunkschiff des Dogen von Venedig

b. w. *Abk. für* bitte wenden!

bye-bye [baɪbaɪ, engl.] auf Wiedersehen!

By|pass [baipas, engl.] *m. Gen.* -es *Mz.* -päs|se *Med.:* durch eine Operation angelegter Umgehungskreislauf nach Gefäßverschluss

Bys|sus [griech.] *m. Gen. - nur Ez.* **1** *im Altertum:* feines Gewebe (z. B. für Mumienbinden); **2** Ⓦ feines Baumwollgewebe; **3** Haftfäden von Muscheln

Byte [bait, engl.] *m. Gen. - nur Ez.* (in der Datenverarbeitung) zusammengehörige Anzahl von Dualstellen

By|zan|ti|ner *m. 5* **1** Einwohner von Byzanz; **2** *veraltet:* Schmeichler, Kriecher; **by|zan|ti|nisch;** *aber:* das Byzantinische Reich; **By|zan|ti|nis|mus** *m. Gen. - nur Ez.* **1** byzantin. Staatsform; **2** *veraltet:* Kriecherei; **By|zan|ti|nist** *m. 10* Wissenschaftler der Byzantinistik; **By|zan|ti|nis|tik** *w. 10 nur Ez.* Wissenschaft von der Kultur des Byzantin. Reiches; **by|zan|ti|nis|tisch; By|zanz** altgriech. Stadt am Bosporus, das heutige Istanbul

bz., bez. *Abk. für* bezahlt

Bz., Bez. *Abk. für* Bezirk

bzw. *Abk. für* beziehungsweise

C

c 1 *Mus.* = c-Moll; **2** *Abk. für* Cent, Centime; **3** *(hochgestellt) Zeichen für* Neuminute

C 1 *Mus.* = C-Dur; **2** *chem. Zeichen für* Carboneum (Kohlenstoff); **3** *Abk. für* Coulomb, Celsius, *früher für* Curie; **4** *röm. Zahlzeichen für* 100 (centum); **5** eine Programmiersprache

Ca *chem. Zeichen für* Calcium

ca. *Abk. für* circa (→zirka)

CA *Abk. für* California

Ca. *Abk. für* Karzinom

Ca|bal|le|ro [kavaljero, span.] *m. 9, span. Bez. für* Ritter, Edelmann

Ca|bo|chon [-ʃɔ̃, lat.-frz.] *m. 9* rund geschliffener Edelstein

Ca|brio *auch:* **Cab|rio** *s. Gen.* -(s) *Mz.* -s = Kabrio; **Ca|bri|o|lẹt** *auch:* **Cab|ri|o|lẹt** [kabriole, frz.] *s.* = Kabriolett; **Ca|bri|o|li|mou|si|ne** *auch:* **Cab|ri|o|li|mou|si|ne** [-mu-] *w. 11* = Kabriolimousine

Ca|che|nez [kaʃ(ə)ne, frz.] *s. Gen.* - [-nes] *Mz.* - [-nes] seidenes Halstuch

Ca|chet [kaʃɛ, frz.] *s. 9, veraltet:* **1** Siegel, Petschaft; **2** Gepräge, Eigentümlichkeit

Ca|chou [kaʃu, mal.-frz.] *s. 9* Lakritzensaft, ein Hustenmittel

CAD [kæ̣d, engl.] *ohne Artikel, Abk. für* Computer Aided Design: Konstruieren, Zeichnen mit dem Computer

Cad|die [kæ̣di, lat.-engl.] *m. 9* **1** Junge, der den Golfspielern die Schläger trägt; **2** kleiner, zweirädriger Wagen für die Golfschläger

Cạd|mi|um *s. Gen.* -s *nur Ez.* = *Kadmium*

Cae|si|um, Cä|si|um [tsɛ-] *s. Gen.* -s *nur Ez.* = Zäsium

Ca|fé [frz.] *s. 9* Kaffeehaus, Konditorei; **Ca|fe|te|ria** [ital.] *w. Gen.* - *Mz.* -ri|en Kaffeewirtschaft; **Ca|fe|tier** [-tje, frz.] *m. 9* Kaffeehausbesitzer; **Ca|fe|tie|re** [-tjɛ-] *w. 11* **1** Kaffeehausbesitzerin; **2** *auch:* Kaffeekanne

Ça i|ra [sạ irạ, frz. »Es wird gehen«] Anfang des frz. Revolutionsliedes von 1789

Cais|son [kɛsɔ̃, frz.] *m. 9* unten offener Kasten für Unterwasserarbeiten, Senkkasten; **Caisson|krank|heit** *w. 10 nur Ez.* = Taucherkrankheit

Ca|jun-mu|sic ▶ **Ca|jun|mu|sic** [kɛɪdʒənmju:zɪk, engl.] *w. Gen.* - *nur Ez.* Countrymusic aus Louisiana (mit Akkordeon und Fiedel)

cal *Abk. für* die nicht mehr zulässige Einheit Kalorie

Ca|la|mus [griech.] *m. Gen.* - *Mz.* -mi **1** *im Altertum:* Schreibrohr; **2** hohler Teil der Vogelfeder; **3** eine Palme

ca|lạn|do [ital.] *Mus.:* an Tempo und Lautstärke abnehmend

Cal|ce|o|la|ria *w. Gen.* - *Mz.* -rien = Kalzeolarie

Cal|ci|na|ti|on *w. 10* = Kal|zi|na|ti|on; **cal|ci|nie|ren** *tr. 3* = kalzinieren; **Cal|ci|nie|rung** *w. 10* = Kalzinierung; **Cal|ci|no|se** *w. 11 nur Ez.* = Kalzinose; **cal|ci|phil** = kal|zi|phil; **Calcit** *m. 1* = Kalzit; **Cạl|ci|um** *s. Gen.* -s *nur Ez.* = Kalzium; **Cạl|ci|um|car|bo|nat** *s. 1 nur Ez.* = Kalziumkarbonat; **Cạl|ci|um|hy|dro|xid** *auch:* **-hyd|ro|xid** *s. 1 nur Ez.* = Kalziumhydroxid; **Cạl|ci|um|o|xid** *s. 1 nur Ez.* = Kalziumoxid; **Cạl|ci|um|sul|fat** *s. 1 nur Ez.* = Kalziumsulfat

Ca|lem|bourg [kalɑ̃bur, frz.] *m. 9* Wortspiel, Kalauer

Ca|lẹn|dae [lat.] *Mz., im alten Rom:* der erste Tag jeden Monats, Kalenden

Ca|li|fọr|nia, Ka|li|fọr|ni|en (*Abk.:* CA) Staat der USA; **Ca|li|fọr|ni|um** *s. Gen.* -s *nur Ez. (Zeichen:* Cf) künstlich hergestelltes chem. Element

Cạl|la *w. 9* = Kallapflanze

Call|boy [kɔlbɔɪ, engl.] *m. 9* dem Call|girl entsprechender männl. Prostituierter; **Call|girl** [kɔlgə:l] *s. 9* Prostituierte, die auf telefon. Anruf hin kommt oder jmdn. empfängt; **Call|girl|ring** [kɔlgə:l-] *m. 1*

Cal|mette-Imp|fung [-mẹt-, nach dem frz. Bakteriologen Albert Léon Charles Calmette] *w. 10* eine Tuberkulose-Schutzimpfung

Ca|lu|met [frz. kalyme] *s. 9* Tabakspfeife (Friedenspfeife) der nordamerik. Indianer

Ca|va|dọs [nach dem frz. Département C.] *m. Gen.* - *Mz.* - ein Apfelbranntwein

Cal|vi|nịs|mus, Kal|vi|nịs|mus *m. Gen.* - *nur Ez.* Lehre des frz.-schweiz. Reformators Johannes Calvin; **Cal|vi|nịst**, Kal|vi|nịst *m. 10* Anhänger der Lehre Calvins

Ca|lỵp|so *m. Gen.* -(s) *nur Ez.* Musikform der Antillen, oft mit Steeldrums

CAM [kæ̣m, engl.] *ohne Artikel, Abk. für* Computer Aided Manufacturing: Übertragen der mit CAD erstellten Unterlagen in die Steuerung von Werkzeugmaschinen

Cam|bridge [kɛɪmbridʒ] engl. Stadt

Cam|cor|der [kæ̣m-, engl.] *m. 5* tragbare Videokamera mit eingebautem Videorecorder

Ca|mem|bert [kạmɑ̃bɛ:r, nach dem frz. Ort C.] *m. 9* ein Weichkäse

Cạ|me|ra ob|scu|ra *auch:* **- obs|cu|ra** [lat.] *w. Gen.* -- *Mz.* -rae [-rɛ:] -rae [-rɛ:] Kamera mit Loch statt der Linse, Lochkamera, Vorläuferin des Fotoapparates

Ca|mi|on [-mjɔ̃, frz.] *m. 9 schweiz.:* Lastkraftwagen; **Ca|mi|on|na|ge** [-ʒə] *w. 11* vgl. Bahncamionnage

Ca|mou|fla|ge *auch:* **Ca|mouf|la|ge** [kamuflaʒə, frz.] *w. 11, veraltet:* Irreführung, Täuschung, Tarnung

Camp [kæ̣mp, engl.] *s. 9* **1** Feld-, Gefangenenlager; **2** Campingplatz

Cam|pa|gna *auch:* **Cam|pag|na** [-panja] *w. Gen.* - *nur Ez.* ital. Landschaft

Cam|pa|gne *auch:* **Cam|pag|ne** [-pạnjə, frz.] *w. 11* = Kampagne

Cam|pa|ni|le *m. Gen.* -(s) *Mz.* = Kampanile

Cam|pe|che|holz [kampẹtʃə-] *s. 4* = Kampescheholz

cam|pen [kæ̣m-, engl.] *intr. 1* **1** zelten; **2** auf dem Campingplatz übernachten; **Cam|per** [kæ̣m-] *m. 5* **1** jmd., der im Zelt oder im Wohnwagen übernachtet; **2** motorisierter Wohnwagen, Wohnauto, Wohnmobil; **Cam-**

ping [kæm-] *s. Gen.* -s *nur Ez.* Leben auf Campingplätzen
Cam|pher *m. 5* = Kampfer
cam|pie|ren *intr. 1, schweiz. für* campen; **Camp|mee|ting** [kæmpmi:tiŋ] *s. 9* Gottesdienst im Freien oder im Zelt
Cam|po|san|to [ital.] *m. Gen.* -s *Mz.*-s *oder* -ti, *ital. Bez. für* Friedhof
Ca|nail|le [kanaljə] *w. 11, frz. Schreibung von* Kanaille
Ca|nas|ta [span.] *s. Gen.* -s *nur Ez.* ein Kartenspiel
Can|can [kãkã, frz.] *m. 9* Bühnentanz mit Hochwerfen der Beine
can|celn [kɛntsəln, engl.] *tr. 1* absagen, streichen (Reise, Textstelle)
Can|cer [kantsər, lat.] *m. 5, Med.:* Krebsgeschwulst
cand. *Abk. für* candidatus, vgl. Kandidat
Can|de|la [lat.] *w. Gen. - Mz. -* (*Abk.:* cd) Maßeinheit für die Lichtstärke
can|di|da|tus re|ve|ren|di mi|nis|te|rii [lat.] (*Abk.:* cand. rev. min. *oder* c. r. m.) Kandidat des (lutherischen) Predigtamtes
cand. med. *Abk. für* candidatus medicinae: Kandidat der Medizin (Student in den klinischen Semestern); **cand. phil.** *Abk. für* candidatus philosophiae: Kandidat der Philosophie
Can|na *w. 9* = Kanna
Can|na|bis [lat.] *m. Gen. - nur Ez.* Hanf; *auch* = Haschisch
Can|nae [kanɛ:] antike Stadt in Italien
Can|nel|koh|le [kɛnəl-] *w. 11 nur Ez.* = Kännelkohle
Cannes [kan] frz. Stadt
Ca|ñon [kanjɔn, span.: kanjɔn, engl.: kænjən] *m. 9* enges, steiles Flusstal, Schlucht
Ca|no|ni|cus *m. Gen. - Mz.* -ci, *lat. Form von* Kanoniker
Ca|nos|sa *s. Gen.* -(s) *nur Ez.* = Kanossa
Ca|nos|sa|gang m. 2 = Kanossagang
Cant [kænt, engl.] *m. 9 nur Ez.* **1** Gaunersprache; **2** Heuchelei, Scheinheiligkeit
can|ta|bi|le [-le:, ital.] *Mus.:* gesanglich, beseelt
Can|ter|bu|ry [kæntəbərɪ] engl. Stadt
Can|to [ital.] *m. Gen.* -s *Mz.*-s *oder* -ti Gesang; **Can|tus fir|mus** *m. Gen. -- Mz.* --mi Hauptmelodie eines polyphonen Chor- oder Instrumentalsatzes
Can|zo|ne *w. 11, ital. Schreibung von* Kanzone
Cape [kep, engl.] *s. 9* ärmelloser Umhang
Ca|pi|to|lin *m. Gen.* -(s) *nur Ez.* einer der Hügel in Rom
Ca|po|tas|to *m. Gen.* -s *Mz.*-s *oder* -ti = Kapodaster
Cap|puc|ci|no [-tʃi-, ital.] *m. Gen.* -(s) *Mz.* -s *oder* -ni Kaffee (Espresso) mit Schlagsahne und Kakaopulver obenauf
Ca|pre|se *auch:* **Cap|re|se** *m. 11* Einwohner von Capri; **ca|pre|sisch** *auch:* **cap|re|sisch; Ca|pri** *auch:* **Cap|ri** Insel im Golf von Neapel
Ca|pric|cio *auch:* **Cap|ric|cio** [kapritʃo, ital.] *s. 9* heiteres, launiges Musikstück; **ca|pric|ci|o|so** *auch:* **cap|ric|ci|o|so** [-tʃo-] *Mus.:* launig, scherzhaft; **Ca|pri|ce** *auch:* **Cap|ri|ce** [kapris(ə)] *w. 11, frz. Schreibung für* = Kaprice
Ca|pri|o|le *auch:* **Cap|ri|o|le** [frz.] *w. 11, Hohe Schule:* Sprung aus der Levade mit parallel nach hinten ausschlagenden Hinterbeinen, während sich der Körper in der Waagerechten befindet
Cap|si|en [kapsjɛ̃, nach dem Fundort Capsa, heute Gafsa, in Tunesien] *s. Gen.* -(s) *nur Ez.* Kultur der Alt- und Mittelsteinzeit
Cap|tain [kæptn] *m. 9, engl. Bez. für* Hauptmann
Cap|ta|tio be|ne|vo|len|ti|ae [-tsjo -tsjɛ:, lat.] *w. Gen. -- nur Ez.* Werben um die Gunst des Zuhörers oder Lesers
Ca|pu|chon [-pyʃɔ̃, frz.] *m. 9* **1** Kapuze der Mönchskutte; **2** Damenmantel mit Kapuze
Ca|put mor|tu|um [lat. »toter Kopf«] *s. Gen. -- nur Ez.* Eisen(III)-Oxid, Englischrot, Malerfarbe und Poliermittel
Car [engl.] *m. 9, schweiz.:* Auto für Gesellschaftsfahrten
Ca|ra|bi|ni|e|re [-njɛ-] *m. Gen.* -(s) *Mz.* -ri, *ital. Schreibung von* Karabiniere
Ca|ra|cho *s. Gen. - nur Ez., span. Schreibung von* Karacho
Car al|pin [-pɛ̃, frz.] *m. Gen. -- Mz.* -s -s [karzalpɛ̃] *schweiz.:* Auto für Gesellschaftsfahrten in die Berge
Ca|ra|van [auch: -van, engl.] *m. 9* **1** kombinierter Personen- und Lastwagen; **2** Reisewohnwagen als Anhänger für Kraftwagen; **Ca|ra|va|ning** *s. Gen.* -s *nur Ez.* Leben im Wohnwagen
Carb|a|mid *auch:* **Car|ba|mid** [Kurzw. aus Carbid und Amid] *s. 1 nur Ez.* Harnstoff; **Car|bid** [lat.] *s. 1* **1** Verbindung des Kohlenstoffs vor allem mit Metallen; **2** = Karbid; **car|bo|cy|clisch,** kar|bo|cy|clisch, *auch:* **car|bo|cyc|lisch,** kar|bo|cyc|lisch Kohlenstoffringe enthaltend; **Car|bo|nat** *s. 1* = Karbonat **2; Car|bo|ne|um** *s. Gen.*-s *nur Ez.* (*Zeichen:* C) Kohlenstoff
care of [kɛ:r ɔv, engl.] *Abk.:* c/o) *bes. in engl. und amerikan. Anschriften:* wohnhaft bei…
Ca|ri|es [lat.] *w. Gen. - nur Ez.,* = Karies
Ca|ri|o|ca [indian.-port.] *w. 9* ein lateinamerikanischer Tanz
Ca|ri|tas [lat.] *w. Gen. - nur Ez. kurz für* Deutscher Caritasverband (der kath. Kirche), Verband zur Wohlfahrtspflege; vgl. Karitas
Car|ma|gno|le *auch:* **Car|mag|no|le** [-njɔl, auch: -njolə, frz.] *w. 11* **1** *nur Ez.* Lied und Tanz während der Frz. Revolution; **2** kurzes Jäckchen der Jakobiner
Car|ne|gie-Stif|tung, Car|ne|gie|stif|tung [karnɛgɪ-, auch: karnɛgɪ] nach dem US-amerik. Großindustriellen Andrew Carnegie *w. 10 nur Ez.*
Car|net de pas|sa|ges [karnɛ də pasaʒ(ə), frz.] *s. Gen. --- Mz.*-s [-nɛ] -- Heft mit Zollpassierscheinen (Triptyks) für Kraftfahrzeuge
Car|pe di|em [lat.] Pflücke (= nütze) den Tag (Spruch aus einer Ode von Horaz)
Car|port [engl.-amerik.] *m. 9* überdachter Abstellplatz für Autos
Car|ra|ra ital. Stadt; **car|ra|risch;** carrarischer Marmor
Carte blanche [kart blɑ̃ʃ, frz. »weiße Karte«] *w. Gen. -- Mz.* -s -s [kart blɑ̃ʃ] unbeschränkte Vollmacht
car|te|si|a|nisch = kartesianisch; **Car|te|si|us** *latinisierte Schreibung von* Descartes
Car|toon [-tun] *m. 9 oder s. 9, engl. Bez. für* Karikatur

Ca|sa|no|va [nach dem ital. Abenteurer und Schriftsteller Giovanni Giacomo C.] *m. 9* Frauenheld, galanter Verführer
Cä|sar 1 Ehrenname der röm. Kaiser; **2** *Gaius Julius* röm. Kaiser (100–44 v. Chr.); **Cä|sa|ren|herr|schaft** *w. 10* Alleinherrschaft, diktator. Herrschaft; **Cä|sa|ren|wahn** *m. 1 nur Ez.* Größenwahn; **cä|sa|risch** kaiserlich, selbstherrlich; **Cä|sa|ris|mus** *m. Gen. - nur Ez.* Cäsarenherrschaft; **Cä|sa|ro|pa|pis|mus** *m. Gen. - nur Ez.* Herrschaftsform, bei der der weltliche Herrscher zugleich kirchliches Oberhaupt ist
cash [kæʃ, engl.] bar; **Cash** Barzahlung, Bargeld; **Cash and Car|ry** [kæʃ ənd kæri] *s. Gen. --- nur Ez.* (*Kurzform:* C und C) Vertriebsform im Handel mit Selbstbedienung und Barzahlung; **Cash-and-Car|ry-Klau|sel** *w. 11, im Überseehandel:* Vertragsklausel, nach der der Käufer die Ware selbst heraussuchen, abholen und sofort bar bezahlen muss

> **Cashewnuss:** Nach kurzem Vokal wird *-ss-* geschrieben (bisher: -ß-): *Cashewnuss.*

Ca|shew [kæʃu, indian.-engl.] *w. Gen. - Mz.* -(s), **Ca|shew|nuß** ► **Ca|shew|nuss** *w. 2* Frucht des trop. Nierenbaumes
Cash-flow ► **Cash|flow** [kæʃ flou, engl.] *m. 9 nur Ez., Wirtsch.:* Überschuss nach Abzug aller Unkosten
Cash|ge|schäft [kæʃ-, engl.] *s. 1* Barzahlungsgeschäft
Cä|si|um, Cae|si|um [tsæ-, lat.] *s. Gen.* -s *nur Ez.* = Zäsium
Cas|sa *w. Gen. - nur Ez., ital. Bez. für* Kasse, Bargeld; per cassa: in bar
Cas|si|o|pei|um [lat.] *s. Gen.* -s *nur Ez.* (*Zeichen:* Cp), *veraltete Bez. für* Lutetium
Cast [engl.] *s. 9 nur Ez., im amerik. Filmwesen:* gesamter Stab von Filmmitwirkenden
Cas|tris|mus *auch:* **Cast|ris|mus** *m. Gen. - nur Ez.* das polit. System des kuban. Politikers Fidel Castro
Ca|sus *m. Gen. - Mz.* -, *lat. Schreibung von* Kasus; Casus belli: Grund zum Krieg, zum Krieg führendes Ereignis; Casus foederis: Ereignis, das die einem anderen Staat gegenüber eingegangene Verpflichtung eines Staates auslöst; Casus obliquus: abhängiger Fall, jeder Beugungsfall außer dem Nominativ und Vokativ; Casus rectus: unabhängiger Fall, Nominativ, Vokativ
Catch-as-catch-can [kætʃ əz kætʃ kæn, engl. »pack, wie du packen kannst«] *s. Gen. - nur Ez.* Art des Freistilringkampfes; **Cat|cher** [kætʃə] m. *5* Freistilringkämpfer; **Cat|cher|pro|mo|ter** [kætʃəprəmoutə] *m. 5* Veranstalter eines Freistilringkampfs
Catch|up [kætʃʌp, engl.] *m. 9 oder s. 9, engl. Schreibung von* Ketschup
Cat|gut [kætgʌt] *s. 9 nur Ez.* = Katgut
Ca|the|dra *auch:* **Ca|thed|ra** [griech.-lat.] *w. Gen. - Mz.* -drae [-drɛː] Lehrstuhl; Ehrensitz, bes. des Bischofs; Cathedra Petri: der päpstliche Stuhl; → a. ex cathedra
ca|to|nisch in der Art des röm. Staatsmannes Cato; catonische Strenge
Cau|sa [lat.] *w. Gen. - Mz.* -sae [-sɛː] **1** Grund, Ursache; **2** Rechtsfall; **Cause cé|lè|bre** *auch:* **Cause cé|lèb|re** [koz selɛbrə, frz.] *w. Gen. - Mz.* -s -s [koz selɛbrə] Aufsehen erregender Vorfall, berüchtigte Sache
Cau|se|rie [kozəri, frz.] *w. 11* Plauderei, leichte, heitere Unterhaltung; **Cau|seur** [kozœr] *m. 1* Plauderer; *auch:* Schwätzer; **Cau|seuse** [kozøz] *w. 11* **1** Plauderin; Schwätzerin; **2** *veraltet:* kleines Sofa
Ca|va|ti|ne *w. 11, ital. Schreibung von* Kavatine
Ca|ve ca|nem [lat.] Hüte dich vor dem Hund (Warnungsschild an altröm. Haustüren)
Ca|yenne [kajɛn] Hst. von Frz.-Guayana; **Ca|yenne|pfef|fer** [-jɛn-] *m. 5 nur Ez.* sehr scharfes Gewürz
Cb 1 *chem. Zeichen für* Columbium; **2** *Abk. für* Kumulonimbus
cbm *früher Abk. für* Kubikmeter; vgl. m^3
cc *(hochgestellt) Zeichen für* Neusekunde
CC *Abk. für* Corps consulaire
ccm *früher Abk. für* Kubikzentimeter; vgl. cm^3
cd *Abk. für* Candela
Cd *chem. Zeichen für* Cadmium
CD 1 *Abk. für* Corps diplomatique [kɔr -tik]: Diplomatisches Korps; **2** *w. 9 Abk. für* Compactdisc: digitale, durch Laserstrahlen abtastbare Schallplatte; **CD-Play|er** [-plɛɪə] *m. 5* Abspielgerät für Compact Discs; **CD-ROM** *w. 9* Compact Disc Read Only Memory, ein optisches Speichermedium, das nur gelesen werden kann
c.d. *Abk. für* colla destra
cdm *früher Abk. für* Kubikdezimeter; vgl. dm^3
CDU *Abk. für* Christlich-Demokratische Union
C-Dur *s. Gen. - nur Ez. (Abk.:* C) Tonart; **C-Dur-Ton|lei|ter** *w. 11*
Ce *chem. Zeichen für* Cer
Ce|dil|le [sedij(ə), span.] *w. 11* Häkchen unter dem c (ç), Zeichen zur Aussprache des c wie s vor a, o, u
Ce|le|bes eine der Sundainseln
Ce|les|ta [ital.] *w. Gen. - Mz.* -s *oder* -sten Glockenspiel mit hohlen Stahlstäben, mit Tasten gespielt
Cel|la [lat.] *w. Gen. - Mz.* -lae [-lɛː] **1** Kultraum im antiken Tempel mit dem Götterbild; **2** Mönchszelle; **3** *Anat.:* Zelle
Cel|list [tʃɛl-, ital.] *m. 10* Cellospieler; **Cel|lo** [tʃɛlo] *s. Gen.* -s *Mz.* -li, *Kurzw. für* Violoncello
Cel|lon [lat.] *s. 1 nur Ez.* (Wz) ein Kunststoff; **Cel|lo|phan** (Wz) ► *auch:* **Zel|lo|phan** *s. 1 nur Ez.* ein Kunststoff, durchsichtige Folie; **Cel|lu|loid** *s. 1 nur Ez.* = Zelluloid; **Cel|lu|lo|se** *w. 11* = Zellulose
Cel|si|us [nach dem schwed. Astronomen Anders C.] *(Zeichen:* C) Einheit beim in 100 Grade eingeteilten Thermometer; 5 Grad Celsius, 5 °C
Cem|ba|list [tʃɛm-, lat.] *m. 10* Cembalospieler; **cem|ba|lis|tisch** [tʃɛm-]; **Cem|ba|lo** [tʃɛm-], *s. Gen.* -s *Mz.* -li, *eigtl.:* Clavicembalo, altes Tasteninstrument
Cent [sɛnt, zu lat. centum »hundert«] *m. Gen.* -(s) *Mz.* -(s) (*Abk.:* c *oder* ct, *Mz. Abk.:* cts) kleine Münze in den USA, Niederlanden, Kanada, China; **Cen|ta|vo** [sɛn-, span. θɛn-] *m. Gen.* -(s) *Mz.* **-(s)** kleine Münze in Mittel- und Südamerika

Cen|ter [sẹn-, amerik.] *s. 5* Zentrum, z.B. Mode-C., Einkaufs-C. (Bez. für Läden, Vergnügungsstätten usw.)
Cen|te|si|mo [tʃɛn-] *m. Gen.* -(s) *Mz.* -mi frühere ital. Münze; **Cen|té|si|mo** [sɛn-] *m. Gen.* -(s) *Mz.* -(s) kleine Münze in Chile, Uruguay und Panama; **Centime** [sɑ̃tim] *m. Gen.* -(s) *Mz.* -(s) (*Abk.:* ct, *Mz. Abk.:* cts, *schweiz.:* Ct.) kleine Münze in Frankreich, Belgien, Luxemburg und der Schweiz; **Cén|ti|mo** [sẹn-, span. θẹn-] *m. Gen.* -(s) *Mz.*-(s) kleine Münze in Spanien, Venezuela, Paraguay, Costa Rica
Cen|to [tsẹn-, lat.] *s. Gen.* -s *Mz.* -s *oder* -to|nen literarische Form (z.B. Hörspiel), die nur aus Zitaten (aus Dichtwerken, Briefen, Tagebüchern u.a.) zusammengesetzt ist
Cen|tre Court *Nv.* ▶ **Cen|tre-court** *Hv.* [sẹntəkɔ:t, engl.] *m. 9* Hauptplatz einer großen Tennisanlage
Cẹn|trum-Wa|ren|haus *auch:* **Cẹnt|rum-** *s. 4, ehem. DDR:* Name von Kaufhäusern des staatlichen Handelsunternehmens »HO«
Cen|tu|rie [-riə] *w. 11* = Zenturie
Cent|weight [sẹntwɛit, engl.] *s. Gen.* -(s) *Mz.* -(s) (*Abk.:* cwt.) engl. und nordamerik. Gewichtsmaß, Zentner, Hundredweight
Ce|phal|lo... = Kephalo...
Cer [lat.], Ce|ri|um *s. Gen.* -s *nur Ez. (Zeichen:* Ce) chem. Element
Cẹr|be|rus *m. Gen.* - *Mz.* -rus|se = Zerberus
Cer|cle *auch:* **Cerc|le** [sẹrkl, frz.] *m. 9* **1** kleiner Kreis, geschlossene Gesellschaft; **2** Empfang bei Hofe; C. halten: Gäste beim Hofempfang ins Gespräch ziehen; **Cer|cle|sitz** [sẹrkl-] *m. 1, österr.:* Theater- und Konzertplatz in den vorderen Reihen
Ce|re|a|li|en [lat.] *nur Mz.* altröm. Fest zu Ehren der Ceres, der Göttin des Ackerbaus; vgl. Zerealien
Ce|re|bẹl|lum *s. Gen.* -s *Mz.* -la Kleinhirn; **Ce|re|brum** *auch:* **Ce|reb|rum** *s. Gen.* -s *Mz.* -bra Großhirn, Gehirn
Ce|res *röm. Myth.:* Göttin des Feldes und des pflanzl. Wachstums
ce|ri|se [səriz(ə), frz.] *unflektierbar* kirschrot
Ce|ri|um *s. Gen.* -s *nur Ez.* = Cer
Cer|ve|lat, Ser|vel|la [sɛrvəla] *w. 9 oder m. 9, schweiz.:* eine Art Teewurst; vgl. Zervelatwurst
cẹs *s. Gen.* - *Mz.* -, *Mus.:* **1** das um einen halben Ton erniedrigte c; **2** = ces-Moll; **Cẹs** *s. Gen.* - *Mz.* -, *Mus.:* **1** das um einen halben Ton erniedrigte C; **2** = Ces-Dur; **Ces-Dur** *s. Gen.* - *nur Ez.* (*Abk.:* Ces) eine Tonart; **Ces-Dur-Ton|lei|ter** *w. 11*
cẹ|ses, Cẹ|ses *s. Gen.* - *Mz.* -, *Mus.:* das um zwei halbe Töne erniedrigte ces bzw. Ces
ces-Mọll *s. Gen.* - *nur Ez.* (*Abk.:* ces) eine Tonart; **ces-Mọll-Ton|lei|ter** *w. 11*
C'est la guerre [sɛ: la gɛr, frz.] Das ist (= so ist) der Krieg
C'est le ton qui fait la musique [sɛ: lə tɔ̃ ki fɛ: la myzik, frz.] Der Ton macht die Musik: es kommt auf den Ton an, in dem etwas gesagt wird
cẹ|te|ris pa|ri|bus [lat. »(wenn) das Übrige gleich (ist)«] unter sonst gleichen Bedingungen
Cẹ|te|rum cẹn|seo [lat. »im Übrigen meine ich«; *eigtl.:* Ceterum censeo Carthaginem esse delendam: »Im Übrigen meine ich, dass Karthago zerstört werden muss«; Schlusssatz jeder Rede Catos im röm. Senat] *s. Gen.* -- *nur Ez.* immer wieder vorgebrachte, feste Überzeugung
Ce|vap|ci|ci ▶ *auch:* **Če|vap|či|či** [tʃevaptʃitʃi, serbokroat.] *Mz.* gegrillte Hackfleischbällchen
Cey|lon, *amtlich:* Sri Lanka, Inselstaat an der Südspitze Vorderindiens; **Cey|lo|ne|se** *m. 11* Einwohner von Sri Lanka; **cey|lo|ne|sisch**
cf *Abk. für* cost and freight, im Seehandel Klausel, dass Verlade- und Frachtkosten im Preis eingeschlossen sind
Cf *chem. Zeichen für* Californium
cf., cfr. *Abk. für* confer
CFTC *Abk. für* Confédération Française des Travailleurs Chrétiens (Spitzenverband der frz. christl. Gewerkschaften)
cg *Abk. für* Zentigramm
CGS-Sys|tem *s. 1* auf den Einheiten Zentimeter, Gramm, Sekunde aufgebautes, internationales Maßsystem; vgl. MKS-System
CGT *Abk. für* Confédération Générale du Travail (Spitzenverband der frz. sozialist. Gewerkschaften)
CH *Abk. für* Confoederatio Helvetica
Cha-Cha-Chạ [tʃa-] *m. 9* ein moderner Gesellschaftstanz
Cha|conne [ʃakọn, span.-frz.] *w. 9 oder w. 11* **1** span. Reigentanz; **2** Satz der Suite
Cha|cun à son goût [ʃakœ̃na sɔ̃ gu, frz.] Jeder nach seinem Geschmack
Cha|grin *auch:* **Chag|rin** [ʃagrɛ̃, türk.-frz.] *s. 9 nur Ez.* ein Seidengewebe; **cha|gri|nie|ren** *auch:* **chag|ri|nie|ren** [ʃa-] *tr. 3* mit einer künstl. Narbung versehen (Leder); **Cha|grin|le|der** *auch:* **Chag|rin|le|der** [ʃa-grɛ̃-] *s. 5* Leder aus Esels- oder Pferdehaut mit künstlich aufgeprägter Narbung
Chaine [ʃɛn, frz.] *w. 11* **1** Tanztour beim Kontertanz; **2** Kettfaden
Chair|man [tʃɛrmən] *m. Gen.* - *Mz.* -men [-mən] *engl. Bez. für* Vorsitzender, z.B. eines Ausschusses im Parlament
Chai|se [ʃɛz(ə), frz.] *w. 11* **1** Kutsche mit Halbverdeck; **2** *veraltet:* Sessel; **3** *ugs. veraltet, kurz für* Chaiselongue; **Chai|se|lon|gue** [ʃɛ:z(ə)lɔ̃g] *w. 11, Mz.* [-gən] Sofa ohne Rückenlehne, Liege
Chak|ra [tʃạkra, Sanskrit] *s. 9 Mz. auch* Chakren, *Esoterik:* jedes der sieben Energiezentren im Körper
Chal|dä|er [kal-] *m. 5* Angehöriger eines semit.-aramäischen Volksstammes; **chal|dä|isch**
Cha|let [ʃalɛ, frz.] *s. 9* **1** Sennhütte; **2** kleines Landhaus
Chal|ki|di|ke [çal- oder xal-] nordgriech. Halbinsel
Chal|ko|che|mi|gra|phie [çal-, griech.] *w. 11 nur Ez.* Metallgravierung; **Chal|ko|graph** *m. 10, veraltet:* Kupferstecher; **Chal|ko|gra|phie** *w. 11 nur Ez., veraltet:* Kupferstechkunst; **chal|ko|gra|phisch**
Chal|ko|lith [çal-, griech.] *m. 10 oder m. 12 nur Ez.* ein Mineral;

▶ = wird zu

Chal|ko|li|thi|kum *s. Gen.* -s *nur Ez.* Kupfersteinzeit, Ende der Jungsteinzeit; **chal|ko|li|thisch**

Chal|ze|don [çal-, nach der Landschaft Chalzedonien in Kleinasien] *m. 1 nur Ez.* ein Mineral

Cha|mä|le|on [ka-, griech.] *s. 9* **1** Baumeidechse; **2** *übertr.:* oft seine Überzeugung wechselnder Mensch

Cham|bre gar|nie *auch:* **Chamb|re** - [ʃãbrə, frz.] *s. Gen.* -- *Mz.* -s -s [ʃãbrə garni], *veraltet:* möbliertes Zimmer zum Vermieten; **Cham|bre sé|pa|rée** *auch:* **Chamb|re** - [ʃãbrə separe] *s. Gen.* -- *Mz.* -s -s kleiner, abgetrennter Raum im Restaurant

cha|mois [ʃamoa, frz.] gämsfarben, gelbbräunlich; **Chamois** [ʃamoa] *s. Gen.* - *nur Ez.*, **Cha|mois|le|der** *s. 5 nur Ez.* Gäms-, Ziegen-, Schafleder

Cham|pa|gner *auch:* **Champag|ner** [ʃãpanjər, auch: ʃam-, nach der frz. Landschaft Champagne] *m. 5,* **Cham|pa|gner|wein** *m. 1* frz. Schaumwein

Cham|pi|gnon *auch:* **Champig|non** [ʃampinjɔ̃, frz.] *m. 9* ein Speisepilz

Cham|pi|on [tʃæmpjən, engl.] *m. 9* **1** Meister in einer Sportart; **2** *österr.:* Aufsatz auf dem Rauchfang; **Cham|pi|o|nat** [ʃam-] *s. 1* Meisterschaft in einer Sportart

Champ|le|vé [ʃãləve, frz.] *s. Gen.* - *nur Ez.* Grubenschmelz, Art der Emailmalerei, bei der die flüssige Emailmasse in ausgestochene Vertiefungen des Metalls gegossen wird

Champs-É|ly|sées [ʃãzelize] *nur Mz.* eine Hauptstraße in Paris

Chan [xan, pers.] *m. 1* **1** Herberge im Vorderen Orient; **2** = Khan

Chan|ce [ʃãs(ə), frz.] *w. 11* günstige Möglichkeit, Gelegenheit

Chan|cel|lor [tʃansələr, engl.] *m. 9, in England:* Inhaber eines hohen Staatsamtes

Change [tʃɛındʒ, engl.] *m. Gen.* - *nur Ez. oder* [ʃãʒ, frz.] *w. Gen.* - *nur Ez.* Geldwechsel

chan|geant [ʃãʒã, frz.] *unflektierbar* schillernd, im Farbton wechselnd (Stoff); **Chan|geant** [ʃãʒã] *m. 9* schillernder Stoff; **chan|gie|ren** [ʃãʒirən] *intr. 3* **1** schillern, im Farbton wechseln; **2** *Reitsport:* den Galopp wechseln; **3** *Jägerspr.:* die Fährte wechseln (Hund)

Chan|son [ʃãsɔ̃, frz.] *s. 9* **1** *in der altfrz. Dichtung:* sangliches Gedicht; **2** heute: Kabarettlied; **Chan|son|net|te** ▶ *auch:* **Chan|so|net|te** [ʃã-] *w. 11* **1** kleines, komisches oder frivoles Lied; **2** Chansonsängerin; **Chan|son|nier** ▶ *auch:* **Chan|so|nier** [ʃãsɔnje] *m. 9* Chansonsänger; **Chan|son|nie|re** ▶ *auch:* **Chan|so|nie|re** [ʃãsɔnjɛrə] *w. 11* Chansonsängerin

> **Chansonnier/Chansonier:** Die Hauptvariante lautet *Chansonnier;* zulässig ist auch die Nebenvariante *Chansonier.* Ebenso: *Chansonnette* und *Chansonette.*

Chan|te [xan-] *m. 11* Angehöriger eines westsibir. Volkes, Ostjake; **chan|tisch** [xan-]

Cha|nuk|ka [xa-, hebr.] *w. Gen.* - *nur Ez.* jüd. Fest im Dezember zur Tempelweihe

Cha|os [ka-, griech.] *s. Gen.* - *nur Ez.* **1** die ungeformte Masse der Welt vor der Schöpfung; **2** Durcheinander, Wirrwarr; **Cha|ot** *m. 10,* **Cha|o|te** *m. 11, meist Mz.* radikaler Anarchist; **cha|o|tisch** völlig verwirrt, unentwirrbar; *chaotisches System:* durch mathematische Formeln kaum bestimmbares System gewisser Ordnung

Cha|peau [ʃapo, frz.] *m. 9, im Dt. nur scherzhaft verwendete Bez. für* Hut; **Cha|peau claque** [ʃapo klak] *m. Gen.* -- *Mz.* -x -s [ʃapo klak] zusammenklappbarer Zylinderhut

Cha|rak|ter [ka-, griech.] *m. Gen.* -s *Mz.* -te|re Gepräge, Eigenart; *auch:* feste Haltung; **Cha|rak|ter|dar|stel|ler** *m. 5* Schauspieler einer Charakterrolle; **Cha|rak|ter|dra|ma** *s. Gen.* -s *Mz.* -men = Charakterstück (**1**); **Cha|rak|ter|feh|ler** *m. 5;* **cha|rak|ter|fest; Cha|rak|ter|fes|tig|keit** *w. 10 nur Ez.;* **cha|rak|te|ri|sie|ren** *tr. 3;* **Cha|rak|te|ri|sie|rung** *w. 10;* **Cha|rak|te|ris|tik** *w. 10* **1** treffende Schilderung, Kennzeichnung; **2** *Math.:* Kennziffer eines Logarithmus; **Cha|rak|te|ris|ti|kum** *s. Gen.* -s *Mz.* -ka Kennzeichen, hervorstechende Eigenschaft; **cha|rak|te|ris|tisch; cha|rak|ter|lich; cha|rak|ter|los; Cha|rak|ter|lo|sig|keit** *w. 10 nur Ez.;* **Cha|rak|te|ro|lo|ge** *m. 11;* **Cha|rak|te|ro|lo|gie** *w. 11 nur Ez.* Lehre vom Wesen und von der Entwicklung des Charakters, Persönlichkeitsforschung; **cha|rak|te|ro|lo|gisch; Cha|rak|ter|rol|le** *w. 11* Bühnenrolle einer ausgeprägten Persönlichkeit; **Cha|rak|ter|schwä|che** *w. 11 nur Ez.;* **Cha|rak|ter|spie|ler** *m. 5* Charakterdarsteller; **Cha|rak|ter|stär|ke** *w. 11 nur Ez.;* **Cha|rak|ter|stück** *s. 1* **1** Bühnenstück, dessen Konflikt sich aus dem Charakter des Helden ergibt, Charakterdrama; **2** Musikstück, dessen Ausdruck durch das Thema bestimmt ist, z. B. Träumerei; **Cha|rak|ter|tra|gö|die** *w. 11* Charakterstück (**1**) mit tragischem Ausgang; **cha|rak|ter|voll; Cha|rak|ter|zug** *m. 2*

Char|don|net|sei|de [ʃardɔne-, nach dem frz. Chemiker Chardonnet] *w. 11 nur Ez.* eine Kunstseide

Char|ge [ʃarʒə, frz.] *w. 11* **1** Würde, Rang; **2** *Mil.:* Dienstgrad; **3** *Technik:* Beschickung eines metallurg. Ofens; **4** kleine, aber sehr ausgeprägte Bühnenrolle; **Char|gen|spie|ler** [ʃarʒən-] *m. 5* Darsteller einer Charge (**4**); **char|gie|ren** [ʃarʒi-] **1** *tr. 3, Technik:* beschicken, laden (Hochofen); **2** *intr. 3, Stud.:* in Amtstracht oder Farben erscheinen; *Theater:* eine Rolle überdeutlich gestalten; **Char|gier|te(r)** [ʃarʒir-] *m. 18 (17)* Vorstandsmitglied einer Studentenverbindung

Cha|ris|ma [ça-, griech.] *s. Gen.* -s *Mz.* -ris|ma|ta *oder* -rismen **1** göttl. Gnadengeschenk; **2** Berufung (eines Propheten oder kirchl. Würdenträgers); **cha|ris|ma|tisch**

cha|ri|ta|tiv [ka-] = karitativ; **Cha|ri|té** [ʃarite, frz.] *w. 9* Name einiger Krankenhäuser

Cha|ri|ten [ça-, griech.], **Cha|ri|tin|nen** *nur Mz., griech. Myth.:* Göttinnen der Anmut und Schönheit

Cha|ri|va|ri [ʃa-, frz.] *s. 9* **1** Durcheinander, Katzenmusik; **2** ein Trachtenschmuck; **3** *in Frankreich:* Polterabend

Char|kow [xạrkɔf] Stadt in der Ukraine **Charles|ton** [tʃa̲rlstən, nach der Stadt C. in den USA] *m. 9* schneller Foxtrott

> **charmant:** Die Hauptvariante ist die bisherige Schreibung, als Nebenvariante gilt die eingedeutschte Form *scharmant.* Ebenso: *Charme/Scharm.*

char|mant [ʃar-, frz.] ▶ *auch:* **schar|mant** gewinnend; **Charme** [ʃạrm] ▶ *auch:* **Schạrm** *m. Gen.* -s *nur Ez.* Reiz, Liebreiz, gewinnendes Wesen; **Char|meur** [ʃarmø̲r, frz.] *m. 1 oder m. 9* betont liebenswürdiger Mensch; **Char|meu|rin** [ʃarmø̲-] *w. 10* weibl. Charmeur; **Char|meuse** [ʃarmø̲z] *w. Gen. - nur Ez.* kunstseidene Wirkware **Cha|ron** [ça̲-] *griech. Myth.:* Fährmann in der Unterwelt **Char|ta** [kạr-, griech.] *w. 9* Verfassungsurkunde, Staatsgrundgesetz; **Char|te** [ʃạrtə, frz.] *w. 11, Staats- und Völkerrecht:* wichtige Urkunde; **Char|ter** [tʃa̲r-, engl.] *w. 9 oder m. 9* **1** Urkunde, Freibrief; **2** *Seerecht:* Frachtvertrag; **Char|te|rer** [tʃa̲r-] *m. 5* Mieter eines Schiffes oder Flugzeuges; **Char|ter-**

> **Charterflugzeug:** Die Zusammensetzung aus Substantiv und Substantiv wird zusammengeschrieben. Ebenso: *Airbag, Weekend, Nightclub* usw. →§ 37 (1)

flug|zeug *s. 1,* **Char|ter|ma|schi|ne** [tʃa̲r-] *w. 11* für private Zwecke gemietetes Flugzeug; **char|tern** [tʃa̲r-] *tr. 1* mieten (Schiff oder Flugzeug); **Char|tịs|mus** [tʃar-] *w. Gen. - nur Ez.* engl. Arbeiterbewegung im 19. Jh.; **Char|tịst** [tʃar-] *m. 10* **Char|treuse** *auch:* **Chart|reuse** [ʃartrø̲z, nach dem frz. Kloster Grande Chartreuse] *m. Gen. - nur Ez.* Ⓦ ein frz. Kräuterlikör **Charts** [tʃa̲rts, engl.] *Mz.* **1** Hitparade, Verkaufsliste der beliebtesten Schlager; **2** *Börse:* Grafik, die den Kursverlauf anzeigt **Char|tu|la̲|ri|um** [kar-, griech.-lat.] *s. Gen.* -s *Mz.* -ria Sammlung von Urkundenabschriften in Buchform **Cha|rỵb|dis** [ça-] *w. Gen. - nur Ez.* vgl. Scylla

Chase [tʃɛiz, engl.] *s. oder w. Gen. - nur Ez., Jazz:* ständiger Wechsel zwischen improvisierenden Solisten **chas|mo|ga̲m** [ças-, griech.] offenblütig; **Chas|mo|ga|mi̲e** *w. 11* Fremdbestäubung bei offener Blüte **Chas|se|pot|ge|wehr** [ʃasəpo̲-, nach dem frz. Erfinder Antoine-Alphonse Chassepot] *s. 1* Hinterladegewehr **Chas|si|di̲m** [xas-, hebr.] *Mz.* Anhänger des Chassidismus; **Chas|si|dịs|mus** *m. Gen. - nur Ez.* im 18. Jh. begründete, osteurop. jüd. relig. Bewegung **Chas|sis** [ʃasi̲, frz.] *s. Gen. -* [ʃasi̲s] *Mz. -* [ʃasi̲s] Gestell für Aufbauten, Fahrgestell (des Autos), Montagerahmen (des Rundfunkempfängers u. a.) **Châ|teau** ▶ *auch:* **Cha|teau** [ʃato̲, frz.] *s. 9, veraltet:* Landhaus, Schloss **Chat|te** [çạt- oder kạt-], Kạt|te *m. 11* Angehöriger eines westgerm. Volksstammes; **chat|tisch** [çạt- oder kạt-] **Chau|deau** [ʃodo̲, frz.] *m. 9* Weinschaumsoße **Chauf|feur** [ʃɔfø̲r, frz.] *m. 1* Lenker eines Kraftwagens; **chauf|fie̲|ren** [ʃɔf-] *intr. 3* **Chau|ke** [ça̲ʊ-] *m. 11* Angehöriger eines westgerman. Volksstammes; **chau|kisch** [ça̲ʊ-] **Chaus|see** [ʃɔs-, frz.] *w. 11, veraltet:* Landstraße; **chaus|sie̲|ren** [ʃɔs-] *tr. 3* mit einer festen Decke versehen **Chau|vi|nịs|mus** [ʃo-, frz.] *m. Gen. - nur Ez.* übersteigerte Vaterlandsliebe; **Chau|vi|nịst** *m. 10;* **chau|vi|nịs|tisch** **Check** *m. 9* **1** [tʃẹk, engl.] *Eishockey:* Behinderung des Spielverlaufs; **2** [ʃẹk] = Scheck (**2**) **che|cken** [tʃẹ-] *tr. 1* prüfen, vergleichen; **Check|lis|te** [tʃẹk-] *w. 11* Kontrollliste mit allen wichtigen Punkten eines Arbeitsbereichs; **Check|point** [tʃẹkpɔınt] *m. 9* Kontrollpunkt an Grenzübergängen **chee|rio!** [tʃi:rio̲, engl.], **cheers!** [tʃi̲rz] *ugs.:* prost!, zum Wohl! **Chees|bur|ger** [tʃi̲zbœ:gə, engl.] *m. 5* Hamburger (**2**) mit zusätzlich einer Scheibe Käse **Chef** [ʃẹf, frz.] *m. 9* **1** Vorgesetzter, Leiter; **2** Geschäftsinhaber; **3** Haupt…, Ober…, z. B. Cheflektor; **Chef|arzt** *m. 2;* **Che|feu|se** [ʃɛføzə] *w. 11, ugs. scherzh.:* Frau des Chefs; **Che|fin** [ʃẹ-] *w. 10* weibl. Chef (**1** und **2**); **Chef|in|ge|ni|eur** [ʃẹf-] *m. 1;* **Chef|lek|tor** *m. 13;* **Chef|pi|lot** *m. 10* Flugkapitän; **Chef|re|dak|teur** *m. 1*

Chei|ro|no|mi̲e [çaı-, griech.], Chi|ro|no|mi̲e [çi-] *w. 11 nur Ez., Altertum und MA:* Dirigierweise durch Handbewegungen, die die Tonhöhe angeben; **chei|ro|no̲|misch,** chi|ro|no̲|misch **Chel|lé|en** [ʃɛleɛ̲̃, nach dem frz. Ort Chelles] *s. Gen.* -(s) *nur Ez., früher Bez. für* Abbevillien **Che|mi̲e** [çe-, süddt., österr.: ke-, griech.] *w. 11 nur Ez.* Wissenschaft von den Eigenschaften und der Umwandlung der Stoffe; **Che|mi̲e|fa|ser** *w. 11* auf chem. Weg hergestellter Faserstoff, Kunstfaser; **Che|mi̲e|wer|ker** *m. 5* Arbeiter in der chem. Industrie; **Che|mi|gra̲ph** ▶ *auch:* **Che|mi|gra̲f** *m. 10;* **Che|mi|gra|phi̲e** ▶ *auch:* **Che|mi|gra|fi̲e** *w. 11* Verfahren zur Herstellung von Druckplatten auf fotomechan. Wege; **che|mi|gra̲|phisch** ▶ *auch:* **che|mi|gra̲|fisch;** **Che|mi|ka̲l** *s. Gen.* -s *Mz.* -li|en, **Che|mi|ka̲|lie** [-ljə] *w. 11* auf chem. Wege hergestellter Stoff; **Che̲|mi|ker** [çe̲-, süddt., österr.: ke̲-] *m. 5* Wissenschaftler auf dem Gebiet der Chemie **Che|mi|nee** [ʃəmine̲, frz.] *s. 9, schweiz.:* offener Kamin im Wohnraum **che|misch** [çe̲-, süddt., österr.: ke̲-] die Chemie betreffend, auf ihr beruhend, zu ihr gehörig; auf Stoffumwandlung beruhend; chemisches Element: durch chem. Verfahren nicht weiter zerlegbarer Bestandteil der Materie **Che|mise** [ʃəmi̲z, frz.] *w. 11, um 1800:* hemdartiges Kleid, Überwurf; **Che|mi|sett** [ʃəmizẹt] *s. 1 oder s. 9,* **Che|mi|set|te** [ʃəmizẹt(ə)] *w. 11* gestärkte Hemdbrust zum Vorbinden; *auch:* weißer Einsatz am vorderen Oberteil des Damenkleides **Che|mịs|mus** [çe-, süddt., österr.: ke-, griech.] *m. Gen. - nur Ez.* Gesamtheit der Stoffumwandlungen bes. im Tier- und Pflanzenkörper **Chem|nitz** [kẹm-] Stadt in

▶ = wird zu

Sachsen (1953–90: Karl-Marx-Stadt)
Che|mo|nas|tie [çe-, süddt., österr.: ke-, griech.] *w. 11* durch chem. Reiz ausgelöste, ungerichtete Bewegung von Pflanzen; vgl. Chemotropismus; **Che|mo|plast** *m. 1 meist Mz.* härtbares Kunstharz; **Che|mo|re|sis|tenz** *w. 10 nur Ez.* Widerstandsfähigkeit von Krankheitserregern gegen Chemotherapeutika, von denen sie vorher vernichtet worden waren; **Che|mo|re|zep|tor** *m. 13* auf chemische Reize (z. B. Geruchsreize) ansprechende Nervenzelle; **Che|mo|syn|the|se** *w. 11* auf chem. Wege (ohne Sonnenlicht) verlaufende Umwandlungsvorgänge in Pflanzen; **che|mo|tak|tisch** auf Chemotaxis beruhend; **Che|mo|ta|xis** *w. Gen. - Mz.* -xen Anziehung oder Abstoßung durch chem. Stoffe (z. B. bei Bakterien); **Che|mo|tech|nik** *w. 10;* **Che|mo|tech|ni|ker** *m. 5;* **Che|mo|the|ra|peu|ti|kum** *s. Gen.* -s *Mz.* -ka aus chem. Stoffen hergestelltes Arzneimittel, das Krankheitserreger vernichtet oder im Wachstum hemmt, ohne dem Körper nachhaltig zu schaden; **che|mo|the|ra|peu|tisch; Che|mo|the|ra|pie** *w. 11* Behandlung mit Chemotherapeutika; **Che|mo|tro|pis|mus** *m. Gen. - Mz.* -men durch chem. Reiz ausgelöste, gerichtete Bewegung von Pflanzen; vgl. Chemonastie
Che|nil|le [ʃənịljə, *auch* -ni:j(ə), frz.] *w. 11* Garn mit abstehenden Fasern, Raupengarn
Che|ops [çe-] altägypt. Herrscher (um 2520 v. Chr.); **Che|ops|py|ra|mi|de** [çe-] *w. 11 nur Ez.*
Cheque [ʃɛk] *m. 9 schweiz.* = Scheck
Cher|chez la femme [ʃɛrʃe la fam, frz. »sucht die Frau«] Dahinter steckt bestimmt eine Frau
Cher|ry Bran|dy ► *auch:* **Cher|ry|bran|dy** [tʃɛri brændi, engl.] *m. Gen.* --s *Mz.* --s Kirschlikör
Che|rub [çe-, hebr.], **Ke|rub** *m. Gen.* -s *Mz.* -ru|bim *oder* -ru|bi|nen Engel, Paradieswächter; **che|ru|bi|nisch, ke|ru|bi|nisch** engelgleich; *aber:* der Cherubinische Wandersmann
Che|rus|ker [çe-] *m. 5* Angehöriger eines westgerman. Volksstammes; **che|rus|kisch**
Ches|ter [tʃɛs-, nach der engl. Stadt C.] *m. 5,* **Ches|ter|kä|se** [tʃɛs-] *m. Gen.* -s *Mz.* - ein fetter Hartkäse
che|va|le|resk [ʃə-, frz.] ritterlich; **Che|va|lier** [ʃəvalje] *m. 9* **1** Ritter, Edelmann; **2** frz. Adelstitel
Che|vau|le|ger [ʃvoləʒe, frz.] *m. 9, veraltet:* Angehöriger der leichten Kavallerie, leichter Reiter
Che|vi|ot [tʃɛ-, ʃɛ- oder ʃe-, österr.: ʃɛ-, nach den Cheviotbergen an der engl.-schott. Grenze] *m. 9* ein Kammgarngewebe aus Schafwolle
Che|vreau *auch:* **Chev|reau** [ʃəvro, frz.] *s. Gen.* - *Mz.* -s, **Che|vreau|le|der** *auch:* **Chev|reau|le|der** *s. 5* Ziegenleder
Che|vret|te *auch:* **Chev|ret|te** [ʃəvrɛt, frz.] *w. 11* mit Chromsalzen gegerbtes Schafleder
Che|vron *auch:* **Chev|ron** [ʃəvrɔ̃, frz.] *m. 9* **1** *Wappenkunde:* pfeilspitzenartige Verbindung zweier Schrägbalken; **2** frz. Dienstgradabzeichen in dieser Form; **3** Gewebe mit Fischgrätenmuster
Chew|ing-gum ► **Chew|ing|gum** [tʃuɪŋgʌm] *m. Gen.* -(s) Mz. -s, *engl. für* Kaugummi
Chi [çi:] *s. Gen.* -(s) *Mz.* -s (*Zeichen:* χ, X) griech. Buchstabe
Chi|an|ti [kjan-, nach der ital. Landschaft C.] *m. 9,* **Chi|an|ti|wein** *m. 1* ein ital. Rotwein
Chi|as|mus [çi-, nach dem griech. Buchstaben Chi] *m. Gen. - Mz.* -men Stilfigur, kreuzweise Gegenüberstellung von gleichen oder gegensätzlichen Begriffen, z. B. »Es ist viel Neues und Gutes in diesem Buch, aber das Neue ist nicht gut, und das Gute ist nicht neu« (Lessing); **chi|as|tisch**
chic [ʃịk] *unflektierbar Nv.* ► **schick** *Hv.*
Chi|ca|go [tʃikago], *auch eingedeutscht:* Chi|ka|go [ʃi-] Stadt in den USA
Chi|chi [ʃiʃi, frz.] *s. Gen. - nur Ez.* **1** Getue, Gehabe; **2** Kleinigkeiten, Tand
Chi|co|rée [ʃịkore:, frz.] ► *auch:* **Schi|ko|ree** *w. 9 oder m. 9 nur Ez.* Trieb der Zichorie, für Gemüse und Salat
Chief [tʃif] *m. 9, engl. Bez. für* Anführer
Chiem|see [kim-] *m. Gen.* -s dt. See (Oberbayern)
Chif|fon [ʃifɔ̃, frz.] *m. 9, österr.:* [-fon] *m. 1* leichtes, seidenes oder kunstseidenes, schleierartiges Gewebe; **Chif|fon|nier** [ʃifɔnje] *m. 9, veraltet:* Schreibsekretär; **Chif|fon|nie|re** [ʃifɔnjɛrə] *w. 11, veraltet:* **1** Nähtisch; **2** *schweiz.:* Kleiderschrank
Chif|fre *auch:* **Chiff|re** [ʃịfrə, auch: ʃịfər, frz.] *w. 11* **1** Ziffer, Zahl; **2** Geheimzeichen; **3** Kennwort; **Chif|fre|schrift** *auch:* **Chiff|re|schrift** [ʃịfrə-] *w. 10* Geheimschrift; **Chif|fre|te|le|gramm** *auch:* **Chiff|re|te|le|gramm** [ʃịfrə-] *s. 1* verschlüsseltes Telegramm; **Chif|freur** *auch:* **Chiff|reur** [ʃifrør] *m. 1* jmd., der Texte in Chiffren (**2**) umsetzt oder sie entschlüsselt, Entzifferer; **chif|frie|ren** *auch:* **chiff|rie|ren** [ʃif-] *tr. 3* in Geheimschrift abfassen
Chi|gnon *auch:* **Chig|non** [ʃinjɔ̃, frz.] *m. 9* Haarknoten im Nacken
Chi|ka|go [ʃi-] = Chicago
Chi|le [tʃile: oder çile:] südamerik. Staat; **Chi|le|ne** *m. 11* Einwohner von Chile; **chi|le|nisch; Chi|le|sal|pe|ter** *m. 5 nur Ez.* Natronsalpeter
Chi|li [tʃi-, indian.] *m. 9* **1** eine Art Paprika, aus der Cayennepfeffer gewonnen wird; **2** mit Cayennepfeffer gewürzte Soße
Chi|li|a|de [çi-, griech.] *w. 11* **1** Zahl, Reihe, Sammlung von Tausend; **2** Jahrtausend; **Chi|li|as|mus** [çi-] *m. Gen. - nur Ez.* Lehre von der Erwartung des Tausendjährigen Reiches (nach Christi Wiederkunft); **Chi|li|ast** *m. 10;* **chi|li|as|tisch**
Chi|mä|ra [ç-] *w. Gen. - Mz.* -ren **1** *griech. Myth.:* Ungeheuer: Löwe (Kopf), Ziege (Leib, Beine) und Schlange (Schwanz) in einem; **2** *Biol.* = Chimäre (**1**); **Chi|mä|re** [çi-] *w. 11* **1** Pfropfbastard; **2** = Schimäre
Chi|na [çi-, süddt., österr.: ki-] Staat in Ostasien; **Chi|na|gras** [çi-, ki-] *s. 4 nur Ez.* = Ramie; **Chi|na|pa|pier** [çi-, ki-] *s. 1* feines, festes Papier aus Bambus oder Reisstroh; **Chi|na|rin|de** [çi-, ki-] *w. 11 nur Ez.* **1** Rinde des südostasiat. Chinarinden-

baumes, Fieberrinde; **2** daraus hergestelltes Heilmittel gegen Fieber; **Chi|na|wa|re** [çi-, ki-] *w. 11* kunstgewerbl. Gegenstand, bes. Porzellan, aus China

Chin|chil|la [tʃintʃi̯la, span. tʃintʃi̯lja] **1** *w. 9 oder s. 9, österr.: s. 9* südamerik. Nagetier, Hasenmaus; **2** *m. 9* Pelz dieses Tieres

Chi|né [ʃine, frz.] *m. 9* ein Kunstseidengewebe; **chi|niert** [ʃi-] geflammt (Gewebe)

Chi|ne|se [çi-, süddt., österr.: ki-] *m. 11* Einwohner von China; **chi|ne|sisch**

Chi|nin [çi-, süddt., österr.: ki-, indian.] *s. 1 nur Ez.* Alkaloid der Chinarinde, ein Fiebermittel

Chi|noi|se|rie [ʃinoazə-, frz.] *w. 11* kunstgewerbl. Gegenstand in chinesischem Stil

Chi|nook [tʃinu̯k] **1** Tschi|nuk, *m. 9 oder Gen. - Mz. -* Angehöriger eines nordamerik. Indianerstammes; **2** *m. 9* föhnartiger Wind auf der Ostseite der Rocky Mountains

Chintz [tʃi̯nts, Hindi] *m. 1* durch Wachsüberzug glänzend gemachtes, meist gemustertes Baumwollgewebe; **chint|zen** [tʃi̯n-] *tr. 1*

Chip [tʃi̯p, engl.] *m. 9* **1** Spielmarke; **2** *Mz.* dünne, rösch gebackene, gewürzte Kartoffelscheibchen; **3** Träger einer elektron. Miniaturschaltung

Chip|pen|dale [tʃi̯pəndɛɪl, nach dem engl. Kunsttischler Thomas C.] *s. Gen. -(s) nur Ez.* ein Möbelstil des 18. Jh.

Chir|a|gra *auch:* **Chi|rag|ra** [çir-, griech.] *s. Gen. -s nur Ez.* Gicht in den Handgelenken

Chi|ro|gno|mie *auch:* **Chi|rog|no|mie** [çi-, griech.] *w. 11 nur Ez.* = Chirologie

Chi|ro|graph ▸ *auch:* **Chi|ro|graf** [çi-, griech.] *s. 12,* Chi|ro|gra|phum [çi-] *s. Gen. -s Mz. -*pha *oder* -gra|phen **1** *Antike:* Handschreiben; **2** *MA:* eigenhändig geschriebene Urkunde; **3** päpstl. Erlass an eine Einzelperson; **chi|ro|gra|phisch** ▸ *auch:* **chi|ro|gra|fisch**

Chi|ro|lo|gie [çi-, griech.] *w. 11 nur Ez., selten auch:* Chi|ro|gno|mie [çi-] *w. 11 nur Ez.* Lehre von der Charakter- und Schicksalsdeutung aus Form und Linien der Hände; **chi|ro|lo|gisch**

Chi|ro|mant [çi-, griech.] *m. 10;* **Chi|ro|man|tie** *w. 11 nur Ez.* Charakter- und Zukunftsdeutung aus Form und Linien der Hände, Handlesekunst; **chi|ro|man|tisch**

Chi|ro|no|mie [çi-] *w. 11 nur Ez.* = Cheironomie; **chi|ro|no|misch** = cheironomisch

Chi|ro|prak|tik [çi-, griech.] *w. 10 nur Ez.* Methode zur Behandlung von Wirbelverrenkungen und Bandscheibenschäden; **Chi|ro|prak|ti|ker** *m. 5;* **chi|ro|prak|tisch**

Chi|ro|spas|mus [çi-, griech.] *m. Gen. - Mz.* -men Schreibkrampf

Chir|urg *auch:* **Chi|rurg** [çir-, süddt., österr.: kir-, griech.] *m. 10* Facharzt der Chirurgie; **Chir|ur|gie** *auch:* **Chi|rur|gie** *w. 11 nur Ez.* **1** Heilbehandlung durch operativen Eingriff; **2** *ugs.:* chirurg. Klinik; **chir|ur|gisch** *auch:* **chi|rur|gisch**

Chi|tin [çi-, griech.] *s. 1 nur Ez.* hornhaltiger Stoff im Panzer von Gliederfüßern; **chi|ti|nig** chitinähnlich; **chi|ti|nös** aus Chitin

Chi|ton [çi-, griech.] *m. 1* altgriech. Gewand

Chla|mys [xla-, auch: xlamys, griech.] *w. Gen. - Mz. -* altgriech. kurzer Überwurfmantel für Reiter und Krieger

Chloe [kloe:] weibl. griech. Eigenname, bes. in der Hirtendichtung

Chlor [klor, griech.] *s. 1 nur Ez.* (*Zeichen:* Cl) chem. Element; **Chlo|ral** *s. 1 nur Ez.* stechend riechende, ätzende Chlorverbindung; **Chlo|ral|hy|drat** *auch:* **Chlo|ral|hyd|rat** *s. 1 nur Ez.* ein Schlafmittel; **Chlo|ra|lis|mus** *m. Gen. - Mz.* -men Chlorvergiftung; **Chlor|amin** *auch:* **Chlo|ra|min** *s. 1 nur Ez.* ein Bleich- und Desinfektionsmittel

Chlo|rat *s. 1* Salz der Chlorsäure; **Chlo|rel|la** *w. Gen. - Mz.* -len eine Grünalge; **chlo|ren** [klo-] *tr. 1,* chlo|rie|ren *tr. 3* mit Chlor versetzen und dadurch keimfrei machen; **Chlo|rid** *s. 1* eine Chlorverbindung, Salz der Chlorwasserstoffsäure (Salzsäure); **chlo|rie|ren** *tr. 3* = chloren; **chlo|rig** [klo-] Chlor enthaltend; **Chlo|rit** **1** *s. 1* Salz der chlorigen Säure; **2** ein Mineral; **Chlor|kalk** [klor-] *m. 1 nur Ez.* ein Bleich- und Desinfektionsmittel; **Chlor|na|tri|um** *auch:* **Chlor|nat|ri|um** [klor-] *s. Gen. -s nur Ez.,* Kochsalz, Natriumchlorid; **Chlo|ro|form** *s. Gen. -s nur Ez., früher:* Narkosemittel; **chlo|ro|for|mie|ren** *tr. 3* mit Chloroform betäuben; **Chlo|rom** *s. 1* bösartige Geschwulst an Knochen und Drüsen; **Chlo|ro|phyll** *s. 1 nur Ez.* grüner Farbstoff von Pflanzenzellen, Blattgrün; **Chlo|ro|phy|zee** *w. 11 meist Mz.* eine Grünalge; **Chlo|ro|se** *w. 11* **1** *Bot.:* Bleichwerden grüner Pflanzenteile bei mangelnder Bildung von Blattgrün; **2** *Med.:* Bleichsucht; **Chlor|sil|ber** [klor-] *s. 5 nur Ez.* lichtempfindliches Silbersalz

chm *früher Abk. für* Kubikhektometer; vgl. hm^3

Choc [ʃɔk] *m. 9, frz. Schreibung von* Schock

Choke [tʃouk, engl.] *m. 9,* Choker *m. 7, Technik:* Luftklappe am Vergaser eines Kraftfahrzeugs (zur Kaltstarthilfe); **Choker** [tʃoukə] *m. 7* = Choke

Cho|lan|gi|tis *auch:* **Cho|lan|gi|tis** [kol-, griech.] *w. Gen. - Mz.* -ti|den Entzündung der Gallenblase und Gallengänge; **Cho|le|lith** *m. 10* Gallenstein; **Cho|le|li|thi|a|sis** *w. Gen. - nur Ez.* Gallensteinleiden

Cho|le|ra [ko-, griech.] *w. Gen. - nur Ez.* eine schwere Infektionskrankheit mit heftigem Brechdurchfall; **Cho|le|re|se** [ko-] *w. 11* Gallenabsonderung

Cho|le|ri|ker [ko-, griech.] *m. 5* reizbarer, leicht aufbrausender Mensch; **cho|le|risch**

Cho|les|te|rin [ko-, griech.] *s. 1 nur Ez.* ein Fett, Hauptbestandteil der Gallensteine; **Cho|le|zys|ti|tis** *w. Gen. - Mz.* -ti|den Gallenblasenentzündung

Chol|iam|bus [çolja̯m-, griech.] *m. Gen. - Mz.* -ben Hinkjambus, jamb. Vers mit einem Trochäus statt des letzten Jambus

cho|lo|sta|tisch *auch:* **cho|los|ta|tisch** [ko-] durch Gallenstauung verursacht

Chon|drit *auch:* **Chond|rit** [çɔn-, griech.] *m. 10* aus kleinen Kristallkörnern (Chondren) aufgebauter Meteorstein; **Chon|dri|tis** *auch:* **Chond|ri|tis** *w. Gen. - Mz.* -ti|den Knorpelentzündung

Chon|dro|blas|tom *auch:*

▸ = wird zu

Chond|ro|blas|tom, Chon|drom auch: **Chond|rom** [çɔn-, griech.] *s. 1* gutartige Geschwulst aus Knorpelgewebe
Chor [kor, griech.] *m. 2* **1** *urspr.:* Kulttanz, Kultgesang; *dann:* deren Ausführende; Bestandteil der altgriech. Tragödie; **2** *selten auch: s. 2* erhöhter, den Geistlichen vorbehaltener Raum am Ende des Kirchenschiffs mit dem Hochaltar; **3** größere Sängergruppe; **4** Musikstück für diese; **5** gemeinsamer Gesang; **Cho|ral** [ko-] *m. 2* Kirchengesang; Kirchenlied; **Cho|ral|no|ta|ti|on** *w. 10* nur die Tonhöhe angebende Notenschrift des 12. Jh.; vgl. Mensuralnotation, Modalnotation; **Chör|chen** [kør-] *s. 7* = Chörlein
Chor|da [kɔr-, griech.] *w. Gen. - Mz.* -den, Chor|de [kɔr-] *w. 11* strangartiges Gebilde, Sehne; Chorda dorsalis: Vorstufe der Wirbelsäule beim Embryo der Wirbeltiere, Rückensaite; **Chor|da|ten** *Mz.* alle Tiere, die eine Chorda dorsalis besitzen; **Chor|di|tis** *w. Gen. - Mz.* -ti|den Stimmbänderentzündung
Cho|rea [ko-, griech.] *w. Gen. - nur Ez.* = Veitstanz
Cho|reg [ko-, griech.] *m. 10,* **Cho|re|ge** *m. 11, im altgriech. Theater:* Chorführer
Cho|re|o|graf, Cho|re|o|graph [ko-, griech.] *m. 10* Künstler, der die Tänze für Ballettaufführungen entwirft; **Cho|re|o|grafie,** Cho|re|o|gra|phie *w. 11* Tanzschrift, Entwurf für Balletttänze; **cho|re|o|gra|fisch,** cho|re|o|gra|phisch; **Cho|re|o|graph** *Nv.* ▶ **Cho|re|o|graf** *Hv.;* **Cho|re|o|gra|phie** *Nv.* ▶ **Cho|re|o|gra|fie** *Hv.;* **cho|re|o|gra|phisch** *Nv.* ▶ **cho|re|o|gra|fisch** *Hv.;* **Cho|re|o|ma|nie,** Cho|ro|ma|nie *w. 11 nur Ez.* Tanzwut, krankhafte Sucht zu tanzen; **cho|re|o|ma|nisch**
Cho|re|us [ko-, griech.] *m. Gen. - Mz.* -re|en = Trochäus
Cho|reut [ko-, griech.] *m. 10, im altgriech. Theater:* Chortänzer; **Cho|reu|tik** *w. 10 nur Ez.* Tanzkunst
Chor|frau [kor-] *w. 10* Angehörige einer relig. weibl. Gemeinschaft, auch des weibl. Zweigs eines Mönchsordens; **Chor|ge|stühl** *s. 1* Sitze der Geistlichen im Chor (**2**); **Chor|hemd** *s. 12* langes, hemdartiges Kleidungsstück der kath. Priester und Chorknaben; **Chor|herr** *m. Gen.* -n *oder* -en *Mz.* -en Mitglied eines Domkapitels oder Stifts; **Chor|i|am|bus** *m. Gen. - Mz.* -ben aus einem Choreus und einem Jambus bestehender Versfuß in einem jambischen Vers
Cho|ri|on [ko-, griech.] *s. Gen.* -s *nur Ez.* **1** = Zottenhaut; **2** harte Hülle von Insekteneiern
cho|risch [ko-] durch einen Chor ausgeführt oder auszuführen; **Cho|rist** *m. 10* Chorsänger; **Chor|kna|be** [kor-] *m. 11* Sänger eines Kirchen-Knabenchors; **Chör|lein,** Chör|chen [kør-] *s. 7* kleiner Erker an mittelalterlichen Wohnhäusern, urspr. als Kapelle
Cho|ro|gra|phie ▶ *auch:* **Cho|ro|gra|fie** [ko-, griech.] *w. 11 nur Ez.* **1** Länder-, Landschaftsbeschreibung; **2** *veraltet für* Chorologie; **cho|ro|gra|phisch** ▶ *auch:* **cho|ro|gra|fisch; Cho|ro|lo|gie** *w. 11 nur Ez.* **1** Lehre von der Verteilung und Anordnung von Gegenständen im Raum; **2** Lehre von der Verbreitung von Tieren und Pflanzen auf der Erde; **cho|ro|lo|gisch**
Cho|ro|ma|nie [ko-] *w. 11 nur Ez.* = Choreomanie
Chor|re|gent [kor-] *m. 10, süddt. veraltet:* Leiter eines kath. Kirchenchors; **Chor|rock** *m. 2* Chorhemd
Cho|rus [ko-, griech.] *m. Gen. - nur Ez.* **1** *veraltet:* Sängerchor; **2** *Jazz:* mehrfach wiederholtes Thema
Cho|se [ʃo-, frz.] ▶ *auch:* **Scho|se** *w. 11, ugs.:* Sache
Chow-Chow [tʃaʊtʃaʊ, chin.-engl.] *m. 9* eine spitzähnliche Hunderasse aus China
Chre|sto|ma|thie *auch:* **Chres|to-** [krɛ-, griech.] *w. 11* Auswahl von Prosastücken für den Unterricht
Chri|sam [kri-, griech.] *s. oder m. Gen.* -s *nur Ez.,* **Chris|ma** [kris-] *s. Gen.* -s *nur Ez., kath. Kirche:* geweihtes Salböl; **Chris|ma|ri|um, Chris|ma|to|ri|um** *s. Gen.* -s *Mz.* -ri|en Behälter für geweihtes Salböl
Christ [krist, griech.] *m. 10* **1** Angehöriger einer christlichen Glaubensgemeinschaft, Getaufter; **2** *nur Ez., volkstüml. für* Christus, Christkind; der Heilige Christ
Christ|baum [krist-] *m. 2;* **Christ|de|mo|krat** *m. 10* Angehöriger einer christl.-demokrat. Partei
Chris|ten|ge|mein|de [kri-] *w. 11 nur Ez.* Gesamtheit der Christen; **Chris|ten|ge|mein|schaft** *w. 10 nur Ez.* 1922 von F. Rittelmeyer gegründete, auf der Anthroposophie R. Steiners beruhende christl. Glaubensgemeinschaft; **Chris|ten|heit** *w. 10 nur Ez.* Gesamtheit der Christen; **Chris|ten|tum** *s. Gen.* -s *nur Ez.;* **Chris|ten|ver|fol|gung** *w. 10*
Chris|ti|a|nia **1** *früherer Name von* Oslo; **2** *m. 9, Skilauf, veraltet:* bremsender Querschwung
chris|ti|a|ni|sie|ren [kris-] *tr. 3* zum Christentum bekehren; **Chris|ti|a|ni|sie|rung** *w. 10 nur Ez.;* **Chris|ti|an Sci|ence** [kristjən saɪəns, engl. »christl. Wissenschaft«] *w. Gen. -- nur Ez.* christl. Lehre und Gemeinschaft, die die Erlösung von Krankheit, Sünde und Tod als Aufgabe richtigen Denkens ansieht
christ|ka|tho|lisch *schweiz. für* altkatholisch; **Christ|ka|tho|li|zis|mus** *m. Gen. - nur Ez., schweiz.* = Altkatholizismus; **Christ|kind** *s. 3 nur Ez.;* **Christ|kindl** *s. 5; süddt., österr. auch:* Weihnachtsgeschenk; **Christ|kindl|markt** *m. 2, süddt., österr.:* Weihnachtsmarkt; **christ|lich;** Christlich-Demokratische Union; Christlich-Soziale Union; **Christ|lich|keit** *w. 10 nur Ez.*
Christ|met|te *w. 11;* **Christ|mo|nat, Christ|mond** *m. 1, alter Name für* Dezember; **Christ|nacht** *w. 2*
Chris|to|gramm [kri-, griech.] *s. 1* = Christusmonogramm; **Chris|to|la|trie** *auch:* **Chris|to|lat|rie** *w. 11 nur Ez.* Verehrung, Anbetung Christi; **Chris|to|lo|gie** *w. 11 nur Ez.* Lehre von Person und Natur Christi; **chris|to|lo|gisch; Chris|to|pha|nie** *w. 11 nur Ez.* Erscheinung des auferstandenen Christus; **Chris|to|pho|rus** [»Christusträger«] ein Heiliger; **chris|to|zen|trisch** *auch:* **chris|to|zent|risch**

Christus als Mittelpunkt habend
Christ|ro|se *w. 11;* **Christ|stol|le** *w. 11, süddt.:* **Christ|stol|len** *m. 7;* **Christ|tag** *m. 1* erster Weihnachtsfeiertag
Chris|tus [kris-, griech. »der Gesalbte«] *m. Gen.* -ti *nur Ez.* Ehrenname Jesu; Jesus Christus; nach Christo, nach Christus (*Abk.* n. Chr.): nach Christi Geburt; vor Christo, vor Christus (*Abk.:* v. Chr.): vor Christi Geburt; **Chris|tus|mo|no|gramm,** Chris|to|gramm *s. 1* die ineinander geschriebenen griech. Buchstaben X (Chi = Ch) und P (Rho = R): P
Christ|wurz *w. 10* eine Heilpflanze
Chrom [krom, griech.] *s. 1 nur Ez.* (*Zeichen:* Cr) chem. Element; **Chro|mat** *s. 1* Salz der Chromsäure; **Chro|ma|tik** *w. 10 nur Ez.* **1** *Mus.:* Erhöhung oder Erniedrigung der Stufen einer Tonleiter um einen halben Ton durch Versetzungszeichen; *Ggs.:* Diatonik; durch Halbtonfolgen gekennzeichnete Musik; **2** *Phys.:* Farbenlehre; **Chro|ma|tin** *s. 1 nur Ez.* bei basischer Färbung leicht färbbarer Bestandteil des Zellkerns; **chro|ma|tisch** **1** *Mus.:* in Halbtonschritten fortschreitend; *Ggs.:* diatonisch; **2** *Optik:* auf Farbenzerlegung beruhend; chromatische Aberration, chromatische Abweichung: Abbildungsfehler von Linsen durch Farbzerstreuung; **chro|ma|ti|sie|ren** *tr. 3* mit einer Chromatschicht überziehen; **Chro|ma|to|gra|phie** ► *auch:* **Chro|ma|to|gra|fie** *w. 11 nur Ez.* Verfahren zur Trennung von ähnlichen und schwer trennbaren chem. Stoffen aufgrund von unterschiedlicher Wandlungsgeschwindigkeit in einem Lösungsmittel und unterschiedlicher Färbung; **chro|ma|to|gra|phie|ren** ► *auch:* **chro|ma|to|gra|fie|ren** *tr. 3;* **chro|ma|to|gra|phisch** ► *auch:* **chro|ma|to|gra|fisch; Chro|ma|to|me|ter** *s. 5* Gerät zum Messen der Farbstärke; **Chro|ma|to|phor** *s. 1* bei manchen Tieren mit Farbstoff gefüllte Zelle, Grundlage für eine Farbänderung der Haut; **Chro|ma|tron** [kro-] *s. Gen.* -s *Mz.* -tro|ne Bildröhre für das Farbfernsehen
Chrom|bei|ze [krom-] *w. 11* Chromverbindung zum Nachfärben von Textilien; **Chrom|ei|sen|stein** *m. 1 nur Ez.* ein Mineral; **Chrom|far|be** *w. 11* Chrom enthaltende anorgan. Mineralfarbe, z. B. Chromgelb; **Chrom|gelb** *s. Gen.* -s *nur Ez.* gut deckende Malerfarbe; **Chrom|grün** *s. Gen.* -s *nur Ez.* stark deckende grüne Malerfarbe, Mischung aus Chromgelb und Berliner Blau; **chro|mie|ren** *tr. 3* nach dem Färben mit Chrombeize behandeln; **Chrom|le|der** *s. 5* mit Chromsalzen gegerbtes, widerstandsfähiges Leder; **chro|mo|gen** Farbstoff bildend; **Chro|mo|lith** *m. 1 oder m. 10* unglasiertes, farbiges Steinzeug mit eingelegten Verzierungen; **Chro|mo|li|tho|gra|phie** *w. 11* **1** *nur Ez.* Mehrfarben-Steindruck; **2** in diesem Verfahren hergestelltes Erzeugnis; **chro|mo|li|tho|gra|phisch; Chro|mo|skop** *auch:* **Chro|mos|kop** *s. 1* Gerät zum Projizieren farbiger Bilder; **Chro|mo|som** *s. 12* bei der Zellkernteilung entstehender Träger der Erbanlagen, Kernschleife, Idiosom; **Chro|mo|sphä|re** *auch:* **Chro|mos|phä|re** *w. 11* Gasschicht der Sonnenatmosphäre; **Chrom|rot** *s. Gen.* -s *nur Ez.* Malerfarbe aus basischem Bleichromat; **Chrom|stahl** *m. 2* mit Chrom legierter Stahl
Chro|nik [kro-, griech.] *w. 10* Aufzeichnung geschichtlicher Vorgänge in der Reihenfolge ihres Geschehens; **Chro|ni|ka** [kro-] *Mz.* zwei Geschichtsbücher des AT; **chro|ni|ka|lisch** in der Art einer Chronik; **Chro|nique scan|da|leuse** [kronik skãdaløz, frz.] *w. Gen.* - - *nur Ez.* (meist übertriebene) Skandalgeschichte; **chro|nisch** [kro-] langsam verlaufend, langwierig; *Ggs.:* akut; **Chro|nist** *m. 10* Verfasser einer Chronik; **Chro|no|bi|o|lo|gie** *w. 11 nur Ez.* Wiss. von den regelmäßigen Abläufen im lebenden Organismus in bestimmten Zeiträumen, z. B. der Atmung, des Stoffwechsels, des Schlafrhythmus; **Chro|no|graph** ► *auch:* **Chro|no|graf** *m. 10* Gerät zum Aufzeichnen der Zeitdauer eines Vorgangs; **Chro|no|gra|phie** ► *auch:* **Chro|no|gra|fie** *w. 11* Geschichtsschreibung in der Reihenfolge der Ereignisse; **chro|no|gra|phisch** ► *auch:* **chro|no|gra|fisch; Chro|no|lo|ge** *m. 11;* **Chro|no|lo|gie** *w. 11 nur Ez.* **1** Lehre von der Zeitrechnung; **2** zeitl. Ablauf; **chro|no|lo|gisch** nach dem zeitl. Ablauf, zeitlich geordnet; **Chro|no|me|ter** *s. 5* **1** Taktmesser; **2** sehr genau gehende Uhr; **Chro|no|me|trie** *auch:* **-met|rie** *w. 11 nur Ez.* Zeitmessung; **chro|no|me|trisch** *auch:* **-met|risch; Chro|no|skop** *auch:* **Chro|nos|kop** *s. 1* Gerät zum Messen sehr kleiner Zeitabschnitte
Chrys|an|the|me *auch:* **Chry|san|the|me** [krys-, griech.] *w. 11,* **Chrys|an|the|mum** *auch:* **Chry|san|the|mum** *s. Gen.* -s *Mz.* -the|men eine Zierpflanze, Wucherblume; **chrys|ele|phan|tin** in Gold-Elfenbein-Technik gearbeitet; **Chry|so|be|ryll** *m. 12* ein grünes durchscheinendes Mineral; **Chry|so|i|din** *s. 1 nur Ez.* ein Farbstoff zum Färben von Leder, Kokosfaser u. a.; **Chry|so|lith** *m. 12 oder m. 10* ein Mineral; **Chry|so|pras** *auch:* **Chry|sop|ras** *m. 1* ein Halbedelstein
chtho|nisch [çto-, griech.] der Erde angehörend, unterirdisch, unter der Erde lebend; chthonische Götter *griech. Myth.:* Götter der Unterwelt
Chur [kur-] Hst. des schweiz. Kantons Graubünden; **chur|welsch** [kur-] rätoromanisch
Chut|ney [tʃʌtnɪ, Hindi-engl.] *s. Gen.* -s *nur Ez.* Würzpaste aus Früchten, bes. Mango
Chuz|pe [xuts-, jidd.] *w. Gen.* - *nur Ez.* Dreistigkeit, Unverschämtheit
chy|lös [çy-, griech.] aus Chylus bestehend, milchig, trüb; **Chy|lus** [çy-] *m. Gen.* - *nur Ez.* fettreiche Darmlymphe
Chy|mo|sin [çy-, griech.] *s. 1 nur Ez.* = Lab; **Chy|mus** [çy-] *m. Gen.* - *nur Ez.* Speisebrei im Magen
Ci *Abk. für* Curie
CIA [si: aɪɛɪ] *Abk. für* Central Intelligence Agency (US-amerik. Geheimdienst)
Cia|co|na [tʃa-] *w. Gen.* - *Mz.* -ne, *ital. Bez. für* Chaconne
ciao [tʃao] *ital. Schreibung von* tschau

► = wird zu

Ci|bo|ri|um *s. Gen.* -s *Mz.* -ri|en, *lat. Schreibung von* Ziborium
CIC 1 [si:aısi] *Abk. für* Counter Intelligence Corps (US-amerik. militär. Abwehrdienst); **2** *Abk. für* Codex Iuris Canonici
Ci|ce|ro [tsitsero] **1** *Marcus Tullius* röm. Staatsmann und Schriftsteller (106–43 v. Chr.); **2** *w. Gen. - nur Ez., schweiz.: m. Gen. - nur Ez.* ein Schriftgrad; **Ci|ce|ro|ne** [tʃitʃe-, ital.] *m. Gen.* -(s) *Mz.* -s *oder* -ni, *scherzh.:* Fremden-, Kunstführer in Italien; **Ci|ce|ro|ni|a|ner** [tsitse-] *m. 5* Anhänger der mustergültigen Schreibweise Ciceros; **ci|ce|ro|ni|a|nisch, ci|ce|ro|nisch** in der Art Ciceros; ciceronische Beredsamkeit
Ci|cis|beo [tʃitʃis-, ital.] *m. Gen.* -(s) *Mz.* -s Liebhaber, Hausfreund
Cid [θid] span. Nationalheld
Ci|dre *auch:* **Cid|re** [si-] *m. Gen. - nur Ez., frz. Schreibung von* Zider
Cie. *früher Abk. für* Compagnie, vgl. Co.
cif [tsif] *Abk. für* cost, insurance, freight, *im Überseehandel:* Klausel, nach der Kosten für Verladung, Versicherung und Fracht im Kaufpreis enthalten sind
CIL *Abk. für* Corpus Inscriptionum Latinarum
Cin|cho|na [sintʃo-, nach der Gemahlin des Grafen Cinchón, des Vizekönigs von Peru im 17. Jh.] *w. Gen. - Mz.* -nen Chinarindenbaum; **Cin|cho|nin** *s. 1 nur Ez.* bei der Herstellung von Chinin gewonnenes Alkaloid der Chinarinde, Fiebermittel
Ci|ne|ast [si-, griech.] *m. 10* Filmfachmann, Filmschaffender; *auch:* Filmfan
Ci|ne|cit|tà [tʃinetʃita, ital. »Filmstadt«] *w. Gen. - nur Ez.* ital. Filmproduktionsmetropole bei Rom
Ci|ne|ma|scope *auch:* **Ci|ne|mas|cope** [sinəmaskop, engl.] *s. Gen.* -(s) *nur Ez.* Ⓦz ein Breitwand- und Raumtonverfahren beim Film; **Ci|ne|ma|thek** [frz. + griech.] *w. 10* = Filmothek; **Ci|ne|ra|ma** *s. Gen. - nur Ez.* Ⓦz ein Breitwand- und Raumtonverfahren beim Film
Cin|que|cen|tist [tʃinkvetʃɛn-, ital.] *m. 10* Künstler des Cinquecentos; **Cin|que|cen|to** [tʃinkvetʃɛn-, ital. »fünfhundert«] *s. Gen.* -(s) *nur Ez.* die künstler. Stilepoche des 16. Jh. in Italien
CIO [si:aıoʊ] *Abk. für* Congress of Industrial Organizations (US-amerik. Gewerkschaftsverband)
Ci|pol|lin [tʃi-, ital.] *m. 1* mit Streifen durchsetzter Marmor, Zwiebelmarmor
cir|ca (*Abk.:* ca.) = zirka
Cir|ce [tsirtse:], **Kir|ke** [-ke:] **1** *griech. Myth.:* Zauberin; **2** *übertr.:* verführerische Frau; vgl. bezirzen
Cir|cuit-Trai|ning *Nv.* ► **Cir|cuit|trai|ning** *Hv.* [səkit treı-, engl.] *s. 9 nur Ez.* allg. Konditionstraining an verschiedenen, im Kreis aufgestellten Geräten
Cir|cu|lus vi|ti|o|sus [tsir- -tsjo-, lat. »fehlerhafter Kreislauf«] *w. Gen. -- Mz.* -li -si **1** Schlussfolgerung, bei der das zu Beweisende schon in der Beweisführung enthalten ist, Zirkelschluss, Zirkelbeweis; **2** Kreislauf ohne positives Ergebnis, weil das Beheben eines Fehlers zu einem weiteren Fehler führt
Cir|cus *m. 1* = Zirkus
cis [tsis] *s. Gen. - Mz. -, Mus.:* **1** das um einen halben Ton erhöhte c; **2** = cis-Moll; **Cis** [tsis] *s. Gen. - Mz. -, Mus.:* **1** das um einen halben Ton erhöhte C; **2** = Cis-Dur
cis|al|pin = zisalpin
Cis-Dur *s. Gen. - nur Ez.* (*Abk.:* Cis) eine Tonart; **Cis-Dur-Ton|lei|ter** *w. 11;* **ci|sis** [tsi-] *s. Gen. - Mz. -, Mus.:* das um zwei halbe Töne erhöhte c; **Ci|sis** [tsi-] *s. Gen. - Mz. -, Mus.:* das um zwei halbe Töne erhöhte C; **cis-Moll** *s. Gen. - nur Ez.* (*Abk.:* cis) eine Tonart; **cis-Moll-Ton|lei|ter** *w. 11*
ci|tis|si|me [tsitisime:, lat.] sehr eilig (als Aktenvermerk); **ci|to** [tsi-] eilig (als Aktenvermerk)
Ci|toy|en [sitoajɛ̃, frz.] *m. 9, frz. Bez. für* Staatsbürger
Ci|trat auch: **Cit|rat** *s. 1* = Zitrat
Ci|ty [sıtı, engl.] *w. 9* Geschäftsviertel einer Großstadt, Innenstadt, Stadtzentrum
Ci|vet [sivɛ, frz.] *s. 9* Wildfleischragout
Ci|vi|tas Dei [tsi-, lat.] *w. Gen. -- nur Ez.* der (jenseitige) Gottesstaat
ckm *früher Abk. für* Kubikkilometer; vgl. km³
cl *Abk. für* Zentiliter
Cl *chem. Zeichen für* Chlor
c.l. *Abk. für* citato loco: am angeführten Ort (bei Zitaten), *heute meist:* a. a. O.
Claim [kleım, engl. »Anspruch«] *s. 9* Anrecht, Anteil (bes. an einer Goldmine)
Clai|ret [klɛrɛ, frz.] *m. 9* = Klarett (**2**)
Clair-ob|scur *auch:* **-obs|cur** [klɛ:rɔbskyr, frz. »Helldunkel«] *s. Gen.* -s *nur Ez.* Malstil, bei dem durch den Kontrast von Hell und Dunkel bes. Wirkung erreicht wird
Clai|ron [klɛrɔ̃, frz.] *s. 9* **1** Signalhorn; **2** hohe Trompete, Bachtrompete
Clan [klan, engl. klæn], **Klan** *m. 1, engl. m. 9* **1** alter schott. und irischer Sippenverband; **2** *Völkerkunde:* Untergruppe eines Stammes
Claque [klak, frz.] *w. 9 nur Ez.* Gruppe von Claqueuren; **Cla|queur** [-klak, frz.] *w. 9 nur Ez.* Gruppe von Claqueuren; **Cla|queur** [-kør] *m. 1* bezahlter Beifallklatscher
Cla|ri|no *s. Gen.* -s *Mz.* -ni, *ital. Bez. für* Clairon
Cla|ve|cin [-vəsɛ̃] *s. 9, frz. Bez. für* Clavicembalo; **Cla|ve|ci|nis|ten** [-si-] *m. 10 Mz., Bez. für* frz. Komponisten für Clavecin im 17./18. Jh.
Cla|ves [span.] *Mz.* zwei Hölzer zum Erzeugen eines Klangeffekts, z. B. bei der Rumba
Cla|vi|cem|ba|lo [-tʃɛm-, ital.] *s. Gen.* -s *Mz.* -li = Cembalo
Cla|vi|cu|la [lat.] *w. Gen. - Mz.* -lae [-lɛ:] Schlüsselbein; **cla|vi|cu|lar** das Schlüsselbein betreffend, von ihm ausgehend; **Cla|vis** *w. Gen. - Mz. - oder* -ses **1** Notenschlüssel; **2** Taste (an Klavier und Orgel); **3** *veraltet:* Wörterbuch zur Erläuterung klassischer Schriften, bes. der Bibel
clean [klin, engl. »sauber«] nicht mehr rauschgiftsüchtig
Clea|ring [kli-, engl. »klären«] *s. 9* ein Abrechnungsverfahren
Clea|ring|ver|kehr [kli-] *m. 1 nur Ez.* Abrechnungsverkehr
Cle|ma|tis [auch: -ma-] *w. Gen. - Mz. -, lat. Schreibung von* Klematis
Clerk [klark, engl.] *m. 9, engl.*

Bez. für Gerichtsschreiber; Buchhalter, kaufmänn. Angestellter

cle|ver [engl.] gescheit, geschickt, geschäftstüchtig, wendig; **Cle|ver|neß** ► **Cle|ver|ness** *w. Gen. - nur Ez.*

Cli|an|thus [griech.] *m. Gen. - nur Ez.* austral. Zierstrauch

Cliff-dwel|ler ► **Cliff|dwel|ler** [engl.] *m. 9* vorgeschichtl. Höhlenbewohner im Colorado-Cañon (USA)

Clinch [klintʃ, engl.] *m. Gen. -es nur Ez., Boxen:* Umklammerung des Gegners

Clip *m. 9* **1** *kurz für* Videoclip; **2** = Klipp

Cli|que [klikə, klikə, frz.], Klicke *w. 11* **1** Gruppe miteinander befreundeter Personen; **2** durch gemeinsame egoist. Interessen verbundene Gruppe, Sippschaft, Klüngel; **Cli|quen|we|sen** [kli-, kli-] *s. 7 nur Ez.;* **Cli|quen|wirt|schaft** [kli-, kli-] *w. 10 nur Ez.*

Cli|via [nach einer engl. Herzogin, Lady Clive] *w. Gen. - Mz.* -vi|en = Klivie

Clo|chard [klɔʃar, frz.] *m. 9, frz. Bez. für* Vagabund (in Großstädten)

Cloi|son|né [kloazɔne, frz.] *s. Gen.* -s *nur Ez.* Zellenschmelz, Art der Emailmalerei, bei der das flüssige Email in kleine, durch aufgelötete Metallstege gebildete Zellen gegossen wird

Clo|qué [klɔke, frz.] *m. 9* Kreppgewebe mit blasig erhabenem Muster

Closed-Cir|cuit-Te|le|vi|si|on [kloʊzd sə̣kit tɛləviʒn, engl.] *s. Gen. - nur Ez.* Kabelfernsehen

> **Closedshop:** Substantive (oder Adjektive, Pronomen und Partikeln) bilden mit anderen Substantiven Zusammensetzungen, die zusammengeschrieben werden. Diese Regel kann auch auf fremdsprachige Substantive angewendet werden: *Closedshop, Commonsense, Compactdisc, Countrymusic.*

Closed Shop *Nv.* ► **Closed|shop** *Hv.* [kloʊzd ʃɔp, engl.] *s. Gen. -- nur Ez.* Unternehmen, in dem nur Mitglieder der Tarif schließenden Gewerkschaft eingestellt werden dürfen

Cloth [klɔθ, engl.] *m. oder s. Gen. - nur Ez.* glänzendes Atlasgewebe, Futterstoff

Clou [klu, frz.] *m. 9* **1** Glanzpunkt, Höhepunkt; **2** Zugstück, Schlager

Clown [klaʊn, engl.] *m. 9* Spaßmacher, dummer August im Zirkus; *urspr.:* lustige Person des engl. Theaters; **Clow|ne|rie** [klaʊ-] *w. 11* Spaßmacherei, Spaß; **clow|nesk** in der Art eines Clowns

Club *m. 9* = Klub

Clu|ny|a|zen|ser [kly-, nach dem frz. Kloster Cluny] *m. 5* Angehöriger einer kath. kirchl. Bewegung zur Reform des Klosterwesens; **clu|ny|a|zen|sisch;** clunyazensische Reform, clunyazensische Bewegung

Clus|ter [klʌstər, engl.] *m. 5* **1** *Musik:* gleichzeitiges Erklingen mehrerer eng benachbarter Töne; **2** *Chemie, Physik:* aus vielen Molekülen oder Einzelteilen bestehendes System

cm *Abk. für* Zentimeter; **cm²** *Abk. für* Quadratzentimeter; **cm³** *Abk. für* Kubikzentimeter

Cm *chem. Zeichen für* Curium

cmm *früher Abk. für* Kubikmillimeter; vgl. mm³

c-Moll *s. Gen.* -s *nur Ez.* (*Abk.:* c) eine Tonart; **c-Moll-Ton|lei|ter** *w. 11*

cm/s, *früher:* **cm/sec** *Abk. für* Zentimeter in der Sekunde

c/o *Abk. für* care of

Co 1 *chem. Zeichen für* Kobalt (lat. Cobaltum) **2** = Co.

Co. *Abk. für* Compagnie, vgl. Kompanie

CO *Abk. für* Colorado

Coach [koʊtʃ, engl.] *m. 9* Trainer und Betreuer eines Sportlers

Cob|bler *auch:* **Cobb|ler** [engl.] *m. 9* Getränk aus Wein, Sekt, Kognak oder Whisky (und Selters) mit Fruchtsaft und Eiswürfeln

COBOL *Abk. für engl.* Common Business Oriented Language [kɔmən biznis ɔriənted læŋgwidʒ] (eine Programmiersprache)

Co|ca-Co|la *s. oder w. Gen. - Mz. -* Ⓦz Auszüge der Kolanuss und des Kokastrauchs enthaltendes Erfrischungsgetränk

Co|che|nil|le [kɔʃəniljə, span.] *w. 11, frz. Schreibung von* Koschenille

Co|chon [kɔʃɔ̃, frz.] *m. 9, Schimpfw.:* Schwein, unanständiger Mensch; **Co|chon|ne|rie** [kɔʃɔnə-] *w. 11* Schweinerei, Unanständigkeit

Co|cker|spa|ni|el [engl.] *m. 9* angeblich aus Spanien stammender, kleiner engl. Hühnerhund

Cock|ney [-nɪ] **1** *s. Gen.* -(s) *nur Ez.* in London (bes. Ostlondon) gesprochene Mundart; **2** *m. 9* Londoner, der Cockney spricht

Cock|pit [engl.] *s. 9* **1** Pilotenkabine im Flugzeug; **2** vertiefter Sitzraum in Jacht und Motorboot, Plicht

Cock|tail [-tɛɪl, engl.] *m. 9* alkohol. Mischgetränk; **Cock|tail|par|ty** *w. 9* geselliges Beisammensein am frühen Abend

cod., Cod. *Abk. für* Codex, Kodex

Co|da *w. 9* = Koda

Code [kod] *m. 9, frz. Schreibung von* Kode; **Code ci|vil** [kod sɪvil, frz.] *m. Gen. -- nur Ez.* das frz. bürgerl. Gesetzbuch; **Code Na|po|lé|on** [kod napoleɔ̃] *m. Gen. -- nur Ez., im 1. und 2. frz. Kaiserreich Bez. für den* (auf Veranlassung Napoleons I. geschaffenen) Code civil

Co|de|in *s. 1 nur Ez.* = Kodein

Co|dex [lat.] *m. Gen. - Mz.* -di|ces [-tseːs] (Abk.: Cod.), *lat. Schreibung von* Kodex; **Co|dex ar|gen|te|us** [»Silberbibel«] *m. Gen. -- nur Ez.* gotisches, auf purpurfarbenem Pergament mit silbernen und goldenen Buchstaben geschriebenes Evangeliar; **Co|dex au|re|us** [»Goldbibel«] *m. Gen. -- nur Ez.* Evangeliar des MA mit goldverziertem Einband; **Co|dex lu|ris Ca|no|ni|ci** *m. Gen. --- nur Ez.* (*Abk.:* CIC) Gesetzbuch der kath. Kirche von 1918; **co|die|ren** *tr. 3* = kodieren

Coe|no|bit [tsø-] *m. 10, lat. Schreibung von* Zönobit

Cœur [kœr, frz.] *s. 9 oder Gen. - Mz. -, im frz. Kartenspiel:* Herz

Cof|fe|in *s. 1 nur Ez.* = Koffein

Co|gi|to, er|go sum [lat.] Ich denke, also bin ich (Grundsatz des frz. Philosophen René Descartes)

Co|gnac *auch:* **Cog|nac** [kɔnjak, frz.] *m. 9 als* Ⓦz, *sonst* = Kognak

Coif|feur [kwafœr, schweiz.:

► = wird zu

kwa-, frz.] *m. 1* Friseur; **Coif|feu|se** [kwafœzə] *w. 11* Friseuse; **Coif|fure** [kwafyr] *w. 11, veraltet:* kunstvolle Frisur

Co|ir [Tamil] *w. 10 oder s. 12* Kokosfaser

Co|i|tus [lat.] *m. Gen. - Mz. -* = Koitus

col. *Buchw.: Abk. für* columna (Spalte, Seite)

Co|la *s. Gen.* -(s) *Mz.* -s *oder w. 9, ugs. Kurz-Bez. für* Coca-Cola

Cold Cream *Nv.* ► **Cold|cream** *Hv.* [kouldkri:m, engl.] *w. Gen. - Mz.* -s durch rasche Verdunstung ihres Feuchtigkeitsgehalts kühlende Hautcreme

col|la de|stra (*Abk.:* c. d.) *Mus.:* mit der rechten Hand (zu spielen)

Col|la|ge [-ʒə, frz.] *w. 11* aus Papierstücken oder anderem Material geklebtes Bild

col|la si|nis|tra (*Abk.:* c. s.), *Mus.:* mit der linken Hand (zu spielen)

Col|lec|ta|nea *Mz., lat. Form von* Kollektaneen

Col|lege [kɔlɪdʒ, engl.] *s. Gen. - oder* -s [-dʒɪz] *Mz.* -s [-dʒɪz] **1** *in England:* Studienhaus für Studenten und Lehrer, meist der Universität angegliedert; **2** *in den USA:* höhere Lehranstalt, die zur Hochschulreife führt; **Col|lège** [kɔlɛʒ, frz.] *s. Gen.* -(s) *Mz.* -s, *in Frankreich, Belgien und der frz. Schweiz:* höhere Schule; **Col|le|gi|um Ger|ma|ni|cum** *s. Gen. -- nur Ez.* dt. Priesterseminar in Rom; **Col|le|gi|um mu|si|cum** [lat.] *s. Gen. -- Mz.* -gia -ca Vereinigung von Musikliebhabern, bes. Studenten; **Col|le|gi|um pu|bli|cum** *auch:* **-pu|bli|cum** *s. Gen. -- Mz.* -gia -ca öffentliche Vorlesung an einer Universität

Col|li|co *s. 9* zusammenlegbare Transportkiste der Eisenbahn

Col|lie [engl.] *m. 9* schott. Schäferhund

Col|lier [kɔlje, frz.] *s. 9, frz. Schreibung von* Kollier

Co|lom|bo Hst. von Ceylon

Co|lon [span.] *m. Gen.* -(s) *Mz.* - Währungseinheit in Costa Rica und El Salvador

Co|lo|nel [engl. kənəl, frz. kɔlonɛl] *m. 9, engl. und frz. Bez. für* Oberst

Co|lo|ni|al|kü|bel *m. 5, in Wien:* Mülltonne; **Co|lo|ni|al|wa|gen** *m. 7*

Co|lor... [kɔlər, *auch:* kɔlor, lat.] Farb..., z. B. Colorfilm

Co|lo|ra|do (*Abk.:* CO) Staat der USA

Colt [nach dem amerik. Ingenieur S. Colt] *m. 9* ein Revolver

Co|lum|bi|um *s. Gen.* -s *nur Ez.* (*Zeichen:* Cb), *ältere Bez. für* Niob

Com|bo *w. 9, Bez. für* Tanzmusikensemble der 40er-Jahre

> **Come-back:** Die Bindestrichschreibung wird als Hauptvariante empfohlen, als Nebenvariante gilt die bisherige Schreibung *Comeback.*

Come|back *Nv.* ► **Come-back** *Hv.* [kʌmbæk, engl. »Rückkehr«] *s. 9* Wiederauftreten eines bekannten Künstlers, Sportlers oder Politikers nach längerer Pause

COMECON *Abk. für* Council for Mutual Economic Aid: Rat für gegenseitige Wirtschaftshilfe (Wirtschaftsorganisation der Ostblockstaaten)

Co|mes [lat.] *m. Gen. - Mz. - oder* -mi|tes **1** *im alten Rom:* hoher Amtstitel; **2** *MA:* Graf; **3** *Mus.:* erstes in der zweiten Stimme auftretendes Thema der Fuge; vgl. Dux

Co|mic [kɔmik, engl.] *m. 9 meist Mz., Kurzw. für* Comic strip; **Co|mic strip** ► **Co|mic|strip** [kɔmɪk-] *m. Gen.* -s *meist Mz.* -s gezeichnete Bildergeschichte komischen oder abenteuerlichen Inhalts

Co|ming-out [kʌmɪŋ aʊt, engl.] *s. Gen.* -(s) *Mz.* -s öffentliches Bekenntnis, z. B. der homosexuellen Veranlagung

comme ci, comme ça [kɔm si, kɔm sa, frz.] soso, lala

Com|me|dia del|l'Ar|te [ital.] *w Gen. --- nur Ez.* die ital. Stegreifkomödie des 16.–18. Jh.

comme il faut [kɔmilfo, frz.] wie es sich gehört, musterhaft

Com|mis [-mi] *m. Gen. - Mz. -* [-mis], *frz. Schreibung von* Kommis; **Com|mis voya|geur** [kɔmi voajaʒœr, frz.] *m. Gen. -- Mz.* --s [-ʒœr], *veraltet:* Geschäftsreisender

com|mo|do [ital.], co|mo|do *Mus.:* ruhig, behaglich

Com|mon sense ► **Com|mon|sense** *auch:* **Com|mon Sense** [kɔmənsɛns, engl.] *m. Gen. - nur Ez.* gesunder Menschenverstand

Com|mon|wealth [kɔmənwɛlθ, engl.] *s. Gen. - nur Ez.* Staatenbund, Völkergemeinschaft; C. of Nations [- ɔv nɛɪʃnz] Gesamtheit der (heute meist unabhängigen) Staaten, die die brit. Krone anerkennen

Com|pact Disc *Nv.* ► **Com|pact|disc** *Hv.* [-pækt-, engl.] *w. 9* = CD

Com|pa|gnie *auch:* **Com|pag|nie** [kɔmpani] *w. 11, veraltete Schreibung von* Kompanie;
Com|pa|gnon *auch:* **Com|pag|non** [-panjɔ̃] *m. 9, veraltete Schreibung von* Kompagnon

Com|pi|ler [-paɪ-, engl.] *m. 5* Computerprogramm zur Übersetzung von Programmen aus ihrer Programmiersprache in eine verarbeitbare Maschinensprache

Com|po|ser [engl.] *m. 5* elektr. Schreibmaschine mit Randausgleich und auswechselbaren Schrifttypen

Com|pound|ma|schi|ne [kɔmpaʊnd-, engl.] *w. 11* Verbunddampfmaschine

Com|pur|ver|schluß ► **Com|pur|ver|schluss** *m. 2* Verschluss von fotograf. Objektiven, bei dem sich Lamellen von der Mitte aus öffnen

Com|pu|ter [kɔmpju-, engl.] *m. 5* elektron. Rechenmaschine;
Com|pu|ter|to|mo|gra|phie ► *auch:* **Com|pu|ter|to|mo|gra|fie** [kɔmpju-, engl.] *w. 11* (*Abk.:* CT) Untersuchungsverfahren in der Medizin mittels Computer, Schichtaufnahme

Comte [kɔ̃t, frz.] *m. 9* Graf, frz. Adelstitel; **Com|tes|se** [kɔ̃tɛs] *w. 11, frz. Schreibung von* Komtess

con..., Con... = kon..., Kon...

con a|ni|ma [ital.] *Mus.:* beseelt, mit Empfindung

con|a|xi|al = koaxial

con brio [ital.], bri|o|so *Mus.:* mit Schwung, lebhaft

Con|cen|tus [lat.] *m. Gen. - Mz. -* Teil des Gregorian. Gesangs, der vom Chor oder Vorsänger oder von der Gemeinde nach einer gegebenen Melodie gesungen wird; *Ggs.:* Accentus

Con|cer|ti|no [-tʃɛr-, ital.] *s. Gen. - Mz.* -ni kleines Konzert;
Con|cer|to [-tʃɛr-] *s. Gen. - Mz. -*

ti Konzert; **Con|cer|to gro|s|so** [-tʃɛr-] *s. Gen. -- Mz.* -ti -si, *in der Barockmusik:* Konzert für Soloinstrumente und Orchester
Co|n|cha *w. Gen. - Mz.* -s *oder* -chen = Koncha
Con|cierge [kɔ̃sjɛrʒ, frz.] *m. oder w. Gen. - Mz.* -s [-sjɛrʒ], *frz. Bez. für* **1** Gefängniswärter(in); **2** Pförtner(in), Hausmeister(in)
Con|cours hip|pique [kɔ̃kur ipik, frz.] *m. Gen. -- Mz.* --s [-pik] Reit- und Fahrturnier
Con|di|tio si|ne qua non [lat. »Bedingung, ohne die nicht«] *w. Gen. ---- nur Ez.* unerlässl. Bedingung
conf. *Abk. für* confer; **co|n|fer!** [lat.] (*Abk.:* cf., cfr., conf.) vergleiche!
Con|fé|rence [kɔ̃ferɑ̃s, frz.] *w. 11 nur Ez.* geistreich unterhaltsame Ansage in Kabarett und Rundfunk; **Con|fé|ren|cier** [kɔ̃ferɑ̃sje] *m. 9* unterhaltender Ansager
Con|fe|s|sio [lat.] *w. Gen. - Mz.* -si|o|nes **1** Glaubens-, Sündenbekenntnis; **2** *Reformationszeit:* Bekenntnisschrift; C. Augustana: Augsburger Konfession; C. Helvetica: Helvetische Konfession; **Con|fe|s|sor** *m. Gen.* -s *Mz.* -so|res Bekenner (Ehrenname der verfolgten Christen während der röm. Kaiserzeit)
Con|fi|se|rie *w. 11* = Konfiserie
Con|fi|te|or [»ich bekenne«] *s. Gen. - nur Ez.* Sündenbekenntnis im christl. Gottesdienst
Con|foe|de|ra|tio Hel|ve|ti|ca *w. Gen. -- nur Ez.* (*Abk.:* CH) Schweiz. Eidgenossenschaft
Co|n|fra|ter *m. Gen.* -s *Mz.* -tres = Konfrater
con fu|o|co [fuɔko, ital.] *Mus.:* mit Feuer
Co|ni|fe|re *w. 11* = Konifere
con mo|to [ital.] *Mus.:* bewegt
Con|nec|ti|cut [kɔnɛtikət] (*Abk.:* CT) Staat der USA
Con|nec|tion [kɔnɛkʃn, engl.] *w. 9* Beziehung, Verbindung (bes. zum Drogenhandel)
con pas|si|o|ne [ital.] *Mus.:* leidenschaftlich, ausdrucksvoll
Con|se|cu|tio tem|po|rum [lat.] *w. Gen. -- nur Ez.* Zeitenfolge im zusammengesetzten Satz
Con|se|n|sus [lat.] *m. Gen. - Mz.* - Übereinstimmung
Con|si|li|um ab|e|u|n|di [lat.] *s. Gen. -- nur Ez.* Androhung des Verweises von der höheren Schule
Con|som|mé [kɔ̃sɔme, frz.] *w. 9 oder s. 9* = Konsommee
con sor|di|no [ital.] *Mus.:* mit dem Dämpfer (zu spielen)
con spi|ri|to [ital.] *Mus.:* geistvoll, spritzig
Con|sta|ble *auch:* **Cons|tab|le** [kɔnstəbl] *m. 9, engl. Bez. für* Konstabler
Con|sti|tu|ante *auch:* **Cons|ti-** [kɔ̃stityɑ̃t, frz.] *w. Gen. - nur Ez.* verfassunggebende Versammlung (urspr. der Frz. Revolution)
Con|tai|ner [-tɛɪ-, engl.] *m. 5* Großbehälter zum Gütertransport; **Con|tai|ner|schiff** [-tɛɪ-] *s. 1*
Conte [kɔ̃t, frz.] *w. 9* kurze Erzählung
Co|n|te *m. Gen. - Mz.* -ti Graf, ital. Adelstitel
Con|te|nance [kɔ̃tənɑ̃s] *w. 11 nur Ez.* = Kontenance
Con|ter|gan *s. Gen.* -s *nur Ez.* Ⓦ ein (aus dem Handel gezogenes) Schlafmittel; **Con|ter|gan|kind** *s. 3, ugs.:* durch Contergan vor der Geburt körperlich geschädigtes Kind
Con|te|s|sa [ital.] *w. Gen. - Mz.* -sen Gräfin, ital. Adelstitel;
Con|tes|si|na *w. 9* Komtesse, ital. Adelstitel
Con|ti|nuo *m. 9, Kurzw. für* Basso continuo
Con|to de Re|is [kɔntu ðə reis] *m. Gen. --- Mz.* --- portug. (1 000 Escudos) und brasilian. (1 000 Cruzeiros) Währungseinheit
co|n|tra *auch:* **co|nt|ra** = kontra; **Con|tra|di|c|tio in ad|je|c|to** *auch:* **Cont|ra|di|c|tio** [lat.] *w. Gen. --- nur Ez.* Widerspruch im beigefügten Eigenschaftswort, z. B.: die größere Hälfte
Con|trat so|cial *auch:* **Cont|rat** [kɔ̃tra sɔsjal, frz.] *m. Gen. -- nur Ez.* Gesellschaftsvertrag
con|tre..., **Con|tre...** *auch:* **cont|re...,** **Cont|re...** [kɔ̃trə, frz.] = konter..., Konter...
con|tre cœur *auch:* **cont|re cœur** [kɔ̃trə kœr, frz. »gegen das Herz«] das geht mir c.c.: das widerstrebt mir; **Con|tre-coup** *auch:* **Cont|re|coup** [kɔ̃trəku, frz.] *m. 9* Gegen-, Rückstoß; **Con|tre|danse** *auch:* **Cont|re|danse** [kɔ̃trədɑ̃s] *m. Gen. - Mz.* -s [-dɑ̃s], *frz. Form von* Kontertanz
Con|trol|ler *auch:* **Cont|rol|ler** [-troləɾ, engl.] *m. 5* jmd., der beruflich alle für ein Unternehmen wichtigen Informationen sammelt; **Con|trol|ling** *auch:* **Cont|rol|ling** *s. Gen.* -(s) *nur Ez.* Mittel der Unternehmensführung
Con|vey|er [-vɛɪ-, engl.] *m. 5* auf Schienen laufendes Becherwerk zum Materialtransport
Con|vi|vi|um [-vi-] *s. Gen.* -s *Mz.* -vi|en = Konvivium
Con|voy *m. 9* = Konvoi
cool [kul, engl.] *ugs.* **1** glückselig im Drogenrausch; **2** kühl, distanziert, ohne Erregung;
Cool Jazz *Nv.* ► **Cool|jazz** *Hv.* [kul dʒæs] *m. Gen. -- nur Ez.* Richtung im modernen Jazz mit »kühler« (undynam.) Intonationstechnik
Co|py|right [kɔpiraɪt, engl.] *s. 9* (*Zeichen:* ©) Urheberrecht
co|ram pu|bli|co *auch:* **-pub|li-co** [lat.] in der Öffentlichkeit, vor allen; etwas c. p. erklären
Co|rd *m. 9* = Kord
Cór|do|ba [nach dem span. Forscher Francisco de Córdoba] *m. Gen.* -(s) *Mz.* -(s) Währungseinheit in Nicaragua, 100 Centavos
Cor|don bleu [kɔrdɔ̃ blø, frz.] *s. Gen. -- Mz. -s-s* [-dɔ̃ blø] mit Käse und gekochtem Schinken gefülltes Kalbsschnitzel
Co|ri|um [lat.] *s. Gen.* -s *nur Ez.* Lederhaut (zwischen Oberhaut u. Unterhautzellgewebe)
Cor|ned beef ► **Cor|ned|beef** *auch:* **Cor|ned Beef** [kɔːrndbif, engl.] *s. Gen. - nur Ez.* gepökeltes, gekörntes Rindfleisch in Büchsen
Co|r|ner [engl.] *m. 5 oder m. 9* **1** *Boxen:* Ringecke; **2** *Fußball, veraltet, noch österr.:* Eckball; **3** = Korner
Corn-flakes ► **Corn|flakes** [kɔnflɛɪks, engl.] *nur Mz.* Maisflocken
Cor|ni|chon [-ʃɔ̃, frz.] *s. 9* kleine Pfeffergurke
Cor|po|rate iden|ti|ty ► **Cor-po|rate I|den|ti|ty** [kɔrpɔrɪt aɪdɛntɪtɪ, engl.] *w. Gen. - nur Ez.* prägnantes, einheitliches Erscheinungsbild (eines Unternehmens)
Corps [kɔr, frz.] *s. Gen.* - [-kɔrs] *Mz.* [-kɔrs] = Korps; **Corps**

de Ballet [kɔːr də balɛ, frz.] *s. Gen.* --- *Mz.* --- Ballettgruppe; **Corps di|plo|ma|tique** *auch:* **-dip|lo-** [kɔːr -tik] *s. Gen.* -- *Mz.* --s [-tik] (*Abk.:* CD) Diplomatisches Korps
Cor|pus *s. Gen.* - *Mz.* -po|ra = Korpus; **Cor|pus de|lic|ti** [lat.] *s. Gen.* -- *Mz.* -po|ra -ti Gegenstand (z. B. Werkzeug) eines Verbrechens, Beweisstück; **Cor|pus In|scrip|ti|o|num La|ti|na|rum** *s. Gen.* --- *nur Ez.* (*Abk.:* CIL) Sammlung aller latein. Inschriften; **Cor|pus iu|ris** *s. Gen.* -- *nur Ez.* Gesetzbuch, Gesetzessammlung; **Cor|pus Iu|ris ca|no|ni|ci** kath. Gesetzessammlung, 1918 durch den → Codex Iuris Canonici ersetzt; **Cor|pus Iu|ris ci|vi|lis** im 6. Jh. von Kaiser Justinian geschaffenes Gesetzbuch
Cor|ri|da de To|ros *w. Gen.* --- *Mz.* -s -- *span. Bez. für* Stierkampf
Cor|ri|gens *s. Gen.* - *Mz.* -gen|tia *oder* -gen|zi|en, *lat. Schreibung von* Korrigens
cor|ri|ger la for|tune [kɔriʒe la fɔrtyn, frz. »das Glück verbessern«] falschspielen, betrügen
Cor|tes [span.] *Mz.* span. (früher auch port.) Parlament
Cor|ti|sches Or|gan ► **cor|ti|sches Or|gan,** Cor|ti-Organ [nach dem ital. Anatomen Alfonso Corti] *s. 1* schallempfindliche Sinneszellen enthaltendes Organ des Innenohres
Cor|ti|son *s. Gen.* -s *nur Ez.* = Kortison
cos *Abk. für* Kosinus; **cosec** *Abk. für* Kosekans
Co|sí fan tut|te [ital.] So machen's alle (Frauen); Titel einer Oper von Mozart
Cos|ma|ten *nur Mz., Bez. für* die Angehörigen einer Gruppe ital. Künstlerfamilien, in denen der Vorname Cosmas häufig gewesen sein soll; **Cos|ma|ten|ar|beit** *w. 10* Marmormosaik
Cos|ta Bra|va [span. »wilde Küste«] *w. Gen.* -- *nur Ez.* span. Küstenstreifen am Mittelmeer
Cos|ta Ri|ca mittelamerik. Staat; **Cos|ta|ri|ca|ner** ► **Cos|ta-Ri|ca|ner** *m. 5;* **cos|ta|ri|ca|nisch** ► **cos|ta-ri|ca|nisch**
cot *Abk. für* Kotangens
Côte d'A|zur [kotdazyr] *w. Gen.* -- die frz. Riviera
cotg, ctg *Abk. für* Kotangens
Cot|tage [kɔtɪdʒ, engl.] *s. Gen.* - *Mz.* -s [-tidʒɪz] **1** kleines engl. Landhaus; **2** *österr.:* Villenviertel
Cot|ton [kɔtn] *s. Gen.* -s *nur Ez., engl. Bez. für* Baumwolle, Kattun; **Cot|ton|öl** [kɔtn-] *s. 1* Baumwollsamenöl; **Cot|ton|stuhl** [kɔtn-] *m. 2,* **Cot|ton|ma|schi|ne** *w. 11* Strumpf-Wirkmaschine
Couch [kaʊtʃ, engl.] *w. 9* gepolsterte Liegestatt
Cou|é|is|mus [kue-, nach dem frz. Heilkundigen Emile Coué] *m. Gen.* - *nur Ez.* Heilmethode durch Autosuggestion
Cou|leur [kulœr, frz.] *w. 10 oder w. 9* **1** *Kartenspiel:* Trumpf; **2** Farbe einer Studentenverbindung
Cou|loir [kuloar, frz.] *m. 9* **1** Flur, Verbindungs-, Wandelgang; **2** *Alpinistik:* Schlucht, Rinne; **3** *Reitsport:* ovaler Sprunggarten für Pferde
Cou|lomb [kulɔ̃, nach dem frz. Physiker Charles A. de C.] *s. Gen.* -s *Mz.* - *(Abk.:* C) Maßeinheit für die Elektrizitätsmenge (1 C = 1 Amperesekunde)
Count [kaʊnt, engl.] *m. 9, in England:* Titel des nichtengl. Grafen
Count|down *Nv.* ► **Count-down** *Hv.* [kaʊntdaʊn, engl. »herunterzählen«] *m. 9 oder s. 9* **1** lautes Rückwärtszählen bis Null als Einleitung eines Startkommandos; **2** die dafür aufgewendete Zeitspanne; **3** die für einen Raketenstart nötigen Vorbereitungen und Kontrollen
Coun|tess [kaʊntis, engl.] *w. Gen.* - *Mz.* -tes|ses [-tɪsɪz] *oder* -tes|sen Gräfin, Frau eines Counts oder Earls
Coun|try-mu|sic ► **Coun|try|mu|sic** [kʌntrɪmjuːzɪk, engl.] *w. Gen.* - *nur Ez.* US-amerik. Volksmusik im 20. Jh.
Coun|ty [kaʊntɪ] *w. 9, in England und den USA:* Grafschaft
Coup [ku, frz.] *m. 9* **1** Schlag, Hieb; **2** Kunstgriff, Kniff; **3** kühnes Unternehmen
Cou|pé [kupe, frz.], Ku|pee *s. 9* **1** *veraltet:* Abteil; **2** sportlicher Personenkraftwagen mit nach hinten abgeflachtem Dach
Cou|plet *auch:* **Coup|let** [kuple, frz.] *s. 9* witziges, satir. Kehrreimlied im Kabarett
Cou|pon [kupɔ̃] *m. 9* = Kupon
Cour [kur, frz. »Hof«] *w. Gen.* - *nur Ez., nur noch in der Wendung:* einer Dame die Cour machen, *oder:* schneiden: ihr den Hof machen
Cou|ra|ge [kuraʒə, frz.] *w. 11 nur Ez.* Mut, Schneid; **cou|ra|giert** [kuraʒirt] mutig, beherzt
Cou|rante [kurɑ̃t, frz.] *w. 11* **1** altfrz. Tanz; **2** schneller Satz der Suite
Cour|bet|te [kur-, frz.] *w. 11, Hohe Schule:* Aufrichten auf die Hinterbeine und einige Schritte oder kleine Sprünge nach vorn
Cour|ma|cher, Cour|schnei|der [kur-] *m. 5* jmd., der einer Dame die Cour macht, Liebhaber, Schmeichler
Cour|ta|ge [kurtaʒə, frz.], Kur|ta|ge *w. 11, Börse:* Maklergebühr
Cour|toi|sie [kurtoasi, frz.] *w. 11* ritterl., höfl. Benehmen
Cou|sin [kuzɛ̃, frz.] *m. 9* Vetter; **Cou|si|ne** [ku-] *w. 11* = Kusine
Cou|ture [kutyr, frz.] *w. 11 nur Ez.* Schneiderkunst; vgl. Haute Couture
Cou|va|de [ku-, frz.] *w. 11* Männerkindbett, Sitte bei manchen Naturvölkern, dass der Mann die Rolle der Wöchnerin übernimmt, um böse Geister abzuwehren; **Cou|veu|se** [kuvøzə] *w. 11* Brutschrank für Frühgeburten
Co|ver [kʌvər, engl.] *s. Gen.* -s *Mz.* -(s) **1** Titelbild; **2** Schallplattenhülle
Co|ver|coat [kʌvərkoʊt, engl.] *m. 9* **1** imprägnierter Wollstoff; **2** Herrenmantel aus C.
Co|ver|girl [kʌvərgəːl, engl.] *s. 9* auf der Titelseite (Cover) einer Illustrierten abgebildetes Mädchen
co|vern [kʌvərn, engl.] *tr.* musikalisch kopieren; **Co|ver|ver|sion** [kʌvərvəːʃən, engl.] *w. 9* (ohne neue Interpretation) nachproduzierter Musiktitel
Cow|boy [kaʊbɔɪ, engl.] *m. 9* nordamerik. berittener Rinderhirt
Cow|per [kaʊpər, nach dem engl. Ingenieur Edward Alfred C.] *m. 5,* **Cow|per|ap|pa|rat** *m. 1* Winderhitzer für Hochöfen
Co|yo|te *m. 11* = Kojote
Cp *chem. Zeichen für* Cassiopeium

CQD *Abk. für* Come quick, danger: Kommt schnell, Gefahr (Seenotzeichen)
ČR [tʃe-] *Abk. für* Česká Republika: *amtl. Bez. für die* Tschechische Republik
Cr *chem. Zeichen für* Chrom
cr. *Abk. für* currentis
Crack [kræk, engl.] *m. 9* **1** Spitzensportler; **2** sehr gutes Rennpferd; **3** mit Backpulver aufbereitetes Kokain; **Cra|cken** [kræ-], Cra|cking *s. Gen.* -s *nur Ez.* Krackverfahren; **Cra|cker** *m. 9* sprödes, salziges Gebäck
Cra|quel|lé [krakəle, frz.], Krakel|lee *m. 9 oder s. 9* feine, absichtlich hervorgebrachte Risse in der Glasur von Geschirr
Crash [kræʃ, engl.] *m. 9* **1** Zusammenstoß (zweier Autos) **2** Zusammenbruch (eines Unternehmens); **Crash-Kurs** *Nv.* ► **Crashkurs** *Hv.* [kræʃ-] *m. 1* kurzer Intensivkurs
Crawl [krɔ:l] *s. Gen.* -(s) *nur Ez.* = Kraul; **craw|len** [kraʊ-] *intr. 1, engl. Schreibung von* kraulen **(1)**
Cray|on [krɛjɔ̃] *m. 9* = Krayon
Cream [krim] *w. 9, engl. Bez. für* Creme
Cré|a|tion [kreasjɔ̃] *w. 9, frz. Schreibung von* Kreation
Cre|dit Card *Nv.* ► **Cre|dit|card** *Hv.* [krɛdit-, engl.] *w. 9* Kreditkarte
Cre|do *s. 9* = Kredo
Creek [krik, engl.] *m. 9* nur während der Regenzeit Wasser führender Fluss
Creme [krɛm oder krem, griech.-frz.], *eindeutschend:* Krem *w. 9,* Kre|me *w. 10* **1** schaumige Süßspeise; **2** Salbe zur Hautpflege; **3** *nur Ez.* das Erlesenste; die Creme der Gesellschaft: die Oberschicht; **creme|far|ben** [krɛm-, krem-] matt hellgelb, beige; **cre|men** *tr. 1* einkremen
Crêpe [krɛp, frz.] *Nv.* ► **Krepp** *Hv.;* **Crêpe de Chine** [krɛp də ʃin] *m. Gen.* --- *Mz.* -s -- [krɛp] Seiden- oder Kunstseidenkrepp in Taftbindung; **Crêpe Georgette** [krɛp ʒɔrʒɛt] *m. Gen.* -- *Mz.* -s - [krɛp] durchsichtiger Seiden- oder Kunstseidenkrepp; **Crêpe Sa|tin** [krɛp satɛ̃] *m. Gen.* -- *Mz.* -s - [krɛp] Krepp in Atlasbindung mit einer glänzenden und einer matten Seite; **Cre|pon** [krɛpɔ̃], Kre|pon *m. 9* ein Kreppgewebe mit rauer Oberfläche
cresc. *Abk. für* crescendo; **cre|scen|do** [krɛʃɛn-, ital.] (*Abk.:* cresc.), ac|cre|scen|do [akrɛʃɛn-] (*Abk.:* acc., accresc., *Zeichen:* <) *Mus.:* anschwellend, lauter werdend; *Ggs.:* decrescendo
Cre|tonne [kretɔn, frz.] *m. 9, österr.:* Kre|ton *m. 1* Baumwollstoff in Leinenbindung
Cre|vet|te [-vɛt-] *w. 11* = Krevette
Crew [kru, engl.] *w. 9* **1** Schiffsmannschaft, Flugzeugbesatzung; **2** Kadettenjahrgang der Kriegsmarine; **3** *allgemein:* Gruppe, Team
c. r. m. *Abk. für* candidatus reverendi ministerii
Croi|sé [kroaze, frz.] *s. 9* **1** Gewebe in Köperbindung; **2** Tanzschritt mit kreuzweisem Übersetzen des einen Fußes über den andern; **croi|siert** [kroa-] geköpert
Cro|ma|gnon|ras|se *auch:* **-mag|non-** [kromanjɔ̃-, nach dem Fundort Cro-Magnon in Südwestfrankreich] *w. 11 nur Ez.* Menschenrasse der jüngeren Altsteinzeit
Crom|ar|gan *auch:* **Cro|mar|gan** *s. 1 nur Ez.* Ⓦⓩ rostfreier Chrom-Nickel-Stahl
Crom|lech *m. 1 oder m. 9* = Kromlech
Cro|quet|te [krɔkɛt(ə)] *w. 11* = Krokette
Cro|quis [krɔki] *s. Gen.* - *Mz.* - [-kis] = Kroki
Cross-Coun|try, Croß-Coun|try ► **Cross|coun|try** [krɔskʌntri, engl.] *s. Gen.* - *Mz.* -s **1** Querfeldeinrennen zu Pferde, Jagdrennen; **2** Geländelauf
Croup [krup] *m. Gen.* -s *nur Ez.* = Krupp **(2)**
Crou|pa|de [kru-] *w. 11* = Kruppade
Crou|pier [krupje, frz.] *m. 9* Bankhalter beim Glücksspiel, der auch das Spiel überwacht
Crou|pon [krupɔ̃, frz.] *m. 9* Rückenstück der gegerbten Rindshaut; **crou|po|nie|ren** [kru-] *tr. 3* aus der gegerbten Haut herausschneiden
Crow|ding-out-Ef|fekt [kraʊdiŋ aʊt-, engl.] *m. 1* Verdrängung privater Investitionsnachfrage durch staatliche
crt. *Abk. für* courant, vgl. kurant
Cruise-Mis|sile ► **Cruise|mis|sile** [kru:smisaɪl, engl.] *s. 9* Flugkörpergeschoss, Marschflugkörper
Crux [lat.] *w. Gen.* - *nur Ez.* = Krux
Cru|zei|ro [-zɛɪru] *oder* [-zero] *m. Gen.* -(s) *Mz.* -(s) brasilian. Währungseinheit, 100 Centavos
Cs *chem. Zeichen für* Cäsium
c. s. *Abk. für* colla sinistra
Csár|dás *Nv.* ► **Csar|das** *Hv.* [tʃardaʃ, ungar.] *m. Gen.* - *Mz.* - ungar. Nationaltanz
Csi|kós [tʃikoʃ, ung.] *m. Gen.* - *Mz.* - berittener ungar. Pferdehirt
CSU *Abk. für* Christlich-Soziale Union
ct *Abk. für* Centime, Cent
Ct. *schweiz. Abk. für* Centime(s)
CT *Abk. für* **1** Connecticut; **2** Computertomographie
c. t. *Abk. für* cum tempore
ctg. *Abk. für* Kotangens
cts *Abk. für* Centimes, Cents
Cu **1** *chem. Zeichen für* Cuprum (Kupfer); **2** *Abk. für* Kumulus
Cu|ba *amtl. Schreibung von* Kuba
Cu|bi|cu|lum [lat.] *s. Gen.* -s *Mz.* -la **1** Schlafraum im altröm. Haus; **2** Grabkammer in einer Katakombe
Cui bo|no? [lat.] Wem zunutze?, Wer hat davon einen Vorteil?
Cu|ius re|gio, e|ius re|li|gio [lat.] Wessen das Land, dessen die Religion: Grundsatz des Augsburger Religionsfriedens, nach dem der Herrscher die Konfession seiner Untertanen bestimmen konnte
Cul de Pa|ris [ky də pari, frz. »Pariser Hinterer«] *m. Gen.* --- *Mz.* -s -- [ky], *im 18. Jh.:* hinten unter dem Kleid getragenes Gestell oder Polster
cum gra|no sa|lis [lat.] mit einem Körnchen Salz, d. h. mit einer gewissen Einschränkung, nicht ganz wörtlich
cum lau|de [lat.] mit Lob (die drittbeste Note der Doktorprüfung)
cum tem|po|re [lat. »mit Zeit«] (*Abk.:* c. t.) mit dem akadem. Viertel, eine Viertelstunde nach der angegebenen Zeit; *Ggs.:* sine tempore

► = wird zu

C und C *Kurzform für* Cash and Carry
Cun|ni|li|n|gus [lat.] *m. Gen.* - *nur Ez.* Reizung des weibl. Geschlechtsteils mit der Zunge
Cup [kʌp, engl.] *m. 9* **1** Pokal (Ehrenpreis bei sportl. Wettkämpfen, bes. bei Fußball und Tennis); **2** Körbchen (des Büstenhalters)
Cu|pi|do *röm. Myth.:* Liebesgott, Amor
Cu|prum *auch:* **Cup|rum** [lat.] *s. Gen.* -s *nur Ez.* (*Zeichen:* Cu) = Kupfer
Cu|ra|çao [kyrasao] **1** Insel im Karibischen Meer; **2** *m. 9* ein Likör
Cu|ra pos|te|ri|or [lat.] *w. Gen.* -- *Mz.* -rae -ri|o|res spätere, zukünftige Sorge
Cu|ra|re *s. 9 nur Ez.* = Kurare
Cur|cu|ma *w. Gen.* - *Mz.* -cumen = Kurkuma
Cu|ré [kyre, frz.] *m. 9, in Frankreich:* kath. Geistlicher
Cu|rie [kyri, nach dem frz. Physiker-Ehepaar Pierre und Marie C.] *s. Gen.* - *Mz.* - (*Abk.:* Ci) Maßeinheit für radioaktive Strahlung
Cu|ri|um [lat.] *s. Gen.* -s *nur Ez.* (*Zeichen:* Cm) radioaktives, künstlich hergestelltes chem. Element, Transuran
Cur|ling [kə-, engl.] *s. 9 nur Ez.* schott. Eisschießen
cur|ren|tis [lat.] (*Abk.:* cr.) des laufenden (Monats, Jahres); am 10. cr. (*besser:* am 10. d. M.): am 10. dieses Monats
Cur|ri|cu|lum [lat.] *s. Gen.* -s *Mz.* -la, *umfassendere Bez. für* Lehrplan, umfasst Inhalte und Ziele des Unterrichts, Methoden sowie die vermittelten Qualifikationen; **Cur|ri|cu|lum vi|tae** [-tɛː] *s. Gen.* -- *Mz.* -la -tae Lebenslauf
Cur|ry [kœrɪ, engl. kʌrɪ] *m. 9, auch: s. 9 nur Ez.* ein scharfes ind. Gewürz
Cur|sor [kərsər, engl.] *m. 9* blinkender Leuchtpunkt, der angibt, wo auf dem Computerbildschirm das nächste Zeichen erscheint
Cus|tard [kʌstərd, engl.] *m. Gen.* - *Mz.* -s eine engl. Milchsüßspeise
Cut 1 [kʌt, meist: kœt] *m. 9, Kurzw. für* Cutaway; **2** [kʌt] *m. 9* das Cutten; **Cut|a|way** *auch:* **Cu|ta|way** [kʌtəwɛɪ, engl. »wegschneiden«] *m. 9* Herrenschoßrock mit abgerundeten Ecken; **cut|ten** [kʌt-] *tr. 2,* cuttern; einen Filmstreifen oder ein Tonband c.: durch Schnitt fertig stellen; **Cut|ter** [kʌt-] *m. 9* **1** *Film, Funk:* Schnittmeister, der den Filmstreifen bzw. das Tonband zerschneidet und nach künstler. Gesichtspunkten zusammensetzt; **2** Fleischschneidemaschine; **Cut|te|rin** [kʌt-] *w. 10* weibl. Cutter (**1**); **cut|tern** *tr. 1* = cutten
Cu|vée [kyve, frz.] *s. 9* Verschnitt von verschiedenen Weinen zur Herstellung von Schaumwein
Cux|ha|ven Stadt in Niedersachsen
CVJM *Abk. für* Christlicher Verein junger Menschen (früher: Männer)
cwt. *Abk. für* Centweight
Cy|an [tsy-] *s. 1 nur Ez.* giftige, nach bitteren Mandeln riechende Kohlenstoff-Stickstoff-Verbindung
Cy|ber|space [saɪbərspɛɪs, engl.] *m. 9* vom Computer simulierter, dreidimensionaler Raum (in der virtuellen Realität)
Cy|cla|men *auch:* **Cyc|la|men** [tsy-] *s. 7* = Zyklamen
cy|clisch *auch:* **cyc|lisch** in Ringstrukturen angeordnet (chem. Verbindung)
Cy|clo|he|xan *auch:* **Cyc|lo|he|xan** *s. 1* ein ringförmiger gesättigter Kohlenwasserstoff mit sechs Kohlenstoffatomen, Naphthen
Cy|re|nai|ka [tsy-], Ky|re|nai|ka *w. Gen.* - *nur Ez.* nordafrikan. Landschaft
cy|ril|lisch = kyrillisch
Cys|te|in [tsy-] *s. 1 nur Ez.* eine schwefelhaltige Aminosäure;
Cys|tin *s. 1 nur Ez.* eine vom Cystein abgeleitete Aminosäure
cy|to..., **Cy|to...** = zyto..., Zyto...

D

d 1 *Math.: Abk. für* Differential; **2** *Math. (stets in Kursivschrift): Abk. für* Durchmesser; **3** *Mus.: Abk. für* d-Moll; **4** *vor Maßeinheiten Abk. für* Dezi…, z. B. dm; **5** *Phys.: Abk. für* dextrogyr; **6** *Abk. für* Denar, Penny, Pence; **7** [von lat. dies »Tag«] *Astron. Abk. für die Zeiteinheit* Tag
D 1 *röm. Zahlzeichen für* 500; **2** *Mus.: Abk. für* D-Dur; **3** *chem. Zeichen für* Deuterium; **4** *Abk. für* Dinar **5** *Kfz-Kennzeichen für* Deutschland
D. *Abk. für* Doktor der evang. Theologie (ehrenhalber)
da; hier und da; da und dort; du kannst da bleiben: dort, wo du jetzt bist: *aber* du musst dableiben: hier; ich werde um sechs Uhr noch da sein
d. Ä. *Abk. für* der Ältere; Hans Holbein d. Ä.
DAB *Abk. für* Deutsches Arzneibuch
da|be|hal|ten *tr. 61*
da|bei; ich möchte auch dabei sein; ich bin dabei gewesen; ich muss dabei bleiben, dass…: an der Meinung festhalten; *aber:* →dabeibleiben; du kannst dabei sitzen: bei dieser Arbeit; *aber:* →dabeisitzen; er muss dabei stehen: bei dieser Arbeit; *aber* →dabeistehen; **da|bei|blei|ben** *intr. 17* bei den andern

> **dabei sein:** Verbindungen mit *sein* gelten nicht als Zusammensetzungen und werden daher getrennt geschrieben: *Ich möchte auch dabei sein; er ist dabei gewesen.* →§ 35

bleiben; vgl. dabei; **da|bei|sein** ► **dabei sein; da|bei|sit|zen** *intr. 143* bei den andern, in der Nähe sitzen; vgl. dabei; **da|bei|ste|hen** *intr. 151* bei den andern, in der Nähe stehen; bei einem Vorfall untätig dabeistehen; vgl. dabei
da|blei|ben *intr. 17*
da capo [ital. »vom Kopf (an)«] (*Abk.:* d. c.) *Mus.:* noch einmal von Anfang an (spielen, singen); da capo al fine (noch einmal) vom Anfang bis zum

> **dabeisitzen:** Partikeln (*dabei, daneben, dazwischen* usw.) können mit Verben trennbare Zusammensetzungen bilden und werden in den unflektierten (nicht gebeugten) Formen zusammengeschrieben: *Er wollte dabeisitzen.* Ebenso: *Sie konnte es dazwischenschieben* usw. →§ 34 (1)

Ende (oder bis zum Zeichen »fine«); **Da-ca|po-A|rie** [ariə] *w. 11* zu wiederholende Arie
Dac|ca = Dhaka
d'ac|cord [dakɔr, frz.] *veraltet:* einig, der gleichen Meinung; mit jmdm. d'accord gehen
Dach *s. 4;* **Dach|bal|ken** *m. 7;* **Dach|bo|den** *m. 8;* **Dach|de|cker** *m. 5;* **Däch|chel|chen** *s. 7;* **da|chen** *tr. 1* mit einem Dach bedecken, *meist:* bedachen; **Dach|first** *m. 1;* **Dach|gar|ten** *m. 8;* **Dach|gau|pe** *w. 11;* **Dach|ge|sell|schaft** *w. 10;* **Dach|ha|se** *m. 11, scherzh.:* Katze; **Dach|kam|mer** *w. 11;* **Däch|lein** *s. 7;* **Dach|or|ga|ni|sa|ti|on** *w. 10;* **Dach|rei|ter** *m. 5* kleiner (Glocken-)Turm auf dem Dachfirst
Dachs [daks] *m. 1;* **Dachs|bau** *m. 1*
Dach|scha|den *m. 8, ugs.:* geistiger Defekt
Dächs|chen *s. 7;* **Dachs|hund** *m. 1* = Dackel; **Dächs|lein** *s. 7*
Dach|spar|ren *m. 7;* **Dach|stu|be** *w. 11;* **Dach|stuhl** *m. 2* Traggerüst des Daches
Dach|tel *w. 11, ugs.:* Ohrfeige; **dach|teln** *tr. 1, ugs.:* ohrfeigen
Dach|trau|fe *w. 11;* **Dach|zie|gel** *m. 5*
Da|ckel *m. 5* kurzbeinige, bes. zur Dachsjagd geeignete Hunderasse, Dachshund, Teckel
Da|da *ohne Artikel,* **Da|da|is|mus** *m. Gen. - nur Ez.* aus dem Expressionismus hervorgegangene literarisch-künstler. Strömung um 1920; **Da|da|ist** *m. 10;* **da|da|is|tisch**
Dä|da|lus *griech. Myth.:* Baumeister und Erfinder
Dad|dy [dedi] *m. 9, ugs.:* Papa, Vati, Vater
da|durch; dadurch, dass…

> **Daddy:** Die bisherige Unsicherheit der Pluralform bei Fremdwörtern aus dem Englischen, die auf *-y* enden, besteht nicht mehr; der Plural endet auf *-s: Daddys, Babys, Ladys, Partys* usw. →§ 21

da|für; er ist kein Ausländer, aber man könnte ihn dafür halten; *aber:* →dafürhalten; ich bin nicht dagegen, aber ich kann auch nicht dafür sein; **da|für|hal|ten** *intr. 61* meinen; ich halte dafür, dass…; nach meinem Dafürhalten; **da|für|kön|nen** *tr. 72;* ich kann nichts dafür
dag *österr. Abk. für* Dekagramm
DAG *Abk. für* Deutsche Angestelltengewerkschaft
da|ge|gen; etwas dagegen haben; dagegen sein; **da|ge|gen|hal|ten** *tr. 61* entgegnen; *aber:* ein anderes Foto dagegen halten
Da|guer|re|o|typ *s. 1* = Daguerreotypie (**1**); **Da|guer|re|o|ty|pie** [dagεro-, nach dem Erfinder, Louis Jacques Mandé Daguerre] *w. 11* **1** *nur Ez.* Frühform der Fotografie; **2** danach hergestelltes Lichtbild
da|heim; daheim bleiben, daheim sein; **Da|heim** *s. 1 nur Ez.;* **Da|heim|ge|blie|be|ne(r)** *m. 18 (17) bzw. w. 17 oder 18*
da|her [oder: daher]; das wird daher kommen, dass…; *aber:* → daherkommen; **da|her|flie|gen** *intr. 38;* dahergeflogen; **da|her|kom|men** *intr. 71;* dahergekommen; schau, wie er daherkommt; *aber:* es wird daher kommen, dass…; **da|her|re|den** *tr. 2;* dumm daherreden
da|hier *veraltet:* hier, auf dieser Welt, an diesem Ort
da|hin [oder: dahin]; wie weit ist es bis dahin?; bis dahin ist noch viel Zeit; es wird noch dahin kommen, dass…; die Anordnung geht dahin, dass…; eine dahin gehende Anordnung; sich dahin gehend äußern; *aber:* →dahingehen
da|hin|ab *auch:* **da|hi|nab; da|hin|auf** *auch:* **da|hi|nauf; da|hin|aus** *auch:* **da|hi|naus**

► = wird zu

da|hin|däm|mern *intr. 1;* **da|hin-ei|len** *intr. 1*
da|hin|ein *auch:* **da|hi|nein**
da|hin|flie|gen *intr. 38;* die Zeit ist dahingeflogen; **da|hin|ge-ben** *tr. 45*
da|hin|ge|gen *veraltet für* hingegen
da|hin|ge|hen *intr. 47;* die Zeit ist schnell dahingegangen; *aber:* er soll dahin, nicht dorthin gehen; eine dahin gehende Anordnung; **da|hin|ge|stellt**; das will ich d. sein lassen: das will ich nicht näher untersuchen; **da|hin|le|ben** *intr. 1;* **da|hin|raf-fen** *tr. 1;* **da|hin|schlep|pen** *refl. 1;* sich müde d.; **da|hin|sie-chen** *intr. 1;* **da|hin|ste|hen** *intr. 151, nur in Wendungen wie* es mag d., ob…, es steht noch dahin, ob…: es ist nicht sicher, ob…; **dahin|stel|len** *tr. 1* vgl. dahingestellt
da|hin|ten
da|hin|ter; d. kommt nichts mehr; **da|hin|ter|kom|men** ► **da|hin|ter kom|men** *intr. 71* erfahren, herausbringen; ich bin nicht dahinter gekommen, ob…; **da|hin|ter|ste|cken** ► **da|hin|ter ste|cken** *intr. 150* verborgen sein; ich möchte wissen, was dahinter steckt
Dah|lie [-ljə, nach dem schwed. Botaniker A. Dahl] *w. 11* eine Zierpflanze, Georgine
Da|ho|me, *amtl.:* Da|ho|mey [-mɛɪ] früherer Name des westafrik. Staates Benin
Dail Ei|reann [daɪl ærən] *m. Gen. -- nur Ez.* das Abgeordnetenhaus der Republik Irland
Dai|mio, Dai|myo *m. 9* altjap. Territorialfürst
Dai|qui|ri [-ki-, span.] Drink aus weißem Rum, Limonensaft, Zucker und gestoßenem Eis
Da|jak *m. 9 oder Gen. - Mz. -* altindonesisches Volk auf der Insel Borneo
DAK *Abk. für* Deutsche Angestellten-Krankenkasse
Da|ka|po [ital.] *s. 9* Wiederholung; vgl. da capo; **Da|ka|po-a|rie** [-riə] *w. 11*
Da|ki|en = Dazien
Da|ko|ta **1** Da|co|ta: Name zweier Staaten in den USA, Nord-, Süddakota; **2** *m. 9 oder Gen. - Mz. -* Angehöriger eines nordamerikanischen Indianerstammes; **3** *s. Gen. -(s) nur Ez.* dessen Sprache
Dak|ty|li|o|man|tie [griech.] *w. 11* Wahrsagerei mit Hilfe eines Pendels; **dak|ty|lisch** aus Daktylen (→Daktylus) bestehend; **Dak|ty|li|tis** *w. Gen. - Mz.* -ti|den Fingerentzündung; **Dak|ty|lo|gra|fie,** Dak|ty|lo|gra|phie *w. 11, schweiz.:* Maschinenschreiben; **dak|ty|lo|gra|fie-ren,** dak|ty|lo|gra|phie|ren *tr. 3, schweiz.:* mit der Maschine schreiben; **Dak|ty|lo|gra|fin,** Dak|ty|lo|gra|phin *w. 10, schweiz.:* Maschinenschreiberin; **Dak|ty|lo|gramm** *s. 1* Fingerabdruck; **Dak|ty|lo|gra|phie** *Nv.* ► **Dak|ty|lo|gra|fie** *Hv.;* **dak|ty|lo|gra|phie|ren** *Nv.* ► **dak|ty|lo|gra|fie|ren** *Hv.;* **Dak-ty|lo|gra|phin** *Nv.* ► **Dak|ty|lo-gra|fin** *Hv.;* **Dak|ty|lo|lo|gie** *w. 11* Gebärdensprache der Taubstummen; **Dak|ty|lo|sko-pie** *auch:* **Dak|ty|los|ko|pie** *w. 11* Fingerabdruckverfahren; **dak|ty|lo|sko|pisch** *auch:* **dak-ty|los|ko|pisch;** **Dak|ty|lus** *m. Gen. - Mz.* -ty|len Versfuß aus einer langen, betonten und zwei kurzen, unbetonten Silben
dal *österr. Abk. für* Dekaliter
Da|lai-La|ma [tibet.] *m. Gen. -(s) Mz. -s, bis 1959:* geistl. und weltl. Oberhaupt Tibets
da|las|sen *tr. 75* hierlassen; er hat seine Mappe dagelassen; *aber:* du kannst deine Mappe da lassen: dort liegen lassen, wo sie gerade liegt
Dal|be *w. 11,* **Dal|ben** *m. 7, Kurzw. für* Duckdalbe
dal|bern *intr. 1, ugs.:* sich albern benehmen, herumalbern
da|lie|gen *intr. 80* hingestreckt, sichtbar liegen; *aber:* lass das Buch da liegen!: dort, wo es gerade liegt
dal|ken *intr. 1, österr.:* kindisch daherreden; **Dal|ken** *m. 7, österr.:* mit Marmelade gefülltes Schmalzgebäck; **dal|ket** *bayr.:* töricht, einfältig
Dal|les *m. Gen. - nur Ez., ugs.:* Geldmangel, Geldverlegenheit; im D. sein; den D. haben
dal|li! *ugs.:* schnell!
Dal|ma|ti|en [-tsjən] kroat. Landschaft an der Adria; **Dal-ma|tik, Dal|ma|ti|ka** *w. Gen. - Mz.* -ken **1** altröm., über der Tunika getragenes Gewand; **2** *kath. Kirche:* liturg. Gewand; **Dal|ma|ti|ner** *m. 5* **1** Einwohner von Dalmatien; **2** Wein aus Dalmatien; **3** eine Jagdhundrasse; **dal|ma|tisch,** dal|ma|ti|nisch
dal se|gno [-njo, ital.] (*Abk.:* d. s.) *Mus.:* vom Zeichen an (wiederholen)
Dal|to|nis|mus [nach dem engl. Chemiker und Physiker John Dalton] *m. Gen. - nur Ez.* angeborene Rotgrünblindheit
dam *österr. Abk. für* Dekameter
da|ma|lig; da|mals
Da|mas|kus Hst. von Syrien
Da|mast [nach der syr. Stadt Damaskus] *m. 1* Seidengewebe mit gleichfarbigem, eingewebtem Muster; **da|mas|ten** aus Damast
Da|mas|ze|ner *m. 5* Einwohner von Damaskus; **Da|mas|ze|ner-klin|ge** *w. 11* elastische, durch Verschweißen mehrerer Stahlplatten hergestellte und mit einem flammigen Muster versehene Säbelklinge aus Damaskus; **da|mas|ze|nisch; da|mas-zie|ren** *tr. 3* nach Art der Damaszenerklingen verschweißen und bearbeiten
Dam|bock *m. 2* Damhirsch
Dam|brett *s. 3* Damebrett
Däm|chen *s. 7, iron.:* zarte, zimperliche oder gezierte Dame
Da|me *w. 11;* **Da|me|brett** *s. 3* **1** Brett für das Damespiel **2** Schachbrettfalter
Dä|mel *m. 5,* Däm|lack *m. 1 oder m. 9, ugs.:* Dummkopf
da|men|haft; Da|men|mann-schaft *w. 10, Sport;* **Da|men-sitz** *m. 1 nur Ez.* Reitsitz mit beiden Beinen auf einer Seite des Pferdes; **Da|me|spiel** *s. 1* Brettspiel; wir spielen Dame
Dam|hirsch *m. 1* eine Hirschart mit schaufelartig verbreitertem Geweih
da|misch *bayr., österr.:* dumm, dämlich; *auch:* schwindlig
da|mit [auch: da-]
Däm|lack *m. 1 oder m. 9* = Dämel; **däm|lich; Däm|lich|keit** *w. 10 nur Ez.*
Damm *m. 2*
Dam|mar *s. 9 nur Ez.,* **Dam-mar|harz** *s. 1 nur Ez.* Harz von südostasiat. Zweiflügelfruchtgewächsen
Damm|bruch *m. 2;* **däm|men** *tr. 1*
Däm|mer *m. 5 nur Ez., poet. für* Dämmerung; im Dämmer; **däm|me|rig,** dämm|rig; **Däm-mer|licht** *s. Gen. -(e)s nur Ez.;*

däm|mern *intr. 1;* es dämmert; es dämmert mir, *ugs.:* es wird mir allmählich klar; **Däm|merschlaf** *m. Gen.* -(e)s *nur Ez.;* **Däm|mer|schop|pen** *m. 7;* **Däm|mer|stun|de** *w. 11;* **Dämme|rung** *w. 10;* **Däm|mer|zustand** *m. 2;* **dämm|rig,** däm|merig
Damm|riß ► **Damm|riss** *m. 1, Med.;* **Damm|schnitt** *m. 1, Med.;* **Damm|schutz** *m. 1 nur Ez., Med.;* **Däm|mung** *w. 10* Schall- und Wärme-Isolierung
dam|na|tur [lat. »es wird verworfen«] *früher:* Formel der Zensur, durch die der Druck eines Buches verboten wurde;
Dam|no [ital.] *m. 9 oder s. 9,* **Dam|num** [lat.] *s. Gen.* -s *Mz.* -na, *Bankwesen:* Einbuße, Verlust; Unterschiedsbetrag zwischen Nennbetrag und Auszahlungssumme eines Darlehens
Da|mo|kles|schwert *auch:* **Damok|les-** [nach Damokles, dem Günstling des Dionysius von Syrakus] *s. 3* ständig drohende Gefahr
Dä|mon [griech.] *m. 13* **1** (meist böser) Geist; **2** innere Stimme; **Dä|mo|nie** *w. 11* undurchschaubare, gefährliche Macht; **dämo|nisch;** **Dä|mo|nis|mus** *m. Gen. - nur Ez.* Glaube an Dämonen; **Dä|mo|ni|um** *s. Gen.* -s *Mz.* -ni|en warnende innere Stimme; **Dä|mo|no|lo|gie** *w. 11 nur Ez.* Lehre von den Dämonen; **dä|mo|no|lo|gisch**
Dampf *m. 2;* **Dampf|bad** *s. 4;* **damp|fen** *intr. 1;* **dämp|fen** *tr. 1;* **Damp|fer** *m. 5;* **Dämp|fer** *m. 5;* jmdm. einen D. aufsetzen *übertr. ugs.:* ihn zügeln, mäßigen; **Damp|fer|an|le|ge|stel|le** *w. 11;* **Dampf|hei|zung** *w. 10;* **damp|fig** voller Dampf; **dämpfig** *ugs.:* **1** schwül, stickig; **2** *bei Pferden:* kurzatmig; **Dämp|figkeit** *w. 10 nur Ez., bei Pferden:* Kurzatmigkeit; **Dampf|maschi|ne** *w. 11;* **Dampf|nu|del** *w. 11* bayr. Hefeteigknödel; **Dampf|schiffahrt** ► **Dampfschiff|fahrt** *w. 10 nur Ez.;* **Dampf|strahl** *m. 12;* **Dampfstrahl|ge|blä|se** *s. 5;* **Dampftur|bi|ne** *w. 11;* **Dämp|fung** *w. 10;* **Dampf|wal|ze** *w. 11*
Dam|tier *s. 1* weibl. Damhirsch; **Dam|wild** *s. Gen.* -(e)s *nur Ez., Sammelbez. für* Damhirsch, Damtier und die Jungen

da|nach [auch: da-]
Da|nae [-nae:] *griech. Myth.:* Mutter des Perseus; **Da|na|er** *m. 5, bei Homer:* Grieche; **Dana|er|ge|schenk** [nach den Danaern, die sich im →Trojan. Pferd verbargen] *s. 1* unheilbringendes Geschenk
Da|na|i|den *w. 11 Mz., griech. Myth.:* die 50 Töchter des Danaos; **Da|na|i|den|ar|beit** *w. 10* ermüdende, vergebliche, sinnlose Arbeit
Dan|cing [dɛnsiŋ oder dansiŋ, engl.] *s. - nur Ez.* Tanz, Tanzveranstaltung
Dan|dy [dɛndi, engl.] *m. 9* Geck, übertrieben modisch gekleideter (und frisierter) Mann
Dä|ne *m. 11* Einwohner von Dänemark

> **danebenstehen / daneben stehen:** Zusammensetzungen aus Partikeln wie *daneben* und Verben werden in den unflektierten (nicht gebeugten) Formen zusammengeschrieben: *in der Diskussion danebenstehen* (= sich nicht hineinversetzen können). Ebenso: *danebenbenehmen, danebengehen, danebengreifen, danebenschießen.* → § 34 (1)
> Als Wortgruppe wird das Gefüge jedoch getrennt geschrieben: *Er hat daneben gestanden.* Ebenso: *daneben sein, daneben gehen, daneben liegen, daneben schießen.* → § 34 E1

da|ne|ben; daneben gehen: neben jmdm. oder etwas gehen; *aber:* →danebengehen; daneben stehen; *aber:* →danebenstehen; **da|ne|ben|ge|hen** *intr. 47* **1** das Ziel verfehlen; **2** *ugs.:* misslingen; **da|ne|ben|hau|en** *intr. 63* das Falsche tun; mit einem Vorschlag danebenhauen; *aber:* er hat am Nagel daneben gehauen; **da|ne|ben|ste|hen** sich nicht in etwas hineinversetzen können; in einer Diskussion danebenstehen
Da|ne|brog [dän. »dän. Tuch«] *m. Gen.* -s *nur Ez.* die dän. Flagge; **Dä|ne|mark** europ. Staat; **Da|ne|werk** *s. 1 nur Ez.* alte dän. Grenzbefestigung zwischen Schlei und Treene
da|nie|den *veraltet:* auf dieser Erde; **da|nie|der**
dä|nisch; **Dä|nisch** *s. Gen.* -(s) *nur Ez.* dän. Sprache; vgl. Deutsch; **dä|ni|sie|ren** *tr. 3* dänisch machen, nach dän. Muster gestalten
dank *Präp. mit Dat., auch mit Gen.;* dank seinem Reichtum, dank seines Reichtums; **Dank** *m. 1 nur Ez.;* Gott sei Dank; vielen, tausend Dank, jmdm. Dank sagen, schulden, wissen; vgl. danksagen; **Dank|adres|se** *w. 11* offizielles Dankschreiben; **dank|bar;** **Dank|bar|keit** *w. 10 nur Ez.;* **Dank|brief,** Dank|kesbrief *m. 1;* **dan|ke;** danke sagen; danke schön, danke sehr; **danken** *intr. 1;* **dan|kens|wert;** **dan|kens|wer|ter|wei|se;** **danker|füllt;** **Dan|kes|be|zei|gung** *w. 10;* **Dan|kes|brief,** Dankbrief *m. 1* **Dan|ke|schön** *s. 9 nur Ez.;* jmdm. ein (herzliches) D. sagen; er tut es für ein D.; **Dankes|schuld** *w. 10 nur Ez.;* **Dankes|wor|te** *s. 1 Mz.;* **Dank|gebet** *s. 1;* **Dank|got|tes|dienst** *m. 1*

> **danksagen / Dank sagen:** Zusammensetzung *(danksagen)* und Wortgruppe *(Dank sagen)* stehen nebeneinander; beide Formen sind korrekt. Grammatisch korrekt, aber stilistisch nicht zu empfehlen, ist die flektierte Form: *Ich danksage.* Stattdessen sollte verwendet werden: *Ich sage Dank.* → § 33 (1), § 33 E1

dank|sa|gen *intr. 1, auch:* Dank sagen; ich danksagte, sagte Dank, habe dankgesagt, Dank gesagt; **Dank|sa|gung** *w. 10;* **Dank|schrei|ben** *s. 7*
dann; dann und wann
dan|nen *nur in der veralteten Wendung* von d.: weg…, z. B. von d. gehen
dann|zu|mal *schweiz.:* dann, in jenem Augenblick
Danse ma|ca|bre *auch:* **- macab|re** [dãs makabrə, frz.] *m. Gen. -- Mz.* -s -s [dãs makabrə] Totentanz
dan|tesk in der Art des ital. Dichters Dante; eine Dichtung von dantesker Größe; **dantisch** Dante ähnlich, von Dante stammend
Dan|zig, *heute amtl. poln.* Gdánsk, Stadt an der Ostsee; **Dan|zi|ger** *m. 5*
Dao, Tao [chin. »Weg«] *s. Gen. - nur Ez., chin. Philos.:* der Ur-

grund alles Seins sowie der Weg dorthin; **Da|o|is|mus, Ta|o|is|mus** *m. Gen. - nur Ez.* die Lehre vom Dao; **Da|o|ist, Ta|o|ist** *m. 10;* **da|o|is|tisch, ta|o|is|tisch; Da|o|te|king, Ta|o|te|king** *s. Gen. - nur Ez.* klassisches Werk der chin. Philosophie

Daph|ne *w. 11* Seidelbast, ein Zierstrauch; **Daph|nia, Daph|nie** [-niə, griech.] *w. Gen. - Mz.* -ni|en Wasserfloh

dap|pen *intr. 1, süddt. für* tappen

dar|an *auch:* **da|ran** [wenn betont: dar-] *ugs.:* dran; daran glauben, daran sein: an der Reihe sein; es ist etwas (Wahres) daran; vgl. dran; **Dar|an|ga|be** *auch:* **Da|ran|ga|be** *w. 11;* unter D. seiner Gesundheit; **dar|an|ge|hen** *auch:* **da|ran|ge|hen**

> **darangehen / daran gehen:**
> Partikeln wie *d(a)ran* und Verben bilden Zusammensetzungen, die im Infinitiv und den Partizipien I und II zusammengeschrieben werden: *Er wollte darangehen(,) das Haus zu renovieren.* Ebenso: *sich daranmachen* (= beginnen). →§ 34 (1)
> Als Wortgruppe wird das Gefüge getrennt geschrieben: *Du sollst daran gehen, nicht hieran.* Ebenso: *Wir wollen daran glauben, dass alles gut geht.* →§ 34 E1

intr. 47, ugs.: beginnen; *aber:* du sollst daran gehen, hicht hieran; **dar|an|ma|chen** *auch:* **da|ran|ma|chen** *refl. 1, ugs.:* beginnen; *aber:* ich muss noch etwas daran machen: an der Sache etwas tun; **dar|an|set|zen** *auch:* **da|ran|set|zen** *tr. 1* tun, einsetzen; ich werde alles d., um zu verhindern, dass..., *andere Zus.* vgl. dran...

dar|auf *auch:* **da|rauf** [wenn betont: dar-] *ugs.:* drauf; darauf ausgehen, darauf aus sein: danach streben; darauf folgten weitere Vorschläge; am darauf folgenden Tag; alles deutet darauf hin; *aber:* →daraufhin; ich kann nicht darauf kommen: es fällt mir nicht ein; darauf losgehen: auf ein Ziel losgehen, *aber:* →drauflosgehen; *andere Zus.* vgl. drauf...; **dar|auf|hin** *auch:* **da|rauf|hin** [*auch:* dar-]; d. wandte er sich um und ging

dar|aus *auch:* **da|raus** [wenn betont: dar-], *ugs.:* draus; daraus mache ich mir gar nichts: das habe ich nicht gern; ich mache mir nichts daraus, draus: das kümmert mich nicht

dar|ben *intr. 1*

dar|bie|ten *tr. 13;* **Dar|bie|tung** *w. 10*

dar|brin|gen *tr. 21;* **Dar|brin|gung** *w. 10 nur Ez.*

Dar|da|nel|len *nur Mz., im Altertum:* Hellespont, Meerenge zwischen dem Ägäischen und dem Marmarameer

dar|ein *auch:* **da|rein,** *ugs.:* drein; sich darein ergeben, schicken: sich damit abfinden; **dar|ein|fin|den** *auch:* **da|rein|fin|den,** *ugs.:* drein|fin|den *refl. 36* sich mit etwas abfinden; **dar|ein|set|zen** *auch:* **da|rein|set|zen,** *ugs.:* drein|set|zen *tr. 1* einsetzen; er hat allen Ehrgeiz dareingesetzt, dass...; *aber:* wir können uns alle darein setzen; *andere Zus.* vgl. drein...

Dar|es|sa|lam Hst. von Tansania

Darg, Dark *m. 1, nddt.:* fester Schilftorf im Moor

dar|in *auch:* **da|rin** [wenn betont: dar-], *ugs.:* drin, darin sein; darin sitzen; *aber:* drinsitzen; **dar|in|nen** *auch:* **da|rin|nen** *veraltet:* **1** darin; **2** drinnen

Dark *m. 1* = Darg

dar|le|gen *tr. 1;* **Dar|le|gung** *w. 10*

Dar|le|hen, Dar|lehn *s. 7;* **Dar|le|hens|kas|se,** Dar|lehns|kas|se *w. 11;* **dar|lei|hen** *tr. 78* verleihen; **Dar|lei|hen** *s. 7, schweiz. für* Darlehen; **Dar|lei|her** *m. 5, Rechtsw. (BGB):* Verleiher; **Dar|lei|hung** *w. 10, schweiz.*

Dar|ling [engl.] *m. 9* Liebling

Darm *m. 2;* **Darm|bak|te|ri|en** *Mz.;* **Darm|flo|ra** *w. Gen. - nur Ez.* die im Darm lebenden Bakterien; **Darm|in|fek|ti|on** *w. 10;* **Darm|ka|tarrh** *m. 1* = Enteritis; **Darm|sai|te** *w. 11;* **Darm|ver|schlin|gung** *w. 10;* **Darm|ver|schluß** ► **Darm|ver|schluss** *m. 2;* **Darm|wind** *m. 1;* **Darm|zot|te** *w. 11 meist Mz.*

dar|nach *ältere Form von* danach; **dar|ne|ben** *ältere Form von* daneben; **dar|nie|der** *ältere Form von* danieder

dar|ob *auch:* **da|rob,** drob *veraltend für* darüber; er war d. sehr verwundert

Dar|re *w. 11* **1** Dör|re, Vorrichtung zum Trocknen von Obst, Getreide, Flachs u. a.; **2** *nur Ez.* das Trocknen selbst; **3** *nur Ez.* Darrsucht

dar|rei|chen *tr. 1;* **Dar|rei|chung** *w. 10*

dar|ren *tr. 1* durch Hitze trocknen (Obst, Getreide u. a.); **Darr|malz** *s. 1;* **Darr|sucht** *w. 2 nur Ez.* **1** durch Unterernährung oder Schmarotzer hervorgerufene Krankheit bei jungen Tieren, bes. Pferden; **2** eine Pflanzenkrankheit, Dürrwerden der Zweige; **3** = Sklerodermie

Darß *m. 1 nur Ez.* Teil der Halbinsel Zingst westl. von Stralsund

dar|stel|len *tr. 1;* **Dar|stel|ler** *m. 5;* **dar|stel|le|risch; Dar|stel|lung** *w. 10*

dar|stre|cken *tr. 1*

Darts [engl.] Wurfpfeilspiel

dar|tun *tr. 167* darlegen, zeigen; ich tat dar, habe dargetan, wie...

dar|über *auch:* **da|rüber** [wenn betont: dar-], *ugs.:* drüber; darüber hinaus; d. hinwegsehen; ich muss etwas darüber schreiben: berichten; d. stehen: überlegen sein; d. fahren

dar|um *auch:* **da|rum** [wenn betont: dar-]; ich bitte darum; es handelt sich darum, dass...; darum herumkommen; **dar|um|kom|men** *auch:* **da|rum|kom|men** *intr. 71* nicht erhalten; er ist darumgekommen; *aber:* darum kommt er immer wieder; **dar|um|le|gen** *auch:* **da|rum|le|gen** *tr. 1;* **dar|um|zie|hen** *auch:* **da|rum|zie|hen** *tr. 187*

dar|un|ter *auch:* **da|run|ter** [wenn betont: dar-], *ugs.:* drunter; 5 Jahre und darunter; seinen Namen d. schreiben, d. setzen, d. stellen; *aber:* drunterschreiben, druntersetzen

Dar|wi|nis|mus *m. Gen. - nur Ez.* die Abstammungs- und Entwicklungslehre des engl. Naturforschers Charles Darwin; **Dar|wi|nist** *m. 10* Anhänger des Darwinismus; **dar|wi|nis|tisch**

das; das alles; alles das; das Kind, das ich meine; auch das noch; das, was ich weiß

das. *Abk. für* daselbst

DASA *Abk. für* Daimler-Benz Aerospace

da sein: Verbindungen mit *sein* gelten nicht als Zusammensetzungen und werden daher getrennt geschrieben: *Er konnte noch nicht da sein. Sie sind noch nicht da gewesen.* Ebenso: *außerstande sein/außer Stande sein, fertig sein, pleite sein, zurück sein.* →§35

da|sein ► **da sein**
Da|sein *s. Gen.* -s *nur Ez.;* **da|seins|be|din|gend; Da|seins|be|din|gung** *w. 10;* **da|seins|be|rech|tigt; Da|seins|be|rech|ti|gung** *w. 10 nur Ez.;* **Da|seins|freu|de** *w. 11 nur Ez.;* **Da|seins|kampf** *m. 2 nur Ez.*
da|selbst (*Abk.:* das.) *veraltet:* dort, an jenem Ort; geboren in Augsburg, gestorben daselbst
Dash [dæʃ, engl.] *m. 9* Spritzer, kleine Menge (beim Mixen von Cocktails)
das heißt (*Abk.:* d.h.); am 10. Mai, d.h. gestern
da|sig *süddt.:* benommen
das ist (*Abk.:* d.i.)
da|sit|zen *intr. 143;* faul dasitzen; *aber:* bleib nur da sitzen!: dort (wo du gerade sitzt)
das|je|ni|ge *Gen.* des|je|ni|gen *Mz.* die|je|ni|gen

dass: Die Konjunktion *dass* wird, da der Vokal kurz gesprochen wird, mit *-ss* geschrieben. Entsprechend: *so dass,* auch: *sodass.* →§2 Auch: *der Dasssatz, der dass-Satz.* →§45 (1), §45 (4)

daß ► **dass**; so dass; als dass; auf dass es dir wohl ergehe; ich fürchte, dass er…
das|sel|be *Gen.* des|sel|ben *Mz.* die|sel|ben; ein und dasselbe
Das|sel|flie|ge *w. 11*
daß-Satz ► **Dass|satz** *auch:* **dass-Satz** *m. 2*
da|ste|hen *intr. 151;* mittellos, allein dastehen; *aber:* bleib nur da stehen!: dort, wo du stehst
Da|sy|me|ter [griech.] *s. 5* Gerät zum Messen der Gasdichte, Gaswaage
dat. *Abk. für* datum
Date [dɛɪt, engl.] *s. 9* Verabredung, Treffen
Da|tei *w. 10* im Datenspeicher eines Computers gespeicherte Datenmenge (Text, Datenbank, Ton, Bild o.Ä.); **Da|ten** *Mz. von* Datum; **Da|ten|au|to|bahn** *w. 10* Leitungen, die in kurzer Zeit große Datenmengen übertragen können; **Da|ten|bank** *w. 10* Informationszentrum mit elektron. Speicherung von Daten; **Da|ten|schutz** *m. Gen.* -es *nur Ez.;* **Da|ten|trä|ger** *m. 5* Diskette, CD, Mikrochip, Mikrofiche, Magnetband o.Ä. zum Speichern von Daten; **da|ten|ver|ar|bei|tend** ► **Da|ten ver|ar|bei|tend; Da|ten|ver|ar|bei|tungs|an|la|ge** *w. 11;* **da|tie|ren 1** *tr. 3* mit einem Datum versehen; einen Brief d.; **2** stammen von; der Brief datiert vom 10. Mai; **Da|tie|rung** *w. 10*
Da|tiv [lat.] *m. 1* dritter Fall der Deklination, Wemfall
da|to [ital.] heute; bis dato; drei Monate dato: binnen drei Monaten; **Da|to|wech|sel** *m. 5* Wechsel, der zu einem bestimmten Termin eingelöst werden muss, Fristwechsel
Dat|scha, Dat|sche [russ.] *w. Gen.* - *Mz.* -schen, *bes. ehem. DDR:* kleines Sommerhaus auf dem Land
Dat|tel *w. 11;* **Dat|tel|pal|me** *w. 11;* **Dat|tel|pflau|me** *w. 11;* **Dat|tel|wein** *m. 1 nur Ez.*
da|tum [lat. »gegeben«] (*Abk.:* dat.) *veraltet:* geschrieben; **Da|tum** *s. Gen.* -s *Mz.* -ten; **Da|tums|an|ga|be** *w. 11;* **Da|tums|gren|ze** *w. 11;* **Da|tums|stem|pel** *m. 5*
Dau, Dhau [arab.] *w. 10* arab. Segelschiff
Dau|be *w. 11* **1** gebogenes Seitenbrett eines Fasses; **2** *Eisschießen:* Zielwürfel; **Dau|ben|holz** *s. 4;* **Dau|ben|rei|ßer** *m. 5* Werkzeug zum Herstellen von Dauben **(1)**
Dau|er *w. 11 nur Ez.;* **Dau|er|aus|schei|der** *m. 5* jmd., der dauernd Krankheitserreger ausscheidet, ohne selbst krank zu sein; **Dau|er|bren|ner** *m. 5;* **Dau|er|frost|bo|den** *m. 8;* **dau|er|ge|wellt;** dauergewelltes Haar; **dau|er|haft; Dau|er|kar|te** *w. 11;* **Dau|er|lauf** *m. 2*
dau|ern 1 *intr. 1;* es dauert lange; **2** *tr. 1* leid tun; er dauert mich; **dau|ernd**
Dau|er|obst *s. Gen.* -es *nur Ez.;* **Dau|er|par|ker** *m. 5;* **Dau|er|prä|pa|rat** *s. 1* für Studienzwecke haltbar gemachtes mikroskop. Präparat; **Dau|er|re|kord** *m. 1;* **Dau|er|schlaf** *m. Gen.* -(e)s *nur Ez.* künstlich herbeigeführter, lange anhaltender Heilschlaf; **Dau|er|sel|ler** [engl. sell »verkaufen«] *m. 5* Buch, das sich lange Zeit sehr gut verkauft; **Dau|er|tropf|in|fu|si|on** *w. 10;* **Dau|er|wa|re** *w. 11;* **Dau|er|wel|le** *w. 11;* **Dau|er|wurst** *w. 2;* **Dau|er|zu|stand** *m. 2*
Däum|chen *s. 7;* **Dau|men** *m. 7;* **dau|men|breit**; ein daumenbreiter Spalt; *aber:* zwei Daumen breit; **dau|men|dick**; ein daumendicker Spalt; *aber:* zwei Daumen dick; **Dau|men|lut|scher** *m. 5;* **Dau|men|schrau|ben** *w. 11 Mz.;* **Dau|mes|dick** *m. Gen.* -s *nur Ez.,* **Däum|ling** *m. 1* eine Märchengestalt
Dau|ne *w. 11* Flaumfeder; **Dau|nen|bett** *s. 12;* **Dau|nen|de|cke** *w. 11;* **dau|nen|weich**
Dau|phin [dofɛ̃, frz.] *m. 9* Titel des frz. Thronfolgers von 1349 bis 1830; **Dau|phi|né** [dofine] *w. Gen.* - *nur Ez.* histor. Provinz in Südostfrankreich
Daus 1 *m. 1* Teufel, *nur noch in den Wendungen:* ei der D.!; was der D.!; **2** *s. 4 oder s. 1, im dt. Kartenspiel:* Ass; *im Würfelspiel:* zwei Augen
Da|vid(s)|stern *m. 1* Stern aus zwei gekreuzten gleichseitigen Dreiecken, Symbol der Juden
Da|vis-Cup ► **Da|vis|cup** [dɛɪviskʌp] *m. 9,* **Da|vis-Po|kal** ► **Da|vis|po|kal** [dɛɪvis-, engl., nach dem amerik. Stifter, Dwight Filley Davis] *m. 1, seit 1909:* Wanderpreis im Tennis
Da|vit [dɛɪvit, auch: da-, engl.] *m. 9* vertikal drehbarer Schiffskran (für Anker, Boote)
da|von [wenn betont: da-] etwas, viel, nichts d.; nicht weit d.; davon will ich nichts hören; auf und davon gehen, laufen; das wird davon kommen, dass…; **da|von|blei|ben** *intr. 17, ugs.:* nicht berühren, sich fernhalten von; *aber:* davon bleiben noch 6 Stück übrig; davon, dass…; **da|von|ge|hen** *intr. 47* weggehen; *aber:* auf und davon gehen; **da|von|kom|men** *intr. 71;* er wird gerade noch einmal davonkommen; er ist gut, glimpflich, noch einmal davongekommen; *aber:* das ist davon gekommen, dass…; **da|von|lau|fen** *intr. 76;* es ist zum Davonlaufen!; *aber:* auf und davon laufen; **da|von|ma|chen**

► = wird zu

refl. 1, ugs.; sich d.: davonlaufen, ausreißen; **da|von|tra|gen** *tr. 160* wegtragen; zurückbehalten; er hat von dem Unfall einen Schaden davongetragen; *aber:* wieviel Stück kannst du davon tragen?
da|vor [wenn betont: da-]; ein Haus mit einem Garten d.; ein Schild davor hängen
Da|vos schweiz. Kurort; **Da|vo|ser** *m. 5*
Da|vy|sche Lam|pe ► **da|vy|sche Lam|pe** [dɛɪvi-, nach dem engl. Chemiker Humphrey Davy] *w. 11* Gruben-Sicherheitslampe
Dawes|plan [dɔs-, nach dem US-amerik. Bankier Charles Gates Dawes] *m. 2 nur Ez.*
da|wi|der *veraltet:* dagegen; etwas dawider haben; **da|wi|der|re|den** *intr. 2* entgegnen; er hat ständig dawidergeredet; *aber:* sie hat nicht dafür, sondern dawider geredet
DAX *Abk. für* Deutscher Aktienindex
Da|zi|en, Da|ki|en *im Altertum:* Land zwischen Donau, Theiß und Dnjestr; **Da|zi|er** *m. 5;* **da|zisch;** *aber:* die Dazischen Kriege
da|zu [wenn betont: da-]; **da|zu|ge|hö|ren** *intr. 1* er möchte auch d.; *aber:* dazu gehört noch mehr; **da|zu|ge|hö|rig; da|zu|hal|ten** *refl. 61* sich beeilen; **da|zu|kom|men** *intr. 71;* ich bin gerade rechtzeitig dazugekommen; ich bin nicht mehr dazugekommen: ich habe keine Zeit mehr dazu gehabt; *aber:* dazu kommen noch 10 Stück; **da|zu|ler|nen** *tr. 1*
da|zu|mal *veraltet:* damals; *fast nur noch in der ugs. Wendung* Anno d.: vor sehr langer Zeit
da|zu|schrei|ben *tr. 127;* noch einen Satz d.; *aber:* ich werde noch etwas dazu schreiben: zu diesem Thema, darüber; **da|zu|set|zen** *tr. 1;* **da|zu|tun** *tr. 167;* ich werde noch drei Stück d.; *aber:* was kann ich dazu tun?: zu dieser Sache beitragen?
da|zwi|schen; da|zwi|schen|kom|men *intr. 71* störend eintreten; ich hoffe, dass nichts mehr dazwischenkommt; *aber:* dazwischen kommen wieder Felder; **da|zwi|schen|re|den** *intr. 2;* du sollst nicht d.; *aber:* wir können dazwischen reden: zwischen den Vorträgen o. Ä.; **da|zwi|schen|ru|fen** *tr. 102;* **da|zwi|schen|tre|ten** *intr. 163* eingreifen
db *Abk. für* Dezibel
DB *Abk. für* Deutsche Bahn AG
DBB *Abk. für* Deutscher Beamtenbund
DBGM *Abk. für* Deutsches Bundesgebrauchsmuster
d. c. *Abk. für* da capo
Dd. *Abk. für* doctorandus = Doktorand
d. d. *Abk. für* de dato
DDR *Abk. für* Deutsche Demokratische Republik; **DDR-Bür|ger** *m. 5*
DDSG *Abk. für* Donau-Dampfschifffahrtsgesellschaft
DDT ⓌⓏ *Abk. für* Dichlordiphenyltrichloräthan, ein als Umweltgift weitgehend verbotenes Schädlingsbekämpfungsmittel
D-Dur *s. Gen. - nur Ez. (Abk.:* D) eine Tonart; **D-Dur-Ton|lei|ter** *w. 11*
de..., De... [lat.] *in Zus.:* von ... weg, ent..., herab...
DE *Abk. für* Delaware **(1)**
Dead|line [dɛdlaɪn, engl.] Frist, letztmöglicher Termin
dea|len [di-, engl.] *intr. 1, ugs.:* mit Rauschgift handeln; **Deal** [dil] *m. 9* (illegaler) Handel, (unlauteres) Geschäft; **Dea|ler** [di-] *m. 5* Rauschgifthändler
Dean [din, engl.] *m. 9, in England* **1** *in der anglikan. Kirche:* Hauptgeistlicher, z. B. an einer Kathedrale; **2** Leiter einer Universitätsfakultät oder eines Colleges
De|ba|kel [lat.-frz.] *s. 5* Zusammenbruch, Niederlage
De|bar|da|ge [-ʒə, frz.] *w. 11* Löschen der Schiffsladung (von Holzfracht); **De|bar|deur** [-dør] *m. 1* Auslader (von Schiffsfracht); **de|bar|die|ren** *tr. 3*
de|bar|kie|ren [frz.] *tr. 3, veraltet:* ausladen, ausschiffen
de|bar|ras|sie|ren [frz.] *tr. 3, veraltet:* **1** entwirren; **2** sich vom Halse schaffen
De|bat|te [frz.] *w. 11* lebhafte Erörterung, Diskussion; parlamentar. Verhandlung; **de|bat|tie|ren** *intr. 3* etwas lebhaft erörtern
De|bauche [-boʃ, frz.] *w. 11, veraltet:* Ausschweifung
De|bet [lat.] *s. 9* Soll, Schuld; *Buchführung: ältere Bezeichnung für* die zu belastende Seite des Kontos; *Ggs.:* Kredit **(3);** **De|bet|sal|do** *m. Gen.* -s *Mz.* -den *oder* -di
de|bil [lat.] leicht schwachsinnig; **De|bi|li|tät** *w. 10 nur Ez.* leichte Form des Schwachsinns
De|bit [-bi, frz.] *m. 9 nur Ez., veraltet:* Kleinhandelsvertrieb; **de|bi|tie|ren** [lat.] *tr. 3* belasten (Konto); **De|bi|tor** *m. 13* Schuldner; *Ggs.:* Kreditor
De|brec|zi|ner, De|bre|zi|ner *auch:* **Deb|re-** [-tsi-, nach der ung. Stadt Debreczin] *Mz.* scharf gewürzte Würstchen
De|büt [deby, frz.] *s. 9* erstes öffentl. Auftreten; **De|bü|tant** *m. 10* jmd., der zum ersten Mal öffentlich auftritt; **De|bü|tan|tin** *w. 10;* **De|bü|tan|tin|nen|ball** *m. 2;* **de|bü|tie|ren** *intr. 3*
De|ca|me|ro|ne *auch:* **De|ca|me|ro|ne** *s. Gen.* -s *nur Ez.* = Dekameron
De|cha|nat [-ça-], De|ka|nat *s. 1* Amt, Amtsräume, Amtsbezirk eines Dechanten; **De|cha|nei,** De|ka|nei *w. 10* Wohnung, Amtsbereich eines Dechanten; **De|chant** [-çant, österr.: dɛ-] *m. 10, kath. Kirche:* Leiter eines Kirchenbezirks innerhalb einer Diözese; vgl. Dekan; **De|chan|tei** *w. 10, österr. für* Dechanei
De|charge [-ʃarʒ, frz.] *w. 11, veraltet:* Entlastung (von einer Amtspflicht); **de|char|gie|ren** [-ʃarʒi-] *tr. 3*
De|cher [lat.] *m. 5 oder s. 5, früher:* Zählmaß (10 Stück) für Felle
De|chet [-ʃe, frz.] *m. 9 meist Mz.* Spinnereiabfälle
de|chif|frie|ren *auch:* **de|chiff|rie|ren** [-ʃif-, frz.] *tr. 3* entziffern, entschlüsseln (eine Geheimschrift, einen chiffrierten Text); **De|chif|frie|rung** *auch:* **De|chiff|rie|rung** *w. 10*
Dech|sel [dɛksəl] *w. 11* Beil mit quer stehendem Blatt
Deck *s. 9, auch: s. 1;* **Deck|adres|se** *w. 11;* **Deck|an|schrift** *w. 10;* **Deck|bett** *s. 12;* **Deck|blatt** *s. 4*
De|cke *w. 11*
De|ckel *m. 5;* **De|ckel|glas** *s. 4;* **de|ckeln** *tr. 1*
de|cken *tr. 1;* **De|cken|be|leuch|tung** *w. 10;* **De|cken|ge|mäl|de** *s. 5*
Deck|far|be *w. 11;* **Deck|hengst**

m. 1 Zuchthengst; **Deck|man|tel** *m. 6;* **Deck|na|me** *m. 15;* **Deck|of|fi|zier** *m. 1;* **Deck|plat|te** *w. 11*
De|ckung *w. 10;* **De|ckungs|bei|trag** *m. 2* zur Deckung der Fixkosten und als Gewinn verbleibende Differenz zwischen Erlös und Einzelkosten; **de|ckungs|gleich** kongruent
Deck|weiß *s. 1;* **Deck|zeit** *w. 10* Begattungszeit für Zuchttiere
De|co|der [dikoʊdər, engl.] Schaltung für das Decoding, z. B. zum Empfang bestimmter Fernsehsender; **De|co|ding** [dikoʊ-] *s. 9* Entschlüsselung (einer Nachricht) *Ggs.:* Encoding
De|col|la|ge [-ʒə, frz.] *w. 11* Kunstwerk, das durch Zerstörung der Oberfläche entsteht
de|cou|ra|gie|ren [-kuraʒi-, frz.] *tr. 3* entmutigen; *Ggs.:* encouragieren
decr., decresc. *Abk. für* decrescendo; **de|cre|scen|do** [-ʃɛn-, ital.] (*Zeichen:* >) *Mus.:* abnehmend, leiser werdend; *Ggs.:* crescendo, accrescendo; **De|cre|scen|do** [-ʃɛn-] *s. Gen.* -(s) *Mz.* -di
de da|to [lat.] (*Abk.:* d. d.) *veraltet:* vom Tag der Ausstellung (eines Wechsels) an
De|de|ron [Kunstw.] *s. Gen. - nur Ez.* Ⓦ, *ehem. DDR:* eine Kunstfaser (entspricht Perlon)
De|di|ka|ti|on [lat.] *w. 10* Widmung, Geschenk; **de|di|zie|ren** *tr. 3* widmen, schenken
De|duk|ti|on [lat.] *w. 10* Ableitung des Besonderen aus dem Allg.; *Ggs.:* Induktion **(1); de|duk|tiv; de|du|zie|ren** *tr. 3*
Deep-free|zer ▶ **Deep|free|zer** [dipfri:zər, engl.] *m. 5* Tiefkühltruhe
Deern *w. 9, nddt.:* Dirn, Mädchen
DEFA *ehem. DDR: Abk. für* Deutsche Film-AG
de fac|to [lat.] den Tatsachen nach, tatsächlich; *Ggs.:* de jure; **De-fac|to-An|er|ken|nung** *w. 10 nur Ez.*
De|fai|tis|mus [-fɛ-] *m. Gen. - nur Ez.* = Defätismus
De|fä|ka|ti|on [lat.] *w. 10, Med.:* Reinigung, Darmentleerung
De|fä|tis|mus [frz.], De|fai|tis|mus [-fɛ:-] *m. Gen. - nur Ez.* Zustand der Mutlosigkeit, Schwarzseherei; **De|fä|tist** *m. 10;* **de|fä|tis|tisch**
de|fekt [lat.] schadhaft, beschädigt; **De|fekt** *m. 1* Schaden, Fehler, Beschädigung; Gebrechen; **De|fek|tar** *m. 1* Apotheker, der mit der → Defektur betraut ist; **de|fek|tiv 1** lücken-, mangelhaft; **2** *Gramm.:* mit fehlenden Beugungsformen; **De|fek|ti|vum** *s. Gen.* -s *Mz.* -va Wort, dem Beugungsformen fehlen, z. B. Durst (ohne Mz.), Leute (ohne Ez.); **De|fek|tur** *w. 10* **1** Herstellung von Arzneimitteln, die in größeren Mengen vorrätig gehalten werden sollen; **2** Arbeitsraum des Defektars
de|fen|siv [lat.] verteidigend, abwehrend; *Ggs.:* offensiv; **De|fen|si|ve** *w. 11* Verteidigung, Abwehr(stellung); *Ggs.:* Offensive; **De|fen|siv|krieg** *m. 1;* **De|fen|siv|spiel** *s. 1, Sport;* **De|fen|sor** *m. 13* Verteidiger; Sachwalter; D. fidei: Verteidiger des Glaubens (Ehrentitel des engl. Königs)
de|fe|rie|ren [lat.] *tr. 3 veraltet* **1** zuschieben (die Eidesleistung); **2** bewilligen (Gesuch)
De|fi|bra|tor *auch:* **De|fib|ra|tor** [lat.] *m. 13,* **De|fi|breur** *auch:* **De|fib|reur** [-brør, lat.-frz.] *m. 1* Maschine zum Zerfasern von Holz
de|fi|bri|nie|ren *auch:* **de|fib|ri|nie|ren** [lat.] *tr. 3* von Fibrin befreien und dadurch ungerinnbar machen (Blut)
De|fi|cit spen|ding ▶ **De|fi|cit|spen|ding** *auch:* **De|fi|cit-Spen|ding** [dɛfisit-, engl.] geplante defizitäre Haushaltspolitik zur Belebung der gesamtwirtschaftl. Nachfrage
De|fi|gu|ra|ti|on [lat.] *w. 10* Verunstaltung, Entstellung; **de|fi|gu|rie|ren** *tr. 3*
De|fi|lee [frz.] *s. 9 oder s. 14* **1** *veraltet:* Hohlweg, Engpass; **2** *österr., schweiz. auch:* Dé|fi|lé [schweiz.: de-] Parademarsch, Vorbeimarsch; **de|fi|lie|ren** *intr. 3* feierlich vorbeimarschieren
de|fi|nie|ren [lat.] *tr. 3* erklären, begrifflich bestimmen; **de|fi|nit** bestimmt; definite Größen *Math.:* Größen mit immer gleichem Vorzeichen; **De|fi|ni|ti|on** *w. 10* **1** Begriffsbestimmung; **2** *kath. Kirche:* als unfehlbar geltende Entscheidung des Papstes oder eines Konzils in dogmat. Fragen; **de|fi|ni|tiv** endgültig, abschließend, bestimmt; **De|fi|ni|ti|vum** *s. Gen.* -s *Mz.* -va endgültiger Zustand
de|fi|zi|ent [lat.] unvollständig, z. B. bei Schriftsystemen: ohne Vokalzeichen; **De|fi|zi|ent** *m. 10, veraltet:* Dienstuntauglicher; **De|fi|zit** [auch: -zit] *s. 1* fehlender Betrag, Einbuße, Verlust; **de|fi|zi|tär** ein Defizit ergebend, mit einem Defizit belastet
De|fla|gra|ti|on *auch:* **De|flag|ra|ti|on** [lat.] Abbrennen von Sprengstoffen ohne Explosion, Verpuffung; vgl. Detonation
De|fla|ti|on [lat.] *w. 10* **1** Verringerung des Geldumlaufs; *Ggs.:* Inflation; **2** Abtragung von lockerem Gestein durch Wind; **de|fla|ti|o|när, de|fla|ti|o|nis|tisch, de|fla|to|risch** eine Deflation **(1)** bewirkend
De|flek|tor [lat.] *m. 13* **1** Rauch-, Luftsaugkappe, Schornsteinaufsatz; **2** Vorrichtung in Kreisbeschleunigern zur Ablenkung von Elektronen
De|flo|ra|ti|on [lat.] *w. 10* Zerreißung des Jungfernhäutchens, Entjungferung; **de|flo|rie|ren** *tr. 3* entjungfern
de|form [lat.] entstellt, missgestaltet; **De|for|ma|ti|on** *w. 10* Formveränderung, Verformung, Missbildung; **de|for|mie|ren** *tr. 3;* **De|for|mie|rung** *w. 10;* **De|for|mi|tät** *w. 10* Missbildung
De|frau|dant [lat.] *m. 10* jmd., der eine Defraudation begangen hat, Betrüger; **De|frau|da|ti|on** *w. 10* Betrug, Unterschlagung, Steuer-, Zollhinterziehung; **de|frau|die|ren** *tr. 3*
De|fros|ter [engl.] *m. 5* **1** *im Auto:* Heizvorrichtung, die das Beschlagen und Vereisen der Windschutzscheibe verhindert; **2** *bei Kühlanlagen:* Vorrichtung zum Abtauen des Gefrierfachs
def|tig 1 tüchtig, stark; **2** kräftig, grob
De|ga|ge|ment [-gaʒmɑ̃, frz.] *s. 9* Befreiung (von einer Verpflichtung), Zwanglosigkeit; **de|ga|gie|ren** [-ʒi-] *tr. 3* befreien; **de|ga|giert** [-ʒirt] frei, zwanglos
De|gen *m. 7* **1** *altertüml, noch poet.:* junger Krieger, Held; **2** Hieb- und Stichwaffe, Offiziersseitenwaffe

▶ = wird zu

De|ge|ne|ra|ti|on [lat.] *w. 10* Rückbildung, Entartung; *Ggs.:* Regeneration **(3); de|ge|ne|ra|tiv** auf Degeneration beruhend; **de|ge|ne|rie|ren** *intr. 3* sich zurückbilden, verkümmern, schwach, kraftlos werden; *Ggs.:* regenerieren **(2)**

De|gout [-gu, frz.] *m. 9 nur Ez.* Ekel, Widerwille, Abneigung; **de|gou|tant** [-gu-] ekelhaft, widerlich, abstoßend; **de|gou|tie|ren** [-gu-] *tr. 3* anekeln, anwidern

De|gra|da|ti|on [lat.] *w. 10* **1** = Degradierung, **2** *Landw.:* Verschlechterung des Bodens (durch Entzug von Nährstoffen); **3** *Phys.:* Zerstreuung (von Energie); **de|gra|die|ren** *tr. 3* **1** *Mil.:* im Rang herabsetzen; **2** aus dem Amt ausstoßen (Geistlichen); **3** verschlechtern (Boden); **4** zerstreuen (Energie); **De|gra|die|rung** *w. 10* **1** De|gra|da|ti|on *w. 10, Mil.:* strafweise Herabsetzung im Rang; **2** strafweise Ausstoßung (eines Geistlichen) aus dem Amt; **3** *Landw.:* Verschlechterung des Bodens

de|grais|sie|ren [-grɛs-, frz.] *tr. 3* von Fett befreien (Soße)

De|gras [-grą, frz.] *s. Gen. - nur Ez., Gerberei:* beim Entfetten trandurchtränkten Leders gewonnenes Fett

De|gres|si|on [lat.] *w. 10* **1** *Kostenrechnung:* Verminderung der Stückkosten bei Vergrößerung der Auflage; **2** *Steuerrecht:* Verminderung des jährl. Abschreibungsbetrages; **de|gres|siv** nachlassend, sinkend, sich vermindernd (Kosten, Abschreibung, Preise); *Ggs.:* progressiv **(1)**

De|gus|ta|ti|on [lat.] *w. 10, bes. schweiz.:* Kostprobe; **De gus|ti|bus non est dis|pu|tan|dum** Über den Geschmack lässt sich nicht streiten; **de|gus|tie|ren** *tr. 3, bes. schweiz.:* kosten, probieren (Lebensmittel, Wein)

dehn|bar; Dehn|bar|keit *w. 10 nur Ez.;* **deh|nen** *tr. 1;* **Deh|nung** *w. 10;* **Deh|nungs-h** *s. 9 oder Gen. - Mz. -;* **Deh|nungs|zei|chen** *s. 7*

De|hors [dəɔr, frz.] *nur Mz.* gesellschaftl. Anstand, Schicklichkeit, *fast nur in der Wendung:* die D. [dəɔrs] wahren

De|hy|dra|se *auch:* **De|hyd|ra|se** [lat. + griech.] *w. 11* Ferment, das chem. Verbindungen unter Wasserstoffabspaltung oxidiert; **De|hy|dra|da|ti|on** *auch:* **De|hyd|ra|da|ti|on** *w. 10* Wasserentzug, Trocknung (von Lebensmitteln); **De|hy|dra|ti|on** *auch:* **De|hyd|ra|ti|on** *w. 10* Abspaltung von Wasserstoff; **de|hy|dra|ti|sie|ren** *auch:* **de|hyd|ra|ti|sie|ren** *tr. 3* Wasser entziehen; **de|hy|drie|ren** *auch:* **de|hyd|rie|ren** *tr. 3* Wasserstoff abspalten; **De|hy|drie|rung** *auch:* **De|hyd|rie|rung** *w. 10;* **De|hy|dri|te** *auch:* **De|hyd|ri|te** *Mz.* Ⓦ Trockenmittel

Dei|bel *m. 5, ugs. nord-, mitteldt.:* Teufel; pfui D.!

Deich *m. 1;* **dei|chen** *tr. 1;* **Deich|ge|nos|sen|schaft** *w. 10;* **Deich|graf** *m. 10,* **Deich|haupt|mann** *m. Gen.* -(e)s *Mz.* -leu|te Vorsteher der Deichgenossenschaft; **Deich|kro|ne** *w. 11*

Deich|sel [daɪksəl] *w. 11* **1** *Nebenform von Dechsel;* **2** Teil des Wagens zum Ziehen und Lenken; **deich|seln** *tr. 1, ugs.:* (geschickt) zustande bringen

De|i|fi|ka|ti|on [de:i-, lat] *w. 10* Vergötterung, Vergottung; **de|i|fi|zie|ren** *tr. 3* zum Gott, zur Gottheit machen

Dei gra|tia [-tsja, lat.] (*Abk.:* D. G.) von Gottes Gnaden (Zusatz zum Titel von Bischöfen und Fürsten)

deik|tisch [griech.] hinweisend, durch Beispiele zeigend, auf Beispiele gegründet

> **dein/Dein:** Pronomen als Stellvertreter des Substantivs *(dein)* werden kleingeschrieben. →§ 58 (4)
> In Verbindung mit einem bestimmten Artikel ist Großschreibung möglich, da es sich hier um ein substantiviertes Possessivpronomen handelt. Entsprechend sind beide Schreibungen zulässig: *Grüß mir die deinen/Deinen (die deinigen/Deinigen).* Ebenso: *das deine/Deine.* Aber Großschreibung: *Ich kann Mein und Dein nicht unterscheiden; ein Streit über Mein und Dein.* →§ 58 E3, § 57 (3)

dein 1 *Possessivpronomen:* das ist dein: das gehört dir; *aber:* Mein und Dein nicht unterscheiden können; ich wünsche den deinen/Deinen alles Gute; nimm dir das deine/Deine; **2** *Personalpronomen im Genitiv:* ich gedenke, erinnere mich dein, *oder:* deiner; das ist deiner nicht würdig; **dei|ner|seits; dei|nes|glei|chen**; du und d.; **dei|nes|teils; dei|net|hal|ben** deinetwegen; **dei|net|we|gen; dei|net|wil|len**; um d.; **dei|ni|ge**; ist dieses Buch das deinige?: ist es dein Buch?; der deinige/Deinige *scherzh.:* dein Mann; die deinigen/Deinigen: deine Angehörigen; du musst nun auch das deinige/Deinige dazu tun: deinen Beitrag dazu leisten

De|is|mus [lat.] *m. Gen. - nur Ez.* religionsphilosoph. Anschauung, die zwar die Existenz Gottes anerkennt, aber den Glauben an sein Einwirken auf die Welt nach der Schöpfung ablehnt; vgl. Theismus; **De|ist** *m. 10* Anhänger des Deismus; **de|is|tisch**

Dei|wel *ugs. nddt.,* **Dei|xel** *mitteldt.:* Teufel; pfui D.!

Dé|jà-vu-Er|leb|nis [deʒavy-, frz. »schon einmal gesehen«] *s. 1* Erleben einer neuen Situation mit dem (täuschenden) Gefühl, sie bereits zu kennen

De|jekt [lat.] *s. 1, Med.:* Auswurfstoff, bes. Kot; **De|jek|ti|on** *w. 11* Entleerung (von Kot)

De|jeu|ner [deʒøne, frz.] *s. 9, veraltet:* Frühstück; **de|jeu|nie|ren** [-ʒø-] *intr. 3, veraltet:* frühstücken

de ju|re [lat.] rechtlich, auf rechtl. Grundlage, von Rechts wegen; *Ggs.:* de facto; **De-ju|re-An|er|ken|nung** *w. 10*

De|ka [griech.] *s. Gen.* -s *Mz.* -, *österr. für* Dekagramm

de|ka..., De|ka... [lat.] *in Zus.:* zehn

De|ka|brist *auch:* **De|kab|rist** [zu russ. dekabr »Dezember«] *m. 10* Teilnehmer am russischen Aufstand vom Dezember 1825

De|ka|de [griech.] *w. 11* zehn Stück, Zeitraum von zehn Tagen u. a.

de|ka|dent [lat.] angekränkelt, entartet; **De|ka|denz** *w. 10 nur Ez.* Niedergang, Verfall, Kraftlosigkeit

de|ka|disch auf der Zahl 10 beruhend, zehnteilig; dekadisches System = Dezimalsystem

De|ka|e|der [griech.] *m. 5* von

zehn Flächen begrenzter Körper, Zehnflach, Zehnflächner; **De|ka|gon** *s. 1* Zehneck; **De|ka|gramm** *s. Gen.- Mz.- (Abk. österr.:* dag) zehn Gramm; **De|ka|li|ter** *s. 5 oder m. 5 (Abk. österr.:* dal) zehn Liter
De|kal|kier|pa|pier [frz.] *s. 1* Papier zum Druck von Abziehbildern
De|ka|log [griech.] *m. 1* die Zehn Gebote
Dek|a|me|ron *auch:* **De|ka|me|ron,** Dec|a|me|ro|ne, De|ca|me|ro|ne [griech. »zehn Tage«] *s. Gen.* -s *nur Ez.* Zehntagewerk, 100 Novellen von Giovanni Boccaccio, die an zehn Tagen erzählt wurden
De|ka|me|ter [griech.] *s. 5 (Abk. österr.:* dam) zehn Meter
De|kan [lat.] *m. 1* **1** Leiter einer Hochschulfakultät; **2** *kath. Kirche: veraltet für* Dechant; **De|ka|nat** *s. 1* Amt, Amtszeit, -sitz, -bezirk eines Dekans; **De|ka|nei** *w. 10* = Dechanei
de|kan|tie|ren [frz.] *tr. 3* vom Bodensatz abgießen (Flüssigkeit)
de|ka|pie|ren [frz.] *tr. 3* = entzundern
De|ka|po|de [griech.] *m. 11* Zehnfußkrebs
Dek|ar [lat.] *s. Gen.* -s *Mz.* -, *schweiz.:* **Dek|a|re** *w. 11* zehn Ar
de|kar|tel|li|sie|ren [lat.], de|kar|tel|lie|ren *tr. 3* entflechten (Kartell); **De|kar|tel|li|sie|rung,** De|kar|tel|lie|rung *w. 10*
De|ka|ster [griech.] *m. Gen.* -s *Mz.* -, *veraltet:* zehn Ster = zehn Kubikmeter
De|ka|teur [-tør, frz.] *m. 1,* De|ka|tie|rer *m. 5* jmd., der Stoffe dekatiert; **de|ka|tie|ren** *tr. 3* mit Wasserdampf behandeln, um Einlaufen nach dem Waschen zu verhindern (Stoffe); **De|ka|tur** *w. 10*
De|kla|ma|ti|on [lat.] *w. 10* **1** kunstgerechter Vortrag (einer Dichtung u. Ä.); **2** *übertr.:* pathetischer, aber inhaltsarmer Vortrag; **3** Einheit von musikal. und textl. Gestaltung; **De|kla|ma|tor** *m. 13* Vortragskünstler; **De|kla|ma|to|rik** *w. 10 nur Ez.* Vortragskunst; **de|kla|ma|to|risch; de|kla|mie|ren** *tr. 3, auch ugs. scherzh.:* übertrieben sprechen
De|kla|rant [lat.] *m. 10* jmd., der eine Deklaration **(2)** abgibt; **De|kla|ra|ti|on** *w. 10* **1** offizielle Erklärung; **2** Zoll-, Inhalts-, Steuererklärung; **de|kla|rie|ren** *tr. 3*
de|klas|sie|ren [lat.] *tr. 3* **1** jmdn. d.: jmdn. in eine sozial niedrigere Klasse verstoßen, herabsetzen; **2** *Sport:* einen Gegner d.: ihn überlegener schlagen, als es seine Klassifizierung erwarten ließe; **Deklas|sie|rung** *w. 10*
de|kli|na|bel [lat.] deklinierbar, beugbar (Wörter); **De|kli|na|ti|on** *w. 10* **1** Abwandlung (der Substantive, Pronomen, Adjektive und Numeralien), Beugung; **2** Winkelabstand eines Gestirns vom Himmelsäquator; **3** Abweichung der Magnetnadel von der geographischen Nordrichtung, Missweisung; **De|kli|na|tor** *m. 13,* **De|kli|na|to|ri|um** *s. Gen.* -s *Mz.* -ri|en, De|kli|no|me|ter *s. 5* Gerät zum Bestimmen von Veränderungen der Deklination (der Magnetnadel); **de|kli|nier|bar** = deklinabel; **De|kli|nier|bar|keit** *w. 10 nur Ez.;* **de|kli|nie|ren** *tr. 3* beugen, abwandeln (Substantive, Adjektive, Pronomen, Numeralien); **De|kli|no|me|ter** *s. 5* = Deklinator
De|kokt [lat.] *s. 1* = Absud

> **Dekolletee/Dekolleté:** Die integrierte (eingedeutschte) Schreibung *Dekolletee* ist die Hauptvariante, die fremdsprachige Schreibung *Dekolleté* die zulässige Nebenvariante. →§20 (2)

De|kol|le|té [dekɔlte, frz.] *Nv.* ► **De|kol|le|tee** *Hv. s. 9* tiefer Halsausschnitt (am Kleid); **de|kol|le|tiert** [dekɔltirt]
De|kom|pen|sa|ti|on [lat.] *w. 10* Versagen der Ausgleichsmaßnahmen (Kompensation) des Körpers (bes. des Herzens) bei Organschwäche
de|kom|po|nie|ren [lat.] *tr. 3* in seine Bestandteile zerlegen, auflösen; **De|kom|po|si|ti|on** *w. 10* **1** Zerlegung, Auflösung; **2** *bei Säuglingen:* Organschwund infolge mangelhafter Ernährung; **De|kom|po|si|tum** *s. Gen.* -s *Mz.* -ta Ableitung von einem zusammengesetzten Wort (Kompositum), z. B. Baupolizei – baupolizeilich; *auch:* mehrfach zusammengesetztes Wort, z. B. Schulhausmeister
De|kon|ta|mi|na|ti|on [lat.] *w. 10* **1** Entfernung von Spaltprodukten, die Neutronen absorbieren, aus dem Reaktor; **2** Entgiftung von radioaktiv verseuchten Kleidern, Geräten, Gebieten; **de|kon|ta|mi|nie|ren** *tr. 3;* **De|kon|ta|mi|nie|rung** *w. 10*
De|kon|zen|tra|ti|on *auch:* **-zent|ra-** [lat.] *w. 10* Zerstreuung, Zersplitterung, Verteilung, Auflösung; *Ggs.:* Konzentration **(1)**; **de|kon|zen|trie|ren** *auch:* **-zent|rie-** *tr. 3* zerstreuen, verteilen, auflösen
De|kor [lat.-frz.] *s. 9* Verzierung, Vergoldung, Muster (auf Glas-, Porzellan- und Tonwaren); **De|ko|ra|teur** [-tør] *m. 1* Fachmann für die Ausstattung von Innenräumen, Schaufenstern usw.; **De|ko|ra|ti|on** *w. 11* **1** Ausschmückung, Schmuck; **2** *Theater, Film, Fernsehen:* Ausstattung (Kulissen, Bauten usw.); **3** Auszeichnung (von Personen) mit Orden oder Ehrenzeichen, Dekorierung; **De|ko|ra|ti|ons|ma|ler** *m. 5* Maler für Innenräume (im Unterschied zum Kunstmaler); **De|ko|ra|ti|ons|stoff** *m. 1;* **de|ko|ra|tiv** schmückend, wirkungsvoll; **de|ko|rie|ren** *tr. 3* **1** schmücken, verzieren; **2** (mit einem Orden o. Ä.) auszeichnen; **De|ko|rie|rung** *w. 10* = Dekoration **(1, 3)**
De|kort [frz.] *m. 1, auch:* [-kor] *m. 9* **1** Zahlungsnachlass wegen Mängeln; **2** Preisnachlass im Exportgeschäft; **3** Kassa-Skonto im Großhandel; **de|kor|tie|ren** *tr. 3*
De|ko|rum [lat.] *s. Gen.* -s *nur Ez.* Anstand, Schicklichkeit; das D. wahren
De|ko|stoff *m. 1, Kurzw. für* Dekorationsstoff
De|kre|ment [lat.] *s. 1* **1** Verminderung, Abnahme (einer Krankheit, des Fiebers); Verfall; **2** *Math.:* natürlicher Logarithmus des Verhältnisses der Amplituden zweier aufeinander folgender Schwingungen
de|kre|pit [frz.] heruntergekommen, hinfällig, altersschwach; **De|kre|pi|ta|ti|on** *w. 10* knisterndes Zerfallen, Zerplatzen von Kristallen (beim Erhitzen); **de|kre|pi|tie|ren** *intr. 3* zerfallen, zerplatzen

► = wird zu

de|kre|scen|do [-ʃẹn-] *eindeutschende Schreibung von* decrescendo; **De|kres|zẹnz** [lat.] *w. 10* Abnahme, Verminderung

De|kret [lat.] *s. 1* behördl. Verordnung, Verfügung, Regierungserlass; **De|kre|ta|le** *s. Gen.- Mz.* -li|en *oder w. 11 meist Mz.* päpstl. Entscheidung; **De|kre|ta|lịst,** De|kre|tịst *m. 10, MA:* Kirchenrechtslehrer; **de|kre|tie|ren** *tr. 3* verordnen, verfügen

De|ku|bi|tus [lat.] *m. Gen.- nur Ez., Med.:* Wundliegen

De|ku|ma|ten|land [lat.], **De|ku|mat|land** *s. 4 nur Ez.* vom Limes begrenztes altröm. Herrschaftsgebiet zwischen Oberrhein und oberer Donau

de|ku|pie|ren [frz.] *tr. 3* aussägen; **De|ku|pier|sä|ge** *w. 11* Laubsäge

De|ku|rie [-riə, lat.] *w. 11, im alten Rom:* **1** militär. Abteilung von zehn Mann; **2** Gruppe von Senatoren u. Ä.; **De|ku|rio** *m. Gen.* -s *oder* -rio|nen *Mz.* -rio|nen, *im alten Rom:* **1** Führer einer Dekurie; **2** Mitglied des Senats

de|kus|siert [lat.] kreuzweise gegenständig (Pflanzenblätter)

De|ku|vert [-vẹr, frz.] *s. 9* **1** *Kaufmannsspr.:* Ausfall einer Einnahme; **2** *Börse:* Mangel an Wertpapieren; **de|ku|vrie|ren** *auch:* **de|kuv|rie|ren** **1** *tr. 3* aufdecken, entlarven; **2** *refl. 3* sich zu erkennen geben, sich verraten

del. 1 *Abk. für* deleatur; **2** *Abk. für* delineavit

De|lat [lat.] *m. 10, veraltet:* jmd., dem ein Eid zugeschoben wird; **De|la|ti|on** *w. 10, veraltet:* **1** gesetzl. Übertragung (einer Erbschaft); **2** Zuschiebung (eines Eides); **3** verleumder. Anzeige; **de|la|to|risch** verleumderisch

De|la|ware [dẹləwɛːr] **1** (*Abk.:* DE) Staat der USA; **2** *m. 9 oder Gen.- Mz.-, dt.:* De|la|wa|re *m. 11* Angehöriger eines nordamerik. Indianerstammes

de|le|a|tur [lat. »es werde getilgt«] (*Zeichen:* ₰, *Abk.:* del.) Anweisung zum Streichen von Schriftsatz; **De|le|a|tur** *s. Gen.- Mz.-,* **De|le|a|tur|zei|chen** *s. 7* Tilgungszeichen, ₰

De|le|gat [lat.] *m. 10* Bevollmächtigter; Apostolischer D.: Bevollmächtigter des Papstes (ohne diplomat. Rechte) zur Überwachung des kirchl. Lebens; **De|le|ga|ti|on** *w. 10* **1** Abordnung, Gruppe von Bevollmächtigten; **2** Übertragung (einer Vollmacht oder Befugnis); **De|le|ga|tur** *w. 10* Amt oder Amtsbereich eines Apostol. Delegaten; **de|le|gie|ren** *tr. 3* **1** abordnen; **2** übertragen; Aufgaben, Arbeiten d., **De|le|gier|te(r)** *m. 18 (17) bzw. w. 17 oder 18;* **De|le|gie|rung** *w. 10*

de|lek|tie|ren [lat.] *refl. 3, veraltet:* sich gütlich tun, *auch:* sich ergötzen

Del|fin *m. 1* = Delphin

Dẹlft ndrl. Stadt; Delfter Porzellan

Delhi Hst. der Ind. Union

De|li|be|ra|ti|on [lat.] *w. 10, veraltet:* Beratung, Überlegung; **De|li|be|ra|ti|ons|frist** *w. 10 veraltet:* Bedenkzeit; **De|li|be|ra|tiv|stim|me** *w. 11, in polit. Körperschaften:* nur beratende Stimme; vgl. Dezisivstimme; **de|li|be|rie|ren** *tr. 3* beraten

de|li|kat [frz.] **1** lecker, köstlich, wohlschmeckend; **2** heikel, behutsam zu behandeln (Angelegenheit); *Ggs.:* indelikat; **3** zartfühlend; **De|li|ka|tẹs|se** *w. 11* **1** Leckerbissen; **2** *nur Ez.* Behutsamkeit; **De|li|ka|tẹs|sen|ge|schäft,** **De|li|ka|teß|ge|schäft** ► **De|li|ka|tẹss|ge|schäft** *s. 1*

De|lịkt [lat.] *s. 1* Straftat, Vergehen

delin. *Abk. für* delineavit; **de|li|ne|a|vit** [lat.] (*Abk.:* del., delin.) »hat (es) gezeichnet« (Vermerk auf Bildern nach dem Namen des Künstlers)

De|lin|quẹnt [lat.] *m. 10* Übel-, Missetäter, Angeklagter

de|li|rạnt [lat.]; deliranter Zustand: Delirium, **de|li|rie|ren** *intr. 3, Med.:* irrereden; **De|li|ri|um** *s. Gen.* -s *Mz.* -ri|en Bewusstseinstrübung (im Fieber oder Rausch) mit Wahnvorstellungen; Delirium tremens: Säuferwahnsinn

de|lisch zur Insel Delos gehörend; delisches Problem: die den Griechen vom Orakel auf Delos gestellte Aufgabe, den würfelförmigen Altar Apollons aufs doppelte Volumen zu vergrößern (nur mit Zirkel und Lineal nicht lösbar); *aber:* Delischer Bund

de|li|zi|ös [frz.] köstlich, fein

De|kre|de|re [ital.] *s. Gen.- Mz.-* Haftung (für den Eingang einer Forderung), Bürgschaft(ssumme); **Del|kre|de|re|fonds** [-fɔ̃] *m. Gen.- Mz.-* Rücklage für eventuelle Verluste

Dẹl|le *w. 11* Vertiefung, Mulde, Druckstelle

de|lo|gie|ren [-ʒi-, frz.] *tr. 3, bes. österr.:* zum Ausziehen aus der Wohnung zwingen; **De|lo|gie|rung** [-ʒi-] *w. 10*

Del|phi altgriech. Stadt mit Kultstätte für Apollon

Del|phin ► *auch:* **Del|fin** [griech.] *m. 1* ein Zahnwal; **Del|phi|na|ri|um** ► *auch:* **Del|fi|na|ri|um** *s. Gen.* -s *Mz.* -ri|en Großaquarium für Delphine

dẹl|phisch zu Delphi gehörig, von ihm stammend; *übertr.:* doppelsinnig, rätselhaft; ein delphisches Orakel, *aber:* das Delphische (in Delphi bestehende) Orakel

Dẹl|ta 1 *s. Gen.*-(s) *Mz.* -s (*Zeichen:* δ, Δ) griech. Buchstabe: **2** *s. 9* mehrarmige Flussmündung in Form eines Dreiecks (nach dem griech. Buchstaben Δ); **Dẹl|ta|flie|ger** *m. 5* von einem Motorboot gezogener Wasserskifahrer, der sich mit Hilfe eines deltaförmigen Segels bei zunehmender Geschwindigkeit über die Wasseroberfläche erhebt; **Dẹl|ta|me|tall** *s. 1* eine Kupfer-Zink-Legierung; **Dẹl|ta|strah|len, δ-Strah|len** *m. 12 Mz.* nicht direkt von radioaktiven Substanzen ausgehende, sondern von deren Strahlung sekundär ausgelöste Elektronen;

Del|to|id *s. 1* Viereck aus zwei gleichschenkligen Dreiecken; **Del|to|id|do|de|ka|e|der** *m. 5* von zwölf Deltoiden begrenzte Kristallform

De|lu|si|on [lat.] *w. 10* Täuschung; Verspottung; **de|lu|so|risch**

Dem|a|go|ge *auch:* **De|ma|go|ge** [griech. »Volksführer«] *m. 11* Volksverführer, polit. Hetzer; **Dem|a|go|gie** *auch:* **De|ma|go|gie** *w. 11;* **dem|a|go|gisch** *auch:* **de|ma|go|gisch**

De|mạnt *m. 10, poet. für* Diamant; **de|mạn|ten** *poet.:* aus Diamanten bestehend; **De|man|to|id** *m. 1* ein Mineral

De|marche [-marʃ, frz.] *w. 11* diplomat. Schritt, mündlich vorgetragener Einspruch

De|mar|ka|ti|on [lat.] *w. 10* Abgrenzung; **De|mar|ka|ti|ons|li|nie** *w. 11;* **de|mar|kie|ren** *tr. 3* abgrenzen
de|mas|kie|ren [frz.] *tr. 3; übertr.:* jmdn. d.: jmdm. die Maske abnehmen, jmdn. entlarven; *übertr.:* sich d.: sein wahres Gesicht zeigen; **De|mas|kie|rung** *w. 10*
De|men *Mz. von* Demos
dem|ent|ge|gen *veraltet:* dagegen, hingegen
De|men|ti [frz.] *s. 9* Widerruf, Leugnung, amtl. Richtigstellung
De|men|tia [-tsja] *w. Gen. - Mz.* -tiae [-tsjɛː], *lat. Form von* Demenz
de|men|tie|ren [frz.] *tr. 3* (amtl.) widerrufen, leugnen, bestreiten
de|m|ent|spre|chend
De|menz [lat.] *w. 10* erworbener Schwachsinn
De|me|rit [frz.] *m. 10, kath. Kirche:* straffälliger Geistlicher
De|mes|ti|ka *m. Gen. - nur Ez.* ein trockener griech. Rot- oder Weißwein
De|me|ter *griech. Myth.:* Göttin der Fruchtbarkeit und des Ackerbaus
dem|ge|gen|über andererseits
dem|ge|mäß
De|mi|john [-dʒɔn, engl.] *m. 9* bauchige Korbflasche
de|mi|li|ta|ri|sie|ren *tr. 3* entmilitarisieren; **De|mi|li|ta|ri|sie|rung** *w. 10*
De|mi|monde [-mɔ̃d, frz.] *w. Gen. - nur Ez.* Halbwelt
de|mi|nu|tiv *Nebenform von* diminutiv
de|mi-sec [dəmisɛk, frz.] *bei Schaumweinen:* halbtrocken
De|mis|si|on [lat.] *w. 10* Rücktritt (eines Ministers, einer Regierung), Entlassung; **De|mis|si|o|när** *m. 1, veraltet:* verabschiedeter Beamter; **de|mis|si|o|nie|ren** *intr. 3* zurücktreten
De|mi|urg [griech.] *m. 10, bei Plato:* Weltschöpfer, Gott
dem|nach
dem|nächst
De|mo|bi|li|sa|ti|on das Demobilisieren; **de|mo|bi|li|sie|ren** [lat.] *tr. 3* vom Kriegs- in den Friedenszustand zurückführen; **De|mo|bi|li|sie|rung, De|mo|bil|ma|chung** *w. 10*
De|mo|du|la|ti|on [lat.] *w. 10* Abtrennung der niederfrequenten Schwingung von der hochfrequenten Trägerwelle, Gleichrichtung; **De|mo|du|la|tor** *m. 13* die Demodulation bewirkender Teil des Rundfunkempfängers; **de|mo|du|lie|ren** *tr. 3*
De|mo|gra|phie *Nv.* ► **De|mo|gra|fie** *Hv.* [griech.] *w. 11* Lehre von der Bevölkerung nach Zahl und Zusammensetzung; **de|mo|gra|phisch** *Nv.* ► **de|mo|gra|fisch** *Hv.*
De|moi|sel|le [dəmoazɛl, frz.] *w. 11, veraltet:* Fräulein
De|mo|krat [griech.] *m. 10* Anhänger der Demokratie; **De|mo|kra|tie** *w. 11* Volksherrschaft; **de|mo|kra|tisch; De|mo|kra|ti|sche Bau|ern|par|tei** *w. 2 (Abk.:* DBD), *ehem. DDR;* **De|mo|kra|ti|scher Block** *m. 2 nur Ez., ehem. DDR:* Zusammenschluss der Parteien unter Druck der SED; **De|mo|kra|ti|scher Frau|en|bund Deutsch|lands** *m. 2 (Abk.:* DFD), *ehem. DDR;* **de|mo|kra|ti|sie|ren** *tr. 3* **1** nach demokrat. Grundsätzen gestalten; **2** nach demokrat. Gesichtspunkten umgestalten (Einrichtungen); **De|mo|kra|ti|sie|rung** *w. 10;* **De|mo|kra|tis|mus** *m. Gen. - nur Ez.* übertrieben demokrat. Denken und Handeln
de|mo|lie|ren [frz.] *tr. 3* zerstören, zerschlagen, niederreißen; **De|mo|lie|rung** *w. 10*
de|mo|ne|ti|sie|ren [lat.] *tr. 3* aus dem Umlauf ziehen (Münzen); **De|mo|ne|ti|sie|rung** *w. 10*

> **Demonstrant** (Worttrennung): Durch die Aufhebung des Trennungsverbots zwischen *-s-* und *-t-* ist neben der bisher üblichen Trennung *De|mon|strant* auch die Trennung *De|mons|trant* möglich geworden. → § 107
> Als weitere Variante ist auch die Abtrennung zwischen *-t-* und *-r-* möglich. Auf diese Weise kommt der letzte Konsonant auf die neue Zeile: *De|monst|rant*. → § 108
> Entsprechend: *de|mon|stra|tiv/de|mons|tra|tiv/de|monst|ra|tiv* usw.

De|mon|strant [lat.] *m. 10* Teilnehmer an einer Demonstration **(3)**; **De|mon|stra|ti|on** *w. 10* **1** Darlegung, Vorführung; **2** polit. Machtentfaltung (als Warnung, z. B. Flottendemonstration); **3** Massen-, Protestkundgebung; **de|mon|stra|tiv 1** anschaulich, darlegend; **2** betont, auffällig; **3** *Gramm.:* hinweisend; **De|mon|stra|tiv** *s. 1,* **De|mon|stra|tiv|pro|no|men** *s. 7,* **De|mon|stra|ti|vum** *s. Gen.* -s *Mz.* -va hinweisendes Fürwort, z. B. dieser; **De|mon|stra|tor** *m. 13* jmd., der etwas demonstriert, Vorführer; **de|mon|strie|ren 1** *tr. 3* darlegen, anschaulich vor Augen führen; **2** *intr. 3* an einer Demonstration **(3)** teilnehmen
De|mon|ta|ge [-ʒə, frz.] *w. 11* Abbau, Abbruch (von Industrieanlagen); **de|mon|tie|ren** *tr. 3* abbauen, abreißen; **De|mon|tie|rung** *w. 10*
De|mo|ra|li|sa|ti|on *w. 10* Untergrabung der Moral; **de|mo|ra|li|sie|ren** *tr. 3;* jmdn. d.: jmds. Moral untergraben, zersetzen, jmdn. entmutigen; **De|mo|ra|li|sie|rung** *w. 10*
De mor|tu|is nil ni|si be|ne [lat. »über die Toten nichts, wenn nicht gut«] Von den Toten soll man nur Gutes sprechen
De|mos [griech.] *m. Gen. - Mz.* -men **1** altgriech. Stadtstaat und seine Bevölkerung; **2** *heute:* kleinster griech. Verwaltungsbezirk
De|mo|sko|pie *auch:* **De|mos|ko|pie** [griech.] *w. 11* Meinungsumfrage, Meinungsforschung; **de|mo|sko|pisch** *auch:* **de|mos|ko|pisch** die Meinungen erforschend
de|mo|tisch [griech.] volkstümlich; demotische Schrift: altägypt. Gebrauchsschrift
De|mut *w. Gen. - nur Ez.;* **de|mü|tig; de|mü|ti|gen** *tr. 1;* **De|mü|ti|gung** *w. 10;* **De|mut(s)|sinn** *m. 1 nur Ez.;* **De|muts|ver|hal|ten** *s. Gen.* -s *nur Ez.;* **de|muts|voll**
dem|zu|fol|ge [auch: -fɔl-] daher, deshalb, infolgedessen; demzufolge habe ich angeordnet, dass…, *aber:* der Erlass, dem zufolge alle Arbeitnehmer…
den *Abk. für* Denier
De|nar [lat. »je zehn«] *m. 1 (Abk.:* d) altröm. Silbermünze
De|na|tu|ra|li|sa|ti|on [lat.] *w. 10* Entzug der, Entlassung aus der bisherigen Staatsangehörigkeit, Ausbürgerung; *Ggs.:* Naturalisation; **de|na|tu|ra|li|sie|ren** *tr. 3*

de|na|tu|rie|ren [lat.] *tr. 3* ungenießbar machen, vergällen (Spiritus); **De|na|tu|rie|rung** *w. 10*
de|na|zi|fi|zie|ren *tr. 3* entnazifizieren

> **Dendrit** (Worttrennung): Neben der Trennung nach Sprechsilben *(Den|drit)* ist auch die Abtrennung zwischen *-d-* und *-r-* möglich. Auf diese Weise kommt der letzte Konsonant auf die neue Zeile: *Dend|rit.*
> Entsprechend: *dend|ri|tisch, Dend|ro|chro|no|lo|gie* usw.
> →§107, §108

Den|drit *auch:* **Dend|rit** [griech.] *m. 10* **1** verzweigter Protoplasmafortsatz einer Nervenzelle; **2** pflanzenähnl. verästelte Gesteinszeichnung; **den|dri|tisch** *auch:* **dend|ri|tisch** verzweigt, verästelt; **Den|dro|chro|no|lo|gie** *w. 11 nur Ez.* Methode der Altersbestimmung in Holzfunden; **den|dro|chro|no|lo|gisch; Den|dro|lo|ge** *m. 11;* **Den|dro|lo|gie** *w. 11 nur Ez.* Lehre von den Bäumen und Gehölzen; **den|dro|lo|gisch; Den|dro|me|ter** *s. 5* Gerät zum Messen der Höhe und Stärke stehender Bäume
Den|gel *w. 11* Schneide (von Sense, Sichel, Pflug); **Den|gel|ham|mer** *m. 6;* **den|geln** *tr. 1* durch Hammerschläge schärfen; ich dengele, dengle sie
Den|gue|fie|ber [dɛŋgə-, span.] *s. 5 nur Ez.* eine trop. Infektionskrankheit
Den Haag vgl. Haag, Den
De|nier [dənje, lat.-frz.] *s. Gen.* -(s) *Mz.* - (*Abk.:* den) Maßeinheit für die Feinheit von Seide und Kunstfasern
Denk|an|stoß *m. 2;* **Denk|art** *w. 10;* **Denk|auf|ga|be** *w. 11;* **denk|bar**; die denkbar besten Voraussetzungen; **den|ken** *tr. 22;* **Den|ker** *m. 5;* **den|ke|risch; denk|fä|hig; Denk|fä|hig|keit** *w. 10 nur Ez.;* **denk|faul; Denk|faul|heit** *w. 10 nur Ez.;* **Denk|feh|ler** *m. 5;* **Denk|kraft** *w. 2 nur Ez.;* **Denk|leh|re** *w. 11* Logik
Denk|mal *s. 4, selten auch: s. 1;* **Denk|mal(s)|kun|de** *w. 11 nur Ez.;* **denk|mal(s)|kund|lich; Denk|mal(s)|pfle|ge** *w. 11 nur Ez.;* **Denk|mal(s)|schutz** *m. 1 nur Ez.;* **Denk|pau|se** *w. 11;* **Denk|pro|zeß** ► **Denk|pro|zess** *m. 1;* **Denk|schrift** *w. 10;* **Denk|sport** *m. 1 nur Ez.;* **Denk|sport|auf|ga|be** *w. 11;* **Denk|spruch** *m. 2;* **Denk|übung** *w. 10;* **Den|kungs|art** *w. 10;* **Denk|ver|mö|gen** *s. 7 nur Ez.;* **Denk|wei|se** *w. 11;* **denk|wür|dig; Denk|wür|dig|keit** *w. 10;* **Denk|zet|tel** *m. 5*
denn; *beim Komparativ statt »als«, poet. oder wenn zweimal »als« stehen müsste:* schöner denn je; nichts ist größer denn die Liebe; er ist als Dichter bedeutender denn als Musiker; *in der Wendung:* es sei denn, dass…; **den|noch**
De|no|mi|na|ti|on [lat.] *w. 10* **1** Vorschlag, Benennung, Anzeige; Ernennung (zu einem Amt); **2** [dɪnɔmɪnɛɪʃn] *amerik. Bez. für* relig. geschlossener Kreis, relig. Gemeinschaft, Sekte; **De|no|mi|na|tiv** *s. 1,* **De|no|mi|na|ti|vum** *s. Gen.* -s *Mz.* -va von einem Substantiv oder Adjektiv abgeleitetes Wort, z. B. »Bürger« von »Burg«, »kränklich« von »krank«, **de|no|mi|nie|ren** *tr. 3* ernennen, benennen
Den|si|me|ter [lat.] *s. 5* Gerät zum Messen des spezif. Gewichts, Dichtemesser; **Den|si|tät** *w. 10* **1** Dichte; **2** Schwärzegrad (einer fotograf. Schicht); **Den|si|to|me|ter** *s. 5* Gerät zum Messen der Schwärze (Dichte) einer fotograf. Schicht; **Den|si|to|me|trie** *auch:* **Den|si|to|met|rie** *w. 11 nur Ez.* Dichtemessung; **Den|so|graph** *m. 10,* **Den|so|me|ter** *s. 5* = Densitometer
den|tal [lat.] die Zähne betreffend, zu ihnen gehörend, von ihnen ausgehend, alveolar; **Den|tal,** **Den|tal|laut** *m. 1* an den Zähnen gebildeter Laut, Zahnlaut, Alveolar, z. B. d, t; **Dent|al|gie** *auch:* **Den|tal|gie** [lat. + griech.] *w. 11* Zahnschmerz; **Den|ta|lis** [lat.] *w. Gen.* - *Mz.* -les, *veraltet für* Dental; **Den|tal|laut** *m. 1* = Dental; **den|te|lie|ren** *tr. 3* auszacken, zackig machen, zähnen; **Den|tin** *s. 1 nur Ez.* **1** Zahnbein; **2** Hartsubstanz der Haifischschuppen; **Den|tist** *m. 10, früher:* Zahnarzt ohne Hochschulprüfung; **Den|ti|ti|on** *w. 10* Zahndurchbruch, das Zahnen; **Den|to|lo|gie** [lat. + griech.] *w. 11 nur Ez.* Zahnheilkunde
De|nu|da|ti|on [lat.] *w. 10* **1** flächenhafte Abtragung der Erdoberfläche durch Wind oder Wasser; **2** *Med.:* Fehlen einer natürl. Hülle, z. B. von Zahnfleisch
De|nun|zi|ant [lat.] *m. 10* jmd., der einen anderen denunziert; **De|nun|zi|a|ti|on** *w. 10* Anzeige, Anschwärzung aus niedrigen Beweggründen; **de|nun|zi|a|to|risch** verleumderisch; **de|nun|zie|ren** *tr. 3* anzeigen, anschwärzen (aus niedrigen Beweggründen)
Deo *s. 9, kurz für* **De|o|do|rant** [engl.] *s. Gen.* -s *Mz.* -e *oder* -ti|en [-tsjən] Geruch tilgendes Mittel; vgl. Desodorans; **De|o|do|rant|spray** [-sprɛɪ] *s. 9* Deodorant in Form von Spray
Deo gra|ti|as [-a:s, lat.] Gott sei Dank
De|o|rol|ler *m. 5* Deodorantstift; **De|o|spray** [-sprɛɪ] *s. 9, kurz für* Deodorantspray
De|par|te|ment [-mɑ̃, lat.-frz.] *s. 9, schweiz.:* [-mɛnt] *s. 1* Verwaltungsbezirk; *schweiz. auch:* Verwaltungsinstanz, Ministerium; **De|part|ment** *s. 9, engl. Form von* Departement
De|pen|dan|ce [depɑ̃dɑ̃s, lat.-frz.] *w. 11* Nebengebäude (bes. eines Hotels); Zweigstelle; **De|pen|denz** *w. 10* Abhängigkeit; **De|pen|denz|gram|ma|tik** *w. 10 nur Ez.*
De|per|so|na|li|sa|ti|on [lat.] *w. 10* Herabsetzung oder Verlust des Persönlichkeitsgefühls, Entpersönlichung (bei psych. Störungen)
De|pe|sche [frz.] *w. 11* Funkspruch, Telegramm; **de|pe|schie|ren** *tr. 3* drahten, telegrafieren
De|phleg|ma|ti|on [lat. + griech.] *w. 10* bei der Destillation Abkühlung eines Dampfgemischs, so dass die niedriger siedenden Flüssigkeiten kondensieren und in den Destillierkolben zurückfließen, Rückflusskühlung; **De|phleg|ma|tor** *m. 13* Rückflusskühler; **de|phleg|mie|ren** *tr. 3*
De|pi|la|ti|on [lat.] *w. 10* **1** Enthaarung; **2** krankhafter Haarausfall; **De|pi|la|to|ri|um** *s. Gen.* -s *Mz.* -ri|en Enthaarungsmittel; **de|pi|lie|ren** *tr. 3* enthaaren

De|place|ment [deplasmã, frz.] *s. 9* **1** Verrückung, Verschiebung; **2** *Seew.:* Wasserverdrängung (eines Schiffes)
De|plan|ta|ti|on [lat.] *w. 10* Um-, Verpflanzung; **de|plan|tie|ren** *tr. 3*
de|plat|zie|ren *tr. 3* versetzen, verrücken; **de|plat|ziert** unangebracht, unpassend, fehl am Platze (Bemerkung, Verhalten); **De|plat|zie|rung** *w. 10*
de|pla|zie|ren ► **de|plat|zie|ren; de|pla|ziert** ► **de|plat|ziert; De|pla|zie|rung** ► **De|plat|zie|rung**
De|po|la|ri|sa|ti|on [lat.] *w. 10 nur Ez.* Aufhebung der Polarisation in galvan. Elementen; **De|po|la|ri|sa|tor** *m. 13* chem. Stoff, der im galvan. Element die Polarisation verhindert; **de|po|la|ri|sie|ren** *tr. 3*
De|po|nens [lat.] *s. Gen. - Mz.* -nẹn|ti|en [-tsjən] *oder* -nẹn|tia [-tsja], *Gramm.:* Wort mit passiver Form und aktiver Bedeutung; **De|po|nẹnt** *m. 10* jmd., der etwas deponiert, Hinterleger; **De|po|nie** *w. 10* Stelle, an der etwas abgelegt, gelagert werden kann, z. B. Mülldeponie; **dẹ|po|nie|ren** *tr. 3* in Verwahrung geben, hinterlegen
De|po|pu|la|ti|on [lat.] *w. 10, veraltet:* Entvölkerung
De|pọrt [frz.] *m. 1, auch:* [-por] *m. 9* Vergütung für früher als vereinbart erfolgende Lieferung; *Ggs.:* Report **(2)**
De|por|ta|ti|on [lat.] *w. 10* Zwangsverschickung, Verbannung; **de|por|tie|ren** *tr. 3;* **De|por|tie|rung** *w. 10*
De|po|si|tar, De|po|si|tär [lat.] *m. 1* jmd., der etwas Hinterlegtes verwahrt; **De|po|si|ten** *Mz.* (vgl. Depositum) **1** hinterlegte Wertgegenstände; **2** verzinslich angelegte Gelder; **De|po|si|ten|bank** *w. 10;* **De|po|si|ten|kas|se** *w. 11;* **De|po|si|ti|on** *w. 10* **1** Hinterlegung; **2** Absetzung (bes. von Geistlichen); **De|po|si|to|ri|um** *s. Gen.* -s *Mz.* -ri|en Aufbewahrungs-, Hinterlegungsort, Tresor; **De|po|si|tum** *s. Gen.* -s *Mz.* -ta *oder* -si|ten hinterlegter Gegenstand, Betrag
de|pos|se|die|ren [lat.] *tr. 3, veraltet* **1** enteignen; **2** absetzen, entthronen; **De|pos|se|die|rung** *w. 10, veraltet*
De|pot [-po, frz.] *s. 9* **1** Aufbewahrungsort; **2** Straßenbahnhof; **3** *Med.:* Ablagerung, Ansammlung, Speicher; *Kurzwort für* Depotbehandlung; **4** *schweiz.:* Pfand (für Entliehenes, z. B. Flaschen); **De|pot|be|hand|lung** *w. 10* Einspritzung von schwer lösl. Medikamenten, die nur langsam vom Körper absorbiert werden; **De|pot|fett** *s. 1* im Körper gespeichertes Fett, das bei längerem Hungern verbraucht wird; **De|pot|fund** *m. 1* Sammelfund aus vorgeschichtl. Zeit; **De|pot|ge|bühr** *w. 10;* **De|pot|prä|pa|rat** *s. 1* Medikament zur Depotbehandlung; **De|pot|wech|sel** *m. 5* als Sicherheit hinterlegter Wechsel; **De|pot|wir|kung** *w. 10* lang anhaltende Wirkung (von Depotpräparaten)
Depp *m. 10, süddt., schweiz., österr.:* Dummkopf, Tölpel, Trottel
De|pra|va|ti|on [lat.] *w. 10* **1** Verschlechterung (eines Krankheitszustandes); **2** Verringerung des Edelmetallgehalts (von Münzen); **de|pra|vie|ren** **1** *tr. 3* verringern; **2** *intr. 3* sich verschlechtern
De|pre|ka|ti|on [zu: deprezieren] *w. 10, veraltet:* Abbitte
De|pres|si|on [lat.] *w. 10* **1** Niedergeschlagenheit; **2** wirtschaftl. Tiefstand; **3** *Meteor.:* Tiefdruckgebiet; **4** *Geogr.:* unter Meereshöhe liegendes Land; **5** *Astron.* = Kimmtiefe; **de|pres|siv** niedergeschlagen, gedrückt (Stimmung)
de|pre|zie|ren [lat.] *intr. 3* Abbitte leisten
de|pri|mie|ren [lat.] *tr. 3* niederdrücken, entmutigen; **de|pri|miert** niedergeschlagen, mutlos, schwermütig
De|pri|va|ti|on [lat.] *w. 10* Absetzung (eines kath. Geistlichen)
De pro|fụn|dis [lat. »aus der Tiefe« (rufe ich, Herr, zu dir), Anfangsworte des 130. Psalms) *s. Gen. - - nur Ez.* Klageruf
De|pu|tạnt [lat.] *m. 10* jmd., der auf ein Deputat Anspruch hat; **De|pu|tat** *s. 1* Naturalien als Teil des Lohns; **De|pu|ta|ti|on** *w. 10* Abordnung; **De|pu|tat|lohn** *m. 2;* **de|pu|tie|ren** *tr. 3* abordnen; **De|pu|tier|te(r)** *m. 18 (17) bzw. w. 17 oder 18* Abgeordnete(r); **De|pu|tier|ten|kam|mer** *w. 11*
der **1** bestimmter Artikel; der Mann; **2** *Gen. von* die; die Liebe der Mutter; **3** = dieser; der und jener; der ist der Schönste; **4** = derjenige; das ist der, den ich gesehen habe
De|ran|ge|ment [-rãʒ(ə)mã, frz.] *s. 9, veraltet:* Verwirrung, Unordnung, Störung; **de|ran|gie|ren** [-rãʒi-] *tr. 3;* **de|ran|giert** [-rãʒirt] verwirrt, in Unordnung, zerzaust

> **Derartiges:** Substantivierte Adjektive werden mit großem Anfangsbuchstaben geschrieben: *etwas Derartiges, etwas Schönes.* →§ 57 (1)

der|art so; d. erschöpft, dass…; und zwar d., dass…; **der|ar|tig** so, solch; eine derartige Unverschämtheit; etwas Derartiges gibt es hier nicht
dẹrb; Dẹrb|heit *w. 10*
Der|by [engl. da̲rbɪ, amerik.: də̲bɪ, eindeutschend: dẹrbɪ, nach dem Begründer, Lord Edward D.] *s. 9,* **Der|by|ren|nen** *s. 7* Pferderennen
der|einst; der|eins|tens *veraltet, noch scherzh.:* in ferner Zukunft
de|ren *Gen. Ez. w. und Gen. Mz. m., w., s. vom Relativpron.* die; die Frau, deren Kind ich sah; die Bäume, deren Laub gelb wird; **2** *Gen. Ez. und Mz. vom Possessivpron.* ihr; meine Schwester, meine Tante und deren Sohn; **de|rent|hal|ben** [auch: de-], **de|rent|we|gen**; die Frau, d. er zurückgekommen ist; **de|rent|wil|len**; die Frau, um d. er…
de|rer *Gen. Mz. von dem Demonstrativpron.* der, derjenige, jener; gedenkt derer, die…; die Söhne all derer, die…; der Besitz derer von Hohenzollern
der|ge|stalt so, in der Art; d., dass…; **der|glei|chen**; ich habe nichts d. gesehen; und dergleichen (*Abk.:* u. dgl.); und d. mehr; ich tat nicht d.: ich tat, als merkte ich es nicht
De|ri|vat [lat.] *s. 1* **1** abgeleitete Verbindung, Abkömmling; **2** abgeleitetes Wort, z. B. »ängstlich« von »Angst«; **3** Organ, das sich entwicklungsgeschichtlich auf ein früheres zurückführen läßt; **De|ri|va|ti|on** *w. 10* **1** Ableitung; **2** seitl. Abweichung (eines Geschosses) von der Vi-

► = wird zu

sierlinie; **de|ri|va|tiv** *Sprachw.:* durch Ableitung entstanden; **De|ri|va|tiv** *s. 1,* **De|ri|va|ti|vum** *s. Gen.* -s *Mz.* -va abgeleitetes Wort; **de|ri|vie|ren** *tr. 3*

der|je|ni|ge *Gen.* des|je|ni|gen *Mz.* die|je|ni|gen

der|lei von dieser Art, dergleichen

Der|ma [griech.] *s. Gen.* -s *Mz.* -ma|ta, *Med.:* Haut; **der|mal,** der|ma|tisch die Haut betreffend, zu ihr gehörig

der|mal|einst *veraltet* = dereinst; **der|ma|len** *veraltet, noch österr.:* jetzt

Derm|al|gie *auch:* **Der|mal|gie** [griech.] *w. 11* Hautnervenschmerz

der|ma|lig *veraltet für* jetzig

der|ma|ßen so, derart; ich bin d. erschrocken, dass...

Der|ma|ti|kum [griech. + lat.] *s. Gen.* -s *Mz.* -ka Hautmittel; **der|ma|tisch** = dermal; **Der|ma|ti|tis** [griech.] *w. Gen.* - *Mz.* -ti|ti|den Hautentzündung; **Der|ma|to|gen** *s. 1* die Haut erzeugendes Bildungsgewebe; **Der|ma|to|lo|ge** *m. 11;* **Der|ma|to|lo|gie** *w. 11 nur Ez.* Wissenschaft von den Haut- und Geschlechtskrankheiten; **der|ma|to|lo|gisch; Der|ma|tom** *s. 1* Hautgeschwulst; **Der|ma|to|my|ko|se** *w. 11* Pilzflechte; **Der|ma|to|plas|tik** *w. 10* = Dermoplastik; **Der|ma|to|se** *w. 11* Hautkrankheit; **Der|ma|to|zo|on** *s. Gen.* -s *Mz.* -zo|en Hautschmarotzer, z. B. Milbe; **Der|ma|zo|o|no|se** *w. 11* durch Hautschmarotzer verursachte Hautkrankheit; **Der|mo|graph** *m. 10* Fettstift zum Markieren von Stellen auf der Haut; **Der|mo|plas|tik,** Der|ma|to|plas|tik *w. 10* operativer Ersatz eines erkrankten oder verletzten Hautstücks durch ein gesundes, Hautplastik

Der|nier cri ► **Der|nier Cri** [dɛrnje: kri, frz.] *m. Gen.* -- *Mz.* -s -s [-nje: kriz] »letzter Schrei«, letzte Neuheit der Mode

de|ro *veraltet:* deren; **De|ro** *in der Anrede, veraltet:* Euer

De|ro|ga|ti|on [lat.] *w. 10* **1** Beschränkung; **2** teilweise Aufhebung (eines Gesetzes); **de|ro|ga|tiv, de|ro|ga|to|risch** **1** beschränkend; **2** teilweise aufhebend; **de|ro|gie|ren** *tr. 3*

de|ro|hal|ben *veraltet:* deshalb

De|route [-rut, frz.] *w. 11, veraltet:* **1** *Mil.:* wilde Flucht; **2** *Börse:* Kurs-, Preissturz; **de|rou|tie|ren** [-ru-] *tr. 3* vom Wege abbringen, verwirren

der|sel|be *Gen.* des|sel|ben *Mz.* die|sel|ben; ein und derselbe; mit ein(em) und demselben Stift geschrieben; wir benutzen ein(en) und denselben; **Der|sel|be** (*Abk.:* Ders.) *in Bibliografien:* derselbe Verfasser; **der|sel|bi|ge** *veraltet:* derselbe

De|ru|ta|wa|re *w. 11* Keramik aus der ital. Stadt Deruta (Umbrien)

der|weil, der|wei|len

Der|wisch [pers.] *m. 1* mohammedan. Bettelmönch

der|zeit 1 (Abk.: dz., dzt.) jetzt, augenblicklich, zur Zeit; das derzeit übliche Verfahren; **2** *veraltet:* früher, damals; **der|zei|tig** jetzig

des 1 *Gen. Ez. von* der *und* das; **2** *veraltet:* dessen; wes Brot ich esse, des Lied ich singe; des kannst du gewiss sein

des *s. Gen.* - *Mz.* -, *Mus.:* **1** das um einen halben Ton erniedrigte d; **2** = des-Moll; **Des** *s. Gen.* - *Mz.* -, *Mus.:* **1** das um einen halben Ton erniedrigte D; **2** = Des-Dur

des. *Abk. für* designatus

des..., Des... [lat.] *in Zus.:* ent..., Ent...

Des|an|ne|xi|on [lat.] *w. 10* Rückgängigmachen einer Annexion

des|ar|mie|ren [lat.] *tr. 3* **1** entwaffnen; **2** *Fechten:* den Gegner d.: ihm die Klinge aus der Hand schlagen

De|sas|ter [frz.] *s. 5* Unheil, Unglück, Zusammenbruch

des|a|vou|ie|ren *auch:* **de|sa|vou|ie|ren** [-vu-, frz.] *tr. 3* **1** leugnen; **2** im Stich lassen, bloßstellen

Des|car|tes, *René* [dekart, rəne] frz. Mathematiker und Philosoph (1596–1650); vgl. kartesianisch

Des-Dur *s. Gen.* - *nur Ez.* (*Abk.:* Des) eine Tonart; **Des-Dur-Ton|lei|ter** *w. 11*

Des|en|ga|ge|ment [-ɑ̃gaʒmɑ̃] *s. 9, frz. Form von* Disengagement

De|sen|si|bi|li|sa|ti|on [lat.] *w. 10* das Desensibilisieren; **De|sen|si|bi|li|sa|tor** *m. 13* Farbstoff, der Filme desensibilisiert; **de|sen|si|bi|li|sie|ren** *tr. 3* **1** weniger empfindl. machen; **2** *Fot.:* lichtunempfindl. machen; **De|sen|si|bi|li|sie|rung** *w. 10*

De|ser|teur [-tør, frz.] *m. 1* fahnenflüchtiger Soldat; **de|ser|tie|ren** *intr. 3* fahnenflüchtig werden

De|ser|ti|fi|ka|ti|on *w. 10 nur Ez.* Zunahme von Wüsten, Austrocknung (der Erdoberfläche)

De|ser|ti|on *w. 10* Fahnenflucht

de|ses, De|ses *s. Gen.* - *Mz.* -, *Mus.:* das um zwei halbe Töne erniedrigte d bzw. D

des|falls *veraltet:* für diesen Fall

desgl. *Abk. für* desgleichen; **des|glei|chen** (Abk.: desgl.)

de|si|de|ra|bel [lat.] wünschenswert; **De|si|de|rat** *s. 1,* **De|si|de|ra|tum** *s. Gen.* - *Mz.* -ta, *Bibliothekswesen:* gewünschtes, fehlendes und daher zur Anschaffung empfohlenes Buch; **De|si|de|ri|um** *s. Gen.* -s Mz. -ri|en **1** Wunsch, Forderung; **2** *auch:* Desiderat

De|sign [dɪzaɪn, engl.] *s. 9* **1** Plan, Entwurf; **2** Muster, Modell; **3** Formgebung, künstler. Gestaltung; **De|si|gner|dro|ge** *auch:* **De|sig|ner|dro|ge** [dɪzaɪ-nər-] *w. 11* Rauschgift, das von jmdm. mit guter Kenntnis chemisch-physischer Wirkungen nach eigenem Gutdünken gemixt wurde; **De|si|gna|ti|on** *auch:* **De|sig|na|ti|on** [lat.] *w. 10* **1** Bezeichnung, Bestimmung; **2** vorläufige Ernennung; **de|si|gna|tus** *auch:* **de|sig|na|tus** (*Abk.:* des.) bestimmt, vorgesehen, im Voraus ernannt; **De|si|gner** *auch:* **De|sig|ner** [dɪzaɪ-nər, engl.] *m. 5* Fachmann, der Formen für Gebrauchsgüter entwirft und gestaltet; **de|si|gnie|ren** *auch:* **de|sig|nie|ren** [lat.] *tr. 3* **1** bezeichnen, bestimmen; **2** im Voraus ernennen, (für ein Amt) vorsehen

Des|il|lu|si|on [frz.] *w. 10* Enttäuschung, Ernüchterung; **des|il|lu|si|o|nie|ren** *tr. 3* der Illusionen berauben, ernüchtern; **Des|il|lu|si|o|nis|mus** *m. Gen.* - *nur Ez.* illusionslose Weltbetrachtung

Des|in|fek|ti|on [lat.] *w. 10* Vernichtung von Kranheitserregern mit chem. Mitteln; **Des|in|fek|ti|ons|mit|tel** *s. 5;* **Des|in|fek|tor** *m. 13* Fachmann für

Desinfektion; **Des|in|fi|zi|ens** *s. Gen. - Mz.* -zi|en|tia [-tsja] oder -zi|en|zi|en keimtötendes Mittel; **des|in|fi|zie|ren** *tr. 3* von Krankheitserregern befreien; **Des|in|fi|zie|rung** *w. 10*

Des|in|for|ma|ti|on [lat.] *w. 10* bewusst falsche Information

Des|in|fla|ti|on [lat.] *w. 10* Bekämpfung einer Inflation durch Deflationspolitik

Des|in|te|gra|ti|on [lat.] *w. 10* Spaltung, Auflösung (eines Ganzen in seine Teile); **Des|in|te|gra|tor** *m. 13* Schlag- und Schleudermaschine; **des|in|te|grie|ren** *tr. 3* auflösen; **des|in|te|grie|rend** nicht notwendig; **Des|in|te|grie|rung** *w. 10*

Des|in|ter|es|se *auch:* **Des|in|te|res|se** [lat.] *s. Gen.* -s *nur Ez.* Mangel an Interesse, Gleichgültigkeit; **des|in|ter|es|siert** *auch:* **des|in|te|res|siert** nicht interessiert

de|sis|tie|ren [lat.] *intr. 3, veraltet:* von etwas ablassen, darauf verzichten, etwas zu tun

Des|ja|ti|ne *w. 11* = Dessjatine

De|skrip|ti|on [lat.] *w. 10* Beschreibung; **de|skrip|tiv** beschreibend

Desk|top pu|bli|shing ► **Desk|top|pu|bli|shing** *auch:* **Desk|top-Pu|bli|shing** [engl., -pabliʃiŋ] *s. Gen. - nur Ez.* Herstellen von Druckartikeln im eigenen Büro unter Einsatz eines Computers mit graf. Einrichtungen

des-Moll *s. Gen. - nur Ez.* (*Abk.:* des) eine Tonart; **des-Moll-Ton|lei|ter** *w. 11*

Des|o|do|rans [neulat.] *s. Gen. - Mz.* -ran|tia [-tsja] *oder* -ran|zi|en Mittel zum Desodorieren; **des|o|do|rie|ren,** des|o|do|ri|sie|ren *tr. 3* von schlechtem Geruch befreien; **Des|o|do|rie|rung, Des|o|do|ri|sie|rung** *w. 10* Beseitigung von schlechtem Geruch

de|so|lat [lat.] **1** vereinsamt; **2** trostlos, traurig

Des|or|dre *auch:* **Des|or|dre** [frz.] *m. 9, veraltet:* Unordnung, Verwirrung

Des|or|ga|ni|sa|ti|on [lat.] *w. 10* **1** Auflösung, Zerrüttung; **2** mangelhafte Organisation; **des|or|ga|ni|sie|ren** *tr. 3* in Unordnung bringen; **des|or|ga|ni|siert 1** in Unordnung geraten; **2** mangelhaft organisiert; **Des|or|ga|ni|sie|rung** *w. 10*

des|o|ri|en|tiert [lat.] nicht oder falsch unterrichtet, nicht orientiert; **Des|o|ri|en|tiert|heit** *w. 10 nur Ez.*

Des|o|xi|da|ti|on [lat. + griech.] *w. 10* Entzug von Sauerstoff; **des|o|xi|die|ren** *tr. 3* von Sauerstoff befreien

de|spek|tier|lich *auch:* **des|pek|tier|lich** [lat.] respektlos, geringschätzig

De|spe|ra|do *auch:* **Des|pe|ra|do** [span. »verzweifelt«] *m. 9* polit. Heißsporn, Umstürzler; anarchist., asozialer Draufgänger; **de|spe|rat** *auch:* **des|pe|rat** [lat.] verzweifelt, hoffnungslos

Des|pot [griech.] *m. 10* Gewaltherrscher, Tyrann; *übertr.:* herrischer Mensch; **Des|po|tie** *w. 11* Gewaltherrschaft; **des|po|tisch; des|po|ti|sie|ren** *tr. 3* despotisch behandeln, tyrannisch beherrschen; **Des|po|tis|mus** *m. Gen. - nur Ez.* System, Zustand einer Despotie

des|sen 1 *Gen. Ez. vom Relativpron.* der, das; der Freund, dessen wir gedenken; **2** *Gen. Ez. vom Demonstrativpron.* dieser, dieses; ich erinnere mich d. nicht; d. bin ich sicher; **3** *Gen. Ez. vom Possessivpron.* sein; mein Freund, sein Sohn und d. Frau; **des|sent|hal|ben, des|sent|we|gen** [auch: des-]; **des|sent|wil|len** [auch: des-]; das ist der Freund, um d. ich das getan habe; **des|sen|un|ge|ach|tet** ► **des|sen un|ge|ach|tet** *aber:* des|un|ge|ach|tet [auch: -un-]

Des|sert [dɛsɛr, frz.] *s. 9* Nachspeise; **Des|sert|tel|ler** [-sɛr-] *m. 5;* **Des|sert|wein** [-sɛr] *m. 1* süßer, alkoholreicher Wein, Südwein

Des|sin [dɛsɛ̃, frz.] *s. 9* **1** Muster, Musterzeichnung; Entwurf; **2** *Billard:* Weg des gestoßenen Balls; **Des|si|na|teur** [-tør] *m. 1* jmd., der Muster entwirft; **des|si|nie|ren** *tr. 3* (Muster) entwerfen, zeichnen

Dess|ja|ti|ne [russ.] *w. 11* russ. Flächenmaß, 1,0925 ha

Des|sous [dəsu, frz.] *s. Gen. - meist Mz. -* [dəsuz] Unterwäsche (für Damen)

De|stil|lat *auch:* **Des|til|lat** [lat.] *s. 1* Produkt der Destillation; **De|stil|la|teur** *auch:* **Des|til|la|teur** [-tør] *m. 1* **1** Branntweinbrenner; **2** Branntwein-Schankwirt; **De|stil|la|ti|on** *auch:* **Des|til|la|ti|on** *w. 10* **1** Verdampfung und Wiederverflüssigung einer Flüssigkeit, um sie von Feststoffen oder anderen Flüssigkeiten zu trennen; **2** Branntweinbrennerei oder -ausschank; **de|stil|la|tiv** *auch:* **des|til|la|tiv** mittels Destillation; **De|stil|le** *auch:* **Des|til|le** *w. 11, ugs.:* Branntweinschenke; **de|stil|lie|ren** *auch:* **des|til|lie|ren** *tr. 3* mittels Destillation trennen; destilliertes Wasser: chemisch reines Wasser; **De|stil|lier|kol|ben** *auch:* **Des|til|lier|kol|ben** *m. 7*

De|sti|na|tar, De|sti|na|tär *auch:* **Des|ti|na|tar, Des|ti|na|tär** [lat.] *m. 1* Empfänger einer Schiffsfracht; **De|sti|na|ti|on** *auch:* **Des|ti|na|ti|on** *w. 10* Bestimmung, Endzweck

de|sti|tu|ie|ren *auch:* **des|ti|tu|ie|ren** [lat.] *tr. 3, veraltet:* seines Amtes entheben, absetzen; **De|sti|tu|ti|on** *auch:* **Des|ti|tu|ti|on** *w. 11* Amtsenthebung, Absetzung

des|to umso; je eher, desto besser; je länger du zögerst, desto weniger Erfolg wirst du haben; *aber:* nichtsdestoweniger

> **destru-** (Worttrennung): Im Allgemeinen werden Fremdwörter zwischen Stammsilbe, Vor- (Präfix) und Nachsilbe (Suffix) getrennt: *de|stru|ie|ren* usw. Es bleibt dem/der Schreibenden jedoch überlassen, auch nach der Aussprache zu trennen: *des|tru|ie|ren* bzw. *dest|ru|ie|ren* usw. Entsprechend: *Des|truk|ti|on/Dest|ruk|ti|on* usw. → § 108, § 110

de|stru|ie|ren [lat.] *tr. 3* zerstören; **De|struk|ti|on** *w. 10* **1** Zerstörung; **2** *Geol.:* Abtragung durch Verwitterung; **de|struk|tiv** zersetzend, zerstörend; *Ggs.:* konstruktiv

de|sul|to|risch [lat.] wankelmütig, unbeständig

des|un|ge|ach|tet [auch: -un-] = dessen ungeachtet; **des|we|gen; des|wil|len**; um deswillen

de|szen|dent *auch:* **des|zen|dent,** de|szen|die|rend, des|zen|die|rend [lat.] nach unten sinkend (Wasser, Ablagerungen); **De|szen|dent** *auch:* **Des|zen|dent** *m. 10* **1** Nachkomme, Abkömmling; **2** *Astron.:* Unter-

► = wird zu

gangspunkt eines Gestirns; Gestirn im Untergang; *Ggs.:* Aszendent; **De|szen|denz** *auch:* **Des|zen|denz** *w. 10 nur Ez.* **1** Abstammung; **2** Nachkommenschaft; **3** *w. 10 Astron.:* Untergang (eines Gestirns); *Ggs.:* Aszendenz; **De|szen|denz|the|o|rie** *auch:* **Des|zen|denz|the|o|rie** *w. 11* Abstammungslehre; **de|szen|die|ren** *auch:* **des|zen|die|ren** *intr. 3* sinken, absteigen, untergehen; *Ggs.:* aszendieren; **de|szen|die|rend** *auch:* **des|zen|die|rend** = deszendent

De|tache|ment [-taʃmã, frz.] *s. 9, schweiz.:* [-mɛnt] *s. 1, veraltet:* Truppenabteilung mit bes. Aufgaben; **De|ta|cheur** [-ʃør] *m. 1* **1** *chem. Reinigung:* Fachmann zum Fleckenentfernen; **2** Müllereimaschine zum Lockern des Mahlgutes; **De|ta|cheu|se** [-ʃø-] *w. 11* weibl. Detacheur **(1)**; **de|ta|chie|ren** [-ʃi-] *tr. 3* **1** (mit bes. Aufgaben) abkommandieren; **2** von Flecken reinigen; **3** auflockern (Mahlgut)

De|tail [frz.: -taj] *s. 9* Einzelheit, Einzelteil; **De|tail|han|del** *m. Gen. -s nur Ez.* Einzelhandel; **de|tail|lie|ren** [-taji-] *tr. 3* im Einzelnen erklären, darlegen; detaillierte Beschreibung; **De|tail|list** [-tajist] *m. 10, veraltet:* Einzelhändler; **De|tail|ver|kauf** *m. 2*

De|tek|tei [lat.] *w. 10* Ermittlungs-, Detektivbüro; **De|tek|tiv** *m. 1;* **De|tek|tiv|in|sti|tut** *auch:* **-ins|ti|tut** *s. 1;* **De|tek|tiv|ro|man** *m. 1;* **De|tek|tor** *m. 13* **1** Hochfrequenzgleichrichter, Demodulator; **2** Wünschelrute

Détente [detãt, frz.] *w. 11 nur Ez.* (polit.) Entspannung

De|ter|gens [lat.] *s. Gen. - meist Mz.* -gen|tia [-tsja] *oder* -gen|zi|en **1** die Oberflächenspannung des Wassers herabsetzender Stoff (in Waschmitteln); **2** Mittel zur Wundreinigung

De|te|ri|o|ra|ti|on [lat.] *w. 10* Verschlechterung, Wertminderung; **de|te|ri|o|rie|ren** *tr. 3* verschlechtern, im Wert mindern, **De|te|ri|o|rie|rung** *w. 10*

De|ter|mi|nan|te [lat.] *w. 11* **1** spezieller Ausdruck der Algebra zur Lösung von Gleichungen; **2** umstrittener (ungeklärter) physiologischer Entwicklungsfaktor; **De|ter|mi|na|ti|on** *w. 10* **1** Begriffsbestimmung durch Einengung; **2** Festlegung der Entwicklungsrichtung eines bestimmten Keimteils; **de|ter|mi|na|tiv** festlegend, bestimmend; **De|ter|mi|na|tiv** *s. 1,* **De|ter|mi|na|ti|vum** *s. Gen. -s Mz.* -va **1** Determinativpronomen, Art des Demonstrativpronomens mit heraushebender Funktion, z. B. derjenige; **2** zusammengesetztes Wort, dessen erster Teil den zweiten näher bestimmt, z. B. Handtuch, fettarm; **de|ter|mi|nie|ren** *tr. 3* festlegen, bestimmen, begrenzen; **De|ter|mi|niert|heit** *w. 10 nur Ez.;* **De|ter|mi|nis|mus** *m. Gen. - nur Ez.* philosoph. Lehre, dass 1. alle Vorgänge vorbestimmt seien, 2. der menschl. Wille von äußeren Ursachen abhängig und daher nicht frei sei; *Ggs.:* Indeterminismus; **De|ter|mi|nist** *m. 10* Anhänger des Determinismus; **de|ter|mi|nis|tisch**

de|tes|ta|bel [lat.] *veraltet:* verabscheuenswürdig, abscheulich; **de|tes|tie|ren** *tr. 3, veraltet:* verabscheuen

De|to|na|ti|on [lat.] *w. 10* **1** mit Knall und Gasentwicklung verbundene Zersetzung von explosiven Stoffen mit starker Sprengwirkung; vgl. Deflagration, Explosion; **2** unreines Singen oder Spielen; **De|to|na|tor** *m. 13* Zündkörper; **de|to|nie|ren** *intr. 3* **1** sich in Form einer Detonation zersetzen; **2** unrein singen oder spielen

De|tri|ment [lat.] *s. 1, veraltet:* Schaden, Verlust (bes. durch Abnutzung); **De|tri|tus** *m. Gen. - nur Ez.* **1** *Med.:* breiig zerfallenes Gewebe; **2** zerriebenes Gestein, Gesteinsschutt; **3** unbelebte Schwebe- und Sinkstoffe in Gewässern

det|to *österr. für* dito

De|tu|mes|zenz [lat.] *w. 10 nur Ez.* Abschwellen (einer Schwellung oder entzündl. Geschwulst)

Deu|bel *m. 5, nord-, mitteldt.:* Teufel

deucht vgl. dünken

Deu|ka|li|on *griech. Myth.:* dem bibl. Noah entsprechende Sagengestalt; Deukaloinische Flut: Sintflut

De|us abs|con|di|tus [lat. »der verborgene Gott«] *bes. in der Mystik Bez. für* Gott; **De|us ex ma|chi|na** [-xi-, »der Gott aus der Maschine«] *m. Gen. - - - nur Ez.* **1** *im antiken Theater:* mittels einer mechan. Vorrichtung auf der Bühne erscheinende und den Konflikt lösende Göttergestalt; **2** *übertr.:* unerwarteter Helfer; **De|us re|ve|la|tus** geoffenbarter Gott

Deut *m. 9, früher:* kleine Kupfermünze; *heute nur noch in Wendungen wie:* das ist keinen Deut wert, ich kümmere mich keinen Deut darum

Deu|te|lei *w. 10* kleinl. Auslegung, Spitzfindigkeit; **deu|teln** *intr. 1;* ich deutele, deutle; **deu|ten** *tr. 2;* **Deu|ter** *m. 5*

Deu|ter|a|go|nist *auch:* **Deu|te|ra|go|nist** [griech.] *m. 10, im altgriech. Theater:* zweiter Schauspieler; vgl. Protagonist, Tritagonist

Deu|te|ri|um [griech.] *s. Gen. -s nur Ez.* (*Zeichen:* D) Isotop des Wasserstoffs

Deu|te|ro|je|sa|ja [griech.] *m. Gen. - nur Ez.* der unbekannte Verfasser eines Teiles des Buches Jesaja der Bibel

Deu|te|ron [griech.] *s. Gen. -s Mz.* -ro|nen Atomkern des Deuteriums

Deu|te|ro|no|mi|um [griech.] *s. Gen. -s nur Ez.* das 5. Buch Mose

Deut|ler *m. 5;* **deut|lich**; aufs Deutlichste *auch:* aufs deutlichste; jmdm., sich etwas d. machen; **Deut|lich|keit** *w. 10;* **deut|lich|keits|hal|ber**

Deu|to|plas|ma [griech.] *s. Gen. -s Mz. -men* im Eiplasma eingelagerte Nährstoffe, Dotter

deutsch **1** *Adj.; a) Kleinschreibung:* die deutsche Bundesrepublik (kein Titel! Offizieller Titel: Bundesrepublik Deutschland); deutsche Buchführung; ein deutsch-französischer Krieg, *aber:* der Deutsch-Französische Krieg von 1870/71; nach deutschem Recht; die deutsche Schweiz; deutsche Sprache; deutsch-italienisches Wörterbuch; *b) Großschreibung:* Deutsche Angestellten-Krankenkasse (*Abk.:* DAK); Deutsche Angestellten-Gewerkschaft (*Abk.:* DAG); Deutsches Arzneibuch (*Abk.:* DAB); Deutsche Bahn AG (*Abk.:* DB); Deutsche Bibliothek

(Frankfurt); Deutsche Bücherei (Leipzig); Deutsches Bundespatent (*Abk.:* DBP); Deutsche Christen; Deutsche Demokratische Republik (*Abk.:* DDR); Deutsche Forschungsgemeinschaft; Deutsche Gesellschaft für Film- und Fernsehforschung (*Abk.:* DGFFF); Deutscher Gewerkschaftsbund (*Abk.:* DGB); der Deutsch-Französische Krieg 1870/71; Deutsche Industrie-Normen (*Abk.:* DIN); Deutsche Jugendherberge (*Abk.:* DJH); der Deutsche Krieg 1866; *aber:* ein deutscher Krieg; Deutsche Lebensrettungsgesellschaft (*Abk.:* DLRG); Deutscher Literaturkalender; Deutsche Lufthansa AG (*Abk.:* DLH); Deutsche Mark (*Abk.:* DM); Deutsche Messe: Gottesdienstordnung Luthers; Deutsche Post AG; Deutsche Reichsbahn (*Abk.:* DR, *ehem. DDR*); Deutscher → Normenausschuss (*Abk.:* DNA); der Deutsche Orden; das Deutsche Reich; Deutsches Rotes Kreuz (*Abk.:* DRK); Deutscher Schäferhund; Deutscher Sprachatlas (*Abk.:* DSA); Deutscher Sprachverein, *heute:* Gesellschaft für deutsche Sprache; **2** *Adverb:* auf deutsche Art, in deutschem Wortlaut; ein Wort deutsch aussprechen, schreiben; mit jmdm. deutsch reden; wir haben deutsch gesprochen; *aber:* auf Deutsch, zu Deutsch; auf gut Deutsch; **Deutsch** *s. Gen.- oder* -s die deutsche Sprache; (vgl. das Deutsche); ich kann, lehre, spreche, verstehe (kein) Deutsch; er unterrichtet

> **deutsch/Deutsch:** Die bisherige Unsicherheit (auf deutsch, er spricht Deutsch/deutsch) ist beseitigt; die Großschreibung dominiert: *auf Deutsch, in Deutsch, im Deutschen, das Deutsch, er spricht Deutsch, sie unterrichtet Deutsch, der Deutsche Schäferhund, der Deutsch-Französische Krieg.* [→§57 (1)]. In Ausnahmefällen ist Kleinschreibung zulässig: *Sie spricht deutsch.* →§57 E2

Deutsch (als Fach), *aber:* er unterrichtet deutsch (in deutscher Sprache); sein Deutsch ist mangelhaft; er kann, spricht, versteht kein Wort Deutsch; er spricht gut, schlecht Deutsch, gutes, schlechtes Deutsch; er spricht ein einwandfreies Deutsch; er hat in Deutsch eine Eins; Unterricht in Deutsch halten, haben, erteilen, bekommen; daneben steht der Text in Deutsch; im modernen Deutsch; die Aussprache seines Deutsch(s)

Deutsch|a|me|ri|ka|ner *m. 5* Amerikaner deutscher Abstammung; **deutsch|a|me|ri|ka|nisch** die Deutschamerikaner betreffend; **deutsch-a|me|ri|ka|nisch** Deutschland und Amerika betreffend, zwischen Deutschland und Amerika bestehend; deutsch-amerikanischer Schüleraustausch

Deut|sche *s. 18* die deutsche Sprache; aus dem Deutschen, ins Deutsche übersetzen; im Deutschen wird das anders genannt; **Deut|sche(r)** *m. 18 (17) bzw. w. 17 oder 18;* ich bin Deutscher; sie ist Deutsche; der Deutsche ist, hat…; ich als Deutscher; wir Deutschen (*auch:* wir Deutsche); alle Deutschen

Deut|schen|feind *m. 1;* **Deut|schen|freund** *m. 1;* **Deut|schen|haß** ▶ **Deut|schen|hass** *m. 1 nur Ez.*

deutsch|feind|lich; Deutsch|feind|lich|keit *w. 10 nur Ez.;* **deutsch|freund|lich; Deutsch|freund|lich|keit** *w. 10 nur Ez.;* **Deutsch|her|ren** *m. 10 Mz.* Angehörige des Deutschen Ordens; **Deutsch|kun|de** *w. 11 nur Ez.;* **deutsch|kund|lich; Deutsch|land** *s. Gen.* -(s) *nur Ez.;* des heutigen Deutschland(s); **Deutsch|leh|rer** *m. 5;* **Deutsch|meis|ter** *m. 5* oberster Verwalter des Dt. Ordens in Deutschland; **deutsch|na|ti|o|nal; Deutsch|na|ti|o|na|le(r)** *m. 18 (17);* **Deutsch|or|dens|rit|ter** *m. 5;* **Deutsch|rit|ter|or|den** [auch: -rit-] *m. 7 nur Ez.;* **Deutsch|schwei|zer** *m. 5;* **deutsch|schwei|ze|risch** vgl. deutschamerikanisch; aber: **deutsch-schwei|ze|risch; deutsch|spra|chig** in deutscher Sprache; deutschprachiges Lehrbuch; die deutschsprachige Bevölkerung; deutschsprachiger Unterricht: in deutscher Sprache gehaltener Unterricht; **deutsch|sprach|lich** die deutsche Sprache betreffend; deutschsprachlicher Unterricht: U. über die deutsche Sprache, in der deutschen Sprache; **Deutsch|tü|me|lei** *w. 10 nur Ez.* übertriebene Betonung alles Deutschen; **Deutsch|un|ter|richt** *m. 1 nur Ez.*

Deu|tung *w. 10;* **Deu|tungs|ver|such** *m. 1*

Deut|zie [-tsjə, nach dem Holländer Joh. van der Deutz] *w. 11* ein Zierstrauch

Deux-pièces [dø:pjɛ̨s, frz.] *s. Gen.- Mz.-* zweiteiliges Damenkleid, meist Kleid mit Jacke

De|val|va|ti|on [lat.] *w. 10* Abwertung einer Währung; **de|val|va|ti|o|nis|tisch, de|val|va|to|risch** abwertend; devalvatorische Maßnahmen; **de|val|vie|ren** *tr. 3*

De|vas|ta|ti|on [lat.] *w. 10* Verwüstung, Verheerung; **de|vas|tie|ren** *tr. 3*

De|ver|ba|tiv [lat.] *s. 1,* **De|ver|ba|ti|vum** *s. Gen.*-s *Mz.*-va von einem Verb abgeleitetes Substantiv oder Adjektiv, z. B. »Bestimmung« von »bestimmen«, »fügsam« von »fügen«

de|ves|tie|ren [lat.] *tr. 3;* jmdn. d.: jmdm. die priesterl., herrscherl. oder militär. Würde entziehen; **De|ves|ti|tur** *w. 10*

De|vi|a|ti|on [lat.] *w. 10* Abweichung von der Richtung; **De|vi|a|ti|o|nist** *m. 10* jmd., der von der Parteilinie abweicht; **de|vi|ie|ren** *intr. 3*

De|vi|se [frz.] *w. 11* **1** Wahlspruch, Motto; **2** *Mz.* Zahlungsmittel in ausländ. Währung; **De|vi|sen|kurs** *m. 1;* **De|vi|sen|ver|kehr** *m. 1 nur Ez.*

De|vo|lu|ti|on [lat.] *w. 10* Übergang eines Rechtes oder Besitzes auf einen anderen

de|vol|vie|ren [lat.] *tr. 3* abwälzen; an eine höhere Instanz weitergeben (Rechtssache)

De|von [nach der engl. Grafschaft Devonshire] *s. Gen.*-s *nur Ez.* eine Formation des Paläozoikums; **de|vo|nisch**

de|vot [lat.] übertrieben diensteifrig, allzu ergeben, unterwürfig; **De|vo|ti|on** *w. 10 nur Ez.* Unterwürfigkeit; **De|vo|ti|o|na|li|en** *Mz.* Andachtsgegenstände, z. B. Heiligenbild, Rosenkranz

De|wa|na|ga|ri [sanskr.] *w. Gen. - nur Ez.* ind. Schrift, in der das Hindi geschrieben wird
De|xi|o|gra|phie ► *auch:* **De|xi|o|gra|fie** [griech.] *w. 11 nur Ez.* Schreiben von links nach rechts; **de|xi|o|gra|phisch** ► *auch:* **de|xi|o|gra|fisch**
dex|tro|gyr *auch:* **dext|ro|gyr** [lat. + griech.] (*Zeichen:* d) *Phys.:* die Ebene des polarisierten Lichts nach rechts drehend; *Ggs.:* lävogyr; **Dex|tro|kar|die** *auch:* **Dext|ro-** [lat.] *w. 11* angeborene Verlagerung des Herzens nach rechts; **Dex|tro|se** *auch:* **Dext|ro|se** *w. 11 nur Ez.* = Traubenzucker
Dez *m. 1, mitteldt. ugs.:* Kopf
De|zem|ber *m. Gen.* -(s) *nur Ez.* (*Abk.:* Dez.); **De|zem|vir** *m. Gen.* -s *oder* -n *Mz.* -n Angehöriger des Dezemvirats; **De|zem|vi|rat** *s. 1, im alten Rom:* Zehnmännerkollegium; **De|zen|ni|um** *s. Gen.* -s *Mz.* -ni|en Zeitraum von 10 Jahren, Jahrzehnt
de|zent [lat.] **1** anständig, schicklich; *Ggs.:* indezent; **2** unaufdringlich, nicht unangenehm auffallend; ein dezentes Parfüm; die Räume sind dezent eingerichtet; **3** gedämpft (z. B. Musik, Beleuchtung)
de|zen|tral [lat.] vom Mittelpunkt entfernt; **De|zen|tra|li|sa|ti|on** *w. 10 nur Ez.* Aufteilung der Verwaltung auf untergeordnete oder provinzielle Behörden; **de|zen|tra|li|sie|ren** *tr. 3;* **De|zen|tra|li|sie|rung** *w. 10 nur Ez.*
De|zenz [lat.] *w. 10 nur Ez.* Anstand, Schicklichkeit; Unaufdringlichkeit; *Ggs.:* Indezenz
De|zer|nat [lat.] *s. 1* Aufgaben-, Bearbeitungs-, Geschäfts-, Sachbereich; **De|zer|nent** *m. 10* **1** Leiter eines Dezernats, Sachbearbeiter; **2** Berichterstatter (einer übergeordneten Dienststelle gegenüber)
De|zi... (*Abk.:* d) *vor Maßeinheiten:* Zehntel...; **De|zi|bel** *s. Gen.* -s *Mz.* - (*Abk.:* db) ⅒ Bel
de|zi|die|ren [lat.] *tr. 3, veraltet:* entscheiden; **de|zi|diert** *österr., schweiz.:* entschieden, entschlossen, unwiderruflich
De|zi|gramm [lat. + griech.] *s. Gen.* -s *Mz.* - (*Abk.:* dg) ⅒ Gramm; **De|zi|li|ter** *s. 5 oder m. 5* (*Abk.:* dl) ⅒ Liter
de|zi|mal [lat.] auf der Zahl 10 beruhend; **De|zi|mal|bruch** *m. 2* durch Komma bezeichneter Bruch, dessen Nenner mit einer Potenz aus 10 gebildet ist; **De|zi|ma|le** *w. 11* Dezimalzahl, rechts vom Komma eines Dezimalbruchs stehende Zahl; **De|zi|mal|klas|si|fi|ka|ti|on** *w. 10* (*Abk.:* DK) System für Bibliotheken zur Ordnung des gesamten Wissens in zehn Klassen, die nach dem Dezimalsystem weiter untergliedert werden; **De|zi|mal|sys|tem** *s. 1* auf der Zahl 10 beruhendes Rechensystem, dekadisches System; **De|zi|mal|waa|ge** *w. 11* Waage, bei der das Verhältnis von Last und Gewichtsstück 10:1 beträgt; **De|zi|mal|zahl** *w. 10* = Dezimale
De|zi|ma|ti|on [lat.] *w. 10* **1** *veraltet:* Erhebung des Zehnten; **2** *Mil. früher:* Hinrichtung jedes 10. Mannes (als Strafe); **De|zi|me** *w. 11* **1** 10. Ton der diaton. Tonleiter; **2** Intervall aus 10 Tonstufen; **3** Strophenform aus 10 Zeilen; **De|zi|me|ter** [auch: -me-, lat. + griech.] *s. 5, ugs.: m. 5* (*Abk.:* dm) ⅒ Meter; **de|zi|mie|ren** *tr. 3* **1** *früher:* durch Hinrichten jedes 10. Mannes bestrafen (Truppen); **2** *heute:* durch Verluste schwächen, stark verringern; **De|zi|mie|rung** *w. 10* drastische Verminderung
De|zi|si|on [lat.] *w. 10* Entscheidung; **de|zi|siv** entscheidend, bestimmt; **De|zi|siv|stim|me** *w. 11, in polit. Körperschaften:* zur Abstimmung berechtigte Stimme; vgl. Deliberativstimme
dg *Abk. für* Dezigramm
Dg *Abk. für* Dekagramm
D. G. *Abk. für* Dei gratia
DGB *Abk. für* Deutscher Gewerkschaftsbund; **DGB-ei|gen**
dgl. *Abk. für* dergleichen
d. Gr. *Abk. für* der Große, z. B. Peter d. Gr.
d. h. *Abk. für* das heißt
Dha|ka Hst. von Bangladesch; Dacca
Dhar|ma [sanskr.] *s. Gen.* -(s) *Mz.* -s, *ind. Relig.:* Gesetz, Lehre, bes. die Lehre Buddhas
Dhau *w. 10* = Dau
Di *Abk. für* Dienstag
d. i. *Abk. für* das ist
Dia *s. 9, Kurzw. für* Diapositiv
Di|a|bas [griech.] *m. 1* ein Ergussgestein, Grünstein

> **Dia-** (Worttrennung): Die Abtrennung einer Silbe, die nur aus einem Vokal besteht, ist möglich (*Di|a-*), sollte aus ästhetischen Gründen aber vermieden werden. → § 107

Di|a|be|tes [griech.] *m. Gen. - nur Ez.* erhöhter Durchfluss von Flüssigkeit durch die Nieren, Harnruhr; Diabetes mellitus: verminderter Zuckergehalt der Organe und Erhöhung des Blutzuckers mit Ausscheidung von Zucker im Harn, Zuckerharnruhr, Zuckerkrankheit; **Di|a|be|ti|ker** *m. 5* jmd., der an Diabetes mellitus leidet, Zuckerkranker
Di|a|bo|lie [griech.] *w. 11 nur Ez.,* **Di|a|bo|lik** *w. 10 nur Ez.* teuflisches Verhalten, Teufelei; **di|a|bo|lisch** teuflisch; **Di|a|bo|lo** *s. 9* Geschicklichkeitsspiel mit einem sanduhrähnl. Doppelkegel, der mit einer Schnur in Drehung versetzt, hoch geworfen und wieder aufgefangen wird; **Di|a|bo|lus** *m. Gen. - nur Ez.* der Teufel
Di|a|dem [griech.] *s. 1* kostbarer Stirnreif, Stirnschmuck
Di|a|do|che [-xə, griech.] *m. 11 meist Mz.* **1** *urspr.:* einer der Feldherren und Nachfolger Alexanders des Großen; **2** *allg.:* Nachfolger eines Herrschers
Di|a|ge|ne|se [griech.] *w. 11* nachträgl. Verfestigung, Verkittung von Sedimentgesteinen
Di|a|gly|phe [griech.] *w. 11* vertieft gearbeitete Relieffigur, z. B. Gemme; **di|a|gly|phisch** vertieft geschnitten, gemeißelt
Di|a|gno|se *auch:* **Di|ag|no|se** [griech.] *w. 11* Erkennung, Feststellung (einer Krankheit, einer Tier- oder Pflanzenart nach ihren Merkmalen); **Di|a|gnos|tik** *auch:* **Di|ag|nos|tik** *w. 10* Lehre von der Fähigkeit zur Erkennung einer Krankheit; **Di|a|gnos|ti|ker** *auch:* **Di|ag|nos|ti|ker** *m. 5* jmd., der eine Diagnose stellt; **di|a|gnos|tisch** *auch:* **di|ag|nos|tisch; di|a|gnos|ti|zie|ren** *auch:* **di|ag|nos|ti|zie|ren** *tr. 3* erkennen, feststellen (Krankheit)
di|a|go|nal [griech.] zwei nicht benachbarte Ecken eines Vielecks verbindend, schräg laufend; **Di|a|go|na|le** *w. 11* diagonal verlaufende Gerade

Di|a|graf, Di|a|graph *m. 10* Gerät zum Zeichnen von Körperumrissen; **Di|a|gramm** [griech.] *s. 1* zeichner. Darstellung von Zahlenwerten in einem Koordinatensystem, Schaubild; **Di|a|graph** *m. 10 Nv.* ► **Di|a|graf** *Hv.*

Di|a|kaus|tik [griech.] *w. 10* die beim Durchgang paralleler Strahlen durch eine nicht korrigierte Linse entstehende Brennlinie oder -fläche

Di|a|kon [griech.] *m. 1 oder m. 10* **1** *kath. Kirche:* niederer Geistlicher; **2** *evang. Kirche:* Gemeindehelfer, Krankenpfleger, Helfer in der Inneren Mission; **Di|a|ko|nat** *s. 1* Amt, Wohnung eines Diakons; **Di|a|ko|nie** *w. 11 nur Ez. evang. Kirche:* Wohlfahrtspflege; **Di|a|ko|nis|se** *w. 11,* **Di|a|ko|nis|sin** *w. 10, evang. Kirche:* Gemeinde-, Krankenschwester; **Di|a|ko|nus** *m. Gen. - Mz.* -konen, *evang. Kirche:* Hilfsgeistlicher

Di|a|kri|se [griech.] *w. 11,* **Di|a|kri|sis** *w. Gen. - Mz.* -sen Trennung, Absonderung, Unterscheidung (bes. von Krankheiten); **di|a|kri|tisch** zur Unterscheidung dienend; diakritisches Zeichen: Zeichen über oder unter einem Laut zur Kennzeichnung seiner Aussprache, z. B. Cedille, Akzent

Di|a|lekt [griech.] *m. 1* Mundart; **Di|a|lekt|ge|o|gra|phie** ► *auch:* **Di|a|lekt|ge|o|gra|fie** *w. 11 nur Ez.;* **Di|a|lek|tik** *w. 10 nur Ez.* **1** Kunst des Diskutierens; **2** Methode zur Wahrheitsfindung durch Denken in Gegensatzbegriffen, durch Aufdecken und Überwinden von Gegensätzen; **Di|a|lek|ti|ker** *m. 5* **1** Meister der Dialektik **(1)**; **2** Vetreter der Dialektik **(2)**; **di|a|lek|tisch** **1** mundartlich; **2** auf Dialektik beruhend; dialektischer Materialismus: Lehre, dass jede Entwicklung auf den ständig in Gegensätzen und Wechselbeziehungen sich verwandelnden Formen der Materie beruhe; **3** haarspalterisch, spitzfindig; **Di|a|lek|to|lo|gie** *w. 11 nur Ez.* Mundartenforschung; **di|a|lek|to|lo|gisch**

Di|al|lag [griech.] *m. 1* ein Mineral

Di|al|le|le [griech.] *w. 11* logisch falscher Schluss, Zirkelschluss, → Circulus vitiosus

Di|a|log [griech.] *m. 1* Gespräch, Zwiegespräch, Wechselrede, Wechselgespräch; **di|a|lo|gisch; di|a|lo|gi|sie|ren** *tr. 3* in Dialogform bringen

Di|a|ly|sat [griech.] *s. 1* aus frischen Pflanzen durch Dialyse gewonnener Extrakt; **Di|a|ly|sa|tor** *m. 13* Gerät für Dialysen; **Di|a|ly|se** *w. 11* **1** Trennung von Stoffen nach der Größe ihrer Moleküle mittels einer halbdurchlässigen Scheidewand; **2** Entschlackung des Blutes mit der künstl. Niere; **di|a|ly|sie|ren** *tr. 3* mittels Dialyse trennen; **di|a|ly|tisch** **1** mittels Dialyse; **2** zerstörend, auflösend

Di|a|mant [griech.] **1** *m. 10* ein Edelstein; **2** *w. Gen. - nur Ez.* kleinster Schriftgrad; **di|a|man|ten** aus Diamant(en); diamantene Hochzeit: 60. Jahrestag der Hochzeit; **Di|a|mant|schmuck** *m. Gen.* -(e)s *nur Ez.*

Di|a|mat *ehem. DDR, Kurzw. für* dialektischer Materialismus

Di|a|me|ter [griech.] *m. 5* Durchmesser; **di|a|me|tral** *auch:* **di|a|met|ral** entgegengesetzt; diametrale Punkte: die Endpunkte eines Durchmessers; **di|a|me|trisch** *auch:* **di|a|met|risch** dem Durchmesser entsprechend

Di|a|na *röm. Myth.:* Göttin der Jagd

Di|a|pa|son [griech.] *m. oder s. Gen.* -s *Mz.* -s *oder* -sonen **1** altgriech. Oktave; **2** Kammerton, Normalstimmton; **3** Stimmgabel; **4** ein Orgelregister

Di|a|pau|se [griech.] *w. 11* = Latenzperiode

di|a|phan [griech.] durchscheinend; **Di|a|pha|nie** *w. 11* durchscheinendes Bild

Di|a|pho|ra [griech.] *w. Gen. - nur Ez.* **1** Betonung des Unterschieds; **2** Wiederholung eines Wortes, aber mit abgewandelter Bedeutung oder zur Verstärkung

Di|a|pho|re|se [griech.] *w. 11 nur Ez.,* **Di|a|pho|re|sis** *w. Gen. - nur Ez., Med.:* das Schwitzen; **Di|a|pho|re|ti|kum** *s. Gen.* -s *Mz.* -ka Schweiß treibendes Mittel; **di|a|pho|re|tisch**

Di|a|phrag|ma [griech.] *s. Gen.* -s *Mz.* -men **1** Zwerchfell; **2** Scheidewand in Körperhöhlen; **3** durchlässige Scheidewand als Filter bei Trennverfahren; **4** *Optik, früher:* Blende

Di|a|po|si|tiv [griech. + lat.] *s. 1* (*Kurzw.:* Dia) durchsichtiges Lichtbild

Di|ä|re|se [griech.], **Di|ä|re|sis** *w. Gen. - Mz.* -resen **1** *Sprachw.:* getrennte Aussprache zweier aufeinander folgender Vokale, z. B. Aleuten; **2** *Metrik:* Einschnitt durch Zusammenfall von Versfuß- und Wortende; **3** *Philos.:* Zerlegung eines Oberbegriffs in die ihm untergeordneten Begriffe; **4** *Med.:* Zerreißung (eines Blutgefäßes)

Di|a|ri|um [lat.] *s. Gen.* -s *Mz.* -rien Notizbuch, Tagebuch; Schreibheft

Di|ar|rhö [griech.] *w. 10,* Durchfall; **Di|ar|rhoe** [-rø] ► **Di|ar|rhö;**

Di|a|skop *auch:* **Di|as|kop** [griech.] *s. 1* Projektionsapparat für Diapositive; **Di|a|sko|pie** *auch:* **Di|as|ko|pie** *w. 11* Durchleuchtung *(auch Med.)*

Di|a|spo|ra *auch:* **Di|as|po|ra** [griech.] *w. Gen. - nur Ez.* **1** Mitglieder und Gemeinden einer Kirche im Land einer andersgläubigen Bevölkerung; **2** das Gebiet, in dem die Minderheit lebt

Di|a|sta|se *auch:* **Di|as|ta|se** [griech.] *w. 11* **1** tier. und pflanzliche Stärke in Maltose umwandelndes Ferment, Amylase; **2** Auseinanderklaffen (von Knochen oder Muskeln)

Di|a|sto|le *auch:* **Di|as|to|le** [griech.] *w. 11* **1** *Med.:* die auf die Zusammenziehung (Systole) in regelmäßigem Wechsel folgende Erweiterung des Herzens; **2** *antike Metrik:* Dehnung eines Vokals aus Verszwang; **di|a|sto|lisch** *auch:* **di|as|to|lisch**

Di|ät [griech.] *w. 10* dem Gesundheitszustand entsprechende Ernährungsweise, Kranken-, Schonkost; Diät halten

di|ä|ta|risch [lat.] gegen Tagegeld

Di|ät|as|sis|ten|tin *w. 10* = Diätistin

Di|ä|ten [lat.] *nur Mz.* Tagegelder (für Abgeordnete), Aufwandsentschädigung

Di|ä|te|tik [griech.-lat.] *w. Gen. - nur Ez.* Ernährungslehre; **Di|ä|te|ti|kum** *s. Gen.* -s *Mz.* -ka der Gesundheit dienendes Nah-

rungsmittel; **di|ä|te|tisch** auf der Diät beruhend, mittels einer Diät; **Di|ät|feh|ler** *m. 5*
Di|a|thek *w. 10* Sammlung von Diapositiven
di|a|ther|man [griech.] durchlässig für Wärmestrahlen; *Ggs.:* atherman; **Di|a|ther|ma|ni|tät** *w. 10 nur Ez.,* **Di|a|ther|man|sie** *w. 11 nur Ez.* Durchlässigkeit für Wärmestrahlen; **Di|a|ther|mie** *w. 11 nur Ez.* Wärmebehandlung mit Kurzwellen für Heilzwecke
Di|a|the|se [griech.] *w. 11* Empfänglichkeit für bestimmte Krankheiten
Di|ä|tis|tin [griech.], Di|ät|assis|ten|tin *w. 10* weibl. Fachkraft, die mit dem Arzt Diätpläne für Patienten aufstellt;
Di|ät|kur *w. 10*
Di|a|to|mee [griech.] *w. 11 meist Mz.* Kieselalge; **Di|a|to|me|en|er|de** *w. 11,* **Di|a|to|me|en|schlamm** *m. 1 nur Ez.* Kieselgur
Di|a|to|nik [griech.] *w. 10 nur Ez.* Tonleitersystem mit sieben überwiegend Ganztonstufen, das europ. Dur-Moll-System; *Ggs.:* Chromatik; **di|a|to|nisch** in überwiegend Ganztonstufen fortschreitend; *Ggs.:* chromatisch
Di|a|tri|be [griech.] *w. 11* gelehrte Abhandlung, Streitschrift
Di|a|vo|lo [ital.] *m. Gen.* -(s) *Mz.* -li, *ital. Form von* Diabolus, Teufel
Dib|bel|ma|schi|ne *w. 11* Sämaschine; **dib|beln** [engl.] *tr. 1* in regelmäßigen Abständen säen
Di|bra|chys [griech.] *m. Gen. - Mz.* - antiker Versfuß mit zwei Kürzen

> **dich:** Auch in Briefen wird das Anredepronomen kleingeschrieben. Vgl. *du/Du.*

dich *Akk. von* du; *in Briefen, auf Plakaten u. Ä.:* Dich ▶ dich
Di|cho|re|us [-ço- oder -ko-, griech.] *m. Gen. - Mz.* -re|en antiker Versfuß aus zwei Choreen
di|cho|tom [-ço-, griech.], di|cho|to|misch zweiteilig, gegabelt (Pflanzensprosse); **Di|cho|to|mie** *w. 11* **1** *Bot.:* gabelartige Verzweigung; **2** *Philos.:* Einteilung nach zwei Gesichtspunkten; **di|cho|to|misch** = dichotom
Di|chro|is|mus [-kro-, griech.] *m. Gen. - nur Ez.* Eigenschaft vieler Kristalle, bei Lichtdurchgang in zwei verschiedenen Blickrichtungen zwei verschiedene Farben zu zeigen, Doppelbrechung; **di|chro|i|tisch; di|chro|ma|tisch** zweifarbig; **Di|chro|skop** *auch:* **Di|chros|kop** *s. 1* Lupe zur Untersuchung von Kristallen auf Dichroismus; **di|chro|sko|pisch** *auch:* **di|chros|ko|pisch**
dicht; der Schlauch wird dicht halten; *aber* →dichthalten; das Fenster dicht machen, *aber:* →dichtmachen; die Tür wird jetzt dicht schließen; **dicht|be|haart** ▶ **dicht be|haart; dicht|**

> **dicht behaart:** Getrennt schreibt man Gefüge, deren erster Teil erweitert oder gesteigert werden kann: *dicht behaart.* Ebenso: *dicht besetzt, dicht besiedelt, dicht bewölkt.* →§ 36 E1 (4)

be|setzt ▶ **dicht be|setzt; dicht|be|sie|delt** ▶ **dicht be|sie|delt; dicht|be|völ|kert** ▶ **dicht be|völ|kert; dicht|be|wölkt** ▶ **dicht be|wölkt; Dich|te** *w. 11* Verhältnis der Masse zur Raumeinheit bzw. zum Gewicht; **Dich|te|mes|ser** *m. 5* = Densimeter; **dich|ten** *tr. 2* **1** dicht, undurchlässig machen; **2** ersinnen, ausdenken; **Dich|ter** *m. 5;* **dich|te|risch; Dich|ter|kom|po|nist** *m. 10* jmd., der Dichter und Komponist zugleich ist; **Dich|ter|ling** *m. 1* unbegabter Dichter; **Dich|ter|spra|che** *w. 11;* **Dich|ter|wort** *s. 1*
dicht|ge|drängt ▶ **dicht ge|drängt; dicht|hal|ten** *intr. 61, ugs.:* nichts verraten, schweigen; vgl. dicht; **Dicht|heit** *w. 10 nur Ez.;* **Dich|tig|keit** *w. 10 nur Ez.*
Dicht|kunst *w. 2*
dicht|ma|chen *tr. 1, ugs.:* schließen; den Betrieb d.; vgl. dicht
Dich|tung *w. 10* **1** Sprachkunstwerk; **2** Vorrichtung an Verbindungsstellen von Geräten und Maschinen zum Abdichten; **Dich|tungs|ma|te|ri|al** *s. Gen.* -s *Mz.* -li|en; **Dich|tungs|ring** *m. 1;* **Dicht|werk** *s. 1* dichterisches Werk, Sprachkunstwerk, Dichtung **(1)**
dick; durch dick und dünn; das dicke Ende; **dick|bau|chig** (Flasche); **dick|bäu|chig** (Person); **Dick|bein** *s. 1;* **Dick|blatt|ge|wächs** *s. 1;* **Dick|darm** *m. 2;* **Di|cke 1** *w. 11 nur Ez.* das Dicksein; **2** *w. 11* Maß von einer Körperseite zur andern, Dickte; **di|cken** *tr. 1* dick machen, eindicken (Flüssigkeit)
Di|cken|wachs|tum *s. Gen.* -s *nur Ez.;* **di|cke|tun** *refl. 167, ugs.:* sich wichtig machen; **dick|fel|lig; Dick|fel|lig|keit** *w. 10 nur Ez.;* **dick|flüs|sig; Dick|häu|ter** *m. 5;* **Di|ckicht** *s. 1;* **Dick|kopf** *m. 2;* **dick|köp|fig; Dick|köp|fig|keit** *w. 10 nur Ez.;* **dick|lei|big; Dick|lei|big|keit** *w. 10 nur Ez.;* **dick|lich; Dick|milch** *w. 10 nur Ez.* Sauermilch; **Dick|schä|del** *m. 5;* **dick|scha|lig; Dick|te** *w. 11* = Dicke; **Dick|ten|ho|bel|ma|schi|ne** *w. 11;* **Dick|tu|er** *m. 5* Wichtigtuer; **Dick|tu|e|rei** *w. 10 nur Ez.;* **dick|tu|e|risch; dick|tun** *refl. 167* = dicketun; **Di|ckung** *w. 10, Jägerspr.:* Dickicht; **dick|wan|dig; Dick|wan|dig|keit** *w. 10 nur Ez.;* **Dick|wanst** *m. 2;* **Dick|wurz** *w. 10* Runkelrübe
dic|tan|do [lat.], dik|tan|do beim Diktieren, diktierend
Dic|tion|naire [diksjonɛr, frz.] *m. 9 oder s. 9, frz. Schreibung von* Diktionär
Di|dak|tik [griech.] *w. 10 nur Ez.* Lehre, Theorie vom Unterricht; **Di|dak|ti|ker** *m. 5* Unterrichtswissenschaftler; **di|dak|tisch**
Di|das|ka|li|en [griech.] *nur Mz.* **1** Regieanweisungen altgriechischer Dichter für die Aufführung ihrer Dramen; **2** Verzeichnisse der aufgeführten Dramen im altgriech. Theater
di|del|dum, di|del|dum|dei
Di|do *röm. Myth.:* Tochter des Königs von Tyros, Gründerin von Karthago
Di|dot|an|ti|qua [-do-, nach dem frz. Buchdrucker Firmin Didot] *w. Gen. - nur Ez.* eine Antiquadruckschrift; **Di|dot|sys|tem** [-do-, nach dem frz. Buchdrucker, François-Ambroise Didot] *s. 1 nur Ez.* typograf. Punktsystem
die *Gen.* der, *Mz.* die **1** bestimmter Artikel; **2** diese, diejenige; die ist die Schönste; ich werde die nehmen, die mir am besten gefällt; **3** *ugs.:* sie; was macht die denn?
Dieb *m. 1;* **Die|be|rei** *w. 10* ge-

ringfügiger Diebstahl; kleine Diebereien begehen, verüben; **Die|bes|ban|de** *w. 11;* **Die|bes|gut** *s. Gen.* -s *nur Ez.;* **Die|bes|höh|le** *w. 11;* **Die|bes|nest** *s. 3;* **die|bes|si|cher; die|bisch; Diebs|ge|sin|del** *s. 5 nur Ez.;* **Diebs|ha|ken** *m. 7* = Dietrich; **Dieb|stahl** *m. 2;* **Dieb|stahl|ver|si|che|rung** *w. 10*
Di|e|ge|se [griech.] *w. 11* weitläufige Erzählung, Ausführung; **di|e|ge|tisch**
die|je|ni|ge *Gen.* der|je|ni|gen, *Mz.* die|je|ni|gen
Die|le *w. 11*
Di|e|lek|tri|kum [griech.] *s. Gen.* -s *Mz.* -ka elektrisch nichtleitendes Material, Nichtleiter, Isolator; **di|e|lek|trisch; Di|e|lek|tri|zi|täts|kons|tan|te** *w. 11 (Zeichen:* ε) Maß für die Isolierfähigkeit eines Stoffes
die|len *tr. 1* mit Dielen versehen
Die|me *w. 11,* **Die|men** *m. 7, norddt.:* Heu- oder Strohschober
die|nen *intr. 11* **Die|ner** *m. 5;* **die|ne|risch; die|nern** *intr. 1;* ich dienere; **Die|ner|schaft** *w. 10;* **dien|lich; Dien|lich|keit** *w. 10 nur Ez.*
Dienst *m. 1;* **1** das Dienen, in Berufsarbeit stehen; außer Dienst (*Abk.:* a. d.); jmdm. zu Diensten stehen, sein; **2** dünne Säule (eines Bündel- oder Wandpfeilers); gotische Dienste; **Dienst|ab|teil** *s. 1;* **Dienst|a|del** *m. 5 nur Ez.*
Diens|tag *m. 1 (Abk.:* Di) dienstags; am Dienstagabend: am nächsten Dienstag am Abend; dienstagabends *auch:* dienstags abends: an jedem Dienstag am Abend; **Diens|tag|a|bend** *m. 1;*

> **Dienstagabend:** Gegenüber der bisherigen Schreibung herrscht jetzt Klarheit: Großschreibung. Daher: *am Dienstagabend, jeden Dienstagabend, an diesem Dienstagabend, eines Dienstagabends.* Adverb: *dienstagabends* (Zusammenschreibung, auch: *dienstags abends*). →§ 37 (1), § 56 (3)

wir treffen uns am, an einem, an jedem zweiten, jeden Dienstagabend; alle Dienstagabende sind besetzt; eines Dienstagabends; **diens|tag|a|bends;**
diens|tä|gig am Dienstag (stattfindend); vgl. …tägig; **diens|täg|lich** jeden Dienstag (stattfindend); vgl. …täglich; **diens|tags;** dienstags abends
Dienst|al|ter *s. 5;* **Dienst|äl|tes|te(r)** *m. 18 (17) bzw. w. 17 oder 18;* **Dienst|an|wei|sung** *w. 10;* **Dienst|auf|sicht** *w. 10;* **dienst|bar; Dienst|bar|keit** *w. 10 nur Ez.;* **Dienst|be|fehl** *m. 1;* **dienst|be|flis|sen; Dienst|be|flis|sen|heit** *w. 10 nur Ez.;* **dienst|be|reit; Dienst|be|reit|schaft** *w. 10 nur Ez.;* **Dienst|bo|te** *m. 11;* **Diens|te** *nur Mz.* Gesinde; **Dienst|eid** *m. 1;* **Dienst|ei|fer** *m. 5 nur Ez.;* **dienst|eif|rig; dienst|fä|hig** tauglich; **Dienst|fä|hig|keit** *w. 10 nur Ez.;* **dienst|fer|tig; Dienst|fer|tig|keit** *w. 10 nur Ez.;* **dienst|frei; Dienst|ge|heim|nis** *s. 1;* **Dienst|grad** *m. 1;* **dienst|ha|bend;** der diensthabende Offizier; **Dienst|herr** *m. Gen.* -n *oder* -en *Mz.* -en; **Dienst|herr|schaft** *w. 10;* **Dienst|jahr** *s. 1;* **dienst|leis|tend;** die dienstleistenden Gewerbe; **Dienst|leis|tung** *w. 10;* **Dienst|leis|tungs|kom|bi|nat** *s. 1 (Abk.:* DLK) *ehem. DDR:* Betrieb, der »Dienstleistungen« für die Bevölkerung (Wäscherei, Schuhreparaturen, Straßenreinigung) durchführte; **Dienst|leu|te** *Mz. von* Dienstmann; **dienst|lich; Dienst|mäd|chen** *s. 7;* **Dienst|mann** *m. Gen.* -(e)s *Mz.* -leu|te; **Dienst|ord|nung** *w. 10;* **Dienst|per|so|nal** *s. 1 nur Ez.;* **Dienst|pflicht** *w. 10;* **dienst|pflich|tig; Dienst|rang** *m. 2;* **Dienst|raum** *m. 2;* **Dienst|rei|se** *w. 11;* **Dienst|sa|che** *w. 11;* **Dienst|stel|le** *w. 11;* **Dienst|stem|pel** *m. 5;* **Dienst|stra|fe** *w. 11;* **Dienst|stun|den** *w. 11 nur Mz.;* **dienst|taug|lich; Dienst|taug|lich|keit** *w. 10 nur Ez.;* **dienst|tu|end** diensthabend; **dienst|un|fä|hig; Dienst|un|fä|hig|keit** *w. 10 nur Ez.;* **dienst|un|taug|lich; Dienst|un|taug|lich|keit** *w. 10 nur Ez.;* **Dienst|ver|ge|hen** *s. 7;* **dienst|ver|pflich|tet; Dienst|ver|pflich|tung** *w. 10;* **Dienst|vor|schrift** *w. 10;* **Dienst|weg** *m. 1* vorgeschriebene Reihenfolge für die Bearbeitung einer behördl. Angelegenheit; **dienst|wil|lig; Dienst|woh|nung** *w. 10;* **Dienst|zeit** *w. 10*
dies *Gen.* die|ses, *Mz.* die|se = dieses (bes. wenn es allein steht); dies Kind; dies und das; dies ist das Schönste (von allen)
Di|es a|ca|de|mi|cus [lat. »akademischer Tag«] *m. Gen.* - - *nur Ez.* vorlesungsfreier Tag an der Universität (meist mit Festlichkeiten); **Di|es a|ter** [»schwarzer Tag«] *m. Gen.* -- *nur Ez.* Unglückstag
dies|be|züg|lich
die|se *Gen.* -r *Mz.* -
Di|e|se *w. 11* = Diesis
Die|sel *m. 5, Kurzw. für* Dieselmotor
die|sel|be *Gen.* der|sel|ben *Mz.* die|sel|ben; **die|sel|bi|ge** *Gen.* der|sel|bi|gen *Mz.* die|sel|bi|gen *veraltet:* dieselbe
die|sel|e|lek|trisch; Die|sel|lo|ko|mo|ti|ve *w. 11* **Die|sel|mo|tor** [nach dem Erfinder, Rudolf Diesel] *m. 13;* **die|seln** *intr. 1* ohne Zündung weiterlaufen; **Die|sel|öl** *s. 1*
die|ser *Gen.* -ses *Mz.* -se; dieser ist es; dieser und jener; der Überbringer dieses, *besser:* dieses Briefes; **die|ser|halb** *veraltet:* deshalb
die|ses *Gen.* - *Mz.* -die|se; dieses und jenes; Anfang dieses Jahres; im Mai dieses Jahres (*Abk.:* d. J.); am 3. dieses Monats (*Abk.:* d. M.); **dies|falls** in diesem Falle
die|sig dunstig; **Die|sig|keit** *w. 10 nur Ez.*
Di|es i|rae [-rɛː] *m. Gen.* - - *nur Ez.* Tag des Zorns (Anfang eines lat. Hymnus auf das Weltgericht)
Di|e|sis [griech.] *w. Gen.* - *Mz.* -sen, Di|e|se *w. 11, Mus. veraltet:* Zeichen zur Erhöhung eines Tons um einen halben Ton, Kreuz
dies|jäh|rig dieses Jahr (stattfindend); **dies|mal;** *aber:* dieses Mal, dies eine Mal; **dies|ma|lig; dies|sei|tig; dies|seits** *mit Gen.; Ggs.:* jenseits; d. der Mauer; **Dies|seits** *s. Gen.* - *nur Ez.; Ggs.:* Jenseits; **dies|seits|gläu|big**
Diet|rich *m. 1* hakenförmiger Draht zum Öffnen von Schlössern, Diebeshaken
die|weil *veraltet:* weil
Dif|fa|ma|ti|on [lat.] *w. 10, selten für* Diffamierung; **dif|fa|ma|to|risch** beschimpfend, verleumderisch; **Dif|fa|mie** *w. 11* ver-

leumderische Behauptung; **dif|fa|mie|ren** *tr. 3* verleumden, herabsetzen; **Dif|fa|mie|rung** *w. 10*
dif|fe|rent [lat.] unterschiedlich, ungleich; **dif|fe|ren|ti|al** [-tsjal] *Nv.* ► **dif|fe|ren|zi|al** *Hv.*; **Dif|fe|ren|ti|al** [-tsjal] *Nv.* ► **Dif|fe|ren|zi|al** *Hv. s. 1;* **Dif|fe|ren|ti|al|di|a|gno|se** *auch:* **-di|ag|no|se** *w. 11* gegen andere Krankheiten abgrenzende, sehr genaue Diagnose; **Dif|fe|ren|ti|al|ge|trie|be** *s. 5* Ausgleichsgetriebe; **Dif|fe|ren|ti|al|glei|chung** *w. 10* mathemat. Gleichung, in der Differentialquotienten enthalten sind; **Dif|fe|ren|ti|al|quo|ti|ent** *m. 10* Quotient zweier Differentiale; **Dif|fe|ren|ti|al|rech|nung** *w. 10* Rechnung mit Differentialen, Teilgebiet der höheren Mathematik; **Dif|fe|ren|ti|a|ti|on** [lat.] *w. 10* **1** *allg.:* Aus-, Absonderung; **2** *Sprachw.:* Entwicklung mehrerer Sprachen aus einer Sprache, z. B. der roman. Sprachen aus dem Lat.; **3** *Math.:* Anwendung der Differentialrechnung; **4** *Geol.:* Zerfall von Magma in verschiedene Gesteine; **dif|fe|ren|ti|ell** *Nv.* ► **dif|fe|ren|zi|ell** *Hv.*
Dif|fe|renz [lat.] *w. 10* **1** Unterschied; **2** *meist Mz.* Meinungsverschiedenheit; **3** *Math.:* Ergebnis einer Subtraktion; **Dif|fe|renz|ge|schäft** *s. 1* Börsengeschäft, bei dem Kursdifferenzen ausgenutzt werden; **dif|fe|ren|zi|al,** dif|fe|ren|ti|al, einen Unterschied darlegend; **Dif|fe|ren|zi|al,** Dif|fe|ren|ti|al *s. 1* **1** *Math.* (*Abk.:* d): sehr kleine Größe, bezeichnet die Veränderung einer Funktion bei einer kleinen Veränderung einer Variablen; **2** *Kurzw. für* Differentialgetriebe; **dif|fe|ren|zi|ell,** dif|fe|ren|ti|ell = differenzial; **dif|fe|ren|zie|ren** *tr. 3* **1** unterscheiden, trennen; **2** *Math.:* mittels Differentialrechnung berechnen; **dif|fe|rie|ren** *intr. 3* voneinander abweichen

> **Differenzial/Differential:** Die integrierte Schreibweise *(Differenzial)* ist die Hauptvariante; die bisherige Schreibung *(Differential)* ist als Nebenvariante zulässig und gilt weiter für Fachsprachen wie die der Medizin und Mathematik. Ebenso: *differenzial/differential* bzw. *differenziell/differentiell.* →§ 32 (2)

dif|fi|zil [lat.] schwierig, peinlich, heikel
dif|form [lat.] missgestaltet; **Dif|for|mi|tät** *w. 10*
dif|frakt [lat.] zerbrochen; **Dif|frak|ti|on** *w. 10* Strahlen-, Wellenbrechung
dif|fun|die|ren [lat.] **1** *tr. 3* ausbreiten, zerstreuen; **2** *intr. 3* ineinander eindringen, sich vermischen; **dif|fus** **1** zerstreut (Licht); **2** verschwommen, nicht abgegrenzt; **3** ohne geordneten Verlauf, nach allen Richtungen; **Dif|fu|si|on** *w. 10* **1** Zerstreuung (vom Licht); **2** Vermischung, Durchdringung (von Stoffen); **3** *Bergbau:* Wetteraustausch
di|gen [griech.] zweifach entstanden, geschlechtlich gezeugt
di|ge|rie|ren [lat.] *tr.* **1** *Chem.:* auslaugen; **2** *Med.:* verdauen
Di|gest [daɪdʒəst, lat.-engl.] *s. 9* Auswahl, Zusammenstellung von Artikeln aus Zeitschriften, Auszügen aus Büchern usw.
Di|ges|ti|on [lat.] *w. 10* **1** *Chem.:* Auslaugung, Auszug; **2** *Med.:* Verdauung; **di|ges|tiv** zur Verdauung gehörig, sie anregend; **Di|ges|ti|vum** *s. Gen.* -s *Mz.* -va die Verdauung anregendes Mittel; **Di|ges|tor** *m. 13* Dampfkochtopf
Dig|ger [engl.] *m. 9* Goldgräber
di|gi|tal [lat.] **1** *Med.:* mit dem Finger; **2** Technik mit Ziffern oder Zahlen, in Stufen darstellbar; **Di|gi|ta|lis** *w. Gen.* - *nur Ez.* **1** eine Heilpflanze, Fingerhut; **2** daraus gewonnene Heildroge gegen Herzkrankheiten; **Di|gi|tal|rech|ner** *m. 5* ein Rechencomputer; **Di|gi|tal|uhr** *w. 10* Uhr, bei der die Zeit durch vierstellige Ziffern angezeigt wird
Di|glyph [griech.] *m. 1, ital. Baukunst:* Platte mit zwei schlitzförmigen, senkrechten Rinnen am Gebälk, Abart des Triglyphs
Di|gni|tar, Di|gni|tär *auch:* **Dig|ni-** [lat.] *m. 1, kath. Kirche:* Würdenträger; **Di|gni|tät** *auch:* **Dig|ni|tät** *w. 10 nur Ez., kath. Kirche:* hohes Amt, hohe Würde
Di|gres|si|on *auch:* **Dig|res|si|on** [lat.] *w. 10* **1** Abweichung; **2** *Astron.:* Winkel zwischen dem Vertikalkreis eines polnahen Gestirns u. dem Meridian des Beobachters
di|hy|brid *auch:* **di|hyb|rid** [griech.] sich in zwei Erbmerkmalen unterscheidend; **Di|hy|bri|de** *auch:* **Di|hyb|ri|de** *m. 11* Bastard aus dihybrider Kreuzung
Di|jam|bus, Di|jam|bus [griech.] *m. Gen.* - *Mz.* -ben doppelter Jambus
di|ju|di|zie|ren [lat.] *tr. 3* urteilen, entscheiden
Di|kas|te|ri|um [griech. + lat.] *s. Gen.* -s *Mz.* -ri|en altgriech. Gerichtshof
Di|ke [-ke:] *griech. Myth.:* Göttin der Gerechtigkeit
di|klin [griech.] = eingeschlechtig
Di|ko|ty|le|do|ne [griech.] *w. 11* zweikeimblättrige Pflanze
Dik|ta|fon *s. 1* = Diktaphon
Dik|tam *m. 9 nur Ez.* = Diptam
dik|tan|do = dictando; **Dik|ta|phon** ► *auch:* **Dik|ta|fon** [lat. + griech.] *s. 1* ein Diktiergerät; **Dik|tat** [lat.] *s. 1* **1** Ansage zum Nachschreiben; **2** Nachschrift nach Ansage; **3** aufgezwungene Verpflichtung; **Dik|ta|tor** *m. 13* unbeschränkter Herrscher; Gewaltherrscher; **dik|ta|to|risch; Dik|ta|tur** *w. 10* unbeschränkte Herrschaft; **dik|tie|ren** *tr. 3* **1** ansagen (zum Nachschreiben); **2** auferlegen, aufzwingen; **Dik|tier|ge|rät** *s. 1*
Dik|ti|on [lat.] *w. 10* Ausdrucksweise, Schreibart; **Dik|ti|o|när** *s. 1 oder m. 1* Wörterbuch; **Dik|tum** *s. Gen.* -s *Mz.* -ta Ausspruch
di|la|ta|bel [lat.] dehnbar; dilatable Buchstaben; **Di|la|ta|bi|lis** *m. Gen.* - *meist Mz.* -les [-le:s] zum Ausfüllen der Zeile in die Breite gezogener Buchstabe; **Di|la|ta|ti|on** *w. 10* Dehnung, Ausdehnung, Erweiterung; **Di|la|ta|tor** *m. 13* Instrument zum Dehnen von Körperhöhlen; **di|la|tie|ren** *tr. 3* dehnen, erweitern
Di|la|ti|on [lat.] *w. 10* Aufschub, Verzögerung; **di|la|to|risch** aufschiebend; *Ggs.:* peremptorisch; dilatorische Einrede (vor Gericht)
Di|lem|ma [griech.] *s. Gen.* -s *Mz.* -s *oder* -ma|ta Zwangslage, Wahl zwischen zwei gleich unangenehmen Dingen
Di|let|tant [ital.] *m. 10* Nichtfachmann, jmd., der eine Sache

nur aus Liebhaberei, nicht beruflich, betreibt; **di|let|tan|tisch; Di|let|tan|tis|mus** *m. Gen. - nur Ez.* **1** Betätigung aus Liebhaberei; **2** Pfuscherei; **di|let|tie|ren** *intr. 3* sich als Dilettant betätigen
Di|li|gence [-ʒɑ̃s, frz.] *w. 11, veraltet:* Eilpostwagen
Dill *m. 1, mitteldt.:* **Di|lle** *w. 11 nur Ez., österr.:* **Di|llen|kraut** *s. 4* eine Gewürzpflanze; **Di|llen|so|ße** *w. 11, österr.*
Di|lu|ti|on [lat.] *w. 10* Verdünnung
di|lu|vi|al [lat.] zum Diluvium gehörig, aus ihm stammend; **Di|lu|vi|um** *s. Gen.* -s *Mz.* -vi|en Eiszeitalter; *neuere Bez.:* Pleistozän
dim. *Abk. für* diminuendo
Dime [daɪm, engl.] *m. 9, nach Zahlenangaben Mz.* - nordamerik. Silbermünze, 10 Cent
Di|men|si|on [lat.] *w. 10* Maß, Ausmaß, Ausdehnung; **di|men|si|o|nal** auf eine Dimension bezüglich, bestimmtes Ausmaß besitzend; **di|men|si|o|nie|ren** *tr. 3* abmessen, nach den Ausmaßen bestimmen
di|mer [griech.] *Med., Chem.:* zweiteilig, zweigliedrig
Di|me|ter [griech.] *m. 5* Versform aus zwei gleichen, doppelten Versfüßen
di|mi|nu|en|do [lat.] (*Abk.:* dim.) *Mus.:* abnehmend, leiser, schwächer werdend; **di|mi|nu|ie|ren** [lat.] *tr. 3* verkleinern, verringern; **Di|mi|nu|ti|on** *w. 10* Verkleinerung, Verkürzung, Verminderung; **di|mi|nu|tiv** verkleinernd; **Di|mi|nu|tiv** *s. 1,* **Di|mi|nu|tiv|form** *w. 10,* **Di|mi|nu|ti|vum** *s. Gen.* -s *Mz.* -va Verkleinerungsform, z. B. Kindchen, Männlein
Di|mis|si|on [lat.] *w. 10, veraltet für* Demission; **di|mit|tie|ren** *tr. 3, veraltet:* entlassen, verabschieden
Dim|mer [engl.] *m. 5* Schalter zur stufenlosen Veränderung des elektr. Lichts, Helligkeitssteller
di|morph [griech.] zweigestaltig, in zwei Formen auftretend; **Di|mor|phie** *w. 11,* **Di|mor|phis|mus** *m. Gen. - Mz.* -men Auftreten oder Nebeneinanderbestehen in zwei verschiedengestaltigen Formen
Din *Abk. für* Dinar
DIN *Abk. für* Deutsche Industrie-Norm, *auch gedeutet als* Das ist Norm: Name und Kennzeichen für die Arbeitsergebnisse des Deutschen Normenausschusses; *im Zusammenhang mit Zahl (und Buchstaben) Bez. für* eine Norm, z. B. DIN A5; DIN-A4-Format; vgl. DIN-Format
Di|nar (*Abk.:* D, Din) *m. 1, nach Zahlenangaben Mz.* - Währungseinheit u. a. in Jugoslawien (100 Para), Irak (1000 Fils) und Iran (1/100 Rial)
di|na|risch; dinarische Rasse: hauptsächlich in den Dinarischen Alpen vorkommender Menschenschlag
Di|ner [dine, frz.] *s. 9* **1** *in Frankreich:* die abends eingenommene Hauptmahlzeit; **2** Festmahl; vgl. aber Dinner
DIN-For|mat *s. 1* nach DIN festgelegtes Papierformat
Ding **1** *s. 1, abwertend auch: s. 3;* guter Dinge sein; vor allen Dingen; ein Ding drehen: einen Überfall, Einbruch o. Ä. begehen; unverrichteter Dinge wieder abziehen; **2** *s. 3 ugs.:* Kind, junges Mädchen; die hübschen, jungen Dinger; das arme Ding; **3** *auch:* Thing *s. 1* german. Volks- und Gerichtsversammlung
Din|gel|chen *s. 7*
din|gen *tr. 23, veraltet:* in Dienst nehmen
Din|ger|chen *Mz., Verkleinerungsform von* Ding
ding|fest [zu Ding **3**] *nur in der Wendung* jmdn. d. machen: verhaften
Din|ghi, Din|gi [Hindi] *s. 9* **1** kleines Beiboot auf Kriegsschiffen; **2** kleines Sportsegelboot
Ding|lein *s. 7*
ding|lich ein Ding, eine Sache betreffend, in der Art eines Dinges; dingliche Rechte: Rechte an bestimmten Dingen; **Ding|lich|keit** *w. 10 nur Ez.*
Din|go [austral.] *m. 9* wildlebender austral. Hund
DIN-Grad *s. 1, nach Zahlenangaben Mz.* - Maßeinheit für die Film-Lichtempfindlichkeit
Dings *s. Gen. - Mz.* Din|ger, *ugs.* = Ding **(1)**; **Dings|bums** *m. 1 oder s. 1 nur Ez., ugs. scherzh.:* Person oder Sache, deren Name einem nicht einfällt; **Dings|da** *m. 9 bzw. unflektiert, ugs.:* Person bzw. Stadt, deren Name einem nicht einfällt; der Herr D.; aus D.; **Dings|kir|chen** *ugs.:* Ort, dessen Name einem nicht einfällt
Din|gung *w. 10 nur Ez.* das Dingen
Ding|wort *s. 4* Hauptwort, Substantiv
di|nie|ren [frz.] *intr. 3* **1** die Hauptmahlzeit einnehmen; **2** festlich speisen; **Di|ning|room** [daɪnɪŋrum, engl.] *m. 9, engl. für* Speisezimmer
Din|kel *m. 5* Weizenart, Spelt, Spelz
Din|ner [engl.] *s. 9, in Großbritannien:* die abends eingenommene Hauptmahlzeit
Di|no|sau|ri|er [griech.] *m. 5,* **Di|no|sau|rus** *m. Gen. - Mz.* -ri|er ausgestorbenes Riesenreptil;
Di|no|the|ri|um *s. Gen.* -s *Mz.* -ri|en ausgestorbener Riesenelefant
Di|o|de [griech.] *w. 11* Elektronenröhre, die eine Anode und eine Kathode enthält, Zweipolröhre, Gleichrichterröhre
Di|o|ny|si|en *Mz.* altgriech. Fest zu Ehren des Gottes Dionysos; **di|o|ny|sisch** **1** in der Art des Gottes Dionysos; **2** *übertr.:* rauschhaft, wild; *Ggs.:* apollinisch; **Di|o|ny|sos** *griech. Myth.:* Gott des Weines
di|o|phan|tisch [griech.] diophantische Gleichung: Gleichung mit mehreren Unbekannten, für die ganzzahlige Lösungen zu suchen sind
Di|op|ter [griech.] *s. 5* **1** Zielgerät; **2** *veraltet:* Sucher (an Kameras); **Di|op|trie** *auch:* **-opt|rie** *w. 11* (*Abk.:* dpt, *früher:* dptr.) Maßeinheit für die Brechkraft von Linsen; **Di|op|trik** *auch:* **-opt|rik** *w. 10 nur Ez., veraltet:* Lehre von der Lichtbrechung; **di|op|trisch** *auch:* **-opt|risch** auf Strahlenbrechung beruhend, Licht brechend, durchsichtig; **Di|op|tro|me|ter** *auch:* **-opt|ro|me|ter** *s. 5* Gerät zum Messen der Dioptrien
Di|o|ra|ma [griech.] *s. Gen.* -s *Mz.* -men **1** Bild auf durchscheinendem Stoff; **2** plast. Darstellung mit gemaltem Hintergrund
Di|o|ris|mus [griech.] *m. Gen. - Mz.* -men Begriffsbestimmung
Di|o|rit [griech.] *m. 1* ein Tiefengestein

Di|os|ku|ren [griech.] *m. 12 oder 11, Mz.* **1** Zwillingsgötter, Kastor und Pollux; **2** *übertr.:* unzertrennliche Freunde
Di|o|ti|ma **1** Priesterin und Deuterin der Liebe in Platos »Gastmahl«; **2** Gestalt in Hölderlins »Hyperion«
Di|o|xid [griech.] *s. 1* Oxid mit zwei Sauerstoffatomen
Di|o|xin *n. 1 nur Ez.* ein giftiger Kohlenwasserstoff, das Seveso-Gift
di|ö|ze|san [griech.] zu einer Diözese gehörend; **Di|ö|ze|san** *m. 10* Angehöriger einer Diözese; **Di|ö|ze|se** *w. 11* Amtsbereich eines Bischofs, Kirchensprengel
Di|ö|zie [griech.] *w. 11 nur Ez., Bot.:* Zweihäusigkeit, Heterözie; *Ggs.:* Monözie; **di|ö|zisch** *Bot.* = zweihäusig; *Ggs.:* monözisch
Diph|the|rie [griech.] *w. 11* Infektionskrankheit des Hals- und Rachenraumes, Hals- und Rachenbräune; **diph|the|risch;**
Di|phthong *auch:* **Diph|thong** [griech.] *m. 1* aus zwei Vokalen bestehender Laut, Zwielaut, z. B. ei, au, im Unterschied zum → Doppellaut; *Ggs.:* Monophthong; **di|phthon|gie|ren** *auch:* **diph|thon|gie|ren** *tr. u. intr. 3* vom einfachen Vokal zum Diphthong übergehen (lassen); *Ggs.:* monophthongieren; **di|phthon|gisch** *auch:* **diph|thon|gisch**
Dipl. *Abk. für* Diplom; **Dipl.-Bibl.** *Abk. für* Diplombibliothekar, Bibliothekar im gehobenen Dienst; **Dipl.-Chem.** *Abk. für* Diplomchemiker; **Dipl.-Gwl.** *Abk. für* Diplomgewerbelehrer; **Dipl.-Hdl.** *Abk. für* Diplomhandelslehrer; **Dipl.-Ing.** *Abk. für* Diplomingenieur; **Dipl.-Kfm.** *Abk. für* Diplomkaufmann; **Dipl.-Ldw.** *Abk. für* Diplomlandwirt
Di|plo|do|kus *auch:* **Dip|lo-** [griech.] *m. Gen. - Mz.* -ken ausgestorbene Riesenechse
di|plo|id *auch:* **dip|lo|id** [griech.] mit normalem (doppeltem) Chromosomensatz; *Ggs.:* haploid; **Di|plo|kok|kus** *auch:* **Dip|lo-** *m. Gen. - Mz.* -ken in Paaren auftretendes Kugelbakterium
Di|plom *auch:* **Dip|lom** [griech.] *s. 1* (*Abk.:* Dipl.) **1** Urkunde; **2** Zeugnis über eine abgelegte Prüfung an einer Hochschule; *auch:* die Prüfung selbst; **Di|plo|mand** *auch:* **Dip|lo-** *m. 10* jmd., der sich auf eine Hochschulprüfung vorbereitet
Di|plo|mat *auch:* **Dip|lo-** [griech.] *m. 10* **1** Beamter im auswärtigen Dienst; **2** *übertr.:* klug und vorsichtig berechnender und verhandelnder Mensch; **Di|plo|ma|tie** *auch:* **Dip|lo-** *w. 11 nur Ez.* **1** Kunst des Verhandelns, kluge Berechnung; **2** Gesamtheit der Diplomaten; **Di|plo|ma|tik** *auch:* **Dip|lo-** *w. 10 nur Ez.* Urkundenlehre; **Di|plo|ma|ti|ker** *auch:* **Dip|lo-** *m. 5* Kenner, Erforscher von Urkunden; **di|plo|ma|tisch** *auch:* **dip|lo-** **1** zur Diplomatik gehörend; **2** auf Diplomatie beruhend, zu ihr gehörend; Diplomatisches Korps (*Abk.:* CD): die bei einem fremden Staat akkreditierten (beglaubigten) diplomat. Vertreter eines Staates; **3** klug berechnend
Di|plom|che|mi|ker *auch:* **Dip|lom-** *m. 5* (*Abk.:* Dipl.-Chem.); **Di|plom|ge|wer|be|leh|rer** *auch:* **Dip|lom-** *m. 5* (*Abk.:* Dipl.-Gwl.); **Di|plom|han|dels|leh|rer** *auch:* **Dip|lom-** *m. 5* (*Abk.:* Dipl.-Hdl.); **di|plo|mie|ren** *auch:* **dip|lo-** *tr. 3;* jmdn. d.: jmdm. ein Diplom verleihen; **Di|plom|in|ge|ni|eur** *auch:* **Dip|lom-** [-inʒənjø:r] *m. 1* (*Abk.:* Dipl.-Ing.); **Di|plom|kauf|mann** *auch:* **Dip|lom-** *m. Gen.* -(e)s *Mz.* -leu|te (*Abk.:* Dipl.-Kaufm., *österr.:* Dkfm.); **Di|plom|land|wirt** *auch:* **Dip|lom-** *m. 1* (*Abk.:* Dipl.-Ldw.); **Di|plom|phi|lo|lo|ge** *auch:* **Dip|lom-** *m. 11* (*Abk.:* Dipl.-Phil.); **Di|plom|phy|si|ker** *auch:* **Dip|lom-** *m. 5* (*Abk.:* Dipl.-Phys.); **Di|plom|volks|wirt** *auch:* **Dip|lom-** *m. 1* (*Abk.:* Dipl.-Volksw.)
Dipl.-Phil. *Abk. für* Diplomphilologe; **Dipl.-Phys.** *Abk. für* Diplomphysiker; **Dipl.-Volksw.** *Abk. für* Diplomvolkswirt
Di|po|die [griech.] *w. 11* metr. Einheit aus zwei gleichen Versfüßen; **di|po|disch**
Di|pol [griech.] *m. 1* Anordnung zweier gleich starker, einander entgegengesetzter elektr. oder magnet. Pole; **Di|pol|an|ten|ne** *w. 11* aus zwei gleich langen elektr. Leitern bestehende Antenne
Dip|pel *m. 5, süddt.:* Dübel, Zapfen; **Dip|pel|baum** *m. 2, österr.:* Tragbalken, Deckenbalken
dip|pen *tr. 1* **1** *Seew.* die Flagge d.: zum Gruß niederholen und wieder hissen; **2** *ugs.:* eintauchen
Dip|so|ma|ne [griech.] *m. 11* Quartalssäufer; **Dip|so|ma|nie** *w. 11* periodisch auftretende Trunksucht; **dip|so|ma|nisch**
Dip|tam [griech.], Dik|tam *m. 9* wohlriechendes Rautengewächs
Di|pte|re *auch:* **Dip|te|re** [griech.] *m. 11* Zweiflügler; Fliege, Mücke u. a.
Di|pte|ros *auch:* **Dip|te|ros** [griech.] *m. Gen. - Mz.* -roi altgriech. Tempel mit doppeltem Säulenumgang
Di|pty|chon *auch:* **Dip|ty|chon** [-çɔn, griech.] *s. Gen.* -s *Mz.* -chen *oder* -cha **1** *Altertum:* zusammenklappbare Schreibtafel; **2** *MA:* zweiteiliges Altarbild
Di|py|lon [griech. »Doppeltor«] *s. Gen.* -s *nur Ez.* Eingangstor im NW des alten Athen; **Di|py|lon|kul|tur** [nach dem Fundort vor dem Dipylon] *w. 10 nur Ez.* eisenzeitl. Kultur Griechenlands; **Di|py|lon|stil** *m. 1 nur Ez.* Stil der altgriech. Vasenmalerei; **Di|py|lon|va|se** *w. 11* altgriech. Vase mit geometr. Verzierung
dir *Dat. von* du; *in Briefen:* Dir ► dir; wie du mir, so ich dir; mir nichts, dir nichts; dir faulem (*auch:* faulen) Kerl, dir frechen Göre werde ich es zeigen; dir Neunmalklugem (*auch:* -klugen), *(weibl.:)* dir Neunmalkluger
Di|rec|toire [dirɛktoar, frz.] *s. Gen.* -s *nur Ez.* **1** = Direktorium **(2)**; **2** Directoirestil, Kunststil zur Zeit der Frz. Revolution; **di|rekt** [lat.-frz.] gerade, unmittelbar; geradezu; direkte Rede: wörtliche Rede; **Di|rek|ti|on** *w. 10* **1** *veraltet:* Richtung; **2** Geschäftsleitung, Verwaltung; **Di|rek|ti|ve** *w. 11* Anweisung, Verhaltensmaßregel; **Di|rek|tor** *m. 13;* **Di|rek|to|rat** *s. 1* Amt, Amtszimmer des Direktors; **Di|rek|to|rin** [auch: -rɛk-] *w. 10;* **Di|rek|to|ri|um** **1** *s. Gen.* -s *Mz.* -ri|en aus mehreren Personen bestehender Vorstand; **2** Di|rec|toire [-toar] *s. Gen.* -s *nur*

Ez., 1795–1799: oberste frz. Staatsbehörde; **Di|rek|tri|ce** *auch:* **Di|rekt|ri|ce** [-sə] *w. 11* leitende Angestellte (bes. in Geschäften für Oberbekleidung); **Di|rek|trix** *auch:* **Di|rekt|rix** *w. Gen.- nur Ez., Math.:* Leitlinie, Richtungslinie; **Di|rekt|sen|dung** *w. 10;* **Di|rekt|wer|bung** *w. 10* gezielte, unmittelbar an den namentlich erfassten Empfänger gerichtete werbliche Maßnahme eines Unternehmens; **Di|rex** *m. 1, Schülerspr.:* Direktor

Dir|ham, Dir|hem *m. 9, nach Zahlenangaben Mz.-* **1** arab. Währungs- und Gewichtseinheit; **2** älteres türkisches Handelsgewicht

Di|ri|gent [lat.] *m. 10* Leiter eines Orchesters oder Chores; **di|ri|gie|ren 1** *intr. 3* den Takt schlagen; **2** *tr. 3* musikalisch leiten; **3** *tr. 3, ugs.:* lenken, führen, weisen; **Di|ri|gis|mus** *m. Gen.- nur Ez.* Lenkung der Wirtschaft durch den Staat

Dirn *w. 10,* Dir|ne *w. 11, veraltet:* junges Mädchen, kleines Mädchen; **Dirndl** *s. Gen.* -s *Mz.- oder* -n, *bayr., österr.:* **1** junges Mädchen, kleines Mädchen; **2** Dirndlkleid; **Dirndl|kleid** *s. 3, bayr., österr.* Trachtenkleid; **Dirndl|strauch** *m. 4, österr.:* Kornelkirsche; **Dir|ne** *w. 11* **1** *veraltet* = Dirn; Bauernmagd; **2** Prostituierte; **Dir|nen|haus** *m. 4* Bordell

Dirt-Track-Ren|nen [dœttræk-, engl.] *s. 7* Rad- oder Motorradrennen auf d. Aschenbahn

dis *s. Gen.- Mz.-, Mus.:* **1** das um einen halben Ton erhöhte d; **2** = dis-Moll; **Dis** *s. Gen. - Mz.-, Mus.* **1** das um einen halben Ton erhöhte D; **2** = Dis-Dur

dis..., Dis... [lat.] *in Zus.:* auseinander ..., weg...

Di|sac|cha|rid, Di|sa|cha|rid [-saxa-, griech.] *s. 1* Zucker, dessen Molekül aus zwei Monosacchariden aufgebaut ist

Dis|a|gio [-adʒo, ital.] *s. 9 nur Ez.* Betrag, um den der Kurs eines Wertpapiers unter dem Nennwert steht; Abgeld, Abschlag; *Ggs.:* Agio

Disc *w. 9, kurz für* Compact Disc = CD

Disc|jo|ckey [-dʒɔkɪ] *m. 9* = Diskjockey; **Dis|co** = Disko

Dis|coun|ter [-kaʊn-, engl.] *m. 5* Inhaber eines Discountgeschäfts; **Dis|count|ge|schäft** [-kaʊnt-] *s. 1,* **Dis|count|la|den** *m. 8* sehr einfach ausgestattetes Geschäft, in dem Waren zu stark herabgesetzten Preisen verkauft werden

Dis-Dur *s. Gen.- nur Ez.* (*Abk.:* Dis) eine Tonart; **Dis-Dur-Ton|lei|ter** *w. 11*

Dis|en|gage|ment [disingɛɪdʒmənt, engl.] *s. Gen.- nur Ez.* das Auseinanderrücken der Machtblöcke in Europa durch atomwaffenfreie oder militärisch verdünnte Zonen

Di|seur [-sør, frz.] *m. 1* Vortragskünstler im Kabarett; **Di|seu|se** [-søzə] *w. 11* weibl. Diseur

Dis|har|mo|nie [lat. + griech.] *w. 11* **1** Missklang; **2** Missstimmung, Uneinigkeit; **dis|har|mo|nie|ren** *intr. 3;* **dis|har|mo|nisch**

di|sis, Di|sis *s. Gen.- Mz.-, Mus.:* das um zwei halbe Töne erhöhte d bzw. D

dis|junkt [lat.] getrennt, gesondert (von Begriffen); **Dis|junk|ti|on** *w. 10* **1** Trennung, Sonderung; **2** Gegenüberstellung zweier gegensätzlicher, aber zusammengehöriger Begriffe, z. B. Tag-Nacht; **3** *Logik:* Einheit zweier durch »oder« verbundener Begriffe oder Aussagen; *Ggs.:* Konjunktion (**3**); **dis|junk|tiv** trennend, gegensätzlich und doch zusammengehörig; disjunktive Konjunktion: ausschließendes Bindewort, z. B. »oder«; *Ggs.:* konjunktiv

Dis|kant [lat.] *m. 1* **1** höchste Stimmlage, Sopran; **2** höchste Tonlage eines Instruments, z. B. Diskantgambe; **3** Gegenstimme zum → Cantus firmus; **Dis|kant|schlüs|sel** *m. 5* Sopranschlüssel, C-Schlüssel

Dis|ket|te *w. 11* magnetischer Datenspeicher für Computer in Form einer kleinen Scheibe

Disk|jo|ckey [-dʒɔkɪ, engl.] *m. 9,* Disc|jo|ckey (*Abk.:* DJ) **1** jmd., der in Diskotheken (**2**), bei Radiosendern u. a. CDs auflegt, Ansagen macht; **2** Angestellter in einer Diskothek (**2**), der die Tonträger verwaltet und auswählt; **Dis|ko** ► *auch:* **Dis|co; Dis|ko|gra|phie** *Nv.* ► **Dis|ko|gra|fie** *Hv.* [engl. + griech.] *w. 11* Verzeichnis über Tonträger eines bestimmten Themenkreises mit Angaben über Besetzung, Interpretation u. a.; **Dis|ko|lo|gie** *w. 11 nur Ez.* Aufzeichnung von Musik auf Tonträger sowie deren Vertrieb

Dis|kont [ital.] *m. 1,* Dis|kon|to *m. Gen.* -s *Mz.* -s *oder* -ti Zinsvergütung bei Zahlung einer noch nicht fälligen Forderung (beim Kauf von Wechseln); **dis|kon|tie|ren** *tr. 3;* einen Wechsel d.: vor Fälligkeit mit Zinsvergütung kaufen

dis|kon|ti|nu|ier|lich [lat.] mit Unterbrechungen, nicht in fortlaufender Folge; *Ggs.:* kontinuierlich; **Dis|kon|ti|nu|i|tät** *w. 10* das Fehlen von Stetigkeit, unterbrochener Zusammenhang; *Ggs.:* Kontinuität

Dis|kon|to *m. Gen.* -s *Mz.* -s *oder* -ti = Diskont; **Dis|kont|satz** *m. 2* Zinssatz

dis|kor|dant [lat.] **1** nicht übereinstimmend, uneinig; **2** *Mus.:* auf Dissonanz aufgebaut; **3** *Geol.:* ungleichförmig gelagert (Gestein); *Ggs.:* konkordant; **Dis|kor|danz** *w. 10*

Dis|ko|thek [engl. + griech.] *w. 10* **1** Tonträgersammlung, -archiv; **2** Lokal, bes. für Jugendliche, zum Tanzen nach rhythmischer Musik; **Dis|ko|the|kar** *m. 1* Verwalter einer Diskothek (1)

Dis|kre|dit [lat.] *m. 1 nur Ez.* Misskredit, übler Ruf; **dis|kre|di|tie|ren** *tr. 3* in Misskredit, Verruf bringen, verleumden

dis|kre|pant [lat.] widersprüchlich, zwiespältig; **Dis|kre|panz** *w. 10* Unstimmigkeit, Widerspruch, Missverhältnis

dis|kret [lat.] **1** verschwiegen, taktvoll; *Ggs.:* indiskret; **2** unaufdringlich, unauffällig; **Dis|kre|ti|on** *w. 10 nur Ez.* **1** Verschwiegenheit, Takt; *Ggs.:* Indiskretion; **2** Unaufdringlichkeit

Dis|kri|mi|nan|te [lat.] *w. 11* arithmet. Ausdruck, der bei Gleichungen Zahl und Art der Wurzel angibt; **Dis|kri|mi|na|ti|on** *w. 10* **1** unterschiedl. Behandlung; **2** Herabsetzung; **dis|kri|mi|na|to|risch; dis|kri|mi|nie|ren** *tr. 3* **1** unterschiedlich behandeln; **2** herabsetzen, herabwürdigen

dis|kur|rie|ren [lat.] *intr. 3* sich eifrig über etwas unterhalten, lebhaft etwas erörtern; **Dis|kurs** *m. 1* lebhafte Erörterung, eifrige Unterhaltung; **dis|kur|siv** logisch folgernd

Dis|kus [griech.] *m. Gen. - Mz.* -ken, *auch m. 1* **1** Wurfscheibe; **2** *kath. Kirche:* kleiner Teller für das geweihte Brot

Dis|kus|si|on [lat.] *w. 10* Erörterung, Meinungsaustausch; **Dis|kus|si|ons|red|ner** *m. 5*

dis|ku|ta|bel [lat.] erwägenswert, annehmbar; *Ggs.:* indiskutabel; ein diskutabler Vorschlag; **dis|ku|tie|ren** *tr. u. intr. 3* erörtern, Meinungen austauschen; etwas, *oder:* über etwas diskutieren

Dis|lo|ka|ti|on [lat.] **1** Verschiebung, Verlagerung; **2** *Mil.:* Verteilung (von Truppen)

dis|lo|yal [-loaja:l, ugs.: -loia:l, lat.] nicht loyal, unloyal

dis|lo|zie|ren [lat.] *tr. 3* verschieben, verlagern; (Truppen) verteilen; **Dis|lo|zie|rung** *w. 10*

Dis|mem|bra|ti|on [lat.] *w. 10* Teilung, Zerstückelung (von Gütern, Ländereien, Staaten); **Dis|mem|bra|tor** *m. 13* Mühle mit Schlagstiften zum Zerkleinern mittelharter oder weicher Materialien

dis-Moll *s. Gen.- nur Ez.* (*Abk.:* dis) eine Tonart; **dis-Moll-Ton|lei|ter** *w. 11*

Dis|pache [-paʃ, frz.] *w. 11* Seeschadensberechnung für die Beteiligten; **Dis|pa|cheur** [-ʃør] *m. 1* Sachverständiger für Dispachen; **dis|pa|chie|ren** [-ʃi-] *tr. 3*

dis|pa|rat [lat.] ungleichartig, abweichend, nicht zueinander passend; **Dis|pa|ri|tät** *w. 10 nur Ez.*

Dis|pat|cher [-pɛtʃər, engl.] *m. 5, in Großbetrieben:* leitender Angestellter, der den Produktionsablauf plant, lenkt und überwacht

Dis|pens [lat.] *m. 1* Befreiung von einer Verpflichtung oder Vorschrift; Genehmigung einer Ausnahme; **Dis|pen|saire|be|treu|ung** [-zɛr-] *w. 10, ehem. DDR:* systematische medizinische Kontrolle von Personengruppen (Diabetiker, Hörgeschädigte); **Dis|pen|sa|ri|um** *s. Gen.*-s *Mz.*-ri|en = Dispensatorium; **Dis|pen|sa|ti|on** *w. 10* Befreiung (von einer Verpflichtung); **Dis|pen|sa|to|ri|um,** Dis|pen|sa|ri|um *s. Gen.*-s *Mz.*-ri|en Arzneibuch; **Dis|pens|e|he** *w. 11* aufgrund eines kirchl. Dispenses geschlossene Ehe; **dis|pen|sie|ren** *tr. 3* **1** befreien (von einer Verpflichtung oder Vorschrift); **2** zubereiten und abgeben (Arznei); **Dis|pen|sier|recht** *s. 1* Recht, Arzneien zuzubereiten und abzugeben;

Di|sper|gens *auch:* **Dis|per|gens** [lat.] *s. Gen.- Mz.*-gen|zi|en Stoff (Gas oder Flüssigkeit), der einen anderen in feinster Verteilung enthält; **di|sper|gie|ren** *auch:* **dis|per|gie|ren** *tr. 3* fein verteilen

Di|sper|mie [griech.] *w. 11* Besamung (einer Eizelle) mit zwei Samenfäden

di|spers *auch:* **dis|pers** [lat.] fein verteilt; **Di|sper|si|on** *auch:* **Dis|per|si|on** *w. 10* Zerstreuung, Verbreitung; feinste Verteilung eines Stoffes in Gas oder Flüssigkeit; **Di|sper|si|tät** *auch:* **Dis|per|si|tät** *w. 10* Verteilungsgrad, -möglichkeit

Dis|placed per|son ▶ **Displaced Per|son** [dɪspleɪst pəsn, engl.] *w. Gen.-- meist Mz.*--s (*Abk.:* D. P.) jmd., der im 2. Weltkrieg nach Deutschland oder in die von dt. Truppen besetzten Gebiete verschleppt wurde

Dis|play [-plɛɪ, engl.] *s. 9* **1** Zurschaustellung (von Waren) im Schaufenster **2** *EDV:* optische Datenanzeige

Di|spon|de|us [griech.] *m. Gen.- Mz.*-de|en Versfuß aus zwei Spondeen

Dis|po|nen|den [lat.] *Mz.* vom Sortimenter nicht verkaufte Bücher, die er über den mit dem Verleger vereinbarten Abrechnungstermin hinaus weiter bei sich lagern kann; **Dis|po|nent** *m. 10* leitender Angestellter mit bes. Vollmachten; **dis|po|ni|bel** **1** verfügbar; disponible Geldmittel; *Ggs.:* indisponibel; **2** *ehem. DDR:* vielseitig gebildet und einsetzbar (Mitarbeiter); **Dis|po|ni|bi|li|tät** *w. 10 nur Ez.*. Verfügbarkeit; **dis|po|nie|ren** *tr. 3* **1** ordnen, einteilen; **2** verfügen; **dis|po|niert** gestimmt, aufgelegt; nicht d. sein: nicht gut bei Stimme sein (von Sängern); für eine Krankheit d. sein: empfänglich; **Dis|po|si|ti|on** *w. 10* **1** Ordnung, Gliederung, Einteilung; jmdn. zur D. stellen (*Abk.:* z. D.): einstweilen in den Ruhestand versetzen; **2** Empfänglichkeit (für eine Krankheit); **dis|po|si|ti|ons|fä|hig** geschäftsfähig; **Dis|po|si|ti|ons|fonds** [-fɔ̃] *m. Gen.-* [-fɔ̃s] *Mz.-* [-fɔ̃s] staatl. Geldmittel zur freien Verfügung der Verwaltung; **dis|po|si|tiv** verfügbar, abdingbar; dispositives Recht: Recht, das nach Vereinbarung geändert werden kann

Dis|pro|por|ti|on [lat.] *w. 10* Missverhältnis; *Ggs.:* Proportion (**1**); dis|pro|por|tio|niert ungleich, schlecht proportioniert

Dis|put [lat.] *m. 1* Wortwechsel, Erörterung, Streitgespräch; **dis|pu|ta|bel** *veraltet:* strittig; **Dis|pu|tant** *m. 10* jmd., der an einem Disput beteiligt ist; **Dis|pu|ta|ti|on** *w. 10* wissenschaftl. Streitgespräch; **dis|pu|tie|ren** *intr. 3* etwas wissenschaftlich erörtern, seine Meinung gegenüber anderen vertreten

Dis|qua|li|fi|ka|ti|on [lat.] *w. 10* **1** Untauglichkeitserklärung; **2** Ausschluss aus einem sportl. Wettkampf wegen Vergehens gegen die Regeln; **dis|qua|li|fi|zie|ren** *tr. 3;* jmdn. d.: **1** für untauglich erklären; **2** vom sportl. Wettkampf ausschließen; **Dis|qua|li|fi|zie|rung** *w. 10* **Dis|se|mi|na|ti|on** [lat.] *w. 10* Aussaat (von Krankheitserregern im Körper), Ausbreitung (einer Seuche)

Dis|sens [lat.] *m. 1, Rechtsw.:* Meinungsverschiedenheit (z. B. bei Vertragsabschlüssen), Abweichung (einer Willenserklärung vom Willen); **Dis|sen|ters** [engl.] *m. 9 Mz., in England:* die nicht der anglikan. Kirche angehörenden Protestanten, Nonkonformisten **(1); dis|sen|tie|ren** *intr. 3* **1** anderer Meinung sein; **2** sich von einer Kirche trennen

Dis|ser|ta|ti|on [lat.] *w. 10* wissenschaftl. Arbeit zur Erlangung des Doktorgrads, Doktorarbeit; **dis|ser|tie|ren** *intr. 3* die Dissertation schreiben; über ein Thema d.

Dis|si|dent [lat.] *m. 10* **1** jmd., der keiner staatlich anerkannten Religionsgemeinschaft angehört; **2** *früher* jmd., der in der Öffentlichkeit gegen die Politik des sozialist. Staates auftrat;

Dis|si|di|um *s. Gen.* -s *Mz.* -di|en, *veraltet:* Streitpunkt; **dis|si|die|ren** *intr. 3* **1** anders denken; **2** aus der Kirche austreten
Dis|si|mi|la|ti|on [lat.] *w. 10* Unähnlichmachen, Veränderung; **1** *Sprachw.:* Unähnlichwerden zweier benachbarter Laute oder Ausfall eines von zwei ähnl. Lauten, z. B. »fünf« aus mhd. »fimf«, »Pfennig« aus mhd. »pfenning«; **2** *Biol.:* Abbau von Nährstoffen zur Energiegewinnung (bei Pflanzen); **dis|si|mi|lie|ren** *tr. 3*
Dis|si|mu|la|ti|on [lat.] *w. 10* Verheimlichung von Krankheitssymptomen; *Ggs.:* Simulation; **dis|si|mu|lie|ren** *tr. 3* verheimlichen; *Ggs.:* simulieren
Dis|si|pa|ti|on [lat.] *w. 10* Übergang irgendeiner Energieform in Wärmeenergie; **dis|si|pie|ren** *intr. 3* in Wärmeenergie übergehen
dis|so|lu|bel [lat.] auflösbar, löslich, schmelzbar, zerlegbar; **dis|so|lut** halt-, zügellos; **Dis|so|lu|ti|on** *w. 10* **1** Auflösung; **2** Halt-, Zügellosigkeit; **Dis|sol|vens** *s. Gen.* - *Mz.* -ven|tia [-tsja] *oder* -ven|zi|en Lösungsmittel; **dis|sol|vie|ren** *tr.* auflösen, zerteilen, schmelzen
dis|so|nant [lat.] misstönend, nicht zusammenstimmend; *Ggs.:* konsonant; **Dis|so|nanz** *w. 10* Missklang; *Ggs.:* Konsonanz; **dis|so|nie|ren** *intr. 3*
Dis|so|zi|a|ti|on [lat.] *w. 10* Auflösung, Trennung, Zerfall; *Ggs.:* Assoziation; **dis|so|zi|a|tiv** auflösend, trennend; *Ggs.:* assoziativ; **dis|so|zi|ie|ren** *tr. 3; Ggs.:* assoziieren
Dis|streß ► **Dis|stress** *m. 1* nicht mehr tolerierbarer Stress
dis|tal [lat.] vom Körpermittelpunkt, von der Körperachse bzw. vom Herzen entfernt liegend; **Dis|tanz** *w. 10* **1** Abstand, Entfernung; **2** *Sport:* zurückzulegende Strecke; **3** *Boxen:* Zeit der angesetzten Runden; **Dis|tanz|ge|schäft** *s. 1* Geschäft zwischen Partnern an verschiedenen Orten; **dis|tan|zie|ren 1** *refl. 3;* sich d.: (von etwas oder jmdm.) abrücken, nichts mit einer Sache oder Person zu tun haben wollen; **2** *tr. 3;* jmdn. d.: (im Sportwettkampf) hinter sich lassen, überholen; **Dis|tanz|ritt** *m. 1* Ritt über sehr weite Entfernung; **Dis|tanz|wech|sel** *m. 5* Wechsel mit unterschiedl. Ausstellungs- und Zahlungsort
Dis|tel *w. 11;* **Dis|tel|fink** *m. 10* = Stieglitz
Di|sthen *auch:* **Dis|then** [griech.] *m. 1* ein Mineral
di|sti|chisch *auch:* **dis|ti|chisch** [griech.], dis|ti|chi|tisch in der Art eines Distichons; **Di|sti|chon** *auch:* **Dis|ti|chon** [-çɔn] *s. Gen.* -s *Mz.* -chen Versform aus Hexameter und Pentameter
dis|tin|guiert [-girt, frz.] vornehm; **dis|tinkt** *veraltet:* deutlich, verständlich; **Dis|tink|ti|on** *w. 10* **1** hoher Rang, Würde; **2** *österr.:* Rangabzeichen; **dis|tink|tiv** auszeichnend, unterscheidend
Dis|tor|si|on [lat.] *w. 10* **1** *Med.:* Verstauchung; **2** *Optik:* Bildverzerrung

> **distrahieren** (Worttrennung): Neben der Trennung *dis|tra|hie|ren* ist auch die Trennung *dist|ra|hie|ren* möglich. → § 108
> Entsprechend: *Dis|tri|bu|ent/Dist|ri|bu|ent, Dis|trikt/Dist|rikt* usw.

dis|tra|hie|ren [lat.] *tr. 3* auseinanderziehen, trennen; **Dis|trak|ti|on** *w. 10* **1** Auseinanderziehen; **2** Behandlung eines Knochenbruchs mittels Streckverband
Dis|tri|bu|ent [lat.] *m. 10, veraltet:* Verteiler; **dis|tri|bu|ie|ren** *tr. 3* verteilen; **Dis|tri|bu|ti|on** *w. 10* **1** Verteilung, Auflösung; **2** *Volkswirtschaft:* Verteilung von Einkommen und Vermögen; **3** Verteilung von Waren an die Abnehmer (durch den Handel); **dis|tri|bu|tiv** verteilend; **Dis|tri|bu|ti|vum** *s. Gen.* -s *Mz.* -va, **Dis|tri|bu|tiv|zahl** *w. 10* Einteilungszahl, z. B. je zwei
Dis|trikt [lat.] *m. 1* Verwaltungsbezirk; **Dis|trikts|vor|ste|her** *m. 5*
Dis|zes|si|on [lat.] *w. 10, veraltet:* **1** Weggang; **2** Übertritt in eine andere Partei
Dis|zi|plin [lat.] *w. 10* **1** *nur Ez.* Zucht, straffe Ordnung, Einordnung; **2** Fach-, Wissensgebiet, Fachrichtung; **dis|zi|pli|när** auf Disziplin (**1**) beruhend; **Dis|zi|pli|nar|ge|walt** *w. 10* Befugnis, Disziplinarstrafen zu verhängen, Dienststrafgewalt; **dis|zi|pli|na|risch,** dis|zi|pli|nell auf Disziplinargewalt beruhend, mit Hilfe einer Disziplinarstrafe; **Dis|zi|pli|nar|stra|fe** *w. 11* Strafe für ein Dienstvergehen, Dienststrafe; **Dis|zi|pli|nar|ver|fah|ren** *s. 7* Dienststrafverfahren; **Dis|zi|pli|nar|ver|ge|hen** *s. 7* Vergehen gegen die Dienstvorschriften; **dis|zi|pli|nell** = disziplinarisch; **dis|zi|pli|niert** straffe Ordnung haltend, sich gut einordnend; **Dis|zi|pli|niert|heit** *w. 10 nur Ez.;* **dis|zi|plin|los; Dis|zi|plin|lo|sig|keit** *w. 10*

> **Disziplin** (Worttrennung): Neben der bisher üblichen Trennmöglichkeit *(Dis|zi|plin)* bleibt es dem/der Schreibenden überlassen, auch nach seiner/ihrer Aussprache abzutrennen: *Dis|zip|lin.* → § 110

Di|szis|si|on *auch:* **Dis|zis-** [lat.] *w. 10, Med.:* Spaltung
Di|te|tro|de [griech.] *w. 11* eine Elektronenröhre mit zwei Tetroden
Dith|mar|schen Landschaft und Kreis im Westen Schleswig-Holsteins; **Dith|mar|scher** *m. 5;* **dith|mar|sisch**
Di|thy|ram|be [griech.] *w. 11,* Di|thy|ram|bus *m. Gen.* - *Mz.* -ben **1** *urspr.:* Chorlied zu Ehren des Dionysos; **2** *später:* begeistertes Lob-, Festlied; **di|thy|ram|bisch 1** in der Art einer Dithyrambe; **2** *übertr.:* überschwänglich, trunken; **Di|thy|ram|bos** *m. Gen.* - *Mz.* -boi, *griech. Form von* Dithyrambe; **Di|thy|ram|bus** *m. Gen.* - *Mz.* -ben = Dithyrambe
di|to [ital.], *österr.:* det|to (*Abk.:* do., dto.) ebenso; **Di|to** *s. 9* dasselbe, Einerlei
Di|tro|chä|us [griech.] *m. Gen.* - *Mz.* -en doppelter Trochäus
dit|to *Nebenform von* dito
Dit|to|gra|fie, Dit|to|gra|phie [griech.] *w. 11* **1** fehlerhafte Doppelschreibung von Buchstaben; *Ggs.:* Haplografie; **2** doppelte Lesart von Stellen bei antiken Schriftstellern; **Dit|to|gra|phie** *Nv.* ► **Dit|to|gra|fie** *Hv.;* **Dit|to|lo|gie** *w. 11* fehlerhaftes doppeltes Aussprechen von Lauten
Di|u|re|se [griech.] *w. 11* Harn-

absonderung; **Di|u|re|ti|kum** *s. Gen.* -s *Mz.* -ka harntreibendes Mittel; **di|u|re|tisch** harntreibend

Di|ur|nal [lat.] *s. 1,* **Di|ur|na|le** *s. Gen.* -s *Mz.* -lia, *kath. Kirche:* Gebetbuch der Geistlichen mit den Stundengebeten

Di|va [ital.] *w. Gen.* - *Mz.* -ven *oder* -s gefeierte Bühnen- oder Filmkünstlerin

Di|van *m. 1* = Diwan

di|ver|gent [lat.] auseinander strebend, abweichend, in entgegengesetzter Richtung verlaufend; *Ggs.:* konvergent; **Di|ver|genz** *w. 10* Abweichung, Meinungsverschiedenheit; *Ggs.:* Konvergenz; **di|ver|gie|ren** *intr. 3; Ggs.:* konvergieren

di|vers [lat.] verschieden; diverse: mehrere; Diverses: Verschiedenes (was man nicht einordnen kann); **Di|ver|sant** *m. 10, im kommunist. Sprachgebrauch:* Saboteur; **Di|ver|si|fi|ka|ti|on** *w. 10* Erweiterung des Tätigkeitsbereiches eines Unternehmens auf neue Produkte, Märkte, Branchen usw.; **Di|ver|si|on** *w. 10* **1** Ablenkung, Richtungsänderung; **2** *im kommunist. Sprachgebrauch:* Sabotage; **Di|ver|ti|kel** *s. 5* Ausstülpung, sackartiges Anhängsel von Hohlorganen; **Di|ver|ti|men|to** [ital.] *s. Gen.* -s *Mz.* -s *oder* -ti, **Di|ver|tis|se|ment** [-mã, frz.] *s. 9* unterhaltendes, der Suite ähnl. Musikstück in mehreren Sätzen

Di|vi|de et im|pe|ra! [lat.] Teile und herrsche!, d.h. Säe Zwietracht unter die, über die du herrschen willst (Grundsatz der altröm. Außenpolitik)

Di|vi|dend [lat.] *m. 10* **1** Zahl, die geteilt werden soll; **2** Zähler (eines Bruches); *Ggs.:* Divisor; **Di|vi|den|de** *w. 11* auf eine Aktie entfallender Gewinnanteil; **di|vi|die|ren** *tr. 3* teilen

Di|vi|di|vi [indian.] *s. 9 nur Ez.* gerbstoffreiche Hülsen eines mittelamerik. Strauchs

Di|vi|na Com|me|dia [ital.] die »Göttliche Komödie« von Dante; **Di|vi|na|ti|on** [lat.] *w. 10* Ahnungsvermögen, Sehertum, Wahrsagekunst; **di|vi|na|to|risch** seherisch; **Di|vi|ni|tät** *w. 10* **1** *nur Ez.* Göttlichkeit; **2** göttl. Wesen

Di|vis [lat.] *s. 1* Bindestrich, Abteilungszeichen; **di|vi|si|bel** teilbar; **Di|vi|si|on** *w. 10* **1** *Math.:* Teilung; **2** *Mil.:* aus allen Truppengattungen bestehende Heeresabteilung; **Di|vi|si|o|när** *m. 1, bes. schweiz.:* Befehlshaber einer Division; **Di|vi|sor** *m. 13* **1** Zahl, durch die eine andere geteilt werden soll; **2** Nenner (eines Bruchs); *Ggs.:* Dividend; **Di|vi|so|ri|um** *s. Gen.* -s *Mz.* -ri|en gabelförmige Klammer am Manuskripthalter des Setzers

Di|vul|si|on *w. 10, Med.:* Zerreißung

Di|wan [pers.] *m. 1* **1** ehemalige türk. Regierung; **2** Ruhebett ohne Rückenlehne; **3** Gedichtsammlung eines einzelnen islam. Verfassers; Westöstlicher Diwan: Dichtwerk von Goethe

di|xi [lat. »ich habe (es) gesagt«] basta, Punktum

Di|xie *m. Gen.* - *nur Ez.;* **Di|xie|land** [-lænd, engl.] **1** *s. Gen.* -(s) *nur Ez., Bez. für* die Südstaaten der USA; **2** Di|xie|land-Jazz [-lænd dʒæz] *m. Gen.* - *nur Ez.* Abart des nordamerik. Jazz

d. J. 1 *Abk. für* dieses Jahres; am 10. Mai d. J.; **2** *Abk. für* der Jüngere; Hans Holbein d. J.

DJ [didʒɛɪ] *m. 9* = Diskjockey

Dja|kar|ta [dʒa-], Ja|kar|ta Hst. von Indonesien

Dje|bel *m. 5* = Dschebel

Djer|ba [dʒɛr-] tunes. Insel

DJH *Abk. für* Deutsche Jugendherberge

Dji|bou|ti [dʒibu-] = Dschibuti

DK *Abk. für* Dezimalklassifikation

Dkfm. *österr. Abk. für* Diplomkaufmann

dkr *Abk. für* dänische Krone

dl *Abk. für* Deziliter

dm *Abk. für* Dezimeter

DM *Abk. für* Deutsche Mark; 25 DM; 25.– DM *oder* 25.00 DM *oder* DM 25.–, DM 25.00; 5,50 DM, DM 5,50

dm² *Abk. für* Quadratdezimeter

dm³ *Abk. für* Kubikdezimeter

d. M. *Abk. für* dieses Monats; am 10. d. M.

d-Moll *s. Gen.* - *nur Ez.* (*Abk.:* d) eine Tonart; **d-Moll-Ton|lei|ter** *w. 11*

DNA 1 *Abk. für* Deutscher → Normenausschuss; **2** = DNS

Dnjepr *m. Gen.* -(s) Fluss in der Ukraine

Dnjestr *m. Gen.* -(s) Fluss in der Ukraine

DNS *Abk. für* Desoxyribonukleinsäure: wesentl. Bestandteil der Chromosomen, in denen die genetischen Informationen verschlüsselt sind; *engl.:* DNA

Do *Abk. für* Donnerstag

do., dto. *Abk. für* dito

d. O. *Abk. für* der/die Obige (unter Nachschriften in Briefen)

Dö|bel *m. 5* **1** karpfenähnl. Fisch; **2** *Nebenform von* Dübel; **dö|beln** *tr. 1, Nebenform von* dübeln

Do|ber|mann [nach dem Züchter] *m. 4,* **Do|ber|mann|pin|scher** *m. 5* eine Hunderasse

Do|bru|dscha *auch:* **Dob|ru|dscha** *w. Gen.* - bulgar.-rumän. Landschaft

do|cen|do dis|ci|mus [lat.] durch Lehren lernen wir

doch; ja doch!; nicht doch!

doch|misch [griech.] in der Art eines Dochmius; **Doch|mi|us** *m. Gen.* - *Mz.* -mi|en fünffüßiger Versfuß aus Jambus und Kretikus

Docht *m. 1;* **Docht|sche|re** *w. 11*

Dock *s. 9* **1** Anlage zum Trockensetzen und Reparieren von Schiffen; **2** durch Tore abgeschlossenes, vom Außenwasserstand unabhängiges Hafenbecken; **Döck|chen** *s. 7;* **Do|cke** *w. 11* **1** Garnmaß; **2** gedrehte Garnsträhne; **3** Getreidepuppe; **4** Zapfen; **do|cken 1** *tr. 1* ins Dock legen; **2** *intr. 1* im Dock liegen; **3** *tr. 1* zu Docken drehen, bündeln; **Do|cker** *m. 5* Dockarbeiter

Do|de|ka|dik [griech.] *w. 10 nur Ez.* = Duodezimalsystem; **do|de|ka|disch** = duodezimal; **Do|de|ka|e|der** *m. 5* von zwölf Flächen begrenzter Körper, Zwölfflach, Zwölfflächner; **Do|de|ka|nes** *m. Gen.* - aus zwölf großen und zahlreichen kleinen Inseln bestehende griech. Inselgruppe; **Do|de|ka|pho|nie** *w. 11 nur Ez.* Zwölftonmusik; **do|de|ka|pho|nisch; Do|de|ka|pho|nist** *m. 10* Komponist der Zwölftonmusik

Doel|len|stü|cke [du-, ndrl. »Schützenhofstücke«] *s. 1 Mz.* Gemälde ndrl. Maler des 16./17. Jh. mit Darstellungen von Schützengilden und -gesellschaften

Doe|skin [do-, engl. doʊ-,

»Rehhaut«] *m. 9 nur Ez.* (Wz) starker Wollstoff für Herrenmäntel

Do|ga|res|sa [ital.] *w. Gen.- Mz.* -sen Gemahlin des Dogen

Dog|cart [engl. »Hundewagen«] *m. 9* offener, zweirädriger Einspänner

Do|ge [doʒə, ital.: dodʒə] *m. 11, früher:* Oberhaupt der Republiken Venedig und Genua; **Do|gen|pa|last** *m. 2*

Dog|ge *w. 11* eine Hunderasse

Dog|ger *m. 5* **1** *nur Ez.* mittlere Abteilung des Juras, brauner Jura; **2** Dog|ger|boot *s. 1* ndrl. Fischerboot; **Dog|ger|bank** *w. 2 nur Ez.* fischreiche Sandbank in der Nordsee; **Dog|ger|boot** *s. 1* = Dogger **(2)**

Dög|ling *m. 1* Entenwal, eine Walart

Dog|ma [griech.] *s. Gen.* -s *Mz.* -men **1** Glaubenssatz, kirchl. Lehrsatz mit dem Anspruch unbedingter Gültigkeit; **2** *übertr.:* starre Lehrmeinung; **Dog|ma|tik** *w. 10* systemat. Darstellung von Dogmen, Glaubenslehre; **Dog|ma|ti|ker** *m. 5* **1** Verfechter eines Dogmas; **2** Lehrer der Dogmatik; **dog|ma|tisch 1** auf einem Dogma beruhend; **2** *übertr.:* starr an ein Dogma gebunden; **dog|ma|ti|sie|ren** *tr. 3* zum Dogma machen; **Dog|ma|tis|mus** *m. Gen. - nur Ez.* **1** starres Festhalten an einem Dogma; **2** *übertr.:* unkritisches, von Lehrmeinungen abhängiges Denken; **dog|ma|tis|tisch** auf Dogmatismus beruhend

Dog|skin [engl. »Hundehaut«] *s. 9 nur Ez.* Schafleder

Doh|le *w. 11* ein Rabenvogel

Doh|ne *w. 11* Schlinge zum Vogelfang; **Doh|nen|steig, Doh|nen|stieg** *m. 1* mit Dohnen besetzter Weg

Do it your|self [du: it jɔ:sɛlf, engl. »tu es selbst«] *Schlagwort für* handwerkl. Selbsthilfe; **Do-it-your|self-Be|we|gung** *w. 10*

Do|ket [griech] *m. 10* Anhänger des Doketismus; **do|ke|tisch** auf Anschein beruhend; **Do|ke|tis|mus** *m. Gen. - nur Ez.* frühchristl., von der Kirche bekämpfte Lehre, die Christus nur einen Scheinleib zuerkannte und seinen Tod nur als scheinbar betrachtete

Do|ki|ma|sie [griech.] *w. 11* **1** *im alten Griechenland:* Prüfung der Anwärter für den Staatsdienst; **2** *allg.:* Prüfung, Untersuchung; **Do|ki|ma|si|o|lo|gie** *w. 11 nur Ez.,* **Do|ki|mas|tik** *w. 10 nur Ez.* Lehre von der Prüfung von Erzen auf ihren Metallgehalt; **do|ki|mas|tisch**

dok|tern *intr. 1, ugs.:* Heilmittel nach eigenem Gutdünken anwenden; **Dok|tor** [lat.] *m. 13* (*Abk.:* Dr., *Mz.:* Dres.) **1** Titel auf Grund einer akadem. Prüfung; **2** *ugs.:* Arzt; *in Briefen:* Sehr geehrter Herr Doktor, *aber:* Sehr geehrter Herr Dr. Meyer; die einzelnen Fachtitel s. unter ihren eigenen Abk.; vgl. auch Dr.; **Dok|to|rand** *m. 10* (*Abk.:* Dd.) jmd., der sich auf die Doktorprüfung vorbereitet; **Dok|tor|ar|beit** *w. 10* Dissertation; **Dok|to|rat** *s. 1* Doktorgrad; **Dok|tor|hut** *m. 2;* **dok|to|rie|ren** *intr. 3* die Doktorarbeit schreiben; den Doktorgrad erlangen; **Dok|to|rin** [auch: dɔk-] *w. 10* **1** weiblicher Doktor; **2** *ugs.:* Ärztin; **Dok|tor|in|ge|ni|eur** [-ʒənjø:r] *m. 1* (*Abk.:* Dr.-Ing.); **Dok|tor|prü|fung** *w. 10;* **Dok|tor|ti|tel** *m. 5;* **Dok|trin** *auch:* **Dokt|rin** *w. 10* **1** Lehrsatz **2** *übertr.:* starre Lehrmeinung; **dok|tri|när** *auch:* **dokt|ri|1** in der Art einer Doktrin; **2** *übertr.:* starr an einer Doktrin festhaltend, einseitig, engstirnig; **Dok|tri|när** *auch:* **Dokt|ri-** *m. 1* **1** Verfechter einer Doktrin; **2** *übertr.:* jemand, der starr an einer Doktrin festhält; **Dok|tri|na|ris|mus** *auch:* **Dokt|ri-** *m. Gen. - nur Ez.* starres, einseitiges Festhalten an einer Doktrin

Do|ku|ment [lat.] *s. 1* **1** Urkunde, amtl. Schriftstück, als Beweis dienendes Schriftstück; **2** *ehem. DDR:* Mitgliedsbuch der SED; **Do|ku|men|ta|list** *m. 10* jmd., der sich mit Dokumentation beschäftigt; **Do|ku|men|tar|film** *m. 1* Film, der Begebenheiten auf Grund von Dokumenten der Wirklichkeit entsprechend darstellt; **do|ku|men|ta|risch** mit Hilfe von Dokumenten, urkundlich; **Do|ku|men|ta|ti|on** *w. 10* **1** Beweisführung auf Grund von Dokumenten; **2** Sammlung und Nutzbarmachung von Dokumenten, z.B. Zeitschriftenartikeln, Büchern, Urkunden; **do|ku|men|tie|ren** *tr. 3* **1** durch Dokumente belegen; **2** *allg.:* deutlich zeigen

Dol|by [engl.] *n. 9 nur Ez.* System zur Unterdrückung des Rauschens (bei Tonübertragungen)

dol|ce [-tʃə, ital.] *Mus.:* sanft, süß; **dol|ce far ni|en|te** [-tʃə-] (es ist) süß, nichts zu tun; **Dol|ce|far|ni|en|te** [-tʃə-] *s. Gen. - nur Ez.* süßes Nichtstun; **Dol|ce vi|ta** ► **Dol|ce|vi|ta** *auch:* **Dol|ce Vi|ta** [-tʃə, »süßes Leben«] *s. oder w. Gen. - - nur Ez.* ausschweifendes Müßiggängertum

Dolch *m. 1;* **Dolch|stoß|le|gen|de** *w. 11 nur Ez.*

Dol|ci|an [ital.], Dul|zi|an *s. 1* **1** *im 16./17. Jh. Bez. für* Fagott; **2** eine Orgelstimme

Dol|de *w. 11;* **Dol|den|blüt|ler** *m. 5;* **dol|dig** doldenförmig

Dol|drum *auch:* **Dold|rum** [engl.] *s. 9* windstille Zone am Äquator, Kalmenzone

Do|le *w. 11* verdeckte Sickergrube

dol|en|te = doloroso

Do|le|tit [griech.] *m. 1* Abart des Basalts

do|li|cho|ze|phal, do|li|cho|ke|phal [-ço-, griech.] langköpfig; **Do|li|cho|ze|pha|lie,** Do|li|cho|ke|pha|lie *w. 11 nur Ez.* lange Kopfform; *Ggs.:* Brachyzephalie

Do|li|ne *w. 11* durch unterird. Auflösung von Kalkstein entstandene, trichterförmige Vertiefung im Karst

doll *ugs., norddt.:* toll, sehr, stark, unerhört

Dol|lar [engl.] *m. Gen.* -s *Mz.* -(s) (*Zeichen:* \$) Währungseinheit u.a. in den USA, Kanada, Taiwan, Liberia, Australien, 100 Cent

Doll|bord *s. 1* verstärkte oberste Seitenplanke des Ruderbootes; **Dol|le** *w. 11* gabelförmige bewegl. Vorrichtung am Dollbord zum Festhalten des Riemens

dol|lie|ren [lat.] *tr. 3* innen abschaben (Fell)

Dol|man [türk.] *m. 1* **1** alttürk. Männerrock; **2** mit Schnüren besetzte Husarenjacke

Dol|men [kelt.] *m. 7* vorgeschichtl. Steingrab in Tischform

Dol|metsch [türk.] *m. 1* **1** *österr.* für Dolmetscher; **2** *übertr.:* Fürsprecher; **dol|met-**

► = wird zu

schen *intr. 1* mündlich übersetzen, als Dolmetscher tätig sein; **Dol|met|scher** *m. 5* jmd., der (meist beruflich) beim Gespräch zwischen Personen verschiedener Sprachen übersetzt

Do|lo|mit [nach dem frz. Mineralogen Dolomieu] *m. 1* **1** ein Mineral; **2** überwiegend daraus bestehendes Gestein; **Do|lo|miten** Teil der Alpen in Südtirol

do|lo|ros, do|lo|rös [lat.] *Med.:* schmerzhaft, schmerzempfindlich; **do|lo|ro|so** [ital.], do|len|te *Mus.:* klagend, schmerzlich

do|los [lat.] *Rechtsw.:* heimtückisch, vorsätzlich; dolose Täuschung; **Do|lus** *m. Gen. - nur Ez., Rechtsw.:* Heimtücke, böser Vorsatz; D. directus: Vorsatz im vollen Bewusstsein der Folgen; D. eventualis: bedingter Vorsatz, d.h. mit Inkaufnehmen einer eventuellen, wenn auch nicht beabsichtigten Folge

Dom 1 [lat.] *m. 1* Bischofskirche, Hauptkirche (einer Stadt); **2** [griech.-frz.] *m. 1* gewölbte Decke, Kuppel; kuppelartiger Aufsatz (auf Dampfkesseln); **3** [port.] *m., port. Anrede in Verbindung mit dem Vornamen:* Herr; **4** *Mz.* niedere ind. Kaste

Do|mä|ne [lat.-frz.] *w. 11* **1** Landgut im Besitz eines Herrscherhauses oder Staates; **2** Arbeitsgebiet, auf dem man bes. gute Kenntnisse hat; **do|ma|ni|al** zu einer Domäne gehörend; **Do|ma|ni|al|gut** *s. 4* Domäne (**1**)

Dom|chor [lat.] *m. 2;* **Dom|dekan** *m. 1* Vorsteher eines Domkapitels

Do|mes|tik [lat.-frz.] *m. 10,* Do|mes|ti|ke *m. 11, heute meist abwertend:* Dienstbote; **Do|mes|ti|ka|ti|on** [lat.] *w. 10* Umwandlung von Wildtieren zu Haustieren bzw. von Wildpflanzen zu Kulturpflanzen durch Züchtung; **Do|mes|ti|ke** *m. 11* = Domestik; **do|mes|ti|zie|ren** *tr. 3* zu Haustieren, zu Kulturpflanzen züchten

Dom|frei|heit *w. 10, im MA:* Gebiet um den Dom, das unter geistl. Gerichtsbarkeit stand; **Dom|herr** *m. Gen.* -n *oder* -en *Mz.*-en = Domkapitular; **Domi|na** *w. Gen.- Mz.* -nä **1** Hausherrin; **2** Stiftsvorsteherin; **3** Prostituierte, die von Masochisten aufgesucht wird

do|mi|nant [lat.] vorherrschend, andere Erbfaktoren überlagernd, überdeckend; *Ggs.:* rezessiv; **Do|mi|nant|ak|kord** *m. 1* Dominante **(3); Do|mi|nan|te** *w. 11* **1** vorherrschendes Merkmal; **2** fünfter Ton der diaton. Tonleiter; **3** Dreiklang auf diesem Ton; **Do|mi|nant|sept|akkord** *m. 1* Dominantakkord mit Septime; **Do|mi|nanz** *w. 10, Vererbungslehre:* Vorherrschen eines bestimmten Merkmals; *Ggs.:* Rezessivität; **do|mi|nie|ren** *intr. 3* vorherrschen; herrschen

Do|mi|ni|ka|ner *m. 5* **1** Angehöriger des Dominikanerordens; **2** Einwohner der Dominikanischen Republik; **Do|mi|ni|kaner|or|den** *m. 7* (*Abk.:* O. P. *oder* O. Pr.: Ordo fratrum praedicatorum) 1215 vom hl. Dominikus gegründeter Bettelorden, Predigerorden; **do|mi|ni|kanisch**; *aber:* Dominikanische Republik

Do|mi|ni|on [-njən, lat.-engl.] *s. 9, früher:* sich selbst regierender Teil des brit. Commonwealth; **Do|mi|ni|um** [lat.] *s. Gen.* -s *Mz.*-nilen, *im alten Rom:* Herrschaftsgebiet

Do|mi|no [lat.] **1** *m. 9* Maskenkostüm: weiter Mantel mit Kapuze; Person in diesem Kostüm; **2** *s. 9* Spiel mit rechteckigen Steinen, die je nach Augenzahl aneinander gelegt werden; **3** *s. 9, österr.:* Dominostein

Do|mi|nus [lat.] *m. Gen.- Mz.* -ni Herr, Gebieter; D. vobiscum! Der Herr (sei) mit euch! (*kath. Kirche:* Gruß des Priesters an die Gemeinde)

Do|mi|zel|lar [lat.] *m. 1, veraltet:* studierender Kleriker, Domschüler

Do|mi|zil [lat.] *s. 1* **1** Wohnsitz; **2** *bei Wechseln:* Zahlungsort; **do|mi|zi|lie|ren 1** *intr. 3* seinen Wohnsitz haben; **2** *tr. 3* (Wechsel) an einem anderen Ort als dem Wohnsitz des Bezogenen zur Zahlung anweisen; **Do|mizil|wech|sel** *m. 5* Wechsel mit einem anderen Zahlungsort als dem Wohnort des Bezogenen

Dom|ka|pi|tel [lat.] *s. 5* die Geistlichen eines Doms (**1**) als Berater des Bischofs; **Dom|kapi|tu|lar** *m. 1* Mitglied des Domkapitels, Domherr; **Dom|pfaff** *m. 10* Gimpel, ein Singvogel;

Dom|propst *m. 2* erster Würdenträger des Domkapitels

Domp|teur [-tør, frz.] *m. 1* jmd., der berufsmäßig wilde Tiere dressiert und öffentlich Dressurakte vorführt; **Domp|teu|se** [-tøzə] *w. 11* weibl. Dompteur

Dom|ra [russ.] *w. Gen.- Mz.*-s *oder* -ren lautenähnl. russ. Zupfinstrument

Dom|schu|le *w. 11* von einem Domkapitel unterhaltene Schule

Don 1 [span.] *m., span. Anrede in Verbindung mit dem Namen:* Herr; *in Italien:* Titel von Geistlichen und Adligen; **2** Fluss in Russland

Do|ña [donja, span.] *w., span. Anrede in Verbindung mit dem Namen:* Frau

Do|nar *germ. Myth.* = Thor

Do|na|tar [lat.] *m. 1, Rechtsw., veraltet:* jmd., der eine Schenkung erhält oder erhalten hat; **Do|na|ti|on** *w. 10, veraltet:* Schenkung; **Do|na|tor** *m. 13* **1** *veraltet:* Geber einer Schenkung, Schenker; **2** *Chem.:* Stoff, der Elektronen an einen anderen, den Akzeptor (Empfänger), abgibt

Do|nau *w. Gen.-* mittel- und südosteurop. Fluss; **Do|nau-Dampf|schiffahrts|ge|sellschaft** ► **Do|nau-Dampf|schiff|fahrts|ge|sell|schaft** (*Abk.:* DDSG) *w. 10 nur Ez.;*

Do|nau|mon|ar|chie *auch:* **-mo|nar|chie** *w. 11 nur Ez.* das ehemalige Österreich-Ungarn

Don|bass *russ. Kurzw. für* Donezkij bassejn = Donezbecken (Industriegebiet)

Dö|ner [türk.] Gyros, Weißbrot mit Fleisch vom Drehspieß

Do|nez [-njets] *m. Gen.* - Fluss in Osteuropa

Don|ja [span. »Herrin«] *w. 9, ugs. veraltet:* Dienstmädchen, *auch:* Geliebte, Freundin

Don|jon [dõʒõ, frz.] *m. 9, in Frankreich:* Hauptturm der mittelalterl. Burg

Don Ju|an [xu-, nach einer Gestalt der span. Literatur] *m. Gen.* - -s *Mz.* - -s Verführer, Frauenheld

Don|ko|sak *m. 10 meist Mz.* Angehöriger eines russ., am Don lebenden Volksstammes; **Don|ko|sa|ken|chor** [auch: -sa-] *m. 2 nur Ez.*

Don|na [ital.] *w. Gen. - Mz.*-s

oder -nen Herrin; *früher ital. Anrede in Verbindung mit dem Namen:* Frau, Fräulein
Dọn|ner *m. 5;* D. und Doria! (Fluch); **Dọn|ner|büch|se** *w. 11* = Bombarde; **Dọn|ne|rer** *m. 5* Donnergott; **Dọn|ner|keil** *m. 1* = Belemnit; **dọn|nern** *intr. 1;* **Dọn|ners|tag** *m. 1* (*Abk.:* Do); vgl. Dienstag; **dọn|ners|tags; Dọn|ner|wet|ter** *s. 5*
Dọn Qui|chot|te [- kiʃɔ̣t, *span.:* - kixọtə, nach Don Quijote, dem Helden eines Romans von Cervantes] *m. Gen. - - Mz.* --s weltfremder Idealist; **Don|qui|chot|te|rie** [-kiʃɔtə-] *w. 11* törichte, aus weltfremdem Idealismus unternommene Handlung; **Don Qui|jo|te, Don Qui|xo|te** [kixọtə] *span. Formen von* Don Quichotte
Dont|ge|schäft [dɔ̃-, frz.] *s. 1 Börse:* Geschäft, von dem jeder Partner gegen eine Zahlung (Dontprämie) zurücktreten kann
Do|num [lat.] *s. Gen.* -s *Mz.* -na Schenkung, Geschenk
doof *ugs.:* dumm; langweilig; **Doof|heit** *w. 10 nur Ez.*
do|pen [engl.] *tr. 1, Sport:* durch verbotene Anregungsmittel zu Höchstleistungen treiben; **Do|ping** *s. Gen.* -s *nur Ez.* unerlaubte Anwendung von Anregungsmitteln, um Höchstleistungen zu erreichen
Dọp|pel *s. 5* **1** Zweitschrift, Abschrift, Durchschlag, Kopie; **2** *Tennis:* Spiel von je zwei Spielern gegeneinander; gemischtes D.: Spiel zweier gemischter Paare gegeneinander; vgl. Einzel; **Dọp|pel-b** *s. 9* (*Zeichen:* ♭♭) *Mus.:* Zeichen zur Erniedrigung eines Tons um zwei halbe Töne; **dọp|pel|deu|tig; Dọp|pel|deu|tig|keit** *w. 10;* **Dọp|pel|fens|ter** *s. 5;* **Dọp|pel|gän|ger** *m. 5;* **Dọp|pel|heit** *w. 10 nur Ez.;* **Dọp|pel|kon|so|nant** *m. 10* zwei gleiche Konsonanten nebeneinander; **Dọp|pel|kopf** *m. 2 nur Ez.* ein Kartenspiel; **Dọp|pel|kreuz** *s. 1* **1** Kreuz mit zwei Querarmen; **2** (Zeichen: 𝄪) *Mus.:* Zeichen zur Erhöhung eines Tons um zwei halbe Töne; **Dọp|pel|laut** *m. 1* Doppelvokal, Doppelkonsonant, im Unterschied zum →Diphthong; **Dọp|pel|le|ben** *s. 7;* **Dọp|pel|li|nie** *w. 11;* **dọp|peln** *tr. 1;* ich doppele, dopple es; Schuhe d. *österr.:* besohlen; **Dọp|pel|naht** *w. 2;* **Dọp|pel|nel|son** *m. 9, Ringen:* doppelter Nackenhebel; **Dọp|pel|punkt** *m. 1* ein Satzzeichen (:), Kolon; **Dọp|pel|rei|he** *w. 11;* **dọp|pel|rei|hig; dọp|pel|sei|tig; Dọp|pel|sinn** *m. 1 nur Ez.;* **dọp|pel|sin|nig; Dọp|pel|spiel** *s. 1;* **dọp|pelt;** doppelte Buchführung; doppelte Staatsbürgerschaft; d. sehen; er ist genau d. so alt wie ich; d. soviel; um das, ums Doppelte größer; **Dọp|pel-T-Ei|sen** *s. 7;* **dọp|pelt|koh|len|sau|er** ► **dọp|pelt koh|len|sau|er; Dọp|pelt|se|hen** *s. 7 nur Ez.;* **Dọp|pel|tür** *w. 10;* **Dọp|pe|lung,** Dọpp|lung *w. 10;* **Dọp|pel|ver|die|ner** *m. 5;* **Dọp|pel|ver|dienst** *m. 1;* **Dọp|pel|vo|kal** *m. 1* zwei gleiche Vokale nebeneinander, z. B. ee, im Unterschied zum →Diphthong; **Dọp|pel|wäh|rung** *w. 10* Gold- und Silberwährung zugleich, Bimetallismus; **Dọp|pel|zent|ner** *m. 5* (*Abk.:* dz) 100 kg; **Dọp|pel|zim|mer** *s. 5* Zweibettzimmer; **dọp|pel|zün|gig; Dọp|pel|zün|gig|keit** *w. 10 nur Ez.*
Dọp|pik *w. 10 nur Ez.* doppelte Buchführung
Dọpp|ler|ef|fekt [nach dem österr. Physiker Christian Doppler] *m. 1 nur Ez.* vom Beobachter wahrgenommene Änderung der Frequenz von Licht- oder Schallwellen bei Bewegung der Licht- oder Schallquelle auf den Beobachter zu oder vom Beobachter weg
Dọpp|lung, Dọp|pe|lung *w. 10*
Do|ra|de [frz.] *w. 11* Goldmakrele, ein Fisch
Do|ra|do *s. 9* = Eldorado
Do|rant [lat.] *m. 1* Name für verschiedene Pflanzen, z. B. Löwenmaul, Schafgarbe
Do|rer *m. 5* = Dorier
Dọrf *s. 4;* **Dörf|chen** *s. 7;* **dör|fisch; Dörf|lein** *s. 7;* **Dörf|ler** *m. 5;* **dörf|lich; Dörf|lich|keit** *w. 10 nur Ez.;* **Dọrf|sa|me** *w. 11 nur Ez., schweiz.:* Dorfgenossenschaft; **Dọrf|schul|ze** *m. 11* Gemeindevorsteher
Do|ri|er, Do|rer *m. 5* Angehöriger eines altgriech. Volksstammes; **do|risch** zu den Doriern gehörend, von ihnen stammend; dorische Säule: eine altgriech. Säulenordnung; dorische Tonart: Kirchentonart
Dor|meu|se [-mø-, frz.] *w. 11* bequemer Schlafstuhl; **Dor|mi|to|ri|um** *s. Gen.* - *Mz.* -ri|en Schlafsaal (im Kloster oder Internat)
Dọrn 1 *m. 12* Stachel (an Pflanzen); **2** *m. 1* kleines Werkzeug zum Stechen; **Dọrn|busch** *m. 2;* **dọr|nen** aus Dornen, dornig; **Dọr|nen|he|cke,** Dọrn|he|cke *w. 11;* **Dọrn|fort|satz** *m. 2* Wirbelfortsatz; **dọr|nicht** *veraltet:* dornig; **Dọr|nicht** *s. 1, veraltet:* Dornengestrüpp; **dọr|nig; Dorn|rös|chen** *s. 7* eine Märchengestalt; **Dorn|rös|chen|schlaf** *m. Gen.* -(e)s *nur Ez., übertr. ugs.:* anhaltende Untätigkeit
Dọ̈r|re *w. 11* = Darre (**1**); **dọr|ren** *intr. 1* dürr, trocken werden; **dọ̈r|ren** *tr. 1* trocknen; **Dọ̈rr|fleisch** *s. Gen.* -(e)s *nur Ez.;* **Dọ̈rr|ge|mü|se** *s. 5;* **Dọ̈rr|obst** *s. Gen.* -(e)s *nur Ez.;* **Dọ̈rr|pflau|me** *w. 11*
dor|sal [lat.] **1** zum Rücken gehörig, am Rücken gelegen; **2** *Sprachw.:* mit dem Zungenrücken gebildet (Laut); **Dor|sal** *m. 1* Dorsallaut; **Dor|sa|le** *s. 5* Rückwand des Chorgestühls; **Dor|sal|laut** *m. 1* mit dem Zungenrücken gebildeter Laut
Dọrsch *m. 1* ein Seefisch, junger Kabeljau
dor|so|ven|tral *auch:* **-vent|ral** [lat.] vom Rücken zum Bauch hin gelegen
dọrt; dort bleiben; dort sein; **dọrt|her;** von d.; **dọrt|hin** [auch: -hịn]; da- und dorthin; hier- und dorthin; **dọrt|hin|ab** *auch:* **-hi|nab; dọrt|hin|auf** *auch:* **-hi|nauf; dọrt|hin|ein** *auch:* **-hi|nein; dọrt|hin|un|ter** *auch:* **-hi|nun|ter; dọr|tig**
Dọrt|mund Stadt in Nordrhein-Westfalen; **Dọrt|mund-Ems-Ka|nal** *m. 2 nur Ez.;* **Dọrt|mun|der** *m. 5;* **dọrt|mun|disch**
dort|sẹlbst; dort|zu|lan|de ► *auch:* **dọrt zu Lan|de**
Dos [lat.] *w. Gen.* - *Mz.* Do|ten, *Rechtsw.:* Mitgift
DOS *ohne Artikel, Abk. für engl.* Disc Operating System (ein Betriebssystem eines Personalcomputers)
dos à dos [dozado, frz.] *Ballett:* Rücken an Rücken
Dös|chen *s. 7;* **Do|se** *w. 11*
dö|sen *intr. 1*
Do|sen|milch *w. Gen.* - *nur Ez.;*

Do|sen|öff|ner *m. 5*
do|sie|ren [griech.] *tr. 3* ab-, zumessen; gut, richtig d.; **Do|sie|rung** *w. 10*
dö|sig; Dö|sig|keit *w. 10 nur Ez.*
Do|si|me|ter [griech.] *s. 5* Gerät zum Messen von Stärke und Dauer von radioaktiven Strahlen, z. B. Röntgenstrahlen; **Do|si|me|trie** *auch:* **-met|rie** *w. 11 nur Ez.* Messung mit dem Dosimeter; **do|si|me|trisch** *auch:* **-met|risch; Do|sis** *w. Gen. - Mz.* -sen (vom Arzt verordnete) Menge eines Heilmittels
Dös|kopf *m. 2*
Dös|lein *s. 7*
Dos|sier [dɔsje, frz.] *m. 9 oder s. 9* Aktenbündel, alle zu einem Vorgang gehörenden Akten
dos|sie|ren [frz.] *tr. 3* abschrägen; **Dos|sie|rung** *w. 10* flache Böschung
Dost *m. 1* eine Gewürzpflanze, Oregano
Do|ta|ti|on [lat.] *w. 10* Schenkung, Zuwendung, Ausstattung mit Heiratsgut, Belohnung für Verdienste; **do|tie|ren** *tr. 3;* **Do|tie|rung** *w. 10*
Dot|ter *s. 5, Biol., fachsprachl.: m. 5* Eigelb; **Dot|ter|blu|me** *w. 11;* **dot|ter|gelb; Dot|ter|sack** *m. 2* embryonales Anhangsorgan mit Nährdottermasse; **dot|ter|weich**
Doua|ne [duan, frz.] *w. 11, frz. Bez. für* Zoll, Zollamt; **Doua|nier** [duanje] *m. 9, frz. Bez. für* Zollbeamter
dou|beln [du-, frz.] *tr. 1* **1** synchronisieren; **2** vertreten (vgl. Double); **Dou|bla|ge** *auch:* **Doub|la|ge** [-ʒə] *w. 11* **1** Synchronisation; **2** synchronisierter Film; **Dou|ble** [dubl] *s. 9* **1** *Film:* Ersatzperson ähnl. Aussehens (in Filmrollen); vgl. Stuntman; **2** Variation eines Suitensatzes durch Verdoppelung der Notenwerte; **Dou|blé** [duble] *s. 9 Nv.* ► **Du|blee** *Hv.;* **dou|blie|ren** *tr. 3 Nv.* ► **du|blie|ren** *Hv.;* **Dou|blü|re** *auch:* **Doub|lü|re** [du-, frz.], Du|blü|re, Dub|lü|re *w. 11* **1** Unterfutter; **2** Aufschlag an Uniformen; **3** *Buchwesen:* verzierte Innenseite des Buchdeckels
Dou|gla|sie *auch:* **Doug|la|sie** [duglazjə, nach dem schott. Botaniker David Douglas] *w. 11,* **Dou|glas|tan|ne** *auch:* **Doug|las-** [du-] *w. 11* ein nordamerikanischer Nadelbaum
Dou|rine [durin, arab.-frz.], Du|ri|ne *w. 11* = Beschälseuche
Dou|ro [doru] *port. Schreibung von* Duero
Do ut des [lat.] Ich gebe, damit du gibst
Dow|las [daʊləs, engl.] *s. Gen. - nur Ez.* dichter Baumwollstoff für Wäsche
down [daʊn, engl.]; down sein: niedergeschlagen, erschöpft, erledigt sein
Dow|ning Street [daʊniŋ strit, engl.] Straße in London mit dem Amtssitz des Premierministers
Do|xa|le [griech.] *s. 9, in Barockkirchen:* **1** Gitter zwischen Hauptschiff und Chor; **2** eine Empore für Orgel und Chor
Do|xo|gra|phen *m. 10 Mz.* antike Autoren, die philosoph. Lehrmeinungen überliefern
Do|xo|lo|gie *w. 11, im christl. Gottesdienst:* Lobpreisungsformel, z. B. die letzten Worte des Vaterunsers
Doy|en [doajɛ̃, frz.] *m. 9* Rang- und Dienstältester sowie Wortführer eines diplomat. Korps
Do|zent [lat.] *m. 10* Lehrer an einer Hochschule; **Do|zen|tur** *w. 10* Lehrauftrag (eines Dozenten); **do|zie|ren** *intr. 3* **1** Vorlesungen halten; **2** *ugs. übertr.:* lehrhaft etwas darlegen
D. P. *Abk. für* Displaced Person
dpa *Abk. für* Deutsche Presse-Agentur; **dpa-Mel|dung** *w. 10*
dpt, *früher:* **dptr.** *Abk. für* Dioptrie
Dr *Abk. für* Drachme
Dr. *Abk. für* doctor, → Doktor; vgl. Dr. agr., Dr. E. h., Dr. forest., Dr. h. c., Dr. habil., Dr.-Ingl., Dr. j. u., Dr. jur., Dr. med., Dr. med. dent., Dr. med. univ., Dr. med. vet., Dr. oec., Dr. oec. publ., Dr. oec. troph., Dr. paed., Dr. pharm., Dr. phil., Dr. phil. nat., Dr. rer. camer., Dr. rer. hort., Dr. rer. mont., Dr. rer. nat., Dr. rer. oec., Dr. rer. pol., Dr. rer. publ., Dr. rer. techn., Dr. sc. (*ehem. DDR:* entspricht Dr. habil.), Dr. sc. nat., Dr. sc. pol., Dr. techn., Dr. theol., D. theol.
d. R. *Abk. für* der Reserve
Dra|che [griech.] *m. 11* riesiges, echsenartiges, geflügeltes Fabeltier; **Dra|chen** *m. 7* **1** Fluggerät (als Kinderspielzeug); **2** *übertr.:* zänkische Person, bes. Frau; **Dra|chen|flie|ger** *m. 5* Segelflieger mit einem Flugkörper aus Segeltuch und Metallstangen in Form eines Vogels, der durch Gewichtsverlagerung gesteuert wird, Skysurfer
Drach|me [griech.] *w. 11* **1** altes Apothekergewicht; **2** (*Abk.:* Dr) alt- und neugriech. Währungseinheit, 100 Lepta
Draft [engl.] *Bankwesen:* Wechsel
Dra|gée *Nv.* ► **Dra|gee** *Hv.* [-ʒe, frz.] *s. 9, auch: w. 11* **1** mit Zucker überzogene Frucht; **2** mit Zuckermasse überzogene Pille; **Dra|geur** [-ʒør] *m. 1* Hersteller von Dragees; **dra|gie|ren** [-ʒi-] *tr. 3* mit Zucker oder Zuckermasse überziehen
Drag|ge *w. 11,* **Drag|gen** *m. 7* kleiner Anker
Dra|go|man [arab.] *m. 1, früher im Vorderen Orient:* Dolmetscher
Dra|gon [arab.], Dra|gun *m. oder s. Gen.* -s *nur Ez., selten für* Estragon
Dra|go|na|de [frz.] *w. 11* **1** unter Ludwig XIV. zwangsweise Bekehrung von Protestanten zum kath. Glauben durch Einquartierung von Dragonern; **2** *übertr.:* gewaltsame Maßnahme; **Dra|go|ner** *m. 5* **1** *Mil.:* leichter Reiter; **2** *österr.:* Rückenspange an Rock oder Mantel; **3** *übertr.:* derbe, resolute Person, bes. Frau
Dr. agr. *Abk. für* doctor agronomiae: Doktor der Landwirtschaft
Draht *m. 2;* **Draht|an|schrift** *w. 10, veraltet:* Anschrift (einer Firma) für Telegramme; **Draht|ant|wort** *w. 10, veraltet:* Antwort durch Telegramm; **drah|ten** *tr. 2* telegrafieren; **dräh|tern** aus Draht; **Draht|funk** *m. Gen.* -s *nur Ez.* Rundfunk über das Fernsprechnetz; **Draht|haar|da|ckel** *m. 3;* **draht|haa|rig; drah|tig; Draht|leh|re** *w. 11* Gerät zum Messen der Drahtdicke; **draht|lich** telegrafisch; **draht|los** durch Funk; drahtlose Telegrafie; **Draht|nach|richt** *w. 10* telegrafisch übermittelte Nachricht; **Draht|seil** *s. 1;* **Draht|seil|bahn** *w. 10;* **Draht|ver|hau** *m. 1;* **Draht|zan|ge**

w. 11; **Drahtzieher** *m. 5* jmd., der andere nach seinem Willen lenkt und dabei selbst im Hintergrund bleibt
Drain [drɛ̱n, drɛ̱̃, engl.-frz.] *Nv.* ▶ **Drän** *Hv. m. 9;* **Drainage** [drɛna̱ʒə] *Nv. w. 11* ▶ **Dränage** *Hv.;* **drainieren** [drɛ-] *Nv. tr. 3* ▶ **dränieren** *Hv.*
Draisine [draɪ-, ugs. auch: drɛ-, nach dem dt. Forstmeister K. F. Drais] *w. 11* **1** Laufmaschine, Vorläufer des Fahrrades; **2** kleines Schienenfahrzeug zur Eisenbahn-Streckenkontrolle
drakonisch [nach Drako(n), dem altgriech. Verfasser eines wegen seiner Härte berüchtigten Gesetzbuches] sehr streng; drakonische Maßnahmen
drall rund und fest
Drall *m. 1* **1** Drehung, Drehbewegung; **2** Windungen im Rohr von Schusswaffen
Drallon [Kunstw.] *s. Gen. -s nur Ez.* Ⓦⓩ eine Kunstfaser
Drama [griech.] *s. Gen. -s Mz.* -men **1** Schauspiel, Bühnendichtung; **2** *nur Ez.:* Gesamtheit der Bühnendichtung eines Landes; **3** *übertr.:* trauriger, schrecklicher Vorgang; **Dramatik** *w. 10 nur Ez.* **1** dramat. Dichtkunst; **2** *übertr.:* Lebendigkeit, Bewegtheit (eines Ablaufs); **Dramatiker** *m. 5* Dramendichter; **dramatisch** **1** in Form eines Dramas; **2** *übertr.:* lebendig bewegt; **dramatisieren** *tr. 3* **1** zu einem Drama umschreiben; **2** *übertr.:* übertrieben spannend oder erregend darstellen; **Dramatisierung** *w. 10;* **dramatis personae** ▶ **Dramatis Personae** [-nɛː] *Mz.* die in einem Drama oder dramat. Ereignis auftretenden Personen; **Dramaturg** *m. 10* Berater eines Theaterleiters, der Stücke für die Bühne bearbeitet; **Dramaturgie** *w. 11* **1** Wissenschaft vom Drama und seiner Bearbeitung für die Bühne; **2** Sammlung von Theaterkritiken; Hamburgische D. von Lessing; **dramaturgisch**
Drama per musica ▶ **Drama per Musica** [ital., »Drama für Musik«] *s. Gen. - - - Mz.* -me - - ital. Frühform der Oper
dran *ugs.* = daran; das ganze Drum und Dran, mit allem Drum und Dran; dran sein: an der Reihe sein; drauf und dran sein; vgl. daran
Drän [frz.] *m. 9 oder m. 1* **1** Entwässerungsrohr oder -graben; **2** Drain [drɛ̱n] *m. 9, Med.:* Gummiröhrchen mit seitl. Öffnungen
Dränage [-ʒə] *w. 11* **1** Entwässerung (des Bodens); **2** Drainage [drɛna̱ʒe] *w. 11* Ableitung von Eiter o. Ä. mittels Gummiröhrchens oder Gazestreifens

> **dranbleiben:** Zusammensetzungen aus Partikel und Verb werden zusammengeschrieben: *Er ist drangeblieben.* → § 34 (1)

dranbleiben *intr. 17*
Drang *m. 2*
drangeben *tr. 45;* vgl. daran
drangehen *intr. 47;* vgl. daran
Drängelei *w. 10;* **drängeln** *intr. 1;* ich drängele, drängle; **drängen** *tr. 1;* **Drängerei** *w. 10;* **Drangsal** *w. 1* Leiden, Bedrückung, Not, Qual; **drangsalieren** *tr. 3* quälen, plagen; nur Ez.; **drangvoll**
dränieren [frz.] *tr. 3* **1** entwässern (Boden); **2** drainieren [drɛ-] mittels Gummiröhrchens oder Gazestreifens ableiten; **Dränierung** *w. 10* = Dränage (**1**)
Drank *m. Gen. -s nur Ez., nddt.:* Spülwasser, Abfälle, flüssiges Viehfutter
drankommen *intr. 71;* vgl. daran
Dranktonne *w. 11*
Dränrohr *s. 1*
dransetzen *tr. 1;* vgl. daran
Dränung, Dränierung *w. 10* = Dränage (**1**)
Drap [auch: dra̱, frz.] *m. 9 nur Ez.* tuch-, lederartiges Gewebe; **Drapé** [-pe̱] ▶ *auch:* **Drapee** *m. 9* feiner Wollstoff für Anzüge; **Drapeau** [-po̱] *s. 9, veraltet:* Fahne, Banner; **Drapee** *m. 9* = Drapé; **Draperie** *w. 11* Faltenwurf, -anordnung; **drapieren** *tr. 3* **1** kunstvoll in Falten anordnen; **2** (mit Stoff, Girlanden u. Ä.) behängen; **Drapierung** *w. 10*
drapp, drappfarben *österr.:* sandfarben
Dräsine *w. 11* = Draisine
Drastikum [lat.] *s. Gen. -s Mz.* -ka starkes Abführmittel; **drastisch** **1** stark, schnell wirkend (Heilmittel); **2** sehr wirksam, energisch (Maßnahme); **3** derb, deutlich
dräuen *intr. 1, veraltet* = drohen
drauf *ugs.* = darauf; drauf und dran sein: im Begriff, entschlossen sein; **Draufgabe** *w. 11* **1** = Handgeld; **2** *österr.:* Zugabe; **Draufgänger** *m. 5;* **draufgängerisch; Draufgängertum** *s. Gen. -s nur Ez.;* **draufgeben** *tr. 45;* **draufgehen** *intr. 47, ugs.:* **1** verbraucht werden, verlorengehen; **2** umkommen, sterben; **Draufgeld** *s. 3* = Handgeld; **drauflegen** *tr. 1, ugs.:* zusätzlich zahlen; **drauflos; drauflosarbeiten** *intr. 2;* **drauflosgehen** *intr. 47;* **drauflosläufen** *intr. 76;* **drauflosschlagen** *intr. 116;* **Draufsicht** *w. 10* Ansicht von oben her; **draufzahlen** **1** *tr. 1* zusätzlich zahlen; **2** *intr. 1, ugs.:* Verlust erleiden
draus *ugs.* = daraus; **drausbringen** *tr. 21* irremachen, aus dem Takt bringen; **drauskommen** *intr. 71* aus dem Takt kommen, den Zusammenhang verlieren
draußen; draußen bleiben; draußen sein
Drawida, Drawida *m. 9 oder Gen. - Mz. -* Angehöriger einer vorderind. Völkergruppe; **drawidisch,** drawidisch
Dreadnought [drɛ̱dnɔːt, engl. »fürchte nichts«] *m. 9* altes engl. Großkampfschiff
Drechselbank *w. 2;* **Drechselei** *w. 10* geschraubtes Reden oder Schreiben; **drechseln** *tr. 1;* ich drechsele, drechsle es; **Drechsler** *m. 5;* **Drechslerarbeit** *w. 10;* **Drechslerei** *w. 10*
Dreck *m. 1 nur Ez., ugs.;* **Dreckarbeit** *w. 10* Arbeit mit Dreck; vgl. Drecksarbeit; **Dreckeimer** *m. 5;* **Dreckfink** *m. 10;* **dreckig; Drecksarbeit** *w. 10* schmutzige, unangenehme Arbeit; **Dreckschwein** *s. 1, vulg.;* **Dreckspatz** *m. 12*
Dredge [drɛ̱dʒ, engl.] *w. 11,* **Dredsche,** Dregge, *w. 11,* Dreggnetz *s. 1* Schleppnetz für kleine, am Boden lebende Meerestiere
Dreesch, Driesch *m. 9* unbebautes Land, Grünland, Brache; *in der Dreifelderwirtschaft:* der jeweils als Weide genutzte

Teil der Feldflur; **Dreesch|wirt|schaft,** Driesch|wirt|schaft *w. 10*

Dreg|gan|ker *m. 5* = Dregge (**1**); **Dreg|ge** *w. 11* **1** kleiner Anker; **2** = Dredsche; **dreg|gen** *tr. 1* mit der Dregge fischen; **Dregg|netz** *s. 1* = Dredsche

Dr. E. h. *Abk. für* Doktor ehrenhalber, vgl. Dr. h. c.

Dreh *m. 9 oder m. 1, ugs.:* Kunstgriff; **Dreh|ar|beit** *w. 10* (beim Film); **Dreh|bank** *w. 2;* **dreh|bar; Dreh|bar|keit** *w. 10 nur Ez.;* **Dreh|buch** *s. 4* Manuskript für einen Film; **Dreh|buch|au|tor** *m. 13;* **Dreh|büh|ne** *w. 11;* **dre|hen** *tr. 1;* **Dre|her** *m. 5;* **Dre|he|rei** *w. 10;* **Dreh|im|puls** *m. 1;* **Dreh|krank|heit** *w. 10 nur Ez.* Krankheit bei Wiederkäuern, Pferden, Kaninchen, Rotwild u. a.; **Dreh|mo|ment** *s. 1* Drehwirkung aus Kraft mal Hebelarm; **Dreh|or|gel** *w. 11;* **Dreh|schei|be** *w. 11;* **Dreh|strom** *m. 2* aus drei überlagerten Wechselströmen bestehender Strom, Dreiphasenstrom; **Dreh|tür** *w. 10;* **Dre|hung** *w. 10;* **Dreh|wurm** *m. 4* Erreger der Drehkrankheit, Quese; **Dreh|zahl** *w. 10* Anzahl der Umdrehungen, Tourenzahl; **Dreh|zäh|ler** *m. 5;* **Dreh|zahl|mes|ser** *m. 5*

drei *Gen.* -er *Dat.* -en; wir drei; unter uns Dreien; zu Dreien: zu dritt; aller guten Dinge sind drei; er kann nicht bis drei zählen: er ist dumm; die Hilfe dreier guter (*auch:* guten) Freunde; drei viertel acht Uhr; drei Viertelstunden; *Ableitungen* vgl. acht; **Drei** *w. 10* **1** die Zahl 3; **2** Schulnote 3; vgl. Eins; **3** Straßenbahnlinie 3; *Zus. und Ableitungen* vgl. Acht; **Drei|ach|tel|takt** *m. 1* ⅜-Takt; **Drei|an|gel** *m. 5* dreieckiger

> **dreieckig** (Worttrennung): Die Abtrennung von Silben, die nur aus einem Vokal bestehen, ist möglich (*drei|eckig*), jedoch aus ästhetischen Gründen nicht zu empfehlen. → § 108

Riss (im Kleidungsstück); **drei|ar|mig; drei|bei|nig; drei|blät|te|rig,** drei|blätt|rig; **Drei|bund** *m. 2;* **drei|di|men|si|o|nal;** dreidimensionaler Film, *Kurzw.:* Drei-D-Film, 3-D-Film; **Drei|eck** *s. 1;* **drei|e|ckig; drei|ei|nig; Drei|ei|nig|keit** *w. 10 nur Ez.;* **Drei|er** *m. 5* **1** *im 16. bis 18. Jh.:* Dreipfennigstück; **2** Autobus Linie 3; **3** *süddt.:* die Zahl 3; Schulnote 3; vgl. Drei; **drei|er|lei** [auch: -laɪ]; **Drei|er|rei|he** *w. 11;* **drei|fach** 3fach: dreimal, in drei Schichten; der Stoff liegt d.; **Drei|fa|che** *s. 18* das 3fache; **Drei|fach|imp|fung** *w. 10* Impfung, die zugleich gegen Diphtherie, Starrkrampf und Keuchhusten (oder Poliomyelitis) immunisiert; **Drei|fal|tig|keit** *w. 10 nur Ez.;* **Drei|fal|tig|keits|fest** *s. 1;* **Drei|far|ben|druck** *m. 1;* **Drei|fin|ger|re|gel** *w. 11 nur Ez.* = Rechtehandregel; **Drei|fuß** *m. 2;* **Drei|ge|spann** *s. 1* aus drei Pferden bestehendes Gespann, Troika; **drei|ge|stri|chen** *Mus.:* zwei Oktaven höher liegend (vom → eingestrichenen Mittelton aus gerechnet); das dreigestrichene A; **drei|häu|sig** männl., weibl. und zwittrige Blüten auf drei verschiedenen Individuen tragend (Pflanze), triözisch; **Drei|häu|sig|keit** *w. 10 nur Ez.* Triözie; **Drei|kant** *m. 1;* **drei|kan|tig; Drei|kä|se|hoch** *m. 9;* **Drei|klang** *m. 2;* **Drei|kö|ni|ge** *ohne Artikel, unflektiert* = Dreikönigsfest; an, zu D.; **Drei|kö|nigs|fest** *s. 1* 6. Januar; **drei|köp|fig; drei|mäh|dig** drei Ernten bringend (Wiese); **Drei|mas|ter** *m. 5* Segelschiff mit drei Masten; **drei|mas|tig; Drei|mei|len|zo|ne** *w. 11;* **Drei|me|ter|brett** *s. 3*

drein *ugs.* = darein; **drein|re|den** *intr. 2;* **drein|schau|en** *intr. 1;* **drein|schla|gen** *intr. 116*

Drei|paß ► **Drei|pass** *m. 1* Zierform aus drei Dreiviertelkreisen im Maßwerk; **Drei|pha|sen|strom** *m. 2* = Drehstrom; **drei|pro|zen|tig; Drei|rad** *s. 4;* **Drei|schlitz** *m. 1* = Triglyph; **Drei|schneuß** *m. 1* Zierform im Maßwerk aus drei Fischblasen; **Drei|spän|ner** *m. 5* mit drei Pferden bespannter Wagen, Troika; **Drei|spitz** *m. 1* dreieckiger Uniformhut; **Drei|sprung** *m. 2* Weitsprung in drei Sätzen; **drei|ßig;** vgl. achtzig; **Drei|ßig** *w. Gen. - nur Ez.* die Zahl 30; vgl. Achtzig

dreist; Dreis|tig|keit *w. 10 nur Ez.*

drei|stö|ckig; Drei|stu|fen|ra|ke|te *w. 11;* **Drei|ta|ge|fie|ber** *s. 5 nur Ez.* durch eine Mücke übertragene Infektionskrankheit in den Mittelmeerländern, Pappatacifieber; **drei|tei|len** *tr. 1;* **Drei|tei|lung** *w. 10;* **drei|vier|tel** ► **drei vier|tel;** der Topf ist d. v. voll, *aber:* zu drei Vierteln voll; ich gehe den Weg in drei viertel Stunden *oder:* in einer Dreiviertelstunde; ich habe drei Viertelstunden dazu gebraucht: dreimal eine Viertelstunde; **Drei|vier|tel|mehr|heit** *w. 10 nur Ez.;* **Drei|vier|tel|stun|de** *w. 11;* **Drei|vier|tel|takt** *m. 1* ¾-Takt; **Drei|zack** *m. 1;* **drei|za|ckig; drei|zehn; Drei|zehn** *w. Gen. - nur Ez.* die Zahl 13; **Drei|zim|mer|woh|nung** *w. 10,* 3-Zimmer-Wohnung

Drell *m. 1, norddt. für* Drillich

Dre|pa|no|zy|ten [griech.] *m. 10 Mz.* sichelförmige rote Blutkörperchen

Dres. *Abk. für* doctores (*Mz.*), vgl. Doktor

Dre|sche *w. 11 nur Ez. mitteldt., berlin.:* Prügel; **dre|schen** *tr. 24;* **Dresch|fle|gel** *m. 5*

Dres|den Hst. von Sachsen; Dresdner Bank; **Dres|de|ner, Dresd|ner** *m. 5*

Dreß ► **Dress** *m. 1, österr. Mz.* Dres|sen Sportkleidung

Dres|seur [-sør, frz.] *m. 1* jmd., der Tiere dressiert, Tierlehrer; **dres|sie|ren** *tr. 3* **1** abrichten, lehren (Tier); **2** *Kochk.:* hübsch anrichten, garnieren; **3** in eine Form pressen (Filzhut); **4** nach dem Warmwalzen strecken (Bleche); **Dres|sing** *s. 9* Salatsoße, Füllung für Geflügel

Dress|man [-mən, engl.] *m. Gen.* -s *Mz.* -men [-mən] **1** jmd., der auf Modenschauen Herrenkleidung vorführt; **2** männl. Fotomodell

Dres|sur [frz.] *w. 10* Abrichtung, Lehren (von Tieren); **Dres|sur|prü|fung** *w. 10;* **Dres|sur|rei|ten** *s. Gen.* -s *nur Ez.*

Dr. forest. *Abk. für* doctor scientiae rerum forestalium: Doktor der Forstwissenschaft

DRGM *Abk. für* Deutsches Reichs-Gebrauchsmuster

Dr. habil. *in Verbindungen wie* Dr. phil. habil. *Abk. für* doctor (philosophiae) habilitatus: habilitierter Doktor (der Philosophie)

Dr. h.c. *Abk. für* doctor honoris causa: Doktor ehrenhalber (ohne Prüfung als Ehrung verliehener Titel)
drib|beln [engl.] *intr. 1, Fußball:* den Ball in kurzen Stößen vor sich her treiben; **Drib|bling** *s. 9* Umspielen eines oder mehrerer Gegner durch Dribbeln
Driesch *m. 9* = Dreesch
Drift *w. 10, Seew.:* vom Wind verursachte Bewegung der Meeresoberfläche; **drif|ten** *intr. 2, Seew.:* treiben
Drilch *m. 1* = Drillich
Drill *m. 1* **1** = Drillich; **2** *Mil.:* harte Ausbildung, scharfes Exerzieren; **Drill|boh|rer** *m. 5;* **dril|len** *tr. 1* **1** mit dem Drillbohrer bohren; **2** in Reihen säen; **3** scharf exerzieren
Dril|lich, Drilch, Drell, *m. 1* fester Leinen- oder Baumwollstoff für Arbeitskleidung; **Dril|lichzeug** *s. 1 nur Ez.* Kleidung aus Drillich
Dril|ling *m. 1, auch:* Jagdgewehr mit drei Läufen
Drill|ma|schi|ne *w. 11* Maschine zum Drillen (**2**)
drin *ugs.* = darin; das ist nicht drin: das lohnt nicht, geht nicht, hat keinen Zweck
Dr.-Ing. *Abk. für* Doktor der Ingenieurwissenschaften
drin|gen *intr. 25;* **drin|gend;** auf das, aufs Dringendste/dringendste: sehr dringend; **dringlich**
Drink [engl.] *m. 9* alkohol. Getränk, Mixgetränk
drin|nen *ugs.* = darin(nen)
dritt *nur in der Wendung* zu dritt: zu Dreien; **drit|te (-r, -s)**

> **der dritte Stand:** Da es sich um keinen Eigennamen handelt, wird das Zahlwort kleingeschrieben: *Er gehörte dem dritten Stand an.* → § 63 Aber: *das Dritte Reich, Ludwig der Dritte, die Dritte Welt* [→ § 60 (1), § 60 (2.1)]; *der, die, das Dritte.* → § 57 (1)

1 *Kleinschreibung:* der dritte Stand: der Bürgerstand; **2** *Großschreibung:* sprich zu keinem Dritten darüber: keinem Außenstehenden, Unbeteiligten gegenüber; der Dritte im Bunde; wenn zwei sich streiten, freut sich der Dritte; die Dritte Welt; das Dritte Reich; **Drit|teil** ► **Dritt|teil; drit|tel** vgl. achtel; **Drit|tel** *s. 5;* ein D. ⅓, vgl. Achtel; **drit|teln** *tr. 1* in drei gleiche Teile teilen; ich drittele, drittle es; **Drit|ten|ab|schla|gen** *s. Gen.* -s *nur Ez.* ein Laufspiel; **drit|tens; dritt|letz|te (-r, -s)** der dritte, vom Ende der Reihe her gerechnet, *aber:* er ist in der Schule der Drittletzte (der Leistung nach); **Dritt|teil** *s. 1*

> **Drittteil:** Im Gegensatz zur bisherigen Schreibung werden jetzt drei gleiche Konsonanten auch vor nachfolgendem Vokal geschrieben: *Drittteil.* Aber: *Drittel.* → § 4 (8)

Dr. iur. = Dr. jur.
Drive [draiv, engl., »treiben«] *m. Gen. - nur Ez.* **1** *Jazz:* drängender, treibender Rhythmus; **2** *Golf, Tennis:* auf große Entfernung berechneter Schlag, Treibschlag; **3** Schwung, Tatkraft; **Drive-in-Ki|no** [draıv ın-] *s. 9* = Autokino; **Drive-in-Restau|rant** *auch:* **Res|tau|rant** *s. 9* Restaurant mit Bedienung am Auto; **Dri|ver** [draıvər] *m. 5* **1** *Golf:* Schläger zum Treibschlag und Abschlag; **2** Fahrer, Rennfahrer, z.B. beim Trab- und Autorennen
Dr. j.u. *Abk. für* doctor juris utriusque: Doktor beider Rechte; **Dr. jur.** *Abk. für* doctor juris: Doktor der Rechte; **Dr. jur. utr.** = Dr. j.u.
DRK *Abk. für* Deutsches Rotes Kreuz
Dr. med. *Abk. für* doctor medicinae: Doktor der Medizin; **Dr. med. dent.** *Abk. für* doctor medicinae dentariae: Doktor der Zahnmedizin; **Dr. med. univ.** *österr. Abk. für* doctor medicinae universae: Doktor der gesamten Medizin; **Dr. med. vet.** *Abk. für* doctor medicinae veterinariae: Doktor der Tiermedizin
drob, dar|ob *veraltet:* darüber; **dro|ben** oben, dort oben
Dr. oec. *Abk. für* doctor oeconomiae: Doktor der Wirtschaftswissenschaft; vgl. Dr. rer. oec.
Dr. oec. publ. *Abk. für* doctor oeconomiae publicae: Doktor der Staatswissenschaften; vgl. Dr. rer. pol., Dr. sc. pol.
Dr. oec. troph. *Abk. für* Doktor der Ökotrophologie
drö|ge *nddt.:* trocken, nüchtern-steril
Dro|ge [frz.] *w. 11, i. w. S.:* zu Arzneien verwendeter pflanzl. oder tier. Stoff; *i. e. S.:* Rauschgift; **Dro|gen|sucht** *w. Gen. - nur Ez.;* **Dro|ge|rie** *w. 11* Geschäft für Körperpflegemittel, chem.-techn. Artikel u.a.; **Drogist** *m. 10* Inhaber einer Drogerie oder ausgebildeter Angestellter in einer solchen
Droh|brief *m. 1;* **dro|hen** *intr. 1*
Drohn *m. 12, Fachsprache der Imker für* Drohne (**1**); **Droh|ne** *w. 11* **1** männl. Biene; **2** *übertr.:* Nichtstuer, Schmarotzer
dröh|nen *intr. 1*
Dro|hung *w. 10;* **Droh|wort** *s. 1*
Drol|le|rie [frz.] *w. 11* **1** Drolligkeit, Schnurrigkeit, Komik; **2** kurze, komische Erzählung, Schnurre; **3** *got. Kunst:* kleine, drollige Darstellung von Menschen, Tieren oder Fabelwesen, bes. am Chorgestühl; **drol|lig; Drol|lig|keit** *w. 10 nur Ez.*
Dro|me|dar [griech.] *s. 1* einhöckeriges Kamel
Dron|te *w. 11* ein ausgestorbener, flugunfähiger Taubenvogel
Drop-out [drɔpaʊt, engl.] *m. 9, veraltend:* Aussteiger
Drops [engl.] *m. Gen. - Mz. -* ungefülltes Fruchtbonbon
Drosch|ke [russ.] *w. 11* Mietfahrzeug; **Drosch|ken|gaul** *m. 2;* **Drosch|ken|kut|scher** *m. 5*
drö|seln 1 *tr. 1* drehen (Faden); **2** *intr. 1, ugs.:* schlendern, trödeln
Dro|se|ra [griech.] *w. Gen. - nur Ez.* = Sonnentau; **Dro|sograph** *Nv.* ► **Dro|so|graf** *Hv. m. 10* selbst schreibendes Taumessgerät; **Dro|so|me|ter** *s. 5* Taumesser; **Dro|so|phi|la** *w. Gen. - Mz.* -lae [-lɛː] Taufliege
Dros|sel *w. 11* **1** ein Singvogel; **2** Luftröhre, Kehle (beim Wild); **3** Sperrvorrichtung in Rohrleitungen; **Dros|sel|bart;** König D.: eine Märchengestalt; **Dros|sel|klap|pe** *w. 11;* **drosseln** *tr. 1* bremsen, sperren, verringern; ich drossele, drossle es; **Dros|sel|rohr|sän|ger** *m. 5* größter Rohrsänger; **Dros|selspu|le** *w. 11* Drossel (**3**) zum Verringern von Wechselstrom; **Dros|se|lung** *w. 10;* **Droß|lung** ► **Dross|lung** *w. 10* = Drosselung

Drọst *m. 1, früher:* Verwalter einer Drostei

Dros|tei *w. 10, norddt. früher:* Verwaltungsbezirk, Vogtei

DRP *bis 1945 Abk. für* Deutsches Reichs-Patent

Dr. paed. *Abk. für* doctor paedagogiae: Doktor der Pädagogik

Dr. pharm. *Abk. für* doctor pharmaciae: Doktor der Pharmazie

Dr. phil. *Abk. für* doctor philosophiae: Doktor der Philosophie

Dr. phil. nat. *Abk. für* doctor philosophiae naturalis: Doktor der Naturwissenschaften; vgl. Dr. rer. nat., Dr. sc. nat.

Dr. rer. camer. *Abk. für* doctor rerum cameralium: Doktor der Staatswirtschaftskunde

Dr. rer. hort. *Abk. für* doctor rerum hortensium: Doktor der Gartenbauwissenschaft

Dr. rer. mont. *Abk. für* doctor rerum montanarum: Doktor der Bergbauwissenschaften

Dr. rer. nat. *Abk. für* doctor rerum naturalium: Doktor der Naturwissenschaften; vgl. Dr. phil. nat., Dr. sc. nat.

Dr. rer. oec. *Abk. für* doctor rerum oeconomicarum: Doktor der Wirtschaftswissenschaften; vgl. Dr. oec.

Dr. rer. pol. *Abk. für* doctor rerum politicarum: Doktor der Staatswissenschaften; vgl. Dr. oec. publ., Dr. sc. pol.

Dr. rer. publ. *Abk. für* doctor rerum publicarum: Doktor der Zeitungswissenschaft

Dr. rer. techn. *Abk. für* doctor rerum technicarum: Doktor der technischen Wissenschaften; vgl. Dr. techn.

Dr. sc. nat. *Abk. für* doctor scientiarium naturalium: Doktor der Naturwissenschaften; vgl. Dr. phil. nat., Dr. rer. nat.

Dr. sc. pol. *Abk. für* doctor scientiarium politicarum: Doktor der Staatswissenschaften; vgl. Dr. rer. pol., Dr. oec. publ.

Dr. techn. *österr.: Abk. für* doctor rerum technicarum: Doktor der techn. Wissenschaften; vgl. Dr. rer. techn.

Dr. theol. *Abk. für* doctor theologiae: Doktor der Theologie; vgl. D., D. theol.

drü|ben auf der anderen Seite; **drü|ber** *ugs.:* darüber

Drụck 1 *m. 2;* **2** *m. 1* Erzeugnis des Druckens; **Drụck|buch|stabe** *m. 11;* **Drụ̈|cke|ber|ger** *m. 5;* **drụck|emp|find|lich; Drụck|emp|find|lich|keit** *w. 10 nur Ez.;* **drụ|cken** *tr. 1;* **drụ̈|cken** *tr. 1;* **drụ̈|ckend;** drückend schwül

Drụ|cker *m. 5*

Drụ̈|cker *m. 5*

Dru|cke|rei *w. 10*

Drụck|er|laub|nis *w. 1 nur Ez.;* **Drụ|cker|schwär|ze** *w. 11 nur Ez.;* **Drụ|cker|zei|chen** *s. 7;* **Drụck|er|zeug|nis** *s. 1* Erzeugnis des Druckens; **Drụck|feh|ler** *m. 5;* **drụck|fer|tig; Drụck|ge|neh|mi|gung** *w. 10;* **Drụ̈ck|jagd** *w. 10* Treibjagd in der Dickung ohne Lärm; **Drụck|knopf** *m. 2;* **Drụck|le|gung** *w. 10 nur Ez.* Druckbeginn; **Drụck|luft** *w. Gen. - nur Ez.;* **Drụck|luft|brem|se** *w. 11;* **Drụck|mit|tel** *s. 5;* **Drụck|ort** *m. 1;* **Drụck|plat|te** *w. 11;* **drụck|reif; Drụck|rei|fe** *w. Gen. - nur Ez.;* **Drụck|sa|che** *w. 11;* **Drụck|schrift** *w. 10;* **Drụck|sei|te** *w. 11;* **drụck|sen** *intr. 1* nicht mit der Sprache heraus wollen; **Drụck|stock** *w. 2;* **Drụck|tech|nik** *w. 10;* **drụck|tech|nisch**

Dru|de *w. 11, german. Myth.:* weibl. (meist böser) Nachtgeist, Gespenst; **Dru|den|fuß** *m. 2, im Volksglauben:* Zeichen zum Schutz gegen Druden, Fünfzack, Pentagramm

Drug|store [drʌgstɔ:r, engl.] *m. 9* **1** *in den USA:* Laden für die verschiedensten Bedarfsartikel, meist mit Imbissraum; **2** Lokal mit Imbiss- und Einkaufsmöglichkeiten in kleinen Fachgeschäften

Drui|de [kelt.-lat.] *m. 11* kelt. Priester; **Drui|den|stein** *m. 1* kelt. Opferaltar; **drui|disch**

drụm *ugs.:* darum; sei's drum!: es macht nichts, nehmen wir's hin; alles, was drum und dran hängt *ugs.:* alles, was dazugehört; mit allem Drum und Dran

Drum [drʌm, engl.] *w. 9, engl. Bez. für* Trommel; vgl. Drums

Drụm|lin [selten auch: drʌm-, engl.] *m. 9* lang gestreckter Hügel aus eiszeitl. Grundmoränenmaterial

Drum|mer [drʌmər, engl.] *m. 5, Jazz:* Musiker, der die Drums schlägt; **Drums** [drʌmz] *w. 9 Mz., Jazz:* Schlagzeug

drụn|ten unten, dort unten; **drụn|ter** *ugs.:* darunter; es geht (alles) drunter und drüber: durcheinander; bei diesem Drunter und Drüber

Drụsch *m. 1* das Dreschen

Dru|schi|na [russ.] *w. Gen. - nur Ez., 9./13. Jh. in Russland:* Gefolgschaft eines Fürsten

Dru|se 1 *w. 11* Hohlraum im Gestein mit Kristallen an den Innenwänden; **2** *w. 11 nur Ez.* Pferdekrankheit mit Entzündung der Nasenschleimhaut; **3** *w. 11 meist Mz.* Pilzkörnchen (bei Strahlenpilzerkrankung); **4** *m. 11* Angehöriger einer islamischen Sekte in Syrien

Drü|se *w. 11*

dru|sig an der Druse (**2**) leidend

drü|sig 1 wie eine Drüse; **2** voller Drüsen

dry [draɪ, engl.] trocken, herb, ohne Zuckerzusatz (alkohol. Getränk)

Dry|a|de [griech.] *w. 11, griech. Myth.:* Wald-, Baumnymphe

d. s. *Abk. für* dal segno

DSA *Abk. für* Deutscher Sprachatlas

Dschai|na, Jai|na *m. 9* Anhänger des Dschainismus; **Dschai|nịs|mus, Jai|nis|mus** *m. Gen. - nur Ez.* streng asket. ind. Religion; **Dschai|nịst** *m. 10* = Dschaina; **dschai|nịs|tisch, jai|nịs|tisch**

Dsche|bel, Dje|bel [arab.] *m. 5 in arab. erdkundl. Namen:* Berg, Gebirge

Dschẹr|ba = Djerba

Dschi|bu|ti *amtl.:* Dji|bou|ti [dʒibu-] **1** Staat im nordöstl. Afrika; **2** dessen Hauptstadt

Dschi|na *m. 9* = Dschaina; **Dschi|nịs|mus** *m. Gen. - nur Ez.* = Dschainismus

Dschịn|gis-Khan mongol. Herrscher und Eroberer

Dschịnn [arab.] *m. 9, im islam. Volksglauben:* böser Geist, Dämon

Dschọn|ke *w. 11, Nebenform von* Dschunke

Dschụn|gel [Hindi] *m. 5, selten auch: s. 5,* trop. Urwald, bes. in Indien

Dschụn|ke [mal.] *w. 11* chines. Segelschiff

DSG *Abk. für* Deutsche Schlafwagen- und Speisewagen-Gesellschaft mbH; vgl. Mitropa

Dsun|ga|rei *w. Gen. -* Landschaft im nördl. Innerasien

DTB *Abk. für* Deutscher Turnerbund
D. theol. *Abk. für* doctor theologiae: Doktor der Theologie ehrenhalber; vgl. Dr. theol.
dto., do. *Abk. für* dito
Dtzd. *Abk. für* Dutzend

> **du/Du:** Pronomen als Stellvertreter des Substantivs sowie *du* und *ihr* als Anredepronomen (auch in Briefen) mit den entsprechenden Possessivpronomen *dein* und *euer* werden kleingeschrieben: *du, dein, deiner, dir, dich. Würdest du mir helfen? Lieber Karl, ich schreibe dir diesen Brief, um* ... →§ 58 (4), § 66
> In festen Gefügen gilt Großschreibung: *mit jemandem auf Du und Du stehen.* →§ 55 (4)
> Ebenso bei substantivierten Pronomen: *Er bot ihm das Du an.* →§ 57 (3)

du jmdn. du nennen; **Du** *s. 9 oder Gen. - Mz.;* jmdm. das Du anbieten; mit jmdm. auf Du und Du stehen
d. U. *Abk. für* der, die Unterzeichnete
du|al [lat.] in der Zweizahl auftretend, eine Zweiheit bildend; **Du|al** *m. 1,* Du|a|lis *m. Gen. - Mz.* -le grammat. Form für zwei Dinge oder Lebewesen, noch in den balt. und slaw. Sprachen sowie im bayr. »enk« = euch beiden
Du|a|la 1 Stadt in Kamerun; **2** *m. 9 oder Gen. - Mz. -* Angehöriger eines Bantustammes; **3** *s. Gen.* -(s) *nur Ez.* eine Bantusprache
Du|a|les Sys|tem *s. 1 nur Ez.* ein System zur Rücknahme von Verpackungsmüll, *ugs.:* grüner Punkt
Du|a|lis *m. Gen. - Mz.* -le = Dual; **Du|a|lis|mus** *m. Gen. - nur Ez.* **1** Widerstreit zweier rivalisierender Mächte oder entgegengesetzter Kräfte; **2** jede Lehre, nach der es zwei gegensätzl. Grundprinzipien des Seins gibt, z. B. Licht-Finsternis, Geist-Materie; **Du|a|list** *m. 10* Vertreter, Anhänger des Dualismus (**2**); **du|a|lis|tisch; Du|a|li|tät** *w. 10* Zweiheit, Zweiförmigkeit, Wechselseitigkeit; **Du|al|sys|tem** *s. 1 nur Ez.* auf der Zahl 2 aufgebautes Zahlensystem, Dyadik
Du|ba|se [russ.] *w. 11, in Osteuropa:* flacher Ruderkahn
Dü|bel *m. 5* kleiner Keil oder Zapfen zum Befestigen von Nägeln in der Wand; **dü|beln** *tr. 1, meist:* eindübeln; ich dübele, düble es
du|bi|os, du|bi|ös [lat.] zweifelhaft, unsicher; **Du|bi|o|sum** *s. Gen.* -s *Mz.* -sa *oder* -sen, *meist Mz.* etwas Zweifelhaftes, zweifelhafte Sache, unsichere Forderung; **du|bi|ta|tiv** Zweifel ausdrückend; **Du|bi|um** *s. Gen.* -s *Mz.* -bia *oder* -bi|en Zweifelsfall
Du|blee *auch:* **Dub|lee,** Doublé, Doub|lé [du-, frz.] *s. 9* **1** Metall mit Edelmetallüberzug; **2** *Billard:* Stoß mit einmaligem Berühren der Bande; **Du|bleegold** *auch:* **Dub|lee-** *s. Gen.* -(e)s *nur Ez.;* **Du|blet|te** *auch:* **Dub|let|te 1** *w. 11* zweimal vorhandener Gegenstand, Doppelstück; **2** Doppeltreffer; **3** mit einem imitierten Stück zusammengesetzter Edelstein; **du|blie|ren** *auch:* **dub|lie|ren,** doublie|ren, doub|lie|ren [du-] *tr. 3* **1** mit Edelmetall überziehen; **2** verdoppeln
Dub|lin [dʌb-] Hst. der Republik Irland
Du|blo|ne *auch:* **Dub|lo|ne** *w. 19* alte span. Goldmünze
Du|blü|re *auch:* **Dub|lü|re** *w. 11* = Doublüre
Duc [dyk, frz.] *m. 9, in Frankreich:* Herzog; **Du|ca** [ital.] *m. 9, in Italien:* Herzog
du|cen|tesk [-tʃɛn-, ital.] im Stil des Ducentos; **Du|cen|tist** [-tʃɛn-] *m. 10* Künstler des Ducentos; **Du|cen|to,** Du|e|cen|to [-tʃɛn-, ital. »zweihundert« (nach 1000)] *s. Gen.* (-s) *nur Ez.* die künstler. Stilepoche des 13. Jh. in Italien
Du|ces *Mz. von* Dux
Du|chesse [dyʃɛs, frz.] *w. 11* **1** *in Frankreich:* Herzogin; **2** schweres Seiden- oder Kunstseidengewebe
Ducht *w. 10* Sitzbank und Querversteifung im Ruder- und offenen Segelboot
Duck|dal|be, Dück|dal|be [frz.] *w. 11* Pfahlgruppe im Hafen zum Festmachen von Schiffen
du|cken *tr. u. refl. 1;* **Duck|mäu|ser** *m. 5* Leisetreter, sich sofort fügender Mensch; **Duck|mäu|se|rei** *w. 10 nur Ez.;* **duck|mäu|se|risch**
Duck|stein *m. 1* = Tuff (**1**)
Duc|tus [lat.] *m. Gen. - Mz. -, Med.:* Kanal, Ausführungsgang; vgl. Duktus
Du|del|dei *s. Gen.* -s *nur Ez.* drehorgelartige Musik; **Du|de|lei** *w. 10 nur Ez.;* **du|deln** *intr. 1;* ich dudele, dudle; **Du|del|sack** *m. 2* schott. Blasinstrument mit Windsack; **Du|del|sack|pfei|fer** *m. 5*
Du|e|cen|to [-tʃɛn-] *s. Gen.* -(s) *nur Ez.* = Ducento
Du|ell [lat.] *s. 1* Zweikampf (meist mit Pistolen oder Säbeln); **Du|el|lant** *m. 10* Teilnehmer an einem Duell; **du|el|lie|ren** *tr. 3;* sich d.: im Duell miteinander kämpfen
Du|eña [duɛnja, span.] *w. 9 span. Form von* Duenja; **Du|en|ja** *w. 9* **1** Herrin, Dame; **2** *veraltet:* Anstandsdame, Erzieherin; **Du|en|na** *w. 9* = Duenja
Du|e|ro [span.], Dou|ro [doru, port.] *m. Gen.* (-s) span.-port. Fluss
Du|ett [ital.] *s. 1* Musikstück für zwei Singstimmen oder zwei gleiche Instrumente; vgl. Duo; **Du|et|ti|no** *s. Gen.* -s *Mz.* -s *oder* -ni kleines Duett
duff *norddt.:* matt, glanzlos
Duf|fle|coat [dʌfəlkoʊt, engl., nach der belg. Stadt Duffel] *m. 9* dreiviertellanger Herrenmantel mit Schlingen und Knebeln zum Schließen sowie Kapuze
Du|four|kar|te [dyfur-, nach dem schweizer. General und Landvermesser G.-H. Dufour] *w. 11* topograph. Landeskarte der Schweiz
Duft *m. 2;* **Düft|chen** *s. 7*
dufte [hebr.-jidd.] *ugs.:* fein, großartig, prima
duf|ten *intr. 2* **duf|tig; Duf|tig|keit** *w. 10 nur Ez.;* **Duft|stoff** *m. 1;* **Duft|was|ser** *s. 6*
Du|gong [mal.] *m. 9 oder m. 1* Seekuh
duhn, dun *nddt.:* **1** erschöpft, erledigt; **2** betrunken
Duis|burg [dys-] Stadt in Nordrhein-Westfalen
du jour [dy ʒur, frz. »vom Tage«] *veraltet:* vom Dienst; du jour sein: Tagesdienst haben
Du|ka|ten [ital.] *m. 7* alte dt., urspr. venezian. Goldmünze
Duke [djuk, engl.] *m. 9, in England:* Herzog
Dü|ker *m. 5* Unterführung von

Wasserläufen, Rohrleitungen für Flüssigkeiten oder Gas unter Straßen, Flussbetten u. Ä.
duk|til [lat.] gut formbar, dehnbar; **Duk|ti|li|tät** *w. 10 nur Ez.;* **Duk|tus** *m. Gen. - nur Ez.* Art des Schreibens, Linienführung der Schrift
dul|den *tr. u. intr. 2;* **Dul|der** *m. 5;* **Dul|der|mie|ne** *w. 11;* **duld|sam; Duld|sam|keit** *w. 10 nur Ez.;* **Dul|dung** *w. 10 nur Ez.*
Dul|li|äh *österr.:* **1** *s. 9* Ausgelassenheit; **2** *m. 9* leichter Rausch, Schwips
Dult *w. 10, bayr.:* Jahrmarkt
Dul|zi|an *s. 1* = Dolcian
Dul|zi|nea [nach der Geliebten des Don Quijote] *w. Gen. - Mz.* -s *oder* -ne|en, *ugs. abwertend:* Geliebte, Freundin
Du|ma [russ.] *w. 9* **1** *im alten Russland urspr.:* Vertretung des Hochadels; *seit 1870:* Rat, Magistrat; **2** *1906–1917* Reichsduma: das russ. Parlament; **3** *seit 1993:* russ. Parlament
Dum|dum [nach dem ind. Herstellungsort D.] *s. 9,* **Dum|dum|ge|schoß** ► **Dum|dum|ge|schoss** *s. 1* (heute verbotenes) schwere Wunden verursachendes Stahlmantelgeschoss mit z. T. frei liegendem Bleikern
Dum|ka [ukrain.] *w. Gen. - Mz.* -ki schwermütiges slaw. Volkslied, *auch:* Instrumentalstück
dumm; Dumm|bart *m. 2,* **Dumm|bar|tel** *m. 5* Dummkopf; **dumm|dreist; Dumm|dreis|tig|keit** *w. 10 nur Ez.;* **Dum|me|jun|gen|streich** *m. 1;* der D., *Gen.* des Dum|men|jun|gen|streichs; *Mz.* die Dum|men|jun|gen|strei|che; *aber:* ein → Dummerjungenstreich; **Dum|mer|chen** *s. 7;* **Dum|mer|jan** *m. 1;* **Dum|mer|jun|gen|streich** *m. 1;* ein D., *Gen.* eines Dum|men|jun|gen|streichs; *Mz.* Dum|me|jun|gen|strei|che; **Dum|mer|le** *s. 9, süddt.;* **Dum|mer|ling** *m. 1;* **Dumm|heit** *w. 10;* **Dumm|kopf** *m. 2;* **dümm|lich; Dumm|ling, Dümm|ling** *m. 1;* **dumm|stolz**
Dum|my [dʌmi, engl.] *m. 9* **1** Schaupackung, Attrappe; **2** *Buchw.:* Blindband, leeres Exemplar eines in Vorbereitung befindlichen Buches mit Titel und einigen bedruckten Seiten als Schaustück; **3** *Boxen:* Sandsack in menschl. Form zum Training; **4** lebensgroße Puppe zu Testzwecken, Test-Dummy; **5** *Bridge:* Strohmann
Dum|per [dʌm-, engl.] *m. 5* Kippwagen
dumpf; Dumpf|heit *w. 10 nur Ez.;* **dump|fig; Dump|fig|keit** *w. 10 nur Ez.*
Dum|ping [dʌm-, engl.] *s. 9* Verkauf auf ausländ. Märkten zu Preisen die unter den Inlandspreisen liegen
dun = duhn
Dü|na *w. Gen. -* die Westliche → Dwina
Dun|ci|a|de [-tsja-, nach der satir. Dichtung »The Dunciad« von Alexander Pope] *w. 11* Spottgedicht
Du|ne *w. 11, nddt. für* Daune
Dü|ne *w. 11;* **Dü|nen|sand** *m. Gen.* -(e)s *nur Ez.*
Dung *m. Gen.* -(e)s *nur Ez.;* **Dün|ge|mit|tel** *s. 5;* **dün|gen** *tr. 1;* **Dün|ger** *m. 5;* **Dün|ger|hau|fen** *m. 7;* **Dung|gru|be** *w. 11;* **Dün|gung** *w. 10*

> **dunkel färben/gefärbt:** Die Verbindung aus Adjektiv und Verb bzw. Partizip wird getrennt geschrieben, wenn das Adjektiv steigerbar oder durch *sehr* erweiterbar ist: *Sie hat sich die Haare dunkel gefärbt.* →§ 34 E3 (3), § 36 E1 (1.2)

dun|kel; sein Haar ist dunkel, dunkel gefärbt; *aber:* etwas im Dunkeln lassen: ungewiss lassen; das liegt noch im Dunkeln: ist noch ungewiss; im Dunkeln tappen: vergeblich nachforschen, nicht Bescheid wissen; etwas im Dunkeln nicht finden können: in der Dunkelheit
Dun|kel *s. 5 nur Ez.*
Dün|kel *m. 5 nur Ez.*

> **dunkelblau:** Zusammensetzungen mit bedeutungsverstärkendem ersten Bestandteil *(dunkel-)* werden zusammengeschrieben: *dunkelblau, dunkelrot.* Ebenso: *bitterböse, grundverschieden, stockkonservativ.* →§ 36 (5)

dun|kel|blau; dun|kel|braun; dun|kel|gelb; dun|kel|grün; dun|kel|haa|rig; Dun|kel|haft *w. Gen. - nur. Ez.*
dün|kel|haft; Dün|kel|haf|tig|keit *w. 10 nur Ez.*
dun|kel|häu|tig; Dun|kel|heit *w. 10 nur Ez.;* **Dun|kel|kam|mer** *w. 11;* **Dun|kel|mann** *m. 4* Mensch mit dunkler Vergangenheit; **dun|keln** *intr. 1, nur unpersönlich;* es dunkelt; **dun|kel|rot; Dun|kel|zif|fer** *w. 11* Bezeichnung für alle Fakten, die in Statistiken nicht erfasst oder nicht zu erfassen sind; **Dun|kel|zif|fer|de|likt** *s. 1* Delikt mit hoher Dunkelziffer
dün|ken *tr. 1;* mich, mir dünkt, dass ...; *älter:* mich deucht; mich, mir dünkte es schön; *älter:* mich, mir deuchte; mich, mir hat gedünkt, *älter:* gedeucht
dünn; das Land ist dünn besiedelt; er ist dünn geworden; durch dick und dünn; sich dünn machen: möglichst wenig Platz einnehmen, *aber:* sich dünn(e) machen *ugs.:* verschwinden; **Dünn|bier** *s. 1;* **Dünn|darm** *m. 2;* **Dünn|druck** *m. 1;* **Dünn|druck|aus|ga|be** *w. 11;* **Dün|ne** *w. Gen. - nur Ez.*
dün|ne|mals *scherzhaft:* damals
dünn|flüs|sig; Dünn|flüs|sig|keit *w. 10 nur Ez.;* **Dünn|heit** *w. 10 nur Ez.;* **dünn|ma|chen** ► **dünn ma|chen,** dün|ne ma|chen *refl. 1, ugs.:* verschwinden, weggehen, weglaufen; vgl. dünn; **Dünn|pfiff** *m. 1,* **Dünn|schiß** ► **Dünn|schiss** *m. 1, vulg.:* Durchfall; **Dünn|schliff** *m. 1;* **Dün|nung** *w. 10, Jägerspr.:* Flanke (des Schalenwildes); **dünn|wan|dig**
Dunst *m. 2;* **duns|ten** *intr. 2* Dunst ausströmen; **düns|ten; 1** *intr. 2* = dunsten; **2** *tr. 2* in wenig Wasser und Fett gar machen (Gemüse); **Dunst|glo|cke** *w. 11* Ansammlung von Dunst über Städten; **duns|tig; Dunst|kreis** *m. 1*
Dü|nung *w. 10* Meeresbewegung noch nach abgeflautem Sturm
Duo [ital.] *s. 9* **1** Musikstück für zwei verschiedene Instrumente; vgl. Duett; **2** die ausführenden Musiker
du|o|de|nal [lat.] zum Duodenum gehörig, von ihm ausgehend; **Du|o|de|ni|tis** *w. Gen. - Mz.* -ti|den Zwölffingerdarmentzündung; **Du|o|de|num** *s. Gen.* -s *Mz.* -na Zwölffingerdarm
Du|o|dez [lat.] *s. 1 (Zeichen:* 12°), *kurz für* Duodezformat; **Du|o|dez|band** *m. 2* Buch in Duodezformat; **Du|o|dez|for-**

mat *s. 1* altes Buchformat in der Größe eines Zwölftelbogens; **Du|o|dez|fürst** *m. 10* Fürst eines Duodezstaates; **du|o|de|zi|mal** auf dem Duodezimalsystem beruhend, dodekadisch; **Du|o|de|zi|mal|sys|tem** *s. 1* auf der Zahl 12 beruhendes Zahlensystem, Dodekadik; **Du|o|de|zi|me** *w. 11* zwölfter Ton der diaton. Tonleiter; **Du|o|dez|staat** *m. 12* sehr kleiner Staat, Zwergstaat

Du|o|le [lat.] *w. 11, Mus.:* zwei aufeinander folgende, gleichwertige Noten, die im Taktwert von drei Noten zu spielen sind

Du|o|pol *s. 1* = Dyopol

dü|pie|ren [frz.] *tr. 3* täuschen, betrügen, zum Besten haben

> **Dupla-, Duple-, Dupli-, Duplu-** (Worttrennung): Es bleibt dem/der Schreibenden überlassen, neben der bisher üblichen Trennungsmöglichkeit (*Du|pla-, Du|ple-, Du|pli-, Du|plu-*) auch nach folgenden Sprechsilben zu trennen: *Dup|la-, Dup|le-, Dup|li-, Dup|lu-*. →§110

Du|pla *Mz.* von Duplum

Du|plet [-ple, frz.] *s. 9* aus zwei Linsen zusammengesetzte Lupe; **Du|plex...** [lat.] *in Zus.:* Doppel...; **du|plie|ren** *tr. 3* verdoppeln; **Du|plie|rung** *w. 10;* **Du|plik** *w. 10* Antwort auf eine Replik, Gegenantwort; **Du|pli|kat** *s. 1* Doppel (eines Schriftstücks), Abschrift, Durchschlag, Kopie; **Du|pli|ka|ti|on** *w. 10* Verdoppelung; **Du|pli|ka|tor** *m. 13* Vorrichtung zum Verstärken der elektr. Ladung auf einem Konduktor; **Du|pli|ka|tur** *w. 10* Verdoppelung, Doppelbildung; **du|pli|zie|ren** *tr. 3 verdoppeln;* **Du|pli|zi|tät** *w. 10* doppeltes Vorkommen oder Auftreten; D. der Fälle: fast gleichzeitiges Auftreten zweier ähnlicher Ereignisse; **Du|plum** *s. Gen.* -s *Mz.* -pla Doppel, Duplikat

Dur [lat. durus »hart«] *s. Gen.* - *nur Ez.* eins der beiden Tongeschlechter mit großer Terz im Dreiklang auf dem Grundton; vgl. Moll; das Stück ist in Dur komponiert; A-Dur

Du|ra [lat., eigtl.: Dura Mater] *w. Gen.* - *nur Ez.* die harte, äußere Hirnhaut

du|ra|bel [lat.] dauerhaft, beständig, wetterfest; **Du|ra|bi|li|tät** *w. 10 nur Ez.*

Dur|ak|kord *m. 1* Dreiklang mit großer Terz

Du|ral [lat.] *s. 1 nur Ez., österr. für* Duralumin; **Dur|al|u|min** *s. 1* sehr harte Aluminiumlegierung

Du|ra ma|ter ► **Du|ra Ma|ter** [lat.] *w. Gen.* - - *nur Ez.* = Dura

du|ra|tiv [auch: du-, lat.] dauernd; **Du|ra|tiv** *s. 1* **1** Aktionsart des Verbums, die die Dauer eines Vorgangs ausdrückt **2** = Durativum; **Du|ra|ti|vum** *s. Gen.* -s *Mz.* -va, Du|ra|tiv *s. 1* Verbum im Durativ (**1**), z. B. schlafen, wohnen, blühen

> **durch sein:** Verbindungen mit *sein* gelten nicht als Zusammensetzungen und werden getrennt geschrieben: *Der Käse könnte durch sein. Der Zug müsste schon durch sein.* →§35

durch *mit Akk.;* durch mich, durch seinen Vater; durch und durch; er ist bei mir unten durch, *ugs.:* er hat es mit mir verdorben; das ganze Jahr (hin)durch; das Fleisch muss gut durch sein

> **durchackern** (Worttrennung): Entsprechend § 108 kann das Verb folgendermaßen getrennt werden: *durch|a|ckern.* Diese Form ist aus Gründen der Lesbarkeit aber nicht zu empfehlen. Besser: *durch|ackern.*

durch|a|ckern *tr. 1, ugs.:* durcharbeiten (**2**)

durch|ar|bei|ten 1 *intr. 2* eine Zeitlang ohne Pause arbeiten; ich habe drei Stunden durchgearbeitet; **2** *tr. 2;* ein Buch d.: bis zu Ende sorgfältig lesen; **durch|ar|bei|ten** *tr. 2, selten, nur in Wendungen wie:* nach einer durcharbeiteten Nacht

durch|at|men *intr. 2*

durch|aus [auch: durç-]

durch|ba|cken *tr. 4* der Kuchen ist (nicht) durchgebacken; **durch|ba|cken** *Part. Perf.:* mit Rosinen durchbackener Kuchen

durch|bei|ßen, durch|bei|ßen 1 *tr. 8;* der Fuchs hat dem Lamm die Kehle durchgebissen, *oder:* durchbissen; **2** *refl. 8;* sie haben sich im Leben durchbeißen müssen, haben sich durchgebissen

durch|bet|teln *refl. 1;* er hat sich durchgebettelt

durch|bil|den *tr. 1;* eine gut durchgebildete Stimme, ein gut durchgebildetes Ohr; **Durch|bil|dung** *w. 10 nur Ez.*

durch|blät|tern, durch|blät|tern *tr. 1;* ich habe das Buch durchgeblättert, *oder:* durchblättert

durch|bleu|en ► **durch|bläu|en** *tr. 1* verprügeln

Durch|blick *m. 1;* **durch|bli|cken** *intr. 1;* etwas d. lassen: andeuten; ich blicke nicht durch: ich durchschaue es nicht

durch|blu|ten *tr. 2;* gut, schlecht durchblutete Gliedmaßen; **Durch|blu|tung** *w. 10 nur Ez.;* **Durch|blu|tungs|stö|rung** *w. 10*

durch|boh|ren *tr., refl. u. intr. 1;* der Holzwurm hat sich durch das Brett durchgebohrt; ich habe leider ganz durchgebohrt; **durch|boh|ren** *tr. 1;* jmdm. mit dem Dolch den Leib d.; jmdn. mit Blicken d.; **Durch|boh|rung** *w. 10.*

durch|bo|xen *tr. u. refl. 1, ugs.;* wir haben die Sache durchgeboxt: mit Energie durchgesetzt; sich im Leben d.

durch|bra|ten *tr. 18;* das Fleisch ist gut, ist nicht durchgebraten

durch|brau|sen *intr. 1;* der Zug ist (durch die Station) durchgebraust; **durch|brau|sen** *tr. 1;* der Sturm durchbraust den Wald

durch|bre|chen 1 *intr. 19;* das Brett bricht gleich durch, ist durchgebrochen; das Geschwür ist durchgebrochen; **2** *tr. 19;* ich habe die Tafel Schokolade einmal durchgebrochen; **durch|bre|chen** *tr. 19;* die Truppen haben die feindliche Front durchbrochen; durchbrochene Arbeit, Stickerei

durch|bren|nen *intr. 20;* die Sicherung ist durchgebrannt; *ugs.:* weglaufen; sie ist von zu Hause, ist ihrem Mann durchgebrannt; **Durch|bren|ner** *m. 5, ugs.:* Ausreißer

durch|brin|gen *tr. 21;* er kann seine Familie nur mit Mühe d.; er hat sein ganzes Geld durchgebracht

Durch|bruch *m. 2;* **Durch|bruchs|ar|beit** *w. 10* eine Art Stickerei

durch|den|ken *tr. 22;* ich habe

das Problem ganz durchgedacht: bis zu Ende gedacht; **durch|dẹn|ken** *tr. 22;* der Plan war nicht genügend durchdacht
dụrch|drän|gen *tr. 1;* ich habe mich, ihn bis nach vorn durchgedrängt
dụrch|dre|hen 1 *tr. 1* durch den Wolf drehen (Fleisch); **2** *intr. 1, ugs.:* die Nerven verlieren; ich fürchte, er dreht noch durch; ich war völlig durchgedreht
dụrch|drin|gen *intr. 25;* er ist mit seinem Vorschlag nicht durchgedrungen; **durch|drịn|gen** *tr. 25;* das Gebüsch d.; die Wärme durchdrang seinen Körper; er war von seiner Wichtigkeit durchdrungen; **Durch|drịn|gung** *w. 10;* friedliche D. (eines Landes)
dụrch|drü|cken *tr. 1;* mit durchgedrückten Knien dastehen; ich habe die Kartoffeln durchgedrückt; wir haben die Sache durchgedrückt *übertr.:* durchgesetzt
durch|dụf|ten *tr. 2;* das ganze Zimmer ist von den Rosen durchduftet
dụrch|ei|len *intr. 1;* ich bin durch die Ausstellung nur durchgeeilt; **durch|ei|len** *tr. 1;* er hat das Land im Auto durcheilt

> **durcheinander bringen:** Die Verbindung aus zusammengesetztem Adverb *(durcheinander)* und Verb wird getrennt geschrieben: *Er hat alles durcheinander gebracht.* Ebenso: *durcheinander laufen/reden/schreien.* →§ 34 E3 (2)

durch|ein|ạn|der; zwei verschiedene Sachen d. bringen; d. sein: verwirrt, konfus sein; ich bin ganz d.; alles d. essen oder trinken; alle liefen, redeten d.; er hat alles d. geworfen; **Durch|ein|ạn|der** *s. 5*
dụrch|es|sen *refl. 31, ugs.:* ich habe mich nach und nach durch die ganze Speisekarte durchgegessen
dụrch|ex|er|zie|ren *tr. 3;* wir haben das Pensum durchexerziert: durchgeübt; ich habe das alles schon einmal durchexerziert: durchgelebt, durchgeprobt
dụrch|fah|ren *intr. 32;* wir sind die ganze Nacht durchgefahren; der Zug ist durchgefahren, ohne zu halten; **durch|fah|ren** *tr. 32;* der Zug hatte den Tunnel bereits durchfahren als ...; **Dụrch|fahrt** *w. 10 nur Ez.;* D. verboten; wir sind auf der D.; **Dụrch|fahrts|recht** *s. 1;* **Dụrch|fahrts|stra|ße** *w. 11*
Dụrch|fall *m. 2;* **dụrch|fal|len** *intr. 33;* er ist durchgefallen: er hat die Prüfung nicht bestanden
dụrch|fech|ten *tr. 35;* wir haben die Sache durchgefochten: durchgekämpft, durchgesetzt
durch|feuch|ten *tr. 2;* meine Kleider sind vom Nebel durchfeuchtet
dụrch|fin|den *refl. 36;* ich habe mich auch ohne Stadtplan durchgefunden
dụrch|fit|zen *refl. 1, ugs.;* ich habe mich durch diese Arbeit ganz gut durchgefitzt: sie bewältigt
durch|flẹch|ten *tr. 37;* der Kranz ist mit Bändern durchflochten
dụrch|flie|gen *intr. 38;* er ist durchgeflogen *ugs.:* er hat die Prüfung nicht bestanden; **durch|flie|gen** *tr. 38;* nachdem die Rakete die Atmosphäre durchflogen hatte
dụrch|flie|ßen *intr. 40;* das Wasser ist hier durchgeflossen; **durch|flie|ßen** *tr. 40* der Bach durchfließt die Wiese; von Strom durchflossene Spule
Dụrch|flug *m. 2*
Dụrch|fluß ► **Dụrch|fluss** *m. 2*
durch|flu|ten *tr. 2;* das Zimmer ist von Sonne durchflutet
dụrch|for|men *tr. 1;* eine gut durchgeformte Plastik; **Dụrch|for|mung** *w. 10 nur Ez.*
durch|fọr|schen *tr. 1;* ich habe alle Unterlagen durchforscht; **Durch|fọr|schung** *w. 10 nur Ez.*
durch|fọrs|ten *tr. 2;* Wald d.: ausholzen, kranke oder dürre Bäume daraus entfernen; **Durch|fọrs|tung** *w. 10 nur Ez.*
dụrch|fra|gen *refl. 1, ugs.;* ich habe mich bis hierher durchgefragt
dụrch|fres|sen *refl. 41;* der Rost hat die Eisenstange durchgefressen; sich bei anderen Leuten d. *ugs.;* **durch|frẹs|sen** *tr. 41;* von Rost durchfressenes Eisen
dụrch|frie|ren *intr. 42;* der Teich ist durchgefroren: bis auf den Grund gefroren; ich bin völlig durchgefroren, *oder:* durchfroren
Dụrch|fuhr *w. 10* Warenbeförderung von einem Staat zum andern durch einen dritten hindurch, Transit
dụrch|führ|bar; Dụrch|führ|bar|keit *w. 10 nur Ez.;* **dụrch|füh|ren** *tr. 1;* ich habe die Untersuchung durchgeführt
Dụrch|fuhr|er|laub|nis *w. 1;*
Dụrch|fuhr|han|del *m. Gen.* -s *nur Ez.*
Dụrch|füh|rung *w. 10;* **Dụrch|füh|rungs|be|stim|mung** *w. 10*
Dụrch|fuhr|zoll *m. 2*
durch|fụr|chen *tr. 1;* von Falten durchfurchte Stirn
dụrch|füt|tern *tr. 1;* wir haben das Kind mit durchgefüttert: unentgeltlich mit ernährt
Dụrch|gang *m. 2;* **Dụrch|gän|ger** *m. 5* **1** jmd., der durchgegangen ist, Ausreißer; **2** Pferd, das häufig durchgeht; **dụrch|gän|gig** allgemein; das wird d. so gehandhabt; **Dụrch|gangs|bahn|hof** *m. 2* Bahnhof mit durchgehenden Gleisen; *Ggs.:* Sack-, Kopfbahnhof; **Dụrch|gangs|stra|ße** *w. 11;* **Dụrch|gangs|ver|kehr** *m. 1 nur Ez.*
dụrch|ge|ben *tr. 45;* eine Nachricht telefonisch d.
dụrch|ge|hen *intr. 47;* ich bin durch die Ausstellung nur rasch durchgegangen; das Pferd ist durchgegangen; **dụrch|ge|hend;** das Geschäft ist d. geöffnet; **dụrch|ge|hends** *österr.:* überall, immer
durch|geis|tigt von Geist geprägt, erfüllt (Gesicht)
dụrch|ge|näht ohne Quernaht in der Taille (Kleid)
dụrch|glü|hen 1 *tr. 1;* Eisen d.: ganz zum Glühen bringen; **2** *intr. 1* die Kohlen sind durchgeglüht: ganz glühend geworden; **durch|glü|hen** *tr. 1;* von Leidenschaft durchglüht
dụrch|grei|fen *intr. 59;* ich habe einfach durch das Gitter gegriffen; er hat energisch durchgegriffen
dụrch|ha|cken *tr. 1;* ich habe den Ast durchgehackt
dụrch|hal|ten *intr. 61;* er hat bis zuletzt durchgehalten; **Dụrch|hal|te|pa|ro|le** *w. 11*
dụrch|hän|gen *intr. 62*
Dụrch|hau *m. 1;* **dụrch|hau|en** *tr. 63;* er hat den Ast durchgehauen; er hat den Jungen

durchgehauen: verhauen, verprügelt; **durch|hau|en** *tr. 63;* er hat den gordischen Knoten durchhauen

Durch|haus *s. 4, österr.:* Haus mit öffentl. Durchgang

durch|he|cheln *tr. 1* **1** wir haben den Flachs durchgehechelt (mit der Hechel); **2** wir haben alle Bekannten durchgehechelt *übertr.:* über alle geredet

durch|hei|zen *intr. u. tr. 1;* wir haben (den Ofen) durchgeheizt: über Nacht geheizt, ohne das Feuer ausgehen zu lassen; **durch|hei|zen** *tr. 1;* ein gut durchheizter Raum

Durch|hieb *m. 1*

durch|hun|gern *refl. 1;* wir haben uns (durch den Krieg) durchgehungert

durch|käl|ten *tr. u. intr. 2;* bis in die Fingerspitzen durchkältet

durch|käm|men *tr. 1;* ich habe ihr das Haar durchgekämmt; sie haben den ganzen Zug durchgekämmt, um die Flüchtlinge zu finden

durch|kämp|fen **1** *tr. 1;* wir haben die Sache durchgekämpft; **2** *refl. 1;* ich habe mich schließlich bis zum Kommandanten durchgekämpft

durch|kau|en *tr. 1;* Nahrung gründlich d.; wir haben die Lektion dreimal durchgekaut *übertr.:* gründlich besprochen

durch|klet|tern *intr. 1;* er ist durchgeklettert; **durch|klet|tern** *tr. 1, Bergsteigen:* er hat den Kamin durchklettert

durch|kne|ten *tr. 2;* ich habe den Teig gut durchgeknetet

durch|kom|men *intr. 71;* der Kranke ist durchgekommen; er ist gerade noch durchgekommen (bei der Prüfung)

durch|kom|po|nie|ren *tr. 3;* durchkomponierte Oper: durchgehend vertonte Oper, ohne gesprochenen Text

durch|kreu|zen *tr. 1;* ich habe drei Seiten durchgekreuzt: mit einem Kreuz durchgestrichen; **durch|kreu|zen** *tr. 1;* er hat meine Pläne durchkreuzt: zunichte gemacht; **Durch|kreu|zung** *w. 10 nur Ez.*

durch|krie|chen *intr. 73;* er ist unter dem Geländer durchgekrochen; **durch|krie|chen** *tr. 73;* nachdem er den unterirdischen Gang durchkrochen hatte

durch|krie|gen *tr. 1, ugs.:* durchsetzen; sie haben das Gesetz durchgekriegt

durch|la|den *tr. 74;* er hat die Pistole durchgeladen

Durch|laß ► **Durch|lass** *m. 2* enger Durchgang; **durch|lassen** *tr. 75;* sie haben ihn an der Grenze nicht durchgelassen; **durch|läs|sig; Durch|läs|sigkeit** *w. 10 nur Ez.*

Durch|laucht [auch: durç-] *w. Gen. - nur Ez.* Titel und Anrede für einen Fürsten; Euer, Seine D.; **durch|lauch|tig, durch|lauch|tigst;** durchlauchtig(st)er Herr!

Durch|lauf *m. 2;* **durch|lau|fen** **1** *intr. 76;* der Kaffee ist noch nicht durchgelaufen; **2** *tr. 76;* ich habe mir die Schuhsohlen durchgelaufen; **durch|lau|fen** *tr. 76;* er hat die Universität durchlaufen; es durchlief mich eiskalt; **Durch|lauf|er|hit|zer, Durch|lauf-Was|ser|er|hit|zer** *m. 5* ein Heißwasserbereiter, bei dem das Wasser während des Durchlaufens erhitzt wird

durch|le|ben, durch|le|ben *tr. 1;* ich habe das alles bis zum bitteren Ende durchgelebt; ich habe das schon einmal durchlebt

durch|le|sen *tr. 79;* ich habe das Buch ganz durchgelesen

durch|leuch|ten *intr. 2;* das Licht leuchtet durch (durch die Jalousien); **durch|leuch|ten** *tr. 2;* Eier d.; jmdn. d.: mittels Röntgenstrahlen untersuchen; **Durch|leuch|tung** *w. 10*

durch|lie|gen *tr. 80;* die Matratze ist durchgelegen; der Kranke hat sich durchgelegen: wundgelegen

durch|lo|chen *tr. 1;* durchlochte Fahrscheine; **durch|lö|chern** *tr. 1;* der Strumpf ist völlig durchlöchert

durch|lüf|ten *tr. 2;* ich habe das Zimmer gründlich durchgelüftet; **durch|lüf|ten** *tr. 2;* gut durchlüftetes Zimmer: luftiges Zimmer; **Durch|lüf|tung** *w. 10 nur Ez.*

durch|ma|chen *tr. 1;* er hat schwere Zeiten durchgemacht

Durch|marsch *m. 2, auch ugs. scherzh.:* Durchfall; **durch|marschie|ren** *intr. 3*

durch|mes|sen *tr. 84;* ich habe alle Stücke sorgfältig durchgemessen; **durch|mes|sen** *tr. 84;* er durchmaß den Saal mit großen Schritten, hat ihn durchmessen; **Durch|mes|ser** *m. 5* (*Zeichen: d* oder ∅)

durch|mus|tern *tr. 1;* ich habe die Waren durchgemustert

durch|näs|sen *tr. 1;* ich bin völlig durchnässt

durch|neh|men *tr. 88;* wir haben heute die zweite Lektion durchgenommen

durch|nu|me|rie|ren ► **durch|num|me|rie|ren** *tr. 3;* **Durch|nu|me|rie|rung** ► **Durch|num|me|rie|rung** *w. 10 nur Ez.*

durch|ör|tern *tr. 1;* ein Gebiet d. *Bergbau:* in einem Gebiet Örter, Grubenbaue anlegen; das Gebiet ist durchörtert

durch|pau|sen *tr. 1;* ich habe das Bild durchgepaust

durch|peit|schen *tr. 1;* das Gesetz wurde durchgepeitscht *übertr.:* gegen Widerstand durchgesetzt

durch|pres|sen *tr. 1;* ich habe die Kartoffeln durchgepresst (durchs Sieb)

durch|pro|ben *tr. 1;* wir haben jede Szene einmal durchgeprobt

durch|prü|fen *tr. 1;* ich habe die Sache genau durchgeprüft; **Durch|prü|fung** *w. 10*

durch|prü|geln *tr. 1;* er hat den Jungen durchgeprügelt

durch|pul|sen *tr. 1;* eine von lebhaftem Verkehr durchpulste Stadt

durch|que|ren *tr. 1;* nachdem wir den Wald durchquert hatten; **Durch|que|rung** *w. 10*

durch|ra|sen *intr. 1;* er ist durch die Ausstellung einmal durchgerast

durch|ras|seln *intr. 1, ugs.;* er ist (durch die Prüfung) durchgerasselt

durch|rech|nen *tr. 2;* ich habe die Sache durchgerechnet

durch|reg|nen *intr. 1;* es hat durchgeregnet (durchs Dach)

Durch|rei|che *w. 11* kleines Fenster zwischen Küche und Speiseraum; **durch|rei|chen** *tr. 1;* sie hat mir die Speisen durchgereicht

Durch|rei|se *w. 11;* wir sind auf der D.; **Durch|rei|se|er|laub|nis** *w. 1;* **durch|rei|sen** *intr. 1;* wir sind nur durchgereist (ohne Aufenthalt); **durch|rei|sen** *tr. 1;* er hat viele Länder durchreist; **Durch|rei|sen|de(r)** *m. 18 (17) bzw. w. 17 oder 18;* **Durch|rei|se|vi|sum** *s. Gen. -s Mz. -sa*

durch|rei|ßen *tr. u. intr. 96;* ich habe das Blatt zweimal durchgerissen; das Tragseil riss durch **durch|rei|ten** *intr. 97;* wir sind die Strecke in einem Zuge durchgeritten; **durch|rei|ten** *tr. 97;* nachdem er den Wald durchritten hatte
durch|rie|seln *intr. 1;* der Regen, der Sand ist durchgerieselt; **durch|rie|seln** *tr. 1;* es durchrieselte mich heiß, kalt; es hat mich durchrieselt
durch|rin|gen *refl. 100;* ich habe mich zu dem Entschluss durchgerungen
durch|ros|ten *intr. 2;* die Stange ist fast durchgerostet
durch|ru|fen *intr. 102;* ich habe soeben durchgerufen *ugs.:* ich habe eben telefonisch Bescheid gesagt
durch|rüh|ren *tr. 1;* ich habe den Teig gründlich durchgerührt; ich habe die Beeren durchgerührt (durchs Sieb)
durch|rüt|teln *tr. 1;* wir sind tüchtig durchgerüttelt worden
durchs *mit Akk.:* durch das, durchs Zimmer gehen; durchs Examen fallen
Durch|sa|ge *w. 11;* **durch|sa|gen** *tr. 1;* ich habe die Meldung sofort durchgesagt
durch|sä|gen *tr. 1;* ich habe das Brett ganz durchgesägt
Durch|satz *m. 2* die in einer bestimmten Zeit durch eine Industrieanlage (Hochofen o. Ä.) geleitete Menge eines Materials
durch|säu|ern *tr. 1;* der Teig ist genügend durchsäuert
durch|sau|fen *intr. 3, ugs.;* sie haben die ganze Nacht durchgesoffen
durch|schal|ten *tr. 2;* wir haben den Telefonanschluss gestern durchgeschaltet
durch|schau|en *intr. 1;* hast du schon durchgeschaut? (durchs Fernrohr); **durch|schau|en** *tr. 1;* ich habe ihn, habe die Sache sofort durchschaut
durch|schei|nen *intr. 108;* durchscheinendes Papier: fast durchsichtiges Papier; das Licht scheint durch, hat durchgeschienen (durch die Fensterläden)
durch|scheu|ern *tr. 1;* er hat die Jacke an den Ärmeln durchgescheuert
durch|schie|ßen *intr. 113;* er hat durchgeschossen (durchs Fenster); **durch|schie|ßen** *tr. 113;* der Hut ist zweimal durchschossen; durchschossenes Exemplar *Buchw.:* Buch mit unbedruckten Blättern zwischen den Seiten (für Korrekturen)
durch|schim|mern *intr. 1;* das Licht hat durchgeschimmert
durch|schla|fen *intr. 115;* ich habe bis fünf Uhr durchgeschlafen; **durch|schla|fen** *tr. 115;* nach einer gut durchschlafenen Nacht
Durch|schlag *m. 2;* **durch|schla|gen 1** *tr. 116* durch ein Sieb rühren (Soße); **2** *intr. 116;* die Farbe hat durchgeschlagen: ist auf der Rückseite sichtbar geworden; ein durchschlagender Erfolg *übertr.:* ein großer Erfolg; **durch|schla|gen** *tr. 116;* das Geschoss hat die Tür durchschlagen; **durch|schlä|gig; Durch|schlag|pa|pier** *s. 1;* **Durch|schlags|kraft** *w. 2 nur Ez.*
durch|schlän|geln *refl. 1;* ich schlängele, schlängle mich durch, habe mich durchgeschlängelt
durch|schlei|chen *refl. 117;* er hat sich durchgeschlichen
durch|schleu|sen *tr. 1;* das Schiff wurde durchgeschleust (durch die Schleuse); sie haben ihn durchgeschleust *übertr. ugs.:* heimlich durch die Kontrolle gebracht
Durch|schlupf *m. 1;* **durch|schlüp|fen** *intr. 1;* er ist unbemerkt mit durchgeschlüpft
durch|schme|cken *tr. 1;* man hat den Zimt zu sehr durchgeschmeckt
durch|schmel|zen *intr. 123;* die Sicherung ist durchgeschmolzen
durch|schmug|geln *tr. 1;* sie haben ihn durchgeschmuggelt
durch|schnei|den *tr. 125;* ich habe den Faden durchgeschnitten; **durch|schnei|den** *tr. 125;* das Schiff durchschneidet die Wellen; von einem Bach durchschnittenes Feld; **Durch|schnitt** *m. 1;* im D.: er ist guter D.; **durch|schnitt|lich; Durch|schnitt|lich|keit** *w. 10 nur Ez.;* **Durch|schnitts|al|ter** *s. 5 nur Ez.;* **Durch|schnitts|ge|schwin|dig|keit** *w. 10;* **Durch|schnitts|mensch** *m. 10;* **Durch|schnitts|tem|pe|ra|tur** *w. 10*
Durch|schrei|be|block *m. 9;* **Durch|schrei|be|buch|füh|rung** *w. 10 nur Ez.;* **durch|schrei|ben** *tr. 127* beim Schreiben auf besonderem Papier eine Zweitschrift herstellen
durch|schrei|ten *tr. 129;* er hat den Raum durchschritten
Durch|schrift *w. 10*
Durch|schuß ▶ **Durch|schuss 1** *m. 2* Schuss, der durch den Körper hindurchgegangen ist; **2** *nur Ez., Druckerei:* Zwischenraum zwischen den Zeilen
durch|schüt|teln *tr. 1;* wir wurden im Wagen durchgeschüttelt
durch|schwär|men *tr. 1;* durchschwärmte Nächte
durch|schwim|men *intr. 132;* er ist durchgeschwommen (durch den See); **durch|schwim|men** *tr. 132;* sie hat den Kanal durchschwommen
durch|schwin|deln *refl. 1;* er hat sich immer durchgeschwindelt
durch|schwit|zen *tr. 1;* er hat sein Hemd durchgeschwitzt
durch|se|geln *intr. 1;* sie sind (unter der Brücke) durchgesegelt; er ist (bei der Prüfung) durchgesegelt *ugs.:* durchgefallen; **durch|se|geln** *tr. 1;* er hat alle Ozeane durchsegelt
durch|se|hen 1 *intr. 136;* ich habe auch durchgesehen (durchs Fernrohr); **2** *tr. 136;* ich habe seine Arbeit durchgesehen
durch|sei|hen *tr. 1;* ich habe die Milch durchgeseiht
durch|set|zen *tr. 1;* er hat es durchgesetzt, dass ...; **durch|set|zen** *tr. 1;* der Kuchen ist mit Rosinen durchsetzt
Durch|sicht *w. 10 nur Ez.;* **durch|sich|tig; Durch|sich|tig|keit** *w. 10 nur Ez.*
durch|si|ckern *intr. 1;* das Wasser ist durchgesickert; es ist durchgesickert, dass... *übertr.:* allmählich bekannt geworden
durch|sie|ben *tr. 1;* ich habe den Sand durchgesiebt
durch|sin|gen *tr. 140;* wir haben das Lied x-mal durchgesungen
durch|sit|zen *tr. 143;* er hat die Hose, den Sessel durchgesessen
durch|spie|len *tr. 1;* wir haben die Szene einmal durchgespielt
durch|spre|chen *tr. 146;* wir haben die Sache gründlich durchgesprochen
durch|star|ten *intr. 2, Flugwe-*

sen: nach missglücktem Landeversuch die Geschwindigkeit wieder beschleunigen u. Höhe gewinnen
durch|ste|chen *intr. 149;* ich habe ganz durchgestochen (durch den Stoff); **durch|ste|chen** *tr. 149;* der Arzt hat ihm das Trommelfell durchstochen
durch|ste|hen, durch|ste|hen *tr. 151;* er hat alle Schwierigkeiten, Prüfungen durchgestanden, *auch:* durchstanden
durch|stei|gen *intr. 153;* er ist durchgestiegen (durchs Fenster); *ugs.:* da steige ich nicht durch: das verstehe ich nicht; **durch|stei|gen** *tr. 153, Bergsteigen:* er hat den Kamin durchstiegen
Durch|stich *m. 1*
durch|stö|bern *tr. 1;* ich habe alle Winkel durchstöbert
Durch|stoß *m. 2;* **durch|sto|ßen** *intr. 157;* die Truppen sind bis zu dem Wald durchgestoßen; **durch|sto|ßen** *tr. 157;* sie haben die feindl. Front durchstoßen
durch|strei|chen *tr. 158;* ich habe das Wort durchgestrichen
durch|strei|fen *tr. 1;* er hat die Wälder durchstreift
durch|strö|men *intr. 1;* das Wasser ist hier durchgeströmt; **durch|strö|men** *tr. 1;* der Fluss durchströmt das Land; heiße Freude hat mich durchströmt
durch|su|chen *tr. 1;* ich habe alles durchgesucht; **durch|su|chen** *tr. 1;* wir wurden nach Waffen durchsucht; **Durch|su|chung** *w. 10*
durch|tan|zen *intr. 1;* sie hat ihre Schuhe durchgetanzt; **durch|tan|zen** *tr. 1;* durchtanzte Nächte
durch|trän|ken *tr. 1;* von Wasser, Blut durchtränkte Kleider
durch|tren|nen, durch|tren|nen *tr. 1;* der Arzt hat die Sehne durchgetrennt, *oder:* durchtrennt; **Durch|tren|nung** *w. 10*
durch|trie|ben gerissen, raffiniert; **Durch|trie|ben|heit** *w. 10 nur Ez.*
durch|wa|chen *tr. 1;* durchwachte Nächte
durch|wach|sen *intr. 172;* der Baum ist oben (durch die Ruine) durchgewachsen; **durch|wach|sen** durchsetzt (von Fett, Knorpeln u. Ä.); durchwachsenes Fleisch
Durch|wahl *w. 10* Wahl der Telefonnummer ohne Vermittlung des Fernsprechamts; jetzt ist D. nach Japan möglich; **durch|wäh|len** *intr. 1*
durch|wal|ken *tr. 1, übertr. ugs.:* verhauen; ich habe den Jungen durchgewalkt
durch|wan|dern *tr. 1;* wir haben das Land durchwandert
durch|wär|men *tr. 1;* ich habe mich, das Bett durchgewärmt; **durch|wär|men** *tr. 1;* der Kaffee hat mich durchwärmt
durch|wa|schen *tr. 174, ugs.;* ich habe das Kleid rasch durchgewaschen
durch|wa|ten *intr. 2;* ich bin durchgewatet (durch den Bach); **durch|wa|ten** *tr. 1;* ich habe den Bach durchwatet
durch|we|ben *tr. 1;* der Stoff ist durchgewebt: das Muster erscheint auf beiden Seiten; **durch|we|ben** *tr. 1;* mit Goldfäden durchwebter Stoff
durch|weg; durch|wegs *österr.*
durch|wei|chen *intr. 1;* das Papier ist durchgeweicht; **durch|wei|chen** *tr. 1;* der Regen hat das Papier durchweicht
durch|wet|zen *tr. 1* durchscheuern
durch|win|den *refl. 183;* ich habe mich durchgewunden (durch das Gitter); **durch|win|den** *tr. 183;* von Bändern durchwundene Kränze
durch|win|tern *tr. 1;* durchwinterte Pflanzen; **Durch|win|te|rung** *w. 10 nur Ez.*
durch|wir|ken *tr. 1;* mit Goldfäden durchwirkter Stoff
durch|wi|schen, durch|wit|schen *intr. 1, ugs.:* entwischen; er ist mir durchgewischt, durchgewitscht
durch|wüh|len *refl. 1;* der Maulwurf hat sich durchgewühlt; **durch|wüh|len** *tr. 1;* er hat das gesamte Gepäck durchwühlt
durch|wurs|teln *refl. 1, ugs.:* mit Mühe eine Arbeit bewältigen; ich habe mich durchgewurstelt
durch|zäh|len *tr. u. intr. 1;* ich habe die Gruppen durchgezählt; durchzählen! (militär. Kommando); **Durch|zäh|lung** *w. 10*
durch|ze|chen *intr. 1;* sie haben bis morgens durchgezecht; **durch|ze|chen** *tr. 1;* durchzechte Nächte
durch|zeich|nen *tr. 2* **1** durchpausen; **2** die Gestalt ist gut durchgezeichnet: in allen Einzelheiten gut gezeichnet, gut geschildert
durch|zie|hen 1 *intr. 187;* die Truppen, die Vögel sind durchgezogen; **2** *tr. 187;* ich habe den Strick durchgezogen (durch die Öffnung); **durch|zie|hen** *tr. 187;* ein süßer Duft durchzieht die Räume; **Durch|zie|her** *m. 5* ein Fechthieb
durch|zu|cken *tr. 1;* der Schmerz hat mich durchzuckt
Durch|zug *m. 2;* **Durch|züg|ler** *m. 5;* **Durch|zugs|ar|beit** *w. 10* eine Handarbeit
durch|zwän|gen *tr. 1;* er hat den Kopf, hat sich durchgezwängt
dür|fen *intr. 26;* ich habe nicht gedurft; *aber:* er hätte nicht weggehen dürfen; das dürfte genug sein
dürf|tig; Dürf|tig|keit *w. 10*
Du|ri|ne *w. 11* = Dourine
dürr; *schweiz. auch:* geräuchert
Dur|ra [arab.] *m. Gen. - nur Ez.* = Mohrenhirse
Dür|re *w. 11*
Dürr|erz *s. 1* metallarmes Erz
Durst *m. Gen.* -(e)s *nur Ez.;* **durs|ten** *intr. 2;* **dürs|ten** *tr. u. intr. 2;* er dürstet, es dürstet ihn, *oder:* ihn dürstet nach Rache; **durs|tig; durst|lö|schend; Durst|stre|cke** *w. 11, übertr.:* entbehrungsreiche Zeit
Dur-Ton|art *w. 10;* **Dur-Ton|lei|ter** *w. 11*
Dusch|bad *s. 4;* **Du|sche** [lat.-frz.] *w. 11;* **du|schen** *intr. 1*
Dü|se *w. 11;* **dü|sen** *intr. 1, ugs.:* eilig laufen oder fahren
Du|sel *m. Gen.* -s *nur Ez.; ugs.:* **1** Glück; D. haben; **2** Rausch; im D.; **Du|se|lei** *w. 10;* **du|se|lig,** dus|lig; **du|seln** *intr. 1* schlummern, im Halbschlaf sein
Dü|sen|an|trieb *m. 1;* **Dü|sen|flug|zeug** *s. 1*
dus|lig, du|se|lig
Dus|sel *m. 5, ugs.*
Dus|se|lei *w. 10;* **dus|se|lig,** duss|lig; **Dus|se|lig|keit,** Duss|lig|keit *w. 10 nur Ez.;* **Dus|sel|tier** *s. 1, ugs.:* Dummkopf
Dust *m. 1 nur Ez., nddt.:* Dunst, Staub
dus|ter *ugs.;* **düs|ter; Düs|ter|heit, Düs|ter|keit** *w. 10 nur Ez.;* **düs|tern** *intr. 1, poet.;* **Dus|ter|nis** *w. 1 nur Ez., ugs.;* **Düs|ter|nis** *w. 1 nur Ez.*

Dutch|man [dʌtʃmən, engl.] *m. Gen.*-s *Mz.*-men [-mən] **1** *engl. Bez. für* Niederländer; **2** *Schimpfwort englischsprechender Matrosen für* deutscher Matrose
Dutt *m. 1, ugs.:* Haarknoten
Dut|te *w. 11, österr.:* **1** Zitze; **2** Säuglingsflasche
Du|ty-free-Shop *Nv.* ▶ **Du|ty-free|shop** *Hv.* [dju:tɪfriʃɔp, engl.] *m. 9* Laden für zollfreie Waren, z. B. auf Flughäfen

> **Dutzende/dutzende:** Das Zahlsubstantiv wird großgeschrieben: *Er kaufte ein Dutzend.* →§55 (5)
> Werden die Kardinalzahlen *dutzend* bzw. *hundert* und *tausend* als Zahlsubstantive verstanden, können sie mit großem oder kleinem Anfangsbuchstaben geschrieben werden: *Der Stoff wird in einigen Dutzend/dutzend Farben angeboten. Der Stoff wird in Dutzenden/dutzenden Farben angeboten.* →§58 E5

Dut|zend [frz.] *s. 1, nach Zahlenangaben Mz.*- (*Abk.:* Dtzd.) zwölf Stück; **dut|zen|de|mal,** *aber:* dutzende, Dutzende Male; **dut|zend|fach; dut|zend|mal,** *aber:* viele dutzend, Dutzend Male; **Dut|zend|mensch** *m. 10;* **Dut|zend|wa|re** *w. 11* billige Ware; **dut|zend|wei|se**
Du|um|vir [lat.] *m. 11* Angehöriger des Duumvirats: **Du|um|vi|rat** *s. 1, im alten Rom:* aus zwei Beamten bestehende Behörde
Dux [lat. »Führer«] *m. Gen.* - *Mz.* Du|ces **1** *im alten Rom:* Truppenführer; **2** *Mus.:* erstes Thema der Fuge auf der Grundstufe; vgl. Comes
Duz|bru|der *m. 6;* **du|zen** *tr. 1;* sich d.: du zueinander sagen; **Duz|freund** *m. 1;* **Duz|fuß** *m., nur in der Wendung:* (mit jmdm.) auf dem Duzfuß stehen
Dvo|řák, *Anton(in)* [dvɔrʒa:k] tschechischer Komponist (1841 bis 1904)
dwars *nddt.:* quer; **Dwars|see** *w. 11, Seew.:* Wellenbewegung von der Seite; **Dwars|wind** *m. 1, Seew.:* Seitenwind
Dwi|na *w. Gen.*- Fluss in Russland; Nördliche D.; Westliche D. = Düna
dwt. *Abk. für* Pennyweight
Dy *chem. Zeichen für* Dysprosium
Dy|a|de [griech.] *w. 11, Vektorrechnung:* zwei zusammengefasste Einheiten; **Dy|a|dik** *w. 10 nur Ez.* = Dualsystem; **dy|a|disch 1** auf der Dyadik beruhend; **2** zur Dyas gehörig, aus ihr stammend; **Dy|as** *w. Gen.* - *nur Ez., veraltet für* Perm
Dyn [griech.] *s. Gen.*-s *Mz.*- (*Zeichen:* dyn) Maßeinheit der Kraft, *heute meist* Newton; **Dy|na|mik** *w. Gen.*- *nur Ez.* **1** *Phys.:* Lehre von der Bewegung von Körpern unter dem Einfluss von Kräften; *Ggs.:* Statik; **2** lebendige Bewegtheit, Schwung; **dy|na|misch 1** auf Dynamik beruhend, zur Dynamik gehörend; *Ggs.:* statisch (**1**); **2** lebendig bewegt, schwungvoll; *Ggs.:* statisch (**2**); wach und aufgeschlossen, beweglich und anpassungsfähig; **dy|na|mi|sie|ren** *tr. 3* dynamisch gestalten; **Dy|na|mis|mus** *m. Gen. - nur Ez.* **1** Lehre, dass alles Sein auf der Wirkung von Kräften beruht; **2** *bei Naturvölkern:* Glaube, dass manche Menschen übernatürliche Kräfte besitzen; **dy|na|mis|tisch; Dy|na|mit** *s. 1 nur Ez.* ein Sprengstoff; **Dy|na|mo** *m. 9, Kurzw. für* **Dy|na|mo|ma|schi|ne** *w. 11* Maschine zum Erzeugen von Strom; **Dy|na|mo|me|ter** *s. 5* Gerät zum Messen von Kräften und mechanischer Leistung
Dy|nast [griech.] *m. 10* regierender Angehöriger einer Dynastie, Herrscher, Fürst; **Dy|nas|tie** *w. 11* Herrscherhaus, -familie; **dy|nas|tisch**
Dy|o|pol [griech.], Du|o|pol [lat. + griech.] *s. 1* Marktform, in der zwei etwa gleich starke Unternehmen den Markt des gleichen Wirtschaftsgutes beherrschen
dys..., Dys... [griech.] *in Zus.:* schlecht, miss..., krankhaft
Dys|äs|the|sie [griech.] *w. 11* Unempfindlichkeit, Stumpfheit (der Sinne)
Dys|ba|sie [griech.] *w. 11* Gehstörung
Dys|bu|lie [griech.] *w. 11* krankhafte Willensschwäche
Dys|en|te|rie [griech.] *w. 11* Ruhr; **dys|en|te|risch** ruhrartig
Dys|er|gie [griech.] *w. 11* verminderte Widerstandskraft, Krankheitsbereitschaft
Dys|funk|ti|on [griech. + lat.] *w. 11* Organfunktionsstörung
Dys|ko|lie [griech.] *w. 11* Verdrießlichkeit, Unzufriedenheit
Dys|kra|nie [griech.] *w. 11* Missbildung des Schädels
Dys|kra|sie [griech.] *w. 11* fehlerhafte Zusammensetzung (der Körperflüssigkeiten, bes. des Blutes)
Dys|me|lie [griech.] *w. 11* angeborene Missbildung (von Gliedmaßen)
Dys|me|nor|rhö [griech.] *w. 10* gesteigerte Schmerzhaftigkeit der Menstruation
Dys|pep|sie [griech.] *w. 11* Verdauungsstörung; **dys|pep|tisch 1** auf Dyspepsie beruhend, schwer verdauend; **2** schwer verdaulich
Dys|pha|gie [griech.] *w. 11* Störung des Schluckvorgangs
Dys|pha|sie [griech.] *w. 11* Sprechstörung, Unfähigkeit, die den Vorstellungen und Dingen entsprechenden Wörter zu finden
Dys|pho|rie [griech.] *w. 11* Übellaunigkeit, Gereiztheit, Verstimmung; *Ggs.:* Euphorie
Dys|phre|nie [griech.] *w. 11* seelische Störung
Dys|pla|sie [griech.] *w. 11* körperl. Missbildung, Fehlentwicklung; **dys|plas|tisch**; dysplastischer Typ: von der Norm abweichender Körperbautyp
Dys|pnoe [-noe:, griech.] *m. Gen.- nur Ez.* Atemstörung, bes. Kurzatmigkeit; *Ggs.:* Eupnoe
Dys|pro|si|um [griech.] *s. Gen.* -s *nur Ez.* (*Zeichen:* Dy) chem. Element, ein Metall
Dys|te|le|o|lo|gie [griech.] *w. 11 nur Ez.* philos. Lehre von der Zweckwidrigkeit in der Natur; *Ggs.:* Teleologie
Dys|to|nie [griech.] *w. 11* Störung des normalen Spannungszustandes (von Muskeln, Gefäßen, Nerven)
dys|troph [griech.] auf Dystrophie beruhend; **Dys|tro|phie** *w. 11* Ernährungsstörung (von Muskeln, Organen u. a.)
Dys|u|rie [griech.] *w. 11* Störung der Harnblasenentleerung
Dys|ze|pha|lie [griech.] *w. 11* krankhafte Verformung des Schädels
dz *Abk. für* Doppelzentner
dz., dzt. *Abk. für* derzeit
D-Zug *m. 2 Kurzw. für* Durchgangszug; bis 1988, *heute:* Interregio

E

e 1 *Zeichen für* Elektron; **2** *Zeichen für* Elementarladung; **3** *Zeichen für* die Zahl 2,71828… (Basis der natürl. Logarithmen); **4** *Abk. für* e-Moll

ε *Zeichen für* Dielektrizitätskonstante

e⁺ *Zeichen für* Positron; **e⁻** *früher Zeichen für* Elektron

E 1 *Abk. für* E-Dur; **2** *Meteor.: Abk. für* East (engl.), Est (frz., span.; Ost); **3** Kfz-Länderkennzeichen für Spanien (España)

E 605 *Bez. für* ein giftiges Pflanzenschutzmittel

Eagle [igl, engl. »Adler«] *m. 9* Goldmünze in den USA, 10 Dollar

Earl [əl, engl.] *m. 9, engl. Bez. für* Graf

Ear|ly-Bird [əlibəd, engl.] *m. 9* Anreiz für den Empfänger einer Werbebotschaft (z. B. Geschenk, zeitlich befristeter Preisnachlass), seine Bestellung möglichst schnell abzusenden

East [ist, engl.] (*Abk.:* E) *Meteor.:* Ost(en)

Ea|sy|ri|der [isiraɪdər, engl.] *m. 5* Motorrad mit hohem Lenker und Rückenlehne

Eau de Co|lo|gne [o:dəkolɔnjə, frz.] *s. Gen. - - - nur Ez.* Kölnisch Wasser, ein Duftwasser; **Eau de toi|let|te** [o:dətoalɛt] *s. Gen. - - - Mz.-x- -* [o:] ein Duftwasser; **Eau de vie** [o:dəvi, frz.] *s. Gen. - - - nur Ez., frz. Bez. für* Weinbrand

Eb|be *w. 11; Ggs.:* Flut

ebd. *Abk. für* ebenda

e|ben 1 flach; eben sein, eben machen; **2** soeben; der eben erwähnte, eben genannte Vorfall; **3** gerade; eben!; das ist es ja eben!

E|ben|bild *s. 3*

> **eben-:** Gefüge mit *eben-* werden zusammengeschrieben: *ebenda, ebenderselbe, ebendas, ebendeshalb, ebendeswegen, ebendie, ebendieser, ebendort* usw. →§ 39 (1)

e|ben|bür|tig; E|ben|bür|tig|keit *w. 10 nur Ez.*

e|ben|da (*Abk.:* ebd., bei Zitaten); **e|ben|da|her** [auch: -da-]; **e|ben|da|hin** [auch: -da]; **e|ben|da|rum** *auch:* **-da|rum; e|ben|das; e|ben|das|sel|be; e|ben|der; e|ben|der|sel|be; e|ben|des|halb** [auch: -halb]; **e|ben|des|we|gen** [auch: -we-]; **e|ben|die; e|ben|dies; e|ben|die|sel|be; e|ben|die|ser; e|ben|dort**

E|be|ne *w. 11;* **e|ben|er|dig**

e|ben|falls

E|ben|heit *w. 10 nur Ez.*

E|ben|holz [arab.-türk.] *s. 4* dunkles, schweres, hartes Edelholz, Schwarzholz; **e|be|nie|ren** *tr. 3* mit Ebenholz auslegen; **E|be|nist** *m. 10, im 17./18. Jh.:* Kunsttischler

e|ben|je|ne (-r, -s)

E|ben|maß *s. 1 nur Ez.;* **e|ben|mä|ßig; E|ben|mä|ßig|keit** *w. 10 nur Ez.*

> **ebenso gut/schnell:** Mehrteilige Adverbien (*ebenso, indessen, allerorten* usw.) schreibt man zusammen. →§ 39 (1)
> In der Verbindung mit einem Adjektiv wird getrennt geschrieben: *Sie ist ebenso gut wie ihre Freundin. Sein Auto ist ebenso schnell wie mein Auto.* Entsprechend: *ebenso häufig, ebenso lang(e), ebenso oft, ebenso sehr, ebenso wenig.*

e|ben|so; e|ben|so|gut ► **e|ben|so gut; e|ben|so|häu|fig** ► **e|ben|so häu|fig; e|ben|so|lang** ► **e|ben|so lang; e|ben|so|lan|ge** ► **e|ben|so lan|ge; e|ben|sol|che (-r, -s)** ► **e|ben sol|che (-r, -s); e|ben|so|oft** ► **e|ben|so oft; e|ben|so|sehr** ► **e|ben|so sehr; e|ben|so|viel** ► **e|ben|so viel; e|ben|so|weit** ► **e|ben|so weit; e|ben|so|we|nig** ► **e|ben|so we|nig; e|ben|so|wohl** ► **e|ben|so wohl**

E|ber *m. 5* männl. Schwein

E|ber|esche *w. 11* ein Laubbaum

E|ber|rau|te *w. 11* Heilpflanze

eb|nen *tr. 2*

E|bo|nit [arab.-türk] *s. 1 nur Ez.* Hartgummi

e. c. *Abk. für* exempli causa

E|car|té [-te] *s. 9* = Ekarté

EC-Au|to|mat *m. 10* in Verbindung mit einer Scheckkarte rund um die Uhr abrufbereites Geldausgabegerät einer Bank

Ec|ce [ɛktsə, lat. »siehe da«] *s. Gen. - Mz. -, früher:* jährl. Totengedenkfeier; **Ec|ce-Ho|mo** [»seht, (welch) ein Mensch«, Ausspruch des Pilatus, Joh. 19,5] *s. 9 oder Gen. - Mz. -* Darstellung Christi mit Dornenkrone

Ec|cle|sia [lat.] *w. Gen. - nur Ez.* Kirche; E. militans: die kämpfende Kirche; **Ec|cle|si|o|lo|gie** *w. 11, ältere Schreibung von* Ekklesiologie

E|chap|pe|ment [eʃapmã, frz.] *s. 9* **1** *veraltet:* Flucht; **2** Hemmvorrichtung (in der Uhr); Auslösung (einer Mechanik); **e|chap|pie|ren** [-ʃa-] *intr. 3, veraltet:* entweichen, entwischen

e|chauf|fie|ren [eʃɔf-, frz.] *refl. 3, veraltet:* sich erhitzen, sich erregen; **e|chauf|fiert** [-ʃɔ-] erregt und bestürzt

E|chec [eʃɛk, frz.] *m. 9* **1** *frz. Bez. für* Schach; **2** *übertr.:* Niederlage

E|che|ve|ria [ɛtʃɛ-, nach dem mexikan. Pflanzenzeichner Echeverria] *w. Gen. - Mz.* -ri|en ein Dickblattgewächs, eine Zimmerpflanze

E|chi|nit [griech.] *m. 12 oder m. 10* versteinerter Seeigel; **E|chi|no|der|me** *m. 11* Stachelhäuter; **E|chi|no|kak|tus** *m. Gen. - Mz.* -te|len Igelkaktus; **E|chi|no|kok|kus** *m. Gen. - Mz.* -ken Blasenwurm (ein Hundebandwurm sowie dessen Finne); **E|chi|nus** *m. Gen. - Mz. -* **1** Seeigel; **2** Wulst zwischen Schaft und Deckplatte der dorischen Säule

E|cho [griech.] **1** *griech. Myth.:* eine Bergnymphe; **2** *s. 9* Widerhall, Antwort; **e|cho|en** *intr. 1* **1** widerhallen; **2** *übertr.:* ohne nachzudenken nachsagen, wiederholen; **E|cho|lot** *s. 1* Gerät zum Messen von Entfernungen und Tiefen mittels Schallwellen

Ech|se [ɛksə] *w. 11* Kriechtier

echt; die Kette ist echt golden, echt silbern, *aber:* eine echtgoldene, echtsilberne Kette; **echt|gol|den** vgl. echt; **Echt|heit** *w. 10 nur Ez.;* **Echt|sil|ber** *s. Gen.-s nur Ez.* massives Silber; **echt|sil|bern** vgl. echt

► = wird zu

echtgolden/echt golden: In einzelnen Verbindungen eines Adjektivs mit einem Adjektiv bleibt es dem Schreibenden überlassen, ob er das Gefüge als Zusammensetzung *(echtgolden)* oder als Wortgruppe *(echt golden)* verstanden wissen will. Beide Formen sind korrekt. Ähnlich: *reinleinen/rein leinen, reinseiden/rein seiden.* →§ 36 E2

Eck *s. 1, österr. auch: s. 12* Ecke; das Deutsche Eck (in Koblenz) **Eck|ball** *m. 2, volkstüml. für* Eckstoß; **Eck|bank** *w. 2;* **Eck|brett** *s. 3;* **Eck|chen** *s. 7;* **E|cke** *w. 11;* **E|cken|ste|her** *m. 5, früher:* Gelegenheitsarbeiter, der an Straßenecken auf Aufträge wartete
E|cker *w. 11* Frucht der Rotbuche, Buchecker
Eck|fen|ster *s. 5;* **Eck|haus** *s. 4;* **e|ckig; Eck|lein** *s. 7;* **Eck|platz** *m. 2;* **Eck|schrank** *m. 2;* **Eck|stein** *m. 1;* **Eck|stoß** *m. 2; Fußball:* Stoß des Balles von der äußersten Ecke des Spielfeldes; **Eck|wurf** *m. 2, Handball:* Wurf von der äußersten Ecke des Spielfeldes; **Eck|zahn** *m. 2*
E|clair [eklɛ̱r, frz.] *s. 9* ein mit Creme gefülltes Gebäck mit Zucker- oder Schokoladenglasur, Liebesknochen
E|clat [ekla̱] *m. 9* = Eklat
E|co|no|mi|ser [ikɔnomaɪzər] *m. 5* = Ekonomiser
E|co|no|my|class [ikɔnɔmikla:s, engl.] *w. Gen. - nur Ez.* billigste Tarifklasse (im Flugzeug)
E|cos|sai|se [ekɔsɛ̱z(ə)] *w. 11* = Ekossaise
E|cra|sé|le|der [-se̱-, frz.] *s. 5* grobnarbiges Ziegenleder
e|cru [ekry] = ekrü
E|cu, E|CU [eky, engl.-frz.] Bezugsgröße des Europäischen Währungssystems
E|cua|dor Staat in Südamerika; **E|cua|do|ri|a|ner** *m. 5;* **e|cua|do|ri|a|nisch**
ed. *Abk. für* edidit: (er hat es) herausgegeben, ediert (in Bibliographien)
Ed. *Abk. für* Edition
E|dam ndrl. Stadt; Edamer Käse
e|da|phisch [griech.] von den Eigenschaften des Bodens abhängig, bodenbedingt; **E|da|phon** *s. Gen. -s nur Ez.* die Welt der Kleinlebewesen im Erdboden
edd. *Abk. für* ediderunt: (sie haben es) herausgegeben, ediert (in Bibliografien bei mehreren Herausgebern)
E|d|da *w. Gen. - Mz. -s oder -den* Name zweier Sammlungen altnord. Dichtungen; Ältere E., Jüngere E.; **ed|disch** zur Edda gehörig, aus ihr stammend; die eddischen Lieder
E|de|ka *Kurzw.* für Einkaufsgenossenschaft deutscher Kolonialwarenhändler

edel-, Edi-, Ega-, Ego-, Ehe- (Worttrennung): Die Abtrennung einer Silbe, die nur aus einem Vokal besteht, ist möglich *(e|del-, E|di-, E|ga-, E|go-, E|he-),* wird aus ästhetischen Gründen aber nicht empfohlen. →§ 108

e|del; dieser edle Mensch
E|del|da|me *w. 11;* **e|del|den|kend** ▸ **e|del den|kend;** ein edel denkender Mensch; **E|del|fäu|le** *w. 11 nur Ez.* Edelreife, Zersetzung überreifer Weinbeeren durch Edelpilze; **E|del|frau** *w. 10;* **E|del|fräu|lein** *s. 7;* **E|del|gas** *s. 1;* **E|del|höl|zer** *s. 4 Mz.;* **E|del|ling** *m. 1* german. Adliger; **E|del|kas|ta|nie** [-njə] *w. 11;* **E|del|kna|be** *m. 11;* **E|del|knap|pe** *m. 11;* **E|del|mann** *m. Gen. -(e)s Mz. -leute;* **E|del|mar|der** *m. 5;* **E|del|me|tall** *s. 1;* **E|del|mut** *m. Gen. -(e)s nur Ez.;* **e|del|mü|tig; E|del|obst** *s. Gen. -(e)s nur Ez.;* **E|del|pilz** *m. 1;* **E|del|rei|fe** *w. 11 nur Ez.* = Edelfäule; **E|del|reis** *s. 1* Pfropfreis; **E|del|rost** *m. 1 nur Ez.* = Patina; **E|del|stahl** *m. 2;* **E|del|stein** *m. 1;* **E|del|tan|ne** *w. 11;* **E|del|weiß** *s. 1* eine Alpenpflanze
E|den [hebr.] *s. 7 nur Ez., im AT:* Paradies; Garten Eden
E|den|ta|te [lat.] *m. 11 meist Mz.* zahnarmes Säugetier, z. B. Gürtel-, Faultier, Ameisenbär
e|die|ren [lat.] *tr. 3* herausgeben (Buch); ediert (*Abk.:* ed.)
E|dikt [lat.] *s. 1* Erlass, Verordnung (von Kaisern oder Königen)
E|din|burgh [engl.: ɛdınbərə] Hst. von Schottland
E|dir|ne *türk. Name von* Adrianopel
E|di|ti|on [lat.] *w. 10* (*Abk.:* Ed.) Ausgabe, Herausgabe (von Büchern und Musikalien); **E|di|tio prin|ceps** *w. Gen. -- Mz. -ti|o|nes -ci|pes* Erstausgabe (eines Buches); **E|di|tor 1** [auch: -di̱-] *m. 13* Herausgeber (eines Buches); **2** [engl.: ɛditər] *m. 9* Teil eines Computerprogramms, der den Text auf dem Bildschirm gestaltet (z. B. Blocksatz, Einfügen, Verschieben); **e|di|to|risch** die Herausgabe (eines Buches) betreffend
Ed|le(r) *m. 18 (17) bzw. w. 17 oder 18* Adlige(r), ein Adelstitel
E|dom *griech.:* Idu|ma̱ia, Land am Toten Meer; **E|do|mi|ter,** Idu|mä|er *m. 5, im Altertum:* Einwohner von Edom; **e|do|mi|tisch**
E|du|ka|ti|on [lat.] *w. 10* Erziehung
E|dukt [lat.] *s. 1* Auszug aus Rohstoffen, z. B. Öl, Zucker
E-Dur *s. Gen. - nur Ez.* (*Abk.:* E) eine Tonart; **E-Dur-Ton|lei|ter** *w. 11*
EDV *Abk. für* elektronische Datenverarbeitung
EEG *Abk. für* Elektroenzephalogramm
E|fen|di [griech.-türk.], Ef|fen|di *m. 9* **1** *früher:* türk. Titel für ranghohe Personen; **2** *dann (bis 1934):* Herr (als Anrede)
E|feu *m. Gen. -s nur Ez.*
Ef|feff [Aussprache der Abkürzung ff »sehr fein«] *ugs. in Wendungen wie* etwas aus dem E. verstehen, können: sehr gut
Ef|fekt [lat.] *m. 1* Wirkung, Erfolg, Ergebnis; **Ef|fekt|be|leuch|tung** *w. 10;* **Ef|fek|ten** *Mz.* Wertpapiere; **Ef|fek|ten|bör|se** *w. 11;* **Ef|fek|ten|han|del** *m. Gen. -s nur Ez.;* **Ef|fekt|ha|sche|rei** *w. 10 nur Ez.* auf Wirkung angelegtes Verhalten; **ef|fek|tiv** tatsächlich, wirklich, wirksam; *Ggs.:* ineffektiv; **Ef|fek|tiv|be|stand** *m. 2* Ist-Bestand; **Ef|fek|tiv|lei|stung** *w. 10;* **Ef|fek|tiv|lohn** *m. 2* Tariflohn einschließlich aller Zulagen; **Ef|fek|tiv|wert** *m. 1;* **ef|fek|tu|ie|ren 1** *tr. 3* ausführen, durchführen (Auftrag), zahlen; **2** *refl. 3* sich lohnen; **ef|fekt|voll**
Ef|fe|mi|na|ti|on [lat.] *w. 10 nur Ez.* schwerster Grad entgegengesetzter geschlechtlicher Empfindung, bei der sich der Mann ganz als Frau fühlt; **ef|fe|mi-**

nie|ren *intr. 3* weichlich, weibisch werden

Ef|fen|di *m. 9* = Efendi

Ef|fet [ɛfɛ, frz.] *s. 9 oder m. 9* Drehung eines Balles oder einer Billardkugel durch schräg geführten Schlag oder Stoß, sodass er bzw. sie beim Aufschlagen oder Anstoßen die Richtung ändert; **ef|fet|tuo|so** [ital.] *Mus.:* wirkungsvoll

Ef|fi|cien|cy [ɪfɪʃnsɪ, engl.] *w. Gen. - nur Ez.* Wirtschaftlichkeit, größtmögliche Wirkung

ef|fi|lie|ren [frz.] *tr. 3* Haare e.: beim Schneiden gleichmäßig dünner machen; **Ef|fi|lier|sche|re** *w. 11*

ef|fi|zi|ent [lat.] wirksam; **Ef|fi|zi|enz** *w. 10* Wirkkraft, Wirksamkeit; **ef|fi|zie|ren** *tr. 3* bewirken

Ef|flo|res|zenz [lat.] *w. 10* **1** *Med.:* Hautblüte, z. B. Pusteln; **2** *Geol.:* Salzüberzug auf Böden und Gesteinen; **ef|flo|res|zie|ren** *intr. 3* **1** krankhafte Hautveränderung zeigen; **2** sich mit Salz überziehen

ef|flu|ie|ren [lat.] *intr. 3, Med.:* ausfließen, ausdünsten; **Ef|flu|vi|um** *s. Gen.* -s *Mz.* -vi|en, *Med.:* Ausfluss, Ausdünstung

Ef|fu|si|on [lat.] *w. 10* Ausströmen, Erguss (z. B. von Lava); **ef|fu|siv** durch Effusion gebildet; **Ef|fu|siv|ge|stein** *s. 1* Ergussgestein

EFTA *Abk. für* European Free Trade Association: Europäische Freihandelszone

EG *Abk. für* Europäische Gemeinschaft

e|gal [frz.] **1** gleich, gleichmäßig; *Ggs.:* inegal, **2** gleichgültig, einerlei; das ist mir egal; **3** [egal] *sächs.:* immerzu, andauernd; **e|ga|li|sie|ren** *tr. 3* ausgleichen, gleichmäßig machen; **e|ga|li|tär** (polit., soziale usw.) Gleichheit anstrebend; **E|ga|li|ta|ris|mus** *m. Gen. - nur Ez.* Lehre von der größtmöglichen Gleichheit aller Menschen und das Streben nach ihrer Verwirklichung; **E|ga|li|tät** *w. 10 nur Ez.* Gleichheit; **E|ga|li|té** [-te] *w. 11 nur Ez.* Gleichheit (eins der drei Schlagwörter der Frz. Revolution); vgl. Fraternité, Liberté

E|gart *w. Gen. - nur Ez., süddt., österr.:* Grasland; **E|gar|ten|wirt|schaft, E|gart|wirt|schaft** *w. 10 nur Ez.* eine Feldgraswirtschaft mit überwiegender Grünlandnutzung

E|gel *m. 5, Bez. für* zwei Gruppen von Würmern: **1** Blutegel, **2** Leberegel

E|ger|ling *m. 1* ein Pilz, brauner Champignon

Eg|ge *w. 11* **1** Webkante, Salkante, Stoffrand; **2** rechenartiges Ackergerät zum Lockern des Bodens; **eg|gen** *tr. 1* mit der Egge lockern; **Eg|gen|band,** Ecken|band *s. 4*

Egg|head [-hɛd, engl. »Eierkopf«] *m. 9, amerik. ironische Bez. für* Intellektueller

eGmbH, EGmbH *Abk. für* eingetragene bzw. Eingetragene Genossenschaft mit beschränkter Haftpflicht; **eGmuH, EGmuH** *Abk. für* eingetragene bzw. Eingetragene Genossenschaft mit unbeschränkter Haftpflicht

E|go [lat.] *s. 9 nur Ez.* das Ich; vgl. Alter ego; **E|go|is|mus** *m. Gen. - nur Ez.* Ichsucht, Selbstsucht; *Ggs.:* Altruismus; **E|go|ist** *m. 10* selbstsüchtiger Mensch; *Ggs.:* Altruist; **e|go|is|tisch**

E|go|tis|mus [lat.] *m. Gen. - nur Ez.* Neigung, sich selbst in den Vordergrund zu stellen, Eigenliebe; **E|go|tist** *m. 10;* **e|go|tis|tisch**

E|gout|teur [egutør, frz.] *m. 1, Papierherstellung:* Walze zum Erzeugen des Wasserzeichens

E|go|zen|trik *auch:* **-zent|rik** [lat.], E|go|zen|tri|zi|tät *w. 10 nur Ez.* Neigung, alles auf sich selbst zu beziehen, nur vom eigenen Standpunkt aus denkend und handelnd; **E|go|zen|tri|ker** *auch:* **-zent|ri-** *m. 5;* **e|go|zen|trisch** *auch:* **-zent|risch; E|go|zen|tri|zi|tät** *auch:* **-zent|ri-** *w. 10 nur Ez.* = Egozentrik

e|gre|nie|ren [frz.] *tr. 3* von den Samen trennen (Baumwollfasern); **E|gre|nier|ma|schi|ne** *w. 11*

E|gyp|ti|enne [eʒipsjɛn, frz. »ägyptisch«] *w. Gen. - nur Ez.* eine Antiqua-Druckschrift

eh 1 ehe; **2** früher, damals, *nur noch in den Wendungen:* seit eh und je, wie eh und je; **3** *ugs.:* sowieso, ohnehin, ich komme eh dort vorbei

e. h. *österr. Abk. für* eigenhändig (unterschrieben)

E. h. *Abk. für* ehrenhalber, vgl. Dr. E. h.

e|he; ehe er kommt

E|he *w. 11;* **E|he|an|bah|nungs|in|sti|tut** *s. 1;* **E|he|be|ra|tung** *w. 10;* **E|he|bett** *s. 12;* **e|he|bre|chen** *intr. 19, Zusammenschreibung nur im Infinitiv;* ich breche, brach die Ehe, habe die Ehe gebrochen; **E|he|bre|cher** *m. 5;* **e|he|bre|che|risch; E|he|bruch** *m. 2*

e|he|dem vordem, vormals, einstmals

e|he|fä|hig; E|he|fä|hig|keit *w. 10 nur Ez.;* **E|he|frau** *w. 10;* **E|he|gat|te** *m. 11;* **E|he|ge|spons** *m. 1*

e|heges|tern *veraltet:* vorgestern; *auch:* vor längerer Zeit

E|he|hälf|te *w. 11;* **e|he|herr|lich** *veraltet:* den Ehemann betreffend, ihm gehörig; **E|he|hin|der|nis** *s. 1;* **E|he|joch** *s. 1, scherzh.;* **E|he|le|ben** *s. 7 nur Ez.;* **E|he|leu|te** *nur Mz.* Ehepaar; **e|he|lich;** eheliche Kinder; **e|he|li|chen** *tr. 1* heiraten; **E|he|lich|keit** *w. 10 nur Ez.;* **E|he|lich|keits|er|klä|rung** *w. 10;* **e|he|los; E|he|lo|sig|keit** *w. 10 nur Ez.*

e|he|ma|lig; e|he|mals

E|he|mann *m. 4;* **e|he|mün|dig; E|he|mün|dig|keit** *w. 10 nur Ez.;* **E|he|paar** *s. 1;* **E|he|part|ner** *m. 5*

e|her; je eher, desto besser; je eher, je lieber; sie ist nicht schlank, eher füllig (zu nennen); ich stimme umso eher (= lieber) zu, als ich weiß, dass…

E|he|recht *s. 1;* **E|he|ring** *m. 1*

e|hern eisern; *übertr.:* unveränderlich, unerbittlich, unbeugsam; ehernes Lohngesetz

E|he|schei|dung *w. 10;* **e|he|scheu; E|he|scheu** *w. Gen. - nur Ez.;* **E|he|schlie|ßung** *w. 10*

e|hest frühest; mit ehestem *Kaufmannsspr.:* so bald wie möglich; am ehesten: am leichtesten, am besten; ehestens: frühestens

E|he|stand *m. 2 nur Ez.;* **E|he|stands|dar|le|hen** *s. 7;* **E|he|tra|gö|die** *w. 11;* **E|he|ver|mitt|lung** *w. 10;* **E|he|weib** *s. 3, ugs. scherzh.*

Ehr|ab|schnei|der *m. 5;* **Ehr|ab|schnei|de|rei** *w. 10 nur Ez.;* **ehr|bar; Ehr|bar|keit** *w. 10 nur Ez.;* **Ehr|be|griff** *m. 1;* **Eh|re** *w. 11;* **eh|ren** *tr. 1;* **Eh|ren|amt**

s. 4; **eh|ren|amt|lich; Eh|ren|be|zei|gung** (*nicht:* -bezeugung) *w. 10* militär. Gruß; **Eh|ren|bür|ger** *m. 5;* **Eh|ren|bür|ger|schaft** *w. 10;* **Eh|ren|dienst** *m. 1 nur Ez., ehem. DDR, propagandist. für* Wehrdienst in der NVA; **Eh|ren|dok|tor** *m. 13* (*Abk.:* Dr. E.h. *oder* Dr. h.c.); **Eh|ren|er|klä|rung** *w. 10*

eh|ren|haft; Eh|ren|haf|tig|keit *w. 10 nur Ez.;* **eh|ren|hal|ber** (*Abk.:* E.h.), vgl. Dr. E.h.; **Eh|ren|le|gi|on** *w. 10;* **Eh|ren|mal** *s. 1 oder s. 4;* **Eh|ren|mann** *m. 4;* **Eh|ren|mit|glied** *s. 3;* **Eh|ren|mit|glied|schaft** *w. 10 nur Ez.;* **Eh|ren|na|me** *m. 15;* **Eh|ren|pflicht** *w. 10;* **Eh|ren|platz** *m. 2;* **Eh|ren|preis** *m. 1 oder s. 1* eine Wiesenpflanze, Männertreu, Veronika; **Eh|ren|rech|te** *s. 1 Mz.;* die bürgerlichen E.; **Eh|ren|ret|ter** *m. 5;* **Eh|ren|ret|tung** *w. 10 nur Ez.;* **Eh|ren|rich|ter** *m. 5;* **eh|ren|rüh|rig; Eh|ren|rüh|rig|keit** *w. 10 nur Ez.;* **Eh|ren|run|de** *w. 11;* **Eh|ren|sa|che** *w. 11;* **Eh|ren|tag** *m. 11;* **Eh|ren|tanz** *m. 2;* **Eh|ren|ti|tel** *m. 5;* **Eh|ren|tor** *s. 1, Fußball:* einziges Tor einer verlierenden Mannschaft; **Eh|ren|ur|kun|de** *w. 11;* **eh|ren|voll; eh|ren|wert;** der ehrenwerte Herr Soundso, *aber:* das ist aller Ehren wert; **Eh|ren|wa|che** *w. 11;* **Eh|ren|wort** *s. 1;* **eh|ren|wört|lich; Eh|ren|zei|chen** *s. 7;* **ehr|er|bie|tig; Ehr|er|bie|tig|keit** *w. 10 nur Ez.;* **Ehr|er|bie|tung** *w. 10 nur Ez.;* **Ehr|furcht** *w. 10 nur Ez.;* **ehr|fürch|tig; ehr|furchts|los; ehr|furchts|voll; Ehr|ge|fühl** *s. 1;* **Ehr|geiz** *m. 1 nur Ez.;* **ehr|gei|zig; Ehr|geiz|ling** *m. 1, ugs.;* **ehr|lich; Ehr|lich|keit** *w. 10 nur Ez.;* **Ehr|lie|be** *w. 11 nur Ez.;* **ehr|lie|bend; ehr|los; Ehr|lo|sig|keit** *w. 10 nur Ez.;* **ehr|pus|selig** *ugs.:* übertrieben sittsam; **ehr|sam** sittsam; **Ehr|sam|keit** *w. 10 nur Ez.;* **Ehr|sucht** *w. 2 nur Ez.;* **ehr|süch|tig; Eh|rung** *w. 10;* **ehr|ver|ges|sen; Ehr|ver|ges|sen|heit** *w. 10 nur Ez.;* **Ehr|ver|lust** *m. 1 nur Ez.;* **Ehr|wür|den** *ohne Artikel, kath. Kirche:* Anrede für Angehörige von geistlichen Orden und Kongregationen; **ehr|wür|dig**

ei!, ei, ei!; ei freilich!; ei gewiss!

Ei *s. 3*

eia|po|peia

Ei|be *w. 11* ein Nadelbaum, Taxus; **ei|ben** aus Eibenholz

Ei|bisch *m. 1* ein Heilkraut

Eich|amt *s. 4*

Eich|baum, Ei|chen|baum *m. 2;* **Ei|che** *w. 11* **1** Laubbaum; **2** Eichung; Maischemaß; **Ei|chel** *w. 11;* **Ei|chel-As** ► **Ei|chel-Ass** s. 1; **Ei|chel|hä|her** *m. 5;* **ei|chen** **1** aus Eichenholz; **2** *tr. 1* auf das offizielle Maß einstellen und kennzeichnen

Ei|chen *s. 7, Mz. auch:* Eierchen

Ei|chen|baum, Eich|baum *m. 2*

Ei|cher *m. 5* = Eichmeister

Eich|horn *s. 4;* **Eich|hörn|chen** *s. 7;* **Eich|kätz|chen** *s. 7*

Eich|maß *s. 1;* **Eich|meis|ter,** Ei|cher *m. 5* Beamter im Eichamt; **Ei|chung** *w. 10*

> **an Eides statt:** Die Getrenntschreibung ist die Norm: *Er erklärte an Eides statt(,) die Tat nicht begangen zu haben.* Aber: *Er erklärte eidesstattlich(,) nicht in Rom gewesen zu sein.*

Eid *m. 1;* an Eides statt

Ei|dam *m. 1, veraltet:* Schwiegersohn

Eid|bruch *m. 2;* **eid|brü|chig**

Ei|dech|se *w. 11*

Ei|der *w. 11* Eiderente, Eidergans; **Ei|der|daune** *w. 11;* **Ei|der|en|te** *w. 11,* **Ei|der|gans** *w. 2* Ente der Nordseeküste

ei|des|fä|hig; Ei|des|fä|hig|keit *w. 10 nur Ez.;* **Ei|des|for|mel** *w. 11;* **Ei|des|hel|fer,** Eid|hel|fer *m. 5* jmd., der die Glaubwürdigkeit dessen, der einen Eid ablegen soll, beschwört; **ei|des|statt|lich;** eidesstattliche Erklärung; *aber:* vgl. Eid; **Ei|des|ver|wei|ge|rung** *w. 10*

Ei|de|tik [griech.] *w. 10* Fähigkeit, früher Geschehenes als anschauliches Bild wieder vor sich zu sehen; **Ei|de|ti|ker** *m. 5* jmd., der die Fähigkeit zu eidet. Vorstellungen besitzt; **ei|de|tisch** auf Eidetik beruhend, anschaulich, bildhaft

Eid|ge|nos|se *m. 11;* **Eid|ge|nos|sen|schaft** *w. 10;* Schweizerische Eidgenossenschaft; **eid|ge|nös|sisch; Eid|hel|fer** *m. 5* = Eideshelfer; **eid|lich**

Ei|do|phor [griech.] *s. 1* Fernsehgerät für Großbilder; **Ei|dos** *s. Gen. - nur Ez.* **1** Gestalt, Form; **2** *bei Plato:* Idee; **3** *Logik:* Art, Spezies

Ei|dot|ter *s. 5, österr.: m. 5* Eigelb; **Ei|er|chen** *Mz. von* Eichen; **Ei|er|klar** *s. Gen. -s Mz. -* = Eiklar; **Ei|er|kopf** *m. 2* **1** ein Schimpfwort; **2** Intellektueller, → Egghead; **Ei|er|ku|chen** *m. 7;* **Ei|er|li|kör** *m. 1;* **ei|ern** *intr. 1* sich ungleichmäßig drehen (Rad); **Ei|er|schwamm** *m. 2* = Pfifferling; **Ei|er|spei|se** *w. 11;* **Ei|er|stab** *m. 2; Baukunst:* Zierleiste mit eiförmigen Ornamenten; **Ei|er|stock** *m. 2;* **Ei|er|tanz** *m. 2, ugs.:* vorsichtiges Verhalten; einen E. aufführen; **Ei|er|uhr** *w. 10*

Ei|fer *m. 5 nur Ez.;* **Ei|fe|rer** *m. 5;* **ei|fern** *intr. 1;* ich eifere, eifre dagegen; **Ei|fer|sucht** *w. 2 nur Ez.;* **Ei|fer|süch|te|lei** *w. 10;* **ei|fer|süch|tig; Ei|fer|suchts|tra|gö|die** *w. 11*

Eif|fel|turm [nach dem frz. Ingenieur Gustave Eiffel [ɛfɛl] *m. 2 nur Ez.* Aussichts- und Fernsehturm in Paris

eif|rig; Eif|rig|keit *w. 10 nur Ez.*

Ei|gelb *s. Gen. -s Mz. -*

> **eigen/Eigen:** Das Adjektiv wird kleingeschrieben: *Das war ihm eigen.* Die substantivierte Form wird mit großem Anfangsbuchstaben geschrieben: *das Eigene, etwas Eigenes.* →§57 (1)
> Ebenso: *das Eigen, mein Eigen, des Volkes Eigen, etwas sein Eigen nennen, sich etwas zu Eigen machen, jmdm. etwas zu Eigen geben.* →§55 (4)

ei|gen; das eigene, eigne Kind; das ist ihm eigen; er sagte es mit der ihm eigenen Ironie; **Ei|gen** *s. 7 nur Ez.* Besitz; etwas sein Eigen nennen; jmdm. etwas zu Eigen geben; sich etwas zu Eigen machen; **Ei|gen|art** *w. 10;* **ei|gen|ar|tig; Ei|gen|ar|tig|keit** *w. 10 nur Ez.;* **Ei|gen|be|darf** *m. Gen. -s nur Ez.;* **Ei|gen|be|sitz** *m. 1, Rechtsw.:* **1** tatsächl. Besitz des Eigentümers einer Sache; **2** Grundbesitz; **Ei|gen|be|sit|zer** *m. 5;* **Ei|gen|be|we|gung** *w. 10;* **Ei|gen|bröt|te|lei** *w. 10 nur Ez.;* **Ei|gen|bröt|ler** *m. 5* Sonderling; **Ei|gen|bröt|le|rei** *w. 10 nur Ez.* Eigenbrötelei; **ei|gen|bröt|le|risch; Ei|gen|dün|kel** *m. 5 nur Mz.;* **ei|gen|ge|setz|lich; Ei|gen|ge|setz|lich|keit** *w. 10 nur Ez.;* **Ei|gen|ge|wicht** *s. 1;* **ei-**

gen|hän|dig (*österr. Abk.:* e.h.); **Ei|gen|hän|dig|keit** *w. 10 nur Ez.;* **Ei|gen|heim** *s. 1;* **Ei|gen|heit** *w. 10;* **Ei|gen|ka|pi|tal** *s. Gen.* -s *Mz.* -ta|li|en; **Ei|gen|kir|che** *w. 11, MA:* Kirche im Besitz eines weltl. Grundherrn, der auch die Geistlichen ernannte; **Ei|gen|le|ben** *s. 7 nur Ez.;* **Ei|gen|lie|be** *w. 11 nur Ez.;* **Ei|gen|lob** *s. 1 nur Ez.;* **ei|gen|mäch|tig; Ei|gen|mäch|tig|keit** *w. 10;* **Ei|gen|na|me** *m. 15;* **Ei|gen|nutz** *m. 1 nur Ez.;* **ei|gen|nüt|zig; Ei|gen|nüt|zig|keit** *w. 10 nur Ez.;* **ei|gens** nur deshalb, extra; ich habe eigens angerufen, um…; **Ei|gen|schaft** *w. 10;* **Ei|gen|schafts|wort** *s. 4* Adjektiv; **ei|gen|schafts|wört|lich** adjektivisch; **Ei|gen|sinn** *m. 1 nur Ez.;* **ei|gen|sin|nig; ei|gen|staat|lich** unter eigenem Hoheitsrecht stehend; **Ei|gen|staat|lich|keit** *w. 10 nur Ez.;* **ei|gen|stän|dig; Ei|gen|stän|dig|keit** *w. 10 nur Ez.;* **Ei|gen|strah|lung** *w. 10;* **Ei|gen|sucht** *w. 2 nur Ez.;* **ei|gen|süch|tig; ei|gent|lich** (*Abk.:* eigtl.); **Ei|gen|tor** *s. 1* versehentlich ins Tor der eigenen Mannschaft geschossener Ball; **Ei|gen|tum** *s. 4 nur Ez.;* **Ei|gen|tü|mer** *m. 5;* **ei|gen|tüm|lich; Ei|gen|tüm|lich|keit** *w. 10;* **Ei|gen|tums|de|likt** *s. 1;* **Ei|gen|tums|recht** *s. 1;* **Ei|gen|tums|woh|nung** *w. 10;* **ei|gen|ver|ant|wort|lich; Ei|gen|ver|ant|wort|lich|keit** *w. 10 nur Ez.;* **Ei|gen|ver|brauch** *m. 1 nur Ez.;* **Ei|gen|wär|me** *w. 11 nur Ez.;* **Ei|gen|wert** *m. 1;* **Ei|gen|wil|le** *m. 15;* **ei|gen|wil|lig; Ei|gen|wil|lig|keit** *w. 10 nur Ez.;*

eig|nen 1 *intr. 2* eigen sein, charakteristisch sein; ihm eignet eine starke Neigung zum Jähzorn; **2** *refl. 2* sich für, zu etwas eignen; **Eig|ner** *m. 5* Eigentümer; *nur noch in wenigen Zus. wie* Schiffseigner; **Eig|nung** *w. 10 nur Ez.;* **Eig|nungs|prü|fung** *w. 10*

eigtl. *Abk. für* eigentlich

Ei|haut *w. 2*

Ei|klar, Ei|er|klar *s. Gen.* -s *Mz.* -, *österr.:* (das flüssige) Eiweiß

Ei|land *s. 1, poet.:* Insel

Eil|an|ge|bot *s. 1;* **Eil|bo|te** *m. 11;* **Eil|brief** *m. 1;* **Ei|le** *w. 11 nur Ez.*

Ei|lei|ter *m. 5*

ei|len 1 *intr. 1;* eile mit Weile!; **2** *refl. 1;* **ei|lends; eil|fer|tig; Eil|fer|tig|keit** *w. 10 nur Ez.;* **Eil|gut** *s. 4*

ei|lig; es eilig haben; er hatte nichts Eiligeres zu tun, als…;

ei|ligst; Eil|marsch *m. 2;* **Eil|schrift** *w. 10* stark gekürzte Kurzschrift; **Eil|schritt** *m. 1;* im E.; **Eil|sen|dung** *w. 10;* **Eil|zug** *m. 2*

Ei|mer *m. 5;* **ei|mer|wei|se**

> **ein(s):** Als Kardinalzahl wird *ein(s)* kleingeschrieben: *ein Buch; ich will dir ein(e)s sagen.* Ebenso als Indefinitpronomen: *Das ärgert einen, wenn einem das passiert; das kann einem Leid tun.* →§ 58 (4) Auch das substantivierte Zahladjektiv wird kleingeschrieben: *der/die/das eine; das eine und das andere; der eine und der andere.* →§ 58 (5)

ein 1 *unbestimmter Artikel;* ein Mann, eine Frau, ein Kind; ein anderer, ein jeder, ein jeglicher; einen (erg.: Schnaps) trinken; jmdm. eine (erg.: Ohrfeige) herunterhauen; **2** *Zahlwort:* es schlägt ein Uhr; um ein Uhr; mein ein und alles; ein und derselbe; sie sind ein Herz und eine Seele; ein für allemal; es war nur ein Mann, nur eine Frau dabei; *ohne Artikel stark flektiert:* nur eines Mannes, nur einem Mann(e), nur einen Mann; *mit Artikel schwach flektiert:* der eine Mann, des einen Mannes, dem einen Mann(e), den einen Mann; ein einziger; dieser eine; *aber:* der Eine: Gott; mit einem, auf einen Schlag; in einem fort; vgl. einer; **3** *Adverb:* ich weiß nicht mehr ein noch aus; hier gehen viele Menschen ein und aus; wer hier ein und aus geht; *aber:* ein- und aussteigen

Ein|ak|ter *m. 5* Bühnenstück in nur einem Akt; **ein|ak|tig**

ein|an|der *auch:* **ei|nan|der** wir duzen, kennen, helfen einander

ein|ar|bei|ten *tr. 2;* **Ein|ar|bei|tung** *w. 10 nur Ez.*

ein|ar|mig

ein|äschern *tr. 1;* **Ein|äsche|rung** *w. 10*

ein|at|men *tr. 2;* **Ein|at|mung** *w. 10 nur Ez.*

ein|äu|gig; Ein|äu|gig|keit *w. 10 nur Ez.*

Ein|back *m. 1 oder m. 2* ein Gebäck

Ein|bahn *w. 10, österr. für* Einbahnstraße; **Ein|bahn|stra|ße** *w. 11*

ein|bal|lie|ren *tr. 3* in Ballen verpacken

ein|bal|sa|mie|ren *tr. 3;* **Ein|bal|sa|mie|rung** *w. 10*

Ein|band *m. 2;* **Ein|band|de|cke** *w. 11;* **ein|bän|dig**

ein|ba|sisch; einbasische Säure

Ein|bau 1 *m. Gen.* -s *nur Ez.* das Einbauen; **2** *m. Gen.* -s *Mz.* -bauten eingebauter Teil; **ein|bau|en** *tr. 1;* **Ein|bau|kü|che** *w. 11*

Ein|baum *m. 2* Boot aus einem ausgehöhlten Baumstamm

Ein|bau|mö|bel *s. 5 Mz.;* **Ein|bau|schrank** *m. 2*

Ein|bee|re *w. 11* giftiges Liliengewächs

ein|be|grei|fen *tr. 59;* im Preis einbegriffen; wir alle, mich einbegriffen

ein|be|hal|ten *tr. 61*

ein|bei|nig

ein|be|ken|nen *tr. 67, österr.:* eingestehen; **Ein|be|ken|nung** *w. 10*

ein|be|ru|fen *tr. 102;* **Ein|be|ru|fung** *w. 10*

ein|bet|ten *tr. 2;* **ein|bet|tig; Ein|bet|tung** *w. 10;* **Ein|bett|zim|mer** *s. 5*

ein|be|zie|hen *tr. 187;* **Ein|be|zie|hung** *w. 10 nur Ez.*

ein|bie|gen *intr. u. tr. 12*

ein|bil|den *tr. 2;* **Ein|bil|dung** *w. 10 nur Ez.;* **Ein|bil|dungs|kraft** *w. 2 nur Ez.*

ein|bin|den *tr. 14*

ein|bla|sen *tr. 16;* **Ein|blä|ser** *m. 5, Schülerspr., veraltet:* jmd., der vorsagt

Ein|blatt|druck *m. 1*

ein|bläu|en *tr. 1, ugs.:* handgreiflich einschärfen, mit Nachdruck (bes. durch Prügel) einprägen

ein|blen|den *tr. 2;* **Ein|blen|dung** *w. 10*

ein|bleu|en ► **ein|bläu|en**

Ein|blick *m. 1*

ein|bre|chen *tr. u. intr. 19;* **Ein|bre|cher** *m. 5*

Ein|bren|ne *w. 11, südd.,* **Ein|brenn** *w. 10, österr.:* Mehlschwitze; **ein|bren|nen** *tr. 20;* **Ein|brenn|sup|pe** *w. 11*

ein|brin|gen *tr. 21;* **ein|bring|lich** gewinnbringend; **Ein|brin|gung** *w. 10 nur Ez.*

ein|bro|cken *tr. 1;* sich, jmdm.

etwas e.: Unannehmlichkeiten bereiten
Ein|bruch *m. 2;* **Ein|bruchs|dieb|stahl** *m. 2;* **ein|bruchs|sicher; Ein|bruchs|ver|si|che|rung** *w. 10*
ein|buch|ten *tr. 2;* **Ein|buch|tung** *w. 10*
ein|bud|deln *tr. 1*
Ein|bund *m. 2, schweiz.:* Taufpatengeschenk
ein|bür|gern *tr. 1;* **Ein|bür|ge|rung** *w. 10;* **Ein|bür|ge|rungs|ur|kun|de** *w. 11*
Ein|bu|ße *w. 11;* **ein|bü|ßen** *tr. 1*
ein|cre|men, ein|kre|men *tr. 1*
ein|däm|men *tr. 1;* **Ein|däm|mung** *w. 10*
ein|damp|fen *tr. 1;* **Ein|damp|fung** *w. 10 nur Ez.*
ein|de|cken *tr. 1, ugs.:* sich mit etwas e.: sich Vorrat von etwas anschaffen; jmdn. mit Arbeit e.: jmdm. viel Arbeit zuweisen
ein|dei|chen *tr. 1;* **Ein|dei|chung** *w. 10 nur Ez.*
ein|deu|tig; Ein|deu|tig|keit *w. 10*
ein|deut|schen *tr. 1;* **Ein|deut|schung** *w. 10*
ein|di|cken *tr. 1*
ein|do|sen *tr. 1* in Dosen konservieren
ein|drän|gen *refl. 1*
ein|dril|len *tr. 1, ugs.:* einüben
ein|drin|gen *intr. 25;* **ein|dring|lich; Ein|dring|lich|keit** *w. 10 nur Ez.;* **Ein|dring|ling** *m. 1*
Ein|druck *m. 2;* **ein|drü|cken** *tr. 1;* **ein|drück|lich; ein|drucks|fä|hig; Ein|drucks|fä|hig|keit** *w. 10 nur Ez.;* **ein|drucks|voll**
ei|ne vgl. einer
ein|eb|nen *tr. 2;* **Ein|eb|nung** *w. 10 nur Ez.*
Ein|ehe *w. 11* = Monogamie; *Ggs.:* Vielehe
ein|ei|ig; eineiige Zwillinge
ein|ein|halb ein|und|ein|halb 1½; ich bin eineinhalb Stunde(n) geblieben, *aber:* eine und eine halbe Stunde; ein(und)einhalbmal soviel
ei|nen *tr. 1*
ein|en|gen *tr. 1;* **Ein|en|gung** *w. 10 nur Ez.*
ei|ner, ei|ne, ei|nes, eins 1 *unbestimmtes Pronomen:* jemand, man, etwas; da kann einer sagen, was er will; das ist die Ansicht eines, der davon nichts versteht; das kann einem Leid tun; wenn du einen kennst, der das kann, dann…; ich will dir ein(e)s sagen; jmdm. eins auswischen, eins versetzen; *in Gegenüberstellung zu »anderer«:* der eine und der andere; die einen und die anderen; der eine oder der andere; immer eins nach dem anderen; einer hinter dem anderen; das ist ein(e)s wie das andere; **2** *Zahlwort:* einzige (-r, -s); es ist nur einer gekommen; einer für alle, alle für einen; mehr als einer; einer von beiden, einer von uns; eines seiner Kinder; es kommt auf eins heraus, läuft auf eins hinaus
Ei|ner *m. 5* **1** einstellige Zahl; *bei mehrstelligen Zahlen:* die letzte Zahl; *bei Dezimalbrüchen:* die Zahl unmittelbar vor dem Komma; **2** Ruder- oder Paddelboot für nur eine Person; **ei|ner|lei; Ei|ner|lei** *s. Gen.* -s *nur Ez.;* **ei|ner|seits**; einerseits – andererseits; *auch:* anderseits, andrerseits
ei|nes, eins vgl. einer; **ei|nes|teils**; einesteils – ander(e)nteils
ein|ex|er|zie|ren *tr. 3* einüben

> **einfach, das Einfachste:**
> Das Adjektiv wird mit kleinem Anfangsbuchstaben geschrieben: *Das Problem ist ganz einfach.* Das substantivierte Adjektiv wird großgeschrieben: *Es ist das Einfachste, wenn … Etwas auf das Einfachste lösen.* [→§ 57 (1)]. In Anlehnung an Superlativformen können feste adverbiale Wendungen mit *auf das* kleingeschrieben werden: *Der Fall ließ sich aufs/auf das einfachste lösen.* →§ 58 E1

ein|fach; einfache Buchführung; einfache Zahlen; es ist nicht e. *aber:* es ist das Einfachste, wenn…; etwas aufs Einfachste lösen; **Ein|fach|heit** *w. 10 nur Ez.*
ein|fä|deln *tr. 1;* ich fädele, fädle es ein
ein|fah|ren *intr. u. tr. 32;* **Ein|fahr|si|gnal** *auch:* **-sig|nal** *s. 1, fachsprachlich;* **Ein|fahrt** *w. 10;* **Ein|fahrt(s)|si|gnal** *auch:* **-sig|nal** *s. 1*
Ein|fall *m. 2;* **ein|fal|len** *intr. 33;* **Ein|fallicht** ► **Ein|fall|licht** *s. 3;* **ein|falls|reich; Ein|falls|reich|tum** *m. Gen.* -s *nur Ez.;* **Ein|falls|tor** *s. 1;* **Ein|falls|win|kel** *m. 5*
Ein|falt *w. Gen.* - *nur Ez.;* **ein|fäl|tig; Ein|fäl|tig|keit** *w. 10 nur Ez.;* **Ein|falts|pin|sel** *m. 5*
ein|fal|zen *tr. 1;* **Ein|fal|zung** *w. 10*
Ein|fa|mi|li|en|haus *s. 4*
ein|fan|gen *tr. 34*
ein|fär|ben *tr. 1;* **ein|far|big; ein|fär|big** *österr. für* einfarbig; **Ein|far|big|keit** *w. 10 nur Ez.;* **Ein|fär|bung** *w. 10 nur Ez.*
ein|fas|sen *tr. 1;* **Ein|fas|sung** *w. 10*
ein|fen|zen [engl.] *tr. 1* einzäunen; **Ein|fen|zung** *w. 10*
ein|fet|ten *tr. 2;* **Ein|fet|tung** *w. 10 nur Ez.*
ein|fin|den *refl. 36*
ein|flech|ten *tr. 37;* **Ein|flech|tung** *w. 10*
ein|flie|gen *tr. u. intr. 38;* **Ein|flie|ger** *m. 5*
ein|flie|ßen *intr. 40*
ein|flö|ßen *tr. 1;* **Ein|flö|ßung** *w. 10 nur Ez.*
Ein|flug *m. 2;* **Ein|flug|schnei|se** *w. 11*
Ein|fluß ► **Ein|fluss** *m. 2;* **Ein|fluß|be|reich** ► **Ein|fluss|be|reich** *m. 1;* **Ein|fluß|nah|me** ► **Ein|fluss|nah|me** *w. 11, Amtsdeutsch;* **ein|fluß|reich** ► **ein|fluss|reich**
ein|flüs|tern *tr. 1;* ich flüstere, flüstre es ihm ein; **Ein|flüs|te|rung** *w. 10*
ein|for|dern *tr. 1;* ich fordere, fordre es ein; **Ein|for|de|rung** *w. 10*
ein|för|mig; Ein|för|mig|keit *w. 10 nur Ez.*
ein|frie|den *tr. 2;* **ein|frie|di|gen** *tr. 1;* **Ein|frie|di|gung** *w. 10;* **Ein|frie|dung** *w. 10*
ein|frie|ren *intr. u. tr. 42*
ein|fü|gen *tr. 1;* **Ein|fü|gung** *w. 10*
ein|füh|len *refl. 1;* **ein|fühl|sam; Ein|fühl|sam|keit** *w. 10 nur Ez.;* **Ein|füh|lung** *w. 10 nur Ez.;* **Ein|füh|lungs|ver|mö|gen** *s. 7 nur Ez.*
Ein|fuhr *w. 10;* **ein|füh|ren** *tr. 1;* **Ein|füh|rung** *w. 10;* **Ein|füh|rungs|preis** *m. 1;* **Ein|füh|rungs|vor|trag** *m. 2;* **Ein|fuhr|ver|bot** *s. 1;* **Ein|fuhr|zoll** *m. 2*
ein|fül|len *tr. 1;* **Ein|fül|lung** *w. 10 nur Ez.*
Ein|ga|be *w. 11*
Ein|gang *m. 2;* **ein|gangs** *mit Gen.:* e. Ihres Schreibens; wie e. bereits erwähnt; **Ein|gangs|be|stä|ti|gung** *w. 10;* **Ein|gangs|da|tum** *s. Gen.* -s *Mz.* -ten

ein|ge|ben *tr. 45*
ein|ge|bil|det; Ein|ge|bil|det|heit *w. 10 nur Ez.*
ein|ge|bo|ren; Gottes eingeborener Sohn; **Ein|ge|bo|re|ne(r)** *m. 18 (17) bzw. w. 17 oder 18;* **Ein|ge|bo|re|nen|spra|che** *w. 11*
Ein|ge|bung *w. 10*
ein|ge|denk *m. Gen;* einer Verpflichtung immer e. bleiben; e. seiner hohen Verdienste
ein|ge|fleischt; eingefleischter Junggeselle
ein|ge|fuchst *ugs.:* gut eingearbeitet
ein|ge|hen *tr. u. intr. 47;* **ein|ge|hend;** etwas e. betrachten
Ein|ge|mach|te(s) *s. 18 (17)* Konserve, z. B. Marmelade
ein|ge|mein|den *tr. 2;* **Ein|ge|mein|dung** *w. 10 nur Ez.*
ein|ge|nom|men für, gegen etwas oder jmdn. e. sein; **Ein|ge|nom|men|heit** *w. 10 nur Ez.*
ein|ge|schlech|tig *Bot.:* nur weibl. oder männl. Geschlecht aufweisend (Blüte), diklin
ein|ge|ses|sen einheimisch, seit längerem ansässig
ein|ge|stan|de|ner|ma|ßen, ein|ge|stand|ner|ma|ßen; Ein|ge|ständ|nis *s. 1;* **ein|ge|ste|hen** *tr. 151*
ein|ge|stri|chen; eingestrichene Oktave *Mus.:* Oktave der Mittellage, deren Töne bei Buchstabenschrift mit einem kleinen senkrechten Strich gekennzeichnet werden; das eingestrichene a (a')
ein|ge|tra|gen; eingetragener Verein (*Abk.:* e. V.)
Ein|ge|wei|de *s. 5;* **Ein|ge|wei|de|bruch** *m. 2*
Ein|ge|weih|te(r) *m. 18 (17) bzw. w. 17 oder 18*
ein|ge|wöh|nen *refl. 1;* **Ein|ge|wöh|nung** *w. 10 nur Ez.*
ein|ge|wur|zelt
ein|ge|zo|gen zurückgezogen; ein eingezogenes Leben führen; **Ein|ge|zo|gen|heit** *w. 10 nur Ez.*
ein|gip|sen *tr. 1*
Ein|glas *s. 4* Brille für nur ein Auge, Monokel
ein|glei|sig; eingleisige Strecke
ein|glie|dern *tr. 1;* ich gliedere, gliedre es ein; **Ein|glie|de|rung** *w. 10 nur Ez.*
ein|gra|ben *tr. 58*
ein|gra|vie|ren *tr. 3;* **Ein|gra|vie|rung** *w. 10*
ein|grei|fen *intr. 59;* **Ein|griff** *m. 1*
ein|gren|zen *tr. 1;* **Ein|gren|zung** *w. 10*
Ein|guß ► **Ein|guss** *m. 2*
ein|ha|ken *intr. u. tr. 1*
ein|halb|mal; e. so groß wie…
Ein|halt *m. 1 nur Ez.;* jmdm. oder einer Sache E. gebieten, E. tun; **ein|hal|ten** *tr. u. intr. 61*
ein|han|deln *tr. 1;* ich handele, handle es ein
ein|hän|dig; ein|hän|di|gen *tr. 1;* **Ein|hän|di|gung** *w. 10 nur Ez.*
ein|hän|gen 1 *tr. 1;* **2** *intr. 1, ugs.:* den (Telefon-)Hörer auf die Gabel legen
ein|hau|en 1 *tr. und intr. 63;* auf etwas oder jmdn. e.; **2** *intr. 63, ugs.:* viel und gierig essen
ein|häu|sig *Bot.:* männl. und weibl. Blüten auf demselben Individuum tragend, monözisch; **Ein|häu|sig|keit** *w. 10 nur Ez.* Monözie
ein|he|ben *tr. 64, schweiz.:* erheben (Steuern)
ein|hei|misch; Ein|hei|mi|sche(r) *m. 18 (17) bzw. w. 17 oder 18*
ein|heim|sen *tr. 1*
Ein|hei|rat *w. 10;* **ein|hei|ra|ten** *intr. 2*
Ein|heit *w. 10;* **ein|heit|lich; Ein|heit|lich|keit** *w. 10 nur Ez.;* **Ein|heits|kurz|schrift** *w. 10;* **Ein|heits|preis** *m. 1;* **Ein|heits|staat** *m. 12;* **Ein|heits|wert** *m. 1*
ein|hei|zen *intr. 1;* jmdm. e. *ugs.:* jmdm. heftige Vorwürfe machen
ein|hel|fen *intr. 66* vorsagen, einsagen
ein|hel|lig; Ein|hel|lig|keit *w. 10 nur Ez.*
ein|hen|ke|lig, ein|henk|lig; **ein|hen|keln** *refl. 1*
ein|her; ein|her|fah|ren *intr. 32;* **ein|her|ge|hen** *intr. 47*
Ein|he|ri|er *m. 5, germ. Myth.:* gefallener Kämpfer in Walhall
ein|her|ja|gen *intr. 1;* **ein|her|stol|zie|ren** *intr. 3*
ein|hie|ven *tr. 1, Seew.:* ein-, hochziehen (Ankerkette)
ein|ho|len *tr. 1;* **Ein|ho|lung** *w. 10 nur Ez.*
Ein|horn *s. 4* **1** Fabeltier in Pferde- oder Hirschgestalt mit einem Horn auf der Stirn; **2** ein Sternbild
Ein|hu|fer *m. 5;* **ein|hu|fig**
ein|hun|dert = hundert
ei|nig; mit jmdm. einig sein, einig werden; ich gehe mit ihm einig, dass…: stimme mit ihm überein; der einige Gott
ei|ni|ge (-r, -s) 1 ziemlich viel; einiges Geld; ich weiß einiges darüber; *Flexion des folgenden substantivierten Adjektivs schwankt:* einiges Gute(s); er wusste einiges Kluge(s) dazu zu sagen; mit einigem guten (*nicht:* gutem) Willen; **2** mehrere, ein paar; einige kamen mit; einige Menschen; einige Male; *nachfolgendes Adjektiv wird stark flektiert:* einige junge Leute; die Stimmen einiger junger Leute; **ei|ni|ge|mal**; *aber:* einige Male
ein|igeln *refl. 1* **1** eine Stellung mit Verteidigungsmöglichkeiten nach allen Seiten beziehen; **2** sich von der Umwelt absondern
ei|ni|gen *tr. 1*
ei|ni|ger|ma|ßen
ei|ni|ges; vgl. einige
ei|nig|ge|hen ► **ei|nig ge|hen** *intr. 47;* **Ei|nig|keit** *w. 10 nur Ez.;* **Ei|ni|gung** *w. 10*
ein|imp|fen *tr. 1;* **Ein|imp|fung** *w. 10 nur Ez.*
ein|ja|gen *tr. 1;* jmdm. Angst, einen Schrecken einjagen
ein|jäh|rig; Ein|jäh|ri|ge(r) *m. 18 (17);* **Ein|jäh|ri|ge(s)** *s. 18 (17)* mittlere Reife; **Ein|jäh|rig-Frei|wil|li|ge(r)** *m. 18 (17)*
ein|ka|cheln *intr. 1, ugs.:* (zu) stark heizen
ein|kal|ku|lie|ren *tr. 3* einrechnen, mit berücksichtigen
Ein|kam|mer|sys|tem *s. 1*
ein|kap|seln *tr. 1;* ich kapsele, kapsle mich ein; **Ein|kap|se|lung, Ein|kaps|lung** *w. 10 nur Ez.*
ein|kas|sie|ren *tr. 3;* **Ein|kas|sie|rung** *w. 10 nur Ez.*
Ein|kauf *m. 2;* **ein|kau|fen** *tr. 1;* **Ein|käu|fer** *m. 5;* **Ein|kaufs|ge|nos|sen|schaft** *w. 10;* **Ein|kaufs|preis** *m. 1;* **Ein|kaufs|zen|trum** *s. Gen.* -s *Mz.* -tren
Ein|kehr *w. 10 nur Ez.;* **ein|keh|ren** *intr. 1*
ein|kei|len *tr. 1;* in einer Menschenmenge eingekeilt
ein|keim|blät|te|rig, ein|keim|blätt|rig
ein|kel|lern *tr. 1* im Keller einlagern (Vorrat); ich kellere es ein; **Ein|kel|le|rung** *w. 10 nur Ez.*
ein|ker|ben *tr. 1;* **Ein|ker|bung** *w. 10*
ein|ker|kern *tr. 1;* **Ein|ker|ke|rung** *w. 10 nur Ez.*
ein|kes|seln *tr. 1;* **Ein|kes|se|lung, Ein|keß|lung** ► **Ein|kess|lung** *w. 10 nur Ez.*

ein|kla|gen *tr. 1* mit Hilfe einer Klage eintreiben
ein|klam|mern *tr. 1;* ich klammere, klammre es ein; **Ein|klam|me|rung** *w. 10*
Ein|klang *m. 2 nur Ez.*
Ein|klas|sen|schu|le *w. 11;* **ein|klas|sig**
ein|klei|den *tr. 2;* **Ein|klei|dung** *w. 10 nur Ez.*
ein|klem|men *tr. 1;* **Ein|klem|mung** *w. 10*
Ein|koch|ap|pa|rat *m. 1;* **ein|ko|chen** *tr. 1*
ein|kom|men *intr. 71;* um etwas e. *Amtsdeutsch:* ein Gesuch einreichen; **Ein|kom|men** *s. 7;* **Ein|kom|men|steu|er** *w. 11;* **ein|kom|men|steu|er|pflich|tig**
ein|krei|sen *tr. 1;* **Ein|krei|sung** *w. 10 nur Ez.;* **Ein|krei|sungs|po|li|tik** *w. 10 nur Ez.*
ein|kre|men, ein|cre|men *tr. 1*
Ein|künf|te *nur Mz.*
Ein|lad *m. 1 nur Ez., schweiz.:* Einladen, Verladen; **ein|la|den** *tr. 74;* **Ein|la|dung** *w. 10;* **Ein|la|dungs|kar|te** *w. 11*
Ein|la|ge *w. 11*
Ein|laß ► **Ein|lass** *m. 2;* **ein|las|sen** *tr. 75;* **Ein|laß|kar|te** ► **Ein|lass|kar|te** *w. 11;* **ein|läß|lich** ► **ein|läss|lich** *schweiz.:* gründlich; **Ein|läß|lich|keit** ► **Ein|läss|lich|keit** *w. 10 nur Ez., schweiz.;* **Ein|las|sung** *w. 10, Rechtsw.:* Stellungnahme zur Klage
Ein|lauf *m. 2;* **ein|lau|fen** *intr. 76;* **Ein|lauf|sup|pe** *w. 11;* **Ein|lauf|wet|te** *w. 11*
ein|le|ben *refl. 1*
Ein|le|ge|ar|beit *w. 10;* **ein|le|gen** *tr. 1;* **Ein|le|ger** *m. 5;* **Ein|le|gung** *w. 10*
ein|lei|ten *tr. 2;* **Ein|lei|tung** *w. 10*
ein|len|ken *intr. 1*
ein|le|sen *refl. 79;* sich in ein Buch, eine Handschrift einlesen
ein|leuch|ten *intr. 2*
ein|lie|fern *tr. 1;* ich liefere, liefre ihn ein; **Ein|lie|fe|rung** *w. 10;* **Ein|lie|fe|rungs|schein** *m. 1*
ein|lie|gend, an|lie|gend, in|liegend: anbei; **Ein|lie|ger** *m. 5* Gelegenheitsarbeiter auf dem Land, der beim Bauern zur Miete wohnt; **Ein|lie|ger|woh|nung** *w. 10* kleine Zweitwohnung im Einfamilienhaus
ein|lo|chen *tr. 1* **1** *ugs.:* einsperren **2** *Golf:* den Ball ins Loch spielen
ein|lo|gie|ren [-ʒi:-] *tr. 3*
ein|lö|sen *tr. 1;* **Ein|lö|sung** *w. 10 nur Ez.*
ein|lul|len *tr. 1* **1** in den Schlaf singen; **2** in trügerische Sicherheit wiegen
Ein|mach *w. Gen. - nur Ez., österr.:* helle Mehlschwitze; **ein|ma|chen** *tr. 1* einkochen; **Ein|mach|glas** *s. 4;* **Ein|mach|sup|pe** *w. 11, österr.:* mit Mehlschwitze zubereitete Suppe
ein|mah|dig, ein|mäh|dig nur einmal im Jahr Ernte bringend (Wiese), einschürig
ein|mah|nen *tr. 1* durch Mahnung eintreiben; **Ein|mah|nung** *w. 10*

> **einmal/ein Mal:** Das Zahlwort *einmal* wird kleingeschrieben: *Er ist einmal zu spät gekommen.* Bei besonderer Betonung ist Getrenntschreibung möglich: *Erst ein Mal ist das passiert!* → § 39 (1), § 55 (4), § 39 E2 (1)

ein|mal; alles auf einmal; nicht einmal das; noch einmal; einbis zweimal; einmal ums andere; **Ein|mal|eins** *s. Gen. - Mz.-;* das große, kleine E.; **ein|ma|lig; Ein|ma|lig|keit** *w. 10 nur Ez.*
Ein|mann|ge|sell|schaft *w. 10* Handelsgesellschaft, deren Anteile sich in nur einer Hand befinden
Ein|mark|stück *s. 1*
Ein|marsch *m. 2;* **ein|mar|schie|ren** *intr. 3*
Ein|mas|ter *m. 5* Segelschiff mit nur einem Mast; **ein|mas|tig**
ein|mau|ern *tr. 1;* ich mauere, maure es ein; **Ein|mau|e|rung** *w. 10 nur Ez.*
Ein|me|ter|brett *s. 3*
ein|mie|ten 1 *tr. 2;* Rüben e.; **2** *refl. 2;* sich bei jmdm. e.; **Ein|mie|tung** *w. 10 nur Ez.*
ein|mi|schen *refl. 1;* **Ein|mi|schung** *w. 10*
ein|mo|to|rig
ein|mot|ten *tr. 2*
ein|mum|meln *tr. 1, ugs.:* einmummen; **ein|mum|men** *tr. 1*
ein|mün|den *intr. 2;* **Ein|mün|dung** *w. 10*
ein|mü|tig; Ein|mü|tig|keit *w. 10 nur Ez.*
ein|nach|ten, nach|ten *intr. 2, schweiz.:* Nacht werden
Ein|nah|me *w. 11;* **Ein|nah|me|quel|le** *w. 11*
ein|ne|beln *tr. 1;* **Ein|ne|be|lung, Ein|neb|lung** *w. 10 nur Ez.*
ein|neh|men *tr. 88;* **Ein|neh|mer** *m. 5*
ein|ni|cken *intr. 1* unwillentlich in Schlaf fallen
Ein|öd *w. 10,* Ein|öd|hof *m. 2, süddt.:* abseits liegendes Bauerngut; **Ein|öd|bau|er** *m. 11;* **Ein|ö|de** *w. 11;* **Ein|öd|hof** *m. 2* = Einöd
ein|ord|nen *tr. 2;* **Ein|ord|nung** *w. 10 nur Ez.*
Ein|par|tei|en|re|gie|rung *w. 10;* **Ein|par|tei|en|sys|tem** *s. 1*
ein|pas|sen *tr. 1*
ein|pau|ken *tr. 1;* **Ein|pau|ker** *m. 5*
ein|peit|schen *tr. 1;* **Ein|peit|scher** *m. 5, im brit. Parlament:* jmd., der für die Anwesenheit der Fraktionsmitglieder sorgt, Whip
ein|pfar|ren *tr. 1;* **Ein|pfar|rung** *w. 10*
ein|pfer|chen *tr. 1*
Ein|pha|sen|strom, Ein|pha|sen|wech|sel|strom *m. 2*
ein|pla|nen *tr. 1;* **Ein|pla|nung** *w. 10*
ein|pö|keln *tr. 1;* ich pökele, pökle es ein
ein|pol|dern *tr. 1* eindeichen; **Ein|pol|de|rung** *w. 10 nur Ez.*
ein|po|lig
ein|prä|gen *tr. 1;* **ein|präg|sam; Ein|prä|gung** *w. 10*
ein|pup|pen *refl. 1*
ein|quar|tie|ren *tr. 3;* **Ein|quar|tie|rung** *w. 10*
ein|ran|gie|ren [-rãʒi:-] *tr. 3*
ein|ras|ten *intr. 2; auch ugs.:* beleidigt sein
ein|räu|men *tr. 1;* **Ein|räu|mung** *w. 10;* **Ein|räu|mungs|satz** *m. 2* = Konzessivsatz
Ein|re|de *w. 11* Einwand; **ein|re|den** *tr. 2*
ein|reg|nen 1 *intr. 2;* **2** *refl. 2, ugs.:* es regnet sich ein: es hört nicht auf zu regnen
ein|rei|ben *tr. 95;* **Ein|rei|bung** *w. 10*
ein|rei|chen *tr. 1;* **Ein|rei|chung** *w. 10 nur Ez.*
ein|rei|hen *tr. 1;* **Ein|rei|her** *m. 5* Anzug mit nur einer Knopfreihe an der Jacke; **ein|rei|hig; Ein|rei|hung** *w. 10 nur Ez.*
Ein|rei|se *w. 11;* **Ein|rei|se|er|laub|nis** *w. 11;* **Ein|rei|se|ge|neh|mi|gung** *w. 10;* **ein|rei|sen** *intr. 1;* **Ein|rei|se|vi|sum** *s. Gen. -s Mz. -sa*

ein|rei|ßen *tr. u. intr. 96*
ein|ren|ken *tr. 1;* **Ein|ren|kung** *w. 10*
ein|ren|nen *tr. 98*
ein|rich|ten *tr. 2;* **Ein|rich|tung** *w. 10;* **Ein|rich|tungs|ge|gen|stand** *m. 2*
Ein|riß ► **Ein|riss** *m. 1*
ein|ros|ten *intr. 2*
ein|rü|cken **1** *intr. 1;* **2** *tr. 1, Buchw.;* eine Zeile e.: mit einem kleinen Einzug beginnen lassen; **Ein|rü|ckung** *w. 10, Buchw.*
ein|rüs|ten *tr. 2* mit einem Gerüst versehen (Haus)
eins **1** *unbestimmtes Fürwort,* vgl. einer; **2** *Zahlwort:* eins, zwei, drei hatte er alles aufgegessen: im Nu; es schlägt eins, die Uhr zeigt eins: ein Uhr; viertel auf eins, vor eins, nach eins; drei weniger zwei macht, ist eins; das Spiel steht zwei zu eins (2:1); **3** einig, eines Sinnes; mit jmdm. eins sein; **4** etwas; ich will dir eins sagen; jmdm. eins auswischen; **5** gleich, gleichgültig; mir ist alles eins; **Eins** *w. 10* **1** die Zahl 1; zwei Einsen würfeln; **2** *als Schulnote:* sehr gut; eine Eins im Rechnen haben, schreiben; die Prüfung mit Eins bestehen; **3** Straßenbahn Linie 1
Ein|saat *w. 10*
ein|sa|cken *tr. 1, ugs.*
ein|sä|en *tr. 1*
ein|sa|gen *tr. 1* vorsagen, soufflieren; **Ein|sa|ger** *m. 5* Souffleur
ein|sam; Ein|sam|keit *w. 10*
ein|sam|meln *tr. 1;* ich sammele, sammle es ein
ein|sar|gen *tr. 1*
Ein|satz *m. 2;* **ein|satz|be|reit; Ein|satz|be|reit|schaft** *w. 10 nur Ez.;* **Ein|satz|stück** *s. 1*
ein|sau|en *tr. 1, ugs.:* schmutzig machen
ein|säu|ern *tr. 1;* **Ein|säu|e|rung** *w. 10 nur Ez.*
ein|schach|teln *tr. 1;* ich schachtele, schachtle es ein
ein|schal|ten *tr. 2;* **Ein|schal|tung** *w. 10*
ein|schär|fen *tr. 1;* jmdm. etwas einschärfen
ein|schät|zen *tr. 1;* **Ein|schät|zung** *w. 10*
ein|schen|ken *tr. 1;* Wein, Kaffee einschenken
ein|sche|ren *intr. 1* sich in die Reihe, in einen Verband einordnen
Ein|schicht *w. 10 nur Ez., österr.:* Einsamkeit, Einöde; in der E. leben; **ein|schich|tig** *österr.:* abseits gelegen; ein einschichtiger Hof
ein|schie|ben *tr. 112;* **Ein|schieb|sel** *s. 5;* **Ein|schie|bung** *w. 10*
Ein|schie|nen|bahn *w. 10*
ein|schie|ßen **1** *tr. 113;* **2** *refl. 113;* sich auf ein Ziel einschießen; **3** *intr. 113;* die Milch schießt ein (bei werdenden Müttern)
ein|schif|fen *refl. 1;* **Ein|schif|fung** *w. 10 nur Ez.*
einschl. *Abk. für* einschließlich
ein|schla|fen *intr. 115;* **ein|schlä|fe|rig,** ein|schläf|rig; nur für einen Schläfer; einschläferiges Bett, Federbett; **ein|schlä|fern** *tr. 1;* ich schläfere, schläfre ihn ein; **ein|schlä|fig, ein|schläf|rig** = einschläferig
Ein|schlag *m. 2;* **ein|schla|gen** *tr. u. intr. 116;* **ein|schlä|gig** zu etwas gehörig, etwas betreffend; die einschlägige Literatur, die einschlägigen Bestimmungen nachlesen
ein|schlei|chen *refl. 117*
ein|schlep|pen *tr. 1;* **Ein|schlep|pung** *w. 10 nur Ez.*
ein|schleu|sen *tr. 1;* **Ein|schleu|sung** *w. 10 nur Ez.*
ein|schlie|ßen *tr. 120;* **ein|schließ|lich** (*Abk.:* einschl.) *mit Gen., wenn der Artikel vor dem Substantiv steht, sonst Nom.:* e. des Trinkgeldes, *aber:* e. Trinkgeld; *in der Mz. auch mit Dativ:* e. Kindern; **Ein|schlie|ßung** *w. 10 nur Ez.;* **Ein|schluß** ► **Ein|schluss** *m. 2*
ein|schmei|cheln *refl. 1*
ein|schnei|den *tr. u. intr. 125;* **ein|schnei|dend**
ein|schnei|en *intr. 1*
Ein|schnitt *m. 1*
ein|schnü|ren *tr. 1;* **Ein|schnü|rung** *w. 10 nur Ez.*
ein|schrän|ken *tr. 1;* **Ein|schrän|kung** *w. 10*
Ein|schreib|brief, Ein|schrei|be|brief *m. 1;* **Ein|schrei|be|ge|bühr,** Ein|schreib|ge|bühr *w. 10;* **ein|schrei|ben** *tr. 127;* Einschreiben! (Vermerk auf eingeschriebenen Postsendungen); einen Brief eingeschrieben schicken; **Ein|schrei|be|päck|chen,** Ein|schreib|päck|chen *s. 7;* **Ein|schrei|ber** *m. 5, ugs.:* eingeschriebene Postsendung; **Ein|schrei|be|sen|dung,** Ein|schreib|sen|dung *w. 10;* **Ein|schreib|ge|bühr,** Ein|schrei|be|ge|bühr *w. 10;* **Ein|schreib|päck|chen** Ein|schrei|be|päckchen *s. 7;* **Ein|schreib|sen|dung,** Ein|schrei|be|sen|dung *w. 10;* **Ein|schrei|bung** *w. 10*
ein|schrei|ten *intr. 129;* gegen etwas e.
Ein|schrieb *m. 1, schweiz.:* Einschreiben (von Postsendungen)
ein|schrum|peln *intr. 1, ugs.:* einschrumpfen; **ein|schrump|fen** *intr. 1;* **Ein|schrump|fung** *w. 10 nur Ez.*
Ein|schub *m. 2*
ein|schüch|tern *tr. 1;* **Ein|schüch|te|rung** *w. 10 nur Ez.;* **Ein|schüch|te|rungs|ver|such** *m. 1*
ein|schu|len *tr. 1;* **Ein|schu|lung** *w. 10*
ein|schü|rig = einmähdig
Ein|schuß ► **Ein|schuss** *m. 2* **1** Stelle, an der ein Geschoss eingedrungen ist; **2** Gesamtheit der eingeschossenen Kettfäden
Ein|schüt|te *w. 11* feiner Inlettköper für Daunen; **ein|schüt|ten** *tr. 2*
ein|schwen|ken *intr. 1*
ein|schwim|men *tr. 132* schwimmend zur Baustelle transportieren (Brückenteile)
ein|seg|nen *tr. 2;* **Ein|seg|nung** *w. 10*
ein|se|hen *tr. 136;* **Ein|se|hen** *s. Gen. -s nur Ez.;* ein E. haben
ein|sei|fen *tr. 1; auch ugs.:* überlisten, zum besten haben
ein|sei|tig; Ein|sei|tig|keit *w. 10 nur Ez.*
ein|sen|den *tr. 138;* **Ein|sen|der** *m. 5;* **Ein|sen|dung** *w. 10*
ein|sen|ken *tr. 1;* **Ein|sen|kung** *w. 10* Vertiefung, Graben
Ein|ser *m. 5* **1** Autobus Linie 1; **2** *süddt.:* die Zahl 1; Schulnote 1; vgl. Eins
ein|set|zen *tr. u. intr. 1;* **Ein|set|zung** *w. 10*
Ein|sicht *w. 10;* **ein|sich|tig; Ein|sich|tig|keit** *w. 10 nur Ez.;* **Ein|sicht|nah|me** *w. 11 nur Ez.;* **ein|sichts|los; Ein|sichts|lo|sig|keit** *w. 10 nur Ez.;* **ein|sichts|voll**
Ein|sie|de|glas, Ein|sied|glas *s. 4, österr.:* Einmach-, Einweckglas
Ein|sie|de|lei *w. 10*
ein|sie|den *tr. 2, österr.:* einkochen; **Ein|sied|glas** *s. 4* = Einsiedeglas

► = wird zu

Ein|sied|ler *m. 5;* **ein|sied|le|risch; Ein|sied|ler|krebs** *m. 1*
Ein|sil|ber *m. 5* = Einsilbler; **ein|sil|big; Ein|sil|big|keit** *w. 10 nur Ez.;* **Ein|sil|bler,** Ein|sil|ber *m. 5* einsilbiges Wort
Ein|sit|zer *m. 5* Fahr- oder Flugzeug mit nur einem Sitzplatz, **ein|sit|zig**
ein|söm|me|rig einen Sommer alt (Fische)
ein|spa|nen *tr. 1;* **Ein|spän|ner** *m. 5* **1** Kutsche für ein Pferd; **2** *ugs.:* jmd., der gern allein lebt; **3** *österr.:* schwarzer Kaffee mit Schlagsahne; **4** *früher:* Bauer, der mit einem Gespann fronpflichtig war; **ein|spän|nig**
ein|spa|ren *tr. 1;* **Ein|spa|rung** *w. 10;* **Ein|spa|rungs|maß|nah|me** *w. 11*
ein|spei|cheln *tr. 1*
ein|spie|len *tr. u. refl. 1;* **Ein|spie|lung** *w. 10*
Ein|spra|che *w. 11* Einspruch, Einrede; **Ein|spra|che|recht** *s. 1;* **ein|spra|chig**; einsprachiges Wörterbuch
ein|spren|gen *tr. 1;* **Ein|spreng|ling** *m. 1* aus magmatischem Schmelzfluss ausgeschiedener größerer Kristall; **Ein|spreng|sel** *s. 5* Einsprengling
ein|sprin|gen *intr. 148;* für jmdn. einspringen
ein|sprit|zen *tr. 1;* **Ein|sprit|zer** *m. 5;* **Ein|spritz|mo|tor** *m. 13* Verbrennungsmotor mit Kraftstoffeinspritzung anstatt Vergaser; **Ein|sprit|zung** *w. 10*
Ein|spruch *m. 2;* E. erheben; **Ein|spruchs|recht** *s. 1*
Ein|spur|bahn *w. 10;* **ein|spu|rig**
einst, eins|tens; **Einst** *s. Gen. - nur Ez.;* das Einst und (das) Jetzt
ein|stamp|fen *tr. 1*
Ein|stand *m. 2*
ein|stau|ben *tr. u. intr. 1;* **ein|stäu|ben** *tr. 1*
ein|ste|chen *tr. 149*
ein|ste|cken *tr. 1;* **Ein|steck|kamm** *m. 2*
ein|ste|hen *intr. 151;* für jmdn. einstehen
ein|stei|gen *intr. 153*
Ein|stei|ni|um [nach dem dt. Physiker Albert Einstein] *s. Gen. -s nur Ez.* (*Zeichen:* Es) künstlich hergestelltes radioaktives chem. Element
ein|stel|len *tr. 1;* **ein|stel|lig** (Zahl); **Ein|stel|lung** *w. 10*
eins|tens, einst
Ein|stich *m. 1*
Ein|stieg *m. 1*
eins|tig
ein|stim|men *intr. u. refl. 1;* **ein|stim|mig; Ein|stim|mig|keit** *w. 10 nur Ez.*
einst|ma|lig; einst|mals
ein|stö|ckig
ein|strah|len *intr. 1;* **Ein|strah|lung** *w. 10*
ein|strei|chen *tr. 158 ugs.;* Geld e.: an sich nehmen
ein|strö|men *intr. 1;* **Ein|strö|mung** *w. 10*
ein|stu|die|ren *tr. 3;* **Ein|stu|die|rung** *w. 10*
ein|stu|fen *tr. 1;* **ein|stu|fig; Ein|stu|fung** *w. 10*
Ein|sturz *m. 2;* **ein|stür|zen** *intr. 1;* **Ein|sturz|ge|fahr** *w. 10 nur Ez.*
einst|wei|len; einst|wei|lig; einstweilige Verfügung
Ein|tags|fie|ber *s. 5 nur Ez.*
Ein|tags|flie|ge *w. 11; auch ugs.:* Angelegenheit von schnell vorübergehender Bedeutung
ein|tan|zen *refl. 1;* **Ein|tän|zer** *m. 5* in Tanzlokalen angestellter Tanzpartner
Ein|tausch *m. 1;* **ein|tau|schen** *tr. 1*
ein|tau|send = tausend
ein|tei|len *tr. 1;* **ein|tei|lig; Ein|tei|lung** *w. 10*
Ein|tel *s. 5, schweiz. auch: m. 5* ein Eintel (1/1): ein Ganzes
ein|tö|nig; Ein|tö|nig|keit *w. 10 nur Ez.*
Ein|topf *m. 2* Eintopfgericht
Ein|tracht *w. 10 nur Ez.* **ein|träch|tig; ein|träch|tig|lich** *veraltet für* einträchtig
Ein|trag *m. 2;* **ein|tra|gen** *tr. 160; vgl.* eingetragen; **ein|träg|lich; Ein|träg|lich|keit** *w. 10 nur Ez.;* **Ein|tra|gung** *w. 10*
ein|trän|ken *tr. 1;* jmdm. etwas e.: sich an jmdm. für etwas rächen
ein|träu|feln *tr. 1;* ich träufele, träufle es ein
ein|tref|fen *intr. 161*
ein|trei|ben *tr. 162;* **Ein|trei|bung** *w. 10 nur Ez.*
ein|tre|ten *intr. 163;* **ein|tre|ten|den|falls** *Amtsdeutsch;* **Ein|tre|tens|de|bat|te** *w. 11, schweiz.:* Eröffnungsansprache
ein|trich|tern *tr. 1;* ich trichtere es ihm ein
Ein|tritt *m. 1 nur Ez.;* **Ein|tritts|geld** *s. 3;* **Ein|tritts|kar|te** *w. 11*
ein|trü|ben *intr. u. refl. 1;* **Ein|trü|bung** *w. 10*
ein|tru|deln *intr. 1;* ich trudele, trudle ein
ein|ü|ben *tr. 1;* **Ein|ü|bung** *w. 10 nur Ez.*
ein und der|sel|be
ein|und|ein|halb = eineinhalb
Ei|nung *w. 10* das Einen, Einigung
ein|ver|lei|ben *tr. 1;* **Ein|ver|lei|bung** *w. 10 nur Ez.*
Ein|ver|nah|me *w. 11, österr.:* Vernehmung, Verhör; **ein|ver|neh|men** *tr. 88, österr.;* **Ein|ver|neh|men** *s. 7 nur Ez.;* mit jmdm. in gutem E. leben, stehen; sich mit jmdm. ins E. setzen: Übereinstimmung herstellen
ein|ver|stan|den; e. sein; **Ein|ver|ständ|nis** *s. 1*
Ein|waa|ge *w. 11* **1** Gewichtsverlust beim Wiegen; **2** reines Gewicht ohne Flüssigkeit, Verpackung usw. (bei Konserven); **3** Gewicht (einer Textilprobe) vor der chem. Untersuchung
ein|wach|sen 1 *intr. 172;* eingewachsener Nagel; **2** *tr. 1* mit Wachs einreiben (Boden)
Ein|wand *m. 2*
Ein|wan|de|rer *m. 5;* **ein|wan|dern** *intr. 1;* **Ein|wan|de|rung** *w. 10 nur Ez.;* **Ein|wan|de|rungs|be|hör|de** *w. 11*
ein|wand|frei
ein|wärts; ein|wärts|dre|hen ► **ein|wärts dre|hen** *tr. 1;* **ein|wärts|ge|hen** ► **ein|wärts ge|hen** *intr. 47*
ein|wech|seln *tr. 1;* ich wechsele, wechsle das Geld ein; **Ein|wech|se|lung; Ein|wechs|lung** *w. 10 nur Ez.*
Ein|weck|ap|pa|rat *m. 1* = Weckapparat; **ein|we|cken** *tr. 1* einkochen (bes. Obst und Gemüse); **Ein|weck|glas** *s. 4*
Ein|weg... *in Zus.:* nur einmal zu benutzen und dann wegzuwerfen, z. B. Einwegflasche, Einwegspritze; **Ein|weg|hahn** *m. 2* Leitungshahn, der einen Flüssigkeits- oder Gasstrom nur in einer Richtung durchlässt
ein|wei|hen *tr. 1;* **Ein|wei|hung** *w. 10*
ein|wei|sen *tr. 177;* **Ein|wei|sung** *w. 10 nur Ez.*
ein|wen|den *tr. 178;* **Ein|wen|dung** *w. 10;* Einwendungen machen, erheben

ein|wer|fen *tr. 181*
ein|wer|tig; Ein|wer|tig|keit *w. 10*
ein|wi|ckeln *tr. 1;* **Ein|wi|ckel|pa|pier** *s. 1*
ein|wie|gen 1 *tr. 1* in den Schlaf wiegen; **2** *tr. 182* wiegen und in die Verpackung füllen
ein|wil|li|gen *intr. 1;* **Ein|wil|li|gung** *w. 10 nur Ez.*
ein|win|tern *tr. 1;* ich wintere es ein; **Ein|win|te|rung** *w. 10 nur Ez.*
ein|wir|ken *intr. 1;* **Ein|wir|kung** *w. 10*
Ein|woh|ner *m. 5;* **Ein|woh|ner|mel|de|amt** *s. 4;* **Ein|woh|ner|schaft** *w. 10 nur Ez.;* **Ein|woh|ner|zahl** *w. 10*
Ein|wurf *m. 2*
Ein|zahl *w. 10 nur Ez.* = Singular; *Ggs.:* Mehrzahl; **ein|zah|len** *tr. 1;* **Ein|zah|lung** *w. 10;* **Ein|zah|lungs|schal|ter** *m. 5;* **Ein|zah|lungs|schein** *m. 1, schweiz.:* Zahlkarte
ein|zäu|nen *tr. 1;* **Ein|zäu|nung** *w. 10*
ein|ze|hig
ein|zeich|nen *tr. 2;* **Ein|zeich|nung** *w. 10*
ein|zei|lig
Ein|zel *s. 5, Tennis:* Spiel zweier einzelner Spieler gegeneinander; vgl. Doppel (**2**); **Ein|zel|fall** *m. 2;* **Ein|zel|gän|ger** *m. 5;* **Ein|zel|haft** *w. 10;* **Ein|zel|han|del** *m. Gen.* -s *nur Ez.;* **Ein|zel|han|dels|ge|schäft** *s. 1;* **Ein|zel|händ|ler** *m. 5;* **Ein|zel|heit** *w. 10;* **Ein|zel|kos|ten** *nur Mz.* dem einzelnen Produkt direkt zurechenbare Kosten
Ein|zel|ler *m. 5;* **ein|zel|lig**

> **einzeln/der Einzelne:** Mit kleinem Anfangsbuchstaben wird das Zahladjektiv *einzeln* geschrieben. Die substantivierte Form wird großgeschrieben: *der/die/das Einzelne, jede(r) Einzelne, bis ins Einzelne, im Einzelnen, alles Einzelne.* →§ 57 (1)
> Getrennt wird geschrieben: *einzeln stehend.* →§ 36 E1 (1.2)

ein|zeln 1 *Kleinschreibung:* einzelne Dinge haben mir gefallen; **2** *Großschreibung:* der Einzelne ist machtlos; vom Einzelnen zum Allgemeinen, zum Ganzen
ein|zeln|ste|hend ► **ein|zeln ste|hend**

Ein|zel|stim|me *w. 11;* **Ein|zel|stück** *s. 1;* **Ein|zel|stun|de** *w. 11* Privatstunde; **Ein|zel|teil** *s. 1;* **Ein|zel|ver|kauf** *m. 2;* **Ein|zel|we|sen** *s. 7;* **Ein|zel|zel|le** *w. 11;* **Ein|zel|zim|mer** *s. 5*
ein|ze|men|tie|ren *tr. 3*
ein|zie|hen *tr. u. intr. 187;* **Ein|zie|hung** *w. 10 nur Ez.*

> **einzig/der Einzige:** Das Adjektiv wird kleingeschrieben: *der einzige Passagier; er ist einzig.* Die substantivierte Form wird großgeschrieben: *der/die/das Einzige, als Einziger, als Einziges, kein Einziger.* →§ 57 (1)

ein|zig 1 *Kleinschreibung:* die einzige Möglichkeit wäre, ...; einzig schön; das ist das einzig Wahre; **2** *Großschreibung:* er ist unser Einziger: unser einziges Kind; der, die, das Einzige; kein Einziger; **ein|zig|ar|tig; Ein|zig|ar|tig|keit** *w. 10 nur Ez.;* **Ein|zig|keit** *w. 10 nur Ez.*
Ein|zim|mer|woh|nung *w. 10*
Ein|zug *m. 2;* **Ein|zü|ger** *m. 5, schweiz.:* Kassierer; **Ein|zugs|ge|biet** *s. 1*
ein|zwän|gen *tr. 1*
ein|zwi|cken *tr. 1, süddt., österr.:* einklemmen
Ein|zy|lin|der *m. 5,* **Ein|zy|lin|der|ma|schi|ne** *w. 11*
Ei|pul|ver *s. 5 nur Ez.*
Eire [ɛərə] *ir. Name von* Irland
ei|rund; Ei|rund *s. 1 nur Ez.* eirunde, ovale Form
eis, Eis, *s. Gen.* - *Mz.* -, *Mus.:* das um einen halben Ton erhöhte e bzw. E
Eis *s. Gen.* -es *Mz.* -; drei Eis bestellen; Eis laufen
Eis|bahn *w. 10;* **Eis|bai|ser** [-bɛze:] *s. 9;* **Eis|bär** *m. 10;* **Eis|bein** *s. 1* **1** *nur Ez.* gekochtes und gepökeltes Beinstück vom Schwein; **2** *Mz., ugs.:* sehr kalte Füße; **Eis|beu|tel** *m. 5;* **eis|blau** grünlichblau; **Eis|blink** *m. 1* Widerschein des Polareises am Horizont; **Eis|blu|me** *w. 11 meist Mz.;* **Eis|bom|be** *w. 11;* **Eis|bre|cher** *m. 5;* **Eis|creme** [-kre:m] *w. 9;* **Eis|die|le** *w. 11;* **ei|sen** *intr. 1* Eis gewinnen
Ei|sen *s. 7* (*Zeichen:* Fe) chem. Element, Ferrum; die Eisen verarbeitende Industrie
Ei|sen|ach *auch:* **Ei|se|nach** Stadt am Thüringer Wald
Ei|sen|bahn *w. 10;* **Ei|sen|bah|ner** *m. 5;* **Ei|sen|bahn|schaff|ner** *m. 5;* **Ei|sen|bahn|ver|kehr** *m. 1 nur Ez.;* **Ei|sen|bahn|wa|gen** *m. 7;* **Ei|sen|bart(h)** [nach dem Wundarzt Johann Andreas Eysenbarth] Doktor E. *ugs.:* energisch, mit derben Kuren behandelnder Arzt; **Ei|sen|blü|te** *w. 11 nur Ez.* ein Mineral; **Ei|sen|erz** *s. 1;* **Ei|sen|glanz** *m. Gen.* -es *nur Ez.,* **Ei|sen|glim|mer** *m. 5 nur Ez.* ein Mineral, Blutstein; **Ei|sen|hut** *m. 2 nur Ez.* eine Heilpflanze, Sturmhut, Akonit; **Ei|sen|hüt|te** *w. 11;* **Ei|sen|hüt|ten|stadt** Stadt an der Oder (1950 gegründet); **Ei|sen|kraut** *s. 4* eine Heilpflanze, Verbene; **Ei|sen|rahm** *m. 1 nur Ez.* ein Mineral; **ei|sen|schüs|sig** eisenhaltig; **Ei|sen|schwamm** *m. 2 nur Ez.* Abfallstoff bei der Eisenverhüttung
Ei|sen|stadt Hst. des Burgenlandes

> **Eisen verarbeitend:** Gefüge aus Substantiv und Verb werden getrennt geschrieben: *die Eisen verarbeitende Industrie.* →§ 34 E3 (5), § 36 E1 (1.2)

ei|sen|ver|ar|bei|tend ► **Ei|sen ver|ar|bei|tend; Ei|sen|zeit** *w. 10 nur Ez.;* **ei|sen|zeit|lich;**

> **eisern/Eisern:** Als Adjektiv kleingeschrieben *(ein eiserner Wille),* wird es in Eigennamen mit großem Anfangsbuchstaben geschrieben: *die Eiserne Krone* (= langobardische Königskrone), *das Eiserne Kreuz, das Eiserne Tor* (= Donaudurchbruch), *der Eiserne Vorhang* (= Grenze zwischen Ost und West nach dem II. Weltkrieg). [→§ 60 (2.3), § 64 (4)]. Kleingeschrieben wird weiterhin in Fällen, bei denen es sich um feste Verbindungen handelt, die aber keine Eigennamen sind: *die eiserne Lunge, die eiserne Ration, der eiserne Vorhang* (im Theater). →§ 63

ei|sern; eiserne Hochzeit: Hochzeitstag nach 65 Jahren; eiserne Lunge: Gerät zur künstl. Atmung; eiserne Ration: Proviant für den äußersten Notfall; eiserner Vorhang (im Theater); der Eiserne Kanzler: Bismarck; Eisernes Kreuz (*Abk.:* EK); Eiserne

► = wird zu

Krone: die langobardische Königskrone; Eisernes Tor: Donaudurchbruch und Name mehrerer Pässe in Osteuropa

eis|frei; Eis|fuchs *m. 2* = Polarfuchs; **Eis|gang** *m. 2;* **eis|gekühlt; eis|grau; Eis|hei|li|gen** *m. 18 Mz., volkstüml. Bez. für* Heilige der Tage 11. bis 13. Mai (in Norddeutschland) bzw. 12.–14. Mai (in Süddeutschland), da es in diesen Tagen meist zu einem plötzl. Kälteeinbruch kommt; **Eishol|ckey** [-ke:] *s. Gen. -s nur Ez.;* **ei|sig**; der Wind ist eisig kalt; **ei|sig|kalt** ► **ei|sig kalt**

ei|sis, Ei|sis *s. Gen. - Mz. -, Mus.:* das um zwei halbe Töne erhöhte e bzw. E

Eis|kaf|fee *m. 9;* **eis|kalt; Eis|kunst|lauf** *m. 2;* **Eis|kunst|läu|fer** *m. 5;* **Eis|lauf** *m. 2;* **eis|laufen** ► **Eis lau|fen** *intr. 76;* **Eis|män|ner** *m. 4 Mz. süddt., österr. für* Eisheiligen; **Eis|meer** *s. 1;* **Eis|mo|nat** *m. 1,* **Eis|mond** *m. 1, alte Bez. für* Januar; **Eis|pi|ckel** *m. 5*

> **Eis laufen:** Verbindungen aus Substantiv und Verb werden getrennt geschrieben: *Wir wollen Eis laufen. Er ist Eis gelaufen.* Ebenso: *Eis laufend, Eis und Ski laufen.* → § 34 E3 (5)

Ei|sprung *m. 2* Austritt eines reifen Eies aus dem Eierstock, Follikelsprung, Ovulation

Eis|schie|ßen *s. Gen. -s nur Ez.;* **Eis|schnellauf** ► **Eis|schnell|lauf** *m. 2;* **Eis|se|geln** *s. Gen. -s nur Ez.;* **Eis|sport** *m. 1 nur Ez.;* **Eis|stand** *m. 2;* **Eis|vogel** *m. 6;* **Eis|zap|fen** *m. 7;* **Eiszeit** *w. 10;* **eis|zeit|lich**

ei|tel 1 ein eitler Mensch; eitles Geschwätz; **2** *veraltend, noch poet.:* lauter, rein; es herrschte eitel Lust und Freude

Ei|ter *m. 5 nur Ez.;* **Ei|ter|herd** *m. 1;* **ei|te|rig** = eitrig; **ei|tern** *intr. 1;* **Ei|te|rung** *w. 10;* **eit|rig** Eiter absondernd

Ei|weiß *s. Gen. - Mz. -;* drei E. zu Schnee schlagen; **Ei|zel|le** *w. 11*

E|ja|cu|la|tio prae|cox [lat.] *w. Gen. - - nur Ez.* vorzeitiger Samenerguss; **E|ja|cu|la|tio re|tar|da** *w. Gen. - - nur Ez.* zu spät eintretender Samenerguss; **E|ja|ku|lat** *s. 1* ausgespritzte Samenflüssigkeit; **E|ja|ku|la|ti|on** *w. 10* Samenerguss; **e|ja|ku|lie|ren** *intr. 3;* **E|jek|ti|on** *w. 10* **1** *veraltet:* Vertreibung (aus dem Besitz); **2** *Geol.:* Auswurf von vulkanischem Material; **E|jek|tor** *m. 13* **1** Auswerfvorrichtung am Jagdgewehr; **2** Dampfstrahlpumpe; **e|ji|zie|ren** *tr. 3, veraltet:* hinauswerfen, vertreiben

> **Eja-, Ekel-, Ela-, Ele-, Eli-** (Worttrennung): Die Abtrennung einer Silbe, die nur aus einem Vokal besteht, ist möglich *(E|ja-, E|kel-, E|la-, E|le-, E|li-),* wird aus ästhetischen Gründen jedoch nicht empfohlen. → § 108

EK *Abk. für* Eisernes Kreuz

E|kart [ekar, frz.] *m. 9, Börse:* Unterschied zwischen zwei Kursen im Terminhandel; **E|kar|té,** E|car|té [-te] *s. 9* **1** ein frz. Kartenspiel; **2** *Ballett:* Abspreizen des gestreckten Beines

Ek|chon|drom [-çɔn-, griech.] *s. 1* Knorpelgeschwulst; **Ek|chon|dro|se** *w. 11* Erkrankung infolge Knorpelwucherung

Ek|chy|mo|se [-çy-, griech.] *w. 11* blutunterlaufene Stelle, flächenhafte Hautblutung

EKD *Abk. für* Evangelische Kirche in Deutschland

ek|de|misch [griech.] auswärts befindlich, abwesend; *Ggs.:* endemisch (**1**)

e|kel *veraltet, noch poet.:* ekelhaft; **E|kel 1** *m. 5 nur Ez.* Widerwille, Abscheu; **2** *s. 5, ugs.:* unangenehmer, widerlicher Mensch; **E|kel|blu|me** *w. 11* Blume mit widerl. Geruch; **e|kel|er|re|gend** ► **E|kel er|re|gend; e|kel|haft; e|ke|lig,** e|k|lig; **e|keln** *tr. u. refl. 1;* ich ekle mich davor; es ekelt mich (*oder:* mir) vor ihm; er ekelt mich; **E|kel|na|me** [eigtl. Ökelname »Beiname«] *m. 15* Spitz-, Beiname

EKG, Ekg *Abk. für* Elektrokardiogramm

Ek|kle|sia *w. Gen. - nur Ez., eindeutschende Schreibung von* Ecclesia; **Ek|kle|si|as|tik** *w. 10 nur Ez.* = Ekklesiologie; **Ek|kle|si|as|ti|kus** *m. Gen. - nur Ez., in der Vulgata Bez. für* das Buch Jesus Sirach; **Ek|kle|si|o|lo|gie** *w. 11 nur Ez.,* Ek|kle|si|as|tik *w. 10 nur Ez.* Lehre von der Kirche

Ek|lamp|sie [griech.] *w. 11* Krampfanfall während der Spätschwangerschaft, der Entbindung oder des Wochenbetts infolge Stoffwechselversagens; **ek|lamp|tisch**

E|klat *auch:* **Ek|lat** [ekla, frz.] *m. 9* aufsehenerregendes Ereignis, Skandal; **e|kla|tant 1** aufsehenerregend; **2** offenkundig

Ek|lek|ti|ker [griech. »Auswählender«] *m. 5* jmd., der verschiedene Anschauungen oder Kunststile miteinander verbindet; **ek|lek|tisch; Ek|lek|ti|zis|mus** *m. Gen. - nur Ez.* Übernahme fremden Gedankengutes; **ek|lek|ti|zis|tisch**

ek|lig, e|ke|lig; **Ek|lig|keit** *w. 10 nur Ez.*

Ek|lip|se [griech.] *w. 11* Sonnen- oder Mondfinsternis; **Ek|lip|tik** *w. 10 nur Ez.* die scheinbar von der Sonne durchlaufene Bahn am Himmel innerhalb eines Jahres; **ek|lip|tisch**

Ek|lo|ge [griech.] *w. 11* altröm. Hirten-, Schäfergedicht

E|ko|no|mi|ser, E|co|no|mi|ser [ikɔnomaɪzər, engl.] *m. 5* Vorwärmer für das Wasser von Dampfkesseln

E|kos|sai|se, E|cos|sai|se [ekɔsɛz(ə), frz.] *w. 11 urspr.:* ein schott. Volkstanz, *danach:* ein Gesellschaftstanz

Ek|pho|rie [griech.] *w. 11* Vorgang des Sicherinnerns

E|kra|sit [frz.] *s. 1 nur Ez.* ein Sprengstoff

ekrü, ecrü [frz.] *nicht flektierbar* naturfarben; **Ekrü|sei|de** *w. 11* Rohseide

Ek|sta|se *auch:* **Eks|ta|se** [griech.] *w. 11* **1** rauschhafte Verzückung, Entrückung; **2** übersteigerte Begeisterung; **Ek|sta|tik** *auch:* **Eks|ta|tik** *w. 10 nur Ez.* Lehre von der Ekstase; **Ek|sta|ti|ker** *auch:* **Eks|ta|ti|ker** *m. 5* rasch in übersteigerte Begeisterung geratender Mensch; **ek|sta|tisch** *auch:* **eks|ta|tisch**

Ek|ta|se [griech.] *w. 11,* Ek|ta|sis *w. Gen. - Mz. -sen, antike Metrik:* Dehnung (eines Vokals); **Ek|ta|sie** *w. 11, Med.:* Ausdehnung, Erweiterung; **Ek|ta|sis** *w. Gen. - Mz. -sen* = Ektase

Ek|to|derm [griech.] *s. 1* äußeres Keimblatt des Embryos; **Ek|to|mie** *w. 11* operative Entfernung eines Organs; **Ek|to|pa|ra|sit** *m. 10* Schmarotzer auf der Körperoberfläche; **Ek|to|pie** *w. 11* Verlagerung eines Or-

gans (z.B. bei der Wanderniere); **ek|to|pisch; Ek|to|plas|ma** *s. 9, bei Einzellern:* äußere Plasmaschicht
E|ku|a|dor *eindeutschende Schreibung von* Ecuador
Ek|zem [griech.] *s. 1* nicht ansteckende, juckende Hautentzündung; **Ek|ze|ma|ti|ker** *m. 5* jmd., der an Ekzemen leidet; **ek|ze|ma|tisch, ek|ze|ma|tös** von einem Ekzem hervorgerufen, in der Art eines Ekzems
E|la|bo|rat [lat.] *s. 1* schlechte schriftl. Arbeit, Machwerk
E|la|i|din|säu|re [griech.] *w. 11 nur Ez.* Umlagerungsform der Elainsäure; **E|la|in** *s. 1 nur Ez.* techn. Ölsäure; **E|la|in|säu|re** *w. 11 nur Ez.* Ölsäure
E|lan [frz.: elã] *m. Gen.* -s *nur Ez.* Schwung, Begeisterung; **E|lan vi|tal** [elã-] *m. Gen.* - - *nur Ez.* Lebensschwung, Lebenskraft
E|las|te *nur Mz., ehem. DDR:* Gruppe elastischer Kunststoffe; **E|las|tik** [frz.] *w. 10 oder s. 9* ein dehnbares Gewebe; **e|las|tisch 1** dehnbar, biegsam; **2** *übertr.:* spannkräftig, beweglich; **E|las|ti|zi|tät** *w. 10 nur Ez.* **1** Dehnbarkeit, Biegsamkeit; **2** *übertr.:* Spannkraft, Beweglichkeit; **E|las|ti|zi|täts|gren|ze** *w. 11;* **E|las|ti|zi|täts|mo|dul** *m. 14* Widerstandsfähigkeit gegen Formveränderung;
E|las|to|me|re *Mz.* gummiartige Kunststoffe
E|la|tiv [lat.] *m. 1* absoluter Superlativ, z.B. schönstens = sehr schön, eiligst = sehr eilig
Elb-Flo|renz *Beiname von* Dresden
El|brus *m. Gen.* - höchster Gipfel des Kaukasus
El|burs *m. Gen.* - Gebirge in Iran
Elch *m. 1* eine Hirschart, Elen
El|do|ra|do, Do|ra|do [span.] *s. 9* Land von großem Reichtum, Paradies
E|le|a|te [nach der südital. Stadt Elea] *m. 11* Mitglied einer altgriech. Philosophenschule; **e|le|a|tisch**
E|le|fant [griech.-lat.] *m. 10;* **E|le|fan|ten|hoch|zeit** *w. 10, scherzh. für* Zusammenschluss von Großunternehmen
E|le|fan|ti|a|sis, E|le|phan|ti|a|sis *w. Gen.* - *Mz.* -ti|a|sen infolge Lymphstauung unförmige Verdickung des Gewebes an Gliedmaßen, bes. den Beinen
e|le|gant [frz.]; **E|le|gant** [-gã] *m. 9* stets nach der letzten Mode gekleideter Mann; **E|le|ganz** *w. 10 nur Ez.*
E|le|gie [griech.] *w. 11* **1** *urspr.:* Gedicht in Distichen; **2** *danach:* wehmütiges, klagendes Gedicht oder Musikstück; **E|le|gi|ker** *m. 5* Elegiendichter; **e|le|gisch 1** in der Art einer Elegie; **2** *übertr.:* klagend, wehmütig, traurig; **E|leg|jam|bus** *m. Gen.* - *Mz.* -ben ein antikes jambisches Versmaß
E|lei|son [auch: elei-, griech. »erbarme dich«] *s. 9* gottesdienstl. Gesang
E|lek|ti|on [lat.] *w. 10* Auswahl; **e|lek|tiv** auswählend; **E|lek|to|rat** *s. 1* Kurfürstenwürde
E|lek|tra *griech. Myth.:* Tochter des Agamemnon

> **elektri-, Elektro-** (Worttrennung): Die bisherige Abtrennungsmöglichkeit bleibt bestehen *(elek|tri-, Elek|tro-)*. Daneben existieren folgende Trennungsmöglichkeiten: *e|lek|tri-* bzw. *E|lek|tro-* und *e|lekt|ri-* bzw. *E|lekt|ro-*. Es wird aber empfohlen, aus ästhetischen Gründen den allein stehenden Vokal (erste Silbe) nicht allzu häufig abzutrennen. → § 108

E|lek|tri|fi|ka|ti|on [lat.] *w. 10 nur Ez.* Einrichtung von elektr. Anlagen, Umstellung auf elektr. Betrieb; **e|lek|tri|fi|zie|ren** *tr. 3* auf elektr. Betrieb einoder umstellen; **E|lek|tri|fi|zie|rung** *w. 10 nur Ez.;* **E|lek|trik** *w. 10 nur Ez., Kurzw. für* Elektrotechnik, Elektrizitätslehre; **E|lek|tri|ker** *m. 5, Kurzw. für* Elektrotechniker; **e|lek|trisch;** elektrisches Feld; elektrische Lokomotive (*Kurzw.:* E-Lok); elektrischer Stuhl; elektrischer Widerstand; elektrischer Zaun; **E|lek|tri|sche** *w. 17 oder 18, ugs., veraltet:* Straßenbahn; **e|lek|tri|sie|ren** *tr. 3* **1** elektr. Ladungen erzeugen (in etwas), übertragen (auf etwas); **2** mit elektr. Strom behandeln; **E|lek|tri|sier|ma|schi|ne** *w. 11;* **E|lek|tri|sie|rung** *w. 10 nur Ez.;* **E|lek|tri|zi|tät** *w. 10 nur Ez.* elektr. Ladung, elektr. Energie; **E|lek|tri|zi|täts|werk** *s. 1;* **E|lek|tri|zi|täts|zäh|ler** *m. 5*
E|lek|tro|a|kus|tik *w. 10 nur Ez.* Technik der Umwandlung akustischer in elektrische Signale sowie ihre Übertragung, Speicherung und Rückverwandlung in Schallwellen; **e|lek|tro|a|kus|tisch; E|lek|tro|che|mie** *w. 11 nur Ez.* Lehre von den chem. Wirkungen des elektr. Stroms; **e|lek|tro|che|misch; E|lek|tro|chir|ur|gie** *auch:* **-chi|rur|gie** *w. 11 nur Ez.* Chirurgie mit Hilfe elektr. Stroms; **e|lek|tro|chir|ur|gisch** *auch:* **-chi|rur|gisch; E|lek|tro|chord** [-kɔrd] *s. 1* elektr. Klavier; **E|lek|tro|de** *w. 11* Metall- oder Kohlekörper zum Zu- oder Ableiten von elektr. Strom; **E|lek|tro|di|a|gnos|tik** *auch:* **-ag|nos-** *w. 10 nur Ez.* Diagnostik mit Hilfe elektrophysikal. Verfahren (z.B. EKG, EEG); **E|lek|tro|dy|na|mik** *w. 10 nur Ez.* Lehre von den mechan. Wirkungen des elektr. Stroms; **e|lek|tro|dy|na|misch; E|lek|tro|dy|na|mo|me|ter** *s. 5* Gerät zum Messen der elektr. Stromstärke und Spannung; **E|lek|tro|en|ze|pha|lo|gramm** *s. 1* (*Abk.:* EEG) Aufzeichnung der elektr. Aktionsströme des Gehirns zur Erkennung von Gehirnerkrankungen; **E|lek|tro|en|ze|pha|lo|gra|phie** ► *auch:* **E|lek|tro|en|ze|pha|lo|gra|fie** *w. 11 nur Ez.;* **E|lek|tro|fahr|zeug** *s. 1;* **E|lek|tro|herd** *m. 1;* **E|lek|tro|in|dus|trie** *w. 11;* **E|lek|tro|in|ge|nieur** [-ʒənjø:r] *m. 1* an einer Techn. Hochschule ausgebildeter Elektrotechniker; **E|lek|tro|kar|di|o|gramm** *s. 1* (*Abk.:* EKG, Ekg) Aufzeichnung der Aktionsströme des Herzmuskels; **E|lek|tro|kar|di|o|graph** ► *auch:* **-kar|di|o|graf** *m. 10* Gerät zur Herstellung von Elektrokardiogrammen; **E|lek|tro|kar|di|o|gra|phie** ► *auch:* **-kar|di|o|gra|fie** *w. 11 nur Ez.;* **E|lek|tro|kar|ren** *m. 7;* **E|lek|tro|kaus|tik** *w. 10 nur Ez.* operative Entfernung kranken Gewebes mit Hilfe von Hochfrequenzströmen; **E|lek|tro|kau|ter** *m. 5* elektr. Schneidbrenner zur Elektrokaustik; **E|lek|tro|ly|se** *w. 11* Zersetzung chem. Verbindungen durch elektr. Strom; **E|lek|tro|ly|seur** [-sør] *m. 1* Gerät zur Elektrolyse; **E|lek|tro|lyt** *m. 1 oder m. 10* Stoff, der in wässriger Lösung

elektr. Strom leitet und durch ihn zersetzt wird; **e|lek|tro|ly|tisch; E|lek|tro|ma|gnet** *auch:* **-mag|net** *m. 10* durch elektrischen Strom magnetisch gewordenes Metall; **e|lek|tro|ma|gne|tisch** *auch:* **-mag|ne|tisch; E|lek|tro|ma|gne|tis|mus** *auch:* **-mag|ne|tis|mus** *m. Gen. - nur Ez.* durch elektr. Strom erzeugter Magnetismus; **E|lek|tro|me|tall** *s. 1* durch Elektrolyse gewonnenes Metall; **E|lek|tro|me|ter** *s. 5* Gerät zum Messen elektr. Ladung und Spannung; **E|lek|tro|mo|tor** *m. 13* mit elektr. Strom betriebener Motor

E|lek|tron [griech.] *s. 13* (*Zeichen:* e, *früher:* e⁻) **1** negativ geladenes Elementarteilchen; **2** *nur Ez.* in der Natur vorkommende Gold-Silber-Legierung; **3** (Wz) Magnesiumlegierung (mit je nach Verwendung verschiedenen Zusätzen); **4** antikes Münzmetall; **E|lek|tro|nen|ge|hirn** *s. 1* elektron. Rechenmaschine; **E|lek|tro|nen|mi|kro|skop** *auch:* **-mi|kros|kop** *s. 1* Mikroskop, bei dem Elektronen statt Licht verwendet werden; **E|lek|tro|nen|or|gel** *w. 11* elektronisch betriebenes, orgelähnl. Musikinstrument; **E|lek|tro|nen|rech|ner** *m. 5;* **E|lek|tro|nen|röh|re** *w. 11* Gerät zum Erzeugen, Verstärken und Gleichrichten elektr. Schwingungen; **E|lek|tro|nen|volt** *s. Gen. -(s) Mz. -, Kernphysik:* Einheit für Arbeit bzw. Energie; **E|lek|tro|nik** *w. 10 nur Ez.* Lehre von den Elektronen und Elektronenröhren und ihrer techn. Anwendung; **E|lek|tro|ni|ker** *m. 5* Techniker in der Elektronik; **e|lek|tro|nisch;** elektronische Musik: Musik, die mit elektron. Klangmitteln erzeugt und durch Lautsprecher übertragen wird

E|lek|tro|o|fen *m. 8;* **e|lek|tro|phil** zur Anlagerung von Elektronen neigend; **e|lek|tro|phob** der Anlagerung von Elektronen abgeneigt; **E|lek|tro|pho|re|se** *w. 11 nur Ez.* Bewegung elektrisch geladener Teilchen im elektr. Feld; **E|lek|tro|schock** *m. 9* Schock durch elektr. Strom zu Heilzwecken; **E|lek|tro|skop** *auch:* **-tros|kop** *s. 1* veraltetes Gerät zum Nachweis elektr. Ladungen; **E|lek|tro|smog** *m. 9 nur Ez., ugs.;* gesundheits-, umweltschädigende elektromagnetische Strahlung in Wohnräumen; **E|lek|tro|sta|tik** *w. 10 nur Ez.* Lehre von den ruhenden elektr. Ladungen; **e|lek|tro|sta|tisch; E|lek|tro|tech|nik** *w. 10 nur Ez.* Technik der Erzeugung und Anwendung der Elektrizität und der Herstellung elektr. Geräte und Maschinen; **E|lek|tro|tech|ni|ker** *m. 5* Handwerker oder Ingenieur in der Elektrotechnik; **e|lek|tro|tech|nisch; E|lek|tro|the|ra|pie** *w. 11* Heilbehandlung mit Hilfe elektrischen Stroms; **E|lek|tro|to|mie** *w. 11* Herausschneiden von Gewebswucherungen mittels elektrisch beheizter Schneidschlinge

E|le|ment [lat.] *s. 1* **1** Urstoff, Grundstoff; **2** Grundbestandteil, -begriff; **3** *übertr.:* minderwertiger Mensch; **4** das jmdm. Gemäße, Angemessene; hier ist er in seinem E.; **e|le|men|tar 1** grundlegend; **2** naturhaft; **3** Anfangs…, Grund…, Natur…; elementare Begriffe, Gewalten; **E|le|men|tar|ge|walt** *w. 10;* **E|le|men|tar|geist** *m. 3, im Volksglauben:* Naturgeist; **E|le|men|tar|la|dung** *w. 10* kleinste in der Natur vorkommende elektr. Ladung; **E|le|men|tar|leh|rer** *m. 5* Grundschullehrer; **E|le|men|tar|ma|the|ma|tik** *w. 10 nur Ez.* unterste Stufe der Mathematik; **E|le|men|tar|schu|le** *w. 11* Grundschule; **E|le|men|tar|teil|chen** *s. 7* kleinstes, nicht weiter teilbares Teilchen; **E|le|men|tar|un|ter|richt** *m. 1* **1** Grundschulunterricht; **2** Anfangs-, Einführungsunterricht; **E|le|men|tar|werk** *s. 1* Lehrbuch der Anfangsgründe (eines Wissensgebietes)

E|le|mi [arab.-span.] *s. Gen. -s nur Ez.* Harz versch. trop. Bäume; **E|le|mi|öl** *s. 1 nur Ez.*

E|len [lat.] *s. 7 oder m. 7,* Elentier *s. 1* = Elch; **E|len|an|ti|lo|pe** *w. 11*

e|lend; mir ist elend; **E|lend** *s. Gen. -s nur Ez.;* im Elend leben; **e|len|dig, e|len|dig|lich** [auch: el̩en-]; **E|lends|quar|tier** *s. 1;* **E|lends|vier|tel** *s. 5*

E|len|tier *s. 1* = Elen

E|le|phan|ti|a|sis *w. Gen. - Mz. -ti|a|sen* = Elefantiasis

> **elend/Elend:** Kleingeschrieben wird der verbale Ausdruck: *Mir ist elend* (Infinitiv: *elend sein;* →§ 35). Die substantivierte Form wird großgeschrieben: *Sie leben/sind im Elend.* →§ 55 (4)

E|leu|si|ni|en *Mz., im alten Griechenland:* Mysterienspiele der Stadt Eleusis zu Ehren der Göttin Demeter, die Eleusinischen Mysterien

E|le|va|ti|on [lat.] *w. 10* **1** Erhöhung, Empor-, Aufheben; **2** *kath. Kirche:* das Emporheben von Hostie und Kelch während der Messe; **3** *Astron.:* Erhebung eines Gestirns über den Horizont; **E|le|va|ti|ons|win|kel** *m. 5, Astron.;* **E|le|va|tor** *m. 13* Hebe-, Becherwerk

E|le|ve [frz.] *m. 11* **1** Land- und Forstwirt während der prakt. Ausbildung; **2** Schüler einer Schauspiel- oder Ballettschule; **E|le|vin** *w. 10* weibl. Eleve

elf 11; zu elfen, zu elft; vgl. acht; **Elf 1** *w. 10* die Zahl 11; vgl. Acht; **2** *w. 10* Mannschaft aus elf Spielern; **3** *m. 10* Naturgeist; **El|fe** *w. 11* weibl. Elf **(3)**

El|fen|bein *s. 1 nur Ez.* Zahnbein der Zähne von Elefant, Walross, Nilpferd, Narwal u. a.; **el|fen|bei|nern** aus Elfenbein; **El|fen|bein|küs|te** *w. 11, nur Ez.* Staat in Westafrika, *amtl.:* Côte d'Ivoire; **El|fen|bein|schnit|ze|rei** *w. 10;* **El|fen|bein|turm** *m. 2 nur Ez.* Symbol für das Sichabschließen von der Umwelt und ihren Problemen zum Zweck ungestörter geistiger oder künstlerischer Arbeit

el|fen|haft; El|fen|kö|nig *m. 1;* **El|fen|rei|gen** *m. 7;* **El|fen|ring** *m. 1* = Hexenring

El|fer *m. 5, kurz für* Elfmeter; **El|fer|rat** *m. 2* aus elf Mitgliedern bestehender Rat einer Faschingsgesellschaft; **elf|hun|dert** eintausendeinhundert, 1100

el|fisch zu den Elfen gehörend, elfenhaft

Elf|me|ter *m. 5, Fußball:* Strafstoß aus 11 m Entfernung gegen das Tor; **Elf|me|ter|mar|ke** *w. 11;* **Elf|me|ter|punkt** *m. 1;* **elf|tel**

e|li|die|ren [lat.] *tr. 3* **1** *Sprachw.:* auslassen, ausstoßen (Laut); **2** streichen, tilgen; **E|li|die|rung** *w. 10*

E|li|mi|na|tion [lat.] *w. 10* Entfernung, Beseitigung; **e|li|mi|nie|ren** *tr. 3* ausscheiden, entfernen; **E|li|mi|nie|rung** *w. 10*
e|li|sa|be|tha|nisch; *aber:* das Elisabethanische England: das England zur Zeit Elisabeths I.
E|li|si|on [lat.] *w. 10* Weglassen, Ausstoßen eines Vokals, z. B. das hör ich gern, Freud und Leid, Besied(e)lung
e|li|tär zu einer Elite gehörend; **E|li|te** [österr.: -lit, frz.] *w. 11* Auslese, die Besten; **E|li|te|mann|schaft** *w. 10*
E|li|xier [griech.-arab.] *s. 1* Zauber-, Heiltrank, Verjüngungsmittel
Ell|bo|gen, Ell|len|bo|gen *m. 7;* **Ell|bo|gen|frei|heit** *w. 10 nur Ez., ugs. übertr.:* Bewegungsfreiheit, Freiheit zur Wirksamkeit
El|le *w. 11* **1** einer der beiden Unterarmknochen; **2** altes Längenmaß, 60–80 cm; **El|len|bo|gen,** Ell|bo|gen *m. 7;* **el|len|lang** *ugs.:* sehr lang
El|ler *w. 11, nddt. für* Erle
El|lip|se [griech.] *w. 11* **1** *Math.:* ein Kegelschnitt; **2** *Sprachw.:* Auslassungssatz, Satz, in dem die zum Verständnis nicht nötigen Teile weggelassen sind, z. B. (was) frisch gewagt (wird), ist (schon) halb gewonnen; **el|lip|so|id** ellipsenähnlich; **El|lip|so|id** *s. 1* durch Drehung einer Ellipse um eine ihrer Achsen entstandener Körper; **el|lip|tisch** in der Art, Form einer Ellipse; **El|lip|ti|zi|tät** *w. 10 nur Ez., Astron.:* Abplattung eines Himmelskörpers infolge seiner Rotation
Elms|feu|er, Sankt-Elms-Feuer [nach dem hl. Elmo] *s. 5* elektr. Lichterscheinung an hohen Spitzen (z. B. Kirchtürmen, Blitzableitern, Masten) bei gewittriger Luft
E|lo|ah [semit.] *m. Gen.* -(s) *Mz.* E|lo|him, *im AT Bez. für* Jahwe und die Heidengötter
E|lo|ge [-ʒə, frz.] *w. 11* Lob, Lobrede, Schmeichelei; jmdm. Elogen machen
E-Lok *w. 9* elektr. Lokomotive
E|lon|ga|ti|on [lat.] *w. 10* **1** jeweiliger Abstand eines schwingenden Körpers von der Ruhelage; **2** Winkelabstand zwischen Sonne und Planet oder zwischen Planet und Satellit
e|lo|quent [lat.] beredt; **E|lo|quenz** *w. 10 nur Ez.* Beredsamkeit
E|lo|xal [Kurzw. aus elektrisch oxidiertes Aluminium] *s. 1 nur Ez.* ⓦ Schutzüberzug aus Aluminiumoxid; **e|lo|xie|ren** *tr. 3* mit Eloxal überziehen
El|rit|ze *w. 11* ein Karpfenfisch, Pfrille, Pfrelle
El Sal|va|dor Staat in Mittelamerika; vgl. Salvadorianer
El|saß ► **El|sass** *s. Gen. - oder* -sas|ses frz. Landschaft zwischen Oberrhein und Vogesen, an der Grenze zur BR Dtld.; **El|säs|ser** *m. 5;* **el|säs|sisch; El|saß-Lo|th|rin|gen** ► **El|sass-Lo|th|rin|gen; el|saß-lo|th|rin|gisch** ► **el|sass-lo|th|rin|gisch**
Els|ter 1 *w. Gen. -* dt. Fluss; Weiße E.; Schwarze Elster; **2** *w. 11* ein Vogel
El|ter *m. 14, naturwissenschaftl. und statist. Bez. für* Elternteil; **el|ter|lich; El|tern** *nur Mz.;* **El|tern|a|bend** *m. 1;* **El|tern|bei|rat** *m. 2;* **El|tern|haus** *s. 4;* **el|tern|los; El|tern|schaft** *w. 10 nur Ez.;* **El|tern|teil** *m. 1*
E|lu|at [lat.] *s. 1* aus einem Adsorbens herausgelöster Stoff; **e|lu|ie|ren** *tr. 3;* einen adsorbierten Stoff e.: aus einem festen Adsorbens herauslösen; **E|lu|ti|on** *w. 10* das Eluieren
e|lu|vi|al [lat.] am Entstehungsort liegen geblieben (Gestein, Metalle usw.); **E|lu|vi|um** *s. Gen.* -s *nur Ez.* am Entstehungsort liegen gebliebene Rückstände von Abtragungsvorgängen
e|ly|sä|isch, e|ly|sisch **1** zum Elysium gehörig; **2** paradiesisch, himmlisch, wonnevoll; elysäische Gefilde = Elysium; *aber:* die Elysäischen Felder (Champs Élysées) in Paris; **E|ly|see** *s. Gen.* -s *nur Ez.* Palast in Paris, Residenz des Präsidenten der Rep. Frankreich
e|ly|sie|ren [Kunstw.] *tr. 3* elektrolytisch schleifen (Metall)
e|ly|sisch = elysäisch; **E|ly|si|um** *s. Gen.* -s *nur Ez. griech. Myth.:* Aufenthaltsort der Seligen, Paradies, die elysäischen Gefilde
E|ly|tron [griech.] *s. Gen.* -s *Mz.* E|ly|tren Deck-, Schutzflügel (von manchen Insekten)
El|ze|vir [-zəvir] *w. Gen. - nur Ez.* [nach der ndrl. Buchdruckerfamilie E.] eine Antiqua-Druckschrift; **El|ze|vi|ri|a|na** *Mz.* Drucke der Familie Elzevir
Em *chem. Zeichen für* Emanation (**4**)
em. *Abk. für* emeritiert
em..., Em... vgl. en..., En...

> **Ema-, Eme-, Emu-** (Worttrennung): Die Abtrennung einer Silbe, die nur aus einem Vokal besteht, ist möglich *(E|ma-, E|me-, E|mu-),* wird aus ästhet. Gründen jedoch nicht empfohlen. → § 108

E|mail [auch: emaj, frz.] *s. 9,* Email|le [emaj(ə)] *w. 11* farbiger Schutz- oder Schmucküberzug auf Metallgegenständen, Schmalt, Schmelzglas, Glasfluss; **E|mail|far|be** *w. 11;* **E|mail|lack** *m. 1;* **E|mail|le** [emaj(ə)] *w. 11* = Email; **E|mail|leur** [emajør] *m. 1* Facharbeiter, der Metallgegenstände mit Email überzieht; **e|mail|lie|ren** [emaji-] *tr. 3* mit Email überziehen; **E|mail|ma|le|rei** *w. 10*
E|man [Kurzw. aus Emanation] *s. Gen.* -s *Mz. -* Maßeinheit für den radioaktiven Gehalt (bes. von Quellwasser); **E|ma|na|ti|on** *w. 10* **1** Ausströmen, Ausstrahlung; **2** *Philos.:* Entstehung aller Dinge aus dem vollkommenen, unveränderl. Einen (Gott); **3** *Psychol.:* persönliche Ausstrahlung; **4** *Chem.: früher Bez. für* Radon (*Zeichen:* Em); **E|ma|na|tis|mus** *m. Gen. - nur Ez.* antike Lehre von der Emanation; **e|ma|nie|ren** *intr. 3* ausströmen, ausstrahlen
E|man|zi|pa|ti|on [lat.] *w. 10* Befreiung aus Abhängigkeit; Gleichstellung, Gleichberechtigung; **E|man|zi|pa|tions|be|we|gung** *w. 10;* **e|man|zi|pa|to|risch** auf Emanzipation zielend; **e|man|zi|pie|ren** *refl. 3* sich selbständig machen, sich aus Abhängigkeit und von Bevormundung befreien; **e|man|zi|piert** betont selbständig und vorurteilslos; **E|man|zi|piert|heit** *w. 10 nur Ez.*
E|mas|ku|la|ti|on [lat.] *w. 10* Entmannung, Kastration; **E|mas|ku|la|tor** *m. 13* Gerät zum Kastrieren von männl. Haustieren
Em|bal|la|ge [ãbalaʒə, frz.]

► = wird zu

w. 11 Verpackung (einer Ware); **em|bal|lie|ren** [ã-] *tr. 3*

Em|bar|go [span.] *s. 9* **1** Beschlagnahme (eines Schiffes oder seiner Ladung durch einen Staat); **2** Ausfuhrverbot

Em|blem [auch: ãblem, griech.] *s. 1* Kenn-, Abzeichen, Hoheitszeichen; Sinnbild; **em|ble|ma|tisch** sinnbildlich

Em|bo|lie [griech.] *w. 11* Verstopfung eines Blutgefäßes durch einen Embolus; **Em|bo|lus** *m. Gen.* - *Mz.* -li Blutgerinnsel, Fetttröpfchen o. Ä. in der Blutbahn

Em|bon|point [ãbõpoẽ, frz. »in gutem Zustand«] *m. 9 oder s. 9* Wohlbeleibtheit, Körperfülle, Spitzbauch

Em|bryo [griech.] *m. Gen.* -s *Mz.* -s *oder* -bryo|nen, *österr. auch: s. 9* ungeborenes bzw. noch nicht geschlüpftes Lebewesen, Keimling; vgl. Fetus; **Em|bry|o|lo|gie** *w. 11 nur Ez.* Lehre von der Entwicklung des Embryos; **em|bry|o|lo|gisch; em|bry|o|nal,** em|bry|o|nisch, zum Embryo gehörig, im Zustand des Embryos, unentwickelt; **Em|bry|o|nal|ent|wick|lung** *w. 10;* **em|bry|o|nisch** = embryonal

Emd *s. Gen.* -es *nur Ez., schweiz.:* zweite Mahd, Öhmd

Em|den Stadt in Niedersachsen; **Em|de|ner, Em|der, Emd|ner** *m. 5*

E|men|da|ti|on [lat.] *w. 10* Verbesserung, Berichtigung (bes. von Texten); **e|men|die|ren** *tr. 3*

E|me|rit [lat.] *m. 10,* E|me|ri|tus *m. Gen.* - *Mz.* -ti jmd., der emeritiert ist; **e|me|ri|tie|ren** *tr. 3* in den Ruhestand versetzen (Geistliche), entpflichten (Universitätsprofessoren); **e|me|ri|tiert** (*Abk.:* em.) im Ruhestand; **E|me|ri|tie|rung** *w. 10 nur Ez.;* **E|me|ri|tus** *m. Gen.* - *Mz.* -ti = Emerit

e|mers [lat.] über den Wasserspiegel hinausragend (Wasserpflanzen); *Ggs.:* submers; **E|mer|si|on** *w. 10* **1** Heraustreten eines Mondes aus dem Schatten des Planeten, den er umkreist; **2** *Geol.:* Auftauchen von Festland durch Zurückweichen des Meeres

E|me|ti|kum [griech.] *s. Gen.* -s *Mz.* -ka Brechmittel; **e|me|tisch** Erbrechen bewirkend

E|mi|grant [lat.] *m. 10* Auswanderer; *Ggs.:* Immigrant; vgl. Remigrant; **E|mi|gra|ti|on** *w. 10* Auswanderung (bes. aus polit. oder relig. Gründen); *Ggs.:* Immigration; **e|mi|grie|ren** *intr. 3* auswandern; *Ggs.:* immigrieren

e|mi|nent [lat.] hervorragend, außerordentlich; **E|mi|nenz** *w. 10* Titel für Kardinäle und den Großmeister des Malteserordens (auch als Anrede); Euer Eminenz

E|mir [auch: -mir, arab.] *m. 1* Titel für arab. Fürsten; **E|mi|rat** *s. 1* arab. Fürstentum

E|mis|sär [lat.-frz.] *m. 1* Abgesandter mit geheimem Auftrag, Kundschafter; **E|mis|si|on** *w. 10* **1** *Phys.:* Aussendung (von Strahlen), Ausstrahlung; **2** *Med.:* Entleerung (z. B. der Harnblase); **3** *Börse:* Ausgabe von neuen Wertpapieren oder Anleihen; **E|mis|si|ons|kurs** *m. 1* Ausgabekurs (von Wertpapieren); **E|mit|tent** *m. 10* jmd., der Wertpapiere ausgibt; **e|mit|tie|ren** *tr. 3* aussenden, in Umlauf bringen

Em|men|ta|ler *m. 5* **1** Einwohner des schweiz. Emmentals; **2** *kurz für* Emmentaler Käse

Em|mer *m. 5* eine Weizenart

e-Moll *s. Gen.* - *nur Ez.* (*Abk.:* e) *eine Tonart;* **e-Moll-Ton|lei|ter** *w. 11*

E|mo|ti|on [lat.] *w. 10* Gefühls-, Gemütsbewegung; **e|mo|ti|o|nal,** e|mo|ti|o|nell gefühlsmäßig, auf Gefühl beruhend; **E|mo|ti|o|na|li|tät** *w. 10 nur Ez.* Gefühlserregbarkeit, gefühlsmäßige Ansprechbarkeit; **e|mo|ti|o|nell** = emotional

Emp|fang *m. 2;* **emp|fan|gen** *tr. 34;* **Emp|fän|ger** *m. 5;* **emp|fäng|lich; Emp|fäng|lich|keit** *w. 10 nur Ez.;* **Emp|fang|nah|me** *w. 11, besser:* Empfang; **Emp|fäng|nis** *w. 1;* **emp|fäng|nis|ver|hü|tend; Emp|fäng|nis|ver|hü|tung** *w. 10 nur Ez.;* **Emp|fangs|an|ten|ne** *w. 11;* **emp|fangs|be|rech|tigt; Emp|fangs|be|rech|ti|gung** *w. 10 nur Ez.;* **emp|fangs|be|reit; Emp|fangs|be|schei|ni|gung** *w. 10;* **Emp|fangs|chef** *m. 9;* **Emp|fangs|da|me** *w. 11;* **Emp|fangs|ge|rät** *s. 1*

emp|feh|len *tr. 27;* **emp|feh|lens|wert; Emp|feh|lung** *w. 10;* **Emp|feh|lungs|brief** *m. 1;* **Emp|feh|lungs|schrei|ben** *s. 7;* **emp|feh|lungs|wür|dig**

Emp|fin|de|lei *w. 10 nur Ez.* übertriebene Empfindsamkeit; **emp|fin|deln** *intr. 1* übertrieben empfindsam sein; **emp|fin|den** *tr. 36;* **emp|find|lich; Emp|find|lich|keit** *w. 10 nur Ez.;* **emp|find|sam; Emp|find|sam|keit** *w. 10 nur Ez.;* **Emp|fin|dung** *w. 10;* **emp|fin|dungs|fä|hig; Emp|fin|dungs|fä|hig|keit** *w. 10 nur Ez.;* **Emp|fin|dungs|kraft** *w. 2 nur Ez.;* **emp|fin|dungs|los; Emp|fin|dungs|lo|sig|keit** *w. 10 nur Ez.;* **Emp|fin|dungs|ver|mö|gen** *s. 7 nur Ez.;* **Emp|fin|dungs|wort** *s. 4* Freude, Schmerz, Schreck, Erstaunen usw. ausdrückendes Wort, z. B. ach!, au!, oh!, Interjektion

Em|pha|se [griech.] *w. 11 nur Ez.* Nachdruck, leidenschaftl. Betonung, schwungvoller Ausdruck; **em|pha|tisch**

Em|phy|sem [griech.] *s. 1* Luftansammlung im Gewebe (bes. der Lungen); **em|phy|se|ma|tisch** durch Luft aufgebläht

Em|pire 1 [ãpir, frz.] *s. Gen.* -(s) *nur Ez.* das Kaiserreich Napoleons I. und III.; **2** Kunststil in Frankreich zur Zeit Napoleons I.; **3** [ɛmpaɪə, engl.] *s. Gen.* -(s) *nur Ez.* das britische Weltreich

Em|pi|rem [griech.] *s. 1* Erfahrungstatsache

Em|pire|stil [ãpir-] *m. 1 nur Ez.* = Empire (**2**)

Em|pi|rie [griech.] *w. 11 nur Ez.* Erfahrung, auf Erfahrung beruhende Erkenntnis; **Em|pi|ri|ker** *m. 5* jmd., der nur die Erfahrung als Erkenntnisgrundlage gelten lässt; **Em|pi|ri|o|kri|ti|zis|mus** *m. Gen.* - *nur Ez.* Richtung der Philosophie, die die Erkenntnis nur auf kritische Erfahrung gründet; **Em|pi|ri|o|kri|ti|zist** *m. 10;* **em|pi|risch** auf Erfahrung beruhend; **Em|pi|ris|mus** *m. Gen.* - *nur Ez.* Lehre, dass alle Erkenntnis nur auf Erfahrung beruhe; **Em|pi|rist** *m. 10* Vertreter des Empirismus; **em|pi|ris|tisch** auf dem Empirismus beruhend

em|por hinauf, nach oben; **em|por|ar|bei|ten** *refl. 2*

Em|po|re *w. 11* hoch gelegene Galerie im Kirchenraum

em|pö|ren *tr. 1;* **Em|pö|rer** *m. 5;* **em|pö|re|risch**

em|por|flie|gen *intr. 38;* **em|por|he|ben** *tr. 64*
Em|po|ren|kir|che *w. 11* **1** Kirche mit Emporen; **2** Teil des Kirchenraumes über den Emporen
em|por|kom|men *intr. 71;* **Em|por|kömm|ling** *m. 1;* **em|por|ra|gen** *intr. 1;* **em|por|stei|gen** *intr. 153;* **em|por|stre|ben** *intr. 1*
Em|pö|rung *w. 10*
em|por|wach|sen *intr. 172;* **em|por|zie|hen** *tr. 187*
Em|py|em [griech.] *s. 1* Eiteransammlung in einer natürl. Körperhöhle
em|py|re|isch zum Empyreum gehörend, feurig, hell, strahlend; **Em|py|re|um** *s. Gen.* -s *nur Ez.* **1** *antike Philos.:* Feuerhimmel, oberste Weltgegend; **2** *scholast. Philos.:* Himmel, Lichtreich; **3** *bei Dante:* Ort der Seligen
Em|ser Salz *s. Gen.* - -es *nur Ez.* Salz aus der Heilquelle von Bad Ems
em|sig; Em|sig|keit *w. 10 nur Ez.*
E|mu [port.] *m. 9* ein straußenähnl., flugunfähiger Vogel Australiens
E|mul|ga|tor [lat.] *m. 13* die Bildung einer Emulsion fördernder Stoff; **e|mul|gie|ren** *tr. 3;* einen Stoff e.: mit einem anderen zu einer Emulsion mischen; **E|mul|sin** *s. 1 nur Ez.* in bitteren Mandeln enthaltenes Ferment; **E|mul|si|on** *w. 10* **1** feinste Verteilung zweier nicht mischbarer Flüssigkeiten ineinander; **2** *Fot.:* lichtempfindl. Schicht auf fotograf. Aufnahmematerialien
en..., En... [lat.] *in Zus.:* ein..., Ein..., hinein...
E|na|ki|ter *m. 5 Mz.,* **E|naks|kin|der** *s. 3 Mz.,* **E|naks|söh|ne** *m. 2 Mz.* biblisches Riesenvolk in Palästina (4. Buch Mose 13, 23–34)
En|al|la|ge [griech.] *w. 11* das Setzen eines Adjektivs vor ein anderes als das ihm logisch zugehörige Substantiv, z. B.: Auf die Berge will ich steigen, wo die frommen Hütten stehn (Heine, Harzreise), oder: fünfköpfiger Familienvater
En|an|them [griech.] *s. 1* Schleimhautausschlag
en|an|ti|o|trop [griech.] auf Enantiotropie beruhend, dazu fähig; **En|an|ti|o|tro|pie** *w. 11* wechselseitige Umwandelbarkeit eines Stoffes von einer Zustandsform in eine andere
en avant! [ãnavã, frz.] vorwärts!
en bloc [ãblɔk, frz.] im Ganzen; etwas en bloc verkaufen; **En|bloc-Ab|stim|mung** *w. 10*
en ca|naille [ãkanaj, frz.] *in der Wendung* jmdn. en canaille behandeln: verächtlich, geringschätzig behandeln
En|cein|te [ãsɛ̃t(ə), frz.] *w. 11, veraltet:* Umwallung, Festungsgürtel
En|chan|te|ment [ãʃãt(ə)mã, frz.] *s. 9 nur Ez., veraltet:* Bezauberung, Entzücktheit; **en|chan|tiert** [ãʃã-] *veraltet:* bezaubert, entzückt
En|chi|ri|di|on [-çı-, griech.] *s. Gen.* -s *Mz.* -di|en, *veraltet:* Handbuch, kleines Lehrbuch
En|co|ding [-koʊ-, engl.] *s. 9* Verschlüsselung (einer Nachricht); *Ggs.:* Decoding
en|cou|ra|gie|ren [ãkuraʒi-, frz.] *tr. 3, veraltet:* anfeuern, ermutigen; *Ggs.:* decouragieren
End|bahn|hof *m. 2;* **End|buch|sta|be** *m. 15;* **End|chen** *s. 7* kleines Stück; ein E. Zwirn; **End|darm** *m. 2;* **En|de** *s. 14;* am Ende; ich bin am Ende; an allen Ecken und Enden; zu Ende; letzten Endes; Ende Mai; Ende nächster Woche; ein Mann Ende vierzig; **End|ef|fekt** *m. 1;* im E.; **En|del** *s. 5, österr.:* Webkante; **en|deln** *tr. 1, österr.:* einfassen (Stoffrand)

> **Ende:** Das Substantiv wird mit großem Anfangsbuchstaben geschrieben: *das Ende, am Ende sein, an allen Ecken und Enden, zu Ende, letzten Endes, Ende Mai, Ende nächster Woche.* →§ 55 (4)
> Ebenso bei Altersangaben: *Er ist ein Mann Ende vierzig.* →§ 58 (6)

En|de|mie [griech.] *w. 11* nur in einem begrenzten Gebiet auftretende Krankheit; *Ggs.:* Epidemie; **en|de|misch** **1** einheimisch; *Ggs.:* ekdemisch; **2** *Bot., Zool.:* auf ein bestimmtes Gebiet beschränkt; **3** *Med.:* nur in einem begrenzten Gebiet auftretend (Krankheit); *Ggs.:* epidemisch; **En|de|mis|mus** *m. Gen. - nur Ez.* Vorkommen von Tieren und Pflanzen nur in einem bestimmten Gebiet; **En|de|mit** *m. 10 meist Mz.* nur in einem bestimmten Gebiet vorkommende Pflanze
en|den *intr. 2;* nicht enden wollender Beifall; **End|er|geb|nis** *s. 1;* **En|des|un|ter|fer|tig|te(r), En|des|un|ter|zeich|ne|te(r)** *m. 18 (17) bzw. w. 17 oder 18, Amtsdeutsch:* derjenige, der den (vorliegenden) Brief unterschrieben hat
en dé|tail [ãdetaj, frz.] im Kleinen, in kleinen Mengen, in Einzelstücken; *Ggs.:* en gros; Waren en détail verkaufen; **En|dé|tail|han|del** *m. Gen.* -s *nur Ez.* Einzelhandel; *Ggs.:* Engroshandel
end|gül|tig; End|gül|tig|keit *w. 10 nur Ez.*
en|di|gen *intr. 1, veraltet*
En|di|vie [-viə, ägypt.-ital.] *w. 11* eine Salatpflanze; **En|di|vi|en|sa|lat** *m. 1*
End|kampf *m. 2;* **End|lauf** *m. 2;* **end|lich** **1** vergänglich; **2** *unflektierbar:* schließlich, zuletzt; **End|lich|keit** *w. 10 nur Ez.;* **end|los; End|lo|sig|keit** *w. 10 nur Ez.;* **End|mo|rä|ne** *w. 10* Stirnseite einer Moräne
En|do|der|mis [griech.] *w. Gen. - Mz.* -men innerste Schicht der Pflanzenwurzelrinde
En|do|ga|mie [griech.] *w. 11, bei Naturvölkern:* Heirat innerhalb der eigenen sozialen Gruppe, Verwandtenehe; *Ggs.:* Exogamie
en|do|gen [griech.] von innen kommend, im Innern entstanden; *Ggs.:* exogen
En|do|kard [griech.] *s. 1* Herzinnenhaut; **En|do|kar|di|tis** *w. Gen. - Mz.* -ti|den Entzündung der Herzinnenhaut
En|do|karp [griech.] *s. 1* Innenschicht der Fruchtwand; *Ggs.:* Exokarp
en|do|krin [griech.] **1** nach innen absondernd, mit innerer Sekretion (Drüsen); **2** nach innen abgesondert (Drüsenprodukt); *Ggs.:* exokrin; **En|do|kri|no|lo|gie** *w. 11 nur Ez.* Lehre von der inneren Sekretion
En|do|phyt [griech.] *m. 10* in anderen Pflanzen oder Tieren schmarotzende Pflanze
En|do|skop *auch:* **En|dos|kop** [griech.] *s. 1* Instrument mit Spiegel und elektr. Lichtquelle zur Untersuchung von Körper-

höhlen; **En|do|sko|pie** *auch:* **En|dos|ko|pie** *w. 11* Untersuchung mit dem Endoskop; **en|do|sko|pisch** *auch:* **en|dos|ko|pisch**

En|do|sperm [griech.] *s. 1* Nährgewebe des pflanzlichen Samens

En|do|thel [griech.] *s. 1,* **En|do|the|li|um** *s. Gen.* -s *Mz.* -li|en Blut- und Lymphgefäße sowie Körperhöhlen auskleidende Zellschicht

en|do|therm, en|do|ther|misch [griech.] Wärme aufnehmend, Wärme bindend; *Ggs.:* exotherm

End|punkt *m. 1;* **End|reim** *m. 1;* **End|run|de** *w. 11;* **End|sil|be** *w. 11;* **End|spiel** *s. 1;* **End|spurt** *m. 1 oder m. 9;* **End|sta|di|um** *s. Gen.* -s *Mz.* -di|en; **End|sta|ti|on** *w. 10;* **End|sum|me** *w. 11;* **En|dung** *w. 11;* **End|ver|brau|cher** *m. 5* Käufer, der eine Ware zum eigenen Gebrauch erwirbt; **End|ziel** *s. 1;* **End|zweck** *m. 1*

En|er|ge|tik [griech.] *w. 10 nur Ez.* **1** *Phys.:* Lehre von der Energie und ihrer Umwandlung; **2** *Philos.:* Lehre, dass die Energie die Grundkraft allen Seins und Geschehens sei; **En|er|ge|ti|ker** *m. 5* Vertreter der Energetik (**2**); **en|er|ge|tisch; En|er|gie** *w. 11* **1** *Phys.:* Fähigkeit, Arbeit zu leisten; **2** *allg.:* Tatkraft, Nachdruck; **en|er|gie|los; En|er|gie|lo|sig|keit** *w. 10 nur Ez.;* **En|er|gie|wirt|schaft** *w. 10 nur Ez.;* **en|er|gisch**

E|ner|va|ti|on *auch:* **En|er-** [lat.] *w. 10* nervliche Erschöpfung; **e|ner|vie|ren** *auch:* **en|er-** *tr. 3* **1** entnerven, entkräften; **2** *Med.:* operativ von einem Nerv befreien; **E|ner|vie|rung** *auch:* **En|er-** *w. 10*

en face [ɑ̃fas, frz.] von vorn (gesehen), gegenüber

en fa|mille [ɑ̃famij(ə), frz.] in der Familie, im engsten Kreis

En|fant ter|ri|ble [ɑ̃fɑ̃ tɛribl(ə), frz. »schreckliches Kind«] *s. Gen.* - - *Mz.* -s -s [ɑ̃fɑ̃ tɛribl(ə)] jmd., der durch allzu große Offenheit andere in Verlegenheit bringt

En|fi|la|de [ɑ̃-, frz.] *w. 11* Zimmerflucht, durch deren geöffnete Türen man vom ersten bis zum letzten Zimmer sehen kann; **en|fi|lie|ren** [ɑ̃-] *tr. 3* **1** auffädeln, aneinander reihen; **2** mit Geschützfeuer bestreichen; **3** jmdn. e.: in etwas verwickeln

En|fleu|ra|ge [ɑ̃fløraʒ(ə), frz.] *w. 11 nur Ez.* Gewinnung von Duftstoffen und -ölen aus Blüten

eng; wir sind aufs, auf das engste befreundet; wir sind sehr eng befreundet; die beiden sind noch enger befreundet

En|ga|ge|ment [ɑ̃gaʒmɑ̃, frz.] *s. 9* **1** Verpflichtung, Bindung; **2** *Börse:* Verpflichtung, zu einem bestimmten Zeitpunkt zu bezahlen oder zu liefern; **3** Anstellung (von Künstlern); **en|ga|gie|ren** [ɑ̃gaʒi-] *tr. 3* **1** anstellen, verpflichten (Künstler); **2** zum Tanz auffordern; **3** sich e.: sich auf etwas einlassen, sich binden; **En|ga|giert|heit** [ɑ̃gaʒirt-, zu: engagieren (**3**)] *w. 10 nur Ez.*

> **eng anliegend/befreundet:** Gefüge aus Adjektiv und Partizip werden im Einzelfall getrennt geschrieben, daher: *Das Kleid ist eng anliegend. Sie sind eng befreundet.* →§ 36 E1 (1.2)

eng|an|lie|gend ► **eng an|lie|gend; eng|be|freun|det;** ► **eng be|freun|det; eng|brüs|tig; Eng|brüs|tig|keit** *w. 10 nur Ez.;* **en|ge,** eng; **En|ge** *w. 11 nur Ez.*

En|gel *m. 5*

En|gel|laut *m. 1* = Reibelaut

En|gel|chen, En|gel|lein, Eng|lein *s. 7;* **en|gel|gleich,** en|gels|gleich; **en|gel|haft; en|gel|schön,** en|gels|schön; **En|gels|ge|duld** *w. Gen.* - *nur Ez.;* **en|gels|gleich,** en|gel|gleich; **En|gels|gü|te** *w. 11 nur Ez.;* **En|gels|haar** *s. 1 nur Ez.;* **en|gels|rein; en|gels|schön,** en|gel|schön; **En|gel|süß** *s. 1 nur Ez.* eine Farnart; **En|gels|zun|gen** *w. 11 nur Mz., in der Wendung* mit Engelszungen reden, *oder:* mit Menschen- und mit Engelszungen: sehr eindringlich; **En|gel|wurz** *w. 10* eine Heilpflanze

En|ger|ling *m. 1* Larve der Blatthornkäfer

eng|her|zig; Eng|her|zig|keit *w. 10 nur Ez.;* **En|gig|keit** *w. 10 nur Ez.*

Eng|land; Eng|län|der *m. 5*

Eng|lein, En|gel|lein *s. 7*

eng|lisch; englische Broschur: ein Bucheinband; die Englischen Fräulein: eine kath. Frauenkongregation für Erziehung junger Mädchen; englischer Garten: in engl. Stil angelegter Garten, *aber:* der Englische Garten in München; Englischer Gruß: **1** Gruß des Engels bei der Verkündigung Mariä und seine Darstellung in der Kunst; **2** ein Gebet, Ave Maria; englische Krankheit = Rachitis; englischer Walzer: langsamer Walzer; **Eng|lisch** *s. Gen.* -(s) *nur Ez.* engl. Sprache; vgl. Deutsch; **Eng|lisch|horn** *s. 4* ein Holzblasinstrument; **Eng|lisch|le|der** *s. 5 nur Ez.* = Moleskin; **Eng|lisch|pflas|ter** *s. 5* ein Heftpflaster; **Eng|lisch|rot** *s. Gen.* -(s) *nur Ez.* eine Malerfarbe aus Eisenoxid, Caput mortuum

> **englisch/Englisch:** In der Bedeutung »in englischer Sprache sprechen/unterrichten« wird das Wort kleingeschrieben: *Er spricht/unterrichtet englisch* (= in englischer Sprache). Ansonsten in der Bedeutung »die englische Sprache sprechen/unterrichten« sowie in der substantivierten Form wird das Wort mit großem Anfangsbuchstaben geschrieben: *Sie sprechen/unterrichten Englisch* (= die englische Sprache). Ebenso: *auf Englisch, das Englisch(e), im Englischen, ein verständliches Englisch.* →§ 57 E2, § 57 (1), § 58 E2.
> Vgl. *deutsch/Deutsch*

eng|ma|schig

En|go|be [ɑ̃gob(ə), frz.] *w. 11* eine Überzugsmasse für Keramiken; **en|go|bie|ren** [ɑ̃go-] *tr. 3* mit Engobe überziehen

Eng|paß ► **Eng|pass** *m. 2*

En|gramm [griech.] *s. 1* bleibender geistiger Eindruck, Erinnerungsbild

en gros [ɑ̃gro, frz. »im Großen«] in größeren Mengen; *Ggs.:* en détail; etwas nur en gros verkaufen; **En|gros|han|del** [ɑ̃gro-] *m. Gen.* -s *nur Ez.* Großhandel; *Ggs.:* Endétailhandel; **En|gros|preis** *m. 1* Großhandelspreis; **En|gros|sist** *m. 10, österr. für* Grossist

eng|stir|nig; Eng|stir|nig|keit *w. 10 nur Ez.*

En|har|mo|nik [griech.] *w. 10 nur Ez.* unterschiedliche Be-

zeichnung und Notierung desselben Tones z. B. cis bzw. des; **en|har|mo|nisch**; enharmonische Verwechslung: Verwandlung eines Tons oder Akkords durch andere Schreibung und Bezeichnung
En|jam|be|ment [ãʒãbmã, frz.] *s. 9* Übergreifen eines Satzes in die nächste Verszeile, Zeilensprung
en|kaus|tie|ren [griech.] *tr. 3* mit enkaustischen Farben bemalen; **En|kaus|tik** *w. 10* antike Maltechnik mit enkaustischen Farben, Wachsmalerei; **enkaus|tisch**; enkaustische Farben: mit Wachs verschmolzene und dadurch feuchtigkeitsbeständige Farben
En|kel *m. 5* **1** Sohn des Sohnes oder der Tochter; **2** Fußknöchel; **En|kel|chen** *s. 7;* **En|kel|lin** *w. 10;* **En|kel|kind** *s. 3;* **En|kelsohn** *m. 2;* **En|kel|toch|ter** *w. 6*
En|kla|ve [lat.] *w. 11* fremdes Staatsgebiet, das vom eigenen Staatsgebiet eingeschlossen ist; *Ggs.:* Exklave (**1**)
En|kli|se [griech.] *w. 11,* **En|klisis** *w. Gen.- Mz.*-sen Verkürzung eines unbetonten Wortes durch Anlehnung an ein vorhergehendes, betontes Wort, z. B.: gib's mir, statt: gib es mir; *Ggs.:* Proklise; **En|kli|ti|kon** *s. Gen.*-s *Mz.*-ka unbetontes, sich an ein betontes Wort anlehnendes Wort; *Ggs.:* Proklitikon; **en|kli|tisch**; *Ggs.:* proklitisch
En|ko|mi|ast [griech.] *m. 10* Lobredner, Lobpreiser; **En|komi|as|tik** *w. 10* Lobpreisung; **En|ko|mi|on, En|ko|mi|um** *s. Gen.*-s *Mz.*-mi|en Lobrede, Lobschrift
en masse [ãmas, frz.] in Masse(n), in großer Zahl
en mi|ni|a|ture [ãminjatyr, frz.] im kleinen (Maßstab)
en|net *mit Dat., schweiz.:* hinter, jenseits, ennet dem Fluss; **en|net|bir|gisch** *schweiz.:* hinter dem Gebirge
en|nu|yant [ãnyjã, ãnyijã, frz.] *veraltet:* langweilig, lästig; **ennu|yie|ren** [ãnyji-, ãnyiji-] *tr. 3* lästig sein, langweilen
e|norm ungeheuer, außerordentlich; herrlich, großartig; **E|nor|mi|tät** *w. 10 nur Ez., veraltet*
en pas|sant [ãpasã, frz. »im Vorbeigehen«] nebenbei, beiläufig
en pro|fil [ã-, frz.] im Profil, von der Seite her (gesehen)
En|que|te [ãkęt, frz.] *w. 11, veraltet:* amtl. Untersuchung, Rundfrage, Umfrage
en|ra|gie|ren [ãraʒi-, frz.] *refl. 3, veraltet:* sich aufregen, sich leidenschaftlich begeistern
en route [ãrut, frz.] *veraltet:* unterwegs
En|semble [ãzãbl, frz.] *s. 9* **1** Gesamtheit der Mitwirkenden in einem Theaterstück, einer Tanz- oder Musikaufführung; **2** kleines Orchester; **3** Spiel des ganzen Orchesters, im Unterschied zu dem des Solisten; **Ensemble|mu|sik** *w. 10 nur Ez.* Tanz-, Unterhaltungsmusik; **En|semble|spiel** *s. 1 nur Ez.* Spiel gut zusammenarbeitender Schauspieler
En|si|la|ge [ãsilaʒə, frz.] *w. 11* = Silage
en suite [ãsyit, frz.] **1** nach-, hintereinander, unmittelbar aufeinander folgend; **2** im Folgenden
ent|ar|ten *intr. 2;* **Ent|ar|tung** *w. 10*
ent|a|schen *tr. 1;* **Ent|a|schung** *w. 10*
En|ta|se [griech.] *w. 11,* **En|tasis** *w. Gen.- Mz.*-sen Anschwellung des Säulenschaftes nach der Mitte zu
ent|äu|ßern *refl. 1, mit Gen.;* ich entäußere, entäußre mich dieser Dinge; **Ent|äu|ße|rung** *w. 10 nur Ez.*
ent|beh|ren *tr. 1;* **ent|behr|lich;** **Ent|behr|lich|keit** *w. 10 nur Ez.;* **Ent|beh|rung** *w. 10*
ent|bie|ten *tr. 13, veraltet, noch poet.;* jmdm. seine Grüße e.: jmdn. grüßen; jmdn. zu sich e.: zu sich bitten
ent|bin|den 1 *tr. 14;* eine Frau (von einem Kind) e.: ihr bei der Geburt des Kindes helfen; **2** *intr. 14* ein Kind zur Welt bringen, gebären; sie hat entbunden; **Ent|bin|dung** *w. 10;* **Entbin|dungs|heim** *s. 1;* **Ent|bindungs|sta|ti|on** *w. 10*
ent|blät|tern *tr. u. refl. 1*
ent|blö|den *refl. 2, nur in verneinenden Sätzen;* er entblödete sich nicht, mir zu sagen…: er scheute sich nicht
ent|blö|ßen *tr. 1;* **Ent|blö|ßung** *w. 10*
ent|bre|chen *refl. 19, nur noch poet.;* er konnte sich nicht e., zu…: er konnte nicht umhin
ent|bren|nen *intr. 20;* in Liebe entbrennen
ent|bü|ro|kra|ti|sie|ren *tr. 3* von bürokrat. Ballast befreien
Ent|chen, Ent|lein *s. 7*
ent|de|cken *tr. 1;* **Ent|de|cker** *m. 5;* **Ent|de|cker|freu|de** *w. 11;* **Ent|de|ckung** *w. 10;* **Entde|ckungs|rei|se** *w. 11*
En|te *w. 11; auch ugs.:* falsche Nachricht (Zeitungsente); kalte Ente: Getränk aus Weißwein, Sekt und Zitrone
ent|eh|ren *tr. 1;* **Ent|eh|rung** *w. 10*
ent|eig|nen *tr. 2;* **Ent|eig|nung** *w. 10*
ent|ei|len *intr. 1*
ent|ei|sen *tr. 1* vom Eis befreien
ent|ei|se|nen *tr. 1* von Eisen befreien (Mineralwasser); **Ent|eise|nung** *w. 10 nur Ez.*
Ent|ei|sung *w. 10 nur Ez.*
En|te|le|chie [griech.] *w. 11, Philos.:* zielstrebige Kraft eines Lebewesens, sich seinen Anlagen gemäß zu entwickeln; **ente|le|chisch**
En|ten|flott *s. Gen.*-s *nur Ez.,* **En|ten|grün** *s. Gen.*-s *nur Ez.,* **En|ten|grüt|ze** *w. 11 nur Ez.* eine Schwimmpflanze, Wasserlinse; **En|ten|schna|bel** *m. 6, 15./16. Jh.:* Schuh mit aufgebogener, verbreiterter Spitze
En|tente [ãtãt, frz.] *w. 11* freundschaftl. Staatenbündnis; E. cordiale [kɔrdjal]: Bündnis zwischen England und Frankreich 1904
En|ter *m. 5, nddt.:* einjähriges Pferd oder Kalb
en|te|ral [griech.] zum Darm gehörig, von ihm ausgehend; **En|ter|al|gie** *w. 11* Leibschmerz
En|ter|beil *s. 1* Beil zum Entern eines Schiffes
ent|er|ben *tr. 1;* **Ent|er|bung** *w. 10*
En|ter|ha|ken *m. 7* Haken zum Entern eines Schiffes
En|te|rich *m. 1*
En|te|ri|tis [griech.] *w. Gen.- Mz.*-ti|den Dünndarmentzündung, Darmkatarrh
en|tern 1 *tr. 1;* ein Schiff e.: auf ein Schiff klettern und es erobern; **2** *intr. 1* klettern; ins Takelwerk entern
en|te|ro|gen [griech.] vom Darm ausgehend; **En|te|ro|kly-**

se *w. 11,* **En|te|ro|klys|ma** *s. Gen.* -s *Mz.* -men *oder* -mal|ta Darmspülung; **En|te|ro|skop** *auch:* **En|te|ros|kop** *s. 1* Gerät mit Spiegel und elektr. Lichtquelle zur Untersuchung des Dickdarms; **En|te|ro|sko|pie** *auch:* **En|te|ros|ko|pie** *w. 11* Untersuchung des Dickdarms mit dem Enteroskop; **En|te|ro|sto|mie** *auch:* **En|te|ros|to|mie** *w. 11* Anlegen eines künstl. Afters; **En|te|ro|to|mie** *w. 11* operative Öffnung des Darms; **En|te|ro|zo|on** *s. Gen.* -s *Mz.* -zo|en Darmschmarotzer

En|ter|tai|ner [-tɛɪ-, -te-,. engl.] *m. 5* Unterhalter, z. B. Conférencier, Diskjockey

ent|fa|chen *tr. 1*

ent|fah|ren *intr. 32*

ent|fal|len *intr. 33*

ent|fal|ten *tr. 2;* **Ent|fal|tung** *w. 10*

ent|fär|ben *tr. 1;* **Ent|fär|ber** *m. 5;* **Ent|fär|bung** *w. 10 nur Ez.*

ent|fer|nen *tr. 1;* **ent|fernt**; nicht im Entferntesten; **Ent|fer|nung** *w. 10*

ent|fes|seln *tr. 1;* **Ent|fes|se|lung** *w. 10 nur Ez.*

ent|fes|ti|gen *tr. 1* enthärten (Metall); **Ent|fes|ti|gung** *w. 10 nur Ez.*

ent|fet|ten *tr. 2;* **Ent|fet|tung** *w. 10 nur Ez.;* **Ent|fet|tungs|kur** *w. 10*

ent|flam|men *tr. 1*

ent|flech|ten *tr. 37* auflösen (Konzern, Kartell usw.); **Ent|flech|tung** *w. 10*

ent|flie|gen *intr. 38*

ent|flie|hen *intr. 39*

ent|frem|den *tr. 2;* **Ent|frem|dung** *w. 10 nur Ez.*

ent|fros|ten *tr. 2;* von Vereisung befreien, vor Vereisung schützen; **Ent|fros|ter** *m. 5;* **Ent|fros|tung** *w. 10 nur Ez.*

ent|füh|ren *tr. 1;* **Ent|füh|rer** *m. 5;* **Ent|füh|rung** *w. 10*

ent|ga|sen *tr. 1;* **Ent|ga|sung** *w. 10*

ent|ge|gen *mit Dat.;* dem entgegen; e. meinen Anweisungen hat er…; **ent|ge|gen|ge|hen** *intr. 47;* **ent|ge|gen|ge|setzt**; in entgegengesetzter Richtung; **ent|ge|gen|kom|men** *intr. 71;* **Ent|ge|gen|kom|men** *s. 7 nur Ez.;* **ent|ge|gen|kom|mend; ent|ge|gen|kom|men|der|wei|se** e. half er mir…, *aber:* er erklärte mir in sehr entgegenkommender Weise, dass…; **ent|ge|gen|neh|men** *tr. 88;* **ent|ge|gen|se|hen** *intr. 136;* **ent|ge|gen|set|zen** *tr. 1;* vgl. entgegengesetzt; **ent|ge|gen|ste|hen** *intr. 151;* dem steht nichts entgegen; **ent|ge|gen|stel|len** *tr. 1;* **Ent|ge|gen|stel|lung** *w. 10;* **ent|ge|gen|tre|ten** *intr. 163;* **ent|ge|gen|wir|ken** *intr. 1;* **ent|geg|nen** *tr. 2;* **Ent|geg|nung** *w. 10*

ent|ge|hen *intr. 47*

ent|geis|tert *ugs.:* bestürzt, fassungslos

ent|gei|zen *tr. 1* von Seitentrieben (Geizen) befreien

Ent|gelt *s. 1 nur Ez.:* etwas gegen E., ohne E. tun; **ent|gel|ten** *tr. 49;* jmdm. etwas e.: jmdn. für etwas belohnen; jmdn. etwas e. lassen: für etwas büßen lassen; lass es ihn nicht e., dass er dich einmal geärgert hat **ent|gif|ten** *tr. 2;* **Ent|gif|tung** *w. 10 nur Ez.*

ent|glei|sen *intr. 1;* **Ent|glei|sung** *w. 10*

ent|glei|ten *intr. 56*

ent|got|ten *tr. 2* seiner Göttlichkeit berauben; **ent|göt|tern** *tr. 1* von Göttern befreien; **Ent|göt|te|rung** *w. 10 nur Ez.;* **Ent|got|tung** *w. 10 nur Ez.*

ent|grä|ten *tr. 2*

ent|haa|ren *tr. 1;* **Ent|haa|rung** *w. 10 nur Ez.;* **Ent|haa|rungs|mit|tel** *s. 5*

En|thal|pie [griech.] *w. 11 nur Ez.* eine Zustandsgröße in der Thermodynamik

ent|hal|ten 1 *intr. 61;* **2** *refl. 61;* ich konnte mich nicht, kaum e., ihm zu widersprechen; sich der Stimme e.; sich des Alkohols e.; **ent|halt|sam; Ent|halt|sam|keit** *w. 10 nur Ez.;* **Ent|hal|tung** *w. 10*

ent|här|ten *tr. 2;* **Ent|här|tung** *w. 10 nur Ez.*

ent|haup|ten *tr. 2;* **Ent|haup|tung** *w. 10*

ent|häu|ten *tr. 2;* **Ent|häu|tung** *w. 10 nur Ez.*

ent|he|ben *tr. 64;* jmdn. seines Amtes e.; damit bin ich der unangenehmen Pflicht enthoben, ihr zu sagen, dass…; **Ent|he|bung** *w. 10 nur Ez.*

ent|hei|li|gen *tr. 1;* **Ent|hei|li|gung** *w. 10*

Ent|hel|min|then [griech.] *Mz.* Eingeweidewürmer

ent|hem|men *tr. 1;* **Ent|hem|mung** *w. 10 nur Ez.*

ent|hül|len *tr. 1;* **Ent|hül|lung** *w. 10*

ent|hül|sen *tr. 1*

ent|hu|ma|ni|sie|ren *tr. 3* **1** entmenschlichen, entsittlichen; **2** versachlichen; **Ent|hu|ma|ni|sie|rung** *w. 10 nur Ez.*

en|thu|si|as|mie|ren [griech.] *tr. 3* in Enthusiasmus versetzen, begeistern; **En|thu|si|as|mus** *m. Gen. nur Ez.* Begeisterung; **En|thu|si|ast** *m. 10* leicht zu begeisternder Mensch, Schwärmer; **en|thu|si|as|tisch**

En|thy|mem [griech.] *s. 1* unvollständiger Schluss, bei dem eine der beiden Prämissen in Gedanken zu ergänzen ist, Wahrscheinlichkeitsschluss

En|ti|tät [lat.] *w. 10* das Dasein (eines Dinges), im Unterschied zum Wesen

ent|jung|fern *tr. 1;* **Ent|jung|fe|rung** *w. 10* = Defloration

ent|kal|ken *tr. 1;* **Ent|kal|kung** *w. 10 nur Ez.*

ent|kei|men *tr. 1;* **Ent|kei|mung** *w. 10 nur Ez.*

ent|ker|nen *tr. 1;* **Ent|ker|ner** *m. 5*

ent|klei|den *tr. 2;* **Ent|klei|dung** *w. 10 nur Ez.*

ent|kom|men *intr. 71*

ent|kor|ken *tr. 1*

ent|kör|nen *tr. 1;* **Ent|kör|nung** *w. 10 nur Ez.*

ent|kräf|ten *tr. 2;* **Ent|kräf|tung** *w. 10 nur Ez.*

ent|kramp|fen *tr. 1;* **Ent|kramp|fung** *w. 10 nur Ez.*

ent|la|den *tr. 74;* **Ent|la|der** *m. 5;* **Ent|la|dung** *w. 10*

> **entlang:** Als Präposition gebraucht (vor dem Substantiv), folgt der Genitiv *(entlang des Flusses);* die Dativform ist in der gesprochenen Sprache verbreitet. In Postposition (hinter dem Substantiv stehend) folgt der Akkusativ: *Sie ging den Fluss entlang.* Der Infinitiv und die flektierten Formen werden zusammengeschrieben: *Wir wollen den Fluss entlanggehen.* → § 34 (1)

ent|lang 1 *bei nachfolgendem Substantiv Gen.:* entlang des Zaunes; **2** *bei vorangehendem Substantiv Akk., auch Dat. (Postposition):* den Zaun entlang; am Zaun entlang; **3** *in Zus. mit Verben Zusammenschreibung:* am Fluss entlanglaufen; **ent|lang|fah|ren** *intr. 32;* **ent|lang|ge|hen** *intr. 47;* **ent|lang|lau|fen** *intr. 76*

ent|lar|ven *tr. 1;* **Ent|lar|vung** *w. 10 nur Ez.*
ent|las|sen *tr. 75;* **Ent|las|sung** *w. 10;* **Ent|las|sungs|fei|er** *w. 11;* **Ent|las|sungs|pa|pie|re** *s. 1 Mz.*
ent|las|ten *tr. 2;* **Ent|las|tung** *w. 10;* **Ent|las|tungs|zeu|ge** *m. 11;* **Ent|las|tungs|zug** *m. 2*
ent|lau|ben *tr. u. refl. 1;* **Ent|lau|bung** *w. 10 nur Ez.*
ent|lau|fen *intr. 76*
ent|lau|sen *tr. 1;* **Ent|lau|sung** *w. 10*
ent|le|di|gen *refl. mit Gen.;* sich einer Sache, eines Menschen e.; **Ent|le|di|gung** *w. 10 nur Ez.*
ent|lee|ren *tr. 1;* **Ent|lee|rung** *w. 10*
ent|le|gen
ent|leh|nen *tr. 1;* **Ent|leh|nung** *w. 10*
ent|lei|ben *refl. 1* Selbstmord begehen; **Ent|lei|bung** *w. 10*
ent|lei|hen *tr. 78;* **Ent|lei|her** *m. 5;* **Ent|lei|hung** *w. 10*
Ent|lein, Ent|chen *s. 7*
ent|lo|ben *refl. 1;* **Ent|lo|bung** *w. 10*
ent|lo|cken *tr. 1*
ent|loh|nen, *schweiz.:* **ent|löh|nen** *tr. 1;* **Ent|loh|nung,** *schweiz.:* **Ent|löh|nung** *w. 10*
ent|lüf|ten *tr. 2;* **Ent|lüf|ter** *m. 5;* **Ent|lüf|tung** *w. 10;* **Ent|lüf|tungs|an|la|ge** *w. 11*
ent|mach|ten *tr. 2;* **Ent|mach|tung** *w. 10*
ent|ma|gne|ti|sie|ren *auch:* **-mag|ne-** *tr. 3;* **Ent|ma|gne|ti|sie|rung** *auch:* **-mag|ne-** *w. 10 nur Ez.*
ent|man|nen *tr. 1;* **Ent|man|nung** *w. 10* = Kastration
ent|menscht
ent|mi|li|ta|ri|sie|ren *tr. 3;* **Ent|mi|li|ta|ri|sie|rung** *w. 10 nur Ez.*
ent|mi|nen *tr. 1*
ent|mi|schen *tr. 1*
ent|mün|di|gen *tr. 1;* **Ent|mün|di|gung** *w. 10*
ent|mu|ti|gen *tr. 1;* **Ent|mu|ti|gung** *w. 10 nur Ez.*
ent|my|thi|sie|ren *tr. 3;* **Ent|my|thi|sie|rung** *w. 10 nur Ez.;* **ent|my|tho|lo|gi|sie|ren** *tr. 3* von mytholog. Vorstellungen befreien; **Ent|my|tho|lo|gi|sie|rung** *w. 10 nur Ez.*
Ent|nah|me *w. 11*
ent|na|ti|o|na|li|sie|ren *tr. 3* = reprivatisieren; **Ent|na|ti|o|na|li|sie|rung** *w. 10*
ent|na|zi|fi|zie|ren *tr. 3;* **Ent|na|zi|fi|zie|rung** *w. 10;* **Ent|na|zi|fi|zie|rungs|kom|mis|si|on** *w. 10*
ent|neh|men *tr. 88*
ent|ner|ven *tr. 1;* **Ent|ner|vung** *w. 10 nur Ez.*
ent|ni|ko|ti|ni|sie|ren *tr. 3* (Tabak)
En|to|blast [griech.] *s. 1,* **En|to|derm** *s. 1* inneres Keimblatt des Embryos
En|to|mo|lo|ge [griech.] *m. 11;* **En|to|mo|lo|gie** *w. 11 nur Ez.* Wissenschaft von den Gliedertieren, bes. den Insekten; **en|to|mo|lo|gisch**
En|to|pa|ra|sit [griech.] *m. 10* im Innern von anderen Tieren oder Pflanzen lebender Parasit
en|to|pisch [griech.] *veraltet:* einheimisch, örtlich
En|to|plas|ma [griech.] *s. 9* innere Schicht des Protoplasmas
ent|op|tisch [griech.] im Innern des Auges gelegen oder entstanden
ent|o|tisch [griech.] im Inneren des Ohrs gelegen oder entstanden
En|to|xis|mus [griech.] *m. Gen. - Mz.* -men, *Med.:* Vergiftung
En|to|zo|on [griech.] *s. Gen.* -s *Mz.* -zo|en im Innern anderer Lebewesen lebender Schmarotzer
ent|per|sön|li|chen *tr. 1;* **Ent|per|sön|li|chung** *w. 10 nur Ez.*
ent|pflich|ten *tr. 2;* **Ent|pflich|tung** *w. 10 nur Ez.*
ent|pup|pen *refl. 1;* **Ent|pup|pung** *w. 10 nur Ez.*
ent|quel|len *intr. 93*
En|tra|da *w. Gen. - Mz.* -den = Intrada
ent|rah|men *tr. 1;* **Ent|rah|mer** *m. 5;* **Ent|rah|mung** *w. 10 nur Ez.*
ent|ra|ten *intr. 94 mit Gen., veraltet:* entbehren; ich kann seines Beistands nicht entraten
ent|rät|seln *tr. 1;* ich enträtsele, enträtsle es; **Ent|rät|se|lung, Ent|räts|lung** *w. 10 nur Ez.*
En|tre|akt [ãtrəakt, ãtrakt, frz.] *m. 1* Zwischenakt, Zwischenspiel, Zwischenaktsmusik
En|tre|chat [ãtrəʃa, frz.] *m. Gen.* -s [-ʃa] *Mz.* -s [-ʃa], *Ballett:* Kreuzsprung, Sprung in die Höhe, bei dem die gestreckten Füße mehrmals schnell übereinander geschlagen werden
ent|rech|ten *tr. 2;* **Ent|rech|tung** *w. 10 nur Ez.*
En|tre|cote [ãtrəkot, frz.] *s. 9* Rippenstück (vom Rind)
En|tree [ãtre, frz.] **1** *s. 9* Eingang; **2** *s. 9 oder w. 9* Vorzimmer, Diele; **3** *s. 9 oder w. 9* Vorspeise; **4** *s. 9* Vorspiel zum Ballett; **5** *s. 9* selbständiger Auftritt im Zirkus
En|tre|fil|let [ãtrəfile, frz.] *s. 9 urspr.:* eingeschobene, kurze Notiz im Textteil der Zeitung; *dann (heute veraltet):* Leitartikel, Kommentar
ent|rei|ßen *tr. 96*
En|tre|lacs [ãtrəla, frz.] *s. Gen.- Mz. -, Baukunst, Kunstgewerbe:* Zierform aus verschlungenen Linien oder Bändern
En|tre|mets [ãtrəmɛ, frz.] *s. Gen. - Mz. -* **1** *veraltet:* leichtes Zwischengericht; **2** *heute:* Süßspeise
en|tre nous [ãtrə nu, frz.] unter uns, vertraulich
En|tre|pot [ãtrəpo, frz.] *s. 9* Speicher, Lagerraum für Waren beim Zoll
En|tre|pre|neur [ãtrəprənœr, frz.] *m. 1, veraltet:* Veranstalter (von Konzerten u. a.)
En|tre|pri|se [ãtrəpriz(ə), frz.] *w. 11, veraltet:* Unternehmen, Veranstaltung
En|tre|sol [ãtrəsɔl, frz.] *s. 9, veraltet:* Zwischengeschoss
En|tre|vue [ãtrəvy, frz.] *w. 11, veraltet:* Zusammenkunft, Besprechung (bes. von Staatsoberhäuptern)
ent|rich|ten *tr. 2* bezahlen (Beitrag, Fahrgeld)
en|trie|ren [frz.] *tr. 3, veraltet:* anfangen, in die Wege leiten
ent|rin|den *tr. 2*
ent|rin|gen *intr. 100*
ent|rin|nen *intr. 101*
ent|rol|len *tr. 1*
En|tro|pie *auch:* **Ent|ro-** [griech.] *w. 11, in der Wärmelehre:* Maß für die Unordnung in einem abgeschlossenen System (Gas oder Flüssigkeit)
ent|ros|ten *tr. 2;* **Ent|ros|tung** *w. 10 nur Ez.*
ent|rü|cken *tr. 1;* **Ent|rü|ckung** *w. 10 nur Ez.*
ent|rüm|peln *tr. 1;* ich entrümpele, entrümple es; **Ent|rüm|pe|lung, Ent|rümp|lung** *w. 10 nur Ez.*
ent|rüs|ten *refl. 2;* **Ent|rüs|tung** *w. 10 nur Ez.*
ent|saf|ten *tr. 2;* **Ent|saf|ter** *m. 5;* **Ent|saf|tung** *w. 10 nur Ez.*

ent|sa|gen *intr. 1;* **Ent|sa|gung** *w. 10 nur Ez.;* **ent|sa|gungs|voll**

ent|sal|zen *tr. 1;* **Ent|sal|zung** *w. 10 nur Ez.*

Ent|satz *m. 2 nur Ez.* das Entsetzen (**2**)

ent|schä|di|gen *tr. 1;* **Ent|schä|di|gung** *w. 10;* **ent|schä|di|gungs|los; Ent|schä|di|gungs|sum|me** *w. 11*

ent|schär|fen *tr. 1;* **Ent|schär|fung** *w. 10 nur Ez.*

Ent|scheid *m. 1;* **ent|schei|den** *tr. u. refl. 107;* sich für, gegen etwas e.; **Ent|schei|dung** *w. 10;* **Ent|schei|dungs|kampf** *m. 2;* **Ent|schei|dungs|spiel** *s. 1;* **Ent|schei|dungs|stun|de** *w. 11;* **ent|schie|den; Ent|schie|den|heit** *w. 10 nur Ez.*

ent|schla|cken *tr. 1;* **Ent|schla|ckung** *w. 10 nur Ez.*

ent|schla|fen *intr. 115*

ent|schla|gen *refl. 116 mit Gen.;* sich eines Vorteils e.: darauf verzichten

ent|schlei|ern *tr. 1;* **Ent|schlei|e|rung** *w. 10 nur Ez.*

ent|schlie|ßen *refl. 120;* **Ent|schlie|ßung** *w. 10;* **ent|schlos|sen; Ent|schlos|sen|heit** *w. 10 nur Ez.;* **Ent|schluß** ► **Ent|schluss** *m. 2*

ent|schlüs|seln *intr. 1;* ich entschlüssele, entschlüssle es; **Ent|schlüs|se|lung** *w. 10 nur Ez.*

ent|schluß|fä|hig ► **ent|schluss|fä|hig; Ent|schluß|fä|hig|keit** ► **Ent|schluss|fä|hig|keit** *w. 10 nur Ez.;* **Ent|schluß|kraft** ► **Ent|schluss|kraft** *w. 2 nur Ez.*

ent|schuld|bar; ent|schul|den *tr. 2* von Schulden befreien (Grundstück); **ent|schul|di|gen** *tr. u. refl. 1;* **Ent|schul|di|gung** *w. 10;* **Ent|schul|di|gungs|brief** *m. 1;* **Ent|schul|dung** *w. 10 nur Ez.*

ent|schwe|ben *intr. 1*

ent|schwe|feln *tr. 1;* ich entschwefele, entschwefle es; **Ent|schwe|fe|lung, Ent|schwef|lung** *w. 10 nur Ez.*

ent|schwin|den *intr. 133*

ent|seelt *poet.:* tot

ent|sen|den *tr. 138;* **Ent|sen|dung** *w. 10 nur Ez.*

ent|set|zen 1 *tr. u. refl. 1;* **2** *tr. 1;* eine Festung e.: von Belagerern befreien; **Ent|set|zen** *s. 7 nur Ez.;* **ent|setz|lich; Ent|setz|lich|keit** *w. 10*

ent|seu|chen *tr. 1* desinfizieren; **Ent|seu|chung** *w. 10*

ent|si|chern *tr. 1*

ent|sie|geln *tr. 1;* ich entsiegele, entsiegle es; **Ent|sie|ge|lung** *w. 10 nur Ez.*

ent|sin|nen *refl. 142;* sich jmds., *oder:* sich an jmdn. e.; sich einer Sache, *oder:* sich an eine Sache entsinnen

ent|sitt|li|chen *tr. 1;* **Ent|sitt|li|chung** *w. 10 nur Ez.*

ent|sor|gen *tr. 1* von Müll und Gerümpel befreien; Haushalte e.; **Ent|sor|gung** *w. 10 nur Ez.*

ent|span|nen *tr. 1;* **ent|spannt; Ent|span|nung** *w. 10 nur Ez.;* **Ent|span|nungs|po|li|tik** *w. 10*

ent|spin|nen *refl. 145*

ent|spre|chen *intr. 146;* **ent|spre|chend** *Präp. mit Dat.;* **Ent|spre|chung** *w. 10*

ent|sprie|ßen *intr. 147*

ent|sprin|gen *intr. 148*

ent|staat|li|chen *tr. 1;* **Ent|staat|li|chung** *w. 10*

Ent|sta|li|ni|sie|rung *w. 10 nur Ez.*

ent|stam|men *intr. 1*

ent|stau|ben *tr. 1;* **Ent|stau|bung** *w. 10 nur Ez.*

ent|ste|hen *intr. 151;* **Ent|ste|hung** *w. 10 nur Ez.;* **Ent|ste|hungs|ge|schich|te** *w. 11;* **Ent|ste|hungs|ur|sa|che** *w. 11*

ent|stei|gen *intr. 153*

ent|stei|nen *tr. 1*

ent|stel|len *tr. 1;* **Ent|stel|lung** *w. 10*

ent|stie|len *tr. 1*

ent|stö|ren *tr. 1;* **Ent|stö|rung** *w. 10 nur Ez.;* **Ent|stö|rungs|stel|le** *w. 11*

ent|strö|men *intr. 1*

ent|süh|nen *tr. 1;* **Ent|süh|nung** *w. 10 nur Ez.*

ent|sump|fen *tr. 1;* **Ent|sump|fung** *w. 10 nur Ez.*

ent|sün|di|gen *tr. 1*

ent|ta|bui|sie|ren *tr. 3* von Tabus befreien

ent|täu|schen *tr. 1;* **Ent|täu|schung** *w. 10*

ent|tee|ren *tr. 1;* **Ent|tee|rung** *w. 10 nur Ez.*

ent|thro|nen *tr. 1;* **Ent|thro|nung** *w. 10 nur Ez.*

ent|trüm|mern *tr. 1;* **Ent|trüm|me|rung** *w. 10 nur Ez.*

ent|völ|kern *tr. 1;* **Ent|völ|ke|rung** *w. 10 nur Ez.*

ent|wach|sen *intr. 172*

ent|waff|nen *tr. 2;* **Ent|waff|nung** *w. 10 nur Ez.*

ent|wal|den *tr. 2;* **Ent|wal|dung** *w. 10 nur Ez.*

ent|war|nen *intr. 1;* **Ent|war|nung** *w. 10*

ent|wäs|sern *tr. 1;* **Ent|wäs|se|rung** *w. 10 nur Ez.;* **Ent|wäs|se|rungs|an|la|ge** *w. 11*

ent|we|der; entweder – oder!; **Ent|we|der-O|der** ► **Ent|we|der-o|der** *s. Gen. - nur Ez.*

ent|wei|chen *intr. 176*

ent|wei|hen *tr. 1;* **Ent|wei|hung** *w. 10*

ent|wen|den *tr. 2;* **Ent|wen|dung** *w. 10 nur Ez.*

ent|wer|fen *tr. 181*

ent|wer|ten *tr. 2;* **Ent|wer|ter** *m. 5;* **Ent|wer|tung** *w. 10 nur Ez.*

ent|we|sen *tr. 1* von Ungeziefer, Schädlingen befreien (Räume); **Ent|we|sung** *w. 10 nur Ez.*

ent|wi|ckeln *tr. 1;* ich entwickele, entwickle es; **Ent|wick|ler** *m. 5;* **Ent|wick|ler|bad** *s. 4;* **Ent|wick|lung** *w. 10;* **Ent|wick|lungs|al|ter** *s. 5 nur Ez.;* **ent|wick|lungs|fä|hig; Ent|wick|lungs|fä|hig|keit** *w. 10 nur Ez.;* **Ent|wick|lungs|ge|schich|te** *w. 11;* **ent|wick|lungs|ge|schicht|lich; Ent|wick|lungs|hel|fer** *m. 5;* **Ent|wick|lungs|hil|fe** *w. 11 nur Ez.;* **Ent|wick|lungs|jah|re** *s. 1 Mz.;* **Ent|wick|lungs|land** *s. 4 meist Mz.;* **Ent|wick|lungs|ro|man** *m. 1;* **Ent|wick|lungs|stö|rung** *w. 10;* **Ent|wick|lungs|stu|fe** *w. 11*

ent|win|den *tr. 183*

ent|wir|ren *tr. 1;* **Ent|wir|rung** *w. 10 nur Ez.*

ent|wi|schen *intr. 1*

ent|wöh|nen *tr. 1;* **Ent|wöh|nung** *w. 10 nur Ez.*

ent|wöl|ken *refl. 1*

ent|wür|di|gen *tr. 1;* **Ent|wür|di|gung** *w. 10 nur Ez.*

Ent|wurf *m. 2*

ent|wur|zeln *tr. 1;* **Ent|wur|ze|lung, Ent|wurz|lung** *w. 10 nur Ez.*

ent|zau|bern *tr. 1;* **Ent|zau|be|rung** *w. 10 nur Ez.*

ent|zer|ren *tr. 1* von Verzerrungen befreien (fotograf. Aufnahme, Film); **Ent|zer|rer** *m. 5;* **Ent|zer|rung** *w. 10 nur Ez.*

ent|zie|hen *tr. 187;* **Ent|zie|hung** *w. 10 nur Ez.;* **Ent|zie|hungs|kur** *w. 10*

ent|zif|fer|bar; ent|zif|fern *tr. 1;* **Ent|zif|fe|rung** *w. 10 nur Ez.*

ent|zü|cken *tr. 1;* **Ent|zü|cken** *s. Gen. -s nur Ez.*

Ent|zug *m. 2 nur Ez.;* **Ent|zugs|schmer|zen** *m. 12 Mz.* Schmer-

zen nach Rauschgiftentzug, Abstinenzschmerzen
ent|zünd|bar; Ent|zünd|bar|keit *w. 10 nur Ez.;* **ent|zün|den** *tr. 2*
ent|zun|dern *tr. 1* durch Beizen von Zunder reinigen, dekapieren (geglühte Metalle)
ent|zünd|lich; Ent|zünd|lich|keit *w. 10 nur Ez.;* **Ent|zün|dung** *w. 10*
ent|zwei entzwei sein; **ent|zwei|bre|chen** *tr. u. intr. 19;* **ent|zwei|en** *tr. 1;* **ent|zwei|ge|hen** *intr. 47;* **ent|zwei|ma|chen** *tr. 1;* **ent|zwei|schla|gen** *tr. 116;* **Ent|zwei|ung** *w. 10 nur Ez.*
E|nu|me|ra|ti|on [lat.] *w. 10, veraltet:* Aufzählung; **e|nu|me|rie|ren** *tr. 3, veraltet:* aufzählen
En|u|re|se *auch:* **E|nu|re|se** [griech.] *w. 11* unwillkürliches Harnlassen, Bettnässen
En|ve|lop|pe [ɑ̃vəlɔp(ə), frz.] *w. 11* **1** *veraltet:* Briefumschlag, Hülle; **2** *Math.:* einhüllende Kurve
En|vers [ɑ̃vɛr, frz.] *m. Gen. - Mz. -, veraltet:* Kehrseite
En|vi|ron|ment [-vaɪən-, engl.] *s. 9* Arrangement aus Gegenständen der alltägl. Umgebung, das eine bestimmte Wirkung auf den Betrachter ausüben soll
en vogue [ɑ̃vog, frz.] beliebt, im Schwange, in Mode
En|voyé [ɑ̃voaje, frz.] *m. 9, frz. Bez. für* Gesandter
En|ze|pha|li|tis [griech.] *w. Gen. - Mz.* -ti|den Gehirnentzündung; **En|ze|pha|lo|gramm** *s. 1* Röntgenaufnahme der Gehirnkammern
En|zi|an *m. 1* **1** Vertreter einer Gruppe oft blau blühender Alpenpflanzen; **2** aus der Wurzel des Gelben Enzians hergestellter Schnaps
En|zy|kli|ka *auch:* **-zyk|li-** [griech.] *w. Gen. - Mz.* -ken päpstl. Rundschreiben; **en|zy|klisch** *auch:* **-zyk|lisch** einen Kreis durchlaufend
En|zy|klo|pä|die *auch:* **-zyk|lo-** [griech.] *w. 11* **1** Gesamtheit des Wissens; **2** Nachschlagewerk über alle Wissensgebiete; **En|zy|klo|pä|di|ker** *auch:* **-zyk|lo-** *m. 5* Verfasser einer Enzyklopädie; **en|zy|klo|pä|disch** *auch:* **-zyk|lo-; En|zy|klo|pä|dist** *auch:* **-zyk|lo-** *m. 10* Mitarbeiter an der »Französ. Enzyklopädie« im 18. Jh.
En|zym [griech.] *s. 1* = Ferment; **en|zy|ma|tisch** durch Enzyme bewirkt; **En|zy|mo|lo|gie** *w. 11 nur Ez.* Lehre von den Enzymen; **en|zy|mo|lo|gisch**
en|zys|tie|ren [griech.] *intr. 3* sich in einer Zyste einkapseln (von Kleinstlebewesen)

> **Eo-, Epi-** (Worttrennung): Die Abtrennung einer Silbe, die nur aus einem Vokal besteht, ist möglich *(E|o-, E|pi-)*, wird aus ästhetischen Gründen jedoch nicht empfohlen. → § 108

e|o ip|so [lat. »durch sich selbst«] von selbst, gerade dadurch
E|o|li|enne [-ljɛn, frz.] *w. 11 nur Ez.* ein Seidengewebe, Sizilienne
E|o|lith [griech.] *m. 10* von manchen Forschern als Werkzeug betrachteter, vorgeschichtl. Feuerstein
E|os *griech. Myth.:* Göttin der Morgenröte; **E|o|sin** *s. 1 nur Ez.* ein roter Farbstoff; **e|o|si|nie|ren** *tr. 3* mit Eosin färben
e|o|zän [griech.] zum Eozän gehörend, aus ihm stammend; **E|o|zän** eine Abteilung des Tertiärs; **E|o|zo|i|kum** *s. Gen. -s nur Ez.* = Archäozoikum; **e|o|zo|isch** zum Eozoikum gehörend, aus ihm stammend
Ep|a|go|ge [griech.] *auch:* **E|pa|go|ge** *w. 11* = Induktion (**1**); ep|a|go|gisch = induktiv
Ep|a|kris *auch:* **E|pa|kris** [griech.] *w. Gen. - nur Ez.* eine Zierpflanze, Bergheide
Ep|ak|te *auch:* **E|pak|te** [griech.] *w. 11* Anzahl der Tage, die seit dem letzten Neumond bis zu einem bestimmten Tag (bes. bis zum 1. Januar) verflossen sind (zur Berechnung des Osterfestes)
Ep|arch *auch:* **E|parch** [griech.] *m. 10* **1** *griech.-orthodoxe Kirche:* Bischof; **2** *im oström. Reich:* Statthalter; **Ep|ar|chie** *auch:* **E|par|chie** *w. 11* **1** Diözese eines Eparchen; **2** oström. Provinz
E|paul|ett [epo-, frz.] *s. 9,* **E|paul|et|te** *w. 11 meist Mz.* Schulterstück, Achselklappe der Offiziersuniform
E|pen *Mz. von* Epos
Ep|en|the|se [griech.] *w. 11,* **Ep|en|the|sis** *w. Gen. - Mz.* -the|sen Einschiebung eines Lautes zur Erleichterung der Aussprache, z. B. des t in flehentlich; **ep|en|the|tisch**
E|phe|be [griech.] *m. 11, im alten Griechenland:* Jüngling im wehrfähigen Alter (18–20 Jahre)
E|phe|dra [griech.] *w. Gen. - Mz.* -drae [-drɛː] *oder* -dren südliche Gebirgspflanze; **E|phe|drin** *s. -(s) nur Ez.* anregendes Medikament aus Ephedra
E|phe|li|den [griech.] *Mz.* Sommersprossen
e|phe|mer [griech.], e|phe|me|risch **1** nur einen Tag lebend oder dauernd; **2** *übertr.:* kurzlebig, vergänglich; **E|phe|me|ri|de** *w. 11* **1** Eintagsfliege; **2** *Astron.:* Buch mit Tabellen über den Stand der Gestirne für einen gewissen Zeitraum; **3** kurzlebige Erscheinung; **4** *veraltet:* period. Veröffentlichung mit den Tagesereignissen; **e|phe|me|risch** = ephemer
E|phe|ser *m. 5* Einwohner von Ephesos; **E|phe|sos, E|phe|sus** altgriech. Stadt in Kleinasien
E|phor [griech.] *m. 10, in Sparta:* einer der fünf jährlich gewählten höchsten Beamten; **E|pho|rat** *s. 1* Amt eines Ephoren; **E|pho|rie** *w. 11* Amtsbezirk eines Ephorus; **E|pho|rus** *m. Gen. - Mz.* -ren, *evang. Kirche:* = Superintendent
e|pi..., E|pi... [griech.] *in Zus.:* darauf..., darüber..., daneben, bei
E|pi|deik|tik [griech.] *w. 10 nur Ez.* schwülstige Redeweise (wie in Lob- und Festreden); **e|pi|deik|tisch** prunkend, auf Wirkung berechnet
E|pi|de|mie [griech.] *w. 11* ansteckende Massenerkrankung, Seuche; *Ggs.:* Endemie; **E|pi|de|mi|o|lo|gie** *w. 11 nur Ez.* Lehre von den Epidemien; **e|pi|de|mi|o|lo|gisch; e|pi|de|misch** in der Art einer Epidemie; *Ggs.:* endemisch (**3**)
e|pi|der|mal [griech.] zur Epidermis gehörig; **E|pi|der|mis** *w. Gen. - Mz.* -men oberste Schicht der Haut, Oberhaut; **E|pi|der|mo|phyt** *m. 10* in der Haut des Menschen schmarotzender Pilz; **E|pi|der|mo|phy|tie** *w. 11* Hautpilzerkrankung
E|pi|dia|skop *auch:* **E|pi|di|as|kop** [griech.] *s. 1* Bildwerfer für durchsichtige und undurch-

sichtige Bilder, Verbindung von Diaskop und Episkop
E|pi|gai|on [griech.] *s. Gen.* -s *nur Ez.* Gesamtheit der auf der Erdbodenoberfläche lebenden Organismen; **e|pi|gä|isch** oberirdisch
E|pi|ge|ne|se [griech.] *w. 11, Biol., Geol.:* Neubildung, (nachträgl.) Umformung; **e|pi|ge|ne|tisch**
e|pi|go|nal [griech.] in der Art eines Epigonen, nachgeahmt, nachahmend; **E|pi|go|ne** *m. 11* unschöpferischer Nachahmer eines früheren Stils; **e|pi|go|nen|haft; E|pi|go|nen|tum** *s. Gen.* -s *nur Ez.*
E|pi|gramm [griech.] *s. 1* kurzes, meist geistvolles, oft spottendes Gedicht in Distichen, Sinngedicht; **E|pi|gram|ma|ti|ker** *m. 5* Verfasser von Epigrammen; **e|pi|gram|ma|tisch** in der Art eines Epigramms, kurz und treffend
E|pi|graph [griech.] *s. 1* (bes. antike) Inschrift; **E|pi|gra|phik** *w. 10 nur Ez.* Inschriftenkunde; **E|pi|gra|phi|ker** *m. 5* Inschriftenforscher
E|pik [griech.-lat.] *w. 10 nur Ez.* erzähl. Dichtkunst in Versen (Versepik) u. Prosa; vgl. Epos
E|pi|kan|thus [griech.] *m. Gen. - nur Ez.* sichelförmige Hautfalte am inneren Augenwinkel, Mongolenfalte
E|pi|kard [griech.] *s. 1 nur Ez.* inneres Hautblatt des Herzbeutels
E|pi|karp [griech.] *s. 1* äußerste Schicht der Fruchtschale
E|pi|ker [griech.] *m. 5* Dichter epischer Werke
E|pi|kle|se [griech.] *w. 11, griech.-orthodoxe und kath. Kirche:* Anrufung des Hl. Geistes
e|pi|kon|ti|nen|tal [griech. + lat.] auf dem Rand des Festlands gelegen (von Flachmeeren); **E|pi|kon|ti|nen|tal|meer** *s. 1* Flachmeer
E|pi|kri|se [griech.] *w. 11* abschließendes Urteil über einen abgelaufenen Krankheitsfall am Ende der Krankengeschichte
E|pi|ku|re|er **1** Anhänger der Lehre des altgriech. Philosophen Epikur; **2** *übertr. fälschl.:* Genussmensch; **e|pi|ku|re|isch; E|pi|ku|re|is|mus** *m. Gen. - nur Ez.* **1** Lehre des Epikur; **2** *übertr. fälschl.:* Lebensprinzip, das den Genuss an erste Stelle setzt
E|pi|la|ti|on [lat.] *w. 10 nur Ez.* Entfernung von Haaren, Enthaarung
E|pi|lep|sie [griech.] *w. 11 nur Ez.* Erkrankung mit anfallsweise auftretenden Krämpfen, Fallsucht; **E|pi|lep|ti|ker** *m. 5* jmd., der an Epilepsie leidet; **e|pi|lep|tisch** auf Epilepsie beruhend
e|pi|lie|ren [lat.] *tr. 3* enthaaren
E|pi|lim|ni|on [griech. + lat.], **E|pi|lim|ni|um** *s. Gen.* -s *Mz.* -ni|en Oberflächenschicht eines stehenden Gewässers und die in ihr lebenden Organismen
E|pi|log [griech.] *m. 1* Nach-, Schlusswort, Nachspiel (eines Buches oder Theaterstücks); *Ggs.:* Prolog
E|pin|glé [epɛ̃gle, frz.] *m. 9* ungleichmäßig gerippter Baumwoll- oder Halbseidenstoff
E|pi|ni|ki|on [griech.] *s. Gen.* -s *Mz.* -ki|en altgriech. Siegeslied (bei d. nationalen Wettspielen)
E|pi|pa|lä|o|li|thi|kum [griech.] *s. Gen.* -s *nur Ez.* = Mesolithikum
E|pi|pha|nia [griech.] *w. Gen. - Mz.* -ni|en = Epiphanie; **E|pi|pha|ni|as** *s. Gen. - Mz.* -ni|en, **E|pi|pha|ni|en|fest** *s. 1* **1** Fest der Erscheinung Christi am 6. Januar, Erscheinungsfest; **2** *zugleich:* Dreikönigsfest; **E|pi|pha|nie** *w. 11,* E|pi|pha|nia *w. Gen. - Mz.* -ni|en das Erscheinen einer Gottheit, bes. Christi
E|pi|pho|ra [griech.] *w. Gen. - nur Ez.* **1** *Med.:* Tränenfluss; **2** *Stilkunst:* Wiederholung eines Wortes am Ende mehrerer aufeinanderfolgender Sätze; *Ggs.:* Anapher
E|pi|phyl|lum [griech.] *s. Gen.* -s *Mz.* -len Weihnachts-, Blattkaktus
E|pi|phy|se [griech.] *w. 11* **1** = Zirbeldrüse; **2** Endstück der Röhrenknochen
E|pi|phyt [griech.] *m. 10* auf anderen Pflanzen lebende, sich aber selbst ernährende Pflanze
e|pi|ro|gen [griech.], e|pi|ro|ge|ne|tisch, durch Epirogenese entstanden; **E|pi|ro|ge|ne|se,** E|pei|ro|ge|ne|se *w. 11* langsame, lang andauernde, weiträumige Bewegung der Erdkruste; **e|pi|ro|ge|ne|tisch** = epirogen
e|pisch in der Art eines Epos, erzählend; episches Theater
E|pi|si|o|to|mie [griech.] *w. 11, Med.:* Dammschnitt
E|pi|sit [griech.] *m. 10* räuberisch lebendes Tier
E|pi|skop *auch:* **E|pis|kop** [griech.] *s. 1* Bildwerfer für undurchsichtige Bilder
e|pi|sko|pal *auch:* **e|pis|ko|pal** [griech.-lat.] bischöflich; **E|pi|sko|pa|lis|mus** *auch:* **E|pis|ko-** *m. Gen. - nur Ez.,* E|pi|sko|pal|sys|tem *s. 1* kirchl. System, bei dem die Kirche von der Gesamtheit der Bischöfe geleitet wird; *Ggs.:* Papalismus; **E|pi|sko|pa|list** *auch:* **E|pis|ko|pa|list** *m. 10* Anhänger des Episkopalsystems; **E|pi|sko|pal|kir|che** *auch:* **E|pis|ko-** *w. 11* nichtkathol. Kirche mit bischöfl. Leitung; **E|pi|sko|pal|sys|tem** *auch:* **E|pis|ko|pal|sys|tem** *s. 1* = Episkopalismus; **E|pi|sko|pat** *auch:* **E|pis|ko|pat** *m. 1* **1** Gesamtheit der Bischöfe; **2** Amt, Würde eines Bischofs; **E|pi|sko|pus** *auch:* **E|pis|ko|pus** *m. Gen. - Mz.* -pi Bischof
E|pi|so|de [griech.] *w. 11* **1** eingeschobenes Zwischenstück im Theaterstück oder Roman; **2** Zwischenspiel in der Fuge; **3** nebensächl. Ereignis oder Erlebnis; **e|pi|so|disch**
E|pis|tel [griech.-lat.] *w. 11* **1** längerer Brief; **2** Apostelbrief des NT; **3** vorgeschriebene Lesung aus den Apostelbriefen oder der Apostelgeschichte im Gottesdienst; **4** *ugs.:* Strafpredigt; jmdm. eine E. lesen
E|pis|te|mo|lo|gie [griech.] *w. 11 nur Ez.* Erkenntnislehre, -theorie; **e|pis|te|mo|lo|gisch**
E|pis|to|lar [griech.-lat.] *s. 1,* **E|pis|to|la|ri|um** *s. Gen.* -s *Mz.* -ri|en Handbuch mit den gottesdienstlichen Episteln; **E|pis|to|lo|gra|phie** *w. 11 nur Ez.* Kunst des Briefschreibens
E|pis|tro|pheus [-fɔɪs, griech.] *m. Gen. - nur Ez.* zweiter Halswirbel bei Reptilien, Vögeln und Säugern
E|pis|tyl [griech.] *s. 1,* **E|pis|ty|li|on** *s. Gen.* -s *Mz.* -li|en = Architrav
E|pi|tha|la|mi|um [griech.] *s. Gen.* -s *Mz.* -li|en, *in der Antike:* Hochzeitslied
E|pi|taph [griech.] *s. 1,* **E|pi|ta|phi|um** *s. Gen.* -s *Mz.* -phi|en **1**

Grabinschrift; **2** Grabmal mit Inschrift; **3** Totengedenktafel (an Kirchenmauer oder -pfeiler)
E|pi|thel [griech.] *s. 1,* E|pi|the|li|um *s. Gen.* -s *Mz.* -li|en begrenzende Zellschicht(en) der Oberfläche und Hohlräume des menschl. und tier. Körpers; **e|pi|the|li|al** zum Epithel gehörig; **E|pi|the|li|om** *s. 1* Epithelgeschwulst; **E|pi|the|li|um** *s. Gen.* -s *Mz.* -li|en = Epithel; **E|pi|thel|kör|per|chen** *s. 7 Mz.* die Nebenschilddrüsen
E|pi|the|ton [griech.] *s. Gen.* -s *Mz.* -ta Beiwort, Attribut; **E|pi|the|ton or|nans** [griech. + lat.] *s. Gen.* - - *Mz.* -ta -nan|tia schmückendes Beiwort
E|pi|to|ma|tor [griech.] *m. 13* Verfasser von Epitomen; **E|pi|to|me** *w. Gen.* - *Mz.* -to|men Auszug aus einem Schriftwerk
E|pi|trit [griech.] *m. 10* antiker Versfuß aus drei langen und einer kurzen Silbe
E|pi|zen|trum [griech.-lat.] *s. Gen.* -s *Mz.* -tren senkrecht über einem Erdbebenherd liegender Punkt auf der Erdoberfläche
e|pi|zo|isch [griech.] durch Tiere verbreitet (von Samen, Bakterien); **E|pi|zo|on** *s. Gen.* -s *Mz.* -zo|en auf einem andern Tier oder einer Pflanze lebendes Tier; **E|pi|zo|o|no|se** [-tso:ɔ-] *w. 11* durch Epizoen hervorgerufene Hautkrankheit; **E|pi|zo|o|tie** [-tso:ɔ-] *w. 11* in größerem Bereich auftretende Tierseuche
e|po|chal [griech.] **1** für einen großen Zeitabschnitt geltend, Epoche machend; **2** *übertr.:* aufsehenerregend; **E|po|che 1** [epɔxə] *w. 11* bedeutungsvoller Zeitabschnitt; *Astron.:* Zeitpunkt des Standorts eines Gestirns; E. machen: einen neuen Zeitabschnitt einleiten; **2** [-xe] *Philos.:* Enthaltung des Beifalls oder Urteils; **e|po|che|ma|chend;** ein neues Zeitalter einleitend, sehr bedeutend, weitreichend; eine e. Erfindung
Ep|ode *auch:* **E|po|de** [griech.] *w. 11* **1** *im altgriech. Chorlied:* die auf Strophe und Antistrophe folgende dritte Strophe; **2** *in der altgriech. und -röm. Dichtung:* auf einen längeren Vers folgender kurzer Vers; *danach:* aus langen und kurzen Versen bestehende Strophe; **ep|odisch** *auch:* **e|po|disch**
E|po|pöe [griech.] *w. 11* **1** *veraltet für* Epos; **2** kurzes, komisches Heldengedicht
E|pos [auch: ɛpɔs, griech.] *s. Gen.* - *Mz.* Epen lange, erzählende Dichtung in rhythmisch oder metrisch gebundener Sprache
Ep|pich [lat.] *m. 1* volkstüml. Name verschiedener Pflanzen, z. B. Efeu
E|prou|vet|te [-pruvɛt(ə), frz.] *w. 11, österr.:* Probierröhrchen (für chem. Versuche)
Ep|si|lon *s. Gen.* -(s) *Mz.* -s (*Zeichen:* ε, E) griech. Buchstabe, kurzes e
E|ques|trik [lat.] *w. 10 nur Ez.* Reitkunst
E|qui|den [lat.] *w. 11 Mz., Sammelbez. für* alle pferdeartigen Tiere
E|qui|li|brist *m. 10* = Äquilibrist
E|qui|pa|ge [-ʒə, frz.] *w. 11* **1** elegante Kutsche; **2** Mannschaft (eines Schiffes); **3** Ausrüstung (eines Offiziers); **E|qui|pe** [ekip(ə)] *w. 11* **1** Reitermannschaft; **2** *österr.:* für einen Wettkampf ausgewählte Sportmannschaft; **3** *schweiz.:* Sportmannschaft; Künstlergruppe; **e|qui|pie|ren** *tr. 3, veraltet:* ausrüsten; **E|qui|pie|rung** *w. 10*
E|qui|se|tum [lat.] *s. Gen.* -s *Mz.* -ten Schachtelhalm
er; *Großschreibung in der veralteten Anrede für Untergebene:* das lasse Er künftig bleiben!; **Er** *m. Gen.* - *nur Ez., ugs.:* männl. Person oder männl. Tier; ein Er und eine Sie; der kleine Hund ist ein Er
Er *chem. Zeichen für* Erbium
er|ach|ten *tr. 2;* etwas für gut e.; ich erachte es als nicht richtig; **Er|ach|ten** *s. Gen.* -s *nur Ez.;* meines Erachtens (*Abk.:* m. E.) ist das zu hoch (*nicht:* meines Erachtens nach).
er|ah|nen *tr. 1*
er|ar|bei|ten *tr. 2;* ich habe es mir erarbeitet
E|ra|to *griech. Myth.:* Muse der Liebesdichtung
Erb|adel *m. Gen.* -s *nur Ez.;* **Erb|an|la|ge** *w. 11;* **Erb|an|spruch** *m. 2*
Er|bärm|de|bild, Er|bär|me|de|bild *s. 3,* **Er|bärm|de|chris|tus,** Er|bär|me|de|chris|tus *m. Gen.* - *nur Ez.* Darstellung Christi mit der Dornenkrone, Miserikordienbild; **Er|bar|me|dich** *s. Gen.* - *Mz.* - = Eleison; **erbar|men 1** *refl. 1 mit Gen.:* sich jmds. e.; **2** *tr. 1 mit Akk.:* es, er erbarmt mich; **3** *österr. auch intr. 1 mit Dat.* er erbarmt mir: er tut mir leid; **Er|bar|men** *s. Gen.* -s *nur Ez.;* ohne E.; er sieht zum E. aus; **er|bar|mens|wert; Er|bar|mer** *m. 5* Gott; **erbärm|lich; Er|bärm|lich|keit** *w. 10;* **Er|bar|mung** *w. 10 nur Ez.;* **er|bar|mungs|los; Er|bar|mungs|lo|sig|keit** *w. 10 nur Ez.;* **er|bar|mungs|voll; er|bar|mungs|wür|dig**
er|bau|en *tr. 1;* **Er|bau|er** *m. 5;* **er|bau|lich; Er|bau|lich|keit** *w. 10 nur Ez.;* **Er|bau|ung** *w. 10 nur Ez.;* **Er|bau|ungs|schrift** *w. 10*
Erb|bau|er *m. 11;* **Erb|bau|recht** *s. 1;* **Erb|be|gräb|nis** *s. 1;* **erb|be|rech|tigt; Erb|be|rech|ti|gung** *w. 10 nur Ez.;* **Er|be 1** *m. 11* jmd., der etwas erbt oder erben wird; **2** *s. Gen.* -s *nur Ez.* Erbschaft
er|be|ben *intr. 1*
erb|ei|gen; Erb|ei|gen|tum *s. Gen.* -s *nur Ez.;* **erb|ein|ge|ses|sen; er|ben** *tr. 1*
er|be|ten 1 *tr. 1* durch Beten zu erlangen suchen; **2** *Part. Perf. von* erbitten
er|bet|teln *tr. 1*
er|beu|ten *tr. 2*
erb|fä|hig erbberechtigt; **Erb|fä|hig|keit** *w. 10 nur Ez.* Erbberechtigung; **Erb|fall** *m. 2, Rechtsw.:* Todesfall, der jmdn. zum Erben macht; **Erb|feind** *m. 1;* **Erb|fol|ge** *w. 11;* **Erb|fol|ge|krieg** *m. 1;* Spanischer E.; **Erb|fol|ger** *m. 5;* **Erb|gut** *s. 4;* **Erb|hof** *m. 2*
er|bie|ten *refl. 13*
er|bit|ten *tr. 15*
er|bit|tern *tr. 1;* **Er|bit|te|rung** *w. 10 nur Ez.*
Er|bi|um *s. Gen.* -s *nur Ez.* (*Zeichen:* Er) chem. Element, ein Metall der Seltenen Erden
Erb|kai|ser|tum *s. Gen.* -s *nur Ez.;* **Erb|kö|nig|tum** *s. Gen.* -s *nur Ez.;* **erb|krank; Erb|krank|heit** *w. 10;* **Erb|land** *s. 1*
er|bla|sen *intr. 1*
Erb|las|sen|schaft *w. 10* Hinterlassenschaft, die vererbt

wird; **Erb|las|ser** *m. 5* jmd., der ein Erbe hinterlässt; **Erb|las|sung** *w. 10 nur Ez.*; **Erb|le|hen** *s. 7*
er|blei|chen 1 *intr. 1* bleich werden; er erbleichte; **2** *intr. 28, veraltet:* sterben; er ist erblichen
erb|lich; Erb|lich|keit *w. 10 nur Ez.*
er|bli|cken *tr. 1*
er|blin|den *intr. 2;* **Er|blin|dung** *w. 10 nur Ez.*
erb|los ohne Erben
er|blü|hen *intr. 1*
Erb|mas|se *w. 11;* **Erb|on|kel** *m. 5, ugs.: m. 9*
er|bo|sen *tr. u. refl. 1*
er|bö|tig bereit; er ist e., es zu tun; **Er|bö|tig|keit** *w. 10 nur Ez.*
Erb|pacht *w. 10;* **Erb|päch|ter** *m. 5;* **Erb|prinz** *m. 10*
er|bre|chen *tr. 19*
Erb|recht *s. 1*
er|brin|gen *tr. 21;* den Nachweis e., dass…
Erb|scha|den *m. 8;* **Erb|schaft** *w. 10;* **Erb|schafts|steu|er** *w. 11;* **Erb|schein** *m. 1;* **Erb|schlei|cher** *m. 5;* **Erb|schlei|che|rei** *w. 10 nur Ez.*
Erb|se *w. 11;* **Erb|sen|bein** *s. 1* ein Handwurzelknochen; **Erb|sen|stein** *m. 1* = Oolith; **Erb|sen|stroh, Erbs|stroh** *s. Gen. -s nur Ez.*
Erb|stück *s. 1;* **Erb|sün|de** *w. 11*
Erbs|wurst *w. 2* in Wurstform gepresstes Erbsmehl für Suppe
Erb|tan|te *w. 11;* **Erb|teil** *s. 1;* **Erb|tei|lung** *w. 10;* **Erb|tum** *s. 4* ererbter Besitz; **erb|tüm|lich; Erb|übel** *s. 5* Missstand seit Generationen; **erb|un|ter|tä|nig; Erb|un|ter|tä|nig|keit** *w. 10 nur Ez.* der Leibeigenschaft ähnl. Abhängigkeitsverhältnis; **erb|un|wür|dig; Erb|un|wür|dig|keit** *w. 10 nur Ez.*; **Erb|ver|trag** *m. 2;* **Erb|ver|zicht** *m. 1*
Erd|ach|se *w. 11;* **Erd|ap|fel** *m. 6, südd., österr.:* Kartoffel; **Erd|ar|bei|ter** *m. 5;* **Erd|at|mo|sphä|re** *auch:* **-at|mos|phä|re** *w. 11 nur Ez.*
er|dau|ern *tr. 1, schweiz.:* gründlich prüfen; **Er|dau|e|rung** *w. 10 nur Ez.*
Erd|bahn *w. 10;* **Erd|ball** *m. 2 nur Ez.*; **Erd|be|ben** *s. 7;* **Erd|bee|re** *w. 11;* **erd|beer|far|ben, erd|beer|far|big; erd|beer|rot; Erd|bir|ne** *w. 11, mitteldt., schwäb.:* Kartoffel; **Erd|bo|den** *m. 8 nur Ez.*; **Erd|boh|rer** *m. 5;*
Er|de *w. 11;* **er|den** *tr. 2* mit der Erde verbinden (Antenne, Stromleitung); **Er|den|bür|ger** *m. 5;* **er|den|fern; Er|den|fer|ne** *w. 11 nur Ez.*
er|den|ken *tr. 22;* **er|denk|lich;** alles e. Gute
Er|den|le|ben *s. 7;* **er|den|nah; Er|den|nä|he** *w. Gen. - nur Ez.*; **Er|den|rund** *s., fast nur in der Wendung:* auf dem ganzen E.; **Erd|fall** *m. 2* trichterförmige Vertiefung in der Erde; **Erd|far|be** *w. 11;* **Erd|fer|kel** *s. 5;* **Erd|fer|ne** *w. 11 nur Ez.* größte Entfernung eines Planeten von der Erde; vgl. Apogäum; **Erd|floh** *m. 2;* **Erd|frucht** *w. 2*
Erdg. *Abk. für* Erdgeschoss
Erd|gas *s. 1 nur Ez.*; **erd|ge|bun|den; Erd|ge|bun|den|heit** *w. 10 nur Ez.*; **Erd|geist** *m. 3;* **Erd|ge|schich|te** *w. 11 nur Ez.*; **erd|ge|schicht|lich; Erd|ge|schoß** ▶ **Erd|ge|schoss** *s. 1* (*Abk.:* Erdg.); **erd|haft; Erd|harz** *s. 1 nur Ez.* = Asfalt; **Erd|hörn|chen** *s. 7* ein Nagetier
er|dich|ten *tr. 2;* **Er|dich|tung** *w. 10*
er|dig; Erd|ka|bel *s. 5;* **Erd|kar|te** *w. 11;* **Erd|kreis** *m. 1;* **Erd|krus|te** *w. 11 nur Ez.*; **Erd|ku|gel** *w. 11 nur Ez.*; **Erd|kun|de** *w. 11 nur Ez.* Geographie; **Erd|kund|ler** *m. 5;* **erd|kund|lich; Erd|ma|gne|tis|mus** *auch:* **-mag|ne-** *m. Gen. - nur Ez.*; **erd|ma|gne|tisch** *auch:* **-mag|ne-**
Erd|männ|chen *s. 7* **1** *im Volksglauben:* Zwerg, Wichtel; **2** afrik. Schleichkatzenart
Erd|nä|he *w. Gen. - nur Ez.* geringste Entfernung eines Planeten von der Erde; vgl. Perigäum; **Erd|nuß** ▶ **Erd|nuss** *w. 2;* **Erd|o|ber|flä|che** *w. 11 nur Ez.*; **Erd|öl** *s. 1*
er|dol|chen *tr. 1*
Erd|pech *s. 1;* **Erd|rauch** *m. Gen. -s nur Ez.* eine Feldblume; **Erd|reich** *s. 1 nur Ez.* lockere Erde
er|dreis|ten *refl. 2*
Erd|rin|de *w. 11 nur Ez.*
er|dröh|nen *intr. 1*
er|dros|seln *tr. 1;* **Er|dros|se|lung, Er|droß|lung** ▶ **Er|dross|lung** *w. 10*
er|drü|cken *tr. 1*
Er|drusch *m. 1* Ertrag des Dreschens
Erd|rutsch *m. 1;* **Erd|sa|tel|lit** *m. 10;* **Erd|schat|ten** *m. 7;* **Erd|schlipf** *m. 1, schweiz.:* Erdrutsch; **Erd|schluß** ▶ **Erd|schluss** *m. 2, Elektrotechnik:* unerwünschte leitende Verbindung mit der Erde; **Erd|schol|le** *w. 11;* **Erd|teil** *m. 1*
er|dul|den *tr. 2;* **Er|dul|dung** *w. 10 nur Ez.*
Erd|um|krei|sung *w. 10;* **Erd|um|se|ge|lung, Erd|um|seg|lung** *w. 10;* **Er|dung** *w. 10* das Erden; **erd|ver|bun|den; Erd|ver|bun|den|heit** *w. 10 nur Ez.*; **Erd|wachs** *s. 1* mineralisches Wachs, Ozokerit; **Erd|wär|me** *w. 11 nur Ez.*; **Erd|zeit|al|ter** *s. 5*
E|re|bos, E|re|bus *m. Gen. - nur Ez., griech. Myth.:* Unterwelt, Totenreich
er|ei|fern *refl. 1;* **Er|ei|fe|rung** *w. 10 nur Ez.*
er|eig|nen *refl. 2;* **Er|eig|nis** *s. 1;* **er|eig|nis|los; er|eig|nis|reich**
er|ei|len *tr. 1*
e|rek|til [lat.] anschwellbar, erektionsfähig (bes. vom männl. Glied); **E|rek|ti|on** *w. 10* Anschwellung, Aufrichtung (von Organen bei geschlechtl. Erregung, bes. vom männl. Glied)
E|re|mit [griech.] *m. 10* **1** Einsiedler; **2** Einsiedlerkrebs; **E|re|mi|ta|ge** [-ʒə] **1** *w. 11* Einsiedelei; **2** einer Einsiedelei nachgebildete Grotte o. Ä. in Parks; **3** Er|mi|ta|ge, *w. 11 nur Ez.* Kunstsammlung in St. Petersburg
E|ren, Ern *m. Gen. - Mz. -, süddeutsch:* Hausflur
er|er|ben *tr. 1*
e|re|thisch [griech.] *Med.:* leicht erregbar, leicht reizbar; **E|re|this|mus** *m. Gen. - nur Ez.* krankhaft gesteigerte Reizbarkeit, Erregbarkeit
er|fah|ren 1 *tr. 32;* **2** *Adj.:* reich an Erfahrung; **Er|fah|ren|heit** *w. 10 nur Ez.*; **Er|fah|rung** *w. 10;* **Er|fah|rungs|aus|tausch** *m. 1;* **er|fah|rungs|ge|mäß; Er|fah|rungs|tat|sa|che** *w. 11;* **Er|fah|rungs|wis|sen|schaft** *w. 10*
er|fas|sen *tr. 1;* **Er|fas|sung** *w. 10*
er|fin|den *tr. 36;* **Er|fin|der** *m. 5;* **er|fin|de|risch; er|find|lich;** es ist mir nicht e., wie…: ich verstehe nicht; **Er|fin|dung** *w. 10;* **Er|fin|dungs|ga|be** *w. 11 nur Ez.*; **Er|fin|dungs|geist** *m. 3 nur Ez.*; **er|fin|dungs|reich**
er|fle|hen *tr. 1*
Er|folg *m. 1;* **er|fol|gen** *intr. 1;*

er|folg|los; Er|folg|lo|sig|keit *w. 10 nur Ez.;* **er|folg|reich; Er|folgs|rech|nung** *w. 10, Wirtsch.;* **er|folgs|si|cher; er|folg|ver|spre|chend;** eine e. Angelegenheit

er|for|der|lich; er|for|der|li|chen|falls; er|for|dern *tr. 1;* **Er|for|der|nis** *s. 1*

er|for|schen *tr. 1;* **Er|for|scher** *m. 5;* **er|forsch|lich; Er|for|schung** *w. 10 nur Ez.*

er|fra|gen *tr. 1;* **Er|fra|gung** *w. 10 nur Ez.*

er|fre|chen *refl. 1*

er|freu|en *tr. 1;* **er|freu|lich; er|freu|li|cher|wei|se**

er|frie|ren *intr. 42;* **Er|frie|rung** *w. 10*

er|fri|schen *tr. 1;* **Er|fri|schung** *w. 10;* **Er|fri|schungs|ge|tränk** *s. 1;* **Er|fri|schungs|raum** *m. 2*

er|fül|len *tr. 1;* **Er|füllt|heit** *w. 10 nur Ez.;* **Er|fül|lung** *w. 10 nur Ez.;* **Er|fül|lungs|ort** *m. 1*

Er|furt Hst. von Thüringen

erg *Zeichen für* Erg; **Erg** *s. Gen.* -s *Mz.* - Maßeinheit für Energie

erg. *Abk. für* ergänze

er|gän|zen *tr. 1;* **Er|gän|zung** *w. 10;* **Er|gän|zungs|band** *m. 2;* **Er|gän|zungs|bin|de|strich** *m. 1;* **Er|gän|zungs|satz** *m. 2* = Objektsatz; **Er|gän|zungs|win|kel** *m. 5*

er|gat|tern *tr. 1*

er|gau|nern *tr. 1*

er|ge|ben 1 *tr. 45;* 2 mal 5 ergibt 10; die Umfrage hat ergeben, dass…; **2** *refl. 45;* ich habe mich drein ergeben; es hat sich so ergeben; **3** *Adj.:* ein sehr ergebener Freund; Ihr ergebener…, ergebenst Ihr… (als Briefschluss); **Er|ge|ben|heit** *w. 10 nur Ez.;* **Er|geb|nis** *s. 1;* **er|geb|nis|los; Er|ge|bung** *w. 10 nur Ez.*

er|ge|hen 1 *intr. 47;* es ist ein Aufruf an alle Einwohner ergangen; es ist ihm schlecht ergangen; **2** *refl. 47;* sich im Freien e.; sich in endlosen Klagen über etwas e.; **Er|ge|hen** *s. 7 nur Ez.* Befinden

er|gie|big; Er|gie|big|keit *w. 10 nur Ez.*

er|gie|ßen *tr. u. refl. 54;* **Er|gie|ßung** *w. 10 nur Ez.*

er|glän|zen *intr. 1*

er|glü|hen *intr. 1*

er|go [lat.] *immer vorangestellt* folglich, also; ergo hat er…, ergo kann er nicht…; ergo bibamus!: also lasst uns trinken! (Trinkspruch, Kehrreim in Trinkliedern)

Er|go|graph *Nv.* ► **Er|go|graf** *Hv.* [griech.] *m. 10,* Er|go|me|ter *s. 5,* Er|go|stat *m. 10* Gerät zum Messen der Muskelarbeit; **Er|go|gra|phie** *Nv.* ► **Er|go|gra|fie** *Hv.,* Er|go|me|trie *w. 11 nur Ez.* Messung der Muskelarbeit; **Er|go|lo|gie** *w. 11 nur Ez.* Erforschung von volkstüml. Arbeitsgeräten und -gebräuchen; **er|go|lo|gisch; Er|go|me|ter** *s. 5* = Ergograf; **Er|go|me|trie** *auch:* **-met|rie** *w. 11 nur Ez.* = Ergografie; **Er|go|no|mie** *w. 11 nur Ez.* Zweig der Arbeitswissenschaft, der sich mit der Anpassung der Technik an den Menschen (zur Erleichterung der Arbeit) befasst; **Er|go|stat** *auch:* **Er|gos|tat** *m. 10* = Ergograf

Er|gos|te|rin [aus frz. ergot »Mutterkorn« + Cholesterin] *s. 1 nur Ez.* ein pflanzl. Sterin, Vorstufe des Vitamins D_2; **Er|got|amin** *auch:* **Er|go|ta|min** [aus frz. ergot + Ammonium] *s. 1 nur Ez.* ein Alkaloid des Mutterkorns; **Er|go|tin** *s. 1 nur Ez.* (Wz) ein aus Mutterkorn gewonnenes Heilmittel; **Er|go|tis|mus** *m. Gen.* - *nur Ez.* Mutterkornvergiftung, Kribbelkrankheit; **Er|go|to|xin** *s. 1 nur Ez.* ein Alkaloid des Mutterkorns

er|göt|zen *tr. 1;* **er|götz|lich**

er|grau|en *intr. 1*

er|grei|fen *tr. 59;* **Er|grei|fung** *w. 10 nur Ez.;* **er|grif|fen; Er|grif|fen|heit** *w. 10 nur Ez.*

er|grim|men *intr. 1*

er|grün|den *tr. 2;* **Er|grün|dung** *w. 10 nur Ez.*

Er|guß ► **Er|guss** *m. 2;* **Er|guß|ge|stein** ► **Er|guss|ge|stein** *s. 1* verhältnismäßig rasch an der Erdoberfläche erkaltetes und erstarrtes Magma, z. B. Basalt, Porphyr

er|ha|ben; Er|ha|ben|heit *w. 10 nur Ez.*

Er|halt *m. 1 nur Ez., nur in Wendungen wie:* nach, seit E. Ihrer Sendung; **er|hal|ten** *tr. 61;* etwas e.; jmdn. e.: für jmds. Lebensunterhalt aufkommen; sich gesund e.; **Er|hal|ter** *m. 5;* **er|hält|lich; Er|hal|tung** *w. 10 nur Ez.;* **Er|hal|tungs|zu|stand** *m. 2*

er|hän|gen *refl. 1*

er|här|ten *tr. u. intr. 2;* **Er|här|tung** *w. 10 nur Ez.*

er|ha|schen *tr. 1*

er|he|ben *tr. 64;* **er|heb|lich; Er|he|bung** *w. 10*

er|hei|schen *tr. 1, veraltet;* erfordern, verlangen

er|hei|tern *tr. 1;* **Er|hei|te|rung** *w. 10 nur Ez.*

er|hel|len 1 *tr. 1;* **2** *intr. 1;* daraus erhellt, dass…: daraus wird deutl.; **Er|hel|lung** *w. 10 nur Ez.*

er|heu|cheln *tr. 1*

er|hit|zen *tr. 1;* **Er|hit|zer** *m. 5;* **Er|hit|zung** *w. 10 nur Ez.*

er|hof|fen *tr. 1*

er|hö|hen *tr. 1;* **Er|hö|hung** *w. 10 nur Ez.;* **Er|hö|hungs|zei|chen** *s. 7, Mus.:* Zeichen zur Erhöhung eines Tons um einen halben Ton oder zwei halbe Töne; vgl. Kreuz, Doppelkreuz

er|ho|len *refl. 1;* **er|hol|sam; Er|hol|sam|keit** *w. 10 nur Ez.;* **Er|ho|lung** *w. 10 nur Ez.;* **Er|ho|lungs|auf|ent|halt** *m. 1;* **er|ho|lungs|be|dürf|tig; Er|ho|lungs|heim** *s. 1;* **Er|ho|lungs|rei|se** *w. 11;* **Er|ho|lung|su|chen|de** *Mz.;* **Er|ho|lungs|ur|laub** *m. 1*

er|hö|ren *tr. 1;* **Er|hö|rung** *w. 10 nur Ez.*

e|ri|gi|bel [lat.] aufrichtbar (von Organen); **e|ri|gie|ren** *intr. 3* sich aufrichten, anschwellen (von Organen, bes. vom männl. Glied)

E|ri|ka *w. Gen.* - *Mz.* -ken Heidekraut, Glockenheide; **E|ri|ka|zee** *w. 11 meist Mz.* Heidekrautgewächs

er|in|ner|lich; er|in|nern *tr. u. refl. 1;* jmdn., sich an etwas e.; **Er|in|ne|rung** *w. 10;* **Er|in|ne|rungs|bild** *s. 3;* **Er|in|ne|rungs|zei|chen** *s. 7*

E|rin|nye *w. 11,* **E|rin|nys** *w. Gen.* - *Mz.* -rin|ny|en, *griech. Myth.:* Rachegöttin

E|ris|ap|fel [nach Eris, der griech. Göttin der Zwietracht] *m. 6* Streitobjekt, Zankapfel; **E|ris|tik** *w. 10 nur Ez.* Kunst des wissenschaftl. Redestreits

E|ri|trea Staat im nordöstl. Afrika; **e|ri|tre|isch**

er|ja|gen *tr. 1*

er|kal|ten *intr. 2;* **er|käl|ten** *refl. 2;* **Er|käl|tung** *w. 10;* **Er|käl|tungs|krank|heit** *w. 10*

er|kämp|fen *tr. 1*

er|kau|fen *tr. 1*

er|ke|cken *refl. 1;* sich e., etwas zu tun, zu sagen: so keck sein

► = wird zu

er|kẹnn|bar; Er|kẹnn|bar|keit *w. 10 nur Ez.;* **er|kẹn|nen 1** *tr. 67;* **2** *intr. 67, Rechtsw.;* auf eine Geldstrafe e.: entscheiden, dass eine Geldstrafe zu zahlen sei; **er|kẹnnt|lich;** sich e. zeigen; **Er|kẹnnt|lich|keit** *w. 10 nur Ez.;* **Er|kẹnnt|nis 1** *w. 1;* **2** *s. 1, Rechtsw.:* Urteil, Entscheidung; **er|kẹnnt|nis|the|o|re|tisch; Er|kẹnnt|nis|the|o|rie** *w. 11;* **Er|kẹn|nung** *w. 10 nur Ez.;* **Er|kẹn|nungs|dienst** *m. 1 nur Ez.;* **Er|kẹn|nungs|zei|chen** *s. 7*

Ẹr|ker *m. 5;* **Ẹr|ker|zim|mer** *s. 5*

er|kie|sen *tr. 29, veraltet:* erwählen

er|klär|bar; er|klä|ren *tr. 1;* **er|klär|lich; Er|klä|rung** *w. 10;* **Er|klä|rungs|ver|such** *m. 1*

er|klẹck|lich erheblich, beträchtlich, ziemlich groß; eine erkleckliche Anzahl, Summe; der Betrag ist um ein Erkleckliches größer

er|klẹt|tern *tr. 1*

er|klịm|men *tr. 68*

er|klü|geln *tr. 1*

er|kor, er|ko|ren *Vergangenheitsformen von* erkiesen und erküren

er|krạn|ken *intr. 1;* **Er|krạn|kung** *w. 10;* **Er|krạn|kungs|fall** *m. 2, Amtsdeutsch:* im E.: im Falle einer Erkrankung

er|küh|nen *refl. 1;* sich e., etwas zu tun, zu sagen: so kühn sein

er|kụn|den *tr. 2;* **er|kụn|di|gen** *refl. 1;* **Er|kụn|di|gung** *w. 10;* **Er|kụn|dung** *w. 10;* **Er|kụn|dungs|flug** *m. 2;* **Er|kụn|dungs|gang** *m. 2*

er|kün|s|telt

er|kü|ren *tr. 29, veraltet:* erwählen

er|la|ben *refl. 1, veraltet, noch poet.:* erquicken; sich an etwas erlaben

Er|lag *m. 1 nur Ez., österr.:* Hinterlegung; **Er|lag|schein** *m. 1, österr.:* Zahlkarte

er|lah|men *intr. 1*

er|lạn|gen *tr. 1;* **Er|lạn|gung** *w. 10 nur Ez.*

Er|lạß ▶ **Er|lạss** *m. 1, österr.: m. 2;* **er|lạs|sen** *tr. 75;* **er|läß|lich** ▶ **er|läss|lich** *veraltet;* **Er|lạs|sung** *w. 10 nur Ez.*

er|lau|ben *tr. 1;* **Er|laub|nis** *w. 1*

er|laucht; Er|laucht *w. Gen. - nur Ez., veraltet:* Titel und Anrede für die Häupter ehemals regierender Grafenhäuser; Seine, Eure Erlaucht

er|läu|tern *tr. 1;* ich erläutere, erläutre es; **Er|läu|te|rung** *w. 10*

Ẹr|le *w. 11* ein Laubbaum

er|le|ben *tr. 1;* **Er|le|bens|fall** *m. 2, Amtsdeutsch;* im E.: falls man es erlebt; **Er|leb|nis** *s. 1*

er|le|di|gen *tr. 1;* **Er|le|di|gung** *w. 10 nur Ez.*

er|le|gen *tr. 1;* **Er|le|gung** *w. 10 nur Ez.*

er|leich|tern *tr. 1;* ich erleichtere, erleichtre es ihm; **Er|leich|te|rung** *w. 10 nur Ez.*

er|lei|den *tr. 77*

ẹr|len aus Erlenholz; **Ẹr|len|zei|sig** *m. 1* ein Singvogel

er|lẹrn|bar; Er|lẹrn|bar|keit *w. 10 nur Ez.;* **er|lẹr|nen** *tr. 1;* **Er|lẹr|nung** *w. 10 nur Ez.*

er|le|sen 1 *tr. 79;* sich etwas e.: durch Lesen erfahren, lernen; **2** *Adj.:* ausgesucht, köstlich; **Er|le|sen|heit** *w. 10 nur Ez.*

er|leuch|ten *tr. 2;* **Er|leuch|tung** *w. 10*

er|lie|gen *intr. 80*

er|lịs|ten *tr. 2;* **Er|lịs|tung** *w. 10 nur Ez.*

Ẹrl|kö|nig [aus dän. ellerkonge »Elfenkönig«] *m. 1* Elfenkönig; *auch ugs.:* getarntes Automodell

er|lo|gen vgl. erlügen

Er|lös *m. 1*

er|lö|schen *intr. 30*

er|lö|sen *tr. 1;* **Er|lö|ser** *m. 5;* **Er|lö|sung** *w. 10 nur Ez.;* **Er|lö|sungs|werk** *s. 1*

er|lü|gen *tr. 81, meist im Partizip II:* das ist erlogen

er|lụs|ti|gen *refl. 1, veraltet:* sich belustigen

er|mäch|ti|gen *tr. 1;* **Er|mäch|ti|gung** *w. 10*

er|mah|nen *tr. 1;* **Er|mah|nung** *w. 10*

er|mạn|geln *intr. 1, veraltet;* ich ermangele der nötigen Kenntnisse, *oder:* mir ermangeln die nötigen Kenntnisse: mir fehlen die nötigen Kenntnisse; **Er|mạn|ge|lung** *w. 10 nur Ez., nur noch in Wendungen wie:* in E. der nötigen Kenntnisse, in E. eines besseren Werkzeugs

er|mạn|nen *refl. 1*

er|mä|ßi|gen *tr. 1;* **Er|mä|ßi|gung** *w. 10*

er|mạt|ten *intr. 2;* **Er|mạt|tung** *w. 10 nur Ez.*

er|mẹs|sen *tr. 84;* **Er|mẹs|sen** *s. Gen. -s nur Ez.;* nach E. handeln; nach meinem E.; **Er|mẹs|sens|fra|ge** *w. 11 nur Ez.;* das ist eine E.; **Er|mẹs|sens|miß|brauch** ▶ **Er|mẹs|sens|miss|brauch** *m. 2*

Er|mi|ta|ge [-ʒə] *w. 11 nur Ez.* = Eremitage (**3**)

er|mịt|teln *tr. u. intr. 1;* ich ermittele, ermittle es; **Er|mịt|te|lung, Er|mịtt|lung** *w. 10;* **Er|mịtt|lungs|rich|ter** *m. 5;* **Er|mịtt|lungs|ver|fah|ren** *s. 7*

Ẹrm|land *s. Gen. -(e)s, poln.:* Warmja, ostpreuß. Landschaft; **Ẹrm|län|der** *m. 5*

er|mög|li|chen *tr. 1*

er|mọr|den *tr. 2;* **Er|mọr|dung** *w. 10*

er|mü|den *intr. u. tr. 2;* **Er|mü|dung** *w. 10 nur Ez.;* **Er|mü|dungs|er|schei|nung** *w. 10*

er|mụn|tern *tr. 1;* ich ermuntere, ermuntre ihn; **Er|mụn|te|rung** *w. 10*

er|mu|ti|gen *tr. 1;* **Er|mu|ti|gung** *w. 10 nur Ez.*

Ẹrn *m. Gen. - Mz. -* = Eren

er|näh|ren *tr. 1;* **Er|näh|rer** *m. 5;* **Er|näh|rung** *w. 10 nur Ez.;* **Er|näh|rungs|la|ge** *w. 11 nur Ez.;* **Er|näh|rungs|stö|rung** *w. 10;* **Er|näh|rungs|wei|se** *w. 11;* **Er|näh|rungs|zu|stand** *m. 2*

er|nẹn|nen *tr. 89;* **Er|nẹn|nung** *w. 10;* **Er|nẹn|nungs|ur|kunde** *w. 11*

er|neu|en *tr. 1* = erneuern; **Er|neu|e|rer,** Er|neu|rer *m. 5;* **er|neu|ern** *tr. 1;* ich erneuere, erneure es; **Er|neu|e|rung** *w. 10;* **er|neu|e|rungs|be|dürf|tig; Er|neu|e|rungs|be|we|gung** *w. 10;* **er|neut; Er|neu|ung** *w. 10* Erneuerung

er|nied|ri|gen *tr. 1;* **Er|nied|ri|gung** *w. 10;* **Er|nied|ri|gungs|zei|chen** *s. 7, Mus.:* Zeichen zum Erniedrigen eines Tones um einen halben Ton oder zwei halbe Töne; vgl. b, Doppel-b

ẹrnst; etwas ernst meinen, nehmen; ein ernst gemeinter Vorschlag; ein ernst zu nehmender Rat; es wird ernst; **Ẹrnst** *m. 1 nur Ez.;* Ernst machen; aus dem Spaß wurde Ernst; es ist mein Ernst; es ist mir Ernst damit; er hat den Spaß für Ernst genommen; allen Ernstes

Ẹrnst|fall *m. 2;* im E., für den E.; **ẹrnst|ge|meint** ▶ **ẹrnst ge|meint; ẹrnst|haft; Ẹrnst|haf|tig|keit** *w. 10 nur Ez.;* **ẹrnst|lich**

Ẹrn|te *w. 11;* **Ẹrn|te|dank|fest** [auch: ẹrn-]; **Ẹrn|te|ein|satz** *m. 2, ehem. DDR:* organisierte

ernst, ernst gemeint, Ernst: Das Adjektiv wird mit kleinem Anfangsbuchstaben geschrieben: *Die Lage ist ernst. Ihm ist es ernst.* Getrennt geschrieben wird das Gefüge aus Adjektiv und Verb/Partizip: *Das war ernst gemeint. Das ist ein ernst zu nehmender Rat.* Ebenso: *Wir müssen das ernst nehmen.* Das Adjektiv ist in dieser Verbindung steigerbar oder mit *sehr* erweiterbar. →§34 E3 (3)
Die Verbindung aus Substantiv und Verb wird getrennt und großgeschrieben: *Sie machten endlich Ernst.* Ebenso: *Daraus wurde Ernst.* →§34 E3 (5)

Unterstützung bei der Ernte in den LPG durch Schulen und Hochschulen; **Ern|te|fest** *s. 1;* **Ern|te|kranz** *m. 2;* **Ern|te|mond** *m. 1* = Ernting; **ern|ten** *tr. 2;* **Ern|te|se|gen** *m. 7;* **Ern|te|zeit** *w. 10;* **Ern|ting** *m. 1,* Ern|temond *m. 1, alter Name für* August

er|nüch|tern *tr. 1;* **Er|nüch|te|rung** *w. 10 nur Ez.*

Er|o|be|rer *m. 5;* **er|o|bern** *tr. 1;* **Er|o|be|rung** *w. 10;* **Er|o|be|rungs|feld|zug** *m. 2;* **Er|o|be|rungs|krieg** *m. 1;* **Er|o|be|rungs|lust** *w. 2 nur Ez.;* **er|o|be|rungs|lus|tig;** **Er|o|be|rungs|sucht** *w. 2 nur Ez.;* **er|o|be|rungs|süch|tig**

e|ro|die|ren [lat.] *tr. 3* auswaschen, wegschwemmen, abtragen (Land, Ufer)

er|öff|nen *tr. 2;* **Er|öff|nung** *w. 10;* **Er|öff|nungs|be|schluß** ► **Er|öff|nungs|be|schluss** *m. 2.;* **Er|öff|nungs|fei|er** *w. 11;* **Er|öff|nungs|re|de** *w. 11;* **Er|öff|nungs|zug** *m. 2* (beim Brettspiel)

e|ro|gen [griech.] geschlechtlich reizbar; erogene Zonen: Körperstellen, deren Berührung geschlechtl. Erregung auslöst

E|ro|i|ka [eigtl.: Sinfonia eroica »heroische Sinfonie«] *w. Gen. - nur Ez.* Beiname der 3. Sinfonie von Beethoven

er|ör|tern *tr. 1;* ich erörtere, erörtre es; **Er|ör|te|rung** *w. 10*

E|ros [auch: ɛrɔs, griech.] **1** *griech. Myth.:* Gott der Liebe; **2** *m. Gen. - nur Ez., Philos.:* schöpferischer Trieb; **3** *m. Gen. - nur Ez.* geschlechtl. Liebe; **4** *m. Gen. - Mz.* E|ro|ten, *meist Mz., bildende Kunst:* geflügelter Liebesgott, meist in Kindergestalt, Amorette; **E|ros-Cen|ter** ► **E|ros|cen|ter** [-sɛn-] *s. 5* größeres Bordell

E|ro|si|on [lat.] *w. 10* Auswaschung, Abtragung (von Land durch fließendes Wasser, auch durch Wind); **e|ro|siv** durch Erosion entstanden

E|ro|te|ma|tik [griech.] *w. 10 nur Ez., veraltet:* Kunst der richtigen Fragestellung (beim Unterrichten); **e|ro|te|ma|tisch**

E|ro|ten *Mz. von* Eros (**4**); **E|ro|te|se** *w. 11, scherzh.:* Angestellte in einem Eros-Center; **E|ro|tik** [griech.] *w. 10 nur Ez.* Liebeskunst, vergeistigtes Liebes-, Geschlechtsleben; **E|ro|ti|ka** *Mz., Ez.:* -kon, Bücher, Bilder über die Liebe und das Geschlechtsleben; **E|ro|ti|ker** *m. 5* **1** Liebeskünstler; **2** Verfasser von Liebesliedern oder Liebesromanen; **e|ro|tisch** die Erotik betreffend, darauf beruhend; **e|ro|ti|sie|ren** *tr. 3* geschlechtlich reizbar machen; **E|ro|to|lo|gie** *w. 11 nur Ez.* Wissenschaft von der Erotik; **E|ro|to|ma|ne** *m. 11* Mensch mit gesteigertem Geschlechtstrieb; **E|ro|to|ma|nie** *w. 11 nur Ez.* krankhaft gesteigerter Geschlechtstrieb, Liebeswahnsinn; **e|ro|to|ma|nisch**

ERP *Abk. für* European Recovery Program (Marshallplan)

Er|pel *m. 5* männl. Ente

er|picht; auf etwas e. sein: etwas sehr gern haben wollen

er|pres|sen *tr. 1;* **Er|pres|ser** *m. 5;* **er|pres|se|risch;** **Er|pres|sung** *w. 10*

er|pro|ben *tr. 1;* **Er|pro|bung** *w. 10*

er|qui|cken *tr. 1;* **er|quick|lich;** **Er|qui|ckung** *w. 10*

er|raf|fen *tr. 1*

Er|ra|re hu|ma|num est [lat.] Irren ist menschlich

Er|ra|ta [lat.] *Mz.* Druckfehler, Irrtümer

er|ra|ten *tr. 94*

er|ra|tisch [lat.] verstreut, verirrt; erratischer Block: von Gletschern mitgeführter und abgelagerter Gesteinsbrocken, Findling

er|rech|nen *tr. 2*

er|reg|bar; **Er|reg|bar|keit** *w. 10 nur Ez.;* **er|re|gen** *tr. 1;* **Er|re|ger** *m. 5;* **Er|regt|heit** *w. 10 nur Ez.;* **Er|re|gung** *w. 10;* **Er|re|gungs|zu|stand** *m. 2*

er|reich|bar; **Er|reich|bar|keit** *w. 10 nur Ez.;* **er|rei|chen** *tr. 1* **Er|rei|chung** *w. 10 nur Ez.*

er|ret|ten *tr. 2;* **Er|ret|ter** *m. 5;* **Er|ret|tung** *w. 10 nur Ez.*

er|rich|ten *tr. 2* **Er|rich|tung** *w. 10 nur Ez.*

er|rin|gen *tr. 100;* **Er|rin|gung** *w. 10 nur Ez.*

er|rö|ten *tr. 2*

Er|run|gen|schaft *w. 10*

Er|satz *m. 2 nur Ez.;* **Er|satz|dienst** *m. 1 nur Ez.;* **er|satz|dienst|pflich|tig;** **Er|satz|kas|se** *w. 11;* **Er|satz|mann** *m. 4;* **Er|satz|pflicht** *w. 10;* **er|satz|pflich|tig;** **Er|satz|teil** *s. 1 oder m. 1*

er|sau|fen *intr. 103;* **er|säu|fen** *tr. 1*

er|schaf|fen *tr. 105;* **Er|schaf|fer** *m. 5;* der E. der Welt: Gott; **Er|schaf|fung** *w. 10 nur Ez.*

er|schal|len *intr. 106, auch: intr. 1*

er|schau|dern *intr. 1*

er|schau|en *tr. 1*

er|schau|ern *intr. 1*

er|schei|nen *intr. 108;* **Er|schei|nung** *w. 10;* **Er|schei|nungs|bild** *s. 3;* **Er|schei|nungs|fest** *s. 1* = Epiphanias; **Er|schei|nungs|form** *w. 10;* **Er|schei|nungs|jahr** *s. 1* (eines Buches); **Er|schei|nungs|ort** *m. 1* (eines Buches); **Er|schei|nungs|welt** *w. 10 nur Ez.*

er|schie|ßen *tr. 113;* **Er|schie|ßung** *w. 10*

er|schlaf|fen *intr. 1;* **Er|schlaf|fung** *w. 10 nur Ez.*

er|schla|gen *tr. 116*

er|schlei|chen *tr. 117;* sich etwas e.: durch Täuschung, Intrigen o. Ä. erlangen; **Er|schlei|chung** *w. 10 nur Ez.*

er|schlie|ßen *tr. 120;* **Er|schlie|ßung** *w. 10*

er|schmei|cheln *tr. 1*

er|schöpf|bar; **Er|schöpf|bar|keit** *w. 10 nur Ez.;* **er|schöp|fen** *tr. 1;* **er|schöpf|lich;** **Er|schöp|fung** *w. 10 nur Ez.;* **Er|schöp|fungs|zu|stand** *m. 2*

er|schre|cken **1** *intr. 126;* ich bin erschrocken; **2** *tr. 1;* du hast mich erschreckt; ich habe mich erschreckt, *oder:* erschrocken; sie sah erschreckend bleich aus; **er|schreck|lich** *veraltet:* erschreckend, schrecklich; **Er-**

schro|cken|heit *w. 10 nur Ez.;* er|schröck|lich *ugs. scherzh. für* schrecklich
er|schüt|tern *tr. 1* **Er|schüt|te|rung** *w. 10;* **er|schüt|te|rungs|frei**
er|schwe|ren *tr. 1;* **Er|schwer|nis** *w. 1;* **Er|schwe|rung** *w. 10*
er|schwin|deln *tr. 1*
er|schwin|gen *tr. 134, ugs.:* bezahlen, aufbringen; **er|schwing|lich; Er|schwing|lich|keit** *w. 10 nur Ez.*
er|se|hen *tr. 136;* ich kann daraus e., dass…; ich kann es nicht mehr e.! *ugs.:* den Anblick nicht mehr ertragen
er|seh|nen *tr. 1*
er|setz|bar; Er|setz|bar|keit *w. 10 nur Ez.;* **er|set|zen** *tr. 1;* **er|setz|lich; Er|set|zung** *w. 10 nur Ez.*
er|sicht|lich; daraus ist e., dass…
er|sin|nen *tr. 142;* **er|sinn|lich** *selten:* ausdenkbar
er|sor|gen *tr. 1, schweiz.:* mit Sorge erwarten
er|spä|hen *tr. 1*
er|spa|ren *tr. 1;* **Er|spar|nis** *w. 1;* **Er|spa|rung** *w. 10 nur Ez.*
er|sprieß|lich; Er|sprieß|lich|keit *w. 10 nur Ez.*
erst; erst heute, erst jetzt; nun erst recht
er|star|ken *intr. 1;* **Er|star|kung** *w. 10 nur Ez.*
er|star|ren *intr. 1;* **Er|star|rung** *w. 10 nur Ez.*
er|stat|ten *tr. 2;* **Er|stat|tung** *w. 10 nur Ez.*
Erst|auf|füh|rung *w. 10;* vgl. Uraufführung
er|stau|nen *tr. 1;* **er|stau|nens|wert; er|staun|lich; er|staun|li|cher|wei|se**
Erst|auf|la|ge *w. 11;* **Erst|aus|ga|be** *w. 11;* **Erst|bes|te** *m., w., s. 18;* **Erst|druck** *m. 1*
ers|te 1 *Kleinschreibung:* das erste Mal; **2** *Großschreibung:* er war der Erste, der mich sah; das ist das Erste, was ich höre; die beiden Ersten; er ging als Erster durchs Ziel; als Erstes möchte ich sagen, dass…; fürs Erste wird das genügen; zum Ersten, zum Zweiten, zum Dritten; der Erste des Monats; er geht am Ersten; zum Ersten kündigen; er ist Erster (in der Klasse); die Ersten werden die Letzten sein; das Erste und das Letzte: Anfang und Ende; **3** *in* Eigennamen: Erstes Deutsches Fernsehen; **4** *in Fügungen:* erste Hilfe; erste Geige spielen

> **erste/Erste:** Das Zahladjektiv wird kleingeschrieben: *Das erste Mal.* Das substantivierte Zahladjektiv hingegen wird mit großem Anfangsbuchstaben geschrieben: *der/die/das Erste, am Ersten, als Erstes, fürs Erste, zum Ersten, der/die/das Erstere, Ersteres. Die Ersten werden die Letzten sein.* [→§57 (1)]; ebenso in Eigennamen: *Erstes Deutsches Fernsehen* [→§60 (4)] und bei bestimmten historischen Ereignissen und Epochen: *der Erste Weltkrieg* [→§64 (4)]. Dagegen wird das Wort kleingeschrieben in festen Verbindungen, die keine Eigennamen sind: *die erste Hilfe.* →§63

er|ste|chen *tr. 149*
er|ste|hen *tr. u. intr. 151*
Ers|te-Hil|fe-Leis|tung *w. 10; aber:* erste Hilfe leisten
er|steig|bar; er|stei|gen *tr. 153;* **Er|stei|ger** *m. 5;* **Er|stei|gung** *w. 10*
er|stel|len *tr. 1;* **Er|stel|lung** *w. 10 nur Ez.*
ers|te|mal ▶ **ers|te Mal;** **ers|tens; ers|ter** vgl. erste
er|ster|ben *intr. 154*
ers|te|re (-r, -s) der, die, das Erste von zwei genannten Lebewesen oder Dingen; Ersterer…, Letzterer…, der Erstere…, der Letztere; Ersteres möchte ich betonen
Erst|er|stei|gung *w. 10 meist Ez.;* **erst|er|wähnt; Erst|ge|bä|ren|de** *w. 17 oder 18* = Primipara; *Ggs.:* Mehrgebärende; **erst|ge|bo|ren; Erst|ge|bo|re|ne(r), Erst|ge|bor|ne(r)** *m. 18 (17) bzw. w. 17 oder 18;* **Erst|ge|burt** *w. 10;* **Erst|ge|burts|recht** *s. 1;* **erst|ge|nannt; Erst|ge|nann|te(r)** *m. 18 (17) bzw. w. 17 oder 18*
er|sti|cken *tr. u. intr. 1;* **Er|sti|ckung** *w. 10 nur Ez.;* **Er|sti|ckungs|an|fall** *m. 2;* **Er|sti|ckungs|tod** *m. 1*
erst|klas|sig; Erst|klas|sig|keit *w. 10 nur Ez.;* **Erst|kläß|ler** ▶ **Erst|kläss|ler** *m. 5;* **Erst|klaß|wa|gen** ▶ **Erst|klass|wa|gen** *m. 7 schweiz.:* Wagen erster Klasse; **Erst|kom|mu|ni|kant** *m. 10;* **Erst|kom|mu|ni|on** *w. 10;*
erst|lich *veraltet für* erstens; **Erst|ling** *m. 1;* **Erst|lings|ar|beit** *w. 10;* **Erst|lings|aus|stat|tung** *w. 10* Ausstattung für ein Neugeborenes; **Erst|lings|druck** *m. 1* Erstdruck; **Erst|lings|wä|sche** *w. 11 nur Ez.* Erstlingsausstattung; **erst|ma|lig; Erst|ma|lig|keit** *w. 10 nur Ez.;* **erst|mals;** *aber:* das erste Mal; Erst|milch *w. Gen. - nur Ez.* Absonderung der Milchdrüsen am Ende der Schwangerschaft; **erst|ran|gig; Erst|ran|gig|keit** *w. 10 nur Ez.*
er|stre|ben *tr. 1;* **er|stre|bens|wert**
er|stre|cken *refl. 1;* **Er|stre|ckung** *w. 10*
er|strei|ten *tr. 159*
erst|stel|lig an erster Stelle stehend (Hypothek)
Erst|tags|stem|pel *m. 5*
er|stun|ken *in der Wendung:* das ist e. und erlogen
er|stür|men *tr. 1;* **Er|stür|mung** *w. 10 nur Ez.*
er|su|chen *tr. 1*
er|tap|pen *tr. 1*
er|tas|ten *tr. 2*
er|tau|ben *intr. 1;* **Er|tau|bung** *w. 10 nur Ez.*
er|tei|len *tr. 1;* **Er|tei|lung** *w. 10 nur Ez.*
er|tö|nen *intr. 1*
er|tö|ten *tr. 2;* **Er|tö|tung** *w. 10 nur Ez.*
Er|trag *m. 2;* **er|trag|bar** erträglich; **er|tra|gen** *tr. 160;* **er|trag|fä|hig; Er|trag|fä|hig|keit** *w. 10 nur Ez.;* **er|träg|lich; er|trag|los; Er|träg|nis** *s. 1* Ertrag; **er|trag|reich; Er|trag(s)|stei|ge|rung** *w. 10 nur Ez.;* **Er|trags|wert** *m. 1*
er|trän|ken *tr. 1*
er|träu|men *tr. 1*
er|trin|ken *intr. 165*
er|trot|zen *tr. 1*
er|tüch|ti|gen *tr. 1;* **Er|tüch|ti|gung** *w. 10 nur Ez.*
er|üb|ri|gen 1 *tr. 1;* **2** *refl. 1;* es erübrigt sich: es ist überflüssig, unnötig
E|ru|di|ti|on [lat.] *w. 10 nur Ez., veraltet:* Gelehrsamkeit
e|ru|ie|ren [lat.] *tr. 3* ergründen, ermitteln, herausbringen
E|ruk|ta|ti|on [lat.] *w. 10* Aufstoßen, Rülpsen; **e|ruk|tie|ren** *intr. 3*
E|rup|ti|on [lat.] *w. 10* **1** Ausbruch (eines Vulkans); **2** *Med.:* Auftreten eines Hautausschlags; dieser selbst; **e|rup|tiv;**

E|rup|ti|v|ge|stein *s. 1* Ergussgestein

Er|ve [lat.] *w. 11* **1** Hülsenfrucht; **2** Hülsenfrüchtler

er|wa|chen *intr. 1*

er|wach|sen 1 *intr. 172;* daraus werden dir nur Unannehmlichkeiten e.; **2** *Adj.;* ein erwachsener Mensch; **Er|wach|se|ne(r)** *m. 18 (17);* **Er|wach|se|nen|bil|dung** *w. 10 nur Ez.;* **Er|wach|se|nen|tau|fe** *w. 11*

er|wä|gen *tr. 173;* **er|wä|gens|wert; Er|wä|gung** *w. 10;* etwas in E. ziehen

er|wäh|len *tr. 1;* **Er|wähl|te(r)** *m. 18 (17);* **Er|wäh|lung** *w. 10*

er|wäh|nen *tr. 1;* **er|wäh|nens|wert; er|wähn|ter|ma|ßen; Er|wäh|nung** *w. 10*

er|wah|ren *tr. 1, schweiz.:* amtlich bestätigen (Wahlergebnis); **Er|wah|rung** *w. 10*

er|wan|dern *tr. 1;* ich erwandere, erwandre mir das Land

er|war|men *intr. 1, veraltet:* warm werden; **er|wär|men** *tr. 1;* **Er|wär|mung** *w. 10 nur Ez.*

er|war|ten *tr. 2;* **Er|war|ten** *s., nur in den Wendungen:* über (alles) E., wider (alles) E.; **Er|war|tung** *w. 10;* **er|war|tungs|ge|mäß; er|war|tungs|voll**

er|we|cken *tr. 1;* **Er|we|ckung** *w. 10;* **Er|we|ckungs|pre|di|ger** *m. 5*

er|weh|ren *refl. 1 mit Gen.;* ich konnte mich seiner nicht, kaum e.; ich konnte mich eines Lächelns nicht erwehren

er|wei|chen *tr. 1;* **Er|wei|chung** *w. 10 nur Ez.*

Er|weis *m. 1;* **er|wei|sen 1** *tr. 177;* jmdm. einen Dienst, Gutes e.; **2** *refl. 177;* es hat sich als falsch, richtig erwiesen; **er|weis|lich; Er|wei|sung** *w. 10 nur Ez.*

er|wei|tern *tr. 1;* ich erweitere es; erweiterte Oberschule *(Abk.* EOS*), ehem. DDR:* mit dem Abitur abschließende Schule; **Er|wei|te|rung** *w. 10;* **Er|wei|te|rungs|bau** *m. Gen.* -(e)s *Mz.* -bau|ten

Er|werb *m. 1;* **er|wer|ben** *tr. 179;* **er|werbs|be|schränkt; Er|werbs|be|schrän|kung** *w. 10;* **er|werbs|fä|hig; Er|werbs|fä|hig|keit** *w. 10 nur Ez.;* **er|werbs|ge|min|dert; er|werbs|los; Er|werbs|lo|sig|keit** *w. 10 nur Ez.;* **Er|werbs|min|de|rung** *w. 10 nur Ez.;* **Er|werbs|sinn** *m. 1 nur Ez.;* **er|werbs|tä|tig; Er|werbs|tä|tig|keit** *w. 10 nur Ez.;* **er|werbs|un|fä|hig; Er|werbs|un|fä|hig|keit** *w. 10 nur Ez.;* **Er|werbs|zweig** *m. 1;* **Er|wer|bung** *w. 10*

er|wi|dern *tr. 1;* ich erwidere etwas; **Er|wi|de|rung** *w. 10*

er|wie|se|ner|ma|ßen

er|wir|ken *tr. 1;* **Er|wir|kung** *w. 10 nur Ez.*

er|wi|schen *tr. 1*

er|wünscht

er|wür|gen *tr. 1*

E|ry|si|pel [griech.] *s. 1 nur Ez.,* Rose, Wundrose (Hautentzündung); **E|ry|them** *s. 1* entzündliche Hautrötung

E|ry|thräa *auch:* **E|ryth|räa** = Eritrea; **e|ry|thrä|isch;** *aber* das Erythräische Meer: *früher für* Arabisches Meer

E|ry|thrin *auch:* **E|ryth|rin** [griech.] *s. 1 nur Ez.* **1** ein Mineral, Kobaltblüte; **2** ein roter Farbstoff; **E|ry|thris|mus** *m. Gen.* - *nur Ez.* **1** Rotfärbung (bei Tieren); **2** Rothaarigkeit (beim Menschen); **E|ry|thrit** *s. 1 nur Ez.* ein vierwertiger Alkohol

E|ry|thro|blast *auch:* **E|ryth|ro-** [griech.] *m. 10* Jugendform der roten Blutkörperchen; **E|ry|thro|blas|to|se** *w. 11 nur Ez.* Bluterkrankung; **E|ry|thro|zyt** *m. 10,* **E|ry|thro|zy|te** *w. 11* rotes Blutkörperchen; **E|ry|thro|zy|to|se** *w. 11 nur Ez.* Vermehrung der roten Blutkörperchen

Erz *s. 1*

erz..., Erz... [auch: erts] *in Zus. zur Verstärkung:* **1** sehr, z. B. erzfaul; **2** der erste, oberste, z. B. Erzengel, Erzbischof; **3** sehr groß, z. B. Erzgauner

Erz|a|der *w. 11*

er|zäh|len *tr. 1;* **er|zäh|lens|wert; Er|zäh|ler** *m. 5;* **er|zäh|le|risch; Er|zäh|lung** *w. 10;* **Er|zäh|lungs|wei|se, Er|zähl|wei|se** *w. 11*

Erz|amt *s. 4, im alten röm.-dt. Reich:* Hofamt eines Kur- oder Reichsfürsten, z. B. Erzmundschenk

Erz|auf|be|rei|tung *w. 10 nur Ez.;* **Erz|berg|bau** *m. 1 nur Ez.*

Erz|bi|schof *m. 2;* **erz|bi|schöf|lich; Erz|bis|tum** *s. 4;* **Erz|di|ö|ze|se** *w. 11*

Erz|bö|se|wicht *m. 3;* **erz|dumm**

er|zei|gen *tr. u. refl. 1;* jmdm. Achtung e.; sich dankbar e.

er|zen 1 *Adj.* aus Erz; **2** *tr. 1, veraltet:* mit »Er« anreden

Erz|en|gel *m. 5*

er|zeu|gen *tr. 1;* **Er|zeu|ger** *m. 5;* **Er|zeu|ger|land** *s. 4;* **Er|zeu|ger|preis** *m. 1;* **Er|zeug|nis** *s. 1;* **Er|zeu|gung** *w. 10 nur Ez.*

erz|faul; Erz|feind *m. 1;* **Erz|gau|ner** *m. 5*

Erz|ge|bir|ge *s. 5 nur Ez.* sächs. Mittelgebirge; **erz|ge|bir|gisch; erz|hal|tig; Erz|hal|tig|keit** *w. 10 nur Ez.*

Erz|hal|un|ke *m. 11;* **Erz|her|zog** *m. 2;* **erz|her|zog|lich; Erz|her|zog|tum** *s. 4*

Erz|heuch|ler *m. 5*

erz|höf|fig reiche Ausbeute an Erz versprechend; **Erz|höf|fig|keit** *w. 10 nur Ez.*

er|zieh|bar; Er|zieh|bar|keit *w. 10 nur Ez.;* **er|zie|hen** *tr. 187;* **Er|zie|her** *m. 5;* **er|zie|he|risch; er|zieh|lich** erzieherisch; erziehliche Maßnahmen; **Er|zie|hung** *w. 10 nur Ez.;* **Er|zie|hungs|an|stalt** *w. 10;* **Er|zie|hungs|bei|hil|fe** *w. 11;* **Er|zie|hungs|be|rech|tig|te(r)** *m. 18 (17);* **Er|zie|hungs|heim** *s. 1;* **Er|zie|hungs|mi|nis|ter** *m. 5;* **Er|zie|hungs|ro|man** *m. 1;* **Er|zie|hungs|wis|sen|schaft** *w. 10* Pädagogik

er|zie|len *tr. 1;* **Er|zie|lung** *w. 10 nur Ez.*

er|zit|tern *intr. 1*

Erz|käm|me|rer *m. 5* ein Erzamt; **Erz|kanz|ler** *m. 5* ein Erzamt

Erz|la|ger *s. 5;* **Erz|la|ger|stät|te** *w. 11*

Erz|lüg|ner *m. 5;* **Erz|lump** *m. 10*

Erz|mar|schall *m. 1, im alten röm.-dt. Reich:* ein Erzamt, königlicher Stall- und Zeremonienmeister; **Erz|mund|schenk** *m. 1* ein Erzamt; **Erz|narr** *m. 10;* **Erz|pries|ter** *m. 5, kath. Kirche:* Dechant; **Erz|schalk** *m. 1;* **Erz|schelm** *m. 1;* **Erz|schur|ke** *m. 11;* **Erz|spitz|bu|be** *m. 11;* **Erz|truch|seß** ► **Erz|truch|sess** *m. 1* ein Erzamt;

Erz|ü|bel *s. 5*

er|zür|nen *tr. 1*

Erz|va|ter *m. 6* Patriarch

Erz|wä|sche *w. 11* nasse Aufbereitung von Erzen

er|zwin|gen *tr. 188;* **Er|zwin|gung** *w. 10 nur Ez.*

es; es geht nicht; es regnet; es sei denn, dass...; es war einmal; ich kann es nicht; ich kann's

► = wird zu

nicht; das gibt's nicht; er war's; sprach's und ging davon; 's ist Sommer; ich bin es leid, bin es müde, bin es zufrieden; ich bin es satt, *oder:* ich habe es satt

es *s. Gen. - Mz. -, Mus.:* **1** das um einen halben Ton erniedrigte e; **2** = es-Moll

Es 1 *s. Gen. - Mz. -, Mus.:* das um einen halben Ton erniedrigte E; = Es-Dur; **2** *chem. Zeichen für* Einsteinium

ESA *w. 10 nur Ez. Abk. für* European Space Agency: Europäische Weltraumorganisation

Esc *Abk. für* Escudo

Es|cha|to|lo|gie *auch:* **E|scha-** [-ça-, griech.] *w. 11 nur Ez.* Lehre vom Weltende und Anbruch einer neuen Welt, von Tod und Auferstehung; **es|cha|to|lo|gisch** *auch:* **e|scha-**

E|sche *w. 11;* vgl. aber Äsche; **e|schen** aus Eschenholz

E-Schicht *w. 10 nur Ez.* Schicht der Ionosphäre zwischen 100 und 150 km Höhe

Es|co|ri|al, Es|ko|ri|al *m. Gen.* -(s) *nur Ez.* Klosterschloss bei Madrid

Es|cu|do, Es|ku|do *m. Gen.* -(s) *Mz.* -(s) *(Abk.:* Esc) port. und chilen. Währungseinheit, 100 Centavos

Es-Dur *s. Gen. - nur Ez.* (*Abk.:* Es) eine Tonart; **Es-Dur-Ton|lei|ter** *w. 11* auf dem Grundton Es beruhende Tonleiter

E|sel *m. 5;* **E|sel|chen** *s. 7;* **E|se|lei** *w. 10;* **E|sel|lein** *s. 7;* **e|sel|haft; E|sel|hengst** *m. 1;* **E|se|lin** *w. 10;* **E|sels|brü|cke** *w. 11* kleine Erinnerungshilfe für etwas, was man sich schwer merken kann; **E|sels|ohr** *s. 12;* **E|sels|rü|cken** *m. 7* spitzer und etwas geschweifter spätgot. Bogen

e|ses, E|ses *s. Gen. - Mz. -, Mus.:* das um zwei halbe Töne erniedrigte es bzw. Es

Es|ka|der [frz.] *m. 5, veraltet:* Schiffsgeschwader; **Es|ka|dron** *w. 10* kleinste Einheit der Kavallerie, Schwadron

Es|ka|la|de [lat.-frz.] *w. 11, früher:* Ersteigung einer Festungsmauer mit Leitern; **es|ka|la|die|ren** *tr. 3;* **Es|ka|la|dier|wand** *w. 2* hölzerne Hinderniswand für Kletterübungen; **Es|ka|la|ti|on** *w. 10* **1** schrittweise Steigerung (bes. militärischer und politischer Mittel); **2** Anpassung der Preise an die steigenden Materialkosten; **Es|ka|la|tor** *m. 13* Rolltreppe; **es|ka|lie|ren** *intr. 3* (im Wettbewerb o. Ä.) stufenweise steigen, anwachsen

Es|ka|mo|ta|ge [-ʒə, frz.] *w. 11* Taschenspielerkunststück; **Es|ka|mo|teur** [-tør] *m. 1* Taschenspieler, Zauberkünstler, **es|ka|mo|tie|ren** *tr. 3* wegzaubern

Es|ka|pa|de [frz.] *w. 11* **1** falscher Sprung (eines Schulpferdes); **2** Seitensprung, mutwilliger Streich; **Es|ka|pis|mus** *m. Gen. - nur Ez., Psych.:* Flucht-, Ausweichhaltung, Neigung zur Flucht vor den Anforderungen des Lebens

Es|ka|ri|ol [lat.-frz.] *m. Gen.* -s *nur Ez.* Winterendivie

Es|kar|pe [frz.] *w. 11, früher:* innere Grabenböschung (bei Befestigungsanlagen); **es|kar|pie|ren** *tr. 3, früher:* böschen, mit einer Grabenböschung versehen

Es|kar|pins [-pɛ̃s, frz.] *m. 9 Mz., im 18. Jh.:* leichte, zu Kniehosen getragene Schnallenschuhe; *fälschl. auch:* seidene Kniehosen

Es|ki|mo [indian.] *m. 9 oder Gen. - Mz.* - Ureinwohner von Grönland und des nördlichen Nordamerika; **es|ki|mo|isch; Es|ki|mo|spra|che** *w. 11*

Es|ko|ri|al *m. Gen.* -(s) *nur Ez.* = Escorial

Es|kor|te [lat.-frz.] *w. 11* Begleitmannschaft, Geleit, Bedeckung; **es|kor|tie|ren** *tr. 3*

Es|ku|do *m. Gen.* -(s) *Mz.* -(s) = Escudo

Es|me|ral|da [span.] *w. Gen. - nur Ez.* ein span. Tanz

es-Moll *s. Gen. - nur Ez. (Abk.:* es) eine Tonart; **es-Moll-Ton|lei|ter** *w. 11*

E|so|te|rik [griech.] *w. 10* Geheimlehre; Geheimwissenschaft; **E|so|te|ri|ker** *m. 5* in eine Geheimlehre Eingeweihter; *Ggs.:* Exoteriker; **e|so|te|risch;** *Ggs.:* exoterisch

Es|pa|gno|le *auch:* **-pag|no-** [-njɔlə, frz.] *w. 11* ein span. Tanz; **Es|pa|gno|let|te** *auch:* **-pag|no-** [-njɔlɛt(ə)] *w. 11,* **Es|pa|gno|let|te|ver|schluß** ► **Es|pa|gno|let|te|ver|schluss** *auch:* **-pag|no-** *m. 2* Drehstangenverschluss (für Fenster)

Es|par|set|te [frz.] *w. 11* eine Futterpflanze

Es|par|to [griech.-span.] *m. 9 nur Ez.,* **Es|par|to|gras** *s. 4 nur Ez.* in den Mittelmeerländern wachsendes Gras, das zur Papierherstellung verwendet wird, Alfa-, Halfagras, Spart, Spartgras

Es|pe *w. 11* Zitterpappel; **es|pen** aus Espenholz; **Es|pen|laub** *s. Gen.* -(e)s *nur Ez.;* zittern wie E.

Es|pe|ran|tist *m. 10* Kenner, Anhänger des Esperanto; **Es|pe|ran|to** [nach dem Pseudonym des Erfinders, des poln. Arztes L. Zamenhof] *s. Gen.* -(s) *nur Ez.* eine künstl. Welthilfssprache

es|pi|ran|do [ital.] *Mus.:* verhauchend, ersterbend

Es|pla|na|de [frz.] *w. 11* **1** *in Festungen:* freier Raum zwischen Zitadelle und innerer Mauer; **2** großer, freier Platz

es|pres|si|vo [ital.] *Mus.:* ausdrucksvoll; **Es|pres|so** *m. Gen.* -s *Mz.* -s *oder* -si in einer Maschine mit Druckluft zubereiteter, sehr starker Kaffee nach ital. Art; **Es|pres|so|bar** *w. 9;* **Es|pres|so|ma|schi|ne** *w. 11*

Es|prit [-pri, frz.] *m. 9 nur Ez.* Geist und Witz

Esq. *Abk. für* Esquire

Es|qui|lin *m. Gen.* -(s) *nur Ez.* einer der Hügel in Rom

Es|quire [ɛskwaɪə, engl.] (*Abk.:* Esq.) Wohlgeboren (früher engl. Adels-, heute Höflichkeitstitel in Anschriften hinter dem Namen)

Es|sai [ɛse, frz.] *m. 9 oder s. 9, frz. Schreibung von* Essay; **Essay** [ɛse] *m. 9 oder s. 9* literar. Abhandlung in allgemein verständl., geistvoller Form; **Es|say|ist** *m. 10* Verfasser von Essays; **Es|say|is|tik** *w. 10 nur Ez.* Kunstform des Essays; **es|say|is|tisch**

eß|bar ► **ess|bar; Eß|bar|keit** ► **Ess|bar|keit** *w. 10 nur Ez.;* **Eß|be|steck** ► **Ess|be|steck** *s. 9*

Es|se *w. 11, ostmitteldt.:* Schornstein; *österr.:* offener Kamin; etwas in die E. schreiben *ugs.:* auf etwas verzichten, etwas aufgeben

es|sen *tr. 31;* **Es|sen** *s. 7*

Es|sen|aus|ga|be, Es|sens|aus|ga|be *w. 11*

Es|se|ner *m. 5* Einwohner von Essen

Es|se|ner *m. 5* Angehöriger einer altjüd. Sekte
Es|sen|hol|ler *m. 5*
Es|sen|keh|rer *m. 5*
Es|sens|aus|ga|be, Es|sen|aus|ga|be *w. 11;* **Es|sens|mar|ke** *w. 11;* **Es|sens|zeit** *w. 10*
Es|sen|tia [-tsja, lat.] *w. Gen. - nur Ez., Philos.:* Wesen einer Sache; *Ggs.:* Existentia; **es|sen|ti|al; Es|sen|ti|al|li|en** [-tsja-] *Mz.* Hauptpunkte (bei Rechtsgeschäften); *Ggs.:* Akzidentalien; **es|sen|ti|ell** [-tsjɛl] *Nv.* ► **es|sen|zi|ell** *Hv.;* **Es|senz** *w. 10* **1** *nur Ez., Philos.:* Wesen, Hauptbegriff, Geist (einer Sache); **2** Flüssigkeit, Paste, Pulver aus Duft- oder Geschmacksstoffen in konzentrierter Form; **3** Auszug aus pflanzlichen oder tierischen Stoffen; **es|sen|zi|ell,** es|sen|ti|ell, wesenhaft, wesentlich zum Wesen (einer Sache) gehörig
Es|ser *m. 5* ein guter, schlechter E. sein; **Es|se|rei** *w. 10 nur Ez.;* **Eß|ge|schirr** ► **Ess|ge|schirr** *s. 1*
Es|sig *m. 1 nur Ez.;* **Es|sig|äther** *m. 5 nur Ez., fachsprachl.:* Essigester; **Es|sig|baum** *m. 2* ein Zierstrauch; **Es|sig|es|ter** *m. 5, eigtl.:* Essigäthylester, eine angenehm riechende chem. Verbindung aus Essigsäure und Äthylalkohol; **Es|sig|flie|ge** *w. 11;* **Es|sig|gur|ke** *w. 11;* **Es|sig|mut|ter** *w. 6 nur Ez.* Bakterienkultur, die sich in Essigfässern bildet; **es|sig|sau|er;** essigsaure Tonerde; **Es|sig|säu|re** *w. 11 nur Ez.*
Eß|ka|sta|nie ► **Ess|kas|ta|nie** [-njə] *w. 11;* **Eß|koh|le** ► **Ess|koh|le** *w. 11* eine Steinkohlenart; **Eß|löf|fel** ► **Ess|löf|fel** *m. 5;* **eß|löf|fel|wei|se** ► **ess|löf|fel|wei|se; Eß|lust** ► **Ess|lust** *w. 2 nur Ez.;* **eß|lu|stig** ► **ess|lus|tig; Eß|tisch** ► **Ess|tisch** *m. 1;* **Eß|un|lust** ► **Ess|un|lust** *w. 2 nur Ez.;* **eß|un|lu|stig** ► **ess|un|lus|tig; Eß|wa|ren** ► **Ess|wa|ren** *w. 11 Mz.;* **Eß|zim|mer** ► **Ess|zim|mer** *s. 5*
Est [frz.] (*Abk.:* E) Ost(en)
Es|ta|blish|ment [ɪstæblɪʃmənt, engl.] *s. 9* einflussreiche, etablierte Schicht
Es|ta|min *s. 1 nur Ez.* = Etamin
Es|tam|pe [ɛstɑ̃p(ə), frz.] *w. 11* Abdruck eines Kupfer-, Stahl- oder Holzstichs bzw. Holzschnitts
Es|tan|zia [span.] *w. 9* südamerik. Landgut mit Viehzucht
Es|te *m. 11* Estländer
Es|ter [Kunstw. aus Essig und Äther] *m. 5* organisch-chem. Verbindung, die bei Einwirkung von Alkohol auf Säure unter Wasseraustritt entsteht
es|ti|mie|ren *tr. 3* = ästimieren
es|tin|guen|do [-gɛn-, ital.] *Mus.:* verlöschend
Est|land einer der drei balt. Staaten; **Est|län|der** *m. 5,* Este *m. 11;* **est|län|disch; est|nisch** estländisch
Es|to|mi|hi [lat. »sei mir (ein starker Fels)«, nach dem Psalm 31,3, den Eingangsworten der Messe dieses Tages] siebenter Sonntag vor Ostern
Es|tra|de [frz.] *w. 11* erhöhter Platz in Innenräumen für Sitzplatz, Thron, Altar u. Ä.; **Es|tra|den|kon|zert** *s. 1., ehem. DDR:* volkstümliche musikalische Veranstaltung mit Tanz- und artistischen Einlagen
Es|tra|gon [arab.-frz.] *m. Gen.* -s *nur Ez.* eine Gewürzpflanze
Es|tre|ma|du|ra *w. Gen. - nur Ez.* **1** histor. Landschaft in Spanien; **2** Landschaft in Mittelportugal; **Es|tre|ma|du|ra|garn** *s. 1* ein glattes Baumwollgarn
Est|rich [griech.] *m. 1* **1** fugenloser Fußboden (aus Lehm, Zement o. Ä.); **2** *schweiz.:* Dachboden
et [lat.] *(Zeichen: &)* und (in Firmennamen)

> **Eta-** (Worttrennung): Die Abtrennung einer Silbe, die nur aus einem Vokal besteht, ist möglich *(E|ta-),* wird aus ästhetischen Gründen jedoch nicht empfohlen. →§ 108

E|ta *s. Gen.* -(s) *Mz.* -s (*Zeichen:* η, H) griech. Buchstabe, langes e
e|ta|blie|ren *auch:* **e|tab|li-** [frz.] **1** *tr. 3* gründen, begründen, errichten; **2** *refl. 3* sich selbständig machen, sich niederlassen; **E|ta|blie|rung** *w. 10;* **E|ta|blis|se|ment** [-mɑ̃] *s. 9, schweiz.:* [-mɛnt] *s. 1* **1** Niederlassung, Geschäft, Unternehmen; **2** Vergnügungslokal, Nachtlokal; *auch:* Bordell
E|ta|ge [-ʒə, frz.] *w. 11* Stockwerk, Obergeschoss; **E|ta|gen|bett** [-ʒən-] *s. 12* Stockwerkbett, Doppelbett übereinander; **E|ta|gen|ge|schäft** *s. 1;* **E|ta|gen|hei|zung** *w. 10;* **E|ta|gen|woh|nung** *w. 10;* **E|ta|ge|re** [-ʒe-] *w. 11, veraltet:* Stufengestell, Bücherbrett, Wandbrett, Tischaufsatz; aufhängbare Tasche mit Fächern für Kosmetika u. a.
E|ta|la|ge [-ʒə, frz.] *w. 11, veraltet:* Auslage im Schaufenster; Schau-, Ausstellung; **e|ta|lie|ren** *tr. 3*
E|ta|lon [-lɔ̃, frz.] *m. 9* Eichmaß, Normalmaßstab
E|ta|min [frz.], Es|ta|min *s. 1 nur Ez.,* **E|ta|mi|ne** *w. 11 nur Ez.* gazeartiger Seiden-, Kunstseiden- oder Baumwollstoff für Vorhänge
E|tap|pe [frz.] *w. 11* **1** Teilstrecke, Abschnitt; **2** *Mil.:* Gebiet hinter der Front als Nachschub- und Versorgungsgebiet; **E|tap|pen|flug** *m. 2* Flug mit Zwischenlandungen; **E|tap|pen|schwein** *s. 1, Soldatenspr.:* Drückeberger in der Etappe; **e|tap|pen|wei|se**
E|tat [eta, frz.] *m. 9* **1** Haushaltsplan; **2** Geldmittel dafür; **3** *schweiz.:* Mitgliederverzeichnis (eines Verbandes); **e|ta|ti|sie|ren** *tr. 3* in den Etat aufnehmen; **e|tat|mä|ßig** [eta-] dem Etat entsprechend, in den Etat aufgenommen; **E|tat|jahr** [eta-] *s. 1;* **E|tat|stär|ke** [eta-] *w. 11, Mil.:* planmäßige Stärke, Sollstärke
E|ta|zis|mus [griech.] *m. Gen. - nur Ez.* Aussprache des griech. Buchstabens Eta als langes e; *Ggs.:* Itazismus
etc. *Abk. für* et cetera; **et ce|te|ra** [lat. »und das Übrige«] und so weiter; **et ce|te|ra pp.** [pp: lat. perge, perge »fahre fort«] (*Abk.:* etc. pp.) und so weiter
e|te|pe|te|te [Herkunft unsicher] übertrieben empfindsam, zimperlich, übertrieben auf Formen haltend
e|ter|ni|sie|ren [lat.] *tr. 3, veraltet:* verewigen, in die Länge ziehen; **E|ter|nit** *m. 1 oder s. 1 nur Ez.* Ⓦ feuerfester, leichter, gewalzter oder gepresster Zementwerkstoff
E|te|si|en [griech.] *Mz.* regelmäßig auftretende, trockene Winde von April bis Oktober im östl. Mittelmeer; **E|te|si|en|kli|ma** *s. Gen.* -s *nur Ez.* Klima mit

► = wird zu

trockenen Sommern und feuchten Wintern
E|than = Äthan
E|ther = Äther (**2**)
ETH *Abk. für* Eidgenössische Technische Hochschule
E|thik [griech.] *w. 10* Lehre vom sittl. Verhalten, Sittenlehre; **E|thi|ker** *m. 5* Vertreter der Ethik, Schöpfer einer Ethik; **e|thisch** sittlich
eth|nisch [griech.] zu einem bestimmten Volk und Volkstum gehörig, volkseigentümlich;
Eth|no|graph ► *auch:* **Eth|no|graf** [griech.] *m. 10;* **Eth|no|gra|phie** ► *auch:* **Eth|no|gra|fie** *w. 11* beschreibende Völkerkunde; **eth|no|gra|phisch** ► *auch:* **eth|no|gra|fisch; Eth|no|lo|ge** *m. 11* Völkerkundler; **Eth|no|lo|gie** *w. 11 nur Ez.* vergleichende Völkerkunde; **eth|no|lo|gisch**
E|tho|lo|gie [griech.] *w. 11 nur Ez.* **1** Lehre von den Sitten und Gebräuchen eines Volkes; **2** Lehre von den Verhaltensweisen der Tiere; **E|thos** *s. Gen. - nur Ez.* sittl. Gesinnung
E|ti|enne [etjɛn, nach einem frz. Drucker] *w. 11 nur Ez.* eine Antiqua-Druckschrift
E|ti|kett [frz.] *s. 1 oder s. 9* Aufklebschildchen (mit Preis-, Firmen- u. a. Angaben); **E|ti|ket|te** *w. 11* **1** *veraltet, noch schweiz., österr. für* Etikett; **2** herkömmliche feine Umgangsformen; **e|ti|ket|tie|ren** *tr. 3* mit einem Etikett versehen, bezeichnen
E|ti|o|le|ment [-mã, frz.] *s. 9 nur Ez.* anomales Wachstum von Pflanzen mit Bleichwerden bei Lichtmangel; **e|ti|o|lie|ren** *tr. 3* im Dunkeln bleichen und treiben (z. B. Spargel)
et|li|che einige, mehrere, ein paar; etliche Tage, Personen; ich habe etliche von ihnen gesehen; er kann davon Etliches erzählen; etliche Male *oder:* etliche Mal; **et|li|che|mal** ► **et|li|che Mal**
Et|mal [nddt.] *s. 1, Seew.:* Strecke, die von einem Schiff in der Zeit von Mittag bis Mittag zurückgelegt wird, Schiffstagereise
E|ton [itn] engl. Stadt mit berühmter Internatsschule für Knaben
E|tru|ri|en antike Landschaft in Italien; **E|trus|ker** *m. 5* Einwohner von Etrurien; **e|trus|kisch**

Etsch, *ital.:* Adige [adidʒe] *w. Gen. -* nordital. Fluss
E|tü|de [frz.] *w. 11* **1** Musikstück zum Üben der Fingerfertigkeit; **2** virtuoses Musikstück
E|tui [ɛtvi, frz.] *s. 9* **1** Behälter, Futteral (für Brille, Schmuck, Zigaretten); **2** ärztl. Besteck mit Hülle
et|wa ungefähr; *ugs. auch:* beispielsweise; **et|wa|ig** möglich, unvorhergesehen; für etwaige Notfälle

> **etwas:** Das nachfolgende Adjektiv oder Partizip wird mit großem Anfangsbuchstaben geschrieben: *Es gab etwas Großes zu sehen.* Ebenso: *etwas Bedeutendes* usw. [→ § 57 (1), § 58 E4]. Auch: *ein gewisses Etwas.* → § 57 (3)
> Bei Zahladjektiven ist Groß- und Kleinschreibung zulässig: *etwas Anderes/anderes.* → § 58 E4

et|was; etwas Anderes/anderes, etwas mehr, etwas Schönes, etwas Brot; ich will dir etwas erzählen; das *ist* doch etwas!; wenigstens etwas; er kann etwas; **Et|was** *s. Gen. - nur Ez.;* er hat so ein gewisses Etwas; **et|wel|che** *veraltet:* einige, etliche
E|ty|mo|lo|ge [griech.] *m. 11;* **E|ty|mo|lo|gie** *w. 11* die Herkunft der Wörter sowie die Lehre davon; **e|ty|mo|lo|gisch;**
E|ty|mon *s. Gen. -s Mz. -ma* Stammwort, Wurzelwort, urspr. Form eines Wortes
Et-Zei|chen *s. 7* »und«-Zeichen (&) in Firmennamen
Et|zel *in der dt. Sage* Name des Hunnenkönigs Attila
etz|li|che *veraltet, noch scherzh.:* etliche
Eu *chem. Zeichen für* Europium
Eu|bi|o|tik [griech.] *w. 10 nur Ez.* Lehre vom gesunden Leben
Eu|bu|lie [griech.] *w. 11 nur Ez., veraltet:* Vernunft, Einsicht
euch; *Dat. und Akk. des Personalpron. »ihr«*
Eu|cha|ris|tie [-ça-, griech.] *w. 11, kath. Kirche:* **1** Dankgebet vor dem Abendmahl; **2** Abendmahl; **3** Altarsakrament; **eu|cha|ris|tisch;** *aber:* Eucharistischer Kongress: internationaler kath. Kongress zur Erneuerung und Verehrung des Altarsakraments

Eu|dä|mo|nie [griech.] *w. 11 nur Ez., Philos.:* Glückseligkeit; **Eu|dä|mo|nis|mus** *m. Gen. - nur Ez.* Lehre, dass das Ziel alles Handelns die Glückseligkeit und diese nur durch sittl. Verhalten zu verwirklichen sei; **eu|dä|mo|nis|tisch**
Eu|di|o|me|ter [griech.] *s. 5* **1** Glasröhrchen zum Auffangen und Messen von Gasen; **2** Gerät zum Messen der Luftqualität; **Eu|di|o|me|trie** *auch:* **-met|rie** *w. 11* Messung des Sauerstoffgehalts der Luft
Eu|do|xie [griech.] *w. 11, veraltet:* **1** sicheres Urteil; **2** guter Ruf

> **euch, euer:** Das Anredepronomen *ihr* (und *du*), seine Deklinationsformen *(euer, euch)* sowie die entsprechenden Possessivpronomen (*euer, eure* usw.) werden kleingeschrieben: *Habt ihr euch schon begrüßt? Das ist eure neue Wohnung?* → § 66
> Die substantivierte Form des Pronomens kann mit kleinem oder großem Anfangsbuchstaben geschrieben werden: *die euren/Euren, die eurigen/Eurigen, das eure/Eure, das eurige/Eurige.* → § 58 (1), § 58 (4), § 58 E3

eu|er, eu(e)|re **1** *Gen. des Personalpron. »ihr«;* ich gedenke euer (*nicht:* eurer); ihr seid euer drei, euer sind drei; **2** *Gen. des Possessivpron. »ihr«;* euer Kind, eure (euere) Eltern; das Haus ist euer (eures); in eurem (euerm) Haus; wir kennen euren (euern) Sohn; das Haus ist das eure/Eure (euere/Euere), das eurige/Eurige; ihr habt das eure/Eure, eurige/Eurige gehabt: das, was euch zusteht; auch ihr müsst das eure/Eure, eurige/Eurige dazu tun; Euer, Eure (*Abk.:* Ew.) Exzellenz, Majestät; die euren/Euren (euren/Euern): eure Angehörigen
Eu|er|gie [griech.] *w. 11, Med.:* normale, uneingeschränkte Widerstandskraft
eu|er|seits, eu|rer|seits; **eu|ers|glei|chen,** eu|res|glei|chen; **eu|ert|we|gen,** eu|ret|we|gen; **eu|ert|wil|len,** eu|ret|wil|len; ich habe es um e. getan
Eu|ge|ne|tik *w. 10 nur Ez.* = Eugenik; **eu|ge|ne|tisch; Eu-**

ge|nik [griech.], Eu|ge|ne|tik *w. 10 nur Ez.* Lehre von der Erbgesundheit; Förderung des menschl. Erbguts; **eu|ge|nisch**
Eu|gna|thie *auch:* **Eug|na|thie** [griech.] *w. 11* normale Form, Ausbildung und Stellung der Zähne
Eu|ka|lyp|tus [griech.] **1** *m. Gen. - Mz. - oder* -ten Vertreter einer Gruppe austral. Hartlaubbäume; **2** *s. Gen. - nur Ez.; kurz für* Eukalyptusbonbon
Eu|ko|lie [griech.] *w. 11 nur Ez.* heitere Zufriedenheit
Eu|kra|sie [griech.] *w. 11 nur Ez., eigtl.:* gute Mischung aller Körpersäfte; *danach:* glückliche Veranlagung
Eu|le *w. 11;* **eu|len|äu|gig**
Eu|len|spie|gel, *Till* Titelgestalt eines dt. Volksbuches; **Eu|len-spie|gel|lei** *w. 10* Schelmenstreich
Eu|me|ni|de [griech. »die Wohlgesinnte«] *w. 11 meist Mz., verhüllende Bez. für* Erinnye
Eu|nuch [griech. »Betthüter«] *m. 10* Entmannter, oft als Haremswächter verwendet; **Eu|nu-cho|i|dis|mus** *m. Gen. - nur Ez.* Unmännlichkeit durch unvollkommene Ausbildung oder Entfernung der Hoden
eu|pe|la|gisch [griech.] zum offenen Meer gehörig, dort lebend (Tier, Pflanze)
Eu|phe|mis|mus [griech.] *m. Gen. - Mz.* -men verhüllende, beschönigende Bezeichnung, z. B. »heimgehen« statt »sterben«; **eu|phe|mis|tisch**
Eu|pho|nie [griech.] *w. 11* Wohlklang; *Ggs.:* Kakophonie; **eu|pho|nisch; Eu|pho|ni|um** *s. Gen.* -s *Mz.* -ni|en **1** Kornett in Baritonlage, Baritonhorn; **2** ein Orgelregister
Eu|phor|bia, *w. Gen. - Mz.* -bi-en, **Eu|phor|bie** [-bjə] *w. 11* eine Pflanze, Wolfsmilch
Eu|pho|rie [griech.] *w. 11* gesteigertes Wohlbefinden; *Ggs.:* Disphorie; **Eu|pho|ri|kum** *s. Gen.* -s *Mz.* -ka Anregungs- oder Rauschmittel; **eu|pho|risch;** euphorische Stimmung
eu|pho|tisch [griech.] lichtreich (von Schichten des Wassers)
Eu|phrat *auch:* **Euph|rat** *m. Gen.* -(s) vorderasiat. Fluss
Eu|phro|sy|ne *griech. Myth.:* eine der drei Göttinnen der Anmut, eine der →Chariten

Eu|phu|is|mus [nach dem Roman Euphues von John Lyly] *m. Gen. - nur Ez.* Schwulststil (der engl. Barockzeit); **eu-phu|is|tisch**
Eu|pnoe *auch:* **Eup|noe** [-pnoe:, griech.] *w. 11 nur Ez., Med.:* normale, mühelose Atmung; *Ggs.:* Dyspnoe
eu|ra|si|a|tisch zu Europa und Asien zusammen gehörig, dort lebend (von Tieren und Pflanzen); **Eu|ra|si|en** die Festlandmasse von Europa und Asien; **Eu|ra|si|er** *m. 5* **1** Angehöriger eines Volkes im mongol.-europ. Grenzraum; **2** Mischling aus einem europiden und einem indischen Elternteil; **eu|ra|sisch** Europa und Asien betreffend, dazu gehörend
Eur|atom *auch:* **Eu|ra|tom** *w. Gen. - nur Ez., Kurzw. für:* Europäische Gemeinschaft für Atomenergie
eu|re, eu|e|re vgl. euer; **eu|rer-seits,** eu|er|seits; **eu|res|glei-chen,** eu|ers|glei|chen; **eu|ret-hal|ben,** eu|ert|hal|ben; **eu|ret-we|gen,** eu|ert|we|gen; **eu|ret-wil|len,** eu|ert|wil|len; ich habe es um e. getan
Eu|rhyth|mie ► *auch:* **Eu-rythmie** [griech.] *w. 11 nur Ez.* **1** Gleich-, Ebenmaß von Bewegung und Ausdruck; **2** *Med.:* Regelmäßigkeit von Herz- und Pulsschlag; **3** *fachsprachl. Schreibung:* Eu|ryth|mie; *Anthroposophie:* Vereinigung von tänzerischer Bewegung und Sprache, wobei den Bewegungen eine bestimmte Bedeutung gegeben wird; **Eu|rhyth|mist** *m. 10* jmd., der Eurhythmie (**3**) betreibt; *fachsprachl. Schreibung nur:* Eurythmist
eu|ri|ge vgl. euer
Eu|ro|card *w. 9* Kreditkarte der Gesellschaft für Zahlungssysteme
Eu|ro|cheque [-ʃɛk], *auch:* eu-ro|cheque, *m. 9* Barscheck, der in Verbindung mit einer Scheckkarte von den meisten europäischen und nordamerikanischen Kreditinstituten bis zu einem bestimmten Betrag eingelöst wird
Eu|ro|pa einer der fünf Erdteile; **Eu|ro|pä|er** *m. 5;* **eu|ro|pä|id** den Europäern ähnlich; **eu|ro-pä|isch;** europäische Philosophie; *aber:* Europäische Gemeinschaft, Europäisches Parlament; **eu|ro|pä|i|sie|ren** *tr. 3* nach europ. Vorbild gestalten; **Eu|ro|pä|i|sie|rung** *w. 10 nur Ez.;* **Eu|ro|pa|meis|ter** *m. 5;* **eu-ro|pid** zu den europ. Rassen gehörig; **Eu|ro|pi|um** *s. Gen.* -s *nur Ez. (Zeichen:* Eu) chem. Element, Metall der Seltenen Erden; **eu|ro|po|id** den europ. Rassen nahe stehend; **Eu|ro|vi-si|on** [Kurzw. aus Europa und Television] *w. 10 nur Ez.* Organisation europ. Rundfunk- und Fernsehanstalten zum Programmaustausch
Eu|ry|di|ke [-ke:, auch -di-] *griech. Myth.:* Gemahlin des Orpheus
eu|ry|ök [griech.] anpassungsfähig an größere Schwankungen der Umweltbedingungen (von Tieren und Pflanzen); **Eu|ry-ö|kie** *w. 11 nur Ez.;* **eu|ry|phag** nicht auf bestimmte Nahrung angewiesen (von Tieren und Pflanzen); **Eu|ry|pha|gie** *w. 11 nur Ez.;* **eu|ry|therm** widerstandsfähig gegen größere Temperaturschwankungen (von Tieren und Pflanzen); **Eu|ryth-mie** *w. 11 nur Ez.* = Eurhythmie; **eu|ry|top** weit verbreitet (von Tieren und Pflanzen)
Eu|se|bie [griech.] *w. 11 nur Ez.* Frömmigkeit; *Ggs.:* Asebie
Eus|ta|chi|sche Röh|re, Eus|ta|chi|sche Tu|be [nach dem ital. Arzt B. Eustacchi(o)] *w. 11* Verbindungsweg zwischen Mittelohr und Rachenraum, Ohrtrompete
Eus|ta|sie [griech.] *w. 11* Schwankung der Meeresspiegelhöhe; **eus|ta|tisch;** eustatische Bewegung = Eustasie
Eu|ter *s. 5*
Eu|ter|pe *griech. Myth.:* Muse der Poesie
Eu|tha|na|sie [griech.] *w. 11 nur Ez.* Erleichterung des Todeskampfes durch Narkotika
Eu|thy|mie [griech.] *w. 11 nur Ez., veraltet:* innere Heiterkeit, Seelenfrieden
Eu|to|pie [griech.] *w. 11 nur Ez., Med.:* normale Lage (der Organe)
eu|troph [griech.] nährstoffreich; **Eu|tro|phie** *w. 11 nur Ez.* **1** Nährstoffreichtum; **2** guter Ernährungszustand
eV *Abk. für* Elektronenvolt
ev. *Abk. für* evangelisch

e.V., E.V. *Abk. für* eingetragener bzw. Eingetragener Verein

> **Eva-, Eve-, Evi-, Evo-** (Worttrennung): Die Abtrennung einer Silbe, die nur aus einem Vokal besteht, ist möglich *(E|va-, E|ve-, E|vi-, E|vo-),* wird aus ästhetischen Gründen jedoch nicht empfohlen. →§ 108

E|va [efa, auch: eva, nach der bibl. Urmutter der Menschen] *w. 9, ugs.:* kokettes Mädchen
E|va|ku|a|ti|on [eva-, lat.-frz.] *w. 10* Evakuierung; **e|va|ku|ie|ren** *tr. 3* **1** luftleer machen; **2** von Bewohnern räumen (Gebiet); **3** aussiedeln (Bewohner); **E|va|ku|ie|rung** *w. 10*
E|va|lu|ie|rung [eva-, lat.] *w. 10, Werbung:* Bewertung
E|val|va|ti|on [evalva-, lat.] *w. 10, veraltet:* Schätzung, Wertbestimmung; **e|val|vie|ren** *tr. 3 veraltet*
E|van|ge|li|ar [-vaŋ-, lat.] *s. Gen.* -s *Mz.* -e *oder* -ri|en, **E|van|ge|li|a|ri|um** *s. Gen.* -s *Mz.* -ri|en, **E|van|ge|li|en|buch** *s. 4* Buch mit den vier Evangelien; **E|van|ge|li|en|har|mo|nie** *w. 11* Darstellung des Lebens Jesu aus den vier Evangelien; **E|van|ge|li|ka|le(r)** *m. 18 (17) meist Mz.* Vertreter einer Bewegung in vielen christl. Kirchen und Gruppen mit unbedingtem Bezug auf die Bibel; **E|van|ge|li|sa|ti|on** *w. 10* Bekehrung zum Evangelium; **e|van|ge|lisch** (*Abk.:* ev.) **1** auf dem Evangelium beruhend; **2** = protestantisch; die evangelische Kirche, *aber:* die Evangelische Kirche in Deutschland (*Abk.:* EKD); evangelisches Bekenntnis; **e|van|ge|lisch-lu|the|risch** (*Abk.:* ev.-luth.); **e|van|ge|lisch-re|for|miert** (*Abk.:* ev.-ref.); **e|van|ge|li|sie|ren** *tr. 3* zum Evangelium bekehren; **E|van|ge|li|sie|rung** *w. 10;* **E|van|ge|list** *m. 10* **1** Verfasser eines der vier Evangelien; **2** Wanderprediger; **E|van|ge|lis|tar** *s. Gen.* -s *Mz.* -e *oder* -ri|en Buch mit Abschnitten aus den Evangelien für Lesungen während der Messe; **E|van|ge|li|um** *s. Gen.* -s *Mz.* -li|en **1** die Botschaft Christi; **2** jede der vier Schriften des NT über das Leben und den Tod Jesu sowie ihre Gesamtheit; **3** Lesung aus den Evangelien im Gottesdienst; **4** *ugs.:* etwas, woran man blindlings glaubt, Wort oder Werk, das einem heilig ist
E|va|po|ra|ti|on [lat.] *w. 10* Verdampfung, Verdunstung; **E|va|po|ra|tor** *m. 13* Verdampfer; **e|va|po|rie|ren** *tr. 3* verdampfen, eindampfen, von Wasser befreien; evaporierte Milch: Milch, der man Wasser entzogen hat, eingedampfte Milch; **E|va|po|ri|me|ter** *s. 5* Verdunstungsmesser
E|va|si|on [lat.] *w. 10* **1** Flucht; *Ggs.:* Invasion; **2** *veraltet:* Ausflucht; **e|va|siv, e|va|so|risch** *veraltet:* ausweichend, Ausflüchte benutzend
E|vas|toch|ter [efa:s-, auch: eva:s-] *w. 6* kokettes Mädchen
e|ven|tu|al [-vɛn-, lat.] *selten für* eventuell; **E|ven|tu|al|fall** *m. 2* möglicherweise eintretender Fall; **E|ven|tu|a|li|tät** *w. 10* möglicher Fall, Möglichkeit; **e|ven|tu|a|li|ter** *veraltet:* möglicherweise; **e|ven|tu|ell** (*Abk.:* evtl.) möglicherweise, vielleicht, unter Umständen
E|ver|green [ɛvərgri:n, engl. »immergrün«] *m. 9 oder s. 9* Schlager, der lange beliebt bleibt
E|ver|te|brat [lat.], **In|ver|te|brat** *m. 10* wirbelloses Tier
e|vi|dent [lat.] offenkundig, völlig klar, augenscheinlich, einleuchtend; **E|vi|denz** *w. 10 nur Ez.* Augenschein, einleuchtende Klarheit, Offenkundigkeit; etwas in E. halten *österr.:* etwas im Auge behalten, vormerken
E|vik|ti|on [lat.] *w. 10, Rechtsw.:* Besitzentziehung (auf dem Rechtswege); **e|vin|zie|ren** *tr. 3;* jmdn. e.: jmdm. (auf dem Rechtswege) Besitz entziehen
ev.-luth. *Abk. für* evangelisch-lutherisch
E|vo|ka|ti|on [lat.] *w. 10* **1** *früher:* Recht des Königs, einen Prozess vor sein Hofgericht zu ziehen; **2** *veraltet:* Vorladung (eines Beklagten); **3** Hervortreten von Vorstellungen oder Erlebnissen beim Betrachten eines Kunstwerkes; **e|vo|ka|to|risch** eine Evokation (**3**) bewirkend
E|vo|lu|te [lat.] *w. 11, Math.:* geometr. Ort der Krümmungsmittelpunkte einer ebenen Kurve; **E|vo|lu|ti|on** *w. 10* allmähl. Entwicklung (bes. die der Lebewesen zu höheren Formen); **e|vo|lu|ti|o|när; E|vo|lu|ti|o|nis|mus** *m. Gen. - nur Ez.* völkerkundl. Forschungsrichtung im 19. Jh., die den Evolutionsgedanken auf die Kulturentwicklung anwandte; **E|vo|lu|ti|o|nist** *m. 10* Vertreter des Evolutionismus; **e|vo|lu|ti|o|nis|tisch; E|vo|lu|ti|ons|the|o|rie** *w. 11 nur Ez.* **1** Abstammungslehre; **2** kosmolog. Theorie, nach der das Weltall sich ständig ausdehnt; **E|vol|ven|te** *w. 11, Math.:* ebene Kurve, die ein Punkt auf einer Geraden beschreibt, die auf einer anderen Kurve abrollt; **e|vol|vie|ren** *tr. 3* entwickeln, entfalten, nacheinander darstellen
E|vo|ny|mus [griech.] *m. Gen. - nur Ez.* = Pfaffenhütchen
e|vo|zie|ren [zu Evokation] *tr. 3* vorladen, vor Gericht laden
ev.-ref. *Abk. für* evangelisch-reformiert
evtl. *Abk. für* eventuell
ev|vi|va! [eviva, ital.] er, sie lebe (hoch)!
Ev|zo|ne [griech.] *m. 11* Angehöriger der Leibgarde in Athen
Ew. *Abk. für* Euer, Eure (Majestät o. Ä.)
E|we **1** *m. 9 oder Gen. - Mz. -* Angehöriger eines westafrik. Volkes; **2** *s. Gen. - nur Ez.* deren Sprache
E|wen|ke *m. 11* Angehöriger eines tungus. Volkes; **e|wen|kisch**
E|wer *m. 5* anderthalbmastiges Küstensegelboot mit flachem Boden und Seitenschwertern
E-Werk *Kurzw. für* Elektrizitätswerk
EWG *Abk. für* Europäische Wirtschaftsgemeinschaft
EWS *Abk. für* Europäisches Währungssystem
e|wig; das ewige Licht (in kath. Kirchen); die ewige Stadt: Rom; **E|wig|keit** *w. 10;* **e|wig|lich; E|wig-Weib|li|che, E|wig|weib|li|che** *s. 18*
ex [lat.] aus; ex trinken *Studentenspr.:* das Glas (auf einen Zug) leeren
ex..., Ex... [lat.] *in Zus.:* aus..., Aus..., ent..., Ent..., weg..., Weg...
ex ab|rup|to [lat.] jählings, unversehens
ex ae|quo [lat.] *veraltet:* in der-

selben Weise, genauso, auf gleicher Stufe
Ex|ag|ge|ra|ti|on *auch:* **E|xag|ge-** [lat.] *w. 10, Med.:* Übertreibung; **ex|ag|ge|rie|ren** *auch:* **e|xag|ge-** *tr. 3*

> **Exa-, Exe-, Exo-** (Worttrennung): Wörter mit diesen Anfangssilben können auf verschiedene Weise abgetrennt werden: *Ex|amen, Ex|em|pel, Ex|odus* bzw. *E|xa|men, E|xem|pel, E|xo|dus* oder auch *Ex|a|men* und *Ex|o|dus.* →§ 112

ex|akt *auch:* **e|xakt** [lat.] genau, sorgfältig; die exakten Wissenschaften: die Naturwissenschaften und Mathematik; **Ex|akt|heit** *auch:* **E|xakt-** *w. 10 nur Ez.*
Ex|al|ta|ti|on *auch:* **E|xal-** [lat.] *w. 10 nur Ez.* hyster. Erregtheit, übertriebene Aufregung; **ex|al|tie|ren** *auch:* **e|xal-** *refl. 3* sich übertrieben aufregen; **Ex|al|tiert|heit** *auch:* **E|xal-** *w. 10 nur Ez.*
Ex|amen *auch:* **E|xa|men** [lat.] *s. Gen.* -s *Mz. - oder* -ami|na Prüfung; **Ex|amens|ar|beit** *auch:* **E|xa|mens-** *w. 10;* **Ex|ami|nand** *auch:* **E|xa|mi-** *m. 10* jmd., der ein Examen ablegt, Prüfling; **Ex|ami|na|tor** *auch:* **E|xa|mi-** *m. 13* Prüfer; **Ex|ami|na|to|ri|um** *auch:* **E|xa|mi-** *s. Gen.* -s *Mz.* -rien, *veraltet:* **1** Prüfungskommission; **2** Prüfungsvorbereitung; **ex|ami|nie|ren** *auch:* **e|xa|mi-** *tr. 3;* jmdn. e.: prüfen
Ex|an|them *auch:* **E|xan-** [griech.] *s. 1* entzündl. Hautausschlag; **ex|an|the|ma|tisch** *auch:* **e|xan-** in der Art eines Exanthems
Ex|an|thro|pie *auch:* **E|xan-** [griech.] *w. 11 nur Ez.* Menschenscheu
Ex|ara|ti|on *auch:* **E|xa|ra-** [lat.] *w. 10* Abschürfung des Untergrunds durch Bewegung eines Gletschers
Ex|arch *auch:* **E|xarch** [griech.] *m. 10* **1** byzantin. Statthalter in Italien und Afrika; **2** *Ostkirche:* kirchl. Würdenträger, Leiter eines Kirchengebietes in der Diaspora; **Ex|ar|chat** *auch:* **E|xar-** [-çat] *s. 1* Amt und Verwaltungsbezirk eines Exarchen
Ex|ar|ti|ku|la|ti|on [lat.] *w. 10, Med.:* Abtrennung eines Gliedes im Gelenk
Ex|au|di *auch:* **E|xau-** [lat., nach Psalm 27, 7: (Herr,) höre (meine Stimme)] Name des 6. Sonntags nach Ostern
exc., excud., *Abk. für* excudit
ex ca|the|dra *auch:* **-ca|thed|ra** [lat. »vom Lehrstuhl aus«] **1** *in Wendungen wie* ex c. gesprochen: vom Papst als (unfehlbarem) Kirchenlehrer verkündet; **2** *übertr.:* maßgeblich, verbindlich, unanfechtbar; etwas ex c. erklären
Ex|cep|tio [-tsɛptsjo, lat.] *w. Gen. - Mz.* -tio|nes [-tsjo:nes] *Rechtsw.:* Einrede
Ex|change [ɪkstʃɛɪndʒ, engl.] *w. 11* **1** *im Börsengeschäft:* Tausch, Kurs; **2** Geldwechsel, Wechselstube
ex|cu|dit [lat. »hat (es) gedruckt«] (*Abk.:* exc., excud.) Vermerk hinter d. Namen des Druckers (auf Kupferstichen)
Exe|cu|tive *auch:* **E|xe-** [-kjuːtɪv, engl.] *m. 9* Führungskraft, z. B. Einkaufs-, Finanz-, Personalleiter
Ex|edra *auch:* **E|xed|ra** [griech.] *w. Gen. - Mz.* -edren **1** *im griech.-röm. Haus:* Wohnraum; **2** halbrunder oder eckiger Raum mit Bank als Abschluss eines Säulengangs; **3** *in mittelalterl. Kirchen* = Apsis
Ex|ege|se *auch:* **E|xe|ge|se** [griech.] *w. 11* Ausdeutung, Erklärung (von Schriftwerken, bes. von juristischen Quellen sowie der Bibel); **Ex|eget** *auch:* **E|xe|get** *m. 10* Ausdeuter, Erklärer; **Ex|ege|tik** *auch:* **E|xe|ge|tik** *w. 10 nur Ez.* Wissenschaft von der Exegese; **ex|ege|tisch** *auch:* **e|xe|ge|tisch**
e|xe|ku|tie|ren [lat.] *tr. 3* **1** vollziehen, vollstrecken (Urteil); **2** hinrichten **3** *österr.:* pfänden; exekutiert werden; **E|xe|ku|ti|on** *w. 10;* **E|xe|ku|ti|ons|kom|man|do** *s. 9*
e|xe|ku|tiv ausführend, vollziehend, vollstreckend; exekutive Gewalt = Exekutive; **E|xe|ku|ti|ve** *w. 18* die vollziehende, ausführende Gewalt (im Staat), z. B. die Polizei; vgl. Judikative, Legislative; **E|xe|ku|tiv|ge|walt** *w. 10* = Exekutive; **E|xe|ku|tor** m. 13 Vollstrecker; *österr.:* Gerichtsvollzieher; **e|xe|ku|to|risch** vollstreckend, vollziehend
Ex|em|pel *auch:* **E|xem-** [lat.] *s. 5* **1** Aufgabe, bes. Rechenaufgabe; **2** Beispiel; zum E.; ein E. statuieren: ein warnendes, abschreckendes Beispiel geben; **Ex|em|plar** *auch:* **E|xem-** *s. 1* (*Abk.:* Expl.) Einzelstück; **ex|em|pla|risch** *auch:* **e|xem-** **1** musterhaft, beispielgebend; **2** warnend, abschreckend; jmdn. e. bestrafen; **Ex|em|pla|ris|mus** *auch:* **E|xem-** *m. Gen. - nur Ez.* philos. Lehre, dass alle Geschöpfe nach dem göttl. Urbild geschaffen seien; **ex|em|pli cau|sa** *auch:* **e|xem|pli -** [»wegen eines Beispiels«] (*Abk.:* e. c.) beispielsweise, zum Beispiel; **Ex|em|pli|fi|ka|ti|on** *auch:* **E|xem|pli-** *w. 10* Erläuterung durch Beispiele; **ex|em|pli|fi|zie|ren** *auch:* **e|xemp|li-** *tr. 3* durch Beispiel(e) erläutern; **Ex|em|pli|fi|zie|rung** *auch:* **E|xemp|li-** *w. 10*
ex|emt *auch:* **e|xemt** [lat.] von bestimmten gesetzl. Pflichten befreit; **Ex|em|ti|on** *auch:* **E|xem-** *w. 10*
E|xe|qua|tur [lat.] *s. Gen.* -s *Mz.* -tu|ren **1** Bestätigung, Zulassung (eines ausländ. Konsuls); **2** staatl. Erlaubnis, kirchl. Akte zu verkünden; **3** Vollstreckungswirkung eines im Ausland ergangenen Gerichtsurteils im Inland
E|xe|qui|en [lat.], Ob|se|qui|en *nur Mz., kath. Kirche:* Begräbnisfeier, Totenmesse; **e|xe|quie|ren** *tr. 3, veraltet:* eintreiben (Schulden)
Ex|er|ci|ti|um [-tsjum] *auch:* **E|xer-** *s. Gen.* -s *Mz.* -ti|en, *lat. Schreibung von* Exerzitium; **ex|er|zie|ren** *auch:* **e|xer-** *tr. u. intr. 3* üben, ausbilden (bes. Truppen); **Ex|er|zier|platz** *auch:* **E|xer-** *m. 2;* **Ex|er|zi|ti|en** *auch:* **E|xer-** [-tsjən], *österr. auch:* Ex|er|zi|zi|en *nur Mz., kath. Kirche:* relig. Übungen; **Ex|er|zi|ti|um** *auch:* **E|xer-** [-tsjum] *s. Gen.* -s *Mz.* -ti|en [-tsjən] schriftl. Hausarbeit
ex|e|unt [lat. »sie gehen«] *Theater, als Regieanweisung:* sie gehen ab, treten ab, gehen hinaus
Ex|ha|la|ti|on [lat.] *w. 10* **1** Ausatmung, Ausdünstung; **2** Ausströmung (von vulkan. Gasen und Dämpfen); **ex|ha|lie|ren** *tr. 3*
Ex|haus|tor [lat.] *m. 13* Gebläse zum Absaugen von Gas, Dampf, Staub u. a., Entlüfter

ex|hi|bie|ren [lat.] *tr. 3* **1** vorzeigen, zur Schau stellen; **2** aushändigen (Papiere); **Ex|hi|bit** *s. 1,* Ex|hi|bi|tum *s. Gen.* -s *Mz.* -ten *oder* -ta Eingabe; **Ex|hi|bi|ti|on** *w. 10, Med.:* Zurschaustellung; **Ex|hi|bi|ti|o|nis|mus** *m. Gen. - nur Ez.* **1** krankhafte Neigung zum öffentl. Entblößen der Geschlechtsteile; **2** *im weiteren Sinne:* auffallendes Verhalten, um die Aufmerksamkeit auf sich zu lenken; **Ex|hi|bi|ti|o|nist** *m. 10* jmd., der an Exhibitionismus leidet; **ex|hi|bi|ti|o|nis|tisch; Ex|hi|bi|tum** *s. Gen.* -s *Mz.* -ten *oder* -ta = Exhibit

Ex|hu|ma|ti|on [lat.] das Exhumieren; **ex|hu|mie|ren** *tr. 3* wieder ausgraben (von Leichen für gerichtl. Untersuchungen); **Ex|hu|mie|rung** *w. 10*

Ex|i|genz *auch:* **E|xi-** [lat.] *w. 10, veraltet:* Erfordernis, Bedarf; **ex|i|gie|ren** *auch:* **e|xi-** *tr. 3* fordern, eintreiben (Schuld); **Ex|i|gu|i|tät** *auch:* **E|xi-** *w. 10* Geringfügigkeit

E|xil [lat.] *s. 1* **1** Verbannung; **2** Verbannungs-, Zufluchtsort; **e|xi|lie|ren** *tr. 3* ins Exil schicken; **E|xil|li|te|ra|tur** *w. 10;* **E|xil|re|gie|rung** *w. 10*

ex|imie|ren *auch:* **e|xi-** [zu: Exemtion] *tr. 3* von einer gesetzl. Pflicht befreien

e|xis|tent [lat.] existierend, vorhanden; **E|xis|ten|tia** [-tsja] *w. Gen. - nur Ez., Philos.:* Dasein, Vorhandensein (einer Sache); *Ggs.:* Essentia; **e|xis|ten|ti|al** [-tsjal], **e|xis|ten|ti|ell** *Nv.* ► **e|xis|ten|zi|ell** *Hv.;* **E|xis|ten|ti|a|lis|mus** [-tsja-] *Nv.* ► **E|xis|ten|zi|a|lis|mus** *Hv. m. Gen. - nur Ez;* **E|xis|ten|ti|a|list** *Nv.* ► **E|xis|ten|zi|a|list** *Hv. m. 10;* **e|xi|sten|ti|a|lis|tisch** *Nv.* ► **e|xis|ten|zi|a|lis|tisch** *Hv.;* **E|xis|ten|ti|al|phi|lo|so|phie** *Nv.* ► **E|xis|ten|zi|al|phi|lo|so|phie** *Hv. w. 11 nur Ez.;* **e|xis|ten|zi|ell** [-tsjel], e|xis|ten|ti|al [-tsjal], e|xis|ten|ti|ell die Existenz, das Dasein betreffend, darauf beruhend; **E|xis|tenz** *w. 10* **1** Leben, Dasein, Vorhandensein; **2** Lebensunterhalt; **3** Mensch, Person; **e|xis|tenz|be|rech|tigt; E|xis|tenz|be|rech|ti|gung** *w. 10 nur Ez.;* **e|xis|tenz|fä|hig; E|xis|tenz|fä|hig|keit** *w. 10 nur Ez.;* **E|xis|ten|zi|a|lis|mus,** E|xis|ten|ti|a|lis|mus *m. Gen. - nur Ez.;* **E|xis|ten|zi|a|list,** E|xis|ten|ti|a|list *m. 10;* **e|xis|ten|zi|a|lis|tisch,** e|xis|ten|ti|a|lis|tisch; **E|xis|tenz|kampf** *m. 2;* **E|xis|tenz|mi|ni|mum** *s. Gen.* -s *Mz.* -ma Mindestmaß dessen, was man für den Lebensunterhalt braucht; **E|xis|tenz|phi|lo|so|phie,** *w. 11 nur Ez.;* **E|xis|ten|zi|al|phi|lo|so|phie,** E|xis|ten|ti|al|phi|lo|so|phie *w. 11 nur Ez.* Richtung der modernen Philosophie, die den Menschen im Hinblick auf seine Existenz betrachtet; **e|xis|tie|ren** *intr. 3* **1** vorhanden sein, da sein, bestehen; **2** von etwas e.: seinen Lebensunterhalt von etwas bestreiten, mit etwas auskommen

> **existenziell/existentiell:** Die integrierte (eingedeutschte) Form gilt als Hauptvariante *(existenziell),* die fremdsprachige Form *(existentiell)* als Nebenvariante. Ebenso: *Existenzialismus/Existentialismus.* →§ 32 (2)

e|xit [lat. »er, sie geht«] *Theater, als Regieanweisung:* geht ab, tritt ab, geht hinaus; **E|xit** *m. 9, veraltet:* Ausgang (in Gebäuden)

Ex|i|tus *auch:* **Ex|i|tus** oder **E|xi|tus** [lat.] *m. Gen. - Mz. - oder* -tus|se, *Med.:* Tod, Todesfall

Ex|kai|ser *m. 5* ehemaliger Kaiser

Ex|kar|di|na|ti|on [lat.] *w. 10, kath. Kirche:* Entlassung eines Geistlichen aus einem Diözesanverband (mit nachfolgender Aufnahme in eine andere Diözese oder in ein Kloster)

Ex|ka|va|ti|on [lat.] *w. 10* **1** Aushöhlung, Ausbaggerung, Ausgrabung; **2** *Zahnmed.:* Ausbohrung; **Ex|ka|va|tor** *m. 13* Maschine, Instrument zur Exkavation; **ex|ka|vie|ren** *tr. 3*

exkl. *Abk. für* exklusive

Ex|kla|ma|ti|on [lat.] *veraltet:* Ausruf; **ex|kla|mie|ren** *tr. 3*

Ex|kla|ve [lat.] *w. 11* **1** von fremdem Staatsgebiet umgebener Teil des eigenen Staates; *Ggs.:* Enklave; **2** Vorkommen einer Pflanzen- oder Tierart außerhalb ihres eigentlichen Verbreitungsgebietes

ex|klu|die|ren [lat.] *tr. 3, veraltet:* ausschließen; **Ex|klu|si|on** *w. 10, veraltet:* Ausschließung; **ex|klu|siv** **1** ausschließend; **2** gesellschaftlich abgesondert, Außenstehende fernhaltend; **3** außergewöhnlich und vornehm; **ex|klu|si|ve** (*Abk:* exkl.) mit Ausschluss von ..., ausgenommen; *Ggs.:* inklusive; *mit Gen., wenn vor dem folgenden Substantiv der Artikel steht:* e. des Trinkgeldes, *aber:* e. Trinkgeld; *mit Dativ, wenn der Gen. nicht erkennbar wäre:* e. Getränken, *aber:* e. der Getränke; **Ex|klu|si|vi|tät** *w. 10 nur Ez.* **1** Ausschließlichkeit; **2** gesellschaftliche Abgeschlossenheit

Ex|kom|mu|ni|ka|ti|on [lat.] *w. 10, kath. Kirche:* Ausschluss aus der Kirchengemeinschaft; **ex|kom|mu|ni|zie|ren** *tr. 3*

Ex|kö|nig *m. 1* ehem. König

Ex|ko|ri|a|ti|on [lat.] *w. 10* Hautabschürfung

Ex|kre|ment [lat.] *s. 1* Körperausscheidung, Kot, Harn; **Ex|kret** [lat.] *s. 1* vom Körper nicht weiter verwendbares und daher ausgeschiedenes Stoffwechselprodukt, z. B. Kot, Harn, Schweiß; **Ex|kre|ti|on** *w. 10* Ausscheidung (von Exkreten); **ex|kre|to|risch** ausscheidend

Ex|kul|pa|ti|on [lat.] *w. 10, Rechtsw.:* Rechtfertigung, Befreiung von Schuld; **ex|kul|pie|ren** *tr. 3*

Ex|kurs [lat.] *m. 1* **1** Abschweifung; **2** kurze Ausarbeitung; **3** Anhang; **Ex|kur|si|on** *w. 10* Ausflug (unter wissenschaftl. Leitung)

ex|lex [lat.] *früher:* gesetzlos, außerhalb des Gesetzes stehend, geächtet, vogelfrei

Ex|li|bris [lat. »aus den Büchern«] *s. Gen. - Mz. -* meist künstlerisch gestalteter, in ein Buch eingeklebter Zettel mit Namen und Zeichen des Eigentümers

Ex|ma|tri|kel [lat.] *w. 11* Bescheinigung über den Abgang von einer Hochschule; **Ex|ma|tri|ku|la|ti|on** *w. 10* Streichung aus der Matrikel beim Abgang von einer Hochschule; *Ggs.:* Immatrikulation; **ex|ma|tri|ku|lie|ren** *tr.3* aus der Matrikel streichen; *Ggs.:* immatrikulieren

Ex|mis|si|on [lat.] *w. 10* **1** gerichtl. Ausweisung; **2** Zwangsräumung (einer Wohnung); **Ex|mis|si|ons|kla|ge** *w. 11;* **ex|mit|tie|ren** *tr. 3* gerichtlich ausweisen, zur Räumung veranlassen; **Ex|mit|tie|rung** *w. 10*

Exo|bi|o|lo|gie [griech.] *w. 11 nur Ez.* Weltraumbiologie

E|xo|der|mis [lat.] *w. Gen. - nur Ez.* äußeres, verkorktes Gewebe der Pflanzenwurzel

Ex|odus *auch:* **E|xo|dus** [griech.] *m. Gen. - nur Ez.* Auszug (der Juden aus Ägypten), Titel des zweiten Buches Mosis

ex of|fi|cio [lat.] *Rechtsw.:* von Amts wegen, amtlich

E|xo|ga|mie [griech.] *w. 11, bei Naturvölkern:* Heirat außerhalb der eigenen sozialen Gruppe; *Ggs.:* Endogamie

e|xo|gen [griech.] **1** von außen stammend, einwirkend (von Kräften); **2** von außen eingeführt (in den Körper); **3** außen entstehend (Knospe, Blatt); *Ggs.:* endogen

E|xo|karp [griech.] *s. 1* äußerste Schicht der Fruchtwand; *Ggs.:* Endokarp

e|xo|krin [griech.] **1** nach außen absondernd (Drüsen); **2** nach außen abgesondert (Drüsenprodukt); *Ggs.:* endokrin

Ex|o|ne|ra|ti|on *auch:* **E|xo-** [lat.] *w. 10, veraltet:* Entlastung, Erleichterung; **ex|o|ne|rie|ren** *auch:* **e|xo-** *tr. 3, veraltet:* entlasten

ex|or|bi|tant *auch:* **e|xor-** [lat.] **1** übertrieben, übermäßig; **2** gewaltig, außerordentlich; **Ex|or|bi|tanz** *auch:* **E|xor-** *w. 10*

Ex|or|di|um *auch:* **E|xor-** [lat.] *s. Gen.* -s *Mz.* -dia Einleitung (einer Rede)

Ex ori|en|te lux [lat.] Aus dem Osten (kommt) das Licht (ursprüngl. vom Sonnenaufgang gesagt, dann von Christentum und Kultur)

ex|or|zie|ren *auch:* **e|xor-, ex|or|zi|sie|ren** *auch:* **e|xor-** [griech.] *tr. 3* austreiben, beschwören (böse Geister); **Ex|or|zis|mus** *auch:* **E|xor-** *m. Gen. - nur Ez.* Geisterbeschwörung, -austreibung; **Ex|or|zist** *auch:* **E|xor- 1** Geisterbeschwörer; **2** *kath. Kirche:* Träger des dritten Grades der vier niederen Weihen

E|xo|sphä|re *auch:* **E|xos|phä|re** [griech.] *w. 11* oberste Schicht der Atmosphäre

E|xot [griech.] *m. 10,* **E|xo|te** *m. 11* jmd., der aus einem fernen Land stammt (auch von Tieren, Pflanzen, Wertpapieren); **E|xo|te|ri|ker** *m. 5* Nichteingeweihter, Außenstehender; *Ggs.:* Esoteriker; **e|xo|te|risch** für die Öffentlichkeit, die Allgemeinheit, nicht nur für Eingeweihte bestimmt; *Ggs.:* esoterisch

e|xo|therm [griech.] Wärme abgebend; *Ggs.:* endotherm

E|xo|tik [griech.] *w. 10 nur Ez.* das Fremdländische (eines Lebewesens, einer Sache), fremdländ. Wesen; **E|xo|ti|ka** *s. Mz., Ez.* -kum fremdländ. Kunstwerke; **e|xo|tisch** aus fernen Ländern stammend

ex o|vo [lat. »aus dem Ei«] = ab ovo

Ex|pan|der [lat.] *m. 5* Gerät zum Kräftigen der Muskeln, wobei elast. Seile auseinandergezogen werden müssen; **ex|pan|die|ren** *tr. 3* ausdehnen, auseinanderziehen; **ex|pan|si|bel** ausdehnbar; **Ex|pan|si|on** *w. 10* Ausdehnung, Ausbreitung; **Ex|pan|si|ons|kraft,** Ex|pan|siv|kraft *w. 2;* **Ex|pan|si|ons|po|li|tik** *w. 10 nur Ez.;* **ex|pan|siv** (sich) ausdehnend; **Ex|pan|siv|kraft** *w. 2* = Expansionskraft

Ex|pa|tri|a|ti|on [lat.] *w. 10* Ausbürgerung; **ex|pa|tri|ie|ren** *tr. 3* ausbürgern, die Staatsbürgerschaft entziehen; **Ex|pa|tri|ie|rung** *w. 10*

Ex|pe|di|ent [lat.] *m. 10* Angestellter, der Waren zum Versand fertig macht; **ex|pe|die|ren** *tr. 3* zum Versand fertig machen und verschicken; **Ex|pe|dit** *s. 1; österr.:* Versandabteilung (einer Firma); **Ex|pe|di|teur** [-tør] *m. 1, österr.:* Spediteur; **Ex|pe|di|ti|on** *w. 10* **1** das Verschicken, Absendung; **2** Versandabteilung (einer Firma); **Ex|pe|di|tor** *m. 13, österr. für* Expedient

Ex|pek|to|rans, Ex|pek|to|ran|ti|um [-tsjum, lat.] *s. Gen. - bzw.* -s *Mz.* -ran|tia [-tsja] *oder* -ran|zi|en Schleim lösendes Mittel, Hustenmittel; **Ex|pek|to|ra|ti|on** *w. 10* **1** Aushusten (von Schleim); **2** Auswurf; **3** *veraltet:* Aussprechen (von Gefühlen); **ex|pek|to|rie|ren** *tr. 3*

Ex|pel|lan|ti|um [-tsjum, lat.] *s. Gen.* -s *Mz.* -tia [-tsja] *oder* -zi|en aus-, abtreibendes Mittel; **ex|pel|lie|ren** *tr. 3, veraltet:* vertreiben, austreiben

Ex|pen|sa|ri|um [lat.] *s. Gen.* -s *Mz.* -ri|en Kostenaufstellung; **Ex|pen|sen** *nur Mz.* Kosten, bes. Gerichtskosten; **ex|pen|siv** teuer, kostspielig

Ex|pe|ri|ment [lat.] *s. 1* **1** (bes. wissenschaftl.) Versuch; **2** (gewagtes) Unternehmen; **ex|pe|ri|men|tal** *selten für* experimentell; **Ex|pe|ri|men|tal|phy|sik** *w. 10 nur Ez.;* **Ex|pe|ri|men|ta|tor** *m. 13* jmd., der Experimente vorführt; **ex|pe|ri|men|tell** mit Hilfe von Experimenten; **ex|pe|ri|men|tie|ren** *intr. 3* Experimente durchführen, Versuche machen

ex|pert [lat.] sachverständig, sachkundig, fachmännisch; **Ex|per|te** *m. 11* Sachverständiger, erfahrener Fachmann; **Ex|per|ti|se** *w. 11* Gutachten durch einen Experten; **ex|per|ti|sie|ren** *tr. 3, selten:* sachverständig, fachmännisch prüfen

Expl. *Abk. für* Exemplar

Ex|pla|na|ti|on [lat.] *w. 10* Erklärung (von literar. Texten); **ex|pla|na|tiv** erläuternd; **ex|pla|nie|ren** *tr. 3*

Ex|plan|ta|ti|on [lat.] *w. 10* Züchtung von Zellen oder Gewebe auf künstl. Nährboden

ex|pli|cit [lat.] es ist zu Ende (Vermerk am Schluss von Frühdrucken und Handschriften); *Ggs.:* incipit; **Ex|pli|ka|ti|on** *w. 10* Erklärung, Erläuterung; **ex|pli|zie|ren** *tr. 3;* **ex|pli|zit** erläutert, erklärt, ausführlich (dargestellt); *Ggs.:* implizit; **ex|pli|zi|te** [-te:] ausdrücklich, deutlich

ex|plo|die|ren [lat.] *intr. 3* zerplatzen, knallend bersten

Ex|plo|i|ta|ti|on (frz.) *w. 10* Ausbeutung, Ausnutzung; **ex|plo|i|tie|ren** *tr. 3* ausbeuten, nutzbar machen

Ex|plo|ra|ti|on [lat.] *w. 10* **1** Erforschung; **2** ärztliche Untersuchung und Befragung; **3** *Psych.:* Informationsgespräch mit gezielter Befragung; **ex|plo|rie|ren** *tr. 3* **1** erforschen; **2** ärztlich untersuchen und befragen

ex|plo|si|bel [lat.] = explosiv (**1**); **Ex|plo|si|on** *w. 10* **1** sehr schnelles Abbrennen eines Sprengstoffes; **2** knallendes

Bersten, Zerplatzen eines Hohlkörpers durch Druck von innen; *Ggs.:* Implosion; **3** sehr rasches Wachstum (einer Menge); **Ex|plo|si|ons|ge|fahr** *w. 10;* **Ex|plo|si|ons|mo|tor** *m. 12* Verbrennungsmotor; **ex|plo|siv** **1** ex|plo|si|bel, leicht explodierend; **2** *übertr. ugs.:* leicht erregbar, zu Wutausbrüchen neigend; **Ex|plo|siv|laut** *m. 1* = Verschlusslaut; **Ex|plo|siv|stoff** *m. 1* Sprengstoff

Ex|po|nat [lat.] *s. 1* Ausstellungsstück; **Ex|po|nent** *m. 10* **1** Hochzahl einer Potenz; **2** in der Öffentlichkeit bekannter Vertreter (einer Strömung, Partei o. Ä.); **Ex|po|nen|ti|al|funk|ti|on** [-tsjal-] *w. 10* math. Funktion, bei der die Veränderliche als Potenz auftritt; **Ex|po|nen|ti|al|glei|chung** [-tsjal-] *w. 10* Gleichung, bei der die Unbekannte im Exponenten einer Potenz auftritt; **Ex|po|nen|ti|al|röh|re** [-tsjal-] *w. 11, Rundfunk:* den Schwund ausgleichende Elektronenröhre, Regelröhre; **ex|po|nie|ren** *tr. 3* **1** (einer Gefahr) aussetzen; **2** *Fot.:* dem Licht aussetzen (Film), belichten; **3** sich e.: sich Angriffen aussetzen; in exponierter Stellung stehen

Ex|port [lat.] *m. 1* Ausfuhr (von Waren); *Ggs.:* Import; **Ex|por|te** *w. 11 meist Mz.* Ausfuhrware; **Ex|por|teur** [-tør] *m. 1* Kaufmann, *auch:* Firma im Exporthandel; *Ggs.:* Importeur; **Ex|port|han|del** *m. Gen.* -s *nur Ez.;* **ex|por|tie|ren** *tr. 3* ins Ausland verkaufen, ausführen; *Ggs.:* importieren

Ex|po|sé *Nv.* ► **Ex|po|see** *Hv.* [frz.] *s. 9* **1** Bericht, Darlegung; **2** ausgearbeiteter Entwurf, Handlungsskizze zu einem literar. Werk oder Film; **Ex|po|si|ti|on** *w. 10* **1** Ausstellung; **2** Darlegung; **3** Einführung (im ersten Akt eines Dramas) in die vor Beginn des Stückes abgelaufene Handlung; **4** *Mus.:* erster Teil des Sonatensatzes; **Ex|po|si|tur** *w. 10* **1** Seelsorgebezirk, Nebenkirche ohne eigenen Pfarrer; **2** *österr.:* auswärtiges Zweiggeschäft; **3** *österr.:* in einem anderen Gebäude untergebrachter Teil einer Schule; **Ex|po|si|tus** *m. Gen.* - *Mz.* -ti Pfarrer auf einer Nebenstelle

ex|preß ► **ex|press** [lat.] eilig, mit Eilpost; eine Sendung e. schicken; **Ex|preß** ► **Ex|press** *m. 1* Fernschnellzug, *in Zus. wie* Orientexpress; **Ex|preß|bo|te** ► **Ex|press|bo|te** *m. 11, veraltet:* Eilbote; **Ex|preß|brief** ► **Ex|press|brief** *m. 1, veraltet, noch österr.:* Eilbrief; **Ex|preß|gut** ► **Ex|press|gut** *s. 4*

Ex|pres|si|on [lat.] *w. 10* **1** *veraltet:* Ausdruck; **2** *Med.:* Herauspressen (des Kindes bei bestimmter Lage oder der Nachgeburt); **Ex|pres|si|o|nis|mus** *m. Gen.* - *nur Ez.* Ausdruckskunst, Kunstrichtung Anfang des 20. Jh.; **Ex|pres|si|o|nist** *m. 10* Vertreter des Expressionismus; **ex|pres|si|o|nis|tisch; ex|pres|sis ver|bis** mit ausdrücklichen Worten, ausdrücklich; **ex|pres|siv** ausdrucksvoll, mit betontem Ausdruck; **Ex|pres|si|vi|tät** *w. 10 nur Ez.* **1** Ausdruckskraft; **2** Ausgeprägtheit (einer Erbanlage)

ex pro|fes|so [lat.] **1** von Berufs wegen, von Amts wegen; **2** absichtlich

Ex|pro|mis|si|on [lat.] *w. 10* Übernahme einer Schuld durch einen Dritten

Ex|pul|si|on [lat.] *w. 10* Aus-, Vertreibung; **ex|pul|siv** *Med.:* abführend, austreibend

ex|qui|sit [lat.] erlesen, ausgezeichnet, vorzüglich; **Ex|qui|sit|la|den** *m. 8, ehem. DDR:* Geschäft für hochwertige, teure Textilien und Schuhwaren

Ex|se|kra|ti|on [lat.] *w. 10* Verwünschung, Verfluchung; **ex|se|krie|ren** *tr. 3*

Ex|sik|kans [lat.] *s. Gen.* - *Mz.* -kan|tia [-tsja] *oder* -kan|zi|en, *Chem.:* austrocknendes Mittel; **Ex|sik|ka|ti|on** *w. 10 nur Ez., Chem.:* Austrocknung; **ex|sik|ka|tiv** austrocknend; **Ex|sik|ka|tor** *m. 13* Gefäß zum Austrocknen wasserhaltiger und zum Aufbewahren trockener Chemikalien

Ex|spek|tant [lat.] *m. 10, veraltet:* Anwärter (auf eine Stelle im Staats- oder Kirchendienst); **Ex|spek|tanz** *w. 10, veraltet:* Anwartschaft; **Ex|spek|ta|ti|on** *w. 10 nur Ez., Med.:* abwartende Behandlung; **ex|spek|ta|tiv** **1** eine Anwartschaft gewährend, in Aussicht stellend; **2** *Med.:* abwartend

Ex|spi|ra|ti|on [lat.] *w. 10* Ausatmung; *Ggs.:* Inspiration (**2**); **ex|spi|ra|to|risch** **1** auf Ausatmung beruhend, mit Ausatmung einhergehend; **2** mit starker Betonung; **ex|spi|rie|ren** *intr. 3* ausatmen

Ex|stir|pa|ti|on [lat.] *w. 10* vollständige operative Entfernung eines erkrankten Organs; **ex|stir|pie|ren** *tr. 3*

Ex|su|dat [lat.] *s. 1* **1** *Med.:* infolge Entzündung abgesonderte Flüssigkeit; **2** *Zool.:* Drüsenabsonderung (bei Insekten); **Ex|su|da|ti|on** *w. 10* Ausschwitzung einer Flüssigkeit; **ex|su|da|tiv** mit entzündl. Absonderung einhergehend

Ex|tem|po|ra|le [lat.] *s. Gen.* -s *Mz.* -s *oder* -li|en, *veraltet:* unvorbereitete schriftl. Klassenarbeit; **ex tem|po|re** [-re:] aus dem Stegreif, unvorbereitet; **Ex|tem|po|re** *s. 9* Rede, Zusatz aus dem Stegreif; **ex|tem|po|rie|ren** *tr. 3* aus dem Stegreif sprechen oder spielen

Ex|ten|ded [engl.] *w. Gen.* - *nur Ez.* eine Antiqua-Druckschrift; **ex|ten|die|ren** *tr. 3* ausdehnen, erweitern; **ex|ten|si|bel** ausdehnbar; **Ex|ten|si|bi|li|tät** *w. 10 nur Ez.* Ausdehnbarkeit; **Ex|ten|si|on** *w. 10* **1** Ausdehnung; **2** Streckung (eines Gliedes bei Verrenkung oder Knochenbruch); **Ex|ten|si|tät,** Ex|ten|si|ti|vi|tät *w. 10 nur Ez.* Ausdehnung, Umfang; **ex|ten|siv** **1** der Ausdehnung nach, räumlich; **2** ausgedehnt, umfassend; **3** *Rechtsw.:* ausdehnend, erweiternd (beim Auslegen eines Gesetzes); *Ggs.:* restriktiv; extensive Wirtschaft: auf großer Fläche betriebene, vor allem den Boden ausnutzende Wirtschaft; **ex|ten|si|vie|ren** *tr. 3* in die Breite wirken lassen; **Ex|ten|si|ti|vi|tät** *w. 10 nur Ez.* = Extensität; **Ex|ten|sor** *m. 13* Streckmuskel; *Ggs.:* Flexor

Ex|te|ri|eur [-riør, frz.] *s. 9* Äußeres, äußere Erscheinung, Außenseite; **Ex|te|ri|o|ri|tät** *w. 10, veraltet:* Äußeres

Ex|ter|mi|na|ti|on [lat.] *w. 10 nur Ez.* **1** Ausweisung, Vertreibung; **2** Ausrottung; **ex|ter|mi|nie|ren** *tr. 3*

ex|tern [lat.] **1** draußen befindlich, auswärtig; **2** außerhalb des Internats wohnend; *Ggs.:* intern

(3); **Ex|ter|nat** *s. 1* Schule, deren Schüler nicht im Schulgebäude wohnen; *Ggs.:* Internat; **Ex|ter|ne(r)** *m. 18 (17) bzw. w. 17 oder 18* **1** Schüler(in), der (die) nicht im Internat wohnt; *Ggs.:* Interne(r); **2** Schüler(in), der (die) die Abschlussprüfung an einer Schule ablegt, sich aber privat darauf vorbereitet hat; **Ex|ter|nist** *m. 10, österr. für* Externer; **Ex|ter|num** *s. Gen.* -s *Mz.* -na äußerlich anzuwendendes Heilmittel

ex|ter|ri|to|ri|al [lat.] der Staatsgewalt des Gastlandes nicht unterstellt; **ex|ter|ri|to|ri|a|li|sie|ren** *tr. 3;* jmdn. e.: jmdm. Exterritorialität gewähren; **Ex|ter|ri|to|ri|a|li|tät** *w. 10 nur Ez.* Unabhängigkeit von der Staatsgewalt des Gastlandes (bes. bei Botschaftern)

Ex|tink|ti|on [lat.] *w. 10* **1** *veraltet:* Tilgung, Auslöschung; **2** Abschwächung einer Strahlung beim Durchgang durch einen trüben Stoff, z. B. des Sonnen- und Sternenlichtes durch die Erdatmosphäre

ex|tor|quie|ren [lat.] *tr. 3, veraltet:* erpressen, erzwingen; **Ex|tor|si|on** *w. 10, veraltet:* Erpressung

ex|tra [lat.] *unflektierbar* **1** zusätzlich, dazu, über das Vereinbarte, Übliche hinaus; ein extra Trinkgeld; **2** besonders, für sich; das wird extra berechnet; **3** außergewöhnlich; extra fein; etwas extra Feines; **Ex|tra** *s. 9 meist Mz.* **1** Sonderzubehör, das für sich zu bezahlen ist; **2** Sonderleistung, die nicht im Pauschalpreis inbegriffen ist (z. B. Getränke); **Ex|tra|aus|ga|be** *w. 11,* **Ex|tra|blatt** *s. 4* Sondernummer (einer Zeitung); **ex|tra dry** [-draɪ, engl.] *bei alkohol. Getränken:* besonders trocken, herb; **ex|tra|ga|lak|tisch** außerhalb der Milchstraße; **ex|tra|hart**

Ex|tra|hent [lat.] *m. 10* **1** jmd., der einen Auszug aus einem Buch macht oder gemacht hat; **2** *veraltet:* jmd., auf dessen Antrag eine Verfügung erlassen wird; **ex|tra|hie|ren** *tr. 3* **1** herausschreiben, ausziehen (aus einem Schriftwerk); **2** herausziehen (Zahn); **3** mit Lösungsmittel herauslösen (Bestandteile aus einem Stoff); **4** *veraltet:* durch Antrag erwirken (Verfügung); **Ex|trakt** *m. 1* **1** Auszug (aus einem Buch, aus einem pflanzl. oder tier. Stoff); **2** Hauptinhalt, kurzgefasste Inhaltsangabe; **Ex|trak|teur** [-tøːr] *m. 1* Gerät zum Extrahieren (aus Stoffen); **Ex|trak|ti|on** *w. 10* das Herausziehen, Herauslösen; **ex|trak|tiv** **1** mittels Extraktion; **2** auslaugend, herauslösend; **Ex|trak|tiv|stoff** *m. 1* durch Extraktion gewonnener oder zu gewinnender Stoff

ex|tra|mun|dan [lat.] *Philos.:* außerweltlich; *Ggs.:* intramundan

ex|tra|mu|ral, ex|tra mu|ros [-roːs, lat.] außerhalb der Stadtmauern (gelegen)

ex|tran [lat.] *veraltet:* ausländisch, fremd; **Ex|tra|ne|er, Ex|tra|ner** *m. 5,* **Ex|tra|ne|us** *m. Gen. - Mz.* -nei [-neːi], *veraltet für* Externer

ex|tra|or|di|när [frz.] außergewöhnlich; **Ex|tra|or|di|na|ri|at** *s. 1* Amt eines Extraordinarius; **Ex|tra|or|di|na|ri|um** *s. Gen.* -s *Mz.* -ri|en außerordentlicher (d. h. einmalige Einnahmen und Ausgaben umfassender) Staatshaushaltsplan; **Ex|tra|or|di|na|ri|us** *m. Gen. - Mz.* -ri|en außerordentl. Professor

Ex|tra|po|la|ti|on [lat.] *w. 10* Schluss von Funktionswerten innerhalb eines mathemat. Bereichs auf solche außerhalb dieses Bereichs; *Ggs.:* Interpolation; **ex|tra|po|lie|ren** *tr. 3*

Ex|tra|post *w. 10, früher:* Postwagen außerhalb des üblichen Linienverkehrs, eigens gemieteter Postwagen

Ex|tra|sys|to|le [auch: ɛks-, griech.] *w. 11* vorzeitige Zusammenziehung des Herzens

ex|tra|ter|res|trisch [lat.] außerhalb der Erde und Erdatmosphäre befindlich

Ex|tra|tour [-tuːr] *w. 10* eigenwilliges Verhalten oder Handeln innerhalb einer Gemeinschaft; Extratouren machen

ex|tra|u|te|rin [lat.] außerhalb der Gebärmutter (des Uterus) liegend

ex|tra|va|gant [auch: ɛks-, lat.] ausgefallen, ungewöhnlich, aus dem Rahmen fallend; **Ex|tra|va|ganz** [auch: ɛks-] *w. 10* extravagantes Benehmen, Aussehen

Ex|tra|ver|si|on [lat.] *w. 10 nur Ez.* extravertiertes Verhalten, Wesen; *Ggs.:* Introversion; **ex|tra|ver|tiert** [auch: ɛks-], ex|tro|ver|tiert der Außenwelt zugewandt, an äußeren Objekten interessiert; *Ggs.:* introvertiert

Ex|tra|wurst *w. 2*

ex|tra|zel|lu|lär [lat.] außerhalb der Zelle befindlich

Ex|tra|zim|mer *s. 5 österr.:* kleiner, abgesonderter Raum im Restaurant

ex|trem [lat.] äußerst, übertrieben; radikal; die extreme Linke; extreme Werte: Maximum und Minimum; **Ex|trem** *s. 1* äußerste Grenze, höchster Grad oder Wert, äußerster möglicher Standpunkt, äußerster Gegensatz; von einem E. ins andere fallen; **Ex|tre|mis|mus** *m. Gen. - nur Ez.* übersteigert radikale Einstellung; **Ex|tre|mist** *m. 10;* **ex|tre|mis|tisch; Ex|tre|mi|tät** *w. 10* **1** äußerstes Ende; **2** *meist Mz.* Gliedmaße, Arm, Bein; die oberen, unteren Extremitäten; **Ex|tre|mum** *s. Gen.* -s *Mz.* -ma, **Ex|trem|wert** *m. 1* äußerster Wert, Maximum bzw. Minimum

ex|trors [lat.] *bei Blütenpflanzen:* nach außen gewendet (Staubbeutel); *Ggs.:* intrors

ex|tro|ver|tiert = extravertiert

Ex|tru|si|on [lat.] *w. 10* Vulkanausbruch; **ex|tru|siv** aus einer Extrusion herrührend; **Ex|tru|siv|ge|stein** *s. 1* Ergussgestein

ex|u|be|rans *auch:* **e|xu-** [lat.] *Med.:* stark wuchernd; **ex|u|be|rant** *auch:* **e|xu-** *veraltet:* **1** üppig; **2** überschwänglich; **Ex|u|be|ranz** *auch:* **E|xu-** *w. 10* **1** Üppigkeit; **2** Überschwänglichkeit, Schwulst

Ex|u|lant *auch:* **E|xu-** [lat.] *m. 10, veraltet:* Verbannter, Vertriebener (bes. um seines Glaubens willen); **ex|u|lie|ren** *auch:* **e|xu-** *tr. 3, veraltet:* verbannen, vertreiben

Ex|ul|ze|ra|ti|on [lat.] *w. 10* Geschwürbildung; **ex|ul|ze|rie|ren** *intr. 3* ein Geschwür bilden, schwären, sich geschwürartig verändern

ex u|su [lat.] aus dem Gebrauch heraus, durch Übung

Ex|u|vi|en *auch:* **E|xu|vi|en** [lat.] *Mz.* **1** abgestreifte Tierhaut, z. B. Schlangenhaut; **2** Siegesbeute; **3** als Reliquien aufbewahrte Gewänder oder Teile davon

ex vo|to [lat.] aus einem Gelübde heraus (Inschrift auf Votivgaben); **Ex|vo|to** *s. Gen.* -s *Mz.* -s *oder* -ten Weihgeschenk

Exz. *Abk. für* Exzellenz

ex|zel|lent [lat.] ausgezeichnet, vortrefflich; **Ex|zel|lenz** *w. 10* (*Abk.:* Exz.) früher Titel von hohen Beamten, heute noch von Botschaftern und Gesandten; Euer Exzellenz (als Anrede); **ex|zel|lie|ren** *intr. 3* hervorragen, glänzen

Ex|zen|ter [lat.] *m. 5,* **Ex|zen|ter|schei|be** *w. 11* Steuerungsscheibe, deren Drehpunkt nicht in ihrem Mittelpunkt liegt; **Ex|zen|trik** *w. 10 nur Ez.* Form der Artistik, die mit grotesker Komik dargeboten wird; **Ex|zen|tri|ker** *m. 5* **1** Artist der Exzentrik; **2** jmd., der überspannt ist; **ex|zen|trisch 1** außerhalb des Mittelpunktes liegend; exzentrische Kreise: Kreise, die keinen gemeinsamen Mittelpunkt haben; *Ggs.:* konzentrische Kreise; **2** überspannt, verschroben;

Ex|zen|tri|zi|tät *w. 10 nur Ez.* **1** Abweichung, Abstand vom Mittelpunkt; **2** Überspanntheit

Ex|zep|ti|on [lat.] *w. 10, veraltet:* Ausnahme; Einrede; vgl. Exceptio; **Ex|zep|ti|o|na|lis|mus** *m. Gen. - nur Ez.* veraltete Lehre, dass in der Frühzeit der Erdgeschichte andere Kräfte wirksam gewesen seien als heute; **ex|zep|ti|o|nell** ausnahmsweise (eintretend), außergewöhnlich; **ex|zep|tiv** ausschließend

ex|zer|pie|ren [lat.] *tr. 3* herausschreiben (aus Büchern); **Ex|zerpt** *s. 1* Buchauszug

Ex|zeß ► **Ex|zess** [lat.] *m. 1* Ausschreitung, Überschreitung gesellschaftl. Grenzen, Ausschweifung; **ex|zes|siv** das normale Maß überschreitend, maßlos, ausschweifend; exzessives Klima: Kontinentalklima mit großen Temperaturschwankungen

ex|zi|die|ren [lat., zu: Exzision] *tr. 3, Med.:* herausschneiden

ex|zi|pie|ren [lat.] *tr. 3, veraltet:* als Ausnahme darstellen, ausnehmen

Ex|zi|si|on [lat., zu: exzidieren] *w. 10, Med.:* Herausschneiden

ex|zi|ta|bel [lat.] reizbar, erregbar; **Ex|zi|ta|bi|li|tät** *w. 10 nur Ez.;* **Ex|zi|tans** *s. Gen. - Mz.* -tan|tia [-tsja] *oder* tan|zi|en anregendes Heilmittel; **Ex|zi|ta|ti|on** *w. 10* Erregung, Anregung, Aufreizung, Aufmunterung; **ex|zi|ta|tiv** anregend, erregend; **ex|zi|tie|ren** *tr. 3*

Eye|cat|cher [aɪkɛtʃər, engl.] *m. Gen.* --s *Mz.* --s, *Werbung:* Blickfang

Eye|li|ner [aɪlaɪnər, engl.] *m. 5* Stift oder Pinsel sowie Farbe zum Betonen der Augenlidränder

Ey|rir *m. oder s. Gen. - Mz.* Au|rar isländ. Währungseinheit, 1/100 Krona

E|ze|chi|el [-çie:l], *bei Luther:* He|se|ki|el ein Prophet im AT

EZU *Abk. für* Europäische Zahlungsunion

F

f 1 *Abk. für* forte; **2** *Abk. für* f-Moll; **3** *Abk. für* Fillér
F 1 *Abk. für* F-Dur; **2** *Abk. für* Fahrenheit, Farad; **3** *chem. Zeichen für* Fluor; **4** internat. Kfz-Kennzeichen für Frankreich
f. 1 *Abk. für* (und) folgende (Seite); **2** *Abk. für* für
Fa. *Abk. für* Firma
Fa|bel [lat.] *w. 11* **1** lehrhafte, erdichtete Geschichte (z. B. Tierfabel); **2** das Wesentliche einer Dichtung; **Fa|bel|lei** *w. 10;* **fa|bel|haft; fa|beln** *tr. 1;* ich fabele, fable (etwas); **Fa|bel|tier** *s. 1;* **Fa|bel|we|sen** *s. 7*
Fa|bi|a|nis|mus *m. Gen. - nur Ez.* die Lehre der →Fabier; **Fa|bi|er** [nach dem altröm. Feldherrn Fabius Cunctator] *m. 5* Angehöriger der Fabian Society, einer 1883 gegründeten engl. sozialist. Vereinigung

> **Fabrik** (Worttrennung): Neben der bisher üblichen Trennung (*Fa|brik*) besteht auch die Möglichkeit bei zwei oder mehreren Konsonanten, dass der letzte – entsprechend der Aussprache – auf die folgende Zeile gesetzt wird: *Fab|rik.* →§ 108
> Entsprechend: *fa|bri|zie|ren/fab|ri|zie|ren* usw.

Fa|brik *auch:* **Fab|rik** [auch: -brik] *w. 10;* **Fa|brik|an|la|ge** *w. 11;* **Fa|bri|kant** *m. 10;* **Fa|brik|ar|bei|ter** *m. 5;* **Fa|bri|kat** *s. 1;* **Fa|bri|ka|ti|on** *w. 10;* **Fa|brik|be|sit|zer** *m. 5;* **fa|brik|neu; Fa|briks|ar|bei|ter** *m. 5, österr.;* **Fa|briks|be|sit|zer** *m. 5, österr.;* **Fa|brik|si|re|ne** *w. 11;* **fa|briks|neu** *österr.;* **fa|bri|zie|ren** *tr. 3*
fa|bu|la do|cet [lat. »die Fabel lehrt«] die Moral von der Geschichte ist ...; **Fa|bu|lant** *m. 10* jmd., der fabuliert; Schwätzer; **fa|bu|lie|ren** *intr. 3* fantasievoll erzählen; Geschichten erfinden; **Fa|bu|list** *m. 10, veraltet:* Fabeldichter; **fa|bu|lös** *ugs. scherzh.:* märchenhaft, unglaubhaft
Face [fas, frz.] *w. 11, veraltet:* Vorderansicht; **Fa|cet|te** [-sɛtə] ► *auch:* **Fas|set|te** *w. 11* **1** kleine geschliffene Fläche (an Edelsteinen und Glasgegenständen);

> **Facette/Fassette:** Die fremdsprachige Form gilt als Hauptvariante *(Facette),* die eingedeutschte Schreibweise als zulässige Nebenvariante *(Fassette).* →§ 32 (2)

2 schräge Kante an Klischees zum Befestigen an der Druckunterlage; **Fa|cet|ten|au|ge** [-sɛt-] ► *auch:* **Fas|set|ten|au|ge** *s. 14* = Netzauge; **Fa|cet|ten|schliff** [-sɛt-] ► *auch:* **Fas|set|ten|schliff** *m. 1;* **fa|cet|tie|ren** [-sɛt-] ► *auch:* **fas|set|tie|ren** *tr. 3* mit Facetten versehen
Fach *s. 4*
...fach; zweifach, das Zweifache; 2fach; x-fach, n-fach
Fach|ar|bei|ter *m. 5;* **Fach|arzt** *m. 2;* **fach|ärzt|lich; Fach|aus|bil|dung** *w. 10;* **Fach|aus|druck** *m. 2;* **Fach|bi|bli|o|thek** *auch:* **-bib|li-** *w. 10*
fä|cheln *intr. 1;* ich fächele, fächle; **fa|chen** *tr. 1* **1** anfachen; **2** Flachs f.: brechen; **Fä|cher** *m. 5;* **fä|che|rig; fä|chern** *tr. 1;* **Fä|cher|pal|me** *w. 11*
Fach|frau *w. 10;* **Fach|ge|biet** *s. 1;* **fach|ge|mäß; fach|ge|recht; Fach|hoch|schu|le** *w. 11* (*Abk.:* FH); **Fach|kennt|nis|se** *w. 1 Mz.;* **Fach|kraft** *w. 2;* **fach|kun|dig; Fach|leh|rer** *m. 5;* **fach|lich; Fach|li|te|ra|tur** *w. 10;* **Fach|mann** *m. 4, Mz. auch:* -leute; **fach|män|nisch; Fach|schaft** *w. 10* alle Angehörigen einer Berufsgruppe; **Fach|schu|le** *w. 11;* **Fach|schü|ler** *m. 5;* **Fach|sim|pe|lei** *w. 10 nur Ez.;* **fach|sim|peln** *intr. 1* mit Kollegen über Themen des eigenen Fachgebiets diskutieren; ich fachsimpele, fachsimple; **Fach|spra|che** *w. 11;* **Fach|un|ter|richt** *m. 1;* **Fach|werk** *s. 1* Rahmenwerk aus Holz oder Metall für Gebäude; **Fach|werk|haus** *s. 4;* **Fach|wis|sen** *s. Gen. -s nur Ez.;* **Fach|wis|sen|schaft** *w. 10;* **fach|wis|sen|schaft|lich; Fach|wör|ter|buch** *s. 4;* **Fach|zeit|schrift** *w. 10*
Fa|ci|a|lis *m. Gen. - nur Ez.* = Fazialis
Fa|ckel *w. 11;* **fa|ckeln** *intr. 1* zögern; *nur in verneinenden Wendungen:* ich fackele, fackle nicht lange; vorwärts, nicht lange gefackelt!; **Fa|ckel|zug** *m. 2*
Fa|çon [fasõ, frz.] *w. 9, frz. Schreibung von* Fasson; Façon de parler [fasõ də parle]: die Art zu reden, Sprechweise; leere Redensart
Fact [fɛkt, engl.] *m. 9, meist Mz.* Tatsache, Tatsachenmaterial
Fac|to|ring [fɛktə-, engl.] *s. 9 nur Ez.* eine Form der Absatzfinanzierung und Absicherung des Kreditrisikos
Fa|cul|tas do|cen|di [lat. »die Fähigkeit zu lehren«] *w. Gen. - - Mz. - -* Lehrbefähigung (für eine Hochschule)
fad, fa|de [frz.]
Fäd|chen *s. 7*
fä|deln *tr. 1;* ich fädele, fädle es;
Fa|den 1 *m. 8;* **2** *m. Gen. -s Mz. -, Seew. früher:* Längenmaß hauptsächl. zum Messen der Wassertiefe, etwa 1,80 m; *Textilindustrie:* Einheit für die Garnlänge; **fa|den|dünn; Fa|den|ge|ber** *m. 5* Teil der Nähmaschine; **fa|den|ge|ra|de; Fa|den|kreuz** *s. 1;* **Fa|den|lauf** *m. 2;* **Fa|den|mo|le|kül** *s. 1;* **Fa|den|nu|del** *w. 11;* **fa|den|schei|nig; Fa|den|schei|nig|keit** *w. 10 nur Ez.;* **Fa|den|schlag** *m. 2, schweiz.* **1** lockere, geheftete Naht; **2** *übertr.:* Vorbereitung; **Fa|den|wurm** *m. 4;* **Fa|den|zäh|ler** *m. 5*
Fad|heit *w. 10*
Fa|ding [fɛɪ-, engl.] *s. 9 nur Ez., Rundfunk:* Schwund
Fae|ces [fɛtse:s] *Mz.:* = Fäzes
Faf|ner, Faf|nir *german. Myth.:* Drache, der den Nibelungenhort bewacht
Fa|gott [ital.] *s. 1* ein Holzblasinstrument; **Fa|got|tist** *m. 10* Fagottspieler
Fä|he *w. 11* weibl. Fuchs, Wolf, Dachs, Marder, Iltis sowie weibl. Wiesel
fä|hig; Fä|hig|keit *w. 10*
fahl blass, farblos, bleich; **Fahl|erz** *s. 1* ein Mineral; **fahl|gelb; Fahl|heit** *w. 10 nur Ez.;* **Fahl|le|der** *s. 5* Rindsleder für Arbeitsschuhe; **Fahl|wild** *s. Gen. -(e)s Mz. -* = Steinwild
Fähn|chen *s. 7*

► = wird zu

fahn|den *intr. 2;* **Fahn|dung** *w. 10;* **Fahn|dungs|buch** *s. 4*
Fah|ne *w. 11; auch ugs.:* nach Alkohol riechender Atem; eine F. haben; *Buchw.:* Korrekturabzug eines Schriftsatzes; **Fahnen|eid** *m. 1;* **Fah|nen|flucht** *w. 10 nur Ez.;* **fah|nen|flüch|tig; Fah|nen|jun|ker** *m. 5;* **Fah|nen-kor|rek|tur** *w. 10;* **Fah|nen|mast** *m. 12;* **Fah|nen|stan|ge** *w. 11;* **Fähn|lein** *s. 7, 16./17. Jh.:* Kampf- und Verwaltungseinheit der Landsknechte; **Fähn-rich** *m. 1* **1** *früher:* Fahnenträger; **2** *heute:* Offiziersanwärter
Fahr|aus|weis *m. 1* Führerschein; vgl. Fahrtausweis; **Fahr|bahn** *w. 10;* **fahr|bar; Fahr|bar|keit** *w. 10 nur Ez.;* **fahr|be|reit; Fahr|be|reit|schaft** *w. 10 nur Ez.*
Fähr|be|trieb *m. 1;* **Fähr|boot** *s. 1*
Fahr|damm *m. 2;* **Fahr|dienst** *m. 1* **Fahr|dienst|lei|ter** *m. 5*
Fäh|re *w. 11*

> **fahren:** Das bisherige Nebeneinander der Schreibweisen von radfahren und Auto fahren ist aufgehoben. Man schreibt das Substantiv stets mit großem Anfangsbuchstaben: *Rad fahren, ich fahre Rad* bzw. *Auto fahren, ich fahre Auto.* →§ 34 E3 (5)

fah|ren *intr. u. tr. 32;* fahrende Leute; jmdn. mit dem Auto f. lassen; etwas fahren lassen: aufgeben; fahren lernen
Fah|ren|heit [nach dem Physiker Daniel Gabriel F.] *s. Gen.* - *Mz.* - (*Abk.:* F) Maßeinheit einer 180teiligen Temperaturskala

> **fahren lassen:** Gefüge aus Verb (Infinitiv) und Verb werden getrennt geschrieben: *fahren lassen, liegen lassen, fallen lassen, spazieren gehen.* →§ 34 E3 (6)

fah|ren|las|sen ► **fah|ren las-sen** *tr. 75;* **Fah|rens|mann** *m. 4, Mz. auch:* -leu|te Seemann; **Fah|rer** *m. 5;* **Fah|re|rei** *w. 10 nur Ez.;* **Fah|rer|flucht** *w. 10 nur Ez.;* **Fahr|er|laub|nis** *w. 1;* **Fahr-gast** *m. 2;* **Fahr|geld** *s. 3;* **Fahr-ge|le|gen|heit** *w. 10;* **Fahr|ge-schwin|dig|keit** *w. 10;* **Fahr|ge-stell** *s. 1;* **Fahr|hal|be** *w. 11 schweiz. für* Fahrnis; **Fahr|hau-er** *m. 3, Bgb.:* Gehilfe des Steigers; **fah|rig** nervös, unausgeglichen; **Fah|rig|keit** *w. 10 nur Ez.;* **Fahr|kar|te** *w. 11;* **Fahr|kar|ten-schal|ter** *m. 5;* **Fahr|kos|ten** *nur Mz.* = Fahrtkosten; **fahr-läs|sig; Fahr|läs|sig|keit** *w. 10 nur Ez.;* **Fahr|leh|rer** *m. 5*
Fähr|mann *m. 4, Mz. auch:* -leu|te
Fahr|nis *w. 1, Rechtsw.:* fahrende Habe, beweglicher Besitz
Fähr|nis *w. 1, poet.:* Gefährlichkeit, Gefährdung
Fahr|plan *m. 2;* **fahr|plan|mä-ßig; Fahr|preis** *m. 1;* **Fahr|prü-fung** *w. 10;* **Fahr|rad** *s. 4;* **Fahr-rin|ne** *w. 11;* **Fahr|schein** *m. 1*
Fähr|schiff *s. 1*
Fahr|schu|le *w. 11;* **Fahr|schü-ler** *m. 5*
Fähr|seil *s. 1*
Fahr|spur *w. 10,* Fahrstreifen; **Fahr|stei|ger** *m. 5, Bgb.:* Vorgesetzter mehrerer Steiger; **Fahr-stra|ße** *w. 11;* **Fahr|stuhl** *m. 2;* **Fahrt** *w. 10;* **Fahrt|aus|weis** *m. 1* Fahrkarte; vgl. Fahrausweis; **Fahrt|dau|er** *w. 11 nur Ez.*
Fähr|te *w. 11*
Fahr|tech|nik *w. 10;* **fahr|tech-nisch; Fahr|ten|buch** *s. 4;* **Fahr-ten|schwim|mer** *m. 5* Schwimmer, der eine Prüfung (30 Minuten ununterbrochenes Schwimmen und Sprung vom Dreimeterbrett) abgelegt hat
Fähr|ten|su|cher *m. 5*
Fahrt|kos|ten, Fahr|kos|ten *nur Mz.;* **Fahrt|rich|tung** *w. 10;* **Fahrt|rich|tungs|an|zei|ger** *m. 5;* **Fahrt|wind** *m. 1* (beim Auto-, Radfahren); vgl. Fahrwind; **Fahr|vor|schrift** *w. 10;* **Fahr-was|ser** *s. 5;* **Fahr|weg** *m. 1;* **Fahr|wind** *m. 1* Wind zum Segeln; vgl. Fahrtwind; **Fahr|zeit** *w. 10;* **Fahr|zeug** *s. 1;* **Fahr-zeug|hal|ter** *m. 5*
Faible [fɛbl, frz.] *s. 9* Vorliebe, Neigung, Schwäche; ein F. für etwas haben
fair [fɛr, engl.] ehrlich, anständig (bes. bei Wettkämpfen); *Ggs.:* unfair; fair spielen; faires Spiel; **Fair|neß** ► **Fair|ness** [fɛr-] *w. Gen.* - *nur Ez.* faires Verhalten; **Fair play** ► **Fair-play** *auch:* **Fair Play** [fe:rplɛɪ] *s. Gen.* - - *nur Ez.* faires Spiel
Fai|seur [fɛzør, frz.) *m. 1, veraltet:* Anstifter, jmd., der eine üble Sache ins Werk setzt
Fait ac|com|pli [fɛ:takɔ̃pli, frz.] *s. Gen.* - - *Mz.* -s -s [fɛ:zakɔ̃pli] vollendete Tatsache
fä|kal [lat.] aus Fäkalien bestehend, kotig; **Fä|kal|dün|ger** *m. 5* Naturdünger; **Fä|ka|li|en** *Mz.* Ausscheidungen, Kot, Harn
Fa|kir [österr.: -kir, arab.] *m. 1* ind. Büßer, Asket
Fak|si|mi|le [lat. »mach (es) ähnlich«] *s. 9* originalgetreue Nachbildung (eines Druckes, einer Handschrift); **Fak|si|mi-le|aus|ga|be** *w. 11,* **Fak|si|mi|le-druck** *m. 1;* **fak|si|mi|li|e|ren** *tr. 3* originalgetreu nachahmen
Fakt [lat.] *m. 12* **1** = Faktum; **2** *ehem. DDR, ugs.:* Tatsache, Wahrheit; **Fak|ten** *Mz. von* Faktum: Tatsachen; **Fak|ten|wis-sen** *s. Gen.* -s *nur Ez.* Kenntnis der Fakten, Sachkenntnisse
Fak|ti|on [lat.] *w. 10* parteiähnliche, politisch bes. aktive oder radikale Gruppe; **fak|ti|ös** Partei ergreifend, aufrührerisch
fak|tisch [lat.] tatsächlich, in Wirklichkeit; **fak|ti|tiv** bewirkend; **Fak|ti|tiv** *s. 1,* **Fak|ti|ti|vum** *s. Gen.* -s *Mz.* -va = Kausativum; **Fak|ti|zi|tät** *w. 10 nur Ez.* Tatsächlichkeit, Gegebenheit; *Ggs.:* Logizität; **Fak|tor** *m. 13* **1** Leiter einer Faktorei; **2** Werkmeister in einer Druckerei; **3** Zahl, die mit einer anderen multipliziert wird, Multiplikand, Multiplikator; **4** mitwirkender Umstand, bestimmendes Element; **Fak|to|rei** *w. 10* überseeische Handelsniederlassung; **Fak|to|tum** *s. Gen.* -s *Mz.* -ta jmd., der die verschiedensten Arbeiten verrichtet, »Mädchen für alles«; **Fak|tum** *s. Gen.* -s *Mz.* -ten, *auch:* -ta Tatsache, Ereignis, Vorgang; **Fak-tur** *w. 10* **1** Rechnung (für eine Ware); **2** Lieferschein; **Fak|tu|ra** *w. Gen.* - *Mz.* -ren = Faktur; **fak|tu|rie|ren** **1** *intr. 3* Rechnungen schreiben; **2** *tr. 3* berechnen (Waren); **Fak|tu|rist** *m. 10* jmd., der Fakturen schreibt
Fa|kul|tas [lat.] *w. Gen.* - *Mz.* -tä|ten Lehrbefähigung; vgl. Facultas docendi; **Fa|kul|tät** *w. 10* **1** Gesamtheit der Lehrenden (und der Studenten) einer Fächergruppe an einer Hochschule; **2** fachlich begrenzte Abteilung einer Hochschule; philosophische, naturwissenschaftl. F.; sich an einer Hochschule für eine F. einschreiben; an der

medizinischen F. studieren; **3** Gebäude einer Hochschulabteilung; **4** Produkt der Glieder der natürl. Zahlenreihe bis zu einer bestimmten Zahl (*Zeichen:* !), z. B. 5! (*gesprochen:* fünf Fakultät): 1 · 2 · 3 · 4 · 5 = 120; **fa|kul|ta|tiv** wahlfrei (Lehrfach); *Ggs.:* obligatorisch
Fa|lan|ge [-laŋgə, span.: -lanxə] *w. 11 nur Ez.* faschist. span. Partei; **Fa|lan|gist** *m. 10*
falb gelblich, graugelb; **Fal|be(r)** *m. 18 (17)* Pferd mit gelbl. Fell, dunkler Mähne und dunklem Schweif
Fal|bel *w. 11* gekrauster oder gefältelter Kleiderbesatz; **fäl|beln** *tr. 1* kraus ziehen, fälteln
Fa|ler|ner [nach dem Ager Falernus in Kampanien (Italien)] *m. 5* ital., schon im Altertum berühmter Wein
fä|lisch; fälische Rasse (in Nord- und Nordwesteuropa)
Fal|ke *m. 11;* **Fal|ken|au|ge** *s. 14* ein Mineral; **Fal|ken|bei|ze** *w. 11* vgl. Beize; **Fal|ke|nier** *m. 1,* Falk|ner *m. 5* jmd., der Falken zur Jagd abrichtet; **Fal|ken|jagd** *w. 10;* **Falk|ner** *m. 5* = Falkenier; **Falk|ne|rei** *w. 10 nur Ez.*
Fal|ko|nett [ital.] *s. 1, 16./17. Jh.:* leichtes Geschütz, Feldschlange
Fall 1 *m. 2;* gesetzt den Fall, dass ...; für den Fall, dass ...; für alle Fälle, im Falle, dass ...; etwas von Fall zu Fall entscheiden; jmdn. zu Fall(e) bringen; **2** *s. 12, Seew.:* Tau; **Fall|beil** *s. 1;* **Fall|brü|cke** *w. 11;* **Fal|le** *w. 11; ugs. auch:* Bett; **fal|len** *intr. 33;* etwas f. lassen
fäl|len *tr. 1*
fal|len|las|sen ▶ **fallen las|sen** *tr. 75;* **Fal|len|stel|ler** *m. 5;* **Fall|ge|schwin|dig|keit** *w. 10;* **Fall|ge|setz** *s. 1;* **Fall|gru|be** *w. 11*
fal|li|bel [lat.] *veraltet:* trügerisch, fehlbar; **Fal|li|bi|li|tät** *w. 10 nur Ez.;* **fal|lie|ren** *intr. 3* zahlungsunfähig werden, in Konkurs gehen; er hat falliert
fäl|lig; Fäl|lig|keit *w. 10 nur Ez.;* **Fäl|lig|keits|ter|min** *m. 1*
Fal|li|ment [frz.] *s. 1,* **Fal|lis|se|ment** [-mɑ̃] *s. 9* Konkurs, Zahlungsunfähigkeit; **fal|lit** *veraltet:* zahlungsunfähig; **Fal|lit** *m. 10, veraltet:* jmd., der zahlungsunfähig ist

Fall|meis|ter *m. 5* Abdecker; **Fall|nest** *s. 3;* **Fall|obst** *s. Gen.* -(e)s *nur Ez.*
Fal|lott, Fal|lott *m. 10, österr.:* Betrüger
Fall|out *Nv.* ▶ **Fall-out** *Hv.* [fɔːlaʊt, engl.] *m. 9* radioaktiver Niederschlag
Fall|reep *s. 1* von der Reling herablassbare Schiffstreppe
Fall|rück|zie|her *m. 5, Fußball:* Schuss über den Kopf nach hinten, wobei sich der Spieler rückwärts fallen lässt
falls; falls er kommt; falls möglich
Fall|schirm *m. 1;* **Fall|schirm|jä|ger** *m. 5;* **Fall|schirm|sprin|ger** *m. 5;* **Fall|schirm|trup|pe** *w. 11;* **Fall|strick** *m. 1;* **Fall|sucht** *w. Gen. - nur Ez.* = Epilepsie; **fall|süch|tig;** **Fall|tür** *w. 10*
Fäl|lung *w. 10*
fall|wei|se; Fall|wind *m. 1*
Fal|lott *m. 10* = Fallott
Fal|sa *Mz. von* Falsum
falsch; falscher Hase: Hackbraten; falsch spielen: nicht richtig spielen, beim Spiel betrügen; **Falsch** *s.* Falschheit, *nur in Wendungen wie:* es ist kein Falsch an ihm; er ist ohne Falsch; **Falsch|eid** *m. 1;* **fäl|schen** *tr. 1;* **Fäl|scher** *m. 5;* **Falsch|geld** *s. 3;* **Falsch|heit** *w. 10;* **fälsch|lich; Falsch|mel|dung** *w. 10;* **Falsch|mün|zer** *m. 5;* **Falsch|mün|ze|rei** *w. 10;* **falsch|spie|len** ▶ **falsch spie|len** *intr. 1;* **Falsch|spie|ler** *m. 5;* **Fäl|schung** *w. 10*

> **falsch spielen:** Verbindungen, bestehend aus Adjektiv und Verb, werden getrennt geschrieben, wenn das Adjektiv in dieser Verbindung erweiterbar oder steigerbar ist: *Er hat alles falsch gespielt.* Ebenso: *falsch schreiben.* →§34 E3 (3)

Fal|sett [ital.] *s. 1* durch Brustresonanz verstärkte Kopfstimme des Mannes; **fal|set|tie|ren** *intr. 3* mit Falsettstimme singen; **Fal|set|tist** *m. 10* Sänger für Sopran- und Altpartien; **Fal|sett|stim|me** *w. 11*
Fal|si|fi|kat [lat.] *s. 1* Fälschung, gefälschter Gegenstand; **Fal|si|fi|ka|ti|on** *w. 10; veraltet:* Fälschung; **fal|si|fi|zie|ren** *tr. 3, veraltet:* fälschen

Fal|staff *auch:* **Fals|taff** [nach einer Shakespearefigur] *m. 9* dicker Prahlhans
Fal|sum [lat.] *s. Gen.* -s *Mz.* -sa etwas Falsches, Fälschung
Falt|blatt *s. 4;* **Falt|boot** *s. 1;* **Fält|chen** *s. 7;* **Fal|te** *w. 11;* **fäl|teln** *tr. 1;* ich fältele, fältle es; **fal|ten** *tr. 2;* **Fal|ten|ge|bir|ge** *s. 5;* **fal|ten|los; fal|ten|reich; Fal|ten|rock** *m. 2;* **Fal|ten|wurf** *m. 2*
Fal|ter *m. 5*
fal|tig; Falt|stuhl *m. 2;* **Falt|ta|sche** *w. 11;* **Fal|tung** *w. 10*
Falz *m. 1;* **Falz|bein** *s. 1* Gerät zum Falzen; **fal|zen** *tr. 1;* **Fal|zer** *m. 5;* **Falz|ho|bel** *m. 5;* **fal|zig; Fal|zung** *w. 10;* **Falz|zie|gel** *m. 5*
Fa|ma [lat.] *w. Gen. - nur Ez.* Gerücht
fa|mi|li|är [lat.]; **Fa|mi|li|a|re** *m. 11* **1** Angehöriger des Gesindes eines Klosters; **2** Angehöriger eines kirchenfürstl. Hofstaates; **Fa|mi|li|a|ri|tät** *w. 10 nur Ez.* familiäres Verhalten, Vertrautheit, Ungezwungenheit; **Fa|mi|lie** [-liə] *w. 11;* **Fa|mi|li|en|an|ge|hö|ri|ge(r)** *m. 18 (17) bzw. w. 17 oder 18;* **Fa|mi|li|en|buch** *s. 4;* **Fa|mi|li|en|for|schung** *w. 10* = Genealogie; **Fa|mi|li|en|kun|de** *w. 11 nur Ez.* = Genealogie; **Fa|mi|li|en|le|ben** *s. 7 nur Ez.;* **Fa|mi|li|en|mit|glied** *s. 3;* **Fa|mi|li|en|na|me** *m. 15;* **Fa|mi|li|en|ro|man** *m. 1;* **Fa|mi|li|en|va|ter** *m. 6;* **Fa|mi|li|en|zu|sam|men|füh|rung** *w. 10;* **Fa|mi|li|en|zu|wachs** *m. 1 nur Ez.;* **Fa|mi|lis|mus** *m. Gen. - nur Ez.* Überbetonung der Familie als Quelle für Sozialkontakte (in niederen sozialen Schichten); **fa|mi|lis|tisch**
fa|mos [lat.] *ugs.:* großartig, prächtig
Fa|mu|la [lat.] *w. Gen. - Mz.* -lä weibl. Famulus; **Fa|mu|la|tur** *w. 10* Praktikum im Krankenhaus während des Medizinstudiums; **fa|mu|lie|ren** *intr. 3* die Famulatur ableisten; **Fa|mu|lus** *m. Gen. - Mz.* -li **1** Medizinstudent, der sein Praktikum im Krankenhaus ableistet; **2** *veraltet:* Assistent, Gehilfe eines Wissenschaftlers
Fan [fæn, engl., Kurzw. aus: fanatic] *m. 9* begeisterter Liebhaber, Anhänger (von etwas), z. B. Filmfan, Fußballfan

Fa|nal [griech.] *s. 1* Feuerzeichen, Zeichen (für den Beginn einer Wende o. Ä.)

Fa|na|ti|ker [lat.] *m. 5* jmd., der leidenschaftlich und unduldsam etwas vertritt, Eiferer; **fa|natisch; fa|na|ti|sie|ren** *tr. 3* zum Fanatismus anstacheln, aufhetzen; **Fa|na|tis|mus** *m. Gen. - nur Ez.* leidenschaftlicher, blinder, unduldsamer Eifer und Einsatz (für eine Sache oder Überzeugung)

Fan|cy [fænsɪ, engl.] *m. 9 oder s. 9 nur Ez.* beidseitig aufgerauhter Flanell

Fan|dan|go [span.] *m. 9* ursprünglich gesungener, feuriger span. Tanz

Fan|da|ro|le, Fa|ran|do|le [provenzal.] *w. 11* schneller provenzal. Paartanz

Fan|fa|re [frz.] *w. 11* **1** Dreiklangtrompete ohne Ventile; **2** Trompetensignal in gebrochenem Dreiklang; **3** kurzer, signalähnl. Satz der Suite; **Fan|fa|ren|stoß** *m. 2*

Fang *m. 2;* **Fang|arm** *m. 1;* **Fang|ball** *m. 2 nur Ez.;* F. spielen; **Fang|ei|sen** *s. 7;* **fan|gen** *tr. 34;* **Fang|fra|ge** *w. 11;* **Fanggarn** *s. 1* Fangnetz; **fän|gisch** entsichert (Falle); **Fang|korb** *m. 2* korbartige Sicherheitsvorrichtung; **Fang|lei|ne** *w. 11* Leine, die vom Schiff einem Boot zum Festmachen zugeworfen wird; **Fang|netz** *s. 1*

Fan|go [ital.] *m. 9 nur Ez.* Mineralschlamm zu Heilzwecken

Fang|schnur *w. 2* Zierschnur an Uniformen; **Fang|schuß** ▶ **Fang|schuss** *m. 2* Schuss zum Töten des angeschossenen, aber noch nicht verendeten Wildes; **Fang|spiel** *s. 1;* **Fangstoß** *m. 2* Todesstoß für angeschossenes, aber noch nicht verendetes Wild

Fant [lat.-nddt.] *m. 1* unreifer junger Bursche

Fan|ta|sia [ital.] *w. 9* **1** nordafrik. Reiterkampfspiel; **2** *ital. Bez. für* Fantasie; **Fan|ta|sie 1** *w. 11* Musikstück in ungebundener Form; **2** Phan|ta|sie *w. 11 nur Ez.* Einbildungskraft, Einfallsreichtum, Erfindungsgabe; **3** *w. 11* vorgestelltes Bild, Träumerei, Trugbild, Wahngebilde; **fan|ta|sie|los,** phan|ta|sie|los; **Fan|ta|sie|lo|sig|keit,** Phan|tasie|lo|sig|keit *w. 11 nur Ez.;* **fan|ta|sie|ren,** phan|ta|sie|ren *intr. 3* **1** sich den Bildern der Einbildungskraft hingeben, sich etwas ausdenken; **2** *Med.:* irre reden; **3** *Mus.:* frei gestaltend spielen; **fan|ta|sie|voll,** phan|ta|sie|voll; **Fan|tast,** Phan|tast *m. 10* Schwärmer, Mensch mit überspannten Ideen; **Fan|tas|te|rei,** Phan|tas|te|rei *w. 11* überspannte Idee; **fan|tas|tisch,** phantas|tisch **1** nur in der Fantasie bestehend, unwirklich; **2** großartig, herrlich

Fan|ta|sy [fæntəsi, engl.] *w. Gen. - nur Ez.* moderne Darstellung magischer Welten, ohne Bezug zu traditionellen Märchen und Mythen (in Romanen, Filmen, Comics)

Fa|rad [nach dem engl. Physiker Michael Faraday] *s. Gen. -s Mz. -* (*Abk.:* F) Maßeinheit für elektr. Kapazität; **Fa|ra|day|käfig** *m. 1* käfigartige, geerdete Vorrichtung aus Drahtgeflecht zum Abschirmen gegen elektr. Felder oder Ströme (bei Messinstrumenten und beim Blitzschutz); **Fa|ra|di|sa|ti|on** *w. 10,* Fa|ra|do|the|ra|pie *w. 11* Heilbehandlung mit unterbrochenem (faradischem) Strom; **fa|radisch**; faradischer Strom: häufig unterbrochener Gleichstrom; **fa|ra|di|sie|ren** *tr. 3* mit faradischem Strom behandeln; **Fa|ra|do|the|ra|pie** *w. 11* = Faradisation

Fa|ran|do|le *w. 11* = Fandarole

Farb|band *s. 4;* **färb|bar; Farbbuch** *s. 4* Buch mit amtl. Veröffentlichungen zur Außenpolitik mit je nach Land verschiedenfarbigem Umschlag, z. B. Weißbuch, Braunbuch; **Far|be** *w. 11;* **farb|echt; Farb|echt|heit** *w. 10;* **Fär|be|mit|tel** *s. 5;* **farb|empfind|lich** (Film); **Farb|emp|findlich|keit** *w. 10;* **fär|ben** *tr. 1;* **farben|blind; Far|ben|blind|heit** *w. 10 nur Ez.;* **Far|ben|druck** *m. 1;* **far|ben|freu|dig; Far|benfreu|dig|keit** *w. 10 nur Ez.;* **Farben|in|dus|trie** *auch:* **-dus|trie** *w. 11;* **Far|ben|leh|re** *w. 11;* **Far|ben|pracht** *w. 10 nur Ez.;* **far|ben|präch|tig; far|benreich; Far|ben|reich|tum** *m. Gen. -s nur Ez.;* **Far|ben|sinn** *m. 1 nur Ez.;* **Far|ben|spiel** *s. 1;* **Far|ben|sym|bo|lik** *w. 10 nur Ez.;* **Fär|ber** *m. 5;* **Fär|be|rei** *w. 10;* **Fär|ber|rö|te** *w. 11 nur Ez.* eine Pflanze (früher zur Farbstoffgewinnung), Krapp; **Fär|ber|waid** *m. 1,* **Fär|ber|wau** *m. 1* = Reseda; **Farb|fern|sehen** *s. Gen. -s nur Ez.;* **Farb|film** *m. 1;* **Farb|fil|ter** *m. 5;* **Farb|fo|to|gra|fie** *w. 11;* **Farb|ge|bung** *w. 10 nur Ez.;* **Farb|holz** *s. 4 meist Mz.* farbstoffhaltiges tropisches Holz; **Farb|holz|schnitt** *m. 1;* **far|big,** *österr. auch:* färbig; **Far|bi|ge(r)** *m. 18 (17) bzw. w. 17 oder 18* Angehörige(r) einer nichtweißen Rasse; **Farbig|keit** *w. 10 nur Ez.;* **Farbkas|ten** *m. 8;* **farb|lich; farb|los; Farb|lo|sig|keit** *w. 10 nur Ez.;* **Farb|pro|be** *w. 11;* **Farb|stift** *m. 1;* **Farb|stoff** *m. 1;* **Farb|ton** *m. 2;* **Fär|bung** *w. 10;* **Farbwech|sel** *m. 5;* **Farb|wert** *m. 1*

Far|ce [-sə, österr.: fars, frz.] *w. 11* **1** *14./16. Jh.:* derbkomisches, kurzes Theaterstück, Posse; **2** lächerliche, aber als wichtig dargestellte Angelegenheit; **3** Verhöhnung; **4** Füllung aus gehacktem Fleisch u. a. für Geflügel und Pasteten; **Farceur** [-sør] *m. 1, veraltet:* Possenreißer; **far|cie|ren** [-si-] *tr. 3* mit Farce (**4**) füllen

Fa|rin [lat.] *m. 1 nur Ez.,* Fa|rinzu|cker *m. 5 nur Ez.* nicht völlig gereinigter, gelblicher Zucker; **Fa|ri|na|de** *w. 11* Puderzucker

Fä|rin|ger, Fä|rö|er *m. 5* Einwohner der Färöer

Fa|rin|zu|cker *m. 5 nur Ez.* = Farin

Farm [engl.] *w. 10* **1** Bauerngut; **2** Landgut mit Tierzucht; **Farmer** *m. 5;* **Far|mers|frau** *w. 10*

Farn *m. 1* eine Sporenpflanze

far|ne|sisch zu dem ital. Adelsgeschlecht der Farnese gehörend; Farnesischer Herkules, Farnesischer Stier

Farn|kraut *s. 4;* **Farn|pflan|ze** *w. 11;* **Farn|we|del** *m. 5* Blatt des Farnkrauts

Fä|rö|er [auch: fɛ-] **1** *Mz.* dän. Inselgruppe im Nordatlantik; **2** *auch:* Fä|rin|ger *m. 5* Einwohner der Färöer; **fä|rö|isch**

Far|re *m. 11* junger Stier

Fär|se *w. 11* junge Kuh vor dem ersten Kalben, Kalbe, Kalbin

fas *Abk. für* free alongside ship

Fa|san *m. 12;* **Fa|sa|nen|gar|ten** *m. 8;* **Fa|sa|nen|zucht** *w. 10;* **Fasa|ne|rie** *w. 11* Gehege, in dem Fasanen gehalten werden

Fas|ces [-tse:s] *Mz.* = Faszes
Fa|sche *w. 11, österr.:* Wickelbinde; **fa|schen** *tr. 1, österr.:* umwickeln, bandagieren
fa|schie|ren [frz.] *tr. 3* durch die Faschiermaschine drehen; **Faschier|ma|schi|ne** *w. 11* Fleischwolf
Fa|schi|ne [lat.-ital.] *w. 11* Reisigbündel (für Uferbefestigung); **Fa|schi|nen|holz** *s. 4 nur Ez.* Reisig; **Fa|schi|nen|mes|ser** *s. 5* Messer zum Schneiden von Faschinen; **Fa|schi|nen|werk** *s. 1*
Fa|sching *m. 1 oder m. 9, bayr., österr.:* Fastnacht; **Fa|schings|ball** *m. 2;* **Fa|schings|diens|tag** *m. 1;* **Fa|schings|prinz** *m. 10;* **Fa|schings|zeit** *w. 10;* **Fa|schings|zug** *m. 2*
Fa|schis|mus [ital.] *m. Gen. - nur Ez., bis 1945:* nationalist., totalitäre Bewegung, bes. in Italien; **Fa|schist** *m. 10;* **fa|schis|tisch**
Fa|se [frz.] *w. 11* abgeschrägte Kante an Werkzeugen und Werkstücken
Fa|sel *m. 5* junges Zuchttier, z. B. Faselhengst, Faselstier; **Fa|sel|e|ber** *m. 5* junger Zuchteber
Fa|sel|lei *w. 10;* **Fa|sel|feh|ler** *m. 5;* **Fa|sel|hans** *m. 2* faseliger Junge
Fa|sel|hengst *m. 1* junger Zuchthengst
fa|sel|ig, fas|lig zerstreut, unaufmerksam, unkonzentriert; **Fa|sel|lie|se** *w. 11* faseliges Mädchen; **fa|seln** *intr. 1* **1** zerstreut, unaufmerksam sein; **2** Unsinn reden; ich fasele, fasle
Fa|sel|stier *m. 1* junger Zuchtstier
fa|sen *tr. 1* = abfasen
fa|sen|nackt *Nebenform von* fasernackt
Fa|ser *w. 11;* **Fä|ser|chen** *s. 7;* **Fa|ser|ge|schwulst** *w. 2* = Fibrom; **fa|se|rig,** fas|rig voller Fasern, wie Fasern; **fa|sern** *intr. 1* sich in Fasern ablösen; **fa|ser|nackt** völlig nackt; **Fa|ser|stoff** *m. 1;* **Fa|se|rung** *w. 10 nur Ez.*
Fa|shion [fæʃən, engl.] *w. Gen. - nur Ez.* **1** Mode; **2** feiner Lebensstil; feine Sitte; **fa|shio|na|bel** [fɛʃə-] **1** modisch, modern; **2** fein
fas|lig = faselig
Fas|nacht *w. 2 nur Ez.; Nebenform von* Fastnacht

fas|rig = faserig
Faß ▶ **Fass** *s. 4*
Fas|sa|de [frz.] *w. 11;* **Fas|sa|den|klet|te|rer** *m. 5*
faß|bar ▶ **fass|bar**
Faß|bier ▶ **Fass|bier** *s. 1* Bier vom Fass; *Ggs.:* Flaschenbier; **Faß|bin|der** ▶ **Fass|bin|der** *m. 5* Böttcher; **Faß|bin|de|rei** ▶ **Fass|bin|de|rei** *w. 10* Böttcherei; **Fäß|chen** ▶ **Fäss|chen** *s. 7;* **Faß|dau|be** ▶ **Fass|dau|be** *w. 11* gebogenes Brett für Fässer
fas|sen *tr. 1*
fäs|ser|wei|se
Fas|set|te *w. 11* = Facette
Fäß|lein ▶ **Fäss|lein** *s. 7*
faß|lich ▶ **fass|lich; Faß|lich|keit** ▶ **Fass|lich|keit** *w. 10 nur Ez.*
Fas|son [-sɔ̃, frz.] *w. 9, österr., schweiz. auch:* [-son] *w. 10* **1** Zuschnitt (eines Kleidungsstücks); **2** Art und Weise; **3** *s. 9* Revers; **fas|so|nie|ren** *tr. 3* in eine bestimmte Fasson (**1, 2**) bringen; **Fas|son|schnitt** [-sɔ̃-] *m. 1* eine Form des Haarschnitts
Fas|sung *w. 10* **1** *nur Ez.* Beherrschung, Haltung; die F. bewahren, verlieren; **2** Umrahmung, Einfassung (von Edelsteinen); **3** Bemalung (einer Holzschnitzerei); **Fas|sungs|kraft** *w. 2 nur Ez.;* **fas|sungs|los; Fas|sungs|lo|sig|keit** *w. 10 nur Ez.;* **Fas|sungs|ver|mö|gen** *s. 7 nur Ez.*
Faß|wein ▶ **Fass|wein** *m. 1* Wein vom Fass; *Ggs.:* Flaschenwein; **faß|wei|se** ▶ **fass|wei|se**
fast beinahe
Fas|ta|ge [-ʒə] *w. 11* = Fustage
Fas|te *w. 11 nur Ez., veraltet:* Fastenzeit
Fast|e|be|ne *w. 11* nicht ganz ebene Fläche, leicht wellige Ebene
Fas|tel|a|bend *m. 1, rhein.:* Fastnacht; **fas|ten** *intr. 2;* **Fas|ten** *w. 11 Mz.* die kirchl. Fastenzeit; **Fas|ten|zeit** *w. 10*
Fast Food *Nv.* ▶ **Fast|food** *Hv.* [fa:stfu:d, engl. »schnelles Essen«] *leicht abwertend für* Fertigessen aus einer Imbisskette (z. B. Hamburger)
fas|ti|di|ös [lat.-frz.] *veraltet:* widerwärtig, ekelhaft
Fast|nacht *w. 2 nur Ez.;* **Fast|nachts|scherz** *m. 1;* **Fast|nachts|spiel** *s. 1;* **Fast|tag** *m. 1*

Fas|zes, Fas|ces [-tse:s, lat.] *Mz.* Rutenbündel mit einem zweischneidigen Beil (Amtszeichen der altrömischen Liktoren), Liktorenbündel; **fas|zi|al** bündelweise; **Fas|zi|a|ti|on** *w. 10* **1** *Bot.:* Verbänderung, Bildung von bandähnl. Querschnittsformen; **2** *Med.:* Einbinden, Umwickelung; **Fas|zie** [-tsiə] *w. 11, Med.* **1** bindegewebige Hülle um Muskeln; **2** Bindenverband; **Fas|zi|kel** *m. 5* **1** Aktenbündel; **2** Heft, Band eines in Fortsetzungen erscheinenden Werkes; **fas|zi|ku|lie|ren** *tr. 3* bündeln, heften
Fas|zi|na|ti|on [lat.] *w. 10* Bezauberung; **fas|zi|nie|ren** *tr. 3* fesseln, bezaubern, bannen
Fa|ta *Mz. von* Fatum
fa|tal [lat.] **1** unangenehm, peinlich; **2** verhängnisvoll; **Fa|ta|lis|mus** *m. Gen. - nur Ez.* Glaube an ein vorherbestimmtes Schicksal, das man hinzunehmen hat; **Fa|ta|list** *m. 10;* **fa|ta|lis|tisch; Fa|ta|li|tät** *w. 10 nur Ez.* **1** Verhängnis, Missgeschick; **2** Peinlichkeit

> **Fata-Morgana-ähnlich:** Man setzt einen Bindestrich zwischen alle Bestandteile mehrteiliger Zusammensetzungen, in denen eine Wortgruppe oder eine Zusammensetzung mit Bindestrich auftritt: *Fata-Morgana-ähnlich.* Ebenso: *Trimm-dich-Pfad, De-facto-Anerkennung.* → § 44

Fa|ta Mor|ga|na [ital.] *w. Gen. - - Mz. - -nen oder - -s* **1** durch starken Temperaturunterschied in bodennahen Luftschichten hervorgerufene Spiegelung weit entfernter Gegenstände und Landschaften in der Luft, bes. über Wüsten; **2** Sinnestäuschung, Wahngebilde
fa|tie|ren [lat.] *tr. 3* **1** *veraltet:* bekennen, angeben; **2** *österr.:* dem Finanzamt bekanntgeben (Einkommen)
fa|ti|gant [frz.] *veraltet:* ermüdend, lästig
Fa|tum [lat.] *s. Gen. -s Mz. -ta* Schicksal
Fatz|ke *m. Gen. -n Mz. -n oder -s* blasierter, eitler Mann
fau|chen *intr. 1*
faul, faule Ausrede; fauler Zauber; f. sein; **Faul|baum** *m. 2* eine Heilpflanze; **Faul|bett** *s., nur*

in der Wendung auf dem F. liegen: faulenzen; **Faul|brand** *m. 2 nur Ez.* = Gangrän; **Fäu|le** *w. 11 nur Ez.;* **Faul|e|cke** *w. 11,* Faul|win|kel *m. 5* entzündl. Riss im Mundwinkel; **fau|len|zen** *intr. 1;* **Fau|len|zer** *m. 5;* **Fau|len|ze|rei** *w. 10 nur Ez.;* **Faul|heit** *w. 10 nur Ez.;* **fau|lig; Fäul|nis** *w. 1 nur Ez.;* **Faul|pelz** *m. 1;* **Faul|schlamm** *m. Gen.* -(e)s *nur Ez.* **1** bei der Abwasserreinigung entstehender Bodensatz; **2** Schlamm aus Pflanzen- und Tierresten auf dem Grund stehender Gewässer, Sapropel; **Faul|tier** *s. 1* **1** ein südamerik. Säugetier; **2** *ugs.:* Faulpelz; **Faul|win|kel** *m. 5* = Faulecke

Faun [lat.] *m. 1* **1** *röm. Myth.:* halbtierischer Waldgeist mit Gehörn und Bocksfüßen; **2** *übertr.:* lüsterner Mensch; **Fau|na** *w. Gen. - Mz.* -nen Tierwelt (eines bestimmten Gebietes); vgl. Flora; **fau|nisch** in der Art eines Fauns; **Fau|nis|tik** *w. 10 nur Ez.* Lehre von der Tierwelt eines bestimmten Gebietes; **fau|nis|tisch**

Fausse [fos] *w. 11* = Foße (**1**)

Faust *w. 2;* **Faust|ball** *m. 2 nur Ez.;* **Fäust|chen** *s. 7;* **faust|dick**; es f. hinter den Ohren haben: pfiffig sein; faustdicke Lügen; **Fäus|tel** *m. 5, Bgb.:* Hammer; **faus|ten** *tr. 2* mit der Faust schlagen (den Ball); **faust|groß; Faust|hand|schuh** *m. 1*

faus|tisch [nach Goethes Drama »Faust«] nach Erkenntnis strebend; faustischer Drang

Faust|kampf *m. 2;* **Fäust|ling** *m. 1* **1** Fausthandschuh; **2** *Bgb.:* faustgroßer Stein; **Faust|pfand** *s. 4* bewegliche Sache als Pfand; **Faust|recht** *s. 1* gewaltsame Selbsthilfe; **Faust|re|gel** *w. 11* einfache Grundregel; **Faust|sä|ge** *w. 11* Handsäge; **Faust|waf|fe** *w. 11* Handfeuerwaffe

faute de mieux [fo:t də mjø, frz.] in Ermangelung eines Besseren

Fau|teuil [fotœj, frz.] *m. 9, veraltet: österr. u. schweiz.* Lehn-, Armsessel

Faut|fracht [frz.] *w. 10* Entschädigungssumme, die dem Reeder zusteht, wenn der Befrachter vom Frachtvertrag zurücktritt

Fau|vis|mus [fovis-, frz.] *m. Gen. - nur Ez.* als Absage an den Impressionismus entstandene, von einer Künstlergruppe mit dem Spottnamen les fauves [le: fov] »die Wilden« vertretene Richtung der Malerei Anfang des 20. Jh.

Faux|pas [fo:pa, frz., »Fehltritt«] *m. Gen. - Mz. -* [fo:pas] Verstoß gegen die gesellschaftlichen Formen, Taktlosigkeit

Fa|ve|la [portug.] *w. Mz.* -s Elendsviertel in brasilian. Städten

fa|vo|ra|bel [-vo-, lat.] günstig, vorteilhaft; **fa|vo|ri|sie|ren** [-vo-] *tr. 3* **1** begünstigen, bevorzugen; **2** *Sport:* als Favoriten nennen, in den Vordergrund rücken; **Fa|vo|rit** *m. 10* **1** Günstling, Liebling; **2** *Sport:* voraussichtl. Sieger

Fa|vus [lat.] **1** *m. Gen. - nur Ez.* ansteckende Hautkrankheit, bes. an behaarten Körperstellen, Erbgrind, Grind; **2** *m. Gen. - Mz.* -ven *oder* -vi Wachsscheibe im Bienenstock

Fax *s. 1, kurz für* Telefax; **fa|xen** *tr. 1* ein Telefax von etwas durchgeben; Bildvorlagen f.

Fa|xen *w. 11 Mz., ugs.:* Grimassen, dumme Späße; **Fa|xen|ma|cher** *m. 5*

Fa|yence [fajɑ̃s, frz., nach der ital. Stadt Faenza] *w. 11* Feinkeramik mit Zinnglasur

Fa|zen|da [-sen-, port.] *w. 9* Landgut, Pflanzung in Brasilien

Fä|zes [lat.], Fae|ces *Mz., Med.:* Ausscheidungen, Kot

Fa|ze|tie [-tsjə, lat.] *w. 11* **1** kurze, witzige, oft satir. oder erot. Erzählung, Schnurre, Schwank; **2** witziger Einfall, Spaß

fa|zi|al [lat.] zum Gesicht gehörig, Gesichts…; **Fa|zi|a|lis,** Fa|ci|a|lis *m. Gen. - nur Ez.* Gesichtsnerv; **Fa|zi|a|lis|läh|mung** *w. 10*

fa|zi|ell [lat.] die Fazies betreffend, zu ihnen gehörig; **Fa|zi|es** *w. Gen. - Mz. -* Gesamtheit der Merkmale einer Ablagerung bezüglich der Gesteinsart und des Fossiliengehalts

Fa|zi|li|tät [lat.] *w. 10 nur Ez., veraltet:* **1** Leichtigkeit, Gewandtheit; **2** Umgänglichkeit, Willfährigkeit

Fa|zit [lat.] *s. 9* Endsumme, Ergebnis, Schlussfolgerung; das F. (aus einem Vorfall usw.) ziehen

FBI *Abk. für* Federal Bureau of Investigation (Bundeskriminalamt der USA)

FCKW *Abk. für* Fluorkohlenwasserstoff, umweltschädigender Stoff (in Treibgasen)

FDGB *ehem. DDR: Abk. für* Freier Deutscher Gewerkschaftsbund; **FDGB-Vor|sit|zen|de(r)** *m. 18 (17)*

FDJ *ehem. DDR:* Freie Deutsche Jugend; **FDJler** *m. 5, ehem. DDR:* Angehöriger der FDJ

FDP, F. D. P. *Abk. für* Freie Demokratische Partei (Deutschlands)

F-Dur *s. Gen. - nur Ez.* (*Abk.:* F) eine Tonart; **F-Dur-Ton|lei|ter** *w. 11*

Fe *chem. Zeichen für* Eisen (Ferrum)

Fea|ture [fitʃə, engl.] *s. 9* dramaturgisch gestalteter Dokumentarbericht für Funk und Fernsehen

Fe|ber *m. 5 österr. für* Februar

fe|bril *auch:* **feb|ril** [lat.] *Med.:* fieberhaft

Fe|bru|ar *auch:* **Feb|ru|ar** *m. Gen.* -(s) *nur Ez.* (*Abk.:* Febr.)

fec. *Abk. für* fecit

fech|sen [fek-] *tr. 1, österr.:* ernten; **Fech|ser** *m. 5* **1** unterird. Sprossstück zur Vermehrung; **2** Schössling, Senker; **Fech|sung** *w. 10, österr.:* Ernte, Ertrag

Fecht|bo|den *m. 8;* **Fecht|bru|der** *m. 5* Landstreicher, Bettler; **fech|ten 1** *intr. 35;* **2** *tr. 35, ugs.:* erbetteln; **Fech|ter** *m. 5;* **Fecht|kunst** *w. 2 nur Ez.*

fe|cit [lat.] (*Abk.:* fec.) »hat (es) gemacht« (Vermerk auf Kunstwerken, bes. Kupferstichen, hinter dem Namen des Künstlers)

Fe|cker *m. 5, schweiz.:* **1** Maß-, Milchprüfer; **2** Landstreicher

Fe|da|jin [arab. »Selbstopferer«] *m. 9 oder Gen. - Mz. -* arab. Guerilla

Fe|der *w. 11;* **Fe|der|ball** *m. 2;* **Fe|der|ball|ten|nis** *s. Gen. - nur Ez.;* **Fe|der|bett** *s. 12;* **Fe|der|brett** *s. 3* federndes Sprungbrett; **Fe|der|busch** *m. 2;* **Fe|der|fuch|ser** *m. 5* **1** Schreiber, Schreiberling; **2** kleinlicher, übergenauer Mensch; **fe|der|füh|rend** zuständig; **fe|der|ge|wandt; Fe|der|ge|wandt|heit** *w. 10 nur Ez.;* **Fe|der|ge|wicht** *s. 1, Boxen, Ringen u. a.:* früher niedrigste Gewichtsklasse; **Fe|der|ge|wicht|ler** *m. 5* Sportler im Federgewicht; **fe|de|rig,** fed|rig; **Fe|der|kiel** *m. 1;* **Fe|der|kleid** *s. 3 nur Ez.;* **Fe|der|krieg** *m. 1* literar. Streit; **fe|der|leicht; Fe|der|le|sens** *s., nur noch in den Wendungen* nicht viel F. machen: keine Umstände machen; ohne viel F.; **Fe|der|ling** *m. 1* ein Insekt; **Fe|der|mes|ser** *s. 5* feines, scharfes Taschenmesser; **fe|dern** *tr. u. intr. 1;* **Fe|der|nel|ke** *w. 11;* **Fe|der|spiel** *s. 1* Schwenken zweier Taubenflügel, um den Jagdfalken wieder zurückzulocken; **Fe|de|rung** *w. 10;* **Fe|der|vieh** *s. Gen.* -s *nur Ez.* Geflügel; **Fe|der|waa|ge** *w. 11;* **Fe|der|weiß** *s. Gen.- nur Ez.* weißes Pulver, Schneiderkreide; **Fe|der|wei|ße** *m. 11* junger, gärender Wein; **Fe|der|wild** *s. Gen.* -(e)s *nur Ez.* alle jagdbaren Vögel; **Fe|der|wisch** *m. 1* = Flederwisch; **Fe|der|wol|ke** *w. 11* Zirruswolke; **Fe|der|zeich|nung** *w. 10*

fed|rig, fe|de|rig

Fee *w. 11*

Feed|back *Nv.* ► **Feed-back** *Hv.* [fi:dbæk, engl.] *s. 9* **1** Rückkopplung, Rückmeldung, Rückbeeinflussung, zurückkehrende Reaktion, z. B. in Steuerungssystemen; **2** *Psychol.:* Echo im Verhalten der anderen auf das eigene Verhalten; **Fee|der** [fi-] *m. 5* Leitung zum Speisen von Antennen mit Energie

Fee|ling [fi-, engl.] **1** Einfühlungsvermögen, Gespür; **2** Gefühl

fe|en|haft; Fe|en|haf|tig|keit *w. 10 nur Ez.;* **Fe|en|mär|chen** *s. 7;* **Fe|en|ring** *m. 1* = Hexenring; **Fe|en|stück** *s. 1,* **Fe|e|rie** *w. 11* Theaterstück um eine Fee mit großer Ausstattung

Feet [fit] *Mz. von* Foot

Fe|ge *w. 11* Werkzeug zum Reinigen von Getreide; **Fe|ge|feu|er,** Feg|feu|er *s. 5 nur Ez.;* **fe|gen 1** *tr. 1* kehren; **2** *intr. 1* sausen; **Fe|ger** *m. 5* **1** Besen; **2** Geck; **3** mannstolles Mädchen; **4** *schweiz.:* Wirbelwind; **Feg|feu|er,** Fe|ge|feu|er *s. 5 nur Ez.;* **Feg|nest** *s. 3, schweiz.:* unruhiger Geist (Kind); **feg|nes|ten** *intr. 2, schweiz.:* unruhig sein

Feh *s. 1* **1** sibir. Eichhörnchen; **2** Feh|werk *s. 1* dessen Pelz

Feh|de *w. 11;* **Feh|de|hand|schuh** *m. 1, nur noch in der Wendung* jmdm. den F. hinwerfen: Feindseligkeiten gegen jmdn. beginnen

fehl; das ist hier fehl am Platze; **Fehl** *m. 1, nur noch in der Wendung:* ohne Fehl sein; **Fehl|an|zei|ge** *w. 11;* **fehl|bar** *schweiz.:* f. sein: eine Vorschrift übertreten haben; **Fehl|be|trag** *m. 2;* **Fehl|bit|te** *w. 11* vergebliche Bitte; **Fehl|bo|den** *m. 8* doppelte Bretterschicht (z. B. als Zwischendecke); **Fehl|di|a|gno|se** *auch:* **-di|ag|no|se** *w. 11;* **feh|len** *intr. 1;* **Feh|ler** *m. 5;* **feh|ler|frei; feh|ler|haft; feh|ler|los; Feh|ler|quel|le** *w. 11;* **Fehl|far|be** *w. 11* **1** Spielkarte, die nicht Trumpf ist; **2** Zigarre mit fehlfarbenem Deckblatt; **3** *bei Briefmarken:* abweichende Farbe; *auch:* Briefmarke in dieser Farbe; **fehl|far|ben** missfarben; **Fehl|ge|burt** *w. 10;* **fehl|ge|hen**

> **fehl|gehen, fehl|schlagen:** Verbindungen aus Adverb/Adjektiv und Verb werden zusammengeschrieben, wenn der erste Teil nicht als selbständiges Wort vorkommt: *Er sollte in dieser Annahme fehlgehen.* Ebenso: *brachliegen, kundgeben.* →§ 34 (2.1)

intr. 47; **fehl|grei|fen** *intr. 59;* **Fehl|griff** *m. 1;* **Fehl|kon|struk|ti|on** *auch:* **-kons|truk|ti|on** *w. 10;* **Fehl|leis|tung** *w. 10;* **fehl|lei|ten** *tr. 2;* **Fehl|lei|tung** *w. 10;* **Fehl|paß** ► **Fehl|pass** *m. 2, Fußball:* Ballabgabe, die den gewünschten Spieler nicht erreicht; **fehl|schie|ßen** *intr. 113;* **Fehl|schlag** *m. 2;* **fehl|schla|gen** *intr. 116;* **Fehl|schluß** ► **Fehl|schluss** *m. 2;* **Fehl|schuß** ► **Fehl|schuss** *m. 2;* **Fehl|sich|tig|keit** *w. 10 nur Ez.* Störung des Sehvermögens, z. B. Kurz-, Weitsichtigkeit; **Fehl|start** *m. 9;* **Fehl|stoß** *m. 2;* **fehl|sto|ßen** *intr. 157;* **fehl|tre|ten** *intr. 163;* **Fehl|tritt** *m. 1;* **Fehl|ur|teil** *s. 1;* **Fehl|ver|such** *m. 1;* **Fehl|wurf** *m. 2;* **Fehl|zün|dung** *w. 10*

Feh|marn eine Ostseeinsel

Fehn [ndrl.], Fenn *s. 1* Sumpf-, Moorland; **Fehn|ko|lo|nie** *w. 11* bäuerl. Siedlung in den ostfries. Mooren; **Fehn|kul|tur** *w. 10,* **Fehn|wirt|schaft** *w. 10* das Urbarmachen von Mooren

Feh|werk *s. 1* = Feh (**2**)

fei|en *tr. 1, im Volksglauben:* unverwundbar machen; *nur noch in der Wendung* gegen etwas gefeit sein: unempfindlich sein

Fei|er *w. 11;* **Fei|er|a|bend** *m. 1;* **Fei|er|a|bend|heim** *s. 1, ehem. DDR:* Altenheim; **fei|er|a|bend|lich; fei|er|lich; Fei|er|lich|keit** *w. 10;* **fei|ern** *tr. u. intr. 1;* ich feiere, feire; **Fei|er|schicht** *w. 10* ausgefallene Schicht; **Fei|er|stun|de** *w. 11;* **Fei|er|tag** *m. 1;* **fei|er|täg|lich; fei|er|tags**; sonn- und feiertags

feig, fei|ge

Fei|ge *w. 11;* **Fei|gen|baum** *m. 2;* **Fei|gen|blatt** *s. 4;* **Fei|gen|kak|tus** *m. Gen. - Mz.* -telen

Feig|heit *w. 10 nur Ez.;* **Feig|ling** *m. 1*

Feig|war|ze *w. 11* = Kondylom; **Feig|wurz** *w. 10* ein Hahnenfußgewächs, Scharbockskraut

feil; feil|bie|ten *tr. 13* zum Verkauf anbieten, feilhalten

Fei|le *w. 11;* **fei|len** *tr. 1*

feil|hal|ten *tr. 61* = feilbieten

Feil|icht *s. 1* Feilstaub; **Feil|klo|ben** *m. 7* kleiner Schraubstock

feil|schen *intr. 1*

Feim *m. 1* **1** Schaum; **2** aufgeschichteter Getreide-, Stroh- oder Heuhaufen; **Fei|me** *w. 11,* **Fei|men** *m. 7* = Feim (**2**); **fei|men 1** *intr. 1* schäumen; **2** *tr. 1* zu Feimen (**2**) aufschichten

> **fein mahlen:** Gefüge aus Adjektiv und Verb werden getrennt geschrieben, wenn der erste Teil erweiterbar oder steigerbar ist: *Das Mehl ist fein gemahlen.* Ebenso: *fein geschnitten.* →§ 34 E3 (3)

fein; **Fein|ar|beit** *w. 10;* **Fein|bä|cker** *m. 5;* **Fein|bä|cke|rei** *w. 10;* **fein|be|ar|bei|ten** ► **fein be|ar|bei|ten** *tr. 2;* **Fein|be|ar|bei|tung** *w. 10;* **Fein|blech** *s. 1* sehr dünnes Blech

> **Feind sein/werden/bleiben:** In festen Gefügen werden Substantive, die nicht mit anderen Teilen des Gefüges zusammengeschrieben werden, mit großem Anfangsbuchstaben geschrieben: *Er ist ihm Feind geworden.* →§ 55 (4)

Feind *m. 1;* er ist sein Feind; Feind sein, werden; er ist ihm

► = wird zu

Feind; sie sind einander Feind; **Fein|des|hand** *w. 2 nur Ez.;* sich in F. befinden; **Fein|des|land** *s. 4 nur Ez.;* **feind|lich; Feind|lich|keit** *w. 10 nur Ez.;* **Feind|schaft** *w. 10 nur Ez.;* **feind|schaft|lich; feind|se|lig; Feind|se|lig|keit** *w. 10*
Fei|ne *w. 11 nur Ez.* Feinheit; **Fein|ein|stel|lung** *w. 10;* **fei|nen** *tr. 1* **1** von Unreinheiten befreien (Metall); **2** fein bearbeiten; **fein|füh|lig; Fein|füh|lig|keit** *w. 10 nur Ez.;* **Fein|ge|fühl** *s. 1 nur Ez.;* **Fein|ge|halt** *m. 1* Gehalt an edlem Metall (in Gold- und Silberlegierungen); **fein|ge|schnit|ten** ► **fein ge|schnit|ten; fein|glie|de|rig, fein|glied|rig; Fein|glied|rig|keit** *w. 10 nur Ez.;* **Fein|gold** *s. 1 nur Ez.* reines Gold; **Fein|heit** *w. 10;* **Fein|ke|ra|mik** *w. 10* aus sorgfältig aufbereiteten Rohstoffen hergestellte Keramik; *Ggs.:* Grobkeramik; **fein|ke|ra|misch; fein|kör|nig; Fein|kör|nig|keit** *w. 10 nur Ez.;* **Fein|kost** *w. Gen. - nur Ez.;* **fein|ma|chen** ► **fein ma|chen** *refl. 1, ugs.;* sich f. m.: fein anziehen; **fein|ma|schig; Fein|me|cha|nik** *w. 10 nur Ez.* Teilgebiet der Technik, das sich mit dem Bau messtechn. Geräte befasst; **Fein|me|cha|ni|ker** *m. 5;* **fein|me|cha|nisch; Fein|meß|ge|rät** ► **Fein|mess|ge|rät** *s. 1;* **Fein|mes|sung** *w. 10;* **fein|ner|vig; Fein|ner|vig|keit** *w. 10 nur Ez.;* **fein|schlei|fen** *tr. 118;* **Fein|schliff** *m. 1 nur Ez.;* **Fein|schme|cker** *m. 5;* **Fein|schnitt** *m. 1 nur Ez.* **1** fein geschnittener Tabak; **2** *Film:* Feinarbeit beim Schneiden; **Fein|sil|ber** *s. Gen. -s nur Ez.* reines Silber; **fein|sin|nig; Fein|sin|nig|keit** *w. 10 nur Ez.;* **Feins|lieb|chen** *s. 7;* **Fein|wä|sche** *w. 11;* **Fein|wasch|mit|tel** *s. 5*
feist; Feist *s. 1 nur Ez., Jägerspr.:* Fett (vom Reh-, Rot-, Dam- und Elchwild); **Feis|te** *w. 11 nur Ez.* Feistheit; **feis|ten** *tr. 2* mästen; **Feist|heit, Feis|tig|keit** *w. 10 nur Ez.*
Fei|tel *m. 5 österr.:* billiges Taschenmesser
fei|xen *intr. 1, vulg.:* lachen
fe|kund [lat.] fruchtbar; **Fe|kun|da|ti|on** *w. 10* Befruchtung; **Fe|kun|di|tät** *w. 10 nur Ez.* Fruchtbarkeit

Fel|bel [port.] *m. 5* Seidenplüsch (für Zylinderhüte)
Fel|ber *m. 5, österr.:* Weide; **Fel|ber|baum** *m. 2*
Fel|chen *m. 7* ein Lachsfisch, Ferch, Förch, Renke
Feld *s. 3;* **Feld|ar|beit** *w. 10;* **Feld|ar|til|le|rie** *w. 11* leichte Artillerie; **Feld|bett** *s. 12;* **Feld|blu|me** *w. 11;* **Feld|dich|te** *w. Gen. - nur Ez.* Dichte der Feldlinien; **Feld|dieb** *m. 1* Dieb von Feldfrüchten; **Feld|dieb|stahl** *m. 2;* **Feld|dienst** *m. 1* Dienst (einer Truppe) im Gelände; **feld|dienst|fä|hig; Feld|dienst|fä|hig|keit** *w. 10 nur Ez.*
Fel|den|krais *ohne Artikel* psychologische Methode, die durch oft wiederholte, geänderte Bewegungen des Körpers Bewusstheit erzeugen will
Feld|fie|ber *s. 5* fieberhafte, grippe- oder typhusähnliche Erkrankung, bes. in Gebieten, in denen häufig Überschwemmungen auftreten, Schlammfieber; **Feld|fla|sche** *w. 11;* **Feld|flur** *w. 10* Nutzland, Ackerland; **Feld|for|schung** *w. 10;* **Feld|fre|vel** *m. 5;* **Feld|frie|dens|bruch** *m. 2 nur Ez.;* **Feld|frucht** *w. 2;* **Feld|ge|schrei** *s. Gen. -s nur Ez.;* **Feld|got|tes|dienst** *m. 1* Gottesdienst an der Front; **feld|grau; Feld|herr** *m. Gen. -n oder -en Mz. -en;* **Feld|her|ren|kunst, Feld|herrn|kunst** *w. 2 nur Ez.;* **Feld|hü|ter** *m. 5;* **Feld|jä|ger** *m. 5* Polizist der Bundeswehr; **Feld|kü|che** *w. 11* fahrbarer Kochkessel für die Truppe an der Front; **Feld|la|ger** *s. 5;* **Feld|la|za|rett** *s. 1* Lazarett hinter der Front; **Feld|li|ni|en** *w. 11 Mz.* = Kraftlinien; **Feld|mar|schall** *m. 2;* **feld|marsch|mä|ßig; Feld|maß** *s. 1* Flächenmaß, z. B. Hektar; **Feld|mes|ser** *m. 5* Landvermesser; **Feld|post** *w. Gen. - nur Ez.;* **Feld|scher** *m. 1, früher:* Wundarzt für die Truppe; **Feld|schlan|ge** *w. 11* leichtes Geschütz mit langem Rohr; **Feld|spat** *m. 1* ein Mineral; **Feld|stär|ke** *w. 11* die im Magnet- oder elektr. Feld wirkende Kraft; **Feld|ste|cher** *m. 5* kleines Fernglas; **Feld|we|bel** *m. 5;* **Feld|weg** *m. 1;* **Feld|wei|bel** *m. 5, schweiz. für* Feldwebel; **Feld|zei|chen** *s. 7* Unterscheidungszeichen für Truppen, z. B. Fahne; **Feld|zug** *m. 2*

Felg|auf|schwung *m. 2* Aufschwung am Reck; **Fel|ge** *w. 11* **1** der den Reifen tragende Teil des Rades, Radkranz; **2** *Turnen:* Schwung am Reck aus dem Stütz um 360°; **fel|gen** *tr. 1* mit Felgen versehen (Rad); **Fel|gen|schwung, Felg|um|schwung** *m. 2* = Felge (**2**)
Fe|li|den [lat.] *w. 11 Mz., Sammelbez. für* Katzen und katzenartige Raubtiere
Fe|li|pe span. Form des Namens Philipp
Fell *s. 1*
Fel|lach [arab.] *m. 10,* **Fel|la|che** *m. 11* ägypt. Bauer
Fel|la|tio [-tsjo] *w. 9* Reizung des männl. Geschlechtsteiles mit Lippen und Zunge
Fell|ei|sen *s. 7* Reisesack, Ranzen (der wandernden Handwerksburschen)
Fel|low [-loʊ, engl. »Bursche«] *m. 9, in England:* Mitglied einer gelehrten Körperschaft oder eines Colleges; **Fel|low-Tra|vel|ler** [fɛloʊ træ̜vələ, engl. »Mitreisender«] *m. 9* jmd., der mit einer Partei, bes. einer kommunistischen, sympathisiert, ohne ihr anzugehören
Fe|lo|nie [frz.] *w. 11* Treubruch gegenüber dem Lehnsherrn im MA
Fels *m. 10;* **Fels|block** *m. 2;* **Fel|sen** *m. 7;* **Fel|sen|dom** *m. 1* Moschee in Jerusalem; **fel|sen|fest; Fels|ha|ken** *m. 7* Stahlhaken zur Sicherung oder Steighilfe beim Bergsteigen; **fel|sig; Fels|in|schrift** *w. 10;* **Fel|sit** *m. 1* ein Gestein; **Fels|ma|le|rei** *w. 10* Felszeichnung; **Fels|mas|siv** *s. 1;* **Fels|spit|ze** *w. 10;* **Fels|sturz** *m. 2;* **Fels|wand** *w. 2;* **Fels|zeich|nung** *w. 10* Ritzzeichnung in Felsen aus der Altsteinzeit
Fe|lu|ke [arab.] *w. 11* zweimastiges Küstenfahrzeug der Mittelmeerländer
Fe|me [ndrl.] *w. 11,* **Fem|ge|richt** *s. 1* **1** *urspr.:* Blutgericht; **2** *14./16. Jh.:* heimliches Gericht; **3** Notgericht, Gericht zur Selbsthilfe
Fe|mel *m. 5* männl. Hanf- oder Hopfenpflanze; **Fe|mel|be|trieb** *m. 1* **1** eine Form des Hochwaldbetriebes; **2** Haltung mehrerer Fischarten in einem Teich; **Fe|mel|wald** *m. 4*
Fe|me|mord *m. 1* polit. Mord;

Fe|me|mör|der *m. 5;* **Fem|ge|richt** *s. 1* = Feme
fe|mi|ni|e|ren [lat.], fe|mi|ni|sie|ren *tr. 3* durch Eingriff in den Hormonhaushalt oder durch Einpflanzung eines Eierstocks (in ein kastriertes männl. Tier) verweiblichen; **Fe|mi|ni|e|rung** *w. 10;* **fe|mi|nin** weiblich; weibisch; **Fe|mi|ni|num** *s. Gen.* -s *Mz.* -na weibl. Geschlecht, weibl. Substantiv; **fe|mi|ni|sie|ren** *tr. 3* = feminieren; **Fe|mi|nis|mus** *m. Gen.* - *Mz.* -men **1** Frauenbewegung; **2** weibische, weibl. Art (bei Männern), Verweiblichung; **Fe|mi|nis|tin** *w. 10* Frau, die sich aktiv für die gesellschaftl. Gleichstellung der Frauen und die Überwindung der Rollenverteilung zwischen Mann und Frau einsetzt; **fe|mi|nis|tisch**
Femme fa|ta|le [fam fatal, frz.] *w. Gen.* - - *Mz.* -s -s [fam fatal] verführerische Frau
Fench [lat.], Fen|nich *m. 1, volkstümlich für* verschiedene Hirsearten
Fen|chel [lat.] *m. 5* eine Gewürz- und Heilpflanze
Fen|der [engl.] *m. 5* Stoßdämpfer aus Tauen, Holz, Gummi o. Ä. an Schiffen
Fe|nek *m. 9* = Fennek
Fenn *s. 1* = Fehn
Fen|nek, Fe|nek [arab.] *m. 9* hundeartiges afrikan. Raubtier, Wüstenfuchs
Fen|nich *m. 1* = Fench
Fen|no|skan|dia, Fen|no|skan|di|en *auch:* **-s|kan-** geolog. Begriff für das Gebiet von Norwegen bis Ostkarelien; **fen|no|skan|disch** *auch:* **-nos|kan-**
Fen|rir *m. Gen.* -(s) *nur Ez.,* **Fen|ris|wolf** *m. 2 nur Ez., nord. Myth.:* Ungeheuer

> **Fenster** (Worttrennung): Im Unterschied zur bisherigen Regelung wird *-st-* getrennt: *Fens|ter, Fens|ter|bank, Fens|ter|glas.* →§ 107, § 108

Fens|ter *s. 5;* **Fens|ter|bank** *w. 2;* **Fens|ter|brett** *s. 3;* **Fens|ter|chen** *s. 7;* **Fens|ter|glas** *s. 4;* **...fens|te|rig** = ...fenstrig; **Fens|ter|la|den** *m. 8;* **Fens|ter|le|der** *s. 5;* **Fens|ter|lein** *s. 7;* **fens|terln** *intr. 1, bayr.:* nachts durchs Fenster bei der Geliebten einsteigen; **Fens|ter|platz** *m. 2;* **Fens|ter|put|zer** *m. 5;* **Fens|ter|rah|men** *m. 7;* **Fens|ter|schei|be** *w. 11;* **Fens|ter|sturz** *m. 2* Mauerrand oberhalb des Fensters; **...fens|trig**, ...fens|te|rig *in Zus.,* einfenstrig, dreifenstrig
Fenz [engl.] *w. 10* Zaun, Hecke; **fen|zen** *tr. 1* mit einem Zaun, einer Hecke umgeben, einfriedigen
Fe|ra|li|en [lat.] *Mz., im alten Rom:* jährliches Totenfest
Ferch *m. 1* = Felchen
Fer|ge *m. 11, veraltet, poet.:* Fährmann
ferg|gen *tr. 1, schweiz.:* abfertigen, wegbringen; **Ferg|ger** *m. 5, schweiz.:* Spediteur
Fe|ri|al|tag [lat.] *m. 1, österr.:* Ferientag; **Fe|ri|en** *nur Mz.;* die großen F.; **Fe|ri|en|dienst** *m. 1, ehem. DDR:* Einrichtung der Betriebe zur Vermittlung von Ferienplätzen; **Fe|ri|en|heim** *s. 1;* **Fe|ri|en|rei|se** *w. 11;* **Fe|ri|en|sa|chen** *w. 11 Mz.* dringende, während der Gerichtsferien zu bearbeitende Rechtssachen
Fer|kel *s. 5;* **Fer|ke|lei** *w. 10;* **fer|keln** *intr. 1* Junge werfen (vom Schwein)
ferm *österr. für* firm
Fer|man [pers.] *m. 1, in islam. Ländern:* Erlass des Herrschers
Fer|ma|te [ital.] *w. 11 (Zeichen:* 𝄐*) Mus.:* Zeichen zum Aus- halten des Tons oder zur Verlängerung der Pause
Fer|me [frz.] *w. 11, in Belgien, Frankreich:* Landgut, Pachthof
Fer|ment [lat.] *s. 1* in der Zelle gebildeter, zum Stoffwechsel notwendiger Stoff, Enzym; **Fer|men|ta|ti|on** *w. 10* Gärung durch Fermente zur Veredlung von Genussmitteln wie Tee, Tabak; **fer|men|ta|tiv** durch Fermente bewirkt; **fer|men|tie|ren** *tr. 3* durch Fermentation veredeln
Fer|mi [nach dem ital. Physiker Enrico F.] *s. Gen.* -(s) *Mz.* - *(Abk.:* F) *Kernphysik:* Maßeinheit der Länge, 1 F = 10^{-13} cm; **Fer|mi|on** *s. 13* Elementarteilchen mit halbzahligem Spin; **Fer|mi|um** *s. Gen.* -s *nur Ez.* (*chem. Zeichen:* Fm), *früher:* Zenturium, künstlich hergestelltes chem. Element, ein Transuran
fern, fer|ne; von nah und fern; von fern; von ferne; von fern her; der Ferne Osten; **fern|ab**

> **fern liegen/stehen:** Gefüge aus Adjektiv und Verb, bei denen das Adjektiv in dieser Verbindung erweiterbar oder steigerbar ist, werden getrennt geschrieben: *Das Thema musste ihm fern liegen.* →§ 34 E3 (3)

Fer|nam|buk|holz *s. 4 nur Ez.* = Pernambukholz
Fern|amt *s. 4;* **Fern|bahn|steig** *m. 1* Bahnsteig für Fern-, nicht für Vorortzüge; **Fern|be|ben** *s. 7* mehr als 1000 km entferntes Erdbeben; **fern|blei|ben** *intr. 17;* **Fern|blei|ben** *s. 1 nur Ez.;* **Fern|blick** *m. 1 nur Ez.;* **fer|ne** = fern; **Fer|ne** *w. 11;* aus der Ferne; **fer|ner** weiterhin, außerdem
Fer|ner, Fir|ner *m. 5, bayr., österr.:* Gletscher
fer|ner|hin *veraltend für* ferner; **Fern|fah|rer** *m. 5;* **Fern|fahrt** *w. 10;* **Fern|flug** *m. 2;* **Fern|gas** *s. 1 nur Ez.;* **fern|ge|heizt; fern|ge|lenkt** ferngesteuert; **Fern|ge|spräch** *s. 1;* **fern|ge|steu|ert; Fern|glas** *s. 4;* **fern|hal|ten** *tr. 61;* **Fern|hei|zung** *w. 10;* **fern|her;** *aber:* von fern her; **fern|hin; Fern|las|ter** *m. 5, ugs. Kurzw. für* Fernlastzug; **Fern|last|wa|gen** *m. 7;* **Fern|last|zug** *m. 2* Fernlastwagen mit einem oder zwei Anhängern; **Fern|lei|tung** *w. 10;* **fern|len|ken** *tr. 1* fernsteuern; ich lenke es fern, habe es ferngelenkt; **Fern|len|kung** *w. 10 nur Ez.;* **Fern|lenk|waf|fe** *w. 11;* **Fern|licht** *s. 3* nicht abgeblendetes Licht (an Kraftfahrzeugen); **fern|lie|gen** ► **fern liegen** *intr. 80;* das liegt mir fern; ein fern liegender Gedanke; **Fern|mel|de|amt** *s. 4;* **Fern|mel|de|tech|nik** *w. 10 nur Ez.;* **fern|münd|lich** telefonisch; **Fern|ost** *ohne Artikel, Kurzw. für* Ferner Osten; in, aus F.; **fern|öst|lich; Fern|rohr** *s. 1;* **Fern|ruf** *m. 1;*

> **fernsehen, fernbleiben:** Gefüge aus Adjektiv und Verb, bei denen das Adjektiv nicht steigerbar oder erweiterbar ist, werden zusammengeschrieben: *Sie wollten gestern fernsehen. Er hatte vor(,) der Veranstaltung fernzubleiben* (= nicht teilzunehmen). →§ 34 (2.2)

► = wird zu

Fern|schrei|ben *s. 7;* **Fern|schrei|ber** *m. 5;* **Fern|seh|an|sa|ger** *m. 5;* **Fern|seh|ap|pa|rat** *m. 1;* **Fern|seh|emp|fän|ger** *m. 5;* **fern|se|hen** *intr. 136;* ich sehe fern, habe ferngesehen; **Fern|se|hen** *s. Gen. -s nur Ez.;* **Fern|se|her** *m. 5; ugs. kurz für* Fernsehapparat; **Fern|seh|film** *m. 1;* **Fern|seh|ge|rät** *s. 1;* **Fern|seh|groß|pro|jek|ti|on** *w. 10;* **Fern|seh|ka|me|ra** *w. 9;* **Fern|seh|leh|rer** *m. 5* auf dem Bildschirm erscheinender Leiter von Fernsehgesprächen in bestimmten Sendungen des Schulfernsehens; **fern|seh|mü|de;** **Fern|seh|muf|fel** *m. 5 ugs. scherzh.:* jmd., der nicht gern fernsieht; **Fern|seh|pro|gramm** *auch:* **Fern|seh|prog|ramm** *s. 1;* **Fern|seh|schirm** *m. 1;* **Fern|seh|sen|der** *m. 5;* **Fern|seh|sen|dung** *w. 10;* **Fern|seh|spiel** *s. 1;* **Fern|seh|spot** *m. 9* Werbekurzfilm im Fernsehen; **Fern|sicht** *w. 10 nur Ez.;* **fern|sich|tig;** **Fern|sich|tig|keit** *w. 10 nur Ez.;* **Fern|sprech|amt** *s. 4;* **Fern|sprech|an|schluß** ► **Fern|sprech|an|schluss** *m. 2;* **Fern|sprech|au|to|mat** *m. 10;* **Fern|sprech|buch** *s. 4* Telefonbuch; **fern|spre|chen** *intr. 146* telefonieren; ich spreche fern, habe ferngesprochen; **Fern|spre|cher** *m. 5* Telefon; **Fern|sprech|ge|bühr** *w. 10;* **Fern|sprech|teil|neh|mer** *m. 5;* **Fern|sprech|ver|bin|dung** *w. 10;* **Fern|sprech|ver|zeich|nis** *s. 1;* **Fern|sprech|zel|le** *w. 11;* **Fern|spruch** *m. 2* Telegramm; **fern|ste|hen** ► **fern ste|hen** *intr. 151;* ich stehe ihm fern; **fern|steu|ern** *tr. 1;* ich steuere es fern, habe es ferngesteuert; **Fern|steu|e|rung** *w. 10;* **Fern|stra|ße** *w. 11* Fernverkehrsstraße; **Fern|stu|di|um** *s. Gen. -s Mz. -di|en;* **Fern|un|ter|richt** *m. 1;* **Fern|ver|bin|dung** *w. 10;* **Fern|ver|kehr** *m. 1 nur Ez.;* **Fern|ver|kehrs|stra|ße** *w. 11;* **Fern|weh** *s. Gen. -s nur Ez.;* **Fern|wir|kung** *w. 10*

Fer|rit [lat.] *m. 1 nur Ez.* reines, kristallisiertes Eisen in Eisenlegierungen, auch in Meteoren und Ergussgesteinen

Fer|ro|graph ► *auch:* **Fer|ro|graf** [lat. + griech.] *m. 10* Gerät zum Messen der magnet. Eigenschaften eines Stoffes; **fer|ro|gra|phisch** ► *auch:* **fer|ro|gra|fisch;** **fer|ro|ma|gne|tisch** *auch:* **-mag|ne|tisch** magnetisch wie Eisen; **Fer|ro|ma|gne|tis|mus** *auch:* **-mag|ne|tis|mus** *m. Gen. - nur Ez.* Eigenschaft von Eisen und anderen Stoffen, dauernd magnetisch zu sein; **Fer|ro|skop** *auch:* **-ros|kop** *s. 1* Gerät, mit dem von Tieren verschluckte Eisengegenstände nachgewiesen werden können; **Fer|rum** [lat.] *s. Gen. -s nur Ez.* (*Zeichen:* Fe) chem. Element, Eisen

Fer|se *w. 11;* **Fer|sen|bein** *s. 1;* **Fer|sen|geld** *s., nur in der Wendung* F. geben: davonlaufen

fer|tig fertig sein, werden; sie wird mir das Kleid f. bringen; eine Arbeit fertig machen, *aber:* → fertigmachen; **Fer|tig|bau|wei|se** *w. 11* Bauweise, bei der die Bauteile in der Fabrik vorgefertigt und auf dem Bauplatz nur noch zusammengesetzt werden; **fer|tig|be|kom|men** ► **fer|tig be|kom|men** *tr. 71;* **fer|tig|brin|gen** ► **fer|tig brin|gen** *tr. 21* können, zustande bringen; **fer|ti|gen** *tr. 1;* **Fer|tig|fa|bri|kat** *auch:* **-fab|ri|kat** *s. 1* = Ganzfabrikat; **Fer|tig|haus** *s. 4* in Fertigbauweise hergestelltes Haus; **Fer|tig|keit** *w. 10;* **Fer|tig|klei|dung** *w. 10 nur Ez.;* **fer|tig|ma|chen** *tr. 1;* jmdn. f.: zermürben, erledigen; vgl. fertig; **fer|tig|stel|len** ► **fer|tig stel|len** *tr. 1;* **Fer|tig|stel|lung** *w. 10;*

> **fertig stellen:** Gefüge aus Adjektiv und Verb, bei denen das Adjektiv in dieser Verbindung steigerbar oder erweiterbar ist, werden getrennt geschrieben: *Sie wollte die Arbeit bis Montag fertig stellen.* Ebenso: *fertig bekommen, fertig bringen.* →§ 34 E3 (3)

Fer|ti|gung *w. 10;* **Fer|ti|gungs|kos|ten** *nur Mz.;* **Fer|tig|wa|re** *w. 11* Ware, die nach Verlassen der Fabrik nicht weiter bearbeitet zu werden braucht

fer|til [lat.] fruchtbar; *Ggs.:* infertil; **Fer|ti|li|tät** *w. 10 nur Ez.* Fruchtbarkeit; *Ggs.:* Infertilität

fes, Fes *s. Gen. - Mz. -, Mus.:* das um einen halben Ton erniedrigte f bzw. F

Fes [nach der marokkan. Stadt Fes], Fez [fes] *m. 1, im Vorderen Orient:* rote, kegelstumpfförmige Kopfbedeckung mit Quaste

fesch [engl.] schick, flott

Fes-Dur *s. Gen. - nur Ez.* eine Tonart; **Fes-Dur-Ton|lei|ter** *w. 11*

fe|ses, Fe|ses *s. Gen. - Mz. -, Mus.:* das um zwei halbe Töne erniedrigte f bzw. F

Fes|sel *w. 11;* **Fes|sel|bal|lon** [-lɔ̃] *m. 9*

Fes|sel|ge|lenk *s. 1*

fes|sel|los; **fes|seln** *tr. 1;* ich fessele, fessle ihn, **Fes|se|lung** *w. 10 nur Ez.*

> **fest binden/halten:** Gefüge aus Adjektiv und Verb, bei denen das Adjektiv in dieser Verbindung steigerbar *(fester)* oder erweiterbar ist, werden getrennt geschrieben: *Sie hat die Blumen fest gebunden. Wir konnten uns fest halten.* →§ 34 E3 (3)

fest; das Paket ist fest verschnürt; fest binden; *aber:* → festbinden; fest halten; *aber:* → festhalten; fest stehen; *aber:* → feststehen

Fest *s. 1;* **Fest|akt** *m. 1*

Fest|an|ge|bot *s. 1;* **fest|an|ge|stellt;** **fest|ba|cken** *tr. 4;* **fest|bei|ßen** *tr. 8* sich in etwas verbeißen; **fest|be|sol|det;** **fest|bin|den** *tr. 14* anbinden

fes|te *Adv. ugs.:* fest, ordentlich, tüchtig; immer feste!; feste drauflos

Fes|te, Ves|te *w. 11, veraltet:* Festung

fes|ten *intr. 2* ein Fest feiern, in Gesellschaft vergnügt sein; **Fes|tes|freu|de** *w. 11 nur Ez., poet.;* **Fest|es|sen** *s. 7;* **Fes|tes|stim|mung** *w. 10 nur Ez.; poet.*

fest|fah|ren *intr. 32*

Fest|freu|de *w. 11 nur Ez.*

Fest|ge|bot *s. 1, Kaufmannsspr.:* festes Angebot

Fest|ge|la|ge *s. 5*

Fest|geld *s. Gen. -(e)s nur Ez.* Bankeinlage mit fester Laufzeit

fest|hal|ten *tr. 61;* schriftlich fixieren; **fes|ti|gen** *tr. 1;* **Fes|tig|keit** *w. 10 nur Ez.;* **Fes|ti|gung** *w. 10*

Fes|ti|val [auch: -val, engl.] *s. 9* große festl. Veranstaltung; **Fes|ti|vi|tät** *w. 10, ugs. scherzh.:* Fest

fest|kle|ben *tr. u. intr. 1;* **fest|klem|men** *tr. 1;* **Fest|ko|mi|tee** *s. 9* **Fest|kör|per**

festhalten, festnehmen, festsetzen: Gefüge aus Adjektiv und Verb, bei denen das Adjektiv weder steigerbar noch erweiterbar ist (*festhalten* = schriftlich fixieren, *festschreiben* = bestimmen, *festsetzen* = bestimmen), werden zusammengeschrieben: *Er hat die Vereinbarung festgehalten. Die Polizei hat ihn festgenommen* (= verhaftet). *Das konnten wir letzte Woche festsetzen.* →§ 34 (2.2)

m. 5; **Fest|land** *s. 4;* **fest|län|disch; Fest|lands|block** *m. 2;* **Fest|lands|mas|se** *w. 11;* **Fest|land(s)|so|ckel** *m. 5;* **fest|le|gen** *tr. 1*
fest|lich; Fest|lich|keit *w. 10*
fest|lie|gen *intr. 80;* **Fest|lohn** *m. 2;* **fest|ma|chen** *tr. 1;* befestigen, bindend vereinbaren
Fest|mahl *s. 4*
Fest|me|ter *s. 5* (*Abk.*: fm) Raummaß (1 m³) für Holz ohne Zwischenraum; vgl. Raummeter; **fest|na|geln** *tr. 1;* ich nagele, nagle es fest; **Fest|nah|me** *w. 11;* **fest|neh|men** *tr. 88* vorläufig gefangen nehmen; **Fest|of|fer|te** *w. 11* Festgebot
Fes|ton [-tõ, frz.] *s. 9* Girlande aus Blumen, Blättern und Früchten (meist als Schmuckform in der Baukunst, Buchillustration und Stickerei); **fes|to|nie|ren** *tr. 3* **1** mit einem Feston versehen; **2** mit Festonstich umranden; **Fes|ton|stich** [-stõ-] *m. 1* Knopflochstich
Fest|ord|ner *m. 5;* **Fest|plat|te** *w. 11* in einen Computer eingebauter Magnetplattenspeicher; **Fest|platz** *m. 2;* **Fest|preis** *m. 1;* **Fest|punkt** *m. 1* in Entfernung und Höhe festgelegter Punkt, Fixpunkt
Fest|re|de *w. 11;* **Fest|red|ner** *m. 5;* **Fest|saal** *m. Gen.* -(e)s *Mz.* -säle; **Fest|schmuck** *m. Gen.* -(e)s *nur Ez.*
fest|schnal|len *tr. 1;* **fest|schnü|ren** *tr. 1;* **fest|schrau|ben** *tr. 1;* **fest|schrei|ben** *tr. 127* durch einen Vertrag vorläufig festlegen, festsetzen
Fest|schrift *w. 10*
fest|set|zen *tr. u. refl. 1;* **Fest|set|zung** *w. 10 nur Ez.;* **fest|sit|zen** *intr. 143*
Fest|spiel *s. 1*
fest|ste|cken *tr. u. intr. 1;* **fest|ste|hen** *intr. 151* sicher sein, festgelegt, vereinbart sein; fest steht, dass...; es hat festgestanden, dass...; vgl. fest; **fest|stel|len** *tr. 1;* **Fest|stel|ler** *m. 5,* **Fest|stell|tas|te** *w. 11* Taste an der Schreibmaschine zum Feststellen des Wagens; **Fest|stel|lung** *w. 10;* **Fest|stel|lungs|kla|ge** *w. 11*
Fest|stim|mung *w. 10 nur Ez.;* **Fest|ta|fel** *w. 11;* **Fest|tag** *m. 1;* **fest|täg|lich**
Fes|tung *w. 10;* **Fes|tungs|gra|ben** *m. 8;* **Fes|tungs|haft** *w. 10 nur Ez.;* **Fes|tungs|kom|man|dant** *m. 10;* **Fes|tungs|wall** *m. 2*
Fest|ver|samm|lung *w. 10*
fest|ver|zins|lich; festverzinsliche Papiere; **fest|wach|sen** *intr. 172*
Fest|wie|se *w. 11;* **Fest|wo|che** *w. 11*
fest|wur|zeln *intr. 1*
Fest|zug *m. 2*
Fet, Föt *m. 1, kurz für* Fetus; **fe|tal**, fötal zum Fetus gehörig
Fe|te [*auch:* fɛ:tə, frz.] *w. 11, ugs. scherzh.*: Fest
Fe|tisch [port.-frz.] *m. 1, bei Naturvölkern:* Gegenstand, dem magische Kraft zugeschrieben wird, religiös verehrter Gegenstand; **Fe|ti|schis|mus** *m. Gen. - nur Ez.* **1** relig. Verehrung von Fetischen, Glaube an Fetische; **2** geschlechtl. Erregbarkeit durch einen zum anderen Geschlecht gehörigen Gegenstand, z. B. Kleidungsstück; **Fe|ti|schist** *m. 10* **1** Anhänger des Fetischismus (**1**); **2** jmd., der Fetischismus (**2**) ausübt; **fe|ti|schis|tisch** den Fetischismus betreffend
fett; Fette Henne = Fetthenne; **Fett** *s. 1;* das Fett abschöpfen *ugs. übertr.*: sich das Beste nehmen; er hat sein Fett weg *ugs. übertr.*: er ist gemaßregelt worden; **Fett|an|satz** *m. 2;* **fett|arm; Fett|ar|mut** *w. 10 nur Ez.;* **Fett|au|ge** *s. 14;* **Fett|druck** *m. 1 nur Ez.;* **Fet|te** *w. 11 nur Ez., ugs.*: Fettheit; **fet|ten** *tr. u. intr. 2;* **Fett|fleck** *m. 12;* **fett|frei; fett|ge|druckt** ► **fett ge|druckt;** fett gedruckte Buchstaben; die Buchstaben sind fett gedruckt; **Fett|ge|halt** *m. 1 nur Ez.;* **Fett|ge|schwulst** *w. 2;* **Fett|ge|we|be** *s. 5;* **Fett|heit** *w. 10 nur Ez.;* **Fett|hen|ne** *w. 11 nur Ez.,* Fette Henne, Zierpflanze und Heilkraut, eine Gattung der Dickblattgewächse; **Fett|herz** *s. 16;* **fet|tig; Fet|tig|keit** *w. 10;* **Fett|kloß** *m. 2, ugs.*: fetter Mensch; **Fett|koh|le** *w. 11* eine Steinkohlenart; **Fett|le|be** *w. Gen. - nur Ez., ugs.:* Wohlleben; F. machen: üppig essen und trinken; **Fett|le|ber** *w. 11;* **fett|lei|big; Fett|lei|big|keit** *w. 10 nur Ez.;* **fett|lös|lich** in Fetten löslich; **Fett|lös|lich|keit** *w. 10 nur Ez.;* **Fett|näpf|chen** *s. 7, nur in der ugs. Wendung* ins F. treten: etwas für den andern Peinliches oder Unangenehmes sagen oder tun; **Fett|pols|ter** *s. 5;* **fett|reich; Fett|reich|tum** *s. 4 nur Ez.;* **Fett|säu|re** *w. 11* gesättigte, einbasische Karbonsäure; **Fett|schwanz|schaf** *s. 1* eine Hausschafrasse; **Fett|stift** *m. 1;* **Fett|stuhl** *m. 2;* **Fett|sucht** *w. Gen. - nur Ez.;* **fett|trie|fend; Fett|trop|fen** *m. 7;* **Fettu|sche** ► **Fett|tu|sche** *w. 11* fetthaltige Tusche; **Fett|wanst** *m. 2* fetter Mann

fett gedruckt: Gefüge aus Adjektiv und Verb, bei denen das Adjektiv steigerbar oder erweiterbar ist, werden getrennt geschrieben: *Die Meldung war fett gedruckt.* →§ 34 E3 (3)

Fe|tus [lat.], Fötus *m. Gen. - Mz.*-ten *oder m. 1* Leibesfrucht vom dritten Monat an
Fetz|chen *s. 7;* **fet|zen** *tr. 1;* **Fet|zen** *m. 7; österr.*: Scheuertuch; **fet|zig** *ugs.*: mitreißend; fetzige Musik
feucht; Feuch|te *w. 11 nur Ez.;* **feuch|ten** *tr. 2;* **feucht|fröh|lich; feucht|heiß; Feuch|tig|keit** *w. 10 nur Ez.;* **Feuch|tig|keits|ge|halt** *m. 1 nur Ez.;* **Feuch|tig|keits|grad** *m. 1;* **Feuch|tig|keits|mes|ser** *m. 5* = Hygrometer; **feucht|kalt; feucht|warm**
feu|dal [mlat.] **1** zum Lehnswesen gehörend, Lehns...; **2** vornehm, prunkvoll; **Feu|dal|herr|schaft** *w. 10 nur Ez.;* **Feu|da|lis|mus** *m. Gen. - nur Ez.,* Feudalsystem *s. 1 nur Ez.* Lehnswesen, Lehnssystem; **feu|da|lis|tisch; Feu|da|li|tät** *w. 10 nur Ez.* **1** Lehnsverhältnis; **2** Vornehmheit, Prunk; **Feu|dal|sys|tem** *s. 1* = Feudalismus; **Feu|dal|staat** *m. 12* auf dem

Lehnswesen beruhende Staatsform, Lehnsstaat; **Feu|da|l|we|sen** *s. 7 nur Ez.* Lehnswesen

Feu|del *m. 5, nddt.:* Scheuerlappen

Feu|er *s. 5;* Feuer und Flamme (für etwas) sein *ugs.:* begeistert sein; **Feu|er|a|larm** *m. 1;* **Feu|er|an|be|ter** *m. 5;* **Feu|er|an|be|tung** *w. 10 nur Ez.;* **feu|er|be|stän|dig; Feu|er|be|stän|dig|keit** *w. 10 nur Ez.;* **Feu|er|be|stat|tung** *w. 10;* **Feu|er|boh|ne** *w. 11* eine Bohnenart; **Feu|er|ei|fer** *m. 5 nur Ez.;* **feu|er|far|ben, feu|er|far|big; feu|er|fest; Feu|er|ge|fahr** *w. 10 nur Ez.;* **feu|er|ge|fähr|lich; Feu|er|ge|fähr|lich|keit** *w. 10 nur Ez.;* **Feu|er|kopf** *m. 2* sprühend lebhafter Mensch; **Feu|er|land** Insel an der Südspitze Südamerikas; **Feu|er|lei|ter** *w. 11;* **Feu|er|lö|scher** *m. 5;* **Feu|er|mal** *s. 1* angeborener, bläulich roter Hautfleck, meist im Gesicht, ein Muttermal; **Feu|er|mau|er** *w. 11* Brandmauer; **Feu|er|mel|der** *m. 5;* **feu|ern** *tr. u. intr. 1:* ich feuere, feure; **Feu|er|pro|be** *w. 11;* **feu|er|rot; Feu|er|sa|la|man|der** *m. 5* ein Schwanzlurch; **Feu|ers|brunst** *w. 2;* **Feu|er|scha|den** *m. 8;* **Feu|er|schein** *m. 1 nur Ez.;* **Feu|er|schiff** *s. 1* verankertes Signalschiff; **Feu|er|schutz** *m. Gen. -es nur Ez.;* **feu|er|si|cher; Feu|ers|not** *w. 2;* **feu|er|spei|end ► Feu|er spei|end; Feu|er|sprit|ze** *w. 11;* **Feu|er|stein** *m. 1* ein Quarz, Flintstein; **Feu|er|stel|le** *w. 11;* **Feu|er|stel|lung** *w. 10* schussbereite Stellung (von Geschützen); **Feu|er|tau|fe** *w. 11* erstmalige Teilnahme an einem Gefecht; **Feu|er|tod** *m. 1;* **Feu|er|ü|ber|fall** *m. 2;* **Feu|e|rung** *w. 10;* **Feu|e|rungs|an|la|ge** *w. 11;* **feu|er|ver|si|chert; Feu|er|ver|si|che|rungs|ge|sell|schaft** *w. 10;* **Feu|er|wa|che** *w. 11;* **Feu|er|waf|fe** *w. 11;* **Feu|er|was|ser** *s. 6* Branntwein; **Feu|er|wehr** *w. 10;* **Feu|er|wehr|mann** *m. 4, Mz. auch:* -leu|te; **Feu|er|werk** *s. 1;* **feu|er|wer|ken** *intr. 1;* **Feu|er|wer|ker** *m. 5* **1** = Pyrotechniker; **2** *bis 1945:* Feldwebel bei der Artillerie, der für die Waffen und Munition verantwortlich war; **Feu|er|wer|ke|rei** *w. 10 nur Ez.* = Pyrotechnik; **Feu|er|werks|kör|per** *m. 5;* **Feu|er|zan|ge** *w. 11;* **Feu|er|zan|gen|bow|le** *w. 11;* **Feu|er|zei|chen** *s. 7;* **Feu|er|zeug** *s. 1*

Feuil|la|ge [fœjaʒə, frz.] *w. 11 nur Ez.* Laubwerk (als Ornament in Baukunst, Plastik und Malerei); **Feuil|le|ton** [fœjətɔ̃] *s. 9* **1** der kulturelle Teil der Zeitung; **2** allgemein verständlich und ansprechend geschriebener Beitrag (Geschichte, Betrachtung, Kritik) für die Zeitung; **Feuil|le|to|nis|mus** *m. Gen. - nur Ez.* die Kunstform des Feuilletons (**2**); **Feuil|le|to|nist** *m. 10* Mitarbeiter beim Feuilleton (**1**); **feuil|le|to|nis|tisch** **1** in der Art eines Feuilletons (**2**); **2** *abwertend:* ansprechend, aber oberflächlich

feu|rig

Fex *m. 1, österr.: m. 10* jmd., der für etwas begeistert ist, z. B. Bergfex

Fez **1** *m. 1 nur Ez., mitteldt., schweiz.:* Spaß, Unsinn; F. machen; **2** [fɛs] *m. 1* = Fes

ff **1** *Abk. für* fortissimo; **2** *Zeichen für* sehr fein, beste Qualität; *vgl.* Effeff *eigentl.:* feinfein

ff. *Abk. für* (und) folgende (Seiten), z. B. S. 12 ff.

FF *Abk. für* französische(r) Franc(s)

fff *Abk. für* fortefortissimo, fortissimo

FH *Abk. für* Fachhochschule

Fi|a|ker [frz.] *m. 5* **1** Mietkutsche, Pferdedroschke; **2** Pferdedroschkenkutscher

Fia|le [griech.] *w. 11, got. Baukunst:* schlankes, spitzes Türmchen über Strebepfeilern

fi|an|chet|tie|ren [-ket-, ital.] *intr. 3, Schach:* das Spiel mit einem Fianchetto eröffnen; **Fi|an|chet|to** [-kɛt-] *s. Gen. -s Mz. -s oder -ti, Schach:* Vorbereitung eines Seitenangriffs durch die Läufer

Fi|as|ko [ital.] *s. 9* Misserfolg

Fi|bel **1** *w. 11* Lehrbuch für Anfänger, Kinderlesebuch; **2** [lat.] *w. 11,* Fi|bu|la *w. Gen. - Mz. -n* german. Gewandnadel

Fi|ber [lat.] *w. 11* Faser (von Muskeln, Pflanzen); **fi|bril|lär** aus Fibern bestehend, faserig; **Fi|bril|le** *w. 11* Ausläufer der Muskel-, Nerven-, Pflanzenfaser; **fi|bril|lie|ren** *tr. 3* zerfasern (Papierrohstoff)

Fi|brin [lat.] *s. 1 nur Ez.* bei der

> **Fibrille** (Worttrennung): Neben der üblichen Trennung *Fi|bril|le* ist auch die Abtrennung zwischen *-b-* und *-r-* möglich. Auf diese Weise kommt der letzte Konsonant auf die neue Zeile: *Fib|ril|le.* Entsprechend: *Fi|brin/Fib|rin, Fi|brom/Fib|rom* usw. →§ 107, § 108

Blutgerinnung entstehender, faseriger Eiweißstoff; **Fi|bri|no|gen** *s. 1 nur Ez.* lösl. Vorstufe des Fibrins; **fi|bri|nös** fibrinhaltig, faserig gerinnend; **Fi|bro|in** *s. 1 nur Ez.* ein Eiweißkörper, Bestandteil der Naturseide; **Fi|brom** *s. 1* Binde- gewebsgeschwulst, Fasergeschwulst; **fi|brös** aus grobem Bindegewebe bestehend, faserig

Fi|bu|la [lat.] *w. Gen. - Mz.* -lae **1** Wadenbein; **2** Schloss (an Büchern); **3** = Fibel (**2**)

Fiche [fi:ʃ, frz.] *Gen. - Mz. -s* **1** *w. schweiz. für* Karteikarte; **2** *m. od. s.* Filmkarte mit Mikrokopie

Fich|te *w. 11;* **fich|ten** aus Fichtenholz; **Fich|ten|holz** *s. 4 nur Ez.;* **Fich|ten|na|del** *w. 11;* **Fich|ten|spar|gel** *m. 5 nur Ez.* eine Waldpflanze; **Fich|ten|zap|fen** *m. 7*

Fi|chu [-ʃy, frz.] *s. 9, Ende des 18. Jh.:* dreieckiges, auf der Brust gekreuztes und auf dem Rücken zusammengebundenes Schultertuch

fi|cken *intr. u. tr. 1, vulg.:* den Beischlaf ausüben; **fi|cke|rig** *ugs.:* nervös, unruhig; **Fick|fack** *m. 1* Ausflucht, Vorwand; **fick|fa|cken** *intr. 1* Ausflüchte machen; **Fick|fa|cker** *m. 5* jmd., der fickfackt; **Fick|fa|cke|rei** *w. 10*

Fi|de|i|kom|miß ► Fi|de|i|kom|miss [lat.] *s. 1, früher:* unverkäufl. unbelastbares und nur im Ganzen vererbl. Landgut; **Fi|de|is|mus** *m. Gen. - nur Ez.* **1** Lehre, dass die relig. Wahrheiten nur mit dem Glauben, nicht mit der Vernunft fassbar seien; **2** ev.-ref. Lehre, dass das Wichtigste der Glaube, nicht der Glaubensinhalt sei; **Fi|de|ist** *m. 10;* **fi|de|is|tisch**

fi|del [lat.] lustig, vergnügt

Fi|del *w. 11, 8./14. Jh.:* kleines Streichinstrument, Vorform der Geige

Fi|de|li|tas [lat.] *w. Gen. - nur Ez.*, **Fi|de|li|tät** *w. 10 nur Ez.* Lustigkeit, Munterkeit
Fi|des [lat.] *w.* Treue, Glauben, Göttin in der röm. Mythologie
Fi|di|bus [Herkunft unsicher] *m. 1* Span oder mehrmals gefalteter Papierstreifen zum Anzünden der Pfeife oder des Brennmaterials
Fi|dschi *auch:* **Fid|schi** Inselstaat in der Südsee; **Fi|dschi|a|ner** *auch:* **Fid|schi|a|ner**
Fi|du|li|tät [lat.] *w. 10* inoffizieller (fideler) Teil eines student. Kommerses
Fi|duz [lat.] *s. Gen.* -es *nur Ez., Stud. und ugs.:* Vertrauen, Zutrauen; kein F. zu etwas haben; **Fi|du|zi|ant** *m. 10* Treugeber (bei einem fiduziar. Geschäft); **Fi|du|zi|ar** *m. 1* Treuhänder; **fi|du|zi|a|risch** zu treuen Händen (übergeben); fiduziarisches Geschäft: Treuhandgeschäft; **fi|du|zit!** *Stud.:* vertraue darauf! (Zuruf beim Trinken, Antwort auf: schmollis!); **Fi|du|zit** *s. Gen.* -s *nur Ez.* der Zuruf »fiduzit«
Fie|ber *s. 5;* **Fie|ber|baum** *m. 2* = Eukalyptusbaum; **Fie|ber|fan|ta|sie,** Fie|ber|phan|ta|sie *w. 11;* **fie|ber|frei; fie|ber|haft; fie|be|rig,** fieb|rig; **fie|ber|krank; Fie|ber|kur|ve** *w. 11;* **fie|bern** *intr. 1;* **Fie|ber|phan|ta|sie** *Nv.* ► **Fie|ber|fan|ta|sie** *Hv.;* **Fie|ber|rin|de** *w. 11 nur Ez.* = Chinarinde; **Fie|ber|rö|te** *w. 11 nur Ez.;* **fieb|rig,** fie|be|rig
Fie|del *w. 11, ugs.:* Geige; vgl. Fidel; **Fie|del|bo|gen** *m. 7;* **fie|deln** *intr. 1, ugs.:* geigen
Fie|der *w. 11* **1** Teil eines gefiederten Blattes; **2** *veraltet:* kleine Feder; **Fie|der|blätt|chen** *s. 7* einzelnes Blättchen des gefiederten Blattes; **Fie|de|rung** *w. 10;* **fie|dern 1** *tr. 1* mit Federn versehen; *nur noch in:* gefiedert; **2** *refl. 1, Jägerspr.:* ein neues Federkleid anlegen
Fied|ler *m. 5, ugs.:* Geiger
Field|re|search ► *auch:* **Field Re|search** [-rɪzəːtʃ, engl. »Feldforschung«] *w. Gen. - nur Ez., Markt-, Meinungsforschung:* Befragung durch persönl. Gespräch oder Fragebogen; **Field|work** [-wəːk] *s. Gen.* -s *nur Ez., Markt-, Meinungsforschung:* persönliche Befragung (nicht durch Fragebogen); **Field|wor|ker** [-wəːkə] *m. 5* jmd., der persönliche Befragungen durchführt
Fie|pe *w. 11* feine, hohe Pfeife (zum Anlocken von Rehwild); **fie|pen** *intr. 1* **1** einen feinen, hohen Ton von sich geben (Reh); **2** leise winseln (Hund)
Fi|e|rant [-fiə-, ital.] *m. 10, süddt., österr.:* umherziehender Händler, Markthändler
fie|ren *intr. 1, Seew.:* (aus dem Takelwerk) herablassen, ablaufen lassen (Tau)
fies *ugs.:* widerlich, gemein; **Fies|ling** *m. 1*
Fi|es|ta [span.] *w. Gen. - Mz.* -s (span.) Volksfest
FIFA, Fifa *w. Gen. - nur Ez., Kurzw. für* Fédération Internationale de Football Association: Internationaler Fußballverband, Sitz: Zürich
fif|ty-fif|ty [engl. »fünfzig-fünfzig«] halbpart, zu gleichen Teilen
Fi|ga|ro [ital.] *m. 6* Bühnen- und Opernfigur, berühmt durch Mozarts komische Oper »Figaros Hochzeit«; *scherzh.:* Frisör
Fight [faɪt, engl.] *m. 9, Boxen:* rascher, harter Schlagabtausch; **figh|ten** [faɪ-] *intr. 2, Boxen:* hart kämpfen; **Figh|ter** [faɪ-] *m. 5* hart und rasch schlagender Boxer; **Figh|ting** [faɪ-] *s. 9 nur Ez., Boxen:* Kampfweise mit hartem, raschen Schlagabtausch
Fi|gur [lat.] *w. 10;* **Fi|gu|ra** *w., nur in der Wendung* wie F. zeigt: wie das Beispiel, wie der Vorfall zeigt; **fi|gu|ral** mit Figuren versehen, verziert; **Fi|gu|ral|mu|sik** *w. 10 nur Ez.* die kunstvoll verzierte, mehrstimmige Musik des MA, im Unterschied zum einstimmigen Choral; **Fi|gu|rant** *m. 10* **1** *Ballett:* Gruppentänzer, im Unterschied zum Solotänzer; **2** *Theater, Film:* Darsteller ohne Sprechrolle; **Fi|gu|ra|ti|on** *w. 10* das Umspielen, Verzieren einer Melodie; **fi|gu|ra|tiv 1** figürlich; **2** darstellend, als Beispiel dienend; **Fi|gür|chen** *s. 7;* **fi|gu|rie|ren 1** *intr. 3* erscheinen, auftreten, eine Rolle spielen; sie figuriert als Gesellschafterin; **2** *tr. 3;* eine Melodie f.: umspielen, verzieren; **Fi|gu|rie|rung** *w. 10;* **Fi|gu|ri|ne** *w. 11* **1** Figürchen, kleine (bes. antike) Statue; **2** kleine Gestalt im Hintergrund von Landschaftsbildern; **3** *Theater:* gezeichnete kleine Figur als Kostümentwurf; **fi|gür|lich 1** im Hinblick auf die Figur (einer Person); **2** bildlich, im übertragenen Sinne
Fik|ti|on [lat.] *w. 10* **1** Erdichtung, etwas Ausgedachtes, Erfindung; **2** *Philos.:* Unterstellung, bewusst falsche Annahme, um daraus Erkenntnisse zu gewinnen; **3** *Rechtsw.:* rechtlich zulässige Anwendung eines Rechtssatzes auf einen Sachverhalt, auf den er eigentlich nicht anzuwenden ist (z. B. kann jmd. zu einem bestimmten Zeitpunkt als schon geboren gelten, obwohl er nur gezeugt ist); **Fik|ti|o|na|lis|mus** *m. Gen. - nur Ez.* auf Fiktionen aufgebaute Philosophie, Als-ob-Philosophie; **Fik|ti|o|na|list** *m. 10;* **fik|ti|o|na|lis|tisch; fik|tiv** auf Fiktion beruhend, nur angenommen, erdichtet
Fi|la|ment [lat.] *s. 1* **1** *Bot.:* Staubfaden; **2** *Astron.:* schmales, lang gestrecktes Gebilde auf der Sonnenoberfläche
Fi|lan|da [ital.] *w. Gen. - Mz.* -den Anlage zum Abhaspeln von Seidenkokons
Fi|let [-le, frz.] *s. 9* **1** durchbrochene, netzartige Wirkware; **2** Lendenstück (vom Schlachttier und Wild); **3** entgrätetes Rückenstück (vom Fisch); **Fi|le|te** *w. 11* Stempel zum Aufprägen von Goldverzierungen auf Bucheinbände; **Fi|let|bra|ten** [-le-] *m. 7;* **fi|le|tie|ren** *intr. 3* Filets herausschneiden; **Fi|let|spit|ze** [-le-] *w. 11*
Fi|lia hos|pi|ta|lis [lat.] *w. Gen. - - Mz.* -liae -les [-leːs], *Stud. veraltet:* Tochter der Wirtsleute
Fi|li|a|le *w. 11* Zweigniederlassung, Zweiggeschäft; **Fi|li|al|ge|ne|ra|ti|on** *w. 10, Biol.:* Nachkommen-, Tochtergeneration; **Fi|li|al|kir|che** *w. 11* Tochter-, Nebenkirche ohne eigenen Pfarrer; **Fi|li|al|lei|ter** *m. 5;* **Fi|li|a|ti|on** *w. 10* **1** Einrichtung einer Filialkirche; **2** Kindschaft, rechtmäßige Abstammung von einer Person sowie der Nachweis darüber; **3** Abhängigkeit und Gehorsamspflicht von Ordensmitgliedern
Fi|li|bus|ter [ndrl.] **1** *m. 5* = Flibustier; **2** [auch: -bʌstə] *s. 5*

Verschleppungs-, Verzögerungstaktik; **fi|li|bus|tern** [auch: -bʌ-] *intr. 1* durch endlose Reden die Verabschiedung eines Gesetzes verzögern
fi|lie|ren [frz.] **1** *intr. 3* eine Filetarbeit anfertigen; **2** *intr. 3* beim Spiel Karten unterschlagen; **3** *tr. 3* in Filetstücke schneiden
Fi|li|gran *auch:* **Fi|lig|ran** [lat.-ital.] *s. 1* Geflecht aus feinem Edelmetalldraht (Gold-, Silberfiligran); **fi|li|gra|nen** *auch:* **fi|lig|ra|nen** aus, wie Filigran
Fi|li|pi|no *m. 9* Einwohner der Philippinen
Fi|li|us [lat.] *m. Gen. - Mz.* -lii, *ugs. auch:* -us|se, *scherzh.:* Sohn; mein Filius
Fil|lér [fi̩le:r, ung.] *m. Gen.* -s *Mz.* -(s) (*Abk.:* f) ung. Währungseinheit, ¹⁄₁₀₀ Forint
Film [engl.] *m. 1;* **Film|ar|chiv** *s. 1;* **Film|a|te|lier** [-lje:] *s. 9;* **Film|auf|nah|me** *w. 11;* **Film|di|va** *w. Gen. - Mz.* -ven; **fil|men** *tr. u. intr. 1;* **Film|fan** [-fæ:n] *m. 9;* **Film|fes|ti|val** *s. 9;* **Film|fest|spie|le** *s. 1 Mz.;* **Film|held** *m. 10;* **fil|misch; Film|ka|me|ra** *w. 9;* **Fil|mo|thek** *w. 10* **1** wissenschaftl. Sammlung von Filmen, Cinemathek; **2** Raum, Gebäude dafür; **Film|re|gis|seur** [-reʒisø:r] *m. 1;* **Film|rol|le** *w. 11;* **Film|schau|spie|ler** *m. 5;* **Film|stadt** *w. 2;* **Film|star** *m. 9;* **Film|tech|nik** *w. 10 nur Ez.;* **Film|the|a|ter** *s. 5;* **Film|wis|sen|schaft** *w. 10 nur Ez.;* **Film|wo|che** *w. 11*
Fi|lou [-lu, engl.-frz.] *m. 9* Spitzbube, Schlaukopf, gerissener Bursche
Fils [arab.] *m. Gen. - Mz. -* irak. und jordan. Währungseinheit, ¹⁄₁₀₀ Dinar
Fil|ter [engl.] *m. 5 oder s. 5;* **fil|tern** *tr. 1;* ich filtere, filtre es; **Fil|ter|kaf|fee** *m. 9;* **Fil|ter|pa|pier,** Fil|trier|pa|pier *s. 1;* **Fil|te|rung** *w. 10 nur Ez.;* **Fil|ter|zi|ga|ret|te** *w. 11;* **Fil|trat** *s. 1* filtrierte Flüssigkeit; **Fil|tra|ti|on** *w. 10* Filterung; **Fil|trier|ap|pa|rat** *m. 1;* **fil|trier|bar; fil|trie|ren** *tr. 3;* **Fil|trie|rung** *w. 10*

> **Filtrierpapier** (Worttrennung): Neben der üblichen Trennung *Fil|trier-* ist auch die Abtrennung zwischen *-t-* und *-r-* möglich. Auf diese Weise kommt der letzte Konsonant auf die neue Zeile: *Filt|rier-*. Entsprechend: *Fil|trat/Filt|rat* usw. → § 107, § 108

Fi|lü|re [frz.] *w. 11, veraltet:* Gewebe, Gespinst
Filz *m. 1; ugs. auch:* Geizhals; *österr. auch:* unausgeschmolzenes Fett, z. B. Speckfilz; **fil|zen** **1** *tr. 1, ugs.:* genau durchsuchen; **2** *intr. 1* filzig werden (Wolle); **3** *intr. 1, ugs.:* knausern, geizen; **Filz|hut** *m. 2;* **fil|zig** **1** wie Filz; **2** *ugs.:* geizig; **Fil|zig|keit** *w. 10 nur Ez.;* **Filz|pan|tof|fel** *m. 14;* **Filz|schrei|ber** *m. 5;* **Filz|schuh** *m. 1;* **Filz|stift** *m. 1*
Fim|mel *m. 5* **1** *Nebenform von* Femel; **2** *ugs.:* begeistertes, übertriebenes Interesse an etwas, z. B. Filmfimmel; **3** *ugs.:* kleine Verrücktheit, Klaps; **fim|me|lig** *ugs.:* ein bisschen verrückt
FINA, Fina *w. Gen. - nur Ez., Kurzw. für* Fédération Internationale de Natation Amateur: Internationaler Amateur-Schwimmverband
fi|nal [lat.] **1** eine Absicht, einen Zweck bestimmend; **2** beendend, abschließend; **Fi|nal|ab|schluß** ► **Fi|nal|ab|schluss** *m. 2, Wirtsch.;* **Fi|na|le** *s. 5* **1** *Mus.:* Schlusssatz; **2** *Sport:* Endrunde, Endspiel; **Fi|na|lis|mus** *m. Gen. - nur Ez.* Lehre, dass alles Geschehen in der Natur zweckbestimmt und zielgerichtet sei; **Fi|na|list** *m. 10* **1** Anhänger des Finalismus; **2** *Sport:* Teilnehmer am Finale; **fi|na|lis|tisch; Fi|na|li|tät** *w. 10 nur Ez.* Zweckbestimmtheit; **Fi|nal|satz** *m. 2* Nebensatz, der einen Zweck, eine Absicht ausdrückt, Absichtssatz, Zwecksatz
Fi|nan|cier [-nãsje, frz.] *m. 9 Nv.* ► **Fi|nan|zier** [-tsje] *Hv.;* **Fi|nanz** *w. 10 nur Ez.* **1** Geldwesen; **2** Gesamtheit der Finanzleute; vgl. Finanzen; **Fi|nanz|amt** *s. 4;* **Fi|nanz|be|am|te(r)** *m. 18 (17) bzw. w. 17 oder 18;* **Fi|nan|zen** *Mz.* **1** Geld, Geldmittel; **2** Staatshaushalt; **Fi|nan|zer** *m. 9, österr.:* Zollbeamter; **Fi|nanz|ex|per|te** *m. 11;* **Fi|nanz|ge|ba|ren** *w. 10;* **Fi|nanz|ho|heit** *w. 10 nur Ez.* Recht zur Erhebung und Verwendung von Steuern; **fi|nan|zi|ell** die Finanzen betreffend, im Hinblick auf die Finanzen, auf die Geldmittel, geldlich; **Fi|nan|zier** [-tsje], Fi|nan|cier *m. 9* Geldmann, Geldgeber; **fi|nan|zie|ren** *tr. 3* mit Geld ermöglichen; **Fi|nan|zie|rung** *w. 10;* **fi|nanz|kräf|tig; Fi|nanz|mann** *m. Gen.* -(e)s *Mz.* -leu|te; **Fi|nanz|mi|nis|ter** *m. 5;* **Fi|nanz|plan** *m. 2;* **Fi|nanz|po|li|tik** *w. 10 nur Ez.;* **fi|nanz|po|li|tisch; fi|nanz|schwach; fi|nanz|stark; Fi|nanz|wirt|schaft** *w. 10 nur Ez.;* **fi|nanz|wirt|schaft|lich; Fi|nanz|wis|sen|schaft** *w. 10 nur Ez.*
Fin|del|haus *s. 4;* **Fin|del|kind** *s. 3;* **fin|den** *tr. 36;* das ist ein gefundenes Fressen für ihn *ugs.:* das kommt ihm sehr gelegen; **Fin|der** *m. 5;* **Fin|der|lohn** *m. 2*
Fin de siècle [fɛ̃ də sjɛkl, frz.] *s. Gen. - - - nur Ez.* **1** das Ende des 19. Jh.; **2** *bildl. Bez. für* die Verfeinerung und die Verfallserscheinung dieser Zeit
fin|dig; Fin|dig|keit *w. 10 nur Ez.;* **Find|ling** *m. 1*
Fines herbes [finzɛrb, frz.] *Mz.* in Fett gedünstete Kräuter und Pilze
Fi|nes|se [frz.] *w. 11* **1** Feinheit; **2** Kniff, Trick, Kunstgriff
Fin|ger *m. 5;* lange F. machen *ugs.:* stehlen; sich die F. verbrennen *übertr.:* sich Unannehmlichkeiten zuziehen; **Fin|ger|ab|druck** *m. 2;* **Fin|ger|bee|re** *w. 11* Unterseite des äußersten Fingergliedes; **fin|ger|breit;** ein fingerbreites Band, *aber:* das Band ist einen Finger breit; **Fin|ger|breit** *m. Gen. - Mz. -;* er ist einen F. größer; er wich keinen F. zurück; **fin|ger|dick; fin|ger|fer|tig; Fin|ger|fer|tig|keit** *w. 10;* **Fin|ger|glied** *s. 3;* **Fin|ger|hut** *m. 2; auch:* eine Gift- und Heilpflanze, Digitalis; **Fin|ger|kup|pe** *w. 11;* **fin|ger|lang;** vgl. fingerbreit; **Fin|ger|ling** *m. 1* Schutzhülle für einen verletzten Finger; **fin|gern** *intr. 1;* an etwas f.: herumspielen, etwas betasten, *meist:* herumfingern; **Fin|ger|na|gel** *m. 6;* **Fin|ger|ring** *m. 1;* **Fin|ger|satz** *m. 2* zweckmäßige Verwendung der einzelnen Finger beim Spielen eines Musikinstruments; **Fin|ger|spit|ze** *w. 11;* **Fin|ger|spit|zen|ge|fühl** *s. 1 nur Ez.;* **Fin|ger|spra|che** *w. 11* Zeichensprache; **Fin|ger|tier** *s. 1* ein Halbaffe, Aye-Aye; **Fin|ger-**

ü|bung *w. 10;* **Fin|ger|zeig** *m. 1* Hinweis, Wink
fin|gie|ren [lat.] *tr. 3* vortäuschen, unterstellen; fingierter Brief
Fi|nis [lat.] *s. Gen. - nur Ez.* Ende (veralteter Vermerk am Schluss eines Buches); **Fi|nish** [-nɪʃ, engl.] *s. 9* **1** letzter Schliff, Vollendung; **2** *Sport:* Schlusskampf, Endspurt; **fi|ni|shen** *intr. 1* beim Pferderennen das Äußerste aus dem Pferd herausholen; **Fi|ni|sher** *m. 5* Pferd, d. im Finish bes. gut ist
fi|nit [lat.] *Gramm.:* bestimmt; *Ggs.:* infinit; finite Verbform: Verbform, die durch Person und Zahl bestimmt ist; **Fi|ni|tis|mus** *m. Gen. - nur Ez.* philosoph. Lehre von der Endlichkeit der Welt
Fink *m. 10*
Fin|ken *m. 7, schweiz.:* Hausschuh
Fin|ken|bei|ßer *m. 5;* **Fin|ken|ha|bicht** *m. 1* Sperber; **Fin|ken|herd** *m. 1* Vogelherd; **Fin|ken|schlag** *m. 2 nur Ez.;* **Fink|ler** *m. 5, veraltet:* Vogelfänger
Fin|ne **1** *m. 11,* Finn|län|der *m. 5* Einwohner von Finnland; **2** *w. 11* Larve mancher Bandwürmer; **3** *w. 11* Rückenflosse der Haie und Wale; **4** *w. 11* abgeschrägte Seite des Hammers; **Fin|nen** *w. 11 Mz.,* **Fin|nen|aus|schlag** *m. 2* eine Hautkrankheit; **fin|nig** mit Finnenausschlag behaftet
fin|nisch, finn|län|disch; **fin|nisch-u|grisch** *auch:* **--ug|risch;** finnisch-ugrische Sprachen, Völker; **Finn|land; Finn|län|der** *m. 5* = Finne (**1**); finn|län|disch, fin|nisch; **Finn|lap|pe** *m. 11* im finnischen Teil von Lappland lebender Lappe; **Finn|mark** *w. Gen. - Mz. - (Abk.:* Fmk) = Markka; **fin|no|u|grisch** *auch:* **-ug|risch** = finnisch-ugrisch
Finn|wal *m. 1* ein Bartenwal
fins|ter; das finstere Mittelalter; im Finstern tappen; **Fins|ter|keit** *w. 10 nur Ez.;* **fins|tern** *intr. 1, veraltet:* finster werden; **Fins|ter|nis** *w. 1 nur Ez.*
Fin|te [ital.] *w. 11* **1** Scheinangriff; **2** Täuschung, Vorwand; **fin|ten|reich**
fin|ze|lig, finz|lig *ugs.* **1** winzig, überfein, schwer zu erkennen; **2** mühsam, schwierig, knifflig

> **im Finstern tappen:** Substantivierte Adjektive oder adjektivisch gebrauchte Partizipien werden mit großem Anfangsbuchstaben geschrieben: *Die Polizei tappt im Finstern.* Ebenso: *Die Stimme kam aus dem Dunkeln.* →§57 (1)

Fi|o|ret|te [ital. »Blümchen«] *w. 11,* **Fi|o|ri|tur** *w. 10* Verzierung beim Kunstgesang, Triller, Koloratur u. Ä.
Fips *m. 1* Schnippen mit Daumen und Mittelfinger; **fip|sen** *intr. 1;* **fip|sig** klein, unbedeutend
Fir|le|fanz *m. 1 nur Ez.* **1** Narrenpossen, Kinderei, Albernheit; **2** unnützer Kram; **Fir|le|fan|ze|rei** *w. 10 nur Ez.* Possenreißerei
firm [lat.] *österr. auch:* ferm, bewandert, kenntnisreich (in einem Fachgebiet); **Fir|ma** *w. Gen. - Mz.* -men **1** (*Abk.:* Fa.) Geschäft, Betrieb; **2** *nur Ez., ehem. DDR, ugs.-iron. für:* Staatssicherheitsdienst (Stasi)
Fir|ma|ment [lat.] *s. 1* Himmelsgewölbe
fir|meln *tr. 1, bayr. für* firmen; **Fir|mel|lung** *w. 10, bayr. für* Firmung; **fir|men** *tr. 1;* jmdn. f.: jmdm. die Firmung erteilen
Fir|men|chef [-ʃɛf] *m. 9;* **Fir|men|in|ha|ber** *m. 5;* **Fir|men|re|gis|ter** *s. 5;* **Fir|men|schild** *s. 3;* **Fir|men|zei|chen** *s. 7;* **fir|mie|ren** *intr. 3* einen bestimmten Geschäftsnamen führen; mit diesem unterzeichnen
Firm|ling *m. 1;* **Firm|pa|te** *m. 11;* **Fir|mung** *w. 10* ein kath. Sakrament zur Stärkung im Glauben
firn *veraltet:* alt, vorjährig; mehrere Jahre alt (Schnee, Wein); **Firn** *m. 1,* Firn|schnee *m. Gen.* -s *nur Ez.* vorjähriger Schnee, ewiger Schnee; **Firn|brü|cke** *w. 11* Eisbrücke über einer Gletscherspalte; **Fir|ne** *w. 11 nur Ez.* Reife (des Weines); **fir|nen** *intr. 1* lagern, ruhen (vom Wein); **Fir|ner** *m. 5* = Ferner; **Fir|ne|wein** *m. 1* abgelagerter Wein
Fir|nis [frz.] *m. 1* **1** rasch trocknende Flüssigkeit; **2** Schutzanstrich damit; **fir|nis|sen** *tr. 1*
Firn|schnee *m. Gen.* -s *nur Ez.* = Firn
First *m. 1* **1** oberste Kante des Dachs; **2** *Bgb.:* Decke (des Grubenbaus); **First|bal|ken** *m. 7*

First-class-Ho|tel ▶ **First-Class-Ho|tel** *Gen.* ---s *Mz.* ---s;
First|flush, First Flush [fəst flʌʃ, engl.] erster Trieb nach dem Zurückschneiden der Teesträucher bei indischen Sorten
First|zie|gel *m. 5*
fis 1 *s. Gen. Mz. -, Mus.:* das um einen halben Ton erhöhte f; **2** *Abk. für* fis-Moll; **Fis 1** *s. Gen. - Mz. -, Mus.:* das um einen halben Ton erhöhte F; **2** *Abk. für* Fis-Dur
FIS, Fis *w. Gen. - nur Ez., Kurzw. für* Fédération Internationale de Ski: Internationaler Skiverband
Fis|cal po|li|cy ▶ **Fis|cal|po|li|cy** *auch:* **Fis|cal Po|li|cy** [fɪskəl pɔlɪcɪ, engl.] Gestaltung der öffentl. Einnahmen und Ausgaben zur Beeinflussung der Konjunktur
Fisch *m. 1;* kleiner Fisch *ugs.:* Kleinigkeit, unbedeutende Sache; faule Fische *ugs.:* faule Ausreden; fliegender Fisch; **Fisch|ad|ler** *m. 5;* **fisch|arm; Fisch|ar|mut** *w. Gen. - nur Ez.;* **fisch|äu|gig; Fisch|bein** *s. 1 nur Ez.* Horn aus den Barten von Bartenwalen (für Miederstäbe); **Fisch|be|steck** *s. 1 oder s. 9;* **Fisch|bla|se** *w. 11* **1** Schwimmblase der Fische; **2** *got. Baukunst:* ein Ornament; **Fisch|chen** *s. 7;* **Fisch|damp|fer** *m. 5;* **fi|schen** *tr. u. intr. 1;* **Fi|scher** *m. 5;* **Fi|scher|dorf** *s. 4;* **Fi|sche|rei** *w. 10 nur Ez.;* **Fi|scher|ste|chen** *s. Gen.* -s *nur Ez.;* Kampfspiel auf dem Wasser; **Fisch|fang** *m. 2;* **Fisch|gräte** *w. 11;* **Fisch|gräten|mus|ter** *s. 5;* **fi|schig; Fisch|kut|ter** *m. 5;* **Fisch|leim** *m. 1 nur Ez.;* **Fisch|lein** *s. 7;* **Fisch|mehl** *s. 1 nur Ez.;* **Fisch|ot|ter** *m. 5;* **fisch|reich; Fisch|reich|tum** *m. 4 nur Ez.;* **Fisch|schup|pe** *w. 11;* **Fisch|schup|pen|krank|heit** *w. 10 nur Ez.* eine Hautkrankheit, Ichthyose; **Fisch|zucht** *w. Gen. - nur Ez.;* **Fisch|zug** *m. 2*
Fis-Dur *s. Gen. - nur Ez. (Abk.:* Fis) eine Tonart; **Fis-Dur-Ton|lei|ter** *w. 11*
Fi|sett|holz *s. 4 nur Ez.* Holz des Perückenstrauches
Fi|si|ma|ten|ten [lat.] *nur Mz., ugs.:* **1** Ausflüchte; **2** Faxen
fi|sis, Fi|sis *s. Gen. - Mz. -, Mus.:* das um zwei halbe Töne erhöhte f bzw. F

Fis|kal [lat.] *m. 1, veraltet:* Beamter der Staatskasse; **fis|kalisch** zum Fiskus gehörig, den Fiskus betreffend; **Fis|kal|jahr** *s. 1* Zeitraum, über den der Staatshaushalt läuft; **Fis|kus** *m. Gen. - nur Ez.* **1** Staatskasse, Staatsvermögen; **2** der Staat als Vermögensträger

fis-Moll *s. Gen. - nur Ez.* (*Abk.:* fis) eine Tonart; **fis-Moll-Ton|lei|ter** *w. 11*

Fi|so|le [ital.] *w. 11, österr.:* Gartenbohne

fis|pe|lig, fisp|lig *ugs.:* unruhig, nervös, aufgeregt

fis|sil [lat.] spaltbar; **Fis|si|li|tät** *w. 10 nur Ez.* Spaltbarkeit; **Fis|si|on** *w. 10* **1** Teilung einzelliger Organismen; **2** Atomkernspaltung; **Fis|sur** *w. 10* **1** Spalte, Furche, Einschnitt; **2** Haut- oder Knochenriss

Fis|tel [lat.] *w. 11* abnormer röhrenförmiger Kanal zwischen zwei Körperhöhlen oder zwischen Körperinnerem und -oberfläche

fis|teln, fis|tu|lie|ren *intr. 1* mit Fistelstimme singen; **Fis|tel|stim|me** *w. 11* die nicht durch Brustresonanz verstärkte Kopfstimme des Mannes; **fis|tu|lie|ren** [lat.] *intr. 3* = fisteln; **Fis|tu|la** *w. Gen. - Mz.* -lae **1** Hirten-, Panflöte; **2** ein Orgelregister; **3** *lat. Form von* Fistel

fit [engl.] **1** *Sport:* leistungsfähig, gut trainiert; **2** *auch ugs.:* gesund, sich wohl fühlend

Fi|tis *m. Gen. - oder* -tis|ses *Mz.* -tis|se ein Singvogel

Fit|neß ► **Fit|ness** [engl.] *w. Gen. - nur Ez., Sport:* das Fitsein, Leistungsfähigkeit

Fit|tich *m. 1, poet.:* Flügel; jmdn. unter seine Fittiche nehmen *ugs.:* jmdn. in seine Obhut nehmen

Fit|ting [engl.] *s. 9* Verbindungsstück (Gelenk u. Ä.) bei Rohrleitungen

Fitz... [zu lat. filius »Sohn«] *vor ir. Namen:* Sohn des, z. B. Fitzgerald

Fitz *m. 1* verwirrte Fäden, Wirrwarr; **Fitz|chen**, Fit|zel|chen *s. 7* Fetzchen, kleines Stückchen; **Fit|ze** *w. 11* **1** Garnstrang; **2** *schweiz.:* Gerte, Rute; **Fit|zel|band** *s. 4* = Fitzfaden; **Fit|zel|chen** *s. 7* = Fitzchen; **fit|zen 1** *tr. 1* zu einer Fitze (**1**) bündeln; **2** *schweiz.:* mit einer Fitze (**2**) schlagen; **3** von Fäden befreien (Bohnen); **4** *intr. 1, ugs.:* aufgeregt, nervös arbeiten; **Fitz|fa|den** *m. 8* Faden zum Bündeln einer Fitze (**1**), Fitzelband

Fi|u|ma|ra [ital.], **Fi|u|ma|re** *w. Gen. - Mz.* -ren Fluss, der nicht immer Wasser führt

Five o'clock [faɪv ɔklɔk, engl.] *m. Gen. - - Mz.* - -s, **Five o'clock tea** [faɪv ɔklɔk ti:] *m. Gen.* - - - *Mz.* - - -s, *engl. Bez. für* Fünfuhrtee

fix [lat.] **1** fest, feststehend; fixe Kosten: immer gleiche Kosten; fixe Idee: Wahnvorstellung, unvernünftige Einbildung; **2** gewandt, flink, aufgeweckt; fix und fertig sein: ganz fertig, bereit sein; *ugs.:* am Ende seiner Kraft sein

Fi|xa|teur [-tør, frz.] *m. 1* Gerät zum Mischen von Stoffen mit Fixativ bzw. zum Auftragen von Fixativ; **Fi|xa|ti|on** *w. 10* **1** Haltbarmachung von biolog. Material, bes. zum Mikroskopieren; **2** Ruhigstellung eines verletzten Gliedes; **3** Scharfeinstellung des Auges auf einen Gegenstand; **Fi|xa|tiv** *s. 1* Mittel zum Härten, Festigen; **Fi|xa|tor** *m. 13* Mittel zum Beständigmachen des Duftes von Parfümen; **fi|xen 1** *intr. 1* Wertpapiere in Erwartung einer Baisse auf Zeit verkaufen; **2** *tr. 1;* jmdn. f.: jmdm. Rauschgift einspritzen; **Fi|xer** *m. 5* **1** Börsenspekulant, der fixt; **2** jmd., der sich fixt (**2**); **Fix|ge|schäft** *s. 1* an einen bestimmten Termin gebundenes Geschäft; **Fi|xier|bad** *s. 4;* **fi|xie|ren 1** *tr. 3;* härten, festigen, haltbar machen; festhalten; etwas schriftlich f.; **2** *tr. 3;* jmdn. f.: starr ansehen; **3** *intr. 3;* auf etwas fixiert sein: starr auf etwas gerichtet sein, etwas unbedingt erstreben; **Fi|xier|salz** *s. 1 nur Ez.;* **Fi|xie|rung** *w. 10 nur Ez.;* **Fi|xig|keit** *w. 10 nur Ez., ugs.:* Gewandtheit, Schnelligkeit, Flinkheit; **Fix|kos|ten** *nur Mz.* von der Produktionsmenge unabhängige Kosten; **Fix|punkt** *m. 1* **1** = Festpunkt; **2** fester Bezugspunkt, z. B. Siede-, Gefrierpunkt; **Fix|stern** *m. 1* scheinbar feststehender Stern; *Ggs.:* Wandelstern; **Fi|xum** *s. Gen.* -s *Mz.* -xa festes Einkommen, Gehalt

Fizz [fis, engl.] *m. Gen. - Mz.* -es alkohol. Mischgetränk

Fjäll, Fjell [schwed.] *m. 1, in Skandinavien:* von Gletschern glattgeschliffene, vegetationsarme Hochfläche

Fjord [skand.] *m. 1* schmaler, langer Meeresarm

FKK *Abk. für* Freikörperkultur; **FKKler** *m. 5;* **FKK-Strand** *m. 2*

FL *Abk. für* Florida

fl., Fl. *Abk. für* Florin (Gulden)

flach; flach atmen; **Flach** *s. 1* Untiefe; **Flach|dach** *s. 4;* **Flach|druck** *m. 1;* **Flä|che** *w. 11;* **Flä|chen|aus|deh|nung** *w. 10;* **flä|chen|haft; Flä|chen|in|halt** *m. 1;* **flach|fal|len** *intr. 33, ugs.:* wegfallen, sich erübrigen; **flach|ge|drückt; Flach|heit** *w. 10;* **flä|chig; Flach|land** *s. 4 nur Ez.;* **Flach|län|der** *m. 5* Bewohner des Flachlandes; **Flach|re|li|ef** *s. 9 oder s. 1* Relief, bei dem die Darstellung nur wenig aus der Fläche hervortritt, Basrelief; *Ggs.:* Hochrelief; **Flach|ren|nen** *s. 7* Pferderennen ohne Hindernisse

Flachs [flaks] *m. 1* **1** ein Leingewächs, Faserpflanze; **2** Faser dieser Pflanze; **3** *nur Ez., ugs.:* Neckerei, Spaß; **flachs|blond; Flachs|bre|che** *w. 11* Gerät zum Säubern (Brechen) des Flachses von Holzteilen; **Flachs|dar|re** *w. 11* Gerät zum Trocknen des Flachses; **flach|sen** *intr. 1 ugs.:* Unsinn reden, einander necken; **fläch|sen, fläch|sern** aus Flachs; **flachs|far|ben, flachs|far|big; Flachs|haar** *s. 1 nur Ez.* hellblondes Haar; **flachs|haa|rig; Flachs|he|chel** *w. 11* Gerät zum Kämmen (Hecheln) des Flachses; **Flachs|kopf** *m. 2* hellblondes Kind; **Flachs|sa|men** *m. 7* = Leinsamen

Flach|zan|ge *w. 11*

fla|cken *intr. 1, bayr.:* faul daliegen

Fla|cker|feu|er *s. 5* Lichtsignal auf See; **fla|cke|rig** flack|rig; **fla|ckern** *intr. 1;* **Fla|cker|stern** *m. 1;* **flack|rig**, fla|cke|rig

Fla|den *m. 7* **1** flacher, runder Kuchen; **2** flacher, runder, breiiger Haufen, z. B. Kuhfladen

Fla|der *w. 11* = Maser; **fla|de|rig**, flad|rig; **Fla|de|rung** *w. 10* Maserung; **flad|rig**, fla|de|rig

Fla|gel|lant [lat.] *m. 10* Angehöriger einer Bruderschaft im späten MA, der sich zur Buße selbst geißelte, Geißler, Geißelbruder; **Fla|gel|lan|tis|mus** *m. Gen.- nur Ez.*, Fla|gel|lo|ma|nie *w. 11 nur Ez.* geschlechtl. Erregung oder Befriedigung durch Peitschenhiebe oder Schläge; **Fla|gel|lat** *m. 10,* **Fla|gel|la|te** *w. 11* ein Einzeller, Geißeltierchen; **Fla|gel|la|ti|on** *w. 10* Peitschen oder Gepeitschtwerden zur geschlechtl. Erregung oder Befriedigung; **Fla|gel|le** *w. 11* = Flagellum; **Fla|gel|lo|ma|nie** *w. 11 nur Ez.* = Flagellantismus; **Fla|gel|lum** *s. Gen.*-s *Mz.* -len, Fla|gel|le *w. 11* Geißel, Fortbewegungsorgan vieler Einzeller

Fla|geo|lett [-ʒɔ-, frz.] *s. 1* **1** kleine Flöte; **2** Flötenregister der Orgel; **3** = Flageolettton; **Fla|geo|letton** ► **Fla|geo|lett|ton** [-ʒɔ-] *m. 2, bei Streichinstrumenten und Harfe:* feiner, pfeifender Ton

Flag|ge [engl.] *w. 11;* **flag|gen** *intr. 1;* **Flag|gen|al|pha|bet** *s. 1;* **Flag|gen|gruß** *m. 2;* **Flag|gen|si|gnal** *auch:* **-sig|nal** *s. 1;* **Flagg|of|fi|zier** *m. 1* Admiral, der auf seinem Schiff eine seinem Rang entsprechende Flagge führen darf; **Flagg|schiff** *s. 1* Kriegsschiff mit der Flagge des Befehlshabers (Flaggoffiziers)

fla|grant *auch:* **flag|rant** [lat.] offenkundig, ins Auge springend, brennend; vgl. in flagranti

Flair [flɛr, frz.] *s. 9 nur Ez.* Spürsinn, Instinkt, Ahnungsvermögen

Flak *w. Gen.- Mz.*-(s), *Kurzw. für* **1** Flieger- oder Flugzeugabwehrkanone; **2** Flugabwehrartillerie; **Flak|ge|schütz** *s. 1*

Fla|kon [-kɔ̃, frz.] *s. 9 oder m. 9* Fläschchen (für Parfüm)

Flam|beau [flɑ̃bo, frz.] *m. 9* **1** *urspr.:* Fackel; **2** *heute:* vielarmiger Leuchter; **Flam|berg** *m. 1* mit zwei Händen zu führendes Schwert mit geflammter Klinge; **flam|bie|ren** *tr. 3* **1** *veraltet:* absengen; **2** *heute:* mit Spirituosen übergießen und brennend servieren; **Flam|boy|ant** *auch:* **Flam|bo|yant** [flɑ̃boajɑ̃] *s. 9* **1** Flam|boy|ant|stil *m. 1* frz. spätgot. Stil mit flammenartigem Maßwerk; **2** = Flammenbaum; **Flam|boy|ant|stil** *auch:* **Flam|bo|yant|stil** *m. 1* = Flamboyant (**1**)

Fla|me *m. 11,* Flam|län|der *m. 5* Einwohner von Flandern

Fla|men|co [span.] *m. 9* ein andalusischer Tanz

Fla|min, Flä|min *w. 10* weibl. Flame

Flä|ming *m. Gen.*-s Höhenzug in der Mark Brandenburg

Fla|min|go [lat.-port.] *m. 9* trop. und subtrop. Wasserwattvogel

flä|misch, Flä|misch vgl. deutsch, Deutsch

Fla|mi|sol [Kunstw.] *m. 9 nur Ez.* kreppartiges Kunstseidengewebe

Flam|län|der *m. 5* = Flame

flam|län|disch, flä|misch

Flämm|chen *s. 7;* **Flam|me** *w. 11;* **flam|men** **1** *intr. 1;* **2** *tr. 1* = flammieren; geflammter Stoff; **fläm|men** *tr. 1* absengen; **Flam|men|baum** *m. 2* eine Zierpflanze der Tropen und Mittelmeerländer, Flamboyant; **flam|mend** leidenschaftlich; **Flam|men|meer** *s. 1;* **Flam|men|tod** *m. 1;* **Flam|men|wer|fer** *m. 5;* **Flam|men|zei|chen** *s. 7*

Flam|me|ri [engl.] *s. 9* kalte Süßspeise

Flamm|garn *s. 1* Garn mit andersfarbigen, dickeren Stellen; **Flamm|här|ten** *s. Gen.*-s *nur Ez.;* **flam|mie|ren** *tr. 3,* flammen *tr. 1* mit Flammenmuster versehen (Stoff, Tonwaren); **flam|mig; Flamm|koh|le** *w. 11* beim Verbrennen eine lange Flamme entwickelnde Steinkohle; **Flamm|o|fen** *m. 8* ein Schmelzofen; **Flamm|punkt** *m. 1* Temperatur, bei der Brennstoffe anfangen zu brennen

Flan|dern histor. Landschaft zwischen Schelde und Nordsee im heutigen Nord- und Westbelgien, Nordostfrankreich und in den südl. Niederlanden; **flan|drisch**

Fla|nell [kelt.] *m. 1* weicher, einoder beidseitig gerauhter Baumwollstoff; **fla|nel|len** aus Flanell; **Fla|nell|hemd** *s. 12*

Fla|neur [-nør, frz.] *m. 1* jmd., der flaniert; **fla|nie|ren** *intr. 3* müßig schlendern

Flan|ke [frz.] *w. 11* **1** Seite; **2** *Sport:* Schwung über ein Turngerät von der Seite; **flan|ken** *intr. 1, Sport:* **1** seitlich abspringen; **2** den Ball von der Seite zur Mitte spielen; **Flan|ken|an|griff** *m. 1;* **flan|kie|ren** *tr. 3;* jmdn. f.: an jmds. Seite gehen, jmdn. von der Seite decken oder fassen

Flansch *m. 1* Ring am Ende eines Rohrs, an dem es mit einem andern verschraubt ist; **flan|schen** *tr. 1* mit einem Flansch versehen; **Flan|schen|dich|tung** *w. 10;* **Flansch|ver|bin|dung** *w. 10*

Flap|pe *w. 11, mittel-, nddt.:* hängende oder vorgeschobene Unterlippe, Schmollmund

Flaps *m. 1* unreifer, *auch:* unerzogener junger Mann; **flap|sig, Flap|sig|keit** *w. 10 nur Ez.*

Fläsch|chen *s. 7;* **Fla|sche** *w. 11; ugs.:* Dummkopf, Schwächling; **Fla|schen|bier** *s. 1* in Flaschen abgefülltes Bier; *Ggs.:* Fassbier; **Fla|schen|gä|rung** *w. 10* zweite Gärung bei Champagner und Schaumwein; **fla|schen|grün; Fla|schen|hals** *m. 2, ugs. auch:* enge Fahrbahn, Engpass; **Fla|schen|kind** *s. 3* mit Flaschenmilch ernährtes Kind; *Ggs.:* Brustkind; **Fla|schen|kür|bis** *m. 1;* **Fla|schen|post** *w. 10 nur Ez.;* **Fla|schen|wein** *m. 1* in Flaschen abgefüllter Wein; *Ggs.:* Fasswein; **Fla|schen|zug** *m. 2* Vorrichtung zum Heben von Lasten mittels eines über eine Rolle laufenden Seils; **Flasch|ner** *m. 5 süddt. für* Klempner

Fla|ser *w. 11* **1** Ader im Gestein; **2** *Nebenform von* Flader; **fla|se|rig,** flas|rig **1** geädert; **2** *Nebenform von* fladerig, fladrig

Flash [flæʃ, engl. »Blitz«] *m. 9* **1** *Film:* kurze Einblendung in eine Bildfolge; **2** Eintreten des Rauschzustandes mit Aufhören der Entzugsschmerzen; **Flash|back** [flæʃbæk] *m. 9* plötzlich wiederkehrender Rauschzustand einige Wochen nach dem eigentl. Rausch durch verzögerte Reaktion des Gehirns auf ein Rauschmittel

flat [flæt, engl.] *Mus.: engl. Bez. für* die Erniedrigung eines Tons, z.B. E flat = Es; *Ggs.:* sharp

Flat|ter|ech|se *w. 11* = Flugdrache; **Flat|ter|geist** *m. 3* unsteter Mensch; **Flat|ter|gras** *s. 4;* **flat|ter|haft; Flat|ter|haf|tig|keit** *w. 10 nur Ez.*

Flat|te|rie [frz.] *w. 11, veraltet:* Schmeichelei

► = wird zu

flat|te|rig, flatt|rig **1** aufgeregt, nervös; **2** rasch und unregelmäßig (Puls); **flat|tern** *intr. 1;* **Flat|ter|tier** *s. 1* kleines Säugetier mit Flughäuten, z. B. Fledermaus

Flat|teur [-tør] *m. 1* Schmeichler; **flat|tie|ren** *intr. 3* schmeicheln

flatt|rig = flatterig

Fla|tu|lenz [lat.] *w. 10* Entstehung und Abgang von Darmgasen, Blähsucht; **Fla|tus** *m. Gen. - Mz. -, Med.:* Blähung

flau; Flau|heit *w. 10 nur Ez.*

Flaum *m. Gen. -s nur Ez.* **1** Flom *m. 1,* Flo|men *m. 7* Bauchfett (des Schweines); **2** kleine, weiche Federn; weiche, kurze Haare; **Flaum|bart** *m. 2;* **Flaum|fe|der** *w. 11;* **flau|mig; flaum|weich**

Flaus, Flausch *m. 1* weiches Wollgewebe; **flau|schig; Flau|sen** *w. 11 Mz.* **1** Ausflüchte, Flunkerei; **2** dumme Gedanken; **Flau|sen|ma|cher** *m. 5* jmd., der gern flunkert, Flausen erzählt

Flau|te *w. 11* **1** Windstille; **2** fast ruhender Geschäftsgang; **3** Zeit der Niedergeschlagenheit

Fläz *m. 1, ugs.:* Flegel, Rüpel; **flä|zen** *refl. 1, ugs.:* flegeln; sich in einen Sessel fläzen; **flä|zig** flegelhaft

Flech|se [flɛksə] *w. 11* Sehne; **flech|sig**

Flecht|ar|beit *w. 10;* **Flech|te** *w. 11* **1** Hautausschlag; **2** Zopf; **3** ein aus Algen und Pilzen symbiotisch gebildeter Organismus; **flech|ten** *tr. 37;* **Flecht|werk** *s. 1*

Fleck *m. 1,* Fle|cken *m. 7;* der blinde Fleck (im Auge); blaue Flecke, *oder:* Flecken; **Fleck|chen** *s. 7;* **Fle|cke** *m. 1 Mz.* Gericht aus geschnittenen Kaldaunen; saure Flecke; **fle|cken** *intr. 1* **1** leicht Flecke bekommen; **2** *südd.:* rasch vorangehen (Arbeit); **Fle|cken** *m. 7* **1** = Fleck; **2** größeres Dorf mit bestimmten Rechten, z. B. Marktrecht; **fle|cken|los; Fle|cken|was|ser** *s. 6;* **Fle|ckerl|tep|pich** *m. 1, bayr., österr.:* aus farbigen Stoffstückchen zusammengesetzter Teppich; **Fleck|fie|ber** *s. 5 nur Ez.* eine schwere fiebrige Infektionskrankheit, Flecktyphus; **fle|ckig; Fleck|ty|phus** *m. Gen. - nur Ez.* = Fleckfieber

Fled|de|rer [rotwelsch] *m. 5* Leichenfledderer; **fled|dern** *tr. 1* berauben (bes. Tote)

Fle|der|maus *w. 2;* **Fle|der|wisch,** Fe|der|wisch *m. 1* Federbesen (zum Staubwischen)

Fleet, Flet *s. 1, nddt.:* Graben, Kanal

Fle|gel *m. 5;* **Fle|ge|lei** *w. 10;* **fle|gel|haft; Fle|gel|haf|tig|keit** *w. 10 nur Ez.;* **Fle|gel|jah|re** *s. 1 Mz.;* **fle|geln** *refl. 1* sich breit, lässig und herausfordernd hinsetzen; sich in einen Sessel f.

fle|hen *intr. 1;* **fle|hent|lich**

Flei|er [engl.], Fly|er [flaɪ-] *m. 5* Vorspinnmaschine

Fleisch *s. 1 nur Ez.;* **Fleisch|bank** *w. 2;* **Fleisch|be|schau** *w. 10 nur Ez.;* **Fleisch|brü|he** *w. 11;* **Flei|scher** *m. 5;* **Flei|sche|rei** *w. 10;* **Flei|scher|meis|ter** *m. 5;* **flei|schern** aus Fleisch; **Flei|sches|lust** *w. 2 nur Ez.;* **fleisch|far|ben, fleisch|far|big; fleisch|fres|send** ► **Fleisch fres|send; fleisch|ge|wor|den;** das Fleisch gewordene Wort Gottes; **Fleisch|ha|cker, Fleisch|hau|er** *m. 5, österr. für* Fleischer; **flei|schig; fleisch|lich; fleisch|los** (Nahrung); **Fleisch|wer|dung** *w. 10 nur Ez.;* **Fleisch|wolf** *m. 2;* **Fleisch|wun|de** *w. 11;* **Fleisch|wurst** *w. 2*

Fleiß *m. Gen. -es nur Ez.;* **flei|ßig;** Fleißiges Lieschen: Begonie

flek|tier|bar; flek|tie|ren *tr. 3* beugen, *Oberbegriff für* deklinieren und konjugieren

flen|nen *intr. 1, ugs.:* weinen

Fle|sche [frz.] *w. 11, Festungsbau:* pfeilförmige Schanze

Flet *s. 1* = Fleet

flet|schen *tr. 1, nur in der Wendung* die Zähne f.: die Zähne entblößen

flet|schern [nach dem Amerikaner Horace Fletcher] *tr. 1* lange und sorgfältig kauen

Flett *s. 1, im niedersächs. Bauernhaus:* Wohn- und Herdraum

fleugt *veraltet poet.:* fliegt; alles, was da kreucht und fleugt

Fleu|rette [flørɛt, frz.] *w. 11 nur Ez.* chiffonartiges, bedrucktes Kunstseidengewebe

Fleu|rist [flø-, frz.] *m. 10* Blumenkenner, -gärtner, -händler; **Fleu|ron** [flørɔ̃] *m. 9, Baukunst, Buchw.:* Blumenornament; **Fleu|rons** [flørɔ̃s] *Mz.* Halbmonde aus ungesüßtem Blätterteig als Beilage zu Fisch u. Fleisch; **Fleu|rop** [flø-, Kurzw. aus: Flores Europae »Blumen Europas«] *ohne Artikel* Vereinigung von Blumenhändlern zur Vermittlung von Blumen

fle|xi|bel [lat.] **1** biegsam, nachgebend, elastisch (Bucheinband); *Ggs.:* inflexibel; **2** beweglich, nicht starr, anpassungsfähig (beim Planen u. Ä.); **Fle|xi|bi|li|tät** *w. 10 nur Ez.;* **Fle|xi|on** *w. 10* Beugung, *Oberbegriff für* Deklination und Konjugation; **Fle|xi|ons|en|dung** *w. 10;* **fle|xi|ons|fä|hig; fle|xi|ons|los; fle|xi|visch** Flexion besitzend; **Fle|xo|druck** *m. 1* = Gummidruck; **Fle|xor** *m. 13* Beugemuskel; *Ggs.:* Extensor; **Fle|xur** *w. 10* Biegung, Krümmung

Fli|bus|tier [-stjər, ndrl.], Fli|bus|ter *m. 5, 17. Jh.:* Seeräuber, Freibeuter

Flick|ar|beit *w. 10;* **fli|cken** *tr. 1;* **Fli|cken** *m. 7;* **Fli|cke|rei** *w. 10;* **Flick|schnei|der** *m. 5;* **Flick|schus|ter** *m. 5;* **Flick|werk** *s. 1 nur Ez.* zusammengestückelte, immer wieder ergänzte Arbeit; **Flick|wort** *s. 4* Füllwort

Flie|boot [engl.] *s. 1* kleines, schnelles Fischerboot, *auch:* Beiboot

Flie|der *m. 5;* **flie|der|far|ben, flie|der|far|big; Flie|der|tee** *m. 9 nur Ez.* Holunderblüten-Tee

Flie|ge *w. 11;* **flie|gen** *intr. u. tr. 38;* fliegende Blätter: lose Blätter, *aber* Fliegende Blätter: Titel einer humorist. Wochenzeitschrift 1844–1928; fliegende Fische; fliegender Händler: wandernder Händler; fliegende Hitze; der Fliegende Holländer; fliegender Hund = Flughund; fliegende Untertasse; **Flie|gen|fän|ger** *m. 5;* **Flie|gen|fens|ter** *s. 5;* **Flie|gen|ge|wicht** *s. 1 nur Ez., Schwerathletik:* leichteste Gewichtsklasse; **Flie|gen|klap|pe, Flie|gen|klat|sche** *w. 11;* **Flie|gen|kopf** *m. 2, Buchw.:* auf dem Kopf stehender Buchstabe; **Flie|gen|pilz** *m. 1;* **Flie|gen|schnäp|per** *m. 5* ein Singvogel; **Flie|ger** *m. 5;* **Flie|ger|ab|wehr** *w. 10 nur Ez.;* **Flie|ger|ab|wehr|ka|no|ne** *w. 11 (Abk.:* Flak); **Flie|ger|alarm** *m. 1;* **Flie|ger|an|griff** *m. 1;* **Flie|ge|rei** *w. 10 nur Ez.;* **Flie|ger|horst** *m. 1;* **flie|ge|risch**

Flieh|burg *w. 10* frühe Form der Burg
flie|hen *intr. u. tr. 39;* **Flieh|kraft** *w. 2 nur Ez.* = Zentrifugalkraft
Flie|se *w. 11;* **flie|sen** *tr. 1;* gefliestes Bad; **Flie|sen|le|ger** *m. 5*
Fließ|ar|beit *w. 10* Arbeit am Fließband; **Fließ|band** *s. 4;* **Fließ|ei** *s. 3* = Windei; **flie|ßen** *intr. 40;* **Fließ|laut** *m. 1* = Liquida; **Fließ|pa|pier** *s. 1* Löschpapier; **Fließ|was|ser** *s. 6 nur Ez., österr.:* fließendes Wasser, Leitungswasser
Flim|mer *m. 5* **1** *nur Ez.* zitternder Lichtschein; **2** ein Mineral, Glimmer; **3** haarförmiger, meist der Bewegung dienender Zellfortsatz bei Einzellern; **Flim|mer|e|pi|thel** [-te:l] *s. 1* mit feinen Härchen besetzte Epithelzellen, z. B. in der Nase; **Flim|mer|här|chen** *s. 1* Wimper, Geißel bei Einzellern; **flim|mern** *intr. 1*
flink; Flink|heit *w. 10 nur Ez.*
Flint [engl.] *m. 1* Feuerstein
Flin|te *w. 11* Schrotgewehr; **Flint|glas** *s. 4 nur Ez.* bleihaltiges Glas; **Flint|stein** *m. 1* = Feuerstein
Flip [engl.] *m. 9* Mischgetränk mit Zucker und Ei, z. B. Milchflip
Flip|per *m. 5* Markierung am Ende der Bahn im Flipperspiel; **Flip|per|spiel** *s. 1* elektr. Spielautomat, bei dem eine Kugel eine bestimmte Bahn rollen muss
flir|ren *intr. 1* flimmern
Flirt [flət, engl.] *m. 9* Liebelei; **flir|ten** [flə-] *intr. 2*
Flitt|chen *s. 7* leichtes Mädchen, Nutte, Dirne; **Flit|scherl** *s. 14 bayr. für* Flittchen
Flit|ter *m. 5 nur Ez.* **1** kleine, glitzernde Metallstückchen zum Aufnähen auf Kleider; **2** Unechtes, Tand; **Flit|ter|gold** *s. Gen.* -(e)s *nur Ez.* = Rauschgold; **Flit|ter|kram** *m. Gen.* -s *nur Ez.* Flitter (**2**); flit|tern *intr. 1, ugs.:* die Flitterwochen verleben; **Flit|ter|wo|chen** *w. 11 Mz.* die ersten Wochen nach der Hochzeit
Flitz|bo|gen *m. 7* Bogen und Pfeile (als Kinderspielzeug); **flit|zen** *intr. 1, ugs.:* rennen; **Flitzer** *m. 5, ugs.:* kleines, schnelles Fahrzeug
floa|ten [flou-, engl.] *intr. 2* schwanken (Währungskurs); **Floa|ting** [flou-] *s. 9 nur Ez.* freies Schwanken des Wechselkurses einer Währung nach Angebot und Nachfrage
Flo|bert|ge|wehr [-bɛr-, nach dem frz. Waffenschmied Flobert] *s. 1* Kleinkalibergewehr
Flo|cke *w. 11;* **flo|cken** *intr. 1* Flocken bilden; **Flo|cken|stoff** *m. 1* = Floconné; **flo|ckig**
Flo|con|né [frz.] *m. 9 nur Ez.* weicher Mantelstoff mit flockiger Oberseite, Flockenstoff
Floh *m. 2;* **flö|hen** *tr. 1* nach Flöhen absuchen (Tier); **Flohkrebs** *m. 1*
Flom *m. 1,* **Flo|men** *m. 7* = Flaum (**1**)
Flop [engl.] *m. 9* Misserfolg, Fehlschlag
Flop|py disk ► **Flop|py|disk** *auch:* **Flop|py Disk** *w. 9* = Diskette
Flor [lat.] *m. 1* **1** alle Blüten einer Pflanze; **2** große Menge von Blumen; **3** Wohlstand, Gedeihen; **4** dünner Seidenstoff; **5** haarige Oberseite von Teppichen, Samt und Plüsch
Flo|ra *w. Gen.* - *Mz.* -ren **1** die Pflanzenwelt eines bestimmten Gebietes; vgl. Fauna; **2** Gesamtheit der Bakterien im Körper, z. B. Darmflora
Flo|ren|ti|ner *m. 5* **1** Einwohner von Florenz; **2** Damenstrohhut mit breiter Krempe; **3** ein Mandel-Schokolade-Gebäck; **flo|ren|ti|nisch; Flo|renz** ital. Stadt
Flo|res|zenz [lat.] *w. 10* **1** Blütenstand; **2** Gesamtheit der Blüten einer Pflanze; **3** Blütezeit
Flo|rett [frz.] *s. 1* eine leichte Stichwaffe, Stoßdegen; **Flo|rett|fech|ten** *s. Gen.* -s *nur. Ez.;* **Flo|rett|sei|de** *w. 11* Abfallseide
flo|rid [lat.] rasch fortschreitend (Krankheit)
Flo|ri|da (*Abk.:* FL) Staat der USA
flo|rie|ren [lat.] *intr. 3* blühen, gedeihen; gut vorangehen (Geschäft); **Flo|ri|le|gi|um** *s. Gen.* -s *Mz.* -gi|en *eigtl.:* Blütenlese = Anthologie
Flo|rin [lat.] *m. Gen.* - *Mz.* -(s) (*Abk.:* fl., Fl.) Gulden, *in Großbritannien früher:* 2 Shilling, *Niederlande:* 100 Cent
Flo|rist [lat.] *m. 10* Blumenkenner, Erforscher einer Flora; Blumenbinder; **Flo|ris|tik** *w. 10 nur Ez.* Wissenschaft von den Floren (vgl. Flora) der Erde, Zweig der Pflanzengeographie; **flo|ris|tisch**
Flor|post *w. Gen.* - *nur Ez.;* **Flor|post|pa|pier** *s. 1* sehr dünnes, aber festes Papier, bes. für Luftpostbriefe
Flos|kel [lat. »Blümchen«] *w. 11* bloße Redensart, Formel, z. B. Höflichkeitsfloskel
Floß *s. 2* Wasserfahrzeug aus zusammengebundenen Baumstämmen
Flos|se *w. 11*
flö|ßen *tr. 1* auf dem Wasser treibend befördern (Baumstämme)
Flos|sen|fü|ßer *m. 5* **1** Robbe; **2** Flügelschnecke
Flö|ßer *m. 5;* **Flö|ße|rei** *w. 10;* **Floß|fahrt** *w. 10*
Flo|ta|ti|on [frz.] *w. 10* Verfahren zum Aufbereiten von Erzen; **flo|ta|tiv** mittels Flotation
Flö|te *w. 11;* Flöte spielen; **flöten** *intr. 2*
flö|ten|ge|hen ► **flö|ten ge|hen** [hebr.] *intr. 47, ugs.:* kaputtgehen, verloren gehen
Flö|ten|spiel *s. 1 nur Ez.;* **Flöten|ton** *m. 2;* jmdm. die Flötentöne beibringen *ugs.:* jmdn. zurechtweisen
flo|tie|ren [frz.] *tr. 3* mittels Flotation aufbereiten
Flö|tist *m. 10* Flötenbläser
flott **1** flink, rasch; flott arbeiten, schreiben; **2** schwimmfähig (Schiff); **3** leichtsinnig, verschwenderisch; flott leben, ein flottes Leben führen
Flott *s. Gen.* -(e)s *nur Ez.* etwas, das oben schwimmt, z. B. Milchrahm, Schicht kleiner Wasserpflanzen
Flot|te *w. 11;* **Flot|ten|ab|kommen** *s. 7;* **Flot|ten|pa|ra|de** *w. 11;* **Flot|ten|stütz|punkt** *m. 1*
flot|tie|ren *intr. 3* schwimmen, schweben; flottierende Schuld: schwebende, nicht fundierte Schuld
Flot|til|le [auch: -tiljə, span.] *w. 11* **1** *veraltet:* Verband kleiner Kriegsschiffe; **2** *heute:* Gesamtheit aller Schiffe eines Typs
flott|ma|chen *tr. 1* reparieren (bes. Schiff), wieder in Gang bringen; *aber:* flott machen (= schnell machen)
Flotz|maul *s. 4* der feuchte Teil der Nase (beim Vieh)
Flöz *s. 1* abbaufähige Schicht (bes. von Kohle)

► = wird zu

Flu|at [Kurzw. aus Fluorsilikat] *s. 1* ein Härtemittel für Baumaterialien
Fluch *m. 2;* **fluch|be|la|den; fluchen** *intr. 1*
Flucht *w. 10* **1** *nur Ez.* das Fliehen; **2** *Jägerspr.:* Sprung (vom Reh); **3** gerade Linie, Reihe (von Häusern, Zimmern)
Flucht|burg *w. 10* = Fliehburg
fluch|ten *tr. 2* in eine gerade Linie bringen
flüch|ten *intr. 2;* **Flucht|ge|fahr** *w. 10;* **Flucht|hel|fer** *m. 5;* **flüchtig; Flüch|tig|keit** *w. 10 nur Ez.;* **Flüch|tig|keits|feh|ler** *m. 5;* **Flücht|ling** *m. 1;* **Flücht|lings|la|ger** *s. 5*
Flucht|li|nie *w. 11;* **Flucht|punkt** *m. 1* Punkt, in dem sich alle geraden, parallelen Linien in der Ferne scheinbar vereinigen; **Flucht|ver|dacht** *m. 1 nur Ez.;* **flucht|ver|däch|tig; Flucht|ver|such** *m. 1;* **Flucht|weg** *m. 1*
fluch|wür|dig
Flug *m. 2;* **Flug|ab|wehr** *w. 10 nur Ez.* Fliegerabwehr; **Flug|a|sche** *w. 11 nur Ez.;* **Flug|bahn** *w. 10;* **flug|be|reit; Flug|blatt** *s. 4;* **Flug|boot** *s. 1;* **Flug|dra|che** *m. 11* eine tropische Echse, Flatterechse; **Flug|ech|se** *w. 11* Flugsaurier
Flü|gel *m. 5;* **Flü|gel|ad|ju|tant** *m. 10* Stabsoffizier und Adjutant des Befehlshabers; **Flü|gel|al|tar** *m. 2;* **...flü|gel|ig,** z. B. dreiflügelig; **flü|gel|lahm; flü|gel|los** (von Insekten); **Flü|gel|mann** *m. 4, Mz. auch:* -leu|te, *Mil.;* **flü|geln** **1** *tr. 1, Jägerspr.:* in den Flügel schießen; **2** *intr. 1, poet.:* schwankend fliegen, gaukeln; **Flü|gel|rad** *s. 4;* **Flü|gel|schlag** *m. 2;* **Flü|gel|schne|cke** *w. 11* eine Meeresschnecke; **Flü|gel|tür** *w. 10*
Flug|fisch *m. 1* fliegender Fisch; **Flug|frosch** *m. 2;* **Flug|funk** *m. 1 nur Ez.* Funkverbindung zwischen Flugzeug und Flughafen oder anderen Flugzeugen; **Flug|gast** *m. 2*
flüg|ge flugfähig (Vogel); *auch übertr.:* erwachsen (junger Mensch, bes. Mädchen)
Flug|ha|fen *m. 8;* **Flug|hörn|chen** *s. 7* ein Nagetier; **Flug|hund** *m. 1* ein Flattertier, fliegender Hund; **Flug|ka|pi|tän** *m. 1;* **Flug|kör|per** *m. 5;* **Flug|leh|rer** *m. 5;* **Flug|lei|ter** *m. 5;* **Flug|loch** *s. 4;* **Flug|lot|se** *m. 11;* **Flug|platz** *m. 2* nicht dem öffentl. Verkehr dienender Landeplatz für Flugzeuge
flugs schnell, geschwind, rasch
Flug|sand *m. 1 nur Ez.;* **Flug|sau|ri|er** *m. 5;* **Flug|schrift** *w. 10;* **Flug|schü|ler** *m. 5;* **Flug|si|che|rung** *w. 10 nur Ez.;* **Flug|stun|de** *w. 11;* **Flug|tech|nik** *w. 10 nur Ez.;* **Flug|ver|kehr** *m. 1 nur Ez.;* **Flug|wet|ter** *s. 5 nur Ez.;* **Flug|zeug** *s. 1;* **Flug|zeug|ab|wehr|ka|no|ne** *w. 11* (*Abk.:* Flak); **Flug|zeug|füh|rer** *m. 5;* **Flug|zeug|trä|ger** *m. 5*
Fluh *w. 2;* **Flüh** *w. 1,* **Flü|he** *w. 11, schweiz.:* **1** Felswand, Bergabhang; **2** Beton; **flu|hen** *tr. 1, schweiz.:* betonieren; **Flüh|ler|che** *w. 11,* **Flüh|vo|gel** *m. 6* ein Singvogel, Braunelle
flu|id [lat.] flüssig; **Flu|id** *s. Gen.* -s *Mz.* -i|da Flüssigkeit; **flu|i|dal** den Zustand des Fließens noch erkennen lassend (von Mineralien); **Flu|i|dum** *s. Gen.* -s *Mz.* -da die von einer Person oder Sache ausgehende, eigentüml. Wirkung
Fluk|tu|a|ti|on [lat.] *w. 10* Schwankung, Wechsel; **fluk|tu|ie|ren** *intr. 3*
Flun|der *w. 11* ein Plattfisch
Flun|ke|rei *w. 10;* **Flun|ke|rer** *m. 5;* **flun|kern** *intr. 1* aufschneiden, schwindeln; ich flunkere, flunkre
Flunsch *m. 1, nord-, mitteldt.:* vorgeschobene Unterlippe, Schmollmund
Flu|or [lat.] *s. Gen.* -s *nur Ez.* (*Zeichen:* F) chem. Element; **Flu|or al|bus** *m. Gen.* - - *nur Ez.* weißl. Ausfluss aus Scheide und Gebärmutter; **Flu|o|res|ce|in,** Flu|o|res|cin, Flu|o|res|zin *s. 1 nur Ez.* gelbroter Teerfarbstoff, dessen Lösung hellgrün fluoresziert; **Flu|o|res|zenz** *w. 10 nur Ez.* farbiges Aufleuchten nach Einwirkung andersfarbiger Bestrahlung; **flu|o|res|zie|ren** *intr. 3* bei Bestrahlung aufleuchten; **Flu|o|res|zin** *s. 1 nur Ez.* = Fluorescein; **Flu|o|rid** *s. 1* Salz der Flusssäure; **Flu|o|rit** *m. 1* = Flussspat; **flu|o|ro|gen,** flu|o|ro|phor zur Fluoreszenz fähig; **Flu|o|ro|me|ter** [lat. + griech.] *s. 5* Gerät zum Messen der Fluoreszenz; **Flu|o|ro|me|trie** *auch:* **-met|rie** *w. 11 nur Ez.* Fluoreszenzmessung; **flu|o|ro|me|trisch** *auch:* **-met|risch;** **flu|o|ro|phor** = fluorogen; **Flu|o|ro|phor** *m. 1* Fluoreszenzträger; **Flu|or|si|li|kat** *s. 1* = Fluat
Flur **1** *w. 10* bebautes Land, Acker, Wiese; **2** *m. 1* Vorraum im Haus, Diele, Korridor, Hausflur; **Flur|be|rei|ni|gung** *w. 10;* **Flur|gar|de|ro|be** *w. 11;* **Flur|hü|ter** *m. 5;* **Flur|scha|den** *m. 8;* **Flur|schütz** *m. 10* Flurhüter; **Flur|um|gang** *m. 2* Bittgang um die Dorfflur
Flu|se *w. 11* Fussel, Fadenstückchen
Fluß ► **Fluss** *m. 2;* **fluß|ab|wärts** ► **fluss|ab|wärts; Fluß|arm** ► **Fluss|arm** *m. 1;* **fluß|auf|wärts** ► **fluss|auf|wärts; Fluß|bett** ► **Fluss|bett** *s. 12;* **Flüß|chen** ► **Flüss|chen** *s. 7;* **Fluß|fisch** ► **Fluss|fisch** *m. 1* Süßwasserfisch
flüs|sig; flüssig machen: schmelzen; Geld flüssig machen; **Flüs|sig|keit** *w. 10;* **Flüs|sig|keits|men|ge** *w. 11;* **flüs|sig|ma|chen** ► **flüs|sig ma|chen**
Fluß|krebs ► **Fluss|krebs** *m. 1;* **Fluß|lauf** ► **Fluss|lauf** *m. 2;* **Fluß|netz** ► **Fluss|netz** *s. 1;* **Fluß|pferd** ► **Fluss|pferd** *s. 1;* **Fluß|re|ge|lung** ► **Fluss|re|ge|lung, Fluß|re|gu|lie|rung** ► **Fluss|re|gu|lie|rung** *w. 10;* **Fluß|sand** ► **Fluss|sand** *m. 1 nur Ez.;* **Fluß|säu|re** ► **Fluss|säu|re** *w. 11* giftige, ätzende Lösung von Fluorwasserstoff; **Fluß|schiffahrt** ► **Fluss|schiff|fahrt** *w. 10 nur Ez.* Binnenschifffahrt; **Fluß|spat** ► **Fluss|spat** *m. 1 nur Ez.* ein Mineral, Fluorit; **Fluß|tal** ► **Fluss|tal** *s. 4*
Flüs|ter|ge|wöl|be *s. 5;* **flüs|tern** *tr. 1;* ich flüstere, flüstre es; **Flüs|ter|pro|pa|gan|da** *w. Gen.* - *nur Ez.;* **Flüs|ter|stim|me** *w. 11;* **Flüs|ter|ton** *m. 2;* im F. sprechen; **Flüs|ter|witz** *m. 1*
Flut *w. 10,* Ebbe und Flut; **fluten** **1** *intr. 2;* **2** *tr. 2* unter Wasser setzen (U-Boot); **Flut|ha|fen** *m. 8* nur bei Flut benutzbarer Hafen; **Flut|licht** *s. Gen.* -(e)s *nur Ez.*
flut|schen [auch: flut-] *intr. 1, ugs.:* rasch vorangehen (Arbeit)
Flut|wel|le *w. 11;* **Flut|zeit** *w. 10*
flu|vi|al, flu|vi|a|til [lat.] **1** durch einen Fluss bewirkt, zum Fluss gehörig; **2** von einem Fluss ab-

getragen und abgesetzt; **Flu|vi|o|graph** ► *auch:* **Flu|vi|o|graf** [lat. + griech.] *m. 10* selbsttätig registrierender Pegel **Flu|xi|on** [lat.] *w. 10* Wallung, Blutandrang; **Flu|xus** *m. nur Ez., Med.:* starke Absonderung (Blut, Eiter)
Fly|er [flaɪə, engl.] *m. 5* = Fleier; **Fly|ing Dutch|man** [flaɪiŋ dʌtʃmən] *m. Gen. - - Mz. - -*men [-mən] ein Segelboottyp
Fly-o|ver [flaɪoʊvər] *m. Gen.* -s *Mz.* -s Straßenüberführung
Flysch *s. 1 nur Ez.* ein Sedimentgestein
fm *Abk.* für Festmeter
Fm *chem. Zeichen für* Fermium
FM *Abk. für* Frequenzmodulation
Fmk *Abk. für* Finnmark
f-Moll *s. Gen. - nur Ez.* (*Abk.:* f) eine Tonart; **f-Moll-Ton|lei|ter** *w. 11*
fob *Abk. für* free on board; **Fob|klau|sel** *w. 11*
Fock *w. 10, kurz für* Focksegel; **Fock|mast** *m. 12* vorderster Mast; **Fock|se|gel** *s. 5* unterstes Segel am Fockmast
fö|de|ral [lat.] = föderativ; **fö|de|ra|li|sie|ren** *tr. 3* zu einer Föderation vereinigen; **Fö|de|ra|lis|mus** *m. Gen. - nur Ez.* Streben nach einem Bundesstaat mit weitgehender Selbständigkeit der Einzelstaaten; *Ggs.:* Unitarismus; **Fö|de|ra|list** *m. 10;* **fö|de|ra|lis|tisch; Fö|de|ra|ti|on** *w. 10* Bündnis, Staatenbund, Bundesstaat; **fö|de|ra|tiv,** fö|de|ral auf Föderation beruhend; **fö|de|rie|ren** *refl. 3* sich verbünden
Fog [fɔg, engl.] *m. Gen.* -s *nur Ez., engl. Bez. für* dichter Nebel; **Fog|horn** *s. 4* Nebelhorn
Fo|gosch [ung.] *österr.* für Zander
foh|len *intr. 1* Junge werfen (vom Pferd); **Foh|len,** Fül|len *s. 7* junges Pferd
Föhn *m. 1* **1** *nur Ez.* warmer, trockener Fallwind nördlich der Alpen; **2** Haartrockner, *aber:* Fön Ⓦz; **föh|nen 1** *intr. 1* wehen (Föhnwind); **2** *tr. 1* mit dem Föhn (**2**) trocknen; **föh|nig** durch Föhn (**1**) bewirkt, warm; föhniges Wetter; **Föhn|krank|heit** *w. 10 nur Ez.* durch Föhn (**1**) hervorgerufene Beschwerden
Föhr|de *w. 11* = Förde
Föh|re *w. 11* = Kiefer (**1**)
fo|kal [lat.] **1** vom Fokus ausgehend; **2** von einem infektiösen Krankheitsherd ausgehend; **Fo|kal|dis|tanz** *w. 10* Brennweite; **Fo|kal|in|fek|ti|on** *w. 10* von einem streuenden Krankheitsherd im Körper ausgehende chronische Infektion, Herdinfektion; **Fo|kus** *m. Gen. - Mz. -* **1** Brennpunkt; **2** ständig Bakterien aussendender Krankheitsherd im Körper, Streuherd; **fo|kus|sie|ren** *tr. 3* **1** in einem Brennpunkt vereinigen (Lichtstrahlen); **2** ausrichten (Linsen)
fol. *Abk. für* folio; **Fol.** *Abk. für* Folio

> **Folge leisten, infolge:** Gefüge aus Substantiv und Verb werden getrennt und mit großem Anfangsbuchstaben geschrieben: *Sie mussten der Aufforderung Folge leisten.* → § 34 E3 (5)
> Mehrteilige Präpositionen werden zusammengeschrieben, wenn Wortart, Wortform oder die Bedeutung der einzelnen Bestandteile nicht mehr deutlich erkennbar sind: *infolge, zufolge.* → § 39 (3)

Fol|ge *w. 11;* einer Aufforderung Folge leisten; in der Folge; vgl. demzufolge, infolge, infolgedessen; **fol|gen** *intr. 1* **1** hinterhergehen, nachfolgen; ich bin ihm gefolgt; **2** gehorchen; ich habe ihm gefolgt; **fol|gend**; folgendes interessantes Beispiel; folgende interessante Beispiele; und folgende Seite (*Abk.:* f.); und folgende Seiten

> **Folgendes:** Substantivierte Adjektive oder adjektivisch gebrauchte Partizipien werden mit großem Anfangsbuchstaben geschrieben: *Sie haben gestern Folgendes/das Folgende verabredet. Im Folgenden/In Folgendem behandeln wir die Rechtschreibung.* Ebenso: *durch das Folgende, mit Folgendem, alle Folgenden.* → § 57 (1)

(*Abk.:* ff.); Folgendes wurde mir berichtet; bitte machen Sie von Folgendem keinen Gebrauch; im Folgenden werde ich erklären, wie…; der, die, das Folgende; mit dem Folgenden, durch das Folgende; **fol|gen|der|ma|ßen**; es hat sich f. zugetragen; **fol|gen|der|wei|se; fol|gen|los; fol|gen|reich; fol|gen|schwer; fol|ge|recht** folgerichtig; **fol|ge|rich|tig; Fol|ge|rich|tig|keit** *w. 10 nur Ez.;* **fol|gern** *tr. 1;* **Fol|ge|rung** *w. 10;* **Fol|ge|satz** *m. 2* **1** nachfolgender Satz; **2** = Konsekutivsatz; **fol|ge|wid|rig** nicht folgerichtig; **Fol|ge|zeit** *w. 10;* in der F.; **folg|lich; folg|sam; Folg|sam|keit** *w. 10 nur Ez.*
Fo|li|ant [lat.] *m. 10* **1** Buch in Folioformat; **2** großes, schweres (altes) Buch; **Fo|lie** [-ljə] *w. 11* **1** dünnes Blatt, z. B. Gold-, Plastikfolie; **2** aufgeprägte Farbschicht (auf einem Bucheinband); **3** *übertr.:* Hintergrund (vor dem etwas hervortritt)
fo|li|ie|ren [lat.] *tr. 3* **1** mit einer Folie (**1**) unterlegen; **2** *veraltet:* beziffern (Druckbogenseiten)
Fo|lin|säu|re *w. 11 nur Ez.* = Folsäure
fo|lio [lat.] (*Abk.:* fol.) Blatt (Verweis in alten Handschriften, z. B. fol. 5 c: auf dem Blatt 5 c); **Fo|lio** *s. 9* (*Abk.:* Fol., *Zeichen:* 2°) **1** altes Papier- und Buchformat in der Größe eines halben Druckbogens (ca. 21 × 33 cm); **2** Doppelseite (im Geschäftsbuch); **Fo|li|o|for|mat** *s. 1* = Folio (**1**); Fo|li|um *s. Gen.* -s *Mz.* -lia *oder* -li|en Pflanzenblatt
Folk [fouk, engl.] *m. Gen.*-, *nur Ez.* auf angloamerikan. Folklore basierende (Rock-)Musik
Fol|ke|ting [dän.: -gətəŋ] *s. 1 nur Ez.* das dän. Parlament
Fol|ke|vi|se [dän.] *w. Gen. - Mz.* -ser, *12./14. Jh.:* dän. Tanzlied
Folk|lo|re [auch: -lo-, engl.] *w. 11 nur Ez.* Volksmusik, Volkslieder und -tänze; **Folk|lo|rist** *m. 10* Erforscher, Kenner der Folklore; **Folk|lo|ris|tik** *w. 10 nur Ez.* Wissenschaft von der Folklore; **folk|lo|ris|tisch;**
Folk|wang *german. Myth.:* Palast der Freia
Fol|li|kel [lat.] *m. 5* **1** Säckchen, Knötchen, Bläschen; **2** Hülle des ausgereiften Eies im Eierstock; **Fol|li|kel|hor|mon** *s. 1* weibl. Geschlechtshormon; **Fol|li|kel|sprung** *m. 2* = Eisprung; **fol|li|ku|lar, fol|li|ku|lär** zum Follikel gehörig, in der Art eines Follikels; **Fol|li|ku|li|tis**

► = wird zu

w. Gen. - *Mz.* -tiden Haarbalg-, Talgdrüsenentzündung

Follsäulre, Follinlsäulre *w. 11 nur Ez.* zur Vitamin-B-Gruppe gehörendes Vitamin

Follter *w. 11;* **Follterlbank** *w. 2;* **Follterer** *m. 5;* **Follterlkamlmer** *w. 11;* **Follterlknecht** *m. 1;* **foltern** *tr. 1;* **Follterlwerklzeug** *s. 1*

Folment [lat.] *s. 1,* **Folmenltaltion** *w. 10* warmer Umschlag

Fon *s. 7* = Phon; **fon...,** **Fon...** = **phon...,** **Phon...**

Fön *m. 1* **1** ► **Föhn** Haartrockner; **2** Ⓦ Heißluftgerät zum Trocknen des Haars

Fond [fɔ̃, frz.] *m. 9* **1** Hintergrund; **2** Rücksitz (im Auto); **3** beim Braten in der Pfanne sich ansetzender Fleischsaft; **4** ungewürzte Brühe aus Fleischsaft, die nach Bedarf für eine bestimmte Speise passend zubereitet wird

Fonldant [fɔ̃dɑ̃, frz.] *m. 9, österr.: s. 9* **1** gekochte Zuckermasse zum Überziehen oder Füllen von Pralinen; **2** Zuckerpraline

Fonds [fɔ̃, frz.] *m. Gen.* - *Mz.* - [fɔ̃s] Geldvorrat (für bestimmte Zwecke)

Fonldue [fɔ̃dy, frz.] *s. 9* Käse oder Fleischstückchen, auf einem Spirituskocher geschmolzen bzw. gebraten und gewürzt

fölnen ► **föhlnen** *tr. 1* mit dem Föhn trocknen

Folnolgraf *m. 10* = Phonograph; **Folnolgralfie** *w. 11 nur Ez.* = Phonographie; **folnogralfisch** = phonographisch; **Folnolgramm** *s. 1* = Phonogramm; **Folnolkoflfer** *m. 5* = Phonokoffer; **Folnollolge** *m. 11* = Phonologe; **Folnollolgie** *w. 11* = Phonologie; **folnollogisch** = phonologisch; **Folnomelter** *s. 5* = Phonometer; **Folnoltechlnik** *w. 10* = Phonotechnik; **Folnolthek** *w. 10* = Phonothek; **Folnoltylpisltin** *w. 10* = Phonotypistin

Fonltälne [frz.] *w. 11* Springbrunnen

Fonltalnellle [ital.] *w. 11* Knochenlücke auf dem Schädel Neugeborener

Fonlzahl *w. 10* = Phonzahl

Foot [fut, engl.] *m. Gen.* - *Mz.* Feet [fit] (*Abk.:* ft) engl. Längenmaß, Fuß, 0,3 m; **Footlball** [futbɔːl] *m. Gen.* -s *nur Ez.* amerik., dem Rugby ähnl. Ballspiel

fop *Abk. für* free on plane

foplpen *tr. 1* necken, zum Narren halten; **Foplpelrei** *w. 10*

Fora *Mz. von* Forum

Folralmilnilfelre [lat.] *w. 11* einzelliges Wassertier, meist mit Kalkschale, ein Wurzelfüßer, Thalamophor

Force [fɔrs, frz.] *w. 11, veraltet:* Kraft, Stärke, Gewalt; Force majeure [- maʒœr] höhere Gewalt; **forlcielren** [-si-] *tr. 3* heftig oder mit Gewalt vorantreiben, beschleunigen

Förlde, Föhrlde [nddt.] *w. 11* langer, schmaler Meeresarm

Förlderlband *s. 4;* **Förlderlkorb** *m. 2;* **förlderllich**

forldern *tr. 1;* ich fordere, fordre es

förldern *tr. 1;* ich fördere, fördre ihn; **Förlderlschacht** *m. 2;* **Förlderlseil** *s. 1;* **Förlderlturm** *m. 2*

Forldelrung *w. 10*

Förldelrung *w. 10;* **Förldelrungslkurs** *m. 1;* **Förlderlwagen** *m. 7;* **Förlderlwerk** *s. 1*

Förre [skand.] *w. 11* **1** *nur Ez.* gute Eignung des Schnees zum Skilaufen, Geführigkeit; **2** Schneebahn, Schlittenbahn

Forelhand [fɔrhænd, engl.] *w. 9, Tennis, Tischtennis, Federball:* Vorhandschlag; *Ggs.:* Backhand

Folreign Oflfice [fɔrɪn ɔfis, engl.] *s. Gen.* - - *nur Ez.* das brit. Auswärtige Amt

Folrellle *w. 11*

Foren *Mz. von* Forum

folrenlsisch [lat.] *eigtl.:* zum Forum gehörig; *allg.:* gerichtlich; forensische Medizin; forensische Psychologie

Forint [ung.] *m. Gen.* -s *Mz.* -(s), *österr. auch:* -e (*Abk.:* Ft) ung. Währungseinheit, 100 Fillér

Forlke *w. 11* Heu-, Mistgabel; **forlkeln** *intr. u. tr. 1, Jägerspr.:* mit dem Geweih kämpfen, aufspießen

Forlle *w. 11, süddt.:* Kiefer (Baum), Föhre; **Forlleulle** *w. 11* ein Schmetterling, Kieferneule

Form *w. 10;* **forlmal** der Form nach, hinsichtlich der Form; in Form kommen, sein

Formlalldelhyd *m. 1 nur Ez.* ein farbloses, stechend riechendes, zur Desinfektion verwendetes Gas

Forlmallilen *nur Mz.* Formalitäten, Formvorschriften

Forlmallin, Forlmol *s. 1 nur Ez.* Lösung von Formaldehyd in Wasser, Desinfektionsmittel

forlmallilsielren [lat.] *tr. 3* in strenge Form bringen, einer Formvorschrift unterwerfen; **Forlmallislmus** *m. Gen.* - *nur Ez.* übertriebene Betonung der Form, des Formalen, der Äußerlichkeiten; **Forlmallist** *m. 10;* **forlmallisltisch;** **Forlmallilät** *w. 10* Formsache, Formvorschrift; die Formalitäten erledigen; **forlmallilter** förmlich; **formallrechtllich** dem Buchstaben des Gesetzes nach

Forlmans [lat.] *s. Gen.* - *Mz.* -manltia [-tsja] *oder* -manlzien Ableitungssilbe, Präfix, Infix, Suffix

Forlmat [lat.] *s. 1* **1** Maß, Ausmaß, Größe (Höhe und Breite); **2** *übertr.:* Bedeutung, feste Haltung, Charakterstärke, Überlegenheit; **Forlmaltilon** *w. 10* **1** Bildung, Gestaltung; **2** *Mil.:* Verband, Gliederung, Aufstellung; **3** *Geol.:* durch bestimmte Schichten der Erdkruste gekennzeichneter Abschnitt der Erdgeschichte; **4** *Bot.:* Pflanzengesellschaft mit gleicher Wuchsform, z. B. Steppe, Laubwald; **forlmaltiv** auf Gestaltung beruhend, gestaltend

formlbar; **Formlbarlkeit** *w. 10 nur Ez.;* **formlbelständldig;** **Formlbelständldiglkeit** *w. 10 nur Ez.;* **Formlblatt** *s. 4* Blatt mit vorgedrucktem Text, Formular;

Forlmel *w. 10* feststehender Ausdruck, kurze, treffende Zusammenfassung oder Bestimmung; **forlmellhaft;** **Forlmelhafltiglkeit** *w. 10 nur Ez.;* **formell** **1** förmlich, die äußeren Formen beachtend; **2** (nur) zum Schein; **forlmen** *tr. 1;* **Formenllehlre** *w. 11* = Morphologie; **forlmenlreich;** **Forlmenreichltum** *m. 4 nur Ez.;* **Formenlsinn** *m. 1 nur Ez.;* **Forlmer** *m. 5;* **Forlmelrei** *w. 10;* **Formfehller** *m. 5;* **Formlgelbung** *w. 10 nur Ez.;* **Formlgielßer** *m. 5*

Forlmilat [lat.] *s. 1* Salz der Ameisensäure

forlmildalbel [frz.] *veraltet:* furchtbar, schrecklich, riesig; eine formidable Gestalt

forlmielren [lat.] *tr. 3;* **Forlmierung** *w. 10*

förmllich; **Förmllichlkeit** *w. 10;* **formllos;** **Formllolsiglkeit** *w. 10*

nur Ez.; **Form|obst** *s. Gen.* -es *nur Ez.* Spalierobst
For|mol *s. 1 nur Ez.* = Formalin
Form|sa|che *w. 11;* **Form|sand** *m. 1 nur Ez.;* **form|schön; Form|schön|heit** *w. 10 nur Ez.;* **form|streng; Form|stren|ge** *w. Gen. - nur Ez.*
For|mu|lar [lat.] *s. 1;* **for|mu|lie|ren** *tr. 3;* **For|mu|lie|rung** *w. 10*
For|mung *w. 10;* **Form|ver|än|de|rung** *w. 10;* **form|voll|en|det**
For|myl [lat. + griech.] *s. 1 nur Ez.* Säurerest der Ameisensäure
forsch; For|sche *w. 11 nur Ez., ugs.:* forsches Benehmen
för|scheln *intr. 1, schweiz.:* vorsichtig forschen, jmdn. aushorchen; **for|schen** *intr. 1;* **For|scher** *m. 5;* **For|scher|drang** *m. Gen.* -(e)s *nur Ez.*
Forsch|heit *w. 10 nur Ez.*
For|schung *w. 10;* **For|schungs|auf|trag** *m. 2;* **For|schungs|ge|mein|schaft** *w. 10;* **For|schungs|in|sti|tut** *auch:* **-ins|ti|tut** *s. 1;* **For|schungs|rei|se** *w. 11*
Forst *m. 1;* **Forst|aka|de|mie** *w. 11;* **Forst|amt** *s. 4;* **fors|ten** *tr. 2* forstwirtschaftlich bearbeiten; **Förs|ter** *m. 5;* **Förs|te|rei** *w. 10;* **Forst|fre|vel** *m. 5;* **Forst|haus** *s. 4;* **forst|lich; Forst|meis|ter** *m. 5;* **Forst|rat** *m. 2;* **Forst|re|vier** *s. 1;* **Fors|tung** *w. 10 nur Ez.;* **Forst|wirt|schaft** *w. 10 nur Ez.;* **forst|wirt|schaft|lich; Forst|wis|sen|schaft** *w. 10 nur Ez.;* **forst|wis|sen|schaft|lich**
For|sy|thia [-tsja, nach dem engl. Botaniker W.A. Forsyth] *w. Gen. - Mz.* -thi|en [-tsjən], **For|sy|thie** [-tsjə] *w. 11* ein Zierstrauch
fort; fort sein; und so fort (*Abk.:* usf.); in einem fort
Fort [for, lat.-frz.] *s. 9* kleine Befestigungsanlage
fort|ab; fort|an; Fort|be|stand *m. 2 nur Ez.;* **fort|be|ste|hen** *intr. 151;* **fort|be|we|gen** *tr. 1;* **Fort|be|we|gung** *w. 10;* **fort|bil|den** *tr. 2;* **Fort|bil|dung** *w. 10 nur Ez.;* **Fort|bil|dungs|kurs** *m. 1;* **Fort|bil|dungs|schu|le** *w. 11;* **fort|blei|ben** *intr. 17;* **fort|brin|gen** *tr. 21;* **Fort|dau|er** *w. 11 nur Ez.;* **fort|dau|ern** *intr. 1;* **Fort|druck** *m. 1 nur Ez.* Beginn des Drucks der Auflage nach Beendigung aller Vorarbeiten

for|te [ital.] (*Abk.:* f) *Mus.:* laut, stark; **For|te** *s. Gen.* -s *Mz.* -ti; **for|te|for|tis|si|mo** (*Abk.:* fff) *Mus.:* ganz bes. laut
fort|ei|len *intr. 1;* **fort|ent|wi|ckeln** *tr. 1;* **Fort|ent|wick|lung** *w. 10 nur Ez.*
For|te|pi|a|no [ital.] *s. Gen.* -s *Mz.* -s *oder* -ni, *veraltet für* Pianoforte
fort|fah|ren *intr. 32;* **Fort|fall** *m. 2 nur Ez.* Wegfall; **fort|fal|len** *intr. 33;* **fort|flie|gen** *intr. 38;* **fort|füh|ren** *tr. 1;* **Fort|füh|rung** *w. 10 nur Ez.;* **Fort|gang** *m. 2 nur Ez.;* **fort|ge|ben** *tr. 45;* **fort|ge|hen** *intr. 47;* **Fort|ge|schrit|te|ne(r)** *m. 18 (17) bzw. w. 17 oder 18;* **fort|ge|setzt; fort|hin** weiterhin
For|ti|fi|ka|ti|on [lat.] *w. 10, veraltet* **1** Befestigung; **2** Befestigungsanlage; **for|ti|fi|zie|ren** *tr. 3, veraltet:* befestigen
for|tis|si|mo [ital.] (*Abk.:* ff) *Mus.:* sehr laut, sehr stark; **For|tis|si|mo** *s. Gen.* -s *Mz.* -mi; **for|tis|sis|si|mo** (*Abk.:* fff) *Mus.:* ganz bes. laut
fort|ja|gen *tr. 1;* **fort|kom|men** *intr. 71;* **fort|kön|nen** *intr. 72;* **fort|las|sen** *tr. 75;* **fort|lau|fen** *intr. 76;* fortlaufend numeriert; **fort|le|ben** *intr. 1;* **fort|müs|sen** *intr. 87;* **fort|neh|men** *tr. 88;* **fort|pflan|zen** *refl. 1;* **Fort|pflan|zung** *w. 10 nur Ez.;* **Fort|pflan|zungs|ge|schwin|dig|keit** *w. 10;* **Fort|pflan|zungs|or|gan** *s. 1;* **Fort|pflan|zungs|trieb** *m. 1 nur Ez.*
FORTRAN [engl.] *kurz für* formula translator: »Formelübersetzer«, eine Programmiersprache
fort|rei|sen *intr. 1;* **fort|rei|ßen** *tr. 96;* **fort|ren|nen** *intr. 98;* **Fort|satz** *m. 2;* **fort|schaf|fen** *tr. 1;* **fort|schi|cken** *tr. 1;* **fort|schrei|ten** *intr. 129;* **Fort|schritt** *m. 1;* **Fort|schritt|ler** *m. 5;* **fort|schritt|lich; Fort|schritt|lich|keit** *w. 10 nur Ez.;* **fort|schritts|gläu|big; fort|seh|nen** *refl. 1;* **fort|set|zen** *tr. 1;* **Fort|set|zung** *w. 10;* **Fort|set|zungs|ro|man** *m. 1;* **fort|sprin|gen** *intr. 148;* **fort|steh|len** *refl. 152;* **fort|sto|ßen** *tr. 157;* **fort|tra|gen** *tr. 160*
For|tu|na *röm. Myth.:* Glücksgöttin; **For|tü|ne** *w. Gen.- nur Ez.,* keine Fortüne, kein Glück haben
fort|wäh|rend; fort|wer|fen *tr. 181;* **fort|wol|len** *intr. 185;* **fort|wün|schen** *tr. 1;* **fort|zie|hen** *tr. u. intr. 187*
Fo|rum [lat.] *s. Gen.* -s *Mz.* -ra *oder* -ren **1** *im alten Rom:* Markt- und Gerichtsplatz; **2** *übertr.:* Gericht, Richterstuhl; das F. der Öffentlichkeit; **3** *ehem. DDR:* fachkundiger Personenkreis für die Entscheidung aktueller Fragen; öffentliche Aussprache über aktuelle Fragen; **Fo|rum|scheck** *m. 9, ehem. DDR:* Zahlungsmittel, das die Bewohner der DDR im Tausch gegen Devisen erwerben und zum Einkauf in Devisengeschäften (»Intershop«) benutzen konnten
For|ward [fɔwəd, engl.] *m. 9, engl., schweiz.:* Stürmer
Forz *m. 1* = Furz
for|zan|do *Mus.* = sforzando; **for|za|to** *Mus.* = sforzato
for|zen *intr. 1* = furzen
Fo|ße [frz.], Fausse [fos] *w. 11* **1** leere Karte; **2** Fehlfarbe
fos|sil [lat.] urzeitlich, urweltlich, versteinert, (nur noch) als Versteinerung erhalten; *Ggs.:* rezent (**1**); **Fos|sil** *s. Gen.* -s *Mz.* -li|en versteinerter Rest eines Tiers oder einer Pflanze aus der erdgeschichtl. Urzeit; **Fos|si|li|sa|ti|on** *w. 10* Vorgang der Versteinerung; **fos|si|li|sie|ren** *tr. 3* versteinern
fot *Abk. für* free on truck
Föt, Fet *m. 12, kurz für* Fetus; **fö|tal** = fetal; **fö|tid** *Med.:* übel riechend
fo|to..., pho|to..., **Fo|to...,** Pho|to...; **Fo|to 1** *s. 9, schweiz.: w. 9, Kurzw. für* Fotografie; **2** *m. 9, Kurzw. für* Fotoapparat; **Fo|to|ap|pa|rat,** Pho|to|ap|pa|rat *m. 1* Apparat zum Herstellen von Lichtbildern; **Fo|to|che|mie,** Pho|to|che|mie *w. 11 nur Ez.* Lehre von den Wirkungen des Lichts; **Fo|to|che|mi|gra|fie,** Pho|to|che|mi|gra|phie *w. 11 nur Ez.* Herstellung von Ätzungen auf fotograf. Wege; **fo|to|che|mi|gra|fisch,** pho|to|che|mi|gra|phisch; **fo|to|che|misch,** pho|to|che|misch; **Fo|to|ef|fekt,** Pho|to|ef|fekt *m. 1* Zusammenstoß eines Lichtquants mit einem Elektron an der Oberfläche eines Metalls; **fo|to|e|lek|trisch,** pho|to|e|lek|trisch; **Fo|to|e|lek|tri|zi|tät,** Pho|to|e|lek|tri|zi|tät *w. 10 nur Ez.* Elektrizität durch

Licht; **Fo|to|e|le|ment,** Pho|to-e|le|ment *s. 1* Anordnung zur Umwandlung von Licht in Elektrizität; **fo|to|gen,** pho|to-gen gut zum Fotografieren geeignet, bildwirksam; **Fo|to|ge-ni|tät,** Pho|to|ge|ni|tät *w. 10 nur Ez.* fotogene Beschaffenheit, Bildwirksamkeit; **Fo|to|gra|fie,** Pho|to|gra|phie *w. 11* **1** *nur Ez.*

> **Fotografie/Photographie:** Die integrierte (eingedeutschte) Schreibweise ist die Hauptvariante *(Fotografie),* die fremdsprachige die zulässige Nebenvariante *(Photographie).* → § 32 (2)

Herstellung von Lichtbildern; **2** Lichtbild; **fo|to|gra|fie|ren,** pho|to|gra|phie|ren *tr. 3* ein Lichtbild (von jmdm. oder etwas) herstellen; **fo|to|gra|fisch;** pho|to|gra|phisch; **Fo|to-gramm,** Pho|to|gramm *s. 1* fotograf. Bild für Messzwecke; **Fo-to|gramme|trie** ► **Fo|to-gramm|me|trie** *auch:* **-met|rie,** Pho|to|gramm|me|trie *w. 11 nur Ez.* Verfahren zur maßstäblichen bildlichen Geländedarstellung bzw. Geländevermessung mittels fotografischer Aufnahme; **fo|to|gramme|t|risch** ► **fo-to|gramm|me|trisch** *auch:* **-met|risch,** pho|to|gramm|me-trisch; **Fo|to|gra|vü|re,** Pho|to-gra|vü|re *w. 11* = Heliogravüre; **Fo|to|ko|pie,** Pho|to|ko|pie *w. 11* Kopie (eines Schriftstücks oder Bildes) auf fotograf. Wege; **fo|to|ko|pie|ren,** pho|to|ko-pie|ren *tr. 3;* ein Schriftstück f.: eine Fotokopie davon herstellen; **fo|to|me|cha|nisch,** pho|to-me|cha|nisch mit Hilfe der Fotografie mechanisch hergestellt; **Fo|to|me|ter,** Pho|to|me|ter *s. 5* Gerät zum Messen der Lichtstärke, Belichtungsmesser; **fo-to|me|trisch** *auch:* **-met|risch,** pho|to|me|trisch; **Fo|to|mo|dell** *s. 1* jmd., der sich berufsmäßig für Werbe- oder künstler. Zwecke fotografieren lässt; **Fo-to|mon|ta|ge,** Pho|to|mon|ta|ge [-ʒə] *w. 11* **1** *nur Ez.* Zusammensetzung von Lichtbildausschnitten zu einem Bild, um besondere Wirkung zu erzielen, und dessen nochmalige Fotografie; **2** ein so entstandenes Lichtbild; **Fo|ton,** Pho|ton *s. Gen.*-s *Mz.* -to|nen kleinstes Teilchen einer elektromagnet. Strahlung, Lichtquant; **Fo|to-phy|si|o|lo|gie,** Pho|to|phy|si|o-lo|gie *w. 11 nur Ez.* Lehre von der Wirkung des Lichts auf die Entwicklung der Pflanzen; **Fo-to|satz** *m. 2 nur Ez.* auf fotograf. Wege hergestellter Schriftsatz, Filmsatz; **Fo|to|set|ter** *m. 5 kurz für* Intertype-Fotosetter; **Fo|to|sphä|re,** Pho|to|sphä-re *w. 11* strahlende Gashülle der Sonne; **Fo|to|syn|the|se,** Pho|to|syn|the|se *w. 11* Aufbau von Stärke und Zucker in den Pflanzen aus Kohlendioxid und Wasser durch Chlorophyll, wobei die notwendige Energie durch das Sonnenlicht geliefert wird; **fo|to|tak|tisch,** pho|to|tak-tisch, *Bot.:* sich auf einen Lichtreiz hin bewegend; **Fo|to|ta|xis,** Pho|to|ta|xis *w. Gen.* - *Mz.* -xen, *Bot.:* auf einen Lichtreiz hin erfolgende Bewegung; **Fo|to|thek,** Pho|to|thek *w. 10* geordnete Sammlung von Fotografien; **Fo|to|the|ra|pie,** Pho|to|the|ra-pie *w. 11 nur Ez.* Heilverfahren mit Hilfe von Licht; **fo|to|trop,** **fo|to|tro|pisch,** pho|to|trop, pho|to|tro|pisch auf Fototropismus beruhend, lichtwendig; **Fo-to|tro|pis|mus,** Pho|to|tro|pis-mus *m. Gen.* - *nur Ez.* Krümmung (von Pflanzenteilen) zum Licht hin bei einseitigem Lichteinfall, Lichtwendigkeit, Heliotropismus; **Fo|to|zel|le,** Pho|to-zel|le *w. 11* Vorrichtung zur Umwandlung von Helligkeitsschwankungen in elektr. Stromschwankungen, lichtelektrische Zelle

Fö|tus *m. Gen.* - *Mz.* -ten *oder* -tusse

Fot|ze *w. 11* **1** *vulgär:* Vagina; **2** *bayr. ugs.:* Maul; Ohrfeige

Föt|zel *m. 5, schweiz.:* Taugenichts, Lump; **fot|ze|lig, föt|ze-lig** *schweiz.:* zerlumpt

foul [faʊl, engl.] *unflektierbar, Sport:* regelwidrig; **Foul** *s. 9, Sport:* Verstoß gegen die Spielregeln

Fou|lard [fulaːr, frz.] *m. 9* beidseitig bedruckter, leichter Seiden- oder Kunstseidenstoff; **Fou|lar|di|ne** [fu-] *w. 11 nur Ez.* bedruckter Baumwollstoff; **Fou|lé** [-le] *m. 9* weicher, gerauhter Wollstoff

fou|len [faʊ-, engl.] *Sport:* **1** *intr. 1* regelwidrig spielen; **2** *tr. 1;* den Gegner f.: regelwidrig angreifen

Fou|ra|ge [furaʒə] *w. 11 nur Ez.; veraltende Schreibung von* Furage

Four|gon [furgɔ̃, frz.] *m. 9, veraltet, noch schweiz.:* Militärlastwagen

Fou|rier [fu-] *m. 1, veraltende Schreibung von* Furier

Fou|rie|ris|mus [furi|e-] *m. Gen.* - *nur Ez.* Lehre des frz. utop. Sozialisten Charles Fourier

fow *Abk. für* free on waggon

Fox *m. 1, Kurzw. für* **1** Foxterrier, **2** Foxtrott; **Fox|ter|ri|er** *m. 5* eine Hunderasse; **Fox|trott** *m. 1 oder m. 9* ein Gesellschaftstanz

Foy|er [foaje, frz.] *s. 9* Wandelgang, Wandelhalle (im Theater)

FPÖ *Abk. für* Freiheitliche Partei Österreichs

fr *Abk. für* Franc

Fr **1** *chem. Zeichen für* Francium; **2** *Abk. für* Freitag

Fr. **1** *Abk. für* Franken (**2**); **2** *Abk. für* Frau; **3** *Abk. für* Frater

Fra [ital.] *Abk. für* Frate »Bruder«, *nur vor Eigennamen:* Kloster-, Ordensbruder, z. B. Fra Angelico

Fracht *w. 10;* **Fracht|brief** *m. 1;* **Fracht|damp|fer** *m. 5;* **Frach|ter** *m. 5* Frachtdampfer; **fracht|frei;** **Fracht|gut** *s. 4;* **Fracht|ver|kehr** *m. 1 nur Ez.;* **Fracht|wa|gen** *m. 7*

Frack [engl.] *m. 2, ugs. auch: m. 9;* **Frack|hemd** *s. 12*

Fra|ge *w. 11;* infrage oder in F. kommen, stellen; **Fra|ge|bo|gen** *m. 7;* **Fra|ge|für|wort** *s. 4* = Interrogativpronomen; **fra|gen** *tr. 1;* **Fra|ger** *m. 5;* **Fra|ge|rei** *w. 10;* **Fra|ge|satz** *m. 2* = Interrogativsatz; **Fra|ge-und-Ant-wort-Spiel** *s. 1;* **Fra|ge|wort** *s. 4* = Interrogativpronomen; **Fra-ge|zei|chen** *s. 7*

fra|gil [lat.] zart, zerbrechlich; **Fra|gi|li|tät** *w. 10 nur Ez.*

frag|lich; frag|los

Frag|ment [lat.] *s. 1* Bruchstück, unvollendetes Werk, übrig gebliebener Rest eines Werkes; **frag|men|ta|risch** in der Art eines Fragments, bruchstückhaft; **Frag|men|ta|ti-on** *w. 10* **1** direkte Kernteilung, Durchschnürung des Zellkerns in zwei oder mehr ungleiche

Teile; **2** Teilung einer Mutterpflanze; **frag|men|tie|ren** *tr. 3* in Bruchstücke zerlegen
frag|wür|dig; Frag|wür|dig|keit *w. 10 nur Ez.*
frais, fraise [frɛz, frz.] *unflektierbar:* erdbeerfarben
Frais *m. 12 meist Mz., süddt., österr.:* Krämpfe (bes. bei kleinen Kindern)
Frak|ti|on [lat.] *w. 10* **1** Vertretung einer Partei im Parlament; **2** ein durch Verdampfung aus einem Gemisch isolierter Stoff; **frak|ti|o|nie|ren** *tr. 3, Chem.:* in Fraktionen trennen; fraktionierte Destillation; **Frak|ti|ons|mit|glied** *s. 3;* **Frak|ti|ons|sit|zung** *w. 10;* **Frak|ti|ons|vor|sit|zen|de(r)** *m. 18 (17);* **Frak|ti|ons|zwang** *m. 2 nur Ez.* Verpflichtung, sich bei Abstimmungen der Mehrheit innerhalb der Fraktion anzuschließen
Frak|tur [lat.] *w. 10* **1** eine gebrochene Druckschrift; mit jmdm. Fraktur reden *übertr.:* ihm energisch die Meinung sagen; **2** *Med.:* Knochenbruch
Fram|bö|sie [frz.] *w. 11* eine in den Tropen auftretende, der Syphilis ähnliche Hautkrankheit, Himbeerpocken
Frame [frɛɪm, engl.] *m. 11* Rahmen, Träger der Eisenbahnfahrzeuge
Franc [frɑ̃, frz.] *m. 9, nach Zahlenangaben Mz. - (Abk.:* fr) Währungseinheit in Frankreich, Belgien, Luxemburg; 100 Centime; frz. Franc (*Abk.:* ffr *oder* FF); belg. Franc (*Abk.:* bfr); luxemburg. Franc (*Abk.:* lfr); vgl. Franken
Fran|çaise [frɑ̃sɛz, frz.] *w. 11* frz. Kontertanz
Fran|chise [frɑ̃ʃiz, frz.] *w. 11* **1** Abgaben-, Zollfreiheit; **2** *Transport- u. Güterversicherung:* ein Prozentsatz des Wertes des Versicherungsgutes, der nicht versichert wird
Fran|ci|um [neulat.] *eindeutschend:* Fran|zi|um *s. Gen. -s nur Ez. (Zeichen:* Fr) ein chem. Element, radioaktives Alkalimetall
fran|co *veraltete Schreibung von* franko
frank offen, freimütig, *nur noch in der Wendung:* frank und frei
Frank *m. 10, eindeutschende Schreibung von* Franc
Fran|ka|tur [ital.] *w. 10* **1** das Freimachen von Postsendungen; **2** *veraltet:* Bezahlung der Transportkosten vor der Beförderung
Fran|ke *m. 11* Angehöriger eines westgerm. Volksstammes; Einwohner von Franken; **Franken 1** dt. Landschaft, Gebiet in Baden-Württemberg und Bayern; **2** Schweizer F. *m. 7 (Abk.:* fr *oder* sfr *oder* sFr) schweiz. Währungseinheit, 100 Rappen, vgl. Franc
Frank|furt 1 F. am Main: Stadt in Hessen; **2** F. an der Oder: Stadt in Brandenburg; **Frank|fur|ter** *m. 5;* **frank|fur|te|risch, frank|fur|tisch**
fran|kie|ren [ital.] *tr. 3* mit Briefmarke(n) versehen oder mit der Frankiermaschine stempeln, freimachen; **Fran|kie|rung** *w. 10 nur Ez.*
frän|kisch; *aber:* die Fränkische Schweiz; der Fränkische Jura
Fran|ki|um *s. Gen. -s nur Ez.* = Francium
fran|ko [ital.] *unflektierbar:* porto-, kostenfrei, Transportkosten werden vom Absender bezahlt
Fran|ko|ka|na|di|er *m. 5* französisch sprechender Einwohner Kanadas; **fran|ko|ka|na|disch**
Fran|ko|ma|ne [ital. + griech.] *m. 11* begeisterter Bewunderer alles Französischen, Gallomane; **Fran|ko|ma|nie** *w. 11 nur Ez.* übertriebene Vorliebe für alles Französische, Gallomanie; **fran|ko|phil** franzosen-freundlich, gallophil; **Fran|ko|phi|lie** *w. 11 nur Ez.* Vorliebe für alles Französische, Gallophilie; **fran|ko|phob** franzosen-feindlich, gallophob; **Fran|ko|pho|bie** *w. 11 nur Ez.* Abneigung gegen alles Französische, Gallophobie
Fran|ko|stem|pel *m. 5* Stempel mit der Frankiermaschine
Frank|reich europ. Staat
Frank|ti|reur [-rør, frz.] *m. 1, früher:* frz. Freischärler
Fran|se [frz.] *w. 11;* **fran|sen 1** *tr. 1* mit Fransen versehen; **2** *intr. 1* Fransen bekommen, ausfransen; **fran|sig**
Franz|band *m. 2* lederner Bucheinband (urspr. nach frz. Art); vgl. Halbfranz; **Franz|brannt|wein** *m. 1 nur Ez.* geringwertiger Weinbrand mit Zusätzen als Einreibemittel bes. gegen Rheumatismus
Fran|zis|ka|ner *m. 5* Angehöriger des Franziskanerordens; **Fran|zis|ka|ner|or|den** *m. 7* vom hl. Franz von Assisi (1181 oder 1182–1226) gegründeter Bettelorden; **fran|zis|ka|nisch**
Fran|zi|um *s. Gen. -s nur Ez.* = Francium
Fran|zo|se *m. 11;* **fran|zö|seln** *intr. 1* alles Französische nachahmen; **fran|zo|sen|feind|lich; fran|zo|sen|freund|lich; fran|zö|sie|ren,** fran|zö|si|sie|ren *tr. 3* nach frz. Art gestalten, französisch, zum Franzosen machen; **Fran|zö|sin** *w. 10;* **fran|zö|sisch;** die französische Schweiz: der frz. Teil der Schweiz; die Französische Revolution; **Fran|zö|sisch** *s. Gen. -(s) nur Ez.* frz. Sprache; **fran|zö|si|sie|ren** *tr. 3* = französieren
frap|pant [frz.] auffallend, überraschend, ins Auge springend; **Frap|pé** [-pe] *Nv.* ► **Frap|pee** *Hv. m. 9* Stoff mit eingepresstem Muster; **frap|pie|ren** *tr. 3* **1** überraschen, verblüffen; **2** in Eis kühlen (Wein, Sekt)
Fras|ca|ti *m. 9* ein italienischer trockener Weißwein [nach dem Anbauort in der Provinz Latium]
Fräs|dorn *m. 1;* **Frä|se** *w. 11;* **frä|sen** *tr. 1;* **Frä|ser** *m. 5;* **Fräs|ma|schi|ne** *w. 11*
Fraß *m. 1 nur Ez.*
Fra|te [lat.-ital.] *m. Gen. - Mz. -ti, Bez. und Anrede für* ital. Klosterbruder; **Fra|ter** [lat.] *m. Gen. -s Mz.* Fra|tres *auch:* Frat|res [-tre:s] (*Abk.:* Fr.) Ordens-, Klosterbruder vor der Priesterweihe; **Fra|ter|ni|sa|ti|on** *w. 10* Verbrüderung; **fra|ter|ni|sie|ren** *intr. 3* sich verbrüdern; **Fra|ter|ni|tät** *w. 10* **1** *nur Ez.* Brüderlichkeit; **2** Bruderschaft; **Fra|ter|ni|té** [-te] *w. Gen. - nur Ez.* Brüderlichkeit (eins der drei Schlagwörter der Frz. Revolution); vgl. Égalité, Liberté; **Fra|tres** *auch:* **Frat|res** [-tre:s] *Mz.* von Frater; Fratres minores: Franziskaner, Minoriten, Minderbrüder
Fratz *m. 12, ugs. österr.: m. 10* kleines Kind; **Frätz|chen** *s. 7, ugs.* **1** kleiner Fratz; **2** Gesichtchen; **Frat|ze** *w. 11;* **frat|zen|haft; Frat|zen|schnei|der** *m. 5, ugs.*
Frau *w. 10 (Abk.:* Fr.); **Frau|chen** *s. 7;* **Frau|en|arzt** *m. 2* =

► = wird zu

Gynäkologe; **Frau|en|be|ruf** *m. 1;* **Frau|en|be|we|gung** *w. 10;* **Frau|en|chor** *m. 2;* **Frau|en|e|man|zi|pa|ti|on** *w. 10;* **Frau|en|haar** *s. 1 nur Ez.* ein Haarfarn; **frau|en|haft; Frau|en|heil|kun|de** *w. 11 nur Ez.* = Gynäkologie; **Frau|en|kir|che** *w. 11* der Muttergottes geweihte Kirche; **Frau|en|kli|nik** *w. 10;* **Frau|en|krank|heit** *w. 10;* **Frau|en|recht|le|rin** *w. 10;* **frau|en|recht|le|risch; Frau|en|schuh** *m. 1 nur Ez.* eine Orchideenart; **Frau|ens|leu|te** *nur Mz., volkstüml.:* Frauen; **Frau|ens|per|son** *w. 10, ugs., verächtl.:* Frau; **Frau|en|stimm|recht** *s. 1 nur Ez.;* **Frau|en|stu|di|um** *s. Gen. -s nur Ez.;* **Frau|en|tag** *m. 1, ehem. DDR:* Kurzform für Internationaler Frauentag; **Frau|en|wahl|recht** *s. 1 nur Ez.;* **Frau|en|zeit|schrift** *w. 10;* **Frau|en|zim|mer** *s. 5, ugs., verächtl. oder scherzh.:* Frau, Mädchen

Fräu|lein *s. 7, ugs. auch: s. 9 (Abk.:* Frl.); das F. Müller, *süddt. auch:* die F. Müller; Ihr F. Tochter, *süddt. auch:* Ihre F. Tochter; **frau|lich; Frau|lich|keit** *w. 10 nur Ez.*

Fraun|ho|fer-Li|ni|en, fraun|ho|fer|sche Li|ni|en [nach dem dt. Physiker Joseph v. Fraunhofer] *w. 11 Mz.* Absorptionslinien im Sonnenspektrum

frdl. *Abk. für* freundlich

Freak [frik, engl.] *m. 9* **1** jmd., der sich übermäßig für etwas begeistert; **2** schrulliger Außenseiter

frech; Frech|dachs *m. 1;* **Frech|heit** *w. 10;* **Frech|ling** *m. 1* unverschämter Mensch

free a|long|side ship [fri əlɔŋsaɪd ʃɪp, engl. »frei (bis) längsseits Schiff«] (*Abk.:* fas) Kosten und Risiko des Transports der Ware bis zum Schiff werden vom Verkäufer getragen

Free|jazz ► *auch:* **Free Jazz** [fri dʒɛːz, engl.] *m. Gen. - nur Ez.*

free on board [fri ɔn bɔrd, »frei an Bord«] (*Abk.:* fob) Kosten und Risiko des Transports der Ware bis aufs Schiff werden vom Verkäufer getragen; **free on plane** [fri ɔn pleɪn, »frei an Bord (des Flugzeugs)«] (*Abk.:* fop) Kosten und Risiko des Transports der Ware bis ins Flugzeug werden vom Verkäufer getragen; **free on truck** [fri ɔn trʌk, »frei (bis) auf den Lastwagen«] (*Abk.:* fot) vgl. free on board; **free on wag|gon** [fri ɔn wægən, »frei (bis) auf den Eisenbahnwagen«] (*Abk.:* fow) vgl. free on board

Free|sia [nach dem dt. Arzt H. Th. Frees] *w. Gen. - Mz. -sien,* **Free|sie** [-zjə] *w. 11* eine Zierpflanze, ein Schwertliliengewächs

Free|style [fristail, engl. »Freistil«], Springen, Salti (beim Skifahren und Snowboarden, im Ggs. zum Pistenfahren)

Fre|gat|te [frz.] *w. 11* **1** *früher:* schnelles, dreimastiges Segelschiff; **2** *heute:* ein Kriegsschiff; **Fre|gat|ten|ka|pi|tän** *m. 1* Seeoffizier im Rang eines Oberstleutnants; **Fre|gatt|vo|gel** *m. 6* ein trop. Meeresraubvogel

frei **1** *Kleinschreibung:* freie Berufe; der freie Fall; freies Geleit; eine Ware frei Haus liefern; freier Mitarbeiter, Schriftsteller; freie Wahlen; der freie Wille; **2** *Großschreibung:* Sender Freies Berlin, Freier Deutscher Gewerkschaftsbund (*ehem. DDR; Abk.:* FDGB); Freie Demokratische Partei (*Abk.:* FDP, F.D.P.); Freie Deutsche Jugend (*ehem. DDR, Abk.:* FDJ); Freie und Hansestadt Hamburg; Freie Hansestadt Bremen; die Sieben Freien Künste (*im MA,* vgl. sieben); die Freien Reichsstädte; im Freien; **3** *in Verbindung mit Verben:* frei bleiben, *aber:* → freibleibend; frei sein, werden; einen Gegenstand frei halten, *aber:* → freihalten; sich von Vorurteilen frei machen, *aber:* → freimachen; frei sprechen: ohne abzulesen, *aber:* → freisprechen; frei stehen: stehen, ohne sich festzuhalten, ohne Stütze stehen, *aber:* → freistehen; frei stellen: zur Wahl stellen, zur freien Entscheidung überlassen; *aber:* → freistellen

> **frei sprechen/freisprechen:** Gefüge aus Adjektiv und Verb werden getrennt geschrieben, wenn das Adjektiv in dieser Verbindung erweiterbar oder steigerbar ist: *Neuerdings kann er frei sprechen* (= ohne Manuskript bzw. ohne Zensur). Ebenso: *frei legen, frei machen.* → § 34 E3 (3) Hingegen wird das Gefüge zusammengeschrieben, wenn Erweiterung bzw. Steigerbarkeit nicht möglich sind: *Der Angeklagte wurde freigesprochen* (= nicht verurteilt). Ebenso: *freilassen, freihalten, freischwimmen.* → § 34 (2.2)

Freia, Freya, Frey|ja *german. Myth.:* Göttin der Fruchtbarkeit, Schwester des Freir

Frei|bad *s. 4;* **Frei|bank** *w. 2* Laden zum Verkauf von geringwertigem Fleisch; **Frei|bank|fleisch** *s. 1 nur Ez.;* **frei|be|kom|men** ► **frei be|kom|men** *intr. 71* freie Zeit bekommen; **Frei|be|trag** *m. 2;* **Frei|beu|ter** *m. 5* Seeräuber; **Frei|beu|te|rei** *w. 10 nur Ez.;* **frei|beu|te|risch; frei|be|weg|lich** ► **frei be|weg|lich;** frei bewegliche Aufhängung: kardanische A.; **Frei|bier** *s. 1 nur Ez.;* **frei|blei|bend** *Kaufmannsspr.:* wir bieten f. an: ohne Verpflichtung, *aber:* ich möchte frei bleiben; **Frei|bord** *m. 1 nur Ez.* über dem Wasserspiegel liegender Teil des Schiffes; **Frei|brief** *m. 1;* **Frei|den|ker** *m. 5;* **frei|den|ke|risch**

frei|en *tr. 1* werben, heiraten (wollen); **Frei|er** *m. 5;* **Frei|ers|fü|ße** *m. 2 Mz., nur in der Wendung:* auf Freiersfüßen gehen; **Frei|ers|mann** *m. Gen. -(e)s Mz. -leu|te volkstüml.*

Frei|ex|em|plar *auch:* **-e|xem|plar** *s. 1;* **Frei|frau** *w. 10* Frau eines Freiherrn, Baronin; **Frei|fräu|lein** *s. 7,* Frei|in *w. 10* Tochter eines Freiherrn, Baronesse; **Frei|ga|be** *w. 11;* **frei|ge|ben** *tr. 45;* die Straße für den Verkehr freigeben; **frei|ge|big; Frei|ge|big|keit** *w. 10 nur Ez.;* **Frei|geist** *m. 3;* **Frei|geis|te|rei** *w. 10 nur Ez.;* **frei|geis|tig; Frei|ge|las|se|ne(r)** *m. 18 (17);* **Frei|graf** *m. 10* Schöffe im Femgericht; **Frei|graf|schaft** *w. 10;* **Frei|gut** *s. 4* **1** kostenlos beförderte oder zollfreie Ware; **2** *früher:* von Abgaben freies, lehnsfreies Landgut; **frei|ha|ben** ► **frei ha|ben** *intr. 60* freie Zeit haben; **frei|hal|ten** *tr. 61;* jmdn. f.: für ihn bezahlen; den Weg f. (von Schnee); Einfahrt f.!; vgl. frei; **Frei|hand|bi|bli|o|thek** *auch:* **-bib|li|o|thek** *w. 10* Bibliothek, in der man sich die Bücher selbst aus den Regalen nehmen kann; **Frei|hand|bü|che|rei** *w. 10;* **Frei|han|del** *m. Gen.* -s *nur Ez.* Handelsverkehr ohne administrative oder polit. Beschränkungen zwischen Staaten; **Frei|han|dels|zo|ne** *w. 11;* **frei|hän|dig; Frei|hand|zeich|nen** *s. Gen.* -s *nur Ez.;* **Frei|heit** *w. 10;* **frei|heit|lich; Frei|heit|lich|keit** *w. 10 nur Ez.;* **Frei|heits|be|rau|bung** *w. 10;* **Frei|heits|drang** *m. Gen.* -(e)s *nur Ez.;* **Frei|heits|kampf** *m. 2;* **Frei|heits|kämp|fer** *m. 5;* **Frei|heits|krieg** *m. 1;* **Frei|heits|lie|be** *w. 11 nur Ez.;* **frei|heits|lie|bend; Frei|heits|sta|tue** *w. 11;* **Frei|heits|stra|fe** *w. 11;* **frei|her|aus;** freiheraus sprechen, etwas freiheraus sagen; **Frei|herr** *m. Gen.* -n *oder* -en *Mz.* -en (*Abk.:* Frhr.) ein Adelstitel, dem Baron entsprechend; **frei|herr|lich; Frei|in** *w. 10* = Freifräulein; **Frei|kar|te** *w. 11;* **Frei|kir|che** *w. 11* vom Staat unabhängige Kirche; **frei|kom|men** *intr. 71;* **Frei|kör|per|kul|tur** *w. 10 nur Ez. (Abk.:* FKK); **Frei|korps** [-ko:r] *s. Gen.* [-ko:rs] *Mz.* - [-ko:rs]; **Frei|la|de|bahn|hof** *m. 2;* **Frei|land** *s. 4 nur Ez.;* **Frei|land|ge|mü|se** *s. 5;* **frei|las|sen** *tr. 75;* **Frei|las|sung** *w. 10 nur Ez.;* **Frei|lauf** *m. 2;* **frei|le|bend ► frei le|bend;** frei lebende Tiere; **frei|le|gen** *tr. 1;* **Frei|le|gung** *w. 10 nur Ez.*

Frei|licht|büh|ne *w. 11;* **Frei|licht|ma|le|rei** *w. 10;* **Frei|licht|the|a|ter** *s. 5*

Frei|los *s. 1;* **Frei|luft|be|hand|lung** *w. 10;* **frei|ma|chen** *tr. 1* mit einer Briefmarke versehen, frankieren; vgl. frei; **Frei|ma|chung** *w. 10 nur Ez.;* **Frei|mar|ke** *w. 11* Briefmarke; **Frei|mau|rer** *m. 5;* **Frei|mau|re|rei** *w. 10 nur Ez.;* **frei|mau|re|risch; Frei|mau|rer|lo|ge** [-ʒə] *w. 11;* **Frei|mau|rer|tum** *s. Gen.* -s *nur Ez.*

Frei|mut *m. Gen.* -(e)s *nur Ez.;* **frei|mü|tig; Frei|mü|tig|keit** *w. 10 nur Ez.*

Freir, Frey, Freyr *german. Myth.:* Gott der Fruchtbarkeit, Bruder der Freia

frei|re|li|gi|ös; Frei|saß ► Frei|sass *m. Gen.* -sas|ses *Mz.* -sassen, **Frei|sas|se** *m. 11* Besitzer eines Freigutes (**2**); **frei|schaf|fend;** freischaffender Künstler; **Frei|schar** *w. 10* Verband Freiwilliger; **Frei|schär|ler** *m. 5;* **frei|schrei|ben** *refl. 127* sich durch schöpfer. Schreiben von einer seel. Last befreien; **Frei|schütz** *m. 10;* **frei|schwim|men** *refl. 132* eine vorgeschriebene Zeit ununterbrochen schwimmen; vgl. frei; **Frei|schwim|mer** *m. 5;* **Frei|sinn** *m. 1 nur Ez.; auch:* polit. Richtung; *in der Schweiz Kurzbez. für* Freisinnig-demokratische Partei; **frei|sin|nig; Frei|sin|nig|keit** *w. 10 nur Ez.;* **frei|spre|chen** *tr. 146* durch Schiedsspruch von einer Schuld, Anklage befreien; vgl. frei; **Frei|spre|chung** *w. 10;* **Frei|spruch** *m. 2;* **Frei|staat** *m. 12;* **Frei|statt** *w. Gen.* - *Mz.* -stät|ten, **Frei|stät|te** *w. 11;* **frei|ste|hen** *intr. 151* erlaubt sein; es muss jedem f., zu sagen, was er will; vgl. frei; **Frei|stel|le** *w. 11;* **frei|stel|len** *tr. 1* jmd. entlassen; vgl. frei; **Frei|stel|lung** *w. 10 nur Ez.;* **Frei|stil|rin|gen** *s. Gen.* -s *nur Ez.;* **Frei|stil|schwim|men** *s. Gen.* -s *nur Ez.;* **Frei|stoß** *m. 2, Fußball:* vom Schiedsrichter zuerkannter, ungestörter Stoß nach regelwidrigem Verhalten des Gegners

> **Freitagabend:** Verbindungen, deren letzter Bestandteil ein Substantiv ist, werden zusammengeschrieben: *am Freitagabend, nächsten Freitagabend, eines Freitagabends.* →§ 37 (1)
> Das Adverb wird ebenfalls zusammengeschrieben: *freitagabends.* Möglich ist aber auch die Form: *freitags abends.* →§ 56 (3)

Frei|tag *m. 1 (Abk.:* Fr); vgl. Dienstag

Frei|te *w. 11* Brautwerbung; *fast nur noch in der Wendung:* auf die Freite gehen

Frei|tisch *m. 1* regelmäßiges, kostenloses Mittagessen; **Frei|tod** *m. 1* Selbstmord; **Frei|trep|pe** *w. 11* Treppe ohne Geländer; **Frei|übung** *w. 10;* **Frei|um|schlag** *m. 2* frankierter Briefumschlag; **Frei|wild** *s. Gen.* -(e)s *nur Ez.* schutzloser Mensch; **frei|wil|lig** [auch: -vịl-]; **Frei|wil|li|ge(r)** *m. 18 (17)* [auch: -vịl-]; **Frei|wurf** *m. 2* (beim Handball); **Frei|zei|chen** *s. 7;* **Frei|zeit** *w. 10;* **Frei|zeit|ge|stal|tung;** *w. 10 nur Ez.;* **frei|zü|gig; Frei|zü|gig|keit** *w. 10 nur Ez.*

frẹmd; Frẹmd|ar|bei|ter *m. 5;* **frẹmd|ar|tig; Frẹmd|ar|tig|keit** *w. 10 nur Ez.;* **Frẹm|de** *w. 11 nur Ez.;* **Frẹm|de(r)** *m. 18 (17) bzw. w. 17 oder 18;* **frẹm|deln** *intr. 1* Fremden gegenüber scheu sein; **Frẹm|den|füh|rer** *m. 5;* **Frẹm|den|heim** *s. 1;* **Frẹm|den|le|gi|on** *w. 10 nur Ez.;* **Frẹm|den|le|gi|o|när** *m. 1;* **Frẹm|den|ver|kehr** *m. 1 nur Ez.;* **Frẹm|den|zim|mer** *s. 5;* **Frẹmd|er|re|gung** *w. 10;* **Frẹmd|fi|nan|zie|rung** *w. 10;* **frẹmd|ge|hen** *intr. 47; ugs.:* Seitensprünge machen; **Frẹmd|gut** *s. 4;* **Frẹmd|herr|schaft** *w. 10;* **Frẹmd|kör|per** *m. 5;* **frẹmd|län|disch; Frẹmd|ling** *m. 1;* **Frẹmd|spra|che** *w. 11;* **frẹmd|spra|chig;** fremdsprachiger Unterricht: in einer fremden Sprache gehaltener Unterricht; **frẹmd|sprach|lich;** fremdsprachlicher Unterricht: über eine fremde Sprache, aber in der eigenen Sprache gehaltener Unterricht; **Frẹmd|stäm|me** *m. 2 Mz.;* **frẹmd|stäm|mig; Frẹmd|stäm|mig|keit** *w. 10 nur Ez.;* **Fremd|tü|me|lei** *w. 10 nur Ez.* übertriebene Vorliebe für alles Fremde; **Frẹmd|wort** *s. 4;* **frẹmd|wör|teln** *intr. 1* übermäßig viele Fremdwörter gebrauchen; **Fremd|wör|te|lei,** Fremd|wör|te|rei *w. 10 nur Ez.* übermäßiger Gebrauch von Fremdwörtern; **Frẹmd|wör|ter|buch** *s. 4;* **Fremd|wör|te|rei** *w. 10 nur Ez.* = Fremdwörtelei

fre|ne|tisch [frz.] stürmisch, rasend; frenetischer Applaus

fre|quent [lat.] **1** *veraltet:* häufig, zahlreich; **2** *Med.:* beschleunigt (Puls); **Fre|quen|tant** *m. 10, veraltet:* häufiger Besucher; **Fre|quen|ta|ti|on** *w. 10* häufiges Besuchen; **Fre|quen|ta|tiv** *s. 1* = Iterativ; **fre|quen|tie|ren** *tr. 3* häufig besuchen oder benutzen; **Fre|quenz** *w. 10* **1** Häufigkeit; **2** Besucherzahl; **3** Verkehr, Verkehrsdichte; **4** Schwingungszahl pro Sekunde; **Fre|quenz|mo|du|la|ti|on** *w. 10* (*Abk.:* FM) Änderung der Frequenz der Trägerwelle

Frẹs|ke [ital. fresco »frisch«] *w. 11* = Fresko (**1**); **Frẹs|ko** *s. Gen.* -s *Mz.* -ken **1** auf die

frisch verputzte, feuchte Wand gemaltes Bild, *auch:* Freske; **2** *nur Ez.* poröser, harter Wollstoff; **Fres|ko|ma|le|rei** *w. 10* Malerei auf den noch feuchten Putz; *Ggs.:* Seccomalerei
Fres|sa|li|en *nur Mz., ugs.:* Esswaren; **Fres|se** *w. 11, vulg.:* Mund; **fres|sen** *tr. 41; ugs. derb auch:* verstehen, kapieren; fressende Flechte: eine Hautkrankheit; **Fres|sen** *s. 7 nur Ez.;* **Fres|ser** *m. 5;* **Fres|se|rei** *w. 10, ugs. derb* **1** zu reichliches Essen; **2** Nahrung; **Freß|lust** ► **Fress|lust** *w. 2 nur Ez.;* **Freß|napf** ► **Fress|napf** *m. 2;* **Freß|korb** ► **Fress|korb** *m. 2, ugs.;* **Freß|sack** ► **Fress|sack** *m. 2, ugs.:* jmd., der viel isst; **Freß|sucht** ► **Fress|sucht** *w. 2 nur Ez.;* **Freß|zel|le** ► **Fress|zel|le** *w. 11 meist Mz.* Zelle, die Fremdkörper, z. B. Bakterien, vertilgt
Frett [lat.] *s. 1,* **Frett|chen** *s. 7* eine Iltisart, kann zum Kaninchenfang abgerichtet werden, Frettwiesel
fret|ten *refl. 2, österr. ugs.:* sich abmühen, abplagen, sich kümmerlich fortbringen; **Fret|te|rei** *w. 10 nur Ez., österr. ugs.*
fret|tie|ren *tr. 3* mit dem Frettchen jagen (Kaninchen); **Frett|wie|sel** *s. 5* = Frettchen
Freu|de *w. 11;* Freud und Leid; **freu|den|arm; Freu|den|bot|schaft** *w. 10;* **Freu|den|fest** *s. 1;* **Freu|den|feu|er** *s. 5;* **Freu|den|ge|heul** *s. 1;* **Freu|den|haus** *s. 4* = Bordell; **freu|den|leer; freu|den|los; Freu|den|mäd|chen** *s. 7* = Prostituierte; **freu|den|reich; Freu|den|ruf** *m. 1;* **Freu|den|schrei** *m. 1;* **Freu|den|tag** *m. 1;* **Freu|den|tau|mel** *m. 5;* **Freu|den|trä|nen** *w. 11 Mz.;* **freu|de|strah|lend;** *aber:* vor Freude strahlend; **freu|de|trun|ken**
Freu|di|a|ner *m. 5* Anhänger der Lehre des österr. Nervenarztes und Begründers der Psychotherapie, Sigmund Freud
freu|dig; Freu|dig|keit *w. 10 nur Ez.;* **freud|los; Freud|lo|sig|keit** *w. 10 nur Ez.;* **freud|voll; freu|en** *tr. u. refl. 1*
Freund *m. 1;* mit jmdm. gut F. sein; jmdm. Freund sein, bleiben; ich bin sein Freund; **Freund|chen** *s. 7, meist als mild-warnende Anrede;* **Freun|des|gruß** *m. 2;* **Freun|des|hand** *w. 2;* **Freun|des|kreis** *m. 1;* **Freun|des|treue** *w. 11 nur Ez.;* **Freun|din** *w. 10;* **freund|lich** (*Abk.:* frdl.); freundlich gesinnt; freundlich grüßen; **Freund|lich|keit** *w. 10;* **freund|nach|bar|lich; Freund|schaft** *w. 10;* **freund|schaft|lich; Freund|schafts|dienst** *m. 1;* **Freund|schafts|spiel** *s. 1, Sport*
fre|vel [-fəl] *poet.:* frevelhaft; frevles Tun; **Fre|vel** *m. 5;* **fre|vel|haft; Fre|vel|haf|tig|keit** *w. 10 nur Ez.;* **Fre|vel|mut** *m. Gen.* -(e)s *nur Ez.;* **fre|veln** [-fəln] *intr. 1;* **Fre|vel|tat** *w. 10;* **fre|vent|lich; Frev|ler** *m. 5;* **frev|le|risch**
Frey, Freyr = Freir; **Freya,** Frey|ja = Freia
Frey|burg Stadt an der Unstrut
Frhr. *Abk. für* Freiherr
Fri|dat|te *w. 11* = Frittate
Fri|de|ri|cus *lat. Form von* Friedrich; F. Rex: König Friedrich (der Große); **fri|de|ri|zi|a|nisch**
Frie|de *m. 15, ältere Form von* Frieden
frie|den *tr. 2 selten für* einfriedigen; **Frie|den** *m. 7;* **Frie|dens|be|din|gung** *w. 10 meist Mz.;* **Frie|dens|be|we|gung** *w. 10;* **Frie|dens|bo|te** *m. 11;* **Frie|dens|en|gel** *m. 5;* **Frie|dens|fahrt** *w. 10, ehem. DDR:* jährliches Radrennen durch mehrere Länder; **Frie|dens|fest** *s. 1;* **Frie|dens|freund** *m. 1;* **Frie|dens|ge|richt** *s. 1;* **Frie|dens|gren|ze** *w. 11 nur Ez., ehem. DDR:* Grenze zu Polen; **Frie|dens|kuß** ► **Frie|dens|kuss** *m. 2;* **Frie|dens|lie|be** *w. 11 nur Ez.;* **Frie|dens|no|bel|preis** *m. 1;* **Frie|dens|pfei|fe** *w. 11;* **Frie|dens|preis** *m. 1;* F. des deutschen Buchhandels; **Frie|dens|rich|ter** *m. 5;* **Frie|dens|schluß** ► **Frie|dens|schluss** *m. 2;* **Frie|den(s)|stif|ter** *m. 5;* **Frie|dens|stö|rer** *m. 5;* **Frie|dens|tau|be** *w. 11;* **Frie|dens|ver|hand|lung** *w. 10 meist Mz.;* **Frie|dens|ver|trag** *m. 2*
fried|fer|tig; Fried|fer|tig|keit *w. 10 nur Ez.*
Fried|hof *m. 2;* **Fried|hofs|ver|wal|tung** *w. 10*
Fried|län|der *m. 5* **1** Beiname Wallensteins (nach seinem Herzogtum Friedland); **2** Soldat aus Wallensteins Heer; **fried|län|disch**
fried|lich; Fried|lich|keit *w. 10 nur Ez.;* **fried|lie|bend; fried|los; Fried|lo|sig|keit** *w. 10 nur Ez.*
Fried|richs|dor *m. Gen.* -s *Mz.* -(s) alte preuß. Goldmünze, 5 Taler
fried|sam; Fried|sam|keit *w. 10 nur Ez.*
frie|ren *intr. 42;* ich friere, es friert mich, mich friert; ich friere an den Händen, mich friert an den Händen; mir frieren die Hände
Fries *m. 1* **1** flauschiger Wollstoff; **2** *Baukunst:* waagerechter Streifen mit ornamentalen oder figürl. Darstellungen zur Gliederung einer Wandfläche
Frie|se *m. 11,* Fries|län|der *m. 5* Einwohner Frieslands
Frie|sel *m. 14 oder s. 14* **1** Hautbläschen; **2** *Mz.* bläschenförmiger Hautausschlag, bes. → Hitzfrieseln; **Frie|sel|fie|ber** *s. 5 nur Ez.* mit Frieseln verbundenes Fieber
Frie|sin *w. 10* Einwohnerin von Friesland
frie|sisch, fries|län|disch; die Friesischen Inseln; **Fries|land** Landstrich an der Nordseeküste; **Fries|län|der** *m. 5* = Friese; **fries|län|disch,** frie|sisch
Frigg, Frig|ga, Fri|ja *german. Myth.:* Göttin des Herdes, Gemahlin Wotans
fri|gid [lat.], fri|gi|de kühl, geschlechtlich schwer oder nicht erregbar (von Frauen); **Fri|gi|daire** [friʒidɛr, frz.] *m. 9* **1** *auch:* **Fri|gi|där** Kühlschrank; **2** Ⓦⓩ Kühlschrank; **Fri|gi|da|ri|um** *s. Gen.* -s *Mz.* -ri|en **1** *im alten Rom:* kaltes Bad (in den Thermen); **2** kaltes Gewächshaus; **fri|gi|de** = frigid; **Fri|gi|di|tät** *w. 10 nur Ez.;* Kühle, Unfähigkeit zur geschlechtl. Erregung (von Frauen)
Fri|ja = Frigg
Fri|ka|del|le [frz.] *w. 11* gebratenes Fleischklößchen; **Fri|kan|deau** [frikɑ̃do, frz.] *s. 9* zarter innerer Teil der Kalbskeule, Kalbsnuss; **Fri|kan|del|le** [-kɑ̃-] *w. 11* **1** Scheibe aus gedämpftem Fleisch; **2** *meist auch* = Frikadelle; **Fri|kas|see** *s. 9* kleingeschnittenes, helles Fleisch in heller Soße (Hühner-, Kalbsfrikassee); **fri|kas|sie|ren** *tr. 3* als Frikassee zubereiten
fri|ka|tiv [lat.] auf Reibung beru-

hend (von Lauten); **Fri|ka|ti|va** *w. Gen.- Mz.* -vä *oder* -ven, **Fri|ka|tiv|laut** *m. 1* = Reibelaut; **Frik|ti|on** *w. 10* **1** Reibung; **2** *übertr.:* Zwist, Reiberei; **3** *Med.:* Einreibung (von Salben); **4** Reibmassage durch kreisförmige Bewegung der Fingerspitzen **Fris|bee** [-bi:, engl.] *s. 9* Wurfscheibe

> **frisch gestrichen:** Gefüge aus Adjektiv und Verb werden getrennt geschrieben, wenn das Adjektiv in dieser Verbindung steigerbar oder erweiterbar ist: *Die Bank ist frisch gestrichen.*
> →§ 34 E3 (3)

frisch; etwas frisch halten; sich frisch machen; frisch gestrichen; frisch gebackener Kuchen; ein frisch gebackener Doktor, Ehemann; **frisch|auf!; frisch|ba|cken;** frischbackenes Brot; **Fri|sche** *w. 11 nur Ez.;* **fri|schen** *tr. 1* **1** von unedleren Stoffen befreien (Metall); **2** *Jägerspr.:* Junge werfen (vom Wildschwein); **frisch|ge|backen** ► **frisch ge|ba|cken; Frisch|ge|mü|se** *s. 5;* **Frisch|hal|te|beu|tel** *m. 5;* **Frisch|ling** *m. 1* Ferkel (vom Wildschwein); **Frisch|o|fen** *m. 8* Ofen zum Frischen (**1**); **Frisch|stahl** *m. 2;* **Frisch|was|ser** *s. 6 nur Ez.* Süßwasser, Trinkwasser; **frisch|weg; Frisch|zel|len|the|ra|pie** *w. 11* Stoffwechselanreiz durch Einspritzen von lebenden Zellen, Zellulartherapie

Fri|seur [-zør], Fri|sör *m. 1;* **Fri|seu|rin** [-zø-] *w. 10* Friseuse; **Fri|seur|ge|schäft** [-zør-] *s. 1;* **Fri|seu|se** [-zø-] *w. 11* weibl. Friseur; **fri|sie|ren** *tr. 3; ugs. auch:* beschönigen, zum Positiven verändern; frisierter Bericht, **Fri|sier|sa|lon** [-lɔ̃, ugs. -lɔŋ] *m. 9;* **Fri|sier|toi|let|te** [-toa-] *w. 11;* **Fri|sier|um|hang** *m. 2;* **Fri|sör** *m. 1* = Friseur

Frist *w. 10;* **fris|ten** *tr. 2;* (mühsam) sein Leben f.; **Fris|ten|lö|sung** *w. 10,* **Fris|ten|re|ge|lung** *w. 10* Freigabe des Schwangerschaftsabbruchs bis zum 3. Monat; **frist|ge|recht; frist|los; Frist|wech|sel** *m. 5* = Datowechsel

Fri|sur *w. 10*

fri|tie|ren ► **frit|tie|ren** *tr. 3*

Frit|ta|te, Fri|dat|te [ital.] *w. 11* **1** Omelette, Eierkuchen, Pfannkuchen; **2** *österr.:* in Streifen geschnittene Pfannkuchen als Suppeneinlage; **Frit|te** *w. 11* Schmelzmasse zur Herstellung von Glasuren; **frit|ten 1** *intr. 2* schmelzen und zusammenbacken (Sand, Glasmasse); **2** *tr. 2, ugs. für* fritieren; **Frit|ter** *m. 5* = Kohärer; **frit|tie|ren** *tr. 3* in Fett backen; **Fritt|o|fen** *m. 8;* **Frit|tung** *w. 10 nur Ez.;* **Fri|tü|re** ► **Frit|tü|re** [frz.] *w. 11* **1** heißes Fett zum Backen und Braten; **2** das im Fett Gebackene

fri|vol [-vo̱l-, frz.] schlüpfrig, zweideutig, frech; **Fri|vo|li|tät** *w. 10* **1** Schlüpfrigkeit, Zweideutigkeit; **2** Frivolitäten *nur Mz.* = Okkispitze

Frl. *Abk. für* Fräulein

froh; die Frohe Botschaft (des Evangeliums); **Froh|bot|schaft** *w. 10 nur Ez.* (des Evangeliums); **Fro|heit** *w. 10 nur Ez.;* **froh|ge|mut; fröh|lich; Fröh|lich|keit** *w. 10 nur Ez.;* **froh|lo|cken** *intr. 1;* **Froh|mut** *m. Gen.* -(e)s *nur Ez.;* **froh|mü|tig; Froh|sinn** *m. 1 nur Ez.*

Fro|mage de Brie [-maʒ də -] *m. Gen.- - - Mz.* -s - - [-maʒ] Briekäse

fromm; eine fromme Lüge; **From|me** *m. 11, veraltet:* Ertrag, *nur noch in der Wendung:* zu Nutz und Frommen; **Fröm|me|lei** *w. 10 nur Ez.;* **fröm|meln** *intr. 1* sich übertrieben fromm zeigen; **from|men** *intr. 1* nützen; es frommt mir (nicht); wem soll das frommen?; **Fromm|heit** *w. 10 nur Ez.;* **Fröm|mig|keit** *w. 10 nur Ez.;* **Frömm|ler** *m. 5*

Fron *w. 10* **1** Fron|de *w. 11, früher:* Dienstleistungen, die für private oder öffentl. Berechtigte erbracht wurden; **2** mühsame Arbeit; **Fron|bo|te** *m. 11, im MA:* Gerichtsdiener, Büttel; **Fron|de** *w. 11* = Fron (**1**)

Fron|de [frɔ̃də, frz.] *w. 11* **1** *nur Ez.* polit. Bewegung in Frankreich gegen den Absolutismus; **2** regierungsfeindliche Partei

fron|den *intr. 2* = fronen

Fron|deur [frɔ̃dœr, frz.] *m. 1* Anhänger der Fronde

Fron|dienst *m. 1, im Altertum und MA:* dem Grundherrn zu leistende Zwangsarbeit; *Schweiz und Tirol auch heute noch* = Fron (**1**)

fron|die|ren [frɔ̃-] *intr. 3* Widerspruch gegen die Regierung erheben, Opposition treiben

fro|nen, fron|den *intr. 1* Frondienst leisten; **frö|nen** *intr. 1, in den Wendungen* einer Leidenschaft, Gewohnheit, einem Laster f.: ihr, ihm nachgeben; **Frö|ner** *m. 5, früher:* Arbeiter im Frondienst; **Fron|fas|ten** *s. Gen.* -s *nur Ez.* vierteljährliche Fasttage; **Fron|fes|te** *w. 11* Zwingburg; **Fron|leich|nam** *m. Gen.* -s *nur Ez.* »Leib des Herrn«, kath. Fest am zweiten Donnerstag nach Pfingsten; **Fron|leich|nams|fest** *s. 1* Fronleichnam; **Fron|leich|nams|pro|zes|si|on** *w. 10*

Front [frz.] *w. 10;* gegen etwas F. machen: sich einer Sache widersetzen; **fron|tal** vorn befindlich, von vorn; **Front|an|trieb** *m. 1;* **Front|dienst** *m. 1 nur Ez.;* **Fron|ti|spiz** *auch:* **Fron|tis|piz** *s. 1* **1** dem Titelblatt gegenüberstehendes Bild; **2** Vordergiebel; **Front|kämp|fer** *m. 5;* **Front|sol|dat** *m. 10*

Fron|vogt *m. 2* Aufseher beim Frondienst

Frosch *m. 2;* **Frosch|biß** ► **Frosch|biss** *m. 1* eine Wasserpflanze; **Frösch|chen** *s. 7;* **Frösch|lein** *s. 7;* **Frosch|lurch** *m. 1;* **Frosch|mann** *m. 4* Taucher; **Frosch|per|spek|ti|ve** *auch:* **-pers|pek|ti|ve** *w. 11* Blickwinkel von unten her; **Frosch|test** *m. 1* Test zur Feststellung der Schwangerschaft

Frost *m. 2;* **Frost|auf|bruch** *m. 2;* **frost|be|stän|dig; Frost|be|stän|dig|keit** *w. 10 nur Ez.;* **Frost|beu|le** *w. 11;* **frös|te|lig,** fröst|lig; **frös|teln** *intr. 1;* ich fröstele, fröstle; **fros|ten** *tr. 2* zum Gefrieren bringen, einfrieren; **Fros|ter** *m. 5* Tiefkühlfach; **Frost|ge|mü|se** *s. 5;* **fros|tig; Fros|tig|keit** *w. 10 nur Ez.;* **Frost|kon|ser|ve** *w. 11;* **fröst|lig,** frös|te|lig; **Frost|sal|be** *w. 11;* **Frost|scha|den** *m. 8;* **Frost|schutz|mit|tel** *s. 5;* **Frost|span|ner** *m. 5* ein Schmetterling

Frot|té [te] *Nv.* ► **Frot|tee** *Hv. m. 9 oder s. 9* Baumwollgewebe aus Kräuselzwirn; **Frot|tee|tuch** *s. 4* Frottiertuch; **frot|tie|ren** *tr. 3;* **Frot|tier|hand|tuch, Frot|tier|tuch** *s. 4*

Frot|to|la [ital.] *w. Gen.- Mz.*

-tollen heiteres nordital. Lied im 15./16. Jh.

Frot|zel|lei *w. 10* Neckerei; **frot|zeln** *tr. 1* necken; ich frotzele, frotzle ihn

Frou|frou [frufru, frz.] *s. oder m. Gen. - nur Ez., um 1900:* das Knistern seidener Unterröcke

Frucht *w. 2;* **frucht|bar; Frucht|bar|keit** *w. 10 nur Ez.;* **Frucht|bar|keits|zau|ber** *m. 5;* **Frucht|bla|se** *w. 11* mit Fruchtwasser gefüllte Eihülle des Embryos; **frucht|brin|gend** ► **Frucht brin|gend; Frücht|chen** *s. 7; ugs. auch:* kleiner Tunichtgut; **Früch|te|brot** *s. 1;* **Frucht|eis** *s. 1 nur Ez.;* **fruch|ten** *intr. 2* nützen; das fruchtet nichts; **Früch|ten|brot** *s. 1, österr. für* Früchtebrot; **früch|te|reich** fruchtreich; **Frucht|fleisch** *s. 1 nur Ez.;* **Frucht|fol|ge** *w. 11* planmäßige Folge beim Anbau von Feldfrüchten; **fruch|tig; Frucht|kno|ten** *m. 7* die Samenanlage enthaltendes Organ der Blüte; **frucht|los** nutzlos; **Frucht|lo|sig|keit** *w. 10 nur Ez.;* **frucht|reich; Frucht|saft** *m. 2;* **frucht|tra|gend** ► **Frucht tra|gend; Frucht|was|ser** *s. 6 nur Ez.* den Embryo in der Eihaut umgebende Flüssigkeit; **Frucht|wech|sel** *m. 5;* **Frucht|zu|cker** *m. 5 nur Ez.*

Fruc|to|se [lat.] *w. 11 nur Ez.* = Fruktose

fru|gal [lat.] mäßig, einfach, bescheiden (Mahlzeit); *Ggs.:* opulent; **Fru|ga|li|tät** *w. 10 nur Ez.*

> **früh verstorben:** Gefüge aus Adjektiv und Partizip, bei denen das Adjektiv mit *sehr* erweiterbar ist, werden getrennt geschrieben: *Unsere Mitarbeiterin ist früh verstorben.* →§ 36 E1 (1.2)

früh; heute, gestern, morgen früh; früh am Morgen, morgens früh; von früh bis abends, bis spät; von früh auf; am Montag früh; früh verstorben; früh vollendet; **Früh** *w. Gen. - nur Ez.;* Frühe; morgens in der Früh; **Früh|ap|fel** *m. 6;* **früh|auf;** von f.: von Jugend an; **Früh|auf|ste|her** *m. 5;* **Früh|beet** *s. 1;* **Früh|bir|ne** *w. 11;* **früh|christ|lich; Früh|druck** *m. 1, i. e. S.:* zwischen 1500 und 1550 (i. w. S.: zwischen 1450 und 1550) gedrucktes Buch; **Frü|he** *w. 11 nur Ez.;* in der Frühe, in aller Frühe; **frü|her;** von früher her; **frü|hes|tens; Früh|ge|burt** *w. 10;* **Früh|jahr** *s. 1 nur Ez.;* **Früh|kar|tof|fel** *w. 11;* **Früh|ling** *m. 1;* **Früh|lings|an|fang** *m. 2 nur Ez.;* **Früh|lings|blu|me** *w. 11;* **früh|lings|haft; Früh|lings|mo|nat** *m. 1* März; **Früh|lings|punkt** *m. 1* Schnittpunkt des Himmelsäquators mit der Ekliptik, wird von der Sonne bei Frühlingsanfang überschritten, Widderpunkt; **Früh|lings-Tag-und-Nacht-Glei|che** *w. 11;* **früh|mor|gens; früh|neu|hoch|deutsch; Früh|obst** *s. Gen.* -(e)s *nur Ez.;* **früh|reif; Früh|rei|fe** *w. 11 nur Ez.;* **Früh|re|nais|sance** [-nεsɑ̃s] *w. 11 nur Ez.;* **Früh|ro|man|tik** *w. 10 nur Ez.;* **Früh|schicht** *w. 10;* **Früh|schop|pen** *m. 7;* **Früh|sport** *m. 1 nur Ez.;* **Früh|stück** *s. 1;* **früh|stü|cken** *intr. 1;* **Früh|werk** *s. 1;* **früh|zei|tig**

Fruk|ti|fi|ka|ti|on [lat.] *w. 10* **1** *Bot.:* Fruchtbildung; **2** *veraltet:* Nutzbarmachung; **fruk|ti|fi|zie|ren 1** *intr. 3* Früchte bilden, Frucht ansetzen; **2** *tr. 3, veraltet:* nutzbar machen; **Fruk|ti|fi|zie|rung** *w. 10 nur Ez.;* **Fruk|to|se** *fachsprachl.:* Fruc|to|se [lat.] *w. 11 nur Ez.* Fruchtzucker

Frus|tra|ti|on [lat.] *w. 10* Enttäuschung durch erzwungenen Verzicht; **frus|trie|ren** *tr. 3;* jmdn. frustrieren: jmdn. enttäuschen, ihm einen Verzicht aufzwingen; frustriert sein: in seinen Erwartungen enttäuscht sein

Frut|ti di Ma|re [ital. »Früchte des Meeres«] *Mz.* kleine Meerestiere, die roh oder gekocht gegessen werden

F-Schlüs|sel *m. 5, Mus.:* Bassschlüssel

ft *Abk. für* Foot

Ft *Abk. für* Forint

Fuchs *m. 2; Stud.:* Verbindungsstudent im ersten und zweiten Semester; **Füchs|chen** *s. 7;* **fuch|sen** *tr. 1* ärgern; das fuchst mich, es fuchst mich, dass …

Fuch|sie [fuksjə, nach dem Botaniker Leonhard Fuchs] *w. 11* eine Zierpflanze

fuch|sig 1 fuchsrot; **2** *ugs.:* ärgerlich, wütend

Fuch|sin *s. 1 nur Ez.* synthet. roter Farbstoff

Fuchs|jagd *w. 10;* **Füchs|lein** *s. 7;* **Fuchs|ma|jor** *m. 1* Student einer Studentenverbindung, der die Füchse unterweist; **fuchs|rot; Fuchs|schwanz** *m. 2* **1** eine Zierpflanze; **2** kurze Säge; **fuchs|teu|fels|wild**

Fuch|tel *w. 11* Degen mit breiter Klinge; unter jmds. F. stehen: unter jmds. strenger Aufsicht; **fuch|teln** *intr. 1;* **fuch|tig** *ugs.:* wütend, zornig

fud. *Abk. für* fudit

Fu|der *s. 5* **1** altes Raummaß, etwa eine Wagenladung; ein F. Heu; **2** altes Hohlmaß, 800 bis 1000 l; ein F. Wein

fu|dit [lat.] (*Abk.:* fud.) »hat (es) gegossen« (Vermerk auf Glocken usw. hinter dem Namen)

Fu|dschi|ja|ma *auch:* **Fud|schi-,** Fu|ji|ya|ma *m. Gen.* -(s) vulkan. Berg in Japan

Fuff|zi|ger *m. 5 ugs. für* Fünfzigpfennigstück; ein falscher F. *ugs.:* hinterlistiger Mensch

Fug *m.* Befugnis, Zuständigkeit; *nur noch in der Wendung:* mit Fug und Recht

fu|gal [lat.] in der Art einer Fuge; **fu|ga|to** [ital.] *unflektierbar:* in der Art einer Fuge; **Fu|ga|to** *s. Gen.* -s *Mz.* -ti fugenartiges Musikstück

Fu|ge 1 *w. 11* Ritze, Spalt; **2** [lat.] *w. 11* streng aufgebautes Musikstück, dessen erstes Thema durch alle Stimmen führt

fu|gen *tr. 1* zusammenfügen; **fü|gen** *tr. u. refl. 1;* **fu|gen|los; Fu|gen-s** *s. Gen. - Mz. -* Binde-s

Fu|get|te *w. 11* = Fughetta

Fu|ghet|ta [ital.], Fu|get|te *w. Gen. - Mz.* -ten kleine Fuge (**2**); **fu|gie|ren** *tr. 3* in der Art einer Fuge durchführen, abwandeln; fugiertes Thema

füg|lich mit Recht; man kann f. behaupten; **füg|sam; Füg|sam|keit** *w. 10 nur Ez.;* **Fu|gung** *w. 10;* **Fü|gung** *w. 10*

fühl|bar; Fühl|bar|keit *w. 10 nur Ez.;* **füh|len** *tr. 1;* **Füh|ler** *m. 5;* **fühl|los; Fühl|lo|sig|keit** *w. 10 nur Ez.;* **Füh|lung** *w. 10 nur Ez.;* **Füh|lung|nah|me** *w. 11*

Fuh|re *w. 11*

füh|ren *tr. 1;* **Füh|rer** *m. 5;* **füh|rer|los; Füh|rer|schein** *m. 1*

Fuhr|ge|schäft *s. 1*

füh|rig, ge|füh|rig, gut zum Befahren geeignet (Schnee); **Füh|rig|keit,** Ge|füh|rig|keit *w. 10 nur Ez.*

Fuhr|knecht *m. 1;* **Fuhr|lohn** *m. 2;* **Fuhr|mann** *m. 4, Mz. auch:* -leu|te; **Fuhr|park** *m. 9* Gesamtheit der Wagen eines Unternehmens

Füh|rung *w. 10;* **Füh|rungs|kraft** *w. 2;* **Füh|rungs|zeug|nis** *s. 1*

Fuhr|un|ter|neh|men *s. 7;* **Fuhr-werk** *s. 1;* **fuhr|wer|ken** *intr. 1* **1** *veraltet:* ein Fuhrunternehmen betreiben; **2** *ugs.:* sich energisch beschäftigen

Fu|ji|ya|ma [-dʒi-] *m. Gen.* -(s) *engl. für* Fudschijama

Fu|be *m. 9 oder Gen.* - *Mz.* - Angehöriger eines hamit. Volksstammes in Afrika

Ful|gu|rit [lat.] *m. 1* **1** durch Blitzschlag röhrenartig zusammengeschmolzener Sand, Blitzröhre; **2** ein Sprengstoff; **3** Ⓦⓩ ein Baustoff aus Asbestzement

Full|dreß ► **Full|dress** [engl. »voller Anzug«] *m. Gen.* - *nur Ez.* Gesellschafts-, Abendanzug, Abendkleid

Fül|le *w. 11 nur Ez.;* **fül|len** *tr. 1*

Fül|len, Foh|len *s. 7* junges Pferd

Fül|ler *m. 5, Kurzw. für* Füllfederhalter; **Fül|ler|tin|te** *w. 11;* **Füll|fe|der|hal|ter** *m. 5;* **Füll-horn** *s. 4;* **fül|lig; Fül|lig|keit** *w. 10 nur Ez.;* **Füll|o|fen** *m. 8;* **Füll|ort** *m. 4, Bgb.:* Stelle unmittelbar am Schacht, wo das Fördergut zur Schachtförderung umgeladen wird; **Füll|sel** *s. 5*

Full|time-Job ► **Full|time|job** *auch:* **Full-Time-Job** [fultaimdʒɔb, engl.] *m. 9* Ganztagsbeschäftigung

Fül|lung *w. 10;* **Füll|wort** *s. 4*

ful|ly fa|shioned [-fæʃnd, engl.] nach Fasson gestrickt

ful|mi|nant [lat.] großartig

Fu|ma|ro|le [ital.] *w. 11* vulkan. Gas- und Wasserdampfausströmung

Fu|mé [fyme, frz.] *m. 9* **1** *beim Stempelschneiden:* Rußabdruck; **2** Probeabdruck (mit Rußfarbe) eines Holzschnitts

fum|meln *intr. 1* **1** *Fußball:* hin und her rennen; **2** an etwas f.: sich (laienhaft) an etwas betätigen; *meist:* herumfummeln

Fund *m. 1*

Fun|da|ment [lat.] *s. 1;* **fun|da-men|tal** grundlegend; **Fun|da-men|ta|lis|mus** *m. Gen.* - *nur Ez., in den USA:* strenggläubige Richtung der evang. Kirche, die Bibelkritik und moderne Naturwissenschaft ablehnt; **Fun|da|men|ta|list** *m. 10;* **fun-da|men|ta|lis|tisch; Fun|da-men|tal|ka|ta|log** *m. 1, Astron.:* Katalog der Örter von Fixsternen; **Fun|da|men|tal|the|o|lo-gie** *w. 11 nur Ez.* = Apologetik; **fun|da|men|tie|ren** *tr. 3* mit einem Fundament unterbauen; **Fun|da|men|tie|rung** *w. 10 nur Ez.;* **Fun|da|ti|on** *w. 10 nur Ez.* **1** *schweiz. für* Fundamentierung; **2** Stiftung

Fund|bü|ro *s. 9;* **Fund|ge|gen-stand** *m. 2;* **Fund|gru|be** *w. 11*

Fun|di *m. Gen.* -s *Mz.* -s *ugs. für* Fundamentalist

fun|die|ren [lat.] *tr. 3* **1** begründen, untermauern; **2** mit den nötigen Mitteln ausstatten, sichern; fundiertes Wissen: sicher begründetes Wissen; fundiertes Einkommen: regelmäßiges Einkommen aus Vermögen; fundierte Schuld: langfristige Schuld

fün|dig *Bgb.:* (beim Aufsuchen von Lagerstätten) erfolgreich; f. werden: eine Lagerstätte entdecken

Fund|ort *m. 1;* **Fund|sa|che** *w. 11;* **Fund|stel|le** *w. 11;* **Fund-un|ter|schla|gung** *w. 10*

Fun|dus [lat.] *m. Gen.* - *Mz.* - **1** Grundlage, Grundstock; **2** Bestand, Vorrat

fu|ne|bre *auch:* **fu|neb|re** [fynebrə, frz.] *Mus.:* traurig, düster; **Fu|ne|ra|li|en** *Mz., veraltet:* Leichenbegängnis

fünf; die fünf Sinne; wir sind zu fünft, *oder:* zu fünfen; vgl. acht;

Fünf *w. 10* **1** die Zahl 5; vgl. Eins; **2** Schulnote 5; eine Fünf im Rechnen haben, schreiben; **3** Straßenbahn Linie 5; *Ableitungen und Zus.* vgl. Acht; **Fün-fer** *m. 5* **1** Fünfpfennigstück; **2** Autobus Linie 5; **3** *süddt.:* die Zahl 5; Schulnote 5; vgl. Fünf; **Fünf|flach** *s. 1,* **Fünf|fläch|ner** *m. 5* = Pentaeder; **Fünf|fran-ken|stück** *s. 1;* **fünf|hun|dert;** Rat der Fünfhundert (nach der Frz. Revolution); **Fünf|jah|res-plan, Fünf|jahr|plan** *m. 2;* 5-Jahres-Plan, 5-Jahr-Plan; **Fünf-kampf** *m. 2;* **Fünf|li|ber** *m. 5, schweiz.:* Fünffrankenstück; **Fünf|mark|stück** *s. 1;* **fünf-mark|stück|groß; Fünf|paß** ► **Fünf|pass** *m. 2, got. Baukunst:* Ornament aus fünf zu einem Mittelpunkt hin offenen Dreiviertelkreisen; **Fünf|pfen|nig-stück** *s. 1;* **Fünf|pro|zent|klau-sel** *w. 11* Grundsatz, dass eine Partei nur dann Anspruch auf ein Mandat hat, wenn sie mindestens 5% der gültigen Stimmen erhält; **Fünf|strom|land** *s. 4 nur Ez.* das Pandschab in Indien; **Fünf|ta|ge|fie|ber** *s. 5* durch Läuse übertragene Infektionskrankheit mit Fieberanfällen an jedem fünften Tag, Wolhynisches Fieber, Quintanafieber; **Fünf|tel** *s. 5* vgl. Achtel; **Fünf|te Re|pu|blik** *w. 10* (in Frankreich); **Fünf|ton|mu|sik** *w. 10 nur Ez.* = Pentatonik; **Fünf|uhr|tee** *m. 9;* **fünf|zig** vgl. achtzig; **Fünf|zi|ger** *m. 5* Fünfzigpfennigstück; ein falscher F. *ugs.:* hinterlistiger Mensch; **Fünf|zig|mark|schein** *m. 1;* **Fünf|zig|pfen|nig|stück** *s. 1*

fun|gi|bel [lat.] vertretbar; fungible Sache *Rechtsw.:* bewegl. Sache, die im Verkehr nach Maß, Zahl oder Gewicht bestimmt wird und daher auswechselbar ist; **Fun|gi|bi|li|en** *Mz., Rechtsw.:* fungible Sachen;

fun|gie|ren *intr. 3* tätig, wirksam sein; als Vertreter f.

fun|gi|zid [lat.] *Med.:* pilztötend; **Fun|gi|zid** *s. 1* Mittel gegen Pflanzen schädigende Pilze;

fun|gös *Med.:* schwammig; **Fun|go|si|tät** *w. 10 nur Ez.* Schwammigkeit (von tuberkulösem Gewebe); **Fun|gus** *m. Gen.* - *Mz.* -gi **1** *lat. Bez. für* Pilz; **2** schwammige, tuberkulöse Geschwulst

Funk *m. 1, Kurzw. für* Rundfunk; **Funk|a|ma|teur** [-tø:r] *m. 1;* **Fünk|chen** *s. 7;* **Funk-dienst** *m. 1;* **Fun|ke** *m. 11,* Funken *m. 7;* **fun|keln** *intr. 1;* **fun-kel|na|gel|neu; fun|ken 1** *tr. 1* durch Funk übermitteln (Nachricht); **2** *intr. 1* Funken aussenden; es hat bei mir gefunkt *ugs.:* ich habe es begriffen; *ugs. auch für* funktionieren; **Fun|ken** *m. 7,* Fun|ke *m. 11;* **Fun|ken|flug** *m. 2 nur Ez.;* **fun|ken|sprü|hend** ► **Fun|ken sprü|hend; Funk|ent-stö|rungs|dienst** *m. 1;* **Fun|ker** *m. 5;* **Funk|er|zäh|lung** *w. 10;* **Funk|ge|rät** *s. 1*

Fun|kie [-kjə, nach dem Apotheker H. Chr. Funk] *w. 11* eine Zierpflanze

fun|kisch; Fünk|lein *s. 7;* **Funk-lot|te|rie** *w. 11;* **Funk|meß|ge-**

rät ► **Funk|mess|ge|rät** *s. 1;* **Funk|or|tung** *w. 10;* **Funk|pei|lung** *w. 10;* **Funk|re|por|ta|ge** [-ʒə] *w. 11;* **Funk|sprech|ver|kehr** *m. 1 nur Ez.;* **Funk|spruch** *m. 2;* **Funk|stil|le** *w. 11 nur Ez.;* **Funk|strei|fe** *w. 11;* **Funk|ta|xi** *s. 9*

Funk|ti|on [lat.] *w. 10* **1** Amt, Aufgabe; **2** Tätigkeit, Wirksamkeit; **3** *Math.:* von einer veränderlichen Größe gesetzmäßig abhängige Größe; **funk|ti|o|nal** *selten für* funktionell; **Funk|ti|o|na|lis|mus** *m. Gen. - nur Ez.* **1** Auffassung, nach der bei der Gestaltung eines Gebäudes nur dessen Zweck maßgebend ist; **2** *Philos.:* Lehre, nach der die Welt nur eine Funktion des Ich ist; **Funk|ti|o|na|list** *m. 10;* **funk|ti|o|na|lis|tisch;** **Funk|ti|o|när** *m. 1;* **funk|ti|o|nell** auf einer Funktion oder auf der Störung einer Funktion beruhend; funktionelle Krankheit; **funk|ti|o|nie|ren** *intr. 3;* **Funk|ti|ons|glei|chung** *w. 10;* **funk|ti|ons|los;** **Funk|ti|ons|stö|rung** *w. 10;* **Funk|ti|ons|verb** *s. 12* Verb, das in Verbindung mit einem Substantiv einen Vollzug ausdrückt, ohne selbst etwas auszusagen, z. B. (zur Anwendung) bringen, (zur Darstellung) kommen; **Funk|ti|ons|wech|sel** *m. 5*

Funk|turm *m. 2;* **Funk|ver|kehr** *m. 1 nur Ez.;* **Funk|wer|bung** *w. 10;* **Funk|zei|chen** *s. 7*

Fun|zel *selten:* **Fun|sel** *w. 11, ugs.:* schlecht od. schwach brennende Lampe

für (*Abk.:* f.) *Präp. mit Akk.;* für und für; ein für alle Mal; Tag für Tag; das Für und Wider abwägen

Fu|ra|ge [-ʒə, frz.] *w. 11 nur Ez., Mil.:* Lebensmittel, Futter, Proviant; **fu|ra|gie|ren** [-ʒi-] *intr. 3* Furage empfangen oder beschaffen

für|baß ► **für|bass** *veraltet:* weiter; f. gehen, schreiten

Für|bit|te *w. 11;* **Für|bit|ter** *m. 5*

Fur|che *w. 11;* **fur|chen** *tr. 1*

Fur|chen|schrift *w. 10* = Bustrophedon; **Fur|chen|zie|her** *m. 5* = Markör (**2**); **fur|chig**

Furcht *w. Gen. - nur Ez.;* **furcht|bar;** **Furcht|bar|keit** *w. 10 nur Ez.;* **furcht|ein|flö|ßend** ► **Furcht ein|flö|ßend;** **fürch|ten** *tr. u. refl. 2;* **fürch|ter|lich;** **furcht|er|re|gend** ► **Furcht er|re|gend;** **furcht|los;** **Furcht|lo|sig|keit** *w. 10 nur Ez.;* **furcht|sam;** **Furcht|sam|keit** *w. 10 nur Ez.*

Fur|chung *w. 10*

für|der *veraltet:* weiter, weiterhin; **für|der|hin** *veraltet:* weiterhin, künftig

für|ein|an|der *auch:* **für|ei|nan|der;** *in Verbindung mit Verben immer getrennt:* füreinander leben, einstehen

Fu|ri|ant [lat.] *m. 9* schneller böhmischer Tanz

Fu|rie [-riə, lat.] *w. 11* **1** *röm. Myth.:* Rachegöttin, Erinnye; **2** *übertr.:* böses, wütendes Weib

Fu|rier [frz.] *m. 1* für die Furage verantwortl. Unteroffizier

fu|ri|os [lat.] wütend, hitzig, leidenschaftlich; **fu|ri|o|so** *Mus.:* leidenschaftlich; **Fu|ri|o|so** *s. Gen. -s Mz. -si* leidenschaftl. Musikstück

für|lieb|neh|men ► **für|lieb neh|men** *intr. 88, ältere Form von* vorlieb nehmen

Fur|nier [frz.] *s. 1* dünnes Blatt aus Holz, als schmückendes Deckblatt auf einfachem Holz oder zur Stabilisierung; **fur|nie|ren** *tr. 3* mit Furnier versehen; **Fur|nier|holz** *s. 4;* **Fur|nie|rung** *w. 10 nur Ez.*

Fu|ror [lat.] *m. 1 nur Ez.* Wut, Raserei; F. teutonicus: wilder Kampfesmut der Teutonen, deutsches Ungestüm; **Fu|ro|re** *w. 9 oder s. 9 nur Ez.* rasender Beifall, *fast nur noch in der Wendung* F. machen: Aufsehen erregen, großen Erfolg haben

fürs für das; fürs Erste mag das genügen

Für|sor|ge *w. 11 nur Ez.;* **Für|sor|ge|er|zie|hung** *w. 10 nur Ez.;* **Für|sor|ger** *m. 5;* **für|sor|ge|risch** zum Fürsorgewesen gehörend; **für|sorg|lich;** **Für|sorg|lich|keit** *w. 10 nur Ez.*

Für|spra|che *w. 11 nur Ez.;* **Für|sprech** *m. 1* **1** Fürsprecher; **2** *schweiz.:* Rechtsanwalt; **Für|spre|cher** *m. 5*

Fürst *m. 10;* **Fürst|bi|schof** *m. 2 früher (in Österr. in Einzelfällen noch heute) Titel für:* geistlicher Reichsfürst im Bischofsrang; **fürs|ten** *tr. 2, früher:* in den Fürstenstand erheben; **Fürs|ten|bund** *m. 2;* **Fürs|ten|hof** *m. 2;* **Fürs|ten|schu|le** *w. 11;* **Fürs|ten|tum** *s. 4;* **Fürst|erz|bi|schof** *m. 2;* **Fürs|tin** *w. 10;* **Fürs|tin|mut|ter** *w. 6* Mutter eines regierenden Fürsten oder einer regierenden Fürstin; **fürst|lich;** **Fürst|lich|keit** *w. 10* **1** *nur Ez.;* **2** *Mz.* Angehörige einer fürstl. Familie

Fürst-Pück|ler-Eis *s. Gen. - - -es nur Ez.* (nach Hermann Fürst von Pückler-Muskau) Speiseeis in drei Schichten

Furt *w. 10* seichte Stelle im Fluss, die den Übergang ermöglicht

Für|tuch *s. 4, österr.:* Schürze, Brusttuch

Fu|run|kel [lat.] *s. 5* eitrige Entzündung eines Haarbalgs und seiner Talgdrüse; **Fu|run|ku|lo|se** *w. 11* ausgedehntes Auftreten von Furunkeln

für|wahr *veraltet:* wirklich, wahrhaftig

Für|witz *m. 1 nur Ez., ältere Form von* Vorwitz; **für|wit|zig**

Für|wort *s. 4* = Pronomen; **für|wört|lich** = pronominal

Furz *m. 2,* Forz *m. 1, vulg.:* abgehende Blähung, Darmwind; **fur|zen,** forzen *intr. 1*

Fu|sel *m. 5, ugs.:* schlechter Branntwein; **Fu|sel|öl** *s. 1, Sammelbez. für* höhermolekulare Alkohole, die bei der alkohol. Gärung entstehen; **fu|seln** *intr. 1, ugs.:* schlecht arbeiten

Fü|sil|la|de [frz.] *w. 11* massenweise standrechtl. Erschießung;

Fü|si|lier *m. 1, veraltet:* Infanterist; **fü|si|lie|ren** *tr. 3* standrechtlich erschießen; **Fü|si|lier|re|gi|ment** *s. 3*

Fu|si|on [lat.] *w. 10* Vereinigung, Verschmelzung; **fu|si|o|nie|ren** *tr. 3* verschmelzen (Kapitalgesellschaften)

Fuß *m. 2, als Maßbez. Mz. -;* vgl. Foot; fünf Fuß lang; in einem Land Fuß fassen: heimisch werden; zu Fuß gehen; jmdm. zu Füßen fallen; **Fuß|ab|strei|cher** *m. 5;* **Fuß|ab|strei|fer** *m. 5;* **Fuß|an|gel** *w. 11;* **Fuß|bad** *s. 4;* **Fuß|ball** *m. 2;* **Fuß|bal|ler** *m. 5, ugs.:* Fußballspieler; **Fuß|ball|spiel** *s. 1;* **Fuß|ball-WM** *w. 10, Abk. für* Fußballweltmeisterschaft(en); **Fuß|bank** *w. 2;* **Fuß|bo|den** *m. 8;* **fuß|breit;** ein fußbreiter Streifen; **Fuß|breit** *m. Gen. - Mz. -;* ein F. Boden; keinen F. zurückweichen; *aber:* drei Fuß breit; **Fuß|brem|se** *w. 11;* **Füß|chen** *s. 7*

Fus|sel *w. 11 oder m. Gen. -s*

Mz. -(n), *österr.:* Fu|zel *m. 5;* **fus|se|lig** fuss|lig; **fus|seln** *intr. 1;* die Wolle fusselt
fu|ßeln, fü|ßeln *intr. 1;* mit jmdm. f.: mit dem Fuß den Fuß einer andern Person spielerisch berühren; **fu|ßen** *intr. 1;* auf etwas f.: sich auf etwas gründen; **Fuß|en|de** *s. 14;* **...fü|ßer, ...fü|ß|ler** *m. 5,* z. B. Kopffüßer, Ruderfüßler; **Fuß|fall** *m. 2;* **fuß|fäl|lig; fuß|frei; Fuß|gän|ger** *m. 5;* **Fuß|gän|ger|über|weg** *m. 1;* **Fuß|ge|her** *m. 5, österr. für* Fußgänger; **fuß|hoch;** der Schnee lag f., *aber:* der Schnee lag drei Fuß hoch; **fuß|krank; fuß|lang;** ein fußlanges Kleid: bis auf die Füße reichendes Kleid; ein fußlanger Aal: ein Aal so lang wie ein Fuß, *aber:* der Aal war drei Fuß lang; **Füß|lein** *s. 7;* **...füß|ler** *m. 5* = ...füßer
fuß|lig ► **fuss|lig,** fus|se|lig
Füß|ling *m. 1* den Fuß umhüllender Teil des Strumpfes; **Fuß|marsch** *m. 2;* **Fuß|no|te** *w. 11;* **Fuß|pfad** *m. 2;* **Fuß|pfle|ge** *w. 11 nur Ez.;* **Fuß|pilz** *m. 1* Erreger von Ausschlägen an den Füßen, bes. zwischen den Zehen; **Fuß|sack** *m. 2;* **Fuß|sche|mel** *m. 5;* **Fuß|soh|le** *w. 11;* **Fuß|spit|ze** *w. 11;* **Fuß|spur** *w. 10;* **Fuß|stap|fe** *w. 11,* **Fuß|stap|fen** *m. 7;* **Fuß|steig** *m. 1;* **Fuß|tap|fe** *w. 11,* **Fuß|tap|fen** *m. 7;* **fuß|tief,** ein fußtiefes Loch, *aber:* das Loch ist drei Fuß tief; **Fuß|tritt** *m. 1;* **Fuß|trup|pe** *w. 11* = Infanterie; **Fuß|volk** *s. 4 nur Ez., volkstümlich für* Infanterie; **Fuß|wan|de|rung** *w. 10;* **Fuß|wa|schung** *w. 10;* **Fuß|weg** *m. 1;* **Fuß|ze|he** *w. 11*
Fus|ta|ge [-ʒə, frz.], Fas|ta|ge [-ʒə] *w. 11* **1** Leergut (leere Fässer, Kisten usw.); **2** Preis für Leergut
Fus|ta|nel|la [ital.] *w. Gen. - Mz.* -len weißer, knielanger Männerrock der Südalbaner und Neugriechen
Fus|ti [ital.] *Mz.* Preisnachlass für Unreinheiten einer Ware
Fus|tik|holz [lat.] *s. 4* trop., zur Farbstoffgewinnung geeignetes Holz
Fu|thark [-θark, nach den ersten sechs Buchstaben: f, u, d, o, r, c] *s. Gen.* -s *nur Ez.* das Runenalphabet
Fu|ton *m. 9* jap. Baumwollmatratze
fut|sch *ugs.:* **1** kaputt, entzwei; **2** verloren; **fu|tschi|ka|to** *auch:* **fut|schi-** *ugs. scherzh.:* **futsch**
Fut|ter *s. 5 nur Ez.;* **Fut|te|ra|ge** [-ʒə] *w. 11 nur Ez., ugs. scherzh.:* Essen, Lebensmittel
Fut|te|ral [mlat.] *s. 1* formgerechter Behälter
fut|tern *tr. 1, ugs.:* essen; **füt|tern** *tr. 1;* ich füttere, füttre es; **Fut|ter|neid** *m. 1 nur Ez.;* **fut|ter|nei|disch; Fut|ter|pflan|ze** *w. 11;* **Füt|te|rung** *w. 10*
Fu|tur [lat.] *s. 1,* Fu|tu|rum *s. Gen.* -s *Mz.* -ra Zukunftsform des Verbums, z. B. ich werde schlafen; **Fu|tu|ra** *w. Gen. - nur Ez.* eine Druckschrift; **fu|tu|risch** im Futur auftretend; **Fu|tu|ris|mus** *m. Gen. - nur Ez.* von Italien ausgehende Kunstrichtung vor dem 1. Weltkrieg, die die Darstellung des räumlich und zeitlich Getrennten nebeneinander erstrebte; **Fu|tu|rist** *m. 10* Anhänger des Futurismus; **fu|tu|ris|tisch; Fu|tu|ro|lo|ge** *m. 11* Vertreter der Futurologie; **Fu|tu|ro|lo|gie** *w. 11 nur Ez.* Zukunftsforschung, -deutung; **fu|tu|ro|lo|gisch; Fu|tu|rum** *s. Gen.* -s *Mz.* -ra = Futur; F. exactum: zweites Futur, vollendete Zukunft, z. B. ich werde geschlafen haben
Fu|zel *m. 5, österr. für* Fussel
Fuz|zi *m. 9 ugs.:* Mensch, den man nicht ganz ernst nehmen kann

► = wird zu

G

g 1 *Abk. für* Gramm; **2** *österr. Abk. für* Groschen; **3** *Abk. für* g-Moll; **4** *(hochgestellt) Zeichen für die nicht mehr zulässige Winkeleinheit* Gon (Neugrad)
G 1 *auf Kurszetteln Abk. für* Geld; **2** *Abk. für* Gauß; **3** *Abk. für* Gourde; **4** *Abk. für* G-Dur; **5** *Abk. für* Giga
Ga *chem. Zeichen für* Gallium
GA *Abk. für* Georgia
Gäa *griech. Myth.:* Göttin der Erde
Ga|bar|di|ne [-di:n(ə), frz.] *m. Gen.* -s *nur Ez.* schräg gerippter Mantel- und Anzugstoff
Gab|bro [ital.] *m. 9 nur Ez.* ein Tiefengestein
Ga|be *w. 11*
Ga|bel *w. 11;* **Ga|bel|bis|sen** *m. 7* kleine, pikante Delikatesse; **Ga|bel|bock** *m. 2* = Gabler; **Ga|bel|früh|stück** *s. 1* kleine Zwischenmahlzeit am Vormittag, zweites Frühstück; **Ga|bel|hirsch** *m. 1* = Gabler; **ga|be|lig; ga|beln** *tr. u. refl. 1*
Ga|bel|lung *w. 10;* **Ga|bel|wei|he** *w. 11* = Milan
Gab|ler *m. 5* Rehbock oder Hirsch, dessen Gehörn bzw. Geweih nur je zwei Enden hat, Gabelbock
Ga|bun, Ga|bon, Staat in Zentralafrika; **Ga|bu|ner,** Ga|bo|ner *m. 5;* **ga|bu|nisch,** ga|bo|nisch
Gack|ei *s. 3, Kinderspr.:* Ei; **ga|ckeln** *intr. 1* **1** gackern; **2** *übertr.:* aufgeregt schwatzen; **ga|ckern** *intr. 1;* **gack|sen** *intr. 1* gackern
Ga|den *m. 7, schweiz.:* **1** Nebengebäude; **2** *urspr.:* Stockwerk; *dann:* Vorrats-, Schlafkammer
Ga|do|li|nit [nach dem finn. Chemiker J. Gadolin] *m. 1 nur Ez.* ein Mineral; **Ga|do|li|ni|um** *s. Gen.* -s *nur Ez.* (*Zeichen:* Gd) chem. Element
Gaf|fel *w. 11* Stange für das Gaffelsegel; **Gaf|fel|se|gel** *s. 5* trapezförmiges Segel
gaf|fen *intr. 1;* **Gaf|fer** *m. 5;* **Gaf|fe|rei** *w. 10 nur Ez.*
Gag [gæg, engl.] *m. 9, Theater, Film, Fernsehen:* überraschender, wirkungsvoller, witziger, dramaturgisch aber nicht notwendiger Einfall
Ga|gat [griech.] *m. 1* = Jett
Ga|ge [-ʒə, frz.] *w. 11, bei Künstlern:* Bezahlung
Gag|ger [gægər, engl.] *m. 5,* Gag|man [gægmən] *m. Gen.* -s *Mz.* -men [-mən], *Film, Fernsehen;* jmd., der Gags erfindet und wirkungsvoll einsetzt
Ga|gli|ar|de *auch:* **Gag|li|ar|de** [galjardə] *w. 11, ital. Schreibung von* Gaillarde
Gag|man [gægmən, engl.] *m. Gen.* -s *Mz.* -men [-mən] = Gagger
gäh|nen *intr. 1*
Gail|lar|de [gajardə, frz.] *w. 11* **1** altital. Springtanz; **2** Satz der Suite
Gal [nach dem ital. Naturforscher Galileo Galilei] *s. Gen.* - *Mz.* - nicht mehr zulässige Maßeinheit für die Beschleunigung
Ga|la [arab.-span.] *w. Gen.* - *nur Ez.* Festkleidung; in G. erscheinen; sich in G. werfen; **Ga|la...** *in Zus.:* Fest..., festlich; **Ga|la|an|zug** *m. 2*
ga|lak|tisch zur Galaxis gehörend; **Ga|lak|to|me|ter** [griech.] *s. 5* Gerät zum Messen des Fettgehalts der Milch; **Ga|lak|tor|rhö** *w. 10* Milchabsonderung nach dem Stillen; **Ga|lak|to|se** *w. 11* einfacher Zucker, Bestandteil des Milchzuckers
Ga|la|lith *m. 1 nur Ez.* Ⓦⓩ ein Kunststoff, Kunsthorn
Ga|lan [span.] *m. 1* (vornehmer) Liebhaber; **ga|lant** liebenswürdig-höflich (vom Mann einer Frau gegenüber), ritterlich; **Ga|lan|te|rie** *w. 11* liebenswürdige Höflichkeit; **Ga|lan|te|rie|wa|ren** *w. 11 Mz.* modisches Zubehör zur Kleidung
Ga|la|pa|gos|in|seln *w. 11 Mz.* zu Ecuador gehörige Inselgruppe im Stillen Ozean
Ga|la|tea *griech. Myth.:* eine Meernymphe
Ga|la|ter *m. 5* Angehöriger eines kelt. Volksstammes in Kleinasien
Ga|la|uni|form *w. 10*
Ga|la|xie [griech.] *w. 11* **1** *nur Ez.* die Milchstraße; **2** Sternsystem außerhalb des Milchstraßensystems; **Ga|la|xis** *w. Gen.* - *Mz.* -xi|en = Galaxie
Gal|ban [hebr.-lat.], **Gal|ba|num** *s. Gen.* -s *nur Ez.,* **Gal|ben|saft** *m. 2 nur Ez.* Gummiharz aus den Stengeln eines pers. Doldenblütlers, ein Heilmittel
Gä|le *m. 11* Angehöriger eines kelt. Volksstammes in Irland und Schottland
Ga|le|as|se [frz.] *w. 11* kleines Küstensegelschiff der Ostsee mit Groß- und Besanmast
Ga|lee|re [ital.] *w. 11, MA:* Ruderkriegsschiff, auch mit Segeln; **Ga|lee|ren|skla|ve** *m. 11;* **Ga|lee|ren|sträf|ling** *m. 1*
Ga|le|ni|kum [nach dem griech.-röm. Arzt Galenos] *s. Gen.* -s *Mz.* -ka aus Drogen vom Apotheker selbst zubereitetes Arzneimittel, im Unterschied zu den fertigen Fabrikerzeugnissen
Ga|le|nit [lat.] *m. 1* Bleiglanz, ein Bleierz
Ga|le|o|ne [ital.], Gal|li|o|ne *w. 11, MA:* Kriegs- und Handelsschiff mit mehreren Masten und Decks
Ga|le|ot [ital.] *m. 10* Galeerensklave; **Ga|le|o|te,** Gal|li|o|te *w. 11* kleines, einmastiges Küstensegelschiff
Ga|le|rie [frz.] *w. 11*
Gal|gant [mlat.] *m. 1 nur Ez.,* **Gal|gant|wur|zel** *w. 11* heilkräftige Wurzel eines südostasiat. Ingwergewächses
Gal|gen *m. 7;* **Gal|gen|frist** *w. 10;* **Gal|gen|hu|mor** *m. Gen.* -s *nur Ez.* Humor vor einem unangenehmen Ereignis; **Gal|gen|strick** *m. 1* Gauner, Spitzbube; **Gal|gen|vo|gel** *m. 6* heruntergekommener Mensch
Ga|li|ci|en histor. span. Provinz; vgl. Galizien; **Ga|li|ci|er** *m. 5;* **ga|li|cisch**
Ga|li|läa Landschaft im alten Palästina; **Ga|li|lä|er** *m. 5;* **ga|li|lä|isch**
Ga|li|ma|thi|as [lat. + griech.], Gal|li|ma|thi|as *m. Gen.* - *nur Ez.* verworrenes Zeug, unverständliches Gerede
Ga|li|on [span.] *s. 9, bei alten Schiffen:* Vorbau am Bug; **Ga|li|o|ne** *w. 11* = *Galeone;* **Ga|li|ons|fi|gur** *w. 10;* **Ga|li|o|te** *w. 11* = Galeote

Gal|li|pot [-po, frz.] *m. 9 nur Ez.* Harz der Nadelbäume
gä|lisch; Gä|lisch *s. Gen.*-(s) *nur Ez.* kelt. Sprache der Gälen
Ga|li|zi|en Landschaft nördlich der Karpaten zwischen Weichsel und der Bukowina; **Ga|li|zi|er** *m. 5;* **ga|li|zisch**
Gal|jaß ► **Gal|jass** *w. Gen.- Mz.* -jas|sen, *Nebenform von* Galeasse; **Gal|jon** *s. 9, Nebenform von* Galion
Gall|ap|fel *m. 6,* **Gal|le** *w. 11* apfelförmige Absonderung von Pflanzen als Reaktion auf Befall mit Blattläusen, Milben u. a.; **Gal|le** *w. 11;* **gall|bit|ter** *österr.;* **gal|le|bit|ter, gal|len|bit|ter; Gal|len|bla|se** *w. 11;* **Gal|len|bla|sen|ent|zün|dung** *w. 10;* **Gal|len|ko|lik** *w. 10;* **Gal|len|stein** *m. 1*
Gal|lert [lat.] *s. 1,* **Gal|ler|te** *w. 11* trübe, zähe Masse aus eingedickter Knochen- oder Fleischbrühe; **gal|ler|tig** [auch: gal-]
Gal|li|en *altröm. Name für* Frankreich, Belgien, Schweiz und Oberitalien; **Gal|li|er** *m. 5*
gal|lig **1** bitter wie Galle; **2** *übertr.:* verbittert, mürrisch, griesgrämig
gal|li|ka|nisch; gallikanische Kirche: die kath. Kirche in Frankreich vor der Frz. Revolution; **Gal|li|ka|nis|mus** *m. Gen. - nur Ez.* das Streben nach Selbständigkeit der gallikan. Kirche
Gal|li|ma|thi|as *m. Gen. - nur Ez.* = Galimathias
Gal|li|on *s. 9* = Galion; **Gal|li|o|ne** *w. 11* = Galeone
Gal|li|pot [-po] *m. 9 nur Ez.* = Galipot
gal|lisch zu Gallien gehörig, aus ihm stammend; **Gal|li|um** *s. Gen.*-s *nur Ez.* (*Zeichen:* Ga) chem. Element, ein Metall; **Gal|li|zis|mus** *m. Gen.- Mz.* -men in eine andere Sprache übernommene frz. Spracheigentümlichkeit
Gall|mil|be *w. 11;* **Gall|mü|cke** *w. 11*
Gal|lo|ma|ne *m. 11* begeisterter Bewunderer alles Französischen; **Gal|lo|ma|nie** *w. 11 nur Ez.* übertriebene Vorliebe für alles Französische
Gal|lo|ne [engl.] *w. 11* altes engl. und amerik. Hohlmaß 3,78–4,55 Liter
gal|lo|phil = frankophil; **gal|lo|phob** = frankophob; **gal|lo|ro|ma|nisch;** galloromanische Sprache: aus der gallischen und der vulgärlatein. Sprache entstandene Vorstufe des Altfranzösischen
Gal|lup-In|sti|tut [gæləp, nach dem Gründer, dem amerik. Publizisten George Horace G.] *s. 1 nur Ez.* US-amerik. Institut für Meinungsforschung
gal|lus|sau|er; Gal|lus|säu|re *w. 11 nur Ez.* aus Galläpfeln gewonnene Säure; **Gal|lus|tin|te** *w. 11 nur Ez.;* **Gall|wes|pe** *w. 11*
Gal|mei [*auch:* gal-, griech.] *m. 1* Zinkspat
Ga|lon [-lõ, frz.] *m. 9,* **Ga|lo|ne** *w. 11* Borte, Tresse; **ga|lo|nie|ren** *tr. 3* mit einem Galon besetzen
Ga|lopp [frz.] *m. 1 oder m. 9;* **ga|lop|pie|ren** *intr. 3;* galoppierende Schwindsucht *volkstüml.:* letztes Stadium der Lungentuberkulose
Ga|lo|sche [frz.] *w. 11, veraltet:* Gummiüberschuh
Galt *m. Gen.*-s *nur Ez., schweiz.:* Zeit, in der eine Kuh oder Ziege keine Milch gibt; **Galt|vieh** *s. Gen.*-s *nur Ez., schweiz.:* Jungvieh
Gal|va|ni|sa|ti|on [-va-, nach dem ital. Naturforscher Luigi Galvani] *w. 10* **1** das Überziehen von Werkstücken mit Metall durch Elektrolyse; **2** Anwendung von Gleichstrom zu Heilzwecken, Galvanotherapie; **gal|va|nisch** auf Galvanisation beruhend, mit ihrer Hilfe; galvanisches Bad: Bad zum Galvanisieren; galvanisches Element: elektr. Stromquelle, in der elektr. Energie aus chem. Energie entsteht; galvanische Elektrizität, galvanischer Strom: aus galvan. Elementen gewonnene Elektrizität; **Gal|va|ni|seur** [-zør] *m. 1* Facharbeiter in der Galvanotechnik; **gal|va|ni|sie|ren** *tr. 3* durch Elektrolyse mit Metall überziehen; **Gal|va|ni|sie|rung** *w. 10;* **Gal|va|nis|mus** *m. Gen. - nur Ez.* Lehre vom galvanischen Strom; **Gal|va|no** [-va-] *s. 9* im galvan. Bad hergestellter Druckstock; **Gal|va|no|kaus|tik** *w. 10* Durchtrennung oder Zerstörung von erkranktem Gewebe mit dem Galvanokauter; **gal|va|no|kaus|tisch;**
Gal|va|no|kau|ter *m. 5* chirurgisches Instrument, das mit Gleichstrom zum Glühen gebracht wird; **Gal|va|no|me|ter** *s. 5* Gerät zum Messen der Stromstärke, Galvanoskop; **gal|va|no|me|trisch** *auch:* **-met|risch; Gal|va|no|plas|tik** *w. 10* plastische Nachformung von Gegenständen durch Galvanisieren; **gal|va|no|plas|tisch; Gal|va|no|punk|tur** *w. 10* Entfernung z. B. von Haaren mit einer durch galvan. Strom erhitzten Nadel; **Gal|va|no|skop** *auch:* **-nos|kop** *s. 1* = Galvanometer; **gal|va|no|sko|pisch** *auch:* **-nos|ko|pisch; Gal|va|no|tech|nik** *w. 10* Technik des Galvanisierens; **gal|va|no|tech|nisch; Gal|va|no|the|ra|pie** *w. 11 nur Ez.* = Galvanisation (**2**); **Gal|va|no|ty|pie** *w. 11, ältere Bez. für* Galvanoplastik
Ga|man|der [griech.] *m. 5* eine Pflanzengattung (Lippenblütler)
Ga|ma|sche *w. 11*
Gam|be [ital., *eigtl.* Viola da gamba »Kniegeige«] *w. 11* Streichinstrument des 16. bis 18. Jh., Vorläufer des Violoncellos
Gam|bia Staat in Westafrika; **Gam|bi|er** *m. 5* Einwohner von Gambia; **gam|bisch**
Gam|bist *m. 10* Gambenspieler
Gam|bit [arab.-span.] *s. 9, Schach:* Eröffnung des Spiels, bei der eine oder mehrere Figuren geopfert werden, um den Angriff rasch vorzutragen
Gam|bri|nus sagenhafter Erfinder des Bierbrauens, Schutzherr der Brauer
Game|boy [gɛɪmbɔɪ, engl.] *m. 5* Videospiel
Ga|me|lan [mal.], **Ga|me|lang** *s. 9* Schlagzeugorchester auf Java und Bali
Ga|mel|le [frz.] *w. 11, schweiz.:* Kochgeschirr des Soldaten
Ga|met [griech.] *m. 10* männl. bzw. weibl. Fortpflanzungszelle
Gam|ma *s. Gen.* -(s) *Mz.* -s griech. Buchstabe (*Zeichen:* Γ, γ); **Gam|ma|me|tall** *s. 1* Legierung aus Kupfer und Zinn, für Münzen; **Gam|ma|strah|len, γ-Strah|len** *m. 12 Mz.* radioaktive Strahlen
Gam|mel *m. 5 nur Ez., mittel-, ost-, norddt.:* wertloser Kram;

► = wird zu

gam|me|lig, gamm|lig, nicht mehr oder nur noch schlecht brauchbar; **gam|meln** *intr. 1* ein Leben außerhalb der Konvention führen; **Gamm|ler** *m. 5;* **Gamm|le|rin** *w. 10;* **gamm|lig** = gammelig

ga|mo|trop [griech.] die Geschlechtsorgane d. Blüte schützend; gamotrope Bewegungen

Gams *w. 10, bayr., österr., bes. Jägerspr.:* Gämse; **Gams|bart** *m. 2* Rückenhaare der Gämse als Hutschmuck des Jägers; **Gäms|bock,** Gams|bock *m. 2* männl. Gämse; **Gäm|se** *w. 11;* **gäms|far|ben** gelbbraun, chamois; **Gäms|geiß,** Gams|geiß *w. 10* weibl. Gämse; **Gäms|kitz,** Gams|kitz *s. 12* Junges der Gämse; **Gams|le|der** *s. 5;* **gams|le|dern; Gams|wild** *s. Gen.* -(e)s *nur Ez., Sammelbez. für* Gamsbock, Gamsgeiß und Gamskitz, Krickelwild

Ga|na|sche [ital.-frz.] *w. 11* beim Pferd oberer, muskulöser Seitenteil des Unterkiefers, mit dem es sich gegen das Zaumzeug stemmen kann

Gan|dha|ra|kunst *w. 2 nur Ez.* hellenist.-buddhist. Kunst der altind. Landschaft Gandhara

Ga|nef(f) [jidd.] *m. 1* = Ganove

gang *nur noch in der Wendung* das ist gang und gäbe, *schweiz. auch* gäng und gäbe: das ist üblich; **Gang** *m. 2;* im Gange sein; etwas in Gang bringen, setzen, *aber:* das Ingangsetzen

Gang [gæŋ, engl.] *w. 9* organisierte Verbrecherbande

Gang|art *w. 10;* **gang|bar; Gän|gel|band** *s. 4 nur Ez.;* **Gän|ge|lei** *w. 10 nur Ez.;* **gän|geln** *tr. 1*

gän|gig 1 gangbar (Weg); **2** gut verkäuflich (Ware); **3** gut an der Leine gehend (Hund); **4** *schweiz.:* rüstig; **Gän|gig|keit** *w. 10 nur Ez.*

> **Gangli-, Gangrä-** (Worttrennung): Neben der bisher üblichen Trennungsmöglichkeit (*Gan|gli-, Gan|grä-*) bleibt es dem Schreibenden überlassen, auch nach seiner Aussprache abzutrennen: Wenn also mehrere Konsonanten nebeneinander stehen, wird im Regelfall der letzte abgetrennt: *Gang|li-* bzw. *Gang|rä-.* →§ 108, § 110

Gan|gli|en|sys|tem [griech.] *s. 1* Zentralnervensystem; **Gan|gli|en|zel|le** *w. 11* Nervenzelle; **Gan|gli|on** *s. Gen.* -s *Mz.* -li|en **1** knotenartige Anhäufung von Nervenzellen, Nervenknoten; **2** Überbein; **Gan|gli|o|ni|tis, Gan|gli|tis** *w. Gen.* - *Mz.* -ti|den Entzündung eines Ganglions, Nervenknotenentzündung

Gan|grän [griech.] *s. 1 oder w. 10,* **Gan|grä|ne** *w. 11* Brand, Gewebstod, z.B. Knochenbrand; **gan|grä|nes|zie|ren** *intr. 3* brandig werden; **gan|grä|nös** von Gangrän befallen, brandig, jauchig

Gang|spill [ndrl.] *s. 1* Ankerwinde

Gangs|ter [gæŋ-, engl.] *m. 5* Mitglied einer Gang

Gang|way [gæŋwɛɪ, engl.] *w. 9* Laufsteg aufs Schiff oder ins Flugzeug

Ga|no|i|de [griech.] *m. 11 meist Mz.* eine Knochenfischart, Schmelzschupper

Ga|no|ve [jidd.] *m. 11,* Ga|neff *m. 1* Gauner, Verbrecher

Gans *w. 2;* **Gans|bra|ten** *m. 7 bayr., österr. für* Gänsebraten; **Gäns|chen** *s. 7;* **Gän|se|blüm|chen** *s. 7,* **Gän|se|blu|me** *w. 11;* **Gän|se|bra|ten** *m. 7;* **Gän|se|brust** *w. 2;* **Gän|se|fe|der** *w. 11;* **Gän|se|fett** *s. 1 nur Ez.;* **Gän|se|fuß** *m. 2* eine Pflanze, Unkraut; **Gän|se|füß|chen** *s. 7 Mz., ugs.:* Anführungszeichen; **Gän|se|haut** *w. 2 nur Ez.;* **Gän|se|klein** *s. Gen.* -s *nur Ez.* Gericht aus Herz, Magen, Leber und Füßen der Gans; **Gän|se|le|ber|pas|te|te** *w. 11 nur Ez.;* **Gän|se|marsch** *m. 2 nur Ez.;* im G. gehen: einer hinter dem andern; **Gän|ser** *m. 5* Gänserich; **Gän|se|rich** *m. 1,* Gan|ser, Gan|ter *m. 5;* **Gän|se|wein** *m. 1 nur Ez., scherzh.:* Wasser; **Gans|fett** *s. 1 nur Ez., bayr., österr. für* Gänsefett; **Gans|jung** *s. Gen.* -(s) *nur Ez., bayr. für* Gänseklein; **Gans|jun|ges** *s. 17 nur Ez., österr. für* Gänseklein; **Gans|le|ber** *w. 11, bayr., österr. für* Gänseleber; **Gäns|lein** *s. 7*

Gant [ital.] *w. 10, bayr., österr. veraltet, noch schweiz.:* Versteigerung; auf die G. kommen: versteigert werden; **gan|ten** *tr. 2, veraltet, noch schweiz.:* versteigern

Gan|ter *m. 5* = Gänserich

Ga|ny|med *griech. Myth.:* Mundschenk des Zeus

> **ganz, im Ganzen:** Das Adjektiv wird kleingeschrieben: *Der Anzug war ganz; ganz und gar.* Die substantivierte Form wird – im Gegensatz zur bisherigen Regelung – mit großem Anfangsbuchstaben geschrieben: *das Ganze; aufs Ganze gehen; als Ganzes; ums Ganze gehen; im (großen) Ganzen; im Großen und Ganzen.* →§ 57 (1)

ganz; ganz München; ein ganzer Apfel; mein ganzes Geld *ugs.;* ganze drei Stunden; die ganze Wahrheit; ganze Zahlen; etwas ganz machen; es wird hoffentlich noch ganz sein; es geht mir ganz gut; ein ganz klein wenig; ganz und gar; vgl. Ganze(s)

Gän|ze *w. Gen.* - *nur Ez.* **1** *Bgb.:* ganzes, festes Gestein; **2** Ganzheit, Gesamtheit, *meist in der Wendung* zur Gänze: völlig, ganz; **Gan|ze(s)** *s. 18 (17)* das Ganze, ein Ganzes; eine Ganze *ugs.:* ein Maß, ein Liter (Bier); ein großes Ganzes; das Drama als Ganzes; aufs Ganze gehen; es geht ums Ganze; das ist nichts Ganzes und nichts Halbes; im Ganzen (genommen); im Großen (und) Ganzen; **Ganz|fa|bri|kat** *s. 1* Fabrikat, das nach Verlassen der Fabrik nicht weiter bearbeitet zu werden braucht, Fertigfabrikat; *Ggs.:* Halbfabrikat; **ganz|gar** fertig gegerbt; **Ganz|heit** *w. 10 nur Ez.;* **ganz|heit|lich; Ganz|heits|me|tho|de** *w. 11 nur Ez.* = Ganzwortmethode; **ganz|jäh|rig** das ganze Jahr über; das Hotel ist g. geöffnet; **Ganz|le|der** *s. 5 nur Ez.* reines Leder; **Ganz|le|der|band** *m. 2* in Ganzleder gebundenes Buch; **ganz|le|dern** aus reinem Leder; **ganz|lei|nen** aus reinem Leinen; **Ganz|lei|nen** *s. 7 nur Ez.* reines Leinen; **Ganz|lei|nen|band** *m. 2* in Ganzleinen gebundenes Buch; **gänz|lich; Ganz|pa|ckung** *w. 10* Umschlag um den ganzen Körper; **ganz|sei|den** aus reiner Seide; **ganz|tä|gig; Ganz|tags|schu|le** *w. 11;* **Ganz|ton** *m. 2, Mus.:* ganzer Ton; **ganz|wol|len** aus reiner Wolle; **Ganz|wort|me|tho|de** *w. 11 nur Ez.* Methode zum Lesenlernen, bei der ein Wort als Ganzes, nicht in seinen einzelnen Buchstaben erfasst werden soll, Ganzheitsmethode

gar **1** fertig gekocht oder fertig gebraten; fertig zugerichtet (Leder); gares Fleisch; **2** *österr.:* verbraucht, zu Ende gegangen; der Vorrat ist gar; **3** sogar, ganz, sehr; *in Verbindung mit anderen Wörtern immer getrennt;* ganz und gar; warum nicht gar!: das fehlte gerade noch!; gar manches Mal; gar kein, gar nicht, gar nichts, gar oft, gar sehr, gar zu gern; nicht gar so sehr

Ga|ra|ge [-ʒə, frz.] *w. 11;* **ga|ra|gie|ren** [-ʒi-] *tr. 3* in der Garage unterbringen

Ga|ra|mond [-mɔ̃, nach dem frz. Schriftgießer Claude G.] *w. 9 nur Ez.* eine Antiqua-Druckschrift

Ga|rant [frz.] *m. 10* Bürge, Gewährsmann; **Ga|ran|tie** *w. 11* Bürgschaft, Sicherheit; **ga|ran|tie|ren** *tr. 3*

Gar|aus *m., nur in der Wendung* jmdm. (oder einem Tier) den G. machen: ihn (es) töten

Gar|çon [-sɔ̃, frz.] *m. 9* **1** junger Mann, Knabe; **2** Kellner; **3** *auch:* Junggeselle; **Gar|çon|ne** [-sɔn] *w. 11* **1** jungenhaftes Mädchen; **2** *auch:* Junggesellin; **Gar|çon|ni|ere** [-sɔnjɛrə] *w. 11* Junggesellenwohnung

Gar|de *w. 11* **1** Leibwache, Elitetruppe; **2** alte G.: Gruppe von langjährigen bewährten Freunden oder Mitarbeitern; **Gar|de|du|korps** [-dykor, frz.] *s. Gen.- Mz.-* [-dykors] **1** *früher:* preußisches Gardekavallerieregiment; **2** Leibwache

Gar|de|man|ger [gardmɑ̃ʒe, frz.] *m. 9, in großen Restaurants:* für die kalten Speisen zuständiger Koch

Gar|de|nie [-njə, nach dem schott. Naturforscher A. Garden] *w. 11,* Gar|de|nia *w. Gen. - Mz.* -ni|en ein trop. Zierstrauch

Gar|de|of|fi|zier *m. 1*

Gar|de|ro|be [frz.] *w. 11;* **Gar|de|ro|ben|frau** *w. 10;* **Gar|de|ro|ben|mar|ke** *w. 11;* **Gar|de|ro|bier** [-bje] *m. 9, Theater:* Verwalter der Garderobe, Gewandmeister; **Gar|de|ro|bie|re** [-bjɛrə] *w. 11* **1** Garderobenfrau; **2** *Theater:* Gewandmeisterin

gar|dez! [-de, frz. »schützen Sie (Ihre Dame)!«] *Schach:* Warnung für den Gegner, dass seine Dame in Gefahr ist

Gar|di|ne [ndrl.] *w. 11;* **Gar|di|nen|pre|digt** *w. 10, ugs.:* Strafpredigt; **Gar|di|nen|schnur** *w. 2;* **Gar|di|nen|stan|ge** *w. 11*

Gar|dist *m. 10* Soldat der Garde

Ga|re *w. 11 nur Ez.* **1** günstiger, lockerer Zustand des Ackerbodens, Bodengare; **2** wässrige Lösung zum Gerben von Glacéleder, Glacégare

ga|ren *tr. 1* gar kochen

gä|ren *tr. u. intr. 43*

Gär|fut|ter *s. 5 nur Ez.*

> **gar kochen:** Eine Verbindung aus Adjektiv und Verb, bei der das Adjektiv steigerbar oder erweiterbar ist, wird getrennt geschrieben: *Sie hat das Fleisch gar gekocht. Das Essen muß noch gar kochen.* →§ 34 E3 (3)

Gar|koch *m. 2* Gastwirt einer Garküche; **gar|ko|chen** ► **gar ko|chen** *tr. 1;* **Gar|kü|che** *w. 11* Speisewirtschaft, die auch fertige Speisen ins Haus liefert; **gar|ma|chen** ► **gar ma|chen** *tr. 1*

Gar|mond [-mɔ̃, zu Garamond] *w. 9 nur Ez.* ein Schriftgrad

Garn *s. 1*

Gar|ne|le *w. 11* ein Krebstier, Krevette

gar|nie|ren [frz.] *tr. 3* mit Zubehör versehen, verzieren (bes. Speisen); **Gar|nie|rung** *w. 10*

Gar|ni|son [frz.] *w. 10* **1** Standort einer Truppe; **2** *auch:* die Truppe selbst, Besatzung; **gar|ni|so|nie|ren** *intr. 3 veraltend für* in Garnison liegen; **Gar|ni|son|kir|che** *w. 11;* **Gar|ni|son|pfar|rer** *m. 5*

Gar|ni|tur [frz.] *w. 10* mehrere zusammengehörige Gegenstände, z. B. Polster-, Wäschegarnitur

Gar|rot|te [frz.] *w. 11* Würgschraube (zur Hinrichtung durch Erdrosseln); **gar|rot|tie|ren** *tr. 3* mit der Garrotte erdrosseln

gars|tig

Gärt|chen *s. 7;* **gär|teln** *intr. 1, bayr. für* gärtnern; ich gärtele, gärtle; **Gar|ten** *m. 8;* **Gar|ten|ar|beit** *w. 10;* **Gar|ten|ar|chi|tekt** *m. 10;* **Gar|ten|bau|aus|stel|lung** *w. 10;* **Gar|ten|blu|me** *w. 11;* **Gar|ten|haus** *s. 4;* **Gar|ten|lau|be** *w. 11;* **Gar|ten|lo|kal** *s. 1;* **Gar|ten|zwerg** *m. 1;* **Gärt|lein** *s. 7;* **Gärt|ner** *m. 5;* **Gärt|ne|rei** *w. 10;* **Gärt|ne|rin** *w. 10;* **gärt|ne|risch; gärt|nern** *intr. 1* aus Liebhaberei Gartenarbeit tun; **Gärt|ners|frau** *w. 10*

Gä|rung *w. 10;* **Gä|rungs|er|re|ger** *m. 5;* **gä|rungs|fä|hig; Gä|rungs|fä|hig|keit** *w. 10 nur Ez.*

Gar|zeit *w. 10*

Gas *s. 1;* **Gas|an|stalt** *w. 10;* **Gas|an|zün|der** *m. 5;* **Gas|ba|de|ofen** *m. 8;* **Gas|druck** *m. 1*

Ga|sel [arab.], Ghal|sel *s. 1,* **Ga|se|le** *w. 11* oriental. Gedichtform aus beliebig vielen Verspaaren, wobei der Reim des ersten Paares in allen geraden Zeilen wiederkehrt, während die ungeraden Zeilen reimlos bleiben

ga|seln *intr. 1, schweiz.:* nach Gas riechen; es gaselt; **ga|sen** *intr. 1, ugs.:* sehr schnell fahren (mit dem Auto); **Gas|hahn** *m. 2;* **Gas|he|bel** *m. 5;* **Gas|hei|zung** *w. 10;* **Gas|herd** *m. 1;* **ga|sie|ren** *tr. 3* über der Gasflamme glattbrennen, von Fasern befreien (Garn); **ga|si|fi|zie|ren** *tr. 3* auf Gasbetrieb umstellen; **ga|sig** wie Gas

Gas|ko|na|de [nach der frz. Landschaft Gascogne] *w. 11, veraltet:* Prahlerei, Aufschneiderei

Gas|mas|ke *w. 11;* **Gas|ofen** *m. 8;* **Ga|so|me|ter** *m. 5, falsche Bez. für* Gasbehälter

Gäß|chen ► **Gäss|chen** *s. 7;* **Gas|se** *w. 11;* **Gas|sel|schlit|ten** *m. 7, österr.:* kleiner, einspänniger Pferdeschlitten; **Gas|sen|hau|er** *m. 5* dem Schlager ähnliches, viel gesungenes Lied; **Gas|sen|jun|ge** *m. 11;* **Gäß|lein** ► **Gäss|lein** *s. 7*

Gas|strumpf *m. 2* Glühkörper im Gasglühlicht

Gast **1** *m. 2;* XY singt als Gast (*Abk.* a. G., auf Programmzetteln); jmdn. zu Gaste bitten; **2** *m. 12, Seew.:* Matrose für bestimmte Aufgaben, z. B. Signalgast; **Gast|ar|bei|ter** *m. 5;* **Gäs|te|buch** *s. 4*

Gas|tech|nik *w. 10 nur Ez.;* **Gas|tech|ni|ker** *m. 5;* **gas|tech|nisch**

► = wird zu

Gäs|te|haus *s. 4* Haus zur Unterbringung von geladenen Gästen; **Gas|te|rei** *w. 10* Gelage, Schmauserei; **Gäs|te|zimmer** *s. 5;* **gast|frei; Gast|freiheit** *w. 10 nur Ez.;* **Gast|freund** *m. 1;* **gast|freund|lich; Gastfreund|lich|keit** *w. 10 nur Ez.;* **Gast|freund|schaft** *w. 10 nur Ez.;* **Gast|ge|ber** *m. 5;* **Gasthaus** *s. 4;* **Gast|hof** *m. 2;* **Gasthö|rer** *m. 5;* **gas|tie|ren** *intr. 3* **1** als Gast in einem Theater spielen oder singen; **2** *auch übertr.:* sich nur vorübergehend aufhalten; **gast|lich; Gast|lich|keit** *w. 10 nur Ez.;* **Gast|mahl** *s. 4 oder s. 1;* **Gast|pflan|ze** *w. 11* Schmarotzer

Ga|sträs *auch:* **Gas|träa** [griech.] *w. Gen. - nur Ez.* von E. Haeckel angenommene Stammform aller mehrzelligen Tiere, Urdarmtier; **ga|stral** zum Magen und Darm gehörig, von ihnen ausgehend; **Ga|stralgie** *w. 11* Magenkrampf

Gast|recht *s. 1*

Ga|strek|to|mie *auch:* **Gas|trek|to|mie** [griech.] *w. 11* operative Entfernung des Magens; **gas|trisch** zum Magen gehörend, von ihm ausgehend; **Gas|tri|tis** *w. Gen. - Mz.* -ti|den Magenschleimhautentzündung; **gas|tro|du|o|de|nal** zum Magen und Zwölffingerdarm gehörend, von ihnen ausgehend; **Gas|tro|du|o|de|ni|tis** *w. Gen. - Mz.* -ti|den Schleimhautentzündung von Magen und Zwölffingerdarm; **gas|tro|en|te|risch** Magen und Darm betreffend; **Gas|tro|en|te|ri|tis** *w. Gen. - Mz.* -ti|den Magen-Darm-Entzündung; **gas|tro|gen** vom Magen ausgehend

Gast|rol|le *w. 11;* eine G. geben

Ga|stro|lo|ge *auch:* **Gas|tro|loge** [griech.] *m. 11* Spezialist der Gastrologie; **Gas|tro|lo|gie** *w. 11 nur Ez.* Lehre vom Magen und seinen Erkrankungen; **Gas|tro|nom** *m. 10* **1** Gastwirt, der sich auf feine Küche versteht; **2** Kochkünstler; **Gas|trono|mie** *w. 11 nur Ez.* Kochkunst; **gas|tro|no|misch; Gastro|po|de** *m. 11* Schnecke; **Gastro|skop** *auch:* **Gas|tros|kop** *s. 1* Magenspiegel; **Gas|tro|skopie** *auch:* **Gas|tros|ko|pie** *w. 11* Untersuchung des Magens mit dem Gastroskop; **gas|tro|skopisch** *auch:* **gas|tros|ko|pisch; Ga|stro|sto|mie** *auch:* **Gas|tros|to|mie** *w. 11* Anlegen einer Magenfistel; **Gas|tro|tomie** *w. 11* Magenschnitt; **Gastru|la** *w. Gen. - nur Ez.* Entwicklungsstadium des Embryos, in dem der Urmund entsteht, Becherkeim; **Gas|tru|la|ti|on** *w. 10 nur Ez.* Entstehung der Gastrula durch Einstülpung der Blastula

Gast|spiel *s. 1;* **Gast|stät|te** *w. 11;* **Gast|stu|be** *w. 11;* **Gastwirt** *m. 1;* **Gast|wirt|schaft** *w. 10;* **Gast|zim|mer** *s. 5*

Gas|uhr *w. 10;* **Gas|ver|gif|tung** *w. 10;* **Gas|werk** *s. 1;* **Gas|zähler** *m. 5*

Gatt *s. 12 oder s. 9, nddt.:* enger Durchgang, Loch, Öffnung

GATT *s. Gen.* -(s) *nur Ez., Kurzw. für* General Agreement on Tariffs and Trade (allgemeines Zoll- u. Handelsabkommen)

Gat|te *m. 11;* **Gat|ten|lie|be** *w. 11 nur Ez.;* **Gat|ten|mord** *m. 1;* **Gat|ten|wahl** *w. 10*

Gat|ter *s. 5;* **Gat|ter|sä|ge** *w. 11*

gat|tie|ren *tr. 3* sachgemäß mischen (Rohstoffe)

Gat|tin *w. 10;* **Gat|tung** *w. 10;* **Gat|tungs|be|griff** *m. 1;* **Gattungs|kauf** *m. 2* Kauf einer nur der Gattung nach bestimmten Ware, z. B. 100 Flaschen Weißwein, Genuskauf; *Ggs.:* Stückkauf; **Gat|tungs|na|me** *m. 15* Bez. für gleichartige Lebewesen oder Dinge, z. B. Pflanze, Lampe

Gau *m. 1;* **Gäu** *s. 1, österr., schweiz. für* Gau, z. B. Allgäu; jmdm. ins Gäu gehen *österr.:* jmdm. ins Gehege kommen

GAU *m. 9, Abk. für* größter anzunehmender Unfall, schwerer Störfall in einem Kernkraftwerk

Gau|be, Gau|pe *w. 11* Dachfenster

Gauch *m. 1 oder m. 2* **1** Kuckuck; **2** Schelm, Spitzbube; **3** Narr, Betrogener; armer Gauch; **Gauch|heil** *m. 1* ein Primelgewächs

Gau|cho [-tʃo, indian.-span.] *m. 9* südamerik. berittener Viehhirt

Gau|de|a|mus i|gi|tur [lat.] (Anfang eines student. Trinkliedes) Darum lasst uns fröhlich sein

Gau|di [lat.] *w. oder s. Gen. - nur Ez., bayr.-österr.:* Spaß, Vergnügen; **gau|die|ren** *tr. 3* belustigen, erheitern; **Gau|di|um** *s. Gen.* -s *nur Ez.* Belustigung, Erheiterung; *meist in der Wendung:* zum (größten) G. aller, der Anwesenden o. Ä.

Gau|fra|ge [gofraʒə, frz.] *w. 11* geprägte Musterung (auf Papier und Gewebe); **Gau|fré** [gofre] *s. 9* Gewebe mit eingeprägtem Muster; **gau|frie|ren** [go-] *tr. 3* mit dem Gaufrierkalander mustern; **Gau|frier|kalan|der** *m. 5* Walze zum Aufprägen von Mustern auf Papier und Gewebe

Gauge [gɛɪdʒ, engl.] *s. Gen. - nur Ez.* (*Abk.:* gg) *Strumpfwirkerei:* Maß zur Angabe der Maschenzahl auf 1,5 engl. Zoll (= 38,1 mm) und damit der Feinheit

Gau|ke|lei *w. 10* **1** Vortäuschung, Zauberei, Blendwerk; **2** Possenreißerei; **gau|keln** *intr. 1* **1** schwankend fliegen; **2** possenhaft etwas vortäuschen; ich gaukele, gaukle; **Gau|kel|spiel** *s. 1;* **Gauk|ler** *m. 5* Zauberkünstler auf Jahrmärkten; *auch:* Akrobat; **gauk|le|risch**

Gaul *m. 2*

Gaul|lis|mus [go:l-] *m. Gen. - nur Ez.* frz. polit. Bewegung im Sinne des ehem. frz. Staatspräsidenten Charles de Gaulle; **Gaul|list** *m. 10* Anhänger des Gaullismus; **gaul|lis|tisch**

gau|men *tr. 1, schweiz.:* hüten

Gau|men *m. 7;* **Gau|men|kit|zel** *m. 5;* **Gau|men|laut** *m. 1* mit Zunge und Gaumen gebildeter Laut, Gutturallaut; vgl. Hinter-, Vordergaumenlaut; **Gau|menman|del** *w. 11;* **Gau|men|se|gel** *s. 5* hinterer, weicher Teil des Gaumens

Gau|ner *m. 5;* **Gau|ne|rei** *w. 10;* **Gau|ner|spra|che** *w. 11* = Rotwelsch; **Gau|ner|zin|ken** *m. 7* bildl. Zeichen zur Verständigung der Gauner (Landstreicher) untereinander

Gau|pe *w. 11* = Gaube

Gaur [ind.] *m. 5 oder m. 9* vorderind. Wildrind

Gauß [nach dem Mathematiker und Physiker Karl Friedrich G.] *s. Gen. - Mz. -* (*Abk.:* G) Maßeinheit der magnet. Induktion

Gautsch|brief *m. 1, Buchw.:* Bestätigung über das erfolgte

Gautschen (**2**); **Gautlsche** *w. 11* **1** Maschine mit zwei Walzen, zwischen denen die nasse Papierbahn ausgepresst wird; **2** *süddt.:* Schaukel; **gautlschen** *tr. 1* **1** (die nasse Papierbahn) auspressen; **2** (den Setzer- oder Druckerlehrling) in ein Wasserfass tauchen, damit er zünftig wird; **3** *süddt.:* schaukeln; **Gautlscher** *m. 5* Facharbeiter an der Gautsche (**1**)

Galvotlte [-vɔt(ə), frz.] *w. 11* **1** heiterer Tanz; **2** Satz der Suite

Galze [-zə, arab.-frz.] *w. 11 nur Ez.* durchsichtiger, sehr lockerer Stoff, Verbandmull

Galzellle [arab.-ital.] *w. 11* eine Antilope

Galzetlte [-zɛt(ə), frz.] *w. 11, veraltet, auch abwertend für:* Zeitung

Gd *chem. Zeichen für* Gadolinium

G-Dur *s. Gen. - nur Ez.* (*Abk.:* G) eine Tonart; **G-Dur-Tonlleiter** *w. 11*

Ge *chem. Zeichen für* Germanium

Gelächz *s. Gen. -es nur Ez.*, **Geächlze** *s. Gen. -s nur Ez.*

Gelälder *s. 5 nur Ez.*

Gelälse *s. 5* **1** = Äsung; **2** = Äser (**2**)

Geläst *s. 1 nur Ez.* Gesamtheit der Äste (eines Baumes)

geb. **1** *Abk. für* geboren (*Zeichen:* *); **2** *Abk. für* geborene (bei Frauen vor dem Mädchennamen); Ilse Müller, geb. Schulze, *oder:* Ilse Müller geb. Schulze; **3** *Abk. für* gebunden (von Büchern, in bibliografischen Angaben)

Gelbäck *s. 1*

Gelbälk *s. 1*

Gelbänlde *s. 5* **1** = Gebende; **2** = Abgesang

Gelbärlde *w. 11;* **gelbärlden** *refl. 2;* **Gelbärldenspralche** *w. 11*

gelbalren *refl. 1, selten:* sich benehmen, sich verhalten; **Gelbaren** *s. 7 nur Ez.*

gelbälren *tr. 44;* **Gelbälrelrin** *w. 10;* **Gelbärlmutlter** *w. 6* Organ im Körper der weibl. Säugetiere und Menschen, in dem sich das befruchtete Ei entwickelt

Gelbalrung *w. 10 nur Ez. österr.* = Gebaren

gelbauchlkitlzelt *ugs., nur in der Wendung* sich g. fühlen: sich geschmeichelt fühlen

Gelbäulde *s. 5;* **Gelbäuldekomlplex** *m. 1*

gelbelfreuldig; Gelbelfreuldigkeit *w. 10 nur Ez.*

Gelbein *s. 1*

Gelbellfer *s. 5 nur Ez.* Gekläff, Gekeife

Gelbell *s. 1 nur Ez.*

gelben *tr. 45;* Geben (geben) ist seliger denn Nehmen (nehmen)

Gelbenlde *s. 5, 12./15. Jh.:* Kopfbedeckung mit Kinnbinde für Frauen

Gelber *m. 5;* **Gelberllaulne** *w. 11 nur Ez.;* in G. sein

Gelbet *s. 1;* **Gelbetlbuch** *s. 4;* **Gelbetslmanltel** *m. 6* (der Juden); **Gelbetslnilsche** *w. 11* (in arab. Moscheen); **Gelbetsltepplich** *m. 1* (der Muslime)

gelbeut *poet. veraltet* = gebietet

Gelbiet *s. 1;* **gelbielten** *intr. 13;* **Gelbielter** *m. 5;* **gelbieltelrisch; gelbietslweilse**

Gelbildlbrot *s. 1* zu symbol. Figuren geformtes und zu bestimmten Festtagen hergestelltes Gebäck; **Gelbillde** *s. 5;* **Gebilldelte(r)** *m. 18 (17) meist Mz.*

Gelbimlmel *s. Gen. -s nur Ez.*, **Gelbimmlle** *s. Gen. -s nur Ez.*

Gelbinlde *s. 5* **1** fest gebundener Blumenschmuck, Garbe; vgl. Gesteck; **2** *Transportwesen:* Behälter, z.B. Fass

Gelbirlge *s. 5;* **gelbirlgig; Gebirgller** *m. 5;* **Gelbirgslbach** *m. 2;* **Gelbirgslketlte** *w. 11;* **Gebirgslstock** *m. 2 massiger* Gebirgsteil

Gelbiß ► **Gelbiss** *s. 1*

Gelblälse *s. 5* Winderzeuger zum Verdichten oder Bewegen von Gasen

Gelblök *s. Gen. -s nur Ez.*, **Geblölke** *s. Gen. -s nur Ez.*

gelblümt, *österr.:* gelblumt

gelbolren (*Abk.* geb., *Zeichen:* *); Hans Müller, geboren 8. 7. 25; **gelbolrelne** (*Abk.:* geb.) Ilse Müller, geborene Schulze, *oder:* Ilse Müller geborene Schulze; sie ist eine geborene Schulze;

Gelbolrenlzeilchen *s. 7 (Zeichen:* *)

gelborlgen; Gelborlgenlheit *w. 10 nur Ez.*

Gelbot *s. 1;* **Gelbotslschild** *s. 3* ein Verkehrsschild

Gebr. *Abk. für* Gebrüder (vor dem Familiennamen, in Firmennamen)

Gelbräch, Gelbrech *s. 1,* **Gebrälche** *s. 5* **1** *Bgb.:* leicht brechendes Gestein; **2** *Jägerspr.:* Rüssel (des Wildschweins), *auch:* der mit dem Rüssel aufgewühlte Boden

Gelbräu *s. 1*

Gelbrauch *m. 2;* **gelbraulchen** *tr. 1;* **gelbräuchllich; Gebrauchslanlweilsung** *w. 10;* **gebrauchslferltig; Gelbrauchsgelgenlstand** *m. 2;* **Gebrauchslgralphik** *Nv.* ► **Gebrauchslgralfik** *Hv. w. 10 nur Ez.* Zweig der angewandten Kunst, Gestaltung von Werbemitteln, Büchern, Zeitschriften, Urkunden u.ä.; **Gelbrauchsgut** *s. 4 meist Mz.;* **Gelbrauchsmulsik** *w. 10 nur Ez.;* **Gebrauchslmuslter** *s. 5* geschützte, aber nicht patentfähige Erfindung; **Gelbrauchslmuslterschutz** *m. Gen. -es nur Ez.;* **Gebrauchslwert** *m. 1;* **Gebrauchtlwalgen** *m. 7*

Gelbraus *s. Gen. -es nur Ez.*, **Gelbraulse** *s. Gen. -s nur Ez.*

Gelbrech *s. 1* = Gebräch; **gebrelchen** *intr. 19, nur unpersönlich:* fehlen, mangeln; es gebricht ihm an Mut; **Gelbrechen** *s. 7* körperl. Fehler; **gebrechllich; Gelbrechllichlkeit** *w. 10 nur Ez.*

Gelbreit *s. 1,* **Gelbreilte** *s. 5* Acker, Feld

Gelbreslten *s. 7* Gebrechen, Leiden, Krankheit

Gelbroldel *s. Gen. -s nur Ez.*

Gelbrülder *nur Mz.* (*Abk.:* Gebr.)

Gelbrüll, Gelbrüllle *s. Gen. -s nur Ez.*

Gelbrumm, Gelbrumlme *s. Gen. -s nur Ez.*

Gelbück *s. 1, früher:* Grenzwehr des Rheingaus aus Astgeflecht, Verhau, künstl. Hecke (heute nur noch in Namen)

Gelbühr *w. 10;* jmdn. nach G. belohnen, über G. loben; **gebühlren 1** *intr. 1* zukommen, zustehen; dafür gebührt ihm Dank; **2** *refl. 1, nur unpersönlich:* sich schicken, sich geziemen; es gebührt sich (nicht), zu…; **gelbühlrend**; etwas g. bewundern; **Gelbühlrenlerllaß** ► **Gelbühlrenlerllass** *m. 2;* **gebühlrenlfrei; Gelbühlrenlfreiheit** *w. 10 nur Ez.;* **gelbühlrenpflichltig; gelbührllich** gebührend

Gelbumlse *s. Gen. -s nur Ez.*

► = wird zu

Ge|bụnd *s. 1* Bündel, Packen; **Ge|bụn|den|heit** *w. 10 nur Ez.* **Ge|bu̱rt** *w. 10;* **Ge|bu̱r|ten|be|schrän|kung** *w. 10 nur Ez.;* **Ge|bu̱r|ten|kon|trol|le** *w. 11;* **Ge|bu̱r|ten|re|ge|lung** *w. 10;* **Ge|bu̱r|ten|über|schuß** ► **Ge|bu̱r|ten|über|schuss** *m. 2;* **Ge|bu̱r|ten|zif|fer** *w. 11;* **ge|bü̱r|tig**; er ist gebürtiger Bayer, ist aus Bayern gebürtig; **Ge|bu̱rts|adel** *m. 5 nur Ez.;* **Ge|bu̱rts|an|zei|ge** *w. 11;* **Ge|bu̱rts|feh|ler** *m. 5;* **Ge|bu̱rts|haus** *s. 4;* **Ge|bu̱rts|hel|fer** *m. 5;* **Ge|bu̱rts|hil|fe** *w. 11;* **Ge|bu̱rts|jahr** *s. 1;* **Ge|bu̱rts|land** *s. 4;* **Ge|bu̱rts|ort** *m. 1;* **Ge|bu̱rts|stadt** *w. 2;* **Ge|bu̱rts|tag** *m. 1;* **Ge|bu̱rts|tags|fei|er** *w. 11;* **Ge|bu̱rts|tags|kind** *s. 3;* **Ge|bu̱rts|ur|kun|de** *w. 11*
Ge|bụ̈sch *s. 1*
gẹck *nordwestdt., meist prädikativ:* verrückt; **Gẹck** *m. 12*
Gẹ|cke *w. 11, mitteldt.:* Frosch
gẹ|cken *tr. 1, nordwestdt.:* zum Narren halten, foppen; **gẹ|cken|haft; Gẹ|cken|haf|tig|keit** *w. 10 nur Ez.;* **Ge|cke|rei** *w. 10, nordwestdt.:* Fopperei, Narrenspossen
Gẹ|cko [ndrl.] *m. 9* eine trop. Eidechse, Haftzeher
Ge|dạ̈cht|nis *s. 1;* **Ge|dạ̈cht|nis|fei|er** *w. 11;* **Ge|dạ̈cht|nis|lü|cke** *w. 11;* **ge|dạ̈cht|nis|schwach; Ge|dạ̈cht|nis|schwä|che** *w. 11 nur Ez.;* **Ge|dạ̈cht|nis|schwund** *m. Gen. -(e)s nur Ez.;* **Ge|dạ̈cht|nis|stüt|ze** *w. 11*
ge|dạckt *Mus.:* gedeckt, d.h. oben geschlossen und dadurch tiefer klingend (von Orgelpfeifen)
Ge|dạn|ke *m. 15;* **Ge|dạn|ken|aus|tausch** *m. 1;* **Ge|dạn|ken|frei|heit** *w. 10 nur Ez.;* **Ge|dạn|ken|gang** *m. 2;* **ge|dạn|ken|los; Ge|dạn|ken|lo|sig|keit** *w. 10 nur Ez.;* **Ge|dạn|ken|schnel|le** *w. 11 nur Ez.;* in, mit G.; **Ge|dạn|ken|split|ter** *m. 5;* **Ge|dạn|ken|sprung** *m. 2;* **Ge|dạn|ken|strich** *m. 1;* **Ge|dạn|ken|über|tra|gung** *w. 10;* **ge|dạn|ken|ver|lo|ren; ge|dạn|ken|voll; ge|dạnk|lich**
Ge|dạ̈rm *s. 1,* **Ge|dạ̈r|me** *s. 5*
Ge|dẹck *s. 1* **1** Essbesteck und Serviette; **2** festgelegte Speisenfolge in der Gaststätte, Menü
Ge|de̱ih *m. Gen. -s nur Ez., nur noch in der Wendung* auf G. und Verderb, z.B. jmdm. auf G. und Verderb ausgeliefert sein; bedingungslos; **ge|de̱i|hen** *intr. 46;* **ge|de̱ih|lich**
ge|dẹn|ken *intr. 22 mit Gen.;* ich gedenke seiner; wir gedachten des Tages, an dem…; **Ge|dẹnk|mün|ze** *w. 11;* **Ge|dẹnk|stät|te** *w. 11;* **Ge|dẹnk|stun|de** *w. 11;* **Ge|dẹnk|ta|fel** *w. 11;* **Ge|dẹnk|tag** *m. 1*
Ge|dịcht *s. 1;* **Ge|dịcht|samm|lung** *w. 10*
ge|die̱|gen 1 echt, ohne Beimischung, rein (Gold, Silber); **2** lauter, anständig, rechtschaffen (Charakter); **3** sorgfältig (Arbeit); **4** *ugs.:* wunderlich, seltsam; **Ge|die̱|gen|heit** *w. 10 nur Ez.*
ge|die̱nt; gedienter (*eigtl.:* gedient habender) Soldat
Ge|dịn|ge *s. 5* **1** *Bgb.:* Akkordlohn; **2** *auch:* Gesinde; **Ge|dịn|ge|ar|bei|ter** *m. 5;* **Ge|dịn|ge|lohn** *m. 2*
Ge|dọn|ner *s. 5 nur Ez.*
Ge|dö̱ns *s. 1 nur Ez., norddt.:* Getue, Aufhebens
Ge|drạ̈n|ge *s. 5 nur Ez.;* **Ge|drạ̈ngt|heit** *w. 10 nur Ez.*
Ge|drö̱hn, Ge|drö̱h|ne *s. Gen. -s nur Ez.*
Ge|drụ̈ckt|heit *w. 10 nur Ez.*
ge|drụn|gen; Ge|drụn|gen|heit *w. 10 nur Ez.*
Ge|du̱|del, Ge|du̱d|le *s. Gen. -s nur Ez.*
Ge|dụld *w. Gen. - nur Ez.;* **ge|dụl|den** *refl. 2;* **ge|dụl|dig; Ge|dụlds|fa|den** *m. 8;* **Ge|dụlds|pro|be** *w. 11;* **Ge|dụlds|spiel** *s. 1*
ge|dụn|sen; Ge|dụn|sen|heit *w. 10 nur Ez.*
ge|e̱ig|net; Ge|e̱ig|net|heit *w. 10 nur Ez.* Eignung
Ge̱est *w. 10,* **Ge̱est|land** *s. 4 nur Ez.* hoch gelegenes, trockenes, meist unfruchtbares norddt. Küstenland; *Ggs.:* Marsch
gef. *Abk. für* gefallen (*Zeichen:* ⚔)
Ge|fạch *s. 4* Gefüge von Fächern
Ge|fa̱hr *w. 10;* G. laufen; G. bringend; ich laufe G., zu spät zu kommen, wenn ich…; **ge|fä̱hr|den** *tr. 2;* **ge|fa̱hr|dro|hend** ► **Ge|fa̱hr dro̱|hend; Ge|fä̱hr|dung** *w. 10;* **Ge|fa̱h|ren|quel|le** *w. 11;* **Ge|fa̱h|ren|zo|ne** *w. 11;* **ge|fä̱hr|lich; Ge|fä̱hr|lich|keit** *w. 10 nur Ez.;* **ge|fa̱hr|los** ungefährlich, ungefährdet; **Ge|fa̱hr|lo|sig|keit** *w. 10 nur Ez.*

> **Gefahr bringen/laufen:** Eine Verbindung aus Substantiv und Verb wird, wenn das Substantiv nicht verblasst ist, getrennt geschrieben: *Das Unternehmen war Gefahr bringend. Wir wollten nicht Gefahr laufen(,) das Spiel zu verlieren.* →§ 34 E3 (5)

Ge|fä̱hrt *s. 1;* **Ge|fä̱hr|te** *m. 11;* **Ge|fä̱hr|tin** *w. 10*
ge|fa̱hr|voll
Ge|fäl|le *s. 5*
ge|fạl|len *intr. 33;* **Ge|fạl|len 1** *s. Gen. -s nur Ez.;* G. an etwas finden; jmdm. etwas zu G. tun; **2** *m. 7;* jmdm. einen G. tun
Ge|fạl|le|ne(r) *m. 18 (17);* **Ge|fạl|le|nen|denk|mal** *s. 4*
ge|fạ̈l|lig (*Abk.:* gefl.); zur gefälligen (*meist:* gefl.) Beachtung; jmdm. g. sein; **Ge|fạ̈l|lig|keit** *w. 10;* **Ge|fạ̈l|lig|keits|ak|zept** *s. 1* Akzept, durch das sich der Aussteller verpflichtet, einen Wechsel zu bezahlen; **Ge|fạ̈l|lig|keits|wech|sel** *m. 5;* **ge|fạ̈l|ligst**
Ge|fạll|sucht *w. Gen. - nur Ez.;* **ge|fạll|süch|tig**
Ge|fạn|ge|ne(r) *m. 18 (17) bzw. w. 17 oder 18;* **Ge|fạn|ge|nen|be|frei|ung** *w. 10 nur Ez.;* **Ge|fạn|ge|nen|für|sor|ge** *w. 11 nur Ez.;* **Ge|fạn|ge|nen|la|ger** *s. 5;* **Ge|fạn|ge|nen|wär|ter** *m. 5;* **ge|fạn|gen|hal|ten** ► **ge|fạn|gen hạl|ten** *tr. 61;* sie halten ihn gefangen, haben ihn gefangen gehalten; **Ge|fạn|gen|nah|me** *w. 11 nur Ez.;* **ge|fạn|gen|neh|men** ► **ge|fạn|gen ne̱h|men** *tr. 88;* ich nahm ihn gefangen; um ihn gefangen zu nehmen; **Ge|fạn|gen|schaft** *w. 10 nur Ez.;* **ge|fạn|gen|set|zen** ► **ge|fạn|gen sẹt|zen** *tr. 1; vgl.* gefangen nehmen; **Ge|fạ̈ng|nis** *s. 1;* **Ge|fạ̈ng|nis|stra|fe** *w. 11*

> **gefangen halten/nehmen/setzen:** Eine Verbindung aus Partizip und Verb wird getrennt geschrieben: *Die Krieger wurden gefangen genommen.* →§ 34 E3 (4)

Ge|fa̱|sel, Ge|fa̱s|le *s. Gen. -s nur Ez.*
Ge|fä̱ß *s. 1;* **Ge|fä̱ß|bün|del** *s. 5;* **Ge|fä̱ß|krampf** *m. 2;* **ge|fä̱ß|reich**

Ge|faßt|heit ▶ **Ge|fasst|heit** *w. 10 nur Ez.*

Ge|fecht *s. 1;* **ge|fechts|be|reit; ge|fechts|klar** gefechtsbereit (Schiff); **Ge|fechts|stand** *m. 2*

Ge|fe|ge *s. 5, Jägerspr.:* vom Gehörn bzw. Geweih abgefegter Bast

ge|feit geschützt; gegen etwas g. sein

Ge|fer|tig|te(r) *m. 18 (17), veraltet, noch österr.:* Unterzeichneter

Ge|fie|del *s. Gen. -s nur Ez.*

Ge|fie|der *s. 5;* **ge|fie|dert**

Ge|fil|de *s. 5* **1** Feldmark; **2** *Mz. poet.:* Felder

gefl. *Abk. für* gefällig

Ge|fla|cker *s. 5 nur Ez.*

Ge|flat|ter *s. 5 nur Ez.*

Ge|flecht *s. 1*

ge|fleckt

Ge|flim|mer *s. 5 nur Ez.*

ge|flis|sent|lich absichtlich; etwas g. übersehen, überhören

Ge|flu|der *s. 5* = Gerinne

Ge|flü|gel *s. 5 nur Ez.;* **Ge|flü|gel|farm** *w. 10;* **ge|flü|gelt**; geflügeltes Wort: oft zitierter Ausspruch eines Dichters; **Ge|flü|gel|zucht** *w. 10*

Ge|flun|ker *s. 5 nur Ez.*

Ge|flüs|ter *s. 5 nur Ez.*

Ge|fol|ge *s. 5;* **Ge|folg|schaft** *w. 10;* **Ge|folgs|leu|te** *nur Mz.;* **Ge|folgs|mann** *m. 4, Mz. auch:* -leu|te

Ge|fra|ge *s. Gen. -s nur Ez., ugs.*

ge|frä|ßig; Ge|frä|ßig|keit *w. 10 nur Ez.*

Ge|frei|te(r) *m. 18 (17)*

Ge|frett *s. Gen. -s nur Ez., bayr., österr.:* Ärger, Plage, Last, Mühe

Ge|frier|an|lage *w. 11;* **ge|frie|ren** *intr. 42;* **Ge|frier|fleisch** *s. 1 nur Ez.;* **Ge|frier|punkt** *m. 1;* **Ge|frier|schutz|mit|tel** *s. 5;* **Ge|frier|ver|fah|ren** *s. 7*

Ge|frieß *s. 1, bayr., österr., vulg.:* Gesicht

Ge|fro|re|ne(s) *s. 18 (17)* Speiseeis

Ge|fü|ge *s. 5;* **ge|fü|gig; Ge|fü|gig|keit** *w. 10 nur Ez.*

Ge|fühl *s. 1;* **ge|fühl|los; Ge|fühl|lo|sig|keit** *w. 10 nur Ez.;* **ge|fühls|arm; Ge|fühls|ar|mut** *w. 10 nur Ez.;* **ge|fühls|be|dingt; ge|fühls|be|tont; Ge|fühls|be|tont|heit** *w. 10 nur Ez.;* **Ge|fühls|du|se|lei** *w. 10;* **ge|fühls|du|se|lig,** ge|fühls|dus|lig; **Ge|fühls|du|se|lig|keit** *w. 10 nur Ez.;* **Ge|fühls|ein|druck** *m. 2;* **Ge|fühls|le|ben** *s. 7 nur Ez.;* **ge|fühls|mä|ßig; Ge|fühls|mensch** *m. 10;* **Ge|fühls|re|gung** *w. 10;* **Ge|fühls|sa|che** *w. 11;* das ist G.!; **Ge|fühls|wär|me** *w. 11 nur Ez.;* **ge|fühl|voll**

ge|füh|rig, füh|rig gut geeignet zum Befahren (Schnee); **Ge|füh|rig|keit,** Füh|rig|keit *w. 10 nur Ez.*

Ge|fun|kel *s. 5 nur Ez.*

Ge|ga|cker *s. Gen. -s nur Ez.*

ge|ge|ben; das ist das Gegebene: das, was am nächsten liegt, was man tun sollte; ich nehme das Gegebene nicht wieder zurück; **ge|ge|be|nen|falls** (*Abk.:* ggf.); **Ge|ge|ben|heit** *w. 10* Wirklichkeit, Tatsache; die örtlichen Gegebenheiten

ge|gen *Präp. mit Abk.;* g. meinen Willen; er hat etwas g. mich; g. Abend, Morgen; g. 100 Menschen: ungefähr 100 Menschen; **Ge|gen|an|ge|bot** *s. 1;* **Ge|gen|an|griff** *m. 1;* **Ge|gen|an|trag** *m. 2;* **Ge|gen|be|such** *m. 1;* **Ge|gen|be|we|gung** *w. 10;* **Ge|gen|bild** *s. 3;* **Ge|gen|bu|chung** *w. 10*

Ge|gend *w. 10*

> **gegeneinander drücken/prallen/stoßen:** Eine Verbindung aus zusammengesetztem Adverb *(gegeneinander)* und Verb wird getrennt geschrieben: *Sie mußten bei dieser Aktion gegeneinander prallen. Die Lastwagen sind gegeneinander gestoßen.*
> →§ 34 E3 (2)

Ge|gen|dienst *m. 1;* **Ge|gen|druck** *m. 2;* Druck und G.; **ge|gen|ein|an|der** [auch: -an-]; g. drücken, kämpfen, pressen, spielen; **ge|gen|ein|an|der|hal|ten** ▶ **ge|gen|ein|an|der hal|ten** *tr. 61;* **ge|gen|ein|an|der|stel|len** ▶ **ge|gen|ein|an|der stel|len** *tr. 1;* **Ge|gen|er|klä|rung** *w. 10;* **Ge|gen|for|de|rung** *w. 10;* **Ge|gen|fra|ge** *w. 11;* **Ge|gen|fü|ßler** *m. 5* = Antipode; **Ge|gen|ga|be** *w. 11;* **Ge|gen|ge|wicht** *s. 1;* **Ge|gen|gift** *s. 1;* **Ge|gen|kan|di|dat** *m. 10;* **Ge|gen|kla|ge** *w. 11;* **Ge|gen|klä|ger** *m. 5;* **ge|gen|läu|fig; Ge|gen|läu|fig|keit** *w. 10 nur Ez.;* **Ge|gen|leis|tung** *w. 10;* **ge|gen|le|sen** *tr. 79;* **Ge|gen|licht** *s. Gen. -(e)s nur Ez.;* **Ge|gen|lie|be** *w. 11 nur Ez.;* **Ge|gen|maß|nah|me** *w. 11;* **Ge|gen|mit|tel** *s. 5;* **Ge|gen|par|tei** *w. 10;* **Ge|gen|pol** *m. 1;* **Ge|gen|pro|be** *w. 11;* **Ge|gen|re|de** *w. 11;* **Ge|gen|re|for|ma|ti|on** *w. 10 nur Ez.;* **Ge|gen|re|vo|lu|ti|on** *w. 10;* **Ge|gen|satz** *m. 2;* **ge|gen|sätz|lich; Ge|gen|sätz|lich|keit** *w. 10;* **Ge|gen|schlag** *m. 2;* **Ge|gen|sei|te** *w. 11;* **ge|gen|sei|tig; Ge|gen|sei|tig|keit** *w. 10 nur Ez.;* auf Gegenseitigkeit (*Abk.:* a. G.); **Ge|gen|son|ne** *w. 11* Lichterscheinung am Himmel der Sonne gegenüber, Anthelium; **Ge|gen|spie|ler** *m. 5;* **Ge|gen|stand** *m. 2;* **ge|gen|stän|dig** einander gegenüberstehend (von Blättern, auch von Tierdarstellungen in der oriental. Kunst); **ge|gen|ständ|lich** sachlich, anschaulich; **Ge|gen|ständ|lich|keit** *w. 10 nur Ez.;* **ge|gen|stands|los** überflüssig, unnötig, hinfällig; **Ge|gen|stands|lo|sig|keit** *w. 10 nur Ez.;* **Ge|gen|stands|satz** *m. 2* = Subjektsatz; **Ge|gen|stim|me** *w. 11;* **ge|gen|stim|mig** *Mus.:* in der Art einer Gegenstimme; **Ge|gen|stoß** *m. 2;* **Ge|gen|strom** *m. 2;* **ge|gen|stro|mig; Ge|gen|strö|mung** *w. 10;* **Ge|gen|stro|phe** *w. 11* vgl. Antistrophe; **Ge|gen|stück** *s. 1;* **Ge|gen|teil** *s. 1;* **ge|gen|tei|lig; ge|gen|über** *Präp. mit Dat.;* unserem Haus g.; g. aufstellen; **Ge|gen|über** *s. 5;* **ge|gen|über|lie|gen** *intr. 80;* das Grundstück, das dem unseren gegenüberliegt, *aber:* gerade uns gegenüber liegt ein Grundstück, das…; **ge|gen|über|sit|zen** *intr. 143;* der Herr, der mir gegenübersitzt; **ge|gen|über|ste|hen** *intr. 151;* das Haus, das dem unseren gegenübersteht; **ge|gen|über|stel|len** *tr. 1;* **Ge|gen|über|stel|lung** *w. 10;* **ge|gen|über|tre|ten** *intr. 163;* **Ge|gen|ufer** *s. 5;* **Ge|gen|un|ter|schrift** *w. 10;* **Ge|gen|vor|wurf** *m. 2;* **Ge|gen|wart** *w. Gen. - nur Ez.; Gramm.* = Präsens; **ge|gen|wär|tig; ge|gen|warts|be|zo|gen; Ge|gen|warts|be|zo|gen|heit** *w. 10 nur Ez.;* **Ge|gen|warts|form** *w. 10* = Präsens; **ge|gen|warts|nah, ge|gen|warts|na|he; Ge|gen|wehr** *w. 10 nur Ez.;* **Ge|gen|wert** *m. 1;* **Ge|gen|wind** *m. 1 nur Ez.;*

Ge|gen|wir|kung *w. 10;* **ge|gen|zeich|nen** *tr. 2* als zweiter unterschreiben (zur Kontrolle); ich zeichne gegen, habe gegengezeichnet; **Ge|gen|zeich|nung** *w. 10;* **Ge|gen|zug** *m. 2*
Geg|ner *m. 5;* **Geg|ne|rin** *w. 10;* **geg|ne|risch; Geg|ner|schaft** *w. 10 nur Ez.*
gegr. *Abk. für* gegründet
Ge|grö|le *s. Gen. -s nur Ez.*
Ge|grun|ze *s. Gen. -s nur Ez.*
geh. *Buchw.: Abk. für* geheftet (in bibliografischen Angaben); vgl. heften
Ge|ha|be *s. Gen. -s nur Ez.* Getue, Ziererei; **ge|ha|ben** *refl., nur noch in der Wendung* gehab dich wohl!: lass es dir gut gehen!; **Ge|ha|ben** *s. Gen. -s nur Ez.* Benehmen, Gebaren
Ge|hack|te(s) *s. 18 (17)* Hackfleisch
Ge|halt 1 *s. 4* festes Einkommen; **2** *m. 1* Inhalt, Anteil (eines Stoffes in einer Mischung); **ge|halt|arm; ge|hal|ten** *nur prädikativ:* verpflichtet; Sie sind g., mir regelmäßig Nachricht zu geben; **ge|halt|los; Ge|halt|lo|sig|keit** *w. 10 nur Ez.;* **ge|halt|reich**
Ge|halts|an|spruch *m. 2 meist Mz.;* **Ge|halts|emp|fän|ger** *m. 5;* **Ge|halts|er|hö|hung** *w. 10;* **Ge|halts|stu|fe** *w. 11;* **Ge|halts|zah|lung** *w. 10*
ge|halt|voll
Ge|häm|mer, Ge|hämm|re *s. Gen. -s nur Ez.*
ge|han|di|kapt [-hændikæpt, engl.] benachteiligt, behindert
Ge|hän|ge *s. 5*
ge|har|nischt
ge|häs|sig; Ge|häs|sig|keit *w. 10*
Ge|has|te *s. Gen. -s nur Ez.*
Ge|häu|se *s. 5*
Ge|heck *s. 1* die Jungen (vom Raub-, Federwild und von Mäusen)
Ge|he|ge *s. 5*
ge|heim; im Geheimen; geheimer Vorbehalt; geheimes Wahlrecht; Geheimer Rat; Geheime Staatspolizei (1933–1945, *Kurzw.:* Gestapo); geheim bleiben; **Ge|heim|bund** *m. 2;* **Ge|heim|bün|de|lei** *w. 10 nur Ez.;* **Ge|heim|bünd|ler** *m. 5;* **Ge|heim|dienst** *m. 1;* **Ge|heim|fach** *s. 4;* **ge|heim|hal|ten** ► **ge|heim hal|ten** *tr. 61;* **Ge|heim|**hal|tung *w. 10 nur Ez.;* **Ge|heim|leh|re** *w. 11;* **Ge|heim|nis** *s. 1;* **Ge|heim|nis|krä|mer** *m. 5;* **Ge|heim|nis|krä|me|rei** *w. 10 nur Ez.;* **Ge|heim|nis|tu|e|rei** *w. 10 nur Ez.;* **ge|heim|nis|tu|e|risch; Ge|heim|nis|ver|rat** *m. Gen. -s nur Ez.;* **ge|heim|nis|voll; Ge|heim|po|li|zei** *w. 10 nur Ez.;* **Ge|heim|po|li|zist** *m. 10;* **Ge|heim|rat** *m. 2;* **Ge|heim|rats|e|cken** *w. 11 Mz., ugs. scherzh.:* zurückweichender Haaransatz beidseits der Stirn; **Ge|heim|schrift** *w. 10;* **Ge|heim|sen|der** *m. 5;* **Ge|heim|spra|che** *w. 11;* **ge|heim|sprach|lich; Ge|heim|tu|e|rei** *w. 10 nur Ez.;* **ge|heim|tu|e|risch; ge|heim|tun** ► **ge|heim tun** *intr. 167;* **Ge|heim|tür** *w. 10;* **Ge|heim|waf|fe** *w. 11;* **Ge|heim|wis|sen|schaft** *w. 10;* **Ge|heim|zei|chen** *s. 7*

> **geheim halten/tun:** Ist das Adjektiv in der Verbindung Adjektiv und Verb steigerbar oder erweiterbar, wird das Gefüge getrennt geschrieben: *Die Supermächte wollten das Abkommen geheim halten.* →§ 34 E3 (3)

Ge|heiß *s. 1 nur Ez.;* auf G. von ...; auf sein G. (hin)
Ge|hemmt|heit *w. 10 nur Ez.*
ge|hen *intr. 47;* schlafen g.; jmdn. gehen lassen
Ge|henk *s. 1* Gürtel zum Anhängen einer Waffe
ge|hen|las|sen ► **ge|hen las|sen** *refl. 75* sich unbeherrscht, lässig benehmen
Ge|hen|na [hebr.-lat.] *w. Gen. - nur Ez., jüd. Bez. für* Hölle
Ge|her *m. 5*
ge|heu|er *nur in verneinenden Sätzen:* hier ist es mir nicht (ganz) g., *oder:* die Sache ist mir nicht geheuer
Ge|heul, Ge|heu|le *s. Gen. -s nur Ez.*
Geh|gips *m. 1* Gipsverband, durch den Gehen möglich ist
Ge|hil|fe *m. 11;* **Ge|hil|fin** *w. 10*
Ge|hirn *s. 1;* **Ge|hirn|blu|tung** *w. 10;* **Ge|hirn|er|schüt|te|rung** *w. 10;* **Ge|hirn|haut** *w. 2;* **Ge|hirn|haut|ent|zün|dung** *w. 10* Meningitis; **Ge|hirn|schlag** *m. 2;* **Ge|hirn|wä|sche** *w. 11* Zerstörung des Willens und der Persönlichkeit durch physische und psychische Foltern sowie Medikamente
gehl *veraltete Nebenform von* gelb
Ge|höft *s. 1* Bauernhof
Ge|hölz *s. 1;* **Ge|hol|ze** *s. Gen. -s nur Ez., Sport, Mus.:* stümperhaftes Spiel
Ge|hör *s. 1 nur Ez.*
ge|hor|chen *intr. 1*
ge|hö|ren 1 *intr. 1;* (zu) jmdm. g.; **2** *refl. 1* sich schicken, ordentlich, richtig sein
Ge|hör|feh|ler *m. 5;* **Ge|hör|gang** *m. 2*
ge|hö|rig
ge|hör|los; Ge|hör|lo|sen|schu|le *w. 11;* **Ge|hör|lo|sig|keit** *w. 10 nur Ez.*
Ge|hörn *s. 1,* **ge|hörnt**; gehörnter Ehemann *übertr.:* betrogener E.; vgl. Horn
Ge|hör|or|gan *s. 1*
ge|hor|sam; Ge|hor|sam *m. Gen. -s nur Ez.;* **Ge|hor|sams|ver|wei|ge|rung** *w. 10*
Ge|hör|sinn *m. 1 nur Ez.*
Geh|pelz *m. 1* kurzer Herrenpelzmantel
Geh|re *w. 11* **1** = Gehrung; **2** = Gehren; **3** Fischspieß; **geh|ren** *tr. 1* schräg abschneiden; **Geh|ren** *m. 7,* Geh|re *w. 11* **1** Zwickel, Einsatz, Keil; **2** dreieckiges Grundstück
Geh|rock *m. 2, früher:* knielanger, dunkler Männerrock
Geh|rung *w. 10,* Geh|re *w. 11* spitzer Zuschnitt von Brettern oder Leisten, die im Winkel zusammengesetzt werden sollen (gewöhnlich 45°); **Geh|rungs|win|kel** *m. 5*
Geh|steig *m. 1*
Ge|hu|del *s. 5 nur Ez.* schlechte Arbeit, schlechtes (musikal.) Spiel
Ge|hus|te *s. Gen. -s nur Ez., ugs.*
Geh|ver|band *m. 2* Verband am Bein, mit dem Gehen möglich ist; **Geh|weg** *m. 1;* **Geh|werk** *s. 1* (z.B. in der Uhr); **Geh|werk|zeu|ge** *s. 1 Mz.*
Gei *w. 1,* Gei|tau *s. 1* Tau zum Befestigen von Segeln; **gei|en** *tr. 1* zusammenziehen (Segel)
Gei|er *m. 5*
Gei|fer *m. 5 nur Ez.;* **gei|fe|rig,** geif|rig; **gei|fern** *intr. 1*
Gei|ge *w. 11;* **gei|gen** *intr. 1;* **Gei|gen|bau|er** *m. 5;* **Gei|ger** *m. 5*
Gei|ger|sches Zähl|rohr [nach dem Physiker Hans Geiger] *s. 1,* **Gei|ger|zäh|ler** *m. 5* Gerät zum Nachweis radioaktiver Strahlung
geil 1 kräftig, üppig (Pflanze);

2 lüstern, geschlechtlich erregt; 3 *Jugendspr.:* großartig, toll; **Gei|le** *w. 11 nur Ez.* Geilheit; vgl. Geilen; **gei|len** *intr. 1* geschlechtlich erregt sein; gierig verlangen (nach); **Gei|len** *w. 11 Mz.* Hoden (beim Hund und Wild); **Geil|heit** *w. 10 nur Ez.*
Gei|sa *Mz. von* Geison
Gei|sel *w. 11;* eine G. nehmen; *auch: m. 5*
Gei|ser *m. 5, eindeutschende Schreibung für* Geysir
Gei|sha [geʃa, jap.] *w. 9* Tänzerin, Sängerin und Unterhalterin in japan. Teehäusern
Gei|son [griech.] *m. Gen.* -s *Mz.* -s *oder* -sa Kranzgesims an griech. Tempeln
Geiß *w. 10, süddt., österr.:* Ziege, weibl. Reh (Rehgeiß), weibl. Gämse (Gamsgeiß), weibl. Steinbock (Steingeiß); **Geiß|bart** *m. 2 nur Ez.* eine Wiesenpflanze; **Geiß|blatt** *s. 4 nur Ez.* eine Kletterpflanze, Jelängerjelieber; **Geiß|bock** *m. 2, süddt.:* Ziegenbock
Gei|ßel *w. 11* 1 Peitsche; 2 Fortbewegungsorgan mancher Einzeller; 3 *übertr.:* Plage, Heimsuchung; **Gei|ßel|bru|der** *m. 6,* Geiß|ler *m. 5* = Flagellant; **gei|ßeln** *tr. 1;* ich geißele, geißle es; **Gei|ßel|tier|chen** *s. 7* ein Einzeller, Flagellat; **Gei|ße|lung,** Geiß|lung *w. 10 nur Ez.*
Geiß|fuß *m. 2* 1 Brecheisen; 2 winkliges Messer für Linol- und Holzschnitte; 3 *nur Ez.* ein Wiesenkraut, Giersch; **Geiß|lein** *s. 7*
Geiß|ler *m. 5* = Geißelbruder
Geiß|ler|sche Röh|re [nach dem Mechaniker Heinrich Geißler] *w. 11* elektr. Entladungsröhre
Geist 1 *m. 3;* 2 *m. 1* Alkohol, z.B. Himbeergeist, Weingeist; **Geist|chen** *s. 7* ein Schmetterling; **Geis|ter|be|schwö|rung** *w. 10;* **Geis|ter|er|schei|nung** *w. 10;* **Geis|ter|fah|rer** *m. 5* Autofahrer, der auf der falschen Seite der Fahrbahn fährt; **geis|ter|haft; geis|tern** *intr. 1;* **Geis|ter|schrei|ber** *m. 5, eindeutschend für* Ghostwriter; **Geis|ter|stun|de** *w. 11;* **geis|tes|ab|we|send; Geis|tes|ab|we|sen|heit** *w. 10 nur Ez.;* **Geis|tes|ar|bei|ter** *m. 5;* **Geis|tes|blitz** *m. 1;* **Geis|tes|ga|ben** *w. 11 Mz.;* **Geis|tes|ge|gen|wart** *w. Gen. - nur Ez.;* **geis|tes|ge|gen|wär|tig; geis|tes|ge|stört; Geis|tes|ge|stört|heit** *w. 10 nur Ez.;* **geis|tes|krank; Geis|tes|kran|ke(r)** *m. 18 (17) bzw. w. 17 oder 18;* **Geis|tes|krank|heit** *w. 10;* **geis|tes|schwach; Geis|tes|schwä|che** *w. 11 nur Ez.;* **Geis|tes|stö|rung** *w. 10;* **geis|tes|ver|wandt; Geis|tes|ver|wandt|schaft** *w. 10 nur Ez.;* **Geis|tes|wis|sen|schaf|ten** *w. 10 Mz.;* **Geis|tes|wis|sen|schaft|ler** *m. 5;* **geis|tes|wis|sen|schaft|lich; Geis|tes|zu|stand** *m. 2;* **geis|tig**; geistige Getränke: alkohol. Getränke; **Geis|tig|keit** *w. 10 nur Ez.;* **geist|lich; Geist|li|che(r)** *m. 18 (17);* **Geist|lich|keit** *w. 10 nur Ez.* Gesamtheit der Geistlichen; **geist|los; Geist|lo|sig|keit** *w. 10 nur Ez.;* **geist|reich; Geist|rei|che|lei** *w. 10 nur Ez.* geistreiches Gerede; **geist|sprü|hend; geist|tö|tend; geist|voll**
Gei|tau *s. 1* = Gei
Geiz 1 *m. 1 nur Ez.;* 2 *m. 1, Bot.:* Seitentrieb; **gei|zen** *intr. 1;* mit etwas g.; **Geiz|hals** *m. 2;* **gei|zig; Geiz|kra|gen** *m. 7*
Ge|jam|mer *s. Gen.* -s *nur Ez.*
Ge|keif, Ge|kei|fe *s. Gen.* -s *nur Ez.*
Ge|ki|cher *s. Gen.* -s *nur Ez.*
Ge|kläff *s. Gen.* -s *nur Ez.*
Ge|klap|per, Ge|klapp|re *s. Gen.* -s *nur Ez.*
Ge|klim|per, Ge|klimp|re *s. Gen.* -s *nur Ez.*
Ge|klin|gel, Ge|kling|le *s. Gen.* -s *nur Ez.*
Ge|klirr, Ge|klir|re *s. Gen.* -s *nur Ez.*
Ge|klop|fe *s. Gen.* -s *nur Ez.*
Ge|klüft *s. Gen.* -(e)s *nur Ez.,* **Ge|klüf|te** *s. Gen.* -s *nur Ez.*
Ge|knat|ter *s. Gen.* -s *nur Ez.*
Ge|krächz *s. Gen.* -es *nur Ez.,* **Ge|kräch|ze** *s. Gen.* -s *nur Ez.*
Ge|kra|kel, Ge|krak|le *s. Gen.* -s *nur Ez.*
Ge|kreisch, Ge|krei|sche *s. Gen.* -s *nur Ez.*
Ge|krit|zel, Ge|kritz|le *s. Gen.* -s *nur Ez.*
Ge|krö|se *s. Gen.* -s *nur Ez.* 1 Magen und Darm umschließende Bauchfellfalten; 2 Gedärme von Kalb und Lamm
Gel [Kurzw. aus Gelatine] *s. 1* gallertartige kolloidale Lösung
Ge|lab|ber *s. 5, ugs.:* fades, dünnes, lauwarmes Getränk
Ge|läch|ter *s. 5*
ge|lack|mei|ert *ugs.:* betrogen, angeführt, hereingefallen
Ge|la|ge *s. 5;* **Ge|lä|ger** *s. 5* bei der Gärung entstehender Niederschlag
ge|lahrt *veraltet, noch scherzh.:* gelehrt
Ge|län|de *s. 5;* **Ge|län|de|fahrt** *w. 10;* **ge|län|de|gän|gig** (Fahrzeug); **Ge|län|de|lauf** *m. 2*
Ge|län|der *s. 5*
Ge|län|de|ritt *m. 2;* **Ge|län|de|spiel** *s. 1;* **Ge|län|de|übung** *w. 10*
ge|lan|gen *intr. 1;* an ein Ziel g.: ein Ziel erreichen; an jmdn. g. *schweiz.:* sich an jmdn. wenden
ge|lappt
Ge|laß ► **Ge|lass** *s. 1, veraltet:* kleiner, meist dunkler Raum
ge|las|sen gleichmütig; **Ge|las|sen|heit** *w. 10 nur Ez.*
Ge|la|ti|ne [ʒe-, neulat.] *w. 11 nur Ez.* quellbarer Leim aus frischen Knochen (für Speisen, lichtempfindl. Schichten, Farbdruckwalzen u.a.); **ge|la|ti|nie|ren** *tr. u. intr. 3* (sich) in Gelatine verwandeln; **ge|la|ti|nös** wie Gelatine
Ge|läuf *s. 1* 1 Boden der Pferderennbahn; 2 *Jägerspr.:* Spur des Federwildes; **ge|läu|fig; Ge|läu|fig|keit** *w. 10 nur Ez.;* **Ge|läu|fig|keits|übung** *w. 10*
ge|launt; gut, schlecht g. sein; ein schlecht gelauntes Kind; das Kind ist schlecht gelaunt
Ge|läut *s. 1 nur Ez.* 1 Glockenläuten; 2 *Jägerspr.:* Gebell (der Jagdhunde)
gelb; gelbes Fieber *volkstüml. für* Gelbfieber; gelbe Rübe = Möhre; das gelbe Trikot: Trikot des jeweils in der Gesamtwertung führenden Fahrers bei der Tour de France; vgl. grünes Trikot; der Gelbe Fluss (in China); vgl. blau; **Gelb** *s. Gen.* -s *nur Ez.;* die Ampel zeigt Gelb; das Zimmer ist in Gelb gehalten; sie trägt gern Gelb; **gelb|braun**; *Schreibung in Zus. mit anderen Farben* vgl. blau; **Gelb|buch** *s. 4* →Farbbuch von Frankreich; **Gelb|fie|ber** *s. 5* mit Gelbsucht einhergehende, fieberhafte Infektionskrankheit in warmen Ländern; **Gelb|kreuz** *s. 1 nur Ez.* = Senfgas
gelb|lich; gelb|lich|braun ► **gelb|lich braun; gelb|lich|rot** ► **gelb|lich rot; Gelb|ling**

► = wird zu

m. 1 = Pfifferling; **Gelbsucht** *w. Gen. - nur Ez.;* **Gelbwurz** *w. 10,* **Gelbwurzel** *w. 11* ein Ingwergewächs, Kurkuma
Geld *s. 3* (*auf Kurszetteln Abk.:* G); **Geldbeutel** *m. 5;* **Geldbörse** *w. 11;* **Geldbriefträger** *m. 5;* **Geldeswert** *m. 1 nur Ez.;* **Geldgeber** *m. 5;* **Geldgeschenk** *s. 1;* **Geldgier** *w. Gen. - nur Ez.;* **geldgierig; Geldheirat** *w. 10;* **Geldinstitut** *s. 1;* **Geldkatze** *w. 11, früher:* am Gürtel getragene Geldbörse; **geldlich; Geldquelle** *w. 11;* **Geldsache** *w. 11;* **Geldschein** *m. 1;* **Geldschneiderei** *w. 10 nur Ez.;* **Geldschrank** *m. 2;* **Geldschrankknacker** *m. 5;* **Geldstrafe** *w. 11;* **Geldstück** *s. 1;* **Geldsumme** *w. 11;* **Geldtasche** *w. 11;* **Geldverlegenheit** *w. 10 nur Ez.;* in G. sein; **Geldwäsche** *w. nur Ez.* gesetzwidriges Einschleusen von Geld in den Geldkreislauf; **Geldwechsel** *m. 5 nur Ez.;* **Geldwert** *m. 1*
Gelee [ʒə-, frz.] *s. 9, auch: m. 9* mit Zucker eingekochter Fruchtsaft
Gelege *s. 5*
gelegen 1 befindlich, liegend; das Haus ist am Meer g.; **2** passend; das kommt mir sehr g.; **3** mir ist nicht daran g.: mir liegt nichts daran; **Gelegenheit** *w. 10;* **Gelegenheitsarbeit** *w. 10;* **Gelegenheitsarbeiter** *m. 5;* **Gelegenheitsgedicht** *s. 1;* **Gelegenheitskauf** *m. 2;* **gelegentlich;** g. einer Mitgliederversammlung, *besser:* bei einer Mitgliederversammlung
gelehrig; Gelehrigkeit *w. 10 nur Ez.;* **gelehrsam; Gelehrsamkeit** *w. 10 nur Ez.;* **gelehrt; Gelehrte(r)** *m. 18 (17);* **Gelehrtheit** *w. 10 nur Ez.*
Geleier, Geleire *s. Gen. -s*
Geleise *s. 5* **1** = Gleis; **2** *übertr.:* Bahn, gewohnte Ordnung; aus dem G. geraten; wieder ins richtige G. kommen
Geleit *s. 1 nur Ez.,* **Geleite** *s. 5 nur Ez.;* **geleiten** *tr. 2;* **Geleitschutz** *m. Gen. -es nur Ez.;* **Geleitsherr** *m. Gen. -n Mz. -en, MA:* jmd., der jmdm. Geleit gewährt; **Geleitsmann** *m. 4, Mz. auch:* -leute, *MA:* Angehöriger des Geleits; **Geleitwort** *s. 1;* **Geleitzug** *m. 2*

gelenk *Nebenform von* gelenkig, *Ggs.:* ungelenk; **Gelenk** *s. 1;* **Gelenkentzündung** *w. 10;* **gelenkig; Gelenkigkeit** *w. 10 nur Ez.;* **Gelenkkopf** *m. 2;* **Gelenkpfanne** *w. 11;* **Gelenkrheumatismus** *m. Gen. - nur Ez.;* **Gelenkschmerz** *m. 12;* **Gelenksentzündung** *w. 10, österr.;* **Gelenkwagen** *m. 7;* **Gelenkwelle** *w. 11* = Kardanwelle
Geleucht *s. 1, Bgb.:* Grubenlampe
Gelichter *s. 5 nur Ez.* Gesindel
Geliebte(r) *m. 18 (17) bzw. w. 17 oder 18*
gelieren [ʒə-, frz.] *intr. 3* sich in Gelee verwandeln, dick werden; **Gelierung** *w. 10 nur Ez.;* **Gelierzucker** *m. 5*
gelind, gelinde
gelingen *intr. 48*
gell schrill, durchdringend; ein geller Schrei, *meist:* gellend
gell? *bayr. für* gelt?
gellen *intr. 1;* gellend schreien
geloben *tr. 1;* **Gelöbnis** *s. 1*
Gelock *s. Gen. -s nur Ez.*
Gelse *w. 11, österr.:* Stechmücke
gelt vorübergehend nicht tragend und keine Jungen führend (Wild)
gelt? *süddt., österr.:* nicht wahr?, ja?
gelten *intr. 49;* einen Anspruch geltend machen; **Geltendmachung** *w. 10 nur Ez.*
Geltstag *m. 1, schweiz. veraltet:* Konkurs, Bankrott; **geltstagen** *intr. 1* in Konkurs gehen, Bankrott machen
Gelttier *s. 1* beschlagenes, aber nicht tragendes weibl. Wild
Geltung *w. 10 nur Ez.;* **Geltungsbedürfnis** *s. 1 nur Ez.;* **geltungsbedürftig; Geltungstrieb** *m. 1 nur Ez.*
Gelübde *s. 5*
Gelumpe *s. Gen. -s nur Ez., sächs.:* alter Kram
Gelünge *s. Gen. -s nur Ez., Jägerspr.* = Geräusch (**2**)
gelungen *süddt.:* drollig, ulkig, komisch
Gelüst *s. 1,* **Gelüste** *s. 5;* **gelüsten** *tr. 2, unpersönlich:* es gelüstet mich, *oder:* mich gelüstet nach einem Stück Kuchen; **gelüstig** begierig
Gelze *w. 11* verschnittene Sau; **gelzen** *tr. 1* verschneiden (Schwein); **Gelzung** *w. 10*

GEMA *Kurzw. für* Gesellschaft für musikal. Aufführungs- und mechan. Vervielfältigungsrechte
gemach *poet.:* langsam, gemächlich, allmählich; **Gemach** *s. 4, poet.:* Zimmer; **gemächlich**
Gemächt *s. 1,* **Gemächte** *s. 5* männl. Glied, männl. Geschlechtsteil
Gemahl 1 *m. 1* Ehemann; **2** *s. 1, veraltet poet. für* Gemahlin; **Gemahlin** *w. 10* Ehefrau
gemahnen *tr. 1* mahnen, erinnern; das gemahnt mich an eine Verpflichtung
Gemälde *s. 5;* **Gemäldegalerie** *w. 11;* **Gemäldesammlung** *w. 10*
Gemarkung *w. 10* **1** Grenze; **2** Gemeindeflur
gemäß; dem Gesetz g.; g. seiner Anweisung; das ist mir nicht g.: das passt nicht zu mir; **...gemäß** entsprechend, z. B. ordnungsgemäß, zeitgemäß; vgl. ...mäßig; **gemäßigt**
Gemäuer *s. 5*
Gemecker, Gemeckre *s. Gen. -s nur Ez.*
gemein; sich mit jmdm. gemein machen: auf die gleiche (niedrigere) Stufe stellen; **Gemeinbesitz** *m. 1 nur Ez.;* **Gemeinde** *w. 11;* **Gemeindeammann** *m. 4, schweiz.:* Gemeindevorsteher; **Gemeinderat** *m. 2;* **Gemeindeschwester** *w. 11;* **Gemeindesteuer** *w. 11;* **gemeindeutsch 1** gesamtdeutsch; **2** umgangsdeutsch; **Gemeindevertretung** *w. 10;* **Gemeindewahl** *w. 10;* **gemeindlich; Gemeine 1** *w. 11, Nebenform von* Gemeinde; **2** *m. 17 Mz., Buchw.:* Kleinbuchstaben; **Gemeineigentum** *s. Gen. -s nur Ez.;* **Gemeine(r)** *m. 18 (17), früher:* Soldat ohne Dienstrang; **gemeingefährlich; Gemeingefährlichkeit** *w. 10 nur Ez.;* **gemeingermanisch** = urgermanisch; **Gemeingut** *s. 4;* **Gemeinheit** *w. 10;* **gemeinhin** im Allgemeinen; **Gemeinkosten** *nur Mz.* Kosten, die nicht auf die einzelnen Produkte umgelegt werden können; **Gemeinnutz** *m. Gen. -es nur Ez.;* **gemeinnützig; Gemeinnützigkeit** *w. 10 nur Ez.;* **Gemeinplatz** *m. 2* nichts sagende Redensart; **gemein-**

sam; Gemeinsamer Markt; **Ge|mein|sam|keit** *w. 10;* **Ge|mein|schaft** *w. 10;* **ge|mein|schaft|lich; Ge|mein|schafts|an|ten|ne** *w. 11;* **Ge|mein|schafts|ar|beit** *w. 10;* **Ge|mein|schafts|er|zie|hung** *w. 10 nur Ez.* gemeinsame Erziehung von Jungen und Mädchen; **Ge|mein|schafts|ge|fühl** *s. 1 nur Ez.;* **Ge|mein|schafts|schu|le** *w. 11;* **Ge|mein|schafts|ver|pfle|gung** *w. 10 nur Ez.;* **Ge|mein|schuld|ner** *m. 5* jmd., über dessen Vermögen der Konkurs eröffnet worden ist; **Ge|mein|sinn** *m. 1 nur Ez.;* **Ge|mein|spra|che** *w. 11* Umgangssprache; **Ge|mein|we|sen** *s. 7;* **Ge|mein|wohl** *s. Gen. -s nur Ez.*

Ge|mel|lus [lat.] *m. Gen. - Mz.* -li Zwilling

Ge|men|ge *s. 5;* **Ge|men|ge|la|ge** *w. 11* Zustand einer Ackerflur mit verstreut liegenden Parzellen; **Ge|men|ge|saat** *w. 10* Mischsaat aus verschiedenen Pflanzen; **Ge|meng|sel** *s. 5*

ge|mes|sen; Ge|mes|sen|heit *w. 10 nur Ez.*

Ge|met|zel *s. 5*

Ge|mi|na|te [lat.] *w. 11* Doppelkonsonant; **Ge|mi|na|ti|on** *w. 10* Verdoppelung von Konsonanten; **ge|mi|nie|ren** *tr. 3* verdoppeln

Ge|mi|ni|pro|gramm *s. Gen. -s nur Ez.* Programm des Weltraumflugs der USA mit Zwei-Mann-Kapseln

Ge|misch *s. 1;* **Ge|mischt|bau|wei|se** *w. 11 nur Ez.* Bauweise von Wohnsiedlungen mit Hoch- und niedrigeren Häusern; **Ge|mischt|wa|ren|hand|lung** *w. 10, veraltet;* **ge|mischt|wirt|schaft|lich**; gemischtwirtschaftl. Unternehmen: Mischform von privater und öffentlicher Unternehmung

Gem|me [lat.] *w. 11* Halbedelstein mit vertieft eingeschnittener Verzierung, Intaglio; *Ggs.:* Kamee; **Gem|mo|glyp|tik** *w. 10 nur Ez.* Steinschneidekunst; **Gem|mu|la** [lat. »Knöspchen«] *w. Gen. - Mz. -* -lae [-lɛ:] Fortpflanzungsorgan der Süßwasserschwämme

Gems|bock ▸ **Gäms|bock** *m. 2;* **Gem|se** ▸ **Gäm|se** *w. 11;* **gems|far|ben** ▸ **gäms|far|ben**

Ge|mun|kel *s. 5 nur Ez.*

Ge|mur|mel *s. 5 nur Ez.*

Ge|mü|se *s. 5;* **Ge|mü|se|gar|ten** *m. 8;* **Ge|mü|se|pflan|ze** *w. 11*

Ge|müt 1 *s. 1 nur Ez.;* sich etwas zu Gemüte führen *ugs.:* essen, trinken, *auch:* lesen; **2** *s. 3* Mensch im Hinblick auf sein Temperament, auf sein Gemüt; sonniges G.; erregte Gemüter; **ge|müt|lich; Ge|müt|lich|keit** *w. 10 nur Ez.;* **ge|müt|los; ge|müts|arm; Ge|müts|ar|mut** *w. 10 nur Ez.;* **Ge|müts|art** *w. 10;* **Ge|müts|be|we|gung** *w. 10;* **ge|müts|krank; Ge|müts|krank|heit** *w. 10;* **Ge|müts|le|ben** *s. 7 nur Ez.;* **Ge|müts|mensch** *m. 10;* **Ge|müts|ru|he** *w. Gen. - nur Ez.;* **Ge|müts|ver|fas|sung** *w. 10;* **Ge|müts|zu|stand** *m. 2;* **ge|müt|voll**

gen *veraltet, noch poet. für* gegen, nach; gen Süden

Gen [griech.] *s. 1* Erbfaktor, in den Chromosomen lokalisierte Erbeinheit

gen. *Abk. für* genannt (bei Namen)

ge|nant [ʒə-, frz.] **1** peinlich; so, dass man sich genieren muss; **2** sich leicht genierend, übertrieben schamhaft

ge|nä|schig naschhaft

ge|nau; aufs genaueste untersuchen; *auch:* aufs Genaueste..., ich weiß nichts Genaues; **ge|nau|ge|nom|men;** ▸ **ge|nau ge|nom|men**; genau genommen

> **genau genommen, auf das genaueste/Genaueste:** Verbindungen aus Adjektiv und Verb/Partizip werden getrennt geschrieben, wenn das Adjektiv durch *sehr* erweiterbar ist: *Sie hat das Gesetz (sehr) genau genommen.* →§ 34 E3 (3)
> Die substantivierte Form wird großgeschrieben: *Das war das Genaueste.* →§ 57 (1)
> Daneben können Superlativformen als feste adverbiale Wendungen kleingeschrieben werden: *Auf das genaueste folgte er ihrem Rat.* →§ 58 E1

verhält es sich anders; **Ge|nau|ig|keit** *w. 10 nur Ez.;* **ge|nau|so**; vgl. ebenso; **ge|nauso gut**

Gen|darm [ʒɑ̃-, ʒan-, frz.] *m. 10* Polizist; **Gen|dar|me|rie** *w. 11*

Gene [ʒɛn, frz.] *w. Gen. - nur Ez.* Schamhaftigkeit, Schüchternheit

Ge|ne|a|lo|ge [griech.] *m. 11;* **Ge|ne|a|lo|gie** *w. 11* Lehre von den Geschlechtern, ihrer Abstammung und ihren Beziehungen zueinander, Geschlechterkunde, Familienkunde, Familienforschung, Ahnenforschung; **ge|ne|a|lo|gisch**

ge|nehm angenehm, recht; das ist mir nicht g.; **ge|neh|mi|gen** *tr. 1;* sich einen g. *ugs.:* einen Schnaps trinken; **Ge|neh|mi|gung** *w. 10*

ge|neigt 1 wohlwollend; an den geneigten Leser; **2** gewillt, gesonnen; ich bin (nicht) g., ihm das zu sagen; **Ge|neigt|heit** *w. 10 nur Ez.*

Ge|ne|ra *Mz. von* Genus

Ge|ne|ral *m. 1 oder m. 2;* **Ge|ne|ral...** *in Zus.:* Haupt..., Allgemein..., Ober...; **Ge|ne|ral|ab|so|lu|ti|on** *w. 10;* **Ge|ne|ral|a|gent** *m. 10* **Ge|ne|ral|a|gen|tur** *w. 10;* **Ge|ne|ral|arzt** *m. 2; Mil.:* Arzt im Generalsrang; **Ge|ne|ra|lat** *s. 1* **1** Rang, Würde eines Generals; **2** Amtsbereich, Amtssitz eines Ordensgenerals; **Ge|ne|ral|baß** ▸ **Ge|ne|ral|bass** *m. 2* = Basso continuo; **Ge|ne|ral|beich|te** *w. 11;* **Ge|ne|ral|be|voll|mäch|tig|te(r)** *m. 18 (17);* **Ge|ne|ral|di|rek|tor** *m. 13;* **Ge|ne|ra|le** *s. Gen. -s Mz.* -li|en *oder* -lia *meist Mz.* allgemeine Angelegenheit; **Ge|ne|ral|feld|mar|schall** *m. 2;* **Ge|ne|ral|gou|ver|ne|ment** [-guvɛrnəmɑ̃] *s. 9;* **Ge|ne|ral|gou|ver|neur** [-guvɛrnø:r] *m. 1;* **Ge|ne|ra|lia, Ge|ne|ra|li|en** *Mz. von* Generale; **Ge|ne|ral|in|spek|teur** [-tø:r] *m. 1* höchster Rang in der Bundeswehr; **Ge|ne|ral|in|ten|dant** *m. 10* Leiter eines großen oder mehrerer Theater; **Ge|ne|ra|li|sa|ti|on** *w. 10* Verallgemeinerung; **ge|ne|ra|li|sie|ren** *tr. 3* verallgemeinern; **Ge|ne|ra|li|sie|rung** *w. 10;* **Ge|ne|ra|lis|si|mus** *m. Gen. - Mz.* -mi *oder* -mus|se oberster Befehlshaber; **Ge|ne|ra|li|tät** *w. 10* Gesamtheit der Generäle; **ge|ne|ra|li|ter** im Allgemeinen; **Ge|ne|ral|ka|pi|tel** *s. 5* Gesamtheit der Oberen eines kath. Ordens; **Ge|ne|ral|kom|man|do** *s. 9* Stab eines kommandierenden Generals; **Ge|ne|ral|kon|sul** *m. 14* ranghöchster Konsul (**2**); **Ge|ne|ral|kon|su|lat** *s. 1* Amtssitz und -bereich eines Generalkonsuls;

▸ = wird zu

Ge|ne|ral|leut|nant [auch: -ral-] *m. 1;* **Ge|ne|ral|li|nie** *w. 11* allgemeine Richtlinie; **Ge|ne|ral|ma|jor** *m. 1;* **Ge|ne|ral|mu|sik|di|rek|tor** *m. 13* (*Abk.*: GMD) Leiter eines Opernorchesters oder Konzerthauses; **Ge|ne|ral|nen|ner** *m. 5* Hauptnenner; **Ge|ne|ral|o|berst** [auch: -ral-] *m. 10 oder m. 1;* **Ge|ne|ral|pau|se** *w. 11* Pause für alle Orchesterinstrumente zugleich; **Ge|ne|ral|pro|be** *w. 11* letzte Probe vor der ersten Aufführung, Hauptprobe; **Ge|ne|ral|quar|tier|meis|ter** *m. 5;* **Ge|ne|ral|re|si|dent** *m. 10, früher:* frz. Statthalter in Marokko und Tunesien; **Ge|ne|ral|se|kre|tär** *m. 1* **1** Hauptgeschäftsführer (eines wissenschaftlichen Verbandes, einer Partei, einer internationalen Organisation); **2** *ehem. DDR:* Vorsitzender der höchsten Leitungsgremien (Politbüro und Zentralkomitee) kommunist. Parteien; **Ge|ne|ral|staa|ten** *m. 12 Mz., früher:* die Vertreter der sieben ndrl. Provinzialstaaten; *heute:* das ndrl. Parlament; **Ge|ne|ral|staats|an|walt** *m. 2* oberster Staatsanwalt beim Oberlandesgericht; **Ge|ne|ral|stab** *m. 2* Gruppe von Offizieren zur Unterstützung höherer militär. Führer; **Ge|ne|ral|stäb|ler** *m. 5* Angehöriger des Generalstabes; **Ge|ne|ral|stabs|of|fi|zier** *m. 1;* **Ge|ne|ral|stän|de** *m. 2 Mz., früher in Frankreich:* die drei Reichsstände (Adel, Geistlichkeit, Bürgertum); **Ge|ne|ral|streik** *m. 9* Streik in allen Zweigen einer Volkswirtschaft; **Ge|ne|ral|stu|di|um** *s. Gen. -s nur Ez., eindeutschend für* Studium generale; **Ge|ne|ral|su|per|in|ten|dent** *m. 10, früher:* Leiter einer evang. Landeskirche, *heute meist:* Bischof; **Ge|ne|ral|sy|no|de** *w. 11;* **ge|ne|ral|über|ho|len** *tr. 1, nur im Infinitiv und Partizip II:* gründlich überholen; einen Wagen g. lassen; der Wagen wurde erst kürzlich generalüberholt; **Ge|ne|ral|ver|samm|lung** *w. 10* Versammlung aller Mitglieder (eines Vereins u. Ä.); **Ge|ne|ral|ver|tre|ter** *m. 5* oberster Vertreter (einer Firma in einem Bezirk); **Ge|ne|ral|vi|kar** *m. 1, kath. Kirche:* Vertreter des Bischofs in der Verwaltung; **Ge|ne|ral|vi|ka|ri|at** *s. 1* **1** Amt des Generalvikars; **2** Verwaltungsbehörde einer kath. Diözese; **Ge|ne|ral|voll|macht** *w. 10*

Ge|ne|ra|tio ae|qui|vo|ca [lat.] *w. Gen. - nur Ez.* Urzeugung; **Ge|ne|ra|ti|on** *w. 10* **1** Menschenalter, Zeitraum von etwa 30 Jahren; **2** Stufe der Geschlechterfolge; **3** die zu dieser Stufe gehörigen Lebewesen; **4** *Tech.: Sammelbegriff für* Geräte, die sich in ihren Konstruktionsmerkmalen deutlich von früheren oder weiterentwickelten Geräten für denselben Zweck unterscheiden; **Ge|ne|ra|ti|ons|wech|sel** *m. 5* Wechsel zwischen einer Generation mit geschlechtlicher und einer Generation mit ungeschlechtlicher Fortpflanzung, Metagenese; **ge|ne|ra|tiv** auf geschlechtlicher Fortpflanzung beruhend

Ge|ne|ra|tor [lat.] *m. 13* Maschine zur Umwandlung von mechanischer in elektrische Energie

ge|ne|rell [lat.] allgemein, im Allgemeinen

ge|ne|risch [lat.] das Geschlecht betreffend

ge|ne|rös [frz.] freigebig; **Ge|ne|ro|si|tät** *w. 10 nur Ez.* Freigebigkeit

Ge|ne|se [griech.] Entstehung, Entwicklung

ge|ne|sen *intr. 50* gesund werden; sie genas eines Knaben *veraltet:* sie gebar einen Knaben; **Ge|ne|sen|de(r)** *m. 18 (17) bzw. w. 17 oder 18*

Ge|ne|sis [griech.] *w. Gen. - nur Ez.* **1** Schöpfungsgeschichte; **2** das erste Buch Mosis

Ge|ne|sung *w. 10 nur Ez.;* **Ge|ne|sungs|heim** *s. 1*

Ge|ne|tik [griech.] *w. 10 nur Ez.* Vererbungslehre; **ge|ne|tisch** **1** entstehungsgeschichtlich; **2** auf Vererbung beruhend, die Vererbung betreffend

Ge|ne|tiv *m. 1* = Genitiv

Ge|net|te [ʒə-, arab.-frz.] *w. 11* eine Gattung der Schleichkatzen, Ginsterkatze

Ge|ne|ver [auch: ʒə-, frz.] *m. 5* Wacholderbranntwein

Ge|ne|za|reth, See *bibl. Bez. für den* See von Tiberias in Israel

Genf **1** Hst. des Kantons Genf; **2** Schweizer Kanton; Genfer See; **Gen|fer** *m. 5;* **gen|fe|risch**

ge|ni|al **1** hochbegabt und schöpferisch; **2** hervorragend, bahnbrechend; **ge|ni|a|lisch** **1** in der Art eines Genies; **2** überschwänglich; **Ge|ni|a|li|tät** *w. 10 nur Ez.*

Ge|nick *s. 1;* **Ge|nick|fang** *m. 2, Jägerspr.:* Stich mit dem Genickfänger ins Genick; **Ge|nick|fän|ger** *m. 5* Jagdmesser; **Ge|nick|schuß** ▶ **Ge|nick|schuss** *m. 2;* **Ge|nick|star|re** *w. 11 nur Ez.*

Ge|nie [ʒə-, frz.] *s. 9* **1** *nur Ez.* schöpferische Begabung; **2** hochbegabter und schöpferischer Mensch; **3** *nur Ez., schweiz.:* militär. Ingenieurwesen; **Ge|nie|korps** [ʒəniko:r] *s. Gen. -* [-ko:rs] *Mz. -* [-ko:rs], Ge|nie|trup|pe, *schweiz.:* Pioniertruppe; **Ge|nie|of|fi|zier** *m. 1*

ge|nie|ren [ʒə-, frz.] **1** *tr. 3* stören, belästigen; **2** *refl. 3* sich gehemmt fühlen, sich schämen; **ge|nier|lich** [ʒə-] *ugs. für* genant

ge|nieß|bar; **Ge|nieß|bar|keit** *w. 10 nur Ez.;* **ge|nie|ßen** *tr. 51;* **Ge|nie|ßer** *m. 5;* **ge|nie|ße|risch**

Ge|nie|streich [ʒə-] *m. 1* kluger Streich; **Ge|nie|trup|pe** *w. 11, schweiz.* = Geniekorps; **Ge|nie|zeit** *w. 10 nur Ez.* Sturm-und-Drang-Zeit in der dt. Literaturgeschichte

ge|ni|tal [lat.] zu den Geschlechtsteilen gehörig; **Ge|ni|tal, Ge|ni|ta|le** *s. Gen. -s Mz.* -li|en Geschlechtsteil, -organ

Ge|ni|tiv [griech.], Ge|ne|tiv *m. 1* zweiter Fall der Deklination, Wesfall; **Ge|ni|tiv|ob|jekt** *s. 1;* **Ge|ni|ti|vus** *m. Gen. - Mz.* -vi, *lat. Form von* Genitiv; G. obiectivus: Genitiv als Objekt einer Handlung, z. B. der Erfinder *des Telefons;* G. partitivus: G. als Teil eines Ganzen, partitiver Genitiv, z. B. eine Anzahl *kleiner Häuser,* eins *der Kinder;* G. possessivus: G. des Besitzes, z. B. das Kind *meines Bruders;* G. qualitatis: G. der Eigenschaft, z. B. ein Brief *jüngeren Datums;* G. subiectivus: G. des Subjekts einer Handlung, z. B. die Heimkehr *des Sohnes*

Ge|ni|us [lat.] **1** *m. Gen. - nur Ez.* Schöpferkraft, schöpferischer Geist; **2** *m. Gen. - Mz.* -ni|en Schutzgeist; *in der bildenden Kunst:* geflügelte, niedere Gottheit; G. loci: Schutzgeist, *übertr.:* Atmosphäre eines Ortes

Ge|nom [griech.] *s. 1* Gesamtheit aller in einer Zelle vorhandenen Erbanlagen, i. e. S. nur die des Zellkerns

Ge|nör|gel *s. Gen. -s nur Ez.*

Ge|nos|se *m. 11;* **Ge|nos|senschaft** *w. 10;* **Ge|nos|senschaf|ter, Ge|nos|sen|schaftler** *m. 5;* **ge|nos|sen|schaft|lich; Ge|nos|sen|schafts|bau|er** *m. 5, ehem. DDR;* **Ge|nos|sin** *w. 10;* **Ge|noß|sa|me** ▶ **Genoss|same** *w. 11, schweiz.:* Genossenschaft

Ge|no|typ [griech.] *m. 12,* Ge|no|ty|pus *m. Gen. - Mz.* -pen Gesamtheit der Erbmöglichkeiten; vgl. Idiotyp, Phänotyp; **ge|no|ty|pisch; Ge|no|ty|pus** *m. Gen. - Mz.* -pen **1** = Genotyp; **2** *Biol.:* die eine Gattung bestimmende Art

Gen|re [ʒɑ̃rə, frz.] *s. 9* Gattung, Art, Wesen; **Gen|re|bild** [ʒɑ̃-] *s. 3, in der Kunst:* Darstellung, Schilderung des Alltagslebens; **Gen|re|ma|ler** [ʒɑ̃-] *m. 5;* **Gen|re|ma|le|rei** [ʒɑ̃-] *w. 10*

Gens [lat.] *w. Gen. - Mz.* Gen|tes [-te:s] **1** Stamm, Sippe; **2** *im alten Rom:* Verband von Familien gleicher Abstammung und gleichen Namens

Gent [dʒɛnt, engl.] *m. 9* **1** *engl. Kurzw. für* Gentleman; **2** Stutzer, Geck

Gen|tech|nik *w. 10* = **Gen|tech|no|lo|gie** *w. 11* molekularbiolog. Methoden, um Gene gezielt zu verändern

Gen|ti|a|ne [lat.] *w. 11* = Enzian (**1**)

gen|til [ʒɛn- oder ʒɑ̃-, frz.] *veraltet:* fein, gut erzogen; **Gen|til|hom|me** [ʒɑ̃tijɔm] *m. 9* Mann mit vornehmer Lebensart

Gentle|man *auch:* **Gent|le|man** [dʒɛntlmɛn, engl.] *m. Gen. -s Mz.* -men [-mən] **1** *engl. Bez. für* Herr; **2** Mann von vornehmer Gesinnung; **gentle|man|like** *auch:* **gent|le-** [dʒɛntlmənlaɪk] in der Art eines Gentlemans, vornehm, anständig, ritterlich; **Gentle|men's Agree|ment** *auch:* **Gent|le|men's A|gree|ment** [dʒɛntlmənz əgriːmənt] *s. Gen. - - Mz. - -s* Vereinbarung ohne Vertrag, auf Treu und Glauben; **Gen|try** *auch:* **Gent|ry** [dʒɛntrɪ] *w. Gen. - nur Ez., in England:* niederer Adel

Ge|nu|e|se *m. 11* Einwohner von Genua; **ge|nu|e|sisch**

ge|nug; genug und übergenug; er kann nie genug kriegen; genug haben; ich kann gar nicht genug tun, um…, *aber:* jmdm. →genugtun; **Ge|nü|ge** *w. Gen. - nur Ez.;* jmds. Ansprüchen G. tun, G. leisten; ich kenne das zur G.; **ge|nü|gen** *intr. 1;* **genü|gend; ge|nug|sam** *veraltet:* genügend; *noch in Wendungen wie:* es ist g. bekannt; **ge|nügsam; Ge|nüg|sam|keit** *w. 10 nur Ez.;* **ge|nug|tun** *tr. 167;* jmdm. g.: Genugtuung geben; er konnte sich nicht g. mit Lob: er konnte (es, sie, ihn) gar nicht genug loben; **Ge|nug|tu|ung** *w. 10 nur Ez.;* jmdm. G. leisten, verschaffen; G. fordern

ge|nu|in [lat.] **1** angeboren; **2** echt, unverfälscht

Ge|nus [lat.] *s. Gen. - Mz.* -ne|ra Geschlecht der Substantive und Pronomen, grammatisches Geschlecht; Genus verbi = Aktionsform; **Ge|nus|kauf** *m. 2* = Gattungskauf

Ge|nuß ▶ **Ge|nuss** *m. 2;* **genuß|freu|dig** ▶ **ge|nuss|freudig; ge|nüß|lich** ▶ **ge|nüss|lich; Ge|nüß|ling** ▶ **Ge|nüss|ling** *m. 1, ugs.:* Genussmensch, Genießer; **Ge|nuß|mensch** ▶ **Ge|nuss|mensch** *m. 10;* **Genuß|mit|tel** ▶ **Ge|nuss|mit|tel** *s. 5;* **ge|nuß|reich** ▶ **ge|nuss|reich; Ge|nuß|sucht** ▶ **Genuss|sucht** *w. Gen. - nur Ez.;* **ge|nuß|süch|tig** ▶ **ge|nuss|süch|tig**

Ge|o|bi|on|ten [griech.] *m. Mz.* die im Erdboden lebenden Organismen; **Ge|o|bo|ta|nik** *w. 10 nur Ez.* Lehre von der Verbreitung der Pflanzen auf der Erde, Pflanzengeografie, Phytogeografie; **ge|o|bo|ta|nisch; Ge|o|che|mie** *w. 11 nur Ez.* Lehre von der chem. Zusammensetzung der Erde; **ge|o|che|misch; Ge|o|dä|sie** *w. 11 nur Ez.* Land-, Erdvermessung; **Ge|o|dät** *m. 10* Landvermesser; **ge|o|dä|tisch; Ge|o|ge|nie, Ge|o|go|nie** *w. 11 nur Ez.* Teilgebiet der Geologie, Lehre von der Entstehung und Entwicklung der Erde; **Ge|o|graph** ▶ *auch:* **Ge|o|graf** *m. 10;* **Ge|o|gra|phie** ▶ *auch:* **Ge|o|gra|fie** *w. 11 nur Ez.* Beschreibung der Erde und der Länder der Erde, Erdkunde, Länderkunde; **ge|o|gra|phisch** ▶ *auch:* **ge|o|grafisch; Ge|o|id** *s. 1* Figur der Erdkugel in ihrer tatsächlichen, durch Vermessung bestimmten Form; **Ge|o|lo|ge** *m. 11;* **Ge|o|lo|gie** *w. 11 nur Ez.* Lehre vom Aufbau und von der Geschichte der Erde; **ge|o|lo|gisch; Ge|o|mant** *m. 10;* **Ge|o|man|tie** *w. 11 nur Ez.,* **Ge|o|man|tik** *w. 10 nur Ez., bes. in China und Arabien:* Kunst, aus Figuren im Sand wahrzusagen; **ge|o|mantisch; Ge|o|me|ter** *m. 5, veraltet für* Geodät; **Ge|o|me|trie** *auch:* **-met|rie** *w. 11* Teilgebiet der Mathematik, Lehre von den ebenen und räumlichen Gebilden; **ge|o|me|trisch** *auch:* **-met|risch**; geometrisches Mittel: Mittelwert einer Reihe von n Zahlen, berechnet als n-te Wurzel des Produkts von n Gliedern; geometrischer Ort: Linie oder Fläche, deren sämtliche Punkte dieselbe Bedingung erfüllen; geometrische Reihe: Zahlenreihe, bei der jeweils zwei aufeinander folgende Glieder denselben Quotienten haben; **Ge|o|mor|pho|lo|gie** *w. 11 nur Ez.* Teilgebiet der Geographie, Lehre von den Oberflächenformen der Erde und ihrer Entstehung; **Ge|o|pha|ge** *m. 11* Erdesser; **Ge|o|pha|gie** *w. 11 nur Ez., bei Naturvölkern:* Sitte, Erde zu essen; **Ge|o|phy|sik** *w. 10 nur Ez.* Lehre von den physikalischen Erscheinungen auf und in der Erde; **ge|o|phy|si|ka|lisch; Ge|o|phy|si|ker** *m. 5;* **Ge|o|phyt** *m. 10* Pflanze, deren Zwiebeln, Knollen usw. im Erdboden überwintern; **Ge|o|po|li|tik** *w. 10 nur Ez.* Lehre von der Einwirkung geografischer Gegebenheiten auf die Politik; **ge|o|po|li|tisch; Ge|o|psy|cho|lo|gie** *w. 11 nur Ez.* Lehre vom Einfluss geografischer Gegebenheiten (z. B. Klima) auf die Psyche

Geor|gette [ʒɔrʒɛt, frz.] *w. Gen. - nur Ez.* schleierartiges Seiden-, Woll- oder Baumwollgewebe

Geor|gia [dʒɔdʒə] (*Abk.:* GA) Staat der USA

Ge|or|gi|er *m. 5* Angehöriger eines Volkes im südlichen Kaukasus

Ge|or|gi|ne [nach dem Botaniker J. G. Georgi] *w. 11* eine Zierpflanze, Dahlie

▶ = wird zu

Ge|or|gisch *s. Gen.* -(s) *nur Ez.,* zu den kaukas. Sprachen gehörende Sprache der Georgier, Grusinisch
ge|o|ther|misch [griech.] auf Erdwärme beruhend; geothermische Tiefenstufe: Strecke in Richtung des Erdmittelpunktes, bei der die Temperatur um 1 °C zunimmt, etwa 33 m; **Ge|o|ther|mo|me|ter** *s. 5* Gerät zum Messen der Temperatur im Erdinnern; **ge|o|trop, ge|o|tro|pisch** von der Schwerkraft der Erde beeinflussbar; **Ge|o|tro|pis|mus** *m. Gen. - nur Ez.* Fähigkeit von Pflanzen, sich im Wachstum nach der Schwerkraft der Erde zu orientieren; **ge|o|zen|trisch** *auch:* **-zent|risch 1** die Erde als Mittelpunkt der Welt annehmend, z. B. geozentrisches Weltsystem des Ptolemäus; **2** auf den Erdmittelpunkt bezogen, z. B. geozentrischer Ort (eines Himmelskörpers); **Ge|o|zo|o|lo|gie** *w. 11 nur Ez.* Lehre von der Verbreitung der Tiere auf der Erde; **ge|o|zy|klisch** *auch:* **-zyk|lisch** den Umlauf der Erde um die Sonne, *auch:* die Erdumdrehung betreffend
Ge|päck *s. 1 nur Ez.;* **Ge|päck|an|nah|me und -aus|ga|be** *w. 11 nur Ez.;* **Ge|päck|auf|be|wah|rung** *w. 10 nur Ez.;* **Ge|päck|marsch** *m. 2;* **Ge|päck|netz** *s. 1;* **Ge|päcks|auf|ga|be** *w. 11 nur Ez., österr.;* **Ge|päcks|netz** *s. 1, österr.;* **Ge|päcks|stück** *s. 1, österr.;* **Ge|päcks|trä|ger** *m. 5, österr.;* **Ge|päck|stück** *s. 1;* **Ge|päck|trä|ger** *m. 5;* **Ge|päck|wa|gen** *m. 7*
Ge|pard [frz.] *m. 1* Raubtier der Katzenfamilie
ge|pfef|fert *ugs.* **1** derb, unanständig (Witz); **2** sehr hoch (Preis, Rechnung)
Ge|pflegt|heit *w. 10 nur Ez.;* **Ge|pflo|gen|heit** *w. 10* Gewohnheit, Sitte, Brauch
Ge|pi|de *m. 11* Angehöriger eines ostgerman. Volksstammes
Ge|pie|pe, Ge|piep|se *s. Gen.* -s *nur Ez.*
Ge|plän|kel *s. Gen.* -s *nur Ez.*
Ge|plap|per *s. Gen.* -s *nur Ez.*
Ge|plärr, Ge|plär|re *s. Gen.* -s *nur Ez.*
Ge|plät|scher *s. Gen.* -s *nur Ez.*
Ge|plau|der *s. Gen.* -s *nur Ez.*
Ge|pol|ter *s. Gen.* -s *nur Ez.*
Ge|prä|ge *s. Gen.* -s *nur Ez.*
Ge|prän|ge *s. Gen.* -s *nur Ez.*
Ge|pras|sel *s. Gen.* -s *nur Ez.*
ge|punk|tet
Ge|quak, Ge|qua|ke *s. Gen.* -s *nur Ez.;* **Ge|quäk,** Ge|quä|ke *s. Gen.* -s *nur Ez.*
Ge|quas|sel *s. Gen.* -s *nur Ez. ugs.*
Ge|quat|sche *s. Gen.* -s *nur Ez. ugs.*
Ge|quiek, Ge|quie|ke *s. Gen.* -s *nur Ez.*
Ge|quietsch, Ge|quiet|sche *s. Gen.* -s *nur Ez.*
Ger *m. 1* german. Wurfspieß
ge|ra|de, gra|de; gerade Zahlen; fünf gerade sein lassen: es nicht so genau nehmen; das Kind kann gerade (eben, seit kurzem) sitzen, stehen: aufrecht; ich kam gerade heraus, als…, *aber:* etwas geradeheraus sagen; **Ge|ra|de** *w. 18* gerade Linie; **ge|ra|de|aus,** gra|de|aus; geradeaus gehen; **ge|ra|de|bie|gen ▶ ge|ra|de bie|gen** *tr. 12;* **ge|ra|de|hal|ten ▶ ge|ra|de hal|ten** *tr. 61;* **ge|ra|de|her|aus;** etwas g. sagen; vgl. gerade; **ge|ra|de|le|gen ▶ ge|ra|de le|gen** *tr. 1;* **ge|ra|de|ma|chen ▶ ge|ra|de ma|chen** *tr. 1;* **ge|ra|den|wegs,** ge|ra|de|wegs; **ge|ra|de|rich|ten ▶ ge|ra|de rich|ten** *tr. 2;* **ge|ra|de|sit|zen ▶ ge|ra|de sit|zen** *intr. 143;* **ge|ra|de|so** genauso; **ge|ra|de|so|gut ▶ ge|ra|de|so gut; ge|ra|de|so|viel ▶ ge|ra|deso viel; ge|ra|de|ste|hen ▶ ge|ra|de ste|hen** *intr. 151;* du musst gerade stehen!; *aber:* **ge|ra|de|ste|hen** für etwas, jmdn. einstehen; **ge|ra|de|stel|len ▶ ge|ra|de stel|len** *tr. 1;* **ge|ra|des|wegs** *veraltet für* geradewegs; **ge|ra|de|wegs,** ge|ra|den|wegs; **ge|ra|de|zu** beinahe, nahezu; **ge|ra|de|zu 1** offen, freimütig; er ist, spricht sehr g.; **2** *ugs.:* geradeaus; immer g.!; **Ge|rad|flüg|ler** *m. 5 Mz.* eine Ordnung der Insekten; **Ge|ra|d|heit** *w. 10 nur Ez.;* **ge|rad|li|nig; ge|rad|sin|nig**
Ge|ram|mel, Ge|ramm|le *s. Gen.* -s *nur Ez., ugs.;* **ge|ram|melt** *ugs.;* der Saal war g. voll
Ge|ra|nie [-njə, griech.] *w. 11,* **Ge|ra|ni|um** *s. Gen.* -s *Mz.* -ni|en **1** = Storchschnabel (**1**); **2** *fälschl. für* Pelargonie
Ge|rank, Ge|ran|ke *s. Gen.* -s *nur Ez.*
Ge|rant [frz.] *m. 10, veraltet, noch schweiz.:* Geschäftsführer
Ge|ra|schel, Ge|rasch|le *s. Gen.* -s *nur Ez.*
Ge|ras|sel *s. Gen.* -s *nur Ez.*
Ge|rät *s. 1*
ge|ra|ten 1 *intr. 94;* außer sich g. (vor Freude, Wut); **2** etwas für geraten halten: für ratsam; ich möchte es dir geraten haben!
Ge|rä|te|schup|pen *m. 7;* **Ge|rä|te|tur|nen** *s. Gen.* -s *nur Ez.*
Ge|ra|te|wohl *s., nur in der Wendung* aufs G.: auf gut Glück, ohne nachzudenken
Ge|rät|schaf|ten *w. 10 Mz.*
Ge|rat|ter *s. Gen.* -s *nur Ez.*
Ge|rät|tur|nen *s. Gen.* -s *nur Ez., meist für* Geräteturnen
Ge|räu|cher|te(s) *s. 18 (17)*
ge|raum; geraume Zeit: längere, einige Zeit; geraume Weile
Ge|räum|de, Ge|räum|te *s. 5* Kahlschlag; **ge|räu|mig; Ge|räu|mig|keit** *w. 10 nur Ez.*
Ge|rau|ne *s. Gen.* -s *nur Ez.*
Ge|räusch 1 *s. 1;* **2** *s. 1 nur Ez., Jägerspr.:* Lunge, Herz und Leber vom Schalenwild, Gelünge
Ge|räusch|ar|chiv *s. 1;* **ge|räusch|arm**
Ge|rau|sche *s. Gen.* -s *nur Ez.*
Ge|räusch|ku|lis|se *w. 11;* **ge|räusch|los; Ge|räusch|lo|sig|keit** *w. 10 nur Ez.;* **Ge|räusch|pe|gel** *m. 7;* **ge|räusch|voll**
Ge|räus|per *s. Gen.* -s *nur Ez.*
Ger|be *w. 11 nur Ez., südd.:* Bierhefe; **ger|ben** *tr. 1;* **Ger|ber** *m. 5;* **Ger|be|rei** *w. 10;* **Ger|ber|lo|he** *w. 11* ein Gerbmittel; **Gerb|säu|re** *w. 11;* **Gerb|stoff** *m. 1;* **Ger|bung** *w. 10 nur Ez.*
Ge|re|bel|te(r) *m. 18 (17), österr.:* Wein aus gerebelten (einzeln geernteten) Beeren
ge|recht; jmdm. oder einer Sache gerecht werden; **Ge|rech|tig|keit** *w. 10 nur Ez.;* **Ge|rech|tig|keits|sinn** *m. 1 nur Ez.;* **Ge|recht|sa|me** *w. 11, veraltet:* Vorrecht, Privileg, z. B. Fischereigerechtsame
Ge|re|de *s. Gen.* -s *nur Ez.*
ge|rei|chen *intr. 1;* es gereicht ihm zur Ehre, zum Nachteil
Ge|reizt|heit *w. 10 nur Ez.*
Ge|ren|ne *s. Gen.* -s *nur Ez., ugs.*
ge|reu|en *tr. 1, veraltend für* reuen; es gereut mich, dass…; lass es dich nicht g.!
Ger|fal|ke, Gier|fal|ke *m. 11* ein Jagdfalke

Ge|ri|a|ter [griech.] *m. 5* Fachmann auf dem Gebiet der Geriatrie; **Ge|ri|a|trie** *w. 11 nur Ez.* Lehre von den Krankheiten des alternden und alten Menschen, Altersheilkunde; vgl. Gerontologie; **ge|ri|a|trisch**

Ge|richt *s. 1* **1** Speise, zubereitete Mahlzeit, z. B. Fischgericht; **2** staatliches Organ der Rechtsprechung; das Gebäude dafür; **ge|richt|lich**; *die Groß- und Kleinschreibung schwankt in Fügungen wie:* Gerichtliche Medizin, Chemie, Psychologie; **Ge|richts|ak|te** *w. 11;* **Ge|richts|arzt** *m. 2;* **Ge|richts|as|ses|sor** *m. 13;* **Ge|richts|bar|keit** *w. 10 nur Ez.;* **Ge|richts|be|hör|de** *w. 11;* **Ge|richts|be|schluß** ► **Ge|richts|be|schluss** *m. 2;* **Ge|richts|be|zirk** *m. 1;* **Ge|richts|die|ner** *m. 5;* **Ge|richts|fe|ri|en** *nur Mz.;* **Ge|richts|ge|bühr** *w. 10;* **Ge|richts|hof** *m. 2;* **Ge|richts|kos|ten** *nur Mz.;* **Ge|richts|me|di|zin** *w. 10 nur Ez.* gerichtliche Medizin; **Ge|richts|me|di|zi|ner** *m. 5;* **Ge|richts|ord|nung** *w. 10 nur Ez.;* **Ge|richts|re|fe|ren|dar** *m. 1;* **Ge|richts|saal** *m. Gen.* -(e)s *Mz.* -säle; **Ge|richts|schrei|ber** *m. 5;* **Ge|richts|stand** *m. 2;* **Ge|richts|tag** *m. 1;* G. halten *poet.;* **Ge|richts|ver|fah|ren** *s. 7;* **Ge|richts|ver|hand|lung** *w. 10;* **Ge|richts|voll|zie|her** *m. 5*

ge|rie|ben *ugs.:* schlau, durchtrieben; **Ge|rie|ben|heit** *w. 10 nur Ez.*

ge|rie|hen vgl. reihen

Ge|rie|sel *s. Gen.* -s *nur Ez.*

ge|ring; gering achten, schätzen; ein Geringes *poet.:* wenig; ich habe nur ein Geringes dazu getan; ich habe nicht das Geringste damit zu tun; nicht im Geringsten; der Geringste unter ihnen; kein Geringerer als…; das ist wohl das Geringste, was ich erwarten kann; nichts Geringeres als…; **ge|ring|ach|ten** ► **ge|ring ach|ten** *tr. 2;* **Ge|ring|ach|tung** *w. Gen. - nur Ez.;* **ge|ring|fü|gig;** **Ge|ring|fü|gig|keit** *w. 10;* **ge|ring|schät|zen** ► **ge|ring schät|zen** *tr. 1;* **Ge|ring|schät|zig|keit** *w. 10 nur Ez.;* **Ge|ring|schät|zung** *w. 10 nur Ez.;* **ge|ring|wer|tig;** **Ge|ring|wer|tig|keit** *w. 10*

> **gering achten, das Geringste:** Ist das Adjektiv in der Verbindung Adjektiv und Verb steigerbar oder durch *sehr* erweiterbar, wird das Gefüge getrennt geschrieben: *Sie mußten seinen Vorschlag gering achten.*
> →§34 E3 (3)
> Substantivierte Adjektive werden mit großem Anfangsbuchstaben geschrieben: *Es entging ihm nicht das Geringste.* Ebenso: *sich um ein Geringes verschätzen; kein Geringerer als; nicht im Geringsten.*
> →§57 (1)

ge|rinn|bar gerinnungsfähig; **Ge|rinn|bar|keit** *w. 10 nur Ez.;* **Ge|rin|ne** *s. 5* **1** Rinnsal; **2** *Bgb.:* Wasserabfluss, Gefluder; **ge|rin|nen** *intr. 101;* **Ge|rinn|sel** *s. 5;* **Ge|rin|nung** *w. 10 nur Ez.;* **ge|rin|nungs|fä|hig;** **Ge|rin|nungs|fä|hig|keit** *w. 10 nur Ez.*

Ge|rip|pe *s. 5;* **ge|rippt** mit Rippen versehen (Stoff)

ge|ris|sen schlau, durchtrieben; **Ge|ris|sen|heit** *w. 10 nur Ez.*

Germ *m. Gen.* -s *nur Ez., bayr., österr.: w. Gen. - nur Ez.* Bierhefe

Ger|ma|ne *m. 11* Angehöriger einer indogerman. Völkergruppe; **Ger|ma|nia** *w. Gen. -* Frauengestalt als Sinnbild Deutschlands; **Ger|ma|ni|en** *zur Zeit des Röm. Reiches Bez. für* Deutschland; **Ger|ma|nin** *w. 10* weibl. Germane; **Ger|ma|nin** *s. 1 nur Ez.* Ⓦ Mittel gegen Schlafkrankheit; **ger|ma|nisch**; Germanisches Nationalmuseum (in Nürnberg); **ger|ma|ni|sie|ren** *tr. 3* eindeutschen, nach deutschem Muster gestalten; **Ger|ma|nis|mus** *m. Gen. - Mz.* -men in eine nichtdeutsche Sprache übernommene dt. Spracheigentümlichkeit; **Ger|ma|nist** *m. 10;* **Ger|ma|nis|tik** *w. 10 nur Ez.* Lehre von den germanischen Sprachen und Literaturen, *i. e. S.* von der dt. Sprache und Literatur; **ger|ma|nis|tisch;** **Ger|ma|ni|um** *s. Gen.* -s *nur Ez. (Zeichen:* Ge) chem. Element, ein Metall; **ger|ma|no|phil** [griech.] deutschfreundlich; **Ger|ma|no|phi|lie** *w. 11 nur Ez.* Vorliebe für alles Deutsche; **ger|ma|no|phob** allem Deutschen abgeneigt; **Ger|ma|no|pho|bie** *w. 11 nur Ez.* Abneigung gegen alles Deutsche

Ger|mer *m. 5, süddt.:* eine Gebirgspflanze

ger|mig *süddt.:* Germ enthaltend

ger|mi|nal [lat.] zum Keim gehörig; **Ger|mi|nal|drü|se** *w. 11,* **Ger|mi|na|lie** [-ljə] *w. 11* Keim-, Geschlechtsdrüse; **Ger|mi|na|ti|on** *w. 10 nur Ez.* Keimungsperiode (der Pflanzen); **ger|mi|na|tiv** zur Keimung gehörig

Germ|knö|del *m. 5, österr.:* Hefekloß

gern, ger|ne; etwas gern haben, tun; er ist bei uns gern gesehen; **Ger|ne|groß** *m. 1;* **Ger|ne|klug** *m. 9;* **gern|ge|se|hen** ► **gern ge|se|hen**; ein gern gesehener Gast; vgl. gern

Ge|rö|chel *s. Gen.* -s *nur Ez.*

Ge|röll, Ge|röl|le *s. Gen.* -s *nur Ez.*

Ge|ront [griech.] *m. 10* Mitglied der →Gerusia; **Ge|ron|to|lo|ge** *m. 11* Fachmann auf dem Gebiet der Gerontologie; **Ge|ron|to|lo|gie** *w. 11 nur Ez.* Lehre von den Vorgängen des Alterns; vgl. Geriatrie; **ge|ron|to|lo|gisch**

Gers|te *w. 11* **Gers|tel** *s. 14, österr.:* Graupe; **Gers|ten|korn** *s. 4* Drüsenvereiterung am Augenlid; **Gers|ten|saft** *m. 2, ugs. scherzh.:* Bier

Ger|te *w. 11;* **ger|ten|schlank**

Ge|ruch **1** *m. 2;* **2** *nur Ez., poet.:* Ruf, Leumund; er steht im G. der Heiligkeit; **ge|ruch|los; Ge|ruchs|nerv** *m. 12;* **Ge|ruchs|or|gan** *s. 1;* **Ge|ruchs|sinn** *m. 1 nur Ez.*

Ge|rücht *s. 1;* **Ge|rüch|te|ma|cher** *m. 5;* **Ge|rüch|te|ma|che|rei** *w. 10 nur Ez.;* **ge|rücht|wei|se**

Ge|ruch|ver|schluß ► **Ge|ruch|ver|schluss** *m. 2*

ge|ru|hen *intr. 1* geneigt, gewillt sein, belieben; **ge|ru|hig** *poet. für* geruhsam; **ge|ruh|sam; Ge|ruh|sam|keit** *w. 10 nur Ez.*

Ge|rum|pel, Ge|rump|le *s. Gen.* -s *nur Ez.*

Ge|rüm|pel *s. Gen.* -s *nur Ez.*

Ge|run|di|um [lat.] *s. Gen.* -s *nur Ez.* deklinierte Form des Infinitivs, z. B. die Kunst *des Tanzens;* **Ge|run|div** *s. 1,* Ge|run|di|vum *s. Gen.* -s *Mz.* -va Partizip der Zukunft des Passivs, bes. im Lateinischen, z. B. Examinand: einer, der geprüft werden soll, ein zu Prüfender; **ge|run-**

di|visch; Ge|run|di|vum *s. Gen.* -s *Mz.* -va = Gerundiv

Ge|ru|sia [griech.], **Ge|ru|sie** *w. Gen. - nur Ez., im alten Sparta:* Rat der Ältesten

Ge|rüst *s. 1;* **Ge|rüst|bau** *m. Gen.* -(e)s *nur Ez.;* **Ge|rüs|ter** *m. 5, österr.:* Gerüstarbeiter

Ge|rüt|tel, Ge|rütt|le *s. Gen.* -s *nur Ez.;* **ge|rüt|telt** bis zum Rand; ein gerütteltes Maß; g. voll

Ger|vais [ʒɛrvɛ, auch: ʒɛrvɛː, nach dem frz. Hersteller Charles G.] *m. Gen.* - [-vɛs, auch: ʒɛrvɛːs] *Mz.* - [-vɛs, auch: ʒɛrvɛːs] ein frz. Weichkäse

ges 1 *s. Gen. - Mz. -, Mus.:* das um einen halben Ton erniedrigte g; **2** *Abk. für* ges-Moll; **Ges** *s. Gen. - Mz. -, Mus.* **1** das um einen halben Ton erniedrigte G; **2** *Abk. für* Ges-Dur

ge|sal|zen *ugs.:* sehr hoch (Preis, Rechnung)

ge|samt; im Gesamten; **Gesamt** *s. Gen.* -s *nur Ez.;* im Gesamt; **Ge|samt|an|sicht** *w. 10;* **Ge|samt|aus|ga|be** *w. 11;* **ge|samt|deutsch** *früher:* Ministerium für gesamtdeutsche Fragen; Gesamtdeutsche Volkspartei (1953–57); **Ge|samt|deutsch|land; Ge|samt|ein|druck** *m. 2;* **Ge|samt|er|geb|nis** *s. 1;* **ge|samt|haft** *schweiz.:* insgesamt; **Ge|samt|hands|ge|mein|schaft** *w. 10* Rechtsgemeinschaft, bei der die Beteiligten nur gemeinsam verfügen können (z. B. Erbengemeinschaft); **Ge|samt|heit** *w. 10 nur Ez.;* **Ge|samt|hoch|schu|le** *w. 11;* **Ge|samt|kunst|werk** *s. 1, nach R. Wagner:* die Einheit von Musik, Handlung und Bild in der Oper; **Ge|samt|la|ge** *w. 11 nur Ez.;* **Ge|samt|schuld|ner** *m. 5* mehrere Schuldner, deren jeder für die gesamte Schuld haftet, aber von den Übrigen Ausgleich verlangen kann, Solidarschuldner; **Ge|samt|sum|me** *w. 11;* **Ge|samt|zahl** *w. 10*

Ge|sand|te(r) *m. 18 (17);* **Ge|sand|tin** *w. 10;* **Ge|sandt|schaft** *w. 10;* **ge|sandt|schaft|lich; Ge|sandt|schafts|at|ta|ché** [-ʃeː] *m. 9;* **Ge|sandt|schafts|rat** *m. 2*

Ge|sang *m. 2;* **Ge|sang|buch** *s. 4;* **Ge|sang|buch|vers** *m. 1;* **ge|sang|lich; Ge|sangs|buch** *s. 4, österr.;* **Ge|sangs|kunst** *w. 2 nur Ez.;* **Ge|sangs|leh|rer** *m. 5;* **Ge|sang(s)|stück** *s. 1;* **Ge|sangs|un|ter|richt** *m. 1 nur Ez.;* **Ge|sangs|ver|ein** *m. 1, österr.;* **Ge|sang|ver|ein** *m. 1*

Ge|säß *s. 1;* **Ge|säß|ba|cke** *w. 11;* **Ge|säß|kno|chen** *m. 7;* **Ge|säß|schwie|le** *w. 11;* **Ge|säß|ta|sche** *w. 11*

Ge|säu|ge *s. 5, Jägerspr.:* Euter, Zitzen (beim Haarwild und Hund)

Ge|sau|se *s. Gen.* -s *nur Ez.;* **Gesäu|sel** *s. Gen.* -s *nur Ez.*

gesch. *Abk. für* geschieden (Zeichen: ⚮)

Ge|schäft *s. 1;* Geschäfte machen; ich muss Geschäfte halber verreisen; **Ge|schäf|te|ma|cher** *m. 5;* **Ge|schäf|te|ma|che|rei** *w. 10 nur Ez.;* **ge|schäf|tig; Ge|schäf|tig|keit** *w. 10 nur Ez.;* **Ge|schaftl|hu|ber** *m. 5* = Gschaftlhuber; **ge|schäft|lich; Ge|schäfts|auf|ga|be** *w. 11 nur Ez.;* **Ge|schäfts|be|reich** *m. 1;* **Ge|schäfts|brief** *m. 1;* **ge|schäfts|fä|hig; Ge|schäfts|fä|hig|keit** *w. 10 nur Ez.;* **Ge|schäfts|freund** *m. 1;* **Ge|schäfts|füh|rer** *m. 5;* **Ge|schäfts|füh|rung** *w. 10 nur Ez.;* **Ge|schäfts|gang** *m. 2 nur Ez.;* **Ge|schäfts|ge|ba|ren** *s. 7 nur Ez.;* **Ge|schäfts|in|ha|ber** *m. 5;* **Ge|schäfts|kos|ten** *nur Mz.;* **Ge|schäfts|lei|tung** *w. 10;* **Ge|schäfts|leu|te** *Mz.;* **Ge|schäfts|mann** *m. Gen.* -(e)s *Mz.* -leu|te; **Ge|schäfts|ord|nung** *w. 10;* **Ge|schäfts|schluß** ► **Ge|schäfts|schluss** *m. 2 nur Ez.;* **Ge|schäfts|stel|le** *w. 11;* **Ge|schäfts|stun|den** *w. 11 Mz.;* **Ge|schäfts|trä|ger** *m. 5;* **ge|schäfts|tüch|tig; Ge|schäfts|tüch|tig|keit** *w. 10 nur Ez.;* **ge|schäfts|un|fä|hig; Ge|schäfts|un|fä|hig|keit** *w. 10 nur Ez.;* **Ge|schäfts|ver|bin|dung** *w. 10;* **Ge|schäfts|ver|kehr** *m. 1 nur Ez.;* **Ge|schäfts|vier|tel** *s. 5;* **Ge|schäfts|wa|gen** *m. 7*

Ge|schä|ker *s. Gen.* -s *nur Ez.*

Ge|scha|re *s. Gen.* -s *nur Ez.*

Ge|schau|kel, Ge|schauk|le *s. Gen.* -s *nur Ez.*

ge|scheckt scheckig, gefleckt (von Tieren)

ge|sche|hen *intr. 52;* **Ge|scheh|nis** *s. 1*

Ge|schei|de *s. 5, Jägerspr.:* Gedärme und Magen (vom Wild)

Ge|schein *s. 1* Blütenstand der Weinrebe

ge|scheit; Ge|scheit|heit *w. 10 nur Ez.*

Ge|schenk *s. 1;* **Ge|schenk|ar|ti|kel** *m. 5;* **Ge|schenk|pa|ckung** *w. 10;* **ge|schenk|wei|se**

ge|schert = gschert

Ge|schicht|chen *s. 7;* **Ge|schich|te** *w. 11;* **Ge|schich|ten|buch** *s. 4* Buch mit Geschichten; vgl. Geschichtsbuch; **Ge|schich|ten|er|zäh|ler** *m. 5;* **ge|schicht|lich; Ge|schichts|auf|fas|sung** *w. 10;* **Ge|schichts|buch** *s. 4* Buch mit Darstellungen der Geschichte, geschichtliches Lehrbuch; **Ge|schichts|fäl|schung** *w. 10;* **Ge|schichts|for|scher** *m. 5;* **Ge|schichts|for|schung** *w. 10;* **Ge|schichts|klit|te|rung** *w. 10* Geschichtsfälschung; **Ge|schichts|phi|lo|soph** *m. 10;* **Ge|schichts|phi|lo|so|phie** *w. 11;* **Ge|schichts|schrei|ber** *m. 5;* **Ge|schichts|schrei|bung** *w. 10 nur Ez.;* **Ge|schichts|un|ter|richt** *m. 1 nur Ez.;* **Ge|schichts|wis|sen|schaft** *w. 10;* **ge|schichts|wis|sen|schaft|lich**

Ge|schick *s. 1* **1** Schicksal, Los; **2** *nur Ez.* Geschicklichkeit; **ge|schick|lich; Ge|schick|lich|keit** *w. 10 nur Ez.;* **ge|schickt**

Ge|schie|be *s. Gen.* -s *nur Ez.* von Flüssen oder Gletschern abgelagertes Geröll; **Ge|schie|be|lehm** *m. 1 nur Ez.*

Ge|schie|ße *s. Gen.* -s *nur Ez.*

Ge|schimp|fe *s. Gen.* -s *nur Ez.*

Ge|schirr *s. 1;* **Ge|schirr|rei|ni|ger** ► **Ge|schirr|rei|ni|ger** *m. 1*

Ge|schlecht *s. 3; Gramm.* = Genus; **Ge|schlech|ter|kun|de** *w. 11 nur Ez.* = Genealogie; **ge|schlech|tig** *in Fügungen,* z. B. getrenntgeschlechtig; **ge|schlecht|lich;** geschlechtliche Fortpflanzung; **Ge|schlecht|lich|keit** *w. 10 nur Ez.;* **Ge|schlechts|akt** *m. 1;* **Ge|schlechts|hor|mon** *s. 1;* **ge|schlechts|krank; Ge|schlechts|krank|heit** *w. 10;* **Ge|schlechts|le|ben** *s. 7 nur Ez.;* **ge|schlechts|los; Ge|schlechts|merk|mal** *s. 1;* **Ge|schlechts|na|me** *m. 15* Familienname; **Ge|schlechts|or|gan** *s. 1;* **Ge|schlechts|rei|fe** *w. Gen. - nur Ez.;* **Ge|schlechts|teil** *s. 1 oder*

m. 1; **Ge|schlẹchts|trieb** *m. 1 nur Ez.;* **Ge|schlẹchts|ver|kehr** *m. 1 nur Ez.;* **Ge|schlẹchts|wort** *s. 4* = Artikel (**1**)
ge|schlịf|fen; geschliffener Stil; **Ge|schlịf|fen|heit** *w. 10 nur Ez.*
Ge|schlịng, Ge|schlịn|ge *s. Gen.* -s *nur Ez.* **1** Gewirr von Schlingen; **2** Hals, Lunge, Leber, Herz (vom Schlachttier)
Ge|schlọs|sen|heit *w. 10 nur Ez.*
Ge|schlụch|ze *s. Gen.* -s *nur Ez.*
Ge|schmạck *m. 2, ugs. auch: m. 4;* **ge|schmạck|bil|dend; ge|schmạ̈ck|le|risch** in Geschmacksfragen übertrieben anspruchsvoll, gekünstelt; **ge|schmạck|los; Ge|schmạck|lo|sig|keit** *w. 10;* **Ge|schmạcks|nerv** *m. 12;* **Ge|schmạcks|rich|tung** *w. 10;* **Ge|schmạck(s)|sa|che** *w. 11;* **Ge|schmạcks|sinn** *m. 1 nur Ez.;* **Ge|schmạck|stoff** *m. 1;* **Ge|schmạcks|ver|ir|rung** *w. 10;* **ge|schmạck|voll**
Ge|schmạt|ze *s. Gen.* -s *nur Ez.*
Ge|schmei̲|chel *s. Gen.* -s *nur Ez.*
Ge|schmei̲|de *s. 5;* **ge|schmei̲|dig; Ge|schmei̲|dig|keit** *w. 10 nur Ez.*
Ge|schmei̲ß *s. 1 nur Ez.* **1** Ungeziefer; **2** *Jägerspr.:* Kot (von Raubtieren); **3** *übertr.:* widerliches Gesindel, Pack
Ge|schmẹt|ter *s. Gen.* -s *nur Ez.*
Ge|schmi̲e̲r, Ge|schmi̲e̲|re *s. Gen.* -s *nur Ez.*
Ge|schmu̲|se *s. Gen.* -s *nur Ez.*
Ge|schnạt|ter *s. Gen.* -s *nur Ez.*
ge|schni̲e̲|gelt übertrieben gepflegt; g. und gebügelt
Ge|schnọ̈r|kel *s. Gen.* -s *nur Ez.*
Ge|schnụ̈f|fel, Ge|schnụ̈f|fle *s. Gen.* -s *nur Ez.*
Ge|schöpf *s. 1;* **ge|schọ̈pf|lich** kreatürlich; **Ge|schöpf|lich|keit** *w. 10 nur Ez.*
Ge|schọß ▶ **Ge|schọss,** *Österr., Schweiz auch* Ge|scho̲ß *s. 1;* **Ge|schọß|bahn** ▶ **Ge|schọss|bahn** *w. 10;* **Ge|schọß|ha|gel** ▶ **Ge|schọss|ha|gel** *m. 5*
...ge|schos|sig mit einer bestimmten Anzahl von Geschossen (Stockwerken) versehen, z. B. zweigeschossig
ge|schra̲u̲bt gekünstelt, gezwungen (Ausdrucksweise); **Ge|schra̲u̲bt|heit** *w. 10 nur Ez.*
Ge|schre̲i̲ *s. Gen.* -s *nur Ez.*
Ge|schreib|sel *s. Gen.* -s *nur Ez.*
Ge|schụ̈tz *s. 1;* **Ge|schụ̈tz|feu|er** *s. 5*
Ge|schwa̲|der *s. 5* Verband gleichartiger Kriegsschiffe oder Flugzeuge; **Ge|schwa̲|der|chef** [-ʃɛf] *m. 9*
Ge|schwa̲|fel *s. Gen.* -s *nur Ez.*
ge|schwạ̈nzt mit einem Schwanz oder mit Schwänzen versehen (Peitsche, Note)
Ge|schwạ̈tz *s. Gen.* -es *nur Ez.;* **Ge|schwạt|ze** *s. Gen.* -s *nur Ez.;* **ge|schwạ̈t|zig; Ge|schwạ̈t|zig|keit** *w. 10 nur Ez.*
ge|schwei̲|ge (denn) noch viel weniger; diese Frage ist bisher kaum beachtet, geschweige denn beantwortet worden; geschweige, dass ich es aufschreibe; **ge|schwei̲|gen** *intr., nur in der Wendung* ganz zu g. von...: ganz zu schweigen von...
ge|schwịnd; Ge|schwịn|dig|keit *w. 10;* **Ge|schwịn|dig|keits|be|gren|zung** *w. 10;* **Ge|schwịn|dig|keits|mes|ser** *m. 5* = Tachometer; **Ge|schwịnd|schritt** *m. 1, nur in der Wendung:* im G.
Ge|schwịrr, Ge|schwịr|re *s. Gen.* -s *nur Ez.*
Ge|schwịs|ter 1 *s. 5, Biol., Statistik:* eins von mehreren Geschwistern, Bruder, Schwester; **2** *nur Mz., allg.:* Bruder und Schwester, Brüder und Schwestern; **Ge|schwịs|ter|chen** *s. 7* kleiner Bruder, kleine Schwester; **Ge|schwịs|ter|kind** *s. 3* Kind des Bruders oder der Schwester; **ge|schwịs|ter|lich; Ge|schwịs|ter|lie|be** *w. 11 nur Ez.;* **Ge|schwịs|ter|paar** *s. 1*
ge|schwọl|len; *auch übertr. ugs.:* wichtigtuerisch; **Ge|schwọl|len|heit** *w. 10 nur Ez.*
Ge|schwo̲|re|ne(r) *m. 18 (17) bzw. w. 17 oder 18, im Schwurgericht:* Laienrichter; **Ge|schwo̲|re|nen|ge|richt** *s. 1* = Schwurgericht
Ge|schwụlst *w. 2*
Ge|schwü̲r *s. 1;* **ge|schwü̲|rig**
Ges-Du̲r *s. Gen.* - *nur Ez. (Abk.:* Ges) eine Tonart; **Ges-Du̲r-Ton|lei|ter** *w. 11*
Ge|sei̲|che *s. Gen.* -s *nur Ez., ugs.:* oberflächliches Gerede
Ge|sei̲|re(s) [jidd.] *s. 18 (17)* unnützes, klagendes Gerede, Gejammer
Ge|sẹlch|te(s) *s. 18 (17), bayr., österr.:* geräuchertes Fleisch, Selchfleisch
Ge|sẹll *m. 10, poet. für* Geselle; fahrender G.: wandernder Handwerksbursche; **Ge|sẹl|le** *m. 11* **1** Handwerksgehilfe nach der Gesellenprüfung; **2** Bursche, Kerl, Kamerad, Gefährte, Kumpan; **ge|sẹl|len** *refl. 1;* sich zu jmdm. g.: sich jmdm. anschließen, sich zu jmdm. setzen, mit jmdm. gehen; Gleich und Gleich gesellt sich gern; **Ge|sẹl|len|brief** *m. 1;* **Ge|sẹl|len|prü|fung** *w. 10;* **Ge|sẹl|len|stück** *s. 1;* **ge|sẹl|lig; Ge|sẹl|lig|keit** *w. 10*
Ge|sẹll|schaft *w. 10;* G. mit beschränkter Haftung *(Abk.:* GmbH); **Ge|sẹll|schaf|ter** *m. 5;* **Ge|sẹll|schaf|te|rin** *w. 10;* **ge|sẹll|schaft|lich; Ge|sẹll|schafts|an|zug** *m. 2;* **ge|sẹll|schafts|fä|hig; Ge|sẹll|schafts|ord|nung** *w. 10;* **Ge|sẹll|schafts|rei|se** *w. 11;* **Ge|sẹll|schafts|ro|man** *m. 1;* **Ge|sẹll|schafts|schicht** *w. 10;* **Ge|sẹll|schafts|spiel** *s. 1;* **Ge|sẹll|schafts|tanz** *m. 2;* **Ge|sẹll|schafts|wis|sen|schaft** *w. 10* **1** Sozialwissenschaft, Soziologie; **2** *meist Mz., ehem. DDR:* Geistes-, Sozial- und Erziehungswissenschaft(en), auch Marxismus-Leninismus als Wissenschaftsfach
Ge|sẹnk *s. 1* **1** Hohlform zum Schmieden; **2** *Bgb.:* blind endender Schacht; **3** *Fischerei:* Gewicht zum Beschweren des Netzes; **Ge|sẹn|ke** *s. 5* Bodensenke, Mulde; **Ge|sẹnk|schmied** *m. 1*
gẹ|ses, Gẹ|ses *s. Gen.* - *Mz.* -, *Mus.:* das um zwei halbe Töne erniedrigte g bzw. G
Ge|sẹtz *s. 1;* **Ge|sẹtz|blatt** *s. 4;* **Ge|sẹtz|buch** *s. 4;* **Ge|sẹtz|ent|wurf, Ge|sẹt|zes|ent|wurf** *m. 2;* **Ge|sẹt|zes|kraft** *w. 2 nur Ez.;* **ge|sẹt|zes|kun|dig,** ge|sẹtz|kun|dig; **Ge|sẹt|zes|samm|lung** *w. 10;* **Ge|sẹt|zes|über|tre|tung** *w. 10;* **Ge|sẹt|zes|vor|la|ge** *w. 11;* **ge|sẹtz|ge|bend**; gesetzgebende Gewalt: Legislative; gesetzgebende Versammlung; **Ge|sẹtz|ge|ber** *m. 5;* **ge|sẹtz|ge|be|risch; Ge|sẹtz|ge|bung** *w. 10;* **ge|sẹtz|kun|dig,** ge|sẹt|zes|kun|dig; **ge|sẹtz|lich; Ge|sẹtz|lich|keit** *w. 10 nur Ez.;* **ge|sẹtz|los; Ge|sẹtz|lo|sig|keit** *w. 10 nur Ez.;* **ge|sẹtz|mä|ßig; Ge|sẹtz|mä|ßig|keit** *w. 10 nur*

▶ = wird zu

Ez.; **Ge|setz|samm|lung,** Ge|set|zes|samm|lung *w. 10*
ge|setzt 1 g. den Fall, sie kommen nicht, *oder:* gesetzt, dass sie nicht kommen; **2** *Adj.:* ruhig und ernsthaft, besonnen; **ge|setz|ten|falls; Ge|setzt|heit** *w. 10 nur Ez.*
ge|setz|wid|rig; Ge|setz|wid|rig|keit *w. 10 nur Ez.*
Ge|seuf|ze *s. Gen.-s nur Ez.*
ges. gesch. *Abk. für* gesetzlich geschützt
Ge|sicht 1 *s. 3;* **2** *s. 1* Erscheinung, Vision; **Ge|sichts|aus|druck** *m. 2;* **Ge|sichts|far|be** *w. 11;* **Ge|sichts|feld** *s. 3* Bereich, den man mit den Augen überblicken kann, ohne den Kopf zu drehen, Sehfeld; vgl. Blickfeld; **Ge|sichts|haut** *w. 2;* **Ge|sichts|kreis** *m. 1* = Horizont; vgl. Gesichtsfeld; **Ge|sichts|mas|ke** *w. 11;* **Ge|sichts|mas|sa|ge** [-ʒə] *w. 11;* **Ge|sichts|nerv** *m. 12;* **Ge|sichts|punkt** *m. 1;* **Ge|sichts|schnitt** *m. 1;* **Ge|sichts|sinn** *m. 1 nur Ez.;* **Ge|sichts|was|ser** *s. 6;* **Ge|sichts|win|kel** *m. 5* **1** Winkel, den die von den beiden äußersten Punkten eines Gegenstandes zum Auge verlaufenden (gedachten) Linien bilden, Sehwinkel; **2** *übertr.:* Art und Weise, etwas zu betrachten; unter, aus diesem G., von diesem G. her betrachtet, sieht die Sache anders aus; **Ge|sichts|zug** *m. 2 meist Mz.*
Ge|sims, Sims *s. 1* waagerecht vorspringender Bauteil an Mauern oder Pfeilern
Ge|sin|de *s. 5 nur Ez.;* **Ge|sin|del** *s. 5 nur Ez.;* **Ge|sin|de|stu|be** *w. 11*
ge|sinnt; jmdm. gut, schlecht, übel g. sein; ein edel gesinnter, gut gesinnter, gleich gesinnter, anders gesinnter Mensch; vgl. gesonnen; **Ge|sin|nung** *w. 10;* **Ge|sin|nungs|ge|nos|se** *m. 11;* **ge|sin|nungs|los; Ge|sin|nungs|lo|sig|keit** *w. 10 nur Ez.;* **Ge|sin|nungs|lump** *m. 10;* **Ge|sin|nungs|lum|pe|rei** *w. 10 nur Ez.;* **ge|sin|nungs|treu; Ge|sin|nungs|treue** *w. 11 nur Ez.;* **Ge|sin|nungs|wan|del** *m. 5 nur Ez.*
ge|sit|tet; Ge|sit|tung *w. 10 nur Ez.*
ges-Moll *s. Gen. - nur Ez.* (*Abk.:* ges) eine Tonart; **ges-Moll-Ton|lei|ter** *w. 11*

Ge|socks *s. Gen. - nur Ez., ugs.:* Gesindel
Ge|söff *s. 1, ugs. abwertend oder scherzh.:* Getränk
ge|son|nen; ich bin (nicht) g., das zu tun: nicht bereit; vgl. gesinnt
Ge|sot|te|ne(s) [zu: sieden] *s. 18 (17)* gekochtes Fleischgericht
Ge|span 1 *m. 1 oder m. 10, veraltet:* Mitarbeiter, Helfer; **2** [ung.] *m. 1, früher in Ungarn:* Verwaltungsbeamter
Ge|spann *s. 1* **1** zusammengespannte Zugtiere, z. B. Vierergespann; **2** Zugtier(e) und Wagen, z. B. Ochsengespann; **3** *auch:* Kfz mit Anhänger; **4** *übertr. ugs.:* zwei zusammengehörige Personen
Ge|spannt|heit *w. 10 nur Ez.*
Ge|span|schaft *w. 10,* früher in *Ungarn:* Verwaltungsbezirk
Ge|sparr *s. Gen.-s nur Ez.* Gesamtheit der Dachsparren; **Ge|spär|re** *s. Gen.-s nur Ez.* zwei einander gegenüberliegende Dachsparren
ge|spa|ßig = gspaßig
Ge|spenst *s. 3;* **Ge|spens|ter|chen** *s. 7;* **Ge|spens|ter|bal|la|de** *w. 11;* **Ge|spens|ter|ge|schich|te** *w. 11;* **Ge|spens|ter|glau|be** *m. 15 nur Ez.;* **ge|spens|ter|haft; ge|spens|tern** *intr. 1;* **Ge|spens|ter|stun|de** *w. 11;* **Ge|spenst|heu|schre|cke** *w. 11* ein Insekt, Wandelndes Blatt; **ge|spens|tig, ge|spens|tisch**
Ge|sper|re *s. Gen.-s nur Ez.* **1** Vorrichtung zum Sperren, Hemmen; **2** *Jägerspr.:* die alten und jungen Vögel (beim Auer-, Birkhahn und Fasan)
Ge|spie|le *m. 11* Spielkamerad; **Ge|spie|lin** *w. 10*
Ge|spinst *s. 1*
Ge|spons 1 *m. 1, veraltet, noch scherzh.:* Bräutigam, Ehemann (Ehegespons); **2** *m. 1, poet.:* Gefährte, Freund; **3** *s. 1, veraltet:* Braut, Ehefrau
Ge|spött *s. Gen.-s nur Ez.;* **Ge|spöt|tel** *s. Gen.-s nur Ez.*
Ge|spräch *s. 1;* **ge|sprä|chig; Ge|sprä|chig|keit** *w. 10 nur Ez.;* **Ge|sprächs|ein|heit** *w. 10* (im Selbstwählfernverkehr); **Ge|sprächs|ge|gen|stand** *m. 2;* **Ge|sprächs|part|ner** *m. 5;* **Ge|sprächs|stoff** *m. 1;* **ge|sprächs|wei|se**

ge|spreizt; *auch übertr.:* geziert, gekünstelt (Benehmen); **Ge|spreizt|heit** *w. 10 nur Ez.*
Ge|spren|ge *s. 5* **1** turmartiger, aus verschiedenen feingliedrigen Architekturteilen zusammengesetzter Aufbau auf spätgot. Flügeltüren; **2** *Bgb.:* steil aufsteigendes Gesteinsmassiv
Ge|spritz|te(r) *m. 18 (17), bayr., österr.:* mit Sodawasser vermischter Wein
Ge|spru|del *s. Gen.-s nur Ez.*
Ge|spür *s. Gen.-s nur Ez.* Gefühl (für etwas)
gest. *Abk. für* gestorben (*Zeichen:* †)
Gest *w. 1 oder m. 1 nur Ez., nddt.:* Hefe
Ge|sta|de *s. 5* Ufer, Strand
Ges|ta|gen [lat. + griech.] *s. 1* ein weibl. Geschlechtshormon
Ge|stalt *w. 10; aber:* dergestalt, solchergestalt; **ge|stal|ten** *tr. 2;* **ge|stal|te|risch; ge|stalt|los; Ge|stalt|lo|sig|keit** *w. 10 nur Ez.;* **Ge|stalt|psy|cho|lo|gie** *w. 11 nur Ez.;* **Ge|stal|tung** *w. 10;* **Ge|stal|tungs|kraft** *w. 2 nur Ez.;* **Ge|stalt|wan|del** *m. Gen.-s nur Ez.*
Ge|stam|mel *s. Gen.-s nur Ez.*
Ge|stamp|fe *s. Gen.-s nur Ez.*
ge|stän|dig; Ge|stän|dig|keit *w. 10 nur Ez.;* **Ge|ständ|nis** *s. 1*
Ge|stän|ge *s. Gen.-s nur Ez.*
Ge|stank *m. Gen.-s nur Ez.*
Ge|sta|po *1933–45 Kurzw. für* Geheime Staatspolizei
ge|stat|ten *tr. 2;* **Ge|stat|tungs|pro|duk|ti|on** *w. 10, ehem. DDR:* Produktion (von Bedarfsgütern) in Lizenz westlicher Firmen
Ges|te [auch: ge-, lat.] *w. 11* Gebärde, sprechende Bewegung; Verhaltensweise, Redensart, die etwas ausdrücken soll; freundl., höfliche Geste
Ge|steck *s. 1* **1** lose angeordneter Blumenschmuck; vgl. Gebinde (**1**); 2 Hutschmuck aus Gamsbart und Federn
ge|ste|hen *tr. 151;* **Ge|ste|hungs|kos|ten** *nur Mz.* Herstellungs-, Selbstkosten
Ge|stein *s. 1;* **Ge|steins|bohr|ma|schi|ne** *w. 11;* **Ge|steins|kun|de** *w. 11 nur Ez.* = Petrographie, Petrologie; **Ge|steins|schicht** *w. 10;* **Ge|steins|staub** *m. Gen.-(e)s nur Ez.*
Ge|stell *s. 1;* **Ge|stel|lung** *w. 10;* **Ge|stel|lungs|be|fehl** *m. 1*

ges|tern; g. Abend, Mittag, Morgen; zwischen g. und morgen; das Gestern und das Heute
ge|stie|felt; g. und gespornt; der Gestiefelte Kater
ge|stielt mit einem Stiel versehen
Ges|tik [auch: ge-, lat.] *w. 10 nur Ez.* Gesamtheit der Gesten, Gebärdensprache; **Ges|ti|ku|la|ti|on** *w. 10 nur Ez.* das Gestikulieren; **ges|ti|ku|lie|ren** *intr. 3* sich durch Gesten verständlich machen, mit Gesten etwas ausdrücken
Ges|ti|on [lat.] *w. 10 nur Ez., veraltet:* Verwaltung, Geschäftsführung
Ge|stirn *s. 1;* **ge|stirnt** mit Sternen bedeckt (Himmel)
Ge|stö|ber *s. 5*
Ge|stöhn, Ge|stöh|ne *s. Gen.* -s *nur Ez.*
Ge|stol|per *s. Gen.* -s *nur Ez.*
Ge|stör *s. 1* einzelner Stamm eines Floßes
Ge|sto|se *auch:* **Ges|to|se** [lat.] *w. 11* Schwangerschaftsstörung
Ge|stot|ter, Ge|stott|re *s. Gen.* -s *nur Ez.*
Ge|stram|pel, Ge|stramp|le *s. Gen.* -s *nur Ez.*
Ge|sträuch *s. 1 nur Ez.*
ge|streng *veraltet für* streng; die drei Gestrengen Herren: die Eisheiligen
Ge|streu *s. Gen.* -(e)s *nur Ez.*
Ge|strick *s. Gen.* -s *nur Ez.*
ges|trig; das ewige Gestrige
Ge|strüpp *s. Gen.* -s *nur Ez.*
Ge|stü|be, Ge|stüb|be *s. Gen.* -s *nur Ez.* Gemisch aus Koksrückständen und Lehm zum Auskleiden von Öfen u. Ä.
Ge|stü|ber *s. Gen.* -s *nur Ez., Jägerspr.:* Kot des Federwildes
Ge|stühl *s. 1* Gesamtheit zusammenhängender Stühle
Ge|stüm|per *s. Gen.* -s *nur Ez.*
Ge|stüt *s. 1* Pferdezuchtanstalt; **Ge|stüts|brand** *m. 2* eingebranntes Zeichen der Pferde eines Gestüts
Ge|such *s. 1;* **ge|sucht** unnatürlich, geziert (Stil, Ausdruck); **Ge|sucht|heit** *w. 10 nur Ez.*
Ge|su|del *s. Gen.* -s *nur Ez.*
Ge|summ, Ge|sum|me *s. Gen.* -s *nur Ez.*
Ge|sums *s. Gen.* -es *nur Ez., ugs.:* Getue, Aufhebens
ge|sund; gesund bleiben; jmdn. gesund machen, gesund pflegen; *aber:* jmdn. gesundbeten, gesundschreiben, gesundstoßen; **ge|sund|be|ten** *tr. 2;* **Ge|sund|be|ter** *m. 5;* **Ge|sund|brun|nen** *m. 7;* **ge|sun|den** *intr. 2;* **Ge|sund|heit** *w. 10 nur Ez.;* **ge|sund|heit|lich; Ge|sund|heits|amt** *s. 4;* **Ge|sund|heits|dienst** *m. 1 nur Ez.;* **ge|sund|heits|hal|ber; Ge|sund|heits|pfle|ge** *w. 11 nur Ez.;* **Ge|sund|heits|rück|sich|ten** *w. 10 Mz., nur in der Wendung:* aus G.; **Ge|sund|heits|we|sen** *s. 7 nur Ez.;* **Ge|sund|heits|zu|stand** *m. 2 nur Ez.;* **ge|sund|ma|chen** *refl. 1, ugs.:* sich bereichern; **ge|sund|pfle|gen** ▶ **ge|sund pfle|gen** *tr. 1;* **ge|sund|schrei|ben** *tr. 127;* **ge|sund|schrump|fen** *refl. 1, Wirtsch.;* **ge|sund|sto|ßen** *refl. 157, ugs.:* sich bereichern; **Ge|sun|dung** *w. 10 nur Ez.*

> **gesund bleiben, gesundbeten:** Ist in der Verbindung Adjektiv und Verb das Adjektiv steigerbar oder erweiterbar, schreibt man getrennt: *Sie wollen gesund bleiben.* Ebenso: *gesund pflegen, gesund machen, (für) gesund erklären, gesund erhalten.* →§ 34 E3 (3)
> Ist diese Steigerbarkeit oder Erweiterbarkeit nicht möglich, schreibt man zusammen: *Sie haben das Unternehmen gesundgebetet* (= durch Reden besser gemacht). Ebenso: *(sich) gesundstoßen, gesundschrumpfen, gesundschreiben.* →§ 34 (2.2)

get. *Abk. für* getauft (*Zeichen* ⁓)
Ge|tä|fel *s. Gen.* -s *nur Ez.;* **Ge|tä|fer** *s. Gen.* -s *nur Ez., schweiz. für* Getäfel
Ge|tän|del *s. Gen.* -s *nur Ez.*
Geth|se|ma|ne [-ne:], Get|se|ma|ni Garten am Ölberg bei Jerusalem
Ge|tier *s. Gen.* -s *nur Ez.*
ge|ti|gert gestreift (wie das Fell des Tigers)
Ge|to|be *s. Gen.* -s *nur Ez.*
Ge|tön *s. Gen.* -s *nur Ez.*
Ge|to|se *s. Gen.* -s *nur Ez.;* **Ge|tö|se** *s. Gen.* -s *nur Ez.*
ge|tra|gen *Mus.:* langsam, gemessen
Ge|tram|pel, Ge|tramp|le *s. Gen.* -s *nur Ez.*
Ge|tränk *s. 1;* **Ge|trän|ke|kar|te** *w. 11;* **Ge|trän|ke|steu|er** *w. 11*
Ge|trap|pel *s. Gen.* -s *nur Ez.*
Ge|tratsch *s. Gen.* -(e)s *nur Ez.,* **Ge|trat|sche** *s. Gen.* -s *nur Ez.*
ge|trau|en *refl. 1;* ich getraue mich, *auch:* mir nicht, das zu tun; das getraue ich mich, *auch:* mir durchaus
Ge|trei|de *s. Gen.* -s *nur Ez.;* **Ge|trei|de|pflan|ze** *w. 11*

> **getrennt lebend/schreiben:** Gefüge aus Partizip und Verb werden getrennt geschrieben: *Die Eheleute betrachten sich als getrennt lebend. Das Wort wird getrennt geschrieben.* →§ 34 E3 (4)

ge|trennt; ge|trennt|ge|schlech|tig; Ge|trennt|ge|schlech|tig|keit *w. 10 nur Ez.;* **Ge|trennt|schrei|bung** *w. 10*
ge|treu; Ge|treue(r) *m. 18 (17) bzw. w. 17 oder 18;* **ge|treu|lich;** g. dem Prinzip
Ge|trie|be 1 *s. 5;* **2** *s. 5 nur Ez.* unruhiges Leben, lebhaftes Treiben; **Ge|trie|ben|heit** *w. 10 nur Ez.*
Ge|tril|ler *s. Gen.* -s *nur Ez.*
Ge|trip|pel *s. Gen.* -s *nur Ez.*
Ge|trö|del, Ge|tröd|le *s. Gen.* -s *nur Ez.*
Ge|trom|mel, Ge|tromm|le *s. Gen.* -s *nur Ez.*
ge|trost

> **Getto/Ghetto:** Die integrierte Form gilt als Hauptvariante *(Getto),* die fremdsprachige (hebräisch-italienische) Form *(Ghetto)* ist die zulässige Nebenvariante.

Get|to [ital.], Ghet|to *s. 9* abgetrenntes Wohnviertel für Juden, auch für andere religiöse oder rassische Minderheiten
Ge|tu *s. Gen.* -(e)s *nur Ez.,* **Ge|tue** *s. Gen.* -s *nur Ez.*
Ge|tüm|mel *s. Gen.* -s *nur Ez.*
Geu|se [frz.-ndrl. »Bettler«] *m. 11* Angehöriger eines ndrl. Bundes von Freiheitskämpfern gegen die span. Herrschaft
Ge|vat|ter *m. 14, veraltet* **1** Pate; **2** Freund, Nachbar; **Ge|vat|te|rin** *w. 10, veraltet;* **Ge|vat|ter|schaft** *w. 10, veraltet:* Patenschaft; **Ge|vat|ters|mann** *m. Gen.* -(e)s *Mz.* -leute, *veraltet*
Ge|viert *s. 1* Rechteck, *meist:* Quadrat; drei Meter im G.; **Ge|viert|me|ter** *s. 5, ugs.: m. 5*

Quadratmeter; **Ge|viert|schein** *m. 1, Astron.:* Stellung eines Planeten, wenn er, von der Erde aus gesehen, zur Sonne im rechten Winkel steht, Quadratur
Ge|wächs *s. 1;* **Ge|wächs|haus** *s. 4*
Ge|wa|ckel, Ge|wack|le *s. Gen. -s nur Ez.*
Ge|waff *s. Gen. -s nur Ez., Jägerspr.:* Hauer (des Keilers); **Ge|waf|fen** *s. Gen. -s nur Ez., poet.:* alle Waffen (z. B. des Jägers)
Ge|wagt|heit *w. 10 nur Ez.*
ge|wählt; sich g. ausdrücken; gewählte Sprache; **Ge|wählt|heit** *w. 10 nur Ez.*
ge|wahr; jmds. g. werden: jmdn. erblicken; kaum wurde er dessen g., als…
Ge|währ *w. 10 nur Ez.* Sicherheit, Garantie
ge|wah|ren *tr. 1* bemerken, erblicken

> **gewährleisten/Gewähr leisten:** Zusammensetzung *(gewährleisten)* und Wortgruppe *(Gewähr leisten)* stehen als Varianten nebeneinander und sind korrekte Schreibweisen: *Wir konnten gewährleisten/Gewähr leisten.* Ebenso die flektierte Form: *Er gewährleistet/leistet Gewähr, dass …*

ge|wäh|ren *tr. 1* zugestehen, erlauben, zubilligen; **Ge|währ|frist** *w. 10* Garantiezeit; **ge|währ|leis|ten** *tr. 2* ► *auch:* **Ge|währ leis|ten; Ge|währ|leis|tung** *w. 10 nur Ez.*
Ge|wahr|sam 1 *m. 1* Obhut, Haft; **2** *s. 1* Gefängnis
Ge|währ|schaft *w. 10, veraltet:* Gewährleistung; **Ge|währs|mann** *m. 4;* **Ge|wäh|rung** *w. 10 nur Ez.*
Ge|walt *w. 10;* **Ge|walt|akt** *m. 1;* **Ge|walt|an|wen|dung** *w. 10;* **Ge|wal|ten|tei|lung** *w. 10;* **Ge|walt|herr|schaft** *w. 10;* **Ge|walt|herr|scher** *m. 5;* **ge|wal|tig; ge|wäl|ti|gen** *tr. 1, Bgb.:* die Grube g.: von eingestürztem Gestein frei machen; **Ge|walt|maß|nah|me** *w. 11;* **Ge|walt|mensch** *m. 10;* **ge|walt|sam; Ge|walt|sam|keit** *w. 10 nur Ez.;* **Ge|walt|streich** *m. 1;* **Ge|walt|tat** *w. 10;* **Ge|walt|tä|ter** *m. 5;* **ge|walt|tä|tig; Ge|walt|tä|tig|keit** *w. 10*
Ge|wand *s. 4*
Ge|wän|de *s. 5* die mit der Mauer verbundene Begrenzung von Fenstern und Türen
Ge|wand|haus *s. 4* **1** *früher:* Lagerhaus der Tuchhändler; Zeughaus; **2** Konzerthaus in Leipzig; **Ge|wand|haus|or|ches|ter** *s. 5 nur Ez.*
ge|wandt; Ge|wandt|heit *w. 10 nur Ez.*
Ge|wan|dung *w. 10* Kleidung; die Art, sich zu kleiden
Ge|wann *s. 1,* **Ge|wan|ne** *s. 5,* **Ge|wan|ne|flur, Ge|wann|flur** *w. 10, früher:* Teil der Ackerflur eines Dorfes
ge|wär|tig *nur prädikativ mit Gen.;* einer Sache g. sein; g. sein, dass etwas geschieht: darauf gefasst sein; **ge|wär|ti|gen** *tr. 1* erwarten; etwas zu g. haben: mit etwas rechnen müssen
Ge|wäsch *s. Gen. -s nur Ez., ugs.:* dummes oder nutzloses Gerede
Ge|wäs|ser *s. 5;* **Ge|wäs|ser|kun|de** *w. 11 nur Ez.* Hydrografie; **ge|wäs|ser|reich; Ge|wäs|ser|reich|tum** *m. Gen. -s nur Ez.*
Ge|we|be *s. 5;* **Ge|we|be|kul|tur** *w. 10;* **Ge|webs|flüs|sig|keit** *w. 10;* **Ge|webs|tod** *m. 1 nur Ez.* = Nekrose; **Ge|webs|ver|pflan|zung** *w. 10*
ge|weckt geistig rege, schnell auffassend (von Kindern); **Ge|weckt|heit** *w. 10 nur Ez.*
Ge|wehr 1 *s. 1;* **2** *s. 1 nur Ez., Jägerspr.:* die Hauer (des Keilers); **Ge|wehr|feu|er** *s. 5 nur Ez.;* **Ge|wehr|kol|ben** *m. 7;* **Ge|wehr|lauf** *m. 2;* **Ge|wehr|schuß** ► **Ge|wehr|schuss** *m. 2*
Ge|weih *s. 1*
Ge|wen|de *s. 5* Ackergrenze
Ge|wer|be *s. 5;* **Ge|wer|be|auf|sicht** *w. 10;* **Ge|wer|be|frei|heit** *w. 10 nur Ez.;* **Ge|wer|be|ord|nung** *w. 10* (*Abk.:* GewO); **Ge|wer|be|schein** *m. 1;* **ge|wer|be|trei|bend; Ge|wer|be|trei|ben|de(r)** *m. 18 (17) bzw. w. 17 oder 18;* **ge|werb|lich; ge|werbs|mä|ßig; Ge|werbs|zweig** *m. 1*
Ge|werk *s. 1, veraltet:* Handwerk, Zunft, Innung; **Ge|wer|ke** *m. 11, Bgb.:* Mitglied einer Bergbau-Genossenschaft; **Ge|werk|schaft** *w. 10;* **Ge|werk|schaf|ter, Ge|werk|schaft|ler** *m. 5;* **ge|werk|schaft|lich; Ge|werk|schafts|be|we|gung** *w. 10;* **Ge|werk|schafts|bund** *m. 2*
Ge|we|se *s. 5* **1** *nddt.:* Anwesen, Hof; **2** *nur Ez., ugs.:* Getue, Aufhebens
Ge|wi *ohne Art., ehem. DDR, ugs. Kurzw. für* Gesellschaftswissenschaft(en), Marxismus-Leninismus als Studienfach
Ge|wicht *s. 1; auch Jägerspr.:* Gehörn (des Rehbocks); **ge|wich|ten** *tr. 2* abwägen, einen Durchschnittswert bilden von; **Ge|wicht|he|ben** *s. Gen. -s nur Ez.;* **Ge|wicht|he|ber** *m. 5;* **ge|wich|tig; Ge|wich|tig|keit** *w. 10 nur Ez.;* **Ge|wichts|ab|nah|me** *w. 11 nur Ez.;* **Ge|wichts|klas|se** *w. 11;* **Ge|wichts|ver|la|ge|rung** *w. 10;* **Ge|wichts|ver|lust** *m. 1;* **Ge|wichts|zu|nah|me** *w. 11 nur Ez.;* **Ge|wich|tung** *w. 10 nur Ez.*
ge|wieft *ugs.:* schlau, gerissen; gewiefter Geschäftsmann
ge|wiegt *ugs.:* erfahren, schlau
Ge|wie|her *s. Gen. -s nur Ez.*
ge|willt *nur prädikativ:* geneigt, willens; ich bin nicht g., zu…: ich habe nicht die Absicht
Ge|wim|mel *s. Gen. -s nur Ez.*
Ge|wim|mer *s. Gen. -s nur Ez.*
Ge|win|de *s. 5;* **Ge|win|de|boh|rer** *m. 5*
Ge|winn *m. 1;* **Ge|winn|an|teil** *m. 1;* **Ge|winn|be|tei|li|gung** *w. 10;* **ge|winn|brin|gend** ► **Ge|winn brin|gend,** *aber:* sehr ge|winn|brin|gend; **ge|win|nen** *tr. 53;* **ge|win|nend** freundlich, zuvorkommend; **Ge|win|ner** *m. 5;* **Ge|winn|schwel|le** *w. 11* Produktionsgröße, über die hinaus der Umsatz über den Gesamtkosten liegt; **Ge|winn|span|ne** *w. 11;* **Ge|winn|sucht** *w. Gen. - nur Ez.;* **ge|winn|süch|tig; Ge|winn-und-Ver|lust-Rech|nung** *w. 10;* **Ge|win|nung** *w. 10*
Ge|win|sel, Ge|wins|le *s. Gen. -s nur Ez.*
Ge|winst *m. 1, veraltet:* Gewinn
Ge|wir|ke *s. 5* Wirkware, Maschenstoff
Ge|wirr *s. Gen. -s nur Ez.*
ge|wiß ► **ge|wiss;** etwas, nichts Gewisses; er war seines Erfolges gewiss
Ge|wis|sen *s. 7 nur Ez.;* **ge|wis|sen|haft; Ge|wis|sen|haf|tig|keit** *w. 10 nur Ez.;* **ge|wis|sen|los; Ge|wis|sen|lo|sig|keit** *w. 10 nur Ez.;* **Ge|wis|sens|biß** ► **Ge|wis|sens|biss** *m. 1;* **Ge|wis|sens|fra|ge** *w. 11;* **Ge|wis-**

sens|frei|heit *w. 10 nur Ez.;* **Ge|wis|sens|kon|flikt** *m. 1;* **Ge|wis|sens|not** *w. 2;* **Ge|wis|sens|qual** *w. 10;* **Ge|wis|sens|zwang** *m. 2 nur Ez.*
ge|wis|ser|ma|ßen; Ge|wiß|heit ▶ **Ge|wiss|heit** *w. 10 nur Ez.;* **ge|wiß|lich** ▶ **ge|wiss|lich** *poet.:* gewiss; das ist g. wahr
Ge|wit|ter *s. 5;* **ge|wit|te|rig,** ge|witt|rig; **ge|wit|tern** *intr. 1, nur unpersönlich:* es gewittert; **Ge|wit|ter|re|gen** *m. 7;* **ge|wit|ter|schwül; Ge|wit|ter|schwü|le** *w. Gen. - nur Ez.;* **Ge|wit|ter|wol|ke** *w. 11;* **ge|witt|rig,** ge|wit|te|rig
Ge|wit|zel *s. Gen. -s nur Ez.;* **ge|wit|zigt** durch Erfahrung vorsichtig; **ge|witzt** schlau
GewO *Abk. für* Gewerbeordnung
Ge|wo|ge *s. Gen. -s nur Ez.*
ge|wo|gen; jmdm. g. sein: zugetan, freundlich gesinnt sein; **Ge|wo|gen|heit** *w. 10 nur Ez.*
ge|wöh|nen *tr. 1;* jmdn., sich an etwas, an jmdn. g.; **Ge|wohn|heit** *w. 10;* **ge|wohn|heits|ge|mäß** einer bestimmten Gewohnheit entsprechend; er holte g. morgens die Post ab; **ge|wohn|heits|mä|ßig** aus Gewohnheit, ohne nachzudenken; er raucht, trinkt g.; **Ge|wohn|heits|mensch** *m. 10;* **Ge|wohn|heits|recht** *s. 1;* **Ge|wohn|heits|tier** *s. 1, ugs.;* **Ge|wohn|heits|ver|bre|cher** *m. 5;* **ge|wöhn|lich; Ge|wöhn|lich|keit** *w. 10 nur Ez.;* **ge|wohnt** durch Gewohnheit vertraut; meine gewohnte Arbeit; in gewohnter Weise; ich bin es gewohnt: ich bin durch Gewohnheit damit vertraut; **ge|wöhnt**; an etwas g. sein: durch Gewöhnung, Übung damit vertraut sein; **Ge|wöh|nung** *w. 10 nur Ez.*
Ge|wöl|be *s. 5*
Ge|wölk *s. Gen. -(e)s nur Ez.,* **Ge|wöl|ke** *s. Gen. -s nur Ez.*
Ge|wöl|le *s. Gen. -s nur Ez., bei Raubvögeln:* ausgespiener Ballen unverdaulicher Nahrungsreste
Ge|wühl *s. Gen. -(e)s nur Ez.,* **Ge|wüh|le** *s. Gen. -s nur Ez.*
ge|wür|felt kariert
Ge|wür|ge *s. Gen. -s nur Ez.*
Ge|würm *s. Gen. -s nur Ez.*
Ge|würz *s. 1;* **Ge|würz|kraut** *s. 4;* **Ge|würz|nel|ke** *w. 11;* **Ge|würz|wein** *m. 1*

Gey|sir [isländ.], *eindeutschend:* Gei|ser *m. 1* in regel- oder unregelmäßigen Zeitabständen springende heiße Quelle
gez. *Abk. für* gezeichnet: unterschrieben (in Briefabschriften vor dem Namen)
ge|zackt
Ge|zä|he *s. Gen. -s nur Ez.* die Werkzeuge des Berg- und Hüttenarbeiters
ge|zäh|nelt, ge|zahnt, ge|zähnt
Ge|zänk, Ge|zan|ke *s. Gen. -s nur Ez.*
Ge|zap|pel, Ge|zapp|le *s. Gen. -s nur Ez.*
Ge|zei|ten *nur Mz.* (regelmäßiger Wechsel von) Ebbe und Flut; **Ge|zei|ten|kraft|werk** *s. 1*
Ge|zer|re *s. Gen. -s nur Ez.*
Ge|ze|ter *s. Gen. -s nur Ez.*
ge|zie|men 1 *intr. 1* recht, richtig sein, gebühren; dir geziemt ein besseres Benehmen; er weiß, was ihm geziemt; **2** *refl. 1* sich schicken, sich gehören; es geziemt sich nicht, zu...; ein solches Verhalten geziemt sich nicht; **ge|zie|mend** wie es sich gehört, gebührend
ge|ziert; Ge|ziert|heit *w. 10 nur Ez.*
Ge|zirp, Ge|zir|pe *s. Gen. -s nur Ez.*
Ge|zisch *s. Gen. -es nur Ez.,* **Ge|zi|sche** *s. Gen. -s nur Ez.;* **Ge|zi|schel** *s. Gen. -s nur Ez.*
Ge|zücht *s. Gen. -s nur Ez.* **1** Brut, z.B. Otterngezücht; **2** *übertr.:* Gesindel
Ge|zün|gel *s. Gen. -s nur Ez.*
Ge|zweig, Ge|zwei|ge *s. Gen. -s nur Ez.*
Ge|zwit|scher *s. Gen. -s nur Ez.*
ge|zwun|gen unnatürlich, steif, gekünstelt; **ge|zwun|ge|ner|ma|ßen; Ge|zwun|gen|heit** *w. 10 nur Ez.*
gg *Abk. für* Gauge
GG *Abk. für* Grundgesetz
ggf. *Abk. für* gegebenenfalls
Gha|na Staat in Westafrika; **Gha|na|er** *m. 5* = Ghanese; **gha|na|isch** = ghanesisch; **Gha|ne|se** *m. 11* Einwohner von Ghana; **gha|ne|sisch**
Gha|sel *s. 1* = Gasel
Ghet|to *s. 9* = Getto
Ghi|bel|li|ne *m. 11* Anhänger der Hohenstaufen und Gegner der Guelfen
Ghost|wri|ter [goustraɪtər, engl. »Geisterschreiber«] *m. 5* jmd., der Reden, Bücher u. Ä. für einen andern (Mummy) schreibt und selbst als Autor nicht in Erscheinung tritt
G. I., GI [dʒiːaɪ] *m. 9 oder Gen. - Mz. -, urspr. Abk. für* Government Issue: die vom Staat gelieferte Kleidung und Ausrüstung des US-amerik. Soldaten; *übertr.:* US-amerik. Soldat
Gi|a|ni|co|lo [dʒa-], Ja|ni|cu|lus, Ja|ni|ku|lus *m. Gen. - nur Ez.* einer der Hügel Roms
Gi|aur [türk. »Ungläubiger«] *m. 9, Schimpfwort des Muslims für* Nichtmuslim
Gib|bon [frz.] *m. 9* südostasiat. Menschenaffe
Gi|bel|li|ne *m. 11, eindeutschende Schreibung für* Ghibelline
Gi|bral|tar [arab.] Halbinsel an der Südspitze Spaniens
Gicht *w. 10* **1** oberster Teil des Hochofens; **2** *nur Ez.* eine Stoffwechselkrankheit; **Gicht|bee|re** *w. 11* Johannisbeere; **gicht|brü|chig** *veraltet für* gichtkrank; **gich|tig, gich|tisch** gichtkrank; **Gicht|kno|ten** *m. 7* durch Gicht verursachter Knoten an den Gelenken, bes. der Finger; **gicht|krank**
Gi|ckel *m. 5, mitteldt.:* Hahn; **gi|ckern** *intr. 1* kichern, albern lachen; **Gick|gack** *s. Gen. -s nur Ez.* **1** das Schnattern der Gänse; **2** albernes Gerede; **gicks;** **Gicks** *in der Wendung* er sagte weder Gicks noch Gacks, Gicks und Gacks: alle Welt, alle möglichen (unbedeutenden) Leute; **gick|sen,** kick|sen **1** *intr. 1* einen leichten, hohen Schrei ausstoßen; **2** *intr. 1* mit der Stimme überschnappen; **3** *tr. 1* stechen, pieken
Gie|bel *m. 5* **1** ein Fisch; **2** dreieckiger Wandteil an der Schmalseite des Hauses zwischen den beiden Schrägen des Dachs; **Gie|bel|dach** *s. 4;* **Gie|bel|fens|ter** *s. 5;* **gie|be|lig,** gieb|lig; **Gie|bel|wand** *w. 2;* **Gie|bel|zim|mer** *s. 5;* **gieb|lig,** gie|be|lig
giek|sen, kiek|sen *tr. u. intr. 1 mitteldt.:* stechen, pieken
Gie|men 1 *m. 7, alem.:* Spalt; **2** *s. Gen. -s nur Ez.* krankhaftes Atmungsgeräusch (bei Pferden)
Gien *s. 1, Seew.:* starker Flaschenzug; **gie|nen** *tr. 1* mit dem Gien heben
Gier *w. Gen. - nur Ez.;* **gie|ren** *intr. 1* **1** nach etwas g.: gierig

▶ = wird zu

nach etwas sein; **2** ungewollt vom Kurs abweichen (vom Schiff); **Gier|fäh|re** *w. 11* Seilfähre

Gier|fal|ke *m. 11* = Gerfalke

gie|rig; Gie|rig|keit *w. 10 nur Ez.*

Giersch *m. 1 nur Ez.* = Geißfuß

Gier|schlund *m. 1, ugs.:* Vielfraß, gieriger Esser

Gieß|bach *m. 2;* **gie|ßen** *tr. 54;* **Gie|ßer** *m. 5;* **Gie|ße|rei** *w. 10;* **Gieß|form** *w. 10;* **Gieß|kan|ne** *w. 11*; **Gieß|ma|schi|ne** *w. 11*

Gift 1 *s. 1;* **2** *m. 1 nur Ez., bayr., österr.:* Ärger, Zorn; einen Gift auf jmdn. haben; **Gift|be|cher** *m. 5;* **Gift|drü|se** *w. 11;* **gif|ten** *tr. 2* ärgern; sich g.; es giftet mich, dass…; **gift|fest; Gift|fes|tig|keit** *w. 10 nur Ez.;* **gift|frei; Gift|gas** *s. 1;* **gift|grün; Gift|hauch** *m. 1;* **gif|tig; Gif|tig|keit** *w. 10 nur Ez.;* **Gift|mord** *m. 1;* **Gift|mör|der** *m. 5;* **Gift|nu|del** *w. 11, ugs.:* zänkischer, boshafter Mensch; **Gift|pfeil** *m. 1;* **Gift|pflan|ze** *w. 11;* **Gift|pilz** *m. 1;* **Gift|schlan|ge** *w. 11;* **Gift|stoff** *m. 1;* **Gift|zahn** *m. 2*

Gig [engl.] *s. 9* **1** zweirädriger, offener, einspänniger Wagen; **2** leichtes Ruderboot, Beiboot

Gi|ga… [griech.] (*Abk.:* G) in *Zus.:* das Milliardenfache der betr. Einheit, z.B. Gigawattstunde; **Gi|ga|me|ter** *s. 5 (Abk.:* Gm) 1 Milliarde Meter

Gi|gant [griech.] *m. 10* Riese; **gi|gan|tisch; Gi|gan|tis|mus** *m. Gen. - nur Ez., Med.* = Riesenwuchs; **Gi|gan|to|ma|chie** [-xi] *w. 11, griech. Myth.:* Kampf der Giganten gegen Zeus; **Gi|gan|to|pi|the|cus** *m. Gen. - nur Ez.* ein fossiler Menschenaffe

Gi|ga|watt|stun|de *w. 11* (*Abk.:* GWh) 1 Milliarde Wattstunden

Gi|gerl *s. 14, österr.:* Modenarr, Geck; **gi|gerl|haft**

gi|gi [ʒiʒi] *schweiz.:* unecht, übertrieben

Gi|go|lo [ʒi-, frz.] *m. 9* **1** Eintänzer; **2** *auch:* Geck, Fant

Gigue [ʒig, frz.] *w. 11* **1** Hüpftanz; **2** Satz der Suite, *auch:* der Sonate

gik|sen 1 *intr. 1, Nebenform von* gicksen; **2** *tr. 1, Nebenform von* gieksen

Gil|b|hard, Gil|b|hart *m. 1, früher Bez. für* Oktober

Gil|de *w. 11* Zusammenschluss von Personen, urspr. für wohltätige Zwecke und zum gegenseitigen Schutz (Brandgilde), später zur Wahrung gemeinsamer Interessen, im MA bes. von Händlern (Kaufmannsgilde, z.B. die Hanse); **Gil|de|haus** *s. 4;* **Gil|de|meis|ter** *m. 5;* **Gil|den|schaft** *w. 10* alle Mitglieder einer Gilde

Gil|let [ʒile, frz.] *s. 9, österr., schweiz.:* Weste

Gil|ling, Gil|lung *w. 10 oder w. 9, Seew.:* der nach innen gebogene Teil des Schiffshecks

gil|tig *veraltet, noch österr. Nebenform von* gültig

Gim|pe *w. 11* Schnur (als Kleiderbesatz), umsponnener Faden (zum Sticken oder für Spitzen)

Gim|pel *m. 5* **1** ein Singvogel, Dompfaff; **2** einfältiger Mensch; **Gim|pel|fang** *m. 2 nur Ez.* Bauernfängerei

Gin [dʒɪn, engl.] *m. 9* engl. Wacholderbranntwein; **Gin-Fizz** [dʒɪnfɪz] *m. Gen. - Mz. -* ein Mixgetränk

Gin|gan, Gin|gang [mal.] *m. 9* gestreiftes oder kariertes Baumwollgewebe

Gin|gi|vi|tis [lat.] *w. Gen. - Mz.* -ti|den Zahnfleischentzündung

Gink|go [giŋko, jap.] *auch:* ► **Gin|ko** *m. 9* ein ostasiat. Zierbaum

Gin|seng [chin.] *m. 9* eine ostasiat. Heilpflanze

Gins|ter *m. 5* ein strauchiger Schmetterlingsblütler; **Gins|ter|kat|ze** *w. 11* = Genette

gio|co|so [dʒɔ-, ital.] *Mus.:* spielerisch, lustig, scherzend

Gip|fel *m. 5; auch kurz für* Gipfelkonferenz; **…gip|fe|lig,** …gipflig *in Zus.,* z.B. zweigipf(e)lig; **Gip|fel|kon|fe|renz** *w. 10* Konferenz von Staatsoberhäuptern, Gipfeltreffen; **Gip|fel|kreuz** *s. 1;* **gip|feln** *intr. 1;* **Gip|fel|punkt** *m. 1* Höhepunkt; **Gip|fel|tref|fen** *s. Gen. -s nur Ez.* = Gipfelkonferenz; **…gipf|lig** = …gip|fe|lig

Gips [griech.] *m. 1* ein Mineral, schwefelsaurer Kalk; **Gips|ab|guß** ► **Gips|ab|guss** *m. 2;* **Gips|bein** *s. 1, ugs.:* Bein im Gipsverband; **Gips|bett** *s. 12* gepolsterte Gipsschale zur Ruhigstellung des Rumpfes; **gip|sen** *tr. 1;* **Gip|ser** *m. 5* Gipsarbeiter, Stukkateur; **gip|sern** aus Gips; **Gips|ver|band** *m. 2*

Gi|pür|ar|beit *w. 10,* **Gi|pü|re** *w. 11* Geflecht, Spitze aus Gimpen

Gi|raf|fe [arab.] *w. 11* **1** ein Huftier mit sehr langem Hals; **2** *Film:* Gerät mit langem, schwenkbarem Arm, Galgen; **Gi|raf|fen|ga|zel|le** *w. 11* ein antilopenartiges Huftier, Gerenuk

Gi|ran|do|la [dʒi-, ital.] *w. Gen. - Mz.* -do|len, **Gi|ran|do|le** [ʒirɑ̃-, frz.] *w. 11* **1** ein Feuerwerkskörper, Feuerrad; **2** Armleuchter

Gi|rant [ʒi-, frz.] *m. 10* jmd., der einen Wechsel oder Scheck durch Übertragungsvermerk (Indossament) weitergibt, Indossant; **Gi|rat** *m. 10,* **Gi|ra|tar** *m. 1* jmd., auf den ein Wechsel oder Scheck übertragen ist; **gi|rie|ren** *tr. 3* übertragen; einen Wechsel, Scheck g.

Girl [gəl, engl.] *s. 9* **1** *engl. Bez. für:* **1** Mädchen; **2** weibl. Mitglied einer Tanzgruppe

Gir|lan|de [frz.] *w. 11* langes Blumen- oder Blättergewinde, bunte Papierkette

Gir|litz *m. 1* ein Finkenvogel

Gi|ro [ʒi-, ital.] *s. Gen. -s Mz. -s, österr. auch:* -ri **1** Überweisung im bargeldlosen Zahlungsverkehr; **2** Übertragungsvermerk auf Wechsel oder Scheck; **Gi|ro d'I|ta|lia** [ʒi-] *m. Gen. - - nur Ez.* Straßen-Radrennen von Berufsradfahrern in Italien; **Gi|ro|kon|to** [ʒi-] *s. Gen. -s Mz. -s* oder -ten Bankkonto, das bes. dem bargeldlosen Zahlungsverkehr dient

Gi|ronde [ʒirɔ̃d, nach dem frz. Departement G.] *w. 11 nur Ez.* gemäßigter Flügel der Republikaner während der Frz. Revolution; **Gi|ron|dist** *m. 10* Mitglied, Anhänger der Gironde

Gi|ro|ver|kehr [ʒi-, ital.] *m. Gen. -s nur Ez.* bargeldloser Zahlungsverkehr

gir|ren *intr. 1* **1** gurren (wie die Taube); **2** kokettieren

gis 1 *s. Gen. - Mz. -, Mus.:* das um einen halben Ton erhöhte g; **2** *Abk. für* gis-Moll; **Gis** *s. Gen. - Mz. -, Mus.:* **1** das um einen halben Ton erhöhte G; **2** *Abk. für* Gis-Dur

gi|schen *intr. 1* Gischt versprühen, schäumen; **Gischt** *w. 10 oder m. 1* Wellenschaum

Gis-Dur *s. Gen. - nur Ez.* (*Abk.:* Gis) eine Tonart; **Gis-Dur-Ton|lei|ter** *w. 11*

gi|sis, Gi|sis *s. Gen. - Mz. -, Mus.:* das um zwei halbe Töne erhöhte g bzw. G

gis-Moll *s. Gen. - nur Ez.* (*Abk.:* gis) eine Tonart; **gis-Moll-Ton|lei|ter** *w. 11*

Giß ► **Giss** *m. 1 oder w. 10,* Gis|sung *w. 10, nddt.:* Mutmaßung (des Schiffers oder Fliegers) über den Standort (des Schiffes oder Flugzeuges); **gis|sen** *intr. 1;* **Gis|sung** *w. 10* = Giss

Gi|ta|no *m. 9* sesshaft gewordener Zigeuner in Spanien

Gi|tar|re [griech.-span.] *w. 11* ein Zupfinstrument; **Gi|tar|rist** *m. 10* Gitarrenspieler

Git|ter *s. 5;* **Git|ter|bett** *s. 12;* **Git|ter|fens|ter** *s. 5;* **Git|ter|mast** *m. 12;* **git|tern** *tr. 1,* selten für vergittern; **Git|ter|rost** *m. 1*

Gla|ce [glas, frz.] *w. Gen. - Mz.* -s [glas] **1** Zuckerglasur; **2** Gallert; **3** *w. 11, schweiz.:* Speiseeis; **Gla|cé** ► *auch:* **Gla|cee** [-se] *s. Gen.* -(s) *Mz.* -s **1** *kurz für* Glacéleder; **2** Hochglanzgewebe; **Gla|cé|le|der** ► *auch:* **Gla|cee|le|der** [-se-] *s. 5* weiches Ziegen- oder Lammleder; **gla|cie|ren** [-si-] *tr. 3, veraltende Schreibung von* glasieren; **Gla|cis** [-si] *s. Gen.* - [-sis] *Mz.* - [-sis] Vorfeld einer Befestigungsanlage

Gla|di|a|tor [lat.] *m. 13, im alten Rom:* Schwertkämpfer bei den Zirkusspielen

Gla|di|o|le [lat.] *w. 11* ein Schwertliliengewächs, Siegwurz

gla|go|li|tisch; glagolitische Schrift: aus der griech. Minuskel entstandene, älteste slaw. Schrift; **Gla|go|li|za** *w. Gen. - nur Ez.* glagolitische Schrift

Gla|mour|girl [glæməgə:l, engl.] *s. 9* strahlend schöne Frau, Reklameschönheit

Glan|del [lat.] *w. 11,* **Glan|du|la** *w. Gen. - Mz.* -lae [-lɛ:] Drüse; **glan|du|lär** zu einer Drüse gehörig, von ihr ausgehend

Glanz *m. Gen.* -es *nur Ez.;* **Glanz|bü|geln** *s. Gen.* -s *nur Ez.* Bügeln mit Glanzstärke; **Glanz|bürs|te** *w. 11;* **glän|zen** **1** *intr. 1;* **2** *tr. 1* glänzend machen, polieren, mit glänzender Schicht überziehen; **glän|zend;** glänzend schwarzes Haar; **Glanz|far|be** *w. 11;* **Glanz|le|der** *s. 5;* **Glanz|leis|tung** *w. 10;* **Glanz|licht** *s. 3;* **glanz|los;** **Glanz|num|mer** *w. 11;* **Glanz|pa|pier** *s. 1;* **Glanz|punkt** *m. 1;* **Glanz|stär|ke** *w. 11 nur Ez.* beim Bügeln glänzend machende Stärke; **Glanz|stück** *s. 1;* **glanz|voll;** **Glanz|zeit** *w. 10*

gla|ren *intr. 1, schweiz.:* **1** glänzen; **2** gefrieren; **gla|rig** *schweiz.;* **Gla|rus** **1** Hst. des Schweizer Kantons G.; **2** Schweizer Kanton

Glas **1** *s. 4;* zwei Glas Wein bestellen: zweimal ein Glas Wein; ich habe nur zwei Gläser Wein getrunken; **2** *s. 12, Seew.:* halbe Stunde; **Glas|au|ge** *s. 14;* **Glas|blä|ser** *m. 5;* **Glas|blä|se|rei** *w. 10;* **Gläs|chen** *s. 7;* **Glas|dach** *s. 4;* **Glas|di|a|mant** *m. 10* Diamant zum Schneiden von Glas; **Gla|ser** *m. 5;* **Gla|se|rei** *w. 10;* **Gla|ser|kitt** *m. 1;* **Glä|ser|klang** *m. 2;* **glä|sern** aus Glas, wie Glas; **glä|ser|wei|se;** **Glas|fa|ser** *w. 11;* **Glas|flüg|ler** *m. 5 Mz.* Familie der Schmetterlinge; **Glas|fluß** ► **Glas|fluss** *m. 2 nur Ez.* = Email; **Glas|ge|mäl|de** *s. 5;* **Glas|glo|cke** *w. 11;* **Glas|har|fe** *w. 11,* **Glas|har|mo|ni|ka** *w. 9* Musikinstrument, bei dem Glasscheiben in Schwingung versetzt werden; **glas|hart;** **Glas|haus** *s. 4;* **Glas|hüt|te** *w. 11* Betrieb zur Herstellung und Verarbeitung von Glas; **gla|sie|ren** *tr. 3* mit Glasur versehen; **gla|sig** wie Glas; **glas|klar;** **Glas|kopf** *m. 2 nur Ez.* ein Mineral; **Glas|kör|per** *m. 5* der durchsichtige Teil des Auges; **Gläs|lein** *s. 7;* **Glas|ma|ler** *m. 5;* **Glas|ma|le|rei** *w. 10;* **Glas|per|le** *w. 11;* **Glas|schei|be** *w. 11;* **Glas|scher|be** *w. 11;* **Glas|schlei|fer** *m. 5;* **Glas|schliff** *m. 1;* **Glas|schnei|der** *m. 5* Gerät zum Schneiden oder Ritzen von Glas; **Glas|schrank** *m. 2;* **Glas|sturz** *m. 2* Glasglocke, Glasgehäuse

Glast *m. 1, poet.:* Glanz, z. B. Sonnenglast; **glas|tig** *selten:* glänzend

Gla|sur *w. 10* glasiger Überzug; **Glas|ver|si|che|rung** *w. 10;* **Glas|wa|ren** *w. 11 Mz.;* **Glas|wat|te** *w. 11 nur Ez.;* **glas|wei|se**

glatt; glatter, glatteste, *auch:* glätter, glätteste; ich hoffe, es wird glattgehen: gut gehen; **Glät|te** *w. 11 nur Ez.;* **Glatt|eis** *s. Gen.* -es *nur Ez.;* jmdn. aufs G. führen: jmdn. durch bewusst irreführende Fragen auf die Probe stellen, in Gefahr bringen; **Glatt|eis|bil|dung** *w. 10;* **glät|ten** *tr. 2; schweiz. auch:* bügeln; **glat|ter|dings** schlechterdings; **Glät|te|rin** *w. 10, schweiz.:* Büglerin; **Glatt|heit** *w. 10 nur Ez.;* **glatt|ho|beln** ► **glatt ho|beln** *tr. 1;* **glatt|le|gen** ► **glatt le|gen** *tr. 1;* **glatt|schlei|fen** ► **glatt schlei|fen** *tr. 118;* **glatt|stel|len** *tr. 1, Kaufmannsspr.:* ausgleichen; **Glatt|stel|lung** *w. 10;* **glatt|strei|chen** ► **glatt strei|chen** *tr. 158;* **Glät|tung** *w. 10 nur Ez.;* **glatt|weg** rundweg, ohne weiteres; etwas g. ablehnen; **glatt|zie|hen** ► **glatt zie|hen** *tr. 187;* **glatt|zün|gig;** **Glatt|zün|gig|keit** *w. 10 nur Ez.*

Glat|ze *w. 11;* **Glatz|kopf** *m. 2;* **glatz|köp|fig;** **Glatz|köp|fig|keit** *w. 10 nur Ez.*

Glau|be *m. 15;* **glau|ben** *tr. 1;* jmdn. etwas glauben machen: jmdm. etwas einreden; **Glau|ben** *m. 7, Nebenform von* Glaube; **Glau|bens|ar|ti|kel** *m. 5;* **Glau|bens|be|kennt|nis** *s. 1;* **Glau|bens|ei|fer** *m. 5;* **glau|bens|fest;** **Glau|bens|fes|tig|keit** *w. 10 nur Ez.;* **Glau|bens|fra|ge** *w. 11;* **Glau|bens|frei|heit** *w. 10 nur Ez.;* **Glau|bens|krieg** *m. 1;* **Glau|bens|sa|che** *w. 11;* **Glau|bens|satz** *m. 2;* **glau|bens|stark;** **Glau|bens|stär|ke** *w. 11 nur Ez.;* **Glau|bens|streit** *m. 1;* **Glau|bens|treue** *w. 11 nur Ez.;* **Glau|bens|ver|fol|gung** *w. 10;* **Glau|bens|wech|sel** *m. 5;* **Glau|bens|zwei|fel** *m. 5*

Glau|ber|salz [nach dem Chemiker Johann Rudolf Glauber] *s. 1 nur Ez.* ein Abführmittel, schwefelsaures Natrium

glaub|haft; **Glaub|haf|tig|keit** *w. 10 nur Ez.;* **Glaub|haft|ma|chung** *w. 10 nur Ez.;* **gläu|big;** **Gläu|bi|ge(r)** *m. 18 (17) bzw. w. 17 oder 18* jmd., der gläubig ist; **Gläu|bi|ger** *m. 5* jmd., der berechtigt ist, von jmdm. die Zahlung einer Schuld zu fordern; **Gläu|big|keit** *w. 10 nur Ez.;* **glaub|lich;** es ist kaum g.; **glaub|wür|dig;** **Glaub|wür|dig|keit** *w. nur Ez.*

Glau|ko|chro|it [-kro-, griech.] *m. 1* ein Mineral; **Glau|ko|dot**

► = wird zu

s. 1 ein Mineral; **Glau|kom** *s. 1* eine Augenkrankheit, grüner Star; **Glau|ko|nit** *m. 1* ein Mineral; **Glau|ko|phan** *m. 1* ein Mineral

gla|zi|al [lat.] zu einem Gletscher, zur Eiszeit gehörig, von einem Gletscher, aus der Eiszeit stammend, eiszeitlich; **Gla|zi|al** *s. 1* Eiszeit; **Gla|zi|al|e|ro|si|on** *w. 10* die abtragende Tätigkeit eines Gletschers; **Gla|zi|al|fau|na** *w. Gen. - nur Ez.* die Tierwelt der Eiszeit; **Gla|zi|al|flo|ra** *w. Gen. - nur Ez.* die Pflanzenwelt der Eiszeit; **Gla|zi|al|land|schaft** *w. 10* durch die Eiszeit geformte Landschaft; **Gla|zi|al|zeit** *w. 10* Eiszeit; **gla|zi|är, gla|zi|gen** durch Gletscher, durch Eiswirkung entstanden; **Gla|zi|o|lo|ge** [lat. + griech.] *m. 11;* **Gla|zi|o|lo|gie** *w. 11 nur Ez.* Lehre von den Gletschern, der Eiszeit, den Vereisungsvorgängen auf der Erde; **gla|zi|o|lo|gisch**

Glei|bo|den *m. 8* Art des Bodens unmittelbar über oder unter dem Grundwasserspiegel

gleich, der/die/das Gleiche: Das Adjektiv/Adverb wird kleingeschrieben: *Das ist ihm gleich; sie sind gleich groß; sie werden gleich kommen.* Das substantivierte Adjektiv hingegen wird mit großem Anfangsbuchstaben geschrieben: *das Gleiche; Gleiches mit Gleichem vergelten; ein Gleiches tun; auf das Gleiche hinauskommen; Gleich und Gleich gesellt sich gern.* →§ 57 (1)

gleich **1** *Großschreibung:* der, die, das Gleiche; das kommt aufs, auf das Gleiche heraus, hinaus; etwas ins Gleiche bringen: in Ordnung bringen; Gleich und Gleich gesellt sich gern; ich werde ein Gleiches tun; ich kann dazu Gleiches berichten; Gleiches mit Gleichem vergelten; Gleiches zu Gleichem ergibt Gleiches; als Gleicher unter Gleichen; der Erste unter Gleichen; **2** *in Verbindung mit Adjektiven:* gleich groß, gut, hoch, schön, weit usw. **3** *in Verbindung mit Verben: Getrenntschreibung, wenn »gleich« den Sinn von »sofort« hat,* z. B. ich werde gleich gehen, kommen, ich werde es gleich machen, tun, das werden wir gleich sehen; *Zusammenschreibung, wenn »gleich« den Sinn von »entsprechend, ebenso wie« hat,* z. B. gleichkommen, gleichmachen, gleichschalten; **gleich|al|te|rig, gleich|alt|rig; gleich|ar|tig; Gleich|ar|tig|keit** *w. 10 nur Ez.;* **gleich|be|deu|tend; gleich|be|rech|tigt; Gleich|be|rech|ti|gung** *w. 10 nur Ez.;* **gleich|blei|ben** *intr. 17;* **Glei|che** *w. 11 nur Ez.;* etwas in die G. bringen: in Ordnung bringen, etwas ins Gleiche bringen, vgl. gleich; **glei|chen** *intr. 55;* **glei|cher|big; glei|cher|ge|stalt; glei|cher|ma|ßen; glei|cher|wei|se; gleich|falls; gleich|far|big; Gleich|far|big|keit** *w. 10 nur Ez.;* **gleich|för|mig; Gleich|för|mig|keit** *w. 10 nur Ez.;* **gleich|ge|schlecht|lich; Gleich|ge|schlecht|lich|keit** *w. 10 nur Ez.;* **gleich|ge|sinnt; gleich|ge|stellt; gleich|ge|stimmt; Gleich|ge|wicht** *s. 1;* **Gleich|ge|wichts|stö|rung** *w. 10;* **gleich|gil|tig** *veraltet, noch österr. Nebenform von* gleichgültig; **gleich|gül|tig; Gleich|gül|tig|keit** *w. 10 nur Ez.;* **Gleich|heit** *w. 10 nur Ez.;* **Gleich|heits|zei|chen** *s. 7 (Zeichen: =);* **Gleich|klang** *m. 2;* **gleich|kom|men** *intr. 71;* jmdm. oder einer Sache g.: entsprechen; vgl. gleich; **Gleich|lauf** *m. 2 nur Ez.;* **gleich|lau|fen** *intr. 76;* **gleich|läu|fig; Gleich|läu|fig|keit** *w. 10 nur Ez.;* **gleich|lau|tend** ▶ **gleich lau|tend; gleich|ma|chen** *tr. 1* angleichen; dem Erdboden g.: völlig niederreißen; **Gleich|ma|che|rei** *w. 10 nur Ez.;* **gleich|ma|che|risch; Gleich|maß** *s. 1;* **gleich|mä|ßig; Gleich|mä|ßig|keit** *w. 10 nur Ez.;* **Gleich|mut** *m. Gen. -(e)s nur Ez.;* **gleich|mü|tig; gleich|na|mig; Gleich|na|mig|keit** *w. 10 nur Ez.;* **Gleich|nis** *s. 1;* **gleich|nis|haft; gleich|ran|gig; gleich|rich|ten** *tr. 2;* **Gleich|rich|ter** *m. 5* Gerät zum Umwandeln von Wechselstrom in Gleichstrom; **Gleich|rich|tung** *w. 10 nur Ez.* = Demodulation; **gleich|sam; gleich|schal|ten** *tr. 2;* **Gleich|schal|tung** *w. 10;* **gleich|schen|ke|lig, gleich|schenk|lig; Gleich|schritt** *m. 1 nur Ez.;* im G.; **gleich|se|hen** *intr. 136* ähnlich sehen; das sieht ihm gleich!; das sieht nichts gleich *süddt.:* das sieht nach nichts aus, das sieht nicht gut aus; vgl. gleich; **gleich|sei|tig; Gleich|sei|tig|keit** *w. 10 nur Ez.;* **gleich|set|zen** *tr. 1;* **Gleich|set|zung** *w. 10 nur Ez.;* **Gleich|stand** *m. 2;* **gleich|ste|hen** *intr. 151* gleich sein (in der Punktbewertung bei Wettkämpfen); **gleich|stel|len** *tr. 1;* **Gleich|stel|lung** *w. 10 nur Ez.;* **gleich|stim|mig; Gleich|stim|mig|keit** *w. 10 nur Ez.;* **Gleich|stim|mung** *w. 10 nur Ez.;* **Gleich|strom** *m. 2;* **Gleich|strom|mo|tor** *m. 13;* **gleich|tun** *tr. 167;* es jmdm. g.: jmdm. in etwas gleichkommen, das gleiche erreichen wie jemand; vgl. gleich; **Glei|chung** *w. 10;* **gleich|viel** einerlei; g., ob…: es ist einerlei, ob…; g., wann oder wo; vgl. gleich; **gleich|wer|tig; Gleich|wer|tig|keit** *w. 10 nur Ez.;* **gleich|wie** wie, so wie, ebenso wie; **gleich|win|ke|lig, gleich|wink|lig; gleich|wohl** dennoch, trotzdem; **gleich|zei|tig; Gleich|zei|tig|keit** *w. 10 nur Ez.;* **gleich|zie|hen** *intr. 187;* mit jmdm. g.: genauso wie jmd. handeln

Gleis *s. 1;* vgl. Geleise; **Gleis|an|schluß** ▶ **Gleis|an|schluss** *m. 2;* **Gleis|bau** *m. Gen. -(e)s nur Ez.;* **…glei|sig,** z. B. ein-, zweigleisig; **Gleis|ket|te** *w. 11;* **Gleis|ket|ten|fahr|zeug** *s. 1*

Gleis|ner *m. 5, poet.:* Heuchler; **Gleis|ne|rei** *w. 10 nur Ez., poet.:* Heuchelei; **gleis|ne|risch**

glei|ßen *intr. 1, poet.:* glänzen, glitzern

Gleit|ba|cke *w. 11* auswechselbare Gleitfläche (an Maschinen), Gleitschuh; **Gleit|boot** *s. 1;* **glei|ten** *intr. 56;* **Glei|ter** *m. 5* einfaches Segelflugzeug für Übungen; **Gleit|flä|che** *w. 11;* **Gleit|flug** *m. 2;* **Gleit|klau|sel** *w. 11* Vertragsklausel, durch die ein Punkt (insbes. der Preis) von späteren Umständen abhängig gemacht wird; **Gleit|schuh** *m. 1* = Gleitbacke; **Gleit|schutz** *m. Gen. -es nur Ez.;* **gleit|si|cher** nicht gleitend; **Gleit|wachs** *s. Gen. -es nur Ez.* Skiwachs zum Schussfahren

Glen|check [-tʃɛk, engl.] *m. 9* Muster aus feinen, im Karo verlaufenden Streifen

Glet|scher *m. 5;* **Glet|scher|brand** *m. 2* Sonnenbrand durch Rückstrahlung des Sonnenlichts vom Gletscher; **Glet|scher|spal|te** *w. 11*
Gli|a|zel|le *w. 11* = Neuroglia
Glied *s. 3;* **Glie|der|fü|ßer, Glie|der|füß|ler** *m. 5;* **...glie|de|rig** = ...gliedrig; **Glie|der|ket|te** *w. 11;* **glie|der|lahm; Glie|der|läh|mung** *w. 10;* **glie|dern** *tr. 1;* ich gliedere, gliedre es; **Glie|der|pup|pe** *w. 11;* **Glie|der|rei|ßen** *s. 7 nur Ez.* Gliederschmerzen; **Glie|der|satz** *m. 2* künstliches Glied, Prothese; **Glie|der|satz** *m. 2* aus mehreren Gliedern zusammengesetzter Satz, Satzgefüge, Satzverbindung; **Glie|der|schmerz** *m. 12;* **Glie|der|tier** *s. 1;* **Glie|de|rung** *w. 10;* **Glied|ma|ße** *w. 11 meist Mz.;* **...glied|rig,** ...glie|de|rig, *in Zus.,* z. B. zweiglied(e)rig, 2-glied(e)rig, fein-, zartglied(e)rig; **Glied|satz** *m. 2* Nebensatz; **Glied|staat** *m. 12* Einzelstaat eines Bundesstaates; **glied|wei|se**
glim|men *intr. 57* glühen; **Glim|mer** *m. 5* ein Mineral; **glim|me|rig; glim|mern** *intr. 1* schimmern, schwach glühen; **Glim|mer|schie|fer** *m. 5* Schiefer aus Glimmer und Quarz; **Glimm|lam|pe** *w. 11;* **Glimm|licht** *s. 3;* **Glimm|sten|gel** ▶ **Glimm|stän|gel** *m. 5, ugs. scherzh.:* Zigarette, *auch:* Zigarre
glimpf|lich 1 schonend, nachsichtig; jmdn. g. behandeln; **2** ohne größeren Schaden; das ist g. abgelaufen; er ist g. davongekommen
Gli|o|blas|tom [griech.] *s. 1* bösartiges Gliom; **Gli|om** *s. 1* Geschwulst im Stützgewebe des Zentralnervensystems
Glis|sa|da [frz.] *w. 11, Tanz:* Schleif-, Gleitschritt; **glis|san|do** [ital.] *Mus.:* (über mehrere Töne hinweg) gleitend; **Glis|san|do** *s. Gen.* -s *Mz.* -s *oder* -di, *Mus.:* gleitende Verbindung
Glitsch|bahn *w. 10,* **Glit|sche** *w. 11, norddt.:* Schlitterbahn; **glit|schen** *intr. 1* rutschen, gleiten; **glit|sche|rig,** glitsch|rig; **glit|schig**
Glit|zer *m. 5* Schimmer, Funkeln; **glit|ze|rig,** glitz|rig; **glit|zern** *intr. 1*
glo|bal [lat.] die gesamte Erdoberfläche umfassend, weltweit, Erd...; **Glo|bal|steu|e|rung** *w. 10* Beeinflussung von gesamtwirtschaftl. Größen (Verbrauch, Investitionen u. a.) durch allgemeine wirtschaftspolit. Maßnahmen; **Glo|bal|strah|lung** *w. 10* die direkte Sonnen- und die diffuse Himmelsstrahlung zusammen; **Glo|ben** *Mz. von* Globus; **Glo|be|trot|ter** *m. 5* Weltbummler; **Glo|bi|ge|ri|ne** *w. 11* eine Foraminifere, Schalentierchen; **Glo|bin** *s. 1 nur Ez.* Eiweißbestandteil des Hämoglobins; **Glo|bo|id** *s. 1* **1** kleinstes Teilchen im pflanzl. Reserveeiweiß; **2** *Math.:* durch einen um eine beliebige Achse rotierenden Kreis erzeugte Fläche; **Glo|bu|la|rie** [-riə] *w. 11* eine Alpenpflanze, Kugelblume; **Glo|bu|le** *w. 11* kleines, dunkles, kugeliges Nebelgebilde (als Vorstadium der Sternentstehung); **Glo|bu|lin** *s. 1* in Blut, Milch, Eiern vorkommender Eiweißkörper; **Glo|bus** *m. Gen.* - *Mz.* -ben, *eindeutschend auch m. 1* Nachbildung der Erd- oder Himmelskugel, *auch:* die Erdkugel
Glöck|chen *s. 7;* **Glo|cke** *w. 11;* **Glo|cken|be|cher|kul|tur** *w. 10 nur Ez.* Kultur der Jungsteinzeit; **Glo|cken|blu|me** *w. 11;* **Glo|cken|gie|ße|rei** *w. 10;* **Glo|cken|guß** ▶ **Glo|cken|guss** *m. 2;* **Glo|cken|hei|de** *w. 11 nur Ez.* ein Heidekrautgewächs, Erika; **glo|cken|hell; glo|cken|rein; Glo|cken|schlag** *m. 2;* **Glo|cken|spei|se** *w. 11* das flüssige Metall für den Glockenguss; **Glo|cken|spiel** *s. 1* ein Musikinstrument; **Glo|cken|stu|be** *w. 11* Raum für die Glocke im Kirchturm; **Glo|cken|stuhl** *m. 2* Gerüst, an dem die Glocke hängt; **Glo|cken|tier|chen** *s. 7* ein Wimpertierchen; **Glo|cken|turm** *m. 2;* **Glo|cken|zug** *m. 2;* **glo|ckig; Glöck|lein** *s. 7;* **Glöck|ner** *m. 5*
Glo|ria [lat.] **1** *s. 9 nur Ez.* Ehre, Ruhm; mit Glanz und G.; **2** *s. 9* Lobgesang in der kath. Messe (nach dem Anfangswort); **Glo|ria in ex|cel|sis Deo** [-tsel-] Ehre sei Gott in der Höhe; **Glo|ri|a|sei|de** *w. 11* Seidenstoff für Futter, Regenschirme u. a.; **Glo|rie** [-riə] *w. 11 nur Ez.* Ruhm, Glanz, himmlische Herrlichkeit; **Glo|ri|en|schein** *m. 1;* **Glo|ri|fi|ka|ti|on** *w. 10* Verherrlichung; **glo|ri|fi|zie|ren** *tr. 3* verherrlichen; **Glo|ri|o|le** *w. 11* Heiligenschein; **glo|ri|os** glorreich, ruhmreich; **glor|reich** ruhmreich
glo|sen *intr. 1* glühen, glimmen
Glos|sar [griech.] *s. 1* **1** Sammlung von Glossen (**1**); **2** Wörterverzeichnis; **Glos|sa|ri|um** *s. Gen.* -s *Mz.* -ri|en, *ältere Form von* Glossar; **Glos|sa|tor** *m. 13* Verfasser von Glossen (**2**); **Glos|se** *w. 11* **1** *urspr.:* schwieriges Wort, das erklärt werden muss; **2** *MA:* Erklärung, Übersetzung eines schwierigen Wortes (zwischen den Zeilen oder am Rand des Textes); **3** *im röm. Recht des MA:* Kommentar zu einem Rechtssatz; **4** spött. Bemerkung; seine Glossen über etwas machen; **5** kurzer, spöttischer Artikel (in der Zeitung); **glos|sie|ren** *tr. 3* **1** mit Glossen (**2**) versehen (Text); **2** mit spöttischen Bemerkungen bedenken (Ereignis); **Glos|so|graph** ▶ *auch:* **Glos|so|graf** *m. 10* Erklärer von Glossen (**1**); **Glos|so|gra|phie** ▶ *auch:* **Glos|so|gra|fie** *w. 11* Erläuterung von Glossen (**1**); **Glos|so|la|lie,** Glot|to|la|lie [»Zungenreden«] *w. 11* Reden in ungewöhnl. Sprachform im Zustand religiöser Ekstase
glos|ten *intr.,* gloste, geglost, *Nebenform von* glosen
glot|tal [griech.] im Kehlkopf erzeugt (von Lauten); **Glot|tal** *m. 1* Kehlkopflaut; **Glot|tis** *w. Gen.* - *Mz.* -tes [-te:s] Stimmritze im Kehlkopf; **Glot|to|la|lie** *w. 11* = Glossolalie
Glotz|au|ge *s. 14;* **glotz|äu|gig; glot|zen** *intr. 1;* **Glot|zo|phon** *s. 1, ugs.:* Fernsehapparat
Glo|xi|nie [-njə, nach dem elsäss. Botaniker Peter Benjamin Gloxin] *w. 11* eine Zierpflanze
gluck; gluck gluck!
Glück *s. 1 nur Ez.;* Glück ab! (Fliegergruß); Glück auf! (Bergmannsgruß); Glück zu! (ermunternder Zuspruch); **glück|brin|gend** ▶ **Glück brin|gend**
Glu|cke *w. 11;* **glu|cken** *intr. 1* locken (von der Henne)
glü|cken *intr. 1*
glu|ckern *intr. 1*
glück|haft

Glu̥ck|hen|ne *w. 11*
glück|lich; glück|li|cher|wei|se; **Glu̥cks|brin|ger** *m. 5;* **Glu̥cks|bu|de** *w. 11;* **glück|se|lig;** **Glück|se|lig|keit** *w. 10 nur Ez.*
glu̥ck|sen *intr. 1*
Glu̥cks|fall *m. 2;* **Glu̥cks|gü|ter** *s. 4 Mz.* äußere Güter, Reichtum; **Glu̥cks|ha|fen** *m. 8, süddt.:* **1** Gefäß mit Losen; **2** *auf Jahrmärkten:* Bude, in der kleine Gegenstände verlost werden; **Glu̥cks|kind** *s. 3;* **Glu̥cks|klee** *m. Gen.* -s *nur Ez.;* **Glu̥cks|pilz** *m. 1;* **Glu̥cks|rad** *s. 4;* **Glu̥cks|sa|che** *w. 11;* **Glu̥cks|spiel** *s. 1;* **Glu̥cks|stern** *m. 1;* **Glu̥cks|sträh|ne** *w. 11;* **Glu̥cks|tag** *m. 1;* **glu̥ck|stra|h|lend;** *aber:* vor Glück strahlend; **Glu̥cks|um|stand** *m. 2;* **Glu̥cks|zahl** *w. 10;* **glu̥ck|ver|hei|ßend** ▶ **Glu̥ck ver|hei|ßend;** **glu̥ck|ver|spre|chend** ▶ **Glu̥ck ver|spre̥|chend;** **Glu̥ck|wunsch** *m. 2;* **Glu̥ck|wunsch|te|le|gramm** *s. 1*
Glu|co|se [griech.] *w. 11 nur Ez.* = Glukose; **Glu|co|sid** *s. 1* = Glukosid
Glu̥h|bir|ne *w. 11;* **Glu̥h|draht** *m. 2;* **glu̥h|elek|trisch;** glühelektrischer Effekt; **glü|hen** *intr. u. tr. 1;* **glü|hend|heiß** ▶ **glü|hend heiß**; ein glühend heißer Tag; **glü|hend|rot** ▶ **glü|hend rot**; mit glühend rotem Gesicht; **Glüh|fa|den** *m. 8;* **glüh|heiß;** **Glüh|hit|ze** *w. 11 nur Ez.;* **Glüh|lam|pe** *w. 11;* **Glüh|licht** *s. 1;* **Glüh|strumpf** *m. 2* ein Leuchtkörper; **Glüh|wein** *m. 1;* **Glüh|würm|chen** *s. 7* Leuchtkäfer
Glu|ko|se *fachsprachl.:* Glucose *w. 11 nur Ez.,* Traubenzucker; **Glu|ko|sid** *fachsprachl.:* Glucosid *s. 1* von Glukose abgeleitetes Glykosid
glu̥psch *nddt.:* lauernd, böse; g. gucken; jmdn. g. ansehen; **glu̥psch|äu|gig;** **glu̥p|schen** *intr. 1, nddt.:* böse, lauernd dreinschauen
Glut *w. 10*
Glut|amin *auch:* **Glu|ta|min** *s. 1* Amid der Glutaminsäure; **Glut|amin|säu|re** *auch:* **Glu|ta|min-** *w. 11* in vielen Eiweißkörpern vorkommende organ. Säure
glu|ten *intr. 2* glühend brennen
Glu|ten *s. 1 nur Ez.* = Kleber
glut|fest; Glut|fes|tig|keit *w. 10 nur Ez.;* **Glut|hauch** *m. 1 nur Ez., poet.;* **glut|heiß; Glut|hi̥t|ze** *w. 11 nur Ez.*
Glu|tin [lat.] *s. 1 nur Ez.* Hauptbestandteil von Gelatine und Leim
Glut|meer *s. 1;* **glut|rot; glut|voll**
Gly|ce|rin [griech.] *s. 1 nur Ez.* = Glyzerin; **Gly|cin** *s. 1 nur Ez.* = Glykokoll; **Gly|k|ämie** *auch:* **Gly|kä|mie** *w. 11 nur Ez.* normaler Zuckergehalt des Blutes; **Gly|ko|gen** *s. 1 nur Ez.* Speicherform des Traubenzuckers in Leber und Muskeln, Leberstärke, tierische Stärke; **Gly|ko|ko̥ll** *s. 1 nur Ez.* einfachste Aminosäure, Bestandteil aller Eiweißstoffe, Glycin; **Gly|kol** *s. 1 nur Ez.* zweiwertiger aliphatischer Alkohol, Frostschutzmittel; **Gly|ko|ly|se** *w. 11* Abbau der Glukose (im Stoffwechsel) zu Milchsäure; **Gly|ko|se** *w. 11 nur Ez., nichtfachsprachliche Schreibung von* Glukose; **Gly|ko|sid** *s. 1* Verbindung von Zucker mit anderen Bestandteilen, bes. Alkoholen; **Gly|kos|urie** *auch:* **Gly|ko|su|rie** *w. 11* Ausscheidung von Zucker im Urin
Gly|phe [griech.] *w. 11* in Stein eingeritztes Zeichen; **Glyp|te** *w. 11* geschnittener Stein; **Glyp|tik** *w. 10 nur Ez.* **1** Steinschneidekunst, Gemmenkunde; **2** Bildhauerei; **Glyp|to|thek** *w. 10* **1** Sammlung von geschnittenen Steinen oder von antiken Bildhauerarbeiten; **2** das Gebäude dafür
Gly|san|tin *s. 1 nur Ez.* Ⓦⓩ ein Frostschutzmittel
Gly|ze|rin *fachsprachl.:* Glycerin *s. 1 nur Ez.,* dreiwertiger aliphatischer Alkohol; **Gly|zin** *s. 1 nur Ez., eindeutschende Schreibung von* Glycin; **Gly|zi|ne, Gly|zi|nie** [-njə] *w. 11* ein Zierstrauch
Gm *Abk. für* Gigameter
G-Man [dʒimæn, engl.] *m. Gen.* -s *Mz.* G-Men [-mən], *Kurzw. aus* Government Man (Mann der Regierung), Agent des FBI
GmbH *Abk. für* Gesellschaft mit beschränkter Haftung
GMD *Abk. für* Generalmusikdirektor
g-Mo̥ll *s. Gen. - nur Ez.* (*Abk.:* g) eine Tonart; **g-Mo̥ll-Ton|lei|ter** *w. 11*
Gna|de *w. 11;* Euer Gnaden *(veraltete Anrede für Höhergestellte);* von Gottes Gnaden; halten zu Gnaden *veraltet:* verübeln Sie es mir nicht (dass ich das sage)!; **gna|den** *intr. 2, veraltet:* gnädig sein, *nur noch in der Wendung:* gnade dir Gott!
Gna|den|akt *m. 1;* **Gna|den|be|weis** *m. 1;* **Gna|den|bild** *s. 3, kath. Kirche:* wundertätiges Bild; **Gna|den|brot** *s. 1 nur Ez.* Pflege im Alter (von nicht mehr arbeitsfähigen Tieren); **Gna|den|er|laß** ▶ **Gna|den|er|lass** *m. 2;* **Gna|den|frist** *w. 10;* **Gna|den|ge|schenk** *s. 1* Almosen; **Gna|den|ge|such** *s. 1;* **Gna|den|stoß** *m. 2* Todesstoß (um die Todesqual eines Tieres zu beenden); **Gna|den|tisch** *m. 1* Altar; **gna|den|voll; Gna|den|weg** *m. 1;* auf dem G.: mit Hilfe eines Gnadengesuchs; **gnä|dig;** die gnädige Frau, das gnädige Fräulein; **gnä|dig|lich** *poet. für* gnädig
Gna|gi *s. Gen. - Mz.-, schweiz.:* Schweinsknochen zum Abnagen (als kalte Speise)
Gneis *m. 1* eine Gesteinsart
Gnom *m. 10* Zwerg, Kobold
Gno|me [griech.] *w. 11, antike Literatur:* Sinn-, Denkspruch
Gno|mi|ker [griech.] *m. 5* Verfasser von Gnomen; **gno|misch** in der Art einer Gnome
Gno|mon [griech.] *m. Gen.* -s *Mz.* -mo|ne antike Sonnenuhr
Gno|sis [griech. »Erkenntnis«] *w. Gen. - nur Ez.* philosoph. Strömung innerhalb des frühen Christentums mit dem Ziel der Erkenntnis Gottes; **Gno̥s|tik** *w. 10 nur Ez.* Lehre der Gnosis; **Gno̥s|ti|ker** *m. 5* Anhänger der Gnosis; **gno̥s|tisch; Gno̥s|ti|zis|mus** *s. Gen. - nur Ez.* religionsphilosoph. Richtung, die nach Erkenntnis Gottes strebt und dadurch Erlösung sucht; **gnos|ti|zis|tisch**
Gnu [hottentott.] *s. 9* afrik. Kuhantilope
Go [jap.] *s. 9* jap. Brettspiel
Goal [goʊl, engl.] *s. 9, Sport, bes. schweiz.:* Tor, Treffer; **Goal|kee|per** [goʊlki:pər] *m. 5* = Keeper
Go|be|lin [-lɛ̃, nach einer frz. Färberfamilie] *m. 9* gewirkter Wandbildteppich
Go|bi [mongol. »Wüste«] *w. Gen.* - Wüstenbecken in Innerasien
Go-Cart *m. 9* = Go-Kart

Go|ckel *m. 5, süddt., österr.:* Hahn; **Go|ckel|hahn** *m. 2*
Göd *m. 10, österr.:* Taufpate;
Go|de, Go|te *m. 11* Taufpate;
Go|del, Godl *w. 11* Taufpatin
Goe|the|a|na *Mz.* Werke von und über Goethe
Gof *m. 12 oder s. 12, schweiz.:* Gör
Gog *m., nach Hesekiel 38:* sagenhafter König im Lande Magog, der gegen Weltende in Israel einfallen und zugrunde gehen wird
Gogh, *Vincent van* [gɔx, ndrl.: xɔx] ndrl. Maler (1853–1890)
Go-Go-Boy ► **Go-go-Boy** [engl.] *m. 9,* **Go-Go-Girl** ► **Go-go-Girl** [-gəːl, engl.] *s. 9, bei Beat-Veranstaltungen und in Nachtlokalen:* Tänzer(in), der (die) die Gäste durch Tanzen unterhalten und zum Tanzen animieren soll
Goi [hebr.] *m. Gen.* -(s) *Mz.* Gojim *oder* Go|jim, *Bez. der Juden für* Nichtjude
Go-in [engl. »geh hinein«] *s. 9 oder Gen. - Mz.* - Eindringen in eine offizielle Veranstaltung, wodurch eine Diskussion über ein bestimmtes Ereignis erzwungen werden soll; vgl. Sit-in
Goi|se|rer [nach dem oberösterr. Dorf Goisern] *m. 5, österr.:* schwerer, genagelter Bergschuh
Go-Kart [engl.], Go-Cart *m. 9* kleines Rennfahrzeug mit Zweitaktmotor
go|keln *intr. 1, mitteldt.:* mit Feuer spielen; ich gokele, gokle
Go|lat|sche *w. 11* = Kolatsche
Gold *s. Gen.* -(e)s *nur Ez.* (*Zeichen:* Au) chem. Element, ein Edelmetall; der Junge ist, seine Hilfe ist (mir) Gold wert, ist Goldes wert; *aber:* →Goldwert; **Gold|am|mer** *w. 11* ein Singvogel; **Gold|am|sel** *w. 11* ein Singvogel, Pirol; **Gold|barsch** *m. 1* ein Fisch, Kaulbarsch; **gold|blond; gold|durch|wirkt**; *aber:* mit Gold durchwirkt; **gol|den 1** *Kleinschreibung:* goldene Hochzeit, die goldene Mitte; goldener Mittelweg; goldene Regel; goldene Schallplatte; das waren noch goldene Zeiten; der goldene Schnitt: Teilung einer Strecke in zwei Abschnitte, so dass sich der größere Abschnitt zur ganzen Strecke so verhält wie der kleine zum größeren Abschnitt; **2** *Großschreibung:* das Goldene Buch: Gästebuch (einer Stadt); die Goldene Bulle: mit Goldsiegel versehene Urkunde; die Goldene Horde: das Reich des Sohns Dschingis-Khans; das Goldene Horn: Meerbusen von Istanbul; das Goldene Kalb; Goldener Plan: 1960 von der Dt. Olympischen Gesellschaft ausgearbeiteter Plan für den Bau sportlicher Übungsstätten; der Goldene Sonntag: der Sonntag vor Weihnachten sowie der Sonntag nach Pfingsten, Trinitatis; das Goldene Vlies *griech. Myth.:* das goldene Fell eines Widders;

> **das goldene Zeitalter, das Goldene Kalb:** In festen Verbindungen, die keine Eigennamen sind, schreibt man das Adjektiv mit kleinem Anfangsbuchstaben: *die goldene Hochzeit, das goldene Zeitalter, der goldene Schnitt.* →§ 63
> In Eigennamen wird das Adjektiv jedoch großgeschrieben: *das Goldene Kalb, die Goldene Stadt* (= Prag). →§ 60 (3.3), § 60 (5)

Gold|fa|san *m. 12;* **Gold|fisch** *m. 1;* **Gold|fuchs** *m. 2* goldbraunes Pferd; **gold|gelb; Gold|gräber** *m. 5;* **Gold|gru|be** *w. 11, ugs.:* reiche Einnahmequelle; **Gold|grund** *m. 2 nur Ez., Malerei:* goldfarbener Hintergrund; **Gold|haar** *s. 1 nur Ez.;* **gold|haa|rig; Gold|hähn|chen** *s. 7* ein Singvogel; **Gold|hams|ter** *m. 5;* **gol|dig; Gold|kä|fer** *m. 5;* **Gold|küs|te** *w. 11 nur Ez.* Küstengebiet in Westafrika; **Gold|lack** *m. 1 nur Ez.* eine Gartenblume; **Gold|mark** *w. Gen. - Mz. -;* **Gold|me|dail|le** [-daljə] *w. 11;* **Gold|par|mä|ne** *w. 11* eine Apfelsorte; **Gold|re|gen** *m. 7 nur Ez.* ein Zierstrauch; **gold|reich; Gold|reich|tum** *m. Gen.* -s *nur Ez.;* **gold|rich|tig; Gold|schmied** *m. 1;* **Gold|schmie|de|ar|beit** *w. 10;* **Gold|schnitt** *m. 1* vergoldete Schnittflächen (eines Buches); **Gold|wäh|rung** *w. 10;* **Gold|wä|scher** *m. 5;* **Gold|wert** *m. 1 nur Ez.;* vgl. Gold
Go|lem [hebr.] *m. 9, im jüd. Volksglauben:* zeitweilig lebendige, Unheil stiftende Tonfigur in Menschengestalt
Golf 1 [griech.-ital.] *m. 1* Meeresbucht; **2** [engl.] *s. Gen.* -s *nur Ez.* ein Rasenspiel; **Gol|fer** *m. 5* **1** Golfspieler; **2** Golfjacke; **Golf|platz** *m. 2;* **Golf|spiel** *s. 1;* **Golf|strom** *m. 2 nur Ez.* warme Strömung im nördl. Atlant. Ozean
Gol|ga|tha, Gol|gal|ta [hebr. »Schädelstätte«] **1** Hügel bei Jerusalem, Stätte der Kreuzigung Christi; **2** *übertr.:* Ort der Schmerzen
Go|li|ath 1 Go|li|at *im AT:* ein Riese; **2** *m. 9* sehr großer Mensch
Gon *s. 1* (*Zeichen:* ᵍ) *Geodäsie:* Maßeinheit für den ebenen Winkel, Neugrad
Go|na|de [griech.] *w. 11* Keimdrüse
Gon|agra *auch:* **-a|gra** [griech.] *s. Gen.* -s *nur Ez.* Gicht im Kniegelenk; **Gon|ar|thri|tis** *auch:* **-arth|ri|tis** *w. Gen. - Mz.* -ti|den Kniegelenkentzündung
Gon|del [ital.] *w. 11* **1** schmales venezian. Ruderboot; **2** Korb am Luftballon; **3** Raum für Motoren und Fahrgäste am Luftschiff; **4** Kabine einer Seilbahn; **5** Korb am Riesenrad oder Karussell; **Gon|del|bahn** *w. 10* Kabinenseilbahn; **gon|deln** *intr. 1, ugs.:* geruhsam fahren; ich gondele, gondle; **Gon|do|li|e|re** [-ljɛ-] *m. Gen. - Mz.* -ri Ruderer der Gondel (**1**)
Gon|fa|lo|ni|e|re [-njɛ-, ital. »Bannerträger«] *m. Gen. - Mz.* -ri, *in ital. Städten bis 1859:* hoher Beamter
Gong [mal.] *m. 9, urspr.:* malaiisches Musikinstrument; **gon|gen** *intr. 1;* **Gong|schlag** *m. 2*
Gon|go|ris|mus [nach dem span. Dichter Luis de Gongora] *m. Gen. - nur Ez.* überladener lyr. Stil des span. Barock
Go|ni|a|tit [griech.] *m. 10* fossiler Kopffüßer, ein Ammonit; **Go|ni|o|me|ter** *s. 5* Winkelmesser; **Go|ni|o|me|trie** *w. 11 nur Ez.* Winkelmessung; **go|ni|o|me|trisch**
gön|nen *tr. 1;* jmdm. etwas g.; **gön|ner|haft; Gön|ner|haf|tig|keit** *w. 10 nur Ez.;* **Gön|ner|mie|ne** *w. 11;* mit G.; **Gön|ner|schaft** *w. 10 nur Ez.*
Go|no|kok|kus [griech.] *m. Gen.*

- *Mz.*-ken eine Bakterienart; **Go|nor|rhö** *w. 10* durch Gonokokken hervorgerufene Geschlechtskrankheit, Tripper; **go|nor|rho|isch**

good-bye [gudbaɪ, engl.] *engl. Bez. für* leb(t) wohl, leben Sie wohl, auf Wiedersehen

Good|will [gudwil, engl.] *m. Gen.*-s *nur Ez.* **1** Geschäfts-, Firmenwert; **2** Ruf, Ansehen; **Good|will|tour** [-tu:r] *w. 10* Reise, die dem Erwerb oder der Erhaltung von Goodwill (**1**) und öffentl. Vertrauen dient

Gö|pel *m. 5,* **Gö|pel|werk** *s. 1* durch Zugtier betriebene Vorrichtung zum Antrieb von Maschinen

Gör *s. 12* kleines Kind; vgl. Göre

Gor|ding [nddt.] *w. 9, Seew.:* Tau zum Zusammenschnüren der gerefften Segel

gor|disch; ein gordischer Knoten: eine unlösbare Schwierigkeit; den gordischen Knoten durchhauen: eine schwierige Aufgabe energisch lösen; *aber:* der Gordische Knoten *griech. Myth.:* von dem phrygischen König Gordios I. geknüpfter Knoten, den Alexander der Große mit einem Schwerthieb zerschnitt

Gö|re *w. 11* **1** ungezogenes kleines Mädchen; vgl. Gör; **2** kesse Halbwüchsige

Gor|go *w. Gen.* - *Mz.*-go|nen, *griech. Myth.:* weibl., schlangenhaariges Ungeheuer, dessen Blick jeden, der es ansah, zu Stein verwandelte; **Gor|go|nen|haupt** *s. 4; auch Zool.:* ein Schlangenstern

Gor|gon|zo|la [nach dem oberital. Ort G.] *m. Gen.*-(s) *nur Ez.* ein ital. Edelpilzkäse

Go|ril|la *m. 9* ein afrik. Menschenaffe

Gösch *w. 10, Seew.:* **1** kleine Flagge in den Landesfarben am Bug, wenn das Schiff im Hafen oder vor Anker liegt; **2** in der oberen, dem Flaggstock zugewandten Ecke der dt. Handelsflagge angebrachte kleine Sonderflagge

Go|sche *w. 11, süddt., österr., schweiz.:* Mund, Maul

Go|se *w. 11, mitteldt.:* obergäriges Bier in bauchiger Flasche mit langem Hals

Go-slow [goʊsloʊ, engl.] *s. Gen.*-(s) *nur Ez.* Dienst übergenau nach Vorschrift

Gos|pel|song [engl.] *m. 9* moderne Form des Negro Spirituals

Gos|po|dar *m. 1 oder m. 10* = Hospodar

Gos|se *w. 11* Abflussrinne neben dem Fußweg, Rinnstein

Gös|sel *s. 5 oder s. 14, norddt.:* Gänseküken

Go|te 1 *m. 11* Angehöriger eines german. Volkes; **2** Go|de *m. 11* Taufpate

Go|tha Stadt in Thüringen; **Go|tha|er; go|tha|isch**

Go|tik *w. 11 nur Ez.* Stilepoche in der europ. Kunst im 12. bis 16. Jh.; **go|tisch; Go|tisch 1** *s. Gen.*-(s) *nur Ez.* Sprache der Goten (Ostgermanisch); **2** *w. Gen.* - *nur Ez.* gotische Schrift; **Got|land** schwed. Insel in der Ostsee; **Got|lan|di|um** *s. Gen.*-s *nur Ez.* = Silur

Gott *m. 4;* Gott befohlen! (Abschiedsgruß); Gott behüte!, Gott bewahre!; grüß Gott!; helf Gott! (Zuruf an jmdn., der niest); Gott sei Dank!; vergelt's Gott! (süddt. Dankesformel); in Gottes Namen; um Gottes willen; **gott|ähn|lich; Gott|ähn|lich|keit** *w. 10 nur Ez.;* **gott|be|gna|det**; ein gottbegnadeter Künstler; **gott|be|wah|re!** ► **Gott be|wah|re!** keineswegs!

Got|te *w. 11, schweiz.:* Taufpatin; vgl. Götti

Gott|er|bar|men *s., nur in der Wendung:* zum G.; er schrie zum G., er sah zum G. aus; **Göt|ter|bild** *s. 3;* **göt|ter|ge|ben; göt|ter|gleich; Göt|ter|sa|ge** *w. 11;* **Göt|ter|spei|se** *w. 11* **1** *griech. Myth.:* Ambrosia; **2** *ugs.:* Süßspeise mit Gelatine; **Göt|ter|trank** *m. 2 nur Ez., griech. Myth.:* Nektar; **Got|tes|a|cker** *m. 5* Friedhof; **Got|tes|an|be|te|rin** *w. 10* eine Heuschrecke; **Got|tes|be|weis** *m. 1;* **Got|tes|dienst** *m. 1;* **got|tes|dienst|lich; Got|tes|furcht** *w. Gen.* - *nur Ez.;* **got|tes|fürch|tig; Got|tes|ge|lahrt|heit** *w. 10 nur Ez., veraltet:* Theologie; **Got|tes|ge|lehr|te(r)** *m. 18 (17);* **Got|tes|ge|richt** *s. 1;* **Got|tes|ge|schenk** *s. 1;* **Got|tes|gna|de** *w. 11;* **Got|tes|gna|den|tum** *s. Gen.*-s *nur Ez., im Absolutismus Bez. für* die von jeglicher irdischen Gewalt unabhängige Macht des Herrschers; **Got|tes|haus** *s. 4;* **Got|tes|kind** *s. 3;* **Got|tes|kind|schaft** *w. 10 nur Ez.;* **Got|tes|läs|te|rer** *m. 5;* **got|tes|läs|ter|lich; Got|tes|läs|te|rung** *w. 10;* **Got|tes|leug|ner** *m. 5;* **Got|tes|lohn** *m. 2 nur Ez.;* etwas um (einen) G. tun: umsonst; **Got|tes|mut|ter** *w. 6 nur Ez.;* **Got|tes|sohn** *m. 2 nur Ez.;* Jesus, der G., *aber:* Jesus, Gottes Sohn; **Got|tes|staat** *m. 12 nur Ez.;* **Got|tes|ur|teil** *s. 1;* **gott|ge|ge|ben; gott|ge|fäl|lig; Gott|ge|fäl|lig|keit** *w. 10 nur Ez.;* **gott|ge|wollt; gott|gläu|big; Gott|heit** *w. 10*

Göt|ti *m. Gen.*-s *Mz.*-, *schweiz.:* Taufpate; vgl. Gotte

Göt|tin *w. 10*

Göt|tin|gen Stadt in Niedersachsen; die Göttinger Sieben; Göttinger Hain(bund); **göt|tin|gisch**

gött|lich; Gött|lich|keit *w. 10 nur Ez.*

gott|lob

gott|los; Gott|lo|sig|keit *w. 10 nur Ez.;* **Gott|mensch** *m. 10 nur Ez.*

Gott|sei|bei|uns [auch: -baɪ-] *m. Gen.* - *nur Ez.* der Teufel; **Gott sei Dank; gott|se|lig** *veraltet:* selig im Glauben an Gott; **gotts|er|bärm|lich** [auch: -bɛrm-]; **gotts|jäm|mer|lich; Gott|su|cher** *m. 5;* **Gott|va|ter** *ohne Artikel, Gen.*-s; **gott|ver|dammt; gott|ver|flucht; gott|ver|las|sen**; ein gottverlassener Ort, *aber:* bist du denn ganz von Gott verlassen?; **Gott|ver|trau|en** *s. Gen.*-s *nur Ez.;* **gott|voll**

Göt|ze *m. 11;* **Göt|zen|bild** *s. 3;* **Göt|zen|die|ner** *m. 5;* **Göt|zen|dienst** *m. 1*

Götz|zi|tat *s. 1 nur Ez.* der dem Ritter Götz von Berlichingen zugeschriebene Ausspruch »Leck mich am Arsch«

Gou|ache [guaʃ, frz.] *w. 11, frz. Schreibung für* Guasch

Gou|da [xau-, nach dem südholländ. Ort G.] *m. 9,* **Gou|da|kä|se** *m. 5* ein holländ. Schnittkäse

Gou|dron *auch:* **Goud|ron** [gudrɔ̃, frz.] *m. 9 nur Ez.* aus Bitumen hergestelltes Klebe- und Abdichtungsmittel

Gourde [gurd] *s. Gen.*-s *Mz.*-(s) (*Abk.:* Gde.) haitische Währungseinheit, 100 Centimes

Gour|mand [gurmɑ̃, frz.] *m. 9*

Vielesser, Schlemmer, *fälschl. für* Gourmet; **Gour|man|di|se** [gurmãdiz(ə)] *w. 11* Schlemmerei; **Gour|met** [gurmɛ] *m. 9* Feinschmecker, Weinkenner
Gout [gu, frz.] *m. 9* Geschmack; vgl. Chacun à son gout, Hautgout; **gou|tie|ren** [gu-], gus|tie|ren *tr. 3* gutheißen, billigen, Gefallen finden an
Gou|ver|nan|te [guvɛr-, frz.] *w. 11* Erzieherin, Hauslehrerin; **gou|ver|nan|ten|haft**
Gou|ver|ne|ment [guvɛrnəmã, frz.] *s. 9* **1** Regierung, Verwaltung; **2** Regierungs-, Verwaltungsbezirk; **Gou|ver|neur** [guvɛrnør] *m. 1* Statthalter, Leiter eines Gouvernements; *in den USA:* oberster Beamter eines Bundesstaates
GPU *bis 1934: Abk. für* Gossudarstwennoje Polititscheskoje Uprawlenije: staatliche politische Verwaltung (die sowjetrussische Geheimpolizei)
Gr. 1 *Abk. für* Greenwich; **2** *Abk. für* Groß..., z.B. Gr.-2°: Großfolio; Gr.-4°: Großquart; Gr.-8°: Großoktav
Grab *s. 4;* jmdn. zu Grabe tragen
Grab|be|lei *w. 10;* **grab|beln** *intr. 1, norddt.:* herumtasten
Grab|denk|mal *s. 4;* **Gra|be|land** *s. Gen.* -(e)s *nur Ez.* = Grabland; **gra|ben** *intr. 58;* **Gra|ben** *m. 8;* **Grä|ber|feld** *s. 3;* **Gra|bes|ru|he** *w. 11 nur Ez.;* **Gra|bes|stil|le** *w. 11 nur Ez.;* **Gra|bes|stim|me** *w. 11 nur Ez.* hohle, tiefe Stimme; mit G. sprechen; **Grab|in|schrift** *w. 10;* **Grab|land,** Gra|be|land *s. Gen.* -(e)s *nur Ez.* Brachland, das für Kleingärtnerei genutzt werden kann; **Grab|le|gung** *w. 10;* **Grab|mal** *s. 4;* **Grab|re|de** *w. 11;* **Grab|scheit** *s. 1, mitteldt., österr.:* Spaten; **Grab|stät|te** *w. 11;* **Grab|stein** *m. 1;* **Grab|sti|chel** *m. 5* Stichel zum Gravieren; **Grab|stock** *m. 2* altes Ackerbaugerät; **Grab|tuch** *s. 4* Leichentuch; **Gra|bung** *w. 10*
Grac|che [graxə] *m. 11* Angehöriger eines altröm. Geschlechts
Gracht [ndrl.] *w. 10, in ndrl. Städten:* schiffbarer Kanal
grad *Abk. für* Gradient; **Grad** [lat.] *m. Gen.* -(e)s *Mz.* -(e) **1** (*Zeichen:* °) Maßeinheit für Temperatur; 5 Grad Celsius 5 °C; **2** *auch:* Altgrad (*Zeichen:* °) 90. Teil eines rechten Winkels; 30 Grad, *oder:* 30° nördlicher Breite; der 30. Grad (*nicht:* der 30.°); **3** Maß, Stärke, Abstufung, Rang; in hohem Grad(e), bis zu einem gewissen Grad(e)
grad..., **Grad...** vgl. gerad..., Gerad...
Gra|da|ti|on [lat.] *w. 10* **1** Steigerung, Abstufung, stufenweise Erhöhung; **2** *Fot.:* Fähigkeit (eines fotograf. Materials), Kontraste wiederzugeben
gra|de = gerade
Gra|del, Gradl *m. 5, österr.:* grobes Gewebe mit Fischgrätenmuster für Matratzen, Schürzen u. Ä.
Gra|di|ent [lat.] *m. 10* (*Abk.:* grad) Maß für Steigung oder Gefälle; **Gra|di|en|te** *w. 11* Neigungslinie; **gra|die|ren** *tr. 3* verstärken, steigern, verbessern, konzentrieren; **Gra|dier|haus** *s. 4* = Gradierwerk; **Gra|die|rung** *w. 10 nur Ez.;* **Gra|dier|werk** *s. 1* Anlage zur Gewinnung von Salz aus Salzsole d. Verdunsten, Gradierhaus
Gradl *s. 5* = Gradel
Grad|mes|ser *m. 5* Maßstab; **Grad|netz** *s. 1*
gra|du|al [lat.] den Grad betreffend; **Gra|du|a|le** *s. 5, kath. Messe:* kurzer Zwischengesang zwischen Epistel und Evangelium; **Gra|du|al|lied** *s. 3* evangelisches, dem Graduale ähnliches Kirchenlied; **Gra|du|a|ti|on** *w. 10* Einteilung in Grade; **gra|du|ell** grad-, stufenweise, allmählich; **gra|du|ie|ren** *tr. 3* **1** in Grade einteilen; **2** mit einem Grad, Rang, einer Würde versehen; **Gra|du|ier|te(r)** *m. 18 (17) bzw. w. 17 oder 18* jmd., der einen akadem. Rang erreicht hat, einen akadem. Titel trägt; **Gra|du|ie|rung** *w. 10*
Grae|cum [grɛ-; lat.] *s. 9* Prüfung im Griechischen, Gräkum
Graf *m. 10;* **Gra|fen|ti|tel** *m. 5*
Graf|fi|a|to [griech.-ital.] *s. 9 oder m. 9 nur Ez.* Verzierung von Tonwaren durch Einritzen von Ornamenten in die aufgegossene Farbschicht; **Graf|fi|ti** *s. 9* mit Farbe auf eine Wand gesprühte Zeichnung oder Schrift; **Graf|fi|to** *s. Gen.* -s *Mz.* -ti in Stein eingeritzte Inschrift

> **Grafik/Graphik:** Die integrierte Form *(Grafik)* ist die Hauptvariante, die fremdsprachige Form *(Graphik)* die zulässige Nebenvariante. Ebenso: *grafisch,* auch: *graphisch.* → § 32 (2)

Gra|fik, Gra|phik *w. 10* **1** *nur Ez., Sammelbez. für* die künstler. Techniken der Zeichnung, des Stichs, der Radierung, der Lithographie, Serigraphie u. a.; **2** einzelner Abzug eines Werkes einer dieser Techniken; **Gra|fi|ker,** Gra|phi|ker *m. 5* Künstler auf dem Gebiet der Grafik; **gra|fisch,** gra|phisch
Gra|fit *m. 1* = Graphit
Gra|fo|lo|ge *m. 11* = Graphologe; **Gra|fo|lo|gie** *w. 11 nur Ez.* = Graphologie; **gra|fo|lo|gisch** = graphologisch; **Gra|fo|spas|mus** *m. Gen.* - *Mz.* -men = Graphospasmus; **Gra|fo|sta|tik** *w. 10 nur Ez.* = Graphostatik
Grä|fin *w. 10;* **gräf|lich;** *in Titeln:* Gräflich; **Graf|schaft** *w. 10*
Gra|ham|brot [nach dem amerik. Arzt Sylvester Graham] *s. 1* ein Weizenvollkornbrot ohne Sauerteig
Grain [grɛɪn, engl. »Korn«] *m. Gen.* -s *Mz.* -(s) altes Gewichtsmaß der Goldschmiede, ¼ Karat; vgl. Gran; **grai|nie|ren** [grɛɪ-] *tr. 3* mit einseitiger Narbung versehen (Papier)
grä|ko-la|tei|nisch ► **grä|ko|la|tei|nisch** griechisch-lateinisch; **Grä|ko|ma|ne** *m. 11;* **Grä|ko|ma|nie** *w. 11 nur Ez.* übersteigerte Vorliebe für alles Griechische; **Grä|ko|phi|lie** *w. 11 nur Ez.* Vorliebe für alles Griechische; **Grä|kum** *s. 9, eindeutschende Schreibung von* Graecum
Gral *m. 1 nur Ez., in der mittelalterl. Sage und Dichtung:* Stein oder Schale mit Wunderkraft; der heilige Gral; **Grals|burg** *w. 10 nur Ez.;* **Grals|hü|ter** *m. 5;* **Grals|rit|ter** *m. 5;* **Grals|sa|ge** *w. 11*
gram; jmdm. gram sein; **Gram** *m. 1 nur Ez.;* **grä|men** *refl. 1;* sich um jmdn. oder etwas g.; **gram|er|füllt**
Gram|fär|bung [nach dem dän. Arzt Hans Christoph Joachim Gram] *w. 10* Methode zum Färben und Unterscheiden ähnlicher Bakterien; vgl. gramnegativ, grampositiv

► = wird zu

gramlgelbeugt
Gralmilnelen [lat.] *Mz., Sammelbez. für* Gräser
grämllich
Gramm *s. Gen.* -s *Mz.* - (*Abk.*: g); 50 Gramm, 50 g; **Grammälquilvallent** *s. 1 Chemie:* Maßeinheit für die Stoffmenge
Gramlmaltik [griech.] *w. 10* **1** Sprachlehre; **2** Lehrbuch der Sprachlehre; **gramlmaltilkallisch** = grammatisch; **Grammaltilker** *m. 5* Kenner der Grammatik; **gramlmaltisch,** gramlmaltilkallisch, hinsichtlich der Grammatik, zur Grammatik gehörend; grammatisches Geschlecht = Genus
Grammlatom *s. 1* so viele Gramm eines Stoffes, wie sein Atomgewicht beträgt
Gramlmel *w. 11, süddt., österr. für* Griebe
...gramlmig *in Zus.,* z.B. 30-grammiges Papier
Grammlkallolrie *w. 11* = Kalorie (**1**); **Grammollelkül** ▶ **Grammlmollelkül** *s. 1* so viele Gramm eines Stoffes, wie sein Molekulargewicht beträgt, Mol
Gramlmolphon ▶ *auch:* **Grammolfon** [griech.] *s. 1* Ⓦ *veraltet:* Plattenspieler; **Gramlmolphonplatlte** ▶ *auch:* **Gramlmolfonplatlte** *w. 11, veraltet:* Schallplatte
gramlnelgaltiv *bei der Gram-Färbung:* sich rot färbend; **gramlpolsiltiv** *bei der Gram-Färbung:* sich blau färbend
gramlvoll
Gran, Grän *s. Gen.* -s *Mz.* -(e) alte Gewichtseinheit für Arzneien; vgl. Grain
Gralnalda Hst. der span. Provinz Granada
Gralnaldille *w. 11* = Grenadille
Gralnat 1 *m. 1* eine Garnele; **2** [lat.] *m. 1, österr.: m. 10* ein Halbedelstein; **Gralnatlaplfel** *m. 6* Frucht des Granatapfelbaums; **Gralnatlaplfellbaum, Gralnatlbaum** *m. 2* ein ostasiat. Zierstrauch oder -baum
Gralnalte [lat.] *w. 11* ein Sprenggeschoss; **Gralnaltenlhagel** *m. 5 nur Ez.;* **Gralnatlsplitter** *m. 5;* **Gralnatltrichlter** *m. 5;* **Gralnatlwerlfer** *m. 5*
Gran Chalko [tʃako, span.] *m. Gen.* - - Landschaft in Südamerika
Grand 1 *m. 1 nur Ez., nddt.:* Gesteinsschotter, Kies; **2** *m. 1, süddt., Brauerei:* Wasserbehälter; **3** [grã, frz.] *m. 9, Skat:* höchstes Spiel; **Granlde** [span.] *m. 11* Angehöriger des span. Hochadels
Granldel *w. 11* = Grandl
Granldezlza [span.-ital.] *w. Gen.* - *nur Ez.* würdevollanmutiges Benehmen
Grandlholtel [grã-, frz.] *s. 9* luxuriöses Hotel
granldilos [ital.] großartig
Grandl *w. 11, bayr., österr., Jägerspr.:* Eckzahn (im Oberkiefer des Rotwildes)
Grand mal [grã mal, frz.] *m. Gen.* - - *nur Ez.* = Haut mal
Grand oulvert [grã uvɛr, frz.] *m. Gen.* - - *Mz.* - -s [-vɛrz], *Skat:* höchstes Spiel mit Aufdecken der Karten
Grand Prix [grã pri, frz.] *m. Gen.* - - *nur Ez., in Frankreich:* Großer Preis, Hauptpreis
Grandlseilgneur [grãsɛnjœr, frz.] *m. 9 oder m. 1* **1** Angehöriger des Hochadels; **2** vornehmer Herr
Grand Slam *Nv.* ▶ **Grandslam** *Hv.* [grænd slæm, engl.] *m. Gen.* - *nur Ez.* im Tennis- und Golfsport der Gewinn mehrerer bestimmter Turniere in einem Jahr
Gralne, Gräne *w. 11, Nebenformen von* Grandl
gralnielren [lat.] *tr. 3* **1** aufrauhen (die Platte für den Kupferstich); **2** zu Körnern zermahlen;
Gralnierlstahl *m. 2* Gerät zum Granieren der Kupferplatte
Gralnit *m. 1* ein Gestein; **gralniten** aus Granit
Granlne *w. 11* **1** Borste an Getreideähren und Gräsern; **2** verdicktes Ende des einzelnen Haars mancher Pelztiere; **grannig** voller Grannen; borstig
Grant *m. 1 nur Ez., bayr., österr.:* schlechte Laune, Unmut; einen Grant haben; er hat seinen Grant; **granltig; Grantiglkeit** *w. 10 nur Ez.;* **Grantller** *m. 5* jmd., der häufig schlecht gelaunt ist
gralnullär [lat.] *selten für* granulös; **Gralnullat** *s. 1* körnige Substanz; **Gralnullaltilon** *w. 10* **1** Körnchenbildung; **2** Verzierung von Schmuckgegenständen durch Auflöten von Gold- oder Silberkörnchen; **3** Bildung von körnchenartigem Gewebe bei der Wundheilung; **gralnulielren 1** *tr. 3* zu Körnern zermahlen; **2** *tr. 3* mit Gold- oder Silberkörnchen verzieren; **3** *intr. 3* körnchenartiges Gewebe bilden; **Gralnullit** *m. 1* ein Gestein; **gralnulliltisch; Gralnulom** *s. 1* geschwulstartige Granulation (**3**); **gralnullös** körnig;
Gralnullolse *w. 11* Bildung von Granulomen; **Gralnullum** *s. Gen.* -s *Mz.* -la **1** Körnchen; **2** feinkörniges Arzneimittel
Grapelfruit [grɛɪpfru:t, engl.] *w. 9* kleine Form der Pampelmuse
Graph [griech.] *m. 10* **1** *Math.:* zeichnerische Darstellung von Beziehungen zwischen verschiedenen Größen; **2** *Sprachw.:* kleinstes, nicht bedeutungsunterscheidendes, geschriebenes Zeichen, z.B. diakrit. Zeichen, Satzzeichen; **Gralphem** *s. 1, Sprachw.:* kleinste bedeutungsunterscheidende, geschriebene Einheit, z.B. Buchstabe oder Buchstabengruppe; **Gralphik** *Nv. w. 10* ▶ **Gralfik** *Hv.;* **Graphilker** *Nv. m. 5* ▶ **Gralfilker** *Hv.;* **gralphisch** *Nv.* ▶ **gralfisch** *Hv.;* **Gralphit,** Gralfit *m. 1* reiner Kohlenstoff
Gralphollolge, Gralfollolge [griech.] *m. 11* Kenner der Graphologie; **Gralphollolgie,** Grafollolgie *w. 11 nur Ez.* Lehre von den Handschriften, Deutung des Charakters aus der Handschrift; **gralphollolgisch,** gralfollolgisch; **Gralpholspasmus,** Gralfolspaslmus *m. Gen.* - *Mz.* -men Schreibkrampf; **Grapholstaltik,** Gralfolstaltik *w. 10 nur Ez.* zeichner. Verfahren zur Lösung von Aufgaben in der Statik
graplschen, graplsen *intr. 1, ugs.:* rasch und gierig nach etwas greifen
Grapltollith [griech.] *m. 10* Vertreter einer ausgestorbenen Tiergruppe aus dem Silur
Gras *s. 4;* **Graslaflfe** *m. 11, ugs.:* Neuling, unreifer Mensch; **graslbelwachlsen**; ein grasbewachsener Weg, *aber:* ein mit Gras bewachsener Weg; **Gräschen** *s. 7, Mz. auch:* Gräserchen; **gralsen** *intr. 1* Gras fressen, Gras weiden; **Gralser** *m. 5, Jägerspr.:* Zunge (vom Hirsch); **Gräserlchen** *Mz. von* Gräschen; **Graslgarlten** *m. 8;* **gras-**

grün; **Gras|halm** *m. 1;* **Gras|hüp|fer** *m. 5* Heuschrecke; **gra|sig; Gras|land** *s. Gen.* -(e)s *nur Ez.;* **Gras|mü|cke** *w. 11* ein Singvogel; **Gras|nar|be** *w. 11* geschlossene Grasdecke unmittelbar über dem Boden; **Gras|pferd|chen** *s. 7* Heuschrecke

gras|sie|ren [lat.] *intr. 3* umgehen, um sich greifen, gehäuft auftreten (Krankheit)

gräß|lich ► **gräss|lich; Gräß|lich|keit** ► **Gräss|lich|keit** *w. 10 nur Ez.*

Gras|step|pe *w. 11;* **Gras|wirt|schaft** *w. 10 nur Ez.*

Grat *m. 1* **1** Bergkamm, Felsspitze; **2** scharfer Rand, Kante (an Werkstücken)

Grä|te *w. 11* Knochen (der Fische); **grä|ten|los; Grä|ten|schritt** *m. 1* Schritt des Skiläufers bergauf mit schräg nach außen gestellten Skiern

Gra|ti|al [-tsjal, lat.] *s. 1, Mz. auch:* -li|en, **Gra|ti|a|le** [-tsja-] *s. Gen.* -s *Mz.* -li|en *veraltet:* **1** Dankgebet; **2** Trinkgeld; **Gra|ti|as** [-tsja:s] *s. Gen. - Mz. -* Anfangswort des Dankgebets nach Tisch: Gratias agamus Deo (Lasst uns Gott danken), *danach:* Dankgebet

Gra|ti|fi|ka|ti|on [lat.] *w. 10* freiwillige Sonderzuwendung, z. B. Weihnachtsgratifikation; **gra|ti|fi|zie|ren** *tr. 3, veraltet:* vergüten

grä|tig 1 voller Gräten; **2** *ugs.:* schlecht gelaunt, gereizt; **Grä|tig|keit** *w. 10 nur Ez., ugs.*

Grä|ting *s. 1 oder s. 9* Gitterrost auf dem Schiffsdeck

gra|ti|nie|ren [frz.] *tr. 3* überbacken, so dass eine Kruste entsteht

gra|tis [lat.] umsonst, kostenlos, unentgeltlich; g. und franko: kostenlos und portofrei

grätsch|bei|nig breitbeinig; **Grät|sche** *w. 11* Sprung mit gespreizten Beinen über ein Turngerät; **grät|schen 1** *tr. 1* spreizen (Beine); **2** *intr. 1* mit gespreizten Beinen (über ein Turngerät) springen

Gra|tu|lant [lat.] *m. 10* jmd., der einen Glückwunsch darbringt; **Gra|tu|la|ti|on** *w. 10* Glückwunsch; **Gra|tu|la|ti|ons|cour** [-ku:r] *w. 10* offizielle, feierliche Beglückwünschung einer hochgestellten Persönlichkeit; **gra|tu|lie|ren** *intr. 3* Glück wünschen

grau; der graue Alltag; graue Eminenz: einflussreicher, aber nicht in Erscheinung tretender Politiker; graue Haare, graue Schläfen; graue Salbe: eine Quecksilbersalbe; grauer Star: eine Augenkrankheit; die Grauen Schwestern: Angehörige einer kath. Kongregation; **Grau** *s. Gen.* -s *nur Ez.* graue Farbe; sie trägt gern Grau; sie kleidet sich in Grau; Grau in Grau malen, alles Grau in Grau sehen; **grau|äu|gig; Grau|bart** *m. 2;* **grau|bär|tig; grau|blau;** *Schreibung in Zus. mit anderen Farben* vgl. blau; **Grau|brot** *s. 1*

Grau|bün|den schweiz. Kanton; **Grau|bünd|ner** *m. 5;* **grau|bünd|ne|risch**

Grau|chen *s. 7, Kosename für* Eselchen

> **Gräuel:** Entsprechend dem Stammprinzip wird *Gräuel* (vgl. *Grauen*) geschrieben (bisher: Greuel). Ebenso: *Gräueltat, gräulich.* → § 13

Gräu|el *m. 5;* **Gräu|el|mär|chen** *s. 7;* **Gräu|el|nach|richt** *w. 10;* **Gräu|el|pro|pa|gan|da** *w. Gen. - nur Ez.*

grau|en 1 *intr. 1* grau werden, dämmern; der Tag, der Morgen graut; **2** *intr. 1* Furcht haben, Entsetzen verspüren; mir graut, es graut mir davor; *ugs. auch:* ich graue mich davor; **Grau|en** *s. 7 nur Ez.* Furcht, Entsetzen; Schauder; entsetzliches Geschehen; das G. des Krieges; ein G. überkam, überlief mich; das kalte G. überkam mich; ein G. vor etwas haben; **grau|en|er|re|gend** ► **Grau|en er|re|gend; grau|en|haft; grau|en|voll**

Grau|gans *w. 2* Wildgans; **grau|haa|rig; Grau|kopf** *m. 2*

grau|len *refl. 1;* ich graule mich davor; **graul|lich** *ugs.:* unheimlich, furchterregend

gräu|lich 1 leicht grau; vgl. bläulich; **2** grauenvoll; **grau|me|liert** ► **grau me|liert**; grau meliertes Haar: mit grauen Haaren durchsetztes Haar

Gräup|chen *s. 7* kleine Graupe; **Grau|pe** *w. 11 meist Mz.* enthülstes Gerstenkorn; **Grau|pel** *w. 11* kleines Hagelkorn; **grau|peln** *intr. 1, nur unpersönlich;* in Graupeln hageln; es graupelt

graus *veraltet, poet.:* grausig; **Graus** *m. 1 nur Ez.* **1** Geröll, Gesteinsschutt; **2** Schrecken; es war ein G.; o Graus!, **grau|sam; Grau|sam|keit** *w. 10*

Grau|schim|mel *m. 5*

grau|sen *intr. 1;* mir graust, *auch:* mich graust davor: ich empfinde Furcht, Entsetzen davor; es graust mir, *auch:* mich, wenn ich nur daran denke; **Grau|sen** *s. 7 nur Ez.;* ein G., das kalte G. packte mich; **grau|sig**

Grau|spieß|glanz *m. Gen.* -es *nur Ez.* ein Mineral; **Grau|tier** *s. 1, scherzh.:* Esel; **Grau|wa|cke** *w. 11* ein Sedimentgestein; **Grau|werk** *s. 1 nur Ez.* Pelz vom Feh

Gra|va|men [-va-, lat.] *s. Gen.* -s *Mz.* -mi|na Beschwerde; **Gra|va|ti|on** *w. 10, veraltet:* Beschwerung, Belastung; **gra|ve** [ital.] *Mus.:* schwer, trauernd, ernst

Gra|ven|stei|ner *m. 5* eine Apfelsorte

Gra|veur [-vør, frz.] *m. 1* jmd., der graviert (**1**), Metall-, Steinschneider

gra|vid [-vid, lat.] schwanger; **Gra|vi|di|tät** *w. 10* Schwangerschaft

gra|vie|ren [-vi-] *tr. 3* **1** [frz.] einritzen, einschneiden (Schrift, Zeichnung); mit Ritzzeichnung verzieren (Metall, Glas u. a.); **2** [lat.] *veraltet:* belasten, beschweren; **gra|vie|rend** erschwerend, belastend; gravierender Irrtum; der Fehler ist nicht g.; **Gra|vie|rung** *w. 10* Verzierung durch Einritzen

Gra|vi|me|ter [lat. + griech.] *s. 5* Gerät zum Messen der Schwerkraft; **Gra|vi|me|trie** *auch:* **-met|rie** *w. 11 nur Ez.* **1** Messung der Schwerkraft; **2** *Chem.:* Bestimmung des Gewichts von Grundstoffen in Stoffgemischen; **gra|vi|me|trisch** *auch:* **-met|risch**

Gra|vis [lat.] *m. Gen. - Mz. -* (*Zeichen:* `) Zeichen über einem Vokal, im Ital. Betonungszeichen, im Frz. zur Bez. der offenen Aussprache

Gra|vi|tät [lat.] *w. 10 nur Ez., veraltet:* Würde, Gemessenheit; **Gra|vi|ta|ti|on** *w. 10 nur Ez.* Schwerkraft; **gra|vi|tä|tisch** würdevoll und ein wenig steif; **gra|vi|tie|ren** *intr. 3* infolge der Schwerkraft (zu einem Punkt) hinstreben

Gra|vur [-vur, frz.] *w. 10* gra-

vierte Verzierung oder Inschrift; **Gra|vü|re** *w. 11* Kupfer- oder Stahlstich, Steinschnitt
Graz Hst. der Steiermark (Österreich); **Gra|zer** *m. 5*
Gra|zie [-tsjə, lat.] *w. 11* **1** *nur Ez.* Anmut; **2** *meist Mz., röm. Myth.:* jede der drei Göttinnen der Anmut; die drei Grazien
gra|zil [lat.] schlank und zierlich, schmächtig, **Gra|zi|li|tät** *w. 10 nur Ez.*
gra|zi|ös [frz.] anmutig, zierlich, gewandt; **gra|zi|o|so** [ital.] *Mus.:* anmutig; **Gra|zi|o|so** *s. Gen.* -s *Mz.* -si, *Mus.:* grazioso zu spielendes Musikstück
grä|zi|sie|ren [lat.] *tr. 3* nach griech. Vorbild gestalten, der griech. Form angleichen; **Grä|zi|sie|rung** *w. 10;* **Grä|zis|mus** *m. Gen.* - *Mz.* -men in eine nichtgriech. Sprache übernommene altgriech. Spracheigentümlichkeit; **Grä|zist** *m. 10* Kenner, Erforscher der altgriech. Sprache und Kultur; **Grä|zi|tät** *w. 10 nur Ez.* altgriech. Wesensart
Green|horn [grin-, engl.] *s. 9* Neuling, Anfänger
Green|peace [grinpi:s, engl., etwa »Grünfrieden«] eine Umweltschutzorganisation
Green|wich [grinɪtʃ] (*Abk.:* Gr.) Stadtteil von London, in dem früher die Sternwarte lag, durch die der Nullmeridian bestimmt ist; 30° östlich, westlich von Greenwich
Grège [grɛʒ, frz.] *w. 11 nur Ez.* Faden aus Naturseide
Gre|go|ri|a|nik [nach Papst Gregor I.] *w. 10 nur Ez.* Formen und Lehre des Gregorianischen Chorals; **gre|go|ri|a|nisch**; der Gregorianische Choral: *im kath. Gottesdienst* der einstimmige, unbegleitete Gesang; Gregorianischer Kalender: der von Papst Gregor XIII. 1582 eingeführte, noch heute gültige Kalender (mit Schaltjahren)
Greif *m. 10 oder m. 12* Fabeltier mit Adlerkopf, Löwenleib und Vogelkrallen
Greif|bag|ger *m. 5;* **greif|bar; grei|fen** *tr. 59;* **Grei|fer** *m. 5;* **Greif|fuß** *m. 2;* **Greif|hand** *w. 2;* **Greif|vo|gel** *m. 6;* **Greif|zan|ge** *w. 11*
grei|nen *intr. 1* weinen, klagen; **Grei|ner** *m. 5, veraltet:* Zänker
greis sehr alt; **Greis** *m. 1;* **Grei|sen|al|ter** *s. 5 nur Ez.;* **grei|senhaft; Grei|sen|haf|tig|keit** *w. 10 nur Ez.;* **Grei|sin** *w. 10*
Greiß|ler *m. 5, österr.:* **1** Lebensmittelhändler, Krämer; **2** *übertr.:* Kleinigkeitskrämer
grell; grell beleuchten, beleuchtet; **Grel|le** *w. Gen.* - *nur Ez.*
Gre|mi|um [lat.] *s. Gen.* -s *Mz.* -mi|en **1** (beratende) Gemeinschaft, Körperschaft; **2** *österr.:* Berufsvereinigung
Gre|na|dier [frz.] *m. 1* **1** *urspr.:* mit Handgranaten bewaffneter Soldat; **2** *heute:* Infanterist
Gre|na|dil|le [span.], Gra|na|dil|le *w. 11* Frucht der Passionsblume
Gre|na|di|ne [nach der span. Stadt Granada] *w. 11* durchbrochenes Seidengewebe
Grenz|bahn|hof *m. 2;* **Grenz|be|völ|ke|rung** *w. 10;* **Gren|ze** *w. 11;* **gren|zen** *intr. 1;* **gren|zen|los; Gren|zen|lo|sig|keit** *w. 10 nur Ez.;* **Gren|zer** *m. 5, ugs.:* Grenzposten, Wach-, Zollbeamter an der Grenze; *auch:* Grenzlandbewohner; **Grenz|fall** *m. 2;* **Grenz|gän|ger** *m. 5;* **Grenz|ge|biet** *s. 1;* **Grenz|kos|ten** *nur Mz.* die Einzelkosten der zusätzlich produzierten Produkteinheit; **Grenz|land** *s. Gen.* -(e)s *nur Ez.;* **Grenz|li|nie** *w. 11;* **Grenz|ort** *m. 1;* **Grenz|pos|ten** *m. 7;* **Grenz|punkt** *m. 1;* **Grenz|re|gu|lie|rung** *w. 10;* **Grenz|schutz** *m. Gen.* -es *nur Ez.;* **Grenz|si|tu|a|ti|on** *w. 10;* **Grenz|sta|ti|on** *w. 10* Grenzbahnhof; **Grenz|stein** *m. 1;* **Grenz|strah|len** *m. 12 Mz.* sehr weiche Röntgenstrahlen; **Grenz|über|gang** *m. 2;* **Grenz|über|tritt** *m. 1;* **Grenz|ver|kehr** *m. 1 nur Ez.;* **Grenz|ver|let|zung** *w. 10;* **Grenz|wert** *m. 1, Math.*
Gret|chen|fra|ge *w. 11* **1** *i. e. S.:* Frage nach der relig. oder polit. Überzeugung; **2** *i. w. S.:* Frage, auf die hin der Gefragte Farbe bekennen muss, Gewissensfrage, entscheidende Frage; **Gret|chen|fri|sur** *w. 10* Frisur mit um den Kopf gelegtem Zopf
Greu|el ► **Gräu|el** *m. 5;* **Greu|el|mär|chen** ► **Gräu|el|mär|chen** *s. 7;* **Greu|el|nach|richt** ► **Gräu|el|nach|richt** *w. 10;* **Greu|el|pro|pa|gan|da** ► **Gräu|el|pro|pa|gan|da** *w. Gen.* - *nur Ez.;* **greu|lich** ► **gräu|lich**
Grey|er|zer [nach dem schweiz. Ort Greyerz] *m. 5, Kurzwort für* Greyerzer Käse
Grey|hound [grɛɪhaʊnd, engl.] *m. 9* **1** engl. Windhund; **2** *in den USA:* Überlandautobus
Grie|be *w. 11* Rückstand beim Auslassen von Speck; **Grie|ben|fett** *s. 1 nur Ez.*
Griebs *m. 1, sächs.:* **1** Kerngehäuse von Apfel und Birne; **2** *auch:* Gurgel
Grie|che *m. 11;* **Grie|chen|land** Staat in Europa; **grie|chisch**; griechisches Feuer; **Grie|chisch** *s. Gen.* -(s) *nur Ez.* zu den idg. Sprachen gehörende Sprache der Griechen; **grie|chisch-ka|tho|lisch; grie|chisch-or|tho|dox; grie|chisch-u|niert**
Grie|fe *w. 11 mitteldt. für* Griebe
grie|meln *intr. 1, westmitteldt.:* versteckt schadenfroh grinsen
grie|nen *intr. 1, ugs.:* grinsen
Grie|sel|fie|ber *s. 5, nddt.:* Schüttelfrost; **grie|seln** *tr. 1, nur unpersönlich* es grieselt mich: es gruselt mich, mich überläuft ein Schauer
Gries|gram *m. 1* mürrischer, grämlicher Mensch; **gries|grä|mig; gries|gräm|lich**
Grieß *m. 1 nur Ez.;* **grie|ßeln** *intr. 1* **1** körnig werden; **2** graupeln; **grie|ßig** wie Grieß; **Grie|ßig** *s. 1 nur Ez.* Kot der Bienen
Griff *m. 1;* **Griff|brett** *s. 3*
Grif|fel *m. 5*
griffest ► **griff|fest; grif|fig; Grif|fig|keit** *w. 10 nur Ez.*
Grif|fon [-fõ, frz.] *m. 9* ein rauhhaariger Vorstehhund
Grill *m. 9* Bratrost; **Gril|la|de** *w. 11* gegrilltes Fleischstück
Gril|le *w. 11* **1** ein Insekt; **2** wunderlicher Einfall, Schrulle; **3** *meist Mz.:* trübe Stimmung, schlechte Laune; Grillen fangen: trüber Stimmung sein
gril|len *tr. 1* auf dem Grill braten
Gril|len|fän|ger *m. 5* jmd., der trüb gestimmt, schlecht gelaunt ist; **Gril|len|fän|ge|rei** *w. 10 nur Ez.;* **gril|len|fän|ge|risch; gril|len|haft** **1** trüb gestimmt; **2** wunderlich, sonderbar
gril|lie|ren [auch: griji-, frz.] *tr. 3, selten für* grillen
gril|lig gereizt, mürrisch; **Gril|lig|keit** *w. 10 nur Ez.*
Grill|room [-ru:m, engl.] *m. 9* Gaststätte, in der das Fleisch

vor den Gästen auf dem Grill gebraten wird
Grilmaslse [frz.] *w. 11* verzerrtes Gesicht, Fratze; **Grilmassenlschneilder** *m. 5;* **grilmassielren** Grimassen schneiden
Grimlbart *m. 1 nur Ez., in der Tierfabel:* Name des Dachses
Grimm *m. Gen.* -s *nur Ez.* unterdrückter Zorn
Grimmldarm *m. 2* Teil des Dickdarms
grimlmen *tr. 1, veraltet:* schmerzen; **Grimlmen** *s. Gen.* -s *nur Ez.* Schmerz, *nur noch in:* Bauchgrimmen; **grimlmig; Grimlmigkeit** *w. 10 nur Ez.*
Grimmsch von den Brüdern Grimm stammend; die Grimmschen Märchen, das Grimmsche Wörterbuch
Grind *m. 1* **1** = Favus; **2** *volkstüml. Bez. für:* Hautausschlag mit Krustenbildung; **3** Wundschorf; **4** Pilzbefall bei verschiedenen Nutzpflanzen; **5** *Jägerspr.:* Kopf (von Hirsch und Gämse); **grinldig; Grindlwal** *m. 1* ein Zahnwal
Grinlgo [span.] *m. 9, im span. Lateinamerika verächtl. Bez. für* Nichtromane, bes. Angelsachse
grinlsen *intr. 1*
griplpal [frz.], griplpös, grippeartig; grippaler Infekt; **Griplpe** *w. 11* eine Infektionskrankheit; **Griplpelepildelmie** *w. 11;* **grippös** = grippal
Grips *m. 1 nur Ez., ugs.:* Verstand
Grilsaille [-zaij, frz.] *w. 11* **1** *nur Ez.* einfarbige Malerei, überwiegend grau in grau; **2** *nur Ez.* schwarzweiß gemusterter Seidenstoff; **3** Gemälde in Grisaille
Grilsetlte [-zɛt(ə), frz.] *w. 11* **1** *frz. Bez. für* junge Putzmacherin; **2** leichtfertiges Mädchen
Grislilbär, Grizzlylbär [engl.], *m. 10* nordamerik. Bär; **Grizzlylbär** [griz-, engl.] *Nv.* ► **Grislilbär** *Hv.*
gr.-kath. *Abk. für* griechisch-katholisch
grob [auch: grɔb]; grober Betrug; grobe Fahrlässigkeit; grober Unfug; aus dem Gröbsten heraus sein; **Groblblech** *s. 1;* **groblfalselrig, groblfaslrig; groblglieldelrig, groblgliedlrig; Groblheit** *w. 10;* **Grolbilan** *m. 1;* **Groblkelralmik** *w. 10* aus grob vorbereiteten Rohstoffen hergestellte Keramik, z. B. Ziegel; *Ggs.:* Feinkeramik; **groblknochig; Groblknolchiglkeit** *w. 10 nur Ez.;* **groblkörlnig; Groblkörlniglkeit** *w. 10 nur Ez.;* **gröblich** sehr, derb; eine Vorschrift g. verletzen, missachten; **groblschlächltig; Groblschlächltiglkeit** *w. 10 nur Ez.;* **Groblschmied** *m. 1* Hufschmied; **Groblschnitt** *m. 1*

> **aus dem Gröbsten heraus:** Substantivierte Adjektive – auch in festen Verbindungen – werden großgeschrieben: *Sie ist aus dem Gröbsten heraus; das Grobe/Gröbste.* →§ 57 (1) Die gesteigerten Formen hingegen werden – wie bisher – kleingeschrieben: *grob, gröber, am gröbsten; aufs gröbste.* →§ 58 E1

Grolden *m. 7, nddt.:* angeschwemmtes, grasbewachsenes Land vor Deichen
Grog [nach dem Spitznamen des engl. Admirals Vernon, Old Grog] *m. 9* Getränk aus Rum, heißem Wasser und Zucker
groglgy [engl.] *unflektierbar:* **1** *Boxen:* schwer angeschlagen; **2** *ugs.:* erschöpft
gröllen *intr. 1, ugs.:* schreien, laut und unschön singen; **Grölelrei** *w. 10*
Groll *m. Gen.* -(e)s *nur Ez.* unterdrückter Ärger; **grollen** *intr. 1*
Grönlland größte Insel der Arktis; **Grönllänlder** *m. 1* **1** Einwohner von Grönland; **2** = Kajak; **grönllänldisch**
Groom [grum, engl.] *m. 9* **1** Reitknecht; **2** Diener
Groplpe *w. 11* ein Fisch
Gros 1 [gro, frz.] *s. Gen.* - *Mz.* - [gro] *oder* [gros] Hauptmasse, der größte Teil; **2** [grɔs, frz.] *s. Gen.* - *Mz.* - zwölf Dutzend, 144 Stück
Grolschen *m. 7* **1** (*Abk.:* Gr.) alte dt. Silbermünze; **2** *heute ugs.:* 10-Pfennig-Stück; **3** (*Abk.:* g) *österr.:* kleinste Münze, 1/100 Schilling; **4** *Mz., ugs.:* (wenig) Geld; meine paar Groschen; **Grolschenlheft** *s. 1;* **grolschenweilse**
groß 1 *Kleinschreibung:* das große Einmaleins; die großen Ferien; auf großem Fuße leben; etwas an die große Glocke hängen; große Pause; die große Trommel *Mus.;* große Worte; **2** *Großschreibung:* im Großen und Ganzen; die Großen und die Kleinen; Groß und Klein; Große und Kleine; Friedrich der Große; der Große Bär, Wagen; der Große Kurfürst; der Große Ozean: der Pazifik; **3** *in Verbindung mit Verben:* groß sein, schreiben, werden, *aber:* →großschreiben, →großtun, →großziehen; **Großlablnehmer** *m. 5;* **großlanlgellegt** ► **groß anlgellegt;** ein groß angelegter Roman, der Roman ist groß angelegt; **großlarltig; Großlarltiglkeit** *w. 10 nur Ez.;* **Großlauflnahlme** *w. 11;* **Großbauler** *m. 11;* **Groß-Berllin**
Großlbriltanlnilen und Nordlirland Inselstaat in Nordwesteuropa; **großlbriltanlnisch**
Großlbuchlstalbe *m. 15;* **großdenlkend; großldeutsch; Größe** *w. 11;* **Großlelltern** *nur Mz.;* **Großlenlkel** *m. 5* Urenkel; **Größenlordlnung** *w. 10;* **grölßenteils; Grölßenlverlhältlnis** *s. 1;* **Grölßenlwahn** *m. Gen.* -(e)s *nur Ez.;* **grölßenlwahnlsinlnig; grölßelrenlteils, grölßernlteils; großlfilgulrig; großlflälchig; Großlfollio** *s. 9* (*Abk.:* Gr.-2°): großes Folioformat; **Großlfürst** *m. 10;* **Großlgrundlbelsitz** *m. 1;* **Großlhanldel** *m. Gen.* -s *nur Ez.;* **Großlhanldelslpreis** *m. 1;* **Großlhändller** *m. 5;* **Großhandllung** *w. 10;* **großlherlzig; Großlherlzog** *m. 2;* **großlherzoglich; Großlherlzogltum** *s. 4;*

> **groß schreiben/großschreiben, der Große:** In der Bedeutung »mit großer Schrift schreiben« wird *groß schreiben* getrennt geschrieben: *Er hat den Satz groß geschrieben* (= mit großer Schrift). Ebenso: *groß angelegt/anlegen.* →§ 34 E3 (3)
> Dagegen wird *großschreiben* zusammengeschrieben, wenn es die Bedeutung »mit großem Anfangsbuchstaben« hat: *Er hat das Wort großgeschrieben.* →§ 34 (2.2).
> Großschreibung bei Substantivierungen: *das Große, im Großen und Ganzen, Groß und Klein* [→§ 57 (1)], auch in Eigennamen: *über den Großen Teich, die Große Strafkammer.* →§ 60 (2.1), § 60 (5)

► = wird zu

Groß|hirn *s. 1;* **Groß|hun|dert** *s. 1* altes Zählmaß, 10 Dutzend, 120 Stück; **Groß|in|dus|tri|el|le(r)** *m. 18 (17);* **Groß|in|qui|si|tor** *m. 13* oberster Richter der span. Inquisition
Gros|sist [frz.] *m. 10* Großhändler
groß|jäh|rig *veraltet für* mündig; **groß|ka|li|be|rig,** groß|ka|lib|rig; **Groß|ka|li|ber|schie|ßen** *s. Gen.* -s *nur Ez.;* **Groß|ka|pi|tal** *s. Gen.* -s *nur Ez.;* **Groß|kauf|mann** *m. Gen.* -(e)s *Mz.* -leu|te; **Groß|kind** *s. 3, schweiz.:* Enkelkind; **Groß|kli|ma** *s. Gen.* -s *nur Ez.* = Makroklima; **Groß|kop|fe|te(r)** *m. 18 (17) bayr.:* Angehöriger der höheren Gesellschaftsklassen; **Groß|koph|ta** *m. Gen.* -s *nur Ez.* Vorsteher eines angeblich von Cagliostro gegründeten ägypt. Freimaurerbundes; **groß|kot|zig** *vulg.:* anmaßend, prahlerisch, großspurig; **groß|ma|chen** *refl. 1, ugs.:* prahlen, sich wichtig tun; **Groß|macht** *w. 2;* **groß|mäch|tig; Groß|ma|ma** *w. 9;* **Groß|manns|sucht** *w. Gen. - nur Ez.* übersteigertes Geltungsbedürfnis; **Groß|mars** *m. 1, Seew.:* Mastkorb am Hauptmast; **groß|ma|schig; groß|maß|stäb|lich,** *auch:* groß|maß|stä|big, in großem Maßstab (Karte); **Groß|mast** *m. 12* Hauptmast; **Groß|maul** *s. 4;* **groß|mäu|lig; Groß|mäu|lig|keit** *w. 10 nur Ez.;* **Groß|meis|ter** *m. 5* Oberhaupt eines Ritterordens; **Groß|mo|gul** [auch: -mo-] *m. 11* Titel der Herrscher der ersten islam. Dynastie in Indien (16.–18. Jh.); **Groß|muf|ti** *m. 9* Oberhaupt einer islamischen Rechtsschule; **Groß|mut** *w. Gen. - nur Ez.;* **groß|mü|tig; Groß|mut|ter** *w. 6;* **groß|müt|ter|lich; groß|müt|ter|li|cher|seits; Groß|nef|fe** *m. 11* Sohn der Nichte oder des Neffen; **Groß|nich|te** *w. 11* Tochter der Nichte oder des Neffen; **Groß|ok|tav** *s. 1 (Abk.:* Gr.-8°) großes Oktavformat; **Groß|on|kel** *m. 5, ugs. auch: m. 9* Bruder des Großvaters oder der Großmutter; **Groß|pa|pa** *m. 9;* **groß|po|rig; Groß|quart** *s. 1 (Abk.:* Gr.-4°) *Buchw.:* großes Quartformat; **Groß|rat** *m. 2, in der Schweiz:* Mitglied des Kantonsparlaments; **groß|räu|mig; Groß|raum|wa|gen** *m. 7* (der Straßenbahn); **Groß|rei|ne|ma|chen** *s. Gen.* -s *nur Ez.;* **Groß|satz** *m. 2* mehrfach zusammengesetzter Satz, Periode; **Groß|schiffahrts|weg** ▶ **Groß|schiff|fahrts|weg** *m. 1* System von Flüssen und Kanälen für große Schiffe; **Groß|schnau|ze** *w. 11, ugs.;* **groß|schnau|zig, groß|schnäu|zig; groß|schrei|ben** *tr. 187* mit großen Anfangsbuchstaben schreiben; **Groß|schrei|bung** *w. 10 nur Ez.;* **Groß|se|gel** *s. 5* unterstes Segel am Großmast; **Groß|sie|gel|be|wah|rer** *m. 5, in England, früher auch in Frankreich:* hoher Staatsbeamter; **Groß|spre|cher** *m. 5;* **Groß|spre|che|rei** *w. 10 nur Ez.;* **groß|spre|che|risch; groß|spu|rig; Groß|spu|rig|keit** *w. 10 nur Ez.;* **Groß|stadt** *w. 2;* **Groß|städ|ter** *m. 5;* **groß|städ|tisch; Groß|stein|grab** *s. 4* jungsteinzeitliches Grab aus unbehauenen Steinblöcken, Hünengrab, Megalithgrab; **Groß|tan|te** *w. 11* Schwester des Großvaters oder der Großmutter; **Groß|tat** *w. 10;* **Groß|teil** *m. 1;* **größ|ten|teils; Größt|maß** *s. 1;* **größt|mög|lich; Groß|tu|er** *m. 5;* **Groß|tu|e|rei** *w. 10 nur Ez.;* **groß|tu|e|risch; groß|tun** *intr. u. refl. 167;* du brauchst (dich) nicht so großzutun; **Groß|un|ter|neh|mer** *m. 5;* **Groß|va|ter** *m. 6;* **groß|vä|ter|lich; groß|vä|ter|li|cher|seits; Groß|ver|kauf** *m. 2;* **Groß|vieh** *s. Gen.* -s *nur Ez.;* **Groß|we|sir** *m. 1, früher in islamischen Ländern:* höchster Beamter; **Groß|wet|ter|la|ge** *w. 11;* **Groß|wild** *s. Gen.* -(e)s *nur Ez.* Wild der trop. Länder; **groß|zie|hen** *tr. 187;* ein Kind, ein Tier g.; **groß|zü|gig; Groß|zü|gig|keit** *w. 10 nur Ez.*
Grosz [grɔʃ] *m. Gen. - Mz.* Groszy [grɔʃy] poln. Währungseinheit: 1/100 Zloty
gro|tesk [frz.] komisch-verzerrt, lächerlich; **Gro|tesk** *w. Gen. - nur Ez.* eine Gattung von Druckschriften; **Gro|tes|ke** *w. 11* **1** komische Dichtung in Prosa oder Versen; **2** Ornament aus Rankenwerk mit figürl. Motiven; **3** komischer, karikierender Tanz; **Gro|tesk|tanz** *m. 2* = Groteske (**3**)
Grot|te [griech.-ital.] *w. 11* Felsenhöhle; **Grot|ten|werk** *s. 1 nur Ez.* Auskleidung der Wände von künstl. Grotten mit Steinen, Muscheln u. a.
Grou|pie [grupi, engl.] *s. 9* weibl. Fan, der Kontakt mit seinem Idol sucht oder pflegt
grub|ben [engl.] *tr. 1* = grubbern; **Grub|ber** *m. 5* Gerät zum Lockern des Bodens, Kultivator, Krümmer; **grub|bern,** grub|ben *tr. 1* mit dem Grubber hacken
Grüb|chen *s. 7;* **Gru|be** *w. 11*
Grü|be|lei *w. 10;* **grü|beln** *intr. 1;* ich grübele, grüble
Gru|ben|ar|bei|ter *m. 5;* **Gru|ben|gas** *s. 1 nur Ez.* = Methangas; **Gru|ben|lam|pe** *w. 11;* **Gru|ben|schmelz** *m. 1 nur Ez.* = Champlevé
Grüb|ler *m. 5;* **grüb|le|risch**
Gru|de 1 *w. 11 nur Ez.* körniger Braunkohlenkoks; **2** *w. 11, Kurzw. für* Grudeherd; **Gru|de|herd** *m. 1;* **Gru|de|o|fen** *m. 8*
Gruft *w. 2*
Gruf|tie *m. 9; ugs.* jmd., der alt ist, nicht mehr dazu gehört
grum|meln *intr. 1* **1** leise donnern, rollen; **2** murrend vor sich hin reden
Grum|met, Grumt *s. 1* Heu der zweiten Grasernte; **grum|ten** *intr. 2* das Gras zum zweiten Mal mähen
grün 1 *Kleinschreibung:* grüne Klöße: Klöße aus rohen Kartoffeln; grüne Minna *ugs.:* Polizeiauto zum Gefangenentransport; ach du grüne Neune! *ugs.:* du liebe Zeit!; grüner Salat: Kopfsalat; grüner Star: eine Augenkrankheit, Glaukom; etwas vom grünen Tisch aus entscheiden: von der Theorie her, ohne Kenntnis der Praxis; grünes Trikot: Trikot des jeweiligen Etappensiegers bei der Tour de France; vgl. gelbes Trikot; grüne Welle; grüne Witwe *ugs. scherzh.:* Frau, die am Stadtrand lebt und deren Mann den ganzen Tag abwesend ist; auf keinen grünen Zweig kommen: es zu nichts bringen, keinen Erfolg haben; jmdm. nicht grün sein: jmdn. nicht leiden können; **2** *Großschreibung:* der Grüne Donnerstag: Gründonnerstag; das Grüne Gewölbe: eine Kunstsammlung in Dresden; die Grüne Insel: Irland; die Grüne Woche: jährlich

stattfindende Landwirtschaftsausstellung in Berlin; **Grün** *s. Gen.* -s *nur Ez.* grüne Farbe, grünes Signallicht, grüne Blätter; Farbe im dt. Kartenspiel; das erste, junge Grün (im Frühjahr); bei Mutter Grün: in der freien Natur; fahr los, wir haben Grün!; bei Grün über die Straße gehen; im Grünen wohnen; das ist dasselbe in Grün *ugs.:* fast genau dasselbe; **Grün|al|ge** *w. 11;* **Grün|an|la|ge** *w. 11;* **Grün-As** ► **Grün-Ass** *s. 1;* **grün|blau;** *Schreibung von Zus. mit anderen Farben* vgl. blau

> **im Grunde, auf Grund/aufgrund:** Die feste Fügung *im Grunde* wird getrennt und großgeschrieben. In Fällen wie *auf Grund/aufgrund von* bzw. *zu Grunde/zugrunde gehen* bleibt es dem Schreibenden überlassen, wie er schreibt. Beide Formen sind jeweils korrekt.
> →§ 39 E3 (3), § 55 (4)

Grund *m. 2;* auf Grund laufen (vom Schiff); auf Grund eines ..., von..., *auch:* aufgrund; im Grunde (genommen); von Grund auf; von Grund aus; vgl. zugrunde; **grund|an|stän|dig;** **Grund|be|griff** *m. 1;* **Grund|be|sitz** *m. 1;* **Grund|be|sit|zer** *m. 5;* **Grund|be|stand|teil** *m. 1;* **Grund|buch** *s. 4* vom Grundbuchamt geführtes Verzeichnis sämtlicher Grundstücke und ihrer Rechtsverhältnisse; **Grund|buch|amt** *s. 4* Behörde beim Amtsgericht (*österr.:* Bezirksgericht), die das Grundbuch führt; **grund|ehr|lich;** **Grund|ei|gen|tum** *s. Gen.* -s *nur Ez.;* **Grund|ei|gen|tü|mer** *m. 5;* **Grund|eis** *s. 1 nur Ez.;* ihm geht der Arsch auf G. *vulg.:* er ist in großer Bedrängnis, in einer schlimmen Lage

Grün|del, Grün|del *m. 5* ein Fisch; **grün|deln** *intr. 1* unter Wasser Nahrung suchen (von Enten)

grün|den *tr. 2;* **Grün|der** *m. 5;* **Grün|der|jah|re** *s. 1 Mz.,* Grün|der|zeit *w. 10 nur Ez.* die Jahre nach 1871 in Deutschland; **Grund|er|werb** *m. 1;* **Grund|er|werb|steu|er,** *ugs. auch:* Grund|er|werbs|steu|er *w. 11;* **Grün|der|zeit** *w. 10 nur Ez.* = Gründerjahre

grund|falsch; **Grund|feh|ler** *m. 5;* **Grund|flä|che** *w. 11;* **Grund|form** *w. 10* **1** *Gramm.* = Infinitiv; **2** *allg.:* ursprüngliche, zugrunde liegende Form; **Grund|ge|bühr** *w. 10;* **Grund|ge|dan|ke** *m. 15;* **grund|ge|lehrt;** **grund|ge|scheit;** **Grund|ge|setz** *s. 1* Verfassung, *bes.:* G. für die BR Dtld. vom 23. Mai 1949 (*Abk.:* GG); **grund|gü|tig;** **grund|häß|lich** ► **grund|häss|lich;** **Grund|herr** *m. Gen.* -n *oder* -en *Mz.* -en; **Grund|herr|schaft** *w. 10;* **Grund|hol|de(r)** *m. 18 (17); früher:* an Grund und Boden gebundener Höriger

grun|die|ren *tr. 3* mit einem Voranstrich versehen; **Grun|dier|far|be** *w. 11*

Grund|irr|tum *m. 4;* **Grund|la|ge** *w. 11;* **Grund|la|gen|for|schung** *w. 10;* **grund|le|gend;** **gründ|lich;** **Gründ|lich|keit** *w. 10 nur Ez.*

Gründ|ling *m. 1* ein Karpfenfisch

Grund|li|nie *w. 11;* **Grund|lohn** *m. 2;* **grund|los;** **Grund|lo|sig|keit** *w. 10 nur Ez.;* **Grund|nah|rungs|mit|tel** *s. 5*

Grün|don|ners|tag *m. 1* Donnerstag vor Ostern

Grund|re|chen|ar|ten *w. 10 Mz.;* die vier G.: Addition, Subtraktion, Multiplikation, Division; **Grund|recht** *s. 1;* **Grund|re|gel** *w. 11;* **Grund|riß** ► **Grund|riss** *m. 1;* **Grund|satz** *m. 2;* **Grund|satz|ent|schei|dung** *w. 10;* **grund|sätz|lich;** **grund|schlecht;** **Grund|schuld** *w. 10* ein Grundpfandrecht; **Grund|schu|le** *w. 11;* **Grund|stein** *m. 1;* **Grund|stein|le|gung** *w. 10;* **Grund|stel|lung** *w. 10* (beim Turnen); **Grund|steu|er** *w. 11;* **Grund|stock** *m. 2;* **Grund|stoff** *m. 1;* **Grund|strich** *m. 1, beim Schreiben:* Strich nach unten; *Ggs.:* Haarstrich; **Grund|stück** *s. 1;* **Grund|stücks|mak|ler** *m. 5;* **Grund|stu|fe** *w. 11* **1** *Gramm.* = Positiv (**1**); **2** *allg.:* unterste Stufe; **Grund|ton** *m. 2;* **Grund|übel** *s. 5;* **Grund|um|satz** *m. 2* Maß für den Kalorienverbrauch des Körpers innerhalb 24 Stunden in nüchternem und Ruhezustand

Grün|dung *w. 10*

Grün|dün|ger *m. 5* grüne Pflanzen oder Pflanzenteile zum Unterpflügen

Grün|dungs|ka|pi|tal *s. Gen.* -s *Mz.* -li|en; **Grün|dungs|mit|glied** *s. 3;* **Grün|dungs|ver|samm|lung** *w. 10*

Grün|dün|gung *w. 10 nur Ez.*

grund|ver|schie|den; **Grund|was|ser** *s. Gen.* -s *nur Ez.;* **Grund|was|ser|spie|gel** *m. 5;* **Grund|wort** *s. 4* letzter Teil eines zusammengesetzten Wortes, z. B. »Wort« in »Grundwort«; **Grund|zahl** *w. 10* = Kardinalzahl; vgl. Ordnungszahl; **Grund|zug** *m. 2*

Grü|ne *w. 11 nur Ez.* das Grünsein, grüne Farbe, **grü|nen** *intr. 1* grün werden; **Grü|ne(r)** *m. 18 (17) bzw. w. 17 od. 18* Angehörige(r) einer Partei für Umweltschutz; **Grün|fink** *m. 10* ein Singvogel, Grünling; **Grün|flä|che** *w. 11;* **Grün|fut|ter** *s. Gen.* -s *nur Ez.;* **grün|gelb;** *Schreibung von Zus. mit anderen Farben* vgl. blau; **Grün|gür|tel** *m. 5;* **Grün|horn** *s. 4, dt. Bez. für* Greenhorn; **Grün|kern** *m. 1* unreifes Korn einer Weizenart; **Grün|kohl** *m. Gen.* -s *nur Ez.* Winterkohl; **Grün|kreuz** *s. 1 nur Ez.* lungenschädigendes Giftgas; **Grün|land** *s. Gen.* -(e)s *nur Ez.* Weideland; **grün|lich;** **grün|lich|blau** ► **grün|lich blau;** **grün|lich|gelb** ► **grün|lich gelb;** **Grün|licht** *s. 3 nur Ez.;* **Grün|ling** *m. 1* **1** = Grünfink; **2** = Grünreizker; **3** unreifer Mensch, *auch:* Neuling; **Grün|platz** *m. 2;* **Grün|reiz|ker** *m. 5* ein Pilz, Grünling; **Grün|rock** *m. 2, volkstüml.:* Förster, Jäger; **grün|rot|blind;** **Grün|rot|blind|heit** *w. 10 nur Ez.;* **Grün|schna|bel** *m. 6* vorlauter, alles besser wissender junger Mensch; **Grün|span** *m. Gen.* -(e)s *nur Ez.* Kupferverbindung, die sich auf Kupfer- und Messinggegenständen bildet; **Grün|specht** *m. 1;* **Grün|strei|fen** *m. 1*

grun|zen *intr. 1*

Grün|zeug *s. 1 nur Ez.*

Grunz|och|se *m. 11* = Jak

Grupp [ital.] *m. 9* Paket aus Geldrollen

Grüpp|chen *s. 7;* **Grup|pe** *w. 11* kleine Menge von Menschen; **Grup|pen|auf|nah|me** *w. 11;* **Grup|pen|bild** *s. 3;* **Grup|pen|ehe** *w. 11;* **Grup|pen|füh|rer** *m. 5;* **Grup|pen|sex** *m. Gen.* -es *nur Ez.;* **Grup|pen|the|ra|pie** *w. 11;* **grup|pen|wei|se;** **grup-**

► = wird zu

pie|ren *tr. 3;* **Grup|pie|rung** *w. 10*

Grus *m. 1* **1** kleine, durch Mahlen oder Verwitterung entstandene Gesteinsbrocken; **2** Kohlenstaub; **3** *Gattungsname für* Kranich; **4** Sternbild des Kranichs

Grüsch *s. 1 nur Ez., schweiz.:* Kleie

Gru|sel|film *m. 1;* **gru|se|lig,** grus|lig Furcht, Schauder erweckend; **gru|seln** *tr., intr. u. refl. 1;* es gruselt mir, es gruselt mich, ich grusele, grusle mich davor: es flößt mir Furcht ein, erweckt Schauder in mir, ich fürchte mich davor; **Gru|si|cal** [-kəl, Nachbildung zu Musical] *s. 9* Gruselfilm

gru|sig wie Grus

Gru|si|ni|er *m. 5* = Georgier; **gru|si|nisch; Gru|si|nisch** *s. Gen.* -(s) *nur Ez.* = Georgisch

grus|lig = gruselig

Gruß *m. 2;* **grü|ßen** *tr. 1;* grüß (dich) Gott!; **Gruß|for|mel** *w. 11;* **Grüß|fuß** *m., nur in der ugs. Wendung* auf G. stehen: sich nur vom Grüßen her, nicht näher kennen; **gruß|los**

Grütz|beu|tel *m. 5* Talgdrüsengeschwulst, Atherom; **Grüt|ze** *w. 11* **1** gemahlene Getreidekörner; **2** Brei sowie Süßspeise daraus; **Grütz|wurst** *w. 2*

Gschaftl|hu|ber *m. 5, bayr.:* übertrieben geschäftiger Mensch, Wichtigtuer

gscha|mig *bayr., österr.:* sich leicht genierend, übertrieben schamhaft

gschert *bayr., österr.:* ungehobelt, grob

Gschnas *m. 1 nur Ez., österr.:* wertloses Zeug; **Gschnas|fest** *s. 1, österr.:* Faschingsveranstaltung Wiener Künstler

gspa|ßig *bayr., österr.:* spaßig, lustig

Gspu|si *s. 9, bayr.:* **1** Freund, Freundin, Liebste(r); **2** Liebschaft, Liebelei

Gstanzl *s. 14, bayr., österr.* = Schnadahüpfl

Gu|a|jak|baum [indian.] *m. 2* ein mittelamerik. Baum; **Gu|a|jak|harz** *s. 1 nur Ez.;* **Gu|a|ja|kol** *s. 1 nur Ez.* ein aromatischer Alkohol, Heilmittel gegen Lungenkrankheiten

Gu|a|na|ko [peruan.] *m. 9* südamerikanisches, wild lebendes Lama

Gu|a|ni|din [indian.] *s. 1 nur Ez.* eine Stickstoffverbindung; **Gu|a|nin** *s. 1 nur Ez.* Bestandteil der Nukleinsäuren; **Gu|a|no** *m. 9 nur Ez.* Kot von Seevögeln in Peru und Chile, Düngemittel

Gu|a|ra|ní *m. Gen.* -s *Mz.* -(s) Währungseinheit in Paraguay, 100 Céntimos; **Gu|a|ra|ni 1** *m. 9 oder Gen.* - *Mz.* - Angehöriger eines südamerik. Indianervolkes; **2** *s. Gen.* - *nur Ez.* dessen Sprache

Gu|ar|di|an [mlat.] *m. 1, bei den Franziskanern und Kapuzinern:* Klostervorsteher

Gu|ar|ne|ri *w. 9* Geige aus der Werkstatt der ital. Geigenbauerfamilie G. (17./18. Jh.)

Gu|asch [lat.-frz.], Gou|ache [guaʃ] *w. 10* **1** *nur Ez.* Malerei mit deckenden Wasserfarben, die mit harzigen Bindemitteln versetzt sind; **2** Gemälde in Guasch; **Gu|asch|ma|le|rei** *w. 10*

Gu|a|te|ma|la 1 Staat in Mittelamerika; **2** Hst. von G. (**1**); **Gu|a|te|mal|te|ke** *m. 11* Einwohner von Guatemala; **gu|a|te|mal|te|kisch**

Gu|a|ya|na 1 Landschaft in Südamerika; **2** *amtl.:* Gu|ya|na, Staat im nördl. Südamerika; **Gu|a|ya|ner** *m. 5;* **gu|a|ya|nisch**

gu|cken *intr. 1;* **Gu|cker** *m. 5;* **Guck|fens|ter** *s. 5;* **Gu|cki** *m. 9* **1** ein Skatspiel; **2** kleines Gerät zum Betrachten von Dias; **Guck|in|die|luft** ▶ **Guck-in-die-Luft** *m. Gen. - nur Ez.;* Hans G.; **Guck|in|die|welt** ▶ **Guck-in-die-Welt** *m. 9* fröhliches, neugieriges Kind; **Guck|kas|ten|büh|ne** *w. 11, früher:* nur nach vorn zum Zuschauerraum offene Bühne

Guel|fe [ital.] *m. 11, MA:* Anhänger des Papstes und Gegner der Ghibellinen

Gue|ril|la [gerilja, span.] *m. 9 meist Mz.* Angehöriger einer bewaffneten Widerstandsgruppe, Freischärler, Partisan; **Gue|ril|la|krieg** *m. 1* Kleinkrieg, Banden-, Partisanenkrieg; **Gue|ril|le|ro** [geriljero] *m. 9, span. u. port. Bez. für* Partisan

Gu|gel *w. 11,* Ko|gel *m. 5* Männerkapuze mit Schulterkragen; **Gu|gel|hopf,** Gugl|hopf *m. 1, schweiz.,* **Gu|gel|hupf,** Guglhupf *m. 1, süddt., österr.:* runder Rührkuchen, Napfkuchen

Guide [engl.: gaɪd, frz.: gid] *m. 9* Reiseführer

Guil|loche [gijɔʃ, giljɔʃ, frz.] *w. 11* **1** Muster aus verschlungenen Linien (auf Geldscheinen und Wertpapieren, um Fälschungen zu verhindern); **2** Gerät zum Guillochieren; **Guil|lo|cheur** [gijɔʃør] *m. 1* Facharbeiter, der Wertpapiere, Geldscheine guillochiert; **guil|lo|chie|ren** [gijɔʃi-] *tr. 3* mit einer Guilloche versehen

Guil|lo|ti|ne [giljɔ-, gijɔ-, nach dem frz. Arzt Josephe-Ignace Guillotin] *w. 11* Gerät zum Hinrichten mit Fallbeil; **guil|lo|ti|nie|ren** *tr. 3*

Gu|i|nea [gi-] **1** Staat in Westafrika; **2** [gɪnɪ] *w. 9, auch:* Guinee [gine(ə)] *w. 11, bis 1816:* engl. Goldmünze; **Gu|i|ne|er** [gi-] *m. 5* Einwohner von Guinea; **gu|i|ne|isch**

Gui|pure [gipyr] *w. 11, veraltete Schreibung von* Gipüre

Guir|lan|de [gir-] *w. 11, veraltete Schreibung von* Girlande

Gui|tar|re [gi-] *w. 11, veraltete Schreibung von* Gitarre

Gu|lasch *s. 9 oder s. 1* Gericht aus in Würfel geschnittenem, scharf gewürztem Rindfleisch; **Gu|lasch|ka|no|ne** *w. 11, scherzh.:* Feldküche

Gul|den *m. 7* **1** *bis 19. Jh.:* Gold- und Silbermünze in Dtschl. u. a. Staaten; **2** (*Abk.:* hfl) ndrl. Währungseinheit, 100 Cent

gül|den *veraltet, poet.:* golden; **gül|disch** *Bgb.:* goldhaltig

Gül|le *w. 11, südwestdt., schweiz.:* Jauche, Pfütze; **gül|len** *tr. 1* mit Jauche düngen; **Gül|len|faß** ▶ **Gül|len|fass** *s. 4*

Gul|ly [engl.: gʌlɪ] *m. 9 oder s. 9* verdeckter, zum Abwasserkanal führender Schacht (auf der Straße), Abflussloch im Rinnstein

Gült *w. 10,* **Gül|te** *w. 11, süddt.:* **1** Abgabe, Zins; **2** Grundstücksertrag; **gül|tig; Gül|tig|keit** *w. 10 nur Ez.;* **Gül|tig|keits|dau|er** *w. 11 nur Ez.*

Gum|ma [zu Gummi] *w. Gen. - Mz.* -malta *oder* -men gummiartige Geschwulst im Tertiärstadium der Syphilis

Gum|mi [ägypt.-lat.] *m. 9* **1** aus Kautschuk gewonnenes Produkt; **2** in Pflanzenausscheidungen enthaltener Stoff, Klebemittel; **3** *kurz für* Radiergummi; **Gum|mi|a|ra|bi|kum** [neulat.] *s. Gen.* -s *nur Ez.* aus dem Harz von Akazien- und Mimosenarten gewonnener Klebstoff, auch Verdickungs- und Bindemittel für Arzneistoffe; **Gum|mi|ball** *m. 2;* **Gum|mi|bär|chen** *s. 7, meist Mz.* gelatineartige Süßigkeit in Form eines kleinen Bären; **Gum|mi|baum** *m. 2* eine tropisch-asiat. Zimmerpflanze; **Gum|mi|druck** *m. 1* Druck mit Druckformen ähnlich Gummistempeln, Flexodruck; **Gum|mi|e|las|ti|kum** *s. Gen.* -s *nur Ez.* Kautschuk; **gum|mie|ren** *tr. 3* mit Klebschicht aus Gummi bestreichen; **Gum|mie|rung** *w. 10* **1** das Gummieren; **2** Klebschicht aus Gummi; **Gum|mi|gutt** *s. 1 nur Ez.* giftiges indisches Gummiharz, als Abführmittel, Farbe und Firnis; **Gum|mi|harz** *s. 1* Gummi enthaltendes Harz; **Gum|mi|knüp|pel** *m. 5;* **Gum|mi|pa|ra|graph** *m. 10* nicht eindeutig formulierter, sehr unterschiedlich auslegbarer Paragraph, Kautschukparagraph; **Gum|mi|zug** *m. 2*

gum|mös **1** gummiartig; **2** von Gummen (vgl. Gumma) befallen; **Gum|mo|se** *w. 11* eine Krankheit der Steinobstgewächse mit Ausscheidung von Gummiharz

Gum|pe *w. 11,* **Gum|pen** *m. 7, süddt., schweiz.:* Wasserloch

Gun|del|kraut *s. 4 nur Ez.,* **Gun|del|re|be** *w. 11 nur Ez.,* **Gun|der|mann** *m. 4 nur Ez.* eine Wiesenpflanze

Gun|kel *w. 11, bayr.:* kesselförmige Bodenmulde

Gun|man [gʌnmən, engl.] *m. Gen.* -s *Mz.* -men [-mən] *amerik. Bez. für* bewaffneter Gangster

Gün|sel *m. 5* eine Wiesenpflanze

Gunst *w. Gen.* - *nur Ez.;* bei jmdm. in Gunst stehen; zu meinen Gunsten; *auch:* zugunsten des ...; **Gunst|be|weis** *m. 1;* **Gunst|be|zei|gung** *w. 10;* **güns|tig; güns|ti|gen|falls; Günst|ling** *m. 1*

Gupf *m. 1* **1** *süddt., österr., schweiz.:* Gipfel, Spitze (z. B. des Eies); **2** *in Österr. auch:* Zugabe

Gup|py [nach dem brit. Naturforscher R. J. L. Guppy] *m. 9* zu den Zahnkarpfen gehörender Aquarienfisch

Gup|ta *m. 9* Angehöriger eines altind. Herrscherhauses

Gur *w. 10 nur Ez., Geol.:* durch Zersetzung von Pflanzen- oder Tierresten oder Gesteinen entstandener Schlamm

Gur|gel *w. 11;* **gur|geln** *intr. 1;* ich gurgele, gurgle; **Gur|gel|was|ser** *s. 6*

Gürk|chen *s. 7;* **Gur|ke** *w. 11;* **Gur|ken|baum** *m. 2* amerik., südasiat. Baum mit gurkenähnlichen Früchten

Gur|kha *m. 9* **1** Angehöriger eines hinduistischen Volkes in Nepal; **2** *Bez. für* Soldat der brit.-ind. Armee

gur|ren *intr. 1*

Gurt *m. 1;* **Gurt|band** *s. 4;* **Gurt|bo|gen** *m. 8* verstärkter Bogen eines Tonnengewölbes; **Gur|te** *w. 11, Nebenform von* Gurt

Gür|tel *m. 5;* **Gür|tel|ro|se** *w. 11* eine Infektionskrankheit mit Hautausschlag, Herpes zoster; **Gür|tel|tier** *s. 1* mit verknöcherten, gürtelförmigen Hautschilden versehenes, Insekten fressendes Tier; **gür|ten** *tr. 2;* **Gürt|ler** *m. 5* Hersteller von Gürteln und Gürtelschnallen

Gu|ru [Hindi] *m. 9, im Hinduismus:* geistlicher Lehrer

GUS *Abk. für* Gemeinschaft Unabhängiger Staaten, Nachfolgeverband der UdSSR

Gu|sche *w. 11, mitteldt.:* Mund

Gus|la [serb.] *w. Gen.* - *Mz.* -s *oder* -len einsaitiges Streichinstrument der Balkanvölker; **Gus|lar** *m. 10* Guslaspieler

Gus|li [russ.] *w. 9* russ. zitherähnliches Zupfinstrument

Guß ▶ **Guss** *m. 2;* **Guß|ei|sen** ▶ **Guss|ei|sen** *s. 7 nur Ez.* gegossenes Eisen; *Ggs.:* Schmiedeeisen; **guß|ei|sern** ▶ **guss|ei|sern; Guß|form** ▶ **Guss|form** *w. 10;* **Guß|stahl** ▶ **Guss|stahl** *m. 2 nur Ez.;* **Guß|stein** ▶ **Guss|stein** *m. 1, veraltet:* Abflussbecken in der Küche

güst *nddt.:* unfruchtbar, keine Milch gebend (Tier); **Güst** *w. 10* unfruchtbares weibl. Tier

gus|tie|ren [lat.] *tr. 3* = goutieren; **gus|ti|ös** *österr.:* appetitlich, appetitanregend, lecker; **Gus|to** *m. 9 nur Ez., veraltet, noch schwäb., bayr., österr.:* Appetit, Geschmack; einen G. auf etwas haben; das ist nicht nach meinem G.

> **gut, das Gute:** Mit kleinem Anfangsbuchstaben wird geschrieben: *jenseits von gut und böse.* →§ 58 (3)
> Mit großem Anfangsbuchstaben dagegen: *das Gute; alles Gute; des Guten zuviel tun; im Guten wie im Bösen; zum Guten lenken; Guten Tag* (auch: *guten Tag*) *sagen.* →§ 57 (1)

gut **1** *Kleinschreibung:* guten Abend, guten Morgen, gute Nacht, guten Tag; jmdm. guten Abend, einen guten Abend wünschen, guten Abend sagen; guter Dinge sein; guter Hoffnung sein: schwanger sein; guten Mutes sein; gute Sitten; ein gut Teil; das Kind weiß noch nicht was gut und böse ist; **2** *Großschreibung:* der Gute; du bist ein Guter; meine Gute; jmdm. etwas im Guten sagen; Gutes und Böses; das hat alles sein Gutes; jmdm. alles Gute wünschen; des Guten zuviel tun; etwas, nichts, viel, wenig Gutes; Gut Holz! (Keglergruß); im Guten wie im Bösen; etwas zum Guten wenden; der Gute Hirte: Christus; das Kap der Guten Hoffnung; **3** *in Verbindung mit Verben:* ich kann in diesen Schuhen gut gehen; diese Ware wird gut gehen: gut verkauft werden; er wird es bei uns gut haben; *aber:* →guthaben; das hast du gut gemacht; *aber:* →gutmachen; mit diesem Stift kann ich gut schreiben; *aber:* →gutschreiben; das kann man nicht gut sagen; das ist gut gesagt: treffend gesagt, *auch:* leichthin gesagt; *aber:* →gutsagen; lass es gut sein; jmdm. gut sein; ich kann hier gut stehen; ich glaube, dass sie sich sehr gut stehen: dass es ihnen finanziell sehr gut geht

Gut *s. 4;* Gut und Blut; **Gut|ach|ten** *s. 7;* **Gut|ach|ter** *m. 5;* **gut|acht|lich; gut|ar|tig; Gut|ar|tig|keit** *w. 10 nur Ez.;* **gut|bür|ger|lich; Güt|chen** *s. 7;* **Gut|dün|ken** *s. Gen.* -s *nur Ez.;* nach G., nach meinem, nach eigenem G.; **Gü|te** *w. 11 nur Ez.;* **Gü|te|klas|se** *w. 11;* **Gu|te|nacht|gruß** *m. 2;* **Gu|ten|mor|gen|gruß** *m. 2*

Gü|ter|ab|fer|ti|gung *w. 10;* **Gü-**

▶ = wird zu

ter|bahn|hof *m. 2;* **Gü|ter|ge|mein|schaft** *w. 10;* **Gü|ter|recht** *s. 1 nur Ez.;* **gü|ter|recht|lich; Gü|ter|tren|nung** *w. 10 nur Ez.;* **Gü|ter|wa|gen** *m. 7;* **Gü|ter|zug** *m. 2*
Gü|te|ver|hand|lung *w. 10 nur Ez.;* **Gü|te|zei|chen** *s. 7*
Gut|fin|den *s. Gen.* -s *nur Ez., schweiz. für* Gutdünken; **gut|ge|hen** ▶ **gut ge|hen** *intr. 47;* lass es dir gut gehen; das kann nicht gut gehen, das ist gerade noch gut gegangen; **gut|ge|launt** ▶ **gut ge|launt;** eine gut gelaunte Bemerkung; **gut|ge|meint** ▶ **gut ge|meint;** ein gut gemeinter Rat; **gut|ge|sinnt;** alle gutgesinnten Menschen; **gut|gläu|big;** ein gutgläubiger Mensch; **gut|ha|ben** *tr. 60* zu fordern haben; einen Geldbetrag bei jmdm. g.; vgl. gut; **Gut|ha|ben** *s. 7;* **gut|hei|ßen** *tr. 65* billigen; einen Plan g.; **Gut|heit** *w. 10 nur Ez.;* **gut|her|zig; Gut|her|zig|keit** *w. 10 nur Ez.;* **Gu|ti** *s. 9, bayr.:* Bonbon; **gü|tig; güt|lich;** sich an etwas gütlich tun: sich etwas schmecken lassen; sich g. einigen, **gut|ma|chen** *tr. 1;* ein Unrecht g.; wir müssen sehen, dass sich dabei etwas g. lässt: dass dabei ein Vorteil für uns herausspringt; er hat sich dabei einiges gutgemacht: einiges Geld für sich beiseite gebracht; vgl. gut; **gut|mü|tig; Gut|mü|tig|keit** *w. 10 nur Ez.;* **gut|nach|bar|lich; gut|sa|gen** *intr. 1;* für jmdn. oder für eine Geldsumme g.: bürgen, einstehen; vgl. gut; **Guts|be|sit|zer** *m. 5;* **Gut|schein** *m. 1;* **gut|schrei|ben** *tr. 127* als Guthaben aufschreiben; jmdm. einen Betrag g.; vgl. gut; **Gut|schrift** *w. 10; Ggs.:* Lastschrift; **Gut|sel** *s. 14, bayr.:* Bonbon; **Guts|herr** *m. Gen.* -n *oder* -en *Mz.* -en; **Guts|herr|schaft** *w. 10;* **Guts|hof** *m. 2;* **gut|si|tu|iert** ▶ **gut si|tu|iert;** in guten finanziellen Verhältnissen lebend; ein gut situierter Herr; **Guts|le** *s. 5, schwäb.:* kleines Gebäck, bes. Weihnachtsgebäck; **gut|ste|hen** ▶ **gut ste|hen** *intr. 151*

> **gut gehen, gutschreiben:** Verbindungen aus Adjektiv und Verb, bei denen in dieser Verbindung das Adjektiv steigerbar *(gut – besser – am besten)* oder erweiterbar ist, werden getrennt geschrieben: *Es sollte ihm gut gehen. Früher ist es uns gut gegangen.* Ebenso: *gut meinen, gut sein.* Dagegen werden Formen, bei denen das Adjektiv nicht steigerbar oder erweiterbar ist, zusammengeschrieben: *gutschreiben* (= anrechnen), *gutmachen.*

Gut|ta|per|cha [mal.] *w. Gen. - oder s. Gen.* -(s) *nur Ez.* gummiähnlicher Stoff aus dem Milchsaft südasiat. Bäume, Isoliermaterial
Gut|tat *w. 10;* **gut|tä|tig**
Gut|temp|ler *m. 5* Angehöriger des Guttemplerordens; **Gut|temp|ler|or|den** *m. 7 nur Ez.* 1825 in New York gegründeter Orden, der den Alkoholgenuss bekämpft
gut|tun ▶ **gut tun** *intr. 167*
gut|tu|ral [lat.] in der Kehle gebildet, kehlig; **Gut|tu|ral** *m. 1;* **Gut|tu|ral|laut** *m. 1* = Gaumenlaut
Gut|wet|ter|zei|chen *s. 7;* **gut|wil|lig; Gut|wil|lig|keit** *w. 10 nur Ez.*
Gu|ya|na, Gu|a|ya|na Staat im nördl. Südamerika
g. v. *Abk. für* garnisonsverwendungsfähig
GWh *Abk. für* Gigawattstunde
Gym|kha|na [griech. + Hindi] *s. 9* sportlicher Geschicklichkeitswettbewerb
gym|na|si|al [griech.] zu einem Gymnasium gehörig, durch ein Gymnasium vermittelt; **Gym|na|si|al|bil|dung** *w. 10 nur Ez.;* **Gym|na|si|al|leh|rer** *m. 5;* **Gym|na|si|ast** *m. 10* Schüler eines Gymnasiums; **Gym|na|si|um** *s. Gen.* -s *Mz.* -si|en **1** *im Altertum:* Anlage für Leibesübungen, später auch Pflegestätte geistiger Bildung; **2** *19. und 20. Jh.:* höhere Schule mit Latein und Griechisch; **3** *heute in der BR Dtld.:* jede höhere Schule mit der Reifeprüfung als Abschluss; **Gym|nast** *m. 10, im Altertum:* Lehrer im Gymnasium; **Gym|nas|tik** *w. 10 nur Ez.* Körperübung durch rhythmische Bewegungen; **Gym|nas|ti|ker** *m. 5* jmd., der Gymnastik betreibt; **Gym|nas|tin** *w. 10* Lehrerin für Gymnastik; **gym|nas|tisch**
Gym|no|sper|me [griech.] *w. 11* = Nacktsamer; *Ggs.:* Angiosperme
Gy|nä|kei|on [griech.] *s. Gen.* -s *Mz.* -kei|en, Gy|nä|ze|um *s. Gen.* -s *Mz.* -ze|en altgriech. Frauengemach; **Gy|nä|ko|kra|tie** *w. 11* »Weiberherrschaft«, Matriarchat; **Gy|nä|ko|lo|ge** *m. 11* Facharzt für Gynäkologie, Frauenarzt; **Gy|nä|ko|lo|gie** *w. 11 nur Ez.* Lehre von den Frauenkrankheiten, Frauenheilkunde; *Ggs.:* Andrologie; **gy|nä|ko|lo|gisch; Gy|nä|ko|mas|tie** *w. 11* weibl. Brustbildung bei Männern; **Gy|nä|ko|pho|bie** *w. 11 nur Ez.* Abneigung gegen, Scheu vor Frauen
Gyn|an|der *auch:* **Gy|nan|der** [griech.] *m. 5* Tier, das die Merkmale der Gynandrie (**2**) aufweist; **Gyn|an|drie** *auch:* **Gy|nand|rie** *w. 11 nur Ez.* **1** Ausbildung weibl. Geschlechtsmerkmale beim Mann; *Ggs.:* Androgynie; **2** Auftreten von männl. und weibl. Merkmalen beim selben Tier, Scheinzwittrigkeit, Gynandrismus, Gynandromorphismus; **gyn|an|drisch** *auch:* **gy|nand|risch** scheinzwittrig (von Tieren); **Gyn|an|dris|mus** *auch:* **Gy|nand|ris|mus, Gyn|an|dro|mor|phis|mus** *auch:* **Gy|nan-** *m. Gen. - nur Ez.* = Gynandrie (**2**); **Gyn|an|thro|pos** *auch:* **Gy|nan-** *m. Gen. - Mz.* -poi *oder* -thro|pen, *veraltet:* Zwitter; **Gy|nä|ze|um** *s. Gen.* -s *Mz.* -ze|en **1** = Gynäkeion; **2** Gesamtheit der weiblichen Blütenteile
Gy|ro|man|tie [griech.] *w. 11 nur Ez.* Wahrsagen aus magischen Kreisen; **Gy|ro|me|ter** *s. 5* Gerät zum Messen der Drehgeschwindigkeit; **Gy|ros** *m. Gen. -, nur Ez.* gegrillte Fleischstreifen; **Gy|ro|skop** *auch:* **Gy|ros|kop** *s. 1* Gerät zum Nachweis der Drehung der Erde um ihre Achse; **gy|ro|sko|pisch** *auch:* **gy|ros|ko|pisch; Gy|rus** *m. Gen. - Mz.* -ri, *Med.:* Gehirnwindung

H

h 1 *Zeichen für* das Plancksche →Wirkungsquantum; **2** (hochgestellt) *Zeichen für* hora (Stunde); 10^{h} = 10 Uhr; **3** *Abk. für* h-Moll

H 1 *chem. Zeichen für* Hydrogenium (Wasserstoff); **2** *Abk. für* Henry; **3** *Abk. für* H-Dur; **4** *Kfz-Länderkennzeichen für* Ungarn (Hungaria)

ha *Abk. für* Hektar

h. a. *Abk. für* hoc anno, huius anni

Haag, Den ndrl. Stadt, Residenz des Königshauses, Regierungssitz; in Den Haag, *auch:* im Haag; **Haa|ger** *m. 5*

Haar *s. 1;* vgl. Härchen; er hat schönes Haar; blondes Haar; **Haar|aus|fall** *m. 2;* **Haar|balg** *m. 2;* **Haar|breit** *s. Gen. - nur Ez.;* er wich nicht um ein H. zurück; **Haar|bürs|te** *w. 11*

Haard *w. Gen.* - Hügellandschaft in Nordrhein-Westfalen;

Haardt, Hardt *w. Gen.* - Landschaft in Rheinland-Pfalz

haa|ren 1 *intr. 1* Haare verlieren; die Decke haart; **2** *refl. 1* das Haarkleid wechseln; der Hund haart sich; **Haar|er|satz** *m. 2* Perücke; **Haa|res|brei|te** *w., nur in der Wendung:* um H.; **haar|fein; Haar|fes|ti|ger** *m. 5;* **Haar|garn** *s. 1* Garn aus Haaren von Kuh, Ziege oder Pferd, vermischt mit Wolle oder Baumwolle für Teppiche; **Haar|ge|fäß** *s. 1* = Kapillare (1); **haar|ge|nau; haa|rig 1** voller Haare, mit Haaren besetzt; **2** *ugs.:* schlimm, unangenehm, heikel; **Haar|kleid** *s. 3;* **haar|klein;** etwas h. erzählen: ganz genau; **Haar|künst|ler** *m. 5*

Haar|lem ndrl. Stadt; vgl. Harlem; **Haar|le|mer** *m. 5*

Haar|ling *m. 1* lausartiger Schmarotzer im Pelz von Säugetieren; **haar|los; Haar|na|del|kur|ve** *w. 11* spitze Kurve; **Haar|pfle|ger** *m. 5, eindeutschend für* Friseur; **Haar|pin|sel** *m. 5;* **Haar|pu|der** *m. 5;* **Haar|raub|wild** *s. Gen.* -(e)s *nur Ez.* die zum Raubwild gehörenden Säugetiere; **Haar|rauch** *m. 1 nur Ez.* = Höhenrauch; **Haar|riß** ▶ **Haar|riss** *m. 1* haarfeiner Riss; **Haar|röhr|chen** *s. 7* = Kapillare (2); **haar|scharf; Haar|schmuck** *m. Gen.* -(e)s *nur Ez.;* **Haar|schnei|der** *m. 5;* **Haar|schnitt** *m. 1;* **Haar|sieb** *s. 1* sehr feines Sieb; **Haar|spal|ter** *m. 5;* **Haar|spal|te|rei** *w. 10 nur Ez.* allzu genaue, nicht mehr notwendige Erklärung; **Haar|spray** [-sprɛɪ] *s. 9;* **Haar|stern** *m. 1* ein Meerestier, Seelilie; **Haar|strang** *m. Gen.* -(e)s *nur Ez.* ein Doldengewächs, Wiesenpflanze; **haar|sträu|bend; Haar|strich** *m. 1, beim Schreiben:* Strich nach oben; *Ggs.:* Grundstrich; **Haar|was|ser** *s. 6;* **Haar|wild** *s. Gen.* -(e)s *nur Ez.; Sammelbez. für* alle zum Wild gehörenden Säugetiere; **Haar|wuchs** *m. Gen.* -es *nur Ez.;* **Haar|wur|zel** *w. 11*

Hab *s., nur in der Wendung:* Hab und Gut

Ha|ba|ne|ra [nach der kuban. Hst. Habana (Havanna)] *w. 9* ruhiger kubanisch-spanischer Tanz

Hab|chen *s., nur in der mitteldt. ugs. Wendung* Habchen-Babchen, *oder:* H. und Babchen: Habe, Hab und Gut; **Ha|be** *w. 11 nur Ez.*

Ha|be|as-cor|pus-Ak|te [lat. »du habest den Körper«], **Ha|be|as|kor|pus|ak|te** *w. 11 nur Ez.* engl. Staatsgrundgesetz von 1679, nach dem niemand ohne behördlichen Haftbefehl und nicht länger als zwei Tage ohne Verhör inhaftiert werden darf

ha|ben 1 *tr. 60;* habt acht! *österr.:* stillgestanden!, ich hab's!; ich habe noch zu arbeiten; ich habe im Keller noch 50 Flaschen Wein zu liegen *berlin. statt:* habe… liegen; **2** *refl. 60, ugs.:* sich zieren, zimperlich sein; hab dich nicht so!; **3** *refl. 60, unpersönl., in den Wendungen* und damit hat sich's: und damit ist es erledigt; hat sich was!: keine Rede, kommt gar nicht in Frage!; **Ha|ben** *s. Gen.* -s *nur Ez.* Gesamtheit der Einnahmen, Guthaben; Soll und Haben *Buchführung:* Ausgaben und Einnahmen; **Ha|be|nichts** *m. 1, Gen. auch:* -; **Ha|ben|sei|te** *w. 11, Buchführung:* Seite im Kontobuch mit den Einnahmen

Ha|ber *m. 5 nur Ez., süddt., österr. für* Hafer; **Ha|be|rer** *m. 5, österr., derb:* Freund, Liebhaber; **Ha|ber|feld|trei|ben** *s. Gen.* -s *nur Ez., früher in Bayern und Tirol:* bäuerliches Volksgericht mit Strafpredigt (seltener auch Prügeln); **Ha|ber|geiß** *w. 10, bayr., österr.:* **1** Nachtgespenst mit Tiermaske; **2** letzte Garbe auf dem Feld

Hab|gier *w. Gen. - nur Ez.;* **hab|gie|rig; hab|haft;** jmds. h. werden: jmdn. fangen, ergreifen, erwischen; einer Sache h. werden: sie erlangen, bekommen

Ha|bicht *m. 1* ein Greifvogel; **Ha|bichts|na|se** *w. 11* gebogene Nase

ha|bil [lat.] *veraltet:* geschickt, gewandt, fähig; **ha|bil.** vgl. Dr. habil.; **Ha|bi|li|tand** *m. 10* jmd., der zur Habilitation zugelassen wird; **Ha|bi|li|ta|ti|on** *w. 10* Erwerb der Lehrbefugnis an einer Hochschule; **Ha|bi|li|ta|ti|ons|schrift** *w. 10;* **ha|bi|li|tie|ren** *refl. 3* die Lehrbefugnis erwerben

Ha|bit [frz.] *s. 1 oder m. 1* **1** Amtstracht; **2** wunderliche, *auch:* bequeme, saloppe Kleidung; **3** [hæbɪt, engl.] *s. 9 oder m. 9, Psych.:* Fähigkeit, auf Grund von Signalen aus der Umwelt bestimmte Handlungen auszuführen; **4** Gelerntes, Gewohnheit; **Ha|bi|tu|a|li|sie|rung** [lat.] *w. 10* Ausbildung von Gewohnheiten; **Ha|bi|tué** [(h)abitye, frz.] *m. 9, veraltet:* ständiger Besucher, Stammgast; **ha|bi|tu|ell 1** auf dem Habitus beruhend; **2** gewohnheitsmäßig, häufig wiederkehrend; **Ha|bi|tus** [lat.] *m. Gen. - nur Ez.* **1** äußere Erscheinung, Gestalt, Aussehen; **2** Haltung, Benehmen; **3** Gesamtheit der für ein Tier oder eine Tiergruppe charakterist. Merkmale; **4** Besonderheiten an einem Menschen, die auf die Neigung zu bestimmten Krankheiten hindeuten

hab|lich *schweiz.:* wohlhabend

▶ = wird zu

Habs|burg *w. Gen.* - Burg im Schweizer Kanton Aargau, Stammsitz der Habsburger; **Habs|bur|ger** *m. 5* Angehöriger eines dt. Fürstengeschlechts; **habs|bur|gisch**

Hab|schaft *w. 10, veraltet:* Habe; **Hab|se|lig|keit** *w. 10 meist Mz.* Habe, Besitztum (von geringem Wert); **Hab|sucht** *w. Gen. - nur Ez.;* **hab|süch|tig**

Habt|acht|stel|lung *w. 10 nur Ez., österr.:* straffe, bewegungslose Stellung nach dem Kommando »Habt acht!«

Há|ček [hatʃɛk, tschech. »Häkchen«], *eindeutschend auch:* Hatschek *s. 9* (*Zeichen:* ˇ) *in slaw. Sprachen:* Zeichen über dem c oder z zur Aussprache wie [tʃ] bzw. [ʒ] oder über dem r wie [rʒ] oder [rʃ]

Ha|ché [haʃe] *s. 9, frz. Schreibung von* Haschee

Ha|chel *s. 5 oder w. 11, österr.:* Küchenhobel; **ha|cheln** *tr. 1, österr.:* hobeln (Gemüse)

Hach|se [haksə] *w. 11* unterer Teil des Beins (von Schlachttieren); vgl. Haxe

Ha|ci|en|da [-zi- oder -θi-] *w. 9, span. Schreibung von* Hazienda

Hack|bank *w. 2* Hackklotz (des Metzgers); **Hack|bau** *m. Gen.* -(e)s *nur Ez.* Ackerbau mit der Hacke; **Hack|beil** *s. 1;* **Hack|bra|ten** *m. 7;* **Hack|brett** *s. 3* meist trapezförmiges Saiteninstrument, das mit Holzhämmerchen geschlagen wird

Ha|cke *w. 11* **1** *auch:* Hacken *m. 7, ugs.:* Ferse; **2** Werkzeug zum Hacken; **ha|cken** *tr. 1;* **Ha|cken** *m. 7* = Hacke (**1**); **Ha|cke|pe|ter** *m. 5, ugs.:* Gericht aus gewürztem, rohem Schweinehack; **Ha|cker, Hä|cker** *m. 5* Weinbergarbeiter; **Hä|cker|ling** *m. 1 nur Ez.* = Häcksel; **Hack|fleisch** *s. Gen.* -(e)s *nur Ez.;* **Hack|frucht** *w. 2* Ackerfrucht, deren Boden regelmäßig gehackt werden muss, z. B. Kartoffel, Rübe; **Hack|klotz** *m. 2;* **Hack|mes|ser** *s. 5*

Häck|sel *s. oder m. 5 nur Ez.* klein geschnittenes Stroh, Häckerling; **Häck|se|ler, Häcks|ler** *m. 5* Häckselmaschine

Hadd|sch *m. Gen. - nur Ez.* = Hadsch

Ha|der *m. 5 nur Ez.* Zank, Streit

Ha|der|lump *m. 10, bayr., österr.:* Lump, Nichtsnutz; **Ha|dern** *m. Gen. - Mz.* - **1** *bayr., österr.:* Scheuerlappen; **2** *Mz.* Lumpen, Stofffetzen

ha|dern *intr. 1;* ich hadere, hadre mit ihm

Ha|des *griech. Myth.* **1** Gott der Unterwelt; **2** *m. Gen. - nur Ez.* Unterwelt

Hadsch [arab.], Haddsch *m. Gen. - nur Ez.* Pilgerfahrt (des Muslims) nach Mekka; **Ha|dschi** *auch:* **Had|schi** *m. 9* Mekkapilger

Ha|fen *m. 8* **1** geschützter Landeplatz für Schiffe; **2** *süddt., österr.:* (bes. irdener) Topf

Hä|fen *s. 8, österr, ugs.:* Gefängnis

Ha|fer *m. 5 nur Ez.* eine Getreidepflanze; **Ha|fer|flo|cken** *w. 11 Mz.*

Hä|ferl *s. 14, österr.:* Töpfchen; **Hä|ferl|gu|cker** *m. 5, österr.:* (aufs Essen) neugieriger Mensch

Ha|ferl|schuh *m. 1* derber Halbschuh mit seitl. Schnürung

Haff *s. 9* durch eine Nehrung vom Meer fast ganz getrennter Strandsee

Haf|lin|ger *m. 5 Mz.* eine Pferderasse

Haf|ner, Häf|ner *m. 5, süddt., österr.:* Töpfer, Ofensetzer; **Haf|ne|rei** *w. 10* Töpferei, Ofensetzerei

Haf|ni|um [zu neulat. Hafnia »Kopenhagen«, dem Entdeckungsort] *s. Gen.* -s *nur Ez.* (*Zeichen:* Hf) chem. Element, ein Metall

Haft *w. 10 nur Ez.;* **haft|bar; Haft|bar|keit** *w. 10 nur Ez.;* **Haft|be|fehl** *m. 1*

Haf|tel *s. 14, süddt., österr.:* Haken (zur Öse); **Haf|tel|ma|cher** *m. 5, in der Wendung:* aufpassen wie ein Haftelmacher: genau aufpassen; **häf|teln** *tr. 1* mit einem Haftel schließen

haf|ten *intr. 2;* an etwas h.: festkleben; für jmdn. h.: bürgen, einstehen; **haf|ten|blei|ben** ► **haf|ten blei|ben** *intr. 17*

Haft|ent|las|sung *w. 10;* **Haft|frist** *w. 10*

Haft|glä|ser *s. 4 Mz.* = Haftschalen

Häft|ling *m. 1;* **Haft|pflicht** *w. 10 nur Ez.;* **haft|pflich|tig; Haft|pflicht|ver|si|che|rung** *w. 10;* **Haft|psy|cho|se** *w. 11*

Haft|scha|len *w. 11 Mz.* dünne (Kunststoff-) Linsen, die anstelle einer Brille direkt auf dem Augapfel getragen werden, Haftgläser, Kontaktgläser, Kontaktlinsen, Kontaktschalen

Haf|tung *w. 10 nur Ez.*

Haft|ze|her *m. 5* = Gecko

Hag *m. 1* **1** *urspr.:* eingefriedigtes Grundstück; **2** *noch poet.:* Hain, umgrenztes Wäldchen

Ha|ga|nah [hebr. »Schutz«] *w. Gen. - nur Ez.* **1** *urspr.:* jüd. Selbstschutzorganisation; **2** *in Palästina:* Untergrundorganisation, Vorläufer der israel. Armee

Ha|ge|bu|che *w. 11* = Hainbuche; **Ha|ge|but|te** *w. 11* Frucht der Rose; **Ha|ge|but|ten|tee** *m. 9;* **Ha|ge|dorn** *m. 1* = Weißdorn

Ha|gel *m. 5 nur Ez.;* **ha|gel|dicht; Ha|gel|korn** *s. 4;* **ha|geln** *intr. 1, unpersönl.;* es hagelt; **Ha|gel|schlag** *m. 2;* **Ha|gel|schnur** *w. 2* Eiweißstrang am Dotter des Vogeleis; **Ha|gel|ver|si|che|rung** *w. 10*

ha|ger; Ha|ger|keit *w. 10 nur Ez.*

Ha|ge|stolz [eigtl.: Besitzer eines Hags] *m. 1* alter Junggeselle

Hag|ga|da(h) [hebr.] *w. Gen. - Mz.* -doth erbaulich-belehrende Erläuterung von Bibelstellen im Talmud

Ha|gia So|phia *w. Gen.* - byzantinische Kirche in Istanbul (heute Museum)

Ha|gi|o|graph *Nv.* ► **Ha|gi|o|graf** *Hv.* [griech.] *m. 10* Verfasser von Hagiografien; **Ha|gi|o|gra|phie** *Nv.* ► **Ha|gi|o|gra|fie** *Hv. w. 11* Lebensbeschreibung eines Heiligen; **ha|gi|o|gra|phisch** *Nv.* ► **ha|gi|o|gra|fisch** *Hv.;* **Ha|gi|o|la|trie** *auch:* **-la|trie** *w. 11 nur Ez.* Verehrung von Heiligen; **Ha|gi|o|lo|gie** *w. 11 nur Ez.* Lehre von den Heiligen; **Ha|gi|o|lo|gi|um,** Hagilo|lo|gi|lon *s. Gen.* -s *Mz.* -gilen Buch mit Lebensbeschreibungen von Heiligen

Hä|her *m. 5* ein Rabenvogel

Hahn *m. 2, in der techn. Fachspr. auch m. 12;* **Hähn|chen** *s. 7*

Hah|nen|bal|ken *m. 7* oberster Querbalken im Sparrendach; **Hah|nen|fuß** *m. Gen.* -es *nur Ez.* eine Wiesenblume; **Hah|nen|kamm** *m. 2 nur Ez.* **1** Berg bei Kitzbühel; **2** eine Zierpflanze; **Hah|nen|kampf** *m. 2;* **Hah|nen-**

schrei *m. 1;* **Hahlnenltritt** *m. 1 nur Ez.* **1** Keimscheibe im Eidotter; **2** fehlerhafte Gangart des Pferdes; **3** der Fußspur des Hahns ähnliches Stoffmuster; **Hahlnelpot** *w. 10, Seew.:* in zwei Enden auslaufendes Tau; **Hähnllein** *s. 7;* **Hahnlrei** *m. 1* betrogener Ehemann; **Hahnlreischaft** *w. 10 nur Ez.*

Hai *m. 1,* Hailfisch *m. 1* ein Raubfisch

Hailduck *m. 10* = Heiduck

Hailku [jap.] *s. 9 oder Gen. - Mz.* - dreizeiliges jap. Gedicht aus 17 Silben

Hailmonslkinlder *s. 3 Mz.* **1** *in der karolingischen Sage:* die Kinder des Grafen Haimon; **2** *übertr.:* treue Geschwister oder Freunde

Hain *m. 1* kleiner, lichter Wald; **Hainlbulche** *w. 11* ein Laubbaum, Hagebuche, Weißbuche; **Hainlbund** *m. 2 nur Ez., eigtl.:* Göttinger Hain, Dichterbund (1772–1774)

Hainlleilte Höhenzug in Thüringen

Hailphong Stadt im Norden Vietnams

Hairlstyllist [herstailist, engl.] *m. 1* (anspruchsvoller) Friseur

Halilti **1** Insel der Großen Antillen; **2** Staat im Westen der Insel H.; **Halilti̱laner,** Halilti̱ler *m. 5* Bewohner von Haiti; **halilti̱anisch,** halil̲tisch; **Halil̲tilenne** [-tjen, nach der Insel Haiti] *w. Gen. - nur Ez.* ein taftähnlicher Seidenrips; **Halil̲tiler** *m. 5* = Haitianer; **halil̲tisch,** haliti̱lanisch

Häklchen *s. 7*

Hälkellei *w. 10* **1** Häkelarbeit; **2** *ugs.:* leichter Streit; **hälkeln** **1** *tr. 1;* **2** *refl. 1, ugs.:* sich harmlos streiten; **Hälkellnaldel** *w. 11* **halken** *tr. u. intr. 1;* **Halken** *m. 7;* **Halkenlbüchlse** *w. 11* = Arkebuse; **Halkenlkreuz** *s. 1;* **Halkenlnalse** *w. 11;* **halkig**

Halkim [auch: -kim, arab.], Hekim *m. 9* Gelehrter, Arzt, Richter (im Nahen Osten)

Hallalli [auch: -la-, arab. oder hebr.-frz.] *s. 9* Jagdsignal; H. blasen

halb; halb eins; die Uhr zeigt, schlägt halb (eins, zwei usw.); der Zeiger steht auf halb; die Uhr schlägt um voll und halb (jeder Stunde); 5 Minuten vor, nach halb (eins usw.); halb und

> **etwas Halbes, halbleinen, halb fertig:** Als Adjektiv wird *halb* kleingeschrieben: *halb acht Uhr, halb und halb.* Das substantivierte Adjektiv wird großgeschrieben: *etwas Halbes, eine Halbe trinken.*
> →§ 57 (1)
> Verbindungen des Adverbs *halb* mit einem Adjektiv schreibt man zusammen, wenn *halb* als bedeutungsmindernd verstanden wird: *halbamtlich, halbleinen, halbseiden.* →§ 36 (5)
> Ansonsten gelten Verbindungen mit *halb* als getrennt zu schreibende Wortgruppen: *halb fertig, halb nackt, halb offen, halb voll.*

halb; es ist halb so schlimm; halb lachend, halb weinend; ich schlafe ja noch halb; ich bin halb krank vor Ärger, halb tot vor Erschöpfung; das Fenster ist halb offen; das Glas ist nur halb voll; eine halbe Stunde; alle, jede halbe Stunde; alle halben Stunden; eine und eine halbe Stunde; *aber:* eineinhalb Stunde(n); ein halbes (*auch:* ein halb) Dutzend; bringen Sie mir eine Halbe: ein halbes Maß Bier; das ist nichts Halbes und nichts Ganzes

Halblaflfe *m. 11;* **halblamtllich** nicht offiziell von einem Amt herausgegeben, offiziös; eine halbamtliche Nachricht; *aber:* ich stelle die Frage halb amtlich, halb persönlich; **halblbatzig** *schweiz. für* halbherzig, ungenügend; **Halblbauler** *m. 11, veraltet:* Kleinbauer; **Halblbildung** *w. 10 nur Ez.;* **Halblblut** *s. Gen.* -(e)s *nur Ez.* **1** Mischling; **2** Kreuzung aus einem Vollbluttier und einem unveredelten Tier; **Halblblülter** *m. 5* = Halbblut (**2**); **Halblblültilge(r)** *m. 17 (18) bzw. w. 17 oder 18* = Halbblut (**1**); **Halblbrulder** *m. 6* Bruder, mit dem man nur einen Elternteil gemeinsam hat; **halbbürltig** einen Elternteil gemeinsam habend; **halbldunlkel;** **Halbldunlkel** *s. Gen.* -s *nur Ez.;* **hallbe-hallbe** *ugs.:* zur Hälfte; halbe-halbe machen: den Gewinn oder Verlust zur Hälfte miteinander teilen

hallber wegen, um… willen; ich muss dringender Geschäfte halber verreisen; der Übersicht halber; ...**hallber** *in Zus.,* z. B. geschäftehalber, krankheitshalber, umständehalber

Halblfalbrilkat *auch:* **-fablrilkat** *s. 1* halb fertiges Produkt, das in einem anderen Betrieb noch weiterbearbeitet wird, Halbprodukt; *Ggs.:* Ganzfabrikat; **Halbfalyence** [-fajãs] *w. 11* = Mezzamajolika; **halblferltig** ▶ **halb ferltig**; ein halb fertiges Kleid; das Kleid ist erst halb fertig; **halblfett**; eine halbfette Druckschrift; **Halblfranz** *s. Gen. - nur Ez.* Bucheinband mit Lederrücken und -ecken, Halbleder; ein Buch in H. binden; **Halblfranzband** *m. 2* in Halbfranz gebundenes Buch; vgl. Franzband; **halblgar** ▶ **halb gar**; halb gares Essen; das Essen ist erst halb gar; **halblgelbilldet;** **Halbgelbilldelte(r)** *m. 18 (17);* **Halbgelfrolrelne(s)** *s. 18 (17);* **Halbgelschwislter** *nur Mz.* Geschwister mit nur einem gemeinsamen Elternteil; **Halbgott** *m. 4;* **Halblheit** *w. 10;* **halbherlzig;** **hallbielren** *tr. 3;* **Halbielrung** *w. 10;* **Halblinlsel** *w. 11;* **Halbljahr** *s. 1;* **Halbljahreslverltrag** *m. 2;* **halbljählrig** ein halbes Jahr alt oder dauernd; **halbljährllich** jedes halbe Jahr, alle halben Jahre; die Zeitschrift erscheint h.; **Halbjahrslverltrag** *m. 2* = Halbjahresvertrag; **Halblkanlton** *m. 1* Teilgliedstaat der Schweiz; **Halblkreis** *m. 1;* **Halblkulgel** *w. 11;* **halbllang** ein halblanges Kleid; **Halblleider** *s. Gen.* -s *nur Ez.* = Halbfranz; **Halbllelderlband** *m. 2;* **halblleinen** aus Leinen und Baumwolle; **Halbllei̲lnen** *s. Gen.* -s *nur Ez.* **1** Gewebe aus Leinen und Baumwolle, Halbleinwand; **2** Bucheinband aus papierbezogenem Karton mit Leinenrücken; **Halblleilnenlband** *m. 2;* **Halbleinlwand** *w. Gen. - nur Ez.* Halbleinen (**1**); **Halblleilter** *m. 5* chem. Stoff, der eine temperaturabhängige elektr. Leitfähigkeit besitzt; **Halbllicht** *s. Gen.* -(e)s *nur Ez.* Dämmerung; im H.; **Halbllinke(r)** *m. 18 (17)* = Halblinks; **halbllinks;** *aber:* halb links: zwischen links und geradeaus; **Halbllinks** *m. Gen. - nur Ez., Fußball:* Stürmer zwischen Mittelstürmer und Linksaußen; **halb|mast** bis zur halben Höhe des Mastes (emporgezogen); die Fahne h., *oder:* auf h. setzen; h., *oder:* auf h. flaggen; **Halb|mes|ser** *m. 5* = Radius; **Halb|me|tall** *s. 1* chem. Element mit teils metall., teils nichtmetall. Eigenschaften; **Halb|mo|nats|schrift** *w. 10;* **Halb|mond** *m. 1;* **halb|nackt** ▶ **halb nackt**; h.n. herumlaufen; **halb|of|fen** ▶ **halb of|fen**; das halb offene Fenster; das Fenster ist, steht halb offen; **halb-part**; h. machen: den Gewinn gleichmäßig zu zweit teilen; **Halb|pen|si|on** *w. Gen. - nur Ez.* Übernachtung mit Verpflegung morgens und mittags (oder abends); **Halb|pro|dukt** *s. 1* = Halbfabrikat; **Halb|rech|te(r)** *m. 18 (17)* = Halbrechts; **halb-rechts;** *aber:* halb rechts: zwischen rechts und geradeaus; **Halb|rechts** *m. Gen. - nur Ez., Fußball:* Stürmer zwischen Mittelstürmer und Rechtsaußen; **halb|reif** ▶ **halb reif**; ein halb reifer Apfel; der Apfel ist erst halb reif; **halb|rund; Halb|rund** *s. Gen. -s nur Ez.;* im H. stehen, sitzen; **Halb|schat|ten** *m. 7 nur Ez.;* **Halb|schlaf** *m. Gen. -s nur Ez.;* im H.; **Halb|schuh** *m. 1;* **Halb|schwer|ge|wicht** *s. 1 nur Ez., früher im Boxen:* eine Gewichtsklasse; **Halb|schwer|ge-wicht|ler** *m. 5;* **Halb|schwes|ter** *w. 11* Schwester, mit der man nur einen Elternteil gemeinsam hat; **Halb|sei|de** *w. 11* Gewebe aus Seide und anderem Material; **halb|sei|den 1** aus Halbseide; **2** *übertr. ugs.:* eine Neigung zur Halbwelt, zur Prostitution aufweisend; **halb|sei|tig; halb-sit|zend** ▶ **halb sit|zend;** in halb sitzender Stellung; halb sitzend, halb liegend; **Halb|spän-ner** *m. 5, norddt.:* Fronbauer mit halbem Gespann; **Halb-star|ke(r)** *m. 18 (17), ugs.:* Halbwüchsiger mit rüdem Benehmen; **halb|stün|dig** eine halbe Stunde dauernd; **halb-stünd|lich** jede halbe Stunde, alle halben Stunden; **halb|tä|gig** einen halben Tag dauernd; **halb|täg|lich** jeden halben Tag, alle zwölf Stunden; **Halb|tags-ar|beit** *w. 10;* **Halb|teil** *s. 1, selten für* Hälfte; **Halb|ton** *m. 2* **1** kleinste Tonstufe der diaton. Tonleiter; **2** gebrochener Farbton, der den Übergang zwischen Hell und Dunkel bildet; **halb|tot;** jmdn. h. schlagen; sich h. lachen; **Halb|to|ta|le** *w. 10;* **halb|voll** ▶ **halb voll**; ein halb voller Becher; der Becher ist nur halb voll; **halb|wach** ▶ **halb wach**; in halb wachem Zustand; ich bin ja erst halb wach; **Halb|wai|se** *w. 11;* **halb-wegs** *ugs.:* einigermaßen; **Halb|welt** *w. 10 nur Ez.;* **Halb-welt|da|me** *w. 11;* **Halb|wert(s)-zeit** *w. 10* Zeit, in der die Hälfte der Atome einer radioaktiven Substanz zerfällt; **Halb|wol|le** *w. 11* Reißfüllstoff aus 50% Wolle und anderem Material; **halb|wol|len; halb|wüch|sig** noch nicht ganz erwachsen; **Halb|wüch|si|ge(r)** *m. 18 (17) bzw. w. 17 oder 18;* **Halb|zeit** *w. 10* halbe Spielzeit; **Halb|zeug** *s. 1* zur Weiterverarbeitung bestimmtes Metallprodukt

Hal|de *w. 11* **1** Abhang; **2** aus Geröll, Schlacken, Schutt o. Ä. aufgeschütteter Hügel

Hal|éř [halɛːrʃ, tschech.] *m. Gen. - Mz. -* tschech. Währungseinheit, ¹⁄₁₀₀ Krone, Heller

Hal|fa|gras *s. 4 nur Ez.* = Esparto

Half-Back ▶ **Half|back** [hafbæk, engl.] *m. 9, Fußball, schweiz.:* Läufer; **Half|court** [hafkɔːt] *m. 9, Tennis:* der dem Netz am nächsten gelegene Teil des Spielfeldes; **Half|rei|he** [haf-] *w. 11, Fußball:* Läuferreihe

Hälf|te *w. 11;* bessere H. *ugs. scherzh.:* Ehepartner; **hälf|ten** *tr. 2, selten:* halbieren

Half|ter 1 *s. 5* Zaum ohne Gebissteil; **2** *w. 11* Pistolentasche im Sattel

hälf|tig zur Hälfte

Half-Time ▶ **Half|time** [haftaɪm, engl.] *w. 9; Fußball, schweiz.:* Halbzeit

Ha|lid [griech.] *s. 1* = Halogenid; **Ha|lit** *m. 1, Sammelbez. für* Salzgestein, *i. e. S.:* Steinsalz

Ha|li|tus [lat.] *m. Gen. - nur Ez., Med.:* Atem, Hauch

hal|ky|o|nisch = alkyonisch

Hall 1 *m. 1* Schall, Klang, Widerhall, Echo; **2** [hɔl, engl.] *w. 9, engl. Bez. für* große Diele, Vorraum, Halle

Hal|le *w. 11*

Hal|le Stadt in Sachsen-Anhalt

hal|le|lu|ja(h) [hebr. »lobt Gott«]; **Hal|le|lu|ja(h)** *s. 9* liturgischer Lob-, Freudengesang; ein H. anstimmen

hal|len *intr. 1* schallen, klingen

Hal|len|bad *s. 4;* **Hal|len|kir|che** *w. 11* Kirche mit mehreren gleichhohen Schiffen

Hal|len|ser *m. 5* Einwohner von Halle a. d. Saale; **hal|len|sisch,** hallesch, hallisch

Hal|len|sport *m. 1;* **Hal|len|ten-nis** *s. Gen. - nur Ez.*

Hal|lig *w. 10* kleine, meist nicht eingedeichte nordfriesische Insel aus Marschland

Hal|li|masch *m. 1* ein Blätterpilz

hal|lisch = hallensisch

Hall|jahr *s. 1* Jubiläums-, Feierjahr; vgl. Jubeljahr

hal|lo! [auch: -lo]; **Hal|lo** *s. 9* Aufregung, Lärm; es gab ein großes H., als ...; **Hal|lo|dri** *auch:* **Hal|lod|ri** *m. 9, bayr., österr.:* leichtsinniger Mensch

Hal|lo|re *m. 11,* Mitglied der Salzbruderschaft in Halle

Hall|statt|zeit [nach dem Ort Hallstatt in Oberösterreich] *w. 10 nur Ez.* erste Stufe der Eisenzeit

Hal|lu|zi|nant [lat.] *m. 10* jmd., der an Halluzinationen leidet; **Hal|lu|zi|na|ti|on** *w. 10* Sinnestäuschung ohne Reiz von außen, Wahnvorstellung; **hal|lu-zi|na|tiv, hal|lu|zi|na|to|risch** in der Art einer Halluzination, darauf beruhend; **hal|lu|zi|nie-ren** *intr. 3* eine Halluzination haben; **Hal|lu|zi|no|gen** *s. 1* Droge, die Halluzinationen hervorruft

Halm *m. 1*

Hal|ma [griech.] *s. Gen. -s nur Ez.* ein Brettspiel

Hälm|chen *s. 7;* **Halm|frucht** *w. 2* Getreidefrucht; **Hälm|lein** *s. 7*

Ha|lo [griech.] *m. Gen. -s Mz. -lo|nen* **1** diffuser Ring, »Hof« um Sonne oder Mond infolge Lichtbrechung; **2** *Med.:* Augenring

ha|lo|bi|ont [griech.] *Biol.:* salzreiche Umgebung bevorzugend, halophil; vgl. haloxen; **Ha|lo|bi|ont** *m. 10* bes. in salzreicher Umgebung lebender Organismus; **ha|lo|gen** Salz bildend; **Ha|lo|gen** *s. 1* chem. Element, das ohne Hilfe von Sauerstoff mit Metallen Salze bildet; **Ha|lo|ge|nid,** Halid, Haloid *s. 1* chem. Verbindung aus einem Halogen und einem anderen Element; **ha|lo|ge|nie|ren** *intr. 3* Salz bilden; **Ha|lo|gen-schein|wer|fer** *m. 5* mit einer Mischung aus Edelgas und Halogen gefüllter, lichtstarker (Auto-)Scheinwerfer; **Ha|lo|id** *s. 1* = Halogenid; **Ha|lo|me|ter** *s. 5* Gerät zum Bestimmen der Konzentration von Salzlösungen; **Ha|lo|nen** *Mz. von* Halo; **ha|lo|niert** umrändert (Augen); **Ha|lo|pe|ge** *w. 11* kalte Salzquelle; *Ggs.:* Halotherme; **ha|lo|phil** = halobiont; **Ha|lo|phyt** *m. 10* = Salzpflanze; **Ha|lo|ther|me** *w. 11* warme Salzquelle; *Ggs.:* Halopege; **Ha|lo|tri|chit** *s. 1* ein Mineral; **ha|lo|xen** salzreiche Umgebung duldend (von Organismen); vgl. halobiont

Hals *m. 2;* Hals über Kopf abreisen; Hals- und Beinbruch! (Wunsch an jmdn., der eine Prüfung oder schwierige Unternehmung vor sich hat); **Hals-ab|schnei|der** *m. 5* Betrüger; **Hals|aus|schnitt** *m. 1;* **Hals-band** *s. 4;* **Hals|ber|ge** *w. 11* Halsschutz an der Rüstung; **Hals|bräu|ne** *w. 11 nur Ez., volkstüml. für* Angina; **hals-bre|che|risch; Häls|chen** *s. 7;* **Hal|se** *w. 11, Seew.:* **1** Haltetau des Segels, Halsentau; **2** untere vordere Ecke des Segels; **Hals-ei|sen** *s. 7* ein Folterwerkzeug; **hal|sen 1** *tr. 1, veraltet:* umhalsen, umarmen; **2** *intr. 1, Seew.:* beim Wenden des Schiffes das Segel auf die andere Seite drehen; **Hal|sen|tau** *s. 1, Seew.* = Halse (**1**)

Hals|ent|zün|dung *w. 10;* **Hals-ge|richt** *s. 1, MA:* Gericht für Verbrechen, die mit dem Tode bestraft wurden, Hochgericht, hochnotpeinliches Gericht; **Häls|lein** *s. 7;* **Hals-Na|sen-Oh-ren-Heil|kun|de** *w. 11 nur Ez.* (*Kurzw.:* HNO-Heilkunde) Otorhinolaryngologie; **Hals-schlag|a|der** *w. 11;* **hals|star-rig; Hals|star|rig|keit** *w. 10 nur Ez.;* **Hals- und Bein|bruch!** vgl. Hals; **Hals|wir|bel** *m. 5*

halt *südd., österr.:* eben, nun einmal; das ist halt nicht zu ändern; versuch halt, es zu vergessen

halt!; ein lautes Halt rufen, laut Halt rufen, *auch:* laut halt rufen; das Signal stand auf Halt;

> **halt/Halt rufen:** Das Gefüge aus Substantiv und Verb wird getrennt geschrieben. Möglich ist Klein- oder Großschreibung: *Sie hat laut halt/Halt gerufen.* →§ 55 (4)

Halt *m. 1;* keinen Halt finden, haben; Halt gebieten; einen Halt an jmdm. haben; Halt machen; **halt|bar; Halt|bar|keit** *w. 10 nur Ez.;* **hal|ten** *tr. u. intr. 61;* sich aufrecht halten; Nahrungsmittel kühl halten; das Essen warm halten; sich jmdn. warm halten; an sich h.: sich beherrschen; da gab es kein Halten mehr; Halten verboten!; **Hal|te|punkt** *m. 1;* **Hal-ter** *m. 5* **1** Vorrichtung zum Befestigen; **2** *österr.:* Hirt; **Hal|ter-bub** *m. 10, österr.:* Hirtenjunge

Hal|te|ren *w. 11 Mz.* **1** *im alten Griechenland:* zwei Gewichte, die der Weitspringer zum Verstärken des Schwungs in den Händen hielt; **2** verkümmerte Hinterflügel (Schwingkölbchen) der Zweiflügler

Hal|te|rie|men *m. 7;* **hal|tern** *tr. 1* festmachen, befestigen; ich haltere es; **Hal|te|rung** *w. 10* Haltevorrichtung; **Hal|te|stel|le** *w. 11;* **Hal|te|ver|bot** *s. 1;* **hal|tig** *Bgb.:* Erz führend; **...hal|tig,** *österr. auch:* **...häl|tig** etwas enthaltend, z. B. salzhaltig, *österr. auch:* salzhältig; **halt|los; Halt-lo|sig|keit** *w. 10 nur Ez.;* **halt-ma|chen** ► **Halt ma|chen; Hal|tung** *w. 10*

Hal|lun|ke [tschech.] *m. 11* Schuft, Gauner, Betrüger

Häm [griech. »Blut«] *s. Gen.* -s *nur Ez.* Farbstoffanteil des Hämoglobins

Ha|ma|dan [nach der pers. Stadt H.] *m. 9* ein handgeknüpfter Teppich

Häm|ag|glu|ti|na|ti|on *auch:* **Hä|mag-** [griech. + lat.] *w. 10 nur Ez.* Verklumpung roter Blutzellen

Ha|ma|me|lis [griech.] *w. Gen. - nur Ez.* ein Zierstrauch, auch Heilpflanze, Zaubernuss

Ham and Eggs [hæm ənd ɛgz, engl.] *Mz., engl. Bez. für:* gebratener Schinken und Spiegeleier

Häm|an|gi|om *auch:* **Hä|man-** [griech.] *s. 1* eine gutartige Blutgefäßgeschwulst; **Häm|ar|thro-se** *auch:* **Hä|mar-** *w. 11* Bluterguss in ein Gelenk; **Hä|mat-e|me|sis** *auch:* **Hä|ma|te|me|sis** *w. Gen. - nur Ez.* Bluterbrechen (z. B. bei Magengeschwür); **Hä-ma|ti|dro|se** *auch:* **-tid|ro|se** *w. 11 nur Ez.* = Hämidrosis; **Hä|ma|tin** *s. 1 nur Ez.* eisenhaltiger Bestandteil des roten Blutfarbstoffs; **Hä|ma|ti|non** *s. Gen.* -s *nur Ez.* durch mehrmaliges Erwärmen und Abkühlen rot gefärbtes Glas; **Hä|ma|tit** *m. 1* ein eisenreiches Mineral, Blutstein; **Hä|ma|to|blas|ten** *Mz.* = Hämoblasten; **hä|ma|to|gen** aus dem Blut stammend, Blut bildend; **Hä|ma|to|i|din** *s. 1 nur Ez.* roter, eisenfreier Farbstoff, der sich (bei Blutaustritt aus dem Gewebe) aus dem Blutfarbstoff bildet; **Hä|ma|to|lo|ge** *m. 11;* **Hä|ma|to|lo|gie** *w. 11 nur Ez.* Lehre vom Blut; **hä|ma|to|lo-gisch; Hä|ma|tom** *s. 1* Bluterguss; **Hä|ma|to|pha|ge** *m. 11* Blut saugender Schmarotzer; **Hä|ma|tor|rhö** *w. 10* sehr starke Blutung, Blutsturz; **Hä|ma|to-sko|pie** *auch:* **-tos|ko-** *w. 11* Blutuntersuchung; **Hä|ma|to-sper|mie** *w. 11* = Hämospermie; **Hä|ma|to|zo|on** *s. Gen.* -s *Mz.* -zo|en im Blut von Mensch oder Tier lebender, tierischer Schmarotzer; **Hä|ma|tu|rie** *auch:* **Hä|ma|tu|rie** *w. 11* Ausscheidung von Blut im Harn

Ham|burg, Freie und Hanse-stadt 1 dt. Stadt; **2** dt. Bundesland; **Ham|burg-A|me|ri|ka Li-nie** (so die offizielle Schreibung) *w. Gen.* --; **Ham|bur|ger** *m. 5* **1** Einwohner von Hamburg; **2** [auch engl. hɛmbœːrgər] in eine aufgeschnittene Semmel gelegte Rinderhackscheibe mit Ketschup u. Ä.; **ham|bur|gern** *intr. 1* Hamburger Dialekt sprechen; ich hamburgere; **ham|bur|gisch**

Hä|me *w. Gen. - nur Ez., ugs.:* hämisches Verhalten, hämische Freude, Schadenfreude; voller Häme: hämisch

Ha|men *m. 7* Netz mit Stiel zum Fischfang, Kescher

Hä|mi|dro|sis *auch:* **-mid|ro-** [griech.], Hä|ma|ti|dro|se, -tid|ro- *w. Gen. - nur Ez.* Ausscheidung von rot gefärbtem Schweiß, Blutschwitzen; **Hä-min** *s. 1 nur Ez.* Salz des Hämatins

hä|misch hinterhältig, bösartigboshaft, schadenfroh

Ha|mit [nach Ham, einem Sohn Noahs] *m. 10,* **Ha|mi|te** *m. 11* Angehöriger einer afrikan. Völkergruppe; **ha|mi|tisch**

Häm|ling *m. 1, veraltet:* Verschnittener, Kastrat

Ham|mel *m. 5* kastriertes männl. Schaf; **Ham|mel|bein** *s. 1, nur in der ugs. Wendung* jmdm. die Hammelbeine lang ziehen: jmdm. die Meinung sagen, jmdn. zurechtweisen; **Ham|mel|sprung** *m. 2 nur Ez.* ein Abstimmungsverfahren im Parlament, bei dem alle Abgeordneten den Saal verlassen und ihn, nach Ja- und Nein-Stimmen getrennt, durch verschiedene Türen wieder betreten

Ham|mer *m. 6;* **häm|mer|bar** (von Metallen); **Häm|mer|chen** *s. 7;* **Ham|mer|kla|vier** *s. 1* aus dem Cembalo entwickelter Vorläufer des Klaviers; **Häm|mer|lein 1** *s. 7* Hämmerchen; **2** *m. 7,* Häm|mer|ling *m. 1* Kobold, Klopfgeist, böser Geist; Meister H.: der Teufel; **Häm|mer|ling** *m. 1* = Hämmerlein (**2**); **häm|mern** *tr. u. intr. 1;* ich hämmere, hämmre (es); **Ham|mer|wer|fen** *s. Gen.* -s *nur Ez.*

Ham|mond|or|gel [hæmənd-, nach dem amerik. Erfinder J. H. Hammond] *w. 11* elektromechan. Musikinstrument, Heimorgel

hä|mo..., Hä|mo... [griech.] *in Zus.:* blut..., Blut...; **Hä|mo|blas|ten,** Hä|ma|to|blas|ten *Mz.* Zellen des Knochenmarks, die Blutzellen bilden; **Hä|mo|chro|ma|to|se** *w. 11* Braunfärbung der Haut durch eisenhaltigen Farbstoff infolge Zerfalls roter Blutzellen; **Hä|mo|chro|mo|me|ter** *s. 5* = Hämometer; **Hä|mo|dy|na|mo|me|ter** *s. 5* Gerät zum Messen des Blutdrucks; **Hä|mo|glo|bin** *auch:* **Hä|mog|lo-** *s. 1 nur Ez.* (*Abk.:* Hb) roter Blutfarbstoff; **Hä|mo|glo|bi|no|me|ter** *auch:* **-mog|lo-** *s. 5* = Hämometer; **Hä|mo|glo|bin|u|rie** *auch:* **Hä|mog|lo|bi|nu|rie** *w. 11* Ausscheidung von rotem Blutfarbstoff im Harn; **Hä|mo|ly|se** *w. 11* Auflösung der roten Blutkörperchen (z. B. durch Giftstoffe); **Hä|mo|me|ter,** Hä|mo|chro|mo|me|ter, Hä|mo|glo|bi|no|me|ter *s. 5* Gerät zum Bestimmen des Hämoglobingehaltes des Blutes; **Hä|mo|pa|thie** *w. 11* Blutkrankheit; **Hä|mo|phi|lie** *w. 11* Bluterkrankheit; **Hä|mo|pto|e** *auch:* **Hä|mop|to|e; Hä|mo|pty|sis** *auch:* **Hä|mop|ty|sis** *w. Gen. - nur Ez.* Bluthusten, Blutspucken; **Hä|mor|rha|gie** *w. 11* Blutung; **hä|mor|rha|gisch** auf Hämorrhagie beruhend, mit ihr einhergehend; **hä|mor|rho|i|dal** [-ro:i-] ► *auch:* **hä|mor|ri|dal** auf Hämorrhoiden beruhend; **Hä|mor|rho|i|dal|kno|ten** ► *auch:* **Hä|mor|ri|dal|kno|ten** *m. 7* einzelne Hämorrhoide; **Hä|mor|rho|i|den** *auch:* ► **Hä|mor|ri|den** *w. 11 Mz.* knotenartige Erweiterung der Mastdarmvenen; **Hä|mo|sit** *m. 10* Schmarotzer im Blut; **Hä|mo|sper|mie,** Hä|ma|to|sper|mie *w. 11* blutiger Samenerguss; **Hä|mo|sta|se** *auch:* **Hä|mos|ta|se** *w. 11* Blutstillung; **Hä|mo|sta|ti|kum** *auch:* **Hä|mos|ta-** *s. Gen.* -s *Mz.* -ka Blut stillendes Mittel; **hä|mo|sta|tisch** *auch:* **hä|mos|ta-** Blut stillend; **Hä|mo|the|ra|pie** *w. 11 nur Ez.* Einspritzung von venösem Eigenblut; **Hä|mo|to|xin** *s. 1* durch Bakterien erzeugter Giftstoff im Blut; **Hä|mo|zyt** *m. 10* Blutzelle

Ham|pel|mann *m. 4;* **ham|peln** *intr. 1*

Hams|ter *m. 5* ein Nagetier; **Hams|te|rer** *m. 5* jmd., der hamstert; **hams|tern** *intr. u. tr. 1* Vorräte speichern; ich hamstere, hamstre; **Hams|ter|wa|re** *w. 11*

Hand *w. 2;* die öffentliche Hand: Behörde, Verwaltung; rechter, linker Hand: rechts, links; Ausgabe letzter Hand: letzte Ausgabe eines Schriftwerkes, die vom Verfasser selbst durchgesehen worden ist; die Sache war von langer Hand vorbereitet: seit langem; letzte Hand an etwas legen; an Hand (*veraltend für:* anhand) der vorliegenden Unterlagen; das Brett ist eine Hand, zwei Hände breit; *aber:* →Handbreit; ich habe alle Hände voll zu tun; zwei Hände voll Erdbeeren; eine Hand voll...; jmdm. zur Hand gehen; ich habe jmdn. an der Hand, der...: ich kenne jmdn.; eine Ausrede schnell bei der Hand haben; Hand in Hand arbeiten, *aber:* das Hand-in-Hand-Arbeiten; das ist nicht von der Hand zu weisen: das kann man nicht ohne weiteres ablehnen; etwas schnell zur Hand haben: griffbereit haben; Firma XY, zu Händen Herrn Schulze (*Abk.:* z. H.); →zuhanden; **Hand|ar|beit** *w. 10;* **hand|ar|bei|ten** *intr. 2;* ich handarbeite, habe gehandarbeitet; *aber:* dieser Gegenstand ist handgearbeitet (nicht mit der Maschine hergestellt); **Hand|ar|bei|ter** *m. 5;* **Hand|ar|beits|un|ter|richt** *m. 1 nur Ez.;* **Hand|auf|le|gen** *s. Gen.* -s *nur Ez.;* durch H.; **Hand|ball** *m. 2 nur Ez.;* **Hand|bal|ler** *m. 5* Handballspieler; **Hand|ball|spiel** *s. 1;* **Hand|bi|bli|o|thek** *auch:* **-bib|li-** *w. 10* kleine Reihe von Büchern in greifbarer Nähe; **hand|breit;** das Brett ist nur h.; ein handbreiter Streifen; **Hand|breit** *w. Gen. - Mz. -* eine, zwei H. Stoff; vgl. Hand; **Hand|brei|te** *w. 11;* **Hand|buch** *s. 4* handliches, aber umfassendes Lehrbuch; **Händ|chen** *s. 7;* **Hand|druck** *m. 1, urspr.:* von Hand, *heute auch:* vom Künstler eigenhändig hergestellter Abdruck; **Hän|de|druck** *m. 2;* **Hän|de|klat|schen** *s. Gen.* -s *nur Ez.*

Han|del 1 *m. Gen.* -s *nur Ez.* gewerbsmäßiger Kauf und Verkauf, Geschäft; Handel treiben; ein Handel treibendes Volk; **2** *m. 6* Streit; Händel miteinander bekommen; **han|deln** *intr. 1;* ich handele, handle; **Han|dels|ab|kom|men** *s. 7;* **Han|dels|be|zie|hun|gen** *w. 10 Mz.;* **han|dels|ei|nig, han|dels|eins;** h. werden; **Han|dels|flag|ge** *w. 11;* **Han|dels|flot|te** *w. 11;* **Han|dels|ge|richt** *s. 1;* **Han|dels|ge|sell|schaft** *w. 10;* **Han|dels|ge|setz|buch** *s. 4* (*Abk.:* HGB); **Han|dels|haus** *s. 4* Firma; **Han|dels|hoch|schu|le** *w. 11* (*Abk.:* HH); **Han|dels|kam|mer** *w. 11;* **Han|dels|leh|re** *w. 11;* **Han|dels|lehr|ling** *m. 1;* **Han|dels|mann** *m. Gen.* -(e)s *Mz.* -leu|te **Han|dels|ma|ri|ne** *w. 11 nur Ez.;* **Han|dels|or|ga|ni|sa|ti|on** *w. 10 nur Ez.* (*Abk.:* HO), *ehem. DDR:* staatl. Handelsunternehmen; **Han|dels|platz** *m. 2;* **Han|dels|po|li|tik** *w. 10 nur Ez.;* **han|dels|po|li|tisch; Han|dels|recht** *s. 1;* **han|dels|recht|lich; Han|dels|re|gis|ter** *s. 5;* **Han|dels|schiff** *s. 1;* **Han|dels|schu|le**

w. 11; **Han|dels|stra|ße** *w. 11;* **han|dels|üb|lich**
Hän|del|sucht *w. Gen. - nur Ez.;* **hän|del|süch|tig**
Han|dels|ver|trag *m. 2;* **Han|dels|ver|tre|ter** *m. 5;* **Han|dels|wa|re** *w. 11;* **Han|dels|wert** *m. 1;* **Han|dels|zei|tung** *w. 10;* **han|del|trei|bend** ► **Han|del trei|bend**
hän|de|rei|bend; **Hän|de|rin|gen** *s. Gen.* -s *nur Ez.;* **hän|de|rin|gend;** jmdn. h. um etwas bitten; **Hän|de|wa|schen** *s. Gen.* -s *nur Ez.;* **Hand|fer|tig|keit** *w. 10;* **hand|fest;** **Hand|feu|er|waf|fe** *w. 11;* **hand|ge|ar|bei|tet;** vgl. handarbeiten; **hand|ge|bun|den;** ein handgebundenes Buch; *aber:* das Buch ist mit der Hand, *oder:* von Hand gebunden; **hand|ge|knüpft;** ein handgeknüpfter Teppich; *aber:* der Teppich ist mit der Hand geknüpft; **Hand|geld** *s. 3* Geld, das zur Bekräftigung eines Auftrags gezahlt wird, Angeld, Aufgeld, Draufgeld, Draufgabe; **Hand|ge|lenk** *s. 1;* **hand|ge|mein** *nur in der Wendung* h. werden: jmdn. tätlich angreifen; **Hand|ge|men|ge** *s. 5;* **hand|ge|näht**; ein handgenähtes Tuch; *aber:* das Tuch ist mit der Hand genäht; **Hand|ge|päck** *s. 1 nur Ez.;* **Hand|ge|päck|auf|be|wah|rung** *w. 10 nur Ez.;* **hand|ge|schöpft;** handgeschöpftes Büttenpapier; **hand|ge|webt**; handgewebter Stoff; *aber:* der Stoff ist mit der Hand gewebt; **Hand|gra|na|te** *w. 11;* **hand|greif|lich**; ein handgreiflicher Beweis; h. werden; **Hand|greif|lich|keit** *w. 10;* **Hand|griff** *m. 1;* **hand|groß**; ein handgroßes Stück Tuch; **Hand|ha|be** *w. 11;* **hand|ha|ben** *tr. 1;* er handhabt die Vorschriften großzügig, hat sie immer großzügig gehandhabt; ich weiß nicht, wie das Gerät zu handhaben ist; **Hand|ha|bung** *w. 10;* **...hän|dig**; z. B. zwei-, vierhändig, freihändig
Han|di|kap ► *auch:* **Han|di|cap** [hændıkæp, engl.] *s. 9* **1** Behinderung, Benachteiligung; **2** *Sport:* Ausgleich (gegenüber benachteiligten Wettkampfteilnehmern); **han|di|ka|pen** ► *auch:* **-ca|pen** [hændıkæpən] *tr. 1* **1** benachteiligen, behindern, hemmen; **2** *Sport:* ausgleichen; gehandikapt; **Han|di|kap|per** ► *auch:* **-cap|per** [hændıkæpər] *m. 5, Sport:* Unparteiischer, Kampfrichter, der Handikaps festlegt
Hand-in-Hand-Ar|bei|ten *s. Gen.* -s *nur Ez.;* **Hand-in-Hand-Ge|hen** *s. Gen.* -s *nur Ez.;* **hän|disch** *österr.:* von Hand, nicht maschinell; **hand|ko|lo|riert**; ein handkolorierter Stich; **Hand|kuß** ► **Hand|kuss** *m. 2;* **hand|lang**; **Hand|län|ge** *w. 11;* **Hand|lan|ger** *m. 5;* **Hand|lan|ger|dienst** *m. 1;* **hand|lan|gern** *intr. 1* ich handlangere; **Händ|lein** *s. 7, poet.*
Händ|ler *m. 5*
Hand|le|se|kunst *w. 2 nur Ez.* = Chiromantie; **Hand|le|se|rin** *w. 10;* **hand|lich** gut zu handhaben, praktisch; *schweiz. auch:* behände, rüstig; **Hand|lich|keit** *w. 10 nur Ez.;* **Hand|li|nie** *w. 11* **Hand|lung** *w. 10;* **Hand|lungs|be|voll|mäch|tig|te(r)** *m. 18 (17) bzw. w. 17 oder 18;* **hand|lungs|fä|hig;** **Hand|lungs|fä|hig|keit** *w. 10 nur Ez.;* **Hand|lungs|form** *w. 10* = Aktionsform; **Hand|lungs|frei|heit** *w. 10 nur Ez.;* **Hand|lungs|ge|hil|fe** *m. 11* kaufmännischer Angestellter; **Hand|lungs|rei|sen|de(r)** *m. 18 (17) bzw. w. 17 oder 18;* Handlungsbevollmächtigte(r) in auswärtigen Orten; **Hand|lungs|rich|tung** *w. 10* = Aktionsform; **Hand|lungs|voll|macht** *w. 10;* **Hand|lungs|wei|se** *w. 11*
Hand|mehr *s. Gen.* -s *nur Ez., schweiz.:* durch Handheben ermittelte Mehrheit; **Hand|or|gel** *w. 11, schweiz.:* Ziehharmonika; **hand|or|geln** *intr. 1, schweiz.;* **Hand-out** ► *auch:* **Hand|out** [hendaʊt] *s. 9* Handzettel im Unterricht; **Hand|pferd** *s. 1* das im Gespann rechts gehende Pferd; *Ggs.:* Sattelpferd; **Hand|pres|se** *w. 11;* **Hand|pup|pe** *w. 11* Kasperlepuppe; **Hand|pup|pen|spiel** *s. 1;* **Hand|rei|chung** *w. 10;* **Hands!** [hændz] *Fußball, schweiz., österr.:* Hand! (Ruf bei regelwidrigem Berühren des Balles mit der Hand); **Hand|satz** *m. 2 nur Ez.* mit der Hand gesetzter Schriftsatz; **Hand|schei|den** *s. Gen.* -s *nur Ez.* Teil der Aufbereitung der Erze; **Hand|schel|len** *w. 11 Mz.* Fessel (für die Hände); **hand|scheu** durch zu vieles Schlagen ängstlich (von Hunden); **Hand|schlag** *m. 2;* **Hand|schrei|ben** *s. 7;* **Hand|schrift** *w. 10 (im Sinne von:* altes, mit der Hand geschriebenes Buch *Abk.:* Hs., *Mz.,* Hss.); **Hand|schrif|ten|deu|tung** *w. 10* Graphologie; **hand|schrift|lich;** **Hand|set|zer** *m. 5* Schriftsetzer, der Handsatz herstellt; **Hand|stand** *m. Gen.* -(e)s *nur Ez.;* **Hand|streich** *m. 1* geschickte, kühne Tat; **Hand|tuch** *s. 4;* **Hand|um|dre|hen** *s., nur in der Wendung* im H.: im Nu, sehr schnell; **Hand|voll** ► **Hand voll** *w. Gen. - Mz.* -; eine Hand voll Geld; zwei, einige Hände voll Stroh, Kirschen; **Hand|werk** *s. 1;* **Hand|wer|ker** *m. 5;* **hand|werk|lich;** **Hand|werks|be|trieb** *m. 1;* **Hand|werks|bur|sche** *m. 11;* **Hand|werks|kam|mer** *w. 11;* **Hand|werks|mes|se** *w. 11;* **Hand|werks|zeug** *s. Gen.* -s *nur Ez.;* **Hand|wur|zel** *w. 11*
Han|dy [hændi, engl.] *s. 9* schnurloser, kleiner mobiler Telefonapparat
Hand|zeich|nung *w. 10* künstlerische Zeichnung, die (im Unterschied zur Graphik) nicht zur Vervielfältigung bestimmt ist; **Hand|zet|tel** *m. 5* Reklamezettel
ha|ne|bü|chen unerhört, unglaublich, grob; eine hanebüchene Unverschämtheit; hanebüchener Unsinn
Hanf *m. Gen.* -s *nur Ez., Bez. für* verschiedene Faserpflanzen; **han|fen,** **hän|fen** aus Hanf; **Hänf|ling** *m. 1* ein Singvogel
Hang *m. 2* **1** Abhang; **2** *nur Ez.* Neigung, Vorliebe; einen Hang zu etwas haben; **3** *nur Ez.* hängende Stellung (am Turngerät)
Han|gar [haŋga:r, *auch:* -gar, frz.] *m. 9* Flugzeughalle
Hän|ge|ba|cken *w. 11 Mz.;* **Hän|ge|bank** *w. 2, Bgb.:* Ladebühne am Schachteingang; **Hän|ge|bauch** *m. 2;* **Hän|ge|bo|den** *m. 8* durch eine Zwischendecke gebildeter kleiner Raum unter der Zimmerdecke; **Hän|ge|brü|cke** *w. 11;* **Hän|ge|lam|pe** *w. 11*
Han|gel|lei|ter *w. 11* ein Turngerät, waagerechte Leiter zum Hangeln; **han|geln** *intr. 1* sich im Hängen mit den Händen weiterbewegen; ich hangele, hangle

► = wird zu

Hän|ge|mat|te *w. 11;* **han|gen** *intr. 62, veraltet für* hängen; *noch in der Wendung* mit Hangen und Bangen: mit Mühe und Not; **hän|gen 1** *intr. 62;* der Mantel hängt, hing am Haken, hat am Haken gehangen; hängende Gärten: terrassenartige Gärten; *aber:* die Hängenden Gärten der Semiramis (eins der 7 Weltwunder); **2** *tr. 1;* ich hänge, hängte den Mantel an den Haken, habe ihn an den Haken gehängt; jmdn. hängen: henken; mit Hängen und Würgen *ugs.:* mit Mühe und Not; **hän|gen|blei|ben ▶ hän|gen blei|ben** *intr. 17;* **Han|gen|de(s)** *s. 18 (17), Bgb.:* Erdschicht über einer Lagerstätte; *Ggs.:* Liegendes; **hän|gen|las|sen ▶ hän|gen las|sen** *intr. 75;* **Hän|ger**

> **hängen bleiben/lassen:** Verbindungen aus Verb (Infinitiv) und Verb werden getrennt geschrieben: *Sie ist in Kalifornien hängen geblieben* [ugs.]. *Er wollte sie einfach hängen lassen* (= im Stich lassen). →§ 34 E3 (6)

m. 5 **1** gerade geschnittener Mantel ohne Gürtel; **2** *kurz für* Anhänger (am Fahrzeug); **Hän|ge|schloß ▶ Hän|ge|schloss** *s. 4;* **Hän|ge|schrank** *m. 2;* **hän|gig** *schweiz.:* anhängig, schwebend, unerledigt; die Angelegenheit ist hängig

Han|no|ver [-fər] dt. Stadt; **Han|no|ve|ra|ner** [-və-] *m. 5;* **han|no|ve|risch, han|nö|ve|risch, han|no|versch, han|nö|versch**

Hans *Kurzform von* Johannes, *auch Gattungsname, Mz.:* Hänse, z. B. Prahlhänse; *Gen.:* Hans' *oder:* Hansens; Hans im Glück; Hans Dampf in allen Gassen: jmd., der über alles Bescheid zu wissen glaubt; Hans Guckindieluft; Hans Narr: Dummkopf; Hans Taps: ungeschickter Mensch; der blanke Hans *poet.:* die Nordsee bei Sturm; vgl. Hanswurst

Han|sa *w. Gen. - nur Ez., in Zus.* Name von Schiff- und Luftfahrtsunternehmen u. a., z. B. Lufthansa; vgl. Hanse

Hans|dampf *m. 1* vgl. Hans

Han|se *w. 11 nur Ez., seit dem 12. Jh.:* Kaufmannsbund, *vom 13.–18. Jh.:* Städtebund mit dem Zentrum in Lübeck; **Han|se|at** *m. 10* **1** Mitglied der Hanse; **2** Einwohner einer Hansestadt; **han|se|a|tisch** = hansisch

Hän|se|lei *w. 10;* **hän|seln** *tr. 1* necken, verspotten; ich hänsele, hänsle ihn

Han|se|stadt *w. 2;* **han|se|städ|tisch; han|sisch,** han|se|a|tisch zur Hanse gehörig; *aber:* die Hansische Universität in Hamburg

Hans|bank *w. 2* = Heinzelbank

Hans|narr *m. 10* vgl. Hans

Han|som [hænsəm, nach dem engl. Erfinder J. A. Hansom], **Han|som|cab** [-kæb] *m. 9, früher:* gedeckte, zweirädrige, einspännige Mietkutsche mit erhöhtem Kutschbock hinter den Sitzen

Hans|wurst *m. 1, scherzh. auch m. 2* **1** Spaßmacher; **2** *ugs.:* Dummkopf; **Hans|wurs|te|rei** *w. 10,* **Hans|wurs|ti|a|de** *w. 11* Narrenstreich

Han|tel *w. 11* Turngerät aus zwei durch einen Griff verbundenen Eisenkugeln oder -scheiben; **han|teln** *intr. 1* mit der Hantel turnen; ich hantele, hantle

han|tie|ren *intr. 3* geschäftig sein; in der Küche h.; mit einem Gerät h.: es gebrauchen, benutzen, mit ihm umgehen; **Han|tie|rung** *w. 10*

han|tig *österr.:* **1** bitter, scharf; **2** zänkisch, unwillig

Ha|pag *w. Gen. - nur Ez., Kurzw. für* Hamburg-Amerikanische Packetfahrt-Actien-Gesellschaft, eine deutsche Reederei, *heute:* Hapag Lloyd

Ha|pax|le|go|me|non [griech.] *s. Gen. -s Mz. -na* in antiken Schriften nur einmal belegtes Wort

ha|pe|rig, hap|rig *norddt.:* stockend; **ha|pern** *intr. 1, unpersönl.:* fehlen, mangeln; es hapert am nötigen Geld; bei ihm hapert es im Rechnen

Ha|plo|gra|phie *auch:* **Hap|lo-** [griech.] *w. 11* fehlerhafte Einfachschreibung von doppelt erforderl. Buchstaben oder Silben; *Ggs.:* Dittographie; **ha|plo|id** *auch:* **hap|lo-** nur einen einfachen (halben) Chromosomensatz enthaltend (von Zellkernen); *Ggs.:* diploid; **Ha|plo|lo|gie** *auch:* **Hap|lo-** *w. 11* Verschmelzung zweier aufeinander folgender, gleicher oder ähnlicher Silben, z. B. Zauberin statt eigtl.: Zaubererin, Konservatismus statt Konservativismus; **Ha|plont** *auch:* **Hap|lont** *m. 10* Organismus, dessen Zellkerne nur einen einfachen (halben) Chromosomensatz aufweisen

Häpp|chen *s. 7;* **Hap|pen** *m. 7*

Hap|pe|ning [hɛp-, engl.] *s. 9* moderne Kunstform, bei der ein meist irrationales oder surreales Geschehen mit theatral., musikal., maler. und bildhauer. Mitteln, oft unter Einbeziehung der Zuschauer, vorgetragen wird

hap|pig *ugs.* **1** gierig, unbescheiden; **2** sehr stark, sehr hoch (Preis)

> **Happyend/Happy End:** Die Hauptvariante lautet *Happyend;* die der Herkunftssprache entsprechende Getrenntschreibung *Happy End* gilt als zulässige Nebenvariante. →§ 37 (1), § 37 E1

Hap|py End *Nv.* ▶ **Hap|py|end** *Hv.* [hɛpi-, engl.] *s. 9* glückliches Ende, guter Ausgang (einer Liebesgeschichte, eines Schauspiels, Films usw.)

hap|rig = haperig

Hap|te|re [griech.] *w. 11* Haftorgan (bei Pflanzen); **hap|tisch** auf dem Tastsinn beruhend, im Unterschied zu optisch oder akustisch

Ha|ra|ki|ri [jap.] *s. Gen. -(s) Mz. -s, früher:* jap. Art des Selbstmords durch Bauchaufschlitzen, Seppuku

ha|ran|gie|ren [frz.] *intr. u. tr. 3, veraltet:* eine langweilige, feierliche Ansprache (an jmdn.) halten, überflüssigerweise reden; jmdn. h.

Ha|raß ▶ Ha|rass [frz.] *m. 1* Lattenkiste zum Verpacken von Glas und Porzellan

Här|chen *s. 7, Verkleinerungsform von* Haar

Hard = Hardt (**2**)

Har|dan|ger|ar|beit [nach der norw. Landschaft] *w. 10* Durchbruchsarbeit in grobem Gewebe mit quadratischem Muster; **Har|dan|ger|fie|del** *w. 11* nordeurop. Geige mit 4 Griff- und 4 Resonanzsaiten, Telemarksvioline

Hard Co|ver *Nv.* ► **Hard|co|ver** *Hv.* [hardkavər, engl.] *s. 9* Buch mit festem Einband; vgl. Paperback; **Hard|co|ver|ein|band** *m. 2*

Har|de *w. 11, früher in Schleswig-Holstein:* Verwaltungsbezirk von mehreren Höfen oder Dörfern; **Har|des|vogt** *m. 2* Vorsteher einer Harde

Hard|li|ner [-laɪnər, engl.] *m. 5* jmd., der für einen harten, unnachgiebigen Kurs eintritt

Hard Rock *Nv.* ► **Hard|rock** *Hv.* [hard-, engl.] *m. Gen. -- nur Ez.* laute Rockmusik mit einfachen Rhythmen und Harmonien

Hardt *w. Gen. -* **1** = Haardt; **2** Hard, Hart, Harth Name von Wäldern und bewaldeten Höhenzügen

Hard|top [engl.] *s. 9 oder m. 9* abnehmbares, nicht faltbares Verdeck von Kraft-, bes. Sportwagen

Hard|ware [hardwɛ:r, engl.] *w. Gen. - nur Ez.* die techn. Einrichtungen von EDV-Anlagen; vgl. Software

Ha|rem [arab.] *m. 9* **1** die nur von Frauen und Kindern bewohnten und streng abgeschlossenen Räume des muslimischen Hauses; **2** Gesamtheit der darin wohnenden Frauen; **3** die Ehefrauen eines Muslims; **Ha|rems|da|me** *w. 11;* **Ha|rems|wäch|ter** *m. 5*

hä|ren 1 *Adj.:* aus Haaren, aus grobem Gewebe; **2** *refl. 1* sich haaren, Haare verlieren (von Tieren)

Hä|re|sie [griech.] *w. 11* von der kirchlichen Lehrmeinung abweichende Meinung, Ketzerei; **Hä|re|ti|ker** *m. 5* Vertreter einer Häresie, Ketzer; **hä|re|tisch**

Har|fe *w. 11;* **har|fen** *intr. 1* Harfe spielen; **Har|fe|nist** *m. 10* Harfenspieler; **Harf|ner** *m. 5, veraltet:* Harfenspieler

Har|ke *w. 11, norddt.:* Rechen; jmdm. zeigen, was eine H. ist: jmdm. energisch die Meinung sagen; **har|ken** *tr. 1* rechen, mit der Harke glätten, säubern

Här|lein *s. 7, poet. Verkleinerungsform von* Haar

Har|le|kin [frz.] *m. 1* Abart des Hanswursts; **Har|le|ki|na|de** *w. 11* Narrenspossе

Har|lem Stadtteil von New York; vgl. Haarlem

Harm *m. 1 nur Ez.* Gram, Kummer, Leid; **här|men** *refl. 1;* sich um jmdn. h.; **harm|los; Harm|lo|sig|keit** *w. 10*

Har|mo|nie [griech.] *w. 11* **1** wohl tönender Zusammenklang; **2** angenehme Übereinstimmung (von Formen, Farben usw.); **3** friedliches Zusammenleben, Eintracht; **Har|mo|nie|leh|re** *w. 11 nur Ez., Musik:* Lehre von der Verbindung der Töne und vom Aufbau der Akkorde; **har|mo|nie|ren** *intr. 3* gut zusammenpassen, in Einklang (miteinander) stehen; **Har|mo|nik** *w. 10 nur Ez.* Kunst der harmonischen Klanggestaltung; **Har|mo|ni|ka** *w. Gen. - Mz.* -ken Musikinstrument, bei dem durch einen Luftstrom Metallzungen in Schwingungen versetzt werden, z. B. Mund-, Ziehharmonika; **Har|mo|ni|ker** *m. 5* nach den Gesetzen der Harmonik gestaltender Komponist; **har|mo|nisch; har|mo|ni|sie|ren** *tr. 3* **1** in Übereinstimmung, Einklang bringen; **2** mit Begleitakkorden versehen (Melodie); **Har|mo|ni|sie|rung** *w. 10;* **Har|mo|ni|um** *s. Gen.* -s *Mz.* -ni|en ein orgelartiges Musikinstrument

Harn *m. 1;* **Harn|bla|se** *w. 11;* **Harn|drang** *m. 2 nur Ez.;* **har|nen** *intr. 1*

Har|nisch *m. 1;* jmdn. in H. bringen: in Zorn, Empörung

Harn|lei|ter *m. 5;* **Harn|röh|re** *w. 11;* **Harn|ruhr** *w. 10 nur Ez.* = Diabetes; **Harn|säu|re** *w. 11;* **harn|trei|bend;** ein Harn treibendes Mittel; **Harn|ver|gif|tung** *w. 10* = Urämie; **Harn|zu|cker** *m. 5;* **Harn|zwang** *m. 2 nur Ez.* schmerzhafter Zwang zu häufigem, tropfenweisen Wasserlassen, Strangurie

Harp|si|chord [-kɔrd, engl.] *s. 1, engl. Bez. für* Cembalo

Har|pu|ne [frz.-ndrl.] *w. 11* speerartiges Wurfgeschoss mit Widerhaken an der Spitze; **Har|pu|nen|ka|no|ne** *w. 11;* **Har|pu|nier** *m. 1,* Har|pu|nie|rer *m. 5* Harpunenwerfer; **har|pu|nie|ren** *tr. 3* mit der Harpune treffen, erlegen

Har|pyie [-pyjə, griech.] *w. 11* **1** *griech. Myth.:* weibl. Sturmdämon mit Flügeln und Vogelkrallen; **2** südamerik. Greifvogel; **3** *übertr.:* unersättlich raubgieriges Wesen

har|ren *intr. 1;* wir harren seiner; auf jmdn. oder etwas h.

harsch 1 eisverkrustet; **2** barsch, unfreundlich; **Harsch** *m. 1 nur Ez.* vereister Schnee; **har|schen** *intr. 1* eisig, krustig werden (vom Schnee); **Harsch|schnee** *m. Gen.* -s *nur Ez.*

hart; es ging hart auf hart; harte Währung: W., für die man alle anderen Währungen erwerben kann

Hart *w. Gen. - nur Ez.* = Hardt (**2**)

Hart|brand|zie|gel *m. 5;* **Här|te** *w. 11* **1** *nur Ez.;* **2** Ungerechtigkeit

Har|te|beest [Afrikaans] *s. 1 oder s. 3* südafrik. Kuhantilope

Här|te|fall *m. 2;* **Här|te|grad** *m. 1;* **här|ten** *tr. 2;* **Här|te|pa|ra|graph** *m. 10, Steuerrecht:* Vorschrift, die die Härten einer gesetzl. Bestimmung im Einzelfall ausgleicht; **Här|te|prü|fung** *w. 10;* **Här|te|rei** *w. 10;* **Här|te|skala** *w. Gen. - Mz.* -len; **Hart|fa|ser|plat|te** *w. 11;* **Hart|fett** *s. 1;* **hart|ge|brannt** ► **hart gebrannt; hart|ge|fro|ren** ► **hart gefroren; hart|ge|kocht** ► **hart gekocht;** **Hart|geld** *s. 3 nur Ez.* Münzen; **hart|ge|sot|ten** ► **hart ge|sot|ten;** hart gesottener Sünder; **Hart|gum|mi** *m. 9*

> **hart gekocht:** Das Gefüge aus Adjektiv und Partizip wird getrennt geschrieben: *ein hart gekochtes Ei.* Ebenso: *hart gesotten.* → § 36 E1 (1.2)

Harth *w. Gen. - nur Ez.* = Hardt (**2**)

hart|her|zig; Hart|her|zig|keit *w. 10 nur Ez.;* **Hart|holz** *s. 4;* **hart|hö|rig** schwerhörig; **hart|köp|fig** dickköpfig; **Hart|köp|fig|keit** *w. 10 nur Ez.;* **hart|lei|big; Hart|lei|big|keit** *w. 10 nur Ez.* Verstopfung; **Hart|ling** *m. 1* Hügel aus widerstandsfähigem und deshalb nur langsam verwitterndem Gestein; **hart|mäu|lig** *bei Pferden:* unempfindlich im Maul gegen Zügelhilfen; *Ggs.:* weichmäulig; **Hart|mäu|lig|keit** *w. 10 nur Ez.;* **hart|nä|ckig; Hart|nä|ckig|keit** *w. 10 nur Ez.;* **Hart|rie|gel** *m. 5* ein Strauch; **hart|rin|dig**

Hart|schier [ital.], Hat|schier *m. 1* **1** *urspr.:* berittener Bogenschütze; **2** *später:* Leibgardist des bayerischen Königshauses

► = wird zu

Hartung *m. 1, alter Name für* Januar
Härtung *w. Gen. - nur Ez.*
Haruspex *auch:* **Haruspex** [lat.] *m. 1 oder Gen. - Mz.* -spizes [-tse:s], *bei den alten Römern und Etruskern:* Priester, der aus den Eingeweiden von Opfertieren wahrsagte; **Haruspizium** *auch:* **Haruspizium** *s. Gen.* -s *Mz.* -zilen Wahrsagung des Haruspex
Harvarduniversität *w. 10 nur Ez.* (in Cambridge/Massachusetts) älteste Universität der USA
Harz 1 *s. 1* Stoffwechselprodukt mancher Pflanzen, bes. der Nadelbäume; **2** dt. Mittelgebirge; Harzer Käse; Harzer Roller: eine Rasse des Kanarienvogels; **harzen** *intr. 1* **1** Harz absondern; **2** *schweiz.:* schleppend, zäh vonstatten gehen; **harzig 1** voller Harz; **2** wie Harz; **3** *schweiz.:* schwierig; **Harzsäure** *w. 11*
Hasard [frz.] *s. 1 Kurzform von* Hasardspiel; **Hasardeur** [-dør] *m. 1* **1** Glücksspieler; **2** waghalsiger, leichtsinniger Mensch; **Hasardeuse** [-dø-] *w. 11* Glücksspielerin; **hasardieren** *intr. 3* **1** im Glücksspiel spielen; **2** alles aufs Spiel setzen, etwas wagen; **Hasardspiel** *s. 1* Glücksspiel
Hasch *s. Gen.* -(s) *nur Ez., ugs. Kurzform von* Haschisch
Haschee [frz.] *s. 9* Gericht aus feingeschnittenem Fleisch, z. B. Lungenhaschee
haschen 1 *intr. 1, ugs.:* Haschisch rauchen; **2** *tr. 1* fangen; Haschen spielen
Häschen *s. 7*
Hascher *m. 5* **1** *ugs.:* jmd., der (gewohnheitsmäßig) Hasch raucht; **2** *österr.:* bedauernswerter Mensch; der arme Hascher
Häscher *m. 5, veraltet, noch poet.:* **1** Verfolger, Scherge; **2** Gerichtsdiener
Hascherl *s. 14, bayr., österr.:* bedauernswertes Geschöpf; das arme Hascherl
haschieren *tr. 3* zu Haschee verarbeiten
Haschisch [arab.] *s. Gen. - nur Ez.* aus Hanf gewonnenes Rauschgift, Cannabis, Kif
Hase *m. 11;* falscher Hase: Hack-, Wiegebraten; alter Hase: bewährter Fachmann
Hasel 1 *w. 11* Haselnussstrauch; **2** *m. 5* ein Karpfenfisch
Haselant [frz.] *m. 10, veraltet:* Spaßmacher, Possenreißer; vgl. haselieren
Haselhuhn *s. 4*
haselieren [frz.] *intr. 3* Possen reißen, Spaß machen; vgl. Haselant
Haselmaus *w. 2;* **Haselnuß** ► **Haselnuss** *w. 2*
Hasenfuß *m. 2* furchtsamer Mensch, Hasenherz; **hasenfüßig; Hasenherz** *s. 16* = Hasenfuß; **Hasenjung** *s. Gen. - nur Ez., bayr.,* **Hasenjunges** *s. 17, österr. für* Hasenklein; **Hasenklein** *s. Gen.* -s *nur Ez.* Speise aus Herz, Lungen, Magen, Leber, Kopf und Läufen des Hasen; **Hasenmaus** *w. 2* = Chinchilla; **Hasenpanier** *s., nur in der Wendung* das H. ergreifen: ausreißen; **Hasenpest** *w. Gen. - nur Ez.* = Tularämie; **Hasenpfeffer** *m. Gen.* -s *nur Ez.* stark gewürztes Hasenklein; **hasenrein**; die Sache ist nicht h. *ugs.:* ist verdächtig, bedenklich; **Hasenscharte** *w. 11* angeborene Spalte in der Oberlippe; **Häsin** *w. 10;* **Häslein** *s. 7, poet.*
Haslinger *m. 5, österr.:* Stock, Gerte aus Haselholz
Haspe *w. 11,* Haspen *m. 7* Türangel, Fensterhaken
Haspel *w. 11, auch m. 5* **1** Hebevorrichtung; **2** Winde zum Aufwickeln von Garn zu Strähnen; **3** Bottich mit Rührwerk zum Gerben und Färben; **haspeln 1** *tr. 1;* **2** *intr. 1, ugs.:* hastig, überstürzt sprechen; **Haspen** *m. 7* = Haspe
Haß ► **Hass** *m. 1 nur Ez.;* **hassen** *tr. 1;* **hassenswert; Hasser** *m. 5;* **haßerfüllt** ► **hasserfüllt;** ein hasserfüllter Blick; *aber:* von Hass erfüllt; **hässig** *schweiz.:* mürrisch, verdrießlich
häßlich ► **hässlich; Häßlichkeit** ► **Hässlichkeit** *w. 10 nur Ez.*
Hast *w. Gen. - nur Ez.;* **hasten** *intr. 2;* **hastig; Hastigkeit** *w. 10 nur Ez.*
Hatschek *auch:* **Hatschek** *s. 9* = Háček
Hätschelkind *s. 3;* **hätscheln** *tr. 1*
hatschen *intr. 1, ugs.:* nachlässig, schlurfend gehen
hatschi!, hatzi [auch: hat-]
Hatschier *m. 1* = Hartschier
Hattrick [hæt-, engl.] *m. 9* **1** *Fußball:* dreimaliger Torschuss durch denselben Spieler; **2** *übertr.:* dreifacher Erfolg
Hatz *w. 10, bayr., österr.:* Hetzjagd (mit Hunden); **Hatzhund** *m. 1*
hatzi!, hatschi [auch: hat-]
haubar *Forstw.:* zum Fällen geeignet; **Haubarkeitsalter** *s. Gen.* -s *nur Ez.*
Häubchen *s. 7;* **Haube** *w. 11;* **Haubenlerche** *w. 11*
Haubitze [tschech.] *w. 11* **1** *urspr.:* Steinschleuder; **2** *dann:* für Flach- und Steilfeuer verwendbares Geschütz
Häublein *s. 7, poet.*
Hauch *m. 1;* **hauchdünn; hauchen** *intr. 1;* **hauchfein; Hauchlaut** *m. 1* mit einem nachfolgenden h ausgesprochener Laut, z. B. griech. ϱ (rho), ϑ (theta), behauchter Laut, Aspirata; **hauchzart**
Haudegen *m. 7* **1** zweischneidiger Degen; **2** alter, erprobter Soldat
Hauderer *m. 5, nordwestdt.:* Lohnfuhrunternehmer; **haudern** *intr. 1*
Haue *w. 11* **1** süddt., österr. für Hacke; **2** *nur Ez., ugs. für* Prügel, Schläge; **hauen** *tr. 63; im Sinne von »prügeln« Präteritum nur:* haute; **Hauer** *m. 5* **1** *Jägerspr.:* unterer Eckzahn des Keilers; **2** Häuer *m. 5, Bgb.:* ausgebildeter Bergmann; **3** *österr. für* Winzer
Häufchen *s. 7;* **Haufe** *m. 15* ungeordnete Menge (von Menschen); **häufeln** *tr. 1* mit Häufchen von Erde umgeben (Pflanzen); ich häufele, häufle sie; **Haufen** *m. 7;* **häufen** *tr. 1;* **Haufendorf** *m. 4* unregelmäßig angelegtes Dorf; **haufenweise; Haufenwolke** *w. 11*
häufig; Häufigkeit *w. 10 nur Ez.*
Häuflein *s. 7;* **Häufung** *w. 10*
Haufwerk *s. 1 nur Ez.* = Hauwerk
Hauhechel *w. 11 nur Ez.* eine Heilpflanze; **Hauland** *s. Gen.* -(e)s *nur Ez.; veraltet:* durch Rodung gewonnenes Acker- und Siedlungsland
Haupt *s. 4;* **Hauptbahnhof** *m. 2* (*Abk.:* Hbf, Hbf.); **Hauptberuf** *m. 1;* **hauptberuflich; Hauptbeschäftigung** *w. 10;* **Hauptdarsteller** *m. 5;* **Hauptein-**

gang *m. 2;* **Häup|tel** *s. 5, österr.:* Kopf vom Kohl oder Salat, z. B. Krauthäuptel; **Häup|telsa|lat** *m. 1, österr.:* Kopfsalat; **Haup|tes|län|ge** *w. 11;* jmdn. um H. überragen; **Haupt|fach** *s. 4;* **Haupt|ge|schäfts|zeit** *w. 10;* **Haupt|ge|winn** *m. 1;* **Haupt|haar** *s. Gen.* -s *nur Ez.;* **Haupt|leu|te** *Mz. von* Hauptmann; **Häupt|ling** *m. 1;* **häuptlings** mit dem Kopf voran; **Haupt|mann** *m. Gen.* -(e)s *Mz.* -leulte; **Haupt|per|son** *w. 10;* **Haupt|pro|be** *w. 11;* **Haupt|rech|nungs|ar|ten** *w. 10 Mz.* = Grundrechenarten; **Haupt|rol|le** *w. 11;* **Haupt|sache** *w. 11;* **haupt|säch|lich;** **Haupt|satz** *m. 2* selbständiger, unabhängiger Satz; *Ggs.:* Nebensatz; **Haupt|stadt** *w. 2;* **haupt|städ|tisch; Haupt|stra|ße** *w. 11;* **Haupt|teil** *m. 1;* **Hauptton** *m. 2* stärkste Betonung (eines Wortes); **Haupt- und Staats|ak|ti|on** *w. 10, Ende des 17., Anfang des 18. Jh.:* abenteuerliches Schauspiel der dt. Wanderbühnen mit pompöser Ausstattung; **Haupt|ver|le|sen** *s. Gen.* -s *nur Ez., schweiz.:* Appell; **Haupt|wort** *s. 4* = Substantiv; **haupt|wört|lich**
hau ruck!, ho ruck!

> **nach Haus(e)/nachhause:**
> Die Richtungs- bzw. Situativergänzungen werden getrennt geschrieben: *nach Haus(e), zu Haus(e), von zu Haus(e);* in Österreich und der Schweiz ist auch Zusammenschreibung möglich: *nachhause, zuhause, von zuhause.* →§ 39 E2 (2.1)

Haus *s. 4;* das Haus Habsburg; er ist aus gutem Hause; außer Haus(e) essen; im Hause (*Abk.:* i. H., *in innerbetrieblichen Mitteilungen oder Briefanschriften);* nach Hause, nach Haus; von Hause fort sein; von Hause kommen, *meist:* von zu Hause; von Haus aus: ursprünglich, eigentlich; Grüße von Haus zu Haus *in Briefen:* von (uns) allen an (euch, Sie) alle; zu Hause; *in Österr. und der Schweiz auch:* zuhause, nachhause, von zuhause; zu Haus; Haus halten *oder:* haushalten
Hau|sa *m. 9 oder Gen.* - *Mz.* - = Haussa
Haus|an|ge|stell|te *w. 17/18;* **Haus|a|po|the|ke** *w. 11;* **Hausarzt** *m. 2;* **haus|ba|cken** *übertr.:* bieder, ohne Schwung, brav, alltäglich; **Haus|bau** *m. Gen.* -(e)s *Mz.* -baulten
Haus|be|set|zer *m. 5*
Haus|be|sor|ger *m. 5, österr. für* Hausmeister; **Haus|buch** *s. 4, ehem. DDR:* von der »Volkspolizei« überprüftes Kontrollbuch für Dauerbewohner und Gäste in einem Miethaus; **Häus|chen** *s. 7, Mz. auch:* Häu|ser|chen; **Haus|dra|che** *m. 11,* **Haus|dra|chen** *m. 7, ugs. scherzh.;* **Haus|durch|su|chung** *w. 10, österr. für* Haussuchung; **Häu|sel,** Häusl *s. 5,* süddt.;
hau|sen 1 *intr. 1* wohnen, leben; **2** *tr. 1, schweiz.:* sparen
Hau|sen *m. 7* ein Fisch, liefert den Kaviar
Häu|ser|block *m. 9;* **Häu|sermak|ler** *m. 5;* **Häu|ser|meer** *s. 1;* **Häu|ser|rei|he** *w. 11;* **Haus|flur** *m. 1;* **Haus|frau** *w. 10;* **hausfrau|lich;** **Haus|freund** *m. 1;* **Haus|frie|dens|bruch** *m. 2;* **haus|ge|macht**; hausgemachte Wurst; **Haus|halt** *m. 1;* **haus-**

> **Haus halten/haushalten:**
> Das Gefüge aus Substantiv und Verb wird getrennt geschrieben: *Er hat mit seinem Vermögen immer Haus gehalten.* [→§ 34 E3 (5)]. Zusammenschreibung ist möglich: *Er hat immer hausgehalten.* →§ 33 (1) und E1

hal|ten *Nv.* ▶ **Haus hal|ten** *Hv. intr. 61;* ich halte Haus, ich haushalte; habe Haus gehalten *oder:* hausgehalten; Haus zu halten *oder:* hauszuhalten; mit etwas Haus halten/haushalten; **Haus|hal|ter, Haus|häl|ter** *m. 5;* **Haus|häl|te|rin** *w. 10;* **haus|hälte|risch;** **Haus|halts|füh|rung,** Haus|halt|füh|rung *w. 10 nur Ez.;* **Haus|halts|geld** *s. 3 nur Ez.;* **Haus|halts|jahr,** Haus|haltjahr *s. 1;* **Haus|halts|plan,** Haus|halt|plan *m. 2;* **Haus|haltung** *w. 10;* **Haus|hal|tungsbuch** *s. 4;* **Haus|hal|tungsschu|le** *w. 11;* **Haus|hal|tungsvor|stand** *m. 2;* **Haus||halt|waren** *w. 11 Mz.;* **Haus-Haus-Verkehr** *m. Gen.* -s *nur Ez.;* **Hausherr** *m. Gen.* -n *oder* -en *Mz.* -en; **haus|hoch;** **Haus|hof|meis|ter** *m. 5*
hau|si|e|ren *intr. 3;* **Hau|si|e|rer** *m. 5*
Häusl, Häu|sel *s. 5, süddt.;* **Häus|lein** *s. 7, poet.;* **Häus|ler** *m. 5* Tagelöhner mit Haus- und kleinem Grundbesitz, der nicht ausreicht, um davon zu leben; **Haus|leu|te** *nur Mz.* Hausmeister und dessen Frau; **haus|lich** *schweiz.:* sparsam; **häus|lich;** **Häus|lich|keit** *w. 10 nur Ez.*
Haus|man|nit [nach dem Mineralogen J. F. M. Hausmann] *m. 1 nur Ez.* ein Mineral
Haus|manns|kost *w. Gen.* - *nur Ez.* einfache, kräftige Kost
Haus|mei|er *m. 5, im frühen MA bei den Merowingern:* Vorsteher der Hofhaltung und der königlichen Domänen; **Hausmeis|ter** *m. 5;* **Haus|meis|te|rei** *w. 10 nur Ez.;* **Haus|mu|sik** *w. 10;* **Haus|rat** *m. Gen.* -(e)s *nur Ez.;* **Haus|rat|ver|si|che|rung** *w. 10*
Haus|sa, Hau|sa **1** *m. Gen.* - *Mz.* - Angehöriger eines Volkes in Nordnigeria; **2** *s. Gen.* - *nur Ez.* dessen Sprache
haus|schlach|ten *Adj.* **1** selbst geschlachtet; **2** aus selbstgeschlachteten Tieren hergestellt; hausschlachtene Wurst; **Hausschlach|tung** *w. 10;* **Hausschlüs|sel** *m. 5*
Haus|se [os(ə), frz.] *w. 11* hoher Stand (von Aktien, Preisen); *Ggs.:* Baisse
Haus|se|gen *m. 7* Segensspruch über der Haustür
hau|ßen *mitteldt., veraltet:* hier draußen
Haus|sier [o:sje, frz.] *m. 9* jmd., der an der Börse auf Hausse spekuliert; *Ggs.:* Baissier
Haus|stand *m. 2;* **Haus|suchung** *w. 10;* **Haus|tier** *s. 1;* **Haus|tür** *w. 10;* **Haus|ur|ne** *w. 11* vorgeschichtliche Urne in Form eines Hauses; **Haus|vertrau|ens|mann** *m. Gen.* -(e)s *Mz.* -leute, *ehem. DDR:* von den Bewohnern eines Miethauses gewählter Leiter der Hausgemeinschaft; **Haus|we|sen** *s. 7;* **Haus|wirt** *m. 1;* **Haus|wirtschaft** *w. 10 nur Ez.*
Haut *w. 2;* es ist, um aus der Haut zu fahren, *oder:* es ist zum Aus-der-Haut-Fahren; auf der faulen Haut liegen; das geht unter die Haut *ugs.:* das berührt, beeindruckt einen stark, geht einem nahe; **Haut|aus|schlag**

▶ = wird zu

m. 2; **Häut|chen** *s. 7;* **Haut|creme** *w. 9*
Haute Cou|ture *Nv.* ► **Haute|cou|ture** *Hv.* [o:tkutyr, frz.] *w. Gen. - nur Ez.* das schöpferische Modeschaffen, bes. in Paris; **Haute|fi|nance** [o:tfinãs] *w. Gen. - nur Ez.* Hochfinanz; **Haute|lis|se|we|be|rei** [o:tlis(ə)-] *w. 10* Webart mit senkrechter Kette; *Ggs.:* Basselisseweberei
häu|ten *tr. u. refl. 2*
haut|eng
Haute|vo|lee [o:tvɔle, frz.] *w. 11 nur Ez.* die vornehme Gesellschaft
Haut|far|be *w. 11;* **Haut|flüg|ler** *m. 5 Mz.* eine Ordnung der Insekten; **haut|freund|lich** auf der Haut angenehm und nicht schädlich
Haut|gout [o:gu, frz.] *m. 9 nur Ez.* **1** scharfer Wildgeschmack; **2** *übertr.:* Anrüchigkeit
Haut|grieß *m. 1 nur Ez.;* **häu|tig; Haut|ju|cken** *s. Gen. -s nur Ez.;* **Haut|krank|heit** *w. 10;* **Haut|krebs** *m. 1 nur Ez.*
Haut mal [o:mal, frz.] *s. Gen. -- nur Ez.* großer Anfall bei Epilepsie, Grand mal
haut|nah *ugs.:* sehr nah
Haut|re|li|ef [orəljɛf, frz.] *s. 9 oder s. 1* = Hochrelief; *Ggs.:* Basrelief
Haut-Sau|ternes [o:sotɛrn, nach der frz. Stadt Sauternes] *m. Gen. - nur Ez.* Weinsorte, ein weißer Bordeaux
Häu|tung *w. 10* **Haut|un|rei|nig|keit** *w. 10;* **Haut|wolf** *m. 2 nur Ez.* eine schmerzhafte Hautentzündung
Hau|werk, Hauf|werk *s. 1 nur Ez., Bgb.:* durch Hauen gewonnenes Rohmaterial
Ha|van|na 1 Hst. von Kuba; **2** *w. 9* Havannazigarre; **3** *m. 9 nur Ez.* Havannatabak; **Ha|van|na|ta|bak** *m. 1* eine feine Tabaksorte
Ha|va|rie [-va-, arab.-frz.] *w. 11* Unfall, Bruch (eines Schiffes oder seiner Ladung, eines Flugzeugs, *österr. auch:* eines Kraftfahrzeugs), Average; H. erleiden; **ha|va|riert** beschädigt; **Ha|va|rist** *m. 10* Eigentümer eines havarierten Schiffes
Ha|vel [-fəl] *w. Gen. -* dt. Fluss; **Ha|vel|land** *s. Gen. -(e)s nur Ez.;* **ha|vel|län|disch**
Ha|ve|lock [-və-, nach dem engl. General Sir Henry H.] *m. 9* Herrenmantel mit bis zum Ellenbogen reichendem Schulterkragen
Ha|ve|rei [-və-] *w. 10* Unfallschäden und -kosten (eines Schiffes oder Flugzeugs); große, kleine H.
Ha|waii 1 größte der Hawaii-Inseln; **2** (*Abk.:* HI) Staat der USA; **Ha|waii|gi|tar|re** *w. 11;* **Ha|waii-In|seln** *w. 11 Mz.* eine polynesische Inselgruppe im Pazifischen Ozean; **ha|wai|isch**
Ha|xe *w. 11, süddt., österr.:* unterer Teil des Beins von Schwein und Kalb (als Speise); **Ha|xen** *m. 7, bayr., österr.:* Bein
Ha|zi|en|da [span.] *w. 9* Farm, Landgut in Mittel- und Südamerika
Hb *Abk. für* Hämoglobin
HB *Abk. für* Brinellhärte
H. B. *Abk. für* Helvetisches Bekenntnis
Hbf, Hbf. *Abk. für* Hauptbahnhof
H-Bom|be [nach dem chem. Zeichen H für Wasserstoff] *w. 11* Wasserstoffbombe
h. c. *Abk. für* honoris causa
H-Dur *s. Gen. - nur Ez.* (*Abk.:* H) eine Tonart; **H-Dur-Ton|lei|ter** *w. 11*
He *chem. Zeichen für* Helium
h. e. *Abk. für* hoc est = das ist
Head|hun|ter [hɛdhantər, engl.] *m. 5* jmd., der Spitzenkräfte abwirbt
Head|line [hɛdlaɪn, engl.] *w. 9, engl. Bez. für* Schlagzeile
Hea|ring [hi-, engl.] *s. 9* öffentliches Anhören von Sachverständigen zu einem Gesetzesentwurf, Anhörung
Hea|vi|side|schicht [hɛvɪsaɪd-, nach dem engl. Physiker Oliver Heaviside] *w. 10 nur Ez.* elektrisch leitende Schicht der Atmosphäre
Hea|vy Me|tal *Nv.* ► **Hea|vy-me|tal** *Hv.* [hɛvimɛtəl, engl.] *m. Gen. -(s) nur Ez.* schnell und aggressiv gespielte Rockmusik, die die Sologitarre betont
Heb|am|me *w. 11*
He|be *griech. Myth.:* Göttin der Jugend, Mundschenkin der Götter
He|be|arm *m. 1,* **He|be|bal|ken** *m. 7,* **He|be|baum** *m. 2* Holz- oder Eisenstange zum Heben von Lasten durch Hebelwirkung
He|bel *m. 5;* **He|bel|arm** *m. 1*
he|ben *tr. 64* **1** hochheben; **2** *schwäb. für* halten
He|be|phre|nie [griech.] *w. 11* Vorform der Schizophrenie, Jugendirresein
He|be|prahm *m. 1* Prahm zum Bergen (von Schiffen); **He|ber** *m. 5;* **He|be|werk** *s. 1;* **He|be|zeug** *s. 1* Vorrichtung zum Heben
He|brä|er *m. 5* Angehöriger des Volkes Israel, Jude, Israelit; **He|brä|er|brief** *m. 1* ein Brief im NT; **He|bra|i|ka** *Mz.* Bücher, Bilder, Dokumente usw. über die hebräische Geschichte und Kultur; **He|bra|i|kum** *s. Gen. -s nur Ez.* Prüfung im Hebräischen; **he|brä|isch; He|brä|isch** *s. Gen. -(s)* eine nordwestsemit. Sprache, Sprache des AT; vgl. Iwrith; **He|bra|is|mus** *m. Gen. - Mz. -men* hebräische, in die hellenist. Literatur übernommene Spracheigentümlichkeit; **He|bra|ist** *m. 10* Wissenschaftler der Hebraistik; **He|bra|is|tik** *w. 10 nur Ez.* Wissenschaft von der hebräischen Sprache und Kultur
He|bri|den *auch:* **Heb|ri|den** *Mz.* **1** Inselgruppe vor Nordwestschottland, Äußere, Innere Hebriden; **2** Inselgruppe östlich von Australien, Neue Hebriden
He|bung *w. 10, Metrik:* betonte Silbe (im Vers); *Ggs.:* Senkung
He|chel *w. 11* kammartiges Gerät zur Flachsverarbeitung; **He|che|lei** *w. 10* Klatsch; **he|cheln 1** *tr. 1;* Flachs h.: mit der Hechel Flachsfasern spalten; ich hechele, hechle; **2** *intr. 1* klatschen, über andere reden; **3** *intr. 1* schnell und mit heraushängender Zunge atmen (von Hunden)
Hech|se [hɛksə] *w. 11, Nebenform von* Hachse
Hecht *m. 1;* **hech|ten** *intr. 2* im Hechtsprung ins Wasser springen; **hecht|grau; Hecht|rol|le** *w. 11* eine Übung im Bodenturnen; **Hecht|sprung** *m. 1* Sprung mit dem Kopf zuerst ins Wasser
Heck *s. 9 oder s. 1* **1** Hinterteil (des Schiffes); **2** *s. 1, niedersächs.:* Koppel; Gattertür
He|cke *w. 11* gewachsene Umzäunung
he|cken *intr. 1* **1** Junge zur Welt bringen, ausbrüten (von

Vögeln und kleinen Säugetieren); **2** *übertr.:* immer mehr werden (Geld)
Hecken|ro|se *w. 11;* **Hecken-schüt|ze** *m. 11*
He|ckicht *s. 1* Heckendickicht; **he|ckig** wie eine Hecke
Heck|meck *m. Gen.* -s *nur Ez., ugs.:* Gerede, Getue
Heck|mo|tor *m. 13*
Heck|pfen|nig *m. 1* Pfennig, der immer neue Münzen hervorbringt, Glückspfennig
He|cu|ba = Hekuba
He|de *w. 11, nddt.:* Werg; **he-den** aus Hede
He|de|rich *m. 1* ein weiß blühendes Ackerunkraut
He|do|nik [griech.] *w. Gen.* - *nur Ez.* = Hedonismus; **He-do|ni|ker** *m. 5* Anhänger des Hedonismus; **He|do|nis|mus** *m. Gen.* - *nur Ez.,* He|do|nik *w. Gen.* - *nur Ez.* altgriech. Lehre, nach der der Genuss Sinn und Ziel menschlichen Handelns ist; **he|do|nis|tisch**
He|dschra *auch:* **Hed|schra, Hedsch|ra** [arab. »Aufbruch«] *w. Gen.* - *nur Ez.* Übersiedlung Mohammeds von Mekka nach Medina im Jahr 622, Beginn der islam. Zeitrechnung
Heer *s. 1;* **Heer|bann** *m. 1, MA* **1** Recht des Königs, das Heer aufzubieten; **2** Aufgebot des Königs zum Kriegsdienst; **3** das königliche Kriegsheer selbst; **Hee|res|be|richt** *m. 1;* **Hee|res-grup|pe** *w. 11;* **Hee|res|zug,** Heer|zug *m. 2;* **Heer|füh|rer** *m. 5;* **Heer|la|ger** *s. 5;* **Heer-schar** *w. 10;* die himmlischen Heerscharen; **Heer|stra|ße** *w. 11;* **Heer|zug,** Hee|res|zug *m. 2*
He|fe *w. 11;* **He|fe|ku|chen, He-fen|ku|chen** *m. 7;* **He|fe|pilz** *m. 1;* **He|fe|stück,** He|fen|stück *s. 1;* **He|fe|teig,** He|fen|teig *m. 1;* **he|fig**
Hef|ner|ker|ze [nach dem Elektrotechniker Friedrich von Hefner-Alteneck] *w. 11* (*Abk.:* HK) *früher:* Einheit der Lichtstärke
Heft *s. 1;* **Hef|tel** *s. 5* Haken (am Kleid), Spange; **hef|teln** *tr. 1* mit Hefteln befestigen; **hef|ten** *tr. 2;* geheftet (*Abk.:* geh., *in bibliograf. Angaben);* **Heft|fa|den** *m. 8;* **Heft|garn** *s. 1*
hef|tig; Hef|tig|keit *w. 10 nur Ez.*
Heft|klam|mer *w. 11;* **Heft-pflas|ter** *s. 5*
He|ge *w. 11 nur Ez.* Pflege und Schutz des Wildes
He|ge|li|a|ner *m. 5* Anhänger der Lehre Hegels; **he|ge|li|a-nisch, he|ge|lisch; He|gelsch;** die Hegelsche Philosophie
he|ge|mo|ni|al auf Hegemonie beruhend; **He|ge|mo|nie** *w. 11* Vorherrschaft, Vormachtstellung; **he|ge|mo|nisch** die Hegemonie besitzend
he|gen *tr. 1;* **He|ger** *m. 5;* **He-ge|ring** *m. 1* kleinster Jagdbezirk; **He|ge|zeit** *w. 10, veraltend:* Schonzeit
Hehl *s. 1 oder m. 1 nur Ez.;* kein, *oder:* keinen Hehl daraus machen, dass...: es offen zugeben, es nicht leugnen, dass...; **heh-len** *tr. 1* **1** verbergen (Diebesbeute); **2** begünstigen (Verbrechen); **Heh|ler** *m. 5* Helfer von Verbrechern, bes. Dieben; **Heh|le|rei** *w. 10 nur Ez.*
hehr heilig, erhaben
hei!, hei|a; Hei|a *w. 9, Kindersprr.:* Bett; **hei|a|po|peia,** ei|a|po|peia, hei|o|po|peio
Hei|de 1 *w. 11 nur Ez.* meist baumlose, bes. durch Zwergsträucher gekennzeichnete Landschaftsform; **2** *w. 11 nur Ez., kurz für* Heidekraut; **3** *m. 11* jmd., der nicht Christ, Jude oder Muslim ist, Anhänger einer nicht-monotheistischen Religion
Hei|de|korn *s. 4 nur Ez.* = Buchweizen; **Hei|de|kraut** *s. 4 nur Ez.* ein immergrüner Zwergstrauch; **Hei|de|land** *s. 4 nur Ez.*
Hei|del|bee|re *w. 11;* **Hei|del-beer|kraut** *s. 4 nur Ez.*
Hei|de|ler|che *w. 11*
Hei|den... *in Zus. ugs.:* sehr viel, sehr groß; z. B. Heidenangst, Heidenspaß, Heidenlärm
Hei|den|christ *m. 10, im frühen Christentum:* nichtjüd. Christ; vgl. Judenchrist
Hei|de|rauch *m. 1 nur Ez.* = Höhenrauch; **Hei|de|rös|chen,** Hei|den|rös|chen *s. 7* **1** eine Zistrose; **2** *auch* = Seidelbast
hei|di!; das ist heidi gegangen *ugs.:* verloren gegangen; **hei|di hei|da!**
Hei|din *w. 10* weibl. Heide (**3**)
Hei|d|jer *m. 5* Bewohner der (Lüneburger) Heide
heid|nisch
Heid|schnu|cke *w. 11* Schaf der Lüneburger Heide
Hei|duck [auch: haɪ-, ung.] *m. 10* **1** *urspr.:* ung. Hirt; **2** *dann:* ung. Söldner; **3** *im 18. Jh.:* Gerichtsdiener sowie Diener eines ung. Fürsten
hei|kel 1 schwierig, bedenklich, unangenehm; eine heikle Angelegenheit; **2** *süddt., österr.:* heikel sein (im Essen u. Ä.): schwer zufrieden zu stellen, wählerisch
heil; heil sein, bleiben, werden; heil geblieben; **Heil** *s. 1 nur Ez.;*
Hei|land 1 *m. 1* Erlöser, Retter; **2** *nur Ez.* Christus; **Heil|an|stalt** *w. 10;* **Heil|bad** *s. 4;* **heil|bar; Heil|bar|keit** *w. 10 nur Ez.;* **heil-brin|gend; Heil|butt** *m. 1* ein Fisch; **hei|len** *tr. u. intr. 1;* **Heil-er|de** *w. 11 nur Ez.;* **heil|froh; Heil|ge|hil|fe** *m. 11* Krankenpfleger; **Heil|gym|nas|tik** *w. 10 nur Ez.;* **Heil|gym|nas|tin** *w. 10;* **heil|gym|nas|tisch**
hei|lig (*Abk.:* hl., Mz.: hll.) **1** *Kleinschreibung:* das heilige Abendmahl; der heilige Antonius *(Schreibung ebenso bei anderen Heiligen);* da soll doch das heilige Donnerwetter dreinfahren!; drei heilige Eide schwören; die heilige Kommunion; die heilige Messe; das heilige Oster-, Pfingstfest; die heiligen Stätten; die heilige Taufe; der heilige Krieg der Muslime; **2** *Großschreibung:* der Heilige Abend; die Heilige Allianz (von 1815); der Heilige Christ; die Heilige Dreifaltigkeit; die Heilige Familie; der Heilige Geist; das Heilige Grab (Jesu); der Heilige Gral; die Heilige Jungfrau (Maria); die Heiligen Drei Könige; das Heilige Land (Palästina); die Heilige Nacht (vom 24. zum 25. Dezember); das Heilige Römische Reich Deutscher Nation: das Deutsche Reich von 962–1806; die Heilige Schrift: die Bibel; der Heilige Stuhl: Thron des Papstes, die päpstliche Behörde; der Heilige Vater: der Papst; **Hei-lig|a|bend** *m. Gen.* -s *nur Ez.;* an, am, zum H.; **Hei|li|ge(r)** *m. 18 (17) bzw. w. 17 oder 18;* **Hei|li|ge|drei|kö|nigs|fest,** Hei|li|ges|drei|kö|nigs|fest, *s.,* am Heilige(n)dreikönigsfest, des Heilige(n)dreikönigsfestes, die Heilige(n)dreikönigsfeste; **Hei-lig|drei|kö|nigs|tag,** Hei|li|ge-drei|kö|nigs|tag *m.* vgl. Heilige-

dreikönigsfest; **hei|li|gen** *tr. 1;* **Hei|li|gen|bild** *s. 3;* **Hei|li|gen|schein** *m. 1;* **Hei|li|ger|drei|kö|nigs|tag** vgl. Heiligedreikönigsfest; **Hei|lig|geist|kir|che** *w. 11;* **hei|lig|hal|ten** ► **hei|lig hal|ten** *tr. 61;* ich habe es heilig gehalten; **Hei|lig|keit** *w. 10 nur Ez.;* Seine, Eure H. (Titel und Anrede des Papstes); **hei|lig|spre-**

> **heilig sprechen, der Heilige:** Gefüge mit einem ersten Bestandteil, der eine Ableitung auf *-ig* (oder *-isch* bzw. *-lich*) ist, werden getrennt geschrieben: *heilig sprechen/halten.* →§ 34 E 3 (3)
> Großgeschrieben werden das substantivierte Adjektiv *(der Heilige)* sowie die Eigennamen: *die Heiligen Drei Könige, der Heilige Geist, das Heilige Grab, das Heilige Land* (= Palästina), *die Heilige Nacht* (= Weihnachten), *der Heilige Vater* (= der Papst). →§ 60
> In substantivischen Wortgruppen, die feste Verbindungen geworden sind, aber keine Eigennamen darstellen, werden die Adjektive hingegen kleingeschrieben: *das heilige Abendmahl, der heilige Krieg* (des Islam), *die heilige Theresa.* →§ 63

chen ► **hei|lig spre|chen** *tr. 146;* die Kirche hat ihn heilig gesprochen; **Hei|lig|spre|chung** *w. 10;* **Hei|lig|tum** *s. 4;* **Hei|li|gung** *w. 10*

Heil|kli|ma *s. Gen. -s nur Ez.;* **heil|kli|ma|tisch; Heil|kraft** *w. 2;* **heil|kräf|tig; Heil|kraut** *s. 4;* **Heil|kun|de** *w. 11 nur Ez.;* **heil|kun|dig; Heil|kun|di|ge(r)** *m. 18 (17) bzw. w. 17 oder 18;* **heil|los; heil|ma|gne|tisch** *auch:* **-mag|ne-; Heil|ma|gne|tis|mus** *auch:* **-mag|ne-** *m. Gen. - nur Ez.;* **Heil|mas|sa|ge** *w. 11;* **Heil|päd|a|go|ge** *auch:* **-pä|da|go|ge** *m. 11;* **Heil|päd|a|go|gik** *auch:* **-pä|da|go|gik** *w. 10 nur Ez.;* **heil|päd|a|go|gisch** *auch:* **heil|pä|da|go|gisch; Heil|pflan|ze** *w. 11;* **Heil|prak|ti|ker** *m. 5;* **Heil|quel|le** *w. 11;* **Heil|ruf** *m. 1* der Ruf »Heil!«; **heil|sam; Heil|sam|keit** *w. 10 nur Ez.;* **Heils|ar|mee** *w. 11 nur Ez.* 1878 in London gegründete, militärähnlich organisierte, christliche Gemeinschaft zum Zweck der Mission und Hilfe für die arme Großstadtbevölkerung; **Heils|ar|mist** *m. 10;* **Heils|bot|schaft** *w. 10;* **Heil|schlaf** *m. Gen. -s nur Ez.;* **Heil|se|rum** *s. Gen. -s Mz.* -ren; **Heils|ge|schich|te** *w. 11 nur Ez.;* **Heils|leh|re** *w. 11 nur Ez.;* **Heil|stät|te** *w. 11;* **Heils|wahr|heit** *w. 10;* **Hei|lung** *w. 10;* **Hei|lungs|pro|zeß** ► **Hei|lungs|pro|zess** *m. 1;* **Heil|ver|fah|ren** *s. 7;* **Heil|wir|kung** *w. 10*

heim... nach Hause; **Heim** *s. 1;* **Heim|ar|beit** *w. 10*

Hei|mat *w. 10;* **hei|mat|be|rech|tigt; Hei|mat|be|rech|ti|gung** *w. 10 nur Ez.;* **Hei|mat|dich|ter** *m. 5;* **Hei|mat|dich|tung** *w. 10;* **Hei|mat|film** *m. 1;* **hei|mat|ge|nös|sig** *schweiz.:* heimatberechtigt; **Hei|mat|ha|fen** *m. 8;* **Hei|mat|kun|de** *w. 11 nur Ez.;* **hei|mat|kund|lich; Hei|mat|kunst** *w. 2 nur Ez.;* **Hei|mat|land** *s. 4;* **hei|mat|lich; Hei|mat|lie|be** *w. 11 nur Ez.;* **hei|mat|los; Hei|mat|lo|sig|keit** *w. 10 nur Ez.;* **Hei|mat|ort,** Hei|mats|ort *m. 1;* **Hei|mat|recht** *s. 1;* **Hei|mat|schutz** *m. Gen. -es nur Ez.;* **Hei|mats|ort,** Hei|mat|ort *m. 1;* **Hei|mat|staat** *m. 12;* **Hei|mat|stadt** *w. 2;* **hei|mat|ver|trie|ben; Hei|mat|ver|trie|be|ne(r)** *m. 18 (17) bzw. w. 17 oder 18.*

heim|be|ge|ben *refl. 45;* **heim|be|glei|ten** *tr. 2;* **heim|brin|gen**

> **heimbringen:** Trennbare Zusammensetzungen aus (teilweise auch verblasstem) Substantiv und Verb werden im Infinitiv, in den Partizipien sowie im Nebensatz bei Endstellung des Verbs zusammengeschrieben. Ebenso: *heimbegleiten, heimfahren, heimgehen, heimleuchten, heimsuchen* usw. Ähnlich bei Zusammensetzungen mit *irre-, preis-, stand-, statt-, teil-, wett-* und *wunder-.* →§ 34 (3)

tr. 21; **Heim|bür|ge** *m. 11, veraltet* **1** Schöffe, Gemeindevorsteher, Dorfrichter; **2** *obersächsisch:* Leichenbestatter; **Heim|bür|gin** *w. 10* Frau, die einen Toten vor der Bestattung wäscht und ankleidet, Leichenwäscherin, Leichenfrau, Totenfrau; **Heim|chen** *s. 7* eine Grille; **Heim|dall** *nord. Myth.:* Wächter der Götter; **hei|me|lig** anheimelnd, gemütlich, wie daheim; **Hei|men** *s. 7,* **Hei|met** *s. 1, schweiz.:* Bauerngut; **heim|fah|ren** *intr. u. tr. 32;* **Heim|fahrt** *w. 10;* **Heim|fall** *m. 2* **1** Übergehen eines verpachteten Besitzes nach dem Tod des Pächters an den Eigentümer; **2** Übergehen eines Besitzes an den Staat, wenn keine Erben vorhanden sind; **heim|fal|len** *intr. 33;* **heim|fäl|lig; Heim|falls|recht** *s. 1* Erbrecht des Staates; **heim|fin|den** *refl. 36;* **heim|füh|ren** *tr. 1, veraltet:* heiraten; ein Mädchen h.; **Heim|gang** *m. 2* Tod; **Heim|ge|gan|ge|ne(r)** *m. 18 (17) bzw. w. 17 oder 18;* **heim|ge|hen** *intr. 47* **1** nach Hause gehen; **2** sterben; **heim|ho|len** *tr. 1;* **hei|misch; Heim|kehr** *w. 10 nur Ez.;* **heim|keh|ren** *intr. 1;* **Heim|kunft** *w. Gen. - nur Ez.* Heimkehr; **heim|leuch|ten** *intr. 2;* jmdm. h.: jmdn. energisch zurechtweisen, abweisen; **heim|lich; heim|li|cher|wei|se; Heim|lich|keit** *w. 10;* **Heim|lich|tu|er** *m. 5;* **Heim|lich|tu|e|rei** *w. 10 nur Ez.;* **heim|lich|tun** ► **heim|lich tun; heim|los; Heim|rei|se** *w. 11;* **heim|rei|sen** *intr. 1;* **heim|schi|cken** *tr. 1;* **Heim|statt** *w. Gen. - nur Ez.;* **Heim|stät|te** *w. 11;* **heim|su|chen** *tr. 1,* **Heim|su|chung** *w. 10;* **heim|tra|gen** *tr. 160;* **Heim|trai|ner** [-trɛɪ-] *m. 5* = Hometrainer; **Heim|tü|cke** *w. 11 nur Ez.;* **Heim|tü|cker** *m. 5* heimtückischer Mensch; **heim|tü|ckisch; heim|wärts; Heim|weh** *s. Gen. -s nur Ez.;* **Heim|wehr** *w. 10, in Österr. 1919 bis 1936:* freiwilliger Selbstschutzverband; **Heim|wer|ker** *m. 5* jmd., der handwerkl. Arbeiten daheim verrichtet; **Heim|we|sen** *s. 7, schweiz.:* Anwesen; **heim|zah|len** *tr. 1;* jmdm. etwas h.: jmdm. etwas vergelten, sich an jmdm. für etwas rächen; **heim|zu** *ugs.:* heimwärts, nach Hause

Hein|zel|bank, Hansl|bank *w. 2, österr.:* Werkbank; **Hein|zel|mann** *m. 4;* **Hein|zel|männ|chen** *s. 7*

hei|o|po|peio, hei|a|po|peia

Hei|rat *w. 10;* **hei|ra|ten** *tr. u. intr. 2;* **Hei|rats|al|ter** *s. 5 nur Ez.;* **Hei|rats|an|trag** *m. 2;* **Hei|rats|an|zei|ge** *w. 11;* **hei|rats|fä|hig; Hei|rats|fä|hig|keit** *w. 10 nur Ez.;* **Hei|rats|gut** *s. 4;* **Hei-**

rats|kan|di|dat *m. 10;* **hei|rats|lus|tig; Hei|rats|schwin|del** *m. 5;* **Hei|rats|schwind|ler** *m. 5;* **Hei|rats|ur|kun|de** *w. 11;* **Hei|rats|ver|mitt|lung** *w. 10*
hei|schen *tr. 1, poet.:* fordern, verlangen; Aufmerksamkeit h.
hei|ser; Hei|ser|keit *w. 10 nur Ez.*

> **heißblütig, heiß ersehnt:** Verbindungen aus einem Adjektiv mit einem Adjektiv oder Partizip schreibt man zusammen, wenn der erste oder zweite Bestandteil in dieser Form nicht selbständig vorkommt *(heißblütig, heißspornig)* oder der erste Bestandteil bedeutungsverstärkend bzw. -mindernd ist *(heißhungrig).* →§ 36 (2), § 36 (5)
> Dagegen werden Gefüge aus Adjektiv und Verb/Partizip getrennt geschrieben, wenn das Adjektiv steigerbar oder durch *sehr* erweiterbar ist: *heiß ersehnt/geliebt/umstritten.* →§ 36 E1 (1.2)

heiß; heißes Blut *übertr.:* Leidenschaftlichkeit; ein heißes Eisen: ein schwieriges, sehr aktuelles Problem; heiße Musik; heiße Quellen; sich die Köpfe heiß reden; heiß ersehnt, geliebt, umkämpft, umstritten; heiß laufen
hei|ßa!, hei|sa!, **hei|ßa juch|hei!; hei|ßas|sa!**
Heiß|be|hand|lung *w. 10;* **heiß|blü|tig; Heiß|blü|tig|keit** *w. 10 nur Ez.*
hei|ßen 1 *intr. 65* sich nennen, den Namen… haben; bedeuten; das heißt (*Abk.:* d. h.); **2** *tr. 65* befehlen, auffordern; bezeichnen, nennen; heiß mich nicht reden, heiß mich schweigen; wer hat dich das geheißen?; er hat mich das tun heißen, *oder:* er hat mich das zu tun geheißen; **3** *tr. 1* = hissen
heiß|er|sehnt ► **heiß er|sehnt; heiß|ge|liebt** ► **heiß ge|liebt; Heiß|hun|ger** *m. Gen.* -s *nur Ez.;* **heiß|hung|rig; heiß|lau|fen** ► **heiß lau|fen; Heiß|luft** *w. 2 nur Ez.;* **Heiß|luft|be|hand|lung** *w. 10;* **Heiß|man|gel** *w. 11;* **Heiß|sporn** *m. 1* hitziger, unbesonnener Mensch; **heiß|spor|nig; heiß|um|kämpft** ► **heiß um|kämpft; heiß|um|strit|ten** ► **heiß um|strit|ten; Heiß|was|ser|be|rei|ter** *m. 5;* **Heiß|was|ser|spei|cher** *m. 5*
Heis|ter *m. 5* junger Laubbaum aus einer Baumschule
hei|ter; Hei|ter|keit *w. 10 nur Ez.;* **Hei|ter|keits|aus|bruch** *m. 2;* **Hei|ter|keits|er|folg** *m. 1*
Heiz|an|la|ge *w. 11;* **heiz|bar; Heiz|bar|keit** *w. 10 nur Ez.;* **hei|zen** *tr. 1;* **Hei|zer** *m. 5;* **Heiz|kis|sen** *s. 7;* **Heiz|kör|per** *m. 5;* **Heiz|lüf|ter** *m. 5;* **Heiz|öl** *s. 1;* **Heiz|son|ne** *w. 11;* **Hei|zung** *w. 10;* **Hei|zungs|an|la|ge** *w. 11;* **Hei|zungs|mon|teur** [-tø:r] *m. 1*
He|ka|te [-te:] *griech. Myth.:* Göttin und Zauberin, Wächterin an Weggabelungen
He|ka|tom|be [griech.] *w. 11* **1** *urspr.:* Opfer von 100 Stieren; **2** *übertr.:* riesige Menge
Hekt|ar [meist: hek-, griech.] *auch:* **Hek|tar** *s. 1, auch m. 1, nach Zahlenangaben Mz.* - (*Abk.:* ha) Flächenmaß, 100 Ar; **Hekt|a|re** *auch:* **Hek|ta|re** *w. 11, schweiz. für* Hektar
Hek|tik [griech.] *w. 10 nur Ez.* **1** chronisches Fieber und Abmagerung (bes. bei Lungen-Tbc); **2** aufgeregte Betriebsamkeit und Eile; **hek|tisch 1** an Lungen-Tbc erkrankt, auf ihr beruhend; hektisches Fieber, hektische Röte; **2** fieberhaft aufgeregt, übersteigert betriebsam
Hek|to|gramm [griech.] *s. Gen.* -s *Mz.* - (*Abk.:* hg) 100 Gramm; **Hek|to|graph** *Nv.* ► **Hek|to|graf** *Hv. m. 10* ein Vervielfältigungsapparat; **Hek|to|gra|phie** *Nv.* ► **Hek|to|gra|fie** *Hv. w. 11;* **1** Vervielfältigungsverfahren; **2** damit hergestelltes Blatt; **hek|to|gra|phie|ren** *Nv.* ► **hek|to|gra|fie|ren** *Hv. tr. 3* vervielfältigen; **Hek|to|li|ter** *s. 5, ugs.: m. 5* (*Abk.:* hl) 100 Liter
Hek|to|pas|cal *s. Gen.* -(s) *Mz.* - (*Abk.:* hPA) Druckeinheit zur Angabe des Luftdrucks (z. B. im Wetterbericht); **Hek|to|ster** [griech.] *m. Gen.* -s *Mz.* - (*Abk.:* hs) *veraltet:* 100 Ster, 100 m³; **Hek|to|watt** *s. Gen.* -s *Mz.* - (*Abk.:* hw) 100 Watt
He|ku|ba, He|cu|ba *griech. Myth.:* Mutter Hektors, Gemahlin des Priamos; was ist ihm H.? *übertr.:* was bedeutet ihm das?
Hel *germ. Myth.* **1** Reich der Toten, Unterwelt; **2** Göttin des Totenreiches
He|lan|ca [Kunstw.] *s. Gen.* -s *nur Ez.* Ⓦⓩ ein elastischer, aus Nylon gewirkter Stoff
Held *m. 10;* **Held der Ar|beit** *ehem. DDR:* staatliche Auszeichnung für besondere Leistungen; **Hel|den|dar|stel|ler** *m. 5;* **Hel|den|e|pos** *s. Gen.* - *Mz.* -e|pen; **hel|den|haft; Hel|den|lied** *s. 3;* **Hel|den|mut** *m. Gen.* -(e)s *nur Ez.;* **hel|den|mü|tig; Hel|den|sa|ge** *w. 11;* **Hel|den|tat** *w. 10;* **Hel|den|te|nor** *m. 2;* **Hel|den|tum** *s. Gen.* -s *nur Ez.*
Hel|der *m. 5 oder s. 5, nddt.:* nicht eingedeichtes Marschland
Hel|din *w. 10;* **hel|disch**
He|le|na [auch: he-] *griech. Myth.:* Tochter des Zeus und der Leda
Hel|fe *w. 11* Stützfaden beim Weben; **hel|fen** *intr. 66;* er hat mir tragen helfen, *oder:* er hat mir beim Tragen geholfen; **Hel|fer** *m. 5;* **Hel|fers|hel|fer** *m. 5* Helfer bei einer Straftat
Hel|ge *w. 11,* **Hel|gen** *m. 7, Nebenformen von* Helling
Hel|go|land dt. Nordsee-Insel; **Hel|go|län|der** *m. 5;* **hel|go|län|disch**
He|li|and *m. 1 nur Ez., nddt.:* Heiland
He|li|an|the|mum [griech.] *s. Gen.* -s *Mz.* -the|men, ein Zierstrauch mit zahlreichen Arten, Sonnenröschen; **He|li|an|thus** *m. Gen.* - *Mz.* -then Sonnenblume
He|li|kon [griech.] **1** *m. Gen.* -(s) *nur Ez.* griech. Gebirge, *in der griech. Sage:* Sitz der Musen; **2** *s. 9* ein Blechblasinstrument, Basstuba; **3** *s. 9* altgriech. Saiteninstrument
He|li|kop|ter [griech.] *m. 5* Hubschrauber
he|li|o…, He|li|o… [griech.] *in Zus.:* sonnen…, Sonnen…; **He|li|o|dor** *m. 1* ein Edelstein; **He|li|o|graph** *Nv.* ► **He|li|o|graf** *Hv. m. 10* **1** astronom. Fernrohr mit Kamera für fotograf. Aufnahmen von der Sonne; **2** Gerät zur Nachrichtenübermittlung durch Blinkzeichen mittels Sonnenlicht; **He|li|o|gra|phie** *Nv.* ► **He|li|o|gra|fie** *Hv. w. 11* **1** Signale mit dem Heliografen; **2** ein Tiefdruckverfahren auf fotomechan. Wege; **he|li|o|gra|phisch** *Nv.* ► **he|li|o|gra|fisch** *Hv.;* **He|li|o|gra|vü|re** *w. 11* **1** ein

Tiefdruckverfahren ohne Raster, Fotogravüre; **2** mit diesem Verfahren hergestellter Druck; **he|li|o|phil** die Sonne liebend (von Tieren und Pflanzen); **he|li|o|phob** die Sonne meidend (von Tieren und Pflanzen); **He|li|os** *griech. Myth.:* Sonnengott; **He|li|o|sis** *w. Gen. - nur Ez.* Sonnenstich; **He|li|o|skop** *auch:* **He|li|os|kop** *s. 1* Licht absorbierendes Gerät zur direkten Beobachtung der Sonne mit dem Fernrohr; **He|li|o|stat** *auch:* **He|li|os|tat** *m. 10* Gerät mit Spiegeln, die durch ein Uhrwerk so bewegt werden, dass sie dem Sonnenlicht für Beobachtungen im Fernrohr stets die gleiche Richtung geben; **He|li|o|the|ra|pie** *w. 11* Heilbehandlung mit Sonnenlicht; **he|li|o|trop** blasslila; **He|li|o|trop** *s. 1* **1** Sonnenwende, eine Zimmerpflanze mit lila, nach Vanille duftenden Blüten; **2** ein Farbstoff; **3** *Geodäsie:* Sonnenspiegel zur Beobachtung entfernter Punkte; **4** *m. 1* ein Mineral, Blutjaspis; **he|li|o|tro|pisch** in der Wuchsrichtung sich nach dem Licht wendend; **He|li|o|tro|pịs|mus** *m. Gen. - nur Ez.* = Fototropismus; **he|li|o|zẹn|trisch** *auch:* **-zẹnt|risch** auf die Sonne als Mittelpunkt bezogen, z. B. heliozentrisches Weltsystem des Kopernikus; **He|li|o|zo|on** *s. Gen. -s Mz. -zo|en* = Sonnentierchen; **He|li|um** *s. Gen. -s nur Ez.* (*Zeichen:* He) chem. Element, ein Edelgas

He|lix [griech.] *w. Gen. - Mz. -li|ces* [-tse:s] **1** umgebogener Rand der Ohrmuschel, Ohrleiste; **2** *nur Ez.* die Wendelstruktur der Erbmoleküle

hel|ko|gen [griech.] aus einem Geschwür entstanden; **Hel|ko|lo|gie** *w. 11 nur Ez.* Lehre von den Geschwüren; **Hel|ko|ma** *s. Gen. -s Mz. -ma|ta* Geschwür; **Hel|ko|se** *w. 11* Geschwürbildung

hẹll; hell auflachen, *aber:* hellauf lachen

Hẹl|las *urspr.:* Landschaft in Thessalien; *dann:* das von Griechen bewohnte Gebiet; *seit 1833 amtl. Bez. für* Griechenland

hẹll|auf; h. lachen; *aber:* hell auflachen; **hẹll|äu|gig; hẹll|blau; hẹll|blond; hẹll|braun; hell|dụn|kel** zwischen hell und dunkel spielend, wechselnd; **Hell|dụn|kel** *s. Gen. -s nur Ez.* Zusammenspiel, Wechsel von Hell und Dunkel; **Hẹl|le 1** *w. 11 nur Ez.* Helligkeit; **2** *w. 17;* eine Helle *mitteldt.:* ein Glas helles Bier

Hel|le|bar|de *w. 11, MA:* Hieb- und Stoßwaffe mit eiserner Spitze, Widerhaken und Beil; **Hel|le|bar|dier** *m. 1,* **Hel|le|bar|dist** *m. 10* Landsknecht mit Hellebarde

Hel|le|bo|rus [griech.] *m. Gen. - nur Ez.* ein Hahnenfußgewächs, z. B. Nieswurz

Hẹl|le|gatt, Hẹll|gatt *s. 9* Geräte-, Vorratsraum (auf Schiffen)

Hel|le|ne *m. 11* Grieche; **hel|le|nisch** Hellas, die Hellenen betreffend, von ihm, von ihnen stammend; **hel|le|ni|sie|ren** *tr. 3* nach griech. Vorbild gestalten; **Hel|le|nịs|mus** *m. Gen. - nur Ez.* die Kulturepoche von Alexander dem Großen bis Augustus (325 v. Chr. bis 30 n. Chr.), gekennzeichnet durch die Verschmelzung griechischer, kleinasiatischer und ägyptischer Kulturelemente; **Hel|le|nịst** *m. 10* Wissenschaftler der Hellenistik; **Hel|le|nịs|tik** *w. 10 nur Ez.* Wissenschaft vom Hellenismus; **hel|le|nịs|tisch** zum Hellenismus gehörend, auf ihm beruhend

Hẹl|ler *m. 5* **1** *urspr.:* Silbermünze; **2** *19. Jh.:* Kupfermünze; **3** *in Österr. bis 1924:* 1/100 Krone; **4** *übertr.:* kleine Münze von geringem Wert; dafür gebe ich keinen H.; etwas auf H. und Pfennig zurückzahlen

Hel|les|pọnt *m. Gen. -(e)s* **1** *antiker Name für die* Dardanellen; **2** *Spätantike:* Provinz am Hellespont

> **hell leuchtend:** Gefüge aus Adjektiv und Verb/Partizip werden getrennt geschrieben, wenn das Adjektiv steigerbar oder erweiterbar ist: *Der Stoff war hell leuchtend.* Ebenso: *hell lodernd, hell strahlend.* →§ 34 E3 (3)

hẹlleuch|tend ► **hẹll leuch|tend;** eine hell leuchtende Lampe; **hẹll|far|big**

Hẹll|gatt *s. 9* = Hellegatt

hẹll|gelb; hẹll|grau; hẹll|grün; hẹll|haa|rig; hẹll|hö|rig 1 sehr

> **hellgelb:** Verbindungen aus einem bedeutungsverstärkendem ersten Bestandteil *(hell-)* und einem Adjektiv oder Partizip werden zusammengeschrieben: *hellgelb, hellhaarig, hellhörig* usw. →§ 36 (5)

scharf hörend; sehr aufmerksam und Andeutungen sofort begreifend; **2** schalldurchlässig (Wände, Häuser); **Hẹll|hö|rig|keit** *w. 10 nur Ez.;* **hẹllicht** ► **hẹll|licht**

Hẹl|li|gen *Mz. von* Helling

Hẹl|lig|keit *w. 10 nur Ez.;* **Hẹl|lig|keits|grad** *m. 1;* **hẹll|i|la** ► **hell|li|la**

Hẹl|ling *w. 10, Mz. auch:* Helligen, *auch: m. 1, auf Werften:* schiefe Ebene als Unterlage zum Bau von Schiffen

hell|licht *nur in:* am helllichten Tage; **hell|li|la; hell|lo|dernd** ► **hẹll lo|dernd; hẹll|rot**

Hẹll|schrei|ber [nach dem Erfinder Rudolf Hell] *m. 5* ein gegen atmosphärische Störungen bes. gesichertes Telegrafengerät

hẹll|se|hen *intr. 136, nur im Infinitiv üblich;* **Hẹll|se|her** *m. 5;* **Hell|se|he|rei** *w. 10 nur Ez.;* **Hẹll|se|he|rin** *w. 10;* **hẹll|se|he|risch; hẹll|sich|tig** einen Sachverhalt rasch durchschauend, scharfblickend; **Hẹll|sich|tig|keit** *w. 10 nur Ez.;* **hẹll|strah|lend** ► **hẹll strah|lend; hẹll|wạch**

Hẹll|weg *m. 1, MA:* Name großer Landstraßen, bes. die zwischen Ruhrmündung und Paderborn

Hẹlm *m. 1* **1** Stiel von Werkzeugen, z. B. der Axt; **2** schützende Kopfbedeckung; **3** pyramidenförmiges Dach eines Turmes; **Hẹlm|busch** *m. 2* Federschmuck am Helm, Helmstutz; **Hẹlm|gras** *s. 4 nur Ez.* eine Grasgattung, Strandhafer

Hel|mịn|the [griech.] *w. 11* Eingeweidewurm; **Hel|min|thi|a|sis** *w. Gen. - nur Ez.,* Hel|min|tho|se *w. 11* Wurmkrankheit; **Hel|min|tho|lo|gie** *w. 11 nur Ez.* Lehre von den Eingeweidewürmern; **Hel|min|tho|se** *w. 11* = Helminthiasis

Hẹlm|kraut *s. 4 nur Ez.* eine Gattung der Lippenblütler; **Hẹlm|sturz** *m. 1* Gesichtsschutz am Helm; **Hẹlm|stutz** *m. 1* = Helmbusch

Hẹllolphyt [griech.] *m. 10* Sumpfpflanze **Hellot** [griech.] *m. 10,* **Hellolte** *m. 11* **1** *im alten Sparta:* Staatssklave; **2** *übertr.:* Unterdrückter **Hẹllsinglfors** [schwed.: -fọrs] *schwed. Name für* Helsinki; **Hẹllsinlki** Hst. von Finnland **Hellveltia** [-tsja] *lat. Name der* Schweiz; **Hellveltilen** [-tsjən] die Schweiz; **Hellveltiler** [-tsjər] *m. 5* Angehöriger eines keltischen Volksstammes in Süddtschl. und der Schweiz; **Hellveltilka** *Mz.* Bilder, Bücher, Dokumente über die Schweiz; **hellveltisch;** *aber:* die Helvetische Konfession, das Helvetische Bekenntnis (*Abk.:* H. B.): Glaubensbekenntnis der ev.-ref. Kirche; die Helvetische Republik: die Schweiz; **Hellveltịsmus** *m. Gen. - Mz.* -men in eine andere Sprache übernommene schweizer. Spracheigentümlichkeit **Hẹmd** *s. 12;* **Hẹmdlbluse** *w. 11;* **Hẹmdlblulsenlkleid** *s. 3;* **Hẹmdlbrust** *w. 2;* **Hẹmdlchen** *s. 7;* **Hẹmldenlknopf,** Hẹmdknopf *m. 2;* **Hẹmldenlmatz** *m. 2, ugs.:* kleines Kind im Hemd; **Hẹmdlknopf,** Hẹmldenknopf *m. 2;* **Hẹmdlkralgen** *m. 7;* **Hẹmdslärlmel** *m. 5;* in Hemdsärmeln; **hẹmdslärlmellig** **Helmerlallolpie** *auch:* **Helmelrallolpie** [griech.] *w. 11 nur Ez.* Nachtblindheit **helmi..., Helmi...** [griech.] *in Zus.:* halb..., Halb... **Helmilallgie** [griech.], **Helmikralnie** *w. 11* halbseitiger, stark quälender Kopfschmerz, Migräne **Helmilpalrelse** *w. 11* leichte, einseitige Körperlähmung; **Helmilplelgie** [griech] *w. 11* einseitige Körperlähmung; **Helmiptelre** *auch:* **Helmiplterre** *m. 11 meist Mz.* Halbflügler, z. B. Wanze; **Helmilsphälre** *auch:* **Helmislphälre** *w. 11* **1** eine Hälfte der Erd- oder Himmelskugel; nördliche, südliche H.; **2** Hälfte des Groß- bzw. Kleinhirns; **Helmilstịchilon, Helmistịchilum** *auch:* **-mislṭi-** *s. Gen.* -s *Mz.* -chilen, *antike Metrik:* Halbvers **Hẹmllockltanlne** [engl.] *w. 11* Schierlingstanne, ein Zierbaum **Hẹmlme** *w. 11* einfache Bremse; **hẹmlmen** *tr. 1;* **Hẹmmlnis** *s. 1;* **Hẹmmlschuh** *m. 1;* **Hẹmmung** *w. 10;* **hẹmlmungsllos;** **Hẹmlmungsllolsiglkeit** *w. 10 nur Ez.;* **Hẹmmlwerk** *s. 1* **Henldelkalgon** [griech.] *s. 1* Elfeck; **Henldelkalsyllalbus** *m. Gen. - Mz.* -bi *oder* -lalben elfsilbiger Vers **Henldilaldyloin** [griech.] *s. 1, auch:* **Henldilaldys** *s. 1* Stilfigur, bei der statt eines Substantivs mit adjektivischem Attribut zwei durch »und« verbundene Substantive verwendet werden, z. B. »aus Bechern und Gold« statt »aus goldenen Bechern« **Hẹndl** *s. 14, bayr., österr.:* junges Huhn, Hähnchen **Hẹngst** *m. 1;* **Hẹngstlfohllen, Hẹngstlfülllen** *s. 7* junges männl. Pferd **Hẹnlkel** *m. 5;* **...henlkellig,** ...henkllig *in Zus.,* z. B. ein-, zweihenkelig; **Hẹnlkellkorb** *m. 2;* **Hẹnlkellkrug** *m. 2* **hẹnlken** *tr. 1;* **Hẹnlker** *m. 5;* **Hẹnlkerlbeil, Hẹnlkerslbeil** *s. 1;* **Hẹnlkerslknecht** *m. 1;* **Hẹnkerslmahllzeit** *w. 10* letzte Mahlzeit vor der Hinrichtung, *übertr.:* vor der Abreise **...henkllig** = ...henkelig **Hẹnlna** *w. Gen. - nur Ez.* **1** alter oriental. Kulturstrauch; **2** rotgelber Farbstoff aus (**1**) und Öl zum Einbalsamieren bzw. zum Haarfärben **Hẹnlne** *w. 11* **Hẹnlnelgatt** *s. 9, nddt.:* = Koker (**2**) **Henlnin** [ɛnɛ̃, frz.] *s. 9, 14./15. Jh. in Frankreich und den Niederlanden:* hohe, kegelförmige Kopfbedeckung mit von der Spitze hinten herabhängendem Schleier für Frauen **Helnoltheljslmus** [griech.] *m. Gen. - nur Ez.* Verehrung eines bevorzugten Gottes, ohne das Dasein anderer Götter zu leugnen oder ihre Verehrung zu verbieten; **helnoltheljsltisch** **Henlri-deux-Stil** [ɑ̃ridø-] *m. 1 nur Ez.* Stilperiode während der frz. Renaissance zur Zeit Heinrichs II.; **Henlrilqualtre** *auch:* **-quatlre** [ɑ̃rikatr(ə)] *m. 9* Spitzbart mit aufwärts gedrehtem Schnurrbart zur Zeit Heinrichs IV. von Frankreich **Hẹnlry** [nach dem US-amerik. Physiker Josef H.] *s. Gen. - Mz. - (Abk.:* H*)* Einheit der Induktivität **Helorltollolgie** [griech.] *w. 11 nur Ez.* Lehre von den kirchlichen Festen und Feiertagen **Helpar** [griech.] *s. Gen. -s nur Ez., Med.:* Leber; **Helpaltilka** *w. Gen. - Mz.* -ken Leberblümchen; **helpaltisch** zur Leber gehörend, von ihr ausgehend; **Helpaltiltis** *w. Gen. - Mz.* -tiltilden Leberentzündung; **helpaltolgen** von der Leber ausgehend; **Helpaltolgralphie** ►*auch:* **Helpatolgralfie** *w. 11* Röntgenaufnahme der Leber; **Helpaltolpalthie** *w. 11* Leberleiden; **Helpaltoptolse** *auch:* **-toplto-** *w. 11* Wanderleber **Helphaisltos** *griech. Myth.:* Gott des Feuers und der Schmiedekunst; **Helphäst, Helphäsltus** *latein. Form von* Hephaistos **Hepltalchord** [-kọrd, griech.] *m. 1 oder s. 1, Mus.:* Intervall von sieben diatonischen Stufen, große Septime; **Hepltalgon** *s. 1* Siebeneck; **Heptlalmelron** *auch:* **Hepltalmelron** *s. Gen. -s nur Ez.* **1** die Schöpfungswoche; **2** dem Decamerone nachgestaltete Sammlung von an sieben Tagen erzählten Novellen von Margarete von Navarra; **Hepltalmeter** *m. 5* siebenfüßiger Vers; **Hepltan** *s. 1 nur Ez.* Kohlenwasserstoff mit sieben Kohlenstoffatomen; **Hepltalteuch** *m. 1 nur Ez.* die ersten sieben Bücher des AT; **Heptlolde** *auch:* **Hepltolde** *w. 11* Elektronenröhre mit sieben Elektroden **her** auf den Sprechenden zu; hin und her; *aber:* das Hin und Her; hin und her gehen, fahren; her damit!; her zu mir!; von dort her; damit ist es nicht weit her; von weit her; hinter etwas oder jmdm. her sein; ein Tier vor sich her treiben; vor jmdm. her fahren **Helra,** Helre *griech. Myth.:* Gemahlin des Zeus, Göttin der Ehe und der Frauen **herlạb** *auch:* **helrạb** auf den Sprechenden zu; **herlạblfallen** *intr. 33;* **herlạblfließen** *intr. 40;* **herlạblhänlgen** *intr. 62;* **herlạblaslsen** *tr. u. refl. 75;* **herlạblaslsend; Herlạbllaslsung** *w. 10 nur Ez.;* **herlạblschaulen** *intr. 1;* **herlạblsetlzen** *tr. 1;* **Herlạblsetzung** *w. 10 nur Ez.;* **herlạblsteigen** *intr. 153;* **herlạblströlmen** *intr. 1;* **herlạblstürlzen** *intr. 1;*

► = wird zu

herab- (Worttrennung): Wörter, die sprachhistorisch Zusammensetzungen sind, aber oft nicht als solche empfunden werden, kann man auch nach Sprechsilben trennen: *he|rab-*. Ebenso: *he|ran-, he|rauf-, he|raus-, he|rein-, he|rü|ber-, he|rum-, he|run|ter-*. Die alte Trennung bleibt daneben gültig: *her|ab-, her|auf-* usw. →§ 112

her|ab|wür|di|gen *tr. 1;* **Her|ab|wür|di|gung** *w. 10*
he|ra|kle|isch *auch:* **he|rak|le|isch** von Herakles stammend; **He|ra|kles** *auch:* **He|rak|les** *griech. Form von* Herkules; **He|ra|kli|de** *auch:* **He|rak|li|de** *m. 11* Nachkomme des Herakles
He|ral|dik [fr.] *w. 10 nur Ez.* Wappenkunde; **He|ral|di|ker** *m. 5* Kenner, Erforscher der Heraldik; **he|ral|disch**
her|an *auch:* **he|ran** *ugs.:* ran; **her|an|bil|den** *tr. 2;* **her|an|ge|hen,** *ugs.:* ran|ge|hen *intr. 47;* **her|an|hal|ten,** *ugs.:* ran|hal|ten *tr. u. refl. 61;* sich ranhalten: sich beeilen; **her|an|kom|men,** *ugs.:* ran|kom|men *intr. 71;* **her|an|ma|chen,** *ugs.:* ran|ma|chen *refl. 1;* sich an jmdn. heran-, ranmachen; **her|an|na|hen** *intr. 1;* **her|an|rei|chen** *intr. 1;* an jmdn. oder etwas (nicht) h. können; **her|an|rei|fen** *intr. 1;* **her|an|rü|cken** *intr. u. tr. 1;* **her|an|schlei|chen** *ugs.:* ran|schlei|chen *intr., meist refl. 117;* **her|an|tra|gen** *tr. 160;* eine Angelegenheit an jmdn. h.; **her|an|wach|sen** *intr. 172;* **her|an|wa|gen,** *ugs.:* ran|wa|gen *refl. 1;* **her|an|win|ken** *intr. 1;* **her|an|zie|hen** *intr. 187*
her|auf *auch:* **he|rauf** *ugs.:* rauf, zum Sprechenden her; h. und hinunter; **her|auf|be|schwö|ren** *tr. 135;* **her|auf|bit|ten** *tr. 15;* **her|auf|brin|gen,** *ugs.:* rauf|brin|gen *tr. 21;* **her|auf|drin|gen** *intr. 25;* **her|auf|ge|hen,** *ugs.* rauf|ge|hen *intr. 47;* **her|auf|ho|len,** *ugs.:* rauf|ho|len *tr. 1;* **her|auf|kom|men,** *ugs.:* rauf|kom|men *intr. 71;* **her|auf|schi|cken,** *ugs.:* rauf|schi|cken *tr. 1;* **her|auf|set|zen,** *ugs.:* rauf|set|zen *tr. 1;* Preise h.; **her|auf|stei|gen,** *ugs.:* rauf|stei|gen *intr. 153;* **her|auf|tra|gen,** *ugs.:* rauf|tra|gen *tr. 160;* **her|auf|zie|hen,** *ugs.:* rauf|zie|hen *tr. 187*

heraufgehen: Im Infinitiv und bei den Partizipien werden trennbare Zusammensetzungen aus Partikel (*herauf-* usw.) und Verb zusammengeschrieben: *Sie wollten (zusammen) heraufgehen.* Ebenso: *heranfahren, herausfinden, hinausschieben* usw. →§ 34 (1)

her|aus *auch:* **he|raus** *ugs.:* raus, zum Sprechenden her; hinein und heraus; *von allen folgenden Zus. sind auch die ugs. Formen mit raus... üblich, sie sind deshalb nicht eigens aufgeführt;* **her|aus|ar|bei|ten** *tr. 2;* **her|aus|be|kom|men** *tr. 71;* **her|aus|brin|gen** *tr. 21;* **her|aus|drin|gen** *intr. 25;* **her|aus|fah|ren** *intr. u. tr. 32;* **her|aus|fal|len** *intr. 33;* **her|aus|fin|den** *tr. u. refl. 36;* **her|aus|fi|schen** *tr. 1;* **her|aus|flie|gen** *intr. 38; ugs.:* rausfliegen = weggejagt werden, *eigtl.:* hinausfliegen; **her|aus|for|dern** *tr. 1;* **Her|aus|for|de|rung** *w. 10;* **Her|aus|ga|be** *w. 11;* **her|aus|ge|ben** *tr. 45;* herausgegeben von... (*Abk.:* hrsg. *oder:* hg. von...); **Her|aus|ge|ber** *m. 5* (*Abk.:* Hg. *oder* Hrsg.); **her|aus|grei|fen** *tr. 59;* **her|aus|ha|ben** *tr. 60;* **her|aus|hal|ten** *tr. 61;* **her|aus|hän|gen** *intr. 62 u. tr. 1;* **her|aus|ho|len** *tr. 1;* **her|aus|keh|ren** *tr. 1;* den Schulmeister h.: sich wie ein Schulmeister benehmen; **her|aus|klin|geln** *tr. 1;* **her|aus|kom|men** *intr. 71;* **her|aus|krie|chen** *intr. 73;* **her|aus|krie|gen** *tr. 1;* **her|aus|kris|tal|li|sie|ren** *refl. 3;* **her|aus|las|sen** *tr. 75;* **her|aus|lo|cken** *tr. 1;* **her|aus|ma|chen** *refl. 1;* er hat sich gut herausgemacht; **her|aus|müs|sen** *intr. 87;* **her|aus|neh|men** *tr. 88;* er nimmt sich viel heraus: er erlaubt sich viel; **her|aus|plat|zen** *intr. 1;* mit etwas h.; **her|aus|re|den** *refl. 2;* er versuchte sich darauf herauszureden, dass...; **her|aus|rei|ßen** *tr. 96;* **her|aus|rü|cken** *intr. 1;* mit einem Plan, mit der Sprache h.; **her|aus|ru|fen** *tr. 102* **her|aus|rut|schen** *intr. 1, ugs.;* das ist mir so herausgerutscht; **her|aus|sa|gen** *tr. 1;* etwas frei h.; *oder:* etwas frei heraus sagen; **her|aus|schau|en** *intr. 1;* **her|aus|schin|den** *tr. 114;* **her|aus|schla|gen** *tr. 116;* **her|aus|schlüp|fen** *intr. 1;* **her|aus|schmei|ßen** *tr. 122; ugs.:* raus|schmei|ßen, *eigtl.:* hinausschmeißen; vgl. Rausschmeißer, Rausschmiss; **her|aus|schnei|den** *tr. 125;* **her|aus|schrei|ben** *tr. 127;* **her|aus|sein** ▶ **her|aus sein** *intr. 137;* es ist noch nicht heraus, ob...; aus aller Not h. s.; **her|aus|sprin|gen** *intr. 148;* bei dem Geschäft soll auch etwas für dich h.: sollst du auch einen Vorteil haben; **her|aus|staf|fie|ren** *tr. 3;* **her|aus|ste|hen** *intr. 151;* **her|aus|stre|cken** *tr. 1;* **her|aus|su|chen** *tr. 1;* **her|aus|tra|gen** *tr. 160;* **her|aus|tre|ten** *intr. 163;* **her|aus|trom|meln** *tr. 1;* **her|aus|tun** *tr. 167;* **her|aus|wach|sen** *intr. 172;* das wächst mir zum Hals heraus *ugs.:* das habe ich satt; **her|aus|wa|gen** *refl. 1;* **her|aus|wa|schen** *tr. 174;* **her|aus|wer|fen** *tr. 181; ugs.:* rauswerfen = wegjagen, *eigtl.:* hinauswerfen; **her|aus|zie|hen** *tr. 187*
herb
Her|ba|ri|um [lat.] *s. Gen.* -s *Mz.* -ri|en Sammlung von getrockneten Pflanzen
Her|be *w. 11 nur Ez.* Herbheit
her|bei; her|bei|ei|len *intr. 1;* **her|bei|füh|ren** *tr. 1;* **her|bei|kom|men** *intr. 71;* **her|bei|las|sen** *refl. 75;* sich h., etwas zu tun; **her|bei|lau|fen** *intr. 76;* **her|bei|ren|nen** *intr. 98;* **her|bei|ru|fen** *tr. 102;* **her|bei|schaf|fen** *tr. 1;* **her|bei|seh|nen** *tr. 1;* **her|bei|win|ken** *tr. 1;* **her|bei|wün|schen** *tr. 1*
her|be|kom|men *tr. 71;* **her|be|mü|hen** *tr. u. refl. 1*
Her|ber|ge *w. 11;* **her|ber|gen** *tr. 1, meist:* beherbergen; **Her|bergs|mut|ter** *w. 6;* **Her|bergs|va|ter** *m. 6*
her|be|ten *tr. 2*
Herb|heit, Herb|ig|keit *w. 10 nur Ez.*
Her|bi|vo|re [-vo-, lat.] *m. 11* Pflanzen fressendes Tier; **Her|bi|zid** *s. 1* Unkrautvernichtungsmittel
her|brin|gen *tr. 21*
Herbst *m. 1;* **Herbst|an|fang** *m. 2;* **Herbst|blu|me** *w. 11;* **herbs|teln** *intr. 1, unpersönl.;* es herbstelt; **herbs|ten 1** *intr. 2,*

unpersönl.: es herbstet; **2** *tr. 2* Trauben ernten; **Herbs|tes|an|fang** *m. 2 poet.;* **Herbst|fe|ri|en** *Mz.;* **Herbs|ting** *m. 1, alter Name für* September; **herbst|lich; Herbst|ling** *m. 1* **1** ein Pilz, Reizker; **2** Herbstfrucht; **3** spätgeborenes Kalb; **Herbst-Tag-und|nacht|glei|che** *w. 11;* **Herbst|zeit|lo|se** *w. 11* eine im Herbst blühende Wiesenblume

Herd *m. 1;* **Herd|buch** *s. 4* Verzeichnis der Zuchttiere einer Zuchtanstalt; **He|r|de** *w. 11;* **He|r|de|buch** *s. 4, schweiz. für* Herdbuch; **He|r|den|mensch** *m. 10;* **He|r|den|tier** *s. 1;* **Her|den|trieb** *m. 1 nur Ez.;* **her|den|wei|se**

Herd|feu|er *s. 5;* **Herd|fri|schen** *s. Gen. -s nur Ez.* ein Verfahren zur Stahlgewinnung; **Herd|in|fek|ti|on** *w. 10* = Fokalinfektion; **Herd|plat|te** *w. 11*

He|re = Hera

he|re|di|tär [frz.] erblich; **He|re|di|tät** *w. 10* **1** Erblichkeit, Vererbung; **2** Erbfolge

her|ein *auch:* **he|rein** *ugs.:* rein, zum Sprechenden her; hinaus und herein; »Herein!« rufen; **her|ein|be|kom|men,** *ugs.* rein|be|kom|men *tr. 71;* **her|ein|be|mü|hen** *tr. u. refl. 1;* **her|ein|bre|chen** *intr. 19;* **her|ein|brin|gen** *ugs.:* rein|brin|gen *tr. 21;* **her|ein|drin|gen** *intr. 25;* **Her|ein|fall,** *meist ugs.:* Rein|fall *m. 2;* **her|ein|fal|len** *intr. 33; ugs.:* rein|fal|len: den Schaden haben, betrogen werden, *eigtl.:* hineinfallen; dann bist du der Hereingefallene; **her|ein|flie|gen** *intr. 38, ugs.:* rein|flie|gen = reinfallen, *eigtl.:* hineinfliegen; *von den folgenden Zus. sind auch die ugs. Formen mit rein… üblich, sie sind deshalb nicht eigens aufgeführt;* **her|ein|kom|men** *intr. 71;* **her|ein|kön|nen** *intr. 72;* **her|ein|krie|gen** *tr. 1, ugs.:* hereinbekommen; **her|ein|las|sen** *tr. 75;* **her|ein|le|gen** *tr. 1;* **her|ein|plat|zen** *intr. 1;* **her|ein|ru|fen** *tr. 102;* **her|ein|schau|en** *intr. 1;* **her|ein|schei|nen** *intr. 108;* **her|ein|schlei|chen** *intr. u. refl. 117;* **her|ein|schnei|en** *intr. 1, ugs.:* unerwartet zu Besuch kommen; **her|ein|stre|cken** *intr. 1;* **her|ein|wa|gen** *refl. 1;* **her|ein|wol|len** *intr. 185;* **her|ein|zie|hen** *tr. 187*

He|re|ro 1 *m. 9 oder Gen. - Mz. -* Angehöriger eines südwestafrikanischen Bantuvolkes; **2** *s. Gen. -(s) nur Ez.* dessen Sprache

her|fah|ren *intr. u. tr. 32;* vgl. her; **Her|fahrt** *w. 10;* Hin- und Herfahrt; **her|fal|len** *intr. 33;* über etwas oder jmdn. h.; **her|fin|den** *refl. 36;* **her|füh|ren** *tr. 1;* **Her|gang** *m. 2 nur Ez.;* **her|ge|ben** *tr. 45;* **her|ge|bracht** herkömmlich; **her|ge|hen** *intr. 47;* es ging lustig her: es war lustig; hier geht es hoch her: hier ist viel los, herrscht lebhaftes, lautes Treiben; vgl. hin; **her|ge|lau|fen**; ein hergelaufener Kerl; **her|ha|ben** *intr. 60;* wo hast du das her?; **her|hal|ten** *intr. 61;* dafür muss ich dann h.: dafür muss ich dann büßen, die Folgen tragen; **her|ho|len** *tr. 1;* das Argument ist weit hergeholt; **her|hö|ren** *intr. 1, ugs.;* alles mal herhören!

her|in *auch:* **he|rin** *bayr., österr. kurz für* herinnen

He|ring *m. 1;* **He|rings|hai** *m. 1;* **He|rings|kö|nig** *m. 1* ein Fisch; **He|rings|mö|we** *w. 11;* **He|rings|sa|lat** *m. 1*

her|in|nen *auch:* **he|rin|nen** *bayr., österr.:* hier drinnen

her|kom|men *intr. 71;* **Her|kom|men** *s. Gen. -s nur Ez.* **1** Abstammung, Herkunft; **2** Brauch, Sitte; **her|kömm|lich** überliefert, wie es Brauch ist; **her|krie|gen** *tr. 1, ugs.:* herbekommen

Her|ku|les *lat. Form von* Herakles; **1** *griech. Myth.:* Halbgott und Sagenheld; **2** sehr starker, großer Mensch; **Her|ku|les|ar|beit** *w. 10;* **her|ku|lisch 1** in der Art des Herkules, sehr stark; **2** schwer zu vollbringen (Arbeit)

Her|kunft *w. 2 nur Ez.;* **Her|kunfts|be|zeich|nung** *w. 10;* **Her|kunfts|land** *s. 4;* **Her|kunfts|ort** *m. 1;* **her|lau|fen** *intr. 76;* hinter jmdm. h.; vgl. hin-, vgl. hergelaufen

Her|lit|ze [auch: -lit-] *w. 11* Kornelkirsche

her|ma|chen 1 *refl. 1, ugs.:* sich über etwas h.: sich auf etwas stürzen; **2** *intr. 1, ugs.:* (nicht) viel von etwas h.: (nicht) viel Aufhebens von etwas machen

Her Ma|jes|ty [hə: mædʒɪstɪ, engl.] (*Abk.:* H. M.) *engl. Bez. für* Ihre Majestät (die englische Königin); **Her Ma|jes|ty's ship** [hə: mædʒɪstɪz ʃɪp] (*Abk.:* H. M. S.) Ihrer Majestät Schiff (Bez. für die britischen Kriegsschiffe); vgl. His Majesty

Her|man|dad [span.: ɛrmandaδ] *w. Gen. - nur Ez.* **1** *urspr.:* Bündnis kastilischer, später auch aragones. Städte gegen den Adel; **2** *dann:* eine Art Polizei

Her|manns|schlacht *w. 10 nur Ez.;* **Her|mann|stadt,** *heute:* Sibiu, Stadt in Siebenbürgen

Herm|a|phro|dis|mus *auch:* **Her|maph|ro-** *m. Gen. - nur Ez., Nebenform von* Hermaphroditismus; **Herm|a|phro|dit** *auch:* **Her|maph|ro-** [nach dem Sohn des griech. Gottes Hermes und der Aphrodite] *m. 10* Zwitter; **herm|aphro|di|tisch** *auch:* **her|maph|ro-** zweigeschlechtig; **Herm|a|phro|di|tis|mus** *auch:* **Her|maph|ro-** *m. Gen. - nur Ez.* Zweigeschlechtigkeit

Her|me [nach dem griech. Gott Hermes] *w. 11* Pfeiler mit Büste

Her|me|lin 1 *s. 1* großes Wiesel; **2** *m. 1* dessen Pelz

Her|me|neu|tik [griech.] *w. 10 nur Ez.* Kunst der Deutung, Auslegung von Kunstwerken, Texten, Musikstücken; **her|me|neu|tisch**

Her|mes *griech. Myth.:* Götterbote, Gott der Kaufleute, des Verkehrs, der Redekunst; **Her|me|ti|ker** *m. 5* **1** *urspr.:* Anhänger des ägypt.-griech. Gottes Hermes Trismegistos; **2** *dann auch:* Anhänger einer Geheimlehre, z. B. Alchimist, Magier; **her|me|tisch** wasser-, luftdicht; h. verschlossen

Her|mi|no|ne *m. 11* Angehöriger einer german. Stammesgruppe; **her|mi|no|nisch**

Her|mi|ta|ge [ɛrmitaʒə, frz.] *w. Gen. - nur Ez.* **1** Weinbaugemarkung in der frz. Landschaft Dauphiné; **2** eine Rebsorte (rot)

Her|mun|du|re *m. 11* Angehöriger eines german. Volksstammes

her|nach nachher

her|neh|men *tr. 88*

Her|nie [-njə, lat.] *w. 11* **1** Eingeweidebruch; **2** eine durch einen Pilz hervorgerufene Pflanzenkrankheit

her|nie|der; her|nie|der|stei|gen *intr. 153*

Her|ni|o|to|mie [lat. + griech.]

w. 11 Operation einer Hernie (**1**)

He|roe [griech.] *m. 11, Nebenform von* Heros; **He|ro|en|kult** *m. 1* Heldenverehrung; **He|ro|i|de** *w. 11* von Ovid geschaffene Literaturgattung, Liebesbrief eines Heros oder einer Heroin; **He|ro|ik** *w. 10 nur Ez.* Heldenhaftigkeit; **He|ro|in** *w. 10* Heldin

He|ro|in [griech.] *s. 1 nur Ez.* Rauschgift

He|ro|i|ne *w. 11, Theater:* Darstellerin einer Heldinnenrolle; **He|ro|i|nis|mus** *m. Gen. -, nur Ez.* Süchtigkeit nach Heroin; **he|ro|isch** heldenhaft, heldenmütig, heroische Landschaft *Malerei:* Landschaft mit mytholog. Figuren; heroischer Vers: epischer Vers, z. B. Hexameter, Blankvers; **he|ro|i|sie|ren** *tr. 3* zum Helden erheben, verherrlichen; **He|ro|i|sie|rung** *w. 10 nur Ez.;* **He|ro|is|mus** *m. Gen. - nur Ez.* Heldenmut, Heldenhaftigkeit

He|rold *m. 1* **1** *MA:* Ausrufer, Bote eines Fürsten; **2** *übertr.:* Vorläufer, Verkündiger; **He|rolds|amt** *s. 4*

He|rons|ball [nach dem altgriech. Mathematiker Heron von Alexandrien] *m. 2* Gefäß, in dem durch Einblasen von Luft Wasser in die Höhe gedrückt wird

He|ro|on [griech.] *s. Gen. -s Mz.* -roa Tempel, Grabmal eines Heros, Kultstätte; **He|ros** *m. Gen. - Mz.* -ro|en Held, Halbgott

He|ro|strat *auch:* **He|ros|trat** [nach dem Griechen Herostratos, der in Ephesos den Artemistempel in Brand steckte, um berühmt zu werden] *m. 10* Verbrecher aus Ruhmsucht; **He|ro|stra|ten|tat** *auch:* **He|ros|tra|ten|tat** *w. 10;* **he|ro|stra|tisch** *auch:* **he|ros|tra|tisch**

Her|pes [griech.] *m. oder w. Gen. - nur Ez.* Bläschenausschlag; **Her|pes zos|ter** m. oder *w. Gen. -- nur Ez.* = Gürtelrose

Her|pe|to|lo|gie [griech.] *w. 11 nur Ez.* Lehre von den Amphibien und Reptilien

Herr *m. Gen.* -n *oder* -en, *Mz.* -en; der Herr Gott; vgl. Herrgott; meine Damen und Herren!; Herr Doktor; des Herrn Doktor; grüßen Sie Ihren Herrn Vater; einer Sache Herr werden; Menschen aus aller Herren Ländern: aus allen, vielen Ländern; **Herr|chen** *s. 7*

Her|rei|se *w. 11;* Hin- und H.

Her|ren|a|bend *m. 1;* **Her|ren|es|sen** *s. 7;* **Her|ren|fah|rer** *m. 5* Rennfahrer im eigenen Wagen; **Her|ren|haus** *s. 4* **1** Gutshaus; **2** *bis 1918:* Erste Kammer des preuß. Landtags und österr. Reichstags; **her|ren|los; Her|ren|rei|ter** *m. 5* Rennreiter auf eigenem Pferd; **Her|ren|schnitt** *m. 1* kurzer, ohrenfreier Haarschnitt für Frauen; **Her|ren|sitz** *m. 1* **1** Landgut; **2** *m. 1 nur Ez.* Reitsitz im Herrensattel; **Her|ren|tier** *s. 1 meist Mz.* = Primat (**2**)

Her|ren|zim|mer *s. 5*

Herr|gott *m. Gen. -s nur Ez.;* **Herr|gotts|frü|he** *w., nur in der Wendung:* in aller H.; **Herr|gotts|schnit|zer,** Herr|gott|schnit|zer *m. 5*

her|rich|ten *tr. 2*

Her|rin *w. 10;* **her|risch; herr|je!, herr|je|mi|ne!, herr|je|ses!** Ausruf des Schreckens oder Staunens; **Herr|lein** *s. 7, poet.;* **herr|lich; Herr|lich|keit** *w. 10*

Herrn|hu|ter [nach der Stadt Herrnhut im Lausitzer Bergland] *m. 5* Angehöriger der Herrnhuter Brüdergemeine; **herrn|hu|tisch**

Herr|schaft *w. 10;* **herr|schaft|lich**

Herrsch|be|gier *w. Gen. - nur Ez.;* **Herrsch|be|gier|de** *w. 11 nur Ez.;* **herrsch|be|gie|rig; herr|schen** *intr. 1;* **Herr|scher** *m. 5;* **Herr|scher|ge|schlecht** *s. 3;* **Herr|scher|haus** *s. 4;* **Herr|sche|rin** *w. 10;* **Herrsch|sucht** *w. Gen. - nur Ez.;* **herrsch|süch|tig**

her|rüh|ren *intr. 1;* von etwas h.; **her|sa|gen** *tr. 1;* **her|schaf|fen** *intr. 1;* **her|schau|en** *intr. 1;* **her|schi|cken** *tr. 1;* **her|se|hen** *intr. 136;* **her|stam|men** *intr. 1;* **her|stel|len** *tr. 1;* **Her|stel|ler** *m. 5;* **Her|stel|lung** *w. 10 nur Ez.;* **Her|stel|lungs|kos|ten** *nur Mz.;* **her|tra|gen** *tr. 160;* **her|trei|ben** *tr. 162;* vgl. her

Hertz [nach dem Physiker Heinrich Rudolf H.] *s. Gen. - Mz. -* (*Abk.:* Hz) Einheit der Frequenz

her|über *auch:* **he|rü|ber** *ugs.:* rü|ber, zum Sprechenden her; hinüber und herüber; *von allen folgenden Zus. sind auch die ugs. Formen mit rüber… üblich; sie sind deshalb nicht eigens aufgeführt;* **her|ü|ber|bit|ten** *tr. 15;* **her|ü|ber|brin|gen** *tr. 21;* **her|ü|ber|drin|gen** *intr. 25;* **her|ü|ber|hol|len** *tr. 1;* **her|ü|ber|kom|men** *intr. 71;* **her|ü|ber|kön|nen** *intr. 72;* **her|ü|ber|las|sen** *tr. 75;* **her|ü|ber|rei|chen** *tr. u. intr. 1;* **her|ü|ber|ret|ten** *tr. 2;* **her|ü|ber|rü|cken** *tr. u. intr. 1;* **her|ü|ber|ru|fen** *tr. 102;* **her|ü|ber|schal|len** *intr. 1;* **her|ü|ber|schau|en** *intr. 1;* **her|ü|ber|schwim|men** *intr. 132;* **her|ü|ber|sprin|gen** *intr. 148;* **her|ü|ber|stei|gen** *intr. 153;* **her|ü|ber|tra|gen** *tr. 160;* **her|ü|ber|wach|sen** *intr. 172;* **her|ü|ber|wer|fen** *tr. 181;* **her|ü|ber|wol|len** *intr. 185;* **her|ü|ber|zie|hen** *tr. 187*

her|um *auch:* **he|rum** *ugs.:* rum; **her|um|bum|meln** *intr. 1;* **her|um|dok|tern** *intr. 1;* **her|um|dre|hen** *tr. 1;* **her|um|drü|cken** *refl. 1, ugs.;* **her|um|druck|sen** *intr. 1, ugs.;* **her|um|fah|ren** *intr. u. tr. 32;* **her|um|flie|gen** *intr. 38;* **her|um|fuch|teln** *intr. 1;* **her|um|fum|meln** *intr. 1;* an etwas h.; **her|um|ir|ren** *intr. 1;* **her|um|kom|men** *intr. 71;* darum werde ich nicht h.: das werde ich nicht vermeiden können; **her|um|krie|gen** *tr. 1;* jmdn. h.; **her|um|lau|fen** *intr. 76;* **her|um|lie|gen** *intr. 80;* **her|um|lun|gern** *intr. 1;* **her|um|rät|seln** *intr. 1;* **her|um|ren|nen** *intr. 98;* **her|um|schla|gen** *tr. u. refl. 116;* sich mit Zweifeln h.; **her|um|sein** ► **her|um sein** *intr. 137* vorbei sein, zu Ende sein; **her|um|sit|zen** *intr. 143;* **her|um|spre|chen** *refl. 146;* es hat sich herumgesprochen, dass…; **her|um|sprin|gen** *intr. 148;* **her|um|ste|hen** *intr. 151;* **her|um|sto|chern** *intr. 1;* **her|um|tan|zen** *intr. 1;* **her|um|tol|len** *intr. 1;* **her|um|tra|gen** *tr. 160;* etwas mit sich h.; **her|um|trei|ben** *refl. 162;* **her|um|trö|deln** *intr. 1*

her|un|ter *auch:* **he|run|ter** *ugs.* run|ter, zum Sprechenden her; hinauf und herunter; *von allen folgenden Zus. sind auch die ugs. Formen mit runter… üblich, sie sind deshalb nicht eigens aufgeführt;* **her|un|ter|brin|gen** *tr. 21;* **her|un|ter|fal|len**

intr. 33; **her|un|ter|hau|en** *tr. 63;* ich haute ihm eine herunter, habe ihm eine heruntergehauen; **her|un|ter|kom|men** *intr. 71;* er sieht heruntergekommen aus: elend, armselig; **her|un|ter|ma|chen** *tr. 1, ugs. derb:* durch groben Tadel herabsetzen, beschimpfen; **her|un|ter|put|zen** *tr. 1;* jmdn. h.: grob ausschelten; **her|un|ter|rei|ßen** *tr. 96;* **her|un|ter|schau|en** *intr. 1;* **her|un|ter|schlu|cken** *tr. 1, eigtl.:* hinunterschlucken; **her|un|ter|sein** ▶ **her|un|ter sein** *intr. 137, ugs.:* abgearbeitet, erschöpft sein; **her|un|ter|zie|hen** *tr. 187; übertr.:* abfällig (über etwas oder jmdn.) sprechen

her|vor; her|vor|brin|gen *tr. 21;* **Her|vor|brin|gung** *w. 10 nur Ez.;* **her|vor|ge|hen** *intr. 47;* **her|vor|he|ben** *tr. 64;* **Her|vor|he|bung** *w. 10;* **her|vor|keh|ren** *tr. 1* vgl. herauskehren; **her|vor|kom|men** *intr. 71;* **her|vor|ra|gen** *intr. 1;* **Her|vor|ruf** *m. 1;* **her|vor|ru|fen** *tr. 102;* **her|vor|tre|ten** *intr. 163;* **her|vor|tun** *refl. 167* sich auszeichnen; *auch:* sich wichtig tun; **her|vor|wa|gen** *refl. 1*

her|wärts; Her|weg *m. 1;* Hin- und H.; **her|win|ken** *tr. 1;* **her|wol|len** *intr. 1*

Herz *s. 16;* von Herzen kommen; von Herzen gern; zu Herzen gehen

her|zäh|len *tr. 1;* etwas an den Fingern herzählen

> **herzallerliebst:** Verbindungen mit einem Adjektiv oder Partizip als zweitem Bestandteil, bei denen der erste Bestandteil für eine Wortgruppe steht, schreibt man zusammen: *herzallerliebst, herzensgut* usw. →§ 36 (1)

herz|al|ler|liebst; Herz|al|ler|liebs|te(r) *m. 18 (17) bzw. w. 17 oder 18;* **Herz|angst** *w. 2 nur Ez.* Angstgefühl bei Angina pectoris; vgl. Herzensangst; **Herz-As** ▶ **Herz-Ass** *s. 1*

her|zau|bern *tr. 1*

herz|be|klem|mend; Herz|be|klem|mung *w. 10;* **Herz|be|schwer|den** *w. 11 Mz.;* **herz|be|we|gend; Herz|blatt** *s. 4;* **Herz|blätt|chen** *s. 7;* **Herz|blut** *s. Gen. -(e)s nur Ez., übertr.:* **1** Leben; **2** tiefes, entsagungsvolles Gefühl; **Herz|bräu|ne** *w. Gen. - nur Ez., volkstüml. für* Angina pectoris; **Herz|bru|der, Her|zens|bru|der** *m. 6;* **Herz-Bu|be** *m. 11;* **Herz|chen** *s. 7;* der (*auch:* das) ist ja ein H.! *ugs.:* der ist lieblos, taktlos oder rücksichtslos; **Herz|chir|ur|gie** *auch:* **-chi|rur|gie** *w. 11 nur Ez.;* **Herz-Da|me** *w. 11;* **Herz|drü|cken** *s., nur in der Wendung* nicht an H. sterben: stets offen seine Meinung sagen; **Her|ze** *s. Gen. -ns Mz. -n poet. für* Herz

Her|ze|go|wi|na Landschaft auf dem Balkan, Teil von Bosnien

her|zei|gen *tr. 1*

Her|ze|leid *s. Gen. -(e)s nur Ez.;* **her|zen** *tr. 1;* **Her|zens|an|ge|le|gen|heit** *w. 10;* **Her|zens|angst** *w. 2 nur Ez.* tiefe Angst; vgl. Herzangst; **Her|zens|bre|cher** *m. 5;* **Her|zens|bru|der,** Herz|bru|der *m. 6;* **Her|zens|freund** *m. 1;* **Her|zens|grund** *m. 2, nur in Wendungen wie:* im H., aus H.; **her|zens|gut; Her|zens|gü|te** *w. Gen - nur Ez.;* **Her|zens|kind** *s. 3;* **Her|zens|lust** *w. 2, nur in der Wendung:* nach H.; **Her|zens|wunsch** *m. 2;* **Herz|ent|zün|dung** *w. 10;* **herz|er|freu|end; herz|er|fri|schend; herz|er|grei|fend; herz|er|qui|ckend; Herz|far|be** *w. 11 nur Ez., Kartenspiel:* Farbe Rot; **Herz|feh|ler** *m. 5;* **herz|haft; Herz|haf|tig|keit** *w. 10 nur Ez.*

her|zie|hen *tr. u. intr. 187;* etwas hinter sich h.; über jmdn. h. *ugs.:* abfällig sprechen

her|zig; Herz|in|farkt *m. 1;* **herz|in|nig; herz|in|nig|lich; Herz-Je|su-Bild** *s. 3;* **Herz-Je|su-Fest** *s. 1, kath. Kirche:* Fest am dritten Freitag nach Pfingsten; **Herz|kam|mer** *w. 11;* **Herz|kir|sche** *w. 11* eine Süßkirsche; **Herz|klap|pe** *w. 11;* **Herz|klap|pen|feh|ler** *m. 5;* **Herz|klaps** [von Kollaps] *m. 1, ugs.,*

> **das Herzlichste, auf das herzlichste:** Substantivierte Adjektive werden großgeschrieben: *Das war das Herzlichste an ihr.* →§ 57 (1) Daneben können Superlativformen mit *am* bzw. *auf das,* die mit *Wie?* erfragt werden, kleingeschrieben werden: *Sie hat uns auf das/aufs herzlichste begrüßt.* →§ 58 E1

scherzh.: Herzfehler; **Herz|klop|fen** *s. Gen. -s nur Ez.;* **Herz|knacks** *m. 1, ugs.:* Herzfehler; **Herz-Kö|nig** *m. 1;* **herz|krank; Herz|krank|heit** *w. 10;* **Herz|kranz|ge|fäß** *s. 1;* **Herz|lei|den** *s. 7;* **herz|lei|dend; herz|lich; Herz|lich|keit** *w. 10 nur Ez.;* **herz|lieb; herz|los; Herz|lo|sig|keit** *w. 10 nur Ez.;* **Herz-Lun|gen-Ma|schi|ne** *w. 11;* **Herz|mus|kel** *m. 14;* **Herz|mus|kel|ent|zün|dung** *w. 10*

Her|zog *m. 2;* **Her|zo|gin** *w. 10;* **Her|zo|gin|mut|ter** *w. 6* Mutter eines regierenden Herzogs; **her|zog|lich;** *in Titeln:* Herzoglich; **Her|zogs|wür|de** *w. 11;* **Her|zog|tum**

Herz|o|pe|ra|ti|on *w. 10;* **Herz|schlag** *m. 2;* **Herz|schritt|ma|cher** *m. 5;* **Herz|schwä|che** *w. 11;* **herz|stär|kend;** herzstärkende Mittel; *aber:* das Herz stärkende und anregende Mittel; **Herz|stär|kung** *w. 10;* **Herz|tä|tig|keit** *w. 10 nur Ez.;* **Herz|ton** *m. 2;* **Herz|trieb** *m. 1* Haupttrieb (einer Pflanze)

her|zu; her|zu|ei|len *intr. 1;* **her|zu|kom|men** *intr. 71*

Herz|weh *s. Gen. -s nur Ez.*

her|zy|nisch [nach dem lat. Namen Hercynia silva »Herzynischer Wald« für das dt. Mittelgebirge] von Südosten nach Nordwesten verlaufend (wie das dt. Mittelgebirge); herzynische Richtung

herz|zer|rei|ßend

He|se|ki|el [-kjel], Eze|chi|el Prophet im AT

he|ses, He|ses *s. Gen. - Mz. -, Mus.:* das um zwei halbe Töne erniedrigte h bzw. H

He|spe|ri|den *auch:* **Hes|pe-** *Mz., griech. Myth.:* Nymphen, die die goldenen Äpfel des Lebens bewachen; **He|spe|ri|den|äp|fel** *auch:* **Hes|pe-** *m. 6 Mz.;* **he|spe|ri|disch** *auch:* **hes|pe-** westlich; **He|spe|ri|en** *auch:* **Hes|pe-** *in der Antike Name für* Westeuropa; **He|spe|ros** *auch:* **Hes|pe-** *m. Gen. - nur Ez., griech. Myth.:* der Abendstern; **He|spe|rus** *auch:* **Hes|pe-** *m. Gen. - nur Ez., lat. Form von* Hesperos

Hes|se 1 *w. 11, volkstüml.:* unterer Teil des Beines vom Rind, Hachse; **2** *m. 11* Einwohner von Hessen; **Hes|sen;** dt. Bundesland; **Hes|sen-Darm|stadt;**

▶ = wird zu

Hes|sen-Nas|sau *bis 1945* preuß. Provinz

Hes|si|an [-jən, engl.] *m. Gen.* -s *nur Ez.* grobes, naturfarbenes Juteleinen

hes|sisch; *aber:* Hessisches Bergland; Hessischer Rundfunk (*Abk.:* HR)

Hes|tia *griech. Myth.:* Göttin des Herdes und des Herdfeuers

He|tä|re [griech. »Freundin«] *w. 11, im alten Griechenland:* Freudenmädchen, (oft sehr gebildete) Geliebte bedeutender Männer; **He|tä|rie** *w. 11* **1** *im alten Griechenland:* (oft geheimer) polit. Verband; **2** H. der Befreundeten: 1814 gegründeter griech. Geheimbund gegen die Türkei

he|te|ro..., He|te|ro... [griech.] *in Zus.:* anders, fremd, ungleich; **He|te|ro|chro|mie** [-kro-] *w. 11* verschiedene Färbung, z. B. der Iris beider Augen; **He|te|ro|chro|mo|som** [-kro-] *s. 1* geschlechtsbestimmendes Chromosom; **he|te|ro|cy|clisch** *auch:* **-cyc|lisch** **1** *Chem.:* im Kohlenstoffring auch andere Atome enthaltend; **2** *Bot.:* verschiedenquirlig, verschiedenartige Blattkreise aufweisend; **he|te|ro|dox** andersgläubig, von der kirchlichen Lehrmeinung abweichend; **He|te|ro|do|xie** *w. 11* Irrglaube, Irrlehre; **he|te|ro|gen** andersartig, ungleich, nicht zusammenpassend; *Ggs.:* homogen; **He|te|ro|ge|ni|tät** *w. 10 nur Ez.* Anders-, Ungleichartigkeit; *Ggs.:* Homogenität; **He|te|ro|go|nie** *w. 11 nur Ez.* **1** Entstehung einer nicht beabsichtigten Wirkung; **2** *Biol.:* Wechsel zwischen einer sich geschlechtlich fortpflanzenden Generation und einer Generation aus unbefruchteten Keimzellen; *Ggs.:* Homogonie; **He|te|ro|kar|pie** *w. 11 nur Ez.* Vorkommen verschiedengestaltiger Früchte auf einer Pflanze; **He|te|ro|kli|sie** *w. 11 nur Ez.* Deklination eines Substantivs nach verschiedenen Stämmen; **he|te|ro|kli|tisch** auf Heteroklisie beruhend; **He|te|ro|kli|ton** *s. Gen.* -s *Mz.* -ta Substantiv, das heteroklitisch dekliniert wird; **he|te|ro|log** *Med.:* abnorm; **He|te|ro|lo|gie** *w. 11* Abweichung von der Norm; **he|te|ro|mer** aus verschiedenen Bestandteilen zusammengesetzt; **he|te|ro|morph** verschiedengestaltig; **He|te|ro|mor|phie** *w. 11 nur Ez.*, **He|te|ro|mor|phis|mus** *m. Gen. - nur Ez.* Ausbildung verschiedenartiger Formen; **He|te|ro|mor|pho|se** *w. 11, bei Pflanzen und Tieren:* Ersatz eines verloren gegangenen Organs durch ein anders aufgebautes; **he|te|ro|nom** von anderen, fremden Gesetzen abhängig; *Ggs.:* autonom; **He|te|ro|no|mie** *w. 11 nur Ez.* Abhängigkeit von fremden Gesetzen; *Ggs.:* Autonomie; **he|te|ro|phon** ► *auch:* **he|te|ro|fon** *Mus.:* im Wesentlichen einstimmig, doch die Melodie leicht umspielend; **He|te|ro|pho|nie** ► *auch:* **He|te|ro|fo|nie** *w. 11 nur Ez.* gleichzeitiges Erklingen einer Melodie durch verschiedene Stimmen oder Instrumente, wobei die Hauptstimme von den übrigen Stimmen leicht umspielt wird, bes. in der südostasiat. Musik; vgl. Homophonie, Polyphonie; **He|te|ro|phyl|lie** *w. 11 nur Ez.* Vorkommen verschiedengestaltiger Blätter auf einer Pflanze; **He|te|ro|plas|tik** *w. 10* Verpflanzung von artfremdem (tierischem) Gewebe auf den Menschen; *Ggs.:* Homöoplastik; **he|te|ro|po|lar** entgegengesetzt elektrisch geladen; **He|te|ro|se|xu|a|li|tät** *w. 10 nur Ez.* sich auf das andere Geschlecht richtendes Geschlechtsempfinden; *Ggs.:* Homosexualität; **he|te|ro|se|xu|ell** auf das andere Geschlecht gerichtet, zum anderen Geschlecht hingezogen; *Ggs.:* homosexuell; **He|te|ro|sis** *w. Gen. - nur Ez.* üppigeres Wachstum der Tochtergeneration; **He|te|ro|to|pie** *w. 11 nur Ez.* Entstehung von Geweben an falscher Stelle; **he|te|ro|trop** verschiedenartig beschaffen, verschiedengestaltig; **he|te|ro|troph** sich von organischen, von anderen Lebewesen stammenden Stoffen ernährend; *Ggs.:* autotroph; **He|te|ro|tro|phie** *w. 11 nur Ez.* Ernährung durch organische Stoffe anderer Lebewesen; *Ggs.:* Autotrophie; **He|te|rö|zie** *auch:* **He|te|rö|zie** *w. 11* = Zweihäusigkeit; **he|te|rö|zisch** *auch:* **he|te|rö|zisch** = zweihäusig; **he|te|ro|zy|got** mit ungleichen Erbanlagen; *Ggs.:* homozygot; **He|te|ro|zy|go|tie** *w. 11 nur Ez.* Misch-, Ungleicherbigkeit; *Ggs.:* Homozygotie; **he|te|ro|zy|klisch** *auch:* **-zyk|lisch** *eindeutschende Schreibung von* heterocyclisch

He|thi|ter, Het|ti|ter *m. 5* Angehöriger eines indogerman. Volkes in Kleinasien; **he|thi|tisch,** het|ti|tisch

Het|man [ukrain., poln.] *m. 1 oder m. 9* **1** Oberhaupt der Kosaken; **2** *im Königreich Polen:* Oberbefehlshaber

Het|sche|petsch *w. Gen. - Mz.* -, **Het|scherl** *s. 14, österr.:* Hagebutte

Het|ti|ter *m. 5* = Hethiter; **het|ti|tisch,** he|thi|tisch

Hetz *w. Gen. - nur Ez., österr.:* Spaß, Jux; **Hetz|blatt** *s. 4;* **Het|ze** *w. 11;* **het|zen** *tr. u. intr. 1;* **Het|ze|rei** *w. 10;* **het|ze|risch;** **Hetz|jagd** *w. 10;* **Hetz|re|de** *w. 11;* **Hetz|schrift** *w. 10*

heu! (Ausruf der Überraschung)

Heu *s. 1 nur Ez.;* **Heu|blu|men** *w. 11 Mz.* aus Heu abgesiebte, als Heilmittel verwendete Blütenteile; **Heu|bo|den** *m. 8;* **Heu|büh|ne** *w. 11, schweiz.:* Heuboden

Heu|che|lei *w. 10;* **heu|cheln** *tr. u. intr. 1;* ich heuchele, heuchle; **Heuch|ler** *m. 5;* **heuch|le|risch**

Heu|die|le *w. 11, schweiz.:* Heuboden; **heu|en** *intr. 1* Heu machen

heu|er *südd., österr.:* in diesem Jahr

Heu|er **1** *m. 5* jmd., der Heu macht; **2** *w. 11, Seew.:* Löhnung; **Heu|er|baas** *m. 1, Seew.:* Stellenvermittler; **Heu|er|bü|ro** *s. 9;* **Heu|er|leu|te** *Mz. von* Heuerling; **Heu|er|ling** *m. Gen.* -s *Mz.* -leu|te Landpächter, der den Pachtzins abarbeitet; **heu|ern** *tr. 1* (*meist:* anheuern) anwerben, mieten; ich heuere jmdn.

Heu|ern|te *w. 11;* **Heu|ert** *m. 1* = Heuet (**1**); **Heu|et** **1** Heu|ert *m. 1, alter Name für* Juli, *auch:* Heumond, Heumonat; **2** *m. Gen.* -s *oder w. Gen. - nur Ez., südd., schweiz.:* Heuernte; **Heu|feim** *m. 1,* **Heu|fei|me** *w. 11,* **Heu|fei|men** *m. 7* **1** großer, geschichteter Heuhaufen; **2** Heuschober; **Heu|fie|ber** *s. 5 nur Ez.* Heuschnupfen

Heu|bo|je *w. 11* Boje, deren Sirene durch die Bewegung im Wasser ausgelöst wird, Heultonne; **heu|len** *intr. 1;* hör auf zu heulen, *aber:* hör auf mit Heulen; dann gibt es Heulen und Zähneklappern; das heulende Elend kriegen *ugs.;* **Heu|le|rei** *w. 10 nur Ez.;* **Heul|lie|se** *w. 11;* **Heul|pe|ter** *m. 5;* **Heul|su|se** *w. 11*

Heu|mahd *w. 10* Grasernte; **Heu|mo|nat, Heu|mond** *m. 1* = Heuet (**1**); **Heu|pferd** *s. 1* **1** Heuschrecke; **2** *ugs.:* Dummkopf; **Heu|rei|ter,** Heu|reu|ter *m. 5* Gestell zum Trocknen von Gras

heu|re|ka! [griech., angebl. Ausruf des Archimedes, als er das Gesetz des Auftriebs entdeckte] ich hab's gefunden!

heu|rig *süddt., österr.:* diesjährig; **Heu|ri|ge(r)** *m. 18 (17), österr.:* Wein der letzten Lese

Heu|ris|tik [griech.] *w. 10 nur Ez.* Lehre von den Methoden zum Finden neuer Erkenntnisse; **heu|ris|tisch**

Heu|schnup|fen *m. 7;* **Heu|scho|ber** *m. 5;* **Heu|schreck** *m. 1, poet.,* **Heu|schre|cke** *w. 11* ein Insekt

Heu|sta|del *s. 5, süddt., österr.:* Heuschober; **Heu|stock** *m. 2, schweiz.:* **1** Heuschober, **2** Heuvorrat

heut *süddt., österr. für* heute; **heu|te** heute Morgen, Mittag, Abend; lieber heute als morgen; von heute auf morgen; ein Mensch von heute; **Heu|te** *s. Gen. - nur Ez.;* das Gestern und das Heute; **heu|tig**; der heutige Tag; wir Heutigen; mit Heutigem erhalten Sie... *Kaufmannsspr.:* mit unserem heutigen Schreiben; **heu|ti|gen|tags; heut|zu|ta|ge**

hex..., Hex..., he|xa..., He|xa... [griech.] *in Zus.:* sechs..., Sechs...; **He|xa|chord** [-kọrd] *s. 1 oder m. 1* sechsstufige diatonische Tonleiter des Guido von Arezzo, Grundlage der Solmisation; **he|xa|disch** auf der Zahl 6 als Grundlage beruhend; **He|xa|e|der** *m. 5 od. s. 5* von sechs regelmäßigen, ebenen Flächen begrenzter Körper, Würfel, Sechsflach, Sechsflächner; **he|xa|e|drisch** *auch:* **-ed|risch** sechsflächig; **He|xa|e|me|ron** *s. Gen. -s nur Ez.* die sechs Tage der Schöpfung; vgl. Hexameron; **He|xa|gon** *s. 1* Sechseck; **he|xa|go|nal** sechseckig; **He|xa|gramm** *s. 1* sechsstrahliger Stern aus zwei gleichseitigen Dreiecken, Davidsstern; **Hex|a|me|ron** *auch:* **He|xa|me|ron** *s. 9* dem Decamerone nachgebildeter Titel einer Sammlung von an sechs Tagen erzählten Novellen; **He|xa|me|ter** *m. 5* sechsfüßiger epischer Vers (meist sechs Daktylen); **he|xa|me|trisch** *auch:* **he|xa|met|risch; He|xa|min** *s. 1 nur Ez.* ein Sprengstoff; **He|xan** *s. 1* aliphatischer Kohlenwasserstoff mit sechs Kohlenstoffatomen, Bestandteil des Erdöls; **hex|an|gu|lär** *auch:* **he|xan-** sechswinklig; **he|xa|plo|id** einen sechsfachen Chromosomensatz enthaltend; **He|xa|po|de** *m. 11* Sechsfüßer, Insekt; **He|xa|teuch** *m. 1 nur Ez.* die ersten sechs Bücher des AT; **he|xa|to|nisch** sechs Töne umfassend

Hẹ|xe *w. 11;* **hẹ|xen** *intr. 1;* **Hẹ|xen-Ein|mal|eins** *s. Gen. - nur Ez.;* **Hẹ|xen|glau|be** *m. 15 nur Ez.;* **Hẹ|xen|jagd** *w. 10;* **Hẹ|xen|kes|sel** *m. 5;* **Hẹ|xen|kü|che** *w. 11;* **Hẹ|xen|meis|ter** *m. 5;* **Hẹ|xen|pro|zeß** ► **Hẹ|xen|pro|zess** *m. 1;* **Hẹ|xen|ring** *m. 1* etwa kreisförmig angeordnete Gruppe von Pilzen, Feenring, Elfenring; **Hẹ|xen|sab|bat** *m. 1, übertr.:* lautes, wüstes Treiben; **Hẹ|xen|schuß** ► **Hẹ|xen|schuss** *m. 2 nur Ez.* plötzlicher Rücken-, Kreuzschmerz, Lumbago; **He|xe|rei** *w. 10*

Hex|i|te *auch:* **He|xi|te** [griech.] *s. 1 Mz., Chem.:* sechswertige Alkohole; **Hex|o|de** *auch:* **He|xo|de** *w. 11* Elektronenröhre mit sechs Elektroden; **Hex|o|se** *auch:* **He|xo|se** *w. 11* einfacher Zucker mit sechs Sauerstoffatomen im Molekül

Hf *chem. Zeichen für* Hafnium

HF *Abk. für* Hochfrequenz

hfl *Abk. für* holländ. Gulden (eigtl. holländ. Floren: aus Florenz eingeführter Goldgulden)

hg *Abk. für* Hektogramm

Hg *chem. Zeichen für* Quecksilber (Hydrargyrum)

hg., hrsg. *Abk. für* herausgegeben; **Hg.,** Hrsg. *Abk. für* Herausgeber

HGB *Abk. für* Handelsgesetzbuch

HH *Abk. für* Handelshochschule

Hi|at [lat.] *m. 1,* **Hi|a|tus** *m. Gen. - Mz. -* **1** *Med.:* Spalt, Öffnung; **2** *Sprachw.:* Zusammentreffen zweier Vokale am Ende des einen und am Anfang des folgenden Wortes (galt in der antiken Metrik als Missklang) oder am Ende der einen und am Anfang der folgenden Silbe, z. B. meine *E*ltern, Th*e*ater; **3** *Geol.:* Sedimentlücke

Hi|ber|na|kel [lat.] *s. 14, bei vielen Wasserpflanzen:* Überwinterungsknospe; **hi|ber|nal** *veraltet:* winterlich; **Hi|ber|na|ti|on** *w. 10* Überwinterung, Winterschlaf; *auch:* Heilschlaf; **Hi|ber|ni|en** *lat. Name für* Irland

Hi|bis|kus [kelt.-lat.] *m. Gen. - Mz. -ken* ein Zierstrauch, Eibisch

hic et nunc [lat.] hier und jetzt

Hi|cko|ry [indian.-engl.] *m. 9* nordamerik. Walnussbaum, dessen Holz bes. für Skier verwendet wird

Hic Rho|dus, hic sal|ta! [lat., »hier (ist) Rhodus, hier springe!«, nach einer Fabel von Äsop] Hier zeige, was du kannst!, Jetzt gilt es!

Hi|dal|go [span.] *m. 9, früher:* Angehöriger des niederen span. und portugies. Adels

Hid|den|see dt. Ostseeinsel; **Hid|den|se|er** *m. 5*

Hi|dra|de|ni|tis *auch:* **Hid|ra-** [griech.], Hi|dro|a|de|ni|tis, Hidros|a|de|ni|tis *w. Gen. - Mz. -ti|den* Schweißdrüsenentzündung; **Hi|dro|a** *auch:* **Hid|ro|a** *Mz.* Schwitzbläschen; **Hi|dro|a|de|ni|tis, Hi|dros|a|de|ni|tis** *auch:* **Hid|ro-** *w. Gen. - Mz. -ti|den* = Hidradenitis; **Hi|dro|ti|kum** *auch:* **Hid|ro-** *s. Gen. -s Mz. -ka* schweißtreibendes Mittel; **hi|dro|tisch** *auch:* **hid|ro-** schweißtreibend

hie *veraltet für* hier; *gelegentlich noch in der Wendung:* hie und da

Hieb *m. 1;* Hiebe: Prügel

hie|bei *veraltet für* hierbei

hieb|fest hieb- und stichfest; **Hiebs|art** *w. 10* die Art, einen Wald zwecks Verjüngung auszulichten; **Hieb|waf|fe** *w. 11;* **Hieb|wun|de** *w. 11*

hie|durch *veraltet für* hierdurch

Hie|fe *w. 11, süddt.:* Hagebutte; **Hie|fen|tee** *m. 9*

hie|für *veraltet für* hierfür; **hie|her** *veraltet für* hierher; **hie|mit** *veraltet für* hiermit
hie|nie|den *poet.:* auf dieser Erde
hier; hier und da; das Hier und Jetzt; hier herum *ugs.:* in dieser Gegend; *auch:* nach dieser Seite, auf diesem Weg; hier oben, unten, vorn, hinten; **hier|an**; h. kann man erkennen, dass…
Hier|ar|chie *auch:* **Hie|rar|chie** [griech.] *w. 11* (bes. priesterliche) Rangordnung, *auch:* die in dieser Ordnung stehenden Personen; **hier|ar|chisch** *auch:* **hie|rar|chisch** in Stufen gegliedert; **hie|ra|tisch** priesterlich; hieratische Schrift: altägyptische, von den Priestern aus den Hieroglyphen entwickelte, vereinfachte Gebrauchsschrift
hier|auf *auch:* **hie|rauf**; h. kann ich nur antworten, dass…; **hier|aus** *auch:* **hie|raus**; h. erklärt sich, dass…; **hier|be|hal|ten** ► **hier be|hal|ten** *tr. 61;* **hier|bei; hier|blei|ben** ► **hier blei|ben** *intr. 17;* **hier|durch**; h. geben wir bekannt; **hier|für; hier|ge|gen; hier|her** [auch: -her]; **hier|her|auf; hier|her|aus; hier|her|be|mü|hen** ► **hier|her be|mü|hen** *tr. u. refl. 1;* **hier|her|ge|hö|ren** ► **hier|her ge|hö|ren** *intr. 1;* **hier|her|ge|hö|rig; hier|her|kom|men** ► **hier|her kom|men** *intr. 71;* **hier|her|um** *auch:* **hierher|um; hier|hin**; hierhin und dorthin; **hier|hin|auf; hier|hin|aus; hier|hin|un|ter; hier|in** *auch:* **hie|rin**; h. unterscheiden sich beide; **hier|lands** *Nebenform von* hierzulande; **hier|las|sen** ► **hier las|sen** *tr. 75;* **hier|mit; hier|nach;** nach der soeben erwähnten Sache; h. ist der Angeklagte schuldig; **hier|ne|ben;** h., in diese Ecke, könnte man den Schrank stellen
Hie|ro|du|le [griech.] *m. 11 oder w. 11* altgriechische(r) Tempeldiener(in); **Hie|ro|gly|phe** *w. 11* **1** Zeichen einer Bilderschrift, bes. der ägyptischen; **2** *Mz., ugs. scherzh.:* schwer lesbare Schrift; **hie|ro|gly|phisch** **1** in Hieroglyphen (geschrieben); **2** *übertr.:* rätselhaft, nicht entzifferbar; **Hie|ro|krat** *m. 10* Angehöriger einer Hierokratie; **Hie|ro|kra|tie** *w. 11* Priesterherrschaft; **hie|ro|kra|tisch; Hie|ro|mant** *m. 10* jmd., der Hieromantie betreibt; **Hie|ro|man|tie** *w. 11 nur Ez.* Weissagung aus Tieropfern; **hie|ro|man|tisch; Hie|ro|phant** *m. 10* Oberpriester, der bei den Eleusinischen Mysterien die heiligen Bräuche erläuterte
hier|orts; hier|sein ► **hier sein;** *aber:* während meines Hierseins; **hier|selbst** *veraltet:* hier, an diesem Ort in dieser Stadt; **hier|ü|ber** *auch:* **hie|rü|ber**; h. möchte ich nicht sprechen; **hier|un|ter** *auch:* **hie|run|ter**; h. muss man folgendes verstehen; **hier|von; hier|vor**; h. möchte ich warnen; **hier|zu; hier|zu|lan|de** ► *auch:* **hier zu Lan|de**

> **hierzulande/hier zu Lande:** Es bleibt dem/der Schreibenden überlassen, ob er/sie das adverbiale Gefüge als Zusammensetzung (zusammengeschrieben) oder als Wortgruppe (getrennt geschrieben) auffasst. Beide Varianten sind korrekt: *hierzulande/hier zu Lande; dortzulande/dort zu Lande; bei uns zulande/bei uns zu Lande.*

hie|sig; die hiesigen Verhältnisse; **Hie|si|ge(r)** *m. 18 (17) bzw. w. 17 oder 18;* er ist kein Hiesiger: er stammt nicht von hier
hie|ven *tr. 1, Seew.:* hoch-, hinaufziehen; den Anker hieven
Hi-Fi [haıfaı oder haıfı] *Kurzw. für* High Fidelity; **Hi-Fi-An|la|ge** *w. 11* aus CD-Player, Tuner, Verstärker und Lautsprechern kombinierte Anlage zur möglichst wirklichkeitstreuen Klangwiedergabe
Hift|horn *s. 4* Jagdhorn
high [haı, engl. »hoch«] erhoben, im Rauschzustand (nach dem Genuss von Rauschgift); high sein
High Church [haı tʃə:tʃ, engl.] *w. Gen. - nur Ez.* (die englische) Hochkirche

> **Highfidelity/High Fidelity:** Die integrierte (eingedeutschte) Form ist die Hauptvariante *(Highfidelity),* die der Herkunftssprache entsprechend getrennt geschriebene Form die zulässige Nebenvariante *(High Fidelity).* Ebenso: *Highlife/High Life, Highsociety/High Society, Hightech/High Tech.* →§37 (1)

High Fi|de|li|ty *Nv.* ► **High|fi|de|li|ty** *Hv.* [haıfıdẹlıtı, engl. »hohe Treue«] *w. Gen. - nur Ez. (Kurzw.:* Hi-Fi), *bei Schallplatten:* wirklichkeitsgetreue Wiedergabe durch Stereoton
High Life *Nv.* ► **High|life** *Hv.* [haılaıf, engl.] *s. Gen.* -(s) *nur Ez.* Leben der vornehmen Kreise, *auch:* Lebewelt
High|light [haılaıt] *s. 9* Höhepunkt (eines Ereignisses)
High School [haı sku:l, engl.] *w. 9, in den USA:* höhere Schule
High So|ci|e|ty *Nv.* ► **High|so|ci|e|ty** [haısəsaıətı, engl.] *w. Gen. - nur Ez.* die sog. gute (eigtl.: hohe) Gesellschaft
High Tech *Nv.* ► **High|tech** *Hv.* [haıtɛk] *ohne Artikel, meist in Zus.:* Verfahren, Produkt auf dem neuesten Stand der Technik, z. B. High-Tech-Industrie
High|way [haıwɛı, engl.] *m. 9, engl. Bez. für* Landstraße, *in den USA für* Autobahn
Hi|ja|cker [haıdʒækər, engl.] *m. 5* Flugzeugentführer; **Hi|ja|cking** *s. Gen.* -(s) *nur Ez.* Flugzeugentführung
Hi|la *Mz. von* Hilum
Hi|la|ri|tät [lat.] *w. 10 nur Ez., veraltet:* Heiterkeit
hilb *schweiz.:* windgeschützt
Hil|fe *w. 11;* Hilfe leisten; Hilfe stehen (beim Geräteturnen); einem Pferd Hilfen geben; Erste Hilfe; mit Hilfe von, *auch:* mithilfe von; zu Hilfe kommen, nehmen; **hil|fe|brin|gend** ► **Hil|fe brin|gend; Hil|fe|leis|tung**

> **Hilfe suchend/bringend:** Das Gefüge aus Substantiv und Verb wird getrennt geschrieben: *Sie rannte Hilfe suchend ins Dorf.* [→§34 E3 (5)]. Groß schreibt man ebenfalls: *mit Hilfe* (auch: *mithilfe*); *zu Hilfe kommen.* →§39 E3 (3), §55 (4)

w. 10; **Hil|fe|ruf** *m. 1;* **Hil|fe|schrei** *m. 1;* **Hil|fe|stel|lung** *w. 10;* **hil|fe|su|chend** ► **Hil|fe su|chend; hilf|los; Hilf|lo|sig|keit** *w. 10 nur Ez.;* **hilf|reich; Hilfs|ak|ti|on** *w. 10;* **Hilfs|ar|bei|ter** *m. 5;* **hilfs|be|dürf|tig; Hilfs|be|dürf|tig|keit** *w. 10 nur Ez.;* **hilfs|be|reit; Hilfs|be|reit|schaft** *w. 10 nur Ez.;* **Hilfs|kraft** *w. 2;* **Hilfs|mit|tel** *s. 5;* **Hilfs|quel|le** *w. 11;* **Hilfs|schu|le** *w. 11, früher Bez. für* Sonderschule für Minderbegabte; **Hilfs|verb** *s. 12* Verb (haben, sein, werden), mit dessen Hilfe die meisten Zeitformen des Verbs gebildet werden; **Hilfs|wis|sen|schaft** *w. 10;* **Hilfs|zeit|wort** *s. 4*

Hi|li *Mz. von* Hilus; **Hi|li|tis** *w. Gen. - Mz.* -ti|den Entzündung der Hilusdrüse

Hill|bil|ly [amerik. »Hinterwäldler«] *m. 9* ländlicher Bewohner der Südstaaten der USA

Hil|le|bil|le *w. 11, nddt.:* Brett, an das geschlagen wird, als Signalgerät

Hi|lum [lat.] *s. Gen.* -s *Mz.* -la Stelle, an der der Samen einer Pflanze am Samenträger befestigt ist, Pflanzennabel

Hi|lus [lat.] *m. Gen. - Mz.* -li Vertiefung an Organen, wo Nerven, Gefäße o. Ä. ein- oder austreten; **Hi|lus|drü|se** *w. 11* Drüse am Hilus der Lunge

Hi|ma|la|ya, Hi|ma|la|ja *m. Gen.* -(s) Gebirge zwischen Zentralasien und Indien

Hi|ma|ti|on [griech.] *s. Gen.* -s *Mz.* -ti|en [-tsjən] altgriech. Obergewand

Him|bee|re *w. 11;* **him|beer|far|ben; Him|beer|geist** *m. 3;* **Him|beer|po|cken** *Mz.* = Frambösie; **Him|beer|saft** *w. 2;* **Him|beer|zun|ge** *w. 11* gerötete, entzündete Zunge, z. B. bei Scharlach

Him|mel *m. 5;* um (des) Himmels willen!; **him|mel|an; him|mel|angst**; mir wurde, mir ist h.; **Him|mel|bett** *s. 12;* **him|mel|blau; Him|mel|don|ner|wet|ter!; Him|mel|fahrt** *w. Gen. - nur Ez.;* Christi H.: kirchl. Fest am 40. Tag nach Ostern; Mariä H.: kath. Fest am 15. August; **Him|mel|fahrts|kom|man|do** *s. 9, ugs.:* Auftrag, bei dem der Betreffende wahrscheinlich ums Leben kommt; **Him|mel|fahrts|na|se** *w. 11, ugs.;* **Him|mel|fahrts|tag** *m. 1* Christi Himmelfahrt; **him|mel|hoch; Him|mel|reich** *s. 1 nur Ez.;* **Him|mels|ach|se** *w. 11,* **Him|mels|äqua|tor** *m. 13* gedachter, dem Erdäquator entsprechender Kreis am Himmelsgewölbe; **Him|mels|bo|gen** *m. 7, poet.:* Himmel, Himmelsgewölbe; **Him|mels|braut** *w. 2, poet.:* Nonne; **Him|mels|brot** *s. 1 nur Ez.* = Manna (**1**); **Him|mel|schlüs|sel,** Him|mels|schlüs|sel *s. 5* eine Wiesenblume, Schlüsselblume; **him|mel|schrei|end; Him|mels|fes|te** *w. 11 nur Ez., poet.:* Himmelsgewölbe; **Him|mels|ge|gend** *w. 10* Himmelsrichtung; **Him|mels|ge|wöl|be** *s. 5 nur Ez.;* **Him|mels|kö|ni|gin** *w. 10* die Jungfrau Maria; **Him|mels|kör|per** *m. 5* jeder außerirdische Körper; **Him|mels|ku|gel** *w. 11;* **Him|mels|kun|de** *w. 11 nur Ez.* Astronomie; **Him|mels|me|cha|nik** *w. 10 nur Ez.* Teil der Astronomie, Lehre von der Bewegung der Himmelskörper; **Him|mels|rich|tung** *w. 10;* die vier Himmelsrichtungen; **Him|mels|schlüs|sel** *s. 5* = Himmelschlüssel; **Him|mels|sohn** *m. 2, im alten China Bez. der Chinesen für den* Kaiser von China; **Him|mel(s)|stür|mer** *m. 5* schwärmerischer Idealist, Phantast; **him|mel|stür|mend; Him|mels|wa|gen** *m. 7* der Große Wagen, Große Bär (Sternbild); **Him|mels|zelt** *s. 1, poet.:* Himmelsgewölbe; **him|mel|wärts; him|mel|weit; himm|lisch**; die Himmlischen: die Götter

hin 1 *örtlich:* vom Sprechenden weg; hin und her; nach einigem Hin und Her; hin und her gehen, laufen, fahren: umher, ohne bestimmtes Ziel; *aber:* hin- und herfahren: hin- und wieder zurückfahren; wir sind hin und zurück gefahren, nicht gelaufen; *aber:* wir sind hin- und zurückgefahren; bis zum Wald hin; vor sich hin lachen **2** *zeitlich:* es ist noch eine Weile, noch lange hin; hin und wieder; **3** verloren, kaputt; die Uhr ist hin

> **hinab-** (Worttrennung): Wörter, die sprachhistorisch Zusammensetzungen sind, aber oft nicht als solche empfunden werden, kann man auch nach Sprechsilben trennen: *hi|nab-*. Ebenso: *hi|nauf-, hi|naus-, hi|nein-, hi|nü|ber-, hi|nun|ter-*. Die alte Trennung bleibt daneben gültig: *hin|ab-, hin|auf-* usw. →§ 112

hin|ab *auch:* **hi|nab** vom Sprechenden weg; hinauf und hinab; **hin|ab|schau|en** *intr. 1;* **hin|ab|stei|gen** *intr. 153;* **hin|ab|stür|zen** *intr. 1*

Hi|na|ja|na, Hi|na|ya|na [sanskrit. »kleines Fahrzeug«], *s. Gen.* -(s) *nur Ez.* die ältere, südliche, strengere, mönchische Richtung des Buddhismus; vgl. Mahajana

hin|an *auch:* **hi|nan** *poet.:* hinauf

hin|ar|bei|ten *intr. 2;* auf etwas hinarbeiten

hin|auf *auch:* **hi|nauf,** *süddt.:* nauf, vom Sprechenden weg; *in Zus. mit Verben wird ugs. meist fälschlich die Kurzform von herauf... benutzt,* z. B. raufgehen statt hinaufgehen; **hin|auf|ar|bei|ten** *refl. 2;* **hin|auf|brin|gen** *tr. 21;* **hin|auf|fah|ren** *intr. u. tr. 32;* **hin|auf|ge|hen** *intr. 47;* **hin|auf|kön|nen** *intr. 72;* **hin|auf|lau|fen** *intr. 76;* **hin|auf|müs|sen** *intr. 87;* **hin|auf|schau|en** *intr. 1;* **hin|auf|stei|gen** *intr. 153;* **hin|auf|tra|gen** *tr. 160;* **hin|auf|wol|len** *intr. 185;* **hin|auf|zie|hen** *tr. 187*

hin|aus *auch:* **hi|naus,** *süddt.:* naus, vom Sprechenden weg; *in Zus. mit Verben wird ugs. meist fälschlich die Kurzform von heraus... benutzt,* z. B. rausgehen statt hinausgehen; hinaus sein; **hin|aus|brin|gen** *tr. 21;* **hin|aus|dür|fen** *intr. 26;* **hin|aus|e|keln** *tr. 1;* **hin|aus|fal|len** *intr. 33;* **hin|aus|flie|gen** *intr. 38;* **hin|aus|ja|gen** *tr. 1;* **hin|aus|kön|nen** *intr. 72;* **hin|aus|las|sen** *tr. 75;* **hin|aus|lau|fen** *intr. 76;* es wird auf dasselbe h.; **hin|aus|müs|sen** *intr. 87;* **hin|aus|schau|en** *intr. 1;* **hin|aus|schmei|ßen** *tr. 122;* **hin|aus|sein** ► **hin|aus sein; hin|aus|wach|sen** *intr. 172;* über diese ersten Versuche ist er längst hinausgewachsen; **hin|aus|wer|fen** *tr. 181;* **hin|aus|wol|len** *intr. 185;* **hin|aus|zie|hen** *intr. u. tr. 187;* **hin|aus|zö|gern** *tr. 1;* eine Sache h.

Hi|na|ya|na *s. Gen.* -(s) *nur Ez.* = Hinajana

Hin|blick *m., nur in der Wendung* im, in H. auf

hin|brin|gen *tr. 21*

Hin|de *w. 11, Nebenform von* Hindin

hin|der|lich; hin|dern *tr. 1;* ich hindere, hindre dich nicht; **Hin|der|nis** *s. 1;* **Hin|der|nis|lauf** *m. 2;* **Hin|der|nis|ren|nen** *s. 7;* **Hin|de|rung** *w. 10;* **Hin|de|rungs|grund** *m. 2*

hin|deu|ten *intr. 2*

Hịn|di *s. Gen.* -(s) *nur Ez.* neuindische Sprache, Amtssprache in Indien
Hịn|din *w. 10, poet., veraltet:* Hirschkuh
Hịn|dos|tan [auch: -stan] *Nebenform von* Hindustan; **Hịn|du** *m. 9 oder Gen. - Mz. -* **1** urspr. Bewohner im Gebiet des Indus; **2** Anhänger des Hinduismus; **Hin|du|ịs|mus** *m. Gen. - nur Ez.* aus dem Brahmanismus und Veda entwickelte indische Religion; **hin|du|ịs|tisch; Hin|du|kụsch** *m. Gen.* -(s) Gebirge in Afghanistan und Pakistan
hin|dụrch; hin|dụrch|ar|bei|ten *refl. 2;* **hin|dụrch|ge|hen** *intr. 47;* **hin|dụrch|zwän|gen** *tr. 1*
hịn|dür|fen *intr. 26*
Hịn|dus|tan [auch: -stan] das Gebiet der Indus- und Ganges-Tiefebene; **Hin|dus|ta|ni** *s. Gen.* -(s) *nur Ez.* neuind. Sprache mit zwei Formen, dem persisch beeinflussten Urdu und dem Hindi; **hin|dus|ta|nisch**
hin|ein *auch:* **hi|nein**, *süddt.:* nein, vom Sprechenden weg; *in Zus. mit Verben wird ugs. meist fälschlich die Kurzform von herein… benutzt,* z. B. reinlassen statt hineinlassen; **hin|ein|bei|ßen** *intr. 8;* **hin|ein|den|ken** *refl. 22;* sich in etwas oder jmdn. h.; **hin|ein|dür|fen** *intr. 26;* **hin|ein|fah|ren** *tr. und intr. 32;* **hin|ein|fal|len** *intr. 33;* und dann bist du der Hineingefallene, *ugs.:* der Reingefallene; **hin|ein|fin|den** *refl. 36;* sich in eine Sache, eine Arbeit h.; **hin|ein|fres|sen** *tr. 41;* etwas in sich h.; **hin|ein|ge|heim|nis|sen** *tr. 1;* etwas in eine Sache h.: mehr darin vermuten oder aus ihr herauslesen als darinsteckt; er hat zuviel hineingeheimnisst; **hin|ein|ge|ra|ten** *intr. 94;* in etwas h.; **hin|ein|knien** *refl. 1;* sich in eine Arbeit h.; **hin|ein|kön|nen** *intr. 72;* **hin|ein|müs|sen** *intr. 87;* **hin|ein|schlit|tern** *intr. 1;* **hin|ein|tun** *tr. 167;* **hin|ein|wach|sen** *intr. 172;* **hin|ein|wol|len** *intr. 185*
hịn|fah|ren *intr. u. tr. 32;* vgl. hin; **Hịn|fahrt** *w. 10;* Hin- und Rückfahrt; Hin- und Herfahrt; **hịn|fal|len** *intr. 33;* **hịn|fäl|lig; Hịn|fäl|lig|keit** *w. 10 nur Ez.;* **hịn|fin|den** *intr. u. refl. 36;* **hịn|flie|gen** *intr. 38;* **hin|fọrt; hịn|füh|ren** *tr. u. intr. 1;* **Hịn|ga|be** *w. 11 nur Ez.;* **hịn|ga|be|fä|hig; Hịn|ga|be|fä|hig|keit** *w. 10 nur Ez.;* **Hịn|gang** *m. 2 nur Ez.* Tod, Sterben; nach seinem H.; **hịn|ge|ben** *tr. 45;* **Hịn|ge|bung** *w. 10 nur Ez.;* **hịn|ge|bungs|voll; hin|ge|gen**
hịn|ge|gos|sen *ugs., in Wendungen wie* malerisch h.: in malerischer Haltung; sie lag da wie h.; **hịn|ge|hen** *intr. 47;* vgl. hin; **hịn|ge|hö|ren** *intr. 1;* **hịn|ge|ris|sen** vgl. hinreißen; **hịn|hal|ten** *tr. 61;* den Kopf für etwas h.; **hịn|hän|gen 1** *tr. 62;* **2** *intr. ugs. nur in der Wendung* etwas h. lassen: es nicht voranbringen, sich nicht darum kümmern; **hịn|hau|en** haute hin, hingehauen, *ugs.* **1** *tr.;* etwas h.: flüchtig, schludrig niederschreiben; eine Arbeit h.: ärgerlich damit aufhören; **2** *intr.* klappen, in Ordnung sein; das haut (nicht) hin; *auch mitteldt.:* sich beeilen; hau hin!; **3** *refl.* sich zum Schlafen hinlegen; sich eine Stunde h.
Hịn|ke|bein *s. 1,* **Hịn|ke|fuß** *m. 2*
Hịn|kel *s. 5, westdt.:* junges Huhn
hịn|ken *intr. 1*
Hịnk|jam|bus *m. Gen. - Mz.* -ben, *dt. Bez. für* Choliambus
hịn|knien *refl. 1;* **hịn|kom|men** *intr. 71;* **hịn|kön|nen** *intr. 72;* **hịn|krie|gen** *tr. 1, ugs.:* zustande bringen
Hịnk|vers *m. 1* rhythmisch schlechter Vers
hịn|läng|lich; hịn|las|sen *tr. 75;* **hịn|ma|chen** *tr. 1, ugs.:* kaputtmachen; **hịn|mor|den** *tr. 2;* **hịn|müs|sen** *intr. 87;* **Hịn|nah|me** *w. 11 nur Ez.;* **hịn|neh|men** *tr. 88;* **hịn|nei|gen** *tr. 1;* **Hịn|nei|gung** *w. 10 nur Ez.*
hịn|nen; *nur noch poet.;* von h.: von hier fort; von h. gehen
hịn|op|fern *tr. 1;* **hịn|raf|fen** *tr. 1;* **hịn|rei|ben** *tr. 95, ugs.:* jmdm. etwas h.: jmdm. etwas deutlich und leicht boshaft zu verstehen geben; **hịn|rei|chend; Hịn|rei|se** *w. 11;* Hin- und Rückreise; Hin- und Herreise; **hịn|rei|ßen** *tr. 96;* sein Vortrag war hinreißend, hat mich hingerissen; hingerissen lauschen; **hịn|rich|ten** *tr. 2;* **Hịn|rich|tung** *w. 10;* **hịn|schei|den** *intr. 107, poet.:* sterben; nach seinem H.; **Hịn|schied** *m. 1 nur Ez., schweiz.:* Tod, Todesfall; **hịn|schlach|ten** *tr. 2;* **hịn|schmei|ßen** *tr. 122, ugs.;* **hịn|schmel|zen** *intr. 123;* **hịn|schrei|ben** *tr. 127;* **hịn|schwin|den** *intr. 133;* **hịn|se|hen** *intr. 136;* **hịn|set|zen** *tr. 1;* **Hịn|sicht** *w. 10;* in dieser H.; in H. auf; **hịn|sicht|lich** *mit Gen.;* h. unserer Pläne; **hịn|sie|chen** *intr. 1;* **hịn|sol|len** *intr. 1;* **hịn|stel|len** *tr. 1;* **hịn|ster|ben** *intr. 154;* **hịn|stre|cken** *tr. u. refl. 1*
hint|ạn; hint|ạn|set|zen *tr. 1;* **Hint|ạn|set|zung** *w. 10 nur Ez.;* **hint|ạn|stel|len** *tr. 1;* **Hint|ạn|stel|lung** *w. 10 nur Ez.*
hịn|ten; hin|ten|ạn; hin|ten|ạn|set|zen *tr. 1;* **hịn|ten|her|um** *auch:* **-he|rum; hịn|ten|hin; hin|ten|nach; hin|ten|ü|ber; hin|ten|ü|ber|fal|len** *intr. 33;* **hin|ten|ü|ber|kip|pen** *tr. 1*
hịn|ter 1 *Präp. mit Dat. und Akk.;* er steht h. dem Haus; er geht h. das Haus; er steht h. mir; er trat h. mich; **2** *Adj.* vgl. hintere; **Hịn|ter|ach|se** *w. 11;* **Hịn|ter|ba|cke** *w. 11;* **Hịn|ter|bein** *s. 1;* **hin|ter|blei|ben** *intr. 17, fast nur im Part. Perf.;* die hinterbliebenen Kinder; **Hin|ter|blie|be|ne(r)** *m. 18 (17) bzw. w. 17 oder 18;* **Hin|ter|blie|be|nen|für|sor|ge** *w. 11 nur Ez.;* **hin|ter|brịn|gen** *tr. 21;* jmdm. etwas h.: heimlich mitteilen; er hat mir die Nachricht hinterbracht, dass…; *aber ugs.:* bring mir die Bücher hinter!; ich habe das Essen kaum hinter gebracht; **hin|ter|drein; hin|ter|drein|lau|fen** ▶ **hin|ter|drein lau|fen** *intr. 76;* **hịn|te|re (-r, -s);** das hintere Haus, die hinteren Reihen; **Hịn|te|re(r)** *m. 18 (17), ugs.;* Gesäß; **hin|ter|ein|ạn|der** *auch:* **-ei|nạn|der; hin|ter|ein|ạn|der|ge|hen** ▶ **hin|ter|ein|ạn|der ge|hen** *intr. 47;* **hin|ter|ein|ạn|der|schal|ten** ▶ **hin|ter|ein|ạn|der schal|ten** *tr. 2;* **hin|ter|ein|ạn|der|schrei|ben** ▶ **hin|ter|ein|ạn|der schrei|ben** *tr. 127;* **hin|ter|ein|ạn|der|stel|len** ▶ **hin|ter|ein|ạn|der stel|len** *tr. 1;* **hịn|ter|fot|zig** *bayr.:* heimtückisch, hinterlistig; **hin|ter|fra|gen** *tr. 1;* etwas h.: nach den Motiven, Gründen, Hintergründen für etwas fragen; **Hịn|ter|fuß** *m. 2;* **Hịn|ter|gau|men** *m. 7;* **Hịn|ter|gau|men|laut** *m. 1* am hinteren Gaumen gebildeter Laut, z. B. g, k (vor a, o, u)

und ch (wie in »ach«), Kehllaut, Velar; **Hin|ter|ge|bäu|de** *s. 5;* **Hin|ter|ge|dan|ke** *m. 15;* **hin|ter|ge|hen** *tr. 47,* betrügen, täuschen; er hat mich hintergangen; *aber:* ich bin hinter gegangen; **Hin|ter|glas|ma|le|rei** *w. 10;* **Hin|ter|grund** *m. 2;* **hin|ter|grün|dig; Hin|ter|grün|dig|keit** *w. 10 nur Ez.;* **Hin|ter|halt** *m. 1;* **hin|ter|häl|tig; Hin|ter|häl|tig|keit** *w. 10 nur Ez.;* **Hin|ter|hand** *w. 2* **1** Hinterbein (beim Pferd, Hund); **2** *Kartenspiel:* der zuletzt ausspielende Spieler; **Hin|ter|haupt** *s. 4;* **Hin|ter|haupts|bein** *s. 1;* **Hin|ter|haus** *s. 4;* **hin|ter|her**; ich werde erst h. kommen: danach, erst wenn es vorbei ist; *aber:* →hinterherkommen; **hin|ter|her|ge|hen** *intr. 47;* **hin|ter|her|kom|men** *intr. 71* als letzter (in der Reihe) kommen; **hin|ter|her|lau|fen** *intr. 76;* jmdm. h.; **hin|ter|her|sein** ► **hin|ter|her sein;** *intr. 137;* **Hin|ter|hof** *m. 2;* **hin|ter|kau|en** *tr. 1, ugs.:* kau erst hinter!, hintergekaut; **Hin|ter|kopf** *m. 2;* **Hin|ter|la|der** *m. 5* Schusswaffe, die vom hinteren Ende des Rohrs geladen wird; Ggs.: Vorderlader; **Hin|ter|la|ge** *w. 11, schweiz.:* etwas Hinterlegtes, Pfand; **Hin|ter|land** *s. Gen. -(e)s nur Ez.;* **hin|ter|las|sen** *tr. 75* zurücklassen, vererben; er hat ihnen Geld hinterlassen; *aber ugs.:* er hat mich nicht hinter gelassen; **Hin|ter|las|sen|schaft** *w. 10;* **Hin|ter|las|sung** *w. 10 nur Ez.;* **hin|ter|las|tig** hinten stärker belastet als vorn (Schiff, Flugzeug); *Ggs.:* kopflastig, vorderlastig; **Hin|ter|lauf** *m. 2, Jägerspr.:* Hinterbein; **hin|ter|le|gen** *tr. 1* als Pfand zurücklegen, verwahren lassen; er hat Geld hinterlegt; *aber ugs.:* er hat das Geld hinter gelegt; **Hin|ter|le|gung** *w. 10 nur Ez.;* **Hin|ter|le|gungs|schein** *m. 1;* **Hin|ter|leib** *m. 3;* **Hin|ter|list** *w. 10 nur Ez.;* **hin|ter|lis|tig; Hin|ter|lis|tig|keit** *w. 10 nur Ez.;* **hin|term** hinter dem; hinterm Haus; **Hin|ter|mann** *m. 4;* **hin|ter|mau|ern** *tr. 1* hinter den Verblendsteinen mit einfachen Steinen befestigen; eine Wand h.; hintermauert; **Hin|ter|mau|e|rung** *w. 10 nur Ez.;* **hin|tern** *ugs.:* hinter den; **Hin|tern** *m. 7, ugs.:* Gesäß; **Hin|ter|pfo|te** *w. 11;* **Hin|ter|pran|ke** *w. 11;* **Hin|ter|rad** *s. 4;* **Hin|ter|rad|an|trieb** *m. 1;* **hin|ter|rücks; hin|ters** hinter das; hinters Haus gehen; jmdn. hinters Licht führen; **Hin|ter|saß** ► **Hin|ter|sass** *m. 12, schweiz. auch:* **Hin|ter|säß** ► **Hin|ter|säss** *m. 12,* **Hin|ter|sas|se** *m. 11* zinspflichtiger Kleinbauer; **hin|ter|schlucken** ► **hin|ter schlu|cken** *tr. 1;* hinter geschluckt; **Hin|ter|sinn** *m. 1* verborgener Sinn; **hin|ter|sin|nen** *refl. 142, schweiz.:* grübeln, schwermütig sein; **hin|ter|sin|nig** schwermütig, trübsinnig, verschroben; **Hin|ters|te(r)** *m. 18 (17), ugs.:* Gesäß; **Hin|ter|teil** *s. 1;* **Hin|ter|tref|fen** *s., nur in den Wendungen* ins H. kommen, geraten, im H. sein: Nachteile haben; **hin|ter|trei|ben** *tr. 162* vereiteln, verhindern; er hat unser Vorhaben hintertrieben; *aber ugs.:* er hat das Vieh hinter getrieben; **Hin|ter|trei|bung** *w. 10 nur Ez.;* **Hin|ter|trep|pe** *w. 11;* **Hin|ter|trep|pen|ro|man** *m. 1* Kitschroman; **Hin|ter|tür** *w. 10;* **Hin|ter|tür|chen** *s. 7;* sich ein H. offen lassen *übertr.:* einen Ausweg, eine Ausflucht; **Hin|ter|vier|tel** *s. 5, ugs.:* Gesäß; **Hin|ter|wäld|ler** *m. 5* einfältiger, weltfremder Mensch; **hin|ter|wäld|le|risch; hin|ter|wärts; hin|ter|zie|hen** *tr. 187* unterschlagen; er hat Steuern hinterzogen; *aber:* er hat den Sitz hinter gezogen; **Hin|ter|zie|hung** *w. 10;* **Hin|ter|zim|mer** *s. 5*

Hin|tritt *m. 1, veraltet:* Tod, Sterben; **hin|tun** *tr. 167*

hin|ü|ber *auch:* **hi|nü|ber,** *süddt.:* nü|ber, vom Sprechenden weg; *in Zus. mit Verben wird ugs. meist fälschlich die Kurzform von herüber... benutzt,* z. B. rüberkommen statt hinüberkommen; hinüber und herüber; **hin|ü|ber|dür|fen** *intr. 26;* **hin|ü|ber|fah|ren** *intr. u. tr. 32;* **hin|ü|ber|flie|gen** *intr. 38;* **hin|ü|ber|kön|nen** *intr. 72;* **hin|ü|ber|schau|en** *intr. 1;* **hin|ü|ber|schla|fen** *intr. 115* sterben; **hin|ü|ber|sein** ► **hin|ü|ber sein** verbraucht, abgenutzt sein; *ugs. auch:* berauscht sein; **hin|ü|ber|spie|len** *intr. 1;* ins Blaue hinüberspielen; **hin|ü|ber|sprin|gen** *intr. 148;* **hin|ü|ber|stei|gen** *intr. 153*

hin und her vgl. hin; **Hin- und Her|fahrt** *w. 10;* **Hin|und|her|ge|re|de, Hin-und-her-Ge|rede** *s. Gen. -s nur Ez.;* **Hin|und|her|lau|fen, Hin-und-her-Lau|fen** *s. Gen. -s nur Ez.;* dieses ewige H. (ohne Ziel); **Hin- und Her|rei|se** *w. 11;* **Hin- und Her|weg** *m. 1;* **Hin- und Rück|fahrt** *w. 10;* **Hin- und Rück|rei|se** *w. 11* **Hin- und Rück|weg** *m. 1*

hin|un|ter *auch:* **hi|nun|ter,** *süddt.:* nun|ter, vom Sprechenden weg; *in Zus. mit Verben wird ugs. meist fälschlich die Kurzform von herunter... benutzt,* z. B. runterwerfen statt hinunterwerfen; **hin|un|ter|dür|fen** *intr. 26;* **hin|un|ter|fal|len** *intr. 33;* **hin|un|ter|flie|gen** *intr. 38;* **hin|un|ter|ge|hen** *intr. 47;* **hin|un|ter|kön|nen** *intr. 72, ugs.:* **hin|un|ter|müs|sen** *intr. 87, ugs.;* **hin|un|ter|schau|en** *intr. 1;* **hin|un|ter|schlin|gen** *tr. 121;* **hin|un|ter|schlu|cken** *tr. 1;* **hin|un|ter|schmei|ßen** *tr. 122, ugs.;* **hin|un|ter|sprin|gen** *intr. 148;* **hin|un|ter|tra|gen** *tr. 160;* **hin|un|ter|wer|fen** *tr. 181;* **hin|un|ter|wol|len** *intr. 185, ugs.;* **hin|un|ter|wür|gen** *tr. 1;* **hin|un|ter|zie|hen** *tr. 187*

hin|wärts; hin- und herwärts; **hin|weg; Hin|weg** *m. 1;* Hin- und Herweg; Hin- und Rückweg; **hin|weg|se|hen** *intr. 136;* über etwas, jmdn. h.; **hin|weg|sein** ► **hin|weg sein;** *intr. 137;* über etwas h. s.: etwas überwunden, verschmerzt haben; **hin|weg|set|zen** *refl. 1;* sich über eine Vorschrift h.: sie bewusst nicht beachten; **hin|weg|täu|schen** *tr. 1;* jmdn. oder sich über etwas h.; **Hin|weis** *m. 1;* **hin|wei|sen** *intr. 177;* hinweisendes Fürwort: Demonstrativpronomen; **hin|wel|ken** *intr. 1;* **hin|wen|den** *tr. 178;* **Hin|wen|dung** *w. 10;* **hin|wer|fen** *tr. 181*

hin|wie|der, *selten:* **hin|wie|der|um** *auch:* **-wie|de|rum** **1** *Adv.:* nochmals, wieder; **2** *Konj.:* dagegen, hingegen

Hinz *nddt. Form von* Heinz; Hinz und Kunz: jeder x-beliebige, alle Leute

hin|zie|hen *tr., intr. u. refl. 187;* der Prozess hat sich lange hingezogen; **hin|zie|len** *intr. 1;* auf etwas hinzielen

hin|zu; hin|zu|fü|gen *tr. 1;* **hin-**

► = wird zu

zu|ge|sel|len *refl. 1;* **hin|zu|kom|men** *intr. 71;* er ist zuletzt noch hinzugekommen; hinzu kommt (noch), dass...; **hin|zu|neh|men** *tr. 88;* **hin|zu|set|zen** *tr. 1;* **hin|zu|tre|ten** *intr. 163;* hinzu tritt noch eins, nämlich...; **hin|zu|tun** *tr. 167;* **hin|zu|zäh|len** *tr. 1;* **hin|zu|zie|hen** *tr. 187;* **Hin|zu|zie|hung** *w. 10 nur Ez.*

Hi|obs|bot|schaft [nach der Gestalt im AT] *w. 10,* **Hi|obs|post** *w. Gen. - nur Ez.* Unglücks-, Schreckensnachricht

H-Io|nen *s. 12 Mz.* Wasserstoffionen

Hipp|a|ri|on *auch:* **Hip|pa|ri|on** [griech.] *s. Gen.* -s *Mz.* -ri|en fossiles Urpferd

Hip|pe *w. 11* **1** sichelförmiges Gartenmesser; **2** *thüring.:* Fladenkuchen; **3** *mitteldt.:* Ziege

hipp hipp hur|ra!; Hipp|hipp|hur|ra *s. 9*

Hipp|i|a|trik *auch:* **Hip|pi|a|trik** [griech.] *w. 10 nur Ez.* Pferdeheilkunde

Hip|pie [engl.] *m. 9, bes. in den 60er Jahren:* jmd., der für Gewaltlosigkeit, freien Drogenkonsum u. Ä. eintrat, Blumenkind

Hip|po|drom [griech.] *s. 1* Reitbahn; **Hip|po|gryph** *m. 12 oder m. 10, bei den ital. Renaissancedichtern:* geflügeltes Ross mit Vogelkopf, entsprechend dem Pegasus

Hip|po|kra|ti|ker *m. 5* Anhänger des altgriech. Arztes Hippokrates [-po-] und seiner Lehre; **hip|po|kra|tisch** von Hippokrates stammend; hippokratischer Eid: *urspr.* Eid auf die Gesetze der Ärztezunft; *danach allg.* Grundlage der ärztlichen Ethik; hippokratisches Gesicht; eingefallenes Gesicht Sterbender

Hip|po|kre|ne *w. Gen. - nur Ez., griech. Myth.:* die durch den Hufschlag des Pegasus entstandene Quelle der dichterischen Inspiration; **Hip|po|lo|ge** *m. 11;* **Hip|po|lo|gie** *w. 11 nur Ez.* Wissenschaft vom Pferd; **hip|po|lo|gisch; Hip|po|po|ta|mus** *m. Gen. - Mz. -* Flusspferd; **Hipp|u|rit** *auch:* **Hip|pu-** *m. 10* fossile Muschel der Kreidezeit; **Hipp|ur|säu|re** *auch:* **Hip|pur-** *w. 11 nur Ez.* im Harn von Pflanzenfressern enthaltenes Stoffwechselprodukt

Hips|ter [engl.] *m. 5* **1** Jazzfan; **2** jmd., der über alles Bescheid weiß, was neu und »in« ist

Hi|ra|ga|na [jap.] *w. Gen. - nur Ez. oder s. Gen.* -(s) *nur Ez.* aus den chinesischen Schriftzeichen entwickelte japanische Silbenschrift

Hirn *s. 1;* **Hirn|an|hangs|drü|se** *w. 11;* **Hirn|ge|spinst** *s. 1;* **Hirn|haut|ent|zün|dung** *w. 10;* **Hirn|holz** *s. Gen.* -es *nur Ez.* quer zur Faser geschnittenes Holz; **hirn|los; Hirn|scha|le** *w. 11;* **hirn|ver|brannt**

Hi|ro|schi|ma, Hi|ro|shi|ma jap. Stadt, die 1945 durch die erste Atombombe zerstört wurde

Hirsch *m. 1;* **Hirsch|an|ti|lo|pe** *w. 11;* **Hirsch|fän|ger** *m. 5* ein Jagdmesser; **Hirsch|gar|ten** *m. 8* Gehege für Hirsche; **Hirsch|horn** *s. Gen.* -(e)s *nur Ez.* Hirschgeweih, das für Knöpfe u. Ä. verwendet wird; **Hirsch|horn|salz** *s. Gen.* -es *nur Ez.* ein Treibmittel für Gebäck; **Hirsch|kä|fer** *m. 5;* **Hirsch|kalb** *s. 4;* **Hirsch|kuh** *w. 2;* **Hirsch|le|der** *s. 5 nur Ez.;* **hirsch|le|dern; Hirsch|park** *m. 9* Gehege für Hirsche

Hir|se *w. 11;* **Hir|se|korn** *s. 4*

Hirt *m. 10;* **Hir|te** *m. 11, veraltet, noch poet. für* Hirt; **hir|ten** *intr. 2, schweiz.:* Hirt sein, Vieh hüten; **Hir|ten|amt** *s. 4* Amt des Seelsorgers; **Hir|ten|brief** *m. 1* bischöfliches Rundschreiben; **Hir|ten|dich|tung** *w. 10;* **Hir|ten|flö|te** *w. 11;* **Hir|ten|stab** *m. 2* Bischofsstab; **Hir|ten|tä|schel** *s. 5* ein Kreuzblütler; **Hir|ten|volk** *s. 4;* **Hir|tin** *w. 10*

his *s. Gen. - Mz. -, Mus.* **1** das um einen halben Ton erhöhte h; **2** = his-Moll; **His** *s. Gen. - Mz. -, Mus.* **1** das um einen halben Ton erhöhte H; **2** = His-Dur; **His-Dur** *s. Gen. - nur Ez.* (*Abk.:* His) eine Tonart; **His-Dur-Ton|lei|ter** *w. 11;* **hi|sis, Hi|sis** *s. Gen. - Mz. -, Mus.:* das um zwei halbe Töne erhöhte h bzw. H

His Ma|jes|ty [hɪz mædʒɪstɪ, engl.] (*Abk.:* H. M.) *engl. Bez. für* Seine Majestät (der englische König); **His Ma|jes|ty's ship** [hɪz mædʒɪstɪz ʃɪp] (*Abk.:* H. M. S.) Seiner Majestät Schiff (Bez. für die britischen Kriegsschiffe); vgl. Her Majesty

his-Moll *s. Gen. - nur Ez.* (*Abk.:* his) eine Tonart; **his-Moll-Ton|lei|ter** *w. 11*

His|pa|nic [-pæ-] *m. 6* Einwanderer aus Lateinamerika in die USA, Latino; **His|pa|ni|en** *im Altertum Name für* die Pyrenäenhalbinsel; **his|pa|nisch; his|pa|ni|sie|ren** *tr. 3* nach spanischem Vorbild gestalten; **His|pa|nis|mus** *m. Gen. - Mz.* -men in eine andere Sprache übernommene span. Spracheigentümlichkeit; **His|pa|nist** *m. 10* Kenner der span. Sprache und Kultur

his|sen *tr. 1* hochziehen (Flagge)

Hist|amin *auch:* **His|ta|min** [Kunstw. aus Histidin und Amin] *s. 1* ein Gewebshormon; **His|ti|din** *auch:* **His|ti|din** *s. 1 nur Ez.* eine Aminosäure; **his|ti|o|id** gewebeartig; **Hi|sti|o|zyt** *m. 10* wandernde Bindegewebszelle; **His|to|ge|ne|se** *w. 11 nur Ez.,* **Hi|sto|ge|nie** *w. 11 nur Ez.* Entstehung und Entwicklung der Gewebe; **Hi|sto|lo|ge** *m. 11;* **Hi|sto|lo|gie** *w. 11 nur Ez.* Wissenschaft von den Geweben, Gewebelehre; **hi|sto|lo|gisch; Hi|sto|ly|se** *w. 11* Einschmelzung von Gewebe (bei Eiterungen); **His|to|pa|tho|lo|gie** *w. 11 nur Ez.* Lehre vom kranken Gewebe

His|tör|chen [griech.] *s. 7* Klatschgeschichte; **His|to|rie** [-riə] *w. 11* **1** *früher:* Erzählung, Bericht; **2** *heute:* Geschichte, Geschichtswissenschaft; **His|to|ri|en|ma|ler** *m. 5;* **His|to|ri|en|ma|le|rei** *w. 10* Malerei, die Motive aus der Geschichte oder aus Sagen darstellt; **His|to|rik** *w. 10 nur Ez.* Wissenschaft von der Geschichtsforschung; **His|to|ri|ker** *m. 5* Geschichtswissenschaftler; **His|to|ri|o|graph** *Nv.* ► **His|to|ri|o|graf** *Hv. m. 10* Geschichtsschreiber; **His|to|ri|o|gra|phie** *Nv.* ► **His|to|ri|o|gra|fie** *Hv. w. 11 nur Ez.* Geschichtsschreibung; **his|to|risch** geschichtlich, überliefert; historisches Drama; historischer Materialismus; **his|to|ri|sie|ren** *tr. 3* das Geschichtliche (einer Sache, eines Vorgangs) betonen; **His|to|ris|mus,** His|to|ri|zis|mus *m. Gen. - nur Ez.* Denkweise, die alle Erscheinungen des Lebens nur in ihrer Einmaligkeit verstehen

und aus ihrem geschichtl. Zusammenhang erklären will; *auch:* Überbetonung des Geschichtlichen; **His|to|rist** *m. 10* Vertreter des Historismus; **his|to|ris|tisch; His|to|ri|zis|mus** *m. Gen. - nur Ez.* = Historismus
His|tri|o|ne [lat.] *m. 11* **1** *im alten Rom:* Schauspieler; **2** *im MA:* Gaukler
Hit [engl.] *m. 9* erfolgreiches Musikstück, Schlager; *auch allg.:* erfolgreiche Sache
hitch|hi|ken [hitʃhaɪkən, engl.] *intr. 1* per Anhalter fahren, trampen
Hit|sche, Hut|sche *w. 11, nord-, mitteldt.* **1** Fußbank; **2** kleiner Rodelschlitten
Hitz|draht|in|stru|ment *auch:* **-ins|tru|ment** *s. 1, veraltend:* ein elektrisches Messinstrument; **Hit|ze** *w. 11 nur Ez.;* **hit|ze|be|stän|dig; Hit|ze|be|stän|dig|keit** *w. 10 nur Ez.;* **Hit|ze|bläs|chen** *s. 7;* **hit|ze|emp|find|lich; Hit|ze|emp|find|lich|keit** *w. 10 nur Ez.;* **Hit|ze|fe|ri|en** *nur Mz.;* **hit|ze|frei; Hit|ze|wel|le** *w. 11;* **Hitz|frie|seln** *Mz.* bei großer Hitze oder hohem Fieber auftretende Frieseln, Hitzpocken; **hit|zig; Hit|zig|keit** *w. 10 nur Ez.;* **Hitz|kopf** *m. 2;* **hitz|köp|fig; Hitz|po|cken** *w. 11 Mz.* = Hitzfrieseln; **Hitz|schlag** *m. 2*
HIV *Abk. für engl.* human immunodeficiency virus »menschlicher Immunschwächevirus«; **HIV-ne|ga|tiv; HIV-po|si|tiv**
Hk *Abk. für* Hefnerkerze
hl. *Abk. für* Hektoliter
hl., Hl. *Abk. für* heilige, Heilige, z.B. der hl. Antonius; die Hl. Schrift
h. l. *Abk. für* hoc loco
hll. *Abk. für* heiligen *(Mz.),* z.B. die hll. Peter und Paul
h. m. *Abk. für* huius mensis
H. M. *Abk. für* Her bzw. His Majesty
h-Moll *s. Gen. - nur Ez.* (*Abk.:* h) eine Tonart; **h-Moll-Ton|lei|ter** *w. 11*
H. M. S. *Abk. für* Her bzw. His Majesty's ship
HNO-Heil|kun|de *w. Gen. - nur Ez., Kurzw. für* Hals-Nasen-Ohren-Heilkunde
Ho *chem. Zeichen für* Holmium
HO *ehem. DDR: Abk. für* Handelsorganisation

Ho|ang|ho *m. Gen.* -(s) = Hwangho
Hob. *Abk. für* Hobokenverzeichnis
Hob|bock *m. 9* großer Behälter aus Blech zum Versand von Fetten usw.
Hob|by [engl.] *s. 9* Steckenpferd, Liebhaberei; **Hob|by|raum** *m. 2* Bastelraum
Ho|bel *m. 5;* **Ho|bel|bank** *w. 2;* **Ho|bel|ma|schi|ne** *w. 11;* **ho|beln** *tr. 1;* ich hobele, hoble es; **Ho|bel|span** *m. 2;* **Hob|ler** *m. 5*
Ho|boe *w. 11, Nebenform von* Oboe
Ho|bo|ken|ver|zeich|nis [nach dem ndrl. Musikforscher Anthony van Hoboken] (*Abk.:* Hob.) *s. 1* Verzeichnis der Werke J. Haydns mit Angabe der ersten Takte
hoc an|no [lat.] (*Abk.:* h. a.) in diesem Jahr
hoc est [lat.] (*Abk.:* h. e.) das ist
hoch; ein hoher Preis; höher, am höchsten, höchst; hoch oben; **1** *Kleinschreibung:* der hohe Adel; höhere Gewalt; hohes Gericht; das hohe Haus:

> **das hohe Haus, das Hohe Lied:** In festen Verbindungen, die keine Eigennamen sind, wird das Adjektiv kleingeschrieben: *das hohe C, das hohe Haus* (= Parlament), *die hohe Schule* (des Reitens). →§ 63
> Großgeschrieben werden substantivierte Adjektive: *die Hohen und die Niedrigen/Niederen, Hoch und Nieder/Niedrig* [→§ 57 (1)] sowie Eigennamen: *die Hohen Tauern, der Hohe Priester, das Hohe Lied.* →§ 60 (2.3), § 60 (3.3)

das Parlament; der hohe Herr: der Fürst; die hohe Jagd: Jagd auf Hochwild; hohe Schule: bestimmte Art der Reitkunst; **2** *Großschreibung:* die Hohe Messe in h-Moll von Bach; die Hohe Pforte: *bis 1924* die türkische Regierung; die Hohe Tatra, die Hohen Tauern; vgl. höher; **3** *in Zus. mit Verben:* das Grundstück ist hoch geschätzt worden; den Kopf hoch tragen: selbstbewusst sein; **Hoch** *s. 9* **1** der Ruf »hoch!«, Preis-, Heilruf; ein Hoch auf jmdn. ausbringen; **2** Hochdruckgebiet

> **hoch springen, hochgelehrt:** Verbindungen des Adjektivs *hoch* mit einem Verb oder anderen Adjektiv, bei denen *hoch* steigerbar oder mit *sehr* erweiterbar ist, werden getrennt geschrieben: *Die Sieger sind vor Freude hoch gesprungen. Die Grundstücke sind hoch geschätzt worden.*
> →§ 34 E3 (3), § 36 E1 (4)
> Umgekehrt werden Verbindungen, bei denen das Adjektiv *hoch* nicht steigerbar oder erweiterbar ist, zusammengeschrieben: *hochanständig, hochfahrend, hochgesinnt, hochnehmen, hochrechnen, (etwas) hochspielen.*

hoch|ach|ten ► **hoch ach|ten** *tr. 2;* **Hoch|ach|tung** *w. 10 nur Ez.;* **hoch|ach|tungs|voll; Hoch|adel** *m. 5 nur Ez.;* **hoch|ak|tu|ell; Hoch|al|tar** *m. 2;* **Hoch|amt** *s. 4;* **hoch|an|stän|dig; Hoch|bau** *m. Gen.* -(e)s *nur Ez.;* **hoch|be|gabt;** ein hochbegabter Mensch; **hoch|be|glückt; hoch|be|tagt; Hoch|be|trieb** *m. 1 nur Ez.;* hier herrscht H.; **Hoch|blü|te** *w. 11 nur Ez.;* **hoch|brin|gen** *tr. 21;* die Sache kann einen hochbringen; *aber:* die Koffer werden hoch gebracht; **Hoch|burg** *w. 10;* **hoch|deutsch;** *vgl. deutsch;* **Hoch|deutsch** *s. Gen.* -(s) *nur Ez.;* **Hoch|deut|sche** *s. 18;* **Hoch|druck** *m. 1;* **Hoch|druck|ge|biet** *s. 1;* **Hoch|e|be|ne** *w. 11;* **Hoch|ehr|wür|den** *Anrede für* evang. Geistliche; Euer, Eure (*Abk.:* Ew.) H.; **hoch|emp|find|lich;** dieses Filmmaterial ist hochempfindlich; **Hoch|en|er|gie|phy|sik** *auch:* **-e|ner|gie-** *w. 10 nur Ez.;* **hoch|ent|wi|ckelt;** ein hochentwickeltes Industrieland; **hoch|er|freut; hoch|er|ho|ben;** hocherhobenen Hauptes ging sie davon: selbstsicher, überlegen; **hoch|fah|rend; hoch|fein; hoch|feu|dal; Hoch|fi|nanz,** *w. 10 nur Ez.;* **Hoch|flä|che** *w. 11;* **hoch|flie|gend;** hochfliegende Pläne; **Hoch|flut** *w. 10;* **Hoch|for|mat** *s. 1; Ggs.:* Breitformat; **hoch|fre|quent; Hoch|fre|quenz** *w. 10* (*Abk.:* HF) Bereich der elektromagnet. Wellen über 20 kHz; **hoch|ge|ach|tet** ► **hoch ge|ach|tet;** eine h. g. Persönlichkeit; **hoch-**

ge|bil|det; Hoch|ge|bir|ge *s. 5;* **hoch|ge|ehrt; Hoch|ge|fühl** *s. 1 nur Ez.;* **hoch|ge|hen** *intr. 47; auch ugs.:* **1** zornig werden; **2** jmdn. h. lassen: jmdm. seinen Schutz entziehen, jmdn. ausliefern, preisgeben; **hoch|ge|lehrt;** das sind alles hochgelehrte Leute; **hoch|ge|mut; Hoch|ge|nuß** ► **Hoch|ge|nuss** *m. 2;* **Hoch|ge|richt** *s. 1* = Halsgericht; **hoch|ge|schätzt;** ein hochgeschätzter Fachmann; *aber:* das Buch wird überall hoch geschätzt; das Haus ist sehr hoch geschätzt worden; **hoch|ge|schlos|sen; hoch|ge|schürzt; hoch|ge|sinnt; hoch|ge|spannt;** hochgespannte Erwartungen; *aber:* das Seil ist zu hoch gespannt; **hoch|ge|stellt;** hochgestellte Persönlichkeiten; **hoch|ge|stimmt;** die Anwesenden waren hochgestimmt; **hoch|ge|sto|chen;** geistige Überlegenheit zur Schau stellend (Vortrag, Zeitschrift); **hoch|ge|wach|sen** ► **hoch ge|wach|sen;** ein h. g. Mann; **hoch|gif|tig; Hoch|glanz** *m. Gen.* -es *nur Ez.;* **hoch|glanz|po|liert;** *aber:* auf Hochglanz poliert; **hoch|gra|dig; hoch|hal|ten** *tr. 61;* jmds. Andenken hochhalten; *aber:* die Fahne hoch halten; **Hoch|haus** *s. 4;* **hoch|he|ben** *tr. 64;* **hoch|her|zig; hoch|in|tel|li|gent;** sie ist hochintelligent; **hoch|in|ter|es|sant** *auch:* **-in|te|res|sant; Hoch|jagd** *w. 10* Jagd auf Hochwild; **hoch|kant;** eine Kiste h. stellen, auf die Schmalseite; **hoch|kan|tig** *in der ugs. Wendung:* jmdn. h. hinauswerfen; **hoch|ka|rä|tig; Hoch|kir|che** *w. 11* Richtung innerhalb der Anglikanischen Kirche; **hoch|klap|pen** *tr. 1;* **hoch|kom|men** *intr. 71;* gesund werden; **Hoch|kom|mis|sar** *m. 1;* **Hoch|kon|junk|tur** *w. 10;* **hoch|kon|zen|triert;** eine hochkonzentrierte Säure; **hoch|kul|ti|viert;** eine hochkultivierte Dame; **Hoch|kul|tur** *w. 10;* **Hoch|land** *s. 4; auch: s. 1;* **Hoch|län|der** *m. 5;* **hoch|län|disch; Hoch|lau|tung** *w. 10* die für die Aussprache des Hochdeutschen geregelte Norm, Bühnenaussprache; **hoch|le|ben** *intr. 1;* jmdn. h. lassen; **Hoch|leis|tung** *w. 10;* **Hoch|leis|tungs|ge|rät** *s. 1;* **Hoch|leis|tungs|sport** *m. 1 nur Ez.;* **Hoch|lei|tung** *w. 10*

höch|lich, höch|lichst; ich bin h. erstaunt

Hoch|meis|ter *m. 5, bis 1530:* Leiter des Deutschen Ordens, danach →Deutschmeister; **hoch|mö|gend** *veraltet:* mächtig, groß; *in Anreden:* Hochmögender Herr; **hoch|mo|le|ku|lar** aus Molekülen bestehend, die aus Tausenden von Atomen zusammengesetzt sind, makromolekular; **Hoch|moor** *s. 1;* **Hoch|mut** *m. Gen.* -(e)s *nur Ez.;* **hoch|mü|tig; Hoch|muts|teu|fel** *m. 5 nur Ez.;* **hoch|nä|sig; Hoch|nä|sig|keit** *w. 10 nur Ez.;* **hoch|neh|men** *tr. 88, übertr.:* **1** übervorteilen; **2** necken, foppen; *aber:* das Kind hoch nehmen; **Hoch|neu|jahr** *s. Gen.* -s *nur Ez.* = Hohneujahr; **hoch|not|pein|lich;** hochnotpeinliches Gericht = Halsgericht; **Hoch|o|fen** *m. 8;* **hoch|pro|zen|tig; hoch|ran|gig; hoch|rech|nen** *tr. 2;* **Hoch|rech|nung** *w. 10* Berechnung aus einer repräsentativen Anzahl, um auf bestimmte Ergebnisse (z. B. von Wahlen) zu schließen; **Hoch|re|li|ef** [-ljɛf] *s. 9* Relief mit stark erhaben herausgearbeiteter Darstellung, Hautrelief; *Ggs.:* Flachrelief; **hoch|rot; Hoch|ruf** *m. 1;* **Hoch|sai|son** [-sɛzɔ̃] *w. 9;* **hoch|schät|zen** *tr. 1;* jmdn. h.; wir haben ihn hochgeschätzt; *aber:* er hat die Kosten sehr hoch geschätzt; **Hoch|schät|zung** *w. 10 nur Ez.;* **hoch|schau|en** *intr. 1;* **Hoch|schu|le** *w. 11;* **Hoch|schü|ler** *m. 5;* **Hoch|schul|leh|rer** *m. 5;* **Hoch|schul|re|form** *w. 10;* **Hoch|schul|stu|di|um** *s. Gen.* -s *Mz.* -di|en; **hoch|schwan|ger; Hoch|see** *w. 11 nur Ez.;* **Hoch|see|fi|sche|rei** *w. 10 nur Ez.;* **hoch|se|lig** *veraltet:* verstorben; **Hoch|sinn** *m. 1 nur Ez.;* **hoch|sin|nig; Hoch|sitz** *m. 1* erhöhter Jagdsitz, Hochstand; **Hoch|som|mer** *m. 5;* **Hoch|span|nung** *w. 10;* elektr. Spannung über 1000 Volt; *Ggs.:* Niederspannung; **Hoch|span|nungs|lei|tung** *w. 10;* **hoch|spie|len** *tr. 1;* eine Angelegenheit h.: ihr zu viel Bedeutung beimessen, sie an die Öffentlichkeit bringen; *aber:* hoch spielen: mit hohem Einsatz spielen; **Hoch|spra|che** *w. 11* = Schriftsprache; **hoch|sprach|lich; hoch|sprin|gen** *intr. 148;* ich springe hoch, bin hochgesprungen (als sportliche Übung); *aber:* ich bin sehr hoch gesprungen; **Hoch|sprung** *m. 2*

höchst 1 *Kleinschreibung:* ich bin höchst erstaunt; ich bin aufs höchste überrascht: sehr, höchst überrascht, im höchsten Grade; **2** *Großschreibung:* der Höchste: Gott; nach dem Höchsten streben

Hoch|stand *m. 2* = Hochsitz; **Hoch|sta|pe|lei** *w. 10;* **hoch|sta|peln** *intr. 1;* ich stapele, staple hoch, habe hochgestapelt; *Ggs.:* tiefstapeln; **Hoch|stap|ler** *m. 5*

Höchst|be|las|tung *w. 10;* **Höchst|bie|ten|de(r)** *m. 18 (17) bzw. w. 17 oder 18*

hoch|ste|hend; ein geistig hochstehender Mensch; *aber:* das ist ein sehr hoch stehendes Haus

höchst|ei|gen; in höchsteigener Person

hoch|stel|len *tr. 1*

höchs|tens; Höchst|ge|schwin|dig|keit *w. 10*

Hoch|stift *s. 1, im MA Bez. für* Bistum und dessen Domkapitel, Reichsabtei; Freies Deutsches H.: 1859 gegründete Vereinigung zur Pflege von Kunst, Wissenschaft und Bildung

Hoch|stim|mung *w. 10 nur Ez.*

Höchst|leis|tung *w. 10;* **Höchst|maß** *s. 1;* **höchst|per|sön|lich;** er kam h.: selbst, in eigener Person; *aber:* das ist meine höchst persönliche Meinung: meine ganz persönliche Meinung; **Höchst|preis** *m. 1*

Hoch|stra|ße *w. 11;* **hoch|stre|bend**

Höchst|satz *m. 2;* **Höchst|stu|fe** *w. 11* = Superlativ; **höchst|wahr|schein|lich;** er wird h. kommen; *aber:* es ist höchst wahrscheinlich, dass er kommt; **Höchst|wert** *m. 1;* **höchst|zu|läs|sig**

Hoch|tal *s. 4;* **Hoch|tem|pe|ra|tur|re|ak|tor** *m. 13;* **Hoch|ton** *m. 2* Hauptbetonung (im Wort, im Satz); *Ggs.:* Tiefton; **hoch|tö|nend** prahlerisch; **hoch|to|nig** den Hochton aufweisend, stark betont; **Hoch|tour** [-tu:r] *w. 10* Bergtour im Hochgebirge; **hoch|tou|rig** [-tu:-] mit hoher Umdrehungszahl; *Ggs.:* niedertourig; **Hoch|tou|rist** [-tu-] *m. 10;* **Hoch|tou|ris|tik** *w. 10 nur*

Ez.; **hoch|tra|bend; hoch|tragen** *tr. 160, nord-, mitteldt.:* hinauf-, nach oben tragen; vgl. hoch (**3**); **hoch|ver|ehrt;** unser hochverehrter Jubilar; *aber:* er wird von allen hoch verehrt; **Hoch|ver|rat** *m. Gen.* -(e)s *nur Ez.* Angriff auf Staatsoberhaupt, Verfassung und innere Ordnung des eigenen Landes; vgl. Landesverrat; **Hoch|ver|räter** *m. 5;* **hoch|ver|rä|te|risch; Hoch|wald** *m. 4;* **Hoch|was|ser** *s. 5; Ggs.:* Niedrigwasser; **hoch|wer|tig;** *Ggs.:* geringwertig; **Hoch|wer|tig|keit** *w. 10 nur Ez.;* **Hoch|wild** *s. Gen.* -(e)s *nur Ez., Sammelbez. für* großes Wild, z. B. Hirsch, Reh, Elch, Gämse, Wildschwein, Auerhahn, Bär; *Ggs.:* Niederwild; **hoch|will|kom|men; hoch|wir|beln** *intr. 1;* **hoch|wirk|sam;** eine hochwirksame Medizin; **hoch|wohl|ge|bo|ren** *veraltet, in der Anrede:* Euer, Eure Hochwohlgeboren; **Hoch|wür|den** *w. Gen. - nur Ez., Anrede für* kath. Geistliche und evang. Geistliche bestimmter Grade; *in Briefen:* Euer, Eure (*Abk.:* Ew.) H.; **hoch|wür|dig; Hoch|zahl** *w. 10, Math.;* **Hoch|zeit** *w. 10* Heirat; **Hoch|zeit** *w. 10* Glanzzeit; **Hoch|zei|ter** *m. 5;* **Hoch|zei|te|rin** *w. 10;* **hoch|zeit|lich; Hoch|zeits|bit|ter** *m. 5; früher:* jmd., der die Hochzeitsgäste einlädt; **Hoch|zeits|fei|er** *w. 11;* **Hoch|zeits|fest** *s. 1;* **Hoch|zeits|flug** *m. 2* (bei manchen Insekten); **Hoch|zeits|rei|se** *w. 11;* **Hoch|zeits|tag** *m. 1;* **hoch|zie|hen** *tr. 187;* **Hoch|zucht** *w. 10;* **hoch|züch|ten** *tr. 2*

Hock *m. 2, schweiz.:* geselliges Beisammensein; **Ho|cke** *w. 11* **1** mehrere zusammengestellte Getreidegarben, Puppe; **2** Haltung in der Kniebeuge; **3** Sprung mit angezogenen Beinen über ein Turngerät; **ho|cken** *intr. 1;* **Ho|cker** *m. 5*

Hö|cker *m. 5*

Ho|cker|grab *s. 4*

hö|cke|rig, höck|rig

Ho|ckey [-ke:, engl.] *s. Gen.* -(s) *nur Ez.;* ein Rasenspiel für zwei Mannschaften; **Ho|ckey|schlä|ger** *m. 5*

höck|rig, hö|cke|rig

Hock|stel|lung *w. 10*

hoc lo|co [lat.] (*Abk.:* h.l.) *veraltet:* an diesem Ort

Ho|de *w. 11 od. m. 11* = Hoden

Hod|e|ge|se *auch:* **Ho|de|ge|se** [griech.] *w. 11 nur Ez.;* **Hod|e|ge|tik** *auch:* **Ho|de|ge|tik** *w. 10 nur Ez., veraltet:* Anleitung zum Studium eines Wissensgebietes

Ho|den *m. 7* männliche Keimdrüse; **Ho|den|bruch** *m. 2;* **Ho|den|ent|zün|dung** *w. 10;* **Ho|den|sack** m. 2

Ho|do|me|ter [griech.] *s. 5* Schrittzähler, Wegmesser

Hödr = Hödur

Ho|dscha *auch:* **Hod|scha** [pers.] *m. 9* Lehrer in der osman. Türkei

Hö|dur *german. Myth.:* blinder Gott, der Baldur tötet

Hoek van Hol|land [huk fan-] Vorhafen von Rotterdam

Hof *m. 2;* Hof halten; jmd. hält Hof; **Höf|chen** *s. 7;* **Hof|da|me** *w. 11;* **hö|feln** *intr. 1, schweiz.:* schmeicheln; **Hö|fe|recht** *s. 1* eine Art des Erbrechts; **hof|fä|hig; Hof|fä|hig|keit** *w. 10 nur Ez.*

Hof|fart *w. Gen. - nur Ez.* Hochmut, Dünkel; **hof|fär|tig** hochmütig, dünkelhaft

hof|fen *tr. 1;* **hof|fent|lich**

...höf|fig *Bgb., in Zus.:* Ausbeute versprechend, z. B. erzhöffig; **höff|lich** *Bgb.:* Ausbeute versprechend; ein höffliches Gebiet

Hoff|nung *w. 10;* **hoff|nungs|los; Hoff|nungs|lo|sig|keit** *w. 10 nur Ez.;* **Hoff|nungs|schim|mer** *m. 5;* **Hoff|nungs|strahl** *m. 12;* **hoff|nungs|voll**

> **Hof halten:** Die Verbindung aus Substantiv und Verb wird getrennt geschrieben: *Die Dame des Hauses wollte immer Hof halten.* Ebenso: *Angst haben, Kopf stehen, Rad fahren* usw. →§ 34 E3 (5)

Hof|gän|ger *m. 5* Tagelöhner auf einem Bauernhof; **hof|hal|ten** ► **Hof hal|ten** *intr. 61;* **Hof|hal|tung** *w. 10;* **Hof|hund** *m. 1*

ho|fie|ren *tr. 3;* jmdn. h.: jmdm. den Hof machen, jmdm. schmeicheln; **hö|fisch; höf|lich; Höf|lich|keit** *w. 10* **Höf|lich|keits|be|zei|gung** *w. 10;* **Höf|lich|keits|flos|kel** *w. 11*

Höf|ling *m. 1;* **Hof|mann** *m. Gen.* -(e)s *Mz.* -leute; **Hof|mar|schall** *m. 2;* **Hof|meis|ter** *m. 5* Prinzenerzieher; **Hof|narr** *m. 10;* **Hof|rat** *m. 2;* **Hof|recht** *s. 1 nur Ez., MA:* das Verhältnis zwischen Grundherrn und abhängigen Bauern regelndes Recht; **Hof|rei|te** *w. 11* Grundbesitz mit Gebäuden und Inventar; **Hof|schran|ze** *w. 11* liebedienerischer Höfling; **Hof|staat** *m. 12 nur Ez.;* **Hof|statt** *w. 10, schweiz.:* Haus mit Hof

Höft *s. 1, nddt.:* **1** Haupt; **2** Landzunge; **3** Buhne; **4** *südwestdt.:* kleines Dorf

Hof|the|a|ter *s. 5;* **Hof|tor** *s. 1;* **Hof|tracht** *w. 10;* **Hof|trau|er** *w. 11 nur Ez.;* **Hof|tür** *w. 10*

ho|he (-r, -s); vgl. hoch; **Hö|he** *w. 11*

Ho|heit *w. 10* **1** *nur Ez.* Erhabenheit; **2** fürstliche Person; Ihre, Seine H.; Königliche H.; *auch als Anrede:* Eure, Euer H.; **ho|heit|lich; Ho|heits|ge|biet** *s. 1;* **Ho|heits|ge|wäs|ser** *s. 5;* **Ho|heits|recht** *s. 1;* **ho|heits|voll; Ho|heits|zei|chen** *s. 7*

Ho|he|lied *s.,* das H., des Hohenliedes, dem Hohenlied, im Hohenlied, **1** ein Buch des AT, König Salomo zugeschriebene Sammlung von Hochzeitsliedern; **2** *auch übertr.:* ein Hoheslied, *Mz. nicht üblich* Lob, Loblied; ein Hoheslied der Freundschaft

hö|hen *tr. 1* **1** *veraltet:* erhöhen; **2** *Malerei:* hervortreten lassen; **Hö|hen|flug** *m. 2;* **Hö|hen|krank|heit** *w. 10* Berg-, Fliegerkrankheit; **Hö|hen|kur** *w. 10;* **Hö|hen|la|ge** *w. 11;* **Hö|hen|luft** *w. 2 nur Ez.;* **Hö|hen|mes|ser** *m. 5;* **Hö|hen|rauch** *m. Gen.* -(e)s *nur Ez.* Trübung der Luft durch Waldbrand oder Abbrennen v. Moor, Haarrauch, Heiderauch; **Hö|hen|son|ne** *w. 11 nur Ez.* **1** Sonnenstrahlung im Hochgebirge; **2** Ⓦ Quarzlampe mit Ultraviolettstrahlen

Ho|hen|stau|fe *m. 11* Angehöriger eines dt. Fürstengeschlechts; **Ho|hen|stau|fen** *m. Gen.* -(s) Berg an der Schwäb. Alb; **ho|hen|stau|fisch**

Hö|hen|wind *m. 1*

Ho|hen|zol|ler *m. 11* Angehöriger eines dt. Fürstengeschlechts; **ho|hen|zol|le|risch; Ho|hen|zol|lern** *m. Gen.* -(s) Berg mit Burg an der Schwäb. Alb

Hö|hen|zug *m. 2*

Ho|he|pries|ter *m.,* der H., ein

Hoherpriester, des Hohenpriesters, dem Hohenpriester, die Hohenpriester; zwei Hohepriester; **Ho|he|prie|ster|amt** *s.*, des Hohenpriesteramtes, die Hohenpriesterämter; **ho|he|prie|ster|lich**

Hö|he|punkt *m. 1;* **hö|her**; höhere Gewalt; höhere Schule, *in der pädagog. Fachsprache vielfach auch:* Höhere Schule: Oberschule; **Ho|her|prie|ster** *m.*, vgl. Hohepriester; **Hö|her|ver|si|che|rung** *w. 10*

Ho|hes|lied *s.* vgl. Hohelied (**2**)

hohl; hohl|äu|gig

Höh|le *w. 11;* **Höh|len|bär** *m. 10;* **Höh|len|be|woh|ner** *m. 5;* **Höh|len|ma|le|rei** *w. 10;* **Höh|len|mensch** *m. 10;* **Höh|len|tem|pel** *m. 5*

Hohl|heit *w. 10 nur Ez.;* **Hohl|keh|le** *w. 11* lange, schmale, abgerundete Vertiefung (an Gebäuden, Möbeln) zur Flächengliederung; **Hohl|kopf** *m. 2* Dummkopf; **Hohl|ku|gel** *w. 11;* **Hohl|maß** *s. 1;* **Hohl|mün|ze** *w. 11* = Brakteat; **Hohl|na|del** *w. 11;* **Hohl|naht** *w. 2* Ziernaht aus Hohlsaumstichen; **Hohl|pfen|nig** *m. 1* = Brakteat; **Hohl|raum** *m. 2;* **Hohl|saum** *m. 2* ein Zierstich in Leinengewebe; **Hohl|spie|gel** *m. 5* nach hinten gewölbter, vergrößernder Spiegel; **Hohl|tier** *s. 1* niederes Meerestier, dessen Körper nur aus einem Hohlraum mit einer Öffnung besteht

Höh|lung *w. 10*

hohl|wan|gig; Hohl|weg *m. 1* Weg durch eine Schlucht o. Ä.; **Hohl|zie|gel** *m. 5* **1** stark gekrümmter Dachziegel; **2** Ziegelstein mit Hohlräumen

> **Hohn lachen/sprechen:** Gefüge aus Substantiv und Verb werden getrennt geschrieben: *Das hat der Sache Hohn gesprochen.* [→ § 55 (4)]. Zusammenschreibung ist möglich: *hohnlachen/hohnsprechen.* → § 33 (1) und E1, § 34 E3 (5)

Hohn *m. Gen.* -(e)s *nur Ez.;* er lachte Hohn; das spricht allen meinen Bemühungen Hohn; **höh|nen** *intr. 1*

Hoh|neu|jahr, Hoch|neu|jahr *s. Gen.* -s *nur Ez.* der 6. Januar, die letzte der zwölf Rauhnächte; **Hohn|ge|läch|ter** *s. 5;* **höh|nisch; hohn|la|chen** *Nv.* ► **Hohn la|chen** *Hv. intr. 1;* **hohn|spre|chen** *Nv.* ► **Hohn spre|chen** *Hv. intr. 146*

hö|ken *intr. 1, Nebenform von* hökern; **Hö|ker** *m. 5* Kleinhändler mit Verkaufsbude oder -stand; **Hö|ke|rei** *w. 10 nur Ez.;* **Hö|ker|frau** *w. 10;* **Hö|ke|rin** *w. 10;* **hö|kern** *intr. 1;* **Hö|ker|weib** *s. 3*

Ho|kus|po|kus [wohl aus verstümmelten lat. Formen] *m. Gen. - nur Ez.* **1** Zauberformel; **2** Täuschung, Blendwerk

hold; Hol|de, Hul|de *w. 11,* Hul|din *w. 10* weibl. Spukgestalt; die Holden *german. Myth.:* Totengeister

Hol|der *m. 5* = Holunder

Hol|ding|ge|sell|schaft [engl. holding company] *w. 10* Dach-, Kontrollgesellschaft, Gesellschaft, die Anteile anderer Unternehmen besitzt und diese dadurch beeinflussen kann; **Hol|ding|ge|setz** *s. 1, Bergbau, Eisen- und Stahlindustrie:* Gesetz über die Mitbestimmung der Arbeitnehmer

hol|drio! südd. Hirtenruf, auch Freudenruf

hold|se|lig; Hold|se|lig|keit *w. 10 nur Ez.*

ho|len *tr. 1;* hol dich der Kuckuck, hol's der Teufel!

Ho|lis|mus [griech.] *m. Gen. - nur Ez.* eine biologisch-philosoph. Ganzheitslehre

Holk, Hulk [engl.] *m. 1 oder m. 12 oder w. 1 oder w. 10, MA:* dreimastiges Segelschiff, *fälschlich für* Kogge

Hol|land 1 = Niederlande; **2** nordwestl. Teil und Kernland der Niederlande; **Hol|län|der** *m. 5* **1** Einwohner von Holland; **2** Meier, Milchwirt; **3** *Papierherstellung:* Maschine zum Zerkleinern des Faserbreis; **4** Kinderfahrzeug; **5** *kurz für* Holländer Käse; **Hol|län|de|rei** *w. 10* Milchwirtschaft; **Hol|län|de|rin** *w. 10;* **hol|län|dern 1** *tr. 1, Buchbinderei:* mit Fäden heften; **2** *intr. 1* zu zweit mit verschränkten Armen Schlittschuh laufen; ich holländere, holländre; **hol|län|disch**; holländischer Gulden (*Abk.:* hfl); **Hol|län|disch** *s. Gen.* -(s) *nur Ez.* = Niederländisch

Hol|le 1 *w. 11, bei Vögeln:* Federhaube; **2** Frau H.: eine Märchengestalt

Höl|le *w. 11* **1** *nur Ez.;* **2** *süddt.* Raum zwischen Ofen und Wand; **Höl|len...** *ugs.:* sehr groß, z. B. Höllenlärm; **Höl|len|fahrt** *w. 10;* H. Christi; **Höl|len|fürst** *m. 10;* **Höl|len|hund** *m. 1;* **Höl|len|lärm** *m. Gen.* -s *nur Ez.;* **Höl|len|ma|schi|ne** *w. 11* Zeitbombe; **Höl|len|qual** *w. 10;* **Höl|len|spek|ta|kel** *m. 5;* **Höl|len|stein** *m. 1* ein Ätzmittel zu Heilzwecken, Silbernitrat

Hol|ler *m. 5* = Holunder

Hol|le|rith|ma|schi|ne [nach dem dt.-amerik. Erfinder Hermann Hollerith] *w. 11* eine Lochkartenmaschine

höl|lisch

Hol|ly|wood [-wud] Filmstadt der USA; **Hol|ly|wood|schau|kel** *w. 11*

Holm *m. 1* **1** Längs-, Griffstange an Leiter und Barren; **2** kleine Insel; **3** Längsträger des Flugzeugflügels; **Holm|gang** *m. 2* german. Zweikampf auf einem Holm (**2**)

Hol|mi|um [nach Stockholm] *s. Gen.* -s *nur Ez.* (*Zeichen:* Ho) chem. Element, ein Metall der Seltenen Erden

Ho|lo|caust *m. 1, engl. Bez. für* Brandopfer, Zerstörung, Massenmord (durch Verbrennen)

Ho|lo|e|der [griech.] *m. 5* Kristall mit vollständig ausgebildeten Flächen; **Ho|lo|e|drie** *auch:* **-ed|rie** *w. 11 nur Ez., bei Kristallen:* volle Ausbildung aller Flächen; **ho|lo|e|drisch** *auch:* **-ed|risch; Ho|lo|gra|phie** *Nv.* ► **Ho|lo|gra|fie** *Hv. w. 11* **1** *nur Ez.* fotograf. Verfahren für räumliche Bilder; **2** mit diesem Verfahren hergestelltes Bild; **ho|lo|gra|phie|ren** *Nv.* ► **ho|lo|gra|fie|ren** *Hv. tr. 3, veraltet:* eigenhändig schreiben; **ho|lo|gra|phisch** *Nv.* ► **ho|lo|gra|fisch** *Hv.;* **Ho|lo|gra|phon, Ho|lo|gra|phum** *s. Gen.* -s *Mz.* -pha, *veraltet:* eigenhändig geschriebene Urkunde; **ho|lo|kris|tal|lin** ganz kristallin (von Gesteinen); **Ho|lo|me|ta|bo|len** *Mz.* Insekten mit vollständiger Verwandlung; **Ho|lo|me|ta|bo|lie** *w. 11 nur Ez., bei Insekten:* vollständige Verwandlung einschließlich eines Puppenstadiums; **Ho|lo|si|de|rit** *m. 1* Meteorstein, der ganz aus Eisen- und Nickellegierungen besteht; **Ho|lo|thu|rie** [-riə] *w. 11* Seewalze, ein Stachelhäuter;

Hollolzän *s. 1 nur Ez.* obere Abteilung des Quartärs, Eiszeit bis Gegenwart, *frühere Bez.:* Alluvium
hollpelrig; Hollpelrigkeit *w. 10;* **hollpern** *intr. 1;* **holplrig; Holprigkeit** *w. 10*
Hollste *m. 11, veraltet für* Holsteiner; **Hollstein** südl. Landesteil von Schleswig-Holstein; **Hollsteilner** *m. 5;* **Hollsteilnerin** *w. 10;* **hollsteilnisch**; *aber:* die Holsteinische Schweiz
hollterldielpollter
hol üblber! Ruf an den Fährmann
Hollunlder, Holler, Hollder *m. 5;* Fliederbeerstrauch; **Holunlderlbaum** *m. 2;* **Hollunlderbeelre** *w. 11;* **Hollunlderstrauch** *m. 4*
Holz *s. 4; im Orchester:* Gesamtheit der Holzblasinstrumente; Gut Holz! (Gruß der Kegler); **Holzlaplfel** *m. 6;* **Holzlbau 1** *m. Gen.* -(e)s *nur Ez.* Bauweise mit Holz; **2** *m. Gen.* -(e)s Mz. -baulten Gebäude aus Holz; **Holzlbildlhauler** *m. 5;* **Holzlbildlhaulelrei** *w. 10 nur Ez.;* **Holzlbläser** *m. 5;* **Holzblaslinlstrulment** *auch:* **-inslstrument** *s. 1;* **Holzlbock** *m. 2* eine Zeckenart; **Hölzlchen** *s. 7;* **holzen** *intr. 1* **1** Bäume fällen; **2** *Sport:* regelwidrig spielen; **3** *Mus.:* falsch spielen; **Hollzer** *m. 5* **1** Waldarbeiter; **2** roher Spieler; **Hollzelrei** *w. 10 nur Ez.;* **höllzern 1** aus Holz; **2** *übertr.:* steif, ungewandt (Benehmen), trocken (Stil); **Holzlfälller** *m. 5;* **holzlfrei; Holzlfrelvel** *m. 5* Holzdiebstahl (im Wald); **Holzgas** *s. 1 nur Ez.* durch Holzdestillation gewonnenes Gas; **Holzlgeist** *m. 3 nur Ez.* früher durch Holzdestillation gewonnener Methylalkohol; **Holzlgerechltiglkeit** *w. 10 nur Ez.* Recht, Bäume zu fällen, Holzungsrecht; **Holzlhalcker** *m. 5, süddt., österr. für:* Holzfäller; **Holzlhamlmerlmeltholde** *w. 11, ugs.:* grob vereinfachte Methode; **hollzig; Holzlkohlle** *w. 11* durch Verkohlung von Holz gewonnene Kohle; **Holzlkopf** *m. 2* Dummkopf; **Hölzllein** *s. 7;* **Holzlpanltoflfel** *m. 14;* **Holzplasltik** *w. 10;* **Holzlscheit** *s. 1;* **Holzlschliff** *m. 1* zu Fasern zerkleinertes Holz; **Holzlschneider** *m. 5;* **Holzlschnitt** *m. 1* **1** *nur Ez.* die Kunst, aus einer (längs der Faser geschnittenen) Holzplatte mit dem Messer eine erhabene bildliche Darstellung herauszuschneiden; **2** deren Abdruck auf Papier; vgl. Holzstich; **Holzlschnitlzer** *m. 5;* **Holzlschnitlzelrei** *w. 10;* **Holzschuh** *m. 1;* **Holzlspan** *m. 2;* **Holzlstich** *m. 1* **1** *nur Ez.* Kunst, aus einer (quer zur Faser geschnittenen) Holzplatte (Hirnholzplatte) mit dem Stichel eine erhabene bildliche Darstellung herauszuarbeiten; **2** deren Abdruck auf Papier; vgl. Holzschnitt; **Hollzung** *w. 10* das Fällen von Bäumen; **Holzungslrecht** *s. 1* = Holzgerechtigkeit; **holzlverlarlbeiltend** ► **Holz verlarlbeiltend**; die Holz verarbeitende Industrie; **Holzweg** *m. 1;* auf dem H. sein *ugs.:* im Irrtum sein; **Holzlwollle** *w. 11 nur Ez.;* **Holzlwurm** *m. 4;* **Holzlzulcker** *m. 5 nur Ez.* durch Aufspaltung der Zellulose des Holzes gewonnener Zucker
Homlburg *m. 9* steifer Herrenhut
Homelland [hoʊmlənd, engl. »Heimatland«] *s. 9, in der Republik Südafrika:* Bantuvölkern eingeräumtes Gebiet mit innerer Autonomie, z. B. Transkei
Holmer altgriech. Dichter; **Holmelrilde** *m. 11* **1** *urspr.:* Angehöriger eines altgriech. Sängergeschlechts; **2** *dann:* Sänger der Gedichte Homers; **holmelrisch**; homerisches Gelächter: lautes, anhaltendes Gelächter
Homelrule [hoʊmru:l, engl.] *w. Gen.- nur Ez.* Schlagwort für die Forderung nach Selbstregierung (bes. in Irland bis zum 1. Weltkrieg)
Homelspun [hoʊmspʌn, engl.] *s. 9* (urspr. in Heimindustrie hergestellter) grober Wollstoff
Holmillet [griech.] *m. 10* **1** Kenner der Homiletik; **2** Kanzelredner, Prediger; **Holmilleltik** *w. 10 nur Ez.,* Lehre von der Predigt und ihrer Geschichte; **holmilleltisch; Holmillilar, Homillilalrum** *s. Gen.* -s *Mz.* -rilen, *MA:* Predigtsammlung; **Holmilie** *w. 11* erbauliche Auslegung eines Bibeltextes
Holmilnilde [lat. + griech.] *m. 11 meist Mz.* Vertreter jeder ausgestorbenen oder heute noch lebenden Menschenrasse, Menschenartiger; **Holmilnilsaltilon** *w. 10 nur Ez.* die stammesgeschichtliche Entwicklung zum Menschen; **Holmilnilslmus** *m. Gen. - nur Ez.* Lehre, dass alle Erkenntnis nur im Hinblick auf den Menschen Gültigkeit habe; **holmilnilsltisch**
Homlmalge [ɔmaʒ(ə), frz.] *w. 11* Huldigung
Holmo [lat.] **1** *m. Gen.* -s *oder* Holmilnis, *Mz.* Holmilnes Mensch; Homo faber: technisch begabter Mensch; Homo sapiens: vernunftbegabter Mensch, *wissenschaftl. Bez. für:* der heutige Mensch; **2** [auch: hɔ-] *m. 9, ugs. Kurzw. für* Homosexueller
Holmolelroltik [griech.] *w. 10 nur Ez.* = Homosexualität; **holmolelroltisch** = homosexuell; **holmolfon** = homophon; **holmolgen** gleich, gleichartig, übereinstimmend, in Einklang stehend, einheitlich; *Ggs.:* heterogen, inhomogen; **holmolgelnilsielren** *tr. 3* gleich machen, gut vermischen, gleichmäßig verteilen; **Holmolgelniltät** *w. 10* Gleichartigkeit, Einheitlichkeit; *Ggs.:* Heterogenität, Inhomogenität; **Holmolgolnie** *w. 11 nur Ez.* Entstehung aus Gleichartigem; *Ggs.:* Heterogonie; **Holmolgramm** *s. 1,* **Holmolgraph** *Nv.* ► **Holmolgraf** *Hv. s. 1* Wort von gleicher Schreibung, aber verschiedener Aussprache und Bedeutung, z. B. Tenor und Tenor, Krater und Krater
holmoilo..., Holmoilo... *griech. Form von* homöo..., Homöo...
holmollog [griech.] stammesgeschichtlich übereinstimmend, entsprechend, analog; homologe Organe: Organe mit gleicher Entwicklungsgeschichte, z. B. Arm und Vogelflügel, Schwimmblase und Lunge; homologe Reihe: Gruppe chem. Verbindungen, bei denen sich jede von der vorangehenden durch eine zusätzliche CH_2-Gruppe unterscheidet; **Holmolog** *s. 1* chem. Verbindung einer homologen Reihe; **Holmollogie** *w. 11* Übereinstimmung, Entsprechung, Gleichartigkeit; **Holmollolgulmelnon** *s. Gen.* -s *Mz.* -na als zum NT gehörend anerkannte Schrift; **homlolnym** *auch:* **holmolnym** gleich lautend, aber etwas anderes bedeu-

tend; **Hom|o|nym** *auch:* **Ho|mo|nym** *s. 1* Wort von gleicher Lautung, aber verschiedener Herkunft und Bedeutung, z. B. der Heide, die Heide; vgl. Homophon; **Hom|o|ny|mie** *auch:* **Ho|mo|ny|mie** *w. 11* Gleichlautung bei verschiedener Bedeutung und Herkunft

Ho|mö|o|nym [griech.] *s. 1* ähnlich lautendes Wort, z. B. heimelig und heimlich; **Ho|mö|o|path** *m. 10* nach den Regeln der Homöopathie behandelnder Arzt; *Ggs.:* Allopath; **Ho|mö|o|pa|thie** *w. 11 nur Ez.* Heilbehandlung mit kleinsten Dosen von Heilmitteln; *Ggs.:* Allopathie; **ho|mö|o|pa|thisch**; *Ggs.:* allopathisch; **Ho|mö|o|plas|tik,** Ho|mo|plas|tik *w. 10* Ersatz verletzten oder verlorengegangenen Gewebes durch artgleiches; *Ggs.:* Heteroplastik; **ho|mö|o|therm** warmblütig, gleichbleibend warm; *Ggs.:* poikilotherm; **Ho|mö|o|ther|me** *Mz.* = Warmblüter; *Ggs.:* Poikilotherme

ho|mo|phil [griech.] = homosexuell; **Ho|mo|phi|lie** *w. 11 nur Ez.* = Homosexualität; **ho|mo|phon** ▶ *auch:* **ho|mo|fon** gleichstimmig, die Melodie betonend; **Ho|mo|phon** ▶ *auch:* **Ho|mo|fon** *s. 1* Wort, das wie ein anderes gesprochen wird, aber eine andere Schreibung und Bedeutung hat, z. B. Lied und Lid; **Ho|mo|pho|nie** ▶ *auch:* **Ho|mo|fo|nie** *w. 11 nur Ez.* Kompositionsart, bei der die Melodiestimme im Vordergrund steht und die übrigen Stimmen sie nur unterstützen, Monodie; vgl. Heterophonie, Polyphonie; **Ho|mo|plas|tik** *w. 10* = Homöoplastik; **Ho|mo|seis|te** *w. 11, Kartographie:* Linie, die Orte gleicher Erschütterung bei Erdbeben verbindet; **Ho|mo|se|xu|a|li|tät** *w. 10 nur Ez.* auf Partner des gleichen Geschlechts gerichtete geschlechtliche Liebe, Homoerotik, Homophilie; *Ggs.:* Heterosexualität; **ho|mo|se|xu|ell** gleichgeschlechtlich, zu Partnern des gleichen Geschlechts hinneigend, homoerotisch, homophil; *Ggs.:* heterosexuell; **Ho|mo|se|xu|el|le(r)** *m. 18 (17) bzw. w. 17 oder 18;* **ho|mo|zen|trisch** *auch:* **ho|mo|zent|risch** den gleichen Mittelpunkt habend; **ho|mo|zy|got** reinerbig, mit gleichen Erbanlagen; *Ggs.:* heterozygot; **Ho|mo|zy|go|tie** *w. 11 nur Ez.* Reinerbigkeit; *Ggs.:* Heterozygotie

Ho|mun|ku|lus [lat. »Menschlein«] *m. Gen. - Mz.* -li, *in Goethes »Faust«:* künstlich erzeugter, sehr kleiner Mensch

Ho|nan|sei|de [nach der chin. Provinz Honan) *w. 11* handgewebter chin. Seidenstoff

Hon|du|ra|ner *m. 5* Einwohner v. Honduras; **hon|du|ra|nisch; Hon|du|ras** mittelamerik. Staat

ho|nen [engl.] *tr. 1* feinschleifen

ho|nett [frz.] anständig, ehrenhaft

Ho|nig *m. 1;* **Ho|nig|bie|ne** *w. 11;* **ho|nig|far|ben; ho|nig|gelb; Ho|nig|ku|chen** *m. 7;* **Ho|nig|ku|chen|pferd** *s. 1, in der ugs. Wendung:* strahlen, grinsen wie ein H.; **Ho|nig|mond** *m. 1* Flitterwochen; **Ho|nig|pilz** *m. 1* Hallimasch; **Ho|nig|sau|ger** *m. 5 Mz.* = Nektariniiden; **Ho|nig|seim** *m. 1, poet. für* Honig; **ho|nig|süß; Ho|nig|tau** *m. 1 nur Ez.* zuckerhaltige Ausscheidung von Blattläusen, oft als Überzug auf Blättern; **Ho|nig|wa|be** *w. 11;* **Ho|nig|wein** *m. 1* = Met

Ho|ni soit qui mal y pense, *ältere Schreibung:* honni, honny [ɔni soa ki mal y pãs, frz.] Ein Schuft sei, wer etwas Schlechtes davon denkt (Inschrift des engl. Hosenbandordens)

Hon|neurs [ɔnœrs, frz.] *nur Mz.* **1** Ehrenbezeigung; die H. machen: Gäste begrüßen und vorstellen; **2** *Lomber und Whist:* die vier bzw. fünf höchsten Karten

Hon|ni soit... = Honi soit

Ho|no|lu|lu Hst. von Hawaii

ho|no|ra|bel [frz.] *veraltend:* ehrbar, ehrenwert, ehrenvoll

Ho|no|rant [lat.] *m. 10* jmd., der anstelle des Bezogenen einen Wechsel annimmt oder honoriert; **Ho|no|rar** *s. 1, bes. in freien Berufen:* Vergütung, Entgelt, Bezahlung; **Ho|no|rar|pro|fes|sor** *m. 13* nicht im Beamtenverhältnis stehender Hochschulprofessor, der auf Grund bes. Leistungen einen Lehrauftrag bekommen hat; **Ho|no|rat** *m. 10* jmd., für den ein anderer einen Wechsel honoriert; **Ho|no|ra|ti|o|ren** [-tsjo-] *nur Mz., bes. in kleinen Städten:* die angesehensten Bürger; **ho|no|rie|ren** *tr. 3* **1** bezahlen (Wechsel; *bei freien Berufen:* Arbeit); **2** *übertr.:* anerkennen (Bemühung); **Ho|no|rie|rung** *w. 10;* **ho|no|rig** *Stud.:* ehrenhaft, freigebig: **ho|no|ris cau|sa** (*Abk.:* h.c.) ehrenhalber; vgl. Dr. h.c.

Hon|véd [hɔnve:d, ung.] **1** *m. 9, seit 1868:* ung. freiwilliger Landwehrsoldat; **2** *w. 9 nur Ez., seit 1868:* die ung. Landwehr; **3** *w. 9 nur Ez., seit 1918:* das ung. Heer

Hook [huk, engl.] *m. 9, Boxen, engl. Bez. für* Haken

Hoo|li|gan [hulıgən, engl. »Lümmel«] *m. 9* **1** Vertreter einer philosoph. oder relig. Richtung, der bestrebt ist, die Rechte anderer einzuschränken; **2** gewaltbereiter Eishockey-, Fußballfan, Rowdy; **Hoo|li|ga|nis|mus** *m. Gen. - nur Ez.* Rowdytum, ungesetzliches Verhalten

hop|fen *tr. 1* mit Hopfen versetzen (Bier); **Hop|fen** *m. 7* eine Kletterpflanze, liefert Rohstoff zur Bierherstellung; da ist H. und Malz verloren: da nützen alle Bemühungen nichts; **Hop|fen|stan|ge** *w. 11; auch scherzh.:* lang aufgeschossene weibl. Person

Ho|plit *auch:* **Hop|lit** [griech.] *m. 10, im alten Griechenland:* schwer bewaffneter Fußsoldat; **Ho|pli|tes** *auch:* **Hop|li|tes** *m. Gen. - Mz.* -ten, *Geol.:* ein Leitfossil der Kreidezeit

hop|peln *intr. 1;* **Hop|pel|pop|pel** *m. 5* **1** Bauernfrühstück aus Bratkartoffeln mit Rührei und Schinken; **2** heißes Getränk aus Rum, Eiern, Zucker; **hopp-hopp**; es geht alles ein bisschen h. *ugs.:* zu schnell und flüchtig; **hop|pla!**

hops *ugs.:* kaputt, verloren; das Geld ist hops; **Hops** *m. 1;* **hop|sa!; hop|sa|la!; hop|sa|sa!; hop|sen** *intr. 1;* **Hop|ser** *m. 5;* **hops|ge|hen** ▶ **hops ge|hen** *intr. 47, ugs.:* kaputtgehen, verloren gehen; **hops|neh|men** ▶ **hops neh|men** *tr. 88, ugs.:* verhaften

ho|ra [griech.] Stunde; *im Dt. nur als Zeichen* h *oder* ^{h}, z. B. kWh: Kilowattstunde; 5^h: fünf Uhr; **Ho|ra,** Ho|re *w. Gen. - Mz.* -ren, *kath. Kirche:* Zeit des Stundengebets sowie dieses selbst

Hör|ap|pa|rat *m. 1;* **hör|bar; Hör|bar|keit** *w. 10 nur Ez.;* **Hör|be|reich** *m. 1;* **Hör|bild** *s. 3, Rundfunk:* dramatisierter Bericht
horch!; hor|chen *intr. 1;* **Hor|cher** *m. 5;* **Horch|ge|rät** *s. 1;* **Horch|pos|ten** *m. 7*
Hor|de *w. 11* **1** ungezügelte Schar, Kriegsschar; *bei Naturvölkern:* Gruppe von Familien; **2** Lattengestell zum Aufbewahren von Obst oder Kartoffeln
Ho|re *w. 11* = Hora; **Ho|ren 1** *Mz. von* Hora; **2** *nur Mz., griech. Myth.:* die Göttinnen der Jahreszeiten; **3** *nur Mz.* Titel einer von Schiller 1795/97 herausgegebenen literarischen Zeitschrift
hö|ren 1 *tr. 1;* ich habe ihn, es gehört, *aber:* ich habe ihn lachen, sprechen, gehen, kommen hören; etwas, nichts von sich hören lassen; **2** *intr. 1, ugs.:* gehorchen; **Hö|ren|sa|gen** *s., nur in der Wendung* etwas vom H. kennen oder wissen: nicht aus eigener Anschauung oder Erfahrung; **Hö|rer** *m. 5;* **Hö|rer|brief** *m. 1;* **Hö|re|rin** *w. 10;* **Hö|rer|schaft** *w. 10 nur Ez.;* **Hör|fä|hig|keit** *w. 10 nur Ez.;* **Hör|feh|ler** *m. 5;* **Hör|fol|ge** *w. 11, Rundfunk:* Folge von zusammengehörigen Wort- oder Musiksendungen; **Hör|funk** *m. 1 nur Ez.* Rundfunk, im Unterschied zum Fernsehfunk; **Hör|ge|rät** *s. 1*
hö|rig 1 vom Grundherrn abhängig, unfrei; **2** *übertr.:* von einem Menschen psychisch abhängig bis zur Selbstaufgabe; **Hö|ri|ge(r)** *m. 18 (17)* höriger Bauer; **Hö|rig|keit** *w. 10 nur Ez.*
Ho|ri|zont [griech.] *m. 1* **1** scheinbare Linie, die den Himmel von der Meeres- oder Landoberfläche trennt, Gesichtskreis, Sehkreis; **2** *Geol.:* durch bestimmte Versteinerungen gekennzeichnete Schicht; diese Schicht umfassender Zeitabschnitt; **3** *übertr.:* Umfang der geistigen Interessen und Bildung; einen engen, weiten H. haben; **ho|ri|zon|tal** waagerecht; *Ggs.:* vertikal; **Ho|ri|zon|ta|le** *w. 11 oder w. 17* waagerechte Gerade, waagerechte Lage; *Ggs.:* Vertikale; **ho|ri|zon|tie|ren** *tr. 3, Geol.:* zeitlich in Beziehung zueinander bringen (Gesteinsschichten)
Hor|mon [griech.] *s. 1* von den Drüsen mit innerer Sekretion gebildeter, bestimmte körperliche Funktionen regelnder Wirkstoff; **hor|mo|nal, hor|mo|nell** auf Hormonen beruhend; **Hor|mon|prä|pa|rat** *s. 1*
Horn *s. 4;* seinem Ehemann Hörner aufsetzen: ihn betrügen; **Hor|ber|ger Schie|ßen**; das geht aus wie 's H. Sch.: das führt zu keinem Ergebnis; **Horn|blen|de** *w. 11* ein Mineral; **Horn|bril|le** *w. 11;* **Hörn|chen** *s. 7* **1** ein Gebäck; **2** *Mz.* Gruppe von Nagetieren; **Hörndl|bau|er** *m. 11, österr.:* Bauer, der Hornvieh züchtet: *Ggs.:* Körndlbauer; **hor|nen** *veraltet, noch poet. für* hörnern; **hör|nen 1** *refl. 1* das Gehörn abwerfen; **2** *tr. 1* mit Hörnern ausstatten; vgl. gehörnt; **hör|nern 1** aus Horn; **2** mit Hornhaut überzogen; **Hör|ner|schall** *m. 1 nur Ez.;* **Hör|ner|schlit|ten** *m. 7*
Hör|nerv *m. 12, fachsprachl.: m. 10*
Horn|haut *w. 2;* **Horn|haut|ent|zün|dung** *w. 10;* **hor|nig** aus Hornhaut; wie Hornhaut
Hor|nis|se [auch: hor-] *w. 11* eine Wespenart
Hor|nist *m. 10* Hornbläser (im Orchester); **Horn|klee** *m. Gen. -s nur Ez.* = Lotus; **Hörn|lein** *s. 7;* **Horn|och|se** *m. 11, vulg.:* Dummkopf
Horn|pipe [hornpaɪp, engl.] *w. 9, bis 18. Jh.:* engl. Volkstanz
Horn|si|gnal *auch:* **-sig|nal** *s. 1*
Hor|nung *m. 1, alter Name für* Februar
Hor|nuss [-nu:s] *m. 1, schweiz.:* ovale Hartgummischeibe für das Hornussen; **Hor|nus|sen** *s. Gen. -s nur Ez., schweiz.:* dem Schlagball ähnliches Spiel
Horn|vieh 1 *s. Gen. -s nur Ez.* Hörner tragende Haustiere; **2** *s. Gen. -s Mz. -*vie|cher, *derb:* Dummkopf, Trottel; **Horn|wa|ren** *w. 11 Mz.*
Ho|ro|log [griech.] *s. 1* **Ho|ro|lo|gi|um** *s. Gen. -s Mz. -*gi|en, *veraltet:* Stundenanzeiger, Uhr
Ho|ro|skop *auch:* **Ho|ros|kop** [griech.] *s. 1, Astrol.:* Aufzeichnung der Stellung der Gestirne bei der Geburt eines Menschen zur Charakterdeutung und (angebl.) Zukunftsvorhersage
hor|rend [lat.] **1** schrecklich; **2** ungeheuer, übermäßig; horrende Forderungen, Preise; **hor|ri|bel** *veraltet:* schrecklich, grauenhaft; horribile dictu: schrecklich zu sagen (als Einleitung zu einer Schilderung); **Hor|ri|bi|li|tät** *w. 10 nur Ez., veraltet:* Schrecklichkeit
hor|ri|do!; Hor|ri|do *s. 9* Jagdruf; Hochruf für einen erfolgreichen Jäger
Hör|rohr *s. 1, veraltet für* Stethoskop
Hor|ror [lat.] **1** *m. Gen. -s nur Ez.* Abscheu, Grauen; einen H. vor etwas haben; Horror vacui: Scheu vor dem Leeren; **2** *kurz für* Horror-Trip; **Hor|ror|film** *m. 1;* **Hor|ror-Trip** ► **Hor|ror|trip** [lat.-engl.] *m. 9* Rauschzustand nach Drogengenuss mit Schreckensvorstellungen
Hör|saal *m. Gen. -(e)s Mz. -*säle; **hör|sam** *eindeutschend für* akustisch; **Hör|sam|keit** *w. 10 nur Ez., eindeutschend für* Akustik
hors con|cours [ɔr kɔ̃kur, frz.] außer Wettbewerb; bei einem Rennen h. c. laufen
Hors|d'œu|vre *auch:* **-œuv|re** [ɔ:rdœvrə, frz.] *s. 9* Vorspeise
Hör|spiel *s. 1;* **Hör|spiel|au|tor** *m. 13*
Horst *m. 1* **1** Knüppelnest (von Greifvögeln, Reihern, Störchen); **2** *Geol.:* über ihre Umgebung hinausgehobene Erdscholle
hors|ten *intr. 2* nisten (von Greifvögeln)
Hör|sturz *m. 2 nur Ez.* plötzl. Ausfall des Gehörs infolge Durchblutungsstörung, meist mit Störung des Gleichgewichtssinnes verbunden
Hort *m. 1*
hor|ten *tr. 2* anhäufen, speichern
Hor|ten|sie [-sjə] *w. 11* ein Zierstrauch
hört, hört!; Hört|hört|ruf, Hört-hört-Ruf *m. 1*
Hort|ne|rin *w. 10* Kindergärtnerin; **Hor|tung** *w. 10 nur Ez.* das Horten
ho ruck!, hau ruck!
Hör|ver|mö|gen *s. 7 nur Ez.;* **Hör|wei|te** *w. 11 nur Ez.;* in H. bleiben
ho|san|na = hosianna
Hös|chen *s. 7; auch:* Blütenstaubpäckchen an den Hinter-

beinen der Bienen; **Ho|se** *w. 11, häufig wird statt der Ez. die Mz. gebraucht:* wo sind meine Hosen?; sie hat die Hosen an *ugs.:* sie gibt zu Hause den Ton an; **Ho|sen|band|or|den** *m. 7* höchster engl. Orden; **Ho|sen|bo|den** *m. 8;* **Ho|sen|bund** *m. 2;* **Ho|sen|knopf** *m. 2;* **Ho|sen|latz** *m. 2;* **Ho|sen|lupf** *m. 2, schweiz.:* Ringkampf; **Ho|sen|matz** *m. 2* nur mit einem Höschen bekleidetes Kind: *auch:* kleines, drolliges Kind; **Ho|sen|naht** *w. 2;* **Ho|sen|rock** *m. 2;* **Ho|sen|rol|le** *w. 11* von einer Schauspielerin dargestellte Männerrolle; **Ho|sen|schlitz** *m. 1;* **Ho|sen|span|ner** *m. 5;* **Ho|sen|stall** *m. 2* Hosenschlitz; **Ho|sen|ta|sche** *w. 11;* **Ho|sen|trä|ger** *m. 5 meist Mz.;* ein Paar H.; **Ho|sen|tür|chen** *s. 7,* **Ho|sen|türl** *s. 7, bayr.:* Hosenschlitz

ho|si|an|na, ho|san|na!, ho|si|an|nah! Freudenruf, urspr. beim Einzug Jesu in Jerusalem; **Ho|si|an|na,** Ho|si|an|nah *s. 9* Bittruf in der christlichen Liturgie; das H. singen

Hös|lein *s. 7*

Hos|pi|tal [lat.] *s. 4 oder s. 1, veraltet, noch schweiz.:* Krankenhaus, Altenpflegeheim; **Hos|pi|ta|lis|mus** *m. Gen. - nur Ez.* **1** *Sammelbez. für* körperliche, geistige und seelische Schäden durch längeren Krankenhaus- oder (bei Kindern) Heimaufenthalt; **2** zusätzl. Erkrankung eines Patienten im Krankenhaus durch Infektion; **Hos|pi|ta|li|tät** *w. 10 nur Ez., veraltet:* Gastfreundschaft; **Hos|pi|tant** *m. 10* **1** Gasthörer (an einer Hochschule oder in der Fraktionssitzung einer anderen Partei); **2** Studienreferendar als Zuhörer bei einer Unterrichtsstunde; **hos|pi|tie|ren** *intr. 3* als Gast zuhören; **Hos|piz** *s. 1* (urspr. von Mönchen errichtetes) Übernachtungsheim, christliches Gasthaus

Hos|po|dar, Gos|po|dar *m. 1 oder m. 10, früher:* Titel slawischer Fürsten in der Moldau und Walachei

Ho|steß ► **Ho|stess** [auch: hɔ-, engl.] *w. Gen. - Mz.* -stes|sen **1** Fremdenführerin, Betreuerin von Gästen (bei großen Veranstaltungen, in Ausstellungen usw.); **2** städt. Angestellte, die Fremden Auskünfte erteilt; **3** *in den USA:* Bardame

Hos|tie [-tjə, lat. »Opfer-(tier)«] *w. 11* geweihtes, ungesäuertes Abendmahlsbrot in Form einer kleinen Oblate; **Hos|ti|en|kelch** *m. 1* = Ziborium (**1**); **Hos|ti|en|schrein** *m. 1* = Tabernakel (**1**)

hos|til [lat.] feindlich, feindselig; **Hos|ti|li|tät** *w. 10 nur Ez.* Feindseligkeit

Hot *m. 9, kurz für* Hot Jazz, Improvisation und scharfe Synkopierung einer Melodie im Jazz, im Unterschied zum Blues und Sweet

> **Hotdog/Hot Dog:** Die integrierte (eingedeutschte) Form ist die Hauptvariante *(Hotdog),* die Nebenvariante *(Hot Dog)* ist zulässig. Ebenso: *Hotjazz/Hot Jazz, Hotpants/Hot Pants.* →§ 37 (1), § 37 E1

Hot Dog *Nv.* ► **Hot|dog** *Hv.* [hɔtdɔg, engl. »heißer Hund«] *m. Gen.* -(s) *Mz.* -(s) in eine ausgehöhlte Semmel gestecktes, mit Ketschup gewürztes heißes Würstchen

Ho|tel [frz.] *s. 9;* **Ho|tel gar|ni** *s. Gen. -- Mz.* -s -s [-tɛl -ni] Hotel, in dem man nur übernachten und frühstücken kann; **Ho|te|lier** [-lje] *m. 9* Besitzer oder Leiter eines Hotels; **Ho|tel|le|rie** *w. 11 nur Ez.* Hotel-, Gaststättengewerbe

Hot Jazz *Nv.* ► **Hot|jazz** *Hv.* [hɔtdʒæs] *m. Gen. - nur Ez.* der scharf akzentuierende Improvisationsstil des Jazz in seiner Blütezeit zwischen 1920 u. 1930; **Hot Pants** *Nv.* ► **Hot|pants** *Hv.* [hɔtpænts, engl. »heiße Höschen«] *Mz.* sehr kurze Damenshorts

hott! Zuruf an Zugpferde; hüh und hott; mit Hüh und Hott

hot|ten *intr. 2* Hot tanzen

Hot|ten|tot|te [kapholländ.] *m. 11* Angehöriger eines süd- und südwestafrik. Volkes; **hot|ten|tot|tisch; Hot|ten|tot|tisch** *s. Gen.* -(s) zu den Khoisansprachen gehörende Sprache der Hottentotten

House of Com|mons [haʊs ɔv kɔmənz] *s. Gen. --- nur Ez.* das Unterhaus im englischen Parlament; **House of Lords** [haʊs ɔv lɔdz] *s. Gen. --- nur Ez.* das Oberhaus im engl. Parlament

Ho|ver|craft [-kra:ft, engl.] *s. Gen.* -(s) *Mz.* -s Fahrzeug, das unmittelbar über dem Wasser wie auf einem Luftkissen schwebt, Luftkissenfahrzeug

h. p. *Abk. für* horse-power = Pferdestärke (PS)

Hr. *Abk. für* Herr *(selten)*

HR *Abk. für* **1** Rockwellhärte; **2** Hessischer Rundfunk

Hra|dschin *auch:* **Hrad|schin** *m. Gen.* -s Stadtteil von Prag mit Burg (Regierungssitz)

hrsg., hg. *Abk. für* herausgegeben; **Hrsg.,** Hg. *Abk. für* Herausgeber

hs *Abk. für* Hektoster

HTL *Abk. für* Höhere techn. Lehranstalt (Schweiz, Österr.)

hü! = hüh!

Hub *m. 2* Hebebewegung; Weg der Hin- bzw. Herbewegung eines Kolbens

hü|ben auf dieser Seite; h. und drüben

Hu|ber, Hüb|ner *m. 5, süddt., österr., schweiz. für* Hufner

Hu|ber|tus|man|tel *m. 6, österr.:* Lodenmantel; **Hu|ber|tus|tag** *m. 1* der 3. November, der dem hl. Hubertus, dem Schutzherrn der Jäger, geweihte Tag

Hub|hö|he *w. 11;* **Hub|kraft** *w. 2;* **Hub|län|ge** *w. 11*

Hüb|ner, Hu|ber *m. 5, süddt., österr., schweiz. für* Hufner

Hub|raum *m. 2*

hübsch; Hübsch|heit *w. 10 nur Ez.*

Hub|schrau|ber *m. 5* Flugzeug mit waagerecht und radförmig sich drehenden Flügeln, das senkrecht starten und landen kann; **Hub|vo|lu|men** *s. 7* Hubraum

Hu|chen *m. 7* ein Lachsfisch

Hu|cke *w. 11* **1** auf dem Rücken getragene Last; eine H. Holz; **2** *ugs.:* Rücken; ich hau dir die H. voll; jmdm. die H. volllügen; **hu|cke|pack** auf dem, *oder:* den Rücken; jmdn. h. tragen, nehmen; **Hu|cke|pack|ver|kehr** *m. 1 nur Ez.* Transport eines Fahrzeugs mit Ladung auf einem Eisenbahnwagen

Hu|de *m. 11, nddt.:* Viehweide

Hu|del *m. 5* Lappen, Fetzen

Hu|de|lei *w. 10* **1** Hast; **2** schlampige Arbeit; **Hu|de|ler,** Hud|ler *m. 5;* **hu|de|lig,** hud|lig; **hu|deln** *intr. 1* hastig, unsorgfältig arbeiten

hu|dern *bei Vögeln:* **1** *tr. 1* unter die Flügel nehmen (die Jungen); **2** *refl. 1* im Sand baden
Hud|ler, Hu|de|ler *m. 5;* jmd., der hudelt; **hud|lig,** hu|de|lig
Hu|er|ta [uẹrta, span.] *w. 9, in Süd- und Ostspanien:* künstlich bewässertes Ackerland
Huf *m. 1;* **Huf|be|schlag** *m. 2*
Hu|fe *w. 11* **1** *urspr.* Anteil einer Bauernfamilie an der Gemeindeflur; **2** altes Feldmaß, landschaftlich schwankend, 12 bis 24 ha
Huf|ei|sen *s. 7*
Hu|fen|dorf *s. 4* Dorf, in dem hinter jedem Hof in schmalen Streifen das dazugehörige Acker- und Wiesenland liegt
Huf|lat|tich *m. 1* eine Heilpflanze; **Huf|na|gel** *m. 6*
Huf|ner, Hüf|ner *m. 5* Besitzer einer Hufe (**1**)
Huf|schlag *m. 2;* **Huf|schmied** *m. 1;* **Huf|schmie|de** *w. 11*
Hüft|bein *s. 1;* **Hüf|te** *w. 11;* **Hüft|ge|lenk** *s. 1;* **Hüft|ge|lenk-ent|zün|dung** *w. 10;* **Hüft|gür|tel** *m. 5;* **Hüft|hal|ter** *m. 5*
Huf|tier *s. 1*
Hüft|kno|chen *m. 7;* **hüft|lahm; Hüft|weh** *s. 1 nur Ez., volkstüml. für* Ischias
Hü|gel *m. 5;* **hü|gel|ab; hü|gel|an; hü|gel|auf; hü|ge|lig,** hüg|lig; **Hü|gel|land** *s. 4*
Hu|ge|not|te [frz.] *m. 11, im alten Frankreich:* Protestant; **Hu|ge|not|ten|krie|ge** *m. 1 Mz.;* **hu|ge|not|tisch**
hüg|lig, hü|ge|lig
hüh!, hü! Zuruf an Zugpferde; hüh und hott; mit Hüh und Hott; mal sagt er hüh, mal hott *ugs.:* er weiß nicht, was er will
Huhn *s. 4;* **Hühn|chen** *s. 7;* **Hüh|ner|au|ge** *s. 14;* **Hüh|ner|au|gen|pflas|ter** *s. 5;* **Hüh|ner|brü|he** *w. 11;* **Hüh|ner|brust** *w. 2 ugs.:* Brustkorb mit stark vorgewölbtem Brustbein; **Hüh|ner|ei** *s. 3;* **Hüh|ner|farm** *w. 10;* **Hüh|ner|fri|kas|see** *s. 9;* **Hüh|ner|ha|bicht** *m. 1;* **Hüh|ner|hof** *m. 2;* **Hüh|ner|hund** *m. 1* = Vorstehhund; **Hüh|ner|pest** *w. Gen. - nur Ez.* eine durch Virus übertragene Krankheit der Hühner, Geflügelpest; **Hüh|ner|vo|gel** *m. 6;* **Hühn|lein** *s. 7*
hui!; im Hui, in einem Hui: blitzschnell
hu|i|us an|ni [lat.], hu|jus an|ni (*Abk.:* h. a.) dieses Jahres; **hu|i|us men|sis,** hu|jus men|sis (*Abk.:* h. m.) dieses Monats
Hu|ka [arab.] *w. 9* indische Wasserpfeife
Huk|boot [engl.] *s. 1,* **Hu|ker** *m. 5* größeres Fischerboot mit umlegbarem Mast
Hu|la [hawaiisch] *w. 9 oder m. 9* (urspr. kultischer) Tanz der Eingeborenen von Hawaii
Huld *w. Gen. - nur Ez.*
Hul|de *w. 11* = Holde
hul|di|gen *intr. 1;* **Hul|di|gung** *w. 10*
Hul|din *w. 10* = Holde
huld|reich; huld|voll
Hulk *m. 1 oder m. 12 oder w. 1 oder w. 10* = Holk
Hüll|blatt *s. 4;* **Hül|le** *w. 11;* **hül|len** *tr. 1;* **hül|len|los**
Hüls|chen *s. 7;* **Hül|se** *w. 11;* **Hül|sen|frucht** *w. 2;* **hül|sig**
hu|man [lat.] menschlich, menschenfreundlich, menschenwürdig; *Ggs.:* inhuman; **Hu|ma|ni|o|ra** *Mz., veraltet:* **1** klassische Bildung, Studium des klassischen Altertums; **2** Schrifttum des klassischen Altertums, die klassischen Fächer, *auch:* Prüfung darin; **hu|ma|ni|sie|ren** *tr. 3* human, menschlich machen; **Hu|ma|nis|mus** *m. Gen. - nur Ez.* **1** Menschlichkeit, Achtung vor der Menschenwürde; **2** im 13.–16. Jh. europäische geistige Strömung, die nach Wiederbelebung der Kulturwerte des griech.-röm. Altertums strebte, im 18. Jh. neue Blüte dieser Strömung: Neuhumanismus; **Hu|ma|nist** *m. 10* **1** Vertreter des Humanismus; **2** Kenner des griech.-röm. Altertums, bes. seiner Sprachen; **3** jmd., der ein humanistisches Gymnasium besucht hat; **hu|ma|nis|tisch** auf dem Humanismus (**2**) beruhend, von ihm ausgehend; humanistisches Gymnasium: Gymnasium mit Griechisch und Latein; **hu|ma|ni|tär** menschenfreundlich, wohltätig; **Hu|ma|ni|tät** *w. 10 nur Ez.* edle Menschlichkeit, Gesinnung und Verhaltensweise, die sich der Würde des Menschen verpflichtet fühlt; *Ggs.:* Inhumanität; **Hu|man|me|di|zin** *w. 10 nur Ez.* Bereich der Medizin, der sich mit dem Menschen befasst, im Unterschied zur Tiermedizin; **hu|man|me|di|zi|nisch**
Hu|man re|la|tions *Nv.* ▶ **Hu|man|re|la|tions** *Hv.* [jumən rılɛıʃnz, engl.] *Mz.* die zwischenmenschl. Beziehungen, bes. als Forschungsgegenstand
Hum|bug [engl.] *m. Gen.* -s *nur Ez.* Täuschung, Blendwerk
Hu|me|ra|le [lat.] *s. Gen.* -s *Mz.* -lia *oder* -li|en Schultertuch des kath. Priesters
hu|mid [lat.], **hu|mi|de** feucht, niederschlagsreich (Klima, Gebiet); **Hu|mi|di|tät** *w. 10 nur Ez.;* **Hu|mi|fi|ka|ti|on** *w. 10 nur Ez.* Vermoderung, Humusbildung; **hu|mi|fi|zie|ren** *tr. 3* vermodern lassen, zu Humus werden lassen; **Hu|mi|fi|zie|rung** *w. 10 nur Ez.*
hu|mil [lat.] *veraltet:* **1** niedrig; **2** demütig; **hu|mi|li|ant** *veraltet:* demütigend; **Hu|mi|li|a|ti|on** *w. 10, veraltet:* Demütigung; **Hu|mi|li|tät** *w. 10 nur Ez., veraltet:* Demut
Hu|min|säu|re [lat.] *w. 11 nur Ez.* aus Resten abgestorbener Lebewesen im Boden sich bildende Säure; **Hu|mit** *m. 1,* Hu|mo|lith *m. 1 oder m. 10* Humusgestein, Humuskohle
Hum|mel *w. 11,* Pelzbiene
Hum|mer *m. 5* ein Krebs
Hu|mo|lith [lat. + griech.] *m. 1 oder m. 10* = Humit
Hu|mor [lat.] *m. Gen.* -s *nur Ez.* geistig überlegene Heiterkeit, heitere seelische Gelassenheit;
Hu|mor *m. Gen.* -s *Mz.* -mo|res [-re:s], *Med.:* Körperflüssigkeit, Körpersaft; **hu|mo|ral** auf den Körpersäften beruhend, durch sie bewirkt; **Hu|mo|ral|pa|tho|lo|gie** *w. 11 nur Ez.* antike Lehre, dass alle Krankheiten durch fehlerhafte Zusammensetzung der Körpersäfte verursacht würden; **Hu|mo|res|ke** *w. 11* kurze, humorvolle Erzählung, kurzes, heiteres Musikstück; **hu|mo|rig** voller Humor, launig; **Hu|mo|rist** *m. 10* Verfasser oder Rezitator humorvoller Erzählungen oder Verse; **Hu|mo|ris|ti|kum** *s. Gen.* -s *nur Ez.* etwas Humorvolles; **hu|mo|ris|tisch** mit, voller Humor; **hu|mor|voll**
hu|mos humusreich
Hum|pe|lei *w. 10 nur Ez.;* **hum|peln** *intr. 1;* ich humpele, humple
Hum|pen *m. 7* großes, meist zylindrisches, metallenes Trinkgefäß

▶ = wird zu

Hu|mus [lat.] *m. Gen. - nur Ez.* die oberste, fruchtbare Schicht des Erdbodens; **hu|mus|reich**
Hund *m. 1* **1** der Große, der Kleine Hund: zwei Sternbilder; **2** *Bgb., auch:* Hunt, Förderwagen; **Hünd|chen** *s. 7;* **Hun|de|arbeit** *w. 10, ugs.:* schwierige, mühselige Arbeit; **hun|de|elend; Hun|de|hüt|te** *w. 11;* **hun|de|kalt; Hun|de|käl|te** *w. Gen. - nur Ez.;* **Hun|de|kuchen** *m. 7;* **Hun|de|le|ben** *s. 7* mühseliges, elendes Leben; **hun|de|mü|de,** hunds|mü|de

> **hundert/Hundert, hunderte/Hunderte:** Kardinalzahlen unter einer Million werden kleingeschrieben: *Es waren hundert Leute da.* [→§ 58 (6)]. Als Zahlsubstantiv mit Artikel wird großgeschrieben: *das Hundert.* →§ 55 (5)
> Drücken *hundert* bzw. *tausend* eine unbestimmte Menge aus, können die Wörter groß- oder kleingeschrieben werden: *Es waren hunderte/Hunderte Menschen im Stadion.* →§ 58 E5
> Die Ordnungszahl wird mit großem Anfangsbuchstaben geschrieben: *der/die/das Hundertste; vom Hundertsten ins Tausendste.* →§ 57 (1)
> Weiterhin: *Hundertmeterlauf/Hundert-Meter-Lauf* bzw. *100-Meter-Lauf/100-m-Lauf* [→§ 55 (1), § 55 (2)] sowie *das Hundertfache, um das Hundertfache.* →§ 57 (1)
> Aber: *Er war hundertfach besser.*

hun|dert *in Ziffern:* 100; drei von hundert; einige, mehrere, viele hundert/Hundert Menschen; vgl. Hundert; da war ich auf hundert *ugs.:* ich kochte, war wütend; an die hundert Stück; *in Verbindung mit anderen Zahlen Zusammenschreibung,* z. B.: einhundert, zweihundert, hunderteins, hundertundeins, hundertachtzig, hundertundachtzig, einhunderteins, einhundertundachtzig; **Hun|dert** *s. 1, Mz. auch: - (Abk.:* Hdt.) die Zahl 100, Menge von hundert Stück oder Lebewesen; ein halbes Hundert; einige, mehrere Hundert: einige, mehrere Packungen oder Gruppen von je 100 Stück; drei vom Hundert (*Abk.:* v. H.): drei Prozent; viele Hunderte (von Menschen); Hunderte und Aberhunderte; das Leben Hunderter von Menschen; der Schaden geht in die Hundert; sie kamen zu Hunderten; sie kommt vom Hundertsten ins Tausendste: sie erzählt immer wieder etwas anderes; Ableitungen vgl. acht, Acht; **hun|dert|eins,** hun|dert|und|eins; **Hun|der|tel** *s. 5, österr. neben* Hundertstel; **Hun|der|ter** *m. 5* **1** *in mehrstelligen Zahlen:* die dritte Ziffer von rechts bzw. vor dem Komma; **2** *ugs.:* Hundertmarkschein; **hun|der|ter|lei**; ich muss an h. denken; **hun|dert|fach**; das Hundertfache; **hun|dert|fäl|tig; Hun|dert|jahr|fei|er** *w. 11, in Ziffern:* 100-Jahr-Feier: Feier der 100. Wiederkehr eines Ereignisses oder zum 100-jährigen Bestehen, Säkularfeier, Zentenarfeier; vgl. Jahrhundertfeier; **hun|dert|jäh|rig** 100 Jahre alt, 100 Jahre während; *aber:* der Hundertjährige Kalender; **hun|dert|jähr|lich** alle 100 Jahre; **hun|dert|mal; hun|dert|ma|lig; hun|dert|pro|zen|tig; Hun|dert|satz** *m. 2* = Prozentsatz; **Hun|dert|schaft** *w. 10* militär. Einheit aus 100 Mann; **hun|derts|tel** eine h. Sekunde, *auch:* Hundertstelsekunde; vgl. achtel; **Hun|derts|tel** *s. 5, schweiz.: m. 5;* ein H. vom Ganzen; vgl. Achtel; **hun|dert|tau|send,** *in Ziffern:* 100000; **hun|dert|tau|sends|tel**; eine h. Sekunde, *auch:* Hunderttausendstelsekunde; vgl. achtel; **Hun|dert|tau|sends|tel** *s. 5, schweiz.: m. 5;* vgl. Achtel; **hun|dert|und|eins,** hun|dert|eins
Hun|de|schlit|ten *m. 7;* **Hun|de|schnau|ze** *w. 11;* kalt wie eine H. *ugs.:* gefühllos, gleichgültig; **Hun|de|steu|er** *w. 11;* **Hun|de|wet|ter** *s. 5 nur Ez., ugs.;* **Hün|din** *w. 10;* **hün|disch; Hünd|lein** *s. 7*
Hun|dred|weight *auch:* **Hund|red-** [hʌndrədweɪt] *s. Gen. - Mz.* -(s) = Centweight
Hunds|fisch *m. 1* kleiner, hechtartiger Fisch; **Hunds|fott** *m. 2* Schuft; **Hunds|föt|te|rei** *w. 10* Schurkerei; **hunds|föt|tisch; hunds|ge|mein; Hunds|ge|mein|heit** *w. 10;* **hunds|mi|se|ra|bel; hunds|mü|de,** hun|de|mü|de; **Hunds|ro|se** *w. 11* Heckenrose; **Hunds|stern** *m. 1 nur Ez.* ein Fixstern, Sirius; **Hunds|ta|ge** [nach dem Sternbild des Großen Hundes] *m. 1 Mz.* die heißesten Tage des Jahres; **Hunds|wut** *w. Gen. - nur Ez., veraltet für* Tollwut; **hunds|wü|tig**
Hunds|zun|ge *w. 11* **1** Rauhblattgewächs; **2** ein Plattfisch
Hü|ne *m. 11* **1** Angehöriger eines myth. Riesengeschlechts; **2** *übertr.:* sehr großer, breitschultriger Mann; **Hü|nen|ge|stalt** *w. 10;* **Hü|nen|grab** *s. 4* = Großsteingrab; **hü|nen|haft**
Hun|ga|ri|ka *Mz.* Bücher, Bilder, Dokumente über Ungarn
Hun|ger *m. 5 nur Ez.;* **Hun|ger|ge|fühl** *s. 1;* **Hun|ger|künst|ler** *m. 5;* **Hun|ger|kur** *w. 10;* **Hun|ger|lei|der** *m. 5* jmd., der einen Beruf ausübt, in dem er nur wenig verdient, armer Schlucker; **Hun|ger|lohn** *m. 2* sehr geringer Lohn; **hun|gern** *intr. 1;*

> **hungers sterben:** Adverbien mit der Endung *-s* bzw. *-ens* werden kleingeschrieben: *hungers sterben.* Ebenso: *anfangs, abends, seitens* usw. →§ 56 (3)

ich hungere, hungre; **Hun|ger|öl|dem** [-de:m] *s. 1;* **Hun|gers|not** *w. 2;* **Hun|ger|streik** *m. 9;* **Hun|ger|tod** *m. 1 nur Ez.;* **Hun|ger|tuch** *s. 4* Tuch, das in der Fastenzeit vor den Altar gehängt wurde, Fastentuch; am H. nagen (*eigtl.:* nähen) *ugs.:* Hunger leiden; **hung|rig**
Hun|ne *m. 11* Angehöriger eines asiat. Reitervolkes; **hunnisch**
Huns|rück *m. Gen.* -(s) Teil des Rheinischen Schiefergebirges
Hunt, Hund *m. 1, Bgb.:* Förderwagen
Hun|ter [hʌn-, engl.] *m. 5* engl. Jagdpferd, engl. Jagdhund
hun|zen *tr. 1, veraltet:* schlecht behandeln, beschimpfen
Hu|pe *w. 11;* **hu|pen** *intr. 1*
Hupf *m. 1,* Hup|fer *m. 5, süddt., österr. für* Hüpfer; **hup|fen** *intr. 1, süddt., österr. für* hüpfen; das ist gehupft wie gesprungen *ugs.:* das bleibt sich gleich, ist dasselbe; **hüp|fen** *intr. 1;* **Hup|fer** *m. 5, süddt., österr. für* Hüpfer; **Hüp|fer** *m. 5* kleiner Sprung; **Hüp|fer|ling** *m. 1* Ruderfußkrebs
Hür|chen *s. 7* junge Hure
Hur|de *w. 11* **1** Vorrichtung aus

Pfählen und verflochtenen Zweigen; **2** *schweiz.:* Lattengestell für Obst, Horde; **Hür|de** *w. 11* **1** eingefriedigtes Stück Land, Pferch, z. B. Schafhürde; **2** Hindernis beim Wettlauf; **Hür|den|lauf** *m. 2;* **Hür|den|ren|nen** *s. 7*

Hu|re *w. 11;* **hu|ren** *intr. 1;* **Hu|ren|kind** *s. 3, Typografie:* letzte Zeile eines Absatzes auf der neuen Seite; vgl. Schusterjunge; **Hu|ren|wei|bel** *m. 5, im Landsknechtsheer:* Aufseher über den Tross; **Hu|re|rei** *w. 10*

Hu|ri [arab.] *w. 9, im Islam:* schöne Paradiesjungfrau

hür|nen *veraltet für* hörnern, mit Hornhaut überzogen; der hürnen Siegfried (im Nibelungenlied)

Hu|ro|ne *m. 11* Angehöriger eines nordamerik. Indianerstammes, Wyandot; **hu|ro|nisch**

hur|ra! [auch: hur-]; h. rufen; **Hur|ra** [auch hur-] *s. 9;* **Hur|ra|pa|tri|o|tis|mus** *auch:* **-pat|ri-** [auch: hur-] *m. Gen. - nur Ez.;* **Hur|ra|ruf** [auch: hur-] *m. 1*

Hur|ri|kan [engl.: hʌrɪkən, indian.] *m. 1* Wirbelsturm in Mittelamerika

hur|tig; Hur|tig|keit *w. 10 nur Ez.*

Hu|sar [ung.] *m. 10* **1** *urspr.:* berittener ung. Soldat; **2** *dann allg.:* Angehöriger der leichten Kavallerie; **Hu|sa|ren|streich** *m. 1;* **Hu|sa|ren|stück** *s. 1,* **Hu|sa|ren|stück|chen** *s. 7* tollkühne Tat

husch!; husch, husch!; **Husch** *m. 1 nur Ez.;* in einem H. verschwinden: rasch und geräuschlos; auf einen H. vorbeikommen: für einen kurzen Besuch; **Hu|sche** *w. 11, ostmitteldt.:* Regenschauer

hu|sche|lig, husch|lig **1** oberflächlich, unsorgfältig; **2** gemütlich warm; **hu|scheln 1** *intr. 1* unsorgfältig arbeiten; **2** *refl. 1* sich in etwas h.: sich in etwas warm einhüllen oder hineinschmiegen; ich huschele, huschle mich in das Kissen

hu|schen *intr. 1*

Hus|ky [hʌs-, engl.] *m. 9* Polarhund

huß! ▶ **huss!** Aufforderung an das Pferd, einen Fuß zu heben

hus|sa!; hus|sas|sa!; hus|sen *tr. 1, österr.:* hetzen

Hus|sit *m. 10* Anhänger, Vertreter des Hussitismus; **Hus|si|ten|krie|ge** *m. 1* Mz.; **Hus|si|tis|mus** *m. Gen. - nur Ez.* Lehre und Bewegung des böhm. Reformators Jan Hus

hüs|teln *intr. 1;* ich hüstele, hüstle; **hus|ten** [auch: hu-] **1** *intr. 2;* **2** *tr. 2, ugs.:* ich werd dir was h.!: ich denke nicht daran!, das könnte dir so passen!; **Hus|ten** [auch: hu-] *m. 7;* **Hus|ten|an|fall** *m. 2*

Hut 1 *m. 2;* **2** *w. Gen. - nur Ez.* Obhut, Schutz; in meiner Hut

Hüt|chen *s. 7*

Hü|te|jun|ge *m. 11;* **hü|ten 1** *tr. 2;* **2** *refl. 2;* ich werde mich h., das zu tun; sich vor jmdm. oder etwas h.; **Hü|ter** *m. 5*

Hüt|lein *s. 7;* **Hut|ma|che|rin** *w. 10;* **Hut|na|del** *w. 11;* **Hut|schach|tel** *w. 11*

Hut|sche *w. 11* **1** = Hitsche; **2** *österr.:* Schaukel; **hut|schen** *intr. 1, österr.:* schaukeln

Hut|schnur *w. 2;* das geht mir über die H. *ugs.:* das geht mir zu weit; **Hut|stum|pen** *m. 7*

Hut|te *w. 11, schweiz.* Rückentragkorb

Hüt|te *w. 11; Tech.:* Anlage zur Metallgewinnung, Hüttenwerk; **Hüt|ten|in|dus|trie** *w. 11* die Industrie der Metallgewinnung; **Hüt|ten|kun|de** *w. 11 nur Ez.* Wissenschaft von der Metallgewinnung; **Hüt|ten|werk** *s. 1 Tech.* = Hütte; **Hüt|ten|we|sen** *s. 7 nur Ez.;* **Hütt|ner** *m. 5, veraltet für* Häusler

Hu|tung *w. 10,* **Hut|wei|de** *w. 11* geringwertige Weide, bes. Schafweide

Hut|zel *w. 11* **1** kleines Stück Dörrobst, bes. Dörrbirne; **2** runzliges altes Weiblein; **Hut|zel|brot,** Hut|zen|brot *s. 1* Brot mit eingebackenen Hutzeln (**1**); **hut|ze|lig; hutz|lig; Hut|zel|männ|chen** *s. 7* Heinzelmännchen; **hut|zeln** *intr. 1* schrumpfen; **Hut|zen|brot** *s. 1* = Hutzelbrot; **hutz|lig,** hut|ze|lig

Hut|zu|cker *m. Gen. -s nur Ez.* in Kegelform gepresster Zucker

Huy|gens|sches Prin|zip ▶ **huy|gens|sches Prin|zip** [hɔy-, ndrl. hœyxəns, nach dem ndrl. Physiker Christian Huygens] *s. Gen.* des -schen -s *nur Ez.* ein Lehrsatz aus der theoret. Optik

Hu|zu|le *m. 11* Angehöriger eines ukrain. Volksstammes

HV *Abk. für* Vickershärte

hw *Abk. für* Hektowatt

Hwang|ho, Ho|ang|ho [»gelber Fluss«] *m. Gen. -(s)* chin. Fluss

Hy|a|den *Mz.* **1** *griech. Myth.:* Wassernymphen; **2** *Astron.:* ein Sternbild

hy|a|lin [griech.] glasartig, glasig durchsichtig; **Hy|a|lin** *s. 1* **1** glasige Eiweißmasse; **2** glasiges Vulkangestein; **Hy|a|lit** *m. 1* ein Mineral, Glasopal; **Hy|a|li|tis** *w. Gen. - Mz. -ti|den* Entzündung des Glaskörpers im Auge; **Hy|a|lo|gra|phie** ▶ *auch:* **Hy|a|lo|gra|fie** *w. 11* Glasradierung; **hy|a|lo|id** glasartig; **Hy|a|lo|phan** *s. 1* ein Mineral, Kalifeldspat

Hy|ä|ne [griech.] *w. 11* ein Raubtier

Hy|a|zinth [griech.] **1** *m. 1* ein Edelstein; **2** *griech. Myth.:* Liebling Apollos; **Hy|a|zin|the** *w. 11* eine Zierpflanze

hy|brid *auch:* **hyb|rid** [lat.] **1** von zweierlei Abkunft, zwitterartig; hybride Bildung *auch* Wortbildung aus Bestandteilen, die aus zwei verschiedenen Sprachen stammen, z. B. Soziologie; **2** *auch übertr.:* hochmütig, überheblich; **Hy|bri|de** *m. 11 oder w. 11* aus einer Kreuzung hervorgegangener Bastard; **Hy|bri|di|sa|ti|on** *w. 10* Kreuzung, Bastardierung; **hy|bri|di|sie|ren** *tr. 3* kreuzen; **Hy|bri|di|sie|rung** *w. 10* = Hybridisation

Hy|bris [griech.] *w. Gen. - nur Ez., in der Antike:* frevelhafte Selbstüberhebung, bes. den Göttern gegenüber

Hyd|ar|thro|se *auch:* **Hy|darth|ro|se** *w. 11* = Hydrarthrose; **Hy|da|ti|de** *w. 11* Finne des →Blasenwurms; **hy|da|to|gen** aus wässriger Lösung oder unter Mitwirkung von Wasser entstanden (Mineral, Ablagerung)

hydr…, Hydr… vgl. hydro…, Hydro…

> **Hydra-** (Worttrennung): In Fremdwörtern können die Verbindungen aus einem oder mehreren Konsonanten + *l, n* oder *r* auch so getrennt werden, dass der letzte Konsonant auf die neue Zeile kommt: *Hyd|ra-.* Ebenso: *Hyd|ri-, Hyd|ro-, Hyg|ro-.*

Hy|dra *auch:* **Hyd|ra** [griech.] *w. Gen. - nur Ez., griech. Myth.:* die von Herakles getötete Wasserschlange; **3** *w. Gen. - nur Ez.* ein Sternbild; **4** *w. Gen. - Mz.* -dren ein Süßwasserpolyp; **hy|dra|go|gisch** *Med.:* die Wasserausscheidung anregend; **Hy|dra|go|gum** *s. Gen. -s Mz. -ga, Med.:* die Wasserausscheidung anregendes Mittel; **Hy|drä|mie** *w. 11* erhöhter Wassergehalt des Blutes; **Hy|drant** *m. 10* Wasserzapfstelle auf der Straße; **Hy|drar|gy|ro|se** *w. 11* Quecksilbervergiftung; **Hy|drar|gy|rum** *s. Gen. -s nur Ez. (chem. Zeichen:* Hg) = Quecksilber; **Hy|drar|thro|se** *auch:* **Hydr|arth|ro|se,** Hyd|ar|thro|se *w. 11* Gelenkwassersucht; **Hy|drat** *s. 1* Wasser enthaltende organische oder anorganische Verbindung; **Hy|dra|ta|ti|on, Hy|dra|ti|on** *w. 10* Bildung von Hydraten; **hy|dra|ti|sie|ren** *tr. 3* in Hydrat verwandeln; **Hy|drau|lik** *w. 10 nur Ez.* Lehre von der Bewegung von Flüssigkeiten, von der Wasserkraft; **hy|drau|lisch** auf Flüssigkeitsdruck beruhend, dadurch betrieben, mit Wasserantrieb; hydraulische Bremse; hydraulisches Getriebe; hydraulische Förderung; hydraulische Presse; **Hy|dra|zin** *s. 1* chem. Verbindung aus Stickstoff und Wasserstoff; **Hy|dria** *w. Gen. - Mz. -dri|en* altgriech. Wasserkrug mit zwei waagerechten und einem senkrechten Henkel; **Hy|drid** *s. 1* chem. Verbindung aus Wasserstoff und einem anderen Element; **hy|drie|ren** *tr. 3;* eine chem. Verbindung h.: Wasserstoff unter Mitwirkung von Katalysatoren an eine chem. Verbindung anlagern; **Hy|drie|rung** *w. 10*

hy|dro..., Hy|dro... *auch:* **hyd|ro..., Hyd|ro-** [griech.] *in Zus.:* wasser..., Wasser...; **Hy|dro|bi|o|lo|gie** *w. 11 nur Ez.* Lehre von den im Wasser lebenden Lebewesen; **Hy|dro|chi|non** *s. 1 nur Ez.* eine chem. Verbindung; **Hy|dro|dy|na|mik** *w. 10 nur Ez.* Lehre von den strömenden Flüssigkeiten; **hy|dro|dy|na|misch; hy|dro|e|lek|trisch** Elektrizität durch Wasserdruck erzeugend; ein h. Kraftwerk; **hy|dro|en|er|ge|tisch** *auch:* **hy|dro|e|ner-** durch Wasserdruck Energie erzeugend; **hy|dro|gam** im Wasser befruchtend; **hy|dro|gen** aus Wasser abgeschieden; **Hy|dro|gen** *s. 1 nur Ez., kurz für* Hydrogenium; **Hy|dro|ge|ni|um** *s. Gen. -s nur Ez.* (*Zeichen:* H) = Wasserstoff; **Hy|dro|ge|o|lo|gie** *w. 11 nur Ez.* Bereich der Geologie, der sich mit dem Wasserhaushalt des Bodens befasst, Grundwassergeologie; **Hy|dro|gra|phie** *Nv.* ▶ **Hy|dro|gra|fie** *Hv. w. 11* **1** Lehre vom Kreislauf des Wassers; **2** Gewässerkunde des Festlandes; **hy|dro|gra|phisch** *Nv.* ▶ **hy|dro|gra|fisch** *Hv.;* **Hy|dro|kar|bo|nat** *s. 1* doppelt kohlensaures Salz; **Hy|dro|ke|pha|le** *m. 11* = Hydrozephale; **Hy|dro|kul|tur** *w. 10* = Hydroponik; **Hy|dro|la|se** *w. 11 meist Mz.* Enzym, das unter Wasseraufnahme chem. Verbindungen spaltet; **Hy|dro|lo|ge** *m. 11;* **Hy|dro|lo|gie** *w. 11 nur Ez.* Lehre vom Wasser auf und unter der Erde; vgl. Hydrografie; **hy|dro|lo|gisch; Hy|dro|lo|gi|um** *s. Gen. -s Mz. -gi|en, früher:* Gerät, das sich in einer bestimmten Zeit mit Wasser füllt oder von Wasser leert, Wasseruhr; **Hy|dro|ly|se** *w. 11* Spaltung chem. Verbindungen unter Mitwirkung von Wasser; **hy|dro|ly|tisch** durch Hydrolyse bewirkt, auf ihr beruhend; **Hy|dro|me|cha|nik** *w. 10 nur Ez.* techn. Anwendung von bewegten und unbewegten Flüssigkeiten; **hy|dro|me|cha|nisch; Hy|dro|me|te|o|re** *m. 1 Mz.* Niederschlag aus der Atmosphäre, z.B. Regen; **Hy|dro|me|ter** *s. 5* Gerät zum Messen der Geschwindigkeit strömenden Wassers, Wassermesser; **Hy|dro|me|trie** *auch:* **-met|rie** *w. 11 nur Ez.* alle Messarbeiten an Wasser; **hy|dro|me|trisch** *auch:* **-met|risch; Hy|dro|na|li|um** *s. Gen. -s nur Ez.* Ⓦⓩ Aluminium-Magnesium-Legierung; **Hy|dro|ne|phro|se** *auch:* **-neph|ro|se** *w. 11* Sackniere; **Hy|dro|path** *m. 10;* **Hy|dro|pa|thie** *w. 11 nur Ez.* Anwendung von Wasser zu Heilzwecken, Wasserheilkunde; **hy|dro|pa|thisch; hy|dro|phil** **1** Wasser aufnehmend, Wasser anziehend; **2** Wasser liebend (von Tieren und Pflanzen); **Hy|dro|phi|lie** *w. 11 nur Ez.* **1** Bestreben, Wasser aufzunehmen; **2** Vorliebe für Wasser; **hy|dro|phob** **1** Wasser abstoßend, nicht in Wasser löslich; **2** Wasser meidend, wasserscheu (von Menschen, Tieren und Pflanzen); **Hy|dro|pho|bie** *w. 11 nur Ez.* Wasserscheu (von Menschen, Tieren und Pflanzen); **hy|dro|pho|bie|ren** *tr. 3* Wasser abstoßend machen (Textilien); **Hy|dro|phor** *m. 1* Ⓦⓩ Saugfeuerspritze, die der Feuerspritze Wasser zuführt; **Hy|dro|pho|re** *w. 11, altgriech. Kunst:* Wasserträgerin; **Hy|droph|thal|mus** *m. Gen. - nur Ez., auch:* Buph|thal|mus *m. Gen. - nur Ez.* Augapfelvergrößerung; **Hy|dro|phyt** *m. 10* Wasserpflanze; **hy|dro|pisch** an Hydropsie leidend, wassersüchtig; **Hy|dro|plan** *m. 1* **1** Wasserflugzeug; **2** Gleitboot; **hy|dro|pneu|ma|tisch** durch Wasser und Luft angetrieben; **Hy|dro|po|nik** *w. 10 nur Ez.* Pflanzenaufzucht ohne Erde in Nährlösung, Wasserkultur, Hydrokultur; **Hy|drop|sie** *w. 11* = Wassersucht; **Hy|dro|sphä|re** *auch:* **-os|phä|re** *w. 11 nur Ez.* Wasserhülle der Erde; **Hy|dro|sta|tik** *auch:* **-os|ta|tik** *w. 10 nur Ez.* Lehre von den unbewegten Flüssigkeiten und ihren im Gleichgewicht befindlichen Kräften; **hy|dro|sta|tisch** *auch:* **-os|ta|tisch;** hydrostatischer Druck: Druck einer unbewegten Flüssigkeit auf eine Fläche; **Hy|dro|tech|nik** *w. 10 nur Ez.* Wasserbautechnik; **hy|dro|tech|nisch; Hy|dro|the|ra|peut** *m. 10* jmd., der nach den Methoden der Hydrotherapie behandelt; **hy|dro|the|ra|peu|tisch; Hy|dro|the|ra|pie** *w. 11* Behandlung mit Wasser zu Heilzwecken, Wasserheilverfahren; **Hy|dro|tho|rax** *m. Gen. - nur Ez.* Wasseransammlung im Brustfellraum, Brustwassersucht; **Hy|dro|xid** *s. 1* chem. Verbindung, die eine oder mehrere Hydroxylgruppen enthält; **Hy|dro|xyl|grup|pe** *w. 11* Wasserstoff-Sauerstoff-Gruppe; **Hy|dro|ze|le** *w. 11* entzündliche Flüssigkeitsansammlung, bes. am Hoden; **Hy|dro|ze|pha|le** *m. 11,* Hy|dro|ke|pha|le *m. 11,* **Hy|dro|ze|pha|lus** *m. Gen. -*

Mz. -phallen = Wasserkopf; **Hy|dro|zo|on** *s. Gen.* -s *Mz.* -zo-en Hohltier; **Hy|dru|rie** *auch:* **Hydr|u|rie** *w. 11* erhöhter Wassergehalt des Harns

Hy|gi|e|ne [griech.] *w. 11 nur Ez.* Lehre von der und Pflege der Gesundheit, Sauberkeit; **Hy|gi|e|ni|ker** *m. 5* **1** Wissenschaftler der Hygiene; **2** Fachmann in der öffentlichen Gesundheitsfürsorge; **hy|gi|e|nisch** auf Hygiene beruhend, sie fördernd

Hy|gro|gramm *auch:* **Hyg|ro-** [griech.] *s. 1* Aufzeichnung eines Hygrometers; **Hy|grom** *s. 1* Wasser- oder Schleimgeschwulst bei Schleimbeutelentzündung; **Hy|gro|me|ter** *s. 5,* Gerät zum Messen der Luftfeuchtigkeit, Feuchtigkeits-, Feuchtemesser; **Hy|gro|me|trie** *auch:* **-met|rie** *w. 11 nur Ez.;* **hy|gro|phil** Feuchtigkeit liebend (von Pflanzen); **Hy|gro|phi|lie** *w. 11 nur Ez.* Vorliebe für Feuchtigkeit; **Hy|gro|phyt** *m. 10* Pflanze mit feuchtem Standort; **Hy|gro|skop** *auch:* **Hyg|ros|kop** *s. 1* Gerät zum Schätzen der Luftfeuchtigkeit nach dem Augenschein; **hy|gro|sko|pisch** *auch:* **-os|ko|pisch** Wasser anziehend; **Hy|gro|sko|pi|zi|tät** *auch:* **-os|ko|pi|zi|tät** *w. 10 nur Ez.* Fähigkeit, Wasser anzuziehen und aufzunehmen

Hy|le [griech.] *w. 11 nur Ez., altgriech. Naturphilosophie:* Stoff, Materie, Substanz, Urstoff; **hy|lisch** stofflich, materiell, körperlich; **Hy|lis|mus** *m. Gen. - nur Ez.* Lehre, dass der Stoff die alleinige Grundlage der Wirklichkeit sei; **hy|lo|trop** bei gleicher chem. Zusammensetzung in eine andere Form umwandelbar; **Hy|lo|tro|pie** *w. 11 nur Ez.* Fähigkeit eines Stoffes, ohne Änderung der chem. Zusammensetzung in eine andere Form überzugehen, z. B. von Wasser in Wasserdampf oder Eis; **Hy|lo|zo|is|mus** *m. Gen. - nur Ez.* Lehre von der urspr. Beseeltheit der Materie; **hy|lo-zo|is|tisch**

Hy|men [griech.] **1** *s. 7* = Jungfernhäutchen; **2** *m. 7,* Hy|menae|us [-neus] *m. Gen. - Mz.* -naei [-nei] altgriech. Hochzeitslied; **hy|me|nal** zum Hymen (**1**) gehörig; **Hy|me|no|pte|re** *auch:* **Hy|me|nop|te|re** *m. 11 meist Mz.* Hautflügler

Hym|nar [griech.] *s. 1, Mz. auch* -ri|en, **Hym|na|ri|um** *s. Gen.* -s *Mz.* -ri|en nach den kirchlichen Feiertagen geordnete liturg. Hymnensammlung; **Hym|ne** *w. 11* **1** geistlicher Lobgesang; **2** preisendes weltl. Gedicht; **Hym|nik** *w. 10 nur Ez.* hymnische Art, Kunstform der Hymne; **Hym|ni|ker** *m. 5* Hymnendichter; **hym|nisch; Hym|no|de** *m. 11* altgriech. Hymnendichter; **Hym|no|lo|ge** *m. 11;* **Hym-no|lo|gie** *w. 11 nur Ez.* Wissenschaft von den (bes. christlichen) Hymnen; **hym|no|lo-gisch; Hym|nos** *m. Gen. - Mz.* -nen, *griech. Form von* Hymnus, Hymne; **Hym|nus** *m. Gen. - Mz.* -nen, *lat. Form von* Hymne

Hy|os|cy|a|min [griech.], **Hy|os-zy|a|min** *s. 1* Alkaloid mancher Nachtschattengewächse, Heilmittel gegen Augenkrankheiten

hyp…, Hyp…, vgl. hypo…, Hypo…

Hyp|al|ge|sie *auch:* **Hy|pal-** [griech.] *w. 11* herabgesetzte Schmerzempfindlichkeit; *Ggs.:* Hyperalgesie; **hyp|al|ge|tisch; Hyp|al|la|ge** [-ge] *w. 11* Vertauschung von Satzteilen und Veränderung ihrer Beziehungen zueinander, z. B. »schulische Angelegenheiten« statt »Angelegenheiten der Schule«; **Hyp-äs|the|sie** *auch:* **Hy|päs-** *w. 11 nur Ez.* herabgesetzte Berührungsempfindlichkeit; *Ggs.:* Hyperästhesie; **hyp|äs|the|tisch** *auch:* **hy|päs-**

hy|per…, Hy|per… [griech.] *in Zus.:* über…, übermäßig, Über…; *Ggs.:* hypo…, Hypo…

Hy|per|al|ge|sie [griech.] *w. 11 nur Ez.* gesteigerte Schmerzempfindlichkeit; *Ggs.:* Hypalgesie; **hy|per|al|ge|tisch; Hy|per-ä|mie** *w. 11* gesteigerte Durchblutung eines Körperbezirks; **hy|per|ä|misch; Hy|per|äs|the-sie** *w. 11 nur Ez.* gesteigerte Berührungsempfindlichkeit; **hy-per|äs|the|tisch**

Hy|per|bel [griech.] *w. 11 nur Ez.* **1** *Math.:* ein Kegelschnitt; **2** *Rhetorik:* Übertreibung; **hy-per|bo|lisch** in der Art einer Hyperbel, übertreibend; **Hy-per|bo|lo|id** *m. 1* Fläche, die durch Drehung einer Hyperbel um ihre Achse entsteht

Hy|per|bo|re|er *m. 5, bei den alten Griechen:* Angehöriger eines im hohen Norden vermuteten Volkes; **hy|per|bo|re|isch**

Hy|per|bu|lie [griech.] *w. 11 nur Ez.* krankhaft gesteigerter Tatendrang; *Ggs.:* Hypobulie; **hy-per|chrom** zuviel Blutfarbstoff aufweisend; *Ggs.:* hypochrom; **Hy|per|chro|ma|to|se** *w. 11* gesteigerte Pigmentbildung; **Hy|per|chro|mie** *nur Ez.* erhöhter Farbstoffgehalt der roten Blutzellen; *Ggs.:* Hypochromie; **Hy|per|dak|ty|lie** *w. 11* Bildung von überzähligen Fingern oder Zehen; *Ggs.:* Hypodaktylie; **Hy|per|gly|k|ä|mie** *auch:* **-gly|kä|mie** *w. 11 nur Ez.* erhöhter Blutzuckergehalt; *Ggs.:* Hypoglykämie; **Hy|per|hi|dro|se, Hy|per|hi|dro|sis, Hy|per|i|dro-se, Hy|per|i|dro|sis** *auch:* **-id|ro-** *w. Gen. - nur Ez.* krankhaft gesteigerte Schweißabsonderung; **hy|per|ka|ta|lek|tisch**; hyperkatalektischer Vers: Vers mit überzähliger Schlusssilbe; **hy-per|kor|rekt** überkorrekt, z. B. die für korrekt gehaltene, übertriebene Aussprache von Wörtern von jmdm., der normalerweise Dialekt spricht, z. B. »tichten« statt »dichten« oder die Aussprache des h in »ich se-he es«; **hy|per|kri|tisch** übertrieben kritisch; **Hy|per|kul|tur** *w. 10 nur Ez.* übermäßige Verfeinerung, Überfeinerung; **Hy-per|me|tro|pie** *auch:* **-met|ro-** *w. 11 nur Ez.* Weitsichtigkeit; **hy|per|me|tro|pisch** *auch:* **-met|ro-; hy|per|mo|dern** übertrieben modern; **Hy|per|o|don-tie** *w. 11* Bildung von überzähligen Zähnen; *Ggs.:* Hypodontie; **Hy|per|on** *auch:* **Hy|pe|ron** *s. 13* Elementarteilchen aus der Gruppe der Baryonen; **Hy|per-pla|sie** *w. 11 nur Ez.* gesteigertes Wachstum von Gewebe oder Organen; *Ggs.:* Hypoplasie; **hy|per|py|re|tisch** übermäßig hoch fiebernd; **Hy|per|py-re|xie** *w. 11* übermäßig hohes Fieber; **Hy|per|so|mie** *w. 11* übermäßiges Wachstum, Riesenwuchs; *Ggs.:* Hyposomie; **Hy|per|sthen** *auch:* **Hy-pers|then** *m. 1* ein Mineral; **Hy-per|te|lie** *w. 11 nur Ez.* gesteigertes Wachstum eines Körperteils; **Hy|per|ten|si|on** *w. 10 nur Ez.,* **Hy|per|to|nie** *w. 11 nur Ez.*

1 gesteigerte Muskelspannung; **2** erhöhter Blutdruck; *Ggs.:* Hypotonie; **Hy|per|to|ni|ker** *m. 5* jmd., der an Hypertonie leidet; **hy|per|to|nisch; hy|per|troph 1** übermäßig vergrößert; **2** *übertr.:* überheblich, übermäßig selbstbewusst; **Hy|per|tro|phie** *w. 11* übermäßige Vergrößerung, gesteigertes Wachstum (von Geweben, Organen); *Ggs.:* Hypotrophie; **Hy|per|vit|a|mi|no|se** *auch:* **-vi|ta|mi|no|se** *w. 11* Erkrankung, Schädigung infolge langandauernder übermäßiger Vitaminzufuhr; *Ggs.:* Hypovitaminose

Hy|phe [griech.] *w. 11, Bot.:* Pilzfaden; vgl. Myzel; **Hy|phen** *s. 7, antike Gramm.* **1** Zusammenfügung zweier Wörter zu einem Kompositum; **2** der dazu verwendete Bindestrich

Hyp|no|pä|die [griech.] *w. 11 nur Ez.* = Schlaflernmethode; **Hyp|nos** [nach dem griech. Gott des Schlafes] *m. Gen. - nur Ez.* Schlaf; **Hyp|no|se** [griech.] *w. 11* durch Suggestion herbeigeführter, schlafähnlicher Zustand der seelischen Abhängigkeit vom Hypnotiseur; **Hyp|no|sie** *w. 11* Schlafkrankheit; **Hyp|no|ti|kum** *s. Gen.* -s *Mz.* -ka Schlafmittel; **hyp|no|tisch** auf Hypnose beruhend, durch sie bewirkt; **Hyp|no|ti|seur** [-sør] *m. 1* jmd., der einen anderen in Hypnose versetzt; **hyp|no|ti|sie|ren** *tr. 3* in Hypnose versetzen; **Hyp|no|tis|mus** *m. Gen. - nur Ez.* **1** Lehre von der Hypnose; **2** Beeinflussung

hy|po..., Hy|po... [griech.] *in Zus.:* unter..., Unter...; *Ggs.:* hyper..., Hyper...

Hy|po|bu|lie [griech.] *w. 11 nur Ez.* verminderte Willenskraft; *Ggs.:* Hyperbulie; **Hy|po|chon|der** [-xɔn-] *m. 5* missmutiger, schwermütiger, oft an eingebildeten Krankheiten leidender Mensch; **Hy|po|chon|drie** *auch:* **-chond|rie** *w. 11* Schwermut, Missmut, die Einbildung, krank zu sein; **hy|po|chon|drisch** *auch:* **-chond|risch** [-xɔn-]; **hy|po|chrom** [-krom] zuwenig Blutfarbstoff aufweisend: *Ggs.:* hyperchrom; **Hy|po|chro|mie** *w. 11 nur Ez.* verminderter Farbstoffgehalt des Blutes; *Ggs.:* Hyperchromie; **Hy|po|dak|ty|lie** *w. 11* angeborenes Fehlen von Fingern oder Zehen; *Ggs.:* Hyperdaktylie; **Hy|po|derm** *s. 1* Unterhaut; **hy|po|der|ma|tisch** unter der Haut (liegend); **Hy|po|don|tie** *w. 11* angeborenes Fehlen von Zähnen; *Ggs.:* Hyperodontie; **Hy|po|gas|tri|um** *auch:* **-gas|tri|um** *s. Gen.* -s *Mz.* -stri|en Unterleib; **Hy|po|gä|um** *s. Gen.* -s *Mz.* -gä|en unterirdischer Kultraum; **Hy|po|glyk|ä|mie** *auch:* **-gly|kä|mie** *w. 11 nur Ez.* verminderter Blutzuckergehalt; *Ggs.:* Hyperglykämie; **hy|po|gyn** *Bot.:* unterständig (von Blüten mit oberständigem Fruchtknoten; **hy|po|kaus|tisch** durch Hypokaustum (beheizt); **Hy|po|kaus|tum** *s. Gen.* -s *Mz.* -sten, *im Altertum und MA:* Heizanlage unter dem Fußboden; **Hy|po|ko|ris|ti|kum** *s. Gen.* -s *Mz.* -ka Kurz-, Koseform eines Namens, z. B. Christl; **hy|po|ko|ris|tisch; Hy|po|ko|tyl** *s. 11* Keimstengel; **Hy|po|kri|sie** *w. 11 nur Ez.* Heuchelei, Scheinheiligkeit; **Hy|po|krit** *m. 10* Heuchler; **hy|po|kri|tisch; Hy|po|phy|se** *w. 11* **1** Hirnanhangsdrüse; **2** *bei Blütenpflanzen:* Zelle, die im Samen den Keimling mit dem Keimträger verbindet; **Hy|po|pla|sie** *w. 11 nur Ez.* vermindertes Wachstum von Gewebe oder Organen; *Ggs.:* Hyperplasie; **hy|po|som** von zu kleinem Wuchs; **Hy|po|so|mie** *w. 11* zu geringes Wachstum, Kleinwuchs; *Ggs.:* Hypersomie; **Hy|po|sta|se** *auch:* **Hy|pos|ta|se** *w. 11* **1** Grundlage, Substanz; **2** Stoff, Gegenstand (einer Abhandlung); **3** Personifizierung einer göttlichen Eigenschaft (z. B. Gerechtigkeit) und ihre Verwandlung in ein göttliches oder halbgöttliches Wesen; **4** Übergang eines unflektierbaren Wortes oder eines Wortkomplexes in ein flektierbares, z. B. barfuß – barfüßig, über Nacht – übernachten, weh – ein weher Finger; **hy|po|sta|sie|ren** *auch:* **hy|pos|ta|sie|ren** *tr. 3* vergegenständlichen, verselbständigen, personifizieren; **Hy|po|sta|sie|rung** *auch:* **Hy|pos|ta|sie|rung** *w. 10;* **hy|po|sta|tisch** *auch:* **hy|pos|ta|tisch; Hy|po|sty|lon** *auch:* **Hy|pos|ty|lon** *s. Gen.* -s *Mz.* -la, **Hy|po|styl|os** *auch:* **Hy|pos|ty|los** *m. Gen. - Mz.* -loi überdeckter Säulengang, Säulenhalle; **hy|po|tak|tisch** in der Art der Hypotaxe; *Ggs.:* parataktisch; **Hy|po|ta|xe** *w. 11* **1** mittlerer Grad der Hypnose; **2** Unterordnung eines Satzes oder Satzteils unter einen anderen, Satzgefüge, *Ggs.:* Parataxe; **Hy|po|ta|xis** *w. Gen. - Mz.* -xen *veraltet für* Hypotaxe; **Hy|po|ten|si|on** *w. 10* = Hypotonie; **Hy|po|te|nu|se** *w. 11, im rechtwinkligen Dreieck:* die dem rechten Winkel gegenüberliegende Seite; **Hy|po|thek** *w. 10* durch eine Zahlung erworbenes Recht an einem Grundstück; **Hy|po|the|kar** *m. 1* Hypothekengläubiger; **hy|po|the|ka|risch** auf einer Hypothek beruhend; **Hy|po|the|ken|brief** *m. 1* Urkunde über eine Hypothek; **Hy|po|the|ken|gläu|bi|ger** *m. 5;* **Hy|po|the|ken|schuld|ner** *m. 5;* **Hy|po|the|ken|zin|sen** *m. 12 Mz.;* **Hy|po|the|se** *w. 11* unbewiesene (wissenschaftliche) Voraussetzung, Annahme; **hy|po|the|tisch** auf bloßer Annahme beruhend, bedingt; *Ggs.:* kategorisch; **Hy|po|to|nie** *w. 11 nur Ez.,* Hy|po|ten|si|on *w. 10* **1** verminderte Muskelspannung; **2** verminderter Blutdruck; *Ggs.:* Hypertonie; **hy|po|to|nisch; Hy|po|tra|che|li|on** [-xe-] *s. Gen.* -s *Mz.* -li|en Teil der Säule unter dem Kapitell, Säulenhals; **Hy|po|tro|phie** *w. 11* mangelhafte Ernährung, mangelhafte Entwicklung (von Geweben, Oganen); *Ggs.:* Hypertrophie; **Hy|po|vit|a|mi|no|se** *auch:* **Hy|po|vi|ta|mi|no|se** *w. 11* Vitaminmangelkrankheit; *Ggs.:* Hypervitaminose; **Hy|po|zen|trum** *auch:* **Hy|po|zent|rum** *s. Gen.* -s *Mz.* -zen|tren Erdbebenherd

Hyp|si|pho|bie [griech.] *w. 11* Höhenangst, Schwindelgefühl in großer Höhe; **Hyp|so|me|ter** *s. 5* Gerät, das auf Grund des mit zunehmender Höhe sinkenden Siedepunktes des Wassers die Höhe eines Ortes misst, Siedethermometer; **Hyp|so|me|trie** *auch:* **-met|rie** *w. 11 nur Ez.* Höhenmessung mit dem Hypsometer; **hyp|so|me|trisch** *auch:* **-met|risch**

Hy|ster|al|gie *auch:* **Hys|te|ral|gie** [griech.] *w. 11* Gebärmutterschmerz; **Hy|ster|ek|to|mie** *auch:* **Hys|te|rek|to|mie** *w. 11* operative Entfernung der Gebärmutter

Hy|ste|re|se *auch:* **Hys|te|re|se** [griech.] *w. 11,* **Hys|te|re|sis** *w. Gen. - nur Ez.* Zurückbleiben der Magnetisierung eines ferromagnetischen Materials gegenüber dem die Magnetisierung verursachenden äußeren Feld

Hy|ste|rie *auch:* **Hys|te|rie** [griech.] *w. 11* eine Gruppe seel. und/oder seelisch-körperlicher Störungen, z. B. Angstzustände, Lähmung, Migräne; **Hy|ste|ri|ker** *m. 5* jmd., der an Hysterie leidet; **Hy|ste|ri|ke|rin** *w. 10;* **hy|ste|risch 1** auf Hysterie beruhend; **2** übertrieben leicht erregbar, übertrieben erregt; **hy|ste|ro|id** hysterieähnlich

Hy|ste|ron-Pro|te|ron *auch:* **Hys|te|ron-** [griech. »das Spätere (ist) das Frühere«] *s. Gen.* -s *Mz.* Hystera-Protera **1** Scheinbeweis, Beweis aus einem Satz, der selbst erst noch bewiesen werden muss; **2** Redefigur, bei der ein zeitlich späterer Gedanke an erster Stelle steht

Hy|ste|ro|pto|se *auch:* **Hys|te|rop|to|se** [griech.] *w. 11* Gebärmuttervorfall; **Hy|ste|ro|sko|pie** *auch:* **Hys|te|ros|ko|pie** *w. 11* Untersuchung der Gebärmutter mit einem Gebärmutterspiegel; **Hy|ste|ro|to|mie** *w. 11* operative Öffnung der Gebärmutter, Gebärmutterschnitt

Hz *Abk. für* Hertz

I

i, I; das Tüpfelchen auf dem i; I-Punkt; i!, ih!; i wo!
i *Math.: Zeichen für die* Einheit der imaginären Zahlen (= Quadratwurzel aus minus eins)
I *röm. Zahlzeichen für* eins
i. *in geograph. Namen Abk. für* in, im, z. B. Freiburg i. Breisgau
Ia *ugs.*: prima, eins a
i. A., I. A. *Abk. für* im Auftrag, Im Auftrag *(Kleinschreibung, wenn davor der Behörden- oder Firmenname steht)*
IA *Abk. für* Iowa
IAAF *Abk. für* International Amateur Athletic Federation
IAF *Abk. für* Internationale Astronautische Föderation
i|ah! *Schallwort für den* Schrei des Esels; **i|a|hen** *intr. 1* »iah!« schreien; der Esel iaht, hat iaht
i. allg. ▶ **i. Allg.** *Abk. für* im Allgemeinen
Iambus *m. Gen. - Mz.* -ben, *lat. Schreibung von* Jambus
IATA *Abk. für* International Air Transport Association
I|a|trik *auch:* **I|at|rik** [griech.] *w. Gen. - nur Ez.* Heilkunst, Heilkunde; **i|a|trisch** *auch:* **i|at|risch; I|a|tro|che|mie** *auch:* **I|at|ro-** *w. 11 nur Ez.* die von Paracelsus begründete medizin. Lehre, dass alle Lebens- und durch Medikamente bewirkten Heilungsvorgänge auf chem. Prozessen beruhen; **i|a|tro|gen** *auch:* **i|at|ro-** durch ärztliche Behandlung bewirkt; **I|a|tro|mu|sik** *auch:* **I|at|ro-** *w. 10 nur Ez., im 17./18. Jh.:* Heilmusik
IAU *Abk. für* Internationale Astronomische Union
ib., ibd. *Abk. für* ibidem
I|be|rer 1 [nach Iberus, dem lat. Namen für Ebro] *m. 5* Angehöriger eines vorindogerman. Volkes auf der Pyrenäenhalbinsel; **2** Angehöriger eines ausgestorbenen Volkes südlich des Kaukasus
I|be|ris [griech.] *w. Gen. - Mz.* -ren Schleifenblume
i|be|risch zu den Iberern gehörig, von ihnen stammend; *aber:* die Iberische Halbinsel: Spanien und Portugal; **I|be|ro|a|me|ri|ka** das von der Iberischen Halbinsel aus kolonisierte und kulturell beeinflusste Amerika, Lateinamerika; **I|be|ro|a|me|ri|ka|ner** *m. 5;* **i|be|ro|a|me|ri|ka|nisch** lateinamerikanisch; **i|be|ro-a|me|ri|ka|nisch** ▶ **i|be|ro|a|me|ri|ka|nisch** Lateinamerika einerseits und Spanien und Portugal andererseits betreffend
i|bid. *Abk. für* ibidem; **i|bi|dem** [lat.] (*Abk.:* ib., ibd., ibid.) am angeführten Ort, ebenda
I|bis [ägypt.] *m. 1* ein Schreitvogel mit sichelförmig nach unten gebogenem Schnabel
IBM *Abk. für* Internationale Büromaschinen-GmbH Deutschland, Tochtergesellschaft der amerik. IBM: International Business Machines Corp., New York
Ibn [arab.] *in arab. Eigennamen:* Sohn (des ...), z. B. Ibn Saud
I|bo 1 *m. 9 oder Gen. - Mz. -* Angehöriger eines Negervolkes in Nigeria; **2** *s. Gen.* -(s) *nur Ez.* dessen Sprache
IBRD *Abk. für* International Bank for Reconstruction and Development
IC *Abk. für* Intercity-Zug
ICBM *Abk. für* intercontinental ballistic missile: interkontinentales ballist. Geschoss (eine Waffenart)
ICE *Abk. für* Intercity Express

> **ich/Ich:** Das Personalpronomen wird mit kleinem Anfangsbuchstaben geschrieben: *Ihn habe ich gesehen.* Das substantivierte Pronomen wird großgeschrieben: *Das Ich ist entscheidend!* → § 57 (3)
> Bei den Zusammensetzungen aus Personalpronomen und Substantiv sind Zusammenschreibung (Hauptvariante) und Bindestrichschreibung (Nebenvariante) möglich: *der Icherzähler/Ich-Erzähler, die Ichform/Ich-Form, das Ichgefühl/Ich-Gefühl, der Ichlaut/Ich-Laut, die Ichsucht/Ich-Sucht.* → § 37 (1), § 45 (1)

ich; Ich *s. 9 oder Gen. - Mz. -;* mein anderes, zweites, besseres Ich: mein Gewissen; **ich|be|zo|gen; Ich|er|zäh|lung** ▶ *auch:* **Ich-Er|zäh|lung** *w. 10* Erzählung in der Ich-Form; **Ich|form** ▶ *auch:* **Ich-Form** *w. 10 nur Ez.; **Ich|laut** ▶ *auch:* **Ich-Laut** *m. 1* der am vorderen (harten) Gaumen gesprochene Laut ch nach i, e, z. B. in ich, weich, schlecht; vgl. Ach-Laut
Ich|neu|mon [griech.] *s. 9 oder s. 1 oder m. 9 oder m. 1* eine nordafrik.-kleinasiat. Schleichkatze, Manguste; **Ich|neu|mo|ni|den** *Mz.* Schlupfwespen
Ichor [içor, griech.] *s. Gen.* -s *nur Ez.* **1** *bei Homer:* Lebenssaft der Götter (statt des Blutes); **2** aus Geschwüren sich absondernde Flüssigkeit; **3** grobkörnige magmatische Schmelze
Ich-Ro|man *Nv.* ▶ **Ich|ro|man** *Hv. m. 1* Roman in Ichform; **Ich|sucht** ▶ *auch:* **Ich-Sucht** *w. Gen. - nur Ez.* Egoismus
Ich|thy|o|dont [griech.] *m. 10* versteinerter Fischzahn; **Ich|thy|ol** *s. 1 nur Ez.* aus bituminösem Schiefer gewonnene, ölige Flüssigkeit zur Behandlung von Hauterkrankungen, Furunkeln usw.; **Ich|thy|o|lith** *m. 10* versteinerter Fischrest; **Ich|thy|o|lo|ge** *m. 11;* **Ich|thy|o|lo|gie** *w. 11 nur Ez.* Fischkunde; **ich|thy|o|lo|gisch; Ich|thy|o|pha|ge** *m. 11* Angehöriger eines Volkes, das sich überwiegend von Fisch ernährt; **Ich|thy|o|sau|ri|er** *m. 5,* **Ich|thy|o|sau|rus** *m. Gen. - Mz.* -ri|er Meeresreptil des Erdmittelalters, Fischechse; **Ich|thy|o|se** *w. 11,* **Ich|thy|o|sis** *w. Gen. - Mz.* -sen eine Hautkrankheit, Fischschuppenkrankheit
Id [griech.] *s. 1* Erbeinheit, das lebendige Ganze des Idioplasmas
ID *Abk. für* Idaho
I|da 1 *s. Gen.* -(s) Gebirge auf Kreta; **2** *m. Gen.* -(s), *antiker Name für den* Kaz Dagi, ein Gebirge in Kleinasien südöstlich von Troja
I|da|ho [aɪdəhoʊ] (*Abk.:* ID) Staat der USA
i|dä|isch zum Gebirge Ida gehörig

i|de|al [griech.] **1** nur in der Vorstellung existierend, nur gedacht; **2** mustergültig, vollkommen; **I|de|al** *s. 1* vollkommenes Vorbild, Richtschnur, Leitgedanke; **i|de|a|lisch** *veraltet für* ideal; **i|de|a|li|sie|ren** *tr. 3* einem Ideal angleichen, verklären; **I|de|a|li|sie|rung** *w. 10;* **I|de|a|lis|mus** *m. Gen. - nur Ez.* **1** Glauben an Ideale, Streben nach Idealen; von Idealen bestimmte Weltanschauung und Lebensführung; **2** philosoph. Anschauung, dass es die Wirklichkeit nur im Geistigen gebe und alles Materielle nur ihre äußere Erscheinungsform sei; **I|de|a|list** *m. 10* **1** jmd., der nach Idealen strebt; **2** Anhänger des philosoph. Idealismus; **i|de|a|lis|tisch; I|de|a|li|tät** *w. 10 nur Ez.* **1** ideale Beschaffenheit; **2** das Sein nur als Idee, als Vorstellung; **I|de|al|kon|kur|renz** *w. 10* = Tateinheit; *Ggs.:* Realkonkurrenz; **I|de|a|ti|on** *w. 10* Bildung einer Idee, einer Vorstellung, eines Begriffs; vgl. Realkonkurrenz

I|dee [griech.] *w. 11* **1** Urform, Urbild; **2** Begriff; **3** geistiger Gehalt, einem Kunstwerk oder Plan o.ä. zugrunde liegender Gedanke; **4** Einfall, Gedanke; **5** *ugs.:* sehr kleine Menge; **i|de|ell** nur gedacht, geistig; **I|de|en|as|so|zi|a|ti|on** *w. 10* Verbindung, Verknüpfung von Vorstellungen; **I|de|en|flucht** *w. 10 nur Ez.* krankhaft sprunghaftes Denken, Gedankenflucht; **i|de|en|reich; I|de|en|reich|tum** *m. Gen. -s nur Ez.*

i|dem [lat.) (*Abk.:* id.) der-, dasselbe

I|den [lat.] *m. Mz., Ez.:* Idus, *im altröm. Kalender:* die Mitte des Monats, 13. oder 15. Tag des Monats

I|den|ti|fi|ka|ti|on [lat.] *w. 10* **1** Feststellung der Identität; **2** Gleichsetzung; **i|den|ti|fi|zie|ren** *tr. 3;* jmdn. i.: jmds. Identität feststellen, jmdn. wiedererkennen; etwas als Tatwaffe, als Werk Mozarts i.: erkennen; **I|den|ti|fi|zie|rung** *w. 10;* **i|den|tisch** ein und dasselbe, ein und dieselbe Person; A. ist mit B. identisch; **I|den|ti|tät** *w. 10 nur Ez.* völlige Gleichheit, Übereinstimmung, Wesenseinheit; **I|den|ti|täts|aus|weis** *m. 1,* **I|den|ti|täts|kar|te** *w. 11, österr.:* Personalausweis

I|de|o|gra|fie *w. 11* = Ideographie; **i|de|o|gra|fisch** = ideographisch

I|de|o|gramm [griech.] *s. 1* Schriftzeichen, das einen ganzen Begriff ausdrückt, z.B. die Zeichen der chines. Schrift, die Hieroglyphen; **I|de|o|gra|phie** ► *auch:* **I|de|o|gra|fie** *w. 11* Begriffsschrift; **i|de|o|gra|phisch** ► *auch:* **i|de|o|gra|fisch;**

I|de|o|lo|ge *m. 11* Vertreter einer Ideologie; **I|de|o|lo|gie** *w. 11* Gesamtheit der Auffassungen und Denkvorstellungen einer Gesellschaftsgruppe oder -schicht; **i|de|o|lo|gisch;**

I|de|o|mo|to|rik *w. 10 nur Ez.* Bewegungen, die durch Vorstellungen bewirkt, aber unbewusst ausgeführt werden; **i|de|o|mo|to|risch**

id est [lat.] (*Abk.:* i.e.) das ist, das heißt

I|di|o|blast [griech.] *m. 10, Bot.:* abweichende Zelle in einem Gewebeverband; **i|di|o|chro|ma|tisch** eigenfarbig, nicht gefärbt, farblich der Substanz entsprechend; *Ggs.:* allochromatisch; **i|di|o|gra|fisch** = idiographisch; **I|di|o|gramm** *s. 1* **1** eigenhändige Unterschrift; **2** *Biol.:* schemat. Darstellung eines Chromosomensatzes; **i|di|o|gra|phisch** ► *auch:* **i|di|o|gra|fisch 1** eigenhändig; **2** das Einmalige, Besondere beschreibend (von Wissenschaften); **I|di|o|kra|sie** *w. 11* = Idiosynkrasie; **I|di|o|la|trie** *auch:* **-lat|rie** *w. 11 nur Ez.* Selbstvergötterung, Selbstanbetung; **I|di|o|lekt** *m.1* besondere Ausdrucksweise, Spracheigentümlichkeit eines Einzelnen; **I|di|om** *s. 1* einer bestimmten Sprache oder Mundart (*auch:* einem Menschen) eigentümliche Redewendung oder Ausdrucksweise, Spracheigentümlichkeit, Idiotismus; **I|di|o|ma|tik** *w. 10* **1** Lehre von den Idiomen; **2** Gesamtheit der Idiome (einer Sprache oder Mundart); **i|di|o|ma|tisch** nur in einer bestimmten Sprache oder Mundart vorkommend; **i|di|o|morph** in einer eigenen, für Minerale typischen Form ausgebildet (von Kristallen), automorph; **i|di|o|pa|thisch** von selbst entstanden (von Krankheiten); *Ggs.:* traumatisch; **I|di|o|phon** *s. 1* Musikinstrument, das nach Schlagen, Zupfen oder Streichen selbst weiterklingt, z.B. Gong, Glasharmonika; **I|di|o|plas|ma** *s. Gen. -s nur Ez.* Keimplasma; **I|di|o|som** *s. 12* = Chromosom; **I|di|o|syn|kra|sie,** I|di|o|kra|sie *w. 11* **1** Überempfindlichkeit gegen bestimmte Stoffe; **2** Abneigung, Widerwille (bes. gegen bestimmte Nahrungsmittel); **i|di|o|syn|kra|tisch 1** überempfindlich; **2** von Widerwillen erfüllt

I|di|ot [griech.] *m. 10* **1** schwachsinniger Mensch; **2** *ugs.:* Dummkopf, Trottel; **I|di|o|ten|hang** *m. 2,* **I|di|o|ten|hü|gel** *m. 5, ugs. scherzh.:* Übungshang für Anfänger im Skisport; **i|di|o|ten|si|cher** *ugs. scherzh.:* auch für Anfänger leicht zu handhaben (Gerät); **I|di|o|tie** *w. 11 nur Ez.* **1** Schwachsinn, völlige Bildungsunfähigkeit, Idiotismus; **2** *ugs.:* Unsinn, Unsinnigkeit; **I|di|o|ti|kon** *s. Gen. -s Mz. -ka oder -ken* Mundartenwörterbuch; **i|di|o|tisch; I|di|o|tis|mus 1** *m. Gen. - nur Ez.* = Idiotie **(1); 2** *m. Gen. - Mz. -men* Äußerung der Idiotie; **3** *m. Gen. - Mz. -men* = Idiom; **I|di|o|typ** *m. 12,* I|di|o|ty|pus *m. Gen. - Mz. -pen* Gesamtheit der Erbanlagen, Erbgut; vgl. Genotyp, Phänotyp; **i|di|o|ty|pisch** erblich, von den Erbanlagen bedingt

I|do *s. Gen. -(s) nur Ez.* aus dem Esperanto weiterentwickelte Kunstsprache

I|do|kras [griech.] *m. 1* ein Mineral

I|dol [griech.] *s. 1* **1** Götzenbild; **2** *übertr.:* Abgott, verehrter, vergötterter Mensch; **I|do|la|trie,** Ido|lo|la|trie *auch:* **-lat|rie** *w. 11 nur Ez.* Verehrung von Götterbildern, Götzendienst, Ikonodulie, Ikonolatrie; **i|do|li|sie|ren** *tr.3* zum Idol erheben; **I|do|lo|la|trie** *auch:* **-lat|rie** *w. 11 nur Ez.* = Idolatrie

I|dyll [griech.] *s. 1* **1** Bild oder Zustand friedlich-beschaulichen Lebens (meist in ländlicher Umgebung); **2** *übertr. scherzh.:* komisch-beschauliches Bild oder ebensolche Szene; **I|dyl|le** *w. 11* Schilderung eines Idylls **(1)** in Versen oder Prosa, Hir-

ten-, Schäferdichtung; **i|dyl|lisch**
i. e. *Abk. für* id est
I. E. *Abk. für* Internationale Einheit
i. f. *Abk. für* ipse fecit
IG *Abk. für* Industriegewerkschaft, Interessengemeinschaft
I|gel *m. 5;* **I|gel|kak|tus** *m. Gen. - Mz.* -te|len; **I|gel|kopf** *m. 2* eine Wiesenpflanze
I Ging [-dʒiŋ] *s. Gen. - nur Ez.* chin. Orakelspiel
I|g|lu, I|glo *m. 9 oder s. 9* runde Schneehütte der Eskimos
Ig|no|ra|mus et ig|no|ra|bi|mus [lat.] Wir wissen (es) nicht, und wir werden (es auch) nicht wissen (sprichwörtlich gewordener Ausdruck für die Unlösbarkeit der Welträtsel nach dem Ausspruch des dt. Naturwissenschaftlers Du Bois-Reymond)
Ig|no|rant [lat.] *m. 10* Unwissender, jmd., der sich nicht um Wissen und Erkenntnis bemüht; **Ig|no|ranz** Unwissenheit aus mangelndem Erkenntnisdrang; **ig|no|rie|ren** *tr. 3* nicht wissen wollen, absichtlich nicht beachten
I|gu|an|o|don [span. + griech.] *s. 9* halbaufrechtes Landreptil der europ. Kreidezeit
i. H. *in Briefanschriften Abk. für* im Hause
IHK *Abk. für* Industrie- und Handelskammer
Ih|le *w. 11* magerer, geringwertiger Hering, der abgelaicht hat, »Hohlhering«
ihm, ihn, ih|nen; *in der Anrede Ez. u. Mz.:* Ihnen
ihr, ih|re; *in der Anrede:* Ihr, Ihre; ich danke Ihnen für Ihren Brief; sie muss nun auch das Ihre dazu tun: das, was ihr zukommt, sie muss auch etwas dazu tun; **ih|rer|seits**; *in der Anrede:* Ihrerseits; **ih|res|glei|chen**; *in der Anrede:* Ihresgleichen; **ih|ret|hal|ben, ih|ret|we|gen, ih|ret|wil|len**; *in der Anrede:* Ihret...; ich habe es um ihretwillen, um Ihretwillen getan; **ih|ri|ge**; *in der Anrede:* Ihrige; sie muss nun auch das Ihrige dazu tun: sie muss ihren Beitrag dazu leisten; **Ih|ro** *nur in der veralteten Wendung:* Ihro Gnaden; **ihr|zen** *tr. 1, ugs.:* mit »ihr« anreden
IHS *in Handschriften und auf frühchristlichen Bildern: latinisierte Abk. der griech. Form des Namens* »Jesus«, *auch gedeutet als:* in hoc salus; **I. H. S.** *Abk. für* in hoc salus *oder:* in hoc signo

> **ihr, euer, euch:** Das Personalpronomen *ihr* und seine deklinierten Formen *euer, euch* werden kleingeschrieben: *Kommt ihr alle mit?* →§66
> Das Anredepronomen *Sie* und das entsprechende Possessivpronomen *Ihr* samt den dazugehörigen deklinierten Formen schreibt man dagegen groß: *Würden Sie mir den Zucker geben? Ist das Ihr Mantel?* Die substantivierten Formen können – je nach Interpretation Possessivpronomen (kleingeschrieben) oder substantivische possessive Adjektive (großgeschrieben) – mit kleinem oder großem Anfangsbuchstaben geschrieben werden: *Sie steuerte das ihre/Ihre (das ihrige/Ihrige) zum Erfolg bei.* Ebenso: *die ihren/Ihren* bzw. *die ihrigen/Ihrigen.* →§58 E3

i. J. *Abk. für* im Jahre
IJs|sel [ɛɪsəl], **Ijs|sel,** Ys|sel, I|s|sel *w. Gen. -* Name eines ndrl. Flusses sowie zweier Mündungsarme des Rheins
I|ka|ros *griech.* Form von Ikarus; **I|ka|rus** griech. Sagengestalt
I|ke|ba|na [jap.] *s. Gen. - nur Ez.* die jap. Kunst des symbolhaften Blumenordnens
I|ko|ne [griech.] *w. 11* Heiligenbild (auf Holz) der Ostkirche; **I|ko|nen|ma|le|rei** *w. 10;* **I|ko|no|du|le** *m. 11* Bilderanbeter; **I|ko|no|du|lie** *w. 11 nur Ez.* = Idolatrie; **I|ko|no|graf** *m. 10* = Ikonograph; **I|ko|no|gra|fie** *w. 11 nur Ez.* = Ikonographie; **I|ko|no|graph** ▸ *auch:* **I|ko|no|graf** *m. 10* **1** Wissenschaftler auf dem Gebiet der Ikonographie; **2** *Lithographie:* Instrument zum Übertragen von Zeichnungen auf Stein; **I|ko|no|gra|phie** ▸ *auch:* **I|ko|no|gra|fie** *w. 11 nur Ez.* **1** Wissenschaft der Beschreibung und Bestimmung von antiken Bildnissen; **2** Lehre von den Darstellungsinhalten und der Bedeutung von alten, bes. christlichen Bildern, Ikonologie; **I|ko|no|klas|mus** *m. Gen. - nur Ez.* Zerstörung von Heiligenbildern, bes. im 8. Jh. und in der Reformation, Bildersturm; **I|ko|no|klast** *m. 10* Anhänger des Ikonoklasmus, Bilderstürmer; **i|ko|no|klas|tisch; I|ko|no|la|trie** *auch:* **-la|trie** *w. 11 nur Ez.* = Idolatrie; **I|ko|no|lo|ge** *m. 11;* **I|ko|no|lo|gie** *w. 11 nur Ez.* = Ikonographie (**2**); i|ko|no|lo|gisch; I|ko|no|me|ter *s. 5* Rahmensucher (an der Kamera); **I|ko|no|skop** *auch:* **-nos|kop** *s. 1* Fernsehaufnahmeröhre; **I|ko|no|stas** *auch:* **-nos|tas** *m. 1,* **I|ko|no|sta|se** *auch:* **-nos|ta|se** *w. 11,* **I|ko|no|sta|sis** *auch:* **-nos|ta|sis** *w. Gen. - Mz.* -sen, *in griech.-orthodoxen Kirchen:* den Altarraum vom Gemeinderaum trennende, dreitürige, mit Ikonen bedeckte Wand
I|ko|sa|e|der [griech.] *m. 5* von 20 gleichseitigen Dreiecken begrenzter Körper
ikr *Abk. für* isländische Krone
ik|te|risch [griech.] an Ikterus erkrankt; **Ik|te|rus** *m. Gen. - nur Ez.* Gelbsucht
Ik|tus [lat.] *m. Gen. - Mz. - oder* -ten **1** starke Betonung einer Hebung im Vers; **2** plötzlich auftretendes, schweres Krankheitsbild
Il *chem. Zeichen für* Illinium
il..., Il... [lat.] *in Zus.:* nicht..., Nicht..., un..., Un..., z. B. illegal
IL *Abk. für* Illinois
Il|e|itis [lat.] *w. Gen. - Mz.* -ti|den Entzündung des Ileums; **Il|e|um** *s. Gen.* -s *nur Ez.* unterer Teil des Dünndarms, Krummdarm; **Il|e|us** *m. Gen. - Mz.* Il|e|en Darmverschluss
Il|ex [lat.] *w. Gen. - nur Ez.* Stechpalme
Il|i|as, Il|i|a|de *w. Gen. - nur Ez.* Homers Epos über den Kampf der Griechen gegen Troja (Ilion); **Il|i|on** *griech. Name für* Troja
ill. *Abk. für* illustriert
Il|la|tum [lat.] *s. Gen.* -s *Mz.* -ta *oder* -ten, *veraltet:* von der Frau in die Ehe eingebrachtes Vermögen
il|le|gal [lat.] ungesetzlich, gesetzwidrig, ohne rechtl. Grundlage; *Ggs.:* legal; **Il|le|ga|li|tät** *w. 10 nur Ez.* Ungesetzlichkeit; **il|le|gi|tim 1** ungesetzlich; **2** unehelich; *Ggs.:* legitim; **Il|le|gi|ti|mi|tät** *w. 10 nur Ez.*

il|li|be|ral [lat.] engherzig, kleinlich; *Ggs.:* liberal; **Il|li|be|ra|li|tät** *w. 10 nur Ez.*
il|li|mi|tiert [lat.] *Börse:* unbeschränkt, unbegrenzt
Il|li|ni|um [nach dem US-amerik. Staat Illinois] *s. Gen.* -s *nur Ez.* (*Zeichen:* Il), *ältere Bez. für* Promethium
Il|li|nois (*Abk.:* IL) Staat der USA
il|li|quid [lat.] zahlungsunfähig; *Ggs.:* liquid; **Il|li|qui|di|tät** *w. 10 nur Ez.*
Il|li|te|rat [lat.] *m. 10* nicht wissenschaftlich gebildeter Mensch
il|loy|al [-loaja:l, *ugs.:* -lɔɪa:l, lat.] untreu, treulos, unredlich, hinterhältig; *Ggs.:* loyal; **Il|loya|li|tät** [auch: il-] *w. 10 nur Ez.*
Il|lu|mi|nat [lat.] *m. 10, 16. bis 19. Jh.:* Angehöriger eines Geheimbundes, bes. des Illuminatenordens; **Il|lu|mi|na|ten|or|den** *m. 7 nur Ez., Ende des 18. Jh.:* aufklärerisch-freimaurerischer Geheimbund; **Il|lu|mi|na|ti|on** *w. 10* **1** Festbeleuchtung (mit vielen kleinen Lämpchen); **2** *Buchmalerei:* Ausmalung, Verzierung alter Handschriften; **3** *Relig.:* Erleuchtung, Erkenntnis ewiger Wahrheiten; **Il|lu|mi|na|tor** *m. 13* **1** Il|lu|mi|nist *m. 10* Künstler der Buchmalerei; Buchmaler; **2** Beleuchtungsvorrichtung an optischen Geräten; **il|lu|mi|nie|ren** *tr. 3* **1** festlich erleuchten; **2** deutlich, einsichtig, erkennbar machen; **3** *Buchmalerei:* ausmalen, farbig verzieren; **Il|lu|mi|nie|rung** *w. 10* Illumination (**1** und **2**); **Il|lu|mi|nist** *m. 10* = Illuminator (**1**)
Il|lu|si|on [lat.] *w. 10* **1** Selbsttäuschung, trügerische Hoffnung oder Vorstellung; **2** trügerische Wahrnehmung; **3** Vortäuschung eines Wirklichkeitseindrucks, z. B. Raumillusion; **il|lu|si|o|när**, il|lu|si|o|nis|tisch auf einer Illusion beruhend; **il|lu|si|o|nie|ren** *tr. 3;* jmdn. i.: jmdm. etwas vortäuschen, in jmdm. eine Illusion wecken; **Il|lu|si|o|nis|mus** *m. Gen. - nur Ez.* **1** einen Raumeindruck vortäuschende Wirkung; **2** Auffassung, dass Wahrheit, Sittlichkeit, Schönheit nur Illusionen seien; **Il|lu|si|o|nist** *m. 10* **1** Anhänger des Illusionismus; **2** jmd., der Illusionen hat, Schwärmer; **3** Zauberkünstler; **il|lu|si|o|nis|tisch** **1** = illusionär; **2** auf dem Illusionismus beruhend; **il|lu|so|risch** **1** nur als Illusion existierend, eingebildet; **2** sich erübrigend, überflüssig
il|lus|ter [lat.] **1** glänzend, vortrefflich; **2** vornehm, berühmt; illustre Gäste
Il|lus|tra|ti|on [lat.] *w. 10* **1** Erläuterung; **2** Abbildung (zu einem Text); **3** Bebilderung (eines Buches); **il|lus|tra|tiv** durch Illustration(en) erläuternd, veranschaulichend; **Il|lus|tra|tor** *m. 13* Maler, Zeichner, der ein Buch illustriert (hat); **il|lus|trie|ren** *tr. 3* **1** (durch Beispiele, Bilder) erläutern; **2** mit Abbildungen ausschmücken; **Il|lus|trier|te** *w. 17 oder 18* illustrierte Zeitschrift; **Il|lus|trie|rung** *w. 10*
il|lu|vi|al [lat.] im Boden angereichert, eingeschwemmt; **Il|lu|vi|al|ho|ri|zont** *m. 1* Bodenschicht, in der sich durch Einschwemmen aus einer anderen Schicht Stoffe angereichert haben
Il|ly|rer *m. 5* Angehöriger einer idg. Völkergruppe auf dem nordwestlichen Balkan; **Il|ly|ri|en** **1** *bis etwa zum 7. Jh.:* von den Illyrern beherrschtes Gebiet, das Bosnien und Dalmatien und zeitweise auch Griechenland umfasste; **2** *1809 bis 1849:* Königreich an der nordöstl. Adria; **il|ly|risch**
Il|me|nit [nach dem Ilmengebirge im südl. Ural] *m. 1* ein Titaneisenerz
Il|tis *m. 1* **1** ein Marder; **2** dessen Pelz
im = in dem; *in geograph. Namen* (*Abk.:* i.), z. B. Freiburg im (i.) Breisgau; im Allgemeinen (*Abk.:* i. Allg., im Allg.); im Auftrag (*Abk.:* i. A., I. A.); im Hause (*Abk.:* i. H.); im Jahre (*Abk.:* i. J.); im Ruhestand (*Abk.:* i. R.)

> **im Allgemeinen:** Substantivierte Adjektive und adjektivisch gebrauchte Partizipien im Zusammenhang mit *im* (sowie: *alles, etwas, nichts, viel, wenig*) werden mit großem Anfangsbuchstaben geschrieben: *Im Allgemeinen gab es nichts Neues. Das liegt seit langem im Argen. Sie schieden im Guten. Im Großen und Ganzen hat er Fortschritte gemacht. Im Folgenden diskutieren wir Punkt 5 der Tagesordnung. Im Übrigen bleibt alles beim Alten. Alles lag im Ungewissen. Im oben Stehenden/Obenstehenden hatten wir vereinbart, dass … Er hat seine Schäfchen im Trockenen.* → § 57 (1)

im…, Im… vgl. in…, In…
i. m. *Abk. für* intramuskulär
I. M. *Abk. für* Innere → Mission
Image [ɪmɪdʒ, engl.] *s. 9* Vorstellung, die die Öffentlichkeit von einer Persönlichkeit, Firma usw. hat, Charakterbild
i|ma|gi|na|bel [lat.] vorstellbar, denkbar, **i|ma|gi|nal** [lat.] voll ausgebildet (von Insekten); **I|ma|gi|nal|sta|di|um** *s. Gen.* -s *Mz.* -di|en, *bei Insekten:* Stadium nach vollendeter Entwicklung; **i|ma|gi|när** nur in der Einbildung, der Vorstellung vorhanden, eingebildet; imaginäre Einheit *Math.:* die Größe i = $\sqrt{-1}$; imaginäre Zahl: Zahl, die ein Vielfaches von i beträgt; **I|ma|gi|na|ti|on** *w. 11* Einbildung, Einbildungskraft, anschauliches Denken; **i|ma|gi|na|tiv** nur in der Einbildung vorhanden; **i|ma|gi|nie|ren** *tr. 3* sich einbilden, sich vorstellen, ausdenken, ersinnen; **I|ma|go** *w. Gen. - Mz.* -gi|nes [-ne:s] **1** das vollentwickelte, geschlechtsreife Insekt; **2** *Psych.:* aus dem idealisierten Bild einer in der Kindheit bes. geliebten Person entstandenes Leitbild
I|mam [arab.] *m. 9 oder m. 1* **1** Vorbeter (in einer Moschee); **2** relig. Oberhaupt der Schiiten, als Nachkomme Mohammeds verstanden; **3** Ehrentitel für islamische Gelehrte; **4** Titel der Herrscher von Jemen
im|be|zil, im|be|zill [lat.] leicht schwachsinnig; **Im|be|zil|li|tät** *w. 10 nur Ez.* leichter Schwachsinn
Im|biß ▶ **Im|biss** *m. 1* kleine Mahlzeit; **Im|biß|raum** ▶ **Im|biss|raum** *m. 2;* **Im|biß|stu|be** ▶ **Im|biss|stu|be** *w. 11*
Im|bro|glio *auch:* **-brog|lio** [-brɔljo, ital.] *s. Gen.* -s *Mz.* -s *oder* -gli [-lji], *Mus.:* rhythmische Verwirrung durch Vermischung oder Überlagerung verschiedener Taktarten

I|mi|ta|tio Chris|ti [lat. »Nachahmung Christi«] *w. Gen. -- nur Ez.* Nachfolge Christi, wahrhaft christliches Leben (*urspr.* Titel eines spätmittelalterlichen, wahrscheinlich von Thomas von Kempen verfassten Erbauungsbuches); **I|mi|ta|ti|on** *w. 10* **1** (naturgetreue) Nachahmung; **2** Nachbildung von wertvollem Schmuck aus geringwertigem Material; **3** *Mus.:* Wiederholung eines Themas, z. B. im Kanon oder in der Fuge; **i|mi|ta|tiv** nachahmend; **I|mi|ta|tor** *m. 13* Nachahmer, z. B. Tierstimmenimitator; **i|mi|ta|to|risch** in der Art einer Imitation; **i|mi|tie|ren** *tr. 3* nachahmen, nachbilden

Im|ker *m. 5* Bienenzüchter; **Im|ke|rei** *w. 10 nur Ez.* Bienenzucht; **im|kern** *intr. 1* Bienenzucht betreiben; ich imkere

Im|ma|cu|la|ta [lat.] *w. Gen. - nur Ez.* die Unbefleckte (d. h. die unbefleckt von ihrer Mutter Anna Empfangene; Beiname Marias in der kath. Kirche)

im|ma|nent [lat.] innewohnend, (darin) enthalten; **Im|ma|nenz** *w. 10 nur Ez.* das Innewohnen, Enthaltensein; **im|ma|nie|ren** *intr. 3* enthalten sein, innewohnen

Im|ma|te|ri|a|lis|mus [lat.] *m. Gen. - nur Ez.* philosoph. Lehre, dass nur das Geistige wirklich und die Materie keine selbständige Substanz sei; vgl. Materialismus; **Im|ma|te|ri|a|li|tät** *w. 10 nur Ez.* unkörperliche, rein geistige Beschaffenheit; **im|ma|te|ri|ell** unkörperlich, rein geistig

Im|ma|tri|ku|la|ti|on *auch:* **Im|mat|ri-** [lat.] *w. 10* Einschreibung in die →Matrikel einer Hochschule; *Ggs.:* Exmatrikulation; **im|ma|tri|ku|lie|ren** *auch:* **im|mat|ri-** *tr. 3* in die →Matrikel einschreiben; *schweiz. auch:* anmelden (Kraftfahrzeug); *Ggs.* exmatrikulieren

Im|me *w. 11* Biene

im|me|di|at [lat.] ohne Vermittlung, unmittelbar (dem Landesherrn oder der obersten Behörde unterstellt); **Im|me|di|at|ge|such** *s. 1* Gesuch unmittelbar an die höchste Instanz; **im|me|di|a|ti|sie|ren** *tr. 3, früher:* reichsunmittelbar machen, dem König unmittelbar unterstellen (z. B. Städte)

im|mens [lat.] unermesslich (groß); immenser Reichtum; **Im|men|si|tät** *w. 10 nur Ez.* Unermesslichkeit; **im|men|su|ra|bel** unmessbar; **Im|men|su|ra|bi|li|tät** *w. 10 nur Ez.* Unmessbarkeit

im|mer; für, auf immer; immer mehr; nur immer zu!: nur voran, vorwärts!; *aber:* →immerzu; **im|mer|fort; im|mer|grün**; immergrüne Pflanze, *aber:* die Blätter bleiben immer grün; **Im|mer|grün** *s. 1* **1** eine Zierpflanze; **2** *auch:* Efeu; **im|mer|hin**

Im|mer|si|on [lat.] *w. 10* **1** Ein-, Untertauchen; **2** *Geol.:* Überflutung von Festland durch das Meer; **3** *Astron.:* Eintauchen eines Himmelskörpers, bes. des Mondes, in den Schatten eines anderen; **4** *Med.:* Dauerbad; **5** *Phys., bei mikroskop. Untersuchungen:* Einbettung eines Objekts in eine Flüssigkeit mit besonderen opt. Eigenschaften

im|mer|wäh|rend ► **im|mer wäh|rend;** i. w. Kalender; **im|mer|zu** fortwährend, ständig

Im|mi|grant [lat.] *m. 10* Einwanderer; *Ggs.:* Emigrant; **Im|mi|gra|ti|on** *w. 10* Einwanderung (aus einem anderen Staat); *Ggs.:* Emigration; **im|mi|grie|ren** *intr. 3* (aus einem anderen Staat) einwandern; *Ggs.:* emigrieren

im|mi|nent [lat.] drohend, nahe bevorstehend

Im|mis|si|on [lat.] *w. 10* **1** Amtseinweisung, Amtseinsetzung; **2** Einwirkung (auf ein benachbartes Grundstück durch Gase, Dämpfe o. Ä.)

im|mo|bil [lat.] unbeweglich; *Ggs.:* mobil; **Im|mo|bi|li|ar|ver|mö|gen** *s. 7 nur Ez.* Grundbesitz; **Im|mo|bi|li|ar|ver|si|che|rung** *w. 10* Feuerversicherung von Gebäuden; **Im|mo|bi|li|en** *nur Mz.* Grundstücke, Häuser; **Im|mo|bi|li|en|han|del** *m. Gen. -s nur Ez.;* **Im|mo|bi|li|en|händ|ler** *m. 5;* **Im|mo|bi|li|sa|ti|on** *w. 10* das Immobilisieren; **im|mo|bi|li|sie|ren** *tr. 3* **1** ruhig stellen, unbeweglich machen (Körperglied, durch Verband); **2** rechtlich wie Immobilien behandeln (bewegliche Güter); **Im|mo|bi|li|sie|rung** *w. 10;* **Im|mo|bi|li|tät** *w. 10 nur Ez.* Unbeweglichkeit

im|mo|ra|lisch [lat.] unmoralisch, unsittlich, gegen die Moralgesetze verstoßend; vgl. amoralisch; **Im|mo|ra|lis|mus** *m. Gen. - nur Ez.* Ablehnung der geltenden Moralgesetze; vgl. Amoralismus; **Im|mo|ra|list** *m. 10* jmd., der die herrschenden Moralgesetze ablehnt; **Im|mo|ra|li|tät** *w. 10 nur Ez.* Unsittlichkeit; vgl. Amoralität

Im|mor|ta|li|tät [lat.] *w. 10 nur Ez.* Unsterblichkeit; *Ggs.:* Mortalität; **Im|mor|tel|le** *w. 11* = Strohblume

im|mun [lat.] **1** unempfindlich (gegen bestimmte Krankheiten); **2** rechtlich unantastbar (Parlamentsmitglieder); **3** *ugs.:* nicht zu beeindrucken; **im|mu|ni|sie|ren** *tr. 3* (durch Impfung) immun (**1**) machen; **Im|mu|ni|tät** *w. 10 nur Ez.* **1** Unempfindlichkeit (gegen bestimmte Krankheiten); **2** Schutz vor strafrechtlicher Verfolgung (bei Parlamentsmitgliedern); **Im|mun|kör|per** *m. 5* = Antikörper; **Im|mu|no|lo|gie** *w. 11 nur Ez.* Lehre von der Immunität (**1**); im|mu|no|lo|gisch

imp., impr. *Abk. für* imprimatur

Imp. *Abk. für* Imperator

Im|pact [-pækt, engl.] *m. 9, Werbung:* Eindrucksstärke

Im|pa|ri|tät [lat.] *w. 10 nur Ez.* Ungleichheit; *Ggs.:* Parität (**1**)

Im|pas|to [ital.] *s. Gen. -s Mz. -sti, Malerei:* dicker, ungleicher Farbauftrag

Im|pe|danz [lat.] *w. 10, beim Wechselstrom:* Scheinwiderstand

Im|pe|di|ment [lat.] *s. 1, veraltet:* (rechtliches) Hindernis

im|pe|ne|tra|bel [lat.] *veraltet:* undurchdringbar

im|pe|ra|tiv [lat.] befehlend, zwingend, bindend; **Im|pe|ra|tiv** *m. 1* **1** Befehlsform, z. B. komm!, kommt!; **2** Pflichtgebot; kategorischer Imperativ; **im|pe|ra|ti|visch** [auch: -ti-]; **Im|pe|ra|tiv|satz** [auch: -tif-] *m. 2* Satz, in dem das Verb im Imperativ steht, Befehlssatz; **Im|pe|ra|tor** *m. 13 (Abk.:* Imp.) *im alten Rom* **1** *urspr.* Oberbefehlshaber; **2** *dann:* Kaiser; **im|pe|ra|to|risch** **1** wie ein Imperator; **2** *übertr.:* gebieterisch; **Im|pe|ra|tor Rex** (*Abk.:* I. R.) Kaiser (und) König

Im|per|fekt [lat.] *s. 1, Gramm.:*

unvollendete oder erste Vergangenheit, Präteritum, z. B. ich ging; **im|per|fek|tiv** im Imperfekt stehend, unvollendet

im|per|fo|ra|bel [lat.] nicht durchbohrbar; **Im|per|fo|ra|ti|on** *w. 10* angeborene Verwachsung einer Körperöffnung

im|pe|ri|al [lat.] zum Imperium, zum Imperator gehörig, auf ihnen beruhend, von ihnen ausgehend, kaiserlich; **Im|pe|ri|al** *s. 1* **1** veraltetes Papierformat, 57 × 78 cm; **2** veralteter Schriftgrad, 9 Cicero; **3** alte russische Goldmünze, 15 Rubel; **Im|pe|ri|a|lis|mus** *m. Gen. - nur Ez.* Streben (eines Staates) nach Vergrößerung seiner Macht und seines Besitzes; **Im|pe|ri|a|list** *m. 10* Vertreter des Imperialismus; **im|pe|ri|a|lis|tisch; Im|pe|ri|um** *s. Gen. -s Mz. -ri|en* Weltreich, bes. das römische

im|per|me|a|bel [lat.] undurchlässig; **Im|per|me|a|bi|li|tät** *w. 10 nur Ez.*

Im|per|so|na|le [lat.] *s. Gen. -s Mz. -li|en oder -lia* Verb, von dem nur unpersönliche Formen gebildet werden können, z. B. regnen: es regnet

im|per|ti|nent [lat.] unverschämt, frech; **Im|per|ti|nenz** *w. 10 nur Ez.*

im|per|zep|ti|bel [lat.] *Philos.:* nicht wahrnehmbar

im|pe|ti|gi|nös [lat.] eitrig, grindig; **Im|pe|ti|go** *w. Gen. - nur Ez.* eine Hautkrankheit, Eiterflechte

im|pe|tu|o|so [ital.] *Mus.:* stürmisch, ungestüm; **Im|pe|tus** [lat.] *m. Gen. - nur Ez.* **1** Ungestüm; **2** Antrieb, Drang

imp|fen *tr. 1;* **Impf|ling** *m. 1;* **Impf|po|cken** *w. 11 Mz.;* **Impf|schein** *m. 1;* **Impf|stoff** *m. 1;* **Imp|fung** *w. 10;* **Impf|zwang** *m. 2 nur Ez.*

Im|pi|e|tät [-piə-, lat.] *w. 10 nur Ez., veraltet:* Pietätlosigkeit

Im|plan|tat [lat.] *s. 1 auch:* **Imp|lan-** implantiertes Gewebsstück; **Im|plan|ta|ti|on** *auch:* **Imp|lan-** *w. 10* **1** Einpflanzung eines körperfremden Gewebsstücks oder Stoffes in den Körper; **2** Einnistung eines befruchteten Eies in die Gebärmutterschleimhaut; **im|plan|tie|ren** *auch:* **imp|lan-** *tr. 3*

Im|pli|ka|ti|on *auch:* **Imp|li-** [lat.] *w. 10* Einbeziehung einer Sache in eine andere, »wenn ... so«-Beziehung; **im|pli|zie|ren** *auch:* **imp|li-** *tr. 3* einbeziehen; **im|pli|zit** *auch:* **imp|li-** inbegriffen, *Ggs.:* einbezogen; explizit; **im|pli|zi|te** [-te:] *auch:* **imp|li-** einschließlich

Im|plo|si|on *auch:* **Imp|lo-** [lat.] *w. 10* Zertrümmerung eines Gefäßes durch (stärkeren) Luftdruck von außen; *Ggs.:* Explosion

Im|plu|vi|um *auch:* **Imp|lu-** [lat.] *s. Gen. -s Mz. -vi|en oder -via, im altröm. Haus:* Becken im Atrium zum Auffangen des Regenwassers

im|pon|de|ra|bel [lat.] unberechenbar; **Im|pon|de|ra|bi|li|en** *nur Mz.* unberechenbare Einflüsse, z. B. Gefühle, Stimmungen, Reaktionen anderer; **Im|pon|de|ra|bi|li|tät** *w. 10 nur Ez.* Unberechenbarkeit

im|po|nie|ren [lat.] *intr. 3;* jmdm. i.: großen Eindruck auf jmdn. machen; **Im|po|nier|ge|ha|ben** *s. 7 nur Ez.* das Bestreben männlicher Tiere, die Aufmerksamkeit des Weibchens zu wecken oder einen Gegner abzuschrecken

Im|port [lat.] *m. 1* Einfuhr aus dem Ausland (von Waren); *Ggs.:* Export; **Im|por|te** *w. 11* **1** *meist Mz.:* Einfuhrware; **2** importierte Zigarre; **Im|por|teur** [-tør] *m. 1* Kaufmann oder Firma, der bzw. die aus dem Ausland Waren einführt; *Ggs.:* Exporteur; **Im|port|ge|schäft** *s. 1;* **Im|port|han|del** *m. 5 nur Ez.;* **im|por|tie|ren** *tr. 3* aus dem Ausland einführen (Waren); *Ggs.:* exportieren

im|por|tun [lat.] *veraltet für* inopportun

im|po|sant [lat.] großartig, eindrucksvoll, stattlich

im|pos|si|bel [lat.] *veraltet:* unmöglich; **Im|pos|si|bi|li|tät** *w. 10 nur Ez., veraltet:* Unmöglichkeit

im|po|tent [lat.] unfähig zum Geschlechtsverkehr (vom Mann), zeugungsunfähig; **Im|po|tenz** *w. 10 nur Ez.*

impr., imp. *Abk. für* imprimatur

Im|prä|gna|ti|on *auch:* **-präg|na-** [lat.] *w. 10* **1** *Geol.:* das Eindringen von mineralhaltigen Lösungen in Gestein; **2** *Biol.:* das Eindringen der Samenzelle in das Ei, Befruchtung; **im|prä|gnie|ren** *auch:* **-präg|nie-** *tr. 3* mit einem Schutzmittel (gegen Feuchtigkeit o. Ä.) tränken; **Im|prä|gnie|rung** *auch:* **-präg|nie-** *w. 10*

im|prak|ti|ka|bel undurchführbar, nicht anwendbar

Im|pre|sa|rio [ital.] *m. Gen. -s Mz. -s oder -rii* jmd., der für einen Künstler Gastspiele arrangiert

Im|pres|si|on [lat.] *w. 10* Eindruck, Sinneswahrnehmung; **im|pres|si|o|na|bel** eindrucksfähig, beeindruckbar; **Im|pres|si|o|nis|mus** *m. Gen. - nur Ez.* Eindruckskunst, Kunstrichtung Ende des 19. Jh.; **Im|pres|si|o|nist** *m. 10* Vertreter des Impressionismus; **im|pres|si|o|nis|tisch; Im|pres|sum** [lat.] *s. Gen. -s Mz. -sen, in Zeitungen, Zeitschriften und Büchern:* Vermerk (meist auf der zweiten Seite) über Copyright, Verlagsort und -jahr, Druckerei u. a.;

im|pri|ma|tur (*Abk.:* imp., impr.) »es werde gedruckt« (Vermerk des Autors oder Verlages auf den letzten Korrekturbogen); **Im|pri|ma|tur** *s. Gen. -s nur Ez.* Druckerlaubnis; **Im|pri|mé** [ɛ̃prime, frz.] *m. 9* bedruckter Seidenstoff; **im|pri|mie|ren** *tr. 3* einen Text, Druckbogen i.: für einen Text, Druckbogen das Imprimatur erteilen

Im|promp|tu [ɛ̃prɔ̃ty, frz.] *s. 9* **1** *urspr.:* frz. Stegreifgedicht; **2** aus einem augenblicklichen Einfall heraus frei gestaltetes Musikstück, bes. für Klavier

Im|pro|vi|sa|ti|on [lat.] *w. 10* Handlung oder Vortrag unvorbereitet aus einem augenblicklichen Einfall heraus; **Im|pro|vi|sa|tor** *m. 13* jmd., der improvisieren kann; **im|pro|vi|sa|to|risch** in der Art einer Improvisation; **im|pro|vi|sie|ren** *tr. 3* unvorbereitet, aus dem Augenblick heraus tun oder vortragen

Im|puls [lat.] *m. 1* **1** Antrieb, Anregung, Anreiz; **2** *Phys.:* Kraftstoß, Anstoß; **im|pul|siv** **1** durch einen Impuls bewirkt; **2** rasch, lebhaft, aus plötzl. Einfällen heraus handelnd; **Im|pul|si|vi|tät** *w. 10 nur Ez.* impulsives Wesen oder Handeln; **Im|puls|kauf** *m. 2* durch Produktreiz ausgelöster Kauf ohne rationale Steuerung

Im|pu|ta|ti|on [lat.] *w. 10, veraltet:* ungerechtfertigte Beschuldigung; **im|pu|ta|tiv** *veraltet:* ungerechtfertigt beschuldigend; **im|pu|tie|ren** *tr. 3, veraltet:* ungerecht beschuldigen

> **imstande/im Stande sein:** Die Hauptvariante ist *imstande sein: Er ist imstande und bringt sich um.* →§ 35
> In adverbialer Verwendung ist es dem/der Schreibenden überlassen, ob er/sie eine (kleingeschriebene) Zusammensetzung oder eine Wortgruppe daraus macht: *Sie sind imstande/im Stande(,) das Haus anzuzünden.*
> →§ 39 E3 (1)

im|stan|de; imstande sein *auch:* im Stande sein

in 1 *Präp. mit Dat. oder Akk.; in geograph. Namen (Abk.:* i.), z. B. Münster in (i.) Westfalen; **2** in sein *ugs.:* modern sein, über alles Aktuelle, Modische (innerhalb einer bestimmten Gesellschaftsgruppe) Bescheid wissen, tonangebend, in Mode sein; *Ggs.:* out (**2**)

In *chem. Zeichen für* Indium

IN *Abk. für* Indiana

in. *Abk. für* Inch

in..., In... [lat.] *in Zus.:* **1** ein..., Ein..., hinein..., z. B. induzieren; **2** nicht..., Nicht..., z. B. inkonsequent

in ab|sen|tia [-tsja, lat.] in Abwesenheit; einen Angeklagten in a. verurteilen

in ab|strac|to *auch:* **-abs|trac|to** [lat.] im Allgemeinen, ohne Berücksichtigung des Besonderen, der Wirklichkeit; *Ggs.:* in concreto

in|ad|äquat [lat.] nicht passend, ungleichwertig, unangemessen

in ae|ter|num [-ɛtɛr-, lat.] auf ewig, für ewig

in|ak|ku|rat [lat.] nicht gleichmäßig, ungenau, nachlässig

in|ak|tiv [lat.] **1** untätig; **2** im Ruhestand, beurlaubt; **3** nicht zur Teilnahme an Versammlungen verpflichtet (bei Mitgliedern von Vereinen oder Studentenverbindungen); **in|ak|ti|vie|ren** *tr. 3* **1** unwirksam machen; **2** in den Ruhestand versetzen; **In|ak|ti|vie|rung** *w. 10;* **In|ak|ti|vi|tät** [auch: -tɛt] *w. 10 nur Ez.* **1** Unwirksamkeit, Untätigkeit; **2** Ruhestand

in|ak|tu|ell [lat.] nicht aktuell

in|ak|zep|ta|bel [auch: -ta-, lat.] nicht akzeptabel, unannehmbar

in|al|li|e|na|bel [-liə-, auch: -na-, lat.] unveräußerlich

inan [lat.] nichtig, leer

In|an|griff|nah|me *w. 11 nur Ez.*

Inani|tät [lat.] *w. 10 nur Ez.* Nichtigkeit, Leere

In|an|spruch|nah|me *w. 11 nur Ez.*

in|ap|pel|la|bel [lat.] nicht durch Berufung anfechtbar; inappellables Urteil

in|ar|ti|ku|liert [lat.] nicht artikuliert, undeutlich (ausgesprochen)

In|au|gen|schein|nah|me *w. 11 nur Ez.*

In|au|gu|ral|dis|ser|ta|ti|on [lat.] *w. 10* wissenschaftliche Arbeit, um die Doktorwürde zu erlangen, Doktorarbeit; **In|au|gu|ra|ti|on** *w. 10* feierliche Einsetzung in ein Amt oder eine Würde; **in|au|gu|rie|ren** *tr. 3* **1** einsetzen, einweihen; **2** beginnen, einleiten

In|be|griff *m. 1* Gesamtheit, Summe, das Höchste; **in|be|grif|fen**

In|be|trieb|nah|me *w. 11 nur Ez.*

in bre|vi [lat.] *veraltet:* in Kurzem, binnen Kurzem, bald

> **in Bezug/Anbetracht:** Substantive in festen Gefügen, die nicht mit anderen Teilen des Gefüges zusammengeschrieben werden, schreibt man groß: *In Bezug auf seine Teilnahme habe ich keine Bedenken. In Anbetracht der Tatsache(,) dass er ...* →§ 55 (4)

In|brunst *w. Gen. - nur Ez.;* **in|brüns|tig**

In|bus|schlüs|sel, In|bus|schrau|ben|schlüs|sel *m. 5* rechtwinklig abgebogene Sechskant- oder Vierkant-Stahlstange, mit der Inbusschrauben ein- und ausgedreht werden können; **In|bus|schrau|be** *w. 11* Schraube mit eingesenktem Kantloch

inc. *Abk. für* incidit

Inc. *Abk. für* incorporated: eingetragen (von Vereinen, Gesellschaften)

I. N. C. *Abk. für* in nomine Christi

Inch [ɪntʃ, engl.] *m. oder s. Gen. - Mz. - (Abk.:* in., *Zeichen:* ") engl. Längenmaß, Zoll, 2,54 cm

In|cho|a|tiv [-koa-, lat.] *s. 1* **In|cho|a|ti|vum** *s. Gen. -s Mz. -va* **1** Aktionsart des Verbs, die den Beginn einer Handlung ausdrückt; **2** Verb, das diese Aktionsart ausdrückt, z. B. erblühen, erwachen, erkennen

in|chro|mie|ren [-kro-, lat.] *tr. 3* mit Chrom behandeln (zum Schutz gegen Korrosion)

in|ci|dit [lat.] (*Abk.:* inc.) »hat (es) geschnitten« (Vermerk auf Kupferstichen vor dem Namen des Künstlers)

in|ci|pit [lat.] »es beginnt« (Vermerk am Anfang alter Handschriften oder Drucke); *Ggs.:* explicit; **In|ci|pit** *s. 9* die Anfangswörter einer alten Handschrift oder eines Frühdruckes

incl. *Abk. für* inclusive, vgl. inklusive

in con|cre|to [lat.] in Wirklichkeit, konkret gesprochen; *Ggs.:* in abstracto

in con|tu|ma|ci|am [lat.] *in der Wendung:* in c. verurteilen: in Abwesenheit verurteilen

in cor|po|re [lat.] insgesamt, alle

In|cu|bus *m. Gen. - Mz. -cuben, ältere Schreibung von* Inkubus

I. N. D. *Abk. für* in nomine Dei, in nomine Domini

Ind|an|thren *auch:* **In|danth|ren** [Kunstw. aus Indigo und Anthracen] *s. 1* (Wz) *Sammelbez. für* licht- und waschechte Farbstoffe

in|de|fi|ni|bel [lat.] nicht definierbar, nicht begrifflich abzugrenzen; **in|de|fi|nit** unbestimmt; indefinites Pronomen = Indefinitpronomen; **In|de|fi|nit|pro|no|men** *s. 7,* **In|de|fi|ni|tum** *s. Gen. -s Mz. -ta* unbestimmtes Fürwort, z. B. jeder, einige

in|de|kli|na|bel *auch:* **-dek|li-** [lat.] nicht deklinierbar, nicht beugbar; indeklinables Wort; **In|de|kli|na|bi|le** *auch:* **-dek|li-** *s. Gen. - Mz. -bilia* undeklinierbares Wort, z. B. lila, sehr

in|de|li|kat [lat.] unfein, unzart; *Ggs.:* delikat (**2**)

in|dem 1 dadurch, dass; du kannst ihm helfen, indem du...; **2** während; indem ich das sagte, kam er zur Tür herein

In|dem|ni|sa|ti|on [lat.] *w. 10* Entschädigung, Vergütung; **in|dem|ni|sie|ren** *tr. 3;* **In|dem|ni|tät** *w. 10 nur Ez.* **1** nachträgli-

che Zustimmung (des Parlaments) zu einer anfangs nicht gebilligten Maßnahme (der Regierung)
in|de|mons|tra|bel [lat.] nicht beweisbar
In|de|pen|dence Day [ɪndɪpe̩ndəns dɛɪ, engl.] *m. Gen. -- nur Ez.* US-amerik. Nationalfeiertag, 4. Juli; **In|de|pen|de̩n|ten** [lat.] *nur Mz., in England im 17. Jh.:* die Angehörigen einer puritan. Strömung, die die Unabhängigkeit der Einzelgemeinden erstrebte, Kongregationalisten; **In|de|pen|de̩nz** *w. 10 nur Ez.* Unabhängigkeit
In|der *m. 5* Einwohner Indiens
in|de̩s, in|de̩s|sen
in|de|ter|mi|na|bel [lat.] unbestimmbar; indeterminabler Begriff; **In|de|ter|mi|na|ti|on** *w. 10 nur Ez.* Unbestimmtheit; **in|de|ter|mi|niert** unbestimmt; **In|de|ter|mi|nis|mus** *m. Gen. - nur Ez.* Lehre, dass der Mensch in seinen Handlungen nicht zwingend von Ursache und Wirkung abhänge, sondern ein gewisses Maß an Willensfreiheit besitze; *Ggs.:* Determinismus
In|dex [lat.] *m. 1 oder Gen. - Mz.* -di|zes *oder* -di|ces [-tse:s] **1** Verzeichnis (von Namen, Begriffen, Stichwörtern o. Ä., auch von [verbotenen] Büchern); Index librorum prohibitorum: Verzeichnis der von der kath. Kirche verbotenen Bücher; **2** *Math.:* Kenn-, Unterscheidungsziffer, tiefgestellt nach dem Buchstaben, z. B. a_1, a_{n_1}, F_2; **3** *Anthropologie:* Prozentzahl, die das Verhältnis zweier Maße zueinander ausdrückt, beim Schädelindex z. B. das von Länge und Breite; **In|dex|wäh|rung** *w. 10* Währung, der bestimmte Indexziffern (meist der Lebenshaltungskosten) zugrunde liegen; **In|dex|zif|fer** *w. 11* = Verhältniszahl
in|de|zent [lat.] unanständig, unschicklich; **In|de|zenz** *w. 10 nur Ez.*
In|di|an *m. 1 österr.:* Truthahn; **In|di|a|na** (*Abk.:* IN) Staat in den USA; **In|di|a|ner** *m. 5* Ureinwohner von Amerika; **In|di|a|ner|krap|fen** *m. 7, österr.:* Mohrenkopf; **In|di|a|ner|som|mer** *m. 5, in Nordamerika:* Altweibersommer; **in|di|a|nisch; In|di|a|nist** *m. 10;* **In|di|a|nis|tik** *w. 10 nur Ez.* Lehre von den Indianersprachen und -kulturen
In|di|ces [-tse:s] = Indizes
In|di|en 1 *i. w. S.:* Vorder- und Hinterindien mit Indochina; **2** *i. e. S.:* die Republik Indien
In|dienst|nah|me *w. 11 nur Ez.;* **In|dienst|stel|lung** *w. 10 nur Ez.*
In|di|er *m. 5, veraltet für* Inder
in|dif|fe|rent [lat.] **1** unbestimmt; **2** gleichgültig; **In|dif|fe|ren|tis|mus** *m. Gen. - nur Ez.* gleichgültiges, teilnahmsloses Verhalten, Mangel an eigener Meinung; **In|dif|fe|renz** *w. 10 nur Ez.* **1** Unbestimmtheit; **2** Gleichgültigkeit
in|di|gen [lat.] *veraltet:* eingeboren, einheimisch; **In|di|ge|nat** *s. 1, veraltet:* Heimatrecht, Staatsangehörigkeit
In|di|ges|ti|on [lat.] *w. 10* Verdauungsstörung
In|di|gna|ti|on *auch:* **-dig|na-** [lat.] *w. 10 nur Ez.* Unwille, Entrüstung; **in|di|gniert** *auch:* **-dig|niert** unwillig, peinlich berührt; **In|di|gni|tät** *auch:* **-dig|ni-** *w. 10 nur Ez.* **1** *veraltet:* Unwürdigkeit; **2** *Rechtsw.:* Erbunwürdigkeit
In|di|go [griech.-span.] *m. 9 oder s. 9* ältester pflanzlicher, blauer Farbstoff (heute synthetisch hergestellt); **In|di|go|blau** *s. Gen.* -s *nur Ez.;* **In|di|go|lith** *m. 1 oder m. 10* ein Mineral, blauer Turmalin; **In|di|go|tin** *s. 1 nur Ez.* aus Indigo gewonnener, blauer Farbstoff
In|dik *m. Gen.* -s *nur Ez., Kurzw. für* Indischer Ozean
In|di|ka|ti|on [lat.] *w. 10* **1** Merkmal; **2** Heilanzeige, Veranlassung, ein bestimmtes Heilmittel oder -verfahren anzuwenden; **In|di|ka|tiv** *m. 1* Form des Verbs, die einen Sachverhalt als wirklich darstellt, Wirklichkeitsform, z. B. ich laufe, ich habe geschrieben; vgl. Konjunktiv; **in|di|ka|ti|visch; In|di|ka|tor** *m. 13* **1** *Chem.:* Stoff, der durch Veränderung seiner Farbe anzeigt, wie die auf ihn einwirkende Lösung reagiert; **2** *Tech.:* Gerät zur Aufzeichnung der Arbeitsleistung einer Maschine; **In|di|ka|trix** *auch:* **-kat|rix** *w. Gen. - nur Ez., Kartographie:* Maß zur Feststellung der Verzerrung bei der Abbildung einer gekrümmten Fläche
In|dik|ti|on [lat.] *w. 10* **1** Ankündigung; **2** kirchl. Aufgebot; **3** *im alten Rom:* Zeitraum von 15 Jahren (zur Berechnung von Steuern), Römerzinszahl
In|dio *m. 9, span. Bez. für* Indianer Süd- u. Mittelamerikas
in|di|rekt [lat.] mittelbar, auf Umwegen, nicht direkt; indirekte Rede: abhängige Rede, z. B. er sagte, er habe angerufen; indirekte Beleuchtung: B. durch unsichtbare Lichtquellen; indirekte Steuern: Steuern, die überwälzt werden können; indirekte Wahl: Wahl von Abgeordneten durch Wahlmänner, die von den Urwählern gewählt wurden
in|disch *aber:* der Indische Ozean; **In|disch|rot** *s. Gen.* -(s) *nur Ez.*
in|dis|kret [lat.] nicht verschwiegen, taktlos-neugierig; *Ggs.:* diskret; **In|dis|kre|ti|on** *w. 10* Mangel an Verschwiegenheit; *Ggs.:* Diskretion (**1**)
in|dis|ku|ta|bel [auch: -ta-, lat.] nicht der Erörterung wert; indiskutabler Vorschlag
in|dis|pen|sa|bel [auch: -sa-, lat.] unerlässlich, unumgänglich; indispensable Entscheidung
in|dis|po|ni|bel [auch: -ni-, lat.] nicht verfügbar, festgelegt; indisponible Gelder; **in|dis|po|niert** in schlechter Verfassung, unpässlich; **In|dis|po|si|ti|on** *w. 10 nur Ez.* Unpässlichkeit
in|dis|pu|ta|bel [auch: -ta-, lat.] *veraltet:* unbestreitbar, unstreitig
In|dis|zi|plin [lat.] *w. Gen. - nur Ez.* Mangel an Disziplin; **in|dis|zi|pli|niert**
In|di|um (*Zeichen:* In) chem. Element, Metall
In|di|vi|du|a|li|sa|ti|on [lat.] *w. 10* Vereinzelung, Betrachtung, Hervorhebung des Einzelnen, Besonderen; **in|di|vi|du|a|li|sie|ren** *tr. 3* in Einzelnes sondern, das Besondere, Einzelne (von etwas) hervorheben; **In|di|vi|du|a|li|sie|rung** *w. 10;* **In|di|vi|du|a|lis|mus** *m. Gen. - nur Ez.* **1** das Einzelwesen, den Einzelmenschen hervorhebende Auffassung, Überordnung des Einzelmenschen über die Gemeinschaft; **2** Vertretung der eigenen Interessen, Zurückhaltung gegenüber der Gemeinschaft; **In|di|vi|du|a|list** *m. 10;* **in|di|vi-**

du|a|lis|tisch; In|di|vi|du|a|li|tät *w. 10* **1** Einzigartigkeit; **2** Gesamtheit der Eigenarten eines Einzelwesens; **3** das Einzelwesen in seiner Eigenart; **In|di|vi|du|al|recht** *s. 1* Recht des Einzelmenschen, Menschenrecht; **In|di|vi|du|a|ti|on** *w. 10* Entwicklung der Einzelpersönlichkeit, Herausbildung der Besonderheiten, Eigenarten des Einzelmenschen; **in|di|vi|du|ell** den Einzelmenschen betreffend, zu ihm gehörig, ihm eigentümlich; je nach Art des Einzelnen; **In|di|vi|du|um** *s. Gen.* -s *Mz.* -du|en **1** Einzelwesen; **2** *ugs. abfällig:* Kerl, unbekannte Person

in|di|vi|si|bel [lat.] unteilbar

In|diz [lat.] *s. Gen.* -es *Mz.* -di|zi|en verdächtiger Umstand, Tatsache, die auf einen bestimmten Sachverhalt schließen lässt; **In|di|zes** ▶ *auch:* **In|di|ces** [-tse:s] *Mz. von* Index; **In|di|zi|en** *Mz. von* Indiz; **In|di|zi|en|be|weis** *m. 1* Beweis auf Grund von Tatsachen, die auf einen Tatbestand schließen lassen; **in|di|zie|ren** *tr. 3* **1** hinweisen auf, anzeigen, ratsam erscheinen lassen; **in|di|ziert** ratsam; **In|di|zi|um** *s. Gen.* -s *Mz.* -zi|en, *veraltet für* Indiz

In|do|a|ri|er *m. 5* Angehöriger eines der um 1500 v. Chr. in Indien eingewanderten arischen Völker; **in|do|a|risch;** indoarische Sprachen; **In|do|chi|na** das ehemals frz. Gebiet in Hinterindien; **In|do|eu|ro|pä|er** *m. 5* = Indogermane; **indo|eu|ro|pä|isch; In|do|ger|ma|ne** *m. 11 meist Mz.* Angehöriger eines der zur idg. Sprachfamilie gehörenden Völker; **in|do|ger|ma|nisch;** indogermanische Sprachen: die von Indien bis Europa verbreiteten Sprachen; **In|do|ger|ma|nist** *m. 10;* **In|do|ger|ma|nis|tik** *w. 10 nur Ez.* die vergleichende Wissenschaft von den idg. Sprachen; **in|do|ger|ma|nis|tisch**

in|do|lent [auch: in-, lat.] **1** gleichgültig, unempfänglich für Eindrücke; **2** unempfindlich gegenüber Schmerzen; **In|do|lenz** *w. 10 nur Ez.*

In|do|lo|ge [lat. + griech.] *m. 11;* **In|do|lo|gie** *w. 11 nur Ez.* Wissenschaft von den indischen Sprachen und Kulturen; **in|do|lo|gisch; In|do|ne|si|en** Inselstaat in Südostasien; **In|do|ne|si|er** *m. 5;* **in|do|pa|zi|fisch** zum Indischen und Pazifischen Ozean gehörend

in|dos|sa|bel [lat.] durch Indossament übertragbar, indossierbar; **In|dos|sa|ment** *s. 1* Übertragung des Rechtes (an einem Wechsel) an einen andern, Wechselübertragung, Indosso; **In|dos|sant**, In|dos|sent *m. 10* = Girant; **In|dos|sat** *m. 10,* **In|dos|sa|tar** *m. 1* jmd., auf den durch Indossament ein Wechsel übertragen wird; **In|dos|sent**, In|dos|sant *m. 10* = Girant; **in|dos|sier|bar** = indossabel; **in|dos|sie|ren** *tr. 3* (durch Indossament) übertragen; **In|dos|sie|rung** *w. 10;* **In|dos|so** *s. Gen.* -s *Mz.* -s *oder* -si = Indossament

in du|bio [lat.] im Zweifelsfall; in dubio pro reo: im Zweifelsfall (soll) für den Angeklagten (entschieden werden) (Rechtsgrundsatz)

In|duk|tanz [lat.] *w. 10 nur Ez., bei Wechselstrom:* induktiver Widerstand; **In|duk|ti|on** *w. 10* **1** *Philos.:* Schlussfolgerung vom Besonderen auf das Allgemeine, Epagoge; *Ggs.:* Deduktion; **2** *Phys.:* Erzeugung einer elektr. Spannung in einem Leiter durch Änderung des ihn umgebenden Magnetfeldes; **3** eine Form des mathemat. Beweises; **In|duk|ti|ons|ap|pa|rat** *m. 1* Hochspannungstransformator, der mit pulsierendem Gleichstrom betrieben wird, Induktor; **In|duk|ti|ons|krank|heit** *w. 10* seelisch übertragene, krankhafte Störung, induziertes Irresein; **In|duk|ti|ons|o|fen** *m. 8* induktiv beheizter Schmelzofen; **In|duk|ti|ons|strom** *m. 2* durch Induktion erzeugter Strom; **in|duk|tiv** auf Induktion beruhend, epagogisch; **In|duk|ti|vi|tät** *w. 10, Phys.: Maßbez. für* die Größe einer Induktion; **In|duk|tor** *m. 13* = Induktionsapparat

in dul|ci ju|bi|lo [lat. »in süßem Jubel«] Anfang eines alten Weihnachtsliedes mit abwechselnd dt. und lat. Text

in|dul|gent [lat.] nachsichtig, milde; **In|dul|genz** *w. 10 nur Ez.* **1** Nachsicht, Milde; **2** Straferlass; **3** Ablass

In|dult [lat.] *m. 1 oder s. 1* **1** Nachsicht; **2** Vergünstigung (bei Verbindlichkeiten); **3** Frist, Stundung

in du|plo [lat.] *veraltet:* in zweifacher Ausfertigung

In|du|ra|ti|on [lat.] *w. 10, Med.:* Verhärtung (von Gewebe oder Organen); **in|du|rie|ren** *intr. 3* verhärten

In|dus *m. Gen.* - Strom in Vorderindien

In|du|si [Kurzw. aus induktive Zugsicherung] *w. Gen. - nur Ez.* elektromagnet. Sicherheitseinrichtung an Gleisen und Zügen

In|du|si|um [lat.] *s. Gen.* -s *Mz.* -si|en Hüllorgan, das bei vielen Farnen die Sporangien bedeckt

> **Industri-** (Worttrennung): Neben der Trennungsmöglichkeit *In|du|stri-* kann der/die Schreibende auch folgendermaßen abtrennen: *In|dus|tri-* bzw. *In|dust|ri-*. →§ 108, § 112

in|dus|tri|a|li|sie|ren [lat.] *tr. 3;* ein Land i.: in einem Land eine Industrie aufbauen; **In|dus|tri|a|li|sie|rung** *w. 10 nur Ez.;* **In|dus|tri|a|lis|mus** *m. Gen.* - *nur Ez.* Vorherrschen der Industrie (in einem Land); **In|dus|trie** *w. 11* Massenherstellung von Waren auf mechanischem Wege; **In|dus|trie|ar|bei|ter** *m. 5;* **In|dus|trie|be|trieb** *m. 1;* **In|dus|trie|ge|werk|schaft** *w. 10 (Abk.:* IG); **In|dus|trie|ka|pi|tän** *m. 1, ugs.* führende Persönlichkeit in der Industrie; **In|dus|trie|la|den** *m. 8, ehem. DDR:* Spezialverkaufsstelle eines volkseigenen Industriebetriebes für seine Erzeugnisse; **in|dus|tri|ell** auf der Industrie beruhend, zu ihr gehörig; **In|dus|tri|el|le(r)** *m. 18 (17)* Inhaber oder Leiter eines Industriebetriebes, Unternehmer; **In|dus|trie|ma|gnat** *auch:* **-mag|nat** *m. 10* Inhaber von in der Industrie investierten Vermögenswerten; **In|dus|trie|pflan|ze** *w. 11* in großen Mengen angebaute, in der Industrie verwendete Pflanze, z. B. Zuckerrübe; **In|dus|trie|pro|dukt** *s. 1;* **In|dus|trie|staat** *m. 12;* **In|dus|trie|stadt** *w. 2;* **In|dus|trie- und Han|dels|kam|mer** *w. 11 (Abk.:* IHK) (Schreibung abweichend von den orthograph. Regeln)

in|du|zie|ren [lat.] *tr. 3* **1** vom Einzelnen auf das Allgemeine schließen; **2** durch Induktion erzeugen (Strom); **3** induziertes Irresein = Induktionskrankheit

In|e|di|tum [lat.] *s. Gen.* -s *Mz.* -ta, *veraltet:* noch nicht herausgegebene Schrift

in|ef|fek|tiv [lat.] unwirksam

in ef|fi|gi|e [-gie:, lat. »im Abbild«] bildlich; jmdn. in e. hängen oder verbrennen *früher:* das Bild des entflohenen Verbrechers statt seiner selbst hängen oder verbrennen

in|egal [lat.] ungleich; *Ggs.:* egal (**1**)

in|ein|an|der; ineinander aufgehen, passen, fließen, fügen, greifen; **in|ein|an|der|flie|ßen** ► **in|ein|an|der flie|ßen** *intr. 40;* **in|ein|an|der|fü|gen** ► **in|ein|an|der fü|gen** *tr. 1;* **in|ein|an|der|grei|fen** ► **in|ein|an|der grei|fen** *intr. 59*

in|ert [lat.] untätig, träge; inerte Stoffe: reaktionsträge oder -unfähige Stoffe

in|es|sen|ti|ell *Nv.* ► **in|es|sen|zi|ell** *Hv.* [-tsjɛl, lat.] unwesentlich

in|ex|akt [lat.] ungenau

in|ex|is|tent [lat.] nicht existierend, nicht vorhanden; **In|ex|is|tenz** *w. 10 nur Ez.* **1** Nichtvorhandensein; **2** *Philos.:* Vorhandensein in etwas Anderem

in|ex|plo|si|bel [lat.] nicht explodieren könnend, nicht zur Explosion fähig; inexplosibler Stoff

in ex|ten|so [lat.] ausführlich, vollständig

in ex|tre|mis [lat.] *Med.:* in den letzten Zügen (liegend)

Inf. *Abk. für* Infanterie

in fac|to [lat.] in Wirklichkeit, wirklich

in|fal|li|bel [lat.] unfehlbar, unwiderruflich; infallible Entscheidung; **In|fal|li|bi|li|tät** *w. 10 nur Ez.* Unfehlbarkeit (des Papstes)

in|fam [lat.] **1** niederträchtig, gemein; **2** *ugs.:* abscheulich; infame Schmerzen; **In|fa|mie** *w. 11* Niederträchtigkeit, Gemeinheit

In|fant [lat.] *m. 10, früher in Spanien und Portugal Titel für:* königlicher Prinz; **In|fan|te|rie** [auch: in-, lat.] *w. 11 (Abk.:* Inf.) die für den Kampf zu Fuß ausgebildeten Soldaten, Fußtruppe; **In|fan|te|rist** [auch: in-] *m. 10* Soldat der Infanterie; **in|fan|te|ris|tisch; in|fan|til** kindisch, zurückgeblieben; **In|fan|ti|lis|mus** *m. Gen - nur Ez.* Zurückgebliebensein auf kindlicher Entwicklungsstufe; **In|fan|ti|li|tät** *w. 10 nur Ez.* kindisches Wesen, Unreife; **In|fan|tin** *w. 10, früher in Spanien und Portugal Titel für:* königliche Prinzessin

In|farkt [lat.] *m. 1* Absterben eines Organs oder Organteils infolge Verschlusses einer Arterie; **in|far|zie|ren** *tr. 3* ein Organ(teil) i.: zum Absterben bringen, einen Infarkt darin herbeiführen

In|fekt [lat.] *m. 1 oder s. 1* ansteckende Krankheit, z. B. grippaler Infekt; **In|fek|ti|on** *w. 10* Ansteckung, Übertragung von Krankheitserregern; **In|fek|ti|ons|krank|heit** *w. 10;* **in|fek|ti|ös** ansteckend, mit Krankheitserregern verseucht; **In|fek|ti|o|si|tät** *w. 10 nur Ez.* Ansteckungsfähigkeit (eines Erregers)

In|fel *w. 11* = Inful

in|fe|ri|or [lat.] untergeordnet, minderwertig; **In|fe|ri|o|ri|tät** *w. 10 nur Ez.* untergeordnete Stellung, Minderwertigkeit

in|fer|na|lisch [lat.] **1** höllisch, teuflisch; infernalisches Gelächter; **2** *übertr.:* unerträglich; infernalischer Gestank; **In|fer|no** *s. 9 nur Ez.* Hölle, Unterwelt

in|fer|til [lat.] unfruchtbar; **In|fer|ti|li|tät** *w. 10 nur Ez.* Unfruchtbarkeit

In|fight [ɪnfaɪt, engl.] *m. 9,* **In|figh|ting** *s. 9, Boxen:* Nahkampf

In|fil|trat *auch:* **-fil|trat** [lat.] *s. 1* **1** von fremden Zellen oder fremder Flüssigkeit durchsetztes Gewebe; **2** in ein Gewebe eingedrungene Substanz; **In|fil|tra|ti|on** *auch:* **-fil|tra-** *w. 10* **1** das Eindringen von Zellen oder Flüssigkeit in Gewebe; **2** *übertr.:* Eindringen fremden Gedankengutes in eine Gemeinschaft, ideologische Unterwanderung; **in|fil|trie|ren** *auch:* **-fil|trie-** *tr. u. intr. 3* eindringen, einflößen, durchtränken

in|fi|nit [auch: -nit, lat.] unbestimmt, unbegrenzt; infinite Formen *Gramm.:* nicht durch Person und Zahl bestimmte, nicht konjugierte Formen des Verbs, z. B. Infinitiv (laufen), Partizip (laufend, gelaufen); *Ggs.:* finit; **in|fi|ni|te|si|mal** ins unendlich Kleine gehend; **In|fi|ni|te|si|mal|rech|nung** *w. 10 nur Ez.* Differential- und Integralrechnung; **In|fi|ni|tiv** *m. 1* Ausgangsform des Verbs, aus der alle anderen Formen abgeleitet werden können, Grundform, Nennform, z. B. laufen, lachen; **In|fi|ni|tiv|satz** [auch: -tif-] *m. 2* Nebensatz mit einem Infinitiv mit »zu«

In|fir|mi|tät [lat.] *w. 10 nur Ez., Med.:* Gebrechlichkeit

In|fix [auch: in-, lat.] *s. 1* in den Wortstamm oder bei zusammengesetzten Wörtern zwischen die beiden Wortteile eingefügtes Bildungselement, z. B. das n in italien. prendo »ich nehme« gegenüber presi, preso »ich nahm, genommen« oder das s in Rindsleder

in|fi|zie|ren [lat.] *tr. 3* anstecken, mit Krankheitserregern verseuchen

in fla|gran|ti *auch:* **-flag|ran|ti** [lat. »brennend«] auf frischer Tat; jmdn. in f. ertappen

in|flam|ma|bel [lat.] entzündbar; inflammabler Stoff; **In|flam|ma|bi|li|tät** *w. 10 nur Ez.;* **in|flam|mie|ren** *tr. 3* entflammen *(auch übertr.)*

in|fla|tie|ren [lat.], in|fla|ti|o|nie|ren *tr. 3* zur Inflation treiben; **In|fla|ti|on** *w. 10* Geldentwertung; *Ggs.:* Deflation (**1**); in|fla|ti|o|när = inflationistisch; **in|fla|ti|o|nie|ren** *tr. 3* = inflatieren; **In|fla|ti|o|nis|mus** *m. Gen. - nur Ez.* Beeinflussung der Wirtschaft durch Erhöhung des Geldumlaufs; **in|fla|ti|o|nis|tisch, in|fla|to|risch**, in|fla|ti|o|när auf Inflation beruhend, durch sie bewirkt oder sie bewirkend

in|fle|xi|bel [lat.] **1** nicht biegbar, starr; *Ggs.:* flexibel; **2** *Gramm.:* nicht flektierbar, nicht beugbar; inflexibles Wort; **In|fle|xi|bi|li|tät** *w. 10 nur Ez.* Starrheit

In|flo|res|zenz [lat.] *w. 10* Blütenstand

in flo|ri|bus [lat.] in Blüte, im Wohlstand

In|flu|enz [lat.] *w. 10* **1** Einfluss, Einwirkung; **2** *Phys.:* Trennung elektr. Ladungen auf der Oberfläche eines Körpers durch den Einfluss eines äußeren elektr. Feldes; **In|flu|en|za** *w. Gen. - nur*

Ez., veraltend: Grippe; **In|flu|enz|ma|schi|ne** *w. 11* Maschine zum Erzeugen hoher Spannungen, Elektrisiermaschine

in|fọl|ge; infolge eines Unfalls; **in|fol|ge|dẹs|sen**

In|for|mạnd [lat.] *m. 10* jmd., der informiert wird oder der sich informiert; **In|for|mạnt** *m. 10* jmd., der jmdn. informiert, Informator; **In|for|ma|tik** *w. 10 nur Ez.* Wissenschaft von den Grundlagen der elektron. Datenverarbeitung und ihrer Anwendung; **In|for|ma|ti|on** *w. 10* **1** Nachricht, Mitteilung, Aufklärung; **2** *Kybernetik:* Folge, Anordnung von physikalischen Signalen; **in|for|ma|tiv** Auskunft gebend, Einblick verschaffend; **In|for|ma|tor** *m. 13* = Informant; **in|for|ma|to|risch** einen ersten vorläufigen Überblick verschaffend; **ịn|for|mell 1** nicht formell, ohne Formalitäten; **2** [-mẹl] informatorisch; **3** informelle Kunst: Richtung der modernen Malerei, die frei von geometr. Regeln und Kompositionsprinzipien arbeitet; **in|for|mie|ren 1** *tr. 3;* jmdn. i.: jmdm. Nachricht geben, jmdn. in Kenntnis setzen; **2** *refl. 3* sich Einblick, Kenntnis verschaffen

> **infrage/in Frage kommen/stellen:** Fügungen in adverbialer Verwendung können als Zusammensetzung *(infrage)* oder Wortgruppe *(in Frage)* verstanden werden. Der/die Schreibende kann selbst entscheiden, wie er/sie schreibt: *Sie stellte die Entscheidung infrage/in Frage.* → § 39 E3
>
> Die substantivierte Form wird zusammengeschrieben: *Das Infragestellen bedeutet …* → § 37 (2)

in|fra|ge; infrage kommen, stellen *auch:* in Frage kommen, stellen

Ịn|fra|grill *m. 9* Ⓦⓩ durch Infrarot heizbarer Grill; **in|fra|krus|tal** unterhalb der Erdkruste (gelegen, gebildet)

In|frak|ti|on [lat.] *w. 10* Bruch, bei dem der Knochen nur angebrochen ist

ịn|fra|rot zum Bereich des Infrarots gehörend, ultrarot; **Ịn|fra|rot** *s. Gen.* -(s) *nur Ez.* die nicht sichtbaren Wärmestrahlen, die im Spektrum jenseits des roten Endes liegen, Ultrarot; **In|fra|rot|film** *m. 1* für infrarote Strahlen empfänglicher Film; **In|fra|rot|strah|ler** *m. 5;* **Ịn|fra|schall** *m. Gen.* -(e)s *nur Ez.* die nicht hörbaren Schallwellen unter 20 Hz; vgl. Ultraschall; **Ịn|fra|struk|tur** *w. 10* alle institutionellen und materiellen Einrichtungen für Daseinsfürsorge und ökonom. Entwicklung (z. B. Krankenhäuser, Energieversorgung, Verkehrsanlagen)

Ịn|ful [lat.], Ịn|fel *w. 11* **1** *im alten Rom:* weiße Stirnbinde; **2** *kath. Kirche:* die Mitra mit den herabhängenden Bändern; **in|fu|lie|ren** *tr. 3* zum Tragen der Inful (**2**) berechtigen

in|fun|die|ren [lat.] *tr. 3* (durch Hohlnadeln in den Körper) eindringen, einfließen lassen; **In|fus** *s. 1,* In|fu|sum *s. Gen.* -s *Mz.* -sa Aufguss; **In|fu|si|on** *w. 10* Eingießen, Einfließenlassen größerer Flüssigkeitsmengen in den Körper; **In|fu|si|ons|tier|chen** *s. 7,* **In|fu|so|ri|um** *s. Gen.* -s *Mz.* -ri|en Einzeller im Heuaufguss, Aufgusstierchen; **In|fu|sum** *s. Gen.* -s *Mz.* -sa = Infus

Ing. *Abk. für* Ingenieur

In|gạng|hal|tung, In|gạng|set|zung *w. 10 nur Ez.*

in gẹ|ne|re [lat.] im Allgemeinen

in|ge|ne|riert [lat.] angeboren

In|ge|ni|eur [inʒənjør, frz.] *m. 1* (Abk.: Ing.) an einer Hochschule (Diplom-I.) oder Fachschule ausgebildeter Techniker; **In|ge|ni|eu|rin** [inʒənjø-] *w. 10;* **In|ge|ni|eur|schu|le** *w. 11*

in|ge|ni|ös [lat.-frz.] **1** sinnreich; kunstvoll (erdacht); **2** erfinderisch, scharfsinnig; **In|ge|ni|o|si|tät** *w. 10 nur Ez.* Erfindergabe, Scharfsinn; **In|ge|ni|um** *s. Gen.* -s *Mz.* -ni|en Erfindungskraft, Geistesbegabung, schöpferische Geisteskraft; **In|ge|nu|i|tät** *w. 10 nur Ez.* Freimut, Offenheit

Ịn|ge|sin|de *s. 5 nur Ez., früher:* das zum Haus gehörende Gesinde

In|gẹs|ta [lat.] *Mz.* die aufgenommene Nahrung; **In|ges|ti|on** *w. 10 nur Ez.* Nahrungsaufnahme; **In|ges|ti|ons|al|ler|gie** *w. 11* Allergie gegen mit der Nahrung aufgenommene Stoffe

ịn|ge|züch|tet durch Inzucht entstanden

Ing. (grad.) *Abk. für* graduierter Ingenieur (Ingenieur mit staatlicher Prüfung an einer Ingenieurschule)

In|got [iŋɡɔt, engl.] *m. 9* Metallbarren oder -block

In|grain|fär|bung [-grɛɪn-, engl.] *w. 10* Färbung in der Wollflocke; **In|grain|pa|pier** *s. 1* mit Wollfasern durchsetztes, rauhes Zeichenpapier

In|gre|di|ens [lat.] *s. Gen.* - *Mz.* -di|ẹn|zi|en, **In|gre|di|ẹnz** *w. 10 meist Mz.* **1** Bestandteil (einer Mischung); **2** Zutat

In|grẹß ▶ **In|grẹss** [lat.] *m. 1, veraltet:* **1** Eingang, Zugang; **2** Zutritt; **In|gres|si|on** *w. 10* Überflutung eines durch Senkung entstandenen Festlandsbeckens, z. B. Haff; **In|gres|si|ons|meer** *s. 1* Nebenmeer

Ịn|grimm *m. Gen.* -s *nur Ez.;* **ịn|grim|mig**

in|gui|nal [lat.] zur Leistengegend gehörig

Ịng|wer [sanskr.] *m. 5 nur Ez.* eine Gewürzpflanze

Inh. *Abk. für* Inhaber; **Ịn|ha|ber** *m. 5*

in|haf|tie|ren *tr. 3* verhaften; **In|haf|tie|rung** *w. 10*

In|ha|la|ti|on [lat.] *w. 10* Einatmen von heilenden Dämpfen; **In|ha|la|ti|ons|ap|pa|rat** *m. 1;* **In|ha|la|to|ri|um** *s. Gen.* -s *Mz.* -ri|en Raum mit Inhalationsapparaten; **in|ha|lie|ren** *tr. u. intr. 3* **1** Heilmittel in Form von Dämpfen einatmen; **2** in Lungenzügen rauchen

Ịn|halt *m. 1;* **ịn|halt|lich; ịn|halts** *mit Gen., Amtsdeutsch:* nach dem Inhalt, gemäß des Inhalts; i. Ihres Briefes; **Ịn|halts|an|ga|be** *w. 11;* **ịn|halts|arm; Ịn|halts|ar|mut** *w. Gen.* - *nur Ez.;* **ịn|halts|los**, ịn|halt|los; **ịn|halts|reich**, ịn|halt|reich; **Ịn|halts|reich|tum** *m. Gen.* -s *nur Ez.;* **ịn|halts|schwer**, ịn|halt|schwer; **Ịn|halts|schwe|re** *w. 11 nur Ez.;* **Ịn|halts|über|sicht** *w. 10;* **Ịn|halts|ver|zeich|nis** *s. 1;* **ịn|halts|voll**, ịn|halt|voll

in|hä|rẹnt [lat.] (einer Sache) anhaftend, innewohnend; **In|hä|rẹnz** *w. 10 nur Ez.* **1** das Innewohnen; **2** *Philos.:* Verknüpfung von Eigenschaften mit ihrem Träger; **in|hä|rie|ren** *intr. 3* anhaften, innewohnen

in|hi|bie|ren [lat.] *tr. 3, veraltet:* verbieten, verhindern; **In|hi|bi|ti|on** *w. 10* Verbot; **In|hi|bi|tor** *m. 13* Stoff, der chem. Vorgänge hemmt oder verhindert, Hemmstoff; **in|hi|bi|to|risch** hemmend, hindernd
in hoc sa|lus [lat.] (*Abk.:* I. H. S.) in diesem (ist) Heil (eine Deutung des Monogramms Jesu), vgl. IHS; **in hoc si|gno (vin|ces)** (*Abk.:* I. H. S.) in diesem Zeichen (wirst du siegen) (Inschrift eines Kreuzes, das Kaiser Konstantin im Traum am Himmel erschienen sein soll); vgl. IHS
in|ho|mo|gen [griech.] nicht homogen, heterogen; **In|ho|mo|ge|ni|tät** [auch: in-] *w. 10 nur Ez.* Ungleichartigkeit, Heterogenität
in ho|no|rem [lat.] zu Ehren (des…, der…)
in|hu|man [lat.] nicht human, unmenschlich; **In|hu|ma|ni|tät** [auch: in-] *w. 10 nur Ez.*
in in|fi|ni|tum = ad infinitum
in in|te|grum *auch:* **-in|teg|rum** [lat.] *in der Wendung:* in i. restituieren: in den früheren Rechtsstand wiedereinsetzen
in|i|ti|al [-tsjal, lat.] beginnend, erst…, Erst…, Anfangs…; **In|i|ti|al** *s. 1,* In|i|ti|a|le *w. 11* großer, meist verzierter Anfangsbuchstabe (in Büchern); **In|i|ti|al|buch|sta|be** *m. 15* = Initial(e); **In|i|ti|al|spreng|stoff** *m. 1* ein Sprengstoff, der durch seine Zündung die übrige Ladung zum Explodieren bringt; **In|i|ti|al|wort** *s. 4* = Akronym; **In|i|ti|al|zün|dung** *w. 10; auch übertr.:* erster Anstoß (zu einer neuen Entwicklung); **In|i|ti|and** [-tsjand] *m. 10* jmd., der eingeweiht, aufgenommen werden soll, Anwärter auf eine Initiation; **In|i|ti|ant** *m. 10* jmd., der die Initiative ergreift; **In|i|ti|a|ti|on** *w. 10* Aufnahme in einen Geheimbund oder *(bei Naturvölkern)* in die Gemeinschaft der Erwachsenen; **In|i|ti|a|ti|ons|ri|ten** *m. Mz.,* **in|i|ti|a|tiv** Anregung, den Anstoß gebend, Initiative besitzend; **In|i|ti|a|ti|ve** *w. 11* **1** *nur Ez.* Entschlusskraft, Fähigkeit, etwas zu beginnen oder anzuregen; **2** der erste Anstoß zu einer Handlung; die I. ergreifen; **3** *schweiz. auch:* Volksbegehren; **4** Gruppe von Personen, die sich zusammenschließen, um Forderungen durchzusetzen, z. B. Bürger-, Elterninitiative; **In|i|ti|a|tor** *m. 13* jmd., der den ersten Anstoß zu etwas gibt, Anreger; **In|i|ti|en** [-itsjən] *nur Mz.* Anfänge, Anfangsgründe; **in|i|ti|ie|ren** [-itsi-] *tr. 3;* etwas i.: zu etwas den Anstoß geben
In|jek|ti|on [lat.] *w. 10* **1** Einspritzung (von Heilmitteln in den Körper oder von Zement in Risse von Gebäuden bzw. in den Boden zum Verfestigen des Bauuntergrundes); **2** Eindringen (von Magma in die Spalten der Erdkruste); **In|jek|ti|ons|sprit|ze** *w. 11;* **In|jek|tor** *m. 13* Pumpe, die Wasser in Dampfkessel oder Pressluft in Saugpumpen einführt; **in|ji|zie|ren** *tr. 3* einspritzen
In|ju|ri|ant [lat.] *m. 10, veraltet:* Beleidiger; **In|ju|ri|at** *m. 10, veraltet:* Beleidigter; **In|ju|rie** [-riə] *w. 11* Beleidigung; **In|ju|ri|en|kla|ge** *w. 11;* **in|ju|ri|ös** beleidigend
In|ka [indian. »Herr«] *m. 9 oder Gen. - Mz. -* **1** *urspr.:* Angehöriger eines alten peruan. Volksstammes; **2** *dann:* Angehöriger der altperuan. Adelsschicht; **3** Herrscher des Inkareiches
in|kal|ku|la|bel [auch: in-, lat.] unberechenbar, unmessbar; inkalkulable Größen
In|kar|di|na|ti|on [lat.] *w. 10, kath. Kirche:* Übergabe einer Diözese an einen Geistlichen
in|kar|nat [lat.] fleischfarben; **In|kar|nat** *s. 1 nur Ez.* Fleischfarbe, Fleischton (auf Gemälden), Inkarnatrot, Karnation; **In|kar|na|ti|on** *w. 10* **1** Fleischwerdung, Menschwerdung (eines göttlichen Wesens); **2** Verkörperung (von etwas Geistigem); **In|kar|nat|rot** *s. Gen. - nur Ez.* = Inkarnat; **in|kar|niert** **1** fleisch-, menschgeworden; **2** verkörpert
In|kar|ze|ra|ti|on [lat.] *w. 10* Einklemmung (z. B. von Eingeweidebrüchen); **in|kar|ze|rie|ren** *tr. 3* einklemmen
In|kas|sant [lat.] *m. 10, österr.:* Kassierer; **In|kas|so** *s. Gen. -s Mz. -s oder -si* Einkassieren, Einziehen (von Geldforderungen)
inkl., incl. *Abk. für* inklusive
In|kli|na|ti|on [lat.] *w. 10* **1** Neigung, Vorliebe, Hang; **2** Neigung einer frei hängenden Magnetnadel zur Waagerechten; **3** Neigung der Ebene einer Planetenbahn zur Ebene der Erdbahn; **in|kli|nie|ren** *intr. 3* neigen (zu etwas), eine Vorliebe haben (für etwas)
in|klu|si|ve [auch: in-] (*Abk.:* inkl., *auch:* incl.) einschließlich, inbegriffen; i. Trinkgeld, i. des Trinkgeldes; *Ggs.:* exklusive
in|ko|gni|to *auch:* **-kog|ni-** [lat.] unerkannt, unter anderem Namen; i. leben, reisen; **In|ko|gni|to** *auch:* **-kog|ni-** *s. 9* Geheimhaltung des wahren Namens; das I. lüften, wahren
in|ko|hä|rent [lat.] unzusammenhängend, zusammenhanglos; **In|ko|hä|renz** *w. 10 nur Ez.*
In|kohl|ung *w. 10 nur Ez.* (Prozess der) Kohlebildung
in|kom|men|su|ra|bel [auch: in-, lat.] nicht vergleichbar; inkommensurable Begriffe, Größen
In|kom|men|su|ra|bi|li|tät *w. 10 nur Ez.* Unvergleichbarkeit
in|kom|mo|die|ren [lat.] *tr. 3, veraltet:* belästigen, Unbequemlichkeit bereiten; bitte i. Sie sich nicht!: bitte machen Sie sich keine Mühe!; **In|kom|mo|di|tät** *w. 10* Unbequemlichkeit
in|kom|pa|ra|bel [auch: in-, lat.] **1** nicht vergleichbar; **2** *Gramm.:* nicht steigerungsfähig; inkomparables Adjektiv; **In|kom|pa|ra|bi|le** *s. Gen. -s Mz. -bi|li|en oder -bi|lia* nicht steigerungsfähiges Adjektiv, z. B. leer
in|kom|pa|ti|bel [auch: in-, lat.] unvereinbar, nicht zusammenpassend, unverträglich; inkompatible Vorschläge, Medikamente; **In|kom|pa|ti|bi|li|tät** *w. 10 nur Ez.* Unvereinbarkeit
in|kom|pe|tent [lat.] **1** nicht zuständig, nicht befugt (Auskünfte zu geben, Angelegenheiten zu behandeln); **2** *ugs.:* nicht fachmännisch, nicht Bescheid wissend; **In|kom|pe|tenz** *w. 10*
in|kom|plett [lat.] nicht vollständig
in|kom|pres|si|bel [auch: in-, lat.] *Phys.:* nicht zusammenpreßbar; **In|kom|pres|si|bi|li|tät** *w. 10 nur Ez.*
in|kon|gru|ent [auch: -ent, lat.] nicht übereinstimmend, sich nicht deckend (Dreiecke); **In|kon|gru|enz** [auch: -ents] *w. 10 nur Ez.*
in|kon|se|quent [lat.] **1** nicht

folgerichtig; **2** unbeständig, wankelmütig; **In|kon|se|quenz** [auch: -kvents] *w. 10*
in|kon|sis|tent [auch: -stent, lat.] nicht dauernd, nicht haltbar, unbeständig; **In|konsis|tenz** [auch: -stents] *w. 10 nur Ez.*
in|kon|stant *auch:* **in|kons|tant** [lat.] nicht gleichbleibend, veränderlich; **In|kon|stanz** *auch:* **In|kons|tanz** *w. 10 nur Ez.*
In|kon|ti|nenz [lat.] *w. 10 nur Ez.* Unfähigkeit, Harn oder Stuhl zurückzuhalten
in|kon|ve|ni|ent [auch: -ent, lat.] *veraltet:* unpassend, unschicklich
in|kon|ver|ti|bel [lat.] **1** nicht bekehrbar, unwandelbar; **2** nicht austauschbar (von Währungen)
in|kon|zi|li|ant [lat.] nicht verbindlich, nicht entgegenkommend; **In|kon|zi|li|anz** *w. 10 nur Ez.*
In|ko|or|di|na|ti|on [lat.] *w. 10* Fehlen des harmonischen Zusammenwirkens der Muskeln bei Bewegungen; **in|ko|or|di|niert** nicht zusammenwirkend, nicht gleichgeordnet
in|kor|po|ral [lat.] im Körper befindlich; **In|kor|po|ra|ti|on** *w. 10* **1** Aufnahme in eine Gemeinschaft, Körperschaft; **2** Angliederung (eines Gebietsteils), Eingemeindung; **in|korpo|rie|ren** *tr. 3* aufnehmen, angliedern, eingemeinden; inkorporierende Sprachen = polysynthetische Sprachen
in|kor|rekt [lat.] **1** ungenau; **2** nicht richtig, nicht einwandfrei (Benehmen); **In|kor|rekt|heit** *w. 10*
In|kraft|set|zung *w. 10 nur Ez.;* **In|kraft|tre|ten** *s. Gen. -s nur Ez.*
In|kreis *m. 1* Kreis, der alle Seiten eines konvexen Polygons von innen berührt
In|kre|ment [lat.] *s. 1* Zunahme, Zuwachs (einer Größe)
In|kret [lat.] *s. 1* von den Drüsen mit innerer Sekretion ins Blut abgegebener Stoff, Hormon; *Ggs.:* Sekret; **In|kre|ti|on** *w. 10* Absonderung ins Innere des Körpers; vgl. Sekretion; **inkre|to|risch** ins Körperinnere absondernd, mit innerer Sekretion verbunden; *Ggs.:* sekretorisch
in|kri|mi|nie|ren [lat.] *tr. 3* beschuldigen
in|kro|mie|ren *tr. 3 eindeutschende Schreibung von* inchromieren
In|krus|ta|ti|on [lat.] *w. 10* **1** Verzierung (von Bauwerken) durch andersfarbigen Stein; **2** Überzug (eines Fossils) durch eine Kruste aus mineralischen Stoffen; **in|krus|tie|ren** *tr. 3* **1** durch andersfarbige Einlagen verzieren; **2** mit einer Kruste überziehen
In|ku|bant [lat.] *m. 10* jmd., der Inkubation (**1**) ausübt; **In|kuba|ti|on** *w. 10* **1** *Antike:* Schlaf an heiligen Stätten (um göttliche Offenbarungen oder Heilung von Krankheiten zu erlangen), Tempelschlaf; **2** *Med.:* das Sichfestsetzen (von Krankheitserregern im Körper); **3** *Biol.:* Bebrütung; **In|ku|ba|ti|ons|zeit** *w. 10* Zeitraum von der Ansteckung bis zum Ausbruch der Krankheit; **In|ku|ba|tor** *m. 13* Brutkasten; **In|ku|bus** *m. Gen. - Mz.* -ku|ben **1** *bei den alten Römern:* Alpdruck, Alptraumdämon; **2** *im Volksglauben des MA:* mit einer Frau buhlender Teufel, Buhlteufel; *Ggs.:* Sukkubus
in|ku|lant [lat.] ungefällig (im Geschäftsverkehr); **In|ku|lanz** *w. 10 nur Ez.*
In|kul|pant [lat.] *m. 10, veraltet:* Ankläger; **In|kul|pat** *m. 10, veraltet:* Angeschuldigter
In|ku|na|bel [lat. »Wiege«] *w. 11* Buch aus der Frühzeit des Buchdrucks vor 1500, Wiegendruck; vgl. Frühdruck; **In|kuna|blist** *auch:* **-nab|list** *m. 10* Wissenschaftler auf dem Gebiet der Inkunabeln
in|ku|ra|bel [auch: in-, lat.] unheilbar; inkurable Krankheit
In|kur|va|ti|on [lat.] *w. 10* Krümmung, Biegung
In|laid [auch: -leɪd, engl.] *m. 1, schweiz.:* farbig gemustertes Linoleum
In|land *s. 4 nur Ez.;* **In|land|eis** *s. 1 nur Ez.;* **In|län|der** *m. 5;* **inlän|disch;** **In|lands|markt** *m. 2;* **In|lands|paß** ► **In|lands|pass** *m. 2;* **In|lands|por|to** *s. Gen. -s Mz.* -ti
In|laut *m. 1;* **in|lau|tend**
In|lett *s. 9* Baumwollstoff (für Daunendecken, Federbetten)
in|lie|gend
in ma|io|rem Dei glo|ri|am = ad maiorem Dei gloriam
in me|di|as res [lat. »mitten in die Dinge (hinein)«] unmittelbar zur Sache
in me|mo|ri|am [lat.] zum Gedächtnis, zum Andenken
in|mit|ten *m. Gen.;* i. der Stadt
in na|tu|ra [lat. »in natürlicher Gestalt«] **1** leibhaftig, wirklich; **2** in Naturalien, in Waren

> **innehaben, innewerden, inne sein:** Trennbare Zusammensetzungen aus Partikel *(inne-)* und Verb werden im Infinitiv und den Partizipien zusammengeschrieben: *Sie mussten innewerden, dass…* →§ 34 (1)
> Verbindungen mit *sein* gelten nicht als Zusammensetzungen und werden daher getrennt geschrieben: *inne sein.* →§ 35

in|ne *mundartl.:* darin, mittendrin; **in|ne|ha|ben** *intr. 60;* ein Amt i.: ein Amt ausüben; ich habe das Amt inne, habe es innegehabt; **in|ne|hal|ten** *intr. 61* aufhören mit etwas, stocken; ich hielt im Singen inne, habe innegehalten
in|nen innen und außen; nach, von innen; **In|nen|ar|chi|tekt** *m. 1;* **In|nen|ar|chi|tek|tur** *w. 10;* **In|nen|auf|nah|me** *w. 11;* **Innen|de|ko|ra|ti|on** *w. 10;* **In|nendienst** *m. 1 nur Ez.;* **In|nen|einrich|tung** *w. 10;* **In|nen|le|ben** *s. 7 nur Ez.;* **In|nen|mi|nis|ter** *m. 5;* **In|nen|po|li|tik** *w. 10 nur Ez.;* **in|nen|po|li|tisch,** in|nerpo|li|tisch; **In|nen|raum** *m. 2;* **Innen|sei|te** *w. 11;* **In|nen|stadt** *w. 2;* **In|nen|welt** *w. 10 nur Ez.*

> **im Innern, Ministerium des Inner(e)n, innere Medizin:** Die substantivierte Form schreibt man mit großem Anfangsbuchstaben: *das Innere, im Innern, im Innersten.* →§ 57 (1)
> In substantivischen Wortgruppen, die zu festen Verbindungen geworden sind, aber keine Eigennamen – z. B. *Ministerium des Inner(e)n* – darstellen, schreibt man das Adjektiv klein: *die innere Medizin, die inneren Angelegenheiten.* →§ 63

In|ner|a|si|en [auch: -a-]; **in|nerbe|trieb|lich;** **in|ner|deutsch;** **in|ne|re (-r, -s)**; innere Angelegenheiten eines Staates; innerer Monolog; Facharzt für innere

Krankheiten; innere Medizin; die Innere → Mission; die Innere Mongolei; **In|ne|re(s)** *s. 18 (17);* mein Inneres, bis ins Innere; Minister, Ministerium des Inner(e)n; **In|ne|rei** *w. 10 meist Mz.* Herz, Magen, Lunge, Leber (von Tieren); **in|ner|halb** *Präp. mit Gen.;* i. eines Jahres; dreier Tage, *mit Dat., wenn der Gen. nicht erkennbar wäre:* i. fünf Tagen, i. von fünf Tagen; **in|ner|lich; In|ner|lich|keit** *w. 10 nur Ez.;* **in|ner|po|li|tisch** innenpolitisch; **In|ners|te(s)** *s. 18 (17);* bis ins Innerste; **in|nert** *schweiz.:* innerhalb
In|ner|va|ti|on [lat.] *w. 10 nur Ez.* **1** Ausstattung (eines Körperteils) mit Nerven; **2** Leitung von Reizen über die Nerven zu einem Organ; **in|ner|vie|ren** [-vi-] *tr. 3* **1** mit Nerven ausstatten; **2** mit Nervenreizen versorgen
in|ne|sein ► **in|ne sein** *intr. 137 mit Gen.;* ich bin dessen inne; da wir dessen inne waren; wir sind dessen inne gewesen; **in|ne|wer|den** *intr. 180 mit Gen.;* **in|ne|woh|nen** *intr. 1* dem wohnt ein besonderer Zauber inne; innegewohnt, innezuwohnen
in|nig; In|nig|keit *w. 10 nur Ez.;* **in|nig|lich**
in no|mi|ne Dei [lat.] (*Abk.* I. N. D.) im Namen Gottes; **in no|mi|ne Do|mi|ni** (*Abk.* I. N. D.) im Namen des Herrn
In|no|va|ti|on [lat.] *w. 10* Erneuerung, Verbesserung an techn. Produkten oder Verfahren; **in|no|va|tiv**
Inns|bruck Hst. von Tirol; **Inns|bru|cker** *m. 5*
in nu|ce [-tsə, lat. »in der Nuss«] **1** im Kern; **2** in Kürze, kurz gesagt
In|nung *w. 10;* **In|nungs|meis|ter** *m. 5*
in|of|fen|siv [auch: -sif] nicht angreiferisch, nicht angriffslustig
in|of|fi|zi|ell [lat.] nicht öffentlich, nicht amtlich, vertraulich
In|o|ku|la|ti|on [lat.] *w. 10* **1** Impfung; **2** *Bot.:* Aufpfropfung; **in|o|ku|lie|ren** *tr. 3*
in|o|pe|ra|bel [auch: in-, lat.] nicht zu operieren, durch Operation nicht heilbar; inoperable Geschwulst
in|op|por|tun [lat.] (augenblicklich) nicht günstig, nicht angebracht; *Ggs.:* opportun; **In|op|por|tu|ni|tät** *w. 10 nur Ez.*
I|no|sit [griech.] *m. 1 nur Ez.* zuckerartige Verbindung bes. in Muskeln, Muskelzucker; **I|no|sit|u|rie** *auch:* **-si|tu|rie** *w. 11* Vorkommen von Inosit im Urin
in|o|xi|die|ren [griech.] *tr. 3* mit einer Rostschutzschicht aus Eisenoxiden überziehen
in par|ti|bus in|fi|de|li|um [lat. »in den Gebieten der Ungläubigen«] (*Abk.:* i. p. i.) *früher (bis 1882):* Zusatz zum Titel von kath. Bischöfen, die für nicht mehr bestehende Diözesen geweiht wurden, *heutige Bez.:* Titularbischof
in per|so|na [lat.] in Person, persönlich, selbst
in pet|to [ital. »in der Brust«] bereit, in Bereitschaft; eine Neuigkeit in p. haben
in ple|no [lat. in »voller (Zahl)«] vollzählig
in pon|ti|fi|ca|li|bus [lat. »in priesterlichen (Gewändern)«] im Ornat
in pra|xi [griech.-lat.] in der Praxis, in Wirklichkeit
in punc|to [lat. »im Punkt«] hinsichtlich, was … betrifft; in puncto puncti [»im Punkt des Punktes«] hinsichtlich des wichtigsten Punktes (nämlich der Keuschheit)
In|put [engl.] *m. 9 nur Ez.* **1** die in einen Computer eingegebenen Daten; **2** *Wirtsch.:* Einsatzfaktor; *Ggs.:* Output (**3**); **In|put-Out|put-A|na|ly|se** [-aʊt-] *w. 11* Analyse der Verflechtung aller Teilbereiche der Wirtschaft
In|qui|lin [lat.] *m. 10* Insekt, das seine Eier in Nester oder Gallen anderer Insekten legt
in|qui|rie|ren [lat.] *tr. 3* untersuchen, verhören; **In|qui|sit** *m. 10, veraltet:* Angeklagter; **In|qui|si|ti|on** *w. 10* **1** *i. w. S.:* strenges, grausames Verhör; **2** *i. e. S., 12./18. Jh.:* Gericht der kath. Kirche gegen Ketzer, bes. in Spanien; **In|qui|si|ti|ons|ge|richt** *s. 1* Inquisition; **In|qui|si|tor** *m. 13* **1** strenger Untersuchungsrichter; **2** Richter der Inquisition (**2**); **in|qui|si|to|risch**
I. N. R. I. *Abk. für* Jesus Nazarenus Rex Judaeorum: Jesus von Nazareth, König d. Juden (Inschrift auf d. Kreuz Christi)
ins = in das
in sal|do [ital.] im Rückstand, schuldig; in s. sein, bleiben
in|san [lat.] geistig krank; **In|sa|nia** *w. Gen. - nur Ez.* Wahnsinn
In|sas|se [auch: in-] *m. 11;* **In|sas|sin** [auch: in-] *w. 10*
ins|be|son|de|re, ins|be|sond|re; i., wenn…
In|schrift *w. 10;* **In|schrif|ten|kun|de** *w. 11 nur Ez.;* **in|schrift|lich**

> **in Schuss halten:** Substantive in festen Gefügen, die nicht mit anderen Teilen des Gefüges zusammengeschrieben werden, schreibt man groß: *Er hält seit langem den Laden hier in Schuss.* →§ 55 (4)

In|sekt [lat.] *s. 12* geflügelter Gliederfüßer, Kerbtier, Kerf; **In|sek|ta|ri|um** *s. Gen.* -s *Mz.* -rien Anlage zur Aufzucht von Insekten; **in|sek|ten|fres|send** ► **In|sek|ten fres|send;** Insekten fressende (»Fleisch fressende«) Pflanze; **In|sek|ten|kun|de** *w. 11 nur Ez.* = Entomologie; **In|sek|ten|staat** *m. 12;* **In|sek|ten|stich** *m. 1;* **in|sek|ti|vor** [-vor] Insekten fressend; **In|sek|ti|vo|re** *m. 11, meist Mz.* Insekten fressendes Tier, Insekten fangende Pflanze; **in|sek|ti|zid** Insekten vernichtend; **In|sek|ti|zid** *s. 1* Insekten vernichtendes Mittel; **In|sek|to|lo|ge** *m. 11;* **In|sek|to|lo|gie** *w. 11 nur Ez.* Wissenschaft von den Insekten
In|sel [lat.] *w. 11;* **In|sel|grup|pe** *w. 11;* **In|sel|land** *s. 4;* **In|sel|volk** *s. 4;* **In|sel|welt** *w. 10*
In|se|mi|na|ti|on [lat.] *w. 10* **1** Eindringen des Samens in das Ei; **2** künstl. Befruchtung
in|sen|si|bel [lat.] nicht empfindlich, nicht empfindsam; **In|sen|si|bi|li|tät** *w. 10 nur Ez.*
In|se|pa|ra|bles *auch:* **-ra|bles** [ɛ̃separabl(ə), frz.] *Mz.* **1** *veraltet:* unzertrennliche, enge Freunde oder Freundinnen; **2** eine Papageienart
In|se|rat [lat.] *s. 1* Zeitungsanzeige; **In|se|ra|ten|teil** *m. 1;* **In|se|rent** *m. 10* jmd., der ein Inserat aufgegeben hat, der inseriert; **in|se|rie|ren** *intr. 3* ein Inserat aufgeben, durch Inserat bekannt geben; **In|sert** [engl.: -sət] *s. 9, Fernsehen:* in eine laufende Sendung eingeschaltete, kurze andere Sendung, z. B.

► = wird zu

Werbung; **In|ser|ti|on** *w. 10* **1** Aufgeben eines Inserats; **2** Ansatz, Befestigungsart, z. B. der Sehnen am Knochen, des Blattes am Stengel

> **ins Gleiche bringen:** Substantivierte Adjektive werden auch in festen Verbindungen mit großem Anfangsbuchstaben geschrieben: *Er brachte das ins Gleiche* (= in Ordnung). *Sie schrieb das Manuskript ins Reine.* →§57 (1)

ins|ge|heim; ins|ge|mein zusammen; **ins|ge|samt**

In|side [-saɪd, engl.] *m. 9, schweiz., Fußball:* Innenstürmer; **In|si|der** [-saɪdər] *m. 5* jmd., der Einblick in etwas hat, Eingeweihter; *Ggs.:* Outsider; **In|side|sto|ry** [-saɪd-] *w. 9* Bericht, der hinter die Kulissen einer Sache leuchtet

In|si|di|en [lat.] *nur Mz., veraltet:* Nachstellungen; **in|si|di|ös** schleichend, heimtückisch (Krankheit)

In|si|gni|en *auch:* **-si|gni-** [lat.] *Mz.* Kennzeichen herrscherlicher Macht oder ständischer Würde, z. B. Krone, Zepter, Mitra

In|si|mu|la|ti|on [lat.] *w. 10, veraltet:* (grundlose) Verdächtigung, Beschuldigung; **in|si|mu|lie|ren** *tr. 3, veraltet*

In|si|nu|ant [lat.] *m. 10, veraltet:* Zu-, Zwischenträger; **In|si|nu|a|ti|on** *w. 10, veraltet:* **1** Zu-, Zwischenträgerei, Einflüsterung; **2** Eingabe an ein Gericht; **in|si|nu|ie|ren** *veraltet:* **1** *tr. 3,* jmdm. etwas i.: zutragen, vorlegen; **2** *refl. 3* sich einschmeicheln

in|si|pid, in|si|pi|de [lat.] *veraltet:* albern, töricht

in|sis|tent [lat.] auf etwas bestehend, hartnäckig, beharrlich; **In|sis|tenz** *w. 10 nur Ez.;* **in|sis|tie|ren** *intr. 3* auf etwas bestehen, beharren

in si|tu [lat.] **1** *Med.:* an der richtigen, ursprünglichen Stelle; **2** *Archäologie:* an der Fundstelle

in|skri|bie|ren *auch:* **ins|kri-** [lat.] *intr. 3* sich einschreiben, eintragen (in die Hörerliste einer Hochschule); **In|skrip|ti|on** *auch:* **Ins|krip-** *w. 10* Eintragung, Einschreibung

in|so|fern **1** [-so-] in diesem Punkt, bis zu diesem Punkt; i. hast du Recht; du hast i. Recht, als der Beamte wirklich seine Befugnis überschritten hat, aber…; **2** [-fẹrn] wenn, sofern; man kann dieses Buch als gut bezeichnen, i. man seinen Aufbau und seine Darstellung meint

In|so|la|ti|on [lat.] *w. 10 nur Ez.* **1** Sonneneinstrahlung (auf die Erde); **2** Sonnenstich

in|so|lent [auch: ịn-, lat.] anmaßend, unverschämt, patzig; **In|so|lenz** *w. 10 nur Ez.*

in|so|lu|bel [lat.] *Chem.:* unlöslich; **in|sol|vent** [auch: ịn-] zahlungsunfähig; **In|sol|venz** [auch: ịn-] *w. 10 nur Ez.*

in|son|der|heit ► **in Son|der|heit** *veraltet:* im Besonderen

in|so|weit [auch: -vaɪt] vgl. insofern

in spe [lat. »in der Hoffnung«] zukünftig; mein Schwiegersohn in spe

> **Inspe-, Inspi-** (Worttrennung): Wörter mit Präfix werden zwischen den Bestandteilen getrennt: *In|spe-, In|spi-*. Möglich ist auch folgende Variante: *Ins|pe-, Ins|pi-*. →§107, §111

In|spek|teur [-tø̣r, frz.] *m. 1* **1** Leiter einer Inspektion; **2** *Bundeswehr: Bez. für die* Dienststellung des ranghöchsten Offiziers einer Teilstreitkraft bzw. des Sanitäts- u. Gesundheitswesens; **In|spek|ti|on** [lat.] *w. 10* **1** Prüfung, Kontrolle, prüfende Besichtigung; **2** Aufsicht führende Behörde; **In|spek|ti|ons|rei|se** *w. 11;* **In|spek|tor** *m. 13* Aufsicht führender Beamter, Verwaltungsbeamter; **In|spek|to|rin** *w. 10*

In|spi|ra|ti|on [lat.] *w. 10* **1** Eingebung, Erleuchtung, schöpferischer Einfall; **2** Einatmung; *Ggs.:* Exspiration; **In|spi|ra|tor** *m. 13* Anreger; **in|spi|ra|to|risch** in der Art einer Inspiration (**1**), anregend, erleuchtend; **in|spi|rie|ren** *tr. 3* erleuchten, anregen

In|spi|zi|ent [lat.] *m. 10* **1** Aufsichtsbeamter (bei Behörden); **2** *Theater, Film, Fernsehen, Funk:* Mitarbeiter, der für den ordnungsgemäßen Ablauf der Aufführungen zu sorgen hat; **in|spi|zie|ren** *tr. 3* prüfen, beaufsichtigen

in|sta|bil [auch: -bil, lat.] nicht fest, unsicher, schwankend; instabiles Atom: Atom, das durch radioaktiven Prozess zerfällt; instabile Schwingungen: Flatterschwingungen; **In|sta|bi|li|tät** [auch: ịn-] *w. 10 nur Ez.*

> **Insta-, Insti-, Instru-** (Worttrennung): Wörter mit Präfix werden zwischen den Bestandteilen getrennt: *In|sta-, In|sti-, In|stru-*. Möglich ist auch folgende Variante: *Ins|ta-, Ins|ti-, Ins|tru-*. →§107, §111

In|stal|la|teur [-tø̣r, französisierende Bildung] *m. 1* Handwerker für Installationen; **In|stal|la|ti|on** [frz.] *w. 10* **1** Einbau von technischen Anlagen (Gas- und Wasserleitungen, Heizung usw.); **2** Einweisung in ein geistliches Amt; **in|stal|lie|ren** *tr. 3* **1** einbauen, einrichten (techn. Anlagen); **2** einweisen (in ein geistliches Amt); **3** *refl. 3, ugs.:* sich häuslich, bequem einrichten

In|stal|ment [-stɔl-, engl.] *s. 9* Ratenzahlung

> **instand/in Stand setzen/halten:** Fügungen in adverbialer Verwendung können als Zusammensetzung *(instand)* oder Wortgruppe *(in Stand)* verstanden werden. Es bleibt daher dem/der Schreibenden überlassen, wie geschrieben wird: *Sie wollten noch heute das Gerät instand/in Stand setzen.* →§39 E3 (1)

in|stand ► *auch:* **in Stand**; instand halten, instand setzen; instand stellen *schweiz. für* instand setzen; *aber:* das Instandhalten, Instandsetzen; **In|stand|hal|tung** *w. 10 nur Ez.;* **In|stand|hal|tungs|kos|ten** *nur Mz.*

in|stän|dig; jmdn. i. bitten; **In|stän|dig|keit** *w. 10 nur Ez.*

In|stand|set|zung *w. 10 nur Ez.;* **In|stand|stel|lung** *w. 10 nur Ez., schweiz. für* Instandsetzung

In|stant|ge|tränk [engl.] *s. 1* Getränk aus pulveriger Substanz, das schnell zubereitet werden kann

In|stanz [lat.] *w. 10* zuständige Behörde, zuständiges Gericht; **In|stan|zen|weg** *m. 1;* **...in|stanz|lich** von einer bestimmten Instanz ausgehend, zu ihr gehörend, z. B. erstinstanzlich

in sta|tu nas|cen|di [lat.] im Zustand des Entstehens; **in sta|tu quo** [»im Zustand, in dem (sich eine Sache befindet)«] im gegenwärtigen Zustand; vgl. Status quo; **in sta|tu quo an|te** [»im Zustand, in dem vorher...«] im früheren Zustand; vgl. Status quo ante

Ins|te *m. 11, früher:* Landarbeiter, der (im Unterschied zum Tagelöhner) ständig auf einem Hof arbeitete, Instmann

In|stil|la|ti|on [lat.] *w. 10, Med.:* Einträufelung; **in|stil|lie|ren** *tr. 3, Med.:* einträufeln

In|stinkt [lat.] *m. 1* **1** angeborener Trieb zu bestimmten Verhaltensweisen (bes. bei Tieren); **2** *übertr.:* sicheres Gefühl (für etwas); **in|stink|tiv** auf einem Instinkt beruhend, unbewusst, trieb-, gefühlsmäßig

in|sti|tu|ie|ren [lat.] *tr. 3* ein-, errichten, einsetzen; **In|sti|tut** *s. 1* Anstalt zur Ausbildung, Erziehung, Forschung u.a. wissenschaftl. Arbeit; **In|sti|tu|ti|on** *w. 10* **1** *nur Ez.* Einrichtung, Einsetzung, Einweisung; **2** (meist staatl.) Einrichtung, Anstalt, z.B. Genossenschaft, Behörde, Stiftung; **in|sti|tu|ti|o|na|li|sie|ren** *tr. 3* zu einer Institution machen; **In|sti|tu|ti|o|na|lis|mus** *m. Gen. - nur Ez.* Richtung der Wirtschaftswissenschaft in den USA, die sich zur Erklärung wirtschaftl. Erscheinungen auch auf Analysen der wirtschaftl. Einrichtungen und Organisationsformen stützt; **in|sti|tu|ti|o|nell** auf einer Institution beruhend, in der Art einer Institution

Inst|mann *m. Gen.* -(e)s *Mz.* -leu|te = Inste

in|stru|ie|ren [lat.] *tr. 3* unterrichten, in Kenntnis setzen, mit Anweisungen versehen; **In|struk|teur** [-tør, frz.] *m. 1* jmd., der anleitet, schult; **In|struk|ti|on** [lat.] *w. 10* Anleitung, Anweisung, Verhaltensmaßregel, Vorschrift; **in|struk|tiv** einprägsam, lehrreich; **In|struk|tor** *m. 13, veraltet:* Lehrer, Erzieher, bes. Prinzenerzieher

In|stru|ment [lat.] *s. 1* **1** Gerät, feines Werkzeug (bes. für wissenschaftl. Zwecke); **2** Musikgerät; **in|stru|men|tal** **1** mit Hilfe eines Instruments; **2** *Gramm.:* das Mittel oder Werkzeug bezeichnend; **In|stru|men|tal** *m. 1, Gramm.:* das Mittel, Werkzeug bezeichnender Kasus, in slaw. Sprachen noch erhalten, im Dt. durch Präpositionen ausgedrückt; **In|stru|men|tal|be|glei|tung** *w. 10* Begleitung (des Gesangs) durch ein oder mehrere Instrumente; **In|stru|men|ta|lis** *m. Gen. - Mz.* -les [-le:s] = Instrumental; **In|stru|men|ta|lis|mus** *m. Gen. - nur Ez.* Abart des Pragmatismus, nach der Denken und Begriffsbildung als Werkzeuge zur Beherrschung von Natur und Menschen dienen; **In|stru|men|ta|list** *m. 10* Spieler eines Musikinstruments; **In|stru|men|tal|mu|sik** *w. 10* Musik für Instrumente; *Ggs.:* Vokalmusik; **In|stru|men|tal|satz** *m. 2, Gramm.:* Nebensatz des Mittels, des Werkzeugs; **In|stru|men|tar** *s. 1*, **In|stru|men|ta|ri|um** *s. Gen.* -s *Mz.* -ri|en **1** alle für eine bestimmte Tätigkeit notwendigen Instrumente; **2** alle in einer bestimmten Epoche oder einem Bereich verwendeten Musikinstrumente; **In|stru|men|ta|ti|on** *w. 10 nur Ez.* das Einrichten (eines Musikstücks) für Instrumente; **In|stru|men|ta|tor** *m. 13* Musiker, der etwas instrumentiert hat; **in|stru|men|tie|ren** *tr. 3;* ein Musikstück instrumentieren: für Orchestermusik einrichten; orchestrieren; **In|stru|men|tie|rung** *w. 10 nur Ez.*

In|sub|or|di|na|ti|on [lat.] *w. 10, bes. Mil.:* Gehorsamsverweigerung gegenüber Vorgesetzten

in|suf|fi|zi|ent [auch: in-, lat.] ungenügend, mangelhaft, nicht leistungsfähig; **In|suf|fi|zi|enz** [auch: in-] *w. 10* **1** *Med.:* mangelhafte Leistungsfähigkeit (eines Organs); **2** *Rechtsw.:* Unfähigkeit, eine Geldforderung voll zu erfüllen

In|su|la|ner *m. 5* Inselbewohner; **in|su|lar** wie eine Insel, als Insel; insulare Lage; **In|su|la|ri|tät** *w. 10 nur Ez.* Abgeschlossenheit einer Insel oder wie auf einer Insel; **In|su|lin** [nach den Langerhans-Inseln] *s. 1 nur Ez.* in der Bauchspeicheldrüse gebildetes Hormon; **In|su|lin|de** *frühere Bez. für:* Malaiischer Archipel

In|sult [lat.] *m. 1* **1** Beleidigung, Beschimpfung; **2** *Med.:* Anfall; **In|sul|ta|ti|on** *w. 10* = Insult (**1**); **in|sul|tie|ren** *tr. 3* beleidigen, beschimpfen

in sum|ma [lat.] insgesamt, im Ganzen

In|sur|gent [lat.] *m. 10* Aufrührer, Empörer; **in|sur|gie|ren** *tr. 3* zum Aufstand reizen, aufwiegeln; **In|sur|rek|ti|on** *w. 10* Aufstand, Aufruhr

in sus|pen|so [lat.] *veraltet:* in der Schwebe, unentschieden

> **ins Volle greifen:** Substantivierte Adjektive werden auch in festen Verbindungen mit großem Anfangsbuchstaben geschrieben: *Sie hat ins Volle gegriffen. Das steigerte seine Achtung ins Ungeheure.* →§ 57 (1)

in|sze|na|to|risch *auch:* **ins|ze-** [lat.] die Inszenierung betreffend; **in|sze|nie|ren** *auch:* **ins|ze-** *tr. 3* **1** zur Aufführung vorbereiten; **2** *übertr.:* hervorrufen; absichtlich entstehen lassen; **In|sze|nie|rung** *auch:* **Ins|ze-** *w. 10* techn. und künstler. Gestaltung (eines Bühnenwerkes)

In|ta|bu|la|ti|on [lat.] *w. 10, veraltet:* Einschreibung (in eine Tabelle, ins Grundbuch); **in|ta|bu|lie|ren** *tr. 3, veraltet*

In|ta|glio *auch:* **-tag|lio** [-taljo, ital.] *s. Gen.* -s *Mz.* -gli|en [-jən] = Gemme

in|takt [lat.] unbeschädigt, ganz, heil; **In|takt|heit** *w. 10 nur Ez.*

In|tar|seur [-sør, frz.] *m. 1* Kunsttischler, der Intarsien herstellt, Intarsiator; **In|tar|sia** [arab.-ital.], **In|tar|sie** [-sjə] *w. Gen. - Mz.* -si|en Einlegearbeit in Holz mit andersfarbigem Material, bes. Holz, Elfenbein oder Perlmutt, Marketerie; **In|tar|si|a|tor** *m. 13* = Intarseur; **In|tar|si|a|tur** *w. 10, Nebenform von* Intarsia; **In|tar|si|en|ar|beit** *w. 10;* **in|tar|sie|ren** *tr. 3* mit Intarsien verzieren

in|te|ger [lat.] ohne Makel, sauber, redlich, rechtschaffen; integrer Charakter

in|te|gral [lat.] ein Ganzes bildend, vollständig; **In|te|gral** *s. 1* (*Zeichen:* ∫) Lösung einer Integralgleichung; **In|te|gral|rech|nung** *w. 10 nur Ez.;* **In|te|gra|ti|on** *w. 10* **1** Zusammenschluss, Vereinigung; **2** Berechnung eines Integrals; **In|te|gra|tor** *m. 13* eine Rechenmaschine; **In|te|grier|an|la|ge** *w. 11* elektronische Addiermaschine; **in|te|grier|bar** so beschaffen, dass man es integrieren (**2**) kann; **in|te|grie|ren** *tr. 3* **1** das Integral berechnen; **2** zusammenschließen, vereinigen; **in|te|grie|rend** zum Ganzen notwendig, unerlässlich; integrierender Bestandteil

In|te|gri|tät [zu: integer] *w. 10 nur Ez.* Makellosigkeit, Sauberkeit, Redlichkeit, Rechtschaffenheit

In|te|gu|ment [lat.] *s. 1* **1** *bei Mensch und Tier:* die äußere Körperbedeckung (Haut, Haare, Federn u. Ä.); **2** *bei Blütenpflanzen:* Hülle der Samenanlage

In|tel|lekt [lat.] *m. 1* Verstand, Denk-, Erkenntnisfähigkeit; **In|tel|lek|tu|a|lis|mus** *m. Gen. - nur Ez.* **1** rein verstandesmäßiges Denken; **2** philosoph. Anschauung, die den Intellekt gegenüber den Willens- und Gefühlskräften betont; **In|tel|lek|tu|a|list** *m. 10* Anhänger des Intellektualismus; **in|tel|lek|tu|a|lis|tisch; in|tel|lek|tu|ell** **1** auf dem Intellekt beruhend; **2** betont verstandesmäßig, betont geistig; **In|tel|lek|tu|el|le(r)** *m. 18 (17) bzw. w. 17 oder 18* Verstandesmensch, Geistesarbeiter, Wissenschaftler

In|tel|li|gence Ser|vice [-dʒəns səvɪs, engl.] *m. Gen. -- nur Ez.* der britische Geheimdienst; **in|tel|li|gent** [lat.] klug, einsichtig, rasch auffassend, geistig begabt; **In|tel|li|gen|tsia** *auch:* **-gent|sia** *w. Gen. - nur Ez., russ. Bez. für* Intelligenz (**2**); **In|tel|li|genz** *w. 10 nur Ez.* **1** Klugheit, Einsichtigkeit, geistige Begabung; **2** Gesamtheit der Geistesschaffenden; **In|tel|li|genz|ler** *m. 5, abfällige Bez. für:* Angehöriger der Intelligenz (**2**); **In|tel|li|genz|quo|ti|ent** *m. 10 (Abk.:* IQ) Zahl, die das Verhältnis zwischen Intelligenzgrad und Lebensalter ausdrückt; **In|tel|li|genz|test** *m. 1 oder m. 9;* **in|tel|li|gi|bel** nur gedanklich, geistig erfassbar, nicht sinnlich wahrnehmbar; die intelligible Welt: die Ideenwelt Platos

In|ten|dant [lat.] *m. 10* **1** *im absolutist. Frankreich:* hoher Beamter; **2** *bis 1945:* militär. Verwaltungsbeamter; **3** künstler. und kaufmänn. Leiter eines Theaters, einer Rundfunk- oder Fernsehanstalt; **In|ten|dan|tur** *w. 10* **1** *bis 1945:* militärische Verwaltungsbehörde; **2** *Theater, Funk, Fernsehen:* Amt eines Intendanten; **In|ten|danz** *w. 10* Amt und Verwaltungsräume eines Intendanten, Leitung eines Theaters, Rundfunk- oder Fernsehsenders

in|ten|die|ren [lat.] in|ten|tio|nie|ren *tr. 3* beabsichtigen, planen; **In|ten|si|me|ter** *s. 5* Gerät zum Messen der Stärke von Strahlen (bes. Röntgenstrahlen); **In|ten|si|on** *w. 10* Anspannung (der inneren Kräfte); **In|ten|si|tät,** In|ten|si|vi|tät *w. 10 nur Ez.* **1** Anspannung, gespannte Kraft; **2** Eindringlichkeit, große Wirksamkeit; **3** Stärke, Größe, Grad einer Wirkkraft; **4** Tiefe, Leuchtkraft, Sattheit (von Farben); **in|ten|siv** **1** angespannt, angestrengt; **2** stark, eindringlich; intensive Wirtschaft: Bodennutzung mit hohem Einsatz und Ertrag bei relativ kleiner Nutzungsfläche; **3** tief, satt, leuchtkräftig; **in|ten|si|vie|ren** *tr. 3* steigern, verstärken, erhöhen; **In|ten|si|vie|rung** *w. 10;* **In|ten|si|vi|tät** *w. 10 nur Ez.* = Intensität; **In|ten|si|vum** *s. Gen.* -s *Mz.* -va die Verstärkung einer Tätigkeit ausdrückendes Verb, z. B. »schnitzen« zu »schneiden«, »nicken« zu »neigen«; **In|ten|ti|on** *w. 10* Absicht, Plan, Bestrebung; **in|ten|ti|o|nal,** in|ten|ti|o|nell zweckbestimmt, zielgerichtet; **In|ten|ti|o|na|lis|mus** *m. Gen. - nur Ez.* philosoph. Anschauung, dass jede Handlung nur nach ihrer Absicht, nicht nach ihrer Wirkung zu beurteilen sei; **In|ten|ti|o|na|li|tät** *w. 10 nur Ez.* Zielstrebigkeit, Zielgerichtetheit; **in|ten|ti|o|nell** = intentional; **in|ten|ti|o|nie|ren** *tr. 3* = intendieren

In|ter|ak|ti|on [lat.] *w. 10* wechselweise Handlung, wechselweises Vorgehen (von miteinander in Beziehung stehenden Personen); **in|ter|ak|tiv** auf Interaktion beruhend, wechselweise

in|ter|al|li|iert [lat.] mehrere Verbündete betreffend, mehreren Verbündeten gehörig, aus mehreren Verbündeten bestehend

In|ter|ci|ty-Zug [-si-, engl.] *m. 2 (Abk.:* IC) Zug im Schnellverkehr zwischen größeren Städten

in|ter|den|tal [lat.] zwischen den Schneidezähnen gebildet; **In|ter|den|tal** *m. 1,* **In|ter|den|tal|laut** *m. 1* zwischen den Schneidezähnen gebildeter Laut, z. B. engl. th

in|ter|de|pen|dent [lat.] voneinander abhängig; **In|ter|de|pen|denz** *w. 10 nur Ez.* gegenseitige Abhängigkeit

In|ter|dikt [lat.] *s. 1* Kirchenstrafe, Verbot gottesdienstl. Handlungen; **In|ter|dik|ti|on** *w. 10* **1** Verbot; **2** Entmündigung

in|ter|dis|zi|pli|när [lat.] mehrere (wissenschaftl.) Disziplinen umfassend

in|ter|di|zie|ren *tr. 3* verbieten, untersagen

in|ter|es|sant *auch:* **in|te|res-** [lat.] **1** Aufmerksamkeit erregend, fesselnd, anziehend; **2** lehrreich, aufschlussreich; **3** eigenartig, ungewöhnlich; **4** vorteilhaft, Gewinn bringend; **In|ter|es|se** *auch:* **In|te|res|se** *s. 14* **1** Aufmerksamkeit, Beachtung; **2** Neigung, Vorliebe, Hang; **3** Vorteil, Nutzen; seine Interessen wahren, vertreten; **4** Wichtigkeit; das ist für mich nicht von I.; das ist für mich von großem I.; **in|ter|es|se|los** *auch:* **in|te|res-;** **In|ter|es|se|lo|sig|keit** *auch:* **In|te|res-** *w. 10 nur Ez.;* **In|ter|es|sen|ge|mein|schaft** *auch:* **In|te|res-** *w. 10 (Abk.:* IG) Zusammenschluss zur Wahrung gemeinsamer Interessen (bes. von Wirtschaftsunternehmen); **In|ter|es|sen|sphä|re** *auch:* **In|te|res-** *w. 11;* **In|ter|es|sent** *auch:* **In|te|res-** *m. 10* jmd., der sich für etwas interessiert, Bewerber, Kauflustiger; **in|ter|es|sie|ren** *auch:* **in|te|res-** **1** *tr. 3;* jmdn. für etwas i.: jmds. Interesse für etwas wecken; **2** *refl. 3;* sich für etwas i.: für etwas Interesse haben; **in|ter|es|siert** *auch:* **in|te|res-** aufmerksam, wissbegierig; an etwas i. sein: für etwas Interesse haben

In|ter|face [-feɪs, engl.] *s. Gen. - Mz.* -s Schnittstelle, Verbindungsstelle des Computers mit einem Zusatzgerät

In|ter|fe|renz [lat.] *w. 10* **1** *Phys.:* Überlagerung zusammentreffender Schwingungen; **2** *Biol.:* Wechseleinfluss benachbarter Chromosomenaustausche; **in|ter|fe|rie|ren** *intr. 3* einander überlagern, aufeinander einwirken; **In|ter|fe|ro|me|ter** *s. 5* Gerät zum Messen von Wellenlängen, von sehr kleinen Winkelabständen *(Astron.),* zur Prüfung von Endmaßen u. a. mittels Interferenz; **In|ter|fe|ro|me|trie** *auch:* **-met|rie** *w. 11 nur Ez.* Messung mit Hilfe der Interferenz; **in|ter|fe|ro|me|trisch** *auch:* **-met|risch; In|ter|fe|ron** *s. 1 nur Ez.* zur Abwehr des Virenbefalls gebildetes Zelleiweiß

In|ter|flug *w. Gen - nur Ez., ehem. DDR:* staatl. Luftfahrtunternehmen

in|ter|fo|li|ie|ren [lat.] *tr. 3;* ein Buch i.: mit unbedruckten Blättern »durchschießen« (zu Korrekturzwecken)

in|ter|frak|ti|o|nell [lat.] mehrere (Partei-)Fraktionen betreffend, ihnen gemeinsam

in|ter|ga|lak|tisch [lat. + griech.] zwischen mehreren Galaxien befindlich

in|ter|gla|zi|al [lat.] zwischeneiszeitlich; **In|ter|gla|zi|al** *s. 1,* **In|ter|gla|zi|al|zeit** *w. 10* = Warmzeit

In|ter|ho|tel *s. 9, ehem. DDR:* vornehmlich für ausländische Gäste bestimmtes Hotel

In|te|ri|eur [ɛ̃teriœr, frz.] *s. 9 oder s. 1* **1** Inneres, Innenraum; **2** Ausstattung eines Innenraumes; **3** *Malerei:* Darstellung eines Innenraumes

In|te|rim [lat.] *s. 9* Zwischenzeit, vorläufiger Zustand, Zwischenlösung; **in|te|ri|mis|tisch** einstweilig, vorläufig; **In|te|rims|lö|sung** *w. 10;* **In|te|rims|re|gie|rung** *w. 10;* **In|te|rims|schein** *m. 1* Anteilschein am Grundkapital einer AG, der bis zur Ausgabe der eigentl. Aktienurkunde gilt

In|ter|jek|ti|on [lat.] *w. 10* = Empfindungswort

in|ter|ka|lar [lat.] eingeschoben (von Schaltjahren); **In|ter|ka|la|ri|en** *nur Mz.* Ertrag einer unbesetzten kath. Kirchenpfründe, Interkalarfrüchte

in|ter|kan|to|nal mehrere Kantone betreffend, mehreren Kantonen gemeinsam

In|ter|ko|lum|nie [-niə, lat.] *w. 11,* **In|ter|ko|lum|ni|um** *s. Gen.* -s *Mz.* -ni|en Abstand zwischen zwei Säulen

in|ter|kom|mu|nal [lat.] mehrere Städte betreffend, mehreren Städten gemeinsam

In|ter|kon|fes|si|o|na|lis|mus [lat.] *m. Gen. - nur Ez.* Bestreben, die Gegensätze zwischen den Konfessionen zu überbrücken; **in|ter|kon|fes|si|o|nell** mehrere Konfessionen betreffend, ihnen gemeinsam

in|ter|kon|ti|nen|tal [lat.] mehrere Kontinente betreffend, sie verbindend, zwischen ihnen bestehend; **In|ter|kon|ti|nen|tal|ra|ke|te** *w. 11*

in|ter|kos|tal [lat.] zwischen den Rippen liegend; **In|ter|kos|tal|mus|kel** *m. 11* Zwischenrippenmuskel; **In|ter|kos|tal|neur|al|gie** *auch:* **-neu|ral-** *w. 11*

in|ter|krus|tal [lat.] in der Erdkruste liegend oder gebildet

in|ter|kur|rent [lat.] hinzutretend; interkurrente Krankheit: zu einer bereits vorhandenen K. hinzukommende K.

in|ter|li|ne|ar [lat.] zwischen den Zeilen, zwischen die Zeilen (eines fremdsprachigen Textes geschrieben); **In|ter|li|ne|ar|glos|se** *w. 11, in alten Handschriften:* zwischen die Zeilen geschriebene Erklärung; **In|ter|li|ne|ar|ver|si|on** *w. 10* wörtliche Übersetzung (die in alten Handschriften zwischen die Zeilen des Textes geschrieben wurde), Interversion

In|ter|lin|gua [lat.] *w. Gen. - nur Ez.* eine Welthilfssprache; **In|ter|lin|gue** *w. Gen. - nur Ez.* = Occidental; **In|ter|lin|gu|ist** *m. 10;* **In|ter|lin|gu|is|tik** *w. 10 nur Ez.* Wissenschaft von den Welthilfssprachen; **in|ter|lin|gu|is|tisch**

In|ter|lock|wa|re [engl. + dt.] *w. 11* feine, rundgestrickte Wirkware für Unterwäsche

In|ter|lu|di|um [lat.] *s. Gen.* -s *Mz.* -di|en Zwischenspiel (in der Fuge, im Ballett, zwischen zwei Choralstrophen u. a.)

In|ter|lu|ni|um [lat.] *s. Gen.* -s *Mz.* -ni|en Zeit des Neumondes

In|ter|ma|xil|lar|kno|chen [lat.] *m. 7* Zwischenkieferknochen

in|ter|me|di|är [lat.] zwischen zwei Dingen befindlich, Zwischen...; **In|ter|me|din** *s. 1 nur Ez.* Hormon, das bei Fischen und Fröschen den Farbwechsel bewirkt; **In|ter|me|dio, In|ter|me|di|um** *s. Gen.* -s *Mz.* -di|en, *im 16. Jh. in Italien:* kleines, musikalisch-dramat. Zwischenspiel (bei Hoffesten); **In|ter|mez|zo** *s. Gen.* -s *Mz.* -s *oder* -zi **1** *im 17./18. Jh.:* heiteres Zwischenspiel (in Drama und Oper); **2** kurzes, heiteres Musikstück; **3** *übertr.:* erheiternder Zwischenfall

In|ter|mis|si|on [lat.] *w. 10* zeitweiliges Verschwinden von Krankheitserscheinungen; **in|ter|mit|tie|rend** zeitweilig aussetzend und wiederkehrend, mit Unterbrechungen; intermittierendes Fieber; intermittierender Strom

in|ter|mo|le|ku|lar [lat.] zwischen den Molekülen liegend oder stattfindend

In|ter|mun|di|en [lat.] *Mz., bei Epikur:* die Zwischenräume zwischen den unendlich vielen Welten

in|tern [lat.] **1** im Innern befindlich, innerlich; **2** innerhalb einer Gemeinschaft bestehend, stattfindend, nicht für Außenstehende bestimmt; **3** in einem Internat wohnend; *Ggs.:* extern (**2**); **In|ter|na** *Mz. von* Internum; **in|ter|na|li|sie|ren** *tr. 3, Psych.:* in sich aufnehmen, für sich selbst als gültig annehmen, sich zu eigen machen; **In|ter|nat** *s. 1* Lehranstalt, in der die Schüler(innen) auch wohnen und verköstigt werden; *Ggs.:* Externat

in|ter|na|ti|o|nal [lat.] mehrere oder alle Staaten bzw. Völker betreffend, zwischen ihnen bestehend, mit Billigung mehrerer oder aller Staaten, überstaatlich, nicht national begrenzt; Internationale Einheit (*Abk.:* I. E.): international festgelegte Mengeneinheit für alle aus Pflanzen, Organen usw. gewonnenen Heilmittel; Internationales Olympisches Komitee (*Abk.:* IOK); Internationales Rotes Kreuz (*Abk.:* IRK); **In|ter|na|ti|o|na|le** *w. 18* **1** *Kurzw. für* Internationale Arbeiterassoziation (internationale Vereinigung sozialistischer Parteien); **2** internationales Kampflied der sozialist. Arbeiterbewegung; **in|ter|na|ti|o|na|li|sie|ren** *tr. 3* den

Angehörigen aller Staaten zugänglich machen (Verkehrswege u. a.); **In|ter|na|ti|o|na|li|sie|rung** *w. 10;* **In|ter|na|ti|o|na|lis|mus 1** *m. Gen. - nur Ez.* Streben nach internationalem Zusammenschluss; **2** *m. Gen. - Mz.* -men, *Gramm.:* in allen Sprachen gebräuchliches und verständliches Wort, z. B. Radio, stop; **In|ter|na|ti|o|na|list** *m. 10* Anhänger des Internationalismus (**1**); **in|ter|na|ti|o|na|lis|tisch; In|ter|na|ti|o|na|li|tät** *w. 10 nur Ez.* Überstaatlichkeit

In|ter|ne(r) [lat.] *m. 18 (17) bzw. w. 17 oder 18* in einem Internat wohnende(r) Schüler(in); *Ggs.:* Externe(r); **in|ter|nie|ren** *tr. 3* **1** in staatlichen Gewahrsam nehmen, in der Freiheit beschränken (während des Krieges Zivilpersonen eines feindlichen Staates); **2** *auch:* isolieren (Kranke); **In|ter|nie|rung** *w. 10;* **In|ter|nie|rungs|la|ger** *s. 5;* **In|ter|nist** *m. 10* Facharzt für innere Krankheiten; **in|ter|nis|tisch**

In|ter|no|di|um [lat.] *s. Gen.* -s *Mz.* -di|en Abschnitt des Stengels zwischen zwei Blattansatzstellen (Knoten)

In|ter|num [lat.] *s. Gen.* -s *Mz.* -na nur eine Gemeinschaft angehende, nicht für Außenstehende bestimmte Angelegenheit

In|ter|nun|ti|us [-tsjus, lat.] *m. Gen. - Mz.* -ti|en [-tsjən] päpstlicher Nuntius im Range eines Gesandten

in|ter|o|ze|a|nisch mehrere Ozeane betreffend, sie verbindend

in|ter|par|la|men|ta|risch die Parlamente mehrerer Staaten betreffend, sie umfassend; Interparlamentarische Union (*Abk.:* IPU): 1888 gegründete Vereinigung von Parlamentariern verschiedener Länder

In|ter|pel|lant [lat.] *m. 10* jmd., der eine Interpellation (**1**) einbringt; **In|ter|pel|la|ti|on** *w. 10* **1** Anfrage (im Parlament an die Regierung); **2** *veraltet:* Einspruch, Mahnung (eines Gläubigers); **3** *veraltet:* Unterbrechung, Zwischenrede; **in|ter|pel|lie|ren** *intr. 3* **1** eine Interpellation (**1**) einbringen, anfragen; **2** *veraltet:* unterbrechen, dazwischenreden

in|ter|pla|ne|tar, in|ter|pla|ne|ta|risch zwischen den Planeten befindlich, vgl. interstellar

In|ter|pol *w. Gen. - nur Ez.; Kurzw. für* Internationale kriminalpolizeiliche Kommission (eine von den nationalen Polizeibehörden eingerichtete internationale Organisation zur Verfolgung aller Verbrechen, die den nationalen Rahmen übersteigen)

In|ter|po|la|ti|on [lat.] *w. 10, Math.:* Schluss von zwei bekannten Funktionswerten auf Zwischenwerte; *Ggs.:* Extrapolation; **in|ter|po|lie|ren** *tr. 3* **1** *Math.:* einen Zwischenwert feststellen; **2** nachträglich einschieben (in einen Text)

In|ter|pret [lat.] *m. 10* **1** Erklärer, Ausleger, Deuter (von Texten); **2** Künstler, der durch Wiedergabe eines Musikwerkes dieses zugleich ausdeutet; **In|ter|pre|ta|ti|on** *w. 10* Auslegung, Ausdeutung; **in|ter|pre|ta|tiv, in|ter|pre|ta|to|risch** erklärend, deutend; **in|ter|pre|tie|ren** *tr. 3*

in|ter|pun|gie|ren [lat.], **in|ter|punk|tie|ren** *tr. 3* mit Satzzeichen versehen; **In|ter|punk|ti|on** *w. 10* Anwendung von Satzzeichen, Zeichensetzung; **In|ter|punk|ti|ons|zei|chen** *s. 7* Satzzeichen

In|ter|re|gio *m. 9* (*Abk.:* IR) Eisenbahnzug zur Erschließung der Mittelzentren

In|ter|reg|num *auch:* **-re|gnum** [lat.] *s. Gen.* -s *Mz.* -gnen oder -gna **1** vorläufige Regierung, Zwischenregierung; **2** Zeit ohne rechtmäßige Regierung

in|ter|ro|ga|tiv [lat.] fragend; **In|ter|ro|ga|tiv** *s. 1* = Interrogativpronomen; **In|ter|ro|ga|tiv|ad|verb** *s. Gen.* -s *Mz.* -bi|en fragendes Umstandswort, z. B. wie lange, warum, wohin; **In|ter|ro|ga|tiv|pro|no|men** *s. 7* fragendes Fürwort, Fragefürwort, Fragewort, z. B. wer, welcher; **In|ter|ro|ga|tiv|satz** *m. 2* Satz in Form einer Frage, Fragesatz; **In|ter|ro|ga|ti|vum** *s. Gen.* -s *Mz.* -va = Interrogativpronomen

In|ter|rup|tio [lat.] *w. Gen. - Mz.* -tio|nes [-tsjo̱ne:s] Schwangerschaftsabbruch; **In|ter|rup|ti|on** *w. 10* Unterbrechung

in|ter|sek|to|ral [lat.] zwischen den Sektoren befindlich, sie verbindend, ihnen gemeinsam

In|ter|sex [lat.] *s. 1, Biol.:* geschlechtl. Zwischenform mit männl. und weibl. Merkmalen; **In|ter|se|xu|a|li|tät** *w. 10 nur Ez.* Auftreten von Geschlechtsmerkmalen an einem Lebewesen, die eigentlich dem anderen Geschlecht zukommen; **in|ter|se|xu|ell** eine geschlechtl. Zwischenform bildend, zwischengeschlechtlich

In|ter|shop [-ʃɔp, engl.] *m. 9, ehem. DDR:* Geschäft mit hochwertigen, bes. westlichen Waren gegen konvertierbare Währung als Zahlungsmittel

in|ter|sta|di|al [lat.] zwischen zwei Stadien (z. B. zwei Eiszeiten) stehend; **In|ter|sta|di|al** *s. 1,* **In|ter|sta|di|al|zeit** *w. 10* Stadium zwischen zwei Eiszeiten

in|ter|stel|lar [lat.] zwischen den Fixsternen (befindlich); vgl. interplanetar

in|ter|sti|ti|ell [-tsjɛl, lat.] in Zwischenräumen befindlich (z. B. Gewebe, Gewebsflüssigkeit); **In|ter|sti|ti|um** [-tsjum] *s. Gen.* -s *Mz.* -ti|en [-tsjən] **1** Zwischenraum (zwischen Organen); **2** *kath. Kirche:* vorgeschriebene Zeit zwischen dem Empfang zweier geistlicher Weihen

in|ter|sub|jek|tiv [lat.] zwei oder mehreren Einzelwesen gemeinsam, sie umfassend

in|ter|ter|ri|to|ri|al [lat.] zwischen zwei oder mehreren Staaten bestehend, zwischenstaatlich (Abkommen u. Ä.)

In|ter|tri|go [lat.] *w. Gen. - Mz.* -gi|nes [-ne:s] Wundsein der Haut infolge Reibung von Hautstellen aneinander, »Wolf«

In|ter|type [-taɪp, lat. + engl.] *w. 9* Ⓦⓩ eine der Linotype ähnliche Zeilengusssetzmaschine; **In|ter|type-Fo|to|set|ter** *m. 5* Ⓦⓩ eine Setzmaschine, bei der die Schriftzeichen auf einen Film projiziert und dann für den Druckvorgang reproduziert werden, Lichtsetzmaschine

in|ter|ur|ban [lat.] *veraltet:* zwischen mehreren Städten befindlich, ihnen gemeinsam, Überland…

In|ter|vall [-val, lat.] *s. 1* **1** Zwischenzeit, Pause, Lücke; **2** *Math.:* Strecke zwischen zwei Punkten einer Skala; **3** *Mus.:* Abstand zwischen zwei Tönen; **4** *Med.:* symptom- oder

schmerzfreie Zeit im Verlauf einer Krankheit, *auch:* die Zeit zwischen zwei Menstruationen; **In|ter|vall|trai|ning** *s. 9* Form des Trainings, bei der zwischen Belastung und Entspannung gewechselt wird
in|ter|va|lu|ta|risch [lat.] den Währungsaustausch betreffend; intervalutarischer Kurs: Wechsel-, Devisenkurs
In|ter|ve|ni|ent [lat.] *m. 10* jmd., der interveniert (bes. bei Rechtsstreitigkeiten); **in|ter|ve|nie|ren** *intr. 3* dazwischentreten (vermittelnd) eingreifen, sich einmischen; **In|ter|vent** *m. 10, russ. Bez. für* kriegerischer Intervenient; **In|ter|ven|ti|on** *w. 10* Dazwischentreten, (vermittelndes) Eingreifen, Einmischung; **In|ter|ven|ti|o|nis|mus** *m. Gen. - nur Ez.* wirtschaftspolit. System, das staatl. Eingriffe in die Marktwirtschaft vorsieht, um die Produktivität zu steigern; **In|ter|ven|ti|o|nist** *m. 10* Anhänger des Interventionismus; **in|ter|ven|ti|o|nis|tisch; In|ter|ven|ti|ons|kla|ge** *w. 11* Widerspruchsklage (gegen Zahlungsbefehle u.Ä.); **in|ter|ven|tiv** eingreifend, vermittelnd
In|ter|ver|si|on [lat.] *w. 10* = Interlinearversion
In|ter|view [-vju, engl.] *s. 9* Befragung bekannter Persönlichkeiten durch Reporter über berufliche, politische u.ä. Angelegenheiten; **in|ter|view|en** [-vjuən] *tr. 1* befragen; **In|ter|view|er** [-vjuər] *m. 5* jmd., der einen anderen interviewt
in|ter|ze|die|ren [lat.] *intr. 3* **1** (für einen Schuldner) einspringen, eintreten, eine Schuld übernehmen, sich verbürgen; **2** vermitteln
in|ter|zel|lu|lar [lat.], **in|ter|zel|lu|lär** zwischen den Zellen (gelegen, befindlich); **In|ter|zel|lu|lar|raum** *m. 2* Zwischenzellraum
In|ter|zes|si|on [zu: interzedieren] *w. 10* Schuldübernahme
in|ter|zo|nal [lat. + griech.] zwischen den Zonen, mehreren Zonen gemeinsam, sie betreffend, Interzonen...; **In|ter|zo|nen|han|del** *m. Gen. -s nur Ez.;* **In|ter|zo|nen|ver|kehr** *m. Gen. -s nur Ez.;* **In|ter|zo|nen|zug** *m. 2*
in|tes|ta|bel [auch: -sta-, lat.] rechtlich unfähig, ein Testament zu machen oder als Zeuge vor Gericht aufzutreten; intestable Personen; **In|tes|tat|er|be** *m. 11* gesetzl. Erbe eines Erblassers, der kein Testament hinterlassen hat
in|tes|ti|nal [lat.] zum Darm gehörend; **In|tes|ti|num** *s. Gen. -s Mz. -nen oder -na* Darm, Eingeweide
In|thro|ni|sa|ti|on [lat. + griech.] *w. 10* Erhebung auf den Thron, feierliche Einsetzung; **in|thro|ni|sie|ren** *tr. 3* feierlich (in ein Amt) einsetzen; auf den Thron erheben; **In|thro|ni|sie|rung** *w. 10*
in|tim [lat.] **1** vertraut, innig (Freund); **2** gemütlich, heimelig (Raum); **In|ti|ma 1** *w. Gen. - nur Ez., Biol.:* innerste Haut der Gefäße; **2** *Mz. -mä* enge, vertraute Freundin; **In|ti|ma|ti|on** *w. 10, veraltet:* gerichtliche Ankündigung, Vorladung; **In|ti|mi|tät** *w. 10* **1** *nur Ez.* Vertrautheit, Gemütlichkeit; **2** Vertraulichkeit, vertrauliche Beziehung; **In|tim|sphä|re** *auch:* **In|tims|phä|re** *w. 11* Bereich des persönl. Lebens, bes. des Geschlechtslebens; **In|ti|mus** *m. Gen. - Mz. -mi* vertrauter Freund
in|to|le|ra|bel [lat.] unerträglich, unduldbar; **in|to|le|rant** unduldsam (gegenüber anderen Meinungen oder Verhaltensweisen); **In|to|le|ranz** *w. 10 nur Ez.* **In|to|na|ti|on** [lat.] *w. 10* **1** *Sprachw.:* Tonansatz beim Sprechen von Vokalen; Tongebung, Veränderung der Tonhöhe und -stärke beim Sprechen, Satzmelodie; **2** *Mus.:* Tonansatz, Treffen der Tonhöhe beim Singen, Spielen eines Instruments; **3** *Gregorianik:* die ersten, vom Priester gesungenen Worte im liturgischen Gesang; **4** Ein- oder Nachstimmen der Orgelpfeifen; **5** präludierende Einleitung (eines Musikstücks); kurzes Orgelvorspiel; **in|to|na|to|risch** die Intonation betreffend, auf ihr beruhend; **in|to|nie|ren** *tr. 3*
in to|to [lat.] im Ganzen; etwas in t. ablehnen, annehmen
In|tou|rist [-tu-, russ.] *früher:* staatl. Reisebüro der Sowjetunion
In|to|xi|ka|ti|on [lat.] *w. 10* Vergiftung

> **intra-, intri-, intro-** (Worttrennung): Neben der Trennung *in|tra-, in|tri-, in|tro-* ist auch die Abtrennung zwischen *-t-* und *-r-* möglich. Auf diese Weise kommt der letzte Konsonant auf die neue Zeile: *int|ra-, int|ri-, int|ro-.* →§ 107, § 108

in|tra..., In|tra... [lat.] *in Zus.:* innerhalb, z.B. intrakardial
In|tra|bi|li|tät [lat.] *w. 10 nur Ez.* Eintritt von Stoffen in das Zellplasma
In|tra|da [lat.], **In|tra|de**, En|tra|da *w. Gen. - Mz. -den, bes. in der Suite:* feierliches Einleitungs-, Eröffnungsstück
in|tra|kar|di|al [lat.] innerhalb des Herzens (gelegen)
in|tra|ku|tan [lat.] in der Haut
in|tra|mo|le|ku|lar [lat.] innerhalb eines Moleküls
in|tra|mon|tan [lat.] zwischen Gebirgen (gelegen)
in|tra|mun|dan [lat.] innerhalb dieser Welt; *Ggs.:* extramundan
in|tra mu|ros [-ro:s, lat. »innerhalb der Mauern«] nicht öffentlich
in|tra|mus|ku|lär [lat.] **1** innerhalb eines Muskels (gelegen); **2** (*Abk.:* i.m.) in einen Muskel hinein
in|tran|si|gent [lat.] unversöhnlich, unnachgiebig, starr, Verhandlungen unzugänglich; **In|tran|si|gent** *m. 10* intransigenter Parteimann; **In|tran|si|genz** *w. 10 nur Ez.*
in|tran|si|tiv [lat.] nicht zielend; intransitives Verb: Verb, das kein Akkusativobjekt bei sich haben und von dem man kein persönliches Passiv bilden kann, z.B. schlafen; *Ggs.:* transitiv; **In|tran|si|tiv** *s. 1,* **In|tran|si|ti|vum** [auch: -ti-] *s. Gen. -s Mz. -va* intransitives Verb
in|tra|o|ku|lar [lat.] im Innern des Auges
in|tra|o|ral [lat.] innerhalb der Mundhöhle
in|tra|u|te|rin [lat.] innerhalb der Gebärmutter (des Uterus)
in|tra|va|gi|nal [lat.] innerhalb der Scheide (Vagina)
in|tra|ve|nös [lat.] **1** innerhalb einer Vene (liegend); **2** (*Abk.:* i.v.) in eine Vene hinein
in|tra|zel|lu|lar [lat.], **in|tra|zel|lu|lär** innerhalb der Zelle
in|tri|gant [frz.] gern Intrigen

spinnend, ränkesüchtig, hinterlistig; **In|tri|gant** *m. 10* jmd., der gern Intrigen spinnt; **In|tri|ganz** *w. 10 nur Ez.* intrigantes Verhalten, Hinterlist, Arglist; **In|tri|ge** *w. 11* hinterlistige Handlung, arglistige Verwicklung; Intrigen: Ränke; **In|tri|gen|spiel** *s. 1;* **in|tri|gie|ren** *intr. 3* Ränke spinnen, die eine Person gegen die andere ausspielen; hinterlistig vorgehen; gegen jmdn. intrigieren; **in|tri|kat** *veraltet* **1** verwickelt, verworren; **2** heikel, verfänglich

in|tro..., In|tro... [lat.] *in Zus.:* in ... hinein, nach innen, z. B. introvertiert, Introduktion

In|tro|duk|ti|on [lat.] *w. 10, Mus.:* Einleitung, Einleitungssatz, Vorspiel; **in|tro|du|zie|ren** *tr. 3* einleiten, hineinführen; **In|tro|du|zi|o|ne** *w. 11, ital. Form von* Introduktion; **In|tro|i|tus** *m. Gen. - Mz. -* **1** *kath. Kirche:* Chorgesang beim Einzug des Priesters; **2** *evang. Kirche:* Eingangslied, Einleitungsworte (zum Gottesdienst); **3** *Mus.:* Einleitungssatz eines Orgelstückes; **4** *Anat.:* Eingang (bes. der Scheide)

in|trors [lat.] nach innen gewendet (von den Staubbeuteln bezüglich der Blütenachse); *Ggs.:* extrors

In|tro|spek|ti|on [lat.] *w. 10 nur Ez.* **1** Selbstbeobachtung; **2** *Med.:* Einsicht in das Körperinnere; **in|tro|spek|tiv** auf Introspektion beruhend

In|tro|ver|si|on [lat.] *w. 10 nur Ez.* introvertiertes Verhalten; *Ggs.:* Extraversion; **in|tro|ver|tiert** nach innen gewendet, auf das eigene Seelenleben gerichtet; *Ggs.:* extravertiert

In|tru|der [engl.] *m. 5* Aufklärungsflugzeug zur Unterstützung von Flugzeugträgern; **in|tru|die|ren** *intr. 3* (in die Erdkruste) eindringen; **In|tru|si|on** *w. 10* Eindringen von Magma in die Erdkruste; **in|tru|siv** durch Intrusion entstanden; **In|tru|siv|ge|stein** *s. 1* durch Intrusion entstandenes Gestein

In|tu|ba|ti|on [lat.] *w. 10* **1** Einführung eines Rohrs in die Luftröhre; **2** Einblasen (von Heilmitteln); **in|tu|bie|ren** *tr. 3*

In|tu|i|ti|on [lat.] *w. 10* unmittelbares Erkennen, Erfassen von Vorgängen, Zusammenhängen ohne wissenschaftl. Erkenntnis, übersinnl. Schau, Eingebung; **in|tu|i|tiv** auf Intuition beruhend

In|tu|mes|zenz [lat.], **In|tur|ges|zenz** *w. 10 nur Ez.* Anschwellung (bes. der Geschlechtsorgane bei Erregung)

in|tus [lat.] innen, inwendig; etwas i. haben *ugs.:* etwas gegessen, getrunken haben, *oder:* etwas begriffen und sich gemerkt haben

in ty|ran|nos! [-no:s, lat.] gegen die Tyrannen!

I|nu|la [griech.] *w. Gen. - nur Ez., Sammelbez. für* mehrere Arten von Gewürz- und Heilkräutern, Alant; **I|nu|lin** *s. 1 nur Ez.* aus Fruchtzucker aufgebautes Reservekohlenhydrat

In|un|da|ti|on [lat.] *w. 10* völlige Überflutung von Land durch Meer oder Fluss

In|unk|ti|on [lat.] *w. 10, Med.:* Einreibung

in usum Del|phi|ni = ad usum Delphini

In|va|gi|na|ti|on [lat.] *w. 10* Einstülpung eines Teils des Darms in den nächsten

in|va|lid [lat.], **in|va|li|de** dauernd arbeitsunfähig; **In|va|li|de(r)** *m. 18 (17) bzw. w. 17 oder 18;* **In|va|li|den|ren|te** *w. 11;* **In|va|li|den|ver|si|che|rung** *w. 10;* **in|va|li|di|sie|ren** *tr. 3* invalid schreiben, zum Invaliden erklären und mit Invalidenrente versehen; **In|va|li|di|sie|rung** *w. 10 nur Ez.;* **In|va|li|di|tät** *w. 10 nur Ez.* dauernde Arbeitsunfähigkeit

in|va|ri|a|bel [auch: -ria-, lat.] unveränderlich; invariable Größen; **in|va|ri|ant** [auch: -ant] bei bestimmten Vorgängen unverändert bleibend; **In|va|ri|an|te** [auch: -an-] *w. 17 oder 18* bei bestimmten Vorgängen unveränderliche Größe; **In|va|ri|an|ten|the|o|rie** *w. 11 nur Ez., Math.;* **In|va|ri|anz** [auch: -ants] *w. 10 nur Ez.* Unveränderlichkeit

In|va|si|on [lat.] *w. 10* **1** Einfall feindlicher Truppen; *Ggs.:* Evasion (**1**); **2** Eindringen von Krankheitserregern in den Körper; **In|va|sor** *m. 13 meist Mz.* einfallender Feind

In|vek|ti|ve [lat.] *w. 11* beleidigende, aggressive Äußerung, Schmähung

In|ven|tar [lat.] *s. 1* Bestand, *auch:* Bestandsverzeichnis der zu einem Raum, Haus oder Betrieb gehörigen Gegenstände, Tiere, Vermögenswerte und Schulden; lebendes I.: Tiere; totes I.: Gegenstände, Werte; **In|ven|ta|ri|sa|ti|on** *w. 10* Bestandsaufnahme; **in|ven|ta|ri|sie|ren** *tr. 3* den Bestand (von etwas) aufnehmen

in|ven|tie|ren [lat.] *tr. 3* erfinden, erdenken; **In|ven|ti|on** *w. 10* **1** *veraltet:* Erfindung; **2** *Mus.:* kleines Instrumentalstück ohne bestimmte Form

In|ven|tur [lat.] *w. 10* Bestandsaufnahme; **In|ven|tur|aus|ver|kauf** *m. 1* Verkauf sämtlicher Waren zu herabgesetzten Preisen nach einer Inventur, Räumungsverkauf

in|vers [lat.] umgekehrt; **In|ver|si|on** *w. 10* Umkehrung, Gegenbewegung, *bes. Gramm.:* Umstellung der normalen Wortfolge, z. B. schön wär's

In|ver|te|brat *m. 10* = Evertebrat

in|ver|tie|ren [lat.] *tr. 3* umkehren; **in|ver|tiert** geschlechtlich verkehrt empfindend, auf das eigene Geschlecht gerichtet; **In|vert|zu|cker** *m. Gen. -s nur Ez.* Mischung von Frucht- und Traubenzucker

in|ves|tie|ren [lat.] *tr. 3* **1** in ein Amt einweisen; **2** langfristig anlegen (Kapital); **In|ves|tie|rung** *w. 10* = Investition; **In|ves|ti|ti|on** *w. 10* langfristige Kapitalanlage; **In|ves|ti|ti|ons|gü|ter** *s. 4 Mz.* Güter, die als Investition der Produktion dienen, also nicht für den Verbrauch bestimmt sind; **In|ves|ti|ti|ons|mit|tel** *s. 5 Mz. -;* **In|ves|ti|tur** *w. 10* Einweisung, Einsetzung in ein Amt; **In|ves|tiv|lohn** *m. 2* als Sparanlage verwendeter, zwangsgebundener Teil des Arbeitslohns; **In|vest|ment** *s. 9, engl. Bez. für* Investition; **In|vest|ment|fonds** [-fɔ̃] *m. Gen. -* [-fɔ̃s] *Mz. -*[-fɔ̃s] Bestand an Wertpapieren (von Kapitalgesellschaften); **In|vest|ment-Trust** ► **In|vest|ment|trust** [-trʌst] *m. 9* Gesellschaft zur Gewinn bringenden Anlage von Kapitalien, die sie sich durch Ausgabe eigener Effekten beschafft; **In|ves|tor** *m. 13* jmd., der langfristig Kapital anlegt

in vi|no ve|ri|tas [lat.] im Wein (ist) Wahrheit
in|vi|si|bel [lat.] unsichtbar
in vi|tro *auch:* **-vit|ro** [lat. »im Glas«] im Reagenzglas, im Laboratorium durchgeführt (Versuch); **in vi|vo** [»im lebendigen«] am lebenden Organismus beobachtet, durchgeführt
In|vo|ca|bit *Nebenform von* Invokavit; **In|vo|ka|ti|on** [lat.] *w. 10* Anrufung (Gottes und der Heiligen); **In|vo|ka|vit** erster Passionssonntag, sechster Sonntag vor Ostern
In|vo|lu|ti|on [lat.] *w. 10* **1** *Biol.:* normale Rückbildung (eines Organs, z.B. im Alter); **2** *Math.:* besondere Form der projektiven Abbildung; **in|vol|vie|ren** *tr. 3* enthalten, einbegreifen, in sich schließen
in|wen|dig; *ugs.:* etwas in- und auswendig können, kennen
in|wie|fern; in|wie|weit
In|woh|ner *m. 5* **1** *veraltet, noch österr.:* Einwohner, Bewohner; **2** *österr.:* Mieter
In|zens [lat.] *m. 1* = Inzensation; **In|zen|sa|ri|um** *s. Gen.* -s *Mz.* -ri|en = Inzensorium; **In|zen|sa|ti|on** *w. 10,* In|zens *m. 1, kath. Kirche:* das Verbrennen von Weihrauch; **in|zen|sie|ren** *tr. 3* mit Weihrauch beräuchern; **In|zen|so|ri|um,** In|zen|sa|ri|um *s. Gen.* -s *Mz.* -ri|en Weihrauchgefäß
In|zest [lat.] *m. 1* **1** engste Inzucht; **2** Geschlechtsverkehr zwischen Blutsverwandten, Blutschande; **in|zes|tu|ös** in der Art eines Inzests (**2**); **In|zest|zucht** *w. Gen. - nur Ez.*
in|zi|dent [lat.] *veraltet:* im Verlauf (einer Sache) nebenbei vorkommend oder entstehend, beiläufig; **In|zi|dent** *m. 1, veraltet:* **1** Nebenpunkt; **2** (nebenbei zu erledigender) Zwischenfall; **In|zi|denz** *w. Gen. - Mz.* -zen *oder* -zi|en, *veraltet:* **1** Einfall; **2** Verfall; **in|zi|die|ren** *tr. 3* einschneiden; **In|zi|si|on** *w. 10* das Einschneiden (in Gewebe), Einschnitt; **In|zi|siv** *m. 12,* **In|zi|si|vus** *m. Gen. - Mz.* -vi, **In|zi|siv|zahn** *m. 2* Schneidezahn; **In|zi|sur** *w. 10* Einschnitt, Einbuchtung (an Knochen oder Organen)
In|zucht *w. Gen. - nur Ez.*
in|zwi|schen
Io *Zeichen für* Ionium
Io. *Abk. für* Iowa
IOC [aɪ oʊ si] *Abk. für* International Olympic Committee
IOK *Abk. für* Internationales Olympisches Komitee, *eindeutschend für* IOC
I|on [griech.] *s. 12* elektrisch geladenes Teilchen (Atom, Atomgruppe oder Molekül)
I|o|ni|en Landschaft in Kleinasien; **I|o|ni|er** *m. 5* Einwohner von Ionien
I|o|ni|sa|ti|on [lat.] *w. 10 nur Ez.* Übergang von Atomen oder Molekülen in elektrisch geladenen Zustand; **I|o|ni|sa|tor** *m. 13* Gerät zur Beseitigung elektrostat. Ladungen
i|o|nisch zu Ionien gehörend, aus ihm stammend; ionische Säule: Säule mit Volutenkapitell; ionische Tonart: eine Kirchentonart; Ionische Inseln
i|o|ni|sie|ren [griech.] *tr. 3* elektrisch aufladen; **I|o|ni|sie|rung** *w. 10 nur Ez.;* **I|o|ni|um** *s. Gen.* -s *nur Ez.* (*Zeichen:* Io) radioaktives Zerfallsprodukt des Urans; **I|o|no|me|ter** *s. 5* Gerät zum Messen der Ionisation; **I|o|no|sphä|re** *auch:* **I|o|nos|phä|re** *w. 11 nur Ez.* die ionisierte äußerste Schicht der Erdatmosphäre
Io|ta *s. 9* = Jota
Io|wa [aɪowə] (*Abk.:* IA) Staat der USA
I|pe|ca|cu|an|ha [-a̧nja, port.] *w. 10 nur Ez.* Brechwurz, Wurzel einer brasilian. Pflanze, *auch:* diese selbst
I|phi|ge|nie [-njə] *griech. Myth.:* Tochter Agamemnons
i.p.i. *Abk. für* in partibus infidelium
Ip|sa|ti|on [lat.] *w. 10 nur Ez.* Ip|sis|mus *m. Gen. - nur Ez., veraltet für* Masturbation; **ip|se fe|cit** [lat.] (*Abk.:* i.f.) hat (es) selbst gemacht (Vermerk vor oder hinter dem Namen des Künstlers auf Bildern, Stichen u.a.); **Ip|sis|mus** *m. Gen. - nur Ez.* = Ipsation; **ip|sis|si|ma ver|ba** genau diese, seine eigenen Worte; **ip|so fac|to** durch die Tat selbst, d.h. die Rechtsfolgen einer Tat treten von selbst ein; **ip|so iu|re** durch das Recht selbst, ohne weiteres
IPU *Abk. für* Interparlamentarische Union
i-Punkt *m. 1*
IQ *Abk. für* Intelligenzquotient
Ir *chem. Zeichen für* Iridium
IR 1 *Abk. für* Interregio; **2** *Abk. für* Infanterieregiment
i.R. *Abk. für* im Ruhestand
I.R. *Abk. für* Imperator Rex
IRA *Abk. für* Irish Republican Army: Irische Republikanische Armee
ir..., Ir... [lat.] *in Zus.:* nicht..., Nicht..., un..., Un..., z.B. irrational
I|ra|de [arab.] *m. 14 oder s. 14, früher:* Erlass des Sultans
I|rak [auch: i-] *m. Gen.* -(s), *auch ohne Artikel,* Staat in Vorderasien; **I|ra|ker** *m. 5;* **I|ra|ki** *m. Gen. - Mz. -* Einwohner des Iraks; **i|ra|kisch**
I|ran *m. Gen.* -s, *auch ohne Artikel,* Staat in Asien, *bis 1935:* Persien; **I|ra|ner** *m. 5;* **i|ra|nisch;** **I|ra|nist** *m. 10* Wissenschaftler der Iranistik; **I|ra|nis|tik** *w. 10 nur Ez.* Wissenschaft von der Sprache, Geschichte und Kultur Irans; **i|ra|nis|tisch**
Ir|bis [mongol.-russ.] *m. 1* Schneeleopard
ir|den aus (gebrannter) Erde; aus (gebranntem) Ton; **Ir|den|wa|re** *w. 11* irdenes Geschirr; **ir|disch**
I|re *m. 11,* Ir|län|der *m. 5* Einwohner von Irland
I|re|nik [griech.] *w. 10 nur Ez.,* I|re|nis|mus *m. Gen. - nur Ez.* **1** theolog. Friedenslehre, die den ausschließl. Wahrheitsanspruch der kath. Kirche nicht akzeptiert; **2** Streben nach Verständigung der Konfessionen; **3** friedliche Haltung; **i|re|nisch** auf Irenik beruhend, friedlich, friedfertig; **I|re|nis|mus** *m. Gen. - nur Ez.* = Irenik

irgendein, irgendetwas: Mehrteilige Adverbien und Pronomen schreibt man zusammen, wenn Wortform, Wortart oder die Bedeutung der einzelnen Bestandteile nicht mehr deutlich erkennbar sind: *Da war irgendein Mann vor der Tür. Es gab irgendetwas zu sehen.* Ebenso: *irgendjemand, irgendwann, irgendwas, irgendwelcher, irgendwer, irgendwie, irgendwo, irgendwohin.* →§39 (4)
Getrennt geschrieben werden die Erweiterungen mit *so: irgend so ein Mann, irgend so etwas.* →§39 E2 (1)

► = wird zu

ir|gend *Pronomen; Zusammenschreibung:* irgendein, irgendeinmal, irgendetwas, irgendjemand, irgendwann, irgendwas, irgendwelche, irgendwer, irgendwie, irgendwo, irgendwo anders, irgendwoher, irgendwohin; *Getrenntschreibung:* irgend so ein Bursche

I|rid|ek|to|mie *auch:* **I|ri|dek-** [griech.], I|ri|do|to|mie *w. 11* operative Entfernung der Regenbogenhaut oder eines Teils davon; **I|ri|di|um** *s. Gen.* -s *nur Ez.* (*Zeichen:* Ir) chem. Element, ein Edelmetall; **I|ri|do|lo|ge** *m. 11* Augendiagnostiker; **I|ri|do|lo|gie** *w. 11 nur Ez.* Verfahren, aus dem Zustand des Augenhintergrundes auf bestimmte Erkrankungen zu schließen, Augendiagnose; **i|ri|do|lo|gisch; I|ri|do|to|mie** *w. 11* = Iridektomie

I|rin, Ir|län|de|rin *w. 10* Einwohnerin von Irland

I|ris [griech.] *w. Gen.* - *Mz.* - **1** Regenbogen; **2** *griech. Myth.:* Göttin des Regenbogens; **3** Regenbogenhaut (des Auges); **4** Schwertlilie; **I|ris|blen|de** *w. 11* Vorrichtung an Kameras zum Verstellen der Öffnung des Objektivs

i|risch, ir|län|disch; irisches Bad, irisch-röm. Bad: Heißluftbad mit Dampfbad, kalter Dusche und Massage; Irische See; **I|rish Stew** [aɪrɪʃ stju, engl.] *s. Gen.* -(s) *nur Ez.* gekochtes Hammelfleisch mit Weißkraut und Kartoffeln

i|ri|sie|ren *intr. 3* in Regenbogenfarben schimmern; **I|ri|tis** *w. Gen.* - *Mz.* -ti|den Entzündung der Regenbogenhaut

IRK *Abk. für* Internationales Rotes Kreuz

Ir|land, *irisch:* Éire, Insel in Nordwesteuropa; **Ir|län|der** *m. 5* = Ire; **Ir|län|de|rin** *w. 10* = Irin; **ir|län|disch** = irisch; Irländisches Moos

Ir|min|säu|le *w. 11,* **Ir|min|sul** *w. Gen.* - *nur Ez.* aus einer Holzsäule (Baumstamm) bestehendes german. Heiligtum

IRO *Abk. für* International Refugee Organization (*bis 1951* Internationale Flüchtlingsorganisation)

I|ro|ke|se *m. 11* Angehöriger eines nordamerik. Indianerstammes; **i|ro|ke|sisch**

I|ro|nie [griech.] *w. 11 nur Ez.* verhüllter Spott, bei dem das Gegenteil von dem gesagt wird, was gemeint ist; **I|ro|ni|ker** *m. 5* ironischer Mensch; **i|ro|nisch** verhüllt spöttelnd; **i|ro|ni|sie|ren** *tr. 3* ironisch darstellen

irr vgl. irre

Ir|ra|di|a|ti|on [lat.] *w. 10* **1** Schmerzausstrahlung über die betroffene Körperstelle hinaus; **2** *Fot.:* Überstrahlung, Lichthofbildung; **3** *Psych.:* Ausstrahlung von Gefühlen auf andere Bereiche; **ir|ra|di|ie|ren** *intr. 3* ausstrahlen

ir|ra|ti|o|nal [auch: -nal, lat.] mit dem Verstand, der Vernunft nicht fassbar, nicht logisch erklärbar; irrationale Zahl: Zahl, die nicht als gemeiner Bruch dargestellt werden kann, Dezimalbruch mit unendlich vielen, nicht periodischen Stellen; **Ir|ra|ti|o|na|lis|mus** *m. Gen.* - *nur Ez.* **1** philosoph. Lehre, nach der Wesen und Ursprung der Welt mit dem Verstand nicht fassbar sind; **2** Anschauung, die dem Gefühl den Vorrang gegenüber dem Verstand gibt; **Ir|ra|ti|o|na|li|tät** *w. 10 nur Ez.* irrationale Beschaffenheit

> **irreführen, irrewerden:** Zusammensetzungen aus (teilweise) verblasstem Substantiv *(irre-)* und Verb werden in den infiniten Formen zusammengeschrieben: *Wir wollten sie irreführen. Er ist an ihr irregeworden.* →§ 34 (3)

ir|re, irr; irre sein; *aber:* irreführen, irregehen, irreleiten, irrewerden; **Ir|re** *w. 11 nur Ez.;* in die Irre führen, gehen

ir|re|al [lat.] nicht real, nicht der Wirklichkeit entsprechend; **Ir|re|al** *m. 1,* **Ir|re|a|lis** *m. Gen.* - *Mz.* -les [-le:s], *Gramm.:* Modus der Unwirklichkeit; **Ir|re|a|li|tät** [auch: ir-] *w. 10 nur Ez.* Unwirklichkeit

Ir|re|den|ta *w. Gen.* - *nur Ez.* **1** *eigtl.:* Italia Irredenta [»unerlöstes Italien«] *bis 1918:* die in österr. Besitz befindlichen (teils italienischsprachigen) Gebiete Südtirol sowie Trient und Triest; **2** bis 1918 italienische, dann allg. jede polit. Bewegung, die den Wiederanschluss eines abgetrennten Gebietes an den nach Sprache und Kultur als Mutterland betrachteten Staat erstrebt; **Ir|re|den|tis|mus** *m. Gen.* - *nur Ez.* geistige Einstellung im Sinne der Irredenta (**2**); **Ir|re|den|tist** *m. 10;* **ir|re|den|tis|tisch**

ir|re|du|zi|bel [lat.] nicht zurückführbar, nicht wiederherstellbar; **Ir|re|du|zi|bi|li|tät** *w. 10 nur Ez.*

ir|re|füh|ren *tr. 1;* das führte mich irre, hat mich irregeführt; irrezuführen; irreführende Auskunft; **Ir|re|füh|rung** *w. 10;* **ir|re|ge|hen** *intr. 47;* ich ging irre, bin irregegangen; um nicht irrezugehen

ir|re|gu|lär [auch: -lɛr, lat.] nicht regulär, ungesetzmäßig; irreguläre Truppen: nicht zum Heer gehörende Truppenverbände, Freikorps, Partisanen; **Ir|re|gu|la|ri|tät** *w. 10 nur Ez.* Regelwidrigkeit, Ungesetzmäßigkeit

ir|re|lei|ten *tr. 2;* irregeleitet, irrezuleiten

ir|re|le|vant [auch: -vant, lat.] nicht relevant, unerheblich, nicht wichtig, unbedeutend; **Ir|re|le|vanz** [auch: -vants] *w. 10*

ir|re|li|gi|ös [auch: -øs, lat.] nicht religiös, religionslos; **Ir|re|li|gi|o|si|tät** [auch: ir-] *w. 10 nur Ez.*

ir|ren 1 *intr. 1;* Irren ist menschlich; **2** *refl. 1;* sich irren; sich in jmdm., sich in der Tür irren; **Ir|ren|an|stalt** *w. 10, ugs. für* Nervenheilanstalt; **Ir|ren|arzt** *m. 2, ugs. für* Nervenarzt; **Ir|ren|haus** *s. 4, ugs. für* Nervenheilanstalt; **Ir|ren|häus|ler** *m. 5*

ir|re|pa|ra|bel [auch: ir-, lat.] nicht zu reparieren, nicht wiederherstellbar, nicht heilbar

ir|re|po|ni|bel [auch: ir-, lat.] nicht wiederherstellbar, nicht wieder einrenkbar

Ir|re(r) *m. 18 (17) bzw. w. 17 oder 18;* **Ir|re|sein**, Irr|sein *s. Gen.* -s *nur Ez., aber:* irre sein

ir|re|so|lut [lat.] nicht energisch, nicht durchgreifend, nicht entschlusskräftig

ir|re|spi|ra|bel *auch:* **-res|pi-** [auch: ir-, lat.] zum Einatmen untauglich; irrespirable Luft

ir|re|spon|sa|bel *auch:* **-res|pon-** [auch: ir-, lat.] nicht verantwortbar

ir|re|ver|si|bel [auch: ir-, lat.] nicht umkehrbar; irreversibler Vorgang; **Ir|re|ver|si|bi|li|tät** *w. 10 nur Ez.*

ir|re|vi|si|bel [auch: ir-, lat.] nicht anfechtbar; irrevisibles Urteil
ir|re|wer|den *tr. 180;* er wird irre, ist irregeworden, um irrezuwerden; **Ir|re|wer|den**, Irr|werden *s. Gen.*-s *nur Ez.;* **Irr|fahrt** *w. 10;* **Irr|gar|ten** *m. 8;* **Irr|glau|be** *m. 15,* **Irr|glau|ben** *m. 7;* **irr|gläu|big; ir|rig**
Ir|ri|ga|ti|on [lat.] *w. 10* Ausspülung (von Darm oder Scheide), Einlauf; **Ir|ri|ga|tor** *m. 13* Gerät zur Irrigation
ir|ri|ger|wei|se [auch: ir-]
ir|ri|ta|bel [lat.] reizbar, erregbar; irritabler Mensch; **Ir|ri|ta|bi|li|tät** *w. 10 nur Ez.;* **Ir|ri|ta|ti|on** *w. 10* Reizung, Erregung; **ir|ri|tie|ren** *tr. 3* **1** reizen, erregen, stören; **2** *ugs.:* unsicher machen, verwirren, ablenken
Irr|läu|fer *m. 5* an die falsche Adresse beförderter Gegenstand, bes. Brief; **Irr|leh|re** *w. 11;* **Irr|licht** *s. 3;* **irr|lich|tel|lie|ren** *intr. 3,* **irr|lich|tern** *intr. 1* wie ein Irrlicht huschen; **Irr|nis** *w. 1,* **Irr|sal** *s. 1, poet. veraltet:* Menge von Irrtümern, Unklarheiten; **Irr|sein**, Ir|re|sein *s. Gen.*-s *nur Ez.; aber:* irr sein; **Irr|sinn** *m. 1 nur Ez.;* **irr|sin|nig; Irr|tum** *m. 4;* **irr|tüm|lich; irr|tüm|li|cher|wei|se; Ir|rung** *w. 10;* **Irr|weg** *m. 1;* **Irr|wer|den**, Ir|re|wer|den *s. Gen.*-s *nur Ez.*
Irr|wisch *m. 1* **1** Irrlicht; **2** *ugs.:* sehr lebhaftes Kind
Ir|vin|gi|a|ner [ə:viŋja-, nach dem Gründer, dem schott. Prediger Edward Irving] *m. 5* Anhänger einer kath.-apostolischen Sekte; **Ir|vin|gi|a|nis|mus** *m. Gen. - nur Ez.*
is…, Is… = iso…, Iso…
ISA *Abk. für* International Federation of the National Standardizing Associations: Internationale Vereinigung für Einheitsmaße, -passungen und -toleranzen (1946 abgelöst durch die → ISO)
i|sa|bell|far|ben, i|sa|bell|far|big [nach Isabella, der Tochter Philipps II. von Spanien] bräunlichgelb
I|sa|go|ge [-ge:, griech.] *w. 11* Einführung, Einleitung (in eine Wissenschaft); **I|sa|go|gik** *w. Gen. - nur Ez.* Einführungskunst, -wissenschaft
I|sai|as, Je|sa|ja Prophet des AT

Is|a|kus|te *auch:* **I|sa|kus|te** [griech.] *w. 11* Verbindungslinie zwischen Orten gleicher Schallstärke (bei Erdbeben)
Is|al|lo|ba|re *auch:* **I|sal-** [griech.] *w. 11* Verbindungslinie zw. Orten gleicher Luftdruckänderung in bestimmtem Zeitraum
Is|al|lo|ther|me *auch:* **I|sal-** [griech.] *w. 11* Verbindungslinie zwischen Orten gleicher Temperaturänderung
Is|a|ne|mo|ne [griech.] *w. 11* Verbindungslinie zwischen Punkten gleicher Windstärke
I|sa|tin [griech.] *s. 1 nur Ez.* eine organisch-chem. Verbindung, Grundlage für indigoartige Farbstoffe; **I|sa|tis** *w. Gen. - nur Ez.* ein Kreuzblütler, Waid, z. B. Färberwaid
ISBN *Abk. für* Internationale Standardbuchnummer
Is|chä|mie [-çɛ-, griech.] *w. 11* Blutleere in einzelnen Organen oder Körperteilen; **is|chä|misch** blutleer
Is|cha|ri|ot vgl. Judas Ischariot
Is|chia [-kja] ital. Insel
Is|chi|a|di|kus [-isçia-, griech.] *m. Gen. - nur Ez., Kurzform für* Nervus ischiadicus: Ischiasnerv, Hüftnerv; **is|chi|a|disch** zum Ischiadikus gehörend, von ihm ausgehend; **Is|chi|al|gie** *w. 11* = Ischias; **Is|chi|as** [isçias, iʃias] *w., ugs. s. oder m. Gen. - nur Ez.* Entzündung des Ischiadikus, Hüftweh; **Is|chi|as|nerv** *m. 12, fachsprachl. m. 10* = Ischiadikus; **Is|chi|um** *s. Gen.*-s *Mz.*-chia Gesäß
Is|chu|rie [isçu-, griech.] *w. 11* Harnverhaltung, krankhafte Unfähigkeit, Harn zu lassen
I|se|grim **1** *m. Gen.*-s *nur Ez., in der Tierfabel:* der Wolf; **2** *m. 1* mürrischer, bärbeißiger Mensch
Is|fa|han Stadt im Iran
Is|lam [auch: is-, arab.] *m. Gen.* -s *nur Ez.* von Mohammed begründete, monotheist. Religion; **is|la|misch** auf dem Islam beruhend, muslimisch; **Is|la|mis|mus** *m. Gen. - nur Ez., selten für* Islam; **Is|la|mit** *m. 10, selten für* Muslim; **is|la|mi|tisch** *selten für* islamisch
Is|land Inselstaat im nördl. Atlant. Ozean; **Is|län|der** *m. 5;* **is|län|disch**; Isländisches Moos
Is|ma|e|lit *m. 10* Angehöriger einer islam. Sekte

Is|me|ne *griech. Myth.:* Tochter des Ödipus
Is|mus [nach der häufig verwendeten Endung -ismus] *m. Gen. - Mz.*-men, *spött. Bez. für* (bloße) Theorie
ISO *seit 1946 Abk. für* International Organization for Standardization: Internationaler Normenausschuss; vgl. ISA
i|so…, I|so…, vor Vokalen is…, Is… [griech.] *in Zus.:* gleich…, Gleich…, z. B. isotop
i|so|bar [griech.] die gleiche Anzahl Neutronen bei ungleicher Anzahl Protonen aufweisend; **I|so|bar** *s. 1* Atomkern, der im Vergleich zu andern isobare Eigenschaften aufweist; **I|so|ba|re** *w. 11* Verbindungslinie zwischen Orten gleichen Luftdrucks
I|so|ba|the [griech.] *w. 11* Verbindungslinie zwischen Punkten (in Gewässern) gleicher Wassertiefe
I|so|bron|the [griech.] *w. 11* **1** Verbindungslinie zwischen Orten, in denen bei Gewittern zur gleichen Zeit Donner wahrgenommen wird; **2** Verbindungslinie zwischen Orten gleicher Gewitterhäufigkeit
I|so|bu|tan *s. 1 nur Ez.* ein gesättigter Kohlenwasserstoff
I|so|chi|me|ne [-çi-, griech.] *w. 11* Verbindungslinie zwischen Orten gleicher mittlerer Wintertemperatur; vgl. Isothere
I|so|chi|o|ne [-çio-, griech.] *w. 11* Verbindungslinie zwischen Orten gleichen Schneefalls
i|so|chor [-kor, griech.] gleiches Volumen aufweisend; isochorer Vorgang: Vorgang ohne Volumenänderung
i|so|chrom [-krom, griech.] = isochromatisch; **I|so|chro|ma|sie** *w. 11 nur Ez., bei fotograf. Schichten:* gleiche Empfindlichkeit gegenüber den verschiedenen Wellenlängen des Lichts, Farbtonrichtigkeit; **i|so|chro|ma|tisch**, i|so|chrom, gleich empfindlich gegenüber verschiedenen Lichtwellen, farbtonrichtig
i|so|chron [-kron, griech.] gleich lang dauernd; **I|so|chro|ne** *w. 11* **1** Verbindungslinie zwischen Orten, an denen ein Naturereignis, z. B. Erdbeben, zur gleichen Zeit auftrat; **2** *auf*

Verkehrskarten: Verbindungslinie zwischen Orten, die man von einem Punkt aus in der gleichen Zeit erreichen kann
i|so|cy|clisch *auch:* **-cyc|lisch** [griech.] *Chem., in der Fügung* isocyclische Verbindung: ringförmige organisch-chem. Verbindung, deren Ring nur Kohlenstoffatome aufweist
i|so|dy|nam [griech.] gleichen Kaloriengehalt aufweisend; **I|so|dy|na|me** *w. 11* Verbindungslinie zwischen Punkten gleicher magnetischer Feldstärke; **I|so|dy|na|mie** *w. 11* gleicher Kaloriengehalt bei ungleicher Menge (von Nährstoffen)
I|so|ga|me|ten [griech.] *m. 10 Mz.* männl. und weibl. Geschlechtszellen von gleicher Gestalt; **I|so|ga|mie** *w. 11 nur Ez.* Vereinigung von Isogameten
i|so|gen [griech.] gleichen Ursprung und gleiche Erbanlagen aufweisend
I|so|ge|o|ther|me [griech.] *w. 11* Verbindungslinie zwischen Orten gleicher Erdbodentemperatur
I|so|glos|se [griech.] *w. 11, auf Sprach- oder Mundartenkarten:* Linie, die das Verbreitungsgebiet eines Wortes oder einer sprachl. Erscheinung begrenzt
I|so|gon [griech.] *s. 1* regelmäßiges Vieleck; **i|so|go|nal** gleichwinklig, winkelgetreu; **I|so|go|na|li|tät** *w. 10 nur Ez.* Gleichwinkligkeit, Winkeltreue; **I|so|go|ne** *w. 11* Verbindungslinie zwischen Orten gleicher magnetischer Deklination bzw. gleicher Windrichtung
I|so|he|lie [-liə, griech.] *w. 11* Verbindungslinie zwischen Orten gleicher mittlerer Sonnenbestrahlung
I|so|hy|e|te [griech.] *w. 11* Verbindungslinie zwischen Orten gleicher Niederschlagsmenge
I|so|hyp|se [griech.] *w. 11* Verbindungslinie zwischen Orten gleicher Höhe über dem Meeresspiegel
i|so|kli|nal [griech.] gleichen Neigungswinkel aufweisend; **I|so|kli|na|le** *w. 11,* **I|so|kli|nal|fal|te** *w. 11* Gesteinsfalte, deren Schenkel im gleichen Winkel einfallen; **I|so|kli|ne** *w. 11* Verbindungslinie zwischen Orten gleicher Neigung der Magnetnadel
I|so|kry|me [griech.] *w. 11* Verbindungslinie zwischen Orten mit gleichzeitiger Eisbildung auf Gewässern bzw. mit gleicher Niedrigsttemperatur
I|so|lar|plat|te *w. 11* fotograf. Platte, auf der sich keine Lichthöfe bilden können
I|so|la|ti|on [lat.] *w. 10* **1** Vereinzelung, Vereinsamung, Absonderung; **2** Getrennthaltung (von Infektionskranken, Häftlingen usw.); **3** Abdichtung mittels nicht leitender Stoffe gegen Strom, Gas, Wärme, Licht, Schall usw.; **I|so|la|ti|o|nis|mus** *m. Gen. - nur Ez.* Bestreben, sich von polit. Auseinandersetzungen fernzuhalten, keine Bündnisse abzuschließen usw.; **I|so|la|ti|o|nist** *m. 10;* **i|so|la|ti|o|nis|tisch; I|so|la|tor** *m. 13* Stoff, der Strom, Schall, Wärme usw. schlecht oder gar nicht leitet
I|so|lier|band *s. 4* Band zum Isolieren von elektr. Leitungen; **i|so|lie|ren** *tr. 3* **1** gegen Strom, Wärme, Schall, Feuchtigkeit usw. abdichten; **2** absondern, trennen, getrennt halten (Kranke, Häftlinge); isolierende Sprachen: Sprachen, die keine Flexionsendungen bilden und die Beziehungen der Wörter untereinander nur durch die Wortstellung ausdrücken, z.B. das Chinesische; sich i.: sich von den anderen absondern, fernhalten, vereinsamen; **I|so|lie|rung** *w. 10*
I|so|li|ni|en *w. 11 Mz.* alle Verbindungslinien zwischen Orten gleicher und gleichzeitiger meteorolog., physikal. oder anderer Werte oder zwischen Orten, in denen die gleichen Erscheinungen gleichzeitig auftreten
i|so|ma|gne|tisch *auch:* **-mag|ne-** [griech.] *in der Fügung* isomagnetische Kurve: Verbindungslinie zwischen Orten gleicher Werte einer erdmagnet. Größe, z.B. der Inklination
i|so|mer [griech.] von gleicher Zusammensetzung (hinsichtlich Art und Menge der einzelnen Elemente); **I|so|me|re** *s. 1 Mz.,* **I|so|me|ren** *s. 18 Mz.* chem. Verbindungen, die bei gleicher Anzahl gleichartiger Atome verschiedene Struktur besitzen; **I|so|me|rie** *w. 11 nur Ez.* unterschiedl. chem. und physikal. Verhalten trotz gleicher Anzahl gleichartiger Atome; **i|so|me|risch** im gleichen Medium gebildet (Gestein); vgl. isotopisch
I|so|me|trie *auch:* **-met|rie** [griech.] *w. 11 nur Ez.* Maßgleichheit, Längentreue, Gleichheit der Streckenverhältnisse (bei Landkarten, Abbildungen); **i|so|me|trisch** *auch:* **-met|risch** maßstabgerecht, längengetreu; isometr. Training: Muskeltraining durch Anspannung ohne Bewegung
i|so|morph [griech.] von gleicher Gestalt, von gleicher Kristallform; **I|so|mor|phie** *w. 11 nur Ez.,* isomorphe Beschaffenheit; **I|so|mor|phis|mus** *m. Gen. - nur Ez.*
I|so|ne|phe [griech.] *w. 11* Verbindungslinie zwischen Orten gleicher Bewölkung
I|so|pa|ge [griech.] *w. 11* Verbindungslinie zwischen Orten gleich langer Eisbildung auf Gewässern; vgl. Isokryme
i|so|pe|ri|me|trisch *auch:* **-met|risch** [griech.] *Math.:* **1** von gleichem Umfang (Flächen); **2** von gleicher Oberfläche (Körper)
I|so|phan [griech.] *s. 1* ein Kunststoff; **I|so|pha|ne** *w. 11* Verbindungslinie zwischen Orten mit gleichem Beginn einer Vegetationsperiode
I|so|pho|te [griech.] *w. 11* Verbindungslinie zwischen Orten gleicher Energiestrahlung
I|so|po|de [griech.] *m. 11 meist Mz.* Assel
I|so|pren [Kunstw.] *s. 1 nur Ez.* ungesättigter Kohlenwasserstoff
I|so|pte|ra *auch:* **Is|op|te|ra** [griech.] *Mz.* Termiten
I|sor|rha|chie [-xjə, griech.] *w. 11* Verbindungslinie zwischen Orten mit gleichem Flutbeginn, Flutstundenlinie
I|so|sei|ste *auch:* **-seis|te** [griech.] *w. 11* Verbindungslinie zwischen Orten gleicher Erdbebenstärke
I|so|skop *auch:* **I|sos|kop** [griech.] *s. 1,* Bildabtaströhre
is|os|mo|tisch [griech.] = isotonisch
I|so|spin *auch:* **I|sos|pin** [griech.-engl.] *m. 9* bei starker Wechselwirkung auftretende Eigenschaft (Drehimpuls von Elementarteilchen)

I|so|sta|sie *auch:* **I|sos|ta|sie** [griech.] *w. 11 nur Ez.* Gleichgewicht der Massen innerhalb der Erdkruste; **i|so|sta|tisch** *auch:* **i|sos|ta|tisch**
i|so|tach [griech.] von gleicher Strömungsgeschwindigkeit; **I|so|ta|che** [-xə] *w. 11* Verbindungslinie zwischen Punkten gleicher Strömungsgeschwindigkeit (bei Flüssen)
I|so|the|re [griech.] *w. 11* Verbindungslinie zwischen Orten gleicher mittlerer Sommertemperatur; vgl. Isochimene
i|so|therm [griech.] von gleicher Temperatur, isothermer Vorgang: Vorgang ohne Temperaturveränderung; **I|so|ther|me** *w. 11* Verbindungslinie zwischen Orten gleicher Temperatur zur gleichen Zeit; **I|so|ther|mie** *w. 11 nur Ez.* **1** *Meteor.:* gleichbleibende Temperaturverteilung; **2** *Med.:* gleich bleibende (normale) Körpertemperatur
I|so|to|mie [griech.] *w. 11 nur Ez., Bot.:* gleichmäßige Weiterverzweigung nach beiden Seiten
I|so|ton [griech.] *s. 1* Atomkern, der im Vergleich zu andern die gleiche Anzahl von Neutronen enthält; **i|so|to|nisch**, i|sos|motisch, den gleichen osmotischen Druck aufweisend
i|so|top [griech.] bei gleicher Kernladungszahl unterschiedliche Atommasse aufweisend; **I|so|top** *s. 1* Atomsorte, die im Vergleich zu andern die gleiche Kernladung, aber unterschiedliche Masse aufweist; **I|so|to|pie** *w. 11 nur Ez.* isotope Beschaffenheit; **i|so|to|pisch** im gleichen Raum gebildet (Gestein); vgl. isomerisch
I|so|tron [griech.] *s. 13 oder s. 9* Gerät zum Trennen von Isotopen
i|so|trop [griech.] nach allen Richtungen des Raumes hin die gleichen physikal. Eigenschaften aufweisend; *Ggs.:* anisotrop (**2**); **I|so|tro|pie** *w. 11 nur Ez.* isotrope Beschaffenheit; *Ggs.:* Anisotropie
i|so|zy|klisch *auch:* **-zyk|lisch** *eindeutschende Schreibung von* isocyclisch
Is|pa|han [nach dem früheren Namen der iran. Stadt Isfahan], Is|fa|han *m. 9* handgeknüpfter Teppich mit Blüten- oder Rankenmuster
Is|ra|el **1** *im AT* das Volk der Juden; **2** Staat in Vorderasien; **Is|ra|e|li** *m. 9 oder Gen. - Mz. -* Angehöriger des Staates Israel; **is|ra|e|lisch; Is|ra|e|lit** *m. 10* Jude; **is|ra|e|li|tisch**
Is|tan|bul *früher:* Konstantinopel, türk. Stadt
Ist-Auf|kom|men *Nv.* ► **Ist|auf|kom|men** *Hv. s. 7* tatsächlicher Steuerertrag; **Ist-Be|stand** *Nv.* ► **Ist|be|stand** *Hv. m. 2* tatsächlicher Bestand; *Ggs.:* Sollbestand
isth|misch [griech.] zum Isthmus (bes. zum Isthmus von Korinth) gehörig, von ihm stammend; Isthmische Spiele *im Altertum:* sportl. und musikal. Wettkämpfe am Isthmus von Korinth; **Isth|mos, Isth|mus** *m. Gen. - Mz.* -men Landenge, bes. der I. von Korinth
Is|tri|en *auch:* **Ist|ri|en** Halbinsel im Adriat. Meer; **is|trisch**
Ist-Stär|ke *Nv.* ► **Ist|stär|ke** *Hv. w. 11* tatsächliche zahlenmäßige Stärke (von Truppen o. ä. Einheiten); *Ggs.:* Sollstärke
it. *Abk. für* item
i. T. *Abk. für* in (der) Trockenmasse oder Trockensubstanz
I|ta|la *w. Gen. - nur Ez.* in Italien entstandene, älteste lat. Bibelübersetzung; **I|ta|ler**, I|ta|li|ker *m. 5, im Altertum:* idg. Einwohner der Apennin-Halbinsel; **I|ta|lia** *lat. und ital. Form von* Italien; **I|ta|lia Ir|re|den|ta** vgl. Irredenta; **i|ta|li|a|ni|sie|ren**, i|ta|li|e|ni|sie|ren *tr. 3* nach ital. Vorbild gestalten; **I|ta|li|en** Staat in Europa; **I|ta|lie|ner** *m. 5* Einwohner von Italien; vgl. Italer; **i|ta|li|e|nisch**; vgl. italisch; **i|ta|li|e|ni|sie|ren** *tr. 3* = italianisieren; **I|ta|li|en|ne** [-ljɛn] *w. Gen. - nur Ez.* eine Druckschriftart; **I|ta|li|ker** *m. 5* = Italer; **i|ta|lisch** zum antiken Italien gehörig, aus ihm stammend
I|ta|zis|mus, Jo|ta|zis|mus [griech.] *m. Gen. - nur Ez.* Aussprache des griech. Buchstabens Eta als i; *Ggs.:* Etazismus
i|tem [lat.] (*Abk.:* it.) *veraltet:* **1** desgleichen, ebenso; **2** ferner; **3** kurzum; **I|tem** *s. 9, veraltet:* zu erörternde Sache, das Weitere, ein fraglicher Punkt
I|te|ra|ti|on [lat.] *w. 10* Verdoppelung, Wiederholung eines Wortes oder einer Silbe, z. B. jaja; **i|te|ra|tiv** wiederholend, verdoppelnd; **I|te|ra|tiv** [auch: ite-] *s. 1,* **I|te|ra|ti|vum** *s. Gen.* -s *Mz.* -va Verb, das die Wiederholung eines Vorgangs ausdrückt, Frequentativ(um), z. B. hüsteln: oft ein wenig husten, es kriselt: es droht immer wieder eine Krise
I|tha|ka griech. Insel
I|ti|ne|rar [lat.] *s. 1,* **I|ti|ne|ra|ri|um** *s. Gen.* -s *Mz.* -ri|en **1** altröm. Straßenverzeichnis; **2** Karte mit den Routen der zurückgelegten Reisen, Kriegszüge u. Ä.; **3** Wegeaufnahme in unerforschtem Gebiet
i-Tüp|fel|chen *s. 7* bis aufs i-Tüpfelchen genau: ganz genau, ganz sorgfältig
it|zo, itzt *veraltet für* jetzt
i. v. *Abk. für* intravenös (**2**)
i. V., I. V. *Abk. für* in → Vertretung *oder:* in Vollmacht; *Klein- bzw. Großschreibung* vgl. i. A.
i wo! keineswegs!
Iw|rith *s. Gen.* -(s) *nur Ez.* Neuhebräisch, Amtssprache in Israel
Iz|mir [is-], *früher:* Smyrna, türk. Stadt

► = wird zu

J

J 1 *chem. Zeichen für* Jod; **2** *Abk. für* Joule

> **das Ja, Ja/ja sagen:** Das Antwortwort bzw. die Partikel *ja* wird mit kleinem, die substantivierte Form hingegen mit großem Anfangsbuchstaben geschrieben: *Die Antwort ist nein oder ja. Das ist ja nicht zu glauben.* Aber: *Das Ja/mein Ja ist ohne Einschränkung.* [→ § 57 (5)]. Ebenso: *Ein Ja aussprechen; mit Ja stimmen.* [→ § 55 (4)]. Die verbale Form kann man groß- oder kleinschreiben: *Er sagte Ja/ja.*

ja; jaja; ja, ja; ja und nein; ja oder nein; ja freilich; ja doch; aber ja; ach ja; naja, na ja; nun ja; ja sagen, *auch:* Ja sagen; zu allem ja und amen sagen; **Ja** *s. 9;* das Ja und das Nein; er antwortete mit (einem) Ja; mit Ja stimmen; Ja sagen

Jab [dʒæb, engl.] *m. 9, Boxen:* hakenartiger Schlag aus kürzester Distanz

Ja|bot [ʒabo, frz.] *s. 9, 18. Jh.:* Spitzenrüsche an Männerhemden, im Halsausschnitt von Männerwesten oder Frauenkleidern

Jacht, Yacht *w. 10* **1** schnelles Segelschiff für die Küstenschifffahrt; **2** Sportsegelboot; **3** luxuriös ausgestattetes Schiff für Vergnügungsfahrten

jäck *niederrhein.* = jeck; **Jäckchen** *s. 7;* **Ja|cke** *w. 11;* **Ja|cken|kleid** *s. 3;* **Ja|cket|krone** [dʒɛkıt-, engl.] *w. 11* Zahnkrone aus Porzellan; **Ja|ckett** [ʒakɛt] *s. 9* Jacke (des Herrenanzugs); **Jäck|lein** *s. 7*

Jack|pot [dʒæk-, engl.] *m. Gen.* -s *Mz.* -s Hauptgewinn bei Glücksspielen

Jack|stag [dʒæk-, engl.] *s. 1 oder s. 9 oder s. 12* Gleitschiene zum Befestigen des Segels

Ja|co|net, Ja|co|nett, Ja|con-net, [dʒækənıt, engl.], Ja|konett *m. 9* weicher, feinfädiger, glänzender Baumwollstoff für Futter

Jac|quard [ʒakar, nach dem frz. Erfinder Joseph-Marie J.] *m. 9* **1** kompliziertes Webmuster; **2** Stoff mit diesem Muster; **Jac|quard|ma|schi|ne** [ʒakar-] *w. 11*

ja|de *unbeugbar* = jadegrün; **Ja|de** *m. Gen. - nur Ez., Sammelbez. für* Jadeit und Nephrit; **ja|de|grün** blassgrün; **Ja|de|it** *m. 1 nur Ez.* ein Mineral

Jaf|fa Hafenstadt in Israel, seit 1949 mit Tel Aviv vereinigt; **Jaf|fa|ap|fel|si|ne** *w. 11*

Jagd *w. 10;* **jagd|bar** *in der Fügung* jagdbare Tiere: Tiere, die (von Jagdberechtigten) gejagt werden dürfen; **Jagd|bar|keit** *w. 10 nur Ez.;* **jagd|be|rech|tigt; Jagd|be|rech|ti|gung** *w. 10;* **Jagd|bom|ber** *m. 5* kombiniertes Jagd- oder Bombenflugzeug; **Jagd|flie|ger** *m. 5;* **Jagd|flug|zeug** *s. 1;* **Jagd|fre|vel** *m. 6* = Jagdvergehen; **Jagd|gewehr** *s. 1;* **Jagd|horn** *s. 4;* **Jagd|hund** *m. 1;* **jagd|lich; Jagd|musik** *w. 10;* **Jagd|prü|fung** *w. 10;* **Jagd|ren|nen** *s. 7* Hindernisrennen für Pferde, Jagdspringen; **Jagd|re|vier** *s. 1;* **Jagd|schaden** *m. 8;* **Jagd|schein** *m. 1;* **Jagd|sprin|gen** *s. 7* = Jagdrennen; **Jagd|stück** *s. 1* **1** Stillleben mit erlegtem Wild; **2** gemalte Jagdszene; **Jagd|ver|ge|hen** *s. 7* Vergehen gegen das Jagdrecht, Jagdfrevel; **Jagd|wurst** *w. 2* eine Wurstsorte

Ja|gel|lo|ne *m. 11* = Jagiellone

ja|gen *tr. u. intr. 1;* **Ja|gen** *s. 7* durch Schneisen abgegrenzter Forstbezirk; **Jä|ger** *m. 5;* **Jä|gerei** *w. 10 nur Ez.;* **Jä|ger|horn** *s. 4, volkstüml. für* Jagdhorn; **Jä|ger|la|tein** *s. Gen.* -s *nur Ez.* Erzählung von stark übertriebenen Jagdabenteuern; **Jä|ger|meis|ter** *m. 5;* **Jä|gers|mann** *m. Gen.* -(e)s *Mz.* -leu|te *volkstüml. für* Jäger; **Jä|ger|spra|che** *w. 11*

Ja|gi|el|lo|ne Ja|gel|lo|ne *m. 11, bis Ende 16. Jh.:* Angehöriger eines litauisch-poln. Königsgeschlechtes

Ja|gu|ar [indian.] *m. 11* ein amerik. Raubtier

jäh; Jä|he *w. 11 nur Ez.,* **Jä|heit** ► **Jäh|heit** *w. 10 nur Ez.;* **jählings**

Jahr *s. 1;* dieses Jahres (*Abk.:* d. J.); im Jahre (*Abk.:* i. J.); laufenden Jahres (*Abk.:* l. J.); nächsten Jahres (*Abk.:* n. J.); ohne Jahr (*Abk.:* o. J., *in bibliograf. Angaben*); vorigen Jahres (*Abk.:* v. J.); seit Jahr und Tag; heute übers Jahr; Jugendliche über 14 Jahre; Kinder unter 14 Jahren; Kinder ab 6 Jahre(n); Schüler bis zu 18 Jahren; **jahraus, jahr|ein; Jahr|buch** *s. 4;* **Jähr|chen** *s. 7;* **jah|re|lang;**

> **jahrelang:** Zusammensetzungen, bei denen der erste Teil für eine Wortgruppe *(mehrere Jahre lang)* steht, schreibt man zusammen: *Er hat das jahrelang so gemacht.* → § 36 (1), § 36 E1 (4)

aber: mehrere Jahre lang; **jähren** *refl. 1;* der Tag jährte sich nun zum zehnten Male; **Jahres|abon|ne|ment** [-mã] *s. 9;* **Jah|res|be|richt** *m. 1;* **Jah|resein|kom|men** *s. 7;* **Jah|res|en|de** *s. 14 nur Ez.;* **Jah|res|frist** *w. 10 nur Ez.;* binnen, innerhalb J.; **Jah|res|plan** *m. 2;* **Jah|res|ring** *m. 1;* **Jah|res|tag** *m. 1;* **Jah|reswech|sel** *m. 5;* **Jah|res|wen|de** *w. 11;* **Jah|res|zahl** *w. 10;* **Jahres|zeit** *w. 10;* **jah|res|zeit|lich; Jahr|fünft** *s. 1;* **Jahr|gang** *m. 2* (*Abk.:* Jg., *Mz.:* Jgg.); **Jahr|gänger** *m. 5, schweiz.:* jmd., der dem gleichen Geburtsjahrgang angehört; **Jahr|hun|dert** *s. 1* (*Abk.:* Jh.); **jahr|hun|der|te|alt;** *aber:* mehrere Jahrhunderte alt; **jahr|hun|der|te|lang** *aber:* mehrere Jahrhunderte lang; **Jahrhun|dert|fei|er** *w. 11* alle 100 Jahre stattfindende Feier zum Gedenken an ein Ereignis; vgl. Hundertjahrfeier

jäh|rig ein Jahr alt, ein Jahr her, ein Jahr dauernd; **...jäh|rig** *in Zus.:* eine bestimmte oder unbestimmte Zahl von Jahren alt oder dauernd; vierjähriges (4-jähriges) Kind, mehrjähriges Studium, langjährige Freundschaft; vgl. ...jährlich; **Jähr|lein** *s. 7;* **jähr|lich** jedes Jahr stattfindend, sich wiederholend; jährliche Mitgliederversammlung; jährlicher Beitrag; zweimal

jährlich; **...jähr|lich** *in Zus.:* im Abstand einer bestimmten Zahl von Jahren oder Jahresteilen sich wiederholend, z. B.: die Versammlungen finden zweijährlich statt, die Zeitschrift erscheint vierteljährlich; vgl. ...jährig; **Jähr|ling** *m. 11* einjähriges Tier
Jahr|markt *m. 2;* **Jahr|markts|bu|de** *w. 11;* **Jahr|tau|send** *s. 1* (*Abk.:* Jt.); **jahr|tau|sen|de|alt;** *aber:* drei Jahrtausende alt; **jahr|tau|sen|de|lang** *aber:* drei Jahrtausende lang; **Jahr|tau|send|fei|er** *w. 11* alle 1000 Jahre stattfindende Feier; vgl. Tausendjahrfeier; **Jahr|wei|ser** *m. 5* Kalender; **Jahr|zehnt** *s. 1;* **jahr|zehn|te|alt;** *aber:* mehrere Jahrzehnte alt; **jahr|zehn|te|lang;** *aber:* drei Jahrzehnte lang
Jah|ve, Jah|we, *fälschlich auch:* Je|ho|va, Name Gottes im AT; **Jah|vist**, Jah|wist [nach dem Gottesnamen Jahve, Jahwe] *m. 10* der unbekannte Verfasser des erzählenden Quellenwerks im Pentateuch
Jai|na [dʒaɪ-] *m. 9* = Dschaina; **Jai|nis|mus** *m. Gen. - nur Ez.* = Dschainismus
Jak, Yak [tibet.] *m. 9* zentralasiat. Rind, Grunzochse
Ja|ka|ran|da|holz [indian.] *s. 4* brasilian. Palisander
Ja|ko [frz.] *m. 9* eine Papageienart, Graupapagei
Ja|ko|bi *ohne Artikel* Jakobstag, 25. Juli; an, zu Jakobi; **Ja|ko|bi|ner** *m. 5* Mitglied des Jakobinerklubs; **Ja|ko|bi|ner|klub** [nach seinem Tagungsort, dem Kloster des hl. Jakob in Paris] *m. 9 nur Ez.* der radikalste und entscheidende polit. Klub während der Frz. Revolution; **Ja|ko|bi|ner|müt|ze** *w. 11* als Symbol der Freiheit getragene, kegelförmige, rote Wollmütze der Jakobiner; **Ja|ko|bi|ten** *m. 10 Mz.* **1** die Anhänger des nach der Revolution von 1688 vertriebenen engl. Königs Jakob II. und seiner Nachkommen; **2** Angehöriger einer syrischen christl. Sekte; **Ja|kobs|lei|ter** *w. 11* Strickleiter mit Holzsprossen; **Ja|kobs|stab** *m. 2* altes Messinstrument zum Bestimmen der Höhe von Gestirnen und der Winkel zwischen ihnen, Kreuzstab; **Ja|kobs|tag** *m. 1* = Jakobi

Ja|ko|nett *m. 9* = Jaconet
Jak|ta|ti|on [lat.] *w. 10 nur Ez.* Unruhe, das Sich-herum-Werfen Kranker, bes. Bettlägeriger
Ja|ku|te *m. 11* Angehöriger eines sibir. Turkvolkes; **ja|ku|tisch**
Ja|la|pe [span.] *w. 11* trop. Winde, aus deren Wurzel ein Abführmittel gewonnen wird
Ja|lon [ʒalɔ̃, frz.] *m. 9, Vermessungswesen:* Absteckpfahl, Richtfähnchen
Ja|lou|set|te [ʒaluzɛt(ə), französisierende Verkleinerungsform zu Jalousie] *w. 11* Jalousie aus Leichtmetall- oder Kunststofflamellen; **Ja|lou|sie** [ʒa-] *w. 11* äußerer Fenstervorhang, Rollladen aus Holz oder Kunststoff
Jal|ta Hafenstadt auf der Krim; **Jal|ta-Ab|kom|men** *s. 7 nur Ez.*
Ja|mai|ka Insel der Großen Antillen; **Ja|mai|ka|ner**, Ja|mai|ker *m. 5;* **ja|mai|ka|nisch**, ja|mai|kisch; **Ja|mai|ka|pfef|fer** *m. Gen.* -s *nur Ez.* ein Gewürz, Piment; **Ja|mai|ka-Rum** ► **Ja|mai|ka|rum** *m. Gen.* -s *nur Ez.*
Jam|be *w. 11, eindeutschend für* Jambus; **jam|bisch** in Jamben abgefasst
Jam|bo|ree [dʒæmbəri, engl.] *s. 9* **1** internationales Pfadfindertreffen; **2** Lustbarkeit
Jam|bus [griech.] *m. Gen. - Mz.* -ben Versfuß aus einer unbetonten und einer betonten Silbe
Jam|mer *m. 5 nur Ez.;* **Jam|mer|bild** *s. 3;* **Jam|mer|ge|schrei** *s. Gen.* -s *nur Ez.;* **Jam|mer|ge|stalt** *w. 10;* **Jam|mer|lap|pen** *m. 7* Feigling, jämmerlicher Mensch; **jäm|mer|lich; Jäm|mer|lich|keit** *w. 10 nur Ez.;* **Jäm|mer|ling** *m. 1;* **jam|mern** **1** *intr. 1;* ich jammere, jammre; **2** *tr. 1;* er jammert mich: er tut mir leid; **jam|mer|scha|de; Jam|mer|tal** *s. 4 nur Ez.* die Erde, das irdische Leben; **jam|mer|voll**
Jams [port.] *s. Gen. - Mz.* trop. Kletterpflanze, deren Wurzel als Nahrungsmittel dient
Jam Session ► **Jamsession** [dʒæmsɛʃən, engl.] Treffen von Jazzmusikern zum gemeinsamen Improvisieren
Jams|wur|zel *w. 11*
Jan *nddt. für* Johannes; Jan Maat *scherzh.:* Matrose
Jang|tse, Jang|tse|ki|ang [-kjaŋ] *m. Gen.* -(s) chines. Fluss

Jan|ha|gel [auch: -ha-] *m. Gen.* -s *nur Ez., veraltet:* Pöbel
Ja|ni|cu|lus, *ital.:* Gia|ni|co|lo [dʒa-] *m. Gen. - nur Ez.* einer der Hügel in Rom
Ja|ni|tschar *auch:* **Ja|nit|schar** [türk.] *m. 10, 1329–1826:* Angehöriger der ehemaligen türk., aus christl. Kriegsgefangenen und ihren Nachkommen gebildeten Kerntruppe; **Ja|ni|tscha|ren|mu|sik** *auch:* **Ja|nit|scha|ren-** *w. 10* türk. Militärmusik mit Trommel, Triangel, Bekken, Schellenbaum
Jan|ker *m. 5, bayr.:* Trachten-, *auch:* Hausjacke
Jan|maat *m. Gen.* -s *nur Ez.* vgl. Jan
Jän|ner *m. Gen.* -(s) *nur Ez., bayr., österr., schweiz. für* Januar
Jan|se|nis|mus [nach Cornelius Jansen, latinisiert: Jansenius] *m. Gen. - nur Ez., 17./18. Jh. in der kath. Kirche Frankreichs:* eine hinsichtlich der Prädestination von der Lehre der Jesuiten abweichende Richtung; **Jan|se|nist** *m. 10;* **jan|se|nis|tisch**
Ja|nu|ar *m. Gen.* -(s) *nur Ez.* (*Abk.:* Jan.)
Ja|nus *röm. Myth., urspr.:* Gott des Ein- und Ausgangs, *dann auch:* des Anfangs; **Ja|nus|kopf** *m. 2* Männerkopf mit Doppelgesicht
Ja|pan *amtlich:* Nip|pon, ostasiat. Kaiserreich; **Ja|pa|ner** *m. 5;* **ja|pa|nisch**; Japanische Kirsche; Japanisches Meer; **Ja|pa|nisch** *s. Gen.* -(s) *nur Ez.* japanische Sprache; vgl. Deutsch; **Ja|pa|no|lo|ge** *m. 11;* **Ja|pa|no|lo|gie** *w. 11 nur Ez.* Wissenschaft von der japan. Sprache und Kultur; **ja|pa|no|lo|gisch; Ja|pan|pa|pier** *s. 1* aus dem japan. Papiermaulbeerbaum hergestelltes, weiches, sehr festes, seidiges Papier
Ja|pon [ʒapɔ̃, frz.] *m. 9* frz. Rohseide
jap|pen *nddt.*, **jap|sen** *intr. 1, ugs.:* schnell und heftig atmen, nach Luft schnappen
Jar|di|nie|re [ʒardinjɛrə, frz.] *w. 11* **1** Schale oder Korb für Blumen oder Blattpflanzen mit Wurzeln; **2** Beilage oder Suppeneinlage aus frischem Gemüse
Jar|gon [ʒargɔ̃, frz.] *s. 9* (meist derbe) Ausdrucksweise einer

► = wird zu

sozialen oder berufl. Gruppe, z. B. Schülerjargon
Jarl [altnord.] *m. 1, im MA in Skandinavien:* vom König eingesetzter Statthalter
Ja|ro|wi|sa|ti|on [russ.] *w. 10* Kältebehandlung von keimenden Samen zur Beschleunigung des Wachstums, Vernalisation; **ja|ro|wi|sie|ren** *tr. 3*
Ja|sa|ger *m. 5*
Jas|min [pers.-span.] *m. 1* ein Zierstrauch mit stark duftenden Blüten
Jas|per|wa|re *w. 11* weißes oder farbiges Steinzeug
jas|pie|ren *tr. 3* wie Jaspis mustern, marmorieren; **Jas|pis** [assyr.-griech.] *m. Gen. - Mz. - oder* -pis|se ein Quarz (Halbedelstein)
Jaß ► **Jass** *m. Gen.* Jas|ses *nur Ez.* ein süddt. und schweiz. Kartenspiel; **jas|sen** *intr. 1* Jass spielen; du jasst, du jassest; **Jas|ser** *m. 5* Jassspieler
Jas|tik [türk.] *m. 9* kleinste Form der oriental. Teppiche
Ja|stim|me *w. 11*
Ja|ta|gan [auch: -gan, türk.] *m. 1* oriental. Krummsäbel
jä|ten *tr. 2*
Jau|che *w. 11;* **jau|chen 1** *tr. 1* mit Jauche düngen; **2** *intr. 1* übel riechende Flüssigkeit absondern (Wunde, Geschwür); **Jau|chen|faß** ► **Jau|chen|fass**, Jau|che|fass *s. 4;* **Jau|chen|gru|be** *w. 11;* **Jau|chen|wa|gen**, Jau|che|wa|gen *m. 7*
Jau|chert *m. 1, schweiz.: w. 10* = Juchart
jauch|zen *intr. 1;* **Jauch|zer** *m. 5*
jau|len *intr. 1*
Jau|se *w. 11, österr.:* Zwischenmahlzeit, bes. nachmittags; **jau|sen** *intr. 1,* jaus|nen *intr. 2* die Jause einnehmen; **Jau|sen|kaf|fee** *m. 9;* **jaus|nen** *intr. 2* = jausen
Ja|va eine der Großen Sundainseln; **Ja|va|ner** *m. 5;* **ja|va|nisch**
ja|wohl
Ja|wort *s. 1*
Jazz [dʒæz, engl.] *m. Gen. - nur Ez.* um 1900 aus religiösen, Tanz- und Arbeitsliedern der nordamerik. Schwarzen hervorgegangener, durch Improvisation und Synkopierung gekennzeichneter Musizierstil; **Jazz|band** [dʒæzbænd] *w. 9* Jazzkapelle; **Jaz|zer** [dʒæzər, auch: jatsər] *m. 5* Jazzmusiker, Jazzkomponist; **Jazz|fan** [dʒæzfæn] *m. 9* begeisterter Anhänger des Jazz
je 1 *Adv.:* jemals, irgendwann; immer; hast du je erlebt, dass...?; je und je: immer; seit je; seit eh und je; **2** *Präp.:* auf, für, pro; fünf Stück je Person; **3** *Konj.:* im gleichen Maße wie...; gemessen an...; je eher, desto besser, *oder:* umso besser; es ist mir umso lieber, je eher du kommst; je nach Angebot und Nachfrage; je nachdem; **4** *Distributivzahlwort:* jeweils, jedes Mal; je zwei; je fünf zugleich; **5** [zu: ja] *Konj.:* je nun; **6** [verkürzt aus »Jesus«] ach je!
Jeans [dʒinz] *nur Mz., kurz für* Bluejeans
jeck, jäck *niederrhein.:* verrückt; **Jeck** *m. 10* Geck, Narr
je|den|falls

> **ein jeder, jedermann, jederzeit:** Pronomen als Stellvertreter von Substantiven schreibt man klein: *Das muss (ein) jeder mit sich selbst ausmachen.* [→ § 58 (4)]. Ebenso mehrteilige Adverbien: *Das kann jedermann sagen. Das ist jederzeit möglich.* [→ § 39 (1)]. Erweiterungen schreibt man getrennt und groß: *Das ist zu jeder Zeit möglich.* Ebenso: *eine Zeit lang.* → § 39 E2 (1)

je|den|noch *veraltet für* jedoch
je|de (-r, -s); ein jeder, Alles und Jedes; jeder von uns; jedes Mal; *aber:* jedesmal; jeder Zweite; jeden Montag; Anfang jedes, *auch:* jeden Jahres; auf jeden Fall; **je|der|lei; je|der|mann; je|der|zeit** [auch: je-], *aber:* zu jeder Zeit; **je|des|mal** [auch: je-]; *aber:* jedes Mal; **je|des|ma|lig** *Amtsdeutsch*
je|doch
jed|we|de (-r, -s) *veraltend für* jede (-r, -s)
Jeep [dʒip, engl.] *m. 9* Ⓦ kleiner, geländegängiger amerik. Kraftwagen mit Vierradantrieb
jeg|li|che (-r, -s) = jede (-r, -s); Kinder jeglichen Alters
je|her; seit, von jeher
Je|ho|va *fälschl. für* Jahve; Zeugen Jehovas: eine christl. Sekte
jein *ugs. scherzh.:* ja und nein
Je|län|ger|je|lie|ber *s. Gen.* -s *Mz.* - = Geißblatt
je|mals
je|mand, *Gen.* -des, *Dat.* -dem, *Akk.* -den; irgendjemand; jemand anders, *auch:* jemand Anderer; mit jemand Anderem, *auch:* mit jemand anders; ich meine jemand Anderen, *auch:* jemand anders; jemand Unbekanntes; ein gewisser Jemand; eines gewissen Jemand
Je|men, Ye|men *m. Gen.* -s, Staat im Süden der Arab. Halbinsel; **Je|me|nit** *m. 10;* **je|me|ni|tisch**
je|mi|ne! [aus lat.: »Jesus domine«! o Herr Jesus!]; o jemine!, herrjemine!
Jen *m. Gen.* -(s) *Mz.* - = Yen
Je|na Stadt in Thüringen; Jenaer Glas; **Je|na|er** *m. 5* Einwohner von Jena; **je|na|isch; Je|nen|ser** *m. 5* = Jenaer; **je|nen|sisch**
je|ne (-r, -s); dieser und jener
je|nisch [zigeuner.] zum fahrenden Volk gehörig; jenische Sprache: Sprache der Landstreicher, Gaunersprache, Rotwelsch
Je|ni|sei, Je|nis|sej *m. Gen.* -(s) Fluss in Sibirien

> **jenseits liegen, im Jenseits:** Gefüge aus zusammengesetzten Adverbien und Verben werden getrennt geschrieben: *Der Ort muss jenseits liegen.* [→ § 34 E3 (2)]. Das substantivierte Adverb schreibt man groß: *Das Jenseits kann ihn wenig trösten.* → § 57 (5)

jen|sei|tig; Jen|sei|tig|keit *w. 10 nur Ez.;* **jen|seits** *m. Gen.;* jenseits des Flusses; *Ggs.:* diesseits; **Jen|seits** *s. Gen. - nur Ez.*
Je|re|mi|a|de [nach dem bibl. Propheten Jeremias] *w. 11* Klagelied; **Je|re|mia, Je|re|mi|as** Prophet des AT
Je|rez, Xe|res [xerεθ, nach der span. Stadt Jerez de la Frontera] *m. Gen. - nur Ez.* ein span. Dessertwein
Je|ri|cho [-ço] Stadt in Jordanien; **Je|ri|cho|ro|se** *w. 11* eine Wüstenpflanze
Jer|sey [dʒəːsı, nach der brit. Insel J.] *m. 9* **1** weicher, gewirkter Wollstoff; **2** farbiges Hemd aus diesem Stoff (zum Sportdress)
je|rum!; o jerum!
Je|ru|sa|lem alte Hst. von Palästina, Hst. von Israel; **Je|ru|sa-**

le|mer *m. 5;* **Je|ru|sa|lems|blu|me** *w. 11* Feuernelke
Je|sa|ja, Isaias Prophet des AT
Je|su|it *m. 10* Mitglied des Jesuitenordens; **Je|sui|ten|or|den** *m. 7 nur Ez.* von Ignatius von Loyola gegründeter Orden zur Ausbreitung der kath. Lehre, Gesellschaft Jesu; **je|su|i|tisch**
Je|sus [griech. Form von hebr. Josua »Gott hilft«]; **Je|sus Chri|stus** *auch:* - **Chris|tus**, *Gen.* Jesu Christi, *Dat.* -- *oder* Jesu Christo, *Akk.* Jesum Christum, *Anredefall:* Jesu Christe; **Je|sus|kind** *s. 3;* **Je|sus Na|za|re|nus Rex Ju|dae|o|rum** (*Abk.:* I. N. R. I.): Jesus von Nazareth, König der Juden
Jet [dʒɛt, engl.] *m. 9* Düsenflugzeug; **Jet-Lag** ▶ **Jet|lag** *auch:* **Jet-lag** [dʒɛtlæg, engl.] gestörtes Zeitgefühl, Abgespanntheit (nach einer Flugreise)
Je|ton [ʒətɔ̃, frz.] *m. 9* Spielpfennig, Spielmarke

> **Jetset/Jet-set:** Die integrierte (eingedeutschte) Form ist die Hauptvariante *(Jetset)*, die fremdsprachige Form die zulässige Nebenvariante *(Jet-set)*.

Jet-Set ▶ **Jet|set** *auch:* **Jet-set** [dʒɛt-, engl.] *m. 9 oder s. 9* wohlhabende internationale Gesellschaftsschicht, die in Jets zu den Mittelpunkten des gesellschaftl. Lebens reist
Jett [engl.] *m. 9 nur Ez.* zu Schmuck verarbeitete, harte Braunkohle, Pechkohle, Gagat
jet|ten [dʒɛtən] *intr. 2* mit dem Jet fliegen
jet|zig; jet|zo *veraltet für* jetzt;

> **jetzt, das Jetzt:** Das Temporaladverb *jetzt* schreibt man mit kleinem Anfangsbuchstaben: *Wir leben jetzt und hier.* Hingegen wird das substantivierte Adverb mit großem Anfangsbuchstaben geschrieben: *Das Jetzt (und Hier) interessiert uns, sonst nichts!* → § 57 (5)

jetzt; bis jetzt; eben jetzt; jetzt erst, erst jetzt; von jetzt an; jetzt oder nie; das Jetzt: die Gegenwart; **Jetzt|zeit** *w. 10 nur Ez.;* **jetz|und** *veraltet für* jetzt
Jeu [ʒø, frz.] *s. 9* Glücksspiel, *auch:* Kartenspiel
Jeu|nesse do|rée [ʒœnɛs dore, frz.] *w. Gen.* -- *nur Ez.* wohlhabende, elegante, leichtlebige Großstadtjugend
je|wei|len *veraltet:* dann und wann; **je|wei|lig; je|weils**
Jg. *Abk. für* Jahrgang; **Jgg.** *Abk. für* Jahrgänge
Jh. *Abk. für* Jahrhundert
jid|disch jiddische Sprache: Judendeutsch, Sprache der Juden in Deutschland und Osteuropa; **Jid|disch** *s. Gen.* -(s) *nur Ez.* jidd. Sprache, Judendeutsch; **Jid|dist** *m. 10;* **Jid|dis|tik** *w. 10 nur Ez.* Wissenschaft von der jiddischen Sprache und Literatur; **jid|dis|tisch**
Jig|ger [dʒigər, engl.] *m. 5* **1** eine Färbemaschine; **2** *Mar., bei Viermastern:* kleines Segel am hintersten Mast; **3** Fischerboot mit solchem Segel; **4** *früher:* Kohlenwippe (auf Schiffen); **5** Golfschläger für bestimmte Schläge; **6** Flüssigkeitsmaß beim Mixen von Cocktails, 28 bis 43 g; **Jig|ger|mast** *m. 12, auf Viermastern:* hinterster Mast
Ji|mé|nes [ximenɛθ, span.] *m. Gen. - nur Ez.* ein spanischer Süßwein
Jin|go [dʒiŋgo, engl.] *m. 9, engl. spött. Bez. für* Hurrapatriot, Chauvinist; **Jin|go|is|mus** *m. Gen. - nur Ez.* Hurrapatriotismus, Chauvinismus
Ji|nis|mus [dʒi-] *m. Gen. - nur Ez.* = Dschainismus
Jin|rik|scha *w. 9* = Rikscha
Jin und Jang, Yin und Yang *s. Gen.* --- *nur Ez., in der altchines. Naturphilospohie:* die beiden Weltprinzipien, das helle, schöpferische, männliche und das dunkle, empfangende weibliche
Jit|ter|bug [dʒitərbʌg, engl.] *m. Gen.* -(s) *nur Ez.* amerik. Jazztanz
Jiu-Jit|su [dʒiudʒitsu, jap.], *eindeutschend:* Dschiu-Dschitsu *s. Gen. - nur Ez.* altjap. Ringsport, waffen- und gewaltlose Selbstverteidigung
Jive [dʒaiv, engl.] *m. Gen.* -(s) *nur Ez.* **1** Fachsprache im Jazz; **2** schneller, effektvoller Swing
Job [dʒɔb, engl.] *m. 9* (bes. vorübergehende) Beschäftigung, Stelle; **job|ben** [dʒɔbən] *intr. 1, ugs.:* einem Job nachgehen; **Job|ber** [dʒɔb-] *m. 5* **1** *Londoner Börse:* Händler, der nur für eigene Rechnung Geschäfte abschließen darf, *auch:* Dealer; **2** *i. e. S.:* Börsenspekulant; *i. w. S.:* Händler, Manager, Spekulant; **3** Gelegenheitsarbeiter;
Job-sha|ring ▶ **Job|sha|ring** [dʒɔbʃæriŋ, engl.] *s. Gen.* -(s) *nur Ez.* Arbeitsplatzteilung
Joch *s. 1, nach Zahlenangaben in den Bedeutungen* **2** *und* **3** *Mz.* - **1** Teil des Geschirrs für Ochsen; **2** Ochsengespann; zwei Joch Ochsen; **3** altes Feldmaß, soviel wie man mit einem Joch Ochsen an einem Tag umpflügen kann; vier Joch Land; **4** Tragbalken, z. B. Glockenjoch; **5** Teil der Brücke zwischen zwei Pfeilern; **6** Teil des Kirchenraumes zwischen vier Pfeilern oder Säulen; **7** Schultertraggestell für Eimer; **8** Bergsattel; **9** schwere Last, schwere Arbeit; **Joch|bein** *s. 1* ein Schädelknochen, Wangenbein; **Joch|bo|gen** *m. 7* Gewölbe über einem Joch (**6**)
Jo|ckei, Jo|ckey [dʒɔke, engl. dʒɔkɪ] *m. 9* berufsmäßiger Rennreiter
Jod [griech.] *s. Gen. - nur Ez.* (*Zeichen:* J) chem. Element;
Jo|dat *s. 1* Salz der Jodsäure
Jo|del|lied *s. 3;* **jo|deln** *intr. 1;* ich jodele, jodle
Jo|dis|mus *m. Gen. - nur Ez.* Jodvergiftung; **Jo|dit** *s. 1* ein Mineral, Jodsilber
Jod|ler *m. 5* **1** jmd., der jodelt; **2** Jodelruf
Jo|do|form *s. 1 nur Ez.* Mittel zum Desinfizieren, bes. von Wunden; **Jo|do|me|trie** *auch:* **-met|rie** *w. 11 nur Ez., in der chem. Maßanalyse:* Bestimmung von Stoffen mit Hilfe von Jod; **Jod|sil|ber** *s. 5 nur Ez.* = Jodit; **Jod|tink|tur** *w. 10* Mittel zum Desinfizieren von Wunden, zur Behandlung von Schwellungen, Entzündungen
Jo|ga [sanskr.], Yoga *m. Gen.* -(s) *nur Ez.* **1** altind. philosoph. System zur Selbsterlösung durch Askese u. Meditation; **2** daraus entwickeltes Verfahren zur Konzentration und Körperbeherrschung; vgl. Jogi
Jog|ger [dʒɔg-, engl.] jmd., der Jogging betreibt; **Jog|ging** [dʒɔg-] *s. Gen.* -s *nur Ez.* sportlich betriebenes Laufen zwischen schnellem Gehen und langsamem Dauerlauf

Jo|ghurt ▸ *auch:* **Jo|gurt** [türk.] *m. 1, auch: s. 1* unter Einwirkung von Bakterien hergestellte, eingedickte Sauermilch
Jo|gi [sanskr.], Yo|gi *m. 9* Anhänger des Joga (**1**), Asket
Jo|gurt *m. 1, auch: s. 1* = Joghurt
jo|han|ne|isch von Johannes, dem Evangelisten, herrührend; **Jo|han|nes|e|van|ge|li|um** *s. Gen.* -s *nur Ez.;* **Jo|han|nes|pas|si|on** *w. 10 nur Ez.* Oratorium von J. S. Bach nach dem Johannesevangelium; **Jo|han|ni** *ohne Artikel* Johannistag; an, zu J.; **Jo|han|nis|bee|re** *w. 11;* **Jo|han|nis|brot** *s. Gen.* -(e)s *nur Ez.* getrocknete Frucht des Johannisbrotbaumes; **Jo|han|nis|fest** *s. 1* vgl. Johannistag; **Jo|han|nis|feu|er** *s. 5* Sonnwendfeuer in der Johannisnacht; **Jo|han|nis|kä|fer** *m. 5* Leuchtkäfer; **Jo|han|nis|nacht** *w. 2* Nacht vor dem Johannistag; **Jo|han|nis|tag** *m. 1* Johannes dem Täufer heiliger Tag, 24. Juni; **Jo|han|nis|trieb** *m. 1* **1** *bei manchen Bäumen:* zweiter Trieb; **2** *übertr.:* später Liebestrieb (bei Männern); **Jo|han|nis|würm|chen** *s. 7* Johanniskäfer; **Jo|han|ni|ter** *m. 5* Angehöriger des Johanniterordens; **Jo|han|ni|ter|kreuz** *s. 1* = Malteserkreuz; **Jo|han|ni|ter|or|den** *m. 7 nur Ez.* ältester geistl. Ritterorden
joh|len *intr. 1*
John Bull [dʒɔn bul, engl.] *scherzh. Bez. für* England, Engländer
Joint [dʒɔint, engl.] *m. Gen.* -s *Mz.* -s mit Rauschgift versetzte Zigarette

> **Jointventure/Joint Venture:** Zusammensetzungen aus Substantiv und Substantiv schreibt man zusammen: *Das Jointventure war ein Erfolg.* → § 37 (1)
> In Anlehnung an die englische Herkunftssprache ist auch Getrenntschreibung möglich: *Ein Joint Venture stellt uns vor neue Herausforderungen.* → § 37 E1

Joint-ven|tu|re ▸ **Joint|ven|tu|re** *auch:* **Joint Ven|tu|re** [dʒɔintvɛntʃər, engl.] *s. 9* (wirtschaftlich-technische) Zusammenarbeit, gemeinsame Planung, Zusammenschluß
Jo-Jo, Yo-Yo *s. Gen.* -s *Mz.* -s Geschicklichkeitsspiel mit Spule und Faden
Jo|ker [auch: dʒo-, engl.] *m. 5, in manchen Kartenspielen:* Karte mit Narrenbild, die für jede Karte gelten kann; **jo|kos** *veraltet:* spaßig, scherzhaft; **Jo|ku|la|tor** *m. 13, Spätantike und MA:* umherziehender Spaßmacher, Sänger und Musiker; **Jo|kus** *m. Gen.* - *nur Ez., ugs.:* Spaß, Scherz, Ulk
Jol|le *w. 11* **1** kleines, einmastiges Segelboot; **2** kleines, breites Ruderboot; bes. als Beiboot; **3** *auch:* Jollentau; **Jol|len|tau, Jol|tau** *s. 1* Tau, das durch einen flachen Block geführt wird
Jom Kip|pur [hebr. »Tag der Buße«] *m. Gen.* -- *nur Ez.* hoher jüdischer Feiertag, Versöhnungsfest
Jo|mud [nach den Jomuden] *m. Gen.* -(s) *Mz.* -s turkmen. Teppich mit Rhombenmuster
Jo|na, Jo|nas Prophet des AT
Jon|gleur *auch:* **Jong|leur** [ʒɔ̃glør, frz.] *m. 1* **1** *frz. Bez. für* Jokulator; **2** Geschicklichkeitskünstler, der Spiele mit mehreren Bällen, Tellern u. a. vorführt; **jon|glie|ren** *auch:* **jong|lie-** [ʒɔ̃-] *intr. 3* **1** mit mehreren Bällen, Tellern u. a. zugleich spielen; **2** *übertr.:* etwas geschickt und flink handhaben
Jöpp|chen *s. 7;* **Jop|pe** *w. 11*
Jor|dan *m. Gen.* -(s) Fluss in Syrien, Libanon, Jordanien und Israel; **Jor|da|ni|en** Königreich in Vorderasien; **Jor|da|ni|er** *m. 5;* **jor|da|nisch**
Jo|ru|ri [dʒo-, jap.] *s. Gen.* -(s) *Mz.* -(s) jap. Puppenspiel mit Musik
jo|se|phi|nisch; josephinisches Zeitalter: das Zeitalter Josephs II. von Österreich; **Jo|se|phi|nis|mus** *m. Gen.* - *nur Ez.* **1** *i. e. S.* die Kirchenpolitik Josephs II.; **2** *i. w. S.* der durch Reformen gekennzeichnete, aufgeklärte Absolutismus Josephs II.
Jo|ta, Io|ta *s. 9* **1** griech. Buchstabe, *Zeichen:* ι I; **2** *übertr.:* Kleinigkeit; kein Jota davon abweichen: nicht das Geringste; um kein Jota besser: um nichts besser; **Jo|ta|zis|mus** *m. Gen.* - *nur Ez.* = Itazismus
Joule [dʒul oder dʒaul, nach dem engl. Physiker James Prescott J.] *s. Gen.* -(s) *Mz.* - (*Abk.:* J) Maßeinheit der Energie, 1 J = 1 Wattsekunde
Jour [ʒur, frz.] *m. 9, früher:* Dienst-, Empfangstag; Jour haben; Jour fixe [ʒur fiks]: festgesetzter Tag, an dem man sich regelmäßig trifft; vgl. à jour; **Jour|nail|le** [ʒurnaljə] *w. 11 nur Ez.* verantwortungslose, hetzerische Tagespresse; **Jour|nal** [ʒur-] *s. 1* **1** Rechnungsbuch, buchhalterisches Tagebuch; **2** Zeitschrift; **Jour|na|lis|mus** [ʒur-] *m. Gen.* - *nur Ez.* **1** Zeitungswesen; **2** schriftstellerische Tätigkeit für Zeitungen; **Jour|na|list** *m. 10* **1** für die Zeitung tätiger Schriftsteller; **2** Wissenschaftler der Journalistik; **Jour|na|lis|tik** *w. 10 nur Ez.* Zeitungswissenschaft; **jour|na|lis|tisch** die Journalistik, den Journalismus betreffend, darauf beruhend
jo|vi|al [lat.] leutselig, wohlwollend-herablassend; **Jo|vi|a|li|tät** *w. 10 nur Ez.* joviales Verhalten, Leutseligkeit
Joy|stick [dʒɔi-, engl.] *m. 9* Steuerhebel für Computerspiele
jr., jun., *Abk. für* junior
Jü|an *m. Gen.* - *Mz.* - = Yüan
Ju|bel *m. Gen.* -s *nur Ez.;* **Ju|bel|braut** *w. 2* Braut einer Jubelhochzeit; **Ju|bel|fest** *s. 1* Jubiläum; **Ju|bel|greis** *m. 1* alter → Jubilar; **Ju|bel|hoch|zeit** *w. 10* silberne, goldene, diamantene oder eiserne Hochzeit; **Ju|bel|jahr** *s. 1* Jubiläumsjahr, *bei den Juden:* Halljahr, jedes 50. Jahr, *kath. Kirche:* Erlassjahr, jedes 25. Jahr; alle Jubeljahre *ugs.:* sehr selten; **ju|beln** *intr. 1;* ich jubele, juble; **Ju|bel|paar** *s. 1* Paar, das eine Jubelhochzeit feiert; **Ju|bel|ruf** *m. 1;* **Ju|bi|lar** *m. 1* jmd., zu dessen Ehren ein Jubiläum gefeiert wird; **Ju|bi|la|rin** *w. 10;* **Ju|bi|la|te** [»frohlocket, jubelt!«] dritter Sonntag nach Ostern; **Ju|bi|lä|um** *s. Gen.* -s *Mz.* -lä|en Jahrestag, Gedenktag, bes. nach einer runden Zahl von Jahren; 25., 50., 100. Jubiläum; **Ju|bi|lä|ums|aus|ga|be** *w. 11* (eines Buches); **ju|bi|lie|ren** *intr. 3* **1** jubeln; **2** singen (Vögel)
Juc|hart, Ju|chert, Jau|chert *m. 1, schweiz. w. 10, nach Zahlenangaben Mz.* - altes Feldmaß, Tagewerk, 34 – 47 ha

juch|he!; Juch|he *s. Gen.* -(s) *nur Ez.* laute Fröhlichkeit; **juch|hei!; juch|hei|ras|sa!; juch|hei|ras|sas|sa!; juch|hei|sa!, juch|hei|ßa!**
juch|ten aus Juchtenleder (hergestellt); **Juch|ten** *s. Gen.* -s *nur Ez.* **1** Juchtenleder; **2** Parfüm mit Juchtenlederduft; **Juch|ten|le|der** *s. 5 nur Ez.* feines Kalbsleder (das früher mit Weiden- und Birkenrindenstoffen gegerbt wurde und daher seinen besonderen Duft erhielt)
juch|zen *intr. 1;* **Juch|zer** *m. 5*
ju|cken *tr. u. intr. 1* **1** *mit Akk. oder Dat.* a) *bei Körperteilen:* mir, mich juckt die Nase, der Rücken; b) *übertr.:* mir, mich jucken die Finger, *oder:* es juckt mir, mich in den Fingern: es reizt mich, ich möchte gern; ihn, ihm juckt das Fell: er möchte es wagen; **2** *nur mit Akk.* a) *bei Körperteilen, wenn das Verb unpersönlich gebildet wird:* es juckt mich in der Nase, am Rücken; b) *bei Gegenständen:* der Schal, die Wolle juckt mich; c) *übertr., bei unpersönl. Verbalform und ohne nähere Angabe:* es juckt mich: es reizt mich; wen es juckt, der kratze sich: wem etwas nicht passt, der sage es
Ju|cker *m. 5* leichtes Wagenpferd
Juck|flech|te *w. 11;* **Juck|pul|ver** *s. 5;* **Juck|reiz** *m. 1*
Ju|da|i|ka *Mz.* Bücher, Bilder, Dokumente über das Judentum; **Ju|da|is|mus** *m. Gen. - nur Ez.* **1** die jüdische Religion; **2** eine Richtung im Urchristentum, die am mosaischen Gesetz und an der Beschneidung festhielt und beides als heilsnotwendig betrachtete; vgl. Judenchrist; **Ju|das** [nach Judas, dem Jünger Jesu] *m. Gen. - Mz.* -dasse heimtückischer Mensch, bezahlter Verräter; **Ju|das Is|cha|ri|ot** [-ça-, umg.: -iʃa-] einer der zwölf Apostel, Verräter Jesu; **Ju|das|kuß** ► **Ju|das|kuss** *m. 2* Freundlichkeit aus Heimtücke; **Ju|das|lohn** *m. 2* Bezahlung für Verrat
Ju|de *m. 11;* **Ju|den|bart** *m. 2 nur Ez.* eine Zierpflanze, rankender Steinbrech; **Ju|den|christ** *m. 10* **1** zum Christentum bekehrter Jude; **2** *im frühen Christentum:* Christ jüdischer Abstammung, der noch an jüdischen Gesetzen und Bräuchen festhielt, sie aber nicht als heilsnotwendig betrachtete; vgl. Heidenchrist, Judaismus; **Ju|den|chris|ten|tum** *s. Gen.* -s *nur Ez.;* **Ju|den|deutsch** *s. Gen.* -(s) *nur Ez.* = Jiddisch; **Ju|den|kir|sche** *w. 11* eine Zierpflanze; **Ju|den|stern** *m. 1* Davidsstern; **Ju|den|tum** *s. Gen.* -s *nur Ez.;* **Ju|den|ver|fol|gung** *w. 10*
Ju|di|ka, Ju|di|ca *ohne Artikel* zweiter Sonntag vor Ostern; an, zu Judika
Ju|di|kat [lat.] *s. 1, veraltet:* Urteil; **Ju|di|ka|ti|on** *w. 10, veraltet:* Be-, Ver-, Aburteilung; **Ju|di|ka|ti|ve** *w. 11* richterliche Gewalt; vgl. Exekutive, Legislative; **ju|di|ka|to|risch** *veraltet:* richterlich; **Ju|di|ka|tur** *w. 10 nur Ez.* Rechtsprechung, richterliche Praxis
Jü|din *w. 10;* **jü|disch**
ju|di|zie|ren [lat.] *tr. 3, veraltet:* Recht sprechen, richten; **Ju|di|zi|um** *s. Gen.* -s *Mz.* -zi|en **1** Urteilsfähigkeit, Rechtsfindungsvermögen; **2** Urteil
Ju|do [jap.] *s. Gen.* -(s) *nur Ez.* sportlich betriebenes Jiu-Jitsu; **Ju|do|ka** *m. 9* Judosportler
Ju|gend *w. Gen. - nur Ez.;* **Ju|gend|al|ter** *s. 5 nur Ez.;* **Ju|gend|amt** *s. 4;* **Ju|gend|ar|rest** *m. 1 nur Ez.;* **Ju|gend|be|we|gung** *w. 10;* **ju|gend|frei** für Jugendliche zugelassen (Film); **Ju|gend|freund** *m. 1;* **Ju|gend|freund|schaft** *w. 10;* **Ju|gend|funk** *m. Gen.* -s *nur Ez.;* **Ju|gend|für|sor|ge** *w. Gen. - nur Ez.* staatl. Maßnahmen zur Erziehung gefährdeter Jugendlicher; **ju|gend|ge|fähr|dend;** jugendgefährdende Schriften; **Ju|gend|her|ber|ge** *w. 11; vgl.* DJH; **Ju|gend|hil|fe** *w. 11 nur Ez., Sammelbez. für* Jugendfürsorge, -pflege und -wohlfahrtspflege; **Ju|gend|ir|re|sein** *s. Gen.* -s *nur Ez.* = Hebephrenie; **Ju|gend|kri|mi|na|li|tät** *w. 10 nur Ez.;* **ju|gend|lich; Ju|gend|li|che(r)** *m. 18 (17) bzw. w. 17 oder 18;* **Ju|gend|lich|keit** *w. 10 nur Ez.;* **Ju|gend|lie|be** *w. 11;* **Ju|gend|mu|sik|schu|le** *w. 11;* **Ju|gend|pfle|ge** *w. 11 nur Ez.* Bestrebungen von Staat, Parteien und Kirchen zur Freizeitgestaltung Jugendlicher in der Gemeinschaft; **Ju|gend|pfle|ger** *m. 5;* **Ju|gend|schutz** *m. Gen.* -es *nur Ez.;* **Ju|gend|stil** *m. 1 nur Ez.* nach der Zeitschrift »Jugend« benannte Kunstrichtung von 1895 bis 1910, bes. in Kunstgewerbe, Buchkunst und Malerei, die durch Betonung von Fläche und Linie und Ornamentalisierung der Natur gekennzeichnet ist; **Ju|gend|stra|fe** *w. 11;* **Ju|gend|sün|de** *w. 11;* **Ju|gend|wei|he** *w. 11* **1** *in der ehem. DDR und freireligiösen Gemeinden:* Feier für Jugendliche zum Eintritt ins Erwachsenenalter an Stelle von Konfirmation und Kommunion; **2** *bei Naturvölkern* vgl. Initiation; **Ju|gend|werk|hof** *m. 2, ehem. DDR:* Erziehungs- u. Ausbildungsstätte für schwererziehbare und straffällig gewordene Jugendliche; **Ju|gend|wohl|fahrts|pfle|ge** *w. 11 nur Ez.* Jugendfürsorge und Jugendpflege; **Ju|gend|wohn|heim** *s. 1*
Ju|go|sla|we *auch:* **-gos|la-** *m. 11;* **Ju|go|sla|wi|en** *auch:* **-gos|la-** Staat in Europa; **ju|go|sla|wisch** *auch:* **-gos|la-**
ju|gu|lar [lat.] zur Kehle, Drossel gehörig; **Ju|gu|lar|ader** *w. 11* Kehl-, Drosselader; **Ju|gu|lum** *s. Gen.* -s *Mz.* -la Drosselgrube, Grube an der Vorderseite des Halses zwischen den Schlüsselbeinen
Juice [dʒus, engl.] *s. Gen. - Mz.* -s [-sɪz] Obstsaft aus frischen Früchten
Juist [jyst] eine ostfriesische Insel
Ju|ju|be *w. 11* **1** ein Strauch, Judendorn; **2** eine Beere, Brustbeere, Heilmittel gegen Brustkatarrh
Juke|box [dʒuk-, engl.] Automat zum Abspielen von Schallplatten nach Münzeinwurf
Ju|lei *verdeutlichende Aussprache von* Juli
Jul|fest *s. 1, in Skandinavien:* Weihnachtsfest, Wintersonnwendfest
Ju|li *m. Gen.* -(s) *nur Ez.*
ju|li|a|nisch; der julianische Kalender: von Julius Cäsar eingeführter Kalender von 365 Tagen mit einem Schaltjahr alle vier Jahre; **Ju|li|enne** [ʒyljɛ̃n, frz.] *w. Gen. - nur Ez.* in Streifen geschnittenes Gemüse als Suppeneinlage; **Ju|li|er 1** *m. 5* Ange-

► = wird zu

höriger eines altröm. Kaisergeschlechtes; **2** *m. 5 nur Ez.* Julierpass; **Ju|li|er|paß** ► **Ju|li|er|pass** *m. 2 nur Ez.* ein Alpenpass

Ju|li|kä|fer *m. 5* ein dem Maikäfer verwandter Käfer, Rosenlaubkäfer; **Ju|li|re|vo|lu|ti|on** *w. 10 nur Ez.* Revolution am 27. – 29. Juli 1830 in Paris, durch die Karl X. von Bourbon gestürzt wurde

ju|lisch zu den Juliern gehörend, von ihnen stammend; *aber:* die Julischen Alpen

Jul|klapp *m. Gen.* -s *nur Ez.* **1** skandinav. Sitte, am Julfest unerkannt ein Geschenk ins Zimmer zu werfen; **2** das Geschenk selbst; **Jul|mond** *m. 1, alter Name für* Dezember; **Jul|nacht** *w. 2* Nacht vom 24. zum 25. Dezember

Jum|bo *m. 9, Kurzw. für* Jumbo-Jet; **Jum|bo-Jet** *Nv.* ► **Jum|bo|jet** *Hv.* [dʒʌmbodʒɛt, engl.] *m. 9* strahlgetriebenes Großraumflugzeug

Jum|per [dʒʌm-, engl.] *m. 5, veraltet:* Strickbluse, Pullover für Damen

jun., jr. *Abk. für* junior

> **Jung und Alt, das Jüngste Gericht:** Das substantivierte Adjektiv schreibt man mit großem Anfangsbuchstaben: *Die Jungen/Junge und Alte waren da.* Ebenso: *Die Feier gefiel Jung und Alt. Unsere Jüngste ist zwölf.* →§ 57 (1), § 58 E2
> In bestimmten substantivischen Wortgruppen werden Adjektive auch dann großgeschrieben, wenn kein Eigenname vorliegt: *das Jüngste Gericht.* →§ 64 (3)

jung **1** *Kleinschreibung:* von jung auf; **2** *Großschreibung:* Jung und Alt; Junge und Alte; Holbein der Jüngere (*Abk.:* d. J.); er ist der Jüngere von beiden; er ist der Jüngste von uns, von allen Söhnen; er ist unser Jüngster; er ist nicht mehr der Jüngste; Jung Siegfried; das Junge Deutschland: eine revolutionäre Dichtergruppe nach 1830; Junge Union: Vereinigung der jüngeren Mitglieder der CDU/CSU; das Jüngste Gericht; der Jüngste Tag

Jung|ak|ti|vist *m. 10 (ehem.* DDR); **Jung|brun|nen** *m. 7;* **Jung|deut|sche** *m. 18 Mz.* Angehörige des Jungen Deutschlands; **Jun|ge** *m. 11, ugs. Mz. auch:* -ns; **Jün|gel|chen** *s. 7;* **jun|gen** *intr. 1* Junge werfen; **jun|gen|haft; Jun|gen|haf|tig|keit** *w. 10 nur Ez.;* **Jun|gen|streich** *m. 1*

Jün|ger *m. 5;* **Jün|ge|rin** *w. 10;* **Jün|ger|schaft** *w. 10 nur Ez.*

Jung|fer *w. 11;* **jüng|fer|lich; Jüng|fer|lich|keit** *w. 10 nur Ez.;* **Jung|fern|fahrt** *w. 10* erste Fahrt (bes. eines Schiffes); **Jung|fern|häut|chen** *s. 7* ringförmiges Häutchen in der Scheide, das beim ersten Geschlechtsverkehr zerreißt, Hymen; **Jung|fern|re|de** *w. 11* erste Rede (eines Abgeordneten); **Jung|fern|schaft** *w. 10 nur Ez.;* **Jung|fern|zeu|gung** *w. 10* Entwicklung einer Eizelle ohne vorhergehende Befruchtung, Parthenogenese; **Jung|frau** *w. 10;* **jung|fräu|lich; Jung|fräu|lich|keit** *w. 10 nur Ez.;* **Jung|frau|schaft** *w. 10 nur Ez., veraltet:* Jungfräulichkeit; **Jung|ge|sel|le** *m. 11;* **Jung|ge|sel|len|bu|de** *w. 11 ugs.;* **Jung|ge|sel|len|wirt|schaft** *w. 10 nur Ez.;* **Jung|ge|sel|lin** *w. 10;* **Jung|gram|ma|ti|ker** *m. 5 Mz.* eine sprachwissenschaftl. Richtung um 1900

jun|gie|ren [lat.] *tr. 3, veraltet:* verbinden, zusammenlegen; vgl. Junktim

Jüng|ling *m. 1;* **Jüng|lings|al|ter** *s. 5 nur Ez.;* **jüng|lings|haft; Jung|mann** *m. 4* **1** *veraltet:* Jüngling; **2** junger Sportler; **Jung|mann|schaft** *w. 10;* **Jung|pa|lä|o|li|thi|kum** *s. Gen.* -s *nur Ez.* jüngerer Abschnitt der Altsteinzeit; **Jung|pi|o|nier** *m. 1, ehem. DDR:* 6 – 9-jähriges Mitglied (1. – 3. Schulklasse) der Pionierorganisation »Ernst Thälmann« (Massenorganisation der 6 – 14-jährigen Kinder); **Jung|so|zi|a|lis|ten** *m. 10 Mz.* (*Kurzw.:* Jusos) Vereinigung der jüngeren Mitglieder der SPD

jüngst **1** *Adv.:* kürzlich; **2** *Adj.:* vgl. jung; **Jung|stein|zeit** *w. 10 nur Ez.* Neolithikum; **jüngs|tens, jüngst|hin** jüngst (**1**); **jüngst|ver|gan|gen;** in jüngstvergangener Zeit; **Jung|tier** *s. 1;* **Jung|tür|ken** *m. 11 Mz., 1876 bis 1918:* eine polit.-liberale türk. Bewegung; **jung|ver|hei|ra|tet** ► **jung ver|hei|ra|tet;** das jung verheiratete Paar; **Jung|vieh** *s. Gen.* -s *nur Ez.;* **Jung|wild** *s. Gen.* -(e)s *nur Ez.*

Ju|ni *m. Gen.* -(s) *nur Ez.;* **Ju|ni|kä|fer** *m. 5* dem Maikäfer verwandter Käfer

ju|ni|or [lat.] (*Abk.:* jun., jr.) *nach Personennamen:* der Jüngere; Hans Meyer jun.; *Ggs.:* senior; **Ju|ni|or** *m. 13* **1** der Jüngere, der Sohn; **2** *Sport:* Jugendlicher; *Ggs.:* Senior; **Ju|ni|o|rat** *s. 1* = Minorat; *Ggs.:* Seniorat; **Ju|ni|or|chef** [-ʃɛf] *m. 9* der jüngere von zwei Chefs (eines Betriebes); *Ggs.:* Seniorchef; **Ju|ni|o|ren|mann|schaft** *w. 10*

Ju|ni|pe|rus [lat.] *m. Gen.* - *Mz.* - = Wacholder

Jun|ker *m. 5;* **jun|ker|lich; Jun|ker|tum** *s. Gen.* -s *nur Ez.*

Jun|kie [dʒʌŋki, engl.] *m. 9* Rauschgiftsüchtiger

Junk|tim [lat.] *s. 9* Verbindung von Gesetzesvorlagen oder polit. bzw. wirtschaftl. Maßnahmen, die nur insgesamt behandelt werden können; **Junk|tims|vor|la|ge** *w. 11;* **Junk|tur** *w. 10* **1** *veraltet:* Verbindung, Fuge; **2** *Med.:* Gelenk

Ju|no **1** *röm. Myth.:* Göttin der Geburt und der Ehe; **2** *w. Gen.* - ein Planetoid; **3** *verdeutlichende Aussprache von* Juni; **ju|no|nisch** der Juno (**1**) ähnlich, stolz, stattlich, üppig; junonische Gestalt

Jun|ta [span.: xun-] *w. Gen.* - *Mz.* -ten, *in Spanien und bes. Lateinamerika:* Regierungsausschuss

Jüp|chen *s. 7* Säuglingsjäckchen

Ju|pi|ter **1** *röm. Myth.:* oberster Gott; **2** *m. Gen.* - ein Planet; **Ju|pi|ter|lam|pe** *w. 11* sehr helle elektr. Lampe (bes. für Filmaufnahmen)

Ju|ra **1** *Mz. von* Jus, die Rechte, Rechtswissenschaft; Jura studieren; **2** *m. Gen.* -(s) *nur Ez.* mittlere Formation des Mesozoikums; **3** *m. 9 Bez. für* Gebirge; Fränkischer, Schwäbischer, Schweizer Jura; **4** [frz. ʒyra] *seit 1979:* schweiz. Kanton; **Ju|ra|for|ma|ti|on** *w. 10* = Jura (**2**);

Ju|ras|si|er *m. 5* Bewohner eines Juras (**3**); **ju|ras|sisch** zum Jura (**2**) gehörend, aus ihm stammend

ju|ri|disch [lat.] *veraltet, noch österr.:* rechtlich, zum Recht, zur Rechtswissenschaft gehörig, darauf beruhend; vgl. juristisch; **ju|rie|ren** *tr. 3* (als Preisgericht, als Jury) beurteilen; **Ju|ris|dik|ti|on** *w. 10* Rechtsprechung, Gerichtsbarkeit; **Ju|ris|pru|denz** *w. 10 nur Ez.* Rechtswissenschaft; **Ju|rist** *m. 10* jmd., der ein rechtswissenschaftl. Studium absolviert hat; **Ju|ris|te|rei** *w. 10 nur Ez., ugs.:* Rechtswissenschaft; **ju|ris|tisch** zum Recht, zur Rechtswissenschaft gehörig, darauf beruhend; juristische Person: Vereinigung von mehreren Personen (Verein, Körperschaft), Institutionen (Anstalt) oder Vermögensmassen (Betrieb, Stiftung), die wie eine einzige natürliche Person vom Staat als rechtsfähig anerkannt werden; **Ju|ror** *m. 13* Mitglied einer Jury

Jur|te [russ.-türk.] *w. 11* rundes Filzzelt mittelasiatischer Nomaden

Ju|ry [frz. ʒyri, auch: ʒyri, engl. dʒuri, dt. juri] *w. 9* **1** *im angloamerikan. Recht:* Schwurgericht; **2** Preisrichterkollegium (bei Kunstausstellungen, sportl. Veranstaltungen); **ju|ry|frei** nicht von Fachleuten zusammengestellt; **Jus** *s. Gen. - Mz.* Ju|ra Recht; Jus studieren; Jus ad rem »Recht an der Sache«: Eigentums-, Nutzungsrecht; Jus divinum: göttl. Recht; Jus gentium: Völkerrecht; Jus naturale: Naturrecht; Jus primae noctis *in der Feudalzeit:* Recht der ersten Nacht, Recht des Gutsherrn auf die Brautnacht einer Leibeigenen; Jus privatum: Privatrecht; Jus publicum: öffentl. Recht

Jus [ʒy, frz.] *w., süddt., schweiz. auch: s. Gen. - nur Ez.,* **1** starke Fleischbrühe; **2** mit Fleischbrühe von der Pfanne gelöster Bratensatz; **3** *schweiz. auch:* Gemüse-, Obstsaft, z. B. Tomatenjus

Ju|sos *m. 9 Mz., Kurzw. für* Jungsozialisten

just [lat.] *veraltet, noch poet.:* eben, gerade; just, als er hereinkam; ich war just am Gehen, als…; das ist just das Rechte; **jus|ta|ment** *veraltet:* **1** gerade, genau; das ist j. dasselbe; **2** erst recht, nun gerade; er tat j. das Gegenteil

jus|tie|ren [lat.] *tr. 3* genau einstellen, auf das genaue Maß bringen, eichen; **Jus|tie|rer** *m. 5* jmd., der etwas justiert, Münzprüfer; **Jus|tier|schrau|be** *w. 11;* **Jus|tie|rung** *w. 10;* **Jus|tier|waa|ge** *w. 11* Münzwaage; **Jus|ti|fi|ka|ti|on** *w. 10* Genehmigung, Anerkennung als richtig; **Jus|ti|fi|ka|tur** *w. 10* Rechnungsprüfung und -genehmigung; **jus|ti|fi|zie|ren** *tr. 3*

Jus|ti|tia [-tsja] *röm. Myth.:* Göttin der Gerechtigkeit; **Jus|ti|ti|ar** [-tsjar, lat.] *Nv.* ► **Jus|ti|zi|ar** *Hv. m. 1,* **Jus|ti|ti|a|ri|us** *m. Gen. - Mz.* -ri|en, *veraltet:* Rechtsbeistand (eines Betriebes oder einer Behörde), Syndikus; **Jus|ti|ti|um** [-tsjum] *s. Gen.* -s *Mz.* -ti|en [-tsjən] vorübergehender Stillstand der Rechtspflege (infolge schwer wiegender Ereignisse); **Jus|tiz** *w. 10 nur Ez.* **1** Gerechtigkeit; **2** Rechtspflege, Rechtswesen; **Jus|tiz|irr|tum** *m. 4* falsche Entscheidung des Gerichts; **Jus|tiz|mi|nis|ter** *m. 5;* **Jus|tiz|mord** *m. 1* Verurteilung eines Unschuldigen zum Tode; **Jus|tiz|rat** *m. 2* Titel für verdienten Juristen, der nicht im Beamtenverhältnis steht; **Jus|tiz|voll|zugs|an|stalt** *w. 10* amtl. Bez. für Gefängnis

Ju|te [hindustan.-engl.] *w. 11* **1** indische Bastfaserpflanze; **2** *auch:* ähnliche Faser anderer Pflanzen

Jü|te *m. 11,* Jüt|län|der *m. 5,* Einwohner Jütlands; **Jü|tin** *w. 10* Einwohnerin Jütlands; **jü|tisch**, jüt|län|disch; **Jüt|land** das dänische Festlandsgebiet; **Jüt|län|der** *m. 5* = Jüte; **jüt|län|disch** = jütisch

ju|ve|nil [lat.] jugendlich; *Ggs.:* senil; juveniles Wasser: aus dem Erdinnern kommendes, erstmals am atmosphärischen Kreislauf teilnehmendes Wasser; *Ggs.:* vadoses Wasser; **Ju|ve|ni|lis|mus** *m. Gen. - nur Ez.* leichte Form des →Infantilismus

ju|vi|val|le|ra! [-val- oder -fal-]

Ju|wel [frz.-ndrl.] *s. 12* **1** geschliffener Edelstein; **2** Kleinod, etwas Kostbares; **3** *ugs.: scherzhaft:* sehr tüchtiger Mensch, der alles bestens erledigt; **Ju|we|lier** *m. 1* Goldschmied, Schmuckhändler; **Ju|we|lier|wa|ren** *w. 11 Mz.* Schmuckwaren

Jux [lat.] *m. 1* Scherz, Spaß, Ulk; **ju|xen** *intr. 1* scherzen, Spaß machen

Jux|ta [lat.], Jux|te *w. Gen. - Mz.* -ten Streifen am Rand von kleinen Wertpapieren (z. B. Losen), der zur Kontrolle abgetrennt werden kann; **Jux|ta|po|si|ti|on** *w. 10* **1** Nebeneinanderstellung; **2** *bei Kristallen:* Wachstum durch Anlagerung kleiner Teilchen; **Jux|te** *w. 11* = Juxta

j. w. d., jwd, *ugs. scherzh. Abk. für* janz weit draußen: sehr weit weg, sehr abgelegen; sie wohnen j. w. d.

► = wird zu

K

k 1 *Abk. für* Kilo...; **2** *Abk. für* Karat

K 1 *chem. Zeichen für* Kalium; **2** *Abk. für* Kelvin; °**K** *Abk. für* Grad Kelvin, auf den absoluten Nullpunkt bezogene Temperatur; 0° K = −273,16° C

Kalalba [arab.] *w. Gen. - nur Ez.* Hauptheiligtum des Islams in Mekka

Kalballe [neuhebr.-frz.] *w. 11, veraltet:* Ränke, Intrige; **kalbalielren** *intr. 3, veraltet:* Ränke schmieden

Kalbalrett [frz.] *s. 1 oder s. 9* Bühne für kurze, satirische, zeitkritische Darstellungen; **Kabalretltier** [-tje] *m. 9* Besitzer, Leiter eines Kabaretts; **Kalbaretltist** *m. 10* Künstler in einem Kabarett; **kalbalretltisltisch**

Kalbäuslchen [zu Kabuse] *s. 7, ugs.:* kleines Haus od. Zimmer

Kablballa [neuhebr.] *w. Gen. - nur Ez.* mittelalterl., mit Buchstaben- und Zahlensymbolik sowie allegor. Deutung der Bibel verbundene jüd. Geheimlehre; **Kablballist** *m. 10* Kenner der Kabbala; **Kablballisltik** *w. 10 nur Ez., allg.:* Geheimlehre; **kablballisltisch 1** zur Kabbala gehörend, auf ihr beruhend; **2** geheimwissenschaftlich

Kablbellei *w. 10, bes. norddt.:* lustiger Streit, Frotzelei

kablbellig *Seew.:* unruhig (Meer)

kablbeln *refl. 1, bes. norddt.:* sich lustig streiten, frotzeln

Kablbellung *w. 10 nur Ez., Seew.:* Kräuselbewegung des Meeres

Kalbel [frz.] *s. 5* **1** starkes Tau; **2** isolierte elektrische Leitung; **3** Überseetelegramm, Kabelgramm; **Kalbellfernlselhen** *s. Gen.* -s *nur Ez.* über Kabel ausgestrahlte Fernsehsendungen, Closed-Circuit-Television; **Kalbellgatt** *s. 9 oder s. 12; auf Schiffen:* Raum für Tauwerk; **Kalbellgramm** *s. 1* = Kabel (**3**)

Kalbelljau *m. 1 oder m. 9* ein Fisch

kalbeln *tr. 1* durch Kabel (**3**) mitteilen; **Kalbellschuh** *m. 1* Klemme an elektr. Kabeln

Kalbilne [engl.] *w. 11* **1** *auf Schiffen:* Schlaf-Wohn-Raum für Passagiere; **2** *in Bädern u. a.:* kleiner Umkleideraum; **Kalbilnenlkoflfer** *m. 5* großer Koffer mit Fächern, Schrankkoffer; **Kalbilnett** *s. 1* **1** kleines Zimmer, Nebenraum; **2** *österr.:* kleines, einfenstriges Zimmer; **3** Raum mit Kunstsammlung, z. B. Kupferstichkabinett; **4** *früher auch:* in Fächer geteilter Schrank mit Kunstgegenständen; **5** *übertr.:* die Berater eines Staatsoberhauptes; **6** Gesamtheit der Minister einer Regierung; **Kalbilnettlforlmat** *s. 1* fotograf. Bildformat von 10 × 14 cm; **Kalbilnettslfralge** *w. 11* Vertrauensfrage des Kabinetts an das Parlament, von deren Beantwortung es abhängt, ob ein Minister bzw. die Regierung im Amt bleibt oder nicht; **Kalbilnettsljusltiz** *w. Gen. - nur Ez.* verfassungswidrige Einmischung der Regierung in die Rechtsprechung; **Kalbilnettslkrilse** *w. 11;* **Kalbilnettslorlder** *w. 11* Anordnung des Herrschers in einer Angelegenheit, die er allein zu entscheiden hat; **Kalbilnettlstück** *s. 1* **1** bes. wertvoller Kunstgegenstand (der nicht in einer allg. Sammlung, sondern im Kabinett (**3**) aufbewahrt wird); **2** *übertr.:* Meisterstück, bes. geschicktes Vorgehen

Kalbis *m. Gen. - Mz.* -, *süddt., schweiz.:* Kohl, vgl. Kappes

Kalboltalge [-ʒə, frz.] *w. 11* Küstenschifffahrt zwischen Häfen des gleichen Landes; **kalbotielren** *intr. 3* Kabotage treiben

Kalbrio, Calbrio, *auch:* **Kablrio,** Cablrio *s. Gen.* -(s) *Mz.* -s, *kurz für* Kabriolett, Carbiolet; **Kabrilollett,** Calbrilollet [-leː, frz.], *auch:* **Kablrilollett,** Cablrilollet *s. 9* **1** *früher:* leichter, zweirädriger Einspänner; **2** Personenkraftwagen mit zurückklappbarem Verdeck; *Ggs.:* Limousine; **Kalbrilollilmouslilne** [-mu], Calbrilo-, *auch:* **Kablrilollilmouslilne,** Cablrilo- *w. 11* Limousine mit Schiebedach

Kalbuff [zu Kabüse] *s. 1, ugs.:* enger, dunkler Raum

Kalbulki [jap.] *s. Gen.* -(s) *Mz.* -(s) jap. Schauspiel mit Musik und Tanz

Kalbul Hst. von Afghanistan

Kalbulse *w. 11, norddt.* **1** enger, dunkler Raum; **2** Hütte, schlechte Wohnung; **3** *Nebenform von* Kombüse

Kalbylle *m. 11* Angehöriger eines Berberstammes; **kalbylisch**

Kachlekltilker *auch:* **Kalchek-** [griech.] *m. 5* von Kachexie befallener Mensch; **kachlekltisch** *auch:* **kalchek-**

Kachel *w. 11;* **kacheln** *tr. 1;* ich kachele, kachle das Bad; **Kachellolfen** *m. 8*

Kachlelxie *auch:* **Kalchelxie** [griech.] *w. 11* völliger Kräfteverfall

Kacke *w. 11 nur Ez., vulg.:* Kot; **kacken** *intr. 1, vulg.:* Kot ausscheiden; **kacklfidel** *sächs.:* unbekümmert fidel

Kaldalver [lat.] *m. 5* Tierleiche, Aas; **Kaldalverlgelhorlsam** *m. Gen.* -s *nur Ez.* Gehorsam unter Ausschaltung des eigenen Willens und Urteils

Kaldenz [ital.] *w. 10* **1** abschließende Akkordfolge; **2** *im Instrumentalkonzert:* unbegleitete, verzierende, meist virtuose Wiederholung der Hauptthemen durch den Solisten; **3** *Metrik:* die Art des Versschlusses, z. B. Reim; **kaldenlzielren** *intr. 3* eine Kadenz (**2**) spielen

Kalder [frz.] *m. 5* **1** erfahrene Kerngruppe (eines Heeres, einer Sportmannschaft); **2** *ehem. DDR:* a) Bestand an Fachkräften und Funktionären in einem bestimmten Bereich der Wirtschaft, Volksbildung usw.; b) Person, die zu a) gehört; **Kalderlablteillung** *w. 10, ehem. DDR:* Personalabteilung; **Kalderlaklte** *w. 11, ehem. DDR:* Personalakte; **Kalderlgespräch** *s. 1, ehem. DDR:* Gespräch eines Vorgesetzten mit seinem Mitarbeiter über dessen berufliche Entwicklung; **Kalderlrelserlve** *w. 11, ehem. DDR:* verfügbarer Bestand an Personen für bes. Aufgaben in einem bestimmten gesellschaftlichen Bereich

Ka|dett [frz.] *m. 10* **1** Zögling einer militär. Erziehungsanstalt für Offiziersanwärter; **2** *Mz., Kurzw. für* konstitutionelle Demokraten, *im zarist. Russland:* eine liberal-monarchist. russische Partei; **Ka|det|ten|an|stalt** *w. 10;* **Ka|det|ten|korps** [-ko:r] *s. Gen.* - [-ko:rs] *Mz.* - [-ko:rs]; **Ka|det|ten|schu|le** *w. 11*

Ka|di [arab.] *m. 9, in islam. Ländern:* Richter; zum Kadi laufen *ugs.:* vor Gericht gehen, einen Prozess anfangen

kad|mie|ren [griech.] *tr. 3,* verkad|men *tr. 2* mit einer Kadmiumschicht überziehen; **Kad|mie|rung** *w. 10;* **Kad|mi|um** *fachsprachl.:* Cad|mi|um *s. Gen.* -s *nur Ez. (Zeichen:* Cd) chem. Element, ein Metall; **Kad|mi|um|gelb, Kad|mi|um|rot** *s. Gen.* -s *nur Ez.* Malerfarbe

ka|duk [lat.] **1** hinfällig, gebrechlich, altersschwach; **2** ungültig; **ka|du|zie|ren** *tr. 3* für ungültig, verfallen erklären; **Ka|du|zie|rung** *w. 10* Verfallserklärung

Kä|fer *m. 5*

Kaff *s. 9* **1** *ugs. abfällig:* kleines, langweiliges Dorf; **2** *nddt.:* Spreu; wertloses Zeug, Plunder

Kaf|fee [auch: kaf-, arab.-frz.] **1** *m. 9 nur Ez.* Kaffeebohnen; **2** *m. 9, nach Zahlen Mz. auch* - Getränk daraus; **3** *s. 9, eindeutschende Schreibung von* Café; **Kaf|fee|baum** *m. 2;* **Kaf|fee|boh|ne** *w. 11;* **Kaf|fee-Er|satz** *Nv.* ► **Kaf|fee|er|satz** *Hv. m. 2 nur Ez.;* **Kaf|fee|haus** [auch: kaf-] *s. 4;* **Kaf|fee|klatsch** *m. 1, ugs.;* **Kaf|fee|ma|schi|ne** *w. 11;* **Kaf|fee|sie|der** *m. 5, österr.:* Kaffeehausbesitzer; **Kaf|fee|tan|te** *w. 11 ugs.;* **Kaf|fee|tisch** [auch: kaf-] *m. 1*

Kaf|fer 1 [zu Kafir] *m. 14* Angehöriger eines Bantuvolkes; **2** [jidd.] *m. 5* dummer Kerl; **Kaf|fern|büf|fel** *m. 5* tropisch-afrik. Wildrind

Kä|fig *m. 1*

Ka|fir [arab.] *m. 14, islam. Bez. für* »Ungläubiger«, Nichtmuslim

Kaf|tan [pers.-arab.] *m. 1* aus dem Orient stammendes, langes Obergewand der orthodoxen Juden

Käf|ter|chen *s. 7, mitteldt.:* Kämmerchen

kahl; Kahl|fraß *m. Gen.* -es *nur Ez.;* **kahl|fres|sen** ► **kahl fressen** *tr. 41;* **Kahl|heit** *w. 10 nur Ez.;* **Kahl|hieb** *m. 1* Fällen aller Bäume (eines Waldstücks) auf einmal; **Kahl|kopf** *m. 2;* **kahl|köp|fig; Kahl|köp|fig|keit** *w. 10 nur Ez.;* **kahl|sche|ren** ► **kahl sche|ren** *tr. 111;* **Kahl|schlag** *m. 2* abgeholztes Waldstück; **Kahl|wild** *s. Gen.* -(e)s *nur Ez.* die geweihlosen weiblichen Tiere und Kälber des geweihtragenden Wildes

Kahm *m. 1* von hefeähnl. Bakterien gebildeter Überzug auf Flüssigkeiten, Kahmhaut; **kahmen** *intr. 1* einen Kahm bekommen; **Kahm|haut** *w. 2* = Kahm; **Kahm|he|fe** *w. 11* Hefe, die Kahm bilden kann; **kah|mig** von Kahm besetzt, schimmelig

Kahn *m. 2;* Kahn fahren; **Kahn|bein** *s. 1* einer der Hand- bzw. Fußwurzelknochen, Schiffbein; **Kähn|chen** *s. 7;* **Kahn|fahrt** *w. 10*

Kai [ndrl.] *m. 9 oder m. 1,* Quai **1** befestigte Anlegestelle für Schiffe; **2** Uferstraße

Kai|man [karib.] *m. 1* ein Krokodil des trop. Südamerika; **Kai|man|fisch** *m. 1* ein Raubfisch

Kai|nit [griech.] *m. 1* ein Mineral, ein Kalidüngemittel

Kains|mal [nach der bibl. Gestalt Kain] *s. 1,* **Kains|zei|chen** *s. 7, übertr.:* Brand-, Schandmal

Kai|ro Hst. von Ägypten; **Kai|ro|er** *m. 5;* **kai|ro|isch**

kai|ro|phob [griech.] Kairophobie empfindend; **Kai|ro|pho|bie** [griech.] *w. 11* krankhafte Furcht vor an sich neutralen oder sogar günstigen Gelegenheiten, Situationsangst

Kai|ser *m. 5;* **Kai|ser|haus** *s. 4;* **Kai|se|rin** *w. 10;* **Kai|se|rin|mut|ter** *w. 6* Mutter eines regierenden Kaisers oder einer regierenden Kaiserin; **kai|ser|lich; kai|ser|lich-kö|nig|lich** (*Abk.:* k. k.), *in Titeln:* Kaiserlich-Königlich (*Abk.:* K. K.); **Kai|ser|ling** *m. 1* ein Pilz; **kai|ser|los; Kai|ser|man|tel** *m. 6* ein Schmetterling; **Kai|ser|reich** *s. 1;* **Kai|ser|schmar|ren** *m. 7* Mehlspeise aus Eierteig (mit Rosinen)

Kai|ser|schnitt [mlat.] *m. 1* eine geburtshilfliche Operation

Kai|ser|schwamm *m. 2;* **Kai|ser|stuhl** *m. Gen.* -(e)s Gebirgszug im Breisgau; **Kai|ser|tum** *s. Gen.* -s *nur Ez.;* **Kai|ser Wil|helm-Ge|sell|schaft** *w. 10 nur Ez., so die amtliche, von den orthograph. Regeln abweichende Schreibung;* **Kai|ser-Wil|helm-Ka|nal** *m. 2 nur Ez., früherer Name für* Nord-Ostsee-Kanal

Ka|jak [eskimoisch] *m. 9, auch: m. 1, österr. auch: s. 1* **1** einsitziges, bis auf den Rudersitz geschlossenes Paddelboot der Eskimos; **2** Sportpaddelboot, Grönländer

Ka|je [ndrl.] *w. 11, nddt.: für* Kai, Deich; **Ka|je|deich** *m. 1* Hilfsdeich

Ka|je|put|baum [mal.] *m. 2* ein austral. und hinterind. Myrtengewächs, Myrtenheide

ka|jo|lie|ren [-ʒo-, frz.] *tr. 3, veraltet;* jmdn. kajolieren: jmdm. schmeicheln, jmdn. liebkosen

Ka|jü|te *w. 11, auf Schiffen:* Wohn-Schlaf-Raum

Ka|ka|du [österr.: -du, mal.] *m. 9* ein Papagei

Ka|kao [auch: -kau, aztek.-span.] **1** *m. 9 nur Ez.* Samen des Kakaobaumes; **2** *m. 9* Getränk daraus; **Ka|ka|o|baum** *m. 2;* **Ka|ka|o|boh|ne** *w. 11;* **Ka|ka|o|but|ter** *w. Gen.* - *nur Ez.* aus Kakaobohnen hergestelltes Fett

ka|keln *intr. 1, ugs.* **1** sich unterhalten, schwatzen; **2** töricht daherreden

Ka|ke|mo|no [jap.] *s. 9* jap. hochformatiges Rollbild aus Seide oder Papier; vgl. Makimono

Ka|ker|lak [span.-ndrl.] *m. 12 oder m. 10* **1** ein Insekt, Küchenschabe; **2** *auch:* Albino

Ka|ki, Kha|ki [pers.-engl.] **1** *s. 9 nur Ez.* erdbraune Farbe; **2** *m. 9* gelbbrauner Stoff (für Tropenuniformen); **ka|ki|braun,** kha|ki|braun; **ka|ki|far|ben,** kha|ki|far|ben; **Ka|ki|pflau|me,** Kha|ki|pflau|me *w. 11* ein in China und Japan kultiviertes Edelholzgewächs; **Ka|ki|u|ni|form,** Kha|ki|u|ni|form *w. 10*

ka|ko..., Ka|ko... [griech.] *in Zus.:* schlecht, übel

Ka|ko|dyl|ver|bin|dung [griech.] *w. 10* übel riechende Arsenverbindung

Ka|ko|pho|nie ► *auch:* **Ka|ko|fo|nie** [griech.] *w. 11* **1** *Mus.:* Missklang, Dissonanz; **2** schlecht klingende Laut- oder

Wortfolge; *Ggs.:* Euphonie; **ka|ko|pho|nisch** ► *auch:* **ka|ko|fo|nisch**
Ka|ko|sto|mie *auch:* **Ka|kos|to|mie** [griech.] *w. 11* schlechter Mundgeruch
Kak|ta|ze|en [griech.-lat.] *Mz.* Kaktusgewächse; **Kak|tee** *w. 11,* **Kak|tus** *m. Gen. - Mz.* -te|en, *österr. auch m. 1* eine amerik. Wüstenpflanze, auch Zierpflanze; **Kak|tus|fei|ge** *w. 11* Frucht des Feigenkaktus
Ka|ku|mi|nal *m. 1* = Zerebral
Ka|la-A|zar [ind. »schwarze Krankheit«] *w. Gen. - nur Ez.* eine trop. Infektionskrankheit, die die inneren Organe und das Knochenmark befällt
Ka|la|bas|se *w. 11* = Kalebasse

> **Kalabre-, Kalabri-** (Worttrennung): Dem/der Schreibenden bleibt überlassen, ob er/sie statt der bisher üblichen Abtrennungsmöglichkeit *(Ka|la|bre-, Ka|la|bri-)* nach seiner/ihrer Aussprache trennt: *Ka|lab|re-, Ka|lab|ri-.* →§110, §112

Ka|la|bre|se *m. 1* Einwohner von Kalabrien; **Ka|la|bre|ser** *m. 5* breitrandiger Filzhut; **ka|la|bre|sisch; Ka|la|bri|en** ital. Landschaft; **Ka|la|bri|er** *m. 5* = Kalabrese; **ka|la|brisch** = kalabresisch
Ka|la|ha|ri *w. Gen. - nur Ez.* südafrik. Wüstensteppe
Ka|la|mai|ka *w. Gen. - Mz.* -ken mit Gesang begleiteter, leidenschaftl. bewegter ukrain. Tanz
Ka|la|ma|ri|en *Mz.* = Kalamiten
Ka|la|mi|tät [lat.] *w. 10* **1** Übelstand, Notlage; **2** Massenerkrankung von Waldbäumen mit wirtschaftl. Folgen
Ka|la|mi|ten [griech.], Ka|la|ma|ri|en *Mz.* fossile, baumhohe Schachtelhalme des Karbons
Ka|lan|der [ndrl.-frz.] *m. 5* Pressmaschine zum Glätten und Glänzendmachen von Papier, Textilien und Kunststoffen, Satiniermaschine, Satinierpresse; **ka|lan|dern** *tr. 1* mit dem Kalander bearbeiten
Ka|lasch|ni|kow [-kof; nach dem sowjet. Waffenkonstrukteur Michail Kalaschnikow] *w. 9* ein 1947 in der Roten Armee eingeführtes Maschinengewehr
Ka|la|thos [griech.] *m. Gen. - Mz.* -thoi **1** altgriech., kelchförmiger Arbeitskorb der Frau; **2** ebensolches Tongefäß
Ka|lau|er [frz. calembour »Wortspiel«, in Dtschl. auf die Stadt Calau bezogen] *m. 5* einfaches Wortspiel, Witzelei; **ka|lau|ern** *intr. 1* Kalauer machen
Kalb *s. 4;* **Kälb|chen** *s. 7;* **Kal|be** *w. 11* = Färse; **kal|ben** *intr. 1* ein Kalb werfen; der Gletscher kalbt: er stößt Eisschollen ins Meer ab; **Kal|be|rei** *w. 10, ugs.:* Unfug, albernes Benehmen; **kal|bern** *intr. 1* **1** *schweiz. für* kalben; **2** *ugs.:* Unfug treiben, albern sein; **käl|bern** *intr. 1* = kalbern (**2**); **Käl|ber|ne(s)** *s. 18 (17), bayr., österr.:* Kalbfleisch; **Käl|ber|zäh|ne** *m. 2 Mz., ugs. scherzh.:* Gericht aus großen Graupen; **Kalb|fleisch** *s. Gen.* -(e)s *nur Ez.;* **Kal|bin** *w. 10* = Färse; **Kalb|le|der,** Kalbs|le|der *s. 5 nur Ez.;* **Kälb|lein** *s. 7;* **Kalbs|bra|ten** *m. 7;* **Kalbs|bries** *s. 1* = Kalbsmilch; **Kalbs|fell** *s. 1, früher:* Schlagfläche der Trommel sowie diese selbst; **Kalbs|ha|xe** *w. 11, bayr.:* Kalbsfuß (als Speise); **Kalbs|le|der,** Kalb|le|der *s. 5 nur Ez.;* **Kalbs|milch** *w. Gen. - nur Ez.* die Thymusdrüse des Kalbes (als Speise), Kalbsbries; **Kalbs|nie|ren|bra|ten** *m. 7;* **Kalbs|nuß** ► **Kalbs|nuss** *w. 2* Innenseite der Kalbskeule (als Speise); **Kalbs|schnit|zel** *s. 5*
Kal|da|ri|um [lat.] *s. Gen.* -s *Mz.* -ri|en **1** *im altröm. Bad:* Warmzelle; **2** *veraltet:* warmes Gewächshaus
Kal|dau|nen [lat.] *w. 11 Mz.* essbares Eingeweide vom Rind, Kutteln, Kuttelflecke
Ka|le|bas|se [arab.-frz.], Ka|la|bas|se *w. 11* aus einem Flaschenkürbis hergestelltes Trinkgefäß
Ka|le|do|ni|den [nach Kaledonien] *Mz.* im älteren Paläozoikum entstandene Gebirge; **Ka|le|do|ni|en,** *lat.:* Ca|le|do|nia *alter Name von* Schottland; **ka|le|do|nisch** zu den Kaledoniden gehörig, aus ihrer Entstehungszeit stammend
Ka|lei|do|skop *auch:* **-dos|kop** [griech.] *s. 1* **1** Guckkasten mit Winkelspiegeln und bunten Steinchen, die sich beim Drehen zu immer neuen Mustern ordnen; **2** *übertr.:* bunte, wechselnde Bilderfolge; **ka|lei|do|sko|pisch** *auch:* **-dos|ko|pisch**
Ka|len|da|ri|um [lat.] *s. Gen.* -s *Mz.* -ri|en **1** *im alten Rom:* Verzeichnis von Zinsen, die am Monatsersten fällig waren; **2** Verzeichnis der kirchl. Fest- und Gedenktage; **3** Terminkalender; **Ka|len|den** *w. Mz., im alten Rom:* der erste Tag im Monat; etwas bis zu den griech. K. aufschieben: etwas aufschieben, um es nie zu tun (da es bei den Griechen keine Kalenden gab); **Ka|len|der** *m. 5;* gregorianischer, julianischer, hundertjähriger Kalender; **Ka|len|der|jahr** *s. 1* das Jahr vom 1. Januar bis zum 31. Dezember, im Unterschied zum Kirchen-, Studien-, Lebensjahr; **Ka|len|der|mo|nat** *m. 1* Monat vom 1. bis zum letzten Tag
Ka|le|sche [poln.] *w. 11* leichte, vierrädrige Kutsche
Ka|le|wa|la, Ka|le|va|la *s. Gen. - nur Ez.* Titel eines finn. Heldengedichts, des finn. Nationalepos
Kal|fak|tor [lat.] *m. 13,* Kal|fak|ter *m. 5* **1** Strafgefangener als Helfer des Gefangenenwärters; **2** jmd., der alle möglichen Dienste verrichtet; **3** Zwischenträger, Schmeichler
kal|fa|tern [arab.-ital.] *tr. 1* (die Fugen der Schiffswände) abdichten; **Kal|fa|te|rung** *w. 10;* **Kal|fat|ham|mer** *m. 6*
Ka|li [arab.] *s. 9* **1** *Sammelbez. für* Kaliumsalze; **2** *auch:* Kaliumhydroxid
Ka|li|an [pers.], Ka|li|un *m. 1 oder s. 1* pers. Wasserpfeife
Ka|li|ban [nach der Gestalt in Shakespeares »Sturm«] *m. 1* hässliches Ungeheuer, Unhold
Ka|li|ber [griech.-frz.] *s. 5* **1** lichte Weite (von Rohren und Bohrschächten); **2** Durchmesser (von Geschossen); **3** Abstand der Walzen im Walzwerk; **4** *übertr.:* Art, Sorte, Größe; **Ka|li|ber|maß** *s. 1* Gerät zum Messen von Kalibern; **Ka|li|breur** [-brør] *m. 1* jmd., der kalibriert; **ka|li|brie|ren** *tr. 3* auf das richtige Maß bringen; **...ka|li|brig** *in Zus.:* mit einer bestimmten Art von Kaliber versehen, z. B. kleinkalibrig
Ka|lif [arab.] *m. 10* **1** *früher:* Titel des Oberhauptes der Sunni-

ten als Nachfolger Mohammeds; **2** *dann:* türk. Sultan; **Ka|li|fat** *s. 1* Amt, Würde, Reich des Kalifen; **Ka|li|fen|tum** *s. Gen.* -s *nur Ez.*
Ka|li|for|ni|en, *amtl.:* Ca|li|for|nia (*Abk.:* CA) Staat der USA; **Ka|li|for|ni|er** *m. 5;* **ka|li|for|nisch**
Ka|li|ko [nach der ind. Stadt Kalikut] *m. 9* feines Baumwollgewebe (für Bucheinbände)
Ka|li|salz *s. 1* Kalium- oder Kalium-Magnesium-Verbindung (als Düngemittel u. a.); **Ka|li|um** [arab.-lat.] *s. Gen.* -s *nur Ez.* (*Zeichen:* K) chem. Element; **Ka|li|um|bro|mid** *s. 1* als Beruhigungsmittel sowie als Verzögerer bei der fotograf. Entwicklung verwendete chem. Verbindung, Bromkali; **Ka|li|um|per|man|ga|nat** *s. 1 nur Ez.* übermangansaures Kali, ein Oxidationsmittel
Ka|li|un *m. 1 oder s. 1* = Kalian
Ka|lix|ti|ner [lat. calix »Kelch«] *m. 5* Angehöriger der gemäßigten Richtung der Hussiten, die den Laienkelch beim Abendmahl forderte, Utraquist
Kalk *m. 1;* Kalk brennen, löschen; **Kalk|al|pen** *Mz.*
Kal|kant [lat.] *m. 10, früher:* Blasebalgtreter (an der Orgel)
Kalk|bren|ner *m. 5;* **Kalk|ei** *s. 3* in Kalklösung, Wasserglas o. Ä. eingelegtes Ei; **kal|ken** *tr. 1;* **Kalk|er|de** *w. 11;* **kal|kig; Kalk|lun|ge** *w. 11* Erkrankung der Lunge durch ständiges Einatmen von Kalkstaub; **Kalk|salz** *s. 1* Salz des Kalziums; **Kalk|sin|ter** *m. 5* durch Ablagerungen aus kalkhaltigem Wasser entstandener Kalkstein; **Kalk|spat** *m. 1* ein Mineral; **Kalk|stein** *m. 1*
Kal|kül [frz.] *m. 1 oder s. 1* **1** Rechnung, Berechnung, Überschlag; **2** *Math.:* System von Regeln und Zeichen für Berechnungen und Ableitungen; **Kal|ku|la|ti|on** [lat.] *w. 10* Berechnung, Kosten, Kostenvoranschlag; **Kal|ku|la|tor** *m. 13* Sachbearbeiter im betrieblichen Rechnungswesen, Rechnungsprüfer; **kal|ku|la|to|risch** mit Hilfe einer Kalkulation; **kal|ku|lie|ren** *tr. 3* **1** berechnen, veranschlagen; **2** erwägen, überlegen
Kal|kut|ta ind. Stadt; **kal|kut|tisch**

Kal|la [lat.], Cal|la *w. 9* eine Zierpflanze, Zantedeschia
Kal|li|graph ► *auch:* **Kal|li|graf** [griech.] *m. 10* Schönschreiber, Schreibkünstler; **Kal|li|gra|phie** ► *auch:* **Kal|li|gra|fie** *w. 11 nur Ez.* Schönschreibkunst; **kal|li|gra|phisch** ► *auch:* **kal|li|gra|fisch**
Kal|li|o|pe [-pe:] *griech. Myth.:* Muse der erzählenden Dichtkunst
kal|lös [lat.] durch einen Kallus entstanden, schwielig; **Kal|lo|si|tät** *w. 10 nur Ez.;* **Kal|lus** *m. Gen.* - *Mz.* -lus|se **1** *Bot.:* an Wundrändern von Pflanzen neu gebildetes Gewebe, Wundholz; **2** *Med.:* Schwiele an heilenden Knochenbrüchen
Kal|mar [lat.] *m. 1* ein Kopffüßer, ein Tintenfisch
Kal|mäu|ser [jidd.] *m. 5* **1** Stubenhocker, Schulfuchs; **2** Grübler, Kopfhänger
Kal|me [frz.] *w. 11* Windstille; **Kal|men|gür|tel** *m. 5;* **Kal|men|zo|ne** *w. 11* = Doldrum; **kal|mie|ren** *tr. 3, veraltet:* besänftigen, beruhigen
Kal|muck [nach den Kalmücken] *intr. 1* ein beidseitig gerautes Baumwoll- oder Wollgewebe; **Kal|mück** *m. 10,* **Kal|mü|cke** *m. 11* Angehöriger eines westmongol. Volkes
Kal|mus [lat.] *m. Gen.* - *Mz.* -mus|se eine Heilpflanze; **Kal|mus|öl** *s. 1*
Ka|lo [ital.] *m. 9* Gewichtsverlust, Schwund (von Waren durch Eintrocknen oder Auslaufen)
Ka|lo|bi|o|tik [griech.] *w. Gen.* - *nur Ez., bei den alten Griechen:* die Kunst, ein harmonisches, schönes Leben zu führen; **Ka|lo|ka|ga|thie** *w. 11 nur Ez.* die Verbindung von Schönem und Gutem, körperl. und geistige Vollkommenheit (das altgriech. Erziehungsideal)
Ka|lo|mel [griech.] *s. 9 nur Ez., veraltete Bez. für* Quecksilber-I-Chlorid, ein Abführmittel
Ka|lo|rie [lat.] *w. 11* (*Zeichen:* cal) **1** die Wärmemenge, die nötig ist, um 1 g Wasser von 14,5 auf 15,5 °C zu erwärmen, Grammkalorie; **2** *früher:* Maßeinheit für den Energieumsatz des Körpers bzw. den Energiewert der Nahrungsmittel; *heute ersetzt durch* Joule

Ka|lo|ri|fer *m. 9 oder m. 12* Heißluftofen; **Ka|lo|rik** *w. 10 nur Ez.* Wärmelehre; **Ka|lo|ri|me|ter** [lat. + griech.] *s. 5* Gerät zum Messen von Kalorien; **Ka|lo|ri|me|trie** *auch:* **-met|rie** *w. 11 nur Ez.* das Messen von Kalorien; **ka|lo|ri|me|trisch** *auch:* **-met|risch; ka|lo|risch** [lat.] auf Wärme beruhend; **ka|lo|ri|sie|ren** *tr. 3* mit einer Schutzschicht gegen Rost und Korrosion aus Aluminiumpulver überziehen
Ka|lot|te [frz.] *w. 11* **1** Oberfläche eines Kugelabschnitts, Kugelhaube; **2** Scheitelkäppchen (der kath. Geistlichen); **3** Schädeldach; **4** wattierte Kappe unter dem Helm; **Ka|lot|ten|hoch|tö|ner** *m. 5* Lautsprecher, dessen Membran die Form einer Kalotte hat
Kal|pak [türk.], Kol|pak *m. 9* **1** hohe tatar. Lammfellmütze; **2** armen. Filzmütze; **3** Husarenmütze; **4** von dieser herabhängender Tuchzipfel
kalt; kalter Blitz: nicht zündender Blitz; kaltes Blut bewahren; kalte Ente: Getränk aus Weiß- und Schaumwein mit Zitronenscheiben; kalte Fährte *Jägerspr.:* mehr als zwei Stunden alte Fährte; kaltes Fieber: Malaria; kalte Küche: nicht gekochte oder abgekühlte Speisen; kalte Miete *ugs.:* Miete ohne Heizkosten; Wein kalt stellen; *aber:* jmdn. kaltstellen: des Einflusses, der Wirksamkeit berauben; **kalt|blei|ben** ► **kalt**

> **kalt:** Das Adjektiv wird auch in folgenden Fällen kleingeschrieben: *auf kalt und warm reagieren* [→ § 58 (3)]; *kalte Ente, eine kalte Fährte, die kalte Miete* (= ohne Heizung). → § 63
> In bestimmten substantivischen Wortgruppen aber werden Adjektive auch dann großgeschrieben, wenn keine Eigennamen vorliegen: *der Kalte Krieg.* → § 64 (4)

blei|ben *intr. 17* kaltes Blut bewahren; **Kalt|blut** *s. Gen.* -(e)s *nur Ez.* eine Rasse schwerer, starker Arbeitspferde; vgl. Warmblut; **Kalt|blü|ter** *m. 5, nicht korrekt für* Wechselwarmblüter; **kalt|blü|tig; Kalt|blü|tig|keit** *w. 10 nur Ez.;* **Käl|te** *w. 11*

► = wird zu

nur Ez.; **käl|te|be|stän|dig; Käl|te|be|stän|dig|keit** *w. 10 nur Ez.;* **Käl|te|grad** *m. 1;* **Käl|te|ma|schi|ne** *w. 11;* **käl|ten** *tr. 2* kalt machen; **Käl|te|pol** *m. 1* Punkt (auf der Erde) mit der niedrigsten Temperatur

Kal|ter *m. 5, österr.:* tragbarer Fischbehälter

Käl|te|star|re *w. 11 nur Ez.;* **Käl|te|tech|nik** *w. 10 nur Ez.;* **Käl|te|tod** *m. 1 nur Ez.;* **Käl|te|wel|le** *w. 11;* **Kalt|front** *w. 10;* **Kalt|här|tung** *w. 10;* **Kalt|haus** *s. 4* Gewächshaus mit einer Temperatur von 5 bis 10 °C; **kalt|her|zig; Kalt|her|zig|keit** *w. 10 nur Ez.;* **kalt|lä|chelnd** ► **kalt lä|chelnd; kalt|las|sen** ► **kalt las|sen** *tr. 75* unbeeindruckt lassen; die Nachricht hat mich kalt gelassen; **Kalt|leim** *m. 1;* **Kalt|luft** *w. Gen. - nur Ez.;* **kalt|ma|chen** *tr. 1, ugs.:* töten, umbringen, ermorden; **Kalt|na|del** *w. 11* Radiernadel, Stahlnadel für Kaltnadelradierungen; **Kalt|na|del|ra|die|rung** *w. 10* eine Art Kupferstich, bei der in die blanke (nicht präparierte) Kupferplatte geritzt wird; **Kalt|scha|le** *w. 11* kalte, süße Suppe; **kalt|schnäu|zig; Kalt|schnäu|zig|keit** *w. 10 nur Ez.;* **Kalt|sinn** *m. 1 nur Ez.;* **kalt|sin|nig; kalt|stel|len** *tr. 1* **1** jmd. kaltstellen *ugs.:* ihn des Einflusses, der Wirksamkeit berauben; **2** ► **kalt stel|len;** Wein kalt stellen; vgl. kalt; **Kalt|was|ser|be|hand|lung** *w. 10;* **Kalt|was|ser|kur** *w. 10;* **Kalt|wel|le** *w. 11* Dauerwelle

Ka|lum|bin [Bantuspr.] *s. 1 nur Ez.* Bitterstoff der Kolombowurzel

Ka|lu|met [auch: -lyme, lat.-frz.] *s. 9* Friedenspfeife der nordamerik. Prärieindianer

Ka|lu|pe [tschech.] *w. 11, österr.:* baufälliges, verwahrlostes Haus

Kal|va|ri|en|berg [-va-, lat.] *m. 1* **1** *urspr.:* Schädelstätte, Golgatha; **2** *dann:* Berg mit Wallfahrtskirche und den 14 Stationen der Leidensgeschichte Christi

Kal|vill [-vil, frz.] *m. 12,* **Kal|vil|le** *w. 11* ein Edelapfel

Kal|vi|nis|mus *m. Gen. - nur Ez.* = Calvinismus; **Kal|vi|nist** *m. 10* = Calvinist; **kal|vi|nis|tisch** = calvinistisch

Ka|ly|kan|thus [griech.] *m. Gen. - nur Ez.* ein Gartenzierstrauch, Gewürzstrauch

Ka|lyp|so *griech. Myth.:* eine Nymphe

Ka|lyp|tra *auch:* **Ka|lypt|ra** [griech.] *w. Gen. - Mz.* -tren **1** Schutzhülle um die Wurzelspitze; **2** Hülle der Sporenkapsel vieler Laubmoose

Kal|ze|o|la|rie [-riə] *w. 11,* Cal|ce|o|la|ria *w. Gen. - Mz.* -ri|en eine Zierpflanze, Pantoffelblume

Kal|zi|na|ti|on *fachsprachl.:* Cal|ci|na|ti|on [lat.] *w. 10,* **1** Entfernung von Wasser und Kohlendioxyd aus Kristallen; **2** Zersetzung einer chem. Verbindung durch Erhitzen; **kal|zi|nie|ren** *fachsprachl.:* cal|ci|nie|ren *tr. 3;* **Kal|zi|nie|rung** *fachsprachl.:* Cal|ci|nie|rung *w. 10;* **Kal|zi|no|se** *fachsprachl.:* Cal|ci|no|se *w. 11 nur Ez.* Kalkreichtum; **kal|zi|phil** *fachsprachl.:* cal|ci|phil kalkreichen Boden liebend; **Kal|zit** *fachsprachl.:* Cal|cit *m. 1* ein Mineral, Kalkspat; **Kal|zi|um** *fachsprachl.:* Cal|ci|um *s. Gen.* -s *nur Ez. (Zeichen:* Ca) chem. Element, ein Metall; **Kal|zi|um|hy|dro|xid** *fachsprachl.:* Cal|ci|um|hy|dro|xid, *auch:* **Kal|zi|um|hyd|ro|xid,** Cal|ci|um|hyd|ro|xid *s. 1 nur Ez.* gelöschter Kalk; **Kal|zi|um|kar|bo|nat** *fachsprachl.:* Cal|ci|um|car|bo|nat *s. 1 nur Ez.* kohlensaurer Kalk; **Kal|zi|um|o|xid** *fachsprachl.:* Cal|ci|um|o|xid *s. 1 nur Ez.* gebrannter Kalk, Ätzkalk; **Kal|zi|um|sul|fat** *fachsprachl.:* Cal|ci|um|sul|fat *s. 1 nur Ez.* schwefelsaurer Kalk

Ka|ma|res|va|se [nach dem Fundort, der Kamaresgrotte auf Kreta] *w. 11* Typ kretischer Tonvasen mit farbigen Ornamenten auf schwarzem Grund

Ka|ma|ril|la [span.] *w. Gen. - nur Ez.* Günstlingspartei in der unmittelbaren Umgebung eines Herrschers mit unkontrollierbarem Einfluss

kam|bi|al [ital.] *veraltet:* den Kambio betreffend, auf ihm beruhend; **kam|bie|ren** *intr. 3, veraltet:* Wechselgeschäfte betreiben; **Kam|bio** *m. Gen.* -s *Mz.* -bi, *veraltet:* Wechsel

Kam|bi|um [neulat.] *s. Gen.* -s *Mz.* -bi|en das Dickenwachstum der Pflanzen bewirkendes Gewebe

Kam|bo|dscha *auch:* **Kam|bod|scha** Staat in Südostasien; **kam|bo|dscha|nisch** *auch:* **kam|bod|scha|nisch**

Kam|brik [engl.] *m. Gen.* -s *nur Ez.,* **Kam|brik|ba|tist** *m. 1 nur Ez.* ein Baumwollgewebe

kam|brisch [neulat.] zum Kambrium gehörend, aus ihm stammend; **Kam|bri|um** *s. Gen.* -s *nur Ez.* unterste Formation des Paläozoikums

Ka|mee [ital.-frz.] *w. 11* Halbedelstein mit erhaben herausgearbeiteter figürl. Darstellung; *Ggs.:* Gemme

Ka|mel [semit.-lat.] *s. 1;* **Ka|mel|dorn** *m. 1* = Akazie; **Kä|mel|garn,** Käm|mel|garn *s. 1* Garn aus dem Haar der Angoraziege (früher der Kamelziege); **Ka|mel|haar** *s. Gen.* -s *nur Ez.*

Ka|mel|lie [-ljə, nach dem Jesuitenpater Kamel (Camelli)] *w. 11* eine Zierpflanze

Ka|mel|le *w. 11* Angelegenheit, Geschichte; olle Kamellen: überholte Nachrichten, längst bekannte Geschichten

Ka|mel|o|pard [griech.] *m. 1 oder m. 12* Giraffe

Ka|mel|lott [frz.] **1** *m. 1* Angorawollgewebe, *auch:* Mischgewebe aus Wolle u. a. Garnen; **2** *in Frankreich:* Straßenhändler, Zeitungsverkäufer

Ka|me|ra [lat.] *w. 9* Apparat für fotograf. Aufnahmen; vgl. Camera obscura

Ka|me|rad [lat.-frz.] *m. 10;* **Ka|me|ra|de|rie** *w. 11 nur Ez.* überbetonte Kameradschaft; **Ka|me|ra|din** *w. 10;* **Ka|me|rad|schaft** *w. 10 nur Ez.;* **ka|me|rad|schaft|lich; Ka|me|rad|schaft|lich|keit** *w. 10 nur Ez.*

Ka|me|ra|lia [lat.], **Ka|me|ra|li|en** *Mz.* Kameralwissenschaft; **Ka|me|ra|list** *m. 10* **1** *früher:* Beamter einer fürstl. Kammer; **2** Wissenschaftler der Kameralistik (**1**); **Ka|me|ra|lis|tik** *w. 10 nur Ez., veraltet:* **1** Staats-, Finanzwissenschaft; **2** System des staatswirtschaftl. Rechnungswesens; **Ka|me|ral|wis|sen|schaft** *w. 10, veraltet: Volkswirtschaftslehre*

Ka|me|ra|mann *m. 4, Mz. auch:* -leu|te

Ka|me|run Staat in Westafrika; **Ka|me|ru|ner 1** *m. 5* Einwohner von Kamerun; **2** *w. Gen. - Mz. -* Erdnuss; **ka|me|ru|nisch**

ka|mie|ren [ital.], ka|mi|nie|ren *intr. 3, Fechten:* die gegnerische Klinge umgehen

Ka|mi|ka|ze *m. Gen.* - *Mz.* - jap. Flugzeugpilot im II. Weltkrieg, der sich mit Flugzeug und Bombenladung auf ein feindliches Objekt stürzte

Ka|mil|le *w. 11* eine Heilpflanze; **Ka|mil|len|tee** *m. 9*

Ka|min [griech.] *m. 1* **1** Schornstein, Esse; **2** offene Feuerstelle mit Rauchabzug im Raum; **3** schmaler, senkrechter Felsspalt; **Ka|min|fe|ger** *m. 5,* Ka|min|keh|rer *m. 5*

ka|mi|nie|ren *tr. 3* **1** = kamieren; **2** *Bergsport:* im Kamin emporklettern

Ka|min|keh|rer *m. 5,* Ka|min|feger *m. 5*

Ka|mi|sol [frz.] *s. 1, früher:* Unterjacke, kurzes Wams

Kamm *m. 2;* **Kämma|schi|ne** ► **Kämm|ma|schi|ne** *w. 11;* **Kämm|chen** *s. 7;* **Kamm|ei|dech|se** *w. 11* = Leguan; **Käm|mel|garn** *s. 1* = Kämelgarn; **käm|meln** *tr. 1* fein kämmen (Wolle); **käm|men** *tr. 1*

Kam|mer *w. 11;* **Käm|mer|chen** *s. 7;* **Kam|mer|die|ner** *m. 5;* **Käm|me|rei** *w. 10* **1** Finanzverwaltung von Städten, großem Grundbesitz und Fürstenhöfen; **2** Betrieb, in dem Wolle gekämmt wird; **Käm|me|rei|ver|mö|gen** *s. 7* Vermögen einer Stadt; **Käm|me|rer** *m. 5* **1** Vorsteher einer Kämmerei (**1**); **2** Aufseher einer Schatz- oder Kunstkammer; **3** *bayr., österr.:* Kammerherr; **Kam|mer|frau** *w. 10;* **Kam|mer|ge|richt** *s. 1* **1** *urspr.:* persönl. Gericht des Königs; *heute:* Oberlandesgericht in Berlin; **Kam|mer|ge|richts|rat** *m. 2;* **Kam|mer|gut** *s. 4* fürstl. Gut, Domäne; **Kam|mer|herr** *m. Gen.* -n *Mz.* -en Beamter am Fürstenhof; **Kam|mer|jä|ger** *m. 5* **1** *urspr.:* Leibjäger eines Fürsten; **2** *später:* jmd., der beruflich Ungeziefer in Wohnungen beseitigt; **3** *heute:* Desinfektor; **Kam|mer|jung|fer** *w. 11;* **Kam|mer|jun|ker** *m. 5* Kammerherr in niedrigerem Rang; **Kam|mer|kätz|chen** *s. 7* junge, hübsche Kammerzofe; **Kam|mer|kon|zert** *s. 1* Konzert für kleines Orchester; **Käm|mer|lein** *s. 7;* **Kam|mer|ling** *m. 1* eine Amöbe; **Käm|mer|ling** *m. 1* Kammerherr; **Kam|mer|mu|sik** *w. 10* Musik zur Darbietung in kleinem Raum und für wenige, solistisch besetzte Instrumente; **Kam|mer|sän|ger** *m. 5* Titel für verdienten Sänger (früher von Fürsten verliehen); **Kam|mer|schau|spie|ler** *m. 5* Titel für verdienten Schauspieler (früher von Fürsten verliehen); **Kam|mer|spiel** *s. 1* **1** auf Wirkung in kleinem Raum berechnetes, in Ton und Stimmung fein abgestimmtes Schauspiel; **2** *Mz.* Theater für solche Schauspiele; **Kam|mer|ton** *m. 2* das auf 440 Hz festgelegte, eingestrichene A als Stimmton zum Stimmen von Instrumenten, Normalton; **Kam|mer|ver|mö|gen** *s. 7* Vermögen eines Fürsten; **Kam|mer|wa|gen** *m. 7, früher:* Wagen, mit dem die Ausstattung der Braut ins Haus des Bräutigams gefahren wurde; **Kam|mer|zo|fe** *w. 11*

Kamm|garn *s. 1* Garn aus reiner gekämmter Wolle; **Kamm|gras** *s. 4* eine Grasart; **Kamm|griff** *m. 1, Turnen:* Griff mit nach außen gedrehten Unterarmen; **Kamm|grind** *m. 1* eine Hautkrankheit der Hühner; **Kämm|ling** *m. 1* Kammgarnabfall; **Kämm|ma|schi|ne** *w. 11;* **Kamm|molch,** *m. 1* Art der Molche, deren Männchen zur Paarungszeit einen Kamm auf dem Rücken trägt; **Kamm|mu|schel,** *w. 11* Meeresmuschel mit scharfkantig gerippten Schalen, Pilgermuschel, Pektenmuschel; **Kammolch** ► **Kamm|molch** *m. 1;* **Kamm|rad** *s. 4* Zahnrad mit Holzzähnen; **Kammu|schel** ► **Kamm|mu|schel** *w. 11;* **Kamm|wol|le** *w. 11 nur Ez.* zur Herstellung von Kammgarn geeignete Wolle

Kamp *m. 2, nddt.* **1** eingefriedigtes Stück Land; **2** Grasplatz am Bauernhaus; **3** Pflanzgarten, Baumschule

Kam|pa|gne, Cam|pa|gne, *auch:* **-pag|ne** [-panjə, frz.] *w. 11* **1** Feldzug; **2** jährliche Stoßarbeit in der Wirtschaft, z. B. Zuckerkampagne; **3** größere polit. Aktion, z. B. Wahlkampagne

Kam|pa|ni|en, *ital.:* Cam|pa|nia, ital. Landschaft

Kam|pa|nil|le, Cam|pa|nil|le [ital.] *m. Gen.* -(s) *Mz.* - frei stehender Glockenturm ital. Kirchen

Kam|pa|nu|la [lat.] *w. 9* Glockenblume

Käm|pe *m. 11, veraltet, noch poet.:* Kämpfer, Streiter, Verteidiger einer guten Sache

kam|peln *refl. 1, mitteldt.:* sich raufen, sich balgen

Kam|pe|sche|holz, Cam|pe|che|holz [kampɛtʃə-, nach dem mexikan. Staat Campeche] *s. 4 nur Ez.* ein Farbholz, Blauholz

Käm|pe|vi|se [dän.] *w. Gen.* - *Mz.* -ser skandinav., zum Tanz gesungene Heldenballade

Kampf *m. 2;* **Kampf|bahn** *w. 10;* **kampf|be|reit;** **Kampf|be|reit|schaft** *w. 10 nur Ez.;* **kämp|fen** *intr. 1*

Kamp|fer *fachsprachl.:* Cam|pher [sanskr.] *m. 5* aus dem Holz des ostasiat. Kampferbaums gewonnene, harzartige organ. Verbindung, Heil- und Desinfektionsmittel

Kämp|fer *m. 5, Baukunst:* **1** oberste Platte einer Säule oder eines Pfeilers, Träger des Bogens; **2** Querholz des Fensterrahmens zur Gliederung sehr hoher Fenster; **kämp|fe|risch;** **Kämp|fer|na|tur** *w. 10;* **Kamp|fes|lust** *w. Gen.* - *nur Ez.;* **Kamp|fes|mut** *m. Gen.* -es *nur Ez.;* **kamp|fes|mu|tig;** **kampf|fä|hig;** **Kampf|fä|hig|keit** *w. 10 nur Ez.;* **Kampf|fisch** *m. 1;* **Kampf|flie|ger** *m. 5;* **Kampf|flug|zeug** *s. 1;* **Kampf|grup|pe** *w. 11 oft Mz., ehem. DDR:* paramilitärische Einheit in staatlichen Betrieben und Institutionen; **Kampf|hahn** *m. 2;* **Kampf|hand|lung** *w. 10;* **Kampf|läu|fer** *m. 5* ein Schnepfenvogel; **Kampf|li|nie** *w. 11;* **kampf|los;** **Kampf|lust** *w. Gen.* - *nur Ez.;* **kampf|lus|tig;** **Kampf|platz** *m. 2;* **Kampf|rich|ter** *m. 5;* **Kampf|stoff** *m. 1;* **kampf|un|fä|hig;** **Kampf|un|fä|hig|keit** *w. 10 nur Ez.;* **Kampf|wa|gen** *m. 7*

kam|pie|ren *intr. 3* **1** im Freien übernachten; **2** auf einem provisorischen Lager übernachten

Kam|pong [mal.] *s. 9* malaiisches Dorf

Kam|po|san|to [ital.] *m. Gen.* -(s) *Mz.* -ti, *eindeutschende Schreibung von* Camposanto

Kam|tscha|da|le *auch:* **Kamt|scha-** *m. 11* Einwohner von Kamtschatka; **Kam|tschat|ka** *auch:* **Kamt|schat-** nordasiat. Halbinsel

► = wird zu

Ka|muf|fel [wohl zu Kamel] *s. 5, ugs.:* Dummkopf
Ka|na|an *bibl. Name für* Palästina; **Ka|na|a|nä|er** *m. 5* = Kanaaniter; **ka|na|a|nä|isch** = kanaanitisch; **Ka|na|a|ni|ter,** Ka|na|mi|ter, Ka|na|a|nä|er, Ka|na|nä|er *m. 5* Einwohner von Kanaan; **ka|na|a|ni|tisch,** ka|na|ni|tisch, ka|na|a|nä|isch, ka|na|nä|isch
Ka|na|da Staat in Nordamerika; **Ka|na|da|bal|sam** *m. Gen.* -s *nur Ez.* Harz verschiedener Nadelbäume zum Kitten von Linsensystemen und zur Herstellung biologischer Dauerpräparate; **Ka|na|da|tee** *m. 9 nur Ez.* Aufguss aus den Blättern der nordamerik. Teeheide, harntreibendes Mittel; **Ka|na|di|er** *m. 5* **1** Einwohner von Kanada; **2** Kanu der kanad. Indianer; **3** mit einem Paddel fortbewegtes Sportboot; **ka|na|disch;** *aber:* Kanadische Seen
Ka|nail|le, Ca|nail|le [-naljə, frz.] *w. 11* Schurke, Schuft
Ka|na|ke [polynes.] *m. 11* Angehöriger polynes. Inselvölker
Ka|nal [lat.] *m. 2;* **Ka|nal|bau** *m. Gen.* -(e)s *Mz.* -bau|ten; **Ka|näl|chen** *s. 7;* **Ka|nal|gas** *s. 1* in unterird. Kanälen und Senkgruben entstehendes, übel riechendes Gasgemisch; **Ka|na|li|sa|ti|on** *w. 10 nur Ez.* **1** das Anlegen von Kanälen; **2** System von unterirdischen Kanälen zum Ableiten der Abwässer; **ka|na|li|sie|ren** *tr. 3* mit Kanalisation (**2**) versehen; **Ka|na|li|sie|rung** *w. 10* **1** das Kanalisieren; **2** das Schiffbarmachen (von Flüssen); **Ka|nal|schwim|men** *s. Gen.* -s *nur Ez.* Langstreckenschwimmen durch den Ärmelkanal
Ka|na|nä|er *Nebenform von* Kanaanäer; **ka|na|nä|isch** *Nebenform von* kanaanäisch; **Ka|na|ni|ter** *Nebenform von* Kanaaniter; **ka|na|ni|tisch** *Nebenform von* kanaanitisch
Ka|na|pee [österr.: -pe, frz.] *s. 9* **1** *veraltet:* Sofa; **2** geröstete, pikant belegte Weißbrotscheibe
Ka|na|ren *nur Mz., kurz für* Kanarische Inseln; **Ka|na|ri|en|vo|gel** *m. 6* urspr. auf den Kanar. Inseln gezüchtete Finkenrasse; **Ka|na|ri|er** *m. 5* Einwohner der Kanar. Inseln; **Ka|na|ri|sche In|seln** Inselgruppe an der Nordwestküste Afrikas
Ka|nas|ter *m. 5, veraltet für* Knaster
Kan|da|har [nach dem Gründer, dem Earl of K.] *s. 9,* **Kan|da|har-Ren|nen** *s. 7* alpines Skirennen
Kan|da|re [ung.] *w. 11* Art des Pferdezaums
Kan|del *m. 14 oder w. 11, landschaftl.:* Rinne, Dachrinne
Kan|de|la|ber [lat.-frz.] *m. 5* mehrarmiger, schmuckvoll gestalteter Kerzenleuchter
kan|deln *tr. 1* wie eine Kandel aushöhlen, auskehlen
Kan|del|zu|cker *m. 5 nur Ez.* = Kandiszucker
Kan|di|dat [lat.] *m. 10* **1** jmd., der sich um ein Amt bewirbt, Anwärter; **2** jmd., der zur Wahl aufgestellt wird; **3** (*Abk.:* cand.) jmd., der sich einer Prüfung, bes. an einer Hochschule, unterzieht; K. der Philosophie (*Abk.:* cand. phil.); K. der Medizin (*Abk.:* cand. med.); K. des (luther.) Predigtamtes (*Abk.:* cand. rev. min. *oder* c. r. m.); **Kan|di|da|ten|lis|te** *w. 11;* **Kan|di|da|tur** *w. 10* Bewerbung (um ein Amt); **kan|di|die|ren** *intr. 3* sich (um ein Amt) bewerben; für ein Amt k.
kan|die|ren [ital.] *tr. 3* **1** mit Zucker überziehen und damit haltbar machen; kandierte Früchte; **2** erhitzen und dadurch bräunen; kandierter Zucker
Kan|dis [arab.-ital.] *m. Gen.* - *nur Ez.,* **Kan|dis|zu|cker,** Kan|del|zu|cker *m. 5 nur Ez.* aus Rohrzuckerlösung gebildete Zuckerkristalle, Zuckerkand; **Kan|di|ten** *Mz., österr.:* Zuckerwaren
Ka|neel [semit.-frz.], Ka|nell *m. 1 nur Ez.* weißer Zimt, die nach Zimt und Muskat riechende Rinde des mittelamerik. Weißen Kaneelbaumes; **Ka|nell** *m. 1 nur Ez.* = Kaneel
Ka|ne|pho|re [griech.] *w. 11, Altertum:* Jungfrau, die bei Festen Opfergeräte in einem Korb auf dem Kopf herbeitrug, Korbträgerin, in der Baukunst oft als Karyatide
Ka|ne|vas [mlat.-frz.] *m. Gen.* - *Mz.* - *oder m. 1* Gittergewebe, Stramin; **ka|ne|vas|sen** aus Kanevas

> **Känguru:** Analog zu den Substantiven *Emu, Gnu* und *Kakadu* wird in Zukunft *Känguru* (statt bisher: Känguruh) geschrieben.

Kän|gu|ruh ► **Kän|gu|ru** [austral. Eingeborenensprache] *s. 9* ein Springbeuteltier
Ka|ni|den [lat.] *Mz., Sammelbez. für* Hunde und hundeartige Tiere
Ka|nin [lat.] *s. 1 nur Ez.* Fell v. Kaninchen; **Ka|nin|chen** *s. 7*
Ka|nis|ter [griech.] *m. 5* tragbarer Behälter für Flüssigkeiten
Kan|ker *m. 5* eine Spinnenart, Weberknecht
Kan|kro|id *auch:* **Kank|ro|id** [griech.] *s. 1, veraltet:* Hautkrebs; **kan|krös** *auch:* **kank|rös** krebsartig
Kan|na [semit.-lat.], Can|na *w. 9* eine Zierpflanze, Blumenrohr
Kan|nä *eindeutschende Schreibung von* Cannae
Kann|be|stim|mung ► *auch:* **Kann-Be|stim|mung** *w. 10*
Känn|chen *s. 7;* **Kan|ne** *w. 11;* **Kan|ne|gie|ßer** [nach der Titelgestalt von Ludvig Holbergs Lustspiel »Der polit. Kannegießer«] *m. 5* Bierbank-, Stammtischpolitiker, polit. Schwätzer; **Kan|ne|gie|ße|rei** *w. 10 nur Ez.;* **kan|ne|gie|ßern** *intr. 1*
Kän|nel *m. 5, schweiz.:* Rinne, Dachrinne; vgl. Kandel; **kan|ne|lie|ren** *tr. 3* rinnenartig aushöhlen, auskehlen; **Kan|ne|lie|rung** *w. 10*
Kän|nel|koh|le, Can|nel|koh|le [kɛnəl-] *w. 11* eine Steinkohlenart
Kan|ne|lü|re [frz.] *w. 11* Hohlkehle, senkrechte Rille (an Säulen)
Kan|nen|pflan|ze *w. 11* eine Fleisch fressende trop. Kletterpflanze
kan|nen|sisch [zu Cannae] *in der Fügung* kannensische Niederlage: völlige Niederlage
kan|nen|wei|se
Kan|ni|ba|le [span., nach dem Indianerstamm der Kariben] *m. 11* **1** Angehöriger eines Naturvolkes, das Kannibalismus betreibt; *ugs.:* Menschenfresser; **2** *übertr.:* roher, ungesitteter Mensch; **kan|ni|ba|lisch** *übertr.* **1** grausam, roh; **2** *ugs. scherzh.:* ungeheuer, sehr; **Kan|ni|ba|lis|mus** *m. Gen.* - *nur Ez., bei man-*

chen Naturvölkern: Sitte, Teile des getöteten Feindes rituell zu verzehren; *ugs.:* Menschenfresserei

Känn|lein *s. 7*

Ka|non [griech.] *m. 9* **1** Regel, Richtschnur; **2** Gesamtheit der für ein Gebiet, z.B. die Logik, die bildende Kunst, geltenden Regeln und Grundsätze; **3** *Altertum:* Verzeichnis der als vorbildlich geltenden Schriftsteller; **4** mehrstimmiges Tonstück, bes. für Singstimmen, bei dem die Stimmen nacheinander mit der gleichen Melodie einsetzen; **5** *nur Ez.* die als echt anerkannten Schriften einer Kirche, bes. die Bücher der Bibel, im Unterschied zu den Apokryphen; **6** Teil der kath. Messe, stilles Gebet während der Wandlung von Brot und Wein; **7** *Astron.:* Zeittafel, z.B. der Osterfeste, der Sonnen- und Mondfinsternisse; **8** altgriech. Zupfinstrument, Messgerät zum Bestimmen der Intervalle, Monochord; **9** *nur Ez.* Verzeichnis aller kath. Heiligen; **10** *Mz.* -no|nes einzelne Rechtsbestimmung, bes. der kath. Kirche

Ka|no|na|de [frz.] *w. 11* anhaltendes Geschützfeuer; **Ka|no|ne** *w. 11* **1** ein schweres Geschütz **2** *übertr. ugs.:* bedeutender Könner (auf einem Gebiet); **3** das ist unter aller K. *ugs.:* sehr schlecht [zu Kanon »Richtschnur, Regel«]; **Ka|no|nen|boot** *s. 1;* **Ka|no|nen|fut|ter** *s. Gen.* -s *nur Ez., übertr.:* Soldaten, die sinnlos geopfert werden sollen; **Ka|no|nen|ofen** *m. 8,* Ka|no|nen|öf|chen *s. 7* kleiner, eiserner Kohlenofen; **Ka|no|nier** *m. 1* **1** Soldat, der eine Kanone bedient; **2** unterster Dienstgrad bei der Artillerie; **ka|no|nie|ren 1** *tr. 3, veraltet:* mit Kanonen beschießen; **2** *intr. 3, Sport:* einen scharfen Schuss aufs Tor abgeben

Ka|no|nik [griech.] *w. 10 nur Ez.* **1** *bei Epikur:* die Logik; **2** *Mus.:* Lehre von den Tonverhältnissen; **Ka|no|ni|kat** *s. 1* Amt, Würde eines Kanonikers; **Ka|no|ni|ker** *m. 5;* **Ka|no|ni|kus** *m. Gen.* - *Mz.* -ker Mitglied eines nach einem Kanon (**1**) lebenden geistl. Kapitels, Chorherr; **Ka|no|ni|sa|ti|on** *w. 10* Heiligsprechung; **ka|no|nisch** dem Kanon entsprechend, auf ihm beruhend; kanonisches Alter: das zur Übernahme eines kath. kirchl. Amtes vorgeschriebene Alter; kanonisches Recht: kath. Kirchenrecht; kanonische Schriften; **ka|no|ni|sie|ren** *tr. 3* in den Kanon (**9**) aufnehmen, heilig sprechen; **Ka|no|nis|se** *w. 11,* **Ka|no|nis|sin** *w. 10* Angehörige eines nach einem Kanon (**1**) lebenden Stifts, Stiftsdame, Chorfrau; **Ka|no|nist** *m. 10* Kenner, Lehrer des kanonischen Rechts

Ka|no|pe [nach der ägypt. Stadt Kanopos] *w. 11* ägypt. Krug mit Deckel in Form eines Menschen- oder Tierkopfes zur Bestattung der Eingeweide eines mumifizierten Toten

Ka|nos|sa, Ca|nos|sa [nach der Reise Heinrichs IV. zu Papst Gregor VII. nach Canossa] *s. Gen.* -(s) *nur Ez., übertr.:* Demütigung; **Ka|nos|sa|gang** ▶ *auch:* **Ca|nos|sa|gang** *m. 2* demütigender Bittgang

Kä|no|zo|i|kum [griech.], Ne|o|zo|i|kum *s. Gen.* -s *nur Ez.* Neuzeit der Erdgeschichte, Tertiär und Quartär; **kä|no|zo|isch**

Kan|sas (*Abk.:* KS) Staat der USA

kan|ta|bel [ital.] sanglich, gut singbar; **kan|ta|bi|le,** *eindeutschende Schreibung von* cantabile; **Kan|ta|bi|li|tät** *w. 10* Sanglichkeit, gute Singbarkeit

Kan|ta|brer *auch:* **Kan|tab|rer** *m. 5* Angehöriger eines iberischen Volkes; **Kan|ta|bri|en** *auch:* **Kan|tab|ri|en** *früher Name für* eine span. Landschaft zwischen dem Kantabrischen Gebirge, dem Golf von Biskaya und dem Ebro; **kan|ta|brisch** *auch:* **kan|tab|risch**; *aber:* Kantabrisches Gebirge

Kan|tar [arab.-ital.] *m. oder s. Gen.* -s *Mz.* -(s), *früher:* Gewichtseinheit in Italien und den östl. Mittelmeerländern, zwischen 45 und 100 kg

Kan|ta|te [lat. »singet!«] **1** *ohne Artikel* vierter Sonntag nach Ostern; an, zu K.; **2** *w. 11* mehrteiliges Musikstück für Singstimme(n) und Chor mit Instrumentalbegleitung

Kan|te *w. 11;* **Kan|tel 1** *m. 5 oder s. 5* vierkantiges Lineal; **2** *w. 11* Holz mit quadrat. oder rechteckigem Querschnitt (für Stuhlbeine); **kan|teln** *tr. 1* mit Schlingenstich umstechen (Naht, Stoffrand); ich kantele, kantle es; **kan|ten** *tr. 2* **1** auf die Kante stellen; **2** fortbewegen, ziehen (Baumstämme); **Kan|ten** *m. 7, norddt.:* Anschnitt oder Endstück (des Brotlaibs)

Kan|ter 1 [engl. kæn-] *m. 5* leichter, kurzer Galopp; **2** [frz.] *m. 5* Verschlag, Kellerlager; Gestell (für Fässer); **kan|tern** *intr. 1* in kurzem Galopp reiten

Kant|ha|ken *m. 7* Stange mit Haken an der Spitze zum Kanten von Baumstämmen; jmdn. beim K. kriegen *ugs.:* jmdm. die Meinung sagen

Kan|tha|ri|den [griech.] *w. 11 Mz.* Käfer mit weichen Flügeldecken, Weichkäfer; **Kan|tha|ri|din** *s. 1 nur Ez.* aus einer Drüsenabsonderung von Kanthariden gewonnenes, hautreizendes Heilmittel

Kan|tha|ros [griech.] *m. Gen.* - *Mz.* -roi altgriech. bauchiges Trinkgefäß mit zwei Henkeln

Kan|ti|a|ner *m. 5* Angehöriger d. Philosophie Immanuel Kants

kan|tig

Kan|ti|le|ne [ital.] *w. 11* getragene, gebunden zu singende oder zu spielende Melodie

Kan|til|le [-tilje, frz.] *w. 11* Schnur aus vergoldeten oder versilberten, spiralig zusammengedrehten Metallfäden (für Borten und Tressen)

Kan|ti|ne [ital.] *w. 11, in Fabriken, Kasernen, Betrieben:* Speiseraum mit Küchenbetrieb, in dem oft auch Lebensmittel verkauft werden; **Kan|ti|nen|wirt** *m. 1*

Kan|ton [frz.] *m. 1* **1** *früher in Preußen:* Wehrverwaltungsbezirk; **2** (*Abk.:* Kt.) *in der Schweiz:* Bundesland; **3** *in Frankreich und Belgien:* Verwaltungsbezirk; **kan|to|nal** zu einem Kanton gehörig, aus ihm stammend; **Kan|to|nie|re** [-njɛ-] *w. 11, in den ital. Alpen:* Straßenwärterhaus; **kan|to|nie|ren** *tr. 3* in Quartiere legen (Truppen); **Kan|to|nist** *m. 10, früher:* ausgehobener Rekrut; ein unsicherer K. *ugs. übertr.:* ein unzuverlässiger Mensch; **Kan|tön|li|geist** *m. 3 nur Ez.* engstirnige, beschränkte Denkweise; **Kan|ton|ne|ment** [-mɑ̃] *s. 9, schweiz.:* [-mɛnt] *s. 1, veraltet:* Bezirk, in dem Truppen kantoniert werden; **Kan|to̲ns|ge|richt** *s. 1;* **Kan|to̲n|sys|tem** *s. 1,* **Kan|to̲n|ver|fas|sung** *w. 10* Aushebungsverfahren, bei dem das Land in Kantone geteilt ist, von denen jeder eine bestimmte Anzahl Rekruten zu stellen hat

Kạn|tor [lat.] *m. 13* **1** *urspr.:* Vorsänger im kath. Gottesdienst; **2** *heute:* Leiter des Kirchenchors und Organist; **Kan|to|ra̲t** *s. 1* Amt des Kantors; **Kan|to|re̲i** *w. 10* **1** Wohnung des Kantors; **2** Kirchenchor

Kạn|tschu *auch:* **Kạnt|schu** [türk.] *m. 9* Peitsche aus geflochtenen Lederriemen

Kạnt|stein *m. 1* Stein, der das Anschlagen des Torflügels an die Mauer verhindert

Kạn|tus [lat.] *m. Gen. - Mz.* -tusse, *Stud.:* Gesang; vgl. Cantus firmus

Ka̲|nu [karib.-engl.] *s. 9* **1** *bei Naturvölkern:* aus einem ausgehöhlten Baumstamm bestehendes Boot; **2** *Sport:* Paddelboot, Kajak, Kanadier

Ka|nü̲l|le [lat.] *w. 11* **1** Röhrchen zum Zu- oder/und Ableiten von Luft oder Flüssigkeit; **2** Hohlnadel der Injektionsspritze

Ka|nu̲t [lat.], Knu̲t *m. 1* ein Regenpfeifervogel

Ka|nu̲|te *m. 11* Kanufahrer

Kạn|zel [lat.] *w. 11;* **Kan|zel|la|ri|a̲t** *s. 1, veraltet* **1** Amt, Würde des Kanzlers; **2** Kanzleistube; **Kan|zẹl|le** *w. 11* **1** *in der altchristl. Basilika:* Chorschranke; **2** *bei der Orgel und Harmonika:* Windkanal; **kan|zel|li̲e|ren** *tr. 3, veraltet:* mit sich kreuzenden Strichen durchstreichen; **Kạn|zel|re|de** *w. 11;* **Kạn|zel|red|ner** *m. 5*

kan|ze|ro|ge̲n [lat.] krebserzeugend, karzinogen

Kanz|le̲i [lat.] *w. 10* **1** Büro, Dienststelle, Amtsräume; **2** dem Staatsoberhaupt oder Regierungschef unmittelbar unterstehende Verwaltungsbehörde, z. B. Bundeskanzlei; **Kanz|le̲i|for|mat** *s. 1* veraltetes Papierformat, 33 × 42 cm; **Kanz|le̲i|spra|che** *w. 11,* **Kanz|le̲i|stil** *m. 1* **1** *seit dem 15. Jh.:* Sprache, Stil der dt. Kanzleien; **2** *heute:* geschraubter Stil, unlebendige Sprache

Kạnz|ler [lat.] *m. 5* **1** *im MA:* Hofbeamter, der die Staatsurkunden beglaubigte und siegelte; **2** *seit dem 15. Jh.:* Präsident des obersten Gerichtshofes; **3** *1747–1807 in Preußen:* Justizminister; **4** *heute:* Regierungschef; **5** Kurator einer Universität; **Kạnz|ler|kan|di|dat** *m. 10;* **Kạnz|ler|schaft** *w. 10 nur Ez.*

Kanz|lịst [lat.] *m. 10* Angestellter einer Kanzlei

Kan|zo̲|ne [ital.] *w. 11* **1** frz. und ital. strophische Gedichtform; **2** *16./17. Jh.:* heiteres, einfaches Lied; *in Frankreich:* A-cappella-Chorgesang; **3** *17. Jh.:* sangl. Instrumentalstück; **4** *seit dem 18. Jh.:* volkstüml. Lied mit Instrumentalbegleitung; **Kan|zo|nẹt|ta, Kan|zo|nẹt|te** *w. Gen. - Mz.* -ten **1** kleine Kanzone; **2** ital. Chorlied

Ka|o|li̲n [nach dem Fundort, dem Berg Gao Ling in China] *s. 1, fachsprachl.: m. 1 nur Ez.* weißes, weiches Tongestein für Porzellan und Steingut, Porzellanerde; **ka|o|li|ni|si̲e|ren** *intr. 3* Kaolin bilden; **Ka|o|li|ni̲t** *m. 1* ein Mineral, Hauptbestandteil des Kaolins

Kạp [lat.-ndrl.] *s. 9* vorspringender Teil einer Felsenküste, Vorgebirge; Kap der Guten Hoffnung: Südspitze Afrikas; Kap Hoorn: Südspitze Südamerikas; Kap Verde: Westspitze Afrikas

Kap. *Abk. für* Kapitel

ka|pa̲|bel [lat.] *veraltet:* fähig, geschickt

Ka|pa̲un [lat.-frz.] *m. 1* kastrierter, gemästeter Hahn, Kapphahn; **ka|pa̲u|nen** *tr. 1,* **ka|pau|ni|si̲e|ren** *tr. 3* kastrieren (Hahn)

Ka|pa|zi|tä̲t [lat.] **1** *w. 10 nur Ez.* Fassungskraft, Aufnahmevermögen; **2** Ausmaß, Umfang (einer Produktion); **3** *w. 10* bedeutender Fachmann; **ka|pa|zi|ta|ti̲v, ka|pa|zi|ti̲v** die Kapazität (eines Kondensators) betreffend

Ka|pe̲e [zu kapieren] *ugs. in der Wendung* schwer von K. sein: begriffsstutzig sein

Ka|pel|la̲n [frz.] *m. 1* ein Lachsfisch

Ka|pẹl|le [lat.] *w. 11* **1** kleines Gotteshaus, kleiner gottesdienstl. Raum; **2** *urspr.:* Kirchenchor; *heute:* kleines Orchester (für Unterhaltungs-, Militärmusik); **3** Raum mit Abzug zur Untersuchung gesundheitsschädlicher Stoffe; **4** *auch:* Kupẹlle *w. 11* Schmelztiegel zum Trennen von edlen und unedlen Metallen; **ka|pel|li̲e|ren** *tr. 3* in der Kapelle (**4**) trennen; **Ka|pẹll|meis|ter** *m. 5*

Ka̲|per 1 [griech.] *w. 11* in Essig eingelegte Blütenknospe des Kapernstrauchs; **2** [lat.] *m. 5, früher:* privates bewaffnetes Schiff, das aufgrund des Kaperbriefes am Handelskrieg teilnehmen konnte; **Ka̲|per|brief** *m. 1* staatl. Ermächtigung zur Teilnahme am Handelskrieg; **Ka|pe|re̲i** *w. 10 nur Ez.* Erbeuten von Handelsschiffen im Handelskrieg aufgrund des Kaperbriefes einer Krieg führenden Macht; **ka̲|pern** *tr. 1* als Kaper erbeuten; sich etwas kapern *übertr. ugs.:* sich etwas aneignen; jmdn. kapern: jmdn. für etwas gewinnen, jmdn. bewegen etwas zu tun; ich kapere ihn mir

Ka̲|pern|strauch *m. 4*

Ka̲|per|schiff *s. 1* = Kaper (**2**); Ka̲|pe|rung *w. 10*

Ka̲|pe|tin|ger *m. 5* Angehöriger eines frz. Königsgeschlechts

Kạp|hol|län|der *m. 5* Bure; **kạp|hol|län|disch;** **Kạp|hol|län|disch** *s. Gen.* -(s) = Afrikaans

ka|pi̲e|ren [lat.-ital.] *tr. 3, ugs.:* verstehen, begreifen

ka|pil|la̲r [lat.] **1** haarfein; **2** zu den Kapillaren gehörend, von ihnen ausgehend; **Ka|pil|la̲|re** *w. 11* **1** kleinstes Blutgefäß, Haargefäß; **2** feines Röhrchen; **Ka|pil|la|ri|tä̲t** *w. 10 nur Ez.* Verhalten von Flüssigkeiten in sehr engen Röhren; **Ka|pil|li̲|ti|um** [-tsjum] *s. Gen.* -s *Mz.* -tilen [-tsjən] röhren- oder fadenförmiges, Sporen bildendes Gewebe der Schleimpilze

ka|pi|ta̲l [lat.] **1** hauptsächlich, besonders, haupt…; **2** stark, mit schönem Geweih (Hirsch, Rehbock); **Ka|pi|ta̲l** *s. Gen.* -s *Mz.* -lien, *auch:* -e **1** Vermögen an Bargeld und Aktien; **2** Geld (für Investitionen); **Ka|pi|ta̲l…** *in Zus.:* schwer (wiegend), groß, z. B. Kapitalverbrechen; **Ka|pi|tä̲l** *s. 1* = Kapitell; **Ka|pi|ta̲l|band,** Kap|ta̲l|band *s. 4* buntes Zierband am oberen und unteren Ende des Buchrückens; **Ka|pi|ta̲l|buch|sta|be** *m. 15* Großbuchstabe; **Ka|pi|tä̲l|chen** *s. 7* Großbuchstabe in der Größe der Kleinbuchstaben: KAPITÄLCHEN; **Ka|pi|ta|le** *w. 11* **1** *veraltet:* Hauptstadt; **2** = Kapitalis; **Ka|pi|ta|le|er|trag|steu|er** *w. 11* Steuer auf Zinsen und Dividenden; **Ka|pi|tal|feh|ler** *m. 5* schwerwiegender Fehler; **ka|pi|tal|in|ten|siv** einen wesentlich höheren Einsatz an Kapital als an Arbeit erfordernd; **Ka|pi|ta|lis,** Ka|pi|ta|le *w. Gen. - nur Ez.* altrömische Schriftart in Kapitalbuchstaben; **Ka|pi|ta|li|sa|ti|on** *w. 10* Umrechnung von Sachwerten, einer Rente o. Ä. in Geldwert; **ka|pi|ta|li|sie|ren** *tr. 3* in Geld umrechnen, zu Geld machen; **Ka|pi|ta|li|sie|rung** *w. 10;* **Ka|pi|ta|lis|mus** *m. Gen - nur Ez.* Wirtschafts- und Gesellschaftsordnung, der das Gewinnstreben des einzelnen zugrunde liegt; **Ka|pi|ta|list** *m. 10* **1** Anhänger, Vertreter des Kapitalismus; **2** Kapitalbesitzer; **ka|pi|ta|lis|tisch; Ka|pi|tal|kraft** *w. 2;* **ka|pi|tal|kräf|tig; Ka|pi|tal|schrift** *w. 10* = Kapitalis; **Ka|pi|tal|ver|bre|chen** *s. 7* schweres Verbrechen; **Ka|pi|tal|zins** *m. 12*

Ka|pi|tän [lat.] *m. 1* **1** Kommandant eines Schiffes oder Flugzeugs; **2** *Sport:* Anführer einer Mannschaft; **Ka|pi|tän|leut|nant** *m. 9, auch: m. 1* Seeoffizier im Rang eines Hauptmanns; **Ka|pi|täns|pa|tent** *s. 1* Befähigungszeugnis des Kapitäns

Ka|pi|tel [lat.] *s. 5* **1** (*Abk.:* Kap.) größerer Abschnitt eines Schriftwerkes; **2** Körperschaft der Geistlichen einer Dom- oder Stiftskirche; **3** deren Versammlung; **4** Versammlung eines geistlichen Ordens; **ka|pi|tel|fest** fest, sicher im Wissen, *auch:* bibelfest

Ka|pi|tell, Ka|pi|täl [lat.] *s. 1* oberer, unterschiedlich gestalteter Teil einer Säule oder eines Pfeilers, z. B. Würfel-, Knospenkapitell

Ka|pi|tel|saal *m. Gen. -s Mz. -säle* Versammlungssaal eines Kapitels (**2**)

Ka|pi|tol [lat.] *s. 1* **1** *im alten Rom:* Stadtburg und Sitz des Senats; **2** *in den USA:* Parlamentsgebäude in Washington; **ka|pi|to|li|nisch**; die kapitolinischen Gänse; der Kapitolinische Hügel

Ka|pi|tu|lant [lat.] *m. 10, früher:* Soldat, der sich durch Vertrag (Kapitulation) zu einer längeren als der gesetzlichen Dienstzeit verpflichtete; **Ka|pi|tu|lar** **1** *m. 1* Mitglied eines Kapitels (**2**); **2** *s. Gen. -s Mz. -ri|en meist Mz.* die Gesetze und Verordnungen der karoling. Könige; **Ka|pi|tu|la|ti|on** *w. 10* **1** *früher:* Vertrag, durch den sich ein Soldat zu einer längeren als der gesetzlichen Dienstzeit verpflichtete; **2** Vertrag, in dem sich eine besiegte Truppe, Stadt, Festung dem Feind ergibt; **3** die Ergebung, Unterwerfung selbst; **ka|pi|tu|lie|ren** *intr. 3* **1** eine Kapitulation unterzeichnen; **2** sich ergeben, sich geschlagen geben

Kap|la|ken [ndrl.], Kapp|la|ken *s. 7, Seew.:* Sondervergütung für Kapitäne

Ka|plan *auch:* **Kap|lan** [lat.] *m. 2, kath. Kirche* **1** Hilfsgeistlicher; **2** Geistlicher mit bes. Aufgaben, z. B. im Heer; **3** Hausgeistlicher (eines Fürsten)

Kap|land Provinz der Republik Südafrika; **kap|län|disch**

Ka|plan|tur|bi|ne *auch:* **Kap|lan-** [nach dem österr. Ingenieur Viktor Kaplan] *w. 11* eine Überdruckwasserturbine

Ka|po [ital.] *m. 9* **1** *Soldatenspr.:* Unteroffizier; **2** Häftling im Konzentrationslager, der ein Arbeitskommando leitet

Ka|po|das|ter [ital.] *m. 5,* Capo|tas|to *m. Gen. -s Mz. -ti oder -s* **1** *bei Saiteninstrumenten:* oberes Ende des Griffbretts; **2** *bei der Gitarre:* Klammer zum Verkürzen der Saiten

Ka|pok [javan.] *m. 9 nur Ez.* Fasern aus dem Fruchthaar des Kapokbaums, für Polster- und Kissenfüllungen; **Ka|pok|baum** *m. 2* ein trop. Baum, Baumwollbaum

ka|po|res [jidd.] *ugs.:* kaputt

Ka|pot|te [frz.] *w. 11,* **Ka|pott|hut** *m. 2, 19. Jh.:* kleiner, unter dem Kinn gebundener Damenhut

Kap|pa *s. Gen. -(s) Mz. -s* (*Zeichen:* κ, Κ) griech. Buchstabe

Kap|pa|do|zi|en, Kap|pa|do|ki|en *im Altertum:* Landschaft im östl. Kleinasien

Käpp|chen *s. 7;* **Kap|pe** *w. 11*

kap|pen *tr. 1* **1** oben abschneiden, verkürzen; **2** durchschneiden (Tau)

Kap|pes, Kap|pus *m. Gen. - nur Ez.* **1** *westdt.:* Weißkohl; **2** *ugs.:* Unsinn, törichtes Gerede

Kapp|hahn *m. 2* = Kapaun

Käp|pi *s. 9* schmale, zweispitzige Soldatenmütze

Kapp|la|ken *s. 7* = Kaplaken

Käpp|lein *s. 7, poet.*

Kapp|naht *w. 2* Doppelnaht

Kap|pro|vinz *w. 10 nur Ez.* Provinz der Republik Südafrika

Kap|pung *w. 10*

Kap|pus *m. Gen. - nur Ez.* = Kappes

Kapp|zaum *m. 2* Teil des Zaumes, Nasenriemen

Kapp|zie|gel *m. 5* Luftziegel, Ziegel, der Luft, aber keinen Regen durchlässt

> **Kapri-, Kapro-** (Worttrennung): Es bleibt dem/der Schreibenden überlassen, ob er/sie statt der bisher üblichen Trennungsmöglichkeit *(Kapri-, Ka|pro-)* nach seiner/ihrer Aussprache trennt: *Kap|ri-, Kap|ro-.* → § 110, § 112

Ka|pric|cio *auch:* **Kap|ric|cio** [-pritʃo] *s. 9, eindeutschende Schreibung von* Capriccio

Ka|pri|ce [-prisə], Ca|price [kapris, frz.], *österr.* Ka|pri|ze, *auch:* **Kap|ri|ce,** Cap|ri|ce, Kap|ri|ze *w. 11* Laune, Grille, schnurriger Einfall

Ka|pri|fi|ka|ti|on [lat.] *w. 10, im Feigenanbau:* Verfahren zum Verbessern der Bestäubung

Ka|pri|fo|li|a|ze|en *Mz.* Geißblattgewächse, z. B. Schneeball, Holunder

Ka|pri|o|le [lat.-ital.] *w. 11* **1** *eigtl.:* Luftsprung, *dann:* verrückter Streich; **2** *Hohe Schule* = Capriole; **ka|pri|o|len** *intr. 1* Kapriolen machen; **Ka|pri|ze** *w. 11, österr. für* Kaprice; **ka|pri|zie|ren** *refl. 3;* sich auf etwas k.: auf etwas bestehen, beharren, (eigensinnig) bei etwas bleiben; **ka|pri|zi|ös** launenhaft, eigenwillig

Ka|pro|lak|tam *s. 1 nur Ez.* aus Kapronsäure gewonnener Ausgangsstoff für Kunstfasern, bes. Perlon; **Ka|pron|säu|re** *w. 11* eine Fettsäure

Kap|sel [lat.] *w. 11;* **Käp|sel|chen** *s. 7;* **Kap|sel|frucht** *w. 2;* **Kap|si|kum** *s. Gen. -s nur Ez.* aus Mittelamerika stammendes, scharfes Gewürz, span. Pfeffer, auch hautreizendes Arzneimittel; **Kap|si|kum|pflas|ter** *s. 5*

Kạp|stadt Hst. der Kapprovinz; **Kạp|stein** *m. 1, veraltet:* Diamant aus Südafrika

Kap|tal *s. 1,* **Kap|tal|band** *s. 4* = Kapitalband

Kap|ta|ti|on [lat.] *w. 10, veraltet:* Erschleichung, Erbschleicherei; **kap|ta|to|risch** *veraltet:* durch Erschleichen, erschleichend; **Kap|ti|on** *w. 10, veraltet* **1** verfängl. Frage; **2** Trugschluss; **kap|ti|ös** *veraltet:* verfänglich; kaptiöse Frage; **kap|ti|vie|ren** *tr. 3, veraltet:* gefangen nehmen, für sich gewinnen; **Kap|tur** *w. 10, veraltet:* Beschlagnahme (eines feindl. Schiffes)

Ka|pụt [mlat.] *m. 1, schweiz.:* Soldatenmantel

ka|pụtt [lat.-frz.] **1** entzwei, zerbrochen, zerrissen; **2** *ugs.:* müde, erschöpft; **ka|pụtt|ge|hen** *intr. 47;* **ka|pụtt|la|chen** *refl. 1, ugs.;* **ka|pụtt|ma|chen** *tr. 1*

Ka|pu|ze [lat.] *w. 11* (meist an Mantel oder Jacke befestigte) Kopf und Hals einhüllende Mütze; **Ka|pu|zen|man|tel** *m. 6;* **Ka|pu|zi|na|de** *w. 11, veraltet:* Kapuzinerpredigt, Strafpredigt; **Ka|pu|zi|ner** *m. 5* Angehöriger des Kapuzinerordens; **Ka|pu|zi|ner|af|fe** *m. 11;* **Ka|pu|zi|ner|kres|se** *w. 11;* **Ka|pu|zi|ner|or|den** *m. 7* Zweig des Franziskanerordens mit der strengsten Regel

Kap|ver|di|sche Ịn|seln [-vẹr-] *w. 11 Mz.,* Kap|vẹr|den *Mz.* Inselgruppe und Staat vor Kap Verde; vgl. Kap; **Kạp|wein** *m. 1* Wein aus dem Kapland

Kar *s. 1* vom Gletscher geformte Mulde in Felswänden des Gebirges

Ka|ra|bi|ner [frz.] *m. 5* kurzes Gewehr mit geringer Schussweite; **Ka|ra|bi|ner|ha|ken** *m. 5* Haken mit federndem Verschluss; **Ka|ra|bi|nier** [-nje] *m. 9* **1** *urspr.* mit Karabiner bewaffneter Reiter; **2** *später:* Jäger zu Fuß; **Ka|ra|bi|nie|re** [-njɛ-, ital.] *m. Gen.* -(s) *Mz.* -ri italienischer Polizist

Ka|rạ|cho [span.], Ca|rạ|cho *s. Gen.* -s *nur Ez., ugs., fast nur in der Fügung* mit K.: mit großer Geschwindigkeit, mit voller Wucht

Ka|rạf|fe [arab.-frz.] *w. 11* geschliffene Glasflasche mit Stöpsel

Ka|ra|gọ̈s, Ka|ra|gọ̈z [türk.] *m. Gen. - nur Ez.* Hanswurst, Kasperle des türk. Schattenspiels

Ka|rai|be *auch:* **Ka|ra|i|be** *m. 11* = Karibe

Kạ|ra|kal [türk.] *m. 9* Wüstenluchs; **Ka|ra|kal|pa|ke** *m. 11* Angehöriger eines Turkvolkes südlich des Aralsees; **ka|ra|kal|pa|kisch**

Ka|ra|kụl|schaf *s. 1* Fettschwanzschaf, dessen Lämmer den Persianerpelz liefern

Ka|ram|bo|la|ge [-ʒə, frz.] *w. 11* **1** *Billard:* Treffer, Anstoßen des Spielballes an die beiden andern Bälle; **2** *übertr.:* Zusammenstoß; **Ka|ram|bo|le** *w. 11, Billard:* Spielball, roter Ball; **ka|ram|bo|lie|ren** *intr. 3*

Ka|ra|mẹl ► **Ka|ra|mẹll** [frz.] *m. 9 nur Ez., schweiz. auch: s. 9 nur Ez.* erhitzter, gebräunter Zucker; **ka|ra|me|lie|ren** ► **ka|ra|mel|lie|ren; ka|ra|me|li|sie|ren** ► **ka|ra|mel|li|sie|ren; Ka|ra|mẹl|le** *w. 11* Bonbon aus Milch und karamelliertem Zucker; **ka|ra|mel|lie|ren** *intr. 3* beim Erhitzen braun werden; **ka|ra|mel|li|sie|ren** *tr. 3* durch Erhitzen braun machen; **Ka|ra|mẹl|zucker** ► **Ka|ra|mẹll|zu|cker** *m. 5 nur Ez.*

Ka|ra|o|ke [jap.] *s. Gen.* -(s) *nur Ez.* Play-back-Spiel in Bars u. Ä., bei dem Gäste zu bekannten Musiktiteln die fehlenden Gesangseinlagen über Mikrofon vortragen

Ka|rat [griech.-frz.] *s. 1, nach Zahlenangaben Mz.* - (*Abk.:* k) **1** getrockneter Samen des Johannisbrotbaumes (der früher zum Wiegen von Gold und Edelsteinen benutzt wurde); **2** Gewichtsmaß für Edelsteine, 1 k = 0,2 g; **3** Maß für den Feingehalt von Gold, 24 k = 100% Gold

Ka|ra|te [jap.] *s. Gen.* -(s) *nur Ez.* eine Art der jap. waffenlosen Selbstverteidigung

...ka|rä|tig eine bestimmte Menge von Karat wiegend oder aufweisend, z. B. vierzehnkarätiges (*in Ziffern:* 14-karätiges) Gold

Ka|rau|sche *w. 11* ein karpfenartiger Fisch

Ka|ra|vẹl|le [lat.-frz.] *w. 11, 14./16. Jh.:* dreimastiges Segelschiff mit hohem Heckaufbau

Ka|ra|wa|ne [pers.-ital.] *w. 11* Reisegesellschaft von Kaufleuten, bes. mit Kamelen, im Orient; **Ka|ra|wa|nen|stra|ße** *w. 11*

Ka|ra|wạn|ken *nur Mz.* Berggruppe der südl. Kalkalpen zwischen Drau und Save

Ka|ra|wan|se|rei *w. 10* Unterkunft für Karawanen

Kar|bat|sche [türk.-tschech.] *w. 11* Riemenpeitsche; **kar|bat|schen** *tr. 1* **1** mit der Karbatsche schlagen; **2** *übertr.:* mit Worten peitschen

Kar|bid [lat.] *s. 1 nur Ez., ugs. Bez. für* Verbindung von Kohlenstoff mit Calcium, gehört zur Gruppe der → Carbide; **kar|bi|disch; Kar|bi|nol** *s. 1, früher Bez. für* Methylalkohol; **Kar|bol** *s. 1 nur Ez.* ein Desinfektionsmittel, Karbolsäure; **Kar|bo|li|ne|um** *s. Gen.* -s *nur Ez.* ein Mittel zur Imprägnierung und Schädlingsbekämpfung; **Kar|bol|säu|re** *w. 11* = Karbol; **Kar|bon** *s. Gen.* -s *nur Ez.* eine Formation des Paläozoikums, zwischen Devon und Perm, Steinkohlenzeit; **Kar|bo|na|de** *w. 11* gebratenes Rippenstück (vom Rind, Hammel oder Schwein); **Kar|bo|na|do** *m. 9,* Kar|bo|nat *m. 1* schwarzer Diamant (Schleif- und Bohrmittel); **Kar|bo|na|ro** *m. Gen.* -s *Mz.* -ri, *1807–1848:* Angehöriger eines ital. Geheimbundes für nationale Einheit und Unabhängigkeit; **Kar|bo|nat 1** *m. 1* = Karbonado; **2** *fachsprachl.:* Car|bo|nat *s. 1* Salz der Kohlensäure; **Kar|bo|ni|sa|ti|on** *w. 10* Verkohlung; **kar|bo|nisch** zum Karbon gehörend, aus ihm stammend; **kar|bo|ni|sie|ren** *tr. 3* **1** verkohlen lassen; **2** durch Schwefelsäure zerstören (Zellulosereste in Wolle); **3** mit Kohlendioxid versetzen (Getränke); **Kar|bon|pa|pier** *s. 1* Kohlepapier; **Kar|bo|rụnd** *s. 1 nur Ez.* Siliciumcarbid, als Schleifmittel, für feuerfeste Steine und Heizwiderstände; **kar|bo|zy|klisch** *auch:* **-zyk|lisch** *eindeutschende Schreibung von* carbocyclisch; **Kar|bụn|kel,** Kar|fụn|kel *m. 5* mehrere, einen gemeinsamen Entzündungsherd bildende Furunkel; **Kar|bu|ra|tor** *m. 13* Vorrichtung zum Karburieren, Vergaser; **kar|bu|rie|ren** *tr. 3* **1** mit Kohlenstoff sättigen; **2** Gas k.: durch Beimischen von hell brennenden Stoffen seine Leuchtkraft erhöhen

Kar|da|mom [sanskr.-lat.] *m. 1 oder s. 1, auch m. 12 oder s. 12* Frucht eines ind. Ingwergewächses, scharfes Gewürz

Kar|dan|an|trieb [nach dem ital. Mathematiker und Arzt Geronimo Cardano] *m. 1* Antrieb über ein Kardangelenk; **Kar|dan|ge|lenk** *s. 1* Verbindung zweier Wellen zur Kraftübertragung unter einem Winkel, Kreuzgelenk; **kar|da|nisch**; kardanische Aufhängung: Vorrichtung zur allseitig drehbaren Aufhängung in zwei senkrecht zueinander stehenden Achsen (für Kompasse, Messinstrumente); **Kar|dan|wel|le** *w. 11* mit einem Kardangelenk versehene Antriebswelle (für Kraftfahrzeuge), Gelenkwelle

Kar|dät|sche [ital.] *w. 11* **1** grobe Bürste zum Striegeln von Pferden u. a.; **2** Bürste zum Aufrauhen von Geweben; **3** Brett mit Handgriff zum Auftragen von Putz; **kar|dät|schen** *tr. 1* bürsten, striegeln, rau machen

Kar|de [lat.] *w. 11* **1** ein distelähnliches Kraut; **2** *Spinnerei:* Gerät zum Auflösen von Faserbüscheln und Entfernen von kurzen Fasern, Krempel

Kar|deel [ndrl.] *w. 1, Seew.:* Einzelseil der Trosse

kar|den *tr. 2,* kar|die|ren *tr. 3* mit der Karde (**2**) bearbeiten; **Kar|den|dis|tel** *w. 11, fälschlich für* Wilde Karde

kar|di..., Kar|di... vgl. kar|di|o..., Kar|di|o...

Kar|dia [griech.] *w. Gen. - nur Ez., Med.:* **1** Herz; **2** Magenmund; **Kar|di|a|kum** [lat.] *s. Gen.* -s *Mz.* -ka herzstärkendes Arzneimittel; **kar|di|al** das Herz betreffend, zu ihm gehörig, von ihm ausgehend; **Kar|di|al|gie** *w. 11* **1** Herzschmerz; **2** Magenkrampf

kar|die|ren *tr. 3* = karden

kar|di|nal [lat.] hauptsächlich, Haupt..., wichtigst; **Kar|di|nal** *m. 2* **1** *kath. Kirche:* höchster Würdenträger nach dem Papst mit dem Recht den Papst zu wählen; **2** eine amerikan. Finkenart; Roter K.; **3** bowlenartiges Getränk mit Pomeranzen

kar|di|nal..., Kar|di|nal... *in Zus.:* Haupt..., Grund..., wichtigst; z. B. Kardinalfehler

Kar|di|nal|bi|schof *m. 2* Bischof im Rang eines Kardinals; **Kar|di|na|le** *w. 11* Kardinalzahl; **Kar|di|nal|erz|bi|schof** *m. 2* Erzbischof im Rang eines Kardinals; **Kar|di|nal|feh|ler** *m. 5;* **Kar|di|nal|punkt** *m. 1* **1** Hauptpunkt, z. B. Hauptgegend des Horizonts, Nord, Süd, Ost oder West; **Kar|di|nals|hut** *m. 2;* **Kar|di|nals|vo|gel** *m. 6* = Kardinal (**2**); **Kar|di|nal|tu|gend** *w. 10, bei Sokrates, Plato und den Stoikern:* eine der vier Haupttugenden: Weisheit, Gerechtigkeit, Mäßigkeit, Tapferkeit; **Kar|di|nal|vi|kar** *m. 1* Stellvertreter des Papstes für das Bistum Rom; **Kar|di|nal|zahl** *w. 10* Grundzahl, ganze Zahl, Kardinale, z. B. zwei; vgl. Ordnungszahl

kar|di|o..., Kar|di|o..., *vor Vokalen:* kar|di..., Kar|di... *in Zus.:* herz..., Herz..., magen..., Magen...

Kar|di|o|graf *m. 10* = Kardiograph

Kar|dio|gramm [griech.] *s. 1* graf. Darstellung der Herzbewegungen; **Kar|di|o|graph** ► *auch:* **Kar|di|o|graf** *m. 10* Gerät zum Aufzeichnen von Kardiogrammen; **Kar|di|o|i|de** *w. 11, Math.:* herzförmige Kurve, Herzkurve; **Kar|di|o|lo|gie** *w. 11* Lehre vom Herzen und seinen Krankheiten; **kar|di|o|lo|gisch;** **Kar|di|o|me|ga|lie** *w. 11* Herzvergrößerung; **Kar|di|o|pa|thie** *w. 11* Herzleiden; **Kar|di|o|ple|gie** *w. 11* Herzschlag; **Kar|di|o|spas|mus** *m. Gen. - Mz.* -men Mageneingangskrampf; **kar|di|o|vas|ku|lär** Herz und Gefäße betreffend, zu ihnen gehörig; **Kar|di|tis** *w. Gen. - Mz.* -ti|den Herzentzündung

Ka|re|li|en Landschaft zwischen Finn. Meerbusen und Weißem Meer; **Ka|re|li|er** *m. 5* Angehöriger eines finn. Volksstammes; **ka|re|lisch**

Ka|renz [lat.] *w. 10* **1** Wartezeit, Sperrfrist, Karenzfrist, Karenzzeit; **2** *Med.:* Verzicht, Enthaltsamkeit; **Ka|renz|frist** *w. 10* = Karenz (**1**); **Ka|renz|jahr** *s. 1* Jahr, während dessen der Inhaber einer neuen Pfründe ganz oder teilweise auf seine Einkünfte daraus verzichten muss

ka|res|sie|ren [frz.] *tr. 3, veraltet;* jmdn. k.: jmdm. schmeicheln, jmdn. liebkosen

Ka|ret|te [frz.] *w. 11,* **Ka|rett|schild|krö|te** *w. 11* Meeresschildkröte, deren Rücken- und Bauchpanzer das Schildpatt liefern

Kar|fi|ol [ital.] *m. 1 nur Ez., süddt., österr.:* Blumenkohl

Kar|frei|tag *m. 1* Tag der Kreuzigung Christi, Freitag vor Ostern

Kar|fun|kel [lat.] *m. 1* **1** = Karbunkel; **2** Kar|fun|kel|stein *m. 1* ein Edelstein, roter Granat; *allg. auch:* feurig rot leuchtender Edelstein

karg; karger, am kargsten, *auch:* kärger, am kärgsten

Kar|ga|deur [-dør, span.-frz.] *m. 1,* **Kar|ga|dor** [span.] *m. 1* jmd., der eine Schiffsladung (Kargo) zu begleiten und ihren Transport bis zur Übergabe zu überwachen hat

kar|gen *intr. 1;* er kargte nicht mit Lob; **Karg|heit** *w. 10 nur Ez.;* **kärg|lich;** **Kärg|lich|keit** *w. 10 nur Ez.*

Kar|go [span.] *m. 9* Schiffsladung, Schiffsfracht

Ka|ri|be, Ka|ra|i|be *m. 11* Angehöriger eines Indianervolkes in Mittel- und im nördl. Südamerika; **Ka|ri|ben|fisch** *m. 1* ein Raubfisch; **ka|ri|bisch,** ka|ra|i|bisch; *aber:* Karibisches Meer; **Ka|ri|bik** *w. Gen. -* das Karibische Meer mit den Antillen

Ka|ri|bu [indian.] *m. 9* nordamerik. Ren

ka|rie|ren [frz.] *tr. 3* mit Karos, Quadraten, Rhomben mustern; kariert: gewürfelt, gekästelt, mit Karos gemustert; kariert schauen *ugs.:* töricht-staunend, verständnislos

Ka|ri|es [-e:s, lat.], Ca|ri|es *w. Gen. - nur Ez.* **1** Knochenerkrankung, wobei die feste Knochensubstanz zerstört wird; **2** Zahnkaries, Zerstörung der harten Zahnsubstanz, Zahnfäule

Ka|ri|ka|tur [ital.] *w. 10* stark übertreibende, verzerrende und dadurch lächerlich machende Darstellung, Spottbild; **Ka|ri|ka|tu|rist** *m. 10* Karikaturenzeichner; **ka|ri|ka|tu|ris|tisch** in der Art einer Karikatur; **ka|ri|kie|ren** *tr. 3* in der Art einer Karikatur darstellen, lächerlich machen

► = wird zu

ka|ri|o|gen [lat. + griech.] Karies hervorrufend; **ka|ri|ös** von Karies befallen

Ca|ri|tas [lat.] *w. Gen. - nur Ez.* **1** Ca|ri|tas *Kurzw. für* Dt. Caritasverband; **2** Wohltätigkeit, Nächstenliebe; **ka|ri|ta|tiv,** cha|ri|ta|tiv, mild-, wohltätig

Kar|kas|se [frz.] *w. 11* **1** *16. bis 19. Jh.:* Brandkugel mit eisernem Gerippe; **2** *früher:* Drahtgestell für Frauenhüte; **3** Gerippe (vom Geflügel); **4** Unterbau (eines Gummireifens)

kar|lin|gisch = karolingisch

Kar|list *m. 10, 18./19. Jh.:* Anhänger einer span. Partei, die die Ansprüche der beiden Thronanwärter mit Namen Carlos unterstützte; **Kar|lis|ten|krie|ge** *m. 1 Mz.*

Karl-Marx-Stadt 1953–90 amtl. Bez. für Chemnitz; **Karl-Marx-Städ|ter** *m. 5*

Karls|bad Kurort in der Tschechischen Republik; Karlsbader Salz, Karlsbader Oblaten

Karls|sa|ge *w. 11* Sagenkreis um Karl den Großen

Kar|ma [sanskr.], **Kar|man** *s. Gen. -s nur Ez., Buddhismus:* das Handeln des Menschen, von dem sein Schicksal im Lauf seiner Wiedergeburten abhängt

Kar|me|lit [nach dem Berg Karmel in Palästina] *m. 10,* **Kar|me|li|ter** *m. 5* Angehöriger des Karmeliterordens; **Kar|me|li|ter|geist** *m. Gen. -(e)s nur Ez.* Lösung aus Heilkräutern zum Einreiben, Melissengeist; **Kar|me|li|te|rin,** Kar|me|li|tin *w. 10;* **Kar|me|li|ter|or|den** *m. 7* ein Bettelorden mit strenger Regel

Kar|men [lat.] *s. Gen. -s Mz. -mi*na Fest-, Gelegenheitsgedicht

Kar|me|sin [pers.-ital.], Kar|min *s. Gen. -s nur Ez.* aus der Koschenilleschildlaus gewonnener roter Farbstoff; **kar|me|sin|rot,** kar|min|rot; **Kar|min** *s. Gen. -s nur Ez.* = Karmesin

Kar|mi|na|ti|vum [lat.] *s. Gen. -s Mz. -va* Blähungen treibendes Arzneimittel

Kar|min|lack *m. 1 nur Ez.* aus Karmin hergestellte rote Farbe, Karmoisin; **kar|min|rot,** kar|me|sin|rot; **Kar|min|säu|re** *w. 11 nur Ez.* färbender Bestandteil der Koschenille; **kar|moi|sie|ren** [-moa-] *tr. 3* = karmosieren; **Kar|moi|sin** [-moa-] *s. Gen. -s nur Ez.* = Karminlack; **kar|mo|sie|ren,** kar|moi|sie|ren [-moa-] *tr. 3* mit kleineren Edelsteinen einfassen

Kar|nal|lit [nach dem Bergingenieur Rudolf von Carnall] *m. 1 nur Ez.* ein Mineral

Kar|na|ti|on *w. 10 nur Ez.* = Inkarnat

Kar|nau|ba|wachs [indian.-port.] *s. 1 nur Ez.* aus der Karnaubapalme gewonnenes Wachs (für Bohnerwachs u. a.)

Kar|ne|ol [lat.] *m. 1* ein Mineral, Halbedelstein, Abart des Quarzes

Kar|ner [lat.], Ker|ner *m. 5* **1** Räucherkammer; **2** Beinhaus (meist in Friedhofskapelle), in dem nach Anlegen neuer Gräber die alten Gebeine aufbewahrt werden

Kar|ne|val [-val, lat.-ital.] *m. 1 oder m. 9* Fastnachtszeit, -fest; **Kar|ne|va|list** *m. 10* Teilnehmer am Karneval; **kar|ne|va|lis|tisch; Kar|ne|vals|zug** *m. 2*

Kar|ni|ckel *s. 5* **1** Kaninchen; **2** *übertr. ugs.:* Sündenbock; Dummkopf, Einfaltspinsel

Kar|nies [griech.-frz.] *s. 1* Glockenleiste, Bauglied am Gesims mit s-förmigem Profil; **Kar|nie|se, Kar|ni|sche** *w. 11, österr.:* Vorhangstange

kar|ni|vor [-vor, lat.] fleischfressend (Tier, Pflanze); **Kar|ni|vo|re** *m. 11 bzw. w. 11* Fleisch fressendes Tier bzw. Fleisch fressende Pflanze

Kärn|ten Land in Österreich; **kärn|tisch** *selten für* kärntnerisch; **Kärnt|ner,** Kärn|te|ner *m. 5;* **kärnt|ne|risch**

Ka|ro [frz.] *s. 9* **1** Rhombus oder auf der Spitze stehendes Quadrat; **2** Farbe im frz. Kartenspiel; **Ka|ro-As** ► **Ka|ro-Ass** *s. 1;* **Ka|ro-Kö|nig** *m. 1*

Ka|ro|li|nen *Mz.* Inselgruppe im Pazif. Ozean

Ka|ro|lin|ger *m. 5* Angehöriger eines fränk. Hausmeier- und Herrschergeschlechts; **ka|ro|lin|gisch,** kar|lin|gisch; karoling. Minuskel

Ka|ros|se [frz.] *w. 11* Pracht-, Staatskutsche; **Ka|ros|se|rie** *w. 11* Oberteil des Kraftwagens (über dem Fahrgestell); **Ka|ros|sier** [-sje] *m. 9, veraltet:* Kutschpferd; **ka|ros|sie|ren** *tr. 3* mit Karosserie versehen

Ka|ro|ti|de *w. 11* = Karotis

Ka|ro|tin [griech.] *s. 1 nur Ez.* gelber, meist pflanzl. Farbstoff, Vorstufe des Vitamins A

Ka|ro|tis [griech.] *w. Gen. - Mz. -ti|den,* Ka|ro|ti|de *w. 11* Halsschlagader

Ka|rot|te [griech.] *w. 11* **1** *i. w. S.:* Gemeine Möhre, gelbe Rübe; **2** *i. e. S.:* kurze, rundliche, zarte Möhre

Kar|pa|ten *nur Mz.* südosteurop. Mittelgebirgszug; **kar|pa|tisch**

Kar|pell [griech.] *s. 1,* **Kar|pel|lum** *s. Gen. -s Mz. -la* Fruchtblatt, die Samenanlage tragendes, weibl. Geschlechtsorgan der Blüte

Kar|pen|ter|brem|se [nach dem amerik. Ingenieur Jesse Fairfield Carpenter] *w. 11* Druckluftbremse für Eisenbahnzüge

Karp|fen *m. 7* Süßwasserfisch

Kar|po|lith [griech.] *m. 1* Versteinerung einer Frucht oder eines Samens; **Kar|po|lo|gie** *w. 11 nur Ez.* Lehre von den Pflanzenfrüchten; **kar|po|lo|gisch**

Kar|ra|geen, Kar|ra|gheen [nach dem ir. Ort Carraghen] *s. 1 nur Ez.* Irländisches Moos

Kar|re *w. 11,* Kar|ren *m. 7*

Kar|ree [frz.] *s. 9* **1** Viereck, Quadrat, Rhombus; **2** *bayr., österr.:* Rippenstück, z. B. Schweinskarree

kar|ren *tr. 1* mit einer Karre, einem Karren befördern; **Kar|ren** **1** *m. 7;* **2** *nur Mz., Geol.:* durch Schmelzwasser entstandene Rinnen und Furchen in Kalkgestein, Schratten; **Kar|ren|feld** *s. 3, Geol.;* **Kar|ren|gaul** *m. 2;* **Kar|rer** *m. 5, schweiz.:* Kärrner, Fuhrmann; **Kar|re|te** *w. 11, bes. ostmitteldt.:* Karre, schlechter, alter Wagen; **Kar|ret|te** *w. 11, schweiz.:* **1** Schubkarren; **2** schmalspuriger Wagen der Gebirgstruppen; **3** zweirädriges Einkaufswägelchen

Kar|ri|e|re [frz.] *w. 11* **1** *nur Ez.* schnellste Gangart des Pferdes; **2** (glänzende) Laufbahn, (rascher) Aufstieg im Beruf; **Kar|ri|e|re|frau** *w. 10;* **Kar|ri|e|ris|mus** *m. Gen. - nur Ez.* rücksichtsloses Streben, Karriere zu machen; **Kar|ri|e|rist** *m. 10;* **kar|ri|e|ris|tisch**

Kar|ri|ol [frz.] *s. 9,* **Kar|ri|o|le** *w. 11* **1** leichter, zweirädriger Kastenwagen; **2** *veraltet:* Postwagen; **kar|ri|o|len** *intr. 1, ugs.:* unsinnig (umher)fahren

Kär|ner *m. 5, veraltet:* Fuhrmann
Kar|sams|tag *m. 1* Samstag vor Ostern
Karst *m. 1* **1** Kalkgebirge in Slowenien und Kroatien; **2** Gesamtheit der Landschaftsformen in Gebieten mit wasserlösl. Gesteinen; **3** Hacke mit flachen Zinken
kart. *Abk. für* kartoniert
Kar|tät|sche [lat.-ital.] *w. 11, früher:* mit Bleikugeln gefülltes Geschoss für kurze Entfernungen; **kar|tät|schen** *intr. 1* mit Kartätschen schießen
Kar|tau|ne [ital.] *w. 11, 15. Jh.:* schweres Geschütz
Kar|tau|se [lat.] *w. 11* Kloster der Kartäuser, Einsiedelei; **Kar|täu|ser** *m. 5* **1** Angehöriger des Kartäuserordens; **2** Chartreuse, ein Kräuterlikör; **Kar|täu|ser|or|den** *m. 7 nur Ez.* ein Mönchsorden (Einsiedlerorden) mit sehr strenger Regel
Kärt|chen *s. 7;* **Kar|te** *w. 11;* Karten spielen; **Kar|tei** *w. 10;* **Kar|tei|kar|te** *w. 11;* **Kar|tei|kas|ten** *m. 8*
Kar|tell [frz.] *s. 1* **1** Schutzbündnis; **2** Zusammenschluss von gleichartigen Betrieben, die jedoch rechtlich und wirtschaftlich selbständig und unter ihrem Namen bestehen bleiben; **kar|tel|lie|ren** *tr. 3* zu einem Kartell zusammenfassen
Kar|ten|brief *m. 1;* **Kar|ten|haus** *s. 4;* **Kar|ten|kunst|stück** *s. 1;* **Kar|ten|le|ge|rin, Kar|ten|le|se|rin** *w. 10;* **Kar|ten|netz|ent|wurf** *m. 2,* **Kar|ten|pro|jek|ti|on** *w. 10* Darstellung der Erdoberfläche auf einer Landkarte; **Kar|ten|schlä|ge|rin** *w. 10* Kartenlegerin; **Kar|ten|spiel** *s. 1;* **Kar|ten|spie|ler** *m. 5*
kar|te|si|a|nisch, car|te|si|a|nisch von René Descartes stammend, seiner Lehre entsprechend, im Sinne des Kartesianismus; **Kar|te|si|a|nis|mus** *m. Gen. - nur Ez.* die Lehre des frz. Philosophen und Mathematikers René Descartes
Kar|tha|ger *m. 5* Einwohner von Karthago; **kar|tha|gisch; Kar|tha|go** antike Stadt nahe dem heutigen Tunis
Kar|tha|min [arab.] *s. 1 nur Ez.* roter Farbstoff aus den Blüten der Färberdistel
kar|tie|ren *tr. 3* vermessen und auf einer Landkarte darstellen (Gelände)
Kar|ting *s. Gen. -s nur Ez.* Sport mittels Go-Kart
Kar|tof|fel *w. 11;* **Kar|töf|fel|chen** *s. 7;* **Kar|tof|fel|kä|fer** *m. 5;* **Kar|tof|fel|puf|fer** *m. 5;* **Kar|tof|fel|sa|lat** *m. 1;* **Kar|tof|fel|stock** *m. Gen. -(e)s nur Ez., schweiz.:* Kartoffelbrei
Kar|to|graf *m. 10* = Kartograph; **Kar|to|gra|fie** *w. 11 nur Ez.* = Kartographie; **kar|to|gra|fisch** = kartographisch
Kar|to|gramm [ital. + griech.] *s. 1* graf. Darstellung statistischer Materialien auf Landkarten; **Kar|to|graph** ► *auch:* **Kar|to|graf** *m. 10* Zeichner, wissenschaftl. Bearbeiter von Landkarten; **Kar|to|gra|phie** ► *auch:* **Kar|to|gra|fie** *w. 11 nur* Ez. **1** Anfertigung von Landkarten; **2** Lehre, Geschichte davon; **kar|to|gra|phisch** ► *auch:* **kar|to|gra|fisch; Kar|to|man|tie** *w. 11* Wahrsagen aus Spielkarten, Kartenlegen; **Kar|to|me|ter** *s. 5* Kurvenmesser; **Kar|to|me|trie** *auch:* **-met|rie** *w. 11 nur Ez.* Messen von Kurven, Längen, Flächen auf Landkarten; **kar|to|me|trisch** *auch:* **-met|risch**

> **Kartographie/Kartografie:** Die fremdsprachige Schreibweise *(Kartographie)* ist die Hauptvariante, die integrierte (eingedeutschte) Form *(Kartografie)* die zulässige Nebenvariante. Der/die Schreibende kann selbst entscheiden, welche Form zu wählen ist. →§ 32 (2)

Kar|ton [-tõ, ugs.: -tɔŋ, lat.-frz.] *m. 9* **1** dünne Pappe, dickes, steifes Papier; **2** Schachtel aus solchem Material; **3** Entwurf für ein Wandgemälde; **4** Ersatzblatt für ein fehlerhaftes Blatt in einem Buch; **Kar|to|na|ge** [-ʒə] *w. 11* **1** Umhüllung aus Karton; **2** Bucheinband aus Pappe; **kar|to|nie|ren** *tr. 3* **1** in Kartons **(2)** verpacken; **2** in Karton **(1)** einbinden (Buch); **kar|to|niert** *(Abk.:* kart.*) bei Büchern in bibliograf. Angaben:* in Karton **(1)** gebunden; **Kar|to|thek** [ital. + griech.] *w. 10* = Kartei
Kar|tu|sche [frz.] *w. 11* **1** *im Artilleriegeschoss:* Metallhülse, in der sich die Pulverladung befindet; **2** *Baukunst, bes. im Barock:* Ornament aus halb aufgerollten Blättern; rechteckige Fläche (für Inschriften u. Ä.) mit Rahmen aus solchen Ornamenten
Ka|ru|be [arab.-lat.] *w. 11* einzelne Frucht des Johannisbrotbaumes
Ka|run|kel [lat.] *w. 11* kleine Fleischwarze
Ka|rus|sell [frz.] *s. 9 oder s. 1* sich drehende Rundfläche mit Sitzen (auf Jahrmärkten), Ringelspiel; mit jmdm. K. fahren *ugs.:* ihn energisch behandeln, *auch:* ihn schikanieren
Kar|wen|del|ge|bir|ge *s. 5 nur Ez.* Gruppe der Nordtiroler Kalkalpen
Kar|wo|che *w. 11* die Woche vor Ostern
Ka|ry|a|ti|de [griech.] *w. 11, Baukunst:* Gebälkträgerin, weibl. Statue anstelle einer Säule
Ka|ry|o|ga|mie [griech.] *w. 11* Verschmelzung von Ei- und Samenkern; **Ka|ry|o|lo|gie** *w. 11 nur Ez.* Lehre vom Zellkern; **Ka|ry|o|lym|phe** *w. 11 nur Ez.* Flüssigkeit im Zellkern; **Ka|ry|o|plas|ma** *s. 9 nur Ez.* Kernplasma; **Ka|ry|op|se** *w. 11* Schalfrucht, Schließfrucht, Fruchtform der Gräser
Kar|zer [lat.] *m. 5, früher in Schulen und Hochschulen:* Raum für Arreststrafen; *auch:* die Strafe selbst
kar|zi|no|gen [griech.] krebserzeugend; **Kar|zi|no|id** *s. 1* (meist gutartige) Schleimhautgeschwulst; **Kar|zi|no|lo|gie** *w. 11 nur Ez.* Lehre von den Krebserkrankungen; **kar|zi|no|lo|gisch; Kar|zi|nom** *s. 1* *(Abk.:* Ca.) Krebsgeschwulst; **kar|zi|no|ma|tös** von Krebs befallen; krebsartig; **Kar|zi|no|se** *w. 11* ausgebreitete Krebserkrankung
Ka|sach *m. 9* = Kasak; **Ka|sa|che** *m. 11* Angehöriger eines mongol. Turkvolkes; **ka|sa|chisch; Ka|sack** [ital.] *m. 9* über dem Rock getragene Schlupfbluse für Frauen; **Ka|sak,** Ka|sach *m. 9* kaukas. Teppich mit meist geometr. Muster
Ka|sa|tschok *auch:* **Ka|sat|schok** [russ.] *m. 9* ein Tanz
Kasch *m. 9 nur Ez.* = Kascha
Käsch [ind.] *s. Gen. -(s) Mz. -(s)* **1** chin. Münzgewicht; **2** durch-

► = wird zu

lochte chin. Kupfermünze (zum Auffädeln)

Kascha [russ.] *w. 9 nur Ez.*, Kasch *m. 9 nur Ez.* russ. Buchweizengrütze

Ka|schellott [span.-frz.] *m. 1* Pottwal

Ka|schem|me [Zigeunerspr.] *w. 11* schlechte, *auch:* verrufene Kneipe

ka|schen *tr. 1, ugs.:* fangen, gefangen nehmen, erwischen, verhaften

Käs|chen *s. 7* kleiner Käse

Kä|scher, Ke|scher, *m. 5* = Hamen

Ka|scheur [-ʃør, frz.] *m. 1* Handwerker, der Bühnenbildteile kaschiert (**3**); **ka|schie|ren** *tr. 3* **1** verbergen, verdecken, bemänteln; **2** mit Papier, Folie u. Ä. beschichten; **3** mit Kaschiermasse überziehen; **Ka|schier|mas|se** *w. 11 nur Ez.* Masse aus Sägespänen, Gips, Leim zum Herstellen von Bühnenbildteilen

Kasch|mir **1** ehemaliges Fürstentum im Himalaya; **2** *m. 1, kurz für* Kaschmirwolle; **Kasch|mir|wol|le** *w. 11 nur Ez.* Wolle sowie Kammgarnstoff in feiner, weicher Qualität (urspr. aus dem Haar der Kaschmirziege); **Kasch|mir|zie|ge** *w. 11* Ziegenart mit weichem, seidigem Haar

Ka|schol|long [kalmück.-frz.] *m. 9* ein Mineral, Abart des Opals

Ka|schu|be, Kas|su|be *m. 11* Angehöriger eines westslaw., heute in Nordostpommern und Pommerellen lebenden Volksstammes; **Ka|schu|bei** *w. Gen. -* heutiges Siedlungsgebiet der Kaschuben; **ka|schu|bisch**

Ka|schur|pa|pier *s. 1* Schmuckpapier zum Bekleben von Karton

Kä|se *m. 5;* **Kä|se|blatt** *s. 4, ugs. abfällig:* kleine Zeitung ohne Niveau, Provinzzeitung; **Ka|se|in** *s. 1 nur Ez.* Milcheiweiß, Rohstoff für Kunststoffe, Bindemittel für Malerfarben, Käsestoff; **Kä|se|käul|chen** *s. 7* = Quarkkäulchen; **Kä|se|ku|chen** *m. 7* Quarkkuchen

Ka|sel [vulgärlat.] *w. 11, kath. Kirche:* Messgewand

Kä|se|ma|gen *m. 7* = Labmagen

Ka|se|mat|te [griech.-frz.] *w. 11* **1** *früher in Festungen:* ummauerter, kugelsicherer Raum; **2** *heute auf Kriegsschiffen:* gepanzerter Geschützraum; **ka|se|mat|tie|ren** *tr. 3, veraltet:* mit Kasematten versehen

kä|sen *intr. 1* Käse herstellen; **Kä|ser** *m. 5* Hersteller von Käse, Senn; **Kä|se|rei** *w. 10* Betrieb zur Herstellung von Käse

Ka|ser|ne [lat.-frz.] *w. 11* Gebäude zum dauernden Aufenthalt von Truppen; **Ka|ser|nen|hof** *m. 2;* **Ka|ser|nen|hof|ton** *m. 2 nur Ez.* barscher Befehlston; **ka|ser|nie|ren** *tr. 3* in Kasernen unterbringen; **Ka|ser|nie|rung** *w. 10 nur Ez.*

Kä|se|stoff *m. 1 nur Ez.* = Kasein; **kä|sig** **1** wie Käse; **2** *übertr.:* bleich

Ka|si|no [ital.] *s. 9* **1** Haus für gesellige Zusammenkünfte; **2** Speiseraum für Offiziere; **3** Unternehmen für Glücksspiele

Kas|ka|de [frz.] *w. 11* **1** natürlich oder künstlich angelegter, stufenförmiger Wasserfall; **2** wasserfallähnlich sprühender Feuerwerkskörper; **3** *Artistik:* waghalsiger Sprung; **Kas|ka|den|schal|tung** *w. 10, Techn.:* Reihenanordnung gleichartiger Schaltungseinheiten; **Kas|ka|deur** [-dør] *m. 1* Artist, der Kaskaden (**3**) ausführt

Kas|kett [ital.] *s. 1* **1** *früher:* leichter Visierhelm; **2** Lederhelm

Kas|ko [span.] *m. 9* **1** Schiffsrumpf, im Unterschied zur Ladung; **2** Spielart des Lombers; **Kas|ko|ver|si|che|rung** *w. 10* Versicherung gegen Schäden an Schiffen, Fahr- und Flugzeugen

Kas|per *m. 5* **1** lustige Gestalt im Puppenspiel, *auch:* im Volksstück; **2** *übertr.:* sich albern benehmender Mensch; **Kas|perl** *bayr.: s. 14, österr.: m. 14* = Kasper (**1**); Kas|per|le *s. 5* = Kasper (**1**); Kas|per|le|pup|pe *w. 11;* **Kas|per|le|the|a|ter** *s. 5;* **Kas|perl|pup|pe** *w. 11, österr.;* **Kas|perl|the|a|ter** *s. 5, österr.;* **kas|pern** *intr. 1* sich wie ein Kasper benehmen, lustigen Unsinn, Faxen machen; sich albern benehmen

Kas|pi|sches Meer *s. Gen.* des -en -es Binnensee östlich des Kaukasus

Kas|sa [ital.] *w. Gen. - Mz.* -sen, *österr. neben:* Kasse; etwas gegen K. kaufen, bar kaufen; **Kas|sa|buch** *s. 4* Kassenbuch; **Kas|sa|ge|schäft** *s. 1* (bes. Börsen-) Geschäft, bei dem Lieferung und Zahlung sofort erfolgen

Kas|san|dra *griech. Myth.:* Tochter des trojan. Königs Priamus, die den Untergang ihrer Vaterstadt prophezeite; **Kas|san|dra|ruf** *m. 1* Warnung vor Unheil

Kas|sa|ti|on [lat.] *w. 10* **1** Ungültigkeitserklärung (von Urkunden); **2** Aufhebung eines Gerichtsurteils durch die nächsthöhere Instanz; **3** strafweise Entlassung aus dem Militärdienst; **4** mehrsätziges Musikstück, z. B. Serenade; **Kas|sa|ti|ons|hof** *m. 2* **1** Berufungsgericht; **2** *in manchen roman. Ländern:* oberstes Gericht; **kas|sa|to|risch** auf Kassation (**1**) beruhend, durch sie bewirkt; kassatorische Klausel: Verfallsklausel

Kas|sa|ve [indian.] *w. 11,* **Kas|sa|wa** *w. 9* = Maniok

Kas|sa|zah|lung *w. 10* Barzahlung; **Kas|se** *w. 11* **1** Geldkasten; **2** Geldvorrat; **3** Schalter, Raum für Ein- und Auszahlungen, für Verkauf von Fahr-, Eintrittskarten; **4** *kurz für* Spar-, Krankenkasse

Kas|sel Stadt in Hessen; Kas|seller, Kass|ler *m. 5*

Kas|sen|arzt *m. 2;* **Kas|sen|bestand** *m. 2;* **Kas|sen|bon** [-bɔ̃] *m. 9* durch die Kasse registrierter Beleg; **Kas|sen|bo|te** *m. 11;* **Kas|sen|buch** *s. 4;* **Kas|sen|er|folg** *m. 1* mittelmäßiges Theaterstück (oder Film), das aber gute Einnahmen bringt; **Kas|sen|sturz** *m. 2* Feststellung des Kassenbestandes; **Kas|sen|zet|tel** *m. 5*

Kas|se|rol|le [frz.] *w. 11* runder oder ovaler Brattopf

Kas|set|te [frz.] *w. 11* **1** Kästchen aus Metall, auch Holz; **2** lichtdichter Behälter für fotograf. Platten oder Filme; **3** mehrere Bücher oder Schallplatten in einem Schmuckkarton; **4** viereckiges, vertieftes Feld in der Decke eines Raumes; **5** Magnettonband in einer rechteckigen Plastikhülle; **Kas|set|ten|deck** *s. 9* Teil einer Musikanlage, in dem die Abspielvorrichtungen für Kassetten (**5**) untergebracht sind; **Kas|set|ten|de|cke** *w. 11* in Kassetten (**4**) aufgeteilte Decke eines Raumes; **Kas|set|ten|fern|se|hen** *s. Gen.* -s *nur Ez.* Art des Fernsehens, bei der ein von einem → Videorekorder oder ähnlichen Gerät hergestelltes Magnetband mit Bild und Ton abläuft und beliebig oft wiederholt werden kann; **Kas|set|ten|re|kor|der,** Kas|set|ten|re|cor|der *m. 5* Aufnahme- und Abspielgerät für Tonbänder in Kassetten; **kas|set|tie|ren** *tr. 3* in Kassetten (**4**) unterteilen

Kas|sia [hebr.-lat.], Kas|sie [-sjə] *w. Gen. - Mz.* -si|en trop. krautige bis baumartige Pflanze, von der einige Arten die als Abführmittel verwendeten Sennesblätter liefern, Senna; **Kas|si|a|öl** *s. 1 nur Ez.* chin. Zimtöl; **Kas|si|a|rin|de** *w. 11* Rinde des chin. Zimtbaumes, ein Gewürz

Kas|si|ber [rotw.] *s. 5* aus dem Gefängnis an einen Außenstehenden (bzw. umgekehrt) oder von einem Gefangenen zum andern geschmuggelte schriftl. Mitteilung

Kas|si|de [arab.] *w. 11* Preisgedicht oder Totenklage in Form eines Ghasels

Kas|sie [-sjə] *w. 11* = Kassia

Kas|sier *m. 1, österr., auch süddt. für* Kassierer; **kas|sie|ren** *tr. 3* **1** einnehmen, einziehen und verbuchen (Geld); **2** für ungültig erklären, aufheben; **3** entlassen; **4** *ugs.:* verhaften; **Kas|sie|rer,** Kas|sier *m. 5* Angestellter, der Geld einnimmt und auszahlt, Kasse verwaltet usw.; **Kas|sie|re|rin** *w. 10;* **Kas|sie|rin** *w. 10, österr.;* **Kas|sie|rung** *w. 10* = Kassation (**1, 2, 3**)

Kas|si|o|peia **1** *griech. Myth.:* Mutter der Andromeda; **2** ein Sternbild

Kas|si|te|rit [griech.] *m. 1* Zinnstein, ein Zinnerz

Kaßler ► **Kass|ler** **1** *m. 5* = Kasseler; **2** *s. 5, ugs. kurz für* Kassler Ripp(en)speer: gepökelte Schweinsrippe

Kas|su|be *m. 11* = Kaschube

Kas|ta|gnet|te *auch:* **Kas|tag|net|te** [-njɛtə, span.] *w. 11* bes. in der span. Musik übl. Instrument aus zwei beweglich miteinander verbundenen Holzschalen, die mit den Fingern gegeneinander geschlagen werden

Kas|ta|nie [-njə, griech.] *w. 11* Laubbaum mit essbaren (Edelkastanie) bzw. für Viehfutter verwendeten Früchten (Rosskastanie); **Kas|ta|ni|en|baum** *m. 2;* **kas|ta|ni|en|braun;** **Kas|ta|ni|en|pilz** *m. 1* ein Speisepilz, Maronenröhrling

Käst|chen *s. 7*

Kas|te [lat.] *w. 11* streng abgeschlossener gesellschaftlicher Stand mit bestimmten Normen, bes. im Hinduismus

kas|tei|en [lat.] *refl. 1* sich Entbehrungen oder Bußübungen auferlegen, enthaltsam leben; **Kas|tei|ung** *w. 10*

Kas|tell [lat.] *s. 1* **1** *im alten Rom:* befestigtes Truppenlager; **2** Burg, Festung; **3** *früher:* Aufbau auf dem Vorder- oder Hinterdeck eines Schiffes; **Kas|tel|lan** *m. 1* Pförtner, Hausmeister (an Schulen, Universitäten); Schlossvogt; **Kas|tel|la|nei** *w. 10* Schlossverwaltung

käs|teln *tr. 1* karieren; **Kas|ten** *m. 8*

Kas|ten|geist *m. 3 nur Ez.* engstirnige, auf die eigene Kaste beschränkte Denkweise, Standesdünkel; **Kas|ten|we|sen** *s. 7 nur Ez.*

Kas|ti|ga|ti|on [lat.] *w. 10, veraltet:* Züchtigung; **kas|ti|gie|ren** *tr. 3, veraltet:* züchtigen

Kas|ti|li|en ehemaliges Königreich in Spanien; **Kas|ti|li|er** *m. 5;* **kas|ti|lisch**

Käst|lein *s. 7*

Kas|tor **1** *griech. Myth.:* einer der Dioskuren; **2** ein Stern; K. und Pollux: die beiden Hauptsterne des Sternbilds Zwillinge; *übertr.:* unzertrennliche Freunde; **Kas|tor|öl** *s. 1 nur Ez.* = Rizinusöl

Kas|trat *auch:* **Kast|rat** [lat.] *m. 10* **1** kastrierter Mann, Entmannter; **2** *17./18. Jh.:* in der Jugend entmannter Bühnensänger mit Knabenstimme, aber großem Stimmumfang; **3** **Kas|tra|ti|on** *auch:* **Kast|ra|ti|on** *w. 10* Verschneidung, Entmannung; **kas|trie|ren** *auch:* **kast|rie|ren** *tr. 3* durch Entfernung der Keimdrüsen zeugungsunfähig machen, verschneiden, entmannen; **Kas|trie|rung** *auch:* **Kast|rie|rung** *w. 10*

ka|su|al [lat.] *veraltet:* zufällig; **Ka|su|a|li|en** *Mz.* **1** zufällige, nicht voraussehbare Ereignisse; **2** (kirchl.) Amtshandlungen aus bes. Anlass, wie Taufen, Beerdigungen, sowie die Vergütung dafür; **Ka|su|a|lis|mus** *m. Gen. - nur Ez.* philosoph. Lehre, dass alles Geschehen vom Zufall abhängig ist

Ka|su|ar [indones.] *m. 1* straußenähnl. Laufvogel; **Ka|su|a|ri|ne** *w. 11* austral. Baum mit rutenförmigen Zweigen

ka|su|ell [lat.] bezüglich des Kasus, als Kasus; **Ka|su|ist** *m. 10* **1** Vertreter der Kasuistik (**2**); 2 *übertr.:* Haarspalter, Wortklauber; **Ka|su|is|tik** *w. 10 nur Ez.* **1** Morallehre; **2** *Med., Rechtsw.:* Betrachtung der Einzelfälle und ihre Beurteilung nach den bes. für sie zutreffenden Tatbeständen; **3** *übertr.:* Spitzfindigkeit, Haarspalterei, Wortklauberei; **ka|su|is|tisch;** **Ka|sus** *m. Gen. - Mz. -* **1** Fall, Begebenheit, Vorkommnis; **2** *Gramm.:* Beugungsfall der Deklination; vgl. Casus

Kat *m. 9, kurz für* Katalysator (**2**)

ka|ta|ba|tisch [griech.] *Meteor.:* fallend; katabatischer Wind: Fallwind

ka|ta|bol [griech.] auf dem Abbaustoffwechsel beruhend; **Ka|ta|bo|lis|mus** *m. Gen. - nur Ez.* Abbau der Stoffe im Körper durch Stoffwechsel

Ka|ta|chre|se *auch:* **Ka|tach|re|se** [-çre-, griech.] *w. 11,* **Ka|ta|chre|sis** *auch:* **Ka|tach|re|sis** *w. Gen. - Mz.* -chre|sen Verbindung von nicht zusammenpassenden bildl. Ausdrücken, Stilblüte, Bildbruch, z. B.: der Zahn der Zeit wird auch über diese Wunde Gras wachsen lassen; **ka|ta|chres|tisch** *auch:* **ka|tach|res|tisch** [-çrɛ-]

Ka|ta|falk [griech.] *m. 1, bei Bestattungsfeiern:* schwarz verhängtes Gerüst für den Sarg

Ka|ta|ka|na [jap.] *w. Gen. - oder s. Gen.* -(s) *nur Ez.* vereinfachte Form der → Hiragana

Ka|ta|kaus|tik [griech.] *w. 10 nur Ez., Optik:* Brennlinie gespiegelter Strahlen in opt. Systemen; **ka|ta|kaus|tisch**

Ka|ta|kla|se *auch:* **Ka|tak|la|se** [griech.] *w. 11* Zerreiben oder Zerbrechen der in einem Gestein enthaltenen Mineralien durch tekton. Kräfte; vgl. Protoklase; **ka|ta|klạs|tisch** *auch:* **ka|tak|lạs|tisch**

Ka|ta|kọm|be [griech.] *w. 11* frühchristl., unterird. Begräbnisstätte

Ka|ta|la|ne *m. 11,* Ka|ta|lo|ni|er *m. 5* Einwohner von Katalonien; **ka|ta|la|nisch; Ka|ta|la|nisch** *s. Gen.* -(s) *nur Ez.* zu den roman. Sprachen gehörende Sprache der Katalanen

Ka|ta|la|se [griech.] *w. 11* ein Enzym, das das Zellgift Wasserstoffsuperoxid abbaut

Ka|ta|lẹk|ten [griech.] *Mz.* Bruchstücke, Fragmente (alter Werke); **ka|ta|lẹk|tisch** unvollständig; katalektischer Vers: mit einem unvollständigen Versfuß endender Vers, z. B. der Hexameter; *Ggs.:* akatalektisch

Ka|ta|lep|sie [griech.] *w. 11 nur Ez.* krankhafter Spannungszustand von Muskeln, Starrsucht; **ka|ta|lẹp|tisch**

Ka|ta|lẹ|xe [griech.] *w. 11,* **Ka|ta|lẹ|xis** *w. Gen. - Mz.* -xen katalekt. Vers

Ka|ta|log [griech.] *m. 1* Verzeichnis (von Büchern, Bildern, Waren); **ka|ta|lo|gi|sie|ren** *tr. 3* in einen Katalog aufnehmen, in einem Katalog zusammenfassen; **Ka|ta|lo|gi|sie|rung** *w. 10*

Ka|ta|lo|ni|en histor. Provinz in Spanien; **Ka|ta|lo|ni|er** *m. 5* = Katalane

Ka|tạl|pa [indian.], **Ka|tạl|pe** *w. Gen. - Mz.* -pen Trompetenbaum, Zierstrauch oder -baum

Ka|ta|ly|sa|tor [griech.] *m. 13* **1** Stoff, der durch seine Anwesenheit eine chem. Reaktion herbeiführt oder deren Verlauf bestimmt; **2** Vorrichtung, in der Autoabgase gereinigt werden; **Ka|ta|ly|sa|tor|au|to** *s. 9;* **Ka|ta|ly|se** *w. 11* Herbeiführung, Beschleunigung oder Verzögerung einer chem. Reaktion durch einen Katalysator; **ka|ta|ly|sie|ren** *tr. 3* eine Katalyse bewirken in; **ka|ta|ly|tisch** mit Hilfe einer Katalyse

Ka|ta|ma|ran [drawid.] *s. 1* Segelboot mit Doppelrumpf

Ka|ta|mne|se *auch:* **Ka|tam|ne|se** [griech.] *w. 11* abschließender Bericht über das Befinden des Kranken nach der Behandlung; vgl. Anamnese

Ka|ta|pha|sie [griech.] *w. 11 nur Ez.* krankhaftes mechan. Wiederholen von Sätzen

Ka|ta|pho|re|se [griech.] *w. 11* Wanderung kleinster Teilchen in einer elektrisch nicht leitenden Flüssigkeit unter Einwirkung elektrischer Spannung

Ka|ta|pla|sie [griech.] *w. 11, Med.:* Rückbildung v. Gewebe

Ka|ta|plạs|ma [griech.] *s. Gen.* -s *Mz.* -men heißer Breiumschlag zur Schmerzlinderung

ka|ta|plẹk|tisch [griech.] vor Schreck gelähmt, schreckensstarr; **Ka|ta|ple|xie** *w. 11* Schreckstarre, Lähmung vor Schreck

Ka|ta|pụlt [griech.] *s. 1 oder m. 1* **1** *im Altertum:* Wurf-, Schleudermaschine; **2** kleine Steinschleuder; **3** Schleuder zum Starten von Flugzeugen; **ka|ta|pul|tie|ren** *tr. 3* mit einem Katapult wegschleudern, starten; **Ka|ta|pụlt|start** *m. 9* Start (eines Flugzeugs) mittels Katapults (**3**), Schleuderstart

Ka|ta|rạkt [griech.] *m. 1* **1** niedriger Wasserfall, Stromschnelle; **2** *Med.:* grauer Star

> **Katarrh/Katarr:** Die fremdsprachige Schreibweise *(Katarrh)* ist die Hauptvariante, die integrierte Form *(Katarr)* die zulässige Nebenvariante. Der/die Schreibende kann selbst entscheiden, welche Form er/sie wählt. → § 32 (2)

Ka|tạrrh ► *auch:* **Ka|tạrr** [griech.] *m. 1* Schleimhautentzündung mit vermehrter Absonderung; **ka|tar|rha|lisch** ► *auch:* **ka|tar|ra|lisch** mit einem Katarrh einhergehend

Ka|tạs|ter [griech.-ital.] *m. 5 oder s. 5* **1** amtl. Verzeichnis der Grundstücke eines Bezirks, Grundbuch; **2** Personenverzeichnis für die Steuererhebung, Steuerregister; **Ka|tạs|ter|amt** *s. 4;* **Ka|tas|tral|ge|mein|de** *w. 11, österr.:* Steuergemeinde; **Ka|tas|tral|joch** *s. 1* ein österr. Feldmaß; **ka|tas|trie|ren** *tr. 3* in den Kataster eintragen

> **katastro-** (Worttrennung): Neben der bisher üblichen Trennungsmöglichkeit *(katastro-)* kann auch so abgetrennt werden: *ka|tas|tro-* bzw. *ka-tast|ro-*. → § 108, § 110

ka|ta|stro|phal [griech.] in der Art einer Katastrophe, verhängnisvoll, fürchterlich; **Ka|ta|stro|phe** *w. 11* **1** *bes. im antiken Drama:* entscheidende Wende, die zur Lösung des Konflikts und zum Untergang des Helden führt; **2** *allg.:* Verhängnis, Unheil, Zusammenbruch; **ka|ta|stro|phisch**

Ka|ta|to|nie [griech.] *w. 11* mit Muskelspannungen einhergehende Geistesstörung, Spannungsirresein; **Ka|ta|to|ni|ker** *m. 5* jmd., der von Katatonie befallen ist; **ka|ta|to|nisch**

Ka|te, Ko|te *w. 11,* **Ka|ten** *m. 7 nddt.:* kleines Haus, Hütte

Ka|te|che|se [-çe-, griech.] *w. 11* Religionsunterricht; **Ka|te|chet** *m. 10* Religionslehrer (außerhalb der Schule); **Ka|te|che|tik** *w. 10 nur Ez.* Lehre von der Katechese; **Ka|te|che|tin** *w. 10;* **ka|te|che|tisch; ka|te|che|ti|sie|ren,** ka|te|chi|sie|ren *tr. 3;* jmdn. k.: jmdm. Religionsunterricht geben; **Ka|te|chi|sa|ti|on** *w. 10, selten für* Katechese; **ka|te|chi|sie|ren** *tr. 3* = katechetisieren; **Ka|te|chịs|mus** *m. Gen. - Mz.* -men kleines Lehrbuch (oft in Frage u. Antwort) für den Religionsunterricht; **Ka|te|chịst** *m. 10* eingeborener Laienhelfer in der Mission

Ka|te|chu [-çu, auch: kạ-, mal.] *s. 9* eingedickter Saft aus dem Holz einer hinterind. Akazie, als Gerbstoff und zusammenziehendes Heilmittel

Ka|te|chu|me|nat [-çu-, griech.] *s. 1* Vorbereitungsunterricht für die Erwachsenentaufe (bes. in der Mission); **Ka|te|chu|me|ne** *m. 11* erwachsener Anwärter für die Taufe während der Zeit des Taufunterrichts

ka|te|go|ri|al [griech.] in, nach Kategorien; **Ka|te|go|rie** *w. 11* **1** *griech. Philos.:* Aussage (über einen realen Gegenstand); **2** *Logik:* Grundbegriff, von dem andere abgeleitet werden können; **3** *allg.:* Begriffsgruppe, Klasse, in die etwas eingeordnet werden kann; **ka|te|go|risch** **1** in der Art einer Kategorie (**1**), aussagend, behauptend, nicht an Bedingungen geknüpft; **2** unbedingt gültig; *Ggs.:* hypothetisch; kategorischer Imperativ: ethisches

Pflichtgebot; **3** mit Nachdruck, keinen Widerspruch duldend; **ka|te|go|ri|sie|ren** *tr. 3* in Kategorien (**3**) einordnen
Ka|ten *m. 7* = Kate
Ka|te|ne [lat.] *w. 11* Kette, Reihe, *bes.:* erläuternde Bibelauslegung durch aneinander gereihte Aussprüche von Kirchenvätern und Theologen
Ka|ter *m. 5* **1** männl. Katze; **2** schlechtes Befinden nach übermäßigem Alkoholgenuss; **Ka|ter|bum|mel** *m. 5* Spaziergang nach einer durchzechten Nacht; **Ka|ter|i|dee** *w. 11* verrückte Idee
kat|e|xo|chen *auch:* **ka|te|xo|chen** [-çen, griech.] im eigentlichen Sinne, schlechthin
Kat|fisch *m. 1* ein Meeresfisch, Seewolf
Kat|gut, Cat|gut [kætgʌt; engl.] *s. 9 nur Ez.* Faden (urspr. aus Katzen-, Schafs- oder Ziegendarm) zum Vernähen von Operationswunden
kath. *Abk. für* katholisch
Ka|tha|rer [griech.] *m. 5* **1** Angehöriger einer asket., süd- und westeurop. christl. Sekte; **2** *in Frankreich:* Albigenser
Ka|thar|sis [auch: -tar-, griech.] *w. Gen. - nur Ez.* **1** geistig-seelische Reinigung, Läuterung; **2** *Psych.:* Selbstbefreiung von einem seel. Konflikt durch Abreagieren; **ka|thar|tisch** auf Katharsis beruhend
Ka|the|der [griech.] *s. 5* erhöhtes Pult, Kanzel; **Ka|the|der|blü|te** *w. 11* Stilblüte; **Ka|the|der|so|zi|a|lis|mus** *m. Gen. - nur Ez., Ende des 19. Jh.:* Richtung der dt. Volkswirtschaftslehre, die soziale Reformen durch den Staat forderte, um die Klassengegensätze zu mildern
Ka|the|dra|le [griech.] *w. 11, in Großbritannien, Frankreich, Spanien:* bischöfl. oder erzbischöfl. Kirche, *in Dtschl.:* Dom, Münster; **Ka|the|dra|lent|schei|dung** *w. 10* unwiderrufl. Entscheidung des Papstes → ex cathedra; **Ka|the|dral|glas** *s. 4* starkes, undurchsichtiges, oft farbiges Glas für Kirchenfenster
Ka|the|te [griech.] *w. 11, im rechtwinkligen Dreieck:* eine der beiden die Schenkel des rechten Winkels bildenden Seiten; **Ka|the|ter** *s. 5* Röhrchen zum Einführen in Körperhöhlen, bes. in die Harnblase; **ka|the|te|ri|sie|ren** *tr. 3,* **ka|the|tern** *tr. 1* ein Katheter (in etwas) einführen
Ka|tho|de, Ka|to|de [griech.] *w. 11* negative Elektrode in Elektronenröhren und bei der Elektrolyse; *Ggs.:* Anode; **ka|tho|disch,** ka|to|disch an einer Kathode erfolgend; kathodische Reduktion
Ka|tho|lik [griech.] *m. 10* Angehöriger der röm.-kath. Kirche; **Ka|tho|li|ken|tag** *m. 1;* Deutscher K.: zweijährlich stattfindende Versammlung der Vertreter der dt. kath. Kirche; **Ka|tho|li|kos** *m. Gen. - nur Ez.* Titel des Oberhauptes der von Rom getrennten armen. Kirche und anderer Ostkirchen; **ka|tho|lisch** (*Abk.:* kath.) allgemein, die Erde umfassend; katholische Kirche: die dem Papst unterstehende christl. Kirche; **ka|tho|li|sie|ren** *tr. 3* zum kath. Glauben bekehren, katholisch machen; **Ka|tho|li|zis|mus** *m. Gen. - nur Ez.* Lehre der kath. Kirche; **Ka|tho|li|zi|tät** *w. 10 nur Ez.* das Katholischsein, Anschauung, Glaube im Sinne der kath. Lehre
Kat|i|on [griech.] *s. 12* positives Ion, bei der Elektrolyse zur Kathode wanderndes Ion; *Ggs.:* Anion
Kät|ner, Köt|ner *m. 5* Besitzer einer Kate
Ka|to|de *w. 11* = Kathode; **ka|to|disch** = kathodisch
ka|to|gen [griech.] von oben her entstanden (Ablagerung, Gestein)
ka|to|nisch *eindeutschende Schreibung von* catonisch
Kat|op|trik [griech.] *w. 10 nur Ez.* Lehre von der Reflexion des Lichtes an Spiegeln; **kat|op|trisch**
Katt|an|ker *m. 5* Hilfsanker
Kat|te *m. 11* = Chatte
Kat|te|gat *s. 9 nur Ez.* Meerenge zwischen Schweden und Jütland
kat|ten *tr. 2, Seew.:* heraufziehen (Anker)
Kat|tun [arab.-ndrl.] *m. 1* (bedruckter) Baumwollstoff in Leinwandbindung; **kat|tu|nen** aus Kattun
katz|bal|gen *refl. 1* sich balgen, einander necken, frotzeln; gekatzbalgt; **Katz|bal|ge|rei** *w. 10;* **Katz|bu|ckel|lei** *w. 10 nur Ez.* unterwürfiges Benehmen, Liebedienerei; **katz|bu|ckeln** *intr. 1* ich katzbuckele, katzbuckle; gekatzbuckelt; **Kätz|chen** *s. 7;* **Kat|ze** *w. 11;* das ist für die Katz *ugs.:* umsonst, vergeblich; **Kat|zen|au|ge** *s. 14* **1** ein Mineral; **2** Rückstrahler (an Fahrzeugen); **Kat|zen|bu|ckel** *m. 5;* **kat|zen|freund|lich** *ugs.:* scheinheilig-freundlich; **Kat|zen|hai** *m. 1* ein Haifisch; **Kat|zen|jam|mer** *m. 5 nur Ez.;* **Kat|zen|kopf** *m. 2, ugs.:* Schlag mit der Hand auf den Hinterkopf; **Kat|zen|kopf|pflas|ter** *s. 5* grobes Pflaster; **Kat|zen|mu|sik** *w. 10;* **Kat|zen|pföt|chen** *s. 7* **1** ein Heilkraut; **2** Edelweiß; **Kat|zen|sprung** *m. 2, ugs.:* kurzer Weg; **Kat|zen|wä|sche** *w. 11, ugs.:* flüchtige, kurze Körperwäsche; **Kat|zen|zun|ge** *w. 11 meist Mz.* flaches, längliches Schokoladenplätzchen; **Kätz|lein** *s. 7*
kau|dal [lat.] nach den Füßen, dem Schwanz zu gelegen (am Tierkörper)
Kau|de|rer *m. 5, süddt.:* Hausierer; **kau|dern** *intr. 1* **1** kollern (wie der Truthahn); **2** unverständlich sprechen; **3** hausieren; **Kau|der|welsch** *s. Gen. -s nur Ez.* unverständliche oder gebrochene Sprache, Sprachmischmasch; **kau|der|wel|schen** *intr. 1*
kau|di|nisch [nach dem Ort Caudium bei Capua, wo die Römer eine Niederlage gegen die Samniten erlitten]; kaudinisches Joch: Zwangslage, aus der man sich nur durch eine Demütigung befreien kann
Kaue [lat.] *w. 11* Waschraum und Garderobe der Bergleute
kau|en *tr. 1*
kau|ern *intr. 1* hocken, auf den Fersen sitzen; ich kauere
Kauf *m. 2;* etwas in K. nehmen: sich mit etwas abfinden; das In-Kauf-Nehmen; **kau|fen** *tr. 1;* **Käu|fer** *m. 5;* **Kauf|fah|rer** *m. 5;* **Kauf|fahr|tei|schiff** *s. 1, beides veraltet:* Handelsschiff; **Kauf|frau** *w. 10* weibl. Kaufmann; **Kauf|haus** *s. 4;* **Kauf|kraft** *w. 2 nur Ez.;* **kauf|kräf|tig; käuf|lich; Käuf|lich|keit** *w. 10 nur Ez.;* **Kauf|lust** *w. 2 nur Ez.;* **kauf|lus|tig; Kauf|lus|ti|ger** *m. 18 (17) bzw. w. 17 oder 18;* **Kauf|mann** *m. Gen. -(e)s Mz. -leu|te;*

kauf|män|nisch; Kauf|manns|deutsch *s. Gen.* -(s) *nur Ez.* trockenes, geschäftliches Deutsch; **Kauf|manns|spra|che** *w. 11 nur Ez.* Berufssprache der Kaufleute; **Kauf|preis** *m. 1;* **Kauf|ver|trag** *m. 2;* **Kauf|wert** *m. 1;* **Kauf|zwang** *m. 2 nur Ez.*

Kau|gum|mi *m. 9*

Kau|kamm *m. 2, Bgb.:* leichte Axt

Kau|ka|si|en Land zwischen Schwarzem und Kaspischem Meer; **Kau|ka|si|er** *m. 5;* **kau|ka|sisch; Kau|ka|sist** *m. 10* Wissenschaftler der Kaukasistik; **Kau|ka|sis|tik** *w. 10 nur Ez.* Wissenschaft von den kaukas. Sprachen und Literaturen

Kaul|barsch *m. 1* ein Fisch, Goldbarsch

Käul|chen *s. 7* kleine Kaule (**1**)

Kau|le *w. 11, mitteldt.:* **1** Kugel; **2** Loch, Grube, Kuhle

kau|li|flor *auch:* **-li|flor** [lat.] am Stamm oder Ast ansetzend (Blüten); **Kau|li|flo|rie** *auch:* **-li|flo-** *w. 11 nur Ez.* das Hervorkommen der Blüten am Stamm oder Ast, nicht an besonderen Trieben

Kaul|kopf *m. 2* ein Fisch

Kaul|quap|pe *w. 11* Froschlarve

kaum; er ist kaum größer als ich; es ist kaum zu glauben; kaum hatte er das gesagt, als...; kaum(,) dass er guten Tag sagte

Kau|ma|zit [griech.] *m. 1 nur Ez.* Braunkohlenkoks

Kau|pe|lei *w. 10, ostmitteldt.:* (heimlicher) Handel, *bes.:* Tauschhandel; **kau|peln** *intr. 1;* ich kaupele, kauple

Kau|ri [Hindi] *w. 9, kurz für* Kaurischnecke; **Kau|ri|fich|te** *w. 11* ein neuseeländ. Nadelbaum; **Kau|ri|mu|schel** *w. 11* Gehäuse der Kaurischnecke, als »Muschelgeld« bei Naturvölkern in Afrika und Ostasien üblich; **Kau|ri|schne|cke** *w. 11* eine Schneckenart des Ind. Ozeans, Porzellanschnecke

kau|sal [lat.] ursächlich zusammenhängend, auf Ursache und Wirkung beruhend; begründend; **Kau|sal|ge|setz** *s. 1;* **Kaus|al|gie** *auch:* **Kau|sal|gie** [lat. + griech.] *w. 11* durch Nervenverletzung hervorgerufener, heftiger Schmerz; **Kau|sa|li|tät** *w. 10* Zusammenhang von Ursache und Wirkung, Ursächlichkeit; **Kau|sa|li|täts|prin|zip** *s. 1 nur Ez.* auf dem Zusammenhang von Ursache und Wirkung beruhendes Prinzip; **Kau|sal|satz** *m. 2, Gramm.:* Umstandssatz des Grundes; **Kau|sal|zu|sam|men|hang** *m. 2;* **kau|sa|tiv** verursachend, bewirkend, begründend; **Kau|sa|tiv** *s. 1,* **Kau|sa|ti|vum** *s. Gen.* -s *Mz.* -va Verbum, das das Bewirken eines Vorgangs ausdrückt, Faktitivum, z. B. tränken = trinken machen

Kausch *w. 10,* **Kau|sche** *w. 11, Seew.:* gekehlter Ring, der zur Bildung einer Öse in das Ende eines Taus gespleißt wird

kau|sie|ren [lat.] *tr. 3, veraltet:* verursachen, bewirken

kaus|ti|fi|zie|ren [griech. + lat.] *tr. 3* (milde Alkalien) durch gelöschten Kalk in ätzende Alkalien umsetzen; **Kaus|tik** *w. 10* **1** *Optik:* Brennfläche anstelle des Brennpunktes (bei nicht korrigierten Linsen); **2** *Med.:* Gewebszerstörung durch Hitze, elektr. Strom oder chem. Mittel, Kauterisation; **Kaus|ti|kum** *s. Gen.* -s *Mz.* -ka Ätzmittel; **kaus|tisch 1** auf Kaustik beruhend, mit ihrer Hilfe; **2** beißend, ätzend, scharf; kaustische Alkalien: Ätzalkalien; kaustischer Witz *übertr.*

Kau|ta|bak *m. 1*

Kau|tel [lat.] *w. 10* Vorbehalt, Vorsichtsmaßregel, Vorkehrung

Kau|ter [griech.] *m. 5* chirurg. Brenneisen; **Kau|te|ri|sa|ti|on** *w. 10* = Kaustik; **kau|te|ri|sie|ren** *tr. 3* mit dem Kauter oder durch chem. Mittel zerstören; **Kau|te|ri|um** *s. Gen.* -s *Mz.* -ri|en **1** = Kauter; **2** Ätzmittel

Kau|ti|on [lat.] *w. 10* Bürgschaft, Sicherheit, Sicherheitsleistung, Hinterlegungssumme; **kau|ti|ons|fä|hig** bürgfähig; **Kau|ti|ons|fä|hig|keit** *w. 10 nur Ez.*

kau|tschie|ren *auch:* **kaut|schie|ren** *tr. 3* = kautschutieren; **Kau|tschuk** *auch:* **Kaut|schuk** [indian.] *m. 1* geronnener Milchsaft einiger trop. Pflanzen, Rohstoff für Gummi, Gummielastikum; **Kau|tschuk|pa|ra|graph** *auch:* **Kaut|schuk-** *m. 10* = Gummiparagraph; **kau|tschu|tie|ren,** kaut|schie|ren *auch:* **kaut|sch-** *tr. 3* mit Kautschuk überziehen, aus Kautschuk herstellen

Kauz *m. 2* **1** *Bez. für* verschiedene Eulen; **2** *übertr.:* schnurriger Mensch, Sonderling; **3** *mitteldt.:* Haarknoten; **Käuz|chen, Käuz|lein** *s. 7*

Ka|va|lier *m. 1* **1** *früher:* Reiter, Ritter; **2** Begleiter einer Dame; **3** *übertr.:* höflicher, ritterlicher Mann; **Ka|va|liers|haus** *s. 4, früher:* kleiner Nebenbau eines Schlosses, in dem die Hofleute wohnten; **Ka|va|liers|pflicht** *w. 10;* **Ka|val|ka|de** *w. 11* Reiterzug; **Ka|val|le|rie** [auch: ka-] *w. 11* Reitertruppe; leichte, schwere K.; **Ka|val|le|rist** *m. 10* Angehöriger der Kavallerie

Ka|va|ti|ne [ital.] *w. 11* Opernarie, Gesangs- oder Instrumentalstück in der Art eines Liedes

Ka|ve|ling [ndrl.] *w. 10, bei Versteigerungen:* kleinste zusammengefasste Warenmenge, z. B. Ballen, Dutzend

Ka|ver|ne [lat.] *w. 11* durch Gewebszerstörung entstandener Hohlraum, bes. in der Lunge bei Lungen-Tbc; **Ka|ver|nom** *s. 1* Geschwulst aus Blutgefäßen, Blutschwamm; **ka|ver|nös** in der Art einer Kaverne, mit einer oder mehreren Kavernen behaftet, schwammig

Ka|vi|ar [türk.] *m. 1* konservierter Rogen von einigen russ. Störarten

Ka|vi|ta|ti|on [lat.] *w. 10* Hohlraumbildung in schnell strömenden Flüssigkeiten

Ka|wa [maorisch] *w. Gen.* - *nur Ez.* berauschendes Getränk der Polynesier aus den Wurzeln des Kawastrauches

Ka|waß ► **Ka|wass** [arab.] *m. Gen.* -was|sen, *Mz.* -was|sen, *früher im Vorderen Orient:* **1** Polizist; **2** Ehrenwache (für Diplomaten)

Ka|wi [sanskr.] *s. Gen.* -(s) *nur Ez.* alte javan., vom Sanskrit beeinflusste Schriftsprache

Ka|zi|ke *m. 11* süd-, mittelamerik. Indianerhäuptling

kcal *Abk. für* Kilokalorie

Kč *Abk. für* tschech. Krone

Ke|bab [türk.] *m. Gen.* -(s) *Mz.* -s am Spieß gebratene Hammelfleischstückchen

Keb|se *w. 11,* **Kebs|weib** *s. 3, veraltet;* Nebenfrau, Geliebte

keck

ke|ckern *intr. 1* Laute der Erregung, des Zorns ausstoßen (v. Fuchs, Marder, Iltis)

Keck|heit *w. 10*
Kee|per [ki-, engl.] *m. 5, Fußball, Eishockey u. a.:* Torwart, Goalkeeper
Keep-smi|ling ► **Keep|smi|ling** [ki:psmaılıŋ, engl. »hör nicht auf zu lächeln«] *s. Gen.* -(s) *nur Ez.* auch unter widrigen Umständen optimist. Lebenshaltung
Kees *s. 1, bayr., österr.:* Gletscher; **Kees|was|ser** *s. 5, bayr., österr.:* Gletscherwasser, -bach
Ke|fe *w. 11, schweiz.:* Zuckererbse
Ke|fir [türk.] *m. 1 nur Ez.* durch Zusatz von Hefe und Bakterien alkoholisch vergorene, säuerliche Milch

> **Kegel schieben:** Gefüge aus Substantiv und Verb werden getrennt geschrieben, auch feste Verbindungen: *Sie haben gestern kräftig Kegel geschoben.* →§ 34 E3 (5), § 55 (4)

Ke|gel *m. 5; früher auch:* uneheliches Kind, *nur noch in der Wendung:* mit Kind und Kegel: mit der ganzen Familie; Kegel schieben, *bayr., österr.:* Kegel scheiben; ich schiebe, scheibe Kegel, habe Kegel geschoben; **Ke|gel|bahn** *w. 10;* **Ke|gel|bru|der** *m. 6;* **ke|gel|lig,** keglig; **Ke|gel|ku|gel** *w. 11;* **Ke|gel|man|tel** *m. 6, Geometrie:* Oberfläche eines Kegels ohne Grundfläche; **ke|geln** *intr. 1;* ich kegele, kegle; **Ke|gel|statt** *w. Gen. - Mz.* -stätten, *österr.:* Kegelbahn; **Ke|gel|stumpf** *m. 2* Kegel ohne Spitze; **Keg|ler** *m. 5;* **keg|lig,** ke|gel|lig
Kehl|chen *s. 7;* **Keh|le** *w. 11;* **keh|len** *tr. 1* mit einer Hohlkehle versehen, auskehlen; **keh|lig;** **Kehl|kopf** *m. 2;* **Kehl|kopf|spie|gel** *m. 5* Gerät zur Untersuchung des Kehlkopfes, Pharyngoskop; **Kehl|laut** *m. 1* = Hintergaumenlaut; **Keh|lung** *w. 10* Hohlkehle
Kehr|aus *m. Gen. - nur Ez.* Abschluss der Fastnacht, *auch:* letzter Tanz eines Festes; **Kehr|be|sen** *m. 7;* **Keh|re** *w. 11* **1** Wendekurve an Bergstraßen; **2** *Turnen:* Wendung am Gerät; **keh|ren 1** *intr. 1* wenden, *meist:* umkehren; **2** *tr. 1* fegen; **Keh|richt** *m. 1 nur Ez. oder s. 1 nur Ez.;* **Keh|richt|hau|fen** *m. 7;* **Keh|richt|schau|fel,** Kehrschau|fel *w. 11;* **Kehr|reim** *m. 1* regelmäßig wiederkehrende Worte oder Sätze am Ende einer Strophe im Lied oder Gedicht, Refrain; **Kehr|sei|te** *w. 11;* **kehrt!** (militär. Kommando); Abteilung kehrt!; **kehrt|ma|chen** *intr. 1;* ich mache kehrt, habe kehrtgemacht; **Kehr|um** *nur noch in der Wendung* im K.: im Handumdrehen; **Kehr|wert** *m. 1* = reziproker Wert; **Kehr|wisch** *m. 1* Federbesen
kei|fen *intr. 1;* **Kei|fe|rei** *w. 10*
Keil *m. 1;* **Keil|bein** *s. 1* ein Schädelknochen; **Kei|le** *nur Mz., ugs.:* Prügel, Schläge; **kei|len 1** *tr. 1, Stud.:* für eine Verbindung anwerben; **2** *refl. 1* sich prügeln; **Kei|ler** *m. 5* männl. Wildschwein; **Kei|le|rei** *w. 10, ugs.:* Prügelei; **Keil|haue** *w. 11, Bgb.:* spitzkeilförmige Hacke; **Keil|kis|sen** *s. 7;* **Keil|schrift** *w. 10* Schrift der Sumerer, Babylonier, Assyrer aus keilförmigen Zeichen
Keim *m. 1;* **Keim|bla|se** *w. 11* Blastula; **Keim|drü|se** *w. 11;* **kei|men** *intr. 1;* **keim|fä|hig;** **Keim|fä|hig|keit** *w. 10 nur Ez.;* **keim|frei** frei von Krankheitskeimen, steril; **Keim|ling** *m. 1, Bot.:* **1** der Embryo im Samen; **2** die daraus hervorgehende junge Pflanze; **keim|tö|tend;** **Kei|mung** *w. 10;* **Keim|zel|le** *w. 11*
kein; keiner von beiden; es gibt keinen, der…; kein anderer; keine Ursache!; **kei|ner|lei;** **kei|ner|seits;** **kei|nes|falls;** *aber:* in keinem Fall; **kei|nes|wegs;** **kein|mal**; *aber:* kein einziges Mal
Keks [engl.] *m. oder s. 1, auch: Gen. - Mz. -, ugs. auch:* -e kleines, trockenes Gebäck
Kelch *m. 1;* **Kelch|glas** *s. 4;* **Kelch|tier** *s. 1*
Ke|lim [türk.], Ki|lim *m. 9* oriental., gewebter (nicht geknüpfter) Wandteppich, oft bestickt
Kel|le *w. 11*
Kel|ler *m. 5;* **Kel|le|rei** *w. 10* Betrieb zur Weinherstellung; **Kel|ler|hals** *m. 2* Seidelbast; **Kel|ler|meis|ter** *m. 5*
Kel|li|on [lat.-neugriech.] *s. Gen.* -s *Mz.* -lilen, *orthodoxe Kirche:* kleines Kloster
Kell|ner *m. 5;* **kell|nern** *intr. 1*
Kelt [lat.] *m. 1* ein vorgeschichtl. Beil; **Kel|te** *m. 11* Angehöriger einer idg. Völkergruppe
Kel|ter *w. 11* Weinpresse; **Kel|te|rei** *w. 10;* **Kel|te|rer** *m. 5;* **kel|tern** *tr. 1*
Kelt|ibe|rer *m. 5* Angehöriger einer aus Kelten und Iberern gemischten Völkergruppe; **kelt|ibe|risch;** **kel|tisch**; keltische Sprachen: die gälischen (Irisch, Schottisch) und die britannischen Sprachen (Kymrisch, Kornisch, Bretonisch); **Kel|tist** *m. 10* = Keltologe; **Kel|tis|tik** *w. 10 nur Ez.* = Keltologie; **kel|tis|tisch** = keltologisch; **Kel|to|lo|ge** *m. 11* Wissenschaftler auf dem Gebiet der Keltologie; **Kel|to|lo|gie** *w. 11 nur Ez.* Lehre von den kelt. Sprachen und Literaturen; **kel|to|lo|gisch**
Kel|vin [nach dem engl. Physiker William Thompson, Lord K.] *s. Gen.* -s *Mz.* - (*Zeichen:* K) Einheit der absoluten Temperaturskala; **Kel|vin|ska|la** *w. Gen. - nur Ez.* Skala, deren Nullpunkt der absolute Nullpunkt (−273,16° C) ist
Ke|me|na|te *w. 11, urspr.:* Wohn-, *dann:* Frauengemach (einer Burg)
Ken [jap.] *s. Gen. - Mz. -* jap. Verwaltungsbezirk, Provinz
Ken. *Abk. für* Kentucky
Ke|naf [pers.] *s. Gen.* -s *nur Ez.* eine juteähnliche Faser
Ken|do [jap.] *s. Gen.* -(s) *nur Ez.* **1** *urspr.:* jap. Schwertfechten; **2** *heute:* sportl. Fechten mit Bambusschwertern
Ke|nia Staat in Ostafrika; **Ke|ni|a|ner** *m. 5;* **ke|ni|a|nisch**
Ken|nel [lat.-engl.] *m. 5* Hundezwinger

> **kennen lernen:** Verbindungen aus einem Verb (Infinitiv) und einem weiteren Verb schreibt man getrennt: *Er wollte sie unbedingt kennen lernen. Sie haben sich letztes Jahr kennen gelernt.* →§ 34 E3 (6), § 36 E1 (1.2)

ken|nen *tr. 67;* **ken|nen|ler|nen** ► **ken|nen ler|nen** *tr. 1;* ich lernte ihn kennen, habe ihn kennen gelernt; kennen zu lernen; **Ken|ner** *m. 5;* **Ken|ner|blick** *m. 1 nur Ez.;* **ken|ne|risch;** **Kenn|num|mer** *w. 11;* **kennt|lich**; etwas k. machen; **Kennt-**

lich|ma|chung *w. 10 nur Ez.;* **Kenn|tnis** *w. 1* von etwas (keine) K. nehmen; etwas zur K. nehmen; jmdn. von etwas in K. setzen; **Kennt|nis|nah|me** *w. 11 nur Ez.;* zur K.; **kennt|nis|reich; Kennum|mer** ► **Kenn|num|mer** *w. 11;* **Ken|nung** *w. 10* **1** *allg.:* Merkmal, Kennzeichen; **2** typ. Signal von Leucht- oder Funkfeuern o. Ä.; **Kenn|wort** *s. 4;* **Kenn|zahl** *w. 10;* **Kenn|zei|chen** *s. 7;* **kenn|zeich|nen** *tr. 2;* **Kenn|zeich|nung** *w. 10;* **Kenn|zif|fer** *w. 11*

Ke|no|taph [griech.] *s. 1* = Zenotaph

Ken|taur *m. 10* = Zentaur

ken|tern *intr. 1* umkippen (von Booten)

Ken|tu|cky [-tʌkı] (*Abk.:* KY) Staat der USA

Ken|tum|spra|chen *w. 11 Mz., früher Bez. für* die idg. Sprachen, die das Wort »hundert« nach lat. »centum« bilden; vgl. Satemsprachen

Ke|pha|lo|gramm, Ce|pha|lo|gramm *s. 1* Aufzeichnung der Schädelform; **Ke|pha|lo|me|trie,** Ce|pha|lo|me|trie, *auch:* **-met|rie** *w. 11* Schädelmessung; **Ke|pha|lo|po|de,** Ce|pha|lo|po|de *m. 11* = Kopffüßer

kep|peln *intr., österr. ugs.* fortwährend schimpfen

Ke|ra|mik [griech.] *w. 10* **1** *nur Ez.* Technik zur Herstellung von gebrannten Tonwaren; Tonwarenindustrie; alle Erzeugnisse aus Ton, Feinkeramik, Grobkeramik; **2** einzelner Gegenstand aus gebranntem Ton; **Ke|ra|mi|ker** *m. 5* Hersteller von gebrannten Tonwaren, kunstgewerbl. Töpfer; **ke|ra|misch**

Ke|ra|tin [griech.] *s. 1 nur Ez.* Eiweißkörper in Haar, Haut und Nägeln, Hornstoff; **Ke|ra|ti|tis** *w. Gen. - Mz.* -ti|ti|den Hornhautentzündung; **Ke|ra|tom** *s. 1* Hornhautgeschwulst der Haut; **Ke|ra|to|plas|tik** *w. 10* Hornhautübertragung; **Ke|ra|to|se** *w. 11* krankhafte Hornhautbildung, Verhornung

Kerb *w. 10,* **Ker|be,** Ker|we *w. 11, hess.:* Kirchweih

Ker|be *w. 11* **1** Einschnitt; **2** = Kerb

Ker|bel *m. 5* eine Gewürzpflanze

ker|ben *tr. 1* mit einer Kerbe *oder:* mit Kerben versehen; **Kerb|holz** *s. 4;* etwas auf dem Kerbholz haben, *ugs.:* etwas Unrechtes getan haben; **Kerb|schnitt** *m. 1* Holzverzierung in Form von Kerben; **Kerb|schnit|zer** *m. 5;* **Kerb|tier** *s. 1* Insekt; **Ker|bung** *w. 10*

Ke|ren *w. 10 Mz., griech. Myth.:* Schicksals-, Unheil-, Todesdämonen

Kerf *m. 1* Kerbtier, Insekt

Ker|ker *m. 5;* **Ker|ker|meis|ter** *m. 5*

Ker|ky|ra *griech. Name für* Korfu

Kerl *m. 1, ugs. auch m. 9;* **Kerl|chen** *s. 7*

Ker|man [nach der iran. Stadt Kerman], Kir|man *m. 9* ein pers. Teppich mit Rauten- und Rankenmuster

Ker|mes [pers.] *m. Gen. - Mz. -* die mit rotem Saft gefüllten Eier und Bälge der auf der Kermeseiche lebenden Kermesschildlaus, früher zum Färben von Wolle verwendet; **Ker|mes|bee|re** *w. 11* **1** = Kermes; **2** die schwarzrote Frucht der Kermeseiche, früher zum Färben von Wein und Zuckerwaren verwendet; **Ker|mes|ei|che** *w. 11* Scharlacheiche, Eichenart des Mittelmeergebietes; **Ker|mes|schild|laus** *w. 2* eine Schildlaus, Lieferant des Kermes, Scharlachbeere

Kern *m. 1;* **Kern|bei|ßer** *m. 5* eine Finkenart; **Kern|en|er|gie** *auch:* **-e|ner|gie** *w. 11 nur Ez.* Atomenergie

Ker|ner *m. 5* = Karner

Kern|ex|plo|si|on *w. 10* Atomkernzertrümmerung; **Kern|for|schung** *w. 10* Atomforschung; **Kern|fra|ge** *w. 11;* **Kern|frucht** *w. 2;* **kern|ge|sund; Kern|haus** *s. 4;* **Kern|ling** *m. 1* aus Samen gezogener Wildbaum oder -strauch zur Veredlung; **kern|los; Kern|obst** *s. Gen.* -(e)s *nur Ez.;* **Kern|phy|sik** *w. 10 nur Ez.* Teilgebiet der Physik, das sich mit dem Aufbau der Atome und ihren Eigenschaften befasst; **kern|phy|si|ka|lisch; Kern|punkt** *m. 1* wichtigster Punkt; **Kern|re|ak|ti|on** *w. 10;* **Kern|schlei|fe** *w. 11* = Chromosom; **Kern|sei|fe** *w. 11;* **Kern|spal|tung** *w. 10;* **Kern|stück** *s. 1;* **Kern|tei|lung** *w. 10;* **Kern|waf|fen** *w. 11 Mz.*

Ke|ro|plas|tik *w. 10* = Zeroplastik

Ke|ro|sin [griech.] *s. 1 nur Ez.* Petroleum

Kerr|ef|fekt [nach dem engl. Physiker John Kerr] *m. 1* bei Einwirkung elektrischer Felder auftretende Doppelbrechung in normalerweise nicht doppelt brechenden Medien

Ke|rub *m. Gen.* -s *Mz.* -ru|bim *oder* -ru|bi|nen = Cherub; **ke|ru|bi|nisch** = cherubinisch

Ker|we *w. 11* = Kerb

Ke|ryg|ma [griech.] *s. Gen.* -s *nur Ez.* Verkündigung, bes. der christl. Botschaft; **ke|ryg|ma|tisch** verkündigend, predigend

Ker|ze *w. 11;* **ker|zen|ge|ra|de; Ker|zen|hal|ter** *m. 5;* **Ker|zen|leuch|ter** *m. 5;* **Ker|zen|licht** *s. Gen.* -(e)s *nur Ez.;* **Ker|zen|schein** *m. 1 nur Ez.*

Ke|schan [nach der iran. Stadt K.] *m. 9* ein pers. Teppich

Ke|scher, Kä|scher *m. 5* = Hamen

keß ► **kess** *ugs.:* **1** hübsch und etwas dreist; ein kesses Mädchen; **2** modisch und flott; eine kesse Mütze

Kes|sel *m. 5;* **Kes|sel|pau|ke** *w. 11;* **Kes|sel|schmied** *m. 1;* **Kes|sel|stein** *m. 1* an der Innenseite von Kesseln entstehende Kruste aus Karbonaten und Sulfaten von hartem Wasser; **Kes|sel|trei|ben** *s. 7 nur Ez.;* **Keß|ler** ► **Kess|ler** *m. 5* Kesselschmied

> **Ketschup/Ketchup:** Die integrierte (eingedeutschte) Schreibweise *(Ketschup)* ist die Hauptvariante, die fremdsprachige Form *(Ketchup)* die zulässige Nebenvariante.
> → § 32 (2)

Ketch|up *Nv.* ► **Ket|schup** *Hv.*

Ke|to|ne *s. 1 Mz.* Gruppe organ. Verbindungen (einfachster Vertreter: Aceton)

Ketsch [engl]. *w. 10* ein zweimastiges Segelschiff

Ke|tschua, Que|chua **1** *m. 9 oder Gen. - Mz. -* Angehöriger eines südamerik. Indianervolkes; **2** *s. Gen.* -(s) *nur Ez.* dessen Sprache

Ketsch|up, Ketch|up, Catchup *auch:* **Ket|schup,** Ket|chup, Cat|chup [kɛtʃap, *hind.-engl.] m. 9 oder s. 9* pikante, dicke Würzsoße aus Tomaten

Kẹtt|baum, Kẹt|ten|baum *m. 2* Walze des Webstuhls, auf der die Kettfäden aufgewickelt sind; **Kẹtt|chen** *s. 7;* **Kẹt|te** *w. 11* **1** bandartig zusammenhängende Glieder aus Metall, Holz o. Ä.; **2** *Weberei:* Gesamtheit der Kettfäden; *Ggs.:* Schuss; **3** *Jägerspr.:* Schar, Reihe (von Hühnervögeln); **4** *Mil.:* Formation (von Flugzeugen); **Kẹt|tel** *m. 5 oder w. 11* = Krampe; **Kẹt|tel|ma|schi|ne** *w. 11* Maschine zum Ketteln; **kẹt|teln** *tr. 1* mit einer elastischen Naht zusammennähen (Wirkware); **kẹt|ten** *tr. 2* mit Kette anbinden, fesseln; **Kẹt|ten|baum** *m. 2* = Kettbaum; **Kẹt|ten|brü|cke** *w. 11;* **Kẹt|ten|glied** *s. 3;* **Kẹt|ten|hemd** *s. 12;* **Kẹt|ten|hund** *m. 1;* **Kẹt|ten|pan|zer** *m. 5;* **Kẹt|ten|rau|chen** *s. Gen.* -s *nur Ez.;* **Kẹt|ten|rau|cher** *m. 5;* **Kẹt|ten|re|ak|ti|on** *w. 10;* **Kẹtt|fa|den** *m. 8, Weberei:* Längsfaden; *Ggs.:* Schussfaden; **Kẹtt|garn** *s. 1* Garn für die Kettfäden

Kẹt|zer *m. 5* jmd., der vom allgemein gültigen Glauben, *auch:* von der herrschenden Meinung abweicht, Abtrünniger, Irrgläubiger; **Ket|ze|rei** *w. 10 nur Ez.;* **kẹt|ze|risch**

keu|chen *intr. 1;* **Keuch|hus|ten** *m. 7*

Keul|chen *s. 7* kleine Keule; vgl. Käulchen; **Keu|le** *w. 11;* **Keu|len|schlag** *m. 2;* **Keu|len|schwin|gen** *s. Gen.* -s *nur Ez.*

Keu|per *m. 5 nur Ez.* **1** ein Buntsandstein; **2** *danach:* oberste Stufe der Trias

keusch; Keusch|baum *m. 2* ein Baum und Strauch, Mönchspfeffer, Keuschlamm

Keu|sche *w. 11, österr.:* kleines Bauernhaus, Kate

Keusch|heit *w. 10 nur Ez.;* **Keusch|heits|ge|lüb|de** *s. 5*

Keusch|lamm *s. Gen.* -(e)s *nur Ez.* = Keuschbaum

Keusch|ler *m. 5, österr.:* Bewohner einer Keusche, Kätner, Häusler

Keyboard [kiːbɔːd, engl.] *s. 9* **1** *Musik:* Tasteninstrument mit elektronischer Verstärkung; **2** *EDV:* Tastatur zur Eingabe von Buchstaben und Ziffern

Kfz *Abk. für* Kraftfahrzeug

kg *Abk. für* Kilogramm; ein 5-kg-Packet

KG *Abk. für* Kommanditgesellschaft; **KGaA** *Abk. für* Kommanditgesellschaft auf Aktien

Kha|ki *Nv.* ▶ **Ka|ki** *Hv.;* **kha|ki|braun** *Nv.* ▶ **ka|ki|braun** *Hv.;* **kha|ki|far|ben** *Nv.* ▶ **ka|ki|far|ben** *Hv.;* **Kha|ki|u|ni|form** *Nv.* ▶ **Ka|ki|u|ni|form** *Hv.*

Khan, Chan [turkspr. oder mongol.] *m. 1, mongol.-türk. Titel für:* Fürst, hoher Beamter; **Kha|nat,** Cha|nat *s. 1* Herrschaftsbereich, Amt eines Khans

Khar|tum Hst. und Provinz-Hst. der Republik Sudan

Khart|we|li *m. 9 oder Gen. - Mz.-, Selbstbez. der* Georgier; **khart|we|lisch; Khart|we|lisch** *s. Gen.* -(s) *nur Ez.* = Georgisch

Kha|si 1 *m. 9 oder Gen. - Mz.* - Angehöriger eines Volksstammes in Assam; **2** *s. Gen.* -(s) *nur Ez.* dessen Sprache

Khe|di|ve [pers.] *m. 11 oder m. 14, früher Titel für:* Vizekönig von Ägypten

Khmer 1 *m. 9 oder Gen. - Mz.* - Staatsvolk Kambodschas; **2** *s. Gen.* -(s) *nur Ez.* dessen Sprache

Khoin|spra|chen, Khoi|san|spra|chen *w. 11 Mz.* die Sprachen der Buschmänner und Hottentotten

kHz *Abk. für* Kilohertz

Kịb|buz [hebr.] *m. Gen. - Mz.* -zim *oder* -ze Gemeinschaftssiedlung in Israel; **Kịb|buz|nik** *m. 9* Mitglied eines Kibbuz

Ki|bịt|ka [russ.] *w. 9;* **Ki|bịt|ke** *w. 11* **1** Filzzelt asiatischer Nomaden; **2** leichter, ungefederter, überdachter russ. Wagen, *auch:* Schlitten

Kị|cher *w. 11;* **Kị|cher|erb|se** *w. 11,* **Kị|cher|ling** *m. 1* ein Schmetterlingsblütler, dessen Samen als Nahrungs- und Futtermittel dienen

kị|chern *intr. 1*

Kịck [engl.] *m. 9, Fußball:* Stoß, Tritt; **Kịck|bo|xen** *s. 9 nur Ez.* thailändische Boxvariante mit Einsatz von Fußschlägen; **Kick|down** *Nv.* ▶ **Kick-down** *Hv.* [-daʊn, engl.] *m. 9 oder s. 9, Kfz.:* schnelles Durchtreten des Gaspedals; **kị|cken** *tr. 1, Fußball:* mit dem Fuß stoßen (den Ball); *auch allg.:* jmdn. k.; **Kick-ọff** ▶ *auch:* **Kick|ọff** *m. 9, schweiz., Fußball:* Anstoß; **Kịcks** *m. 1, Fußball, Billard:* Fehlstoß

> **Kick-down/Kickdown:** Man setzt einen Bindestrich in substantivisch gebrauchten Zusammensetzungen (Aneinanderreihungen): *der/das Kick-down.* Ebenso: *das Make-up.* → § 43
> Zusammenschreibung ist möglich, da der letzte Bestandteil der Verbindung kein Substantiv ist: *der/das Kickdown.* Ebenso: *der Kick-off/Kickoff.* → § 37 (2)

kịck|sen *intr. 1* = gicksen

Kịck|star|ter *m. 5, beim Motorrad:* Anlasshebel

Kick|xia [kịksja, nach dem belg. Botaniker J. Kickx] *w. Gen. - Mz.* -xi|en eine Kautschuk liefernde, baumartige Pflanze

Kịd [engl.] *s. 9* **1** Leder aus dem Fell von Kalb, Lamm und junger Ziege (für Handschuhe); **2** *meist Mz., ugs.:* Kinder, Jugendliche

kịd|nap|pen [-næpən, engl.] *tr. 1* entführen, rauben; kidnappte, gekidnappt; **Kịd|nap|per** [-næpər] *m. 5* Menschenentführer; **Kịd|nap|ping** *s. 9 nur Ez.* Menschenraub, um Lösegeld oder die Erfüllung von Forderungen zu erpressen

Kịds *vgl.* Kid **(2)**

Kie|bitz *m. 1* **1** ein Vogel; **2** Zuschauer beim Kartenspiel, bes. Skat; **kie|bit|zen** *intr. 1* beim Kartenspiel zusehen

Kie|fer 1 *w. 11* ein Nadelbaum, Föhre; **2** *m. 5* ein Schädelknochen, Kauwerkzeug

kie|fern aus Kiefernholz; **Kie|fern|eu|le** *w. 11* ein Schmetterling, Forleule; **Kie|fern|holz** *s. 4;* **Kie|fern|schwär|mer** *m. 5* ein Nachtschmetterling; **Kie|fern|span|ner** *m. 5* Schmetterling, Forstschädling; **Kie|fern|wald** *m. 4;* **Kie|fern|zap|fen** *m. 7*

Kie|fer|sper|re *w. 11* Mundsperre, Unfähigkeit, den Mund zu schließen (infolge Kieferverrenkung)

kie|ken *intr. 1, nddt.:* sehen, schauen; **Kie|ker** *m. 5, Seew., auch ugs.:* Fernglas; jmdn. auf dem K. haben: jmdn. nicht leiden können, einen Groll gegen jmdn. haben; **Kiek|in|die|welt** ▶ **Kiek-in-die-Wẹlt** *m. 9, norddt. für* Guck-in-die-Welt

kiek|sen *tr. u. intr. 1* = gieksen

Kiel 1 Hst. von Schleswig-Holstein; Kieler Bucht; Kieler Förde; Kieler Woche; **2** *m. 1* Schaft der Vogelfeder; **3** *m. 1* unterstes mittleres Längsholz (auch Metallplatte) mancher Schiffe; **Kiel|bo|gen** *m. 8, Baukunst:* eine spätgot. Bogenform, spitz und leicht geschweift; **Kiel|boot** *s. 1*

Kiel|flü|gel *m. 5, dt. Bez. für* Cembalo

kiel|ho|len *tr. 1* **1** ein Boot k.: zur Reparatur auf die Seite legen; **2** jmdn. k.: (als Strafe) an einem Tau unter dem Kiel durchziehen

Kiel|kropf *m. 2, früher:* Missgeburt, Wechselbalg

kiel|o|ben *Seew.:* mit dem Kiel nach oben; **Kiel|schwein** *s. 1* verstärkender Längsbalken auf dem Kiel; **Kiel|schwert** *s. 3* Holz- oder Metallplatte unter dem Kiel, die in den Schiffsboden eingezogen werden kann; **Kiel|was|ser** *s. 5* Wellenspur hinter einem fahrenden Schiff; in jmds. K. segeln: jmdm. unmittelbar folgen, *auch übertr.:* (unschöpferisch) geistig folgen

Kie|me *w. 11* Atmungsorgan der im Wasser lebenden Tiere; **Kie|men|at|mer** *m. 5*

Kien *m. 1,* Kie|ne *w. 11* Kiefer, (harzreiches) Kiefernholz; auf dem Kien sein [zu engl. keen] *ugs.:* scharf aufpassen, wachsam sein; **Kien|ap|fel** *m. 6* Kiefernzapfen; **Kie|ne** *w. 11* = Kien; **Kien|fa|ckel** *w. 11* Fackel aus Kiefernholz; **Kien|holz** *s. 4* Kiefernholz; **kie|nig** harzreich; **Kien|span** *m. 2*

Kie|pe *w. 11, norddt.:* Rückentragkorb; **Kie|pen|hut** *m. 2* dem Kapotthut ähnlicher Hut

Kies *m. 1 nur Ez.* **1** kleine, zerbröckelte, glatt geschliffene Gesteinstrümmer, grober Sand; **2** *ugs.:* Geld; **Kie|sel** *m. 5;* **Kie|sel|al|ge** *w. 11* einzellige Algenart; **Kie|sel|er|de** *w. 11* ein Mineral; **Kie|sel|gur** *w. Gen. - nur Ez.* aus den Panzern von Kieselalgen gewonnenes Pulver, zur Wärme- und Schallisolation verwendet; **Kie|sel|säu|re** *w. 11*

kie|sen *tr. 29, veraltet, noch poet.:* wählen, *meist:* erkiesen

Kie|se|rit [nach dem dt. Naturforscher D. G. Kieser] ein Mineral

kie|sig voller Kies, wie Kies; **Kies|weg** *m. 1*

Ki|ew [kiɛf] Hst. der Ukraine; **Ki|e|wer** *m. 5*

Kif *m. 9 nur Ez., ugs.:* Haschisch; **kif|fen** *intr. 1, ugs.:* Haschisch rauchen; **Kif|fer** *m. 5 ugs.:* jmd., der kifft

ki|ke|ri|ki; Ki|ke|ri|ki *s. 9* Ruf des Hahns

Kil|be *w. 11,* **Kil|bi** *w. Gen. - Mz. -be|nen, schweiz.:* Kirchweih

Ki|li|ki|en *heute amtl.:* Çukurova, Landschaft im östl. Kleinasien; **Ki|li|ki|er** *m. 5;* **ki|li|kisch**

Ki|lim *m. 9* = Kelim

Ki|li|man|dscha|ro *auch:* **-mand|scha|ro** *m. Gen. -(s)* höchster Berg in Afrika

kil|len [engl.] **1** *tr. 1, ugs.:* ermorden, umbringen; **2** *intr. 1, Seew.:* flattern, schlagen (Segel)

Kiln [engl.] *m. 1* schachtförmiger Ofen zur Metallgewinnung und Holzverkohlung

ki|lo... [griech.], **Ki|lo...** *in Zus.:* tausend..., Tausend...; **Ki|lo** *s. Gen. -(s) Mz. -, Kurzform von* Kilogramm; **Ki|lo|byte** [-bait oder ki-] *s. Gen. -s Mz. - (Abk.:* KB, KByte) Einheit von 1024 Byte; **Ki|lo|gramm** *s. Gen. -s Mz. - (Abk.:* kg) 1000 Gramm, Maßeinheit der Masse, *ugs., aber unkorrekt:* des Gewichts; vgl. Kilopond; **Ki|lo|gramm|ka|lo|rie** *w. 11, veraltet für* Kilokalorie; **Ki|lo|hertz** *s. Gen. - Mz. - (Abk.:* kHz) 1000 Hertz, Maßeinheit der Frequenz; **Ki|lo|ka|lo|rie** *w. 11 (Abk.:* kcal) 1000 Kalorien; **Ki|lo|li|ter** *s. 5 (Abk.:* kl) 1000 Liter; **Ki|lo|me|ter** *s. 5, ugs.: m. 5 (Abk.:* km) 1000 Meter; **Ki|lo|me|ter|fres|ser** *m. 5, ugs. scherzh.:* jmd., der lange Strecken sehr schnell fährt; **Ki|lo|me|ter|leis|tung** *w. 10;* **Ki|lo|me|ter|stein** *m. 1;* **ki|lo|me|ter|weit; Ki|lo|me|ter|zäh|ler** *m. 5;* **ki|lo|me|trie|ren** *auch:* **-met|rie|ren** *tr. 3* mit Kilometersteinen versehen (Straßen, Flüsse); **ki|lo|me|trisch** *auch:* **-met|risch; Ki|lo|pond** *s. Gen. -(s) Mz. - (Abk.:* kp) 1000 Pond; **Ki|lo|pond|me|ter** *s. Gen. -s Mz. - (Abk.:* kpm) Maßeinheit der Arbeit und Energie, die Arbeit, die nötig ist, um 1 kp 1 m hoch zu heben; **Ki|lo|ton|ne** *w. 11 (Abk.:* kt) Maßeinheit für die Sprengkraft von Kernwaffen; **Ki|lo|volt** *s. Gen. -(s) Mz. - (Abk.:* kV) 1000 Volt; **Ki|lo|volt|am|pere** *s. Gen. -(s) Mz. - (Abk.:* kVA) 1000 Voltampere; **Ki|lo|watt** *s. Gen. -(s) Mz. - (Abk.:* kW) 1000 Watt; **Ki|lo|watt|stun|de** *w. 11 (Abk.:* kWh) 1000 Wattstunden

Kilt 1 [engl.] *m. 9* karierter, kurzer Rock der Schotten; **2** *m. 1* Kilt|gang *m. 2, alem.:* nächtl. Besuch eines Burschen bei einem Mädchen

Kim|ber, Zim|ber *m. 5* Angehöriger eines german. Volksstammes; **kim|be|risch,** kim|brisch, zim|be|risch, zim|brisch

Kim|ber|lit [nach der südafrik. Stadt Kimberley] *m. 1* diamanthaltiges südafrik. Eruptivgestein

Kimm *w. Gen. - nur Ez.* **1** Kim|mung *w. Gen. - nur Ez.* Horizontlinie zwischen Meer und Himmel; **2** Übergang des Schiffsbodens in die Bordwand; **Kim|me** *w. 11* Kerbe, Einschnitt; Teil der Visiereinrichtung von Handfeuerwaffen, der beim Zielen zusammen mit dem Korn und dem Zielpunkt eine Linie bilden muss

Kim|me|rer, Kim|me|ri|er *m. 5* Angehöriger eines idg. Volksstammes am Nordufer des Schwarzen Meeres, bei Homer eines sagenhaften Volkes, das im hohen Norden in ewiger Finsternis lebt; **kim|me|risch;** kimmerische Finsternis

Kim|mung *w. Gen. - nur Ez.* = Kimm (**1**)

Ki|mo|no [jap.] *m. 9* langes, mantelartiges jap. Gewand mit weiten, angeschnittenen Ärmeln; **Ki|mo|no|är|mel** *m. 5*

Ki|nä|de [griech.] *m. 11* **1** = Päderast; **2** weichlicher, lüsterner Mensch

Kin|äs|the|sie *auch:* **Ki|näs-** [griech.] *w. 11 nur Ez.* Bewegungs-, Muskelgefühl, Empfindung für Muskeln und Gelenke; **Kin|äs|the|tik** *auch:* **Ki|näs-** *w. 10 nur Ez.* Lehre von den Bewegungsempfindungen; **kin|äs|the|tisch** *auch:* **ki|näs-**; kinästhetischer Sinn: Muskelsinn

> **an Kindes statt:** Gefüge dieser Art (vgl.: *an Eides statt*) werden getrennt, das Substantiv wird dabei großgeschrieben.

Kind *s. 3;* jmdn. an Kindes statt annehmen; sich bei jmdm. lieb

Kind machen: sich bei ihm einschmeicheln; **Kind|bett** *s. 12* Zeit nach der Geburt, während der die Mutter im Bett liegen muss, Wochenbett; **Kind|bet|te|rin** *w. 10, veraltet:* Wöchnerin, junge Mutter im Kindbett; **Kind|bett|fie|ber** *s. 5 nur Ez.* durch Infektion der Geburtswege nach der Entbindung entstandene Krankheit, Puerperalfieber; **Kind|chen** *s. 7, Mz. auch:* Kin|der|chen; **Kin|del|bier** *s. 1 nur Ez., landsch.:* Taufschmaus; **Kin|der|ar|beit** *w. 10 nur Ez.;* **Kin|der|arzt** *m. 2;* **Kin|der|buch** *s. 4;* **Kin|der|chen** *Mz. von* Kindchen; **Kin|der|dorf** *s. 4* Siedlung zur Erziehung elternloser Kinder und Jugendlicher, Jugenddorf; **Kin|de|rei** *w. 10;* **Kin|der|freund** *m. 1;* **Kin|der|freund|schaft** *w. 10;* **Kin|der|funk** *m. 1 nur Ez.;* **Kin|der|gar|ten** *m. 8;* **Kin|der|gärt|ne|rin** *w. 10;* **Kin|der|got|tes|dienst** *m. 1;* **Kin|der|heil|kun|de** *w. 11 nur Ez.* = Pädiatrie; **Kin|der|heim** *s. 1;* **Kin|der|hort** *m. 1;* **Kin|der|jah|re** *s. 1 Mz.;* **Kin|der|krank|heit** *w. 10;* **Kin|der|läh|mung** *w. 10;* spinale K.: Poliomyelitis; **kin|der|leicht; Kin|der|lein** *Mz. von* Kindlein; **kin|der|lieb; Kin|der|lie|be** *w. 11* Liebe zwischen zwei Kindern; vgl. Kindesliebe; **kin|der|los; Kin|der|lo|sig|keit** *w. 10 nur Ez.;* **Kin|der|mord** *m. 1;* **Kin|der|mör|der** *m. 5;* vgl. Kindsmörderin; **Kin|der|mund** *m. Gen.* -s *nur Ez.* kindliche, oft altkluge und daher erheiternde Ausdrucksweise; **Kin|der|psy|cho|lo|gie** *w. 11 nur Ez.;* **kin|der|reich; Kin|der|reich|tum** *m. 4 nur Ez.;* **Kin|der|schuh** *m. 1;* die Kinderschuhe ausgetreten haben: die Kindheit hinter sich haben; **Kin|der|schutz** *m. Gen.* -es *nur Ez.;* **Kin|der|schwes|ter** *w. 11;* **Kin|der|se|gen** *m. 7 nur Ez.;* **Kin|der|spiel** *s. 1;* **Kin|der|spra|che** *w. 11 nur Ez.;* **Kin|der|ta|ges|stät|te** *w. 11;* **Kin|der|the|a|ter** *s. 5;* **kin|der|tüm|lich**

Kin|des|al|ter *s. 5 nur Ez.;* **Kin|des|aus|set|zung** *w. 10;* **Kin|des|bei|ne** *s. 1 Mz., nur in der Wendung* von Kindesbeinen an: von früher Kindheit an; **Kin|des|ent|füh|rung** *w. 10;* **Kin|des|kind** *s. 3* Enkel; Kinder und Kindeskinder; **Kin|des|lie|be** *w. 11 nur Ez.* Liebe des Kindes zu den Eltern; **Kin|des|mör|de|rin** *w. 10* = Kindsmörderin; **Kin|des|nö|te,** Kinds|nö|te *w. 2 Mz.* Wehen; in Kindesnöten liegen; **Kin|des|pflicht** *w. 10;* **Kin|des|raub** *m. 1;* **Kin|des|un|ter|schie|bung** *w. 10*

kind|haft; Kind|haf|tig|keit *w. 10 nur Ez.;* **Kind|heit** *w. 10 nur Ez.;* **kin|disch** wie ein Kind (Erwachsener), albern, töricht, lächerlich; **Kind|lein** *s. 7, Mz. auch:* Kin|der|lein; **kind|lich; Kind|lich|keit** *w. 10 nur Ez.;* **Kind|schaft** *w. 10 nur Ez.;* **kind|schen** *intr. 1, ugs.:* albern sein, Kindereien treiben; **Kinds|kopf** *m. 2;* **Kinds|mör|de|rin,** Kin|des|mör|de|rin *w. 10* Frau, die ihr Kind unmittelbar nach der Geburt getötet hat; **Kinds|nö|te** *w. 2 Mz.* = Kindesnöte; **Kinds|pech** *s. Gen.* -(e)s *nur Ez.* schwärzl. Stuhlgang des Neugeborenen vor d. ersten Nahrungsaufnahme, Mekonium; **Kind|tau|fe** *w. 11*

Ki|ne|ma|thek [griech.] *w. 10* = Filmothek; **Ki|ne|ma|tik** *w. 10 nur Ez., Phys.:* Lehre von den Bewegungen; **Ki|ne|ma|ti|ker** *m. 5;* **ki|ne|ma|tisch; Ki|ne|ma|to|graph** ► *auch:* **Ki|ne|ma|to|graf** *m. 10* der erste Apparat zur Aufnahme und Wiedergabe bewegter Bilder; **Ki|ne|ma|to|gra|phie** ► *auch:* **Ki|ne|ma|to|gra|fie** *w. 11 nur Ez.* Filmtechnik, Filmwesen (in der Anfangszeit des Films); **ki|ne|ma|to|gra|phisch** ► *auch:* **ki|ne|ma|to|gra|fisch; Ki|ne|tik** *w. 10 nur Ez.* Lehre von der Bewegung durch Kräfte; **ki|ne|tisch;** kinetische Energie: Bewegungsenergie; **Ki|ne|to|se** *w. 11* durch Reizung des Gleichgewichtsorgans hervorgerufene Krankheit, z. B. See-, Luftkrankheit

King-size ► **Kingsize** [-saɪz, engl.] *w., auch s. Gen.* - *nur Ez.* Großformat, Überlänge (z. B. von Zigaretten)

Kink *w. 10, Seew.:* Knoten im Tau, Knick in der Stahltrosse

Kin|ker|litz|chen *s. 7 Mz., nord-, mitteldt.* **1** Krimskrams, Tand, unnötiger Kram; **2** Albernheiten

Kinn *s. 1;* **Kinn|ba|cke** *w. 11,* **Kinn|ba|cken** *m. 7;* **Kinn|bart** *m. 2;* **Kinn|ha|ken** *m. 7;* **Kinn|la|de** *w. 11*

Ki|no [zu: Kinematograph] *s. 9* Lichtspieltheater; **Ki|no|film** *m. 1* Film zur Vorführung im Kino, im Unterschied zum Schmal- oder Rollfilm bzw. zum Fernsehfilm

Ki|non|glas *s. 4* Ⓦ ein nichtsplitterndes Sicherheitsglas

Ki|no|or|gel *w. 11;* **Ki|no|pro|gramm** *s. 1;* **Ki|no|stück** *s. 1, ugs.:* Film; **Kin|topp** *s. 9 oder m. 9, auch m. 2 oder s. 2, berlin.:* Kino

Kin|zi|git *m. 1 nur Ez.* eine Gneisart

Ki|osk [türk.] *m. 1* **1** oriental. Gartenhäuschen; **2** Erker an oriental. Palästen; **3** Verkaufshäuschen oder -stand, z. B. Zeitungskiosk

Kip|fel *s. 5,* **Kip|ferl** *s. 14, süddt., österr.:* längliches Gebäck, Hörnchen

Kip|pe *w. 11* **1** eine Turnübung am Reck; **2** Augenblick, Punkt des Umstürzens; die Sache steht auf der Kippe: man weiß nicht, wie sie ausgeht; **3** *ugs.:* Zigarettenstummel; **4** *Bgb.:* Abraum; Lagerungsstelle für den Abraum; **kip|pe|lig,** kipp|lig; **kip|peln** *intr. 1* wackeln; **kip|pen 1** *intr. 1* sich zur Seite neigen, fast umstürzen; **2** *tr. 1* auf eine Kante stellen; schütten; einen kippen *ugs.:* einen Schnaps trinken; kippen und wippen *früher:* von Münzen etwas abschneiden und sie so geschickt in die Waagschale werfen, dass diese trotzdem stärker sinkt; **Kip|per** *m. 5* **1** Lastwagen, dessen Kasten gekippt werden kann; **2** Vorrichtung zum Kippen von Güterwagen; **3** Kipper und Wipper *früher:* Münzverschlechterer; vgl. kippen

Kipp|fens|ter *s. 5;* **Kipp|kar|re** *w. 11;* **Kipp|kar|ren** *m. 7* Schiebkarre(n); **kipp|lig,** kip|pe|lig; **Kipp|lo|re** *w. 11;* **Kipp|pflug** *m. 2* kippbarer Pflug, der nicht gewendet zu werden braucht; **Kipp|wa|gen** *m. 7*

Kips [engl.] *s. 1* getrocknete Haut des ind. Buckelrindes

Kir|be *w. 11, süddt.:* Kirchweih

Kirch|dorf *s. 4;* **Kir|che** *w. 11;* **Kir|chen|buch** *s. 4* vom Geistlichen geführtes Buch mit den Taufen, Eheschließungen, Bestattungen usw., Kirchenregister; **Kir|chen|chor** *m. 2;* **Kir|chen|die|ner** *m. 5;* **Kir|chen-**

► = wird zu

fürst *m. 10* Bischof, Erzbischof, Kardinal; **Kịr|chen|ge|mein|de,** Kịrch|ge|mein|de *w. 11;* **Kịr|chen|ge|schich|te** *w. 11 nur Ez.;* **Kịr|chen|gut** *s. 4;* **Kịr|chen|jahr** *s. 1* das am ersten Advent beginnende Jahr mit allen Fest- und Feiertagen, im Unterschied zum Kalenderjahr; **Kịr|chen|kon|zert** *s. 1;* **Kịr|chen|licht** *s. 3, nur noch übertr. in Wendungen wie* er ist kein großes K.: er ist nicht sehr klug; **Kịr|chen|lied** *s. 3;* **Kịr|chen|maus** *w. 2, in der Wendung:* arm wie eine K.; **Kịr|chen|mu|sik** *w. 10;* **Kịr|chen|po|li|tik** *w. 10 nur Ez.;* **kịr|chen|po|li|tisch; Kịr|chen|pro|vinz** *w. 10* Amtsbereich eines Erzbischofs; **Kịr|chen|rat** *m. 2;* **Kịr|chen|raub** *m. 1* Diebstahl von kirchlichen Gegenständen; **Kịr|chen|räu|ber** *m. 5;* **Kịr|chen|recht** *s. 1;* **Kịr|chen|recht|ler** *m. 5* Wissenschaftler auf dem Gebiet des Kirchenrechts; **kịr|chen|recht|lich; Kịr|chen|re|gis|ter** *s. 5* = Kirchenbuch; **Kịr|chen|schatz** *m. 2;* **Kịr|chen|schrift|stel|ler** *m. 5* Schriftsteller der kath. Kirche; **Kịr|chen|sla|wisch** *s. Gen.* -(s) *nur Ez.* Altbulgarisch; **Kịr|chen|spal|tung** *w. 10* Schisma; **Kịr|chen|spren|gel** *m. 5* Pfarrbezirk, Kirchspiel; **Kịr|chen|staat** *m. 12 nur Ez.* dem Papst unterstehendes Territorium der Kirche, urspr. in Mittelitalien und zeitweise Sizilien, heute in einem Stadtteil Roms (Vatikanstadt); **Kịr|chen|steu|er** *w. 11;* **Kịr|chen|stra|fe** *w. 11;* **Kịr|chen|tag** *m. 1;* Deutscher Evangelischer Kirchentag: eine alle zwei Jahre stattfindende Versammlung dt. evangel. Christen zur Beratung kirchlicher Probleme; **Kịr|chen|ton|art** *w. 10* eine der urspr. acht, später zwölf im MA gebräuchlichen, auf der griech. Musik beruhenden Tonarten; **Kịr|chen|va|ter** *m. 6* Kirchenschriftsteller des 2. bis 7. Jh. mit dem Titel »Pater ecclesiae«; **Kịr|chen|vor|stand** *m. 2*

Kịrch|gang *m. 2;* **Kịrch|gän|ger** *m. 5;* **Kịrch|geld** *s. 3* kleine, freiwillige Abgabe an die Kirche (außer der Kirchensteuer); **Kịrch|ge|mein|de,** Kịr|chen|ge|mein|de *w. 11;* **Kịrch|hof** *m. 2* Friedhof; **Kịrch|hofs|mau|er** *w. 11;* **Kịrch|lein** *s. 7;* **kịrch|lich; Kịrch|lich|keit** *w. 10 nur Ez.;* **Kịrch|spiel** *s. 1* Pfarrbezirk, Kirchensprengel; **Kịrch|turm** *m. 2;* **Kịrch|turm|po|li|tik** *w. 10 nur Ez.* engstirnige, auf einen engen Horizont beschränkte Politik; **Kịrch|weih** *w. 10* jährliche Feier zum Gedenken an die Einweihung der Kirche, mit Jahrmarkt

Kir|gi̲|se *m. 17* Angehöriger eines mittelasiat. Volkes; **kir|gi̲|sisch**

Kir|ke = Circe

Kir|man *m. 9* = Kerman

Kịr|mes *w. Gen. - Mz.* -mes|sen, *nddt., mitteldt.:* Kirchweih

Kịr|ne *w. 11, rhein.:* Butterfass; **kịr|nen** *intr. 1, rhein.:* buttern

kịr|re *fast nur adverbial gebraucht* **1** gezähmt (Tier); **2** gefügig (Person); jmdn. kirre machen; kirre werden; **kịr|ren** *tr. 1* kirre machen, zähmen; **Kịr|rung** *w. 10, Jägerspr.:* Lockfutter

Kịrsch *m. Gen.* -s *Mz.* -, *kurz für* Kirschwasser, Kirschlikör; **Kịrsch|baum** *m. 2;* **Kịr|sche** *w. 11;* **Kịrsch|geist** *m. 1 nur Ez.* = Kirschwasser; **Kịrsch|li|kör** *m. 1;* **kịrsch|rot; Kịrsch|was|ser** *s. 6* aus Kirschen hergestellter, klarer Branntwein, Kirschgeist

Kịr|tag *m. 1, bayr., österr.:* Kirchweih

Kịs|met [arab.-türk.] *s. Gen.* -s *nur Ez., im Islam:* das von Allah bestimmte, unabwendbare Schicksal

Kịß|chen ► **Kịss|chen** *s. 7* kleines Kissen; **Kịs|sen** *s. 7*

Kịs|te *w. 11*

Ki|su|a|he̲|li *s. Gen.* -s *nur Ez.* = Suaheli (**2**)

Ki̲|tha|ra [griech.] *w. Gen. - Mz.* -s *oder* -tha̲|ren altgriech. Zupfinstrument mit 7–18 Saiten; **Ki|tha|rö̲|de** *auch:* **Ki|tha|rö̲|de** *m. 11* Kitharaspieler, Sänger

Kịtsch [engl.] *m. Gen.* -(e)s *nur Ez.* **1** geschmacklose, süßlich-sentimentale Scheinkunst; **2** Gegenstand oder Gegenstände in dieser Art; **kịt|schig**

Kịtt *m. 1* teigiger Stoff zum Dichten und Verkleben, z. B. Fenster-, Porzellankitt

Kịtt|chen [rotwelsch] *s. 7, ugs.:* Gefängnis

Kịt|tel *m. 5* **1** blusiges, über Rock oder Hose getragenes Kleidungsstück; **2** Arbeits-, Berufsmantel

kịt|ten *tr. 2* **1** mit Kitt verkleben, dichten; **2** *übertr.:* leimen, wieder zusammenfügen, wiederherstellen

Kịtz *s. 1* Junges von Reh, Gämse, Steinbock, Ziege; vgl. Kitze; **Kịtz|chen,** Kịtz|lein *s. 7;* **Kịt|ze** *w. 11* = Kitz

Kịt|zel *m. 5;* **kịt|ze|lig,** kịtz|lig; **kịt|zeln** *tr. u. intr. 1;* ich kitzele, kitzle ihn; **Kịtz|ler** *m. 5* = Klitoris; **kịtz|lig,** kịt|ze|lig

Ki̲|wi 1 [maorisch] *m. 9* ein neuseeländ. Schnepfenvogel; **2** *w. 9* ovale, 7–10 cm lange Frucht, »chines. Stachelbeere«

Kjök|ken|möd|din|ger *Mz.* = Kökkenmöddinger

k. k. *im ehemaligen Österreich-Ungarn Abk. für* kaiserlich-königlich (bei Behörden der österr. Reichshälfte); vgl. k. u. k.; **K. K.** *im ehemaligen Österreich-Ungarn Abk. für* Kaiserlich-Königlich (in Titeln)

kl *Abk. für* Kiloliter

Kl. *Abk. für* Klasse

Kl.-4° *Abk. für* Kleinquart

Kl.-8° *Abk. für* Kleinoktav

kla|bạs|tern [ital.?] *intr. 1* polternd, trampelnd gehen

Kla|bau̲|ter|mann *m. 4 nur Ez.* Schiffskobold, dessen Erscheinen (oder Verschwinden) dem Schiff Unheil anzeigt

klạck!, Klạck *m. 2, alem.:* Hautriss, aufgesprungene Hautstelle; **klạ|cken** *intr. 1* klatschend fallen oder tropfen; **klạ|ckern 1** *intr. 1* klatschend tropfen; **2** *intr. 1* kleckern, klecksen, tropfen lassen; **klạcks!; Klạcks** *m. 1* **1** klatschend tropfendes Geräusch; **2** kleine Menge (von etwas Brei), ein Löffel voll

Klạd|de *w. 11* **1** erste Niederschrift, Konzept; **2** Geschäfts-, Tagebuch; **3** Schreib-, Schulheft

klad|de|ra|dạtsch!; Klad|de|ra|dạtsch 1 *m. 1* Krach, Geklirr; *übertr.:* Zusammenbruch, Skandal, Aufregung; **2** *nur Ez.* Titel einer polit.-satir. Zeitschrift 1848–1944

Kla|do̲|nie [-njə, griech.] *w. 11* Rentierflechte; **Kla|do|ze̲|re** *w. 11* Wasserfloh

klạf|fen *intr. 1*

kläf|fen *intr. 1;* **Kläf|fer** *m. 5*

Klaff|mu|schel *w. 11* eine essbare Meeresmuschel

Klạf|ter *s. 5* **1** altes Längenmaß, etwa die Spannweite der ausgestreckten Arme umfassend;

2 altes Raummaß für Holz, etwa 3 m³; **Kla̧f|ter|holz** *s. 4 nur Ez.* in Klaftern geschichtetes Holz; **kla̧f|tern** *tr. 1* in Klaftern aufschichten; **kla̧f|ter|tief** *übertr.:* sehr tief

kla̲g|bar so beschaffen, dass man vor Gericht darauf klagen kann; die Sache ist klagbar geworden; **Kla̲g|bar|keit** *w. 10 nur Ez.;* **Kla̲|ge** *w. 11;* **Kla̲|ge|er|he|bung** *w. 10,* Rechtsw.; **Kla̲|ge|ge|schrei** *s. 1 nur Ez.;* **Kla̲|ge|laut** *m. 1;* **Kla̲|ge|lied** *s. 3;* **Kla̲|ge|mau|er** *w. 11* Teil der alten Mauer des Tempels von Jerusalem, wo sich die Juden zum Gebet in Erinnerung an die Zerstörung des Tempels trafen; **kla̲|gen** *intr. u. tr. 1;* **Klä̲|ger** *m. 5;* **Klä̲|ge|rin** *w. 10;* **klä̲|ge|risch;** **Kla̲|ge|ruf** *m. 1;* **Kla̲|ge|schrift** *w. 10;* **Kla̲|ge|weib** *s. 3* zum Beweinen eines Toten, solange er aufgebahrt ist, angestellte Frau; **klä̲g|lich;** **Klä̲g|lich|keit** *w. 10 nur Ez.;* **kla̲g|los;** **Kla̲g|lo|sig|keit** *w. 10 nur Ez.*

Kla|ma̲uk *m. 1 nur Ez.* **1** Lärm, Geschrei, Aufregung, Skandal; **2** lärmende Veranstaltung

kla̧mm **1** feuchtkalt; **2** starr, steif (vor Kälte); **Kla̧mm** *w. 10* Felsenschlucht mit Wildbach

Kla̧m|mer *w. 11;* **Kla̧m|mer|af|fe** *m. 11* Affe mit Greifschwanz; **kla̧m|mern** *tr. u. refl. 1;* ich klammere, klammre mich daran; eine Wunde k.: mit Wundklammer(n) verschließen;

klamm|he̲im|lich *ugs.:* ganz heimlich

Kla|mo̧t|te [rotwelsch] *w. 11* **1** Stein- oder Ziegelbrocken; **2** wertloser, alter Gegenstand, *bes.:* Hausgerät, Kleidungsstück; **3** *ugs.:* minderwertiges Theaterstück; **Kla|mo̧t|ten|kis|te** *w. 11*

Kla̧m|pe *w. 11* **1** Stütze für das Beiboot auf dem Schiffsdeck; **2** doppelarmiger Haken auf der Reling zum Befestigen von Tauen

Kla̧mp|fe *w. 11* Gitarre

Kla̲n *m. 9* = Clan

klan|des|ti̲n [lat.] *veraltet:* heimlich; klandestine Ehe: nicht kirchlich geschlossene und daher früher nicht gültige Ehe

Kla̧ng *m. 2;* **Kla̧ng|blen|de** *w. 11* (an Rundfunk- und Tonbandgeräten); **Kla̧ng|far|be** *w. 11;* **Kla̧ng|fül|le** *w. 11 nur Ez.;* **kla̧ng|lich;** **kla̧ng|los;** sang- und klanglos; **Klang|ma|le|re̲i** *w. 10 nur Ez.* Lautmalerei; **kla̧ng|rein;** **Kla̧ng|rein|heit** *w. 10 nur Ez.;* **kla̧ng|schön;** **Kla̧ng|schön|heit** *w. 10;* **kla̧ng|voll**

Kla̧pf *m. 2, süddt., schweiz.:* **1** leichter Knall; **2** Schlag, Ohrfeige; **klä̧p|fen** *intr. 1, süddt., schweiz.:* knallen

kla̧pp!; klapp, klapp!; klipp, klapp!

Kla̧pp|be|cher *m. 5;* **Kla̧pp|brü|cke** *w. 11;* **Kla̧p|pe** *w. 11;* **kla̧p|pen** *intr. u. tr. 1;* **Kla̧p|pen|horn** *s. 4* trompetenartiges Signalhorn mit sechs Klappen; **Kla̧p|pen|text** *m. 1* informativer Text zu einem Buch auf der Klappe des Schutzumschlags; **Kla̧p|per** *w. 11;* **kla̧p|per|dürr;** **kla̧p|pe|rig,** klapp|rig; **Kla̧p|pe|rig|keit,** Kla̧pp|rig|keit *w. 10 nur Ez.;* **Kla̧p|per|kas|ten** *m. 8, ugs.:* altes Fahrzeug; **kla̧p|pern** *intr. 1;* ich klappere, klappre; **Kla̧p|per|schlan|ge** *w. 11* eine Giftschlange; **Kla̧p|per|storch** *m. 2;* **Kla̧pp|horn** *s. 4* = Klappenhorn; **kla̧pp|rig,** kla̧p|pe|rig; **Kla̧pp|sitz** *m. 1;* **Kla̧pp|stuhl** *m. 2;* **Kla̧pp|tisch** *m. 1;* **Kla̧pp|zy|lin|der** *m. 5*

Kla̧ps *m. 1;* **Klä̧ps|chen** *s. 7;* **kla̧p|sen** *tr. 1;* jmdn. k.: jmdm. einen Klaps geben

> **klar, im Klaren sein:** Das Adjektiv *klar* schreibt man mit kleinem Anfangsbuchstaben: *Das Wetter ist klar.* Auch: *Sie denkt klar.* →§ 34 E3 (3)
> Das substantivierte Adjektiv schreibt man dagegen groß: *Sie sind sich im Klaren, dass das Problem gelöst werden muss.* Ebenso: *ins Klare kommen.* Auch: *ein Klarer* (= Schnaps). →§ 57 (1)

kla̲r; sich über etwas im Klaren sein; über etwas ins Klare kommen; **Kla̲r** *s. Gen. -s Mz. -, österr.:* das Klare im rohen Ei, Eiklar, Eiweiß; **Klä̲r|an|la|ge** *w. 11;* **kla̲r|bli̧|ckend** ► **klar bli̧|ckend;** ein klar blickender Mensch; **kla̲r|den|kend** ► **klar dȩn|kend;** **klä̲|ren** **1** *tr. 1* klar, durchsichtig machen; deutlich machen, von Zweifeln befreien; **2** *intr. 1, jidd.:* überlegen, nachdenken, logisch folgern; **Kla̲|re(r)** *m. 18 (17), ugs.:* klarer Schnaps

> **klar denken, klarlegen:** Verbindungen aus Adjektiv und Verb, bei denen das Adjektiv in dieser Verbindung steigerbar oder durch *sehr* erweiterbar ist, werden getrennt geschrieben:
> *klar blicken/denken/sehen.* →§ 34 E3 (3)
> Ist das Adjektiv jedoch weder steigerbar noch erweiterbar, wird zusammengeschrieben: *klarkommen, klarlegen, klarstellen.* →§ 34 (2.2)

Kla|rȩtt [engl.] *m. 9 oder m. 1* **1** gewürzter, gesüßter Rotwein; **2** *auch:* Clai|ret [klɛre̲, frz.] *m. 9* junger, hellroter frz. Wein

kla̲r|ge|hen *intr. 47, ugs.:* in Ordnung sein, klappen; **Kla̲r|heit** *w. 10 nur Ez.*

kla|rie̲|ren [lat.] *tr. 3;* ein Schiff k.: vor dem Ein- bzw. Auslaufen seine Ladung verzollen

Kla|ri|nȩt|te *w. 11* ein Holzblasinstrument; **Kla|ri|net|ti̧st** *m. 10*

Kla|ri̧s|se *w. 11,* Kla|ri̧s|sin *w. 10* Angehörige des Klarissenordens; **Kla|ri̧s|sen|or|den** [nach der hl. Clara] *m. 7 nur Ez.* von Franz von Assisi gegründeter Nonnenorden, Zweig des Franziskanerordens; **Kla|ri̧s|sin** *w. 10* = Klarisse

kla̲r|kom|men *intr. 71, ugs.;* mit etwas k.: etwas begreifen, mit etwas fertig werden; **kla̲r|le|gen** *tr. 1, ugs.:* deutlich, begreiflich machen; **Kla̲r|le|gung** *w. 10 nur Ez.;* **klä̲r|lich** *veraltet, noch scherzh.:* klar; etwas k. zeigen; **kla̲r|ma|chen** ► **klar ma̧|chen** *tr. 1;* **Klä̲r|mit|tel** *s. 5;* **Kla̲r|schi̧ff** *s. Gen. -(e)s, Seew.:* Gefechtsbereitschaft; **kla̲r|se|hen** ► **klar se̲|hen** *intr. 136;* ich sehe jetzt klar: ich bin mir jetzt darüber im Klaren; **Kla̲r|sicht|pa|ckung** *w. 10* Packung in durchsichtiger Hülle; **kla̲r|stel|len** *tr. 1;* etwas k.: einen Irrtum über etwas beseitigen, klären; **Kla̲r|text** *m. 1* entschlüsselter Text in normaler Schrift; **Klä̲|rung** *w. 10;* **kla̲r|wer|den** ► **klar we̲r|den** *intr. 180;* sich über etwas klar werden; der Himmel ist wieder klar geworden

Kla̧s|se [lat.] *w. 11 (Abk.:* Kl.); **Klas|se|ment** [-mã̲, frz.] *s. 9, schweiz.:* [-mɛ̧nt] *s. 1* Einreihung, Einteilung, Ordnung; **Kla̧s|sen|ar|beit** *w. 10;* **kla̧s-**

► = wird zu

> **Klasse sein:** In Gefügen aus Substantiv und Verb schreibt man das Substantiv groß: *Er war gestern Klasse.* [→ § 34 E3 (5)]. Aber: *pleite sein.* → § 35

sen|be|wußt ► **klas|sen|be|wusst; Klas|sen|be|wußt|sein** ► **Klas|sen|be|wusst|sein** *s. 1 nur Ez.;* **Klas|sen|ge|sell|schaft** *w. 10;* **Klas|sen|kampf** *m. 2;* **Klas|sen|leh|rer** *m. 5;* **klas|sen|los; Klas|sen|spre|cher** *m. 5;* **Klas|sen|tref|fen** *s. 7;* **Klas|sen|ver|tre|ter** *m. 5;* **Klas|sen|zim|mer** *s. 5;* **klas|sie|ren** *tr. 3* **1** *Bgb.:* nach der Größe sortieren; **2** klassifizieren; **Klas|si|fi|ka|ti|on** *w. 10* Einteilung in Klassen, Ordnung nach Klassen; **klas|si|fi|zie|ren** *tr. 3* in Klassen einteilen, nach Klassen ordnen; **Klas|si|fi|zie|rung** *w. 10*

...klas|sig mit einer bestimmten Anzahl von Klassen versehen, zu einer bestimmten Klasse gehörig: einklassige Volksschule, drittklassiges Lokal

Klas|sik [lat.] *w. 10 nur Ez.* **1** *i. e. S.:* die Blütezeit des griech. und röm. Altertums, die dt. Literatur 1786 bis 1805 und die österr. Musik 1770 bis 1825 (Wiener Klassik); **2** *i. w. S.:* Epoche kultureller Höchstleistungen, die auch in späteren Zeiten als mustergültig anerkannt bleiben; **Klas|si|ker** *m. 5* Vertreter der Klassik; **klas|sisch** **1** zur Klassik (**1**) gehörend, aus ihr stammend; **2** musterhaft, vorbildlich, allgemein gültig; **Klas|si|zis|mus** *m. Gen. - nur Ez.* die griech.-röm. Klassik nachahmender Kunststil, bes. in der europ. Baukunst im 16./17. Jh. und in der europ. Baukunst, Plastik, Malerei 1770–1830; **Klas|si|zist** *m. 10* Vertreter des Klassizismus; **klas|si|zis|tisch; Klas|si|zi|tät** *w. 10 nur Ez.* Mustergültigkeit, Vorbildlichkeit

klas|tisch [griech.] durch (mechan.) Zertrümmerung anderer Gesteine entstanden (Sediment)

Kla|ter *m. 14, nddt.:* **1** Schmutz, Unrat, Abfall; **2** Lumpen, zerrissenes Kleid; **kla|te|rig, klat|rig, klä|te|rig,** klät|rig *nddt.:* armselig, heruntergekommen, schmutzig; **kla|tern, klä|tern** *intr. 1, nddt.:* herunterkommen

klatsch!; klitsch, klatsch!; **Klatsch 1** *m. 1;* **2** *nur Ez.* Gerede, Geschwätz; **Klatsch|ba|se** *w. 11;* **klat|schen** *intr. 1;* **klat|sche|naß** ► **klat|sche|nass,** klatsch|nass; **Klat|scher** *m. 5;* **Klat|sche|rei** *w. 10;* **Klatsch|ge|schich|te** *w. 11;* **Klatsch|maul** *s. 4, ugs.;* **Klatsch|mohn** *m. Gen. -s nur Ez.;* **klatsch|naß** ► **klatsch|nass,** klat|sche|nass; **Klatsch|nest** *s. 3, ugs.:* Kleinstadt, in der viel geklatscht wird; **Klatsch|sucht** *w. Gen. - nur Ez.;* **klatsch|süch|tig; Klatsch|weib** *s. 3, ugs.*

klau|ben *tr. 1* **1** mühsam sammeln, auflesen, *meist in Zus.:* aufklauben, zusammenklauben; **2** *österr.:* sammeln, pflücken; Holz, Beeren klauben; **Klau|be|rei** *w. 10 nur Ez.*

Klaue *w. 11;* **klau|en** *tr. 1, ugs.:* stehlen; **Klau|en|seu|che** *w. 11* = Maul- und Klauenseuche; **Klau|e|rei** *w. 10*

Klau|se [lat.] *w. 11* **1** kleines Zimmer, in dem man ungestört ist; **2** Zelle, Einsiedelei; **3** Talenge, Engpass; **4** Teilfrucht (von Rauhblattgewächsen u. a.)

Klau|sel [lat.] *w. 11* einschränkende, vorbehaltende Nebenbestimmung (in Verträgen)

Klau|si|lie [-ljə, lat.] *w. 11* eine Schnecke, Schließmundschnecke; **Klaus|ner** *m. 5* Einsiedler; **Klaus|tro|phi|lie** [lat. + griech.] *w. 11 nur Ez.* Neigung oder krankhaftes Bedürfnis, sich abzusondern und einzuschließen; **Klaus|tro|pho|bie** *w. 11 nur Ez.* krankhafte Furcht vor dem Aufenthalt in geschlossenen Räumen; **klau|su|lie|ren** [lat.] *tr. 3* durch eine Klausel einschränken, in einer Klausel formulieren; **Klau|sur** *w. 10* **1** *nur Ez.* Einsamkeit, Abgeschlossenheit; in K. leben; **2** Räume, deren Betreten Außenstehenden verboten ist; **3** *kurz für* Klausurarbeit; **Klau|sur|ar|beit** *w. 10* Prüfungsarbeit in einem Raum allein oder zu mehreren unter Aufsicht

Kla|vi|a|tur [lat.] *w. 10, bei Tasteninstrumenten:* Gesamtheit der Tasten; **Kla|vi|chord** [-kɔrd] *s. 1* kleines Tasteninstrument, bei dem die Saiten durch Metallplättchen angeschlagen werden; **Kla|vier** *s. 1* Tasteninstrument, bei dem die Saiten durch Filzhämmer angeschlagen werden; **Kla|vier|aus|zug** *m. 2* für Klavier umgesetzte Partitur eines Orchesterwerkes; **kla|vie|ris|tisch** die Spieltechnik des Klaviers betreffend, pianistisch; **Kla|vier|kon|zert** *s. 1;* **Kla|vier|quar|tett** *s. 1* **1** Musikstück für Klavier und drei Streichinstrumente, meist Violine, Viola und Violoncello; **2** dessen Spieler; **Kla|vier|quin|tett** *s. 1* **1** Musikstück für Klavier und vier Streichinstrumente, meist 2 Violinen, Viola und Violoncello; **2** dessen Spieler; **Kla|vier|trio** *s. 9* **1** Musikstück für Klavier und zwei Streichinstrumente, meist Violine und Violoncello; **2** dessen Spieler

Kla|vi|ku|la [-vi-] *w. Gen. - Mz.* -lae = Clavicula

Kla|vi|zim|bel *s. 5* = Cembalo

kle|ben *tr. u. intr. 1;* **kle|ben|blei|ben** ► **kle|ben blei|ben** *intr. 17; ugs.:* sitzen bleiben (in der Schule); **Kle|ber** *m. 5* Eiweißstoff im Getreidekorn, auf dem die Backfähigkeit des Mehls beruht, Gluten; **kle|be|rig,** kle|b|rig; **Kle|be|strei|fen,** Kleb|strei|fen *m. 7;* **kleb|rig,** kle|be|rig; **Kleb|rig|keit** *w. 10 nur Ez.;* **Kleb|stoff** *m. 1;* **Kleb|strei|fen,** Kle|be|strei|fen *m. 7*

kle|cken *intr. 1* **1** = kleckern; **2** vonstatten gehen; es kleckt; **klek|kern** *intr. 1* **1** mit einer Flüssigkeit oder etwas Breiigem Flecken machen; ich kleckere, kleckre; **2** *ugs.:* langsam, stockend vonstatten gehen; **klek|ker|wei|se** *ugs.:* in kleinen Mengen, mit Unterbrechungen; **Klecks** *m. 1;* **kleck|sen** *intr. 1;* **Kleck|ser** *m. 5;* **Kleck|se|rei** *w. 10, auch:* schlechte Malerei, schlecht gemaltes Bild; **kleck|sig; Kleck|so|gra|phie** ► *auch:* **Kleck|so|gra|fie** *w. 11, bei psycholog. Tests:* ungegenständliches, klecksiges Bild, aus dem Gegenstände zu deuten sind

Kle|da|ge [-ʒə], **Kle|da|sche** *w. 11 nur Ez., nord-, mitteldt., ugs.:* Kleidung

Klee *m. 9 nur Ez.;* **Klee|blatt** *s. 4;* **Klee|salz** *s. 1 nur Ez.* in Rhabarber, Spinat, Sauerklee u. a. vorkommendes Kaliumoxalat, zum Entfernen von Tinten- und Rostflecken verwendet; **Klee|säu|re** *w. 11 nur Ez.* Oxalsäure

Klei *m. 1 nur Ez.* fetter, tonreicher Boden, Marschboden, Kleiboden; **klei|ben** *tr. u. intr. 1, südd.:* kleben, kleben bleiben; **Klei|ber** *m. 5* ein Singvogel, Spechtmeise; **Klei|bo|den** *m. 8* = Klei

Kleid *s. 3;* **Kleid|chen** *s. 7, Mz. auch* Klei|der|chen; **klei|den** *tr. 2;* der Hut kleidet mich gut; sich gut kleiden; **Klei|der|bad** *s. 4;* **Klei|der|bü|gel** *m. 5;* **Klei|der|bürs|te** *w. 11;* **Klei|der|ha|ken** *m. 7;* **Klei|der|schrank** *m. 2;* **Klei|der|stän|der** *m. 5;* **Klei|der|stoff** *m. 1;* **kleid|sam;** **Kleid|sam|keit** *w. 10 nur Ez.;* **Klei|dung** *w. 10 nur Ez.;* **Klei|dungs|stück** *s. 1*

Kleie *w. 11 nur Ez.* Getreidehüllen, die beim Mahlen zurückbleiben, Viehfutter

Klei|er|de *w. 11 nur Ez.* Tonerde

klei|ig aus Kleie bestehend, kleieartig

> **klein, das Kleine:** Das Adjektiv wird kleingeschrieben, das substantivierte Adjektiv dagegen mit großem Anfangsbuchstaben: *Das wusste sie von klein auf.* Aber: *Das Kleine hat noch geschlafen.* Ebenso: *Große und Kleine; Groß und Klein; bis ins Kleinste; einen Kleinen sitzen haben* (= einen Schwips haben). [→ § 57 (1)]. Ebenso in Eigennamen: *Pippin der Kleine, Klein Roland.* → § 60 (1)

klein **1** *Kleinschreibung:* ein klein wenig; von klein auf: von Kindheit an; **2** *Großschreibung:* Groß und Klein; Kleine und Große; die Großen und die Kleinen; im Kleinen; bis ins Kleinste; die lieben Kleinen: die Kinder; die Kleine: das kleine Mädchen, das junge Mädchen; mein Kleiner; das ist mir ein Kleines: das macht mir keine Schwierigkeiten; sie erwartet was Kleines: ein Kind; Pippin der Kleine; Klein Erna; der Kleine Bär, der Kleine Wagen; der Kleine Belt; das Kleine Walsertal; die Kleinen Antillen; im Kleinen wie im Großen; **3** *in Verbindung mit Verben:* klein beigeben: nachgeben, sich fügen; klein denken: kleinlich, engstirnig denken; sich klein machen; sehr klein schreiben; *aber:* ein Wort kleinschreiben; den Herd, die Flamme (auf) klein stellen; klein sein; klein werden; **Klein** *s. Gen. -s nur Ez. kurz für* Gänseklein, Hasenklein; **Klein|ar|beit** *w. 10;* **klein|a|si|a|tisch;** **Klein|a|si|en;** **Klein|bahn** *w. 10;* **Klein|bau|er** *m. 11;* **Klein|be|trieb** *m. 1;* **Klein|bild** *s. 3;* **Klein|bild|ka|me|ra** *w. 9;* **Klein|bür|ger** *m. 5;* **klein|bür|ger|lich;** **Klein|bür|ger|tum** *s. Gen. -s nur Ez.;* **Klein|bus** *m. 1;* **Klein|chen** *s. 7 nur Ez., Koseform für* Kleiner, Kleine, kleines Kind; **klein|den|kend** ► **klein den|kend;** **klein|deutsch;** **Klei|ne(r)** *m. 18 (17) bzw. w. 17 oder 18;* **Klein|emp|fän|ger** *m. 5;* **klei|ne|ren|teils, klei|nern|teils;** **Klein|for|mat** *s. 1;* **Klein|gärt|ner** *m. 5;* **Klein|geld** *s. Gen. -(e)s nur Ez.;* **klein|ge|mus|tert** ► **klein ge|mus|tert;**

> **klein gemustert/kariert:** Fügungen aus Adjektiv und Partizip werden getrennt geschrieben: *Das Hemd war klein kariert.* → § 36 E1 (4) Aber: Ist das Adjektiv in diesem Gefüge nicht steigerbar oder erweiterbar, schreibt man zusammen: *Seine Gedanken waren kleinkariert.*

klein|gläu|big; **Klein|gläu|big|keit** *w. 10 nur Ez.;* **klein|ha|cken** ► **klein ha|cken** *tr. 1;* **Klein|han|del** *m. Gen. -s nur Ez.;* **Klein|händ|ler** *m. 5;* **Klein|heit** *w. 10 nur Ez.;* **Klein|hirn** *s. 1;* **Klein|holz** *s. Gen. -es nur Ez.;* **Klei|nig|keit** *w. 10;* **Klei|nig|keits|krä|mer** *m. 5;* **Klei|nig|keits|krä|me|rei** *w. 10 nur Ez.;* **Klein|in|dus|trie** *w. 11* Industrie der kleinen Betriebe; **Klein|ka|li|ber** *s. 5, bei Gewehren und Pistolen:* Kaliber von 5,6 bis 6 mm; **klein|ka|li|be|rig,** klein|ka|lib|rig; **Klein|ka|li|ber|schie|ßen** *s. Gen. -s nur Ez.;* **klein|ka|riert** ► **klein ka|riert;** **Klein|kind** *s. 3;* **Klein|kli|ma** *s. Gen. -s nur Ez.* = Mikroklima; **Klein|kram** *m. Gen. -s nur Ez.;* **Klein|krieg** *m. 1;* **klein|krie|gen** *tr. 1, ugs.;* jmdn. k.: ihn sich gefügig machen, seinen Widerstand brechen; den kriege ich klein, habe ich kleingekriegt; **Klein|kunst** *w. 2;* **Klein|kunst|büh|ne** *w. 11* Kabarett; **klein|laut;** **klein|lich;** **Klein|lich|keit** *w. 10 nur Ez.;* **klein|ma|chen** ► **klein ma|chen** *tr. 1* zerkleinern; Holz k.; vgl. klein; **Klein|ma|le|rei** *w. 10 nur Ez., Malerei, Dichtung:* Darstellung von kleinen Dingen, von Einzelheiten; **Klein|mut** *m. Gen. -(e)s nur Ez.;* **klein|mü|tig;** **Klein|mü|tig|keit** *w. 10 nur Ez.;* **Klein|od** *auch:* **Klei|nod** **1** *s. Gen. -s Mz. -o|di|en* Juwel, Schmuckstück; **2** *s. 11* Kostbarkeit, etwas Wertvolles; **Klein|ok|tav** *s. 1 nur Ez.* (*Abk.:* Kl.-8°) kleines Oktavformat; **Klein|quart** *s. 1 nur Ez* (*Abk.:* Kl.-4°) kleines Quartformat; **Klein|rent|ner** *m. 5;* **klein|schnei|den** ► **klein schnei|den** *tr. 125;* **klein|schrei|ben**

> **klein schreiben/kleinschreiben:** In der Bedeutung »mit kleiner Schrift schreiben« oder »gering achten« schreibt man das Gefüge getrennt: *Er hat seinen Namen klein geschrieben.* → § 34 E3 (3). Hingegen schreibt man das Gefüge im Infinitiv und den Partizipien zusammen, wenn dieses die Bedeutung »mit kleinem Anfangsbuchstaben« hat: *Das Wort wird kleingeschrieben* (= mit kleinem Anfangsbuchstaben).

tr. 127 mit kleinem Anfangsbuchstaben schreiben; vgl. klein; **Klein|schrei|bung** *w. 10;* **Klein|staat** *m. 12;* **Klein|staa|te|rei** *w. 10 nur Ez.;* **Klein|stadt** *w. 2;* **Klein|städ|ter** *m. 5;* **klein|städ|tisch;** **Kleinst|kind** *s. 3;* **Kleinst|woh|nung** *w. 10;* **Klein|tier|zucht** *w. 10 nur Ez.;* **Klein|vieh** *s. Gen. -(e)s nur Ez.;* **Klein|wa|gen;** **klein|win|zig;** **Klein|woh|nung** *w. 10*

Kleis|ter *m. 5;* **kleis|te|rig,** kleist|rig; **kleis|tern** *tr. 1;* **Kleis|ter|pa|pier** *s. 1*

kleis|to|gam [griech.] sich selbst befruchtend; **Kleis|to|ga|mie** *w. 11 nur Ez.* Selbstbefruchtung mancher zweigeschlechtiger Pflanzen bei noch geschlossener Blüte

kleist|rig, kleis|te|rig

Kle|ma|tis [meist: -ma-, griech.] *w. Gen. - Mz. -* Waldrebe, eine Kletterpflanze

Kle|men|ti|ne *w. 11* eine kernlose Mandarinensorte

Klem|me *w. 11;* **klem|men** *tr. u.*

intr. 1; **Klem|mer** *m. 5* = Kneifer; **Klemm|fut|ter** *s. 5;* **klemmig** *Bgb.:* fest (Gestein); **Klemm|schrau|be** *w. 11*
Klemp|ner *m. 5* Handwerker für Blech-, Aluminium-, Kupfer- sowie Installationsarbeiten (Gas-, Wasserleitungen u. a.); **Klemp|ne|rei** *w. 10;* **klemp|nern** *intr. 1* als Klempner arbeiten; **Klemp|ner|wa|ren** *w. 11 Mz.* Blechwaren
Kleng|an|stalt *w. 10,* **Klen|ge** *w. 11* Vorrichtung zum Klengen (Entsamen) von Nadelholzzapfen; **klen|gen** *tr. 1;* Nadelholzzapfen k.: die Samen aus ihnen herauslösen
Kleph|te [griech.] *m. 11* griech. Freischärler gegen die türk. Herrschaft; **Kleph|ten|lie|der** *s. 3 Mz.*
Klep|per *m. 5* **1** altes, dürres Pferd; **2** *kurz für* Klepperboot
Klep|per|boot [nach Johannes Klepper, dem Gründer der Fabrik] *s. 1* (Wz) Faltboot; **Klep|per|man|tel** *m. 6* Gummimantel
Klep|sy|dra [griech.] *w. Gen. - Mz.* -dren, *früher:* Wasseruhr
Klep|to|ma|ne [griech.] *m. 11* jmd., der an Kleptomanie leidet; **Klep|to|ma|nie** *w. 11 nur Ez.* krankhafter Trieb zum Stehlen; **klep|to|ma|nisch**
kle|ri|kal [lat.] die (kath.) Kirche betreffend, zu ihr gehörig, kirchlich; **Kle|ri|ka|lis|mus** *m. Gen. - nur Ez.* Bestreben, den Einfluss der kath. Kirche auf Staat und Gesellschaft zu stärken; **kle|ri|ka|lis|tisch; Kle|ri|ker** *m. 5* kath. Geistlicher; **Kle|ri|sei** *w. 10 nur Ez., veraltet, auch abfällig für* Klerus; **Kle|rus** *m. Gen. - nur Ez.* Gesamtheit der kath. Geistlichen, Priesterschaft
Klet|te *w. 11;* **Klet|ten|wur|zel|öl** *s. 1 nur Ez.* ein Haarwuchsmittel
Klet|te|rei *w. 10;* **Klet|te|rer** *m. 5;* **Klet|ter|gar|ten** *m. 8;* **klet|tern** *intr. 1;* ich klettere, klettre; **Klet|ter|pflan|ze** *w. 11;* **Klet|ter|stan|ge** *w. 11*
Klet|ze *w. 11, süddt., österr.:* getrocknete Birne; **Klet|zen|brot** *s. 1* Brot mit eingebackenen Kletzen
Kli|cke *w. 11, eindeutschende Schreibung von* Clique
kli|cken *intr. 1* kurz, hell und metallisch klingen; **Kli|cker** *m. 5* kleine Ton- oder Glaskugel, Murmel; **kli|ckern** *intr. 1* mit Klickern spielen; **Klicks** *m. 1* kurzes, helles, metallisches Geräusch
Kli|ent [lat.] *m. 10* Kunde (eines Rechtsanwalts); **Kli|en|tel** *w. 10* Kundenkreis (eines Rechtsanwalts)
Kli|e|ter *m. 5, nddt.:* Erdklumpen
Kliff s. 1 felsiger, steiler Hang (einer Küste)
Kli|ma [griech.] *s. Gen.* -s *Mz.* -malta *oder* -malte der durchschnittl. Ablauf der Witterung in einem bestimmten Gebiet; **Kli|ma|an|la|ge** *w. 11* Anlage zum Erwärmen, Kühlen und Lüften (eines Raumes)
kli|mak|te|risch [griech.] zum Klimakterium gehörend; **Kli|mak|te|ri|um** *s. Gen.* -s *Mz.* -ri|en Zeit (bei der Frau), in der die Tätigkeit der Eierstöcke und die Menstruation aufhören, Wechseljahre
kli|ma|tisch [griech.] das Klima betreffend, zu ihm gehörend; **kli|ma|ti|sie|ren** *tr. 3;* einen Raum k.: durch Klimaanlage eine annähernd gleich bleibende Temperatur in ihm erzeugen; **Kli|ma|to|gra|phie** ► *auch:* **Kli|ma|to|gra|fie** *w. 11* Beschreibung der verschiedenen Klimata der Erde; **kli|ma|to|gra|phisch** ► *auch:* **kli|ma|to|gra|fisch; Kli|ma|to|lo|gie** *w. 11* Lehre vom Klima; **kli|ma|to|lo|gisch**
Kli|max [griech.] *w. 11* **1** Höhepunkt, höchste Steigerung; *Ggs.:* Antiklimax; **2** *auch* = Klimakterium; **3** Endzustand der Entwicklung einer Pflanzengesellschaft an ihrem Standort
Klim|bim *m. Gen.* -s *nur Ez.* (unnötiges) Beiwerk, Drum und Dran
klim|men *intr. 68* steigen, klettern, *meist:* emporklimmen, erklimmen; **Klimm|zug** *m. 2*
Klim|pe|rei *w. 10;* **Klim|per|kas|ten** *m. 8, ugs. scherzh.:* Klavier; **klim|pern** *intr. 1* **1** schlecht oder gedankenlos schlecht oder gedankenlos Klavier oder ein Zupfinstrument spielen; ich klimpere, klimpre; **2** metallisch klingen lassen, (mit etwas Metallischem) spielen; mit Geld in der Tasche k.
kling!; kling, klang!
Klin|ge *w. 11*
Klin|gel *w. 11;* **Klin|gel|beu|tel** *m. 5;* **Klin|ge|lei** *w. 10 nur Ez.;* **Klin|gel|knopf** *m. 2;* **klin|geln** *intr. 1;* ich klingele, klingle; **Klin|gel|schnur** *w. 2*
klin|gen *intr. 69;* **Kling|klang** *m. Gen.* -s *nur Ez.;* **kling|ling!**
Kling|sor ein Zauberer (in mehreren dt. Dichtungen)
Kling|stein *m. 1* ein beim Anschlagen hell klingendes Ergussgestein, Phonolith
Kli|nik [griech.] *w. 10* **1** Krankenhaus; **2** Unterricht (der Medizinstudenten) am Krankenbett; **Kli|ni|ker** *m. 5* **1** in einer Klinik tätiger Arzt; **2** Student in der klinischen Ausbildung; **Kli|ni|kum** *s. Gen.* -s *Mz.* -ken *oder* -ka **1** Hauptteil der ärztlichen Ausbildung im Krankenhaus; **2** Großkrankenhaus, Komplex von mehreren Kliniken; **kli|nisch** zur Klinik gehörend, in der Klinik (stattfindend)
Klin|ke *w. 11;* **klin|ken** *intr. 1*
Klin|ker [ndrl.] *m. 5* sehr harter Ziegelstein; **Klin|ker|bau** *m. Gen.* -(e)s *Mz.* -ten; **Klin|ker|boot** *s. 1* Boot mit dachziegelartig übereinander greifenden Planken
Kli|no|chlor [-klor, griech.] *s. 1* ein Mineral; **Kli|no|graph** ► *auch:* **Kli|no|graf** *m. 10* Gerät zum Bestimmen der Neigungsvorgänge der Erdoberfläche, Neigungsschreiber; **Kli|no|me|ter** *s. 5* **1** Gerät zum Messen der Neigung gegen den Horizont (für Schiffe und Flugzeuge); **2** magnet. Gerät zum Feststellen von Gesteinsschichtungen
Kli|no|mo|bil *s. 1* Auto mit klinischer Ausrüstung
Kli|no|stat *auch:* **Kli|nos|tat** *m. 12 oder m. 10* Gerät zum Untersuchen des Geotropismus von Pflanzen
Klin|se, Klin|ze, Klun|se *w. 11, landschaftl.:* Ritze, Spalte
Klio *griech. Myth.:* Muse der Geschichte
klipp!; klipp, klapp!; etwas klipp und klar sagen: eindeutig, sehr deutlich
Klipp, Klips ► *auch:* **Clip** [engl.] *m. 9* **1** Klemme, z. B. am Füllfederhalter; **2** anklemmbarer Ohrschmuck, Ohrklipp

Klip|pe *w. 11;* **Klip|pen|fisch** *m. 1* = Klippfisch; **klip|pen|reich**
Klip|per [engl.] *m. 5* **1** schnelles Segelschiff; **2** Langstrecken-Verkehrsflugzeug, z. B. Düsenklipper
Klipp|fisch, Klip|pen|fisch *m. 1* entgräteter, gesalzener und an der Luft getrockneter Kabeljau; **klip|pig** voller Klippen; **Klipp|schlie|fer** *m. 5* ein kleines Säugetier (Huftier) in Kleinasien und Afrika
Klipp|schu|le *w. 11, meist abfällig:* (bes. private) Elementarschule
Klips ► *auch:* **Clip** *m. 1* breite Federklemme zum Festhalten des Haars beim Frisieren oder Trocknen
klir|ren *intr. 1;* **Klirr|fak|tor** *m. 13* Maß für die Verzerrung von Tönen (Klirren) bei akustischen Übertragungen
Kli|schee [frz.] *s. 9* **1** Druckstock, Druckplatte; **2** *übertr.:* Abklatsch, unschöpferische Nachahmung; zu oft gebrauchtes, abgegriffenes Wort oder ebensolche Redensart; in Klischees reden; **kli|schie|ren** *tr. 3* auf die Druckplatte übertragen (Bild)
Klis|tier [griech.-lat.] *s. 1* Darmeinlauf, Darmspülung; **klis|tie|ren** *tr. 3;* jmdn. k.: jmdm. ein Klistier geben; **Klis|tier|sprit|ze** *w. 11*
Kli|to|ris [griech.] *w. Gen. - Mz. - oder* -to|ri|des [-de:s] schwellfähiger Teil des weibl. Geschlechtsorgans am oberen Ende der kleinen Schamlippen, Kitzler
klitsch!; klitsch, klatsch!; **Klitsch** *m. 1* **1** *nur Ez., mitteldt.:* breiige Masse; nicht aufgegangenes Gebäck; **2** Schlag mit der flachen Hand auf den nackten Körper
Klit|sche [poln.] *w. 11* kleines, ärmliches Landgut
klit|schen *tr. 1;* jmdn. k.: jmdm. einen Klitsch (**2**) oder Klitsche geben; **klit|sche|naß** ► **klit|sche|nass** = klitschnass; **klit|schig** *mitteldt.:* **1** breiig; **2** nicht aufgegangen (Gebäck, Teig); **klitsch|naß** ► **klitsch|nass,** klit|sche|nass, ganz nass, durchnässt
klit|tern *tr. 1, veraltet* **1** spalten; **2** schmieren, klecksen; **3** (unschöpferisch) zusammentragen, aneinander reihen; **Klit|te|rung** *w. 10* aus aneinander gereihten, nicht weiter verarbeiteten Einzelheiten zusammengesetztes Schriftwerk
klit|ze|klein *ugs.:* sehr klein
Kli|vie [-vjə] *w. 11 fachsprachl.:* Cli|via *w. Gen. - Mz.* -vi|en, eine Zimmerpflanze
Klo *s. 9, ugs. kurz für* Klosett
Klo|a|ke [lat.] *w. 11* **1** unterirdischer Abwasserkanal; **2** *bei manchen Tieren:* gemeinsamer Ausgang von Darm, Harnblase und Geschlechtsorgan; **Klo|a|ken|tie|re** *s. 1 Mz.* Eier legende Säugetiere mit Kloake, heute nur noch Schnabeltier und Ameisenigel
Klo|bas|se [slaw.] *w. 11, österr.:* eine Wurstsorte
Klo|ben *m. 7* **1** dickes Holzscheit, Holzklotz; **2** Schraubstock; **Klö|ben** *m. 7, nddt.:* ein Hefegebäck, Hörnchen; **klo|big** plump, von massiger Form
Klo|frau *w. 10, ugs.:* Klosett-, Toilettenfrau
Klon [griech.] *m. 1* durch ungeschlechtl. Fortpflanzung gezogene Nachkommenschaft eines Individuums; **klo|nen** *intr. 1* sich ungeschlechtlich (durch Senker, Stecklinge) fortpflanzen
klö|nen *intr. 1, norddt.:* sich gemütlich unterhalten, plaudern; **Klön|schnack** *m. Gen.* -s *nur Ez., norddt.* gemütliche Unterhaltung; einen K. halten
klo|nisch [griech.] krampfhaft zuckend; **Klo|nus** *m. Gen. - Mz.* -nus|se rasche, krampfhafte Zuckungen
Kloot *m. 12, nddt.:* Kugel, Kloß; **Kloot|schie|ßen** *s. Gen.* -s *nur Ez.* eine Art Eisschießen
Klöp|fel *m. 5* Fäustel (der Steinmetzen); **klop|fen** *tr. u. intr. 1;* (bei jmdm.) auf den Busch k. *übertr.:* (jmdn.) in Andeutungen nach etwas fragen; **klopf|fest; Klopf|fes|tig|keit** *w. 10 nur Ez.;* **Klopf|geist** *m. 3, im Volksglauben:* sich durch Klopfen bemerkbar machender Geist eines Verstorbenen, Poltergeist; **Klopf|zei|chen** *s. 7*
Klöp|pel *m. 5;* **Klöp|pe|lei** *w. 10;* **klöp|peln** *tr. 1;* ich klöppele, klöpple; **Klöp|pel|spit|ze** *w. 11;* **Klöpp|le|rin** *w. 10*
Klops *m. 1* (gebratener oder gekochter) Hackfleischkloß; **Klops|bra|ten** *m. 7* Wiegebraten
Klo|sett [engl.] *s. 9;* **Klo|sett|frau** *w. 10;* **Klo|sett|pa|pier** *s. 1*
Kloß *m. 2;* **Klöß|chen** *s. 7*
Klos|ter *s. 6;* **Klos|ter|bru|der** *m. 6;* **Klös|ter|chen** *s. 7;* **Klos|ter|frau** *w. 10;* **Klos|ter|fräu|lein** *s. 7* adliges junges Mädchen, das im Kloster erzogen wird; **Klos|ter|kir|che** *w. 11;* **klös|ter|lich; Klos|ter|schu|le** *w. 11;* **Klos|ter|schwes|ter** *w. 11*
Klö|ten *nur Mz. norddt. für* Hoden
Klotz *m. 2;* **Klotz|beu|te** *w. 11* Bienenkorb; **Klötz|chen** *s. 7;* **klot|zen** *intr. 2* **1** Textilien mit der Klotzmaschine färben; **2** *ugs.* etwas mit großem Einsatz betreiben; nicht kleckern, sondern klotzen; **klot|zig**
Klub ► *auch:* **Club** [engl.] *m. 9* **1** Vereinigung, z. B. Sportklub, Kegelklub; **2** deren Räume; **Klub|gar|ni|tur** *w. 10* zusammenpassende Gruppe von Polstermöbeln: Couch und mehrere Sessel; **Klub|haus** *s. 4;* **Klub|ses|sel** *m. 5*
klu|cken *intr. 1, Nebenform von* glucken
Klu|cker *m. 5, Nebenform von* Klicker
Kluft 1 *w. 2* tiefe Spalte, Abgrund; *übertr.:* unüberbrückbarer Gegensatz; **2** *w. 10* Uniform, Kleidung; **klüf|tig** voller Klüfte, zerklüftet
klug; es wäre das Klügste, wenn... = am klügsten; das ist das Klügste, was du machen kannst; der Klügere gibt nach; klug sein, werden, reden *aber:* klugreden, klugschnacken: alles besser wissen wollen; **Klü|ge|lei** *w. 10* Spitzfindigkeit; Grübelei; **klü|geln** *intr. 1* scharf nachdenken, tief sinnen; **klu|ger|wei|se;** *aber:* in (sehr) kluger Weise; **Klug|heit** *w. 10 nur Ez.;* **Klüg|ler** *m. 5* Grübler; **klüg|lich** *nur noch adverbial;* das würde ich k. bleiben lassen; **klug|re|den** *intr. 2, fast nur im Infinitiv üblich:* sich sachverständig aufspielen, es besser wissen wollen; **Klug|red|ner** *m. 5;* **Klug|schei|ßer** *m. 5, vulg.:* Klugredner; **klug|schna|cken** *intr. 1, ugs.:* klug reden; **Klug|schna|cker** *m. 5* Klugredner
Klump *m. 1 oder m. 2, derb:*

► = wird zu

Klumpen; er hat den Wagen zu Klump gefahren; mach's nicht zu Klump!; **Klum|patsch** *m. 1, derb:* **1** Klumpen, breiige, formlose Masse, Haufen; **2** Zeug; was soll ich mit dem ganzen K. machen?; **Klümp|chen** *s. 7;* **klum|pen** *intr. 1* Klumpen bilden, sich zusammenballen; **Klum|pen** *m. 7;* **klüm|pe|rig,** klümp|rig; **Klump|fuß** *m. 2;* **klump|fü|ßig; klum|pig; klümp-rig,** klüm|pe|rig

Klün|gel *m. 5* Gruppe von Personen, die sich gegenseitig zum Nachteil anderer unterstützen, Sippschaft

Klun|ker *w. 11* kleine Kugel, Klümpchen, Troddel; **klun|ke-rig, klunk|rig**

Klun|se *w. 11* = Klinse

Klup|pe *w. 11* **1** Werkzeug zum Gewindeschneiden; **2** Werkzeug zum Messen des Durchmessers von Nutzhölzern, Schieb-, Schublehre; **3** zangenähnliches Werkzeug mit Backen zum Einspannen von Werkstücken; **4** *österr.:* Wäscheklammer; **klup|pie|ren** *tr. 3* den Durchmesser (von etwas) feststellen

Klus [mlat.] *w. 10,* **Klu|se** *w. 11, schweiz.:* Engpass, enges Quertal; **Klü|se** *w. 11, Seew.:* Loch in der Schiffswand für Ketten (Ankerklüse) oder Taue

Klut *w. 10, nddt.:* Klumpen, Ballen; **klü|ten** *intr. 1, nddt.:* basteln, bosseln

Klü|ver [ndrl.] *m. 5* dreieckiges Segel am Bugspriet; **Klü|ver-baum** *m. 2*. Verlängerung des Bugspriets zum Befestigen des Klüvers

Klys|ma [griech.] *s. Gen.* -s *Mz.* -men Darmeinlauf, Klistier

Klys|tron [griech.] *s. Gen.*-s *Mz.* -tro|ne spezielle Form der Elektronenröhre zur Erzeugung und Verstärkung elektromagnet. Mikrowellen

km *Abk. für* Kilometer

km² *Abk. für* Quadratkilometer; **km³** *Abk. für* Kubikkilometer

km/h *Abk. für* Kilometer je Stunde, Stundenkilometer

kn *Seew. Abk. für* Knoten

knab|bern *tr. u. intr. 1;* ich knabbere, knabbre (es)

Kna|be *m. 11;* **kna|ben|haft; Kna|ben|haf|tig|keit** *w. 10 nur Ez.;* **Kna|ben|kraut** *s. 4 nur Ez.* eine einheimische Orchidee; **Kna|ben|lie|be** *w. 11 nur Ez.* = Päderastie; **Knäb|lein** *s. 7, poet.*

Knack, Knacks *m. 1* kurzes Knacken; **Knä|cke|brot** [schwed.] *s. 1;* **kna|cken 1** *intr. 1;* **2** *tr. 1* aufbrechen, mit Gewalt öffnen (Nüsse, Geldschrank); mit den Fingernägeln zerquetschen (Läuse)

Knäck|en|te, Knäk|en|te, Knärr|en|te *w. 11* kleine Wildente, Zugvogel

Kna|cker *m. 5* **1** Knackwurst; **2** *ugs. abfällig:* alter Mann; **Knack|man|del** *w. 11* getrocknete Mandel in der Schale; **Knack|punkt** *m. 1, ugs.* kritischer Punkt, das, worauf es ankommt; **Knacks** *m. 1* **1** = Knack; **2** *ugs.:* gesundheitl. Schaden; **knack|sen** *intr. 1* knacken (und kaputtgehen); **Knack|wurst** *w. 2*

Kna|ge *w. 11,* **Kna|gen** *m. 7* **1** stützender hölzerner Bauteil; **2** Widerlager zum Biegen von Blechen; **3** Spannbacken (an der Drehbank); **4** Vorsprung, Anschlag (einer Welle)

Knäk|en|te, Knärr|en|te *w. 11* = Knäckente

Knall *m. 1;* (auf) Knall und Fall: unerwartet, plötzlich, sofort; **knall|blau; Knall|bon|bon** [-bɔŋbɔŋ] *s. 9;* **Knall|ef|fekt** *m. 1, ugs.:* verblüffender Höhepunkt; **knal|len** *intr. 1;* **Knall-erb|se** *w. 11* ein Zierstrauch, Schneebeere; **Knal|le|rei** *w. 10 nur Ez.;* **Knall|gas** *s. 1* Mischung aus Wasser- und Sauerstoff (oder Luft), die bei Zündung explodiert; **knall|gelb; Knall|hit|ze** *w. 11 nur Ez., ugs.;* **knal|lig** *ugs.:* grell, aufdringlich (Farbe); **Knall|kopf** *m. 2, ugs.:* Dummkopf; **knall|rot**

knapp; knapp sein, werden; knapp halten; ein knapp sitzendes Kleid

Knap|pe *m. 11* **1** junger Edelmann im Dienst eines Ritters; **2** Bergmann nach abgeschlossener Lehre, Bergknappe

knap|pern *tr. u. intr. 1, Nebenform von* knabbern

knapp|hal|ten ▶ knapp hal|ten *tr. 61;* jmdn. k. h.: jmdm. wenig geben; jmdn. mit Geld, mit Essen k. h.; **Knapp|heit** *w. 10 nur Ez.*

Knapp|sack *m. 2, veraltet:* Reisetasche

Knapp|schaft *w. 10* zunftartige Vereinigung der Bergleute eines Bergwerks oder -reviers; **Knapp|schafts|kas|se** *w. 11*

knap|sen *intr. 1* knausern, sehr sparsam sein

Knar|re *w. 11* **1** Instrument, das beim Drehen ein knarrendes Geräusch gibt; **2** *Soldatenspr.:* Gewehr; **knar|ren** *intr. 1*

Knärr|en|te *w. 11* = Knäckente

Knast 1 *m. 1, nddt.:* knorriges Stück Holz; Buckel; **2** [Gaunerspr.] *m. Gen.* -(e)s *nur Ez.* Gefängnis; Gefängnisstrafe; Knast schieben

Knas|ter [griech.-span.] *m. 5* **1** (schlechter) Tabak; **2** brummiger alter Mann; **Knas|ter|bart** *m. 2;* **Knas|te|rer** *m. 5* = Knaster (**2**); knas|tern *intr. 1, landsch.:* brummig, knurrig sein

Knatsch *m. 1 nur Ez., mitteldt.:* **1** Klatsch; **2** aufgeregtes Gerede, Streit; **knat|schen** *intr. 1, mitteldt.:* weinerlich reden, quengeln, nörgeln; **knat|schig** weinerlich, quengelig, nörgelig (bes. von kleinen Kindern)

knat|tern *intr. 1*

Knäu|el *m. 5 oder s. 5;* **Knäu|el-gras,** Knaul|gras *s. 4* eine Grasgattung; **knäu|eln** *tr. 1* zum Knäuel wickeln; ich knäuele, knäule es

Knauf *m. 2* **1** kugelförmiger Griff, z.B. am Schwert, Schirm, Stock; **2** Kapitell

Knaul *m. 1 oder m. 2, mitteldt.* = Knäuel; **knäu|len** *tr. 1, ugs.:* zusammendrücken; **Knaul|gras** *s. 4* = Knäuelgras

Knau|pe|lei *w. 10 nur Ez.;* **knau|pe|lig,** knaup|lig mühsam, schwierig; **knau|peln** *intr. 1, mitteldt.:* an etwas k. **1** etwas mühsam zu öffnen, zu lösen versuchen; **2** sich mit etwas geistig abmühen; **3** etwas nur langsam überwinden können; **4** an etwas nagen, kauen (Knochen, Fingernägel); **knaup|lig** = knaupelig

Knau|ser *m. 5* knauseriger Mensch; **Knau|se|rei** *w. 10 nur Ez.;* **knau|se|rig,** knaus|rig, übertrieben sparsam; **Knau|se-rig|keit,** Knaus|rig|keit *w. 10 nur Ez.* übertriebene Sparsamkeit; **knau|sern** *intr. 1* übertrieben sparsam sein; mit etwas knausern; ich knausere, knausre nicht mit Geld; **knaus|rig** = knauserig

Knau|tia [-tsja, nach dem Botaniker Chr. Knaut], **Knau|tie** [-tsjə] *w. Gen.* - *Mz.* -ti|en eine Wiesenblume
knaut|schen *tr. u. intr. 1* knittern, (sich) zerdrücken; der Stoff knautscht nicht; **knautschig 1** leicht knitternd; **2** *auch:* knatschig; **Knautsch|lack** *m. 1 nur Ez.;* **Knautsch|zo|ne** *w. 11* Pufferzone im Vorderteil eines Kfz
Kne|bel *m. 5;* **Kne|bel|bart** *m. 2;* **Kne|bel|holz** *s. 4;* **kne|beln** *tr. 1;* **Kne|bel|lung, Kneb|lung** *w. 10 nur Ez.*
Knecht *m. 1;* Knecht Ruprecht; **knech|ten** *tr. 2;* **knech|tisch; Knecht|schaft** *w. 10 nur Ez.;* **Knechts|ge|stalt** *w. 10 nur Ez.;* **Knech|tung** *w. 10 nur Ez.*
Kneif, Kneip *m. 1* Messer (des Schusters, Sattlers, Gärtners); **knei|fen 1** *tr. 70* zwicken; **2** *intr. 70* zu eng sein (Kleid, Gummizug); **3** *intr. 70, ugs.:* sich drücken, nicht mitmachen; **Knei|fer** *m. 5* Brille ohne Bügel, die mit der federnden Brücke auf die Nase geklemmt wird, Klemmer, Zwicker; **Kneif|zange,** Kneip|zan|ge *w. 11* Zange mit zwei scharfen Schneiden, Beißzange
Kneip *m. 1* = Kneif
Kneip|a|bend *m. 1;* **Kneip|bruder** *m. 6;* **Knei|pe** *w. 11* **1** sehr einfaches Lokal, Gaststätte (Bier-, Weinkneipe); **2** Kneipabend der Korpsstudenten; **knei|pen** *intr. 1* **1** trinken, zechen; **2** *mitteldt., nur Präsens:* kneifen, zu eng sein
kneip|pen *intr. 1* sich einer Kneippkur unterziehen; **Kneipp|kur** [nach dem Pfarrer und Naturheilkundigen Sebastian Kneipp] *w. 10* Heilbehandlung mit Bädern, Licht, Luft, Bewegung und Diät
Kneip|wirt *m. 1*
Kneip|zan|ge *w. 11, Nebenform von* Kneifzange
Knes|set(h) [hebr.] *w. Gen.* - *nur Ez., in Israel:* das Parlament
knet|bar; Knet|bar|keit *w. 10 nur Ez.;* **kne|ten** *tr. 2;* **Knetgum|mi** *m. 9;* **Knet|ma|schi|ne** *w. 11;* **Knet|wen|del** *m. 14* spiralförmiger Teil der Handknetmaschine
Knick *m. 1* **1** scharfe Biegung, gefaltete Stelle, angebrochene, angeschlagene Stelle; **2** *norddt.:* Hecke; **Kni|cke|bein** *s. Gen.* -(e)s *nur Ez., in Pralinen:* leicht alkohol. Kremfüllung; **Knick|ei** *s. 3* angeschlagenes Ei; **kni|cken** *tr. u. intr. 1;* **Kni|cker** *m. 5* **1** kleines Jagdmesser; **2** *ugs.:* Geizhals
Kni|cker|bo|cker [nikər-, nach dem Spitznamen der holländ. Siedler in New York und der Romangestalt von Washington Irving] **1** *Mz., auch:* Knickerbockers, knielange Überfallhose; **2** *m. 5* ein alkohol. Getränk
Kni|cke|rei *w. 10 nur Ez., ugs.:* Knauserei, Geiz; **kni|cke|rig,** knick|rig *ugs.:* übertrieben sparsam, geizig; **Kni|cke|rig|keit,** Knick|rig|keit *w. 10 nur Ez. ugs.;* **kni|ckern** *intr. 1;* ich knickere, knickre; **knick|rig** = knickerig
Knicks *m. 1;* **Knicks|chen** *s. 7;* **knick|sen** *intr. 1*
Kni|ckung *w. 10*
Knie *s. Gen.* -s *Mz.* - [kni oder kniə]; **Knie|beu|ge** *w. 11;* **Kniefall** *m. 2;* **knie|fäl|lig,** *nur in den Wendungen:* jmdn. k. bitten, vor jmdm. k. werden; **knie|frei; Knie|gei|ge** *w. 11* Gambe; **Knie|hang** *m. 2* eine Turnübung am Reck; **knie|hoch;** kniehoher Schnee; **Knie|holz** *s. 4* niedrige Bäume in der Tundra und im Hochgebirge; **Knie|ho|se** *w. 11;* **Knie|keh|le** *w. 11;* **knien** [knin oder kniən] *intr. 1;* **Knie|riem** Meister K. *scherzh.:* Schuster; **Knie|rie|men** *m. 7* Riemen, mit dem der Schuster den Schuh auf sein Knie spannt; **Knie|rohr** *s. 1* Rohr mit einem Knie, rechtwinklig gebogenes Rohr
Knies *m. 1 nur Ez., nddt.:* **1** Schmutz, Dreck; **2** Streit, Zank
Knie|schei|be *w. 11;* **Knie|sehnen|re|flex** *auch:* **Knie|seh|nen-re|flex** *m. 1* = Patellarreflex; **Knie|strumpf** *m. 2;* **knie|tief**
kniet|schen *tr. 1, mitteldt.:* quetschen, drücken, *meist:* ausknietschen
Knie|wär|mer *m. 5;* **knie|weich**
Kniff *m. 1* **1** scharfe Falte, Knick (im Papier); **2** Kunstgriff, Trick; **Knif|fe|lei** *w. 10* schwierige Arbeit; **knif|fe|lig,** kniff|lig, schwierig, Mühe und Geduld erfordernd; **Knif|fe|ligkeit,** Kniff|lig|keit *w. 10 nur Ez.*
Knig|ge [nach dem Verfasser des bekanntesten Werkes dieser Art, Adolf von Knigge] *m. Gen.* -s *Mz.* - Buch über gute Umgangsformen
Knilch *m. 1* = Knülch
Knil|ler *m. 5* = Knüller
knips!; knips, knaps!; **knip|sen** *tr. 1;* **Knip|ser** *m. 5;* **Knips|zange** *w. 11*
Knirps *m. 1* **1** kleiner Junge; **2** Ⓦⓩ zusammenschiebbarer Schirm, Taschenschirm
knir|schen *intr. 1*
knis|tern *intr. 1;* das Papier knistert; ich knistere mit dem Papier
Knit|tel *m. 5* = Knüttel; **Knittel|vers,** Knüt|tel|vers *m. 1* paarweise gereimter Vers mit vier Hebungen und meist unregelmäßigen Senkungen
Knit|ter *m. 5 Mz.* Drückfalten; **knit|ter|arm; knit|ter|frei; knitte|rig,** knitt|rig; **knit|tern** *intr. u. tr. 1;* ich knittere es
Kno|bel *m. 5, mitteldt.* **1** Fingerknöchel; **2** Würfel; **Kno|bel|becher** *m. 5* **1** Würfelbecher; **2** *ugs. scherzh.:* kurzer, plumper Militärschaftstiefel; **kno|beln** *intr. 1* **1** würfeln; **2** nach einer bestimmten Methode losen; **3** scharf nachdenken, genau überlegen; ich knobele, knoble
Knob|lauch *m. 1 nur Ez.* eine Gewürz- und Heilpflanze
Knö|chel *m. 5;* **Knö|chel|chen** *s. 7;* **Kno|chen** *m. 7;* **Kno|chenbau** *m. Gen.* -(e)s *nur Ez.;* **Knochen|bruch** *m. 2;* **kno|chendürr; Kno|chen|fisch** *m. 1* ein Fisch mit knöchernem Skelett, Grätenfisch; **Kno|chen|fraß** *m. Gen.* -es *nur Ez.* Eiterbildung im Knochen, Knochenabszess; **Kno|chen|ge|rüst** *s. 1;* **Knochen|haut** *w. 2;* **Kno|chen|mann** *m. 4 nur Ez., volkstüml.:* der (als Gerippe dargestellte) Tod; **Kno|chen|mark** *s. Gen.* -s *nur Ez.;* **kno|chen|tro|cken** *ugs.:* völlig, zu trocken; **knö|che|rig,** knöch|rig; **knö|chern** aus Knochen; **kno|chig** mit starken oder stark hervortretenden Knochen; **Knöch|lein** *s. 7, poet.*

> **Knock-out/Knockout:** Die Hauptvariante wird mit Bindestrich geschrieben: *Knock-out* (substantivisch gebrauchte Zusammensetzung; →§ 43); als Nebenvariante ist die Schreibung in einem Wort zulässig: *Knockout.* →§ 37 (2)

knock|out *Nv.* ► **knock-out** *Hv.* [nɔkaʊt, engl.] (*Abk.:* k. o.) *Boxen:* kampfunfähig; **Knock-out** *Nv.* ► **Knock-out** *Hv.* (*Abk.:* K. o.) *s. Gen.* -(s) *Mz.* -s völlige Niederlage, Kampfunfähigkeit; **Knock|out|schlag** *Nv.* ► **Knock-out-Schlag** *Hv.* K.-o.-Schlag *m. 2*

Knö|del *m. 5, bayr., österr.:* Kloß

Knöll|chen *s. 7;* **Knol|le** *w. 11;* **Knol|len** *m. 7;* **Knol|len|blät|ter-pilz** *m. 1;* **Knol|len|frucht** *w. 2;* **knol|lig**

Knopf *m. 2; bayr., österr. auch:* Knoten; **Knöpf|chen** *s. 7;* **knöp-fen** *tr. 1;* **Knopf|loch** *s. 4*

Knop|per *w. 11* Pflanzengalle an Eicheln, Gerbmittel

Knor|pel *m. 5;* **knor|pe|lig,** knorp|lig; **Knor|pel|kir|sche** *w. 11* eine Kirschensorte; **knorp|lig,** knor|pe|lig

Knor|ren *m. 7* **1** astreicher Teil eines Baumstammes; **2** Baumstumpf; **knor|rig 1** astreich; **2** krumm gewachsen; **3** zäh, sehnig und gedrungen (alter Mann); **Knorz** *m. 1* **1** Knorren; **2** *schweiz.:* Mühe; **knor|zen** *intr. 1* **1** *schweiz.:* sich abmühen; **2** knausern; **knor|zig**

Knösp|chen *s. 7;* **Knos|pe** *w. 11;* **knos|pen** *intr. 1;* **Knos-pen|ka|pi|tell** *s. 1* Kapitell mit Ornamenten in Form von Blattknospen; **knos|pig; Knos-pung** *w. 10* eine Form ungeschlechtlicher Fortpflanzung

Knöt|chen *s. 7;* **Kno|te** *m. 11, nordostdt.:* grober, ungebildeter Kerl; **knö|teln** *tr. 1* verknoten, Knoten machen; **kno|ten** *tr. 2;* **Kno|ten** *m. 7; auch Seew.* (*Abk.:* kn) Seemeile pro Stunde; **Kno-ten|punkt** *m. 1;* **Kno|ten|schnü-re** *Mz., bei den Inkas:* mit Knoten versehene Fäden verschiedener Farbe und Länge, Verständigungs- oder Merkzeichen, Quipu; **Kno|ten|stock** *m. 2* knorriger Stock; **Knö|te-rich** *m. 1* ein Unkraut; **kno|tig**

Knot|ten|erz *s. 1* Sandstein mit Bleiglanzkörnern

Know-how [noʊhaʊ, engl.] *s. Gen.* -(s) *nur Ez.* »Gewusst wie«, das Wissen, wie man eine Sache verwirklichen kann

Knub|be *w. 11, norddt.,* Knubben *m. 7, süddt. für* Knorren; **Knub|bel** *m. 5* Erhöhung, Buckel, kleiner Hügel, Geschwulst; **Knub|ben** *m. 7* = Knubbe

Knuff *m. 2* Stoß mit der Faust, Puff; **knuf|fen** *tr. 1*

Knülch, Knilch *m. 1* (unangenehmer) Kerl

knül|le *ugs.:* **1** betrunken; **2** erschöpft, zerschlagen; **3** herrlich, großartig; **knül|len** *tr. u. intr. 1* knittern

Knül|ler [jidd.], Knil|ler *m. 5* erfolgreiche Sache, z. B. Ware, Schlager

Knüpf|ar|beit *w. 10;* **knüp|fen** *tr. 1;* **Knüp|fung** *w. 10;* **Knüpf-werk** *s. 1*

Knup|pel *m. 5, Nebenform von* Knubbel

Knüp|pel *m. 5;* **Knüp|pel-brü|cke** *w. 11;* **Knüp|pel|damm** *m. 2* Brücke, Damm aus Holzknüppeln; **knüp|pel|dick** *ugs.:* sehr schlimm, alles auf einmal; und dann kommt's gleich k.; knüppeldicke voll: zum Bersten voll; **knüp|pel|hart; Knüp|pel-schal|tung** *w. 10, im Kraftwagen:* Gangschaltung mittels am Boden angebrachten Hebels

knup|pern *tr. 1, Nebenform von* knabbern

knur|ren *intr. 1;* **Knurr|hahn** *m. 2* **1** ein Meeresfisch; **2** *übertr.:* gutmütig-knurriger Mensch; **knur|rig; Knur|rig|keit** *w. 10 nur Ez.*

knü|se|lig *norddt.:* **1** unsauber; **2** zerknittert; **knü|seln** *tr. 1, norddt.:* **1** beschmutzen; **2** zerknittern; ich knüsele, knüsle es

Knus|per|häus|chen *s. 7;* **knus-pe|rig,** knusp|rig; **knus|pern** *tr. 1* knabbern; ich knuspere, knuspre (es); **knusp|rig,** knus-pe|rig

Knust *m. 1, norddt.:* Anschnitt, Ende (vom Brot), Kanten

Knu|te [russ.] *w. 11* **1** Lederpeitsche; **2** *übertr.:* Gewaltherrschaft, strenge Herrschaft; unter jmds. K. stehen, seufzen; jmdn. unter seine K. bringen; **knu|ten** *tr. 2* knechten

knut|schen *tr. 1, ugs.:* anhaltend küssen; **Knut|sche|rei** *w. 10*

Knüt|tel, Knit|tel *m. 5* derber Stock; **Knüt|tel|vers** *m. 1* = Knittelvers

ko..., Ko... vgl. kon..., Kon...

k. o. *Abk. für* knock-out; k. o. sein *ugs.:* erschöpft, müde, kampfunfähig sein; **K. o.** *Abk. für* Knock-out

Ko|ad|ju|tor [lat.] *m. 13* Gehilfe eines kath. Geistlichen

Ko|a|gu|lans [lat.] *s. Gen.* - *Mz.* -lan|tia [-tsja] *oder* -lan|zi|en die Blutgerinnung förderndes Mittel; **Ko|a|gu|lat** *s. 1* Stoff, der bei der Koagulation einer fein verteilten Lösung ausgeflockt wird; **Ko|a|gu|la|ti|on** *w. 10* Gerinnung, Ausflockung; **ko|a|gu|lie|ren** *intr. 3* gerinnen, ausflocken

Ko|a|la [austral.] *m. 9* kleiner Beutelbär Australiens

ko|a|lie|ren [lat.], **ko|a|li|sie|ren** *intr. 3* eine Koalition bilden, sich verbünden; **Ko|a|li|ti|on** *w. 10* Bündnis (von Staaten oder Parteien zu einem bestimmten Zweck); **Ko|a|li|ti-ons|par|tei** *w. 10;* **Ko|a|li|ti|ons-re|gie|rung** *w. 10* aus den Vertretern mehrerer Parteien gebildete Regierung

ko|a|xi|al [lat.], con|a|xi|al eine gemeinsame Achse besitzend; **Ko|a|xi|al|ka|bel** *s. 5* gegen Störfelder unempfindl. Kabel, bei dem ein Mittelleiter von einem hohlen Außenleiter umschlossen ist

Ko|balt [zu Kobold] *s. 1 nur Ez.* (*Zeichen:* Co) chem. Element, ein Metall; **ko|balt|blau; Ko-balt|blü|te** *w. 11* ein Mineral, Erythrin; **Ko|balt|glanz** *m. Gen.* -es *nur Ez.,* **Ko|bal|tin** *s. 1 nur Ez.* ein Kobalterz, diente früher zur Gewinnung blauer Farbe

Ko|bel *m. 5, österr.:* Verschlag, z. B. Taubenkobel; **Ko|ben,** Kofen *m. 7* Verschlag, kleiner Stall, bes. für Schweine, Schweinekoben

Ko|ber *m. 5, ostmitteldt.:* Korb (für Esswaren)

Ko|bold *m. 1* guter, lustiger Hausgeist, Erdgeist, Wichtel; **Ko|bold|ma|ki** *m. 9* ein Halbaffe

Ko|bolz *m. 1* Purzelbaum; K. schlagen, schießen; **ko|bol|zen** *intr. 1*

Ko|bra *auch:* **Kob|ra** [port.] *w. 9* eine Giftschlange

Koch 1 *m. 2;* **2** *s. Gen.* -s *nur Ez., österr.:* Brei, Mus; **Koch|buch** *s. 4*

Kö|chel|ver|zeich|nis *s. 1* (*Abk.:* KV) von dem österr. Musikwissenschaftler Ludwig von Köchel (1800–1877) zusammengestelltes chronolog. Verzeichnis der Werke Mozarts

kochend heiß: Verbindungen, deren erster Bestandteil ein adjektivisch gebrauchtes Partizip *(kochend)* ist, werden getrennt geschrieben: *Im kochend heißen Wasser schwammen einzelne Fleischstücke.* →§ 36 E1 (3)

ko|chen *tr. u. intr. 1;* **ko|chend|heiß** ► **ko|chend heiß; Ko|chend|was|ser|au|to|mat** *m. 10;* **Ko|cher** *m. 5*
Kö|cher *m. 5* Behälter für Pfeile; **Kö|cher|flie|ge** *w. 11* ein schmetterlingsähnl. Insekt
koch|fest; Koch|fes|tig|keit *w. 10 nur Ez.;* **Koch|frau** *w. 10;* **Kö|chin** *w. 10;* **Koch|kä|se** *m. 5;* **Koch|kis|te** *w. 11;* **Koch|kunst** *w. 2;* **Koch|ni|sche** *w. 11;* **Koch|plat|te** *w. 11;* **Koch|salz** *s. 1 nur Ez.*
Ko|da [lat.], Co|da *w. 9* kurzer Schlussteil (eines Musikstückes, bes. des 1. Sonatensatzes)
Kod|der *m. 5, nddt.:* alter Lappen, Lumpen; **kod|de|rig,** kodd|rig *norddt.:* **1** abgerissen, schäbig, schmutzig; **2** zum Erbrechen übel; **kod|dern** *intr. 1, norddt.:* **1** kleine Wäsche waschen; **2** sich erbrechen; **kodd|rig,** kod|de|rig
Kode [kod, lat.], *techn.-fachsprachl. meist:* Code [kod] *m. 9* Schlüssel (zum Entziffern von verschlüsselten Mitteilungen, z. B. einer Geheimschrift, bzw. zum Verschlüsseln von normaler Schrift); Telegrafenschlüssel
Ko|de|in [griech.] Co|de|in *s. 1 nur Ez.* zu den Alkaloiden gehörende Stickstoffverbindung des Opiums, ein Beruhigungsmittel
Kö|der *m. 5;* **kö|dern** *tr. 1;* ich ködere, ködre ihn
Ko|dex [lat.] *m. Gen.* -(es) *Mz.* -e *oder* -di|zes [tse:s], Co|dex *m. Gen.* - *Mz.* -di|ces [-tse:s] (*Abk.:* Cod.) **1** zwischen Holzdeckel gebundene Pergament- oder Papyrusblätter (Vorläufer des Buches); **2** Sammlung alter Handschriften; vgl. Codex; **3** Gesetzessammlung; vgl. Code; **4** Gesamtheit aller in einer Gesellschaft oder Gesellschaftsschicht maßgebenden Vorschriften
ko|die|ren, *fachsprachl. meist:* co|die|ren *tr. 3* nach einem Kode umsetzen, verschlüsseln
Ko|di|fi|ka|ti|on *w. 10* Zusammenfassung in einem Kodex; **Ko|di|fi|ka|tor** *m. 13* jmd., der etwas kodifiziert; **ko|di|fi|zie|ren** *tr. 3* in einem Gesetzbuch zusammenfassen; **Ko|di|fi|zie|rung** *w. 10;* **Ko|di|zill** *s. 1, früher:* letztwillige Verfügung
Ko|e|du|ka|ti|on [lat.] *w. 10 nur Ez.* Erziehung von Jungen und Mädchen gemeinsam (in Schulen und Internaten)
Ko|ef|fi|zi|ent [lat.] *m. 10* **1** *Math.:* Vorzahl, Beizahl vor veränderlichen Größen einer Funktion; **2** *Phys.:* Zahl, die eine bestimmte physikal. oder technische Verhaltensweise angibt, z. B. Reibungs-, Ausdehnungskoeffizient
Ko|en|zym [lat. + griech.] *s. 1* Teil eines Enzyms, das mit anderen zusammen die Wirkung des ganzen Enzyms ermöglicht, Koferment
ko|er|zi|bel [lat.] **1** verdichtbar, verflüssigbar; koerzible Luft, koerzibles Gas; **2** fähig, eine Koerzitivkraft auszuüben; **Ko|er|zi|tiv|kraft** *w. 2* Fähigkeit eines Stoffes, einen in ihm erregten Magnetismus beizubehalten oder der Magnetisierung zu widerstehen
Ko|e|xis|tenz [lat.] *w. 10 nur Ez.* **1** gleichzeitiges Vorhandensein (mehrerer Dinge); **2** friedliches Nebeneinanderbestehen (von Staaten mit verschiedenen Gesellschafts-, Regierungs- oder Wirtschaftsformen); **ko|e|xis|tie|ren** *intr. 3*
Ko|fel *m. 5, bayr. für* Kogel
Ko|fen *m. 7* = Koben
Ko|fer|ment [lat.] *s. 1* = Koenzym
Kof|fe|in, Cof|fe|in [engl.] *s. 1 nur Ez.* in Kaffee, Tee, der Kolanuss u. a. enthaltenes, anregendes Alkaloid; **kof|fe|in|frei; Kof|fe|i|nis|mus** *m. Gen.* - *nur Ez.* Koffeinsucht, -vergiftung
Kof|fer *m. 5;* **Köf|fer|chen** *s. 7;* **Kof|fer|ku|li** *m. 9, auf Bahnhöfen:* kleiner Wagen zum Selbstbefördern von Koffern; **Kof|fer|ra|dio** *s. 9;* **Kof|fer|raum** *m. 2;* **Kof|fer|schreib|ma|schi|ne** *w. 11*
Kog *m. 2, hochdt. Schreibung von* Koog
Ko|gel *m. 5* **1** Bergkuppe (häufig in geograph. Namen); **2** = Gugel
Kog|ge [nddt.] *w. 11* zwei- bis dreimastiges Segelschiff des 13.–14. Jh. mit mehrstöckigen Aufbauten auf Bug und Heck

Kognak/Cognac: Das Getränk wird in eingedeutschter Schreibweise *Kognak* geschrieben; als eingetragenes Warenzeichen bleibt die französische Schreibweise erhalten: *Cognac.* →§ 32 (2)

Ko|gnak *auch:* **Kog|nak** [konjak frz.] *m. 9* in der frz. Stadt Cognac hergestellter Weinbrand; vgl. Cognac
Ko|gnat *auch:* **Kog|nat** [lat.] *m. 10, im alten Rom:* Blutsverwandter, der nicht →Agnat ist; **Ko|gna|ti|on** *auch:* **Kog|na-** *w. 10 nur Ez.* Blutsverwandtschaft, die nicht →Agnation ist
Ko|gni|ti|on *auch:* **Kog|ni-** [lat.] *w. 10, veraltet:* (richterl.) Erkenntnis, Untersuchung; **ko|gni|tiv** *auch:* **kog|ni-** auf Erkenntnis beruhend
Ko|gno|men *auch:* **Kog|no-** [lat.] *m. Gen.* -s *Mz.* - *oder* -mi|na, *im alten Rom:* Beiname
Ko|ha|bi|ta|ti|on [lat.] *w. 10* Beischlaf; **ko|ha|bi|tie|ren** *intr. 3* den Beischlaf ausüben
ko|hä|rent [lat.] zusammenhängend; *Ggs.:* inkohärent; **Ko|hä|renz** *w. 10 nur Ez.* Zusammenhang; *Ggs.:* Inkohärenz; **Ko|hä|rer** *m. 5* (heute kaum noch benutztes) Gerät zum Nachweis elektrischer Wellen, Fritter; **ko|hä|rie|ren** *intr. 3* zusammenhängen, der Kohäsion unterliegen; **Ko|hä|si|on** *w. 10 nur Ez.* durch Anziehung bewirkter Zusammenhang der Moleküle; **ko|hä|siv** zusammenhaltend
ko|hi|bie|ren [lat.] *tr. 3, veraltet:* mäßigen, zurückhalten; **Ko|hi|bi|ti|on** *w. 10 nur Ez.*
Ko|hi|noor [-nur, pers. »Berg des Lichts«], **Ko|hi|nur** *m. Gen.* -s *nur Ez.* Name eines großen Diamanten im engl. Kronschatz
Kohl *m. 1 nur Ez.* **1** *Sammelbez. für* verschiedene Gemüsepflanzen; **2** [jidd.] Unsinn, dummes Gerede
Kohl|dampf *m. Gen.* -s *nur Ez., Soldatensprache:* Hunger; K. schieben
Koh|le *w. 11;* **Koh|le|fa|den** *m. 8, in elektr. Glühbirnen:* Glühfaden aus Kohle; **koh|le-**

füh|rend ► **Koh|le füh|rend; Koh|le|hy|drat** *auch:* **-hyd|rat** *s. 1* = Kohlenhydrat; **koh|len** *intr. 1* **1** zu Kohle verbrennen, ohne Flamme brennen, schwelen; **2** *Seew.:* Kohle als Ladung übernehmen; **3** [jidd.] Unsinn reden, flunkern; **Koh|len|ba|ron** *m. 1, ugs.:* Eigentümer eines Bergwerks; **Koh|len|blen|de** *w. 11, veraltet:* Anthracit; **Koh|len|bren|ner** *m. 5* Köhler; **Koh|len|di|o|xid** *s. 1 nur Ez.* ein nicht brennbares Gas; **Koh|len|gas** *s. 1* aus Kohle gewonnenes Gas; **Koh|len|hy|drat,** Koh|le|hy|drat *auch:* **-hyd|rat** *s. 1* chem. Verbindung aus Kohlen-, Wasser- und Sauerstoff; **Koh|len|hy|drie|rung** *auch:* **-hyd|rie|rung** *w. 10 nur Ez.* = Kohleverflüssigung; **Koh|len|in|dus|trie** *w. 11;* **Koh|len|kel|ler** *m. 5;* **Koh|len|mei|ler** *m. 5* mit Erde bedeckter Holzstoß, in dem Holz zu Holzkohle verschwelt; **Koh|len|mon|o|xid** *auch:* **Koh|len|mo|no|xid, Koh|len|o|xid** *s. 1 nur Ez.* ein giftiges Gas; **Koh|len|o|xid|ver|gif|tung** *w. 10;* **koh|len|sau|er; Koh|len|säu|re** *w. 11 nur Ez.;* **Koh|len|staub** *m. Gen.* -(e)s *nur Ez.;* **Koh|len|stoff** *m. 1 nur Ez.* (*Zeichen:* C) chem. Element, Carboneum; **Koh|len|trim|mer** *m. 5* Arbeiter (bes. in Häfen), der Kohle verlädt; **Koh|len|was|ser|stoff** *m. 1 nur Ez.* chem. Verbindung aus Kohlen- und Wasserstoff; **Koh|len|zan|ge** *w. 11;* **Koh|le|pa|pier** *s. 1* einseitig (meist schwarz) gefärbtes Papier zum Durchschreiben; **Köh|ler** *m. 5* **1** Handwerker, der Holz zu Holzkohle verbrennt; **2** = Seelachs; **Köh|le|rei** *w. 10* Kohlenbrennerei; **Koh|le|stift** *m. 1* Zeichenstift aus Holzkohle; **Koh|le|ver|flüs|si|gung** *w. 10 nur Ez.* Anlagerung von Wasserstoff an Kohle zur Gewinnung von Kohlenwasserstoff, Kohlenhydrierung; **Koh|le|zeich|nung** *w. 10* Zeichnung mit Holzkohlestift; **Kohl|fisch** *m. 1* = Seelachs

Kohl|her|nie [-njə, lat.] *w. 11* eine Kohlkrankheit, durch Pilze hervorgerufene Verdickungen an der Wurzel; **Kohl|kopf** *m. 2;* **Kohl|mei|se** *w. 11* ein Singvogel; **kohl|pech|ra|ben|schwarz; Kohl|ra|be** *m. 11* = Kolkrabe; **kohl|ra|ben|schwarz; Kohl|ra|bi** *m. 9 oder Gen. - Mz.* - eine Gemüsepflanze; **Kohl|rü|be** *w. 11;* **kohl|schwarz; Kohl|weiß|ling** *m. 1* ein Schmetterling

Ko|hor|te [lat.] *w. 11* altröm. Truppeneinheit, 10. Teil einer Legion

Koi|ne [kɔı-, griech.] *w. Gen. - nur Ez.* aus den altgriech. Dialekten entstandene griech. Umgangssprache, Vorstufe des Neugriechischen

ko|in|zi|dent [lat.] zusammentreffend, einander deckend; **Ko|in|zi|denz** *w. 10 nur Ez.* Zusammentreffen (zweier Ereignisse oder Vorgänge); **ko|in|zi|die|ren** *intr. 3*

ko|i|tie|ren [lat.] *intr. 3* den Beischlaf ausüben, Geschlechtsverkehr haben; **Ko|i|tus** *fachsprachl.:* Co|i|tus *m. Gen. - Mz.* - Beischlaf, Geschlechtsverkehr

Ko|je [lat.-nddt.] *w. 11* **1** *auf Schiffen:* Bett; **2** Ausstellungsstand

Ko|jo|te [span.-mexikan.], Coyo|te *m. 11* nordamerik. Präriewolf

Ko|ka [span.] *w. Gen. - Mz.* - in Bolivien und Peru heimische Pflanze, aus deren Blättern Kokain gewonnen wird, Kokastrauch; **Ko|ka|in** *s. 1 nur Ez.* aus der Koka gewonnenes, anregendes Alkaloid; **Ko|ka|i|nis|mus** *m. Gen. - nur Ez.* Kokainsucht; **Ko|ka|in|sucht** *w. Gen. - nur Ez.;* **ko|ka|in|süch|tig**

Ko|kar|de [frz.] *w. 11, an Uniformmützen:* nationales Abzeichen; Hoheitszeichen; **Ko|kar|den|blu|me** *w. 11* eine Zierpflanze

Ko|ka|strauch *m. 4* = Koka

ko|keln *intr. 1* mit Feuer spielen; ich kokele, kokle

ko|ken [engl.] *intr. 1* Koks herstellen; **Ko|ker** *m. 5* **1** Arbeiter in der Kokerei; **2** *Seew.:* Öffnung am Schiffsheck für das Ruder, Hennegatt; **Ko|ke|rei** *w. 10* **1** *nur Ez.* Herstellung von Koks (Brennstoff); **2** die Anlage dafür

ko|kett [frz.] gefallsüchtig; **Ko|ket|te** *w. 11* kokette Frau; **Ko|ket|te|rie** *w. 11 nur Ez.* Gefallsüchtigkeit; **ko|ket|tie|ren** *intr. 3* Gefallen zu erregen suchen, seine Reize spielen lassen; mit jmdm. k.: jmdn. erotisch zu reizen versuchen

Ko|kil|le [frz.] *w. 11* metallene, mehrmals verwendbare Gießform; **Ko|kil|len|guß** ► **Ko|kil|len|guss** *m. 2*

Kok|ke *w. 11* = Kokkus

Kok|kels|kör|ner *s. 4 Mz.* zum Fischfang verwendete, ein Betäubungsmittel enthaltende Körner

Kök|ken|möd|din|ger [dän.] *Mz.* an der dän. Ostküste gefundene, von Menschen der Mittel- und Jungsteinzeit stammende Abfallhaufen aus Muschelschalen, Kohlenresten usw.

Kok|ko|lith [griech.] *m. 10* aus Kalkalgen entstandenes Tiefseegestein

Kok|kus [griech.] *m. Gen. - Mz.* -ken, Kok|ke *w. 11* kugelförmiges Bakterium

Ko|kon [-kɔ̃, österr.: -kon, frz.] *m. 9* bei der Verpuppung gesponnene Hülle mancher Insektenlarven, bes. der Seidenraupe

Ko|kos [span.] *w. Gen. - Mz.* -, *kurz für* Kokospalme; **Ko|kos|fa|ser** *w. 11* Faser der Kokosnuss; **Ko|kos|fett** *s. 1* aus der Kokosnuss gewonnenes Fett; **Ko|kos|läu|fer** *m. 5;* **Ko|kos|mat|te** *w. 11* Läufer, Matte aus Kokosfasern; **Ko|kos|milch** *w. 10 nur Ez.* süßliche, wasserklare Flüssigkeit in der Kokosnuss; **Ko|kos|nuß** ► **Ko|kos|nuss** *w. 2;* **Ko|kos|pal|me** *w. 11*

Ko|kot|te [frz.] *w. 11* Halbweltdame, leichtes Mädchen

Koks [engl.] *m. 1* **1** durch Verschwelen von Stein- und Braunkohle gewonnener Brennstoff; **2** *ugs. für* Kokain; **kok|sen** *intr. 1 ugs.:* **1** schlafen; **2** Kokain nehmen; **Kok|ser** *m. 5 ugs.:* Kokainsüchtiger

Kok|zi|die [-djə, griech.-lat.] *w. 11* krankheitserregendes Sporentierchen; **Kok|zi|di|o|se** *w. 11* durch Kokzidien hervorgerufene Erkrankung, z. B. Leberkokzidiose

kol..., Kol... vgl. kon..., Kon...

Ko|la [afrik. Spr.] *w. Gen. - nur Ez.;* **Ko|la|nuß** ► **Ko|la|nuss** *w. 2* koffeinhaltiger Samen des westafrik. Kolabaumes

Ko|lat|sche [tschech.], Go|lat|sche *w. 11 österr.:* kleiner, mit Rosinen oder Marmelade gefüllter Hefekuchen

Ko|la|tur [lat., zu: kolieren] *w. 10* durch ein Tuch geseihte Flüssigkeit

Kölb|chen *s. 7;* **Kol|ben** *m. 7;*

Kolbenhirse *w. 11 nur Ez.* eine Hirsenart; **Kolbensumach** *m. 1* Essigbaum, ein Zierstrauch oder -baum; **kolbig**

Kolchis histor. Landschaft am Schwarzen Meer

Kolchos [russ.] *m. Gen. - Mz.* -cho|sen, Kol|cho|se *w. 11, ehem. UdSSR:* landwirtschaftliche Produktionsgenossenschaft; **Kolchosbauer** *m. 11;* **Kolchose** *w. 11* = Kolchos

Koleoptere *auch:* **Koleoptere** [griech.] *w. 11, Sammelbez. für* Käfer; **Koleopterologie** *auch:* **Koleopterologie** *w. 11 nur Ez.* Wissenschaft von den Käfern

Kolibakterien [griech.] *Mz.* Dickdarmbakterien

Kolibri *auch:* **Kolibri** [südamerik. Eingeborenenspr.] *m. 9* ein Vogel, Schwirrvogel

kolieren [lat.] *tr. 3* durch ein Tuch seihen; vgl. Kolatur; **Koliertuch** *s. 4*

Kolik [griech.] *w. 10* krampfartiger Schmerz in den inneren Organen, z. B. Nierenkolik; **Kolitis** *w. Gen. - Mz.* -ti|den infektiöse Dickdarmentzündung

Kolk *m. 1, nddt.:* Wasserloch; **kolken** *intr. 1, nddt.:* gurgelnde Laute ausstoßen, rülpsen

Kolkothar [griech.-arab.] *m. 1* rotes Eisenoxid, Malerfarbe

Kolkrabe, Kohl|ra|be *m. 11* ein Rabenvogel

kollabeszieren [lat.] *intr. 3* hinfällig werden, verfallen; **kollabieren** *intr. 3* einen Kollaps erleiden, zusammenbrechen

Kollaborateur [-tør, frz.] *m. 1* jmd., der mit dem Feind oder der Besatzungsmacht zusammenarbeitet; **Kollaboration** *w. 10* Zusammenarbeit mit dem Feind oder der Besatzungsmacht; **Kollaborator** *m. 13, veraltet:* Hilfslehrer oder -geistlicher; **Kollaboratur** *w. 10, veraltet:* Amt eines Kollaborators; **kollaborieren** *intr. 3* mit dem Feind oder der Besatzungsmacht zusammenarbeiten

Kollagen [griech.] *s. 1* leimartiger Eiweißstoff in Knochen, Knorpel und Bindegewebe

Kollaps [auch: -laps, zu: kollabieren] *m. 1* Zusammenbruch d. plötzliches Versagen des Blutkreislaufs, Schwächeanfall

kollateral [lat.] auf der gleichen Körperseite; seitlich, nebenher laufend; **Kollateralverwandte(r)** *m. 18 (17) bzw. w. 17 oder 18* Verwandte(r) einer Nebenlinie, entfernte(r) Verwandte(r)

Kollation [lat.] *w. 10* **1** Vergleich zwischen Urschrift und Abschrift; **2** Zusammentragen der Bogen eines Buches und Prüfung auf ihre Vollzähligkeit; **3** *auch:* Übertragen von Korrekturen aus mehreren Fahnen in ein Exemplar; **4** Ausgleich zwischen Erben, wenn einer schon vor dem Tod des Erblassers Zuwendungen erhalten hat; **5** *kath. Kirche:* kleine Erfrischung an Fasttagen; **kollationieren** *tr. 3* zusammentragen, ausgleichen; **Kollationspflicht** *w. 10* Ausgleichspflicht (von Erben); **Kollatur** *w. 10* Recht zur Besetzung eines geistl. Amtes

Kollaudation [lat.] *w. 10, schweiz. neben* Kollaudierung; **kollaudieren** *tr. 3 österr., schweiz.:* abschließend prüfen und genehmigen; **Kollaudierung** *w. 10, österr., schweiz.:* amtl. Prüfung u. abschließende Genehmigung eines Baues

Kolleg [lat.] *s. 9* **1** Vorlesung an einer Hochschule; **2** kath. Studienanstalt, z. B. Jesuitenkolleg; **Kollege** *m. 11* Amtsbruder, Berufsgenosse, Mitarbeiter; **Kollegenschaft** *w. 10 nur Ez.;* **Kolleggeld** *s. 3;* **Kollegheft** *s. 1;* **kollegial** wie ein Kollege, wie unter Kollegen, kameradschaftlich, freundlichvertraut; kollegiales Verhältnis, sich kollegial verhalten; **Kollegialgericht** *s. 1* Gericht, bei dem mehrere Richter gemeinsam das Urteil fällen; **Kollegialität** *w. 10 nur Ez.* Verbundenheit der Kollegen untereinander, Berufskameradschaft, kollegiales Verhältnis oder Verhalten; **Kollegiat** *m. 10* Stiftsgenosse; **Kollegin** *w. 10;* **Kollegium** *s. Gen.* -s *Mz.*-gi|en **1** Gemeinschaft von Personen des gleichen Berufs, z. B. Lehrer-, Ärztekollegium; **2** Ausschuss, Körperschaft; **Kollegmappe** *w. 11* flache Aktenmappe

Kollektanea [lat.], **Kollektaneen** *Mz.* gesammelte Auszüge aus literar. oder wissenschaftl. Werken, Lesefrüchte, Sammelhefte; **Kollekte** *w. 11* kirchliche Geld-, Spendensammlung; **Kollekteur** [-tør, frz.] *m. 1, veraltet* **1** Lotterieeinnehmer; **2** Sammler von Spenden für wohltätige Zwecke; **Kollektion** *w. 10* **1** Geldsammlung; **2** Mustersammlung (von Waren), Auswahl; **kollektiv** **1** gemeinsam, gemeinschaftlich (erarbeitet); **2** umfassend; **Kollektiv** *s. 1* **1** Arbeitsgemeinschaft; **2** *ehem. DDR:* Arbeitsgruppe; sozialistisches K.; **Kollektivarbeit** *w. 10;* **Kollektiveigentum** *s. Gen.* -s *nur Ez.;* **kollektivieren** *tr. 3* **1** in Kollektive zusammenfassen; **2** *früher, in kommunist. Staaten:* in Kollektiveigentum überführen; **Kollektivierung** *w. 10 nur Ez.;* **Kollektivismus** *m. Gen. - nur Ez.* Auffassung, dass die Gemeinschaft den Vorrang vor dem Einzelnen und dieser kein Eigenrecht habe; **Kollektivist** *m. 10;* **kollektivistisch;** **Kollektivsuffix** *s. 1* für ein Kollektivum charakterist. Suffix, z. B. -schaft; **Kollektivum** *s. Gen.* -s *Mz.* -va *oder* -ven eine Gruppe gleichartiger Wesen oder Dinge zusammenfassender Begriff, Sammelbegriff, Sammelname, z. B. Vieh, Gemeinde, Lehrerschaft; vgl. Appellativum; **Kollektivvertrag** *m. 2* **1** Arbeitsvertrag zwischen Gewerkschaft und Arbeitgeberverband eines Berufszweiges; **2** *ehem. DDR:* Vertrag zwischen Betriebs- und Betriebsgewerkschaftsleitung zwecks Regelung der beiderseitigen Pflichten zur Erfüllung der Betriebspläne, Betriebskollektivvertrag; **3** Vertrag zwischen mehreren Staaten; **Kollektivwirtschaft** *w. 10, früher, in sozialist. Staaten:* genossenschaftlich bewirtschafteter landwirtschaftl. Betrieb; **Kollektor** *m. 13* **1** *Phys.:* Sammler (von Licht, Energie, Schall usw.); **2** *bei elektr. Maschinen:* als Stromwender wirkender Schleifkontakt, Kommutator

Kollenchym *auch:* **Kollenchym** [-çym, griech.] *s. 1* dehnungsfähiges Festigungsgewebe wachsender Pflanzen

Koller *m. 5* **1** lederner Brustharnisch; **2** Schulterpasse, breiter Kragen; **3** Wutanfall; **4** eine Gehirnerkrankung der Pferde, Dummkoller

Kol|ler|gang *m. 2* Mahlwerk, Zerkleinerungsmaschine, Kollermühle
kol|le|rig, kollrig leicht einen Koller (**3**) bekommend, einem Koller nahe, wütend
Kol|ler|müh|le *w. 11* = Kollergang
kol|lern *intr. 1* **1** rollen, kullern; **2** einen Koller haben, wüten; **3** glucksend schreien, krächzen (vom Truthahn); **3** glucksen, glucksende Geräusche von sich geben; es kollert im Magen, der Magen kollert
Kol|lett [lat.-frz.] *s. 1, veraltet:* **1** Reitjacke, Wams; **2** breiter Umhängekragen
Kol|li **1** *Mz. von* Kollo; **2** *s. Gen.* -s *Mz.* -, *österr.:* Fracht-, Gepäckstück
kol|li|die|ren [lat.] *intr. 3* **1** sich überschneiden, (zeitlich) zusammenfallen; **2** zusammenstoßen (Fahrzeuge); **3** in Streit geraten, aneinander geraten; vgl. Kollision
Kol|lier ► *auch:* **Col|lier** [-lje, frz.] *s. 9* **1** (wertvoller) Halsschmuck; **2** um Hals und Schulter zu tragender, schmaler Pelz
Kol|li|ma|ti|on [lat.] *w. 10* **1** das Zusammenfallen zweier Linien, z. B. beim Einstellen eines Fernrohrs; **2** Übereinstimmung eines Winkels mit dem darauf eingestellten Messgerät; **Kol|li|ma|tor** *m. 13* Anordnung, die die Strahlen einer Lichtquelle parallel richtet
kol|li|ne|ar [lat.] *bei der projektiven Abbildung:* einander entsprechend (Punkte und Geraden); **Kol|li|ne|a|ti|on** *w. 10* bes. Form der projektiven Abbildung eines Raumes
Kol|li|si|on [lat., zu: kollidieren] *w. 10* **1** Überschneidung; (zeitl.) Zusammenfallen; **2** Zusammenstoß; **3** Streit; **4** Widerstreit, Gegensatz; mit dem Gesetz in K. kommen oder geraten
Kol|lo [ital.] *s. Gen.* -s *Mz.* -s *oder* -li Frachtstück, Warenballen
Kol|lo|din [griech.] *s. 1* verdünnter Pflanzenleim, als Klebemittel und zum Appretieren; **Kol|lo|di|um** *s. Gen.* -s *nur Ez.* Lösung aus Kollodiumwolle und einem Alkohol-Äther-Gemisch, zum Verschließen von Wunden; auch in der Technik; **Kol|lo|di|um|wol|le** *w. 11 nur Ez.* eine nitrierte Zellulose
kol|lo|id [griech.], kol|lo|i|dal fein verteilt; **Kol|lo|id** *s. 1* in Lösung befindl. Molekülaggregat, das zwischen 10^3 und 10^9 Atome pro Raumeinheit enthält; **kol|lo|i|dal** = kolloid
Kol|lo|ka|ti|on [lat.] *w. 10, veraltet:* Ordnung nach bestimmter Reihenfolge
Kol|lo|qui|um [auch: -lo-, lat.] *s. Gen.* -s *Mz.* -qui|en wissenschaftl. Gespräch (zu Lehrzwecken)
koll|rig = kollerig
kol|lu|die|ren [lat.] *intr. 3* sich zu jmds. Nachteil mit einem Dritten verständigen; **Kol|lu|si|on** *w. 10* geheime, betrügerische Verabredung zu jmds. Nachteil, Verdunkelung, Verschleierung
köl|nisch; *aber:* Kölnisch Wasser; **Köln|isch|was|ser** *s. Gen.* -s *nur Ez.*
Ko|lo|fo|ni|um *s. Gen.* -s *nur Ez.* = Kolophonium
Ko|lom|bi|ne [ital. »Täubchen«], Ko|lum|bi|ne *w. 11* Gestalt der Commedia dell'Arte, Geliebte des Arlecchino
Ko|lom|bo|wur|zel *w. 11* Wurzel einer ostafrik. Schlingpflanze, gegen Verdauungsstörungen verwendet
Ko|lon [griech.] *s. Gen.* -s *Mz.* -s *oder* Ko|la **1** Grimm-, Dickdarm; **2** = Doppelpunkt; **3** *Metrik:* als Einheit aufzufassende Wortgruppe
Ko|lo|nat [lat.] *s. 1* **1** *in der röm. Kaiserzeit:* Grundhörigkeit (des Bauern); **2** *später:* Erbpachtgut; **3** Ansiedlung Kriegsgefangener, vor allem von Germanen; **Ko|lo|ne** *m. 11* **1** *röm. Kaiserzeit:* persönlich freier, aber an seinen Landbesitz gebundener Bauer; **2** *später:* Erbzinsbauer
Ko|lo|nel [frz.] *w. Gen.* - *nur Ez.* ein Schriftgrad (7 Punkt)
ko|lo|ni|al [lat.] die Kolonien betreffend, zu ihnen gehörig, aus ihnen stammend; **Ko|lo|ni|a|lis|mus** *m. Gen.* - *nur Ez.* auf Erwerb und Nutzung von Kolonien gerichtete Politik; **Ko|lo|ni|a|list** *m. 10* Anhänger des Kolonialismus; **ko|lo|ni|a|lis|tisch;** **Ko|lo|ni|al|po|li|tik** *w. 10 nur Ez.;* **Ko|lo|ni|al|wa|ren** *w. 11 Mz., veraltet;* **Ko|lo|nie** *w. 11* **1** Siedlung von Menschen außerhalb ihres Mutterlandes; **2** ausländischer, meist überseeischer Besitz (eines Staates); **3** Lager, z. B. Ferienkolonie; **4** Gruppe gleichartiger, gesellig lebender Tiere, Tierverband; **5** Verband niederer Lebewesen, Zellverband; **Ko|lo|ni|sa|ti|on** *w. 10 nur Ez.* **1** Urbarmachung und Besiedlung von Land (im In- oder Ausland); **2** Erwerb, Eroberung von Kolonien; **Ko|lo|ni|sa|tor** *m. 13* jmd., der eine Kolonie (**2**) erobert oder erwirbt; **ko|lo|ni|sa|to|risch;** **ko|lo|ni|sie|ren** *tr. 3* **1** urbar machen und besiedeln; **2** als Kolonie erwerben oder erobern; **Ko|lo|ni|sie|rung** *w. 10 nur Ez.;* **Ko|lo|nist** *m. 10* Siedler in einer Kolonie (**1**)
Ko|lon|na|de [frz.] *w. 11* Säulengang; **Ko|lon|ne** *w. 11* **1** geordnete Schar, Zug; **2** Transport- oder Arbeitstrupp; **3** Reihe, z. B. von Zahlen; **4** Trennungssäule (beim Destillieren); **Ko|lon|nen|ap|pa|rat** *m. 1* Destillierapparat
Ko|lo|phon [griech.] *m. 1, in alten Handschriften u. Frühdrucken:* Schlussvermerk über Verfasser, Schreiber, Ort, Jahr
Ko|lo|pho|ni|um ► *auch:* **Ko|lo|fo|ni|um** [nach der altgriech. Stadt Kolophon in Kleinasien] *s. Gen.* -s *nur Ez.* ein Harzprodukt, für Lacke, Kitte, Leime und zum Bestreichen des Geigenbogens
Ko|lo|quin|te [griech.-ital.] *w. 11* Kürbispflanze, Abführmittel
Ko|lo|ra|do|kä|fer [nach dem US-amerik. Staat Colorado] *m. 5* Kartoffelkäfer
Ko|lo|ra|tur [lat.] *w. 10* virtuose Verzierung des Gesangs in hoher Lage; **Ko|lo|ra|tur|a|rie** [-riə] *w. 11;* **Ko|lo|ra|tur|sän|ge|rin** *w. 10;* **Ko|lo|ra|tur|so|pran** *auch:* **-sop|ran** *m. 1;* **ko|lo|rie|ren** *tr. 3* färben, farbig ausmalen; kolorierter Kupferstich; **Ko|lo|ri|me|ter** *s. 5* Gerät zum Bestimmen der Farbintensität von Lösungen; **Ko|lo|ri|me|trie** *auch:* **-met|rie** *w. 11 nur Ez.;* **ko|lo|ri|me|trisch** *auch:* **-met|risch;** **Ko|lo|ris|mus** *m. Gen.* - *nur Ez., Malerei:* Hervorhebung der Farbe; **Ko|lo|rist** *m. 10* **1** Anhänger des Kolorismus; **2** jmd., der Stiche usw. koloriert; **ko|lo|ris|tisch** die Farbgebung betreffend; **Ko|lo|rit** *s. 1* **1** Farbgebung, Farbwirkung, farbl. Gestaltung; **2** Klangfarbe, Klang-

wirkung; **3** *in der Literatur:* Stimmung, Detailzeichnung einer Darstellung, z. B. Lokalkolorit

Ko|loß ► **Ko|loss** [griech.] *m. 1* **1** riesiges Standbild; **2** riesiges Gebilde, massiger, riesiger Gegenstand; **3** sehr großer, dicker, schwerfälliger Mensch; **ko|los|sal** **1** riesig und massig; **2** *ugs.:* sehr, ungeheuer; **Ko|los|sal|sta|tue** *w. 11*

Ko|los|ser *m. 5* Einwohner der phryg. Stadt Kolossae; **Ko|los|ser|brief** *m. 1* Brief des Apostels Paulus an die Kolosser

Ko|los|se|um [lat.] *s. Gen.* -s *nur Ez.* großes Amphitheater in Rom aus dem 1. Jh. n. Chr.

Ko|los|tra|milch *w. Gen. - nur Ez.,* **Ko|los|trum** [lat.] *s. Gen.* -s *nur Ez.* in den ersten Tagen nach der Entbindung von den Brustdrüsen abgesonderte, milchartige Flüssigkeit

Ko|lo|to|mie [griech.] *w. 11* operative Öffnung des Dickdarms zum Anlegen eines künstl. Afters

Kol|pak *m. 9* = Kalpak

Kol|ping|werk [nach dem Gründer, dem kath. Priester Adolf Kolping] *w. 11* internationale kath. Laienorganisation

Kol|pi|tis [griech.] *w. Gen. - Mz.* -ti|den Scheidenentzündung

Kol|por|ta|ge [-ʒə, frz.] *w. 11* **1** *früher:* Hausierhandel mit billigen Büchern; **2** Verbreitung von Gerüchten; **Kol|por|ta|ge|ro|man** [-ʒə-] *m. 1,* billiger, wertloser Roman, Hintertreppenroman; **Kol|por|teur** [-tør] *m. 1* **1** *früher:* Hausierer, der Bücher verkauft; **2** jmd., der Gerüchte verbreitet; **kol|por|tie|ren** *tr. 3* **1** hausieren mit, feilbieten; **2** verbreiten, weitererzählen (Gerücht, Nachrichten)

Kol|po|skop *auch:* **Kol|pos|kop** [griech.] *s. 1* Gerät mit Spiegel zur Untersuchung der Scheide; **Kol|po|sko|pie** *auch:* **Kol|pos|ko|pie** *w. 11* Untersuchung mit dem Kolposkop

Kölsch [»aus Köln, kölnisch«] **1** *m. 1 nur Ez., schweiz.:* grober Baumwollstoff; **2** *s. 1 nur Ez.* kölnisches obergäriges Bier

Kol|ter [altfrz.] *m. 5* **1** Messer an der Pflugschar; **2** *süddt.:* Steppdecke, Wolldecke

Ko|lum|ba|ri|um [lat.] *s. Gen.* -s *Mz.* -ri|en **1** *im alten Rom:* Grabkammer mit Wandnischen für die Urnen; **2** *heute:* Urnenhalle (im Krematorium)

Ko|lum|bi|a|ner, Ko|lum|bi|er *m. 5* Einwohner von Kolumbien; **ko|lum|bi|a|nisch,** ko|lum|bisch, zu Kolumbien gehörig, von dort stammend; **Ko|lum|bi|en** Staat in Südamerika; **Ko|lum|bi|er** *m. 5* = Kolumbianer

Ko|lum|bi|ne *w. 11* = Kolombine

ko|lum|bisch = kolumbianisch; **Ko|lum|bit** [nach dem US-amerik. Staat Columbia] *s. 1 nur Ez.* ein Mineral

Ko|lum|ne [lat.] *w. 11* **1** senkrechte Reihe (von Zahlen u. a.); **2** Spalte (einer Zeitungs- oder Buchseite); **3** Druckseite; **Ko|lum|nen|ti|tel** *m. 5* Titel, Überschrift einer Buchseite; **Ko|lum|nist** *m. 10* Journalist, der regelmäßig für eine bestimmte Spalte oder Seite einer Zeitung oder Zeitschrift Artikel schreibt

kom..., **Kom...** vgl. kon..., Kon...

Ko|ma [griech.] **1** *w. 9, Astron.:* durch die Sonne zum Leuchten gebrachte Nebelhülle um den Kopf eines Kometen; **2** *w. 9, Optik:* Linsenfehler, durch den auf dem Bild ein kometenschweifähnl. Gebilde statt eines Punktes entsteht; **3** *s. 9, Med.:* tiefe Bewusstlosigkeit; **ko|ma|tös** auf einem Koma (**3**) beruhend, in der Art eines Komas

Kom|bat|tant [frz.] *m. 10* kriegsrechtlich anerkannter Angehöriger einer Kampftruppe

Kom|bi *m. 9,* Kom|bi|wa|gen *m. 7, Kurzw. aus* kombinierter Liefer- und Personenwagen; **Kom|bi|nat** [lat.] *s. 1, in kommunist. Staaten:* Vereinigung verschiedener Industriebetriebe, z. B. Eisenhüttenkombinat; **Kom|bi|na|ti|on** *w. 10* **1** Verbindung, Verknüpfung, gedankl. Herstellen von Zusammenhängen; **2** Verbindung mehrerer sportl. Disziplinen, z. B. alpine K.; **3** mehrere zusammengehörige, farblich und stofflich verschiedene Kleidungsstücke (Jacke und Hose u. Ä.); **4** Arbeits-, Fliegeranzug aus einem Stück, Overall; **Kom|bi|na|ti|ons|ga|be** *w. 11 nur Ez.* Fähigkeit zu kombinieren; **Kom|bi|na|ti|ons|schloß** ► **Kom|bi|na|ti|ons|schloss** *s. 4* Schloss aus verschiebbaren, mit Buchstaben oder Zahlen versehenen Ringen, die nur in bestimmter Kombination die Öffnung ermöglichen; **Kom|bi|na|ti|ons|spiel** *s. 1, Sport:* planmäßiges Zusammenspiel (innerhalb einer Mannschaft); **Kom|bi|na|to|rik** *w. 10 nur Ez.* **1** *Logik:* Kunst, Begriffe in ein System zu bringen; **2** *Math.:* Lehre von den Möglichkeiten der Anordnung einzelner Elemente; **kom|bi|na|to|risch** auf Kombinatorik beruhend, verknüpfend, verbindend; **Kom|bi|ne** *w. 11,* [oder engl. -bain] *w. 9, ehem. DDR:* landwirtschaftliche Maschine mit mehreren Arbeitsgängen für die Ernte (von Getreide, Rüben, Kartoffeln); **kom|bi|nie|ren** *tr. 3* (gedanklich) verbinden, verknüpfen; **Kom|bi|wa|gen** *m. 7* = Kombi

Kom|bü|se *w. 11* Schiffsküche

kom|bus|ti|bel [frz.] *veraltet:* brennbar, verbrennbar; **Kom|bus|ti|bi|li|en** *Mz., veraltet:* Brennstoffe

Kom|edo *auch:* **Ko|me|do** [lat.] *m. Gen.* -s *Mz.* -do|nen Mitesser in der Haut; **kom|es|ti|bel** *auch:* **ko|mes|ti|bel** [frz.] *veraltet:* essbar, genießbar

Ko|met [griech.] *m. 10* kleiner Himmelskörper mit Schweif, der sich in einer Ellipse oder Parabel um die Sonne bewegt, Schweifstern; **Ko|me|ten|bahn** *w. 10;* **ko|me|ten|haft;** **Ko|me|ten|schweif** *m. 1*

Kom|fort [-for, engl.] *m. Gen.* -s *nur Ez.* Bequemlichkeit, Annehmlichkeit, bequeme, praktische Einrichtung (von Räumen); **kom|for|ta|bel;** komfortables Bad

Ko|mik [griech.] *w. 10 nur Ez.* **1** komische Beschaffenheit, komische Wirkung; **2** Kunst, etwas komisch darzustellen; **Ko|mi|ker** *m. 5* Darsteller komischer Rollen, Vortragskünstler, der komische Darbietungen vorführt

Kom|in|form *auch:* **Ko|min-** *s. Gen.* -s *nur Ez., Kurzwort für* Kommunistisches Informationsbüro, 1947–56 Organisation mehrerer europ. kommunist. Parteien; **Kom|in|tern** *auch:* **Ko|min-** *w. Gen. - nur Ez., Kurzwort für* Kommunistische Internationale, 1919 bis 1943

Vereinigung der kommunist. Parteien der Welt, 1947 durch das Kominform ersetzt

ko|misch 1 erheiternd, Lachen erregend, drollig, spaßig, putzig; **2** *ugs.:* sonderbar, merkwürdig

Ko|mi|tạ|dschi *auch:* **-tạd|schi** [türk.] *m. Gen.* -s *Mz.* - bulgar. Freiheitskämpfer

Ko|mi|tat [lat.] *s. 1 oder m. 1, früher:* **1** feierliches Geleit; **2** ungar. Verwaltungsbezirk

Ko|mi|tee [frz.] *s. 9* Ausschuss, z. B. Festkomitee

Ko|mi|ti|en [-tsjən, lat.] *Mz., im alten Rom:* Volksversammlung

Kọm|ma [griech.] *s. Gen.* -s *Mz.* -s *oder* -malta **1** *Gramm.:* ein Satzzeichen, Beistrich; **2** *Math., bei Dezimalbrüchen:* Trennungszeichen zwischen den ganzen und den Bruchzahlen; **3** *Mus.:* kleinstes Intervall; Absetz-, Atemzeichen, kleiner, senkrechter Strich über der obersten Notenlinie; **Kọm|ma|ba|zil|lus** *m. Gen.* - *Mz.* -len Erreger der Cholera

Kom|man|dạnt [lat.] *m. 10* Befehlshaber (einer Festung, Stadt, eines Flugplatzes oder Schiffes); **Kom|man|dan|tur** *w. 10* Dienstgebäude eines Stadtkommandanten; **Kom|man|deur** [-dør] *m. 1* Befehlshaber (einer Truppeneinheit); **kom|man|die|ren 1** *tr. 3* den Befehl haben über, befehligen; **2** *intr. 3* bestimmen, im Befehlston sprechen; **Kom|man|die|rung** *w. 10* Versetzung (z. B. zu einer anderen Truppeneinheit)

Kom|man|di|tär [frz.] *m. 1, schweiz. für* Kommanditist; **Kom|man|di|te** *w. 11* **1** Handelsgesellschaft mit stillen Teilhabern; **2** Zweiggeschäft, Zweigniederlassung; **Kom|man|dit|ge|sell|schaft** *w. 10 (Abk.:* KG) Handelsgesellschaft, bei der ein oder mehrere Teilhaber persönlich, einer oder mehrere nur mit ihrer Einlage haften; **Kom|man|di|tịst** *m. 10* nur mit seiner Einlage haftender Teilhaber einer Kommanditgesellschaft; vgl. Komplementär

Kom|mạn|do [lat.-ital.] *s. Gen.* -s *Mz.*-s, *österr. auch:* -den **1** Befehl, Befehlswort(e), Befehlsgewalt; **2** kleine Truppenabteilung mit bestimmter Aufgabe, z. B. Wachkommando; **Kom|mạn|do|brü|cke** *w. 11, auf Schiffen:* brückenartiger Deckaufbau für den Kommandanten, Lotsen und Wachoffizier; **Kom|mạn|do|stim|me** *w. 11;* **Kom|mạn|do|turm** *m. 2, auf Kriegsschiffen:* gepanzerter Turm auf der Kommandobrücke

Kom|mas|sa|ti|on [lat.] *w. 10* Zusammenlegung (von Grundstücken), Flurbereinigung; **kom|mas|sie|ren** *tr. 3* zusammenlegen; **Kom|mas|sie|rung** *w. 10*

Kom|me|mo|ra|ti|on [lat.] *w. 10, veraltet* **1** Erinnerung, Andenken; **2** kirchl. Gedächtnisfeier; **kom|me|mo|rie|ren** *tr. 3, veraltet;* jmdn. k.: sich an jmdn. erinnern, jmds. gedenken

kọm|men *intr. 71*

Kom|mẹn|de [lat.] *w. 11* **1** kirchl. Pfründe ohne amtl. Pflichten; **2** = Komturei

kom|men|sal [lat.] *Biol.:* mit anderen gemeinsam von der gleichen Nahrung lebend; **Kom|men|sa|le** *m. 11, Biol.:* Nahrungsnutznießer, der von seinem Wirt lebt, ohne ihm zu schaden; **Kom|men|sa|lịs|mus** *m. Gen.* - *nur Ez.* Ernährungsgemeinschaft (von Tieren oder Pflanzen), Nahrungsnutznießertum

kom|men|su|ra|bel [lat.] mit dem gleichen Maß messbar, vergleichbar; *Ggs.:* inkommensurabel; **Kom|men|su|ra|bi|li|tät** *w. 10 nur Ez.* Vergleichbarkeit, Messbarkeit mit gleichem Maß; *Ggs.:* Inkommensurabilität

Kom|ment [-mã, frz.] *m. 9* Brauch, Regel (des Lebens in einer Studentenverbindung)

Kom|men|tar [lat.] *m. 1* **1** Erklärung, Erläuterung; **2** *ugs.:* (überflüssige) Bemerkung; **Kom|men|ta|ti|on** *w. 10* **1** erläuternde Abhandlung; **2** *veraltet:* Sammlung von wissenschaftl., meist kritischen Schriften; **Kom|men|ta|tor** *m. 13* jmd., der einen Kommentar zu etwas gibt, Erläuterer; **kom|men|tie|ren** *tr. 3* erläutern, (wissenschaftlich) erklären

Kom|mẹrs [lat.-frz.] *m. 1, Stud.:* feierl. Kneipe (**2**); **Kom|mẹrs|buch** *s. 4* Buch mit Studentenliedern

Kom|mẹrz [lat.-frz.] *m. 1 nur Ez., veraltet:* Handel und Verkehr; **kom|mer|zi|a|li|sie|ren** *tr. 3* **1** öffentl. Schulden k.: in privatwirtschaftl. Schulden umwandeln; **2** dem Geschäft, dem Handel, der Geschäftemacherei preisgeben; **Kom|mer|zi|a|li|sie|rung** *w. 10 nur Ez.;* **Kom|mer|zi|al|rat** *m. 2, österr. für* Kommerzienrat; **kom|mer|zi|ẹll** auf Handel und Gewerbe beruhend, dazu gehörig; **Kom|mẹr|zi|en|rat** *m. 2* Titel für verdienten Großkaufmann oder Industriellen

Kom|mi|li|to|ne [lat.] *m. 11* Mitstudent, Studiengenosse; **Kom|mi|li|to|nin** *w. 10*

Kom|mis [-mi, frz.] *m. Gen.* - [-mi(s)] *Mz.* - [-mis], *veraltet:* kaufmänn. Angestellter; **Kom|mịß** ► **Kom|mịss** *m. Gen.* -misses *nur Ez., ugs.:* Militär, Militärdienst; **Kom|mis|sar** *m. 1* **1** jmd., der im Auftrag des Staates handelt und mit Vollmachten ausgerüstet ist; **2** Dienstbez. für manche Beamte, z. B. Polizei-, Kriminalkommissar; **Kom|mis|sär** *m. 1, österr., schweiz. für* Kommissar; **Kom|mis|sa|ri|at** *s. 1* Amt, Amtsräume eines Kommissars; **kom|mis|sa|risch** einstweilig, einstweilen beauftragt; kommissarischer Leiter; **Kom|mịß|brot** ► **Kom|mịss|brot** *s. 1* rechteckiges Vollkornbrot; **Kom|mis|si|on** *w. 10* **1** Ausschuss (von Beauftragten); **2** Auftrag zum Verkauf einer Ware; etwas in K. geben, nehmen; **Kom|mis|si|o|när** *m. 1* jmd., der unter eigenem Namen, aber im Auftrag und auf Rechnung eines anderen Geschäfte ausführt; **kom|mis|si|o|nẹll** auf Kommission beruhend; **Kom|mis|si|ons|buch|han|del** *m. Gen.* -s *nur Ez.* Zwischenbuchhandel (zwischen Verlag und Sortiment); **Kom|mis|si|ons|ge|schäft** *s. 1* Geschäft unter eigenem Namen im Auftrag und auf Rechnung eines anderen; **Kom|mis|si|ons|sen|dung** *w. 10* Warensendung unter bestimmten Bedingungen; **Kom|mis|si|ons|wa|re** *w. 11* in Kommission gegebene bzw. genommene Ware; **kom|mis|so|risch** als Kommissorium (**1**); **Kom|mis|so|ri|um** *s. Gen.* -s *Mz.* -ri|en, *veraltet:* **1** Sonderauftrag; **2** Vollmacht für einen Kommissar (**1**); **Kom|mịß|stie|fel** ► **Kom|mịss|stie|fel** *m. 5* grober

Soldatenstiefel; **Kom|mit|tent** *m. 10* Auftraggeber eines Kommissionärs; **kom|mit|tie|ren** *tr. 3* (einen Kommissionär) beauftragen; **Kom|mit|tiv** *s. 1, veraltet:* schriftl. Vollmacht

komm|lich *schweiz.:* bequem, dienlich, passend

kom|mod [frz.] *veraltet, noch österr.:* bequem, angenehm; **Kom|mo|de** *w. 11;* **Kom|mo|di|tät** *w. 10, veraltet:* Bequemlichkeit

Kom|mo|do|re [engl.] *m. 9 oder m. 14* **1** Kapitän im Admiralsrang; **2** Geschwaderführer; **3** Titel für verdienten Kapitän oder den ältesten Kapitän einer Handelsreederei

kom|mun [lat.] gemeinschaftlich, gemeinsam; **kom|mu|nal** eine Gemeinde betreffend, zu ihr gehörend; **Kom|mu|nal|be|hör|de** *w. 11;* **kom|mu|na|li|sie|ren** *tr. 3* der Gemeindeverwaltung übergeben; **Kom|mu|na|li|sie|rung** *w. 10 nur Ez.;* **Kom|mu|nal|po|li|tik** *w. 10 nur Ez.;* **Kom|mu|nal|ver|wal|tung** *w. 10;* **Kom|mu|nal|wahl** *w. 10* Wahl der Gemeindevertretung; **Kom|mu|nard** [kɔmynar] *m. 9,* **Kom|mu|nar|de** *m. 11* Angehöriger der Pariser Kommune; **Kom|mu|ne** *w. 11* **1** *MA:* Stadtstaat mit republikan. Verfassung; **2** *allg.:* Gemeinde; **3** Pariser K. [kɔmyn] *in der Frz. Revolution:* revolutionäre Regierung 1792–94; *März bis Mai 1871:* der Pariser Stadtrat, bildete eine revolutionäre Gegenregierung, die jedoch wieder beseitigt wurde; **4** Wohngemeinschaft, bes. von Studenten oder Studentenfamilien mit gegenseitigen Hilfeleistungen; **Kom|mu|ni|kant** *m. 10, kath. Kirche:* Teilnehmer an der hl. Kommunion; **Kom|mu|ni|ka|ti|on** *w. 10* **1** Verbindung, Zusammenhang; **2** Verkehr, Verständigung (zwischen Menschen); **Kom|mu|ni|ka|ti|ons|mit|tel** *s. 5* Verständigungsmittel; **Kom|mu|ni|on** *w. 10, kath. Kirche:* Abendmahl; **Kom|mu|ni|qué** ► *auch:* **Kom|mu|ni|kee** [kɔmynike, frz.] *s. 9* amtl. Mitteilung, Bekanntmachung (bes. von Regierungen); **Kom|mu|nis|mus** *m. Gen. - nur Ez., nach marxist. Auffassung:* die dem Sozialismus folgende Gesellschafts- und Wirtschaftsordnung, in der das Privateigentum beseitigt und die Klassengegensätze aufgehoben sein sollen; **Kom|mu|nist** *m. 10;* **kom|mu|nis|tisch;** *aber:* Kommunistisches Manifest; **Kom|mu|ni|tät** *w. 10* **1** Gemeinschaft, Gemeinsamkeit; **2** *veraltet:* Gemeingut; **kom|mu|ni|zie|ren** *intr. 3* **1** zusammenhängen, in Verbindung stehen; kommunizierende Röhren: zwei unten miteinander verbundene Röhren, in denen eine Flüssigkeit gleich hoch steht; **2** *kath. Kirche:* das Abendmahl empfangen; **3** sich miteinander verständigen, miteinander sprechen

> **Kommuniqué/Kommunikee:** Die fremdsprachige Schreibweise ist die Hauptvariante *(das Kommuniqué),* die eingedeutschte Form die Nebenvariante *(das Kommunikee).* →§ 32 (2)

kom|mu|ta|bel [lat.] vertauschbar, veränderbar; **Kom|mu|ta|ti|on** *w. 10* **1** Vertauschbarkeit; **2** der Winkel zwischen zwei Geraden von der Erde zur Sonne und zu einem Planeten; **kom|mu|ta|tiv** **1** vertauschbar; **2** auf Kommutation beruhend; **Kom|mu|ta|tor** *m. 13* = Kollektor (**2**); kom|mu|tie|ren *tr. 3* verändern, vertauschen

Ko|mö|di|ant [griech.] *m. 10* **1** *auch abfällig:* Schauspieler; **2** *übertr.:* jmd., der etwas vortäuscht, Heuchler; **ko|mö|di|an|ten|haft;** **Ko|mö|di|an|ten|tum** *s. Gen. -s nur Ez.;* **ko|mö|di|an|tisch;** **Ko|mö|die** [-djə] *w. 11* **1** heiteres Schauspiel; **2** Theater für heitere Schauspiele; **3** *übertr.:* erheiternder Vorfall, lustiges Ereignis

Komp. *Abk. für* Kompanie; **Kom|pa|gnie** *auch:* **Kom|pag|nie** [-ni, frz.] *w. 11, veraltete, noch schweiz. Schreibung von* Kompanie; **Kom|pa|gnon** *auch:* **Kom|pag|non** [-njɔ̃, auch kɔm-] *m. 9* Teilhaber, Mitinhaber

kom|pakt [frz.] **1** dicht, massiv, fest (Masse); **2** gedrungen, stämmig; **Kom|pakt|heit** *w. 10 nur Ez.*

Kom|pa|nie [lat.-frz.] *w. 11* **1** *(Abk.:* Komp.) Truppeneinheit der Infanterie, 100–250 Mann; **2** *(Abk.:* Komp., Co., Cie.) Handelsgesellschaft; **Kom|pa|nie|chef** *m. 9, Mil.;* **Kom|pa|nie|füh|rer** *m. 5, Mil.;* **Kom|pa|nie|ge|schäft** *s. 1*

kom|pa|ra|bel [lat.] **1** vergleichbar; **2** *Gramm.:* steigerungsfähig; *Ggs.:* inkomparabel; komparables Adjektiv; **Kom|pa|ra|ti|on** *w. 10, Gramm.* = Steigerung; **kom|pa|ra|tiv** **1** auf Vergleich beruhend, vergleichend; **2** *Gramm.:* steigernd; **Kom|pa|ra|tiv** *m. 1, Gramm.:* erste Steigerungsstufe, Vergleichsstufe, Mehrstufe, z. B. mehr, größer, besser; vgl. Positiv, Superlativ; **Kom|pa|ra|tiv|satz** *m. 2* Nebensatz, der einen Vergleich enthält; **Kom|pa|ra|tor** *m. 13* **1** Gerät zum Bestimmen von Stellungs- und Helligkeitsveränderungen von Himmelskörpern; **2** Gerät zum Vergleichen von Längenmaßen

Kom|pa|rent *m. 10, veraltet:* jmd., der vor einer Behörde, bes. vor Gericht, erscheint; **Kom|pa|renz** *w. 10 nur Ez., veraltet:* Erscheinen (vor einer Behörde); **kom|pa|rie|ren** *tr. 3* **1** vergleichen; **2** *Gramm.:* steigern

Kom|par|se [lat.-ital.] *m. 11* Darsteller einer sehr kleinen oder stummen Rolle; **Kom|par|se|rie** *w. 11 nur Ez.* Gesamtheit der Komparsen

Kom|par|ti|ment [lat.-frz.] *s. 1, veraltet:* abgeteiltes Feld, Abteil, Fach

Kom|paß ► **Kom|pass** [ital.] *m. 1* Gerät zum Bestimmen der Himmelsrichtung mittels Magnetnadel; **Kom|paß|na|del** ► **Kom|pass|na|del** *w. 11* Magnetnadel des Kompasses

kom|pa|ti|bel [frz.] vereinbar, zusammenpassend, verträglich; *Ggs.:* inkompatibel; **Kom|pa|ti|bi|li|tät** *w. 10 nur Ez.* **1** Vereinbarkeit, Verträglichkeit **2** *Fernsehtechnik:* die Eigenschaft, sowohl Schwarzweiß- als auch Farbbilder empfangen zu können; *Ggs.:* Inkompatibilität

Kom|pa|tri|ot [lat.-frz.] *m. 10, veraltet:* Landsmann

kom|pen|di|a|risch [lat.] *selten für* kompendiös; **kom|pen|di|ös** in der Art eines Kompendiums; zusammengedrängt, kurz gefasst; **Kom|pen|di|um** *s. Gen. -s Mz. -di|en* **1** kurz gefasstes Lehrbuch, Handbuch; **2** *Fot.:* ausziehbare Sonnenblende

Kom|pen|sa|ti|on [lat.] *w. 10*

► = wird zu

1 Ausgleich, Aufwiegen; **2** Erstattung, Vergütung, Verrechnung; **Kom|pen|sa|ti|ons|ge|schäft** *s. 1* Geschäft, bei dem Ware gegen Ware gehandelt wird; **Kom|pen|sa|tor** *m. 13* **1** Gerät zum Messen elektrischer Spannungen; **2** Zwischenglied von Rohrleitungen zum Ausgleich der Längenänderung bei Temperaturschwankungen; **kom|pen|sa|to|risch** ausgleichend; **kom|pen|sie|ren** *tr. 3* **1** ausgleichen, aufwiegen; **2** verrechnen, vergüten, erstatten

kom|pe|tent [lat.] zuständig, maßgebend, urteilsfähig; *Ggs.:* inkompetent; **Kom|pe|tenz** *w. 10* **Kom|pe|tenz|kom|pe|tenz** *w. 10* Befugnis zur Beurteilung der Kompetenz (eines Dritten); **Kom|pe|tenz|kon|flikt** *m. 1,* **Kom|pe|tenz|strei|tig|keit** *w. 10;* **kom|pe|tie|ren** *intr. 3, veraltet:* **1** sich um etwas bewerben; **2** jmdm. zustehen, gebühren

Kom|pi|la|ti|on [lat.] *w. 10* **1** Sammlung, Zusammentragen; **2** aus anderen Schriften zusammengetragenes, »zusammengestoppeltes« Werk; **Kom|pi|la|tor** *m. 13* jmd., der etwas kompiliert; **kom|pi|lie|ren** *tr. 3* zusammentragen, sammeln

> **Komple-, Kompli-, Komplo-** (Worttrennung): Neben der bisher üblichen Trennung *(Kom|ple-, Kom|pli-, Kom|plo-)* kann auch so verfahren werden: *Komp|le-, Komp|li-, Komp|lo-.* →§ 108

Kom|ple|ment [lat.] *s. 1* Ergänzung, Ergänzungsstück; **kom|ple|men|tär** ergänzend; **Kom|ple|men|tär** *m. 1* persönlich haftender Teilhaber einer Kommanditgesellschaft; vgl. Kommanditist; **Kom|ple|men|tär|far|ben** *w. 11, Mz.* Farben, die, miteinander gemischt, Weiß ergeben; **kom|ple|men|tie|ren** *tr. 3* ergänzen, vervollständigen; **Kom|ple|ment|win|kel** *m. 5* Winkel, der einen anderen zu 90° ergänzt; vgl. Supplementwinkel

Kom|plet 1 [lat.] *w. 1,* Kom|ple|to|ri|um, Komp|le|to|ri|um *s. Gen.* -s *Mz.* -ri|en, *kath. Kirche:* Schlussgebet (des Stundengebets); **2** [-ple, frz.] *s. 9* Kleid mit etwas kürzerem Mantel aus dem gleichen Stoff; **kom|ple|tiv** ergänzend; **Kom|ple|to|ri|um** *s. Gen.* -s *Mz.* -ri|en **1** = Komplet (**1**); **2** *veraltet:* Ergänzungsvorschrift; **kom|plett** vollständig, abgeschlossen; **kom|plet|tie|ren** *tr. 3* vervollständigen; **Kom|plet|tie|rung** *w. 10*

kom|plex [lat.] **1** umfassend, aus vielem zusammengesetzt und doch eine Einheit bildend; **2** komplexe Zahl: aus einem reellen und einem imaginären Teil bestehende Zahl; **Kom|plex** *m. 1* **1** Gesamtheit, Zusammengefasstes; **2** zusammenhängende Gruppe, z. B. Gebäudekomplex; **3** *Chemie:* aus mehreren Atomen aufgebaute Gruppe, die als Ganzes an chem. Reaktionen teilnimmt; **4** *Psych.:* Gruppe von Vorstellungen oder Erlebnissen, die ins Unterbewusstsein verdrängt worden ist und ständige Beunruhigung verursacht; **Kom|ple|xi|on** *w. 10* **1** Zusammenfassung (verschiedener Dinge); **2** Aussehen, Haut-, Haar- und Augenfarbe (beim Menschen); **Kom|ple|xi|tät** *w. 10 nur Ez.* das Zusammengesetztsein, komplexer Zustand

Kom|pli|ce [-tsə, -sə] *m. 11, veraltende Schreibung von* Komplize

Kom|pli|ka|ti|on [lat.] *w. 10* **1** Schwierigkeit, Verwicklung, Erschwerung; **2** Hinzutreten einer Erkrankung zu einer schon bestehenden

Kom|pli|ment [lat.-frz.] *s. 1* schmeichelhafte, galante Bemerkung; jmdm. Komplimente, ein K. machen; nach Komplimenten angeln, fischen; **kom|pli|men|tie|ren** *tr. 3 veraltet;* jmdn. k.: jmdm. Komplimente machen

Kom|pli|ze, Kom|pli|ce *m. 11* Mittäter, Mitschuldiger

kom|pli|zie|ren [lat.] *tr. 3* erschweren, schwierig(er) machen; **kom|pli|ziert** schwierig, verwickelt; **Kom|pli|ziert|heit** *w. 10 nur Ez.*

Kom|plott [frz.] *s. 1* Verschwörung, Verabredung zu einer Straftat oder Intrige; **kom|plot|tie|ren** *intr. 3* ein Komplott schmieden, sich verschwören

Kom|po|nen|te [lat.] *w. 11* Bestandteil (eines Ganzen), Teilkraft; **kom|po|nie|ren** *tr. 3* **1** zusammensetzen, kunstvoll anordnen; **2** nach bestimmten Formgesetzen aufbauen (Bild); **3** in Töne setzen, vertonen; **Kom|po|nist** *m. 10* Schöpfer eines Musikstücks, Tonsetzer; **Kom|po|si|te** *w. 11 meist Mz.* Korbblütler; **Kom|po|si|teur** [-tør, frz.] *m. 1, veraltet für* Komponist; **Kom|po|si|ti|on** *w. 10* **1** Zusammensetzung, Anordnung; **2** Aufbau (eines Bildes, eines literar. Werkes); **3** Musikstück; **kom|po|si|ti|o|nell** = kompositorisch; **Kom|po|sit|ka|pi|tell** *s. 1* aus den Voluten des ionischen und den Akanthusornamenten des korinth. Kapitells zusammengesetztes Kapitell; **kom|po|si|to|risch,** kom|po|si|ti|o|nell, eine Komposition betreffend; **Kom|po|si|tum** *s. Gen.* -s *Mz.*-ta zusammengesetztes Wort, z. B. Schulkind; Ggs.: Simplex; **kom|pos|si|bel** zusammensetzbar, vereinbar; **Kom|pos|si|bi|li|tät** *w. 10 nur Ez.*

Kom|post [lat.] *m. 1* Dünger aus Pflanzenresten, Erde (und Jauche); **Kom|post|hau|fen** *m. 7;* **kom|pos|tie|ren** *tr. 3* zu Kompost werden lassen

Kom|pott [lat.-frz.] *s. 1* mit Zucker gekochtes Obst

> **Kompre-, Kompri-, Kompro-** (Worttrennung): Neben der bisher üblichen Trennung *(Kom|pre-, Kom|pri-, Kom|pro-)* kann auch so abgetrennt werden: *Komp|re-, Komp|ri-, Komp|ro-.* →§ 108

kom|pre|hen|si|bel [lat.] begreifbar, begreiflich; **Kom|pre|hen|si|on** *w. 10* das Begreifen von Mannigfaltigem als Ganzes

kom|preß ► **kom|press** [lat.] **1** dicht, gedrängt; **2** *Buchw.:* ohne Durchschuss (Schriftsatz); **Kom|pres|se** *w. 11* feuchter Umschlag; **kom|pres|si|bel** zusammendrückbar; *Ggs.:* inkompressibel; **Kom|pres|si|bi|li|tät** *w. 10 nur Ez.;* **Kom|pres|si|on** *w. 10 nur Ez.* Zusammenpressung; **Kom|pres|si|ons|pum|pe** *w. 11* Druckpumpe; **Kom|pres|si|ons|ver|band** *m. 2* Druckverband; **Kom|pres|sor** *m. 13, Tech.:* Verdichter; **Kom|pres|so|ri|um** *s. Gen.* -s *Mz.* -ri|en Gerät zum Zusammenpressen von Blutgefäßen (zur Blutstillung)

kom|pri|mie|ren [lat.] *tr. 3* zusammendrücken, verdichten, zusammendrängen

Kom|pro|miß ► **Kom|pro|miss** [lat.] *m.1 oder s.1* Ausgleich, Verständigung, Übereinkunft; einen K. schließen; **Kom|pro|miß|ler** ► **Kom|pro|miss|ler** *m.5* jmd, der zu häufig Kompromisse schließt; **kom|pro|miß|los** ► **kom|pro|miss|los; Kom|pro|miß|lö|sung** ► **Kom|pro|miss|lö|sung** *w.10*

kom|pro|mit|tie|ren [lat.] *tr.3* bloßstellen

Komp|ta|bi|li|tät [lat.] *w.10 nur Ez.* Pflicht zur Rechenschaftslegung, Verantwortlichkeit

Kom|pul|si|on [lat.] *w.10, veraltet:* Nötigung, Zwang; **kom|pul|siv** *veraltet:* nötigend

Kom|so|mol [russ.] *m.Gen. - nur Ez., Kurzwort für den* kommunist. Jugendverband der ehem. UdSSR; **Kom|so|mol|ze** *m.11* Angehöriger des Komsomol; **Kom|so|mol|zin** *w.10*

Kom|teß ► **Kom|tess** [frz.] *w.Gen. - Mz.* -tes|sen, **Kom|tes|se** *w.11* unverheiratete Tochter eines Grafen

Kom|tur [lat.] *m.1* **1** Ordensritter und Inhaber einer Komturei; **2** Inhaber eines Ordens höherer Klasse; **Kom|tu|rei** *w.10* einem Komtur zur Verwaltung übertragenes Gebiet, Kommende

kon..., Kon..., kom..., Kom..., kol..., Kol... [lat.] *in Zus.:* mit..., Mit..., z.B. kollaborieren, Konrektor

Ko|nak [türk.] *m.1 in der Türkei:* Amtsgebäude, Palast

Kon|cha [griech.-lat.] *w.Gen. - Mz.* -chen, Con|cha *Mz.*-s *oder* -chen, **Kon|che,** Con|che *w.11* **1** die Halbkuppel der Apsis; **2** *auch* = Apsis; **3** Muschelschale; **4** muschelförmiger Organteil; **5** Maschine zur Veredelung von Schokolade

Kon|chi|fe|re [lat.] *w.1* Weichtier mit Schale; **kon|chi|form** muschelförmig; **Kon|cho|i|de** *w.11* Muschellinie, aus zwei Zweigen bestehende mathemat. Kurve; **Kon|cho|skop** *auch:* **Kon|chos|kop** [lat. + griech.] *s.1* Gerät mit Spiegel zur Untersuchung des Naseninnern; **Kon|chy|lie** [-ljə, griech.] *w.11* Schale der Weichtiere; **Kon|chy|li|o|lo|gie** *w.11 nur Ez.* Weichtierkunde **Kon|dem|na|ti|on** [lat.] *w.10* **1** *veraltet:* Verurteilung, Verdammung; **2** vom Ortsgericht festgestellte Notwendigkeit, ein auf Fahrt befindl. Schiff zu verkaufen, da es seeuntüchtig oder reparaturbedürftig ist; **kon|dem|nie|ren** *tr.3*

Kon|den|sat [lat.] *s.1* aus dem Dampfzustand in flüssigen Zustand übergehender und sich so niederschlagender Stoff; **Kon|den|sa|ti|on** *w.10* **1** *Phys.:* Übergang vom gas- oder dampfförmigen in flüssigen Zustand, Verdichtung; **2** *Chem.:* Zusammentritt mehrerer Moleküle zu einem einzigen unter Abspaltung kleinerer Moleküle; **Kon|den|sa|ti|ons|dampf|ma|schi|ne** *w.11;* **Kon|den|sa|ti|ons|kern** *m.1* kleinstes Teilchen in der Atmosphäre, an dem sich bei Verdichtung von Wasserdampf zu Nebel und Wolken die Feuchtigkeit niederzuschlagen beginnt; **Kon|den|sa|ti|ons|punkt** *m.1* Punkt, an dem ein Stoff vom gas- oder dampfförmigen in den flüssigen Zustand übergeht; **Kon|den|sa|tor** *m.13* **1** Gerät zum Verflüssigen von Dampf; **2** Gerät zum Speichern kleiner Elektrizitätsmengen; **kon|den|sie|ren** **1** *tr.3* verflüssigen, verdichten; **2** *intr.3* flüssig werden; **Kon|dens|milch** *w.Gen. - nur Ez.* kondensierte Milch, eingedickte und sterilisierte Milch; **Kon|den|sor** *m.13* **1** Sammellinse; **2** Verdichter, Verstärker; **Kon|dens|strei|fen** *m.7* durch Abgase eines Flugzeugs entstehender Streifen kondensierten Wasserdampfes am Himmel; **Kon|dens|was|ser** *s.Gen.*-s *nur Ez.* bei Kondensation entstehendes Wasser

kon|di|tern [lat.] *intr.1* **1** als Konditor arbeiten; **2** *ugs.:* in einer Konditorei einkehren

Kon|di|ti|on [lat.] *w.10* **1** Bedingung; **2** Beschaffenheit, Zustand, körperl. Verfassung (eines Sportlers); in guter, schlechter K. sein; **kon|di|ti|o|nal** bedingend, bedingungsweise (geltend); **Kon|di|ti|o|nal** *m.1,* **Kon|di|ti|o|na|lis** *m.Gen. - Mz.*-les [-le:s] Form des Verbs, die eine Bedingung ausdrückt, Bedingungsform (im Dt. durch den Konjunktiv ersetzt); **Kon|di|ti|o|na|lis|mus,** Kon|di|ti|o|nis|mus *m.Gen. - nur Ez.* philosoph. Lehre, die an die Stelle der Ursache die Bedingung setzt; **Kon|di|ti|o|na|list** *m.10;* **kon|di|ti|o|na|lis|tisch; Kon|di|ti|o|nal|satz** *m.2* Nebensatz, der eine Bedingung enthält, Bedingungssatz; **kon|di|ti|o|nie|ren** **1** *tr.3* den Feuchtigkeitsgehalt ermitteln (von Textilien) bzw. verringern (von Getreide); **2** *intr.3, veraltet:* in Diensten stehen; **Kon|di|ti|o|nis|mus** *m.Gen. - nur Ez.* = Konditionalismus; **Kon|di|ti|ons|trai|ning** [-trɛ:-] *s.9* allgemeines Training zur Erhaltung und Steigerung der körperl. Leistungsfähigkeit

Kon|di|tor [lat.] *m.13* Feinbäcker, Zuckerbäcker; **Kon|di|to|rei** *w.10* Feinbäckerei, meist zugleich Café; **Kon|di|tor|wa|ren** *w.11 Mz.*

Kon|do|lenz [lat.] *w.10 nur Ez.* Beileid, Beileidsbezeigung; **Kon|do|lenz|be|such** *m.1;* **Kon|do|lenz|brief** *m.1;* **kon|do|lie|ren** *intr.3* sein Beileid aussprechen

Kon|dom [frz.] *s.1* Empfängnis oder Ansteckung verhütende Gummihülle für das männl. Glied

Kon|do|mi|nat [lat.] *s.1,* **Kon|do|mi|ni|um** *s.Gen.*-s *Mz.* -ni|en **1** Herrschaft mehrerer Staaten über dasselbe Gebiet; **2** dieses selbst

Kon|dor [peruan.] *m.1* riesiger Geier Südamerikas

Kon|dot|tie|re [-tjɛrə, ital.] *m.Gen.*-s *Mz.*-ri, *14./15. Jh.:* ital. Söldnerführer

Kon|duite [-dyi̱t, frz.] *w.11 nur Ez., veraltet:* Betragen, Führung

Kon|dukt [lat.] *s.1* feierliches Geleit, Gefolge (bes. bei Leichenzügen); **Kon|duk|tanz** *w.10 nur Ez., Elektr.:* Wirkleitwert; **Kon|duk|teur** [-tør, frz.] *m.1, veraltet, noch schweiz.:* Schaffner; **Kon|duk|to|me|trie** *auch:* **-met|rie** *w.11 nur Ez.* ein Verfahren der elektrochem. Analyse; **Kon|duk|tor** *m.13* **1** Hauptleiter der Elektrisiermaschine; **2** Überträger einer Erbkrankheit, der selbst gesund ist

Kon|du|ran|go [indian.] *w.9* Rinde eines südamerik. Kletterstrauchs, liefert ein Magenheilmittel

Kon|dy|lom [griech.] *s.1* Wucherung besonders an feuchten

► = wird zu

Hautstellen, z.B. an After u. Geschlechtsteilen, Feigwarze

Kon|fekt [lat.] *s. 1 nur Ez.* Süßigkeiten, Pralinen; **Kon|fek|ti|on** *w. 10* **1** industrielle Herstellung von Oberbekleidung, auch Wäsche; **2** Bekleidungsindustrie; **Kon|fek|ti|o|när** *m. 1* Leiter oder leitender Angestellter eines Konfektionsbetriebes; **Kon|fek|ti|o|neu|se** [-nø-] *w. 11* weibl. Konfektionär; **kon|fek|ti|o|nie|ren** *tr. 3* fabrikmäßig herstellen; **Kon|fek|ti|ons|ge|schäft** *s. 1;* **Kon|fek|ti|ons|klei|dung** *w. 10 nur Ez.* Fertigkleidung

Kon|fe|renz [lat.] *w. 10* Beratung, Besprechung, Sitzung; **kon|fe|rie|ren** *intr. 3* sich beraten, eine Konferenz (über etwas) abhalten; über etwas k.: etwas beraten, besprechen

Kon|fes|si|on [lat.] *w. 10* **1** Glaubensbekenntnis; **2** Bekenntnisschrift; Augsburger K.; **3** Glaubensgemeinschaft mit eigenem Glaubensbekenntnis; **Kon|fes|si|o|na|li|sie|rung** *w. 10 nur Ez.* Durchsetzung einer bestimmten Konfession; **Kon|fes|si|o|na|lis|mus** *m. Gen. - nur Ez.* **1** Festhalten an, Beharren auf einem Glaubensbekenntnis; **2** theolog. Richtung, die dies für unerlässlich hält; **Kon|fes|si|o|na|list** *m. 10;* **kon|fes|si|o|na|lis|tisch; kon|fes|si|o|nell** eine Konfession betreffend, zu ihr gehörig; **kon|fes|si|ons|los; Kon|fes|si|ons|lo|sig|keit** *w. 10 nur Ez.;* **Kon|fes|si|ons|schu|le** *w. 11* = Bekenntnisschule

Kon|fet|ti [ital.] *s. 9 nur Ez.* **1** bunte Papierblättchen, die an Fasching und Silvester geworfen werden; **2** *österr. auch:* Zuckerwaren

Kon|fi|dent [lat.] *m. 10 veraltet:* Vertrauter, enger Freund; **kon|fi|den|ti|ell** [-tsjɛl] *veraltet:* vertraulich; **Kon|fi|denz** *w. 10 nur Ez., veraltet:* **1** Vertrauen, Zutrauen, Zuversicht; **2** Vertraulichkeit, Vertrautheit

Kon|fi|gu|ra|ti|on [lat.] *w. 10* **1** *veraltet:* Gestaltung; **2** Stellung (von Gestirnen); **3** Gruppierung (von Atomen im Molekül); **4** Verformung (des kindl. Schädels bei der Geburt); **kon|fi|gu|rie|ren** *tr. 3* **1** gestalten; **2** verformen

Kon|fi|na|ti|on [lat.] *w. 10* Aufenthaltsbeschränkung, Zuweisung eines bestimmten Ortes als Aufenthalt für eine Person, den sie nicht verlassen darf; **kon|fi|nie|ren** *tr. 3* **1** beschränken, begrenzen; **2** jmdn. k.: jmds. Aufenthaltsort begrenzen; **Kon|fi|ni|tät** *w. 10 nur Ez., veraltet:* das Angrenzen, Grenznachbarschaft; **Kon|fi|ni|um** *s. Gen.* -s *Mz.* -ni|en, *veraltet:* Grenze, Grenzland

Kon|fir|mand [lat.] *m. 10, evang. Kirche:* Jugendlicher, der konfirmiert werden soll; **Kon|fir|man|den|stun|de** *w. 11,* **Kon|fir|man|den|un|ter|richt** *m. 1;* **Kon|fir|man|din** *w. 10;* **Kon|fir|ma|ti|on** *w. 10, evang. Kirche:* Aufnahme des Jugendlichen in die Gemeinschaft der Erwachsenen, verbunden mit der Zulassung zum Empfang des Abendmahls und der Berechtigung, Patenschaften zu übernehmen; **kon|fir|mie|ren** *tr. 3;* jmdn. k.: jmdm. die Konfirmation erteilen, ihn einsegnen

Kon|fi|se|rie, Con|fi|se|rie [frz.] *w. 11, schweiz.* **1** Konditorei; **2** feines Backwerk; **Kon|fi|seur,** Con|fi|seur [-søɐ] *m. 1, schweiz.:* Konditor

Kon|fis|ka|ti|on [lat.] *w. 10* Beschlagnahme, entschädigungslose Enteignung (durch Staat oder Behörde); **kon|fis|zie|ren** *tr. 3* beschlagnahmen

Kon|fi|tent [lat.] *m. 10 veraltet:* Beichtkind, Beichtender; **Kon|fi|te|or** *s. Gen.* -s *nur Ez.* Sündenbekenntnis (Teil des kath. Messgebets)

Kon|fi|tü|re [lat.-frz.] *w. 11* Fruchtmus mit Fruchtstücken

kon|fli|gie|ren [lat.] *intr. 3, veraltet:* in Konflikt geraten; **Kon|flikt** *m. 1* Streit, Auseinandersetzung; bewaffneter, innerer K.; **Kon|flikt|kom|mis|si|on** *w. 10, ehem. DDR:* von der Belegschaft staatlicher Betriebe und Einrichtungen gewähltes Gericht zur Regelung einfacher Zivil- und Strafrechtsangelegenheiten; **Kon|flikt|si|tu|a|ti|on** *w. 10;* **Kon|flikt|stoff** *m. 1*

Kon|flu|enz [lat.] *w. 10,* Konflux *m. 1* Zusammenfluss (zweier Ströme); **kon|flu|ie|ren** *intr. 3* zusammenfließen; **Kon|flux** *m. 1* = Konfluenz

Kon|fö|de|ra|ti|on [lat.] *w. 10* Bündnis, Staatenbund; **kon|fö|de|rie|ren** *intr. 3* sich zusammenschließen, sich verbünden

kon|fo|kal [lat.] den gleichen Brennpunkt besitzend, mit gleichem Brennpunkt

kon|form [lat.] übereinstimmend, einig, gleich gesinnt; k. gehen *ugs.:* sich einig sein, übereinstimmen; **kon|for|mie|ren** *tr. 3* konform machen, in Übereinstimmung bringen; **Kon|for|mis|mus** *m. Gen. - nur Ez.* Streben nach Gleichförmigkeit, Streben, sich stets (an die gegebenen Verhältnisse) anzupassen; **Kon|for|mist** *m. 10;* **kon|for|mis|tisch; Kon|for|mi|tät** *w. 10 nur Ez.* **1** Gleichförmigkeit, Übereinstimmung; **2** Winkel- und Maßstabtreue

Kon|fra|ter [lat.], Con|fra|ter *m. Gen.* -s *Mz.* -tres Amtsbruder, Mitbruder; **Kon|fra|ter|ni|tät** *w. 10 nur Ez.* Amts-, Mitbruderschaft

Kon|fron|ta|ti|on [lat.] *w. 10* Gegenüberstellung (von Beschuldigten und/oder Zeugen); **kon|fron|tie|ren** *tr. 3* gegenüberstellen; jmdn. mit jmdm. k.; **Kon|fron|tie|rung** *w. 10*

kon|fun|die|ren [lat.] *tr. 3* verwirren, verwechseln; **kon|fus** verwirrt (Person), verworren, unklar (Sache, Gerede); **Kon|fu|si|on** *w. 10* Verwirrung, Durcheinander

Kon|fu|zi|a|ner *m. 5* Anhänger der Lehre des Konfuzius; **kon|fu|zi|a|nisch; Kon|fu|zi|a|nis|mus** *m. Gen. - nur Ez.* die Sozial- und Morallehre des Konfuzius

kon|ge|ni|al [lat.] geistesverwandt, geistig ebenbürtig; **Kon|ge|ni|a|li|tät** *w. 10 nur Ez.*

Kon|ges|ti|on [lat.] *w. 10* Blutandrang; **kon|ges|tiv** auf Kongestion beruhend, damit verbunden

Kon|glo|me|rat *auch:* **Kong|lo-** [lat.] *s. 1* **1** Gemenge, Zusammengewürfeltes, unsystematisch Zusammengetragenes; **2** aus Geröllen, die durch ein Bindemittel miteinander verschmolzen sind, bestehendes Sedimentgestein; *Ggs.:* Agglomerat; **kon|glo|me|ra|tisch** *auch:* **kong|lo-**

Kon|glu|ti|na|ti|on *auch:* **Kong|lu-,** *w. 10* Zusammenballung (v. Bakterien)

Kon|go 1 *m. Gen.* -(s) Strom in

Afrika; **2** Republik in Zentralafrika; **Kon|go|le|se** *m. 11* Einwohner der Republik Kongo; **kon|go|le|sisch**

Kon|gre|ga|ti|on *auch:* **Kong|re-** [lat.] *w. 10* **1** *allg.:* Vereinigung; **2** *kath. Kirche:* Vereinigung mit einfacher oder keiner Mönchsregel; Verband mehrerer Klöster innerhalb eines Ordens; **Kon|gre|ga|ti|o|na|list** *auch:* **Kong|re-** *m. 10* = Independent; **Kon|gre|ga|ti|o|nist** *auch:* **Kong|re-** *m. 10* Angehöriger einer Kongregation

Kon|greß ► **Kon|gress** [lat.] *m. 1* **1** polit. oder fachl. Versammlung, Tagung; **2** *in den USA:* Volksvertretung im Parlament; **Kon|greß|hal|le** ► **Kon|gress|hal|le** *w. 11;* **Kon|greß|saal** ► **Kon|gress|saal** *m. Gen.* -(e)s *Mz.* -säl|le

kon|gru|ent *auch:* **kong|ru|ent** [lat.] **1** übereinstimmend (Ansichten); **2** *Math.:* deckungsgleich (bes. Dreiecke); *Ggs.:* inkongruent; **3** *Math.:* bei Teilung durch dieselbe Zahl den gleichen Rest ergebend (von Zahlen); **Kon|gru|enz** *auch:* **Kong|ru|enz** *w. 10 nur Ez.* **1** Übereinstimmung; **2** *Math.:* Deckungsgleichheit; *Ggs.:* Inkongruenz; **3** *Gramm.:* Übereinstimmung zusammengehöriger Satzteile in Numerus, Genus oder Kasus; **Kon|gru|enz|satz** *auch:* **Kong|ru-** *m. 2* Lehrsatz, der definiert, wann zwei Dreiecke kongruent sind; **kon|gru|ie|ren** *auch:* **kong|ru-** *intr. 3* **1** übereinstimmen; **2** *Math.:* sich decken

Ko|ni|die [-djə, griech.] *w. 11* Spore, Fortpflanzungszelle vieler Pilze

Ko|ni|fe|re [lat.], **Co|ni|fe|re** *w. 11 meist Mz.* = Nadelbaum

Kö|nig *m. 1;* die Heiligen Drei Könige; **Kö|ni|gin** *w. 10;* **Kö|ni|gin|mut|ter** *w. 6* Mutter eines Königs oder einer Königin; **Kö|ni|gin|wit|we** *w. 11* Witwe eines Königs; **kö|nig|lich;** *Großschreibung in Titeln,* z. B. Königliche Hoheit; **Kö|nig|reich** *s. 1;* **Kö|nigs|ad|ler** *m. 5;* **kö|nigs|blau** kobaltblau; **Kö|nigs|hof** *m. 2;* **Kö|nigs|ker|ze** *w. 11* eine Zier- und Heilpflanze (Hustenmittel); **Kö|nigs|kind** *s. 3;* **Kö|nigs|ko|bra** *auch:* **-kob|ra** *w. 9* größte Giftschlange; **Kö|nigs|kro|ne** *w. 11;* **Kö|nigs|ku|chen** *m. 7;* **Kö|nigs|schlan|ge** *w. 11* = Abgottschlange; **Kö|nigs|schloß** ► **Kö|nigs|schloss** *s. 4;* **Kö|nigs|sohn** *m. 2;* **Kö|nigs|thron** *m. 1;* **Kö|nigs|ti|ger** *m. 5;* **Kö|nigs|toch|ter** *w. 6;* **kö|nigs|treu;** **Kö|nigs|was|ser** *s. Gen.* -s *nur Ez.* Mischung aus Salzsäure und Salpetersäure, löst Edelmetalle; **Kö|nigs|wür|de** *w. 11;* **Kö|nig|tum** *s. Gen.* -s *nur Ez.*

Ko|ni|in [griech.] *s. 1 nur Ez.* ein giftiges Alkaloid aus dem Schierling

ko|nisch [lat.] kegelförmig; **Ko|ni|zi|tät** *w. 10 nur Ez.* Kegelform

Kon|jek|ta|ne|en [auch: -ta-, lat.] *Mz.* Sammlung von Bemerkungen, Einfällen; **Kon|jek|tur** *w. 10* **1** *veraltet:* Mutmaßung, Vermutung; **2** vermutlich richtige Lesart oder Verbesserung (eines unvollständig überlieferten Textes); **kon|jek|tu|ral** auf Konjektur beruhend; **kon|ji|zie|ren** *tr. 3* **1** *veraltet:* vermuten; **2** mit Konjekturen versehen

kon|ju|gal [lat.] *veraltet:* ehelich; **Kon|ju|ga|ten** *Mz.* Jochalgen, Grünalgen; **Kon|ju|ga|ti|on** *w. 10* **1** Abwandlung (der Verben), Beugung; **2** vorübergehende Vereinigung zweier Einzeller zwecks Kernaustausch (Fortpflanzung); **kon|ju|gie|ren** *tr. 3* **1** *veraltet:* verbinden; **2** *Gramm.:* beugen, abwandeln (Verb); **kon|jun|gie|ren** *tr. 3, veraltet:* verbinden, vereinigen; **Kon|junk|ti|on** *w. 10* **1** Wort, das zwei Sätze oder Satzteile miteinander verknüpft, Bindewort, z. B. und, weil; **2** Stellung zweier Planeten oder eines Planeten und der Sonne im gleichen Längengrad; **3** Einheit zweier durch »und« verbundener Begriffe; *Ggs.:* Disjunktion (**3**); **kon|junk|ti|o|nal** durch eine Konjunktion (**1**) ausgedrückt; **Kon|junk|ti|o|nal|satz** *m. 2* durch eine Konjunktion (**1**) eingeleiteter Satz; **kon|junk|tiv** [auch: -tif] verbindend; *Ggs.:* disjunktiv; **Kon|junk|tiv** *m. 1* Form des Verbs, die einen Sachverhalt als möglich oder erwünscht darstellt, Möglichkeitsform, z. B. ich liefe, ich sei, ich wäre gelaufen, ich hätte geschlafen; vgl. Indikativ; **Kon|junk|ti|va** *w. Gen. - nur Ez.* Bindehaut (des Auges); **kon|junk|ti|visch** im Konjunktiv (gebraucht); **Kon|junk|ti|vi|tis** [-vi-] *w. Gen. - Mz.* -ti|den Bindehautentzündung; **Kon|junk|tur** *w. 10* Wirtschaftslage mit bestimmter Tendenz, z. B. steigende, fallende K., Hochkonjunktur; **kon|junk|tu|rell** die Konjunktur betreffend, auf ihr beruhend; **Kon|junk|tur|po|li|tik** *w. 10 nur Ez.;* **Kon|junk|tur|rit|ter** *m. 5* jmd. der sich dem jeweils Mächtigsten anschließt

Kon|ju|ra|ti|on *w. 10, veraltet:* Verschwörung

kon|kav [lat.] nach innen gewölbt (Linse); *Ggs.:* konvex; **Kon|ka|vi|tät** *w. 10 nur Ez.* konkave Beschaffenheit, Krümmung nach innen; **Kon|kav|lin|se** *w. 11;* **Kon|kav|spie|gel** *m. 5* Hohlspiegel

> **Konkla-, Konklu-, Konkre-** (Worttrennung): Neben der bisher üblichen Trennmöglichkeit *(Kon|kla-, Kon|klu-, Kon|kre-)* kann auch so abgetrennt werden: *Konk|la-, Konk|lu-, Konk|re-.* → § 108

Kon|kla|ve [lat.] *w. 11* **1** von der Außenwelt streng abgeschlossener Versammlungsraum der Kardinäle zur Papstwahl; **2** die Versammlung selbst

kon|klu|dent [lat.] eine bestimmte Schlussfolgerung zulassend, schlüssig; **kon|klu|die|ren** *tr. 3* schließen, folgern; **Kon|klu|si|on** *w. 10* Schlussfolgerung; **kon|klu|siv** auf einer Konklusion beruhend, folgernd, schließend

kon|kor|dant [lat.] **1** übereinstimmend; **2** *Geol.:* gleichgelagert; *Ggs.:* diskordant; **Kon|kor|danz** *w. 10* **1** Übereinstimmung; *Ggs.:* Diskordanz; **2** alphabet. Zusammenstellung der in einem Buch vorkommenden Wörter (mit Belegstellen, Verbalkonkordanz) oder der inhaltlich übereinstimmenden Stellen (Realkonkordanz), z. B. Bibelkonkordanz; **3** übereinstimmendes Merkmal; **4** Lagerung von Gesteinsschichten ohne Störungen oder Verwerfungen; **5** *Buchw.:* Maßeinheit von 4 Cicero = 48 Punkt; **Kon|kor|dat** *s. 1* **1** Übereinkunft; **2** Abkommen zwischen einem Staat und dem Papst; **3** *schweiz.:* Abkommen zwischen Kantonen; **Kon|kọr|dia** *w. Gen. - nur Ez.* Eintracht (Vereinsname); **Kon|kọr|di|en|buch** *s. 4* Sammlung der Bekenntnisschriften der luther. Kirche; **Kon|kọr|di|en|for|mel** *w. 11* letzte Bekenntnisschrift der luther. Kirche 1577

Kon|kre|mẹnt [lat.] *s. 1* körnige, sich aus Körperflüssigkeit abscheidende Substanz in Hohlorganen, z. B. Nierenstein

Kon|kres|zẹnz [lat.] *w. 10 nur Ez., veraltet:* das Zusammenwachsen

kon|kret [lat.] wirklich, gegenständlich, anschaulich, sinnlich wahrnehmbar; *Ggs.:* abstrakt; **Kon|kre|ti|on** *w. 10* **1** Verdichtung, Vergegenständlichung; **2** *Med.:* Verwachsung; Steinbildung; **3** kugelige Zusammenballung mineralischer Substanzen im Gestein; **kon|kre|ti|sie|ren** *tr. 3* anschaulich, gegenständlich machen; **Kon|kre|ti|sie|rung** *w. 10 nur Ez.* Veranschaulichung, Vergegenständlichung; **Kon|kre|tum** *s. Gen.* -s *Mz.* -ta Substantiv, das etwas sinnlich Wahrnehmbares bezeichnet, Sachdingwort; *Ggs.:* Abstraktum

Kon|ku|bi|nat [lat.] *s. 1, veraltet:* eheähnliches Zusammenleben ohne gesetzliche Eheschließung, wilde Ehe; **Kon|ku|bi|ne** *w. 11* Geliebte, Mätresse, Nebenfrau

Kon|ku|pis|zẹnz [lat.] *w. 10* Verlangen, Begierde, Begehrlichkeit

Kon|kur|rẹnt [lat.] *m. 10* Mitbewerber, jmd., der mit jmdm. im Wettbewerb steht; **Kon|kur|rẹnz** *w. 10* **1** Wettstreit, (bes. wirtschaftlicher) Wettbewerb; **2** Zusammentreffen zweier strafbarer Handlungen; **kon|kur|rẹnz|fä|hig; Kon|kur|rẹnz|fä|hig|keit** *w. 10 nur Ez.;* **kon|kur|ren|zie|ren** *intr. 3, schweiz. neben:* konkurrieren; **Kon|kur|rẹnz|kampf** *m. 2;* **kon|kur|rẹnz|los; Kon|kur|rẹnz|un|ter|neh|men** *s. 7;* **kon|kur|rie|ren** *intr. 3* **1** mit jmdm. k.: jmdm. Konkurrenz machen, mit jmdm. im Wettbewerb stehen; **2** mit etwas k.: mit etwas zusammentreffen (Straftaten)

Kon|kụrs [lat.] *m. 1* **1** Einstellung der Zahlungen; Zahlungsunfähigkeit; in K. gehen; K. anmelden; **2** Konkursverfahren; den K. eröffnen; **Kon|kụrs|er|öff|nung** *w. 10;* **Kon|kụrs|gläu|bi|ger** *m. 5;* **Kon|kur|sit** *m. 10, schweiz.:* jmd., der in Konkurs gegangen ist; **Kon|kụrs|mas|se** *w. 11* das Vermögen der zahlungsunfähigen Firma; **Kon|kụrs|ver|fah|ren** *s. 7;* **Kon|kụrs|ver|wal|ter** *m. 5*

kọn|nen *tr. 72;* ich habe es gekonnt; *aber:* ich habe es nicht sagen können; **Kọn|ner** *m. 5*

Kon|ne|ta|bel [lat.-frz.] *m. 9, in Frankr.* **1** *urspr.:* Stallmeister, Befehlshaber der Reiterei; **2** *bis Anfang des 17. Jh.:* Oberbefehlshaber des Heeres unter dem König

Kon|nẹx [lat.] *m. 1* **1** Verbindung, Zusammenhang; **2** *ugs.:* Kontakt (mit Personen); ich habe wenig, keinen K. mit ihnen; **Kon|ne|xi|on** *w. 10* einflussreiche Bekanntschaft, förderliche Verbindung

kon|ni|vent [-vẹnt, lat.] nachsichtig, duldsam (bes. gegenüber strafbaren Handlungen von Untergebenen); **Kon|ni|vẹnz** *w. 10 nur Ez.* Nachsicht, Duldsamkeit; **kon|ni|vie|ren** [-vi-] *tr. 3* dulden, übersehen

Kon|nos|se|mẹnt [frz.] *s. 1, Seew.:* Frachtbrief, Ladeschein

Kon|no|ta|ti|on [lat.] *w. 10, Sprachw.:* assoziative Begleitvorstellung eines Wortes; **kon|no|ta|tiv**

kon|nu|bi|al [lat.] die Ehe betreffend, auf ihr beruhend; **Kon|nu|bi|um** *s. Gen.* -s *Mz.* -bi|en Ehe, Ehegemeinschaft

Ko|no|id [lat.] *m. 1* kegelähnlicher Körper

Kon|quis|ta|dor [-ki-, span.] *m. 12* span. Eroberer Mittel- und Südamerikas im 16. Jh.

Kọn|rek|tor [lat.] *m. 13* Vertreter des Rektors

Kon|san|gu|i|ni|tät [lat.] *w. 10, veraltet:* Blutsverwandtschaft

Kon|seil [kõsɛɪ, frz.] *m. 9* **1** Rat, Ratsversammlung, Staats-, Ministerrat; **2** Beratung

Kon|se|kra|ti|on [lat.] *w. 10, kath. Kirche* **1** Weihe (von Personen oder Sachen); **2** Wandlung (von Brot und Wein beim Messopfer); **kon|se|krie|ren** *tr. 3* weihen

kon|se|ku|tiv [lat.] folgend, Folge...; **Kon|se|ku|tiv|satz** *m. 2* Nebensatz, der die Folge des im Hauptsatz genannten Vorgangs ausdrückt, Folgesatz

Kon|sẹns [lat.] *m. 1* Genehmigung, Bewilligung, Einwilligung, Zustimmung; **kon|sen|su|ẹll** übereinstimmend; **kon|sen|tie|ren** *tr. 3;* etwas k.: in etwas einwilligen, seine Zustimmung zu etwas geben

kon|se|quẹnt [lat.] **1** folgerichtig, grundsatztreu; **2** beständig, beharrlich; *Ggs.:* inkonsequent; **Kon|se|quẹnz 1** *w. 10* Folge; seine Konsequenzen aus etwas ziehen; die Konsequenzen von etwas tragen; **2** *nur Ez.* Folgerichtigkeit; Beharrlichkeit; *Ggs.:* Inkonsequenz

Kon|ser|va|ti|on *w. 10* Pflege und Instandhaltung (von Kunstwerken); **Kon|ser|va|tịs|mus, Kon|ser|va|ti|vịs|mus** *m. Gen. - nur Ez.* Einstellung, Haltung, die am Bestehenden, am Hergebrachten festhält; **kon|ser|va|tiv** am Bestehenden, Hergebrachten festhaltend, es bejahend; **Kon|ser|va|ti|ve(r)** *m. 18(17)* Anhänger, Mitglied einer konservativen Partei; **Kon|ser|va|ti|vịs|mus** *m. Gen. - nur Ez.* = Konservatismus; **Kon|ser|va|tor** [-va-] *m. 13, in Museen und Denkmalspflege:* Beamter, der für die Instandhaltung von Kunstwerken und Ausstellungsstücken zu sorgen hat; **kon|ser|va|to|risch 1** pfleglich; **2** durch einen Konservator; **Kon|ser|va|to|rịst** *m. 10* Schüler an einem Konservatorium; **kon|ser|va|to|rịs|tisch** (auf dem Studium) an einem Konservatorium (beruhend); konservatoristisch ausgebildet, konservatoristische Ausbildung; **Kon|ser|va|to|ri|um** *s. Gen.* -s *Mz.* -ri|en hochschulartige Musikschule (heute oft einer Musikhochschule angegliedert); **Kon|sẹr|ve** *w. 11* durch Sterilisation haltbar gemachtes Obst, Gemüse, Fleisch usw. in Glas oder Blechdose; **Kon|sẹr|ven|büch|se** *w. 11;* **Kon|sẹr|ven|do|se** *w. 11;* **Kon|sẹr|ven|ver|gif|tung** *w. 10;* **kon|ser|vie|ren** [-vi-] *tr. 3* **1** haltbar machen, sterilisieren; **2** pflegen, instand halten (Kunstwerke); **Kon|ser|vie|rung** *w. 10*

Kon|si|gnạnt *auch:* **-sig|nạnt** [lat.] *m. 10, bes. im Überseehan-*

del: jmd., der eine Ware in Kommission gibt; **Kon|si|gna|tar, Kon|si|gna|tär** *auch:* **-sig|na-** *m. 1, bes. im Überseehandel:* jmd., der eine Ware zum Weiterverkauf in Kommission nimmt; **Kon|si|gna|ti|on** *auch:* **-sig|na-** *w. 10* **1** Anweisung zu einem bestimmten Zweck, Bestimmung; **2** *bes. im Überseehandel:* Kommissionsgeschäft, Übergabe einer Ware zum Weiterverkauf; **Kon|si|gna|ti|ons|gut** *auch:* **-sig|na-** *s. 4;* **Kon|si|gna|ti|ons|wa|re** *auch:* **-sig|na-** *w. 11;* **kon|si|gnie|ren** *auch:* **-sig|nie-** *tr. 3* **1** schriftlich beglaubigen, schriftlich niederlegen; **2** *bes. im Überseehandel:* zum Weiterverkauf übergeben; **3** mit bes. Auftrag absenden (Truppen, Schiff)

Kon|si|li|ar|arzt *m. 2,* **Kon|si|li|a|ri|us** [lat.] *m. Gen.* - *Mz.* -rii zur Beratung zugezogener Arzt; **Kon|si|li|um** *s. Gen.* -s *Mz.* -li|en Beratung (bes. mehrerer Ärzte über einen Krankheitsfall)

kon|sis|tent [lat.] **1** dicht, zusammenhängend, fest, dickflüssig; *Ggs.:* inkonsistent; **Kon|sis|tenz** *w. 10 nur Ez.* **1** Beschaffenheit (eines Stoffes) hinsichtlich der Struktur; **2** Verhalten (eines Stoffes) gegenüber Formveränderungen, Beständigkeit, Festigkeit, Dauerhaftigkeit; *Ggs.:* Inkonsistenz; **3** Dichte, Dickflüssigkeit, Zähigkeit

Kon|sis|to|ri|al|rat [lat.] *m. 2, Titel für* Mitglied eines Konsistoriums; **Kon|sis|to|ri|al|ver|fas|sung** *w. 10, evang. Kirche früher:* Verfassung, nach der die Verwaltung beim Konsistorium liegt; vgl. Synodalverfassung; **Kon|sis|to|ri|um** *s. Gen.* -s *Mz.* -ri|en **1** *evang. Kirche:* Verwaltungsbehörde (mit Ausschluss der Laien); vgl. Synode (**1**); 2 *kath. Kirche:* vom Papst geleitete Versammlung der Kardinäle

kon|skri|bie|ren *auch:* **kons|kri-** [lat.] *tr. 3, früher:* zum Heeresdienst ausheben, einschreiben; **Kon|skrip|ti|on** *auch:* **Kons|krip-** *w. 10, früher:* Aushebung zum Heeresdienst (mit der Möglichkeit des Loskaufs)

Kon|sol [lat.-engl.] *m. 9* Anteilschein an einer Staatsanleihe; **Kon|so|la|ti|on** [lat.] *w. 10, veraltet:* Trost, Beruhigung; **Kon|so|le** [lat.] *w. 11* **1** Mauervorsprung als Stütze für Bogen, Statuen u. a., Krage, Kragstein; **2** Wandbrett; **Kon|so|li|da|ti|on** *w. 10* **1** Sicherung, Festigung; **2** Umwandlung von kurzfristigen Staatsschulden in langfristige; **3** Zusammenlegung mehrerer Staatsanleihen; **4** Zusammenlegung von Grundstücken; **5** Verfestigung der Erdkruste durch Zusammenpressen und Faltung sowie Eindringen von Magma; **kon|so|li|die|ren** *tr. 3* **1** verfestigen, sichern; **2** zusammenlegen; **Kon|so|li|die|rung** *w. 10*

Kon|som|mee, Con|som|mé [kõsɔme, frz.] *w. 9 oder s. 9* Fleisch-, Kraftbrühe

kon|so|nant [lat.] zusammenstimmend, gut zusammenklingend; *Ggs.:* dissonant; **Kon|so|nant** *m. 10* Laut, der nicht selbst klingt, sondern nur mit Hilfe eines anderen ausgesprochen werden kann, z. B. b(e), (e)f, Mitlaut; vgl. Vokal; **kon|so|nan|tisch** Konsonanten betreffend, auf ihnen beruhend, mit, durch Konsonant(en); **Kon|so|nan|tis|mus** *m. Gen.* - *nur Ez.* **1** Bestand an Konsonanten (einer Sprache); **2** Bildung und histor. Entwicklung der Konsonanten; **Kon|so|nanz** *w. 10* **1** Häufung von Konsonanten; **2** harmonisches Zusammenklingen; *Ggs.:* Dissonanz

Kon|sor|te [lat.] *m. 11* **1** Mitglied eines Konsortiums; **2** *Mz., abfällig:* Mitbeteiligte, Mitschuldige; **Kon|sor|ti|um** [-tsjum] *s. Gen.* -s *Mz.* -ti|en [-tsjən] vorübergehender Zusammenschluss von Unternehmen zur Finanzierung größerer Geschäfte

Kon|spekt [lat.] *m. 1, veraltet:* **1** Übersicht, Überblick; **2** Aufzeichnung über etwas Gelesenes oder Gehörtes

Kon|spi|ku|i|tät [lat.] *w. 10 nur Ez., veraltet:* Anschaulichkeit, Klarheit

Kon|spi|rant [lat.] *m. 10* Verschwörer; **Kon|spi|ra|ti|on** *w. 10* Verschwörung; **kon|spi|rie|ren** *intr. 3* sich verschwören

Kon|sta|bler [engl.] *m. 5* **1** *früher:* Geschützmeister im Rang eines Unteroffiziers; **2** *noch in England und den USA:* Polizist

> **Konspe-, Konspi-, Konsta-, Konste-, Konsti-** (Worttrennung): Neben der bisher üblichen Trennmöglichkeit *(Konspe-, Kon|spi-, Kon|sta-, Konste-, Kon|sti-)* kann auch so abgetrennt werden: *Kons|pe-, Kons|pi-, Kons|ta-, Kons|te-, Kons|ti-.* → § 107, § 108, § 112

kon|stant [lat.] gleichbleibend, beständig, unveränderlich, unverändert; *Ggs.:* inkonstant; **Kon|stan|te** *w. 11* unveränderliche Größe, feststehender Wert

kon|stan|ti|nisch; *aber:* Konstantinische Schenkung; **Kon|stan|ti|no|pel** *früherer Name von* Istanbul; **Kon|stan|ti|no|po|li|ta|ner** *m. 5* Einwohner von Konstantinopel; **kon|stan|ti|no|po|li|ta|nisch**

Kon|stanz [lat.] *w. 10 nur Ez.* Unveränderlichkeit, Beständigkeit

kon|sta|tie|ren [lat.] *tr. 3* feststellen

Kon|stel|la|ti|on [lat.] *w. 10* **1** Zusammentreffen (von Umständen), bestimmte Lage, Situation; **2** Gruppierung von Gestirnen, ihre Stellung zueinander, zur Erde u. zur Sonne

Kon|ster|na|ti|on [lat.] *w. 10 nur Ez.* Bestürzung, Betroffenheit; **kon|ster|nie|ren** *tr. 3;* **kon|ster|niert** betroffen, bestürzt

Kon|sti|pa|ti|on [lat.] *w. 10* Darmverstopfung

kon|sti|tu|ie|ren [lat.] *tr. 3* bilden, gründen, einsetzen, festsetzen; konstituierende Versammlung; verfassunggebende V.; sich k.: zusammentreten; **Kon|sti|tut** *s. 1* fortgesetzter, wiederholter Vertrag; **Kon|sti|tu|ti|on** *w. 10* **1** Anordnung, Zusammensetzung; **2** Körperverfassung, Körperbeschaffenheit, Widerstandsfähigkeit; kräftige, zarte, schwache K.; **3** Anordnung der Atome im Molekül; **4** Rechtsbestimmung, Verordnung, Satzung; **5** Verfassung (eines Staates), Staatsgrundgesetz; **6** Konzilsbeschluss; **7** Erlass (des Papstes); **Kon|sti|tu|ti|o|na|lis|mus** *m. Gen.* - *nur Ez.* Regierungsform, in der die Gewalt des Staatsoberhauptes durch eine Verfassung beschränkt ist; **kon|sti|tu|ti|o|nell** **1** auf einer Konstitution beruhend, die Konstitution betreffend, z.B. konstitutionelle Krankheiten; **2** durch eine Konstitution beschränkt; konstitutionelle Monarchie; **Kon|sti|tu|ti|ons|typ** *m. 12* Grundform des menschlichen Körperbaus; leptosomer, pyknischer, athlet. K. (nach E. Kretzschmer); **kon|sti|tu|tiv** grundlegend, bestimmend, zum Wesen (einer Sache) gehörend, rechtsbegründend, ein Recht entstehen lassend

> **Konstri-, Konstru-** (Worttrennung): Dem/der Schreibenden bleibt überlassen, ob er/sie nach Wortbestandteilen *(Kon|stri-, Kon|stru-)* oder nach seiner/ihrer Aussprache trennt: *Kons|tri-, Kons|tru-* bzw. *Konst|ri-, Konst|ru-*. →§107, §108, §112

Kon|strik|ti|on [lat.] *w. 10* Abschnürung (von Blutgefäßen), Zusammenpressen, Zusammenziehung; **Kon|strik|tor** *m. 13* Schließmuskel; **kon|strin|gie|ren 1** *tr. 3* zusammenpressen, abschnüren; **2** *intr. 3* sich zusammenziehen

kon|stru|ie|ren [lat.] *tr. 3* **1** entwerfen; **2** bauen, zusammensetzen; **3** nach gegebenen Größen zeichnerisch darstellen; **4** einseitig darstellen (zu einem bestimmten Zweck); **Kon|struk|teur** [-tør] *m. 1* Erbauer, Gestalter; technischer Zeichner; **Kon|struk|ti|on** *w. 10* **1** Bauart, Gefüge, Aufbau; **2** Entwurf, Gestaltung; **3** *Geometrie:* zeichnerische Darstellung einer Figur mit gegebenen Größen; **4** *Philos.:* Aufbau eines Begriffssystems, Gedankengebäude; **5** einseitige Darstellung (zu einem bestimmten Zweck); **Kon|struk|ti|ons|bü|ro** *s. 9* Büro, in dem techn. Entwürfe angefertigt werden; **kon|struk|tiv** (richtig) aufbauend, zusammensetzend, (folgerichtig) entwickelnd; **Kon|struk|ti|vis|mus** *m. Gen. - nur Ez.* **1** *Malerei und Plastik:* die Konstruktionselemente (von Körpern) betonende Richtung; **2** *Musik:* den formalen Aufbau der Komposition betonende Richtung; **Kon|struk|ti|vist** *m. 10* Anhänger des Konstruktivismus; **kon|struk|ti|vis|tisch**

Kon|sul [lat.] *m. 14, im Röm. Reich und napoleon. Frankreich:* höchster Staatsbeamter; **2** *heute:* ständiger Vertreter eines Staates in einem anderen Staat; **Kon|su|lar|agent** *m. 10* Beauftragter eines Konsuls; **kon|su|la|risch** zum Konsul oder Konsulat gehörig, von ihnen ausgehend; **Kon|su|lat** *s. 1* Amt und Amtsgebäude eines Konsuls; **Kon|su|lent** *m. 10, veraltet, noch schweiz.:* Rechtsberater; **Kon|sult** *s. 1 veraltet:* Beschluss; **Kon|sul|tant** *m. 10* **1** fachmänn. Berater, Anleiter; **Kon|sul|ta|ti|on** *w. 10* **1** Beratung (durch einen Wissenschaftler), z.B. ärztl. K.; **2** gemeinsame Beratung (der Partner von Bündnissen); **kon|sul|ta|tiv** beratend; **kon|sul|tie|ren** *tr. 3;* jmdn. k.: jmds. fachmänn. Rat einholen, jmdn. (einen Fachmann) um Rat fragen; **Kon|sul|tor** *m. 13* Geistlicher als Berater eines Bischofs

Kon|sum [lat.] *m. 1 nur Ez.* **1** Verbrauch (von Bedarfsgütern, z.B. Lebensmitteln); **2** [meist: kon-] Konsumgenossenschaft sowie deren Verkaufsstelle; **Kon|su|ma|ti|on** *w. 10, schweiz.:* Verzehr, Zeche; **Kon|su|ment** *m. 10* Verbraucher; **Kon|sum|ge|nos|sen|schaft** *w. 10* Verbrauchergenossenschaft; genossenschaftl. Vereinigung, die den Ein- und Verkauf von Bedarfsgütern mit gewissen Vergünstigungen für ihre Mitglieder betreibt, Konsumverein; **Kon|sum|gü|ter** *s. 4 Mz.* Verbrauchsgüter; **kon|su|mie|ren** *tr. 3* verbrauchen; **Kon|su|mie|rung** *w. 10 nur Ez.;* **Kon|sump|ti|bi|li|en** *Mz.* Verbrauchsgüter; **Kon|sump|ti|on** *w. 10* = Konsumtion; **kon|sump|tiv** = konsumtiv; **Kon|sum|ti|on** *w. 10* **1** Konsum, Verbrauch; **2** *Med.:* Auszehrung; **3** Aufgehen einer Straftat in einer umfassenderen, z.B. Diebstahl in Raub; **kon|sum|tiv** für den Verbrauch bestimmt; **Kon|sum|ver|ein** *m. 1* = Konsumgenossenschaft

Kon|szi|en|ti|a|lis|mus *auch:* **Kons|zi-** [lat.] *m. Gen. - nur Ez.* Lehre, dass die Wirklichkeit nur im Bewusstsein vorhanden sei; **kon|szi|en|ti|a|lis|tisch** *auch:* **kons|zi-**

Kon|ta|gi|on [lat.] *w. 10* Ansteckung; **kon|ta|gi|ös** ansteckend; **Kon|ta|gi|o|si|tät** *w. 10 nur Ez.* Ansteckungsmöglichkeit; **Kon|ta|gi|um** *s. Gen.* -s *Mz.* -gi|en, *veraltet:* Ansteckungsstoff

Kon|takt [lat.] *m. 1* Berührung, Verbindung; **kon|takt|arm; Kon|takt|ar|mut** *w. 10 nur Ez.;* **kon|tak|ten** *intr. 2* kon|tak|tie|ren *intr. 3* Kontakte aufnehmen, neue Geschäftsverbindungen anknüpfen, als Kontakter tätig sein; **Kon|tak|ter** *m. 5* Werbefachmann in einem Betrieb oder einer Werbeagentur; **kon|takt|freu|dig; Kon|takt|freu|dig|keit** *w. 10 nur Ez.;* **kon|takt|ge|stört; Kon|takt|gift** *s. 1* durch Berührung wirkendes Gift; **Kon|takt|glä|ser** *s. 4 Mz.* = Haftschalen; **kon|tak|tie|ren** *intr. 3* = kontakten; **Kon|takt|in|fek|ti|on** *w. 10* Infektion durch Berührung; **Kon|takt|lin|sen** *w. 11 Mz.* = Haftschalen; **Kon|takt|mann** *m. 4* Verbindungsmann, der Erkundigungen einzieht und neue Kontakte knüpft; **Kon|takt|me|ta|mor|pho|se** *w. 11* Umwandlung des Nachbargesteins durch eindringendes geschmolzenes Tiefengestein; **Kon|takt|mi|ne|ral** *s. Gen.* -s *Mz.* -e *oder* -li|en durch Kontaktmetamorphose entstandenes Mineral; **Kon|takt|per|son** *w. 10* jmd., der mit einer an einer Infektionskrankheit leidenden Person in Berührung gekommen und daher ansteckungsverdächtig ist; **Kon|takt|schal|len** *w. 11 Mz.* = Haftschalen; **kon|takt|schwach; Kon|takt|schwä|che** *w. 11 nur Ez.*

Kon|ta|mi|na|ti|on [lat.] *w. 10* **1** Verschmelzung zweier Wörter oder Wortteile zu einem neuen Wort, z.B. »abnorm« und »anomal« zu »anormal«, »Laterne« und »Leuchte« zu »Latüchte«; **2** *Kerntechnik:* Verunreinigung durch radioaktive Stoffe; **3** *Med.:* Kontakt mit schädigenden Stoffen der Umwelt oder mit Krankheitserregern; **4** *Geol.:* Aufnahme von Fremdgestein durch Magma; **kon|ta|mi|nie|ren** *intr. 2*

kon|tant [ital.] bar, gegen Barzahlung; per k.: in bar; **Kon|tan|ten** *w. 11 Mz.* **1** bares Geld; **2** Geldsorten; **3** Münzen, die nicht als Zahlungsmittel dienen;

Kon|tant|ge|schäft *s. 1* Geschäft mit Barzahlung bei Lieferung
Kon|tem|pla|ti|on *auch:* **-temp|la-** [lat.] *w. 10* **1** *Mystik:* Versenkung in das Wort und Werk Gottes, betrachtendes Erkennen; **2** *allg.:* reine Anschauung, beschauliche Betrachtung, Beschaulichkeit; **kon|tem|pla|tiv** *auch:* **-temp|la-** betrachtend, anschauend, beschaulich
kon|tem|po|rär [lat.] gleichzeitig, zeitgenössisch
Kon|ten *Mz. von* Konto
Kon|te|nance [kɔ̃tənɑ̃s, frz.], Con|te|nance *w. 11 nur Ez.* Haltung, Fassung, Gelassenheit; die K. bewahren, verlieren
Kon|ten|plan *m. 2* systemat. Ordnung der Konten eines Betriebes in mehreren Klassen; **Kon|ten|rah|men** *m. 7* Schema zur systemat. Ordnung der Konten in verschiedenen Klassen
Kon|ten|ten [lat.] *Mz., Seew.:* Ladeverzeichnisse (von Schiffen); **kon|ten|tie|ren** [lat.] *tr. 3* zufrieden stellen, befriedigen (Ansprüche); bezahlen; **Kon|ten|tiv|ver|band** *m. 2* ruhig stellender Verband (bei Knochenbrüchen u. Ä.)
Kon|ter [lat.-engl.] *m. 5, Boxen u. a.:* aus der Verteidigung geführter Gegenschlag
Kon|ter|ad|mi|ral [frz.] *m. 1 oder m. 2* Seeoffizier im Rang eines Generalmajors; **Kon|ter|ban|de** *w. 11 nur Ez.* Schmuggelware; **Kon|ter|fei** *s. 1 oder 9, nur noch scherzh.:* Bild, Fotografie, Abbild, Porträt; **kon|ter|fei|en** *tr. 1* abbilden, ein Bild (von jmdm.) machen; **Kon|ter|ge|wicht** *s. 1* Gegengewicht; **kon|ter|ka|rie|ren** *tr. 3* behindern, hemmen, abblocken; **Kon|ter|mar|ke** *w. 11* Gegenstempel; **Kon|ter|mi|ne** *w. 11* **1** *Festungswesen:* Gegenmine; **2** *Börse:* mit Fallen der Kurse rechnende Spekulation; Maßnahme einer Börsenpartei gegen eine andere; **kon|ter|mi|nie|ren** **1** *tr. 3* mit einer Gegenmine versehen; **2** *intr. 3, Börse:* auf Baisse spekulieren; **3** *tr. 3, Börse:* Maßnahmen (gegen jmdn.) ergreifen; **kon|tern** **1** *tr. 1, Sport:* nach geglückter Abwehr einen Gegenschlag versetzen; **2** umdrehen, richtig stellen (seitenverkehrtes Bild); **3** *intr. 1* (im Gespräch) zurückschlagen, den Spieß umdrehen; **Kon|ter|re|vo|lu|ti|on** *w. 10* Gegenrevolution; **Kon|ter|re|vo|lu|ti|o|när** *m. 1* Gegenrevolutionär; **Kon|ter|tanz,** Kon|tre|tanz, Kont|re|tanz [kɔ̃trə-] *m. 2,* Kon|tre, Kont|re [kɔ̃trə] *m. 9, 18. Jh.:* Tanz zu je zwei oder vier einander gegenüberstehenden Paaren
kon|tes|ta|bel [lat.] *veraltet:* strittig, umstritten, anfechtbar; **kon|tes|tie|ren** *tr. 3, veraltet:* anfechten, bestreiten
Kon|text [lat.] *m. 1* der ein Wort umgebende Text, durch den oft die Bedeutung erst klar wird, Zusammenhang; **kon|tex|tu|ell** den Kontext betreffend; **Kon|tex|tur** *w. 10, veraltet:* Zusammenhang, Verbindung
Kon|ti *Mz. von* Konto; **kon|tie|ren** *tr. 3* in ein Konto eintragen, verbuchen; **Kon|tie|rung** *w. 10*
Kon|ti|gu|i|tät [lat.] *w. 10* Berührung (zeitl.) Zusammentreffen (von Erlebnissen)
Kon|ti|nent [lat.] *m. 1* **1** Festland; **2** Erdteil; **kon|ti|nen|tal** zu einem Kontinent gehörig, auf ihm vorkommend; **Kon|ti|nen|ta|li|tät** *w. 10 nur Ez.* Einfluss des Festlandes auf das Klima (je nach Entfernung von der Küste); **Kon|ti|nen|tal|kli|ma** *s. Gen.* -s *nur Ez.* Land-, Festlandsklima, Binnenklima; *Ggs.:* Seeklima; **Kon|ti|nen|tal|so|ckel** *m. 5* der Meeresboden um einen Kontinent in einer Tiefe bis zu 200 m, Festlandssockel, Schelf; **Kon|ti|nen|tal|sper|re** *w. 11 nur Ez.* die wirtschaftl. Absperrung Englands vom europ. Kontinent durch Napoleon I.
Kon|ti|nenz [lat.] *w. 10 nur Ez.* Fähigkeit, Stuhlgang und Harn zurückzuhalten
Kon|tin|gent [lat.] *s. 1* **1** festgelegte, begrenzte, zugeteilte Warenmenge; **2** Pflichtanteil, -beitrag (zu bestimmten Aufträgen); **3** Truppenstärke (eines Staates innerhalb einer Verteidigungsgemeinschaft) als Anteil am Gesamtheer; **kon|tin|gen|tie|ren** *tr. 3;* Waren k.: das Kontingent für Waren festsetzen; **Kon|tin|gen|tie|rung** *w. 10*
Kon|ti|nu|a|ti|on [lat.] *w. 10, veraltet:* Fortsetzung; **kon|ti|nu|ie|ren** *tr. 3 veraltet:* fortsetzen; **kon|ti|nu|ier|lich** stetig, ununterbrochen, fortdauernd; *Ggs.:* diskontinuierlich; **Kon|ti|nu|i|tät** *w. 10 nur Ez.* Stetigkeit, Fortdauer; *Ggs.:* Diskontinuität; **Kon|ti|nuo** *s. 9, eindeutschende Schreibung v.* Continuo; **Kon|ti|nu|um** *s. Gen.* -s *Mz.* -nua *oder* -nu|en etwas lückenlos Zusammenhängendes, z. B. Linie
Kon|to [ital.] *s. Gen.* -s *Mz.* -s *oder* -ten *oder* -ti Gegenüberstellung von Einnahmen und Ausgaben, Forderungen und Schulden; ein Konto bei einem Geldinstitut eröffnen, haben, löschen; **Kon|to|aus|zug** *m. 2* Mitteilung des Geldinstituts über den Stand des Kontos an dessen Inhaber; **Kon|to|buch** *s. 4;* **Kon|to|in|ha|ber** *m. 5;* **Kon|to|kor|rent** *s. 1* Verbindung zweier Geschäftspartner, bei der die beiderseitigen Leistungen und Forderungen in Form eines Kontos einander gegenübergestellt und regelmäßig abgerechnet werden; **Kon|to|kor|rent|buch|hal|ter** *m. 5;* **Kon|to|num|mer** *w. 11*
Kon|tor [frz.] *s. 1* Geschäftszimmer (eines Kaufmanns), Büro; **Kon|to|rist** *m. 10* Angestellter eines kaufmänn. Betriebes, der Büroarbeiten erledigt; **Kon|to|ris|tin** *w. 10*
Kon|tor|si|on [lat.] *w. 10* Verrenkung, gewaltsame Verdrehung (eines Gliedes); **Kon|tor|si|o|nist** *m. 10* Schlangenmensch (Artist)
Kon|to|stand *m. 2*
kon|tra [lat.], con|tra, gegen; **Kon|tra** *s. 9* **1** Entgegengesetztes; *Ggs.:* Pro; das Pro und das K.: das Für und das Wider; jmdm. K. geben: ihm energisch widersprechen; **2** *Kartenspiel:* Gegenansage; K. ansagen
kon|tra…, Kon|tra… [lat.] *in Zus.:* gegen…, Gegen…
Kon|tra|baß ► **Kon|tra|bass** *m. 2* Bassgeige; **Kon|tra|bas|sist** *m. 10*

> **Kontra-, Kontre-, Kontri-, Kontro-** (Worttrennung): Es bleibt dem/der Schreibenden überlassen, ob er/sie – wie üblich *(Kon|tra-, Kon|tre-, Kon|tri-, Kon|tro-)* – oder nach seiner/ihrer Aussprache trennt: *Kont|ra-, Kont|re-, Kont|ri-, Kont|ro-.* → § 107, § 108, § 112

Kon|tra|dik|ti|on [lat.] *w. 10* **1** Widerspruch; **2** *Logik:* Gegensatz zweier Begriffe oder Urteile; **kon|tra|dik|to|risch** gegensätzlich, widersprüchlich; kontradiktorische Urteile: Urteile, von denen jedes das andere verneint

Kon|tra|ha|ge [-ʒə, frz.] *w. 11* Forderung zum Duell

Kon|tra|hent [lat.] *m. 10* **1** Vertragspartner; **2** Gegner (beim Duell); **kon|tra|hie|ren** [zu: Kontraktion] *tr. 3* **1** zusammenziehen; **2** zum Duell fordern; **3** vereinbaren; **Kon|tra|hie|rungszwang** *m. 2 nur Ez.* gesetzl. Verpflichtung zum Abschluss eines Vertrages (bes. für öffentliche Verkehrs- und Versorgungsunternehmen)

Kon|tra|in|di|ka|ti|on [lat.] *w. 10* Gegenanzeige, Umstand, der eine an sich richtige Behandlung als nicht zweckmäßig erscheinen lässt; **kon|tra|in|diziert** nicht anwendbar, nicht zweckmäßig

kon|trakt [lat.] zusammengezogen, verkrümmt, gelähmt; **Kontrakt** *m. 1* Vertrag, Abkommen; **kon|trakt|brü|chig; kon|trak|til** zusammenziehbar; **Kon|trak|tili|tät** *w. 10 nur Ez.* Fähigkeit (eines Muskels), sich zusammenzuziehen; **Kon|trak|ti|on** [zu: kontrahieren] *w. 10* **1** Zusammenziehung (von Muskeln), Schrumpfung; **2** Zusammenziehung zweier Laute zu einem neuen Laut, z. B. »Dritteil« zu »Drittel«; **kon|trakt|lich** vertraglich, vertragsgemäß; **Kon|trak|tur** *w. 10* (dauernde) Verkürzung (eines Muskels), Verkrümmung

Kon|tra|post [lat.] *m. 1, bildende Kunst:* die unterschiedliche Gestaltung der beiden Körperhälften in Ruhe und Bewegung, bes. ausgedrückt im Ausgleich von Standbein und Spielbein

Kon|tra|punkt [lat.] *m. 1* das Nebeneinanderherführen mehrerer selbständiger Melodielinien; **kon|tra|punk|tie|rend; Kon|tra|punk|tik** *w. 10 nur Ez.* Lehre vom Kontrapunkt; **Kontra|punk|ti|ker** m. 5 Vertreter der auf dem Kontrapunkt beruhenden Kompositionsweise; **kon|tra|punk|tisch** auf dem Kontrapunkt beruhend, mit seiner Hilfe

kon|trär [lat.] gegensätzlich; **Kon|tra|ri|e|tät** [-rie-] *w. 10 nur Ez., veraltet* **1** Gegensätzlichkeit; **2** Hindernis

Kon|tra|se|lek|ti|on [lat.] *w. 10* Gegenauslese

Kon|tra|si|gna|tur *auch:* **-sig|na|tur** [lat.] *w. 10* Gegenzeichnung, Mitunterschrift; **kon|tra|si|gnie|ren** *auch:* **-sig|nie|ren** *tr. 3*

Kon|trast [lat.] *m. 1* Gegensatz, starker Unterschied, z. B. Farbkontrast; **kon|trast|arm; Kontrast|brei** *m. 1* ein Kontrastmittel in Form von Brei; **Kontrast|fil|ter** *m. 5* fotograf. Filter zum Verstärken von Farbkontrasten; **kon|tras|tie|ren** *intr. 3;* mit etwas k.: in Gegensatz zu etwas stehen, sich stark von etwas abheben; **Kon|trast|mit|tel** *s. 5* diagnostisches Hilfsmittel aus für Röntgenstrahlen undurchlässigem Stoff, das vor der Durchleuchtung eingenommen oder eingespritzt wird; **kon|trast|reich; Kon|trastreich|tum** *m. Gen. -s nur Ez.*

Kon|tra|ve|ni|ent [lat.] *m. 10, veraltet:* (einer Vorschrift oder Vereinbarung) Zuwiderhandelnder; **kon|tra|ve|nie|ren** *intr. 3, veraltet:* zuwiderhandeln; **Kon|tra|ven|ti|on** *w. 10* Zuwiderhandlung, Vertragsbruch

Kon|tra|zep|ti|on [lat.] *w. 10* Empfängnisverhütung

Kon|tre [kɔ̃trə, frz.] *m. 9* = Kontertanz

Kon|trek|ta|ti|ons|trieb [lat.] *m. 1 nur Ez., Med.:* Trieb zur körperlichen Berührung

Kon|tre|tanz [-kɔ̃trə-] *m. 2* = Kontertanz

Kon|tri|bu|ent [lat.] *m. 10, veraltet:* Steuerpflichtiger; **kon|tribu|ie|ren** *tr. 3, veraltet:* beitragen, beisteuern; **Kon|tri|bu|ti|on** *w. 10* Beitrag (bes. zum Unterhalt von Besatzungstruppen)

kon|trie|ren [lat.] *intr. 3, Kartenspiel:* Kontra ansagen

Kon|tri|ti|on [lat.] *w. 10, kath. Kirche:* vollkommene Reue (aufgrund deren die Absolution erteilt wird); *Ggs.:* Attrition

Kon|troll|ab|schnitt *m. 1;* **Kontrol|lam|pe** ► **Kon|troll|lam|pe** *w. 11;* **Kon|trol|le** *w. 11* **1** Überwachung, Aufsicht; **2** Prüfung, Probe, z. B. Fahrscheinkontrolle; **Kon|trol|ler** *m. 5, bei Elektromotoren:* Anlasser; **Kon|trolleur** [-lør, frz.] *m. 1* jmd., der eine Kontrolle durchführt, Aufsichtsbeamter; **kon|trol|lie|ren** *tr. 3* überwachen, nachprüfen; **Kon|trol|lis|te** ► **Kon|troll|lis|te** *w. 11;* **Kon|troll|kom|mis|si|on** *w. 10;* **Kon|troll|lam|pe** *w. 11;* **Kon|troll|lis|te** *w. 11;* **Kon|trollör** *m. 1, österr. für* Kontrolleur; **Kon|troll|or|gan** *s. 1;* **Kon|trollrat** *m. 2 nur Ez.;* Alliierter K. *1945 bis 1948:* oberstes Besatzungsorgan in Dtschl.

kon|tro|vers [-vɛrs, lat.] **1** gegeneinander gerichtet; **2** strittig, bestreitbar; **Kon|tro|ver|se** [-vɛr-] *w. 11* **1** wissenschaftl. Auseinandersetzung; **2** Streit, Meinungsverschiedenheit

Kon|tu|maz [lat.] *w. Gen. - nur Ez.* **1** *veraltet:* Nichterscheinen vor Gericht; **2** *österr.:* Verkehrssperre (um die Ausbreitung von Seuchen zu verhindern); **Kontu|ma|zi|al|ver|fah|ren** *s. 7* Verfahren in Abwesenheit des Angeklagten; **kon|tu|ma|zie|ren** *intr. 3, veraltet:* gegen jmdn. ein Kontumazurteil fällen; **Kon|tumaz|ur|teil** *s. 1* Urteil in Abwesenheit des Angeklagten

kon|tun|die|ren [lat.] *Med.:* quetschen; vgl. Kontusion

Kon|tur [frz.] *w. 10, in der Kunst auch: m. 12* Umriss, Umrisslinie; **kon|tu|rie|ren** *tr. 3* **1** mit Konturen umgeben (die Figuren einer Zeichnung); **2** in Umrissen zeichnen, mit Umrissen andeuten

Kon|tu|si|on [zu: kontundieren] *w. 10* Quetschung

Ko|nus [lat.] *m. Gen. - Mz.* -nusse *oder* -nen **1** Kegel, Kegelstumpf; **2** kegelförmiger Körper, Zapfen; **3** der leicht konisch verlaufende, obere Teil der Druckletter, der das Schriftbild trägt

Kon|va|les|zenz [lat.] *w. 10 nur Ez.* **1** Genesung, Gesundung, Rekonvaleszenz; **2** Gültigwerden (eines Rechtsgeschäfts)

Kon|vek|ti|on [lat.] *w. 10* **1** *Meteor.:* auf- oder abwärts gerichtete Luftströmung; *Ggs.:* Advektion; **2** *Phys.:* Transport von Energie oder elektr. Ladung durch bewegte kleinste Teilchen; **kon|vek|tiv** auf Konvektion beruhend; **Kon|vek|tor** *m. 13* Heizkörper, der die Luft überwiegend durch Berührung erwärmt, *Ggs.:* Radiator

kon|ve|na|bel [lat.] *veraltet:* **1** schicklich, passend, wie es sich gehört; **2** annehmbar, bequem; **Kon|ve|ni|enz** *w. 10 nur Ez.* **1** Schicklichkeit; **2** Bequemlichkeit; **kon|ve|nie|ren** *tr. 3* **1** sich schicken, passen, so sein, wie es sich gehört; **2** bequem sein, zusagen; **Kon|vent** [-vent] *m. 1* **1** Versammlung, Zusammenkunft (bes. von den Mitgliedern eines Klosters oder einer Studentenverbindung); **2** Kloster, Stift; **Kon|ven|ti|kel** *s. 5* **1** geheime Zusammenkunft; **2** außerkirchl. religiöse Versammlung; **Kon|ven|ti|on** *w. 10* **1** Vereinbarung, Übereinkunft; **2** völkerrechtl. Vertrag; **3** Herkommen, Brauch; **kon|ven|ti|o|nal** auf einer Konvention (**1**) beruhend; **Kon|ven|ti|o|nal|stra|fe** *w. 11* Strafe wegen Nichteinhaltung eines Vertrages; **kon|ven|ti|o|nell** **1** herkömmlich, üblich, gebräuchlich; konventionelle Waffen: alle Waffen außer Kern-, biolog. und chem. Waffen; **2** gesellschaftlich-förmlich; konventionelle Redensarten; sich k. benehmen; **Kon|ven|tu|a|le** *m. 11* stimmberechtigtes Mitglied einer Klostergemeinschaft

kon|ver|gent [lat.] **1** aufeinander zustrebend, zulaufend (Linien); **2** übereinstimmend; *Ggs.:* divergent; **Kon|ver|genz** *w. 10* **1** Annäherung; **2** Übereinstimmung; *Ggs.:* Divergenz; **kon|ver|gie|ren** *intr. 3* **1** aufeinander zustreben, sich annähern; **2** übereinstimmen; *Ggs.:* divergieren

Kon|ver|sa|ti|on [lat.] *w. 10* gewandte, gepflegte, etwas förmliche Unterhaltung, geselliges Gespräch; **Kon|ver|sa|ti|ons|le|xi|kon** *s. Gen.* -s *Mz.* -ka umfangreiches, alphabetisch geordnetes Nachschlagewerk über alle Wissensgebiete; **Kon|ver|sa|ti|ons|stück** *s. 1* unterhaltendes Theaterstück mit geistreich-witzigen Dialogen, meist mit Themen aus der höheren Gesellschaft; **kon|ver|sie|ren** *intr. 3* Konversation machen, sich gewandt unterhalten; **Kon|ver|si|on** *w. 10* **1** Umwandlung (z. B. eines Schuldverhältnisses in ein anderes); **2** Glaubenswechsel, Übertritt zu einer anderen Konfession (bes. zur katholischen); **3** Wechsel der Wortart, z. B. »Kraft« zu »kraft«; **Kon|ver|ter** [-ver-] *m. 5* um die senkrechte Achse drehbarer Industrieofen zur Gewinnung von Stahl; **kon|ver|ti|bel** umwandelbar, umwechselbar, umtauschbar, konvertierbar; *Ggs.:* inkonvertibel; **Kon|ver|ti|bi|li|tät** *w. 10 nur Ez.* Möglichkeit, Geld der einen Währung in solches einer anderen umzutauschen, Konvertierbarkeit; **kon|ver|tier|bar** = konvertibel; **Kon|ver|tier|bar|keit** *w. 10 nur Ez.* = Konvertibilität; **kon|ver|tie|ren** **1** *tr. 3* austauschen, umwandeln; **2** *intr. 3* zu einer anderen Konfession (bes. zur kath.) übertreten; **Kon|ver|tit** *m. 10* jmd., der zu einer anderen Konfession übergetreten ist

kon|vex [-veks, lat.] erhaben, nach außen gekrümmt; *Ggs.:* konkav; **Kon|ve|xi|tät** *w. 10 nur Ez.* konvexe Beschaffenheit, Krümmung nach außen; **Kon|vex|lin|se** *w. 11*

Kon|vikt [-vikt, lat.] *s. 1* **1** Wohnheim bes. für Theologiestudenten; **2** *österr.:* Internat; **Kon|vik|ti|on** *w. 10, veraltet:* Überführung (eines Verbrechers); **Kon|vik|tu|a|le** *m. 11* Bewohner eines Konvikts; **kon|vin|zie|ren** *tr. 3, veraltet:* (eines Verbechens) überführen

Kon|vi|vi|um [-vi-, lat.], Con|vi|vi|um *s. Gen.* -s *Mz.* -vi|en, *veraltet:* Gastmahl, Fest, Festgelage

Kon|voi [lat.-frz.], Kon|voy, Con|voy *m. 9* **1** Geleitzug, mehrere, unter dem Schutz von Fahrzeugen bzw. See- oder Luftstreitkräften fahrende Fahrzeuge bzw. Schiffe; **2** die beigegebenen Streitkräfte selbst; im oder unter K. fahren

Kon|vo|ka|ti|on [lat.] *w. 10* **1** Einberufung, Zusammenrufung (von Körperschaften); **2** *an brit. und US-amerik. Universitäten:* Gremium, das über die Verleihung der Ehrendoktorwürde entscheidet

Kon|vo|lut [lat.] *s. 1* **1** Bündel (von Schriftstücken); Sammelmappe; **2** *Med.:* Knäuel (z. B. von Darmschlingen); **Kon|vo|lu|te** *w. 11* = Volute

Kon|voy *m. 9* = Konvoi

Kon|vul|si|on [lat.] *w. 10* Schüttel-, Zuckungskrampf; **kon|vul|si|visch** krampfhaft (zuckend)

kon|ze|die|ren [lat.] *tr. 3* zugestehen, einräumen, erlauben

Kon|zen|trat [lat.] *s. 1* hochprozentige Lösung, Mischung, in der ein Stoff angereichert enthalten ist; **Kon|zen|tra|ti|on** *w. 10* **1** Zusammendrängung (um einen Mittelpunkt), Zusammenballung (von wirtschaftl. oder ähnlichen Kräften); *Ggs.:* Dekonzentration; **2** Sammlung, Anspannung (der geistigen Kräfte), gespannte Aufmerksamkeit; **3** Gehalt einer Lösung an gelöstem, angereichertem Stoff; **Kon|zen|tra|ti|ons|fä|hig|keit** *w. 10 nur Ez.;* **Kon|zen|tra|ti|ons|la|ger** *s. 5* (*Abk.:* KL, KZ) *1933–1945:* Arbeits- und Vernichtungslager für Juden und dem Nationalsozialismus missliebige Personen; **kon|zen|trie|ren** *tr. 3* **1** zusammenballen, zusammendrängen, -ziehen; **2** anreichern, sättigen, verdichten (Lösung); **3** sich k.: sich sammeln, seine Aufmerksamkeit anspannen; **kon|zen|trisch** einen gemeinsamen Mittelpunkt habend; konzentrische Kreise; *Ggs.:* exzentrisch (**1**); **Kon|zen|tri|zi|tät** *w. 10 nur Ez.* konzentrische Beschaffenheit

Kon|zept [lat.] *s. 1* **1** Entwurf, erste, unausgefeilte Niederschrift; jmdn. aus dem K. bringen: in Verwirrung bringen; aus dem K. geraten, kommen: verwirrt werden; **2** Plan, Vorstellung; **Kon|zep|ti|on** *w. 10* **1** Empfängnis; **2** schöpferischer Einfall; **3** Entwurf, Plan (eines Werkes); **kon|zep|ti|o|nell** auf Konzeption beruhend

Kon|zern [lat.] *m. 1* Zusammenschluss gleichartiger Unternehmen, die wirtschaftlich eine Einheit bilden, aber rechtlich selbständig sind; **kon|zer|nie|ren** *intr. 3* einen Konzern bilden; **Kon|zer|nie|rung** *w. 10*

Kon|zert [lat.-ital.] *s. 1* **1** (meist öffentliche) Aufführung von Musikwerken; **2** Musikstück für ein oder mehrere Soloinstrumente und Orchester; **kon|zer|tant** in der Art eines Konzerts; **Kon|zert|di|rek|ti|on** *w. 10* Unternehmen, das öffentliche Konzerte veranstaltet; **kon|zer|tie|ren** *intr. 3* ein Konzert geben, aufführen; konzertierte Aktion *übertr.:* zwischen den Sozialpartnern und der Regierung abgestimmtes wirtschaftl. Verhalten; **Kon|zer|ti|na** *w. 9* sechseckige Handharmonika; **Kon|zert|meis|ter** *m. 5* führender erster Geiger eines Orchesters; **Kon|zert|rei|se** *w. 11;* **Kon|zert|saal** *m. Gen.* -(e)s *Mz.* -säle; **Kon|zert|sän|ger** *m. 5*

Kon|zes|si|on [lat.] *w. 10* **1** Zugeständnis; Konzessionen machen; **2** Erlaubnis, behördliche Genehmigung (z. B. ein Gewerbe auszuüben); **3** staatlich bewilligtes Recht, ein Gebiet in gewissem Umfang in Besitz zu nehmen; **Kon|zes|si|o|när** *m. 1* Inhaber einer Konzession; **kon|zes|si|o|nie|ren** *tr. 3;* etwas k.: eine Konzession für etwas erteilen, genehmigen; **kon|zes|siv** einräumend; **Kon|zes|siv|satz** *m. 2* Nebensatz, der ein Zugeständnis enthält, Einräumungssatz

Kon|zil [lat.] *s. Gen.* -s *Mz.* -e *oder* -lilen, **1** *kath. Kirche:* Versammlung hoher Würdenträger zur Beratung kirchlicher Fragen; **2** *ehem. DDR:* Versammlung von gewählten Vertretern einer Hochschule (Wissenschaftler, Studenten, Angestellte) zur Beratung der Aufgaben in Forschung und Lehre; **kon|zi|li|ant** umgänglich, verbindlich, versöhnlich; *Ggs.:* inkonziliant; **Kon|zi|li|anz** *w. 10 nur Ez.;* **kon|zi|li|ar** auf dem Konzil beruhend, dazu gehörend; **Kon|zi|li|a|ris|mus** *m. Gen.* - *nur Ez.* kirchenrechtl. Theorie, nach der das Konzil dem Papst übergeordnet sein sollte

kon|zinn [lat.] *veraltet:* harmonisch zusammengefügt, ebenmäßig, abgerundet; **Kon|zin|ni|tät** *w. 10 nur Ez.*

Kon|zi|pi|ent [lat.] *m. 10,* Kon|zi|pist *m. 10* **1** *veraltet:* Verfasser eines Konzepts; **2** *österr.:* Anwaltsassessor; **kon|zi|pie|ren** *tr. 3* **1** entwerfen, ins Konzept schreiben; **2** *Med.:* empfangen; **Kon|zi|pist** *m. 10* = Konzipient

kon|zis [lat.] bündig, kurz, kurzgefasst (Ausdrucksweise)

Koog, Kog *m. 1* eingedeichtes Marschland, Polder

Ko|o|pe|ra|ti|on [lat.] *w. 10* Zusammenarbeit; **ko|o|pe|ra|tiv** zusammenwirkend, durch Kooperation; **Ko|o|pe|ra|ti|ve** *w. 10, ehem. DDR:* landwirtschaftliche Genossenschaft mit Arbeitsteilung in sog. industrielle Pflanzen- und Tierproduktion; **Ko|o|pe|ra|tor** *m. 13* kath. Hilfsgeistlicher; **ko|o|pe|rie|ren** *intr. 3* zusammenarbeiten

Ko|op|ta|ti|on [lat.] *w. 10* Ergänzungswahl, Wahl neuer Mitglieder (durch die alten); **ko|op|tie|ren** *tr. 3* hinzuwählen

Ko|or|di|na|te [lat.] *w. 11* **1** Zahl, die die Lage eines Punktes auf einer Fläche oder im Raum bestimmt; **2** *Mz.* Abszisse und Ordinate; **Ko|or|di|na|ten|sys|tem** *s. 1* System zum Bestimmen der Lage eines Punktes mithilfe von Koordinaten; **Ko|or|di|na|ti|on** *w. 10 nur Ez.* **1** Abstimmen von Vorgängen aufeinander zwecks reibungslosen Ablaufs; **2** Zusammenspiel (der Muskeln zu geordneten Bewegungen); **3** Neben-, Beiordnen (von Satzteilen); **Ko|or|di|na|tor** *m. 13, Rundfunk, Fernsehen:* Mitarbeiter, der die verschiedenen Programme aufeinander abstimmt; **ko|or|di|nie|ren** *tr. 3* **1** aufeinander abstimmen; **2** neben-, beiordnen; koordinierende Konjunktion: K., die zwei Hauptsätze miteinander verbindet, z. B. »und«; **Ko|or|di|nie|rung** *w. 10 nur Ez.*

Ko|pai|va|bal|sam [brasilian. Spr.] *m. Gen.* -s *nur Ez.* Harz des südamerik. Kopaivabaumes, für Lacke und als Heilmittel verwendet

Ko|pal [mexikan. Spr.] *m. 1* Harz verschiedener trop. Bäume; **Ko|pal|harz** *s. 1,* **Ko|pal|lack** *m. 1* = Kopal

Ko|pe|ke [russ.] *w. 11* kleine russ. Münze, ¹⁄₁₀₀ Rubel

Ko|pen|ha|gen Hst. von Dänemark; **Ko|pen|ha|ge|ner** *m. 5*

Kö|pe|ni|cki|a|de *w. 11* Gaunerstreich wie der des Hauptmanns von Köpenick

Ko|pe|po|de [griech.] *m. 11* Ruderfüßer, ein Krebstier

Kö|per [ndrl.] *m. 5* Gewebe in Köperbindung; **Kö|per|bin|dung** *w. 10* Bindungsart von Geweben mit schräg verlaufender Fadenführung; **kö|pern** *tr. 1* in Köperbindung weben

ko|per|ni|ka|nisch von Kopernikus stammend, auf seiner Lehre beruhend

Kopf *m. 2;* jmdm. den Kopf waschen *übertr. ugs.:* ihm energisch die Meinung sagen; Kopf stehen; ich habe/bin Kopf gestanden *übertr.:* ich war außer mir (vor Freude, Empörung o. Ä.); Kopf an Kopf stehen; pro Kopf fünf Stück: für jede Person; von Kopf bis Fuß; sein Erfolg ist ihm zu Kopf gestiegen *ugs.:* er bildet sich zu viel darauf ein; **Kopf|ar|beit** *w. 10* geistige Arbeit; **Kopf|ar|bei|ter** *m. 5;* **Kopf|bahn|hof** *m. 2* = Sackbahnhof; **Kopf|ball** *m. 2* Weitergeben, Zurückschlagen des Balles mit dem Kopf; **Köpf|chen** *s. 7;* **Kopf|dre|her** *m. 5* = Kopfnicker; **köp|fen** **1** *tr. 1;* **2** *intr. 1, Fußball:* den Ball mit dem Kopf zurückschlagen oder weitergeben; **3** *intr. 1* einen Kopf bekommen (Salat, Kohl); **Kopf|en|de** *s. 14;* **Kopf|fü|ßer** *m. 5, Sammelbez. für* Tintenfische, Kraken u. a. Weichtiere, Kephalopoden, Zephalopoden; **Kopf|geld** *s. 3* Belohnung für die Ergreifung eines Flüchtlings, Verbrechers usw.; **Kopf|grip|pe** *w. 11;* **Kopf|haar** *s. 1;* **Kopf|hän|ger** *m. 5;* **kopf|hän|ge|risch;** **Kopf|haut** *w. 2;* **Kopf|hö|rer** *m. 5;* **köp|fig** *schweiz.:* dickköpfig, eigensinnig; **...köp|fig** eine bestimmte oder unbestimmte Zahl von Köpfen aufweisend, z. B. fünfköpfig, vielköpfig; **Kopf|jagd** *w. 10;* **Kopf|jä|ger** *m. 5;* **Kopf|kis|sen** *s. 7;* **kopf|las|tig** vorn zu sehr belastet, vorderlastig; *Ggs.:* hinterlastig; *ugs. übertr.:* zu theoretisch; **Köpf|lein** *s. 7;* **kopf|los** verwirrt, bestürzt, ohne Überlegung (Person, Handlung); **Kopf|ni|cken** *s. Gen.* -s *nur Ez.;* **Kopf|ni|cker** *m. 5* Halsmuskel, der die Bewegungen des Kopfes bewirkt, Kopfdreher; **Kopf|nuß** ► **Kopf|nuss** *w. 2* leichter Schlag mit den Fingerknöcheln an den Kopf; **Kopf|putz** *m. 1*

> **kopfrechnen:** Eine Reihe untrennbarer Zusammensetzungen aus Substantiv und Verb wird fast nur im Infinitiv, gelegentlich auch als Partizip, gebraucht. Sie werden mit kleinem Anfangsbuchstaben geschrieben: *Er wollte immer kopfrechnen.* Ebenso: *bauchreden, bruchrechnen, notlanden, zwangsräumen* usw. → § 33 E1

Kopfschmuck; **kopf|rech|nen** *nur im Infinitiv:* er kann gut k.; **Kopf|rech|nen** *s. Gen.* -s *nur Ez.;* K. schwach! *ugs. scherzh.;* **Kopf|sa|lat** *m. 1;* **kopf|scheu 1** leicht scheuend bei Bewegungen mit der Hand in der Nähe des Kopfes (Pferd); **2** ängstlich, scheu; jmdn. k. machen; **Kopf|schmerz** *m. 12;* **Kopf|schuß** ► **Kopf|schuss** *m. 2;* **Kopf|schüt|teln** *s. Gen.* -s *nur Ez.;* **kopf|schüt|telnd; Kopf|sprung** *m. 2;* **Kopf|stand** *m. Gen.* -(e)s

> **Kopf stehen:** Trennbare Gefüge aus Substantiv und Verb schreibt man auch im Infinitiv und den Partizipien getrennt: *Sie haben Kopf gestanden. Er steht Kopf.* →§ 34 E3 (5)

nur Ez.; **kopf|ste|hen** ► **Kopf ste|hen** *intr. 151;* vgl. Kopf; **Kopf|stein|pflas|ter** *m. 5;* **Kopf|steu|er** *w. 11* gleicher Steuerbetrag für jede Person; **Kopf|stim|me** *w. 11;* **Kopf|tuch** *s. 4;* **kopf|ü|ber; Kopf|zahl** *w. 10* Personenzahl; **Kopf|zer|bre|chen** *s. Gen.* -s *nur Ez.;* das macht mir kein, viel, wenig K.; *aber:* sich den Kopf zerbrechen

Koph|ta *m. 9* sagenhafter ägypt. Weiser; **koph|tisch** vom Kophta stammend

Ko|pi|al|buch [zu: kopieren] *s. 4* Buch mit Abschriften von Urkunden; **Ko|pi|a|li|en** *Mz., veraltet:* Abschreibegebühren; **Ko|pi|a|tur** *w. 10, veraltet:* Abschreiben; **Ko|pie** *österr.:* Kopie [-pjə] *w. 11* **1** Abschrift; **2** *Fot.:* Abzug; **3** Nachbildung (eines Kunstwerks durch einen andern Künstler); vgl. Replik (**2**); **ko|pie|ren** *tr. 3* **1** abschreiben; **2** *Fot.:* abziehen; **3** nachbilden; **4** nachahmen (Person); **Ko|pier|stift** *m. 1* Tintenstift

Ko|pi|lot *m. 10* **1** zweiter Flugzeugführer; **2** zweiter Fahrer (beim Autorennen)

ko|pi|ös [lat.-frz.] *Med.:* reichlich (z. B. vom Stuhl)

Ko|pist [lat.] *w. 10* jmd., der etwas kopiert, Abschreiber, Nachbilder

Kop|pe *w. 11* Kuppe, Gipfel (oft in Namen von Bergen)

Kop|pel 1 *w. 11* eingezäuntes Stück Weideland; **2** *w. 11* Gruppe zusammengebundener Tiere, bes. Jagdhunde; **2** *s. 5* starker Ledergürtel, Wehrgehenk; **kop|pel|gän|gig** gut in der Koppel gehend (Hund); **kop|peln** *tr. 1* **1** beweglich verbinden, aneinander binden; ich koppele, kopple sie; **2** durch Bindestrich verbinden (Wörter); **Kop|pe|lung,** Kopp|lung *w. 10*

kop|pen *intr. 1* Luft schlucken (vom Pferd)

kopp|heis|ter *nddt.:* kopfüber

Kopp|lung, Kop|pe|lung *w. 10*

Ko|pra *auch:* **Kop|ra** [hind.] *w. 9 nur Ez.* getrocknetes, zerkleinertes Kokosnussfleisch

Ko|pro|duk|ti|on *w. 10* Gemeinschaftsproduktion (bes. von Filmen)

ko|pro|gen *auch:* **kop|ro-** [griech.] vom Kot stammend; **Ko|pro|lith** *auch:* **Kop|ro-** *m. 10 oder m. 12* versteinerter Kot (urweltlicher Tiere); **Ko|prom** *auch:* **Kop|rom** *s. 1* Kotgeschwulst; **ko|pro|phag** *auch:* **kop|ro-** Mist fressend, skatophag; **Ko|pro|pha|ge** *auch:* **Kop|ro-** *m. 11* sich von Mist ernährendes Tier, Kotfresser, Skatophage; **Ko|pro|pha|gie** *auch:* **Kop|ro-** *w. 11 nur Ez.* Kotfressen (bei manchen Tieren), krankhaftes Kotessen (bei Geisteskranken)

Kops [engl.] *m. 1* aufgewickeltes Garn, Garnkörper

Kop|te [arab.] *m. 11* christl. Nachkomme der alten Ägypter mit arab. Sprache und eigener Kirche; **kop|tisch**

Ko|pu|la [lat.] *w. Gen.* - *Mz.* -s *oder* -lae [-lɛː] **1** *Gramm.:* Teil des zusammengesetzten Prädikats, mit den Verben sein, scheinen, bleiben oder werden gebildet, z. B. das Wetter »ist« schön; **2** *Biol.:* Begattung (der Tiere); **Ko|pu|la|ti|on** *w. 10* **1** Befruchtung, Begattung; **2** Veredelung von Pflanzen; **ko|pu|la|tiv** anreihend, verbindend; **ko|pu|lie|ren 1** *tr. 3* verbinden; veredeln (Pflanzen); **2** *intr. 3* den Geschlechtsakt ausführen

kor… Kor… vgl. kon… Kon…

Ko|rach, Ko|rah [nach einer Gestalt des AT] *in der Wendung* eine Rotte K.: eine wilde Bande

Ko|ral|le *w. 11* ein Hohltier, Meerestier; **2** Schmuckstück aus dessen Skelett; **Ko|ral|len|bank** *w. 2* Ansammlung zahlreicher Korallen; **Ko|ral|len|fi|scher** *m. 5;* **Ko|ral|len|in|sel** *w. 11* ringförmige Insel aus Korallen; **Ko|ral|len|riff** *s. 1;* **ko|ral|len|rot; Ko|ral|lin** *s. 1 nur Ez.* roter Farbstoff für Lacke

ko|ram [lat.] vor aller Augen, öffentlich; jmdn. k. nehmen: jmdn. zur Rede stellen, zurechtweisen

Ko|ran [auch: ko-, arab.] *m. Gen.* -s *nur Ez.* heilige Schrift des Islam mit den Offenbarungen Mohammeds

Korb *m. 2;* **Korb|ball** *m. 2 nur Ez.* Ballspiel zwischen zwei Mannschaften; **Korb|blüt|ler** *m. 5 Mz.* eine Pflanzenfamilie; **Körb|chen** *s. 7;* **Kor|ber** *m. 5, schweiz.:* Korbmacher; **Korb|fla|sche** *w. 11;* **Körb|lein** *s. 7;* **Korb|ma|cher** *m. 5;* **Korb|ses|sel** *m. 5;* **Korb|stuhl** *m. 2;* **Korb|wa|gen** *m. 7;* **Korb|wa|ren** *w. 11 Mz.;* **Korb|wei|de** *w. 11* eine Weidenart mit biegsamen Zweigen

Kord *Nv.* ► **Cord** *Hv.* [engl.] *m. 1* geripptes Baumwollgewebe; **Kor|de** *w. 11,* **Kor|del** [frz.] *w. 11* Schnur aus zusammengedrehten Seiden- oder Kunstseidenfäden

kor|di|al [lat.] herzlich, umgänglich, vertraut; **Kor|di|a|li|tät** *w. 10 nur Ez.* Herzlichkeit, Umgänglichkeit

kor|die|ren [frz.] *tr. 3* **1** aufrauen (Griffe an Werkzeugen); **2** Gold- oder Silberdraht k.: schnurartige Linien einritzen

Kor|di|e|rit [-dje-, nach dem frz. Geologen L. A. Cordier] *m. 1 nur Ez.* ein Mineral

Kor|dier|ma|schi|ne *w. 11*

Kor|dil|le|ren [-dilje-] *Mz.* Gebirgszug an der Westküste Nord- und Südamerikas; *in Südamerika:* Anden

Kor|dit [frz.] *m. 1 nur Ez.* ein fadenförmiges, rauchschwarzes Schießpulver

Kor|don [-dɔ̃, frz.] *m. 9, österr.:* [-don] *m. 1* **1** Band, Schnur; **2** kleiner Obstbaum, bei dem einige Äste an Schnüren gezogen werden, Schnurbaum; **3** Postenkette, Absperrung; **Kor|do|nett|sei|de** *w. 11* aus mehreren Fäden gedrehtes Seidengarn, Schnurseide; **Kor|do|nett|stich, Kor|do|nier|stich** *m. 1* einen Faden umschnürender Stich

Kord|samt *m. 1* gerippter Samt, Ripp-, Rippel-, Rippensamt

Kor|du|an [nach der span. Stadt Córdoba] *s. Gen.* -s *nur Ez.*, **Kor|du|an|le|der** *s. 5 nur Ez.* weiches Ziegen- oder Schafsleder

Ko|re [griech.] *w. 11* weibl. Statue, sowohl frei stehend als auch Gebälk tragend anstelle einer Säule

Ko|rea Halbinsel und Staat in Ostasien (seit dem 2. Weltkrieg gespalten in Nord- und Südkorea); **Ko|re|a|ner** *m. 5;* **ko|re|a|nisch**

Ko|re|fe|rat *s. 1, österr. für* Korreferat; **Ko|re|fe|rent** *w. 10, österr. für* Korreferent; **ko|re|fe|rie|ren** *intr. 3, österr. für* korreferieren

kö|ren *tr. 1* zur Zucht auswählen (männl. Tier)

Kor|fi|ot *m. 10,* **Kor|fi|o|te** *m. 11* Einwohner von Korfu; **kor|fi|o|tisch; Kor|fu** griech. Insel

Kör|hengst *m. 1* Zuchthengst

Ko|ri|an|der [lat.] *m. 5* eine Gewürzpflanze; **Ko|ri|an|do|li** *s. Gen.* -(s) *Mz.* -, *österr. für* Konfetti

Ko|rinth griech. Stadt; **Ko|rin|the** *w. 11* kleine, schwarze, getrocknete Weinbeere; **Ko|rin|ther** *m. 5;* **Ko|rin|ther|brief** *m. 1* (des Apostels Paulus); **ko|rin|thisch;** *aber:* Korinthischer Golf

Kork *m. 1* **1** *allg.:* Teil der Borke, *bes.:* Rinde der Korkeiche; **2** = Korken; **Kork|ei|che** *w. 11, Sammelbez. für* span. und alger. Eichen, aus deren Rinde Kork gewonnen wird; **kor|ken** aus Kork; **Kor|ken** *m. 7,* Kork *m. 1* Pfropfen aus Kork als Flaschenverschluss, Stöpsel; **Kor|ken|zie|her, Kork|zie|her** *m. 5;* **Kork|zie|her|ho|se** *w. 11, ugs. scherzh.:* lange, Falten schlagende, ungebügelte Hose; **Kork|zie|her|lo|cke** *w. 11*

Kor|mo|phyt [griech.] *m. 10* aus Wurzel, Stängel und Blättern bestehende Pflanze, Sprosspflanze; *Ggs.:* Thallophyt

Kor|mo|ran [lat.-frz.] *m. 1* pelikanähnlicher, Fisch fressender Vogel, Scharbe, Seerabe

Kor|mus [griech.] *m. Gen.* - *nur Ez.* in Wurzel und Spross samt Blättern gegliederter Pflanzenkörper

Korn 1 *s. 4;* **2** *s. 1, Mz. selten* Teil der Visiereinrichtung von Handfeuerwaffen, der beim Zielen zusammen mit der Kimme und dem Zielpunkt eine Linie bilden muss; **3** *m. Gen.* -s *Mz.* - Kornbranntwein; **Korn|äh|re** *w. 11*

Kor|nak [sanskr.] *m. 9* Elefantenführer

Korn|blu|me *w. 11;* **korn|blu|men|blau; Korn|brannt|wein** *m. 1* aus Getreide hergestellter Branntwein; **Körn|chen** *s. 7;* **Körndl|bau|er** *m. 11 österr.:* Bauer, der überwiegend Getreide anbaut; *Ggs.:* Hörndlbauer

Kor|nea [lat.] *w. Gen.* - *nur Ez.* Hornhaut (des Auges)

Kor|nel|kir|sche [lat.] *w. 11* ein Zierstrauch

kör|nen *tr. 1* **1** zu Körnern zerkleinern; **2** aufrauen, mit einer körnigen Oberfläche versehen; **3** mit kleinen, körnigen Vertiefungen versehen; **4** *Jägerspr.:* (mit Körnerfutter) anlocken, kirren

Kor|ner [kɔr-, engl.], Cor|ner *m. 5, Börse:* Vereinigung von Kaufleuten zu Ankäufen zwecks Preissteigerung

Kör|ner *m. 5* Werkzeug zum Körnen; **Kör|ner|früch|te** *w. 2 Mz., Sammelbez. für* Getreide, Hülsen- und Ölfrüchte; **Kör|ner|fut|ter** *s. Gen.* -s *nur Ez.;* **Kör|ner|krank|heit** *w. 10 nur Ez.* = Trachom

Kor|nett [lat.-frz.] **1** *m. 9 oder m. 1, früher:* Fähnrich einer Reiterabteilung; **2** *s. 1* aus dem Posthorn entwickeltes, kleinstes Blechblasinstrument, Piston; **3** ein Orgelregister

Korn|fäu|le *w. Gen.* - *nur Ez.* eine Getreidekrankheit; **Korn|feld** *s. 3;* **kör|nig**

kor|nisch, cor|nisch zu Cornwall gehörend, aus ihm stammend; **Kor|nisch** *s. Gen.* -(s) *nur Ez.* in Cornwall gesprochene, keltische Sprache

Korn|käfer *m. 5* ein Getreideschädling, Kornrüssler; **Körn|lein** *s. 7;* **Korn|mot|te** *w. 11* ein Kleinschmetterling, Getreideschädling; **Korn|ra|de** *w. 11* ein Ackerunkraut; **Korn|ro|se** *w. 11* Klatschmohn; **Korn|rüß|ler** ► **Korn|rüss|ler** *m. 5* = Kornkäfer; **Kör|nung** *w. 10* **1** das Körnen; **2** *auch:* Futterplatz mit Körnerfutter; **Kor|nu|tin** *s. 1 nur Ez.* Gift des Mutterkorns

Ko|rol|la [lat.] *w. Gen.* - *Mz.* -len, Ko|rol|le *w. 11* **1** Blumenkrone; **2** alle Blütenblätter einer Blüte; **Ko|rol|lar** *s. 1,* **Ko|rol|la|ri|um** *s. Gen.* -s *Mz.* -ri|en **1** Zusatz, Zugabe, Ergänzung; **2** aus einem Satz gefolgerter Satz; **Ko|rol|le** *w. 11* = Korolla

Ko|ro|man|del|holz [nach der Koromandelküste in Vorderindien] *s. 4* ebenholzartiges Holz der Dattelpflaume

Ko|ro|na [lat.] *w. Gen.* - *Mz.* -nen **1** Strahlenkranz (der Sonne); **2** Sprühentladung an Hochspannungsleitungen sowie hohen Spitzen; **3** Heiligenschein; **4** *ugs.:* fröhliche Runde; **Ko|ro|nar|ge|fä|ße** *s. 1 Mz.* Herzkranzgefäße; **Ko|ro|nar|in|suf|fi|zi|enz** *w. 10* ungenügende Blutversorgung des Herzmuskels durch die Herzkranzgefäße; **Ko|ro|nar|skle|ro|se** *w. 11* Verkalkung der Herzkranzgefäße; **Ko|ro|nis** *w. Gen.* - *Mz.* -ni|des [-de:s] (*Zeichen:* ') Häkchen, Zeichen für die → Krasis

Kör|ord|nung *w. 10* alle Vorschriften über das Kören von Zuchttieren

Kör|per *m. 5;* **Kör|per|bau** *m. Gen.* -(e)s *nur Ez.;* **kör|per|be|hin|dert; Kör|per|be|hin|der|te(r)** *m. 18 (17) bzw. w. 17 oder 18;* **Kör|per|chen** *s. 7;* **Kör|per|er|zie|hung** *w. 10 nur Ez.;* **Kör|per|far|be** *w. 11* Deckfarbe; **Kör|per|ge|wicht** *s. 1;* **Kör|per|grö|ße** *w. 11;* **Kör|per|hal|tung** *w. 10;* **Kör|per|kraft** *w. 2;* **Kör|per|kul|tur** *w. 10 nur Ez.;* **kör|per|lich; Kör|per|lich|keit** *w. 10 nur Ez.;* **Kör|per|pfle|ge** *w. 11 nur Ez.;* **Kör|per|schaft** *w. 10* Vereinigung von Personen zu einem bestimmten Zweck mit den Rechten einer jurist. Person, z. B. Verein, Aktiengesellschaft; **kör|per|schaft|lich; Kör|per|schafts|steu|er** *w. 11;* **Kör|per|schlag|a|der** *w. 11* Aorta; **Kör|per|schwä|che** *w. 11 nur Ez.;* **Kör|per|stra|fe** *w. 11* Prügel; **Kör|per|teil** *m. 1;* **Kör|per|ver|let|zung** *w. 10;* **Kör|per|wär|me** *w. 11 nur Ez.*

Kor|po|ra *Mz. von* Korpus

Kor|po|ral [ital.] *m. 2 oder m. 1, früher:* Unteroffizier; **Kor|po|ra|le** *s. 5* Leinentuch als Unterlage für Hostie und Kelch; **Kor|po|ral|schaft** *w. 10* einem Korporal unterstellte Truppeneinheit, kleinste Abteilung der Kompanie; **Kor|po|ra|ti|on**

w. 10 **1** Körperschaft; **2** Studentenverbindung; **kor|po|ra|tiv** zu einer Korporation gehörend, körperschaftlich; **kor|po|riert** einer Korporation (**2**) angehörend

Korps [kor, lat.-frz.] *s. Gen.* - [kors] *Mz.* - [kors], Corps [kor] **1** Truppenverband aus mehreren Waffengattungen, Armeekorps; **2** Studentenverbindung; **3** Gemeinschaft von Personen gleichen Standes, z. B. Offizierskorps; diplomatisches Korps: Gesamtheit der Diplomaten eines Staates; **Korps|bru|der** *m. 6;* **Korps|stu|dent** *m. 10*

kor|pu|lent [lat.] beleibt; **Kor|pu|lenz** *w. 10 nur Ez.* Körperfülle, Beleibtheit; **Kor|pus** **1** *m. Gen.* - *Mz.* -pus|se, *ugs. scherzh.:* Körper; **2** *s. Gen.* - *Mz.* -po|ra Sammelwerk (bes. aus Antike und MA); **3** *m. Gen.* - *nur Ez.* Schallkörper (von Musikinstrumenten, bes. von Saiteninstrumenten); **4** *w. Gen.* - *nur Ez.* ein Schriftgrad (10 Punkt); vgl. Corpus; **Kor|pus|kel** *s. 14 oder w. 11* kleinstes Teilchen der Materie, Elementarteilchen, z. B. Atom, Ion; **kor|pus|ku|lar** aus Korpuskeln bestehend, die Korpuskeln betreffend; **Kor|pus|ku|lar|strah|len** *m. 12 Mz.* aus elektrisch geladenen Teilchen bestehende Strahlen

Kor|ral [span.] *m. 1* Gehege, Pferch für wilde Tiere, die gezähmt werden sollen, bes. für Elefanten

Kor|ra|si|on [lat.] *w. 10* Abschleifung von Gestein durch Flugsand

Kor|re|fe|rat *österr.:* **Ko|re|fe|rat** [lat.] *s. 1* zweites Referat über dasselbe Thema; **Kor|re|fe|rent** *österr.:* **Ko|re|fe|rent** *w. 10* jmd., der das Korreferat hält, zweiter Referent; **kor|re|fe|rie|ren** *österr.:* **ko|re|fe|rie|ren** *intr. 3* das Korreferat halten

kor|rekt [lat.] richtig, fehlerfrei; **Kor|rekt|heit** *w. 10 nur Ez.;* **Kor|rek|ti|on** *w. 10, veraltet:* Verbesserung; **Kor|rek|ti|ons|an|stalt** *w. 10, schweiz.:* Besserungsanstalt; **kor|rek|tiv** verbessernd, ausgleichend; **Kor|rek|tiv** *s. 1* Mittel zum Ausgleich; **Kor|rek|tor** *m. 13, in Verlag oder Druckerei:* Angestellter, der Schriftsätze auf ihre formale Richtigkeit prüft; **Kor|rek|to|rat** *s. 1, in Verlag oder Druckerei:* Abteilung der Korrektoren; **Kor|rek|tur** *w. 10* **1** Verbesserung, Berichtigung; **2** Prüfung von Schriftsatz auf Richtigkeit; K. lesen; **Kor|rek|tur|ab|zug** *m. 2* Abzug des Schriftsatzes (Fahne oder Bogen), auf dem Korrekturen angebracht werden können; **Kor|rek|tur|bo|gen** *m. 7;* **Kor|rek|tur|fah|ne; Kor|rek|tur|le|sen** *s. Gen.* -s *nur Ez.;* **Kor|rek|tur|vor|schrif|ten** *w. 10 Mz.;* **Kor|rek|tur|zei|chen** *s. 7*

kor|re|lat [lat.], kor|re|la|tiv wechselseitig, einander wechselseitig bedingend; **Kor|re|lat** *s. 1* **1** Ergänzung, ergänzender Begriff; **2** Wort, das mit einem anderen in wechselseitiger Beziehung steht; **Kor|re|la|ti|on** *w. 10* Wechselbeziehung; **kor|re|la|tiv** = korrelat

kor|re|pe|tie|ren [lat.] *tr. 3* mit jmdm. einüben; eine Gesangsrolle mit jmdm. k.: sie am Klavier begleitend mit jmdm. einüben; **Kor|re|pe|ti|ti|on** *w. 10;* **Kor|re|pe|ti|tor** *m. 13* jmd., der am Klavier mit Opernsängern die Gesangspartie einstudiert

kor|re|spek|tiv *auch:* **-res|pek-** [lat.] gemeinschaftlich, wechselseitig bedingt; **Kor|re|spek|ti|vi|tät** *auch:* **-res|pek-** *w. 10 nur Ez.*

Kor|re|spon|dent *auch:* **-res|pon-** [lat.] *m. 10* **1** auswärtiger Berichterstatter (einer Zeitung); **2** Angestellter in einem kaufmänn. Betrieb, der (bes. ausländ.) Korrespondenz führt; **Kor|re|spon|denz** *auch:* **-res|pon-** *w. 10* **1** Briefwechsel, Briefverkehr; **2** Übereinstimmung; **Kor|re|spon|denz|kar|te** *auch:* **-res|pon-** *w. 11, österr.:* Postkarte; **kor|re|spon|die|ren** *auch:* **-res|pon-** *intr. 3* **1** übereinstimmen; **2** in Briefverkehr stehen, Briefe wechseln; mit jmdm. k.; korrespondierendes Mitglied (einer Gesellschaft, Akademie)

Kor|ri|dor [lat.-frz.] *m. 1* **1** Flur, Gang (einer Wohnung); **2** schmaler, durch fremdes Hoheitsgebiet führender Landstreifen

Kor|ri|gen|da [lat.] *Mz.* zu Verbesserndes, Druckfehler; **Kor|ri|gens** *s. Gen.* - *Mz.* -gen|tia [-tsja] *oder* -gen|zi|en Geschmack verbessernder Zusatz zu einer Arznei; **kor|ri|gie|ren** *tr. 3* verbessern, berichtigen

kor|ro|die|ren [lat.] *tr. 3* zerstören, angreifen; **2** *intr. 3* der Korrosion unterliegen, zerstört werden; **Kor|ro|si|on** *w. 10* **1** Zerstörung oder Veränderung durch Wasser, Chemikalien oder Ätzmittel; **2** Zerstörung (von Körpergewebe) durch Entzündung; **kor|ro|si|ons|be|stän|dig; Kor|ro|si|ons|be|stän|dig|keit** *w. 10 nur Ez.;* **kor|ro|siv** Korrosion bewirkend, zernagend, ätzend, zerfressend, zerstörend

kor|rum|pie|ren [lat.] *tr. 3* bestechen, moralisch verderben; **kor|rupt** bestechlich, moralisch verdorben; **Kor|rup|ti|on** *w. 10 nur Ez.* Bestechlichkeit, moral. Verfall

Kor|sage [-ʒə, frz.] *w. 11* **1** versteiftes, trägerloses, auf Figur gearbeitetes Oberteil eines Kleides; **2** *auch:* Mieder und Korsett in einem Stück

Kor|sak [russ.] *m. 9* zentralasiat. Steppenfuchs

Kor|sar [ital.] *m. 10* **1** Seeräuberschiff; **2** Seeräuber, Freibeuter

Kor|se *m. 11* Einwohner von Korsika

Kor|se|lett [frz.] *s. 9* leichtes, kleines Korsett; **Kor|sett** *s. 9* die Figur formender Hüftgürtel mit Stäbchen und/oder Gummizug

Kor|si|ka frz. Insel im Mittelmeer; **kor|sisch** zu Korsika gehörend, von dort stammend

Kor|so [ital.] *m. 9* **1** *früher:* Wettrennen reiterloser Pferde; **2** *heute:* festl. Aufzug geschmückter Wagen, Schaufahrt; **3** breite, baumbestandene Straße, Prachtstraße

Kor|te|ge [-tɛʒə, frz.] *w. 11, veraltet:* Ehrengeleit, Gefolge

Kor|tex [lat.] *m. 1* Rinde; **kor|ti|kal** zur Rinde (von Gehirn oder Organen) gehörig; **Kor|ti|ne** *s. 1 Mz., Sammelbez. für* die in der Nebennierenrinde gebildeten Hormone

Kor|ti|son *fachsprachl.:* Cor|ti|son *s. Gen.* -s *nur Ez.* ein Hormon der Nebennierenrinde

Ko|rund [sanskr.] *m. 1* ein Mineral, ein Edelstein

Kö|rung *w. 10* Zuchtauswahl (männl. Tiere)

Kor|vet|te [-vɛt-, frz.] *w. 11*

1 kleines Kriegsschiff; **2** *Turnen:* Sprung in den Handstand; **Kor|vet|ten|ka|pi|tän** *m. 1* Seeoffizier im Majorsrang
Ko|ry|bant [griech.] *m. 10* Priester der kleinasiat. Göttin Kybele; **ko|ry|ban|tisch** ausgelassen, lärmend
Ko|ry|phäe [griech.] **1** *m. 11, im altgriech. Drama:* Chorführer; **2** *w. 11* hervorragender Fachmann, Kenner
Ko|sak [russ.] *m. 10* **1** Angehöriger einer der Leibeigenschaft entflohenen, im südl. und südöstl. Russland angesiedelten, militärisch organisierten russ. Bevölkerungsgruppe; **2** *früher in Russland:* leichter Reiter
Ko|sche|nil|le [-niljə, frz.] Co|che|nil|le *w. 11 nur Ez.* aus der Koschenilleschildlaus gewonnener, roter Farbstoff; **ko|sche|nil|le|rot; Ko|sche|nil|le|schild|laus** *w. 2* zur Farbstoffgewinnung gezüchtete Schildlaus
ko|scher [hebr.] **1** (nach den jüd. Speisevorschriften) rein; *Ggs.:* treife; koschere Speisen; **2** *übertr.:* sauber, korrekt, unbedenklich; die Sache ist nicht ganz koscher
K.-o.-Schlag *m. 2, Boxen:* Knock-out-Schlag
Ko|se|kans [lat.] *m. Gen. - Mz. - (Abk.:* cosec) eine Winkelfunktion, Verhältnis der Hypotenuse zur Gegenkathete; **Ko|se|kan|te** *w. 11, veraltet für* Kosekans
ko|sen *intr. 1;* **Ko|se|na|me** *m. 15;* **Ko|se|wort** *s. 4*
Ko|si|nus [lat.] *m. Gen. - Mz. - (Abk.:* cos) eine Winkelfunktion, Verhältnis der Ankathete zur Hypotenuse
Kos|me|tik [griech.-frz.] *w. 10* Schönheitspflege; **Kos|me|ti|ke|rin** *w. 10;* **Kos|me|ti|kum** *s. Gen. -s Mz. -ka* Mittel zur Kosmetik; **kos|me|tisch**
kos|misch [griech.] den Kosmos betreffend, zum Kosmos gehörend, aus ihm stammend; **Kos|mo|bi|o|lo|gie** *w. 11 nur Ez.* Wissenschaft vom Einfluss des Kosmos auf die Lebewesen der Erde und von der Existenz lebender Organismen auf anderen Sternen; **Kos|mo|go|nie** *w. 11 nur Ez.* Lehre von der Entstehung des Kosmos; **Kos|mo|graph** ► *auch:* **Kos|mo|graf** *m. 10* Verfasser einer Kosmographie; **Kos|mo|gra|phie** ► *auch:* **Kos|mo|gra|fie** *w. 11* **1** *früher:* Weltbeschreibung; **2** *im MA:* Geographie; **kos|mo|gra|phisch** ► *auch:* **kos|mo|gra|fisch; Kos|mo|lo|ge** *m. 11;* **Kos|mo|lo|gie** *w. 11* Wissenschaft vom Kosmos; **kos|mo|lo|gisch; Kos|mo|naut** *m. 10, russ. Bez. für* Astronaut; **Kos|mo|po|lit** *m. 10* **1** jmd., der sich mehr den Völkern der ganzen Erde als seinem eigenen Volk verpflichtet fühlt, Weltbürger; **2** über die ganze Erde verbreitete Pflanzen- oder Tierart; **kos|mo|po|li|tisch; Kos|mo|po|li|tis|mus** *m. Gen. - nur Ez.* Einstellung, Haltung eines Kosmopoliten, Weltbürgertum; **Kos|mos** *m. Gen. - nur Ez.* Weltall; **Kos|mo|so|phie** *w. 11 nur Ez.* Weltweisheit, Streben, mithilfe mystischer Spekulation Wesen und Sinn der Welt zu erkennen; **Kos|mo|the|is|mus** *m. Gen. - nur Ez.* Lehre von der Einheit von Gott und Welt; **kos|mo|the|is|tisch**
Kos|sat [eigt.: Kotsasse] *m. 10,* **Kos|sä|te** *m. 11, nddt.:* Kätner, Häusler
Kost *w. Gen. - nur Ez.*
kos|tal [lat.] zu den Rippen gehörend, von ihnen ausgehend
Kos|ta|ri|ka *eindeutschende Schreibung von* Costa Rica
kost|bar; Kost|bar|keit *w. 10*
kos|ten *tr. 2* **1** auf den Geschmack prüfen (Speise), versuchen, probieren; **2** wert sein; **3** Kosten verursachen; das kostet mich 100 Mark, viel Mühe; das wird ihn den Kopf kosten; koste es, was es wolle; **Kos|ten** *nur Mz.;* das geht auf meine K., auf K. seiner Gesundheit; sich auf K. anderer Leute amüsieren; **Kos|ten|an|schlag** *m. 2;* **Kos|ten|auf|wand** *m. Gen. -(e)s nur Ez.;* **Kos|ten|fra|ge** *w. 11;* das ist eine K.; **kos|ten|frei; kos|ten|los; Kos|ten|punkt** *m. 1;* **Kos|ten|stel|le** *w. 11* zum Zweck der Zwischenkostenerfassung und Gemeinkostenverteilung abgegrenzter Ort betrieblicher Kostenentstehung; **Kos|ten|vor|an|schlag** *m. 2;* **Kost|fracht** *w. 10, Kaufmannsspr.:* Kosten einschließlich Fracht
Kost|gän|ger *m. 5* jmd., der gegen Entgelt verköstigt wird; **Kost|geld** *s. 3* Geld für regelmäßige Verköstigung
köst|lich; Köst|lich|keit *w. 10*
Kost|pro|be *w. 11*
kost|spie|lig; Kost|spie|lig|keit *w. 10 nur Ez.*
Kos|tüm [frz.] *s. 1;* **Kos|tüm|ball** *m. 2;* **Kos|tüm|fest** *s. 1;* **Kos|tü|mier** [-mje] *m. 9, Theater, Film:* Gewandmeister, Aufseher über den Kostümfundus; **kos|tü|mie|ren** *tr. 3;* jmdn. oder sich k.: verkleiden, ein Kostüm anziehen; **Kos|tüm|pro|be** *w. 11* Theaterprobe in Kostümen
Kost|ver|äch|ter *m. 5; in der Wendung* er ist kein K.: er ist ein Genießer
K.-o.-Sys|tem *s. 1 nur Ez.* Austragungsmodus bei Spielen und Wettkämpfen (der Unterlegene scheidet ganz aus)
Kot *m. 1 nur Ez.*
Ko|tan|gens [lat.] *m. Gen. - Mz. - (Abk.:* cot) eine Winkelfunktion, Verhältnis der Ankathete zur Gegenkathete; **Ko|tan|gen|te** *w. 11, veraltet für* Kotangens
Ko|tau [chin.] *m. 9* tiefe Verbeugung (der Chinesen), Kniefall, wobei die Stirn die Erde berührt; vor jmdm. K. machen *übertr.:* sich vor jmdm. demütigen
Ko|te *w. 11* **1** *nddt.* = Kate; **2** durch Höhenangabe auf der Karte festgelegter Geländepunkt; **3** [schwed.] Zelt der Lappen
Ko|te|lett [frz.] *s. 9* gebratenes Rippenstück mit Knochen (vom Kalb, Schwein oder Hammel); **Ko|te|let|ten** *Mz.* sehr kleiner, kurzer Backenbart
Ko|ten|ta|fel [zu: Kote **(2)**] *w. 11* Höhentafel
Kö|ter *m. 5, abfällig:* Hund
Kö|te|rei [zu: Kote **(1)**] *w. 10, nddt.:* kleines Landgut
Ko|te|rie [frz.] *w. 11* Sippschaft, Klüngel
Kot|flü|gel *m. 5;* **Kot|fres|ser** *m. 5* = Koprophage
Ko|thurn [griech.] *m. 1, in der altgriech. Tragödie:* Schuh mit sehr dicker Sohle (Teil des Kostüms der Schauspieler); auf Kothurnen schreiten *übertr.:* erhaben tun, pathetisch sein
ko|tie|ren [frz.] *tr. 3* **1** zum Handeln an der Börse zulassen (Wertpapier); **2** [zu: Kote **(2)**] einen Punkt im Gelände k.: sei-

ne Höhe bestimmen; **Ko|tie|rung** *w. 10* Zulassung (eines Wertpapiers zum Handel an der Börse)
ko|tig voller Kot, schmutzig
Ko|til|lon [-tiljõ *oder* -tijõ, frz.] *m. 9* Tanzspiel, bei dem Geschenke verlost werden
Kot|käfer *m. 5* ein Käfer, Kotfresser
Köt|ner *m. 5* = Kätner
Ko|to [jap.] *s. 9 oder w. 9* ein jap. Saiteninstrument
Ko|ton [-tõ, arab.-frz.] *m. 9* Baumwolle; **ko|to|ni|sie|ren** *tr. 3;* Flachs-, Hanfabfälle k.: zu baumwollähnlichen, verspinnbaren Fasern, sog. Flachsbaumwolle, verarbeiten
Kot|saß ▶ **Kot|sass** [zu: Kote (**1**)] *m. Gen.* -sas|sen *Mz.* -sas|sen, **Kot|sas|se** *m. 11* Kätner
Ko|tschin|chi|na *auch:* **Kot|schin-** *früherer Name für den* Südteil von Vietnam; **Ko|tschin|chi|na|huhn** *auch:* **Kot|schin-** *s. 4* bes. in Großbritannien gezüchtetes, schweres, massiges chines. Huhn
Kot|stein *m. 1* im Dickdarm hart eingedickter Kot
Kot|ten *m. 7, nddt. für* Kate; **Kot|ter** *m. 5* **1** elende Hütte; **2** Hundehütte; **3** *österr.:* Arrest; **Köt|ter** *m. 5, nddt. für* Kätner
Ko|ty|le|do|ne [griech.] *w. 11* **1** *bei Samenpflanzen:* Keimblatt; **2** *bei Säugetieren:* Zotte der Embryohülle
Kot|ze *w. 11* **1** *bayr., österr.:* wollene Decke, Umhang aus Lodenstoff; **2** *nur Ez., vulg.:* Erbrochenes; **Köt|ze** *w. 11, nddt.:* Rückentragkorb; **kot|zen** *intr. 1, vulg.:* sich erbrechen; **Kot|zen** *m. 7, Nebenform von* Kotze (**1**); **kot|zen|grob** *österr.:* sehr grob; **kot|ze|rig** übel zum Erbrechen
Kox|al|gie *auch:* **Ko|xal|gie** [lat. + griech.] *w. 11* Hüft(gelenk)schmerz; **Kox|i|tis** *auch:* **Ko|xi|tis** *w. Gen. - Mz.* -iti|den Hüftgelenkentzündung
kp *Abk. für* Kilopond
KPD *Abk. für* Kommunistische Partei Deutschlands
kpm *Abk. für* Kilopondmeter
Kr *chem. Zeichen für* Krypton
Kr., Krs. *Abk. für* Kreis
Kra|be *w. 11* **1** ein Krebstier; **2** *got. Baukunst:* kleines Blatt- oder Blumenornament, Kriechblume; **3** *ugs.:* kleines Kind, junges Mädchen; **Krab|be|lei** *w. 10 nur Ez., ugs.;* **krab|be|lig,** krabb|lig; **krab|beln** *tr. u. intr. 1*
krab|ben *tr. 1* glatt und glänzend machen (Gewebe)
krabb|lig, krab|be|lig

> **Krach schlagen, mit Ach und Krach:** Gefüge aus Substantiv und Verb werden getrennt geschrieben: *Sie wollten gleich Krach schlagen.* →§ 34 E3 (5) Substantive, die Bestandteile fester Gefüge sind und nicht mit anderen Teilen dieses Gefüges zusammengeschrieben werden, schreibt man groß: *mit Ach und Krach.* Ebenso: *das Hin und Her, das Für und Wider.* →§ 57 (5), § 55 (4)

Krach *m. 2;* mit Ach und Krach *ugs.:* mit Müh und Not; Krach schlagen; **kra|chen 1** *intr. 1;* **2** *refl. 1* sich heftig streiten; sie haben sich gekracht; **Kra|chen** *m. 7, schweiz.:* Schlucht, unwirtliches, abgelegenes Tal; **Kra|cherl** *s. 14, österr.:* Selterswasser; **Krach|man|del** *w. 11, bayr., österr.:* Knackmandel; **krach|zen** *intr. 1;* **Krach|zer** *m. 5* krächzender Ton
Kra|cke *w. 11, nddt.:* altes, verbrauchtes Pferd
kra|cken [engl.] *tr. 1;* Moleküle schwersiedender Kohlenwasserstoffe k.: durch Hitze in solche leichtsiedender Kohlenwasserstoffe spalten; **Krack|ver|fah|ren** *s. 7*
Krad *s. 9, Kurzwort für* Kraftrad; **Krad|schüt|ze** *m. 11*
kraft *Präp. mit Gen.* durch, aufgrund von; kraft seines Amtes, seiner Autorität; **Kraft** *w. 2;* außer K. setzen; in K. treten, sein; nach Kräften, wieder zu Kräften kommen; **Kraft|akt** *m. 1* auf großer Körperkraft beruhende Leistung; **Kraft|an|stren|gung** *w. 10;* **Kraft|arm** *m. 1* Teil des Hebels, auf den eine Kraft einwirkt; *Ggs.:* Lastarm; **Kraft|auf|wand** *m. Gen.* -(e)s *nur Ez.;* **Kraft|aus|druck** *m. 2* derbes oder vulgäres Wort; **Kraft|brü|he** *w. 11;* **Kraft|drosch|ke** *w. 11, veraltet:* Mietauto, Taxi; **Kräf|te|par|al|le|lo|gramm** *s. 1* Parallelogramm aus zwei vom selben Punkt aus in verschiedenen Richtungen wirkenden Kräften, zur zeichnerischen Ermittlung der resultierenden Gesamtkraft (Diagonale des Parallelogramms) zweier Einzelkräfte; **Kräf|te|spiel** *s. 1;* **Kräf|te|ver|fall** *m. 2 nur Ez.;* **Kraft|fah|rer** *m. 5;* **Kraft|fahr|ver|si|che|rung** *w. 10;* **Kraft|fahr|zeug** *s. 1;* **Kraft|fahr|zeug|ver|si|che|rung** *w. 10;* **Kraft|feld** *s. 3;* **Kraft|fut|ter** *s. 5 nur Ez.;* **kräf|tig; kräf|ti|gen** *tr. 1;* **Kräf|tig|keit** *w. 10 nur Ez.;* **kräf|tig|lich** *veraltet, noch poet.;* **Kräf|ti|gung** *w. 10 nur Ez.;* **Kräf|ti|gungs|mit|tel** *s. 5;* **Kraft|li|ni|en** *w. 11 Mz.* Feldlinien, Linien gleicher Kraftwirkung in elektr. und magnet. Feldern; **kraft|los; Kraft|los|er|klä|rung** *w. 10* Ungültigkeitserklärung; **Kraft|lo|sig|keit** *w. 10 nur Ez.;* **Kraft|ma|schi|ne** *w. 11;* **Kraft|mei|er** *m. 5, ugs.:* jmd., der seine Körperkraft gern zur Schau stellt; **Kraft|mensch** *m. 10* Mensch mit großer Körperkraft; **Kraft|post** *w. Gen. - nur Ez.* Beförderung von Personen und Post durch Kraftwagen; **Kraft|pro|be** *w. 11;* **Kraft|protz** *m. 1, ugs.;* **Kraft|rad** *s. 4* Motorrad; **Kraft|stoff** *m. 1;* **kraft|strot|zend;** **Kraft|ver|kehr** *m. Gen.* -s *nur Ez.* Verkehr mit Kraftfahrzeugen; **kraft|voll; Kraft|wa|gen** *m. 7;* **Kraft|werk** *s. 1;* **Kraft|wort** *s. 4* Kraftausdruck
Kra|ge *w. 11* = Konsole
Krä|gel|chen *s. 7;* **Kra|gen** *m. 7;* **Kra|gen|bär** *m. 10;* **Kra|gen|wei|te** *w. 11*
Krag|stein *m. 1* = Konsole
Krä|he *w. 11;* **krä|hen** *intr. 1;* **Krä|hen|fü|ße** *m. 2 Mz.* **1** unleserlich Geschriebenes; **2** Fältchen an den äußeren Augenwinkeln; **Krä|hen|nest** *s. 3; auch:* Beobachtungssitz auf dem Schiffsmast
Krähl *m. 1,* Kräu|el *m. 5, Bgb.:* Hacke; **kräh|len** *tr. 1* hacken
Kräh|win|kel [nach dem von August von Kotzebue in seinem Lustspiel »Die deutschen Kleinstädter« (1803) verwendeten Ortsnamen] spießbürgerl. Kleinstadt; **Kräh|win|kel|lei** *w. 10 nur Ez.* Spießbürgerlichkeit, spießbürgerl. Verhalten; **Kräh|win|ke|ler, Kräh|wink|ler** *m. 5*
Kra|ke [norw.] *m. 11* **1** Kopffüßer; **2** *nord. Myth.:* ein Meeresungeheuer
Kra|keel [ital.?] *m. 1* lauter

Streit, Lärm, Unruhe; **kra|kee|len** *intr. 1;* **Kra|kee|ler** *m. 5* jmd., der oft Streit sucht und Lärm macht

Kra|kel *m. 5* unleserlicher Schriftzug, ungeschickter Schnörkel

Kra|ke|lee *m. 9 oder s. 9, eindeutschende Schreibung von* Craquelé

Kra|ke|lei *w. 10;* **Kra|kel|fuß** *m. 2* = Krakel; **kra|ke|lig,** kra|k|lig; **kra|keln** *intr. 1* unleserlich, ungeschickt schreiben

Kra|ko|wi|ak [n. d. Stadt Krakau] *m. 9* poln. Nationaltanz

krak|lig, kra|ke|lig

Kral [port.-ndrl.] *m. 1* afrik. Runddorf

Kral|le *w. 11;* **kral|len** *tr. 1;* **kral|lig**

Kram *m. Gen.* -s *nur Ez.*

Kram|bam|bu|li *m. Gen.* -s *Mz.* -(s) **1** *urspr.:* Danziger Wacholderbranntwein; **2** *danach Stud.:* Wein, Alkohol; **3** Getränk aus Rum, Weißwein, Gewürzen und Zucker; **4** *auch:* mit Heidelbeersaft gefärbter Likör

Kräm|chen *s. 7 nur Ez.* Siebensachen; mein ganzes K.; **kra|men** *intr. 1;* **Krä|mer** *m. 5, veraltet, noch landsch.:* Kleinhändler; *übertr.:* kleinlicher, engstirniger Mensch; **Krä|mer|geist** *m. 3 nur Ez.;* **Krä|mer|see|le** *w. 11* = Krämer *(übertr.)*; **Kram|la|den** *m. 8*

Kram|mets|bee|re *w. 11* Wacholderbeere; **Kram|mets|vo|gel** *m. 6* Wacholderdrossel

Kram|pe *w. 11,* Kram|pen *m. 7* U-förmiger Haken; **kram|pen** *tr. 1* mit Krampen befestigen

Krampf 1 *m. 2;* **2** *nur Ez., ugs. übertr.:* gewaltsame, übertriebene Bemühung; **Krampf|a|der** *w. 11;* **kramp|fen** *tr. 1;* **krampfhaft; kramp|fig, krämp|fig; krampf|lö|send**

Kram|pus 1 *m. Gen.* - *Mz.* -pi Muskelkrampf; **2** *m. Gen.* - *Mz.* -pus|se, *bayr., österr.:* Begleiter des hl. Nikolaus

Kran *m. 2*

Kran|bee|re, Krän|bee|re *w. 11* Preiselbeere

Kra|ne|wit(t), Kra|na|wett *m. Gen.* -s *nur Ez., österr.:* Wacholder; **Kra|ne|wit|ter** *m. 5, österr.:* Wacholderschnaps

Kran|füh|rer *m. 5*

krän|gen, kren|gen *intr. 1, Seew.:* sich auf die Seite neigen (vom Schiff); **Krän|gung** *w. 10 nur Ez.*

kra|ni|al [lat.] zum Schädel gehörig, zum Schädel zu (gelegen), kopfwärts

Kra|nich *m. 1* ein Sumpfvogel

Kra|ni|o|klast *auch:* **Kra|ni|ok|last** [lat. + griech.] *m. 10* zangenartiges Instrument zum Umfassen des Kopfes des Kindes bei Geburtshindernis; **Kra|ni|o|lo|gie** *w. 11 nur Ez.* Beschreibung des menschl. Schädels, Schädellehre, Phrenologie; **kra|ni|o|lo|gisch; Kra|ni|o|me|ter** *s. 5* Gerät zur Schädelmessung; **Kra|ni|o|me|trie** *auch:* **-met|rie** *w. 11 nur Ez.* Schädelmessung; **kra|ni|o|me|trisch** *auch:* **-met|risch; Kra|ni|o|te** *m. 11* Wirbeltier mit Schädel; **Kra|ni|o|to|mie** *w. 11* Schädelöffnung, Schädelschnitt (bei Geburtshindernis am toten Kind)

krank; k. sein, bleiben, werden; sich k. fühlen; k. liegen; *aber:* krankfeiern, krankmachen, sich krankmelden, krankschießen, krankschreiben; **Krän|ke|lei** *w. 10 nur Ez.;* **krän|keln** *intr. 1;* ich kränkele, kränkle viel; **kran|ken** *intr. 1;* an etwas k.; **krän|ken** *tr. 1;* jmdn. k.; **Kran|ken|be|richt** *m. 1;* **Kran|ken|be|such** *m. 1;* **Kran|ken|bett** *s. 12;* **Kran|ken|geld** *s. 3;* **Kran|ken|ge|schich|te** *w. 11;* **Kran|ken|gym|nas|tik** *w. 10 nur Ez.;* **Kran|ken|haus** *s. 4;* **Kran|ken|kas|se** *w. 11;* **Kran|ken|la|ger** *s. 5;* **Kran|ken|pfle|ge** *w. 11 nur Ez.;* **Kran|ken|schein** *m. 1;* **Kran|ken|schwes|ter** *w. 11;* **Kran|ken|ver|si|che|rung** *w. 10;* **Kran|ken|wa|gen** *m. 7;* **Kran|ken|zim|mer** *s. 5;* **Kran|ke(r)** *m. 18 (17) bzw. w. 17 oder 18;* **krank|fei|ern** *intr. 1* der Arbeit fernbleiben, ohne wirklich krank zu sein, krankmachen; **krank|haft; Krank|haf|tig|keit** *w. 10 nur Ez.;* **Krank|heit** *w. 10;* **Krank|heits|bild** *s. 3;* **Krank|heits|er|re|ger** *m. 5;* **krank|heits|hal|ber; Krank|heits|zei|chen** *s. 7;* **krank|la|chen** *refl. 1;* ich lache mich krank, habe mich krankgelacht; **kränk|lich; Kränk|lich|keit** *w. 10 nur Ez.;* **krank|ma|chen** *intr. 1* = krankfeiern; **krank|mel|den** *tr. 2;* **Krank|mel|dung** *w. 10;* **krank|schie|ßen** *tr. 113;* Wild k.: durch einen Schuss verletzen; ein krankgeschossenes Reh;

> **krankschreiben, krank bleiben:** Zusammensetzungen aus Adjektiv/Adverb und Verb, deren erster Bestandteil weder steigerbar noch erweiterbar ist, werden zusammengeschrieben: *Er wurde krankgeschrieben.* Ebenso: *(sich) kranklachen, krankmelden.* → § 34 (2.2)
> Dagegen schreibt man Gefüge aus Adjektiv/Adverb und Verb, bei denen Steigerung oder Erweiterung durch *sehr* möglich ist, getrennt: *Sie ist (sehr) krank geblieben.* [→ § 34 E3 (3)]. Ebenso: *krank sein.* → § 35

krank|schrei|ben *tr. 127;* jmdn. k.: jmdm. Krankheit und Arbeitsunfähigkeit schriftlich bestätigen; der Arzt hat mich krankgeschrieben; **Krank|schrei|bung** *w. 10;* **Krän|kung** *w. 10*

Kranz *m. 2;* **Kranz|a|der** *w. 11* = Kranzgefäß; **Kränz|chen** *s. 7;* **Kränz|chen|schwes|ter** *w. 11;* **krän|zen** *tr. 1;* **Kranz|ge|fäß** *s. 1* Blutgefäß des Herzens, Herzkranzgefäß, Kranzader; **Kranz|ge|sims** *s. 1* waagerecht der Wand vorgelegter, meist profilierter Streifen als Abschluss zum Dach hin; **Kranz|jung|fer** *w. 11* Brautjungfer; **Kranz|ku|chen** *m. 7;* **Kränz|lein** *s. 7;* **Kranz|nie|der|le|gung** *w. 10*

Kräp|fel *m. 5* = Krapfen; **Krap|fen** *m. 7* kugelförmiges, mit Marmelade gefülltes Schmalzgebäck, Berliner Pfannkuchen

Krapp *m. Gen.* -s *nur Ez.* = Färberröte

Kräp|pel|chen *s. 7, norddt.:* kleiner Krapfen

krap|pen *tr. 1* festigen (Gewebe)

Krapp|lack *m. 1 nur Ez.* roter Lack, früher aus den Wurzeln des Krapps hergestellt

Kra|se *w. 11, selten für* Krasis; **Kra|sis** [griech.] *w. Gen.* - *Mz.* -sen, *altgriech. Gramm.:* Zusammenziehung des auslautenden Vokals eines Wortes mit dem anlautenden Vokal des nächsten

kraß ► **krass** [lat.] sehr stark, sehr groß, ungewöhnlich; kras-

ser Gegensatz; in krassem Widerspruch zueinander stehen; ich würde das nicht so krass ausdrücken; **Kraßheit** ► **Krassheit** *w. 10 nur Ez.*
Kras|su|la|zee [lat.] *w. Gen. - Mz.* -zelen Dickblattgewächs
Kra|ter [griech.] **1** *m. 5* Öffnung eines Vulkans; **2** [-ter] *m. 1* altgriech. Gefäß mit Fuß und zwei Henkeln
kra|ti|ku|lie|ren [lat.] *tr. 3* mithilfe eines aufgelegten Gitters maßstabgetreu vergrößernd oder verkleinernd zeichnen
kra|to|gen [griech.] *Geol.:* starr, verfestigt, nicht mehr zur Faltung fähig; **Kra|to|gen, Kra|ton** *s. Gen. -s nur Ez.* starrer Teil der Erdkruste, der nicht mehr durch Faltung, sondern nur durch Bruch- oder Bruchfaltentektonik verformt werden kann
Kratt *s. 1, nddt.:* Eichengestrüpp
Krat|te *w. 11,* **Krat|ten, Krät|ten** *m. 7, süddt.:* kleiner, enger, tiefer Korb
Kratz|bürs|te *w. 11;* **kratz|bürs|tig; Kratz|bürs|tig|keit** *w. 10 nur Ez.;* **Krätz|chen** *s. 7, Soldatenspr.:* schirmlose Feldmütze mit Längsfalte; **Krat|ze** *w. 11* Werkzeug zum Kratzen; **Krät|ze** *w. 11* **1** *süddt.:* Rückentragkorb; **2** *nur Ez.* durch die Krätzmilbe hervorgerufene Hautkrankheit, Skabies, Räude; **3** *nur Ez., Hüttenwesen:* Gemisch aus Metallen und Metalloxiden auf der Oberfläche von Metallschmelzen; **Kratz|ei|sen** *s. 7;* **krat|zen** *tr. u. intr. 1;* **Krat|zer** *m. 5; auch:* Schlauchwurm, Darmparasit (bei Wirbeltieren), Kratzwurm; **Krät|zer** *m. 5* **1** noch nicht vergorener oder eben gärender Wein, Sauser; **2** saurer Wein; **3** Kret|zer, milder Südtiroler Rotwein; **4** *Bgb., früher:* Werkzeug zum Säubern von Sprenglöchern; **Kratz|fuß** *m. 2* tiefe Verbeugung; **krat|zig; krät|zig** mit Krätze behaftet; **Krätz|mil|be** *w. 11* die Krätze (**2**) hervorrufende Milbe; **Kratz|putz** *m. Gen. -es nur Ez.* **1** Putz aus mehreren, verschieden farbigen Schichten, die nach dem Trocknen in verschiedenen Tiefen ausgekratzt werden und Dekorationen ermöglichen; **2** Einkratzen von Mustern in den noch feuchten Putz; **Kratz|wun|de** *w. 11;* **Kratz|wurm** *m. 4* = Kratzer
krau|chen [-xən] *intr. 1, mitteldt. für* kriechen
Kräu|el *m. 5* = Krähl
krau|en, krau|len *tr. 1* sanft, streichelnd kratzen
kraul *Seew.:* glatt
Kraul [engl.] *s. Gen. -s nur Ez.,* Crawl [krɔːl] *s. Gen. -(s) nur Ez.* ein Schwimmstil; **krau|len 1** crawl|len [kraʊ-] *intr. 1* im Kraulstil schwimmen; **2** *tr. 1* = krauen; **Krau|ler** *m. 5* jmd., der im Kraulstil schwimmt; **Kraul|stil** *m. 1 nur Ez.* schnellste Art des Schwimmens
Krau|rit [griech.] *m. 1 nur Ez.* Grüneisenerz, ein Mineral
kraus; Krau|se *w. 11;* **kräu|seln** *tr. 1;* ich kräusele, kräusle es; **Kräu|se|lung** *w. 10 nur Ez.;* **Krau|se|min|ze** *w. 11* Art der Pfefferminze; **krau|sen** *tr. 1* kraus machen; **Kraus|haar** *s. Gen. -s nur Ez.;* **kraus|haa|rig; Kraus|kohl** *m. Gen. -s nur Ez.* Grünkohl; **Kraus|kopf** *m. 2;* **kraus|köp|fig**
Kraut 1 *s. 4, kurz für* Heil-, Würzkraut; **2** *s. 4 nur Ez.* Kohl, z.B. Rot-, Weißkraut; **3** *m. Gen. -s nur Ez., nddt. Sammelbez. für* Garnelen und Krabben; **Kräut|chen** *s. 7;* **krau|ten** *intr. 2, süddt.:* Unkraut jäten; **Krau|ter,** Krau|te|rer *m. 5, süddt., scherzh.:* (alter) Sonderling; **Kräu|ter|buch** *s. 4;* **Kräu|ter|frau** *w. 10;* **Kräu|ter|gar|ten** *m. 8;* **Kräu|ter|kä|se** *m. 5;* **Kräu|ter|li|kör** *m. 1;* **Kräu|ter|tee** *m. 9;* **Kraut|fäu|le** *w. 11 nur Ez.* eine Kartoffel- und Tomatenkrankheit
Kraut|fi|scher *m. 5, nddt.:* Krabbenfischer
Kraut|ho|bel *m. 5;* **Kräu|ticht,** Kräu|tig *s. 1 nur Ez.* Krautblätter als Abfall, z.B. Kartoffelkraut nach der Ernte; **krau|tig; Kräu|tig** *s. 1 nur Ez.* = Kräuticht; **Kraut|jun|ker** *m. 5, abfällig:* adliger, ungeschliffener Landbesitzer; **Kraut|kopf** *m. 2;* **Kräut|lein** *s. 7;* K. Rührmichnichtan: Springkraut; **Kräut|ler** *m. 5, österr.:* Gemüsehändler; **Kraut|wurm** *m. 4, österr.:* Raupe des Kohlweißlings
Kra|wall *m. 1* Lärm, lauter Streit, Aufruhr
Kra|wat|te [frz.?] *w. 11* **1** Schlips, Halsbinde; **2** ein Griff beim Ringen; **Kra|wat|ten|na|del** *w. 11*
Kra|weel [zu: Karavelle] *w. 10, veraltet:* Lastschiff; **Kra|weel|bau** *m. Gen. -(e)s nur Ez.* Art des Bootsbaus, bei der die Planken aneinander stoßen und meist in zwei Schichten diagonal übereinander liegen; **Kra|weel|boot** *s. 1*
Kra|xe *w. 11, österr.:* Rückentragkorb, Krätze
Kra|xe|lei *w. 10;* **kra|xeln** *intr. 1, süddt., österr.:* klettern; **Krax|ler** *m. 5*
Kra|yon [krɛjɔ̃, frz.], Cra|yon *m. 9, veraltet:* **1** Bleistift, Drehbleistift; **2** Kreidestift; **Kra|yon|ma|nier** *w. 10 nur Ez.* Radierung, bei der die Linien aus feinen Punkten bestehen, sodass das Bild wie eine Kreidezeichnung wirkt
Kre|as [span.] *s. Gen. - nur Ez.* ungebleichtes Leinen
Kre|a|ti|a|nis|mus [-tsja-, lat.] *m. Gen. - nur Ez.* relig. Lehre, dass aus der Zeugung nur der Leib hervorgehe und die Seele jeweils unmittelbar von Gott geschaffen werde
Kre|a|tin [griech.] *s. 1 nur Ez.* ein Stoffwechselprodukt in der Muskulatur
Kre|a|ti|on [lat.] *w. 10,* Cré|ation [kreasjɔ̃, frz.] *w. 9* **1** Schöpfung, Schaffung; **2** Modeschöpfung, Modell; **kre|a|tiv** schöpferisch; **Kre|a|ti|vi|tät** *w. 10 nur Ez.* schöpferische Kraft; **Kre|a|tor** *m. 13, veraltet:* Schöpfer; **Kre|a|tur** *w. 10* **1** Geschöpf, Lebewesen; **2** willenloser Mensch als Werkzeug in der Hand eines anderen; **3** verachtenswerter Mensch, Schuft; **kre|a|tür|lich** geschöpflich, einer Kreatur (**1**) eigen
Krebs *m. 1* **1** ein Gliederfüßer; **2** *nur Ez.* ein Sternbild; **3** *nur Ez.* bösartige Geschwulst; **kreb|sen** *intr. 1* **1** Krebse fangen; **2** mühsam kriechen, sich mühsam bewegen; **3** rückwärts gehen; **4** *schweiz.:* eine Behauptung widerrufen; **Krebs|gang** *m. 2 nur Ez.* Rückwärtsgang; **Krebs|ge|schwulst** *w. 2;* **krebs|rot; Krebs|scha|den** *m. 8; übertr.:* tief eingewurzeltes Übel; **Krebs|tier** *s. 1*
Kre|denz [ital.] *w. 10* Anrichte; **kre|den|zen** *tr. 1, poet.:* darreichen, feierlich anbieten

Kre|dit [lat.] *m. 1* **1** befristete Überlassung von Naturalien oder Geld gegen Zins, Darlehen; einen K. aufnehmen; jmdm. K. geben; **2** *nur Ez.* Vertrauen in die Fähigkeit und Bereitschaft eines anderen, seine Verbindlichkeiten vereinbarungsgemäß zu erfüllen; bei jmdm. (unbeschränkten) K. haben; **3** [kre-] *Buchführung:* Habenseite (des Kontos); *Ggs.:* Debet; **Kre|dit|an|stalt** *w. 10,* **Kre|dit|bank** *w. 10* Bank, die langfristige Kredite gibt; **kre|di|tie|ren** *tr. 3* als Darlehen vorschießen; jmdm. eine Summe k.; **Kre|dit|in|sti|tut** *auch:* **-ins|ti|tut** *s. 1;* **Kre|dit|kar|te** *w. 11* zur Bezahlung von Rechnungen bestimmter Geschäfte ohne Bargeld oder Schecks berechtigende Ausweiskarte; **Kre|di|tor** *m. 13* Gläubiger; *Ggs.:* Debitor; **kre|dit|un|wür|dig; Kre|dit|un|wür|dig|keit** *w. 10 nur Ez.;* **kre|dit|wür|dig; Kre|dit|wür|dig|keit** *w. 10 nur Ez.*

Kre|do [lat.], Cre|do *s. 9* **1** das Apostolische Glaubensbekenntnis; **2** Teil der kath. Messe; **3** *allg.:* Glaubensbekenntnis; **Kre|du|li|tät** *w. 10 nur Ez., veraltet:* Leichtgläubigkeit

kre|gel munter, beweglich

Krei|de *w. 11* **1** weicher, abfärbender Kalkstein; (bei jmdm.) in der K. stehen *ugs.:* (bei jmdm.) Schulden haben; **2** *nur Ez.* oberste Formation des Mesozoikums, Kreidezeit; **krei|de|bleich; krei|den** *tr. 2* mit Kreide versetzen oder bestreichen; **krei|de|weiß; Krei|de|zeich|nung** *w. 10;* **Krei|de|zeit** *w. 10 nur Ez.* = Kreide (**2**); **krei|dig**

kre|ie|ren [lat.-frz.] *tr. 3* schaffen, gestalten; eine Rolle (auf der Bühne) kreieren

Kreis *m. 1* (*Abk.:* Kr., Krs.); **Kreis|amt** *s. 4;* **Kreis|arzt** *m. 2;* **Kreis|bahn** *w. 10;* **Kreis|bo|gen** *m. 7 oder m. 8*

krei|schen *intr. 1*

Krei|sel *m. 5;* **Krei|sel|kom|paß** ► **Krei|sel|kom|pass** *m. 1;* **krei|seln** *intr. 1;* **krei|sen** *intr. 1;* um etwas k.; **kreis|frei;** kreisfreie Stadt: Stadt, die als Stadtkreis organisiert ist, also zu keinem Landkreis gehört; **Kreis|lauf** *m. 2;* **kreis|rund; Kreis|sä|ge** *w. 11*

krei|ßen *intr. 1* in Geburtswehen liegen; **Kreiß|saal** *m. Gen.* -(e)s *Mz.* -säle

Kreis|stadt *w. 2;* **Kreis|tag** *m. 1* Gesamtheit der von einem Landkreis gewählten Volksvertreter; **Kreis|ver|kehr** *m. Gen.* -s *nur Ez.*

Krem [frz.] *w. 9, ugs. auch: m. 9, eindeutschende Schreibweise von* Creme

Kre|ma|ti|on [lat.] *w. 10* Verbrennung, Einäscherung (von Leichen); **Kre|ma|to|ri|um** *s. Gen.* -s *Mz.* -ri|en Verbrennungsanlage (für Leichen)

Kre|me *w. 10* = Creme

kre|mie|ren *tr. 3* einäschern

Kreml [russ.] *m. 9 oder m. 5* **1** *i. w. S.:* Burg, Zitadelle; **2** *i. e. S.:* Stadtburg von Moskau und ehem. Regierungssitz der UdSSR; *heute:* Sitz des russ. Präsidenten; *früher auch:* die sowjet. Regierung

Krem|pe *w. 11* Hutrand

Krem|pel **1** *m. 5 nur Ez.* Kram, wertloses Zeug; **2** *w. 11* = Karde (**2**); **krem|peln** *tr. 1* mit der Krempel auflockern

Krem|ser *m. 5* offener Miet-Pferdewagen mit Verdeck

Krem|ser Weiß [nach der österr. Stadt Krems] *s. Gen.* -- *oder* --es *nur Ez.* Bleiweiß, weiße Malerfarbe

Kren [tschech.] *m. Gen.* -(s) *nur Ez., süddt., bes. österr.:* Meerrettich

kre|nel|lie|ren [frz.] *tr. 3, früher:* mit Zinnen versehen

Kren|gel *m. 5; Nebenform von* Kringel; **kren|geln** *intr. 1, landsch.:* **1** sich winden; **2** umherschlendern

kren|gen *intr. 1* = krängen

Kre|o|le [port.-frz.] *m. 11* **1** Nachkomme europäischer (bes. romanischer) Einwanderer in Mittel- und Südamerika; **2** *früher auch in Brasilien:* dort geborener Schwarzer; **3** *in manchen schwarzafrik. Staaten:* eingeborener Angehöriger der gehobenen Schichten; **Kre|o|lin** *w. 10;* **kre|o|lisch** zu den Kreolen gehörend, von ihnen stammend

Kre|o|pha|ge [griech.] *m. 11* Fleisch fressendes Tier; vgl. Karnivore

Kre|o|sot [griech.] *s. 1 nur Ez.* Bestandteil des Teers mit keimtötender Wirkung

Kre|pe|li|ne [krɛplin, frz.] *w. 9* leichtes Kreppgewebe

kre|pie|ren [lat.] *intr. 3* **1** bersten, platzen (Sprengkörper); **2** verenden, sterben (von Tieren)

Kre|pi|ta|ti|on [lat.] *w. 10* Geräusch beim Aneinanderreiben rauher Flächen, z. B. bei gebrochenen Knochen; Atemgeräusch, z. B. bei Lungenentzündung

Kre|pon [-pɔ̃, frz.], Cre|pon *m. 9* ein Kreppgewebe mit rauher Oberfläche; **Krepp, 1** *m. 9 oder m. 1,* Crêpe [krɛp] *m. 9* Gewebe mit gekräuselter Oberfläche; **2** *w. 9 oder w. 1,* Crêpe [krɛp] *w. 9* Pfannkuchen; **Krepp|a|pier** ► **Krepp|pa|pier** *s. 1;* **krep|pen** *tr. 1* kräuseln, fälteln (Papier); **krep|pig; Krepp|pa|pier** *s. 1* Papier mit gekräuselter oder in unregelmäßige Querfältchen gepresster Oberfläche; **Krepp|soh|le** *w. 11* Schuhsohle aus gerautem, porigen Kautschuk

kre|scen|do [-ʃɛn-] *eindeutschende Schreibung von* crescendo

Kre|sol [griech.] *s. 1 nur Ez.* ein aromat. Kohlenwasserstoff, zum Imprägnieren und Desinfizieren

kreß ► **kress** [nach der Kapuzinerkresse] orange(farben); **Kreß** ► **Kress** *s. Gen. - nur Ez.* Orangefarbe; **Kres|se** *w. 11, Sammelbez. für* verschiedene Salat- und Gewürzpflanzen

Kreß|ling ► **Kress|ling** *m. 1* ein Karpfenfisch, Gründling

Kres|zenz [lat.] *w. 10 nur Ez.* Wachstum, Herkunft (bes. vom Wein)

Kre|ta griech. Insel

kre|ta|ze|isch [lat.], **kre|ta|zisch** zur Kreideformation gehörig, aus ihr stammend

Kre|ter *m. 5* Einwohner von Kreta

Kre|thi und Ple|thi [wahrscheinl. nach den Kretern und Philistern in König Davids Leibwache] *abfällig:* alle möglichen Leute; dort trifft sich K. und P.

Kre|ti|kus [griech.] *m. Gen.* - *Mz.* -ti|zi drei- oder fünffüßiger antiker Versfuß (–◡–), dessen Längen in Kürzen aufgelöst werden können (◡◡ ◡ ◡◡)

Kre|tin [-tɛ̃, frz.] *m. 9,* **Kre|ti|ne** *m. 11* schwachsinniger und missgestalteter Mensch; **Kre|ti|nis|mus** *m. Gen. - nur Ez.* auf

Unterfunktion der Schilddrüse beruhender, angeborener Schwachsinn mit körperlicher Missbildung

kre|tisch zu Kreta gehörend, von dort stammend

Kre|ton [frz.] *m. 1, österr. für* Cretonne

kreucht poet.: kriecht, *nur noch in der Wendung:* alles, was da kreucht und fleucht

Kreuz *s. 1;* das Eiserne K.; das Deutsche Rote Kreuz; in die Kreuz und (in die) Quere laufen; *aber:* kreuz und quer; zwei Streifen über(s) Kreuz legen; mit jmdm. übers Kreuz sein: sich mit ihm zerstritten haben; zu Kreuze kriechen: reumütig um Verzeihung bitten; **Kreuzab|nah|me,** Kreu|zes|ab|nah|me *w. 11;* **Kreuz-As** ► **Kreuz-Ass** *s. 1;* **Kreuz|bein** *s. 1;* **Kreuz|blume** *w. 11* **1** eine Heilpflanze; **2** *Baukunst:* Ornament als Abschluss von Türmen, Fialen u. a. in Form von kreuzartig angeordneten Blättern; **Kreuzblüt|ler** *m. 5;* **kreuz|brav** sehr brav; **Kreuz|don|ner|wet|ter!; Kreuz|dorn** *m. 1* eine Pflanze; **kreu|zen 1** *tr. 1;* **2** *intr. 1, Seew.:* im Zickzack fahren; **Kreu|zer** *m. 5* **1** *früher in Dtschl. und Österr.-Ungarn:* kleine Münze; **2** schnelles Kriegsschiff; **Kreuzer|hö|hung** Kreu|zes|er|hö|hung *w. 10 nur Ez.* Fest der Ostkirche, 14. Sept.; **Kreu|zes|abnah|me,** Kreuz|ab|nah|me *w. 11;* **Kreu|zes|er|hö|hung** *w. 10 nur Ez.* = Kreuzerhöhung; **Kreuzes|tod** *m. 1 nur Ez.;* den K. sterben; **Kreu|zes|weg** *m. 1 nur Ez.* Weg Christi zur Kreuzigungsstätte; **Kreu|zes|zei|chen,** Kreuz|zei|chen *s. 7;* **Kreuz|fahne** *w. 11;* **Kreuz|fah|rer** *m. 5;* **Kreuz|fahrt** *w. 10;* **Kreuz|feu|er** *s. 5 nur Ez.;* **kreuz|fi|del; Kreuzgang** *m. 2* im Viereck um den Klosterhof führender Bogengang; **Kreuz|ge|wöl|be** *s. 5* Gewölbe aus zwei sich rechtwinklig durchdringenden Tonnengewölben; **Kreuz|her|ren** *m. 10 Mz.* Chorherren vom Heiligen Kreuz, Name mehrerer kath. Orden und Kongregationen; **kreu|zi|gen** *tr. 1;* **Kreu|zi|gung** *w. 10;* **Kreu|zi|gungs|stät|te** *w. 11;* **Kreuz-Kö|nig** *m. 1;* **Kreuz|kup|pel|kir|che** *w. 11* byzantin. Kirchentyp mit Kuppel und einem griech. Kreuz als Grundriss; **kreuz|lahm; Kreuzot|ter** *w. 11* eine Giftschlange; **Kreuz|rip|pen|ge|wöl|be** *s. 5* Kreuzgewölbe, bei dem sich diagonal von einer Stütze zur anderen ein Verstärkungsbogen (Rippe) spannt; **Kreuz|rit|ter** *m. 5* **1** an einem Kreuzzug teilnehmender Ritter; **2** Mitglied des Deutschen Ordens; **Kreuzschna|bel** *m. 8* ein Singvogel; **Kreuz|spin|ne** *w. 11;* **kreuzstän|dig** in Form eines Kreuzes angeordnet; **Kreu|zung** *w. 10;* **kreuz|un|glück|lich; Kreuzungs|punkt** *m. 1;* **Kreuz|verhör** *s. 1;* **Kreuz|weg** *m. 1;* **kreuz|wei|se; Kreuz|wort|rätsel** *s. 5;* **Kreuz|zei|chen,** Kreuzes|zei|chen *s. 7;* **Kreuz|zug** *m. 2* **1** *i. e. S.:* Kriegszug zur Eroberung Jerusalems; **2** *i. w. S.:* von der Kirche geförderter Kriegszug geg. Ungläubige u. Ketzer

Kre|vet|te, Cre|vet|te [-vẹt-, frz.] *w. 11* = Garnele

kri|bbe|lig, kribb|lig; **Kri|bbe|lig|keit,** Kribb|lig|keit *w. 10 nur Ez.;* **Kri|bbel|krank|heit,** Krie|bel|krank|heit *w. 10 nur Ez.* Mutterkornvergiftung, Ergotismus; **kri|bbeln** *intr. 1;* **kribb|lig,** kri|bbe|lig; **Kribb|lig|keit,** Kribbe|lig|keit *w. 10 nur Ez.*

Krick *m. 1* = Kriek

Kri|ckel *s. 5 Mz.* Gehörn der Gämse, Krucken

Kri|ckel|kra|kel *s. 5* unleserlich Geschriebenes; **kri|ckeln** *tr. 1* unleserlich schreiben

Kri|ckel|wild *s. Gen.* -(e)s *nur Ez.* = Gamswild

Krick|en|te, Kriek|en|te *w. 11* kleinste Entenart, eine Wildente, Standvogel

Kri|cket [engl.] *s. Gen.* -s *nur Ez.* Schlagballspiel zwischen zwei Mannschaften

Kri|da [mlat.] *w. Gen. - nur Ez., österr.:* betrügerischer Konkurs; **Kri|dar, Kri|da|tar** *m. 1, österr.:* Konkursschuldner

Krie|bel|krank|heit *w. 10 nur Ez.* = Kribbelkrankheit

Kriech|blu|me *w. 11, Baukunst* = Krabbe; **Krie|che** *w. 11* eine Pflaumensorte, Haferpflaume; **krie|chen** *intr. 73;* **Krie|cher** *m. 5;* **Krie|che|rei** *w. 10 nur Ez.;* **krie|che|risch; Kriech|pflan|ze** *w. 11;* **Kriech|spur** *w. 10* Fahrspur zum Langsamfahren; **Kriech|tier** *s. 1*

Krieg *m. 1;* **krie|gen** *tr. 1;* **Krieger** *m. 5;* **krie|ge|risch; Krieger|wit|we** *w. 11;* **krieg|füh|rend** ► **Krieg füh|rend;** die Krieg führenden Staaten; **Krieg|führung,** Kriegs|füh|rung *w. 10 nur Ez.;* **Kriegs|an|lei|he** *w. 11;* **Kriegs|be|richt** *m. 1;* **Kriegsbe|rich|ter, Kriegs|be|richt|erstat|ter** *m. 5;* **kriegs|be|schädigt; Kriegs|be|schä|dig|te(r)** *m. 18 (17);* **Kriegs|be|schä|digten|für|sor|ge** *w. 11 nur Ez.;* **Kriegs|be|schä|di|gung** *w. 10;* **kriegs|blind; Kriegs|blin|de(r)** *m. 18 (17);* **Kriegs|dienst** *m. 1;* **Kriegs|dienst|ver|wei|ge|rer** *m. 5;* **Kriegs|dienst|ver|wei|gerung** *w. 10;* **Kriegs|er|klä|rung** *w. 10;* **Kriegs|frei|wil|li|ge(r)** *m. 18 (17);* **Kriegs|füh|rung,** Krieg|füh|rung *w. 10 nur Ez.;* **Kriegs|fuß** *m., nur in der Wendung:* mit jmdm. auf (dem) K. stehen; **kriegs|ge|fan|gen; Kriegs|ge|fan|ge|ne(r)** *m. 18 (17);* **Kriegs|ge|fan|gen|schaft** *w. 10 nur Ez.;* **Kriegs|geg|ner** *m. 5;* **Kriegs|ge|richt** *s. 1;* **Kriegs|ge|winn|ler** *m. 5;* **Kriegs|grä|ber|für|sor|ge** *w. 11 nur Ez.;* **Kriegs|het|ze** *w. 11 nur Ez.;* **Kriegs|ka|me|rad** *m. 10;* **Kriegs|list** *w. 10;* **kriegs|lus|tig; Kriegs|ma|ri|ne** *w. 11 nur Ez.;* **Kriegs|pfad** *m. 1;* **Kriegs|rat** *m. 2 nur Ez.;* **Kriegs|recht** *s. 1 nur Ez.;* **Kriegs|scha|den** *m. 8;* **Kriegs|schau|platz** *m. 2;* **Kriegs|schuld** *w. 10 nur Ez.;* **Kriegs|schu|le** *w. 11;* **Kriegsspiel** *s. 1;* **kriegs|taug|lich; Kriegs|taug|lich|keit** *w. 10 nur Ez.;* **Kriegs|teil|neh|mer** *m. 5;* **Kriegs|ver|bre|chen** *s. 7;* **Kriegs|ver|bre|cher** *m. 5;* **kriegs|ver|letzt; Kriegs|ver|letzung** *w. 10;* **kriegs|ver|sehrt; Kriegs|ver|sehr|te(r)** *m. 18 (17);* **kriegs|ver|wen|dungs|fähig** (*Abk.:* k. v.); **kriegs|wichtig; Kriegs|zug** *m. 2*

Kriek [engl.], Krick *m. 1* **1** kleiner Wasserlauf; **2** kl. Hafen

Kriek|en|te *w. 11* = Krickente

Kriem|hild Gestalt der Nibelungensage

Kries *s. 1 nur Ez., schweiz.:* trockene Äste, Reisig von Nadelbäumen

Krie|sel|wind *m. 1* Wasserhose (auf der Ostsee)

Kri|ko|to|mie [griech.] *w. 11* Luftröhrenschnitt

► = wird zu

Krim *w. Gen.* - südruss. Halbinsel am Schwarzen Meer
Kri|mi *m. 9, Kurzw. für* Kriminalroman, -stück, -film, -hörspiel; **kri|mi|nal** [lat.] zum Strafrecht, Strafverfahren, Verbrechen usw. gehörend; **Kri|mi|nal|be|am|te(r)** *m. 18 (17) bzw. w. 17 oder 18;* **Kri|mi|na|le(r)** *m. 18 (17), ugs. Kurzw. für* Kriminalbeamter; **Kri|mi|nal|film** *m. 1;* **Kri|mi|nal|hör|spiel** *s. 1;* **kri|mi|na|li|sie|ren** *tr. 3* kriminell machen, zum Verbrecher machen; **Kri|mi|na|li|sie|rung** *w. 10 nur Ez.;* **Kri|mi|na|list** *m. 10* **1** Kriminalbeamter; **2** Kriminalwissenschaftler; **Kri|mi|na|lis|tik** *w. 10 nur Ez.* Lehre von den Verbrechen, ihrer Aufdeckung, Verhütung und Ursachen, Erforschung des Lebens der Verbrecher, Kriminalwissenschaft; **kri|mi|na|lis|tisch; Kri|mi|na|li|tät** *w. 10 nur Ez.* Straffälligkeit, Ausmaß, in dem Angehörige eines Standes, Volkes oder einer Gruppe straffällig werden; **Kri|mi|nal|kom|mis|sar** *m. 1;* **Kri|mi|nal|mu|se|um** *s. Gen.* -s *Mz.* -seen; **Kri|mi|nal|po|li|zei** *w. 10 nur Ez.* (*Kurzw.:* Kripo); **Kri|mi|nal|po|li|zist** *m. 10;* **Kri|mi|nal|pro|zeß** ► **Kri|mi|nal|pro|zess** *m. 1, veraltet:* Strafprozess; **Kri|mi|nal|psy|cho|lo|gie** *w. 11 nur Ez.;* **Kri|mi|nal|recht** *s. 1, veraltet:* Strafrecht; **Kri|mi|nal|ro|man** *m. 1;* **Kri|mi|nal|wis|sen|schaft** *w. 10 nur Ez.* = Kriminalistik; **kri|mi|nell** **1** verbrecherisch (Handlung); **2** straffällig (Person); **Kri|mi|no|lo|gie** *w. 11 nur Ez.* Wissenschaft vom Verbrechen, seinen Ursachen usw.; **kri|mi|no|lo|gisch**
krim|meln *intr. 1, norddt.:* kribbeln, *nur in der Wendung:* es krimmelt und wimmelt
Krim|mer [nach der Halbinsel Krim] *m. 5* **1** ein Lammfell; **2** ein Wollgewebe, Imitation dieses Fells
krim|pen **1** *intr. 1, Perfekt auch:* gekrumpen, *nddt.:* einschrumpfen; von West nach Ost drehen (vom Wind); **2** *tr. 1* einschrumpfen lassen
Krims|krams *m. Gen. - nur Ez.* Kram, Sachen, Zeug
Krin|gel *m. 5* **1** kleiner gezeichneter Kreis oder Schnörkel; **2** ringförmiges Gebäck oder Zuckerwerk; **krin|ge|lig,** krin|glig, wie ein Kringel; **krin|geln** *tr. und refl. 1;* ich kringele, kringle mich vor Lachen *ugs.;* **krin|glig** *auch:* **kring|lig,** krin|ge|lig
Kri|no|i|den [lat. + griech.] *m. 11 Mz., Sammelbez. für* Stachelhäuter (Haarsterne und Seelilien)
Kri|no|li|ne [frz.] *w. 11* Reifrock als Unterrock
Kri|po *w. Gen. - nur Ez., ugs. Kurzw. für* Kriminalpolizei
Krip|pe *w. 11;* **krip|pen** *tr. 1;* einen Deich k.: mit Flechtwerk (Krippe) sichern, festigen; **Krip|pen|bei|ßer, Krip|pen|set|zer** *m. 5* Pferd, das (aus schlechter Gewohnheit) in den Rand der Futterkrippe beißt und dabei Luft schluckt; **Krip|pen|spiel** *s. 1*
Kris **1** [mal.] *m. 1* malaiischer Dolch mit (meist gewundener) doppelschneidiger Klinge; **2** *s. 1 nur Ez., schweiz. für* Kries
Kri|se [griech.] *w. 11* **1** schwierige Zeit, Störung; **2** Kri|sis *w. Gen. - Mz.* -sen, *Med.:* Höhepunkt (einer Krankheit); **kri|seln** *intr. 1, nur unpersönlich;* es kriselt: es droht eine Krise; **kri|sen|fest**
Kri|sen|ma|nage|ment [-mænɪdʒmənt] *s. Gen. - nur Ez.* Gesamtheit politischer Maßnahmen, um internationale Spannungen zu verringern
kri|sen|si|cher; Kri|sen|zeit *w. 10;* **Kri|sis** *w. Gen. - Mz.* -sen, *Med.* = Krise (**2**)
kris|peln *tr. 1, Gerberei:* mit Narben versehen, narben, geschmeidig machen
Kris|tall [griech.] **1** *m. 1* fester, von geometrisch gesetzmäßig angeordneten Flächen begrenzter Körper; **2** *s. 1 nur Ez.* Blei-, Kristallglas; **3** *s. 1 nur Ez.* Kristallwaren; **Kris|tall|eis** *s. 1 nur Ez.* klares Kunsteis; **kris|tal|len** **1** aus Kristall; **2** klar wie Kristall; **Kri|stall|euch|ter** ► **Kris|tall|leuch|ter** *m. 5;* **Kris|tall|glas** *s. 4* **1** *nur Ez.* Bleiglas für Kristallwaren; **2** ein Trinkglas aus diesem Material; **kris|tall|hell; kris|tal|lin, kris|tal|li|nisch** aus Kristallen bestehend; **Kris|tal|li|sa|ti|on** *w. 10 nur Ez.* Kristallbildung; **kris|tal|lisch** wie Kristall; **kris|tal|li|sie|ren** **1** *intr. 3* Kristalle bilden; **2** *refl. 3* sich zu Kristallen umformen; **Kris|tal|li|sie|rung** *w. 10 nur Ez.;* **Kris|tal|lit** *m. 10* winziger Kristall ohne deutlich ausgeprägte Oberflächenform, Anfangsstadium der Kristallisation; **kris|tall|klar; Kris|tall|leuch|ter** *m. 5;* **Kris|tall|lüs|ter** *m. 5;* **Kris|tal|lo|gra|phie** ► *auch:* **Kris|tal|lo|gra|fie** *w. 11 nur Ez.* Lehre von den Kristallen; **kris|tal|lo|gra|phisch** ► *auch:* **kris|tal|lo|gra|fisch; Kris|tal|lo|id** *s. 1* kristallähnlicher Körper; **Kris|tal|lüs|ter** ► **Kris|tall|lüs|ter** *m. 5;* **Kris|tall|wa|ren** *w. 11 Mz.* Gebrauchsgegenstände aus Kristallglas (**1**); **Kris|tall|zu|cker** *m. 5* gereinigter weißer Zucker
Kris|ti|a|nia *bis 1925 Name für* Oslo
Kri|te|ri|um [griech.] *s. Gen.* -s *Mz.* -ri|en **1** Kennzeichen, unterscheidendes Merkmal; **2** *Radsport:* Rundenrennen
Kri|tik [auch: -tik, griech.] *w. 10* **1** *nur Ez.* Urteilsfähigkeit; **2** Beurteilung, Wertung; Besprechung (von Büchern, Theaterstücken, Konzerten, Filmen u. a.); **3** Tadel, Beanstandung; **Kri|ti|kas|ter** *m. 5* kleinlicher Tadler, Nörgler; **Kri|ti|ker** *m. 5;* **kri|tik|fä|hig; Kri|tik|fä|hig|keit** *w. 10 nur Ez.;* **kri|tik|los; Kri|tik|lo|sig|keit** *w. 10 nur Ez.;* **kri|tisch** **1** beurteilend, unterscheidend, prüfend; kritische Ausgabe: Ausgabe eines Literaturwerkes mit Angabe der Lesarten; kritischer Apparat: Gesamtheit der Anmerkungen zu einem Literaturwerk bezüglich der Lesarten, Textgeschichte usw.; etwas k. prüfen; k. an eine Sache herangehen; **2** gefährlich, bedenklich, eine Wende ankündigend; **kri|ti|sie|ren** *tr. 3* **1** beurteilen, werten, besprechen; **2** beanstanden, tadeln; **Kri|ti|zis|mus** *m. Gen. - nur Ez.* von Kant eingeführtes Verfahren, vor der Aufstellung eines philosoph. Systems die Möglichkeiten und Grenzen der menschl. Erkenntnis festzustellen; **Krit|te|lei** *w. 10* kleinliches Tadeln; **krit|te|lig** = krittlig; **krit|teln** *intr. 1* nörgeln, kleinl. Kritik üben; **Kritt|ler** *m. 5* kleinl. Tadler, Nörgler; **kritt|lig** krit|te|lig, nörgelig, kleinlich tadelnd, tadelsüchtig
Krit|ze|lei *w. 10;* **krit|ze|lig,** kritz|lig; **krit|zeln** *tr. 1;* ich kritzele, kritzle

Kro|a|te *m. 11* Angehöriger eines südslaw. Volkes; **Kro|a|ti|en** [-tsjən] Staat in Südosteuropa; **kro|a|tisch**
Kro|atz|bee|re *w. 11, süddt.:* Brombeere
Kro|cket [engl.] *s. 9 nur Ez.* ein Rasenkugelspiel zwischen zwei Mannschaften; **kro|ckie|ren** *tr. u. intr. 3* (die gegnerische Kugel) wegschlagen
Kro|kant [frz.] *m. 1 nur Ez.* mit karamelisiertem Zucker vermischte Mandel- oder Nussstückchen
Kro|ket|te [frz.], Cro|quet|te [-kɛt] *w. 11* in Fett gebackenes Klößchen aus Kartoffeln, Fleisch u. a.
Kro|ki [frz.] *s. 9,* Cro|quis [-ki] *s. Gen.* - [-kis] *Mz.* - [-kis] einfache Geländezeichnung, Kartenskizze; **kro|kie|ren** *tr. 3* skizzieren (Gelände)
Kro|ko *s. 9, kurz für* Krokodilleder; **Kro|ko|dil** [griech.] *s. 1* ein Reptil, Raubtier; **Kro|ko|dils|trä|nen** *w. 11 Mz.* geheuchelte Tränen; **Kro|ko|dil|wäch|ter** *m. 5* ein Watvogel
Kro|kus [griech.] *m. Gen. - Mz. - oder* -kus|se eine Gartenblume
kroll *rhein.:* kraus; **Krol|le** *w. 11, rhein.:* Locke; **krol|len** *tr. 1, rhein.:* kräuseln, locken
Krom|lech, Crom|lech [kelt.] *m. 1 oder m. 9* Grab- und Kultstätte der Jungsteinzeit aus hoch aufgerichteten, kreisförmig aufgestellten Steinen
Krön|chen *s. 7;* **Kro|ne** *w. 11; auch:* Währungseinheit verschiedener Länder: dän. K. (*Abk.:* dkr), 100 Øre; isländ. K. (*Abk.:* ikr), 100 Aurar; norweg. K. (*Abk.:* nkr), 100 Øre; schwed. K. (*Abk.:* skr), 100 Öre; tschech. K. (*Abk.:* Kč), 100 Heller; **krö|nen** *tr. 1;* **Kron|er|be** *m. 11* Thronerbe; **Kron|glas** *s. 4* Glas für Linsen u. a.; **Kron|gut** *s. 4* der Krone (dem Landesherrn) gehöriges Gut
Kro|ni|de *m. 11, griech. Myth.* **1** Nachkomme des Kronos; **2** der K.: Beiname des Zeus
Kron|ko|lo|nie *w. 11* brit. Kolonie mit einem von der Krone eingesetzten Gouverneur; **Krön|lein** *s. 7;* **Kron|leuch|ter** *m. 5*
Kro|nos *griech. Myth.:* Vater des Zeus
Kron|prinz *m. 10* Thronfolger; **Kron|prin|zes|sin** *w. 10;* **Kron|rat** *m. 2* Versammlung aller Minister unter Vorsitz des Monarchen
Krons|bee|re *w. 11, nddt.:* Preiselbeere
Kron|schatz *m. 2;* **Krö|nung** *w. 10;* **Kron|zeu|ge** *m. 11* **1** Hauptzeuge; **2** *in Großbritannien und den USA:* Mittäter als Belastungszeuge, dem Straflosigkeit zugesichert wird
Kropf *m. 2;* **Kröpf|chen** *s. 7;* **kröp|fen 1** *tr. 1;* Gesims k.: um einen Mauervorsprung herumführen; Holzleisten k.: rechtwinklig zusammenfügen; Stäbe, Wellen k.: doppelwinklig abbiegen; **2** *intr. 1* fressen (von Raubvögeln); **krop|fig, kröp|fig 1** mit Kropf behaftet; **2** *Bot:* verkümmert, zurückgeblieben; **Kropf|tau|be** *w. 11* eine Haustaube; **Kröp|fung** *w. 10*
Kropp|zeug *s. Gen.* -s *nur Ez., ugs.:* **1** Kleinvieh; **2** kleine Kinder; **3** Gesindel; **4** wertloser Kram
Krö|se *w. 11* Nut der Fassdaube; **Krö|sel|ei|sen** *s. 7* Werkzeug zum Krösen; **krö|sen** *tr. 1* mit einer Kröse versehen (Fass)
kroß ► **kross** *nordwestdt.:* **1** knusprig; **2** spröde, brüchig
Krö|sus 1 König von Lydien; **2** *m. Gen. - Mz.* -sus|se sehr reicher Mann
Kro|ta|lin [griech.] *s. 1 nur Ez.* Gift der Klapperschlange
Krö|te *w. 11;* **Krö|ten|frosch** *m. 2;* **Krö|ten|test** *m. 1 oder m. 9* Test zur Feststellung der Schwangerschaft
Kro|ton [griech.] *m. 1* ein Wolfsmilchgewächs, Heilpflanze; **Kro|ton|öl** *s. 1 nur Ez.* ein Abführmittel
Kro|ze|tin [griech.] *s. 1 nur Ez.* ein roter Farbstoff; **Kro|zin** *s. 1 nur Ez.* aus Safran gewonnener, gelber Farbstoff
Krs., Kr. *Abk. für* Kreis
Kru|cke *w. 11* Horn der Gämse, Krickel; **Krü|cke** *w. 11;* **Kru|cken|kreuz, Krü|cken|kreuz** *s. 1* Kreuz, dessen Balken an den Enden Querbalken haben; **Krück|stock** *m. 2*
krud [lat.] **1** unverdaulich (von Nahrungsmitteln), roh; **2** grausam, roh; **Kru|de|li|tät** *w. 10 nur Ez.; veraltet:* Grausamkeit, Rohheit; **Kru|di|tät** *w. 10 nur Ez.* **1** Unverdaulichkeit; **2** Rohheit, Grausamkeit
Krug *m. 2* **1** Gefäß mit Henkel; **2** *norddt.:* Schenke, Wirtshaus; **Krü|gel** *s. 5; österr.:* Bierglas mit Henkel; **Krü|gel|chen** *s. 7;* **Krü|ger** *m. 5, norddt.:* Wirt; **Krüg|lein** *s. 7*
Kru|ke *w. 11, norddt.* **1** großer Krug, Tonflasche; **2** komische, putzige, sonderbare Person, Kauz; komische Kruke
Krul|le *w. 11, norddt.:* Halskrause; **Krull|farn** *m. 1* ein moosähnlicher Farn, Haarfarn; **Krüll|haar** *s. Gen.* -s *nur Ez.* gekräuseltes Rosshaar zum Polstern; **Krüll|schnitt** *m. 1* mittelfeiner bis grober Tabakschnitt; **Krüll|ta|bak** *m. 1*
Krüm|chen *s. 7;* **Kru|me** *w. 11* **1** kleines Bröckchen; **2** das weiche Innere des Brotes; **3** oberste, fruchtbare Schicht des Erdbodens, Ackerkrume; **Krü|mel** *m. 5;* **Krü|mel|chen** *s. 7;* **krü|me|lig,** krüm|lig; **krü|meln** *tr. u. intr. 1;* ich krümele, krümle es; das Brot krümelt; **Krü|mel|struk|tur** *w. 10 nur Ez.* (des Ackerbodens); **Krüm|lein** *s. 7;* **krüm|lig,** krü|me|lig
krumm; krummer, am krummsten, *landsch. auch:* krümmer, am krümmsten; Draht krumm biegen; sich krumm halten;

> **krumm nehmen:** Gefüge aus Adjektiv/Adverb und Verb schreibt man getrennt, wenn das Adjektiv in dieser Verbindung durch *sehr* erweiterbar oder steigerbar ist: *Sie könnten den Scherz (sehr) krumm nehmen.* Ebenso: *krumm schießen/sitzen.*
> →§ 34 E3 (3)

krumm sitzen; etwas krumm nehmen: etwas übel nehmen; **krumm|bei|nig; Krumm|bei|nig|keit** *w. 10 nur Ez.;* **Krüm|me** *w. 11, selten für* Krümmung; **krüm|men** *tr. 1;* **Krum|me(r)** *m. 18 (17), norddt.:* Feldhase; **Krüm|mer** *m. 5* **1** gebogenes Rohrstück; **2** = Grubber; **Krum|mes|ser** ► **Krumm|mes|ser** *s. 5;* **Krumm|holz** *s. 4;* **Krumm|holz|kie|fer** *w. 11*
Krumm|horn *s. 4* altes Holzblasinstrument mit unten gekrümmtem Rohr; **krumm|la|chen** *refl. 1, ugs.:* sehr lachen; **Krumm|mes|ser** *s. 5*

► = wird zu

Messer mit gebogener Klinge; **krumm|neh|men** ▶ **krumm neh|men** *tr. 88; ugs.;* **Krumm|sä|bel** *m. 5;* **Krumm|sche|re** *w. 11;* **krumm|schie|ßen** ▶ **krumm schie|ßen** *tr. 113;* **Krumm|stab** *m. 2* Stab mit gekrümmter Krücke, Hirten-, Bischofsstab; **Krüm|mung** *w. 10*

Krüm|pel, Krüm|pel *w. 11 meist Mz., ugs.:* Knitterfalte; **krum|pe|lig,** krump|lig; **krum|peln, krüm|peln** *intr. u. tr. 1, ugs.:* knittern

Krüm|per *m. 5, 1808–12 in Preußen:* nur kurze Zeit dienender Soldat; **Krüm|per|pferd** *s. 1, im alten dt. Heer:* überzähliges Pferd (das zu Wirtschaftszwecken eingesetzt wurde); **Krüm|per|sys|tem** *s. 1 nur Ez.;* **Krüm|per|wa|gen** *m. 7* militär. Kutschwagen

krumpf|echt beim Waschen nicht einlaufend (Gewebe); **krump|fen** *intr. 1* beim Waschen einlaufen, schrumpfen (Gewebe); **Krumpf|maß** *s. 1* Schwund, Verlust (beim Speichern von Getreide u. Ä.)

krump|lig, krum|pe|lig

Krupp [engl.] *m. Gen.* -s *nur Ez.* **1** diphtherieartige Entzündung der Kehlkopfschleimhaut, gefährliche Kinderkrankheit; **2** Krup, Croup [krup] fieberhafte, meist tödl. Erkrankung der Rinder mit Belägen auf den Schleimhäuten

Krup|pa|de [frz.], Crou|pa|de [kru-] *w. 11, Hohe Schule:* Sprung, bei dem das Pferd beide Hinterbeine an den Bauch zieht

Krup|pe *w. 11* Kreuz (des Pferdes), Pferderücken zwischen Niere und Schwanzwurzel

Krüp|pel *m. 5;* **krüp|pe|lig,** krüpp|lig verkrüppelt, schief gewachsen; **krüp|peln** *intr. 1* **1** *schweiz. ugs. scherzh.:* hart arbeiten; **2** *bayr.:* knittern

krup|pös kruppartig, mit Krupp einhergehend

kru|ral [lat.] zum Schenkel gehörend, schenkel…

Krus|pel *m. 14, österr.:* Knorpel

Krus|ta|zee [lat.] *w. 11* Krebstier

Krus|te *w. 11;* **Krus|ten|ech|se** *w. 11* eine Giftechse; **Krus|ten|tier** *s. 1* Krebstier; **krus|tig**

Krux [lat.], Crux *w. Gen. - nur Ez.* Last, Kummer, »Kreuz«

Kru|zi|a|ner [lat.] *m. 5* Angehöriger des Knabenchors der Dresdener Kreuzkirche; **Kru|zi|fe|re** *w. 11* Kreuzblütler; **Kru|zi|fix** [auch: -fiks] *s. 1* plast. oder gemalte Darstellung Christi am Kreuz; **Kru|zi|fi|xus** *m. Gen. - nur Ez.* der gekreuzigte Christus; **Kru|zi|tür|ken!** ein Fluch

Kry|o|lith [griech.] *m. 1* ein Mineral; **Kry|o|me|ter** *s. 5* Thermometer für sehr tiefe Temperaturen; **Kry|o|sko|pie** *auch:* **Kry|os|ko|pie** *w. 11 nur Ez.* Bestimmung des Molekulargewichts durch Messung der Gefrierpunkterniedrigung

krypt…, Krypt… vgl. krypto…, Krypto…; **Kryp|ta** [griech.] *w. Gen. - Mz.*-ten **1** *urspr.:* Grabkammer von Märtyrern in Katakomben; **2** unterird. Raum unter dem Chor bes. romanischer Kirchen, meist mit Grabkammern oder zum Aufbewahren von Särgen; **3** verborgene Einbuchtung in den Rachenmandeln

kryp|to…, Kryp|to… [griech.] *in Zus.:* geheim, verborgen

Kryp|to|ga|me [griech.] *w. 11* blütenlose Pflanze, Sporenpflanze; *Ggs.:* Phanerogame; **kryp|to|gen, kryp|to|ge|ne|tisch** *Biol.:* von unbekannter Entstehung; **Kryp|to|graf** *m. 10* = Kryp|to|graph; **Kryp|to|gra|fie** *w. 11* = Kryp|to|gra|phie; **Kryp|to|gramm** *s. 1* **1** Verse (eines Gedichts oder Liedes), deren Anfangsbuchstaben oder -wörter ein Wort oder einen Satz ergeben; **2** *veraltet:* Geheimtext, Text mit geheimer Nebenbedeutung; **Kryp|to|graph** ▶ *auch:* **Kryp|to|graf** *m. 10, veraltet:* Geheimschriftmaschine; **Kryp|to|gra|phie** ▶ *auch:* **Kryp|to|gra|fie** *w. 11* **1** *veraltet:* Geheimschrift; **2** *Psych.:* absichtslos (z. B. beim Telefonieren oder Zuhören) entstandene Kritzelei oder Musterzeichnung; **kryp|to|kris|tal|lin, kryp|to|kris|tal|li|nisch** erst bei Vergrößerung als kristallinisch erkennbar; **kryp|to|mer** ohne Mikroskop nicht erkennbar (bes. von Gesteinsbestandteilen); **Kryp|to|me|rie** *w. 11* das Verborgenbleiben einer Erbanlage; **Kryp|to|me|rie** [-riə] *w. 11* japan. Zeder; **Kryp|ton** *s. Gen.* -s *nur Ez.* (*Zeichen:* Kr) chem. Element, ein Edelgas; **Kryp|ton|lam|pe** *w. 11;* **Krypt|or|chis|mus** *auch:* **Kryp|tor-** *m. Gen. - nur Ez.* Zurückbleiben eines oder beider Hoden in der Bauchhöhle oder im Leistenkanal (anstelle der normalen Verlagerung in den Hodensack während der Embryonalentwicklung); **Kryp|to|skop** *auch:* **Kryp|tos|kop** *s. 1* mit Krypton gefülltes Gerät zum Nachweis von Röntgenstrahlen bei Tages- oder Kunstlicht

KS *Abk. für* Kansas

KSZE *Abk. für* Konferenz über Sicherheit und Zusammenarbeit in Europa

kt *Abk. für* Kilotonne

Kt. *Abk. für* Kanton

Kte|ni|di|um [griech.] *s. Gen.* -s *Mz.* -di|en Kammkieme, Kieme der Schnecken und anderer Weichtiere; **kte|no|id** kammartig; **Kte|no|id|schup|pe** *w. 11* kammartig gezähnte Fischschuppe; **Kte|no|pho|re** *w. 11* Hohltier mit erhabenen Längsrippen, Rippenqualle

Ku|ba *amtl.:* Cu|ba, Inselstaat in Mittelamerika; **Ku|ba|ner** *m. 5;* **ku|ba|nisch**

Ku|ba|tur [lat.], Ku|bie|rung *w. 10* Erhebung in die dritte Potenz; Berechnung des Rauminhalts

Kub|ba [arab.] *m. Gen. - Mz.* -ben, islam. Baukunst: **1** Kuppel; **2** Grabbau mit Kuppel, Gewölbe

Ku|be|be [arab.-span.] *w. 11* scharf schmeckende Frucht eines indones. Pfeffergewächses; **Ku|be|be|pfef|fer** *m. Gen.* -s *nur Ez.*

Kü|bel *m. 5;* **Kü|bel|wa|gen** *m. 7*

Ku|ben *Mz. von* Kubus; **ku|bie|ren** [lat.] *tr. 3* **1** in die dritte Potenz erheben; **2** einen Baumstamm k.: die Festmeter eines B. aus Länge und mittlerem Durchmesser errechnen; **Ku|bie|rung** *w. 10* = Kubatur; **ku|bik…, Ku|bik…,** *in Zus.:* in die dritte Potenz erhoben, Raum…; **Ku|bik|de|zi|me|ter** *s. 5, ugs.: m. 5* (*Abk.:* dm^3, *früher:* cdm); **Ku|bik|hek|to|me|ter** *s. 5, ugs.: m. 5* (*Abk.:* hm^3, *früher:* chm); **Ku|bik|in|halt** *m. 1* Rauminhalt; **Ku|bik|ki|lo|me|ter** *s. 5, ugs.: m. 5* (*Abk.:* km^3, *früher:* ckm); **Ku|bik|maß** *s. 1*

Raumkörpermaß; **Ku|bik|me|ter** *s. 5, ugs.: m. 5* (*Abk.:* m³, *früher:* cbm); *als Holzmaß:* Festmeter; **Ku|bik|mil|li|me|ter** *s. 5, ugs.: m. 5* (*Abk.:* mm³, *früher:* cmm); **Ku|bik|wur|zel** *w. 11* dritte Wurzel aus einer Zahl; **Ku|bik|zahl** *w. 10* dritte Potenz einer Zahl; **Ku|bik|zen|ti|me|ter** *s. 5, ugs.: m. 5* (*Abk.:* cm³, *früher:* ccm); **ku|bisch 1** würfelförmig; **2** in die dritte Potenz erhoben; **Ku|bis|mus** *m. Gen. - nur Ez.* Richtung in der Malerei, in der die stereometr. Grundformen der Natur (Kugel, Würfel, Zylinder, Kegel) bes. betont werden; **Ku|bist** *m. 10* Vertreter des Kubismus; **ku|bis|tisch; ku|bi|tal** zum Ellbogen gehörend; **Ku|bus** *m. Gen. - Mz.* -ben **1** Würfel; **2** dritte Potenz

Kü|che *w. 11; auch:* Kochkunst, die Art, wie man kocht; feine, gute, französische, kalte, warme K.; *bayr., österr.:* Küchenherd

Kü|chel *m. 14, bayr.:* Schmalzgebäck, eine Art Krapfen; **kü|cheln** *intr. 1, schweiz.:* kleine Kuchen, Schmalzgebackenes zubereiten; **Ku|chen** *m. 7*

Kü|chen|bul|le *m. 11, Soldatenspr.:* Koch, der in der Küche Dienst habende Unteroffizier; **Kü|chen|chef** *m. 9;* **Kü|chen|fee** *w. 11, scherzh.:* Köchin

Kü|chen|gar|ten *m. 7* Gemüse- und Gewürzgarten; **Kü|chen|la|tein** *s. Gen.* -s *nur Ez., scherzh.:* schlechtes Latein des MA (wie es in den Klosterküchen gesprochen wurde), Mönchslatein; **Kü|chen|lied** *s. 3* Bänkellied; **Kü|chen|ma|schi|ne** *w. 11* elektr. Mehrzweckgerät zum Zerkleinern, Rühren usw.; **Kü|chen|scha|be** *w. 11* ein Hausinsekt, Kakerlak; **Kü|chen|schel|le** *w. 11* eine Anemone, Kuhschelle; **Kü|chen|schwal|be** *w. 11* Rauchschwalbe; **Kü|chen|waa|ge** *w. 11;* **Kü|chen|wa|gen** *m. 7* Eisenbahnwagen mit Küche, Feldküche; **Kü|chen|zet|tel** *m. 5* Aufstellung der Speisen, die gekocht werden sollen

Küch|lein *s. 7* **1** Küken; **2** kleines Schmalzgebäck, kleiner Krapfen

ku|cken *intr. 1, ugs. für* gucken

Kü|cken *s. 7, österr. für* Küken

ku|ckuck!; Ku|ckuck *m. 1* **1** ein Singvogel; hol's der K.!; weiß der K., wo das ist; zum K.!; jmdn. zum K. wünschen; **2** ugs.: Pfändungsmarke des Gerichtsvollziehers; **Ku|ckucks|blu|me** *w. 11* Knabenkraut; **Ku|ckucks|ei** *s. 3* etwas, das einem andern zugeschoben wird und wofür dieser nun sorgen soll, zweifelhaftes Geschenk; **Ku|ckucks|uhr** *w. 10*

Ku|del|mud|del *m. 5 oder s. 5 nur Ez., ugs.:* Durcheinander, Wirrwarr

Ku|der *m. 5* **1** männl. Wildkatze; **2** *schweiz.:* Werg

Ku|du [afrik.] *m. 9* eine afrik. Antilope

Ku|fe *w. 11* **1** Laufschiene (des Schlittens); **2** Kübel, Bottich; **3** altes dt. Biermaß, 450 bis 700 Liter; **Kü|fer** *m. 5* **1** Kellermeister; **2** *südwestdt. für* Böttcher

Kuff *w. 1* breites, flaches Küstensegelschiff (für Frachten)

ku|fisch aus der ehemaligen Stadt Kufa bei Bagdad stammend; kufische Schrift: altarab. Schrift

Ku|gel *w. 11;* **Ku|gel|blitz** *m. 1;* **Ku|gel|blu|me** *w. 11* eine Alpenblume; **Kü|gel|chen** *s. 7;* **Ku|gel|fang** *m. 2* Erdwall hinter Schießständen; **ku|gel|fest; Ku|gel|fes|tig|keit** *w. 10 nur Ez.;* **ku|ge|lig,** kug|lig; **Ku|gel|la|ger** *s. 5;* **ku|geln** *tr. 1;* ich kugele, kugle es; **Ku|gel|re|gen** *m. 7;* **ku|gel|rund; Ku|gel|schrei|ber** *m. 5;* **ku|gel|si|cher; Ku|gel|spiel** *s. 1;* **Ku|gel|sto|ßen** *s. Gen.* -s *nur Ez.;* **Küg|lein** *s. 7;* **kug|lig,** ku|ge|lig

Ku|gu|ar [südamerik. Indianerspr.] *m. 1* = Puma

Kuh *w. 2;* **Kuh|an|ti|lo|pe** *w. 11;* **Kuh|dorf** *s. 4, ugs.:* kleines, langweiliges Dorf, Kuhkaff; **Kü|her** *m. 5, schweiz.:* Kuhhirt, Senn; **Kuh|han|del** *m. Gen.* -s *nur Ez., ugs.:* fragwürdiger Tauschhandel zum Nachteil Dritter, bes. in der Politik; **Kuh|haut** *w. 2, nur in der Wendung* das geht auf keine K.: das ist unglaublich; **Kuh|kaff** *s. 9, ugs.* = Kuhdorf

kühl; Kühl|an|la|ge *w. 11*

Kuh|le *w. 11, norddt.:* Mulde, Grube, flaches Loch

Küh|le *w. 11 nur Ez.;* **küh|len** *tr. 1;* **Küh|ler** *m. 5;* **Küh|ler|hau|be** *w. 11;* **Kühl|haus** *s. 4;* **Kühl|ket|te** *w. 11* Serie verschiedener Kühlanlagen (z. B. vom Schiff über Eisenbahn und Kühlhaus bis zur Kühltruhe) für den Transport von Lebensmitteln über weite Strecken; **Kühl|schiff** *s. 1;* **Kühl|schrank** *m. 2;* **Kühl|te** *w. 11, Seew.:* leichter bis mäßiger Wind; **Kühl|tru|he** *w. 11;* **Küh|lung** *w. 10;* **Kühl|wa|gen** *m. 7;* **Kühl|was|ser** *s. Gen.* -s *nur Ez.*

Kuh|magd *w. 2;* **Kuh|milch** *w. 10 nur Ez.*

kühn; Kühn|heit *w. 10 nur Ez.;* **kühn|lich** *veraltet, noch in Wendungen wie:* man kann k. behaupten, dass…

Kuh|pilz *m. 1;* **Kuh|po|cken** *w. 11 Mz.* Viruserkrankung der Kühe (auf der die Pockenschutzimpfung basiert); **Kuh|rei|gen, Kuh|rei|hen** *m. 7* aus den Lockrufen der Hirten beim Abtrieb von der Alm entstandenes stroph. Lied; **Kuh|rei|her** *m. 5* ein Stelzvogel; **Kuh|schel|le** *w. 11* = Küchenschelle

Ku|jon [frz.] *m. 1, veraltet:* Quäler, jmd., der andere kujoniert; **ku|jo|nie|ren** *tr. 3, veraltet:* quälen, peinigen, schinden, kuranzen

k. u. k. *Abk. für* kaiserlich und königlich (im früheren Österreich-Ungarn vor den Namen von – bes. militär. – Dienststellen, Einheiten u. a.)

Kü|ken *s. 7* **1** Junges vom Huhn, **2** *übertr.:* kleines Mädchen, Jüngste(r)

Ku-Klux-Klan [engl. Ausspr. selten: kju:klʌksklæn] *m. Gen.* -(s) *nur Ez., in den USA:* terrorist. Geheimbund

Ku|kum|ber [lat.], **Ku|ku|mer** *w. 11, südwestdt.:* Gurke

Ku|ku|ruz [rumän.] *m. Gen.* -es *nur Ez., österr.:* Mais

Ku|lak [russ.] *m. 10, im zarist. Russland:* Großbauer

ku|lant [frz.] großzügig, entgegenkommend; *Ggs.:* inkulant; **Ku|lanz** *w. 10 nur Ez.*

Ku|li [Hindi] *m. 9* **1** ostasiat. Tagelöhner, Lastträger, Plantagenarbeiter; **2** *abwertend:* billige Arbeitskraft

Ku|lier|wa|re *w. 11* Wirkware, gewirkter Stoff, Maschenware

ku|li|na|risch [lat.] auf feiner Kochkunst beruhend, fein, erlesen; kulinarische Genüsse

Ku|lis|se [frz.] *w. 11* **1** *Theater:* bemalte, verschiebbare Wand oder Dekorationsteil als seitlicher und hinterer Abschluss der Bühne; **2** *Börse:* freier Markt, Gesamtheit der Personen, die auf eigene Rechnung an der Börse spekulieren; **3** *Tech.:* Hebel mit verschiebbarem Drehpunkt; **Ku|lis|sen|büh|ne** *w. 11;* **Ku|lis|sen|schie|ber** *m. 5, leicht abwertend:* Bühnenarbeiter

Kul|ler|au|gen *s. 14 Mz.;* **kul|lern** *intr. u. tr. 1*

Kulm [lat.] *m. 1* **1** runder Berggipfel; **2** Stufe des unteren Karbons

Kul|mi|na|ti|on [lat.] *w. 10* **1** Durchgang eines Gestirns durch den höchsten bzw. niedrigsten Punkt seiner Bahn am Himmelsgewölbe; **2** *übertr.:* Erreichen der größten Höhe, des Höhepunktes; **Kul|mi|na|ti|ons|punkt** *m. 1* Höhe-, Gipfelpunkt; **kul|mi|nie|ren** *intr. 3* den Höhepunkt erreichen

kul|misch zum Kulm (**2**) gehörend, aus ihm stammend

Kult [lat.] *m. 1* **1** Kul|tus *m. Gen. - Mz.* -te äußere Form des Gottesdienstes; **2** *übertr.:* übertriebene Verehrung oder Pflege; einen Kult mit etwas treiben; **kul|tisch** zu einem Kult gehörend, auf ihm beruhend, in der Art eines Kultes; kultische Verehrung, kultische Gegenstände

Kul|ti|va|tor [-va-, lat.] *m. 13* = Grubber; **kul|ti|vie|ren** [-vi-] *tr. 3* **1** anbaufähig machen (Land, Boden); **2** verfeinern, veredeln; **3** sorgfältig pflegen; **kul|ti|viert** verfeinert, gebildet, sehr gepflegt

Kul|tur *w. 10* **1** Gesamtheit der geistigen und künstlerischen Errungenschaften einer Gesellschaft; **2** Anbau und Aufzucht von Pflanzen; **3** Züchtung von Bakterien auf künstl. Nährböden; **4** Bebauung des Bodens; **5** *nur Ez.* geistige und seelische Bildung, verfeinerte Lebensweise, Lebensart; **kul|tu|rell** die Kultur (**1, 5**) betreffend, dazu gehörend, darauf beruhend; **Kul|tur|film** *m. 1;* **Kul|tur|flüch|ter** *m. 5 Mz.* Tiere oder Pflanzen, die durch Eingriffe des Menschen in die Landschaft aus ihrer ursprüngl. Umgebung verdrängt werden; **Kul|tur|fol|ger** *m. 5 Mz.* Pflanzen oder Tiere, die durch Eingriffe des Menschen in die Landschaft günstigere Lebensbedingungen erhalten und sich deshalb in der Nähe menschlicher Siedlungen aufhalten; **Kul|tur|ge|schich|te** *w. 11 nur Ez.;* **kul|tur|ge|schicht|lich;** **kul|tur|his|to|risch;** **Kul|tur|land|schaft** *w. 10* durch den Menschen umgestaltete Landschaft; **kul|tur|los;** **Kul|tur|mi|nis|te|ri|um** *s. Gen.* -s *nur Ez., österr.;* **Kul|tur|po|li|tik** *w. 10 nur Ez.;* **Kul|tur|volk** *s. 4*

Kul|tus *m. Gen. - Mz.* -te = Kult (**1**); **Kul|tus|mi|nis|te|ri|um** *s. Gen.* -s *Mz.* -ri|en

Ku|ma|rin [frz.] *m. 1 nur Ez.* ein in Waldmeister u.a. Pflanzen vorkommender Duftstoff; **Ku|ma|ron** *s. 1 nur Ez.* im Steinkohlenteer enthaltenes Schweröl

Kumm *m. 1,* **Kum|me** *w. 11, norddt.:* Schüssel

Küm|mel *m. 5* **1** ein Gewürzkraut; **2** dessen Frucht; **3** *kurz für* Kümmelbranntwein; **Küm|mel|blätt|chen** *s. 7 nur Ez.* ein Kartenglücksspiel; **Küm|mel|brannt|wein** *m. 1* Branntwein mit Zusatz von Kümmel; **küm|meln** *tr. 1, ugs.:* (Alkohol) trinken; ich kümmele, kümmle einen; **Küm|mel|tür|ke** *m. 11, veraltet:* **1** Spießbürger; **2** Prahlhans

Kum|mer *m. 5 nur Ez.;* **Küm|me|rer** *m. 5* **1** *Jägerspr.:* männl. Tier mit zurückgebliebenem Geweih oder Gehörn; **2** *übertr. ugs.:* gräml. Mensch; **küm|mer|lich;** **Küm|mer|ling** *m. 1* schwächliches Lebewesen; **küm|mern** **1** *intr. 1* in der Entwicklung zurückbleiben, schwächlich dahinleben; **2** *tr. 1* angehen, Sorge machen; das kümmert mich nicht; was kümmert's mich?; das soll mich nicht k.; **3** *refl. 1;* sich um jmdn. oder etwas k.; darum kümmere, kümmre ich mich nicht; **Küm|mer|nis** *w. 1;* **Kum|mer|speck** *m. Gen.* -s *nur Ez., ugs. scherzh.;* **kum|mer|voll**

Kum|met, Kumt *s. 1* der um den Hals des Pferdes liegende Teil des Zuggeschirrs

Kump, Kumpf *m. 1* **1** Form zum Wölben von Blechplatten; **2** kleine, tiefe Schüssel

Kum|pan [lat.] *m. 1* Genosse, Kamerad, Geselle, z.B. Zechkumpan; **Kum|pa|nei** *w. 10;* **Kum|pel** *m. 5* **1** Bergmann; **2** Gefährte, Kamerad

küm|peln *tr. 1* mit dem Kump (**1**) wölben; **Kum|pen** *m. 7, norddt.:* Schüssel; **Kumpf** *m. 1* **1** *österr.:* Behälter für den Wetzstein; **2** = Kump

Kum|ran [auch: -ran] = Qumran

Kumt *s. 1* = Kummet

Ku|mu|la|ti|on [lat.] *w. 10* **1** Häufung, Anhäufung, **2** sich steigernde, vergiftende Wirkung von kleinen, ständig gegebenen Dosen von Arzneien; **ku|mu|la|tiv** sich anhäufend; **ku|mu|lie|ren** *intr. 3* sich anhäufen; kumulierende Bibliografie: regelmäßig erscheinende B., die außer den neuen Titeln auch die alten immer wieder mit aufführt; **Ku|mu|lie|rung** *w. 10 nur Ez.;* **Ku|mu|lo|nim|bus** *m. Gen. - Mz.* -bus|se (*Abk.:* Cb) dunkle Haufenwolke, Gewitterwolke; **Ku|mu|lus** *m. Gen. - Mz.* -li (*Abk.:* Cu), **Ku|mu|lus|wol|ke** *w. 11* Haufenwolke

Ku|mys [russ.] Ku|myss *m. Gen. - nur Ez., in Innerasien:* alkohol. Getränk aus gegorener Stutenmilch; **Ku|myß** ► **Ku|myss** = Kumys

kund *nur noch in der Wendung* jmdm. etwas k. und zu wissen tun: jmdm. etwas mitteilen, bekanntgeben

künd|bar; **Künd|bar|keit** *w. 10 nur Ez.*

Kun|de **1** *m. 11* Käufer; **2** *m. 11, Gaunerspr.:* Landstreicher; **3** *m. 11, ugs. abfällig:* Kerl, Mensch; **4** *w. 11* Nachricht; **5** *w. 11* Vertiefung an den Schneidezähnen des Pferdes, Kennzeichen zur Altersbestimmung, Bohne; **...kun|de** *w. 11 nur Ez., in Zus.:* Lehre, Wissenschaft von..., z.B. Heilkunde, Tierkunde, Pilzkunde

kün|den *tr. 2, poet.:* feierlich mitteilen

Kun|den|dienst *m. 1;* **Kun|den|fang** *m. Gen.* -s *nur Ez.;* **Kun|den|kre|dit** *m. 1*

Kun|den|spra|che *w. 11* Gaunersprache

Kün|der *m. 5;* **Kund|ga|be** *w. 11 nur Ez.;* **kund|ge|ben** *tr. 45;* **Kund|ge|bung** *w. 10;* **kun|dig;** **kün|di|gen** *tr. u. intr. 1;* **Kün|di|gung** *w. 10;* **Kün|di|gungs|frist** *w. 10;* **Kün|di|gungs|schutz** *m. Gen.* -es *nur Ez.;* **kund|ma|chen** *tr. 1, poet.*

Kund|schaft *w. 10* **1** Erkun-

dung; jmdn. auf K. aussenden; **2** Gesamtheit der Kunden; **3** *ugs. auch:* Kunde, Kundin; **kụnd|schaf|ten** *intr. 2* auf Kundschaft (**1**) ausgehen; **Kụnd|schaf|ter** *m. 5*
kụnd|tun *tr. 167;* **kụnd|wer|den** *intr. 180, poet.*
ku|ne|i|fọrm [-ne|i-, lat.] keilförmig
Kü|nẹt|te [lat.-frz.] *w. 11* Abflussgraben
künf|tig; künf|tig|hịn künftig, in Zukunft
kụn|geln *intr. 1, ugs.:* Vetternwirtschaft treiben
Kụn|kel *w. 11* Spinnrocken, Spindel; **Kụn|kel|le|hen** *s. 7, früher:* auch auf Frauen vererbbares Lehen, Spindellehen; **Kụn|kel|stu|be** *w. 11* Spinnstube
Kunk|ta|tor [lat.] *m. 13* Zauderer
Kụnst *w. 2;* **Kụnst|a|ka|de|mie** *w. 11;* **kụnst|be|geis|tert; Kụnst|denk|mal** *s. 4;* **Kụnst|druck** *m. 1;* **Kụnst|dün|ger** *m. 5;* **Kụnst|eis** *s. 1 nur Ez.;* **Küns|te|lei** *w. 10 nur Ez.* gekünsteltes Wesen, Geziertheit; **Kụnst|er|zie|hung** *w. 10 nur Ez.* Zeichnen und Kunstgeschichte (als Schulfach); **Kụnst|fa|ser** *w. 11;* **Kụnst|feh|ler** *m. 5* falsche Maßnahme eines Arztes, Apothekers oder einer Hebamme; **kụnst|fer|tig; Kụnst|fer|tig|keit** *w. 10;* **Kụnst|flie|ger** *m. 5;* **Kụnst|flug** *m. 2;* **kụnst|ge|recht; Kụnst|ge|schich|te** *w. 11 nur Ez.;* **kụnst|ge|schicht|lich; Kụnst|ge|wer|be** *s. 5 nur Ez.;* **Kụnst|ge|werb|ler** *m. 5;* **kụnst|ge|werb|lich; Kụnst|griff** *m. 1;* **Kụnst|han|del** *m. Gen. -s nur Ez.;* **Kụnst|händ|ler** *m. 5;* **Kụnst|hand|werk** *s. 1 nur Ez.;* **Kụnst|hand|wer|ker** *m. 5;* **kụnst|hand|werk|lich; Kụnst|his|to|rie** [-riə] *w. 11 nur Ez.;* **kụnst|his|to|risch; Kụnst|kri|tik** *w. 10;* **Kụnst|kri|ti|ker** *m. 5;* **Künst|ler** *m. 5;* **künst|le|risch; Künst|ler|na|me** *m. 15* Name, den sich ein Künstler zugelegt hat, Pseudonym; **Künst|ler|tum** *s. Gen. -s nur Ez.;* **künst|lich;** künstliche Intelligenz; **Künst|lich|keit** *w. 10 nur Ez.;* **Kụnst|lied** *s. 3* von einem Komponisten vertontes Lied, im Unterschied zum Volkslied; **kụnst|los; Kụnst|lo|sig|keit** *w. 10 nur Ez.;* **Kụnst|ma|ler** *m. 5;* **Kụnst|mär|chen** *s. 7* von einem Dichter verfasstes Märchen, im Unterschied zum Volksmärchen; **Kụnst|pau|se** *w. 11;* **kụnst|reich; Kụnst|rei|ter** *m. 5;* **Kụnst|rich|ter** *m. 5;* **Kụnst|samm|lung** *w. 10;* **Kụnst|sei|de** *w. 11;* **Kụnst|sinn** *m. 1 nur Ez.;* **kụnst|sin|nig; Kụnst|spra|che** *w. 11* Welthilfssprache; **Kụnst|sprin|gen** *s. Gen. -s nur Ez.;* **Kụnst|sprin|ger** *m. 5;* **Kụnst|stoff** *m. 1;* **kụnst|stop|fen** *tr. 1, nur im Infinitiv und Perfekt:* eine Hose k. lassen; die Hose muss kunstgestopft werden; **Kunst|stop|fe|rei** *w. 10;* **Kụnst|stück** *s. 1;* **Kụnst|tisch|ler** *m. 5;* **Kụnst|töp|fer** *m. 5;* **Kụnst|tur|nen** *s. Gen. -s nur Ez.;* **Kụnst|ver|stand** *m. Gen. -(e)s nur Ez.;* **kụnst|ver|stän|dig; kụnst|voll; Kụnst|werk** *s. 1;* **Kụnst|wis|sen|schaft** *w. 10 nur Ez.;* **Kụnst|wort** *s. 4* künstlich gebildetes Wort, z. B. Perlon
kụn|ter|bunt
Ku|o|min|tạng [chin. »Staatsvolkspartei«] *w. Gen. - nur Ez.* demokratisch-nationale Partei Chinas, seit 1949 Regierungspartei Taiwans
Kü|pe *w. 11* **1** Farbstofflösung, Färbebad; **2** Färbebottich
Ku|pee *s. 9, eindeutschende Schreibung von* Coupé
Ku|pẹl|le *w. 11* = Kapelle (**4**); **ku|pel|lie|ren** *tr. 3* von unedlen Metallen trennen (Edelmetall)
Kü|pen|farb|stoff *m. 1* wasch- und lichtechter Farbstoff; **Kü|per** *m. 5, norddt. für* Küfer
Kụp|fer *s. 5 nur Ez.* (*Zeichen:* Cu) chem. Element; **Kụp|fer|erz** *s. 1* kupferhaltiges Mineral; **kụp|fer|far|ben, kụp|fer|far|big; Kụp|fer|glanz** *m. Gen. -es nur Ez.* ein Mineral; **kụp|fe|rig,** kupfrig wie Kupfer; **Kụp|fer|kies** *m. 1 nur Ez.* ein Mineral; **kụp|fern** aus Kupfer; **kụp|fer|rot; Kụp|fer|ste|cher** *m. 5;* **Kụp|fer|stich** *m. 1;* **Kụp|fer|tief|druck** *m. 1* ein Druckverfahren; **Kụp|fer|vi|tri|ol** *auch:* **-vit|ri|ol** *s. 1 nur Ez.* Kupfersulfat; **kụpf|rig** = kupferig
ku|pie|ren [frz.] *tr. 3* **1** abschneiden, stutzen (Ohren und Schwanz beim Hund, Flugfedern); **2** lochen, knipsen; **3** aufhalten, mildern (Krankheit); **4** verschneiden (Wein)
Ku|po|lo|fen [lat.], **Kụp|pel|o|fen** *m. 8* Schachtofen zum Schmelzen von Roheisen und Schrott
Ku|pon [-pɔ̃, frz.] Cou|pon *m. 9* **1** Abschnitt; **2** Zinsabschnitt (an Wertpapieren)
Kụp|pe *w. 11;* **Kụp|pel** *w. 11* halbkugelförmige Überwölbung (eines Raumes)
Kup|pe|lei *w. 10* Begünstigung von Unzucht; **kụp|peln 1** *tr. 1* verbinden, beweglich zusammenfügen, koppeln; **2** *intr. 1* die Kupplung betätigen; ich kuppele, kupple
Kụp|pel|o|fen *m. 8* = Kupolofen
Kụp|pel|pelz *m. 1, nur in der Wendung* sich einen K. verdienen: sich eine Belohnung für das Verkuppeln eines Paares verdienen
kụp|pen *tr. 1;* einen Baum k.: seine Spitze oder Zweige abschneiden
Kụpp|ler *m. 5;* **kụpp|le|risch; Kụpp|lung** *w. 10*
Ku|prịs|mus *auch:* **Kup|rịs|mus** [lat.] *m. Gen. - nur Ez.* Kupfervergiftung
Kur *w. 10* **1** Heilverfahren; **2** *früher:* Wahl (z. B. des Königs); **Kür** *w. 10, bei sportl. Wettkämpfen:* nach eigener Wahl zusammengestellte Übung
ku|ra|bel [lat.] heilbar; *Ggs.:* inkurabel
ku|rạnt [frz.] (*Abk.:* crt.) *veraltet:* gängig, umlaufend; zwei Mark crt.; **Ku|rạnt** [lat.] **1** *m. 10, schweiz.:* Kurgast; **2** *s. 1, veraltet:* Münze, deren Wert dem ihres Materials entspricht
ku|rạn|zen [mlat.] *tr. 1, veraltet* = kujonieren
Ku|ra|re [südamerik. Indianerspr.], Cu|ra|re *s. Gen. -s nur Ez.* indian. Pfeilgift, führt zu Lähmungen, medizinisch als Narkosemittel verwendet
Kü|raß ► **Kü|rass** [frz.] *m. 1* Brust- und Rückenharnisch; **Kü|ras|sier** *m. 1, urspr.:* Reiter mit Kürass; *später:* schwerer Reiter
Ku|rat [lat.] *m. 10, i. w. S.:* Geistlicher als Seelsorger; *i. e. S.:* Hilfsgeistlicher mit eigenem Seelsorgebezirk; **Ku|ra|tẹl** [auch: -tel] *w. 10* Vormundschaft; unter K. stehen; jmdn. unter K. stellen; **Ku|ra|tie** *w. 11* Amt und Amtsbereich eines Kuraten; **ku|ra|tiv** heilend; **Ku-**

ra|tor *m. 13* **1** Vormund, Pfleger; **2** Verwalter einer Stiftung; **3** Vertreter des Staates in der Universitätsverwaltung; **Ku|ra|to|ri|um** *s. Gen.* -s *Mz.* -ri|en Aufsichtsgremium

Kur|bel *w. 11;* **kur|beln** *intr. 1;* ich kurbele, kurble; **Kur|bel|wel|le** *w. 11*

Kur|bet|te *w. 11, eindeutschende Schreibung von* Courbette

Kür|bis *m. 1* **1** eine Kriechpflanze mit großen, dickschaligen Früchten; **2** *ugs. scherzh.:* Kopf; **Kür|bis|fla|sche** *w. 11*

Kur|de *m. 11* Angehöriger eines iran. Volkes; **kur|disch; Kur|dis|tan** Gebirgslandschaft in Vorderasien zwischen dem Euphrat und dem iranischen Hochland

ku|ren *intr. 1* eine Kur machen

kü|ren *tr. 1 oder 29, veraltet:* wählen

Kü|ret|ta|ge [-ʒə, frz.] *w. 11* Ausschabung (der Gebärmutter); **Kü|ret|te** *w. 11* Löffel zum Ausschaben der Gebärmutter; **kü|ret|tie|ren** *tr. 3*

Kur|fürst *m. 10* Fürst mit dem Recht, den dt. König mitzuwählen; der Große K.: Friedrich Wilhelm von Brandenburg; **kur|fürst|lich**

Kur|gast *m. 2;* **Kur|haus** *s. 4*

ku|ri|al [lat.] die Kurie, die fürstl. Kanzlei, das Rathaus betreffend, dazu gehörig, davon ausgehend, dort üblich; **Ku|ri|a|len** *Mz.* die geistl. und weltl. Beamten der päpstl. Kurie; **Ku|ri|a|li|en** *Mz.* die früher in den Kanzleien üblichen Förmlichkeiten (im Briefverkehr usw.); **Ku|ri|al|stil** *m. 1, veraltet:* Kanzleistil; **Ku|ri|at|stim|me** *w. 11* Gesamtstimme mehrerer Stimmberechtigter; *Ggs.:* Virilstimme; **Ku|rie** [-riə] *w. 11* **1** *im alten Rom: urspr.* Einheit von Familienverbänden der patriz. Geschlechter mit eigenem Versammlungsort; *dann:* Versammlungsort des Senats; **2** *heute:* die päpstlichen Behörden sowie deren Sitz; der päpstliche Hofstaat

Ku|rier [frz.] *m. 1* Bote, Eilbote, Überbringer wichtiger Meldungen

ku|rie|ren [lat.] *tr. 3* heilen, gesund machen

Ku|ri|len *Mz.* Inselkette im Pazif. Ozean

ku|ri|os [lat.] **1** merkwürdig, sonderbar, wunderlich; **2** spaßig, komisch; **Ku|ri|o|si|tät** *w. 10* **1** *nur Ez.* Sonderbarkeit, Merkwürdigkeit; **2** merkwürdiger Gegenstand, kuriose Sehenswürdigkeit; **Ku|ri|o|si|tä|ten|ka|bi|nett** *s. 1;* **Ku|ri|o|sum** *s. Gen.* -s *Mz.* -sa etwas Kurioses, Merkwürdiges

ku|risch zu Kurland gehörig; *aber:* Kurische Nehrung, Kurisches Haff

Kur|ka|pel|le *w. 11;* **Kur|kon|zert** *s. 1*

Kur|ku|ma [arab.], Cur|cu|ma *w. Gen.* - *Mz.* -men Gelbwurz, ein südasiat. Ingwergewächs; **Kur|ku|min** *s. 1 nur Ez.* aus der Kurkuma gewonnener, gelber Farbstoff

Kur|land histor. Landschaft in Westlettland; **Kur|lan|de** *Mz.* die Teile der Territorien der Kurfürsten, mit denen die Kurwürde verbunden war; **kur|län|disch** zu Kurland gehörig, aus ihm stammend

Kür|lauf *m. 2*

Kur|ort *m. 1;* **Kur|park** *m. 9*

Kur|pfalz das ehemalige Kurfürstentum Pfalz; **Kur|pfäl|zer** *m. 5;* **kur|pfäl|zisch**

kur|pfu|schen *intr. 1* als Kurpfuscher tätig sein; gekurpfuscht; **Kur|pfu|scher** *m. 5* **1** jmd., der ohne ärztl. Ausbildung Kranke behandelt; **2** *übertr.:* schlechter Arzt; **Kur|pfu|sche|rei** *w. 10 nur Ez.*

Kur|prinz *m. 10* Sohn oder Enkel des Kurfürsten, Erbe der Kurwürde; **kur|prinz|lich**

Kur|pro|me|na|de *w. 11*

Kur|re *w. 11* **1** mit Metallkugeln beschwertes Fischer-Schleppnetz; **2** *nddt.:* Truthenne

Kur|ren|da|ner [lat.] *m. 5* Kurrendesänger; **Kur|ren|de** *w. 11* **1** *früher:* Schülerchor, der gegen kleine Gaben vor den Häusern geistl. Lieder sang; **2** *heute:* evang. kirchl. Jugendchor

Kur|rent|schrift *w. 10* Schreibschrift, im Unterschied zur Druckschrift

Kur|ri|ku|lum *s. Gen.* -s *Mz.* -la, *eindeutschende Schreibung von* Curriculum

Kurs [lat.] *m. 1* **1** Fahrt-, Flugrichtung; *übertr. auch:* Richtung der Politik; **2** Lehrgang, z.B. Fachkurs; **3** Preis von Wertpapieren und Währungen

Kur|saal *m. Gen.* -(e)s *Mz.* -säl|le

Kurs|buch *s. 4*

Kürsch *s. Gen.* -(e)s *nur Ez., auf Wappen:* Pelzwerk; **Kürsch|ner** *m. 5* Handwerker, der Pelze verarbeitet; **Kürsch|ne|rei** *w. 10*

kur|sie|ren [lat.] *intr. 3* in Umlauf sein, umlaufen (z.B. Gerücht); **kur|siv** schräg (Druckschrift); **Kur|siv|schrift** *w. 10* schräge Druckschrift; **kur|so|risch** **1** fortlaufend, nicht unterbrochen; **2** rasch, flüchtig; etwas k. durchsehen; **Kur|sus** *m. Gen.* - *Mz.* Kur|se **1** Lehrgang; **2** *auch:* Gesamtheit der Teilnehmer an einem Lehrgang; **Kurs|wa|gen** *m. 7* Eisenbahnwagen, der vom Ausgangs- bis zum Bestimmungsbahnhof von verschiedenen Zügen befördert wird, sodass kein Umsteigen nötig ist; **Kurs|wert** *m. 1* augenblickl. Handelswert (eines Wertpapiers); *Ggs.:* Nominalwert, Nennwert; **Kurs|zet|tel** *m. 5* Zettel oder Zeitungsteil mit den Börsenkursen

Kur|ta|ge [-ʒə] *w. 11* = Courtage

Kur|ta|xe *w. 11* Steuer für Kurgäste

Kur|ti|san [lat.] *m. 1, veraltet:* Höfling, Günstling; **Kur|ti|sa|ne** *w. 11* **1** *urspr.:* Geliebte (eines Fürsten); **2** *dann:* vornehme Dirne

Kür|tur|nen *s. Gen.* -s *nur Ez.* Turnen mit Übungen nach eigener Wahl; **Kür|übung** *w. 10* selbst gewählte Turnübung

ku|ru|lisch [lat.] *in den Fügungen* kurulischer Beamter: *im alten Rom* höchster Beamter; kurulischer Stuhl: Amtssessel der höchsten altröm. Beamten

Kur|va|tur [lat.] *w. 10* Krümmung, Wölbung; **Kur|ve** *w. 11* **1** gekrümmte Linie, Krümmung, Biegung; **2** *Math.:* (auch gerade) Linie; **kur|ven** *intr. 1, ugs.:* in Kurven fahren; **Kur|ven|li|ne|al** *s. 1;* **Kur|ven|mes|ser** *m. 5;* **kur|vig** kurvenförmig, kurvenartig; **Kur|vi|me|ter** *s. 5* Kurvenmesser; **Kur|vi|me|trie** *auch:* **-met|rie** *w. 11 nur Ez.* Kurvenmessung (auf Landkarten); **kur|vi|me|trisch** *auch:* **-met|risch**

Kur|wür|de *w. 11 nur Ez.* Würde eines Kurfürsten

kurz; binnen, in, seit, vor kurzem; über kurz oder lang: in

> **kurz, den Kürzeren ziehen:** Das Adjektiv schreibt man klein: *Die Strecke ist sehr kurz.* Ebenso (weil der Artikel fehlt): *über kurz oder lang, binnen kurzem, vor kurzem, seit kurzem.* →§ 58 (3)
> Die substantivierte Form schreibt man groß: *Er zog den Kürzeren.* Ebenso: *etwas des Kürzeren erklären* (= kurz erklären). →§ 57 (1)

absehbarer Zeit; sich kurz fassen; *aber:* jmdn. →kurzhalten; den Kürzeren ziehen: den Nachteil (von einer Sache) ha-

> **kurzarbeiten, kürzer arbeiten:** Ist das Adjektiv im Gefüge Adjektiv und Verb weder steigerbar noch erweiterbar, wird das Gefüge zusammengeschrieben: *Sie mussten zwei Wochen kurzarbeiten.*
> →§ 34 (2.2)
> Bei *kurz/kürzer arbeiten/treten* ist diese Steigerbarkeit gegeben; deshalb schreibt man getrennt: *Wegen seiner Krankheit muss er kürzer treten. Sie müssen jetzt kürzer arbeiten als letztes Jahr.* →§ 34 E3 (3)

ben; **Kurz|ar|beit** *w. 10 nur Ez.;* **kurz|ar|bei|ten** *intr. 2* weniger als die normale Stundenzahl arbeiten; wir arbeiten kurz; haben kurzgearbeitet; **Kurz|ar|bei|ter** *m. 5;* **kurz|är|me|lig, kurz|ärm|lig; kurz|at|mig; Kurz|at|mig|keit** *w. 10 nur Ez.;* **Kür|ze** *w. 11;* **Kür|zel** *s. 5, Stenografie:* stark abgekürztes Schriftzeichen; **kür|zen** *tr. 1;* **kur|zer|hand; Kurz|film** *m. 1;* **kurz|flü|ge|lig,** kurz|flüg|lig; **Kurz|flüg|ler** *m. 5* Käfer mit verkürzten Flügeldecken; **kurz|fris|tig; Kurz|ge|schich|te** *w. 11;* **kurz|hal|ten** *tr. 61;* jmdn. mit dem Essen, mit Geld k.: ihm wenig geben; **kurz|köp|fig; kurz|le|big; Kurz|le|big|keit** *w. 10 nur Ez.;* **kürz|lich; kurz|schlie|ßen** *tr. 120;* einen Stromkreis k.: seine beiden entgegengesetzt geladenen Pole widerstandsfrei miteinander verbinden; **Kurz|schluß** ► **Kurz|schluss** *m. 2;* **Kurz|schluß|hand|lung** ► **Kurz|schluss|hand|lung** *w. 10* unüberlegte Handlung; **Kurz|schnäb|ler** *m. 5;* **Kurz|schrift** *w. 10* Stenografie; **kurz|schrift|lich; kurz|sich|tig; Kurz|sich|tig|keit** *w. 10 nur Ez.;* **kurz|stäm|mig; Kurz|stre|cken|lauf** *m. 2;* **Kurz|stre|cken|läu|fer** *m. 5;* **Kurz|stun|de** *w. 11* Unterrichtsstunde von 40 – 45 Minuten; **kurz|tre|ten** ► **kurz tre|ten** *intr. 163* sich nicht zu sehr anstrengen, sparsam sein; **kurz|um; Kür|zung** *w. 10;* **Kurz|wa|ren** *w. 11 Mz.* kleine Gegenstände für die Schneiderei; **kurz|weg; Kurz|weil** *w. 10 nur Ez.;* **kurz|wei|lig; Kurz|wel|le** *w. 11* Rundfunkwelle mit einer Länge von 10 bis 100 m; **Kurz|wel|len|sen|der** *m. 5;* **Kurz|wo|che** *w. 11* Arbeitswoche von 5 Tagen; **Kurz|wort** *s. 4* durch Weglassen von Wortteilen entstandenes Wort, z. B. »Kripo« aus »Kriminalpolizei«; **Kurz|zeit|we|cker** *m. 5*

Kusch *alter Name für* Nubien

kusch!, kusch dich! (Befehl an den Hund); **ku|scheln** *tr. 1* ich kuschele, kuschle mich in das Kissen; **ku|schen** *intr. 1* **1** sich hinlegen (vom Hund); **2** *übertr.:* sich fügen, sich unterordnen

Ku|schi|te *m. 11* Einwohner von Kusch; **ku|schi|tisch**

Ku|sel, Kus|sel *w. 11, bayr.:* Kiefernzapfen

Ku|sin|chen *s. 7;* **Ku|si|ne,** Cou|si|ne *w. 11* Base

Kus|kus [arab.] *m. Gen. - nur Ez.* nordafrikan. Speise aus klein geschnittenem, gewürztem Hammelfleisch, Gemüse und Grieß in Brühe

Kuß ► **Kuss** *m. 2;* **Küß|chen** ► **Küss|chen** *s. 7;* **kuß|echt** ► **kuss|echt** (von Lippenstiften)

Kus|sel *w. 11* = Kusel

küs|sen *tr. 1;* **küs|se|rig,** küss|rig; **kuß|fest** ► **kuss|fest** kussecht; **Kuß|hand** ► **Kuss|hand** *w. 2;* jmdm. eine K., Kusshände zuwerfen; **Kuß|händ|chen** ► **Kuss|händ|chen** *s. 7;* **Küß|lein** ► **Küss|lein** *s. 7;* **kuß|lich** ► **kuss|lich**

Küs|te *w. 11;* **Küs|ten|be|feu|e|rung** *w. 10;* **Küs|ten|fi|sche|rei** *w. 10 nur Ez.;* **Küs|ten|ge|wäs|ser** *s. 5;* **Küs|ten|schiffahrt** ► **Küs|ten|schiff|fahrt**

Küs|ter *m. 5* Kirchendiener, Mesner; **Küs|te|rei** *w. 10* Amtszimmer, Wohnung des Küsters

Kus|to|de [lat.] **1** *w. 11, früher:* Kennzeichen für die einzelne Lage einer Handschrift; Zahl oder Wort am Anfang bzw. Ende einer Buchseite als Hinweis auf die folgende oder vorhergehende Seite; **2** *m. 11* = Kustos; **Kus|tos** *m. Gen. - Mz.* -to|den wissenschaftl. Betreuer (einer Sammlung, eines Museums)

ku|tan [lat.] zur Haut gehörig, die Haut betreffend; **Ku|tan|re|ak|ti|on** *w. 10* Reaktion der Haut (Rötung oder Schwellung) auf einen Reiz, z. B. Einspritzung oder Einreibung; **Ku|ti|ku|la** *w. Gen. - Mz.* -s *oder* -lae, *bei manchen Pflanzen und Tieren:* zellfreie Hautschicht aus organischem Stoff (Wachs, Chitin), die für Wasser und Gase fast undurchlässig ist, z. B. der Panzer von Krebstieren; **Ku|tis** *w. Gen. - nur Ez.* **1** Lederhaut (der Wirbeltiere); **2** verkorkte, abschließende Zellschicht (an Wurzeln)

Kutsch|bock *m. 2;* **Kut|sche** *w. 11;* **kut|schen** *intr. 1, ugs.:* fahren; durch die Gegend k.; **Kut|scher** *m. 5;* **kut|schie|ren** *intr. 3;* **Kutsch|pferd** *s. 1;* **Kutsch|wa|gen** *m. 7*

Kut|te *w. 11* langer, weiter Mantel bes. der Mönche

Kut|tel|fle|cke *m. 1 Mz.,* **Kut|teln** *w. 11 Mz.* = Kaldaunen

Kut|ter *m. 5* **1** ein einmastiges Segelschiff; **2** Fischereischiff mit Motorantrieb; **3** *auch:* Beiboot auf Kriegsschiffen

Kü|vel|la|ge [-ʒə, frz.] *w. 11* Ausbau (eines Schachtes) mit eisernen Ringen; **kü|vel|lie|ren** *tr. 3* mit eisernen Ringen ausbauen; **Kü|vel|lie|rung** *w. 10*

Ku|vert [-vert, -ver, frz.] *s. 9* **1** Briefumschlag; **2** Gedeck (bei Tisch) für eine Person; **ku|ver|tie|ren** *tr. 3* in ein Kuvert (**1**) stecken; **Ku|ver|tü|re** *w. 11* eine Überzugsmasse, die aus Kakao, Kakaobutter und Zucker besteht

Kü|vet|te [-vet-, frz.] *w. 11* **1** flache Glasschale; **2** *früher, bei Taschenuhren:* Innen-, Staubdeckel; **3** Abzugsgraben für Regenwasser in Festungsgräben

ku|vrie|ren *auch:* **kuv|rie|ren** [frz.] *tr. 3, veraltet:* bedecken, verbergen

Ku|wait [auch: -vait] Scheichtum am Pers. Golf; **Ku|wai|ter** [auch: -vai-] *m. 5;* **ku|wai|tisch**

Kux [tschech.] *m. 1* **1** Anteil am Gesamtvermögen einer berg-

► = wird zu

rechtlichen Gewerkschaft; **2** der Anteilschein dafür
kV *Abk. für* Kilovolt
KV *Abk. für* Köchelverzeichnis
k.v. *Abk. für* kriegsverwendungsfähig
kVA *Abk. für* Kilovoltampere
kW *Abk. für* Kilowatt
Kwan|non [jap.], *chin.:* Ku|anjin *w. Gen. - nur Ez.* buddhist. Gottheit der Barmherzigkeit, wird von Kranken, Schiffbrüchigen, unschuldig Verfolgten und Frauen angerufen
Kwaß ► **Kwass** [russ.] *m. Gen. - nur Ez.* russisches alkoholisches, bierähnliches Getränk aus gegorenem Mehl, Malz und Brot
kWh *Abk. für* Kilowattstunde
KY *Abk. für* Kentucky
Ky|a|ni|sa|ti|on [nach dem engl. Erfinder J. H. Kyan] *w. 10 nur Ez.* Imprägnierung von Holz mit Quecksilberchloridlösung; **ky|a|ni|sie|ren** *tr. 3*
Ky|be|le kleinasiat. Naturgöttin
Ky|ber|ne|tik [griech.] *w. 10 nur Ez.* Wissenschaftszweig, der die Gesetzmäßigkeiten von techn. und biolog. Regelungs- und Steuerungsvorgängen erforscht und anwendet; **ky|ber|ne|tisch**
Kyff|häu|ser *m. Gen.* -s *nur Ez.* Bergrücken in Thüringen
Ky|kla|den *auch:* **Kyk|la|den** *Mz.* griech. Inselgruppe im Ägäischen Meer
Ky|kli|ker *auch:* **Kyk|li|ker** *m. 5* = Zykliker
Ky|klo|i|de *auch:* **Kyk|lo|i|de** *w. 11, weniger übl. für* Zykloide
Ky|klon *auch:* **Kyk|lon** *m. 1, weniger üblich für* Zyklon
Ky|klop *auch:* **Kyk|lop** *m. 10, weniger üblich für* Zyklop
Ky|ma [griech.] *s. 9,* **Ky|ma|ti|on** *s. Gen.* -s *Mz.* -ti|en, *bes. an griech. Tempeln:* Zierleiste aus stilisierten Blattformen; **Ky|mo|gramm** *s. 1* Röntgenbild eines sich bewegenden Organs; **Ky|mo|gra|phie** ► *auch:* **Ky|mo|gra|fie** *w. 11 nur Ez.* Röntgenverfahren zur Darstellung sich bewegender Organe; **Ky|mo|gra|phi|on** *s. Gen.* -s *Mz.* -phi|en Gerät zur Aufzeichnung regelmäßiger Bewegungen, z. B. des Pulsschlags; **Ky|mo|skop** *auch:* **Ky|mos|kop** *s. 1* Gerät zum Betrachten von Kymogrammen
Kym|re [walis.] *m. 11* kelt. Bewohner von Wales; **kym|risch;** **Kym|risch** *s. Gen.* -(s) *nur Ez.* zu den kelt. Sprachen gehörende Sprache der Kymren
Ky|ne|ge|tik, Zy|ne|ge|tik *w. 10 nur Ez.* Kunst, Hunde zu dressieren
Ky|ni|ker [griech.] *m. 5* Angehöriger einer altgriech. Philosophenschule, die den Verzicht auf alle Kulturgüter und völlige Bedürfnislosigkeit erstrebte; vgl. Zyniker; **ky|nisch** auf dem Kynismus beruhend; vgl. zynisch; **Ky|nis|mus** *m. Gen. - nur Ez.* Lehre der Kyniker; vgl. Zynismus
Ky|no|lo|ge [griech.] *m. 11;* **Ky|no|lo|gie** *w. 11 nur Ez.* Lehre vom Hund, seiner Züchtung und Dressur; **ky|no|lo|gisch**
Ky|pho|se [griech.] *w. 11* Wirbelsäulenverkrümmung nach hinten, Buckel
Ky|re|nai|ka = Cyrenaika
Ky|rie [-ri|e:, griech.] *s. Gen. - nur Ez., kurz für* Kyrieeleison; das K. singen; **Ky|ri|e|leis** [-ri|e:-] *kurz für* Kyrieeleison; **Ky|rie e|lei|son** [-ri|e:] Herr, erbarme dich (Bittruf am Anfang der kath. Messe bzw. evang. Liturgie); **Ky|ri|e|e|lei|son** *s. 9;* das K. singen
ky|ril|lisch; kyrillische Buchstaben, kyrillische Schrift: nach dem Slawenapostel Kyrillos benannte, aus der griech. Majuskel entwickelte Schrift der griechisch-orthodoxen Slawen; **Ky|ril|li|za** *w. Gen. - nur Ez.* kyrillische Schrift
KZ *Abk. für* Konzentrationslager; **KZler** *m. 5, früher ugs.:* Häftling in einem KZ

L

l 1 *Abk. für* Liter; **2** *Abk. für* lävogyr
L 1 *Abk. für* Leu, Lira; **2** *röm. Zahlzeichen für* 50; **3** *Kfz-Kennzeichen für* Luxemburg
£ *Zeichen für* Pfund (Livre) Sterling
La *chem. Zeichen für* Lanthan
LA 1 *Abk. für* Lastenausgleich; **2** *Abk. für* Louisiana
Lab *s. 1* Ferment im Magen von Kalb und Schaf, bringt Milch zum Gerinnen, Rennia
La|ba|rum [lat.] *s. Gen.* -s *nur Ez.* die von Konstantin dem Großen eingeführte kaiserl. Heeresfahne mit dem Christusmonogramm
lab|be|rig, labb|rig **1** weichlich, breiig; dünn; **2** fade; **lab|bern** *intr. 1* **1** schlaff hängen (vom Segel); **2** *ugs.:* schlürfen, schmatzen
La|be *w. 11 nur Ez., poet.:* Labsal; **la|ben** *tr. 1* erquicken, erfrischen, beleben; sich an etwas l.; jmdn. mit etwas l.
La|ber|dan [frz.] *m. 1* gepökelter Kabeljau
la|bern *intr. 1* langatmig reden; plaudern
La|be|trank *m. 2,* **La|be|trunk** *m. 2 poet.*
La|bia *Mz. von* Labium; **la|bi|al** [lat.] zu den Lippen gehörend, mit den Lippen gebildet; **La|bi|al** *m. 1,* **La|bi|al|laut** *m. 1* mit einer oder mit beiden Lippen gebildeter Laut, Lippenlaut: f, v, p, b, m; **La|bi|al|pfei|fe** *w. 11* Orgelpfeife mit Labium; **La|bi|a|te** *w. 11 meist Mz.* Lippenblütler; **La|bi|en** *Mz. von* Labium
la|bil [lat.] **1** schwankend, anfällig (Gesundheit); **2** nicht fest, unsicher, leicht störbar (Gleichgewicht); **3** nicht zuverlässig, veränderlich (Charakter); **La|bi|li|tät** *w. 10 nur Ez.*
la|bi|o|den|tal [lat.] mit Unterlippe und Oberzähnen gebildet; **La|bi|o|den|tal** *m. 1,* **La|bi|o|den|tal|laut** *m. 1* Lippenzahnlaut, f, v, w; **la|bi|o|ve|lar** mit Lippen und Gaumen gebildet; **La|bi|o|ve|lar** *m. 1,* **La|bi|o|ve|lar|laut** *m. 1* Lippengaumenlaut, z. B. in afrik. Sprachen;
La|bi|um *s. Gen.* -s *Mz.* -bia *oder* -bi|en **1** Lippe, Schamlippe; **2** Unterlippe der Insekten; **3** Kante, Schneide am Aufschnitt (schräge Kerbe an der Vorderseite) der Blockflöte und Labialpfeife der Orgel
Lab|kraut *s. Gen.* -(e)s *nur Ez.* Gattung der Rötegewächse;
Lab|ma|gen *m. 7* Teil des Magens der Wiederkäuer, in dem das Lab gebildet wird, Käsemagen
La|bor [österr. auch: la|bor, lat.] *s. 9 oder s. 1, Kurzwort für* Laboratorium; **La|bo|rant** *m. 10* medizin.-techn. oder chem.-techn. Hilfskraft im Labor; **La|bo|ra|to|ri|um** *s. Gen.* -s *Mz.* -rien Arbeits- und Forschungsstätte für biolog., bakteriolog., chem. und physikal. Zwecke; **la|bo|rie|ren** *intr. 3* an etwas l.: sich mit etwas herumplagen, abmühen; an einer Krankheit l.: sie lange nicht loswerden;
La|bour Par|ty [lɛɪbə pa:tɪ] *w. Gen.* - - *nur Ez.* die engl. Arbeiterpartei
La|bra|dor *auch:* **Lab|ra-** **1** nordamerik. Halbinsel am Atlantik; **2** *s. 1* Art des Feldspats;
La|bra|do|rit *auch:* **Lab|ra-** *m. 1* = Labrador (**2**)
La|brum *auch:* **Lab|rum** [lat.] *s. Gen.* -s *Mz.* -bren Oberlippe der Insekten
Lab|sal *s. 1* Wohltat, Erquickung, Erholung
lab|sal|ben *tr. 1, Seew.:* zum Schutz gegen Witterungseinflüsse teeren (Tauwerk)
Labs|kaus [norw.] *s. 1 nur Ez.* (urspr. seemänn.) Gericht aus Fleisch oder Fisch, Kartoffelbrei und sauren Gurken
La|bung *w. 10*
La|by|rinth [griech.] *s. 1* **1** Irrgarten; **2** *übertr.:* Wirrnis, Durcheinander; **la|by|rin|thisch;** **La|by|rin|tho|don** *s. Gen.* -s *Mz.* -do|ten ausgestorbenes Kriechtier, wahrscheinlich Vorfahr der Reptilien
La|che *w. 11* **1** Lach|te, Einschnitt in die Baumrinde beim Abzapfen von Harz; **2** Pfütze; **3** Art zu lachen, z. B. alberne, laute Lache
lä|cheln *intr. 1;* ich lächele, lächle; **la|chen** *intr. 1;* du hast gut l.!; wir haben bei ihm nichts zu l.: er ist sehr streng mit uns; es ist zum L.; **La|cher** *m. 5;* er hatte die L. auf seiner Seite; **lä|cher|lich;** **Lä|cher|lich|keit** *w. 10 nur Ez.;* **Lach|gas** *s. 1* ein Rauschgift, zur Narkose verwendet; **lach|haft;** **Lach|krampf** *m. 2;* **Lach|lust** *w. 2 nur Ez.;* **lach|lus|tig**
Lachs *m. 1* ein Raubfisch, Salm
Lachs|sal|ve *w. 11*
lachs|far|ben gelblichrosa;
Lachs|schin|ken *m. 7* zarter, roher, leicht geräucherter Schweineschinken
Lach|tau|be *w. 11*
Lach|te *w. 11* = Lache (**1**)
Lach|ter *w. 11 oder s. 5, Bgb.:* altes Längenmaß, Klafter, etwa 2 m
la|cie|ren [-si-, frz.] *tr. 3* mit Zierband durchflechten
Lack [sanskr.-ital.] *m. 1* Lösung aus Harzen und Farbstoffen (heute synthetisch) als Veredelungs- oder Schutzschicht für Oberflächen; **Lack|af|fe** *m. 11, ugs.:* geschniegelter, geckenhafter Mann; **Lack|ar|beit** *w. 10* Gegenstand der Lackkunst; **lack|en** *tr. 1,* **la|ckie|ren** *tr. 1* mit Lack oder Lackfarbe bestreichen; dann bist du der Lackierte *ugs.:* dann bist du der Hereingefallene; **La|ckie|rer** *m. 5;* **La|ckie|re|rei** *w. 10;* **Lack|kunst** *w. 2 nur Ez.* Kunst, Gegenstände zu lackieren und danach durch Einritzen oder Aufmalen von Mustern zu verzieren, bes. in China und Japan üblich
Lackl *m. 14, bayr.:* grober, ungeschliffener Mensch
lack|mei|ern *Infinitiv nicht gebräuchlich,* vgl. gelackmeiert
Lack|mus [ndrl.] *s. Gen.* - *nur Ez.* aus einer Flechte gewonnener, blauer Farbstoff, als chem. Reagens verwendet, färbt sich in Säuren rot, in Basen blau; **Lack|mus|pa|pier** *s. 1* mit Lackmus gefärbtes Papier
La|cri|mae Chris|ti *auch:* **Lac|ri-** [-mɛ:, lat. »Tränen Christi«] *Mz.* Wein vom Vesuv und

dessen Umgebung; **la|cri|mo|so** *auch:* **lac|ri-** = lagrimoso
La|crosse [-krɔs, frz.] *s. Gen. - nur Ez.* kanad. Ballspiel zwischen zwei Mannschaften
Lact|al|bu|min *auch:* **Lac|tal|bu|min** *s. 1* Milcheiweiß; **Lac|tam** [lat.] *s. Gen.* -s *Mz.* -ta|me inneres Anhydrid einer Aminosäure; **Lac|ta|se** *w. 11* im Darmsaft enthaltenes Enzym; **Lac|to|se** *w. 11 nur Ez.* Milchzucker
La|da|num [hebr.-griech.] *s. Gen.* -s *nur Ez.* wohl riechendes Harz aus verschiedenen Mittelmeerpflanzen für Räucherpulver
Läd|chen *s. 7* kleiner Laden; **La|de** *w. 11;* **La|de|baum** *m. 2* Vorrichtung zum Heben und Versetzen von Lasten; **La|de|büh|ne** *w. 11* = Laderampe; **La|de|hem|mung** *w. 10* **1** *bei Schusswaffen:* augenblickliche Unmöglichkeit, geladen zu werden oder sich selbst zu laden; **2** *übertr., ugs.* L. haben: starke Hemmungen haben, etwas Bestimmtes im Augenblick zu sagen oder zu tun; **la|den** *tr. 74*

> **laden:** Standardsprachlich korrekt bei der Konjugation ist die umgelautete Form: *ich lade, du lädst, er lädt.* Die nicht umgelautete Form *(er ladet)* ist veraltet und nur noch in verschiedenen Dialekten erhalten.
> Entsprechend lautet das Präteritum: *sie lud* (nicht korrekt: sie ladete), und das Partizip II: *geladen* (nicht: geladet).

La|den *m. 8;* **La|den|hü|ter** *m. 5* Ware, die sich schwer verkaufen lässt; **La|den|preis** *m. 1;* **La|den|schluß** ► **La|den|schluss** *m. 2;* **La|den|schwen|gel** *m. 5* junger, stutzerhaft gekleideter Verkäufer; **La|den|tisch** *m. 1;* **La|den|toch|ter** *w. 6, schweiz.:* Verkäuferin
La|der *m. 5* Lademaschine; **La|de|ram|pe** *w. 11* schräge Auffahrt, auf der Güter zu dem Wagen oder Platz gefahren werden, auf dem sie geladen oder von dem sie weiterbefördert werden sollen, Ladebühne; **La|de|schein** *m. 1;* **La|de|stock** *m. 2* **1** *früher bei Vorderladern:* Stock, mit dem die Munition in den Lauf geschoben wurde; **2** Holzstock zum Einschieben der Sprengladung ins Bohrloch; **3** *übertr. in der Wendung:* er saß da, als hätte er einen L. verschluckt: steif und kerzengerade
lä|die|ren [lat.] *tr. 3* verletzen, beschädigen; **Lä|die|rung** *w. 10;* vgl. Läsion
La|di|ner *m. 5* Rätoromane in den Südtiroler Dolomiten; **la|di|nisch** rätoromanisch
La|di|no **1** *m. 9, in Mexiko und Mittelamerika:* Mischling aus einem weißen und einem indian. Elternteil; **2** *nur Ez., im Mittelmeerraum:* jüd.-span. Dialekt
Lad|ne|rin *w. 10, süddt., österr.:* Verkäuferin
La|dung *w. 10*

> **Ladys:** Fremdwörter aus dem Englischen, die im Singular auf *-y* enden, erhalten im Plural ein *-s: Ladys;* ebenso: *Babys, Partys.* → § 21

La|dy [lɛɪdɪ, engl.] *w. Gen. - Mz.* -s **1** *in Großbritannien Titel für* adlige Frau; **2** *allg.:* Dame; **la|dy|like** [lɛɪdɪlaɪk] wie eine Dame, damenhaft
La|fet|te [frz.] *w. 11* (fahrbares) Gestell eines Geschützes; **la|fet|tie|ren** *tr. 3* auf die Lafette bringen (Geschütz)
Laf|fe *m. 11* oberflächlicher oder unreifer, eitler junger Mann
LAG *Abk. für* Lastenausgleichsgesetz
La|ge *w. 11;* **La|ge|be|richt** *m. 1*
Lä|gel *s. 5* **1** Fass zum Tragen auf dem Rücken oder zum Transport auf Lasttieren; **2** altes hess. und schweiz. Weinmaß, 50 bzw. 45 Liter; **3** altes österr. Gewichtsmaß für Stahl, etwa 70 kg
la|gen|wei|se; La|ge|plan *m. 2;* **La|ger** *s. 5, Kaufmannsspr. auch s. 6;* etwas auf L. haben; die Ware ist nicht mehr am L.; **Lä|ger** *s. 5, schweiz.:* Strohlager (für Vieh); **La|ger|bier** *s. 1* untergäriges Gerstenmalzbier; **la|ger|fä|hig,** la|ger|fest; **La|ger|fä|hig|keit,** La|ger|fes|tig|keit *w. 10 nur Ez.;* **La|ger|hal|ter** *m. 5* Aufseher in einem Warenlager; **La|ge|rist** *m. 10* Arbeiter in einem Warenlager; **la|gern** *tr., intr. u. refl. 1;* **La|ger|obst** *s. Gen.* -(e)s *nur Ez.;* **La|ger|pflan|ze** *w. 11* = Thallophyt; **La|ger|platz** *m. 2;* **La|ger|raum** *m. 2;* **La|ger|statt** *w. Gen. - Mz.* -stät|ten, **La|ger|stät|te** *w. 11;* **La|ge|rung** *w. 10 nur Ez.;* **La|ger|ver|wal|ter** *m. 5;* **La|ger|wa|che** *w. 11* Wachdienst zur Bewachung eines Lagers; **La|ger|zaun** *m. 2;* **La|ger|zeit** *w. 10* Zeit, Dauer der Lagerung
La|go Mag|gio|re [madʒo̱rə] *m. Gen. - -*
La|gos Hst. von Nigeria
la|gri|mo|so *auch:* **lag|ri-** [ital.], la|cri|mo|so, lac|ri- *Mus.:* klagend, traurig
Lag|ting *s. Gen.* -s *nur Ez.* das norwegische Oberhaus im Unterschied zum Storting
La|gu|ne [ital.] *w. 11* vom offenen Meer durch einen Landstreifen getrennter, flacher Meeresteil, Strandsee; **La|gu|nen|stadt** *w. 2* auf einer Insel in einer Lagune liegende Stadt
lahm; *ugs. auch:* langweilig; lahm gehen, legen; **Läh|me** *w. 11 nur Ez., bes. Tiermed.:* Lähmung; **lah|men** *intr. 1* hinken; **läh|men** *tr. 1;* **Lahm|heit** *w. 10 nur Ez.;* **lahm|le|gen** ► **lahm le|gen** *tr. 1* unwirksam machen; **Lahm|le|gung** *w. 10 nur Ez.;* **Läh|mung** *w. 10;* **Läh|mungs|er|schei|nung** *w. 10*
Lahn **1** *m. 1* zu Bändern ausgewalzter Metalldraht; **2** *w. 10* Lawine; **Läh|ne** *w. 11, bayr., österr., schweiz.:* Lawine
Lai [frz.: lɛ] *s. Gen.* -(s) *Mz.* -s, Lais *s. Gen. - Mz. -* **1** *urspr.:* zu Saiteninstrumenten gesungenes breton. Lied; **2** *dann:* altfrz. und provenzal. Verserzählung
Laib *m. 1* runde Form (von Brot oder Käse); ein Laib Brot
Lai|bach, *amtl.* Ljubljana, Hst. von Slowenien
Lai|bung, Leibung *w. 10* Wölbfläche
Laich *m. 1* die im Wasser abgelegten Eier von Fischen, Weichtieren und Amphibien; **lai|chen** *intr. 1* Laich ablegen; **Laich|kraut** *s. 4 nur Ez.* Wasserpflanze mit herausragenden Blütenähren; **Laich|platz** *m. 2;* **Laich|zeit** *w. 10*
Laie [griech.] *m. 11* **1** Nichtgeistlicher; **2** Nichtfachmann, jmd., der von einem bestimmten Wissensgebiet nichts versteht; **Lai|en|bru|der** *m. 6* die-

nender Mönch im Kloster, der nicht die Weihen empfangen, sondern nur die einfachen Gelübde abgelegt hat; **Lai|en|büh|ne** *w. 11;* **lai|en|haft** nicht fachmännisch; nicht sachkundig; **Lai|en|kelch** *m. 1* Abendmahl für Laien in Gestalt von Wein; **Lai|en|pries|ter** *m. 5* kath. Priester, der nicht zu einem Orden gehört, Weltpriester; **Lai|en|rich|ter** *m. 5* (juristisch nicht ausgebildeter) Schöffe, Geschworener; **Lai|en|schwes|ter** *w. 11* dem Laienbruder entsprechende, dienende Nonne im Kloster; **Lai|en|spiel** *s. 1* Theateraufführung von nicht ausgebildeten Schauspielern

Lais [frz.] *s. Gen. - Mz. -* = Lai

la|i|sie|ren *tr. 3* in den Laienstand zurückführen (Geistlichen); **La|i|sie|rung** *w. 10*

Lais|sez-faire [lɛse:fɛr, frz. »lassen Sie machen«] *s. Gen. - nur Ez.* **1** *Schlagwort der Wirtschaftspolitik des 19. Jh. für* Nichteinmischung (des Staates in die Wirtschaft); **2** Gewähren-, Dahintreibenlassen, Ungezwungenheit

La|i|zis|mus *m. Gen. - nur Ez.* polit. Richtung (bes. in Frankreich), die die Freiheit von relig. Bindungen im öffentl. Leben sowie die Trennung von Kirche und Staat fordert; **La|i|zist** *m. 10;* **la|i|zis|tisch**

La|kai [türk.-frz.] *m. 10* **1** *früher:* herrschaftl. oder fürstl. Diener in Livree; **2** *übertr.:* willfähriger, unterwürfiger Mensch; **la|kai|en|haft**

La|ke *w. 11* Salzbrühe zum Einlegen von Fleisch und Fisch

La|ken *s. 7* Betttuch

Lak|ko|lith [griech.] *m. 10 oder m. 1* Tiefengesteinskörper, der durch unterird. vulkan. Tätigkeit unter pilzförmiger Aufwölbung darüber liegender Schichten in diese eingedrungen ist

la|ko|nisch [nach der altgriech. Landschaft Lakonien] kurz und bündig; **La|ko|nis|mus** *m. Gen. - nur Ez.* kurze, bündige Ausdrucksweise

La|krit|ze *auch:* **Lak|rit|ze** [griech.] *w. 11* schwarze Masse aus eingedicktem Süßholzsaft (in Rollen- oder Stangenform); **La|krit|zen|saft** *auch:* **Lak|rit|zen-** *m. 2* Süßholzsaft als Heilmittel gegen Magen- und Gallenkrankheiten; **La|krit|zen|stan|ge, La|kritz|stan|ge** *auch:* **Lak|ri-** *w. 11*

Lak|tam *s. 1, eindeutschende Schreibung von* Lactam; **Lak|ta|se** *w. 11, eindeutschende Schreibung von* Lactase; **Lak|ta|ti|on** [lat.] *w. 10* **1** Milchabsonderung der Brustdrüsen; **2** Zeit des Stillens; **3** das Stillen selbst; **Lak|ta|ti|ons|pe|ri|o|de** *w. 11;* **lak|tie|ren** **1** *intr. 3* Milch absondern; **2** *tr. 3* stillen; **Lak|to|den|si|me|ter, Lak|to|me|ter** [lat. + griech.] *s. 5* Gerät zur Bestimmung des spezif. Gewichts der Milch; **Lak|to|se** [lat.] *w. 11 nur Ez., eindeutschende Schreibung von* Lactose; **Lak|to|skop** *auch:* **Lak|tos|kop** [lat. + griech.] *s. 1* Gerät zur Prüfung der Durchsichtigkeit der Milch; **Lak|tos|u|rie** *auch:* **Lak|to|su|rie** *w. 11 nur Ez.* Vorkommen von Milchzucker im Harn; **lak|to|trop** Milchabsonderung bewirkend; laktotropes Hormon

la|ku|när [lat.] **1** hohlraumartig; **2** aushöhlend, Lücken bildend, schwammartig; **La|ku|ne** *w. 11* **1** Hohlraum, Spalte (in Körpergeweben); **2** Lücke (im Text)

la|kus|trisch *auch:* **la|kust|risch** [lat.] in Seen vorkommend (Gesteine, Lebewesen)

La|lem [griech.] *s. 1, Lautlehre:* durch die Artikulation bestimmte Sprecheinheit, unter dem Gesichtspunkt der Artikulation betrachteter Laut, z. B. Verschluss-, Nasallaut

La|len|buch, La|le|buch [nach einer erfundenen Stadt Lale(n)burg] *s. 4 nur Ez.* eine Schwanksammlung um 1600

La|le|tik *w. 10 nur Ez.* Lehre von den Lalemen, Sprechkunde

lal|len *intr. 1* unartikuliert, mit schwerer Zunge sprechen

L. A. M. *Abk. für* Liberalium Artium Magister

La|ma **1** [peruan.] *s. 9* eine südamerik. Kamelart; flanellartiges Wollgewebe; **2** [tibet.] *m. 9* tibet. buddhist. Priester; **La|ma|is|mus** *m. Gen. - nur Ez.* Form des tibet. Buddhismus; **La|ma|ist** *m. 10* Anhänger des Lamaismus; **la|ma|is|tisch**

La|man|tin [karib.] *m. 1* amerik. Seekuh

Lamb|da *s. Gen. -(s) Mz. -s (Zeichen:* λ, Λ) griech. Buchstabe; **Lamb|da|naht** [nach der Form des griech. Buchstabens Lambda] *w. 2* Naht zwischen den Scheitelbeinen und dem Hinterhaupt(s)bein des menschlichen Schädels; **Lamb|da|zis|mus** *m. Gen. - nur Ez.* **1** fehlerhafte Aussprache des R als L in griech. Wörtern; **2** *Med.:* Unfähigkeit, den Buchstaben L auszusprechen (z. B. infolge Gaumenspalte)

Lam|bre|quin *auch:* **Lamb|re|quin** [lɑ̃brəkɛ̃, frz.] *m. 9* **1** Querbehang mit Fransen an Fenstern und Türen; **2** diesem ähnl. Ornament aus Stein oder Stuck

Lam|bris *auch:* **Lamb|ris** [lɑ̃bri, frz.] *m. Gen. -* [-bris] *Mz. -* [-bris], *österr.: w. Gen. - Mz.* -bri|en Wandtäfelung

Lam|brus|co *auch:* **Lamb|rus|co** [ital.] *m. Gen. -(s) Mz. -* süßer, perlender Rotwein aus Italien

Lamb|skin [læm-, engl.] *s. 9* Lammfellimitation aus Plüsch; **Lambs|wool** [læmzwu:l, engl.] *s. Gen. -s nur Ez.* Lammwolle

la|mé ► *auch:* **la|mee** [frz.] *unflektierbar:* aus Lamé; **La|mé** ► *auch:* **La|mee** *s. 9 nur Ez.* mit Metallfäden durchwirktes Seidengewebe

la|mel|lar [lat.] wie Lamellen, streifig, geschichtet; **La|mel|le** *w. 11* **1** Blättchen, dünne Scheibe aus Papier, Metall, Kunststoff; **2** Sporenträger unter dem Hut der Blätterpilze; **la|mel|lös** *Biol.:* aus Lamellen bestehend

la|men|ta|bel [lat.] *veraltet:* beklagenswert; **La|men|ta|ti|on** *w. 10* Klagelied, Wehklagen; **la|men|tie|ren** *intr. 3* jammern, klagen; **La|men|to** *s. 9* **1** Klage, Gejammer; **2** *Mus.:* Klagelied

La|met|ta [ital.] *s. Gen. -s nur Ez.* **1** langer, schmaler Streifen aus gold- oder silberfarbenem Zinn oder Aluminium (als Christbaumschmuck); **2** *ugs. spött.:* Ordensschmuck

La|mia [griech.] *w. Gen. - Mz.* -mi|en, **La|mie** [-miə] *w. 11, griech. Myth.:* weibl. Spukgeist

La|mi|na [lat.] *w. Gen. - Mz.* -nae [-nɛ:] **1** dünne Gewebeschicht, blattförmiges Organteil; **2** dünnes Metallplättchen; **3** Fläche des Laubblattes, Blattspreite; **4** innere und äußere Platte des Schädeldaches; **la|mi|nar** langsam und daher wirbelfrei, parallel fließend; **La|mi|na|ria**

► = wird zu

w. Gen. - Mz. -ri|en eine Braunalge; **la|mi|nie|ren** *tr. 3* **1** Spinnmaterial l.: strecken, damit sich die Fasern längs richten; **2** Buchdeckel l.: mit Glanzfolie überziehen; **3** Glas l.: durch Mischen und Zusammenschmelzen verschiedenfarbiger Gläser färben

Lamm *s. 4;* **Lämm|chen** *s. 7;* **lam|men** *intr. 1* ein Lamm werfen, Junges bekommen (Schaf); **Läm|mer|gei|er** *m. 5, veraltete Bez. für* Bartgeier; **Läm|mer|wol|ke** *w. 11* Schäfchenwolke; **Lamm|fell** *s. 1;* **lamm|fromm** gehorsam, ruhig (Pferd); **Lämm|lein** *s. 7;* **Lamms|ge|duld** *w. Gen. - nur Ez.*

Lam|pa|da|ri|us [lat.] **1** *m. Gen. - Mz.* -ri|en altröm. Fackelhalter, Lampengestell; **2** *m. Gen. - Mz.* -rii altröm. Sklave, der seinem Herrn die Fackel vorantrug

Lam|pas [frz.] *m. Gen. - Mz. -* schweres Damastgewebe (als Möbelbezug); **Lam|pas|sen** *Mz.* breite Streifen an Uniformhosen

Lämp|chen *s. 7;* **Lam|pe** **1** *w. 11;* **2** Meister Lampe [nach dem männl. Vornamen Lampert, Lamprecht] Name des Hasen in der Tierfabel; **Lam|pen|fie|ber** *s. 5 nur Ez.* Erregung, Spannung, Angst (des Künstlers) vor dem Auftreten; **Lam|pi|on** [lãpjɔ̃, österr.: lampjon, ugs.: lampjɔŋ, frz.] *m. 9 oder s. 9* Laterne aus buntem Papier; **Lämp|lein** *s. 7*

Lam|pre|te *auch:* **Lamp|re|te** *w. 11* ein Meeresfisch, Meerneunauge

Lan|ça|de [lãsad(ə), frz.] *w. 11, Hohe Schule:* Bogensprung

Lan|cier [lãsje, frz.] *m. 9* **1** *früher:* Reiter mit Lanze, Ulan; **2** dem Kontertanz ähnlicher Tanz; **lan|cie|ren** [lãsi-] *tr. 3* **1** in Gang bringen; **2** geschickt an einen günstigen Platz, in eine vorteilhafte Position bringen; **Lan|cier|rohr** [lãsir-] *s. 1* Ausstoßrohr für den Torpedo

Land *s. 4, poet.: s. 1;* an Land gehen; aus aller Herren Länder(n); außer Landes gehen; zu Wasser, zu Lande und in der Luft; hier zu Lande, *auch:* hierzulande; bei uns zu Lande; **land|ab** *in der Wendung* landab, landauf; **Land|am|mann** *m. 4, in einigen Schweizer Kantonen:* Regierungspräsident; **Land|ar|beit** *w. 10;* **Land|ar|bei|ter** *m. 5*

> **hierzulande/hier zu Lande, landauf:** Es bleibt dem/der Schreibenden überlassen, ob er/sie das adverbiale Gefüge als Zusammensetzung (zusammengeschrieben) oder als Wortgruppe (getrennt geschrieben) auffasst. Beide Varianten sind korrekt: *hierzulande/hier zu Lande; dortzulande/dort zu Lande; bei uns zulande/bei uns zu Lande.* In einem Wort werden die Lokaladverbien geschrieben: *landab, landauf, landaus, landein.* →§ 39 (1)

Land|au|er [nach der Stadt Landau] *m. 5* viersitziger Pferdewagen mit zusammenklappbarem Verdeck

land|auf *in der Wendung* landauf, landab; **land|aus** *in der Wendung* landaus, landein; **Land|be|völ|ke|rung** *w. 10;* **Länd|chen** *s. 7;* **Län|de** *w. 11, landschaftl.:* Landungsplatz; **Lan|de|bahn** *w. 10;* **Lan|de|er|laub|nis** *w. 1;* **land|ein** *in der Wendung* landein, landaus; **land|ein|wärts;** **lan|den** **1** *intr. 2;* **2** *tr. 2* an Land, auf den Erdboden bringen (Truppen vom Schiff oder vom Flugzeug); **3** *Boxen:* anbringen (Schlag); **Lan|den|ge** *w. 11*

Län|de|rei|en *w. 10 Mz.;* **Län|der|kampf** *m. 2;* **Län|der|kun|de** *w. 11 nur Ez.* = Geographie; **län|der|kund|lich;** **Län|der|na|me** *m. 15;* **Län|der|re|gie|rung** *w. 10;* **Län|der|spiel** *s. 1*

Land|er|zie|hungs|heim *s. 1;* **Lan|des|auf|nah|me** *w. 11* (staatl.) Vermessung und kartograph. Darstellung eines Landes; **Lan|des|bi|schof** *m. 2;* **Lan|des|e|be|ne** *w. Gen. - nur Ez., meist in der Wendung* auf L.: nur für ein Bundesland (verbindlich), von einem Bundesland (beschlossen); *Ggs.:* Bundesebene; **Lan|des|far|ben** *w. 11 Mz.* die Farben der Fahne, Ordensbänder, Schlagbäume usw. eines Landes; **Lan|des|ge|schich|te** *w. 11 nur Ez.;* **Lan|des|haupt|stadt** *w. 2;* **Lan|des|herr** *m. Gen.* -n *oder* -en *Mz.* -en; **lan|des|herr|lich;** **Lan|des|ho|heit** *w. 10 nur Ez.;* **Lan|des|in|ne|re** *s. 18;* **Lan|des|kir|che** *w. 11;* **Lan|des|kun|de** *w. 11 nur Ez.* Lehre von einem bestimmten Land, im Unterschied zur Länderkunde; **lan|des|kund|lich;** **Lan|des|mut|ter** *w. 6* Herrscherin eines Landes; **Lan|des|re|gie|rung** *w. 10* Regierung eines (bestimmten) Landes; **Lan|des|spra|che** *w. 11;* **Lan|des|trau|er** *w. 11 nur Ez.;* **lan|des|üb|lich;** **Lan|des|va|ter** *m. 6* Herrscher eines Landes; **Lan|des|ver|rat** *m. Gen.* -(e)s *nur Ez.* Angriff auf die äußere Sicherheit des eigenen Landes, Verrat von Staatsgeheimnissen usw.; vgl. Hochverrat; **Lan|des|ver|rä|ter** *m. 5;* **Lan|des|ver|wei|sung** *w. 10;* **lan|des|ver|wie|sen;** **Land|fah|rer** *m. 5* Fahrender, Landstreicher; **Land|flucht** *w. Gen. - nur Ez.* Abwanderung der bäuerl. Bevölkerung in die Städte; **land|fremd;** **Land|frie|de** *m. 15,* **Land|frie|den** *m. 7;* **Land|frie|dens|bruch** *m. 2;* **Land|funk** *m. 1;* **Land|ge|mein|de** *w. 11;* **Land|ge|richt** *s. 1* (*Abk.:* LG); **Land|ge|richts|rat** *m. 2;* **Land|graf** *m. 10, bis 1806:* an der Spitze einer Landgrafschaft stehender, reichsunmittelbarer Amtsträger; **Land|graf|schaft** *w. 10* Verwaltungsgebiet eines Landgrafen; **Land|gut** *s. 4;* **Land|haus** *s. 4;* **Land|jä|ger** *m. 5* **1** *früher:* Polizist auf dem Lande, Gendarm; **2** eine Dauerwurst; **Land|kärt|chen** *s. 7* ein Schmetterling; **Land|kar|te** *w. 11;* **Land|kli|ma** *s. Gen.* -s *nur Ez.* Binnenklima, Kontinentalklima; **Land|kreis** *m. 1;* **land|läu|fig;** **Land|ler, Länd|ler** *m. 5* süddt., schweiz. und österr. Volkstanz; **Land|leu|te** *Mz.;* **länd|lich;** **Länd|lich|keit** *w. 10 nur Ez.*

Land|lord [lændlɔ:d, engl.] *m. 9* engl. Großgrundbesitzer

Land|macht *w. 2;* **Land|mann** *m. Gen.* -(e)s *Mz.* -leu|te; **Land|mar|ke** *w. 11* hervorgehobener Punkt im Gelände; **Land|nah|me** *w. 11* das Inbesitznehmen, Besiedeln von Land (durch ein Volk); **Land|par|tie** *w. 11;* **Land|pfle|ger** *m. 5, in Luthers Bibelübersetzung:* Statthalter; **Land|pla|ge** *w. 11;* **Land|po|me|ran|ze** *w. 11* linkisches, einfaches Mädchen vom Land;

Land|rat *m. 2* oberster Beamter eines Landkreises; **Land|rats-amt** *s. 4;* **Land|rat|te** *w. 11, Bez. der Seeleute für* Nichtseemann; **Land|re|gen** *m. 7* anhaltender Regen

Land|ro|ver [lændroʊvər, engl.] *m. 5* Ⓦⓩ geländegängiger Pkw mit Allradantrieb

Land|sas|se *m. 11, früher:* Untertan eines Landesherrn, der seinerseits dem König unterstand; **land|säs|sig** dem Landesherrn untertan; **Land|schaft** *w. 10;* **land|schaft|lich; Land-schafts|ma|ler** *m. 5;* **Land-schafts|schutz** *m. Gen.* -es *nur Ez.;* **Land|schul|heim** *s. 1* Landerziehungsheim; **Land|ser** *m. 5, ugs.:* Soldat (im Mannschaftsstand); **Lands|ge|mein|de** *w. 11, in einigen Schweizer Kantonen:* Versammlung der wahlberechtigten Bürger; **Land|sitz** *m. 1;* **Lands|knecht** *m. 1;* **Lands|knechts|lied** *s. 3;* **Lands|mål** [-mɔːl, norw.] *s. Gen. - nur Ez.* die norw. Landessprache auf westnorw. Grundlage, vgl. Bokmål; **Lands|mann** *m. Gen.* -(e)s *Mz.* -leu|te Einwohner des gleichen Landes; **Lands|män|nin** *w. 10;* **lands|män|nisch; Lands-mann|schaft** *w. 10* **1** *seit dem 16. Jh.:* Zusammenschluss von Studenten einer Universität nach ihrer landschaftl. Herkunft; **2** *nach dem 2. Weltkrieg auch:* Zusammenschluss von Heimatvertriebenen je nach ihren Heimatländern; **Land|stadt** *w. 2* einem Landesherrn unterstehende Stadt, im Unterschied zur Reichsstadt; **Land|stän|de** *m. 2 Mz., früher:* Vertretungen der privilegierten Stände auf dem Landtag; **land|stän|disch; Land|stör|zer,** Land|stört|zer *m. 5, veraltet:* Landstreicher, Fahrender; **Land|strei|cher** *m. 5;* **Land|strich** *m. 1;* **Land-sturm** *m. 2* **1** *urspr.:* das letzte Aufgebot aller Wehrpflichtigen und vom Wehrdienst Zurückgestellten; **2** *dann:* die älteren Jahrgänge der Wehrpflichtigen; **3** *schweiz.:* (bis 1995) dritte (oberste) Altersklasse der schweiz. Wehrdienstpflichtigen; **Land|sturm|mann** *m. 4;* **Land-tag** *m. 1* **1** *früher:* Versammlung der Landstände; **2** *heute:* Volksvertretung der Länder; **Land-tags|ab|ge|ord|ne|te(r)** *m. 18 (17) bzw. w. 17 oder 18;* **Land-tier** *s. 1;* **Lan|dung** *w. 10;* **Lan-dungs|brü|cke** *w. 11;* **Lan-dungs|steg** *m. 1;* **Land|ver-mes|sung** *w. 10;* **Land|vogt** *m. 2, früher:* vom König eingesetzter Verwalter eines reichsunmittelbaren Gebietes; **Land-vog|tei** *w. 10* Verwaltungsbezirk eines Landvogtes; **land-wärts; Land|weg** *m. 1;* **Land-wehr** *w. 10* **1** *MA:* Grenzbefestigung (Graben, Wall und Buschwerk); **2** *später:* alle Wehrpflichtigen bis zum 39., dann vom 35. bis 45. Jahr; **3** *schweiz.:* (bis 1995) zweite Altersklasse der schweiz. Wehrdienstpflichtigen; **Land|wehr-mann** *m. 4;* **Land|wein** *m. 1;* **Land|wind** *m. 1* vom Land her wehender Wind; *Ggs.:* Seewind; **Land|wirt** *m. 1;* **Land|wirt-schaft** *w. 10;* **land|wirt|schaft-lich; Land|wirt|schafts|mi-nis|te|ri|um** *s. Gen.* -s *Mz.* -ri|en; **Land|wirt|schafts|wis|sen-schaft** *w. 10;* **Land|zun|ge** *w. 11*

> **lang strecken/gehegt, des Langen und Breiten, seit langem:** Gefüge aus Adjektiv und Verb werden getrennt geschrieben, wenn das Adjektiv in dieser Verbindung gesteigert *(lang - länger - am längsten)* oder durch *sehr* erweitert werden kann: *Sie mussten sich lang strecken. Das war ein lang gehegter Wunsch.* →§ 34 E3 (3)
> Substantivierte Adjektive schreibt man groß: *des Langen und Breiten, ein Langes und Breites, des Längeren, der Lange.* →§ 57 (1)
> Bestimmte Verbindungen aus Präposition und Adjektiv ohne Artikel schreibt man klein, obwohl sie Merkmale der Substantivierung aufweisen: *Seit langem will er studieren.* Ebenso: *über kurz oder lang, seit längerem, vor längerem.* →§ 58 (3)

lang; lang und breit; lang gestreckt; des Langen und Breiten; sich des Längeren über etwas auslassen; seit langem; über kurz oder lang; vgl. lange; **lang|at|mig** weitschweifig, allzu ausführlich; **Lang|at|mig|keit** *w. 10 nur Ez.;* **Lang|bein** *s. 1;* Meister L. *volkstüml.:* der Storch; **lang|bei|nig; lan|ge,** lang; lange brauchen, lange schlafen; lange, lang anhaltendes Regenwetter; nicht lange danach; schon lange; es ist lange her; lang, lang ist's her; **Län-ge** *w. 11;* der L. lang, der L. nach hinfallen

lan|gen **1** *intr. 1* genügen, ausreichen; **2** *intr. 1* greifen; nach etwas l.; **3** *tr. 1;* jmdm. eine l. *ugs.:* jmdm. eine Ohrfeige geben; **län|gen** *tr. 1* länger machen, verlängern; **Län|gen|grad** *m. 1;* **Län|gen|kreis** *m. 1;* **Län-gen|maß** *s. 1*

Lan|ger|hans-In|seln [nach dem Arzt Paul Langerhans] *w. 11 nur Mz.* in der Bauchspeicheldrüse liegende Drüsen, die das Insulin erzeugen

Lan|get|te [frz.] *w. 11,* **Lan|get-ten|stich** *m. 1* Schlingenstich zum Befestigen von Stoffrändern; **lan|get|tie|ren** *tr. 3* mit Langetten einfassen; **Lan|get-tie|rung** *w. 10 nur Ez.*

Lan|ge|wei|le, Lang|wei|le *w. Gen.* der Langeweile *oder* Langenweile *nur Ez.:* aus L. oder Langerweile; **Lan|ge|zeit** *w. 10 nur Ez., schweiz.:* Sehnsucht, Heimweh; vgl. Zeitlang; **Lang|fin|ger** *m. 5, ugs.:* Dieb; **lang|fin|ge|rig, lang|fing|rig; lang|fris|tig; lang|ge|streckt** ► **lang ge|streckt; lang|haa-rig; lang|hin; Lang|holz** *s. 4;* **lang|jäh|rig; lang|köp|fig; Lang|lauf** *m. 2* Skilauf in ebenem Gelände; **lang|le|big; Lang|le|big|keit** *w. 10 nur Ez.;* **lang|le|gen** *tr. 1, ugs.:* sich l.; **läng|lich;** l. rund; **läng|lich|rund** ► **läng|lich rund; Lang|mut** *w. Gen. - nur Ez.;* **lang|mü|tig; Lang|mü|tig|keit** *w. 10 nur Ez.*

Lan|go|bar|de *m. 11* Angehöriger eines ostgerman. Volkes; **lan|go|bar|disch**

Lang|ohr *s. 12, scherzh.:* Hase, Esel; **lang|oh|rig**

längs **1** *Präp. mit Gen. oder Dat.:* längs des Flusses, dem Fluss; **2** *köln.:* vorbei, komm doch mal bei uns längs; **Längs-ach|se** *w. 11*

lang|sam; langsamer Walzer; langsam fahren, gehen, sein; **Lang|sam|keit** *w. 10 nur Ez.;* **lang|schä|de|lig, lang|schäd-lig; Lang|schäf|ter** *m. 5, ugs.:* Stiefel mit langem Schaft; **lang-**

► = wird zu

schäf|tig; Lạng|schlä|fer *m. 5;* **Lạng|schnäb|ler** *m. 5;* **Lạng|schrift** *w. 10* nicht gekürzte Schrift, im Unterschied zur Kurzschrift; **Lạng|spiel|plat|te** *w. 11* (*Abk.*: LP)
Längs|rich|tung *w. 10;* **lạ̈ngs|schiffs; Lạ̈ngs|schnitt** *m. 1;* **lạ̈ngs|seit** *Seemannsspr. für* längsseits; **lạ̈ngs|seits** *mit Gen.* an der langen Seite (des Schiffes), in der Längsrichtung (des Schiffes); **lạ̈ngst** schon lange, seit langem; **Lạ̈ngs|tal** *s. 4;* **lạ̈ngs|tens** *ugs.*: spätestens
lạng|stie|lig; *auch ugs.*: langweilig, weitschweifig; **Lạng|stie|lig|keit** *w. 10 nur Ez., ugs.;* **Lạng|stre|cken|flug** *m. 2;* **Lạng|stre|cken|lauf** *m. 2;* **Lạng|stre|cken|läu|fer** *m. 5*
Langue|doc [lɑ̃gdɔk] *s. oder w. Gen.* - frz. Landschaft; **Langue|dọc|wein** *m. 1*
Lan|gụs|te [frz.] *w. 11* ein Speisekrebs
Lạng|wei|le *w. Gen. - nur Ez.* = Langeweile; **lạng|wei|len** *tr. 1;* **Lạng|wei|ler** *m. 5* langweiliger Mensch; **lạng|wei|lig; Lạng|wei|lig|keit** *w. 10 nur Ez.;* **Lạng|wel|le** *w. 11* Rundfunkwelle mit einer Länge von 1000 bis 10 000 m; **Lạng|wied** *w. 10,* **Lạng|wie|de** *w. 11, an Leiterwagen:* langes Rundholz, das Vorder- und Hintergestell miteinander verbindet; **lạng|wie|rig**
La|ni|tal|fa|ser [ital.] *w. 11* aus Kasein hergestellter, wollähnlicher Faserstoff; **La|no|lin** *s. 1 nur Ez.* Mischung aus Wollfett, Paraffin und Wasser, Ausgangsstoff für Salben
Lan|than [griech.] *s. 1 nur Ez.* (*Zeichen:* La) chem. Element, ein Metall der Seltenen Erden; **Lan|tha|nit** *s. 1* ein Mineral
La|nu|go [lat.] *w. Gen. - Mz.* -gi|nes [-ne:s] Wollhaar, Flaum, Haarkleid des Embryos
Lạn|ze *w. 11;* eine L. für jmdn. brechen: für jmdn. eintreten, für ihn sprechen; **Lan|zẹtt|bo|gen** *m. 7* schmaler Spitzbogen (bes. in der engl. Gotik); **Lan|zẹt|te** *w. 11* kleines, zweischneidiges Operationsmesser; **Lan|zẹtt|fens|ter** *s. 5* langes, schmales, frühgotisches Fenster; **Lan|zẹtt|fisch|chen** *s. 7* einfaches, fischähnl. Chordatier, Amphioxus; **lan|zi|nie|ren** *intr. 3* blitzartig schmerzen

La|o|ko|on griech. Sagengestalt
La|os Staat in Hinterindien; **La|o|te** *m. 11* Einwohner von Laos; **la|o|tisch**
La|pa|ro|skop *auch:* **La|pa|ros|kop** [griech.] *s. 1* Instrument zur Untersuchung der Bauchhöhle; **La|pa|ro|sko|pie** *auch:* **La|pa|ros|ko|pie** *w. 11;* **La|pa|ro|to|mie** *w. 11* operative Öffnung der Bauchhöhle
La Paz [-paθ] Hst. von Bolivien
la|pi|dar [lat.] **1** kraftvoll, wuchtig; **2** kurz, einfach, bündig und treffend; **La|pi|där** *m. 1* Schleif- und Poliergerät der Uhrmacher; **La|pi|da|ri|tät** *w. 10 nur Ez.;* **La|pi|da|ri|um** *s. Gen.* -s *Mz.* -ri|en **1** Sammlung von Steindenkmälern und -inschriften; **2** Steinsammlung; **La|pi|dar|schrift** *w. 10* Schrift in Großbuchstaben ohne Verzierung, bes. für Steininschriften;
La|pi|des *Mz. von* Lapis; **La|pịl|li** [ital.], Ra|pịl|li *Mz.* kleine, bei Vulkanausbrüchen ausgeworfene Lavastückchen; **La|pis** *m. Gen.* - *Mz.* -pi|des [-de:s] Stein; Lapis infernalis: Höllenstein; Lapis philosophorum: Stein der Weisen; **La|pis|la|zu|li** *m. Gen.* - *Mz.* - blauer Halbedelstein, Lasurstein
Lap|pa|lie [-ljə] *w. 11* Kleinigkeit, Nichtigkeit; **Lạ̈pp|chen** *s. 7*
Lạp|pe *m. 11,* Lạpp|län|der *m. 5* Einwohner von Lappland
Lạp|pen *m. 7*
lạ̈p|pen *tr. 1* sehr glatt schleifen, reibschleifen (Werkstücke)
Lạp|pen|tau|cher *m. 5* ein Tauchvogel
Läp|pe|rei *w. 10* läppische Sache, Nichtigkeit; **lạ̈p|pern** *tr. 1, nur unpersönlich, ugs.:* es läppert mich nach …: es gelüstet mich nach …; *bayr.:* etwas läppert: etwas ist langweilig, sinnlos; *in der Wendung:* sich (zusammen-)läppern: immer mehr werden
lạp|pig **1** wie ein Lappen geformt (z. B. Organ); **2** schlaff, weich; **3** gering, wertlos, lächerlich wenig; lappige zehn Mark
lạp|pisch, lạpp|län|disch
lạ̈p|pisch töricht, abgeschmackt, kindisch
Lạpp|län|der *m. 5* = Lappe; **lạpp|län|disch,** lạp|pisch
Lạp|sus [lat.] *m. Gen.* - *Mz.* - (geringfügiger) Fehler, kleiner Verstoß, Versehen; L. calami: Schreibfehler; L. linguae [-guɛ:]: Sprechfehler, Sichversprechen; L. memoriae [-riɛ:]: Gedächtnisfehler

Lap|top [læptɔp, engl., etwa »Schoßoberseite«] *m. 9* leistungsstarker Minicomputer
Lạ̈r|che *w. 11* ein Nadelbaum
La|ren [lat.] *Mz., röm. Myth.:* Schutzgeister des Hauses und der Familie
lar|ghẹt|to [ital.] *Mus.:* etwas getragen, etwas breit; **Lar|ghẹt|to** *s. Gen.* -s *Mz.* -s *oder* -ti larghetto zu spielendes Musikstück; **lạr|go** *Mus.:* getragen, langsam und singend; **Lạr|go** *s. Gen.* -s *Mz.* -s *oder* -ghi langsames, getragenes und sangliches Musikstück
la|ri|fa|ri [Bildung aus den ital. Solmisationssilben la, re, fa, re] nichts da!, Unsinn!; **La|ri|fa|ri** *s. Gen.* -(s) *nur Ez.* Geschwätz, Unsinn
Lạ̈rm *m. 1 nur Ez.;* **lạ̈rm|emp|find|lich; lạ̈r|men** *intr. 1;* **lạ̈r|mig**
lar|moy|ant *auch:* **lar|mo|yant** [larmoajant, frz.] rührselig, weinerlich; **Lar|moy|anz** *auch:* **Lar|mo|yanz** *w. 10 nur Ez.*
Lạ̈rm|schutz *m. Gen.* -es *nur Ez.*
L'art pour l'art [lar pur lar, frz. »die Kunst für die Kunst«] Schlagwort für die Auffassung, dass die Kunst nur nach rein künstler. Maßstäben zu beurteilen sei und unabhängig von allen ethischen, religiösen und ähnl. Bindungen sein müsse
lar|val [lat.] zur Larve gehörig; **Lạ̈rv|chen** *s. 7* **1** kleine Larve; **2** *veraltet:* hübsches, nichts sagendes Gesicht eines Mädchens, auch: das Mädchen selbst; **Lạr|ve** *w. 11* **1** Jugendform mancher Tiere; **2** Gesichtsmaske; **lar|vie|ren** *tr. 3* verbergen, verstecken; **lar|viert** *Med.:* verborgen, ohne typ. Merkmale
La|ryn|gal [griech.] *m. 1,* **La|ryn|ga|lis** *w. Gen.* - *Mz.* -les [-le:s] Kehlkopflaut; **la|ryn|ge|al** zum Kehlkopf gehörig; von ihm ausgehend; **La|ryn|gi|tis** *w. Gen.* - *Mz.* -ti|den Kehlkopfentzündung; **La|ryn|go|fis|sur** *w. 10;* **La|ryn|go|lo|ge** *m. 11;* **La|ryn|go|lo|gie** *w. 11 nur Ez.* Lehre vom Kehlkopf und seinen Erkrankungen; **la|ryn|go|lo|gisch; La|ryn|go|skop** *auch:* **La|ryn|gos|kop** *s. 1* Kehlkopfspie-

gel; **La|ryn|go|sko|pie** *auch:* **-gos|ko|pie** *w. 11* Untersuchung des Kehlkopfes mit dem Laryngoskop; **La|ryn|go|to|mie** *w. 11* Kehlkopfschnitt; **La|rynx** *m. Gen. - Mz.* -ryn|gen Kehlkopf
La|sa|gne [lasanje, ital.] *nur Mz.* geschichtete, überbackene Nudelblättchen
lasch träge, schwunglos, energielos
La|sche *w. 11* **1** Verbindungsstück zweier stumpf aneinander stoßender Konstruktionsteile; **2** Papier-, Stoff-, Lederstück als Verschluss, Schmuck oder Schutz
La|se *w. 11, mitteldt.:* Henkelkrug
La|ser [lɛɪzər, Kurzw. aus light amplification by stimulated emission of radiation »Lichtverstärkung durch angeregte Aussendung von Strahlung«] *m. 5* Gerät zum Erzeugen stark gebündelter Lichtstrahlen; **La|ser|dru|cker** [lɛɪ-, engl.] *m. 5;* **La|ser|strah|len** [lɛɪ-] *m. 12 Mz.*
la|sie|ren *tr. 3* mit Lasur oder Lasurfarbe bestreichen
Lä|si|on [zu: lädieren] *w. 10* Verletzung
Las|kar [pers.] *m. 12, früher:* ind. Matrose
laß ► **lass 1** schlapp, müde, kraftlos; **2** lässig, nachlässig

> **lassen:** Die Verbindung von Verb (Infinitiv) und Verb wird getrennt geschrieben: *Max hat den Brief liegen lassen. Sie hat ihn links liegen lassen.* →§ 34 E3 (6)

las|sen *tr. 75;* ich habe es lieber gelassen; *aber:* ich habe es sein lassen; ich habe ihn in dem Glauben gelassen; *aber:* ich habe ihn rufen, gehen lassen; sein Tun und Lassen; einen Gegenstand fallen lassen; jmdn. fallen lassen; jmdn. (nicht) gehen lassen; sich gehen lassen; einen (fahren) lassen *ugs.:* einen Darmwind entweichen lassen; die letzte S-Bahn fahren lassen
läs|sig; Läs|sig|keit *w. 10 nur Ez.;* **läß|lich** ► **läss|lich** geringfügig; lässliche Sünde
Las|so [span.] *s. 9* Wurfschlinge zum Einfangen von Tieren
Last *w. 10* **1** Gewicht, Fracht, Bürde, Beschwernis; **2** *Mz.:* Schulden, Steuern, Verbindlichkeiten; das geht zu meinen Lasten; zu Lasten/zulasten von XY; **3** *auf Schiffen:* Vorrats-, Frachtraum unter dem Deck; **4** *veraltet:* Maßeinheit für die Schiffsfracht, auch für die Tragfähigkeit eines Schiffes
Las|ta|die [-djə oder -di, ndrl.] *w. 11 früher:* Schiffsladeplatz
Last|arm *m. 1* Teil des Hebels, der die Last bewegt, *Ggs.:* Kraftarm; **Last|au|to** *s. 9;* **las|ten** *intr. 2;* **Las|ten|auf|zug** *m. 2;* **Las|ten|aus|gleich** *m. 1* (*Abk.:* LA), *in der BR Dtld.:* Vermögensausgleich zwischen den durch Krieg und Kriegsfolgen geschädigten Personen und den nicht geschädigten; **Las|ten|aus|gleichs|ge|setz** *s. 1 nur Ez.* (*Abk.:* LAG); **las|ten|frei; Las|ten|seg|ler** *m. 5* großes Segelflugzeug zum Transport von Lasten; **Las|ter 1** *m. 5, ugs.:* Lastkraftwagen; **2** *s. 5* schlechte oder sittlich nicht einwandfreie Gewohnheit
Läs|te|rer *m. 5;* **las|ter|haft; Läs|te|rin** *w. 10;* **Las|ter|le|ben** *s. 7 nur Ez.;* **läs|ter|lich; Läs|ter|maul** *s. 4;* **läs|tern** *tr. u. intr. 1;* ich lästere, lästre; **Läs|te|rung** *w. 10;* **Läs|ter|zun|ge** *w. 11*
Las|tex *s. Gen. - nur Ez.* Gewebe aus mit Kunstseide umsponnenen Gummifäden
läs|tig; lästig fallen
Las|tig|keit *w. 10 nur Ez.* höchste Belastbarkeit (eines Schiffes)
Läs|tig|keit *w. 10 nur Ez.*
Las|ting [engl.] *m. 9* ein Kammgarngewebe
Last|kahn *m. 2;* **Last|kraft|wa|gen** *m. 7* (*Abk.:* Lkw, LKW)
last, not least [last nɔt list, engl.] an letzter Stelle genannt, aber nicht im Wert, in der Bedeutung am geringsten
Last|schiff *s. 1;* **Last|schrift** *w. 10; Ggs.:* Gutschrift; **Last|tier** *s. 1;* **Last|trä|ger** *m. 5;* **Last|wa|gen** *m. 7;* **Last|zug** *m. 2*
La|sur [pers.] *w. 10* durchsichtige Lack- oder Farbschicht; **La|sur|far|be** *w. 11* durchsichtige Farbe; **La|sur|stein** *m. 1* = Lapislazuli
las|ziv [lat.] zweideutig, schlüpfrig; **Las|zi|vi|tät** *w. 10 nur Ez.*
Lä|ta|re [lat. »freue dich«] *ohne Artikel* dritter Sonntag vor Ostern
La|tein *s. Gen.* -s *nur Ez.* latein. Sprache; **La|tein|a|me|ri|ka** die spanisch oder portugiesisch sprechenden Staaten Südamerikas; **La|tein|a|me|ri|ka|ner** *m. 5;* **la|tein|a|me|ri|ka|nisch; La|tei|ner** *m. 5* jmd., der Latein kann; **la|tei|nisch; La|tei|nisch** *s. Gen.* -(s) *nur Ez.* Sprache der alten Römer, urspr. der Latiner, Grundlage der roman. Sprachen; **La|tein|schrift** *w. 10 nur Ez.;* **La|tein|schu|le** *w. 11, früher:* Schule mit Latein als Hauptunterrichtsfach; **La|tein|se|gel** *s. 5* dreieckiges Segel an schräger Rah
La-Tène-Kul|tur [laten-, nach dem Fundort La Tène in der Schweiz] *w. 10 nur Ez.* kelt. Kultur der La-Tène-Zeit; **La-Tène-Zeit** *w. 10 nur Ez.* zweite Stufe der mitteleurop. Eisenzeit; **la|tène|zeit|lich**
la|tent [lat.] vorhanden, aber nicht in Erscheinung tretend, verborgen; **La|tenz** *w. 10 nur Ez.;* **La|tenz|pe|ri|o|de** *w. 11* **1** Entwicklungsperiode, während deren kein Stoffwechsel stattfindet, z. B. bei Gliedertieren, Diapause; **2** relativ ruhige, stetige Entwicklung des Kindes etwa vom 6. bis zum 10. Lebensjahr; **La|tenz|zeit** *w. 10* **1** Inkubationszeit; **2** Zeitraum zwischen Reiz (eines Nervs) und Reaktion (des Muskels)
la|te|ral [lat.] **1** seitlich, von der Seite; **2** von der Mittellinie eines Organs abgewandt
La|te|ran [nach der Familie Laterani, der früheren Eigentümerin des Palastes] *m. Gen.* -s *nur Ez.* der päpstliche Palast in Rom außerhalb der Vatikanstadt
la|te|rie|ren [lat.] *tr. 3, veraltet:* seitenweise zusammenzählen
La|te|rit [lat.] *m. 1, in den Tropen und Subtropen:* roter Verwitterungsboden; **La|te|rit|bo|den** *m. 8*
La|ter|na ma|gi|ca [lat.] *w. Gen. -- Mz.* -nae -cae [-nɛ: -kɛ:] erster Projektionsapparat für Glasdiapositive; **La|ter|ne** *w. 11; auch Baukunst:* Türmchen mit Fenstern auf der Scheitelöffnung einer Kuppel oder als Zwischenglied unter einem Zwiebelturm; **La|ter|nen|fisch** *m. 1* ein Tiefseefisch mit Leuchtorganen
La|tex [lat.] *m. Gen. - Mz.* -ti|zes Milchsaft mancher tropischer

Pflanzen, aus dem Kautschuk hergestellt wird

La|ti|fun|di|en|wirt|schaft *w. 10 nur Ez.* Bewirtschaftung mehrerer zusammengefasster Latifundien; **La|ti|fun|di|um** [lat.] *s. Gen.* -s *Mz.* -di|en *meist Mz.* **1** *im alten Rom:* großes, von Sklaven bewirtschaftetes Landgut; **2** *später:* von Pächtern bewirtschafteter Landbesitz

La|ti|ner *m. 5* Angehöriger eines idg. Volksstammes in der ital. Landschaft Latium; **la|ti|nisch; la|ti|ni|sie|ren** *tr. 3* den latein. Sprachformen angleichen, z. B. »Descartes« zu »Cartesius«; **La|ti|ni|sie|rung** *w. 10;* **La|ti|nis|mus** *m. Gen. - Mz.* -men in eine nichtlat. Sprache übernommene lat. Spracheigentümlichkeit; **La|ti|nist** *m. 10* Kenner, Erforscher, Student der lat. Sprache und Literatur; **La|ti|ni|tät** *w. 10 nur Ez.* **1** mustergültige lat. Ausdrucksweise; **2** auf lateinischer (= römischer) Herkunft beruhende Eigenart; **Latin-Lover** ▶ **La|tin-lo|ver** *auch:* **La|tin Lo|ver** [lætın lɔvə, engl.] *m. 9, scherzhaft:* feuriger, südländischer Liebhaber; **La|ti|no** *m. 6* = Hispanic; **La|ti|num** *s. Gen.* -s *nur Ez.* Schul- oder Ergänzungsprüfung an der Univ. in der lat. Sprache; kleines, großes Latinum

La|ti|tü|de [lat.] *w. 11* **1** geograph. Breite; **2** *veraltet:* Weite, Spielraum; **la|ti|tu|di|nal** die Latitüde betreffend

La|ti|um *s. Gen.* -s Landschaft in Italien

La|trie *auch:* **Lat|rie** [griech.] *w. 11* Verehrung, Anbetung

La|tri|ne *auch:* **Lat|ri|ne** [lat.] *w. 11* **1** Abort; Senkgrube; **2** *Soldatenspr.:* Gerücht; **La|tri|nen|pa|ro|le** *auch:* **Lat|ri-** *w. 11, Soldatenspr.:* Gerücht

Latsch *m. 12, ugs.:* Hausschuh, alter Schuh; aus den Latschen kippen *ugs.:* die Beherrschung verlieren

Lat|sche *w. 11* Lat|schen|kie|fer *w. 11* niedrig wachsende Gebirgskiefer, Krummholzkiefer, Legföhre

lat|schen *intr. 1, ugs.:* schlurfend, achtlos gehen

Lat|schen|kie|fer *w. 11* = Latsche

lat|schig schlurfend, achtlos (Gang)

Lat|te *w. 11;* **Lat|ten|kis|te** *w. 11;* **Lat|ten|rost** *m. 1;* **Lat|ten|zaun** *m. 2*

Lat|tich *m. 1* eine Zierpflanze

La|tus [lat.] *m. Gen. - Mz. -, veraltet:* innerhalb größerer Rechnungen der Gesamtbetrag einer Seite, der auf die nächste übertragen wird, Seitensumme

Lat|wer|ge [griech.] *w. 11* **1** in Breiform, mit Sirup oder Mus verrührt einzunehmende Arznei; **2** *auch:* Fruchtmus

Latz *m. 2 österr. auch m. 1* **1** *an Kleid, Schürze, Hose:* Bruststück; **2** *an Trachtenhosen:* herunterklappbarer Vorderteil; **Lätz|chen** *s. 7;* **Latz|ho|se** *w. 11* Hose mit Brustlatz

lau; *auch übertr.:* ohne eigene Meinung

> **Laub tragen/tragend:** Gefüge aus Substantiv und Verb/Partizip werden getrennt geschrieben: *ein Laub tragender Baum.* Ebenso: *Angst haben, Auto fahren, Ski laufen* usw. →§ 34 E3 (5)

Laub *s. 1 nur Ez.;* **Laub|baum** *m. 2;* **Lau|be** **1** *w. 11* Gartenhäuschen; **2** *m. 11* ein Karpfenfisch; **Lau|ben|gang** *m. 2;* **Laub|fall** *m. 2;* **Laub|frosch** *m. 2;* **Laub|heu|schre|cke** *w. 11;* **Laub|höl|zer** *s. 4 Mz.* Laub tragende Bäume; *Ggs.:* Nadelhölzer; **Laub|hüt|ten|fest** *s. 1* mehrtägiges jüd. Erntedankfest; **lau|big; Laub|sä|ge** *w. 11;* **Laub|sä|ge|ar|beit** *w. 10;* **Laub|sän|ger** *m. 5* ein Singvogel; **Laub|wald** *m. 4;* **Laub|wech|sel** *m. 5;* **Laub|werk** *s. 1; auch Baukunst:* laubähnl. Verzierung

Lauch *m. 1* ein Liliengewächs, z. B. Zwiebel, Knoblauch, Porree

Lau|da [lat.] *w. Gen. - Mz.* -de, *13.–19. Jh.:* volkstüml. geistl. ital. (selten auch lat.) Lobgesang; **lau|da|bel** *veraltet:* lobenswert, löblich

Lau|da|num [griech.-lat.] *s. Gen.* -s *nur Ez.* schmerzstillendes Mittel, z. B. Opium

Lau|da|tio [lat.] *w. Gen.- Mz.* -ti|o|nes, **Lau|da|ti|on** *w. 10* Lobrede (auf Preisträger oder Tote); **Lau|da|tor** *m. 13, veraltet:* Lobredner; **Lau|de|mi|um** *s. Gen.* -s *Mz.* -mi|en, *früher:* Abgabe an den Lehnsherrn, Lehnsgeld; **Lau|des** *Mz.* Lobpreisung innerhalb der kath. Stundengebete; **lau|die|ren** *tr. 3, veraltet:* loben; **Lau|dist** *m. 10, 13.–17. Jh.:* Verfasser von Laudes

Laue, Lau|e|ne *w. Gen. - Mz.* Lau|e|nen, *schweiz.:* Lawine

Lau|er **1** *m. 5* aus Trestern gewonnener Wein; **2** *w. Gen. - nur Ez.* Hinterhalt, das Lauern, *nur in den Wendungen:* sich auf die L. legen, auf der L. liegen; **lau|ern** *intr. 1;* ich lauere, laure auf ihn

Lauf *m. 2; auch Jägerspr.:* Bein (vom Hund und Haarwild außer Dachs, Marder, Bär); im Lauf(e) der Zeit, des Gesprächs; **Lauf|bahn** *w. 10;* **Lauf|bur|sche** *m. 11;* **Läuf|chen** *s. 7* kleiner Lauf (vom Wild als Speise); **lau|fen** *intr. u. refl. 76;* sich heiß, müde l.; sich die Füße wund l.; sich eine Blase l.; jmdn. laufen lassen; **lau|fend** ständig, regelmäßig; am laufenden Band; (des) laufenden Jahres, Monats (*Abk.:* lfd. J., lfd. M.): des jetzigen Jahres, Monats; laufendes Meter, (des) laufenden Meters (*Abk.:* lfd. m): Maß für eine Ware (z. B. Stoff), die in gewünschter Länge von einem großen Stück abgeschnitten wird; laufende Nummer (*Abk.:* lfd. Nr.): einzelne Nummer in einer Reihe oder Liste; auf dem Laufenden sein: Bescheid wissen über das, was vorgeht; jmdn. auf dem Laufenden halten: ihn über alle Vorkommnisse unterrichten; **lau|fen|las|sen** ▶ **lau|fen las|sen** *tr. 75*

> **auf dem Laufenden sein, Ski laufen:** Das substantivierte Verb/Partizip schreibt man groß: *Er war nie auf dem Laufenden* (= nicht informiert). [→§ 57 (1)]. Auch mit Bindestrich: *Es ist zum Auf-und-davon-Laufen.* →§ 43, § 55 (1)
> In Verbindung mit einem Substantiv schreibt man das Gefüge getrennt: *Er wollte Ski laufen.* Ebenso: *Eis laufen, (auf/mit) Stelzen laufen.* →§ 34 E3 (5)

Läu|fer *m. 5;* **Lau|fe|rei** *w. 10;* **Lauf|feu|er** *s. 5* sich ausbreitendes Bodenfeuer; die Nachricht verbreitete sich wie ein L.;

Lauf|ge|wicht *s. 1;* **Lauf|ge|wichts|waa|ge** *w. 11;* **Lauf|git|ter** *s. 5;* **Lauf|gra|ben** *m. 8*
läu|fig brünstig (Hündin); **Läu|fig|keit** *w. 10 nur Ez.* Zeit der Brunst
Lauf|kä|fer *m. 5* ein Raubkäfer; **Lauf|kar|te** *w. 11* Begleitkarte, auf der bei der Fertigung von Werkstücken jeder Arbeitsgang eingetragen wird, Laufzettel; **Lauf|kat|ze** *w. 11* Fahrwerk auf Schiene mit Vorrichtung zum Heben und Befördern von Lasten; **Lauf|kund|schaft** *w. 10 nur Ez.* nicht regelmäßig (in einem Geschäft) kaufende Kundschaft; *Ggs.:* Stammkundschaft; **Lauf|ma|sche** *w. 11;* **Lauf|me|ter** *s. 5, schweiz.:* laufendes Meter; **Lauf|paß** ► **Lauf|pass** *m. 2, urspr.:* Entlassungsschein, *heute nur noch in der Wendung* jmdm. den L. geben: ihn wegschicken, die Beziehung zu ihm, die Verlobung mit ihm lösen; **Lauf|rad** *s. 4* Rad ohne Antrieb; **Lauf|rich|tung** *w. 10;* **Lauf|schritt** *m. 1 nur Ez.;* im L.; sich in L. setzen; **Lauf|stall** *m. 2,* **Lauf|ställ|chen** *s. 7;* **Lauf|steg** *m. 1;* **Lauf|vo|gel** *m. 6, veraltete Bez. für* flugunfähiger Vogel, z. B. Strauß, Kiwi; **Lauf|werk** *s. 1;* **Lauf|zeit** *w. 10;* **Lauf|zet|tel** *m. 5* = Laufkarte
Lau|ge *w. 11* **1** *i. w. S.:* Lösung (der verschiedensten Stoffe); **2** *i. e. S.:* wässrige Lösung von Basen; **lau|gen** *tr. 1* mit Lauge behandeln; **Lau|gen|bad** *s. 4*
Lau|heit *w. 10 nur Ez.;* **lau|lich** lau
Laum *m. Gen. -(e)s nur Ez., alem.:* Wasserdampf
Lau|ne *w. 11;* **lau|nen|haft; Lau|nen|haf|tig|keit** *w. 10 nur Ez.;* **lau|nig** humorvoll-heiter, witzig; eine launige Rede; **lau|nisch** launenhaft
Lau|rat *s. 1* Salz der Laurinsäure
Lau|re|at [lat.] *m. 10, früher:* mit dem Lorbeerkranz gekrönter Dichter: vgl. Poeta laureatus
lau|re|ta|nisch zu dem ital. Wallfahrtsort Loreto gehörig, von dort ausgehend; Lauretanische Litanei: Marienlitanei
Lau|rin Tiroler Sagengestalt, Zwergenkönig
Lau|rin|säu|re *w. 11* eine Fettsäure
Lau|rus [lat.] *m. Gen. - Mz. -* Lorbeerbaum
Laus *w. 2;* jmdm. eine L. in den Pelz setzen *übertr.:* ihm Schwierigkeiten bereiten
Lau|sanne [lozan, *schweiz. auch:* lozan] Hst. des Schweizer Kantons Vaud (Waadt); **Lau|san|ner** *m. 5*
Laus|bub *m. 10;* **Laus|bu|be** *m. 11;* **Laus|bü|be|rei** *w. 10*
Lausch|an|griff *m. 1* unerlaubtes Abhören; **lau|schen** *intr. 1*
Läus|chen *s. 7*
Lau|scher *m. 5; auch Jägerspr.:* Ohr (beim Schalenwild); **lau|schig;** ein lauschiges Plätzchen
Lau|se|ben|gel *m. 5;* **Lau|se|jun|ge** *m. 11;* **Lau|se|kerl** *m. 1, auch m. 9*
Läu|se|kraut *s. 4* eine Pflanze, deren Absud früher gegen Läuse verwendet wurde; **lau|sen** *tr. 1* nach Läusen absuchen
Lau|ser *m. 5* Lausbub; **Lau|se|rei** *w. 10* Lausbüberei; **lau|sig 1** schlecht; lausige Zeiten; **2** sehr; lausig kalt, lausig viel Geld
Lau|sitz *w. Gen. -* Landschaft in Ostsachsen und Südbrandenburg; **Lau|sit|zer** *m. 5;* **lau|sit|zisch**
Läus|lein *s. 7*
laut 1 laut sein; laut werden: sich herumsprechen, bekannt werden; **2** *Präp. mit Gen. (bei allein stehenden männl. Substantiven fällt die Genitivendung häufig weg):* laut amtlichen Beschlusses; laut Vertrag; **Laut** *m. 1;* Laut geben: bellen, anschlagen; **laut|bar;** es ist l. geworden, dass …: es ist bekannt geworden
Lau|te *w. 11* ein Zupfinstrument mit bauchigem Resonanzkörper
lau|ten *intr. 2* einen bestimmten Wortlaut haben, heißen; die Antwort lautet: Ja; die Stelle lautet wörtlich so; das Urteil lautet auf Zuchthaus; **läu|ten** *intr. u. tr. 2;* es läutet; er läutet die Glocken; ich habe etwas l. hören, dass … *übertr.:* ich habe gerüchtweise gehört, dass …
Lau|te|nist *m. 10* Lautenspieler; **Lau|ten|schlä|ger** *m. 5* Lautenspieler
lau|ter 1 rein, klar, unverfälscht, unvermischt; aufrichtig, ehrlich, rechtschaffen, ohne Falsch (Charakter); es ist die lautere Wahrheit; lauteres Gold; **2** *unflektiert:* nichts anderes als, nur; das sind ja lauter Steine; er konnte vor lauter Angst nicht sprechen; **Lau|ter|keit** *w. 10 nur Ez.* Aufrichtigkeit, Ehrlichkeit, Rechtschaffenheit; **läu|tern** *tr. 1;* **Läu|te|rung** *w. 10 nur Ez.*
Läu|te|werk, Läut|werk *s. 1;* **laut|ge|treu; laut|hals** aus voller Kehle, laut; l. schreien, **lau|tie|ren** *tr. 3* Laut für Laut aussprechen; **Laut|leh|re** *w. 11* Phonetik; **laut|lich; laut|los; Laut|lo|sig|keit** *w. 10 nur Ez.;* **laut|ma|lend; Laut|ma|le|rei** *w. 10* Nachahmung von Naturlauten, Geräuschen u. Ä. durch entsprechende sprachliche Laute (z. B. hui, patsch, knistern), Onomatopoese, Onomatopöie; **Laut|schrift** *w. 10* Schrift, die die einzelnen Laute einer Sprache wiedergibt, Buchstabenschrift; vgl. Silbenschrift, Bilderschrift; **Laut|spre|cher** *m. 5;* **laut|stark; Laut|stär|ke** *w. 11;* **Lau|tung** *w. 10;* **Laut|ver|schie|bung** *w. 10;* **Laut|wan|del** *m. 5;* **Läut|werk,** Läu|te|werk *s. 1*
lau|warm
La|va [ital.] *w. Gen. - Mz. -ven* von Vulkanen ausgeworfene, glühende Schmelzmasse sowie das daraus entstandene Gestein
La|va|bel [-va-, frz.] *m. 5* waschbares, gekrepptes Seiden- oder Kunstseidengewebe
La|va|bo [-va-, lat.] *s. 9* **1** Handwaschung des Priesters während der Messe; **2** die dafür verwendeten Gefäße: Becken und Kanne
La|ven *Mz. von* Lava
La|ven|del [-vẹn-, ital.] *m. 5* eine Heil- und Gewürzpflanze, aus deren Blüten auch ein äther. Öl gewonnen wird
la|vie|ren *intr. 3* **1** [ndrl.] gegen den Wind kreuzen; *übertr.:* geschickt vorgehen, Schwierigkeiten geschickt umgehen; **2** [lat.] Farben ineinander übergehen lassen, sie verwischen; lavierte Zeichnung
lä|vo|gyr [lat. + griech.] (*Abk.:* l) *Phys.:* die Ebene des polarisierten Lichts nach links drehend; *Ggs.:* dextrogyr
La|voir [-voar, frz.], **La|vor** *s. 9, veraltet, noch österr.:* Waschbecken
Lä|vu|lo|se [lat.] *w. 11 nur Ez.* Fruchtzucker

► = wird zu

La|wi|ne *w. 11;* **La|wi|nen|ga|le|rie** *w. 11* Überdachung (einer Straße) als Schutz gegen Lawinen; **La|wi|nen|ge|fahr** *w. 10*
Lawn-Ten|nis *Nv.* ► **Lawn|ten|nis** *Hv.* [lɔn-, engl.] *s. Gen. - nur Ez.* Rasentennis
Law|ren|ci|um [lɔ:-, nach dem US-amerik. Physiker E. O. Lawrence] *s. Gen.* -s *nur Ez.* (*Zeichen:* Lw) ein künstlich hergestelltes chem. Element
lax [lat.] schlaff, locker, lässig (Benehmen, Disziplin); **La|xans** *s. Gen. - Mz.* -xan|tia [-tsja] *oder* -xan|zi|en, **La|xa|tiv** *s. 1,* **La|xa|ti|vum** *s. Gen.* -s *Mz.* -va Abführmittel, Purgans; **Lax|heit** *w. 10 nur Ez.;* **la|xie|ren** *intr. und tr. 3* abführen
Lay|out *Nv.* ► **Lay-out** *Hv.* [lɛɪaʊt, engl.] *s. 9* Skizze, Entwurf für Text- und Bildgestaltung (eines Buches, einer Zeitschrift); **Lay|ou|ter** [lɛɪaʊtər] *m. 5* Grafiker, der Lay-outs herstellt
La|za|rett [ital.] *s. 1* Militärkrankenhaus; **La|za|rett|schiff** *s. 1;* **La|za|rett|zug** *m. 2;* **La|za|rist** *m. 10* Angehöriger einer kath. Kongregation von Priestern der äußeren und inneren Mission; **La|za|rus** [nach der Gestalt des NT] *m. Gen. - Mz.* -russe, *ugs.:* kranker, leidender, geplagter Mensch
La|ze|ra|ti|on [lat.] *w. 10, Med.:* Einriss, Zerreißung; **la|ze|rie|ren** *intr. 3* ein-, zerreißen
La|zu|lith [pers. + griech.] *m. 1* ein Mineral
lb., lbs. *Abk. für* Pound (lat. libra)
l. c. *Abk. für* loco citato
ld *Abk. für* dyadischer → Logarithmus
ld., Ld. *Abk. für* limited
Lead [lid, engl.] *s. 9 nur Ez., Jazz:* Führungsstimme in einer Band; **Lea|der** [lidər] *m. 5* Tabellenführer; *kurz für:* Bandlea|der
lea|sen [li-, engl.] mieten, pachten; **Lea|sing** [li-, engl.] *s. Gen.* -s *nur Ez.* mietweises Überlassen von Investitionsgütern (z. B. Industrieanlagen), Kraftfahrzeugen u. a.
Le|be|hoch *s. 9* der Ruf »Lebe hoch!«; ein L. auf jmdn. ausbringen; **le|be|lang** zeitlebens; mein l.; **Le|be|mann** *m. 4;* **le|be|män|nisch; le|ben** *intr. 1;* leb wohl!, leben Sie wohl!; **Le|ben** *s. 7;* am L. sein, bleiben; ein Kampf auf L. und Tod; das tue ich für mein L. gern; **le|bend|ge|bä|rend** ► **le|bend ge|bä|rend; Le|bend|ge|wicht** *s. 1; Ggs.:* Schlachtgewicht; **le|ben|dig; Le|ben|dig|keit** *w. 10 nur Ez.;* **Le|bens|a|bend** *m. 1;* **Le|bens|al|ter** *s. 5;* **Le|bens|angst** *w. 2 nur Ez.;* **Le|bens|art** *w. 10 nur Ez.* **1** kultivierte Umgangsformen; **2** Kunst, sich das Leben mit kleinen Dingen schön zu gestalten; **Le|bens|auf|fas|sung** *w. 10;* **Le|bens|auf|ga|be** *w. 11;* **Le|bens|baum** *m. 2* ein immergrüner Strauch, Nadelholzgewächs, Thuja; **Le|bens|be|din|gung** *w. 10;* **le|bens|be|dro|hend; le|bens|be|ja|hend; Le|bens|be|ja|hung** *w. 10 nur Ez.;* **Le|bens|be|schrei|bung** *w. 10;* **Le|bens|bild** *s. 3;* **Le|bens|dau|er** *w. 11 nur Ez.;* **le|bens|echt; Le|bens|echt|heit** *w. 10 nur Ez.;* **Le|bens|e|li|xier** *s. 1* Lebenswasser; **Le|bens|en|de** *s. 14 nur Ez.;* **Le|bens|er|fah|rung** *w. 10;* **Le|bens|er|in|ne|run|gen** *w. 10 Mz.;* **Le|bens|er|war|tung** *w. 10 nur Ez.* Alter, das ein Mensch wahrscheinlich erreichen wird; eine hohe, niedrige L. haben; **Le|bens|fa|den** *m. 8;* jmdm. den L. abschneiden; jmdn. töten; **le|bens|fä|hig; Le|bens|fä|hig|keit** *w. 10 nur Ez.;* **Le|bens|form** *w. 10;* **Le|bens|freu|de** *w. 11 nur Ez.;* **le|bens|froh; Le|bens|ge|fahr** *w. 10;* **le|bens|ge|fähr|lich; Le|bens|ge|fähr|te** *m. 11;* **Le|bens|ge|fühl** *s. 1 nur Ez.;* **Le|bens|geis|ter** *m. 3 Mz., übertr.;* **Le|bens|ge|mein|schaft** *w. 10;* **Le|bens|ge|schich|te** *w. 11;* **le|bens|groß; Le|bens|grö|ße** *w. 11 nur Ez.;* **Le|bens|hal|tung** *w. 10 nur Ez.;* **Le|bens|hal|tungs|kos|ten** *nur Mz.;* **Le|bens|jahr** *s. 1;* **Le|bens|kampf** *m. 2 nur Ez.;* **le|bens|klug; Le|bens|klug|heit** *w. 10 nur Ez.;* **Le|bens|kraft** *w. 2;* **le|bens|kräf|tig; Le|bens|künst|ler** *m. 5;* **le|bens|lang**; eine lebenslange Freundschaft; **le|bens|läng|lich**; lebenslängliche Freiheitsstrafe; **Le|bens|lauf** *m. 2;* **Le|bens|licht** *s. Gen.* -(e)s *nur Ez.;* jmdm. das L. ausblasen; jmdn. töten; **Le|bens|lust** *w. Gen. - nur Ez.;* **le|bens|lus|tig; Le|bens|mit|tel** *s. 5 meist Mz.;* **le|bens|mü|de; Le|bens|mut** *m. Gen.* -(e)s *nur Ez.;* **le|bens|nah; le|bens|not|wen|dig; Le|bens|not|wen|dig|keit** *w. 10;* **Le|bens|qua|li|tät** *w. 10 nur Ez.;* **le|ben|spen|dend** ► **Le|ben spen|dend; le|ben(s)|sprü|hend; Le|bens|rad** *s. 4* opt. Gerät, bei dem eine Scheibe mit Figuren, die man durch einen Schlitz betrachtet, in schnelle Drehbewegung versetzt wird, so dass der Eindruck kontinuierlicher Bewegung entsteht; **Le|bens|raum** *m. 2;* **Le|bens|ret|ter** *m. 5;* **Le|bens|ret|tungs|me|dail|le** [-daljə] *w. 11;* **Le|bens|stan|dard** *m. 9 nur Ez.;* **Le|bens|stel|lung** *w. 10;* **Le|bens|stil** *m. 1;* **le|bens|tüch|tig; Le|bens|tüch|tig|keit** *w. 10 nur Ez.;* **Le|bens|über|druß** ► **Le|bens|ü|ber|druss** *m. Gen.* -drusses *nur Ez.;* **le|bens|ü|ber|drüs|sig; Le|bens|un|ter|halt** *m. 1 nur Ez.;* **le|bens|ver|nei|nend; Le|bens|ver|si|che|rungs|ge|sell|schaft** *w. 10;* **le|bens|voll; le|bens|wahr; Le|bens|wahr|heit** *w. 10;* **Le|bens|wan|del** *m. 5 nur Ez.;* **Le|bens|was|ser** *s. 6, im Volksglauben:* das Leben verlängernder oder wiederbringender Wundertrank, Lebenselixier; **Le|bens|weg** *m. 1;* **Le|bens|wei|se** *w. 11;* **Le|bens|werk** *s. 1;* **le|bens|wich|tig; Le|bens|wil|le** *m. 15 nur Ez.;* **Le|bens|zei|chen** *s. 7;* **Le|bens|zeit** *w. 10 nur Ez.;* jmdm. etwas auf L. überlassen; **Le|bens|zweck** *m. 1;* **le|ben|zer|stö|rend** ► **Le|ben zer|stö|rend**
Le|ber *w. 11;* **Le|ber|blüm|chen** *s. 7* eine Anemone; **Le|ber|e|gel** *m. 5* ein in der Leber von Säugetieren schmarotzender Saugwurm; **Le|ber|fleck** *m. 1 oder m. 12;* **Le|ber|käs** *m. Gen.* -(e)s *nur Ez., in Bayern, Württemberg und Österr.:* ein gebackenes, kalt oder warm gegessenes Fleischgericht; **Le|ber|knö|del** *m. 5;* **Le|ber|pas|te|te** *w. 11;* **Le|ber|tran** *m. 1 nur Ez.;* **Le|ber|wurst** *w. 2;* **Le|ber|zir|rho|se** *w. 11* Leberschrumpfung
Le|be|welt *w. 10 nur Ez.;* **Le|be|we|sen** *s. 7;* **Le|be|wohl** *s. 1 nur Ez.;* jmdm. ein L. zurufen; jmdm. L. sagen; **leb|haft; Leb|haf|tig|keit** *w. 10 nur Ez.*

Leb|ku|chen *m. 7;* **Leb|küch|ler,** Leb|küch|ner *m. 5* Hersteller von Lebkuchen
leb|los; Leb|lo|sig|keit *w. 10 nur Ez.*
Leb|tag *m. 1, süddt., in den Wendungen:* mein, sein, ihr L.; das werde ich mein L. nicht vergessen, *auch:* meiner Lebtage: solange ich lebe; **Leb|zei|ten** *w. 10 Mz.;* zu meinen, seinen L.; bei L.; zu L. meines Vaters
Leb|zel|ten *m. 7, österr.:* Lebkuchen; **Leb|zel|ter** *m. 5, österr.:* Lebkuchenbäcker
lẹch|zen *intr. 1;* nach etwas l.
Le|ci|thin *s. 1* = Lezithin
lẹck *Seew.:* undicht, wasserdurchlässig; leckschlagen; **Lẹck** *s. 1, Seew.:* undichte, defekte Stelle, Loch; **Le|cka|ge** [-ʒə] *w. 11* **1** = Leck; **2** *bei flüssigen Frachtgütern:* Gewichtsverlust (durch Verdunsten u. a.)
Lẹ|cke *w. 11* Stelle, an der Salz zum Lecken für Wild oder Vieh ausgelegt ist
lẹ|cken 1 *intr. 1, Seew.:* undicht sein, Wasser hindurchlassen; **2** *tr. 1;* leck mich! *vulg.* (*erg.:* am Arsch)
lẹ|cker appetitanregend, appetitlich; **Lẹ|cker** *m. 5, Jägerspr.:* Zunge (des Schalenwildes außer Schwarzwild); **Lẹ|cker|bis|sen** *m. 7;* **Lẹ|cke|rei** *w. 10;* **lẹ|cke|rig,** lẹck|rig, naschhaft; **Lẹ|cker|li** *s. Gen. -s Mz. -, schweiz.:* kleiner Lebkuchen; **Lẹ|cker|maul** *s. 4;* **Lẹ|cker|mäul|chen** *s. 7;* **lẹck|rig** = leckerig
Le|da *griech. Myth.:* Geliebte des Zeus, der sich ihr in Gestalt eines Schwans näherte
Le|der *s. 5;* **Le|der|band** *m. 2* in Leder gebundenes Buch; **Le|de|rer** *m. 5, veraltet:* Gerber; **Le|der|haut** *w. 2, bei Mensch und Tier:* Hautschicht unter der Oberhaut; **Le|der|ho|se** *w. 11;* **le|de|rig,** le|drig, wie Leder; **le|dern 1** *tr. 1* gerben; **2** *Adj.:* aus, wie Leder; **3** *übertr.:* langweilig, trocken (Stil, Vortrag); **Le|de|rol** *s. Gen. -s nur Ez.* gummiertes Baumwollgewebe für Regenmäntel; **Le|der|rie|men** *m. 7;* **Le|der|schnitt** *m. 1* in Leder eingeschnittene Verzierung (z. B. bei Bucheinbänden); **Le|der|strumpf** *ohne Artikel* Gestalt der Indianerromane von James Fenimore Cooper
le|dig; Le|di|gen|heim *s. 1;* **le|dig|lich** nur, bloß
led|rig = lederig
Lee *w. Gen. - nur Ez., Seew.:* die dem Wind abgekehrte Seite, Leeseite; *Ggs.:* Luv
leeg nddt. **1** falsch, schlecht; **2** niedrig (vom Wasserstand); **3** leer, ohne Ladung
leer; ein Glas leer trinken; leer laufen; die Maschine läuft leer: läuft, ohne Arbeit zu leisten; das Fass läuft leer; leer machen, stehen; **Lee|re** *w. 11 nur Ez.;* **lee|ren** *tr. 1;* **Leer|gut** *s. 4* leere Behälter; **Leer|ki|lo|me|ter** *s. 5* von einem Nutzfahrzeug ohne Ladung zurückgelegte Strecke von 1 km; *Ggs.:* Nutzkilometer; **Leer|lauf** *m. 2* **1** Lauf (einer Maschine) ohne Arbeitsleistung; **2** *auch übertr.:* nutzlos verbrachte Arbeitszeit;

> **leer laufen/trinken/stehend, ins Leere starren:** Verbindungen aus Adjektiv und Verb/Partizip, bei denen in dieser Verbindung das Adjektiv steigerbar oder erweiterbar ist, werden getrennt geschrieben: *Er hat die Flasche leer getrunken. Das Haus ist seit langem leer stehend.*
> →§ 34 E3 (3)
> Ebenso: *leer laufen.*
> Das substantivierte Adjektiv wird großgeschrieben: *ins Leere starren.* →§ 57 (1)

leer|lau|fen ► **leer lau|fen** *intr. 76;* **leer|ste|hend** ► **leer ste|hend; Leer|tas|te** *w. 11* Taste (der Schreibmaschine) ohne Anschlag; **Lee|rung** *w. 10;* **Leer|zim|mer** *s. 5* Zimmer, das leer (nicht möbliert) zu vermieten ist
Lee|sei|te *w. 11* = Lee
Lẹf|ze *w. 11* Lippe (vom Hund, Raubwild)
leg. *Abk. für* legato
le|gal [lat.] gesetzlich; *Ggs.:* illegal; **Le|ga|li|sa|ti|on** *w. 10* Beglaubigung, amtl. Bestätigung; **le|ga|li|sie|ren** *tr. 3* legal machen, amtlich bestätigen; **Le|ga|li|sie|rung** *w. 10;* **Le|ga|lis|mus** *m. Gen. - nur Ez.* starres Festhalten an Gesetzen, an Paragraphen; **Le|ga|li|tät** *w. 10 nur Ez.* Gesetzlichkeit, Bindung an staatl. Recht und Gesetz
leg|as|then *auch:* **le|gas|then** an Legasthenie leidend; legasthene Kinder; **Leg|as|the|nie** *auch:* **Le|gas|the|nie** [griech.] *w. 11 nur Ez., Med.:* Schwäche beim Erlernen des Lesens und der Rechtschreibung; **Leg|as|the|ni|ker** *auch:* **Le|gas|the|ni|ker** *m. 5* jmd. (bes. Kind), der an Legasthenie leidet
Le|gat [lat.] **1** *s. 1* Vermächtnis, Zuwendung durch Testament; **2** *m. 10* altröm. Gesandter; päpstl. Gesandter für bes. Anlässe, *auch:* Nuntius; **Le|ga|tar** *m. 1* jmd., der ein Legat erhält; **Le|ga|ti|on** *w. 10* Gesandtschaft; **Le|ga|ti|ons|rat** *m. 2* Rat im auswärtigen Dienst
le|ga|tis|si|mo [lat.] *Mus.:* sehr legato; **le|ga|to** (*Abk.:* leg.) *Mus.:* gebunden; **Le|ga|to** *s. 9* **1** legato zu spielender Teil eines Musikstücks; **2** gebundenes Spiel
Le|ge|hen|ne, Leg|hen|ne *w. 11*
Le|gel *m. 5* Ring zum bewegl. Festmachen eines Segels
le|gen *tr. 1;* vgl. gelegen
Le|gẹn|da au|rea *w. Gen. - - nur Ez.* lat. Sammlung von Heiligenlegenden des Jacobus de Voragine um 1270; **le|gen|dar** *veraltet für* legendär; **Le|gen|dar** *s. 1,* Le|gen|da|ri|um *s. Gen. -s Mz. -ri|en* Sammlung von Heiligenlegenden; **le|gen|där 1** legendenhaft, sagenhaft; **2** *übertr.:* unwahrscheinlich; **le|gen|da|risch** legendär; **Le|gen|da|ri|um** *s. Gen. -s Mz. -ri|en* = Legendar; **Le|gẹn|de** *w. 11* **1** Heiligenerzählung; **2** weit zurückliegendes, nicht mehr nachweisbares histor. Ereignis; **3** erläuternder Text zu Abbildungen oder Landkarten; **4** Inschrift auf Münzen oder Siegeln; **le|gẹn|den|haft**
le|ger [-ʒɛr, frz.] ungezwungen, lässig, bequem
Le|ger *m. 5* **1** *kurz für* Fliesen-, Linoleum-, Parkettleger; **2** *kurz für* Legehenne
Le|ges [-ge:s] *Mz. von* Lex
Leg|föh|re *w. 11* = Latsche **(1)**
Lẹg|gings [amerik.] *nur Mz.* eng anliegende, knöchel- oder wadenlange Frauenhose
Leg|hen|ne, Le|ge|hen|ne *w. 11*
Leg|horn [nach der engl. Bez. für die ital. Stadt Livorno] *s. 9, auch s. 4* eine Hühnerrasse mit hoher Legeleistung
le|gie|ren [lat.] *tr. 3* **1** schmelzen und mischen (Metalle); **2** mit Mehl und Ei binden, geschmei-

► = wird zu

dig und dick machen (Suppe, Soße); **Le|gie|rung** *w. 10* **1** durch Schmelzen und Mischen mehrerer Metalle entstandenes Mischmetall; **2** der Prozess des Legierens

Le|gi|on [lat.] *w. 10* **1** altröm. Truppeneinheit; **2** *heute:* Freiwilligen-, Söldnertruppe; **3** *übertr.:* sehr große Menge, riesige Anzahl; **Le|gi|o|nar** *m. 1* Soldat einer altröm. Legion; **Le|gi|o|när** *m. 1* Soldat einer Legion (**2**)

Le|gis|la|ti|on [lat.] *w. 10* Gesetzgebung; **le|gis|la|tiv** gesetzgebend; **Le|gis|la|ti|ve** *w. 11* gesetzgebende Gewalt, gesetzgebende Versammlung; vgl. Exekutive, Judikative; **le|gis|la|to|risch** gesetzgeberisch; **Le|gis|la|tur** *w. 10* **1** *früher:* gesetzgebende Versammlung; **2** Gesetzgebung; **Le|gis|la|tur|pe|ri|o|de** *w. 11* Amtszeit einer gesetzgebenden Volksvertretung; **Le|gis|mus** *m. Gen. - nur Ez.* starres Festhalten am Gesetz, am Wortlaut der Gesetze; **le|gi|tim** gesetzlich (anerkannt), rechtmäßig, rechtlich, gesetzlich begründet; *Ggs.:* illegitim; **Le|gi|ti|ma|ti|on** *w. 10* **1** Beglaubigung, Echtheitserklärung; **2** Befugnis, Berechtigung; **3** Ausweis, Berechtigungsnachweis; **4** Ehelichkeitserklärung (eines vor- oder unehelichen Kindes); **5** *österr.:* Personalausweis; **Le|gi|ti|ma|ti|ons|pa|pier** *s. 1* Urkunde, die als Ausweis (zur Forderung einer Leistung) gelten kann; **le|gi|ti|mie|ren** *tr. 3* **1** beglaubigen, berechtigen; **2** für ehelich erklären; **3** sich l.: sich ausweisen; **Le|gi|ti|mie|rung** *w. 10;* **Le|gi|ti|mis|mus** *m. Gen. - nur Ez.* Lehre von der Rechtmäßigkeit eines Herrschers; **Le|gi|ti|mist** *m. 10* Anhänger des Legitimismus; **le|gi|ti|mis|tisch; Le|gi|ti|mi|tät** *w. 10 nur Ez.* Rechtmäßigkeit, Gesetzlichkeit

Le|gu|an [hait.-span.] *m. 1* tropische Baumeidechse mit gezacktem Rückenkamm

Le|gu|men [lat.] *s. 7* Hülsenfrucht; **Le|gu|min** *s. 1* Eiweiß der Hülsenfrüchte; **Le|gu|mi|no|se** *w. 11 meist Mz.* Hülsenfrüchtler

Leh|de *w. 11, nddt.:* brachliegendes Land

Le|hen *s. 7* **1** gegen Verpflichtung zu Gefolgstreue und Kriegsdienst (anfangs lebenslänglich, später auch erblich) verliehenes Nutzungsrecht an einem Landgut; **2** dieses Gut selbst; jmdm. ein Gut zu Lehen geben; **Le|hens...** = Lehns...

Lehm *m. 1;* **Lehm|bo|den** *m. 8;* **lehm|far|ben, lehm|far|big; lehm|gelb; Lehm|hüt|te** *w. 11;* **leh|mig; Lehm|zie|gel** *m. 5*

Leh|ne *w. 11;* **leh|nen** *intr. u. tr. 1*

Lehns|brief *m. 1* Urkunde über die Belehnung; **Lehns|dienst** *m. 1;* **Lehns|eid** *m. 1;* **Lehns|herr** *m. Gen.* -n *oder* -en *Mz.* -en Eigentümer eines an den Lehnsmann vergebenen Landgutes; **lehns|herr|lich; Lehns|herr|schaft** *w. 10 nur Ez.;* **Lehns|mann** *m. 4, Mz. auch:* -leu|te jmd., der ein Gut zu Lehen bekommen hat; **Lehns|pflicht** *w. 10* **1** Pflicht des Lehnsmannes zu Gefolgstreue und Kriegsdienst gegenüber dem Lehnsherrn; **2** Pflicht des Lehnsherrn zum Schutz des Lehnsmannes; **Lehns|recht** *s. 1;* **lehns|recht|lich; Lehns|staat** *m. 12* = Feudalstaat; **Lehns|we|sen** *s. 7 nur Ez.;* **Lehn|über|set|zung** *w. 10* wörtliche Übersetzung eines anderssprachigen Wortes nach seinen einzelnen Bestandteilen, z. B. lat. »compassio«, dt. »Mitleid«; **Lehn|wort** *s. 4* aus einer fremden Sprache übernommenes Wort, das sich der neuen Sprache angepasst hat, im Unterschied zum Fremdwort, z. B. lat. »camera«, dt. »Kammer«

Lehr|amt *s. 4;* **Lehr|amts|an|wär|ter** *m. 5;* **Lehr|amts|kan|di|dat** *m. 10;* **Lehr|an|stalt** *w. 10;* **Lehr|auf|trag** *m. 2;* **Lehr|be|ruf** *m. 1* **1** Beruf des Lehrers; **2** Beruf, für dessen Ausübung eine Lehrzeit notwendig ist; *neuere Bez.:* Ausbildungsberuf; **Lehr|brief** *m. 1* Urkunde über die abgeschlossene Lehrzeit; **Lehr|buch** *s. 4;* **Leh|re** *w. 11; auch:* Messwerkzeug; **leh|ren** *tr. 1;* jmdn. etwas lehren (*auch, aber nicht korrekt:* jmdm. etwas l.); er hat mich das Schwimmen gelehrt; er hat mich schwimmen gelehrt; er lehrt an der Universität Literaturgeschichte: er hält Vorlesungen über L.; **Leh|rer** *m. 5;* **Leh|rer|bil|dungs|an|stalt** *w. 10;* **Leh|re|rin** *w. 10;* **Leh|rer|kol|le|gi|um** *s. Gen.* -s *Mz.* -gi|en; **Leh|rer|schaft** *w. 10 nur Ez.;* **Lehr|fach** *s. 4;* **Lehr|film** *m. 1;* **Lehr|frei|heit** *w. 10 nur Ez.;* **Lehr|gang** *m. 2;* **Lehr|gangs|teil|neh|mer** *m. 5;* **Lehr|ge|dicht** *s. 1;* **Lehr|geld** *s. 3 nur Ez.;* L. zahlen müssen *übertr.:* bittere Erfahrungen machen müssen; **Lehr|ge|rüst** *s. 1* Baugerüst für Gewölbe und Bogen; **lehr|haft; Lehr|haf|tig|keit** *w. 10 nur Ez.;* **Lehr|herr** *m. Gen.* -n *oder* -en *Mz.* -en; **Lehr|jahr** *s. 1;* **Lehr|jun|ge** *m. 11;* **Lehr|kör|per** *m. 5* Gesamtheit der Lehrer einer Schule; **Lehr|kraft** *w. 2;* **Lehr|ling** *m. 1, neuere Bez.:* Auszubildender; **Lehr|lings|heim** *s. 1;* **Lehr|mäd|chen** *s. 7;* **Lehr|meis|ter** *m. 5;* **Lehr|mit|tel** *s. 5;* **Lehr|plan** *m. 2;* **Lehr|pro|be** *w. 11;* **lehr|reich; Lehr|satz** *m. 2;* **Lehr|stoff** *m. 1;* **Lehr|stuhl** *m. 2* planmäßige Stelle eines Hochschullehrers; **Lehr|toch|ter** *w. 6, schweiz.:* Lehrmädchen; **Lehr|ver|trag** *m. 2;* **Lehr|werk|statt** *w. Gen. - Mz.* -stät|ten; **Lehr|wirt|schaft** *w. 10;* **Lehr|zeit** *w. 10*

Lei *Mz. von* Leu

Lei *w. 10, rhein.:* Fels, Schiefer

Leib *m. 3;* Gefahr für Leib und Leben; Leib und Seele; gut bei Leibe sein: wohlbeleibt; *aber:* beileibe nicht; bleib mir vom Leibe; sich jmdn. vom Leibe halten; jmdm. oder einer Sache zu Leibe rücken, gehen; **Leib|arzt** *m. 2;* **Leib|bin|de** *w. 11;* **Leib|bursch** *m. 10,* **Leib|bur|sche** *m. 11, in Studentenverbindungen:* Berater eines jungen Studenten; **Leib|chen** *s. 7* ärmelloses Unterhemd; **leib|ei|gen; Leib|ei|ge|ne(r)** *m. 18 (17);* **Leib|ei|gen|schaft** *w. 10 nur Ez.* persönliche Abhängigkeit eines Bauern vom Grundherrn (Leibherrn) mit vielerlei Abgaben- und Dienstpflichten

lei|ben 1 *tr. 1;* Fenster, Türen l.: eine Öffnung dafür lassen; **2** *intr. 1* leben; *nur noch in der Wendung:* wie er (sie) leibt und lebt

Lei|bes|er|be *m. 11;* **Lei|bes|frucht** *w. 2;* **Lei|bes|kraft** *w. 2, nur in der Wendung:* aus Leibeskräften schreien, brüllen; **Lei|bes|übung** *w. 10 meist Mz.;*

Lei|bes|vi|si|ta|ti|on *w. 10;* **Leib|gar|de** *w. 11;* **Leib|gar|dist** *m. 10;* **Leib|ge|din|ge** *s. 5* Altenteil; **Leib|ge|richt** *s. 1;* **leib|haf|tig; Leib|haf|ti|ge** *m. 18* der Teufel; **Leib|jä|ger** *m. 5, früher:* Bediensteter (Jäger), der das Gewehr seines Herrn zu tragen hatte; **leib|lich; Leib|lich|keit** *w. 10 nur Ez.;* **Leib|ren|te** *w. 11* Lebensrente; **Leib|rock** *m. 2* **1** *urspr.:* auf dem Leib getragenes Gewand; **2** *später:* Gehrock; **Leib|schnei|den** *s. Gen.* -s *nur Ez.* Leibschmerzen; **Leib|spei|se** *w. 11*

Lei|bung *w. 10* = Laibung

Leib|wa|che *w. 11;* **Leib|wäch|ter** *m. 5;* **Leib|wä|sche** *w. 11 nur Ez.;* **Leib|weh** *s. Gen.* -s *nur Ez.*

Leich *m. 1* **1** *urspr.:* Tanzlied, Melodie, Musik; **2** mhd. Lied mit unregelmäßigen, durchkomponierten Strophen

Leich|dorn *m. 1 oder m. 4* Hühnerauge; **Lei|che** *w. 11;* **Lei|chen|be|gäng|nis** *s. 1;* **Lei|chen|be|schau|er** *m. 5* der die Leichenschau vornehmende Arzt; **Lei|chen|bit|ter** *m. 5, früher:* jmd., der bei einem Todesfall im Dorf zur Beerdigung einlud; **Lei|chen|bit|ter|mie|ne** *w. 11, übertr.:* kummervolles Gesicht; **lei|chen|blaß** ► **lei|chen|blass; Lei|chen|fle|cke** *m. 1 Mz.* = Totenflecke; **Lei|chen|fled|de|rer** *m. 5* jmd., der Tote oder Bewusstlose bestiehlt; **Lei|chen|frau** *w. 10* = Heimbürgin; **Lei|chen|hal|le** *w. 11;* **Lei|chen|öff|nung** *w. 10* = Obduktion, = Nekropsie; **Lei|chen|schän|der** *m. 5;* **Lei|chen|schän|dung** *w. 10* Unzucht an Leichen; **Lei|chen|schau** *w. 10* ärztl. Untersuchung eines Toten vor der Bestattung; **Lei|chen|schmaus** *m. 2;* **Lei|chen|star|re** *w. 11 nur Ez.;* **Leich|nam** *m. 1*

leicht; sie waren leicht bekleidet; Benzin ist leicht entzündlich; die Arbeit fällt mir leicht; Wachs wird leicht flüssig; er hat es sich leicht gemacht; nimm's leicht!; diese Speise gilt als leicht verdaulich; ein Buch in leicht verständlicher Sprache; leicht verwundete Soldaten; *Großschreibung:* das ist mir ein Leichtes; Leichtes und Schweres; etwas Leichtes essen;

> **leicht behindert/machen:** Gefüge aus Adjektiv und Verb/Partizip werden getrennt geschrieben, wenn das Adjektiv in dieser Verbindung steigerbar oder erweiterbar ist: *Sie ist nur leicht behindert. Das wollten wir ihm leicht machen.* → § 34 E3 (3)
> Ebenso: *leicht verdaulich.*
> Das substantivierte Adjektiv schreibt man groß: *das Leichte; es ist (k)ein Leichtes; es ist nichts Leichtes.* → § 57 (1)

Leicht|ath|let *m. 10;* **Leicht|ath|le|tik** *w. 10 nur Ez., Sammelbez. für* sportl. Laufen, Springen, Werfen, Gehen und verwandte Übungen; **leicht|ath|le|tisch; Leicht|bau** *m. Gen.* -(e)s *nur Ez.,* **Leicht|bau|wei|se** *w. 11 nur Ez.* Bauweise mit leichtem Baumaterial; **leicht|be|waff|net** ► **leicht be|waff|net; leicht|blü|tig; Leicht|blü|tig|keit** *w. 10 nur Ez.;* **Leich|te** *w. 11* Tragriemen am Schubkarren; **leicht|ent|zünd|lich** ► **leicht ent|zünd|lich**

Leich|ter, Lich|ter *m. 5* kleines, flach gebautes Schiff zum Leichtern; **leich|tern**, lich|tern *tr. 1, Seew.:* (ein größeres Schiff) durch kleinere Schiffe entladen

leicht|fal|len ► **leicht fal|len** *intr. 33;* **leicht|fer|tig;** sorglos, flüchtig; *aber:* damit werde ich leicht fertig; **Leicht|fer|tig|keit** *w. 10 nur Ez.*

leicht|flüs|sig; *aber:* das Wachs wird leicht flüssig; **Leicht|fuß** *m. 2;* Bruder L.: leichtsinniger Mensch; **leicht|fü|ßig; Leicht|fü|ßig|keit** *w. 10 nur Ez.;* **Leicht|ge|wicht** *s. 1,* früher Gewichtsklasse in der Schwerathletik; **leicht|gläu|big; Leicht|gläu|big|keit** *w. 10 nur Ez.;* **Leicht|heit** *w. 10 nur Ez.;* **leicht|her|zig; Leicht|her|zig|keit** *w. 10 nur Ez.;* **leicht|hin**; etwas l. sagen; **Leich|tig|keit** *w. 10 nur Ez.;* **Leicht|in|dus|trie** *w. 11, ehem. DDR:* Konsumgüterindustrie; **leicht|le|big; Leicht|le|big|keit** *w. 10 nur Ez.;* **leicht|lich** ohne Mühe, leicht; **Leicht|lohn** *m. 2;* **leicht|ma|chen** ► **leicht ma|chen** *tr. 1;* **Leicht|ma|tro|se** *auch:* **-ma|tro-** *m. 11* Matrose im Rang zwischen Schiffsjunge und Vollmatrose;

Leicht|me|tall *s. 1* Metall mit spezif. Gewicht unter 5; **leicht|neh|men** ► **leicht neh|men** *tr. 88;* **Leicht|öl** *s. 1* durch fraktionierte Destillation aus Steinkohlenteer gewonnenes Öl; **Leicht|sinn** *m. 1 nur Ez.;* **leicht|sin|nig; leicht|ver|dau|lich** ► **leicht ver|dau|lich; leicht|ver|letzt** ► **leicht ver|letzt; leicht|ver|ständ|lich** ► **leicht ver|ständ|lich; leicht|ver|wun|det** ► **leicht ver|wun|det**

> **leid sein:** Verbindungen mit *sein* gelten nicht als Zusammensetzung und werden deshalb getrennt geschrieben: *leid sein. Das ist ihm leid.* → § 35

> **Leid tun, zu Leide/zuleide tun:** Gefüge aus Substantiv und Verb werden getrennt geschrieben: *Das hat ihm Leid getan.* → § 34 E3 (5)
> Substantive, die Bestandteile fester Gefüge sind und nicht mit anderen Teilen des Gefüges zusammengeschrieben werden, schreibt man groß: *Er tat ihm nichts zu Leide* (auch: *zuleide*). → § 55 (4)

leid *nur in Wendungen wie:* es ist mir leid; **Leid** *s. 1 nur Ez.;* jmdm. ein Leid antun; jmdm. sein Leid klagen; **Lei|de|form** *w. 10* = Passiv; *Ggs.:* Tatform; **lei|den** *intr. u. tr. 77;* an etwas l.; er leidet es nicht, dass ...; **Lei|den** *s. 7*

Lei|de|ner Fla|sche [nach der ndrl. Stadt Leiden] *w. 11* außen und innen mit Metall überzogene Flasche, dient als Kondensator

Lei|den|schaft *w. 10;* **lei|den|schaft|lich; Lei|den|schaft|lich|keit** *w. 10 nur Ez.;* **lei|den|schafts|los; Lei|dens|ge|fähr|te** *m. 11;* **Lei|dens|ge|nos|se** *m. 11;* **Lei|dens|ge|schich|te** *w. 11;* **Lei|dens|weg** *m. 1*

lei|der; l. Gottes; l. ja; ja, leider!; l. nein, l. nicht; **lei|dig; Leid|kar|te** *w. 11, schweiz.:* Trauerkarte; **leid|lich; Leid|tra|gen|de(r)** *m. 18 (17) bzw. w. 17 oder 18;* **leid|voll; Leid|we|sen** *s.* Bedauern; *nur in der Wendung:* zu meinem, seinem, ihrem (größten) L.

Lei|er *w. 11;* **Lei|er|kas|ten** *m. 8;* **lei|ern** *tr. 1;* **Lei|er|schwanz** *m. 2* ein austral. Vogel

Leih|amt *s. 4;* **Leih|bi|bli|o|thek** *auch:* **-bib|li|o|thek** *w. 10;* **Leih|bü|che|rei** *w. 10;* **Lei|he** *w. 11* unentgeltliches zeitweises Überlassen; **lei|hen** *tr. 78;* **Leih|ga|be** *w. 11;* **Leih|ge|bühr** *w. 10;* **Leih|haus** *s. 4;* **Leih-Pacht-Sys|tem** *s. 1;* **Leih|schein** *m. 1;* **leih|weise**

Leik *s. 12* = Liek

Lei|kauf *m. 2* Umtrunk als Bekräftigung eines Vertragsabschlusses

Lei|lach, Lei|lak *s. 12,* Lei|lachen, Lei|la|ken *s. 7* Leintuch, Betttuch

Leim *m. 1;* **lei|men** *tr. 1;* **Leim|far|be** *w. 11;* **lei|mig; Leim|kraut** *s. 4* ein Nelkengewächs; **Leim|ru|te** *w. 11*

Lein *m. 1* Flachs; **Lei|ne** *w. 11;* **lei|nen** aus Leinen; **Lei|nen** *s. 7* Gewebe aus Flachs oder Baumwolle in Leinwandbindung; **Lei|nen|band** *m. 2* in Leinen gebundenes Buch; **Lei|nen|bin|dung** *w. 10* = Leinwandbindung; **Lei|nen|zeug** *s. 1* = Leinzeug; **Lei|ne|we|ber**, Lein|we|ber *m. 5;* **Lein|kraut** *s. 4* eine Pflanze; **Lein|ku|chen** *m. 7* eiweißhaltiger Rückstand bei der Leinölgewinnung, als Kraftfutter; **Lein|öl** *s. 1* aus Leinsamen gewonnenes Öl; **Lein|pfad** *m. 1* = Treidelpfad; **Lein|sa|men** *m. 7* ölhaltiger Samen des Flachses; **Lein|tuch** *s. 4* Betttuch; **Lein|wand** *w. 2 nur Ez.* **1** Gewebe aus Flachs oder Baumwolle in Leinwandbindung; **2** Wand, Fläche zum Vorführen von Filmen; **Lein|wand|bin|dung** *w. 10* einfache Bindungsart beim Weben, wobei abwechselnd die geradzahligen und ungeradzahligen Kettfäden oben liegen, Leinenbindung; **Lein|we|ber**, Lei|ne|we|ber *m. 5;* **Lein|zeug**, Lei|nen|zeug *s. 1* Gewebe, Bett- und Tischwäsche aus Leinen

Leip|zig Stadt in Sachsen; Leipziger Allerlei, vgl. Allerlei

leis = leise

Leis [nach dem griech. Gebetsruf »Kyrie eleison«: »Herr, erbarme dich«] *s. Gen.* -(es) *Mz.* -e(n), *MA:* geistl. Volkslied

lei|se; ich zweifle nicht im Leisesten daran: überhaupt nicht; **Lei|se|tre|ter** *m. 5* Schmeichler, Heuchler, Duckmäuser; **Lei|se|tre|te|rei** *w. 10 nur Ez.*

Leist *m. Gen.* -(e)s *nur Ez.* Fußgelenkerkrankung der Pferde

Leis|te *w. 11* **1** schmaler Holzstreifen, Randeinfassung aus Holz; **2** Übergang zwischen Bauch und Oberschenkel

leis|ten *tr. 2*

Leis|ten *m. 7* Holz- oder Metallform zum Arbeiten oder Spannen des Schuhs; alles über einen L. schlagen *übertr.:* unterschiedslos behandeln oder beurteilen

Leis|ten|beu|ge *w. 11;* **Leis|ten|bruch** *m. 2;* **Leis|ten|ge|gend** *w. 10*

Leis|tung *w. 10;* **leis|tungs|fä|hig; Leis|tungs|fä|hig|keit** *w. 10 nur Ez.;* **Leis|tungs|kon|trol|le** *w. 11, ehem. DDR:* Klassenarbeit; **Leis|tungs|lohn** *m. 2 nur Ez.* nach Leistung berechneter Lohn, z. B. Stücklohn; vgl. Zeitlohn; **Leis|tungs|prü|fung** *w. 10;* **Leis|tungs|sport** *m. 1;* **leis|tungs|stark; Leis|tungs|stei|ge|rung** *w. 10;* **Leis|tungs|ver|mö|gen** *s. 7 nur Ez.*

Leit|ar|ti|kel *m. 5* Aufsatz auf einer der ersten Seiten einer Zeitung, meist über ein aktuelles Thema; **Leit|ar|tik|ler** *m. 5, ugs.:* jmd., der regelmäßig Leitartikel schreibt; **Leit|bild** *s. 3;* **Leit|bün|del** *s. 5, bei Samenpflanzen:* Gefäßbündel des Leitgewebes

Lei|te *w. 11, süddt., österr.:* Berghang

lei|ten *tr. 2;* **Lei|ter** **1** *w. 11;* **2** *m. 5*

Leit|fa|den *m. 8* Lehrbuch (als Titel); **leit|fä|hig; Leit|fä|hig|keit** *w. 10 nur Ez.;* **Leit|fos|sil** *s. Gen.* -s *Mz.* -li|en ein für eine bestimmte Schicht der Erdkruste charakteristisches Fossil; **Leit|ge|dan|ke** *m. 15;* **Leit|ge|we|be** *s. 5, bei Samenpflanzen:* röhrenförmiges Transportgewebe; **Leit|ham|mel** *m. 5;* **Leit|hund** *m. 1;* **Leit|li|nie** *w. 11* auf der Straße aufgezeichnete, gestrichelte Linie; **Leit|mo|tiv** *s. 1;* **Leit|satz** *m. 2;* **Leit|tier** *s. 1;* **Leit|ton** *m. 2, Mus.:* Ton, der in einem Halbtonschritt zum nächsten hinstrebt, um eine Konsonanz oder einen Abschluss zu erreichen; **Lei|tung** *w. 10;* **Lei|tungs|rohr** *s. 1;* **Lei|tungs|was|ser** *s. Gen.* -s *nur Ez.;* **Leit|werk** *s. 1* der Steuerung dienende Flugzeugteile; **Leit|zahl** *w. 10* die Leistungsfähigkeit einer Blitzlampe angebende Zahl

Lek *m. Gen.* - *Mz.* - alban. Währungseinheit, 100 Qindarka

Lek|ti|on [lat.] *w. 10* **1** Abschnitt im Lehrbuch, Aufgabe; **2** Lehrstunde; jmdm. eine L. erteilen: jmdn. scharf zurechtweisen; er hat seine L. gelernt *übertr.:* er hat eine Lehre daraus gezogen; **Lek|ti|o|nar** *s. 1,* **Lek|ti|o|na|ri|um** *s. Gen.* -s *Mz.* -ri|en Sammlung von Bibelstellen für den Gottesdienst

Lek|tor *m. 13* **1** Hochschullehrer für Einführungskurse, Seminare u. Ä.; **2** Verlagsangestellter, der eingegangene Manuskripte prüft (und bearbeitet); **Lek|to|rat** *s. 1* **1** Amt, Stelle eines Lektors; **2** Verlagsabteilung der Lektoren; **lek|to|rie|ren** *tr. 3* als Lektor prüfen (Manuskript); **Lek|to|rin** *w. 10;* **Lek|tü|re** *w. 11* **1** das Lesen; **2** Lesestoff

Le|ky|thos [griech.] *m. Gen.* - *Mz.* -ky|then altgriech. Salben- und Ölgefäß mit Fuß, Ausguss und Henkel

Lem|ma [griech.] *s. Gen.* -s *Mz.* -ma|ta **1** *veraltet:* als Überschrift oder Motto ausgedrückter Inhalt eines Werkes; **2** Hilfssatz, Annahme, Vordersatz eines Schlusses; **3** Stichwort (in einem Lexikon oder Wörterbuch)

Lem|ming [dän.] *m. 1* skandinav. Wühlmaus

Lem|nis|ka|te [griech.] *w. 11* math. Kurve in Form einer liegenden Acht

Le|mur [lat.] *m. 10,* **Le|mu|re** *m. 11* **1** *röm. Myth.:* Geist eines Verstorbenen, Gespenst; **2** ein Halbaffe, Maki; **le|mu|ren|haft** gespenstisch

Le|nä|en [nach Lenäus, dem Beinamen des Dionysos] *Mz.* altröm. Fest des Bacchus oder (griech.) Dionysos, Kelterfest

Len|de *w. 11;* **len|den|lahm; Len|den|schurz** *m. 1;* **Len|den|wir|bel** *m. 5*

Leng *m. 1,* **Leng|fisch** *m. 1* eine Dorschart

Le|nin|grad 1925–91 Name von St. Petersburg; **Le|nin|gra|der** *m. 5;* **Le|ni|nis|mus** *m. Gen.* - *nur Ez.* der von Lenin weiterentwickelte Marxismus; **Le|ni|nist** *m. 10* Anhänger des Leninismus; **le|ni|nis|tisch**

lenk|bar; Lenk|bar|keit *w. 10 nur Ez.;* **len|ken** *tr. 1;* **Len|ker** *m. 5;* **Lenk|kufe** *w. 11 meist Mz.* bewegl. Kufe zum Lenken des Schlittens; **Lenk|rad** *s. 4;* **lenk-sam; Lenk|sam|keit** *w. 10 nur Ez.;* **Len|kung** *w. 10 nur Ez.*

len|ta|men|te [ital.] *Mus.:* langsam; **len|tan|do** *Mus.:* langsamer werdend

len|ti|ku|lar [lat.] linsenförmig; **Len|ti|zel|le** *w. 11* porige Rindenöffnung (bei Pflanzen)

len|to [ital.] *Mus.:* langsam; **Len|to** *s. Gen.* -(s) *Mz.* -s *oder* -ti langsamer Teil eines Musikstücks

lenz *Seew.:* leer, trocken

Lenz *m. 1, poet.* **1** Frühling; sich einen Lenz machen *ugs.:* gemächlich arbeiten, ohne sich anzustrengen; **2** *Mz.* Lenze *poet. oder iron.:* Lebensjahre; sie zählt 17 Lenze; **len|zen** **1** *intr. 1, poet., unpersönl.;* es lenzt: es wird Lenz; **2** *tr. 1, Seew.:* leer pumpen; **Len|zing** *m. 1, alter Name für* März, Lenzmond; **lenz|lich; Lenz-mond** *m. 1* = Lenzing

Le|o|ni|den [zu lat. leo »Löwe«] *Mz.* im November auftretender, scheinbar aus dem Sternbild des Löwen kommender Sternschnuppenschwarm

le|o|ni|nisch **1** [nach einem mittelalterl. Dichter Leo oder nach Papst Leo II.] leoninische Verse: mittelalterl. Verse aus Hexametern oder Pentametern, die in der Mitte und am Schluss reimen; **2** [nach dem Löwen (lat. leo) in einer Fabel des Äsop] leoninischer Vertrag: Vertrag, bei dem ein Partner den Löwenanteil erhält; **le|o-nisch** [nach der span. Stadt León] leonische Waren: Gespinste, Gewebe aus Seidenfäden, die mit Gold- oder Silber- oder anderen Metallfäden umsponnen sind

Le|o|pard [lat.] *m. 10* eine Großkatze Asiens und Afrikas, Panther, Pardel; **Le|o|par|den-fell** *s. 1*

Le|pi|do|pte|re *auch:* **Le|pi-dop|te|re** [griech.] *w. 11* wissenschaftl. Name der Schuppenflügler, Schmetterlinge; **Le|pi-do|pte|ro|lo|gie** *auch:* **-dop|te-** *w. 11 nur Ez.* Schmetterlingskunde

Le|po|rel|lo|buch [nach dem Diener des Don Giovanni in Mozarts Oper] *s. 4* Buch mit ungebundenen, harmonikaartig gefalteten Seiten

Le|pra *auch:* **Lep|ra** [griech.] *w. Gen. - nur Ez.* eine Infektionskrankheit, die Haut, Schleimhäute und innere Organe befällt, Aussatz; **Le|prom** *auch:* **Lep|rom** *s. 1* Lepraknoten; **le|pros, le|prös** *auch:* **lep|ros, lep|rös** lepraartig, aussätzig

lep|to..., Lep|to... [griech.] *in Zus.:* schmal..., Schmal...

lep|to|ke|phal = leptozephal

Lep|ton *s. Gen.* -s *Mz.* -ta **1** altgriech. Gewicht, 10 mg; **2** neugriechische Währungseinheit, ¹⁄₁₀₀ Drachme; **Lep|ton** *s. 13* Elementarteilchen, das leichter ist als ein Proton

lep|to|som [griech.] schmalwüchsig, schlank; **Lep|to|spi-ren** *Mz.* = Schraubenbakterien; **Lep|to|spi|ro|se** *w. 11 meist mit* Gelbsucht einhergehende Infektionskrankheit, z. B. Feldfieber, Siebentagefieber; **lep|to|ze|phal,** lep|to|ke|phal schmalköpfig; **Lep|to|ze|pha-lie,** Lep|to|ke|pha|lie *w. 11 nur Ez.* schmale Kopfform

Ler|che *w. 11* ein Singvogel

lern|bar; Lern|bar|keit *w. 10 nur Ez.;* **Lern|be|gier, Lern|be-gier|de** *w. Gen. - nur Ez.;* **lern-be|gie|rig; lern|be|hin|dert; Lern|ei|fer** *m. 5 nur Ez.;* **lern-eif|rig; ler|nen** *tr. 1;* laufen, lesen l.; *aber:* Englisch l.; Auto fahren l.; er ist gelernter Schlosser; **Lern|ma|schi|ne** *w. 11* Hilfsmittel für den programmierten Unterricht; **Lern|mit|tel** *s. 5;* **Lern|mit|tel|frei|heit** *w. 10 nur Ez.;* **Lern|pro|zeß** ► **Lern-pro|zess** *m. 1*

Les|art *w. 10* **1** vom urspr. Text abweichende Fassung; **2** Auslegung, Deutung; **les|bar; Les-bar|keit** *w. 10 nur Ez.*

Les|be *w. 11, ugs.;* **Les|bie|rin** [-bjə-, nach der griech. Insel Lesbos] *w. 10* homosexuelle Frau; **les|bisch** homosexuell (bei Frauen); lesbische Liebe: Homosexualität unter Frauen

Le|se *w. 11* Ernte, Weinernte

Le|se|blind|heit *w. Gen. - nur Ez.* = Alexie; **Le|se|buch** *s. 4;* **Le|se|früch|te** *w. 2 Mz.* durch Lesen erworbenes Wissen; **Le-se|ge|rät** *s. 1* Gerät zum Lesen von Texten auf Mikrofilmen; **le|sen** *tr. 79;* **le|sens|wert; Le-se|pro|be** *w. 11;* **Le|ser** *m. 5;* **Le|se|rat|te** *w. 11;* **Le|ser|brief** *m. 1;* **Le|se|ring** *m. 1;* **le|ser-lich; Le|ser|lich|keit** *w. 10 nur Ez.;* **Le|ser|schaft** *w. 10 nur Ez.;* **Le|se|saal** *m. Gen.* -(e)s *Mz.* -säle; **Le|se|stoff** *m. 1;* **Le|se|stück** *s. 1;* **Le|se|wut** *w. Gen. - nur Ez.;* **Le|se|zei|chen** *s. 7;* **Le|se|zir-kel** *m. 5;* **Le|sung** *w. 10*

le|tal [lat.] zum Tode führend, tödlich; **Le|ta|li|tät** *w. 10 nur Ez.* Sterblichkeit im Verhältnis zur Zahl der Erkrankten

L'état c'est moi [letą sɛː mοą, frz. »der Staat bin ich«] Schlagwort des Absolutismus nach einem angebl. Ausspruch Ludwigs XIV.

Le|thar|gie [griech.] *w. 11 nur Ez.* **1** Schlafsucht; **2** *übertr.:* Teilnahmslosigkeit, Trägheit; **le|thar|gisch; Le|the** *w. Gen. - nur Ez.* **1** *griech. Myth.:* Strom der Unterwelt, aus dem die Toten Vergessenheit trinken; **2** *übertr.:* Vergessenheit

Let|scho *m. 9 nur Ez.* Paprikagemüse (als kalte Beilage)

Let|te *m. 11* Einwohner von Lettland

Let|ten *m. 7* Töpferton, Lehm

Let|ter [frz.] *w. 11* Druckbuchstabe, Type; **Let|tern|me|tall** *s. 1*

let|tig [zu: Letten] tonhaltig, lehmhaltig

Let|tin *w. 10* Einwohnerin von Lettland; **let|tisch; Let|tisch** *s. Gen.* -(s) zu den balt. Sprachen gehörende Sprache; **Lett-land** einer der drei balt. Staaten

Lett|ner *m. 5, in mittelalterl. Kirchen:* (oft verzierte) Schranke oder Trennwand zwischen Chor und Mittelschiff

letz *alem.:* verkehrt (herum)

let|zen *tr. 1, veraltet:* laben, erquicken

letz|te(-r, -s) **1** *Kleinschreibung:* jmdm. die letzte Ehre erweisen; letzten Endes; seine letzte Stunde; der letzte Wille; immer das letzte Wort haben wollen; **2** *Großschreibung:* der, die, das Letzte (der Reihe nach); er ist der Letzte, den ich darum bitten würde; das ist das Letzte, was ich tun würde; der Letzte seines Stammes; den Letzten beißen die Hunde; er ist in seiner Klasse der Letzte; das Erste und das Letzte; er hat sein

► = wird zu

> **letzte, das Letzte, bis zum Letzten:** Das Zahladjektiv schreibt man klein: *Er ist der letzte Schüler.*
> Die substantivierte Form wird großgeschrieben: *der/die/das Letzte, als Letztes, sein Letztes hergeben, bis ins Letzte, bis zum Letzten, fürs Letzte, am Letzten, Letzterer, Letzteres, der/die/das Letztere.* [→§57 (1)]. Ebenso in Eigennamen: *das Letzte Gericht, die Letzte Ölung.* →§64 (3)
> Dagegen schreibt man klein in festen Verbindungen, die keine Eigennamen sind: *der letzte Wille.* [→§63]. Ebenso in Fügungen mit adverbialer Verwendung: *(Ausgabe) letzter Hand, letzten Endes.*

Letztes hergegeben: seine letzte Kraft; ich will noch ein Letztes dazu sagen; die Ersten werden die Letzten sein; das ist das Letzte!: das Schlechteste, Schlimmste, das ist unglaublich; der Letzte des Monats; es geht ums Letzte: um alles; etwas bis ins Letzte erklären; bis zum Letzten ausnutzen, gehen; zum Dritten und Letzten (bei Versteigerungen); das Letzte Gericht; die Letzte Ölung; **letztens** **1** zum Schluss; drittens und l.; **2** letzthin, kürzlich, neulich; **letz|te|re (-r, -s);** der Letztgenannte, zuletzt Erwähnte; Ersterer – Letzterer; **letzt|ge|nannt** zuletzt genannt; **letzt|hin** [auch: -hin] kürzlich, neulich; **letzt|jäh|rig; letzt|lich** im letzten Grunde, im eigentlichen Sinne, schließlich; **letzt|ma|lig; letzt|mals; Letzt|ver|brau|cher** *m. 5;* **letzt|wil|lig** testamentarisch, als letzter Wille; etwas l. verfügen

Leu *m. 10, poet.:* Löwe

Leu *m. Gen. - Mz.* Lei rumän. Währungseinheit, 100 Bani

Leucht|bo|je *w. 11;* **Leucht|bom|be** *w. 11;* **Leuch|te** *w. 11;* **leuch|ten** *intr. 2;* **leuch|tend|rot** ▶ **leuch|tend rot**; ein leuchtend rotes Kleid; **Leuch|ter** *m. 5;* **Leucht|far|be** *w. 11;* **Leucht|feu|er** *s. 5;* **Leucht|gas** *s. 1;* **Leucht|kä|fer** *m. 5;* **Leucht|kraft** *w. 2 nur Ez.;* **Leucht|ku|gel** *w. 11;* **Leucht|pis|to|le** *w. 11;* **Leucht|ra|ke|te** *w. 11;* **Leucht|schirm** *m. 1* fluoreszierender Teil des Röntgenapparates; **Leucht|si|gnal** *auch:* **-sig|nal** *s. 1;* **Leucht|spur|mu|ni|ti|on** *w. 10;* **Leucht|stoff** *m. 1* = Luminophor; **Leucht|turm** *m. 2;* **Leucht|turm|wäch|ter, Leucht|turm|wär|ter** *m. 5;* **Leucht|uhr** *w. 10;* **Leucht|zei|ger** *m. 5;* **Leucht|zif|fer** *w. 11*

leug|nen *tr. 2;* **Leug|ner** *m. 5;* ein hartnäckiger L. sein

leuk..., Leuk... vgl. leuko..., Leuko...

Leuk|ä|mie *auch:* **Leu|kä|mie** [griech.] *w. 11* krankhafte Vermehrung der weißen Blutzellen, Weißblütigkeit; **leuk|ä|misch** *auch:* **leu|kä|misch** an Leukämie leidend

leu|ko..., Leu|ko... [griech.] *in Zus.:* weiß..., Weiß...

Leu|ko|blas|ten [griech.] *Mz.* weiße Blutzellen bildende Zellen; **leu|ko|derm** weißhäutig; **Leu|ko|der|ma** *s. Gen.* -s *Mz.* -men stellenweiser Farbstoffmangel der Haut; **Leu|ko|der|mie** *w. 11* = Albinismus; **Leu|ko|ly|se** *w. 11* Zerfall der weißen Blutzellen; **Leu|kom** *s. 1* weißer Fleck auf der Hornhaut des Auges (Narbe eines Hornhautgeschwürs); **Leu|ko|pa|thie** *w. 11* Bildung weißer Flecken auf der Haut; **Leu|ko|pe|nie** *w. 11* abnorme Verminderung der weißen Blutzellen; **Leu|ko|plast** **1** *m. 10* (meist Stärke bildendes) farbloses Körperchen der Pflanzenzelle; **2** *s. 1* Ⓦ ein Heftpflaster; **Leu|kor|rhö** *w. 10,* **Leu|kor|rhoe** [-rø] *w. 11* Weißfluss, weißl. Ausfluss bei Gebärmutterentzündung; **Leu|ko|to|mie** *w. 11* chirurg. Eingriff in die weiße Gehirnsubstanz bei gewissen chron. Geisteskrankheiten, Lobotomie; **Leu|ko|zy|ten** *Mz.* weiße Blutzellen; **Leu|ko|zy|to|se** *w. 11* Vermehrung der weißen Blutzellen als Abwehrreaktion gegen entzündl. und infektiöse Vorgänge im Körper

Leu|mund *m. Gen.* -(e)s *nur Ez.* Ruf, Nachrede; einen guten, schlechten, üblen L. haben; **Leu|munds|zeug|nis** *s. 1*

Leut|chen *nur Mz.;* **Leu|te** *nur Mz.;* meine, deine L.: meine, deine Verwandten; *früher auch:* Gesinde

Leut|nant [frz.] *m. 9, auch: m. 1* (*Abk.:* Lt.) **1** unterster Offiziersrang; **2** Offizier in diesem Rang

Leut|pries|ter *m. 5* = Weltgeistlicher; **leut|se|lig; Leut|se|lig|keit** *w. 10 nur Ez.*

Leu|zit *m. 1* ein Mineral, ein Feldspat

Le|va|de [-va-, frz.] *w. 11, Hohe Schule:* Aufrichten des Pferdes auf der Hinterhand, Pesade

Le|van|te [-van-, ital.] *w. Gen. - nur Ez.* die Länder um das östliche Mittelmeer; **Le|van|ti|ne** *w. 11 nur Ez.* ein Seiden-, Halbseiden- oder Kunstfasergewebe; **Le|van|ti|ner** *m. 1* **1** Einwohner eines der Länder der Levante; **2** in der Levante geborener Mischling aus einem europiden und einem oriental. Elternteil; **le|van|ti|nisch** zur Levante gehörig, aus ihr stammend

Le|vée [-ve, frz.] *w. 9, früher:* Aushebung (von Rekruten)

Le|vel [engl.] *s. 9 nur Ez.* Stufe, Stand; auf gleichem Level sein

Le|vel|lers *m. 9 Mz.* radikale demokrat. Gruppe zur Zeit Cromwells; **Le|ver** [ləve] *s. 9* Morgenempfang bei einem Fürsten

Le|vi|a|than [hebr.] *m. Gen.* -s *nur Ez.* **1** *im AT:* Meerungeheuer, Drache; **2** *allg.:* Ungeheuer, Riesenschlange; **3** Maschine zum Waschen von Rohwolle

Le|vi|rat [lat.] *s. 1,* **Le|vi|rats|e|he** *w. 11, bei den Israeliten und Naturvölkern:* Ehe mit der Frau des kinderlos gestorbenen Bruders

Le|vit [hebr.] *m. 10,* **Le|vi|te** *m. 11* **1** Angehöriger eines israelit. Stammes; **2** jüd. Tempeldiener; **3** Diakon bzw. Subdiakon als Helfer des Priesters beim Hochamt; **Le|vi|ten** *Mz.* [nach dem Levitikus] *in der Wendung* jmdm. die L. lesen: ihn energisch zurechtweisen; **Le|vi|ti|kus** *m. Gen. - nur Ez.* das dritte Buch Mosis

Lev|ko|je [griech.] *w. 11* eine Zierpflanze, Kreuzblütler

Lew [lef] *m. Gen.* -s *Mz.* **Le|wa** (*Abk.:* Lw) bulgar. Währungseinheit, 100 Stótinki

Lex [lat.] *w. Gen. - Mz.* Le|ges [-ge:s] Gesetz, Gesetzesantrag

Lex.-8° *Abk. für* Lexikonoktav

Le|xem [griech.] *s. 1* lexikal. Einheit, Wortschatzeinheit; **Le|xe|ma|tik** *w. 10 nur Ez.* Lehre von den Lexemen; **Le|xik** *w. 10* Wortschatz (einer Sprache oder Fachsprache); **Le|xi|ka** *Mz. von*

Lexikon; **le|xi|ka|lisch** in der Art eines Lexikons; **Le|xi|ko|graph** ► *auch:* **Le|xi|ko|graf** *m. 10* Verfasser, Bearbeiter eines Lexikons; **Le|xi|ko|gra|phie** ► *auch:* **Le|xi|ko|gra|fie** *w. 11* Lehre von den Lexika, Erarbeitung von Lexika; **le|xi|ko|gra|phisch** ► *auch:* **le|xi|ko|gra|fisch** die Lexikographie betreffend, auf ihr beruhend; **Le|xi|ko|lo|ge** *m. 11;* **Le|xi|ko|lo|gie** *w. 11 nur Ez.* **1** Lehre von der Erarbeitung von Lexika, Lexikonkunde; **2** *auch:* Wortlehre, *zusammenfassende Bez.* *für* Etymologie, Semantik und Wortbildungslehre; **le|xi|ko|lo|gisch; Le|xi|kon** *s. Gen.* -s *Mz.* -ka *oder* -ken **1** alphabetisch geordnetes Nachschlagewerk; **2** *auch:* Wörterbuch; **Le|xi|kon|ok|tav** *s. 1 nur Ez.* (*Abk.:* Lex.-8°) ein Buchformat, Großoktav; **le|xisch** die Lexik betreffend, zu ihr gehörend

Le|zi|thin *fachsprachl.:* Le|ci|thin [griech.] *s. 1* in pflanzlichen und tierischen Zellen enthaltene, phosphorreiche Verbindung, Nervenstärkungsmittel

lfd. *Abk. für* laufend; **lfd. J.** *Abk. für* (des) laufenden Jahres; **lfd. m** *Abk. für* laufendes Meter, (des) laufenden Meters; **lfd. M.** *Abk. für* (des) laufenden Monats; **lfd. Nr.** *Abk. für* laufende Nummer; **lfm.** = lfd. m

lfr *Abk. für* luxemburgischer Franc

lg, log *Abk. für* Logarithmus

LG *Abk. für* Landgericht

Lha|sa Hst. von Tibet

L'hom|bre [lɔ̃br(ə)] *s. Gen.* -s *nur Ez., frz. Schreibung von* Lomber

Li *chem. Zeichen für* Lithium

Li *s. Gen.* - *Mz.* - altes chin. Längenmaß, 644,4 m

Li|ai|son [liɛzɔ̃, frz.] *w. 9* **1** Bindung, Liebesverhältnis; **2** Aussprache eines sonst stummen Auslautes bei enger Verbindung zum folgenden Wort, z. B. des n in frz. un homme [œ̃nɔm]

Li|a|ne [frz.] *w. 11* eine Schlingpflanze

Li|as [frz.] *m. oder w. Gen.* - *nur Ez.* untere Abteilung des Juras, schwarzer Jura; **li|as|sisch** zum Lias gehörend, aus ihm stammend

Li|ba|ne|se *m. 11* Einwohner des Libanons; **li|ba|ne|sisch;** **Li|ba|non** *m. Gen.* -s, *auch ohne Artikel,* Staat im Vorderen Orient

Li|ba|ti|on [lat.] *w. 10* altröm. Trankopfer für Götter oder Verstorbene

Li|bell [lat. »Büchlein«] *s. 1* **1** *im alten Rom:* Klageschrift; **2** Schmähschrift

Li|bel|le [lat.] *w. 11* **1** ein Insekt, Wasserjungfer; **2** Glasröhrchen der Wasserwaage; **3** eine gebogene Haarspange

Li|bel|list [lat.] *m. 10* Verfasser eines Libells

Li|ber *s. 5, schweiz.:* Fünffrankenstück

li|be|ral [lat.] freiheitlich gesinnt, vorurteilsfrei, nach freier Gestaltung des Lebens strebend; **Li|be|ra|le(r)** *m. 18 (17)* Anhänger, Mitglied einer liberalen Partei, Anhänger des Liberalismus; **li|be|ra|li|sie|ren** *tr. 3* freiheitlich, großzügig gestalten (bes. wirtschaftlich); **Li|be|ra|li|sie|rung** *w. 10 nur Ez.;* **Li|be|ra|lis|mus** *m. Gen.* - *nur Ez.* Welt-, Staats- und Wirtschaftsanschauung, die die freie Entfaltung der Persönlichkeit, das freie Spiel der Kräfte und die Lösung des Einzelnen aus relig., polit. u. a. Bindungen erstrebt; **li|be|ra|lis|tisch; Li|be|ra|li|tät** *w. 10 nur Ez.* Freiheitlichkeit, Vorurteilslosigkeit; **Li|be|ra|li|um Ar|ti|um Ma|gis|ter** *m. Gen.* - - - *nur Ez.* (*Abk.:* L. A. M.) *MA:* Magister der freien Künste (akadem. Titel); **Li|be|ra|ti|on** *w. 10, veraltet:* Befreiung, Entlastung

Li|be|ria Staat in Westafrika; **Li|be|ri|er,** Li|be|ri|a|ner *m. 5;* **li|be|risch,** li|be|ri|a|nisch

Li|be|ro [ital.] *m. 9, Fußball:* Verteidiger, der je nach Situation auch im Angriff spielen kann; **Li|ber|tät** [lat.] *w. 10 nur Ez.* Freiheit, *früher bes.:* ständische Freiheit; **Li|ber|té, E|ga|li|té, Fra|ter|ni|té** [-te] Freiheit, Gleichheit, Brüderlichkeit (Schlagwort der Frz. Revolution); **Li|ber|tin** [-tɛ̃, frz.] *m. 9, veraltet:* **1** Freigeist; **2** ausschweifender, zügelloser Mensch; **Li|ber|ti|na|ge** [-ʒə] *w. 11 nur Ez.* Leichtfertigkeit, Zügellosigkeit; **Li|ber|ti|ner** *m. 5* **1** *im 1. Jh.:* Angehöriger einer aus röm. Freigelassenen bestehenden Synagogengemeinde in Jerusalem; **2** *Reformationszeit:* Anhänger einer freien Geistesrichtung, Freigeist; **3** *auch* = Libertin; **Li|ber|ti|nis|mus** *m. Gen.* - *nur Ez.* Zügellosigkeit, Liederlichkeit; **Li|be|rum ar|bi|tri|um** *auch:* **- ar|bi|tri|um** *s. Gen.* - - *nur Ez.* freies Ermessen, freier Entschluss, Willensfreiheit

Li|bi|di|nist [lat.] *m. 10* sexuell triebhafter Mensch; **li|bi|di|nös** triebhaft, auf Libido beruhend; **Li|bi|do** [auch: -bi-] *w. Gen.* - *nur Ez.* Geschlechtstrieb, Geschlechtsbegierde

Li|bra *auch:* **Lib|ra** [lat.] **1** altröm. Gewicht; **2** *früher in spanisch sprechenden Ländern:* Gewichtseinheit, Pfund, 460 g

Li|bra|ti|on *auch:* **Lib|ra-** [lat.] *w. 10* scheinbare Schwankung der von der Erde aus sichtbaren Oberfläche des Mondes

Li|bret|tist *auch:* **Lib|ret-** [ital.] *m. 10* Verfasser eines Librettos; **Li|bret|to** *auch:* **Lib|ret-** *s. 9* Text zu einer Oper oder Operette

Li|bus|sa tschech. Sagengestalt, Gründerin von Prag

Li|by|en Staat in Nordafrika; **Li|by|er** *m. 5;* **li|bysch**

Lic. *Abk. für* Licentiat, vgl. Lizentiat

li|cet [lat.] es ist erlaubt, es steht frei

Li|chen [griech.] *m. 7* **1** stark juckende Hautkrankheit, Knötchenflechte; **2** *Bot.:* Flechte; **li|che|no|id** *Med.:* flechtenartig; **Li|che|no|lo|ge** *m. 11;* **Li|che|no|lo|gie** *w. 11 nur Ez., Bot.:* Flechtenkunde

licht; lichte Höhe, lichte Weite: Abstände zwischen den inneren Begrenzungen eines Raumes, Tores, Rohres usw.; **Licht 1** *s. 3; Jägerspr.:* Auge (beim Schalenwild); **2** *auch s. 1* Kerze, Lampe; jmdn. hinters L. führen *übertr.:* jmdn. überlisten; ins rechte L. rücken; **licht|be|stän|dig; Licht|be|stän|dig|keit** *w. 10 nur Ez.;* **Licht|bild** *s. 3;* **Licht|bil|der|vor|trag** *m. 2;* **Licht|bild|ner** *m. 5* Fotograf; **licht|blau; Licht|blick** *m. 1;* **Licht|bo|gen** *m. 7* mit Lichtabstrahlung verbundene elektr. Entladung; **licht|bre|chend; Licht|bre|chung** *w. 10;* **Licht|bün|del** *s. 5;* **Licht|chen** *s. 7, Mz. auch:* Lich|ter|chen; **licht|dicht; Licht|druck** *m. 1;* **licht|durch|läs|sig; Licht-**

durch|läs|sig|keit *w. 10 nur Ez.;* **Lich|te** *w. 11* lichte Weite; **licht|echt; Licht|ef|fekt** *m. 1;* **licht|e|lek|trisch** *auch:* **-e|lekt|risch; licht|emp|find|lich; Licht|emp|find|lich|keit** *w. 10 nur Ez.;* **Licht|emp|fin|dung** *w. 10;* **lich|ten 1** *tr. 2* heller machen; **2** *refl. 2* heller werden; **3** *tr. 2, Seew.:* heben; die Anker l.

Lich|ter *m. 5* = Leichter

Lich|ter|baum *m. 2;* **Lich|ter|fest** *s. 1* achttägiges jüd. Fest im Dezember; **Lich|ter|glanz** *m. Gen. -es nur Ez.;* **lich|ter|loh** *unflektierbar;* l. brennen; **Lich|ter|meer** *s. 1*

lich|tern *tr. 1* = leichtern

Licht|ga|den *m. 7* Fensterwand im Mittelschiff der Basilika; **Licht|gar|be** *w. 11;* **Licht|ge|schwin|dig|keit** *w. 10;* **licht|grün; Licht|hof** *m. 2* **1** Lichtschacht; **2** Lichtschein um Sonne und Mond; **3** überbelichtete Stelle (einer Fotografie); **Licht|hu|pe** *w. 11* Scheinwerfersignal (des Kraftfahrers); **Licht|jahr** *s. 1 (Abk.:* Lj) astronom. Entfernungseinheit, Strecke, die das Licht in einem Jahr zurücklegt; **Licht|leh|re** *w. 11 nur Ez.* Optik; **Licht|lein** *s. 7, Mz. auch:* Lich|ter|lein; **Licht|mast** *m. 10,* **Licht|meß** ► **Licht|mess** *ohne Artikel;* Mariä L.: kath. Fest, 2. Februar; an, zu L.; **Licht|mes|ser** *m. 5* Belichtungsmesser; **Licht|pau|se** *w. 11* Kopie auf fotograf. Wege; **Licht|quant** *s. 12* = Photon; **Licht|re|kla|me** *auch:* **-rek|la-** *w. 11;* **Licht|satz** *m. 2 nur Ez.* Fotosatz; **licht|scheu; Licht|si|gnal** *auch:* **-sig|nal** *s. 1;* **Licht|spiel** *s. 1, veraltet:* Kinofilm; **Licht|spiel|haus** *s. 4;* **Licht|spiel|the|a|ter** *s. 5;* **licht|stark; Licht|stär|ke** *w. 11;* **Licht|stock** *m. 2* lange, dünne Kerze; **Licht|strahl** *m. 12;* **Licht|tech|nik** *w. 10;* **licht|tech|nisch; Licht|the|ra|pie** *w. 11;* **Licht|ton|ver|fah|ren** *s. 7* Verfahren, Helligkeitsschwankungen in hörbare Schwingungen umzusetzen; **licht|un|durch|läs|sig; Licht|un|durch|läs|sig|keit** *w. 10 nur Ez.;* **Lich|tung** *w. 10;* **licht|voll; licht|wen|dig** = fototropisch; **Licht|wen|dig|keit** *w. 10 nur Ez.* = Fototropismus

Lic. theol. *Abk. für* Licentiatus theologiae, vgl. Lizentiat

Lid *s. 3* Augenlid

Li|do *m. 9* Nehrung (bes. bei Venedig)

Lid|schat|ten *m. 7*

lieb; sich bei jmdm. lieb Kind machen: sich einschmeicheln; lieb sein, lieb werden; *Großschreibung:* er ist mir der Liebste von allen; es wäre mir das Liebste, wenn…; viel, wenig Liebes; jmdm. etwas Liebes tun; meine Liebe, mein Lieber, meine Lieben; meine Liebste, mein Liebster; sie hat einen Liebsten; sie ist mir das Liebste, was ich habe; **Lieb** *s. Gen. -s nur Ez., poet.:* Geliebte, Geliebter; mein Lieb; feins Lieb; **lieb|äu|geln** *intr. 1;* mit jmdm. oder etwas l.; ich liebäugele, liebäugle; **lieb|be|hal|ten** ► **lieb be|hal|ten** *tr. 61;* **Lieb|chen** *s. 7;* **Lieb|den** *veraltet:* ehrende Anrede; Euer L.; **Lie|be** *w. 11, Mz. nur im Sinne von:* Liebschaft; **lie|be|be|dürf|tig; Lie|be|be|dürf|tig|keit** *w. 10 nur Ez.;* **Lie|be|die|ner** *m. 5* Schmeichler; **Lie|be|die|ne|rei** *w. 10;* **lie|be|die|ne|risch; lie|be|die|nern** *intr. 1;* **lie|be|leer**; liebeleeres Leben; **Lie|be|lei** *w. 10;* **lie|beln** *intr. 1;* **lie|ben** *tr. 1;* jmdn. lieben lernen; **lie|bens|wert; lie|bens|wür|dig; lie|bens|wür|di|ger|wei|se; Lie|bens|wür|dig|keit** *w. 10;* **lie|ber 1** *Komparativ von* lieb; es ist mir lieber, wenn …; ich habe, ich sehe es lieber, wenn …; **2** besser; etwas lieber tun (als …); ich gehe lieber zu Fuß; komm lieber heute; **Lie|bes|a|ben|teu|er** *s. 5;* **Lie|bes|be|zei|gung** *w. 10;* **Lie|bes|be|zie|hung** *w. 10;* **Lie|bes|dienst** *m. 1;* **Lie|bes|ga|be** *w. 11;* **Lie|bes|ge|dicht** *s. 1;* **Lie|bes|ge|schich|te** *w. 11;* **Lie|bes|hei|rat** *w. 10;* **Lie|bes|kno|chen** *m. 7* ein Gebäck, Éclair; **Lie|bes|kum|mer** *m. 5 nur Ez.;* **Lie|bes|le|ben** *s. Gen. -s nur Ez.;* **Lie|bes|lied** *s. 3;* **Lie|bes|mahl** *s. 4* = Agape; **Lie|bes|mü|he** *w. 11 nur Ez.;* das ist vergebliche, verlorene L.: das lohnt sich nicht, das ist umsonst; **Lie|bes|sze|ne** *w. 11;* **lie|bes|toll; Lie|bes|trank** *m. 2;* **lie|bes|trun|ken; Lie|bes|ver|hält|nis** *s. 1;* **Lie|bes|werk** *s. 1;* **lie|be|voll; Lieb|frau|en|kir|che** *w. 11* der Jungfrau Maria geweihte Kirche; **Lieb|frau|en|milch** *w. Gen. - nur Ez.* eine Rheinweinsorte; **lieb|ge|win|nen** ► **lieb ge|win|nen** *tr. 53;* ich gewann ihn lieb, habe ihn lieb gewonnen; **lieb|ge|wor|den**

> **lieb haben/tun/gewinnen:** Gefüge aus Adjektiv und Verb werden getrennt geschrieben, wenn das Adjektiv in dieser Verbindung steigerbar oder durch *sehr* erweiterbar ist: *Man musste sie einfach lieb haben/lieb gewinnen.* →§ 34 E3 (3)

► **lieb ge|wor|den; lieb|ha|ben** ► **lieb ha|ben** *tr. 60;* **Lieb|ha|ber** *m. 5;* **Lieb|ha|ber|büh|ne** *w. 11;* **Lieb|ha|be|rei** *w. 10;* **Lieb|ha|ber|the|a|ter** *s. 5;* **Lieb|ha|ber|wert** *m. 1* Wert, den ein Liebhaber für ein Kunstwerk zu zahlen bereit ist, im Unterschied zum Gebrauchswert; **lieb|ko|sen** [auch: lib-] *tr. 1;* er hat sie geliebkost oder liebkost; **Lieb|ko|sung** [auch: lib-] *w. 10;* **lieb|lich; Lieb|lich|keit** *w. 10 nur Ez.;* **Lieb|ling** *m. 1;* **Lieb|lings|spei|se** *w. 11;* **lieb|los; Lieb|lo|sig|keit** *w. 10;* **lieb|reich; Lieb|reiz** *m. 1 nur Ez.;* **lieb|rei|zend; Lieb|schaft** *w. 10;* **Liebs|te** *w. 17 oder 18;* **Liebs|te(r)** *m. 18 (17)*

Lieb|stö|ckel *m. 5 oder s. 5* eine Gewürzpflanze

lieb|wert *veraltet, noch leicht iron. in der Anrede;* liebwertes Mädchen, liebwerter Herr

Liech|ten|stein Staat zwischen Österreich und der Schweiz; **Liech|ten|stei|ner** *m. 5;* **liech|ten|stei|nisch**

Lied *s. 3;* **Lied|chen** *s. 7, Mz. auch:* Lie|der|chen; **Lie|der|a|bend** *m. 1;* **Lie|der|buch** *s. 4* **Lie|der|jan,** Lied|ri|an *m. 1* liederlicher Mensch; **lie|der|lich; Lie|der|lich|keit** *w. 10 nur Ez.*

Lie|der|ma|cher *m. 5* jmd., der Lieder (oft zeitkrit. Inhalts) komponiert, selbst vorträgt und sich dazu begleitet

Lie|der|ta|fel *w. 11* früher häufig Name von Gesangsvereinen; **lied|haft**

Lied|lohn *m. 2, veraltet:* Arbeitslohn; **Lied|löh|ner** *m. 5, veraltet:* Dienstbote

Lied|ri|an *m. 1* = Liederjan

Lie|fe|rant *m. 10;* **lie|fer|bar; Lie|fer|frist** *w. 10;* **lie|fern** *tr. 1;* ich liefere, liefre es; dann bin ich geliefert *ugs.:* dann ergeht es mir schlecht, dann wird es schlimm für mich; **Lie|fe|rung** *w. 10; auch:* Teil eines Buches, das nach und nach erscheint; **lie|fe|rungs|wei|se** in (einzelnen) Lieferungen; **Lie|fer|zeit** *w. 10*

Lie|ge *w. 11;* **Lie|ge|kur** *w. 10;* **lie|gen** *intr. 80* etwas an seinem Platz liegen lassen; die Kirche links liegen lassen: rechts an ihr vorbeifahren; jmdn. links liegen lassen: ihn nicht beachten; **lie|gen|blei|ben** ► **lie|gen blei|ben** *intr. 17;* **Lie|gen|de(s)** *s. 18 (17)* Gesteinsschicht unter einer Lagerstätte; *Ggs.:* Hangendes;

> **liegen lassen/bleiben, das Liegenlassen:** Gefüge aus Verb und anderem Verb (Infinitiv) werden getrennt geschrieben: *Gisela hat das Buch liegen lassen.* →§ 34 E3 (6) Substantivisch gebrauchte Zusammensetzungen, bei denen der letzte Bestandteil kein Substantiv ist, werden zusammengeschrieben: *das Liegenlassen.* Ebenso: *das Autofahren, das Unrechttun, der Spätgeborene.* →§ 37 (2)

lie|gen|las|sen ► **lie|gen las|sen** *tr. 75;* **Lie|gen|schaft** *w. 10* Grundstück, Grundbesitz; **Lie|ger** *m. 5* **1** nicht mehr in Gebrauch befindl. Schiff; **2** Wächter auf einem solchen Schiff; **3** Notvorrat (an Wasserfässern); **Lie|ge|statt** *w. Gen. - Mz.* -stätten, **Lie|ge|stät|te** *w. 11;* **Lie|ge|zeit** *w. 10* **1** Zeit, in der ein Schiff im Hafen liegt; **2** die zum Löschen und Laden festgesetzte Zeit

Liek, Leik *s. 12, Seew.:* Tauwerk, mit dem die Segel eingefasst werden, um sie zu versteifen

Li|en [lat.] *m. Gen.* -s *Mz.* Lienes Milz; **li|e|nal** [li|e-] zur Milz gehörend, die M. betreffend; **Li|e|ni|tis** *w. Gen. - Mz.* -ti|den Milzentzündung

Liesch *s. 1 nur Ez.,* **Lie|sche** *w. 11 nur Ez., volkstüml. Bez. für* verschiedene Pflanzen, z. B. Binse, Riedgras

Lie|se 1 *w. 11, Bgb.:* enge Kluft; **2** *w. 11, ugs.:* Mädchen, Frau; dumme Liese, Heulliese

Lie|sen *w. 11 Mz., norddt.:* Bauchfett von Schwein und Schaf

Li|eue [liø, frz.] *w. 9* altes frz. Längenmaß, Meile

Life|style [laɪfstaɪl, engl.] *m. Gen.* -s *nur Ez.* Leben mit Komfort und Freizeitaktivitäten, *auch:* schönes Wohnen, Fortgehen, Urlaub u. Ä.

Lift [engl.] **1** *m. 1 oder m. 9* Fahrstuhl; **2** *m. 9 oder s. 9,* Lifting *s. 9* kosmet. Operation zur Straffung der Gesichtshaut oder Hebung des Busens; **3** *m. 9, ugs.:* Mitfahrgelegenheit beim Trampen; **Lift|boy** *m. 9;* **lif|ten** *tr. 2, Kosmetik:* straffen, heben; **Lif|ting** *s. 9* = Lift (**2**)

Li|ga [span.] *w. Gen. - Mz.* -gen **1** Bund, Bündnis; **2** *Sport:* eine Wettkampfklasse, Sonderklasse; **Li|ga|de** *w. 11, Fechten:* Binden (Zurseitedrücken) der Klinge des Gegners; **Li|ga|ment** *s. 1,* **Li|ga|men|tum** *s. Gen.* -s *Mz.* -ta Strang aus Bindegewebe; **Li|ga|tur** *w. 10* **1** *Buchw.:* Verbindung zweier Buchstaben zu einer Letter; **2** *Mus.:* Verbindung zweier gleicher Noten durch einen Bogen zu einem Ton; **3** *Med.:* Unterbindung eines Blutgefäßes

light [laɪt, engl.] mit reduzierten Inhaltsstoffen (Zucker, Koffein, Nikotin, Alkohol); **Light|pro|dukt** [laɪt-] *s. 1*

Light|show [laɪtʃoʊ, engl.] *w. 9* Lichteffekte (in einer Diskothek)

li|gie|ren *intr. 3, Fechten:* die Klinge des Gegners binden (zur Seite drücken); **Li|gist** *m. 10* Angehöriger einer Liga; **li|gis|tisch**

Li|gnin *auch:* **Lig|nin** *s. 1* Holzstoff, ein Hauptbestandteil des Holzes; **Li|gnit** *auch:* **Lig|nit** *m. 1* Braunkohle mit noch sichtbarer holziger Struktur; **Li|gno|se** *auch:* **Lig|no|se** *w. 11* **1** Zellulose; **2** *früher:* ein Sprengstoff; **Li|gno|stone** *auch:* **Lig|no|stone** Ⓦ [-stoʊn, engl.] *s. Gen.* -s *nur Ez.* mit Phenolharz getränktes, sehr hartes Pressholz

Li|gro|in *auch:* **Lig|ro|in** *s. 1 nur Ez.* Leichtöl, Bestandteil des Erdöls

Ligue [lig] *w. Gen. - Mz.* -s [lig], *frz. Schreibung von* Liga

Li|gu|la [lat.] *w. Gen. - Mz.* -lae [-lɛː] **1** zartes Blatthäutchen (bei Gräsern); **2** Riemenwurm, ein Fischbandwurm

Li|gu|rer *m. 5* Angehöriger eines vorindogerman. Volkes in Südfrankreich und Norditalien; **Li|gu|ri|en** ital. Landschaft am Golf von Genua; **li|gu|risch;** *aber:* Ligurisches Meer

Li|gus|ter *m. 5* Heckenpflanze, Rainweide; **Li|gus|ter|schwär|mer** *m. 5* ein Schmetterling

li|ie|ren [frz.] *tr. 3* eng verbinden; sich mit jmdm. l.: eine Liaison (**1**) mit jmdm. beginnen; mit jmdm. liiert sein; **Li|ie|rung** *w. 10 selten*

Li|kör [frz.] *m. 1* süßer Branntwein

Lik|tor [lat.] *m. 13, im alten Rom:* Diener höherer Beamter; **Lik|to|ren|bün|del** *s. 5* vgl. Faszes

li|la [sanskr.] *unflektierbar* **1** fliederfarben; ein lila Kleid; **2** mir geht es so lila *ugs.:* mittelmäßig; **Li|la** *s. Gen. - Mz. -* lila Farbe; vgl. Blau

Li|lak *m. 9* span. Flieder

Li|li|a|ze|en *Mz., Sammelbez. für* Liliengewächse; **Li|lie** [-ljə, lat.] *w. 11* eine Zierpflanze; **li|li|en|weiß**

Li|li|put Märchenland mit winzigen Menschen in Jonathan Swifts Roman »Gullivers Reisen«; **Li|li|put...** *in Zus.:* sehr klein, z. B. Liliputeisenbahn, Liliputformat; **Li|li|pu|ta|ner** *m. 5* **1** Einwohner von Liliput; **2** zwerghaft kleiner Mensch infolge embryonaler Rachitis

lim *Abk. für* Limes (**2**)

lim. *Abk. für* limited

Li|ma Hst. von Peru; **Li|ma|er** *m. 5;* **li|ma|isch**

Li|ma|ko|lo|ge [griech.] *m. 11;* **Li|ma|ko|lo|gie** *w. 11 nur Ez.* Schneckenkunde; **li|ma|ko|lo|gisch**

Lim|ba *s. Gen.* -s *nur Ez.* ein trop. Furnierholz

Lim|bi *Mz. von* Limbus (**2**); **Lim|bus** [lat.] **1** *m. Gen. - nur Ez., im kath. Glauben:* Vorhölle (ohne Pein), Aufenthaltsort der rechtschaffenen Heiden und ungetauft gestorbenen Kinder; **2** *m. Gen. - Mz.* -bi, *an Winkelmessgeräten:* Ring mit Gradeinteilung, auf dem die Größe des Winkels abgelesen wird

Li|me|rick [nach der ir. Grafschaft L. und deren Hst.] *m. 9* fünfzeiliges komisch-iron. Gedicht mit einem grotesken Schlussgedanken

► = wird zu

Li|mes [lat.] *m. Gen. - nur Ez.* **1** altröm. Grenzwall; **2** (*Abk.:* lim) *Math.:* Grenzwert
Li|mẹt|ta, Li|mẹt|te [pers.-frz.] *w. Gen.- Mz.*-ten eine dünnschalige Zitronenart; **Li|mẹt|ten|baum** *m. 2*
Lị|mit [lat.-engl.] *s. 9* Grenze, äußerster Preis, äußerster Umfang; **Li|mi|ta|ti|on** [lat.] *w. 10* Begrenzung, Beschränkung; **li|mi|ta|tiv** begrenzend, beschränkend; **li|mi|ted** [-tɪd] (*Abk.:* lim., ld., Ld., ltd., Ltd.) *hinter engl. und amerik. Firmennamen:* mit beschränkter Haftung; **li|mi|tie|ren** *tr. 3* begrenzen, beschränken
Lim|ni|graph ► *auch:* **Lim|ni|graf** [griech.], Lim|no|graph *m. 10,* **Lim|ni|me|ter** *s. 5* Pegel zum Messen und selbsttätigen Aufzeichnen des Wasserstandes von Seen; **lịm|nisch** im Süßwasser lebend, im Süßwasser abgelagert; **Lim|no|graph** ► *auch:* **Lim|no|graf** *m. 10* = Limnigraph; **Lim|no|lo|ge** *m. 11;* **Lim|no|lo|gie** *w. 11 nur Ez.* Süßwasser-, Seenkunde; **lim|no|lo|gisch; Lim|no|plạnk|ton** *s. Gen.*-s *nur Ez.* das →Plankton des Süßwassers
Li|mo *w. 9, ugs. kurz für* Limonade; **Li|mo|na|de** [ital.] *w. 11;* **Li|mo|ne** *w. 11* eine dickschalige Zitronenart; **Li|mo|nen** *s. 1* ein nach Zitrone riechender Kohlenwasserstoff
Li|mo|nit [frz.] *m. 1* ein Mineral, Brauneisenstein; **li|mos, li|mös** schlammig, sumpfig
Li|mou|si|ne [-mu-, frz.] *w. 11* geschlossener Personenkraftwagen; *Ggs.:* Kabriolett (**2**)
lịnd sanft, zart, weich; **Lịn|de** *w. 11;* **lịn|den** aus Lindenholz; **Lịn|den|baum** *m. 2;* **Lịn|den|blü|ten|tee** *m. 9;* **lịn|dern** *tr. 1;* ich lindere es; **Lịn|de|rung** *w. 10;* **Lịnd|heit** *w. 10 nur Ez.*
Lịnd|wurm *m. 4* Ungeheuer, Drache
Li|ne|al [lat.] *s. 1;* **Li|ne|a|mẹnt** *s. 1* Linie (in der Hand, im Gesicht); **li|ne|ar** linienförmig, von Linien gebildet, zeichnerisch; lineare Gleichung: Gleichung ersten Grades; linearer Kontrapunkt, linearer Satz: streng kontrapunktische Kompositionsweise; **Li|ne|a|ri|tät** *w. 10 nur Ez.* **1** lineare Beschaffenheit; **2** = linearer Kontrapunkt; **Li|ne|ar|zeich|nung** *w. 10* Umrißzeichnung; **Li|ne|a|tur** *w. 10* = Liniatur
Li|net|te [-nẹt, frz.] *w. 11 nur Ez.* ein Gewebe, eine Art Linon
Lịn|ga, Lịn|gam [sanskr.] *s. 9* Phallus (ind. Sinnbild der Zeugungskraft)
Linge [lɛ̃ʒ, frz.] *w. Gen.- nur Ez., im schweiz. Hotelgewerbe:* Wäsche; **Lin|ge|rie** [lɛ̃ʒəri] *w. 11, schweiz.:* Wäschekammer
lin|gu|al [lat.] zur Zunge gehörig, mit der Zunge gebildet; **Lin|gu|ist** *m. 10;* **Lin|gu|is|tik** *w. 10 nur Ez.* Sprachwissenschaft; **lin|gu|is|tisch**
Li|ni|a|tur, Li|ne|a|tur [lat.] *w. 10* Linierung, Liniensystem; **Lị|nie** [-njə] *w. 11;* die Buchstaben halten nicht Linie *Buchw.:* stehen nicht auf gleicher Höhe; **Lị|ni|en|blatt** *s. 4;* **Lị|ni|en|füh|rung** *w. 10 nur Ez.;* **Lị|ni|en|rich|ter** *m. 5; bei Ballspielen:* Helfer des Schiedsrichters; **Lị|ni|en|schiff** *s. 1* ein Schiff in der Linienschifffahrt; **Lị|ni|en|schiffahrt** ► **Lị|ni|en|schiff|fahrt** *w. 10 nur Ez.* Schifffahrt mit bestimmten, regelmäßig befahrenen Verbindungen; **Lị|ni|en|spek|trum** *auch:* **-spekt|rum** *s. Gen.*-s *Mz.* -tren aus einer Folge einzelner Spektrallinien bestehendes Spektrum; **lị|ni|en|treu** blind der Parteiideologie folgend; **li|nie|ren** *tr. 3* mit geraden Linien versehen; liniertes Papier; **Li|nier|ma|schi|ne** *w. 11;* **Li|nie|rung** *w. 10* das Linieren; Gesamtheit der Linien; **li|ni|ie|ren** *tr. 3, veraltet für* linieren
Li|ni|mẹnt [lat.] *s. 1* ein hautreizendes Einreibemittel aus Seife, Fett, Öl oder Alkohol
lịn|ke (-r, -s); linker Hand: links; Ehe zur linken Hand *bis 1918 im Hochadel:* nicht standesgemäße Ehe, bei der Frau und Kinder nicht die gleichen Rechte hatten wie der Mann; **Lịn|ke** *w. 18* linke Hand, linke Seite, linksstehende Partei; er gab mir die Linke; er saß an meiner Linken, mir zur Linken; die radikale Linke; **lịn|ker|seits; lịn|kisch** unbeholfen, ungeschickt; **lịnks**; links des Baumes; links von mir; nach links; von links; sich links halten; links gehen; er verwechselt rechts und links; etwas mit links erledigen: mühelos; **Links|au|ßen** *m. Gen.- Mz.-, Fußball, Hockey u. a.:* linker Flügelstürmer; **lịnks|dre|hend** = lävogyr; **Lịnk|ser** *m. 5, ugs. für* Linkshänder; *Ggs.:* Rechtser; **lịnks|ge|rich|tet; Lịnks|hän|der** *m. 5* jmd., der mit der linken Hand geschickter ist als mit der rechten; **lịnks|hän|dig; Lịnks|hän|dig|keit** *w. 10 nur Ez.;* **lịnks|her**; vgl. rechtsher; **lịnks|her|um** *auch:* **-he|rụm**; **Lịnks|in|tel|lek|tu|el|le(r)** *m. 18 (17);* **Lịnks|kur|ve** *w. 11;* **lịnks|läu|fig** von rechts nach links zu lesen (Schrift); **Lịnks|par|tei** *w. 10;* **lịnks|ra|di|kal; Lịnks|re|gie|rung** *w. 10* politisch linksstehende Regierung; **lịnks|sei|tig; lịnks|ste|hend; links|ụm!;** l. kehrt!; **Lịnks|ver|kehr** *m. Gen.* -s *nur Ez.;* **Lịnks|vor|tritt** *m. 1 nur Ez.;* **Lịnks|wen|dung** *w. 10*
lịn|nen *poet. für* leinen; **Lịn|nen** *s. 7, poet. für* Leinen
Li|no|le|um [lat.] *s. Gen.*-s *nur Ez.* ein Fußbodenbelag; **Li|nol|schnitt** *m. 1* **1** *nur Ez.* eine dem Holzschnitt ähnliche Kunst, wobei statt der Holz- eine Linoleumplatte verwendet wird; **2** nach diesem Verfahren hergestellter Abzug
Li|non [-nɔ̃, frz.] *m. 9* feines Leinen- oder Baumwollgewebe in Leinwandbindung
Li|no|type [laɪnotaɪp, engl.] *w. 9* Ⓦⓩ eine Zeilensetz- und -gießmaschine
Lịn|se *w. 11;* **lịn|sen** *intr. 1, ugs.:* scharf, genau hinsehen; **Lịn-**

links abbiegen/abbiegend, linksgerichtet: Gefüge aus Adjektiv und Verb/Partizip werden getrennt geschrieben: *Frau Zintel konnte nur links abbiegen.* →§ 34 E3 (2)
Bestimmte feste Verbindungen aus Präposition und Adjektiv/Adverb ohne Artikel werden kleingeschrieben, obwohl sie Merkmale der Substantivierung aufweisen: *Er erledigte die Aufgabe mit links.* →§ 58 (3)
Gefüge mit einem Adjektiv/Partizip als zweitem Bestandteil, bei denen der erste Bestandteil für eine Wortgruppe steht, schreibt man zusammen: *linksgerichtet* (= politisch einer linken Partei zuneigend), *linksstehend.* →§ 36 (1)

sen|ge|richt *s. 1;* etwas für ein L. hergeben *übertr.:* für eine Nichtigkeit

Linz Hst. von Oberösterreich; Linzer Torte; **Lin|zer** *m. 5*

Lip|ä|mie *auch:* **Li|pä|mie** [griech.] *w. 11* erhöhter Fettgehalt des Blutes; **lip|ä|misch** *auch:* **li|pä|misch** an Lipämie leidend

Li|pa|ri|sche In|seln ital. Inselgruppe im Mittelmeer; **Li|pa|rit** *m. 1* ein Ergussgestein

Li|pa|sen *w. 11 Mz.* Gruppe Fett spaltender Enzyme

Lip|gloss [engl.] *s. 9 nur Ez.* Kosmetikum, das die Lippen glänzend erscheinen lässt

Li|pi|de *s. 11 Mz., Sammelbez. für* Fette und fettähnl. Stoffe; **Li|pi|do|se** *w. 11* Störung des Fettstoffwechsels

Li|piz|za|ner [nach dem Ort Lipizza bei Triest] *m. 5* eine Pferderasse, Schimmel

li|po|id [griech.] fettartig; **Li|po|id** *s. 1* fettähnl. Substanz; **Li|po|ly|se** *w. 11* Fettverdauung, Fettspaltung; **Li|pom** *s. 1,* **Li|po|ma** *s. Gen.* -s *Mz.* -po|ma|ta Fettgeschwulst; **Li|po|ma|to|se** *w. 11* umschriebene Fettanhäufung; **li|po|phil** fettliebend, sich mit Fett mischend, fettlöslich; **Li|po|phi|lie** *w. 11* Neigung zum Fettansatz (bei bestimmten Erkrankungen)

Lip|pe *w. 11;* eine L. riskieren *ugs.:* einen Widerspruch, ein offenes Wort wagen; **Lip|pen|be|kennt|nis** *s. 1* nicht ernst gemeintes Bekenntnis; **Lip|pen|blüt|ler** *m. 5 Mz.* eine Pflanzenfamilie; **Lip|pen|laut** *m. 1* = Labial, Labiallaut; **Lip|pen|stift** *m. 1;* **Lipp|fisch** *m. 1* ein Meeresfisch; **...lip|pig** mit einer bestimmten Art von Lippen versehen, z. B. schmallippig

Lip|u|rie *auch:* **Li|pu|rie** [griech.] *w. 11* Auftreten von Fett im Urin

Liq. *Abk. für* Liquor

Li|que|fak|ti|on [lat.] *w. 10* Verflüssigung; **li|ques|zie|ren** *intr. 3* flüssig werden, schmelzen; **li|quid,** li|qui|de **1** flüssig; **2** *übertr.:* zahlungsfähig; *Ggs.:* illiquid; **Li|qui|da** *w. Gen. - Mz.* -dä *oder* -qui|den Laut, bei dem die Zunge die Mitte des Gaumens so berührt, dass die Luft kontinuierlich entweichen kann (z. B. l, r), Fließlaut, Schmelz-, Schwinglaut; **Li|qui|da|ti|on** *w. 10* **1** Abwicklung der Geschäfte eines aufgelösten Unternehmens; **2** Auflösung (eines Geschäftes, Vereins); **3** Rechnung, Honorarforderung; **Li|qui|da|tor** *m. 13* jmd., der eine Liquidation (**1, 2**) durchführt, Vermittler bei Geschäftsauflösungen; **li|qui|de** = liquid; **Li|qui|den** *Mz. von* Liquida; **li|qui|die|ren** *tr. 3* **1** auflösen (Geschäft, Handelsgesellschaft, Verein); **2** abwickeln (Geschäfte); **3** in Rechnung stellen, fordern (Kosten für Leistungen); **4** *übertr.:* beseitigen, umbringen, töten; **Li|qui|die|rung** *w. 10;* **Li|qui|di|tät** *w. 10* Zahlungsfähigkeit

Li|quor *m. Gen.* -s *nur Ez.* (*Abk.:* Liq.) Flüssigkeit, flüssiges Arzneimittel

Li|ra 1 [griech.] *w. Gen.* -s *Mz.* -ren mittelalterl. einsaitige Geige; **2** [ital.] (*Abk.:* L) *w. Gen. - Mz.* -re ital. Währungseinheit

Lis|boa *port. Name für* Lissabon; **Lis|bo|nen|ser,** Lis|sa|bon|ner *m. 5* Einwohner von Lissabon

Li|se|ne [frz.] *w. 11* flach erhabener, senkrechter Mauerstreifen (zur Gliederung einer Wandfläche)

lis|peln *intr. 1* **1** beim Sprechen mit der Zunge anstoßen; **2** flüstern; **3** *poet.:* leise rauschen

Lis|sa|bon Hst. von Portugal; **Lis|sa|bon|ner** *m. 5*

Lis|seu|se [-sø-, frz.] *w. 11* Maschine zum Waschen, Trocknen und Strecken von gekämmter Wolle

List *w. 10*

Lis|te *w. 11;* **Lis|ten|füh|rer** *m. 5*

lis|ten|reich

Lis|ten|wahl *w. 10* Wahl, bei der keine Einzelpersonen, sondern in Listen zusammengefasste Personengruppen gewählt werden

lis|tig; lis|ti|ger|wei|se; Lis|tig|keit *w. 10 nur Ez.*

Liszt, *Franz* österr.-ung. Komponist (1811–1886)

Lit *Abk. für* ital. Lire

Lit. 1 *Abk. für* Litera (Buchstabe); z. B. Absatz 2, Lit. 5; **2** Bez. für den Kennbuchstaben auf Banknoten und Wertpapieren, z. B. Lit. A, Lit. B

Li|ta|nei [griech.] *w. 10* **1** Wechselgebet zwischen Geistlichem und Gemeinde; **2** *übertr.:* langweiliges Gerede, lange, eintönige Aufzählung

Li|tau|en einer der drei balt. Staaten; **Li|tau|er** *m. 5;* **li|tau|isch; Li|tau|isch** *s. Gen.* -(s) zu den balt. Sprachen gehörende Sprache der Litauer

Li|ter [griech.] *s. 5 oder m. 5* ein Hohlmaß, 1 dm³, 1 kg; ein halbes, halber Liter, ein Viertelliter

Li|te|rar|his|to|ri|ker *m. 5* Wissenschaftler auf dem Gebiet der Literaturgeschichte; **li|te|rar|his|to|risch** die Literaturgeschichte betreffend, zu ihr gehörig; **li|te|ra|risch 1** zur (schönen) Literatur gehörend; **2** schriftstellerisch; **Li|te|rat** *m. 10* **1** Schriftsteller; **2** *auch abfällig:* gewandt, aber oberflächlich schreibender Schriftsteller; **Li|te|ra|tur** *w. 10;* **Li|te|ra|tur|ge|schich|te** *w. 11;* **Li|te|ra|tur|his|to|ri|ker** *m. 5* = Literarhistoriker; **li|te|ra|tur|his|to|risch** = literarhistorisch; **Li|te|ra|tur|kri|tik** *w. 10;* **li|te|ra|tur|kri|tisch; Li|te|ra|tur|preis** *m. 1;* **Li|te|ra|tur|spra|che** *w. 11* in der Literatur benutzte, dialektfreie, gehobene Sprache; **Li|te|ra|tur|wis|sen|schaft** *w. 10;* **Li|te|ra|tur|zeit|schrift** *w. 10*

li|ter|wei|se

Li|tew|ka [poln.] *w. Gen. - Mz.* -ken, *früher:* bequemer Uniformrock

Lit|faß|säu|le [nach ihrem Erfinder, dem Buchdrucker Ernst Litfaß] *w. 11* Anschlagsäule

lith..., Lith... vgl. litho..., Litho...

Lith|a|go|gum [griech.] *s. Gen.* -s *Mz.* -ga, *Med.:* steinabführendes Mittel, Lithikum; **Li|thi|a|sis** *w. Gen. - Mz.* -thi|a|sen Steinbildung in inneren Organen, Steinleiden; **Li|thi|kum** *s. Gen.* -s *Mz.* -ka = Lithagogum; **Li|thi|um** *s. Gen.* -s *nur Ez.* (*Zeichen:* Li) chem. Element, Metall; **Li|tho** *s. 9 kurz für* Lithographie (**3**); **li|tho..., Li|tho...** *in Zus.:* Stein..., Gesteins...; **li|tho|gen** aus Gesteinen entstanden; **Li|tho|graf** *m. 10* = Lithograph; **Li|tho|gra|fie** *w. 11* = Lithographie; **li|tho|gra|fie|ren** *tr. 3* = lithographieren; **li|tho|gra|fisch** = lithographisch; **Li|tho|graph** ► *auch:* **Li|tho|graf** *m. 10* Steinzeichner, Steindrucker; **Li|tho-**

gra|phie ▶ *auch:* **Li|tho|gra|fie** *w. 11* **1** Steinzeichnung; **2** Steindruckverfahren; **3** Steindruck; **li|tho|gra|phie|ren** ▶ *auch:* **li|tho|gra|fie|ren** *tr. 3* **1** auf Stein zeichnen; **2** mittels Steindrucks herstellen; **li|tho|gra|phisch** ▶ *auch:* **li|tho|gra|fisch; Li|tho|klast** *m. 10* Sonde zum Zertrümmern von Blasensteinen, Lithotripter; **Li|tho|lo|ge** *m. 11;* **Li|tho|lo|gie** *w. 11 nur Ez.* Lehre von den Gesteinen, Gesteinskunde; **li|tho|lo|gisch; Li|tho|ly|se** *w. 11* Auflösung von Steinen in inneren Organen durch Medikamente; **li|tho|phag** sich in Gesteine einbohrend, Gestein auflösend (Tier, z. B. Bohrmuschel); **li|tho|phil** Gestein als Untergrund benötigend (bestimmte Tiere); **Li|tho|pon** *s. 1,* **Li|tho|po|ne** *w. 11* gut deckende, weiße Anstrichfarbe; **Li|tho|sphä|re** *auch:* **Li|thos|phä|re** *w. 11 nur Ez.* Gesteinshülle der Erde, Erdkruste; **Li|tho|to|mie** *w. 11* operative Entfernung von Steinen aus inneren Organen; **Li|tho|trip|sie** *w. 11* Zertrümmerung von Blasensteinen mit einer Sonde; **Li|tho|trip|ter** *m. 5* = Lithoklast; **Lith|ur|gik** *auch:* **Li|thur|gik** *w. 10* Lehre von der Verwendung und Bearbeitung der Gesteine und Mineralien

Li|ti|gant [lat.] *m. 10, veraltet:* jmd., der einen Rechtsstreit führt; **Li|ti|ga|ti|on** *w. 10, veraltet:* Rechtsstreit; **li|ti|gie|ren** *intr. 3* einen Rechtsstreit führen

li|to|ral [lat.] zur Küste, zum Ufer, zum Strand gehörend, dort vorkommend, küsten-, ufernah; **Li|to|ra|le** *s. 9* Küstenland; **Li|to|ral|fau|na** *w. Gen. - nur Ez.* Tierwelt der Küstengewässer; **Li|to|ral|flo|ra** *w. Gen. - nur Ez.* Pflanzenwelt der Küstengewässer; **Li|to|ri|na** *w. Gen. - Mz.* -nen eine Strandschnecke; **Li|to|ri|nel|len|kalk** *m. 1 nur Ez.* Kalkstein mit versteinerten Wasserschnecken

Li|to|tes [-te:s, griech.] *w. Gen. - nur Ez.* Stilfigur: Verneinung des Gegenteils und dadurch vorsichtige Hervorhebung des Gemeinten, z. B. »nicht übel« anstatt »recht gut«

Li|tschi, Li|tschi|pflau|me *auch:* **Lit|schi-** [chin.] *w. 11* weiße, süßliche Tropenfrucht in einer Schalenhülle

Li|turg [griech.] *m. 10* Geistlicher, der die Liturgie (**2**) ausführt, im Unterschied zum Prediger; **Li|tur|gie** *w. 11* **1** *im alten Athen:* Abgabe der Bürger an den Staat, eine Stiftung; **2** gottesdienstliche Handlung, Altargottesdienst, im Unterschied zur Predigt; **3** *evang. Kirche:* Wechselgesang des Geistlichen mit der Gemeinde; **Li|tur|gik** *w. 10 nur Ez.* Lehre von der christl. Liturgie; **li|tur|gisch** zur Liturgie gehörend; liturgische Gefäße, Gewänder, Formeln

Lit|ze *w. 11*

Li|u|dol|fin|ger *m. 5* = Ludolfinger

live [laɪv, engl. alive »lebendig«] *Funk, Fernsehen* live senden: direkt übertragen

Li|ve *m. 11* Angehöriger eines finn., heute bis auf kleine Reste in den Letten und Esten aufgegangenen Volksstammes

Live-Sen|dung *Nv.* ▶ **Live|sen|dung** *Hv.* [laɪv-, engl.] *w. 10, Radio, Fernsehen:* Direktübertragung, Direktsendung; **Live-Show** *Nv.* ▶ **Live|show** *Hv.* [laɪvʃoʊ, engl.] *w. 9* Show ohne Play-back

> **Liveshow:** Verbindungen von Adjektiv, Partikel, Pronomen und Substantiv oder von zwei Substantiven (auch fremdsprachigen) schreibt man zusammen: *die Liveshow.* Ebenso: *Bluejeans, Bypassoperation, Swimmingpool, Bigband.* → § 37 (1)

li|visch zu Livland gehörend; **Liv|land** histor. Landschaft zwischen Rigaer Meerbusen und Peipussee; **Liv|län|der** *m. 5;* **liv|län|disch**

Li|vre *auch:* **Liv|re** [frz. »Pfund«] *m. oder s. Gen.* -s *Mz.* - **1** alte frz. Münze; **2** alte frz. Gewichtseinheit, rund 500 g

Li|vree *auch:* **Liv|ree** [frz.] *w. 11* uniformartige Kleidung für Dienstpersonal; **li|vriert** *auch:* **liv|riert** in Livree (gekleidet)

Li|zen|ti|at [-tsjat] *Nv. m. 10* ▶ **Li|zen|zi|at** *Hv.;* **Li|zenz** *w. 10* Erlaubnis, Genehmigung zur Ausübung eines Gewerbes, zur Benutzung eines Patents, zum Druck eines in einem anderen Verlag erschienenen Buches u. a.; **Li|zenz|aus|ga|be** *w. 11;* **Li|zenz|ge|ber** *m. 5;* **Li|zenz|ge|bühr** *w. 10;* **Li|zen|zi|at,** Lizentiat [lat.] *m. 10* (*Abk.:* Lic.) **1** *veraltet, noch österr.:* Hochschulgrad der evang. Theologie und einiger kath. theolog. Fakultäten; *heute ersetzt durch* Dr. theol.; **2** *schweiz.:* Hochschulgrad auch außerhalb der theolog. Fakultät; **li|zen|zie|ren** *tr. 3;* etwas l.: für etwas die L. erteilen; **Li|zenz|in|ha|ber** *m. 5*

Li|zi|tant [lat.] *m. 10, auf Versteigerungen:* Bieter; **Li|zi|ta|ti|on** *w. 10* Versteigerung; **li|zi|tie|ren** *tr. 3*

Lj. *Abk. für* Lichtjahr

l. J. *Abk. für* laufenden Jahres

Lkw, LKW *m. Gen.* -(s) *Mz.* -s *Abk. für* Lastkraftwagen

Lla|no [lja-, span.] *m. 9, in den südl. USA und in Südamerika:* baumarme Steppe

Lloyd [lɔɪd, engl.] *m. Gen.* -(s) *Mz.* -s Seeversicherungsgesellschaft, Schifffahrtsunternehmen; Norddeutscher Lloyd

lm *Abk. für* Lumen

lmh *Abk. für* Lumenstunde

ln *Math.: Abk. für* natürlicher → Logarithmus

Lob *s. 1 nur Ez.*

Lob *m. 9,* **Lob|ball** *m. 2, Tennis:* über den vorgelaufenen Gegner hinweggeschlagener Ball; **lob|ben** *intr. 1* einen Lobball schlagen; ich lobbte, habe gelobbt

> **Lobbys:** Fremdwörter aus dem Englischen, die im Singular auf *-y* enden, erhalten im Plural ein *-s: Lobby – Lobbys.* → § 21

Lob|by [engl.] *w. 9* **1** *in Großbritannien und den USA:* Vorhalle, Wandelgang im Parlament; **2** Gesamtheit der Angehörigen von Interessengruppen, die (dort) die Abgeordneten zu beeinflussen suchen; **Lob|by|is|mus** *m. Gen. - nur Ez.* Beeinflussung von Parlamentsmitgliedern durch Interessengruppen; **Lob|by|ist** *m. 10* Angehöriger der Lobby (**2**)

Lo|be|lie [-ljə, nach dem Botaniker M. Lobelius] *w. 11* eine Zierpflanze; **Lo|be|lin** *s. 1 nur Ez.* ein aus manchen Lobelienarten gewonnenes Alkaloid, ein Heilmittel

lo|ben *tr. 1;* **lo|bens|wert; lo|be|sam** *poet., veraltet:* tüchtig; **Lo|bes|er|he|bung** *w. 10;* **Lob|ge|sang** *m. 2;* **Lob|hu|de|lei**

w. 10 übertriebenes Lob; **Lob|hu|de|ler,** Lob|hud|ler *m. 5;* **lob|hu|deln** *intr. 1;* er lobhudelt, hat gelobhudelt; **löb|lich; Lob|lied** *s. 3;* ein L. auf jmdn. singen
Lo|bo|to|mie [griech.] *w. 11* = Leukotomie
Lob|preis *m. 1;* **lob|prei|sen** *tr. 92;* ich lobpreise, habe lobgepriesen; **Lob|prei|sung** *w. 10;* **Lob|re|de** *w. 11;* **Lob|red|ner** *m. 5;* **lob|red|ne|risch; lob|sin|gen** *intr. 140;* ich lobsinge, habe lobgesungen
Lo|bus *m. Gen. - Mz.* -bi Lappen (eines Organs)
Loch 1 [lɔx, schott.] *m. Gen.* -(s) *Mz.* -s, *in Schottland:* See; **2** *s. 4;* **Lö|chel|chen** *s. 7;* **lo|chen** *tr. 1;* **Lo|cher** *m. 5;* **lö|che|rig,** löch|rig; **lö|chern** *tr. 1, ugs.:* ständig bitten oder ausfragen
Lo|chi|en [-xiən, griech.] *Mz.* Ausfluss aus der Scheide nach der Entbindung, Wochenfluss
Loch|kar|te *w. 11;* **Loch|kar|ten|ma|schi|ne** *w. 11*
Löch|lein *s. 7;* **löch|rig,** lö|che|rig; **Loch|sti|cke|rei** *w. 10;* **Loch|strei|fen** *m. 7;* **Lo|chung** *w. 10;* **Loch|zan|ge** *w. 11*
Löck|chen *s. 7;* **Lo|cke** *w. 11; auch Jägerspr.:* Pfeife oder Tier zum Anlocken von Wild; **lo|cken** *tr. 1*
lö|cken *intr. 1, urspr.:* mit den Füßen stoßen, ausschlagen; *nur noch in der Wendung* gegen, wider den Stachel l.: sich widersetzen
Lo|cken|haar *s. Gen.* -s *nur Ez.;* **Lo|cken|kopf** *m. 2;* **Lo|cken|wi|ckel** *m. 5,* **Lo|cken|wick|ler** *m. 5*

> **locker sitzen/machen, lockerlassen:** Verbindungen aus Adjektiv und Verb, bei denen das Adjektiv in dieser Verbindung steigerbar oder erweiterbar ist, werden getrennt geschrieben: *Der Trainer wollte ihn locker machen.* →§ 34 E3 (3)
> Kann hingegen das Adjektiv weder gesteigert noch erweitert werden, schreibt man das Gefüge zusammen: *Sie wollte nicht lockerlassen* (= nicht nachgeben). →§ 34 (2.2)

lo|cker; eine Schnur locker lassen, locker machen, *aber:* →lockerlassen, Geld →lockermachen; **Lo|cker|heit** *w. 10 nur Ez.;* **lo|cker|las|sen** *intr. 75;* nicht l.: nicht nachgeben; vgl. locker; **lo|cker|ma|chen** *tr. 1* hergeben; Geld, ein paar Mark l.; vgl. locker; **lo|ckern** *tr. 1;* ich lockere, lockre es; **Lo|cke|rung** *w. 10;* **Lo|cke|rungs|ü|bung** *w. 10*
lo|ckig
Lock|mit|tel *s. 5*
Lock|out [-aʊt, engl.] *s. Gen.* -(s) *Mz.* -s Aussperrung (von Arbeitern)
Lock|pfei|fe *w. 11;* **Lock|ruf** *m. 1;* **Lock|spei|se** *w. 11;* **Lock|spit|zel** *m. 5;* **Lo|ckung** *w. 10;* **Lock|vo|gel** *m. 6*
lo|co [lat.] *Kaufmannsspr.:* am Ort, hier, greifbar, vorrätig; loco Berlin: in Berlin zu liefern; **lo|co ci|ta|to** (*Abk.:* l. c.) *bei Zitaten:* am angeführten Ort, aus derselben Quelle
lod|de|rig *Nebenform von* lotterig
Lo|de, Loh|de *w. 11* Schössling (eines Laubbaums)
Lo|den *m. 7* ein gewalktes, haariges Wollgewebe für Regen- und Trachtenkleidung; **Lo|den|jop|pe** *w. 11;* **Lo|den|kot|ze** *w. 11;* **Lo|den|man|tel** *m. 6*
lo|dern *intr. 1*
Löf|fel *m. 5; auch Jägerspr.:* Ohr (von Hase und Kaninchen); **Löf|fel|bag|ger** *m. 5;* **Löf|fel|en|te** *w. 11* eine Ente mit löffelartigem Schnabel; **löf|feln** *tr. 1; auch ugs.:* verstehen, begreifen; **löf|fel|wei|se; Löff|ler** *m. 5* ein Schreitvogel mit löffelartig verbreitertem Schnabel
Lo|fo|ten [auch: lo-], **Lo|fot|in|seln** *Mz.* Inselgruppe vor der Nordwestküste Norwegens
Loft *m. 9, Golf:* **1** Schlag für Hochbälle; **2** Neigungsgrad des Golfschlägers
log *Abk. für* Logarithmus
Log [engl.] *s. 1,* Log|ge *w. 11* Gerät zum Messen der Fahrgeschwindigkeit (eines Schiffes)
Log|a|rith|men|ta|fel *auch:* **Lo|ga|rith-** *w. 11;* **log|a|rith|mie|ren** *auch:* **lo|ga|rith-** *tr. 3* den Logarithmus feststellen (von); **log|a|rith|misch** *auch:* **lo|ga|rith-; Log|a|rith|mus** *auch:* **Lo|ga|rith|mus** *m. Gen. - Mz.* -men Exponent x, mit dem eine bestimmte Basiszahl multipliziert werden muss, um einen bestimmten Zahlenwert zu erhalten; dekadischer L. (*Abk.:* lg, log): L. mit der Basiszahl 10; binärer L. (*Abk.:* ld): auf dem Dualsystem aufbauender L. mit der Basis 2; natürlicher L. (*Abk.:* ln): L. mit der Basiszahl e (Eulersche Zahl)
Log|buch *s. 4, auf Schiffen:* Buch, in das alle nautischen Beobachtungen und Ereignisse an Bord eingetragen werden, Schiffsjournal, Schiffstagebuch
...lo|ge [griech.], *österr.:* ...log, *in Zus.:* Kenner, Forscher, Wissenschaftler z. B. Psychologe
Lo|ge *german. Myth.* = Loki
Lo|ge [-ʒə, frz.] *w. 11* **1** kleiner Seitenraum, z. B. Pförtnerloge; **2** kleiner, abgeteilter Raum mit wenigen Sitzplätzen im Zuschauerraum eines Theaters; **3** Vereinigung von Freimaurern; **Lo|gen|bru|der** [-ʒən-] *m. 6* Mitglied einer Loge (**3**); **Lo|gen|schlie|ßer** *m. 5, im Theater:* Platzanweiser
Log|gast *m. 12* Matrose, der das Log zu bedienen hat; **Log|ge** *w. 11* = Log; **log|gen** *tr. 1* mit dem Log messen; **Log|ger** *m. 5* kleines Fischereifahrzeug mit Motor und Hilfssegel
Log|gia [lɔdʒa, ital. »Laube«] *w. Gen. - Mz.* -gi|en [lɔdʒən] **1** offene Bogenhalle, Säulenhalle; **2** eingezogener (nicht vorspringender) Balkon
Log|glas *s. 4* Sanduhr zum Loggen
...lo|gie [griech.] *in Zus.:* Lehre, Wissenschaft von ..., z. B. Psychologie
Lo|gier|be|such [-ʒir-] *m. 1* Besuch zum Übernachten; **lo|gie|ren** [-ʒi-, frz.] **1** *tr. 3, veraltet, noch schweiz.:* beherbergen, unterbringen; jmdn. bei sich, im Hotel l.; **2** *intr. 3* vorübergehend wohnen; im Hotel, bei Verwandten l.; **Lo|gier|gast** [-ʒir-] *m. 2;* **Lo|gier|zim|mer** [-ʒir-] *s. 5, veraltet:* Gastzimmer
Lo|gik [griech.] *w. 10* **1** Lehre vom richtigen Denken und Folgern; **2** folgerichtiges Denken, Folgerichtigkeit; **Lo|gi|ker** *m. 5* **1** Lehrer der Logik; **2** jmd., der logisch zu denken versteht
Lo|gis [-ʒi, frz.] *s. Gen. - Mz.* -[-ʒis] **1** Wohnung, Unterkunft; **2** *auf Schiffen:* Mannschaftsraum
lo|gisch folgerichtig, denkrichtig, den Gesetzen der Logik entsprechend; **lo|gi|scher|wei-**

► = wird zu

se; **Lo|gis|mus** **1** *m. Gen. - nur Ez.* Auffassung, dass die Welt logisch aufgebaut sei; **2** *m. Gen. - Mz.* -men Vernunftschluss; **Lo|gis|tik** *w. 10 nur Ez.* **1** *Mil.:* Gesamtheit der Maßnahmen für Nachschub und Infrastruktur; **2** mathemat. Logik; **Lo|gis|ti|ker** *m. 5* **1** jmd., der in der Logistik (**1**) tätig ist; **2** Anhänger der Logistik (**2**); **lo|gis|tisch; Lo|gi|zis|mus** *m. Gen. - nur Ez.* **1** Lehre, die die gesamte Mathematik auf Logik zurückführt; **2** formales log. Schließen ohne Rücksicht auf den Denkinhalt; **lo|gi|zis|tisch; Lo|gi|zi|tät** *w. 10 nur Ez.* logische Beschaffenheit; *Ggs.:* Faktizität

Log|lei|ne *w. 11* Messschnur zum Loggen

lo|go..., Lo|go... [griech.] *in Zus.:* Wort..., Rede..., Vernunft...; **lo|go** *ugs.:* logisch; **Lo|go** *s. 9* Schriftzug eines Marken-, Firmenzeichens

Lo|go|griph [griech.] *m. 12 oder m. 10* Buchstabenrätsel; **Lo|goi** *Mz. von* Logos; **Lo|go|pä|de** *m. 11;* **Lo|go|pä|die** *w. 11 nur Ez.* **1** Sprachheilkunde; **2** Spracherziehung von sprach- und stimmgestörten Personen, bes. Kindern; **Lo|go|pa|thie** *w. 11* Sprachstörung; **Lo|gos** *m. Gen. - Mz.* -goi **1** *urspr.:* Wort, Rede, Kunde, Lehre; **2** Begriff, Sinn, logisches Urteil; **3** Vernunft, Weltvernunft, göttl. Vernunft; **4** *Christentum:* Mensch gewordenes Wort Gottes

Loh|blü|te *w. 11* ein Schleimpilz; **Loh|brü|he** *w. 11* Brühe aus Lohe zum Gerben

Loh|de *w. 11* = Lode

Lo|he *w. 11* **1** lodernde Flammen; **2** gemahlene Baumrinde zum Gerben; **lo|hen** **1** *intr. 1* lodernd brennen, hoch aufflammen; **2** *tr. 1* gerben

Lo|hen|grin dt. Sagengestalt, Sohn Parzivals

Loh|ger|ber *m. 5;* **Loh|ger|be|rei, Loh|ger|bung** *w. 10 nur Ez.* Gerberei, bei der die Felle in der Lohe in einer Grube liegen, Grubengerbung; **Loh|mül|ler** *m. 5* Lohgerber

Lohn *m. 2;* **Lohn|ar|beit** *w. 10;* **Lohn|ar|bei|ter** *m. 5;* **Lohn|buch|hal|ter** *m. 5;* **Lohn|buch|hal|tung** *w. 10;* **Lohn|bü|ro** *s. 9;* **Lohn|die|ner** *m. 5* Aushilfsdiener (bei Festen u. a.); **Lohn|emp|fän|ger** *m. 5;* **loh|nen** *tr. 1;* es lohnt den Einsatz, die Mühe nicht; der Einsatz, die Mühe lohnt sich nicht; es lohnt (sich) nicht, hinzugehen; **löh|nen** *tr. 1;* jmdn. l.: jmdm. Lohn auszahlen; **Lohn|fort|zah|lung** *w. 10;* **Lohn-Preis-Spi|ra|le** *w. 11;* **Lohn|steu|er|aus|gleich, Lohn|steu|er-Jah|res|aus|gleich** *m. 1;* **Lohn|stopp** *m. 9* Aufhören von Lohnerhöhungen; **Löh|nung** *w. 10*

Loi|pe [lɔɪpə, skand.] *w. 11, Skisport:* Langlaufpiste

Loire [loar] *w. Gen. -* Fluss in Frankreich

Lok *w. 9, Kurzw. für* Lokomotive

lo|kal [lat.] örtlich, örtlich begrenzt; **Lo|kal** *s. 1* **1** Ort, Raum, z. B. Wahllokal; **2** Gastwirtschaft, Restaurant; **Lo|kal|an|äs|the|sie** *auch:* **-a|näs|the|sie** *w. 11* örtl. Betäubung; **Lo|kal|bahn** *w. 10* Kleinbahn; **Lo|kal|be|richt** *m. 1* Zeitungsbericht über örtl. Ereignisse; **Lo|ka|li|sa|ti|on** *w. 10* **1** Beschränkung auf einen Ort, eine Stelle; **2** Festlegung, Bestimmung eines Ortes; **lo|ka|li|sie|ren** *tr. 3* **1** auf einen Ort beschränken; eine Krankheit auf ihren Herd l.; **2** örtlich festlegen, den Standort bestimmen (von etwas); **Lo|ka|li|sie|rung** *w. 10;* **Lo|ka|li|tät** *w. 10* **1** Raum, Örtlichkeit; **2** *Mz.* die Lokalitäten *ugs.:* Toilette, Waschraum; **Lo|kal|ko|lo|rit** *s. 1 nur Ez., in literar. Werken:* anschaul. Schilderung der Landschaft, des Milieus, der Sitten und Gebräuche eines Schauplatzes; **Lo|kal|nach|rich|ten** *w. 10 Mz.* Nachrichten aus dem örtl. Bereich; **Lo|kal|pa|tri|o|tis|mus** *auch:* **-pat|ri-** *m. Gen. - nur Ez.* betonte Liebe zur engeren Heimat; **Lo|kal|pos|se** *w. 11* = Lokalstück; **Lo|kal|satz** *m. 2, Gramm.:* Umstandssatz des Ortes, Ortssatz; **Lo|kal|stück** *s. 1* volkstüml., humorvolles, an eine bestimmte Landschaft oder Stadt gebundenes, häufig in Mundart geschriebenes Theaterstück, Lokalposse; **Lo|kal|teil** *m. 1* Teil der Zeitung, der Nachrichten aus dem örtl. Bereich bringt; **Lo|kal|ter|min** *m. 1* gerichtl. Termin am Tatort des Rechtsfalles; **Lo|kal|ver|kehr** *m. Gen. -s nur Ez.* Vorortverkehr

Lo|ka|tar [lat.] *m. 1, veraltet:* Pächter; **Lo|ka|ti|on** *w. 10* **1** *veraltet:* Platz-, Rangbestimmung, Einordnung; **2** *veraltet:* Anweisung eines Platzes oder Ranges; **3** *Erdölförderung:* Bohrstelle; **Lo|ka|tiv** *m. 1* den Ort bestimmender Kasus, z. B. im Latein. u. Griech.; **Lo|ka|tor** *m. 13* **1** *MA:* Ritter, der im Auftrag des Landesherrn Kolonialland verteidigte; **2** *veraltet:* Verpächter

Lok|füh|rer *m. 5, Kurzw. für* Lokomotivführer

Lo|ki, Lo|ge *german. Myth.:* Unheil bringender Gott des Feuers

Lo|ko|ge|schäft *s. 1* Geschäft über sofort verfügbare Ware; *Ggs.:* Termingeschäft; **Lo|ko|mo|bi|le** *w. 11* fahrbare Dampf-, Kraftmaschine; **Lo|ko|mo|ti|on** *w. 10, Biol., Med.:* Ortsveränderung; **Lo|ko|mo|ti|ve** *w. 11* (*Kurzw.:* Lok) auf Schienen fahrende Zugmaschine; **Lo|ko|mo|tiv|füh|rer** *m. 5* (*Kurzw.:* Lokführer); **lo|ko|mo|to|risch** auf Fortbewegung, Gang, Lauf beruhend, sie bewirkend; **Lo|ko|wa|re** *w. 11* sofort verfügbare, am Ort befindl. Ware; **Lo|kus** *m. Gen. - Mz.* -kus|se, *ugs.:* Toilette, WC

Lo|ku|ti|on [lat.] *w. 10, veraltet:* Rede-, Ausdrucksweise

Lolch *m. 1* Süßgras, Raigras

Lol|lar|de [ndrl.] *m. 11* **1** = Alexianer; **2** Anhänger des engl. Reformators John Wiclif

Lol|lo ros|so [ital.] *m. 9 nur Ez.* krauser Blattsalat

Lom|bard [nach der Lombardei] *m. 1 oder s. 1* Kredit gegen Pfand; **Lom|bar|de** *m. 11* **1** Einwohner der Lombardei; **2** *MA:* oberital. Geldleiher oder Geldwechsler; **Lom|bar|dei** *w. Gen. -* norditāl. Landschaft; **lom|bar|die|ren** *tr. 3* beleihen, verpfänden; **lom|bar|disch** zur Lombardei gehörend, aus ihr stammend

Lom|ber [frz.], *frz.:* **Lom|bre** *auch:* **Lomb|re** [lɔ̃brə] *s. Gen. -(s) nur Ez.* ein frz. Kartenspiel

Lon|don Hst. von Großbritannien; **Lon|do|ner** *m. 5*

Long|drink [engl.] *m. 9* mit Sodawasser o. Ä. verdünntes Getränk; *Ggs.:* Shortdrink

Longe [lɔ̃ʒ(ə), frz.] *w. 11* **1** Laufleine für Pferde bei der Dressur; **2** Hilfsleine für Schwimmschüler; **lon|gie|ren** [-ʒi-] *tr. 3* an der Longe laufen lassen (Pferd)

Lon|gi|me|trie *auch:* **-met|rie** [lat. + griech.] *w. 11 nur Ez.* Längenmessung; **lon|gi|tu|di|nal** **1** in der Längsrichtung; **2** der geograph. Länge nach, den Längengrad betreffend; **Lon|gi|tu|di|nal|wel|le** *w. 11* Längswelle, in Ausbreitungsrichtung schwingende Welle

Long|sel|ler [engl.] *m. 5* Ware (bes. Buch, Schallplatte), die sich lange Zeit gut verkauft

Look [luk, engl.] *m. 9* Aussehen, Äußeres, *meist in Zus. wie* Afrolook (Haarfrisur), Partnerlook

Loo|ping [lu-, engl.] *s. 9 oder m. 9* Überschlag mit dem Flugzeug, senkrechter Schleifenflug

Lor|beer *m. 12* immergrüner Baum, dessen Blätter als Gewürz und als Kranz für Sieger-, Dichterehrungen verwendet werden; Sinnbild des Ruhms; sich auf seinen Lorbeeren ausruhen *ugs.*: nach anfänglich großen Leistungen nachlassen; damit kannst du keine Lorbeeren ernten, gewinnen: keinen Ruhm; **Lor|beer|baum** *m. 2;* **Lor|beer|blatt** *s. 4* ein Gewürz; **Lor|bee|re** *w. 11;* **Lor|beer|kranz** *m. 2*

Lorch *m. 1,* **Lor|che** *w. 11, mitteldt.*: Kröte

Lor|chel *w. 11* ein Schlauchpilz

Lord [engl.] *m. 9* engl. Adelstitel; **Lord|kanz|ler** *m. 5* höchster engl. Staatsbeamter; **Lord Mayor** [lɔdmɛə] *m. 9, in London und einigen anderen brit. Großstädten:* Erster Bürgermeister

Lor|do|se [griech.] *w. 11,* **Lor|do|sis** *w. Gen. - Mz.* -sen Wirbelsäulenverkrümmung nach vorn

Lord-Pro|tek|tor *Nv.* ► **Lord|pro|tek|tor** *Hv. m. 13, mehrmals in Großbritannien:* Titel des Regenten, bes. Cromwells

Lo|re *w. 11* **1** offener Eisenbahngüterwagen; **2** *auch* Lo|ri *s. 9* kleiner, auf Schienen laufender Lastwagen mit dreieckigem Längsschnitt, Kipplore

Lo|re|lei, Lo|re|ley *w. Gen.* - **1** Felsen am Rheinufer nahe St. Goarshausen; **2** *dt. Myth.*: Nixe, Zauberin, die die vorbeifahrenden Rheinschiffer ins Verderben lockt

Lor|gnet|te *auch:* **Lorg|net|te** [lɔrnjɛtə, frz.] *w. 11, früher:* Stielbrille; **Lor|gnon** *auch:* **Lorg|non** [lɔrnjɔ̃] *s. 9* Einglas mit Stiel, *auch:* Stielbrille

Lo|ri **1** *s. 9* = Lore (**2**); **2** *m. 9* ein Halbaffe; **3** *m. 9* ein Papagei

Lork *m. 1 oder m. 2, nddt.*: Kröte

Lor|ke *w. 11 nur Ez., sächs.*: dünner Kaffee, Malzkaffee

Lo|ro|kon|to [ital.] *s. Gen.* -s *Mz.* -ten bei einer Bank für eine andere Bank geführtes Konto

los(e); **1** etwas los haben *ugs.*: Geschick (für etwas) besitzen, intelligent sein; jmdn. los sein wollen; mit ihm muss etwas los sein; einer Sache los und ledig sein: von einer Sache befreit sein; **2** die Schnur los(e) lassen; *aber:* →loslassen, →loslegen, →losmachen, →lossagen

Los *s. 1;* das Große Los

LOS *Abk. für* Loss of Signal (Verlieren des Signals): Zeitspanne, in der sich ein Raumschiff hinter dem Mond befindet und daher keine Signale geben und empfangen kann

Los An|ge|les [lɔs ændʒələs] Stadt in Kalifornien (USA)

lös|bar; Lös|bar|keit *w. 10 nur Ez.*

> **losbinden/los sein:** Verbindungen aus Partikel *(los)* und Verb schreibt man zusammen: *Er hat die Kuh losgebunden.* →§ 34 (1)
> Verbindungen mit *sein* gelten nicht als Zusammensetzung; sie werden deshalb getrennt geschrieben: *Sie wollte die Sorgen los sein.* →§ 35

los|bin|den *tr. 14*

Lösch|blatt *s. 4;* **lö|schen** *tr. 1 ; auch Seew.*: ausladen (Ladung); **Lö|scher** *m. 5;* **Lösch|kalk** *m. 1* gelöschter Kalk; **Lösch|pa|pier** *s. 1;* **Lö|schung** *w. 10*

los|don|nern *intr. 1;* **los|drü|cken** *intr. 1*

lo|se **1** nicht fest, locker; **2** keck, schelmisch; ein loses Mädchen; einen losen Mund haben: keck, vorwitzig, vorlaut sein

Lo|se *s. 5, Seew.*: schlaffer Teil eines Taus

Lo|se|blatt|aus|ga|be *w. 11* auf einzelnen Blättern in Fortsetzungen erscheinende Druckschrift; **Lo|se|blatt|buch|hal|tung** *w. 10*

Lö|se|geld *s. 3*

los|ei|sen *tr. 1, ugs.*: mit Mühe freimachen; sich von jmdm. oder einer Verpflichtung l.

lo|sen *intr. 1* **1** das Los ziehen, werfen; **2** *österr.*: horchen

lö|sen *tr. 1*

Lo|ser, Lu|ser *m. 5, Jägerspr. landsch. für* Lauscher

los|fah|ren *intr. 32;* **los|ge|ben** *tr. 45* freigeben; **los|ge|hen** *intr. 47;* **Los|kauf** *m. 2;* **los|kau|fen** *tr. 1* freikaufen, durch Lösegeld befreien; **los|kom|men** *intr. 71;* **los|kop|peln** *tr. 1;* **los|las|sen** *tr. 75;* **los|lau|fen** *intr. 76;* **los|le|gen** *intr. 1, ugs.*: energisch, schwungvoll beginnen

lös|lich; Lös|lich|keit *w. 10 nur Ez.*

los|lö|sen *tr. 1;* **Los|lö|sung** *w. 10;* **los|ma|chen** *tr. 1;* **los|mar|schie|ren** *intr. 1;* **los|plat|zen** *intr. 1* plötzlich zu lachen, zu sprechen anfangen; **los|rei|ßen** *tr. 96;* **los|ren|nen** *intr. 98*

Löß ► **Löss** *auch:* **Löß** *m. 1* gelbbraune, kalkreiche Ablagerung von Flugstaub

los|sa|gen *refl. 1;* sich von jmdm. oder etwas l.; **Los|sa|gung** *w. 10 nur Ez.*

los|schie|ßen *intr. 113, ugs.*: plötzlich zu schießen, zu laufen, zu sprechen beginnen; schieß los!: sprich, erzähle!; **los|schla|gen** *intr. u. tr. 116*

lös|sig, löß|ig wie Löss; **Löss|kin|del, Löß|kin|del** *s. 5,* **Löss|männ|chen, Löß|männ|chen** *s. 7* Figuren bildende, lehmige Verfestigung im Löss

los|spre|chen *tr. 146* freisprechen; jmdn. von einer Schuld, einer Verpflichtung l.; **los|sprin|gen** *intr. 148;* **los|steu|ern** *intr. 1;* auf jmdn. oder etwas l.; **los|stür|men** *intr. 1;* **los|stür|zen** *intr. 1;* auf jmdn. oder etwas l.

Lost *m. Gen.* -(e)s *nur Ez.* = Senfgas

Los|ta|ge *m. 1 Mz.* **1** die zwölf Nächte zwischen Weihnachten und Dreikönige; **2** Lur|ta|ge, *nach alter Bauernregel:* die für das Wetter bedeutsamen Tage, z. B. die Eisheiligen

Lost ge|ne|ra|tion *Nv.* ► **Lost Ge|ne|ra|tion** *Hv.* [-dʒenərɛɪʃn, engl. »verlorene Generation«] *w. Gen. - - nur Ez.* **1** die Generation US-amerik. Schriftsteller, die den 1. Weltkrieg miterlebt hat und durch skept., desillusionierte Weltanschauung gekennzeichnet ist; **2** *später auch:* die erste Generation nach dem 1. Weltkrieg

Lo|sung *w. 10* **1** Kennwort, Erkennungswort; **2** Wahlspruch; **3** *in der Herrnhuter Brüdergemeine:* Bibelspruch für jeweils einen Tag; **4** *österr.:* Erlös, Tageseinnahme; **5** *Jägerspr.:* Kot (des Wildes und Hundes)

Lö|sung *w. 10;* **Lö|sungs|mit|tel** *s. 5*

Lo|sungs|wort *s. 1*

Los|ver|käu|fer *m. 5*

Los-von-Rom-Be|we|gung *w. 10 nur Ez., 1897 bis um 1925 in Österreich:* gegen die kath. Kirche gerichtete Bewegung

los|wer|den *tr. 180;* sieh zu, dass du ihn loswirst; ich bin ihn nicht losgeworden; **los|zie|hen** *intr. 187; auch ugs.:* gegen jmdn. l.: jmdn. beschimpfen

Lot *s. 1* **1** senkrecht auf einer Geraden (oder Kurve) stehende Gerade (oder Kurve); **2** an einer Schnur hängendes Metallstück zum Messen der Wassertiefe (Bleilot, Senkblei) und Bestimmen der Senkrechten (Senklot); **3** alte Gewichtseinheit, urspr. 15–16 g, später 50 g; **4** altes Edelmetallgewicht, 18 Grän; **5** Lötmetall, z. B. Silberlot; **lo|ten** *tr. 2* mit dem Lot messen, bestimmen **lö|ten** *tr. 2* durch geschmolzenes Lötmetall verbinden; **Löt|fu|ge** *w. 11* Lötstelle

Loth|rin|gen Landschaft im Osten von Frankreich an der Grenze zu Deutschland; **Lothrin|ger** *m. 5;* **loth|rin|gisch**

...lötig *früher:* eine bestimmte Menge Edelmetall enthaltend, z. B. sechzehnlötig; **Lö|tig|keit** *w. 10 nur Ez., früher:* Edelmetallgehalt

Lo|ti|on [auch loʃn, engl.] *w. 9* kosmet. Mittel zur Gesichtsreinigung

Löt|kol|ben *m. 7* Gerät zum Schmelzen des Lots (**5**) beim Löten; **Löt|lam|pe** *w. 11;* **Lötme|tall** *s. 1* Metallegierung zum Löten; **Löt|naht** *w. 2* Lötstelle

Lo|to|pha|ge [griech.] *m. 11, bei Homer:* Angehöriger eines Volkes an der libyschen Küste, das sich von Lotos ernährte, nach dessen Genuss die Gefährten des Odysseus die Heimkehr vergaßen, Lotosesser; **Lo|tos** *m. Gen. - Mz. -* Lotosblume, ein Seerosengewächs, im alten Orient Sinnbild der Reinheit und Schönheit, *auch:* der Religion; vgl. Lotus

lot|recht senkrecht; **Lot|rech|te** *w. 11* senkrechte Linie

Löt|rohr *s. 1* in der chem. Analyse verwendetes Gerät zur Reduktion der Analysensubstanz

Lot|se *m. 11* **1** bes. ausgebildeter Seemann, der Schiffe durch schwieriges Gewässer leitet, bes. in den Hafen; **2** *übertr.:* Führer durch schwieriges oder gefährliches Gelände, z. B. Schülerlotse im Verkehr; **lotsen** *tr. 1* **1** als Lotse führen; **2** *ugs.:* überreden, verleiten, mitzugehen; **Lot|sen|boot** *s. 1* Boot, das den Lotsen an Bord bringt; **Lot|sen|fisch** *m. 1* ein Stachelflosser, Pilot(fisch); **Lotsen|sta|ti|on** *w. 10* Standort, von dem Lotsen (**1**) angefordert werden

Lot|ter|bett *s. 12* **1** Faulenzerbett; auf dem L. liegen: faulenzen; **2** *veraltet:* Couch, Sofa; **Lot|ter|bu|be** *m. 11* Faulenzer

Lot|te|rie [ndrl.] *w. 11* staatliche oder staatlich konzessionierte Verlosung von nummerierten Losen; **Lot|te|rie|los** *s. 1*

lot|te|rig, lott|rig unordentlich, abgerissen; **Lot|te|rig|keit, Lott|rig|keit** *w. 10 nur Ez.;* **Lot|ter|leben** *s. 7 nur Ez.* Faulenzerleben; **lot|tern** *intr. 1* liederlich, faul leben, sich herumtreiben; **Lot|ter|wirt|schaft** *w. 10*

Lot|to [ital.] *s. 9* **1** Glücksspiel, eine Art Lotterie, bei der auf Zahlen gesetzt wird; **2** ein Kindergesellschaftsspiel

lott|rig = lotterig

Lo|tung *w. 10*

Lö|tung *w. 10*

Lo|tus [griech.] *m. Gen. - Mz. -* ein Schmetterlingsblütler, Hornklee; vgl. Lotos

Louis [lui:, frz.] *m. Gen. -* [lui:s] *Mz. -* [lui:s] Zuhälter; **Louis|dor** [luidor] *m. 9, bei Zahlenangaben Mz. -* alte frz. Goldmünze, 20 Franc

Loui|si|a|na [amerik.: -siænə] (*Abk.:* LA) Staat der USA

Louis-qua|torze [luikatorz] *s. Gen. - nur Ez.* unter Ludwig XIV. von Frankreich beliebter (barocker) Kunst-, bes. Möbelstil; **Louis-quinze** [luikɛ̃z] *s. Gen. - nur Ez.* unter Ludwig XV. von Frankreich beliebter Kunst-, bes. Möbelstil, Rokokostil; **Louis-seize** [luisɛz] *s. Gen. - nur Ez.* unter Ludwig XVI. von Frankreich beliebter Kunst-, bes. Möbelstil, Übergang zum Klassizismus

Lounge [laʊndʒ, engl.] *w. 10* Gesellschaftsraum im Hotel

Lourdes [lurd] frz. Wallfahrtsort

Lou|vre *auch:* **Louv|re** [luvrə] *m. Gen. -(s) nur Ez.* Palast in Paris mit Museum

Love-in [lʌv-ɪn, engl. nach Go-in, Sit-in gebildet) *s. Gen. - nur Ez., in den 60er Jahren:* Liebe in der Öffentlichkeit als Protest gegen die herrschende Sexualmoral; **Love-Sto|ry** *Nv.* ►

Love|sto|ry *Hv.* [lʌvstɔ:ri], *w. Gen. - Mz.* -s Liebesgeschichte

Lö|we *m. 11;* **Lö|wen|an|teil** *m. 1* größerer Anteil, Hauptanteil; **Lö|wen|maul** *s. 4* Zierpflanze; **lö|wen|stark;** **Lö|wen|zahn** *m. 2 nur Ez.* Wiesenblume, Pusteblume; **Lö|win** *w. 10*

lo|xo|drom [griech.] die Längenkreise der Erde im gleichen Winkel schneidend; **Lo|xo|drome** *w. 11* Verbindungslinie zwischen zwei Punkten der Erdoberfläche, die alle Längenkreise im gleichen Winkel schneidet; **lo|xo|go|nal** schiefwinklig

loy|al *auch:* **lo|yal** [frz.: loajal, *ugs.:* lɔial] **1** regierungstreu, treu dem Vorgesetzten gegenüber; *Ggs.:* illoyal; **2** *allg.:* redlich, anständig; **Loy|a|li|tät** *auch:* **Lo|ya|li|tät** *w. 10 nur Ez.*

LPG *ehem. DDR: Abk. für* Landwirtschaftliche Produktionsgenossenschaft

LSD *Abk. für* Lysergsäurediäthylamid, ein Rauschgift

lt. *Abk. für* laut; lt. Anweisung, lt. Vorschrift

Lt. *Abk. für* Leutnant

ltd., Ltd. *Abk. für* limited

Lu *chem. Zeichen für* Lutetium

Luch *s. 1 oder w. 2* Sumpf, Moorland, Bruch

Luchs [luks] *m. 1* ein Raubtier; **Luchs|au|gen** *s. 14 Mz., übertr.:* sehr scharfe Augen; **luchs|äugig;** **luch|sen** [luksən] *intr. 1, ugs.:* scharf hinsehen

Lucht *w. 10, nddt.* **1** Dachboden, Bodenraum; **2** Öffnung, Loch

Lü|cke *w. 11;* **Lü|cken|bü|ßer** *m. 5* jmd., der für jmdn. einspringen muss, aber weniger willkommen ist; **lü|cken|haft; Lü|cken|haf|tig|keit** *w. 10 nur Ez.;* **lü|cken|los**

Lud|di|ten [nach dem Engländer Ned Lud] *Mz., Anfang des 19. Jh. in Großbritannien:* Maschinenstürmer, Arbeiter, die aus Furcht vor Arbeitslosigkeit Maschinen zerstörten

Lu|de [zu: Ludwig] *m. 11* Zuhälter

Lu|der *s. 5* **1** *Jägerspr.:* Kadaver, Aas als Köder für Raubwild; **2** *ugs.:* Gauner, gemeiner Kerl, leichtfertige weibl. Person; armes Luder: armer Kerl, armes Ding; **Lu|de|rer** *m. 5, ugs., veraltet:* Lump, liederlicher Kerl; **Lu|der|jan** *m. 1, Nebenform von* Liederjan; **Lu|der|le|ben** *s. 7 nur Ez.* Lotterleben, liederliches, faules Leben; **lu|dern** *intr. 1* liederlich, faul leben

Lu|dol|fin|ger [nach Liudolf, dem Großvater Heinrichs I.], Liu|dol|fin|ger *m. 5* Angehöriger eines dt. Herrschergeschlechts

Lu|dolf|sche Zahl ► **lu|dolf|sche Zahl** [nach dem ndrl. Mathematiker Ludolf van Ceulen] *w. 10 nur Ez.* die Zahl π (Pi)

Lu|dus [lat.] *m. Gen. - Mz. -di* **1** *im alten Rom:* Schauspiel, Festspiel; **2** *MA:* geistliches Drama

Lu|es [lat. »Seuche«] *w. Gen. - nur Ez.* = Syphilis; **lu|e|tisch,** lu|isch an Lues erkrankt, syphilitisch

Luf|fa [arab.-engl.] *w. 9* ein trop. Kürbisgewächs, aus dessen Fruchtfasern Schwämme, Einlagen für Tropenhelme u. Ä. hergestellt werden; **Luf|fa|schwamm** *m. 2* aus den Fasern der Luffafrüchte hergestellter Schwamm zum Frottieren

Luft *w. 2;* **Luft|auf|nah|me** *w. 11;* **Luft|bad** *s. 4;* **Luft|bal|lon** [-lɔ̃, *ugs.:* -lɔŋ] *m. 9;* **Luft|be|rei|fung** *w. 10 nur Ez.;* **Luft|bild** *s. 3;* **Luft|brü|cke** *w. 11* Verbindung durch Flugzeuge über gesperrte Zufahrtswege hinweg; **Luft|büch|se** *w. 11* Luftgewehr; **Lüft|chen** *s. 7;* **luft|dicht; Luft|dich|te** *w. 11 nur Ez.* spezif. Gewicht der Luft; **Luft|druck** *m. Gen. -(e)s nur Ez.*

lüf|ten *tr. u. intr. 2;* **Lüf|ter** *m. 5*

Luft|fahrt *w. 10 nur Ez.;* **Luft|fahr|zeug** *s. 1;* **Luft|fracht** *w. 10;* **Luft|geist** *m. 3, Myth.;* **luft|ge|kühlt;** luftgekühlter Motor; *aber:* der Motor wird durch Luft gekühlt; **Luft|ge|wehr** *s. 1* sportl. Gewehr, bei dem das Geschoss durch Druckluft angetrieben wird; **Luft|han|sa** *w. Gen. - nur Ez., kurz für* Deutsche Lufthansa AG; **Luft|hun|ger** *m. Gen. -s nur Ez.;* **luft|hung|rig; luf|tig; Luf|tig|keit** *w. 10 nur Ez.;* **Luf|ti|kus** *m. Gen. - Mz. -kus|se, ugs.:* leichtsinniger Mensch; **Luft|kis|sen** *s. 7;* **Luft|kis|sen|fahr|zeug** *s. 1* = Hovercraft; **Luft|kor|ri|dor** *m. 1* erlaubter, vorgeschriebener Luftweg über das Hoheitsgebiet eines fremden Staates hinweg; **Luft|krank|heit** *w. 10;* **Luft|kur|ort** *m. 1;* **Luft|lan|de|trup|pe** *w. 11;* **luft|leer; Luft|lee|re** *w. 11 nur Ez.;* **Luft|li|nie** *w. 11;* **Luft|mi|ne** *w. 11* von einem Flugzeug abgeworfene, bes. starke Sprengbombe; **Luft|post** *w. Gen. - nur Ez.;* **Luft|raum** *m. 2;* **Luft|röh|re** *w. 11;* **Luft|röh|ren|schnitt** *m. 1;* **Luft|schiff** *s. 1;* **Luft|schloß** ► **Luft|schloss** *s. 4;* **Luft|schutz** *m. Gen. -es nur Ez.;* **Luft|ste|war|deß** ► **Luft|ste|war|dess** [-stjuər-] *w. Gen. - Mz. -des|sen;* **Luft|streit|kräf|te** *w. 2 Mz.*

Lüf|tung *w. 10*

Luft|ver|kehr *m. Gen. -s nur Ez.;* **Luft|ver|schmut|zung** *w. 10 nur Ez.;* **Luft|waf|fe** *w. 11;* **Luft|weg** *m. 1;* auf dem L.; **Luft|wi|der|stand** *m. 2 nur Ez.;* **Luft|wur|zel** *w. 11;* **Luft|zug** *m. 2*

Lug *m. Gen. -s nur Ez.* Lüge; *nur noch in der Wendung:* Lug und Trug

Lu|ga|ner *m. 5* Einwohner von Lugano; **Lu|ga|ner See** *m. Gen. - -s;* **lu|ga|ne|sisch; Lu|ga|no** Stadt in der Schweiz

Lug|aus *m. Gen. - Mz. -* Wacht-, Warttum

Lü|ge *w. 11;* jmdn. Lügen strafen: ihn auf einer Lüge ertappen, ihm eine Lüge nachweisen

lu|gen *intr. 1* scharf, aber vorsichtig (nach etwas) schauen, spähen

lü|gen *intr. 81;* **Lü|gen|de|tek|tor** *m. 13* Gerät zur Feststellung unterdrückter innerer Erregung (beschleunigte Atmung, Herzklopfen, Schweißausbruch u. a.), mit dem angeblich Schlüsse auf die Wahrhaftigkeit von Aussagen gezogen werden können, *fälschl. Bez. für* Polygraph; **Lü|gen|dich|tung** *w. 10;* **Lü|gen|ge|spinst** *s. 1;* **Lü|gen|ge|we|be** *s. 5;* **lü|gen|haft; Lü|gen|haf|tig|keit** *w. 10 nur Ez.;* **Lü|gen|maul** *s. 4, ugs.;* **Lü|gen|pro|pa|gan|da** *w. Gen. - nur Ez.*

Lug|ins|land *m. Gen. -(s) Mz. -* Wacht-, Wartturm, Aussichtsturm

Lüg|ner *m. 5;* **lüg|ne|risch**

Lu|i|ker *m. 5* jmd., der an Lues erkrankt ist; **lu|isch** auf Lues beruhend, an Lues erkrankt

Luk *s. 1, Nebenform von* Luke

Lu|kar|ne *w. 11, nddt.:* Dachfenster

Lu|kas|e|van|ge|li|um *s. Gen. -s nur Ez.*

Lu|ke *w. 11*

lu|kra|tiv *auch:* **luk|ra-** [lat.] Gewinn bringend, einträglich

lu|kul|lisch [nach dem altröm. Feldherrn Lukullus, der in seinem Haus berühmt gewordene Gastmähler gab] üppig, schwelgerisch, schlemmerhaft; lukullisches Mahl, lukullische Genüsse

Lu|latsch [-laːtʃ] *m. 1, mitteldt.:* langer, schlaksiger Bursche

lul|len *tr. 1* leise, wiegend singen; ein Kind in Schlaf l.; **Lul|ler** *m. 5, österr., schweiz. für* Schnuller

Lum|ba|go [lat.] *w. Gen. - nur Ez.* **1** Schmerz in der Lendengegend, Hexenschuss; **2** eine Pferdekrankheit, Schwarze Harnwinde; **lum|bal** zu den Lenden gehörend, von ihnen ausgehend, auf sie einwirkend; **Lum|ba|an|äs|the|sie** *auch:* **-a|näs|the|sie** *w. 11* örtl. Betäubung durch Einspritzung in den Lendenwirbelkanal; **Lum|bal|punk|ti|on** *w. 10* → Punktion des Lendenwirbelkanals, Lendenstich

lum|be|cken [nach dem dt. Erfinder E. Lumbeck] *tr. 1* im Lumbeckverfahren kleben; **Lum|beck|ver|fah|ren** *s. 7 nur Ez.* Verfahren (für Broschüren, Taschenbücher u. Ä.), den Buchblock ohne Fadenheftung mit Kunstharzemulsion zu kleben

Lum|ber|jack [lʌmbərdʒæk, engl.] *s. 9* Tuch- oder Lederjacke mit gestrickten Bünden

► = wird zu

Lu|men [lat.] *s. Gen.* -s *Mz.* - *oder* -mi|na **1** Hohlraum (von Organen); **2** (*Abk.:* lm) Maßeinheit für den Lichtstrom; **3** *übertr., veraltet:* Leuchte, Licht, Könner; er ist kein großes L.; **Lu|men|stun|de** *w. 11* (*Abk.:* lmh) Maßeinheit für die Lichtmenge

Lu|mie [-mjə, ital.] *w. 11* kleine, süße Zitronenart

Lu|mi|nes|zenz [lat.] *w. 10* Lichterscheinung, die nicht durch erhöhte Temperatur bewirkt wird; **lu|mi|nes|zie|ren** *intr. 3* kalt leuchten; **Lu|mi|no|gra|phie** ► *auch:* **Lu|mi|no|gra|fie** [lat. + griech.] *w. 11 nur Ez.* Verfahren zur Herstellung von fotograf. Kopien mittels Leuchtstoffplatten als Lichtquelle; **Lu|mi|no|phor** *m. 1* Stoff, der nach Bestrahlen mit Licht noch längere Zeit im Dunkeln leuchtet, Leuchtstoff; **lu|mi|nös, lu|mi|nos** [lat.] leuchtend, lichtvoll, hell

Lum|me *w. 11* ein arktischer Seevogel

Lüm|mel *m. 5;* **Lüm|mel|lei** *w. 10;* **lüm|meln** *intr. u. refl. 1*

Lump *m. 10;* **Lum|pa|zi|us** *m. Gen.* - *Mz.* -us|se, *scherzh.:* Lump, Landstreicher; **Lum|pa|zi|va|ga|bun|dus** *m. Gen.* - *Mz.* -di *oder* -dus|se, *scherzh.:* Landstreicher; **lum|pen** *intr. 1, ugs.:* liederlich leben, die Nacht durchzechen; sich nicht l. lassen: großzügig, freigebig sein; **Lum|pen 1** *m. 7, süddt.:* Scheuerlappen; **2** *nur Mz.* Fetzen, zerrissene Kleidung; jmdn. aus den L. schütteln: ihn energisch zurechtweisen; **Lum|pen|ge|sin|del** *s. 5 nur Ez.;* **Lum|pen|pack** *s. Gen.* -s *nur Ez.;* **Lum|pen|pro|le|ta|ri|at** *s. 1 nur Ez.* Proletariat ohne Klassenbewusstsein; **Lum|pen|samm|ler** *m. 5; auch ugs. scherzh.:* letzte Straßenbahn, letzter Bus bei Nacht; **Lum|pe|rei** *w. 10* gemeine Tat; **Lump|fisch** *m. 1* ein Meeresfisch; **lum|pig 1** wie ein Lump, gemein; **2** geringfügig, nichts wert; er gab ihm lumpige fünf Mark

Lump|sum [lʌmpsʌm, engl. »runde Summe«] *w. 9* Pauschale, Pauschalsumme, runde Summe

Lu|na [lat.] **1** *röm. Myth.:* Mondgöttin; **2** *w. Gen.* - *nur Ez., poet.:* der Mond; **lu|nar** zum Mond gehörig, Mond...; **lu|na|risch** *veraltet für* lunar; **Lu|na|ri|um** *s. Gen.* -s *Mz.* -ri|en Gerät zum Veranschaulichen der Mondbewegung; **Lu|na|ti|ker** *m. 5* Mondsüchtiger; **Lu|na|ti|on** *w. 10* Mondumlauf; **lu|na|tisch** = mondsüchtig; **Lu|na|tis|mus** *m. Gen.* - *nur Ez.* = Mondsüchtigkeit

Lunch [lʌntʃ, engl.] *m. 9, in England:* kleine Mittagsmahlzeit; **lun|chen** [lʌntʃən] *intr. 1* den Lunch einnehmen, zu Mittag essen; **Lun|cheon** [lʌntʃən] *s. 9* Imbiss

Lü|net|te [frz.] *w. 11* **1** *früher:* kleines, vorspringendes Festungswerk; **2** *Baukunst:* halbkreisförmiges, oft mit Malerei oder Reliefs verziertes Feld über Fenstern, Türen oder Rechtecken; **3** *an Drehbänken:* Vorrichtung zum Unterstützen von langen Werkstücken

Lun|ge *w. 11;* eiserne Lunge: Gerät zur künstl. Atmung bei Lähmungen; **Lun|gen|ent|zün|dung** *w. 10;* **Lun|gen|fisch** *m. 1* Fisch, der zeitweilig die Schwimmblase als Lunge benutzen und Sauerstoff direkt aus der Luft atmen kann, Lurchfisch; **Lun|gen|flü|gel** *m. 5;* **Lun|gen|heil|stät|te** *w. 11;* **lun|gen|krank;** **Lun|gen|krank|heit** *w. 10;* **Lun|gen|schwind|sucht** *w. 10 nur Ez.;* **Lun|gen|spit|zen|ka|tarrh** ► *auch:* **-ka|tarr** *m. 1;* **Lun|gen-Tbc** *w. Gen.* - *nur Ez.;* **Lun|gen|tu|ber|ku|lo|se** *w. 11 nur Ez.;* **Lun|gen|zug** *m. 2* (beim Rauchen)

lun|gern *intr. 1* = herumlungern

Lu|nik [lat.] *m. 9* Bez. für die ersten sowjet. Mondsonden

Lü|ning *m. 1,* **Lünk** *m. 1, nddt.:* Sperling

Lun|ker *m. 5* fehlerhafter Hohlraum in Gussstücken

Lun|te *w. 11* **1** Zündschnur; **2** *Jägerspr.:* Schwanz (bei Fuchs und Marder); Lunte riechen *ugs.:* eine Gefahr spüren

Lu|nu|la [lat.] *w. Gen.* - *Mz.* -lä *oder* -nu|len **1** *Bronzezeit:* halbmondförmiger Halsschmuck; **2** *kath. Kirche:* halbmondförmiger Halter für die geweihte Hostie in der Monstranz; **3** halbmondförmiger weißer Fleck am Fuß- und Fingernagel; **lu|nu|lar** halbmondförmig

Lu|pe [frz.] *w. 11* Vergrößerungsglas; **lu|pen|rein 1** auch bei Betrachtung durch die Lupe keinen Fehler aufweisend (Edelstein); **2** *übertr.:* von höchster Reinheit

Lu|per|ka|li|en [lat. »Wolfsfest«] *Mz.* altröm. Fest zu Ehren des Wölfe abwehrenden Hirtengottes Faunus

lup|fen *tr. 1, bayr., österr.,* **lüp|fen** *schwäb., schweiz.:* hochheben, anheben; den Hut lüpfen

Lu|pi|ne [lat.] *w. 11* eine Futterpflanze, Schmetterlingsblütler; **Lu|pi|no|se** *w. 11* Vergiftung von Wiederkäuern infolge Fütterung mit bitteren Lupinen

lu|pös [lat.] an Lupus erkrankt, von Lupus befallen

Lup|pe *w. 11* roher, schlackehaltiger Eisenklumpen, Rohmaterial zur Stahlerzeugung

Lu|pu|lin [lat.] *s. 1 nur Ez.* Bitterstoff des Hopfens, Bierwürze und Beruhigungsmittel

Lu|pus [lat.] *m. Gen.* - *Mz.* - *oder* -pus|se fressende Hautflechte, »Wolf«; lupus in fabula: der Wolf in der Fabel, d. h. jmd., der gerade dazukommt, wenn man von ihm spricht

Lurch *m. 1* Amphibie; **Lurch|fisch** *m. 1* = Lungenfisch

Lu|re *w. 11* **1** bronzezeitl. nord. Blasinstrument, s-förmig mit verzierter Scheibe am Ende; **2** Elfe

Lur|ta|ge *m. 1 Mz.* = Lostage

Lu|sche *w. 11* **1** *sächs.:* Spielkarte ohne Zählwert; **2** *nddt.:* Pfütze; **3** *ugs.:* liederlicher Mensch, *bes.:* schlampige Frau; **lu|schig** liederlich, flüchtig; luschig arbeiten

Lu|ser *m. 5, Jägerspr. landsch. für* Lauscher

lu|sin|gan|do [ital.] *Mus.:* gefällig, schmeichelnd, spielerisch

Lust *w. 2;* eitel L. und Freude; je nach L. und Laune; **Lust|bar|keit** *w. 10;* **Lust|bar|keits|steu|er** *w. 11;* **Lüst|chen** *s. 7 nur Ez.*

Lus|ter *m. 5, österr. für* Lüster; **Lüs|ter** *m. 5* **1** Kronleuchter; **2** glänzendes Halbwollgewebe; **3** glänzender Überzug auf Keramiken

lüs|tern geschlechtlich gereizt, erregt, begierig; **Lüs|tern|heit** *w. 10 nur Ez.*

Lust|fahrt *w. 10;* **Lust|gar|ten** *m. 8;* **Lust|ge|fühl** *s. 1;* **Lust|ge-**

winn *m. 1 nur Ez., Tiefenpsych.:* Erreichen (vermehrter) sinnlicher Befriedigung; **Lust|häus|chen** *s. 7* kleines Gartenhaus zu geselligem Aufenthalt; **lus|tig;** Bruder Lustig; lustige Person *früher im dt. Theater:* Hanswurst; **Lus|tig|keit** *w. 10 nur Ez.*
Lüst|ling *m. 1* lüsterner Mann
lust|los; Lust|lo|sig|keit *w. 10 nur Ez.;* **Lust|molch** *m. 1, ugs.* Lüstling; **Lust|mord** *m. 1* Mord aus geschlechtl. Begierde; **Lust|mör|der** *m. 5*

Lustration (Worttrennung): Neben der Trennung *Lu|stra|ti|on* ist auch *Lus|tra|ti|on* möglich; darüber hinaus ist die Abtrennung zwischen *t* und *r* möglich. Auf diese Weise kommt der letzte Konsonant auf die neue Zeile: *Lust|ra|ti|on.* Entsprechend: *lü|strie|ren/ lüs|trie|ren/lüst|rie|ren, Lu|strum/Lus|trum/Lust|rum* usw. →§ 107, § 108

Lus|tra|ti|on [lat.] *w. 10* feierliche kultische Reinigung (durch Sühneopfer); **lus|tra|tiv** (kultisch) reinigend; **Lus|tren** *Mz. von* Lustrum; **lus|trie|ren** *tr. 3* (kultisch) reinigen
lüs|trie|ren *tr. 3* fest und glänzend machen (Gewebe)
Lus|trum [lat.] *s. Gen.* -s *Mz.* -stra *oder* -stren **1** altröm., alle fünf Jahre stattfindendes Reinigungs- und Sühneopfer; **2** Zeitraum von fünf Jahren, Jahrfünft
Lust|schloß ► **Lust|schloss** *s. 4;* **Lust|seu|che** *w. 11 nur Ez.* = Syphilis; **Lust|spiel** *s. 1;* **Lust|wäld|chen** *s. 7;* **lust|wan|deln** *intr. 1;* ich lustwandele, lustwandle, bin gelustwandelt
Lu|te|in [lat.] *s. 1 nur Ez.* gelber Farbstoff (in Pflanzenblättern und im Eidotter); **Lu|te|o|lin** *s. 1 nur Ez.* gelber Farbstoff (im Fingerhut und im Gelbkraut)
Lu|te|ti|um [-tsjum, nach Lutetia, dem lat. Namen von Paris] *s. Gen.* -s *nur Ez.* (*Zeichen:* Lu) chem. Element
Lu|the|ra|ner *m. 5* Anhänger der Lehre Martin Luthers; Angehöriger der luther. Kirche; **lu|the|risch** [auch: -te-]; **Lu|ther|rock** *m. 2* hochgeschlossener Gehrock der lutherischen Geistlichen; **Lu|ther|tum** *s. Gen.* -s *nur Ez.*

lut|schen [norddt. lu-] *intr. u. tr. 1;* **Lut|scher** *m. 5* Stielbonbon
lütt *nddt.:* klein
Lut|te *w. 11, Bgb.:* Röhre zum Ableiten von Wasser
Lüt|zel|burg *alter dt. Name von* Luxemburg
Luv *w. Gen.* - *nur Ez., Seew.:* die dem Wind zugekehrte Seite, Luvseite; *Ggs.:* Lee; **lu|ven** *intr. 1, Seew.:* das Schiff nach Luv drehen; **Luv|sei|te** *w. 11 nur Ez.* = Luv
Lux [lat.] *s. Gen.* - *Mz.* - (*Abk.:* lx) Maßeinheit für die Beleuchtungsstärke
Lu|xa|ti|on [lat.] *w. 10* Verrenkung
Lu|xem|burg 1 belg. Provinz; **2** westeurop. Großherzogtum; **3** Hst. von L. (**2**); **Lu|xem|bur|ger** *m. 5;* **lu|xem|bur|gisch**
lu|xie|ren [zu: Luxation] *tr. 3* verrenken
lu|xu|rie|ren [lat.] *intr. 3* **1** *Bot.:* üppig wachsen, sich im Wachstum steigern; **2** übermäßig großes Geweih oder Gebiss ausbilden; **3** reichlich vorhanden sein; **4** *veraltet:* schwelgen; **lu|xu|ri|ös** üppig, verschwenderisch ausgestattet, prunkvoll; **Lu|xus** *m. Gen.* - *nur Ez.* üppiger Aufwand, reiche, wertvolle Ausstattung, Prunk, Verschwendung; L. treiben; **Lu|xus|ar|ti|kel** *m. 5;* **Lu|xus|ho|tel** *s. 9*
Lu|zern 1 Hst. des Kantons L.; **2** schweiz. Kanton
Lu|zer|ne [lat.-frz.] *w. 11* eine Futterpflanze, Schmetterlingsblütler
lu|zid [lat.] hell, durchsichtig; **Lu|zi|di|tät** *w. 10 nur Ez.* Durchsichtigkeit
Lu|zi|fer [lat. »Lichtbringer«] **1** *m. Gen.* -s *nur Ez.* Morgenstern; **2** *ohne Artikel* ein gestürzter Engel, der Teufel, Satan; **lu|zi|fe|risch** teuflisch
Lu|zi|me|ter [lat. + griech.] *s. 5* Gerät zum Messen der auf eine Kugel auftreffenden Sonnenstrahlen
LVA *Abk. für* Landesversicherungsanstalt
Lw 1 *Abk. für* Lew; **2** *Abk. für* Lawrencium
lx *Abk. für* Lux
ly *Abk. für* Lichtjahr
Ly|co|po|di|um [griech.] *s. Gen.* -s *Mz.* -di|en **1** Bärlapp; **2** dessen Sporen

Lyd|dit [nach der engl. Stadt Lydd] *m. 1 nur Ez.* ein Sprengstoff
Ly|der, Ly|di|er *m. 5* Einwohner von Lydien; **Ly|di|en** antikes Königreich in Kleinasien; **Ly|di|er** *m. 5* = Lyder; **ly|disch**
Ly|ki|en antike Landschaft in Kleinasien; **Ly|ki|er** *m. 5;* **ly|kisch**
Lymph|a|de|ni|tis [lat. + griech.] *w. Gen.* - *Mz.* -ti|den Lymphknotenentzündung;
Lymph|a|de|nom *s. 1,* Lymphknotengeschwulst, Lymphom;
Lymph|an|gi|om *s. 1* eine gutartige Lymphgefäßgeschwulst;
Lymph|an|gi|tis *w. Gen.* - *Mz.* -ti|den Lymphgefäßentzündung; **lym|pha|tisch** zur Lymphe, zu den Lymphknoten gehörig, von ihnen ausgehend;
Lymph|drü|se *w. 11, veraltet für* Lymphknoten; **Lym|phe** *w. 11* **1** eiweißhaltige, dem Stofftransport dienende Gewebsflüssigkeit; **2** Impfstoff zur Pockenimpfung; **Lymph|ge|fäß** *s. 1;* **Lymph|kno|ten** *m. 7* kleines Organ innerhalb des Lymphgefäßsystems, produziert die Lymphozyten; **Lym|pho|gra|nu|lo|ma|to|se** *w. 11* bösartige Erkrankung des lymphat. Gewebes mit Geschwulstbildung; **Lym|phom** *s. 1,* **Lym|pho|ma** *s. Gen.* -s *Mz.* -ma|ta = Lymphadenom; **Lym|pho|zyt** *m. 10 meist Mz.* im Lymphgewebe entstehende Zelle, die ins Blut wandert (dort als Leukozyt bezeichnet); **Lym|pho|zy|to|se** *w. 11* krankhafte Vermehrung der Lymphozyten
lyn|chen [Herkunft umstritten] *tr. 1* ungesetzl. verurteilen und töten; **Lynch|jus|tiz** *w. Gen.* - *nur Ez.* ungesetzl. Volksjustiz
Ly|on [lyɔ̃] frz. Stadt; Lyoner Wurst; **Ly|o|ner** *m. 5,* **Ly|o|ne|ser** *m. 5* Einwohner von Lyon; **ly|o|ne|sisch**
Ly|ra [griech.] *w. Gen.* - *Mz.* -ren **1** altgriech. Zupfinstrument, Leier; **2** Handglockenspiel der Militärmusik; **3** *15./16. Jh.:* aus der Fidel entwickeltes Streichinstrument, Lira da braccio; **4** *auch:* Drehleier; **5** *nur Ez.* ein Sternbild, Leier; **Ly|ri|den** *Mz.* ein scheinbar aus dem Sternbild Leier (Lyra) kommender Sternschnuppenschwarm im April

► = wird zu

Ly|rik [griech.] *w. 10 nur Ez.* Dichtungsart in Reimen und/ oder Rhythmus, häufig strophisch gegliedert, die Stimmungen, Gedanken, Erlebnisse ausdrückt; **Ly|ri|ker** *m. 5* Dichter, der Lyrik schreibt; **ly|risch 1** in der Art der Lyrik; **2** stimmungsvoll, gefühlvoll, gefühlsbetont; **Ly|ris|mus** *m. Gen. - nur Ez.* Gefühlsbetontheit, gefühlsbetonte Darstellung; **Ly|ri|zi|tät** *w. 10 nur Ez.* lyrische Beschaffenheit

Ly|sen *Mz. von* Lysis; **ly|si|gen** durch Auflösung entstanden (Gewebslücke); **Ly|sin** *s. 1* Stoff, der Bakterien auflösen kann; **Ly|sis** *w. Gen. - Mz. -sen* **1** allmähl. Fieberrückgang; **2** Auflösung der Zellwand von Bakterien; **3** *Psych.:* Persönlichkeitszerfall

Ly|sol *s. 1 nur Ez.* (Wz) als Desinfektionsmittel verwendete Seifenlösung

Lys|sa [griech.] *w. Gen. - nur Ez.* Tollwut

ly|tisch [zu: Lysis] allmählich sinkend, zurückgehend (Fieber)

Ly|ze|um [griech.] *s. Gen. -s Mz. -ze|en, früher:* **1** höhere Mädchenschule; **2** theologisch-philosophische Hochschule

LZB *Abk. für* Landeszentralbank

M

m 1 *Abk. für* Meter; **2** *Abk. für* Milli...; **3** *Abk. für* Minute; **4** *Astron.: Zeichen für* Minute (^{m})

µ *Zeichen für* Mikron, Mikro..., My

M 1 *röm. Zahlzeichen für* 1000 (Mille); **2** *Abk. für* Mega...

M. *Abk. für* Monsieur

M', Mc *Abk. für* Mac

m² *Abk. für* Quadratmeter

m³ *Abk. für* Kubikmeter

Ma *chem. Zeichen für* Masurium (*heute:* Technetium)

Ma kleinasiatische Mutter- und Kriegsgöttin

mA *Abk. für* Milliampere

MA 1 *Abk. für* Mittelalter **2** *Abk. für* Massachusetts

M.A. *Abk. für* **1** Magister Artium, **2** Master of Arts

Mä|ạn|der [nach dem vielfach gewundenen griech. Fluss Maiandros (heute Menderes) in Kleinasien] *m. 5* **1** regelmäßige Flusswindungen; **2** Ornament in wellenförmigen oder rechtwinklig gebrochenen Linien; **mä|ạn|dern 1** *tr. 1* mit Mäandern verzieren; **2** *intr. 1* sich wellenförmig schlängeln; **mä|an|drie|ren** *intr. u. tr. 3* = mäandern; **mä|ạn|drisch**

Maar, Mar *s. 1* kraterartige, meist runde und mit Wasser gefüllte Bodenvertiefung vulkan. Ursprungs

Maas *w. Gen.* - Fluss in Frankreich, Belgien und den Niederlanden

Maat *m. 1* **1** Unteroffizier der Marine; **2** *Seemannsspr.:* Kamerad, Gehilfe

Mac (*Abk.:* M', Mc) *vor schott. Familiennamen:* Sohn des..., z.B. McCormick, Mackenzie

Ma|cau [-kau], *auch:* Ma|cao, Territorium unter portug. Verwaltung (bis 1999) an der Küste Südchinas

Mac|chia [mạkja, ital.], Macchie [mạkjə] *w. Gen. - Mz.* -chien **1** ein mittelmeerischer immergrüner Strauch; **2** danach benannt: Mittelmeer-Buschwald aus Hartlaubgewächsen

Mac|chie = Mac|chia

Mạch [nach dem österr. Physiker Ernst M.] *s. Gen. - Mz.* - Verhältnis der Geschwindigkeit zur Schallgeschwindigkeit; 1 Mach: einfache, 3 Mach: dreifache Schallgeschwindigkeit

Ma|chạn|del *m. 5, nddt.:* Wacholder; **Ma|chạn|del|baum** *m. 2*

Mạch|art *w. 10*

Mạ|che *w. Gen. - nur Ez., ugs.:* **1** Schein, Vortäuschung; das ist alles nur M.; **2** etwas in der Mache haben *ugs.:* etwas in Arbeit haben, an etwas arbeiten

Mạ|che-Ein|heit ▶ **Mạ|che|ein|heit** [nach dem österr. Physiker Heinrich Mache] *w. 10* (*Abk.:* ME) veraltete Maßeinheit für den Radiumgehalt von Luft und Wasser (bei Heilquellen)

mạ|chen 1 *tr. 1;* das hat mich lachen, weinen gemacht, *auch:* machen; das habe ich mir machen lassen; gemacht! *ugs.:* in Ordnung, abgemacht!; **2** *refl. 1 ugs.;* das macht sich gut, schlecht: das sieht gut, schlecht aus, *oder:* das geht gut, schlecht; **Mạ|chen|schaf|ten** *w. 10 Mz.* Intrige, geheime Abmachungen; dunkle, üble M.; **Mạ|cher** *m. 5 ugs.:* Anstifter, Antreiber; **Mạ|cher|lohn** *m. 2* Lohn für Schneiderarbeit

Ma|chi|a|vel|lịs|mus [-kja-; nach dem ital. Politiker und Schriftsteller Niccolò Machiavelli] *m. Gen. - nur Ez.* polit. Einstellung, die Zweckmäßigkeit und Macht über die Moral stellt; **ma|chi|a|vel|lịs|tisch**

Ma|chi|na|ti|on [-xi-, lat.] *w. 10* heimtück. Anschlag, Machenschaft, Winkelzug; **ma|chi|nie|ren** [-xi-] *intr. 3, veraltet:* Ränke schmieden

Ma|chor|ka [-xọr-, russ.] *m. 9 oder w. 9* russ. Tabak

Mạcht *w. 2;* **Mạcht|ha|ber** *m. 5;* **Mạcht|hun|ger** *m. Gen.* -s *nur Ez.;* **mäch|tig;** **Mäch|tig|keit** *w. 10 nur Ez.;* **mạcht|los;** **Mạcht|lo|sig|keit** *w. 10 nur Ez.;* **Mạcht|po|li|tik** *w. Gen. - nur Ez.;* **Mạcht|stel|lung** *w. 10;* **mạcht|voll;** **Mạcht|voll|kom|men|heit** *w. 10 nur Ez.;* etwas aus eigener M. tun; **Mạcht|wort** *s. 1;* ein M. sprechen

ma|chụl|le *ugs.:* **1** müde, erschöpft; **2** bankrott; **3** verrückt

Mạch|werk *s. 1* schlechte Arbeit

Mạch-Zahl ▶ **Mạch|zahl** *w. 10* = Mach

Mạ|cke *w. 11, ugs.:* Spleen, Verrücktheit; er hat eine M.: er ist ein bisschen verrückt

MAD *Abk. für* Militärischer Abschirmdienst (Spionageabwehr) in Dtld.

Ma|da|gạs|kar Inselstaat vor der Südostküste Afrikas; **Ma|da|gạs|se** *m. 11* Einwohner von Madagaskar; **ma|da|gạs|sisch**

Ma|dạm 1 [frz.] *w. 9 oder w. 10, ugs.:* Hausherrin; *übertr.:* dicke, behäbige Frau; **2** [mædəm, engl.] *w. 9, engl. Anrede (ohne Namen):* gnädige Frau, meine Dame; **Ma|dạm|chen** *s. 7, ugs. scherzh.:* junge Frau; **Ma|dame** [-dạm, frz.] *w. Gen. - Mz.* Mesdames [medạm] (*Abk.:* Mme., *Mz.* Mmes., *schweiz. ohne Punkte) frz. Anrede (allein stehend oder vor dem Namen):* gnädige Frau, meine Dame, Frau...

Ma|da|po|lạm [nach der ind. Stadt M.] *m. Gen.* -(s) *Mz.* -s weicher, feiner Baumwollstoff für Wäsche und Hemden, Renforcé

Mäd|chen *s. 7;* **mäd|chen|haft;** **Mäd|chen|haf|tig|keit** *w. 10 nur Ez.;* **Mäd|chen|han|del** *m. Gen.* -s *nur Ez.;* **Mäd|chen|na|me** *m. 15*

Ma|de *w. 11* Insektenlarve

made in... [meɪd ɪn, engl.] hergestellt in... (Aufdruck auf Waren), z.B. made in Germany

Ma|dei|ra [-de-] **1** portug. Insel im Atlant. Ozean, westlich von Marokko; **2** *m. 9* Süßwein aus Madeira

Mä|del *s. 5, nord- u. mitteldt.:* s. 9, *süddt. auch:* s. 14 = Mädchen; **Mä|del|chen** *s. 7*

Ma|de|moi|selle [mad(ə)moazẹl, frz.] *w. Gen. - Mz.* Mesdemoiselles [medmoazẹl] (*Abk.:* Mlle., *Mz.* Mlles., *schweiz. ohne Punkte) frz. Anrede (allein stehend oder vor dem Namen):* (mein, gnädiges) Fräulein

Ma|den|wurm *m. 4* im menschl. Dickdarm schmarotzender Fadenwurm

▶ = wird zu

Mä|de|süß *s. Gen. - Mz. -* ein Rosengewächs
ma|des|zent [lat.] *Med.:* nässend
ma|dig; jmdn. m. machen *ugs.:* schlecht machen, sich über jmdn. lustig machen; jmdm. etwas m. machen: jmdm. etwas verleiden
Ma|di|son [mædisn, engl.] *m. 9* ein Modetanz
Ma|djar *auch:* **Mad|jar,** *ung.:* Ma|gyar *m. 10* Ungar; **ma|dja|risch** *auch:* **mad|ja|risch** ungarisch; **ma|dja|ri|sie|ren** *auch:* **mad|ja|ri|sie|ren** *tr. 3* ungarisch machen, nach ungar. Muster gestalten; **Ma|dja|ri|sie|rung** *auch:* **Mad|ja|ri|sie|rung** *w. 10 nur Ez.*
Ma|don|na [lat.-ital.] **1** *w. Gen. - nur Ez.* die Jungfrau Maria, die Gottesmutter; **2** *w. Gen. - Mz.* -nen Muttergottesdarstellung, -bild; **Ma|don|nen|bild** *s. 3;* **ma|don|nen|haft; Ma|don|nen|schei|tel** *m. 5* Mittelscheitel
Ma|dras *auch:* **Mad|ras** [nach der ind. Stadt M.] *s. Gen. - Mz. -* gitterartiger Gardinenstoff mit eingewebten, bunten Mustern
Ma|dre|po|re *auch:* **Mad|re|po|re** [lat. + griech.] *w. 11* Steinkoralle, Löcherkoralle
Ma|drid Hst. von Spanien: vgl. Madrilene
Ma|dri|gal *auch:* **Mad|ri-** [ital.] *s. 1* **1** *urspr.:* Hirtenlied; **2** *bes. im 14. und 16. Jh.:* zwei- bis fünfstimmiges ital. Kunstlied; **3** lyr. Gedichtform; **Ma|dri|ga|list** *auch:* **Mad|ri-** *m. 10* Komponist von Madrigalen; **ma|dri|ga|lis|tisch** *auch:* **mad|ri-** in der Art eines Madrigals
Ma|dri|le|ne *auch:* **Mad|ri-** *m. 11* Einwohner von Madrid
Ma|es|tà [maɛstạ, ital.] *w. Gen. - nur Ez.* bildl. Darstellung der thronenden Madonna; **ma|es|to|so** [maɛs-] *Mus.:* majestätisch, würdevoll, erhaben
Ma|es|tra|le [maɛs-] *m. Gen. -(s) nur Ez., ital. Bez. für* Mistral
Ma|es|tro [ital.] *m. Gen. -(s) Mz. -*tri **1** Meister, Künstler, *bes.:* Komponist; **2** *ital. Bez. für* Dirigent, Musiklehrer
Mä|eu|tik [griech. »Hebammenkunst«], Mai|eu|tik *w. Gen. - nur Ez.* die Methode des Sokrates, durch geschicktes Fragen den Schüler zur Erkenntnis und zum richtigen Antworten zu führen; **mä|eu|tisch,** mai|eutisch
Maf|fia, Ma|fia *w. Gen. - nur Ez.* ital. Geheimbund, bes. auf Sizilien; **Ma|fi|o|so** *m. Gen.- Mz.* -si, **Ma|fi|o|te** *m. 11* Angehöriger der Mafia
Ma|ga|lhães, Ma|gel|lan, Ma|gal|la|nes, *Fernão de* [magaljɑ̃ıʃ, fernɑ̃o] portug. Seefahrer (um 1480–1521); **Ma|ga|lhães|stra|ße** *w. 11 nur Ez.* Meeresstraße zwischen der Südspitze des festländischen Südamerika und der Insel Feuerland
Ma|ga|zin [arab.-ital.] *s. 1* **1** Vorratsraum, Lagerhaus; **2** *in Bibliotheken:* Aufbewahrungsraum für Bücher; **3** *in automat. Handfeuerwaffen:* Patronenkammer; **4** unterhaltende Zeitschrift (meist auf niedrigem Niveau); **5** *Rundfunk, Fernsehen:* über Tagesereignisse informierende, oft musikalisch aufgelockerte Sendung; **Ma|ga|zi|ner** *m. 5, schweiz.:* Magazinarbeiter; **Ma|ga|zi|neur** [-nør] *m. 1, österr.:* Lagerverwalter; **ma|ga|zi|nie|ren** *tr. 3* im Magazin (**1, 2**) unterbringen, lagern, aufbewahren
Magd *w. 2*
Mag|da|lé|ni|en [-njɛ̃, nach dem Fundort, der Höhle La Madeleine im frz. Departement Dordogne] *s. Gen. -(s) nur Ez.* eine Stufe der Altsteinzeit
Mag|de|burg Hst. von Sachsen-Anhalt
Mäg|de|lein, Mägd|lein *s. 7, poet. veraltet:* Mädchen
Ma|gel|lan [-gelan] *eindeutschende Schreibung von* Magalhães
Ma|gen *m. 8;* **Ma|gen|bit|ter** *m. 5* ein Kräuterlikör; **Magen-Darm-Ka|nal,** Ma|gendarm|ka|nal *m. 2;* **Ma|gen-Darm-Ka|tarrh** ► *auch:* **Ma|gen-Darm-Ka|tarr,** Ma|gendarm|ka|tarrh, Ma|gen|darm|ka|tarr *m. 1;* **Ma|gen|drü|cken** *s. Gen. -s nur Ez.;* **Ma|gen|ge|schwür** *s. 1;* **Ma|gen|gru|be** *w. 11;* **Ma|gen|knur|ren** *s. Gen. -s nur Ez.;* **Ma|gen|pfört|ner** *m. 5;* **Ma|gen|saft** *m. 2;* **Ma|gen|säu|re** *w. 11;* **Ma|gen|schleim|haut** *w. 2;* **Ma|gen|sen|kung** *w. 10;* **ma|gen|stär|kend; ma|ger; Ma|ger|keit** *w. 10 nur Ez.;* **Ma|ger|milch** *w. 10 nur Ez.*
mag|gio|re [madʒọrə, ital.] *ital. Bez. für* Dur; *Ggs.:* minore
Ma|ghreb *auch:* **Magh|reb** [arab.] *m. Gen. -s nur Ez.* das muslim. Gebiet westlich von Ägypten; **ma|ghre|bi|nisch** *auch:* **magh|re-**
Ma|gie [griech.] *w. 11* Zauber, Zauberkunst, Beschwörung übersinnlicher Kräfte; schwarze Magie: Beschwörung böser Kräfte; weiße Magie: Beschwörung guter Kräfte; **Ma|gi|er** *m. 5* jmd., der sich auf Magie versteht, Zauberer
Ma|gi|not|li|nie [-ʒino-, *ugs.:* mạ-, nach dem frz. Politiker A. Maginot] *w. 11 nur Ez.* ehem. Befestigungsstreifen entlang der frz. Ostgrenze
ma|gisch; magisches Auge: Abstimmanzeiger am Radioapparat; magisches Quadrat: schachbrettartig in Felder unterteiltes Quadrat, die Zahlen, mit denen die Felder bezeichnet sind, ergeben waagerecht, senkrecht und diagonal die gleiche Summe
Ma|gis|ter [lat.] *m. 5* **1** *urspr.:* höchster akadem. Grad, Hochschullehrer; **2** *dann: Berufsbez. für* Lehrer; **3** *in Großbritannien und den USA:* akadem. Grad nach dem Bakkalaureus, vgl. Master of Arts; **4** *heute:* ein akadem. Grad; **5** *österr. auch Titel für* Apotheker: Magister pharmaciae (*Abk.:* Mag. pharm.); Magister Artium (*Abk.:* M. A.) *im MA:* Magister der freien Künste, *heute* = Magister (**4**); **Ma|gis|trat** *auch:* **Ma|gist|rat** *m. 1* **1** *im alten Rom:* hoher Beamter, z. B. Konsul; **2** *heute:* Stadtverwaltungsbehörde; **3** *schweiz.:* Regierungsmitglied; **Ma|gis|tra|tur** *auch:* **Ma|gist|ra|tur** *w. 10, veraltet:* behördl. Amt, behördl. Würde
Mag|ma [griech.] *s. Gen. -s Mz.* -men geschmolzenes Gestein im Erdinnern; **mag|ma|tisch;**

> **Magna-, Magne-, Magni-, Magno-** (Worttrennung): Es bleibt dem/der Schreibenden überlassen, neben der bisher üblichen Trennungsmöglichkeit *(Ma|gna-, Ma|gne-, Ma|gni-, Ma|gno-)* auch nach der Aussprache abzutrennen: *Mag|na-, Mag|ne-, Mag|ni-, Mag|no-.* →§ 110

Mag|ma|tit *m. 1* Erstarrungsgestein

Magna Char|ta *auch:* **Mag|na** [-kar-, engl.: mægnə katə, »große Urkunde«] *w. Gen. - - nur Ez.* das engl. Grundgesetz von 1215, mit dem sich der Adel Vorrechte erzwang und die Macht des Königs einschränkte

magna cum lau|de [lat.] mit großem Lob; ein Examen m.c.l. bestehen; vgl. summa cum laude

Ma|gnat *auch:* **Mag|nat** [auch: maŋnat, lat.] *m. 10* **1** *früher in Polen und Ungarn:* hoher Adliger; **2** Großgrundbesitzer; **3** Großindustrieller, z. B. Industrie-, Stahlmagnat

Ma|gne|sia *auch:* **Mag|ne|sia** [auch: maŋne-, nach der altgriech. Landschaft M.] *w. Gen. - nur Ez.* ein Neutralisationsmittel bei Säurevergiftungen; **Ma|gne|sit** *m. 1* ein Mineral; **Ma|gne|si|um** *s. Gen. -s nur Ez.* (*Zeichen:* Mg) chem. Element, Metall; **Ma|gne|si|um|sul|fat** *s. 1* Bittersalz

Ma|gnet *auch:* **Mag|net** [auch: maŋnet, griech.] *m. 1* Eisen anziehender Körper; **ma|gne|tisch 1** Eisen anziehend; **2** wie ein Magnet; **Ma|gne|ti|seur** [-zør] *m. 1* Heilkundiger, der mit Magnetismus behandelt, Magnetopath; **ma|gne|ti|sie|ren** *tr. 3* **1** magnetisch machen; **2** mit Magnetismus behandeln; **Ma|gne|tis|mus** *m. Gen. - nur Ez.* **1** Gesamtheit aller magnet. Erscheinungen; **2** Fähigkeit, Heilkräfte auszustrahlen und auf andere Menschen wirken zu lassen; **3** darauf beruhendes Heilverfahren; **Ma|gne|tit** *m. 1 nur Ez.* ein Mineral, ein Eisenerz; **Ma|gnet|na|del** *w. 11* Kompassnadel; **Ma|gne|to|graf** *m. 10* = Magnetograph; **ma|gne|to|gra|fisch** = magnetographisch; **Ma|gne|to|graph** ► *auch:* **Ma|gne|to|graf** *m. 10* Gerät zum selbsttätigen Aufzeichnen erdmagnetischer Schwankungen; **ma|gne|to|gra|phisch** ► *auch:* **ma|gne|to|gra|fisch; Ma|gne|to|hy|dro|dy|na|mik** *w. 10 nur Ez.* (*Abk.:* MHD) Lehre von den Wechselwirkungen zwischen elektrisch leitenden, strömenden Flüssigkeiten und auf sie einwirkenden Magnetfeldern; **Ma|gne|to|me|ter** *s. 5* Gerät zum Messen magnetischer Feldstärke und des Erdmagnetismus; **Ma|gne|ton** *s. Gen. - Mz. -* Einheit der magnet. Stärke eines Elementarteilchens; **Ma|gne|to|path** *m. 10* = Magnetiseur; **Ma|gne|to|pa|thie** *w. 11 nur Ez.* Heilwirkung durch Magnetismus; **Ma|gnet|pol** *m. 1 nur Ez.* der nicht mit dem geograf. Pol übereinstimmende magnet. Pol der Erde; **Ma|gne|tron** *s. Gen. -s Mz. -s oder* -tro|ne, spezielle Elektronenröhre zur Erzeugung und Verstärkung von Mikrowellen; **Ma|gnet|ton|ge|rät** *s. 1* Tonbandgerät; **Ma|gnet|ton|ver|fah|ren** *s. 7*

ma|gni|fik *auch:* **mag|ni-** [lat.-frz.] *veraltet:* prächtig, großartig; **Ma|gni|fi|kat** *s. 1* Lobgesang Marias, Teil der kath. Vesper; **Ma|gni|fi|kus** *m. Gen. - Mz.* -fi|zi, *veraltet:* Rektor einer Hochschule; **Ma|gni|fi|zenz** *w. 10, Titel und Anrede für den* Rektor einer Hochschule

Ma|gno|lie *auch:* **Mag|no-** [-lja, auch: maŋnoljə, nach dem frz. Botaniker Pierre Magnol] *w. 11* ein Zierbaum

Mag. pharm. *österr.: Abk. für* Magister pharmaciae (österr. akadem. Titel für Apotheker)

Ma|gus *m. Gen. - Mz. nicht üblich, selten für* Magier

Ma|gyar [madjar] *m. 10* = Madjar

Ma|ha|bha|ra|ta *auch:* **Ma|hab|ha|ra|ta** [sanskr.] *s. Gen. -(s) nur Ez.* altind. Nationalepos

Ma|ha|go|ni [Eingeborenenspr. von Jamaika] *s. Gen. -s nur Ez.* Holz des Mahagonibaums; **Ma|ha|go|ni|baum** *m. 2* mittelamerik. Baum mit wertvollem, rötl. Holz

Ma|ha|ja|na [sanskr. »großes Fahrzeug«], Ma|ha|ya|na *s. Gen. -(s) nur Ez.* die jüngere, nördliche, freie Richtung des Buddhismus; vgl. Hinajana

Ma|ha|ra|dscha *auch:* **-rad|scha** [sanskr.] *m. 9* ind. Großfürst; **Ma|ha|ra|ni** *w. 9* Frau eines Maharadschas; **Ma|hat|ma** *m. 9, ind. Ehrentitel für* geistig hochstehenden Menschen

Ma|haut [sanskr.], Ma|hut *m. 9* ind. Elefantenführer

Ma|ha|ya|na *s. Gen. -(s) nur Ez.* = Mahajana

Mäh|bin|der *m. 5;* **Mahd** *w. 10* **1** das Mähen; das Gemähte; **2** *schweiz.:* Bergwiese; **Mäh|der** *m. 5, landschaftlich für* Mäher

Mah|di [arab.] *m. 9* der von den Muslimen erwartete, von Allah gesandte Welterneuerer, der das Werk Mohammeds vollenden wird; **Mah|dis|mus** *m. Gen. - nur Ez., im 19. Jh.:* Bewegung des Mohammed Achmed, der sich für den Mahdi ausgab und die ägypt. Regierung bekämpfte; **Mah|dist** *m. 10* Anhänger des Mahdismus

Mäh|dre|scher *m. 5;* **mä|hen 1** *tr. 1* abschneiden (Gras, Getreide); **2** *intr. 1* »mäh« schreien; **Mä|her** *m. 5*

Mah-Jongg [-dʒɔŋ, chin.], Ma-Jongg *s. Gen. -(s) nur Ez.* ein chin. Gesellschaftsspiel mit gemusterten Steinen, aus denen Bilder zusammengesetzt werden müssen

Mahl 1 *s. 4 oder s. 1* Mahlzeit, Essen; **2** *s. 1* german. Gerichtsverhandlung

mah|len *tr.*, mahlte, gemahlen

mäh|lich *selten für* allmählich

Mahl|statt *w. Gen. - Mz.* -stät|ten, **Mahl|stät|te** *w. 11* german. Gerichtsstätte

Mahl|strom *m. 2* = Malstrom

Mahl|zahn *m. 2, bei Pflanzenfressern:* Backenzahn

Mahl|zeit *w. 10*

Mahn|brief *m. 1*

Mäh|ne *w. 11*

mah|nen *tr. 1;* **Mah|ner** *m. 5;* **Mahn|mal** *s. 1;* **Mah|nung** *w. 10;* **Mahn|ver|fah|ren** *s. 7*

Ma|ho|nie [-njə, nach dem amerik. Botaniker B. MacMahon] *w. 11* ein Zierstrauch

Mahr *m. 1* Nachtgespenst, Alb

Mäh|re 1 *w. 11* altes, schlechtes Pferd; **2** *m. 11,* Mäh|rer *m. 5* Einwohner von Mähren

Mäh|ren, *tschech.:* Mo|ra|va, Teil der Tschechischen Republik; **Mäh|rer** *m. 5* = Mähre (**2**); **Mäh|re|rin, Mäh|rin** *w. 10* Einwohnerin von Mähren; **mäh|risch;** *aber:* Mährische Pforte

Ma|hut *m. 9* = Mahaut

Mai *m. Gen. -(s) nur Ez.* fünfter Monat des Jahres; **Mai|baum** *m. 2;* **Mai|blu|me** *w. 11* = Maiglöckchen; **Mai|bow|le** [-bo:lə] *w. 11* Waldmeisterbowle

Maid *w. 10, veraltet poet., heute noch iron.:* Mädchen

► = wird zu

Mai|den [mɛɪdən, engl.] *s. 7* junges, bei Rennen noch nicht erprobtes oder noch nicht erfolgreiches Pferd

Maie *w. 11* junge Birke, Birkenzweige; **Mai|en** *m. 1* **1** Maibaum; **2** *schweiz.:* Blumenstrauß; **Mai|en|säß** *s. 1, schweiz.:* Bergweide

Mai|eu|tik *w. Gen. - nur Ez.* = Mäeutik

Mai|fei|er *w. 11;* **Mai|fei|er|tag** *m. 1* der 1. Mai; **Mai|glöckchen** *s. 7* eine Frühlingsblume, Maiblume; **Mai|kä|fer** *m. 5;* **mai|kä|fern** *intr. 1, ugs. scherz.:* nachdenken, still und eifrig arbeiten; **Mai|kö|nig** *m. 1;* **Mai|kö|ni|gin** *w. 10*

Mai|land, *ital.:* Mil|a|no, ital. Stadt; **Mai|län|der** *m. 5;* **mai|län|disch**

Mai|ling [mɛɪ-, engl.] *s. Gen.* -s *nur Ez.* Verschicken von Werbematerial durch die Post

Mail-Or|der [mɛɪl-, engl.] *w. Gen. - nur Ez.* Verkauf bestimmter Waren durch Prospektversand u. Ä., wobei der Empfänger zur Bestellung per Post veranlasst werden soll

Main|au ► *auch:* **Mai|nau** Insel im Bodensee

Maine [mɛɪn] (*Abk.:* ME) Staat der USA

Main|fran|ken Landschaft am mittleren Main, Unterfranken; **main|frän|kisch; Main|li|nie** *w. 11 nur Ez.* gedachte Trennungslinie zwischen Nord- und Süddeutschland

Maire [mɛr, frz.] *m. 9, frz. Bez. für* Bürgermeister; **Mai|rie** [mɛ-] *w. 11, frz. Bez. für* Bürgermeisterei

Mais [Indianerspr.] *m. 1* eine Getreidepflanze, Türkischer Weizen, Welschkorn

Maisch *m. 1* = Maische; **Maisch|bot|tich** *m. 1;* **Mai|sche** *w. 11* **1** mit Wasser aufgesetztes Darrmalz zur Bierherstellung; **2** gekelterte Weintrauben; **3** mit Wasser und Stärkerohstoff gemischtes Grünmalz zur Spiritusgewinnung; **mai|schen** *intr. u. tr. 1* zu Maische anrühren

Mais|kol|ben *m. 7*

Mai|so|net|te [mɛzɔnɛt(ə)] *w. 11 oder w. 9* zweistöckige Wohnung innerhalb eines größeren Hauses

Maiß *m. 1, österr.* **1** Jungwald; **2** Holzschlag

Maî|tre de plai|sir [mɛtrə də plɛzir, frz.] *m. Gen. - - - Mz.* -s - - [mɛtrə - -] *veraltet, noch scherzh.:* jmd., der ein Festprogramm leitet

Ma|jes|tas Do|mi|ni [lat. »Erhabenheit des Herrn«] *w. Gen. - - nur Ez.* Darstellung des thronenden Christus; **Ma|jes|tät** *w. 10* **1** *nur Ez.* Hoheit, Erhabenheit; *Titel und Anrede für* Kaiser, König; Euer, Eure M. (*Abk.:* Ew. M.); Ihre M. (*Abk.:* I. M.); Seine M. (*Abk.:* S(e). M.); **2** Kaiser, König; die Majestäten: Kaiser und Kaiserin bzw. König und Königin; **ma|jes|tä|tisch; Ma|jes|täts|be|lei|di|gung** *w. 10;* **Ma|jes|täts|ver|bre|chen** *s. 7* **1** *in Monarchien:* Hoch-, Landesverrat; **2** *übertr.:* schweres Verbrechen

ma|jeur [maʒœr, frz.] *frz. Bez. für* Dur; *Ggs.:* mineur

Ma|jo|li|ka [nach der Insel Mallorca] *w. Gen. - Mz.* -ken, *Bez. für* Fayence (und deren Nachahmungen)

Ma-Jongg [-dʒɔŋ] *s. Gen.* -(s) *nur Ez.* = Mah-Jongg

Ma|jo|nä|se, Ma|yon|nai|se [nach der Stadt Mahon auf Menorca (Balearen)] *w. 11,* kalte, gewürzte Tunke aus Eidotter und Öl

ma|jor [mɛɪdʒə, engl.] *engl. Bez. für* Dur; *Ggs.:* minor

Ma|jor [lat.] *m. 1* Offizier(sgrad) zwischen Hauptmann und Oberstleutnant

Ma|jo|ran [auch: -ran, griech.], Mai|ran, Mei|ran *m. 1 nur Ez.* eine Gewürzpflanze

Ma|jo|rat [lat.] *s. 1* **1** Recht des ältesten Sohnes auf das Erbgut; **2** das Erbgut selbst; *auch:* Seniorat; *Ggs.:* Minorat; **Ma|jo|rats|herr** *m. Gen.* -n *oder* -en *Mz.* -en **Ma|jor|do|mus** *m. Gen. - Mz. -, im Frankenreich* **1** Hausmeier; **2** Befehlshaber des Heeres; **ma|jo|renn** *veraltet:* volljährig, mündig; Ggs.: minorenn; **Ma|jo|ren|ni|tät** *w. 10 nur Ez., veraltet:* Volljährigkeit, Mündigkeit; **ma|jo|ri|sie|ren** *tr. 3* überstimmen, durch Stimmenmehrheit besiegen; **Ma|jo|ri|tät** *w. 10 nur Ez.* Mehrheit, Stimmenmehrheit; *Ggs.:* Minorität; **Ma|jo|ri|täts|be|schluß** ► **Ma|jo|ri|täts|be|schluss** *m. 2;* **Ma|jo|ri|täts|prin|zip** *s. Gen.* -s *nur Ez.*

Ma|jus|kel [lat.] *w. 11* Großbuchstabe; *Ggs.:* Minuskel

ma|ka|ber [arab.-frz.] grausig-düster, mit dem Gedanken an den Tod spielend, mit dem Schrecklichen spaßend

Ma|ka|dam [nach dem schott. Straßenbauer J. L. MacAdam] *m. 1 oder s. 1* ein Straßenbelag aus Schotter, Splitt und Sand; **ma|ka|da|mi|sie|ren** *tr. 3* mit Makadam belegen

Ma|kak [Bantu-port.] *m. 12 oder m. 10* ein meerkatzenartiger Affe

Ma|kao **1** [Hindi] *m. 9* eine Papageienart; **2** [nach der portug. Kolonie Macao] *s. Gen.* -s *nur Ez.* ein Glücksspiel mit Würfeln und Karten

Ma|ka|ris|mus [griech.] *m. Gen. - Mz.* -men Seligpreisung, bes. in der Bergpredigt

Ma|kart|bu|kett [nach dem österr. Maler Hans Makart] *s. 1* Strauß aus getrockneten Blumen und Gräsern

Ma|ke|do|ni|en = Mazedonien

Ma|kel *m. 5* Mangel, Fehler, Schandfleck

Mä|kel|ei *w. 10;* **mä|ke|lig,** mäk|lig; **ma|kel|los; Ma|kel|lo|sig|keit** *w. 10 nur Ez.;* **mä|keln** *intr. 1* etwas auszusetzen haben, nörgeln; am Essen mäkeln; ich mäkele, mäkle

> **Make-up:** Man setzt einen Bindestrich in substantivisch gebrauchten Zusammensetzungen, ebenso bei Aneinanderreihungen: *das Make-up, Make-up-frei.* → § 43, § 44

Make-up [mɛɪkʌp, engl.] *s. 9* **1** Verschönerung, Verjüngung des Gesichts mit kosmet. Mitteln; **2** Creme zum Glätten oder Bräunen der Gesichtshaut

Ma|ki [port.] *m. 9* ein Halbaffe, Lemure

Ma|ki|mo|no [jap.] *s. 9* jap. querformatiges Rollbild aus Seide oder Papier; vgl. Kakemono

Mak|ka|bä|er [hebr.] *m. 5* Angehöriger eines jüd. Priester- und Herrschergeschlechtes; **mak|ka|bä|isch**

Mak|ka|ro|ni [griech.-ital.] *w. Gen. - Mz. -* lange, röhrenförmige Nudel; **mak|ka|ro|nisch** in schlechtem Latein abgefasst; makkaronische Dichtung: Scherzgedichte aus lateinischen und latinisierten, aus anderen

Sprachen stammenden Wörtern; *auch:* Gedichte aus Wörtern von zweierlei Sprachen
Mak|ler *m. 5* Vermittler für den Kauf und Verkauf von Grundstücken, Häusern, Wohnungen, Wertpapieren
Mäk|ler *m. 5* jmd., der ständig mäkelt
mäk|lig, mä|ke|lig
Ma|ko *m., w. oder s. Gen.* -(s) *nur Ez.,* **Ma|ko|baum|wol|le** *w. 11 nur Ez.,* ägypt. Baumwolle
Ma|ko|ré [frz.] *s. 9 nur Ez.* ein Hartholz, Afrikanischer Birnbaum
makr …, Makr … vgl. makro …, Makro …

> **Makra-, Makre-, Makro-** (Worttrennung): Dem/der Schreibenden bleibt es überlassen, ob er/sie statt der bisher üblichen Trennungsform *(Ma|kra-, Ma|kre-, Ma|kro-)* nach der Aussprache abtrennt: *Mak|ra-, Mak|re-, Mak|ro-.* → § 110

Ma|kra|mee [arab.-türk.] *s. 9* Knüpfarbeit, geknüpfte Franse
Ma|kre|le [mlat.] *w. 11* ein Meeresfisch, Speisefisch
ma|kro …, Ma|kro … [griech.] *in Zus.:* lang …, groß …, Lang …, Groß …
Ma|kro|bi|o|se [griech.] *w. 11 nur Ez., Med.:* Langlebigkeit; **Ma|kro|bi|o|tik** *w. 10 nur Ez.* **1** Kunst, das Leben zu verlängern; **2** Ernährung hauptsächlich von Körnern und Gemüse; **ma|kro|ke|phal** = makrozephal; **Ma|kro|kli|ma** *s. Gen.* -s *nur Ez.* Klima in größeren Gebieten, Großklima; *Ggs.:* Mikroklima; **ma|kro|kos|misch;** **Ma|kro|kos|mos** *m. Gen.* - *nur Ez.* Weltall; *Ggs.:* Mikrokosmos; **Ma|kro|me|lie** *w. 11 nur Ez.* = Riesenwuchs; **Ma|kro|mo|le|kül** *s. 1* Riesenmolekül aus Tausenden oder Millionen von Atomen; **ma|kro|mo|le|ku|lar** aus Makromolekülen bestehend
Ma|kro|ne [frz.] *w. 11* kleines, rundes Gebäck aus Mandeln, Eiern, Zucker, Mehl u. a.
Ma|kro|öko|no|mie *w. 11* Gruppen von Wirtschaftseinheiten betrachtende ökonomische Analyse; **Ma|kro|po|de** [griech.] *m. 11 meist Mz.* ein Labyrinthfisch (für Aquarien), z. B. der Paradiesfisch; **ma|kro|sko|pisch** *auch:* **mak|ros|ko-** mit bloßem Auge wahrnehmbar; **Ma|kro|so|mie** *w. 11 nur Ez.* = Riesenwuchs; **Ma|kro|the|o|rie** *w. 11 nur Ez.* Teil der Wirtschaftswissenschaft, der sich mit der gesamten Volkswirtschaft befasst; **ma|kro|ze|phal,** ma|kro|ke|phal, großköpfig; *Ggs.:* mikrozephal; **Ma|kro|ze|pha|lie,** Ma|kro|ke|pha|lie *w. 11 nur Ez.* abnorm große Kopfform; *Ggs.:* Mikrozephalie; **Ma|kro|zyt** *m. 10* große (jugendl.) Form der roten Blutkörperchen
Ma|ku|la|tur [lat.] *w. 10 nur Ez.* **1** schadhafte oder fehlerhafte, nicht verwendete Druckbogen, Altpapier; **2** Abfall in der Papierindustrie; **3** M. reden *übertr.:* Unsinn reden; **ma|ku|lie|ren** *tr. 3* zu Makulatur machen, einstampfen

> **mal/Mal:** Mehrteilige Adverbien, Konjunktionen, Präpositionen oder Pronomen schreibt man zusammen, wenn Wortart, Wortform oder Bedeutung der einzelnen Bestandteile nicht mehr erkennbar ist: *diesmal, einmal, keinmal, manchmal, zweimal.* → § 39 (1)
> Bei besonderer Betonung ist auch Getrenntschreibung möglich: *acht Mal, ein Mal.*
> Die substantivierte und erweiterte Form wird großgeschrieben: *das erste Mal, das letzte Mal, ein einziges Mal, zum achten Mal(e), einige Mal(e), etliche Mal(e), manches Mal, mehrere Mal(e), Dutzend Mal(e), viele Mal(e), Millionen Mal, von Mal zu Mal.*
> → § 39 E2 (1), § 55 (4)

mal 1 (*Zeichen:* ×, ·); zwei mal zwei ist (macht, gibt) vier; *aber:* zweimal, fünfmal; **2** *ugs. kurz für:* einmal; dort bin ich schon mal gewesen; das ist mal was anderes; komm mal her!
…mal; z. B. zweimal, zehnmal, hundertmal; *in Ziffern:* 2-mal, 10-mal, 100-mal, vieltausendmal; drei- bis viermal; einmal; keinmal; diesmal, *auch:* dieses Mal; **Mal 1** *s. 1;* das erste, letzte, zweite, einzige, nächste, vorige Mal; das eine Mal, das andere Mal; zum ersten, letzten Mal; beim nächsten Mal; ein letztes Mal; ein anderes Mal; ein ums andere Mal; dieses, manches Mal; manch liebes Mal, manches liebe Mal; mehrere Male; beim soundsovielten, x-ten Mal; zu wiederholten Malen; von Mal zu Mal; **2** *s. 1 oder s. 4* Zeichen, Fleck; Grenzstein, Grenzpfahl; Denkmal, Mahnmal
Ma|la|chi|as [-xi-] = Maleachi
Ma|la|chit [-xit, griech.] *m. 1* smaragdgrünes Mineral; **ma|la|chit|grün**
ma|la|de [frz.] *ugs.:* krank, erschöpft, müde
ma|la fi|de [lat.] *Rechtsw.:* im bösen Glauben, wissentlich unberechtigt
Ma|la|ga 1 span. Hafenstadt und Provinz; **2** *m. 9* Süßwein aus Malaga
Ma|lai|e *m. 11* Angehöriger einer Völkergruppe in Süd- und Hinterindien und Westindonesien; **Ma|lai|in** *w. 10;* **ma|lai|isch**; Malaiischer Archipel, Malaiischer Bund = Malaya (**2**); **Ma|lai|isch** *s. Gen.* -(s) *nur Ez.* zu den indonesischen Sprachen gehörende Sprache der Malaien

> **Malaise/Maläse:** Die fremdsprachige Form ist die Hauptvariante *(die Malaise),* die integrierte (eingedeutschte) Form die zulässige Nebenvariante *(die Maläse).* → § 20 (2)

Ma|lai|se ► *auch:* **Ma|lä|se** [-lɛz(ə), frz.] *w. 11, österr.: s. 14, schweiz.: s. 5* **1** Übelkeit; **2** Missstimmung, moralisches oder politisches Unbehagen
Ma|lak|ka, Ma|lac|ca Halbinsel in Südostasien
Ma|la|ko|lo|ge [griech.] *m. 11;* **Ma|la|ko|lo|gie** *w. 11 nur Ez.* Lehre von den Weichtieren; **ma|la|ko|lo|gisch;** **Ma|la|ko|zo|on** *s. Gen.* -s *Mz.* -zo|en, *veraltet:* Weichtier
Ma|lam|bo [karib.] *m. 9* Nationaltanz der argentin. Gauchos
Ma|la|ria [ital.] *w. Gen.* - *nur Ez.* endemisch auftretende Infektionskrankheit in den Tropen und Teilen Europas, Sumpf-, Wechselfieber
Ma|lä|se *w. 11* = Ma|lai|se
Ma|la|wi, *früher:* Nyassaland, Njassaland, Staat in Ostafrika; **Ma|la|wi|er** *m. 5;* **ma|la|wisch**
Ma|la|ya 1 die Halbinsel Malak-

ka; **2** Malaiischer Bund, *heute:* Teil von Malaysia; **Ma|la|ya|lam** *s. Gen.* -(s) *nur Ez.* eine drawid. Sprache; **Ma|lay|er** *m. 5;* **ma|lay|isch; Ma|lay|sia** südostasiat. Bundesstaat; **Ma|lay|si|er** *m. 5;* **ma|lay|sisch**

Ma|la|zie [griech.] *w. 11, Med.:* Erweichung

Ma|le|a|chi [-xi], Ma|la|chi|as [-xi-] Prophet des AT

Ma|le|dik|ti|on [lat.] *w. 10, veraltet:* Verwünschung

Ma|le|di|ven *Mz.* Inselstaat im Indischen Ozean; **Ma|le|di|ver** *m. 5;* **ma|le|di|visch**

ma|le|di|zie|ren *tr. 3, veraltet:* verwünschen; **Ma|le|fi|kant** *m. 10,* **Ma|le|fi|kus** *m. Gen. - Mz.* -zi, *veraltet:* Übeltäter; **Ma|le|fiz** *s. 1, veraltet:* Übeltat; **Ma|le|fiz|kerl** *m. 1* Draufgänger, Teufelskerl

ma|len *tr. 1*

Ma|le|par|tus *m. Gen. - nur Ez., in der Tierfabel:* Wohnung des Fuchses

Ma|ler *m. 5;* **Ma|le|rei** *w. 10;* **ma|le|risch**

Ma|le|sche [frz.] *w. 11* Unannehmlichkeit, Schererei

Mal|heur [malør, frz.] *s. 9* kleines Unglück, Missgeschick

Ma|li, *amtlich:* République du M., Staat in Westafrika

Ma|li|ce [-lis(ə), frz.] *w. 11* Bosheit, boshafte Bemerkung

Ma|li|er *m. 5* Einwohner von Mali

...ma|lig; ein-, dreimalig, *in Ziffern:* 3-malig

ma|li|gne *auch:* **ma|lig|ne** [lat.] *Med.:* bösartig (von Geschwülsten); *Ggs.:* benigne; **Ma|li|gni|tät** *auch:* **Ma|lig|ni|tät** *w. 10 nur Ez., Med.:* Bösartigkeit; *Ggs.:* Benignität

Ma|li|mo [Kunstw.] *s. Gen. - nur Ez.; ehem. DDR:* textiles Gewebe, durch Weben und Nähen hergestellt

ma|li|zi|ös [frz.] boshaft, hämisch

mall 1 *Seew.:* gedreht (Wind); **2** *übertr.:* verrückt, verdreht, von Sinnen; **Mall** *s. 1* Modell, Schablone für Schiffsteile; **mal|len 1** *tr. 1* nach dem Mall bearbeiten; **2** *intr. 1* sich drehen, umspringen; der Wind mallt

Mal|lor|ca [majɔr-] span. Insel im Mittelmeer

Mal|lung *w. 10 nur Ez.* Umspringen, Drehen (des Windes)

Malm [engl.] *m. Gen.* -(e)s *nur Ez.* obere Abteilung des Juras

mal|neh|men *tr. 88;* 8 mit 4 malnehmen

Ma|loc|chio *auch:* **Ma|loc|chio** [malɔkjo, ital.] *m. Gen.* -s *Mz.* -s *oder* -oc|chi [-ɔki] böser Blick

mal|o|chen [jidd.] *ugs.:* schwer arbeiten

Ma|lo|ja *m. Gen.* -(s), **Ma|lo|ja|paß** ▶ **Ma|lo|ja|pass** *m. 2 nur Ez.* schweiz. Alpenpass

Mal|strom, Mahl|strom *m. 2 nur Ez.* **1** Meeresstrom zwischen den Lofoten mit starker Wirbelbildung; **2** *übertr.:* Strudel, Sog

Mal|ta 1 Inselstaat (Maltesische Inseln) südlich von Sizilien; **2** Hauptinsel von (**1**); **Mal|ta|fie|ber** *s. Gen.* -s *nur Ez.* eine Infektionskrankheit

Mal|ta|se *w. 11 nur Ez.* Malzzucker spaltendes Ferment

Mal|ter *m. 5 oder s. 5* **1** altes Getreidemaß, 100–700 l; **2** *früher:* Mahllohn

Mal|te|ser *m. 5* Einwohner von Malta; **Mal|te|ser|kreuz** *s. 1* **1** Kreuz, dessen Balken sich zur Mitte hin verjüngen und außen in je zwei Spitzen enden, Abzeichen der Malteserritter bzw. Johanniter; **2** dem M. ähnliche Transportvorrichtung in Filmapparaten; **Mal|te|ser|or|den** *m. 7; seit 1530 Name für* Johanniterorden; **Mal|te|ser|rit|ter** *m. 5* Angehöriger des Malteserordens; **mal|te|sisch;** *aber:* Maltesische Inseln

Mal|to|se *w. 11 nur Ez.* Malzzucker

mal|trä|tie|ren *auch:* **mal|trä-** [frz.] *tr. 3* misshandeln, quälen

Mal|lus [lat.] *m. 1 oder Gen. - Mz. -* **1** Prämienzuschlag bei Versicherungen; **2** verschlechternder Abschlag auf Zeugnisnoten u. Ä.; *Ggs.* Bonus (**2**)

Mal|va|sier [-va-] *m. 1 nur Ez.* Süßwein aus dem Gebiet um die griech. Stadt Monemvasía (ital.: Malvasía)

Mal|ve [-və] *w. 11* eine Zier- und Heilpflanze; **mal|ven|far|ben, mal|ven|far|big** rosenrot; **Mal|ven|tee** *m. 9*

Malz *s. 1 nur Ez.* angekeimtes Getreide; **Malz|bier** *s. 1 nur Ez.;* **mal|zen, mäl|zen** *tr. 1* Malz herstellen; **Mäl|zer** *m. 5* Arbeiter, der Malz herstellt; **Mäl|ze|rei** *w. 10;* **Malz|kaf|fee** *m. 9;*

Malz|zu|cker *m. Gen.* -s *nur Ez.* Maltose

Ma|ma [ugs. und Kinderspr.: mama] *w. 9;* **Ma|ma|chen** *s. 7*

Mam|ba [afrik. Eingeborenenspr.] *w. 9* eine afrik. Giftschlange

Mam|bo *m. 9* ein kuban. Tanz

Ma|me|luck [arab.], Ma|mel|uk *m. 10* **1** *urspr.:* türk. Sklave, Leibwächter am pers. und ägypt. Hof; **2** *1250–1517:* Angehöriger eines ägyptischen Herrschergeschlechts; **ma|me|lu|ckisch**

Ma|mi, Mam|mi *w. 9, Koseform für* Mama

Ma|mil|la [lat.] *m. Gen. - Mz.* -len Brustwarze; **Ma|mil|la|ria,** Mam|mil|la|ria *w. Gen. - Mz.* -rien ein mexikan. Kaktus, Warzenkaktus

Mam|ma [lat.] *w. Gen. - Mz.* -mae [-mɛ:] **1** Brustdrüse; **2** *bei Säugetieren:* Zitze; **Mam|ma|lia** *Mz., Sammelbez. für* Säugetiere; **Mam|mi** *w. 9* = Mami; **Mam|mil|la|ria** *w. Gen. - Mz.* -rien = Mamillaria; **Mam|mo|gra|phie** ▶ *auch:* **Mam|mo|gra|fie** [lat. + griech.] *w. 11* Röntgenuntersuchung der weibl. Brust

Mam|mon [aram.] *m. Gen.* -s *nur Ez., abwertend:* Geld, Reichtum; der schnöde M.; **Mam|mo|nis|mus** *m. Gen. - nur Ez.* **1** Geldgier; **2** Geldherrschaft; **Mam|mons|die|ner** *m. 5*

Mam|mut [jakut.-frz.] *s. 1 oder s. 9* ausgestorbene Elefantenart, Wollhaarelefant; **Mam|mut...** *in Zus.:* riesig, Riesen ..., z. B. Mammutunternehmen; **Mam|mut|baum** *m. 2* ein Nadelbaum

mamp|fen *tr. 1, süddt.:* mit vollen Backen kauen, essen

Mam|sell [frz.] *w. 10 oder w. 9* **1** *veraltet, noch scherzh.:* Fräulein; **2** für die Küche verantwortl. Angestellte in Gaststätten, auf Gütern u. A.; kalte M. *ugs.:* Angestellte in Restaurants, die kalte Speisen anrichtet; **Mam|sell|chen** *s. 7, veraltet:* kleines Fräulein

man 1 jedermann, jeder, jemand, die Leute; man erzählt sich, dass ...; man kann nie wissen; das sieht man dir an; hat man sowas schon gehört?; **2** *norddt. ugs.:* mal; nur; denn man los!; geh man bloß weg hier!

Man **1** [mæn] brit. Insel in der Irischen See; **2** [pers.] *s. Gen.* - *Mz.* - altes pers. Gewicht, 2 kg und mehr
Ma|na [melanes.-polynes.] *s. Gen.* -(s) *nur Ez., im magischen Denken:* eine Menschen, Tieren oder Dingen innewohnende, übernatürl. Kraft
Mä|na|de [griech.] *w. 11* **1** verzückte, rasende Begleiterin des griech. Weingottes Dionysos; **2** *allg.:* rasendes Weib
Ma|nage|ment [mænɪdʒmənt, engl.] *s. 9* **1** Leitung (eines Betriebes) auf betriebswirtschaftl. Grundlage; **2** Gesamtheit der leitenden Angestellten
Ma|nage|ment-Buy-out [mænɪdʒmənt baɪ aʊt, engl.] *m. Gen.* - *nur Ez.* Kauf eines Unternehmens durch sein Management; **ma|na|gen** [mænɪdʒən] *tr. 1, ugs.* **1** etwas m.: zuwege bringen, bewerkstelligen; ich manage, managte es, habe es gemanagt [-mænɪdʒt]; **2** jmdn. m.: betreuen, um ihn in den Vordergrund zu rücken; **Ma|na|ger** [mænɪdʒər] *m. 5* **1** Leiter (eines Unternehmens); **2** Betreuer (eines Berufssportlers oder Künstlers); **Ma|na|ger-krank|heit** *w. 10 nur Ez.* nervöse Erkrankung mit Kreislaufstörungen und Erschöpfung infolge übermäßiger berufl. Beanspruchung in verantwortl. Position
manch (-er, -e, -es) **1** *immer Kleinschreibung:* manche sagen ...; ich kann dir darüber manches erzählen; mancher hat schon geglaubt, er könnte ...; manche von uns; **2** *Beugung: a) Nominativ:* manch einer; manch Gutes, manches Gute; manch kluger Mann, mancher kluge Mann; manche kluge (klugen) Männer; *b) Genitiv:* manch eines; manches Guten; manch klugen Mannes, manches klugen Mannes, mancher kluger (klugen) Männer; *c) Dativ:* mit manch einem; mit manchem Guten; mit manch klugem Mann, mit manchem klugen Mann, mit manchen klugen Männern; *d) Akkusativ:* für manch einen; für manch Gutes, für manches Gute; für manch klugen Mann, für manchen klugen Mann, für manche kluge (klugen) Männer

Man|cha [-tʃa] *w. Gen.* - *nur Ez.* Landschaft in Spanien
man|chen|orts, man|cher|orts; **man|cher|lei; man|cher|orts**
Man|ches|ter [mæntʃɪstər] **1** engl. Stadt; **2** *m. Gen.* -(s) *Mz.* -, *kurz für* Manchestersamt; **Man-ches|ter|samt** *m. 1* kräftiger, gerippter Samt; **Man|ches|ter-schu|le** *w. 11 nur Ez.*, **Man-ches|ter|tum** *s. Gen.* -s *nur Ez.* extreme Form des Wirtschaftsliberalismus, die jede Einmischung des Staates in die Wirtschaft ablehnt

> **manchmal/manches Mal:** Mehrteilige Adverbien schreibt man zusammen: *Er hat sie manchmal gesehen.* [→ § 39 (1)]. Ebenso: *einmal, diesmal* usw.
> Die substantivierte und erweiterte Form wird getrennt geschrieben: *Manches Mal war er unerträglich.* → § 39 E2 (1)

manch|mal [auch: -mal] *aber:* manches Mal
Man|dä|er *m. 5* Angehöriger einer heidnisch-gnostischen Täufersekte im Irak und Iran; **man|dä|isch**
Man|da|la [sanskr.] *s. Gen.* -(s) *Mz.* -s, *Buddhismus:* magische Kreis- oder Vieleckfigur als Meditationsmittel
Man|dant [lat.] *m. 10* Auftrag-, Vollmachtgeber (bes. eines Rechtsanwalts); **Man|dan|tin** *w. 10*
Man|da|rin [sanskr.] *m. 1* **1** *ursprüngl. portugiesische Bez. für:* einheimischer Würdenträger in Hinterindien; **2** *dann europ. Bez. für:* hoher chines. Beamter; **Man|da|ri|ne** *w. 11* kleine apfelsinenähnliche Frucht; **Man|da|ri|nen|baum** *m. 2;* **Man-da|rin|en|te** *w. 11* kleine ostasiat. Ente
Man|dat [lat.] *s. 1* **1** Auftrag, Vollmacht; **2** Auftrag (der Wähler) für einen Abgeordneten, *auch:* das Amt des Abgeordneten; **3** von einem Staat in Treuhand verwaltetes Gebiet; **Man|da|tar** *m. 1* **1** jmd., der im Auftrag eines anderen handelt; **2** *österr.:* gewählter Volksvertreter; **Man|da|tar|staat** *m. 12* Staat, der ein Mandat (**3**) verwaltet
Man|del *w. 11* **1** altes Mengenmaß, 15 (kleine M.) bzw. 16 (große M.) Stück; **2** Frucht des Mandelbaums; **3** mandelförmiges paariges Organ am Gaumen (Gaumenmandeln) und im Rachen (Rachenmandeln), Tonsille; **Man|del|baum** *m. 2;* **Man|del|kleie** *w. 11 nur Ez.* aus Mandeln gewonnenes Körperwaschmittel; **Man|del|milch** *w. 10 nur Ez.* ein Hautpflegemittel
Man|derl|ste|hauf *s. Gen.* - *Mz.* -, *österr.:* Stehaufmännchen
Man|di|bel [lat.] *w. 11* **1** *bei Wirbeltieren und Menschen:* Unterkieferknochen; **2** *bei Insekten und Krebsen:* Teil der Mundwerkzeuge; **man|di|bu|lar** zu den Mandibeln gehörig
Man|di|o|ka [indian.-span.] *w. Gen.* - *nur Ez.* = Maniok
Mandl *s. 14, bayr., österr.:* **1** Männchen; **2** Vogelscheuche
Man|do|la [griech.] *w. Gen.* - *Mz.* -len Man|do|ra *w. Gen.* - *Mz.* -ren ein Zupfinstrument, eine Oktave tiefer als die Mandoline; **Man|do|li|ne** *w. 11* ein Zupfinstrument
Man|do|ra *w. Gen.* - *Mz.* -ren = Mandola
Man|dor|la [ugs.: -dor-, ital.] *w. Gen.* - *Mz.* -len mandelförmiger Heiligenschein um die ganze Gestalt
Man|dra|go|ra [pers.] *w. Gen.* - *Mz.* -go|ren, **Man|dra|go|re** *w. 11* ein Nachtschattengewächs (seine angeblich zauberkräftige Wurzel: Alraun)
Man|drill [afrik.] *m. 1* eine meist bunt gefärbte Art der Paviane, Hundskopfaffe
Man|dschu *auch:* **Mand|schu** *m. 9 oder Gen.* - *Mz.* - **1** Mandschu|re *auch:* Mand|schu|re *m. 11* Angehöriger eines tungus. Volksstammes; **2** *s. Gen.* - *nur Ez.* dessen Sprache; **Man-dschu|kuo** *auch:* **Mand|schu|kuo** *1934–1945:* Name der Mandschurei; **Man|dschu|re** *auch:* **Mand|schu|re** *m. 11* = Mandschu (**1**); **Man|dschu|rei** *auch:* **Mand|schu|rei** *w. Gen.* - Gebiet in Nordostchina; **man|dschu-risch** *auch:* **mand|schu|risch**
Ma|ne|ge [-ʒə, frz.] *w. 11* **1** kreisförmiger Platz für die Vorführungen im Zirkus; **2** Reitbahn
Ma|nen [lat.] *Mz., röm. Myth.:* die guten Geister der Verstorbenen

mang *berlinerisch, norddt.:* mitten unter, zwischen
Man|ga|be [afrik.] *w. 11* ein afrik. Affe, Meerkatze
Man|gan [griech.] *s. 1 nur Ez.* (*Zeichen:* Mn) chem. Element, ein Metall; **Man|ga|nat** *s. 1* Salz der Mangansäure; **Man|ga|nin** *s. 1 nur Ez.* Legierung aus Mangan, Kupfer und Nickel; **Man-ga|nit** *m. 1 nur Ez.* ein Mineral; **man|gan|sau|er; Man|gan|säu-re** *w. 11 nur Ez.* hypothet. Säure mit sechswertigem Mangan
Man|ge *w. 11, bayr., schwäb. für* Mangel (**2**); **Man|gel 1** *m. 6* Fehlen (von etwas); Armut, Not, Entbehrung; **2** *w. 11* Bügelmaschine, Heiß-, Wäschemangel; **Man|gel|er|schei|nung** *w. 10;* **man|gel|haft; Män|gel-haf|tung** *w. 10 nur Ez.;* **Man-gel|krank|heit** *w. 10;* **man|geln 1** *intr. 1* fehlen; ihm mangelt das Können, es mangelt ihm an Können; **2** *tr. 1* mit der Mangel bügeln; glätten; **Män|gel|rü|ge** *w. 11* Klage über mangelhafte Waren oder Ausführung; **man-gels** *mit Gen.:* aus Mangel an, wegen Fehlens von; m. eines besseren Gerätes; m. Beweises; **Man|gel|wa|re** *w. 11;* **man|gen** *tr. 1, bayr., schwäb. für* mangeln (**2**)
Man|go [mal.] *w. Gen. - Mz.* -gonen Frucht des Mangobaums, Mangofrucht, Mangopflaume; **Man|go|baum** *m. 2* ein trop. Sumachgewächs
Man|gold *m. 1* eine Gemüsepflanze
Man|go|pflau|me *w. 11* = Mango
Man|gro|ve *auch:* **Mang|ro|ve** [mal. oder drawid.] *w. 11* ein an Flussmündungen und in Meeresbuchten tropischer Gebiete wachsender Laubbaum; **Man-gro|ve(n)|baum** *auch:* **Mang|ro-** *m. 2*
Man|gus|te [drawid.] *w. 11* = Ichneumon
Man|hat|tan [mænhætən] **1** Stadt in Kansas (USA); **2** Stadtteil von New York
Ma|ni|chä|er *m. 5* **1** Anhänger des Manichäismus; **2** *Studentenspr.:* lästiger, drängender Gläubiger; **Ma|ni|chä|is|mus** *m. Gen. - nur Ez.* von dem Perser Mani gestiftete, aus altpers. und christl. Elementen gemischte Religion
Ma|ni|chi|no [-ki-, ital.] *m. 9* Gliederpuppe (für Kleiderstudien)
Ma|nie [griech.] *w. 11* **1** krankhafte Gemütsveränderung mit gesteigertem Selbstgefühl, Erregungszuständen u. A. **2** leidenschaftl. Liebhaberei, Besessenheit, Sucht
Ma|nier [frz.] **1** *w. 10 nur Ez.* Art, Eigenart, Stil; **2** *Mz.* Umgangsformen, (gutes) Benehmen; (keine) Manieren haben; gute, schlechte Manieren; **ma-nie|riert** übertrieben, gekünstelt, unnatürlich; **Ma|nie|riert-heit** *w. 10 nur Ez.;* **Ma|nie|ris-mus** *m. Gen. - nur Ez.* **1** Stilrichtung der Malerei zwischen Renaissance und Barock mit langgestreckten Formen und unruhigen Farben; **2** *allg.:* übertreibender, gekünstelter Stil; **Ma-nie|rist** *m. 10* Vertreter des Manierismus; **ma|nie|ris|tisch; ma|nier|lich** wohlerzogen, mit guten Manieren
ma|ni|fest [lat.] handgreiflich, deutlich, offenkundig; **Ma|ni-fest** *s. 1* **1** öffentl. Erklärung; Darlegung eines Programms; **2** das Programm selbst; **3** *Seew.:* Verzeichnis der Schiffsladung; **Ma|ni|fes|ta|ti|on** *w. 10* **1** Offenbarwerden, Erkennbarwerden; **2** öffentl. Erklärung; **3** *schweiz.:* Demonstration; **ma|ni|fes|tie-ren 1** *tr. 3* öffentlich erklären, kundgeben; **2** *refl. 3* sichtbar, erkennbar werden
Ma|ni|hot [indian.] *m. 9* = Maniok
Ma|ni|kü|re [frz.] *w. 11* **1** Pflege der Hände und bes. der Fingernägel; vgl. Pediküre; **2** Angestellte in Frisiersalons u. A., die Maniküre betreibt; **ma|ni|kü-ren** *tr. 1;* jmdn. m., jmdm. die Hände m.; manikürte Hände, Fingernägel
Ma|ni|la 1 Stadt auf den Philippinen; **2** *m. 9, kurz für* Manilatabak; **Ma|ni|la|hanf** *m. Gen. -s nur Ez.* Bastfaser einer philippinischen Faserbanane; **Ma|ni|la|ta|bak** *m. 1* philippinischer Tabak
Ma|nil|le [-niljə, span.] *w. 11* **1** hufeisenförmiger Armring; **2** *Lomber:* Trumpfkarte
Ma|ni|ok [indian.] *m. 9* eine trop. Nutzpflanze mit essbaren Knollen, Kassave, Mandioka, Manihot
Ma|ni|pel 1 [lat.] *m. 5, im alten Rom:* Unterabteilung einer Kohorte; **2** [ital.] *w. 11, kath. Kirche:* am linken Unterarm des Messgewandes getragenes, farbiges Band
Ma|ni|pu|lant [lat.] *m. 10* Sortierer, Zurichter von Fellen; **Ma-ni|pu|la|ti|on** *w. 10* **1** Zurichtung von Fellen; **2** (geschickter) Handgriff, Kunstgriff; **3** *Mz.* Machenschaften; **Ma|ni|pu|la-tor** *m. 13* Gerät, das die Bewegungen von Hand und Fingern auf entfernte Gegenstände überträgt (zum Hantieren mit radioaktiven Substanzen hinter Strahlenschutzwänden); **ma|ni-pu|lier|bar; Ma|ni|pu|lier|bar-keit** *w. 10 nur Ez.;* **ma|ni|pu|lie-ren 1** *intr. 3* (geschickte) Handgriffe, Kunstgriffe anwenden; **2** *tr. 3* zurichten (Felle); **3** *tr. 3* beeinflussen, steuern
ma|nisch an Manie leidend, zur Manie (**1**) gehörend; **ma-nisch-de|pres|siv** abwechselnd manisch und depressiv; manisch-depressives Irresein: erbl. Gemütskrankheit, durch abwechselnd gehobene, erregte und niedergeschlagene Stimmung gekennzeichnet
Ma|nis|mus [lat.] *m. Gen. - nur Ez.* Ahnen-, Totenverehrung
Ma|ni|tu [indian.] *bei den nordamerik. Indianern:* »großer Geist«, übersinnl., gottähnl. Macht
man|kie|ren [lat.] *intr. 3, veraltet:* fehlen, mangeln; **Man|ko** *s. 9* **1** Mangel; **2** Fehlbetrag, Ausfall
Mann 1 *m. 4;* **2** *m. Gen.* -es *Mz.* - Person; alle Mann an Deck!; vier Mann (hoch); hundert Mann; pro Mann fünf Mark; **3** *Mz.* Man|nen *früher:* Dienst-, Gefolgs-, Lehnsmann
Man|na [hebr.] *s. Gen.* -s *oder w. Gen. - nur Ez.* **1** *im AT:* Himmelsbrot, Wundernahrung, mit der Gott die Juden in der Wüste speiste; **2** aus der Rinde mancher Bäume austretender, süßer Saft; **3** Ausscheidungen der Mannaschildlaus; **Man|na-flech|te** *w. 11* essbare, vorder- und zentralasiat. Flechte; **Man-na|schild|laus** *w. 2* Zuckersaft ausscheidende Schildlaus der Mittelmeergebiete; **Man|na-zu|cker** *m. Gen.* -s *nur Ez.* = Mannit

mạnn|bar; Mạnn|bar|keit *w. 10 nur Ez.;* **Männ|chen** *s. 7, Mz. auch:* Mạ̈n|ner|chen; **Mạ̈n|ne|ken** *s. 7, norddt. für* Männchen; **mạn|nen** *tr. 1, Seew.:* von Mann zu Mann weiterreichen; **Mạn|nen|treue** *w. 11 nur Ez.*

Mạn|ne|quin [-kɛ̃, frz.] *s. 9* **1** *früher:* Gliederpuppe (für Maler und Bildhauer), Schaufensterpuppe; **2** *heute:* Vorführdame für Kleidung auf Modenschauen

Mạ̈n|ner|chen *Mz. von* Männchen; **Mạ̈n|ner|kind|bett** *s. 12 bei manchen Naturvölkern:* Brauch, dass der Mann die Stelle der Wöchnerin einnimmt, um böse Geister von ihr abzulenken; **Mạ̈n|ner|treu** *w. Gen. - nur Ez.* = Ehrenpreis; **Mạn|nes|al|ter** *s. Gen. -s nur Ez.;* **Mạn|nes|kraft** *w. 2 nur Ez.;* **Mạn|nes|schwä|che** *w. 11 nur Ez.* Impotenz; **Mạn|nes|stamm** *m. 2 nur Ez.* männl. Linie in der Geschlechterfolge; sich im M. vererben; das Geschlecht ist im M. ausgestorben; **Mạn|nes|wort** *s. 1;* **Mạnn|geld** *s. 3* = Wergeld; **mạnn|haft; Mạnn|haf|tig|keit** *w. 10 nur Ez.;* **Mạnn|heit** *w. 10 nur Ez.*

mạn|nig|fach; mạn|nig|fal|tig; Mạn|nig|fal|tig|keit *w. 10 nur Ez.*

mạ̈n|nig|lich *veraltet:* **1** männlich; **2** jeder, jedermann; **Mạ̈n|nin** *w. 10* **1** Mannweib, Heldenweib; **2** *biblisch:* Frau

Man|ni̱t [zu: Manna] *m. 1* ein fester, kristallinischer, süßlich schmeckender Alkohol, in Manna, Algen, Sellerie u. a., Mannazucker

Mạ̈nn|lein *s. 7;* **mạ̈nn|lich; Mạ̈nn|lich|keit** *w. 10 nur Ez.;* **Mạnn|loch** *s. 4* Öffnung zum Einsteigen in große Gefäße, z. B. Dampfkessel; **Mạnns|bild** *s. 3 ugs., meist scherzh. oder abwertend, gelegentlich auch anerkennend:* Mann; **Mạnn|schaft** *w. 10;* **Mạnn|schafts|sport** *m. 1;* **mạnns|dick; mạnns|hoch; Mạnns|hö|he** *w. 11 nur Ez.;* etwa in M.; ein Baum von M.; **Mạnns|leu|te** *nur Mz., ugs., abwertend:* Männer; **Mạnns|per|son** *w. 10, ugs., abwertend;* **mạnns|toll** = nymphoman; **Mạnns|toll|heit** *w. 10 nur Ez.* = Nymphomanie; **Mạnns|volk** *s. 4 nur Ez., ugs.:* Männer; **Mạnns|zucht** *w. Gen. - nur Ez.* Disziplin; **Mạnn|weib** *s. 3* **1** Zwitter; **2** sehr männliche, betont männlich auftretende Frau

ma̱|no dẹs|tra [ital.] (*Abk.:* m. d.) *Mus.:* mit der rechten Hand (zu spielen)

Ma|no|me̱|ter [griech.] *s. 5* Druckmesser (für Gase und Flüssigkeiten); **ma|no|me̱|trisch** *auch:* **-me̱t|risch** mit Hilfe des Manometers

ma non tạn|to [ital.] *Mus.:* aber nicht so sehr; allegro ma non tanto; **ma non trọp|po** *Mus.:* aber nicht zu sehr

ma̱|no si|nịs|tra [ital.] (*Abk.:* m. s.) *Mus.:* mit der linken Hand (zu spielen)

Ma|nö̱|ver [frz.] *s. 5* **1** Truppen-, Flottenübung; **2** Drehung, Schwenkung (des Schiffes); **3** *übertr.:* Scheinmaßnahme, Kunstgriff; **ma|nö|vri̱e|ren** *auch:* **-növ|ri̱e-** *intr. 3;* **ma|nö|vri̱er|fä|hig** *auch:* **-növ|ri̱er-** (Schiff); **Ma|nö|vri̱er|fä|hig|keit** *auch:* **-növ|ri̱er-** *w. 10 nur Ez.;* **ma|nö|vri̱er|un|fä|hig** *auch:* **-növ|ri̱er-;** **Ma|nö|vri̱er|un|fä|hig|keit** *auch:* **-növ|ri̱er-** *w. 10 nur Ez.*

Man|sạr|de [nach dem frz. Architekten F. Mansard] *w. 11* Dachzimmer, ausgebauter Dachstuhl; **Man|sạr|den|woh|nung** *w. 10*

Mạnsch *m. 1 nur Ez., mittel-, norddt.:* dickflüssige Substanz, Brei, wässeriges Essen, nasser Schmutz; **mạn|schen** *intr. 1* mit Wasser spielen; **Man|sche|re̱i** *w. 10 nur Ez.*

Man|schẹt|te [frz.] *w. 11* **1** Ärmelaufschlag; **2** Zierhülle aus Krepppapier um Blumentöpfe; **3** *Ringen:* ein verbotener Würgegriff; **4** *Mz., Gaunerspr.:* Handschellen; **5** Dichtungsring für Kolben; **6** Manschetten haben *ugs.:* Angst haben; **Man|schẹt|ten|knopf** *m. 2*

Mạn|tel *m. 6;* **Mạ̈n|tel|chen** *s. 7;* einer Sache ein M. umhängen *ugs.:* sie verschleiern, beschönigen; **Mạn|tel|ge|setz** *s. 1* Rahmengesetz; **Mạn|tel|kro|ne** *w. 11, Zahnmed.:* Jacketkrone; **Mạn|tel|pa|vi|an** *m. 1* ein Pavian; **Mạn|tel|sack** *m. 2, veraltet:* Reisetasche; **Mạn|tel|tier** *s. 1* sackförmiges, festsitzendes Meerestier, ältestes Wirbeltier, Tunikate

Mạn|tik [griech.] *w. 10 nur Ez.* Seher-, Wahrsagekunst

Man|til|le [-tịljə, span.] *w. 11, früher:* **1** Schulterumhang für Frauen; **2** Spitzenschleier für Kopf und Schultern

Man|tịs|se [lat.] *w. 11, bei Logarithmen:* die hinter dem Komma stehende Zahl

Mạ̈nt|lein, Mạ̈n|tel|lein *s. 7, poet.*

Mạntsch *m. 1 nur Ez., Nebenform von* Mansch; **mạnt|schen** *intr. 1, Nebenform von* manschen

Ma|nu|a̱l [lat.] *s. 1* **1** *veraltet:* Tagebuch, Notizbuch für tägl. Eintragungen; **2** mit den Händen zu spielende Tastenreihe (bei Orgel, Harmonium, Cembalo); *Ggs.:* Pedal (**3**); **ma|nu|ẹll** mit der Hand, Hand ...; manuelle Tätigkeit; **Ma|nu|fạkt** *s. 1* Erzeugnis der Handarbeit; **Ma|nu|fak|tu̱r** *w. 10* **1** Herstellung mit der Hand; **2** mit der Hand hergestelltes Erzeugnis der Industrie; **3** Betrieb, in dem Waren mit der Hand hergestellt werden; **ma|nu|fak|tu|ri̱e|ren** *tr. 3* mit der Hand herstellen; **Ma|nu|fak|tu|rịst** *m. 10* **1** Leiter einer Manufaktur (**3**); **2** Händler mit Manufakturwaren (**1**); **Ma|nu|fak|tu̱r|wa|re** *w. 11* **1** mit der Hand hergestellte Industrieware; **2** Textilware, die nach Wunsch abgemessen und vom Ballen abgeschnitten wird, Meterware

Ma|nu̱l|druck [nach dem Erfinder Max Ullmann] *m. 1* ein fotochem. Flachdruckverfahren (zum Nachdruck alter Bücher)

ma̱|nu prọ|pria *auch:* **- prọp|ria** [lat.] (*Abk.:* m. p., m. pp., m. pr.) *veraltet:* eigenhändig; **Ma|nu|skrịpt** *auch:* **-nus|krịpt** *s. 1* (*Abk.:* Ms., *Mz.* Mss., *oder Ez. und Mz.:* Mskr.) urspr. handgeschriebenes, heute meist Maschine geschriebenes Schriftwerk als Vorlage für den Druck

Mạnx *s. Gen. - nur Ez.* zu den kelt. Sprachen gehörender Dialekt der Insel Man

Man|za|nil|la [manθanịlja, span.] *m. Gen. -(s) nur Ez.* ein Süßwein; **Man|za|nil|lo|baum** [manθanịljo-], **Man|zi|nẹl|la|baum** *m. 2* ein mittelamerik. Wolfsmilchgewächs, aus dessen Früchten früher Pfeilgift gewonnen wurde

Ma|o|ịs|mus *m. Gen. - nur Ez.*

von Mao Ze-dong geprägte Form des Kommunismus; **Ma|o|ist** *m. 10;* **ma|o|is|tisch**

Ma|o|ri 1 *m. 9 oder Gen. - Mz.* - Eingeborener Neuseelands; **2** *s. Gen.* -(s) *nur Ez.* dessen Sprache

Mäpp|chen *s. 7;* **Map|pe** *w. 11*

Ma|quet|te [-kɛt(ə), frz.] *w. 11* Entwurf, Skizze

Ma|quis [-ki, frz.] *m. Gen. - nur Ez.* **1** *eigtl.:* Buschwald, Unterholz; **2** *frz. Bez. für* Macchia; **3** *im 2. Weltkrieg* Name der frz. Widerstandsbewegung; **Ma|qui|sard** [makizar] *m. 9* Angehöriger des Maquis (**3**)

Mar *s. 1* = Maar

Mär *w. 10,* Mä|re *w. 11* **1** *veraltet:* Märchen, Sage; **2** *heute nur noch scherzh.:* Geschichte, unverbürgte Nachricht

Ma|ra|bu [arab.] *m. 9* afrik. Storchenvogel mit Kehlsack; **Ma|ra|but** *m. Gen.* -(s) *Mz.* - islam. Einsiedler, Heiliger, auch dessen Grabstätte

Ma|ra|ne *m. 11* = Marrane

Ma|rä|ne [slaw.] *w. 11* ein Lachsfisch

ma|ran|tisch [zu: Marasmus], ma|ras|tisch abgezehrt, schwach

Ma|ras|chi|no [-ki-, lat.] *m. 9* aus dalmatin. Sauerkirschen hergestellter Likör

Ma|ras|mus [griech.] *m. Gen. - nur Ez.* geistig-körperl. Kräfteverfall; **ma|ras|tisch** = marantisch

Ma|ra|thon|lauf [nach dem Lauf des Boten, der die Nachricht vom Sieg der Griechen über die Perser bei Marathon nach Athen brachte] *m. 2* Langstreckenlauf über 42,2 km, der bes. bei den Olymp. Spielen ausgetragen wird; **Ma|ra|thon|läu|fer** *m. 5*

Mar|bel 1 *w. 11* eine grasartige Pflanze, Simse; **2** *w. 11* Mär|bel, Murmel; **3** *m. 5 oder s. 5* hölzernes Formgerät der Glasbläser; **4** *m. 5 oder s. 5, alem.:* Marmor; **Mär|bel** *w. 11* = Marbel (**2**)

mar|ca|to [ital.] *Mus.:* markant, deutlich hervorgehoben

March *w. 10, schweiz.:* Flurgrenze, Grenzstein

Mär|chen *s. 7;* **Mär|chen|buch** *s. 4;* **mär|chen|haft**

Mar|che|sa [-ke-, ital.] *w. Gen. - Mz.* -sen weibl. Marchese; **Mar|che|se** [-ke-] *m. 11* ital. Adelstitel zwischen Graf und Herzog

Mar|cia [-tʃa, ital.] *w. Gen. - Mz.* -cie [-tʃe], *ital. Bez. für* Marsch; Marcia funebre: Trauermarsch

Mar|der *m. 5*

Ma|re [lat. »Meer«] *s. Gen. - Mz. - oder* -ria *meist Mz.* große, dunkle Ebene auf der Oberfläche von Mond und Mars

Mä|re *w. 11* = Mär

Ma|rel|le w. 11, *Nebenform von* Marille

Ma|ren|da [ital.], **Ma|ren|de** *w. Gen. - Mz.* -den, *österreich., schweiz.:* Nachmittagsmahlzeit, Vesper, Jause

ma|ren|go [nach der ital. Stadt Marengo] *unflektierbar:* grau oder braun mit weißen Punkten; **Ma|ren|go** *m. 9* schwarzweiß- oder graumelierter Kammgarnstoff für Mäntel und Kostüme

Ma|re|o|graph ► *auch:* **Ma|re|o|graf** [lat. + griech.] *m. 10* selbst schreibender Flutmesser

Mar|ga|rin *w. 10, österr. für* Margarine; **Mar|ga|ri|ne** [griech.] *w. 11* aus pflanzl. (oder tier. und pflanzl.) Fett hergestelltes, butterähnl. Speisefett

Mar|ge [marʒ(ə), frz.] *w. 11* **1** Abstand, Spielraum; **2** Preis-, Verdienstspanne

Mar|ge|ri|te *w. 11* eine Wiesenblume

mar|gi|nal [lat.] **1** auf dem Rand stehend; **2** *Bot.:* randständig (Samenanlage); **Mar|gi|na|lie** [-ljə] *w. 11* **1** (geschriebene oder gedruckte) Randbemerkung; **2** Glosse, Kurzkommentar

Ma|ri|age [-aʒ(ə), frz.] *w. 11* **1** *veraltet:* Heirat, Ehe; **2** *Kartenspiel:* Zusammentreffen von König und Dame

Ma|riä-Him|mel|fahrts-Fest *s. 1*

Ma|ri|a|nen *Mz.* Inselgruppe im Pazif. Ozean

ma|ri|a|nisch zur Jungfrau Maria gehörend; Marianische Kongregationen: kath. Vereinigungen zur Verehrung der Jungfrau Maria, oft getrennt nach Geschlecht, Alter und Berufsart

ma|ria-the|re|si|a|nisch zur Kaiserin Maria Theresia gehörend; **Ma|ria-The|re|si|en-Ta|ler, Ma|ria|the|re|si|en|ta|ler** *m. 5, 18. Jh.:* österr. Silbertaler

Ma|ri|en|bild *s. 3;* **Ma|ri|en|dich|tung** *w. 10;* **Ma|ri|en|kä|fer** *m. 5;* **Ma|ri|en|kir|che** *w. 11;* **Ma|ri|en|le|ben** *s. 7, Kunst:* Bilderfolge mit Darstellungen aus dem Leben der Jungfrau Maria; **Ma|ri|en|würm|chen** *s. 7* Marienkäfer

Ma|ri|hu|a|na [span.] *s. Gen.* -(s) *nur Ez.* ein Rauschgift

Ma|ril|le [ital.] *w. 11, bes. österr.:* Aprikose; **Ma|ril|len|knö|del** *m. 5, österr.:* gekochter Kloß mit einer Marille und einem Stück Zucker darin

ma|rin [lat.-frz.] zum Meer gehörend

Ma|ri|na|de [frz.] *w. 11* **1** saure Würztunke zum Einlegen von Fisch und Fleisch; **2** das darin Eingelegte selbst; **Ma|ri|ne** [lat.] *w. 11 nur Ez.* Gesamtheit der Seeschiffe eines Staates und ihrer Besatzungen, Flotte; **ma|ri|ne|blau** dunkelblau; **Ma|ri|ne|of|fi|zier** *m. 1;* **Ma|ri|ner** *m. 5, ugs. scherzh.:* Marinesoldat, Matrose; **ma|ri|nie|ren** *tr. 3* in Marinade einlegen; **Ma|ri|nis|mus** *m. Gen. - nur Ez.* **1** Streben, eine starke Marinemacht aufzubauen; **2** [nach dem ital. Dichter Giambattista Marini] ital. Form des überladenen literar. Barockstils; **Ma|ri|nist** *m. 10* Vertreter des Marinismus (**2**); **ma|ri|nis|tisch** zum Marinismus (**2**) gehörend, in der Art des M.

Ma|ri|o|la|trie *auch:* **-lat|rie** [griech.] *w. 11 nur Ez.* Marienverehrung; **Ma|ri|o|lo|gie** *w. 11 nur Ez.* Lehre von der Gottesmutter; **ma|ri|o|lo|gisch**

Ma|ri|o|net|te [ital. »Mariechen«] *w. 11* **1** an Fäden bewegliche Gliederpuppe; **2** willensschwacher Mensch, der andern als Werkzeug dient; **Ma|ri|o|net|ten|re|gie|rung** *w. 10* unselbständige, von einem anderen Staat bevormundete Regierung; **Ma|ri|o|net|ten|spie|ler** *m. 5* Puppenspieler eines Marionettentheaters; **Ma|ri|o|net|ten|the|a|ter** *s. 5* Puppentheater mit Marionetten

Ma|rist *m. 10* Angehöriger der kath. Gesellschaft Marias

ma|ri|tim [lat.] zum Meer, zum Seewesen gehörig, Meeres ..., See ...; maritimes Klima

Mar|jell [lit.] *w. 10, ostpreuß.:* Mädchen; **Mar|jell|chen** *s. 7*

Mark 1 *w. Gen. - Mz.* -, *berlin.-brandenburg. Mz. auch:* Märker, dt. Währungseinheit; 25

Mark; *Bez. in der BR Dtld.:* Deutsche Mark (*Abk.:* DM); vgl. DM; *Bez. in der ehem. DDR:* Mark der Dt. Demokrat. Republik (*Abk.:* M); **2** *w. 10, urspr.:* Grenze, *später:* umgrenztes Gebiet, *dann:* Grenzgebiet, Grenzland, z. B. die Mark Brandenburg, Ostmark; **3** *w. Gen. - nur Ez., kurz für:* Mark Brandenburg; **4** *s. Gen. -s nur Ez.* innerste Gewebeteile (z. B. Knochenmark, Stängelmark), *auch:* das Innere von weißen Nervenfasern; **5** *s. Gen. -s nur Ez., übertr.:* Innerstes, Kern

mar|kant [frz.] deutlich ausgeprägt, auffallend, hervorstechend

Mar|ka|sit [arab.] *m. 1* ein Mineral

Mar|ke *w. 11; auch ugs.:* drollige, originelle Person; das ist eine M.!; **Mär|ke** *w. 11, österr.:* Namenszeichen, z. B. in der Wäsche; **mär|ken** *tr. 1, österr.:* mit einer Marke versehen; **Mar|ken|ar|ti|kel** *m. 5;* **Mar|ken|schutz** *m. Gen. -es nur Ez.;* **Mar|ken|wa|re** *w. 11*

Mär|ker *m. 5* Einwohner einer Mark, bes. der Mark Brandenburg

mark|er|schüt|ternd

Mar|ke|ten|der *m. 5, früher:* eine Feldtruppe begleitender Händler; **Mar|ke|ten|de|rei** *w. 10* Geschäfte des Marketenders; **Mar|ke|ten|de|rin** *w. 10;* **Mar|ke|ten|der|wa|re** *w. 11*

Mar|ke|te|rie [frz.] *w. 11* = Intarsia

Mar|ke|ting [engl.] *s. Gen. -s nur Ez.* markt- oder verbraucherbezogene Unternehmenspolitik, Maßnahmen zur Absatzförderung

Mark|graf *m. 10, früher:* Verwalter einer Grenzmark; **Mark|gräf|in** *w. 10* Gemahlin eines Markgrafen; **Mark|gräf|ler** *m. 5* Wein aus dem Gebiet zwischen Baden und Breisgau; **mark|gräf|lich;** **Mark|graf|schaft** *w. 10*

mar|kie|ren [frz.] *tr. 3* **1** bezeichnen, kennzeichnen; **2** *österr.:* lochen (Fahrkarte); **3** vortäuschen; den starken Mann m.; **Mar|kie|rung** *w. 10*

mar|kig; **Mar|kig|keit** *w. 10 nur Ez.*

mär|kisch zur Mark (Brandenburg) gehörend, daher stammend; *aber:* Märk. Museum

Mar|ki|se [frz.] *w. 11* **1** leinenes Sonnendach, Sonnenvorhang; **2** ein Edelsteinschliff; **Mar|ki|set|te** [-zɛt] *m. 9 oder w. 9* ein gazeartiges Gewebe für Gardinen

Mark|ka *w. Gen. - Mz. -* (*Abk.:* mk) finn. Währungseinheit (100 Penni), Finnmark

Mark|kno|chen *m. 7*

Mar|ko|man|ne *m. 11* Angehöriger eines german. Volksstammes

Mar|kör [frz.] *m. 1* **1** *Billard:* Schiedsrichter, Punktezähler; **2** *Landw.:* Gerät zum Kennzeichnen der Reihen, in denen gesät oder gepflanzt werden soll, Furchenzieher

Mark|schei|de *w. 11* **1** Grenzlinie, Grenze; **2** *Bgb.:* Grubenfeldgrenze; **Mark|schei|de|kun|de** *w. 11 nur Ez.,* **Mark|schei|de|kunst** *w. 2 nur Ez.* Vermessungslehre für Berechnungen und Messungen über und unter Tage; **Mark|schei|der** *m. 5, Bgb.:* Vermesser

Mark|stück *s. 1;* **mark|stück|groß**

Markt *m. 2;* seine Haut zu Markte tragen: sich in Gefahr begeben; **Markt|a|na|ly|se** *w. 11;* **Markt|durch|drin|gung** *w. 10* erreichter oder erwarteter Marktanteil eines neuen Produkts; **mark|ten** *intr. 2* feilschen; um etwas m.; **markt|fä|hig** absatzfähig; **Markt|fä|hig|keit** *w. 10 nur Ez.;* **Markt|fle|cken** *m. 7;* **Markt|for|schung** *w. 10;* **Markt|frau** *w. 10;* **markt|gän|gig;** **Markt|gän|gig|keit** *w. 10 nur Ez.;* **Markt|hal|le** *w. 11;* **Markt|hel|fer** *m. 5, Buchhandel:* Gehilfe im Lager und beim Versand; **Markt|ni|sche** *w. 11* ein von den üblichen Produkten des Gesamtmarktes nicht erreichter Teilmarkt; **Markt|po|ten|ti|al** *Nv.* ► **Markt|po|ten|zi|al** *Hv. s. 1* Aufnahmefähigkeit eines Marktes; **Markt|preis** *w. 1;* **Markt|recht** *s. 1 nur Ez.;* **Markt|schrei|er** *m. 5;* **Markt|schrei|e|rei** *w. 10 nur Ez.;* **markt|schrei|e|risch;** **Markt|tag** *m. 1;* **Markt|wert** *m. 1* dem augenblickl. Verhältnis von Angebot und Nachfrage entsprechender Wert (einer Ware)

Mar|kung *w. 10, veraltet:* Grenze; vgl. Gemarkung

Mar|kus|e|van|ge|li|um *s. Gen. -s nur Ez.*

Mär|lein *s. 7, veraltet poet. für* Märchen

mar|len *tr. 1, Seew.:* am Mast befestigen (Segel); **Marl|lei|ne** *w. 11, Seew.:* Leine z. Marlen

Mar|mel **1** *w. 11, landsch. für* Murmel; **2** *m. 5, veraltet für* Marmor

Mar|me|la|de [griech.-span.] *w. 11;* **Mar|me|la|de(n)|glas** *s. 4*

mar|meln *intr. 1* mit Marmeln spielen; **Mar|mel|stein** *m. 1, poet.:* Marmor; **Mar|mor** *m. 1* ein Kalkstein; **mar|mo|rie|ren** *tr. 3* mit einem feinen Muster wie beim Marmor versehen, ädern; **Mar|mo|rie|rung** *w. 10;* **mar|morn** aus Marmor

Ma|ro|cain [-kɛ̃, frz.] *m. 9* kreppartiges Gewebe

ma|rod [frz.] *österr.:* ein wenig krank; **ma|ro|de** **1** *urspr.:* marschunfähig; **2** *ugs.:* erschöpft, müde; **Ma|ro|deur** [-døːr] *m. 1* plündernder Nachzügler (einer Truppe); **ma|ro|die|ren** *intr. 3* plündernd umherziehen

Ma|rok|ka|ner *m. 5;* **ma|rok|ka|nisch;** **Ma|rok|ko** Staat in Nordwestafrika

Ma|ro|ne [griech.] *w. 11* **1** essbare Frucht der Edelkastanie; **2** Maronenpilz; **Ma|ro|nen|pilz** *m. 1,* **Ma|ro|nen|röhr|ling** *m. 1* ein Speisepilz, Kastanienpilz

Ma|ro|ni *Mz., ital., schweiz., österr. für* Maronen (**1**)

Ma|ro|nit [nach dem Mönch Johannes Maro] *m. 10* Angehöriger der syr.-christl. Kirche im Libanon; **ma|ro|ni|tisch**

Ma|ro|quin [-kɛ̃, frz.] *s. Gen. -s nur Ez.* weiches marokkan. Schafs- oder Ziegenleder

Ma|rot|te [frz.] *w. 11* Schrulle, Laune, wunderliche Vorliebe

Mar|queß ► **Mar|quess** [markwɪs, engl.] *m. Gen. - Mz. -* engl. Adelstitel zwischen Graf und Herzog; **Mar|que|te|rie** [-kɛ-, frz.] *w. 11, veraltete Schreibung von* Marketerie, = Intarsia

Mar|quis [-ki, frz.] *m. Gen. - Mz. -* frz. Adelstitel zwischen Graf und Herzog, Markgraf; **Mar|qui|sat** [-ki-] *s. 1* Würde, Herrschaftsgebiet eines Marquis; **Mar|qui|se** [-ki-] *w. 11* Gemahlin oder Tochter eines Marquis

Mar|ra|ne [hebr. oder span.], Ma|ra|ne *m. 11* span. oder port.

Jude, der sich unter dem Zwang der Inquisition taufen ließ
Mars 1 *röm. Myth.:* Gott des Krieges; **2** *m. Gen.* - ein Planet; **3** *m. 1 oder w. 10, Seew.:* Plattform am Topp des Untermastes zum Befestigen der Marsstänge; Ausguck am Mast
Mar|sa|la [nach der sizilian. Stadt M.] *m. 9* ein Süßwein
marsch!; marsch, marsch!; **Marsch 1** *m. 2;* jmdm. den M. blasen *übertr. ugs.:* jmdm. energisch die Meinung sagen; **2** *w. 10* angeschwemmtes, durch Deiche geschütztes Land an der Küste, liegt bei Flut unter dem Meeresspiegel; *Ggs.:* Geest
Mar|schalk *m. 1, ältere Schreibung von* Marschall (**1** und **2**)
Mar|schall *m. 2* **1** *urspr.:* Pferdeknecht; **2** *dann:* hoher Hofbeamter; **3** *seit dem 16./17. Jh.:* höchster militär. Dienstgrad; **Mar|schal|lin** *w. 10* Ehefrau eines Marschalls; **Mar|schall(s)-stab** *m. 2*
Marsch|be|fehl *m. 1;* **marsch|be|reit; Marsch|be|reit|schaft** *w. 10 nur Ez.*
Marsch|bo|den *m. 8;* **Mar|schen|dorf** *s. 4*
Marsch|ge|päck *s. 1;* **mar|schie|ren** *intr. 3;* **Marsch|ko|lon|ne** *w. 11*
Marsch|land *s. 4*
Marsch|mu|sik *w. 10;* **Marsch|rou|te** [-ru:-] *w. 11;* **Marsch|ver|pfle|gung** *w. 10 nur Ez.*
Mar|seil|lai|se [marsɛjɛ̲zə, frz.] *w. 11 nur Ez.* **1** *urspr.:* Revolutionslied; **2** *dann:* frz. Nationalhymne; **Mar|seille** [marsɛ̲j] Stadt in Südfrankreich; **Mar|seil|ler** [marsɛ̲jər] *m. 5,* **Mar|seil|le|se** [marsɛje̲zə] *m. 11* Einwohner von Marseille
Mars|feld *s. 3 nur Ez.* **1** *im alten Rom:* Platz für militär. Übungen und Versammlungen; **2** militär. Übungsplatz in Paris, *seit 1867:* Ausstellungsgelände
Mar|shall|in|seln [ma̲rʃəl-] *w. 11 Mz.* Inselgruppe im Pazif. Ozean; **Mar|shall|plan** [ma̲rʃəl-] *m. 2 nur Ez., nach dem 2. Weltkrieg:* von dem US-amerik. Außenminister George C. Marshall begründetes Hilfsprogramm für Westeuropa
Mars|se|gel *s. 5* an der Marsstänge befestigtes Segel
Mar|stall *m. 2, an Fürstenhöfen* **1** Gebäude für Pferde und Wagen; **2** Gesamtheit der Pferde (eines Fürsten)
Mar|su|pi|a|li|er [lat.] *m. 5 Mz., Sammelbez. für* Beuteltiere
Mär|te *w. 11, norddt.:* **1** Mischmasch; **2** Kaltschale; **3** = Märtel
Mär|tel [nach dem hl. Martin] *m. 5,* Mär|te *m. 11, im süddt. Volksbrauch:* in der Adventszeit auftretende, vermummte Gestalt
Mar|ter *w. 11;* **Mar|ter|bank** *w. 2* Folterbank; **Mar|terl** *s. 14, süddt., österr.:* **1** Gedenkzeichen (Kreuz oder Tafel mit Bild) als Erinnerung an einen Unglücksfall; **2** Steinpfeiler mit Nische oder Holztafel mit Dach und Kruzifix oder Heiligenbild; **mar|tern** *tr. 1* quälen, foltern, peinigen; **Mar|ter|pfahl** *m. 2;* **Mar|ter|tod** *m. 1 nur Ez.*
mar|ti|a|lisch [-tsja̲-, nach dem röm. Kriegsgott Mars] kriegerisch, wild, grimmig, verwegen
Mar|ti|ni *ohne Artikel* = Martinstag; an, zu M.; **Mar|tins|gans** *w. 2* am Martinstag verzehrte Gans; **Mar|tins|tag** *m. 1* Gedenktag des hl. Martin von Tours, 11. November
Mär|ty|rer [griech.] *m. 5* **1** *auch:* Mar|ty|rer, Christ, der für seinen Glauben gestorben ist; **2** *allg.:* jmd., der für seine Überzeugung verfolgt wird oder gestorben ist, Blutzeuge; **Mär|ty|re|rin,** Mar|ty|re|rin, Mär|ty|rin *w. 10;* **Mär|ty|rer|tod** *m. 1 nur Ez.;* **Mär|ty|rer|tum** *s. Gen.* -s *nur Ez.* **Mär|ty|rin,** Mar|ty|rin *w. 10* = Märtyrerin; **Mar|ty|ri|um** *s. Gen.* -s *Mz.* -ri|en **1** Opfertod; **2** schweres Leiden, insbes. um des Glaubens oder der Überzeugung willen
Mar|xis|mus *m. Gen.* - *nur Ez.* die von Marx und Engels begründete sozialist. Staats-, Gesellschafts- und Wirtschaftstheorie; **Mar|xis|mus-Le|ni|nis|mus** *m. Gen.* - *nur Ez., im kommunist. Sprachgebrauch:* die von Marx begründete und von Lenin weitergeführte kommunist. Staats-, Gesellschafts- und Wirtschaftslehre; **Mar|xist** *m. 10;* **mar|xis|tisch; mar|xis|tisch-le|ni|nis|tisch; Mar|xist-Le|ni|nist** *m. 10*
Ma|ry|land [mærılənd] (*Abk.:* MD) Staat der USA
März *m. Gen.* - *nur Ez.* dritter Monat des Jahres; **März|be|cher,** Mär|zen|be|cher *m. 5* eine Frühlingsblume; **März|bier, Mär|zen|bier** *s. 1* eine Biersorte, ursprünglich im März gebraut; **März|ge|fal|le|ne(r)** *m. 18 (17)* am 18. März 1848 in Berlin Gefallener
Mar|zi|pan [auch: -pa̲n, arab.] *s. 1, österr. m. 1* eine Süßware aus Mandeln und Zucker
märz|lich; März|veil|chen *s. 7*
Ma|sai *m. 9 oder Gen.* - *Mz.* - = Massai
Ma|sche *w. 11; auch ugs.:* Lösung, Ausweg, günstige Gelegenheit; das ist *die* M.!; die M. raushaben: wissen, wie man zu etwas kommt; das ist eine neue Masche von ihm: eine neue Gewohnheit, neue Vorliebe; **Ma|schen|draht** *m. 2;* **...ma|schig,** z. B. weit-, engmaschig

> **Maschine schreiben:** Verbindungen aus Substantiv und Verb werden getrennt geschrieben: *Sie kann jetzt Maschine schreiben.* →§ 34 E3 (5) In Österreich gilt Zusammenschreibung: *maschinschreiben.* →§ 33 (1)

Ma|schi|ne [griech.-frz.] *w. 11;* **ma|schi|ne|ge|schrie|ben** ► **Ma|schi|ne ge|schrie|ben; ma|schi|nell; Ma|schi|nen|bau** *m. Gen.* -(e)s *nur Ez.;* **Ma|schi|nen|bau|er** *m. 5;* **Ma|schi|nen|fa|brik** *w. 10;* **ma|schi|nen|ge|schrie|ben** ► **Ma|schi|nen ge|schrie|ben; Ma|schi|nen|ge|wehr** *s. 1* (*Abk.:* MG, Mg.); **ma|schi|nen|les|bar; ma|schi|ne(n)|nä|hen** ► **Ma|schi|ne(n) nä|hen** *tr. 1;* **Ma|schi|nen|meis|ter** *m. 5;* **Ma|schi|nen|pa|pier** *s. 1* Schreibmaschinenpapier; **Ma|schi|nen|pis|to|le** *w. 11* (*Abk.:* MP, Mp.); **Ma|schi|nen|satz** *m. 2 nur Ez., Buchw.:* mit der Setzmaschine hergestellter Satz, im Unterschied zum Handsatz; **Ma|schi|nen|scha|den** *m. 8;* **ma|schi|nen|schrei|ben** ► **Ma|schi|nen schrei|ben** *tr. 127;* **Ma|schi|nen|schrei|be|rin** *w. 10;* **Ma|schi|nen|schrift** *w. 10;* **ma|schi|nen|schrift|lich; Ma|schi|ne|rie** *w. 11;* **ma|schi|ne|schrei|ben** ► **Ma|schi|ne schrei|ben** *tr. 127;* ich schreibe Maschine, habe Maschine geschrieben; **Ma|schi|nist** *m. 10;*

ma|schin|nä|hen *tr. 1, österr. für* maschine(n)nähen; **ma|schin|schrei|ben** *tr. 127; österr. für* Maschine schreiben; ich schreibe maschin(e), habe maschingeschrieben
Ma|ser 1 *w. 11* wellige Zeichnung, Jahresring (im Holz), Flader; **2** [mɛɪzer, engl.] *m. 5* Verstärker für Mikrowellen, der elektromagnet. Wellen gleicher Frequenz und Phasenlage aussendet
Ma|ser|holz *s. 4;* **ma|se|rig** gemasert, fladerig; **ma|sern** *tr. 1* mit Masern versehen; gemasertes Holz
Ma|sern *nur Mz.* eine fieberhafte Infektionskrankheit
Ma|se|rung *w. 10*
Mas|ka|rịll [span.] *m. 1* komische Figur des klass. Lustspiels
Mas|ka|ron [-rɔ̃, frz.] *m. 9, auch* [-ron] *m. 1, Baukunst:* fratzenhafte Maske
Mạs|kat Hst. des Sultanats Oman (Arabien)
Mạs|ke [arab.-frz.] *w. 11* **1** hohle Gesichtsform; **2** Haube zum Schutz des Gesichts, z. B. Gasmaske; **3** Verkleidung; **4** verkleidete Person; **5** *übertr.:* trügerischer Schein, Deckmantel; **Mạs|ken|ball** *m. 2;* **Mạs|ken|bild|ner** *m. 5;* **Mas|ken|bild|ne|rei** *w. 10;* **Mas|ke|ra|de** *w. 11* **1** Verkleidung; **2** Maskenfest, Mummenschanz; **mas|kie|ren** *tr. 3* **1** mit einer Maske bedecken, verkleiden; **2** *übertr.:* verdecken, verbergen; **Mas|kie|rung** *w. 10*
Mas|kọt|chen [provenzal.] *s. 7,* **Mas|kọt|te** *w. 11* kleine Figur als Glück bringender Talisman
mas|ku|lin [auch: mạs-, lat.] männlich; **Mas|ku|li|num** [auch: mạs-] *s. Gen.* -s *Mz.* -na, *Gramm.:* männl. Substantiv, männl. Geschlecht
Ma|so|chis|mus [-xịs-, nach dem österr. Schriftsteller Leopold von Sacher-Masoch] *m. Gen.* - *nur Ez.* Streben nach Steigerung der geschlechtl. Erregung durch Erdulden körperl. od. seel. Misshandlungen; vgl. Sadismus; **Ma|so|chịst** *m. 10;* **ma|so|chịs|tisch**
Ma|so|ra *w. Gen.* - *nur Ez.* = Massora
Maß 1 *s. 1;* Maß nehmen; Maß halten; Anzug nach Maß; vgl. Maße; **2** *s. Gen.* -es *Mz.* -, *auch* *w. Gen.* - *Mz.* -, *bayr., österr., schweiz.:* ein Flüssigkeitsmaß, 1 Liter; ein halbes Maß, eine halbe Maß; zwei Maß Bier

> **Maß halten:** Im Gegensatz zur bisherigen Schreibung (maßhalten = sich mäßigen) wird das Gefüge getrennt und mit großem Anfangsbuchstaben geschrieben, da das Substantiv in seiner Bedeutung nicht verblasst ist: *Er konnte noch immer nicht Maß halten.* →§ 34 E3 (5)

Mas|sa|chu|setts [mæsətʃu-səts] (*Abk.:* MA) Staat der USA
Mas|sa|ge [-ʒə, frz.] *w. 11* Heil- oder Lockerungsbehandlung des Körpers durch Kneten, Klopfen, Streichen
Mas|sai, Ma|sai *m. 9 oder Gen.* - *Mz.* - Angehöriger eines ostafrik. Volksstammes
Mas|sa|ker [frz.] *s. 5* Gemetzel, Blutbad; **mas|sa|krie|ren** *auch:* **mas|sak|rie|ren** *tr. 3* niedermetzeln
Maß|ana|ly|se *w. 11* ein Verfahren der quantitativen chem. Analyse, Bestimmung einer gelösten Stoffmenge, Titrieranalyse, Titrimetrie; **maß|ana|ly|tisch; Maß|an|zug** *m. 2;* **Maß|ar|beit** *w. 10*
Ma|ße *w. 11, veraltet:* Maß, Mäßigkeit; *nur noch in Wendungen wie:* in, mit Maßen; ohne Maßen; über die, über alle Maßen; sonder Maßen
Mạs|se *w. 11*
Maß|ein|heit *w. 10*
Mạs|sel 1 [hebr.] *m. Gen.* -s *nur Ez., bayr., schwäb., österr.:* Glück; da hast du aber M. gehabt; **2** *w. 11* gegossener Roheisenbarren
mạs|seln *intr. 1, ugs.:* **1** etwas falsch machen, einen Fehler machen; **2** etwas schimpfend bemängeln, nörgeln
ma|ßen *veraltet:* weil, da
Mạs|sen|ar|ti|kel *m. 5;* **Mạs|sen|be|darfs|ar|ti|kel** *m. 5;* **mạs|sen|haft; Mạs|sen|hyp|no|se** *w. 11 nur Ez.;* **Mạs|sen|hys|te|rie** *w. 11 nur Ez.;* **Mạs|sen|me|di|um** *s. Gen.* -s *Mz.* -dien; **Mạs|sen|mord** *m. 1;* **Mạs|sen|mör|der** *m. 5;* **Mạs|sen|or|ga|ni|sa|ti|on** *w. 10;* **Mạs|sen|pro|duk|ti|on** *w. 10 nur Ez.;* **Mạs|sen|psy|cho|lo|gie** *w. 11 nur Ez.;* **Mạs|sen|psy|cho|se** *w. 11 nur Ez.;* **Mạs|sen|sport** *m. 1;* **Mạs|sen|ster|ben** *s. Gen.* -s *nur Ez.;* **Mạs|sen|streik** *m. 9;* **Mạs|sen|sug|ges|ti|on** *w. 10 nur Ez.;* **Mạs|sen|sze|ne** *w. 11;* **Mạs|sen|ver|kehrs|mit|tel** *s. 5;* **mạs|sen|wei|se**
Mas|seur [-sør, frz.] *m. 1* jmd., der berufsmäßig andere mit Massage behandelt; **Mas|seu|rin** [-sø-] *w. 10* weibl. Masseur; **Mas|seu|se** [-sø-] *w. 11, heute meist verhüllend:* Prostituierte in einem sog. Massagesalon
Maß|ga|be *w. 11;* nach M. dieser Vorschriften: diesen V. entsprechend; **maß|ge|bend; maß|geb|lich; maß|hal|ten** ► **Maß hal|ten** *intr. 61;* er hält nicht Maß, hat nicht Maß gehalten; **maß|hal|tig**
Maß|hol|der *m. 5* Feldahorn
mas|sie|ren *tr. 3* **1** mit Massage behandeln; **2** an einer Stelle zusammenziehen (Truppen); massierter Angriff: A. unter Zusammenfassung aller Kräfte
mạs|sig
mä|ßig; ...mä|ßig; z. B. ordnungsmäßig: nach einer gewissen Ordnung, in gewisser O., *aber:* ordnungsgemäß: in vorgeschriebener Ordnung; taktmäßig: in einem bestimmten Takt, im Takt; taktmäßiges Händeklatschen; *aber:* taktgemäß: nach dem, im vorgeschriebenen Takt; die Noten taktgemäß spielen; vgl. gewohnheitsmäßig, gewohnheitsgemäß
mä|ßi|gen *tr. 1;* seinen Zorn m.; sich m.; **Mä|ßig|keit** *w. 10 nur Ez.*
Mas|sig|keit *w. 10 nur Ez.*
Mä|ßi|gung *w. 10 nur Ez.*
mas|siv [frz.] fest, dicht, geschlossen, voll (nicht hohl), dauerhaft; massives Gold, Eisen; massiv werden *ugs.:* sehr energisch, grob werden; **Mas|siv** *s. 1* **1** Grundgebirge, durch Abtragung freigelegte, alte Gesteine; **2** Gebirgsstock, Bergkette; **Mas|siv|bau|wei|se** *w. 11* Bauweise aus Stein oder Beton; **Mas|si|vi|tät** *w. 10 nur Ez.*
Maß|krug *m. 2*
maß|lei|dig *südwestdt.:* verdrossen
Maß|lieb *s. 1,* **Maß|lieb|chen** *s. 7* Gänseblümchen, Tausendschön
maß|los; Maß|lo|sig|keit *w. 10 nur Ez.;* **Maß|nah|me** *w. 11*

► = wird zu

Mas|so|ra [hebr.], Ma|so|ra *w. Gen. - nur Ez.* seit dem 6. Jh. von jüd. Schriftgelehrten aufgezeichnete, textkrit. Anmerkungen zum AT; **Mas|so|ret** *m. 10* mit der Massora beschäftigter jüd. Schriftgelehrter; **mas|so|re|tisch**; massoretischer Text

Maß|re|gel *w. 11;* **maß|re|geln** *tr. 1;* ich maßregele, maßregle ihn, habe ihn gemaßregelt; **Maß|re|gel|lung** *w. 10;* **Maß|schnei|der** *m. 5;* **maß|schnei|dern** *tr. 1, nur im Infinitiv und Partizip II;* ich habe mir einen Anzug maßschneidern lassen; der Anzug ist maßgeschneidert; maßgeschneiderter Anzug; **Maß|stab** *m. 2;* **maß|stab|ge|recht,** maß|stabs|ge|recht; **maß|stab|ge|treu,** maß|stabs|ge|treu; **maß|stäb|lich; maß|voll; Maß|werk** *s. 1* geometr. got. Bauornament; **Maß|zahl** *w. 10*

Mast 1 *m. 12* Mastbaum; **2** *w. 10* das Mästen (von Tieren), Mästung

Mas|ta|ba [arab.] *w. 9* altägypt. rechteckiger Grabbau

Mast|darm *m. 2* letzter Abschnitt des Darms; **Mast|darm|spie|gel** *m. 5* Instrument mit Spiegel und Lichtquelle sowie Gebläse (zum Aufblasen des Darms) zur Untersuchung des Mastdarms, Rektoskop; **Mast|darm|spie|ge|lung** *w. 10* Rektoskopie

mäs|ten *tr. 2;* **Mast|en|te** *w. 11*

Mas|ter [engl.] *m. 9* **1** *in England und den USA:* akadem. Grad, Magister, z. B. M. of Arts; **2** *in England:* Anrede für Knaben und junge Männer; **3** Leiter einer Parforcejagd; **4** *allg.:* Leiter (in Zus. wie Quizmaster, Showmaster)

Mast|fut|ter *s. 5;* **Mast|gans** *w. 2;* **Mast|hähn|chen** *s. 7;* **Mast|huhn** *s. 4* Poularde

Mas|tiff [engl.] *m. 9* engl. Dogge

Mas|tick [griech.-frz.] *m. Gen.* -s *nur Ez.* eine Art Kitt; **Mas|ti|ka|tor** *m. 13* Knetmaschine

Mas|tix [griech.] *m. Gen.* -(es) *nur Ez.* aus dem Mastixstrauch gewonnenes Harz für Lack, Kitt, Pflaster u. A.; **Mas|tix|strauch** *m. 4* ein Sumachgewächs

Mast|korb *m. 2*

Mast|kur *w. 10;* **Mast|och|se** *m. 11*

Mas|to|don [griech.] *s. Gen.* -s *Mz.* -s *oder* -do|n|ten ausgestorbenes Rüsseltier, vielleicht Vorläufer des Elefanten

Mast|schwein *s. 1;* **Mäs|tung** *w. 10* = Mast (**2**)

Mas|tur|ba|ti|on [lat.] *w. 10 nur Ez.* geschlechtl. Selbstbefriedigung, Onanie; **mas|tur|bie|ren** *intr. 3* sich geschlechtlich selbst befriedigen, onanieren

Mast|vieh *s. Gen.* -(e)s *nur Ez.*

Ma|su|re *m. 11* Einwohner Masurens; **Ma|su|ren** Landschaft in Ostpreußen; **ma|su|risch;** *aber:* Masurische Seen

Ma|su|ri|um *s. Gen.* -s *nur Ez.* (*Zeichen:* Ma) *früher Bez. für* Technetium

Ma|sur|ka, Ma|zur|ka *w. Gen. - Mz.* -s *oder* -ken = poln. Nationaltanz

Ma|sut [russ.] *s. 1 nur Ez.* dunkler, zähflüssiger Rückstand bei der Destillation russ. Erdöls

Ma|ta|dor [span.] *m. 1* **1** Hauptkämpfer im Stierkampf, der dem Stier den Todesstoß gibt; **2** *übertr.:* hervorragender Mann, Sieger

Match [mætʃ, engl.] *s. 9* oder *m. 1* Wettkampf, Wettspiel; **Match|ball** [mætʃ-] *m. 2, Tennis:* das Spiel entscheidender Ball

Ma|te [indian.] *m. Gen. - nur Ez.,* Ma|te|tee *m. 9 nur Ez.* ein aus Blättern des Matestrauches gewonnenes, leicht koffeinhaltiges Getränk

Ma|ter [lat.] *w. 11* **1** Papptafel mit der negativ eingeprägten Form des zu druckenden Bildes oder Schriftsatzes; **2** Schraubenmutter; **Ma|ter do|lo|ro|sa** *w. Gen. - - nur Ez.* schmerzensreiche Mutter, Darstellung der trauernden Gottesmutter

ma|te|ri|al [lat.] stofflich, körperlich, wirklich vorhanden; **Ma|te|ri|al** *s. Gen.* -s *Mz.* -li|en **1** Rohstoff, Baustoff; **2** Zutaten; **3** Hilfsmittel; **4** Unterlagen, Belege, Sammlungen; **Ma|te|ri|a|li|sa|ti|on** *w. 10* **1** Verkörperung, Verstofflichung; **2** *Okkultismus:* angebl. Sichtbarmachen von Körpern, Geistererscheinung; **ma|te|ri|a|li|sie|ren** *tr. 3* gegenständlich machen; **Ma|te|ri|a|lis|mus** *m. Gen. - nur Ez.* philosoph. Lehre, dass das rein Stoffliche, die Materie, das allein Wirkliche sei und Geist, Bewusstsein, Seele nur dessen Wirkung und Eigenschaft; vgl. Immaterialismus; **Ma|te|ri|a|list** *m. 10* **1** Anhänger des Materialismus; **2** jmd., der überwiegend auf Besitz und Geld Wert legt; **ma|te|ri|a|lis|tisch; Ma|te|ri|a|li|tät** *w. 10 nur Ez.* Stofflichkeit, Stofflichsein; **Ma|te|ri|al|samm|lung** *w. 10;* **Ma|te|ri|al|schlacht** *w. 10* Schlacht mit Einsatz vieler und schwerer Waffen; **Ma|te|rie** [-riə] *w. 11 nur Ez.* **1** Urstoff, Ungeformtes, Stoff; **2** *Philos.:* die außerhalb des Bewusstseins bestehende Wirklichkeit; **3** Gegenstand, Thema (einer Untersuchung); **ma|te|ri|ell 1** zur Materie gehörend, stofflich; vgl. immateriell; **2** *übertr.:* auf Besitz, Gewinn, Genuss bedacht

ma|tern [lat.] *tr. 1;* einen Schriftsatz, ein Klischee m.: eine Mater davon herstellen

ma|tern [lat.] die Mutter, Mutterschaft betreffend, mütterlich; **Ma|ter|ni|tät** *w. 10 nur Ez.* Mutterschaft

Ma|te|strauch *m. 4* ein Stechpalmengewächs; **Ma|te|tee** *m. 9 nur Ez.* = Mate

Ma|the|ma|tik [auch, bes. österreich.: -ma|tik, griech.] *w. 10 nur Ez.* Lehre von den Zahlen, den ebenen und räuml. Figuren; **Ma|the|ma|ti|ker** *m. 5;* **ma|the|ma|tisch**

Ma|ti|nee [frz.] *w. 11* künstlerische Veranstaltung am Vormittag

Mat|jes|he|ring [ndrl.] *m. 1* junger, gesalzener Hering

Ma|trat|ze *auch:* **Mat|rat|ze** *w. 11*

Mä|tres|se *auch:* **Mät|res|se** [frz.] *w. 11* vom Mann unterhaltene Geliebte (bes. eines Fürsten)

ma|tri|ar|cha|lisch *auch:* **mat|ri-** auf dem Matriarchat beruhend; **Ma|tri|ar|chat** *auch:* **Mat|ri-** [lat. + griech.] *s. 1* Mutterrecht, Mutterherrschaft; *Ggs.:* Patriarchat

Ma|tri|kel *auch:* **Mat|ri-** [lat.] *w. 11* Verzeichnis (z. B. der Studenten einer Universität, der Gemeindemitglieder eines Pfarrbezirks); *österr.:* Personenstandsregister

Ma|trix *auch:* **Mat|rix** [lat.] *w. Gen. - Mz.* -tri|zen **1** Grundsubstanz, in die ein anderer

Stoff eingebettet ist; **2** Mutterboden; **3** Hülle der Chromosomen; **4** *bei Wirbeltieren:* Nagel-, Krallenbett; **5** Zahlen oder Rechengrößen, die zu einer rechteckigen Anordnung in Spalten und Zeilen zusammengestellt sind

Ma|tri|ze *auch:* **Mat|ri|ze** *w. 11* Metall-, Papp- oder Wachsform mit eingeprägtem Bild oder Schriftzeichen; *Ggs.:* Patrize

Ma|tro|ne *auch:* **Mat|ro|ne** [lat.] *w. 11* ältere, ehrwürdige Frau; **ma|tro|nen|haft**

Ma|tro|se [ndrl.] *auch:* **Mat|ro|se** *m. 11* Seemann, Marinesoldat

matsch *ugs.* **1** faul, verdorben (Obst); **2** erschöpft, erledigt, sehr müde; **Matsch** *m. Gen.* -(e)s *nur Ez.* **1** halbgetauter (schmutziger) Schnee, dickflüssiger Schmutz; **2** *Kartenspiel:* völliger Verlust eines Spiels; **mat|schen** *intr. 1* mit Wasser, nassem Sand u. A. spielen; **mat|schig** wie Matsch, voller Matsch, breiig-schmutzig

matt [arab.-frz.]; *Schach:* besiegt; jmdn. matt setzen: besiegen, *übertr.:* handlungsunfähig machen; **Matt** *s. Gen.* -s *nur Ez., Schach:* Bewegungsunfähigkeit des Königs und damit Ende des Spiels

Mat|te *w. 11* **1** geflochtener oder gewebter Fußbodenbelag; **2** Almwiese

Matt|gold *s. Gen.* -(e)s *nur Ez.;* **matt|gol|den**

Mat|thäi *Gen. von* Matthäus; dann ist M. am letzten (mit Bezug auf das letzte Kapitel des Matthäusevangeliums) *ugs.:* dann ist Schluss, ist es aus, dann ist das Geld zu Ende; **Mat|thä|us|e|van|ge|li|um** *s. Gen.* -s *nur Ez.;* **Mat|thä|us|pas|si|on** *w. 10 nur Ez.* Oratorium von J. S. Bach nach dem Matthäusevangelium

Matt|heit *w. 10 nur Ez.;* **matt|her|zig; Matt|her|zig|keit** *w. 10 nur Ez.*

mat|tie|ren *tr. 3* matt, glanzlos machen; **Mat|tig|keit** *w. 10 nur Ez.;* **Matt|schei|be** *w. 11; auch ugs.:* Verschlafenheit, Benommenheit, Begriffsstutzigkeit; (eine) M. haben

Ma|tur [lat.] *s. 1 nur Ez.,* **Ma|tu|ra** *w. Gen. - nur Ez., veraltet, noch österr. u. schweiz.:* Reifeprüfung, Abitur; **Ma|tu|rand, Ma|tu|rant** *m. 10, veraltet:* jmd., der die Reifeprüfung ablegen will, Abiturient; **ma|tu|rie|ren** *intr. 3, veraltet:* die Reifeprüfung ablegen; **Ma|tu|ri|tas prae|cox** *w. Gen. - - nur Ez.* (sexuelle) Frühreife; **Ma|tu|ri|tät** *w. 10 nur Ez., veraltet:* Reife; *schweiz.:* Hochschulreife; **Ma|tu|ri|täts|ex|a|men** *auch:* **-e|xa|men** *s. Gen.* -s *Mz. - oder* -mi|na Reifeprüfung, Abitur; **Ma|tu|rum** *s. Gen.* -s *nur Ez.* = Matur

Ma|tu|tin [lat.] *w. 1 oder w. 10* nächtl. Stundengebet

Matz *m. 2, ugs., scherzh.:* kleiner Kerl, Kerlchen, *meist in Zus. wie* Hosen-, Hemdenmatz; **Mätz|chen** **1** *s. 7, Verkleinerungsform von* Matz; **2** *Mz.* Unfug, Possen; Kunstgriffe, kleine Gesten, um Staunen oder Bewunderung zu erregen

Mat|ze [hebr.] *w. 11,* **Mat|zen** *m. 7* ungesäuertes Osterbrot der Juden

mau *unflektierbar, ugs. in Wendungen wie* mir ist mau: nicht wohl, schlecht; das ist mau: dürftig; das Geschäft geht mau

Mau|er *w. 11;* **Mau|er|blüm|chen** *s. 7, übertr.:* Mädchen, das beim Tanzen wenig oder gar nicht aufgefordert wird; **Mau|er|fraß** *m. Gen.* -es *nur Ez.* Zersetzung des Mauerwerks durch Mauersalpeter; **Mau|er|ha|ken** *m. 7;* **Mau|er|kro|ne** *w. 11;* **mau|ern** **1** *tr. 1;* ich mauere es; **2** *intr. 1, Kartenspiel:* Karten zurückhalten, nicht ausspielen; **3** *intr. 1, Fußball:* das eigene Tor mit allen Spielern verteidigen; **Mau|er|pfef|fer** *m. 5 nur Ez.* eine Art der Fetthenne; **Mau|er|rit|ze** *w. 11;* **Mau|er|sal|pe|ter** *m. 5 nur Ez.* weißl. Ausblühung an Mauern, Calciumnitrat; **Mau|er|schwal|be** *w. 11;* **Mau|er|seg|ler** *m. 5;* **Mau|er|specht** *m. 1* jmd., der Stücke aus der Berliner Mauer (als Souvenir) nach ihrem Fall heraushackte; **Mau|er|speis** *m. 1 nur Ez., südd.* Mörtel; **Mau|e|rung** *w. 10 nur Ez.;* **Mau|er|werk** *s. 1 nur Ez.*

Mau|ke *w. 11 nur Ez.* **1** *bei Huf- und Klauentieren:* Hautentzündung an den Füßen; **2** *sächs.:* Lust, Laune; keine M. zu etwas haben

Maul *s. 4;* **Maul|af|fen** *nur Mz., ugs. in der Wendung* M. feilhalten: (mit offenem Mund) untätig herumstehen und gaffen; **Maul|beer|baum** *m. 2;* **Maul|bee|re** *w. 11;* **Maul|beer|keim** *m. 1* = Morula; **Maul|beer|spin|ner** *m. 5* ein Seidenspinner (Schmetterling); **Mäul|chen** *s. 7;* **mau|len** *intr. 1, ugs.:* murren, mürrisch, murmelnd widersprechen; **Maul|e|sel** *m. 5* Kreuzung von Pferdehengst und Eselstute; vgl. Maultier; **maul|faul** *ugs.:* zu faul, zu träge zum Reden; **Maul|hän|ger** *m. 5, ugs.:* mürrischer, übellauniger Mensch; **maul|hän|ge|risch; Maul|held** *m. 10, ugs.:* Prahler, Wichtigtuer; **Maul|korb** *m. 2;* **Maul|schel|le** *w. 11, ugs.:* Ohrfeige; **Maul|tier** *s. 1* Kreuzung zwischen Eselhengst und Pferdestute; vgl. Maulesel; **Maul|trom|mel** *w. 11* ein asiat. Musikinstrument, Brummeisen; **Maul- und Klau|en|seu|che** *w. 11* eine Infektionskrankheit der Klauentiere; **Maul|werk** *s. 1 nur Ez., derb:* Mundwerk; **Maul|wurf** *m. 2;* **Maul|wurfs|hü|gel** *m. 5*

Mau-Mau **1** *Mz.* Geheimbund, Terrororganisation in Kenia zur Vertreibung der Europäer und Erringung der staatl. Unabhängigkeit; **2** *nur Ez.* ein Kartenspiel

maun|zen, mau|zen *intr. 1* **1** miauen; **2** weinerlich klagen, wimmern (von kleinen Kindern)

Mau|re *m. 11* **1** *in der Antike Bez. für* Berber; **2** *MA:* Berber-Araber; **3** *heute:* Einwohner von Mauretanien

Mau|rer *m. 5;* **Mau|rer|ar|beit** *w. 10;* **Mau|re|rei** *w. 10 nur Ez.;* **Mau|rer|meis|ter** *m. 5;* **Mau|rer|po|lier** *m. 1*

Mau|res|ke [frz.], Mo|res|ke *w. 11* Ornament aus stilisierten, verschlungenen Blättern und Ranken

Mau|re|ta|ni|en **1** *Antike:* Gebiet in Nordwestafrika, etwa das heutige Marokko; **2** *heute:* Staat in Westafrika, Islamische Republik Mauretanien; **Mau|re|ta|ni|er** *m. 5;* **mau|re|ta|nisch; Mau|rin** *w. 10* weibl. Maure; **mau|risch** zu den Mauren gehörig, von ihnen stammend

Mau|ri|ti|us [-tsjus] Inselstaat im Ind. Ozean; blaue M.: eine Briefmarke aus M. von 1874

Maus *w. 2*
Mau|schel *m. 5, Spottname für* Jude; **mau|scheln** *intr. 1* **1** jiddisch reden; **2** unverständlich reden; **3** Mauscheln spielen; **Mau|scheln** *s. Gen.* -s *nur Ez.* ein Kartenspiel
Mäus|chen *s. 7;* **mäus|chen|still; Mäu|se|bus|sard** *m. 1;* **Mäu|se|dorn** *m. Gen. - s nur Ez.* ein Liliengewächs im Mittelmeergebiet; **Mau|se|fal|le, Mäu|se|fal|le** *w. 11;* **Mäu|se|fraß** *m. Gen.* -es *nur Ez.;* **mau|seln, mäu|seln** *intr. 1, Jägerspr.:* den Ruf der Maus nachahmen (um Raubwild anzulocken); **Mau|se|loch,** Maus|loch *s. 4;* **mau|sen** **1** *intr. 1* Mäuse fangen (Katze); **2** *intr. 1, ugs.:* stehlen; **Mäu|se|pla|ge** *w. 11*
Mau|ser *w. Gen. - nur Ez., bei Vögeln:* Federwechsel
Mau|ser|ge|wehr [nach den Waffenkonstrukteuren Paul und Wilhelm Mauser] *s. 1*
Mäu|se|rich *m. 1;* **mau|se|rig** *schweiz.:* verdrießlich; **Mau|se|rin** *w. 10* Katze, die Mäuse fängt
mau|sern *refl. 1* **1** die Federn verlieren; **2** *ugs. übertr.:* sich vorteilhaft verändern
Mau|ser|pis|to|le [nach den Waffenkonstrukteuren Paul und Wilhelm Mauser] *w. 11*
mau|se|tot *ugs.:* ganz tot; **Mäu|se|turm** *m. 2 nur Ez.* Turm auf einer Felseninsel im Rhein bei Bingen; **Mäu|se|zähn|chen** *s. 7 Mz.* gezackte Kante an Strick- und Häkelarbeiten; **Maus|fal|le** *w. 11 österr.;* **maus|far|ben, maus|far|big; maus|grau**
mau|sig [zu: Mauser] *nur in der Wendung* sich m. machen: keck, vorlaut sein, aufmucken
Mäus|lein *s. 7;* **Maus|loch,** Mau|se|loch *s. 4*
Mau|so|le|um [nach dem Grabmal des Königs Mausolos in Halikarnass (Kleinasien)] *s. Gen.* -s *Mz.* -le|en monumentales Grabmal
maus|tot *österr.*
Maut *w. 10* **1** *veraltet:* Zoll; **2** *österr.:* Gebühr für die Benützung einer Straße oder Brücke; **Maut|haus** *s. 4, veraltet;* **Maut|ner** *m. 5, veraltet:* Zollbeamter, Zöllner
mauve [mov, frz.] malvenfarben, violett; **Mau|ve|in** [move-] *s. Gen.* -s *nur Ez.* ein violetter Anilinfarbstoff, erster synthet. Farbstoff
mau|zen *intr. 1* = maunzen
m. a. W. *Abk. für* mit anderen Worten
Ma|xi *ohne Artikel, ugs.:* knöchellange Rock- und Mantelmode
Ma|xil|la [lat.] *w. Gen.- Mz.* -lae [-lɛ:] *oder* -lä **1** *bei Gliedertieren:* Teil der Mundwerkzeuge; **2** *bei Wirbeltieren und beim Menschen:* Oberkieferknochen; **ma|xil|lar** zur Maxilla gehörend
Ma|xi|ma *Mz. von* Maximum; **ma|xi|mal** [lat.] größt…, höchst…; maximaler Preis, Wert; **Ma|xi|mal…** *in Zus.:* Höchst…, z. B. Maximalgeschwindigkeit, Maximaldosis; **Ma|xi|me** *w. 11* Grundsatz, Lebensregel; **ma|xi|mie|ren** *tr. 3;* etwas (z. B. Gewinn, Produktivität) m.: auf den höchstmöglichen Stand bringen; **Ma|xi|mum** *s. Gen.* -s *Mz.* -ma das Höchste, Höchstwert; **Ma|xi|mum-Mi|ni|mum-Ther|mo|me|ter** *s. 5* Thermometer, das die an einem Tag gemessene höchste und niedrigste Temperatur anzeigt
Max-Planck-Ge|sell|schaft *w. 10 nur Ez., früher:* Kaiser-Wilhelm-Gesellschaft; **Max-Planck-In|sti|tut** *auch:* **Ins|ti-** *s. 1 nur Ez.*
Ma|ya *m. 9 oder Gen. - Mz.* - **1** Angehöriger eines vorkolumbian. Indianervolkes in Mittelamerika mit hoher Kultur; **2** *s. Gen. - nur Ez.* dessen Sprache
Ma|yon|nai|se *Nv.* ► **Ma|jo|nä|se** *Hv. w. 11*
May|or *auch:* **Ma|yor** [mɛə, engl.] *m. 9, in Großbritannien und den USA:* Bürgermeister
MAZ *w. Gen. - Fernsehtechnik:* magnetische Bildaufzeichnung
Ma|ze|do|ni|en, Ma|ke|do|ni|en **1** histor. Landschaft am Nordrand des Ägäischen Meeres; **2** Staat in Südosteuropa; **Ma|ze|do|ni|er,** Ma|ke|do|ni|er *m. 5;* **ma|ze|do|nisch,** ma|ke|do|nisch
Mä|zen [nach dem Römer Maecenas] *m. 1* reicher Förderer von Künstlern, Gönner; **Mä|ze|na|ten|tum** *s. Gen.* -s *nur Ez.;* **Mä|ze|na|tin** *w. 10* weibl. Mäzen; **mä|ze|na|tisch**
Ma|ze|ra|ti|on [lat.] *w. 10* Verfahren zur Auflösung von organ. Gewebe (für Extrakte, Fasergewinnung, mikroskop. Präparate); **ma|ze|rie|ren** *tr. 3*
Ma|zis [frz.] *m. Gen. - nur Ez.,* **Ma|zis|blü|te** *w. 11* getrocknete Samenhülle der Muskatnuss, Gewürz und Heilmittel, Muskatblüte
Ma|zur|ka [-sur-, poln.] *Nv.* ► **Ma|sur|ka** *Hv.*
mb *Abk. für* Millibar
MB *Abk. für* Megabyte
µb *veraltet,* **µbar** *Abk. für* Mikrobar
mbar *Abk. für* Millibar
mbH *Abk. für* mit beschränkter Haftung
Mc, M' *Abk. für* Mac
m. c. *Abk. für* mensis currentis
McCar|thy|is|mus [məka:θɪ-, nach dem US-amerik. Politiker Joseph McCarthy] *m. Gen. - nur Ez.* antikommunist. Bewegung
Md *chem. Zeichen für* Mendelevium
MD 1 *Abk. für* Maximaldosis; **2** *Abk. für* Musikdirektor; **3** *Abk. für* Maryland
Md. *Abk. für* Milliarde(n) **m. d.** *Abk. für* mano destra
MdB, M. d. B. *Abk. für* Mitglied des Bundestages
MdL, M. d. L. *Abk. für* Mitglied des Landtages
MdV, M. d. V. *ehem. DDR: Abk. für* Mitglied der Volkskammer
ME *Abk. für* **1** Mache-Einheit; **2** Ministerialentschließung; **3** Maine
m. E. *Abk. für* meines Erachtens
mea cul|pa [lat.] (es ist) meine Schuld
Me|cha|nik [lat.] *w. 10* **1** Lehre vom Gleichgewicht und den Bewegungen der Körper unter dem Einfluss von Kräften; **2** Getriebe, Triebwerk; **Me|cha|ni|ker** *m. 5* **1** Fachmann, der Maschinen zusammenbaut, repariert und bedient; **2** Metallfacharbeiter, Feinschlosser; **me|cha|nisch 1** von einer Maschine angetrieben; **2** *übertr.:* ohne nachzudenken, unwillkürlich, gewohnheitsmäßig; **me|cha|ni|sie|ren** *tr. 3* auf Maschinenbetrieb umstellen; **Me|cha|ni|sie|rung** *w. 10 nur Ez.;* **Me|cha|nis|mus** *m. Gen. - Mz.* -men **1** Getriebe, Triebwerk; **2** gewohnheitsmäßiger Ablauf (z. B. von Vorgängen in Behörden und Verwaltungen, auch von geistig-seel. Vorgängen und Verhaltensweisen); **me|cha|nis|tisch** nur mechanische Ur-

sachen anerkennend; mechanistische Naturauffassung: Auffassung, dass alles Naturgeschehen nur auf mechanischen Vorgängen von Masse und Bewegung beruhe

Meckerer *m. 5;* **meckern** *intr. 1;* ich meckere, meckre

Mecklenburg-Vorpommern Land der BR Dtld.

Medaille [-daljə, frz.] *w. 11* **1** Gedenk-, Schaumünze ohne Geldwert; **2** Ehrenzeichen, z. B. Rettungsmedaille; die Kehrseite der M.: die unangenehme Seite der Sache; **Medailleur** [-daljør] *m. 1* Künstler, der Stempel zum Prägen von Medaillen herstellt; **Medaillon** [-daljɔ̃] *s. 9* **1** rundes oder ovales, gerahmtes Bildchen; **2** runde oder ovale Kapsel für Bild oder Andenken (als Anhänger); **3** rundes oder ovales Ornament; **4** runde Fleischschnitte (meist Filetstück)

Media [lat.] *w. Gen. - Mz.* -diae *oder* -dilen **1** stimmhafter Verschlusslaut: b, d, g; **2** mittlere Schicht der Gefäßwand (von Blut und Lymphgefäßen); **3** [engl.Ausspr.: midɪə] *Mz. von* Medium; **Mediaanalyse** *w. 11* Untersuchung von Werbeträgern nach Verbreitung, Leserschaft u. a.; **medial** **1** zur Mitte hin, in der Mitte; **2** *Okkultismus:* die Eigenschaften eines Mediums besitzend; **Media-Man** [midɪə mæn, engl.] *m. Gen. - Mz.* -Men [-mən], **Mediamann** *m. 4, Werbung:* Fachmann für Auswahl und Ausnutzung von Media (**3**); **median** nach der Mittellinie des Körpers zu gelegen; **Mediane, Medianebene** *w. 11* Symmetrieebene (eines Körpers); **Mediante** *w. 11* **1** dritte Stufe, Mittelton der Tonleiter; **2** der darauf errichtete Dreiklang; **Medianwert** *m. 1* Mittelwert; **mediat** **1** mittelbar; **2** *im alten Dt. Reich:* einem Reichsstand (nicht dem Reich direkt) unterstehend; **Mediation** *w. 10* Vermittlung, vermittelndes Dazwischentreten; **mediatisieren** *tr. 3* aus der reichsunmittelbaren Stellung entfernen und der Landeshoheit unterwerfen (z. B. die Reichsstädte); **Mediatisierung** *w. 10;* **Mediator** *m. 13, veraltet:* Vermittler; **mediatorisch** *veraltet:* vermittelnd; **mediäval** mittelalterlich; **Mediäval** [fachsprachl.: -diεvəl] *w. Gen. - nur Ez.,* eine Antiqua-Druckschrift; **Mediävist** *m. 10* Kenner, Erforscher des Mittelalters; **Mediävistik** *w. 10 nur Ez.* Erforschung des Mittelalters

Mediceer [-tʃe-] *m. 5* Angehöriger des Geschlechts der Medici; **mediceisch** [-tʃe-] zu den Medici gehörend, von ihnen stammend; **Medici** [-tʃi] *m. Gen. - Mz. -* Angehöriger eines florentin. Adelsgeschlechts

Medien *Mz. von* Media, Medium; **Medienverbund** *m. 1 nur Ez.* Verbindung verschiedener Kommunikationsmittel

Medikament [lat.] *s. 1* Arznei-, Heilmittel; **medikamentös** mit Hilfe von Medikamenten; **Medikaster** *m. 5* Quacksalber, Kurpfuscher; **Medikation** *w. 10* Verabreichung von Medikamenten; **Medikus** *m. Gen. - Mz.* -zi, *scherzh.:* Arzt

Medina **1** Stadt in Saudi-Arabien; **2** *w. 9, in islam. Städten:* die (von Einheimischen bewohnte) Altstadt

medio, Medio [lat.] *Kaufmannsspr.:* Mitte, 15. (bzw. 14.) eines Monats; medio Mai, Medio Mai; **mediokrer** mittelmäßig; **Mediokrität** *w. 10 nur Ez.* Mittelmäßigkeit; **Mediowechsel** *m. 5* Mitte eines Monats fälliger Wechsel

Medisance [-sɑ̃s, frz.] *w. 11, veraltet:* Verleumdung, üble Nachrede; **medisant** *veraltet:* schmäh-, klatschsüchtig; **medisieren** *tr. 3, veraltet:* schmähen, (über jmdn.) klatschen

Meditation [lat.] *w. 10* relig. Versenkung, tiefes Nachsinnen, sinnende Betrachtung; **meditativ** mittels Meditation, auf Meditation beruhend

mediterran [lat.] zum Mittelmeer und den angrenzenden Ländern gehörend, mittelmeerisch; **Mediterranflora** *w. Gen. - nur Ez.* die Pflanzenwelt der Mittelmeerländer

meditieren [lat.] *intr. 3* sich in Nachdenken, sinnende Betrachtung versenken; über etwas m.

Medium [lat.] *s. Gen.* -s *Mz.* -dien **1** *allg.:* Mittel, Mittelglied; **2** Vermittler von Informationen, Lehr-, Lernmittel, Werbeträger, z. B. Zeitung, Rundfunk, Tonband, Buch, Schaufenster; **3** *Phys.:* Stoff, in dem sich ein physikal. Vorgang abspielt; **4** *Gramm.:* Handlungsrichtung des Verbs, bei der sich das Geschehen auf das Subjekt bezieht, z. B. im Griech., etwa der reflexiven Form entsprechend; **5** *Pharmazie:* Lösungsmittel; **6** *Okkultismus:* Person, die angeblich zur Vermittlung von Geistererscheinungen veranlagt ist; **Mediumismus** *m. Gen. - nur Ez.,* Glaube an die Möglichkeit der Verbindung zu einer Geisterwelt; **mediumistisch**

Medizi *Mz. von* Medikus; **Medizin** *w. 10* **1** *nur Ez.* Heilkunde; **2** Heilmittel, Arznei; **Medizinalrat** *m. 2, Titel für* Arzt im öffentl. Gesundheitsdienst; **Medizinball** *m. 2* großer, 2–5 kg schwerer Lederball; **Mediziner** *m. 5* Arzt, Medizinstudent; **medizinisch** auf der Medizin beruhend, zu ihr gehörend; Medizinische Fakultät (der Universität); medizinisch-technische Assistentin (*Abk.:* MTA); **Medizinmann** *m. 4, bei Naturvölkern:* Priester, Zauberer, Heilkundiger

Medley [mɛdli, engl.] *s. 9* Melodienfolge, Potpourri

Médoc [nach der südwestfrz. Landschaft Médoc] *m. 9* ein frz. Rotwein

Medrese *auch:* **Medrese** [arab.], **Medrese** *w. 11* **1** islamische Hochschule für Theologen und Juristen; **2** Koranschule einer Moschee

Medulla [lat.] *w. Gen. - nur Ez.* Mark, z. B. Knochenmark; **medullär** zum Mark gehörig

Medusa [griech.], Meduse *w. Gen. - nur Ez., griech. Myth.:* weibl. Ungeheuer mit versteinerndem Blick, eine der Gorgonen; **Meduse** *w. 11* eine Qualle; **Medusenblick** *m. 1* versteinernder Blick; **Medusenhaupt** *s. 4*

Meer *s. 1;* **Meerbusen** *m. 7;* **Meerenge** *w. 11;* **Meeresarm** *m. 1;* **Meeresboden** *m. 8 nur Ez.;* **Meeresgrund** *m. 2 nur Ez.;* **Meereshöhe** *w. 11;* **Meereskunde** *w. 11 nur Ez.* Ozeanographie; **Meeresleuchten** *s. Gen.* -s *nur Ez.* durch

phosphoreszierende Meerestiere hervorgerufene Lichterscheinung im Meer, bes. in den Tropen; **Mee|res|spie|gel** *m. 5 nur Ez.;* über dem M. (*Abk.:* ü. M. *oder* ü. d. M.); unter dem M. (*Abk.:* u. M. *oder* u. d. M.); 1 500 m ü. M.; **Mee|res|stil|le** *w. 11 nur Ez.;* **Mee|res|strand** *m. 2;* **Mee|res|stra|ße** *w. 11;* **Mee|res|strö|mung** *w. 10*
Mee|res|u|fer *s. 5;* **Meer|frau** *w. 10, Myth.:* im Meer lebender weibl. Wassergeist; **Meer|gott** *m. 4, Myth.;* **meer|grün; Meer|jung|frau** *w. 10* junge Meerfrau; **Meer|kat|ze** *w. 11* ein afrikan. Affe, Mangabe; **Meer|mäd|chen** *s. 7, Myth.:* junge Meerfrau
Meer|ret|tich *m. 1* eine Gewürzpflanze
Meer|salz *s. 1 nur Ez.* aus Meerwasser gew. Salz für Diät
Meers|burg Stadt am Bodensee; **Meers|bur|ger** *m. 5;* **meers|bur|gisch**
Meer|schaum *m. 2* ein Mineral, Sepiolith; **Meer|schwein** *s. 1* ein Wal, kleiner Tümmler, Braunfisch; **Meer|schwein|chen** *s. 7;* **meer|um|schlun|gen; meer|um|spült; meer|wärts; Meer|was|ser** *s. 5 nur Ez.*
Mee|ting [mi-, engl.] *s. 9* Zusammenkunft, Treffen, *bes.:* politische, wissenschaftl. oder sportl. Veranstaltung
me|fi|tisch [nach der altital. Göttin Mephitis] zu Schwefelquellen gehörend, daraus stammend, übel riechend, stinkend; mefitische Dünste
meg ..., Meg ..., me|ga ..., Me|ga ... [griech.] **1** groß ..., Groß ..., z. B. Megalith; **2** (*Abk.:* M) *vor Maßeinheiten:* eine Million, z. B. Megawatt; **Me|ga|byte** [-bait oder mẹ-] *s. Gen.* -s *Mz.* - (*Abk.:* MB, MByte) 1 Million Byte
Me|ga|fon *s. 1* = Me|ga|phon
Me|ga|hertz *s. Gen.* - *Mz.* - (*Abk.:* MHz) eine Million Hertz
Me|ga|lith [griech.] *m. 10* großer, unbehauener vorgeschichtl. Steinblock als Denkmal; **Me|ga|lith|grab** *s. 4* = Großsteingrab; **Me|ga|li|thi|ker** *m. 5* Träger der Megalithkultur; **me|ga|li|thisch** aus Megalith bestehend; **Me|ga|lith|kul|tur** *w. 10 nur Ez.* durch Megalithgräber gekennzeichnete Kultur der Jungsteinzeit; **me|ga|lo|man** größenwahnsinnig; **Me|ga|lo|ma|nie** *w. 11 nur Ez.* Größenwahn
Me|ga|ohm, Mẹg|ohm *s. Gen.* -s *Mz.* - (*Abk.:* MΩ) eine Million Ohm; **Me|ga|phon** ► *auch:* **Me|ga|fon** [griech.] *s. 1* Sprachrohr, Schalltrichter (heute oft mit Mikrophon); **Me|ga|pond** *s. Gen.* -s *Mz.* - (*Abk.:* MP) eine Million Pond
Me|gä|re [griech.] *w. 11* **1** *nur Ez., griech. Myth.:* eine der Erinnyen; **2** *übertr.:* böses Weib
Mẹ|ga|ron [griech.] *s. Gen.* -s *Mz.* -ra **1** *urspr.:* einräumiges, ältestes griech. Haus; **2** *dann:* Hauptraum griechischer Wohnhäuser oder Tempel
Me|ga|the|ri|um [griech.] *s. Gen.* -s *Mz.* -ri|en ausgestorbenes Riesenfaultier; **Me|ga|ton|ne** *w. 11* (*Abk.:* Mt) eine Million Tonnen; **Me|ga|watt** *s. Gen.* -s *Mz.* - (*Abk.:* MW) eine Million Watt; **Mẹg|ohm** *s. Gen.* -s *Mz.* - = Megaohm
Mehl *s. 1;* **meh|lig; Mehl|schwit|ze** *w. 11* in Fett gebräuntes Mehl, Einbrenne; **Mehl|spei|se** *w. 11;* **Mehl|tau,** Mel|tau *m. 1 nur Ez.* durch den Mehltaupilz hervorgerufener, schimmelartiger Überzug auf Pflanzenblättern; **Mehl|wurm** *m. 4* Larve des Mehlkäfers
mehr; mehr Knaben als Mädchen; er ist mehr schön als klug; mehr denn je; umso mehr, desto mehr; mehr oder minder, mehr oder weniger; es ist keiner, niemand mehr da; **Mehr** *s. Gen.* - *nur Ez.* Überschuss, größere Menge; ein Mehr an Kosten; ein Mehr von 10 Stimmen; das Mehr oder Weniger; **Mehr|ar|beit** *w. 10;* **mehr|ar|mig;** mehrarmiger Leuchter; **Mehr|auf|wand** *m. Gen.* -(e)s *nur Ez.;* **Mehr|be|las|tung** *w. 10;* **mehr|deu|tig; Mehr|deu|tig|keit** *w. 10;* **mehr|di|men|si|o|nal; Mehr|di|men|si|o|na|li|tät** *w. 10 nur Ez.;* **meh|ren** *tr. 1;* **meh|re|re;** mehrere Angestellte, mehrerer Angestellter (*auch:* Angestellten); *Flexion mit folgendem Adjektiv* vgl. manch; **meh|re|res;** ich habe m. davon schon gesehen; **meh|rer|lei; Mehr|er|trag** *m. 2;* **mehr|fach; Mehr|fa|che(s)** *s. 18 (17);* **Mehr|fa|mi|li|en|haus** *s. 4;* **Mehr|far|ben|druck** *m. 1;* **mehr|far|big; Mehr|ge|bä|ren|de** *w. 17 oder 18* = Multipara; *Ggs.:* Erstgebärende; **Mehr|ge|bot** *s. 1* (bei Versteigerungen); **mehr|glie|de|rig, mehr|glied|rig; Mehr|glied|rig|keit** *w. 10 nur Ez.;* **Mehr|heit** *w. 10;* **mehr|heit|lich; Mehr|heits|be|schluß** ► **Mehr|heits|be|schluss** *m. 2;* **Mehr|heits|prin|zip** *s. Gen.* -s *nur Ez.;* **Mehr|heits|wahl|recht** *s. 1 nur Ez.;* **mehr|jäh|rig** mehrere Jahre dauernd; **Mehr|kampf** *m. 2;* **mehr|klas|sig; Mehr|kos|ten** *nur Mz.;* **Mehr|la|der** *m. 5* Gewehr, das mit mehreren Patronen auf einmal geladen werden kann; **Mehr|ling** *m. 1* eins von mehreren am gleichen Tag geborenen Geschwistern, z. B. Drilling; **mehr|ma|lig; mehr|mals; Mehr|pha|sen|strom** *m. 2;* **Mehr|preis** *m. 1;* **mehr|sil|big; mehr|spra|chig; mehr|stim|mig; Mehr|stim|mig|keit** *w. 10;* **Mehr|stu|fe** *w. 11* = Komparativ; **Mehr|stu|fen|ra|ke|te** *w. 11;* **mehr|tä|gig; mehr|tei|lig; Meh|rung** *w. 10 nur Ez.;* **Mehr|völ|ker|staat** *m. 12* Nationalitätenstaat; **Mehr|wert** *m. 1;* **Mehr|wert|steu|er; Mehr|zahl** *w. 10 nur Ez.* **1** größere Anzahl aus einer Gesamtheit; **2** *Gramm.* = Plural; *Ggs.:* Einzahl; **mehr|zei|lig; mehr|zel|lig; Mehr|zweck|ge|rät** *s. 1;* **Mehr|zy|lin|der|mo|tor** *m. 12*
mei|den *tr. 82*
Mei|er *m. 5* **1** *urspr.:* vom Grundherrn eingesetzter Gutsverwalter; **2** *später:* Pächter (eines Gutshofes); **3** *süddt., österr.:* Milchwirt; **Mei|e|rei** *w. 10* **1** Landgut, Pachthof; **2** Milchwirtschaft; **Mei|er|gut** *s. 4;* **Mei|er|hof** *m. 2* = Meierei (**2**)
Mei|le *w. 11* Längenmaß verschiedener Größe; englische M.: 1,609 km; geographische M.: 7,42 km; Seemeile: 1,852 km; **mei|len|lang;** *aber:* drei Meilen lang; **Mei|len|stein** *m. 1;* **mei|len|weit**
Mei|ler *m. 5, kurz für* Kohlenmeiler, Atommeiler
mein **1** *Possessivpronomen, a) Kleinschreibung:* das ist mein: das gehört mir; klein, aber mein; meiner Ansicht, meiner Meinung nach; meines Erachtens (*Abk.:* m. E.); meines

mein/Mein, Mein und Dein, das Meine/meine: Das Possessivpronomen wird mit kleinem Anfangsbuchstaben geschrieben: *Das ist mein Buch.* Die substantivierte Form wird im Regelfall großgeschrieben: *Er konnte Mein und Dein nicht unterscheiden; ein Streit über Mein und Dein.* →§57 (3)
Entsprechend können Possessivpronomen als substantivische possessive Adjektive verstanden und großgeschrieben werden [→§57 (1)]; doch ist auch Kleinschreibung [→§58 (4)] möglich. Dem/der Schreibenden ist die Entscheidung überlassen. Daher: *das Meine/meine, das Meinige/meinige, die Meinen/meinen, die Meinigen/meinigen.* Aber: *an meiner Statt* (vgl. *Statt*).

Wissens (*Abk.:* m.W.); *b) Großschreibung:* das Meine: das, was mir gehört, was mir zukommt; ich habe das Meine dazu getan; er kann Mein und Dein nicht unterscheiden *scherzh.:* er stiehlt gelegentlich; dieses Buch ist das Meine, *oder:* das Meinige, *oder ugs.:* mein(e)s; das Mein und (das) Dein; die Meinen: meine Angehörigen; **2** *Personalpronomen im Genitiv:* gedenke mein, meiner!; er konnte sich meiner noch erinnern; das ist meiner nicht würdig.
Mein|eid *m. 1* vorsätzlich falscher Eid; **mein|ei|dig;** m. werden; **Mein|ei|di|ge(r)** *m. 18 (17)* jmd., der einen Meineid geschworen hat
mei|nen *tr. 1;* es gut mit jmdm. m.; es war nicht böse gemeint
mei|ner vgl. mein (**2**); **mei|nerseits; mei|nes|glei|chen; mei|net|hal|ben; mei|net|we|gen; mei|net|wil|len;** er tat es um meinetwillen
mei|ni|ge 1 *Kleinschreibung:* dieses Buch ist das meinige: es gehört mir; **2** *Großschreibung:* ich habe das Meinige (*auch:* das Meinige), dazu getan: meinen Beitrag dazu geleistet; die Meinigen: meine Angehörigen; der Meinige *scherzh.:* mein Mann
Mei|nung *w. 10;* **Mei|nungsaus|tausch** *m. 1;* **Mei|nungsäu|ße|rung** *w. 10;* **Mei|nungsfor|schung** *w. 10;* **Mei|nungsfrei|heit** *w. 10 nur Ez.;* **Mei|nungs|um|fra|ge** *w. 11;* **Mei|nungs|ver|schie|den|heit** *w. 10*
Mei|o|se [griech.] *w. 11* atypische, indirekte Teilung des Zellkerns mit Halbierung der Chromosomenzahl, Reifungsteilung, Reduktionsteilung
Mei|ran *m. 1 nur Ez.* = Majoran
Mei|se *w. 11;* er hat eine M. *ugs.:* er ist verrückt
Mei|ßel *m. 5;* **mei|ßeln** *tr. 1;* ich meißele, meißle es
Mei|ßen Stadt in Sachsen; Meißner Porzellan; **Mei|ße|ner** *m. 5* = Meißner (**2**); **mei|ßenisch,** mei|ß|nisch; **Mei|ß|ner** *m. 5* **1** *nur Ez.,* Hoher M.: Berg im hess. Bergland; **2** Einwohner von Meißen; **mei|ß|nisch,** mei|ße|nisch

am meisten, das meiste: Superlativformen mit *am,* die mit *Wie?* erfragt werden können, schreibt man klein: *Er verdient am meisten.* [→§58 (2)]. Auch einige Zahladjektive mit allen ihren Flexionsformen schreibt man klein: *Die meisten haben die Prüfung bereits bestanden.* Ebenso: *die vielen, noch weniges, die einen – die anderen.* →§58 (5)

meist 1 *Superlativ von* viel, die meisten sagen ...; das meiste habe ich getan; am meisten; die meisten Leute; in den meisten Fällen; die meiste Zeit *ugs.;* **2** *Adv.* = meistens; er war meist nicht dabei; **meist|be|güns|tigt; Meist|be|güns|ti|gungs|klausel** *w. 11;* **meist|be|tei|ligt; meist|bie|tend;** etwas m. versteigern: an den Meistbietenden versteigern; **Meist|bie|tende(r)** *m. 18 (17)* (bei Versteigerungen); **meis|tens,** meist; **meis|ten|teils**
Meis|ter *m. 5;* **Meis|ter|brief** *m. 1;* **Meis|ter|ge|sang** *m. 2 nur Ez., 14./16. Jh.:* die vor allem von den Handwerksmeistern schulmäßig gepflegte, nach strengen Regeln aufgebaute Lieddichtung; **meis|ter|haft; Meis|ter|hand** *w. 2 nur Ez.;* ein von M. geschaffenes Kunstwerk; **Meis|te|rin** *w. 10* **1** weibl. Meister; **2** Frau des Meisters; **Meis|ter|leis|tung** *w. 10;* **meis|ter|lich; meis|tern** *tr. 1;* ich meistere es; **Meis|ter|prüfung** *w. 10;* **Meis|ter|sän|ger** *m. 5* = Meistersinger; **Meis|ter|schaft** *w. 10;* **Meis|ter|schafts|spiel** *s. 1;* **Meis|ter|schafts|ti|tel** *m. 5;* **Meis|ter|sin|ger** *m. 5* Dichter und Sänger des Meistergesangs; **Meis|ters|leu|te** *nur Mz.* Meister und Meisterin (**2**); **Meis|ter|stück** *s. 1;* **Meis|terwerk** *s. 1*
Meist|ge|bot *s. 1;* **meist|gebräuch|lich; meist|ge|kauft; meist|ge|le|sen; meist|genannt; Meist|stu|fe** *w. 11* = Superlativ
Mek|ka Stadt in Saudi-Arabien, Geburtsort Mohammeds und Wallfahrtsort der Muslime
Me|ko|ni|um [griech.] *s. Gen.* -s *nur Ez.* = Kindspech
Me|la|min *s. 1 nur Ez.,* **Me|lamin|harz** *s. 1 nur Ez.* ein Kunstharz
Me|lan|cho|lie [-ko-, griech.] *w. 11 nur Ez.* Trübsinn, Schwermut; **Me|lan|cho|li|ker** [-ko-] *m. 5* melancholischer Mensch; **me|lan|cho|lisch** [-ko-]
Me|la|ne|si|en [griech. „Schwarzinselland"] Inselgruppen im Stillen Ozean nordöstlich von Australien; **Me|la|nesi|er** *m. 5;* **me|la|ne|sisch**
Me|lan|ge [-lɑ̃ʒ(ə), frz.] *w. 11* **1** Mischung, Gemisch; **2** aus verschieden farbigen Fasern hergestelltes Woll- oder Baumwollgarn; **3** *österr. auch:* Milchkaffee
Me|la|nin [griech.] *s. 1* roter bis schwarzer, bei Menschen und Tieren vorkommender Farbstoff, der die schwarze oder braune Färbung von Haut und Haaren bewirkt; **Me|la|nis|mus** *m. Gen.- nur Ez.,* Me|la|no|se *w. 11 nur Ez.* krankhafte Dunkelfärbung der Haut durch vermehrte Ablagerung von Melanin; **Me|la|nit** *s. 1* ein Mineral; **me|la|no|derm** dunkelhäutig, dunkle Flecken bildend; **Me|lano|der|mie** *w. 11* Dunkelfärbung der Haut; **Me|la|nom** *s. 1* bösartige, melaninhaltige Geschwulst; **Me|la|no|se** *w. 11 nur Ez.* = Melanismus; **Me|lan|urie** *auch:* **Me|la|nu|rie** *w. 11* = Schwarzwasserfieber; **Me|laphyr** *m. 1* ein Ergussstein, schwarzes Porphyrgestein; **Melas|ma** *s. Gen.* -s *Mz.* -men *oder*

-ma|lta eine Hautkrankheit mit Bildung schwärzlicher Flecken

Me|las|se [griech.] *w. 11* Rückstand bei der Zuckergewinnung, Futtermittel

Mel|ch|ter *w. 11, schweiz.:* hölzernes Milchgefäß

Mel|de *w. 11* ein Gänsefußgewächs

Mel|de|amt *s. 4;* **mel|den** *tr. 2;* **Mel|de|pflicht** *w. 10;* **mel|de|pflich|tig;** meldepflichtige Krankheit; **Mel|der** *m. 5;* **Mel|de|stel|le** *w. 11;* **Mel|dung** *w. 10*

me|lie|ren [frz.] *tr. 3* mischen, sprenkeln; meliertes Garn, meliertes Haar

Me|lik [griech.] *w. 10 nur Ez.* gesungene Lyrik, Lieddichtung

Me|li|o|ra|ti|on [lat.] *w. 10* Verbesserung, bes. des Bodens (z. B. durch Be- oder Entwässerung); **me|li|o|rie|ren** *tr. 3* verbessern; **Me|li|o|rie|rung** *w. 10*

me|lisch [griech.] liedhaft; **Me|lis|ma** *s. Gen.* -s *Mz.* -men Verzierung des Gesangs durch Aufteilung einer Silbe auf mehrere Noten; **Me|lis|ma|tik** *w. 10 nur Ez.* melod. Verzierungskunst; **me|lis|ma|tisch** melodisch verziert; melismatischer Gesang: G., bei dem auf mehrere Noten nur eine Silbe gesungen wird

Me|lis|se [griech.] *w. 11* Pflanze mit nach Zitrone duftenden Blüten, Zitronenkraut; **Me|lis|sen|geist** *m. 1 nur Ez.* = Karmelitergeist

melk *veraltet:* Milch gebend, melkbar; melke Kuh; **Melk|ei|mer** *m. 5;* **mel|ken** *tr. 83;* **Mel|ker** *m. 5;* **Mel|ke|rei** *w. 10* Molkerei, Milchwirtschaft; **Melk|ma|schi|ne** *w. 11*

Me|lo|die [griech.] *w. 11* **1** sangbare, in sich geschlossene Folge von Tönen; **2** *übertr.:* Wohlklang; **Me|lo|dik** *w. 10 nur Ez.* **1** Lehre von der Gestaltung einer Melodie; **2** melodische Eigenart, melodischer Charakter (eines Musikstücks, Themas usw.); **me|lo|di|ös** melodisch schön, harmonisch; **me|lo|disch 1** die Melodie betreffend; **2** melodiös; **Me|lo|dram, Me|lo|dra|ma** *s. Gen.* -s *Mz.* -men Schauspiel mit Musikbegleitung; **me|lo|dra|ma|tisch 1** wie ein Melodram, auf einem Melodram beruhend; **2** *übertr.:* theatralisch, leidenschaftlich-rührselig; **Me|lo|ma|nie** *w. 11 nur Ez.* Musikbesessenheit

Me|lo|ne [griech.] *w. 11* **1** ein Kürbisgewächs; **2** *übertr. ugs.:* runder, steifer (meist schwarzer) Hut

Me|los [griech.] *s. Gen. - nur Ez.* Melodielinie, melodischer Gehalt

Mel|po|me|ne *griech. Myth.:* Muse des Trauerspiels

Mel|tau *m. Gen.* -s *nur Ez.* = Mehltau

Mem|bra *Mz. von* Membrum

Mem|bran [lat.] *w. 10,* **Mem|bra|ne** *w. 11* **1** dünnes, schwingungsfähiges Metallblech; **2** *Biol.:* dünne Haut oder Grenzschicht von bestimmter Durchlässigkeit

Mem|brum [lat.] *s. Gen.* -s *Mz.* -bra, *Med.:* Glied, Gliedmaße

Me|men|to [lat.] *s. 9* Erinnerung, Mahnung, Mahnruf; **Me|men|to mo|ri!** Gedenke des Todes!

Mem|me *w. 11* Feigling, Weichling; **mem|men|haft**

Mem|non *griech. Myth.:* äthiop. König; **Mem|nons|ko|los|se** *m. 1 Mz.,* **Mem|nons|säu|len** *w. 11 Mz.* zwei monumentale, steinerne Sitzfiguren des ägypt. Königs Amenophis III. bei Theben (die früher als Darstellungen Memnons galten)

Me|moire [mɛmoa̲r, frz.] *s. 9, frz. Bez. für* Memorandum; **Me|moi|ren** [-moa̲-] *nur Mz.* (denkwürdige, zeitgeschichtlich interessante) Lebenserinnerungen; **me|mo|ra|bel** *veraltet:* denkwürdig; **Me|mo|ra|bi|li|en** *Mz.* Denkwürdigkeiten; **Me|mo|ran|dum** *s. Gen.* -s *Mz.* -den *oder* -da **1** Denkschrift; **2** *veraltet:* Tagebuch, Merkbuch; **Me|mo|ri|al** *s. Gen.* -s *Mz.* -e *oder* -li|en **1** Merk-, Tagebuch; **2** Bittschrift, Eingabe; **3** Festveranstaltung zu Ehren eines Verstorbenen; **4** [-mɔ̲rıəl] *s. 9, Sport:* Gedächtnis-, Gedenkveranstaltung; **Me|mo|ri|a|le** *s. Gen.* -s *Mz. - oder* -li|en = Memorial **(1–3)**; **me|mo|rie|ren** *tr. 3* auswendig lernen; aus dem Gedächtnis hersagen

Me|na|ge [-ʒə, frz.] *w. 11* **1** kleines Gestell mit Gefäßen für Essig und Öl bzw. Salz und Pfeffer; **2** Traggestell zum Essenholen; **3** *veraltet:* Haushalt, (sparsame) Wirtschaft; **4** *österr.:* (militär.) Verpflegung; **Me|na|ge|rie** [-ʒə-] *w. 11* Tierpark, Tiergarten, Tierschau; **me|na|gie|ren** [-ʒi̲-] *intr. 3, veraltet:* **1** sich (sparsam) verköstigen; **2** *österr.:* Essen holen, Essen fassen

Men|de|le|vi|um [nach dem russ. Chemiker Dimitrij Mendelejew] *s. Gen.* -s *nur Ez.* (*Zeichen:* Md) chem. Element

Men|de|lis|mus *m. Gen. - nur Ez.* die von Gregor Mendel begründete Vererbungslehre

Men|di|kant [lat.] *m. 10* Bettelmönch; **Men|di|kan|ten|or|den** *m. 7* Bettelorden

Me|ne|te|kel [aram., nach der im AT überlieferten Geisterschrift, die dem babylon. König Belsazar seinen Untergang voraussagte: »mene tekel upharsin« (gezählt, gewogen, geteilt)] *s. 5* geheimnisvolles Warnungszeichen

Men|ge *w. 11;* **men|gen** *tr. 1;* **Men|gen|leh|re** *w. 11 nur Ez.;* **men|gen|mä|ßig** hinsichtlich der Menge, quantitativ; **Men|gen|ra|batt** *m. 1*

Meng|sel *s. 5 nur Ez.* Gemisch, Mischmasch

Men|hir [kelt.] *m. 1* unbehauene Steinsäule der Jungsteinzeit

Me|nin|gi|tis [griech.] *w. Gen. - Mz.* -ti̲|den Hirnhautentzündung

Me|nis|ken|glas *s. 4* sichelförmig geschliffenes Brillenglas; **Me|nis|kus** [griech.] *m. Gen. - Mz.* -ken **1** Zwischenknorpel, bes. im Kniegelenk; **2** gewölbte Oberfläche einer in engem Rohr stehenden Flüssigkeit; **3** stark gekrümmte, sichelförmige Linse; **Me|nis|kus|riß** ► **Me|nis|kus|riss** *m. 1*

Men|jou|bart [mɑ̃ʒu̲-, frz., nach dem Filmschauspieler A. Menjou] *m. 2* gestutzter Schnurrbart

Men|ken|ke *w. Gen. - nur Ez., mitteldt.:* **1** Durcheinander; **2** Umstände; mach keine M.!

Men|ni|ge [lat.] *w. Gen. - nur Ez.* rote Anstrichfarbe als Rostschutz; **men|nig|rot**

Men|no|nit [nach dem Gründer, Menno Simons] *m. 10* Angehöriger einer im 16. Jh. gegründeten christl. Sekte, die u. a. Kindertaufe, Kriegsdienst, Eid ablehnt; **men|no|ni|tisch**

Me|no|pau|se [griech.] *w. 11* Aufhören der Menstruation in den Wechseljahren; **Me|nor-**

rha|gie *w. 11* zu starke Menstruation; **Me|nor|rhö** *w. 10,* = Menstruation; **me|nor|rhö|isch; Me|no|sta|se** *auch:* **Me|nos|ta|se** *w. 11* Aussetzen der Menstruation

Men|sa [lat. »Tisch«] *w. Gen.* - *Mz.* -s *oder* -sen **1** Deckplatte des Altartischs; **2** *kurz für* Mensa academica; **Men|sa aca|de|mi|ca** *w. Gen.* - - *Mz.* -sae -cae [-sɛː -kɛː] *an Hochschulen:* Speisehaus für Studenten mit verbilligtem Mittagessen

Mensch 1 *m. 10;* **2** *s. Gen.* -s *Mz.* -er, *abfällig:* liederliche Frau, Schlampe, Dirne; **Men|schen|af|fe** *m. 11;* **men|schen|ähn|lich; Men|schen|al|ter** *s. 5;* **Men|schen|feind** *m. 1* Misanthrop; **men|schen|feind|lich; Men|schen|fres|ser** *m. 5, volkstüml. für* Kannibale; **Men|schen|freund** *m. 1* Philanthrop; **men|schen|freund|lich; Men|schen|ge|den|ken** *s., nur in der Wendung* seit M.: seit langem; **Men|schen|ge|schlecht** *s. 3;* **Men|schen|ge|stalt** *w. 10;* ein Engel, Teufel in M. *übertr.;* **Men|schen|hand** *w. 2;* von M. gemacht; das liegt nicht in M.; **Men|schen|han|del** *m. Gen.* -s *nur Ez.;* **Men|schen|haß** ► **Men|schen|hass** *m. Gen.* -has|ses *nur Ez.;* **Men|schen|has|ser** *m. 5;* **Men|schen|kennt|nis** *w. 1 nur Ez.;* **Men|schen|kind** *s. 3* Kind; Mensch als Kind Gottes; vgl. Menschenskind; **Men|schen|kun|de** *w. 11 nur Ez.* Anthropologie; **Men|schen|le|ben** *s. 7;* **men|schen|leer; Men|schen|lie|be** *w. 11 nur Ez.;* **men|schen|mög|lich;** tun, was m. ist; er hat das Menschenmögliche getan;

> **alles Menschenmögliche tun:** Substantivierte Adjektive werden mit großem Anfangsbuchstaben geschrieben: *Sie haben das/alles Menschenmögliche getan, um die Kinder zu retten.* →§ 57 (1)

Men|schen|raub *m. 1;* **Men|schen|recht** *s. 1;* **men|schen|scheu; Men|schen|scheu** *w. Gen.* - *nur Ez.;* **Men|schen|schlag** *m. 2;* das ist ein anderer, heiterer, ruhiger M.; **Men|schen|see|le** *w. 11, in Wendungen wie:* keine M. war zu sehen; **Men|schens|kind!** *ugs.* (erstaunter, überraschter oder vorwurfsvoller Ausruf); vgl. Menschenkind; **Men|schen|sohn** *m. 2 nur Ez.* Selbstbezeichnung Christi; **men|schen|un|wür|dig; Men|schen|ver|stand** *m. Gen.* -(e)s *nur Ez.;* der gesunde M.; **Men|schen|werk** *s. 1;* **Men|schen|wür|de** *w. 11 nur Ez.;* **men|schen|wür|dig**

Men|sche|wik [russ.] *m. Gen.* -en *Mz.* -en *oder* -ki Anhänger des Menschewismus; **Men|sche|wis|mus** *m. Gen.* - *nur Ez.* die gemäßigte Richtung der russ. sozialdemokrat. Partei; vgl. Bolschewismus; **Men|sche|wist** *m. 10;* **men|sche|wis|tisch**

Mensch|heit *w. 10 nur Ez.;* **mensch|heit|lich; mensch|lich; Mensch|lich|keit** *w. 10 nur Ez.;* **Mensch|wer|dung** *w. 10 nur Ez.*

Men|sel [lat.], Men|sul *w. 11, Geographie:* Messtisch

Men|sis [lat.] *m. Gen.* - *Mz.* -ses Monatsblutung; **men|sis cur|ren|tis** (*Abk.:* m.c.) *veraltet:* (des) laufenden Monats

Mens sa|na in cor|po|re sa|no [lat.] In einem gesunden Körper (wohne auch) ein gesunder Geist (Wort aus den Satiren des altröm. Dichters Juvenal)

mens|tru|al monatlich (wiederkehrend), zur Menstruation gehörend; **Mens|tru|al|blu|tung** *w. 10,* **Mens|trua|ti|on** *w. 10* monatl. Blutung der Gebärmutterschleimhaut, Regel, Periode, Unwohlsein, Monatsblutung, Menorrhö; **mens|tru|ie|ren** *intr. 3* die Menstruation haben; **men|su|al** *veraltet:* monatlich

Men|sul *w. 11* = Mensel

Men|sur [lat.] *w. 10* **1** *allg.:* Maß, Maßverhältnis; **2** *Mus.:* Verhältnis der Maße von Musikinstrumenten (Durchmesser, Länge, Saiten, Resonanzkörper, Grifflöcher usw.); Verhältnis der Notenwerte zueinander (seit dem 13. Jh. festgelegt); **3** *Sport:* Abstand zweier Fechter voneinander; student. Zweikampf (Fechten); **4** *Chem.:* mit Maßeinteilung versehenes Messglas; **men|su|ra|bel** messbar; mensurable Größen; **Men|su|ra|bi|li|tät** *w. 10 nur Ez.* Messbarkeit; **men|su|ral** zum Messen dienend; **Men|su|ral|mu|sik** *w. 10 nur Ez., 13./16. Jh.:* in der Mensuralnotation aufgezeichnete, mehrstimmige Musik; **Men|su|ral|no|ta|ti|on** *w. 10 nur Ez.* die Notenschrift des 13./16. Jh., in der die Dauer der Töne festgelegt ist; vgl. Choralnotation, Modalnotation; **men|su|riert** bestimmte Maßverhältnisse besitzend (Musikinstrumente)

men|tal [lat.] zum Geist gehörend, den Geist betreffend, geistig, (nur) in Gedanken; **Men|ta|li|tät** *w. 10* Geistigkeit, Geistesart, Denk-, Anschauungsweise; **Men|tal|re|ser|va|ti|on** *w. 10, Rechtsw.:* stiller Vorbehalt; **men|te cap|tus** unzurechnungsfähig, des Verstandes beraubt

Men|thol [lat.] *s. 1 nur Ez.* Bestandteil des Pfefferminzöls

Men|tor [griech.] *m. 13* **1** *bei Homer:* Name des Erziehers des Telemach; **2** *übertr.:* Erzieher, Berater, väterl. Freund und Ratgeber

Me|nu [-ny, frz.] *s. 9, schweiz. für* Menü; **Me|nü** *s. 9* **1** aus mehreren Gängen bestehende Mahlzeit, Speisenfolge; **2** auf dem Computerbildschirm angebotene Programmauswahl

Me|nu|ett [frz.] *s. 1* **1** altfrz. Volkstanz; **2** höf. Gesellschaftstanz; **3** Satz der Suite, Sonate, Sinfonie und Kammermusik

Me|phis|to, Me|phis|to|phe|les Name des Teufels in mittelalterl. Volksbüchern und in Goethes »Faust«; **me|phis|to|phe|lisch** teuflisch

Mer|ca|tor|pro|jek|ti|on [nach dem dt. Geographen Mercator] *w. 10* eine winkeltreue zylindr. Kartenprojektion

Mer|ce|rie [-sə-, frz.] *w. 11, schweiz.:* Kurzwarenhandlung

Mer|ce|ri|sa|ti|on *w. 10* = Merzerisation

Mer|chan|di|ser [mə̱tʃəndaɪzər, engl.] *m. 5* im Auftrag der Herstellerfirma arbeitender Fachmann für Warengestaltung im Einzelhandel; **Mer|chan|di|sing** [mə̱tʃəndaɪzɪŋ] *s. Gen.* -s *nur Ez.* Verkaufspolitik, Warengestaltung zur Absatzsteigerung

Me|ren|ke *w. 11* = Meringe

Mer|gel *m. 5* ein Ablagerungsgestein aus Ton, Sand und reichlich Kalk; **mer|ge|lig,** merg|lig mit Mergel vermischt; **mer|geln** *tr. 1* mit Mergel vermischen

Me|ri|di|an [lat.] *m. 1* Längenkreis auf der Erdkugel, der

► = wird zu

durch beide Pole geht; **Me|ri|di|an|kreis** *m. 1* ein astronom. Messinstrument; **me|ri|di|o|nal** den Meridian betreffend, in der Richtung des Meridians, nordsüdlich
Me|rin|ge [frz.] *w. 11,* **Me|rin|gel** *s. 5,* Me|ren|ke *w. 11* Kleingebäck aus Eischnee und Zucker
Me|ri|no [span.] *m. 9* eine Schafsrasse; **Me|ri|no|wol|le** *w. 11*
Me|ris|tem [griech.] *s. 1* (noch) undifferenziertes pflanzl. Gewebe; **me|ris|te|ma|tisch** teilungsfähig
Me|ri|ten [lat.] *Mz. von* Meritum: Verdienste; er hat gewiss seine M.; **me|ri|to|risch** *veraltet:* verdienstlich, verdienstvoll; **Me|ri|tum** *s. Gen.* -s *Mz.* -ri|ten Verdienst, bes. vor Gott durch gute Werke; vgl. Meriten
mer|kan|til [lat.-ital.] zum Handel gehörend, auf Handel beruhend, Handels…; **Mer|kan|ti|lis|mus** *m. Gen. - nur Ez.* Wirtschaftssystem des Absolutismus (16./18. Jh.) mit dem Ziel, den Außenhandel und damit die Industrie zu fördern; **Mer|kan|ti|list** *m. 10* Vertreter des Merkantilismus; **mer|kan|ti|lis|tisch**
merk|bar; Merk|blatt *s. 4;* **Merk|buch** *s. 4;* **mer|ken** *tr. 1;* **Mer|ker** *m. 5, im Meistergesang:* der, der die Fehler des Sängers aufschreibt; **merk|lich;** es hat sich um ein Merkliches abgekühlt, *besser:* merklich; **Merk|mal** *s. 1;* **Merks** *m. ugs., nur in den Wendungen:* einen guten, schlechten, keinen Merks für etwas haben: sich etwas gut, schlecht, nicht merken können; **Merk|spruch** *m. 2*
Mer|kur 1 *röm. Myth.:* Gott des Handels, Götterbote; **2** *m. Gen.* -s *nur Ez.* ein Planet; **3** *m. oder s. Gen.* -s *nur Ez., Alchimie:* Quecksilber; **Mer|ku|ri|a|lis|mus** *m. Gen. - nur Ez.* Quecksilbervergiftung; **Mer|kur|stab** *m. 2* schlangenumwundener Stab des Merkur, Heroldsstab
Merk|wort *s. 4;* **merk|wür|dig; merk|wür|di|ger|wei|se; Merk|wür|dig|keit** *w. 10;* **Merk|zei|chen** *s. 7*
Mer|lan [frz.] *m. 1* ein Schellfisch
Mer|le *w. 11, niederrhein.:* Amsel
Mer|lin 1 *im Artussagenkreis:* Zauberer; **2** *m. 1* ein Falke
Me|ro|win|ger *m. 5* Angehöriger eines fränk. Herrschergeschlechts; **me|ro|win|gisch**
Mer|ze|ri|sa|ti|on [nach dem Engländer J. Mercer], Mer|ce|ri|sa|ti|on *w. 10 nur Ez.* Verfahren zum Veredeln von Baumwolle; **mer|ze|ri|sie|ren** *tr. 3*
Merz|vieh *s. Gen.* -s *nur Ez.* auszumerzendes, zur Zucht nicht geeignetes Vieh
Mes|al|li|ance *auch:* **Me|sal|li|ance** [mezaljɑ̃s, frz.] *w. 11* **1** nicht standesgemäße Ehe, Missheirat; **2** *übertr.:* unebenbürtige Liebschaft
me|schant [frz.] boshaft, niederträchtig, ungezogen
me|schug|ge [jidd.] *mitteldt., berlinerisch:* verrückt
Mes|dames [medam] *Mz. von* Madame *(als Anrede)*: **Mes|de|moi|selles** [medmoazɛl] *Mz. von* Mademoiselle *(als Anrede)*
Mes|en|chym *auch:* **Me|sen|chym** [griech.] *s. 1 nur Ez.* lockeres, embryonales Bindegewebe
Mes|ka|lin [indian.] *s. 1 nur Ez.* ein Rauschgift
Mes|mer *m. 5, schweiz. für* Mesner; **Mes|me|ris|mus** *m. Gen. - nur Ez.* von dem Arzt Franz Anton Mesmer begründetes Heilverfahren durch biologischen (sog. animalischen) Magnetismus, z.B. durch Handauflegen
Mes|ner, Mes|mer, ► *auch:* **Mess|ner** *m. 5* Kirchendiener, Küster; **Mes|ne|rei** *w. 10* Amt und Wohnung des Mesners
me|so…, Me|so… [griech.] *in Zus.:* mittel…, Mittel…, mittler…
Me|so|blast [griech.], **Me|so|derm** *s. 1* mittleres Keimblatt des sich entwickelnden Embryos; **me|so|der|mal** sich aus dem Mesoderm entwickelnd
Me|so|karp [griech.] *s. 1,* **Me|so|kar|pi|um** *s. Gen.* -s *Mz.* -pi|en mittlere Schicht der Fruchtwand
me|so|ke|phal = mesozephal
Me|so|li|thi|kum [griech.] *s. Gen.* -s *nur Ez.* Mittelsteinzeit, Epipaläolithikum; **me|so|li|thisch**
Me|son [griech.] *s. 13* sehr kurzlebiges Elementarteilchen, Mesotron
Me|so|phyt [griech.] *m. 10* Pflanze, die an Böden mit mittlerem Feuchtigkeitsgrad angepasst ist
Me|so|po|ta|mi|en [griech. »Zwischenstromland«] zum Irak, zur Türkei und zu Syrien gehörige Landschaft zwischen Euphrat und Tigris; **Me|so|po|ta|mi|er** *m. 5;* **me|so|po|ta|misch**
Me|so|tho|ri|um [griech. + altnord.] *s. Gen.* -s *nur Ez., veraltete Bez. für* ein radioaktives Zerfallsprodukt der Thoriumreihe
Me|so|tron *s. 13* = Meson
me|so|ze|phal [griech.], me|so|ke|phal, mit mittellangem Kopf; **Me|so|ze|pha|lie,** Me|so|ke|pha|lie *w. 11 nur Ez.* mittellange Kopfform
Me|so|zo|i|kum [griech.] *s. Gen.* -s *nur Ez.* Mittelalter der Erdgeschichte; **me|so|zo|isch**
Mes|sa|li|na [nach M., der Gemahlin des röm. Kaisers Claudius] *w. Gen. - Mz.* -nen geschlechtlich unersättliche, sittenlose Frau
Mes|sa|li|ne [frz.] *w. 11 nur Ez.* weicher, glänzender Seiden- oder Kunstseidenstoff
Mes|sa vo|ce [-votʃə, ital.], Mes|sa di vo|ce *s. Gen. - - bzw. - - - nur Ez.* das An- und Abschwellen des Tons beim Gesang
Meß|band ► **Mess|band** *s. 4;* **meß|bar** ► **mess|bar; Meß|bar|keit** ► **Mess|bar|keit** *w. 10 nur Ez.;* **Meß|be|cher** ► **Mess|be|cher** *m. 5;* **Meß|brief** ► **Mess|brief** *m. 1* Urkunde über die Vermessung eines Schiffes
Meß|buch ► **Mess|buch** *s. 4* Buch mit Gebeten, Lesungen und Liedern zum Gebrauch in der Messe, Missale; **Meß|die|ner** ► **Mess|die|ner** *m. 5* = Ministrant
Mes|se *w. 11* **1** *kath. Kirche:* Hauptgottesdienst; **2** Musikwerk für Gesangsstimmen und Orchester für die Messe (**1**); **3** Ausstellung von Industriewaren, Markt; *auch:* Jahrmarkt; **4** *auf Kriegsschiffen:* Aufenthalts- und Speiseraum für Offiziere; *auch:* die Tischgesellschaft selbst
Mes|se|ge|län|de *s. 5;* **Mes|se|hal|le** *w. 11*
mes|sen *tr. 84*
Mes|sen|ger Boy [mɛsɪndʒər

bɔɪ, engl.] *m. Gen.* - -s *Mz.* - -s, *veraltet:* Eilbote

Mes|ser 1 *m. 5* jmd., der etwas misst; Messgerät; **2** *s. 5* Schneidwerkzeug; die Sache stand auf Messers Schneide; **3** [ital.] *m. Gen.* - *Mz.* -, *in der italien. Komödie Anrede für höher gestellte Personen:* Herr

Mes|ser|held *m. 10* gefährlicher Raufbold; **mes|ser|rü|cken|dick; mes|ser|scharf; Mes|ser|schnei|de** *w. 11;* vgl. Messer (**2**); **Mes|ser|spit|ze** *w. 11;* **Mes|ser|ste|che|rei** *w. 10*

Mes|se|stand *m. 2* Ausstellungsstand auf der Messe (**3**);

Meß|frem|de(r) ► **Mess|frem|de(r)** *m. 18 (17) ugs.:* auswärtiger Besucher einer Messe (**3**)

Meß|ge|fäß ► **Mess|ge|fäß** *s. 1;* **Meß|ge|rät** ► **Mess|ge|rät** *s. 1*

Meß|ge|wand ► **Mess|ge|wand** *s. 4*

Meß|glas ► **Mess|glas** *s. 4*

Meß|hemd ► **Mess|hemd** *s. 12* = Alba (**1**)

Mes|si|a|de *w. 11* Dichtung, deren Held der Messias (Jesus Christus) ist; **mes|si|a|nisch** zum Messias gehörig, von ihm ausgehend; **Mes|si|a|nis|mus** *m. Gen. - nur Ez.* Lehre von der Erlösung durch den verheißenen Messias; **Mes|si|as** [hebr. »Gesalbter«] *m. Gen. - nur Ez.* Erlöser, *bes.:* Jesus Christus

Mes|sieurs [mɛsjø] (*Abk.:* MM.) *Mz. von* Monsieur *(als Anrede)*

Mes|sing *s. Gen.* -s *nur Ez.* Legierung aus Kupfer und Zink; **mes|sin|gen** aus Messing; eine messingne Schale

Meß|in|stru|ment ► **Mess|in|stru|ment** *s. 1*

Meß|kelch ► **Mess|kelch** *m. 1*

Meß|lat|te ► **Mess|lat|te** *w. 11*

Mess|ner = Mesner, Mesmer

Meß|on|kel ► **Mess|on|kel** *m. 9, ugs. scherzh.:* Gast, der zur Messe (**3**) kommt

Meß|op|fer ► **Mess|op|fer** *s. 5*

Meß|schnur ► **Mess|schnur** *w. 2;* **Meß|tech|nik** ► **Mess|tech|nik** *w. 10;* **Meß|tisch** ► **Mess|tisch** *m. 1* heute kaum noch benutztes geodät. Messgerät; **Meß|tisch|blatt** ► **Mess|tisch|blatt** *s. 4* **1** *urspr.:* mit Hilfe des Messtisches aufgenommene, großmaßstäbige Karte; **2** *heute im allg. Sprachgebrauch Bez. für* topograph. Karte 1:25 000 mit eingezeichneten Oberflächenformen, Bodenbedeckungen, Verkehrswegen, Siedlungsflächen usw.; **Meß|uhr** ► **Mess|uhr** *w. 10;* **Mes|sung** *w. 10;* **Meß|ver|fah|ren** ► **Mess|ver|fah|ren** *s. 7*

Meß|wein ► **Mess|wein** *m. 1*

Meß|zy|lin|der ► **Mess|zy|lin|der** *m. 5*

Mes|te *w. 11, westfäl.:* altes Hohlmaß, Holzgefäß

Mes|ti|ze [span.] *m. 11* Nachkomme eines weißen und eines indianischen Elternteils, Mischling

Met *m. Gen. - nur Ez., Kurzw. für die* Metropolitan Opera (Opernhaus in New York)

Met *m. 1 nur Ez.* alkohol. Getränk aus vergorenem Honig und Wasser

me|ta ..., Me|ta ... [griech.] *in Zus.:* nach ..., hinter ..., Nach ..., Hinter ...

Me|ta|ba|sis [griech.] *w. Gen. - Mz.* -ba|sen Gedankensprung, Abschweifung

me|ta|bol = metabolisch; **Me|ta|bo|lie** [griech.] *w. 11, Biol.:* Gestalt-, Formveränderung; **me|ta|bo|lisch** verändernd, veränderlich; **Me|ta|bo|lis|mus** *m. Gen. - nur Ez.* Stoffwechsel; **Me|ta|chro|nis|mus** [-kro-] *m. Gen. - nur Ez.* falsche Einordnung in eine spätere Zeit; **Me|ta|ga|la|xis** *w. Gen. - Mz.* -xi|en Gesamtheit der Sternsysteme (Galaxien); **meta|gam** nach der Befruchtung; **Me|ta|ge|ne|se** *w. 11* Wechsel zwischen einer geschlechtlichen und einer ungeschlechtlichen Generation, Generationswechsel

Me|ta|ge|schäft [ital.] *s. 1* Vereinbarung zweier Partner, Gewinn und Verlust aller von ihnen unternommenen Geschäfte zu teilen

Me|ta|kri|tik [griech.] *w. 10* Kritik einer Kritik

Me|tall [griech.] *s. 1;* **Me|tal|le|gie|rung** ► **Me|tall|le|gie|rung** *w. 10;* **me|tal|len** aus Metall; wie Metall; **Me|tal|li|sa|ti|on** *w. 10* Überziehen mit einer Metallschicht; **Me|tal|li|sa|tor** *m. 13* Spritzpistole zur Metallisation; **me|tal|lisch; me|tal|li|sie|ren** *tr. 3* mit einer Metallschicht überziehen; **Me|tal|li|sie|rung** *w. 10;* **Me|tal|lis|mus** *m. Gen. - nur Ez.* geldtheoret. Anschauung, dass der Wert des Geldes von seinem Metallwert abhängen müsse; **Me|tall|le|gie|rung** *w. 10;* **Me|tal|lo|chro|mie** *w. 11* Färben von Metalloberflächen mittels Elektrolyse; **Me|tal|lo|ge** *m. 11* Wissenschaftler auf dem Gebiet der Metallogie; **Me|tal|lo|gie** *w. 11 nur Ez.* Metallkunde; **Me|tal|lo|graph** *m. 10;* **Me|tal|lo|gra|phie** *w. 11 nur Ez.* Untersuchung der Strukturen von Metallen und ihren Legierungen; **Me|tal|lo|id** *s. 1* nichtmetallischer chemischer Grundstoff, Nichtmetall; **Me|tall|urg** *auch:* **Me|tal|lurg** *m. 10;* **Me|tall|ur|gie** *auch:* **Me|tal|lur|gie** *w. 11 nur Ez.* = Hüttenkunde; **me|tall|ur|gisch** *auch:* **me|tal|lur|gisch;**

> **Metall verarbeiten/verarbeitend:** Verbindungen aus Substantiv und Verb/Partizip werden getrennt geschrieben: *Das ist ein Metall verarbeitender Betrieb.* → § 34 E3 (5)

me|tall|ver|ar|bei|tend ► **Me|tall ver|ar|bei|tend;** die Metall verarbeitende Industrie; **Me|tall|wäh|rung** *w. 10* durch Metall gedeckte Währung

Me|ta|me|rie [griech.] *w. 11 nur Ez.* besondere Art der Isomerie; **me|ta|morph** den Zustand, die Gestalt verändernd; metamorphe Gesteine; **Me|ta|mor|phis|mus** *m. Gen. - nur Ez.* Bewegung der Erdkruste, bei der Metamorphosen auftreten; **Me|ta|mor|pho|se** *w. 11* Umwandlung in eine andere Gestalt, z. B. Blattanlage zum Dorn, Ei zu Kaulquappe und Frosch; **me|ta|mor|pho|sie|ren** *tr. 3* umwandeln, verwandeln; **Me|ta|pher** *w. 11* bildl. Ausdruck, z. B. Stimmungsbarometer, Schaukelpolitik, »aus der Taufe heben« statt »gründen«; **Me|ta|pho|rik** *w. 10 nur Ez.* (kunstvoller) Gebrauch von Metaphern; **me|ta|pho|risch** bildlich, in übertragenem Sinne; **Me|ta|phra|se** *w. 11* wörtl. Übersetzung, Übertragung (eines Gedichts in Prosa); **me|ta|phras|tisch; Me|ta|phy|sik** *w. 10 nur Ez.* Lehre von den letzten, nicht erkennbaren Zusammenhängen des Seins, vom Übersinnlichen; **Me|ta|phy|si|ker** *m. 5;* **me|ta|phy|sisch; Me-**

ta|pla|sie *w. 11* eine Form der Gewebsumwandlung; **Me|ta|plas|mus** *m. Gen. - Mz.* -men sprachliche Doppelform, z. B. »begänne« und »begönne«; **Me|ta|spra|che** *w. 11* Sprache, die eine andere Sprache (Objektsprache) beschreibt; **Me|ta|sta|se** *auch:* **Me|tas|ta|se** *w. 11* Tochtergeschwulst; **me|ta|sta|sie|ren** *auch:* **me|tas|ta|sie|ren** *intr. 3* Metastasen bilden; **Me|ta|the|se** *w. 11,* **Me|ta|the|sis** *w. Gen. - Mz.* -the|sen Umstellung von Lauten, z. B. »Ross« und engl. »horse«, »Erle« und mundartl. »Eller«; **me|ta|zen|trisch** *auch:* **-zent|risch** [griech. + lat.] das Metazentrum betreffend; **Me|ta|zen|trum** *auch:* **-zent|rum** *s. Gen.* -s *Mz.* -tren Schnittpunkt von Schiffsachse und Auftriebsrichtung, Schwankpunkt; **Me|ta|zo|on** [griech.] *s. Gen.* -s *Mz.* -zo|en vielzelliges Tier, Vielzeller

Met|em|psy|cho|se *auch:* **Me|tem-** [griech.] *w. 11* Seelenwanderung

Me|te|or [griech.] *m. 1* Gesteinsbrocken aus dem Weltraum, der beim Eindringen in die Erdatmosphäre aufglüht und als Sternschnuppe sichtbar wird; **me|te|o|risch** die Lufterscheinungen und -verhältnisse betreffend, auf ihnen beruhend; **Me|te|o|ris|mus** *m. Gen. - nur Ez.* Neigung zu Blähungen, Blähsucht; **Me|te|o|rit** *m. 10* nicht verdampftes Bruchstück eines Meteors, Meteorstein; **Me|te|o|ro|graph** *m. 10* Gerät, das Luftdruck, -temperatur und -feuchtigkeit gleichzeitig misst und selbsttätig aufzeichnet; **Me|te|o|ro|lo|ge** *m. 11;* **Me|te|o|ro|lo|gie** *w. 11 nur Ez.* Wissenschaft vom Klima und Wetter, Wetterkunde; **me|te|o|ro|lo|gisch; me|te|o|ro|trop** durch das Wetter, das Klima verursacht; **Me|te|or|stein** *m. 1* = Meteorit

Me|ter [griech.] *s. 5, ugs. auch, schweiz. nur m. 5* (*Abk.:* m) Längenmaß; eine Entfernung von 100 Metern *oder* Meter; von 100 Meter(n) an; laufendes Meter, laufenden Meters (*Abk.:* lfd. m *oder* lfm) → laufend; Hundertmeterlauf, 100-m-Lauf

...me|ter [griech.] *in Zus.* **1** *s. 5* Längenmaßbezeichnung, z. B. Kilometer; **2** *s. 5* Messgerät, z. B. Barometer; **3** *m. 5* jmd., der Messungen ausführt, z. B. Geometer; **4** *m. 5* Versfußbezeichnung, z. B. Hexameter, Pentameter

Me|ter|band *s. 4;* **me|ter|hoch;** der Schnee liegt m., meterhoher Schnee; *aber:* der Schnee liegt zwei Meter hoch; **Me|ter|ki|lo|gramm** *s. Gen.* -s *Mz.* - (*Abk.:* mkg) *veraltet für* Kilopondmeter; **Me|ter|ki|lo|pond** *s. Gen.* -s *Mz.* - (Abk.: mkp) *veraltet für* Kilopondmeter; **me|ter|lang;** ein meterlanger Aal; *aber:* der Aal war einen Meter lang; **Me|ter|lat|te** *w. 11;* **Me|ter|maß** *s. 1;* **Me|ter|se|kun|de** *w. 11* (*Abk.:* m/s *oder* m/sec) *s. 5* Geschwindigkeit, in der eine Last einen Meter pro Sekunde vorwärts bewegt wird, Sekundenmeter; 2 m/s: zwei Meter pro Sekunde; **Me|ter|wa|re** *w. 11* = Manufakturware (**2**); **Me|ter|zent|ner** *m. 5* (*Abk.:* q [Quintal]) *veraltet für* Doppelzentner

Me|than [griech.] *s. 1 nur Ez.,* **Me|than|gas** *s. 1 nur Ez.* einfachster gesättigter Kohlenwasserstoff, brennbares Gas, Grubengas, Sumpfgas; **Me|tha|nol** *s. 1 nur Ez.* = Methylalkohol

Me|tho|de [griech.] *w. 11* **1** Verfahren, Art und Weise, wie etwas getan wird, z. B. Unterrichts-, Färbemethode; **2** planmäßiges Vorgehen, Planmäßigkeit; **Me|tho|dik** *w. 10 nur Ez.* Lehre von den Methoden, bes. vom richtigen, geschickten Unterrichten, Verfahrensweise; **Me|tho|di|ker** *m. 5;* **me|tho|disch; Me|tho|dis|mus** *m. Gen. - nur Ez.* im 18. Jh. aus der anglikan. Kirche hervorgegangene Erweckungsbewegung; **Me|tho|dist** *m. 10;* **Me|tho|dis|ten|kir|che** *w. 11;* **me|tho|dis|tisch; Me|tho|do|lo|gie** *w. 11 nur Ez.* Lehre von den wissenschaftl. Methoden; **me|tho|do|lo|gisch**

Me|thu|sa|lem [nach dem Großvater Noahs, der 969 Jahre alt geworden sein soll] *m. 9* **1** *ugs.:* sehr alter Mann; **2** übergroße Wein- oder Sektflasche mit etwa 6 Liter Inhalt

Me|thyl [griech.] *s. 1 nur Ez.* einwertiger Rest des Methans, Grundkörper zahlreicher organischer Verbindungen; **Me|thyl|al|ko|hol** *m. 1 nur Ez.* einfachster aliphat., sehr giftiger Alkohol, Methanol; **Me|thyl|a|min** *auch:* **Me|thy|la|min** *s. 1 nur Ez.* chem. Verbindung aus Methan und Ammoniak, ein Lösungsmittel; **Me|thy|len** *s. 1 nur Ez.* zweiwertiger Rest des Methans, Grundkörper der homologen Reihen; **Me|thy|len|blau** *s. Gen.* -s ein synthet. Farbstoff

Me|tier [-tje, frz.] *s. 9, ugs.:* Beruf, Handwerk, Geschäft; was ist sein M.?; er versteht sein M.

Me|tist [ital.] *m. 10* Partner in einem Metageschäft

Met|ö|ke *auch:* **Me|tö|ke** [griech.] *m. 11, in altgriech. Städten:* zugewanderter Einwohner ohne polit. Rechte, jedoch freier Bürger

Met|o|no|ma|sie *auch:* **Me|to|no|ma|sie** [griech.] *w. 11* Veränderung des Namens durch Übersetzung in oder Angleichung an eine andere Sprache, z. B. »Bauer« in »Agricola« oder »Descartes« in »Cartesius«; **Met|o|ny|mie** *auch:* **Me|to|ny|mie** *w. 11* Vertauschung bedeutungsverwandter Begriffe, z. B. »Brot« für »Nahrung«; **met|o|ny|misch** *auch:* **me|to|ny|misch**

Met|o|pe *auch:* **Me|to|pe** [griech.] *w. 11, an dor. Tempeln:* Feld über dem Architrav zwischen den Triglyphen, meist mit Reliefs verziert

> **Metra-, Metri-, Metro-, Metru-** (Worttrennung): Es bleibt dem/der Schreibenden überlassen, ob statt der bisher üblichen Trennungsmöglichkeit *(Me|tra-, Me|tri-, Me|tro-, Me|tru-)* nach der Aussprache abgetrennt wird: *Met|ra-, Met|ri-, Met|ro-, Met|ru-.* → § 110

Me|tra, Me|tren *Mz. von* Metrum; **Me|trik** [griech.] *w. 10* **1** Lehre vom Vers und Versmaß, kunstgerechter Gebrauch der Versmaße; **2** *Mus.:* Lehre vom Takt; **Me|tri|ker** *m. 5* Kenner, Erforscher der Metrik; **me|trisch** **1** zur Metrik gehörend, auf ihr beruhend; **2** auf dem Meter beruhend; metrisches System

Me|tro [Kurzw. aus metropolitain »hauptstädtisch«] *w. 9* Untergrundbahn (urspr. nur die Pariser, später allg.)

Me|tro|lo|gie [griech.] *w. 11 nur Ez.* Maß- und Gewichtskunde; **Me|tro|nom** *s. 1, Mus.:* durch Ticken den Takt angebendes Gerät, Taktmesser; vgl. M. M.

Me|tro|ny|mi|kon [griech.] *s. Gen.* -s *Mz.* -ka vom Namen der Mutter abgeleiteter Name, z. B. »der Niobide«: Sohn der Niobe; **me|tro|ny|misch**

Me|tro|po|le [griech.] *w. 11* Hauptstadt, Knotenpunkt; **Me|tro|po|lis** *w. Gen.* - *Mz.* -po|len, *ältere Form von* Metropole; **Me|tro|po|lit** *m. 10* **1** *kath. Kirche:* einer Kirchenprovinz vorstehender Erzbischof; **2** *Ostkirche:* leitender Geistlicher; **me|tro|po|li|tan** zum Metropoliten gehörig; **Me|tro|po|li|tan|kir|che** *w. 11* Hauptkirche eines Metropoliten

Me|trum [griech.-lat.] *s. Gen.* -s *Mz.* -tren, *früher auch:* -tra **1** Versmaß; **2** *Mus.:* Taktmaß

Mett *s. Gen.* -s *nur Ez., nddt.:* gehacktes Rind- oder Schweinefleisch bzw. gehacktes Schweinefleisch und -fett

Met|ta|ge [-ʒə, frz.] *w. 11* **1** Zusammenstellung (Umbruch) einer Zeitungs- oder Buchseite; **2** Arbeitsplatz des Metteurs

Met|te [lat.] *w. 11* **1** Nacht-, Frühgottesdienst; **2** nächtl. Gebet des Breviers

Met|teur [-tør, frz.] *m. 1* Schriftsetzer, der den Schriftsatz zu Seiten zusammenstellt

Mett|wurst *w. 2;* vgl. Mett

Met|ze *w. 11* **1** altes dt. und österr.-ung. Getreidemaß unterschiedl. Umfangs; **2** [urspr. Kurzform von Mechthild] Dirne, Hure

Met|ze|lei *w. 10;* **met|zeln** *tr. 1* **1** schlachten; **2** massenweise morden; *meist:* nieder-, hinmetzeln; **Met|zel|sup|pe** *w. 11* Wurstsuppe; **Met|zel|tag** *m. 1* Schlachtfest

Met|zen *m. 7, österr. für* Metze (**1**)

metz|gen *tr. 1, schweiz.:* schlachten; **Metz|ger** *m. 5; südd., österr., schweiz.:* Fleischer; **Metz|ge|rei** *w. 10;* **Metz|ger|gang, Metz|gers|gang** *m. 2* erfolgloses Unternehmen; **Metz|ler** *m. 5; rhein.:* Fleischer

Meu|ble|ment [møbəlmɑ̃, frz.] *s. 9, veraltet:* Wohnungseinrichtung, Gesamtheit der Möbel

Meu|chel|mord *m. 1* heimtückischer Mord; **Meu|chel|mör|der** *m. 5;* **meu|cheln** *tr. 1, veraltet:* heimtückisch ermorden; **meuch|le|risch; meuch|lings** heimtückisch, hinterrücks; jmdn. m. ermorden

Meu|te *w. 11* **1** *Jägerspr.:* Gruppe Jagdhunde zur Hetzjagd; **2** wilde, zügellose Schar, Horde, Bande; **Meu|te|rei** *w. 10* Empörung, Aufstand (von Soldaten oder Gefangenen gegen Vorgesetzte); **Meu|te|rer** *m. 5;* **meu|tern** *intr. 1* **1** sich auflehnen, sich empören; **2** laut murren; ich meutere, meutre

MeV *Abk. für* Megaelektronenvolt, 1 Million Elektronenvolt

Me|xi|ka|ner *m. 5;* **me|xi|ka|nisch; Me|xi|ko** **1** Staat in Mittelamerika; **2** dessen Hauptstadt

MEZ *Abk. für* mitteleuropäische Zeit

Mez|za|ma|jo|li|ka [ital.] *w. Gen.* - *Mz.* -s *oder* -ken mit weißer Erde bemalte und mit Bleiglasur überzogene Keramik, Halbfayence

Mez|za|nin [ital.] *s. 1, bes. in Renaissance- und Barockbauten, heute noch österr.:* Zwischengeschoss über dem Erdgeschoss, Halbstockwerk

mez|za vo|ce [vɔtʃə, ital.] (*Abk.:* m. v.) mit halber Stimme, halblaut (zu singen, zu spielen); **mez|zo|for|te** (*Abk.:* mf) *Mus.:* mittelstark; **Mez|zo|for|te** *s. Gen.* -(s) *Mz.* -ti mittelstarkes, mittellautes Spiel; **Mez|zo|gior|no** [-dʒɔrno, ital. »Mittag«] *m. Gen.* -(s) *nur Ez.* Süditalien; **mez|zo|pi|a|no** (*Abk.:* mp) *Mus.:* halbleise; **Mez|zo|pi|a|no** *s. Gen.* -(s) *Mz.* -ni halbleises Spiel; **Mez|zo|so|pran** *auch:* **-sop|ran** [auch: -pran] *m. 1* **1** dunkler, tiefer Sopran; **2** Sängerin mit dieser Stimmlage; **Mez|zo|so|pra|nis|tin** *auch:* **-sop|ra-** *w. 10* Sängerin mit Mezzosopranstimme; **Mez|zo|tin|to** *s. Gen.* -s *Mz.* -s *oder* -ti **1** *nur Ez.* = Schabkunst; **2** Erzeugnis dieser Kunst, Schabkunstblatt

mf *Abk. für* mezzoforte

µF *Abk. für* Mikrofarad

MfS *ehem. DDR: Abk. für* Ministerium für Staatssicherheit

mg *Abk. für* Milligramm

µg *Abk. für* Mikrogramm

Mg *chem. Zeichen für* Magnesium

MG, Mg. *Abk. für* Maschinengewehr

MGH *Abk. für* Monumenta Germaniae historica, vgl. Monument

M.Gladbach *Abk. für* Mönchengladbach

Mgr. **1** *Abk. für* Monseigneur; **2** *auch:* Msgr., *Abk.* für Monsignore

MHD *Abk. für* Magnetohydrodynamik

MHz *Abk. für* Megahertz

Mi *Abk. für* Mittwoch

MI *Abk. für* Michigan

Mi|as|ma [griech.] *s. Gen.* -s *Mz.* -men Ausdünstung des Bodens, von der man früher annahm, sie verursache Seuchen; **mi|as|ma|tisch** ansteckend, giftig

mi|au!; mi|au|en *intr. 1*

mich *Akk. von* ich

Mi|cha|e|li, Mi|cha|e|lis *ohne Artikel:* Fest des Erzengels Michael, 29. 9.; an, zu M.; **Mi|chel** *Kurzform von* Michael; der deutsche M. *ugs.:* der gutmütige, schlafmützige Deutsche

Mi|chel|an|ge|lo *auch:* **Mi|chel|an-** [mikəlandʒəlo] vgl. Buonarroti

Mi|chi|gan [-tʃɪgən] (*Abk.:* MI) Staat der USA

mi|cke|rig, mick|rig *ugs.*

Mi|cky|maus *w. 2* von Walt Disney geschaffene, groteske Trickfilmfigur; **Mi|cky|maus|film** *m. 1*

Mid|gard *german. Myth.:* die von Menschen bewohnte Welt; **Mid|gard|schlan|ge** *w. 11, german. Myth.:* im Weltmeer lebendes Ungeheuer, das die (als Scheibe vorgestellte) Erde umschlingt

Mi|di mittellange Rock- oder Mantelmode zwischen Mini und Maxi

Mi|di|net|te [-nɛt(ə), frz.] *w. 11* (leichtlebige) Pariser Modistin oder Näherin

> **Midlifecrisis:** Auch fremdsprachige Substantive können Zusammensetzungen bilden, die zusammengeschrieben werden: *Midlifecrisis.* Ebenso: *Bypassoperation.* → § 37 (1)

Mid|life-Cri|sis *Nv.* ▶ **Mid|life|cri|sis** *Hv.* [mɪdlaɪfkraɪsiz, engl.] *w. Gen.* - - *nur Ez.* Entwicklungskrise der Menschen zwischen dem 40. und 50. Lebensjahr

▶ = wird zu

Mid|ship|man [-ʃɪpmən, engl.] *m. Gen.* -s *Mz.* -men [-mən], *in Großbritannien und den USA:* Seeoffiziersanwärter
Mie|der *s. 5;* **Mie|der|wa|ren** *w. 11 Mz.*
Mief *m. Gen.* -s *nur Ez., ugs.:* schlechte, verbrauchte Luft; **mie|fen** *intr. 1, ugs.: nur in Wendungen wie* hier mieft es: hier ist schlechte Luft
Mie|ne *w. 11;* gute M. zum bösen Spiel machen; **Mie|nen|spiel** *s. 1*
Mie|re *w. 11* ein Nelkengewächs
mies 1 *jidd.:* hässlich; **2** *ugs.:* schlecht, übel; mir ist mies; **3** *ugs.:* wertlos, minderwertig, abstoßend; mieser Charakter
Mies 1 *s. 1, süddt., schweiz.:* Moor, Sumpf; **2** *w. 10, Nebenform von* Miez; **Mie|se|kat|ze** *w. 11, Nebenform von* Miezekatze
Mie|se|pe|ter *m. 5, ugs.:* mürrischer, grämlicher, unzufriedener Mensch; **mie|se|pe|te|rig, mie|se|pet|rig; mies|ma|chen** ► **mies ma|chen** *tr. 1;* etwas oder jmdn. m. m. an etwas oder jmdm. auszusetzen haben, schlecht machen; **Mies|ma|cher** *m. 5;* **Mies|ma|che|rei** *w. 10 nur Ez.* Schwarzseherei
Mies|mu|schel *w. 11* eine essbare Meeresmuschel, Mytilus
Miet|au|to *s. 9;* **Mie|te** *w. 11; auch:* mit Stroh und Erde bedeckter Haufen von Feldfrüchten zur Überwinterung; **mie|ten** *tr. 2; auch:* in Mieten setzen (Feldfrüchte); **Mie|ter** *m. 5;* **Miet|er|hö|hung** *w. 10;* **Mie|ter|schutz** *m. Gen.* -es *nur Ez.;* **Mie|ter|trag** *m. 2;* **Mie|ter|ver|ein** *m. 1;* **Miet|ge|setz** *s. 1;* **Miet|ling** *m. 1* = Söldling; **Miet|preis** *m. 1;* **Miet|recht** *s. 1 nur Ez.;* **Miets|haus** *s. 4;* **Miets|ka|ser|ne** *w. 11;* **Miet|stei|ge|rung** *w. 10;* **Miet|strei|tig|keit** *w. 10;* **Miet(s)|ver|hält|nis** *s. 1;* **Miet|ver|trag** *m. 2;* **Miet|wa|gen** *m. 7;* **miet|wei|se; Miet|woh|nung** *w. 10;* **Miet|wu|cher** *m. Gen.* -s *nur Ez.;* **Miet|zins** *m. 12*
Miez *w. 10,* Mie|ze *w. 11, Kosewort für* Katze; **Miez|chen** *s. 7;* **Mie|ze** *w. 11* **1** = Miez; **2** *ugs., leicht abwertend:* Mädchen; **Mie|ze|kat|ze** *w. 11*
Mi|gnon *auch:* **Mig|non** [minjɔ̃, auch: mịnjɔ̃, frz.] *m. 9,* **1** *veraltet:* Günstling (eines Fürsten); **2** ein frz. Schriftgrad, Kolonel; **Mi|gno|net|te** *auch:* **Mig|no-** [minjɔnẹt(ə)] *w. 9* **1** klein gemusterter Kattun; **2** schmale Zwirnspitze; **Mi|gnon|fas|sung** *auch:* **Mig|non-** [mịnjɔ̃-] *w. 10* Fassung für kleine Glühlampen; **Mi|gno|ne** *auch:* **Mig|non-** [minjọn] *w. 11 nur Ez., veraltet:* Liebchen, Schätzchen
Mi|grä|ne *auch:* **Mig|rä-** [griech.] *w. 11* anfallsweise auftretender, halbseitiger, oft mit Erbrechen einhergehender, heftiger Kopfschmerz
Mi|gra|ti|on [lat.] *auch:* **Mig|ra-** *w. 10* Wanderung (z. B. von Zugvögeln u. a. Tieren, auch von Erdgas oder Erdöl); **Mi|gra|ti|ons|the|o|rie** *auch:* **Mig|ra-** *w. 11* **1** Lehre von der Wanderung von Kulturerscheinungen; **2** *Biol.:* exakte Beschreibung der Ausbreitung von Populationen; **mi|gra|to|risch** *auch:* **mig|ra-** umherziehend; **mi|grie|ren** *auch:* **mig|ri-** *intr. 3* wandern, den Wirt wechseln (von tier. Parasiten)
Mijn|heer [mənẹr, ndrl.] *m. 9* **1** *auch:* Myn|heer, *ndrl. Anrede (allein stehend oder vor dem Namen):* mein Herr; **2** *ugs. scherzh.:* Holländer
Mi|ka [lat.] *w. oder m. Gen. - nur Ez.* Glimmer
Mi|ka|do [jap.] **1** *m. 9, früher literar. Bez. für den* jap. Kaiser; **2** *s. 9* Geschicklichkeitsspiel mit dünnen Holz- oder Elfenbeinstäbchen; **3** *m. 9* Hauptstäbchen in diesem Spiel
mikr…, Mikr… vgl. mikro…, Mikro…
Mi|krat *s. 1* **1** Verkleinerungsverhältnis von 200 : 1; **2** im Verhältnis 200 : 1 verkleinerte Fotomikrokopie

> **mikro-, Mikro-** (Worttrennung): Neben der Trennung *mi|kro-* ist auch die Abtrennung zwischen *k* und *r* möglich. Auf diese Weise kommt der letzte Konsonant auf die neue Zeile: *mik|ro-*.
> →§ 107, § 108

mi|kro…, Mi|kro… [griech.] **1** *in Zus.:* klein…, Klein…; **2** *(Zeichen:* μ) *vor Maßeinheiten:* 1 Millionstel, z. B. Mikrometer
Mi|kro|a|na|ly|se *w. 11* Analyse geringster Stoffmengen; **Mi|kro|bar** *s. Gen. - Mz. - (Abk.:* μbar) 1 Millionstel Bar; **Mi|kro|be** *w. 11* Mi|kro|bi|on *s. Gen.* -s *Mz.* -bi|en mikroskopisch kleines, meist einzelliges Lebewesen; **Mi|kro|bi|o|lo|gie** *w. 11 nur Ez.* Lehre von den Kleinlebewesen; **Mi|kro|bi|on** *s. Gen.* -s *Mz.* -bi|en = Mikrobe; **Mi|kro|che|mie** *w. 11 nur Ez.* mit kleinsten Stoffmengen arbeitende Chemie; **Mi|kro|chip** [-tʃip] *s. 9* kleines Plättchen, auf das Tausende elektronischer Bauelemente aufgebracht sind; **Mi|kro|fa|rad** *s. Gen. - Mz. - (Zeichen:* μF) 1 Millionstel Farad; **Mi|kro|fau|na** *w. Gen. - Mz.* -nen Kleintierwelt; **Mi|kro|fiche** [-fiʃ, frz.] *m. 9* Mikrofilm in Postkartenformat; **Mi|kro|film** *m. 1* Film, auf dem stark verkleinert Druckschriften aufgenommen sind; **Mi|kro|fon,** Mi|kro|phon *s. 1* Gerät zur Umwandlung von Schallschwingungen in elektr. Schwingungen; **Mi|kro|form** *w. 10* fotograf. Verkleinerung eines Schriftstücks; **Mi|kro|gramm** *s. Gen.* -s *Mz. - (Abk.:* μg) 1 Millionstel Gramm; **mi|kro|ke|phal** = mikrozephal; **Mi|kro|kli|ma** *s. Gen.* -s *nur Ez.* Klima der bodennahen Luftschichten, Kleinklima; *Ggs.:* Makroklima; **Mi|kro|ko|pie** *w. 11, Kurzw. für* Mikrofotokopie; **Mi|kro|kos|mos** *m. Gen. - nur Ez.* **1** die Welt der Kleinlebewesen; **2** der Mensch und seine Umwelt; *Ggs.:* Makrokosmos; **Mi|kro|me|ter** *s. 5* **1** Feinmessgerät; **2** *(Abk.:* μm) 1 Millionstel Meter, 1 Mikron; **Mi|kron** *s. Gen.* -s *Mz. - (Abk.:* μ) 1 Millionstel Meter, My, Mikrometer
Mi|kro|ne|si|en Inselgruppen im Pazif. Ozean; **Mi|kro|ne|si|er** *m. 5;* **mi|kro|ne|sisch**
Mi|kro|ö|ko|no|mie *w. 11* einzelne Wirtschaftseinheiten bewertende ökonomische Analyse; **Mi|kro|or|ga|nis|mus** [griech.] *m. Gen. - Mz.* -men Kleinstlebewesen, Mikrobe; **Mi|kro|pro|zes|sor** *m. 13* Zentraleinheit eines Mikrocomputers; **Mi|kro|phon** *Nv.* ► **Mi|kro|fon** *Hv. s. 1;* **Mi|kro|fo|to|gra|fie** *w. 11* Fotografie kleinster, nur mit dem Mikroskop wahrnehmbarer Gegenstände; **Mi|kro|fo|to|ko-**

pie *w. 11* stark verkleinerte fotograf. Wiedergabe von Druckschriften; **Mi|kro|phy|sik** *w. 10 nur Ez.* Atomphysik; **Mi|kro-phy|ten** *m. 10 Mz.* pflanzl. Mikroorganismen; **Mi|kro|seis-mik** *w. 10 nur Ez.* Lehre von den feinsten Schwingungen der Erdkruste; **Mi|kro|skop** *auch:* **-os|kop** *s. 1* optisches Vergrößerungsgerät; **Mi|kro|sko|pie** *auch:* **-os|ko-** *w. 11 nur Ez.* Untersuchung mit dem Mikroskop; **mi|kro|sko|pie|ren** *auch:* **-os|ko-** *tr. 3;* **mi|kro|sko|pisch** *auch:* **-kros|ko|pisch; Mi|kro-thek** *w. 10* **1** Behälter zur Sammlung von Mikrokopien; **2** die Sammlung selbst; **Mi|kro-tom** *s. 1* Gerät zur Herstellung feinster Schnitte für mikroskop. Untersuchungen; **Mi|kro|wel|le** *w. 11* (*Abk.:* µW) elektromagnet. Welle mit Wellenlänge unter 10 cm; **mi|kro|ze|phal,** mi|kro|ke|phal, kleinköpfig; *Ggs.:* makrozephal; **Mi|kro|ze-phal|ie,** Mi|kro|ke|phal|ie *w. 11 nur Ez.* abnorm kleine Kopfform; *Ggs.:* Makrozephalie

Mik|ti|on [lat.] *w. 10* Harnlassen

Mi|lan [auch: mi-, frz.] *m. 1* ein Greifvogel mit gegabeltem Schwanz, Gabelweihe

Mi|la|ne|se *m. 11* **1** Einwohner von Mailand (Milano); **2** sehr feine, maschenfeste Wirkware; **mi|la|ne|sisch; Mi|la|no** *ital. Form von* Mailand

Mil|be *w. 11* ein Spinnentier, häufig Parasit; **mil|big** von Milben befallen

Milch *w. 10;* **Milch|bar** *w. 9;* **Milch|bart** *m. 2* unreifer Jüngling, Milchgesicht; **Milch|bröt-chen** *s. 7;* **Milch|bru|der** *m. 6, veraltet:* Knabe, der von der gleichen Amme genährt worden ist; **Milch|ei|weiß** *s. 1 nur Ez.;* **mil|chen 1** *Adj.:* aus Milch bestehend; **2** *intr. 1* Milch geben (Kuh); **Mil|cher** *m. 5* **1** Melker; **2** = Milchner; **Milch|flip** *m. 9* Mixgetränk aus Milch, Ei, Alkohol; **Milch|ge|biß** ► **Milch-ge|biss** *s. 1* die Milchzähne; **Milch|ge|sicht** *s. 3* = Milchbart; **Milch|glas** *s. Gen. -es nur Ez.* trübes, undurchsichtiges Glas; **Milch|grind** *m. 1* = Milchschorf; **Milch|hof** *m. 2* Sammel- und Prüfstelle für Milch; **mil|chig** wie Milch, weißlich; **Milch|kaf|fee** *m. 9;* **Milch|kuh** *w. 2* Milch gebende Kuh; **Milch|ling** *m. 1* ein Pilz, Reizker; **Milch|mäd|chen|rech-nung** *w. 10, ugs.:* auf einem Trugschluss beruhende Berechnung oder Erwartung; **Milch-mann** *m. 4;* **Milch|mix|ge|tränk** *s. 1;* **Milch|nähr|scha|den** *m. 8, bei Säuglingen:* chron. Ernährungsstörung infolge ausschließlicher Ernährung mit unverdünnter Kuhmilch; **Milch-ner,** Mil|cher *m. 5* männl. Fisch; *Ggs.:* Rogener; **Milch-pul|ver** *s. 5;* **Milch|säu|re** *w. 11 nur Ez.* durch bakterielle Zuckergärung entstehende organ. Säure; **Milch|schorf** *m. 1 nur Ez., bei Säuglingen:* Hautausschlag am Kopf, Milchgrind; **Milch|schwes|ter** *w. 11, veraltet:* Mädchen, das von der gleichen Amme genährt worden ist; **Milch|stra|ße** *w. 11* Sternsystem, zu dem Erde und Sonne gehören und dessen entfernte Teile als weißlicher Streifen am nächtl. Himmel erkennbar sind; **Milch|wirt** *m. 1* Inhaber oder Leiter einer Milchwirtschaft, Meier; **Milch|wirt|schaft** *w. 10* Betrieb zur Verarbeitung und zum Verkauf von Milch; **Milch|zäh|ne** *m. 2 Mz.* die ersten Zähne beim Menschen, die zwischen dem 6. und 9. Lebensjahr durch die bleibenden Zähne ersetzt werden; **Milch-zu|cker** *m. Gen. -s nur Ez.* in der Milch vorkommende Zuckerart, Lactose

mild, mil|de; Mil|de *w. 11 nur Ez.;* **mil|dern** *tr. 1;* ich mildere es; mildernde Umstände (im Strafprozess); **Mil|de|rung** *w. 10 nur Ez.;* **mild|her|zig; Mild|her-zig|keit** *w. 10 nur Ez.;* **mild|tä-tig; Mild|tä|tig|keit** *w. 10 nur Ez.*

Mi|le|si|er *m. 5* Einwohner von Milet; **mi|le|sisch; Mi|let** altgriech. Stadt in Kleinasien

mi|li|ar [lat.] hirsekorngroß; **Mi-li|a|ria** *w. Gen. - nur Ez.* Bläschenausschlag; **Mi|li|ar|tu|ber-ku|lo|se** *w. 11* bes. schwere Form der Lungen- und Allgemeintuberkulose; **Mi|li|en** *Mz.* Hautgrieß

Mi|lieu [-ljø, frz.] *s. 9* **1** Lebensverhältnisse, Umwelt, Umgebung; **2** *österr.:* Tischdeckchen; **3** *schweiz. auch:* Dirnenwelt; **mi|lieu|ge|schä|digt** [-ljø-]; **Mi-lieu|the|o|rie** [-ljø-] *w. 11 nur Ez.* Theorie, die dem Milieu den Vorrang gegenüber der Erbanlage für die Entwicklung und Eigenart eines Menschen gibt

mi|li|tant [lat.] streitbar, angriffslustig; **Mi|li|tär 1** *s. 9 nur Ez.* Heer(wesen), Wehrmacht; **2** *m. 9* höherer Offizier; **Mili-tär|arzt** *m. 2;* **Mi|li|tär|at|ta|ché** [-ʃeː] *m. 9* einer diplomat. Vertretung zugeteilter Militärfachmann; **Mi|li|tär|dik|ta|tur** *w. 10;* **Mi|li|ta|ria** *Mz.* **1** Bücher, Bilder, Dokumente über das Militärwesen; **2** *veraltet:* alle das Militär betreffenden Angelegenheiten; **mi|li|tä|risch; mi|li|ta|ri|sie-ren** *tr. 3;* ein Land m.: mit Militär und militär. Einrichtungen versehen; *auch:* das Heerwesen eines Landes organisieren; **Mi-li|ta|ri|sie|rung** *w. 10 nur Ez.;* **Mi|li|ta|ris|mus** *m. Gen. - nur Ez.* Vorherrschaft des Militärs, starker Einfluss des Militärs auf die Politik, Überbetonung alles Militärischen; **Mi|li|ta|rist** *m. 10* Vertreter, Anhänger des Militarismus; **mi|li|ta|ris|tisch**

Mi|li|tär|marsch *m. 2;* **Mi|li|tär-mu|sik** *w. 10;* **Mi|li|tär|pflicht** *w. 10 nur Ez.;* **mi|li|tär|pflich|tig; Mi|li|tär|po|li|zei** *w. 10 nur Ez.;* **Mi|li|tär|re|gie|rung** *w. 10*

Mi|li|ta|ry [mɪlɪtərɪ, engl.] *w. 9, Reitsport:* Vielseitigkeitsprüfung; **Mi|li|ta|ry Po|lice** [mɪlɪtərɪ pɔlis] *w. Gen. - - nur Ez.* (*Abk.:* MP) brit. bzw. US-amerik. Militärpolizei

Mi|liz [lat.] *w. 10* **1** nur kurz ausgebildete Truppe, im Unterschied zum stehenden Heer; **2** *in kommunist. und z. T. ehem. kommunist. Ländern:* Polizeiorganisation mit halbmilitär. Charakter; **Mi|li|zi|o|när** *m. 1* Angehöriger der Miliz; **Mi|liz|sol|dat** *m. 10*

Mill., Mio. *Abk. für* Million(en); vgl. Mrd.; **Mil|le** *s. Gen. - Mz. -* Tausend; das kostet fünf Mille; **Mil|le|fi|o|ri|glas** *s. 4* aus Scheiben gebündelter, farbiger Glasstäbe hergestelltes Glas; **Mil-le|fleurs** [milflœr, frz.] *Mz.* Stoff mit Streublumenmuster; **Mil|le Mi|glia** *auch:* **- Mig|lia** [-lja, ital. »tausend Meilen«] *Mz., in Italien:* größtes Langstreckenrennen für Sportwagen; **mil|le|nar** tausendfach; **Mil|len|ni|um** *auch:* **Mil|len-**

► = wird zu

nilum *s. Gen.* -s *Mz.* -nilen Zeitraum von 1000 Jahren, Jahrtausend; **Millle̜nilum(s)lfeiler** *auch:* **Millle̜ni-** *w. 11* = Tausendjahrfeier

Millli... [lat.] *in Zus.:* ein Tausendstel; **Milllilamlpere** [-ãpɛr] *s. Gen.* - *Mz.* - (*Abk.:* mA) Maßeinheit für Stromstärke, 1/1000 Ampere; **Milllilamlperelme̲lter** *s. 5* Messgerät für kleine elektr. Stromstärken; **Milllilarldä̲r** *m. 1* Besitzer von Werten über eine Milliarde Mark; **Millliạrlde** *w. 11* (*Abk.:* Md., Mrd.) 1000 Millionen; **Millliạrdsltel** *s. 5* der milliardste Teil; **Millliạrldenanlleilhe** *w. 11;* **Millliạrldenlhöhe** *w. 11;* **Milllilba̲r** *s. Gen.* -s *Mz.* - (*Abk.:* mbar, *in der Meteor.:* mb) Maßeinheit für den Luftdruck; **Milllilgrạmm** [auch: mi̲l-] *s. Gen.* -s *Mz.* - (*Abk.:* mg) ein tausendstel Gramm; **Milllilli̲lter** *s. 5 oder m. 5* (*Abk.:* ml) ein tausendstel Liter; **Milllilme̲lter** *s. 5, ugs.: m. 5* (*Abk.:* mm) ein tausendstel Meter; **Milllilme̲lterlpalpier** *s. 1* Papier mit rechtwinklig im Abstand von 1 mm sich kreuzenden Linien für graf. Darstellungen

Millli̲lo̲n [ital.] *w. 10* (*Abk.:* Mill., Mio.) 1000 mal 1000; **Milllilolnä̲r** *m. 1* Besitzer von Werten über eine Million Mark; **Milllilö̲nlchen** *s. 7, ugs. scherzh.:* Million; **Millliloᷓlnenerblschaft** *w. 10;* **millliloᷓlnenfach; millliloᷓlnenlmal; millliloᷓlnenlschwer** *ugs.;* **Millliloᷓlnenverlmölgen** *s. 7 nur Ez.;* **Millliloᷓlnenlwert** *m. 1 nur Ez.;* **Milllio̲nsltel** *s. 5* der millionste Teil; **Millli̲lpọnd** *s. Gen.* -s *Mz.* - (*Abk.:* mp) 1 tausendstel Pond

Millreis [-re̲is, port.] *s. Gen.* - *Mz.* -, *früher:* Währungseinheit in Portugal und Brasilien, 1000 Reis

Mịlz *w. 10* ein lymphatisches Organ; **Mịlzlbrand** *m. 2 nur Ez.* oft tödlich verlaufende, auf den Menschen übertragbare Infektionskrankheit bei größeren Haustieren

Mi̲lme [griech.] *m. 11, veraltet, noch scherzh.:* Schauspieler; **mi̲lmen** *tr. 1* **1** *veraltet:* (als Mime) darstellen, verkörpern; **2** *übertr.:* vorgeben, vortäuschen, so tun, als ob; er mimt den Kranken; **Mi̲lmen** *Mz. von* Mime, Mimus; **Milme̲lse, Milmesi̲e** *w. 11* schützende Ähnlichkeit mancher Tiere in Form oder/und Farbe mit Gegenständen ihrer Umgebung; **Mi̲lmesis** *w. Gen.* - *Mz.* -me̲lsen **1** Nachahmung (von Gebärden), spottende Wiederholung (von Worten oder Sätzen eines anderen); **milme̲ltisch** auf Mimesis beruhend, sie anwendend; **Mi̲mik** *w. 10 nur Ez.* (ausdrucksvolles) Mienenspiel; **Mịlmilkry** *w. Gen.* - *nur Ez.* **1** schützende Ähnlichkeit wehrloser Tiere mit wehrhaften Tieren oder mit Gegenständen ihrer Umgebung; **2** *übertr.:* Schutzfarbe, Anpassung an die Umgebung; **mi̲misch** auf Mimik beruhend, hinsichtlich der Mimik

Milmo̲lse [lat.] *w. 11* **1** eine Pflanzengattung, deren bekannteste Vertreterin, die Sinnpflanze, ihre gefiederten Blätter bei Berührung zusammenlegt; **2** *übertr.:* übertrieben empfindsamer Mensch; **milmo̲lsenlhaft**

Mi̲lmus [lat.] *m. Gen.* - *Mz.* -men **1** *Antike:* Schauspiel; **2** *später:* Form der sizilian. Komödie, in der in kurzen, lebendigen Szenen Ereignisse des Alltagslebens dargestellt wurden; **3** *danach:* derb-komisches Bühnenstück, Posse; **4** darin auftretender Schauspieler, Possenreißer

min *Astron.: Abk. für* Minute

Min. *Abk. für* Minute

Milnarẹtt [arab.] *s. 1* Turm der Moschee, von dem man die Gebetsstunden ausruft

mịnlder weniger, geringer; das ist m. schön, von minderer Güte; sie ist sehr lebhaft und er nicht m.; **mịnlderlbelgabt; mịnderlbellasltet; mịnlderlbelmitltelt**; minderbemittelte Schichten, Personengruppen; *auch ugs. scherzh.:* geistig m.; **Mịnderlbrulder** *m. 6 meist Mz.* Angehöriger eines kath. Bettelordens, Minorit; **Mịnlderlheit** *w. 10;* **Mịnlderlheitslreglgielrung** *w. 10;* **mịnlderljählrig** noch nicht das vorgeschriebene Alter für bestimmte Rechtshandlungen besitzend, unmündig; *Ggs.:* mündig, volljährig; **Mịnlderjählriglkeit** *w. 10 nur Ez.;* **mịndern** *tr. 1;* ich mindere, mindre es; **Mịnldelrung** *w. 10;* **Mịnlderwert** *m. 1;* **mịnlderlwerltig; Mịnlderlwerltiglkeit** *w. 10 nur Ez.;* **Mịnlderlwerltiglkeitslgefühl** *s. 1;* **Mịnlderlwerltiglkeitskomlplex** *m. 1;* **Mịnlderlzahl** *w. 10;* in der M. sein; **Mịnldestablstand** *m. 2;* **mịnldesIte**; das ist das MinldesIte, was ich verlangen kann; nicht das MindesIte; nicht im MinldesIten; zum mindesten, *auch:* zumindest; **mịnldesltens; Mịnldestforldelrung** *w. 10;* **Mịnldestlgebot** *s. 1;* **Mịnldestlgelschwindiglkeit** *w. 10;* **Mịnldestllohn** *m. 2;* **Mịnldestlmaß** *s. 1;* **Mịndestlzahl** *w. 10;* **Mịnldestlzeit** *w. 10*

> **das Mindeste/mindest(e):** Das substantivierte Adjektiv wird großgeschrieben [→ § 57 (1)]; jedoch können unbestimmte Zahladjektive auch mit kleinem Anfangsbuchstaben geschrieben werden [→ § 58 (5)]. Die Entscheidung bleibt dem/der Schreibenden überlassen: *(nicht) das Mindeste/mindeste, (nicht) im Mindesten/mindesten.*

Mi̲ne [frz.] *w. 11* **1** unterird. Gang, Stollen; **2** Metallvorkommen, Erzlagerstätte; **3** Bergwerk; **4** Sprengkörper; **5** Einlage, Füllung (von Bleistiften, Kugelschreibern); **6** [griech.] altgriech. Gewichtseinheit und Münze; **Mi̲lnenlfeld** *s. 3;* **Mi̲nenllelger** *m. 5;* **Mi̲lnenlräumboot** *s. 1;* **Mi̲lnenlsperlre** *w. 11;* **Mi̲lnenlsuchlboot** *s. 1;* **Mi̲lnenwerlfer** *m. 5*

Milnelra̲l [lat.-frz.] *s. Gen.* -s *Mz.* -e *oder* -lilen anorgan. Stoff, Bestandteil der Erdkruste oder eines anderen Himmelskörpers; **Milnelra̲llbad** *s. 4* Heilbad mit Mineralwasser; **Milnelrallilsatio̲n** *w. 10* Mineralbildung; **milnelra̲llisch; milnelrallilsi̲elren** *intr. 3* Mineral bilden; **Milnelralo̲ge** *m. 11;* **Milnelrallolgi̲e** *w. 11 nur Ez.* Lehre von den Mineralien; **milnelrallo̲gisch; Milnelra̲llöl** *s. 1* Erdöl; **Milnera̲llquellle** *w. 11* Heilquelle; **Milnelra̲llsalz** *s. 1* anorgan. Salz; **Milnelra̲llsäulre** *w. 11, Sammelbez. für* Salz-, Salpeter-, Schwefelsäure; **Milnelra̲llwaslser** *s. 6* Wasser einer Heilquelle

Milne̜rlva *röm. Myth.:* Göttin des Handwerks

Milne̜sltra [ital.] *w. Gen.* - *Mz.* -stren, **Milnesltro̲ne** *w. Gen.* - *Mz.* -ni ital. Gemüsesuppe

Mi|ne̱t|te [kelt.-frz.] *w. 11* **1** ein Ergussgestein; **2** ein erbsenförmig strukturiertes Eisenerz in Lothringen und Luxemburg
mi|neur [-nœr, frz.] *frz. Bez. für* Moll; *Ggs.:* majeur
Mi|neur [-nør, frz.] *m. 1* **1** Arbeiter im Minenstollen; **2** *früher:* für den Minenkrieg ausgebildeter Soldat; **3** *Börse:* jmd., der auf Hausse spekuliert
Mi̱|ni sehr kurze Rock- und Mantelmode
Mi̱|ni ... *in Zus.:* klein ..., Miniatur ...
Mi|ni|a̱|tor [lat.] *m. 13, MA:* Maler von Miniaturen, Buchmaler; **Mi|ni|a|tu̱r** *w. 10* **1** Malerei oder Zeichnung in alten Hand- oder Druckschriften; **2** sehr kleines Bild; **Mi|ni|a|tur ...** *in Zus.:* Klein ...; **Mi|ni|a|tu̱r|aus|ga|be** *w. 11* sehr kleine (Buch-)Ausgabe; **Mi|ni|a|tu|ri̱st** *m. 10,* **Mi|ni|a|tu̱r|ma|ler** *m. 5* Maler von Miniaturen, Buchmaler; **Mi|ni|a|tu̱r|ma|le|rei** *w. 10*
mi|ni|e̱|ren [lat.-frz.] *tr. 3* **1** unterhöhlen, untergraben **2 mit Minen (4)** durchsetzen
Mi̱|ni|golf *s. Gen.* -s *nur Ez.* Kleingolf, golfähnl. Geschicklichkeitsspiel auf kleiner Spielfläche
Mi̱|ni|ma *Mz. von* Minimum; **mi|ni|ma̱l** sehr klein, sehr gering; **Mi̱|ni|mal-Art** ► **Mi̱|ni|mal|art** *auch:* **Mi̱|ni|mal Art** [-məl-, engl.] *w. Gen. - nur Ez.* Kunstrichtung des 20. Jh., die mit geometr. Grundformen und minimalen Abweichungen davon arbeitet; **Mi̱|ni|max** *m. 1* Ⓦ ein Feuerlöschgerät; **Mi̱|ni|mum** *s. Gen.* -s *Mz.* -ma kleinster Wert, kleinste Menge, kleinste Größe; ein M. an Aufwand, Arbeit, Kosten; die Ausgaben auf ein M. beschränken; **Mi̱|ni|spi|on** *m. 1* sehr kleines Abhörgerät
Mi|ni̱s|ter [lat.] *m. 5* Leiter eines Ministeriums; **Mi|nis|te|ri|a̱l ...** *in Zus.:* zu einem Ministerium gehörig; **Mi|nis|te|ri|a̱l|di|rek|tor** *m. 13* Abteilungsleiter in einem Ministerium; **Mi|nis|te|ri|a̱l|di|ri|gent** *m. 10* Beamter zwischen Ministerialrat und Ministerialdirektor; **Mi|nis|te|ri|a̱|le** *m. 11* **1** *MA:* unfreier Dienstmann bei Hofe, der auch zum Kriegsdienst herangezogen wurde; **2** *14./15. Jh.:* Angehöriger des niederen Adels; **Mi|nis|te|ri|a̱l|rat** *m. 2* Unterabteilungsleiter in einem Ministerium; **mi|nis|te|ri|e̱ll** von einem Minister oder Ministerium ausgehend; **Mi|nis|te̱|ri|um** *s. Gen.* -s *Mz.* -rien eine oberste Verwaltungsbehörde eines Staates; **Mi|ni̱s|ter|prä|si|dent** *m. 10* **1** *BR Dtld.:* Leiter der Landesregierung; **2** *in anderen Ländern:* Chef der Regierung; **3** *ehem. DDR:* Vorsitzender des Ministerrats; **Mi|ni̱s|ter|rat** *m. 2* **1** *in den meisten Ländern:* Gesamtheit der Minister; *auch:* Ministerausschuss; **2** *früher, in kommunist. Ländern:* oberstes Vollzugsorgan des Staates; **3** oberstes Gremium des Europarats; **Mi|nis|tra̱nt** *m. 10* Gehilfe (meist Knabe) des Priesters bei der Messe, Messdiener; **mi|nis|trie̱|ren** *intr. 3* bei der Messe dienen
Mi̱|ni|um [lat.] *s. Gen.* -s *nur Ez.* Mennige, rotes Bleioxid
Mi̱nk [engl.] *m. 1* amerik. Nerz
Mi̱n|ne *w. 11 nur Ez.* **1** *MA:* ritterl. Frauendienst, Werben des Ritters um die geliebte Frau; **2** *übertr. poet.:* Liebe; **Mi̱n|ne|dienst** *m. 1;* **Mi̱n|ne|lied** *s. 3* höf. Liebeslied; **mi̱n|nen** *tr. 1, MA:* eine Frau m.: um die Liebe einer Frau werben, eine Frau lieben; **Mi̱n|ne|sang** *m. Gen.* -s *nur Ez., MA:* höf. Liebeslyrik; **Mi̱n|ne|sän|ger, Mi̱n|ne|sin|ger** *m. 5*
Min|ne|so̱|ta (*Abk.:* MN) Staat der USA
mi̱n|nig|lich *veraltet, poet.:* **1** lieblich, reizend, anmutig; **2** liebevoll, liebend
mi|no̱|isch [nach dem sagenhaften König Minos auf Kreta]; minoische Kultur: kretische Kultur
mi|nor [maɪnə, engl.] *engl. Bez. für* Moll; *Ggs.:* major
Mi|no|ra̱t [lat.] *s. 1* **1** Recht des jüngsten Sohnes auf das Erbgut; **2** das Erbgut selbst; *auch:* Juniorat; *Ggs.:* Majorat; **mi|no̱|re** [ital.] *ital. Bez. für* Moll; *Ggs.:* maggiore; **mi|no|re̱nn** [lat.] *veraltet:* minderjährig; *Ggs.:* majorenn; **Mi|no|ren|ni|tä̱t** *w. 10 nur Ez., veraltet:* Minderjährigkeit; **Mi|no|ri̱st** *m. 10* kath. Geistlicher, der eine niedere Weihe empfangen hat; **Mi|no|ri̱t** *m. 10* = Minderbruder; **Mi|no|ri|tä̱t** *w. 10* Minderheit, Minderzahl; *Ggs.:* Majorität
Mi|no|ta̱ur [griech.], **Mi|no|ta̱u|rus** *m. Gen.* -s *bzw. - nur Ez., griech. Myth.:* Menschen fressendes Ungeheuer mit Menschenleib und Stierkopf in Knossos auf Kreta
Mi̱ns|trel [altfrz.-engl.] *m. 9* **1** *in England im MA:* Spielmann im Dienst eines Fürsten; **2** *in den USA:* fahrender Spielmann oder Schauspieler
Mi|nu|e̱nd [lat.] *m. 10* Zahl, von der eine andere abgezogen werden soll; *Ggs.:* Subtrahend; **mi̱|nus** (*Zeichen:* −) weniger, abzüglich; *Ggs.:* plus; 10 minus 3 ist, macht 7; 5 Grad minus, minus 5 Grad: 5 Grad unter Null; **Mi̱|nus** *s. Gen. - nur Ez.* **1** Fehlbetrag, Verlust, Defizit; **2** *übertr.:* Nachteil; *Ggs.:* Plus; **Mi|nu̱s|kel** *w. 11* Kleinbuchstabe; *Ggs.:* Majuskel; **Mi̱|nus|pol** *m. 1* negativer Pol; *Ggs.:* Pluspol; **Mi̱|nus|punkt** *m. 1* Fehler, Mangel; Einheit zur Bewertung von Fehlern (z. B. im Spiel); *Ggs.:* Pluspunkt; **Mi̱|nus|zei|chen** *s. 7* das Zeichen −, Subtraktionszeichen, Vorzeichen einer negativen Zahl; *Ggs.:* Pluszeichen
Mi|nu̱|te [lat.] *w. 11* **1** (*Abk.:* Min., min, m, *Astron.:* ^{m}) 60. Teil einer Stunde; **2** *Math.* (*Zeichen:* ′), *auch:* Altminute, 60. Teil eines Grades; **mi|nu̱|ten|lang**; eine minutenlange Pause; *aber:* die Pause dauerte mehrere Minuten lang; **Mi|nu̱|ten|zei|ger** *m. 5;* **...mi|nu|tig, ...mi|nü|tig** eine bestimmte Anzahl von Minuten dauernd, z. B. fünfminutige (5-minutige) Pause
mi|nu|ti|ös [-tsjøs] ► *auch:* **mi|nu|zi|ö̱s** ganz genau, peinlich genau, bis ins kleinste Detail
mi|nü̱t|lich, *auch:* mi|nu̱t|lich jede Minute; **...mi|nüt|lich,** *auch:* ...mi|nut|lich alle ... Minuten eintretend oder stattfindend; in fünfminütlichem Abstand oder Wechsel
Mi|nu̱|zi|en [lat.] *Mz., veraltet:* Kleinigkeiten, Nichtigkeiten; **mi|nu|zi|ö̱s** = minutiös
Mi̱n|ze *w. 11* ein Lippenblütler, reich an äther. Ölen
Mio. *Abk. für* Million(en)
mi|o|zä̱n [griech.] zum Miozän gehörend, aus ihm stammend; **Mi|o|zä̱n** *s. 1 nur Ez.* eine Abteilung des Tertiärs
mi̱r *Dativ von* ich; vgl. dir
Mi̱r 1 [russ.] *m. 1 nur Ez., im*

zarist. Russland: Dorfgemeinschaft mit gemeinsamem Besitz, der regelmäßig zur Einzelnutzung verteilt wurde; **2** [pers.] *m. 9* westpers. Teppich

Mi|ra|bel|le [lat.] *w. 11* kleine, gelbe, runde Pflaume

Mi|ra|bi|li|en [lat.] *Mz., veraltet:* Wunderdinge, Merkwürdigkeiten

Mi|ra|ge [-ʒə, frz.] *w. 11* **1** Luftspiegelung; **2** *veraltet:* Selbstbetrug, Selbsttäuschung

Mi|ra|kel [lat.] *s. 5* **1** Wunder, Wunderwerk, Wundertat; **2** *kurz für* Mirakelspiel; **Mi|ra|kel|spiel** *s. 1* mittelalterl. Legendenspiel mit Darstellung der Wundertaten von Heiligen und der Muttergottes; **mi|ra|ku|lös** *veraltet:* wunderbar

Mi|re *w. 11* Meridianmarke zum Einstellen des astronom. Fernrohrs in Meridianrichtung

Mir|za [arab.] *m. 9, im Iran* **1** *vor dem Namen:* Herr (*eigtl.:* Gebildeter, Gelehrter, Angesehener); **2** *nach dem Namen:* Prinz; **3** *ohne Namen:* Schreiber

Mi|san|drie *auch:* **Mi|sand|rie** [griech.] *w. 11 nur Ez.* Männerscheu, Männerhass; **Mis|an|throp** *auch:* **Mi|san-** *m. 10* Menschenfeind; *Ggs.:* Philanthrop; **Mis|an|thro|pie** *auch:* **Mi|san-** *w. 11 nur Ez.* Menschenhass; *Ggs.:* Philanthropie; **mis|an|thro|pisch** *auch:* **mi|san-**

Mis|cel|la|nea *Mz., lat. Form von* Miszellaneen

misch|bar; Misch|bat|te|rie *w. 11, an Waschbecken u. Ä.:* Vorrichtung zum Mischen von Kalt- und Warmwasser; **Misch|blut** *s. Gen.* -(e)s *nur Ez.* Mischling; **Misch|e|he** *w. 11;* **mi|schen** *tr. 1;* gemischter Chor: Chor aus Männer- und Frauenstimmen; gemischtes Doppel *Tennis:* Spiel zweier Paare gegeneinander; **Misch|far|be** *w. 11;* **Misch|fut|ter** *s. 5;* **Misch|krug** *m. 2;* **Misch|kul|tur** *w. 10* Anbau zweier oder mehrerer Kulturpflanzen zusammen; **Misch|ling** *m. 1;* **Misch|masch** *m. 1* Durcheinander

Misch|na [hebr.] *w. Gen. - nur Ez.* erster und grundlegender Teil des Talmuds, Sammlung von Lehrsätzen vom Ende des 2. Jh. aufgrund der bis dahin entwickelten Gesetzesüberlieferungen

Misch|po|che, Misch|po|ke [jidd.] *w. 11 nur Ez., abfällig:* Verwandtschaft, Gesellschaft

Misch|pult *s. 1, Film, Funk, Fernsehen:* Gerät, mit dem die Tonspuren von gesprochenem Text, Musik und Geräuschen sowie die Bildspur auf einem Band vereinigt werden; **Misch|ras|se** *w. 11;* **Mi|schung** *w. 10;* **Mi|schungs|ver|hält|nis** *s. 1;* **Misch|volk** *s. 4;* **Misch|wald** *m. 4*

Mi|se [frz.] *w. 11* **1** *beim Spiel:* Einlage, Einsatz; **2** *Lebensversicherung:* Zahlung der Versicherungsprämie auf einmal, Einmalprämie

Mi|sel|sucht [arab.] *w. Gen. - nur Ez.* Aussatz

mi|se|ra|bel [frz.] sehr schlecht, erbärmlich; eine miserable Arbeit; **Mi|se|re** *w. 11* Not, Elend; **Mi|se|re|or** [lat.] *s. Gen.* -s *nur Ez.* kath. Hilfswerk für die Entwicklungsländer; **Mi|se|re|re** [»erbarme dich«, Anfangswort des 51. Psalms] *s. Gen.* -s *nur Ez.* **1** *kath. Kirche:* Bußpsalm und Gebet bei Begräbnissen; **2** *Med.:* Kotbrechen (bei Darmverschluss); **Mi|se|ri|cor|di|as Do|mi|ni** [»die Barmherzigkeit des Herrn«, Anfangsworte von Psalm 89,2] Name des zweiten Sonntags nach Ostern; **Mi|se|ri|kor|die** [-djə] *w. 11* kleiner Vorsprung an der Unterseite der Klappsitze im Chorgestühl (als Stütze beim Stehen); **Mise|ri|kor|di|en|bild** *s. 3* Bild Christi als Schmerzensmann, Erbärmdebild

mi|so ..., Mi|so ... [griech.] *in Zus.:* hassend, feindlich, Hass gegen ..., Scheu vor ...

Mi|so|gam [griech.] *m. 12 oder m. 10* Eheverächter, Hagestolz; **Mi|so|ga|mie** *w. 11 nur Ez.* Ehescheu; **Mi|so|gyn** *m. 12 oder m. 10* Frauenfeind; **Mi|so|gy|nie** *w. 11 nur Ez.* Frauenhass, (krankhafte) Scheu vor Frauen

Mis|pel [lat.] *w. 11* ein Kernobstbaum mit birnenförmigen Früchten; vgl. Mistel

Miss [engl.] *w. Gen. - Mz.* Misses [mɪsɪz] **1** *in englisch sprechenden Ländern Anrede (vor dem Namen):* Fräulein; **2** *in Verbindung mit einem Ländernamen:* Schönheitskönigin, z. B. Miss Germany

Mis|sa [lat.] *w. Gen. - nur Ez., lat. Bez. für* Messe, Hochamt; Missa solemnis: feierliches Hochamt

miß|ach|ten ▶ **miss|ach|ten** *tr. 2;* er missachtet es, hat es missachtet; **Miß|ach|tung** ▶ **Miss|ach|tung** *w. 10 nur Ez.*

Mis|sal [lat.] *s. 1,* **Mis|sa|le** *s. 5* = Messbuch

miß|ar|ten ▶ **miss|ar|ten** *intr. 2*

miß|be|ha|gen ▶ **miss|be|ha|gen** *intr. 1;* es missbehagt mir, hat mir missbehagt; **Miß|be|ha|gen** ▶ **Miss|be|ha|gen** *s. Gen.* -s *nur Ez.;* **Miß|bil|dung** ▶ **Miss|bil|dung** *w. 10;* **miß|bil|li|gen** ▶ **miss|bil|li|gen** *tr. 1;* ich missbillige es, habe es missbilligt; **Miß|bil|li|gung** ▶ **Miss|bil|li|gung** *w. 10;* **Miß|brauch** ▶ **Miss|brauch** *m. 2;* **miß|brau|chen** ▶ **miss|brau|chen** *tr. 1;* ich missbrauche es, habe es missbraucht; **miß|bräuch|lich** ▶ **miss|bräuch|lich;** missbräuchliche Anwendung; ein Gerät m. verwenden; **miß|deu|ten** ▶ **miss|deu|ten** *tr. 2;* ich missdeute es, habe es missdeutet; **Miß|deu|tung** ▶ **Miss|deu|tung** *w. 10*

mis|sen *tr. 1*

Miß|er|folg ▶ **Miss|er|folg** *m. 1;* **Miß|ern|te** ▶ **Miss|ern|te** *w. 11*

Mis|se|tat *w. 10;* **Mis|se|tä|ter** *m. 5*

miß|fal|len ▶ **miss|fal|len** *intr. 33;* es missfällt, missfiel mir, hat mir missfallen; **Miß|fal|len** ▶ **Miss|fal|len** *s. Gen.* -s *nur Ez.;* **Miß|fal|lens|äu|ße|rung** ▶ **Miss|fal|lens|äu|ße|rung** *w. 10;* **miß|fäl|lig** ▶ **miss|fäl|lig;** sich m. äußern; **Miß|far|be** ▶ **Miss|far|be** *w. 11;* **miß|far|ben** ▶ **miss|far|ben, miß|far|big** ▶ **miss|far|big; Miß|form** ▶ **Miss|form** *w. 10;* **miß|för|mig** ▶ **miss|för|mig; miß|ge|bil|det** ▶ **miss|ge|bil|det; Miß|ge|burt** ▶ **Miss|ge|burt** *w. 10;* **miß|ge|launt** ▶ **miss|ge|launt; Miß|ge|schick** ▶ **Miss|ge|schick** *s. 1;* **Miß|ge|stalt** ▶ **Miss|ge|stalt** *w. 10;* **miß|ge|stal|tet** ▶ **miss|ge|stal|tet; miß|ge|stimmt** ▶ **miss|ge|stimmt; miß|glü|cken** ▶ **miss|glü|cken** *intr. 1;* es ist mir missglückt; **miß|gön|nen** ▶ **miss|gön|nen** *tr. 1;* ich missgönne es ihm, habe es ihm missgönnt; **Miß|griff** ▶ **Miss|griff** *m. 1;* **Miß|gunst** ▶ **Miss|gunst**

w. Gen. - nur Ez.; **miß|gün|stig** ▶ **miss|güns|tig; miß|han|deln** ▶ **miss|han|deln** *tr. 1;* **Miß|hand|lung** ▶ **Miss|hand|lung** *w. 10;* **Miß|hei|rat** ▶ **Miss|hei|rat** *w. 10;* **miß|hel|lig** ▶ **miss|hel|lig** uneinig; **Miß|hel|lig|keit** ▶ **Miss|hel|lig|keit** *w. 10 meist Mz.* Uneinigkeit, Unstimmigkeit, leichter Streit

Mis|sing link ▶ **Mis|sing Link** [engl.] *s. Gen. - -s Mz. - -s* fehlendes Glied (in der Entwicklung vom Affen zum Menschen)

mis|singsch *unflektierbar:* halb platt-, halb hochdeutsch; **Mis|singsch** *s. Gen. - nur Ez.* mit plattdeutschen Elementen durchsetzte hochdt. Sprache in Norddeutschland

Mis|sio ca|no|ni|ca [lat.] *w. Gen. - - nur Ez., kath. Kirche:* Erteilung einer Rechts- oder Lehrbefugnis; **Mis|si|on** *w. 10* **1** ernster Auftrag, Sendung; **2** mit besonderen Aufgaben ins Ausland entsandte Gruppe von Bevollmächtigten einer Regierung; **3** Heidenbekehrung, Verbreitung des christl. Glaubens, Äußere Mission; *auch allg.:* Verbreitung einer relig. Lehre; Innere M.: Organisation der evang. Kirche zugunsten Bedürftiger und zur Festigung der Gemeinden; **Mis|si|o|nar,** *österr.:* **Mis|si|o|när** *m. 1* in der Mission (**3**) tätiger Geistlicher; **mis|si|o|nie|ren 1** *intr. 3* Mission treiben; **2** *tr. 3* zum Christentum bekehren; **Mis|si|ons|schu|le** *w. 11*

Mis|sis|sip|pi 1 *m. Gen. -(s)* Strom in den USA; **2** (*Abk.:* MS) Staat der USA

Miß|jahr ▶ **Miss|jahr** *s. 1;* **Miß|klang** ▶ **Miss|klang** *m. 2;* **Miß|kre|dit** ▶ **Miss|kre|dit** *m. 1 nur Ez.* schlechter Ruf, mangelnde Vertrauenswürdigkeit; jmdn. in M. bringen; **miß|lau|nig** ▶ **miss|lau|nig; miß|lei|ten** ▶ **miss|lei|ten** *tr. 2;* ich habe ihn missleitet, *auch:* missgeleitet; **Miß|lei|tung** ▶ **Miss|lei|tung** *w. 10;* **miß|lich** ▶ **miss|lich; Miß|lich|keit** ▶ **Miss|lich|keit** *w. 10;* **miß|lie|big** ▶ **miss|lie|big; Miß|lie|big|keit** ▶ **Miss|lie|big|keit** *w. 10 nur Ez.;* **miß|lin|gen** ▶ **miss|lin|gen** *intr. 48;* **Miß|mut** ▶ **Miss|mut** *m. Gen. -(e)s nur Ez.;* **miß|mu|tig** ▶ **miss|mu|tig**

Mis|sou|ri [-su-] **1** *m. Gen. -(s)* Fluss in den USA; **2** (*Abk.:* MO) Staat der USA

Miß|pickel ▶ **Miss|pi|ckel** *m. 5 nur Ez.* ein Mineral, Arsenkies

miß|ra|ten ▶ **miss|ra|ten** *intr. 94;* **Miß|stand** ▶ **Miss|stand** *m. 2;* **Miß|stim|mung** ▶ **Miss|stim|mung** *w. 10;* **Miß|ton** ▶ **Miss|ton** *m. 2;* **miß|tö|nend** ▶ **miss|tö|nend; miß|tö|nig** ▶ **miss|tö|nig; miß|trau|en** ▶ **miss|trau|en** *intr. 1;* **Miß|trau|en** ▶ **Miss|trau|en** *s. 7 nur Ez.;* **Miß|trau|ens|an|trag** ▶ **Miss|trau|ens|an|trag** *m. 2;* **Miß|trau|ens|vo|tum** ▶ **Miss|trau|ens|vo|tum** *s. Gen. -s Mz. -ten oder -ta;* **miß|trau|isch** ▶ **miss|trau|isch; miß|ver|gnügt** ▶ **miss|ver|gnügt; Miß|ver|hält|nis** ▶ **Miss|ver|hält|nis** *s. 1;* **miß|ver|ständ|lich** ▶ **miss|ver|ständ|lich; Miß|ver|ständ|lich|keit** ▶ **Miss|ver|ständ|lich|keit** *w. 10 nur Ez.;* **Miß|ver|ständ|nis** ▶ **Miss|ver|ständ|nis** *s. 1;* **miß|ver|ste|hen** ▶ **miss|ver|ste|hen** *tr. 151;* bitte missverstehen Sie mich nicht; **Miß|wachs** ▶ **Miss|wachs** *m. Gen. -es nur Ez.* schlechtes Wachstum (von Früchten); **Miß|wei|sung** ▶ **Miss|wei|sung** *w. 10* Abweichung der Magnetnadel von der Nordrichtung; **Miß|wirt|schaft** ▶ **Miss|wirt|schaft** *w. 10;* **Miß|wuchs** ▶ **Miss|wuchs** *m. Gen. -es nur Ez.* Missbildung (an Pflanzen)

Mist *m. 1 nur Ez.* **1** mit Streu vermengter Tierkot; **2** *ugs.:* Unsinn, Pfusch; Mist machen, Mist bauen; **3** [engl.] *Seew.:* leichter Nebel

Mist|beet *s. 1;* **Mist|bie|ne** *w. 11* eine Fliegenart

Mis|tel *w. 11* ein parasitisch auf Bäumen lebender, immergrüner Strauch, Heilmittel gegen zu hohen Blutdruck; vgl. Mispel

mis|ten 1 *tr. 2* von Mist säubern (Stall); **2** [engl.] *intr. 2, Seew.:* leicht neblig sein; es mistet

Mis|ter [engl.] *m. 5* (*Abk.:* Mr.), *in englisch sprechenden Ländern Anrede (vor dem Namen):* Herr

Mist|fink *m. 10, ugs.:* **1** unsauberer Mensch; **2** jmd., der schmutzige Reden führt; **Mist|ga|bel** *w. 11;* **Mist|hau|fen** *m. 7;* **mis|tig 1** voll Mist; **2** *übertr.:* schlecht, unangenehm; **3** *Seew.:* leicht neblig; **Mist|kä|fer** *m. 5;* **Mist|kerl** *m. 1*

Mis|tral [frz.] *m. 1* kalter Nord- oder Nordwestwind in Südfrankreich, bes. im Rhônetal

Mis|tress [-strɪs, engl.] *w. Gen. - Mz. -es* [-strɪsɪz], *in englisch sprechenden Ländern:* **1** Hausfrau, Herrin; Mätresse; **2** [mɪsɪz] (*Abk.:* Mrs.) *Anrede (vor dem Namen):* Frau

Mist|stock *m. 2, schweiz.:* Misthaufen; **Mist|stück** *s. 1, derb;* **Mist|vieh** *s. Gen. -s Mz. -vie|cher, derb;* **Mist|wa|gen** *m. 7*

Mis|zel|la|ne|en [lat.], **Mis|zel|len** *Mz.* kleine Aufsätze, Artikel verschiedenen Inhalts (bes. in wissenschaftl. Zeitschriften)

mit *Präp. mit Dat.;* mit dem Wagen, mit den Kindern; mit Hilfe (mithilfe) eines Freundes; kannst du bitte mit anfassen?

Mit|ar|beit *w. 10;* **mit|ar|bei|ten** *intr. 2;* **Mit|ar|bei|ter** *m. 5*

mit|be|kom|men *tr. 71, ugs.* **1** beim Weggehen geschenkt bekommen; **2** verstehen, begreifen

mit|be|nut|zen *tr. 1;* **Mit|be|nut|zung** *w. 10 nur Ez.*

mit|be|stim|men *tr. 1;* **Mit|be|stim|mung** *w. 10 nur Ez.;* **Mit|be|stim|mungs|recht** *s. 1;* **mit|be|tei|ligt**

Mit|be|wer|ber *m. 5*

mit|be|woh|nen *tr. 1;* **Mit|be|woh|ner** *m. 5*

mit|brin|gen *tr. 21;* **Mit|bring|sel** *s. 5*

Mit|bru|der *m. 6*

Mit|bür|ger *m. 5*

mit|dür|fen *intr. 26, ugs.:* er hat nicht mitgedurft, *bayr., österr.:* er hat nicht mitdürfen

Mit|ei|gen|tum *s. Gen. -s nur Ez.;* **Mit|ei|gen|tü|mer** *m. 5*

mit|ein|an|der

mit|eins *schweiz.:* plötzlich

mit|emp|fin|den *tr. 36*

Mit|er|be *m. 11*

mit|er|le|ben *tr. 1*

mit|es|sen *tr. 31;* **Mit|es|ser** *m. 5* kleiner Pfropf aus Horn und Talg in der Haut

mit|fah|ren *intr. 32;* **Mit|fah|rer** *m. 5;* **Mit|fah|rer|zen|tra|le, Mit|fahr|zen|tra|le** *w. 11* Vermittlungsstelle für Mitfahrgelegenheiten; **Mit|fahr|ge|le|gen|heit** *w. 10;* **Mit|fahrt** *w. 10*

▶ = wird zu

Mịt|freu|de *w. 11 nur Ez.;* **mịt|freu|en** *refl. 1*
mịt|füh|len *tr. 1*
mịt|füh|ren *tr. 1*
Mịt|ge|fühl *s. 1 nur Ez.*
mịt|ge|hen *intr. 47;* etwas m. lassen *ugs.:* etwas stehlen
Mịt|gift *w. 10* Aussteuer, Heiratsgut (der Braut); **Mịt|gift|jä|ger** *m. 5* jmd., der sich nur wegen der Mitgift um ein Mädchen bewirbt
Mịt|glied *s. 3;* M. des Bundestages (*Abk.:* M. d. B. *oder* MdB); M. des Landtages (*Abk.:* M. d. L. *oder* MdL); **Mịt|glie|der|ver|samm|lung** *w. 10;* **Mịt|glied|kar|te** *w. 11, schweiz. für* Mitgliedskarte; **Mịt|glieds|bei|trag** *m. 2;* **Mịt|glied|schaft** *w. 10 nur Ez.;* **Mịt|glieds|kar|te** *w. 11;* **Mịt|glied(s)|staat** *m. 12*
mịt|hal|ten *intr. 61, ugs.:* mitessen, mitmachen
mịt|hel|fen *intr. 66*
Mịt|her|aus|ge|ber *auch:* **-he|raus-** *m. 5*
Mịt|herr|schaft *w. 10 nur Ez.*

mit Hilfe/mithilfe: Fügungen in präpositionaler Verwendung schreibt man getrennt oder zusammen. Dem/der Schreibenden bleibt die Entscheidung überlassen: *Mit Hilfe/mithilfe eines neuen Motors konnten wir die Fahrt fortsetzen.* →§ 39 E3 (3)

Mịt|hil|fe *w. 11 nur Ez.;* mit seiner, unter seiner M.; **mit|hịl|fe** *auch:* mit Hilfe, er schrieb mithilfe (mit Hilfe) seines Bleistifts
mit|hịn somit, demnach
mịt|hö|ren *tr. 1;* **Mịt|hö|rer** *m. 5*
Mịt|in|ha|ber *m. 5*
mịt|kämp|fen *intr. 1;* **Mịt|kämp|fer** *m. 5*
Mịt|klä|ger *m. 5*
mịt|kom|men *intr. 71*
mịt|kön|nen *intr. 72*
mịt|krie|gen *tr. 1, ugs.:* mitbekommen
mịt|las|sen *tr. 75*
mịt|lau|fen *intr. 76;* **Mịt|läu|fer** *m. 5*
Mịt|laut *m. 1* = Konsonant; vgl. Selbstlaut
Mịt|leid *s. 1 nur Ez.;* **mịt|lei|den** *tr. 77;* **Mịt|lei|den|schaft** *w., nur in der Wendung* in M. ziehen: mit beeinträchtigen, mit schädigen; **mịt|lei|dig; mịt|leid(s)|los; Mịt|leid(s)|lo|sig|keit** *w. Gen. - nur Ez.;* **mịt|leid(s)|voll**
mịt|ma|chen *tr. 1*
Mịt|mensch *m. 10;* **mịt|mensch|lich**
mịt|mi|schen *intr. 1, ugs.:* sich aktiv beteiligen
mịt|müs|sen *intr. 87, ugs.;* er hat mitgemusst, *bayr., österr.:* er hat mitmüssen
Mịt|nah|me *w. 11 nur Ez.;* **mịt|neh|men** *tr. 88;* **Mịt|neh|mer** *m. 5* Maschinenteil, das beim Drehen ein anderes oder ein Werkstück ebenfalls in Drehbewegung versetzt
mit|nịch|ten keineswegs, durchaus nicht
Mi|to|se [griech.] *w. 11* indirekte Teilung des Zellkerns unter Wahrung der Chromosomenzahlen, Äquationsteilung; *Ggs.:* Amitose; **mi|to|tisch**
Mi|tra *auch:* **Mit|ra** [lat.] *w. Gen. - Mz.* -tren **1** altgriechische Stirnbinde; **2** Kopfbedeckung altorientalischer Herrscher; **3** *kath. Kirche:* Bischofsmütze
Mi|trail|leu|se [mitrajøz(ə), frz.] *w. 11* frz. Salvengeschütz, Vorläufer des Maschinengewehrs
mịt|re|den *intr. 2*
mịt|rei|sen *intr. 1;* **Mịt|rei|sen|de(r)** *m. 18 (17) bzw. w. 17 oder 18*
mịt|rei|ßen *tr. 96*
Mi|tro|pa *w. Gen. - nur Ez., Kurzw. für* Mitteleuropäische Schlaf- und Speisewagen-AG (Service der Deutschen Reichsbahn in der ehem. DDR und in den neuen Bundesländern, entspricht der DSG in den alten Bundesländern)
mit|sạm|men *ugs.:* zusammen, gemeinsam; **mit|sạmt** *mit Dat.;* m. seiner Familie; m. Zubehör
mịt|schi|cken *tr. 1*
mịt|schlep|pen *tr. 1*
mịt|schnei|den *tr. 125* auf ein Ton- oder Videoband aufnehmen; **Mịt|schnitt** *m. 1*
mịt|schrei|ben *tr. 127*
Mịt|schuld *w. 10 nur Ez.;* **mịt|schul|dig**
Mịt|schü|ler *m. 5*
mịt|sol|len *intr. 1, ugs.;* soll das auch mit?
mịt|spie|len *tr. 1;* **Mịt|spie|ler** *m. 5*
Mịt|spra|che *w. 11 nur Ez.;* **Mịt|spra|che|recht** *s. 1 nur Ez.;* **mịt|spre|chen** *intr. 146*
mịt|ste|no|gra|phie|ren *Nv.* ►
mịt|ste|no|gra|fie|ren *Hv. tr. 3*
Mịt|strei|ter *m. 5*
Mịt|tag *m. 1* **1** heute, gestern, morgen M. **2** *veraltet:* Süden; die Sonne steht hoch im M.; gen M. fahren; **3** Mittagszeit, Mittagessen, Mittagspause; des Mittags; M. machen *ugs.:* zu Mittag essen, Mittagspause machen; am, gegen M.; es war lange nach M.; zu M.; **Mịt|tag|brot** *s. 1 nur Ez.;* vgl. Abend; **Mịt|tag|es|sen** *s. 7;* **mịt|tä|gig** *selten:* am Mittag, in der Mittagszeit; die mittägige Glut der Sonne; **mịt|täg|lich** jeden Mittag (stattfindend, wiederkehrend); die mittägliche Pause; **mịt|tags; Mịt|tags|blu|me** *w. 11* eine Pflanze, deren Blätter sich nur bei Sonnenschein öffnen; **Mịt|tags|gast** *m. 2* Gast zum Mittagessen; **Mịt|tags|glut** *w. 10 nur Ez.;* **Mịt|tags|hit|ze** *w. 11 nur Ez.;* **Mịt|tags|kreis** *m. 1,* **Mịt|tags|li|nie** *w. 11* Meridian; **Mịt|tags|mahl** *s. 4;* **Mịt|tags|mahl|zeit** *w. 10;* **Mịt|tags|pau|se** *w. 11;* **Mịt|tags|ru|he** *w. 11;* **Mịt|tags|schlaf** *m. Gen.* -(e)s *nur Ez.;* **Mịt|tags|son|ne** *w. 11 nur Ez.;* **Mịt|tags|stun|de** *w. 11;* **Mịt|tags|tisch** *m. 1;* **Mịt|tags|zeit** *w. 10 nur Ez.*
Mịt|tä|ter *m. 5;* **Mịt|tä|ter|schaft** *w. 10 nur Ez.*

Mitte, inmitten, mitten: Monatsangaben werden getrennt geschrieben: *Mitte Januar kommt er aus Paris zurück.* Die Präposition *inmitten* wird zusammengeschrieben: *Inmitten der Touristen war sie zu erkennen.* Aber: *Der Tisch stand mitten im Zimmer.* →§ 39 (3)

Mịt|te *w. 11 nur Ez.;* Mitte Mai; M. der Woche, des Monats; er ist M. (der) zwanzig
mịt|tei|len *tr. 1;* **mịt|teil|sam; Mịt|teil|sam|keit** *w. 10 nur Ez.;* **Mịt|tei|lung** *w. 10;* **Mịt|tei|lungs|be|dürf|nis** *s. 1 nur Ez.*
mịt|tel *ugs.:* nicht bes. gut und nicht bes. schlecht; er ist in der Schule nur m.; es geht mir m.
Mịt|tel *s. 5;* sich (für jmdn.) ins M. legen; (zu jmds. Gunsten) eingreifen, vermitteln; **Mịt|tel|al|ter** (*Abk.:* MA) *s. 5 nur Ez.;* **mịt|tel|al|ter|lich; Mịt|tel|ame|ri|ka; mịt|tel|ame|ri|ka|nisch; mịt|tel|bar; Mịt|tel|bau** *m. 1 nur Ez.; auch übertr.:* Mittelstufe (einer Hierarchie, z. B. im aka-

dem. Lehrkörper); **Mit|tel|chen** *s. 7, ugs. abwertend:* laienhaft angewendetes oder nicht den ärztl. Vorschriften entsprechendes Arzneimittel; **mit|tel|deutsch; Mit|tel|deutsch|land; Mit|tel|ding** *s. 1, ugs.;* **Mit|tel|eu|ro|pa; Mit|tel|eu|ro|pä|er** *m. 5;* **mit|tel|eu|ro|pä|isch**; mitteleuropäische Zeit (*Abk.:* MEZ); **mit|tel|fein; Mit|tel|fin|ger** *m. 5;* **mit|tel|fris|tig**; mittelfristige Finanzplanung; **Mit|tel|fuß** *m. 2;* **Mit|tel|ge|bir|ge** *s. 5;* **Mit|tel|ge|wicht** *s. 1* eine Gewichtsklasse in der Schwerathletik; **Mit|tel|glied** *s. 3;* **mit|tel|groß; Mit|tel|grö|ße** *w. 11;* **Mit|tel|hand** *w. 2;* **mit|tel|hoch|deutsch; Mit|tel|klas|se** *w. 11;* **mit|tel|län|disch**; *aber:* Mittelländisches Meer; **Mit|tel|land|ka|nal** *m. 2 nur Ez.* Kanalsystem zwischen Rhein und Elbe; **Mit|tel|läu|fer** *m. 5, Sport;* **Mit|tel|li|nie** *w. 11;* **mit|tel|los; Mit|tel|lo|sig|keit** *w. 10 nur Ez.;* **Mit|tel|maß** *s. 1;* **mit|tel|mä|ßig; Mit|tel|mä|ßig|keit** *w. Gen. - nur Ez.;* **Mit|tel|meer** *s. 1 nur Ez.;* **mit|tel|mee|risch; Mit|tel|meer|län|der** *s. 4 Mz.;* **Mit|tel|meer|raum** *m. 2 nur Ez.;* **Mit|tel|ohr** *s. 12;* **mit|tel|präch|tig** *ugs.;* **Mit|tel|punkt** *m. 1;* **Mit|tel|punkt|schu|le** *w. 11* voll ausgebaute Schule anstelle mehrerer Kleinschulen

mit|tels *Präp. mit Gen.;* m. (eines) Drahtes; *auch mit Dat., wenn der Gen. nicht erkennbar wäre:* m. Drähten

Mit|tel|schicht *w. 10;* **Mit|tel|schiff** *s. 1* mittleres (und meist auch größtes) Schiff einer mehrschiffigen Kirche; **Mit|tel|schu|le** *w. 11* **1** *früher Bez. für* Realschule; **2** *schweiz.:* Gymnasium; **Mit|tels|mann** *m. 4, Mz. auch:* -leu|te; **Mit|tels|per|son** *w. 10*

mit|telst *veraltet für* mittels

Mit|tel|stadt *w. 2* Stadt mit 20 000 bis 100 000 Einwohnern; **Mit|tel|stand** *m. 2;* **mit|tel|stän|dig** in gleicher Höhe wie die übrigen Blütenorgane (Fruchtknoten); **mit|tel|stän|disch** zum Mittelstand gehörend; **Mit|tel|stein|zeit** *w. 10 nur Ez.;* **mit|tel|stein|zeit|lich; Mit|tel|stre|cken|lauf** *m. 2;* **Mit|tel|stück** *s. 1;* **Mit|tel|stür|mer** *m. 5, Sport;* **Mit|tel|wel|le** *w. 11* Rundfunkwelle mit einer Länge von 100 bis 1 000 m; **Mit|tel|wert** *m. 1* nach bestimmten Bedingungen errechneter Wert einer Reihe von Messwerten; **Mit|tel|wort** *s. 4* = Partizip

mit|ten; mitten darin, *aber:* mittendrin; mitten darunter, *aber:* mittendrunter; mitten durch das Haus führt ein Torweg, *aber:* der Weg führt mittendurch; mitten entzwei; mitten hinein; **mit|ten|drin; mit|ten|drun|ter; mit|ten|durch; mit|ten|in|ne** *ugs.:* mittendrin; **mit|ten|mang** *berlin.:* mitten unter, inmitten

> **Mitternacht, heute Mitternacht:** Substantive werden mit großem Anfangsbuchstaben geschrieben: *Um Mitternacht läuft das Ultimatum ab.* Großschreibung gilt auch für Ausdrücke, die als Bezeichnung von Tageszeiten nach den Adverbien *(vor)gestern, heute, morgen, übermorgen* auftreten: *heute Mitternacht, morgen Mittag, gestern Abend;* aber: *(am) Dienstagabend, Mittwochmorgen.* → § 55 (6)

Mit|ter|nacht *w. 2 nur Ez.* **1** *veraltet:* Norden; gen M. fahren; **2** zwölf Uhr nachts; **mit|ter|näch|tig, mit|ter|nächt|lich**; zu mitternächtiger, *oder:* mitternächtlicher Stunde; **mit|ter|nachts; Mit|ter|nachts|son|ne** *w. 11;* **Mit|ter|nachts|stun|de** *w. 11*

Mitt|fas|ten *s. Gen. -s nur Ez.* Mitte der Fastenzeit, Mittwoch vor dem Sonntag Lätare; *auch:* dieser selbst

mit|tig in der Mitte liegend

Mitt|ler *m. 5* Vermittler; **mitt|le|re (-r, -s)**; der Mittlere Osten; mittlere Reife; **Mitt|ler|rol|le** *w. 11;* eine M. spielen; **mitt|ler|wei|le**

mit|tö|nen *intr. 1*

mit|tra|gen *tr. 160*

mit|trin|ken *tr. 165*

mitt|schiffs in der Mitte des Schiffs, zur Mitte des Schiffs hin; **Mitt|som|mer** *m. 5;* **Mitt|som|mer|nacht** *w. 2;* **mitt|som|mers**

mit|tun *intr. 167*

Mitt|win|ter *m. 5;* **mitt|win|ters; Mitt|woch** *m. 1* (*Abk.:* Mi); vgl. Dienstag

mit|un|ter zuweilen, manchmal

mit|un|ter|schrei|ben *tr. 127;* **mit|un|ter|zeich|nen** *tr. 2*

mit|ver|ant|wort|lich; Mit|ver|ant|wort|lich|keit *w. 10 nur Ez.;* **Mit|ver|ant|wor|tung** *w. 10 nur Ez.*

Mit|ver|fas|ser *m. 5*

Mit|ver|wal|tung *w. 10 nur Ez.*

Mit|welt *w. 10 nur Ez.*

mit|wir|ken *intr. 1;* **Mit|wir|ken|de(r)** *m. 18 (17) bzw. w. 17 oder 18;* **Mit|wir|kung** *w. 10 nur Ez.*

Mit|wis|sen *s. Gen. -s nur Ez.;* ohne mein M.; **Mit|wis|ser** *m. 5;* **Mit|wis|ser|schaft** *w. 10 nur Ez.*

mit|wol|len *intr. 1;* er hat nicht mitgewollt, *bayr., österr.:* er hat nicht mitwollen

mit|zäh|len *tr. u. intr. 1*

mit|zie|hen *intr. u. tr. 187*

Mix|be|cher *m. 5;* **Mixed Pick|les** [mikst piklz, engl.] *Nv.* ►

Mix|pick|les *Hv.;* **mi|xen** *tr. 1* mischen; **Mi|xer** *m. 5* **1** jmd., der Getränke mischt, z. B. Barmixer; **2** elektr. Küchengerät, das zerkleinert und zugleich mischt; **3** *Film, Funk, Fernsehen:* Tonmeister, der die Tonspuren von gesprochenem Text, Musik und Geräuschen auf einem Tonband vereinigt; **Mix|ge|tränk** *s. 1* Mischgetränk; **Mix|pick|les** [-piklz] **Mi|xed Pick|les** *Mz.* in Essig eingelegtes, pikant gewürztes kleines Gemüse; **Mix|tum com|po|si|tum** *s. Gen. - - Mz. -ta -ta* Durcheinander, Gemisch; **Mix|tur** *w. 10* **1** Gemisch, *bes.:* Arzneimischung; **2** ein Orgelregister, das einen Ton durch Oktave, Quinte, Terz, auch Septime verstärkt

Mi|zell [lat.] *s. 1;* **Mi|zel|le** *w. 11* dichte Molekülgruppe als kleinster Baustein pflanzl. Strukturen (bes. von Zellwänden)

mk *Abk. für* Markka (Finnmark)

mkg *Abk. für* Meterkilogramm

mkp *Abk. für* Meterkilopond

MKS-Sys|tem *s. 1 nur Ez.* auf den Einheiten Meter, Kilogramm, Sekunde beruhendes, internationales Maßsystem; vgl. CGS-System

ml *Abk. für* Milliliter

MLF *Abk. für* Multilateral Force: multilaterale Atommacht

Mlle. *Abk. für* Mademoiselle;

Mlles. *Abk. für* Mesdemoiselles

mm *Abk. für* Millimeter

µm *Abk. für* Mikrometer

mm^2 *Abk. für* Quadratmillimeter

► = wird zu

mm^3 *Abk. für* Kubikmillimeter
MM. *Abk. für* Messieurs
m. m. *Abk. für* mutatis mutandis
M. M. *Abk. für* Mälzels Metronom (Zusatz hinter den Metronomzahlen zur Angabe der Geschwindigkeit in Musikstücken, nach Johann Nepomuk Mälzel)
Mme. *Abk. für* Madame; **Mmes.** *Abk. für* Mesdames
Mn *chem. Zeichen für* Mangan
MN *Abk. für* Minnesota
Mne|me *w. 11 nur Ez.* Erinnerung, Gedächtnis; **Mne|mo|nik** *w. 10 nur Ez.* = Mnemotechnik; **mne|mo|nisch** = mnemotechnisch; **Mne|mo|tech|nik** *w. 10 nur Ez.* Kunst, das Gedächtnis durch Lern- oder Gedächtnishilfen zu stärken, Gedächtniskunst; **Mne|mo|tech|ni|ker** *m. 5* jmd., der die Mnemotechnik beherrscht; **mne|mo|tech|nisch; Mne|mo|ti|ker** *m. 5* = Mnemotechniker
Mo 1 *chem. Zeichen für* Molybdän; **2** *Abk. für* Montag
MΩ *Abk. für* Megaohm
MO *Abk. für* Missouri (**2**)
Mob [engl.] *m. 9 nur Ez.* Pöbel, Gesindel
Mö|bel [lat.-frz.] *s. 5;* **Mö|bel|stück** *s. 1;* **Mö|bel|wa|gen** *m. 7*
mo|bil [lat.] **1** beweglich; *Ggs.:* immobil; **2** *ugs.:* gesund und munter, behände; **3** einsatz-, kriegsbereit; **Mo|bi|le** [frz.] *s. 9* Gebilde aus an Fäden freischwebend aufgehängten, bei Luftzug in leichte Bewegung geratenden, zarten kunstgewerblichen Gegenständen; **Mo|bi|li|ar** [lat.] *s. 1 nur Ez.* Möbel, Hausrat; **Mo|bi|li|en** *Mz.* bewegl. Güter, bewegl. Besitz; **Mo|bi|li|sa|ti|on** *w. 10 nur Ez.* **1** Mobilmachung; **2** Beweglichmachen (von Gelenken); **mo|bi|li|sie|ren** *tr. 3* **1** in Bewegung setzen, beweglich machen; **2** kriegs-, einsatzbereit machen (Truppen, Kräfte); **3** flüssig, zu Bargeld machen; **Mo|bi|li|sie|rung** *w. 10 nur Ez.;* **Mo|bi|li|tät** *w. 10 nur Ez.* **1** Beweglichkeit; **2** *Bevölkerungsstatistik:* Häufigkeit des Wohnsitzwechsels; **mo|bil|ma|chen** *tr. 1* einsatz-, kriegsbereit machen, in Kriegszustand versetzen; **Mo|bil|ma|chung** *w. 10;* **Mo|bil|ma|chungs|be|fehl** *m. 1*
mö|blie|ren *auch:* **möb|lie-** [frz.] *tr. 3* mit Möbeln ausstatten, einrichten; möbliertes Zimmer; **Mö|blie|rung** *auch:* **Möb|lie-** *w. 10 nur Ez.* Ausstattung mit Möbeln
Mo|çam|bique, Mo|sam|bik [-sambik, frz.: mɔsɑ̃bik, port.: musambik] **1** Staat in Südostafrika; **2** Hafenstadt in Moçambique (**1**)
Moc|ca double [dubl, frz.] *m. Gen. - - Mz. --* doppelter (= extra starker) Mokka
Mo|cha [nach der arab. Hafenstadt am Roten Meer, *heute:* Mokka] *m. Gen. - nur Ez.* ein Mineral, Moosachat
Möch|te|gern *m. 1* jmd., der etwas dar-, vorstellen möchte, was er nicht kann, Gernegroß, z. B. Möchtegernpolitiker
Mo|cken *m. 7, schweiz.:* Brocken
Mock|turtle|sup|pe [-tɔːtl-, engl.] *w. 11* falsche Schildkrötensuppe aus Kalbskopf
mod. *Abk. für* moderato
mo|dal [lat.] **1** *Gramm.:* die Art und Weise bezeichnend; **2** *allg.:* durch die Verhältnisse bedingt; **Mo|da|lis|mus** *m. Gen. - nur Ez.* frühchristl. Lehre, dass Christus nur eine Erscheinungsform Gottes sei; **Mo|da|li|tät** *w. 10 nur Ez.* Art und Weise (eines Geschehens), Seinsweise, Wahrheitswert; **Mo|dal|no|ta|ti|on** *w. 10* Notenschrift des 13. Jh. mit Festlegung des Rhythmus; vgl. Mensuralnotation, Choralnotation; **Mo|dal|satz,** *m. 2* Nebensatz, der ausdrückt, wie etwas geschieht, Umstandssatz der Art und Weise; **Mo|dal|verb** *s. 12* Verb, das ein durch ein anderes Verb ausgedrücktes Geschehen näher bestimmt, z. B. können, dürfen, wollen, sollen, müssen, mögen
Mod|der *m. 5 nur Ez., norddt.:* Morast; **mod|de|rig, modd|rig**
Mo|de [frz.] *w. 11* **1** Sitte, Brauch, Geschmack (einer Epoche); **2** die Art sich zu kleiden; etwas ist, kommt in Mode; etwas ist, kommt aus der Mode; das ist (die große) Mode; **3** *Mz.* Kleidung; **Mo|de|far|be** *w. 11;* **Mo|de|ge|schäft,** Mo|den|ge|schäft *s. 1;* **Mo|de|haus,** Mo|den|haus *s. 4;* **Mo|de|jour|nal** [-ʒur-] *s. 1*
Mo|del [lat.] *m. 14* **1** *auch:* Modul, antike Maßeinheit zur Berechnung architektonischer Verhältnisse: unterer Halbmesser einer Säule; **2** geschnitzte Hohlform für Gebäck, Knetwaren u. A.; **3** geschnitzte, erhabene Form für Tapeten-, Textildruck u. A.; **Mo|del|buch** *s. 4* Buch mit Vorlagen für Strick-, Stick- und Webmuster; **Mo|del|druck** *m. 1;* **Mo|dell** [ital.] *s. 1* **1** Vorbild, Muster, Urform; **2** Entwurf oder verkleinerte Nachbildung (eines Bauwerks, einer Plastik u. A); **3** Form aus Holz, Gips oder Metall zur Herstellung der Gussform; **4** vereinfachende, nur die wesentl. Züge enthaltende Vorstellung, z. B. Denkmodell, Atommodell; **5** nur einmal hergestelltes Kleidungsstück, z. B. Modellkleid; **6** Person oder Gegenstand als Vorbild für Maler, Bildhauer oder Fotografen; **7** Mannequin, Vorführdame für Moden; **Mo|dell|bau|er** *m. 5;* **Mo|dell|ei|sen|bahn** *w. 10;* **Mo|del|leur** [-lør, frz.] *m. 1,* Mo|del|lie|rer *m. 5* Fachmann, der Modelle entwirft, Musterformer; **Mo|dell|flug|zeug** *s. 1;* **mo|del|lie|ren** *tr. 3* in Ton oder Wachs o. Ä. formen, bilden; **Mo|del|lie|rer** *m. 5* = Modelleur; **Mo|del|lie|rung** *w. 10;* **Mo|dell|kleid** *s. 3* nur einmal angefertigtes Kleid; **Mo|dell|schu|le** *w. 11* Schule, die pädagog. Reformen als Beispiel für andere Schulen und zwecks Lehrerfortbildung verwirklicht; **Mo|dell|schutz** *m. Gen. -es nur Ez.;* **Mo|dell|tisch|ler** *m. 5* Tischler, der Modelle (**3**) anfertigt; **Mo|dell|zeich|ner** *m. 5;* **mo|deln** *tr. 1* formen, bilden **Mo|del|tuch** *s. 4* Mustertuch zum Sticken
Mo|dem [Kurzw. aus elektromagnet. Modulation] *s. 9* Gerät zur Datenübertragung über Fernsprechleitungen
Mo|den|ge|schäft, Mo|de|geschäft *s. 1;* **Mo|den|haus,** Mo|de|haus *s. 4;* **Mo|den|schau** *w. 10;* **Mo|den|zeit|schrift,** Mo|de|zeit|schrift *w. 10;* **Mo|de|pup|pe** *w. 11*
Mo|der *m. 5 nur Ez.* Fäulnis, Verwesung
mo|de|rat [lat.] gemäßigt; **Mo|de|ra|ti|on** *w. 10* Tätigkeit des Moderators (**2**); **mo|de|ra|to** [ital.] (*Abk.:* mod.) *Mus.:* mäßig bewegt; **Mo|de|ra|tor** [lat.] *m. 13*

1 Stoff zum Bremsen der Geschwindigkeit von atomspaltenden Neutronen im Kernreaktor; **2** Diskussionsleiter, z. B. im Fernsehen; **3** Leiter einer kirchl. Behörde oder beratenden Gremiums; **mo|de|rie|ren** **1** *tr. 3* mäßigen; **2** *intr. 3* als Moderator (**2**) tätig sein

mo|de|rig, mod|rig; **Mo|der|lies|chen** *s. 7* ein Karpfenfisch; **mo|dern** *intr. 1* verwesen, faulen

mo|dern der Mode, dem Zeitgeschmack, dem Zeitgeist entsprechend; moderner Fünfkampf: Springreiten, Fechten, Geländelauf, Pistolenschießen und Schwimmen; **Mo|der|ne** *w. 11 nur Ez.* **1** *urspr. Bez. für den* Naturalismus; **2** *allg.:* die heutige Zeit; **mo|der|ni|sie|ren** *tr. 3* der Mode, dem Zeitgeschmack entsprechend ändern; **Mo|der|nis|mus** *m. Gen. - nur Ez.* **1** Streben nach dem Modernen, Bejahung des Modernen; **2** liberale, wissenschaftlich-krit., von Papst Pius X. verurteilte Richtung innerhalb der kath. Kirche; **mo|der|nis|tisch** zum Modernismus gehörend; **Mo|der|ni|tät** *w. 10 nur Ez.* moderne Beschaffenheit

Mo|de|sa|lon [-lɔ̃] *m. 9;* **Mo|de|schaf|fen** *s. Gen.* -s *nur Ez.;* **Mo|de|schmuck** *m. Gen.* -(e)s *nur Ez.;* **Mo|de|schöp|fer** *m. 5*

mo|dest [lat.] *veraltet:* bescheiden, maßvoll

Mo|de|tor|heit *w. 10;* **Mo|de|wa|ren** *w. 11 Mz.* modisches Zubehör zur Kleidung; **Mo|de|wort** *s. 4;* **Mo|de|zeich|ner** *m. 5;* **Mo|de|zeit|schrift,** Mo|den|zeit|schrift *w. 10*

Mo|di *Mz. von* Modus

Mo|di|fi|ka|ti|on [lat.] *w. 10* **1** Veränderung, Umgestaltung; **2** *Biol.:* durch äußere Einflüsse hervorgerufene, nicht erbliche Veränderung von Lebewesen; **3** *Mz., Chem.:* Erscheinungsformen eines Stoffes mit gleichen chem., aber unterschiedlichen physikal. Eigenschaften; **mo|di|fi|zie|ren** *tr. 3* verändern, abwandeln; **Mo|di|fi|zie|rung** *w. 10*

mo|disch; Mo|dist *m. 10, veraltet:* Modewarenhändler; **Mo|dis|tin** *w. 10* = Putzmacherin

mod|rig, mo|de|rig

Mo|dul [lat.] *m. 14* **1** = Model (**1**); 2 eine Materialkonstante; **3** Absolutbetrag einer komplexen Zahl; **4** *bei Zahnrädern:* Divisor aus Durchmesser und Zähnezahl; **Mo|du|la|ti|on** *w. 10* **1** *Mus.:* Übergang in eine andere Tonart; Abstufung des Tons und der Klangfarbe; **2** *Phys.:* Veränderung der Merkmale (Phase, Frequenz) einer hochfrequenten Trägerschwingung durch eine niederfrequente Schwingung (in der Nachrichtentechnik zur Übertragung elektromagnet. Wellen angewandt); **Mo|du|la|ti|ons|fä|hig|keit** *w. 10 nur Ez.* Wandlungsfähigkeit, Biegsamkeit (bes. der Stimme); **mo|du|lie|ren** **1** *intr. 3* von einer Tonart in die andere überleiten; **2** *tr. 3* abwandeln, wechseln; **3** *tr. 3* einer Modulation (**2**) unterwerfen

Mo|dus [lat.] *m. Gen. - Mz.* -di **1** Art und Weise, Form (eines Geschehens); **2** Aussageweise des Verbs (Indikativ, Konjunktiv, Imperativ); **3** Weise, Melodie, nach der verschiedene Lieder gesungen werden können; **4** Kirchentonart; **Mo|dus pro|ce|den|di** *m. Gen. - - Mz.* -di -di Verfahrensweise; **Mo|dus vi|ven|di** *m. Gen. - - Mz.* -di -di erträgl. Form des Zusammenlebens (auch auf Staaten angewandt)

Mo|fa *Kurzw. für* Motorfahrrad (Fahrrad mit Hilfsmotor)

Mo|fet|te [ital.] *w. 11* Ausströmungsstelle von Kohlendioxid in vulkan. Gebiet

Mo|ge|lei *w. 10;* **mo|geln** *intr. 1* ein wenig betrügen (beim Spiel); ich mogele, mogle; **Mo|geln** *s. Gen.* -s Kartenspiel

mö|gen *tr. 86;* ich habe ihn gern gemocht; *aber:* das hätte ich sehen mögen

> **möglich, alles Mögliche:** Das Adjektiv *möglich* wird mit kleinem Anfangsbuchstaben geschrieben. Groß schreibt man die substantivierte Form: *Er tat alles Mögliche.* Ebenso: *das Mögliche; sein Möglichstes tun; Mögliches und Unmögliches verlangen.* →§ 57 (1)

mög|lich; etwas m. machen; so bald, so schnell wie m. (*ugs., aber nicht korrekt, auch:* so bald als m.); möglichst bald; ich habe mein Möglichstes getan; im Rahmen des Möglichen; man kann von einem Menschen nur das Mögliche erwarten; Mögliches und Unmögliches; **mög|li|chen|falls; mög|li|cher|wei|se; Mög|lich|keit** *w. 10;* nach M.; **Mög|lich|keits|form** *w. 10* = Konjunktiv

Mo|gul [pers.] *m. 14* Angehöriger eines islam. Herrscherhauses in Indien

Mo|hair *Nv.* ▶ **Mo|här** *Hv.*

Mo|ham|me|da|ner *m. 5* = Muslim; **mo|ham|me|da|nisch** = muslimisch; **Mo|ham|me|da|nis|mus** *m. Gen. - nur Ez.* = Islam

Mo|här, Mo|hair [-hɛr, arab.-engl.] *s. 9* **1** Haar der Angoraziege; **2** daraus hergestellter, haariger Wollstoff

Mo|hi|ka|ner *m. 5* Angehöriger eines ausgestorbenen nordamerik. Indianerstammes; der letzte der M., der letzte M. *ugs. scherzh.:* der Letzte

Mohn *m. 1* eine Pflanze sowie deren Samen; **Mohn|blu|me** *w. 11;* **Mohn|ku|chen** *m. 7*

Mohr *m. 10* **1** *früher fälschl. Bez. für* Maure; **2** *veraltet, rassistisch:* Schwarzer; einen Mohren weißwaschen *übertr.:* das Unmögliche versuchen

Möh|re *w. 11* eine Gemüsepflanze, gelbe Rübe, Mohrrübe

Moh|ren|hir|se *w. 11* eine in Afrika und Indien angebaute Hirseart; **Moh|ren|kopf** *m. 2* ein kugeliges, mit Schokolade überzogenes Gebäck; **Moh|ren|ma|ki** *m. 9* ein Halbaffe; **Moh|ren|wä|sche** *w. 11, übertr.:* Versuch, einen Schuldigen reinzuwaschen

Mohr|rü|be *w. 11* = Möhre

Moi|ra [mɔɪ-] *w. Gen. - Mz.* -ren **1** *griech. Myth.:* Schicksalsgöttin; **2** Schicksal

Moi|ré [moare, frz.] **1** *m. 9 oder s. 9* Seiden- oder Kunstseidengewebe mit wellenförmiger Musterung; **2** *s. 9* wellenförmiges Muster auf Pelzen; **3** *s. 9* störende Musterung auf reproduzierten Bildern; **4** *s. 9, Fernsehen:* flimmernde Bildmusterung auf dem Bildschirm; **moi|rie|ren** [moa-] *tr. 3* mit Moiré (**2**) versehen

mo|kant [frz.] spöttisch

Mo|kas|sin [indian.] *m. 9* **1** *urspr.:* weicher, bestickter Wildlederschuh der nordamerik. Indianer; **2** weicher, ungefütterter Lederschuh

mo|ki|e|ren [frz.] *refl. 3;* sich über etwas oder jmdn. m.: sich lustig machen
Mo|ka [nach der Stadt M. im Jemen] *m. 9* **1** eine Kaffeesorte; **2** sehr starker Kaffee *österr. auch:* Mocca
Mol *s. 1* = Grammmolekül; **mo|lar** auf 1 Mol bezogen; molare Lösung, die 1 Mol eines Stoffes in 1 Liter enthält
Mo|lar [lat.] *m. 12,* Mo|lar|zahn *m. 2* Mahlzahn
Mo|la|ri|tät *w. 10 nur Ez.* Gehalt (einer Lösung) an chem. wirksamer Substanz von 1 Mol je Liter; **Mo|lar|lö|sung** *w. 10* = molare Lösung
Mo|lar|zahn *m. 2* = Molar
Mo|las|se [frz.] *w. 11 nur Ez.* tertiäre Ablagerungen im nördl. Alpenvorland
Molch *m. 1* Schwanzlurch
Mo|le *w. 11* **1** Hafendamm; **2** = Windei **(2)**
Mo|lek|tro|nik *w. 10 nur Ez.* Entwicklung und Verwendung kleinster elektron. Schaltelemente molekularer Größenordnung; **Mo|le|kül** [frz.] *s. 1* kleinste, aus zwei oder mehr Atomen bestehende Einheit einer chem. Verbindung; **mo|le|ku|lar** die Moleküle betreffend; **Mo|le|ku|lar|ge|wicht** *s. 1*
Mole|skin *auch:* **Mo|les|kin** [moʊl-, engl. »Maulwurfsfell«] *m. 9 oder s. 9* dichtes, aufgerauhtes Baumwollgewebe, Englischleder
Mo|les|ten [lat.] *nur Mz., veraltet:* Beschwerden, Unannehmlichkeiten; **mo|les|tie|ren** *tr. 3, veraltet:* belästigen, Beschwerden bereiten
Mo|let|te [frz.] *w. 11* **1** Prägewalze; **2** Stößel (des Mörsers); **3** gezähntes Rädchen zum Eindrücken von Punkten in Metall
Mol|ke *w. 11 nur Ez., auch:* **Mol|ken** *m. 7 nur Ez.* wässerige Flüssigkeit, die sich aus geronnener Milch, Joghurt und Quark absetzt, Milchserum, Käsewasser; **Mol|ke|rei** *w. 10* **1** *nur Ez.* Verarbeitung von Milch; **2** Betrieb dafür, Meierei; **mol|kig** aus Molke, wie Molke
Moll [zu lat. mollis »weich«] **1** *s. Gen.* -s *nur Ez., Mus.:* eins der beiden Tongeschlechter mit kleiner Terz im Dreiklang auf dem Grundton; vgl. Dur; das Stück ist in Moll komponiert; a-Moll; **2** *m. 9* = Mollton
Mol|la [arab.], Mul|la, Mul|lah *m. 9, Titel für:* muslim. Geistlicher oder Gelehrter
Moll|ak|kord *m. 1*
Mol|le *w. 11* **1** *norddt.:* Backtrog; **2** *berlin.:* Glas Bier
Möl|ler *m. 5, Hüttenwesen:* Gemisch von Erz- und Zuschlagstoffen; **möl|lern** *tr. 1* mischen
mol|lig **1** dicklich, rundlich (von Personen, bes. Frauen); **2** behaglich warm
Moll-Ton|art ► **Moll|ton|art** *w. 10;* **Moll-Ton|lei|ter** ► **Moll|ton|lei|ter** *w. 11*
Mol|lus|ke *w. 11* = Weichtier
Mo|lo *m. 9, österr. Nebenform von* Mole
Mo|loch [auch: mɔ-, nach einem durch Menschenopfer verehrten altsemit. Gott] *m. 1* **1** unersättl. Macht; **2** Dornteufel, eine austral. Echse
Mo|lo|tow-Cock|tail ► **Mo|lo|tow|cock|tail** [-tɔfkɔktɛɪl] *m. 9* **1** *urspr.:* mit Benzin und Phosphor gefüllte Flasche zur Bekämpfung von Panzern; **2** *heute:* selbst gebastelte Handgranate oder Bombe
mol|to [ital.] *Mus.:* sehr, z. B. m. vivace: sehr lebhaft
Mol|ton [frz.] *m. 9* ein weiches, beidseitig angerauhtes Baumwollgewebe, Moll
Mo|luk|ken *Mz.* indones. Inselgruppe, Gewürzinseln
Mo|lyb|dän [griech.] *s. Gen.* -s *nur Ez.* (*Zeichen:* Mo) chem. Element, ein Metall
Mo|ment [lat.] **1** *m. 1* Augenblick, Zeitpunkt, sehr kurze Zeitspanne; **2** *s. 1* Wirkung einer Kraft; **3** *s. 1* Umstand, Gesichtspunkt, Merkmal; **mo|men|tan** augenblicklich; **Mo|ment|auf|nah|me** *w. 11;* **Mo|ment mu|si|cal** [mɔmã myzikal] *s. Gen.* - - *Mz.* -s -caux [mɔmã myziko] kurzes, stimmungsvolles Klavierstück
mon ..., Mon ... vgl. mono ..., Mono ...
Mo|na|co **1** Hst. von Monaco **(2)**; **2** Fürstentum an der frz. Riviera; vgl. Monegasse
Mo|na|de [griech.] *w. 11, Philos.:* **1** in sich geschlossene, unteilbare Einheit; **2** *bei Leibniz:* Ureinheit der Weltsubstanz; **Mo|na|do|lo|gie** *w. 11 nur Ez.* Lehre von den Monaden
Mon|arch *auch:* **Mo|narch** [griech.] (Allein-) Herrscher (Kaiser, König oder Fürst); **Mon|ar|chie** *auch:* **Mo|nar|chie** *w. 11* Staatsform mit einem Monarchen an der Spitze; **mon|ar|chisch** *auch:* **mo|narchisch** zu einem Monarchen gehörend; **Mon|ar|chis|mus** *auch:* **Mo|nar|chis|mus** *m. Gen.* - *nur Ez.* Streben, die Monarchie zu erhalten oder durchzusetzen; **Mon|ar|chist** *auch:* **Mo|nar|chist** *m. 10* Anhänger des Monarchismus; **mon|ar|chis|tisch** *auch:* **mo|nar|chis|tisch**
Mo|nas|te|ri|um [lat.] *s. Gen.* -s *Mz.* -ri|en Kloster; **mo|nas|tisch** mönchisch
Mo|nat *m. 1;* dieses Monats (*Abk.:* d. M.); laufenden Monats (*Abk.:* lfd. M.); nächsten Monats (*Abk.:* n. M.); vorigen Monats (*Abk.:* v. M.); **mo|na|te|lang**; *aber:* mehrere Monate lang; **...mo|na|tig**; z. B. dreimonatig, 3-monatig, drei Monate alt, dauernd, anhaltend; ein dreimonatiges Baby; **mo|nat|lich** jeden Monat; **...mo|nat|lich;** z. B. dreimonatlich: alle drei Monate; die Zeitschrift erscheint dreimonatlich (3-monatlich); **Mo|nats|blu|tung** *w. 10* = Menstruation; **Mo|nats|ers|te(r)** *m. 18 (17);* **Mo|nats|frist** *w. 10, in der Wendung:* binnen, *oder:* innerhalb M.; **Mo|nats|ge|halt** *s. 4;* **Mo|nats|heft** *s. 1;* **Mo|nats|lohn** *m. 2;* **Mo|nats|ra|te** *w. 11;* **Mo|nats|ro|se** *w. 11;* **Mo|nats|schrift** *w. 10*
mon|au|ral *auch:* **mo|nau|ral** [griech. + lat.] einkanalig; *Ggs.:* stereophon
Mon|azit *auch:* **Mo|na|zit** [griech.] *m. 1* ein Mineral
Mönch *m. 1* **1** Angehöriger eines Mönchsordens oder -klosters; **2** nach oben gewölbter Dachziegel; **3** *Jägerspr.:* Hirsch ohne Geweih; **4** *nur Ez.:* ein Alpengipfel (Jungfraugruppe)
Mön|chen|glad|bach Stadt in Nordrhein-Westfalen
mön|chisch; Mönch|lein *s. 7;* **Mönchs|klos|ter** *s. 6;* **Mönchs|kut|te** *w. 11;* **Mönchs|la|tein** *s. Gen.* -s *nur Ez.* = Küchenlatein; **Mönchs|or|den** *m. 7;* **Mönch(s)|tum** *s. Gen.* -s *nur Ez.*
Mond *m. 1; auch veraltet für:* Monat

mon|dän [frz.] im Stil der großen Welt, auffällig elegant **Mond|au|to** *s. 9;* **Mond|bein** *s. 1* einer der Handwurzelknochen; **Mönd|chen** *s. 7;* **Mon|den-schein** *m. 1 nur Ez., poet.:* **Mon|des|fins|ter|nis** *w. 1, österr.;* **Mon|des|glanz** *m. Gen. -es nur Ez., poet.;* **Mon|des|licht** *s. Gen. -(e)s nur Ez., poet.;* **Mond|fäh|re** *w. 11;* **Mond-fins|ter|nis** *w. 1;* **mond|hell;** **Mond|jahr** *s. 1, vor Einführung des Julian. Kalenders:* Jahr von 355 Tagen; **Mond|kalb** *s. 4* **1** Windei, Mole; **2** *ugs.:* Dummkopf; **Mond|land|schaft** *w. 10;* **Mond|lan|dung** *w. 10;* **Mond-licht** *s. Gen. -(e)s nur Ez.;* **Mond|nacht** *w. 2;* **Mond|pha|se** *w. 11;* **Mond|ra|ke|te** *w. 11;* **Mond|schein** *m. 1 nur Ez.;* **Mond|si|chel** *w. 11;* **Mond|son-de** *w. 11* Mondrakete; **Mond-stein** *m. 1* ein Mineral; **Mond-sucht** *w. Gen. - nur Ez.* Mondsüchtigkeit; **mond|süch|tig** an Mondsüchtigkeit leidend, lunatisch, somnambul; **Mond|süch-tig|keit** *w. Gen. - nur Ez.* schlafähnl. Zustand, in dem der Betroffene nachts umhergeht und komplizierte Handlungen vollbringt, Nacht-, Schlafwandeln, Noktambulismus, Somnambulismus, Lunatismus; **Mond-wech|sel** *m. 5*

Mo|ne|gas|se *m. 11* Einwohner von Monaco; **mo|ne|gas|sisch**

mo|ne|tär [lat.] geldlich; **Mo|ne-ten** *nur Mz.* **1** *urspr.:* Bargeld, Münzen; **2** *ugs.:* Geld; **mo|ne|ti-sie|ren** *tr. 3* in Geld verwandeln; **Mo|ne|ti|sie|rung** *w. 10 nur Ez.;* **Mo|ney|ma|ker** [mʌnɪmɛɪkə, engl. »Geldmacher«] *m. 5, ugs.:* Geschäftsmann, der aus allem Geld herauszuschlagen sucht

Mon|go|le *m. 11* **1** *i. w. S.:* Angehöriger der mongolischen Rasse; **2** *i. e. S.:* Einwohner der Mongolei; **Mon|go|lei** *w. Gen. -* **1** östl. Teil Zentralasiens; **2** Staat in dieser Region; **Mon-go|len|fal|te** *w. 11* = Epikanthus; **mon|go|lid** zu den Mongoliden gehörig, in der Art der Mongoliden; **Mon|go|li|de(r)** *m. 18 (17)* Angehöriger der mongolischen Rasse; **mon|go-lisch; Mon|go|lis|mus** *m. Gen. - nur Ez.* Form des angeborenen Schwachsinns mit mongol. Gesichtsbildung; **Mon|go|list** *m. 10* Wissenschaftler der Mongolistik; **Mon|go|lis|tik** *w. 10 nur Ez.* Wissenschaft von den mongol. Sprachen und Kulturen; **mon|go|lis|tisch; mon|go|lo|id** **1** zu den Mongoloiden gehörig, in der Art der Mongoloiden; **2** an Mongolismus leidend; **Mon-go|lo|i|de(r)** *m. 18 (17)* Angehöriger einer nicht rein mongol. Rasse mit mongol. Merkmalen

Mo|nier|ei|sen [-nje-, nach dem frz. Gärtner Joseph Monier] *s. 7* Stab oder Draht aus Stahl zur Verstärkung des Betons

mo|nie|ren [lat.] *tr. 3* beanstanden, bemängeln, rügen, tadeln

Mo|ni|lia [lat.] *w. Gen. - nur Ez.* ein Schlauchpilz, Erreger mancher Pflanzenkrankheiten

Mo|nis|mus [griech.] *m. Gen. - nur Ez.* Lehre, dass allem Sein ein einheitl. Grundprinzip zugrunde liege; *Ggs.:* Dualismus, Pluralismus; **Mo|nist** *m. 10* Vertreter des Monismus; **mo-nis|tisch**

Mo|ni|tor [lat.] *m. 13* **1** *veraltet:* Aufseher; **2** *veraltet:* kleines Kriegsschiff für Fluss- und Küstenschifffahrt; **3** *Fernsehen:* Kontrollgerät, auf dem das gesendete Bild zu sehen ist; **4** *Kerntechnik:* Kontrollgerät für Strahlung und Temperatur; **Mo|ni|to|ri|um** *s. Gen. -s Mz. -rien, veraltet:* Mahnschreiben; **Mo|ni|tum** *s. Gen. -s Mz. -ta* Beanstandung, Tadel, Rüge

mo|no ..., Mo|no ... [griech.] *in Zus.:* allein ..., Allein ..., einzel ..., Einzel ...

Mo|no|chord [-kɔrd, griech.] *s. 1* = Kanon **(8)**

mo|no|chrom [-krom, griech.] einfarbig; **Mo|no|chro|ma|sie** *w. 11* völlige Farbenblindheit; **mo|no|chro|ma|tisch** einfarbig, spektralrein; **Mo|no|chro|mie** *w. 11 nur Ez.* Einfarbigkeit

mo|no|cy|clisch *auch:* **-cyc|lisch** nur einen Ring enthaltend (chem. Verbindung)

Mon|odie *auch:* **Mo|no|die** [griech.] *w. 11* **1** *urspr.:* einstimmiger, unbegleiteter Gesang; **2** *nach 1600:* einstimmiger Gesang mit Akkordbegleitung; **3** = Homophonie; **Mon|odik** *auch:* **Mo|no|dik** *w. 10 nur Ez.* Kunst der Monodie; **mon-odisch** *auch:* **mo|no|disch**

Mo|no|dra|ma [griech.], Mo|nodram *s. Gen. -s Mz. -men* Drama mit nur einer handelnden Person

mo|no|gam [griech.] auf Monogamie beruhend; *Ggs.:* polygam; **Mo|no|ga|mie** *w. 11* Ehe mit nur einem Partner, Einehe (auch bei Tieren); *Ggs.:* Polygamie

Mo|no|ga|ta|ri [jap.] *s. 9* altjapan. Erzählung

Mo|no|ge|ne|se [griech.], **Mo-no|ge|ne|sis** *w. Gen. - nur Ez.,* Mo|no|go|nie *w. 11 nur Ez.* ungeschlechtl. Fortpflanzung; *Ggs.:* Amphigonie; **mo|no|ge-ne|tisch;** **Mo|no|ge|nis|mus** *m. Gen. - nur Ez.* Ableitung einer Gruppe von Organismen, z. B. der Menschenrassen, aus einer einzigen Stammform, Monophyletismus; **Mo|no|go-nie** *w. 11 nur Ez.* = Monogenese

Mo|no|gra|fie *w. 11* = Mo|nogra|phie; **mo|no|gra|fisch** = mo|no|gra|phisch

Mo|no|gramm [griech.] *s. 1* die (oft ineinander verschlungenen) Anfangsbuchstaben des Namens, Namenszeichen; **Mo|no-gram|mis|ten** *m. 10 Mz.* Gruppe früher Grafiker, von denen nicht der volle Name, sondern nur das Monogramm bekannt ist; **Mo|no|gra|phie** ► *auch:* **Mo|no|gra|fie** *w. 11* Abhandlung über einen einzelnen Gegenstand oder Menschen, Einzeldarstellung, z. B. Künstlermonographie; **mo|no|gra-phisch** ► *auch:* **mo|no|gra-fisch**

mo|no|hy|brid *auch:* **-hyb|rid** [griech.] sich in nur einem Merkmalspaar unterscheidend; **Mo|no|hy|bri|de** *auch:* **-hyb|ri-** *m. 11* aus einer monohybriden Kreuzung hervorgegangener Bastard

Mon|o|kel *auch:* **Mo|no|kel** [griech. + lat.] *s. 5* Brille für nur ein Auge, Einglas

mo|no|klin [griech.] **1** zwei sich schiefwinklig kreuzende Achsen und eine rechtwinklig darauf stehende Achse aufweisend (Kristallsystem); **2** *Bot.:* zwittrig, zweigeschlechtig (Blüte)

Mo|no|ko|ty|le|do|ne [griech.] *w. 11* einkeimblättrige Pflanze

mon|o|ku|lar *auch:* **mo|no|ku-lar** [griech. + lat.] für nur ein Auge, mit nur einem Auge

► = wird zu

Mo|no|kul|tur [griech. + lat.] *w. 10* Anbau nur einer Pflanzenart auf einer Fläche
mo|no|la|te|ral [griech. + lat.] einseitig
Mo|no|la|trie *auch:* **-lat|rie** [griech.] *w. 11* Verehrung nur eines Gottes (ohne andere zu leugnen)
Mo|no|lith [griech.] *m. 10* **1** Steinblock; **2** aus einem einzigen Stein gehauenes Bildwerk; **mo|no|li|thisch**
Mo|no|log [griech.] *m. 1* Selbstgespräch; **mo|no|lo|gisch; mo|no|lo|gi|sie|ren** *intr. 3* einen Monolog führen, mit sich selbst reden
Mo|nom [griech.], Mo|no|nom *s. 1, Math.:* aus nur einem Glied bestehende Größe
mo|no|man [griech.] von einer fixen Idee besessen, von einem einzigen Trieb beherrscht; **Mo|no|ma|ne** *m. 11* jmd., der an Monomanie leidet; **Mo|no|ma|nie** *w. 11 nur Ez.* Besessenheit von einer fixen Idee, von einem einzigen Trieb; **mo|no|ma|nisch** = monoman
mo|no|mer [griech.] in einzelnen kleinen Molekülen vorliegend; *Ggs.:* polymer; **Mo|no|mer** *s. 1* Baustein hochmolekularer Stoffe
Mo|no|me|tal|lis|mus *m. Gen. - nur Ez.* auf nur einem Währungsmetall beruhende Währung; *Ggs.:* Bimetallismus
mo|no|misch [griech.] *Math.:* aus einem einzigen Glied bestehend, eingliedrig; **Mo|no|nom** *s. 1* = Monom
mo|no|phag [griech.] auf eine bestimmte Nahrung angewiesen (Tier); **Mo|no|pha|ge** *m. 11* Tier, das auf eine bestimmte Nahrung angewiesen ist; **Mo|no|pha|gie** *w. 11 nur Ez.* auf eine bestimmte Nahrung eingestellte Ernährungsweise; vgl. Polyphagie, Pantophagie
Mo|no|pho|bie [griech.] *w. 11* krankhafte Angst vor dem Alleinsein
mo|no|phon [griech.] einkanalig; *Ggs.:* stereophon
Mo|no|phthong *auch:* **Mo|noph|thong** [griech.] *m. 1* einfacher Vokal; *Ggs.:* Diphthong; **mo|no|phthon|gie|ren** *auch:* **mo|noph|thon|gie|ren** *tr. u. intr. 3* vom Diphthong zum Monophthong übergehen (lassen), z.B. ei zu e in »Drittteil« und »Drittel«; **mo|no|phthon|gisch** *auch:* **mo|noph|thon|gisch**
Mo|no|phy|le|tis|mus [griech.] *m. Gen. - nur Ez.*, **Mo|no|phy|lie** *w. 11 nur Ez.* = Monogenismus
Mo|no|ple|gie [griech.] *w. 11* Lähmung nur eines Gliedes oder Gliedteiles
Mo|no|po|die [griech.] *w. 11* metrische Einheit aus nur einem Versfuß; **mo|no|po|disch; Mo|no|po|di|um** *s. Gen.* -s *Mz.* -di|en, *Bot.:* eine Verzweigungsform der Sprossachse (mit durchgehender Hauptachse)
Mo|no|pol [griech.] *s. 1* alleiniger Anspruch, alleiniges Vorrecht (z.B. eine Ware zu produzieren oder zu verkaufen); **mo|no|po|li|sie|ren** *tr. 3* zu einem Monopol zusammenschließen, zum Monopol machen, das Monopol gewinnen (über etwas); **Mo|no|po|lis|mus** *m. Gen. - nur Ez.* auf Beherrschung des Marktes durch Monopole gerichtetes Streben; **Mo|no|po|list** *m. 10* **1** Inhaber eines Monopols; **2** Vertreter des Monopolismus; **mo|no|po|lis|tisch; Mo|no|pol|ka|pi|tal** *s. Gen.* -s *nur Ez., im marxist. Sprachgebrauch:* **1** das in Monopolen wirkende Kapital; **2** Gesamtheit monopolistischer Unternehmen; **Mo|no|pol|ka|pi|ta|lis|mus** *m. Gen. - nur Ez., nach Lenin:* höchste Stufe des Kapitalismus, gekennzeichnet durch starke Konzentration wirtschaftlicher, auf Monopolen beruhender Macht; **Mo|no|pol|ka|pi|ta|list** *m. 10* Vertreter des Monopolkapitalismus
Mo|no|pte|ros *auch:* **Mo|nop|te|ros** [griech.] *m. Gen. - Mz.* -ren *oder* -pte|ren *oder* -roi **1** kleiner, überdachter, antiker Säulenrundbau; **2** *heute:* ähnlich gebauter Pavillon in Parks
Mo|no|sac|cha|rid [-xa-, griech.] *s. 1* einfacher Zucker
mo|no|syl|la|bisch [griech.] nur aus einer Silbe bestehend, einsilbig; **Mo|no|syl|la|bum** *s. Gen.* -s *Mz.* -ba einsilbiges Wort
Mo|no|the|is|mus [griech.] *m. Gen. - nur Ez.* Glaube an einen einzigen Gott; *Ggs.:* Polytheismus; **Mo|no|the|ist** *m. 10* Anhänger des Monotheismus; **mo|no|the|is|tisch**
mo|no|ton [griech.] eintönig, einförmig; **Mo|no|to|nie** *w. 11 nur Ez.*
Mo|no|tre|men [griech.] *Mz.* Kloakentiere
mo|no|trop [griech.] beschränkt anpassungsfähig; **Mo|no|tro|pie** *w. 11 nur Ez.* nur in einer Richtung mögliche Umwandelbarkeit eines Stoffes
Mo|no|type [-taıp, griech. + engl.] *w. 9* (Wz) eine Setz- und Gießmaschine für Einzelbuchstaben
Mon|ö|zie *auch:* **Mo|nö|zie** [griech.] *w. 11 nur Ez., Bot.:* = Einhäusigkeit; *Ggs.:* Diözie; **mon|ö|zisch** *auch:* **mo|nö|zisch** = einhäusig; *Ggs.:* diözisch
Mo|no|zy|ten [griech.] *m. 10 Mz.* größte weiße Blutkörperchen
Mon|roe|dok|trin [-roʊ-] *w. 10 nur Ez.* von dem US-amerik. Präsidenten James Monroe 1823 aufgestellter Grundsatz der gegenseitigen Nichteinmischung (»Amerika den Amerikanern, Europa den Europäern«)
Mon|sal|vatsch [frz. »wilder Berg«], Mont|sal|vatsch, *bei R. Wagner:* Mon|sal|vat die Gralsburg (im »Parzival«)
Mon|sei|gneur *auch:* **Mon|seig|neur** [mõsɛnjœr, frz.] *m. 1 oder m. 9* (*Abk.:* Mgr.) *in Frankreich Titel urspr. für:* Ritter, *dann für:* Prinz, hoher Geistlicher; **Mon|sieur** [məsjø] *m. Gen.* -s *Mz.* Mes|sieurs [mɛsjø] (*Abk.:* M., *Mz.:* MM.) *frz. Anrede (allein stehend oder vor dem Namen):* (mein) Herr;
Mon|si|gno|re *auch:* **Mon|sig|no|re** [mɔnsinjorə, ital.] *m. Gen.* -s *Mz.* -ri *(Abk.:* Mgr., Msgr.) *Titel für:* hoher geistl. Würdenträger
Mons|ter ..., Mons|tre ... [lat., zu: Monstrum] *in Zus.:* riesig, Riesen ...; **Mons|te|ra** *w. Gen. - Mz.* -rae [-rɛː] ein Aronstabgewächs, eine Kletterpflanze
Mons|ter|film, Mons|tre|film *m. 1* Film mit Überlänge und riesigem Aufgebot an Menschen und Ausstattung;
Mons|tra *Mz. von* Monstrum
Mons|tranz [lat.] *w. 10* Gefäß zum Tragen und Zeigen der geweihten Hostie

Mons|tre ... vgl. Monster ...; **mons|trös 1** unförmig, missgestaltet, vom normalen Bau abweichend (z. B. Geweih); **2** *übertr.:* ungeheuerlich; **Mons|tro|si|tät** *w. 10 nur Ez.;* **Mons|trum** *s. Gen.* -s *Mz.* -tren *oder* -tra missgebildetes Wesen, Ungeheuer

Mon|sun [arab.] *m. 1, in Asien, bes. Indien:* halbjährlich wechselnder Wind (Sommer-, Wintermonsun)

Mon|tag *m. 1 (Abk.:* Mo); vgl. Dienstag

Mon|ta|ge [-ʒə, frz.] *w. 11* **1** Aufstellen und Zusammenbauen (von Maschinen, techn. Anlagen); **2** künstler. Gestaltung (eines Films) durch Schnitt, Auswahl und Zusammenstellen der einzelnen Handlungseinheiten; **Mon|ta|ge|bau** *m. Gen.* -(e)s *Mz.* -bauten Bau, Bauweise mit größeren Fertigteilen; **Mon|ta|ge|hal|le** *w. 11*

Mon|ta|gnard *auch:* **Mon|tag|nard** [mɔ̃tanjar, frz.] *m. 9, während der Frz. Revolution:* Angehöriger der »Bergpartei« (der äußersten Linken, nach ihren hochgelegenen Sitzen in der verfassunggebenden Versammlung)

mon|tan [lat.], mon|ta|nis|tisch zum Bergbau und Hüttenwesen gehörig

Mon|ta|na (*Abk.:* MT) Staat der USA

Mon|tan|an|stalt *w. 10* Hochschule für Bergbau und Hüttenwesen; **Mon|tan|ge|sell|schaft** *w. 10* Bergbau und Hütten betreibende Gesellschaft; **Mon|tan|in|dus|trie** *w. 11 nur Ez.* Bergbau und Hüttenwesen umfassende Industrie

Mon|ta|nis|mus [nach dem Begründer, dem in Kleinasien geborenen Propheten Montanus] *m. Gen. - nur Ez.* Lehre der Sekte der Montanisten (2./3. Jh.) von dem baldigen Ende der Welt; **Mon|ta|nist** *m. 10* **1** Anhänger des Montanismus; **2** Fachmann in Bergbau und Hüttenwesen; **mon|ta|nis|tisch 1** zum Montanismus gehörig, auf ihm beruhend; **2** = montan

Mon|tan|u|ni|on *w. 10 nur Ez.* Europ. Gemeinschaft für Kohle und Stahl; **Mon|tan|wachs** *s. 1 nur Ez.* aus Braunkohle gewonnenes Wachs

Mont|blanc [mɔ̃blɑ̃, frz. »weißer Berg«] *m. Gen.* -s höchster Berg Europas

Mont|bre|tie [-mɔ̃bretsjə, nach dem frz. Naturforscher C. de Montbret] *w. 11* ein südafrik. Schwertliliengewächs

Mon|te|ne|gri|ner *auch:* **-neg|ri-** *m. 5* Einwohner von Montenegro; **mon|te|ne|gri|nisch** *auch:* **-neg|ri-;** **Mon|te|ne|gro** *auch:* **-neg|ro** Land in Südosteuropa, bildet zus. mit Serbien die Bundesrepublik Jugoslawien

Mon|teur [mɔntør, frz.] *m. 1* Facharbeiter für die Montage von Maschinen und techn. Anlagen

Mon|te|vi|deo Hst. von Uruguay

Mont|gol|fie|re [mɔ̃gɔlfjerə, nach den frz. Erfindern, den Brüdern Montgolfier] *w. 11* mit Warmluft gefüllter Ballon

mon|tie|ren [frz.] *tr. 3* aufstellen, auf-, zusammenbauen (Maschine, techn. Anlage)

Mont|martre *auch:* **Mont|mart|re** [mɔmartrə, frz.] *m. Gen.* -(s) Stadtteil von Paris, Künstler- und Vergnügungsviertel

Mont|par|nasse [mɔ̃parnas, frz.] *m. Gen. - nur Ez.* Stadtteil von Paris, Vergnügungsviertel

Mon|tre|al Hst. von Kanada

Mont|sal|vatsch = Monsalvatsch

Mon|tur *w. 10* **1** *veraltet:* Uniform; **2** *noch ugs. scherzh.:* Anzug, Arbeitsanzug

Mo|nu|ment [lat.] *s. 1* (großes) Denkmal; Monumenta Germaniae historica (*Abk.:* MGH): Historische Denkmäler Deutschlands (wichtigste Sammlung mittelalterl. Quellen zur dt. Geschichte); **mo|nu|men|tal** in der Art eines Monuments, denkmalartig, gewaltig, riesig groß; **Mo|nu|men|tal|bau** *m. Gen.* -(e)s *Mz.* -bauten; **Mo|nu|men|ta|li|tät** *w. 10 nur Ez.* gewaltige, eindrucksvolle Größe

Moor *s. 1;* **Moor|bad** *s. 4;* **moo|rig;** **Moor|ko|lo|nie** *w. 11;* **Moor|kul|tur** *w. 10* Gewinnung von Nutzland aus Moor; **Moor|lei|che** *w. 11* im Moor mumienhaft konservierte Leiche aus vor- oder frühgeschichtl. Zeit; **Moor|schnee|huhn** *s. 4* ein Rauhfußhuhn

Moos *s. 1* **1** eine Sporenpflanze, vgl. Moospflanzen; *süddt., österr.:* Moor; **2** [hebr.] *nur Ez., ugs.:* Geld; **Moos|bee|re** *w. 11* ein Heidekrautgewächs; **moos|grün; moo|sig; Moos|pflan|zen** *w. 11 Mz.* eine Gruppe niederer blütenloser Pflanzen; **Moos|tier|chen** *s. 7 Mz.* eine Klasse der Tentakeltiere

> **Mopp:** Das Wort wird, weil ein kurzer Vokal vorliegt, mit *pp* geschrieben: *der Mopp* (bisher: Mop).

Mop ► **Mopp** *m. 9*

Mo|ped [Kurzw. aus Motor und Veloziped oder Pedal] *s. 9* leichtes Motorrad

Mopp [engl.] *m. 9* Staubbesen mit Fransen statt der Borsten

Mop|pel *m. 5, scherzh.:* Mops

mop|pen *tr. u. intr. 1* mit dem Mopp fegen

Mops *m. 2* eine Hunderasse mit stumpfer Schnauze; **Möps|chen** *s. 7*

Möp|se [rotwelsch] *nur Mz., ugs.:* Geld; **mop|sen 1** *tr. 1, ugs.:* stehlen; **2** [zu: Mops] *refl. 1* sich langweilen; **mops|fi|del** *ugs.;* **mop|sig** *ugs.:* **1** langweilig; **2** dick (Person, Gesicht)

Mo|ra 1 [lat.], Mo|re *w. Gen. - Mz.* -ren kleinste Zeiteinheit im Vers, Dauer einer kurzen Silbe; *veraltet:* Verzug, Verzögerung (einer Zahlung); **2** [ital.] *w. Gen. - Mz. -* ein ital. Fingerspiel

Mo|ral [lat.] *w. Gen. - nur Ez.* **1** Sittlichkeit; **2** Sittenlehre; **3** sittl. Nutzanwendung; und die M. von der Geschicht' ...; **Mo|ral|ge|setz** *s. 1;* **Mo|ra|lin** *s. Gen.* -s *nur Ez.* moral. Heuchelei; **Moral in|sa|ni|ty** ► **Mo|ral In|sa|ni|ty** [mɔrəl ɪnsænɪtɪ, engl.] *w. Gen. - - nur Ez.* Mangel an sittl. Gefühl; **mo|ra|lin|sau|er** *ugs.:* übertrieben moralisch; **mo|ra|lisch** auf Moral beruhend, der Moral entsprechend, sittlich, sittenstreng; **mo|ra|li|sie|ren** *intr. 3* Moral predigen, moral. Betrachtungen anstellen; **Mo|ra|lis|mus** *m. Gen. - nur Ez.* **1** Anerkennung verbindl. Moralgesetze; vgl. Amoralismus, Immoralismus; **2** Überbetonung der Moral; **Mo|ra|list** *m. 10* **1** moral. Mensch; **2** *bes. in Frankreich im 16./18. Jh.:* moralisierender Schriftsteller; **3** Sittenlehrer; **4** Sittenprediger;

► = wird zu

Mo|ra|li|tät *w. 10* **1** *nur Ez.* Sittlichkeit, sittl. Bewusstsein; vgl. Amoralität, Immoralität; **2** *Ende des MA:* lehrhaftes moral. Schauspiel; **Mo|ral|leh|re** *w. 11;* **Mo|ral|leh|rer** *m. 5* Moralphilosoph; **Mo|ral|pau|ke** *w. 11* Moralpredigt; **Mo|ral|phi|lo|so|phie** *w. 11;* **Mo|ral|pre|di|ger** *m. 5;* **Mo|ral|pre|digt** *w. 10;* **Mo|ral|the|o|lo|gie** *w. 11*

Mo|rä|ne [frz.] *w. 11* von Gletschern mitgeführter und abgelagerter Gesteinsschutt; **Mo|rä|nen|land|schaft** *w. 10*

Mo|rast *m. 1* sumpfiger Boden, Schlamm; **mo|ras|tig**

Mo|ra|to|ri|um [lat.] *s. Gen.* -s *Mz.* -ri|en Zahlungsaufschub

mor|bid [lat.] **1** kränklich, angekränkelt; **2** *übertr.:* morsch, brüchig; **Mor|bi|di|tät** *w. 10 nur Ez.;* **Mor|bus** *m. Gen.* - *Mz.* -bi Krankheit

Mor|chel *w. 11* ein Pilz

Mord *m. 1;* **Mord|an|schlag** *m. 2;* **Mord|be|gier|de** *w. 11 nur Ez.;* **mord|be|gie|rig;** **Mord|bren|ner** *m. 5, veraltet:* Mörder und Brandstifter; **Mord|bren|ne|rei** *w. 10 nur Ez.;* **Mord|bu|be** *m. 11, veraltet:* Mörder; **mor|den** *tr. 2*

Mor|dent [ital.] *m. 1* (*Zeichen:* ~) *Mus.:* Pralltriller, einmaliger, nach unten ausgeführter Wechselschlag

Mör|der *m. 5;* **Mör|der|gru|be** *w. 11, nur noch in der Wendung* aus seinem Herzen keine M. machen: seine Meinung nicht zurückhalten, freiheraus reden; **Mör|der|hand** *w. 2, nur in Wendungen wie:* durch M. sterben; **mör|de|risch** *ugs.:* furchtbar, sehr groß; mörderische Hitze; **mör|der|lich** *ugs.:* sehr, tüchtig; jmdn. m. verhauen; m. schreien; **Mord|ge|schich|te** *w. 11;* **Mord|ge|sel|le** *m. 11, veraltet:* Mörder; **Mord|gier** *w. Gen.* - *nur Ez.;* **mord|gie|rig;** **Mord|in|stru|ment** *auch:* **Mord|ins|tru|ment** *s. 1;* **mor|dio!** *veraltet:* Hilfe, Mord!; **Mord|kom|mis|si|on** *w. 10;* **Mord|lust** *w. 2 nur Ez.;* **mord|lus|tig;** **Mords ...** *in Zus.:* groß (z. B. Mordsglück, Mordskrach, Mordshunger), tüchtig (z. B. Mordskerl); **mords|mä|ßig** *ugs.:* sehr; sich m. freuen; m. schimpfen, schreien; **Mord|tat** *w. 10;* **Mord|ver|such** *m. 1;* **Mord|waf|fe** *w. 11*

Mo|re *w. 11* = Mora (**1**)

Mo|rel|le [ital.] *w. 11* eine Sauerkirschenart

Mo|ren *Mz. von* Mora (**1**)

mo|ren|do [ital.] *Mus.:* immer leiser werdend, ersterbend, verhauchend

Mo|res [lat.] *Mz.* Anstand, gute Sitten; *nur in der Wendung:* jmdn., *oder* ich will dich M. lehren

Mo|res|ca [ital.], Mo|ris|ca, Mo|ris|ke *w. Gen.* - *nur Ez.* europ. pantomim. Tanz; **Mo|res|ke** *w. 11* = Maureske

mor|ga|na|tisch [mlat.] ungesetzlich; *nur in der Fügung* morganatische Ehe: Ehe zur →linken Hand

mor|gen; m. Abend, früh, Mittag; bis m.!; der Mensch von m.; Das Heute und das M.; **Mor|gen** *m. 7* **1** Tagesbeginn; am M.; des Morgens; *aber:* morgens; guten M.; jmdm. (einen) guten M. wünschen; **2** *veraltet:* Osten; gen Morgen fahren; **3** Feldmaß unterschiedlicher Größe (25–35 a), so viel Land, wie man mit einem Gespann an einem Morgen umpflügen kann; fünf M. Land; **mor|gend** *veraltet:* morgig; der morgende Tag; **mor|gend|lich;** **Mor|gen|frü|he** *w. Gen.* - *nur Ez.;* **Mor|gen|ga|be** *w. 11, früher:* Geschenk des Ehemanns für die Frau am Morgen nach der Hochzeit; **Mor|gen|grau|en** *s. Gen.* -s *nur Ez.;* **Mor|gen|land** *s. Gen.* -(e)s *nur Ez.* der Nahe, Mittlere und Ferne Osten, der Orient; *Ggs.:* Abendland; **mor|gen|län|disch;** **Mor|gen|luft** *w. 2;* M. wittern *ugs.:* eine neue Epoche kommen fühlen, einen Vorteil für sich ahnen; **Mor|gen|rock** *m. 2;* **Mor|gen|rot** *s. Gen.* -s *nur Ez.;* **Mor|gen|rö|te** *w. Gen.* - *nur Ez.;* **mor|gens**; *aber:* des Morgens; **Mor|gen|son|ne** *w. 11 nur Ez.;* **Mor|gen|stun|de** *w. 11;* **Mor|gen|thau|plan** [nach dem US-amerik. Finanzminister Henry Morgenthau] *m. 2 nur Ez.* Plan zur Vernichtung der dt. Industrie nach 1945; **mor|gen|wärts;** **Mor|gen|wei|te** *w. 11* Winkelabstand eines Gestirns bei seinem Aufgang vom Ostpunkt; *Ggs.:* Abendweite; **mor|gig**; am morgigen Vormittag

Mo|ria [griech.] *w. Gen.* - *nur Ez.* leichte Geistesstörung mit übertriebener Heiterkeit

mo|ri|bund [lat.] dem Tod geweiht; *Med.:* im Sterben liegend

Mo|ri|nell [span.] *m. 1,* Mor|nel|le *w. 11* ein Regenpfeifervogel

Mo|ris|ca *w. Gen.* - *nur Ez.* = Moresca; **Mo|ris|ke** **1** *w. 11* = Moresca; **2** *m. 11* in Spanien nach Ende der Maurenherrschaft zurückgebliebener, zum Christentum übergetretener Maure

Mo|ri|tat *w. 10* **1** *veraltet:* Mordtat, schrecklicher Unglücksfall; **2** einen solchen Fall schilderndes Bänkelsängerlied, Schauerballade

Mor|mo|ne [nach dem Buch »Mormon« des Begründers Joseph Smith] *m. 11* Angehöriger einer nordamerik. christl. Sekte

Mor|nel|le *w. 11* = Morinell

mo|ros [lat.] *veraltet:* mürrisch, verdrießlich; **Mo|ro|si|tät** *w. 10 nur Ez., veraltet*

Mor|phe [griech.] *w. Gen.* - *nur Ez.* Gestalt, Form, Aussehen; **Mor|phem** *s. 1, Phonologie:* kleinster bedeutungshaltiger Teil eines Wortes, z. B. Bau(er), lieb(te); **Mor|phe|ma|tik** *w. 10 nur Ez.* Lehre von den Morphemen

Mor|pheus *griech. Myth.:* Gott des Schlafes und der Träume; **Mor|phin,** Mor|phi|um *s. Gen.* -s *nur Ez.* ein aus Opium gewonnenes, schmerzlinderndes Alkaloid, ein Rauschgift; **Mor|phi|nis|mus** *m. Gen.* - *nur Ez.* Morphiumsucht; **Mor|phi|nist** *m. 10;* **Mor|phi|um** *s. Gen.* -s *nur Ez.* = Morphin; **Mor|phi|um|sucht** *w. Gen.* - *nur Ez.;* **mor|phi|um|süch|tig**

Mor|pho|ge|ne|se [griech.] *w. 11,* **Mor|pho|ge|ne|sis** *w. Gen.* - *Mz.* -ne|sen, Mor|pho|ge|nie *w. 11* Entwicklung von Gestalt und Form eines Lebewesens; **mor|pho|ge|ne|tisch** gestaltbildend; **Mor|pho|ge|nie** *w. 11* = Morphogenese; **Mor|pho|lo|gie** *w. 11 nur Ez.* Lehre von der Gestalt- und Formbildung (der Lebewesen sowie der Wörter), Formenlehre; **mor|pho|lo|gisch**

morsch; **Morsch|heit** *w. 10 nur Ez.*

Mor|se|al|pha|bet [nach dem nordamerik. Erfinder Samuel Morse] *s. 1 nur Ez.* aus Punkten und Strichen bestehendes Alphabet zur Nachrichtenübermittlung durch Ton- oder Lichtsignale; **Mor|se|ap|pa|rat** *m. 1;* **mor|sen** *tr. 1* in Zeichen des Morsealphabets übermitteln

Mör|ser *m. 5* **1** Gefäß zum Zerkleinern harter Stoffe mit dem Stößel; **2** ein Steilfeuergeschütz; **3** Granatwerfer; **mör|sern** *tr. 1* im Mörser (**1**) zerkleinern

Mor|se|zei|chen *s. 7*

Mor|ta|del|la [ital.] *w. Gen. - nur Ez.* eine Wurstsorte

Mor|ta|li|tät [lat.] *w. 10 nur Ez.* **1** Sterblichkeit; *Ggs.:* Immortalität; **2** Sterblichkeitsziffer; *Ggs.:* Natalität

Mör|tel *m. 5* Bindemittel für Mauerwerk; **Mör|tel|kalk** *m. 1;* **mör|teln** *tr. 1* mit Mörtel verbinden

Mor|ti|fi|ka|ti|on [lat.] *w. 10 nur Ez.* **1** Kasteiung, Abtötung (von Begierden in der Askese); **2** Absterben von Gewebe, Gewebstod; **3** *auch:* Ungültigkeitserklärung; **mor|ti|fi|zie|ren** *tr. 3* **1** abtöten; **2** absterben lassen; **3** für ungültig erklären

Mo|ru|la [lat.] *w. Gen. - nur Ez.* erstes Entwicklungsstadium des Keims von vielzelligen Tieren und des Menschen, Maulbeerkeim

Mo|sa|ik [lat.] *s. 12* **1** Einlegearbeit aus farbigen Steinchen, Stiften oder Glasstückchen in Mauern oder Fußböden; **2** *übertr.:* aus vielen Einzelteilen zusammengesetztes Bild; **Mo|sa|ik|stein** *m. 1*

mo|sa|isch von Moses herrührend; die mosaischen Gesetze; **Mo|sa|is|mus** *m. Gen. - nur Ez.; veraltet:* Judentum

Mo|sa|ist, Mo|sa|i|zist *m. 10* Künstler, der Mosaiken herstellt

Mo|sam|bik *eindeutschende Schreibung von* Moçambique

Mosch *m. Gen.-s nur Ez., mitteldt.:* Abfälle (bes. von Papier, Holz usw.), Überbleibsel, Ausschuss

Mo|schee [arab.-frz.] *w. 11* muslim. Kirche

mo|schen *intr. 1, mitteldt.:* verschwenderisch mit etwas umgehen; **Mosch|pa|pier** *s. 1 nur Ez.* Abfallpapier

Mo|schus [sanskr.] *m. Gen. - nur Ez.* aus der Drüsenabsonderung des Moschustiers gewonnener Riechstoff; **Mo|schus|bock** *m. 2* ein Bockkäfer, riecht nach Moschus; **Mo|schus|och|se** *m. 11* ein arktischer, rindähnlicher Hornträger, dessen Fleisch nach Moschus riecht, Bisamochse; **Mo|schus|tier** *s. 1* ein kleiner, zentralasiat. geweihloser Hirsch, aus dessen Geschlechtsdrüsenabsonderung Moschus gewonnen wird

Mö|se *w. 11, vulg.:* weibl. Geschlechtsteil

Mo|sel 1 *w. Gen.* - Nebenfluss des Rheins; **2** *m. 5, kurz für* Moselwein; **Mo|sel|la|ner**, Mosel|la|ner *m. 5* Einwohner des Mosellandes; **Mo|sel|land** *s. Gen.* -(e)s *nur Ez.;* **Mo|sel|wein** *m. 1*

Mo|ses 1 Stifter der israël. Religion; **2** *m. Gen.- Mz.*-sesse, -ses|se jüngstes Mitglied der Schiffsmannschaft, Schiffsjunge; **3** kleinstes Beiboot

Mos|jö *m. 9, ugs. spött.:* Monsieur, Herr

Mos|kau Hst. Russlands; **Mos|kau|er** *m. 5;* **mos|kau|isch; Mos|kau-Wol|ga-Ka|nal** *m. 2*

Mos|ki|to [span.] *m. 9* eine tropische Stechmücke; **Mos|ki|to|netz** *s. 1*

Mos|ko|wi|ter *m. 5* Einwohner des ehemaligen russ. Gouvernements Moskau; **mos|ko|wi|tisch**

Mos|lem [arab.] = Muslim; mos|le|misch = muslimisch; **Mos|li|me** = Muslime

mos|so [ital.] *Mus.:* bewegt, lebhaft

Most *m. 1* **1** unvergorener Fruchtsaft; **2** *süddt., schweiz.:* Obstwein; **mos|ten** *intr. 2* Most herstellen; **Mos|te|rei** *w. 10;* **Mos|tert** *m. Gen.*-s *nur Ez., nordwestdt.:* Senf; **Most|rich** *m. 1 nur Ez., nordostdt.:* Senf

Mo|tel [Kurzw. aus engl. motorist's hotel »Hotel für Reisende mit Motorfahrzeug«] *s. 9* Hotel mit Appartements und Garagen an Autostraßen

Mo|tet|te [ital.] *w. 11* mehrstimmiges, meist unbegleitetes (heute nur noch geistl.) Chorgesangsstück

Mo|ti|li|tät [lat.] *w. 10 nur Ez.* Bewegungsvermögen, Beweglichkeit (bes. von Muskeln); **Mo|ti|on** *w. 10* **1** Bewegung; **2** *schweiz.:* schriftl. Antrag (im Parlament); **3** Bildung der Genusformen beim Adjektiv, Movierung; **Mo|ti|o|när** *m. 1, schweiz.:* jmd., der eine Motion (**2**) einreicht

Mo|tiv [mlat.-frz.] *s. 1* **1** Leitgedanke; **2** Beweggrund, Antrieb (für eine Handlung); **3** kennzeichnender inhaltl. Bestandteil einer Dichtung, z. B. Märchenmotiv (M. der feindl. Brüder); **4** kleinste charakterist. Tonfigur einer Melodie oder eines musikal. Themas; **5** *bildende Kunst und Malerei:* Gegenstand der Darstellung, z. B. Rankenmotiv; **Mo|ti|va|ti|on** *w. 10* Hintergrund, Ursache für ein Motiv (**2**); **Mo|tiv|for|schung** *w. 10* Erforschung von Motiven und Motivationen der Teilnehmer am Wirtschaftsgeschehen; **mo|ti|vie|ren** [-vi-] *tr. 3;* eine Handlung m.: aus den Motiven, die zu ihr führten, begründen; jmdn. m.: jmdm. ein Motiv geben, etwas zu tun; **Mo|ti|vie|rung** *w. 10 nur Ez.;* **Mo|ti|vik** *w. 10 nur Ez., Mus.:* Kunst der Verarbeitung von Motiven; **mo|ti|visch** auf ein Motiv bezüglich, ein Motiv, die Motive betreffend

Mo|to-Cross *Nv.* ► **Mo|to|cross** *Hv.* [engl.] *s. Gen. - nur Ez., Motorradsport:* Geschicklichkeitsprüfung beim Geländefahren; **Mo|tor** [auch: -tor, lat.] *m. 13 bzw. 12* **1** Maschine zum Erzeugen von mechan. Arbeitskraft; **2** *übertr.:* Triebkraft; **Mo|tor|boot** [auch: -tor-] *s. 1;* **Mo|tor|fahr|zeug** [auch: -tor-] *s. 1;* **...mo|to|rig** mit einer bestimmten Anzahl von Motoren versehen, z. B. zweimotorig; **Mo|to|rik** *w. 10 nur Ez.* **1** Gesamtheit der Bewegungsabläufe des Körpers; **2** Bewegungslehre; **3** Bewegungsart; **mo|to|risch; mo|to|ri|sie|ren** *tr. 3* mit Kraftmaschinen oder -fahrzeugen ausstatten; motorisiert sein *ugs. scherzh.:* ein Auto haben; **Mo|to|ri|sie|rung** *w. 10 nur Ez.;* **Mo|tor|pflug** *m. 2;* **Mo|tor|rad** *s. 4;* **Mo|tor|rol|ler** *m. 5;* **Mo|tor|sä|ge; Mo|tor|schiff** *s. 6; w. 11;* **Mo|tor|schlit|ten** *m. 7;* **Mo|tor|seg|ler** *m. 5* Segelboot oder -flugzeug mit Hilfsmotor; **Mo|tor|sport** *m. 1 nur Ez.*

Mot|te *w. 11;* **mot|ten|fest;**

► = wird zu

Mot|ten|fraß *m. Gen.* -es *nur Ez.;* **Mot|ten|kis|te** *w. 11;* **mot|ten|si|cher**

Mot|to [ital.] *s. 9* Leit-, Wahlspruch

Mo|tu|pro|prio [lat. »aus eigenem Antrieb«] *s. 9* nicht auf Eingaben beruhender Erlass des Papstes

mot|zen *intr. 1, ugs.:* nörgelnd schimpfen

mouil|lie|ren *auch:* **mou|il|lie|ren** [muji-, frz.] *tr. 3* einen Konsonanten m.: erweichen, ein j sprechen oder nachklingen lassen, z. B. brillant [briljant], Señor [sɛnjor], *frz.* fille [fijə], palatalisieren; **Mouil|lie|rung** [muji-] *w. 10*

Mou|la|ge [mulaʒə, frz.] *w. 11* **1** Abdruck, Abguss; **2** farbiges Wachsmodell (des Körpers oder von Körperteilen)

Mou|li|né [mu-, frz.], Mu|li|nee *m. 9* **1** Zwirn aus zwei verschiedenfarbigen Garnen; **2** Gewebe daraus; **mou|li|nie|ren** [mu-], mu|li|nie|ren *tr. 3* zwirnen

Mound [maʊnd, engl.] *m. 9, im vorkolumb. Amerika:* Grabhügel, Tempelhügel

Moun|tain|bike [mauntənbaik, engl.] *s. 9* Fahrrad, das als Sportgerät für Gebirgstouren gebaut ist

Mount Eve|rest [maʊnt -] *m. Gen.* - - höchster Berg der Erde, im Himalaya

mous|sie|ren [mu-, frz.] *intr. 3* schäumen, prickeln (von Sekt)

Mous|té|ri|en [musteriẽ, nach dem frz. Fundort Le Moustier] *s. Gen.* -s *nur Ez.* Stufe der älteren Altsteinzeit

Mo|vens [lat.] *s. Gen.* - *nur Ez.* treibende Kraft, Beweggrund; **mo|vie|ren** [-vi-] *tr. 3;* ein Wort, bes. ein Adjektiv m.: seine Genusformen bilden; **Mo|vie|rung** *w. 10* = Motion (**3**)

Mö|we *w. 11*

Moz|a|ra|ber [arab.] *m. 5* Christ in Spanien während der arab. Herrschaft, der die arab. Sprache und Kultur angenommen hatte; **moz|a|ra|bisch**

Mo|zart|zopf *m. 2* am Hinterkopf angeflochtener Zopf

mp 1 *Abk. für* mezzopiano; **2** *Abk. für* Millipond

MP 1 *Abk. für* Military Police (die US-amerik. Militärpolizei); **2** *Abk. für* Megapond; **3** *Abk. für* Maschinenpistole

Mp. *Abk. für* Maschinenpistole

m. p., m. pp., m. pr. *Abk. für* manu propria

M. P. *Abk. für* Member of Parliament (Mitglied des brit. Parlaments)

m. pp., m. pr. *Abk. für* manu propria

Mr. *Abk. für* Mister

Mrd., Md. *Abk. für* Milliarde(n)

Mrs. *Abk. für* Mistress

MS *Abk. für* Mississippi (**2**)

MS *Abk. für* Motorschiff

Ms. *Abk. für* Manuskript

m. s. *Abk. für* mano sinistra

m/s, m/sec *Abk. für* Meter pro Sekunde, Metersekunde

Msgr., Mgr. *Abk. für* Monsignore

Mskr. *Abk. für* Manuskript(e)

Mss. *Abk. für* Manuskripte

MsTh *Abk. für* Mesothorium

Mt *Abk. für* Megatonne

MT *Abk. für* Montana

MTA *Abk. für* medizinisch-technische Assistentin

MTS *ehem. DDR: Abk. für* Maschinen-Traktoren-Station

Much|tar, Muh|tar [türk.] *m. 9, in der Türkei:* Gemeindevorsteher

Mu|cke *w. 11, ugs.* **1** Laune, Grille, Unart (von Personen); **2** kleiner Defekt, Störung (bei Maschinen, Geräten); **3** *ehem. DDR, ugs.:* kleiner, einmaliger Nebenverdienst

Mü|cke *w. 11*

Mu|cke|fuck *m. Gen.* -s *nur Ez., ugs.:* Malzkaffee, Kaffee-Ersatz

mu|cken *intr. 1, Nebenform von* mucksen

Mü|cken|schwarm *m. 2;* **Mü|cken|stich** *m. 1*

Mu|cker *m. 5, ugs.:* mürrischer oder scheinheiliger Mensch, Duckmäuser; **mu|cke|risch** *ugs.;* **Mucks** *m. 1,* Muck|ser *m. 5, ugs.:* halb unterdrückter Laut, schwache Bewegung; keinen Mucks von sich geben; er hat den ganzen Abend nicht Mucks gesagt; **mucksch** *sächs.:* verdrossen, trotzig schweigend; **muck|schen** *intr. 1, sächs.:* eingeschnappt sein, trotzig schweigen; **muck|sen** *intr., meist refl. 1, ugs.;* sich nicht m.: sich nicht rühren, keinen Laut von sich geben; **Muck|ser** *m. 5* = Mucks; **mucks|mäus|chen|still** ganz still

Mu|cor [lat.] *m. Gen.* -s *nur Ez.* Schimmelpilz (z. B. auf Brot)

Mud, Mudd *m. Gen.* -s *nur Ez., nddt.:* Schlamm

müd = müde

Mudd *m. Gen.* -s *nur Ez.* = Mud

Mud|del *m. Gen.* -s *nur Ez., mitteldt., norddt.:* planlose, liederliche Arbeit; **mud|deln** *intr. 1, mitteldt.:* planlos, liederlich, lustlos arbeiten; ich muddele, muddle; **mud|dig** *nddt.:* schlammig

mü|de; sich müde arbeiten, sich müde weinen; ich bin dessen müde; ich bin es müde, immer wieder zu mahnen

Mu|de|jar-Stil [-xar-, nach den Mudejaren, den »zum Bleiben (in Spanien) ermächtigten« muslim. Arabern] *m. 1 nur Ez.* span. Kunststil bes. im 14. Jh. mit maurischen Elementen

Mü|dig|keit *w. Gen.* - *nur Ez.*

Mu|dir [arab.-türk.] *m. 1* **1** Vorsteher einer ägypt. Provinz; **2** *Titel für:* türk. Beamter

Mu|dscha|hed [arab.] *m. Gen.* -s *Mz.* -in Angehöriger islam. Widerstandsgruppen

Mu|ez|zin [arab.-türk.] *m. 9, im Islam:* Gebetsrufer

Muff 1 [ndrl.] *m. 1 nur Ez., nddt.:* Schimmel(pilz), Moder, fauliger Geruch; **2** [frz.] *m. 1* Handwärmer (für beide Hände) aus Pelz; **Müff|chen** *s. 7* kleiner Muff (**2**)

Muf|fe *w. 11* **1** Verbindungsstück für Rohre, erweitertes Rohrende; **2** wasserdichtes Verbindungsstück für Kabel

Muf|fel 1 *w. 11* feuerfestes, verschließbares Gefäß zum Brennen von empfindl. Töpferwaren als Schutz vor den Feuergasen; **2** *s. 5* = Mufflon; **3** *m. 5, ugs.:* mürrischer, verdrießl. Mensch; **...muf|fel** *m. 5, in Zus., ugs. scherzh.:* jmd., der für etwas Bestimmtes nichts übrig hat, z. B. Sex-, Fernsehmuffel; **muf|fe|lig,** muff|lig *ugs.:* mürrisch, verdrießlich; **Muf|fe|lig|keit,** Muff|lig|keit *w. 10 nur Ez., ugs.:* muffeliges Wesen, Verdrießlichkeit; **muf|feln** *intr. 1, ugs.* **1** mürrisch, verdrießlich sein; **2** anhaltend kauen; **3** moderig, schimmlig riechen

Muf|fel|wild *s. Gen.* -(e)s *nur Ez., Sammelbez. für* männl. und weibl. Mufflon und die Jungen

muf|fig 1 schimmelig, moderig; **2** *ugs.* = muffelig; **muff|lig** *ugs.*

= muffelig; **Muf|fl|ig|keit** *w. 10 nur Ez., ugs.* = Muffeligkeit
Muf|flon [frz.] *s. 9,* Muf|fel *s. 5* Wildschaf
Muf|ti [arab.] *m. 9* muslim. Rechtsgelehrter, der Gutachten nach relig. Recht abgibt
mu|ge|lig, mug|lig mit nach oben gewölbter Oberfläche geschliffen (Edelstein)
Mü|he *w. 11;* das ist nicht der M. wert; sich redlich M. geben; mit Müh(e) und Not; **mü|he|los; Mü|he|lo|sig|keit** *w. Gen. - nur Ez.*
mu|hen *intr. 1* brüllen (Kuh)
mü|hen *refl. 1;* **mü|he|voll; Mü|he|wal|tung** *w. 10*
Mühl|bach *m. 2;* **Müh|le** *w. 11;* **Müh|len|be|rei|ter** *m. 5* Vorarbeiter in einer Papiermühle; **Müh|len|be|schei|der** *m. 5* erster Müllergehilfe; **Müh|le|spiel** *s. 1;* **Mühl|gra|ben** *m. 8;* **Mühl|knap|pe** *m. 11* Müllergeselle; **Mühl|rad** *s. 4;* **Mühl|stein** *m. 1*
Mühm|chen *s. 7;* **Muh|me** *w. 11, veraltet:* Tante
Müh|sal *w. 1;* **müh|sam; müh|se|lig; Müh|se|lig|keit** *w. Gen. - nur Ez.*
Muh|tar = Muchtar
Mu|ko|i|de [lat.] *s. 1 Mz.* die (meist schleimigen) Eiweißstoffe der Pilze; **mu|kös** schleimig; **Mu|ko|sa** *w. Gen. - Mz.* -sen Schleimhaut
Mu|lat|te [span.] *m. 11* Nachkomme eines schwarzen und eines weißen Elternteils; **Mu|lat|tin** *w. 10*
Mulch *m. 1, Gartenbau:* Deckschicht aus Stroh, Torf oder Gras; **Mul|che** *w. 11, alem.:* Milch (für die Käserei); **mul|chen** *tr. 1* mit Mulch bedecken (Boden); **Mul|chen** *s. 7 nur Ez., schweiz.:* Ertrag an Milcherzeugnissen
Mul|de *w. 11*
Mu|li [lat.] *s. 9, süddt., österr. für* Mulus (**1**)
Mu|li|nee *m. 9* = Mouliné; **mu|li|nie|ren** *tr. 3* = moulinieren
Mull *m. 1 nur Ez.* **1** *kurz für* Torfmull; **2** feines, lockeres Baumwollgewebe, Verbandmull; **3** *volkstüml.:* Maulwurf
Müll *m. 1 nur Ez.*
Mul|la *m. 9* = Molla
Müll|ab|fuhr *w. 10* **Müll|au|to** *s. 9* **Mul|lah** *m. 9* = Molla
Mull|bin|de *w. 11*
Müll|ei|mer *m. 5*
Mül|ler *m. 5;* **Mül|ler|bur|sche** *m. 11;* **Mül|le|rei** *w. 10 nur Ez.;* **Mül|le|rin** *w. 10, früher:* Frau oder Tochter eines Müllers
Müll|kip|pe *w. 11;* **Müll|kut|scher** *m. 5;* **Müll|mann** *m. 4;* **Müll|schlu|cker** *m. 5;* **Müll|ton|ne** *w. 11*
Mulm *m. 1 nur Ez.* lockere Erde, verwittertes Gestein oder verfaultes Holz; **mul|men 1** *tr. 1* zu Mulm machen; **2** *intr. 1* zu Mulm zerfallen; **mul|mig 1** wie Mulm, aus Mulm; **2** *ugs. übertr.:* gefährlich, bedenklich; die Sache sieht m. aus; **3** *ugs. übertr.:* schlecht, übel, unwohl; mir ist, wird mulmig
mul|ti ..., Mul|ti ... [lat.] *in Zus.:* viel, mehrfach, vielfach, z. B. Multimillionär; **Mul|ti** *s. 9, meist Mz., kurz für* multinationales Unternehmen
mul|ti|di|men|si|o|nal *Psych.:* vielschichtig; **Mul|ti|di|men|si|o|na|li|tät** *w. 10 nur Ez.;* **mul|ti|la|te|ral** mehr-, vielseitig, mehrere Personen oder Staaten umfassend; multilaterale Verträge; **mul|ti|li|ne|ar** verzweigt, in vielen Richtungen verlaufend; **Mul|ti-Me|dia** *Nv.* ► **Mul|ti|me|dia** *Hv. nur Mz.* Medienverbund; **mul|ti|me|di|al** aus mehreren Medien bestehend, für viele Medien bestimmt; **Mul|ti|mil|li|o|när** *m. 1* mehr-, vielfacher Millionär; **Mul|ti|pa|ra** [lat.] *w. Gen. - Mz.* -pa|ren Frau, die mehrmals geboren hat, Mehrgebärende; vgl. Nullipara, Primipara; **mul|ti|pel** vielfach; multiple Sklerose: Erkrankung des Zentralnervensystems mit vielen Verhärtungsherden; **Mul|tiple|choice|ver|fah|ren** ► *auch:* **Mul|tiple-Choice-Ver|fah|ren** [mʌltipltʃɔɪs-, lat. + engl.] *s. 14* Testverfahren, bei dem aus mehreren vorgegebenen Antworten die richtige auszuwählen ist; **mul|ti|plex** vielfältig; **Mul|ti|pli|er** [-plaɪə, lat. + engl.] *m. 5* Elektronenvervielfacher; **Mul|ti|pli|kand** [lat.] *m. 10* Zahl, die multipliziert werden soll, z. B. die 5 in 4 × 5; vgl. Multiplikator; **Mul|ti|pli|ka|ti|on** *w. 10* Vervielfachung, das Malnehmen; **mul|ti|pli|ka|tiv** auf Multiplikation beruhend; **Mul|ti|pli|ka|tiv|zahl** *w. 10* Vervielfältigungszahl, z. B. zweimal, dreifach; **Mul|ti|pli|ka|tor** *m. 13* multiplizierende Zahl, z. B. die 4 in 4 × 5; vgl. Multiplikand; **mul|ti|pli|zie|ren** *tr. 3* malnehmen, vervielfachen; **Mul|ti|plum** *s. Gen.* -s *Mz.* -pla, *veraltet:* Vielfaches; **mul|ti|va|lent** mehr-, vielwertig, mehrere Lösungen zulassend; **Mul|ti|va|lenz** *w. 10 nur Ez.;* **Mul|ti|vi|bra|tor** *auch:* **-vib|ra-** *m. 13* elektr. Schaltung mit zwei steuerbaren Elementen; **mul|tum, non mul|ta** viel, nicht vielerlei, d. h. ein Ganzes, nicht viele Einzelheiten, *übertr.:* Tiefe, Gründlichkeit, nicht Breite und Oberflächlichkeit
Mu|lus [lat.] *m. Gen. - Mz.* -li **1** Maulesel; **2** *ugs. scherzh.:* Abiturient zwischen Abitur und Studium; **Mu|lus|ball** *m. 2*
Mu|mie [-mjə, pers.-arab.] *w. 11* durch Einbalsamieren oder natürl. Austrocknung vor Verwesung geschützte Leiche; **mu|mi|en|haft; Mu|mi|fi|ka|ti|on** [arab. + lat.] *w. 10* das Mumifizieren; **mu|mi|fi|zie|ren** *tr. 3* **1** eintrocknen lassen (Gewebe); **2** einbalsamieren; **Mu|mi|fi|zie|rung** *w. 10*
Mumm [lat.] *m., ugs.:* Mut, Schneid, Kraft, Unternehmungsgeist; *nur in den Wendungen:* Mumm, *oder:* keinen M. in den Knochen haben
Mum|me *w. 11* **1** Maske, Larve, vermummte Person; **2** [wahrscheinlich nach dem Erfinder Christian Mumme] dickes Braunschweiger Malzbier
Mum|mel *w. 11* Teichrose
Mum|mel|greis *m. 1, ugs.:* gebrechlicher, zahnloser alter Mann
Müm|mel|mann [zu: mümmeln] *m. 4, scherzh.:* Hase
mum|meln *tr. 1, ugs.:* einhüllen; sich in etwas m., *meist:* einmummeln
müm|meln *intr. 1* mit raschen Bewegungen ausdauernd kauen
mum|men *tr. 1* einhüllen; jmdn. oder sich in etwas m.; **Mum|men|schanz** *m. 1 nur Ez.* Maskenfest, Maskenscherz
Mum|my [mʌmɪ, engl. »Mumie«] *m. 9* Auftraggeber eines Ghostwriters
Mum|pitz *m. 1 nur Ez.* Unsinn, dummes Zeug, dummes Gerede
Mumps [engl.] *m. 1 nur Ez.* Infektionskrankheit mit Entzündung und Anschwellen der

► = wird zu

Ohrspeicheldrüsen, Ziegenpeter, Parotitis
Mün|chen Hst. von Bayern; **Mün|che|ner,** Münch|ner *m. 5*
Münch|hau|se|ni|a|de, Münch|hau|si|a|de *w. 11* unglaubhafte, heitere Abenteuergeschichte nach Art der Geschichten des Barons von Münchhausen, des »Lügenbarons«; **münch|hau|sisch**
Münch|ner, Mün|che|ner *m. 5;* **münch|ne|risch**
Mund *m. 4;* den M. voll nehmen *ugs.:* aufschneiden, prahlen; den großen M. haben *ugs.:* vorlaut sein; nicht auf den M. gefallen sein *ugs.:* schlagfertig sein; die Neuigkeit war bereits in aller Munde; jmdm. über den Mund fahren *übertr.:* jmdm. unhöflich, vorlaut ins Wort fallen
mun|dan [lat.] *veraltet:* weltlich
Mund|art *w. 10* Dialekt; **Mund|art|dich|tung** *w. 10;* **Mund|art|for|schung,** Mund|ar|ten|for|schung *w. 10 nur Ez.;* **mund|art|lich; Mund|bröt|chen** *s. 7* Milchbrötchen; **Münd|chen** *s. 7;* **Mün|del** *s. 7* unter Vormundschaft stehende Person; **Mün|del|geld** *s. 3* vom Vormund verwaltetes Vermögen eines Mündels; **mün|del|si|cher**; mündelsichere Papiere: Papiere, die so sicher sind, dass man Mündelgeld verzinslich darin anlegen kann; Geld m. anlegen; **Mün|del|si|cher|heit** *w. 10 nur Ez.*
mun|den *intr. 2* schmecken
mün|den *intr. 2*
mund|faul redefaul, zu träge zum Reden; **Mund|fäu|le** *w. 11 nur Ez.* Infektionskrankheit mit Bildung von Eiterbläschen auf der Mundschleimhaut; **Mund|faul|heit** *w. 10 nur Ez.;* **mund|ge|recht; Mund|ge|ruch** *m. 2;* **Mund|har|mo|ni|ka** *w. 9;* **Mund|höh|le** *w. 11;* **mün|dig** das vorgeschriebene Alter für bestimmte Rechtshandlungen habend, voll-, großjährig; *Ggs.:* minderjährig, unmündig; **Mün|dig|keit** *w. 10 nur Ez.;* **Mün|dig|keits|er|klä|rung** *w. 10;* **mün|dig|spre|chen** ► **mün|dig spre|chen** *tr. 146;* **Mün|dig|spre|chung** *w. 10*

> **mündig sein/sprechen:** Verbindungen mit *sein* gelten nicht als Zusammensetzung; deshalb schreibt man getrennt: *Sie wollte immer mündig sein.* →§ 35
> Ebenso wird die Verbindung aus einem Adjektiv mit der Endung *-ig* (oder *-isch* bzw. *-lich*) mit einem Verb getrennt geschrieben: *Sie wurden mündig gesprochen.* →§ 34 E3 (3)

Mun|di|um [lat.] *s. Gen.* -s *Mz.* -di|en, *im alten dt. Recht:* Schutzpflicht
Münd|lein *s. 7;* **münd|lich; Mund|or|gel** *w. 11* ein chines. Blasinstrument, Schen, Scheng, Sheng; **Mund|pfle|ge** *w. 11 nur Ez.;* **Mund|raub** *m. 1 nur Ez.* Diebstahl von Lebensmitteln in kleiner Menge zum sofortigen Verbrauch; **Mund|schaft** *w. 10, im alten dt. Recht:* Schutzverhältnis; **Mund|schenk** *m. 1, im alten Dt. Reich:* Hofbeamter, dem die Getränke anvertraut waren
M-und-S-Rei|fen, M + S-Reifen *m. 7* Autoreifen mit einem für Matsch und Schnee geeigneten Profil
Mund|stück *s. 1;* **mund|tot** zum Schweigen gebracht, unfähig zu widersprechen; jmdn. m. machen: zum Schweigen bringen; **Mund|tuch** *s. 4* Serviette; **Mün|dung** *w. 10;* **Mün|dungs|feu|er** *s. 5 nur Ez.;* **Mün|dungs|trich|ter** *m. 5* trichterförmige Flussmündung
Mun|dus [lat.] *m. Gen.* - *nur Ez.* Welt, Weltordnung; **Mun|dus vult de|ci|pi** Die Welt will betrogen sein
Mund|voll *m. Gen.* - *Mz.* - Bissen, Schluck; zwei M. Brot; ein paar M.; *aber:* er hat den Mund voll; vgl. Mund; **Mund|vor|rat** *m. 2;* **Mund|was|ser** *s. 6;* **Mund|werk** *s. 1 nur Ez., in Wendungen wie* ein flinkes, loses, großes M. haben: viel und rasch, schlagfertig, ein bisschen frech reden können; **Mund|werk|zeug** *s. 1;* **Mund|win|kel** *m. 5;* **Mund-zu-Mund-Be|at|mung** *w. 10 nur Ez.* (bei Wiederbelebungsversuchen)
Mun|go [ind.] *m. 9* **1** eine ind. Schleichkatze, Art der Mangusten; **2** Wolle aus Tuchlumpen
Mu|ni *m. Gen.* -s *Mz.* -, *schweiz.:* Zuchtstier
Mu|ni|ti|on [lat.] *w. 10 nur Ez.* Vorrat an Geschossen für Feuerwaffen; **Mu|ni|ti|ons|de|pot** [-po:] *s. 9;* **Mu|ni|ti|ons|ko|lon|ne** *w. 11*
mu|ni|zi|pal [lat.] *veraltet:* städtisch, zur Gemeinde gehörend; **mu|ni|zi|pa|li|sie|ren** *tr. 3* in Gemeindeeigentum überführen; **Mu|ni|zi|pa|li|tät** *w. 10 nur Ez., veraltet:* Gesamtheit der städt. Beamten, Stadtobrigkeit; **Mu|ni|zi|pi|um** *s. Gen.* -s *Mz.* -pi|en **1** altröm. Landstadt; **2** *veraltet:* Stadtgemeinde, Stadtverwaltung
Mun|ke|lei *w. 10;* **mun|keln** *intr. 1, fast nur unpersönlich:* heimlich weiter erzählen, Gerüchte verbreiten (über etwas); man munkelt, es wird gemunkelt, dass …
Müns|ter *s. 5, urspr.:* Klosterkirche, *dann in West- und Südwestdtschl.:* große Kirche
mun|ter; Mun|ter|keit *w. Gen.* - *nur Ez.*
Münz|an|stalt *w. 10;* **Mün|ze** *w. 11* **1** Geldstück aus Metall; **2** Münzprägestätte; **mün|zen** **1** *intr. 1* Münzen prägen; **2** *tr. 1* zu Münzen machen (Gold, Silber); **3** *tr. 1, übertr.;* eine Bemerkung, Anspielung auf jmdn. m.: jmdn. meinen; das ist auf dich gemünzt!
Mün|zen|samm|lung, Münz|samm|lung *w. 10;* **Mün|zer** *m. 5;* **Münz|fäl|scher** *m. 5;* **Münz|fäl|schung** *w. 10;* **Münz|fern|spre|cher** *m. 5;* **Münz|fuß** *m. 2* Verhältnis zwischen dem Geldwert einer Münze und ihrem Edelmetallgehalt; **Münz|ho|heit** *w. 10 nur Ez.;* **Münz|kun|de** *w. 11 nur Ez.* = Numismatik; **Münz|meis|ter** *m. 5* Leiter einer Münze (**2**); Münz|prä|gung *w. 10;* **Münz|pro|be** *w. 11;* **Münz|recht** *s. 1;* **Münz|samm|lung,** Mün|zen|samm|lung *w. 10;* **Münz|stät|te** *w. 11* Münzprägestätte; **Münz|ver|ge|hen** *s. 7* Münzfälschung; **Münz|war|dein** *m. 1* Beamter, der die Metalllegierungen für Münzen zu prüfen hat; **Münz|zäh|ler** *m. 5* Elektrizitäts- oder Gaszähler, der nach Einwurf einer Münze eine bestimmte Menge Strom oder Gas abgibt; **Münz|zei|chen** *s. 7* auf Münzen eingeprägtes Zeichen der betreffenden Münzstätte
Mu|rä|ne [lat.] *w. 11* ein aalähnl. Speisefisch
mür|be; jmdn. m. machen

übertr.: jmds. Widerstand brechen, jmdm. die Lebenskraft nehmen; **Mürlbe** *w. 11 nur Ez., selten für* Mürbheit; **Mürlbebralten** *m. 7* Lendenbraten; **Mürlbelteig** *m. 1* = Mürbteig; **Mürblheit** *w. 10 nur Ez.;* **Mürbteig,** Mürlbelteig *m. 1* Teig, der trockenes, mürbes Gebäck ergibt

Mulre *w. 11* Gesteins- oder Schlammstrom im Gebirge

mulrilatisch [lat.] kochsalzhaltig (Heilquelle)

Mulring *w. 1* Vorrichtung zum Auswerfen von zwei Ankern

Murlkel *m. 5 oder s. 5, norddt., berlin.:* kleines Kind

Murks *m. 1 nur Ez., ugs.:* **1** schlechte oder misslungene Arbeit; **2** etwas Unangenehmes; so ein Murks!; **murklsen** *intr. 1, ugs.:* schlecht, unordentlich arbeiten

Murlmel *w. 11* Spielkugel

murlmeln *intr. 1*

Murlmelltier *s. 1* ein Nagetier des Hochgebirges

murlren *intr. 1;* **mürlrisch; Murrlkopf** *m. 2;* **murrlköplfig; Murrlköplfiglkeit** *w. 10 nur Ez.*

Mus *s. 1, Mz. kaum üblich*

Mulsalget [nach Musagetes, dem Beinamen Apollons] *m. 10, veraltet:* Musenfreund, Gönner, Förderer der Künste

Mulschel *w. 11;* **Mülschellchen** *s. 7;* **Mulschellgeld** *s. 3 nur Ez.;* **mulschellig,** muschllig **1** muschelförmig; **2** weich und warm; **Mulschellkalk** *m. 1* mittlere Stufe der Trias; **Mulschelwerk** *s. 1 nur Ez., Baukunst:* aus muschelähnl. Formen gebildetes Ornament, Rocaille

Mulschik [russ.] *m. 9, früher:* russ. Bauer

Mulschir [arab.] *m. 1, früher in der Türkei:* Feldmarschall

Muschlkolte [zu: Musketier] *m. 11, früher abfällig:* Fußsoldat

muschllig = muschelig

Mulse [griech.] *w. 11, griech. Myth.:* jede der neun Göttinnen der Künste und Wissenschaften

mulseal zum Museum gehörend, Museums…

Mulselman [arab.] *m. 10, veraltet, entstellt aus* Muslim; **muselmalnisch** = muslimisch; **Mulsellmann** *m. 4, veraltet, entstellt aus* Muselman

Mulsenlallmalnach *m. 1, Ende des 18. Jh.:* Name mehrerer periodisch erscheinender Gedichtsammlungen; **Mulsensohn** *m. 2, veraltet poet.:* Dichter; **Mulsenltemlpel** *m. 5, veraltet poet.:* Theater

Mulsette [myzɛt, frz.] *w. 9 oder w. 11* **1** frz. Form des Dudelsacks; **2** langsamer ländlicher Tanz im Dreivierteltakt mit dudelsackähnlichem Bass; **3** Satz der Suite

Mulselum [griech.] *s. Gen.* -s *Mz.* -selen **1** öffentl. Sammlung von Gegenständen aus Kunst und Wissenschaft; **2** das Gebäude dafür; **Mulselumsldiener** *m. 5;* **mulselumslreif** überholt, altertümlich; **Mulselumsstück** *s. 1*

Mulsilca *lat. Bez. für* Musik; M. antiqua: alte Musik; M. sacra: Kirchenmusik; M. nova: neue Musik; M. viva: moderne (lebende) Musik; **Mulsilcal** [mjuzɪkəl, engl.] *s. 9* heiteres Singspiel, moderne Form der Operette

mulsiert = musivisch

Mulsik [griech.-lat.] *w. 10;* **Musiklalkaldelmie** *w. 11;* **Mulsikalilen** *Mz.* Notenbücher und -hefte; **Mulsilkallilenlhandllung** *w. 10;* **mulsilkallisch; Mulsilkalliltät** *w. 10 nur Ez.* Musikbegabung, -empfinden, musikal. Wirkung, musikal. Beschaffenheit; **Mulsilkant** *m. 10* **1** Spielmann, Unterhaltungsmusiker *(auch abfällig);* **2** bes. musikalischer, musikbesessener Musiker; **Mulsilkanltenlknolchen** *m. 7, ugs.:* Knochen am Ende des unteren Oberarmgelenks, »Mäuschen«; **mulsilkanltisch** musikbesessen, musizierfreudig; **Mulsiklaultolmat** *m. 10;* **Mulsiklbiblilolthek** *auch:* **-biblli-** *w. 10;* **Mulsiklbox** *w. 10* Musikautomat, der nach Münzeinwurf Schallplatten spielt, bes. in Gaststätten; **Mulsikldirekltor** *m. 13* (*Abk.:* MD) staatlich oder städtisch angestellter Leiter eines Orchesters oder Chores; **Mulsikldralma** *s. Gen.* -s *Mz.* -men **1** *i. w. S.:* Oper; **2** *i. e. S.:* durchkomponierte Oper mit dramat. Charakter im Sinne R. Wagners; **Mulsilker** *m. 5;* **Mulsiklerlzielhung** *w. 10 nur Ez.;* **Mulsiklgelschichlte** *w. 11 nur Ez.;* **Mulsiklhochlschulle** *w. 11;* **Mulsiklinlstrulment** *auch:* **-inslstru-** *s. 1;* **Mulsiklkalpellle** *w. 11;* **Mulsiklkaslsetlte** *w. 11* mit Musik bespielte Kassette für den Kassettenrekorder; **Mulsiklkonlserlve** *w. 11* Schallplatte, bespieltes Tonband; **Musiklkorps** [-ko:r] *s. Gen.* - [-ko:rs] *Mz.* - [-ko:rs] Militärmusikkapelle; **Mulsiklkriltik** *w. 10;* **Mulsiklkriltilker** *m. 5;* **Musiklehlrer** *m. 5;* **Mulsikmeislter** *m. 5, veraltet:* **1** Musiklehrer; **2** Leiter einer Militärmusikkapelle; **Mulsiklstück** *s. 1;* **Mulsiklthelralpeut** *m. 10;* **Musiklthelralpie** *w. 11* Heilmethode für Nervenkranke mit Hilfe der Musik; **Mulsikltrulhe** *w. 11* Möbelstück mit eingebautem Radio, Plattenspieler und Kassettenrekorder; **Mulsilkus** *m. 1, veraltet, noch scherzh.:* Musiker; **Mulsiklverllag** *m. 1;* **mulsiklverständldig; Mulsiklwerk** *s. 1;* **Musiklwislsenlschaft** *w. 10 nur Ez.;* **Mulsiklwislsenlschaftller** *m. 5*

mulsisch **1** zu den Musen gehörend, von ihnen stammend; **2** aufgeschlossen, empfänglich für die Kunst, kunstliebend; kunstbegabt; musisches Gymnasium: Gymnasium, in dem die musischen Fächer im Vordergrund stehen

mulsiv [lat.] = musivisch; **Musivlarlbeit** *w. 10* eingelegte Arbeit, Mosaik; **Mulsivlgold** *Gen.* -(e)s *nur Ez.* goldfarbiges Zinndisulfid, unechtes Gold; **mulsivisch,** mulsiv, mulsiert eingelegt, mosaikartig; **Mulsivlsillber** *s. 3 nur Ez.* Zinn-Wismut-Quecksilber-Legierung, unechtes Silber

mulsilzielren *intr. 3;* **mulsilzierfreuldig**

Muslkalrin [lat.] *s. 1 nur Ez.* Gift des Fliegenpilzes, in Asien als Rauschgift verwendet

Muslkat *m. 1* ein Gewürz; **Muskatlblülte** *w. 11* Samenmäntel der Muskatnuss, Gewürz; **Muskaltelller** *m. 5* **1** eine Rebensorte mit muskatartigem Geschmack; **2** der daraus gewonnene Wein; **Muslkatlfink** *m. 10* ein ind. Prachtfink; **Muslkatnuß** ► **Muslkatlnuss** *w. 2* Samen des Muskatnussbaums, Gewürz; **Muslkatlwein** *m. 1* = Muskateller (**2**)

Mulskel *m. 14;* **Mulskellaltrophie** *auch:* **-atlro-** *w. 11* Muskel-

► = wird zu

schwund infolge Untätigkeit; **mus|ke|lig; Mus|kel|ka|ter** *m. 5 nur Ez.* Muskelschmerz nach ungewohnter körperl. Anstrengung; **Mus|kel|kraft** *w. 2;* **Mus|kel|protz** *m. 1;* **Mus|kel|riß** ► **Mus|kel|riss** *m. 1;* **Mus|kel|to|nus** *m. Gen. - nur Ez.* Muskelspannung; **Mus|kel|zer|rung** *w. 10*

Mus|ke|te [frz.] *w. 11, früher:* großkalibriges Gewehr; **Mus|ke|tier** *m. 1, früher:* Soldat mit Muskete

Mus|ko|vit [-vit, nach dem lat. Namen Muscovia für Moskau], **Mus|ko|wit** *m. 1* ein Mineral, heller Kaliglimmer

mus|ku|lär zu den Muskeln gehörig, von ihnen ausgehend; **Mus|ku|la|tur** *w. 10 nur Ez.* Gesamtheit der Muskeln; **mus|ku|lös** mit vielen oder starken Muskeln versehen

Müs|li *s. 9, schweiz.:* Mü|es|li, Gericht aus rohen Haferflocken, Milch, Zucker, Obst oder Obstsaft, Nüssen, auch Rosinen

Mus|lim *m. 9* Anhänger des Islam; **Mus|li|me** *w. 11* Anhängerin des Islam; **mus|li|misch**

Mus|pel|heim *ohne Artikel, german. Myth.:* Welt des Feuers

Muß ► **Muss** *s. Gen. - nur Ez.* Notwendigkeit, Zwang; ein bitteres, hartes Muss; **Muß|be|stim|mung** ► **Muss|be|stim|mung** *w. 10*

> **müßig herumstehen:** Die Verbindung aus einem Adjektiv mit der Endung *-ig* (oder *-isch* bzw. *-lich*) mit einem Verb schreibt man getrennt: *Sie haben müßig herumgestanden.* →§ 34 E3 (3).
> Vgl.: *der Müßiggang.*

Mu|ße *w. 11 nur Ez.* Zeit und Ruhe; etwas in (aller) M. tun

Mus|se|lin [nach der Stadt Mosul] *m. 1* leichtes, feines Woll- oder Baumwollgewebe; **mus|se|li|nen** aus Musselin

müs|sen *tr. 87;* ich habe gemusst; ich habe es tun müssen; es hat so kommen müssen

Mus|se|ron [-rõ, lat.-frz.] *m. 9* ein nach Knoblauch riechender Würzpilz

Mu|ße|stun|de *w. 11;* **mü|ßig** **1** arbeitsfrei, untätig; m. sein; m. herumstehen; müßig gehen: nicht arbeiten, faulenzen; **2** überflüssig; eine müßige Frage; es ist m., das zu versuchen; **Mü|ßig|gang** *m. 2 nur Ez.* Untätigkeit, Nichtstun; **Mü|ßig|gän|ger** *m. 5*

Mus|tang [span.] *m. 9* Wildpferd oder verwildertes Hauspferd der Prärie

Mus|ter *s. 5;* **Mus|ter|bei|spiel** *s. 1;* **Mus|ter|ex|em|plar** *auch:* **-e|xem-** *s. 1;* **mus|ter|gül|tig; Mus|ter|gül|tig|keit** *w. 10 nur Ez.;* **mus|ter|haft; Mus|ter|kna|be** *m. 11, iron.;* **Mus|ter|mes|se** *w. 11* Messe, auf der nur (nicht verkäufliche) Warenmuster ausgestellt werden; **mus|tern** *tr. 1* **1** mit Muster versehen; gemusterter Stoff; **2** genau anschauen; jmdn. (von oben bis unten) m.; ich mustere, mustre ihn; **Mus|ter|schü|ler** *m. 5;* **Mus|ter|schutz** *m. Gen.* -es *nur Ez.;* **Mus|ter|stück** *s. 1;* **Mus|te|rung** *w. 10;* **Mus|ter|zeich|ner** *m. 5;* **Mus|ter|zeich|nung** *w. 10*

> **zu Mute/zumute sein:** Die feste Verbindung kann getrennt geschrieben werden oder zusammen; die Entscheidung bleibt dem/der Schreibenden überlassen: *Ihm war übel zu Mute/zumute.* →§ 39 E3 (1)

Mut *m. Gen.* -(e)s *nur Ez.;* guten Muts, Mutes sein; Mut fassen; zumute, *auch:* zu Mute sein

Mu|ta [lat.] *w. Gen. - Mz.* -tae Explosivlaut, Verschlusslaut

mu|ta|bel [lat.] veränderlich, wandelbar; **Mu|ta|bi|li|tät** *w. 10 nur Ez.;* **mu|ta|gen** erbl. Veränderungen erzeugend; **Mu|ta|gen** *s. 1* Faktor, der erbl. Veränderungen auslöst; **Mu|tant** *m. 10* Individuum mit veränderten Erbeigenschaften; **Mu|ta|ti|on** *w. 10* **1** plötzlich auftretende Veränderung des Erbgutes; **2** Stimmwechsel, Stimmbruch; **mu|ta|tis mu|tan|dis** (*Abk.:* m. m.) mit den nötigen Abänderungen (bei Vergleichen); **mu|ta|tiv** sich plötzlich ändernd

Mu|ta|zis|mus *m. Gen. - nur Ez.* = Mutismus

Müt|chen *s., nur in der Wendung* sein M. an jmdm. kühlen: seinen Zorn an jmdm. auslassen

mu|ten *tr. 2* **1** *Bgb.:* eine Grube m.: die Abbaugenehmigung für eine Grube beantragen; **2** *veraltet* das Meisterrecht m.: den Antrag stellen, das Meisterrecht erwerben zu dürfen; **Mu|ter** *m. 5 Bgb.:* jmd., der etwas mutet; **Mut|geld** *s. 3 nur Ez., veraltet:* Abgabe für das Meisterstück

mu|tie|ren [lat.] *intr. 3* **1** sich plötzlich erblich verändern; **2** im Stimmbruch sein

mu|tig

Mu|ti|la|ti|on [lat.] *w. 10* Verstümmelung; **mu|ti|lie|ren** *tr. 3* verstümmeln

Mu|tis|mus [lat.], Mu|ta|zis|mus *m. Gen. - nur Ez.* seelisch bedingte Stummheit, krankhaftes Schweigen

mut|los; Mut|lo|sig|keit *w. 10 nur Ez.;* **mut|ma|ßen** *tr. 1;* ich mutmaße es, habe es gemutmaßt; **mut|maß|lich; Mut|ma|ßung** *w. 10;* **Mut|pro|be** *w. 11*

Mut|schein [zu: muten] *m. 1, Bgb.:* Abbaugenehmigung

Mutt|chen *s. 7, Koseform von* Mutter; **Mut|ter** **1** *w. 6;* M. Erde; bei M. Grün übernachten *scherzh.:* im Freien; M. Natur; **2** *w. 11* das Gewinde der Schraube drehbar umschließender Teil, Schraubenmutter; **Müt|ter|be|ra|tungs|stel|le** *w. 11;* **Mut|ter|bo|den** *m. 8* fruchtbare Erde, Muttererde; **Müt|ter|chen** *s. 7;* **Mut|ter|er|de** *w. 11 nur Ez.* = Mutterboden; **Mut|ter|freu|den** *Mz., nur in Wendungen wie* M. entgegen sehen: ein Kind erwarten; **Müt|ter|ge|ne|sungs|werk** *s. 1;* **Mut|ter|got|tes** *w. Gen. - nur Ez.* die Jungfrau Maria; **Mut|ter|got|tes|bild** *s. 3;* **Mut|ter|haus** *s. 4* Stamm- und Versorgungshaus von Schwesternverbänden (auch des Roten Kreuzes) oder Orden; **Mut|ter|korn** *s. 1* Schmarotzerpilz am Getreide, in der Frauenheilkunde verwendet; **Mut|ter|ku|chen** *m. 7, beim Menschen und höheren Säugetier:* während der Schwangerschaft in der Gebärmutter sich bildendes Organ, das der Ernährung des Embryos dient; **Mut|ter|land** *s. 4* **1** Herstellungsland von Produkten; **2** Staat im Verhältnis zu seinen Kolonien; **Mut|ter|leib** *m. 3;* **Müt|ter|lein** *s. 7;* **müt|ter|lich; müt|ter|li|cher|seits; Müt|ter|lich|keit** *w. 10 nur Ez.;* **Mut|ter|lie|be** *w. 11 nur Ez.;* **mut|ter|los; Mut|ter|mal** *s. 1* angeborene, örtlich begrenzte Veränderung der Haut; **Mut|ter|milch** *w. Gen. - nur Ez.;* **Mut|ter|mund** *m. 4* Öffnung des Gebärmutterhalses; **Mut|ter|recht** *s. 1 nur Ez., bei manchen Naturvölkern:* Erbfolge nach der mütterl. Linie, Matriarchat; *Ggs.:* Vaterrecht; **Mut|ter|rol|le** *w. 11* Verzeichnis der Grundstücke einer Gemeinde; **Mut|ter|schaft** *w. 10 nur Ez.;* **Mut|ter|schiff** *s. 1* Schiff, das kleineren Schiffen zur Versorgung, Reparatur usw. dient; **Mut|ter|schutz** *m. Gen.* -es *nur Ez.;* **mut|ter|seel|en|al|lein; Mut|ter|söhn|chen** *s. 7* verhätschelter Knabe oder Jugendlicher; **Mut|ter|spra|che** *w. 11;* **Mut|ter|stel|le** *w. 11, nur in der Wendung* an jmdm. M. vertreten: jmdm. die Mutter ersetzen; **Mut|ter|tag** *m. 1;* **Mut|ter|tier** *s. 1;* **Mut|ter|witz** *m. 1 nur Ez.* angeborene Fähigkeit, etwas einfach und witzig auszudrücken

mu|tu|al [lat.], mu|tu|ell wechsel-, gegenseitig; **Mu|tu|a|lis|mus** *m. Gen. - nur Ez.* **1** gegenseitige Anerkennung, Duldung, einräumende Gegenseitigkeit; **2** *Biol.:* fördernde, aber nicht lebensnotwendige Wechselbeziehung zwischen zwei verschiedenen Lebewesen; **Mu|tu|a|li|tät** *w. 10 nur Ez.* Wechselseitigkeit, Gegenseitigkeit; **mu|tu|ell** = mutual

Mu|tung *w. 10, Bgb.:* Antrag auf Abbaugenehmigung

Mut|wil|le *m. Gen.* -ns *nur Ez.;* **mut|wil|lig; Mut|wil|lig|keit** *w. 10 nur Ez.*

Mütz|chen *s. 7;* **Müt|ze** *w. 11;* **Müt|zen|schild** *s. 3;* **Mütz|lein** *s. 7*

Mu|zin [lat.] *s. 1 nur Ez.* abgesonderter Schleimstoff, bes. des Speichels

m. v. *Abk. für* mezza voce

µW *Abk. für* Mikrowelle

MW *Abk. für* Megawatt

m. W. *Abk. für* meines Wissens

MwSt, MWST *Abk. für* Mehrwertsteuer

My 1 *s. Gen.* -(s) *Mz.* -s griech. Buchstabe (*Zeichen:* µ, M); **2** *s. Gen.* -s *Mz.* -, *Kurzw. für* Mikron

my ..., My ... vgl. myo ..., Myo ...

My|al|gie [griech.] *w. 11* Muskelschmerz; **My|as|the|nie** *w. 11* krankhafte Muskelermüdung; **My|e|li|tis** [griech.] *w. Gen. - Mz.* -ti|den Rückenmarkentzündung

My|an|mar Staat in Hinterindien, früher Birma

My|ke|nä, My|ke|nai, My|ke|ne antike Burg und Stadt in Griechenland

My|ko|lo|ge [griech.] *m. 11;* **My|ko|lo|gie** *w. 11 nur Ez.* Lehre von den Pilzen; **my|ko|lo|gisch; My|kor|rhi|za** *w. Gen. - Mz.* -zen Lebensgemeinschaft zwischen Pilzen und den Wurzeln von höheren Pflanzen; **My|ko|se** *w. 11* durch niedere Pilze verursachte Krankheit

My|la|dy [mılɛıdı, engl.] *w., engl. Anrede (ohne Namen) für eine Lady:* meine Dame

My|lo|nit [griech.] *m. 1* durch gebirgsbildende Vorgänge zerriebenes und wieder fest gewordenes Gestein

My|lord [mılɔd, engl.] *m., engl. Anrede (ohne Namen) für einen Lord:* mein Herr

Myn|heer [mənɛr, ndrl.] *m. 9* = Mijnheer

my|o ..., My|o ... [griech.] *in Zus.:* muskel ..., Muskel ...; **My|o|dy|nie** *auch:* **My|o|dy|nie** *w. 11* Muskelschmerz; **my|o|gen** vom Muskel ausgehend; **My|o|glo|bin** *s. 1 nur Ez.* Muskelfarbstoff; **My|o|kard** *s. 9,* My|o|car|di|um *s. Gen.* -s *Mz.* -di|en Herzmuskel; **My|o|kar|die,** My|o|kar|do|se *w. 11* Kreislaufstörung mit Beteiligung des Herzmuskels; **My|o|kard|in|farkt** *m. 1* Herzinfarkt; **My|o|kar|di|tis** *w. Gen. - Mz.* -ti|den Herzmuskelentzündung; **My|o|kar|do|se** *w. 11* = Myokardie; **My|o|lo|gie** *w. 11 nur Ez.* Lehre von den Muskeln; **My|om** *s. 1* Muskelgeschwulst

my|op [griech.] kurzsichtig; **My|o|pie** *w. 11* Kurzsichtigkeit; **my|o|pisch** = myop

My|or|rhe|xis [griech.] *w. Gen. - nur Ez.* Muskelriss; **My|o|sin** *s. 1 nur Ez.* Muskeleiweiß; **My|o|spas|mus** *m. Gen. - Mz.* -men Muskelkrampf, Myotonie; **My|o|to|mie** *w. 11* operative Durchtrennung von Muskeln; **My|o|to|nie** *w. 11* = Myospasmus

My|ri|a ..., My|ri|o ... [griech.] *in Zus.:* zehntausendmal, das Zehntausendfache; **My|ri|a|de** *w. 11* **1** Anzahl von 10 000; **2** *übertr.:* große Menge, Unzahl; **My|ri|a|gramm** *s. Gen. - Mz.* - 10 000 g; **My|ri|a|me|ter** *s. 5* 10 000 m; **My|ri|a|po|de** *m. 11* = Myriopode; **My|rio ...** = Myria ...; **My|ri|o|phyl|lum** *s. Gen.* -s *Mz.* -len Tausendblatt, eine Wasserpflanze, Aquarienpflanze; **My|ri|o|po|de,** My|ri|a|po|de *m. 11* Tausendfüßer

Myr|me|ko|lo|gie [griech.] *w. 11 nur Ez.* Lehre von den Ameisen

Myr|rhe ► *auch:* **Myr|re** [griech.] *w. 11* wohlriechendes, aus einem ostafrikan. Baum gewonnenes Gummiharz, als Räuchermittel sowie zusammenziehendes Arzneimittel verwendet; **Myr|rhen|öl** ► *auch:* **Myr|ren|öl** *s. 1;* **Myr|rhen|tink|tur** ► *auch:* **Myr|ren|tink|tur** *w. 10*

Myr|te [altsemit.-griech.] *w. 11* ein immergrüner Strauch der Mittelmeerländer

Myst|ago|ge *auch:* **Mys|ta|go|ge** [griech.] *m. 11, Antike:* in die Mysterien eingeweihter und einführender Priester; **Mys|te|ri|en|spiel** *s. 1, MA:* Drama mit bibl. Stoffen, geistl. Drama; **mys|te|ri|ös** geheimnisvoll, rätselhaft; **Mys|te|ri|um** *s. Gen.* -s *Mz.* -ri|en **1** *urspr.:* Geheimkult, Geheimlehre, *bes.:* griech.-röm. Götterkult, an dem nur Eingeweihte teilnehmen durften; **2** *allg.:* Geheimnis; **Mys|ti|fi|ka|ti|on** *w. 10* **1** das Mystifizieren; **2** Vorspiegelung; **mys|ti|fi|zie|ren** *tr. 3* **1** geheimnisvoll machen, mit myst. Gepräge versehen; **2** vorspiegeln; **Mys|tik** *w. 10 nur Ez.* Form des relig. Erlebens, bei der durch Versenkung schon im jetzigen Dasein die Vereinigung mit dem Göttlichen gesucht wird; **Mys|ti|ker** *m. 5* Vertreter der Mystik; **mys|tisch** zur Mystik gehörend, geheimnisvoll, dunkel; **Mys|ti|zis|mus** *m. Gen. - nur Ez.* **1** schwärmerisches relig. Denken, Wunderglaube; **2** *auch:* schwärmerisches, unklares, unreales Denken

My|the [griech.] *w. 11* = Mythos; **my|thisch** zum Mythos, zu den Mythen gehörig, daraus stammend, von ihnen überliefert, sagenhaft; **My|tho|lo|gie** *w. 11* **1** Lehre von den Mythen; **2** Gesamtheit der Mythen (eines Volkes); **my|tho|lo|gisch;**

► = wird zu

my|tho|lo|gi|sie|ren *tr. 3* als Mythos, in myth. Form darstellen; **My|thos,** *lat. Form:* **My|thus** *m. Gen. - Mz.* -then, *eindeutschend:* My|the *w. 11* **1** Überlieferung aus vorgeschichtl. Zeit, Sage (von Göttern, Helden, Dämonen, Weltentstehung usw.); **2** Legende über eine geschichtlich bedeutende Person oder Begebenheit

My|ti|lus [griech.-lat.] *w. Gen. - Mz. - oder* -li|den = Miesmuschel

myx ..., Myx ..., my|xo ..., My-xo ... [griech.] *in Zus.:* schleim ..., Schleim ...; **Myx-öl|dem** *auch:* **My|xö|dem** *s. 1* körperl. und geistige Erkrankung mit Hautschwellungen u. a. infolge Unterfunktion der Schilddrüse; **myx|öl|de|ma|tös** *auch:* **my|xö|de-** auf Myxödem beruhend; **My|xom** *s. 1* gutartige Geschwulst aus Schleimgewebe; **my|xo|ma|tös** schleimig; **My|xo|my|zet** *m. 10* Schleimpilz; **My|xo|sar|kom** *s. 1* bösartige Geschwulst aus Schleimgewebe

My|zel [griech.], **My|ze|li|um** *s. Gen.* -s *Mz.* -li|en der in oder auf dem Nährboden wachsende, aus einzelnen Fäden (Hyphen) bestehende Teil höherer Pilze, Gesamtheit der Pilzfäden, Pilzgeflecht; **My|zet** *m. 10, selten:* Pilz; **My|ze|tis|mus** *m. Gen. - Mz.* -men Pilzvergiftung; **My|ze|to|lo|gie** *w. 11 nur Ez., veraltete Bez. für* Mykologie

N

n 1 *Abk. für* Nano…; **2** *Abk. für* Neutron
N 1 *Abk. für* Nord(en); **2** *Abk. für* Neper, Newton; **3** *chem. Zeichen für* Stickstoff (Nitrogen); **4** internationales Kfz-Kennzeichen für Norwegen; **5** *Abk. für* Norden
'n *ugs. kurz für* ein
Na *chem. Zeichen für* Natrium
na!; na na!; na ja!; na und?
Na|be *w. 11* Mittelteil des Rades
Na|bel *m. 5;* **Na|bel|bin|de** *w. 11;* **Na|bel|bruch** *m. 2;* **Na|bel|schnur** *w. 2*
Na|bob [arab.] *m. 9* **1** *urspr.:* muslimische Provinzstatthalter in Indien; **2** *später:* in Indien reich gewordener Engländer oder Niederländer; **3** *übertr.:* sehr reicher Mann
nach *Präp. mit Dat.;* nach und nach; nach wie vor; nach vorn
nach|äf|fen *tr. 1;* **Nach|äf|fe|rei** *w. 10*
nach|ah|men *tr. 1;* ich ahme ihn nach; **nach|ah|mens|wert; Nach|ah|mer** *m. 5;* **Nach|ah|mung** *w. 10;* **nach|ah|mungs|wür|dig**
nach|ar|bei|ten *tr. 2*
Nach|bar *m. 11;* **Nach|bar|dorf** *s. 4;* **Nach|bar|haus** *s. 4;* **nach|bar|lich; Nach|bar|schaft** *w. 10;* **Nach|bars|kind** *s. 3;* **Nach|bars|leu|te** *nur Mz.*
nach|be|han|deln *tr. 1;* **Nach|be|hand|lung** *w. 10*
nach|be|rech|nen *tr. 2;* **Nach|be|rech|nung** *w. 10*
nach|be|rei|ten *tr. 2;* **Nach|be|rei|tung** *w. 10*
nach|be|stel|len *tr. 1;* **Nach|be|stel|lung** *w. 10*
nach|be|ten *tr. 2*
nach|be|zah|len *tr. 1*
nach|bil|den *tr. 2;* **Nach|bil|dung** *w. 10*
nach|blei|ben *intr. 17*
Nach|blü|te *w. 11*
nach|blu|ten *intr. 2;* **Nach|blu|tung** *w. 10*
Nach|bör|se *w. 11 nur Ez.* Börsenhandel nach der amtl. festgesetzten Zeit; **nach|börs|lich**
nach Chri|sti Ge|burt (*Abk.:* n. Chr.); **nach|christ|lich;** im ersten nachchristlichen Jh.
nach|da|tie|ren *tr. 3* mit einem zurückliegenden Datum versehen; **Nach|da|tie|rung** *w. 10*
nach|dem; n. er sich erhoben hatte, …; je nachdem, ob …; je nachdem, was …
nach|den|ken *intr. 22;* **nach|denk|lich; Nach|denk|lich|keit** *w. 10 nur Ez.*
nach|dich|ten *tr. 2;* **Nach|dich|tung** *w. 10*
Nach|druck *m. 1;* **nach|dru|cken** *tr. 1;* **nach|drück|lich; Nach|drück|lich|keit** *w. 10 nur Ez.*
nach|dun|keln *intr. 1*
nach|ei|fern *intr. 1;* ich eifere, eifre ihm nach; **Nach|ei|fe|rung** *w. 10 nur Ez.*
nach|ein|an|der *auch:* **-ei|nan|der;** nacheinander kommen, gehen
nach|emp|fin|den *tr. 36;* **Nach|emp|fin|dung** *w. 10 nur Ez.*
Na|chen *m. 7, poet.:* Kahn, Boot
Nach|er|be *m. 11* jmd., der laut Testament Erbe eines Erben nach dessen Tod wird
nach|er|zäh|len *tr. 1;* **Nach|er|zäh|lung** *w. 10*
nach|ex|er|zie|ren *auch:* **-e|xer-** *intr. 3*
Nachf. *Abk. für* Nachfolger
Nach|fahr *m. 10;* **Nach|fah|re** *m. 11, veraltet:* Nachkomme
Nach|fei|er *w. 11;* **nach|fei|ern** *tr. 1*

> **nachfolgend, das Nachfolgende:** Das Partizip schreibt man klein: *Wir geben nachfolgend die Ergebnisse bekannt.* Die substantivierte Form schreibt man groß: *Das Nachfolgende ist noch wichtiger.* Ebenso: *Nachfolgendes/im Nachfolgenden.* →§ 57 (1) Auch: *im Nachhinein.* →§ 57 (5)

Nach|fol|ge *w. 11;* **nach|fol|gen** *intr. 1;* **nach|fol|gend;** das Nachfolgende, Nachfolgendes;
Nach|fol|ger *m. 5* (*Abk.:* Nachf., Nchf.)
nach|for|dern *tr. 1;* **Nach|for|de|rung** *w. 10*
nach|for|schen *intr. 10;* **Nach|for|schung** *w. 10*
Nach|fra|ge *w. 11;* **nach|fra|gen** *intr. 1*
nach|füh|len *tr. 1;* jmdm. etwas n. können
nach|fül|len *tr. 1;* **Nach|fül|lung** *w. 10*
nach|gä|ren *intr. 43;* **Nach|gä|rung** *w. 10*
nach|ge|ben *intr. u. tr. 45*
nach|ge|bo|ren; die Nachgeborenen
Nach|ge|bühr *w. 10* vom Empfänger zu zahlende Gebühr für eine nicht vorschriftsmäßig freigemachte Postsendung
Nach|ge|burt *w. 10* die Ausstoßung des Mutterkuchens nach der Geburt sowie dieser selbst
nach|ge|hen *intr. 47;* die Uhr geht nach; einer Sache n.: sie untersuchen; einer Arbeit, Beschäftigung n.; seine Worte sind mir lange nachgegangen
nach|ge|ord|net
nach|ge|ra|de 1 schließlich; dann wurde es mir n. zu viel; **2** geradezu; das ist ja n. lächerlich
nach|ge|ra|ten *intr. 94*
Nach|ge|schmack *m. 2 nur Ez.*
nach|ge|wie|se|ner|ma|ßen
nach|gie|big; Nach|gie|big|keit *w. 10 nur Ez.*
nach|grü|beln *intr. 1;* ich grübele, grüble (darüber) nach
nach|gu|cken *intr. 1*
Nach|hall *m. 1;* **nach|hal|len** *intr. 1*
nach|hal|tig; Nach|hal|tig|keit *w. 10 nur Ez.*
nach|hän|gen *intr. 62;* seinen Gedanken n.
nach|hau|se *österr., schweiz. auch für* **nach Hau|se** vgl. Haus; **Nach|hau|se|weg** *m. 1*
nach|hel|fen *intr. 66*
nach|her [auch: nach-]
Nach|hil|fe *w. 11;* **Nach|hil|fe|stun|de** *w. 11*
nach|hin|ein *auch:* **-hi|nein;** im Nachhinein: nachträglich
nach|hin|ken *intr. 1*
Nach|hol|be|darf *m. Gen.* -s *nur Ez.;* **nach|ho|len** *tr. 1*
Nach|hut *w. 10*
nach|imp|fen *tr. 1;* **Nach|imp|fung** *w. 10*
nach|ja|gen *intr. 1*
Nach|klang *m. 2;* **nach|klin|gen** *intr. 69*

Nach|kom|me *m. 11;* **nach|kom|men** *intr. 71;* **Nach|kom|men|schaft** *w. 10;* **Nach|kömm|ling** *m. 1*
Nach|kriegs|zeit *w. 10*
Nach|kur *w. 10*
Nach|laß ► **Nach|lass** *m. 1 oder m. 2;* **nach|las|sen** *tr. u. intr. 75;* **Nach|las|sen|schaft** *w. 10;* **Nach|las|ser** *m. 5* Erblasser; **Nach|laß|ge|richt** ► **Nach|lass|ge|richt** *s. 1;* **Nach|laß|gläu|bi|ger** ► **Nach|lass|gläu|bi|ger** *m. 5;* **nach|läs|sig; nach|läs|si|ger|wei|se; Nach|läs|sig|keit** *w. 10;* **Nach|laß|pfle|ger** ► **Nach|lass|pfle|ger** *m. 5;* **Nach|laß|ver|wal|tung** ► **Nach|lass|ver|wal|tung** *w. 10 nur Ez.*
nach|lau|fen *intr. 76;* jmdm. n. *auch übertr.:* sich eifrig um jmdn. bemühen; **Nach|läu|fer** *m. 5, Billard:* der dem bespielten Ball nachrollende Ball
nach|le|ben *intr. 1;* jmdm. n.
nach|le|gen *tr. 1;* Kohlen n.
nach|ler|nen *tr. 1*
Nach|le|se *w. 11;* **nach|le|sen** **1** *intr. 79* Nachlese halten; **2** *tr. 79;* in einem Buch etwas nachlesen
nach|lie|fern *tr. 1;* ich liefere es nach; **Nach|lie|fe|rung** *w. 10*
nach|lö|sen *tr. 1;* **Nach|lö|se|schal|ter** *m. 5*
nachm. *Abk. für* nachmittags; **Nachm.** *Abk. für* Nachmittag
Nach|mahd *w. 10* zweite Mahd
nach|ma|lig; nach|mals
nach|mes|sen *tr. 84;* **Nach|mes|sung** *w. 10*
Nach|mit|tag (*Abk.:* Nachm.); *m. 1* vgl. Abend, Dienstag; **nach|mit|tä|gig** am Nachmittag; die nachmittägigen Schulstunden; **nach|mit|täg|lich** jeden Nachmittag; nachmittäglicher Spaziergang; **nach|mit|tags** (*Abk.:* nachm.); *aber:* des Nachmittags; **Nach|mit|tags|schlaf** *m. Gen. -s nur Ez.;* **Nach|mit|tags|vor|stel|lung** *w. 10*
Nach|nah|me *w. 11;* **Nach|nah|me|ge|bühr** *w. 10;* **Nach|nah|me|sen|dung** *w. 10*
Nach|na|me *m. 15* Familienname
nach|plap|pern *tr. 1;* ich plappere das nicht nach
Nach|por|to *s. Gen. -s Mz. -ti*
nach|prü|fen *tr. 1;* **Nach|prü|fung** *w. 10*
Nach|raum *m. Gen. -(e)s nur Ez., Forstwirtschaft:* Ausschuss
nach|rech|nen *tr. 2;* **Nach|rech|nung** *w. 10*
Nach|re|de *w. 11;* üble N.; **nach|re|den** *tr. 2;* etwas nur n.; jmdm. etwas n.
Nach|rei|fe *w. 11 nur Ez.;* **nach|rei|fen** *intr. 1*
nach|ren|nen *intr. 98*
Nach|richt *w. 10;* **Nach|rich|ten|a|gen|tur** *w. 10;* **Nach|rich|ten|bü|ro** *s. 9;* **Nach|rich|ten|dienst** *m. 1;* **Nach|rich|ten|sa|tel|lit** *m. 10;* **Nach|rich|ten|tech|nik** *w. 10 nur Ez.;* **Nach|rich|ter** *m. 5* **1** Angehöriger einer Nachrichtentruppe; **2** *früher:* Scharfrichter, Henker; **nach|richt|lich**
nach|rü|cken *intr. u. tr. 1*
Nach|ruf *m. 1;* **nach|ru|fen** *tr. 102*
Nach|ruhm *m. Gen. -(e)s nur Ez.;* **nach|rüh|men** *tr. 1;* jmdm. etwas n.
nach|sa|gen *tr. 1;* jmdm. etwas n.; ich lasse es mir nicht n., dass …
Nach|sai|son [-sɛzɔ̃] *w. 9*
Nach|satz *m. 2* angefügter Satz; *Gramm.:* nachgestellter Satz; *Ggs.:* Vordersatz
nach|schaf|fen *tr. 105*
nach|schau|en *intr. u. tr. 1*
nach|schi|cken *tr. 1*
Nach|schlag *m. 2* **1** *Mus.:* Abschluss eines Trillers; **2** *Soldatenspr.:* zusätzl. Portion Essen; **nach|schla|gen** **1** *tr. 116;* ein Wort im Wörterbuch n.; **2** *intr. 116;* jmdm. n.: so werden wie jmd., jmds. Veranlagung geerbt haben; **Nach|schla|ge|werk** *s. 1*
nach|schlei|chen *tr. 117*
Nach|schlüs|sel *m. 5*
nach|schmei|ßen *tr. 122;* jmdm. etwas n. *übertr. ugs.:* jmdm. etwas unverlangt dazugeben
nach|schrei|ben *tr. 127;* **Nach|schrift** *w. 10*
Nach|schub *m. 2*
Nach|schur *w. 10* zweite Schur
Nach|schuß ► **Nach|schuss** *m. 2* Einzahlung über die Stammeinlage hinaus
nach|se|hen *tr. 136;* jmdm. etwas n.: es ihm nicht verübeln; das Nachsehen haben: nichts mehr bekommen, leer ausgehen
Nach|sen|de|auf|trag *m. 2;* **nach|sen|den** *tr. 138;* **Nach|sen|dung** *w. 10*
nach|set|zen *tr. u. intr. 1;* jmdm. n.: jmdn. im Laufschritt, im Galopp verfolgen
Nach|sicht *w. 10 nur Ez.;* N. haben, üben; **nach|sich|tig; Nach|sicht|wech|sel** *m. 5* an einem bestimmten Tag nach der Präsentation (Sicht) fälliger Wechsel
Nach|sil|be *w. 11* einem Wort angefügte Silbe, Suffix, z. B. -lich, -er; *Ggs.:* Vorsilbe
nach|sin|gen *tr. 140*
nach|sin|nen *intr. 142*
nach|sit|zen *intr. 143,* er musste nachsitzen, hat nachsitzen müssen (in der Schule); er hat nachgesessen
Nach|som|mer *m. 5;* **nach|som|mer|lich**
Nach|sor|ge *w. 11 nur Ez.* Betreuung Kranker nach ihrem Krankenhausaufenthalt
Nach|spann *m. 1, Film, Fernsehen:* dem Vorspann entsprechende Angaben am Schluss eines Films
Nach|spei|se *w. 11*
Nach|spiel *s. 1;* **nach|spie|len** *tr. 1*
nach|spi|o|nie|ren *intr. 3*
nach|spre|chen *tr. 146*
nach|sprin|gen *intr. 148*

> **nächst / Nächste:** Die Präposition *nächst* (+ Dativ) schreibt man klein. Das substantivierte Adjektiv (Superlativ von *nahe*) wird mit großem Anfangsbuchstaben geschrieben: *der Nächste, bitte!* Ebenso: *als Nächstes; das Nächste wäre …; liebe deinen Nächsten; fürs Nächste ist es genug.* → § 57 (1).
> Aber: Superlative mit *am,* nach denen mit *Wie?* gefragt werden kann, schreibt man klein: *Er wohnt am nächsten.* → § 58 E1

nächst **1** *Superlativ von* nahe; *a) Kleinschreibung:* nächste Woche; nächsten Monats (*Abk.:* n. M.); nächsten Jahres (*Abk.:* n. J.); das nächste Mal; *b) Großschreibung:* das Nächste, was zu tun ist; als Nächstes bringen wir; **2** *Präp. mit Dat.:* gleich bei, gleich nach, gleich neben; nächst der Kirche; nächst seinen Eltern; **Nächst|bes|te** *m., w. oder s. 18;* **Näch|s|te(r)** *m. 18 (17);* der Nächste: der Mitmensch; mein Nächster

nach|ste|hen *intr. 151;* ich möchte ihm nicht n.: ich möchte genauso viel tun wie er; er steht ihm an Klugheit nicht nach: er ist genauso klug; er steht ihr in nichts nach: er kommt ihr gleich; nachstehend wird erläutert, wie ...; vgl. folgend
nach|stel|len 1 *tr. 1;* die Uhr n.; **2** *intr. 1;* jmdm. n.: jmdn. verfolgen; **Nach|stel|lung** *w. 10*
Näch|ten|lie|be *w. 11 nur Ez.;* **nächs|tens** bald; **nächst|fol|gend**; das Nächstfolgende; **nächst|ge|le|gen; nächst|hö|her; nächst|lie|gend**; das Nächstliegende wäre, sofort hinzugehen (*nicht:* das Naheliegendste)
nach|su|chen *intr. 1;* um etwas n.: förmlich um etwas bitten

> **heute Nacht:** Das Substantiv nach den Adverbien *(vor)gestern, gestern, heute* und *morgen* wird mit großem Anfangsbuchstaben geschrieben: *Heute Nacht wird es passieren. Wir treffen uns morgen Nacht.* →§55 (6)

Nacht *w. 2;* des Nachts; eines Nachts; bei Nacht; über Nacht; die Nacht über; heute Nacht, vgl. Abend, Dienstag; **Nacht|an|griff** *m. 1;* **Nacht|ar|beit** *w. 10;* **nacht|blau; nacht|blind; Nacht|blind|heit** *w. 10 nur Ez.;* **Nacht|dienst** *m. 1*
Nach|teil *m. 1;* **nach|tei|lig**
näch|te|lang; *aber:* mehrere Nächte lang; **nach|ten** *intr. 2, poet., schweiz.:* Nacht werden; es nachtet; **näch|tens** *poet., ugs.:* nachts; **Nacht|es|sen** *s. 7* Abendessen; **Nacht|eu|le** *w. 11; auch übertr. ugs.:* jmd., der bis spät in die Nacht aufbleibt; **Nacht|fal|ter** *m. 5;* **nacht|far|ben; Nacht|flug** *m. 2;* **Nacht|frost** *m. 2;* **Nacht|glei|che** *w. 11* = Tagundnachtgleiche; **Nacht|hemd** *s. 12;* **Nacht|him|mel** *m. 5;* **näch|tig** dunkel; nächtige Fährte *Jägerspr.:* in der (vergangenen) Nacht getretene Fährte
Nach|ti|gall *w. 10;* **Nach|ti|gal|len|schlag** *m. 2 nur Ez.*
näch|ti|gen *intr. 1* übernachten
Nach|tisch *m. 1* Nachspeise
Nacht|käst|chen *s. 7, bayr., österr.:* Nachttisch; **Nacht|la|ger** *s. 5;* **Nacht|le|ben** *s. Gen.* -s *nur Ez.;* **nächt|lich; nächt|li|cher|wei|le** nachts, in der Nacht; **Nacht|lo|kal** *s. 1;* **Nacht|mahl** *s. 4 oder s. 1, bes. österr.:* Abendessen; **nacht|mah|len** *intr. 1, bes. österr.:* zu Abend essen; ich nachtmahle, habe genachtmahlt; **Nacht|mahr** *m. 1* Nachtgespenst, Albdruck; **Nacht|marsch** *m. 2;* **Nacht|quar|tier** *s. 1*
Nach|trab *m. 1, veraltet:* berittene Nachhut
Nach|trag *m. 2;* **nach|tra|gen** *tr. 160;* jmdm. etwas n. *übertr.:* längere Zeit verübeln; **nach|tra|gend**; n. sein; **nach|träg|lich**
nach|trau|ern *intr. 1*
Nacht|ru|he *w. 11 nur Ez.*
nachts; *aber:* des Nachts, eines Nachts; **Nacht|schat|ten** *m. 7* eine Pflanzengattung; **Nacht|schat|ten|ge|wächs** *s. 1;* **Nacht|schicht** *w. 10; Ggs.:* Tagschicht; **nacht|schla|fend** *nur in der Wendung:* zu, bei nachtschlafender Zeit, *oder:* Stunde; **Nacht|schränk|chen** *s. 7;* **Nacht|schwär|mer** *m. 5* **1** Nachtfalter; **2** *übertr. ugs.:* jmd., der nachts oft spät nach Hause kommt; **Nacht|schwär|me|rei** *w. 10 nur Ez.;* **Nacht|schweiß** *m. Gen.* -es *nur Ez.;* **Nacht|se|hen** *s. Gen.* -s *nur Ez.* Nachtsichtigkeit; **Nacht|sei|te** *w. 11, poet.:* dunkle, negative Seite; die N. des Lebens; **nacht|sich|tig** bei Nacht besser als am Tag sehen könnend, tagblind; **Nacht|sich|tig|keit** *w. 10 nur Ez.* bei Tag herabgesetztes, bei Nacht jedoch relativ gutes Sehvermögen, Tagblindheit; **Nacht|strom** *m. 2 nur Ez.* während der Nacht verbilligter elektr. Strom; **Nacht|stück** *s. 1* **1** Gemälde, das einen Gegenstand bei Nacht zeigt; **2** *Mus.* = Notturno; **Nacht|stuhl** *m. 2* tragbares Zimmerklosett (für Kranke); **nachts|über;** *aber:* die Nacht über; **Nacht|ta|rif** *m. 1;* **Nacht|tier** *s. 1;* **Nacht|tisch** *m. 1;* **Nacht|übung** *w. 10*
nach|tun *intr. 167;* es jmdm. n.: jmdm. nacheifern; keiner kann es ihm n.: keiner kommt ihm gleich; das tut ihm keiner nach: das kann kein anderer
Nacht|vi|o|le *w. 11* ein Kreuzblütler; **Nacht|vo|gel** *m. 6;* **Nacht|wa|che** *w. 11;* **Nacht|wäch|ter** *m. 5;* **nacht|wan|deln** *intr. 1;* ich bin, habe genachtwandelt; **Nacht|wan|deln** *s. Gen.* -s *nur Ez.* = Mondsüchtigkeit; **Nacht|wand|ler** *m. 5;* **nacht|wand|le|risch**; mit nachtwandlerischer Sicherheit; **Nacht|zeit** *w. 10 nur Ez.;* zur N.; **Nacht|zeug** *s. 1* alle Gegenstände, die man zum Übernachten braucht; **Nacht|zug** *m. 2*
nach|ver|lan|gen *tr. 1*
Nach|ver|mächt|nis *s. 1;* **Nach|ver|mächt|nis|neh|mer** *m. 5*
nach|voll|zie|hen *tr. 187;* etwas n.: etwas, das geschehen ist, verstehen, als ob man es selbst getan hätte
nach|wach|sen *intr. 172*
Nach|wahl *w. 10*
Nach|währ|schaft *w. 10 nur Ez., schweiz.:* Gewähr für erst nach dem Kauf eines Hauses oder Haustieres entdeckte Mängel
Nach|we|hen *w. 11 Mz.*
nach|wei|nen *intr. 1;* jmdm. oder einer Sache n.
Nach|weis *m. 1;* **nach|weis|bar; nach|wei|sen** *tr. 177;* jmdm. etwas n.; **nach|weis|lich**
Nach|welt *w. 10 nur Ez.*
nach|wer|fen *tr. 181;* vgl. nachschmeißen
nach|wie|gen *tr. 182*
Nach|win|ter *m. 5;* **nach|win|ter|lich**
nach|wir|ken *intr. 1;* **Nach|wir|kung** *w. 10*
nach|wol|len *intr. 1, ugs.*
Nach|wort *s. 1*
Nach|wuchs *m. 1 nur Ez.;* **Nach|wuchs|kraft** *w. 2;* **Nach|wuchs|schau|spie|ler** *m. 5*
nach|zah|len *tr. 1;* **nach|zäh|len** *tr. 1;* **Nach|zah|lung** *w. 10;* **Nach|zäh|lung** *w. 10*
nach|zeich|nen *tr. 2*
Nach|zei|tig|keit *w. 10 nur Ez.* die Zeitenfolge im Satzgefüge: die Handlung des Nebensatzes folgt der des Hauptsatzes; *Ggs.:* Vorzeitigkeit
nach|zie|hen *tr. u. intr. 187;*
Nach|züg|ler *m. 5*
Na|cke|dei *m. 9*
Na|cken *m. 7*
na|ckend
Na|cken|he|bel *m. 5* Griff beim Ringen; **Na|cken|schlag** *m. 2*
Nack|frosch *m. 2, ugs. für* Nacktfrosch
na|ckig nackt
...na|ckig; z. B. stiernackig

nackt; Nackt|frosch *m. 2, scherzh.:* nacktes kleines Kind; **Nackt|heit** *w. 10 nur Ez.;* **Nackt|kul|tur** *w. 10 nur Ez.;* **Nackt|sa|mer** *m. 5* Pflanze, deren Samen nicht von einem Fruchtknoten umschlossen sind, Gymnosperme; *Ggs.:* Bedecktsamer; **nackt|sa|mig; Nackt|schne|cke** *w. 11* Schnecke, die kein Haus trägt

Na|del *w. 11;* **Na|del|ar|beit** *w. 10;* **Na|del|baum** *m. 2* Baum mit nadelförmigen Blättern, Konifere; *Ggs.:* Laubbaum; **Nä|del|chen** *s. 7;* **Na|del|geld** *s. 3* **1** *früher:* Taschengeld für die Hausfrau; **2** staatl. Unterhalt für unverheiratete Prinzessinnen; **Na|del|höl|zer** *s. 4 Mz.* Nadelbäume und -sträucher; *Ggs.:* Laubhölzer; **na|deln** *intr. 1* Nadeln verlieren (von Nadelhölzern); **Na|del|öhr** *s. 1;* **Na|del|wald** *m. 4*

Na|dir [auch: na-, arab.] *m. 1 nur Ez.* der dem Zenit gegenüberliegende Punkt auf der Himmelskugel, Fußpunkt

Na|gai|ka [russ.] *w. 9* Peitsche aus geflochtenen Lederriemen

Na|gel *m. 6;* **Na|gel|bett** *s. 12;* **Na|gel|bürs|te** *w. 11;* **Nä|gel|chen** *s. 7;* **Na|gel|fei|le** *w. 11;* **Na|gel|lack** *m. 1;* **na|geln** *tr. 1;* ich nagele, nagle es; **na|gel|neu; Na|gel|pro|be** *w. 11;* die N. machen: das Glas auf dem linken Daumennagel umkehren zum Zeichen, dass man ausgetrunken hat; **Na|gel|rei|ni|ger** *m. 5;* **Na|gel|sche|re** *w. 11;* **Na|ge|lung** *w. 10 nur Ez.*

na|gen *intr. 1;* **Na|ger** *m. 5;* **Na|ge|tier** *s. 1*

Näg|lein *s. 7, veraltet für* Nelke

nah = nahe; nah(e) verwandt

> **nah, des Näheren:** Mit kleinem Anfangsbuchstaben wird geschrieben: *von nah und fern, von nahem.* →§ 58 (3)
> Das substantivierte Adjektiv schreibt man groß: *(sich) des Näheren entsinnen, des Näheren (erläutern).* →§ 57 (1)

Nah|auf|nah|me *w. 11;* **na|he,** nah **1** nahe daran sein, etwas zu tun; von nahem; nahe bringen, gehen, kommen, legen, liegen; jmdm. zu nahe treten: jmdn. kränken; **2** *Präp. mit Dat.;* nahe dem Wald; **Nä|he** *w. Gen. - nur Ez.;* **na|he|bei** in der Nähe; er wohnt n.; *aber:* er wohnt nahe bei der Schule; **na|he|brin|gen** ► **na|he brin|gen** *tr. 21;* **na|he|ge|hen** ► **na|he ge|hen** *intr. 47;* es geht mir nahe: es erregt meine Teilnahme; **na|he|kom|men** ► **na|he kom|men** *intr. 71;* sie sind einander (*ugs.:* sich) nahe gekommen: sie sind miteinander vertraut geworden; der Wahrheit n. k.; vgl. nahe; **na|he|le|gen** ► **na|he le|gen** *tr. 1;* jmdm. etwas n. l.: raten, empfehlen; **na|he|lie|gen** ► **na|he lie|gen** *intr. 80;* es liegt nahe, zu glauben, dass ...; es ist nahe liegend, das zu tun; **na|hen** *intr. 1*

> **nahe bringen/stehen/treten:** Die Verbindung aus Adjektiv und Verb wird getrennt geschrieben, wenn das Adjektiv in dieser Verbindung steigerbar ist. →§ 34 E3 (3)

nä|hen *tr. 1*

nä|her *Komp. von* nah(e); das werde ich des Näheren erklären: näher, genauer; Näheres folgt; alles Nähere bald; etwas näher bringen: in größere Nähe; du musst etwas näher kommen; der Tisch müsste näher stehen; bitte treten Sie näher!; **nä|her|brin|gen** ► **nä|her brin|gen** *tr. 21;* jmdm. etwas n. b.: erklären, vertrauter machen; dieses Erlebnis hat uns einander näher gebracht; vgl. näher

Nä|he|rei *w. 10;* **Nä|he|rin** *w. 10*

Nah|er|ho|lungs|ge|biet *s. 1* Erholungsgebiet in der Nähe einer Großstadt

nä|her|kom|men ► **nä|her kom|men** *intr. 71;* jmdm. n. k.: vertrauter mit ihm werden; vgl. näher; **nä|her|lie|gen** ► **nä|her lie|gen** *intr. 80;* nichts konnte n. l. als das; das näher Liegende wäre, sofort hinzugehen (*nicht:* das Naheliegendere); **nä|hern** *refl. 1;* **nä|her|ste|hen** ► **nä|her ste|hen** *intr. 151;* er hat mir näher gestanden als sie: mit ihm war ich vertrauter; vgl. näher; **nä|her|tre|ten** ► **nä|her tre|ten** *intr. 163;* jmdm. n. t.: mit jmdm. in Verbindung kommen; einer Sache n. t.: anfangen, sich mit ihr zu beschäftigen; vgl. näher; **Nä|he|rung** *w. 10;* **Nä|he|rungs|wert** *m. 1* dem wirklichen Wert angenäherter Wert; **na|he|ste|hen** ► **na|he ste|hen** *intr. 151;* jmdm. n. st.: mit jmdm. vertraut, befreundet sein; er hat mir sehr nahe gestanden; ein mir nahe stehender Mensch; vgl. nahe; **na|he|tre|ten** ► **na|he tre|ten** *intr. 163;* jmdm. n. t.: mit jmdm. vertraut werden, sich mit ihm befreunden; vgl. nahe; **na|he|zu**

Näh|garn *s. 1*

Nah|kampf *m. 2*

Näh|kas|ten *m. 8;* **Näh|korb** *m. 2;* **Näh|ma|schi|ne** *w. 11;* **Näh|ma|schi|nen|na|del** *w. 11;* **Näh|na|del** *w. 11*

Nah|ost Naher Osten; die Länder in Nahost

Nähr|bo|den *m. 8;* **Nähr|creme** [-kre:m] ► *auch:* **Nähr|krem, Nähr|kre|me** *w. 9;* **näh|ren** *tr. 1;* **Näh|re|rin** *w. 10, veraltet, poet.;* **Nähr|ge|halt** *m. 1 nur Ez.;* **nahr|haft; Nahr|haf|tig|keit** *w. 10 nur Ez.;* **Nähr|he|fe** *w. 11 nur Ez.;* **Nähr|krem, Nähr|kre|me** *w. 9;* **Nähr|mit|tel** *s. 5 meist Mz.;* **Nähr|mut|ter** *w. 6* **1** *veraltet:* Pflegemutter, Amme; **2** *poet.:* Ernährerin; die N. Erde; **Nähr|scha|den** *m. 5* durch mangelhafte oder falsche Ernährung entstandener Schaden; **Nähr|stoff** *m. 1;* **Nah|rung** *w. 10 nur Ez.;* **Nah|rungs|auf|nah|me** *w. 11;* **Nah|rungs|mit|tel** *s. 5;* **Nah|rungs|mit|tel|che|mie** *w. 11 nur Ez.;* **Nah|rungs|mit|tel|ver|gif|tung** *w. 10;* **Nah|rungs|trieb** *m. 1 nur Ez.;* **Nah|rungs|ver|wei|ge|rung** *w. 10 nur Ez.;* **Nah|rungs|zu|fuhr** *w. 10 nur Ez.;* **Nähr|va|ter** *veraltet:* Pflegevater; **Nähr|wert** *m. 1 nur Ez.* Energiegehalt eines Nahrungsmittels

Nah|schnell|ver|kehr *m. Gen. -s nur Ez.;* **Nah|schnell|ver|kehrs|zug** *m. 2*

Näh|sei|de *w. 11;* **Naht** *w. 2;* **Näh|te|rin** *w. 10, veraltet für* Näherin; **Näh|tisch** *m. 1;* **naht|los; Naht|stel|le** *w. 11*

Nah|ver|kehr *m. Gen. -s nur Ez.;* **Nah|ver|kehrs|zug** *m. 2, kurz für* Nahschnellverkehrszug

Näh|zeug *s. 1 nur Ez.*

Nai|ro|bi Hst. von Kenia

na|iv [frz.] kindlich, einfältig, treuherzig; **Na|i|ve** *w. 18;* jugendliche N. *Theater:* Rollenfach der jugendl. Liebhaberin; **Na|i|vi|tät** *w. 10 nur Ez.;* **Na|iv|ling** *m. 1, ugs.:* törichter, allzu vertrauensseliger Mensch

na ja!
Na|ja|de [griech.] *w. 11* **1** *griech. Myth.:* Quell-, Flussnymphe; **2** eine Süßwassermuschel
Na|me *m. 15;* im Namen meiner Mutter; in Gottes Namen *ugs. auch:* meinetwegen; ein Mann mit Namen XY; **Na|men|for|schung** *w. 10;* **Na|men|ge|bung,** Na|mens|ge|bung *w. 10;* **Na|men|ge|dächt|nis,** Na|mens|ge|dächt|nis *s. 1 nur Ez.;* **Na|men-Je|su-Fest** *s. 1* Fest am zweiten Sonntag nach Epiphanias; **Na|men|kun|de** *w. 11 nur Ez.;* **na|men|kund|lich; na|men|los**; *auch übertr.:* sehr groß, unsagbar, unendlich; namenloses Leid; sie tut mir n. leid; **Na|men|nen|nung,** Na|mens|nen|nung *w. 10;* **na|mens** **1** mit Namen; ein Mann n. XY; **2** *mit Gen.:* im Namen von, im Auftrag von; n. des Gerichts; **Na|mens|ak|tie** *w. 11* auf den Namen des Inhabers ausgestellte Aktie; **Na|mens|än|de|rung** *w. 10;* **Na|mens|ge|bung** *w. 10, ehem. DDR:* weltliche Feierstunde für ein neugeborenes Kind atheistischer Eltern (entsprechend der christlichen Taufe; auch: Namensweihe); **Na|mens|ge|dächt|nis** *s. 1 nur Ez.;* **Na|mens|nen|nung** *w. 10;* **Na|mens|schild** *s. 3;* **Na|mens|schwes|ter** *w. 11* Frau, Mädchen mit dem gleichen Vornamen; vgl. Namensvetter; **Na|mens|stem|pel** *m. 5;* **Na|mens|tag** *m. 1;* **Na|mens|ver|zeich|nis** *s. 1;* **Na|mens|vet|ter** *m. 14* Mann, Knabe mit dem gleichen Vornamen; **Na|mens|wech|sel** *m. 5;* **Na|mens|zei|chen** *s. 7;* **Na|mens|zug** *m. 2;* **na|ment|lich** **1** mit, beim Namen; jmdn. n. aufrufen, nennen; **2** vor allem, besonders; n. er hat viel dafür getan; **Na|men|ver|zeich|nis,** Na|mens|ver|zeich|nis *s. 1;* **nam|haft** bekannt, angesehen; namhafte Persönlichkeit; jmdn. n. machen: jmds. Namen herausfinden, nennen; **Nam|haft|ma|chung** *w. 10 nur Ez.*
näm|lich 1 *Konj.;* er hat n. erklärt, dass ...; **2** *Adj.;* es war der nämliche Wagen, den ich gestern gesehen habe, *aber:* er ist der Nämliche, sie ist die N., es ist das N.
Nan|du [brasil. Indianerspr.] *m. 9* ein südamerik. Laufvogel
Nan|ga Par|bat *m. Gen. - -* Berg im Himalaya
Nä|nie [njə, lat.] *w. 11* altröm. Totenklage
Na|nis|mus [lat.] *m. Gen. - nur Ez.* Zwergwuchs, Nanosomie
Nan|king 1 Stadt in China; **2** *m. 9 oder m. 1* ein gelbl. Baumwollgewebe
Na|no ... [lat.] (*Abk.:* n) *vor Maßeinheiten:* ein Milliardstel; **Na|no|fa|rad** *s. Gen. - Mz. -* (*Abk.:* nF) ein Milliardstel Farad; **Na|no|me|ter** *s. Gen. -s Mz. -* (*Abk.:* nm) ein Milliardstel Meter; **Na|no|se|kun|de** *w. 11* (*Abk.:* ns) eine Milliardstel Sekunde; **Na|no|so|mie** [lat. + griech.] *w. 11 nur Ez.* = Nanismus
Nan|sen-Paß ► **Nan|sen|pass** *m. 2* auf Anregung von Fridtjof Nansen geschaffener Pass für Staatenlose
na|nu!; na|nu?
Na|palm [auch: -palm, amerik. Kunstw.] *s. 1 nur Ez.* schwer löschbarer Stoff (Benzin, Benzol und Dieselöl) für Brandbomben
Napf *m. 2;* **Näpf|chen** *s. 7;* **Napf|ku|chen** *m. 7*
Naph|tha [pers.-griech.] *s. Gen. -s oder w. Gen. - nur Ez.* eine Sorte Roherdöl; **Naph|tha|lin** *s. 1 nur Ez.* ein aromat. Kohlenwasserstoff, dient zur Herstellung von Farbstoffen, keimtötenden Mitteln, Mottenpulver u. a.; **Naph|then** *s. 1* = Cyclohexan; **Naph|tho|le** *s. 1 Mz.* Hydroxylabkömmlinge des Naphthalins
Na|po|le|on|dor *m. Gen. -s Mz. - oder -e* frz. Goldmünze zur Zeit Napoleons I. und III.; **Na|po|le|o|ni|de** *m. 11* Abkömmling der Familie Napoleons; **na|po|le|o|nisch**; die napoleonischen Kriege
Na|po|li|taine [-tɛn, nach der ital. Stadt Neapel] *w. Gen. - nur Ez.* ein weiches, flanellähnl. Wollgewebe
Nap|pa [nach der kaliforn. Stadt Napa] *s. Gen. -s nur Ez.,* **Nap|pa|le|der** *s. 5 nur Ez.* ein abwaschbares Glacéleder
Nar|be *w. 11;* **nar|ben** *tr. 1* mit Narben versehen (Leder); **Nar|ben** *m. 7* Vertiefung auf der Haarseite des Fells, Musterung des Leders; **nar|big** voller Narben; **Nar|bung** *w. 10*
Nar|de [griech.] *w. 11, Sammelbez. für* verschiedene wohl riechende Pflanzen, die für Salben, Salböl u. Ä. verwendet werden; **Nar|den|öl** *s. 1*
Nar|gi|leh [türk.] *w. 9 oder s. 9* oriental. Wasserpfeife
Nar|ko|a|na|ly|se *w. 11, Psychoanalyse:* unter Narkose oder deren Nachwirkung durchgeführte Befragung des Patienten; **Nar|ko|lep|sie** *w. 11* mehrmals täglich auftretende, kurze Anfälle von Schlafsucht; **Nar|ko|lo|gie** *w. 11 nur Ez.* Lehre von der Schmerzbetäubung; **Nar|ko|ma|ne** *m. 11* Rauschgiftsüchtiger; **Nar|ko|ma|nie** *w. 11* Rauschgiftsucht; **Nar|ko|se** *w. 11* Betäubung, künstlich herbeigeführter Schlafzustand mit Schmerzunempfindlichkeit; **Nar|ko|ti|kum** *s. Gen. -s Mz. -ka* Betäubungsmittel, Rauschgift; **nar|ko|tisch; Nar|ko|ti|seur** [-zøːr] *m. 1* Fachmann für Narkose; **nar|ko|ti|sie|ren** *tr. 3* in Narkose versetzen, betäuben; **Nar|ko|tis|mus** *m. Gen. - nur Ez.* Sucht nach Narkotika
Narr *m. 10;* **Närr|chen** *s. 7;* **nar|ren** *tr. 1;* **Nar|ren|fest** *s. 1;* **Nar|ren|frei|heit** *w. 10 nur Ez.;* **Nar|ren|haus** *s. 4;* **Nar|ren|kap|pe** *w. 11;* **Nar|ren|pos|se,** Nar|rens|pos|se *w. 11;* **Nar|ren|seil** *s. 1, nur in der Wendung* jmdn. am N. führen: ihn an der Nase herumführen, immer wieder vertrösten; **nar|ren|si|cher** *ugs.* idiotensicher; **Nar|rens|pos|se** *w. 11 meist Mz.;* Narrenspossen treiben; **Nar|ren|streich** *m. 1;* **Nar|ren|zep|ter** *s. 5;* **Nar|re|tei** *w. 10* Dummheit, Unsinn, Narrheit; **Narr|heit** *w. 10;* **När|rin** *w. 10;* **när|risch; Närr|lein** *s. 7*
Nar|thex [griech.] *m. Gen. - Mz. -thi|zes* [-tseːs] **1** Vorhalle der frühchristl. und byzantin. Basilika; **2** eine mittelmeer. Doldenpflanze
Nar|wal [dän.] *m. 1* zu den Delphinen gehörender Zahnwal, Einhornwal

> **Narziss:** Der nach dem schönen Jüngling der griechischen Sage *Narcissus* benannte Menschentyp, der in sein eigenes Spiegelbild verliebt ist, wird mit *-ss-* geschrieben: *Er ist ein wahrer Narziss.* Ebenso: *der Narzissmus, narzisstisch.* → § 2

► = wird zu

Nar|ziß ► **Nar|ziss** [nach dem schönen Jüngling der griech. Sage, Narcissus, der in sein eigenes Spiegelbild verliebt war] *m. Gen. - oder* -zis|ses *Mz.* -zis|se bes. eitler, sich selbst bewundernder Mensch; **Nar|zis|se** *w. 11* ein stark duftendes Amaryllisgewächs; **Nar|ziß|mus** ► **Nar|ziss|mus** *m. Gen. - nur Ez.* krankhafte Verliebtheit in sich selbst, erot. Hinwendung zum eigenen Körper; **Nar|zißt** ► **Nar|zisst** *m. 10* jmd., der an Narzissmus leidet; **nar|ziß|tisch** ► **nar|ziss|tisch**

NASA *Kurzw. für* National Aeronautics and Space Administration (US-amerik. Weltraumbehörde)

na|sal **1** zur Nase gehörend, von der Nase ausgehend; **2** durch die Nase gesprochen; **Na|sal** *m. 1* durch die Nase gesprochener Laut, z. B. m, n, ng, Nasallaut, Nasenlaut; vgl. Nasalvokal; **na|sa|lie|ren** *tr. 3* durch die Nase sprechen, nasal klingen lassen; nasalierte Laute; **Na|sa|lie|rung** *w. 10;* **Na|sal|laut** *m. 1* = Nasal, Nasalvokal; **Na|sal|vo|kal** *m. 1* durch die Nase gesprochener Vokal, z. B. das e und i in frz. enfin [ɑ̃fɛ̃]

na|schen *tr. u. intr. 1*

Näs|chen *s. 7*

Na|scher, Nä|scher *m. 5* naschhafter Mensch; **Na|sche|rei** *w. 10 nur Ez.* häufiges Naschen; **Nä|sche|rei** *w. 10* Süßigkeit; **nasch|haft; Nasch|haf|tig|keit** *w. 10 nur Ez.;* **Nasch|kat|ze** *w. 11;* **Nasch|maul** *s. 4;* **Nasch|sucht** *w. Gen. - nur Ez.;* **nasch|süch|tig; Nasch|werk** *s. 1 nur Ez.* Süßigkeiten

Na|se *w. 11;* **na|se|lang** = nasenlang; **nä|seln** *intr. 1* durch die Nase sprechen; **Na|sen|bär** *m. 10* ein brasilian. Kleinbär; **Na|sen|bein** *s. 1;* **Na|sen|blu|ten** *s. Gen.* -s *nur Ez.;* **Na|sen|flü|gel** *m. 5;* **Na|sen|höh|le** *w. 11;* **Na|sen|klam|mer** *w. 11* = Akkolade; **Na|sen|kor|rek|tur** *w. 10;* **na|sen|lang,** na|se|lang, nas|lang *nur in der ugs. Wendung* alle n.: sehr oft, in kurzen Abständen immer wieder; **Na|sen|län|ge** *w. 11, ugs.;* jmdm. um eine N. voraus sein; jmdn. um eine N. schlagen; **Na|sen|laut** *m. 1* = Nasal; **Na|sen|loch** *s. 4;* **Na|sen-Ra|chen-Raum** *m. 2;* **Na|sen|ring** *m. 1* dem Stier, auch dem Tanzbären durch die Nase gezogener Ring zum Führen; **Na|sen|rü|cken** *m. 7;* **Na|sen|schleim|haut** *w. 2;* **Na|sen|schmuck** *m. Gen.* -(e)s *nur Ez.;* **Na|sen|spie|gel** *m. 5;* **Na|sen|stü|ber** *m. 5;* **na|se|weis; Na|se|weis** *m. 1;* **nas|füh|ren** *tr. 1* an der Nase herumführen, zum Besten haben; er hat mich genasführt; **Nas|horn** *s. 4;* **Nas|horn|kä|fer** *m. 5;* **Nas|horn|vo|gel** *m. 6;* **...na|sig**; z. B. breit-, schmalnasig; **nas|lang** = nasenlang; **Näs|lein** *s. 7*

naß ► **nass**; nässer, am nässesten; für nass *ugs.:* umsonst, unentgeltlich; nass geschwitzt; **Naß** ► **Nass** *s. Gen.* -, *selten auch:* Nas|ses *nur Ez., poet.:* Wasser, Wein; ins kühle Nass; das edle Nass

Nas|sau|er *m. 5, ugs.:* jmd., der Hilfe in Anspruch nimmt, ohne dafür zu bezahlen, oder der sich auf Kosten anderer einen Genuss verschafft; **nas|sau|ern** *intr. 1;* ich nassauere

Näs|se *w. 11 nur Ez.;* **näs|sen** **1** *tr. 1* nass machen, befeuchten; **2** *intr. 1* Flüssigkeit absondern (Wunde, Ausschlag); **naß|fest** ► **nass|fest** in nassem Zustand belastbar (Faser); **Naß|fe|stig|keit** ► **Nass|fes|tig|keit** *w. 10 nur Ez.;* **naß|forsch** ► **nass|forsch** *ugs.:* unverfroren, dreist; **naß|kalt** ► **nass|kalt; näß|lich** ► **näss|lich**

Nas|tie [griech.] *w. 11* durch Reiz ausgelöste Bewegung von Organen festgewachsener Pflanzen, wobei die Richtung des Reizes nicht ausschlaggebend ist

Nas|tuch *s. 4, süddt., schweiz.:* Taschentuch

nas|zie|rend [lat.] entstehend, werdend, im Entstehen begriffen

Na|ta|li|tät [lat.] *w. 10 nur Ez.* Geburtenhäufigkeit; *Ggs.:* Mortalität

Na|tan, Na|than Prophet des AT

Na|ti|on [lat.] *w. 10* durch gemeinsame Herkunft, Sprache, Kultur und polit. Entwicklung gekennzeichnete Menschengemeinschaft, Staatsvolk; **na|ti|o|nal** **1** zu einer Nation gehörig, ihr eigentümlich; **2** die Selbständigkeit, die Eigeninteressen

> **Natio-** (Worttrennung): Die Abtrennung einer Silbe, die nur aus einem Vokal besteht, ist möglich, aber aus ästhetischen Gründen nicht zu empfehlen.

einer Nation betonend; national gesinnt sein; Nationales Olympisches Komitee (*Abk.:* NOK); **na|ti|o|nal|be|wußt** ► **na|ti|o|nal|be|wusst; Na|ti|o|nal|be|wußt|sein** ► **Na|ti|o|nal|be|wusst|sein** *s. Gen.* -s *nur Ez.;* **Na|ti|o|nal|bi|bli|o|thek** *w. 11;* **Na|ti|o|nal|cha|rak|ter** *m. Gen.* -s *Mz.* -te|re die einer Nation eigentümliche Wesensart, Volkscharakter; **na|ti|o|nal|de|mo|kra|tisch; Na|ti|o|nal|denk|mal** *s. 4;* **Na|ti|o|na|le** *s. 5, österr.:* Personalangaben, Name, Geburtsdatum, Wohnort usw.; das N. einer Person aufnehmen; **Na|ti|o|na|le Front** *w. 10, Kurzform für* Nationale Front des demokratischen Deutschland: Zusammenschluss aller Parteien, Massenorganisationen, Vereinigungen und parteiloser Bürger unter Druck der ehem. SED; **Na|ti|o|nal|ein|kom|men** *s. 7* = Sozialprodukt; **Na|ti|o|nal|elf** *w. 10* Fußballmannschaft eines Landes für internationale Wettkämpfe; **Na|ti|o|nal|e|pos** *s. Gen. - Mz.* -e|pen für ein Volk bes. charakterist. Epos; **Na|ti|o|na|le Volks|ar|mee** *w. 11* (*Abk.:* NVA), *ehem. DDR:* Land-, Luft- und Seestreitkräfte; **Na|ti|o|nal|far|ben** *w. 11 Mz.* Landesfarben (auf Fahnen, Kokarden, Emblemen); **Na|ti|o|nal|fei|er|tag** *m. 1* gesetzl. Feiertag zur Erinnerung an ein für eine Nation bedeutsames polit. Ereignis; **Na|ti|o|nal|flag|ge** *w. 11* Staatsflagge mit den Nationalfarben; **Na|ti|o|nal|ga|le|rie** *w. 11, Name für* bes. hervorragende staatl. Kunstsammlung; **Na|ti|o|nal|gar|de** *w. 11, 1789 bis 1871:* frz. Bürgerwehr; **Na|ti|o|nal|ge|fühl** *s. 1 nur Ez.;* **Na|ti|o|nal|ge|richt** *s. 1* Speise, die in einem Land bes. gern gegessen wird; **Na|ti|o|nal|hym|ne** *w. 11* bei feierl. Anlässen gespieltes oder/und gesungenes Lied einer Nation als Ausdruck ihres Nationalgefühls; **na|ti|o|na|li|sie|ren** *tr. 3* **1** *Wirtschaft:* verstaatlichen; **2** jmdn. n.:

jmdm. die Staatsbürgerschaft verleihen; **Na|ti|o|na|li|sie|rung** *w. 10;* **Na|ti|o|na|lis|mus** *m. Gen. - nur Ez.* übersteigertes Nationalbewusstsein; **Na|ti|o|na|list** *m. 10;* **na|ti|o|na|lis|tisch;** **Na|ti|o|na|li|tät** *w. 10* **1** Staatsangehörigkeit; **2** völk. Minderheit (in einem Staat); **Na|ti|o|na|li|tä|ten|staat** *m. 12* Staat, der mehrere, weitgehend eigenständige Nationalitäten umfasst, Mehrvölkerstaat; *Ggs.:* Nationalstaat; **Na|ti|o|na|li|täts|prin|zip** *s. Gen.* -s *nur Ez.;* **Na|ti|o|nal|kir|che** *w. 11* eine Nation umfassende und auf diese beschränkte, selbstständige Kirchenorganisation; **Na|ti|o|nal|kon|vent** *m. 1* **1** *1792–1795:* die frz. Nationalversammlung; **2** *USA:* Versammlung von Delegierten einer Partei, die den Präsidentschaftskandidaten nominieren; **na|ti|o|nal|li|be|ral;** **Na|ti|o|nal|li|te|ra|tur** *w. 10* die gesamte Literatur eines Volkes; **Na|ti|o|nal|mann|schaft** *w. 10* Auswahlmannschaft eines Landes für internationale Wettkämpfe; **Na|ti|o|nal|öko|nom** *m. 10* = Volkswirtschaftler; **Na|ti|o|nal|öko|no|mie** *w. 11 nur Ez.* = Volkswirtschaftslehre; **na|ti|o|nal|öko|no|misch;** **Na|ti|o|nal|park** *m. 9* vom Staat eingerichtetes Naturschutzgebiet; **Na|ti|o|nal|preis** *m. 1, ehem. DDR:* staatliche Auszeichnung von Einzelpersonen und Arbeitsgruppen (Wissenschaftler, Techniker, Künstler); **Na|ti|o|nal|rat** *m. 2, Österreich u. Schweiz* **1** die gewählte Volksvertretung; **2** deren Mitglied; **Na|ti|o|nal|so|zi|a|lis|mus** *m. Gen. - nur Ez.;* **Na|ti|o|nal|so|zi|a|list** *m. 10;* **na|ti|o|nal|so|zi|a|lis|tisch;** **Na|ti|o|nal|staat** *m. 12* hauptsächlich von einer einzigen Nation gebildeter Staat; *Ggs.:* Nationalitätenstaat; **Na|ti|o|nal|tanz** *m. 2* für eine Nation bes. charakterist. Tanz; **Na|ti|o|nal|the|a|ter** *s. 5* **1** Theater, in dem vor allem die Schauspiele der betreffenden Nation aufgeführt werden; **2** *auch:* repräsentatives Theater eines Landes oder einer Stadt; **Na|ti|o|nal|tracht** *w. 10;* **Na|ti|o|nal|ver|samm|lung** *w. 10* zu einem bes. Zweck (meist dem Ausarbeiten einer Verfassung) einberufene, gewählte Volksvertretung

na|tiv [lat.] angeboren, natürlich; **Na|ti|vis|mus** [-vis-] *m. Gen. - nur Ez.* **1** Lehre, dass bestimmte Denk- und Verhaltensweisen dem Menschen angeboren sind; **2** fremdenfeindl. Bewegung; **Na|ti|vist** *m. 10;* **na|ti|vis|tisch;** **Na|ti|vi|tät** *w. 10* **1** *veraltet:* Geburt, Geburtsstunde; **2** *Astrol.:* Stand der Gestirne bei der Geburt

NATO *w. Gen. - nur Ez., Kurzwort für* North Atlantic Treaty Organization (Nordatlantikpakt)

Na|tri|um *auch:* **Nat|ri|um** [neulat.] *s. Gen.* -s *nur Ez.* (*Zeichen:* Na) chem. Element, ein Metall; **Na|tri|um|car|bo|nat** *auch:* **Nat|ri|um-** *s. 1 nur Ez.* = Natriumkarbonat; **Na|tri|um|chlo|rat** *auch:* **Nat|ri|um-** *s. 1 nur Ez.* chlorsaures Natrium; **Na|tri|um|chlo|rid** *auch:* **Nat|ri|um-** *s. 1 nur Ez.* Chlornatrium, Kochsalz; **Na|tri|um|dampf|lam|pe** *auch:* **Nat|ri|um-** *w. 11* mit Natriumdampf gefüllte Lampe, gelb leuchtend; **Na|tri|um|kar|bo|nat** *auch:* **Nat|ri|um-** *fachsprachl.:* Natriumcarbonat *s. 1 nur Ez.* kohlensaures Natrium, Soda; **Na|tri|um|sul|fat** *auch:* **Nat|ri|um-** *s. 1 nur Ez.* schwefelsaures Natrium, Glaubersalz; **Na|tron** *auch:* **Nat|ron** *s. Gen.* -s *nur Ez.* doppeltkohlensaures Natrium

Nat|té [-te, frz.] *m. 9* Gewebe in sog. Würfelbindung, bei der Kett- und Schussfäden Gruppen bilden

Nat|ter *w. 11* **1** eine Schlange; **2** *volkstüml.:* Giftschlange; er hat eine N. an seinem Busen genährt *übertr.:* er hat jmdm. vertraut, jmdn. gefördert, der ihm nun schadet; **Nat|tern|brut** *w. Gen. - nur Ez.,* **Nat|tern|ge|zücht** *s. 1 nur Ez., übertr.:* falsche, böse Menschen; **Nat|tern|hemd** *s. 12* die von der Schlange beim Häuten abgestreifte Haut

Na|tur [lat.] *w. 10;* **Na|tu|ral ...** *in Zus.* **1** auf die Natur bezüglich; **2** Sach ..., in Sachwerten; **Na|tu|ral|be|zü|ge** *m. 2 Mz.* Naturallohn; **Na|tu|ra|li|en** *Mz.* **1** Naturprodukte, Lebensmittel; **2** Gegenstände einer naturkundl. Sammlung; **Na|tu|ra|li|en|ka|bi|nett** *s. 1* naturkundl. Sammlung; **Na|tu|ra|li|sa|ti|on** *w. 10* **1** Einbürgerung, Verleihung der Staatsbürgerschaft; *Ggs.:* Denaturalisation; **2** Anpassung von Tieren und Pflanzen (auch Menschen) an einen neuen Lebensraum; **na|tu|ra|li|sie|ren** *tr. 3* **1** jmdn. n.: jmdm. die Staatsbürgerschaft verleihen; **2** sich n.: sich einem neuen Lebensraum anpassen (Tier, Pflanze, auch Mensch); **3** Tierbälge n.: ausstopfen; **Na|tu|ra|li|sie|rung** *w. 10;* **Na|tu|ra|lis|mus** *m. Gen. - nur Ez.* **1** Wirklichkeitstreue; **2** Kunstrichtung (bes. Ende des 19. Jh.), die eine genaue, nicht beschönigende Darstellung der Wirklichkeit anstrebt; **3** *Mz.* -men naturalist. Zug (eines Kunstwerks); **Na|tu|ra|list** *m. 10* Vertreter des Naturalismus (**2**); **na|tu|ra|lis|tisch** auf dem Naturalismus beruhend, wirklichkeitsgetreu; **Na|tu|ral|leis|tung** *w. 10* Bezahlung in Naturalien oder Dienstleistungen; **Na|tu|ral|lohn** *m. 2* ganz oder zum Teil in Naturalien gezahlter Lohn; **Na|tu|ral|ob|li|ga|ti|on** *w. 10* nicht einklagbare Schuld, z.B. Spielschuld; **Na|tu|ral|res|ti|tu|ti|on** *w. 10* Schadenersatz in natura (anstatt in Geld); **Na|tu|ral|wirt|schaft** *w. 10* **1** Wirtschaftsform, in der die Produkte getauscht und nicht in Geld bezahlt werden, Tauschwirtschaft; **2** Produktion nur für den eigenen Bedarf; **Na|tu|ra na|tu|rans** *w. Gen. -- nur Ez.* die schaffende Natur, Gott; **Na|tu|ra na|tu|ra|ta** *w. Gen.* -- die geschaffene Natur, die Welt; **Na|tur|an|la|ge** *w. 11;* **Na|tur|apo|stel** *auch:* **-a|pos|tel** *m. 5* jmd., der eine äußerst einfache, natürl. Lebensweise vertritt; **Na|tur|bur|sche** *m. 11* urwüchsiger Mensch; **Na|tur|denk|mal** *s. 4* schönes und meist auch altes Gebilde der Natur, der Landschaft

na|ture [-tyr, frz.] natürlich, rein, ohne Zusatz; Tee nature

Na|tur|eis *s. Gen.* -es *nur Ez.* (im Unterschied zum Speiseeis); **na|tu|rell** [frz.] natürlich, ohne Zusatz, z.B. Zitronenwasser naturell; **Na|tu|rell** *s. 1* Naturanlage, Wesensart, z.B. fröhliches, sonniges N.; **Na|ture morte** [naty:r mort, frz.]

w. Gen. -- nur Ez., frz. Bez. für Stilleben; **Na|tur|er|eig|nis** *s. 1;* **Na|tur|er|schei|nung** *w. 10;* **Na|tur|er|zeug|nis** *s. 1;* **na|tur|far|ben** nicht gefärbt (z.B. Holz); **Na|tur|for|scher** *m. 5;* **Na|tur|for|schung** *w. 10;* **Na|tur|freund** *m. 1;* **Na|tur|ge|fühl** *s. 1 nur Ez.;* **na|tur|ge|ge|ben; na|tur|ge|mäß; Na|tur|ge|schich|te** *w. 11;* **na|tur|ge|schicht|lich; Na|tur|ge|setz** *s. 1;* **na|tur|ge|treu; na|tur|haft; Na|tur|heil|kun|de** *w. 11 nur Ez.;* **Na|tur|heil|kun|di|ge(r)** *m. 18 (17);* **Na|tur|heil|ver|fah|ren** *s. 7;* **na|tur|his|to|risch** naturgeschichtlich; **Na|tu|ris|mus** *m. Gen. - nur Ez.* Freikörperkultur; **Na|tu|rist** *m. 10;* **Na|tur|kind** *s. 3* urwüchsiger, unverdorbener junger Mensch; **Na|tur|kraft** *w. 2;* **Na|tur|kun|de** *w. 11 nur Ez.;* **na|tur|kund|lich; Na|tur|leh|re** *w. 11 nur Ez., veraltet für* Naturkunde; **Na|tur|lehr|pfad** *m. 1* Wanderweg mit Hinweisschildern auf dort vorkommende Tiere u. Pflanzen; **na|tür|lich**; natürliche Kinder: 1. leibliche (nicht adoptierte) Kinder; 2. uneheliche Kinder; natürliche Zahlen: die ganzen, positiven Zahlen, z.B. 1, 2, 3, 4; **na|tür|li|cher|wei|se; Na|tür|lich|keit** *w. 10 nur Ez.;* **Na|tur|mensch** *m. 10* **1** urwüchsiger, unverbildeter Mensch; **2** Angehöriger eines Naturvolkes; **3** *ugs.:* Naturliebhaber; **na|tur|not|wen|dig; Na|tur|phi|lo|so|phie** *w. 11;* **Na|tur|pro|dukt** *s. 1;* **Na|tur|recht** *s. 1* im Wesen des Menschen begründetes, von Zeit und Ort sowie menschlicher Rechtsprechung unabhängiges Recht, im Unterschied zum staatlich gesetzten, veränderl. Recht; **Na|tur|reich** *s. 1;* die drei Naturreiche: Tier-, Pflanzen-, Mineralreich; **na|tur|rein** unvermischt, ungesüßt (bes. Wein); **Na|tur|re|li|gi|on** *w. 10* Verehrung von Naturgegenständen und -kräften als göttl. Wesen; **Na|tur|schät|ze** *m. 2 Mz.;* **Na|tur|schau|spiel** *s. 1;* **Na|tur|schön|heit** *w. 10;* **Na|tur|schutz** *m. Gen. -es nur Ez.;* **Na|tur|schutz|ge|biet** *s. 1;* **Na|tur|spiel** *s. 1* **1** abnorme Bildung, Missbildung; **2** merkwürdige, an andere Gegenstände erinnernde Bildung, z.B. Eisblumen; **Na|tur|the|a|ter** *s. 5* Freilichttheater; **Na|tur|treue** *w. 11 nur Ez.;* **Na|tur|trieb** *m. 1* Instinkt; **Na|tur|volk** *s. 4;* **Na|tur|wein** *m. 1* naturreiner Wein; **na|tur|wid|rig; Na|tur|wis|sen|schaft** *w. 10;* **Na|tur|wis|sen|schaft|ler** *m. 5;* **na|tur|wis|sen|schaft|lich; na|tur|wüch|sig; Na|tur|wun|der** *s. 5;* **Na|tur|zu|stand** *m. 2 nur Ez.*

Nau|arch [griech.] *m. 10, im alten Griechenland:* Schiffsbefehlshaber, Flottenführer

Naue *w. 11,* **Nau|en** *m. 7, süddt., schweiz.:* Kahn, Boot

'nauf *süddt. kurz für* hinauf

Nau|pli|us *auch:* **Naup|li|us** [griech.] *m. Gen. - Mz.* -pli|en, -li|en Larvenform verschiedener niederer Krebstiere

'naus *süddt. kurz für* hinaus

Nau|sea [griech.] *w. Gen. - nur Ez.* Übelkeit

Nau|si|kaa [-ka|a] griech. Sagengestalt

Nau|tik [griech.] *w. 10 nur Ez.* Lehre von der Führung eines Schiffes, von der Schiffsstandortbestimmung sowie den Wind-, Wasser- und Wetterverhältnissen usw., Schifffahrtskunde; **Nau|ti|ker** *m. 5* Kenner der Nautik; **Nau|ti|lus** *m. Gen. - Mz. - oder* -lus|se ein Kopffüßer, Schiffsboot, Perlboot; **nau|tisch** zur Nautik gehörend, mit ihrer Hilfe

Na|va|ho, Na|va|jo [*beide* nɛvəho *oder* navaxo] *m. 9 oder Gen. - Mz. -* Angehöriger eines nordamerik. Indianerstammes

Na|var|ra [-var-] histor. Provinz beiderseits der Pyrenäen; **Na|var|re|se** *m. 11* Einwohner von Navarra; **na|var|re|sisch**

Na|vi|cert [nɛɪvɪsəːt, engl.] *s. 9, Kurzw. für* Navigation Certificate (von brit. Behörden in Kriegen ausgestellte Bescheinigung für neutrale Schiffe)

Na|vi|cu|la [-vi-, lat.] *s. Gen. -s Mz.* -lae [-lɛː] **1** *kath. Kirche:* Gefäß zum Aufbewahren von Weihrauch; **2** eine Alge

Na|vi|ga|ti|on [lat.] *w. 10 nur Ez.* Orts- und Kursbestimmung (von Schiffen, Raumschiffen und Flugzeugen); **Na|vi|ga|ti|ons|of|fi|zier** *m. 1* für die Navigation verantwortl. Offizier; **Na|vi|ga|ti|ons|raum** *m. 2* Raum zum Aufbewahren der Navigationsinstrumente; **Na|vi|ga|ti|ons|schu|le** *w. 11;* **na|vi|ga|to|risch** zur Navigation gehörig, auf ihr beruhend; **na|vi|gie|ren** *intr. 3* den Standort und Kurs eines Schiffes, Raumschiffes oder Flugzeugs bestimmen

Na|za|rä|er *m. 5* **1** *nur Ez., Bez. für* Jesus Christus; **2** Angehöriger der ersten Christengemeinden, Urchrist; **Na|za|re|ner** *m. 5* **1** *nur Ez., Bez. für* Jesus Christus; **2** Einwohner von Nazareth; **3** Angehöriger einer Malergruppe der Romantik, die eine Erneuerung der Kunst auf relig. Grundlage erstrebte;

Na|za|ret, Na|za|reth Stadt in Israel

Na|zi *m. 9, abfälliges Kurzw. für* Nationalsozialist; **Na|zis|mus** *m. Gen. - nur Ez., abfälliges Kurzw. für* Nationalsozialismus; **na|zis|tisch; Na|zi|zeit** *w. 10 nur Ez., ugs.*

Nb *chem. Zeichen für* Niob

NB *Abk. für* notabene

NBC [ɛnbisi] *Abk. für* National Broadcasting Company (eine Rundfunkgesellschaft der USA)

n. Br. *Abk. für* nördlicher Breite

NC *Abk. für* North Carolina; vgl. Nordkarolina

Nchf., Nachf. *Abk. für* Nachfolger

n. Chr. *Abk. für* nach Christi Geburt

Nd chem. Zeichen für Neodym

ND *Abk. für* North Dacota; vgl. Norddakota

NDB *Abk. für* Neue Deutsche Biographie; vgl. ADB

NDR *Abk. für* Norddeutscher Rundfunk

Ne *chem. Zeichen für* Neon

NE *Abk. für* Nebraska

'ne *ugs. kurz für* eine

Ne|an|der|ta|ler [nach dem Fundort Neandertal bei Düsseldorf] *m. 5* vorgeschichtl. Mensch

Ne|a|pel Stadt in Italien; **Ne|a|pe|ler** *m. 5, ugs.:* Einwohner von Neapel; **Ne|a|po|li|ta|ner** *m. 5* Einwohner von Neapel; **ne|a|po|li|ta|nisch**

ne|ark|tisch, *in der Fügung* nearktische Region: tier- und pflanzengeographischer Bereich von Nordamerika (bis Nordmexiko), Nearktis; vgl. paläarktisch

Ne|ar|thro|se *auch:* **-arth|ro-** [griech.] *w. 11* künstl. Ersatzgelenk

nebbich! [jidd.] leider!, schade!; **Nebbich** *m. 1, ugs.:* unbedeutender Mensch, *auch:* Nichtsnutz
Nebel *m. 5;* **nebelgrau; nebelhaft** *übertr.:* unklar, undeutlich, z. B. nebelhafte Vorstellung; **Nebelhaufen** *m. 7* Ansammlung von Sternsystemen; **Nebelhorn** *s. 4* **1** Signalhorn auf Schiffen oder an der Küste bei Nebel, Typhon; **2** *nur Ez.* Berg der Allgäuer Alpen; **nebelig,** neblig; **Nebelkappe** *w. 11* Tarnkappe; **Nebelmonat** *m. 1,* **Nebelmond** *m. 1* = Neblung; **nebeln** *intr. 1* **1** neblig werden; es nebelt; **2** Pflanzenschutzmittel versprühen; **Nebelscheinwerfer** *m. 5;* **Nebelschleier** *m. 5;* **Nebelschwaden** *m. 7;* **Nebelung** *m. 1* = Neblung; **Nebelwand** *w. 2*
neben *mit Dat. oder Akk.;* neben dem Bett stehen; etwas neben das Bett stellen; **Nebenabsicht** *w. 10;* **Nebenamt** *s. 4;* **nebenan; Nebenbedeutung** *w. 10;* **nebenbei; Nebenberuf** *m. 1;* **nebenberuflich; Nebenbeschäftigung** *w. 10;* **Nebenbuhler** *m. 5*

> **nebeneinander legen/liegen/sitzen/stellen:** Verbindungen aus einem zusammengesetzten Adverb und einem Verb werden getrennt geschrieben: *Er hat die Bücher nebeneinander gelegt.* →§ 34 E3 (2)

nebeneinander *auch:* **-einan-;** n. hinaufsteigen, gehen; **nebeneinanderher** *auch:* **-einan-; nebeneinanderlegen** ▸ **nebeneinander legen** *auch:* **-einan-** *tr. 1;* **nebeneinanderschalten** ▸ **nebeneinander schalten** *auch:* **-einan-** *tr. 2;* **Nebeneinanderschaltung** *auch:* **-einan-** *w. 10 nur Ez.;* **nebeneinandersetzen** ▸ **nebeneinander setzen** *auch:* **-einan-** *tr. 1;* **nebeneinandersitzen** ▸ **nebeneinander sitzen** *auch:* **-einan-** *intr. 143;* **nebeneinanderstellen** ▸ **nebeneinander stellen** *auch:* **-einan-** *tr. 1*
Nebeneingang *m. 2;* **Nebeneinnahme** *w. 11;* **Nebenerscheinung** *w. 10;* **Nebenerwerb** *m. 1;* **Nebenerzeugnis** *s. 1;* **Nebenfach** *s. 4;* **Nebenfigur** *w. 10;* **Nebenfluß** ▸ **Nebenfluss** *m. 2;* **Nebenfrau** *w. 10;* **Nebengeräusch** *s. 1;* **Nebengeschmack** *m. 2;* **Nebengleis** *s. 1;* jmdn. auf ein N. abschieben *übertr.:* jmds. Wirkungsbereich einschränken; **Nebenhandlung** *w. 10;* **Nebenhaus** *s. 4;* **nebenher; nebenhergehen** ▸ **nebenher gehen** *intr. 47;* **nebenhin; Nebenhoden** *m. 7* Teil des Hodens, in dem die reifen Samen gespeichert werden; **Nebenhöhle** *w. 11;* **Nebenklage** *w. 11;* **Nebenkläger** *m. 5;* **Nebenkosten** *nur Mz.;* **Nebenlinie** *w. 11;* **Nebenmann** *m. 4;* **Nebenniere** *w. 11;* **nebenordnen** *tr. 2;* **Nebenperson** *w. 10;* **Nebenprodukt** *s. 1;* **Nebenpunkt** *m. 1;* **Nebenraum** *m. 2;* **Nebenrolle** *w. 11;* **Nebensache** *w. 11;* **nebensächlich; Nebensächlichkeit** *w. 10;* **Nebensatz** *m. 2* Satz, der an Stelle eines Satzteils steht, abhängiger Satz, Gliedsatz; *Ggs.:* Hauptsatz; **Nebenschaltung** *w. 10;* **Nebenschilddrüse** *w. 11;* **Nebensinn** *m. 1;* **Nebensonne** *w. 11* Sonnenspiegelung in den Wolken; **nebenstehend**; der, die,

> **nebenstehend:** Das Partizip wird zusammengeschrieben: *Das Gesetz wird nebenstehend erläutert.* →§ 36 (1)
> Die substantivierte Form schreibt man groß: *der/die/das Nebenstehende, im Nebenstehenden, Nebenstehendes.* →§ 57 (1)

das Nebenstehende; **Nebenstelle** *w. 11;* **Nebenstraße** *w. 11;* **Nebentisch** *m. 1;* **Nebenton** *m. 2* zweite Betonung neben dem Hauptton; **nebentonig; Nebentür** *w. 10;* **Nebenverdienst** *m. 1;* **Nebenwirkung** *w. 10;* **Nebenzimmer** *s. 5;* **Nebenzweck** *m. 1*
neblig, nebelig; **Neblung,** Nebelung *m. 1 alter Name für* November, *auch:* Nebelmond, Nebelmonat
Nebraska *auch:* **Nebraska** (*Abk.:* NE) Staat der USA
nebst *mit Dat.:* zusammen mit; Herr X nebst Tochter
nebulos, nebulös nebelhaft, unklar, verschwommen, z. B. nebulöse Vorstellungen, Ideen

> **Necessaire/Nessessär:** Die fremdsprachige Form ist die Hauptvariante *(Necessaire),* die integrierte (eingedeutschte) Form ist die zulässige Nebenvariante *(das Nessessär).* →§ 20 (2)

Necessaire [nɛsɛse̱r, frz.] ▸ *auch:* **Nessessär** *s. 9* Behältnis für Utensilien, z. B. Toilettengegenstände (Reisenecessaire) oder Nähzeug
Neck *m. 10* = Nöck
necken *tr. 1;* **Neckerei** *w. 10;*
Necking [engl.] *s. Gen.* -(s) *nur Ez.* Schmuserei; **neckisch**
nee *ugs., bes. mittel-, norddt.:* nein
Neer *w. 10, nddt.:* Wasserstrudel, Wirbel; **Neerstrom** *m. 2*
Neffe *m. 11*
Negation [lat.] *w. 10* **1** Verneinung; *Ggs.:* Position (**5**); **2** Verneinungswort; **negativ** [auch: ne-] **1** verneinend; *Ggs.:* positiv; negative Antwort; **2** ergebnislos; die Sache ist n. verlaufen; **3** *Math.:* kleiner als Null; negative Zahl; **4** *Elektr., in der Fügung* negative Ladung: den Elektronen eigene Ladung, im Unterschied zur positiven Ladung der Protonen; negativer Pol: Minuspol; **5** *Fot.:* in den Farben vertauscht; **6** *Med.:* vermutete Krankheitserreger o. Ä. nicht aufweisend; negativer Befund; **Negativ** [auch: ne-] *s. 1* fotograf. Bild nach dem Entwickeln mit vertauschten Farben; *Ggs.:* Positiv (**3**); **Negativismus** [-vi̤s-] *m. Gen. - nur Ez.* verneinende, ablehnende Haltung; *bei Geisteskranken:* Widerstand gegen Beeinflussung; **negativistisch** auf Negativismus beruhend; **Negativität** *w. 10 nur Ez.* negatives Denken, Verhalten
Neger *m. 5, abwertend für:* Farbiger, Negride, Schwarzer; **negerisch; Negersklave** *m. 11*
negieren [lat.] *tr. 3* verneinen, ablehnen; **Negierung** *w. 10 nur Ez.*
Negligé *auch:* **Negli-** *Nv.* ▸ **Negligee** *auch:* **Negli-** *Hv.* [-ʒe, frz.] *s. 9;* **negligeant** *auch:* **negligeant** [-ʒɑ̃] *veraltet:* nachlässig; **Negligee** *auch:*

Neg|li-, Ne|gli|gé, [-ʒe] *s. 9* bequeme Morgenkleidung; ich bin noch im N.
ne|go|zi|a|bel [lat.] *veraltet:* handelsfähig (Ware, Wertpapier); **Ne|go|zi|a|ti|on** *w. 10;* **ne|go|zi|ie|ren** *intr. 3, veraltet:* Handel treiben

> **negrid** (Worttrennung): Neben der Trennung *ne|grid* ist auch die Abtrennung zwischen *g* und *r* möglich. Auf diese Weise kommt der letzte Konsonant auf die neue Zeile: *neg|rid.*
> Entsprechend: *Ne|gri|to/Neg|ri|to, Ne|gro|i|de(r)/Neg|ro|i|de(r)* usw. →§ 107, § 108

ne|grid zu den Negriden gehörend; Rassenmerkmale der Negriden aufweisend; **Ne|gri|de** *Mz., Sammelbez. für* alle dunkelhäutigen und kraushaarigen Menschen Afrikas und Ozeaniens; **Ne|gri|to** *m. 9* Angehöriger einer negriden Rasse auf den Philippinen, Andamanen und auf Malakka; **Né|gri|tude** *auch:* **Né|gri|tu|de** [-tyd, frz.] *w. 11 nur Ez.* Gesamtheit der kulturellen Werte der Schwarzen; **ne|gro|id** den Negriden ähnlich; **Ne|gro|i|de(r)** *m. 18 (17) bzw. w. 17 oder 18* Angehörige(r) einer den Negriden ähnl. Rasse; **Ne|gro Spi|ri|tu|al** ▶ **Ne|gro|spi|ri|tu|al** [nigroʊspɪrɪtjuəl] *m. oder s. Gen.* -s *Mz.* -s geistl. Volkslied der Schwarzen in den südl. USA
Ne|gus *m. Gen.* - *Mz.* - *oder* -gus|se *Titel für den* Kaiser von Äthiopien
neh|men *tr. 88;* Geben ist seliger denn Nehmen; er ist hart im Nehmen *urspr. beim Boxen, heute auch ugs. übertr.:* er kann Schläge einstecken; **Neh|mer** *m. 5*
Neh|rung *w. 10* schmaler Landstreifen vor einem Haff
Neid *m. Gen.* -(e)s *nur Ez.;* **neiden** *tr. 2;* jmdm. etwas n.; **Neider** *m. 5;* **Neid|ham|mel** *m. 5, ugs.:* neidischer Mensch; **neidig** *veraltet:* neidisch; **nei|disch; Neid|kopf** *m. 2* fratzenhafter Tier- oder Menschenkopf an Haustüren, -giebeln oder Mauern (nach altem Volksglauben, um Unheil abzuwehren); **neidlos; Neid|lo|sig|keit** *w. 10 nur Ez.;* **Neid|na|gel** *m. 6* = Niednagel

Nei|ge *w. 11* Rest, Ende; ein Glas bis zur N. leeren; der Vorrat geht zur N.; **nei|gen** *tr. 1;* **Nei|gung** *w. 10;* **Nei|gungs|e|he** *w. 11* aus Zuneigung und harmonischer Übereinstimmung geschlossene Ehe; **Nei|gungs|win|kel** *m. 5*

> **nein, Nein sagen:** Das Wort für die Antwort *nein* wird kleingeschrieben. Die substantivierte Form schreibt man groß: *das Nein; ein Nein aussprechen; mit Nein stimmen; Nein sagen.* Als Nebenvariante ist auch *nein sagen* möglich. →§ 57 (5), § 55 (4)

nein; aber nein!; ach nein!; o nein!; nein doch!; er kann nie Nein sagen; *auch:* ...nein sagen; mit (einem) Nein antworten; **Nein** *s. Gen.* -s *nur Ez.;* das Ja und das Nein; ein energisches Nein; mit (einem) Nein antworten, stimmen; die Folge seines Neins
'nein *süddt. kurz für* hinein
Nein|sa|ger *m. 5;* **Nein|stim|me** *w. 11*
ne|kro ..., Ne|kro ... [griech.] *in Zus.:* tot ..., toten ...; Toten ..., Leichen ...

> **nekro-, Nekro-** (Worttrennung): Neben der Trennung *ne|kro-* ist auch die Abtrennung zwischen *k* und *r* möglich. Auf diese Weise kommt der letzte Konsonant auf die neue Zeile: *nek|ro-.*
> →§ 107, § 108

Ne|kro|bi|o|se [griech.] *w. 11* langsames Absterben einzelner Zellen im Gewebsverband; **Ne|kro|log** *m. 1* **1** Nachruf auf einen Verstorbenen; **2** = Nekrologium; **Ne|kro|lo|gi|um** *s. Gen.* -s *Mz.* -gi|en Totenverzeichnis in kirchl. Gemeinschaften; **Ne|kro|mant** *m. 10, bes. im Altertum:* Toten-, Geisterbeschwörer; **Ne|kro|man|tie** *w. 11* Weissagung mit Hilfe der Totenbeschwörung, Psychomantie; **Ne|kro|po|le** *w. 11* weiträumige vorgeschichtl. oder antike Begräbnisstätte, Totenstadt; **Ne|krop|sie** *w. 11* Leichenöffnung (zum Zweck der Sektion); **Ne|kro|se** *w. 11* Absterben von Organen, Organteilen oder Geweben, Gewebstod; **Ne|kro|sper|mie** *w. 11 nur Ez.* Zeugungsunfähigkeit infolge Absterbens der Samenzellen; **ne|kro|tisch** auf Nekrose beruhend, abgestorben
Nek|tar [griech.] *m. Gen.* -s *nur Ez.* **1** *griech. Myth.:* Unsterblichkeit verleihender Trank der Götter; vgl. Ambrosia (**1**); **2** zuckerhaltige, duftstoffreiche Absonderung der Blüten; **3** Getränk aus Apfelscheiben, Weißwein und Sekt; **Nek|ta|ri|ne** *w. 11* Kreuzung aus Pflaume und Pfirsich; **Nek|ta|ri|ni|en, Nek|ta|ri|ni|i|den** *Mz. Sammelbez. für* kolibriähnl. Singvögel Afrikas und Asiens, deren Zunge zum Saugorgan umgebildet ist, Honigsauger; **nek|ta|risch,** nek|tarn süß wie Nektar; **Nek|ta|ri|um** *s. Gen.* -s *Mz.* -ri|en Nektar absondernde Drüse der Blüten; **nek|tarn** = nektarisch
Nek|ton [griech.] *s. Gen.* -s *nur Ez., Sammelbez. für* alle sich im Wasser aktiv fortbewegenden Tiere; *Ggs.:* Plankton; **nek|to|nisch** zum Nekton gehörend
Nel|ke *w. 11;* **Nel|ken|pfef|fer** *m. Gen.* -s *nur Ez.* ein Gewürz, Piment
Nel|son [-sən] *m. 9 oder Gen.* - *Mz.* - Griff beim Ringen, Nackenhebel
Ne|ma|to|den [griech.] *m. 11 Mz., Sammelbez. für* Fadenwürmer
Ne|me|sis [nach N., der griech. Göttin der Rache und Vergeltung] *w. Gen.* - *nur Ez.* strafende Gerechtigkeit; von der N. ereilt werden
NE-Me|tall *s. 1, Abk. für* Nichteisenmetall
'nen *ugs. Abk. für* einen
nen|nen *tr. 89;* **nen|nens|wert; Nen|ner** *m. 5, bei Bruchzahlen:* die unter dem Bruchstrich stehende Zahl; *Ggs.:* Zähler; mehrere Dinge auf einen N. bringen: sie in gleicher Weise berücksichtigen; **Nenn|form** *w. 10* = Infinitiv; **Nenn|on|kel** *m. 5;* **Nenn|tan|te** *w. 11;* **Nen|nung** *w. 10;* **Nenn|wert** *m. 1* der einer Münze oder einem Wertpapier aufgeprägte bzw. -gedruckte Wert, Nominalwert; *Ggs.:* Kurswert; **Nenn|wort** *s. 4* = Substantiv
Nen|ze *m. 11* = Samojede
ne|o ..., Ne|o ... [griech.] *in Zus.:* neu ..., Neu ...
Ne|o|dym [griech.] *s. Gen.* -s *nur*

Ez. (Zeichen: Nd) chem. Element, Metall der Seltenen Erden; **Ne|o|fa|schis|mus** m. Gen. - nur Ez. faschist. Strömungen nach dem 2. Weltkrieg; **Ne|o|fa|schist** m. 10; **ne|o|fa|schis|tisch; ne|o|gen** zum Neogen gehörend, aus ihm stammend; **Ne|o|gen** s. Gen. -s nur Ez. Jungtertiär (Miozän und Pliozän); **Ne|o|im|pres|si|o|nis|mus** m. Gen. - nur Ez. = Pointillismus; **Ne|o|klas|si|zis|mus** m. Gen. - nur Ez. Kunstform, die an den Klassizismus anknüpft; **Ne|o|klas|si|zist** m. 10; **ne|o|klas|si|zis|tisch; Ne|o|li|thi|kum** s. Gen. -s nur Ez. Jungsteinzeit; **ne|o|li|thisch; Ne|o|lo|ge** m. 11, veraltet: Verkünder einer neuen Lehre, bes.: Spracherneuerer; **Ne|o|lo|gie** w. 11 Neuerung, Erneuerung, Neubildung; **ne|o|lo|gisch** Neuerungen betreffend, erstrebend, aufklärerisch; **Ne|o|lo|gis|mus** m. Gen. - Mz. -men neue (häufig künstliche) sprachliche Bildung; **Ne|on** s. Gen. -s nur Ez. (Zeichen: Ne) chem. Element, ein Edelgas; **Ne|on|licht** s. 3; **Ne|on|röh|re** w. 11; **Ne|o|phyt** m. 10, im Urchristentum: Neugetaufter; **Ne|o|plas|ma** s. Gen. -s Mz. -men abnorme Gewebsneubildung, Geschwulst, Tumor; **Ne|o|pren** auch: **Ne|op|ren** s. 1 nur Ez. künstlicher Kautschuk; **ne|o|tro|pisch** zu den Tropen der Neuen Welt gehörend; **Ne|o|ve|ris|mus** m. Gen. - nur Ez. Erneuerung des Verismus nach dem 2. Weltkrieg; **Ne|o|ve|rist** m. 10; **ne|o|ve|ris|tisch; Ne|o|zo|i|kum** s. Gen. -s nur Ez. = Känozoikum; **ne|o|zo|isch**

Ne|pal Staat im Himalaya; **Ne|pa|ler** m. 5, **Ne|pa|le|se** m. 11; **ne|pa|le|sisch, ne|pa|lisch**

Ne|per [nach dem schott. Mathematiker John Napier] s. Gen. -s Mz. - (Abk.: N) Maßeinheit für die Dämpfung oder Verstärkung elektrischer oder akustischer Schwingungen

Ne|phe|lin [griech.] m. 1 ein Mineral; **Ne|phe|lo|me|ter** s. 5 Gerät zum Messen der Trübung von Flüssigkeiten und Gasen, Trübungsmesser; **Ne|phe|lo|me|trie** auch: **-met|rie** w. 11 nur Ez. Trübungsmessung; **ne|phisch** zu den Wolken gehörend, von ihnen ausgehend; **Ne|pho|me|ter** s. 5 Gerät zum Messen der Wolkendichte; **Ne|pho|skop** auch: **Ne|phos|kop** s. 1 Gerät zum Bestimmen der Zugrichtung und -geschwindigkeit der Wolken

Ne|phral|gie auch: **Neph|ral-** [griech.] w. 11 Nierenschmerz; **Ne|phrek|to|mie** auch: **Neph|rek-** w. 11 operative Entfernung einer Niere; **Ne|phrit** auch: **Neph|rit** m. 1 ein Mineral, Jade, Beilstein; **Ne|phri|tis** auch: **Neph|ri-** w. Gen. - Mz. -ti|den Nierenentzündung; **Ne|phrom** auch: **Neph|rom** s. 1 bösartige Nierengeschwulst; **Ne|phro|pa|thie** auch: **Neph|ro-** w. 11 Nierenleiden; **Ne|phro|py|e|li|tis** auch: **Neph|ro-** w. Gen. - Mz. -ti|den Nierenbeckenentzündung; **Ne|phro|se** auch: **Neph|ro|se** w. 11 nichtentzündl. Nierenerkrankung mit Entartung des Gewebes; **Ne|phro|skle|ro|se** auch: **Neph|ros|kle|ro|se** w. 11 Schrumpfniere **Ne|po|tis|mus** [lat.] m. Gen. - nur Ez. Vetternwirtschaft, Begünstigung von Verwandten (beim Verleihen von Ämtern)

Nepp [rotw.] m. Gen. -s nur Ez. zu hohe Preisforderung, Übervorteilung, Gaunerei; **nep|pen** tr. 1 preislich überfordern, übervorteilen; **Nep|per** m. 5 jmd., der andere neppt; **Nepp|lo|kal** s. 1 übermäßig teures Lokal

Nep|tun 1 röm. Myth.: Gott des Meeres; **2** m. Gen. -(s) ein Planet; **nep|tu|nisch** zum Neptunismus gehörend; **Nep|tu|nis|mus** m. Gen. - nur Ez. überholte Lehre, dass alle Gesteine (mit Ausnahme der vulkanischen) aus dem Wasser entstanden seien; Ggs.: Vulkanismus; **Nep|tu|nist** m. 10 Vertreter des Neptunismus; **nep|tu|nis|tisch; Nep|tu|ni|um** s. Gen. -s nur Ez. (Zeichen: Np) ein chem. Element

Ne|re|i|de w. 11 **1** griech. Myth.: Meerjungfrau, eine der Töchter des Meergottes Nereus; **2** Biol.: ein Borstenwurm des Meeres

Nerf|ling m. 1 ein karpfenähnl. Süßwasserfisch, Aland

ne|ri|tisch [griech.] zur Flachsee, zum Küstenmeer, zu Flachmeerablagerungen gehörend

Nernst|lam|pe [nach dem dt. Physiker und Chemiker Walter Nernst] w. 11 elektr. Glühlampe mit fast weißem Licht

Ne|ro|li|öl s. 1 nur Ez. aus den Blüten der Nerolipomeranze gewonnenes, für Parfüm verwendetes äther. Öl

Nerv [lat.] m. 12, med. Fachspr.: m. 10 **1** faser- oder faserbündelartiges Gebilde zur Weiterleitung von Reizen im Körper; **2** Ader, Rippe des Blattes; **3** Ader im Flügel der Insekten; **Ner|va|tur** [-va-] w. 10 Gesamtheit der Nerven des Blattes; **ner|ven** tr. 1, ugs.: nervös machen; er nervt mich mit seinen vielen Fragen; **Ner|ven|arzt** m. 2, ugs.: Facharzt für Nervenkrankheiten, Neurologe; **ner|ven|auf|rei|bend; Ner|ven|bahn** w. 10; **Ner|ven|bün|del** s. 5; er ist nur noch ein N. übertr.: er ist übernervös; **Ner|ven|ent|zün|dung** w. 10; **Ner|ven|fie|ber** s. 5, veraltet: Typhus; **Ner|ven|gift** s. 1 die Nerven schädigendes Gift, z. B. Nikotin, Alkohol; **Ner|ven|heil|an|stalt** w. 10; **Ner|ven|heil|kun|de** w. 11 nur Ez. Neurologie; **Ner|ven|kit|zel** m. 5; **Ner|ven|kli|nik** w. 10; **Ner|ven|kraft** w. 2; **ner|ven|krank; Ner|ven|krank|heit** w. 10; **Ner|ven|pro|be** w. 11 starke Belastung der Nerven, starke seelische Belastung; **Ner|ven|sä|ge** w. 11, ugs. scherzh.: jmd. oder etwas, der bzw. das einen sehr nervös macht; **Ner|ven|schock** m. 9; **ner|ven|schwach; Ner|ven|schwä|che** w. 11 nur Ez. = Neurasthenie; **Ner|ven|sys|tem** s. 1; **ner|vig** kräftig; **nerv|lich** hinsichtlich der Nerven; nervlich sehr überlastet sein; nervliche Belastung; **ner|vös 1** auf den Nerven beruhend, zum Nervensystem gehörend; nervöse Erschöpfung; **2** unruhig, erregt, leicht reizbar, sehr empfindlich; jmdn. n. machen: reizen; **Ner|vo|si|tät** w. 10 nur Ez. starke Reizbarkeit, Überempfindlichkeit; **nerv|tö|tend;** unerträglich nervös machend; **Ner|vus pro|ban|di** m. Gen. -- nur Ez. der eigentl. entscheidende Beweisgrund; **Ner|vus re|rum** m. Gen. -- nur Ez. **1** Triebkraft; Triebfeder, Hauptsache; **2** übertr. scherzh.: das Geld

Nerz m. 1 **1** ein Pelztier, Sumpfotter; **2** dessen Pelz

Nes|ca|fé [nach der Schweizer Firma Nestlé] *m. 9* (Wz) löslicher Pulverkaffee
Nes|sel *w. 11* Brennnessel; **Nes|sel|aus|schlag** *m. 2 nur Ez.*, **Nes|sel|fie|ber** *s. 5*, **Nes|sel|sucht** *w. Gen. - nur Ez.* ein juckender Hautausschlag mit Bläschen oder Quaddeln; **Nes|sel|tier** *s. 1* ein Hohltier
Nes|ses|sär *s. 9* = Necessaire
Nes|sus|ge|wand *s. 4*, **Nes|sus|hemd** *s. 12 beides nur Ez.* **1** *griech. Myth.:* durch das Blut des Zentauren Nessus vergiftetes Gewand; **2** *übertr.:* Verderben bringendes Geschenk
Nest *s. 3;* **Nest|bau** *m. Gen.* -(e)s *nur Ez.;* **Nest|chen** *s. 7, Mz. auch:* Nes|ter|chen; **Nest|ei** *s. 3* künstliches Ei, das der Henne ins Nest gelegt wird, um sie zum Brüten anzuregen
Nes|tel *w. 11, veraltet, noch süddt.:* Band, Schnur, Schnürsenkel; **nes|teln** *intr. 1* knüpfen; an etwas n.: etwas zu öffnen versuchen (Kleidungsstück)
Nes|ter|chen *Mz. von* Nestchen; **Nest|flüch|ter** *m. 5* Vogeljunges, das sich sehr bald seine Nahrung selbst sucht; *Ggs.:* Nesthocker; **Nest|häk|chen** *s. 7* jüngstes Kind der Familie; **Nest|ho|cker** *m. 5* Vogeljunges, das sehr lange im Nest gefüttert wird; *Ggs.:* Nestflüchter; **Nest|ling** *m. 1* **1** Vogel, der noch nicht flügge ist; **2** kleines Kind
Nes|tor [nach N., dem alten König von Pylos im Trojan. Krieg] *m. Gen.* -s *Mz.* -to|ren Ältester in einer Gemeinschaft (bes. in einer Wissenschaft), alter, weiser Berater; **Nes|to|ri|a|ner** *m. 5;* **Nes|to|ri|a|nis|mus** [nach dem Patriarchen Nestorius von Konstantinopel] *m. Gen. - nur Ez.* Lehre, dass in Christus das Menschliche und Göttliche getrennt sei
nest|warm; nestwarmes Ei; **Nest|wär|me** *w. 11; übertr.:* Wärme und Geborgenheit im Elternhaus
nett; net|ter|wei|se; Net|tig|keit *w. 10*
net|to [ital.] rein, nach Abzug der Unkosten, Verpackung oder Abgaben; *Ggs.:* brutto; **Net|to|ein|kom|men** *s. 7;* **Net|to|er|trag** *m. 2;* **Net|to|ge|wicht** *s. 1;* **Net|to|ge|winn** *m. 1;* **Net|to|lohn** *m. 2;* **Net|to|preis** *m. 1;* **Net|to|raum|ge|halt** *m. 1, bei Schiffen:* Nutzraumgehalt ohne Mannschaftsräume usw.; **Net|to|re|gis|ter|ton|ne** *w. 11 (Abk.:* NRT) Maßeinheit für den Nettoraumgehalt eines Schiffes; **Net|to|ver|dienst** *m. 1*
Netz *s. 1;* **Netz|an|schluß** ► **Netz|an|schluss** *m. 2* Anschluss an das Stromnetz; **Netz|au|ge** *s. 14* aus mehreren einzelnen Augen zusammengesetztes Auge mancher Insekten, Facettenauge; **net|zen** *tr. 1* befeuchten, nass machen; **Netz|flüg|ler** *m. 5 Mz.* eine Ordnung der Insekten, Neuropteren; **Netz|ge|rät** *s. 1* Gerät mit Anschluss an das Stromnetz; **Netz|gleich|rich|ter** *m. 5* Gleichrichter zum Anschluss an das Wechselstromnetz; **Netz|haut** *w. 2* innerste, lichtempfindl. Schicht des Augapfels; **Netz|hemd** *s. 12;* **Netz|kar|te** *w. 11* Fahrkarte für beliebig viele Fahrten in einem bestimmten Gebiet und Zeitraum; **Netz|ma|gen** *m. 7* zweiter Magen im Magensystem der Wiederkäuer; **Netz|plan|tech|nik** *w. 10 nur Ez.* Verfahren zur Planung und Überwachung von Terminen; **Netz|werk** *s. 1*
neu **1** *Kleinschreibung:* auf neu herrichten *ugs.;* von neuem; viel Glück zum neuen Jahr; neue (*auch:* neuere) Sprachen: die heute gesprochenen Sprachen im Unterschied zu den Sprachen des Altertums; seit neuestem; **2** *Großschreibung:* aufs Neue; auf ein Neues; das Alte und das Neue; alles Neue; nichts, viel Neues; das Neueste vom Neuen; Neue Musik: verschiedengestaltige Richtung der Musik im 20. Jh., z.B. die Zwölftonmusik; Neue Sachlichkeit: Kunstrichtung in Malerei, Baukunst und Literatur als Gegenbewegung zum Expressionismus; das Neue Testament; die Neue Welt: Amerika; **3** *in Verbindung mit Verben:* ein Geschäft neu eröffnen; zweite, völlig neu bearbeitete Auflage; **Neu|an|kömm|ling** *m. 1;* **Neu|an|schaf|fung** *w. 10;* **neu|a|pos|to|lisch**; *aber:* Neuapostolische Kirche; **neu|ar|tig; Neu|ar|tig|keit** *w. 10 nur Ez.;* **Neu|auf|la|ge** *w. 11;* **Neu|bau** *m. Gen.* -(e)s *Mz.* -bau|ten; **Neu|bau|woh|nung** *w. 10;* **neu|be|ar|bei|tet** ► **neu be|ar|bei|tet**; die neu bearbeitete Auflage; vgl. neu; **neu|be|kehrt** ► **neu be|kehrt**; neu bekehrte Christen; **Neu|bil|dung** *w. 10*

> **neu eröffnet, von neuem, das Neue:** Einzelfälle der Verbindung Adjektiv/Substantiv und Partizip werden getrennt geschrieben: *Das Geschäft wird morgen neu eröffnet; ein neu eröffnetes Café.* →§ 36 E1 (1.2)
> Mit kleinem Anfangsbuchstaben wird geschrieben (feste Verbindung aus Präposition und Adjektiv ohne Artikel): *von neuem; seit neuestem.* [→§ 58 (3)]. Ebenso in substantivischen Wortgruppen, die zu festen Verbindungen geworden sind, aber keine Eigennamen darstellen: *die neue Armut, die neuen Bundesländer, das neue Jahr, die neue Linke.* →§ 63
> Mit großem Anfangsbuchstaben werden die substantivierten Formen sowie die Eigennamen geschrieben: *das Neue, auf ein Neues, aufs Neue* [→§ 57 (1)] bzw. *das Neue Testament, die Neue Welt.* →§ 60 (3.3), § 60 (5)

Neu-Del|hi Teil von Delhi, Regierungssitz der Ind. Union
Neu|druck *m. 1;* **neu|ein|stu|diert** ► **neu ein|stu|diert**; das neu einstudierte Stück
Neu|en|burg, *amtl.:* Neu|châ|tel [nøʃatɛl, frz.] **1** Hst. des Kantons Neuenburg; **2** schweiz. Kanton; Neuenburger See
Neu|eng|land der nordöstl. Teil der USA
neu|er|dings; Neu|e|rer *m. 5;* **neu|er|lich** von neuem; **Neu|er|schei|nung** *w. 10;* **Neu|e|rung** *w. 10;* **neu|es|tens** *ugs.:* neuerdings
Neu|fund|land Provinz in Kanada; **Neu|fund|län|der** *m. 5* **1** Einwohner von Neufundland; **2** eine große, schwere Hunderasse; **neu|fund|län|disch**
neu|ge|bo|ren; neugeborene Kinder; ich fühle mich wie n.; **Neu|ge|bo|re|ne(s)** *s. 18 (17);* **neu|ge|schaf|fen** ► **neu ge|schaf|fen**; das neu geschaffene Bauwerk; **Neu|ge|stal|tung** *w. 10;* **Neu|gier, Neu|gier|de**

w. Gen. - nur Ez.; **neu|gie|rig; Neu|go|tik** *w. Gen. - nur Ez., seit dem 18. Jh.:* an die Gotik anknüpfender Baustil; **neu|go|tisch; Neu|grad** *m. 1* (*Zeichen:* g) 100. Teil eines rechten Winkels, Gon; **Neu|grie|che** *m. 11* Grieche der Neuzeit; **neu|grie|chisch; Neu|grie|chisch** *s. Gen.* -(s) *nur Ez.* die heute gesprochene griech. Sprache

Neu|gui|nea [-gi-] Insel nördlich von Australien

Neu|he|brä|isch *auch:* **-heb|rä|isch** *s. Gen.* -(s) *nur Ez.* das heute gesprochene Hebräisch im Unterschied zu dem des AT, Iwrith; **Neu|heit** *w. 10;* **neu|hoch|deutsch; Neu|hoch|deutsch** *s. Gen.* -(s) *nur Ez.* die deutsche Sprache vom 15. Jh. bis zur Gegenwart; **Neu|hu|ma|nis|mus** *m. Gen. - nur Ez., seit 1750:* an den Humanismus anknüpfende geistige Strömung in Dtschl.; **Neu|ig|keit** *w. 10;* **Neu|jahr** [auch: -jar] *s. Gen.* -s *nur Ez.;* **Neu|jahrs|fest** *s. 1;* **Neu|jahrs|gruß** *m. 2;* **Neu|kan|ti|a|ner** *m. 5;* **Neu|kan|ti|a|nis|mus** *m. Gen. - nur Ez.* die Erneuerung der Lehren Kants im 19. Jh.; **Neu|land** *s. Gen.* -(e)s *nur Ez.;* das ist N. für mich; N. betreten; **Neu|la|tei|nisch** *s. Gen.* -(s) *nur Ez.* die von den Humanisten entwickelte Form der latein. Sprache; **neu|lich** *nur adverbial;* ich war n. dort; *nicht:* unsere neuliche Verabredung; **Neu|ling** *m. 1*

Neu|me [griech.] *w. 11, MA:* Notenzeichen, das nur die ungefähre Tonhöhe angibt; **neu|miert** in Neumen geschrieben (Melodie), mit Neumen versehen (Text)

Neu|mi|nu|te *w. 11* (*Zeichen:* c) 100. Teil eines Neugrades; **neu|mo|disch; Neu|mond** *m. 1 nur Ez.* Zeitabschnitt, währenddessen der Mond zwischen Sonne und Erde steht und dieser seine unbeleuchtete Seite zuwendet

neun 9; vgl. acht; alle neune, alle neun schieben (beim Kegeln); **Neun** *w. 10;* vgl. Acht; **Neun|au|ge** *s. 14* ein fischähnl. Wirbeltier; **Neun|eck** *s. 1* Nonagon; **Neu|ner** *m. 5;* vgl.. Achter; **neun|mal|klug** *ugs.:* sich für klüger haltend, als man ist; **neun|mal|wei|se** neunmalklug; **neun|schwän|zig** *nur in der Fügung* neunschwänzige Katze: Lederpeitsche aus neun Riemen; **Neun|tel** *s. 5;* vgl. Achtel; **Neun|tö|ter** *m. 5* ein Singvogel, Rotrückenwürger

Neu|ord|nung *w. 10;* **Neu|o|ri|en|tie|rung** *w. 10;* **Neu|phi|lo|lo|gie** *w. 11 nur Ez.* Sprach- und Literaturwissenschaft auf dem Gebiet der neuen Sprachen, bes. der german., roman. und slaw. Sprachen; **neu|phi|lo|lo|gisch; Neu|pla|to|ni|ker** *m. 5* Vertreter des Neuplatonismus; **neu|pla|to|nisch; Neu|pla|to|nis|mus** *m. Gen. - nur Ez.* an die Philosophie Platons anknüpfende philosoph. Lehre

neur ..., Neur ... vgl. neuro ..., Neuro ...

Neur|al|gie *auch:* **Neu|ral|gie** [griech.] *w. 11* anfallsweise auftretender Nervenschmerz; **Neur|al|gi|ker** *auch:* **Neu|ral|gi|ker** *m. 5* jmd., der an einer Neuralgie leidet; **neur|al|gisch** *auch:* **neu|ral|gisch; Neur|as|the|nie** *auch:* **Neu|ras|the|nie** *w. 11* Übererregbarkeit der Nerven, Nervenschwäche; **Neur|as|the|ni|ker** *auch:* **Neu|ras|the|ni|ker** *m. 5* jmd., der an Neurasthenie leidet; **neur|as|the|nisch** *auch:* **neu|ras|the|nisch**

Neu|re|ge|lung; Neu|reg|lung *w. 10;* **neu|reich** rasch und erst vor kurzem reich geworden

Neur|ek|to|mie *auch:* **Neu|rek|to|mie** [griech.] *w. 11* operative Entfernung eines Nervenstücks, Nervenschnitt

Neu|ries *s. 1* ein Papiermaß, 1000 Bogen

Neu|rin [griech.] *s. 1 nur Ez.* bei der Fleischfäulnis entstehende, sehr giftige organ. Verbindung; **Neu|ri|tis** *w. Gen. - Mz.* -ti|den Nervenentzündung; **neu|ri|tisch**

neu|ro ..., Neu|ro ... [griech.] *in Zus.:* nerven ..., Nerven ...; **Neu|ro|blast** *m. 10 meist Mz.* junge Nervenzelle; **Neu|ro|chir|urg** *auch:* **-chi|rurg** *m. 10;* **Neu|ro|chir|ur|gie** *auch:* **-chi|rur|gie** *w. 11 nur Ez.* Nervenchirurgie, Chirurgie der Nerven-, Gehirn- und Rückenmarkserkrankungen; **neu|ro|chir|ur|gisch** *auch:* **-chi|rur|gisch; Neu|ro|der|ma|to|se** *w. 11* nervöse Hautkrankheit; **Neu|ro|der|mi|tis** *w. Gen. - Mz.* -ti|den Juckflechte; **neu|ro|gen** von den Nerven ausgehend; **Neu|ro|gli|a** *auch:* **Neu|rog|li|a** *w. Gen. - nur Ez.* bindegewebige Stützsubstanz des Zentralnervensystems, Gliazelle; **Neu|ro|lo|ge** *m. 11;* **Neu|ro|lo|gie** *w. 11 nur Ez.* Lehre von den Nerven und ihren Krankheiten; **neu|ro|lo|gisch; Neu|rom** *s. 1* Geschwulst aus Nervenfasern, Nervenzellen und Bindegewebe

Neu|ro|man|tik *w. 10 nur Ez., um 1900:* an die Romantik anknüpfender Kunststil, Gegenbewegung gegen den Naturalismus; **Neu|ro|man|ti|ker** *m. 5;* **neu|ro|man|tisch**

Neu|ron *s. Gen.* -s *Mz.* -ren *oder* -ro|nen Einheit des Nervensystems, Nervenzelle mit ihren Fortsätzen; **Neu|ro|path** *m. 10;* **Neu|ro|pa|thie** *w. 11* **1** angeborene Neigung zu Erkrankungen bes. des vegetativen Nervensystems; **2** Nervenkrankheit; **neu|ro|pa|thisch; Neu|ro|pa|tho|lo|ge** *m. 11;* **Neu|ro|pa|tho|lo|gie** *w. 11 nur Ez.* Lehre von den Nervenkrankheiten; **neu|ro|pa|tho|lo|gisch; Neu|ro|pte|ren** *auch:* **Neu|rop|te|ren** *m. oder w. 11 Mz.* = Netzflügler; **Neu|ro|se** *w. 11* meist umweltbedingte psych. Störung, auch mit körperl. Symptomen; **Neu|ro|ti|ker** *m. 5;* **neu|ro|tisch; Neu|ro|to|mie** *w. 11* operative Durchtrennung von Nerven (bei Neuralgie); **neu|ro|trop** das Nervensystem beeinflussend

Neu|satz *m. 2* neugesetzter Schriftsatz; **Neu|schnee** *m. Gen.* -s *nur Ez.*

Neu|see|land Inselgruppe und Staat im Pazif. Ozean; **Neu|see|län|der** *m. 5;* **neu|see|län|disch**

Neu|se|kun|de *w. 11* (*Zeichen:* cc) 100. Teil einer Neuminute; **Neu|sil|ber** *s. 5 nur Ez.* Legierung aus Kupfer, Nickel und Zink, Alpaka; **neu|sil|bern; Neu|sprach|ler** *m. 5* Neuphilologe

Neus|tri|en *unter den Merowingern Bez. für* das westl. Frankenreich; **neus|trisch**

Neu|süd|wales [-wɛɪlz] Staat in Australien

Neu|tes|ta|ment|ler *m. 5* Kenner des NT; **neu|tes|ta|ment|lich** zum NT gehörend

► = wird zu

Neu|tö|ner *m. 5* Vertreter der Neuen Musik

> **Neutra-** Worttrennung): Neben der Trennung *Neu|tra* ist auch die Abtrennung zwischen *t* und *r* möglich. Auf diese Weise kommt der letzte Konsonant auf die neue Zeile: *Neut|ra-.*
> Entsprechend: *neu|tral/neut|ral, Neu|tra|li|sa|ti|on/Neut|ra|li|sa|ti|on* usw. →§107, §108

Neu|tra [österr. auch: neutra] *Mz. von* Neutrum; **neu|tral** [lat.] **1** unbeteiligt, ohne Stellungnahme, unparteiisch; **2** keinem Staatenbündnis angehörend; **3** *Chem.:* weder sauer noch basisch reagierend; **4** *Gramm.:* sächlich; **Neu|tra|li|sa|ti|on** *w. 10* das Neutralisieren; **neu|tra|li|sie|ren** *tr. 3* **1** unwirksam machen, auslöschen; **2** *Sport:* einen Wettkampf n.: die Wertung (bei gleichzeitiger Fortführung des Wettkampfes) zeitweilig unterbrechen; **3** ein Gebiet n.: Truppen daraus abziehen und Befestigungen abbauen; **Neu|tra|li|sie|rung** *w. 10;* **Neu|tra|lis|mus** *m. Gen. - nur Ez.* Grundsatz der Nichteinmischung (bes. in polit. Angelegenheiten); **Neu|tra|list** *m. 10;* **neu|tra|lis|tisch; Neu|tra|li|tät** *w. 10 nur Ez.* unbeteiligt sein, Nichteinmischung, neutrales Verhalten; **Neu|tra|li|täts|prin|zip** *s. Gen. -s nur Ez.;* **Neu|tren** *Mz. von* Neutrum; **Neu|tri|no** *s. 9* elektrisch neutrales, im Ruhestand masseloses Elementarteilchen; **Neu|tron** *s. 13 (Abk.:* n) elektrisch neutrales Elementarteilchen, Baustein des Atomkerns; **Neu|trum** *s. Gen. -s Mz. -tra oder* -tren sächl. Geschlecht, sächl. Substantiv

neu|ver|mählt ► **neu ver|mählt**; das neu vermählte Paar; sie hat sich kürzlich neu vermählt; **Neu|wahl** *w. 10;* **neu|welt|lich** zur Neuen Welt gehörend, aus ihr stammend; **Neu|wert** *m. 1 nur Ez.;* **Neu|wort** *s. 4* neugebildetes Wort; **Neu|zeit** *w. 10 nur Ez.* Zeitalter ab etwa 1500; **neu|zeit|lich**

Ne|va|da *(Abk.:* NV) Staat der USA

New Age *Nv.* ► **New|age** *Hv.* [nju:eidʒ, engl.] *s. Gen. - nur Ez.* neues Zeitalter, das von einer spirituellen, ganzheitlichen Weltsicht geprägt ist

> **Newcomer, Newlook:** Verbindungen von Substantiven, Adjektiven, Verbstämmen, Pronomen sowie Partikeln mit einem Substantiv (auch fremdsprachig) schreibt man zusammen: *Newcomer, Newlook.*
> →§37 (1)
> Bei der Verbindung eines fremdsprachigen Adjektivs mit einem Substantiv ist auch Getrenntschreibung möglich: *New Look.* →§37 E1

New|co|mer [njukʌmər, engl.] *m. 5* Neuling, Aufsteiger

New Hamp|shire [nju: hæmpʃə] *(Abk.:* NH) Staat der USA; **New Jer|sey** [nju: dʒəzı] *(Abk.:* NJ) Staat der USA

New Look *Nv.* ► **New|look** *Hv.* [nju:lųk, engl.] *m. Gen. -(s) Mz. -s* neuer Stil, neue Linie (bes. in der Mode)

New Me|xi|co [nju: -] *(Abk.:* NM) Staat der USA; **New-Orleans-Jazz** [nju: ɔrlinz dʒæs] *m. Gen. - nur Ez.* erste Stilform des Jazz

New|ton [njutən, nach dem engl. Physiker und Mathematiker Isaac N.] *s. Gen. - Mz. - (Abk.:* N) Maßeinheit der Kraft, *neuere Bez. für* Dyn

New York [nju: jɔrk] **1** *(Abk.:* NY) Staat der USA; **2** Stadt im Staat New York, **New Yor|ker** *m. 5*

Ne|xus [lat.] *m. Gen. - Mz. -* Zusammenhang, Verbindung

nF *Abk. für* Nanofarad

NF *Abk. für* Niederfrequenz

N. F. *Abk. für* Neue Folge

NH *Abk. für* New Hampshire

N. H. *Abk. für* Normalhöhenpunkt

nhd. neuhochdeutsch

Ni *chem. Zeichen für* Nickel

Ni|be|lun|gen *m. 10 Mz., dt. Myth.* **1** Zwergengeschlecht und Hüter eines Goldschatzes; **2** Geschlecht des Burgunderkönigs Gunther; **Ni|be|lun|gen|hort** *m. 1 nur Ez.;* **Ni|be|lun|gen|lied** *s. 3 nur Ez.* ein mhd. Heldenepos; **Ni|be|lun|gen|sa|ge** *w. 11*

Ni|cäa = Nizäa; **ni|cä|isch** = nizäisch

Ni|ca|ra|gua Staat in Mittelamerika; **Ni|ca|ra|gu|a|ner** *m. 5;* **ni|ca|ra|gu|a|nisch**

nicht; schön, nicht?; bitte nicht!; nur das nicht; ich nicht!; nicht doch!; heute nicht; noch nicht; nicht nur, sondern auch; nicht wahr?

Nicht|ach|tung *w. 10 nur Ez.;* **nicht|amt|lich** *Nv.* ► **nicht amt|lich** *Hv.*; eine nicht amtliche Mitteilung; die Mitteilung ist nicht amtlich; **Nicht|an|griffs|pakt** *m. 1;* **Nicht|be|ach|tung** *w. 10 nur Ez.;* **Nicht|be|fol|gung** *w. 10 nur Ez.;* **Nicht|christ** *m. 10;* **nicht|christ|lich** *Nv.* ► **nicht christ|lich** *Hv.;* **Nicht|deut|sche(r)** *m. 18 (17) bzw. w. 17 oder 18*

Nich|te *w. 11*

Nicht|ein|hal|tung *w. 10 nur Ez.;* **Nicht|ein|mi|schung** *w. 10 nur Ez.;* **Nicht|ei|sen|me|tall** *s. 1 (Abk.:* NE-Metall) Buntmetall; **Nicht|er|schei|nen** *s. Gen. -s nur Ez.;* **Nicht|fach|mann** *m. Gen. -(e)s Mz.* -leu|te; **Nicht|ge|fal|len** *s. Gen. -s nur Ez.;* **Nicht|ge|wünsch|te(s)** *s. 18 (17);* **Nicht-Ich** *s. Gen. -s Mz. -(s), Philos.:* alles, was außerhalb des eigenen Ichs existiert

nich|tig; etwas für null und n. erklären; **Nich|tig|keit** *w. 10;* **Nich|tig|keits|kla|ge** *w. 11*

Nicht|ka|tho|lik *m. 10;* **nicht|krieg|füh|rend** ► **nicht Krieg füh|rend;** die nicht Krieg führenden Mächte; **nicht|lei|tend** *Nv.* ► **nicht lei|tend** *Hv.;* **Nicht|lei|ter** *m. 5* Stoff, der Wärme und Elektrizität nicht weiterleitet; **Nicht|me|tall** *s. 1;* **Nicht|mit|glied** *s. 3;* **nicht|öf|fent|lich** *Nv.* ► **nicht öf|fent|lich** *Hv.;* eine nicht öffentliche Versammlung; die Versammlung ist nicht öffentlich; **Nicht|rau|cher** *m. 5;* **Nicht|rau|cher-**

> **nicht öffentlich / nichtöffentlich:** Die Verbindung aus Partikel/Adjektiv und einem weiteren Adjektiv oder Partizip ist oft nicht eindeutig interpretierbar. Daher bleibt es dem/der Schreibenden überlassen, ob die Verbindungen als Wortgruppe *(nicht öffentlich)* oder als Zusammensetzung *(nichtöffentlich)* verstanden werden. Getrennt- wie Zusammenschreibung sind korrekt. →§36 E2

ab|teil *s. 1;* **nicht|ro|stend** *Nv.* ► **nicht ro|stend** *Hv.;* **nichts;** mir nichts, dir nichts: ohne Umstände; gar nichts; sie streiten sich um nichts; nichts weniger als schön: gar nicht schön; nichts ahnend; nichts als *(ugs. auch:* wie) Ärger; **Nichts** *s. 1* **1** *nur Ez.* Fehlen von Materie, Leere; **2** Geringfügigkeit, Wertloses; sich um ein N. streiten; du bist ein N. gegen ihn; **3** *nur Ez.* finanzieller Zusammenbruch; vor dem N. stehen; **nichts|be|deu|tend** ► **nichts be|deu|tend; Nichts|chen** *s., nur in Wendungen wie:* ein goldenes N. in einem silbernen Büchschen: gar nichts (Antwort auf eine neugierige Frage); **Nicht|schwim|mer** *m. 5;* **nichts|des|to|min|der; nichts|des|to|trotz, nichts|des|to|we|ni|ger,** trotzdem; **Nicht|sein** *s. Gen.* -s *nur Ez.;* **Nichts|kön|ner** *m. 5;* **Nichts|nutz** *m. 1;* **nichts|nut|zig; Nichts|nut|zig|keit** *w. 10 nur Ez.;* **nichts|sa|gend** ► **nichts sa|gend; Nichts|tu|er** *m. 5;* **Nichts|tu|e|rei** *w. 10 nur Ez.;* **nichts|tu|e|risch; Nichts|tun** *s. Gen.* -s *nur Ez.;* **nichts|wür|dig; Nichts|wür|dig|keit** *w. 10 nur Ez.;* **Nicht|ü|ber|ein|stim|mung** *w. 10 nur Ez.;* **Nicht|wis|sen** *s. Gen.* -s *nur Ez.;* **nicht|zie|lend** *Nv.* ► **nicht zie|lend** *Hv.* = intransitiv; **Nicht|zu|tref|fen|de(s)** *s. 18 (17)*

Ni|ckel 1 *s. Gen.* -s *nur Ez. (Zeichen:* Ni) chem. Element; **2** *m. 5, früher:* Zehnpfennigstück; **3** *m. 5, kurz für* Nickelmann; **Ni|ckel|blü|te** *w. 11* ein Mineral, grüner Beschlag auf Nickelerzen; **Ni|ckel|mann** *m. 4* Wassergeist, Nöck

ni|cken *intr. 1;* **Ni|cker|chen** *s. 7, ugs.:* kurzer, leichter Schlaf; **Nick|haut** *w. 2, bei fast allen Wirbeltieren:* drittes Augenlid

Ni|col|sches Pris|ma ► **ni|col|sches Pris|ma** [nach dem engl. Physiker William Nicol] *s. Gen.* des Nicolschen Prismas *nur Ez.* spezielle Prismenanordnung zur Erzeugung u. Analyse polarisierten Lichts

Ni|co|tin *s. 1 nur Ez.* = Nikotin

nid *mit Dat., schweiz.:* unterhalb; nid dem Berg

Ni|da|ti|on [lat.] *w. 10* Einnistung einer befruchteten Eizelle in die Gebärmutterschleimhaut, Implantation

Nid|wal|den schweiz. Halbkanton

nie; nie mehr; nie und nimmer; nie wieder; jetzt oder nie

nie|der; der niedere Adel; die niedere Jagd: Jagd auf Niederwild; niedere Tiere; die Niedere Tatra; die Niederen Tauern; **nie|der|beu|gen** *tr. 1;* **nie|der|bren|nen** *tr. u. intr. 20;* **nie|der|brin|gen** *tr. 21, Bgb.:* einen Schacht, ein Bohrloch n.: herstellen; **nie|der|deutsch;** niederdeutsche Mundarten: die Mundarten, die von der zweiten oder hochdeutschen Lautverschiebung nicht betroffen wurden (Niederfränkisch und Niedersächsisch); **Nie|der|deutsch** *s. Gen.* -(s) *nur Ez.;* **Nie|der|druck** *m. 2;* **nie|der|drü|ckend; nie|der|fal|len** *intr. 33;* **nie|der|fre|quent; Nie|der|fre|quenz** *w. 10 (Abk.:* NF) Bereich der elektromagnet. Wellen zwischen 0 und 20 kHz; **Nie|der|gang** *m. 2 nur Ez.;* **nie|der|ge|drückt; Nie|der|ge|drückt|heit** *w. 10 nur Ez.;* **nie|der|ge|hen** *intr. 47;* **nie|der|ge|schla|gen; Nie|der|ge|schla|gen|heit** *w. 10 nur Ez.;* **nie|der|hal|ten** *tr. 61;* **nie|der|ho|len** *tr. 1* (Flagge); **Nie|der|holz** *s. Gen.* -es *nur Ez.* Unter-, Buschholz; **Nie|der|jagd** *w. Gen. - nur Ez.* Jagd auf Niederwild; **nie|der|kämp|fen** *tr. 1;* **nie|der|knien** *auch:* **nie|der|kni|en** *intr. 1;* **nie|der|knüp|peln** *tr. 1;* **nie|der|kom|men** *intr. 71* gebären, entbunden werden; sie kam mit einem Mädchen nieder; **Nie|der|kunft** *w. 2* Entbindung; **Nie|der|la|ge** *w. 11*

Nie|der|lan|de *nur Mz.* Staat in Europa, Holland; **Nie|der|län|der** *m. 5;* **nie|der|län|disch; Nie|der|län|disch,** Hol|län|disch *s. Gen.* -(s) *nur Ez.* zu den westgerman. Sprachen gehörende Sprache der Niederländer

nie|der|las|sen *refl. u. tr. 75;* **Nie|der|las|sung** *w. 10;* **Nie|der|las|sungs|recht** *s. 1;* **nie|der|le|gen** *tr. 1;* **Nie|der|le|gung** *w. 10;* **nie|der|ma|chen** *tr. 1;* **nie|der|met|zeln** *tr. 1* brutal und massenweise töten

Nie|der|ös|ter|reich österr. Bundesland

nie|der|rei|ßen *tr. 96;* **nie|der|rin|gen** *tr. 100;* **nie|der|schie|ßen** *tr. 113;* **Nie|der|schlag** *m. 2;* **nie|der|schla|gen** *tr. 116;* **nie|der|schlags|arm; Nie|der|schlags|men|ge** *w. 11;* **nie|der|schlags|reich; Nie|der|schla|gung** *w. 10;* **nie|der|schmet|tern** *tr. 1;* eine niederschmetternde Nachricht; **nie|der|schrei|ben** *tr. 127;* **nie|der|schrei|en** *tr. 128;* jmdn. n.: durch Schreien zum Schweigen bringen; **Nie|der|schrift** *w. 10;* **nie|der|set|zen** *tr. 1;* **nie|der|sin|ken** *intr. 141;* **Nie|der|span|nung** *w. 10* elektrische Spannung bis 250 Volt; *Ggs.:* Hochspannung

nie|der|ste|chen *tr. 149;* **nie|der|sto|ßen** *tr. 157;* **nie|der|stre|cken** *tr. 1;* **nie|der|tou|rig** [-tu:-] mit realtiv geringer Umdrehungszahl; *Ggs.:* hochtourig; **Nie|der|tracht** *w. 10 nur Ez.;* **nie|der|träch|tig; Nie|der|träch|tig|keit** *w. 10;* **nie|der|tre|ten** *tr. 163;* **Nie|de|rung** *w. 10;* **nie|der|wärts; nie|der|wer|fen** *tr. 181;* **Nie|der|wer|fung** *w. 10;* **Nie|der|wild** *s. Gen.* -(e)s *nur Ez.* kleines, weniger edles Wild, z. B. Reh, Hase, Fuchs, Dachs, Marder; *Ggs.:* Hochwild; **nie|der|zwin|gen** *tr. 188*

nied|lich

Nied|na|gel, Neid|na|gel *m. 6* kleines, vom Fingernagel losgelöstes Hornstückchen; *aber:* Nietnagel

> **niedrig, Hoch und Niedrig:** Das Adjektiv wird kleingeschrieben: *Die Decke ist niedrig.* Die substantivierte Form wird großgeschrieben: *die Hohen und die Niederen/Niedrigen; Hoch und Niedrig/Hoch und Nieder.* → § 57 (1)

nied|rig; n. denken; n. denkende Menschen; Hoch und Niedrig: alle; Hohe und Niedrige; **nied|rig|ste|hend** ► **nied|rig**

> **niedrig gesinnt/stehend:** Verbindungen, deren erster Bestandteil eine abgeleitete Form auf *-ig* (oder *-isch* bzw. *-lich*) ist *(nieder – niedrig),* schreibt man getrennt: *der niedrig gesinnte Parteifreund; die niedrig stehenden sozialen Gruppen.* → § 36 E1 (2)

ste|hend; Nie|drig|was|ser *s. 6*
ni|el|lie|ren [ital.] *tr. 3* mit Niello verzieren (Edelmetall); **Ni|el|lo** *s. Gen.* -s *Mz.* -s *oder* -li *oder* -len in Gold oder Silber eingeritzte, mit schwarzer Schmelzmasse ausgefüllte Zeichnung
nie|mals
nie|mand *Gen.* -es, *Dat.* -em *(auch: -), Akk.* -en *(auch: -);* n. anders; n. anderem, n. anderen; **Nie|mand** *m. 1 nur Ez.;* **Niemands|land** *s. Gen.* -(e)s *nur Ez.*
Nie|re *w. 11;* **Nie|ren|be|cken** *s. 7;* **nie|ren|krank; nie|ren|leidend; Nie|ren|stein** *m. 1*
nie|seln *intr. 1* fein regnen; es nieselt
Nie|sel|priem *m. 1, ugs.:* kleiner Angeber, Gernegroß
Nie|sel|re|gen *m. 7*
nie|sen *intr. 1;* **Nies|pul|ver** *s. 5;* **Nies|reiz** *m. 1*
Nieß|brauch *m. 2 nur Ez.* Nutzungsrecht, Nießnutz; **nießbrau|chen** *tr. 1, selten:* nutzen, nießnutzen; **Nieß|brau|cher** *m. 5;* **Nieß|nutz** *m. 1 nur Ez.* = Nießbrauch; **nieß|nut|zen** *tr. 1* = nießbrauchen; **Nieß|nut|zer** *m. 5*
Nies|wurz *w. 10* Hahnenfußgewächs, aus dessen Wurzeln Niespulver gewonnen wird
Niet *m. 1, ugs., aber nicht fachsprachl., auch:* Nie|te *w. 11* Metallbolzen mit Kopf, Nietnagel; **Niet|bol|zen** *m. 7*
Nie|te *w. 11* **1** Los ohne Gewinn; **2** Fehlschlag; **3** Mensch, der zu nichts zu gebrauchen ist; **4** = Niet
nie|ten *tr. 2* mit Nieten verbinden; **Niet|ham|mer** *m. 6;* **Nietho|se,** Nie|ten|ho|se *w. 11;* **Nietna|gel** *m. 6* = Niet; *aber:* Niednagel; **niet- und na|gel|fest; Nie|tung** *w. 10*
Ni|fe [-fe:, Kurzw. aus Nickel und Ferrum = Eisen] *s. Gen.* - *nur Ez.* der überwiegend aus Nickel und Eisen bestehende Erdkern
Nifl|heim [»Nebelheim«] *german. Myth.:* Reich der Kälte, Totenreich
ni|gel|na|gel|neu ganz neu
Ni|ger *m. Gen.* -(s) **1** Fluss in Afrika; **2** westafrik. Staat; **Nige|ria** westafrik. Staat; **Ni|geri|a|ner** *m. 5* Einwohner von Nigeria; **ni|ge|ri|a|nisch**
Nig|ger [engl.] *m. 5, abfällig:* Neger

Night|club [naitklʌb, engl.] *m. 9*
Ni|grer *auch:* **Nig|rer** *m. 5* Einwohner von Niger; **ni|grisch** *auch:* **nig|risch**
Ni|gro|sin *auch:* **Nig|ro|sin** [lat.] *s. 1* schwarzer Teerfarbstoff
Ni|hi|lis|mus [lat.] *m. Gen. - nur Ez.* Verneinung aller Werte, Auffassung, dass alles Sein sinnlos und nichtig sei; **Ni|hi|list** *m. 10;* **ni|hi|lis|tisch**
Ni|käa = Nizäa
Ni|ka|ra|gua *eindeutschende Schreibung von* Nicaragua
Ni|ke griech. Göttin des Sieges
Ni|ko|ba|ren *Mz.* ind. Inselgruppe im Ind. Ozean
Ni|ko|laus 1 Heiliger der Schiffer, Kaufleute, Bäcker, Schüler; **2** *m. 1, ugs. scherzh. auch: m. 2* als hl. Nikolaus verkleidete Person, die am Nikolaustag Kindern Geschenke bringt oder sie auch straft; **Ni|ko|laus|tag** *m. 1* der dem hl. Nikolaus geweihte Tag, 6. Dezember; **Ni|ko|lo** *m. 9, österr.:* der hl. Nikolaus; **Ni|ko|lo|a|bend** *m. 1*
Ni|ko|tin *fachsprachl.:* Nicotin [nach dem frz. Gesandten Jean Nicot, der den Tabak in Frankreich einführte] *s. 1 nur Ez.* giftiges Alkaloid im Tabak; **ni|kotin|arm; ni|ko|tin|frei; Ni|ko|tinis|mus** *m. Gen. - nur Ez.* Nikotinvergiftung
Nil *m. Gen.* -s Fluss in Afrika; **Ni|lo|te** *m. 11* Angehöriger einer Gruppe von Völkern am oberen Nil; **ni|lo|tisch; Nil|pferd** *s. 1*
Nim|bo|stra|tus [lat.] *m. Gen. - Mz. -* tief herabhängende Regenwolke; **Nim|bus** *m. Gen. - Mz.* -bus|se **1** Heiligenschein; **2** Ansehen, Ruhmesglanz (einer Person oder Sache)
nim|mer 1 niemals; nie und n.; nun und n.; **2** *südd.:* nicht mehr, nicht wieder; ich kann n.; **Nim|mer|leins|tag** *m. 1, nur in den Wendungen* am Sankt N.: niemals; etwas bis zum Sankt N. aufschieben; etwas aufschieben, um es nie zu tun; **nim|mermehr;** nun und n.; **Nim|mermehrs|tag** *m. 1* = Nimmerleinstag; **nim|mer|mü|de; Nimmer|satt** *m. 1;* **Nim|mer|wie|derse|hen** *s., nur in der Wendung:* auf N.; er verschwand auf N.
Nim|rod [nach N., dem sagenhaften Gründer von Babylon] *m. 9* großer Jäger

Nim|we|gen, *ndrl.:* Nijlme|gen Stadt in den Niederlanden
Ni|ni|ve [-fe:] Hst. von Assyrien; **Ni|ni|vit** [-vit] *m. 10* Einwohner von Ninive; **ni|ni|vi|tisch**
Ni|ob [griech.], Ni|o|bi|um *s. Gen.* -s *nur Ez. (Zeichen:* Nb) chem. Element; **Ni|o|be** [-be:] griech. Sagengestalt; **Ni|o|bi|de** *m. 11* Nachkomme der Niobe; **Ni|o|bi|um** *s. Gen.* -s *nur Ez.* = Niob
Nip|pel *m. 5* kurzes Rohrstück mit Gewinde
nip|pen *intr. 1;* von, an etwas n.: einen sehr kleinen Schluck von etwas trinken
Nip|pes [frz.] *nur Mz.* kleine Ziergegenstände aus Porzellan oder Glas, Nippsachen
Nipp|flut *w. 10* flache Flut
Nip|pon *jap. Name für* Japan
Nipp|sa|chen *w. 11 Mz.* = Nippes
nir|gend = nirgends; **nir|gendher; nir|gends; nir|gends|her; nir|gends|wo; nir|gend|wo**
Ni|ro|s|ta Ⓦ *Kurzw. aus* nichtrostender Stahl
Nir|wa|na, Nir|va|na [sanskr.] *s. Gen.* -(s) *nur Ez., Buddhismus, Dschainismus:* Erlöschen aller Lebenstriebe, selige Ruhe nach dem Tode (von den Heiligen schon im Diesseits erreicht); ins N. eingehen
Ni|sche *w. 11*
Ni|schel *m. 5, mitteldt.:* Kopf
Niß ▸ **Niss** *w. 1,* **Nis|se** *w. 11* **1** Ei der Laus; **2** verfilzte oder verknotete Fasern
Nis|sen|hüt|te [nach dem engl. Konstrukteur Peter Norman Nissen] *w. 11* halbrunde Wellblechbaracke
nis|sig 1 voller Nissen; **2** verfilzt
nis|ten *intr. 2;* **Nist|kas|ten** *m. 8;* **Nist|platz** *m. 2*
Ni|ton [lat.] *s. 1 nur Ez. (Zeichen:* Nt) *veraltet für* Radon

> **Nitrat** (Worttrennung): Neben der Trennung *Ni|trat* ist auch die Abtrennung zwischen *t* und *r* möglich. Auf diese Weise kommt der letzte Konsonant auf die neue Zeile: *Nit|rat.*
> Entsprechend: *Ni|trid/Nit|rid, Ni|tro|gen/Nit|ro|gen* usw.
> →§107, §108

Ni|trat [griech.] *s. 1* Salz der Salpetersäure; **Ni|trid** *s. 1* Verbindung von Stickstoff mit einem anderen Element (meist Metall); **ni|trie|ren,** ni|tri|fi|zie|ren *tr. 3* mit Nitriersäure behandeln; **Ni|trier|säu|re** *w. 11* Gemisch aus Salpetersäure, Schwefelsäure und Wasser; **Ni|tri|fi|ka|ti|on** *w. 10* Oxidation von Ammoniak durch Bodenbakterien; **ni|tri|fi|zie|ren** *tr. 3;* nitrifizierende Bakterien: Nitrate bildende B.; **Ni|trit** *s. 1* **1** Salz der salpetrigen Säure; **2** organ.-chem. Cyanverbindung; **Ni|tro|ge|la|ti|ne** [-ʒe-] *w. 11 nur Ez.* ein Sprengstoff; **Ni|tro|gen, Ni|tro|ge|ni|um** *s. Gen.* -s *nur Ez. (Zeichen:* N) chem. Element, Stickstoff; **Ni|tro|gly|ze|rin** *fachsprachl.:* Nitroglycerin *s. 1 nur Ez.* ein hochexplosiver Sprengstoff; **Ni|tro|grup|pe** *w. 11* die Atomgruppe -NO_2 (in organ. Verbindungen); **Ni|tro|phos|phat** *s. 1* ein Düngemittel; **ni|tros** mit Stickstoffoxiden gemischt; **Ni|tro|se** *w. 11* nitrose Säure, Zwischenglied bei der Schwefelsäureherstellung; **Ni|tro|zel|lu|lo|se** *w. 11 nur Ez.* Schießbaumwolle, ein Explosivstoff

Nit|schel *w. 11, Textilindustrie:* Vorrichtung zur Erzeugung von zylindr. Garnen aus Flor

ni|tsche|wo! *auch:* **nit|sche|wo!** [russ.: -vọ] macht nichts!

ni|val [-val, lat.] schneeig, Schnee...; **Ni|val|or|ga|nis|mus** *m. Gen. - Mz.* -men im Bereich des ewigen Schnees lebender Organismus

Ni|veau [-vo, frz.] *s. 9* **1** waagerechte Fläche; **2** Höhe, Höhenlage, Höhenstufe; **3** Rang, Stufe, (Bildungs-)Stand; kein N. haben: auf niedriger geistiger Höhe stehen, geistig anspruchslos sein; **ni|veau|frei** [-vo-] auf ungleichen Ebenen; niveaufreie Kreuzung; **Ni|veau|li|nie** [-vo-] *w. 11* Höhenlinie; **ni|veau|los** [-vo-]

Ni|vel|le|ment [-vɛl(ə)mã, frz.] *s. 9* das Nivellieren; **ni|vel|lie|ren** *tr. 3* **1** gleich machen, einebnen, auf gleiche Höhe bringen; **2** *Vermessungswesen:* die Höhenunterschiede (von etwas) messen; **Ni|vel|lier|lat|te** *w. 11;* **Ni|vel|lie|rung** *w. 10;* **Ni|vel|lier|waa|ge** *w. 11*

nix *ugs. für* nichts

Nix *m. 1, dt. Myth.:* Wassergeist, Nöck, Neck; **Nix|chen** *s. 7* kleine Nixe; **Ni|xe** *w. 11, dt. Myth.:* Wasserjungfrau; **ni|xen|haft**

Ni|zäa, Ni|cäa, antike Stadt in Phrygien; **ni|zä|isch,** ni|cä|isch; *aber:* Nizäisches Glaubensbekenntnis: das auf dem Konzil von Nizäa 325 beschlossene Glaubensbekenntnis von der Wesensgleichheit Gottes und Christi; **ni|zä|nisch** = nizäisch; **Ni|zä|num, Ni|zä|um** *s. Gen.* -s *nur Ez.* Nizäisches Glaubensbekenntnis

n. J. *Abk. für* nächsten Jahres

NJ *Abk. für* New Jersey

Nje|men *m. Gen.* -(s) *russ. Name für* Memel

nkr *Abk. für* norweg. Krone

NKWD *1934–1946: Abk. für* das sowjet. Volkskommissariat für innere Angelegenheiten; *auch Bez. für* die diesem unterstellte polit. Polizei

nm *Abk. für* Nanometer

n. M. *Abk. für* nächsten Monats

NM *Abk. für* New Mexico

NN, N. N. *Abk. für* Normalnull

N. N. [Abk. für lat. nomen nescio »den Namen weiß ich nicht«] *Abk. für* Name unbekannt

NNO *Abk. für* Nordnordost(en)

NNW *Abk. für* Nordnordwest(en)

No 1 *chem. Zeichen für* Nobelium; **2** *s. Gen.* -(s) *Mz.* -(s) = Nospiel

NO *Abk. für* Nordost(en)

No., N° *veraltet, Abk. für* Numero

No|a|chi|de [-xi-] *m. 11* Nachkomme Noahs; **No|ah,** No|ach *Gen. (wenn ohne Artikel gebraucht)* -s *oder* Noä, Gestalt des AT; die Arche Noah

no|bel [frz.] edel, vornehm, großzügig; nobler Charakter

No|be|li|um *s. Gen.* -s *nur Ez. (Zeichen:* No) chem. Element; **No|bel|preis** [nach dem schwed. Chemiker und Industriellen Alfred Nobel] *m. 1;* **No|bel|preis|trä|ger** *m. 5;* **No|bel|stif|tung** *w. 10 nur Ez.*

No|bi|li|tät [lat.] *w. 10 nur Ez.* **1** Adel; **2** Berühmtheit; **No|bi|li|ta|ti|on** *w. 10, früher;* Erhebung in den Adelsstand; **no|bi|li|tie|ren** *tr. 3 früher:* adeln; **No|bi|li|tie|rung** *w. 10;* **No|bles|se** *auch:* **Nob|les|se** [-blɛs(ə)] **1** *w. 11, veraltet:* Adel; **2** Vornehmheit, vornehmes Verhalten; Noblesse oblige [noblɛsɔbliʒ]: Adel verpflichtet (edel zu handeln)

noch; noch einmal, *ugs.:* nochmal; noch einmal so viel; noch nicht; noch und noch *ugs.:* sehr viel, immer wieder, ohne Ende; **noch|mal** [auch: -mal]; **noch|ma|lig; noch|mals**

Nock 1 *s. 1 oder w. 10* über das Segel hinausragendes Ende eines Rundholzes; **2** *m. 1, süddt., österr.:* Berg, Felskuppe

Nöck [schwed.], Neck *m. 10, dt. Myth.:* Wassergeist, Wassermann

No|cken *m. 7* Vorsprung auf einer Welle oder Scheibe zur Steuerung bei Ventilen; **No|cken|wel|le** *w. 11*

No|ckerl *s. 14, österr.:* Klößchen als Suppeneinlage, z. B. Grießnockerln; Salzburger Nockerln: überbackene Klößchen aus Eischnee und Zucker

Noc|turne [-tyrn, frz.] *s. 9 oder w. 9* = Notturno

no|dös [lat.] *Med.:* knotig, mit Knötchenbildung; **No|dus** *m. Gen. - Mz.* -di **1** *Med.:* Knoten, z. B. Gichtknoten; **2** *Bot.:* Ansatzstelle des Blattes

No|e|ma [griech.] *s. Gen.* -s *Mz.* -malta geistig Wahrgenommenes, Denkinhalt, Gedanke; **No|e|ma|tik** [no|e-] *w. 10 nur Ez.* Lehre von den Denkinhalten (eines Werkes); **No|e|sis** *w. Gen. - nur Ez.* Denkvorgang, Denken; **No|e|tik** *w. 10 nur Ez.* Denklehre, Erkenntnislehre; **no|e|tisch** auf der Noesis bzw. Noetik beruhend

No-Fu|ture-Ge|ne|ra|ti|on [-fju:tʃə -] *w. 10*

no i|ron [noʊ aɪən, engl.] bügelfrei (Hinweis in Textilien aus Kunstfasern); **No-i|ron-Blu|se** *w. 11*

NOK *Abk. für* Nationales Olympisches Komitee

Nokt|am|bu|lis|mus *auch:* **Nok|tam-** [lat.] *m. Gen. - nur Ez.* = Mondsüchtigkeit

Nok|turne [-tyrn] *s. 9 oder w. 9, eindeutschende Schreibung von* Nocturne (vgl. Notturno)

nöl|len *intr. 1, norddt.:* langsam sein, trödeln

no|lens vo|lens [lat. »nicht wollend wollend«] halb wider Willen, wohl oder übel

No|li|me|tan|ge|re [lat. »rühr mich nicht an«] *s. Gen. - Mz.* -

1 Springkraut; 2 Darstellung des auferstandenen Christus, wie er Maria Magdalena erscheint

No|ma|de [griech.] *m. 11* Angehöriger eines nicht sesshaften Volkes; **No|ma|den|le|ben** *s. 7 nur Ez.; auch übertr.:* ruheloses, unstetes Leben; **no|ma|disch 1** umherziehend, wandernd, nicht sesshaft; **2** *übertr.:* ruhelos, unstet; **no|ma|di|sie|ren** *intr. 3* wie, als Nomaden leben, wandern, umherziehen

No|men [lat.] *s. Gen.* -s *Mz.* -mina **1** Name; Nomen est omen »der Name ist (zugleich) Zeichen«: der Name hat zugleich eine Vorbedeutung, der Name sagt alles; Nomen proprium: Eigenname; **2** *Gramm.:* deklinierbares Wort; **no|men|kla|to|risch** in der Art einer Nomenklatur; **No|men|kla|tur** *w. 10* **1** Verzeichnis der Fachausdrücke eines Wissensgebietes; **2** *ehem. DDR:* Führungsschicht in Staat, Partei (SED) und Wirtschaft; **No|mi|na** *Mz. von* Nomen; **no|mi|nal 1** zu einem Nomen gehörend, als Nomen; **2** *Wirtsch.:* zum Nennwert; **No|mi|nal|be|trag** *m. 2* Nennbetrag; **No|mi|nal|ein|kom|men** *s. 7* Einkommen ohne Berücksichtigung der Kaufkraft; *Ggs.:* Realeinkommen; **No|mi|na|lis|mus** *m. Gen. - nur Ez.* **1** Lehre, dass die Begriffe nur Namen sind und nichts Wirkliches bedeuten; **2** Lehre, dass das Geld nur Symbolcharakter habe; **No|mi|na|list** *m. 10;* **no|mi|na|lis|tisch; No|mi|nal|ka|ta|log** *m. 1* = Verfasserkatalog; *Ggs.:* Realkatalog; **No|mi|nal|lohn** *m. 2* vgl. Nominaleinkommen; *Ggs.:* Reallohn; **No|mi|nal|stil** *m. 1 nur Ez.* Nomen (Substantive) bevorzugender Stil; **No|mi|nal|wert** *m. 1* = Nennwert; **No|mi|na|ti|on** *w. 10* Ernennung, Benennung; **No|mi|na|tiv** *m. 1* erster Fall der Deklination, Werfall; **no|mi|nell 1** zum Nomen gehörig; **2** (nur) dem Namen nach, nicht wirklich; **no|mi|nie|ren** *tr. 3* nennen, be-, ernennen; **No|mi|nie|rung** *w. 10*

No|mo|gra|fie *w. 11* = Nomographie; **no|mo|gra|fisch** = nomographisch

No|mo|gramm [griech.] *s. 1* Schaubild, Zeichnung zum zeichnerischen Rechnen; **No|mo|gra|phie** ► *auch:* **No|mo|gra|fie** *w. 11* Verfahren, mit Nomogrammen rechnerische Probleme zeichnerisch zu lösen; **no|mo|gra|phisch** ► *auch:* **no|mo|gra|fisch; No|mo|kra|tie** *w. 11* Herrschaft auf Grund von Gesetzen, im Unterschied zur Autokratie; **no|mo|kra|tisch; No|mos** *m. Gen. - Mz.* -moi **1** Gesetz, Ordnung; **2** *altgriech. Musik:* ein Melodietypus; **No|mo|the|sie** *w. 11, veraltet:* Gesetzgebung

Non [lat.] *w. 10* = None (**1, 2**); **No|na** *w. Gen. - Mz.* -nen = None (**3**); **No|na|gon** [lat. + griech.] *s. 1* Neuneck; **No|na|ri|ma** [ital.] *w. 11, Verslehre:* um eine Zeile erweiterte Stanze

Non|cha|lance [nɔ̃ʃalɑ̃s, frz.] *w. Gen. - nur Ez.* liebenswürdige Lässigkeit, Ungezwungenheit; **non|cha|lant** [nɔ̃ʃalɑ̃] liebenswürdig-lässig, ungezwungen; seine nonchalante [nɔ̃ʃalante] Art

Non|co|o|pe|ra|tion [nɔnkoʊɔpərɛɪʃn, engl.] *w. Gen. - nur Ez.* »Nicht-Zusammenarbeit«, Schlagwort Gandhis für den passiven Widerstand gegen die Engländer in Indien

No|ne [lat.] *w. 11* **1** neunter Ton der diaton. Tonleiter; **2** Intervall von neun Tonstufen; **3** Teil des kath. Stundengebets zur neunten Tagesstunde (3 Uhr nachm.); **4** *Mz., im altröm. Kalender:* der neunte Tag vor den Iden; **No|nen|ak|kord** *m. 1* Akkord aus Grundton, Terz, Quinte und None

Non-Es|sen|tials [nɔnɪsɛnʃəlz, engl.] *Mz., Wirtsch.:* nicht lebensnotwendige Güter

No|nett *s. 1* Komposition für neun Instrumente sowie die Ausführenden

non|fi|gu|ra|tiv [lat.] *Malerei:* ungegenständlich

Non|food [nɔnfu:d, engl.] *s. 9, Wirtsch.:* Waren, die nicht zu den Lebensmitteln gehören

No|ni|us [nach dem latinisierten Namen des port. Mathematikers P. Nuñez] *m. Gen. - Mz.* -ni|en *oder* -nus|se, *an Messgeräten:* verschiebbarer Hilfsmaßstab zum Ablesen von Zehntelgrößen

Non|kon|for|mis|mus [lat.] *m. Gen. - nur Ez.* Nichtübereinstimmung mit den herrschenden Ansichten, individualist. Einstellung; **Non|kon|for|mist** *m. 10* **1** = Dissenter; **2** jmd., der mit den herrschenden Ansichten nicht übereinstimmt; **non|kon|for|mis|tisch; Non|kon|for|mi|tät** *w. 10 nur Ez.* Nichtübereinstimmung

non li|cet [-tsɛt, lat.] es ist nicht erlaubt, es gehört sich nicht

non li|quet [lat. »es ist nicht klar«] *Rechtsw.:* der Sachverhalt ist nicht geklärt, die Sache ist nicht zu entscheiden

non mul|ta, sed mul|tum [lat.] nicht vielerlei, sondern viel; vgl. multum, non multa

Nönn|chen *s. 7;* **Non|ne** *w. 11* **1** Angehörige eines Frauenordens; **2** nach unten gewölbter Dachziegel, Nonnenziegel; **3** ein Schmetterling; **Non|nen|klos|ter** *s. 6*

Non|o|de *auch:* **No|no|de** [lat. + griech.] *w. 11* Elektronenröhre mit neun Elektroden, Neunpolröhre

non o|let [lat. »es (Geld) stinkt nicht«] man merkt dem Geld seine (unsaubere) Herkunft nicht an (angebl. Ausspruch Kaiser Vespasians, als man ihm die Besteuerung von Bedürfnisanstalten zum Vorwurf machte)

Non|pa|reille [nɔ̃parɛj, frz.] *w. Gen. - nur Ez.* ein Schriftgrad

Non|plus|ul|tra *auch:* **-ul|tra** [lat. »nicht darüber hinaus«] *s. Gen.* -(s) *nur Ez.* Unübertreffbares, das Höchste

non pos|su|mus [lat.] »wir können nicht« (Weigerungsformel der röm. Kurie gegenüber der weltl. Macht)

Non|pro|li|fe|ra|tion [nɔnproʊlɪfərɛɪʃn, engl.] *w. Gen. - nur Ez.* Nichtweitergabe (von Atomwaffen)

Non scho|lae, sed vi|tae dis|ci|mus [lat., nach Seneca] Nicht für die Schule, sondern für das Leben lernen wir

Non|sens [lat.] *m. Gen. - nur Ez.* Unsinn, törichtes Gerede; **Non|sens-Dich|tung** *w. 10*

Non|stop... [-stɔp, engl.] *in Zus.:* fortlaufend, ununterbrochen; nonstop fliegen; **Non|stop|flug** ► *auch:* **Non-Stop-Flug** [engl.] *m. 2* Flug ohne Zwischenlandung

non tan|to [ital.] *Mus.:* nicht so sehr; **non trop|po** *Mus.:* nicht zu viel

nonstop fliegen, Nonstopflug: Man schreibt Gefüge aus zusammengesetztem Adverb *(nonstop)* und Verb getrennt: *Er musste nonstop fliegen.* [→§34 E3 (2)]. In einem Wort geschrieben wird das zusammengesetzte Substantiv: *Nonstopflug.* [→§37 (1)]. Aber auch: *Non-Stop-Flug.* →§45 (2)

Non|va|leur [nõvalœr, frz.] *m. 9* **1** entwertetes oder wertlos scheinendes Wertpapier; **2** Investition, die keine Rendite abwirft; **3** unverkäufl. Ware
No|o|lo|gie [no:ɔ-, griech.] *w. 11 nur Ez.* (von R. Eucken begründete) Lehre, die sich mit dem selbständigen Eigenleben des Geistes befasst; **no|o|lo|gisch**
Nop|pe *w. 11* Knoten oder Zierschlinge in Garnen und Geweben; **Nop|pe|ei|sen** *s. 7* Gerät zum Entfernen von Noppen, Noppzange; **nop|pen** *tr. 1* **1** von Noppen befreien; **2** mit Noppen (zur Zierde) versehen; **Nop|pen|stoff** *m. 1;* **Nopp|zange** *w. 11* = Noppeisen
Nord 1 (*Abk.:* N) *in postal. und geograph. Angaben* = Norden; Stuttgart Nord; der Wind kommt aus, *oder:* von Nord **2** *m. 1, poet.:* Nordwind; es wehte ein eisiger Nord; **Nord|a|me|ri|ka; Nord|a|me|ri|ka|ner** *m. 5;* **nord|a|me|ri|ka|nisch; Nord|at|lan|tik|pakt** *m. 1 nur Ez. (Kurzw.:* NATO); **Nord|da|ko|ta** *(Abk.:* ND) Staat der USA; **nord|deutsch;** die Norddeutsche Tiefebene; der Norddeutsche Bund; Norddeutscher Rundfunk *(Abk.:* NDR); **norden** *tr. 2* nach Norden ausrichten; **Nor|den** *m. Gen.-s nur Ez.* **1** (*Abk.:* N) Himmelsrichtung; nach, von Norden; **2** die im Norden der Erde gelegenen Länder; **3** nördl. Teil, nördl. Gebiet; im N. der Stadt; **Nord|ir|land** der zu Großbritannien gehörende Teil von Irland; **nordisch** zum Norden (der Erde) gehörend, von dort stammend; die nordischen Länder; nordische Kombination *Skisport:* Verbindung von Lang- und Sprunglauf; **Nor|dist** *m. 10;* **Nor|dis|tik** *w. 10 nur Ez.* Wissenschaft von den nord. Sprachen und Literaturen; **nor|dis|tisch; Nord|kap** *s. 9 nur Ez.* nördlichster Punkt Europas; **Nord|ka|ro|li|na** *(Abk.:* NC) Staat der USA; **Nord|land** *s. 4;* **Nord|län|der** *m. 5;* **nord|län|disch; nörd|lich;** 10 Grad nördlicher Breite (*Abk.:* n. Br.): auf dem 10. Breitengrad nördlich des Äquators liegend; nördlich der Stadt; nördlich Berlins, nördlich von Berlin; die nördlichen Länder; das Nördliche Eismeer; **Nord|licht** *s. 3* nördl. Polarlicht; **Nord|nord|ost 1** (*Abk.:* NNO) *in geograph. Angaben* = Nordnordosten; **2** *m. 1* Nordnordostwind; **Nord|nord|os|ten** *m. Gen.-s nur Ez. (Abk.:* NNO) Himmelsrichtung zwischen Norden und Nordosten; **Nord|nord|west 1** (*Abk.:* NNW) *in geograph. Angaben* = Nordnordwesten; **2** *m. 1* Nordnordwestwind; **Nord|nord|wes|ten** *m. Gen.-s nur Ez.* (*Abk.:* NNW) Himmelsrichtung zwischen Norden und Nordwesten; **Nord|ost 1** (*Abk.:* NO) *in geograph. Angaben* = Nordosten; **2** *m. 1, poet.:* Nordostwind; **Nord|os|ten** *m. Gen.-s nur Ez.* **1** (*Abk.:* NO) Himmelsrichtung zwischen Norden und Osten; **2** nordöstlich gelegener Teil; im Nordosten der Stadt; **nord|öst|lich;** nordöstlich Berlins, *oder:* von Berlin; **Nord-Ost|see-Ka|nal** *m. 2 nur Ez.;* **Nord|ost|wind** *m. 1;* **Nord|pol** *m. 1 nur Ez.;* **Nord|po|lar|ge|biet** *s. 1;* **Nord|po|lar|län|der** *s. 4 Mz.*
Nord|rhein-West|fa|len Land der BR Dtld.; **nord|rhein-west|fä|lisch**
Nord|see *w. 11 nur Ez.;* **Nord|stern** *m. 1 nur Ez.* Polarstern; **Nor|dung** *w. 10 nur Ez.* Ausrichtung nach Norden; **nord|wärts; Nord|west 1** (*Abk.:* NW) *in postal. u. geograph. Angaben* = Nordwesten; **2** *m. 1, poet.:* Nordwestwind; **Nord|wes|ten** *m. Gen.-s nur Ez.* **1** (*Abk.:* NW) Himmelsrichtung zwischen Norden und Westen; **2** nordwestlich gelegener Teil; im N. der Stadt; **nord|west|lich; Nord|west|wind** *m. 1;* **Nord|wind** *m. 1*
Nor|ge *norweg. Name für* Norwegen
Nör|ge|lei *w. 10;* **nör|ge|lig,** nörg|lig; **nör|geln** *intr. 1;* an etwas n.; **Nörg|ler** *m. 5;* **nörg|lig,** nör|ge|lig
No|ri|cum *im Altertum:* Gebiet zwischen Rätien und Pannonien; **No|ri|ker** *m. 5* Angehöriger eines urspr. illyr., aber schon in vorröm. Zeit mit den Kelten vermischten Volksstammes; **no|risch**
Norm [lat.] *w. 10* **1** Richtschnur, Regel, Vorbild; **2** Größenvorschrift (z. B. DIN-Norm); **3** Leistungssoll; **4** *Buchw.:* auf der ersten Seite eines Druckbogens unten links stehende Ziffer mit Namen des Autors und abgekürztem Titel des Buches; **nor|mal 1** der Norm entsprechend, vorschriftsmäßig, regelrecht, üblich, landläufig, herkömmlich; **2** geistig gesund; **normal..., Nor|mal...** *in Zus.:* der Norm, der Regel entsprechend; **Nor|ma|le** *w. 11* **1** Richtmaß, Richtgröße; **2** *Math.:* Senkrechte auf der Tangente; **nor|ma|ler|wei|se** [auch: -ma-]; **Nor|mal|ge|wicht** *s. 1;* **Nor|mal|grö|ße** *w. 11;* **Nor|mal|hö|he** *w. 11;* **Nor|mal|hö|hen|punkt** *m. 1* (*Abk.:* N. H.) Höhe eines Punktes der Erdoberfläche über dem Meeresspiegel; **Nor|ma|li|en** *Mz.* Regeln, Vorschriften, Grundformen; **nor|ma|li|sie|ren** *tr. 3* der Norm angleichen, normal gestalten, auf ein normales Maß zurückführen; **Nor|ma|li|sie|rung** *w. 10 nur Ez.;* **Nor|ma|li|tät** *w. 10 nur Ez.* normale Beschaffenheit; **Nor|mal|lö|sung** *w. 10, Chem.:* Lösung, die in 1 Liter Flüssigkeit 1 Mol des betreffenden Stoffes enthält; **Nor|mal|maß** *s. 1;* **Nor|mal|null** (*Abk.:* NN *oder* N. N.) *bei Höhenmessungen:* die vom mittleren Meeresniveau abgeleitete Ausgangsfläche, für Dtschl. die Höhe des mittleren Wasserstandes des Amsterdamer Pegels; **Nor|mal|pro|fil** *s. 1* **1** genormter Querschnitt (von Baustoffen, z. B. Walzeisen); **2** genormte lichte Höhe und Weite (von Brücken, Durchfahrten u. a.); **3** genormter Ladequerschnitt (z. B. von Eisenbahnwagen); **nor|mal|sich|tig** weder weit- noch kurzsichtig; **Nor|mal|sich|tig|keit** *w. 10 nur Ez.;* **Nor|mal|spur** *w. 10* Spurweite der Eisenbahnschienen von 1,435 m, im Unterschied zur Breit- und

Schmalspur; **nor|ma̲l|spu|rig; Nor|ma̲l|ton** *m. 2 nur Ez.* = Kammerton; **Nor|ma̲l|uhr** *w. 10* **1** *in Sternwarten:* astronom. Hauptuhr; **2** *bei elektr. Uhranlagen:* Mutteruhr, von der aus die übrigen Uhren betrieben werden; **3** öffentl. Uhr auf Straßen und Plätzen; **Nor|ma̲l|ver|brau|cher** *m. 5* **1** Person mit durchschnittlichem Verbrauch an Lebensmitteln und anderem täglichen Bedarf; **2** *ugs. scherzh.:* Durchschnittsmensch; **Nor|ma̲l|zeit** *w. 10* für ein größeres Gebiet festgelegte Zeit, Zonenzeit; *Ggs.:* Ortszeit; **Nor|ma̲l|zu|stand** *m. 2*

Nor|man|di̲e *w. Gen. -* Landschaft in Nordwestfrankreich; **Nor|mạn|ne** *m. 11* Angehöriger eines nordgerman., nach England, ins Frankenreich und nach Unteritalien vorgedrungenen Volkes, Wikinger; **nor|mạn|nisch**

nor|ma|ti̲v [lat.] als Norm, Richtschnur dienend, maßgebend; **Nor|ma|ti̲|ve** *w. 11* grundlegende Bestimmung; **Nọrm|blatt** *s. 4;* **nọr|men** *tr. 1* nach einer Norm oder als Norm festlegen, einheitlich festlegen; genormte Ersatzteile; **Nọr|men|aus|schuß** ► **Nọr|men|aus|schuss** *m. 2;* Deutscher N. (*Abk.:* DNA): Ausschuss, der in Dtschl. unter dem Zeichen DIN bestimmte Normen festlegt; **Nọr|men|kol|li|si|on** *w. 10* Aufeinanderprallen unterschiedlicher Normen; **Nọr|men|kon|trol|le** *auch:* **-kont|rol|le** *w. 11* gerichtl. Überprüfung der Vereinbarkeit von Rechtsnormen, bes. mit dem Grundgesetz; **nor|mie̲|ren** *tr. 3* normen; **Nor|mie̲|rung,** Nọr|mung *w. 10* Festlegung von Maßen; **Nor|mo|blạst** [lat. + griech.] *m. 10 meist Mz.* kernhaltige Vorstufe eines roten Blutkörperchens; **Nor|mo|zy̲t** *m. 10 meist Mz.* normales rotes Blutkörperchen; **Nọr|mung** *w. 10* = Normierung; **nọrm|wid|rig; Nọrm|wid|rig|keit** *w. 10 nur Ez.;* **Nọrm|wis|sen|schaft** *w. 10* Wissenschaft, die verbindliche Verhaltensnormen aufstellt, z. B. Ethik, Rechtswissenschaft

Nọr|ne *w. 11, german. Myth.:* jede der drei Schicksalsgöttinnen

Nọr|we|gen Staat in Europa; **Nọr|we|ger** *m. 5;* **nọr|we|gisch; Nọr|we|gisch** *s. Gen.* -(s) *nur Ez.* zu den nordgerm. Sprachen gehörende Sprache der Norweger

No|so|gra|phi̲e *Nv.* ► **No|so|gra|fi̲e** *Hv.* [griech.] *w. 11* = Nosologie; **no|so|gra̲|phisch** *Nv.* ► **no|so|gra̲|fisch** *Hv.;* **No|so|lo|gi̲e** *w. 11* Lehre von den Krankheiten, systematische Beschreibung der Krankheiten, Nosografie; **no|so|lo̲|gisch**

No̲-Spiel *s. 1* altjapan. Singspiel mit histor. oder myth. Stoffen

Nost|al|gi̲e *auch:* **Nos|tal|gi̲e** [griech.] *w. 11 nur Ez.* Heimweh, Sehnsucht nach der (als besser erscheinenden) Vergangenheit; **nost|ạl|gisch** *auch:* **nos|tạl|gisch; Nos|tri|fi|ka|ti|o̲n** *auch:* **Nost|ri-** [lat.] *w. 10* **1** Einbürgerung; **2** Anerkennung eines ausländ. Diploms; **nos|tri|fi|zie̲|ren** *auch:* **nost|ri-** *tr. 3* **1** einbürgern; **2** staatlich anerkennen; **Nọs|tro|kon|to** *auch:* **Nọst|ro-** *s. Gen.* -s *Mz.* -ten Konto eines Geldinstitutes bei einem anderen

No̲t *w. 2;* Not sein, Not tun; Eile ist, tut Not; hier tut schnellste Hilfe Not; damit hat es keine Not; hier ist Not am Mann; seine liebe Not mit jmdm. haben; Not leiden; in Not sein; in Nöten sein; in tausend, in höchsten Nöten schweben; zur Not geht auch das

No̲|ta [lat.] *w. 9* **1** Aufzeichnung, Anmerkung; vgl. ad notam; **2** kleine Rechnung

No|ta̲|beln [frz.] *Mz., in Frankreich vom 14. Jh. bis 1789:* die gebildete, führende Oberschicht, Mitglieder der königl. Ratsversammlungen; **no|ta|be̲|ne** [lat.] (*Abk.:* NB) **1** wohlgemerkt; **2** übrigens, was ich noch sagen wollte; **No|ta|be̲|ne** *s. 9 oder Gen. - Mz. -* Merkzeichen, Merkzettel; **No|ta|bi|li|tät** *w. 10 nur Ez., veraltet:* Berühmtheit, Ansehen

No̲t|an|ker *m. 5*

No|ta̲r [lat.] *m. 1* staatlich bestellter Jurist, der Rechtsgeschäfte beurkundet, Unterschriften beglaubigt usw.; **No|ta|ri|a̲t** *s. 1* Amt, Büro eines Notars; **no|ta|ri|ẹll** von einem Notar (ausgeführt); notarielle Beglaubigung; notariell beglaubigt; **no|ta̲|risch** *selten für* notariell

No̲t|arzt *m. 2* Bereitschaftsarzt

No|ta|ti|o̲n [lat.] *w. 10* **1** Aufzeichnung eines Musikstücks in Notenschrift; **2** Aufzeichnung einer Schachpartie

No̲t|auf|nah|me *w. 11, früher:* Genehmigung zur Aufnahme in die BR Dtld. für Deutsche aus der DDR; dringende Aufnahme in ein Krankenhaus; **No̲t|auf|nah|me|ver|fah|ren** *s. 7;* **No̲t|aus|gang** *m. 2;* **No̲t|be|helf** *m. 1;* **No̲t|be|leuch|tung** *w. 10;* **No̲t|brem|se** *w. 11;* **No̲t|durft** *w. Gen. - nur Ez.* Entleerung von Darm und Harnblase; seine N. verrichten; des Leibes N. *veraltet:* das zum Leben Notwendige; **no̲t|dürf|tig** knapp ausreichend

No̲|te [lat.] *w. 11* **1** Beurteilung, Zensur; gute, schlechte Noten; **2** Bemerkung, Anmerkung, *meist:* Fußnote; **3** musikal. Schriftzeichen; **4** Mitteilung (einer Regierung an eine andere); diplomatische N.; **5** Banknote, Geldschein; **6** *übertr.:* Prägung, Besonderheit; eine besondere, seine persönliche N. haben; **Note|book** [no̲utbuk, engl. »Notizbuch«] *s. 9* Personalcomputer, der kleiner als ein Laptop ist; **No̲|ten|aus|tausch** *m. 1* = Notenwechsel; **No̲|ten|bank** *w. 10;* **No̲|ten|blatt** *s. 4;* **No̲|ten|buch** *s. 4;* **No̲|ten|heft** *s. 1;* **No̲|ten|li|nie** *w. 11;* **No̲|ten|pa|pier** *s. 1 nur Ez.;* **No̲|ten|pult** *s. 1;* **No̲|ten|schlüs|sel** *m. 5;* **No̲|ten|schrift** *w. 10;* **No̲|ten|stän|der** *m. 5;* **No̲|ten|wech|sel** *m. 5* Wechsel von diplomat. Noten, Notenaustausch

No̲t|er|be *m. 11, veraltet:* Erbe, der Anspruch auf das Pflichtteil hat; **No̲t|fall** *m. 2;* für den N.; im N.; **no̲t|falls; No̲t|feu|er** *s. 5;* **no̲t|ge|drun|gen; No̲t|geld** *s. 3;* **No̲t|ge|mein|schaft** *w. 10;* **No̲t|gro|schen** *m. 7;* **No̲t|hel|fer** *m. 5;* die vierzehn N.: 14 kath. Heilige, die man in bestimmten Notfällen um Beistand anruft; **No̲t|hil|fe** *w. 11 nur Ez.*

no|tie̲|ren [lat.] *tr. 3* **1** aufschreiben, vormerken; **2** den Kurswert n.: festsetzen und veröffentlichen; **3** *Mus.:* in Notenschrift niederschreiben; **No|tie̲|rung** *w. 10* **1** Aufzeichnung, Vormerkung; **2** Festsetzung (von Kursen); **3** *Mus.* = Notation

nötig, das Nötigste: Das Adjektiv schreibt man klein *(Es ist nötig, dass ...)*, ebenso die Superlativform mit *am*, die mit *Wie?* erfragt wird *(Es ist am nötigsten, dass ...)*. →§ 58 (2)
Mit großem Anfangsbuchstaben wird die substantivierte Form geschrieben: *Es fehlte ihnen am Nötigsten; das Nötigste.* →§ 57 (1)

nö|tig; etwas n. haben; etwas für n. halten; nur das Nötigste mitnehmen; es fehlt am Nötigsten; *aber:* es, das ist am nötigsten; **nö|ti|gen** *tr. 1;* **nö|ti|gen|falls; Nö|ti|gung** *w. 10*
No|ti|on [lat.] *w. 10* Begriff, Gedanke
No|tiz [lat.] *w. 10;* von jmdm. oder etwas keine N. nehmen; sich Notizen machen; **No|tiz|block** *m. 9;* **No|tiz|buch** *s. 4*
Not|jahr *s. 1;* **Not|la|ge** *w. 11;* **not|lan|den** *intr. 2, nur im Infinitiv und Perfekt üblich;* ich muss, musste n.; ich bin notgelandet; **Not|lan|dung** *w. 10;* **not|lei|dend** ▶ **Not lei|dend; Not|lei|ne** *w. 11;* **Not|lü|ge** *w. 11;* **Not|na|gel** *m. 6* Ersatz, Behelf

Not leiden, der Not Leidende/Notleidende: Die Verbindung aus Substantiv und Verb/Partizip wird getrennt geschrieben: *Not leiden/leidend, Not lindern. Sie litten Not. Wir haben Not gelindert.* [→§ 34 E3 (5)]. Großschreibung gilt auch für *Not sein/tun/werden: Es tut Not(,) Abhilfe zu schaffen.* [→§ 34 E3 (5), § 55 (4)]. Ebenso für feste Gefüge, deren Substantive nicht mit anderen Bestandteilen des Gefüges zusammengeschrieben werden: *zur Not, in Nöten sein.* [→§ 55 (4)]. Aber: *vonnöten sein.* →§ 35

no|to|risch [lat.] *leicht abwertend:* allbekannt; gewohnheitsmäßig; ein notorischer Lügner
No|tre-Dame *auch:* **Not|re-** [nɔtrədąm] *w. Gen. - nur Ez.* **1** *frz. Bez. für* die Jungfrau Maria; **2** Name frz. Kirchen
not|reif vorzeitig reif (Getreide); **Not|rei|fe** *w. 11 nur Ez.;* **Not|ruf** *m. 1;* **not|schlach|ten** *tr. 2, nur im Infinitiv und Partizip II üblich;* wir müssen, mussten die Kuh n., haben sie notgeschlachtet; **Not|schlach|tung** *w. 10;* **Not|schrei** *m. 1;* **Not|sitz** *m. 1;* **Not|stand** *m. 2;* **Not|stands|ge|biet** *s. 1;* **Not|stands|ge|setz** *s. 1;* **Not|tau|fe** *w. 11;* **not|tau|fen** *tr. 1, nur im Infinitiv und Partizip II üblich;* ich muss, werde das Kind n., habe es notgetauft
Not|tur|no [ital.] *s. Gen.* -s *Mz.* -s *oder* -ni schwermütiges Musikstück, *eigtl.:* Nachtstück
Not|ver|band *m. 2;* **Not|ver|ord|nung** *w. 10;* **not|was|sern** *intr. 1, nur im Infinitiv und Partizip II üblich;* wir müssen n., sind notgewassert; **Not|was|se|rung** *w. 10;* **Not|wehr** *w. 10 nur Ez.;* **not|wen|dig;** sich auf das Notwendigste beschränken; es fehlt am Notwendigsten; **not|wen|di|gen|falls; not|wen|di|ger|wei|se; Not|wen|dig|keit** [auch: -vęn-] *w. 10;* **Not|woh|nung** *w. 10;* **Not|zei|chen** *s. 7;* **Not|zeit** *w. 10;* etwas für Notzeiten aufheben; in Notzeiten; **Not|zucht** *w. Gen. - nur Ez.* Vergewaltigung; **not|züch|ti|gen** *tr. 1*
Nou|gat *Nv.* [nu-, frz.] ▶ **Nu|gat** *Hv. s. 9 oder m. 9*
Nou|veau Ro|man [nuvo rɔmã, frz.] *m. Gen. - - nur Ez.* in Frankreich entwickelte Richtung des modernen Romans; **Nou|veau|té** [nuvote] *w. 9* Neuheit, Neuigkeit
No|va [lat.] **1** *w. Gen. - Mz.* -vä neuer Stern; *auch:* Fixstern, dessen Helligkeit plötzlich zunimmt; **2** [auch: nọ-] *Mz. von* Novum; **No|va|ti|on** *w. 10* **1** Erneuerung; **2** Umwandlung einer Schuld
No|vel|le [-vęl-, lat.-ital.] *w. 11* **1** Nachtrag zu einem Gesetz; **2** in sich geschlossene Prosaerzählung; **No|vel|len|dich|ter** *m. 5;* **No|vel|let|te** *w. 11* kleine Novelle; **no|vel|lie|ren** *tr. 3* ergänzen oder neu formulieren (Gesetz); **No|vel|list** *m. 10* Novellendichter; **No|vel|lis|tik** *w. 10 nur Ez.* Novellendichtung; **no|vel|lis|tisch**
No|vem|ber [lat.] *m. Gen.* -(s) *nur Ez.* (*Abk.:* Nov.)
No|ve|ne [-ve-, lat.] *w. 11, kath. Kirche:* neuntägige Andacht; **No|vi|al** *s. Gen.* -s *nur Ez.* eine Welthilfssprache; **No|vi|tät** *w. 10* Neuheit, Neuigkeit, Neuerscheinung; **No|vi|ze** [-vi-] *m. 11* junger Mönch während der Probezeit; **No|vi|zi|at** *s. 1* Probezeit (im Kloster); **No|vi|zin** *w. 10* Nonne in der Probezeit
No|vo|ca|in [Kunstw. aus lat. novum »neu« und Kokain] *s. 1 nur Ez.* Ⓦⓩ ein Mittel zur örtl. Betäubung; **No|vum** [auch: no-] *s. Gen.* -s *Mz.* -va Neuheit, Neuerung, neue Tatsache, neuer Gesichtspunkt
No|wa|ja Sem|lja *auch:* **- Seml|ja** russ. Inselgruppe im Nordpolarmeer
No|xe [lat.] *w. 11* krankheitserregende Ursache, Schädlichkeit; **No|xin** *s. 1* aus abgestorbenem Körpereiweiß stammender Giftstoff
Np *chem. Zeichen für* Neptunium
NPD *Abk. für* Nationaldemokratische Partei Deutschlands
Nr. *Abk. für* Nummer
NRT *Abk. für* Nettoregistertonne
ns *Abk. für* Nanosekunde
NS *Abk. für* Nachschrift
NSDAP *Abk. für* Nationalsozialistische Deutsche Arbeiterpartei
NSG *Abk. für* Naturschutzgebiet
Nt *chem. Zeichen für* Niton
Nu *nur in den Wendungen* im Nu, in einem Nu: blitzschnell
Nu|an|ce [nyãsə, österr.: nyãs, frz.] *w. 11* feine Tönung, feine Abstufung, winzige Kleinigkeit, Spur; eine N. heller, dunkler, lauter, leiser; **nu|an|cen|reich** [nyãsən-]; **nu|an|cie|ren** [nyãsi-] *tr. 3* fein abstufen, kaum merklich verändern; **Nu|an|cie|rung** *w. 10*
'nü|ber *süddt. kurz für* hinüber
Nu|bi|en Landschaft in Nordostafrika; **Nu|bi|er** *m. 5;* **nu|bisch;** *aber:* Nubische Wüste
Nu|buk [engl.] *s. Gen.* -s *nur Ez.* wildlederähnliches Rinds- oder Kalbsleder
nüch|tern; Nüch|tern|heit *w. 10 nur Ez.*
Nu|cke, Nü|cke *w. 11, nddt.:* Laune, Grille; seine Nücken haben; Nücken und Tücken
nu|ckeln *intr. 1* saugen, lutschen; an etwas n.
Nu|ckel|pin|ne *w. 11, ugs.:* kleines, langsames (altes) Motorfahrzeug

▶ = wird zu

nu|ckisch, nü|ckisch *nddt.:* launisch, eigensinnig
Nu|del *w. 11;* **nu|del|dick; Nu|del|holz** *s. 4;* **nu|deln** *tr. 1* **1** *früher:* (zur Mast) mit Nudeln füttern (Gans, Ente); **2** *übertr.:* überfüttern; wie genudelt sein: sehr satt sein
Nu|dis|mus [lat.] *m. Gen. - nur Ez.* Freikörper-, Nacktkultur; **Nu|dist** *m. 10;* **nu|dis|tisch; Nu|di|tät** *w. 10* **1** *nur Ez.* Nacktheit, Schlüpfrigkeit; **2** Darstellung von nackten Körpern
Nu|gat, Nou|gat [nu-, frz.] *s. 9 oder m. 9* Süßware aus Kakao, Zucker, fein zerriebenen Mandeln oder Nüssen
Nug|get [nʌgɪt, engl.] *s. 9* natürl. Goldklümpchen
nu|kle|ar *auch:* **nuk|le|ar** [lat.] zum Atomkern gehörend, von ihm ausgehend; nukleare Waffen: Kernwaffen; **Nu|kle|ar|me|di|zin** *auch:* **Nuk|le|ar-** *w. 10 nur Ez.* Teilgebiet der Strahlenmedizin; **Nu|kle|in** *auch:* **Nuk|le|in** *s. 1,* **Nu|kle|in|säu|re** *auch:* **Nuk|le|in-** *w. 11* hochmolekulare organ. Verbindung (Träger der Erbinformation); **Nu|kle|o|id** *auch:* **Nuk|le|o|id** *s. 1, bei Bakterien:* dem Zellkern äquivalente Struktur; **Nu|kle|on** *auch:* **Nuk|le|on** *s. Gen.* -s *Mz.* -kle|o|nen Baustein eines Atomkerns, Proton bzw. Neutron; **Nu|kle|o|pro|te|id** *auch:* **Nuk|le|o-** *s. 1* Verbindung von Nukleinsäuren mit Eiweiß; **Nu|kle|o|tid** *auch:* **Nuk|le|o|tid** *s. 1* eine organ. Basenverbindung, Baustein der Nukleinsäuren; **Nu|kle|us** *auch:* **Nuk|le|us** *m. Gen. - Mz.* -klei [-klei] **1** Zellkern; **2** Gallertkern, Zentrum der Zwischenwirbelscheibe; **3** Nervenkern, Verdichtung im Zentralnervensystem
null [lat.] kein, nichts; null Fehler; null Grad; das Thermometer steht auf null; drei Grad unter null, über null; null Uhr zwei; das Spiel steht eins zu null; das geht in null komma nichts *ugs. scherzh.:* sehr schnell; **Null** *w. 10* **1** die Zahl 0; **2** *übertr.:* bedeutungsloser Mensch; **3** *Skat, kurz für* Nullspiel; **null-acht-fünf|zehn** *ugs.:* nach allzu bekanntem Schema; **Nul|la|ge** ▶ **Null|la|ge; Nul|lei|ter** ▶ **Null|lei|ter; nul|len 1** *tr. 1* mit dem Nullleiter verbinden

> **null, die Null:** Das Zahlwort (Kardinalzahl) schreibt man klein: *auf null stehen, gleich null sein, eins zu null, durch null teilen, null Komma sechs, in null Komma nichts, die Temperatur sank unter null.* → § 58 (6).
> Lediglich das substantivierte Zahlwort wird mit großem Anfangsbuchstaben geschrieben: *die* (Ziffer) *Null;* auch: *Das wird mit drei Nullen geschrieben.* → § 57 (4)

(elektr. Maschine); **2** *refl. 1, ugs. scherzh.:* ein Lebensjahr mit der Zahl 0 erreichen; er hat sich zum dritten Mal genullt: er ist 30 Jahre alt geworden; **Nul|li|fi|ka|ti|on** *w. 10* Ungültigkeitserklärung, Aufhebung, Nichtigmachung; **nul|li|fi|zie|ren** *tr. 3;* **Nul|li|nie** ▶ **Null|li|nie; Null|in|stru|ment** *auch:* **-ins|tru-** *s. 1* sehr empfindl. Messinstrument, das bei der Nullmethode verwendet wird; **Nul|li|pa|ra** *w. Gen. - Mz.* -pa|ren Frau, die noch nie geboren hat; vgl. Multipara, Primipara; **Nul|li|tät** *w. 10* **1** Nichtigkeit; **2** Ungültigkeit; **3** bedeutungslose Sache oder Person; **Null|la|ge** *w. 11, bei Messgeräten:* Nullstellung (des Zeigers); **Null|lei|ter** *m. 5, in elektr. Stromkreisen mit mehreren Leitern:* der spannungslose, geerdete, mittlere Leiter; **Null|li|nie** *w. 11, auf Skalen:* Anfangsstrich; **Null|me|ri|di|an** *m. 1* Meridian von Greenwich; **Null|me|tho|de** *w. 11* Messmethode, bei der die Wirkung der zu messenden Größe durch die einer bekannten Größe kompensiert wird; sie wird überprüft mit dem Nullinstrument, das keinen Ausschlag zeigen darf; **Null|o|pe|ra|ti|on** *w. 10* Eingabe einer Information in einen Computer; **Null|ou|vert** [-uvɛr] *m. 9, Skat:* Nullspiel, bei dem der Spieler seine Karten nach dem ersten Stich offen hinlegen muss; **Null|punkt** *m. 1;* **Null|se|rie** *w. 11* Versuchsserie vor der Serienproduktion; **Null|spiel** *s. 1, Skat:* Spiel, bei dem der Spieler keinen Stich machen darf, um zu gewinnen; **Null|stel|lung** *w. 10;* **Null|ta|rif** *m. 1* Tarif von 0 Pfennig (bei öffentl. Verkehrsmitteln)

Nul|pe *w. 11, ugs.:* Dummkopf, unbedeutender Mensch
Nu|me|ra|le [lat.] *s. Gen.* -s *Mz.* -lia *oder* -li|en Zahlwort, z. B. eins, zehn, zweiter, dreifach; **Nu|me|ri** *Mz. von* Numerus; **nu|me|rie|ren** ▶ **num|me|rie|ren;**

> **nummerieren:** Analog dem Stammprinzip *(Nummer)* wird das *-m-* bei *nummerieren* verdoppelt (bisher: numerieren). → § 2

Nu|me|rie|rung ▶ **Num|me|rie|rung; nu|me|risch** der Zahl nach, hinsichtlich der Zahl; **Nu|me|ro** (*Abk.:* No., N°) *nur mit nachfolgender Zahlenangabe, veraltet:* Nummer; Numero vier; **Nu|me|rus** *m. Gen. - Mz.* -ri **1** Zahl; **2** Zahlform, *Sammelbez. für* Singular und Plural; **Nu|me|rus clau|sus** *m. Gen. - - nur Ez.* begrenzte Zahl (für die Zulassung zu einem Studium, einem Beruf)
Nu|mi|der, Nu|mi|di|er *m. 5* Einwohner von Numidien; **Nu|mi|di|en** *im Altertum:* Reich in Nordwestafrika; **Nu|mi|di|er** *m. 5* = Numider; **nu|mi|disch**
Nu|mis|ma|tik [lat.] *w. 10 nur Ez.* Lehre von den Münzen, Münzkunde; **Nu|mis|ma|ti|ker** *m. 5* Kenner, Sammler von Münzen; **nu|mis|ma|tisch**
Num|mer [lat.] *w. 11* (*Abk.:* Nr.) **1** Zahl, Kennzahl; auf N. Sicher gehen *ugs. scherzh.;* bei jmdm. eine N. haben *ugs.:* bei jmdm. etwas gelten; laufende N. (*Abk.:* lfd. Nr.) → laufend; **2** einzelnes Exemplar (einer Zeitschrift); **3** einzelne Darbietung (im Kabarett, Varietee, Zirkus); **4** *ugs. scherzh.:* Person, z. B. komische, ulkige N.; **num|me|rie|ren** *tr. 3* mit Nummern versehen, beziffern; **Num|me|rie|rung** *w. 10;* **num|mern** *tr. 1, selten für* nummerieren; **Num|mern|kon|to** *s. 9;* **Num|mern|schei|be** *w. 11* (z. B. am Telefon); **Num|mern|schild** *s. 3;* **Num|mern|stem|pel** *m. 5;* **Num|me|rung** *w. 10, selten für* Nummerierung
Num|mu|lit [lat.] *m. 10* versteinerter Wurzelfüßer aus dem Teritär
nun 1 *Adv.:* jetzt; also; nun, nun! (Ausdruck zur Beschwichtigung); nun, wie geht's?; nun gut; nun ja; nun und nimmer; von nun an; **2** *Konj., veraltet,*

noch poet.: weil, da; nun du gekommen bist, so…; **nun|mehr; nun|meh|rig**

'nun|ter *süddt. kurz für* hinunter

Nun|ti|a|tur [-tsja-, lat.] *w. 10* Amt und Büro eines Nuntius; **Nun|ti|us** [-tsjus] *m. Gen. - Mz.* -ti|en [-tsjən] päpstl. Botschafter bei einer weltl. Regierung

nup|ti|al [-tsjal, lat.] *veraltet:* ehelich, Ehe…, hochzeitlich, Hochzeits…

nur; nur ich; nur Schönes; nur das nicht; nicht nur, sondern auch; **nur|mehr** *ugs.:* nur noch

Nurse [nəs, engl.] *w. 9, engl. Bez. für* Kindermädchen

nu|scheln *intr. 1, ugs.:* undeutlich reden; ich nuschele, nuschle

Nuß ► **Nuss** *w. 2;* **Nuß|baum** ► **Nuss|baum** *m. 2;* **nuß|braun** ► **nuss|braun; Nüß|chen** ► **Nüss|chen** *s. 7;* **Nuß|kern** ► **Nuss|kern** *m. 1;* **Nuß|knacker** ► **Nuss|kna|cker** *m. 5;* **Nuß|schal|le** ► **Nuss|schal|le** *w. 11*

Nüs|ter *w. 11 meist Mz.* Nasenloch (bes. vom Pferd)

Nut *w. 10* längl. Vertiefung (in die ein Stift, Keil, Zapfen o. Ä. eingesetzt wird)

Nu|ta|ti|on [lat.] *w. 10* **1** Schwankung (z. B. der Erdachse gegen den Himmelspol); **2** Krümmungsbewegung (von Pflanzen infolge ungleichen Wachstums)

Nu|te *w. 11, ugs. für* Nut; **nu|ten** *tr. 2* mit einer Nut versehen

Nu|tria *auch:* **Nut|ria** [lat.-span.] *w. 9* Biberratte, Sumpfbiber

nu|tri|e|ren *auch:* **nut|rie|ren** [lat.] *tr. 3 veraltet:* ernähren; **Nu|tri|ment** *auch:* **Nut|ri-** *s. 1, Med.:* Nahrungsmittel; **Nu|tri|ti|on** *auch:* **Nut|ri-** *w. 10 nur Ez.* Ernährung; **nu|tri|tiv** *auch:* **nut|ri|tiv** nahrhaft

Nut|sche *w. 11* Filtriervorrichtung; **nut|schen** *tr. 1* **1** *Chem.:* mit der Nutsche filtrieren; **2** *ugs.:* lutschen

Nut|te *w. 11* Dirne, Prostituierte; **nut|ten|haft**

nutz nütze; das ist zu nichts nutz, nütze; **Nutz** *m. Gen.* -es *nur Ez., veraltet:* Nutzen; *nur noch in der Wendung:* zu Nutz und Frommen des, der…; zu Nutze, zunutze machen; **Nutz|an|wen|dung** *w. 10;* **nutz|bar; nutz|brin|gend** Nutzen bringend; **nüt|ze** nützlich, brauchbar; wozu ist das n.?; das ist zu nichts n.; das kann er sich zunutze machen; **Nutz|ef|fekt** *m. 1;* **nut|zen, nüt|zen 1** *tr. 1 (meist:* nutzen) ausnutzen, Ertrag erzielen aus; Boden nutzen; **2** *tr. 1 (meist:* nützen) gebrauchen, Vorteil haben von; die Gelegenheit, die Zeit nützen; **3** *intr. 1* Vorteil bringen; das nutzt, nützt (mir) nichts; das hat mir viel, wenig genützt; **Nut|zen** *m. 7 nur Ez.;* von Nutzen (sein); **Nutz|fisch** *m. 1;* **Nutz|flä|che** *w. 11;* **Nutz|gar|ten** *m. 8;* **Nutz|holz** *s. 4;* **Nutz|ki|lo|me|ter** *s. 5* von einem Nutzfahrzeug mit Ladung zurückgelegte Strecke von 1 km; *Ggs.:* Leerkilometer; **Nutz|last** *w. 10* **1** Last, die ein Bauwerk außer dem Eigengewicht tragen kann; **2** Last, die ein Transportfahrzeug aufnehmen kann; **3** beförderte Last; **Nutz|leis|tung** *w. 10;* **nütz|lich; Nütz|lich|keits|prin|zip** *s. Gen.* -s *nur Ez.;* **Nütz|ling** *m. 1* dem Menschen nützliches Lebewesen (Pflanze oder Tier); *Ggs.:* Schädling; **nutz|los; Nutz|lo|sig|keit** *w. 10 nur Ez.;* **nutz|nie|ßen** *intr., nur im Präsens üblich:* Nutzen haben; ich nutznieße davon, kann davon (mit) nutznießen; **Nutz|nie|ßer** *m. 5* jmd., der von etwas den Nutzen hat; **nutz|nie|ße|risch; Nutz|nie|ßung** *w. 10 nur Ez.* Recht zur Nutzung; **Nutz|pflan|ze** *w. 11;* **Nutz|tier** *s. 1;* **Nut|zung** *w. 10 nur Ez.;* **nut|zungs|fä|hig; Nut|zungs|recht** *s. 1;* **Nutz|was|ser** *s. 5;* **Nutz|wild** *s. Gen.* -(e)s *nur Ez.*

> **zu Nutze/zunutze machen:** Substantive, die Bestandteile fester Gefüge sind und nicht mit anderen Bestandteilen dieses Gefüges zusammengeschrieben werden, schreibt man groß: *Er machte sich das zu Nutze.* Zusammenschreibung ist aber möglich: *(sich) zunutze machen.* →§ 55 (4), § 39 E3 (1)
> Großschreibung: *der Nutz/Nutzen, zu Nutz und Frommen, von Nutzen sein.* →§ 55 (4)
> Kleinschreibung mit *sein: (zu nichts) nutz/nütze sein, unnütz sein.* →§ 35

n. u. Z. *Abk. für* nach unserer Zeitrechnung

NV *Abk. für* Nevada

NW *Abk. für* Nordwest(en)

Ny *s. Gen.* -(s) *Mz.* -s *(Zeichen:* ν, N) griech. Buchstabe

NY *Abk. für* New York **(1)**

Nyk|ti|nas|tie [griech.], **Nyk|ti|tro|pie** *w. 11,* **Nyk|ti|tro|pis|mus** *m. Gen. - Mz.* -men Schlafbewegung der Pflanzen, z. B. Senken, Zusammenlegen der (Blüten-)Blätter; **Nykt|u|rie** *auch:* **Nyk|tu|rie** *w. 11* verstärkter nächtl. Harndrang

Ny|lon [naɪ-] *s. Gen.* -s *nur Ez.* eine Kunstfaser; **Ny|lon|hemd** *s. 12*

Nym|pha [griech.] *w. Gen. - Mz.* -phä *oder* -phen kleine Schamlippe; **Nym|phäa, Nym|phäe** *w. Gen. - Mz.* -phä|len Seerose, Wasserrose; **Nym|phä|um** *s. Gen.* -s *Mz.* -phä|len **1** *urspr.:* Heiligtum einer Nymphe, einer Nymphe geweihter Brunnen; **2** *dann:* mit Figuren, Säulen, Nischen verzierte Brunnenanlage; **Nym|phe** *w. 11* **1** *griech. Myth.:* weibl. Naturgottheit, z. B. Quell-, Baumnymphe; **2** Entwicklungsstadium mancher Insekten zwischen Larve und Puppe; **nym|phen|haft; nym|pho|man** an Nymphomanie leidend, mannstoll; **Nym|pho|ma|nie** *w. 11 nur Ez.* krankhaft gesteigerter Geschlechtstrieb (bei Frauen), Mannstollheit; **Nym|pho|ma|nin** *w. 10* an Nymphomanie leidende Frau; **nym|pho|ma|nisch** = nymphoman

Ny|norsk *s. Gen. - nur Ez., neuere Bezeichnung für* Landsmål

Nys|tag|mus [griech.] *m. Gen. - nur Ez.* Zittern der Augäpfel

O

o; o ja!, o nein!; o je!; o weh!; o Mutter!; vgl. oh

O 1 das A und O vgl. A; **2** *chem. Zeichen für* Sauerstoff (Oxygenium); **3** *Abk. für* Ost(en)

Ω *Zeichen für* Ohm (**3**)

Ö, Oe *Abk. für* Oersted

O' *vor irischen Namen Abk. für* Sohn des, z. B. O'Connor

o. ä. ▸ **o. Ä.** *Abk. für* oder Ähnliche(s)

OAS 1 *Abk. für* Organisation de l'Armée Secrète (frz. Geheimorganisation zur Bekämpfung der Algerienpolitik de Gaulles); **2** *Abk. für* Organization of American States

O|a|se [ägypt.] *w. 11, in Trockenzonen:* Gebiet reichen Pflanzenwuchses an Quelle oder Wasserlauf; eine Oase des Friedens, der Stille *übertr.*

OAU *w. nur Ez., Abk. für* Organization of African Unity: Organisation für Afrikanische Einheit

o. B. *Med.: Abk. für* ohne Befund

ob 1 *Konj.;* ich fragte ihn, ob er dort gewesen sei; ob er wohl noch kommt?; so tun, als ob; und ob!; **2** *Präp. mit Dat., veraltet, noch schweiz.:* oberhalb; ob dem Wasserfall; Rothenburg ob der Tauber; **3** *Präp. mit Gen.:* wegen, er war ob dieses Zufalls sehr überrascht

OB *ugs. Abk. für* Oberbürgermeister

o. B., oB *Abk. für* ohne Befund

Ob|acht *auch:* **O|bacht** *w. Gen. - nur Ez.;* O. geben; auf jmdn. oder etwas O. geben

Ob|dach *s. Gen.* -(e)s *nur Ez.* Unterkunft; jmdm. O. gewähren; **ob|dach|los; Ob|dach|lo|sen|für|sor|ge** *w. 11 nur Ez.;* **Ob|dach|lo|sig|keit** *w. 10 nur Ez.*

Ob|duk|ti|on [lat.] *w. 10, Med.:* (gerichtlich angeordnete) Leichenöffnung; **ob|du|zie|ren** *tr. 3*

Ob|e|di|enz *auch:* **O|be|di|enz** [lat.] *w. 10 nur Ez.* **1** Gehorsam der Kleriker gegenüber ihren Vorgesetzten; **2** *früher bei Papst- und Bischofswahlen:* Anhängerschaft des Kandidaten

> **O-beinig/o-beinig:** Man setzt einen Bindestrich in Zusammensetzungen mit Einzelbuchstaben, Abkürzungen oder Ziffern: *O-beinig, o-beinig* (Groß- und Kleinschreibung des Einzelbuchstabens ist möglich). Ebenso: *O-förmig/o-förmig.* →§ 40 (1)

O-Bei|ne *s. 1 Mz.;* **O-bei|nig**

O|be|lisk [griech.] *m. 10* frei stehender, vierkantiger, sich nach oben verjüngender Pfeiler mit pyramidenförmiger Spitze

o|ben; bis, dort, nach, von oben; nach oben hin, *oder:* zu; von oben her; oben herum; oben und unten; das oben Gesagte; oben liegen, stehen; **o|ben|an; o|ben|auf; o|ben|aus; o|ben|drauf; o|ben|drein; o|ben|ge|nannt** ▸ **o|ben ge|nannt;** das oben Genannte, *auch:* das Obengenannte; die oben genannte Stadt; **o|ben|hin** flüchtig, oberflächlich; *aber:* nach oben hin; **oben|ste|hend**

> **oben erwähnt/stehen/stehend, das Obenstehende/das oben Stehende:** Die Verbindung aus Adverb und Verb/Partizip wird getrennt geschrieben: *Wie oben erwähnt, ...; der oben stehende Abschnitt.*
> Die substantivierte Form (substantivisch gebrauchte Zusammensetzung, bei der der letzte Teil kein Substantiv ist) wird zusammengeschrieben: *das Obenerwähnte, das Obenstehende, im Obenstehenden.* →§ 37 (2)
> Getrenntschreibung ist möglich: *das oben Erwähnte, im oben Genannten, das oben Stehende, im oben Stehenden, oben Stehendes.*

▸ **o|ben ste|hend;** das oben Stehende, *auch:* das Obenstehende

o|ber *österr. ugs. für* über; er wohnt ober uns

O|ber *m. 5* **1** deutsche Spielkarte; **2** *kurz für* Oberkellner, Kellner; Herr Ober!

O|ber|bau *m. Gen.* -(e)s *Mz.* -bau|ten

> **Ober-** (Worttrennung): Die Abtrennung einer Silbe, die nur aus einem Vokal besteht, ist möglich, wird jedoch aus ästhetischen Gründen nicht empfohlen. →§ 107

O|ber|bauch *m. 2*

O|ber|be|fehl *m. 1;* **O|ber|be|fehls|ha|ber** *m. 5*

O|ber|be|griff *m. 1*

O|ber|be|klei|dung *w. 10;* **O|ber|berg|amt** *s. 4, Bgb.:* Aufsicht führende Behörde

O|ber|bür|ger|meis|ter *m. 5 (ugs. Abk.:* OB)

O|ber|deck *s. 1*

o|ber|deutsch; oberdeutsche Mundarten: Bayrisch-Österreichisch, Alemannisch, Fränkisch; vgl. niederdeutsch

o|be|re (-r, -s); O|be|re(r) *m. 18 (17)* Vorgesetzter

O|ber|flä|che *w. 11;* **O|ber|flä|chen|span|nung** *w. 10;* **o|ber|fläch|lich; O|ber|fläch|lich|keit** *w. 10 nur Ez.*

o|ber|gä|rig; O|ber|gä|rung *w. 10* Gärung mit obenauf schwimmender Hefe

o|ber|halb *mit Gen.;* o. des Hauses

O|ber|hand *w. Gen. - nur Ez.* Überlegenheit; *nur in den Wendungen:* die O. haben, behalten

O|ber|haupt *s. 4*

O|ber|haus *s. 4, bes. in Großbritannien:* erste Kammer (des Parlaments)

O|ber|ho|heit *w. 10 nur Ez.*

O|be|rin *w. 10* Leiterin, Vorsteherin (der Schwesternschaft eines Mutterhauses u. a.)

o|ber|ir|disch über dem Erdboden; *Ggs.:* unterirdisch

O|ber|land *s. 4 nur Ez.;* **O|ber|län|der** *m. 5;* **o|ber|län|disch**

o|ber|las|tig zu hoch beladen, mit zu hoch liegendem Schwerpunkt

O|ber|lauf *m. 2* (eines Flusses)

O|ber|lei|tung *w. 10;* **O|ber|lei|tungs|om|ni|bus** *m. 1 (Kurzw.:* Obus)

O|ber|licht *s. 3;* **O|ber|lich|te** *w. 11, österr.:* oberer Fensterflügel, Fenster über der Tür

O|ber|li|ga *w. Gen. - Mz.* -li|gen, *Sport:* eine Spielklasse

O|ber|pri|ma [auch: o-] *w. Gen. - Mz.* -men 9. Klasse des Gymnasiums; **O|ber|pri|ma|ner** *m. 5*
O|bers *s. Gen. - nur Ez., österr.:* süßer Rahm, Schlagobers
O|ber|schicht *w. 10*
o|ber|schläch|tig durch Wasser von oben her betrieben (Mühlrad)
O|ber|se|kun|da [auch: o-] *w. Gen. - Mz.* -den, die 7. Klasse des Gymnasiums
O|berst *m. 10 oder m. 12*
o|bers|te (-r, -s); *aber:* der, die, das Oberste
O|berst|leut|nant *m. 1*
O|ber|stüb|chen *s. 7, nur in Wendungen wie* bei dir stimmt's wohl nicht im O.?: du bist wohl verrückt?
O|ber|ter|tia [-tsja, auch: o-] *w. Gen. - Mz.* -ti|en [-tsjən] die 5. Klasse des Gymnasiums
O|ber|vol|ta *früher für* Burkina Faso, Staat in Westafrika
O|ber|was|ser *s. 5* oberhalb eines Wehres gestautes Wasser; *Ggs.:* Unterwasser; wieder O. haben, O. bekommen *übertr.:* im Vorteil sein, überlegen sein
ob|gleich
Ob|hut *w. Gen. - nur Ez.*

> **im Obigen:** Im Gegensatz zur bisherigen Schreibweise werden substantivierte Adjektive – auch in einer festen Verbindung – großgeschrieben: *Im Obigen haben wir mitgeteilt, dass …* → § 57 (1)
> Anmerkung: Formen wie *im Obigen* usw. sind charakteristisch für ein holpriges Beamtendeutsch. Sie sollten daher nur im Ausnahmefall gebraucht werden.

o|big oben genannt; der, die Obige (*Abk.* d. O.; unter Nachschriften in Briefen)
Ob|jekt [lat.] *s. 1* **1** Sache, Gegenstand (der Verhandlung, Betrachtung, des Wahrnehmens); *Ggs.:* Subjekt (**1**); **2** *Gramm.:* Satzteil, der das durch das Verb ausgedrückte Geschehen ergänzt, Satzergänzung, z. B. Dativobjekt; **Ob|jekt|e|ro|tik** *w. 10 nur Ez.* sexuelle Befriedigung an einem Objekt; **Ob|jekt|glas** *s. 4;* **Ob|jek|ti|on** *w. 10* Übertragung von Empfindungen auf einen Gegenstand; **ob|jek|tiv** **1** gegenständlich, tatsächlich, sachlich; **2** unparteiisch, vorurteilslos; *Ggs.:* subjektiv; **Ob|jek|tiv** *s. 1, bei opt. Geräten:* dem Beobachtungsgegenstand zugewendete Linse; *Ggs.:* Okular; **Ob|jek|ti|va|ti|on** *w. 10* Vergegenständlichung; **ob|jek|ti|vie|ren** [-vi-] *tr. 3* zum Objekt machen, vergegenständlichen; **Ob|jek|ti|vie|rung** *w. 10;* **Ob|jek|ti|vis|mus** *m. Gen. - nur Ez.* Lehre, dass es vom Subjekt unabhängige Wahrheit und Werte gibt; *Ggs.:* Subjektivismus; **Ob|jek|ti|vist** *m. 10;* **ob|jek|ti|vis|tisch;** **Ob|jek|ti|vi|tät** *w. 10 nur Ez.* Sachlichkeit, Vorurteilslosigkeit; *Ggs.:* Subjektivität; **Ob|jekt|satz** *m. 2* Nebensatz, der ein Objekt vertritt; **Ob|jekt|trä|ger** *m. 5* Glasplättchen für das unter dem Mikroskop zu untersuchende Objekt
Ob|last [russ.] *w. 1, in der ehem. UdSSR:* Verwaltungsbezirk
Ob|la|te [lat.] *w. 11* **1** noch nicht geweihte Hostie; **2** dünnes, aus Weizenmehl gebackenes Scheibchen (als Unterlage für Kleingebäck); **3** eine Art Waffel; **4** *m. 11, MA:* für das Kloster bestimmtes und dort erzogenes Kind; **Ob|la|ti|on** *w. 10* **1** = Offertorium; **2** freiwillige Gabe (der Gemeinde an die Kirche)
ob|lie|gen *intr. 80 veraltend;* einer Aufgabe o.: eine Aufgabe ausführen, sich mit ihr beschäftigen; es liegt mir ob, *oder:* es obliegt mir, das Kind zu beaufsichtigen; es hat mir obgelegen; **Ob|lie|gen|heit** *w. 10* Aufgabe, Pflicht, Amt
ob|li|gat [lat.] **1** erforderlich, unentbehrlich; **2** *Mus.:* als Begleitstimme selbständig geführt; **Ob|li|ga|ti|on** *w. 10* **1** Verbindlichkeit, Verpflichtung; **2** Schuldverschreibung, festverzinsliches Wertpapier; **Ob|li|ga|ti|o|när** *m. 1, schweiz.:* Inhaber von Obligationen (**2**); **ob|li|ga|to|risch** vorgeschrieben, verbindlich; *Ggs.:* fakultativ; **Ob|li|ga|to|ri|um** *s. Gen.* -s *Mz.* -ri|en, *schweiz.:* verbindliche Geltung; Verpflichtung; Pflichtfach; **Ob|li|go** [ital.] *s. 9* Verpflichtung, Haftung, Gewähr; ohne Obligo (*Abk.:* o. O.): unverbindlich, ohne Gewähr
Ob|li|te|ra|ti|on [lat.] *w. 10* **1** Tilgung, Löschung; **2** *Med.:* Ausfüllung von Hohlräumen durch krankhaft dort einwachsendes Gewebe; **ob|li|te|rie|ren** *tr. 3* **1** tilgen, löschen; **2** verstopfen, ausfüllen
Ob|mann *m. 4* Vertrauensmann (von Parteien, Vereinen); **Ob|män|nin** *w. 10*
O|boe [mlat.-frz.] *w. 11* ein Holzblasinstrument; **O|bo|ist** *m. 10* Oboenspieler
O|bo|lus [griech.] *m. Gen. - Mz. - oder* -lus|se **1** kleine altgriech. Münze; **2** kleiner Beitrag, Scherflein; seinen O. entrichten; **3** versteinerter Armfüßer des Kambriums
Ob|rig|keit *auch:* **O|brig-** *w. 10;* **ob|rig|keit|lich**
Ob|rist *auch:* **O|brist** *m. 10, veraltet für* Oberst
ob|schon obgleich
Ob|se|qui|en [lat.] *Mz.* = Exequien
Ob|ser|vant [-vant, lat.] *m. 10* der strengeren Richtung eines Mönchsordens angehörender Mönch, z. B. bei den Franziskanern; **Ob|ser|vanz** *w. 10* **1** die strengere von zwei Richtungen eines Mönchsordens; **2** Gewohnheitsrecht; **Ob|ser|va|ti|on** *w. 10* wissenschaftliche Beobachtung; **Ob|ser|va|tor** *m. 13* wissenschaftl. Beobachter (Beamter) an einer Sternwarte; **Ob|ser|va|to|ri|um** *s. Gen.* -s *Mz.* -ri|en astronomische, meteorologische oder geophysikalische Beobachtungsstation, Stern-, Wetterwarte
Ob|si|di|an [lat.] *m. 1* kieselsäurereiches, glasiges, vulkanisches Gestein, Lavaglas
ob|sie|gen *intr. 1, veraltet;* jmdm., einer Sache o.: jmdn. oder etwas besiegen; ich siege ihm ob, obsiege ihm, habe ihm obgesiegt
ob|skur *auch:* **obs|kur** [lat.] dunkel, unklar, verdächtig; **Ob|sku|rant** *auch:* **Obs|ku|rant** *m. 10, veraltet:* Dunkelmann, Feind der Aufklärung; **Ob|sku|ran|tis|mus** *auch:* **Obs|ku|ran|tis|mus** *m. Gen. - nur Ez.* Feindseligkeit gegenüber Aufklärung und Fortschritt; **Ob|sku|ri|tät** *auch:* **Obs|ku|ri|tät** *w. 10 nur Ez.* Dunkelheit, Unklarheit
ob|so|let [lat.] ungebräuchlich, veraltet
Ob|sor|ge *w. 11 nur Ez.* Pflege, Sorge, sorgende Aufsicht (bes. amtlich)
Obst *s. Gen.* -(e)s *nur Ez.*

Obst|baum *m. 21* **obs|ten** *intr. 2* Obst ernten; **Obst|ern|te** *w. 11* **Ob|ste|trik** *auch:* **Obs|tet|rik** [lat.] *w. 10 nur Ez.* (Lehre von der) Geburtshilfe
ob|sti|nat *auch:* **obs|ti-** [lat.] halsstarrig, eigensinnig, widerspenstig; **Ob|sti|na|ti|on** *auch:* **Obs|ti-** *w. 10* Eigensinn, Widerspenstigkeit
Ob|sti|pa|ti|on *auch:* **Obs|ti-** [lat.] *w. 10, Med.:* Verstopfung; **ob|sti|pie|ren** *auch:* **obs|ti-** *intr. 3* stopfen, Verstopfung bewirken
Obst|ler *m. 5* Obstschnaps; **obst|reich; Obst|reich|tum** *m. Gen. -s nur Ez.*
ob|stru|ie|ren *auch:* **obs|tru-, obst|ru-** [lat.] *tr. 3* hindern, hemmen; **Ob|struk|ti|on** *auch:* **Obs|truk-, Obst|ruk-** *w. 10* Verzögerung, Verschleppung (von Parlamentsbeschlüssen); **ob-struk|tiv** *auch:* **obs|truk-, obst|ruk-** hindernd, hemmend
ob|szön *auch:* **obs|zön** [lat.] schamlos, unanständig; **Obszö|ni|tät** *auch:* **Obs|zö-** *w. 10* **1** *nur Ez.* Schamlosigkeit, Unanständigkeit; **2** obszöne Bemerkung oder Darstellung
Ob|tu|ra|ti|on [lat.] *w. 10* Verstopfung (von Hohlräumen, Hohlorganen); **Ob|tu|ra|tor** *m. 13* Verschlussplatte zum Schließen abnormer Körperöffnungen, bes. von Gaumenlücken; **ob|tu|rie|ren** *tr. 3*
O|bus *m. 1, Kurzw. für* Oberleitungsomnibus
ob|wal|ten *intr. 2* vorhanden sein, gegeben sein; *nur noch in der Wendung:* unter den obwaltenden Umständen
ob|wohl; ob|zwar
Oc|ca|mis|mus *m. Gen. - nur Ez.* = Ockhamismus
Oc|ci|den|tal [ɔktsi-] *s. Gen. -s nur Ez.* eine Welthilfssprache, Interlingue
Och|lo|kra|tie [griech.] *w. 11* Pöbelherrschaft, entartete Demokratie; **och|lo|kra|tisch**
Ochs *m. 10, mundartl. für* Ochse; **Öchs|chen** *s. 7;* **Och|se** *m. 11;* **och|sen** *intr. 1, ugs.:* angestrengt lernen; **Och|sen|au-ge** *s. 14* **1** ein Schmetterling; **2** ein Korbblütler; **3** kreisrundes Fenster; **4** Spiegelei; **Och|sen-fie|sel** *m. 5* = Ochsenziemer; **Och|sen|frosch** *m. 2* ein nordamerik. Froschlurch; **Och|sen-schlepp** *m. 1, österr.:* Ochsenschwanz; **Och|sen|zie|mer** *m. 5* das getrocknete Glied des Ochsen als Prügelstock, Ochsenfiesel; **Och|se|rei** *w. 10 nur Ez.*
Öchs|le|grad [nach dem Physiker Ferdinand Öchsle] *m. Gen.* -(e)s *Mz.* - Maßeinheit für das spezifische Gewicht des Mostes
Öchs|lein *s. 7*
Ocker *m. 5 oder s. 5* **1** eisenoxidreiche Tonerde, zur Herstellung von Farben verwendet; **2** gelbbraune Farbe; **ocker-gelb**
Ock|ha|mis|mus, Oc|ca|mis|mus *m. Gen. - nur Ez.* der von dem engl. scholast. Theologen Wilhelm von Ockham begründete spätmittelalterl. Nominalismus
öd, ö|de
OD *Abk. für* Overdose (Überdosis)
O|dal *s. 1, im german. Recht:* Sippeneigentum an Grund und Boden
O|da|lis|ke [türk.] *w. 11, früher:* weiße türk. Haremssklavin
Odd Fel|lows [ɔd fɛloʊz, engl.] *Mz.* (eigtl.: Independent Order of Odd Fellows »Unabhängiger Orden überzähliger Gesellen«) im 18. Jh. engl. freimaurerähnliche Vereinigung zur Unterstützung arbeitsloser Handwerker
Odds [engl. »Ungerade«] *nur Mz.* **1** Wette mit ungleichen Einsätzen; **2** *Sport:* Vorgaben
O|de [griech.] *w. 11* feierliches lyrisches Gedicht in freien Rhythmen
ö|de; Ö|de *w. Gen. - nur Ez.*
O|dem *m. Gen. -s nur Ez., poet.:* Atem
Ö|dem [griech.] *s. 1* Ansammlung von Wasser im Unterhautzellgewebe; **ö|de|ma|tös** ödemartig, mit Ödemen einhergehend
O|de|on [griech.] *s. 9, Name für* Musik-, Theatersaal, Kino, Vergnügungsstätte
o|der; oder Ähnliche(s) (*Abk.:* o. Ä.)
O|der|men|nig *m. 1* ein Heilkraut, Ackermennig
O|der-Nei|ße-Gren|ze *w. 11 nur Ez.;* **O|der-Nei|ße-Li|nie** *w. 11 nur Ez.*
O|des|sa Stadt in der Ukraine; **O|des|sit** *m. 10* Einwohner von Odessa
O|deur [odœr, frz.] *s. 9 oder s. 1* **1** wohl riechender Stoff; **2** Duft, Geruch
Ö|dig|keit *w. 10 nur Ez.* Öde, Langweiligkeit
O|din *nord. Form von* Wodan, Wotan
o|di|ös, o|di|os [lat.] **1** widerwärtig, verhasst; **2** unausstehlich, gehässig
Ö|di|pus altgriech. König von Theben, der unwissentlich seinen Vater tötete und seine Mutter heiratete; **Ö|di|pus|kom-plex** *auch:* **-komp|lex** *m. 1 nur Ez.* in früher Kindheit sich entwickelnde, übersteigerte Bindung an den andersgeschlechtigen Elternteil
O|di|um [lat.] *s. Gen. -s nur Ez.* **1** Makel; **2** Hass, Feindschaft
Öd|land *s. 4, Mz. auch:* -län|dereien
O|don|to|lo|gie *w. 11 nur Ez.* Zahn(heil)kunde; **o|don|to|lo-gisch**
O|dor [lat.] *s. Gen. -s Mz.* O|do|res [-re:s], *Med.:* Geruch
O|dys|see **1** Heldenepos Homers über die Irrfahrt und Heimkehr des Odysseus; **2** *übertr.:* Irrfahrt; **o|dys|se|isch** in der Art einer Odyssee;
O|dys|seus *griech. Myth.:* König von Ithaka
Oe, Ö *Abk. für* Oersted
OECD *Abk. für* Organization for Economic Cooperation and Development: Organisation für wirtschaftliche Zusammenarbeit und Entwicklung
Oer|sted [œr-, nach dem dän. Physiker H. Chr. Ørsted] *s. Gen.* -(s) *Mz.* - (*Abk.:* Oe) nicht gesetzliche Maßeinheit der magnetischen Feldstärke
Œu|vre *auch:* **Œuv|re** [œvr(ə), frz.] *s. 9, frz. Bez. für* Opus, Werk; das Œuvre eines Komponisten: sein Gesamtwerk, alle seine Werke
OEZ *Abk. für* Osteuropäische Zeit
Öf|chen *s. 7;* **O|fen** *m. 8*
Off [engl.] *s. 9, Film, Fernsehen:* Bereich außerhalb der Leinwand oder des Bildschirms, aus dem die Stimme des unsichtbaren Sprechers kommt; *Ggs.:* On
of|fen; offen bleiben, halten; offen lassen *auch übertr.:* unentschieden, ungeklärt lassen; offen legen: aufdecken, mitteilen; offen stehen; offener Brief; eine

offene Hand haben *übertr.:* freigebig sein; mit offenen Karten spielen *übertr.:* ehrlich handeln; Beifall auf offener Szene; ein offenes Ohr für jmdn. haben *übertr.:* Verständnis; Tag der offenen Tür; Offene Handelsgesellschaft (*Abk.:* OHG, oHG); offen sprechen, sein; offen gestanden: ehrlich gesagt
of|fen|bar [auch: ọf-]; **of|fen|ba|ren** *tr. 1;* **Of|fen|ba|rung** *w. 10;* **Of|fen|ba|rungs|eid** *m. 1* eidliche Versicherung eines Schuldners, dass er seinen Vermögensstand richtig angegeben hat; **ọf|fen|blei|ben** ▶ **ọf|fen blei|ben** *intr. 17; auch übertr.:* unentschieden, ungeklärt bleiben (Frage, Problem); **ọf|fen|hal|ten** ▶ **ọf|fen hal|ten** *tr. 61;* sich einen Weg, den Rückzug o. halten; **Ọf|fen|heit** *w. 10 nur Ez.;* **ọf|fen|her|zig; Ọf|fen|her|zig|keit** *w. 10 nur Ez.;* **ọf|fen|kun|dig** [auch: -kụn-]; **ọf|fen|las|sen** ▶ **ọf|fen las|sen** *tr. 75; auch übertr.:* unentschieden, ungeklärt lassen (Frage, Problem); **ọf|fen|le|gen** ▶ **ọf|fen le|gen** *tr. 1* aufdecken, mitteilen; **Of|fen|markt|po|li|tik** *w. 10 nur Ez.;* **of|fen|sicht|lich** [auch: ọf-]
of|fen|si|v [lat.] angreifend, angriffslustig; *Ggs.:* defensiv; **Of|fen|si|ve** *w. 11* Angriff, Angriffsschlacht; *Ggs.:* Defensive; **Of|fen|si|v|krieg** *m. 1* Angriffskrieg
ọf|fen|ste|hen ▶ **ọf|fen ste|hen** *intr. 151; auch übertr.:* erlaubt sein, frei stehen; es hat mir offen gestanden, ob ich das tun wollte
ọ̈f|fent|lich; öffentliches Ärgernis erregen; öffentlicher Dienst: Dienst bei Staat und Gemeinde; die öffentliche Hand: Staat und Gemeinde; die öffentliche Meinung; öffentliche Ordnung; öffentliches Recht: alle Rechtsgebiete, die die Beziehungen des einzelnen zu den ihm übergeordneten Gewalten sowie dieser untereinander regeln, z. B. Staatsrecht, Völkerrecht, Strafrecht; *Ggs.:* Privatrecht; **Ọ̈f|fent|lich|keit** *w. 10 nur Ez.;* **Ọ̈f|fent|lich|keits|ar|beit** *w. 10 nur Ez.* = Public Relations; **Ọ̈f|fent|lich|keits|be|tei|li|gung** *w. 10 nur Ez.* Möglichkeit der Einflussnahme von Bürgern auf Verwaltungsentscheidungen
Of|fe|rẹnt [lat.] *m. 10* jmd., der etwas anbietet, Anbieter; **of|fe|rie|ren** *tr. 3* anbieten; **Of|fẹrt** *s. 1, österr. für* Offerte; **Of|fẹr|te** *w. 11* schriftl. Angebot; **Of|fer|to|ri|um** *s. Gen.* -s *Mz.* -ri|en Teil der kirchl. Liturgie, Darbringung von Brot und Wein, Oblation
Of|fice 1 [ọfis, engl.] *s. Gen.* - *Mz.* -s [ọfisiz] Büro; **2** [ɔfịs, frz.] *s. Gen.* - *Mz.* -s [ɔfịs], *schweiz.:* Anrichteraum (in Gaststätten); **Of|fi|ci|um** *s. Gen.* -s *Mz.* -ci|en **1** *lat. Schreibung von* Offizium; **2** O. divinum *kath. Kirche:* die dem Geistlichen vorbehaltenen liturg. Handlungen, *bes.:* das tägl. Stundengebet
Of|fi|zi|al *m. 1* **1** *kath. Kirche:* Vertreter des Bischofs bei der Ausübung der Gerichtsbarkeit; **2** *österr.:* ein Beamtentitel, z. B. Postoffizial; **Of|fi|zi|a|lat** *s. 1, kath. Kirche:* bischöfl. Gerichtsbarkeit; **Of|fi|zi|al|de|likt** *s. 1,* **Of|fi|zi|al|ver|ge|hen** *s. 7* Vergehen, das von Amts wegen verfolgt wird; **Of|fi|zi|al|ver|tei|di|ger** *m. 5* amtlich bestellter Verteidiger; **Of|fi|zi|ant** *m. 10* **1** *kath. Kirche:* den Gottesdienst durchführender Geistlicher; **2** unterer Beamter; **3** *süddt.:* Schulhausmeister; **of|fi|zi|ẹll 1** öffentlich (bekannt); *Ggs.:* inoffiziell; **2** amtlich, verbürgt; **3** feierlich, förmlich
Of|fi|zier [frz.] *m. 1;* **Of|fi|ziers|an|wär|ter** *m. 5;* **Of|fi|ziers|ka|si|no** *s. 9* Speise- und Gesellschaftsraum der Offiziere; **Of|fi|ziers|korps** [-ko:r] *s. Gen.* - [-ko:rs] *Mz.* - [-ko:rs]; **Of|fi|ziers|pa|tent** *s. 1;* **Of|fi|ziers|schu|le** *w. 11*
Of|fi|zin [lat.] *w. 10, veraltet* **1** Arbeitsraum in einer Apotheke; **2** Druckerei; **of|fi|zi|nal, of|fi|zi|nell** als Heilmittel anerkannt, arzneilich
of|fi|zi|ös [frz.] halbamtlich, nicht verbürgt
Of|fi|zi|um [lat.] *s. Gen.* -s *Mz.* -zi|en, *veraltet:* Dienstpflicht
off li|mits [engl.] Zutritt verboten
off line ▶ **off|line** [ɔflaɪn, engl.] nur indirekt mit einer EDV-Anlage verbunden, für Zwischenspeicher bestimmt; *Ggs.:* online
ọ̈ff|nen *tr. 2;* **Ọ̈ff|ner** *m. 5;* **Ọ̈ff|nung** *w. 10;* **Ọ̈ff|nungs|zei|ten** *w. 10 Mz.*
Ọff|set [engl.] *m. 9, Funk, Fernsehen:* Frequenzversetzung; **Ọff|set|druck** *m. 1* **1** *nur Ez.* ein indirektes Flachdruckverfahren; **2** dessen Erzeugnis; **Ọff|set|re|pro|duk|ti|on** *w. 10* Reproduktionstechnik für den Offsetdruck, Fotolithographie
Off-shore... *Nv.* ▶ **Off|shore...** *Hv.* [-ʃɔr, engl.] *in Zus.:* abseits der Küste, z. B. Offshore-Bohrung
Ọff-Spre|cher *Nv.* ▶ **Ọff|spre|cher** *Hv.* [engl.] *m. 5* unsichtbarer Kommentator im Film und Fernsehen; **Ọff-Stim|me** *Nv.* ▶ **Ọff|stim|me** *Hv. w. 11 Film, Fernsehen:* Stimme eines unsichtbaren Sprechers; *Ggs.:* Onstimme
O-för|mig

> **oft, öfters, des Öft(e)ren:** Das Adjektiv *oft (öfter, öfters)* schreibt man mit kleinem Anfangsbuchstaben. Das substantivierte Adjektiv wird – im Gegensatz zur bisherigen Schreibweise – großgeschrieben: *Des Öfteren verlangte er nach Wasser.* →§ 57 (1)

ọft; öfter, am öftesten *besser:* am häufigsten, am meisten; des Öfteren, ich war so oft dort; *aber:* sooft ich dort war, hat niemand geöffnet; so und so oft; **ọ̈f|ters** *ugs.:* manchmal, ab und zu; **ọft|ma|lig; ọft|mals**
ÖGB *Abk. für* Österreichischer Gewerkschaftsbund
O|ger [frz.] *m. 5, im frz. Märchen:* Menschenfresser
OH *Abk. für* Ohio
oh!; oh, Verzeihung!; oh, wie schön!; sein (freudiges) Oh; vgl. o
o|hạ! [auch: oha]
O|heim *m. 1, veraltet für* Onkel
OHG, oHG *Abk. für* Offene Handelsgesellschaft
O|hio [ohaɪo] **1** (*Abk.:* OH) Staat der USA; **2** *m. Gen.* -(s) Nebenfluss des Mississippi
Ohm 1 *m. 1, veraltet, poet. für* Onkel; **2** *s. Gen.* -s *Mz.* - altes Flüssigkeitsmaß, 130 bis 160 l; **3** [nach dem dt. Physiker Georg Simon Ohm] *s. Gen.* -s *Mz.* - (*Zeichen:* Ω) Maßeinheit des elektr. Widerstandes
Öhmd *s. Gen.* -s *nur Ez., südwestdt.:* zweite Grasmahd,

Grummet; **öhm|den, öh|men** *tr. 1* nachmähen
Ohm|me|ter *s. 5* Gerät zum Messen des elektr. Widerstandes in Ohm
oh|ne; ohne weiteres; oben ohne *ugs. scherzh.:* mit nacktem Oberkörper (bei Frauen); das ist nicht ohne *ugs.:* nicht übel, das hat seine Vorzüge, Vorteile; die Sache ist nicht (ganz) ohne *ugs.:* die Sache ist bedenklich, nicht ganz harmlos; ohne Befund (*Abk.:* o. B.); ohne Jahr (*Abk.:* o. J., in bibliograf. Angaben); ohne Ort (*Abk.:* o. O., in bibliograf. Angaben); ohne Ort und Jahr (*Abk.:* o. O. u. J.); vgl. Obligo; **oh|ne|dies** [auch: -dis] sowieso; **oh|ne|ein|an|der** *auch:* **-ei|nan|der; oh|ne|glei|chen; oh|ne|hin** [auch: -hin] sowieso
ohn|ge|ach|tet *veraltet für* ungeachtet; **ohn|längst** *veraltet für* unlängst; **Ohn|macht** *w. 10;* **ohn|mäch|tig; Ohn|machts|an|fall** *m. 2*
o|ho!; klein, aber oho *ugs.:* klein, aber tüchtig oder klug
Ohr *s. 12;* ich bin ganz Ohr: ich höre genau, aufmerksam zu, ich bin bereit, zuzuhören; jmdn. übers Ohr hauen *ugs. übertr.:* jmdn. übervorteilen;
Öhr *s. 1* kleines Loch, z. B. Nadelöhr; **Öhr|chen** *s. 7;* **öh|ren** *tr. 1* mit einem Öhr versehen;
Oh|ren|arzt *m. 2, ugs.:* Facharzt für (Hals-, Nasen- und) Ohrenkrankheiten, Otologe, Otiater; **Oh|ren|beich|te** *w. 11;* **oh|ren|be|täu|bend; Oh|ren|blä|ser** *m. 5* Zuträger, heimlicher Verleumder, Aufhetzer; **Oh|ren|heil|kun|de** *w. 11 nur Ez.* Otologie; **Oh|ren|krie|cher** *m. 5, volkstüml. für* Ohrwurm; **Oh|ren|sau|sen** *s. Gen.* -s *nur Ez.;* **Oh|ren|schmalz** *s. Gen.* -es *nur Ez.;* **Oh|ren|schmaus** *m. 2* etwas, das man mit Genuss anhört; **Oh|ren|schüt|zer** *m. 5;* **Oh|ren|ses|sel** *m. 5* Lehnsessel; **Oh|ren|spie|gel** *m. 5* Gerät zur Untersuchung des Innenohrs, Otoskop; **Oh|ren|zeu|ge** *m. 11* jmd., der etwas mit anhört, der bezeugen kann, dass er es mit angehört hat; **Ohr|fei|ge** *w. 11;* **ohr|fei|gen** *tr. 1;* **Ohr|fei|gen|ge|sicht** *s. 3, ugs.:* freches Gesicht; **Ohr|ge|hän|ge** *s. 5;* **...oh|rig** z. B. groß-, langohrig; **Ohr|klipp** *m. 9;* **Ohr|läpp|chen** *s. 7;* **Öhr|lein** *s. 7;* **Ohr|mu|schel** *w. 11;* **Ohr|ring** *m. 1;* **Ohr|wa|schel** *s. 14 meist Mz., bayr., österr.:* Ohr; **Ohr|wurm** *m. 4* **1** ein Insekt; **2** *ugs. scherzh.:* leicht ins Ohr gehende, einschmeichelnde Melodie; **Ohr|zwang** *m. Gen.* -s *nur Ez., bei Hunden:* Ohrentzündung infolge Erkältung
o. J. *Abk. für* ohne Jahr (in bibliograf. Angaben)
o|je!, o je!; **o|je|mi|ne!,** o jemine!
OK *Abk. für* Oklahoma
o. k., O. K. [ɔke] *Abk. für* okay
O|ka|pi [afrik.] *s. 9* eine westafrik. Giraffe
O|ka|ri|na [ital. »Gänschen«] *w. Gen.* - *Mz.* -nen kleines, flötenartiges Musikinstrument aus Ton oder Porzellan in Form eines spitz zulaufenden Gänseeis mit Mundstück
o|kay [ɔke, engl. Herkunft unsicher] (*Abk.:* o. k., O. K.) in Ordnung
O|ke|a|ni|de *w. 11* = Ozeanide;
O|ke|a|nos 1 *m. Gen.* - *nur Ez., griech. Myth.:* der Weltstrom, das Weltmeer; **2** ein Titan
Ok|ka|si|on [lat.] *w. 10, veraltet:* Gelegenheit; **Ok|ka|si|o|na|lis|mus** *m. Gen.* - *nur Ez.* Lehre, die die Wechselwirkung von Leib und Seele verneint und die Übereinstimmung zwischen beiden auf Gott zurückführt; **Ok|ka|si|o|na|list** *m. 10;* **ok|ka|si|o|na|lis|tisch** auf dem Okkasionalismus beruhend; **ok|ka|si|o|nell** *veraltet:* gelegentlich
Ok|ki|ar|beit [zu ital. occhio »Auge«] *w. 10,* **Ok|ki|spit|ze** *w. 11* mit einem schiffchenförmigen Werkzeug hergestellte Knüpfspitze, Schiffchenarbeit, Frivolitäten
ok|klu|die|ren [lat.] *tr. 3* hemmen, schließen, versperren; **Ok|klu|si|on** *w. 10* **1** Verschluss, Sperre, Hemmung; **2** normale Bissstellung der Zähne; **3** Zusammentreffen von Warm- und Kaltluftfront; **ok|klu|siv** hemmend, sperrend
ok|kult [lat.] geheim, verborgen, übersinnlich; **Ok|kul|tis|mus** *m. Gen.* - *nur Ez.* Lehre von den (vermuteten) außersinnl. Wahrnehmungen (z. B. Telepathie) oder übersinnl. Kräften; **Ok|kul|tist** *m. 10*
Ok|ku|pant [lat.] *m. 10* jmd., der etwas okkupiert; **Ok|ku|pa|ti|on** *w. 10* **1** Besetzung (fremden Staatsgebietes); **2** Aneignung (herrenlosen Gutes); **ok|ku|pa|to|risch** in der Art einer Okkupation, durch Okkupation; **ok|ku|pie|ren** *tr. 3* besetzen, sich aneignen; sehr okkupiert sein *ugs.:* sehr beschäftigt sein
O|kla|ho|ma *auch:* **Ok|la-** (*Abk.:* OK) Staat der USA
Öko|lo|gie [griech.] *w. 11 nur Ez.* Lehre von den Beziehungen der Lebewesen zu ihrer Umwelt; **öko|lo|gisch** den Naturhaushalt, die Umwelt der Lebewesen betreffend
Öko|nom [griech.] *m. 10, veraltet:* Landwirt, Gutsverwalter; **Öko|no|mie** *w. 11 nur Ez.* **1** *veraltet:* Landwirtschaftsbetrieb; **2** Wirtschaft; politische Ö. = Volkswirtschaftslehre; **3** Wirtschaftlichkeit, Sparsamkeit; **Öko|no|mik** *w. 10 nur Ez.* Wirtschaftswissenschaft; **öko|no|misch 1** zur Ökonomie gehörend; **2** wirtschaftlich, sparsam; **Öko|no|mis|mus** *m. Gen.* - *nur Ez.* Betrachtungsweise nur vom wirtschaftl. Standpunkt aus; **öko|no|mis|tisch**
Öko|tro|pho|lo|ge [griech.] *m. 11;* **Öko|tro|pho|lo|gie** *w. 11 nur Ez.* Haushalts- und Ernährungswissenschaften
Ok|ra *auch:* **Ok|ra** *f. 9* [griech. *ochros* »gelb«] Schotenfrucht, Gemüse
Ok|ta|chord [-kord, griech.] *s. 1* Musikinstrument mit acht Saiten; **Ok|ta|e|der** *m. 5 oder s. 5* von acht ebenen Flächen begrenzter Körper, Achtflach, Achtflächner; **ok|ta|e|drisch** *auch:* **ok|ta|e|drisch** achtflächig; **Ok|ta|gon** *s. 1* = Oktogon
Ok|tan [lat.] *s. 1* ein Kohlenwasserstoff; **Ok|tant** *m. 10* **1** Achtelkreis; **2** nautisches Winkelmessgerät; **Ok|tan|zahl** *w. 10* (*Abk.:* OZ) Maßzahl für die Klopffestigkeit von Treibstoffen; **Ok|tav** *s. 1* (*Zeichen:* 8°) *kurz für* Oktavformat; **Ok|tav|band** *m. 2;* **Ok|ta|ve** *w. 11* **1** achter Ton der diatonischen Tonleiter; **2** Intervall von acht Tönen; **Ok|tav|for|mat** *s. 1* ein Buchformat in der Größe eines Achtelbogens; **ok|ta|vie|ren** *intr. 3* eine Oktave höher spielen als angegeben; **Ok|tett** *s. 1* Musikstück für acht Instrumente oder Singstimmen

sowie die Ausführenden; **Ok|to|ber** *m. Gen.* -s *nur Ez.* (*Abk.*: Okt.); **Ok|to|ber|re|vo|lu|ti|on** *w. 10 nur Ez.* die Revolution vom 25./26. Oktober 1917 in Russland
Ok|to|de [griech.] *w. 11* Elektronenröhre mit acht Elektroden; **Ok|to|de|ka|gon** *s. 1* Achtzehneck; **Ok|to|gon, Ok|ta|gon** *s. 1* Achteck; **ok|to|go|nal** achteckig; **Ok|to|po|de** *m. 11* = Achtfüßer; **Ok|to|pus** [lat.] *m. Gen. - nur Ez.* ein achtarmiger Kopffüßer
ok|troy|ie|ren *auch:* **okt|roy-** [-tro-] *tr. 3* auferlegen, aufzwingen; jmdm. etwas o.
o|ku|lar [lat.] mit dem, für das Auge; **O|ku|lar** *s. 1, bei optischen Geräten:* die dem Auge zugewendete Linse; *Ggs.:* Objektiv; **O|ku|la|ti|on** *w. 10* das Okulieren; **O|ku|li** *ohne Artikel:* vierter Sonntag vor Ostern; an, zu O.; **o|ku|lie|ren** *tr. 3* durch Einsetzen von Knospen (Augen) veredeln (Pflanzen); **O|ku|lier|reis** *s. 1* Pfropfreis

> **Oku-, Ole-, Oli-** (Worttrennung): Die Abtrennung einer Silbe, die nur aus einem Vokal besteht, ist möglich, wird jedoch aus ästhetischen Gründen nicht empfohlen. →§ 107

Ö|ku|me|ne [griech.] *w. 11 nur Ez.* **1** die bewohnte Erde; **2** ökumenische Bewegung; **ö|ku|me|nisch;** ökumenische Bewegung: Bestreben aller Christen zur Einigung in relig. Fragen; ökumenisches Konzil: Versammlung der Vertreter aller kath. Kirchen; Ökumenischer Rat der Kirchen: Gemeinschaft christlicher Kirchen zur gemeinsamen Beratung kirchlicher Fragen; ökumenische Trauung: Trauung eines Brautpaares verschiedener Konfession durch zwei Geistliche der betreffenden Konfessionen
Ok|zi|dent [auch: -dent, lat.] *m. 1 nur Ez.* Westen, Abendland; *Ggs.:* Orient; **ok|zi|den|tal, ok|zi|den|ta|lisch** abendländisch; *Ggs.:* orientalisch
ok|zi|pi|tal [lat.] zum Hinterhaupt gehörig, Hinterhaupt(s)…
Öl *s. 1*
ö. L. *Abk. für* östlicher Länge
Öl|baum *m. 2;* **Öl|berg** *m. 1 nur Ez.* Berg bei Jerusalem; **Öl|bild** *s. 3* Ölgemälde
Old|ti|mer [-taɪ-, engl.] *m. 5* **1** Automodell aus der Anfangszeit des Automobils; **2** *scherzh.:* langjähriges Mitglied eines Vereins
O|lea *Mz. von* Oleum
O|le|an|der [lat.-ital.] *m. 5* ein Zierstrauch
O|le|at [lat.] *s. 1* Salz der Ölsäure; **O|le|fin** *s. 1* geradkettiger Kohlenwasserstoff mit einer Doppelbindung; **O|le|in** *s. 1* Ölsäure; **ö|len** *tr. 1;* **O|le|um** *s. Gen.* -s *Mz.* O|lea **1** Öl; **2** rauchende Schwefelsäure
ol|fak|to|risch [lat.] zum Riechnerv gehörend, von ihm ausgehend; **Ol|fak|to|ri|um** *s. Gen.* -s *Mz.* -rilen Riechmittel; **Ol|fak|to|ri|us** *m. Gen. - nur Ez.* Riechnerv
Öl|ge|mäl|de *s. 11;* **Öl|göt|ze** *m. 11, ugs., nur in Wendungen wie* dastehen, dasitzen wie ein Ö.: steif und stumm; **Öl|haut** *w. 2* wasserdichter Umhang; **öl|höf|fig** Ausbeute an Öl versprechend
O|li|fant [altfrz.] *m. 1* mittelalterl. Jagd- und Trinkhorn
ö|lig
o|lig…, O|lig… vgl. oligo…, Oligo…
O|lig|ä|mie *auch:* **O|li|gä|mie** [griech.] *w. 11* Blutarmut infolge Verringerung der Gesamtblutmenge; **O|lig|arch** *auch:* **O|li|garch** *m. 10* Mitglied einer Oligarchie; **O|lig|ar|chie** *auch:* **O|li|gar|chie** *w. 11* Herrschaft nur einer kleinen aristokrat. Schicht
o|li|go…, O|li|go… [griech.] *in Zus.:* wenig, gering
O|li|go|chä|ten [-çε-] *m. 10 Mz.* Klasse der Ringelwürmer mit wenig Borsten, Borstenwürmer; **o|li|go|dy|na|misch** in kleinsten Mengen wirksam; **O|li|go|glo|bu|lie** *w. 11* = Oligozythämie; **o|li|go|phag** sich nur von einigen bestimmten Futterpflanzen oder Beutetieren ernährend; **O|li|go|pha|gie** *w. 11 nur Ez.* auf bestimmte Futterpflanzen und Beutetiere eingestellte Ernährungsweise; **O|li|go|phre|nie** *auch:* **O|li|goph|re|nie** *w. 11 nur Ez.* erblicher oder früh erworbener Schwachsinn; **O|li|go|pol** *s. 1* Marktbeherrschung durch wenige Anbieter; **o|li|go|troph** humus-, nährstoffarm (Boden); **O|li|go|tro|phie** *w. 11* Humus-, Nährstoffarmut; **o|li|go|zän** zum Oligozän gehörend, aus ihm stammend; **O|li|go|zän** *s. 1 nur Ez.* mittlere Abteilung des Tertiärs; **O|li|go|zyt|hä|mie** *w. 11* Verminderung der roten Blutkörperchen, Oligoglobulie; **O|lig|u|rie** *auch:* **O|li|gu|rie** *w. 11* Verminderung der Harnabsonderung
O|lim [lat. olim »einst«] *nur in den Wendungen* seit Olims Zeiten: seit jeher; zu Olims Zeiten: vor langer Zeit
o|liv [lat.] *unflektierbar:* olivfarben, olivgrün; **O|li|ve** *w. 11* **1** Olivenbaum, Ölbaum; **2** Frucht des Ölbaums; **O|li|ven|baum** *m. 2;* **o|liv|far|ben, o|liv|far|big, o|liv|grün** bräunlichgrün; **O|li|vin** [-vin] *s. 1* ein olivgrünes Mineral, Peridot
Öl|ku|chen *m. 7* Rückstand beim Gewinnen von Pflanzenöl
oll *berlin., norddt.:* **1** alt, hässlich; olle →Kamellen; **2** unangenehm, lästig
Olm *m. 1* ein Schwanzlurch
Öl|ma|le|rei *w. 10;* **Öl|mo|tor** *m. 13* Dieselmotor; **Öl|müh|le** *w. 11;* **Öl|pal|me** *w. 11;* **Öl|pa|pier** *s. 1* wasserdichtes Packpapier; **Öl|pest** *w. Gen. - nur Ez.* Verschmutzung von Meerwasser und Stränden durch Öl; **Öl|sar|di|ne** *w. 11;* **Öl|säu|re** *w. 11 nur Ez.* eine ungesättigte Fettsäure; **Öl|süß** *s. Gen. - nur Ez.* Glycerin; **Ö|lung** *w. 10;* Letzte Ölung
O|lymp *m. Gen.* -s *nur Ez.* **1** Berg in Nordgriechenland; **2** *griech. Myth.:* Sitz der Götter; **3** *ugs. scherzh.:* oberster Rang im Theater; **O|lym|pia** *im alten Griechenland:* Kultstätte des Zeus und der Hera, Schauplatz der Olympischen Spiele; **O|lym|pi|a|de** *w. 11* **1** *ursprüngl.:* Zeitraum von vier Jahren zwischen zwei Olympischen Spielen; **2** *heute:* die Olympischen Spiele; **O|lym|pi|a|sie|ger** *m. 5;* **O|lym|pi|er** *m. 5* **1** *griech. Myth.:* Bewohner des Olymps; **2** *übertr.:* Mann von majestätischer Ruhe und Überlegenheit; **O|lym|pi|o|ni|ke** *m. 11* Sieger bei den Olympischen Spielen; **O|lym|pi|o|ni|kin** *w. 10;* **o|lym|pisch** **1** zum Olymp gehörend; **2** zu den Olympischen Spielen

olympisch/Olympisch: In substantivischen Wortgruppen, die zwar feste Verbindungen, aber keine Eigennamen sind, wird *olympisch* mit kleinem Anfangsbuchstaben geschrieben: *das olympische Feuer, das olympische Dorf.* →§63
Hingegen wird das Adjektiv in Eigennamen mit großem Anfangsbuchstaben geschrieben: *die Olympischen Spiele.* →§60 (4.1)

gehörend; olympischer Eid; olympisches Dorf; *aber:* die Olympischen Spiele; **3** *übertr.:* majestätisch ruhig

Öl|zeug *s. Gen.* -s *nur Ez.* wasserdichte Oberbekleidung für Seeleute; **Öl|zweig** *m. 1* Zweig des Ölbaums, Sinnbild des Friedens

O|man Sultanat auf der Arab. Halbinsel

Om|bro|graph ► *auch:* **Omb|ro|graf** [griech.] *m. 10* = Pluviograph; **Om|bro|me|ter** *auch:* **Omb|ro-** *s. 5* Regenmesser; **om|bro|phil** *auch:* **omb|ro-** Regen, Feuchtigkeit liebend (Tier, Pflanze); **om|bro|phob** *auch:* **omb|ro-** Regen, Feuchtigkeit meidend **Om|buds|frau** [schwed.] *w. 4;* **Om|buds|mann** [schwed.] *m. 4* Beauftragter des Parlaments, an den sich jeder Bürger zum Schutz gegen Behördenwillkür wenden kann; *auch allg.:* unabhängige Beschwerdeinstanz

O|me|ga *s. Gen.* -(s) *Mz.* -s (*Zeichen:* ω, Ω) letzter Buchstabe des griech. Alphabets; vgl. Alpha

O|me|lett [ɔm-, frz.] *s. 9,* **O|me|lette** [-lɛt] *w. 9* gebackener Eierkuchen; O. aux confitures [- o kɔ̃fityr] mit Marmelade gefüllter Eierkuchen; O. aux fines herbes [- o finzɛrb] mit Kräutern gefüllter Eierkuchen; O. soufflé [-sufle] mit Eischnee aufgelockerter Eierkuchen

O|men [lat.] *s. Gen.* -s *Mz.* O|mina Zeichen, Vorzeichen, Vorbedeutung; vgl. Nomen (**1**)

O|mi|kron *auch:* **O|mik|ron** *s. Gen.* -(s) *Mz.* -s (*Zeichen:* o, O) griech. Buchstabe

o|mi|nös 1 *urspr.:* von schlimmer Vorbedeutung; **2** bedenklich, verdächtig

O|mis|si|on [lat.] *w. 10, veraltet:* Unterlassung; **O|mis|siv|de|likt** *s. 1* strafbare Unterlassung einer gebotenen Handlung (z. B. Hilfeleistung)

Om|ni|bus [lat.] *m. 1* vielsitziger Verkehrskraftwagen, Autobus; **om|ni|po|tent** allmächtig; **Om|ni|po|tenz** *w. 10 nur Ez.* Allmacht; **Om|ni|prä|senz** *w. 10 nur Ez.* Allgegenwart (Gottes); **Om|ni|um** *s. Gen.* -s *Mz.* -ni|en **1** *Radsport:* aus mehreren Wettbewerben zusammengesetzter Wettkampf im Bahnrennen; **2** *Reitsport:* Rennen, an dem jedes Pferd teilnehmen kann; **om|ni|vor** [-vor] = pantophag; **Om|ni|vo|re** *m. 11* = Pantophage

On [engl.] *s. Gen.* -s *nur Ez., Film, Fernsehen:* Bereich innerhalb des Bildes; Sprecher im On; *Ggs.:* Off

O|na|ger [griech.] *m. 5* **1** altröm. Wurfmaschine; **2** südwestasiat. Halbesel

O|na|nie [nach Onan, einer Gestalt des AT] *w. 11 nur Ez.* = Masturbation; **o|na|nie|ren** *intr. 3* = masturbieren; **O|na|nist** *m. 10* jmd., der (gewohnheitsmäßig) onaniert

On|dit [ɔ̃di, frz. »man sagt«] *s. 9* Gerücht; einem O. zufolge…

On|du|la|ti|on [lat.] *w. 10* das Ondulieren; **on|du|lie|ren** *s. 3;* das Haar o.: wellen

One|step [wʌnstɛp, engl.] *m. 9* ein Gesellschaftstanz

on|ga|re|se [ital.] *Mus.:* auf ungarische Art

On|kel 1 *m. 5, ugs. auch: m. 9* Bruder des Vaters bzw. der Mutter; **2** *m. 5* Fußknöchel, Enkel; *nur in der Wendung* über den Onkel gehen, laufen: mit nach innen gerichteten Füßen; **On|kel|e|he** *w. 11, ugs. scherzh.:* Zusammenleben einer Witwe mit einem Mann, den sie nicht heiraten will, um ihre Rente nicht zu verlieren; **on|kel|haft**

On|ko|lo|ge [griech.] *m. 11;* **On|ko|lo|gie** *w. 11 nur Ez.* Lehre von den Geschwulstkrankheiten; **on|ko|lo|gisch**

on line ► **on|line** [ɔnlaɪn, engl.] direkt mit einer EDV-Anlage verbunden; *Ggs.:* offline

ONO *Abk. für* Ostnordost(en)

Ö|no|lo|ge [griech.] *m. 11;* **Ö|no|lo|gie** *w. 11 nur Ez.* Weinbaukunde; **ö|no|lo|gisch**

O|no|ma|si|o|lo|gie [griech.] *w. 11 nur Ez.* Begriffs-, Bezeichnungslehre, Lehre von den Wörtern, die jeweils für einen Begriff verwendet werden oder im Lauf der Zeit verwendet worden sind; **o|no|ma|si|o|lo|gisch; O|no|mas|tik** *w. 10 nur Ez.* Namenkunde, Onomatologie; **O|no|mas|ti|kon** *s. Gen.* -s *Mz.* -ka **1** Namensverzeichnis; **2** Namenstags- oder Geburtstagsgedicht; **O|no|ma|to|lo|gie** *w. 11 nur Ez.* = Onomastik; **o|no|ma|to|lo|gisch; O|no|ma|to|po|e|se** *w. 11* = Lautmalerei; **o|no|ma|to|po|e|tisch** lautmalend; onomatopoetische Wörter: laut-, schallnachahmende Wörter, z. B. surren, klirren, rattern, kikeriki, tschingbum; **O|no|ma|to|pö|ie** *w. 11 nur Ez.* = Lautmalerei

Ö|no|me|ter [griech.] *s. 5* Gerät zum Messen des Alkoholgehalts des Weins

Ö|norm *Kurzw. für* österreichische Norm (dem dt. DIN entsprechend)

on parle fran|çais [ɔ̃ parl frɑ̃sɛ, frz.] hier wird Französisch gesprochen

On-Stim|me *Nv.* ► **On|stim|me** *Hv.* [engl.] *w. 11, Film, Fernsehen:* Stimme eines sichtbaren Sprechers; *Ggs.:* Offstimme

on the rocks [ɔn ðə -, engl.] auf Eiswürfel gegossen (Getränk)

on|tisch [griech.] dem Sein gemäß, seiend, Seins…; **On|to|ge|ne|se** *w. 11 nur Ez.* Entwicklung des Lebewesens von der befruchteten Eizelle bis zum geschlechtsreifen Zustand, Ontogenie; **on|to|ge|ne|tisch; On|to|ge|nie** *w. 11 nur Ez.* = Ontogenese; **On|to|lo|ge** *m. 11;* **On|to|lo|gie** *w. 11 nur Ez.* Lehre vom Sein; **on|to|lo|gisch**

on|tur|nen [ɔntəːnən, engl. turn on »andrehen, anknipsen«] *intr. 1, ugs.:* Rauschgift nehmen, anturnen

O|nyx [griech.] *m. 1* ein Mineral, ein Quarz; **O|nyx|glas** *s. 4* geädertes, farbiges Kunstglas

o. O. 1 *Abk., für* ohne →Obligo; **2** *Abk. für* ohne Ort (in bibliograf. Angaben)

O|o|ge|ne|se [o|o-, griech.] *w. 11 nur Ez.* Entwicklung, Bildung der Eizelle, Ovogenese; **o|o|ge|ne|tisch; O|o|lem|ma** *s. Gen.* -s *Mz.* -lem|men Eihaut,

Eihülle; **O|o|lith** *m. 10* aus fischrogenähnlichen Kügelchen aufgebautes Gestein, Rogenstein, Erbsenstein; **O|o|lo|gie** *w. 11 nur Ez.* Lehre vom Vogelei; **O|o|my|ze|ten** *Mz.* Ordnung niederer Pilze (hauptsächlich Pflanzenschädlinge)

o. O. u. J. *Abk. für* ohne Ort und Jahr (in bibliograf. Angaben)

OP *Abk. für* Operationssaal

op. *Abk. für* Opus

o. P. *Abk. für* ordentlicher Professor

O. P., O. Pr. *Abk. für* Ordinis Praedicatorum: vom Orden der Prediger; vgl. Dominikanerorden

> **Opa-, Ope-** (Worttrennung): Die Abtrennung einer Silbe, die nur aus einem Vokal besteht, ist möglich, wird jedoch aus ästhetischen Gründen nicht empfohlen. →§ 107

O|pa, O|pa|pa, O|pi *m. 9, Kinderspr.:* Großvater

o|pak [lat.] undurchsichtig, aber durchscheinend, trübe; **O|pak|glas** *s. 4* undurchsichtiges Glas

O|pal [sanskr.] *m. 1* **1** ein Mineral, Halbedelstein; **2** feines Baumwollgewebe; **o|pa|len** aus Opal, wie Opal; **O|pa|les|zenz** *w. 10 nur Ez.* Schimmern, Schillern infolge Lichtbeugung wie beim Opal; **o|pa|les|zie|ren,** o|pal|li|si|e|ren *intr. 3* wie Opal schimmern; **O|pal|glas** *s. 4* schwach trübes Milchglas; **o|pal|li|sie|ren** *intr. 3* = opaleszieren

O|pan|ke [serb.] *w. 11* südosteurop. absatzloser Schuh mit aufgebogener Spitze

O|pa|pa *m. 9* = Opa

Op-Art [Kurzw. aus engl. optical art] *w. Gen. - nur Ez.* Kunstrichtung, bei der optische Effekte (durch bestimmte Farbsetzung) erstrebt werden

O|pa|zi|tät [lat.] *w. 10 nur Ez.* Undurchsichtigkeit, Lichtundurchlässigkeit; *Ggs.:* Transparenz

OPEC [engl.] *w. Gen. - nur Ez., Abk. für* Organization of Petroleum Exporting Countries: Organisation der Erdöl exportierenden Länder

Open Air *Nv.* ► **O|pen|air** *Hv.* [oʊpənɛr, engl.] *kurz für* Openairfestival oder -konzert; **O|pen-Air-Fes|ti|val** *Nv.* ► **O|pen|air|fes|ti|val** *Hv.* [oʊpənɛrfestivel, engl.] Fest oder Konzert, das im Freien stattfindet

> **Openair, Openairfestival:** Verbindungen von Substantiven, Adjektiven, Verbstämmen, Pronomen oder Partikeln mit Substantiven schreibt man zusammen. Diese Regel gilt auch für mehrteilige Komposita: *Das Openairfestival war ein toller Erfolg.* →§ 37 (1)

O|pen-End-Dis|kus|si|on *Nv.* ► **O|pen|end|dis|kus|si|on** *Hv.* [oʊpənɛnd-, engl.] Diskussion(srunde), deren Ende zeitlich nicht festgelegt, offen ist

O|per [ital.] *w. 11;* **O|pe|ra** **1** *ital. Form von* Oper; **2** *Mz. von* Opus

o|pe|ra|bel [lat.] so beschaffen, dass man es operieren kann; **O|pe|ra|bi|li|tät** *w. 10 nur Ez.* Operierbarkeit

O|pe|ra buf|fa *w. Gen. -- Mz.* -re -fe komische Oper; **O|pe|ra se|ria** *w. Gen. -- Mz.* -re -rie [-ri|e:] ernste Oper

O|pe|ra|teur [-tør] *m. 1* Arzt, der operiert; **O|pe|ra|ti|on** *w. 10* **1** chirurg. Eingriff; **2** Verfahren, Arbeitsvorgang; **3** militär. Unternehmen; **O|pe|ra|ti|ons|ba|sis** *w. Gen.- Mz.* -ba|sen Ausgangsgebiet einer (militär.) Operation; **O|pe|ra|tions-Re|search** [ɔpərɛɪʃnz rɪzətʃ, engl.] *w. Gen. - nur Ez.* betriebswirtschaftl. Verfahrensforschung, Planungsforschung; **O|pe|ra|ti|ons|saal** *m. Gen.* -(e)s *Mz.* -säl|le (*Abk.:* OP); **O|pe|ra|ti|ons|schwes|ter** *w. 11* (*Kurzw.:* OP-Schwester) Krankenschwester, die bei der Operation dem Arzt die Instrumente zureicht; **O|pe|ra|ti|ons|tisch** *m. 1;* **o|pe|ra|tiv** **1** chirurgisch, mit Hilfe einer Operation; operativer Eingriff; **2** *Mil.:* strategisch; **O|pe|ra|tor** *m. 13* **1** ein Zeichen der mathemat. Logik; **2** jmd., der eine elektron. Datenverarbeitungsanlage bedient

O|pe|ret|te [ital] *w. 11* unterhaltsames, heiteres Bühnenstück mit Musik und zum Teil gesprochenen Dialogen; **O|pe|ret|ten|sän|ger** *m. 5*

o|pe|rie|ren [lat.] **1** *tr. 3;* jmdn. o.: einen chirurg. Eingriff an jmdm. vornehmen; **2** *intr. 3* eine militär. Operation durchführen; **3** *intr. 3* handeln, verfahren

O|pern|ball *m. 2;* **O|pern|glas** *s. 4;* **O|pern|kom|po|nist** *m. 10;* **O|pern|sän|ger** *m. 5*

Op|fer *s. 5;* **op|fer|be|reit; Op|fer|be|reit|schaft** *w. 10 nur Ez.;* **op|fer|freu|dig; Op|fer|freu|dig|keit** *w. 10 nur Ez.;* **Op|fer|mut** *m. Gen.* -(e)s *nur Ez.;* **op|fern** *tr. 1;* ich opfere, opfre es; **Op|fer|stock** *m. 2* Behälter für Spenden in der Kirche; **Op|fer|tier** *s. 1;* **Op|fer|tod** *m. 1 nur Ez.;* **Op|fe|rung** *w. 10;* **Op|fer|wil|le** *m. 15;* **op|fer|wil|lig; Op|fer|wil|lig|keit** *w. 10 nur Ez.*

O|phi|o|la|trie *auch:* **-lat|rie** [griech.] *w. 11 nur Ez.* relig. Verehrung der Schlange, Schlangenanbetung; vgl. Ophit

O|phir *s. Gen.* -s *nur Ez., meist ohne Artikel, im AT:* sagenhaftes Goldland

O|phit [griech.] **1** *m. 10* Schlangenanbeter; vgl. Ophiolatrie; **2** *m. 1* ein Mineral; **o|phi|tisch** zur Ophiolatrie gehörend, auf ihr beruhend; **O|phi|u|ren** *Mz.* Schlangensterne, Stachelhäuter mit dünnen Armen

Oph|thal|mi|a|trie *auch:* **-at|rie** [griech.] *w. 11 nur Ez.,* **Oph|thal|mi|a|trik** *auch:* **-at|rik** *w. 10 nur Ez.* Augenheilkunde; **Oph|thal|mie** *w. 11* Augenentzündung; **oph|thal|misch** zum Auge gehörig, von ihm ausgehend; **Oph|thal|mo|lo|ge** *m. 11* Augenarzt; **Oph|thal|mo|lo|gie** *w. 11 nur Ez.* Augenheilkunde; **oph|thal|mo|lo|gisch; Oph|thal|mo|skop** *auch:* **-mos|kop** *s. 1* Augenspiegel; **Oph|thal|mo|sko|pie** *auch:* **-mos|ko|pie** *w. 11* Untersuchung des Augenhintergrundes

O|pi *m. 9* = Opa

O|pi|at [lat.] *s. 1* opiumhaltiges Arzneimittel

O|pi|ni|on|lea|der [ɔpɪnjənli:dər, engl.] *m. 5* Meinungsbildner, z. B. Publizist

O|pi|um *s. Gen.* -s *nur Ez.* aus Mohn gewonnenes Rauschgift; **O|pi|um|sucht** *w. Gen. - nur Ez.*

O|po|del|dok [von Paracelsus geprägtes Wort] *m. oder s. Gen.* -s *nur Ez.* durchblutungsförderndes Heilmittel

O|pos|sum [nordamerik. Indianerspr.] *s. 9* nordamerik. Beutelratte

Op|po|nent [lat.] *m. 10* Gegner (im Redestreit); **op|po|nie|ren** *intr. 3* eine gegenteilige Meinung vertreten, widersprechen

op|por|tun [lat.] (augenblicklich) günstig, angebracht, vorteilhaft; *Ggs.:* inopportun; **Op|por|tu|nis|mus** *m. Gen. - nur Ez.* Handeln unter dem Gesichtspunkt, was im Augenblick das Günstigste, Vorteilhafteste ist, Anpassung an die jeweilige Lage; **Op|por|tu|nist** *m. 10;* **op|por|tu|nis|tisch; Op|por|tu|ni|tät** *w. 10* günstige, passende Gelegenheit, Vorteil

Op|po|si|ti|on [lat.] *w. 10* **1** Gegensatz, Widerstand; O. machen *ugs:* opponieren, widersprechen; **2** Gesamtheit der zur Regierung in Gegensatz stehenden Parteien; **3** Stellung eines Gestirns zur Sonne und zur Erde, so dass alle drei in einer Geraden liegen; **4** Stellung gegenüber, z. B. des Daumens zu den anderen Fingern, (im Schach) der beiden Könige; **op|po|si|ti|o|nell** gegensätzlich, der Opposition angehörend, widersetzlich; **Op|po|si|ti|ons|füh|rer** *m. 5;* **Op|po|si|ti|ons|geist** *m. 3 nur Ez.;* **Op|po|si|ti|ons|par|tei** *w. 10*

op. post., op. posth. *Abk. für* opus post(h)umum

O. Pr. = O. P.

OP-Schwes|ter *w. 11, Kurzw. für* Operationsschwester

Op|tant [lat.] *m. 10* jmd., der optiert; **op|ta|tiv** *Gramm.:* einen Wunsch ausdrückend, im Optativ stehend; **Op|ta|tiv** *m. 1* Wunschform des Verbums, im Dt. durch den Konjunktiv wiedergegeben; **op|tie|ren** *intr. 3;* für jmdn. oder einen Staat o.: sich für jmdn. oder für die Zugehörigkeit zu einem Staat entscheiden

Op|tik [griech.] *w. 10* **1** *nur Ez.* Lehre vom Licht; **2** *an optischen Geräten:* Linsensystem; **3** optischer Eindruck, optische Wirkung; **Op|ti|ker** *m. 5* Fachmann für Herstellung und Verkauf optischer Geräte

Op|ti|ma *Mz. von* Optimum; **op|ti|ma fi|de** [lat.] im besten Glauben; **op|ti|mal** best, bestmöglich; **Op|ti|mat** *m. 10, im alten Rom:* Angehöriger der herrschenden Geschlechter und Mitglied des Senats; **Op|ti|me|ter** *s. 5* Gerät zur Feinmessung von Länge und Dicke mit optischer Übertragung der Werte zur Ablesung; **op|ti|mie|ren** *tr. 3* bestmöglich gestalten; **Op|ti|mis|mus** *m. Gen. - nur Ez.* positive Lebenseinstellung, Lebensbejahung, Zuversichtlichkeit allen Dingen gegenüber; *Ggs.:* Pessimismus; **Op|ti|mist** *m. 10;* **op|ti|mis|tisch; Op|ti|mum** *s. Gen. -s Mz. -ma* das Beste, Wirksamste, Höchstmaß, günstigste Bedingungen; *Ggs.:* Pessimum

Op|ti|on [lat.] *w. 10* **1** Wahl, Entscheidung (für jmdn. oder die Zugehörigkeit zu einem Staat); **2** Wunsch nach Verlängerung eines Vertrages; **Op|ti|ons|recht** *s. 1*

op|tisch [lat.] zur Optik, zum Sehen, zum Licht gehörend, darauf beruhend, vom äußeren Eindruck her

o|pu|lent [lat.] reichlich, reichhaltig, üppig; *Ggs.:* frugal; ein opulentes Mahl, Frühstück; **O|pu|lenz** *w. 10 nur Ez.*

O|pun|tie [-tsjə, nach der altgriech. Stadt Opus] *w. 11* Feigenkaktus

O|pus [auch: opus, lat.] *s. Gen. - Mz.* Opera (*Abk.:* op.) Werk, Kunstwerk, einzelnes Werk aus dem Gesamtschaffen eines Künstlers, bes. Komponisten; Streichquartett a-Moll, op. 125; Opus post(h)umum (*Abk.:* op. post[h].) nachgelassenes Werk

OR *Abk. für* Oregon

Ör *m. 1* = Öre

O|ra [ital.] *w. Gen. - nur Ez.* Seewind am nördl. Gardasee

O|ra et la|bo|ra [lat.] Bete und arbeite (alte Mönchsregel)

O|ra|kel [lat.] *s. 5* **1** *im alten Griechenland:* Stätte, an der Götter Weissagungen erteilten; **2** Weissagung, Zukunftsdeutung; **3** rätselhafter Ausspruch; **4** *nach altem Volksbrauch:* Versuch, Zukünftiges, Unbekanntes durch bestimmte Vorgänge (z. B. Bleigießen) zu erforschen; **o|ra|kel|haft; o|ra|keln** *intr. 1* in rätselhaften Andeutungen sprechen

o|ral [lat.] zum Mund gehörig, mit dem Mund, durch den Mund

o|range [ɔrɑ̃ʒ, frz.] rötlichgelb, apfelsinenfarbig; **O|range 1** [ɔrɑ̃ʒ] *s. Gen. -(s) nur Ez.* Farbe der Apfelsine; **2** [ɔrɑ̃ʒə] *w. 11* Apfelsine; **O|ran|gea|de** [ɔrɑ̃ʒa-də] *w. 11* Orangenlimonade; **O|ran|geat** [ɔrɑ̃ʒat] *s. 1* kandierte Orangenschale; **o|range|far|ben** [ɔrɑ̃ʒ-], **o|ran|gen|far|ben** [ɔrɑ̃ʒən-]; **O|ran|ge|rie** [ɔrɑ̃ʒə-] *w. 11* **1** Gewächshaus mit Orangen; **2** Orangengarten (in Parks)

O|rang-U|tan [mal.] *m. 9* eine Gattung der Menschenaffen

O|ra|ni|er *m. 5* Angehöriger des ndrl. Fürstengeschlechts von Oranien; **O|ran|je** *m. Gen. -(s)* Fluss in Südafrika; **O|ran|je|frei|staat** *m. 12 nur Ez.* Provinz der Rep. Südafrika

O|rant [lat.] *m. 10, bildende Kunst:* betende Gestalt; **O|ran|ten|stel|lung** *w. 10* Stellung mit vor der Brust gekreuzten Armen oder betend zusammengelegten Händen

O|ra pro no|bis [lat.] *im kath. Gottesdienst bei Anrufung eines Heiligen:* Bitte für uns

O|ra|tio o|bli|qua *auch:* **- ob|li|** [lat.] *w. Gen. -- nur Ez., Gramm.:* indirekte Rede; **O|ra|tio rec|ta** *w. Gen. -- nur Ez., Gramm.:* direkte Rede

O|ra|to|ri|a|ner [lat., nach dem Oratorium des Gründers, Filippo Neri] *m. 5* Angehöriger einer kath. Kongregation von Weltpriestern und Laien, Philippiner, Priester vom Oratorium; **o|ra|to|risch** rednerisch, rednerisch-schwungvoll, mitreißend; **O|ra|to|ri|um** *s. Gen. -s Mz. -ri|en* **1** Betraum, kleine Kapelle für den Gottesdienst, Hauskapelle (in Klöstern u. a.); **2** geistliches, episch-dramatisches Musikwerk für Chor, Soli und Orchester

or|bi|ku|lar [lat.] *Med.:* kreis-, ringförmig; **Or|bis** *m. Gen. - nur Ez.* Kreis, Erdkreis; **Or|bis pic|tus** *m. Gen. -- nur Ez.* von Johann Amos Comenius herausgegebenes, volkstümliches, bebildertes Sprachlehrbuch, Bilderfibel; **Or|bit** *m. 1* Kreisbahn eines Satelliten; **Or|bi|ta** *w. Gen. - Mz. -tae* [-tɛ:] Augenhöhle; **or|bi|tal 1** zur Orbita gehörend; **2** im Orbit befindlich

Or|ches|ter [-kɛs-, österr. auch: -çɛs-, griech.] *s. 5* **1** *Theater:* vertiefter Raum für die Musiker vor der Bühne; vgl. Orchestra; **2** unter einem Dirigenten zusammenspielende größere Gruppe von Musikern mit verschiedenen Instrumenten; **Or|ches|tra** *auch:* **-chest|ra** [-kɛs-] *w. Gen. - Mz.* -tren, *im altgriech. Theater:* Spielfläche für den Chor; **or|ches|tral** *auch:* **-chest|ral** [-kɛs-] zum Orchester gehörend, wie von einem Orchester gespielt; orchestraler Klang; **Or|ches|tra|ti|on** *auch:* **-chest|ra-** [-kɛs-] *w. 10* Bearbeitung für Orchester; **or|ches|trie|ren** *auch:* **-chest|rie-** *tr. 3* für Orchester bearbeiten (Musikstück), instrumentieren; **Or|ches|trie|rung** *auch:* **-chest|rie-** *w. 10;* **Or|ches|tri|on** *auch:* **-chest|ri-** *s. Gen.* -s *Mz.* -tri|en ein automat. Musikinstrument

Or|chi|de|en [griech.-frz.] *w. 11 Mz.* artenreiche Familie von sehr unterschiedl. Pflanzen; **Or|chis 1** *m. Gen. - Mz.* - Hoden; **2** *w. Gen. - Mz.* - Knabenkraut; **Or|chi|tis** *w. Gen. - Mz.* -ti|den Hodenentzündung; **Or|chi|to|mie** *w. 11* Verschneidung, Kastration

Or|dal [angelsächs.-mlat.] *s. Gen.* -s *Mz.* -e *oder* -li|en, *mittelalterl. Recht:* Gottesurteil

Or|den [lat.] *m. 7* **1** weltl. Gemeinschaft mit bestimmter, weltanschaulich begründeter Lebensform; **2** Klostergenossenschaft, die nach bestimmter Regel lebt und bestimmte Gelübde abgelegt hat; **3** Auszeichnung, Ehrenzeichen; **or|den|ge|schmückt;** die ordengeschmückte Brust; *aber:* mit vielen Orden geschmückt; **Or|dens|band** *s. 4;* **Or|dens|bru|der** *m. 6;* **Or|dens|burg** *w. 10;* **Or|dens|frau** *w. 10;* **Or|dens|geist|li|cher** *m. 5;* **Or|dens|kleid** *s. 3;* **Or|dens|meis|ter** *m. 5* Vorsteher eines Ritterordens; **Or|dens|re|gel** *w. 11;* **Or|dens|rit|ter** *m. 5;* **Or|dens|schwes|ter** *w. 11;* **Or|dens|stern** *m. 1* **1** Orden in Form eines Sterns; **2** = Stapelie; **Or|dens|tracht** *w. 10*

or|dent|lich; ordentlicher Professor (*Abk.:* o. P.): Professor, der einen Lehrstuhl innehat; **Or|dent|lich|keit** *w. 10 nur Ez.*

Or|der [lat.] *w. 11* **1** *veraltet:* Befehl; O. parieren: gehorchen; **2** *kaufmänn.:* Auftrag, Bestellung; **or|dern** *tr. 1* bestellen (Ware); ich ordere es; **Or|der|pa|pier** *s. 1* Wertpapier, das durch →Indossament an eine andere Person übertragen werden kann

Or|di|na|le *w. 11,* **Or|di|nal|zahl** *w. 10* einordnendes Zahlwort, Ordnungszahl, z. B. erster; vgl. Kardinalzahl

or|di|när [lat.] **1** alltäglich, landläufig, allgemein; **2** gewöhnlich, unanständig (Person, Witz)

Or|di|na|ri|at [lat.] *s. 1* **1** Amt eines ordentl. Professors, Lehrstuhl; **2** Verwaltungsbehörde des Bischofs, Generalvikariat; **Or|di|na|ri|um** *s. Gen.* -s *Mz.* -ri|en **1** ordentl. Staatshaushalt; **2** kath. Gottesdienstordnung; **Or|di|na|ri|us** *m. Gen. - Mz.* -ri|en **1** ordentl. Professor, Professor mit Lehrstuhl; **2** Klassenlehrer (an einer höheren Schule); **3** Träger der kirchl. Rechtsprechung, z. B. Papst, regierender Bischof, Abt; **Or|di|när|preis** *m. 1* Ladenpreis (eines Buches); **Or|di|na|te** *w. 11, Math.:* parallel zur Ordinatenachse abgemessener Linienabschnitt; *Ggs.:* Abszisse; **Or|di|na|ten|ach|se** *w. 11* senkrechte Achse im Koordinatensystem, y-Achse; *Ggs.:* Abszissenachse; **Or|di|na|ti|on** *w. 10* **1** *kath. Kirche:* Priesterweihe; **2** *evang. Kirche:* Einsetzung, Berufung (eines Pfarrers); **3** ärztliche Verordnung; ärztl. Sprechstunde; **4** *österr. auch:* ärztl. Behandlungsraum; **Or|di|na|ti|ons|zim|mer** *s. 5* Sprechzimmer (des Arztes); **or|di|nie|ren 1** *tr. 3, kath. Kirche:* zum Priester weihen; *evang. Kirche:* ins Amt einsetzen (Pfarrer); **2** *intr. 3* Sprechstunde halten (Arzt)

ord|nen *tr. 2;* **Ord|ner** *m. 5;* **Ord|nung** *w. 10;* **ord|nungs|ge|mäß** nach einer bestimmten Ordnung, wie es die Ordnung verlangt; vgl. ordnungsmäßig; **ord|nungs|hal|ber;** *aber:* der Ordnung halber; **Ord|nungs|lie|be** *w. 11 nur Ez.;* **ord|nungs|lie|bend;** **ord|nungs|mä|ßig** nach Ordnungen, in gewisser Ordnung; Pflanzen, Tiere, Gegenstände o. einteilen, sortieren; vgl. ordnungsgemäß; **Ord|nungs|ruf** *m. 1, im Parlament:* Ruf zur Ordnung durch den Vorsitzenden; **Ord|nungs|sinn** *m. 1 nur Ez.;* **Ord|nungs|stra|fe** *w. 11;* **ord|nungs|wid|rig;** **Ord|nungs|wid|rig|keit** *w. 10 nur Ez.;* **Ord|nungs|zahl** *w. 10* **1** = Ordinalzahl; vgl. Grundzahl; **2** Stellenzahl eines chem. Elements im System der Elemente

Or|don|nanz ▶ *auch:* **Or|do|nanz** [lat.-frz.] *w. 10* Soldat, der einem Offizier für bestimmte Aufgaben, bes. das Übermitteln von Befehlen, zugeteilt ist; **Or|don|nanz|of|fi|zier** ▶ *auch:* **Or|do|nanz|of|fi|zier** *m. 1* den Stabsoffizieren zugeteilter jüngerer Offizier

Or|do|vi|zi|um [lat.] *s. Gen.* -s *nur Ez.* eine Formation des Paläozoikums

Or|dre *auch:* **Ord|re** *w. 9, frz. Schreibung von* Order

Öre *w. Gen. - Mz.* -, Ör *m. 1* Währungseinheit in Norwegen, Schweden und Dänemark, 1/100 Krone

O|re|a|de [griech.] *w. 11, griech. Myth.:* Bergnymphe

O|re|gon [ɔrɪgən] (*Abk.:* OR) Staat der USA

O|re|go|no = Origano

O|rest, O|res|tes *griech. Myth.:* Sohn des Agamemnon und der Klytämnestra; **O|res|tie** *w. 11 nur Ez.* Trilogie um Orest von Äschylus

ORF *Abk. für* Österr. Rundfunk

Or|fe *w. 11* ein Karpfenfisch, Nerfling

Or|gan [griech. »Werkzeug«] *s. 1* **1** Sinneswerkzeug, Körperteil mit bestimmter Funktion, z. B. Nase, Leber; ich habe dafür kein O. *übertr. ugs.:* keinen Sinn; **2** Stimme; ein lautes, volltönendes, angenehmes O. haben; **3** Zeitung oder Zeitschrift, die im Sinne einer Partei, für einen Verein, ein Fachgebiet schreibt; **4** Person oder Personengruppe in Staat, Gemeinde usw. mit bestimmten Aufgaben; ausführendes O.: Beauftragter; beratendes O.: Beirat; **Or|gan|bank** *w. 10* Sammelstelle für Organkonserven

Or|gan|dy [frz.] *m. 9* feines, steifes, durchscheinendes Baumwollgewebe

Or|ga|nell [griech.-lat.] *s. 12,* **Or|ga|nel|le** *w. 11, bei Einzellern:* organartige Plasmabildung; **Or|ga|nik** *w. 10 nur Ez.* Lehre von den Organen; **Or|ga-**

ni|ker *m. 5* Kenner der Organik; **Or|ga|ni|sa|ti|on** [frz.] *w. 10* **1** *nur Ez.* planmäßiger Aufbau, Gliederung; **2** Gruppe, Verband mit bestimmtem Zweck; **Or|ga|ni|sa|ti|ons|ta|lent** *s. 1;* **Or|ga|ni|sa|tor** *m. 13* jmd., der etwas organisiert (hat) oder (gut) organisieren kann; Gestalter; **or|ga|ni|sa|to|risch** bezüglich der Organisation, planvoll (aufbauend); **or|ga|nisch** **1** zu einem Organ gehörig, davon ausgehend, hinsichtlich der Organe; **2** zur belebten Natur gehörend, tierisch und pflanzlich; *Ggs.:* anorganisch; organische Chemie: Ch. der Kohlenstoffverbindungen; **or|ga|ni|sie|ren** *tr. 3* **1** (planvoll) aufbauen, gestalten; **2** *ugs.:* auf nicht ganz einwandfreie Weise beschaffen; **or|ga|ni|siert** einer polit. oder gewerkschaftl. Organisation angehörend; **Or|ga|ni|sie|rung** *w. 10;* **or|ga|nis|misch** zu einem Organismus gehörend, wie ein Organismus; **Or|ga|nis|mus** *m. Gen. - Mz.* -men **1** einheitliches, gegliedertes Ganzes, Gefüge; **2** Lebewesen

Or|ga|nist [lat.] *m. 10* Orgelspieler

Or|gan|kon|ser|ve *w. 11* konserviertes Organ (zur Verpflanzung); **Or|gan|neu|ro|se** *w. 11* durch seel. Einflüsse hervorgerufene organ. Erkrankung

or|ga|no|gen [griech.] **1** organischen Ursprungs; **2** *Biol.:* Organe bildend; **Or|ga|no|gra|phie** ► *auch:* **Or|ga|no|gra|fie** *w. 11* Beschreibung der Organe; **or|ga|no|gra|phisch** ► *auch:* **or|ga|no|gra|fisch;** **or|ga|no|id** *Med.:* organähnlich: **Or|ga|no|lo|gie** *w. 11 nur Ez.* Lehre von den Organen; **or|ga|no|lo|gisch;** **Or|ga|non** *s. Gen.* -s *nur Ez.* **1** *urspr.:* Bez. der logischen Schriften des Aristoteles, die als Werkzeug zur Erkenntnis der Wahrheit betrachtet wurden; **2** *danach allg.:* logische Schrift; **Or|ga|no|the|ra|pie,** **Or|gan|the|ra|pie** *w. 11* Verwendung von Heilmitteln, die aus menschl. oder tier. Organen oder deren Sekreten gewonnen wurden; **Or|gan|ver|pflan|zung** *w. 10*

Or|gan|za [ital.] *w. Gen.* -s *nur Ez.* sehr feines Gewebe aus Naturseide

Or|gas|mus [griech.] *m. Gen. - Mz.* -men Höhepunkt der Erregung beim Geschlechtsakt; **or|gas|tisch** zum Orgasmus gehörend, wollüstig

Or|gel [griech.-lat.] *w. 11; schweiz. auch:* Handharmonika; **Or|gel|bau|er** *m. 11;* **or|geln** *intr. 1* **1** Brunstlaute ausstoßen (Hirsch); **2** tieftönend sausen, brausen (Wind); **Or|gel|pfei|fe** *w. 11;* wie die Orgelpfeifen *ugs. scherzh.:* der Größe nach, einer immer größer (kleiner) als der andere; **Or|gel|punkt** *m. 1* lang ausgehaltener Basston, über dem sich die andern Stimmen bewegen; **Or|gel|trio** *s. 9* dreistimmige Komposition für Orgel allein

Or|gi|as|mus [griech.] *m. Gen. - nur Ez.* ausschweifendes Feiern der Orgien im altgriech. Dionysoskult; **Or|gi|ast** *m. 10* ausgelassener, zügelloser Schwärmer; **or|gi|as|tisch;** **Or|gie** [-gjə] *w. 11* **1** *im alten Griechenland:* mit wilder Trunkenheit gefeiertes kultisches Fest; **2** *übertr.:* zügelloses Gelage, wilde Ausschweifung

O|ri|ent [lat.] *m. 1 nur Ez.* Osten, Morgenland; *Ggs.:* Okzident; der Vordere, Mittlere Orient; **O|ri|en|ta|le** *m. 11* Bewohner des Orients; **O|ri|en|ta|lia** *Mz.* Bücher, Bilder, Dokumente über den Orient; **o|ri|en|ta|lisch** zum Orient gehörig, morgenländisch; *Ggs.:* okzidental(isch); **O|ri|en|ta|list** *m. 10* Kenner der Orientalistik; **O|ri|en|ta|lis|tik** *w. 10 nur Ez.* Wissenschaft von den orientalischen Sprachen und Kulturen; **o|ri|en|ta|lis|tisch** zur Orientalistik gehörend; **Ori|ent|ex|preß** ► **O|ri|ent|ex|press** *m. 1*

o|ri|en|tie|ren *tr. u. refl. 3* **1** nach einer Himmelsrichtung einstellen, ausrichten; **2** sich o.: sich zurechtfinden, den Standort bestimmen; **3** jmdn. o.: jmdn. unterrichten, benachrichtigen, in Kenntnis setzen; **O|ri|en|tie|rung** *w. 10 nur Ez.;* **O|ri|en|tie|rungs|sinn** *m. 1 nur Ez.*

O|ri|flam|me [mlat. »Goldflamme«] *w. 11 nur Ez.* Kriegsfahne der frz. Könige

O|ri|ga|mi [jap.] *s. Gen.* -(s) nur Ez. kunstvolles Falten von Papierstücken zu Figuren

O|ri|ga|no [ital.], O|re|ga|no *m. Gen.* -(s) *nur Ez.,* O|ri|ga|num *s. Gen.* -s *nur Ez.* wilder Majoran

o|ri|gi|nal [lat.] **1** ursprünglich, urschriftlich, eigenhändig, echt; **2** eigen, schöpferisch; **O|ri|gi|nal** *s. 1* **1** Urschrift, erste Niederschrift; **2** Urtext, fremdsprachiger Text, der übersetzt worden ist oder werden soll; **3** Urbild, vom Künstler geschaffenes Bild oder Standbild; **4** eigenartiger, meist auch witziger Mensch, Sonderling, Kauz; **O|ri|gi|nal|aus|ga|be** *w. 11* Erstausgabe; **O|ri|gi|na|li|tät** *w. 10 nur Ez.* **1** Ursprünglichkeit, Echtheit; **2** Besonderheit, Eigenart, Eigentümlichkeit; **O|ri|gi|nal|text** *m. 1;* **o|ri|gi|när** ursprünglich, nicht abgeleitet; **o|ri|gi|nell** **1** ursprünglich, echt, schöpferisch, *meist dafür:* original; **2** neu, neuartig und treffend; **3** eigenartig, merkwürdig und oft auch komisch oder heiter

O|ri|no|ko, O|ri|no|co *m. Gen.* -(s) Fluss in Südamerika

O|ri|on **1** griech. Sagenheld; **2** *m. Gen.* -s ein Sternbild

Or|kan [mittelamerik. Indianerspr.] *m. 1* Sturm der höchsten Windstärke

Or|kus [lat.] *m. Gen. - nur Ez., röm. Myth.:* Unterwelt, Totenreich

Or|le|an *m. 1* orangegelber bis roter Farbstoff; **Or|le|a|ner** *m. 5* Einwohner der frz. Stadt Orléans; **Or|le|a|nist** *m. 10* Anhänger des Hauses Orléans; **Or|lé|ans** [ɔrleɑ̃] **1** frz. Stadt; **2** *m. Gen. - Mz. -* Angehöriger einer Seitenlinie des frz. Königshauses

Or|log [ndrl.] *m. 1 oder m. 9, veraltet:* Krieg; **Or|log|schiff** *s. 1, veraltet:* Kriegsschiff

Or|muzd *pers. Name für:* altiran. Lichtgott und Weltschöpfer Ahura Masda

Or|na|ment [lat.] *s. 1* Verzierung, Schmuckform; **or|na|men|tal** in der Art eines Ornaments, schmückend; **or|na|men|tie|ren** *tr. 3* verzieren, schmücken; **Or|na|men|tik** *w. 10 nur Ez.* **1** Kunst des Verzierens; **2** alle Ornamente (eines Bauwerks o. Ä.)

Or|nat [lat.] *s. 1* feierliche Amtstracht

Or|nis [griech.] *w. Gen. - nur Ez.*

Vogelwelt (einer Landschaft); **Or|ni|tho|ga|mie** *w. 11 nur Ez.* Bestäubung (von Blüten) durch Vögel, Ornithophilie; **Or|ni|tho|lo|ge** *m. 11* **Or|ni|tho|lo|gie** *w. 11 nur Ez.* Vogelkunde; **or|ni|tho|lo|gisch; or|ni|tho|phil** sich durch Vögel bestäuben lassend; **Or|ni|tho|phi|lie** *w. 11 nur Ez.* = Ornithogamie

o|ro..., O|ro... [griech.] *in Zus.:* berg..., Berg...

o|ro|gen [griech.], o|ro|ge|ne|tisch gebirgsbildend; **O|ro|ge|ne|se** *w. 11* Gebirgsbildung; **o|ro|ge|ne|tisch** = orogen; **O|ro|ge|nie** *w. 11 nur Ez., veraltet:* Lehre von der Gebirgsbildung; **O|ro|gra|phie** ► *auch:* **O|ro|gra|fie** *w. 11 nur Ez., veraltet:* Beschreibung der Geländeformen der Erdoberfläche; **o|ro|gra|phisch** ► *auch:* **o|ro|gra|fisch; O|ro|me|trie** *auch:* **met|rie** *w. 11 nur Ez.* Vermessung der Geländeformen; **oro|me|trisch** *auch:* **-met|risch**

Or|pheus [-phɔɪs] *griech. Myth.:* Sänger und Saitenspieler, Sohn des Apoll; **Or|phik** *w. 10 nur Ez.* griech. relig. Bewegung seit dem 6. Jh. v. Chr. sowie deren Geheimlehre über die Entstehung der Welt und das Schicksal des Menschen nach dem Tode; **Or|phi|ker** *m. 5* Anhänger der Orphik; **or|phisch 1** zur Orphik gehörend, auf ihr beruhend; **2** dunkel, geheimnisvoll

Or|ping|ton [nach d. engl. Stadt O.] *s. 9* eine Hühnerrasse

Or|plid *auch:* **Orp|lid** von Eduard Mörike erfundener Name für eine märchenhafte Insel

Ør|sted *s. Gen.* -(s) *Mz.* - = Oersted

Ort 1 *m. 1* Siedlung, Dorf; Platz, Stelle; am angeführten *oder:* angegebenen Ort (*Abk.:* a. a. O., bei Zitaten); ich werde das höheren Orts melden: an höherer Stelle; **2** *m. 4, Math., Astron., Seew.;* geometrische Örter, Sternörter; **3** *s. 4, Bgb.:* Ende einer Strecke; vor Ort arbeiten; **4** *m. 1 oder s. 1* Schusterwerkzeug, Ahle; **5** *m. 1 oder s. 1, veraltet, aber noch in geograph. Namen:* Spitze (einer Halbinsel); **Ört|chen** *s. 7, ugs.:* Toilette

or|ten *tr. 2;* ein Schiff, Flugzeug o.: seinen Standort bestimmen; **ör|tern** *intr. 1, Bgb.:* sich treffen (von zwei Strecken)

orth..., Orth..., or|tho..., Or|tho... [griech.] *in Zus.:* gerade, aufrecht, richtig..., recht..., Recht...

Or|tho|chro|ma|sie [-kro-, griech.] *w. 11 nur Ez.* richtige Wiedergabe aller Farben (außer Rot; von fotografischen Schichten); **or|tho|chro|ma|tisch; Orth|o|don|tie** *auch:* **Or|tho|don|tie** *w. 11* Zahnregulierung; **or|tho|dox** recht-, strenggläubig; orthodoxe Kirche, griechisch-orthodoxe Kirche: die von Rom getrennte kath. Kirche, Ostkirche; **Or|tho|do|xie** *w. 11 nur Ez.* Recht-, Strenggläubigkeit; **or|tho|drom** *auch:* **or|thod|rom** in der Art der Orthodrome, geradläufig; **Or|tho|dro|me** *auch:* **Or|thod|ro|me** *w. 11* kürzeste Verbindung zweier Punkte auf der Erdoberfläche; **Or|tho|ge|ne|se** *w. 11 nur Ez.* gerichtete, nicht umkehrbare stammesgeschichtl. Entwicklung der Lebewesen; **Or|tho|ge|stein** *s. 1* durch Umwandlung entstandenes Gestein magmat. Herkunft; *Ggs.:* Paragestein; **Or|tho|gna|thie** *auch:* **Or|thog|na|thie** *w. 11* gerader, senkrechter Stand der Zähne; vgl. Prognathie; **Or|tho|gon** *s. 1* Rechteck; **or|tho|go|nal** rechtwinklig; **Or|tho|gra|phie** ► *auch:* **Or|tho|gra|fie** *w. 11* richtige Schreibung der Wörter, Rechtschreibung; **or|tho|gra|phisch** ► *auch:* **or|tho|gra|fisch** hinsichtl. der Orthographie, rechtschreiblich; **or|tho|ke|phal** = orthozephal; **Or|tho|klas** *m. 1* Kalifeldspat; **orth|o|nym** *auch:* **or|tho|nym** unter dem richtigen Namen; vgl. anonym, pseudonym; o. erschienenes Buch; **Or|tho|pä|de** *m. 11;* **Or|tho|pä|die** *w. 11* Heilkunde der Bewegungsorgane (Knochen, Gelenke, Muskeln); **or|tho|pä|disch; Or|tho|pä|dist** *m. 10* Hersteller orthopädischer Geräte; **Or|tho|pte|re** *auch:* **Or|thop|te|re** *m. 11,* **Or|tho|pte|ron** *auch:* **-thop|te-** *s. Gen.* -s *Mz.* -pte|ren, -te|ren = Geradflügler; **Orth|op|tis|tin** *auch:* **Or|thop|tis|tin** *w. 10* Helferin des Augenarztes; **Or|tho|skop** *auch:* **Or|thos|kop** *s. 1* Gerät zum Untersuchen von Kristallen; **Or|tho|sko|pie** *auch:* **Or|thos|ko|pie** *w. 11* richtige Wiedergabe (ohne Verzerrung) durch Linsen; **or|tho|sko|pisch** *auch:* **or|thos|ko|pisch; Or|tho|sta|se** *auch:* **Or|thos|ta|se** *w. 11* aufrechte Körperhaltung; **or|tho|sta|tisch** *auch:* **or|thos|ta|tisch;** orthostatischer Kollaps: Kreislaufkollaps bei längerem Stehen; **Or|tho|stig|mat** *auch:* **Or|thos|tig|mat** *m. 10* winkelgetreu abbildendes Objektiv; **Or|tho|to|nie** *w. 11 nur Ez., Mus.:* richtige Betonung; **or|tho|trop** *auch:* **or|thot|rop** *Bot., bei Samenanlagen:* aufrecht stehend; **Or|tho|ver|bin|dung** *w. 10* **1** vollständig hydratisierte Säure; **2** Benzolabkömmling; **or|tho|ze|phal,** or|tho|ke|phal, mittelhohe Kopfform aufweisend; **Or|tho|ze|pha|lie,** Or|tho|ke|pha|lie *w. 11* mittelhohe Kopfform

> **Orthographie/Orthografie:**
> Die Hauptvariante ist die (bisherige) fremdsprachige Schreibweise *(Orthographie),* die zulässige Nebenvariante die integrierte (eingedeutschte) Schreibweise *Orthografie.* →§ 32 (2)

ört|lich; Ört|lich|keit *w. 10*

Or|to|lan [lat.-ital.] *m. 1* ein Finkenvogel, Gartenammer

orts|an|säs|sig; Orts|be|stim|mung *w. 10;* **orts|be|weg|lich;** *Ggs.:* ortsfest; **Ort|schaft** *w. 10* Dorf; **Ort|scheit** *s. 1* Querholz zum Befestigen der Geschirrstränge, Zugscheit; **orts|fest** eingebaut (Maschine); *Ggs.:* ortsbeweglich; **orts|fremd; Orts|ge|spräch** *s. 1;* **Orts|kennt|nis** *w. 1;* **Orts|klas|se** *w. 11;* **Orts|kran|ken|kas|se** *w. 11;* Allgemeine O. (*Abk.:* AOK); **orts|kun|dig; Orts|na|me** *m. 15;* **Orts|netz** *s. 1;* Telefonnetz innerhalb eines Ortes oder einer Gruppe von Orten; **Orts|sen|der** *m. 5;* **Orts|sinn** *m. 1 nur Ez.;* **Ort|stein** *m. 1* **1** Eckstein; **2** eine wasserundurchlässige Bodenschicht; **orts|üb|lich; Orts|ver|kehr** *m. 1 nur Ez.;* **Orts|ver|zeich|nis** *s. 1;* **Orts|zeit** *w. 10* die wirkliche Sonnenzeit eines Ortes; *Ggs.:* Normalzeit; **Orts|zu|la|ge** *w. 11;* **Or|tung** *w. 10* Orts-, Standortsbestimmung, das Orten

ORWO ® [Kunstwort aus Original Wolfen] *ohne Art., Bez. für:* fotograf. und fotochem. Produkte des ehem. volkseigenen Kombinats in Bitterfeld
Os *chem. Zeichen für* Osmium
öS *Abk. für* österr. Schilling
Os|car *m. 9, Bez. für* die Statuette des →Academy Award
Öl|se *w. 11*
O|si|ris *ägypt. Myth.:* Gott des Totenreiches
Os|ku|la|ti|on [lat.] *w. 10* Berührung zweiter Ordnung (von Kurven); **os|ku|lie|ren** *intr. 3* sich berühren (Kurven)
Os|lo Hst. von Norwegen; **Os|lo|er** *m. 5;* **os|lo|isch**
Os|ma|ne [nach dem türk. Sultan Osman I., dem Gründer des Osman. Reiches] *m. 11* türk. Bewohner des Osmanischen Reiches; **os|ma|nisch** türkisch
Os|mi|um [griech.] *s. Gen.* -s *nur Ez.* (*Zeichen:* Os) chem. Element, ein Metall; **Os|mo|lo|gie** *w. 11 nur Ez.* Lehre von den Riechstoffen
Os|mo|se [griech.] *w. 11* Ausgleich von Lösungskonzentrationen an halbdurchlässigen Wänden; **os|mo|tisch** auf Osmose beruhend; osmotischer Druck
OSO *Abk. für* Ostsüdost(en)
ö|so|pha|gisch zum Ösophagus gehörend, davon ausgehend; **Ö|so|pha|go|skop** *auch:* **-pha|gos|kop** *s. 1* Gerät zur Untersuchung der Speiseröhre, Speiseröhrenspiegel; **Ö|so|pha|gus,** *fachsprachl.:* **Oe|so|pha|gus** *m. Gen. - Mz.* -gi Speiseröhre
Os|ram [Kunstw. aus Osmium und Wolfram] ® Markenbez. für Glühlampen, Leuchtröhren
Os|sa|ri|um [lat.], Os|su|a|ri|um *s. Gen.* -s *Mz.* -ri|en **1** *Altertum:* Urne zum Aufbewahren von Gebeinen; **2** Beinhaus; **Os|se|in** *s. 1* Gerüsteiweiß der Knochen, zur Herstellung von Leim und Gelatine verwendet
Os|si *m. 9, ugs.:* Bewohner der neuen Bundesländer; *Ggs.:* Wessi
Os|si|an sagenhafter kelt. Sänger
Os|si|fi|ka|ti|on [lat.] *w. 10* Knochenbildung, Verknöcherung; **os|si|fi|zie|ren** *intr. 3* verknöchern; **Os|su|a|ri|um** *s. Gen.* -s *Mz.* -ri|en = Ossarium

Ost 1 (*Abk.:* O) *in postal. und geograph. Angaben* = Osten; der Wind kommt aus, *oder:* von Ost; **2** *m. 1, poet.:* Ostwind; es weht ein scharfer Ost; **ost|a|si|a|tisch; Ost|a|si|en; Ost|ber|lin; Ost|ber|li|ner** *m. 5;* **Ost|block** *m. Gen.* -s *nur Ez.;* **Ost|block|län|der** *s. 4 Mz.;* **ost|deutsch**
Os|te|al|gie [griech.] *w. 11* Knochenschmerz
Ost|el|bi|er *m. 5, früher Bez. für* Großgrundbesitzer östl. der Elbe; **ost|el|bisch**
os|ten *tr. 2* nach Osten ausrichten; **Os|ten** *m. Gen.* -s *nur Ez.* **1** (*Abk.:* O) Himmelsrichtung; nach, von O.; **2** die im Osten Europas, *auch:* die in Osteuropa gelegenen Länder; der Nahe O.: Vorderasien, Vorderer Orient; der Mittlere O.: Iran, Afghanistan, Pakistan, Indien, Bangladesch, Sri Lanka und Myanmar; der Ferne O.: Südost- und Ostasien, *bes.:* China und Japan; **3** östl. Teil, östl. Gebiet; im O. der Stadt
os|ten|ta|tiv [lat.] augenfällig, betont, herausfordernd; jmdm. o. aus dem Wege gehen
Os|te|o|ek|to|mie [griech.] *w. 11* Herausmeißelung eines Knochenstücks; **os|te|o|gen** aus Knochen entstanden, Knochen bildend; **Os|te|o|ge|ne|se** *w. 11* Knochenbildung; **os|te|o|id** knochenähnlich; **Os|te|o|kla|sie** *w. 11* Zerbrechen verkrümmter Knochen, um sie geradezurichten; **Os|te|o|lo|ge** *m. 11;* **Os|te|o|lo|gie** *w. 11 nur Ez.* Lehre von den Knochen; **os|te|o|lo|gisch; Os|te|o|ly|se** *w. 11* Auflösung des Knochengewebes; **Os|te|om** *s. 1* Geschwulst des Knochengewebes; **Os|te|o|ma|la|zie** *w. 11* Knochenerweichung; **Os|te|o|plas|tik** *w. 10* operative Schließung von Knochenlücken durch Knochenersatz; **os|te|o|plas|tisch** Knochenlücken schließend
Os|ter|fest *s. 1*
Os|te|ria [ital.] *w. Gen. - Mz.* -ri|en, *ital. Bez. für* größere Gaststätte
Os|ter|in|sel *w. 11 nur Ez.* eine Insel im Pazifischen Ozean; **Os|ter|lamm** *s. 4;* **ös|ter|lich; Os|ter|lu|zei** [auch: -tsaɪ] *w. 10* eine Kletterpflanze; **Os|ter|mo|nat, Os|ter|mond** *m. 1, alte Bez. für* April; **Os|ter|mon|tag** *m. 1;* **Os|tern** *s. Gen. - Mz. -;* an, zu, vor, nach O.; die O. fallen heuer früh *österr.;* frohe, *oder:* frohes Ostern!
Ös|ter|reich; Ös|ter|rei|cher *m. 5;* **ös|ter|rei|chisch;** *aber:* Österreichische Bundesbahn; **ös|ter|rei|chisch-un|ga|risch; Ös|ter|reich-Un|garn**
Os|ter|sams|tag, Os|ter|sonn|a|bend *m. 1;* **Os|ter|sonn|tag** *m. 1;* **Os|ter|spiel** *s. 1* älteste Form des geistl. Dramas; **Os|ter|wo|che** *w. 11*
Ost|eu|ro|pa [auch: -ro-]; **ost|eu|ro|pä|isch;** osteuropäische Zeit (*Abk.:* OEZ); **ost|frie|sisch;** *aber:* die Ostfriesischen Inseln; **Ost|fries|land; Ost|ger|ma|ne** *m. 11;* **ost|ger|ma|nisch; Ost|go|te** *m. 11* Angehöriger eines der beiden gotischen Volksstämme; **ost|go|tisch**
os|ti|nat [lat.] ständig wiederkehrend, ständig wiederholt; ostinater Bass; vgl. Basso; **os|ti|na|to** = ostinat
Ost|in|di|en *verdeutlichende Bez. für* Indien, im Unterschied zu Westindien = Mittelamerika; **ost|in|disch;** *aber:* Ostindische Kompanie *früher:* engl. und ndrl. Handelsgesellschaft; **os|tisch;** ostische Rasse: alpine Rasse
Os|ti|tis [griech.] *w. Gen. - Mz.* -ti|ti|den Knochenentzündung
Ost|ja|ke *m. 11, frühere Bez. für* Chante; **ost|ja|kisch**
Ost|kir|che *w. 11* (griechisch-) →orthodoxe Kirche; **öst|lich** *mit Gen.:* östlich der Stadt; östlich Berlins, östlich von Berlin; 10 Grad östlicher Länge (*Abk.:* ö. L.): auf dem 10. Längengrad östl. des Nullmeridians von Greenwich liegend; **Ost|mark** *w. 10* **1** *urspr.:* die Grenzländer im Osten des Dt. Reiches: Ostpreußen, Posen, Oberschlesien; **2** *nur Ez.,* 1938–1945 *Bez. für* Österreich; **3** *w. Gen. - Mz.-, früher ugs.:* Mark der DDR; **Ost|nord|ost 1** (*Abk.:* ONO) *in geograph. Angaben* = Ostnordosten; **2** *m. 1* Wind aus Ostnordost; **Ost|nord|os|ten** *m. Gen.* -s *nur Ez.* (*Abk.:* ONO) Himmelsrichtung zwischen Osten und Nordosten; **Ost|po|li|tik** *w. 10 nur Ez.;* **Ost|punkt** *m. 1* östl. Schnittpunkt des Me-

ridians mit dem Horizont; *Ggs.:* Westpunkt

Os|tra|ka *auch:* **Ost|ra|ka** *Mz. von* Ostrakon; **Os|tra|ko|de** *auch:* **Ost|ra-** [griech.] *m. 11* ein Muschelkrebs mit zweiklappiger Schale; **Os|tra|kon** *auch:* **Ost|ra|kon** *s. Gen.* -s *Mz.* -ka Scherbe eines Tongefäßes, in Ägypten und im alten Griechenland als Schreibmaterial verwendet; **Os|tra|zis|mus** *auch:* **Ost|ra-** *m. Gen. - nur Ez.* Volksgericht im alten Athen, auf Grund dessen ein Bürger verbannt werden konnte, Scherbengericht (als »Stimmzettel« wurden Ostraka verwendet)

Ös|tro|gen *auch:* **Öst|ro-** *s. 1 nur Ez.* ein weibl. Geschlechtshormon

Ost|rom; ost|rö|misch; *aber:* Oströmisches Reich

Ost|see *w. 11 nur Ez.;* **Ost|see-in|sel** *w. 11;* **Ost|süd|ost 1** (*Abk.:* OSO) *in geograph. Angaben* = Ostsüdosten; **2** *m. 1* Wind aus Ostsüdost; **Ost|süd-os|ten** *m. Gen.* -s *nur Ez.* (*Abk.:* OSO) Himmelsrichtung zwischen Osten und Südosten; **Os|tung** *w. 10 nur Ez.* Ausrichtung nach Osten; **ost|wärts; Ost|wind** *m. 1*

Os|zil|la|ti|on [lat.] *w. 10* Schwingung; **Os|zil|la|tor** *m. 13* **1** Gerät zum Erzeugen von Schwingungen; **2** um seine Ruhelage schwingendes Teilchen; **Os|zil|la|to|rie** [-riə] *w. 11* Blaualge; **os|zil|la|to|risch** schwingend, pendelnd; **os|zil|lie|ren** *intr. 3* schwingen, pendeln; **Os-zil|lo|gramm** *s. 1* aufgezeichnete Schwingung, Schwingungsbild; **Os|zil|lo|graph** ▶ *auch:* **Os|zil-lo|graf** *m. 10* Gerät zum Aufzeichnen von Schwingungen, Schwingungsschreiber

ot..., Ot... vgl. oto..., Oto...

Ot|al|gie *auch:* **O|tal|gie** [griech.] *w. 11* Ohrenschmerz

Oti|a|ter *auch:* **O|ti|a|ter** [griech.] *m. 5* = Otologe; **Oti|a|trie** *auch:* **O|ti|at|rie** *w. 11 nur Ez.* = Otologie; **oti|a-trisch** *auch:* **o|ti|at|risch** = otologisch

O|ti|tis [griech.] *w. Gen. - Mz.* O|ti|ti|den Ohrenentzündung; O. media: Mittelohrentzündung

o|to..., O|to... [griech.] *in Zus.:* ohr..., ohren..., Ohren...; **o|to|gen** vom Ohr ausgehend, zum Ohr gehörend; **O|to|lith** *m. 10* Steinchen im Gleichgewichtsorgan des Ohres; **O|to|lo-ge** *m. 11* Facharzt für Ohrenerkrankungen, Otiater; **O|to|lo-gie** *w. 11 nur Ez.* Lehre von den Ohrenerkrakungen, Otiatrie; **o|to|lo|gisch; O|to|phon** *s. 1* Hörrohr (für Schwerhörige); **O|to|rhi|no|la|ryn|go|lo|gie** *w. 11 nur Ez.* (*Abk.* ORL) = Hals-Nasen-Ohren-Heilkunde; **O|to-skle|ro|se** *auch:* **O|tos|kle|ro|se** *w. 11* zur Schwerhörigkeit führende Verknöcherung des Mittelohres; **o|to|skle|ro|tisch** *auch:* **o|tos|kle|ro|tisch; O|to-skop** *auch:* **O|tos|kop** *s. 1* = Ohrenspiegel; **O|to|sko|pie** *auch:* **O|tos|ko|pie** *w. 11* Untersuchung des Innenohres mit dem Otoskop

ot|ta|va [ital.] (*Abk.:* 8..., 8va...) in der Oktave zu spielen; o. alta, o. sopra: eine Oktave höher; o. bassa, o. sotto: eine Oktave tiefer; **Ot|ta|ve|ri|me** *w. 11* ital. Stanze mit paarigem Reim in der 7. und 8. Zeile

Ot|ta|wa [engl.: ɔtəwə] **1** Hst. von Kanada; **2** Ot|ta|wa Ri|ver *m. Gen. - -s* Fluss in Kanada; **3** *m. 9 oder Gen. - Mz. -* Angehöriger eines nordamerik. Indianerstammes

Ot|ter 1 *m. 5* ein Marder mit Schwimmhäuten; **2** *w. 11* eine Giftschlange, Viper; **Ot|tern-brut** *w. Gen. nur Ez.,* **Ot|tern-ge|zücht** *s. Gen. -s nur Ez., übertr.:* böse, schlechte Menschen; **Ot|tern|zun|ge, Ot|ter-zun|ge** *w. 11* versteinerter Fischzahn

Ot|to|man [türk.] *m. 1* ein geripptes Mischgewebe; **Ot|to-ma|ne 1** *w. 11, veraltet:* breites Ruhebett ohne Rückenlehne; **2** *m. 11, selten für* Osmane; **ot|to|ma|nisch** osmanisch

Ot|to|mo|tor [nach dem dt. Ingenieur Nikolaus August Otto] *m. 12* Explosionsmotor mit Fremdzündung, der im Viertaktverfahren arbeitet

Ot|to|nen *m. 11 Mz., Bez. für* die drei römisch-deutschen Kaiser Otto I., II. und III.; **ot|to-nisch**

Ounce [aʊns, lat.-engl.] *w. Gen. - Mz.* -s [aʊnsɪz] (*Abk.:* oz.) engl. Gewichtseinheit, Unze, 28,35 g

out [aʊt, engl.] **1** *veraltet, noch österr. und schweiz., bei Ballspielen:* aus, draußen; **2** out sein *ugs.:* nicht modern sein, nicht auf der Höhe der Zeit sein, nicht Bescheid wissen (innerhalb einer bestimmten Gesellschaftsgruppe); *Ggs.:* in (**2**); **Out** *s. 9* Raum außerhalb des Spielfeldes; **Out|cast** [aʊtka:st] *m. 9 engl. Bez. für* Paria, Ausgestoßener; **Out|door...** [aʊtdɔ:r, engl. »draußen«] *nur im Zus.,* modische Aktivität außerhalb des Hauses; **ou|ten** [aʊtɛn, engl.] *tr. 2,* jmdn. öffentlich bloßstellen; **Out|fit** [aʊt-] *s. 9* modische äußere Erscheinung (Ausstattung, Kleidung usw.); **Out|place|ment** [aʊtplɛɪsmənt, engl.] *n.* -(s), *nur Ez.,* Entlassung eines (einer) leitenden Angestellten mit gleichzeitiger Hilfestellung bei der Suche nach einem neuen Arbeitsplatz; **Out-put** [aʊt-] *m. 9* **1** Ausgangsleistung einer Antenne oder eines Verstärkers; **2** die von einem Industriebetrieb hergestellten Güter, Warenausstoß; **3** die von einem Computer gelieferten Daten; *Ggs.:* Input

ou|trie|ren *auch:* **out|rie|ren** [u-, lat.-frz.] *tr. 3, veraltet:* übertreiben; **ou|triert** *auch:* **out|riert** [u-] übertrieben

out|side [aʊtsaɪd, engl.] *schweiz., Fußball:* aus, außerhalb (des Spielfeldes); **Out|side** *m. 9, schweiz., Fußball:* Außenstürmer; **Out|si|der** [aʊtsaɪdər] *m. 5* Außenseiter; *Ggs.:* Insider

Ou|ver|tü|re [uvɛr-, frz.] *w. 11* **1** Vorspiel zu einer Oper oder Operette; **2** Einleitungssatz der Orchestersuite; **3** *auch:* Suite, bes. bei Bach

Ou|vrée *auch:* **Ouv|rée** [uvre, frz.] *w. Gen. - nur Ez.* gezwirnte Rohseide

Ou|zo [uzo, griech.] *m. 9* ein Anisschnaps

O|va *Mz. von* Ovum; **o|val** [ɔval, frz.] eirund, länglichrund; **O|val** *s. 1* ovale Form, ovale Fläche; **o|va|ri|al** zum Ovarium gehörend; **O|va|ri|ek|to|mie, O|va|ri|o|to|mie** *w. 11* operative Entfernung eines oder beider Eierstöcke; **O|va|ri|um** *s. Gen.* -s *Mz.* -ri|en Eierstock

O|va|ti|on [lat.] *w. 10* Beifallssturm

O|ver|all [oʊvərɔ:l, österr.: overal, engl.] *m. 9* Schutz-, Arbeitsanzug aus einem Stück; **O|ver|dose** [oʊvərdoʊs, engl.] *w. Gen. - Mz.* -s [-siz] (*Abk.:* OD) Überdosis (von Rauschgift); **O|ver|drive** [oʊvərdraɪv] *m. 9* Schnellgang, Schongang (bes. beim Auto); **O|ver|head-Pro|jek|tor** *Nv.* ► **O|ver|head|pro|jek|tor** *Hv.* [ouvəhɛd-] *m. 13* Gerät, das Bild und Text von einer beleuchteten Folie über einen Spiegel an die Wand hinter dem Vortragenden wirft, sodass dieser frontal im Blickkontakt mit den Zuhörern bleiben kann, Tageslichtprojektor; **O|ver|state|ment** [oʊvəsteɪtmənt] *s. 9* Übertreibung, übertreibende, betonte Ausdrucksweise; *Ggs.:* Understatement

O|vi|dukt [lat.] *m. 1* Eileiter; **o|vi|par** Eier legend; *Ggs.:* vivipar; **O|vi|pa|rie** *w. 11 nur Ez.* Fortpflanzung durch Eiablage; **O|vi|zid** *s. 1* Mittel zur Abtötung von Insekteneiern; **O|vo|ge|ne|se** *w. 11* = Oogenese; **o|vo|id** eiförmig; **o|vo|vi|vi|par** Eier mit mehr oder weniger entwickelten Embryonen ablegend; **O|vu|la|ti|on** *w. 10* = Eisprung; **O|vu|la|ti|ons|hem|mer** *m. 5* die Ovulation hemmendes Mittel; **O|vu|lum** *s. Gen.* -s *Mz.* -la, **O|vum** *s. Gen.* -s *Mz.* Ova Ei, Eizelle

O|xa|lat [lat.] *s. 1* Salz der Oxalsäure; **O|xa|lit** *m. 1* ein Mineral; **O|xal|säu|re** *w. 11 nur Ez.* Kleesäure, zweibasische niedermolekulare Carbonsäure

O|xer [engl.] *m. 5* **1** Zaun zwischen Viehweiden; **2** *beim Springreiten:* Hindernis aus zwei hintereinander stehenden Barrieren, die aus waagerecht übereinander liegenden Stangen bestehen

O|x|ford **1** engl. Universitätsstadt; **2** *s. 9* gestreifter oder karierter Baumwollhemdenstoff; **O|x|ford|be|we|gung** *w. 10* zum Katholizismus neigende Richtung in der anglikan. Kirche

O|xid ► *auch:* **O|xyd** [griech.] *s. 1* Sauerstoffverbindung; **O|xi|da|ti|on** ► *auch:* **O|xy|da|ti|on** *w. 10* Aufnahme von, Verbindung mit Sauerstoff; **o|xi|die|ren** ► *auch:* **o|xy|die|ren** *intr. 3* Sauerstoff aufnehmen, sich mit Sauerstoff verbinden; **O|xi|die|rung** ► *auch:* **O|xy|die|rung** *w. 10;* **O|xyd** *s. 1* = Oxid; **O|xy|gen** *s. Gen.* -s *nur Ez.*, **O|xy|ge|ni|um** *s. Gen.* -s *nur Ez.* (*Zeichen:* O) chem. Element, Sauerstoff; **O|xy|hä|mo|glo|bin** *s. 1 nur Ez.* sauerstoffhaltiger Blutfarbstoff; **O|xy|mo|ron** *s. Gen.* -s *Mz.* -ra Stilfigur, Verbindung zweier sich eigtl. ausschließender Begriffe, z. B. alter Knabe, beredtes Schweigen; **O|xy|u|re** *w. 11* Madenwurm, Schmarotzer im menschl. Darm; **O|xy|u|ri|a|sis** *w. Gen. - Mz.* -u|ri|a|sen Befall mit Madenwürmern

oz. *Abk. für* Ounce

Oz *Abk. für* Oktanzahl

O|ze|an [griech., zu Okeanos] *m. 1* Weltmeer; **O|ze|a|na|ri|um** *s. Gen.* -s *Mz.* -ri|en großes Meerwasseraquarium; **O|ze|an|damp|fer** *m. 5;* **O|ze|a|ni|de** *w. 11, griech. Myth.:* Meernymphe, Tochter des Okeanos; **O|ze|a|ni|en** Gesamtheit der Inseln im südwestl. Pazifischen Ozean, die Südseeinseln; **o|ze|a|nisch** zum Ozean, zu Ozeanien gehörend, aus ihnen stammend; ozeanische Sprachen: die melanesischen, polynesischen und mikronesischen Sprachen; **O|ze|a|nist** *m. 10;* **O|ze|a|nis|tik** *w. 10 nur Ez.* Wissenschaft von den Sprachen und Kulturen der ozeanischen Völker; **O|ze|a|ni|tät** *w. 10 nur Ez.* Beeinflussung des Küstenklimas durch die Nähe des Ozeans; **O|ze|a|no|graph** ► *auch:* **O|ze|a|no|graf** *m. 10* Meereskundler; **O|ze|a|no|gra|phie** *auch:* **O|ze|a|no|gra|fie** *w. 11 nur Ez.* Meereskunde; **O|ze|a|no|lo|gie** *w. 11 nur Ez., veraltet für* Ozeanographie; **O|ze|an|rie|se** *m. 11* großer Ozeandampfer

O|zel|le [lat.] *w. 11* Lichtsinnesorgan niederer Tiere

O|ze|lot [aztek.] *m. 9 oder m. 1* eine amerik. Raubkatze, Pantherkatze

O|zo|ke|rit [griech.] *m. 1 nur Ez.* mineral. Wachs, Erdwachs

O|zon [griech.] *s., ugs.: m., Gen.* -s *nur Ez.* unstabile, giftige Form des Sauerstoffs; **o|zo|ni|sie|ren** *tr. 3* mit Ozon behandeln; **O|zon|loch** *s. 4* Stelle, an der die Ozonosphäre merklich ausgedünnt ist; **O|zo|no|sphä|re** *auch:* **O|zo|nos|phä|re** *w. 11 nur Ez.* ozonreiche Schicht der Erdatmosphäre

P

p *Abk. für* **1** piano; **2** (typograf.) Punkt; **3** Penni; **4** Pico
P 1 *Abk. für* Papier (auf Kurszetteln); **2** internat. Kfz-Kennzeichen für Portugal; **3** *chem. Zeichen für* Phosphor
p. *Abk. für* **1** Pagina; **2** pinxit
p- *chem. Zeichen für para-*
P. *Abk. für* **1** Pastor; **2** Pater; **3** Papa (**2**)
Pa *chem. Zeichen für* Protactinium
PA *Abk. für* Pennsylvania
pa. *Abk. für* prima
p.a. *Abk. für* pro anno, per annum
p.A. *Abk. für* per Adresse
Pä|an [griech.] *m. 1* **1** *urspr.:* altgriech. feierl. Dank-, Bitt- und Preisgesang an Apollon; **2** *später:* Kampf-, Siegeslied

> **paar/Paar:** Das unbestimmte Zahlwort *ein paar* (= einige) wird, ebenso wie *ein bisschen,* kleingeschrieben, weil es seine substantivischen Merkmale eingebüßt hat: *ein paar Leute, diese paar (Mark).* →§ 56 (5) Das Zahlsubstantiv *ein Paar* (= zwei) schreibt man groß: *ein Paar Schuhe; das Paar kostet 200,– DM.* →§ 55 (5)

paar 1 *unflektierbar;* ein paar: mehrere, einige; vgl. Paar; ein paarmal; *aber:* ein paar Male; ein paar Hundert: mehrere Hundert; alle paar Tage, Minuten usw.; **2** *Adj.:* paarig, zu zweien zueinander passend; *Ggs.:* unpaar; paare Blätter, Flossen; **Paar 1** *s. 1* zwei zusammengehörige Personen oder Dinge; ein Paar Socken; ein Paar neue (*oder:* neuer) Socken; mit einem Paar neuen Socken (*oder:* neuer Socken); sie sind heute ein Paar geworden: sie haben heute geheiratet; **2** [zu mhd. bar »Schranke, Barriere, Jagdnetz«) *nur in der Wendung* zu Paaren treiben (*eigtl.:* zu den baren): in die Enge treiben, in die Flucht schlagen; **paa|ren** *tr. u. refl. 1;* **paarig** paarweise, zu zweien; paarig gefiederte Blätter; **Paarigkeit** *w. 10 nur Ez.;* **Paar|lauf** *m. 2;* **paar|mal;** ein p.; *aber:* ein paar Male; **Paar|reim** *m. 1* Reim in zwei aufeinander folgenden Zeilen; **Paa|rung** *w. 10;* **paar|wei|se**
Pace [pɛɪs, engl.] *w. Gen. - nur Ez.* Gangart des Pferdes, Schritt; **Pace|ma|ker** [pɛɪsmɛɪkə] *m. 5* = Schrittmacher (**2**);
Pa|cer [pɛɪsə] *m. 5* im Passgang gehendes Pferd
Pacht *w. 10;* **pach|ten** *tr. 2;* **Päch|ter** *m. 5;* **Pacht|ver|trag** *m. 2;* **pacht|wei|se**
Pa|chul|ke [-xul-, tschech.] *m. 11* ungehobelter Mensch
Pack 1 *m. 1 oder m. 2* Packen; **2** *s. Gen.* -s *nur Ez.* Gesindel, Pöbel; **Pa|ckage|tour** [pɛkidʒtu:ə, engl.] durch ein Reisebüro organisierte Reise (z. B. Flug, Hotel, Halbpension); **Päck|chen** *s. 7;* **Pack|eis** *s. 1 nur Ez.* übereinander geschobene Eisschollen; **pa|ckeln** *intr. 1, österr.:* paktieren; mit jmdm. p.: etwas mit ihm heimlich vereinbaren, aushandeln; **pa|cken** *tr. 1;* **Pa|cken** *m. 7* Gepacktes, Bündel; **Pa|cker** *m. 5;* **Pa|cke|rei** *w. 10 nur Ez.;* **Pa|ckе|sel** *m. 5;* **Pack|lei|nen** *s. 7;* **Pack|lein|wand** *w. Gen.- nur Ez.;* **Pack|pa|pier** *s. 1;* **Pack|pferd** *s. 1;* **Pa|ckung** *w. 10*
Päd|a|go|ge *auch:* **Pä|da|go|ge** [griech.] *m. 11* Erzieher, Lehrer, Erziehungswissenschaftler; **Päd|a|go|gik** *auch:* **Pä|da|go|gik** *w. 10 nur Ez.* Erziehungswissenschaft, Kunst des Erziehens; **päd|a|go|gisch** *auch:* **pä|da|go|gisch** erzieherisch; Pädagogische Hochschule (*Abk.:* PH)
Pad|del [engl.] *s. 5* frei zu führendes Ruder oder Doppelruder; **Pad|del|boot** *s. 1;* **pad|deln** *intr. 1;* ich paddele, paddle; **Padd|ler** *m. 5*
Pad|dock [pædɔk, engl.] *m. 9* Gehege, Laufgarten für Pferde
Pad|dy [pædɪ, mal.-engl.] **1** *m. 9 nur Ez.* ungeschälter Reis; **2** [nach der Koseform für Patrick, dem Schutzheiligen Irlands] *m. 9, engl. Mz.:* -dies, *scherzh.:* Ire, Irländer
Päd|e|rast *auch:* **Pä|de|rast** [griech.] *m. 10* jmd., der Päderastie betreibt, Kinäde; **Päd|e|ras|tie** *auch:* **Pä|de|ras|tie** *w. 11 nur Ez.* geschlechtl. Beziehung zwischen Männern und Knaben, Knabenliebe; **Päd|i|a|ter** *auch:* **Pä|di|a|ter** *m. 5* Facharzt für Pädiatrie; **Päd|i|a|trie** *auch:* **Pä|di|a|trie** *w. 11 nur Ez.* Kinderheilkunde; **päd|i|a|trisch** *auch:* **pä|di|a|trisch**
Pa|di|schah [pers.] *m. 9, früher:* islam. Fürst
Päd|o|don|tie *auch:* **Pä|do|don-** [griech.] *w. 11 nur Ez.* Kinderzahnheilkunde; **Pä|do|ge|ne|se, Pä|do|ge|ne|sis** *w. Gen.- nur Ez.* Fortpflanzung im Jugend-, Larvenstadium; **pä|do|ge|netisch; Pä|do|lo|gie** *w. 11 nur Ez., veraltete Bez. für* Kinder-, Jugendpsychologie; **Pä|do|phi|lie** *w. 11 nur Ez.* Unzucht mit Kindern
Pa|dre [ital.] *auch:* **Pad|re** *m. 9, Anrede für* ital. Ordenspriester;
Pa|dro|na *auch:* **Pad|ro|na** *w. Gen. - Mz.* -ne, *ital. Bez. für* Wirtin, Hausherrin; **Pa|dro|ne** *auch:* **Pad|ro|ne** *m. Gen.* -s *Mz.* -ni, *ital. Bez. für* Wirt, Hausherr, Chef
Pa|du|a|ne *w. 11* = Pavane
Pa|el|la [-ɛlja, span.] *w. 9* ein span. Nationalgericht
Pa|fel *m. 5, Nebenform von* Bafel
Pa|fe|se [ital.], Po|fe|se *w. 11, österr.:* in Milch eingeweichte, in Fett gebackene Weißbrotscheibe, armer Ritter
paff!; piff, paff!; **paf|fen 1** *tr. 1, ugs.:* schnell und in großen Wolken rauchen; **2** *intr. 1* rauchen, ohne zu inhalieren
pag., p. *Abk. für* Pagina
Pa|gaie [mal.-span.] *w. 11* Stechpaddel für den Kanadier
Pa|ga|nis|mus [lat.] **1** *m. Gen. - nur Ez.* Heidentum; **2** *Mz.* -men heidnische Elemente im christl. Brauchtum
Pa|gat [ital.] *m. 1, Tarock:* Trumpfkarte
Pa|ge [-ʒə, frz.] *m. 11* **1** *früher:* Edelknabe, junger Adliger im fürstlichen Dienst; **2** *heute:* livrierter junger Hoteldiener, Bote u. Ä.; **Pa|gen|fri|sur** *w. 10 nur Ez.,* **Pa|gen|kopf** *m. 2 nur Ez.*

Pa|gi|na [lat.] *w. Gen. - Mz.* -nae [-nɛ:] (*Abk.:* p., pag.), *veraltet:* Buchseite, Seitenzahl; **pa|gi|nie|ren** *tr. 3* mit Seitenzahlen versehen
Pa|go|de [sanskr.] **1** *w. 11, europ. Bez. für* (buddhist.) Tempel in Indien und Ostasien; **2** *m. 11 oder w. 11, fälschl. Bez. für* kleine, sitzende ostasiat. Götterfigur mit bewegl. Kopf
pah! bah! Ausruf des Erstaunens
Pah|le|wi [auch: pax-] *s: Gen.* -(s) *nur Ez.* = Pehlewi
paille [paj, frz.] *veraltet:* strohfarben, gelb; **Pail|let|te** [pajɛtə] *w. 11* kleines, rundes, aufnähbares Metallplättchen (für Abendkleider u. Ä.)
Pair [pɛr, frz.] *m. 9 früher in Frankreich:* Mitglied des Hochadels; **Pai|rie** [pɛ-] *w. 11 nur Ez.* Pairswürde; **Pairs|kam|mer** *w. 11 nur Ez., früher in Frankreich:* Oberhaus
Pak *w. 9, Kurzw. für* Panzerabwehrkanone
Pa|ket *s. 1;* **Pa|ket|a|dres|se** *w. 11;* **pa|ke|tie|ren** *tr. 3* zum Paket verschnüren, verpacken; **Pa|ket|kar|te** *w. 11*
Pa|kis|tan Staat in Vorderindien; **Pa|kis|ta|ner** *m. 5,* **Pa|kis|ta|ni** *m. 9 oder Gen. - Mz. -* Einwohner von Pakistan; **pa|kis|ta|nisch**
Pakt *m. 1* Bündnis, Vertrag; **pak|tie|ren** *intr. 3* einen Pakt abschließen; *auch:* etwas im Geheimen vereinbaren, gemeinsame Sache mit jmdm. machen
Pa|lä|an|thro|po|lo|gie *auch:* **Pa|lä|anth|ro-** [griech.] Pa|lä|o|an|thro|po|lo|gie *w. 11 nur Ez.* Wissenschaft vom vorgeschichtl. Menschen; **pa|lä|ark|tisch**, pa|lä|o|ark|tisch, *Tiergeographie:* altarktisch; paläarktische Region: Verbreitungsgebiet südlich des nördlichen Polarkreises, umfasst Europa, Zentral- und Ostasien sowie Nordafrika; vgl. nearktisch
Pa|la|din [lat.] *m. 1* **1** *urspr.:* einer der zwölf Begleiter Karls des Großen; **2** *danach:* treuer Gefolgsmann
Pa|lais [-lɛ, frz.] *s. Gen.* - [-lɛs] *Mz.* - [-lɛs] Palast, Schloss
Pa|lan|kin [Hindi] *m. 1 oder m. 9* indische Sänfte
pa|lä|o ..., Pa|lä|o ... [griech.] *in Zus.:* alt ..., Alt ..., ur ..., Ur ...

Pa|lä|o|an|thro|po|lo|gie *auch:* **Pa|lä|o|anth|ro-** *w. 11 nur Ez.* = Paläanthropologie; **pa|lä|o|ark|tisch** = paläarktisch; **Pa|lä|o|bi|o|lo|gie** *w. 11 nur Ez.* = Paläontologie; **Pa|lä|o|bo|ta|nik** *w. 10 nur Ez.* Lehre von den ausgestorbenen, versteinerten Pflanzen; **Pa|lä|o|ge|o|gra|phie** ► *auch:* **Pa|lä|o|ge|o|gra|fie** *w. 11 nur Ez.* Lehre von der geograph. Gestalt der Erde in vergangenen Erdzeitaltern; **Pa|lä|o|graph** *m. 10;* **Pa|lä|o|gra|phie** *w. 11 nur Ez.* Lehre von den Schriften und Schreibmaterialien des Altertums und des MA; **pa|lä|o|gra|phisch; Pa|lä|o|lith** *m. 10* Steinwerkzeug des Paläolithikums; **Pa|lä|o|li|thi|ker** *m. 5* Mensch des Paläolithikums; **Pa|lä|o|li|thi|kum** *s. Gen.* -s *nur Ez.* Altsteinzeit; **pa|lä|o|li|thisch; Pa|lä|on|to|lo|ge** *m. 11;* **Pa|lä|on|to|lo|gie** *w. 11 nur Ez.* Lehre von den Tieren und Pflanzen vergangener Erdzeitalter, Paläobiologie; **pa|lä|on|to|lo|gisch; pa|lä|o|zän** zum Paläozän gehörend; **Pa|lä|o|zän** *s. 1 nur Ez.* unterste Abteilung des Tertiärs; **Pa|lä|o|zo|i|kum** *s. Gen.* -s *nur Ez.* Altertum der Erdgeschichte; **pa|lä|o|zo|isch; Pa|lä|o|zo|o|lo|gie** *w. 11 nur Ez,* Lehre von den ausgestorbenen Tieren
Pa|las [lat.] *m. Gen. - Mz.* -lasse Hauptgebäude der mittelalterl. Burg; **Pa|last** *m. 2* Schloss, schlossartiges Gebäude
Pa|läs|ti|na Landschaft zwischen der Ostküste des Mittelmeeres und dem Jordan; **Pa|läs|ti|nen|ser** *m. 5;* **pa|läs|ti|nen|sisch; pa|läs|ti|nisch**
Pa|läs|tra [griech.] *w. Gen. - Mz.* -stren, *im alten Griechenland:* Schule für Ringen, Fechten und Leibesübungen
pa|la|tal [lat.] zum Gaumen gehörend, am Gaumen gebildet, Gaumen ...; **Pa|la|tal** *m. 1* = Vordergaumenlaut; **pa|la|ta|li|sie|ren** *tr. 3* = mouillieren; **Pa|la|ta|li|sie|rung** *w. 10*
Pa|la|tin 1 *m. Gen.* -(s) *nur Ez.* einer der Hügel in Rom; **2** *m. 1* Pfalzgraf; **Pa|la|ti|nat** *s. 1* Pfalzgrafschaft; **pa|la|ti|nisch** pfalzgräflich; *aber:* der Palatinische Hügel in Rom
Pa|la|tschin|ke *auch:* **Pa|lat|schin|ke** [rumän.] *w. 11, ugs. auch:* **Pa|la|tschin|ken** *auch:* **Pa|lat|schin|ken** *m. 7, österr.:* gefüllter Eierkuchen
Pa|la|tum [lat.] *s. Gen.* -s *Mz.* -ta Gaumen
Pa|la|ver [port.] *s. 5* **1** *urspr.:* Ratsversammlung westafrikan. Stämme; **2** *übertr.:* endloses Gerede, endlose Verhandlung; **pa|la|vern** *intr. 1* **1** endlos verhandeln; **2** sich angeregt unterhalten
Pa|laz|zo [ital.] *m. Gen.* -s *Mz.* -zi, *ital. Bez. für* Palast, großes Wohnhaus in der Stadt
Pa|le *w. 11, nddt.:* Schote; **pa|len** *tr. 1, nddt.:* enthülsen
Pa|ler|mi|ta|ner *m. 5* Einwohner von Palermo; **pa|ler|mi|ta|nisch; Pa|ler|mo** Stadt auf Sizilien
Pa|le|tot [-to:, frz.] *m. 9, veraltet:* zweireihiger Herrenmantel
Pa|let|te [lat.-frz.] *w. 11* **1** runde Holz- oder Metallscheibe mit Loch für den Daumen zum Mischen der Farben beim Malen; **2** Untersatz zum Stapeln für Versandgüter, die dadurch leichter gehoben und bewegt werden können
pa|let|ti *in der Wendung* alles p.: alles in Ordnung
pa|let|tie|ren *tr. 3* auf der Palette (**2**) stapeln und von da aus verladen
Pa|li [sanskr.] *s. Gen.* -(s) *nur Ez.* mittelindische Sprache, relig. Sprache auf Sri Lanka, in Myanmar und Thailand
Pa|lim|psest [griech.] *auch:* **Pa|limp|sest** *s. 1, Altertum:* beschriebenes, abgeschabtes und wieder neu beschriebenes Pergament
Pa|lin|drom *auch:* **Pa|lind|rom** [griech.] *s. 1* Wort oder Satz, das bzw. der vorwärts und rückwärts sinnvoll gelesen werden kann, z. B. Gras – Sarg, Reittier
Pa|lin|ge|ne|se [griech.] **1** *Buddhismus u. a.:* Wiedergeburt (durch Seelenwanderung); **2** Wiederholung von Entwicklungsstufen der Stammesgeschichte während der Embryonalentwicklung; **3** Mischgesteinsbildung beim nochmaligen Schmelzen und Emporsteigen von Eruptivgesteinen
Pa|li|sa|de [lat.-frz.] *w. 11* **1** Befestigungspfahl; **2** Hindernis aus Pfählen

Pallisander [südamerik. Indianerspr.] *m. 5* sehr hartes, duftendes und schön gemasertes südamerik. Edelholz; **Pallisanderholz** *s. 4*
Palla [lat.] *w. Gen. - nur Ez.* **1** *im alten Rom:* weiter Frauenmantel; **2** *kath. Kirche:* Leinentuch über dem Messkelch
Palladium [lat.] *s. Gen.* -s *Mz.*-dilen **1** Kultbild der griechischen Göttin Pallas Athene; **2** Schutzbild, schützendes Heiligtum; **3** (*Zeichen:* Pd) chem. Element
Pallas [griech.] Beiname der griech. Göttin Athene
Pallasch [türk.-ung.] *m. 1* schwerer Degen
Pallawatsch *m. 1 nur Ez.* = Ballawatsch
Palliativ *s. 1,* **Palliativum** *s. Gen.* -s *Mz.* -va schmerzlinderndes Mittel; **Pallium** *s. Gen.* -s *Mz.* -lilen **1** *im alten Rom:* mantelartiger Umhang; **2** *MA:* (Krönungs-)Mantel der Kaiser; **3** *kath. Kirche:* lange, weiße, mit Kreuzen verzierte Binde um Schultern, Brust und Rücken als Abzeichen der Päpste und Erzbischöfe
Pallottiner *m. 5* Angehöriger des von dem ital. Priester Vincenzo Pallotti gegründeten kath. Ordens; **Pallottinerorden** *m. 7*
Pallmall [pɛlmɛl, ital.-engl.] *s. 9* ein Ballspiel; **Pall Mall** [pɛl mɛl, engl.] *w. Gen.- nur Ez.* Straße im Westen Londons (wo früher Pallmall gespielt wurde)
Palmarum [lat.] *ohne Artikel* Sonntag vor Ostern, Palmsonntag; an, zu P.; **Palmblatt,** Palmenlblatt *s. 4;* **Palme** *w. 11;* **Palmenzweig,** Palmzweig *m. 1;* **Palmesel** *m. 5* holzgeschnitzte Darstellung des auf einem Esel reitenden Christus; **Palmette** *w. 11* dem Palmenblatt ähnliche Verzierung; **Palmfarn** *m. 1* dickstämmiger Farn mit großen Fiederblättern; **Palmfett** *s. 1 nur Ez.* aus den Früchten der Ölpalme gewonnenes (meist gebleichtes) Fett, Palmbutter; **Palmin** *s. 1 nur Ez.* Ⓦ aus der Kokosnuss gewonnenes Fett; **Palmitin** *s. 1 nur Ez.* Fett der Palmitinsäure; **Palmitinsäure** *w. 11 nur Ez.* im Palmöl sowie in den meisten tier. Fetten vorkommende Fettsäure; **Palmkätzchen** *s. 7 Mz.* Weidenkätzchen, Blüten der Salweide; **Palmöl** *s. 1 nur Ez.;* **Palmsonntag** *m. 1* = Palmarum; **Palmwedel** *m. 5* Blatt der Palme oder des Palmfarns; **Palmwein** *m. 1;* **Palmzweig,** Pallmenlzweig *m. 1*
palpabel [ital.] *Med.:* tastbar, fühlbar; **Palpation** *w. 10* Untersuchung durch Palpieren; **Palpe** *w. 11, bei Insekten:* fühlerartiger Anhang der Mundwerkzeuge, Taster; **palpieren** *tr. 3, Med.:* tasten, fühlen, klopfen; **Palpitation** *w. 10* beschleunigter Pulsschlag, Herzklopfen; **palpitieren** *intr. 3* beschleunigt schlagen (Herz, Puls)
Pamir [auch: pa-] Hochland in Innerasien, »Dach der Welt«
Pampa [indian.] *w. 9* südamerik. Grassteppe; **Pampa[s]gras** *s. 4* eine Zierstaude, Silbergras
Pampe *w. 11 nur Ez., mitteldt.:* dicker Schmutz, nasser Sand
Pampelmuse [ndrl.] *w. 11* eine Zitrusfrucht
Pampero [span.] *m. 9* kalter Südsturm in Argentinien und Uruguay
Pampf *m. 1 nur Ez.* = Pamps
Pamphlet *auch:* **Pamphlet** [lat.-engl.] *s. 1* Streit-, Schmähschrift; **Pamphletist** *auch:* **Pamphletist** *m. 10* Verfasser eines Pamphlets
pampig **1** breiig, dickflüssig; **2** *übertr. ugs.:* derb-frech, unverschämt; **Pamps,** Pampf *m. 1 nur Ez.* dicker Brei
Pampusche *w. 11* = Babusche
Pan **1** *griech. Myth.:* Hirten-, Weidegott mit Bocksfüßen, -hörnern und -ohren, der mit seinem plötzlichen Erscheinen Schrecken erregt; vgl. Panik, panisch; **2** [poln.] *m. Gen.* -s *Mz.* Panowie Herr
pan..., Pan... [griech.] *in Zus.:* all..., All..., ganz..., Ganz...
Panaché [-ʃe] *s. 9, frz. Schreibung von* Panaschee
Panade [ital.] *w. 11* Mischung aus Weißbrot und Ei für Füllungen und Suppeneinlagen; **Panadelsuppe** *w. 11, österr.*
Pan Am, *Abk. für* Pan Ameliri-can World Airlways [pæn amɛrikan wœ:ld ɛ:rwɛiz] ehem. amerik. Luftfahrtgesellschaft
Panama **1** Staat in Mittelamerika; **2** *amtl.:* Panamá, Hst. von Panama (**1**); **3** *m. 9* ein poröses Gewebe für Sporthemden, Sportanzüge u. a.; **4** Strohhut mit breiter Krempe; **Panamakanal** *m. 2 nur Ez.;* **Panameñe** *m. 11* Einwohner von Panama; **panamenisch**
panamerikanisch; panamerikanische Bewegung = Panamerikanismus; **Panamerikanismus** *m. Gen. - nur Ez.* Bestrebung zur Zusammenarbeit aller amerik. Staaten
Panaritium [-tsjum, lat.] *s. Gen.*-s *nur Ez.* Fingerentzündung, Nagelgeschwür
Panasch [frz.] *m. 1* Federbusch, Helmzier; **Panaschee** *s. 9* **1** *veraltet für* gemischtes Kompott oder Eis; **2** = Panaschierung; **panaschieren** **1** *tr. 3* buntstreifig mustern; **2** *intr. 3* mehrere Kandidaten zugleich wählen; **Panaschiersystem** *s. 1;* **Panaschierung** *w. 10* Weißfleckigkeit (von Blättern) infolge Mangels an Blattgrün, Panaschee
Panathenäen [griech.] *Gen. - nur Mz.* im antiken Athen gefeiertes Hauptfest zu Ehren der Göttin Athene
Panazee *auch:* **Panazee** [griech.] *w. Gen.- Mz.* -n ein Allheilmittel
panchromatisch *auch:* **panchromatisch** [-kro-, griech.] für alle Farben gleich empfindlich (Film)
Panda [nepales.] *m. 9* Kleinbär des Himalaya, Katzenbär
Pandaimonion [griech.], **Pandämonium** [lat.] *s. Gen.* -s *Mz.* -nilen, *griech.-röm. Myth.:* Versammlungsort aller bösen Geister, aller Dämonen
Pandane [mal.] *w. 11* eine Zimmerpflanze, Schraubenbaum; **Pandang** *m. Gen.* -s *nur Ez.* Schraubenpalme
Pandekten [griech.] *Mz.* Sammlung altröm. Rechtsgrundsätze als Grundlage für das Corpus iuris civilis
Pandemie [griech.] *w. 11* Epidemie von großem Ausmaß; **pandemisch**
Pandit [sanskr.] *m. 1, ind. Titel für:* Gelehrter
Pandora *griech. Myth.:* Frau, die in einer Büchse alle Übel auf die Erde brachte; Büchse

der P. *übertr.:* Quelle allen Übels

Pan|dschab *auch:* **Pand|schab** [sanskr. »fünf Ströme«] *s. Gen.* -s *nur Ez.* Landschaft in Vorderindien; **Pan|dscha|bi** *auch:* **Pand|scha|bi** **1** *m. Gen. - Mz.* - Einwohner des Pandschabs; **2** *s. Gen.* -(s) *nur Ez.* im Pandschab gesprochene neuindische Sprache

Pan|dur [ung.] *m. 10* **1** *früher:* bewaffneter ung. Diener; **2** *17./18. Jh.:* ung. Fußsoldat

Pa|neel [frz.] *s. 1* **1** Holztäfelung; **2** einzelnes Feld der Täfelung; **pa|neel|lie|ren** *tr. 3* mit Paneel versehen, täfeln

Pan|e|gy|ri|ker [griech.] *m. 5* Verfasser eines Panegyrikus, Lobredner; **Pan|e|gy|ri|kos** *m. Gen. - Mz.* -koi, **Pan|e|gy|ri|kus** *m. Gen. - Mz.* -ken, *in der Antike:* Fest-, Lobrede; **pan|e|gy|risch**

Pa|nel [pænəl, engl.] *s. 9* **1** *Sozial-, Meinungsforschung:* für eine bestimmte Aufgabe ausgewählte Gruppe, z. B. Diskussionsrunde; **2** isolierter, typografisch umgrenzter Teil eines Werbemittels

pa|nem et cir|cen|ses [lat.] »Brot und (Zirkus-)Spiele« (Forderung der röm. Bevölkerung in der Zeit des wirtschaftl. Verfalls während der Kaiserzeit)

Pan|en|the|is|mus [griech.] *m. Gen. - nur Ez.* Lehre, dass das Weltall in Gott eingeschlossen sei; vgl. Pantheismus; **pan|en|the|is|tisch**

Pa|net|to|ne *m. Gen.- Mz.* -toni [ital.] ital. Weihnachtskuchen

Pan|eu|ro|pa-Be|we|gung *w. 10 nur Ez.* Streben nach polit., wirtschaftl. und kultureller Einigung Europas; **pan|eu|ro|pä|isch**

Pan|flö|te, Pans|flö|te *w. 11* antike Hirtenflöte aus fünf bis sieben nebeneinander liegenden Pfeifen

Pan|ger|ma|nis|mus *m. Gen. - nur Ez., früher:* Bestrebung, alle Deutschen in einem Staat zu vereinigen; **pan|ger|ma|nis|tisch**

Pan|has [nddt.] *m. Gen. - nur Ez.* westfäl. Gericht aus in Scheiben geschnittener, gebratener Buchweizengrütze

Pan|hel|le|nis|mus *m. Gen. - nur Ez., früher:* Bestrebung, alle Griechen in einem Staat zu vereinigen; **pan|hel|le|nis|tisch**

Pa|ni **1** *Mz. von* Pan (**2**); **2** *m. 9 oder Gen. - Mz.* - Angehöriger eines nordamerik. Indianerstammes

Pa|nier [frz.] *s. 1, veraltet:* **1** Banner; **2** Wahlspruch; **3** *w. Gen. - nur Ez., österr.:* Mischung zum Panieren; **pa|nie|ren** *tr. 3* in einer Mischung aus Ei und Mehl oder geriebener Semmel wälzen; paniertes Schnitzel; **Pa|nier|mehl** *s. 1*

Pa|nik [nach dem griech. Hirtengott Pan] *w. 10* plötzliches, die Vernunft ausschaltendes Erschrecken, allgemeine Verwirrung (bes. bei Menschenansammlungen); **Pa|nik|ma|che** *w. 11 nur Ez.;* **Pa|nik|re|ak|ti|on** *w. 10;* **Pa|nik|stim|mung** *w. 10 nur Ez.;* **pa|nisch** alles, das ganze Innere erfüllend, alle ergreifend, sinnlos, wild; panische Angst, panisches Entsetzen

Pan|is|la|mis|mus *m. Gen. - nur Ez.* Bestrebung, alle islam. Völker zu vereinigen

Pan|je [poln.] *m. 9, scherzh. oder abfällig:* russischer Bauer; **Pan|je|pferd** *s. 1* kleines russisches Pferd; **Pan|je|wa|gen** *m. 7*

Pan|kar|di|tis [griech.] *w. Gen. - Mz.* -tiden Herzentzündung

Pan|kow [-ko:] nördlicher Stadtteil von Berlin, *früher auch ugs. für* die Regierung der DDR

Pank|ra|ti|on *auch:* **Pank|ra|ti|on** [-tsjɔn, griech.] *s. Gen.* -s *nur Ez.* Allkampf, Zweikampf mit allen Mitteln

Pan|kre|as *auch:* **Pank|re|as** [griech.], *fachsprachl.:* Pan|cre|as *w. Gen. - Mz.* -aten Bauchspeicheldrüse; **Pan|kre|a|ti|tis** *w. Gen. - Mz.* -ti|ti|den Pankreasentzündung

Pan|lo|gis|mus *m. Gen. - nur Ez.* Lehre, dass das ganze Weltall von logischer, vernünftiger Natur sei; **pan|lo|gis|tisch**

Pan|mi|xie [griech.] *w. 11* wahllose Vermischung von Erbanlagen bei unbehinderter Kreuzung von Tieren oder Pflanzen einer Population

Pan|ne [frz.] *w. 11;* **Pan|nen|dienst** *m. 1*

Pan|no|ni|en röm. Provinz zwischen Ostalpen, Donau und Save

Pan|op|ti|kum *auch:* **Pa|nop|ti|kum** [griech.] *s. Gen.* -s *Mz.* -ken Wachsfiguren-, Kuriositätenkabinett

Pan|o|ra|ma *auch:* **Pa|no|ra|ma** [griech.] *s. Gen.* -s *Mz.* -men **1** Rundblick, Ausblick; **2** Rundgemälde; **3** Rundbild als hinterer Abschluss der Bühne zur Vortäuschung einer Landschaft; **Pan|o|ra|ma|auf|nah|me** *auch:* **Pa|no|ra|ma-** *w. 11* aus mehreren, genau aneinander passenden fotograf. Aufnahmen zusammengesetzte Aufnahme; **pan|o|ra|mie|ren** *auch:* **pa|no|ra-** *intr. 3, Film:* durch langsames Schwenken der Kamera eine weite Landschaft vor Augen führen

Pan|psy|chis|mus *m. Gen.- nur Ez.* Lehre, dass die gesamte Natur, auch die unbelebte, beseelt sei

pan|schen **1** *tr. 1* mit Wasser mischen, verfälschen (Wein, Milch); **2** *intr. 1* mit Wasser spielen, planschen; **Pan|scher** *m. 5* jmd., der Wein oder Milch panscht

Pan|sen *m. 7* erster Magen der Wiederkäuer

Pans|flö|te, Pan|flö|te *w. 11* antike Hirtenflöte aus fünf bis sieben nebeneinander liegenden Pfeifen

Pan|sla|wis|mus *m. Gen. - nur Ez.* Bestrebung, alle slawischen Völker zu vereinigen; **Pan|sla|wist** *m. 10;* **pan|sla|wis|tisch**

Pan|so|phie [griech.] *w. 11 nur Ez.* Gesamt-, Allweisheit, *bes. im 16./17. Jh.:* Versuch, alle Wissenschaften und die Religion zu vereinigen

Pan|sper|mie [griech.] *w. 11 nur Ez.* Lehre, dass Lebenskeime von einem Himmelskörper zum andern übertragen würden und dadurch das Leben auf der Erde entstanden sei

Pan|ta|le|on, Heiliger, einer der 14 Nothelfer

Pan|ta|lo|ne [ital.] *m. Gen.* -s *Mz.* -ni Figur der Commedia dell'arte, komischer Alter; **Pan|ta|lons** [pɑ̃talɔ̃s, frz.] *Mz.:* während der Frz. Revolution in Mode gekommene lange Hosen

pan|ta rhei [griech.] alles fließt (angeblicher Ausspruch Heraklits: alles Sein beruht auf ständigem Werden und Vergehen)

Pan|ter *m. 5* = Panther; **Pan|ter|kat|ze** *w. 11* = Pantherkatze

Pan|the|is|mus *m. Gen. - nur Ez.* Lehre, dass Gott überall in der Natur sei, dass Gott und die Welt eine Einheit seien; vgl. Panentheismus; **Pan|the|ist** *m. 10;* **pan|the|is|tisch; Pan|the|on** *s. 9* **1** *Antike:* Tempel für alle Götter; **2** Gesamtheit aller Götter eines Volkes; **3** Ehrentempel

Pan|ther ► *auch:* **Pan|ter** [griech.] *m. 5* = Leopard; **Pan|ther|kat|ze** ► *auch:* **Pan|ter|kat|ze** *w. 11* = Ozelot

Pan|ti|ne [frz.] *w. 11, meist Mz.* Holzpantoffel

Pan|tof|fel *m. 14, meist Mz.* Hausschuh ohne Ferse; unter dem P. stehen *ugs. scherzh.:* zu Hause nichts zu sagen haben, unter dem Regiment der Ehefrau stehen; **Pan|tof|fel|blu|me** *w. 11* = Kalzeolarie; **Pan|töf|fel|chen** *s. 7;* **Pan|tof|fel|held** *m. 10, ugs. scherzh.:* Ehemann, der zu Hause nichts zu sagen hat; vgl. Pantoffel; **Pan|tof|fel|schne|cke** *w. 11* eine Meeresschnecke; **Pan|tof|fel|tier|chen** *s. 7* ein Einzeller

Pan|to|graph [griech.] *m. 10* = Storchschnabel (**2**); **Pan|to|gra|phie** *w. 11* mit dem Pantographen hergestellte Zeichnung

Pan|to|let|te *w. 11* leichter Sommerschuh ohne Ferse

Pan|to|me|ter [griech.] *s. 5* Gerät zum Messen von Längen und Winkeln

Pan|to|mi|me [griech.] **1** *w. 11* Darstellung von Szenen ohne Worte, nur mit Gebärden, Mienenspiel und Bewegungen; **2** *m. 11* Künstler, der Pantomimen darstellt; **Pan|to|mi|mik** *w. 10 nur Ez.* Kunst der Pantomime, Gebärden- und Mienenspiel; **pan|to|mi|misch** in der Art einer Pantomime

pan|to|phag [griech.] sich von Pflanzen und Tieren ernährend, omnivor; **Pan|to|pha|ge** *m. 11* Tier, das sich von Pflanzen und Tieren ernährt, Omnivore; **Pan|to|pha|gie** *w. 11 nur Ez.* auf pflanzliche und tierische Nahrung eingestellte Ernährungsweise; vgl. Monophagie, Polyphagie

Pan|try *auch:* **Pant|ry** [pæn-, engl.] *w. 9, auf Schiffen und in Flugzeugen:* Speisekammer, Anrichteraum

pant|schen *tr. u. intr. 1, Nebenform von* panschen

Pan|tschen-La|ma *auch:* **Pant|schen-** [tibet.] *m. Gen.* -(s) *Mz.* -s zweites Oberhaupt des Lamaismus nach dem Dalai-Lama

Pan|ty [pɛnti, engl.] *w. Gen. - Mz.* -tys Miederhose

Pän|ul|ti|ma [lat.] *w. Gen. - Mz.* -mae *oder* -men vorletzte Silbe (eines Wortes)

Pan|zen *m. 7, süddt.:* Wanst, Bauch, Schmerbauch

Pan|zer *m. 5* **1** *MA:* Rüstung; **2** *bei Tieren:* Schutzhülle aus Horn o. Ä.; **3** Stahlschutzhülle; **4** *kurz für* Panzerkampfwagen; **Pan|zer|ab|wehr|ka|no|ne** *w. 11* (*Kurzw.:* Pak); **Pan|zer|di|vi|si|on** *w. 10;* **Pan|zer|ech|se** *w. 11* Krokodil; **Pan|zer|faust** *w. 2, im 2. Weltkrieg:* Handfeuerwaffe der Infanterie; **Pan|zer|glas** *s. 4* schusssicheres Glas; **Pan|zer|hemd** *s. 12, MA:* Panzer aus kleinen Einzelteilen, Schuppenpanzer, Kettenpanzer; **pan|zern** *tr. 1;* **Pan|zer|späh|wa|gen** *m. 7;* **Pan|ze|rung** *w. 10*

Pä|o|nie [-njə, griech.] *w. 11* Pfingstrose

Pa|pa [lat.] *m. 9 nur Ez.* **1** *kath. Kirche: Bez. für* Papst; **2** (*Abk.:* P.) *Ostkirche:* Titel höherer Geistlicher; **Pa|pa** [ugs. und Kinderspr.: papa] *m. 9* Vater; **Pa|pa|bi|le** [-le:] *m. Gen.* -s *Mz.* -li Kardinal, der Aussicht hat, zum Papst gewählt zu werden

Pa|pa|gal|lo [ital. »Papagei«] *m. Gen.* -s *Mz.* -s *oder* -li, *in Mittelmeerländern:* einheimischer, zu Liebesabenteuern mit Touristinnen aufgelegter junger Mann; **Pa|pa|gei** *m. 12* ein trop. Klettervogel; **Pa|pa|gei|en|krank|heit** *w. 10 nur Ez.* auf Menschen übertragbare Infektionskrankheit der Papageien und Wellensittiche, Psittakose

Pa|pa|ge|no *m. Gen.* -s *nur Ez.* der Vogelsteller aus Mozarts »Zauberflöte«

pa|pal [lat.] päpstlich; **Pa|pa|lis|mus** *m. Gen. - nur Ez.* kirchliches System, in dem der Papst die oberste Gewalt ausübt; *Ggs.:* Episkopalismus; **Pa|pal|sys|tem** *s. 1 nur Ez.* = Papalismus; **Pa|pas** *m. Gen. - Mz.* -, *Ostkirche:* Weltgeistlicher; **Pa|pat** *m. 1 oder s. 1 nur Ez.* Amt, Würde des Papstes

Pa|pa|ve|rin [lat.] *s. nur Ez.* im Opium enthaltenes Alkaloid, als Krampf lösendes, Blutdruck senkendes und Schlafmittel verwendet

Pa|pa|ya [karib.] *w. 9* Melonenbaum

Pa|pel [lat.] *w. 11* entzündliche Hauterhebung, Bläschen, Knötchen

Pa|per|back [pɛɪpəbæk, engl.] *s. 9* kartoniertes Buch

Pa|pe|te|rie [frz.] *w. 11, schweiz.:* Schreibwarenhandlung

Pa|pi, Pap|pi *m. 9, Kinderspr.*

Pa|pier *s. 1; Börse* (*Abk.:* P.): Wertpapier; Papiere: Ausweise; **Pa|pier|boot** *s. 1* ein Kopffüßer; **Pa|pier|deutsch** *s. Gen.* -(s) *nur Ez.* unlebendige, trockene Ausdrucksweise; **pa|pie|ren** aus, wie Papier; **Pa|pier|geld** *s. 3 nur Ez.;* **Pa|pier|krieg** *m. 1 nur Ez.* zuviel Briefwechsel, Ausfüllen zu vieler Formulare; **Pa|pier|ma|ché** [-ʃe:] *Nv.* ► **Pa|pier|ma|schee** *Hv. s. 9* formbare Masse aus feuchtem Papier, Leim u. a., Pappmaschee

pa|pil|lar [lat.] warzenartig; **Pa|pil|lar|li|ni|en** *w. 11 Mz.* die feinen linearen Hauterhebungen der Handflächen (bes. Fingerkuppen) und Fußsohlen; **Pa|pil|le** *w. 11* Warze, warzenförmige Hauterhebung; **pa|pil|li|form** warzenförmig; **Pa|pil|lom** *s. 1* warzenartige Geschwulst

Pa|pil|lo|te [papijɔtə, auch: papilɔtə, frz.] *w. 11* dünner Lockenwickel; en papillote [ã papijɔt]: Zubereitung (von Fleisch, Fisch) in Folie

Pa|pis|mus [lat.] *m. Gen. - nur Ez., abwertend* **1** Papsttum; **2** engherzige Papsttreue; **Pa|pist** *m. 10, abwertend:* Anhänger des Papsttums; **pa|pis|tisch**

Papp *m. 1 nur Ez.* **1** dicker Brei, Pamps; **2** Klebstoff

Papp|pa|ta|ci|fie|ber [-tschi-] *s. 5 nur Ez.* = Dreitagefieber

Papp|band *m. 2;* **Papp|de|ckel,** Pap|pen|de|ckel *m. 5* Stück Pappe; **Pap|pe** *w. 11*

Pap|pel *w. 11* Laubbaum

päp|peln *tr. 1, ugs.:* sorgsam, gut füttern; *meist:* auf-, hochpäppeln; ich päppele, päpple ihn

pap|pen *tr. u. intr. 1, ugs.:* kleben; **Pap|pen|de|ckel** *m. 5* = Pappdeckel

► = wird zu

Pap|pen|hei|mer *m. 5* Angehöriger eines Reiterregiments unter Wallenstein, *nur in der Wendung:* ich kenne meine P.!: ich kenne diese Leute, ich weiß Bescheid

Pap|pen|stiel *m. 1, übertr.:* etwas Wertloses, Geringfügigkeit; das ist schließlich kein P.!; etwas für einen P. hergeben

pap|per|la|papp!

pap|pig; Papp|kas|ten *m. 8;*

> **Pappmaschee/Pappmaché:** Die integrierte (eingedeutschte) Schreibweise ist die Hauptvariante *(Pappmaschee),* die fremdsprachige Form ist die zulässige Nebenvariante *(Pappmaché).* →§20 (2)

Papp|ma|ché [-ʃeː] *Nv.* ▶ **Papp|ma|schee** *Hv. s. 9* = Papiermaschee; **Papp|schach|tel** *w. 11*

Papps *m. 1* dicker Brei, Pamps

Papp|schnee *m. Gen.* -s *nur Ez.* klebender, nasser Schnee

Pap|pus [griech.] *m. Gen.* - *Mz.* - *oder* -pus|se Haarkrone der Korbblütlerfrüchte

Pap|ri|ka *auch:* **Pap|ri|ka** [serb.-ung.] *m. 9* eine Gemüse- und Gewürzpflanze

Paps *m. Gen.* - *nur Ez., Kindersprache für* Papa

Papst *m. 2;* **päpst|lich; Papst|tum** *s. Gen.* -s *nur Ez.*

Pa|pua *m. 9 oder Gen.* - *Mz.* - Ureinwohner von Neuguinea; **Pa|pua-Neu|gu|i|nea** Staat auf Neuguinea; **pa|pu|a|nisch**

Pa|pu|la [lat.] *w. Gen.* - *Mz.* -lae [-lɛː], *lat. Form von* Papel

Pa|py|ri *Mz. von* Papyrus; **Pa|py|rin** [griech.] *s. 1* Pergamentpapier; **Pa|py|ro|lo|ge** *m. 11;* **Pa|py|ro|lo|gie** *w. 11 nur Ez.* Lehre von den Papyri; **Pa|py|rus** *m. Gen.* - *Mz.* -ri **1** antikes, aus der Papyrusstaude gewonnenes Schreibblatt; **2** Schriftstück daraus; **Pa|py|rus|rol|le** *w. 11;* **Pa|py|rus|stau|de** *w. 11* Schilfgewächs in Afrika und Südwestasien

Par *s. Gen.* - *Mz.* -s festgesetzte Anzahl von Schlägen für ein Loch im Golfspiel

par..., Par..., vgl. para..., Para...

pa|ra... (*Zeichen:* p-) *Chem.:* Vorsilbe zur Kennzeichnung einer isomeren Form von Benzolderivaten

pa|ra..., Pa|ra... [griech.] *in Zus.:* bei..., Bei..., neben..., Neben..., gegen..., Gegen...

Pa|ra|bel [griech.] *w. 11* **1** *Math.:* ebene, symmetrische, ins Unendliche laufende, offene Kurve; **2** lehrhafte Erzählung, Gleichnis

Pa|ra|bel|lum *w. 9,* **Pa|ra|bel|lum|pis|to|le** *w. 11* Ⓦ Selbstladepistole

Pa|ra|bi|o|se [griech.] *w. 11* Zusammenleben zweier miteinander verwachsener Lebewesen; **Pa|ra|bi|ont** *m. 10* Lebewesen, das mit einem andern der gleichen Art zusammengewachsen ist, z. B. siames. Zwilling

Pa|ra|bo|l|an|ten|ne *w. 11* Antenne in Form eines Parabolspiegels

pa|ra|bo|lisch in der Art einer Parabel, gleichnishaft; **pa|ra|bo|li|sie|ren** *tr. 3* in der Art einer Parabel darstellen; **Pa|ra|bo|lo|id** *m. 1* durch Rotation einer Parabel entstehender Körper; **Pa|ra|bol|spie|gel** *m. 5* Hohlspiegel

Pa|ra|de [frz.] *w. 11* **1** Vorbeimarsch von Truppen; **2** *Boxen, Fechten:* Abwehr eines Angriffs; **3** Verkürzen der Gangart oder Anhalten des Pferdes

Pa|ra|deis|ap|fel *m. 6,* **Pa|ra|dei|ser** *m. 5, österr.:* Tomate; **Pa|ra|deis|mark** *s. Gen.* -s *nur Ez., österr.:* Tomatenmark

Pa|ra|de|marsch *m. 2*

Pa|ra|den|ti|tis [griech. + lat.] *w. Gen.* - *Mz.* -ti|ti|den, *ältere Bez.* für Parodontitis; **Pa|ra|den|to|se** *w. 11, ältere Bez. für* Parodontose

Pa|ra|de|schritt *m. 1;* **pa|ra|die|ren** *intr. 3* vorbeimarschieren; mit etwas p.: sich mit etwas brüsten

Pa|ra|dies [griech.] *s. 1* **1** Garten Gottes, Garten Eden, Himmel; **2** *in der altchristl. Basilika:* Vorhof mit Brunnen; **3** *übertr.:* Ort der Glückseligkeit, bes. schöner Ort; **Pa|ra|dies|ap|fel** *m. 6* **1** Zwergapfel; **2** *auch:* Tomate; **pa|ra|die|sisch; Pa|ra|dies|vo|gel** *m. 6* Vertreter einer farbenprächtigen Vogelfamilie

Pa|ra|dig|ma [griech.] *s. Gen.* -s *Mz.* -men **1** Musterbeispiel; **2** *Gramm.:* Flexionsmuster; **pa|ra|dig|ma|tisch** beispielhaft

pa|ra|dox [griech.] widersinnig, widersprüchlich; **Pa|ra|dox** *s. 1* = Paradoxon; **Pa|ra|do|xie** *w. 11* Widersinnigkeit; **Pa|ra|do|xon** *s. Gen.* -s *Mz.* -xa widersinnige Folgerung oder Äußerung, die dem gesunden Menschenverstand zuwiderläuft

Par|af|fin *auch:* **Pa|raf|fin** [lat.] *s. 1* Gemisch gesättigter Kohlenwasserstoffe; *Mz.:* homologe Reihe der gesättigten Kohlenwasserstoffe

Pa|ra|ge|ne|se [griech.] *w. 11* gemeinsames Vorkommen bestimmter Mineralien in einer Lagerstätte; **pa|ra|ge|ne|tisch**

Pa|ra|ge|stein *s. 1* durch Umwandlung aus einem Sediment gebildetes Gestein; *Ggs.:* Orthogestein

Pa|ra|gli|der [-glai-, engl.] *m. 5* Gerät zum Gleitschirmfliegen; **Pa|ra|gli|ding** *s. Gen.* -s *nur Ez.*

> **Paragraph/Paragraf:** Die fremdsprachige Schreibweise ist die Hauptvariante *(Paragraph),* die integrierte (eingedeutschte) Form die zulässige Nebenvariante *(Paragraf).* →§32 (2)

Pa|ra|graph ▶ *auch:* **Pa|ra|graf** [griech.] *m. 10* (*Zeichen:* §, *Mz.* §§) Abschnitt, Absatz; **Pa|ra|gra|phen|rei|ter** ▶ *auch:* **Pa|ra|gra|fen|rei|ter** *m. 5* jmd., der sich sklavisch an die Vorschriften hält; **Pa|ra|gra|phen|rei|te|rei** ▶ *auch:* **Pa|ra|gra|fen|rei|te|rei** *w. 10 nur Ez.;* **Pa|ra|gra|phie** ▶ *auch:* **Pa|ra|gra|fie** *w. 11 nur Ez.* Störung der Schreibfähigkeit, Verwechslung von Buchstaben oder Wörtern; **pa|ra|gra|phie|ren** ▶ *auch:* **pa|ra|gra|fie|ren** *tr. 3* in Paragraphen einteilen; **Pa|ra|graph|zei|chen** ▶ *auch:* **Pa|ra|graf|zei|chen** *s. 7* das Zeichen §

Pa|ra|gu|ay [auch: -gwaɪ] **1** Staat in Südamerika; **2** *m. Gen.* -s Nebenfluss des Paraná; **Pa|ra|gu|a|ya|ner,** Pa|ra|gu|a|yer *m. 5;* **pa|ra|gu|a|ya|nisch,** pa|ra|gu|a|yisch

Pa|ra|ki|ne|se [griech.] *w. 11* Störung im koordinierten Bewegungsablauf

Pa|ra|kla|se *auch:* **Pa|rak|la|se** [griech.] *w. 11* durch Verwerfung entstandene Spalte

Pa|ra|klet *auch:* **Pa|rak|let** [griech.] *m. 10 oder m. 1* Helfer, Fürsprecher, Titel des Heiligen Geistes

Pa|ra|li|po|me|non [griech.] *s. Gen.* -s, *meist Mz.* -me|na Ergänzung, Nachtragung (zu einem literar. Werk)
par|al|lak|tisch *auch:* **pa|ral-** [griech.] auf Parallaxe beruhend; **Par|al|la|xe** *w. 11* **1** Winkel zwischen zwei Sehstrahlen, der entsteht, wenn ein Punkt von zwei verschiedenen Punkten auf einer Geraden betrachtet wird; **2** *Fot.:* Unterschied zwischen dem Bildausschnitt im Sucher und dem, der dann auf dem Film erscheint; **Par|al|la|xen|se|kun|de** *w. 11* (*Kurzw.:* Parsec, Parsek, *Abk.:* pc) Maßeinheit für die Entfernung zwischen Sternen, etwa 3,25 Lichtjahre
par|al|lel *auch:* **pa|ral|lel** [griech.] **1** *Math.:* in gleichbleibendem Abstand nebeneinander (verlaufend); parallel laufend; **2** *übertr.:* gleichzeitig; **Par|al|le|le** *w. 11* **1** Gerade, die mit einer anderen Geraden in gleichbleibendem Abstand verläuft; **2** *übertr.:* etwas Ähnliches, ähnlicher Fall, ähnliches Ereignis; **Par|al|lel|epi|ped** *s. 1,* **Par|al|lel|epi|pe|don** *s. Gen.* -s *Mz.* -da *oder* -pe|den = Parallelflach; **Par|al|lel|fall** *m. 2* ähnlicher Fall; **Par|al|lel|flach** *s. 1* von drei Paaren paralleler Ebenen begrenzter Körper, Parallelepipedon; **par|al|le|li|sie|ren** *tr. 3* (vergleichend) nebeneinander stellen; **Par|al|le|li|sie|rung** *w. 10 nur Ez.;* **Par|al|le|lis|mus** *m. Gen.* - *Mz.* -men Übereinstimmung, Ähnlichkeit; gleicher Bau (von Sätzen oder Satzteilen); **Par|al|le|li|tät** *w. 10 nur Ez.* parallele Beschaffenheit; **Par|al|lel|kreis** *m. 1* Breitenkreis; **Par|al|le|lo|gramm** *s. 1* Viereck mit zwei Paar paralleler Seiten; **Par|al|lel|pro|jek|ti|on** *w. 10* Darstellung eines räumlichen Gebildes auf einer Ebene durch parallele Strahlen; **par|al|lel|schal|ten** ▶ **par|al|lel schal|ten** *tr. 2;* **Par|al|lel|schal|tung** *w. 10* Verbindung der Aus- und Eingänge zweier Schaltelemente; **Par|al|lel|ton|art** *w. 10* Tonart mit den gleichen Vorzeichen; **par|al|lel|ver|wandt** ▶ **par|al|lel ver|wandt** = affin
Pa|ra|lo|gie [griech.] *w. 11* **1** Vernunftwidrigkeit; **2** krankhaftes Vertauschen von Wörtern und Begriffen; **Pa|ra|lo|gis|mus** *m. Gen.* - *Mz.* -men Fehlschluss, unlogische Folgerung; **Pa|ra|lo|gis|tik** *w. 10 nur Ez.* Anwendung von Trugschlüssen
Pa|ra|ly|se [griech.] *w. 11* völlige Lähmung; progressive P.: Gehirnschwund infolge Syphilis; **pa|ra|ly|sie|ren** *tr. 3* **1** lähmen; **2** *übertr.:* unwirksam machen; **Pa|ra|ly|ti|ker** *m. 5* jmd., der an Paralyse erkrankt ist; **pa|ra|ly|tisch**
Pa|ra|ment [lat.] *s. 1 meist Mz.* Stoffgegenstand (Fahne, Decke) für gottesdienstliche Zwecke
Pa|ra|me|ter [griech.] *m. 5, Math.:* Hilfsveränderliche, die jedoch während der Rechnung als konstant angesehen wird
pa|ra|mi|li|tä|risch [griech.] halbmilitärisch, militärähnlich
Pa|ra|mne|sie *auch:* **Pa|ram|ne|sie** [griech.] *w. 11* Erinnerungstäuschung, bei der Neues mit Erlebtem verwechselt wird
Pa|ra|mu|ni|tät [griech.-lat.] *w. 10 nur Ez.* gesteigerte Abwehrreaktion des Körpers, ausgelöst z. B. durch Impfstoffe
Pa|ra|my|thie [griech.] *w. 11* Dichtung, in der mytholog. Gleichnisse in erzieherischer Absicht erzählt werden
Pa|ra|ná [-na] **1** *m. -Gen.* -(s) Fluss in Südamerika; **2** Stadt in Argentinien
Par|ä|ne|se *auch:* **Pa|rä|ne|se** [griech.] *w. 11* **1** Ermahnung; **2** Nutzanwendung am Schluss einer Rede oder Predigt; **par|ä|ne|tisch**
Pa|ra|noia [griech.] *w. Gen.* - *nur Ez.* mit festen Wahnvorstellungen verbundene seelische Störung; **pa|ra|no|id** an Paranoia leidend; **Pa|ra|no|i|ker** *m. 5* jmd., der an Paranoia leidet; **pa|ra|no|isch**
Par|an|thro|pus *auch:* **Pa|ran|th|ro|pus** [griech.] *m. Gen.* - *Mz.* -pi südafrik. Frühmensch
Pa|ra|nuß ▶ **Pa|ra|nuss** *w. 2* Samen des Paranussbaumes, Brasilnuss
Pa|ra|pha|sie [griech.] *w. 11* Sprachstörung mit Verwechslung von Buchstaben, Silben, Wörtern
Pa|ra|phe [griech.] *w. 11* Namenszug, Stempel mit dem Namenszug; **pa|ra|phie|ren** *tr. 3* unterzeichnen
Pa|ra|phra|se [griech.] *w. 11* **1** verdeutlichende Umschreibung (eines Textes, Sachverhalts); *auch:* freie Übertragung; **2** *Mus.:* Verzierung (einer Melodie); **pa|ra|phra|sie|ren** *tr. 3* **1** mit anderen Worten ausdrücken, umschreiben; **2** *Mus.:* verzieren; **pa|ra|phras|tisch** in der Art einer Paraphrase
Pa|ra|phre|nie [griech.] *w. 11* Form der Schizophrenie
Pa|ra|pla|sie [griech.] *w. 11, Med.:* Missbildung
Pa|ra|ple|gie [griech.] *w. 11* doppelseitige Lähmung
Pa|ra|pluie [-ply, frz.] *m. 9 oder s. 9, veraltet:* Regenschirm
Pa|ra|psy|cho|lo|gie *w. 11 nur Ez.* Teilgebiet der Psychologie, das sich mit den außersinnlichen (okkulten) Erscheinungen befasst; **pa|ra|psy|cho|lo|gisch**
Pa|ra|sit [griech.] *m. 10* = Schmarotzer; **pa|ra|si|tär, pa|ra|si|tisch** in der Art eines Parasiten; **Pa|ra|si|tis|mus** *m. Gen.* - *nur Ez.* Leben eines Schmarotzers, Schmarotzertum; **Pa|ra|si|to|lo|gie** *w. 11 nur Ez.* Lehre von den Parasiten, bes. den Krankheitserregern; **pa|ra|si|to|lo|gisch**
Pa|ra|sol [lat.-frz.] *m. 9* **1** *veraltet:* Sonnenschirm; **2** = Parasolpilz; **Pa|ra|sol|pilz** *m. 1* essbarer Pilz, Schirmpilz, Parasol
Par|äs|the|sie *auch:* **Pa|räs-** [griech.] *w. 11* unangenehme, anomale Körperempfindung, z. B. Kribbeln
Pa|ra|sym|pa|thi|kus *m. Gen.* - *nur Ez.* dem →Sympathikus entgegengesetzt wirkender Teil des Nervensystems; **pa|ra|sym|pa|thisch**
pa|rat [lat.] bereit, gebrauchsfertig; eine Antwort parat haben
pa|ra|tak|tisch [griech.] in der Art einer Parataxe, nebenordnend; *Ggs.:* hypotaktisch; **Pa|ra|ta|xe** *w. 11* Nebenordnung, Nebeneinander (von Sätzen oder Satzteilen); *Ggs.:* Hypotaxe; **Pa|ra|ta|xis** *w. Gen.* - *Mz.* -xen, *ältere Form von* Parataxe
Pa|ra|ty|phus *m. Gen.* - *nur Ez.* dem Typhus ähnliche, aber leichter verlaufende Infektionskrankheit

▶ = wird zu

pa|ra|ty|pisch nicht erblich
Pa|ra|vent [-vã, frz.] *m. 9* Wand-, Ofenschirm
par a|vi|on [paravjõ frz.] durch Luftpost (Vermerk auf Postsendungen)
Pa|ra|zen|te|se [griech.] *w. 11* Einstich, Durchstechung (bes. des Trommelfells); **pa|ra|zen-trisch** *auch:* **-zen|trisch** mit Hilfe der Parazentese
par|bleu! [-blø, frz.] *veraltet:* Donnerwetter
Pär|chen *s. 7*
Par|cours [-kur, frz.] *m. Gen.* - [-kurs] *Mz.* - [-kurs], *bei Hindernisrennen:* Reitbahn
Pard *m. 1* = Leopard
par|dauz!
Par|del *m. 5,* **Par|der** *m. 5* = Leopard
par dis|tance [-distãs, frz.] aus der Entfernung; ich verkehre mit ihm nur p. d.: nicht persönlich, nicht freundschaftlich
par|don! [-dõ, frz.] Verzeihung!, Entschuldigung!; **Par-don** [-dõ] *m. oder s., veraltet:* Verzeihung, Gnade; *nur noch in den Wendungen:* kein(en) Pardon geben; da gibt's keinen, *oder* kein Pardon!: da hilft keine Entschuldigung, keine Ausrede; **par|do|nie|ren** *tr. 3;* jmdn. p.: jmdm. Pardon geben, jmdn. begnadigen
Par|dun [ndrl.] *s. 9,* **Par|du|ne** *w. 11* Tau, das Masten abstützt
Par|en|chym *auch:* **Pa|ren-chym** [griech.] *s. 1* **1** dünnwandiges, großräumiges, saftreiches Pflanzengewebe, das bes. dem Stoffaustausch dient, Grundgewebe; **2** Funktionsgewebe der Organe, im Unterschied z. B. zum Fettgewebe; **par|en|chy|ma|tös** *auch:* **pa|ren|chy|ma|tös** aus Parenchym, mit Parenchym ausgefüllt
pa|ren|tal [lat.] zur Elterngeneration gehörend, von ihr herrührend; **Pa|ren|tal|ge|ne|ra|ti-on** *w. 10* Elterngeneration; **Pa-ren|ta|li|en** *Mz.* altröm. Totenfest; **Pa|ren|tel** *w. 10* der Stammvater und alle seine Nachkommen
par|en|te|ral *auch:* **pa|ren|te|ral** [griech.] nicht über den Verdauungsweg; parenterale Ernährung, Aufnahme: Ernährung, Aufnahme (von Stoffen) durch Injektion oder Infusion
Par|en|the|se *auch:* **Pa|ren|the-se** [griech.] *w. 11* **1** Klammer; **2** eingeschobener Satz oder Satzteil, Schaltsatz; **par|en|the|tisch** *auch:* **pa|ren|the|tisch** eingeschoben, nebenbei
Par|er|ga *auch:* **Pa|rer|ga** *Mz. von* Parergon; **Par|er|gon** *auch:* **Pa|rer|gon** [griech.] *s. Gen.* -s *Mz.* -ga *veraltet* **1** Anhang, Nachtrag; **2** gesammelte kleine Schriften
Pa|re|se [griech.] *w. 11* unvollständige Lähmung, Erschlaffung, Schwäche; **pa|re|tisch**
par ex|cel|lence [-ɛksəlãs, frz.] schlechthin, beispielhaft
par force [-fɔrs, frz.] *veraltet:* mit Gewalt; **Par|force|jagd** [-fɔrs-] *w. 10* Hetzjagd zu Pferde mit Hunden; **Par|force|ritt** [-fɔrs-] *m. 1* Gewaltritt
Par|fum [-fœ̃, frz.] *s. 9, frz. Schreibung von* Parfüm; **Par-füm** *s. 9, auch s. 1* wohlriechende, wässrige Flüssigkeit, Duftstoff; **Par|fü|me|rie** *w. 11* Geschäft für Parfüms, Seifen, Kosmetika u. Ä.; **par|fü|mie|ren** *tr. 3* mit Parfüm versetzen oder einstäuben
pa|ri vgl. al pari; **Pa|ri** *m. Gen.* -(s) *nur Ez.* Nennwert, Parikurs, Pariwert; über, unter P. stehen
Pa|ria [tamil.] *m. 9* **1** *europ. Bez. für:* Angehöriger einer niederen Kaste in Indien; **2** *übertr.:* Ausgestoßener, Entrechteter
pa|rie|ren [frz.] **1** *tr. 3* abwehren, auffangen; einen Hieb, Angriff p.; **2** *tr. 3* zum Stehen bringen (Pferd); **3** *tr. 3, veraltet:* zurechtschneiden, von Haut und Fett befreien (Fleisch); **4** *intr. 3* gehorchen
pa|ri|e|tal [-rie-, lat.] **1** *Bot.:* wandständig, seitlich; **2** zum Scheitelbein gehörend; **Pa|ri|e-tal|au|ge** [-rie-] *s. 14,* **Pa|ri|e|tal-or|gan** *s. 1* Lichtsinnesorgan niederer Wirbeltiere; *auch* = Scheitelauge
Pa|ri|kurs *m. 1* = Pari
Pa|ris Hst. von Frankreich
Pa|ris *griech. Myth.:* Sohn des trojan. Königs Priamos
Pa|ri|ser *m. 5;* **pa|ri|se|risch;**
Pa|ri|si|enne [-sjɛn, frz.] *w. Gen.* - *nur Ez.* **1** mit Metallfäden durchzogenes Seidengewebe; **2** frz. Freiheitslied nach der Julirevolution 1830
pa|ri|syl|la|bisch [lat.] in allen Kasus gleichsilbig; **Pa|ri|syl|la-bum** *s. Gen.* -s *Mz.* -ba Substantiv, das in allen Kasus die gleiche Silbenzahl aufweist, z. B. Adler
Pa|ri|tät [lat.] *w. 10* **1** Gleichstellung, Gleichberechtigung; *Ggs.:* Imparität; **2** Tauschverhältnis zwischen zwei Währungen; **pa-ri|tä|tisch** gleichberechtigt, gleichgestellt
Pa|ri|wert *m. 1* = Pari
Park *m. 9* **1** großer Garten; **2** Gesamtbestand an Fahrzeugen, *meist in Zus.:* Wagenpark, Fuhrpark
Par|ka [eskimoisch] *m. 9* (wattierter) gesteppter Anorak mit Kapuze
Park-and-ride-Sys|tem [pa:rkəndraɪd-, engl.] *s. 1* Verkehrssystem, bei dem Kraftfahrer ihre Fahrzeuge am Stadtrand parken und mit öffentlichen Verkehrsmitteln in die Stadt fahren; **Park|an|la|ge** *w. 11;* **Park-bank** *w. 2;* **par|ken** *intr. u. tr. 1*
Par|kett [frz.] *s. 1* **1** Fußbodentäfelung; **2** *Theater:* die vorderen Sitzreihen im Zuschauerraum; **3** *Pariser Börse:* Raum zum Abwickeln der Geschäfte; *auch:* Börsenverkehr; **Par|kett-bo|den** *m. 8;* **Par|ket|te** *w. 11, österr.:* einzelnes Brettchen des Parkettbodens; Parketten legen; **par|ket|tie|ren** *tr. 3*
Park|haus *s. 4*
par|kie|ren *tr. 3, schweiz. für* parken
Par|kin|son-Krank|heit ▶ **Par-kin|son|krank|heit** [nach dem engl. Arzt James Parkinson] *w. 10 nur Ez.* = Schüttellähmung; **Par|kin|son|sches Ge-setz** ▶ **par|kin|son|sches Ge-setz** *s. Gen.* des -schen -es *nur Ez.* Gesetz vom Wachstum der Bürokratie unabhängig von der tatsächlich zu erledigenden Arbeit
Park|kral|le *w. 11* Vorrichtung zum Blockieren der Räder falsch parkender Autos; **Par-ko|me|ter** *s. 5* Parkuhr; **Park-platz** *m. 2;* **Park|schei|be** *w. 11;* **Park|sün|der** *m. 5;* **Park|uhr** *w. 10;* **Park|ver|bot** *s. 1*
Par|la|ment [engl.] *s. 1* gewählte Volksvertretung mit beratender und gesetzgebender Funktion, Abgeordnetenhaus; **Par-la|men|tär** *m. 1* Unterhändler (zwischen feindl. Heeren); **Par-**

la|men|ta|ri|er *m. 5* Angehöriger eines Parlaments; **par|la|men|ta|risch;** *aber:* Parlamentarischer Rat; **Par|la|men|ta|ris|mus** *m. Gen. - nur Ez.* eine Form der Demokratie; **Par|la|ments|mit|glied** *s. 3*

par|lan|do [ital.] *Mus.:* im Sprechgesang, mehr sprechend als singend; **Par|lan|do** *s. Gen.* -s *Mz.* -s *oder* -di

Pär|lein *s. 7 verniedlichend:* Paar

par|lie|ren *intr. 3* angeregt sprechen, fließend Konversation machen

Par|ma|er, Par|me|sa|ner *m. 5* Einwohner der ital. Stadt Parma

Par|mä|ne [engl.] *w. 11* eine Apfelsorte

Par|me|san *m. Gen.* -s *nur Ez., kurz für* Parmesankäse; **Par|me|sa|ner;** Par|ma|er *m. 5* Einwohner der ital. Stadt Parma; **par|me|sa|nisch; Par|me|san|kä|se** *m. Gen.* -s *nur Ez.* ein ital. Hartkäse

Par|naß ► **Par|nass** [nach dem Parnassos, einem Berg in Griechenland] *m. Gen.* -nas|ses *nur Ez.* Reich der Dichtkunst, Sitz des Apoll und der Musen; **par|nas|sisch**

par|och|i|al *auch:* **pa|ro|chi|al** [-ɔxjal] zur Parochie gehörend; **Par|och|i|al|kir|che** *w. 11* Pfarrkirche; **Par|o|chie** *auch:* **Pa|ro|chie** [-xi, griech.] *w. 11* Pfarrbezirk, Kirchspiel

Par|o|die *auch:* **Pa|ro|die** [griech.-frz.] *w. 11* **1** komische, übertreibende Nachahmung eines literar. Werkes in der gleichen Form, aber mit anderem, lächerlichem Inhalt; vgl. Travestie; **2** Unterlegung von Musik mit anderem Text oder umgekehrt; **3** Austausch von Kompositionen innerhalb des eigenen Gesamtwerkes; **par|o|die|ren** *auch:* **pa|ro|die|ren** *tr. 3* mit einer Parodie verspotten; **Par|o|dist** *auch:* **Pa|ro|dist** *m. 10* Verfasser von Parodien; **par|o|dis|tisch** *auch:* **pa|ro|dis|tisch**

Par|o|don|ti|tis *auch:* **Pa|ro|don|ti|tis** [griech.] *w. Gen. - Mz.* -ti|ti|den Entzündung des Zahnfleisches; **Par|o|don|to|se** *auch:* **Pa|ro-** *w. 11* Zurückweichen des Zahnfleisches und Lockerung der Zähne

Pa|ro|le [frz.] *w. 11* **1** Kennwort, Losung; **2** Leit-, Wahlspruch; **Pa|role d'hon|neur** [parɔldonør, frz.] *w. Gen. -- Mz.* -s- *veraltet für:* Ehrenwort

Pa|ro|li [ital.] *s. 9 beim Pharaospiel:* Verdoppelung des Einsatzes; jmdm. P. bieten *übertr.:* jmdm. etwas doppelt heimzahlen, Widerstand leisten

Par|ö|mie *auch:* **Pa|rö|mie** [griech.] *w. 11* altgriech. Sprichwort; **Par|ö|mi|o|lo|gie** *auch:* **Pa|rö|mi|o|lo|gie** *w. 11 nur Ez.* Sprichwortkunde

Par|o|tis [griech.] *w. Gen. - Mz.* -ti|den Ohrspeicheldrüse; **Par|o|ti|tis** *auch:* **Pa|ro|ti|tis** *w. Gen. - Mz.* -ti|ti|den = Mumps

Par|o|xys|mus *auch:* **Pa|ro|xys|mus** [griech.] *m. Gen. - Mz.* -men **1** höchste Steigerung einer Krankheit, Anfall; **2** aufs höchste gesteigerte vulkan. Tätigkeit

Par|se *m. 11* Anhänger des Parsismus

Par|sec, Par|sek *w. Gen. - Mz.* - (*Abk.:* pc) *Kurzw. für* Parallaxensekunde

Par|si|fal *bei R. Wagner Schreibung von* Parzival

par|sisch zu den Parsen, zum Parsismus gehörend, von ihnen ausgehend; **Par|sis|mus** *m. Gen. - nur Ez.* auf der Lehre Zarathustras beruhende Religion (urspr. in Persien)

Pars pro to|to [lat. »ein Teil für das Ganze«] *s. Gen. --- Mz.* --- Stilfigur, bei der ein Teilbegriff für einen Gesamtbegriff verwendet wird, z. B. »Herd« statt »Haus«

Part [lat.] *m. 1* **1** Teil, Anteil; **2** Stimme (eines Gesangs- oder Instrumentalstücks, z. B. Klavierpart); **3** Rolle (in einem Theaterstück)

Part. *Abk. für* Parterre

Par|te [ital.] *w. Gen. - Mz.* -n **1** *österr. für* Todesanzeige; **2** *ugs. für* Mietpartei

Par|tei [frz.] *w. 10;* für jmdn. P. ergreifen, *oder:* nehmen; **Par|tei|chi|ne|sisch** *s. Gen. - nur Ez., ugs. spöttisch:* der in einer Partei gesprochene, für Außenstehende unverständliche Jargon; **Par|tei|en|staat** *m. 12;* **Par|tei|gän|ger** *m. 5;* **par|tei|isch** für eine von mehreren streitenden Parteien eingenommen, nicht objektiv, voreingenommen, befangen; **par|tei|lich** eine polit. Partei vertretend, in ihrem Sinne; **Par|tei|lich|keit** *w. 10 nur Ez.;* **par|tei|los; Par|tei|nah|me** *w. 11 nur Ez.;* **Par|tei|se|kre|tär** *auch:* **-sek|re|tär** *m. 1;* **Par|tei|lung** *w. 10* Zerfall in Parteien

par|terre [-tɛr, frz.] im Erdgeschoss; **Par|terre** *s. 9* **1** (*Abk.:* Part.) Erdgeschoss; **2** *Theater veraltet:* mittlere und hintere Reihen des Zuschauerraums; **3** kunstvoll angelegte Blumenbeete; **Par|terre|a|kro|ba|tik** *auch:* **-ak|ro|ba|tik** *w. 10 nur Ez.* Bodenakrobatik, Akrobatik ohne Geräte; **Par|terre|woh|nung** *w. 10*

Par|the|no|ge|ne|se [griech.] *w. 11* = Jungfernzeugung; **par|the|no|ge|ne|tisch; Par|the|no|kar|pie** *w. 11* Entstehung von Früchten ohne Befruchtung und ohne Samenbildung

Par|the|non [griech.] *m. Gen.* -s *nur Ez.* Tempel der Athene auf der Akropolis in Athen

Par|ther *m. 5* Angehöriger eines altiranischen Volksstammes; **Par|thi|en** antike Landschaft im Nordosten Irans; **par|thisch**

par|ti|al [-tsjal, lat.] *veraltet für* partiell; **Par|ti|al ...** Teil ...; **Par|ti|al|ob|li|ga|ti|on** *w. 10* Teilschuldverschreibung; **Par|ti|al|ton** *m. 2, Mus.:* Oberton

Par|tie [frz.] *w. 11* **1** Ausschnitt, Stück, Teil; **2** einzelne Gesangsrolle (in Opern, Oratorien usw.); **3** Heirat, Heiratsmöglichkeit; **4** Ausflug; **5** Einzelspiel; eine P. Schach; **6** Restposten (von Waren); **7** *Buchhandel:* Anzahl von Büchern, von denen eines gratis geliefert wird; **Par|tie|füh|rer** *m. 5, österr.:* Vorarbeiter; **par|ti|ell** [-tsjɛl] teilweise; **Par|ti|kel** [auch: -ti-] *w. 11* **1** Teilchen, kleinster Bestandteil; **2** *Gramm.:* unflektierbares Wort, Adverb, Konjunktion, Präposition

par|ti|ku|lar, par|ti|ku|lär nur als Teil vorhanden, einzeln; **Par|ti|ku|la|ris|mus** *m. Gen. - nur Ez.* **1** Bestrebung (von staatl. Teilgebieten oder kleinen Ländern), die eigenen Interessen gegenüber dem Ganzen durchzusetzen; **2** Klein-, Vielstaaterei; **Par|ti|ku|la|rist** *m. 10;* **par|ti|ku|la|ris|tisch; Par|ti|ku|lar|recht**

s. 1 Recht des Einzel- oder Gliedstaates, Sonderrecht; **Par|ti|ku|lier** *m. 1, Binnenschifffahrt:* Schiffseigentümer, der sein Schiff selbst fährt

Par|ti|san [frz.] *m. 12 oder m. 10* bewaffneter Widerstandskämpfer im Hinterland; **Par|ti|sa|ne** *w. 11, 15.–18. Jh.:* Stoßwaffe mit zweischneidiger Klinge; **Par|ti|sa|nen|krieg** *m. 1*

Par|ti|ta [ital.] *w. Gen. - Mz.* -ten = Suite (**2**); Par|ti|te *w. 11* Waren-, Rechnungsposten, Geldsumme; **Par|ti|ti|on** *w. 10* **1** Teilung, Einteilung; **2** *Logik:* Zerlegung eines Begriffs in seine Merkmale; **par|ti|tiv** eine Teilung ausdrückend, teilend; partitiver Genitiv = Genitivus partitivus; **Par|ti|tiv|zahl** *w. 10* Teilungs-, Bruchzahl, z. B. drei Viertel; **Par|ti|tur** *w. 10* Aufzeichnung sämtlicher Stimmgruppen eines Orchester- oder Chorwerkes Takt für Takt untereinander

Par|ti|zip [lat.] *s. 1* Abwandlungsform des Verbs, Mittelwort; P. Präsens: Mittelwort der Gegenwart, z. B. gehend, P. Perfekt: Mittelwort der Vergangenheit, z. B. gegangen; **Par|ti|zi|pa|ti|on** *w. 10* das Partizipieren, Teilnahme; **Par|ti|zi|pa|ti|ons|ge|schäft** *s. 1;* **par|ti|zi|pi|al** mit Hilfe eines, in der Art eines Partizips, mittelwörtlich; **Par|ti|zi|pi|ent** *m. 10* jmd., der an etwas partizipiert; **par|ti|zi|pie|ren** *intr. 3* teilhaben, etwas abbekommen; an etwas partizipieren

Part|ner [engl.] *m. 5* Teilhaber, Teilnehmer, Mitspieler; **Part|ner|look** [-luk] *m. 9 nur Ez.* dem Partner gleichendes Aussehen; im P. gekleidet; **Part|ner|schaft** *w. 10 nur Ez.;* **Part|ner|stadt** *w. 2;* **Part|ner|tausch** *m. Gen.* -(e)s *nur Ez.;* **Part|ner|wahl** *w. 10*

par|tout [-tu, frz.] unbedingt, um jeden Preis

Par|tus [lat.] *m. Gen. - Mz. -* Geburt, Entbindung

> **Partys:** Fremdwörter aus dem Englischen, die auf *-y* enden, erhalten im Plural ein *-s: die Partys* (statt bisher: Parties). Ebenso: *Babys, Ladys* usw. →§21

Par|ty [parti, engl.] *w. 9, engl. Mz.:* -tys zwangloses Fest, geselliges Beisammensein; **Par|ty|lö|we** *m. 11;* einer, der auf Partys umschwärmt wird

Pa|ru|sie *auch:* **Pa|ru|sie** [griech.] *w. 11 nur Ez.* **1** Wiederkunft Christi beim Jüngsten Gericht; **2** *bei Plato:* die Anwesenheit der Ideen in den Dingen

Par|ve|nü [frz.] *m. 9* Emporkömmling

Par|zel|le [frz.] *w. 11* kleines, vermessenes Stück Bau- oder Gartenland, Grundstück; **par|zel|lie|ren** *tr. 3* in Parzellen aufteilen; **Par|zel|lie|rung** *w. 10*

Par|zen [griech.] *w. 11 Mz., röm. und griech. Myth.:* die drei Schicksalsgöttinnen

Par|zi|val [-tsifal] Rittergestalt des Sagenkreises um König Artus

Pas [pa, frz.] *m. Gen. - Mz. -* Tanzschritt

PASCAL [in Anlehnung an den frz. Mathematiker Pascal] eine Programmiersprache

Pasch [frz.] *m. 1 oder m. 2* **1** Wurf mit der gleichen Augenzahl auf mehreren Würfeln, z. B. Dreierpasch; **2** Dominostein mit gleicher Punktzahl auf beiden Hälften

Pascha 1 [türk.] *m. 9, früher in der Türkei:* Titel für höheren Offizier oder Beamten; **2** *übertr.:* herrischer Mann, der sich gern bedienen lässt

Pas|cha [pasxa, hebr.] *s. Gen.* -s *nur Ez., Nebenform von* Passah; **Pas|chal|jahr** *s. 1* mit Ostern beginnendes Kirchenjahr

pa|schen 1 *intr. 1* würfeln; **2** [rotw.] *tr. 1* schmuggeln; **Pa|scher** *m. 5* Schmuggler; **Pa|sche|rei** *w. 10*

Pasch|tu *s. Gen.* -s *nur Ez.* Amtssprache in Afghanistan

Pas de deux [padədø, frz.] *m. Gen. --- Mz. ---, Ballett:* Tanz zu zweit

Paso do|ble *auch:* **- dob|le** [span.] *m. Gen. -- Mz. --* schneller Gesellschaftstanz

Pas|pel [frz.] *w. 11* schmaler Zierstreifen (an Nähten), Vorstoß; **pas|pel|lie|ren** *tr. 3,* **pas|peln** *tr. 1* mit einer Paspel verzieren

Pas|quill [ital.] *s. 1* Schmäh-, Spottschrift; **Pas|quil|lant** *m. 10* Verfasser eines Pasquills

Paß ► **Pass** [lat.-frz.] *m. 2* **1** schmaler Einschnitt im Gebirge, der als Übergang dient; **2** Personalausweis für Reisen ins Ausland; **3** *Jägerspr.:* Wechsel (mancher Wildarten); **4** gotische Maßwerkfigur aus mehreren Dreiviertelkreisen, z. B. Drei-, Vierpass; **5** *Sport, bes. Fußball:* Zuspiel

pas|sa|bel [frz.] annehmbar, leidlich; ein passabler Vorschlag

Pas|sa|ca|glia *auch:* **-cag|lia** [-kalja, ital.] *w. Gen. - Mz.* -gli|en [-kaljən] **1** *urspr.:* feierlicher span.-ital. Tanz; **2** *dann:* langsames Instrumentalstück mit ostinatem Bass; **Pas|sa|cail|le** [-kaj(ə), frz.], *w. 11, frz. Form von* Passacaglia

Pas|sa|de [frz.] *w. 11* **1** leichter Galopp über eine kurze Strecke und zurück mit Fußwechsel bei der Wendung; **2** *Hohe Schule:* sehr langsamer, fast springender Trab mit kräftig gehobenen Vorderbeinen

Pas|sa|ge [-ʒə, frz.] *w. 11* **1** Durchgang, Durchfahrt; **2** Überfahrt, Reise mit Schiff oder Flugzeug übers Meer; **3** *Mus.:* Lauf, rasche Tonfolge; **4** *Hohe Schule:* langsamer Trab mit kräftig gehobenen Vorderbeinen; **5** = Passus (**2**); **Pas|sa|gier** [-ʒir] *m. 1* Fahrgast, Fluggast; **Pas|sa|gier|flug|zeug** *s. 1;* **Pas|sa|gier|gut** *s. 4*

Pas|sah, Pes|sach [hebr.-griech.] *s. Gen.* -s *nur Ez.* siebentägiges jüd. Fest in Erinnerung an die Befreiung aus Ägypten; **Pas|sah|fest,** Pes|sach|fest *s. 1*

Pas|sant [frz.] *m. 10* Fußgänger, Vorübergehender

Pas|sat [ndrl.] *m. 1* gleichmäßiger trop. Wind, wechselnd zwischen Nordost und Südost

Paß|bild ► **Pass|bild** *s. 3*

Pas|se [frz.] *w. 11, an Kleidungsstücken:* auf- oder eingesetzter Stoffstreifen

> **passee/passé sein:** Die integrierte (eingedeutschte) Schreibweise ist die Hauptvariante (*passee* = vergangen), die fremdsprachige Form die zulässige Nebenvariante *(passé).* →§20 (2)

pas|sé [-se, frz.] *Nv.* ► **passee** *Hv.* vergangen, vorbei, nicht mehr modern

passen, passt auf: Nach kurzem Vokal wird konsequent *-ss-* geschrieben: *er passte auf; wir haben aufgepasst.* →§25 E1

pas|sen *intr. 1* **1** sich eignen, gefallen, recht sein; **2** sitzen (Kleidungsstück); **3** *Kartenspiel:* nicht reizen können; **4** *übertr.:* nicht mitmachen, verzichten
Passe|par|tout [paspartu, frz.] **1** *s. 9* Bilderrahmen aus Karton; **2** *auch m. 9* Hauptschlüssel;
Passe|pied [paspje] *m. 9* altfrz. Rundtanz; **Passe|poil** [paspoal] *m. 9, österr. für* Paspel
Paß|gang ► **Pass|gang** *m. 2 nur Ez.* Gangart mancher Säugetiere, bei der beide Beine einer Seite gleichzeitig gehoben und vorgesetzt werden; **Paß|gän|ger** ► **Pass|gän|ger** *m. 5*
pas|sier|bar; pas|sie|ren 1 *tr. 3* überschreiten, überfliegen, vorübergehen an, durchfahren, durchlaufen; eine Brücke, die Zensur p.; **2** *tr. 3* durchseihen, durchs Sieb rühren; **3** *intr. 3* geschehen, sich ereignen; **Pas|sier|schein** *m. 1*
Pas|si|flo|ra [lat.] *w. Gen. - Mz.* -ren = Passionsblume
pas|sim [lat.] hier und da, verstreut (bei Zitaten)
Pas|si|on [lat.] *w. 10* **1** starke Vorliebe, Leidenschaft; **2** *nur Ez.* Leidensgeschichte Christi; **3** Darstellung der Leidensgeschichte Christi in bildender Kunst und Musik; **Pas|si|o|nal** *s. 1,* **Pas|si|o|na|le** *s. 5,* **Pas|si|o|nar** *s. 1* Sammlung von Heiligenlegenden des MA; **pas|si|o|na|to** *Mus.:* leidenschaftlich; **pas|si|o|niert** begeistert, leidenschaftlich; passionierter Bergsteiger sein; **Pas|si|ons|blu|me** *w. 11* Rankengewächs mit essbaren Früchten (Grenadillen), Passiflora; **Pas|si|ons|sonn|tag** *m. 1* zweiter Sonntag vor Ostern, Judika; **Pas|si|ons|spiel** *s. 1* geistliches Drama über die Passion Christi; **Pas|si|ons|zeit** *w. 10* Zeit zwischen Aschermittwoch und Ostern
pas|siv [auch: pas-, lat.] untätig, teilnahmslos, (still) duldend; *Ggs.:* aktiv (**1**); passives Wahlrecht: das Recht, gewählt zu werden; *Ggs.:* aktives Wahlrecht; passiver Widerstand;
Pas|siv *s. 1* Aktionsform des Verbums, die ausdrückt, dass mit dem Subjekt des Satzes etwas geschieht; *Ggs.:* Aktiv; **Pas|si|va** *Mz.* Schulden; *Ggs.:* Aktiva; **Pas|siv|bür|ger** *m. 5, in Staaten mit Wahlbeschränkungen:* Bürger ohne aktives und passives Wahlrecht; *Ggs.:* Aktivbürger; **Pas|siv|ge|schäft** *s. 1* Bankgeschäft, bei dem die Bank (in der Regel durch Annahme verzinslicher Einlagen) bei ihren Kunden zum Schuldner wird; **pas|si|vie|ren** [-vi-] *tr. 3;* Verbindlichkeiten p.: in der Bilanz erfassen; unedle Metalle p.: mit einer gegen chem. Einflüsse widerstandsfähigen Schutzhaut überziehen; **Pas|si|vie|rung** *w. 10;* **Pas|si|vi|tät** *w. 10 nur Ez.* **1** Untätigkeit, Teilnahmslosigkeit; **2** Widerstandsfähigkeit unedler Metalle gegen chem. Einflüsse; **Pas|si|vum** *s. Gen.* -s *Mz.* -va, *ältere Form von* Passiv
Paß|kon|trol|le ► **Pass|kon|trol|le** *auch:* **Pass|kont|rol|le** *w. 11;* **Paß|stra|ße** ► **Pass|stra|ße** *w. 11*
Pas|sung *w. 10* die Art, wie Maschinenteile oder Werkstücke zusammengesetzt sind
Pas|sus [lat.] *m. Gen. - Mz. -* **1** altröm. Längenmaß, Doppelschritt; **2** Abschnitt (aus einem Schriftwerk oder Schriftstück), Passage
Pas|ta [ital.] **1** *w. Gen. - Mz.* -sten, Pas|te *w. 11* streichbare Masse, z. B. Zahnpasta; **2** *w. Gen. - Mz.* -te ital. Nudelgericht; **Pas|ta as|ciut|ta** [pastaʃuta] *w. Gen. -- Mz.* -te -te [pasteʃute] ital. Nudelgericht;
Pas|te *w. 11* = Pasta (**1**)
Pas|tell [ital.] *s. 1, kurz für* Pastellzeichnung; **Pas|tell|far|be** *w. 11* mit Bindemittel versetzte Farbe aus Kreide und Ton von zarter, samtiger Tönung; **Pas|tell|zeich|nung** *w. 10* Zeichnung mit Pastellfarben
Pas|tet|chen *s. 7;* **Pas|te|te** [mlat.] *w. 11*
Pas|teu|ri|sa|ti|on [-tø-] *w. 10* das Pasteurisieren; **pas|teu|ri|sie|ren** [nach dem frz. Biologen und Chemiker Louis Pasteur] *tr. 3* durch Erhitzen entkeimen und haltbar machen (Milch, Fruchtsaft); **Pas|teu|ri|sie|rung** *w. 10*
Pas|tic|cio [pastitʃo, ital.] *s. Gen.* -(s) *Mz.* -s *oder* -tic|ci [-titʃi] **1** in betrügerischer Absicht in der Manier eines Künstlers gemaltes Bild; **2** *Barockzeit:* aus Teilen der Werke eines oder mehrerer Komponisten zusammengesetzte Oper mit neuem Libretto, Flickoper; **Pas|tiche** [-tiʃ, frz.] *w. 11, frz. Bez. für* Pasticcio
Pas|til|le [lat.] *w. 11* Kügelchen, Pille, Plätzchen
Pas|ti|nak [lat.] *m. 1,* **Pas|ti|na|ke** *w. 11* eine Gemüsepflanze
Past|milch *w. 10 schweiz. Kurzform für* pasteurisierte Milch
Pas|tor [auch: -tor, lat.] *m. 13 oder m. 12* (*Abk.:* P.) Geistlicher, Pfarrer; **pas|to|ral** ländlich, in der Art der Hirten; **Pas|to|ra|le** *w. 11* **1** Hirtenmusik, ländlich-idyllisches Musikstück; **2** *Barockzeit:* musikal. Schäferspiel; **3** *Malerei:* Darstellung einer Hirtenszene; **4** *s. 5* Bischofsstab; **Pas|to|ral|the|o|lo|gie** *w. 11 kath. Kirche:* praktische Theologie, Seelsorge; **Pas|to|rat** *s. 1* Amt, Amtsräume, Wohnung eines Pfarrers, Pfarramt, Pfarrhaus; **Pas|to|rel|le** *w. 11* Hirtenliedchen, Zwiegesang zwischen Schäfer und Schäferin; **Pas|to|rin** *w. 10*
pas|tos [ital.] **1** dick aufgetragen (Ölfarbe); dickflüssig, breiig; **pas|tös** *Med.:* aufgedunsen, aufgeschwemmt; **Pas|to|si|tät** *w. 10 nur Ez.* Teigigkeit, Dickflüssigkeit (der Schrift)
Pas|tou|rel|le [-tu-, frz.] *w. 11, frz. Schreibung von* Pastorelle
Pat|chen *s. 7* Patenkind
Patch|work [pɛtʃwœ:k, engl.] *s. Gen.* -s *Mz.* -s »Flickwerk«, aus bunten Flicken zusammengesetzter Stoff
Pa|te 1 *m. 11* Zeuge bei der Taufe bzw. Firmung, Patenonkel; **2** *w. 11,* Pa|tin *w. 10* Zeugin bei der Taufe bzw. Firmung, Patentante
Pa|tel|la [lat.] *w. Gen. - Mz.* -len Kniescheibe; **pa|tel|lar** zur Patella gehörig, von ihr ausgehend; **Pa|tel|lar|re|flex** *auch:* **-ref|lex** *m. 1* Reflex beim Schlag gegen die Kniescheibe, Kniesehnenreflex
Pa|te|ne [lat.] *w. 11* Teller zur Darreichung der Hostie
Pa|ten|kind *s. 3;* **Pa|ten|on|kel**

► = wird zu

m. 5 = Pate (**1**); **Pa|ten|schaft** *w. 10*

pa|tent [lat.] geschickt, tüchtig; praktisch, brauchbar; **Pa|tent** *s. 1* **1** Urkunde über die Erwerbung eines Berufsgrades, z. B. Offizierspatent; **2** Urkunde über das Recht zur alleinigen Benutzung und gewerbl. Verwertung einer Erfindung; **Pa|tent|amt** *s. 4;* **pa|tent|amt|lich**

Pa|ten|tan|te *w. 11* = Pate (**2**)

Pa|tent|an|walt *m. 2;* **pa|tent|fä|hig; Pa|tent|fä|hig|keit** *w. 10 nur Ez.;* **pa|ten|tie|ren** *tr. 3* **1** eine Erfindung p.: ihr durch Patent Schutz vor Nachahmung und Auswertung gewähren; **2** Metalloberflächen p.: sie durch Tauchen in Salz- oder Bleibäder vergüten; **Pa|tent|schutz** *m. Gen.* -es *nur Ez.*

Pa|ter [lat.] *m. Gen.* -s *Mz.* - *oder* -tres (*Abk.:* P., *Mz.* PP.) Vater (Anrede für Ordenspriester); **Pa|ter|fa|mi|li|as** *m. Gen. - Mz. -, altröm. Bez. für* Familien-, Hausvater; **Pa|ter|na|lis|mus** *m. Gen. - nur Ez., Soziologie:* väterliche Bevormundung (bes. durch den Arbeitgeber oder Staat); **pa|ter|na|lis|tisch; Pa|ter|ni|tät** *w. 10 nur Ez., veraltet:* Vaterschaft; **Pa|ter|nos|ter** **1** *s. 5* Vaterunser; **2** *m. 5* offener Aufzug, der dauernd fährt, Becherwerk, Wasserhebewerk; **Pa|ter|pec|ca|vi** [»Vater, ich habe gesündigt«] *s. Gen. - Mz.* - reuiges Geständnis, Sündenbekenntnis

pa|the|tisch [griech.] erhaben, feierlich, salbungsvoll, voller Pathos

pa|tho ..., Pa|tho ... [griech.] *in Zus.:* krankhaft, krankheits ..., Krankheits ...

pa|tho|gen krankheitserregend; **Pa|tho|ge|ne|se** *w. 11* Entstehung und Entwicklung einer Krankheit; **pa|tho|ge|ne|tisch; Pa|tho|ge|ni|tät** *w. 10 nur Ez.* pathogene Beschaffenheit, Fähigkeit, eine Krankheit hervorzurufen; **Pa|tho|gno|mik** *auch:* **Pa|thog|no|mik,** Pa|tho|gnos|tik *w. 10 nur Ez.* Lehre von den Merkmalen einer Krankheit; **pa|tho|gno|mo|nisch** *auch:* **pa|thog|no-,** pa|tho|gnos|tisch eine Krankheit kennzeichnend; **Pa|tho|gnos|tik** *auch:* **Pa|thog|nos-** *w. 10 nur Ez.* = Pathognomik; **pa|tho|gnos|tisch** = pathognomonisch; **Pa|tho|lo|ge** *m. 11;* **Pa|tho|lo|gie** *w. 11 nur Ez.* Lehre von den Krankheiten; **pa|tho|lo|gisch** **1** zur Pathologie gehörend, auf ihr beruhend; **2** krankhaft; **Pa|tho|pho|bie** *w. 11* Furcht vor Krankheiten; **Pa|tho|psy|cho|lo|gie,** Psy|cho|pa|tho|lo|gie *w. 11 nur Ez.* Lehre von den Krankheitserscheinungen im Seelenleben

Pa|thos [griech.] *s. Gen. - nur Ez.* **1** Feierlichkeit, erhabene Leidenschaftlichkeit; **2** übertriebener Gefühlsausdruck

Pa|tience [pasjãs, frz.] *w. 11* Kartengeduldsspiel

Pa|ti|ens [-tsjɛns, lat.] *s. Gen. - nur Ez.* Ziel des Geschehens im Satz, Akkusativobjekt; *Ggs.:* Agens (**3**)

Pa|ti|ent [patsjɛnt, lat.] *m. 10* Kranker in ärztl. Behandlung

Pa|tin *w. 10* = Pate (**2**)

Pa|ti|na [ital.] *w. Gen. - nur Ez.* **1** grüner Überzug auf Kupfer und Kupferlegierungen, Edelrost; **2** *übertr.:* Spuren häufigen Gebrauchs; **pa|ti|nie|ren** *tr. 3* mit künstl. Patina versehen

Pa|tio [-tjo, lat.-span.] *m. 9* Innenhof des südspan. Hauses

Pa|tis|se|rie [frz.] *w. 11* **1** *veraltet, noch schweiz.:* feines Backwerk: **2** *in Hotels:* Raum zur Herstellung von Backwerk; **3** *veraltet, noch schweiz.:* Feinbäckerei; **Pa|tis|sier** [-sje] *m. 9* Konditor (bes. in Hotels)

Pa|tois [-toa, frz.] *s. Gen. - nur Ez.* **1** auf dem Land gesprochene französische Mundart; **2** *allg.:* Mundart, Provinzsprache

Pa|tres *auch:* **Pat|res** (*Abk.:* PP) *Mz. von* Pater

Pa|tri|arch *auch:* **Pat|ri|arch** [griech.] *m. 10* **1** *AT:* Stammvater, Erzvater, z. B. Abraham; **2** Vorsteher mehrerer Kirchenprovinzen, z. B. der Bischof von Rom; P. des Abendlandes; **3** *in der Ostkirche sowie vielen Einzelkirchen Titel für* Oberbischof; **pa|tri|ar|cha|lisch** [-ça-] *auch:* **pat|ri-** **1** zu den Patriarchen gehörig, von ihnen ausgehend; **2** vaterrechtlich; **3** altväterlich, ehrwürdig; **4** *übertr.:* väterlich-bevormundend, Ehrfurcht und Gehorsam fordernd; **Pa|tri|ar|chat** [-çat] *auch:* **Pat|ri-** *s. 1* **1** = Vaterrecht; *Ggs.:* Matriarchat; **2** Amt, Würde eines kirchl. Patriarchen; **pa|tri|ar|chisch** *auch:* **pat|ri-** einem Patriarchen entsprechend, ehrwürdig

pa|tri|mo|ni|al *auch:* **pat|ri|mo|ni|al** zum Patrimonium gehörend, erbherrlich; **Pa|tri|mo|ni|al|ge|richts|bar|keit** *auch:* **Pat|ri|mo|ni|al-** *w. 10 nur Ez., früher:* Gerichtsbarkeit des Gutsherrn über seine Untergebenen; **Pa|tri|mo|ni|um** *auch:* **Pat|ri-** [lat.] *s. Gen.* -s *Mz.* -ni|en **1** *röm. Recht:* väterl. Erbgut; **2** P. Petri: *urspr.* der Grundbesitz der röm. Kirche, *dann* der Kirchenstaat; **Pa|tri|ot** *auch:* **Pat|ri|ot** *m. 10* jmd., der sein Vaterland liebt; **pa|tri|o|tisch** *auch:* **pat|ri|o|tisch** vaterländisch gesinnt, vaterlandsliebend; **Pa|tri|o|tis|mus** *auch:* **Pat|ri|o|tis|mus** *m. Gen. - nur Ez.* Vaterlandsliebe; **Pa|tris|tik** *auch:* **Pat|ris|tik** *w. 10 nur Ez.* Lehre von den Schriften der Kirchenväter, Patrologie; **Pa|tris|ti|ker** *auch:* **Pat|ris|ti|ker** *m. 5* Kenner der Patristik, Patrologe; **Pa|tri|ze** *auch:* **Pat|ri|ze** *w. 11* Stempel mit erhaben herausgearbeitetem Bild, Prägestock; *Ggs.:* Matrize; **Pa|tri|zi|at** *auch:* **Pat|ri|zi|at** *s. 1 nur Ez.* Gesamtheit der Patrizier; **Pa|tri|zi|er** *auch:* **Pat|ri|zi|er** *m. 5* **1** *im alten Rom:* Angehöriger des Adels; **2** *MA:* wohlhabender Bürger; **pa|tri|zisch** *auch:* **pat|ri|zisch**

Pa|tro|lo|ge *auch:* **Pat|ro|lo|ge** [griech.] *m. 11* = Patristiker; **Pa|tro|lo|gie** *auch:* **Pat|ro|lo|gie** *w. 11 nur Ez.* = Patristik

Pa|tron *auch:* **Pat|ron** [lat.] *m.* **1** *im alten Rom:* Herr (seiner freigelassenen Sklaven); **2** *kath. Kirche:* Schutzheiliger (einer Kirche oder eines Berufsstandes); Stifter (einer Kirche); **3** *allg.:* Schirmherr, Schutzherr, Gönner; **4** Schiffseigentümer; **5** *abfällig:* Kerl; ein unverschämter, ungehobelter Patron; **Pa|tro|na** *auch:* **Pat|ro|na** *w. Gen. - Mz.* -nae Schutzheilige; **Pa|tro|na|ge** *auch:* **Pat|ro|na|ge** [-ʒə] *w. 11* Günstlingswirtschaft; **Pa|tro|nanz,** *auch:* **Pat|ro|nanz** *w. 10 österr.:* Schirmherrschaft; **Pa|tro|nat** *auch:* **Pat|ro|nat** *s. 1* **1** *im alten Rom:* Amt, Würde eines Patrons; **2** Rechtsstellung eines Kirchenstifters; **3** Schirmherrschaft; **Pa|tro|nats|fest**

auch: **Pat|ro|nats|fest** *s. 1* = Patrozinium (**4**)
Pa|tro|ne *auch:* **Pat|ro|ne** [frz.] *w. 11* **1** mit Sprengstoff gefüllte und mit Zündvorrichtung versehene Metallhülse; **2** lichtundurchlässiger Behälter für einen Kleinbildfilm; **3** *Jacquardweberei:* auf kariertem Papier aufgezeichnetes Muster; **Pa|tro|nen|gurt** *auch:* **Pat|ro-** *m. 1;* **pa|tro|nie|ren** *auch:* **pat|ro-** *tr. 3, österr.:* mit Hilfe von Schablonen bemalen (z.B. Zimmerwände)
Pa|tro|nin *auch:* **Pat|ro|nin** [lat.] *w. 10* Schutzheilige, Schutzherrin; **Pa|tro|ny|mi|kon, Pa|tro|ny|mi|kum** *auch:* **Pat|ro-** *s. Gen.* -s *Mz.* -ka vom Namen des Vaters abgeleiteter Name, z.B. Hansen, Petrowitsch, Macmillan; **pa|tro|ny|misch** *auch:* **pat|ro|ny|misch**
Pa|trouil|le *auch:* **Pat|rouil|le** [patrulјə, frz.] *w. 11* Wachtrupp, Streife; P. gehen; **pa|trouil|lie|ren** *auch:* **pat|rouil|lie|ren** [-trulji-] *intr. 3* als Wachposten auf Streife gehen
Pa|tro|zi|ni|um *auch:* **Pat|ro|zi|ni|um** [lat.] *s. Gen.* -s *Mz.* -ni|en **1** *im alten Rom:* Vertretung durch einen Patron vor Gericht; **2** *MA:* Rechtsschutz des Gutsherrn für seine Untergebenen; **3** Schutzherrschaft eines Heiligen über eine Kirche; **4** Fest des Schutzheiligen, Patronatsfest
patsch!; pitsch, patsch!; **Patsch** *m. 1* klatschender Schlag; **Pat|sche** *w. 11* **1** Händchen, *bes.:* Kinderhand; **2** unangenehme Lage, Notlage; in der P. sitzen; jmdm. aus der P. helfen; **pat|schen** *intr. 1;* **pat|sche|naß, patsch|naß** ► **pat|sche|nass, patsch|nass**
Pat|schu|li [ind.-engl.] *s. 9* ein asiat. Lippenblütler; **Pat|schu|li|öl** *s. 1 nur Ez.,* in der Parfümerie verwendetes Öl des Patschulis
patt [frz.] *Schach-, Damespiel:* zugunfähig; **Patt** *s. 9, Schach-, Damespiel:* zugunfähige Stellung, unentschiedener Ausgang, *auch übertr., z.B.* parlamentarisches Patt
Pat|te *w. 11, an Kleidungsstücken:* Taschenklappe
Pat|tern [pætərn, engl.] *s. 9* Muster, Modell, Denkschema
pat|tie|ren *tr. 3* mit Raster, mit Notenlinien versehen
pat|zen *intr. 1* **1** ungeschickt arbeiten; **2** schlecht malen; **3** fehlerhaft (auf einem Musikinstrument) spielen, einen Fehler machen; **Pat|zen** *m. 7, österr.:* Klecks; **Pat|zer** *m. 5* **1** jmd., der patzt; **2** Fehler; **Pat|ze|rei** *w. 10 nur Ez.;* **pat|zig** derb-frech, grob, unfreundlich; **Pat|zig|keit** *w. 10 nur Ez.*
Pau|kant *m. 10, Stud.:* Fechter (bei einer Mensur); **Pauk|arzt** *m. 2, Stud.:* Arzt bei der Mensur; **Pauk|bo|den** *m. 8, Stud.:* Fechtboden; **Pau|ke** *w. 11* kesselförmiges Schlaginstrument; auf die P. hauen *ugs.:* fröhlich, ausgelassen, leichtsinnig sein; **pau|ken** *intr. 1* **1** *Stud.:* fechten; **2** *Schülerspr.:* angestrengt lernen; **Pau|ken|höh|le** *w. 11, bei Wirbeltieren und Menschen:* Teil des Mittelohrs; **Pau|ker** *m. 5* **1** Musiker, der die Pauke schlägt; **2** *Schülerspr.:* Lehrer; **Pau|ke|rei** *w. 10 nur Ez.*
pau|li|nisch vom Apostel Paulus stammend
pau|pe|rie|ren [lat.] *intr. 3, Bot.:* sich kümmerlich entwickeln, Merkmale der Eltern weniger ausgeprägt zeigen; **Pau|pe|ris|mus** *m. Gen. - nur Ez.* Massenarmut, allgemeine Verelendung; **Pau|per|tät** *w. 10 nur Ez., veraltet:* Armut, Dürftigkeit; **Pau|per|täts|eid** *m. 1, österr. Zivilprozess:* eidl. Versicherung, die Prozesskosten nicht zahlen zu können
Paus|back *m. 1* Mensch, Kind mit Pausbacken; **Paus|ba|cken** *w. 11 Mz.* dicke Backen; **paus|ba|ckig, paus|bä|ckig**
pau|schal alles zusammen (gerechnet); **Pau|scha|le** *w. 11* einmalige, ab- oder aufgerundete Bezahlung (statt Einzelzahlungen); **Pau|schal|be|steu|e|rung** *w. 10 nur Ez.;* **pau|scha|lie|ren** *tr. 3* zu einer Pauschalsumme zusammenrechnen, auf-, abrunden; **Pau|schal|preis** *m. 1;* **Pau|schal|rei|se** *w. 11* Gesellschaftsreise, bei der Fahrt, Unterbringung, Verpflegung, Besichtigungen pauschal bezahlt werden; **Pau|schal|ur|teil** *s. 1;* **Pau|schal|ver|si|che|rung** *w. 10;* **Pausch|be|trag** *m. 2*
Pau|sche *w. 11* **1** Wulst (am Sattel); **2** Bügel (am Turnpferd)
Pau|se **1** [griech.] *w. 11* Unterbrechung, Rast; **2** [frz.] *w. 11* Durchzeichnung, Kopie mittels durchsichtigen Papiers; **pau|sen** *tr. 1* durchzeichnen, *meist:* ab-, durchpausen
Pau|sen|brot *s. 1;* **Pau|sen|zei|chen** *s. 7*
pau|sie|ren *intr. 3* eine Pause machen
Paus|pa|pier *s. 1*
Pa|va|ne [-va-, ital.], **Pa|du|a|ne** *w. 11* **1** *urspr.:* Schreittanz, Reigentanz; **2** *dann:* Satz der Suite
Pa|vi|an [frz.] ein Affe mit langer Schnauze und Gesäßschwielen
Pa|vil|lon [-vijɔ̃, auch: -viljɔ̃, frz.] *m. 9* kleines, frei stehendes Gartenhaus; **2** Ausstellungskiosk; **3** *bes. an Barockbauten:* kleiner An-, Vorbau; **4** Festzelt; **Pa|vil|lon|bau|wei|se** *w. 11 nur Ez.* lockere, in Einzelgebäude aufgelöste Bauweise
Paw|lat|sche [tschech.] *w. 11 österr. für* Bretterbühne, baufälliges Haus
Pax [lat.] *w. Gen. - nur Ez.* Friede; Pax Christi: 1944 in Lourdes entstandene kath. Weltfriedensbewegung; Pax Romana: die Zeit des befriedeten Röm. Reiches von Augustus bis zur Völkerwanderung; 1921 in Freiburg entstandene kath. Studentenbewegung; Pax vobiscum!: Friede sei mit euch! (Gruß des kath. Bischofs)
Pay|back [pɛıbæk, engl.] *s. 9* Rückgewinnung investierten Kapitals, Payout; **Pay|ing Guest** *Nv.* ► **Pay|ing|guest** *Hv.* [pɛııŋ gɛst, engl.] *m. Gen.* -- *Mz.* --s Gast, der in einer Familie aufgenommen wird, aber für Unterkunft und Verpflegung etwas bezahlt; **Pay|out** [pɛıaʊt, engl.] *s. 9* = Payback
Pay-TV [pɛı tivi, engl.] *s. 9* zusätzlicher Fernsehsender, der nach Anschluss eines Decoders empfangen werden kann, wobei Gebühren fällig werden
Pa|zi|fik [lat.-engl.] *m. Gen.* -s, *Kurzw. für* Pazifischer Ozean; **Pa|zi|fi|ka|ti|on** *w. 10 nur Ez., veraltet:* Befriedung; **pa|zi|fisch** zum Pazifischen Ozean gehörend; Pazifischer Ozean: Großer oder Stiller Ozean; **Pa|zi|fis|mus** *m. Gen. - nur Ez.* Ablehnung des Krieges, Bestreben, den Frieden um jeden Preis zu

► = wird zu

erhalten; **Pa|zi|fist** *m. 10;* **pa|zi|fis|tisch; pa|zi|fi|zie|ren** *tr. 3* befrieden

Pb *chem. Zeichen für* Blei (Plumbum)

pc *Abk. für* Parallaxensekunde

p.c. *Abk. für* per centum, pro centum; vgl. Prozent

PC *m. 9, Abk. für* Personalcomputer, Tischmodell eines Computers, Heimcomputer

p. Chr. (n.) *Abk. für* post Christum (natum): nach Christus bzw. nach Christi Geburt

Pd *chem. Zeichen für* Palladium

Pe-Ce-Fa|ser [Kurzw. aus Polyvinylchlorid] *w. 11* eine Kunstfaser

p.e. *Abk. für* per exemplum

Pech 1 *s. 1* schwarzer, klebriger Rückstand bei der Destillation von Stein- und Braunkohlenteer und Erdöl; **2** *s. 1 nur Ez., übertr.:* unglückl. Zufall, Missgeschick; **Pech|blen|de** *w. 11* ein Mineral, Uraninit; **Pech|draht** *m. 2* Schusterdraht; **pe|chig; Pech|koh|le** *w. 11* = Jett; **Pech|na|se** *w. 11, an Festungen:* Vorsprung, aus dem heißes Pech auf die Angreifer gegossen wurde; **Pech|nel|ke** *w. 11* eine wild wachsende Nelke; **pech|ra|ben|schwarz, pech|schwarz; Pech|sträh|ne** *w. 11* Reihe von unglücklichen Zufällen; Zeit, in der man oft Pech hat; **Pech|vo|gel** *m. 6* jmd., der (oft) Pech hat

Pe|dal [lat.] *s. 1* **1** Fußhebel, z.B. Gas-, Bremspedal, auch am Klavier zum Nachschwingenlassen oder Dämpfen der Töne, an der Harfe zum Umstimmen der Saiten; **2** *am Fahrrad:* Tretkurbel; *an der Orgel:* mit den Füßen zu spielende Tastenreihe; *Ggs.:* Manual (**2**)

Pe|dant [griech.] *m. 10* übertrieben genauer Mensch, Kleinigkeitskrämer; **Pe|dan|te|rie** *w. 11 nur Ez.:* übertriebene Genauigkeit; **pe|dant** *österr. für* **pe|dantisch**

Ped|dig|rohr *s. 1* Rohr aus dem Stamm der Rotangpalme, spanisches Rohr, zum Flechten von Körben, Stühlen u.a.

Pe|dell [mlat.] *m. 1, veraltet:* Hausmeister (an Schulen, Hochschulen)

Pe|di|gree *auch:* **Pe|dig|ree** [pędzgri:, engl.] *m. Gen.* -s *Mz.* -s, Stammbaum von Tieren, bes. von Pferden

Pe|di|ku|lo|se [lat.] *w. 11* Befall mit Läusen

Pe|di|kü|re [lat.] *w. 11* **1** *nur Ez.* Fußpflege; *Ggs.:* Maniküre (**1**); **2** Fußpflegerin; **pe|di|kü|ren** *tr. 1;* jmdn. p. oder jmdm. die Füße p.: jmdm. die Füße pflegen, behandeln

Pe|di|skript *auch:* **Pe|dis|kript** *s. 1* mit den Füßen geschriebener Text, z.B. von Armamputierten

Pe|do|lo|ge [griech.] *m. 11;* **Pe|do|lo|gie** *w. 11 nur Ez.* Bodenkunde; **pe|do|lo|gisch; Pe|do|me|ter** *s. 5* Schrittzähler

Pee|ling [pi:-, engl.] *s. Gen.* -s *Mz.* -s, kosmetische Schälung der Gesichtshaut

Peep|show [pi:pʃou] *w. 9* Striptease-Darstellung einer Frau, die durch das Fenster einer Kabine gegen Entgelt beobachtet werden kann

Peer [piə, engl.] *m. 9* **1** Angehöriger des engl. Hochadels; **2** Mitglied des Oberhauses im engl. Parlament; **Pee|rage** [pi:rɪdʒ] *w. Gen. - nur Ez.* **1** Peerswürde; **2** Gesamtheit der Peers

Pe|ga|sos, Pe|ga|sus [griech.] *m. Gen. - nur Ez.* **1** geflügeltes Ross als Sinnbild der Dichtkunst; den P. besteigen *veraltet, noch iron.:* dichten; **2** ein Sternbild

Pe|gel *m. 5* **1** Gerät, Latte zum Messen des Wasserstandes; **2** Wasserstand; **Pe|gel|hö|he** *w. 11,* **Pe|gel|stand** *m. 2* Wasserstand

Peg|ma|tit [griech.] *m. 1* aus Magma entstandenes, grobkörniges Gestein

Peh|le|wi [auch: pęx-], Pah|le|wi [auch: pax-] *s. Gen.* -(s) *nur Ez.* mittelpersische Sprache und Schrift

Pei|es [hebr.] *Mz.* Schläfenlocken (der orthodoxen Juden)

pei|len *intr. u. tr. 1* **1** die Richtung, die Wassertiefe bestimmen; **2** die Lage p. *ugs.:* auskundschaften; **Pei|ler** *m. 5* **1** Peilgerät; **2** jmd., der peilt; **Peil|li|nie** *w. 11;* **Peil|rah|men** *m. 7* Peilantenne; **Pei|lung** *w. 10*

Pein *w. Gen. - nur Ez.;* **pei|ni|gen** *tr. 1;* **Pei|ni|ger** *m. 5;* **Pei|ni|gung** *w. 10;* **pein|lich** *Rechtsw., früher:* an Leib und Leben gehend; peinliche Befragung: Verhör mit Folter; peinliches Gericht; **Pein|lich|keit** *w. 10 nur Ez.;* **pein|sam** *ugs.:* peinlich

Peit|sche *w. 11;* **peit|schen** *tr. 1;* **Peit|schen|hieb** *m. 1*

Pe|jo|ra|ti|on [lat.] *w. 10* Verschlechterung der Bedeutung eines Wortes, z.B. ordinär; **pe|jo|ra|tiv** bedeutungsverschlechternd; **Pe|jo|ra|ti|vum** *s. Gen.* -s *Mz.* -va Wort mit bedeutungsverschlechterndem Bildungselement, z.B. frömmeln, kindisch

Pe|ka|ri [indian.] *s. 9* amerik. Wildschwein, Nabelschwein

Pe|ke|sche [poln.] *w. 11* **1** mit Pelz und Schnüren verzierter poln. Mantelrock; **2** mit Schnüren verzierte Festjacke der Verbindungsstudenten

Pe|ki|ne|se *m. 1* **1** Einwohner von Peking; **2** kleine, langhaarige Hunderasse mit stumpfer Schnauze; **pe|ki|ne|sisch; Pe|king** Hst. von China; **Pe|king|mensch** *m. 10* = Sinanthropus

Pe|koe [pikoʊ, chin.-engl.] *m. Gen.* -s *nur Ez., Bez. für* Teesorte aus dünnen, feinen Blättern oder aus Blattspitzen

pekt|an|gi|ös *auch:* **pek|tan|gi|ös** [lat.] herzbeklemmend

Pek|ten|mu|schel [lat.] *w. 11* = Kammmuschel

Pek|tin [griech.] *s. 1* quellfähiger, leicht gelierender Stoff in Pflanzen, bes. in unreifen Früchten

pek|to|ral [lat.] zur Brust gehörend, brust...; **Pek|to|ra|le** *s. Gen.* -s *Mz. - oder* -li|en **1** *Antike, MA:* Brustschmuck; **2** verziertes Brustkreuz für Bischöfe und Äbte; **3** *auch:* Schließe am Bischofsmantel

pe|ku|ni|är [lat.] geldlich

pek|zie|ren [lat.] *tr. 3;* etwas p.: einen Fehler, eine Dummheit machen, etwas Böses begehen

pe|la|gi|al [griech.] = pelagisch; **Pe|la|gi|al** *s. Gen.* -s *nur Ez.* **1** der Lebensraum des Meeres und großer Binnenseen; **2** Gesamtheit der Organismen im Meer und in großen Binnenseen

Pe|la|gi|a|ner *m. 5* Anhänger des Pelagianismus; **Pe|la|gi|a|nis|mus** *m. Gen. - nur Ez.* Lehre des irischen Mönchs Pelagius (5. Jh.), der entgegen der Gnadenlehre Augustins die Erbsünde ablehnte und die Willensfreiheit vertrat

pe|la|gisch [griech.], pe|la|gi|al, im Meer und in großen Binnenseen lebend
Pe|lar|go|nie [-njə] *w. 11* eine Zierpflanze
Pe|las|ger *m. 5* Angehöriger der sagenhaften Urbevölkerung Griechenlands; **pe|las|gisch**
pêle-mêle [pɛlmɛl, frz.] durcheinander; **Pele|mele** [pɛlmɛl] *s. Gen.* -(s) *nur Ez.* **1** Durcheinander, Mischmasch; **2** Süßspeise aus Vanillecreme und Früchten
Pe|le|ri|ne [frz.] *w. 11* ärmelloser (Regen-)Umhang
Pe|li|kan [mlat.] *m. 1* ein trop. und subtrop. Vogel, Ruderfüßer
Pel|la|gra *auch:* **Pel|lag|ra** [ital.] *w. Gen. - nur Ez.* eine Hautkrankheit infolge Mangels an Vitamin B_2
Pel|le *w. 11* Haut, dünne, weiche Schale; jmdm. auf der P. hocken, nicht von der P. gehen *ugs.:* jmdm. lästig fallen, sich jmdm. aufdrängen; **pel|len** *tr. 1* schälen
Pel|let *s. Gen.* -s *Mz.* -s *meist Mz.* **1** in kleine Stücke gepresstes Tierfutter; **2** scheibchenförmiges Füllmaterial (für Verpackungen)
Pell|kar|tof|fel *w. 11*
pel|lu|zid [lat.] durchscheinend, lichtdurchlässig (Mineral); **Pel|lu|zi|di|tät** *w. 10* Lichtdurchlässigkeit
Pe|lo|pon|nes *w. Gen. -, ugs. auch: m. Gen. -* südgriech. Halbinsel; **pe|lo|pon|ne|sisch;** *aber:* der Peloponnesische Krieg
Pe|lo|ta [lat.-span.] *w. Gen. - nur Ez.* bask. Ballspiel
Pe|lo|te [frz.] *w. 11* Knäuel, Ball, Druckpolster (z. B. gegen Spreizfuß)
Pelz *m. 1* jmdm. auf den P. rücken *ugs.:* jmdn. bedrängen; einem Tier eins auf den P. brennen: auf es schießen; **pel|zen** **1** den Pelz abziehen **2** *ugs. für* faulenzen; **pel|zig; Pelz|mot|te** *w. 11;* **Pelz|tier** *s. 1;* **Pelz|werk** *s. 1 nur Ez.*
Pem|mi|kan [Algonkin] *m. Gen.* -s *nur Ez.* **1** *bei den nordamerik. Indianern:* kleingeschnittenes, getrocknetes Fleisch mit zerlassenem Fett, Dauerfleisch; **2** *danach:* Fleischpulverkonserve
Pem|phi|gus [griech.] *m. Gen. - nur Ez., Sammelbegriff für* eine Gruppe von Hautkrankheiten mit Blasenbildung, Schälblattern, Schälblasen
PEN vgl. PEN-Club
Pe|na|ten [lat.] *Mz.* **1** *röm. Myth.:* Götter von Haus und Herd; **2** *übertr.:* Heim, Wohnung; zu den P. zurückkehren: heimkehren
Pence [pɛns, engl.] *Mz. von* Penny (*Abk.:* d)
Pen|chant [pɑ̃ʃɑ̃, frz.] *m. 9, veraltet:* Vorliebe, Hang, Neigung
PEN-Club *m. 9 nur Ez., Kurzw. aus* poets, essayists, novelists (internationale Schriftstellervereinigung)
Pen|dant [pɑ̃dɑ̃, frz.] *s. 9* Gegenstück, Ergänzung
Pen|del [lat.] *s. 5* frei hängender, um einen Punkt schwingender Körper; **pen|deln** *intr. 1* **1** hin- und herschwingen; **2** sich regelmäßig zwischen zwei Orten hin- und zurückbewegen; **3** mit einem Handpendel Ja-/Nein-Antworten ausschwingen; er hat gependelt; **Pen|del|tür** *w. 10* Tür mit Schwingflügeln; **Pen|del|uhr** *w. 10;* **Pen|del|ver|kehr** *m. Gen.* -s *nur Ez.* regelmäßig zwischen zwei Orten stattfindender Verkehr (von öffentlichen Verkehrsmitteln); **Pen|den|tif** [pɑ̃dɑ̃-, frz.] *s. 9, Baukunst:* Eckzwickel zwischen quadratischem Unterbau und Kuppel; **Pend|ler** *m. 5;* **Pen|dü|le** [pɑ̃-] *w. 11* Tischpendeluhr, Stutzuhr
Pe|ne|lo|pe [-pe:] *griech. Myth.:* Gemahlin des Odysseus
pe|ne|tra|bel *auch:* **pe|net|ra|bel** [lat.] *veraltet:* durchdringbar; **pe|ne|trant** *auch:* **pe|net|rant** **1** durchdringend (Geruch, Geschmack); **2** *übertr.:* aufdringlich; **Pe|ne|tranz** *auch:* **Pe|net|ranz** *w. 10 nur Ez.;* **Pe|ne|tra|ti|on** *auch:* **Pe|net|ra|ti|on** *w. 10* Durchdringung, Durchsetzung; das Eindringen; **pe|ne|trie|ren** *auch:* **pe|net|rie|ren** *tr. 3* durchdringen, durchsetzen
Pen|gö *m. Gen.* -s *Mz.* - (*Abk.:* P.) *1925–1946:* ung. Währungseinheit; *seit 1946:* Forint
pe|ni|bel [frz.] sehr sorgfältig, peinlich genau; **Pe|ni|bi|li|tät** *w. 10 nur Ez.* Genauigkeit, Sorgfalt
Pe|ni|cil|lin [lat.] *s. 1 nur Ez.* = Pe|ni|zil|lin
Pen|in|su|la [lat.] *w. Gen. - Mz.* -lae [-lɛ:] Halbinsel; **pen|in|su|lar, pen|in|su|la|risch** zu einer Halbinsel gehörend, wie eine Halbinsel
Pe|nis [lat.] *m. Gen. - Mz.* -nes *oder* -nis|se Begattungsorgan vieler Tiere und des Menschen, männl. Glied.
Pe|ni|zil|lin *fachsprachl.:* Pe|ni|cil|lin *s. 1 nur Ez.* ein Antibiotikum
Pen|nal [lat.] *s. 1, Schülerspr., veraltet:* höhere Schule; **Pen|nä|ler** *m. 5, Schülerspr.:* Schüler einer höheren Schule, Gymnasiast
Penn|bru|der *m. 6, ugs.:* Landstreicher, Penner; **Pen|ne** **1** [lat.] *w. 11, Schülerspr.:* Schule; **2** [rotw.] *w. 11* Kneipe, einfache Herberge; **pen|nen** *intr. 1, ugs.:* schlafen; **Pen|ner** *m. 5* = Pennbruder
Pen|ni *m. Gen.* -(s) *Mz.* -(s) (*Abk.:* p.) finn. Währungseinheit, 1/100 Markka
Penn|syl|va|nia [-vɛɪnjə] (*Abk.:* PA) Staat der USA; **penn|syl|va|nisch**
Pen|ny *m. Gen.* -s *Mz.* Pence *oder (bei wenigen Stücken)* -nys (*Abk.:* d [= denarius]) engl. Währungseinheit, 1/10 Shilling; **Pen|ny|weight** [-wɛɪt] *s. Gen. - Mz. -* (*Abk.:* dwt., pwt.) engl. Gewichtseinheit für Edelmetalle, Edelsteine und Münzen, 1,5552 g
Pen|sa *Mz. von* Pensum
pen|see [pɑ̃se, frz.] *unflektierbar* dunkellila; **Pen|see** [pɑ̃se] *s. 9* Stiefmütterchen
Pen|si|on [pɑ̃sjon, bayr., österr., schweiz.: pɛnsjon, frz.] *w. 10* **1** Ruhestand; in P. gehen; **2** Ruhegehalt; P. beziehen; **3** Fremdenheim; **4** Unterkunft und Verköstigung; **5** *veraltet:* Pensionat; **Pen|si|o|när** [pɑ̃-, bayr., österr., schweiz.: pɛn-] *m. 1* **1** jmd., der im Ruhestand lebt; **2** Gast in einer Pension; **3** Zögling eines Pensionats; **Pen|si|o|nat** *s. 1* Internat; **pen|si|o|nie|ren** [-pɑ̃-, bayr., österr., schweiz.: pɛn-] *tr. 3* in Ruhestand versetzen; **Pen|si|o|nie|rung** *w. 10;* **Pen|si|o|nist** [pɛn-] *m. 10, österr., schweiz.* jmd., der Pension bezieht, Ruheständler; **pen|si|ons|be|rech|tigt**
Pen|sum [lat.] *s. Gen.* -s *Mz.* -sa *oder* -sen in einer bestimmten

Zeit zu erledigende Arbeit von bestimmtem Umfang

pent …, Pent …, pen|ta …, Pen|ta … [griech.] *in Zus.:* fünf …, Fünf …

Pen|ta|chord [-kọrd] *s. 1* Streich- oder Zupfinstrument mit fünf Saiten; **Pen|ta|de** *w. 11* Zeitraum von fünf Tagen; **Pen|ta|e|der** *m. 5 oder s. 5* von fünf ebenen Flächen begrenzter Körper, Fünfflach, Fünfflächner; **Pen|ta|gon** *s. 1* **1** Fünfeck; **2** *nur Ez.* das aus einem fünfeckigen Grundriss errichtete Verteidigungsministerium der USA in Washington; **pen|ta|go|nal** fünfeckig; **Pen|ta|gramm** *s. 1* fünfzackiger Stern, der in einem Zug gezeichnet werden kann, Drudenfuß; **pen|ta|mer** fünfteilig, fünfgliedrig; **Pent|a|me|ron, Pent|a|me|ro|ne** *auch:* **Pen|ta|me|ron, Pen|ta|me|ro|ne** *s. Gen.* -(s) *nur Ez.* Sammlung neapolitanischer Märchen, die an fünf Tagen erzählt werden; **Pen|ta|me|ter** *m. 5* fünffüßiger daktylischer Vers, der zusammen mit einem Hexameter ein Distichon bildet; **Pen|tan** *s. 1* ein gesättigter alipathischer Kohlenwasserstoff; **Pent|ar|chie** *auch:* **Pen|tar|chie** *w. 11* Herrschaft von fünf Großmächten; **Pen|ta|teuch** *m. Gen.* -(s) *nur Ez.* die fünf Bücher Mosis im AT; **Pent|ath|lon** *auch:* **Pen|tath|lon** *s. Gen.* -s *nur Ez.* antiker Fünfkampf: Ringen, Lauf, Weitsprung, Diskus- und Speerwerfen; **Pen|ta|to|nik** *w. 10 nur Ez.* auf einer Tonleiter von fünf Tönen beruhendes System der mittelalterl. und oriental. Musik sowie der Musik vieler Naturvölker; **pen|ta|to|nisch** auf Pentatonik beruhend

Pen|the|si|lea *griech. Myth.:* Königin der Amazonen

Pent|haus, Pent|house [-haʊs, engl.] *s. Gen.* - *Mz.* -s [-sɪz] bungalowartige Wohnanlage auf einem Flachdach

Pent|lan|dit [nach dem Entdecker, dem engl. Naturforscher J. B. Pentland] *s. Gen.* -s *nur Ez.* ein Mineral, Eisennickelkies

Pent|o|de [griech.] *auch:* **Pen|to|de** *w. 11* Fünfpolröhre; **Pent|o|se** *auch:* **Pen|to|se** *w. 11* einfacher Zucker mit fünf Sauerstoffatomen im Molekül

Pe|nun|ze [polnisch] *w. 11 nur Ez.* Geld

pen|zen *intr. 1 österr. für* bitten, betteln; unablässig ermahnen

Pe|on [port.] *m. 10* lateinamerik. eingeborener Tagelöhner; **Pe|o|na|ge** [-ʒə, auch engl.: piənɪdʒ] *w. 11 nur Ez.* Lohnsystem in Lateinamerika, das durch Lohnvorschüsse u. a. häufig zur Verschuldung und Leibeigenschaft der Peonen führte

Pep [engl.] *m. Gen.* -s *nur Ez., ugs.:* Schwung, Temperament

Pe|pe|ro|ne [ital.] *w. Gen.* - *Mz.* -ni *meist Mz.* in Essig eingelegte Paprikaschote

Pe|pi|ta [nach einer span. Tänzerin der Biedermeierzeit] **1** *s. Gen.* -(s) *nur Ez.* kleines Hahnentrittmuster; **2** *m. 9* Stoff mit diesem Muster

Pe|plon *auch:* **Pep|lon** [griech.] *s. Gen.* -s *Mz.* -s *oder* -plen, **Pe|plos** *auch:* **Pep|los** *m. Gen.* - *Mz.* - *oder* -plen altgriech. Frauengewand

Pep-Pill [engl.] *w. Gen.* - *Mz.* -s, **Pep|pil|le** *w. 11* Weckmittel (Suchtstoff)

Pep|sin [griech.] *s. 1* ein Enzym des Magensaftes; **Pep|sin|wein** *m. 1;* **pep|tisch** verdauungsfördernd; **pep|ti|sie|ren** *tr. 3, Chem.:* einen ausgeflockten Niederschlag p.: wieder auflösen; **Pep|ton** *s. 1* bei der Verdauung entstehendes Spaltprodukt von Eiweiß

per [lat.] durch, mit; per Adresse (*Abk.:* p. A.) bei; z. B. Herrn XY, p. A. Familie Z; per Bahn, Post, Luftpost *besser:* mit der Bahn, Post, Luftpost; per Eilboten *besser:* durch Eilboten; ich liefere per 1. März *besser:* am, bis zum 1. März; vgl. per annum, per centum, per cassa, per conto, per pedes, per procura, per saldo, per ultimo

per …, Per … [lat.] *in Zus.:* durch … hindurch, während

per an|num (*Abk.:* p. a.) *veraltet:* jährlich

Per|bo|rat *s. 1* chem. Verbindung aus Wasserstoffsuperoxid und Borat, Wasch- und Bleichmittel

per cas|sa [ital.] in bar

per cen|tum [lat.] vom Hundert, = pro centum; vgl. Prozent

Per|chlo|rat *s. 1* Salz der Überchlorsäure

Perch|ta, Frau P., eine bayr.-österr. Sagengestalt, ähnlich der Frau Holle; **Perch|ten, Berch|ten** *Mz., im bayr.-österr. Volksglauben:* die in den Rauhnächten umherziehenden Geister der Toten; **Perch|ten|lauf** *m. 2, bayr.-österr. Volksbrauch:* Umherziehen vermummter Gestalten, um die Perchten zu vertreiben; **Perch|ten|mas|ke** *w. 11;* **Perch|ten|tanz** *m. 2* ein alpenländ., von maskierten und verkleideten Tänzern ausgeführter Springtanz

per con|to [ital.] auf Rechnung

Per|cus|sion [pəkaʃən, engl.] *w. Gen.* - *nur Ez.* Perkussion, alle Schlaginstrumente, ausgenommen das Schlagzeug

per|du [-dy, frz.] *ugs.:* verloren, weg; das ist perdu

Per|emp|ti|on [lat.], Per|emp|ti|on *w. 10, Rechtsw., veraltet:* Verfall, Verjährung; **per|emp|to|risch, per|em|to|risch** *Rechtsw.:* aufhebend, vernichtend; *Ggs.:* dilatorisch; **Per|em|ti|on** *w. 10* = Peremption; per|em|to|risch = per|emp|to|risch

per|en|nie|rend [lat.] überwinternd, wiederkommend, ausdauernd (Pflanzen)

Pe|res|tro|i|ka [russ.] *w. Gen.* - *nur Ez.* Umgestaltung, Bez. für die 1985 vom sowjet. Staatspräsidenten Gorbatschow eingeleitete Reformpolitik

per ex|em|plum *auch:* **per e|xem|plum** [lat.] (*Abk.:* p. e.) *veraltet:* zum Beispiel

per|fekt [lat.] **1** vollkommen (ausgebildet); sie ist im Maschinenschreiben p.; perfekter Koch; **2** fließend; p. englisch sprechen; **3** abgemacht, abgeschlossen, gültig; die Sache, der Vertrag ist p.; **Per|fekt** [auch: per-] *s. 1, Gramm.:* Vergangenheit(sform); **per|fek|ti|bel** fähig zur Vervollkommnung; **Per|fek|ti|bi|lis|mus** *m. Gen.* - *nur Ez., selten für* Perfektionismus; **Per|fek|ti|bi|li|tät** *w. 10 nur Ez.* Fähigkeit zur Vervollkommnung; **Per|fek|ti|on** *w. 10* Vollkommenheit, Vollendung; **per|fek|ti|o|nie|ren** *tr. 3* vervollkommnen; **Per|fek|ti|o|nie|rung** *w. 10 nur Ez.;* **Per|fek|ti|o|nis|mus** *m. Gen.* - *nur Ez.* **1** Lehre von der Vervollkommnung des Menschen als Sinn der Geschichte und Ziel der Menschheitsentwicklung; **2** *allg.:* übertriebenes Streben nach Vervollkommnung; **Per|fek|ti|o|nịst** *m. 10* **1** Anhänger des Perfektionismus; **2** Angehöriger der methodist. Sekte der Perfektionisten, die nach Sündlosigkeit durch innere Wiedergeburt streben; **per|fek|ti|o|nịs|tisch; per|fẹk|tisch** auf dem Perfekt beruhend, im Perfekt; **per|fek|tiv** eine zeitl. Begrenzung des Geschehens ausdrückend; **Per|fek|tiv** *s. 1,* **Per|fek|ti|vum** *s. Gen. -s Mz. -va, in slaw. Sprachen:* Aspekt des Verbums, der das Ende eines Geschehens bezeichnet z. B. vergehen; **Per|fẹk|tum** *s. Gen. -s Mz. -ta, ältere Bez. für* Perfekt

per|fid [frz.], **per|fi|de** treulos, heimtückisch; **Per|fi|die** *w. 11* Treulosigkeit, Heimtücke; **Per|fi|di|tät** *w. 10 nur Ez.* perfides Verhalten; die P. dieser Tat

Per|fo|ra|ti|on [lat.] *w. 10* Durchlöcherung, Durchbohrung; durchlochte Linie, Reißlinie; **Per|fo|ra|tor** *m. 13* Schreibmaschine zum Übertragen von Manuskripttexten auf Lochstreifen; **per|fo|rie|ren** *tr. 3* durchlöchern, durchbohren

Per|for|mance [pəfɔːməns, engl.] *w. Gen. - nur Ez. zeitgenöss. Kunst:* gestisch-theatralische Aktion

Per|for|manz *w. 11 nur Ez.* Sprachverwendung, Sprechen; **per|for|ma|tiv; per|for|ma|to|risch**

Per|ga|me|ne *m. 11* Einwohner von Pergamon; **per|ga|me|nisch** aus Pergamon stammend; *aber:* das Pergamenische Reich; **Per|ga|mẹnt** *s. 1* **1** zu Schreibpapier verarbeitete Tierhaut; **2** Schriftstück auf solcher Haut; **Per|ga|mẹnt|band** *m. 2* in Pergament gebundenes Buch; **per|ga|mẹn|ten** aus Pergament; **Per|ga|mẹnt|pa|pier** *s. 1* fettdichtes Papier, Butterbrotpapier; **Per|ga|min** *s. 1 nur Ez.* pergamentähnliches, durchsichtiges Papier; **Pẹr|ga|mon** antike Stadt in Kleinasien; **Pẹr|ga|mon|al|tar** *m. 2 nur Ez.*

Pẹr|go|la [ital.] *w. Gen. - Mz. -go|len* Laube oder Laubengang aus Säulen, meist mit Rankengewächsen umwachsen

Pe|ri [pers.] *m. 9 oder w. 9, pers. Myth.:* feenhaftes Wesen

pe|ri ..., Pe|ri ... [griech.] *in Zus.:* um ... herum, über ... hin oder hinaus

Pe|ri|ạnth [griech.] *s. 1* Blütenhülle aus Kelch und Blütenblättern

Pe|ri|cạr|di|um *s. Gen. -s Mz. -di|en, fachsprachl. Schreibung von* Perikard

Pe|ri|chon|dri|um *auch:* **Pe|ri|chond|ri|um** [-çɔn-] *s. Gen. -s Mz. -dri|en* Knorpelhaut

pe|ri|cu|lum in mo|ra [lat.] Gefahr ist im Verzug (= liegt im Zögern), es muss, schnell gehandelt werden

Pe|ri|dẹrm [griech.] *s. 1* sekundäres pflanzl. Abschlussgewebe

Pe|ri|dot [griech.] *m. Gen. -s nur Ez.* = Olivin; **Pe|ri|do|tit** *m. 1* ein Tiefengestein

Pe|ri|gä|um [griech.] *s. Gen. -s Mz. -gä|en* Punkt der geringsten Entfernung eines Planeten von der Erde; *Ggs.:* Apogäum

Pe|ri|gon [griech.] *s. 1,* **Pe|ri|go|ni|um** *s. Gen. -s Mz. -ni|en* Blütenhülle mit gleichgestalteten Blättern

Pe|ri|hel [griech.] *s. 1,* **Pe|ri|he|li|um** *s. Gen. -s Mz. -li|en* Punkt der geringsten Entfernung eines Planeten von der Sonne; *Ggs.:* Aphel

Pe|ri|kạrd [griech.] *s. 1, fachsprachl.:* Pe|ri|cạr|di|um *s. Gen. -s Mz. -di|en* Herzbeutel; **Pe|ri|kar|di|tis** *w. Gen. - Mz. -ti|den* Herzbeutelentzündung

Pe|ri|kạrp [griech.] *s. 1* Fruchtwand, Fruchtschale; **Pe|ri|klas** *auch:* **Pe|rik|las** *m. 1* ein Mineral

pe|ri|klin *auch:* **pe|rik|lin** [griech.] parallel zur Organoberfläche (verlaufend); **Pe|ri|klin** *auch:* **Pe|rik|lin** *m. 1* ein Mineral, ein Feldspat

Pe|ri|ko|pe [griech.] *w. 11* **1** zum Vorlesen im Gottesdienst vorgeschriebener Bibelabschnitt; **2** größerer metrischer Abschnitt; **3** zusammenhängende Strophengruppe

Pe|ri|me|ter [griech.] *s. 5* Gerät zum Bestimmen des Umfangs des Gesichtsfeldes

pe|ri|na|tal [griech. + lat.] um die Zeit der Geburt; **Pe|ri|ne|um** [griech.] *s. Gen. -s Mz. -ne|en* Gegend zwischen After und Geschlechtsteilen, Damm

Pe|ri|o|de [griech.] *w. 11* **1** Zeitraum, Zeitabschnitt; **2** Umlaufszeit (eines Gestirns); **3** = Menstruation; **4** mehrgliedriger Satz, Großsatz; **Pe|ri|o|den|sys|tem** *s. 1, in der Fügung* P. der chem. Elemente: Tabelle, in der die Elemente nach Zahl der Protonen im Kern und gleichen chem. Eigenschaften zusammengefasst sind; **...pe|ri|o|dig** *in Zus.,* z. B. mehr-, zweiperiodig; **Pe|ri|o|di|kum** *s. Gen. -s meist Mz. -ka* mehr oder weniger regelmäßig erscheinende Zeitschrift; **pe|ri|o|disch** regelmäßig (wiederkehrend), in gleichen Abständen; **pe|ri|o|di|sie|ren** *tr. 3* in Perioden, in Zeitabschnitte einteilen; **Pe|ri|o|di|sie|rung** *w. 10;* **Pe|ri|o|di|zi|tät** *w. 10 nur Ez.* periodische Wiederkehr

Pe|ri|o|don|ti|tis [griech.] *w. Gen. - Mz. -ti|ti|den* Entzündung der Zahnwurzelhaut

Pe|ri|ö|ke [griech.] *m. 11* freier, aber politisch rechtloser Einwohner Spartas; vgl. Spartiat

Pe|ri|ọst [griech.] *s. 1* Knochenhaut; **pe|ri|os|tal** zum Periost gehörend, davon ausgehend; **Pe|ri|os|ti|tis** *w. Gen. - Mz. -os|ti|ti|den* Knochenhautentzündung

Pe|ri|pa|te|ti|ker [nach dem Peripatos, dem Wandelgang, in dem Aristoteles auf- und abgehend lehrte] *m. 5* Schüler des Aristoteles; **pe|ri|pa|te|tisch**

Pe|ri|pe|tie [griech.] *w. 11* Umschwung, Wendung (im Drama)

pe|ri|pher [griech.] **1** am Rande liegend; **2** *übertr.:* im Augenblick nicht so wichtig (Frage, Problem); **Pe|ri|phe|rie** *w. 11* **1** Umfangslinie; **2** Rand (bes. einer Stadt)

Pe|ri|phra|se [griech.] *w. 11* Umschreibung (eines Begriffes); **pe|ri|phra|sie|ren** *tr. 3* umschreiben; **pe|ri|phras|tisch** umschreibend

Pe|ri|pte|ros *auch:* **Pe|rịp|te|ros** [griech.] *m. Gen. - Mz. -pte|ren* griech. Tempel mit ihn umgebender Säulenhalle

Pe|ri|skop *auch:* **Pe|ris|kop** [griech.] *s. 1* Rundblickfernrohr, Fernrohr mit geknicktem Strahlengang (für U-Boote), Sehrohr

Pe|ri|stạl|tik *auch:* **Pe|ris|tạl|tik** [griech.] *w. 10 nur Ez.* fortschreitende, wellenförmige Be-

wegung von muskulösen Hohlorganen, z. B. der Speiseröhre; **pe|ri|stal|tisch** *auch:* **pe|ris|tal|tisch** wellenförmig fortschreitend
Pe|ri|sta|se *auch:* **Pe|ris|ta|se** [griech.] *w. 11* Gesamtheit der Umwelteinflüsse, die auf ein Lebewesen vor (seitens der Mutter) und nach der Geburt einwirken; **pe|ri|sta|tisch** *auch:* **pe|ris|ta|tisch**
Pe|ri|styl [griech.] *auch:* **Pe|ris|tyl** *s. 1,* **Pe|ri|sty|li|um** *auch:* **Pe|ris|ty|li|um** *s. Gen.* -s *Mz.* -lien, *in altgriech. Häusern:* von Säulen umgebener Innenhof
pe|ri|to|ne|al [griech.] zum Peritoneum gehörend, von ihm ausgehend; **Pe|ri|to|ne|um** *s. Gen.* -s *Mz.* -ne|en Bauchfell; **Pe|ri|to|ni|tis** *w. Gen.* - *Mz.* -ti|den Bauchfellentzündung
Per|kal [pers.-türk.] *m. 1* feinfädiges, dichtes Baumwollgewebe; **Per|ka|lin** *s. 1* appretierter Perkal (für Bucheinbände)
Per|ko|lat [lat.] *s. 1, Pharmazie:* mittels Perkolation hergestellter Auszug; **Per|ko|la|ti|on** *w. 10* ein Lösungsverfahren zur Gewinnung pflanzlicher Wirkstoffe; **per|ko|lie|ren** *tr. 3*
Per|kus|si|on [lat.] *w. 10* **1** Erschütterung, Stoß; **2** Zündung (eines Explosivstoffes) durch Stoß oder Schlag; **3** Vorrichtung am Harmonium, bei der zur präziseren Tongebung ein Hämmerchen an die Metallzunge schlägt; **4** Percussion, alle Schlaginstrumente, ausgenommen das Schlagzeug; **5** *Med.:* Untersuchung innerer Organe durch Beklopfen der Körperoberfläche; **Per|kus|si|ons|ham|mer** *m. 5, Med.:* kleiner Hammer zur Perkussion; **Per|kus|si|ons|in|stru|ment** *auch:* **-ins|tru|ment** *s. 1* Schlaginstrument; **per|kus|so|risch,** per|ku|to|risch, mittels Perkussion
per|ku|tan [lat.] *Med.:* durch die Haut hindurch
per|ku|tie|ren [lat.] *tr. 3, Med.* = abklopfen; **per|ku|to|risch** = perkussorisch
Perl *w. Gen.* - *nur Ez.* ein Schriftgrad, 5 Punkt; **Perl|boot** *s. 1* ein Kopffüßer, Schiffsboot, Nautilus; **Per|le** *w. 11;* **per|len** *intr. 1;* **Per|len|fi|scher, Per|len|tau|cher** *m. 5;* **Perl|garn** *s. 1* glänzendes, sehr fest gedrehtes Baumwollgarn; **perl|grau; Perl|huhn** *s. 4* ein Fasanenvogel mit blaugrauem, perlig gemustertem Gefieder; **per|lig; Per|lit** *m. 1* **1** ein Ergussgestein; **2** Kristallisationsform des Stahls; **Perl|mu|schel** *w. 11* Muschel, die Perlen bildet; **Perl|mutt** *s. Gen.* -s *nur Ez.,* **Perl|mut|ter** *w. Gen.* - *nur Ez.* **1** von manchen Muscheln und Schnecken abgesonderter Stoff, aus dem die Innenschicht der Schale und die Perle gebildet werden; **2** Innenschicht der Schale der Perlmuschel; **perl|mut|tern** aus Perlmutter
Per|lon [Kunstw.] *s. Gen.* -s *nur Ez.* Ⓦⓩ eine Kunstfaser; **Per|lon|strumpf** *m. 2;* **per|lon|ver|stärkt**; Socken mit perlonverstärkter Ferse; *aber:* das Garn ist mit Perlon verstärkt
Perl|schrift *w. 10* eine Schriftart; **Perl|sucht** *w. Gen.* - *nur Ez.* Rindertuberkulose
Per|lus|tra|ti|on [lat.] *w. 10, österr.:* genaue Untersuchung (eines Verdächtigen); **per|lus|trie|ren** *tr. 3, österr.:* genau untersuchen (Verdächtigen); **Per|lus|trie|rung** *w. 10*
Perl|wein *m. 1* Kohlendioxid enthaltender Wein; **Perl|zwie|bel** *w. 11;* **Perl|zwirn** *m. 1* sehr fest gedrehter Zwirn
Perm [nach der russ. Stadt Perm] *s. Gen.* -s *nur Ez.* oberste Formation des Paläozoikums
per|ma|nent [lat.] dauernd, ständig, anhaltend, ununterbrochen; **Per|ma|nent|farb|stoff** *m. 1* lichtechter Farbstoff; **Per|ma|nenz** *w. 10 nur Ez.* Dauerhaftigkeit
Per|man|ga|nat [lat.] *s. 1* Salz der Übermangansäure
per|me|a|bel [lat.] durchdringbar, durchlässig; *Ggs.:* impermeabel; **Per|me|a|bi|li|tät** *w. 10 nur Ez.*
per|misch zum Perm gehörend
Per|miss [lat.] *m. 1,* **Per|mis|si|on** *m. 10 veraltet:* Erlaubnis, Erlaubnisschein; **per|mis|siv** vieles erlaubend, freizügig, Freizügigkeit gewährend; **Per|mis|si|vi|tät** *w. 10 nur Ez.*
per|mu|ta|bel [lat.] ver-, austauschbar; **Per|mu|ta|ti|on** *w. 10* Umstellung der Reihenfolge, Vertauschung; **per|mu|tie|ren** *tr. 3* vertauschen, in der Reihenfolge verändern; **Per|mu|tit** *s. 1, Chem.:* anorgan. Ionenaustauscher auf Silikatbasis
Per|nam|buk|holz [nach dem brasilian. Staat Pernambuco], Fer|nam|buk|holz *s. 4* brasilianisches Rotholz
Per|ni|o|nen [lat.] *Mz.* Frostbeulen; **Per|ni|o|sis** *w. Gen.* - *nur Ez.* Frostschaden (der Haut)
per|ni|zi|ös [frz.] bösartig, z. B. perniziöse Anämie
Per|nod [-no, frz.] *m. 9* ein Wermut
Pe|ro|no|spo|ra *auch:* **Pe|ro|nos|po|ra** [griech.] *Mz.* Gattung der Algenpilze, Erreger von Pflanzenkrankheiten
per|o|ral [lat.] *Med.:* durch den Mund
Per|o|xid *s. 1* sauerstoffreiche chem. Verbindung, Superoxid
per pe|des [lat.] *ugs. scherzh.:* zu Fuß
Per|pen|di|kel [lat.] *s. 5* **1** Uhrpendel; **2** Abstand zwischen den (gedachten) Senkrechten durch Vorder- und Hintersteven des Schiffes, gibt dessen Länge an; **per|pen|di|ku|lar, per|pen|di|ku|lär** senkrecht, lotrecht; **Per|pen|di|ku|lar|stil** *m. 1 nur Ez., Baukunst:* engl. Spielart der Gotik
per|pe|tu|ell [lat.] *veraltet:* beständig, fortwährend, dauernd; **Per|pe|tu|um mo|bi|le** *s. Gen.* -- *Mz.* -- *oder* -tua -bi|lia **1** etwas ständig Bewegliches; **2** nur theoretisch denkbare Maschine, die sich ständig ohne Energiezufuhr bewegt; **2** virtuoses, gleichmäßig schnelles Musikstück
per|plex *auch:* **perp|lex** [lat.] *ugs.:* verblüfft, überrascht; **Per|ple|xi|tät** *auch:* **Perp|le-** *w. 10 nur Ez.*
per pro|cu|ra [lat.] (*Abk.:* pp., ppa.) in Vollmacht (vor Unterschriften)
Per|ron [-rõ, frz.] *m. 9, österr., schweiz.:* [-ron] *m. 1* **1** *veraltet:* Bahnsteig; **2** Plattform (der Straßenbahn)
per sal|do [ital.] durch Ausgleich (der beiden Seiten eines Kontos; Bez. für den Restbestand eines Kontos)
per se [lat.] an sich, für sich, durch sich selbst; **Per|se|i|tät** *w. 10 nur Ez., Scholastik:* das Durch-sich-selbst-Sein
Per|se|ku|ti|on [lat.] *w. 10, veral-*

tet: Verfolgung; **Per|se|ku|ti|ons|de|li|ri|um** *s. Gen.* -s *Mz.* -rien Verfolgungswahn
Per|sen|ning [ndrl.], Pre|sen|ning *w. 1 oder w. 10* wasserdichtes Segeltuch
Per|ser *m. 5* **1** Einwohner von Persien; **2** *ugs. kurz für* Perserteppich; **Per|ser|tep|pich** *m. 1* in Persien hergestellter (geknüpfter) Teppich
Per|seus **1** griech. Sagenheld; **2** *m. Gen.* - ein Sternbild
Per|se|ve|ranz [lat.] *w. 10 nur Ez., veraltet:* Ausdauer, Beharrlichkeit; **Per|se|ve|ra|ti|on** *w. 10* Beharren oder Wiederkehr von Geschehenem oder Gehörtem im Bewusstsein; **per|se|ve|rie|ren** *intr. 3* beharren, beharrlich wiederkehren (von Bewusstseinsinhalten)
Per|si|a|ner *m. 5* **1** Fell des neugeborenen Karakulschafes; **2** *ugs.:* Mantel aus diesem Fell;
Per|si|en *bis 1935 und 1949 bis 1951 Name für* Iran
Per|si|fla|ge *auch:* **Per|sif|la|ge** [-ʒə, frz.] *w. 11* (bes. literar.) Verspottung; **per|si|flie|ren** *auch:* **per|sif|lie|ren** *tr. 3* verspotten
Per|sil|schein *m. 1* entlastende Bescheinigung (nach dem Waschmittel Persil benannt)
Per|si|pan *s. 1* Marzipanersatz aus Pfirsich- oder Aprikosenkernen
per|sis|tent [lat.] anhaltend, dauernd; **Per|sis|tenz** *w. 10 nur Ez.;* **per|sis|tie|ren** *intr. 3, veraltet:* (auf etwas) beharren
Per|son [lat.] *w. 10;* ich für meine Person *ugs., besser:* ich selbst, was mich betrifft; **Per|so|na gra|ta** *w. Gen. -- nur Ez.* **1** gern gesehener Mensch; **2** zum Dienst in einem fremden Staat zugelassener Diplomat; **Per|so|na in|gra|ta,** Per|so|na non gra|ta *w. Gen. (-) - - nur Ez.* **1** nicht (mehr) gern gesehener Mensch; **2** in einem fremden Staat nicht (mehr) erwünschter Diplomat;
per|so|nal persönlich, die Persönlichkeit betreffend; vgl. personell; **Per|so|nal** *s. Gen.* -s *nur Ez.* Gesamtheit der Diener, Angestellten usw., Belegschaft; **per|so|nal ..., Per|so|nal ...** *in Zus.:* zur Person gehörend, die Person(en) betreffend, Personen ..., Persönlichkeits ...; **Per|so|nal|com|pu|ter** [pœrsnɛlkɔmpjuːtə engl., »persönlicher Computer«] *m. 5* = PC; **Per|so|nal|form** *w. 10* durch eine Person bestimmte (finite) Form eines Verbums, z. B. ich gehe, wir essen; **Per|so|na|li|en** *Mz.* Angaben über Name, Wohnung, Beruf, Personenstand einer Person; jmds. P. aufnehmen; **Per|so|na|lis|mus** *m. Gen. - nur Ez.* **1** Glaube an einen persönl. Gott; **2** Richtung der Philosophie, nach der der Mensch als handelndes, wertendes (nicht primär als denkendes) Wesen aufzufassen ist; **Per|so|na|list** *m. 10* Anhänger des Personalismus; **per|so|na|lis|tisch** auf dem Personalismus beruhend; **Per|so|na|li|tät** *w. 10* Gesamtheit der das Wesen einer Person ausmachenden Eigenschaften, das Personsein; **Per|so|na|li|täts|prin|zip** *s. Gen.* -s *nur Ez.* Grundsatz, dass eine Straftat nach den im Heimatstaat des Täters geltenden Gesetzen bestraft wird; *Ggs.:* Territorialitätsprinzip
per|so|na|li|ter *veraltet:* persönlich

> **Personalityshow:** Substantive (oder Adjektive, Pronomen und Partikeln) bilden mit anderen Substantiven Zusammensetzungen, die zusammengeschrieben werden. Diese Regel gilt auch für fremdsprachige Substantive: *die Personalityshow.* → § 37 (1)

Per|so|na|li|ty|show [pəsənælɪtiʃoʊ] *w. 9* ganz auf einen Star ausgerichtetes Programm
Per|so|nal|pro|no|men *s. 7* eine Person oder Sache vertretendes Fürwort, persönl. Fürwort, z. B. ich, du; **Per|so|nal|re|fe|rat** *s. 1;* **Per|so|nal|re|fe|rent** *m. 10;*
Per|so|nal|u|ni|on *w. 10* **1** Vereinigung zweier selbständiger Staaten unter einem Monarchen; **2** Vereinigung mehrerer Ämter in der Hand einer Person; **Per|sön|chen** *s. 7;* **per|so|nell** **1** persönlich; **2** das Personal betreffend; **Per|so|nen|kult** *m. 1;* **Per|so|nen|stand** *m. 2* Familienstand, Stellung zur Familie (ledig, verheiratet usw.);
Per|so|nen|stands|re|gis|ter *s. 5* auf dem Standesamt geführtes Register über die Einwohner und ihren Personen-, Familienstand; **Per|so|ni|fi|ka|ti|on** *w. 10* Vermenschlichung (von Göttern, leblosen Dingen, Begriffen); **per|so|ni|fi|zie|ren** *tr. 3* vermenschlichen; **Per|so|ni|fi|zie|rung** *w. 10;* **per|sön|lich;** persönliches Fürwort = Personalpronomen; **Per|sön|lich|keit** *w. 10* **1** *nur Ez.* Gesamtheit aller Eigenschaften, Verhaltensweisen, Äußerungen eines Menschen; **2** bedeutender, sich aus den übrigen heraushebender Mensch; **Per|sön|lich|keits|spal|tung** *w. 10;* **Per|sons|be|schrei|bung** *w. 10, österr.:* Personen-, Personalbeschreibung
Per|spek|tiv *auch:* **Pers|pek|tiv** [lat.] *s. 1* kleines Fernrohr; **Per|spek|ti|ve** *auch:* **Pers|pek|ti|ve** *w. 11* **1** scheinbares Zusammentreffen paralleler Linien in einem entfernten Punkt (Fluchtpunkt); **2** Darstellung eines Raumes oder räumlichen Körpers auf einer ebenen Fläche mit räumlicher Wirkung; **3** *übertr.:* Zukunftsaussicht; **4** Blickwinkel, z. B. Frosch-, Vogelperspektive; **per|spek|ti|visch** *auch:* **pers|pek-** die Perspektive betreffend, mit Hilfe der Perspektive, räumlich; **Per|spek|ti|vis|mus** *auch:* **Pers|pek-** *m. Gen. - nur Ez.* Lehre, dass Erkenntnis nur unter dem Blickwinkel des Erkennenden möglich sei, dass es keine standpunktfreie Erkenntnis gebe; **Per|spek|tiv|pla|nung** *auch:* **Pers|pek-** *w. 10* langfristige Planung; **Per|spek|to|graph** *auch:* **Pers|pek-** *m. 10* Zeichengerät zum Darstellen eines räumlichen Gegenstandes
Per|spi|ra|ti|on *auch:* **Pers|pi-** [lat.] *w. 10 nur Ez.* Hautatmung; **per|spi|ra|to|risch** *auch:* **pers|pi-** die Ausdünstung fördernd
Per|tu|ba|ti|on [lat.] *w. 10, Med.:* Durchblasung des Eileiters
Per|tur|ba|ti|on [lat.] *w. 10, Astron.:* Verwirrung, Störung (der Bewegung eines Gestirns)
Per|tus|sis [lat.] *w. Gen. - nur Ez.* Keuchhusten
Pe|ru Staat in Südamerika; **Pe|ru|a|ner** *m. 5;* **pe|ru|a|nisch;**
Pe|ru|bal|sam *m. Gen.* -s *nur Ez.* aus einem mittelamerik. Baum gewonnener Balsam
Pe|rü|cke [frz.] *w. 11* **1** Haarersatz; **2** *Jägerspr.:* krankhafte

Wucherung am Gehörn oder Geweih (von Reh, Elch und Hirsch)
per ul|ti|mo [lat. »am letzten«] am Monatsletzten (zu liefern, zu zahlen)
per|vers [-vẹrs, lat.] widernatürlich, geschlechtlich unnormal empfindend; **Per|ver|si|on** *w. 10* krankhafte widernatürliche Triebrichtung; **Per|ver|si|tät** *w. 10* perverses Wesen, perverse Beschaffenheit, Widernatürlichkeit; **per|ver|tie|ren** *intr. u. tr. 3* **1** vom Normalen abweichen (lassen); **2** verfälschen, falsch, unheilvoll anwenden oder verstehen
Per|zent *s. 1, österr. Nebenform von* Prozent; **per|zen|tu|ell** *österr. Nebenform von* prozentuell
per|zep|ti|bel [lat.] wahrnehmbar, erfassbar; **Per|zep|ti|bi|li|tät** *w. 10 nur Ez.* Wahrnehmbarkeit, Wahrnehmungsfähigkeit; **Per|zep|ti|on** *w. 10* Wahrnehmung (als erste Stufe der Erkenntnis); **Per|zep|ti|o|na|lis|mus** *m. Gen. - nur Ez.* Lehre, dass die Wahrnehmung die Grundlage allen Denkens sei; **per|zep|tiv, per|zep|to|risch** auf Perzeption beruhend, mit Hilfe der Perzeption; **per|zi|pie|ren** *tr. 3* wahrnehmen
Pe|sa|de [ital.-frz.] *w. 11, Hohe Schule* = Levade
Pe|sel *m. 5, im nordwestdt. Bauernhaus:* Prachtstube
pe|sen *intr. 1, mitteldt.:* rennen, eilen
Pe|se|ta [span.] *w. Gen. - Mz.* -ten (*Abk.:* Pta), **Pe|se|te** *w. 11* span. Währungseinheit, 100 Centimos; **Pe|so** *m. Gen.* -(s) *Mz.* -(s) südamerik. Währungseinheit
Pẹs|sach, Pascha [hebr.-griech.] *s. Gen.* -s *nur Ez.* siebentägiges jüd. Fest
Pes|sar [lat.] *s. 1* **1** Stützring für die Gebärmutter bei Gebärmuttervorfall; **2** Verschlussring zur Empfängnisverhütung
Pes|si|mis|mus [lat.] *m. Gen. - nur Ez.* Neigung, bes. die Schattenseiten der Welt und des Lebens zu sehen, Schwarzseherei; *Ggs.:* Optimismus; **Pes|si|mist** *m. 10;* **pes|si|mis|tisch; Pẹs|si|mum** *s. Gen.* -s *Mz.* -ma schlechteste Bedingungen, das Ungünstigste; *Ggs.:* Optimum

Pẹst 1 [lat.] *w. 10 nur Ez.* schwere, epidemisch auftretende Infektionskrankheit; **2** Stadtteil von Budapest; **Pẹst|beu|le** *w. 11;* **Pẹst|hauch** *m. 1 nur Ez.* giftiger Hauch, böser Einfluss; **Pes|ti|lẹnz** *w. 10* **1** *veraltet für* Pest; **2** *allg.:* schwere Seuche; **pes|ti|len|zi|a|lisch** verpestet, stinkend; **Pes|ti|zid** *s. 1* Schädlingsvertilgungsmittel; **Pẹst|säu|le** *w. 11* plastisch gestaltete Votivsäule zur Erinnerung an eine Pest
Pe|tal [griech.], Pe|ta|lum *s. Gen.* -s *meist Mz.* -ta|len Korn-, Blütenblatt; **pe|ta|lo|id** blütenblattartig
Pe|tạr|de [frz.] *w. 11* mit Sprengladung gefülltes Gefäß, früher zum Sprengen von Festungstoren, heute für Knalleffekte verwendet
Pe|tẹ|chi|en [lat.-ital.] *Mz.* punktförmige Hautblutungen
Pe|ter|männ|chen *s. 7* ein Drachenfisch mit Stachelflossen und Giftdrüsen
Pe|ter|sil *m. Gen.* -s *nur Ez., österr. Nebenform von* Petersilie; **Pe|ter|si|lie** [-ljə] *w. 11 nur Ez.* ein Gewürzkraut
Pe|ters|pfen|nig *m. 1* freiwillige Abgabe der Katholiken an den Papst; **Pe|ter-und-Pauls-Tag** *m. 1* kath. Fest am 29. Juni
Pe|tịt [frz.] *w. Gen. - nur Ez.* ein Schriftgrad, 8 Punkt; **Pe|ti|tes|se** *w. 11* Geringfügigkeit, Nichtigkeit
Pe|ti|ti|on [lat.] *w. 10* Bittschrift, Eingabe; **pe|ti|ti|o|nie|ren** *intr. 3* eine Petition einreichen; um etwas p.; **Pe|ti|ti|ons|recht** *s. 1*
Pe|tits fours [pəti fur, frz.] *Mz.* feines, mit bunter Zuckerglasur überzogenes Gebäck
Pe|trar|kịs|mus *auch:* **Pet|rar|kis|mus** *m. Gen. - nur Ez., 14./15. Jh.:* lyr. Stil in der Art der Gedichte des ital. Dichters Petrarca; **Pe|trar|kịst** *auch:* **Pet|rar-** *m. 10* Vertreter des Petrarkismus
Pe|tre|fạkt *auch:* **Pet|re-** [lat.] *s. 1 oder s. 12* Versteinerung; **Pe|tri** *auch:* **Pet|ri-** vgl. Petrus; **Pe|tri|fi|ka|ti|on** *auch:* **Pet|ri-** *w. 10* Vorgang des Versteinerns; **pe|tri|fi|zie|ren** *auch:* **pet|ri-** *tr. 3* versteinern
pe|tri|nisch *auch:* **pet|ri-** von Petrus stammend
Pe|tro|che|mie *auch:* **Pet|ro-** *w. 11 nur Ez.* Untersuchung von Gesteinen mit chem. Mitteln; **pe|tro|che|misch** *auch:* **pet|ro-; Pe|tro|ge|ne|se** *auch:* **Pet|ro-** *w. 11* Entstehung der Gesteine; **Pe|tro|gly|phe** *auch:* **Pet|ro-** *w. 11* vorgeschichtl. Felszeichnung; **Pe|tro|graph** *auch:* **Pet|ro-** *m. 10;* **Pe|tro|gra|phie** *auch:* **Pet|ro-** *w. 11 nur Ez.* Lehre von den Gesteinen, ihrem Vorkommen, ihrer Zusammensetzung, Gesteinskunde; **pe|tro|gra|phisch** *auch:* **pet|ro-**
Pe|trol *auch:* **Pet|rol** [griech.] *s. Gen.* -s *nur Ez., schweiz. Nebenform von* Petroleum; **Pe|tro|le|um** *auch:* **Pet|ro-** *s. Gen.* -s *nur Ez.* **1** Erdöl; **2** Destillationsprodukt des Erdöls; **Pe|tro|lo|gie** *auch:* **Pet|ro-** *w. 11 nur Ez.* Zweig der Petrographie, der sich bes. mit der Gesteinsbildung befasst
Pe|trus *auch:* **Pet|rus** ein Apostel; Petri Heil! (Anglergruß)
Pe|trụsch|ka *auch:* **Pet|rụsch|ka** [russ. »Peterchen«] *m. 9, russ. Theater:* Harlekin
Pẹt|schaft [tschech.] *s. 1* kleiner Stempel zum Siegeln; **pet|schie|ren** *tr. 3* mit Petschaft siegeln
Pẹt|ti|coat [-ko:t, engl.] *m. 9* versteifter Halbunterrock
Pẹt|ting [engl.] *s. 9* erotisch-sexuelles Spiel, jedoch ohne Koitus
pẹt|to [ital.] *nur in der Wendung* etwas in p. haben: etwas bereithalten, z. B. eine Überraschung, eine Neuigkeit in p. haben
Pe|tu|nie [-njə, indian.] *w. 11* eine Zierpflanze
Pẹtz *m. 1, scherzh. Bez. für* Bär; Meister Petz
Pẹt|ze *w. 11* **1** Hündin; **2** *Schülerspr.:* jmd., der petzt; **pẹt|zen** *intr. 1, Schülerspr.:* jmdn. angeben, etwas verraten
peu à peu [pø a pø, frz.] nach und nach, allmählich
pe|xie|ren *tr. 3, Nebenform von* pekzieren
Pey|ọtl [pɛj-, aztek.] **1** *w. 11* ein Kaktus, liefert Meskalin; **2** *s. Gen.* -(s) *nur Ez.* aus dem Kaktus gewonnenes, berauschendes Getränk
pF *Abk. für* Picofarad
Pf 1 *Abk. für* Pfennig; **2** *auch:* Pfd., *Abk. für* Pfund (*Zeichen, veraltet:* ℔)

Pfad *m. 1;* **Pfa|der** *m. 5, schweiz. Nebenform von* Pfadfinder; **Pfad|fin|der** *m. 5*
Pfaf|fe *m. 11, abwertend:* Geistlicher; **Pfaf|fen|hüt|chen** *s. 7* ein Zierstrauch mit giftigen, hutähnl. Blüten; **pfäf|fisch**
Pfahl *m. 2;* **Pfahl|bau** *m. Gen.* -(e)s *Mz.*-bau|ten; **Pfahl|bau|er** *m. 11;* **Pfahl|bür|ger** *m. 5* **1** *urspr.:* außerhalb der Grenzpfähle einer Stadt wohnender Bürger mit Bürgerrecht; **2** *übertr.:* engstirniger Mensch, Spießbürger; **Pfahl|dorf** *s. 4;* **pfäh|len** *tr. 1* **1** mit Pfahl oder Pfählen stützen; **2** jmdn. p.: auf einen Pfahl spießen; **Pfahl|mu|schel** *w. 11* an Pfählen haftende Bohrmuschel; **Pfahl|wur|zel** *w. 11*
Pfalz *w. 10* **1** befestigte Wohnstätte eines Kaisers oder Königs, in der er sich auf seinen Reisen durch das Reich aufhielt; **2** *kurz für* Pfalzstadt; **3** das eine Pfalz umgebende Gebiet; **4** Regierungsbezirk in Rheinland-Pfalz; **Pfäl|zer** *m. 5* **1** Einwohner der Pfalz (**4**); **2** Wein aus der Pfalz (**4**); **Pfalz|graf** *m. 10, MA* **1** hoher königl. Beamter; **2** Vorsitzender des Hofgerichts; **pfalz|gräf|lich; pfäl|zisch** zur Pfalz (**4**) gehörend, aus ihr stammend; **Pfalz|stadt** *w. 2* aus einer Pfalz (**1**) hervorgegangene Stadt
Pfand *s. 4;* **pfänd|bar; Pfänd|bar|keit** *w. 10 nur Ez.;* **Pfand|brief** *m. 1* eine festverzinsl. Schuldverschreibung; **pfän|den** *tr. 2;* **Pfän|der** *m. 5, süddt.:* Gerichtsvollzieher; **Pfand|gläu|bi|ger** *m. 5;* **Pfand|haus** *s. 4;* **Pfand|lei|he** *w. 11;* **Pfand|schein** *m. 1;* **Pfand|schuld|ner** *m. 5;* **Pfän|dung** *w. 10*
Pfän|chen *s. 7;* **Pfan|ne** *w. 11;* jmdn. in die P. hauen *ugs.:* jmdn. besiegen, schlagen, vernichten, erledigen; **Pfän|ner** *m. 5 früher:* Eigentümer eines Anteils an einem Salzbergwerk; **Pfann|ku|chen** *m. 7*
Pfarr|amt *s. 4;* **Pfarr|be|zirk** *m. 1;* **Pfar|re** *w. 11* Pfarrbezirk; **Pfar|rei** *w. 10* Pfarrbezirk; **Pfar|rer** *m. 5;* **Pfar|re|rin** *w. 10* **1** *evang.-reformierte Kirche:* weibl. Pfarrer; **2** Ehefrau eines evang. Pfarrers; **Pfarr|haus** *s. 4;* **Pfarr|hel|fer** *m. 5* noch nicht voll ausgebildeter Theologe als Helfer eines Pfarrers, Hilfsprediger, Pfarrvikar; **Pfarr|kir|che** *w. 11* Hauptkirche eines Pfarrbezirks; **Pfarr|stel|le** *w. 11;* **Pfarr|vi|kar** *m. 1* **1** *kath. Kirche:* Stellvertreter oder Helfer eines Pfarrers; **2** *evang. Kirche* = Pfarrhelfer
Pfau *m. 12* ein großer Fasanenvogel
pfau|chen *österr.:* fauchen
Pfau|en|au|ge *s. 14, Sammelbez. für* Tag- und Nachtpfauenauge; **Pfau|hahn** *m. 2;* **Pfau|hen|ne** *w. 11*
Pfd. *Abk. für* Pfund
Pfef|fer *m. 5* **1** eine Gewürzpflanze; P. und Salz; schwarzer P., weißer P.: reife bzw. unreife Früchte des Pfefferstrauchs; spanischer P.: Paprika; da liegt der Hase im P.: das ist die Wurzel des Übels; jmdm. P. geben: jmdn. reizen, herausfordern; **2** *Soldatensprache:* Schießpulver; **Pfef|fer|fres|ser** *m. 5* = Tukan; **Pfef|fer|gur|ke** *w. 11* in Salz, Pfeffer und Essig eingelegte Gurke; **pfef|fe|rig,** pfeff|rig; **Pfef|fer|korn** *s. 4;* **Pfef|fer|ku|chen** *m. 7* gewürztes, süßes Weihnachtsgebäck, Lebkuchen; **Pfef|fer|min|ze** [auch: -min-] *w. 11* ein Heilkraut; **Pfef|fer|müh|le** *w. 11;* **pfef|fern** *tr. 1* **1** mit Pfeffer würzen; ich pfeffere, pfeffre es; gepfefferter Witz: unanständiger, derber Witz; gepfefferte Preise, gepfefferte Rechnung: sehr hohe Preise, Rechnung; **2** heftig werfen; **Pfef|fer|nuß** ► **Pfef|fer|nuss** *w. 2;* **Pfef|fe|ro|ne** *m. Gen.* -n *Mz.* -n *oder* -ni, *österr.: für* Peperone; **Pfef|fer|sack** *m. 2* reicher Kaufmann; **Pfef|fer|schwamm** *m. 2* = Pfifferling; **Pfef|fer|strauch** *m. 4;* **pfeff|rig,** pfef|fe|rig
Pfei|fe *w. 11;* **pfei|fen** *tr. u. intr. 90;* ich pfeife darauf *ugs.:* das ist mir ganz egal, darum kümmere ich mich nicht; **Pfei|fen|strauch** *m. 4* ein Steinbrechgewächs; **Pfei|fer** *m. 5*
Pfeil *m. 1*
Pfei|ler *m. 5* frei stehende oder aus der Wand heraustretende Stütze für Gewölbe, Dach oder Brücke
pfeil|ge|schwind; Pfeil|gift *s. 1;* **pfeil|ge|ra|de; pfeil|schnell**
Pfen|nig *m. Gen.* -s *Mz.* - *oder* -e (*Abk.:* Pf) deutsche Währungseinheit, 1/100 Mark; **Pfen|nig|fuch|ser** *m. 5* geiziger, übertrieben genau rechnender Mensch; **Pfen|nig|fuch|se|rei** *w. 10 nur Ez.;* **pfen|nig|groß; Pfen|nig|stück** *s. 1;* **pfen|nig|wei|se;** bei ihm fällt der Groschen p. *ugs.:* er ist sehr langsam von Begriff
Pferch *m. 1* eingezäuntes Feldstück für Tiere; **pfer|chen** *tr. 1* zwängen, drängen; Personen, Tiere in einen engen Raum pferchen
Pferd *s. 1;* **Pfer|de|ap|fel** *m. 6;* **Pfer|de|boh|ne** *w. 11* Saubohne; **Pfer|de|de|cke** *w. 11* grobe Decke; **Pfer|de|drosch|ke** *w. 11;* **Pfer|de|fuß** *m. 2, übertr.:* Nachteil, Haken; die Sache hat einen P.; **Pfer|de|ge|biß** ► **Pfer|de|ge|biss** *s. 1;* **Pfer|de|kur** *w. 10* = Rosskur; **Pfer|de|län|ge** *w. 11;* den andern um eine P. voraus sein (beim Rennen); **Pfer|de|ren|nen** *s. 7;* **Pfer|de|schwamm** *m. 2* = Pfifferling; **Pfer|de|schwanz** *m. 2; auch ugs.:* im Nacken oder am Hinterkopf zusammengebundener, langer Haarschopf; **Pfer|de|stär|ke** *w. 11* (*Abk.:* PS) Maßeinheit der Leistung; **Pfer|de|wirt** *m. 1, Sammelbez. für* hauptberufl. Reiter, Rennreiter und Trabrennfahrer (Ausbildungsberuf); **Pfer|de|zucht** *w. Gen.* - *nur Ez.*
Pfet|te *w. 11* waagerechter, die Sparren tragender Balken im Dachstuhl
Pfiff *m. 1; auch ugs.:* besonderer Reiz (einer Sache), besonderer Schick
Pfif|fer|ling *m. 1* ein Speisepilz, Eier-, Pferde-, Pfefferschwamm, Gelbling, Rehling; das ist keinen P. wert *ugs.:* nichts wert
pfif|fig findig, gewitzt, aufgeweckt, schnell begreifend; **Pfif|fig|keit** *w. 10 nur Ez.;* **Pfif|fi|kus** *m. Gen.* - *oder* -kus|ses *Mz.* -kus|se pfiffiger Kerl
Pfingst|ten [griech.] *s. Gen.* - *Mz.* - Fest der Ausgießung des Hl. Geistes über die Jünger Jesu; an, zu, vor, nach P.; frohes *oder:* frohe P.!; **Pfingst|fest** *s. 1;* **pfingst|lich; Pfingst|ro|se** *w. 11* Päonie
Pfir|sich *m. 1;* **Pfir|sich|baum** *m. 2*
Pfis|ter *m. 5, veraltet:* Bäcker
Pfis|te|rei *w. 10*

► = wird zu

Pflanz *m. Gen.- nur Ez. österr. für* Schwindel

Pflänz|chen *s. 7;* **Pflan|ze** *w. 11;* **pflan|zen** *tr. 1;* **Pflan|zen|geo|gra|phie** ► *auch:* **Pflan|zen|geo|gra|fie** *w. 11 nur Ez.* = Geobotanik; **Pflan|zen|kun|de** *w. 11 nur Ez.* Botanik; **Pflan|zer** *m. 5;* **Pflanz|gar|ten** *m. 7* Landstück zum Aufziehen von Waldpflanzen, Forstgarten, Baumschule; **Pflanz|holz** *s. 4;* **Pflänz|lein** *s. 7;* **pflanz|lich; Pflanz|ling** *m. 1* junge, zum Auspflanzen bestimmte Pflanze; **Pflan|zung** *w. 10*

Pflas|ter *s. 5;* **Pfläs|ter|chen** *s. 7;* **Pflas|te|rer**, *schweiz. auch:* **Pfläs|te|rer** *m. 5;* **pflas|ter|mü|de; pflas|tern**, *schweiz auch:* **pfläs|tern** *tr. 1;* ich pflastere, pflastre es; **Pflas|ter|stein** *m. 1;* **Pflas|te|rung**, *schweiz. auch:* **Pfläs|te|rung** *w. 10 nur Ez.*

Pflatsch *m. 1, mitteldt.:* Fleck, Pfütze; **Pflat|schen** *m. 7, süddt.:* breiter Kothaufen (bes. von Kühen); **pflat|schen** *intr. 1* klatschend aufschlagen

Pfläum|chen *s. 7;* **Pflau|me** *w. 11; auch übertr. ugs.:* anzügliche, neckende Bemerkung; **pflau|men** *intr. 1, ugs.:* anzügl. Bemerkung machen, necken; **pflau|men|weich, pflaum|weich**

Pfle|ge *w. 11 nur Ez.;* **pfle|ge|be|dürf|tig; Pfle|ge|be|dürf|tig|keit** *w. 10 nur Ez.;* **Pfle|ge|be|foh|le|ne(r)** *m. 18 (17) bzw. w. 17 oder 18;* **Pfle|ge|el|tern** *Mz.;* Zieheltern; **Pfle|ge|kind** *s. 3* Ziehkind; **pfle|ge|leicht** leicht zu pflegen (Textilien); **Pfle|ge|mut|ter** *w. 6;* **pfle|gen** *tr. 1* **1** jmdn. p.: fürsorglich betreuen, für jmds. Wohl sorgen; **2** etwas zu tun p.: etwas gewohnheitsmäßig tun; Geselligkeit p.; Rats p. *veraltet:* sich beraten; der Ruhe p.: ruhen; **Pfle|ge|per|so|nal** *s. Gen.-s nur Ez.;* **Pfle|ger** *m. 5* **1** Krankenpfleger; **2** vom Gericht bestellter Bevollmächtigter; **pfle|ge|risch; Pfle|ge|va|ter,** Ziehvater; *m. 6;* **Pfle|ge|ver|si|che|rung** *w. 10;* **pfleg|lich** sorgsam; etwas p. behandeln, p. mit etwas umgehen; **Pfleg|ling** *m. 1;* **Pfleg|schaft** *w. 10* gerichtlich angeordnete Fürsorge für einzelne Angelegenheiten einer Person oder für ein Vermögen

Pflicht *w. 10;* **pflicht|be|wußt** ► **pflicht|be|wusst; Pflicht|be|wußt|sein** ► **Pflicht|be|wusst|sein** *s. Gen.-s nur Ez.;* **Pflicht|ei|fer** *m. 5 nur Ez.;* **pflicht|eif|rig; Pflicht|ex|em|plar** *auch:* **Pflicht|e|xemp|lar** *s. 1* Exemplar (eines Buches), das jmdm. (z. B. Bibliotheken) zugesandt werden muss; **pflicht|ge|mäß; ...pflich|tig** *in Zus.,* z. B. melde-, schulpflichtig; **pflicht|schul|dig, pflicht|schul|digst** wie es sich gehört, der Pflicht entsprechend; **Pflicht|teil** *m. 1 oder s. 1* Erbteil, das einem Erbberechtigten zusteht; **pflicht|treu; Pflicht|treue** *w. Gen. -*

> **pflichtvergessen:** Wie bisher wird die Verbindung aus Substantiv (oder Adjektiv, Adverb bzw. Pronomen) und Adjektiv/Partizip in einem Wort geschrieben: *der pflichtvergessene Student.* → § 36 (1)

nur Ez.; **pflicht|ver|ges|sen; Pflicht|ver|let|zung** *w. 10;* **pflicht|ver|si|chert; Pflicht|ver|si|che|rung** *w. 10*

Pflock *m. 2;* **Pflöck|chen** *s. 7;* **pflö|cken** *tr. 1* an, mit Pflöcken befestigen

Pflü|cke *w. 11 nur Ez., schwäb.:* Ernte (des Obstes, Hopfens); **pflü|cken** *tr. 1;* **Pflü|cker** *m. 5*

Pflug *m. 2;* **pflü|gen** *tr. 1;* **Pflü|ger** *m. 5;* **Pflug|schar** *w. 10, auch: s. 1* waagerecht angeordnetes Eisen am Pflug; **Pflug|sterz** *m. 1,* **Pflug|ster|zen** *m. 7* Führungsgriff des Pfluges

Pfort|ader *w. 11, bei Wirbeltieren und beim Menschen:* Vene, die das Blut von Magen und Darm, Bauchspeicheldrüse, Galle und Milz zur Leber führt; **Pfört|chen** *s. 7;* **Pfor|te** *w. 11;* Hohe P.: *bis 1918 Bez. für die* türk. Regierung; **Pfört|ner** *m. 5;* **Pfört|ner|krampf** *m. 2* krampfhafte Verengung des Magenpförtners (Magenausgangs), Pylorospasmus

Pfos|ten *m. 7*

Pföt|chen *s. 7;* **Pfo|te** *w. 11*

Pfr. *Abk. für* Pfarrer

Pfrel|le, Pfril|le *w. 11* = Elritze

Pfriem *m. 1* Werkzeug zum Löcherstechen in Leder oder Pappe, Ahle; **Pfriem|kraut** *s. 4* ein Ginster

Pfril|le, Pfrel|le *w. 11* = Elritze

Pfropf *m. 1, Nebenform von* Pfropfen; **Pfröpf|chen** *s. 7;* **pfrop|fen** *tr. 1* **1** hineindrücken; Kleider in einen Koffer p.; gepfropft voll; **2** mit Pfropfreis veredeln (Baum); **Pfrop|fen** *m. 7* Korken, Stöpsel; **Pfröpf|ling** *m. 1,* **Pfropf|reis** *s. 2* Zweig zum Veredeln; **Pfrop|fung** *w. 10*

Pfrün|de *w. 11* **1** *kath. Kirche:* Einnahmen aus einem Kirchenamt; das Amt selbst; **2** *allg.:* Amt, das etwas einbringt, ohne entsprechende Gegenleistung zu fordern; fette P.; **Pfründ|ner** *m. 5* Inhaber einer Pfründe

Pfuhl *m. 1* **1** schlammiger Teich; **2** *übertr.:* Sumpf, z. B. Sündenpfuhl

Pfühl *m. 1, veraltet:* Kissen, weiches Lager

pfui!; pfui Teufel, pfui Deibel!; pfui, schäm dich!; **Pfui** *s. 9*

Pful|men *m. 7, schweiz.:* Kopfkissen

Pfund *s. Gen.-(e)s Mz.-* **1** *ugs. gelegentl. Mz.*-e (*Zeichen:* ℔) Gewichtseinheit, 500 g, ½ kg; zwei P. Mehl; seine überschüssigen Pfunde loswerden wollen; mit seinem P. wuchern: eine Fähigkeit oder Wissen nutzbringend anwenden; **2** (*Zeichen:* £) brit. Währungseinheit, 100 Newpence; ein Pfund Sterling; **Pfünd|chen** *s. 7;* **...pfün|der** *m. 5 in Zus.,* z. B. Zwei-, Vierpfünder; **pfun|dig** *ugs.:* prächtig, großartig; **...pfün|dig** *in Zus.,* z. B. drei-, mehrpfündig; **Pfund|no|te** *w. 11;*

Pfunds ... *ugs.:* Mords ..., großartig, z. B. Pfundswetter

Pfusch *m. Gen.-s nur Ez., ugs.:* schlechte, flüchtige Arbeit; **pfu|schen** *intr. 1* flüchtig, schlecht arbeiten; **Pfu|scher** *m. 5;* **Pfu|sche|rei** *w. 10;* **pfu|scher|haft**

pfutsch *österr. für* futsch

Pfütz|chen *s. 7;* **Pfüt|ze** *w. 11*

ph *Abk. für* Phot

PH *Abk. für* Pädagogische Hochschule

Phä|a|ke [griech.] *m. 11, bei Homer:* Angehöriger eines glücklichen, genussfreudigen Volkes auf einer griech. Insel

Pha|e|ton [fae-, nach dem Sohn des griech. Sonnengottes] *m. 9* leichte, offene Kutsche

...phag [griech.] *in Zus.:* fressend, z. B. pantophag; **Pha|go|zyt** [griech.] *m. 10* Fresszelle, Zelle, die Fremdkörper, z. B. Bakterien, vernichtet

Pha|lanx [griech.] *w. Gen.- Mz.* -lan|gen **1** *Antike:* lange, geschlossene, mehrere Glieder tiefe Schlachtreihe; **2** Finger- und Zehenknochen; **3** *übertr.:* geschlossene, Widerstand leistende Front

phal|lisch in der Art eines Phallus, zum Phalluskult gehörig; **Phal|lo|kra|tie** *w. 11 abwertend:* Männerherrschaft; **Phal|lus** *m. Gen.- Mz.* -li *oder* -len (erigierter) Penis; **Phal|lus|kult** *m. 1, bei manchen Völkern:* Verehrung des Phallus als Symbol der Fruchtbarkeit

Pha|ne|ro|ga|me [griech.] *w. 11* Blütenpflanze, Samenpflanze; *Ggs.:* Kryptogame

Phä|no|lo|gie [griech.] *w. 11 nur Ez.* Lehre von den Lebensvorgängen bei Tieren und Pflanzen im Hinblick auf den Jahresablauf; **Phä|no|men** *s. 1* **1** mit den Sinnen wahrnehmbare Erscheinung, z. B. Naturphänomen; **2** seltenes, eigenartiges Ereignis; **3** hochbegabter, genialer Mensch; er ist ein P.; **phä|no|me|nal** unglaublich, erstaunlich, einzigartig; **Phä|no|me|na|lis|mus** *m. Gen. - nur Ez.* Lehre, dass alle Dinge nur Erscheinungsformen eines unerkennbaren Dinges »an sich« seien; **Phä|no|me|no|lo|gie** *w. 11 nur Ez.* **1** Beschreibung von sinnlich wahrnehmbaren Gegebenheiten; **2** Lehre von den Erscheinungen des Dinges »an sich« (bei Kant), von den Erscheinungen des sich dialektisch aufwärts bewegenden Bewusstseins (bei Hegel), von der »Wesenheit« der Dinge (bei Husserl); **phä|no|me|no|lo|gisch; Phä|no|typ** *m. 12,* Phä|no|typus *m. Gen.- Mz.* -pen das von Erbanlagen und Umwelt geprägte Erscheinungsbild eines Lebewesens; vgl. Genotyp, Idiotyp; **phä|no|ty|pisch**

Phan|ta|sie [griech.] *Nv.* ▶ **Fan|ta|sie** *Hv. w. 11 nur Ez.;* **phan|ta|sie|los** *Nv.* ▶ **fan|ta|sie|los** *Hv.;* **Phan|ta|sie|lo|sig|keit** *Nv.* ▶ **Fan|ta|sie|lo|sig|keit** *Hv. w. 10 nur Ez.;* **phan|ta|sie|ren** *Nv.* ▶ **fan|ta|sie|ren** *Hv. intr. 3;* **phan|ta|sie|voll** *Nv.* ▶ **fan|ta|sie|voll** *Hv.;* **Phan|tas|ma** *s. Gen.* -s *Mz.* -men Sinnestäuschung, Trugbild; **Phan|tas|ma|go|rie** *w. 11* optische Vorspiegelung von Scheinbildern, Darstellung von Gespenstererscheinungen, Trugbildern auf der Bühne; **phan|tas|ma|go|risch; Phan|tast** *Nv.* ▶ **Fan|tast** *Hv. m. 10;* **Phan|tas|te|rei** *Nv.* ▶ **Fan|tas|te|rei** *Hv. w. 10;* **phan|tas|tisch** *Nv.* ▶ **fan|tas|tisch** *Hv.;* **Phan|tom** *s. 1* **1** Trugbild; **2** *Med.:* Nachbildung von Körperteilen (für den Unterricht)

Phä|o|phy|zee [griech.] *w. 11* Braunalge, Tang

Pha|rao [altägypt.-griech.] **1** *m. Gen.* -s *Mz.* -ra|o|nen altägypt. König; **2** *s. 9 nur Ez.* ein frz. Kartenglücksspiel; **pha|ra|o|nisch**

Pha|ri|sä|er [aram.-lat.] *m. 5* **1** Angehöriger der altjüd. gesetzesstrengen, relig.-polit. Partei; **2** *übertr.:* selbstgerechter, engstirniger Mensch; **pha|ri|sä|er|haft; Pha|ri|sä|er|tum** *s. Gen.* -s *nur Ez.;* **pha|ri|sä|isch; Pha|ri|sä|is|mus** *m. Gen.- nur Ez.* **1** Lehre der Pharisäer; **2** Selbstgerechtigkeit

Phar|ma|ko|lo|gie *w. 11 nur Ez.* Lehre von den Arzneimitteln; **phar|ma|ko|lo|gisch; Phar|ma|kon** *s. Gen.* -s *Mz.* -ka **1** Arzneimittel; **2** Gift; **Phar|ma|zeut** *m. 10* Arzneikundiger, Apotheker; **Phar|ma|zeu|tik** *w. 10 nur Ez.* = Pharmazie; **phar|ma|zeu|tisch; Phar|ma|zie** *w. 11 nur Ez.* Lehre von der Zubereitung und Anwendung der Arzneimittel, Pharmazeutik

Pha|rus [nach der Insel Pharos vor Alexandria] *m. Gen. - Mz.* -, *veraltet:* Leuchtturm

Pha|ryn|gi|tis [griech.] *w. Gen. - Mz.* -ti|den Rachenentzündung, Rachenkatarrh; **Pha|ryn|go|lo|gie** *w. 11 nur Ez.* Lehre von den Krankheiten des Rachens; **Pha|ryn|go|skop** *auch:* **-gos|kop** *s. 1* = Kehlkopfspiegel; **Pha|ryn|go|sko|pie** *auch:* **-gos|ko|pie** *w. 11* Untersuchung mit dem Pharyngoskop; **Pha|rynx** *m. Gen. - Mz.* -ryn|gen Rachen

Pha|se [griech.] *w. 11* **1** Abschnitt, Stufe (einer Entwicklung); **2** Zeitraum, in dem ein nicht selbst leuchtender Himmelskörper zum Teil beleuchtet ist, z. B. Mondphase; **3** *Phys.:* Zustand eines schwingenden Körpers, bezogen auf den Anfangszustand; **Pha|sen|ver|schie|bung** *w. 10, Phys.:* zeitl. (oder örtl.) Verschiebung zweier Schwingungen oder Wellen gleicher Frequenz gegeneinander; **...pha|sig** in Phasen verlaufend, z. B. zwei-, mehrphasig; **pha|sisch** in Phasen

Pha|ze|lie [-ljə, griech.] *w. 11* eine Zierpflanze, Büschelschön

Phel|lo|den|dron *auch:* **Phel|lo|dend|ron** [griech.] *s. Gen.* -s *Mz.* -dren Korkbaum, ein ostasiat. Parkbaum; **Phel|lo|derm** *s. 1, Bot.:* das unter dem Phellogen liegende Gewebe; **Phel|lo|gen** *s. 1, Bot.:* Kork bildendes Gewebe

Phe|nol [griech.] *s. 1* mit einer Hydroxylgruppe substituiertes Benzol; **Phe|nol|harz** *s. 1, Sammelbez. für* durch Polymerisation von Phenolen gewonnene Kunststoffe, Phenoplast; **Phe|nol|phtha|le|in** *s. 1 nur Ez.* organ. Farbstoff (als Indikator für den pH-Wert verwendet); **Phe|no|plast** *m. 1* = Phenolharz; **Phe|nyl** *s. 1 nur Ez.* einwertiger Rest des Phenols

Phi *s. Gen.* -(s) *Mz.* -s (*Zeichen:* φ, Φ) griech. Buchstabe

Phi|a|le [griech.] *w. 11* altgriech. flache Opfer- oder Trinkschale

phil ..., Phil ... vgl. philo ..., Philo ...

Phil|a|del|phia *auch:* **Phi|la|delphia** Stadt in Pennsylvania (USA); **phil|a|del|phisch**

Phil|an|throp *auch:* **Phi|lanth|rop** *m. 10* Menschenfreund; *Ggs.:* Misanthrop; **Phil|an|thro|pie** *auch:* **Phi|lanth|ro|pie** *w. 11 nur Ez.* Menschenfreundlichkeit; **Phil|an|thro|pi|nis|mus** *auch:* **Phi|lanth|ro|pi|nis|mus** *m. Gen. - nur Ez., im 18. Jh.:* pädagog. Bewegung, die eine auf der Lehre Rousseaus beruhende, menschenfreundl. und naturgemäße Erziehung anstrebte; **phil|an|thro|pisch** *auch:* **phi|lanth|ro|pisch; Phi|la|te|lie** *auch:* **Phil|a|te|lie** *w. 11 nur Ez.* Briefmarkenkunde; **Phi|la|te|list** *auch:* **Phil|a|te|list** *m. 10* Briefmarkenkundiger, -sammler

Phi|le|mon griech. Sagengestalt; Ph. und Baucis: altes, harmonisch lebendes, gastfreundl. Ehepaar

Phil|har|mo|nie [griech.] *w. 11 Name für* **1** Gesellschaft zur

▶ = wird zu

Pflege des Musiklebens; **2** Spitzenorchester; **3** *auch:* Konzertsaal; **Phil|har|mo|ni|ker** *m. 5* Angehöriger eines philharmon. Orchesters; **phil|har|mo|nisch**; philharmonisches Orchester: *Name für* Spitzenorchester; **Phil|hel|le|ne** *m. 11* Freund der Griechen; **Phil|hel|le|nis|mus** *m. Gen. - nur Ez.* Bewegung zur Unterstützung der Griechen in ihrem Freiheitskampf gegen die Türken

Phil|ip|per|brief *m. 1* Brief des Apostels Paulus an die Einwohner der mazedon. Stadt Philippi; **Phil|ip|pi|ka** *w. Gen. - Mz.* -ken Rede des Demosthenes gegen König Philipp von Mazedonien; **2** *übertr.:* Strafrede; **Phil|ip|pi|nen** *Mz.* Inselgruppe und Staat im westl. Pazifik; vgl. Filipino; **phil|ip|pi|nisch**

Phil|is|ter *m. 5* **1** *im Altertum:* Angehöriger eines nichtsemit. Volkes in Palästina; **2** *übertr.:* engstirniger Mensch; **phi|lis|ter|haft; Phil|is|ter|tum** *s. Gen.*-s *nur Ez.;* **phi|lis|trös** engstirnig, spießbürgerlich

Phil|lu|me|nie [griech.-lat.] *w. 11* das Sammeln von Streichholzschachteln

phi|lo…, Phi|lo… [griech.] *in Zus.:* freundlich (gesinnt), liebend

Phi|lo|den|dron *auch:* **Phi|lo-den|d|ron** [griech.] *m. Gen.*-s *Mz.*-dren eine trop. Kletterpflanze, auch Zimmerpflanze

Phi|lo|lo|ge [griech.] *m. 11;* **Phi|lo|lo|gie** *w. 11 nur Ez.* Wissenschaft von Sprache und Literatur; **phi|lo|lo|gisch 1** zur Philologie gehörend; **2** *übertr.:* allzu wissenschaftlich genau, wissenschaftlich-trocken; **Phi|lo|se|mit** *m. 10* Freund der Juden; **Phi|lo-soph** *m. 10* jmd., der nach Erkenntnis und Wahrheit strebt, der nach dem letzten Sinn des Seins fragt; **Phi|lo|so|phem** *s. 1* Ergebnis der philosoph. Forschung, philosoph. Ausspruch; **Phi|lo|so|phie** *w. 11* Lehre vom Sein, Ursprung und Wesen der Dinge, vom Denken, Streben nach Erkenntnis und Wahrheit; **phi|lo|so|phie|ren** *intr. 3* Philos. betreiben; **phi|lo|so|phisch**

Phi|mo|se [griech.] *w. 11* Verengung der Vorhaut

Phi|o|le [griech.] *w. 11* kleine, bauchige Glasflasche

Phle|bi|tis [griech.] *w. Gen. - Mz.* -ti|den Venenentzündung

Phleg|ma [griech.] *s. Gen.*-s *nur Ez.* Mangel an Erregbarkeit, unerschütterl. Ruhe, Trägheit; **Phleg|ma|ti|ker** *m. 5* schwer erregbarer, träger Mensch; **Phleg|ma|ti|kus** *m. Gen. - Mz.* -kus|se, *ugs. scherzh.:* Phlegmatiker; **phleg|ma|tisch; Phleg-mo|ne** *w. 11* Zellgewebsentzündung

Phlox [griech.] *m. 1 oder w. 1* eine Zierpflanze; **Phlo|xin** *s. 1 nur Ez.* ein organ. Farbstoff

Pho|bie [griech.] *w. 11* krankhafte Furcht (vor etwas)

Phö|bos, Phö|bus Beiname Apollos

Pho|ko|me|lie *w. 11* Missbildung der Extremitäten

> **Phon/Fon:** Die fremdsprachige Schreibweise *(Phon)* ist die Hauptvariante, die eingedeutschte (integrierte) Form die zulässige Nebenvariante *(Fon).* Ebenso: *Phonogramm/ Fonogramm, phonographisch/ fonografisch, Phonometrie/ Fonometrie.* → § 32 (2)

Phon ► *auch:* **Fon** [griech.] *s. Gen.*-s *Mz.*- Maßeinheit der Lautstärke; **phon…, Phon…** ► *auch:* **fon…, Fon…** vgl. phono…, Phono…

Pho|nem *s. 1, Phonologie:* kleinste sprachliche Einheit, die bedeutungsunterscheidend wirkt, z. B. das a und u in »Hand« und »Hund«; **Pho|ne|tik** *w. 10 nur Ez.* Lehre von der Art und Erzeugung der Laute, Lautlehre; vgl. Phonologie; **Pho|ne|ti-ker** *m. 5* Wissenschaftler auf d. Gebiet der Phonetik; **pho|ne-tisch** lautlich

Phö|ni|ker, Phö|ni|ki|er *m. 5* = Phönizier

pho|nisch ► *auch:* **fo|nisch** [griech.] zur Stimme gehörend, auf ihr beruhend

Phö|nix [griech.] *m. 1, griech. Myth.:* Vogel, der sich im Feuer verjüngt, Sinnbild der Unsterblichkeit; wie ein Ph. aus der Asche steigen

Phö|ni|zi|en *im Altertum:* Landstrich an der syr. Mittelmeerküste; **Phö|ni|zi|er,** Phö|ni|ker, Phö|ni|ki|er *m. 5* Angehöriger eines altsemit. Seefahrervolkes; **phö|ni|zisch**

pho|no…, Pho|no… ► *auch:* **fo|no…, Fo|no…** [griech.] *in Zus.:* ton…, Ton…, schall…, Schall…; **Pho|no|gramm** ► *auch:* **Fo|no|gramm** *s. 1* Aufzeichnung von Schall oder Tönen auf Schallplatte oder Tonband; **Pho|no|graph** ► *auch:* **Fo|no|graf** *m. 10* erstes Schallaufzeichnungsgerät; **Pho|no-gra|phie** ► *auch:* **Fo|no|gra|fie** *w. 11 nur Ez.* Schallaufzeichnung; **pho|no|gra|phisch** ► *auch:* **fo|no|gra|fisch; Pho|no-kof|fer** ► *auch:* **Fo|no|kof|fer** *m. 5* tragbarer Plattenspieler; **Pho|no|lith** *m. 10* = Klingstein; **Pho|no|lo|ge** ► *auch:* **Fo|no-lo|ge** *m. 11;* **Pho|no|lo|gie** ► *auch:* **Fo|no|lo|gie** *w. 11* Lehre von den Lauten und Lautgruppen hinsichtlich ihrer Funktion für die Bedeutung der Wörter; vgl. Phonetik; **pho|no|lo|gisch** ► *auch:* **fo|no|lo|gisch; Pho-no|me|ter** ► *auch:* **Fo|no|me-ter** *s. 5* **1** Schallmesser; **2** Gerät zum Messen der Hörschärfe; **Pho|non** *s. 1* = Schallquant; **Pho|no|pho|bie** *w. 11* Stottern; **Pho|no|tech|nik** ► *auch:* **Fo-no|tech|nik** *w. 10;* **Pho|no|thek** ► *auch:* **Fo|no|thek** *w. 10* Sammlung von Tonbandaufnahmen; **Pho|no|ty|pis|tin** ► *auch:* **Fo-no|ty|pis|tin** *w. 10* Maschinenschreiberin, die nach Ansage vom Diktiergerät schreibt; **Phon|zahl** ► *auch:* **Fon|zahl** *w. 10* Phon angebende Zahl

Phos|gen [griech.] *s. 1 nur Ez.* ein giftiges Gas (Kampfstoff); **Phos|phat** *s. 1* Salz der Phosphorsäure; **Phos|phid** *s. 1* Verbindung eines Metalls mit Phosphor; **Phos|phit** *s. 1* Salz der phosphorigen Säure; **Phos-phor** *m. Gen.*-s *nur Ez.* (*Zeichen:* P) chem. Element; **Phos-pho|res|zenz** *w. 10 nur Ez.* Leuchten (von Stoffen) nach vorherigem Bestrahlen mit Licht; **phos|pho|res|zie|ren** *intr. 3* nach Bestrahlen mit Licht leuchten; **phos|pho|rig** Phosphor enthaltend; **Phos-pho|ris|mus** *m. Gen. - Mz.*-men Phosphorvergiftung; **Phos-pho|rit** *m. 1* ein Mineral; **phos-phor|sau|er; Phos|phor|säu|re** *w. 11 nur Ez.* dreibasische schwache Mineralsäure

Phot [griech.] *s. Gen. - Mz.* - (*Abk.:* ph), *veraltet:* Einheit der Leuchtstärke, 10 000 Lux

> **Photo/Foto:** Die fremdsprachige Form *(Photo)* ist die zulässige Nebenvariante, die integrierte (eingedeutschte) Schreibweise *(Foto)* ist die Hauptvariante. → § 32 (2)

pho|to ..., Pho|to ... *Nv.* ► **fo|to ..., Fo|to ...** *Hv.*
Pho|to|che|mie *Nv.* ► **Fo|to|che|mie** *Hv. w. 11 nur Ez.;* **Pho|to|che|mi|gra|phie** *Nv.* ► **Fo|to|che|mi|gra|fie** *Hv. w. 11 nur Ez.;* **pho|to|che|mi|gra|phisch** *Nv.* ► **fo|to|che|mi|gra|fisch** *Hv.;* **pho|to|che|misch** *Nv.* ► **fo|to|che|misch** *Hv.;* **pho|to|e|lek|trisch** *Nv.* ► **fo|to|e|lek|trisch** *Hv.;* **Pho|to|e|lek|tri|zi|tät** *Nv.* ► **Fo|to|e|lek|tri|zi|tät** *Hv. w. 10 nur Ez.;* **Pho|to|e|le|ment** *Nv.* ► **Fo|to|e|le|ment** *Hv. s. 1;* **pho|to|gen** *Nv.* ► **fo|to|gen** *Hv.;* **Pho|to|ge|ni|tät** *Nv.* ► **Foto|ge|ni|tät** *Hv. w. 10 nur Ez.;* **Pho|to|gramm** *Nv.* ► **Fo|to|gramm** *Hv. s. 1;* **Pho|to|gramm|me|trie** *Nv.* ► **Fo|to|gramm|me|trie** *Hv. w. 11 nur Ez.;* **pho|to|gramm|me|trisch** *Nv.* ► **fo|to|gramm|me|trisch** *Hv.;* **Pho|to|gra|phie** *Nv.* ► **Fo|to|gra|fie** *Hv.;* **Pho|to|gra|vü|re** *Nv.* ► **Fo|to|gra|vü|re** *Hv. w. 11* = Heliogravüre; **Pho|to|ko|pie** *Nv.* ► **Fo|to|ko|pie** *Hv. w. 11;* **pho|to|ko|pie|ren** *Nv.* ► **fo|to|ko|pie|ren** *Hv. tr. 3;* **pho|to|me|cha|nisch** *Nv.* ► **fo|to|me|cha|nisch** *Hv.;* **Pho|to|me|ter** *Nv.* ► **Fo|to|me|ter** *Hv. s. 5;* **pho|to|me|trisch** *Nv.* ► **fo|to|me|trisch** *Hv.;* **Pho|to|mon|ta|ge** *Nv.* ► **Fo|to|mon|ta|ge** *Hv.* [-ʒə] *w. 11;* **Pho|ton** *Nv.* ► **Fo|ton** *Hv. s. Gen.* -s *Mz.* -to|nen; **Pho|to|phy|si|o|lo|gie** *Nv.* ► **Fo|to|phy|si|o|lo|gie** *Hv. w. 11 nur Ez.;* **Pho|to|sphä|re** *Nv.* ► **Fo|to|sphä|re** *Hv. w. 11;* **Pho|to|syn|the|se** *Nv.* ► **Fo|to|syn|the|se** *Hv. w. 11;* **pho|to|tak|tisch** ► **fo|to|tak|tisch** *Hv.;* **Pho|to|ta|xis** *Nv.* ► **Fo|to|ta|xis** *Hv. w. Gen. - Mz.* -xen; **Pho|to|the|ra|pie** *Nv.* ► **Fo|to|the|ra|pie** *Hv. w. 11 nur Ez.;* **pho|to|trop, pho|to|tro|pisch** *Nv.* ► **fo|to|trop, fo|to|tro|pisch** *Hv.;* **Pho|to|tro|pis|mus** *Nv.* ► **Fo|to|tro|pis|mus** *Hv. m. Gen. - nur Ez.;* **Pho|to|zel|le** *Nv.* ► **Fo|to|zel|le** *Hv. w. 11*

Phra|se [griech.] *w. 11* **1** kleinster selbständiger Abschnitt (eines Musikstücks), Tongruppe; **2** *Gramm.:* Satz, Teilsatz; **3** Redewendung; **4** *übertr.:* leere, abgegriffene Redensart; Phrasen dreschen *ugs.:* leere Redensarten sagen, nichts sagend reden; **Phra|sen|dre|scher** *m. 5;* **phra|sen|haft; Phra|se|o|lo|gie** *w. 11* **1** Lehre von den für eine Sprache charakterist. Redewendungen; **2** Sammlung solcher Redewendungen; **phra|se|o|lo|gisch** auf Phraseologie (**1**) beruhend; in der Art einer Phraseologie (**2**); phraseologisches Wörterbuch: Wörterbuch für Redensarten und Redewendungen; **phra|sie|ren** *tr. 3;* ein Musikstück ph.: in melodisch-rhythmische Abschnitte einteilen; **Phra|sie|rung** *w. 10* melodisch-rhythmische Gliederung (eines Musikstückes)
Phre|ne|sie [griech.] *w. 11* Wahnsinn; **phre|ne|tisch** wahnsinnig; *vgl. aber:* frenetisch; **Phre|ni|kus** *m. Gen. - nur Ez.* Zwerchfellnerv; **Phre|ni|tis** *w. Gen. - Mz.* -ti|den Zwerchfellentzündung; **Phre|no|lo|ge** *m. 11;* **Phre|no|lo|gie** *w. 11 nur Ez.* **1** = Kraniologie; **2** umstrittene Lehre vom Zusammenhang der Schädelformen mit Charaktereigenschaften; **phre|no|lo|gisch**
Phry|gi|en antike Landschaft in Kleinasien; **Phry|gi|er**, Phry|ger *m. 5* Einwohner von Phrygien; **phry|gisch**; phrygische Mütze = Jakobinermütze
Phthal|e|in [griech.] *s. 1 nur Ez.* ein synthet. Farbstoff; **Phthal|säu|re** *w. 11 nur Ez.* dreibasische, starke, niedermolekulare Karbonsäure
Phthi|si|ker [griech.] *m. 5* jmd., der an Phthisis leidet; **Phthi|sis** *w. Gen. - Mz.* -sen Lungentuberkulose; **phthi|tisch** an Phthisis leidend, auf ihr beruhend
pH-Wert *fachsprachlich:* p_H-Wert *m. 1* Maßzahl zur Bestimmung der Wasserstoffionenkonzentration in einer Lösung, Wasserstoffexponent
Phy|ko|my|zet *m. 10 meist Mz.* niederer Pilz, Algenpilz
Phy|le [griech.] *w. 11, im alten Griechenland* **1** *urspr.:* Geschlechterverband; **2** *dann:* Untergliederung der Gemeinden und Stadtstaaten; **phy|le|tisch** hinsichtlich der Abstammung

Phyl|lit [griech.] *m. 1* dünnblättriger, kristalliner Schiefer; **phyl|li|tisch** *Geol.:* feinblättrig (Gestein)
phyl|lo ..., Phyl|lo ... [griech.] *in Zus.:* blatt ..., Blatt ...
Phyl|lo|kak|tus [griech.] *m. Gen. - Mz.* -te|en Blattkaktus; **Phyl|lo|kla|di|um** *auch:* **Phyl|lok|la|di|um** *s. Gen.* -s *Mz.* -di|en blattartiger Pflanzenspross, Flachspross; **Phyl|lo|po|de** *m. 11* Blattfußkrebs, z. B. Wasserfloh; **Phyl|lo|xe|ra** *w. Gen. - Mz.* -ren Reblaus
Phy|lo|ge|ne|se [griech.] *w. 11,* Phy|lo|ge|nie *w. 11* Stammesgeschichte der Lebewesen; **phy|lo|ge|ne|tisch** stammesgeschichtlich; **Phy|lo|ge|nie** *w. 11* = Phylogenese
Phys|i|a|ter *auch:* **Phy|si|a|ter** [griech.] *m. 5* Naturheilkundiger; **Phys|i|a|trie** *auch:* **Phy|si|at|rie** *w. 11 nur Ez.* Naturheilkunde; **phys|i|a|trisch** *auch:* **phy|si|at|risch; Phy|sik** *w. 10 nur Ez.* Wissenschaft von den Gesetzmäßigkeiten der unbelebten Natur; **phy|si|ka|lisch** zur Physik gehörend, auf ihr beruhend; physikal. Chemie: Untersuchung der chem. Erscheinungen mit physikal. Methoden; **Phy|si|ker** *m. 5;* **Phy|si|ko|che|mi|ker** *m. 5* Wissenschaftler auf dem Gebiet der physikal. Chemie; **phy|si|ko|che|misch; Phy|si|kum** *s. Gen.* -s *Mz.* -ka medizin. Vorprüfung nach dem 4. Semester; **Phy|si|kus** *m. Gen. - Mz.* -kus|se, *veraltet:* Arzt, z. B. Kreisphysikus
Phy|si|o|gno|mie *auch:* **Phy|si|og|no|mie** [griech.] *w. 11* äußere Erscheinung (eines Menschen oder Tieres), *bes.:* Gesichtsausdruck; **Phy|si|o|gno|mik** *auch:* **Phy|si|og|no|mik** *w. 10 nur Ez.* Deutung der Physiognomie; **Phy|si|o|gno|mi|ker** *auch:* **Phy|si|og|no|mi|ker** *m. 5;* **phy|si|o|gno|misch** *auch:* **phy|si|og|no|misch; Phy|si|o|kli|ma|to|lo|gie** *w. 11 nur Ez.* Lehre vom Einfluss des Klimas auf den Menschen; **Phy|si|o|lo|ge** *m. 11;* **Phy|si|o|lo|gie** *w. 11 nur Ez.* Lehre von den Lebensvorgängen; **phy|si|o|lo|gisch; Phy|si|o|top** *m. 1* kleinste landschaftl. Einheit, z. B. Mulde
Phy|sis [griech.] *w. Gen. - nur Ez.* **1** Natur; **2** natürl. Körper-

beschaffenheit; **phy|sisch 1** natürlich, in der Natur begründet; **2** körperlich
phy|to ..., Phy|to ... [griech.] *in Zus.:* pflanzen ..., Pflanzen ...
phy|to|gen aus Pflanzen entstanden; **Phy|to|ge|o|gra|phie** ► *auch:* **Phy|to|ge|o|gra|fie,** *w. 11 nur Ez.* = Geobotanik; **Phy|to|lo|gie** *w. 11 nur Ez.* Pflanzenkunde; **phy|to|lo|gisch; Phy|to|pa|tho|lo|gie** *w. 11 nur Ez.* Lehre von den Pflanzenkrankheiten; **phy|to|pa|tho|lo|gisch; phy|to|phag** pflanzenfressend; **Phy|to|pha|ge** *m. 11* Pflanzenfresser; **Phy|to|plank|ton** *s. Gen.* -s *nur Ez.* Gesamtheit der im Wasser schwebenden pflanzl. Organismen; **Phy|to|the|ra|pie** *w. 11 nur Ez.* Pflanzenheilkunde
Pi *s. Gen.* -(s) *Mz.* -s (*Zeichen:* Π, π) **1** griech. Buchstabe; **2** Ludolfsche Zahl, Zahl, die das Verhältnis vom Umfang zum Durchmesser des Kreises angibt
Pi|af|fe [frz.] *w. 11, Hohe Schule:* Trab auf der Stelle; **pi|af|fie|ren** *tr. 3* eine Piaffe ausführen
Pi|a|ni|no [ital.] *s. 9* kleines Klavier; **pi|a|nis|si|mo** (*Abk.:* pp) *Mus.:* sehr leise; **pi|a|nis|sis|si|mo** (*Abk.:* ppp) *Mus.:* äußerst leise; **Pi|a|nist** *m. 10* Musiker, der berufsmäßig Klavier spielt, Klaviervirtuose; **pi|a|nis|tisch** zum Klavierspiel gehörend, hinsichtlich des Klavierspiels; pianistisches Können; **pi|a|no** (*Abk.:* p) *Mus.:* leise; **Pi|a|no** *s. 9* **1** leises Spiel, leises Singen, leise zu spielende oder zu singende Stelle; **2** Klavier; **Pi|a|no|for|te** *s. Gen.* -s *Mz.* -(s), *ältere Bez. für* Piano (**2**); **Pi|a|no|la** *s. 9* automatisch spielendes Klavier
Pi|as|sa|va [indian.-port.] *w. Gen.* - *Mz.* -ven Palmenart, die Piassavefasern liefert; **Pi|as|sa|ve|fa|ser** *w. 11* grobe Palmenfaser für Taue, Matten
Pias|ter [ital.] *m. 5* **1** Währungseinheit in Indochina, 100 Centimes; **2** Währungseinheit in Ägypten, Syrien, im Libanon und im Sudan, 1/100 Pfund
Piat|ti [ital.] *Mz., Mus.:* türk. Becken (Schlaginstrument)
Piaz|za [ital.] *w. Gen.* - *Mz.* -ze, *ital. Bez. für* Marktplatz, Rathausplatz; **Piaz|zet|ta** *w. Gen.* - *Mz.* -te kleine Piazza
Pi|ca|dor *m. 1* = Pikador
Pi|ca|ro [span.] *m. 9, span. Bez. für* Schelm; vgl. pikaresk
Pic|co|lo, Pik|ko|lo [ital.] *m. 9* **1** Kellnerlehrling; **2** kleine Flasche Schaumwein (0,2 l)
pi|cheln *tr. 1, ugs.:* trinken
Pi|chel|stei|ner *s. Gen.* -s *nur Ez.,* **Pi|chel|stei|ner Fleisch** *s. Gen.* - -(e)s *nur Ez.,* **Pi|chel|stei|ner Topf** *m. Gen.* -(e)s *nur Ez.* Gericht aus Gemüse, Kartoffeln und Fleischstückchen
pi|chen 1 *tr. 1* mit Pech dichten, überziehen; **2** *intr. 1, bayr.:* kleben, klebrig sein
Pick *m. Gen.* -s *nur Ez. österr.:* Klebstoff
Pi|cke *w. 11* Spitzhacke; **Pi|ckel** *m. 5* **1** Spitzhacke; **2** Hautbläschen, Pustel; **Pi|ckel|hau|be** *w. 11* Helm der Ritterrüstung ohne Visier, *auch:* Lederhelm mit Spitze; **Pi|ckel|he|ring** *m. 1* **1** gepökelter Hering; **2** komische Bühnenfigur bei den engl. Komödianten, Vorläufer des deutschen Hanswursts; **pi|cke|lig,** pick|lig voller Pickel
pi|cken *intr. 1 österr. auch für* kleben
Pi|ckerl *s. Gen.* -s *Mz.* -n, *österr.:* Klebeetikett
pi|ckern *tr. 1 sächs.:* (gut) essen
Pickles [piklz] *Mz.* = Mixed Pickles
pick|lig = pickelig
Pick|nick *s. 9 oder s. 1* Mahlzeit im Freien; **pick|ni|cken** *intr. 1*
Pico ... (*Abk.:* p) Billionstel einer Maßeinheit, z. B. Picofarad
pi|co|bel|lo [ndrl. + ital.] *unflektierbar, ugs.:* sehr fein, ausgezeichnet
Pi|co|fa|rad *s. Gen.* -(s) *Mz.* - (*Abk.:* pF) ein Billionstel Farad
Pi|cot [-ko, frz.] *m. 9* **1** kleine Zacke, Fadenöse am Rand von Spitzen; **2** Spitzkeil; **Pi|co|ta|ge** [-ʒə] *w. 11, Bgb.:* Schachtausbau mit Picots
Pid|gin-Eng|lisch ► **Pid|gin-eng|lisch** [pidʒin-, nach der chin. Aussprache von engl. »business«], **Pid|gin-Eng|lish** [-iŋgliʃ] *s. Gen. - nur Ez.* **1** Mischsprache aus Englisch und Chinesisch zur Verständigung zwischen Europäern und Ostasiaten; **2** vereinfachtes Englisch
Piece [pjęs, frz.] *w. 11, veraltet:* Musik- oder Theaterstück
Pie|des|tal [pje-, frz.] *s. 1* Sockel, kleines Podest
Piek [engl.] *w. 10, Seew.:* spitzes Ende, *auch:* vorderster und hinterster Teil des Schiffsraumes; *aber:* Pik
pie|ken *tr. 1, ugs.:* stechen
piek|fein *ugs.:* sehr fein; **piek|sau|ber** *ugs.:* sehr sauber
piek|sen *tr. 1, ugs. für* pieken
Pie|mont [pje-] Landschaft in Oberitalien; **Pie|mon|te|se** *m. 11* Einwohner von Piemont; **pie|mon|te|sisch**
piep!; Piep *m. 1, Mz. nicht üblich* **1** hoher, feiner Ton; keinen P. von sich geben; **2** Klaps, Spleen; du hast wohl einen P.?; **pie|pe** *ugs.:* gleichgültig, egal; das ist mir p.; **piep|e|gal** *ugs.:* ganz, völlig egal; das ist mir p.; **pie|pen** *intr. 1;* bei dir piept's wohl? *ugs.:* du bist wohl verrückt?; es ist zum Piepen *ugs.:* zum Lachen, sehr komisch; **Pie|per** *m. 5* ein Singvogel; **Piep|matz** *m. 2; Kinderspr.:* kleiner Vogel; **Pieps** *m. 1, Nebenform von* Piep; **piep|sen** *intr. 1* einen feinen, hohen Ton von sich geben, piepen; **piep|sig**
Pier 1 *m. 1 oder m. 9, seemänn. Fachspr.: w. 9 oder w. 10* senkrecht zum Ufer verlaufender Hafendamm, Landungsbrücke; **2** *m. 1* ein Ringelwurm, als Angelköder verwendet
Pier|ret|te [pjɛr-, frz.] *w. 11* weibl. Gegenstück zum Pierrot; **Pier|rot** [pjɛro] *m. 9, in der frz. Pantomime:* eine komische, melancholische Figur mit weiß geschminktem Gesicht
pie|sa|cken *tr. 1, ugs.:* quälen, peinigen, ärgern
Pi|e|tà [pieta, ital.] *w. 9* Darstellung Marias mit dem Leichnam Christi auf dem Schoß; **Pi|e|tät** *w. 10 nur Ez.* Ehrfurcht vor den Toten, vor der Religion und dem relig. Empfinden anderer; **pi|e|tät|los; Pi|e|tät|lo|sig|keit** *w. 10 nur Ez.;* **pi|e|tät|voll; Pi|e|tis|mus** *m. Gen. - nur Ez., seit dem 17. Jh.:* eine evang. Bewegung zur Erneuerung der Kirche und des relig. Lebens im Sinne einer gefühlsbetonten Frömmigkeit und der Nächstenliebe; **Pi|e|tist** *m. 10*
pi|e|zo|e|lek|trisch *auch:* **pi|e|zo|e|lekt|risch** [griech. + lat.]; **Pi|e|zo|e|lek|tri|zi|tät** *auch:* **Pi|e|zo|e|lekt|ri|zi|tät** *w. 10 nur Ez.* Eigenschaft gewisser Kri-

stalle (z.B. des Quarzes), bei Kompression oder Dehnung längs bestimmter Richtungen an den Enden eine Spannung zu erzeugen; **Pi|e|zo|me|ter** *s. 5* Gerät zum Messen der Kompressibilität von Flüssigkeiten; **Pi|e|zo|quarz** *m. 1* speziell gezüchteter Quarzkristall mit bes. guten piezoelektr. Eigenschaften

Pig|ment [lat.] *s. 1* **1** Farbstoff im menschl., tier. und pflanzl. Körper; **2** mit Bindemittel versetzter, unlösl. Farbstoff; **Pigmen|ta|ti|on** *w. 10 nur Ez.* Färbung durch Pigment; **Pig|mentdruck** *m. 1* ein Färbeverfahren mit Pigmenten (für Gewebe); **pig|men|tie|ren** **1** *tr. 3* in kleinste Teilchen zerteilen (Farbstoff); **2** *intr. 3* sich durch Pigment färben; **Pig|men|tie|rung** *w. 10 nur Ez.*

Pi|gno|le [pinjo-, ital.] *w. 11, österr.:* Pi|gno|lie [pinjoljə] *w. 11* essbarer Samenkern der Pinie

Pik **1** [engl.] *m. 1 oder m. 9* Bergspitze (bes. in Namen); **2** [frz.] *s. 9* Farbe im frz. Kartenspiel; **3** *m. 9 nur Ez., ugs.:* heimlicher Groll, *nur in der Wendung:* einen Pik auf jmdn. haben

Pi|ka|dor [span.], Pi|ca|dor *m. 1* berittener Stierkämpfer, der den Stier durch Lanzenstiche reizt

pi|kant [frz.] **1** scharf gewürzt; **2** schlüpfrig, anzüglich (Bemerkung, Witz); **Pi|kan|te|rie** *w. 11* **1** *nur Ez.* Anzüglichkeit; **2** pikante Bemerkung

pi|ka|resk vom →Picaro handelnd, in der Art des Picaros; pikaresker Roman: Schelmenroman

Pik-As ► **Pik-Ass** *s. 1;* **Pik-Dame** *w. 11*

Pi|ke [frz.] *w. 11* Spieß (des Landsknechts); von der P. auf dienen: von Anfang, von der untersten Stufe an

pi|ken, pik|sen *tr. 1 ugs.:* stechen

Pi|kee [frz.] *m. 9, österr. auch s. 9* Baumwollgewebe mit leicht erhabenem Muster

Pi|kett [frz.] *s. 1* **1** *veraltet:* Vorposten; **2** *schweiz.:* einsatzbereite Mannschaft (z.B. der Feuerwehr); **3** [zu: Pik] *nur Ez.* ein frz. Kartenspiel

pi|kie|ren [frz.] *tr. 3* auf größere Abstände verpflanzen (junge Pflanzen); **Pi|kier|holz** *s. 4;* **pikiert** *ugs.:* beleidigt, gereizt

Pik|ko|lo, Pic|co|lo [ital.] *m. 9* **1** Kellnerlehrling; **2** kleine Flasche Schaumwein (0,2 l); **Pik|ko|lo|flö|te** *w. 11* kleine (Diskant-)Querflöte

Pi|kör [frz.] *m. 1* Vorreiter bei der Parforcejagd

Pi|krat *auch:* **Pik|rat** [griech.] *s. 1* Salz der Pikrinsäure; **Pikrin|säu|re** *auch:* **Pik|rin|säu|re** *w. 11* eine sehr explosive aromat. Säure; **Pi|kro|pe|ge** *auch:* **Pik|ro|pe|ge** *w. 11* Quelle mit Bitterwasser; **Pi|kro|to|xin** *auch:* **Pik|ro|to|xin** *s. 1 nur Ez.* in Kokkelskörnern enthaltenes, in der Medizin verwendetes Gift

pik|sen, piken *tr. 1 ugs.:* stechen

Pik|to|gramm [lat. + griech.] *s. 1* bildliches Zeichen mit festgelegter, international verständlicher Bedeutung, z.B. Verkehrszeichen; **Pik|to|gra|phie** ► *auch:* **Pik|to|gra|fie** *w. 11 nur Ez.* **1** bildl. Darstellung eines Begriffs; **2** = Bilderschrift

Pi|las|ter [ital.] *m. 5* Wandpfeiler mit Basis und Kapitell

Pi|lau [pers.-türk.], **Pi|law** [-laf] *m. Gen. -s nur Ez.* oriental. Gericht aus Reis und Hammelfleisch

Pil|chard [piltʃəd, engl.] *m. 9* Sardine

Pile [paıl, engl. »Säule«] *s. 9* Inneres eines Kernreaktors

Pil|ger *m. 5* jmd., der nach einem heiligen Ort wandert, Wallfahrer, z.B. Mekka-, Rompilger; **Pil|ger|fahrt** *w. 10;* **Pilger|mu|schel** *w. 11* = Kammmuschel; **pil|gern** *intr. 1; auch ugs.:* geruhsam wandern; ich pilgere, pilgre; **Pil|ger|schaft** *w. 10 nur Ez.;* **Pil|ger|stab** *m. 2;* **Pil|grim** *m. 1, veraltet poetisch für* Pilger

pil|lie|ren [lat.] *tr. 3* zerstampfen, zerstoßen, zerreiben (bes. Rohseife zur Weiterverarbeitung)

Pil|le *w. 11,* **Pil|len|dre|her** *m. 5* **1** ein Käfer; **2** *früher scherzh.:* Apotheker; **Pil|len|knick** *m. 1 nur Ez., ugs.:* deutlicher Geburtenrückgang infolge steigenden Gebrauchs einer Empfängnis verhütenden Pille

Pi|lot *m. 10* **1** Flugzeugführer; **2** Autorennfahrer; **3** *früher:* Lotse; **4** = Lotsenfisch; **5** ein Baumwollgewebe für Berufskleidung; **Pi|lot|bal|lon** *m. 9* kleiner, unbemannter Ballon zum Feststellen des Höhenwindes

Pi|lo|te [frz.] *w. 11* Rammpfahl; **pi|lo|tie|ren** *tr. 3* einrammen

Pi|lot|sen|dung *w. 10* (Fernseh-)Sendung, mit der die Reaktion des Publikums getestet werden soll; **Pi|lot|ver|such** *m. 1*

Pils *s. Gen. - Mz. - kurz für* Pilsener (Bier); **Pil|se|ner, Pils|ner** *s. Gen. -s Mz. -* Bier, wie es in der tschech. Stadt Pilsen gebraut wird

Pilz *m. 1;* **Pilz|kopf** *m. 2* in den 60er Jahren Frisur der Beatles; **Pilz|kun|de** *w. 11 nur Ez.* Mykologie; **Pilz|ver|gif|tung** *w. 10* Myzetismus

Pi|ment [lat.-span.] *m. 1 oder s. 1* ein Gewürz, Jamaikapfeffer, Nelkenpfeffer

Pim|mel *m. 5 ugs.:* Penis

pim|pe|lig, pimp|lig *ugs.:* zimperlich; **pim|peln** *intr. 1* wehleidig, zimperlich sein

pim|pern *intr. 1* **1** *bayr.:* klimpern, klappern; **2** *vulg.:* Geschlechtsverkehr ausüben; **Pim|per|nell** *m. 1, Nebenform von* Pimpinelle; **Pim|per|nuß** ► **Pim|per|nuss** *w. 2* Zierstrauch, Klappernuss

Pimpf *m. 1* **1** *ugs.:* kleiner Junge; **2** *1933–1945:* Angehöriger des nat.-soz. »Jungvolks«

Pim|pi|nel|le *w. 11* eine Wiesenpflanze, Bibernelle

Pi|na|ko|thek [griech.] *w. 10, Name für* Gemäldesammlung

Pi|nas|se [lat. + frz.] *w. 11* **1** *früher:* dreimastiges Segelschiff; **2** *heute:* Beiboot (auf Kriegsschiffen)

Pin|ce|nez [pɛ̃s(ə)ne, frz.] *s. Gen. - [-nes] Mz. - [-nes], veraltet:* Brille ohne Bügel, Zwicker

Pin|cio [-tʃɔ] *m. Gen. - nur Ez.* einer der Hügel Roms

Pin|ge *w. 11* = Binge

pin|ge|lig *ugs.:* sehr genau, pedantisch

Ping|pong [österr.: -pɔŋ, engl.] *s. 9 nur Ez.* Tischtennis

Pin|gu|in [frz.] *m. 1* ein flugunfähiger Schwimmvogel der Antarktis

Pi|nie [-njə, lat.] *w. 11* eine Kiefer der Mittelmeerländer; **Pinien|zap|fen** *m. 7*

pink [engl.] *unflektierbar* rosa

Pink [engl.] *w. 10,* **Pin|ke** *w. 11* dreimastiges Segelboot

► = wird zu

Pịn|ke [rotw.], Pịn|ke|pin|ke *w. Gen. - nur Ez., ugs.:* Geld
Pịn|kel *m. 5* **1** *ugs.:* Geck, *nur in den Wendungen:* feiner P., vornehmer P.; **2** [niedersächs.] eine Wurstsorte; Grünkohl mit Pinkel
pịn|keln *intr. 1, ugs.:* Wasser lassen, urinieren
pịn|ken *intr. 1* hämmern
Pịn|ke|pin|ke *w. Gen. - nur Ez.* = Pinke
Pịn|ne *w. 11* **1** kleiner Nagel, Stift; **2** Hebelarm des Steuerruders, Ruderpinne; **3** flache Seite des Hammers; **pịn|nen** *tr. 1* mit Pinnen (**1**) befestigen; **Pịnn|wand** *w. 2*
Pi|noc|chio [-nọkjo, ital.] Märchenfigur
Pi|no|le [ital.] *w. 11* Teil der Spitzendrehbank zur Aufnahme der Spitze
Pịn|scher [engl.] *m. 5* eine kleine, zierliche Hunderasse
Pịn|sel *m. 5; auch ugs.:* einfältiger Mensch; **Pịn|sel|äff|chen** *s. 7* ein südamerik. Affe, Seidenäffchen; **Pin|se|lei** *w. 10;* **pịn|seln** *tr. 1;* **Pịn|se|lung** *w. 10 Med.*
Pint [paınt, engl.] *s. Gen.* -s *Mz.* - (*Abk.:* pt.) engl. und nordamerik. Flüssigkeitsmaß, 0,5 Liter;
Pịn|te *w. 11* **1** altes Flüssigkeitsmaß, 0,9 Liter; **2** *schweiz. auch:* Blechkanne; **3** *ugs.:* Kneipe, einfaches Wirtshaus
Pin-up-Girl [pinʌpgə:l, engl.] *s. 9* **1** Bild eines leicht bekleideten Mädchens (meist Foto zum Anheften); **2** Mädchen, das einem solchen Bild gleicht
pinx., p. *Abk. für* pinxit; **pịn|xit** [lat.] (*Abk.:* pinx. *oder* p.) hat (es) gemalt (Vermerk auf Bildern vor oder nach dem Namen des Malers)
Pin|zẹt|te [frz.] *w. 11* kleines Greifinstrument mit geraden, federnden Schenkeln; **pin|zie|ren** *tr. 3;* Formobstbäume p.: die jungen Triebspitzen abschneiden
Pi|o|nier [frz.] *m. 1* **1** für techn. Aufgaben (z. B. Brückenbau, Sprengungen) ausgebildeter Soldat; **2** *übertr.:* Bahnbrecher, Wegbereiter; **3** *ehem. DDR:* Mitglied der Pionierorganisation »Ernst Thälmann«; **Pi|o|nier|or|ga|ni|sa|ti|on** *w. 10 nur Ez., ehem. DDR:* P. »Ernst Thälmann«, Massenorganisation für Kinder der 1.–7. Klasse (6.–14. Lebensjahr)
Pi|pa [chin.] *w. 9* viersaitige chin. Laute
Pipe [paıp, engl.] *w. 9 oder s. 9* engl. und nordamerik. Maß für Wein und Spirituosen, 400 bis 570 Liter; **Pipe|line** [paıplaın] *w. 9* Rohrleitung, bes. für Erdöl
Pi|pẹt|te [frz.] *w. 11* Saugröhrchen, Stechheber
Pi|pi *m. 9 nur Ez., Kinderspr.:* Urin; P. machen
Pịps *m. 1 nur Ez., volkstüml. Bez. für* eine Geflügelkrankheit, Entzündung der Schnabelhöhle, Zungenbelag; **pịp|sig**
Pique [pik, frz.] *s. 9, frz. Schreibung von* Pik; **Pi|qué** [-ke] *m., frz. Schreibung von* Pikee; **Pi|queur** [-kør] *m. 1, frz. Schreibung von* Pikör
Pi|rạn|ha [-nja, Tupi] Pi|ra|ya *m. 9* ein südamerik. Raubfisch
Pi|rat [griech.-lat.] *m. 10* Seeräuber; **Pi|ra|ten|schiff** *s. 1;* **Pi|ra|ten|sen|der** *m. 5* Rundfunksender ohne amtl. Zulassung; **Pi|ra|te|rie** *w. 11 nur Ez.* Seeräuberei
Pi|ra|ya *m. 9* = Piranha
Pi|ro|ge [karib.] *w. 11* Boot (Einbaum) der südamerik. Indianer und Südseeinsulaner
Pi|rọg|ge [russ.] *w. 11* mit Fleisch, Fisch, Reis oder Kraut gefüllte Pastete
Pi|rol *m. 1* ein Singvogel
Pi|rou|ẹt|te [-ru-, frz.] *w. 11* **1** *Eiskunstlauf, Ballett:* rasche, mehrmalige Drehung um die eigene Achse; **2** *Hohe Schule:* Drehung im Galopp um einen Hinterfuß; **3** *Ringen:* Drehung, um aus einem Griff freizukommen; **pi|rou|et|tie|ren** *intr. 3* eine Pirouette ausführen
Pịrsch, Pụ̈rsch, Bịrsch *w. Gen. - nur Ez.* Anschleichen (des Jägers) an das Wild; auf die P. gehen; **pịr|schen,** pụ̈r|schen *intr. 1;* **Pịrsch|gang** *m. 2*
Pi|sang [mal.] *m. 1* Banane; **Pi|sang|fa|ser** *w. 11* aus Bananenfasern hergestellte Textilfaser
Pis|ci|na [lat.] *w. Gen. Mz.* -nen **1** Taufbecken im Baptisterium; **2** Ausgussbecken im Chor neben dem Altar für das zur liturg. Handwaschung und Reinigung der Gefäße verwendete Wasser
Piß ▶ **Pịss** *m. 1 nur Ez.,* **Pịs|se** *w. 11 nur Ez., vulg.:* Urin; **pịs|sen** *intr. 1, vulg.:* Wasser lassen, urinieren; **Pis|soir** [-soar, frz.] *s. 9, veraltend:* Bedürfnisanstalt für Männer
Pis|ta|zie [-tsjə, pers.-lat.] *w. 11* **1** ein Sumachgewächs; **2** dessen Frucht; **Pis|ta|zi|en|nuß** ▶ **Pis|ta|zi|en|nuss** *w. 2* Samen der Echten Pistazie, Pistazienmandel
Pịs|te [frz.] *w. 11* **1** Hang, Bahn zum Rodeln und Skilaufen; **2** Radrennbahn; **3** Rollbahn (auf dem Flugplatz); **4** Einfassung der Manege
Pis|tịll [lat.] *s. 1* **1** Mörserstößel, Stampfer; **2** *Bot.:* Stempel
Pis|to|le [tschech.] *w. 11* **1** eine Handfeuerwaffe; jmdm. die P. auf die Brust setzen *übertr.:* ihn zu einer Entscheidung zwingen; **2** alte span. und frz. Goldmünze; **Pis|to|len|ku|gel** *w. 11*
Pis|ton [-stõ, frz.] *s. 9* **1** Pumpkolben; **2** Ventil der Blechblasinstrumente; **3** = Kornett (**2**); 4 *bei Gewehren:* Zündkegel
Pi|ta|val [-vạl, nach dem frz. Rechtsgelehrten François Gayot de P.] *m. 9* Sammlung von Strafrechts- oder Kriminalfällen
Pitch-Pine ▶ **Pitch|pine** [-pitʃpaın, engl.] *w. 9* Holz der nordamerik. Sumpf- oder Pechkiefer
Pi|the|k|an|thro|pus *auch:* **Pi|the|kanth|ro|pus** [griech.] *m. Gen. - Mz.* -pi in China und auf Java gefundener Frühmensch; **pi|the|ko|id** dem Pithekanthropus ähnlich
pịt|sche|naß ▶ **pịt|sche|nass,** pịtsch|nass ganz nass; **pịt|sche|pạt|sche|naß** ▶ **pịt|sche|pạt|sche|nass; pịtsch, pạtsch!**
pit|to|rẹsk [ital.] malerisch
più [pjụ, ital.] *Mus.:* mehr, z. B. più vivace
Pi|vot [-vo, frz.] *m. 9* Schwenkzapfen (an Drehkränen, Geschützen u. a.)
Pi|xel *m. 5* kleinster Bildpunkt (im Rasterbild auf dem Monitor); eine Grafik aus Pixeln aufbauen; **pi|xeln** *intr. 1* in Pixel zerlegen, aus Pixeln zusammensetzen
Pịz [rätoroman.] *m. 1* Spitze (in Namen von Bergen, z. B. Piz Palü)
pizz. *Abk. für* pizzicato
Pịz|za [ital.] *w. Gen. - Mz.* -ze(n) *oder* -s ital. Gericht aus Hefe-

teig mit gewürztem Belag aus Tomaten, Käse, Wurst, Sardellen, Paprika u. a.; **Piz|ze|ria** *w. Gen. - Mz.* -ri|en Gaststätte, in der es bes. Pizza gibt
piz|zi|ca|to [ital.] (*Abk.:* pizz.) *Mus., bei Streichinstrumenten:* gezupft (zu spielen); **Piz|zi|ka|to** *s. Gen.* -(s) *Mz.* -ti Spiel mit gezupften Saiten
Pkt. *Abk. für* Punkt
Pkw, PKW *m. 9 oder Gen. - Mz. -, Abk. für* Personenkraftwagen
Pla|ce|bo [lat.] *s. 9* Leerpräparat, Medikament ohne Wirkstoff, das bes. zu Drogentests verwendet wird; **Pla|ce|bo-Effekt** *m. 1* Wirkung eines Placebos, die nur auf Grund der erwarteten Wirkung der Droge eintritt
Place|ment [plasmã, frz.] *s. 9* **1** Unterbringung, Anlage (von Kapital), Absatz (von Waren); **2** Sitzordnung (bei Tisch); Modell einer Sitzordnung
Pla|che *w. 11* = Blahe
pla|cie|ren ► plat|zie|ren; Pla|cie|rung ► Plat|zie|rung *w. 10*
pla|cken *refl. 1* sich abmühen, abrackern, schwer arbeiten; **Pla|cke|rei** *w. 10 nur Ez.*
pla|dern *intr. 1, norddt.:* herniederströmen, in großen Tropfen regnen
plä|die|ren [frz.] *intr. 3* **1** ein Plädoyer halten; **2** sich (mit Worten) für etwas einsetzen; auf Freispruch p.; für etwas p.;
Plä|doy|er [-doaje] *s. 9* Schlussrede (des Staatsanwalts oder Verteidigers)
Pla|fond [-fõ, frz.] *m. 9* **1** (bes. künstlerisch gestaltete) Zimmerdecke; **pla|fo|nie|ren** *tr. 3, schweiz.:* nach oben begrenzen
Pla|ge *w. 11;* **Pla|ge|geist** *m. 3;* **pla|gen** *tr. 1*
Pla|ge *w. 11, nddt.:* abgestochenes Rasen- oder Moorstück
Pla|gi|at [lat.] *s. 1* Veröffentlichung des geistigen Werkes eines anderen oder von Teilen davon als eigenes Werk oder im eigenen Werk; **Pla|gi|a|tor** *m. 13* jmd., der ein Plagiat begangen hat; **pla|gi|a|to|risch** in der Art eines Plagiats; **pla|gi|ie|ren** *intr. 3* ein Plagiat begehen
pla|gi|o|ge|o|trop [griech.] = plagiotrop; **Pla|gi|o|klas** *m. 1* Kalknatronfeldspat; **pla|gi|o|trop** zur Richtung der Schwerkraft orientiert wachsend (Pflanzenteile), plagiogeotrop
Plaid [plɛɪd, engl.] *s. 9* (meist karierte) Reisedecke; *auch:* Umschlagtuch
Pla|kat [ndrl.] *s. 1* öffentlicher Aushang in großem Format; **pla|ka|tie|ren** *tr. 3* durch Plakat bekannt machen; **pla|ka|tiv 1** in der Art eines Plakats; **2** *übertr.:* betont, demonstrativ; **Pla|ket|te** *w. 11* **1** kleine Platte mit bildl. Darstellung (auch Relief); **2** Gedenk-, Schaumünze
Pla|ko|der|men [griech.] *Mz.* eine Fischgruppe des Erdaltertums, Panzerfische
plan [lat.] eben, flach; **Plan 1** *m. 1, veraltet, noch poet. und in bestimmten Wendungen:* ebene Fläche, freier Platz, z. B. Wiesenplan; auf dem Plan erscheinen: in Erscheinung treten; **2** *m. 2* Vorhaben, Absicht, Entwurf; **3** *m. 2* kartograph. Zeichnung, z. B. Gelände-, Stadtplan
Pla|na|rie [-riə, lat.] *w. 11* ein Strudelwurm
Pla|ne *w. 11* Schutzdach oder -decke aus wasserdichtem Stoff
pla|nen *tr. 1;* **Pla|ner** *m. 5*
Pla|net [griech.] *m. 10* sich auf elliptischer Bahn um die Sonne bewegender, nicht selbst leuchtender Himmelskörper, Wandelstern; **pla|ne|ta|risch** zu den Planeten gehörend; *aber:* Planetarischer Nebel; **Pla|ne|ta|ri|um** *s. Gen.* -s *Mz.* -ri|en **1** Gerät zum Darstellen der Lage, Größe und Bewegungen der Himmelskörper; **2** Halle mit kuppelförmiger Decke, an der mittels Projektors die Erscheinungen am Sternhimmel gezeigt werden; **Pla|ne|ten|bahn** *w. 10;* **Pla|ne|ten|ge|trie|be** *s. 5* Bauform eines Getriebes, bei der sich ein oder mehrere Zahnräder um zwei verschiedene Achsen drehen; **Pla|ne|to|id** *m. 10* Kleinplanet, Asteroid
Plan|film *m. 1* flach gelagerter Film, im Unterschied zum Rollfilm
plan|ge|mäß nach einem bestimmten Plan, wie geplant; p. ankommen; vgl. planmäßig
pla|nie|ren *tr. 3* einebnen, flach machen; **Pla|nier|rau|pe** *w. 11* Fahrzeuge zum Planieren; **Pla|ni|glob** *s. 12,* **Pla|ni|glo|bi|um** *s. Gen.* -s *Mz.* -bi|en Darstellung einer Erdhalbkugel auf ebener Fläche; **Pla|ni|me|ter** *s. 5* Gerät zum Messen des Flächeninhalts ebener Figuren, Flächenmesser; **Pla|ni|me|trie** *auch:* **-met|rie** *w. 11 nur Ez.* Geometrie der Fläche; **pla|ni|me|trisch** *auch:* **-met|risch**
Plan|ke *w. 11* breites Brett
Plän|ke|lei *w. 10* **1** leichtes Gefecht; **2** lustiges Wortgefecht, Neckerei mit Worten; **plän|keln** *intr. 1*
plan|kon|kav auf einer Seite plan, auf der andern konkav (Linse); **plan|kon|vex** auf einer Seite plan, auf der andern konvex (Linse)
Plank|ter [griech.] *m. 1 = Planktont;* **Plank|ton** *s. Gen.* -s *nur Ez.* Gesamtheit der frei im Wasser schwebenden Pflanzen und Tiere ohne Eigenbewegung; *Ggs.:* Nekton; **plank|to|nisch** zum Plankton gehörend; planktonische Lebewesen; **Plank|tont** *m. 10* einzelnes Lebewesen des Planktons, Plankter
plan|los; Plan|lo|sig|keit *w. 10 nur Ez.;* **plan|mä|ßig** nach einem Plan, planvoll; planmäßige Ankunft *eigtl.:* plangemäße A.; planmäßig vorgehen; vgl. plangemäß
pi|a|no [lat.] flach, glatt, ungefalzt (Druckbogen); **plan|par|al|lel** *auch:* **-pa|ral|lel** in parallelen Ebenen; **Plan|qua|drat** *auch:* **-quad|rat** *s. 1, auf Landkarten:* durch parallele Längs- und Querlinien begrenztes Quadrat
Plansch|be|cken *s. 7;* **plan|schen** *intr. 1;* **Plan|sche|rei** *w. 10 nur Ez.*
Plan|skiz|ze *w. 11;* **Plan|spiel** *s. 1;* **Plan|stel|le** *w. 11*
Plan|ta|ge [-ʒə, frz.] *w. 11* große Anpflanzung, z. B. Baumwoll-, Erdbeerplantage
plan|tar [lat.] zur Fußsohle gehörend, von ihr ausgehend
plant|schen *intr. 2, Nebenform von* planschen
Pla|nu|la [lat.] *w. 9* Larvenform von Quallen und Schwämmen
Pla|num [lat.] *s. Gen.* -s *nur Ez.* eingeebnete Fläche für die Bettung des Eisen- oder Straßenbahnkörpers
Pla|nung *w. 10*
Plan|wa|gen *m. 7* Pferdewagen mit Plane als Schutzdach
Plan|wirt|schaft *w. 10*
plan|zeich|nen *intr. 2, nur im*

► = wird zu

Infinitiv üblich: ein Gelände im Grundriss darstellen; **Plan|zeich|ner** *m. 5*
Plap|per|maul *s. 4;* **plap|pern** *intr. 1*
plär|ren *intr. 1*
Plä|san|te|rie [frz.] *w. 11, veraltet:* Scherz; **Plä|sier** *s. 1, veraltet:* Vergnügen, Spaß; **Plä|sier|chen** *s. 7, nur in der Wendung* jedem Tierchen sein P.: jeder soll das Vergnügen haben, das er möchte (auch wenn man es selbst nicht versteht); **plä|sier|lich** *veraltet:* vergnüglich, heiter
Plas|ma [griech.] *s. Gen.* -s *Mz.* -men **1** *kurz für* Protoplasma; **2** flüssiger Bestandteil des Blutes, Blutplasma; **3** *m.,* grüner Chalzedon, Halbedelstein; **4** teilweise oder vollständig ionisiertes Gas; **Plas|ma|bren|ner** *m. 5* Gerät zur Erzeugung eines sehr heißen Strahls von Plasma (**4**); Plas|mo|chin [-çin] *s. 1 nur Ez.* Mittel zur Malariatherapie; **Plas|mo|di|um** *s. Gen.* -s *Mz.* -di|en **1** ein Einzeller (Sporentierchen), Malariaerreger; **2** vielkerniges Stadium der Schleimpilze; **Plas|mo|go|nie** *w. 11 nur Ez.* (Theorie von der) Urzeugung aus toten organ. Stoffen; **Plas|mon** *s. 1 nur Ez.* Gesamtheit der Erbfaktoren im Zytoplasma
Plast *m. 1,* **Plas|te** *w. 11, ehem. DDR:* nicht-elastischer Kunststoff; P. und Elaste
Plas|ti|den [griech.] *w. 11 Mz.* Körperchen in Tierzellen und in den meisten Pflanzenzellen (bes. mit grünen Farbstoffen)
Plas|ti|fi|ka|tor [griech. + lat.] *m. 13* Stoff, der anderen Stoffen (z. B. Lack) zugesetzt wird, um sie geschmeidiger zu machen, Weichmacher; **plas|ti|fi|zie|ren** *tr. 3* weich, geschmeidig machen (Kunststoffe); **Plas|tik** *w. 10* **1** *nur Ez.* Bildhauerkunst; **2** Werk der Bildhauerkunst, Skulptur; **3** *Med.:* Ersatz von zerstörten Geweben oder Organteilen; **4** *s. 9, auch w. 10* Kunststoff(gegenstand); **Plas|tik...** *in Zus.:* Kunststoff...
Plas|ti|lin *s. 1,* **Plas|ti|li|na** *w. Gen. - nur Ez.* (Wz) Knetmasse (zum Modellieren); **plas|tisch** **1** zur Plastik (**1**) gehörend, in der Art der Plastik, körperlich, dreidimensional; **2** knetbar, formbar; **3** *übertr.:* anschaulich, bildhaft; **Plas|ti|zi|tät** *w. 10 nur Ez.* **1** Formbarkeit; **2** *übertr.:* Anschaulichkeit, Bildhaftigkeit
Plas|tron [-trɔ̃, frz.] *s. 9* **1** Brustplatte am Ringpanzer; **2** *Fechten:* Arm- oder Brustschutz; **3** breite Krawatte; **4** *früher:* Zierlatz an Frauenkleidern
Pla|ta|ne [griech.] *w. 11* ein Laubbaum
Pla|teau [-to, frz.] *s. 9* **1** Hochebene; **2** obere ebene Fläche eines Felsens; **Pla|teau|wa|gen** *m. 7, österr.:* Tafelwagen
pla|te|resk [span.] wunderlich verziert; plateresker Stil: stark ornamentaler Stil der span. Spätgotik und Frührenaissance
Pla|tin *s. Gen.* -s *nur Ez.* (*Zeichen:* Pt) chem. Element, ein Edelmetall; **pla|tin|blond** weiß- oder silberblond gefärbt; **pla|ti|nie|ren** *tr. 3* mit Platin überziehen; **Pla|ti|nit** *s. 1 nur Ez.* Eisen-Nickel-Legierung als Ersatz für Platin; **Pla|ti|no|id** *s. 1* Legierung aus Kupfer, Nickel, Zink und Wolfram für elektr. Widerstände

> **Plattitüde/Platitude:** Die integrierte (eingedeutschte) Schreibweise ist die Hauptvariante *(die Plattitüde),* die fremdsprachige Form *(Platitude)* die zulässige Nebenvariante. →§ 32 (2)

Pla|ti|tu|de [-tydə, frz.] *Nv.* ► **Plat|ti|tü|de** *Hv. w. 11*
Pla|to|ni|ker *m. 5* Vertreter der Lehre Platos; **pla|to|nisch** von Plato stammend, der Lehre Platos entsprechend; platonische Liebe: nichtsinnl. Liebe; **Pla|to|nis|mus** *m. Gen. - nur Ez.* Weiterentwicklung der Lehre Platos
plat|schen *intr. 1;* **plät|schern** *intr. 1*
platt; auf dem platten Land; sich die Nase am Fenster platt drücken; eine platt gedrückte Nase; da bin ich platt! *ugs.:* sprachlos, verblüfft; **Platt** *s. Gen.* -s *nur Ez., Sammelbez. für* niederdeutsche Mundarten; **Plätt|brett** *s. 3;* **Plätt|chen** *s. 7;* **platt|deutsch** niederdeutsch; **Platt|deutsch** *s. Gen.* -(s) *nur Ez.;* **Plat|te** *w. 11;* **Plät|te** *w. 11* **1** *nord-, mitteldt.:* Bügeleisen; **2** *österr.:* flaches Schiff; **Plätt|ei|sen** *s. 7* Bügeleisen; **plät|ten** *tr. 2, nord-, mitteldt.:* bügeln; **Plat|ten|spie|ler** *m. 5;* **plat|ter|dings** schlechterdings; das ist p. unmöglich: völlig unmöglich; **Plät|te|rei** *w. 10;* **Platt|fisch** *m. 1;* **Platt|form** *w. 10* **1** erhöhter, flacher, offener Platz; **2** *übertr.:* Basis als Ausgangspunkt des Handelns; **Platt|fuß** *m. 2;* **platt|fü|ßig;** **Platt|heit** *w. 10; auch übertr.:* nichts sagende, geistlose Redensart; **plat|tie|ren** *tr. 3* **1** mit edlerem Metall überziehen (unedles Metall); **2** mit einem andern Faden umspinnen (Faden); **Plat|ti|tü|de,** Pla|ti|tu|de [frz.] *w. 11* nichts sagende geistlose Redensart, Plattheit; **Platt|ler** *m. 5* Volkstanz in den oberbayer. Alpen; **Platt|stich** *m. 1* Zierstich, bei dem ein Faden unmittelbar neben dem andern liegt; **Platt|wurm** *m. 4* Wurm mit platt gedrücktem Körper, meist Schmarotzer
pla|ty|ze|phal [griech.], pla|ty|ke|phal, flachköpfig; **Pla|ty|ze|pha|lie,** Pla|ty|ke|pha|lie *w. 11 nur Ez.* flache Kopfform

> **Platz machen/finden:** Die Verbindung von Substantiv und Verb (Infinitiv oder Partizip) wird getrennt geschrieben: *Er wollte für seine Nachbarin Platz machen.*
> →§ 34 E3 (5)

Platz *m. 2;* **Platz|angst** *w. Gen. - nur Ez.* krankhafte Angst, einen größeren Platz zu überqueren; *ugs.:* Beklemmung; **Plätz|chen** *s. 7; auch:* kleines Gebäck
Plat|ze *w., nur in der ugs. Wendung* da kann man ja die P. kriegen: da könnte man platzen (vor Wut, Ungeduld); **plat|zen** *intr. 1* **...plät|zer** *m. 5; in Zus., schweiz.:* ...sitzer, Fahrzeug mit einer bestimmten Anzahl von Plätzen, z. B. Vierplätzer; **Platz|hahn** *m. 2* stärkster Auer- oder Birkhahn auf dem Balzplatz; **Platz|hirsch** *m. 1* stärkster Hirsch auf dem Brunftplatz; **plat|zie|ren** *tr. 3* **1** an einen bestimmten Platz stellen oder legen; **2** anlegen, unterbringen (Kapital); **3** einen Ball p.: so schlagen, dass er an einer

> **platzieren:** Entsprechend dem Stammprinzip *(der Platz)* wird *platzieren* mit *-tz-* geschrieben.

bestimmten Stelle auftrifft; einen Hieb, Schlag p.: mit einem Hieb, Schlag genau treffen; sich p. Sport: einen der vorderen Plätze erreichen; **Plat|zie|rung** *w. 10* **1** das Platzieren; **2** Einlauf (beim Wett-, bes. Pferderennen); **...plät|zig** *in Zus., schweiz.:* ...sitzig, z. B. vierplätziger Wagen; **Platz|mie|te** *w. 11* Miete für einen regelmäßig zu benutzenden Platz im Theater oder Konzert, Abonnement

Platz|pa|tro|ne *auch:* **Platz-pat|ro|ne** *w. 11* Patrone mit Geschoss aus Papier oder Holz zu Übungszwecken; **Platz|re|gen** *m. 7*

Platz|ver|weis *m. 1, Fußball u. a.:* Ausschluss vom Spiel wegen regelwidrigen Verhaltens; **Platz|wet|te** *w. 11, Pferderennen:* Wette darauf, dass ein bestimmtes Pferd als erstes oder zweites oder drittes Pferd durchs Ziel geht; **Platz|zif|fer** *w. 11, bes. Sport:* Rang

Plau|de|rei *w. 10;* **Plau|de|rer** *m. 5;* **plau|dern** *intr. 1*

Plausch *m. 1* gemütl. Unterhaltung; **plau|schen** *intr. 1* plaudern

plau|si|bel [lat.-frz.] einleuchtend, stichhaltig; eine plausible Erklärung; jmdm. etwas p. machen: erklären; **plau|si|bi|lie-ren, plau|si|bi|li|sie|ren** *tr. 3* plausibel machen, erklären

plauz!; Plauz *m. 1, ugs.:* Fall, Sturz, Krach; **Plau|ze** *w. 11, ugs.:* Lunge; es auf der P. haben: einen starken oder fest sitzenden Husten haben; auf der P. liegen: krank sein; **plau|zen** *intr. 1, ugs.:* **1** fallen, stürzen; **2** krachend schlagen; mit den Türen p.

> **Play-back/Playback:** Die Schreibung mit Bindestrich ist die Hauptvariante *(das Playback),* die eingedeutschte Schreibung *(Playback)* die zulässige Nebenvariante. Ebenso mit Bindestrichschreibung: *Play-off.* →§ 43, § 37 (2)

Play|back *Nv.* ▶ **Play-back** *Hv.* [plɛıbæk, engl.] *s. 9, Film, Fernsehen:* nachträgl. Abstimmen der Bildaufnahme mit der schon vorliegenden Tonaufzeichnung; **Play|boy** [plɛıbɔı] *m. 9* reicher junger Mann, der nicht arbeitet, sondern nur seinem Vergnügen lebt; **Play|girl** [plɛıgəːl] *s. 9, dem Playboy entsprechende Bez. für* reiches, attraktives junges Mädchen

Play-off [plɛi-, engl.] *s. 9* Folge von Ausscheidungsspielen (z. B. im Eishockey); **Play-off-Run|de** *w. 11*

Pla|zen|ta [lat.] *w. Gen. - Mz.* -s *oder* -ten **1** = Mutterkuchen; **2** Verdickung des Fruchtblatts, auf der die Samenanlage entsteht; **pla|zen|tal, pla|zen|tar** zur Plazenta gehörend

Pla|zet [lat.] *s. 9* Einwilligung, Erlaubnis, Zustimmung

pla|zie|ren ▶ **plat|zie|ren**

Ple|be|jer [lat.] *m. 5* **1** *im alten Rom:* Angehöriger der Plebs; **2** *übertr.:* ungebildeter, ungehobelter Mensch; **ple|be|jisch;**

Ple|bis|zit *s. 1* Volksabstimmung; **ple|bis|zi|tär** durch ein Plebiszit; **Plebs 1** *w. Gen. - nur Ez., im alten Rom:* die niederen Volksschichten, das Volk; **2** *m. Gen.* -es *nur Ez., übertr.:* das ungebildete Volk, Pöbel

Plein|air [plɛːnɛr, frz.] *s. Gen.* -s *nur Ez.,* **Plein|ai|ris|mus** *m. Gen. - nur Ez.,* **Plein|air|ma|le-rei** *w. 10 nur Ez.* Freilichtmalerei; **Plein|pou|voir** [plɛ̃puvoar] *s. 9* unbeschränkte Vollmacht

pleis|to|zän [griech.] zum Pleistozän gehörend, daraus stammend; **Pleis|to|zän** *s. 1 nur Ez.* untere Abteilung des Quartärs, Eiszeitalter; *frühere Bez.:* Diluvium

> **pleite sein, Pleite machen/ gehen:** Die Verbindung mit *sein* gilt nicht als Zusammensetzung und wird daher getrennt geschrieben: *Sie sind pleite gewesen.* →§ 35, § 56 (1) Die Verbindung aus Substantiv *(die Pleite)* und Verb wird ebenfalls getrennt geschrieben, jedoch groß: *Sie haben Pleite gemacht.* →§ 34 E3 (5)

plei|te [jidd.] *ugs.:* zahlungsunfähig, bankrott; pleite werden, sein; ich bin p.: ich habe kein Geld mehr; **Plei|te** *w. 11* **1** Zahlungsunfähigkeit; P. machen, P. gehen; **2** Misserfolg, Reinfall; **Plei|te|gei|er** *m. 5, Sinnbild für* drohende Pleite; der P. schwebt über ihm

Ple|ja|den [griech.] *w. 11 Mz.* **1** die sieben Töchter der Pleione und des Atlas, die von Zeus als »Siebengestirn« an den Himmel versetzt wurden; **2** ein Sternbild

Plek|tron *auch:* **Plekt|ron** [griech.], **Plek|trum** *auch:* **Plekt|rum** *s. Gen.* -s *Mz.* -tren Plättchen, mit dem die Saiten von Zupfinstrumenten angerissen werden

Plem|pe *w. 11* **1** *Soldatenspr.:* Seitengewehr, Säbel; **2** *ugs. derb:* schlechtes, dünnes Getränk; **plem|pern** *intr. 1, ugs.:* **1** planschen, spritzen; **2** herumlungern, müßig gehen

plem|plem *nur prädikativ, ugs.:* verrückt, beschränkt; du bist ja p.!; er ist ein bisschen p.

Ple|na|ri|um [lat.] *s. Gen.* -s *Mz.* -ri|en liturg. Buch mit dem vollständigen Text der Evangelien; **Ple|nar|saal** *m. Gen.* -(e)s *Mz.* -säle; **Ple|nar|sit|zung** *w. 10* Sitzung aller Mitglieder; **Ple-nar|ver|samm|lung** *w. 10* Versammlung aller Mitglieder, Vollversammlung; **Ple|ni|po-tenz** *w. 10 nur Ez.* unbeschränkte Vollmacht; **ple|no or|ga|no** *bei der Orgel:* mit allen Registern, mit vollem Werk; **Ple|num** *s. Gen.* -s *nur Ez.* Vollversammlung (vor allem des Parlaments)

Ple|o|chro|is|mus [-kro-, griech.] *m. Gen. - nur Ez.* die Eigenschaft mancher Kristalle, in verschiedenen Richtungen verschiedene Farben zu zeigen; **ple|o|morph** vielgestaltig, polymorph; **Ple|o|nas|mus** *m. Gen. - Mz.* -men Häufung sinnverwandter Ausdrücke, z. B. pechrabenschwarz; **ple|o|nas|tisch**

Ple|si|an|thro|pus *auch:* **Ple|si-anth|ro|pus** [griech.] *m. Gen. - Mz.* -pi südafrik. Frühmensch des Pliozäns; **Ple|si|o|sau-rier** *m. 5,* Ple|si|o|sau|rus *m. Gen. - Mz.* -ri|er ausgestorbenes Kriechtier der Jura- und Kreidezeit

Ple|thi *vgl.* Krethi

Ple|tho|ra [griech.] *w. Gen. - Mz.* -ren, *Med.:* Überfülle, übermäßiger Gehalt (an Flüssigkeit, z. B. an Blut)

Pleu|el *m. 5,* **Pleu|el|stan|ge** *w. 11* Kurbelstange, Schubstange zum Umwandeln einer kreisförmigen Bewegung in eine hin- und hergehende und umgekehrt

Pleu|ra [griech.] *w. Gen. - Mz. -ren* Brust-, Rippenfell; **pleu|ral** zur Pleura gehörig, von ihr ausgehend
Pleu|reu|se [plørøzə, frz.] *w. 11* **1** *urspr.:* Trauerflor; **2** *seit 1900:* lange Straußenfeder am Hut
Pleu|ri|tis [griech.] *w. Gen. - Mz. -ti|den* Brust-, Rippenfellentzündung; **Pleu|ro|pneu|mo|nie** *w. 11* kombinierte Rippenfell- und Lungenentzündung, bes. bei Grippe
Pleus|ton [griech.] *s. Gen. -s nur Ez.* Gesamtheit der an der Wasseroberfläche lebenden Tiere und Pflanzen
ple|xi|form [lat.] *Med.:* geflechtartig; **Ple|xi|glas** *s. 4 nur Ez.* (Wz) ein glasartiger, splitterfreier Kunststoff; **Ple|xus** *m. Gen. - Mz. -* Blut- bzw. Lymphgefäßgeflecht, Nervengeflecht
Plicht *w. 10* = Cockpit
plie|ren *intr. 3, norddt.:* **1** starren; **2** schmutzig, nass sein; **plie|rig** *norddt.:* schmutzig, nass, verweint
plin|kern *intr. 1, ugs.:* blinzeln
Plin|se, Plin|ze *w. 11* Eierkuchen, häufig mit Hefe, Kartoffelpuffer
plin|sen *intr. 1, norddt.:* weinen
Plin|the [griech.] *w. 11* Sockel, Fußplatte (unter Säulen, Pfeilern, Statuen)
Plin|ze *w. 11* = Plinse
pli|o|zän [griech.] zum Pliozän gehörend; **Pli|o|zän** *s. Gen. -s nur Ez.* oberste Abteilung des Tertiärs
Plis|see [frz.] *s. 9* gepresste, schmale Falten (im Stoff); **plis|sie|ren** *tr. 3* in Falten legen und pressen
plitz, platz *ugs.:* sehr schnell; das ging p., p.; das geht nicht so p., p.
PLO *w. Abk. für* Palestine Liberation Organization, palästinensische Befreiungsbewegung
Plock|wurst *w. 2* eine Zervelatwurst
Plom|be [frz.] *w. 11* **1** Metallsiegel (zur Verschlusssicherung von Behältern, Wagentüren u. a.); **2** Zahnfüllung; **plom|bie|ren** *tr. 3* mit einer Plombe versehen
Plör|re *w. 11* dünner Kaffee oder Tee, dünne Suppe
Plot [engl.] *n. 9* Handlung (eines Dramas, Films, Romans)
Plot|ter *m. 5* Gerät zur automatischen Erstellung von Zeichnungen
Plöt|ze *w. 11* = Rotauge
plötz|lich
Plu|der|ho|se *w. 11* weite, unterm Knie geschlossene Hose; **plu|dern** *intr. 1* sich bauschen
Plum|bat [lat.] *s. 1* Salz der Bleisäure; **Plum|bum** *s. Gen. -s nur Ez.* (*Zeichen:* Pb) chem. Element, Blei
Plu|meau [plymo, frz.] *s. 9* Federbett
plump
Plum|pe *w. 11, ostmitteldt. für* Pumpe; **plum|pen** *tr. 1, ostmitteldt. für* pumpen
Plumps *m. 1, ugs.* **1** Fall, Sturz; **2** dumpf klatschendes Geräusch
Plump|sack *m. 2* dicker, schwerfälliger Mensch
plump|sen *intr. 1;* **Plumps|klo** *s. 9*
Plum|pud|ding [plʌm-, engl.] *m. 9* gewürzter Rosinenpudding
Plun|der *m. 5 nur Ez.* wertloses, billiges oder unbrauchbar gewordenes Zeug, Kram
Plün|de|rei *w. 10 nur Ez.;* **Plün|de|rer** *m. 5*
Plun|der|ge|bäck *s. 1 nur Ez.* Gebäck aus Plunderteig
plün|dern *tr. 1*
Plun|der|teig *m. 1 nur Ez.* Blätterteig mit Hefe
Plun|ger [plʌndʒər, engl.], **Plun|scher** *m. 5* Maschinenteil mit regelmäßigen Taktbewegungen (meist Kolben)
Plun|ze *w. 11, ostmitteldt.:* Blutwurst; **Plun|zen** *w. Gen. - Mz. -, bayr., schwäb.:* **1** Blutwurst; **2** dicke, schwerfällige Frau
Plu|ral [lat.] *m. 1* Zahlform des Nomens und Verbs, Mehrzahl; *Ggs.:* Singular; vgl. Dual; **Plu|ra|le|tan|tum** *s. 9, Mz. auch:* Plu|ra|li|a|tan|tum, nur im Plural vorkommendes Wort, z. B. Leute; **plu|ra|lisch** im Plural (gebraucht); **Plu|ra|lis ma|jes|ta|tis** *m. Gen. - - nur Ez.* Plural der Erhabenheit, die Form »wir« statt »ich« (Bez. von Fürsten oder von Autoren im eigenen Werk für sich selbst); **Plu|ra|lis|mus** *m. Gen. - nur Ez.* **1** *Philos.:* Lehre, dass die Wirklichkeit aus vielen selbständigen Wesenheiten bestehe; *Ggs.:* Singularismus; **2** *Gesellschaftslehre:* Nebeneinanderbestehen verschiedener Ordnungsprinzipien und Wertsysteme; **Plu|ra|list** *m. 10;* **plu|ra|lis|tisch** auf dem Pluralismus beruhend, pluralistische Gesellschaft; **Plu|ra|li|tät** *w. 10 nur Ez.* Mehrheit
plus [lat.] (*Zeichen:* +) und, dazu, dazuzurechnen; *Ggs.:* minus; zwei plus zwei ist, *oder:* macht vier; plus 10 Grad, 10 Grad plus: 10 Grad über Null; **Plus** *s. Gen. - Mz. -* **1** Überschuss, Gewinn, Mehrbetrag; *Ggs.:* Minus; **2** *ugs.:* Vorteil
Plüsch [frz.] *m. 1* Baumwollgewebe mit hohem Flor
Plus|pol *m. 1* positiver Pol; *Ggs.:* Minuspol; **Plus|punkt** *m. 1* **1** Punkt, der bei einem Fehler des einen Spielers dem anderen als Plus angerechnet wird; **2** Vorteil; *Ggs.:* Minuspunkt; **Plus|quam|per|fekt** *s. 1* Vergangenheitsform des Verbums, Vorvergangenheit, vollendete Vergangenheit, dritte Vergangenheit, z. B. ich hatte gesehen, ich war gekommen
plus|tern *tr. 1; nur in den Wendungen* die Federn p.: sträuben, aufrichten; sich p.: die Federn sträuben
Plus|zei|chen *s. 7* das Zeichen +; *Ggs.:* Minuszeichen
Plu|to **1** *griech. Myth.:* griech. Gott der Unterwelt, *auch:* des Reichtums; **2** *m. Gen. - nur Ez.* ein Planet; **Plu|to|krat** *m. 10* **1** Angehöriger der Plutokratie; **2** *ugs.:* reicher Mann; **Plu|to|kra|tie** *w. 11* **1** Herrschaftsform, bei der die Macht von der reichen Oberschicht ausgeübt wird; **2** Staat, Gemeinwesen, in dem eine Plutokratie besteht; **plu|to|kra|tisch; plu|to|nisch** **1** *griech. Myth.:* zur Unterwelt gehörend; **2** *Geol.:* auf Plutonismus beruhend; plutonisches Gestein: Tiefengestein, Plutonit; **Plu|to|nis|mus** *m. Gen. - nur Ez.* = Vulkanismus; **Plu|to|nist** *m. 10;* **Plu|to|nit** *s. 1* = plutonisches Gestein; **Plu|to|ni|um** *s. Gen. -s nur Ez.* (*Zeichen:* Pu) chemisches Element, ein Transuran; **Plu|to|ni|um|bom|be** *w. 11*
Plu|vi|a|le [lat.] *s. 5* **1** mantelähnliches, vorn offenes liturg. Gewand der kath. Priester; **2** *früher:* Krönungsmantel der dt. Kaiser und Könige; **Plu|vi|al|zeit** *w. 10* Regenzeit in den trop. und subtrop. Gebieten während der Eiszeit; **Plu|vi|o-**

graph *m. 10* Gerät zum Aufzeichnen der Niederschlagsmenge, selbst schreibender Regenmesser, Ombrograph; **Plu|vi|o|me|ter** *s. 5* Regenmesser

PLZ *Abk. für* Postleitzahl

Pm *chem. Zeichen für* Promethium

p. m. *Abk. für* **1** post meridiem; **2** pro mille; **3** pro memoria

Pneu *m. 9, Kurzw. für* **1** Pneumothorax; **2** Pneumatik (**1**); **Pneu|ma** [griech.] *s. Gen.* -s *nur Ez.* **1** luftartige Substanz, Hauch, Atem; **2** *Philos.:* Seele, Lebenskraft; **Pneu|ma|tik** *w. 10* **1** *österr.:* Luftreifen; **2** *nur Ez.* Lehre von der Luft und ihren Bewegungen; **3** Luftdruckmechanik der Orgel; **Pneu|ma|ti|ker** *m. 5* **1** Vertreter einer altröm. Ärzteschule, die alle Lebenserscheinungen auf den Atem (Pneuma) zurückführte; **2** *Gnosis:* vom Geist Gottes Erleuchteter; **pneu|ma|tisch** **1** zum Pneuma gehörig, darauf beruhend; **2** *Gnosis:* vom Geist Gottes erleuchtet; **Pneu|ma|to|chord** [-kɔrd] *s. 1* = Äolsharfe; **Pneu|ma|to|lo|gie** *w. 11 nur Ez.* **1** *veraltete Bez. für* Psychologie; **2** *Philos.* Lehre vom Geist; **3** *Theol.:* Lehre von den Engeln und Dämonen; **Pneu|ma|to|me|ter** *s. 5* Gerät zum Messen des Atmungsdrucks und -zuges; **Pneu|ma|to|me|trie** *auch:* **-met|rie** *w. 11 nur Ez.;* **Pneu|mo|graph** *m. 10* Gerät zum Aufzeichnen der Ausdehnung und Verengung des Brustkorbs beim Ein- und Ausatmen; **Pneu|mo|kok|kus** *m. Gen. - Mz.* -ken ein Kugelbakterium, Erreger der Lungenentzündung; **Pneu|mo|ko|ni|o|se** *w. 11* = Staublunge; **Pneu|mo|ly|se** *w. 11* operative Ablösung der Lunge von der Brustwand (zur Ruhigstellung eines Lungenflügels); **Pneu|mo|nie** *w. 11* Lungenentzündung; **Pneu|mo|tho|rax** *m. 1* (*Kurzw.:* Pneu) Luftansammlung im Brustfellraum

Po **1** *chem. Zeichen für* Polonium; **2** *m. Gen.* -(s) Fluss in Italien; **3** *m. 9, ugs. kurz für* Popo

Pö|bel *m. Gen.* -s *nur Ez.* rohe Volksmasse, Gesindel; **pö|bel|haft**

Poch *s. oder m. Gen.* -s *nur Ez.* ein Kartenglücksspiel; **Poch|brett** *s. 3* runde Scheibe mit Vertiefungen am Rand für die gewonnenen Geldstücke oder Marken, in der Mitte die Karten, um die gewettet wird; **po|chen** *intr. 1;* auf etwas p. *übertr.:* auf etwas bestehen; **Poch|erz** *s. 1* zerkleinertes Erz

po|chie|ren [-ʃi-, frz.] *tr. 3;* Eier p.: in kochendes Essigwasser schlagen und garziehen lassen

Poch|müh|le *w. 11* = Pochwerk; **Poch|stem|pel** *m. 5* Balken zum Zerkleinern von Erz; **Poch|werk** *s. 1* Anlage zum Zerkleinern von Erzen, Pochmühle

Po|cke *w. 11* mit Eiter gefülltes Bläschen oder Knötchen; **Po|cken** *Mz.* eine sehr ansteckende Infektionskrankheit, Blattern, Variola; **Po|cken|schutz|impf|fung** *w. 10*

Po|cket|ka|me|ra [engl.; lat.] *w. 9* Taschenkamera

po|co [ital.] *Mus.:* wenig, z. B. poco adagio; poco a poco (*Abk.:* p. a p.): nach und nach

Po|dal|gra *auch:* **Po|da|gra, Po|dag|ra** [griech.] *s. Gen.* -s *nur Ez.* Fußgicht

Po|dest [lat.] *s. 1* **1** erhöhter Tritt, größere Stufe, kleines Podium; **2** Treppenabsatz

Po|dex *m. 1, ugs. scherzh.:* Gesäß, Popo

Po|di|um [lat.] *s. Gen.* -s *Mz.* -dien Erhöhung des Fußbodens, erhöhter Teil des Raumes, kleine Bühne; **Po|di|um(s)|ge|spräch** *s. 1* Diskussion mehrerer Redner vor Zuhörern

Po|do|me|ter [griech.] *s. 5* Schrittzähler

Pod|sol [russ.] *m. Gen.* -s *nur Ez.* Grau-, Bleicherde; **Pod|sol|bo|den** *m. 8* ausgebleichter, unfruchtbar gewordener Boden

Po|em [griech.] *s. 1, gelegentlich abwertend:* Gedicht

Po|e|sie [griech.] *w. 11* **1** Dichtkunst; **2** Dichtung in Versen oder gebundener Rede; *Ggs.:* Prosa; **3** Stimmungsgehalt, Zauber; **po|e|sie|los; Po|et** *m. 10* Dichter; **Po|e|ta lau|re|a|tus** *m. Gen.* - - *Mz.* po|e|tae [-tɛː] -ti **1** *Antike:* mit dem Lorbeerkranz gekrönter Dichter; **2** *im MA und in England:* mit bestimmten Rechten verbundener Titel für den größten Dichter; **Po|e|tas|ter** *m. 5* schlechter Dichter, Verseschmied; **Po|e|tik** *w. 10 nur Ez.* Lehre von der Poesie, Poetologie; **po|e|tisch** in der Art der Poesie; dichterisch; **po|e|ti|sie|ren** *tr. 3* dichterisch gestalten oder verklären; **Po|e|to|lo|gie** *w. 11 nur Ez.* = Poetik; **po|e|to|lo|gisch**

Po|fel *m. 5 nur Ez., süddt., österr. für* Bafel

Po|fe|se *w. 11* = Pafese

Po|grom *auch:* **Pog|rom** [russ.] *m. 1* Hetze, Ausschreitungen gegen relig. oder ethn. Gruppen, z. B. Judenpogrom

po|i|ki|lo|therm [griech.] wechselwarm; *Ggs.:* homöotherm; **Po|i|ki|lo|ther|me** *Mz.* = Wechselwarmblüter; *Ggs.:* Homöotherme

Poi|lu [poaly, frz.] *m. 9, im 1. Weltkrieg Spitzname für* frz. Soldat

Point [poɛ̃, frz.] *m. 9* **1** *Kartenspiel:* Stich; **2** *Würfelspiel:* Auge; **Poin|te** [poɛ̃tə] *w. 11* Schlusseffekt (des Witzes), Witz (einer Sache), Hauptsache; **Poin|ter** [engl.] *m. 5* engl. Vorstehhund; **poin|tie|ren** [poɛ̃-, frz.] *tr. 3* betonen, hervorheben; pointiert: das Wesentliche betonend; **Poin|til|lis|mus** [poɛ̃-] *m. Gen.* - *nur Ez.* spätimpressionist. Richtung der Malerei, die durch das dichte Nebeneinandersetzen von Farbpunkten gekennzeichnet ist, Neoimpressionismus; **Poin|til|list** *m. 10;* **poin|til|lis|tisch**

Poise [poaz, nach dem frz. Physiker Jean-Louis-Marie Poiseville] *s. Gen.* - *Mz.* - (*Abk.:* P) Maßeinheit für die Viskosität von Flüssigkeiten

Po|jatz *m. Gen.* - *Mz.* -e süddt. für Bajazzo, Hanswurst

Po|kal [griech.-ital.] *m. 1* Trinkgefäß aus Kristall oder Edelmetall mit Fuß und oft mit Deckel, auch als Preis bei Sportwettkämpfen

Pö|kel *m. 5* Salzbrühe; **Pö|kel|fleisch** *s. 1 nur Ez.;* **Pö|kel|he|ring** *m. 1;* **pö|keln** *tr. 1* in Salzbrühe legen, einsalzen

Po|ker [engl.] *s. Gen.* -s *nur Ez.* ein Kartenglücksspiel; **Po|ker|face** [-fɛis, engl.]; **po|kern** *intr. 1* Poker spielen

po|ku|lie|ren [lat.] *intr. 3* trinken, zechen, bechern

Pol [griech.] *m. 1* **1** Drehpunkt, Mittel-, Zielpunkt; **2** Endpunkt der Erdachse, Nord- bzw. Südpol; **3** *Math.:* Unendlichkeitsstelle einer komplexen Funktion; **4** *Phys.:* Aus- bzw. Eintrittsstelle von statischen Feldern, z.B. an Magneten oder Spulen; *bei elektr. Stromquellen:* Aus- bzw. Eintrittsstelle des Stromes, Plus- bzw. Minuspol; **5** Flordecke von Samt und Plüsch

po|lar einen Pol oder die Pole (der Erde) betreffend, um einen Pol gelegen; **Po|lar|for|scher** *m. 5;* **Po|lar|fuchs** *m. 2* Fuchs mit im Sommer grauem, im Winter weißem Fell, Eisfuchs; **Po|lar|ge|biet** *s. 1;* **Po|la|ri|me|ter** *s. 5* [griech.] Gerät zum Messen des Drehwinkels bei der optischen Aktivität von Flüssigkeiten; **Po|la|ri|sa|ti|on** *w. 10* Ausrichtung von Transversalwellen in einer Vorzugsrichtung; **po|la|ri|sie|ren** *tr. 3;* **Po|la|ri|tät** *w. 10 nur Ez.* Vorhandensein, Ausbildung zweier Pole, Gegensätzlichkeit; **Po|lar|kreis** *m. 1* Breitenkreis von 66,5° nördl. bzw. südl. Breite; **Po|lar|land** *s. 4 meist Mz.;* **Po|lar|licht** *s. 3* bes. in den Polargegenden auftretende Lichterscheinung der höheren Atmosphäre, Nordlicht, Südlicht; **Po|lar|meer** *s. 1;* **Po|lar|nacht** *w. 2* in den Polargegenden der Zeitraum, in dem ständig die Sonne unter dem Horizont bleibt; **Po|la|ro|id|ka|me|ra** *w. 9* Ⓦⓩ Sofortbildkamera; **Po|lar|rou|te** [-ru:-] *w. 11 nur Ez.* kürzeste Verbindung zwischen Europa und Kalifornien über den Nordpol; **Po|lar|stern** *m. 1* Stern im Sternbild des Kleinen Bären nahe dem Himmelsnordpol

> **Polaroidkamera:** Verbindungen aus Substantiven (oder Adjektiven, Pronomen und Partikeln) mit einem Substantiv werden zusammengeschrieben: *die Polaroidkamera.* →§ 37 (1)

Pọl|der *m. 5* eingedeichtes Marschland, Koog

Po|le *m. 11* Einwohner von Polen

Po|lei *m. 1* eine Heil- und Gewürzpflanze, Art der Minze

Po|le|mik [griech.-frz.] *w. 10* bes. wissenschaftl., literar., meist in der Öffentlichkeit ausgetragener Streit; **po|le|misch** in der Art einer Polemik; *auch:* streitbar, feindselig, unsachlich; **po|le|mi|sie|ren** *intr. 3* in der Art einer Polemik Kritik üben, *auch:* feindselig mit jmdm. streiten; gegen jmdn. p.

po|len *tr. 1* an einen elektr. Pol anschließen

Po|len Staat in Europa

Po|lẹn|ta [ital.] *w. Gen. - nur Ez.* bes. in Italien beliebtes Gericht aus Maismehl

Po|lẹn|te [jidd.] *w. Gen. - nur Ez., abwertend:* Polizei

Pol|hö|he *w. 11* Winkelabstand zwischen Horizont und Himmelspol

Po|li|ce [-sə, frz.] *w. 11* Urkunde über eine abgeschlossene Versicherung

Po|li|ci|nẹl|lo [-tʃi-] *m. Gen. -s Mz. -li* = Pulcinella

Po|lier [frz.] *m. 1* Vorarbeiter der Maurer und Zimmerleute

po|lie|ren [lat.] *tr. 3* glänzend machen, glätten, schleifen; **Po|lier|stahl** *m. 2*

Po|li|kli|nik [auch: pọ-, griech.] *w. 10* Krankenhaus oder Krankenhausabteilung zur ambulanten Behandlung

Po|lio *w. Gen. - nur Ez., kurz für* Poliomyelitis; **Po|li|o|en|ze|pha|li|tis** [griech.] *w. Gen. - Mz. -ti|den* Entzündung der grauen Hirnsubstanz; **Po|li|o|imp|fung** *w. 10;* **Po|li|o|my|e|li|tis** *w. Gen. - Mz. -ti|den* Kinderlähmung

Pọ|lis [griech.] *w. Gen. - Mz.* Pọleis altgriech. Stadtstaat

Po|lit|bü|ro *s. 9, Kurzw. für* Politisches Büro (Zentralausschuss einer kommunist. Partei); *ehem. DDR:* kollektives Führungsorgan der SED

Po|li|tẹs|se [aus Polizei und Hostess] *w. 11* Hilfspolizistin

po|li|tie|ren *tr. 3, österr.:* mit einem Poliermittel einreiben, polieren

Po|li|tik [auch: -tik, griech.] *w. 10 nur Ez.* **1** Führung und Erhaltung eines Gemeinwesens, Staatskunst; **2** *übertr.:* Berechnung, berechnendes Verhalten; **Po|li|ti|kạs|ter** *m. 5* jmd., der über Politik redet, ohne viel davon zu verstehen, Biertischpolitiker; **Po|li|ti|ker** *m. 5;* **Po|li|ti|kum** *s. Gen. -s Mz. -ka* Ereignis oder Tatsache von polit. Bedeutung; **Po|li|ti|kus** *m. Gen. - Mz. -kus|se, ugs. scherzh.:* jmd., der sich mit Politik beschäftigt; **po|li|tisch**; politische Karte: Landkarte mit eingezeichneten Staatsgrenzen; politische Geschichte; Politische Ökonomie = Volkswirtschaftslehre; **po|li|ti|sie|ren** **1** *intr. 3* über Politik sprechen; **2** *tr. 3* in den Bereich der Politik bringen, politisch behandeln; **Po|lit|of|fi|zier** *m. 1, ehem. DDR:* für politische Fragen in der NVA zuständiger Offizier; **Po|lit|öko|no|mie** *w. 11 nur Ez., Kurzw. für* Politische Ökonomie (Volkswirtschaftslehre); **Po|li|to|lo|ge** *m. 11;* **Po|li|to|lo|gie** *w. 11 nur Ez.* Lehre von der Politik

Po|li|tur [lat.] *w. 10* **1** durch Polieren erzeugter Glanz; **2** Poliermittel

Po|li|zei [griech.] *w. 10 nur Ez.;* **po|li|zei|lich;** **Po|li|zei|prä|si|di|um** *s. Gen. -s Mz. -di|en;* **Po|li|zei|re|vier** *s. 1;* **Po|li|zei|staat** *m. 12;* **Po|li|zei|stun|de** *w. 11* polizeilich festgelegter Zeitpunkt, zu dem Restaurants und Vergnügungsstätten nachts geschlossen werden müssen, Sperrstunde; **Po|li|zist** *m. 10*

Po|liz|ze *w. 11, österr. für* Police

Pọlk *m. 1* = Pulk (**1**)

Pö̤lk *m. 1, nddt.:* kastriertes Schwein

Pol|ka [tschech.] *w. 9* böhm. Rundtanz im Wechselschritt

Pol|lạck *m. 10* ein Meeresfisch

Pọl|len *m. 7* Blütenstaub

Pọl|ler *m. 5* Haltevorrichtung auf Schiffen bzw. Kaimauern zum Festmachen der Schiffstaue

Pol|lu|ti|on [lat.] *w. 10* unwillkürl. (nächtl.) Samenerguss

Pọl|lux **1** griech. Sagenheld; vgl. Kastor; **2** ein Stern

pọl|nisch; *aber:* Polnischer Erbfolgekrieg; **Pọl|nisch** *s. Gen. -(s) nur Ez.* zu den slaw. Sprachen gehörende Sprache der Polen

Po|lo [engl.] *s. Gen. -s nur Ez.* dem Hockey ähnl. Ballspiel zu Pferd oder vom Fahrrad aus; **Po|lo|hemd** *s. 12* kurzärmeliges Trikothemd

> **Polonäse/Polonaise:** Die integrierte (eingedeutschte) Schreibweise *(die Polonäse)* ist die Hauptvariante, die fremdsprachige Form *(Polonaise)* die zulässige Nebenvariante. →§ 20 (2)

Pollolnailse [-nɛ-, frz.] *Nv.* ► **Pollolnälse** *Hv. w. 11* poln. Tanz, meist zur Eröffnung eines Tanzfestes getanzt; **Pollolnia** *lat. Name für* Polen; **Pollolnilum** *s. Gen.* -s *nur Ez.* (*Zeichen:* Po) chem. Element

Pollschuh *m. 1* Teil eines Elektromagneten zur Herstellung eines bestimmten Feldverlaufs; **Pollstärlke** *w. 11* Kraft, die von einem Magnetpol ausgeht

Pollslter *s. 5, österr. auch s. 6;* **Pollsltelrer** *m. 5;* **Pollslterlmölbel** *s. 5;* **pollsltern** *tr. 1;* ich polstere, polstre es; **Pollslterltür** *w. 10;* **Pollsltelrung** *w. 10*

Pollterlalbend *m. 1* Abend vor der Hochzeit; **Pollteirer** *m. 5* jmd., der oft poltert; **Pollterlgeist** *m. 3* = Klopfgeist; **polltelrig,** poltlrig; **polltern** *intr. 1;* ich poltere, poltre; **poltlrig,** poltelrig

polly…, Polly… [griech.] *in Zus.:* viel…, Viel…

Pollyladldiltilon [griech. + lat.] *w. 10* Verknüpfung kleiner Moleküle mit Mehrfachbindungen zu langen Molekülketten; **Pollylalmid** [griech.] *s. 1* Ⓦⓩ ein elastischer, fadenbildender Kunststoff, z. B. Perlon; **Pollylanldrie** *w. 11 nur Ez.* Ehegemeinschaft einer Frau mit mehreren Männern, Vielmännerei; vgl. Polygynie; **Pollylarlchie** *w. 11* Herrschaft mehrerer (Personen); **Pollylarlthriltis** *auch:* **Pollylarthlriltis** *w. Gen. - Mz.* -tilden Entzündung mehrerer Gelenke; **Pollylälthyllen** *fachsprachl.:* Pollylelthyllen *s. 1* durch Polymerisation von Äthylen entstehender, umweltfreundl. Kunststoff; **pollylchrom** [-kro̱m] vielfarbig, bunt; **Pollylchrolmie** *w. 11 nur Ez.* Vielfarbigkeit; **pollylchrolmielren** *tr. 3* bunt ausstatten, z. B. mit Mosaik; **Pollyldakltyllie** *w. 11* Ausbildung von mehr als fünf Fingern an einer Hand, Mehrfingrigkeit; **Pollyldälmolnislmus** *m. Gen. - nur Ez.* Glaube an eine Vielzahl von Geistern; **Pollylelder** *m. 5 oder s. 5* von mindestens drei ebenen Flächen begrenzter Körper, Vielflach, Vielflächner; **pollylelldrisch** *auch:* **pollyledlrisch** vielflächig; **Pollyeslter** *m. 5* aus mehrbasischen Karbonsäuren durch Veresterung mit mehrwertigen Alkoholen entstehender Kunststoff; **Pollylelthyllen** *s. 1* = Pollylälthyllen; **pollylfon** = polyphon; **Pollylfolnie** = Polyphonie; **pollylgam 1** in Vielehe lebend, sich zu mehreren Frauen zugleich hingezogen fühlend; *Ggs.:* monogam; **2** zwittrige und eingeschlechtige Blüten (auf einer Pflanze) aufweisend; **Pollylgalmie** *w. 11 nur Ez.* Ehegemeinschaft mit mehreren Frauen bzw. Männern, Polyandrie, Polygynie; *Ggs.:* Monogamie; **Pollylgalmist** *m. 10* in Polygamie lebender Mann; **pollylgen 1** durch mehrere Erbfaktoren bestimmt; **2** durch mehrere Ursachen hervorgerufen; **Pollylgelnelse, Pollylgelnelsis** *w. Gen. - nur Ez.* biolog. Theorie von der Herleitung einer Gruppe von Lebewesen aus mehreren Stammformen, Polyphyletismus, Polyphylie; **Pollylgelnie** *w. 11 nur Ez.* polygene Beschaffenheit; **Pollylglolbullie** *w. 11* = Polyzythämie; **pollylglott 1** vielsprachig (Buchausgabe); **2** viele Sprachen sprechend; **Pollylglotlte 1** *w. 11* mehrsprachiges Wörterbuch, Buch (z. B. Bibel) mit Text in mehreren Sprachen; **2** *m. 11* jmd., der viele Sprachen spricht; **Pollylgon** *s. 1* Vieleck; **pollylgolnal** vieleckig; **Pollylgraph** ► *auch:* **Pollylgraf** *m. 10* Mehrfachschreiber; *fälschlich:* Lügendetektor; **Pollylgralphie** ► *auch:* **Pollylgralfie** *w. 11;* **Pollylgylnie** *w. 11 nur Ez.* Ehegemeinschaft eines Mannes mit mehreren Frauen; **Pollylhisltor** *m. 13* jmd., der auf vielen Gebieten bewandert ist; **pollylhylbrid** *auch:* **pollylhyblrid** sich in mehreren Erbmerkmalen unterscheidend; **Pollylhylbrilde** *auch:* **Pollylhyblrilde** *m. 11* Bastard aus polyhybriden Eltern; **Pollylhymlnia,** Pollymnia *griech. Myth.:* Muse des ernsten Gesanges; **pollylmer** aus vielen niedermolekularen Einheiten bestehend; *Ggs.:* monomer; **Pollylmer** *s. 1* hochgradig verketteter, einheitlich aufgebauter Stoff; **Pollylmelrie** *w. 11* additives Zusammenwirken von Erbfaktoren bei der Ausbildung eines Merkmals; **Pollylmelrilsat** *s. 1* durch Polymerisation entstandener Stoff; **Pollylmelrilsaltilon** *w. 10* Vereinigung von Molekülen zu einem neuen Stoff; **pollylmelrisielren** *tr. 3* zu größeren Molekülen vereinigen; **Pollylmelter** *s. 5, Meteor.:* Gerät zum Messen von Temperatur, Luftfeuchtigkeit u. A., Vielzweckmessgerät; **pollylmorph** vielgestaltig; **Pollylmorlphie** *w. 11 nur Ez.,* Pollylmorlphislmus *m. Gen. - nur Ez.* Vielgestaltigkeit; **Pollylnelsilen** die Inselgruppen des östl. Ozeaniens; **Pollylnelsiler** *m. 5;* **pollylnelsisch; Pollylnom** *s. 1, Math.:* aus mehreren, zu addierenden oder subtrahierenden Gliedern zusammengesetzter Ausdruck; **pollylnolmisch; pollylnuklelar** *auch:* **pollylnukllelar** vielkernig; **Pollylolpie** *w. 11 nur Ez.* Mehrfachsehen; **Pollyp** *m. 12* **1** gutartige Schleimhautgeschwulst; **2** *volkstüml. Bez. für* verschiedene Kopffüßer, bes. Kraken; **3** die festsitzende Form der Nesseltiere; **pollylphag** sich von verschiedenen Pflanzen oder Tieren ernährend; **Pollylphalge** *m. 11* Tier, das sich von verschiedenen Pflanzen und Tieren ernährt; **Pollylphalgie** *w. 11 nur Ez.* auf unterschiedl. Pflanzen oder Tiere eingestellte Ernährungsweise; vgl. Monophagie, Pantophagie

Pollylphem einäugiger Zyklop in der Odyssee

> **polyphon/polyfon:** Die fremdsprachige Schreibweise *(polyphon)* ist die Hauptvariante, die integrierte Form *(polyfon)* die Nebenvariante. →§ 32 (2)

pollylphon ► *auch:* **pollylfon** vielstimmig; **Pollylpholnie** ► *auch:* **Pollylfolnie** *w. 11 nur Ez.* Vielstimmigkeit, Musik mit mehreren, mehr oder minder selbständig geführten Stimmen; vgl. Heterophonie, Homophonie; **Pollylphylleltislmus** *m. Gen. - nur Ez.,* **Pollylphyllie** *w. 11 nur Ez.* = Polygenese; **pollylpolid** polypähnlich; **Pollylptylchon** *auch:* **Pollyplytylchon** [-çɔn] *s. Gen.* -s *Mz.* -chen *oder* -cha Altar mit mehr als zwei Flügeln; **Pollylrhythlmik** *w. Gen. - nur Ez.* Nebeneinander verschiedener Rhythmen in den Stimmen eines Musikstücks;

► = wird zu

po|ly|rhyth|misch; Po|ly|sac|cha|rid [-saxa-] *s. 1* aus einfachen Zuckermolekülen aufgebaute Verbindung, z. B. Stärke, Zellulose, Pektine; **Po|ly|sper|mie** *w. 11* Eindringen mehrerer Samenzellen in eine Eizelle bei der Befruchtung; **po|ly|syl|la|bisch** vielsilbig; **Po|ly|syl|la|bum** *s. Gen.* -s *Mz.* -ba vielsilbiges Wort; **Po|ly|syl|lo|gis|mus** *m. Gen.* - *Mz.* -men, *Logik:* Folge von Schlüssen, bei der die Folgerung zugleich die Prämisse des nächsten Schlusses ist, Schlusskette; **po|ly|syn|de|tisch** in der Art eines Polysyndetons; **Po|ly|syn|de|ton** *s. Gen.* -s *Mz.* -ta durch ein Bindewort verbundene Wort- oder Satzreihe, z. B.: Und es wallet und siedet und brauset und zischt; *Ggs.:* Asyndeton; **Po|ly|syn|the|se, Po|ly|syn|the|sis** *w. Gen.* - *Mz.* -the|sen Zusammenfassung vieler Teile; **po|ly|syn|the|tisch** vielfach zusammengesetzt; polysynthetische Sprachen: Sprachen, bei denen Satzteile zu einem Wort zusammengesetzt werden, inkorporierende Sprachen, z. B. manche Indianersprachen, die Bantusprachen; **Po|ly|syn|the|tis|mus** *m. Gen.* - *nur Ez.* polysynthet. Sprachbau; **Po|ly|tech|ni|kum** *s. Gen.* -s *Mz.* -ka höhere techn. Fachschule; **po|ly|tech|ni|sche Ober|schu|le** (*Abk.:* POS), *ehem. DDR:* 10-Klassen-Schule; **Po|ly|the|is|mus** *m. Gen.* - *nur Ez.* Glaube an mehrere Götter, Vielgötterei; *Ggs.:* Monotheismus; **Po|ly|the|ist** *m. 10;* **po|ly|the|is|tisch; po|ly|to|nal** in mehreren Tonarten zugleich; **Po|ly|to|na|li|tät** *w. 10 nur Ez.* Nebeneinander mehrerer Tonarten zugleich in den Stimmen eines Musikstücks; **Po|ly|tri|chie** *w. 11* übermäßiger Haarwuchs; **po|ly|trop** *Biol.:* sehr anpassungsfähig; **Po|ly|tro|pis|mus** *m. Gen.* - *nur Ez., Biol.:* große Anpassungsfähigkeit; **Po|ly|u|rie** *w. 11* übermäßige Urinausscheidung; **po|ly|va|lent** in mehrfacher Beziehung wirksam; **Po|ly|vi|nyl|chlo|rid** *s. 1 nur Ez.* (*Abk.:* PVC) ein Kunststoff, z. B. für Fußböden; **po|ly|zy|klisch** *auch:* **po|ly|zyk|lisch** aus mehreren Molekülringen bestehend; **Po|ly|zyt|hä|mie** *w. 11* zu starke Vermehrung der roten Blutzellen, Rotblütigkeit, Polyglobulie

pöl|zen *tr. 1, österr.:* stützen, (Mauer)

Po|ma|de [lat.-ital.] *w. 11* wohlriechendes Fett, z. B. Haar-, bzw. Lippenpomade; **po|ma|dig** *ugs.:* träge, langsam; **po|ma|di|sie|ren** *tr.* mit Pomade einreiben

Po|me|ran|ze [lat.-ital.] *w. 11* eine Zitrusfrucht, Gewürz- und Heilpflanze, Bitterorange

Pom|mer *m. 5* **1** Einwohner von Pommern; **2** [griech.-frz.] altes Holzblasinstrument

Pom|mern ehemalige preuß. Provinz an der Ostseeküste

Pommes chips [pɔm ʃip, frz.] *Mz.* roh in Fett gebackene, knusprige Kartoffelscheibchen, Kartoffelchips; **Pommes frites** [pɔm frit] *Mz.* roh in Fett gebackene Kartoffelstäbchen

Po|mo|lo|gie [lat. + griech.] *w. 11 nur Ez.* Obstkunde

Pomp [griech.-frz.] *m. 9 nur Ez.* übertriebene Pracht, übertriebener Aufwand, Prunk

Pom|pa|dour [-du:r, nach der Marquise de P.] *m. 1 oder m. 9, früher:* beutelförmige Damenhandtasche

Pom|pe|ja|ner *m. 5* Einwohner von Pompeji; **pom|pe|ja|nisch; Pom|pe|ji** Stadt in Unteritalien mit röm. Ausgrabungen

pomp|haft; Pomp|haf|tig|keit *w. 10 nur Ez.*

Pom|pon [pɔ̃pɔ̃, frz.] *m. 9* dicke Quaste, Troddel

pom|pös übertrieben prunkvoll

Pö|nal|e *s. Gen.* -s *Mz.* -lien *österr. für Strafe, Buße*

pon|ceau [pɔ̃so, frz.] hochrot; **Pon|ceau** *s. 9* hochroter Farbstoff

Pon|cho [-tʃo, span.] *m. 9* **1** viereckiger Umhang der mittel- und südamerik. Indianer mit einem Loch in der Mitte für den Kopf; **2** ärmelloser Umhang

Pond [lat.] *s. Gen.* -s *Mz.* - (*Abk.:* p) Maßeinheit für die Kraft, entspricht dem Gewicht von einem Gramm (auf der Erde)

Pö|ni|tent [lat.] *m. 10, kath. Kirche:* Beichtender, Büßender; **Pö|ni|ten|ti|ar** [-tsjar] *m. 1* Beichtvater; **Pö|ni|tenz** *w. 10* Buße, Bußübung

Pon|ti|fex [lat.] *m. Gen.* - *Mz.* -ti|fi|zes, -ti|fi|ces [-tse:s], *im alten Rom:* Oberpriester; P. maximus: Titel des röm. Kaisers und dann des Papstes; **pon|ti|fi|kal** bischöflich; **Pon|ti|fi|kal|amt** *s. 4,* vom Bischof gehaltene, feierl. Messe, Pontifikalmesse; **Pon|ti|fi|ka|le** *s. Gen.* -s *Mz.* -li|en liturg. Buch für die Amtshandlungen des Bischofs; **Pon|ti|fi|ka|li|en** *Mz.* **1** die dem Bischof vorbehaltenen Amtshandlungen, z. B. Firmung, Ordination; **2** die bei diesen getragenen Gewänder und Abzeichen; **Pon|ti|fi|kal|mes|se** *w. 11* = Pontifikalamt; **Pon|ti|fi|kat** *s. 1* Amt, Amtszeit eines Bischofs oder des Papstes; **Pon|ti|fi|zes, Pon|ti|fi|ces** *Mz. von* Pontifex

> **Pontifex, Pontifizes/Pontifices:** Die Pluralform von *Pontifex* (= Priester) lautet entweder eingedeutscht *Pontifizes* oder fremdsprachig *Pontifices.*

pon|tisch [griech.] aus der Steppe stammend, steppenähnlich

Pon|ti|us Pi|la|tus röm. Landpfleger in Palästina zur Zeit von Christi Geburt; von Pontius zu Pilatus laufen *ugs.:* von einer Stelle zur andern (um etwas zu erreichen)

Pon|ton [auch: pɔ̃tɔ̃, frz.] *m. 9* geschlossener Schwimmkörper (in Docks); **2** flaches Boot als Teil einer schwimmenden Brücke; **Pon|ton|brü|cke** *w. 11*

Po|ny [engl.] **1** *s. 9* kleine Pferderasse; **2** *Mz.* kurz geschnittene, die Stirn bedeckende Haare

Pool [pul, engl.] *m. 9* **1** Vereinigung von Firmen zur Gewinnverteilung, Interessengemeinschaft; **2** Spieleinsatz

Pool|bil|lard [pulbiljard] *s. 9* Art des Billards, bei der farbige nummerierte Kugeln mit einer weißen Spielkugel in Bandenlöcher gestoßen werden

Pop ... [entweder von engl. pop »knallen, klatschen« oder popular »volkstümlich«] *in Zus.:* modern, auffallend, bes. Jugendliche ansprechend

Po|panz [tschech.] *m. 1* **1** Schreckgestalt; **2** Strohpuppe, Vogelscheuche; **3** vom Willen anderer abhängiger Mensch

Pop-art ► **Pop-Art** [engl.] *w. Gen.* - *nur Ez.* bevorzugte Kunstrichtung der 60er Jahre, die besonders Gegenstände aus

Alltag und Technik darstellt oder montiert
Pop|corn [-kɔːn, engl.] *s. 9* gerösteter Mais, Puffmais
Po|pe [griech.-russ.] *m. 11, russ. und griech.-orthodoxe Kirche:* niederer Geistlicher
Po|pel *m. 5, ugs.:* **1** verhärteter Nasenschleim; **2** schmutziger kleiner Junge; **po|pe|lig,** pop|lig *ugs.:* dürftig, armselig
Po|pe|lin [frz.] *m. 1,* **Po|pe|li|ne** *w. 11* fester Baumwollstoff für Hemden, Mäntel u. a.
po|peln *intr. 1, ugs.:* in der Nase bohren
Pop-Far|be ▶ **Pop|far|be** *w. 11* auffallende, grelle Farbe
pop|lig = popelig
Pop-Mu|sik ▶ **Pop|mu|sik** *w. 10 nur Ez.* eine in England und den USA entstandene Unterhaltungsmusik, von Beat und Rock nicht eindeutig abzugrenzen
Po|po *m. 9, ugs.:* Gesäß, Hintern
Po|po|ca|te|petl *m. Gen.* -(s) vulkan. Berg in Mexiko
Pop|per *m. 5* in den 80er Jahren unpolitischer, angepasster, elegant gekleideter Jugendlicher
pop|pig in der Art der Pop-Farben, auffallend, bunt
po|pu|lär [lat.] **1** volkstümlich, allgemein verständlich; **2** volksfreundlich, beim Volk beliebt; **po|pu|la|ri|sie|ren** *tr. 3* volkstümlich, allgemein verständlich machen, (unter dem Volk) verbreiten; **Po|pu|la|ri|tät** *w. 10 nur Ez.* Volkstümlichkeit, Beliebtheit beim Volk; **po|pu|lär|wis|sen|schaft|lich** allgemein verständlich, aber wissenschaftlich fundiert; **Po|pu|la|ti|on** *w. 10* **1** Bevölkerung; **2** *Biol.:* Gesamtheit der Lebewesen einer Art oder Rasse in einem bestimmten Gebiet; **3** *Astron.:* Gesamtheit der jungen, heißen Sterne (P. I) bzw. der älteren Sterne späterer Spektralklassen (P. II);
Po|pu|lis|mus *m. Gen. - nur Ez.* frz. literar. Strömung seit 1929, die das Leben des einf. Volkes wirklichkeitsnah darstellte
Po|re [griech.] *w. 11* feine Öffnung bes. der Haut; **po|rig** porös; **...po|rig** *in Zus.,* z. B. groß-, klein-, feinporig
Pör|kel(t) [ung.], **Pör|köl(t)** *s. Gen.* -s *nur Ez.* gulaschähnliches, mit Paprika gewürztes Gericht mit wenig Flüssigkeit

> **Pornografie/Pornographie:** Die integrierte (eingedeutschte) Schreibweise ist die Hauptvariante *(Pornografie),* die fremdsprachige Form die zulässige Nebenvariante *(Pornographie).* Ebenso: *pornografisch/pornographisch.* →§ 32 (2)

Por|no *m. oder s. 9, Kurzw. für* pornograf. Film, Roman usw.; **Por|no|graph** *Nv.* ▶ **Por|no|graf** *Hv.* [griech.] *m. 10* Verfasser pornografischer Schriften, Hersteller pornografischer Bilder; **Por|no|gra|phie** *Nv.* ▶ **Por|no|gra|fie** *Hv. w. 11 nur Ez.* pornograf. Schriften und Bilder; **por|no|gra|phisch** *Nv.* ▶ **por|no|gra|fisch** *Hv.* die geschlechtl. Begierden mit primitiven Mitteln anreizend
po|rös [griech.-frz.] durchlässig, undicht; **Po|ro|si|tät** *w. 10 nur Ez.*
Por|phyr [griech.] *m. 1* ein Ergussgestein; **Por|phy|rit** *m. 1* ein Ergussgestein
Por|ree [lat.-frz.] *m. 9* eine Gemüsepflanze
Por|ridge [-rɪdʒ, engl.] *m. Gen.* -s *nur Ez.* in England als Frühstück beliebter Haferbrei
Porst *m. 1* ein Heidekrautgewächs
Port [lat.] *m. 1* **1** Hafen; **2** *übertr.:* Zufluchtsort; im sicheren Port (angekommen) sein
Por|ta|ble [pɔrtəbl, engl.] *s. 9* transportables Fernsehgerät
Por|tal [lat.] *s. 1* Tor, architektonisch verzierter Eingang
Por|ta|men|to [ital.] *s. Gen.* -s *Mz.* -ti, *Mus.:* das gleitende Verbinden der Gesangstöne, *eigtl.:* das Tragen des Tons; **Por|ta|tiv** [frz.] *s. 1* kleine, tragbare Orgel; **por|ta|to** [ital.] *Mus.:* getragen, aber nicht gebunden; **Porte-chaise** [pɔrtʃɛz, frz.] *w. 11, veraltet:* Sänfte; **Porte|feuille** [pɔrtfœj] *s. 9* **1** *veraltet:* Brieftasche, Aktentasche; **2** Amtsbereich (eines Ministers); Minister ohne P.; **3** Wertpapierbestand einer Bank; **Porte|mon|naie** *Nv.* ▶ **Port|mo|nee** *Hv.;* **Port|e|pee** *s. 9* Quaste am Degen oder Säbel (des Offiziers)
Por|ter [pɔr-, engl.] *m. 5, österr.: s. 5* starkes engl. Bier
Port|fo|lio [ital.] **1** *m. 9* Bestand an Wertpapieren (Portefeuille); **2** *s. 9* Mappe mit einer Serie von Druckgrafiken oder künstlerischen Fotos
Por|ti *Mz. von* Porto
Por|tier [-tjeː, frz.] *m. 9* Pförtner, Hauswart; **Por|tie|re** [-tjɛrə] *w. 11* schwerer Türvorhang
por|tie|ren [frz.] *tr. 3, schweiz.:* zur Wahl vorschlagen
Por|tier|lo|ge [-tjeloːʒə] *w. 11* Dienstraum des Portiers; **Por|tiers|frau** [-tjes-] *w. 10* weibl. Portier
Por|ti|kus [lat.] *m. Gen. - Mz.* - Säulenvorbau
Por|ti|on [lat.] *w. 10* abgemessene Menge (einer Speise); eine P. Kartoffeln, Eis; er ist nur eine halbe P., *ugs. scherzh.:* er ist sehr klein und dünn; **por|ti|o|nen|wei|se, por|ti|ons|wei|se**

> **Portmonee/Portemonnaie:** Die integrierte (eingedeutschte) Schreibweise ist die Hauptvariante *(das Portmonee),* die französische Form die zulässige Nebenvariante *(das Portemonnaie).* →§ 20 (2)

Port|mo|nee, Porte|mon|naie *s. 9* Geldtasche
Por|to [ital.] *s. Gen.* -s *Mz.* -s *oder* -ti Gebühr für die Beförderung von Postsendungen; **por|to|frei; Por|to|kas|se** *w. 11;* **por|to|pflich|tig**
Por|to Ri|co, Por|to|ri|ko *ältere Form von* Puerto Rico; **Por|to|ri|ka|ner** *m. 5, ältere Form von* Puertoricaner; **por|to|ri|ka|nisch**
Por|trait *auch:* **Port|rait** [-trɛ, frz.] *s. 9, frz. Schreibung von* Porträt; **Por|trät** *auch:* **Port|rät** [-trɛ, auch: -treːt] *s. 9* Bildnis; **por|trä|tie|ren** *auch:* **port|rä-** *tr. 3;* jmdn. p.: jmds. Bildnis malen; **Por|trä|tist** *auch:* **Port|rä-** *m. 10* Maler von Porträts
Por|tu|gal Staat in Europa; **Por|tu|gie|se** *m. 11* Einwohner von Portugal; **Por|tu|gie|ser** *m. 5* eine Traubensorte; **por|tu|gie|sisch; Por|tu|gie|sisch** *s. Gen.* -(s) *nur Ez.* zu den roman. Sprachen gehörende, in Portugal und Südamerika gesprochene Sprache
Por|tu|lak [lat.] *m. 1 oder m. 9* eine Gemüsepflanze

Portlwein [nach der portugies. Stadt Porto] *m. 1* süßer portugies. Wein
Porlzelllan [ital.] *s. 1* **1** dichte, weiße, feine Tonware; **2** Tafelgeschirr daraus; **porlzelllalnen** aus Porzellan; **Porlzelllanllalden** *m. 8, nur in der Wendung* wie ein Elefant im P.: tolpatschig; **Porlzelllanlschnelcke** *w. 11* = Kaurischnecke
Pos. *Abk. für* Position (**4**)
Polsalmenlten [frz.] *s. 12 Mz., Sammelbez. für* Waren, die als Besatz für Kleidungsstücke dienen, z.B. Borten, Bänder, Schnüre, Quasten; **Polsalmenter** *m. 5* Hersteller von, Händler mit Posamenten; **Polsamenltelrie** *w. 11* Geschäft für Posamenten; **polsalmenltielren** *tr. 3* mit Posamenten besetzen
Polsaulne [lat.-frz.] *w. 1* ein Blechblasinstrument; **polsaunen 1** *intr. 1* Posaune blasen; **2** *tr. 1, übertr. ugs.:* laut verkünden, *meist:* hinausposaunen; **Polsaulnenlenlgel** *m. 5* **1** *bildende Kunst, Malerei:* Posaune blasender Engel; **2** *übertr. scherzh.:* pausbäckiges Kind; **Polsaulnist** *m. 10* Posaunenbläser
Polse 1 [frz.] *w. 11, Kunst:* Haltung, Stellung; *allg.:* gekünstelte, gezierte Haltung oder Stellung; **2** *nddt.:* Federkiel
Polseildon *griech. Myth.:* Gott des Meeres
Polseur [-zør, frz.] *m. 1* jmd., der posiert; **polsielren** *intr. 3* **1** eine Pose einnehmen; **2** sich gekünstelt, geziert benehmen
Polsiltilon [lat.-frz.] *w. 10* **1** Stellung (im Beruf), Lage (in der sich jmd. befindet); **2** *Math.:* Lage, Stelle (einer Figur oder Zahl); **3** Standort (eines Schiffes oder Flugzeugs, eines Gestirns); **4** Einzelposten (in einer Warenliste; *Abk.:* Pos.); **5** Bejahung; *Ggs.:* Negation (**1**); polsiltilolnell durch die Position bedingt, hinsichtlich der Position, z.B. positioneller Vorteil; **polsiltilolnielren** *tr. 3* in eine bestimmte (günstige) Position bringen; Waren positionieren; **Polsiltilonsllamlpe** *w. 11* Lampe (eines Schiffes, Flugzeugs) zur Kennzeichnung der Fahrt- bzw. Flugrichtung, Positionslicht; **polsiltilonsllang**; positionslange Silbe: kurze Silbe, die in der Metrik als lang gilt, wenn sie mit zwei oder mehr Konsonanten endet; **Polsiltilonsllänlge** *w. 11 nur Ez.* metrische (nicht phonet.) Länge; **Polsiltilonsllicht** *s. 3* = Positionslampe; **Polsiltilonslpalpier** *s. 1*
polsiltiv [lat.] **1** bejahend; *Ggs.:* negativ; **2** *Math.* größer als Null; **3** *Elektr., in der Fügung* positive Ladung: den Protonen eigene Ladung, im Unterschied zur negativen Ladung der Elektronen; positiver Pol: Pluspol; **4** *Fot.:* Licht und Schatten der Wirklichkeit entsprechend wiedergebend; **5** *Med.:* Krankheitserreger aufweisend; positiver Befund; **6** *Philos.:* wirklich, tatsächlich (vorhanden), gegeben; **7** [auch: -tif] *ugs.:* wirklich, bestimmt; das weiß ich p.; **Polsiltiv 1** *m. 1, Gramm.:* die nicht gesteigerte Form der Adjektive, Grundstufe; vgl. Komparativ, Superlativ; **2** [auch: -tif] *s. 1* kleine Standorgel ohne Pedal; vgl. Portativ; **3** *s. 1* Lichtbild in der wirklichkeitsgetreuen Wiedergabe von Licht und Schatten; *Ggs.:* Negativ; **Polsiltilvismus** *m. Gen. - nur Ez.* Lehre, dass nur das Wirkliche, Tatsächliche, »Positive« die Erfahrung zur Erkenntnis führe und alle Metaphysik nutzlos sei; **Polsiltilvist** *m. 10;* **polsiltivisltisch; Polsiltron** *auch:* **Polsitlron** *s. 13* (*Zeichen:* e^+) Elementarteilchen mit elektrisch positiver Ladung
Polsiltur [lat.] *w. 10* auf bestimmte Wirkung berechnete Haltung; sich in P. setzen
Poslse *w. 11* derb-komisches Bühnenstück; **Poslsen** *m. 7* **1** Streich, Schabernack; jmdm. einen P. spielen; **2** *Mz.* Spaß; Possen reißen; (allerlei) Possen treiben; **Poslsenlreilßer** *m. 5*
poslseslsiv [lat.] *Gramm.:* Besitz anzeigend; **Poslseslsiv** *s. 1,* **Poslseslsivlprolnolmen** *s. 7,* **Poslseslsilvum** *s. Gen. -s Mz. -va* Besitz anzeigendes Fürwort, z.B. mein, dein, unser; **posseslsolrisch** *Rechtsw.:* den Besitz betreffend
poslsierllich [zu: Posse] klein und lustig, drollig; **Poslsierllichlkeit** *w. 10 nur Ez.*
Post *w. 10* **1** staatl. Einrichtung zur Beförderung von Briefen, Paketen, Zahlungsanweisungen usw.; **2** *Mz. auch:* Postlämlter, Postamt, Postgebäude; **3** *nur Ez.* Postdienst; **4** *nur Ez.* Briefe und Pakete, Postsendungen
post..., Post... [lat.] *in Zus.:* nach..., Nach..., hinter..., Hinter... z.B. postembryonal
posltallisch die Post betreffend, zur Post gehörig
Posltalment *s. 1* Unterbau, Sockel
Postlamt *s. 4;* **postlamtllich; Postlanlweilsung** *w. 10;* **Postauflltrag** *m. 2* Einziehung einer Geldforderung durch die Post; **postlbar** mittels Postbarscheck; **Postlboot** *s. 1;* **Postlbolte** *m. 11, süddt. für* Briefträger
Pöstlchen *s. 7* kleiner Posten (**3**)
post Chrislitum (naltum) [lat.] *Abk.:* p. Chr. (n.): nach Christus, nach Christi Geburt; *Ggs.:* ante Christum (natum)
postldaltielren [lat.] *tr. 3, veraltet für* nachdatieren; *Ggs.:* antedatieren
postlemlbrylolnal [lat. + griech.] nach der Geburt (eintretend, eingetreten)
poslten *intr. 2, schweiz.:* Botengänge machen
Poslten [lat.-ital.] *m. 7* **1** Wache, Wachtposten; (auf) P. stehen; auf dem P. sein *ugs.:* gesund und munter sein; wachsam, aufmerksam sein; **2** Stelle, Ort; **3** Stellung, Amt; **4** Anzahl gleichartiger Waren: ein P. Handtücher; **5** Einzelbetrag (in einer Rechnung); **Poslteniljäger** *m. 5, abwertend*
Poslter [engl. »Plakat«] *m. 5 od. s. 5 od. s. 9, im Dt. Bez. für* zu Dekorationszwecken entworfenes oder verwendetes Plakat
Posltelrilolra [lat.] *Mz.* Nachfolgendes; **Posltelrilolriltät** *w. 10 nur Ez.* **1** späteres Erscheinen, Auftreten; **2** Nachfolgen, Nachstehen (im Amt, Rang); **Posltelriltät** *w. 10 nur Ez., veraltet:* Nachkommenschaft, Nachwelt
Postlfach *s. 4, kurz für* Postschließfach; **postlferltig**
post feslitum [lat. »nach dem Fest«] hinterher, zu spät
Postlfluglzeug *s. 1;* **postlfrisch** noch nicht gebraucht (Briefmarke); **Postlgelbühr** *w. 10;* **Postlgelheimlnis** *s. 1*
postlglalzilal [lat.] nach der Eis-

zeit (aufgetreten), nacheiszeitlich; *Ggs.:* präglazial
Postlgut *s. 4;* **Postlhallter** *m. 5* **1** *früher:* staatlich angestellter oder privater Postunternehmer; **2** *heute:* Leiter einer Poststelle; **Postlhalltelrei** *w. 10, früher:* Gebäude, in dem Pferde untergebracht und Postsendungen umgeladen werden konnten; **Postlhilfslstellle** *w. 11* einem Postamt unterstellte Postanstalt; **Postlhorn** *s. 4* Signalhorn des Postillions
postlhum postum [lat.] nach dem Tode des Verfassers oder des Komponisten veröffentlicht, nachgelassen
poslltielren *tr. 3* (an einer bestimmten Stelle) aufstellen; sich oder jmdn. vor dem Haus postieren
Posltillle [lat.] *w. 11* Erbauungs-, Andachts-, Predigtbuch
Posltilllilon [ital.-frz.] *m. 1, früher:* Postkutscher; **Posltilllon d'amour** [-jõ damur] *m. Gen. - - Mz.* -s- [-jõ] Überbringer einer Liebesbotschaft
postlkarlbolnisch nach dem Karbon (liegend, aufgetreten); *Ggs.:* präkarbonisch
Postlkarlte *w. 11;* **Postlkaslten** *m. 8* Briefkasten
Postlkutlsche *w. 11;* **postllagernd;** **Postlleitlzahl** *w. 10* (*Abk.:* PLZ); **Postller** *m. 5, süddt., österr. für* Postbeamter
Postllüldilum [lat.] *s. Gen.* -s *Mz.* -dilen musikal. Nachspiel; *Ggs.:* Präludium
post melrildilem [lat. »nach Mittag«] (*Abk.:* p. m.) nachmittags; um 5 Uhr p. m.; *Ggs.:* ante meridiem
postlmoldern; Postlmolderlne *w. Gen. - nur Ez.* Richtung der Architektur, die sich von der Rechteckbauweise, dem Funktionalismus abwendet; **postmorltal** [lat.] *Med.:* nach dem Tode (eingetreten, eintretend); *Ggs.:* prämortal; **post morltem** nach dem Tode; **postlnaltal** nach der Geburt (eingetreten, eintretend); *Ggs.:* pränatal; **postlnulmelranldo** nach Empfang, nachträglich; p. bezahlen; *Ggs.:* pränumerando; **Postlnumelraltilon** *w. 10* Nachzahlung; *Ggs.:* Pränumeration
Poslto [ital.] *m.* Stand, Stellung; *nur in der Wendung* Posto fassen: sich aufstellen

postlolpelraltiv nach der Operation (eintretend, eingetreten)
Postlschafflner *m. 5* Postbeamter des unteren Dienstes; **Postscheck** *m. 9* Scheck zur Zahlungsanweisung durch die Post; **Postlschecklamt** *s. 4* (*Abk.:* PSchA) Einrichtung der Post für bargeldlosen Zahlungsverkehr; **Postlschließlfach** *s. 4* von der Post vermietetes Fach für Postsendungen, die vom Empfänger selbst abgeholt werden
Postlskript [lat.] *s. 1,* **Postskriplturn** *s. Gen.* -s *Mz.* -ta *oder* -te (*Abk.:* PS) Nachschrift (unter Briefen)
Postlsparlbuch *s. 4;* **Postlsparkaslse** *w. 11;* **Postlstellle** *w. 11* kleine, einem Postamt unterstellte Postanstalt; **Postlstempel** *m. 5*
Postlszelnilum [lat.] *s. Gen.* -s *Mz.* -nilen, *früher:* Raum hinter der Bühne zum Umkleiden für die Schauspieler
postlterltiär [-tsjɛr, lat.] nach dem Tertiär (liegend, aufgetreten)
Posltullant [lat.] *m. 10* **1** Bewerber, Kandidat; **2** Mitglied eines kath. Ordens während der Probezeit; **Posltullat** *s. 1* **1** (sittl.) Forderung; **2** nicht beweisbare, aber glaubhafte und einleuchtende Annahme; **3** Probezeit bei der Aufnahme in einen kath. Orden; **posltullielren** *tr. 3* **1** fordern; **2** ein Postulat (über etwas) aufstellen
posltum, posthum [lat.] nach dem Tode des Verfassers oder des Komponisten veröffentlicht, nachgelassen; **Posltulmus** *m. Gen. - Mz.* -mi Spät-, Nachgeborener
post urlbem conldiltam [lat.] (*Abk.:* p. u. c.) nach der Gründung der Stadt (Rom; in der altröm. Jahreszählung)
Postlverlein *m. 1;* **postlwendend; Postlwertlzeilchen** *s. 7;* **Postlwurflsenldung** *w. 10* Sendung von Massendrucksachen durch die Post
Pot *s. 9, ugs.: für* Marihuana
Poltemlkinlsche Dörlfer ► **potemlkinlsche Dörlfer** [patjɔm-, ugs.: pɔtjɛm-, nach dem russ. Staatsmann G. A. Potemkin, der Dörfer errichten ließ, um Katharina II. Wohlstand vorzutäuschen] *Mz.* Täuschung, Vorspiegelung, Blendwerk

poltent [lat.] **1** mächtig, leistungsfähig, vermögend; **2** beischlaf-, zeugungsfähig; **Poltentat** *m. 10* regierender Fürst, Machthaber; **poltenltilal** *Nv.* ► **poltenlzilal** *Hv.;* **Poltenltilal** *Nv.* ► **Poltenlzilal** *Hv.;* **Poltenltilaldiflfelrenz** *Nv.* ► **Poltenlzilaldiflfelrenz** *Hv.;* **Poltenltilalgelfällle** *Nv.* ► **Poltenlzilalgefällle** *Hv.;* **Poltenltilallis** *Nv.* ► **Poltenlzilallis** *Hv.;* **Poltenltilalliltät** *Nv.* ► **Poltenlzilalliltät** *Hv.;* **poltenltilell** *Nv.* ► **poltenlzilell** *Hv.;* **Poltenltilolmelter** *Nv.* ► **Poltenlzilolmelter** *Hv.;* **Poltenltilolmeltrie** *Nv.* ► **Poltenlzilolmeltrie** *Hv.;* **poltenltilolmetrisch** *Nv.* ► **poltenlzilolmetrisch** *Hv.;* **Poltenz** *w. 10* **1** Leistungsfähigkeit, Kraft, Macht; **2** Fähigkeit zum Beischlaf bzw. zur Zeugung; **3** *Math.:* Produkt mehrerer gleichartiger Faktoren; eine Zahl in die dritte P. erheben: sie dreimal mit sich selbst multiplizieren; **4** *Homöopathie:* Verdünnungsgrad (eines Medikaments); **Poltenzlexlponent** *m. 10* Hochzahl einer Potenz; **poltenlzilal,** poltenltilal eine Möglichkeit enthaltend, als Möglichkeit vorhanden; **Potenlzilal,** Poltenltilal *s. 1* **1** Leistungsfähigkeit; **2** *Phys.:* Maß für die Stärke eines Kraftfeldes an einem Punkt im Raum; **Potenlzilaldiflfelrenz,** Poltenltilaldiflfelrenz *w. 10;* **Poltenlzilalgelfällle,** Poltenltilalgelfällle *s. 5* Unterschied der elektr. Kräfte bei aufgeladenen Körpern; **Poltenlzilallis,** Poltenltilallis *m. Gen. - Mz.* -les Aussageweise des Verbums, die eine Möglichkeit ausdrückt; **Poltenlzilalliltät,** Poltenltilalliltät *w. 10* Möglichkeit, die zur Wirklichkeit werden kann; **poltenlzilell,** poltentilell möglich, denkbar; **poltenzielren** *tr. 3* **1** steigern, erhöhen; **2** *Math.:* in die Potenz erheben,

> **Potenzial/Potential:** Die integrierte (eingedeutschte) Schreibweise *(das Potenzial)* ist die Hauptvariante, die fremdsprachige Form *(das Potential)* die zulässige Nebenvariante. Ebenso: *potenziell/potentiell.* Auch hier wird das Stammprinzip angewendet: *Potenz – potenziell.* → § 32 (2)

► = wird zu

mit sich selbst multiplizieren (Zahl); **Po|ten|zi|o|me|ter,** Po|ten|ti|o|me|ter *s. 5* Gerät zum Messen von Potenzialdifferenzen, Spannungsteiler; **Po|ten|zi|o|me|trie,** Po|ten|ti|o|me|trie *w. 11 nur Ez.* ein chemisches Analysenverfahren; **po|ten|zi|o|me|trisch,** po|ten|ti|o|me|trisch *auch:* **po|ten|zi|o|met|risch,** po|ten|ti|o|me|trisch

Pot|pour|ri [-pur-, span.-frz.] *s. 9* **1** durch Übergänge verbundene Zusammenstellung mehrerer Musikstücke oder Melodien zu einem Musikwerk; **2** *übertr.:* buntes Allerlei

Pott *m. 2* **1** *norddt.:* Topf; **2** altes Schiff; **3** *ugs.:* Gebiet, z. B. Kohlenpott; **4** *Jägerspr.:* Lager (des Hasen), Sasse; **Pott|a|sche** *w. 11 nur Ez.* Kaliumkarbonat; **Pott|harst** = Pott|hast; **pott|häß|lich** ► **pott|häss|lich** *ugs.:* sehr hässlich; **Pott|hast** *m. Gen.* -(e)s, *Mz.* -e westfäl. Schmorgericht mit Rindfleisch und Gemüse; **Pott|wal** *m. 1* ein Zahnwal

potz Blitz!; potz Ku|ckuck!; potz|tau|send!

Poul|ard, Poul|lar|de [pu-, frz.] *w. 11* junges Masthuhn

Poule [pul, frz.] *w. 11* Spieleinsatz

Poul|let [pulɛ, frz.] *s. 9* sehr junges Masthuhn

Pound [paʊnd, engl.] *s. Gen.* -s *Mz.* - *oder* -s (*Abk.:* lb., lbs.) engl. und nordamerik. Gewichtseinheit, 453 g

Pour le mé|rite [pu:r lə merit], frz. »für das Verdienst«] *m. Gen.* --- *Mz.* ---s, *1740 bis 1918 und seit 1952:* hoher dt. Verdienstorden

Pous|sa|ge [pusaʒə, frz.] *w. 11, ugs.:* Liebschaft, Liebesverhältnis; **pous|sie|ren** [pus-] **1** *tr. 3* umwerben, umschmeicheln; **2** *intr. 3* ein Liebesverhältnis beginnen, haben; mit jmdm. p.

po|wer [frz.] armselig, dürftig

Po|wer [paʊə, engl.] *w. Gen.* - *nur Ez., ugs.:* Kraft, Stärke, Wucht; **po|wern** [paʊərn] *intr. 1, ugs.:* sich durchsetzen, Macht zeigen; **Po|wer|play** [paʊəplɛi, engl.] Druck, größter Einsatz (einer Sportmannschaft)

Po|widl [tschech.] *m. Gen.* -(s) *nur Ez.* Pflaumenmus; **Po|widl|knö|del** *m. 5*

pp *Abk. für* pianissimo

pp., ppa. *Abk. für* per procura

PP. *Abk. für* Patres (→ Pater)

P. P. *Abk. für* praemissis praemittendis

ppa., pp. *Abk. für* per procura

ppp *Abk. für* pianississimo

Pr *chem. Zeichen für* Praseodym

PR *Abk. für* Publicrelations

Prä [lat. »vor«] *s. 9* Vorrang, Vorteil; das Prä (vor jmdm.) haben; ein Prä jmdm. gegenüber haben

prä ..., Prä ... [lat.] *in Zus.:* vor ..., Vor ...

Prä|am|bel [lat.] *w. 11* **1** Einleitung (zu Staatsverträgen, Urkunden); **2** *in der alten Lauten- und Orgelliteratur:* Vorspiel

Prä|ben|dar [lat.] *m. 1* Inh. einer Präbende, Pfründner; **Prä|ben|de** *w. 11* kirchl. Pfründe

Pra|cher [slaw.] *m. 5* zudringl. Bettler; **pra|chern** *intr. 1* zudringlich betteln

Pracht *w. 10 oder w. 2, Mz. nur poet.;* **Pracht|ex|em|plar** *auch:* **-e|xemp|lar** *s. 1;* **Pracht|fink** *m. 10* ein Singvogel; **präch|tig; Pracht|stück** *s. 1;* **pracht|voll**

pra|cken *tr. 1 österr. ugs. für* Teppich klopfen

Prä|des|ti|na|ti|on [lat.] *w. 10 nur Ez.* Vorbestimmung; *nach Augustinus und Calvin:* Bestimmtsein des Menschen zur Gnade oder Verdammnis durch Gott; **prä|des|ti|nie|ren** *tr. 3* vorbestimmen; für etwas prädestiniert sein *ugs.:* für etwas besonders geeignet sein

Prä|de|ter|mi|na|ti|on [lat.] *w. 10 nur Ez., Biol.:* Vorherfestgelegtsein (von Entwicklungsvorgängen); **prä|de|ter|mi|niert**

Prä|di|kant [lat.] *m. 10* Hilfsprediger

Prä|di|kat [lat.] *s. 1* **1** Titel, Rang, z. B. Adelsprädikat; **2** Bewertung, Zensur; **3** *Gramm.:* Satzteil, der etwas über das Subjekt aussagt, Satzaussage, z. B. das Kind »schläft«, wir »sind quitt« der Vater »war Flieger«; **prä|di|ka|tiv** als Prädikat gebraucht, zum Prädikat gehörend; **Prä|di|ka|tiv** *s. 1* Sinnteil des zusammengesetzten Prädikats, z. B. das Kind ist »krank«; vgl. Kopula; **Prä|di|ka|tiv|satz, Prä|di|kat|satz** *m. 2* Nebensatz anstelle eines substantiv. Prädikats; **Prä|di|kats|no|men** *s. 7* aus einem Nomen (Substantiv, Adjektiv) bestehendes Prädikativ, z. B. er war »Flieger«

prä|dis|po|nie|ren [lat.] *tr. 3* vorausbestimmen, empfänglich machen; für eine Krankheit prädisponiert sein; **Prä|dis|po|si|ti|on** *w. 10* Anlage, Empfänglichkeit (für eine Krankheit)

prä|di|zie|ren [lat.] *tr. 3* **1** *Philos.:* durch ein Prädikat bestimmen (Begriff); **2** *Gramm.:* ein Prädikatsnomen verlangen, prädizierendes Verb, z. B. sein

Prä|do|mi|na|ti|on [lat.] *w. 10* das Vorherrschen; **prä|do|mi|nie|ren** *intr. 3* vorherrschen

prae|cep|tor Ger|ma|ni|ae [-njɛ:, lat.] *m. Gen.* - *nur Ez.* Lehrer Deutschlands (Beiname bedeutender Gelehrter, z. B. Melanchthons)

prae|cox [prɛ-, lat.] *Med.:* vorzeitig (auftretend)

prae|mis|sis prae|mit|ten|dis [-si:s -di:s, lat. »nach Vorausschickung des Vorauszuschickenden«] (*Abk.:* P. P.) *veraltet:* man nehme an, der Titel sei vorausgeschickt (in Rundschreiben statt Namen und Titel der einzelnen Empfänger)

Prä|e|xis|tenz [lat.] *w. 10* **1** das Vorherdasein (z. B. der Seele vor dem Eintritt in den Körper, Christi bei Gott vor seiner Menschwerdung); **2** Existenz in einem früheren Leben; **prä|e|xis|tie|ren** *intr. 3* vorher existieren

Prä|fa|ti|on [lat.] *w. 10, kath. Messe:* Gesang des Priesters vor der Wandlung

Prä|fekt [lat.] *m. 10* **1** *im alten Rom:* hoher Verwaltungsbeamter; **2** oberster Verwaltungsbeamter eines Departements (in Frankreich) oder einer Provinz (in Italien); **3** *in engl. Internaten:* älterer Schüler, der die Aufsicht über die jüngeren führt; **4** *in Deutschland:* Schüler eines Schulchores, der den

> **präferenziell/präferentiell:** Entsprechend dem Stammprinzip *(Präferenz – präferenziell)* wird die integrierte Schreibweise als Hauptvariante empfohlen, die fremdsprachige Schreibweise *(präferentiell)* ist die zulässige Nebenvariante. → § 32 (2)

Kantor als Dirigent vertritt; **5** *kath. Kirche:* leitender Geistlicher (in bestimmten Ämtern); **Prä|fek|tur** *w. 10* Amt, Amtsräume eines Präfekten (**1, 2**)

prä|fe|ren|ti|ell *Nv.* ► **prä|fe|ren|zi|ell** *Hv.;* **Prä|fe|renz** [lat.] *w. 10* **1** Vorliebe, Vorrang, Vorzug; **2** *Kartenspiel:* Trumpfkarte

Prä|fix [auch: prɛ-, lat.] *s. 1* Vorsilbe, z. B. ent-, ver-

Prä|for|ma|ti|on [lat.] *w. 10 nur Ez.* angenommenes Vorgebildetsein des Organismus im Keim; **prä|for|miert**

Prag, *amtl.:* Praha, Hst. Tscheschiens

Prä|ge|druck *m. 1* Druck mit stark vertieft eingeschnittenem Stempel, so dass das Druckbild reliefartig hervortritt, z. B. bei Bucheinbänden; **prä|gen** *tr. 1*

prä|gla|zi|al [lat.] vor der Eiszeit (eingetreten), voreiszeitlich; *Ggs.:* postglazial

Prag|ma|ti|ker [griech.] *m. 5* **1** Vertreter des Pragmatismus; **2** jmd., für den der prakt. Nutzen allen Handelns und Denkens im Vordergrund steht; **prag|ma|tisch 1** den Tatsachen, Erfahrungen entsprechend; **2** dem prakt. Nutzen dienend; pragmatische Geschichtsschreibung; Pragmatische Sanktion; **Prag|ma|tis|mus** *m. Gen. - nur Ez.* Lehre, dass nur das Handeln des Menschen und seine prakt. Konsequenzen die Grundlage der Erkenntnis seien und dass Handeln und Denken einen prakt. Nutzen haben müssten; **Prag|ma|tist** *m. 10*

prä|gnant *auch:* **präg|nant** [lat.] kurz und treffend, knapp und genau; **Prä|gnanz** *auch:* **Präg|nanz** *w. 10 nur Ez.*

Prä|his|to|rie [-riə, lat.] *w. 11 nur Ez.* Vorgeschichte; **prä|his|to|risch**

prah|len *intr. 1;* **Prah|le|rei** *w. 10;* **prah|le|risch; Prahl|hans** *m. 2*

Prahm *m. 1* flacher Lastkahn

Prä|ju|diz [lat.] *s. 1* **1** richterl. Entscheidung, die bei folgenden ähnl. Fällen herangezogen wird; **2** Vorwegnahme einer Entscheidung durch zwingendes Verhalten; **3** vorgefasste Meinung, Vorentscheidung; **prä|ju|di|zi|al, prä|ju|di|zi|ell** wichtig für spätere Entscheidungen in ähnl. Fällen; **prä|ju|di|zie|ren** *tr. 3;* eine Sache p.: der Entscheidung über eine Sache vorgreifen

prä|kam|brisch *auch:* **prä|kamb|risch** vor dem Kambrium (liegend, aufgetreten), zum Präkambrium gehörend, aus ihm stammend; **Prä|kam|bri|um** *auch:* **Prä|kamb|ri|um** *s. Gen. -s nur Ez., Sammelbez. für* Archaikum und Algonkium

prä|kar|bo|nisch [lat.] vor dem Karbon (liegend, aufgetreten); *Ggs.:* postkarbonisch

prä|kar|di|al [lat.], prä|kor|di|al vor dem Herzen, in der Herzgegend (liegend)

prä|klu|die|ren [lat.] *tr. 3, Rechtsw.:* ausschließen, verweigern (wegen Versäumnis einer gesetzl. Frist); **Prä|klu|si|on** *w. 10* Verweigerung; **Prä|klu|siv|frist** *w. 10* Frist, nach deren Ablauf ein Recht nicht mehr geltend gemacht werden kann

prä|ko|lum|bisch vor der Entdeckung durch Kolumbus; das präkolumbische Amerika

Prä|ko|ni|sa|ti|on [lat.] *w. 10* feierl. Ernennung eines Bischofs vor den Kardinälen durch den Papst; **prä|ko|ni|sie|ren** *tr. 3*

prä|kor|di|al = präkardial; **Prä|kor|di|al|angst** *w. 2 nur Ez.* Herzangst, Angstzustand infolge Herzbeklemmung

Pra|krit *auch:* **Prak|rit** [sanskr.] *s. Gen. -s nur Ez., Sammelbez. für* mittelind. Mundarten zwischen 500 v. Chr. und 1000 n. Chr., die neben dem Sanskrit, der Hochsprache, in Literatur und Religion in Gebrauch waren

prak|ti|fi|zie|ren *tr. 3* in die Praxis umsetzen

Prak|tik [lat.] *w. 10* **1** Ausübung; **2** Handhabung, Verfahren; **3** Kniff, Kunstgriff; **4** *Mz.* Machenschaften; dunkle, üble Praktiken; **5** *15./17. Jh.:* Anhang zu einem Bauernkalender mit Wettervorhersagen u. a.: **Prak|ti|ka** *Mz. von* Praktikum; **prak|ti|ka|bel 1** brauchbar, benützbar, zweckmäßig; **2** *Theat.:* fest, echt, begehbar (nicht markiert oder gemalt); **Prak|ti|kant** *m. 10* jmd., der in der prakt. Ausbildung steht, der sein Praktikum macht; **Prak|ti|ker** *m. 5* Mensch mit prakt. Erfahrung und Arbeitsweise; *Ggs.:* Theoretiker; **Prak|ti|kum** *s. Gen. -s Mz. -ka oder -ken* **1** Ausbildung in der prakt. Arbeit als Teil eines Studiums; **2** Kurs mit prakt. Übungen (bes. an Hochschulen); **Prak|ti|kus** *m. Gen. - Mz. -kus|se ugs. scherzh.:* praktischer (geschickter, findiger) Mensch; **prak|tisch 1** in der Praxis, in Wirklichkeit, tatsächlich; *Ggs.:* theoretisch; praktischer Arzt: nicht spezialisierter Arzt; **2** brauchbar, gut zu handhaben; *Ggs.:* unpraktisch; **3** zu einem Praktikum gehörig; praktisches Jahr; **4** geschickt, findig (Person); **prak|ti|zie|ren 1** *tr. 3* in der Praxis anwenden, ins Werk setzen (Methode, Idee); **2** *intr. 3* als Arzt tätig sein; praktizierender Arzt: in der Praxis tätiger Arzt

Prä|lat [lat.] *m. 10* geistl. Würdenträger; **Prä|la|tur** *w. 10* Amt, Amtsräume eines Prälaten

Prä|li|mi|nar|frie|den *m. 7* vorläufiger Frieden; **Prä|li|mi|na|ri|en** [lat.] *Mz.* diplomat. Vorverhandlungen, vorläufige Vereinbarungen; **prä|li|mi|nie|ren** *tr. 3* vorläufig vereinbaren

Pra|li|ne [frz.] *w. 11* mit Schokolade überzogene Süßigkeit; **Pra|li|né** [-ne:] *s. 9, frz. Schreibung von* Praline; **Pra|li|nee** *s. 9, österr. für* Praline

prall 1 voll und fest, dick und fest; in der prallen Sonne: unmittelbar in der heißen Sonne; **2** stramm, gespannt; die Hose liegt prall an; **Prall** *m. 1* kräftiger Stoß; **pral|len** *intr. 1;* auf oder gegen etwas oder jmdn. p.; **Pral|ler** *m. 5,* **Prall|tril|ler** *m. 5 (Zeichen:* 𝆗*) Mus.:* einmaliger, schneller Wechsel eines Tons mit der darüber liegenden Sekunde; **prall|voll**

prä|lu|die|ren [lat.] *intr. 3, Mus.:* einleitend und frei gestaltend spielen; **Prä|lu|di|um** *s. Gen. -s Mz. -di|en* Vorspiel; *Ggs.:* Postludium

prä|ma|tur [lat.] *Med.:* frühreif; **Prä|ma|tu|ri|tät** *w. 10 nur Ez.*

Prä|mie [-mjə, lat.] *w. 11* **1** Preis, Belohnung, Entgelt für Sonderleistung; **2** regelmäßig für eine Versicherung zu zahlende Gebühr; **prä|mi|en|be|güns|tigt**; prämienbegünstigtes Sparen = Prämiensparen; **Prä|mi|en|ge|schäft** *s. 1* Geschäft, von dem man gegen Zahlung einer Prämie zurücktre-

► = wird zu

ten kann; **Prä|mi|en|spa|ren** *s. Gen.* -s *nur Ez.* mit einer Bank vertraglich festgelegtes Sparen, bei dem als Anreiz dem Sparer Prämien gezahlt werden; **Prä|mi|en|spar|ver|trag** *m. 2;* **prä|mi|e|ren** *tr. 3* = prämiieren; **Prä|mie|rung** *w. 10* = Prämiierung; **prä|mi|i|e|ren** *tr. 3* mit einer Prämie belohnen, auszeichnen; **Prä|mi|i|e|rung** *w. 10*

Prä|mis|se [lat.] *w. 11* Voraussetzung, Vordersatz eines Schlusses

Prä|mons|tra|ten|ser [nach dem frz. Ort Prémontré] *m. 5* Angehöriger eines kath. Ordens (in Deutschland bes. zur Missionierung der Ostgebiete)

prä|mor|tal [lat.] *Med.:* vor dem Tode (eintretend, eingetreten); *Ggs.:* postmortal

prä|na|tal [lat.] vor der Geburt (eintretend, eingetreten); *Ggs.:* postnatal

Pran|ger *m. 5, früher:* Pfahl auf einem öffentl. Platz, an dem Missetäter zur Schau gestellt wurden, Schandpfahl; jmdn. an den P. stellen *übertr.:* öffentlich bloßstellen, der öffentl. Schande preisgeben

Pran|ke *w. 11* **1** Tatze (von großen Raubtieren); **2** *übertr. scherzh.:* große, derbe Hand

Prä|no|men [lat.] *s. Gen.* -s *Mz.* -mi|na Vorname

prä|nu|me|ran|do [lat.] im Voraus (zu zahlen); *Ggs.:* postnumerando; **Prä|nu|me|ra|ti|on** *w. 10* Vorauszahlung; *Ggs.:* Postnumeration

Pranz *m., Gen. und Mz. nicht üblich, nord-, mittel-, ostdt.:* Angeberei, Prahlerei; das ist doch alles nur Pranz; **pran|zen** *intr. 1, nord-, mittel-, ostdt.:* angeben, prahlen

Prä|ok|ku|pa|ti|on [lat.] *w. 10 nur Ez., veraltet:* **1** Vorwegnahme; **2** Voreingenommenheit; **prä|ok|ku|pie|ren** *tr. 3, veraltet:* jmdn. p.: **1** jmdm. zuvorkommen; **2** jmdn. befangen machen

Prä|pa|rat [lat.] *s. 1* etwas kunstgerecht Zubereitetes, z. B. Medikament, getrocknete Pflanze, ausgestopftes Tier, Gewebsschnitt; **Prä|pa|ra|ti|on** *w. 10* **1** *veraltet:* Vorbereitung (für den Unterricht), Lernen der Hausaufgaben; **2** Herstellung eines Präparates; **Prä|pa|ra|tor** *m. 13* Hersteller von naturwissenschaftl. Präparaten, Tierausstopfer; **prä|pa|rie|ren** *tr. 3* **1** dauerhaft, haltbar machen; **2** zu Studienzwecken zerlegen, zerschneiden; **3** ein Lesestück p.: vorbereitend lesen und übersetzen; **4** *refl. 3;* sich p.: sich (auf eine Prüfung, den Unterricht) vorbereiten

Prä|pon|de|ranz [lat.] *w. 10 nur Ez., veraltet:* Übergewicht, Vorherrschaft; **prä|pon|de|rie|ren** *intr. 3* das Übergewicht haben, vorherrschen

Prä|po|si|ti|on [lat.] *w. 10* Wort, das ein räumliches, zeitliches oder logisches Verhältnis zu einem anderen Satzteil angibt, Verhältniswort, z. B. für, bei, unter; **prä|po|si|ti|o|nal** an eine Präposition gebunden, z. B. präpositionales Attribut, Objekt; **Prä|po|si|tiv** *m. 1* von einer Präposition abhängiger Kasus, z. B. im Russischen; **Prä|po|si|tur** *w. 10* Stelle eines Präpositus; **Prä|po|si|tus** *m. Gen. - Mz. - oder* -ti Vorgesetzter, Vorsteher, Propst

prä|po|tent [lat.] übermächtig, *österr.:* überheblich

Prä|pu|ti|um [-tsjum, lat.] *s. Gen.* -s *Mz.* -ti|en [-tsjən] Vorhaut (des männl. Gliedes)

Prä|raf|fa|e|lit *m. 10* Angehöriger einer Gruppe von engl. Malerdichtern, die nach dem Vorbild der Maler vor Raffael der Kunst einen neuen Sinn zu geben suchten; **prä|raf|fa|e|li|tisch**

Prä|rie [frz.] *w. 11* Grassteppe im Mittelwesten Nordamerikas; **Prä|rie|hund** *m. 1* ein Nagetier; **Prä|rie|wolf** *m. 2* Kojote

Prä|ro|ga|tiv [lat.] *s. 1,* **Prä|ro|ga|ti|ve** *w. 11* Vorrecht (des Herrschers)

Prä|sens [lat.] *s. Gen. - Mz.* -sen|tia [-tsja] *oder* -sen|zi|en Zeitform des Verbs, Gegenwartsform, Gegenwart; **prä|sent** anwesend, gegenwärtig; etwas präsent haben; *Ggs.:* absent; **Prä|sent** *s. 1* Geschenk; **Prä|sen|tant** *m. 10* jmd. der etwas (Urkunde, fälligen Wechsel) vorlegt (präsentiert); **Prä|sen|ta|ti|on** *w. 10* Vorlage, Vorzeigen; **Prä|sen|ta|ti|ons|recht** *s. 1* Vorschlagsrecht (z. B. für die Besetzung einer freigewordenen Stelle); **prä|sen|tie|ren** *tr. 3* vorlegen, vorzeigen, darreichen; sich p.: sich zur Schau stellen, sich zeigen; das Gewehr p.: senkrecht vor den Körper halten (als Ehrenbezeigung); **Prä|sen|tier|tel|ler** *m. 5* Teller, auf dem Visitenkarten, Briefe usw. hereingebracht werden; wie auf dem P. sitzen *ugs.:* auf einem auffälligen, allen sichtbaren Platz sitzen; **prä|sen|tisch** im Präsens; **Prä|senz** *w. 10 nur Ez.* **1** Anwesenheit; *Ggs.:* Absenz; **2** Zahl der Anwesenden; **Prä|senz|bi|bli|o|thek** *w. 10* Bibliothek, deren Bücher nicht ausgeliehen werden, sondern nur im Lesesaal benutzt werden dürfen; *Ggs.:* Ausleihbibliothek; **Prä|senz|lis|te** *w. 11* Anwesenheitsliste; **Prä|senz|stär|ke** *w. 11 nur Ez.* Stärke der sofort verfügbaren Streitkräfte

Pra|se|o|dym [griech.] *s. Gen.* -s *nur Ez.* (*Zeichen:* Pr) chem. Element, Metall der seltenen Erden

prä|ser|va|tiv [lat.] vorbeugend, verhütend; **Prä|ser** *ugs. Kurzform für* Präservativ; **Prä|ser|va|tiv** *s. 1* Schutz-, Verhütungsmittel (bes. gegen Empfängnis); **Prä|ser|ve** *w. 11* nicht völlig keimfreie Konserve, Halbkonserve; **prä|ser|vie|ren** [-vi-] *tr. 3* (vor einem Übel) schützen, bewahren

Prä|ses [lat.] *m. Gen. - Mz.* -si|des *oder* -si|den **1** Vorstand eines kath. kirchl. Vereins; **2** Vorsitzender einer evang. Synode, in Rheinland-Westfalen zugleich der Kirchenleitung; Kirchenpräsident; **Prä|si|de** *m. 11, Stud.:* Leiter eines Kommerses; **Prä|si|dent** *m. 10* Vorsitzender (einer Versammlung), Leiter (einer Behörde), Oberhaupt (eines Staates); *schweiz. auch:* Gemeindevorsteher; **Prä|si|dent|schaft** *w. 10;* **prä|si|di|al** zum Präsidenten, Präsidium gehörend, von ihm ausgehend; **Prä|si|di|al|ge|walt** *w. 10;* **Prä|si|di|al|sys|tem** *s. 1* Regierungsform, in der der Präsident weitgehende Vollmachten besitzt und zugleich Chef der Regierung ist; **prä|si|die|ren** **1** *intr. 3* das Präsidium (**1**) innehaben; **2** *schweiz. tr. 3;* eine Versammlung p.: eine V. leiten, ihr vorsitzen; **Prä|si|di|um** *s. Gen.* -s *Mz.* -di|en **1** Leitung, Vorsitz; **2** leitendes Gremium; **3** obere Behörde (z. B. Regierungs-,

Polizeipräsidium) *auch:* deren Gebäude
prä|skrip|tiv *auch:* **präs|krip|tiv** [lat.] auf Vorschriften beruhend
pras|seln *intr. 1*
pras|sen *intr. 1* üppig, verschwenderisch leben, schlemmen; **Pras|se|rei** *w. 10*
prä|sta|bi|lie|ren [lat.] *tr. 3, veraltet:* vorher festsetzen, festlegen: prästabilierte Harmonie: bei Leibniz die von Gott im voraus festgelegte, harmon. Ordnung der Welt, bes. die Übereinstimmung von Körper und Seele
prä|su|mie|ren [lat.] *tr. 3* annehmen, vermuten, voraussetzen; argwöhnen; **Prä|sum|ti|on** *w. 10;* **prä|sum|tiv**
Prä|ten|dent [lat.] *m. 10* jmd., der Ansprüche auf etwas (Krone, Amt) erhebt, Bewerber; **prä|ten|die|ren** *tr. 3* fordern, beanspruchen; **Prä|ten|ti|on** *w. 10* Anspruch, Forderung; **prä|ten|ti|ös** [-tsjøs] anmaßend, anspruchsvoll
Pra|ter *m. 5 nur Ez.* Vergnügungspark in Wien
prä|te|ri|tal [lat.] zum Präteritum gehörend, in der Art des Präteritums; **Prä|te|ri|tum** *s. Gen.* -s *Mz.* -ta **1** *i. w. S.:* Vergangenheitsform des Verbums, Vergangenheit; **2** *i. e. S.* = Imperfekt
prä|ter|prop|ter [lat.] ungefähr, etwa
Prä|text [auch: prɛ-, lat.] *m. 1, veraltend:* Vorwand, Scheingrund
Prä|tor [lat.] *m. 13, im alten Rom:* hoher Justizbeamter; **Prä|to|ri|a|ner** *m. 5, im alten Rom:* Angehöriger der Leibwache der Kaiser und Feldherren; **Prä|tur** *w. 10* Amt, Amtszeit des Prätors
Prat|ze *w. 11 ugs.:* große, derbe Hand
Prau [mal.-engl.] *w. 1* malaiisches Segelboot mit Auslegern
prä|va|lent [lat.] **1** vorherrschend, überwiegend; **2** überlegen; **Prä|va|lenz** *w. 10 nur Ez.;* **prä|va|lie|ren** *intr. 3* vorherrschen, überwiegen
Prä|ven|ti|on [lat.] *w. 10* **1** Zuvorkommen; **2** *Strafrecht:* Vorbeugung; **prä|ven|tiv** vorbeugend; **Prä|ven|tiv|be|hand|lung** *w. 10;* **Prä|ven|tiv|krieg** *m. 1;* **Prä|ven|tiv|maß|nah|me** *w. 11;* **Prä|ven|tiv|mit|tel** *s. 5* (bes. Empfängnis) verhütendes Mittel
Pra|xis [griech.] **1** *w. Gen. - nur Ez.* Tätigkeit, Ausübung (eines Berufs), prakt. Anwendung; *Ggs.:* Theorie; prakt. Erfahrung, Berufserfahrung; *ugs. auch:* Sprechstunde; P. halten; **2** *Mz.* -xen Räume für die Tätigkeit (bes. der Ärzte und Rechtsanwälte); Tätigkeitsbereich
Prä|ze|dens [lat.] *s. Gen. - Mz.* -den|zi|en früherer Fall, früheres Beispiel, Musterfall, beispielgebender Fall, Präzedenzfall; **Prä|ze|denz** *w. 10* Vorrang, Vortritt (bes. in der Rangordnung der kath. Kirche bei Prozessionen); **Prä|ze|denz|fall** *m. 2* = Präzedens
Prä|zep|tor [lat.] *m. 13, veraltet:* Lehrer, Erzieher
Prä|zes|si|on [lat.] *w. 10, Phys.:* Schwanken der Achse eines rotierenden Körpers, z. B. eines Kreisels, der Erdkugel
Prä|zi|pi|tat [lat.] *s. 1* **1** Bodensatz, chem. Niederschlag; **2** quecksilber- und chlorhaltige Verbindung (zur Salbenherstellung); **Prä|zi|pi|ta|ti|on** *w. 10, Chem.:* Ausfällung; **prä|zi|pi|tie|ren** *tr. 3, Chem.:* ausfällen; **Prä|zi|pi|tin** *s. 1* Antikörper, der Fremdstoffe im Blut (z. B. nach Infektion) ausfällt; **Prä|zi|pu|um,** *s. Gen.* -s *Mz.* -pua Betrag, der vor der Gewinnausschüttung einer Gesellschaft an einen Gesellschafter für bes. Leistungen gezahlt wird.
prä|zis [lat.], **prä|zi|se** genau, exakt, treffend; **prä|zi|sie|ren** *tr. 3* genauer ausdrücken; **Prä|zi|si|on** *w. 10 nur Ez.* Genauigkeit, Exaktheit; **Prä|zi|si|ons|ar|beit** *w. 10;* **Prä|zi|si|ons|in|stru|ment** *auch:* **-ins|tru|ment** *s. 1*
Pre|del|la [ital.] *w. Gen. - Mz.* -s *oder* -len (meist verzierter) Sockel des Flügelaltars
pre|di|gen *tr. 1;* **Pre|di|ger** *m. 5;* **Pre|di|ger|or|den** *m. 7 nur Ez.* = Dominikanerorden; **Pre|di|ger|se|mi|nar** *s. 1;* **Predigt** *w. 10*
prei|en [ndrl.] *tr. 1;* ein Schiff p.: anrufen
Preis *m. 1;* hohe Preise *(nicht:* teure Preise); um jeden, um keinen Preis; erster, zweiter Preis; **Preis|aus|schrei|ben** *s. 7;* **Preis|bin|dung** *w. 10;* **Preis|e|las|ti|zi|tät** *w. Gen. - nur Ez.* Maß der Reaktionsfähigkeit von Preisen auf Nachfrageänderungen
Prei|sel|beere *w. 11*

> **preisgeben:** Partikeln, Adjektive oder Substantive bilden mit Verben trennbare Zusammensetzungen. Ist dabei der erste Bestandteil dieser Verbindung *(preis-)* weder erweiterbar noch steigerbar, wird das Gefüge im Infinitiv und in den Partizipien zusammengeschrieben: *Sie haben das Geheimnis preisgegeben.* Aber: *Ich gebe das Geheimnis preis.* → § 34 (2.2)

prei|sen *tr. 92;* **Preis|fra|ge** *w. 11;* **Preis|ga|be** *w. 11;* **preis|ge|ben** *tr. 45* **1** ausliefern, nicht mehr schützen (Person); **2** verraten (Geheimnis); **preis|ge|krönt; Preis|ge|richt** *s. 1;* **preis|güns|tig; Preis|la|ge** *w. 11;* **preis|lich;** das ist p. günstiger; **Preis|lis|te** *w. 11;* **Preis-Lohn-Spi|ra|le** *w. 11;* **Preis|stopp** *m. 9;* **Preis|trä|ger** *m. 5;* **Preis|trei|be|rei** *w. 10 nur Ez.;* **preis|wert; preis|wür|dig**
pre|kär [lat.-frz.] peinlich, schwierig; prekäre Situation
Prell|ball *m. 2* ein Ballspiel; **Prell|bock** *m. 2* **1** Klotz am Ende von Gleisen; **2** *übertr.:* jmd., der Zusammenstöße auffangen, der für alles geradestehen muss; **prel|len** *tr. 1 auch ugs.:* betrügen; die Zeche p.: in betrüger. Absicht nicht bezahlen; **Prell|schuß** ► **Prell|schuss** *m. 2* Schuss, bei dem das Geschoss aufschlägt, abprallt und dann erst trifft; **Prell|stein** *m. 1* Schutzstein an Toren und Hausecken; **Prel|lung** *w. 10*
Pré|lude [prelyd, frz.] *s. 9* **1** *frz. Form von* Präludium; **2** der Fantasie ähnl. Musikstück für Klavier oder Orchester
Pre|mier [prəmje frz.] *m. 9, kurz für* Premierminister; **Pre|mie|re** [prəmjere] *w. 11* Ur- oder Erstaufführung; **Pre|mier|leut|nant** *m. 9, im alten dt. Heer:* Oberleutnant; **Pre|mier|mi|nis|ter** *m. 5* Ministerpräsident
Pren|onym *auch:* **Pre|no|nym** [lat. + griech.] *s. 1* aus den eigenen Vornamen gebildeter Deckname, z. B. »Jean Paul« aus »Jean Paul Friedrich Richter«

► = wird zu

Pres|by|ter [griech.] *m. 5* **1** *Urchristentum:* Gemeindeältester; **2** *kath. Kirche:* Priester; **3** *evang.-reformierte Kiche:* Angehöriger des von der Gemeinde gewählten Kirchenvorstands; **Pres|by|te|ri|al|ver|fas|sung** *w. 10, evang.-reformierte Kirche:* Kirchenverfassung, nach der die Kirche durch Geistliche und das Presbyterium verwaltet wird; **Pres|by|te|ri|a|ner** *m. 5* Angehöriger der evang.-reformierten Kirche mit Presbyterialverfassung in England und Amerika; **pres|by|te|ri|a|nisch; Pres|by|te|ri|a|nis|mus** *m. Gen. - nur Ez.* Kirchenverwaltung durch Presbyterialverfassung; **Pres|by|te|ri|um** *s. Gen.* -s *Mz.* -rilen **1** Chor(raum) der Kirche; **2** *kath. Kirche:* Priesterkollegium; **3** *evang.-reformierte Kirche:* von der Gemeinde gewählter Kirchenvorstand

pre|schen *intr. 1* rennen, jagen, schnell reiten oder fahren

Pre|sen|ning *w. 1 oder w. 10* = Persenning

pres|sant [frz.] eilig, dringlich

Preß|burg ▶ **Press|burg** *amtl.:* Bra|tis|la|va, Hst. der Slowakei

Pres|se *w. 11* **1** Maschine zum Formen durch Druck; **2** Gerät zum Auspressen von Obst; **3** *ugs.:* Privatschule für lernschwache Schüler; **4** *nur Ez.* Gesamtheit aller Zeitungen; **Pres|se|a|gen|tur** *w. 10* Büro, das Nachrichten an die Presse liefert, Nachrichtenagentur, Pressebüro; **Pres|se|amt** *s. 4* die Presse informierende Behörde; **Pres|se|frei|heit,** Press|frei|heit *w. 10 nur Ez.;* **Pres|se|kon|fe|renz** *w. 10;* **pres|sen** *tr. 1;* **Preß|glas** ▶ **Press|glas** *s. 4 nur Ez.*

pres|sie|ren [frz.] *intr. 3* eilen, drängen, dringend sein; es pressiert; ich bin pressiert *ugs.:* ich habe es eilig; **Pres|si|on** *w. 10* Druck, Zwang, Nötigung; Pressionen ausgesetzt sein

Preß|koh|le ▶ **Press|koh|le** *w. 11;* **Preß|kopf** ▶ **Press|kopf** *m. 2 nur Ez.* = Presssack; **Preß|ku|chen** ▶ **Press|ku|chen** *m. 7* Rückstand beim Auspressen von Ölfrüchten; **Preß|ling** ▶ **Press|ling** *m. 1* **1** Brikett; **2** etwas Ausgepresstes, Pressrückstand; **3** gepresstes Metallstück; **Preß|luft** ▶ **Press|luft** *w. 2 nur Ez.* Druckluft; **Preß|luft|ham|mer** ▶ **Press|luft|ham|mer** *m. 6;* **Preß|sack** ▶ **Press|sack** *m. 2 nur Ez.* Wurstsorte, Art Sülzwurst, Presskopf; **Pres|sung** *w. 10*

Pres|sure-Group *Nv.* ▶ **Pres|sure|group** *Hv.* [prɛʃəgru:p, engl.] *w. 9* Interessengruppe, die durch Druckmittel, Propaganda oder eine Lobby Einfluss zu gewinnen sucht, bes. auf Regierung und Gesetzgebung

Preß|we|he ▶ **Press|we|he** *w. 11 meist Mz.*

Preß|wurst ▶ **Press|wurst** *w. 2* = Presssack

Pres|tige [-tiʒ, frz.] *s. Gen.*-s *nur Ez.* Ansehen, Geltung

pres|tis|si|mo [ital.] *Mus.:* sehr schnell; **pres|to** *Mus.:* schnell; **Pres|to** *s. Gen.* -(s) *Mz.* -s *oder* -sti **1** schnell zu spielender Teil eines Musikstücks; **2** Vortrag in schnellem Tempo

> **Preziosen/Pretiosen:** Die integrierte (eingedeutschte) Form (*die Preziosen* = Kostbarkeiten) ist die Hauptvariante, die fremdsprachige Schreibweise *(die Pretiosen)* die zulässige Nebenvariante. →§32 (2)

Pre|ti|o|sen *Nv.* ▶ **Pre|zi|o|sen** *Hv.*

Pre|to|ria Hst. von Transvaal, Regierungssitz der Rep. Südafrika

Preu|ße *m. 11* Einwohner von Preußen; **Preu|ßen** *bis 1945:* Land des Deutschen Reiches; **preu|ßisch; Preu|ßisch|blau** *s. Gen.* -(s) *nur Ez.* Berliner Blau

pre|zi|ös [frz.] *veraltet* **1** kostbar; **2** geziert, unnatürlich; **Pre|zi|o|sen,** Pre|ti|o|sen [lat.] *Mz., veraltet:* kostbarer Schmuck, Juwelen

Pri|a|mel [lat.] *w. 11 oder s. 5* scherzhaftes mittelalterliches Spruchgedicht

Pri|a|mos, Pri|a|mus *griech. Myth.:* König von Troja

Pri|a|pis|mus *m. Gen. - nur Ez.* anhaltende, schmerzhafte Erektion des Penis ohne Erregung

Pri|cke *w. 11* **1** Pricken *m. 7* Seezeichen zum Markieren von Untiefen; **2** Neunauge

Pri|ckel *m. 5;* **pri|cke|lig, prick|lig; pri|ckeln** *intr. 1* **1** erregen, jucken; **2** perlen; Sekt prickelt im Glas

pri|cken *tr. 1* mit Pricken markieren

prick|lig, pri|cke|lig

Priel *m. 1* schmaler Wasserlauf im Watt

Priem *m. 1* Stück Kautabak; **prie|men** *intr. 1* Tabak kauen; **Priem|ta|bak** *m. 1*

Prieß|nitz|um|schlag [nach dem Landwirt Vincenz Prießnitz] *m. 2* Kaltwasserumschlag mit Wolltuch darüber

Pries|ter *m. 5;* **pries|ter|lich; Pries|ter|schaft** *w. 10 nur Ez.;* **Pries|ter|se|mi|nar** *s. 1;* **Pries|ter|tum** *s. Gen.* -s *nur Ez.*

Prim [lat.] *w. 10* **1** *kath. Kirche:* Morgengebet des Breviers; **2** *Fechten:* eine bestimmte Haltung der Klinge; **3** *Mus.: Nebenform von* Prime (**1, 2**)

Prim. *Abk. für* Primararzt

pri|ma [lat.] **1** (*Abk.:* pa., Ia) erster Güte, erster Qualität, erstklassig; **2** *ugs.:* hervorragend, großartig; sehr tüchtig; **Pri|ma** *w. Gen. - Mz.* -men die beiden obersten Klassen des Gymnasiums, Ober- und Unterprima; **Pri|ma|bal|le|ri|na** *w. Gen. - Mz.* -nen erste Tänzerin (eines Balletts); **Pri|ma|don|na** *w. Gen. - Mz.* -nen, *veraltet:* erste Sängerin (bes. der Barockoper)

Pri|ma|ge [-ʒ(ə), frz., zu: Prämie] *w. 11* = Primgeld

Pri|ma|ner [lat.] *m. 5* Schüler der Prima; **pri|mär** die Grundlage, Voraussetzung bildend, erst…, Anfangs…, zuerst eingetreten; vgl. sekundär; **Pri|mär|af|fekt** *m. 1* erstes Stadium oder Symptom einer Infektionskrankheit (bes. bei Lungen-Tbc und Syphilis); **Pri|mar|arzt** *m. 2* Pri|mar *m. 1,* Pri|ma|ri|us *m. Gen. - Mz.* -ri|en (*Abk.:* Prim.), *österr.:* leitender Arzt einer Krankenhausabteilung; vgl. Sekundararzt; **Pri|ma|ri|us** *m. Gen. - Mz.* -ri|en **1** = Primararzt; **2** = Primgeiger; **Pri|mär|li|te|ra|tur** *w. 10 nur Ez.* die Werke oder die Quellen selbst; vgl. Sekundärliteratur; **Pri|mar|schu|le** *w. 11, schweiz.:* Volksschule; **Pri|mas** *m. 1 Mz. auch:* -ma|ten **1** *kath. Kirche:* Ehrentitel mancher Bischöfe, bes. des Papstes; **2** erster Geiger einer (Zigeuner-)Kapelle: **Pri|mat** **1** *m. 1 oder s. 1* Vorrang, bevorzugte Stellung, Erstgeburtsrecht; **2** *m. 10, Biol:* Angehöriger der höchstentwickelten Säuger (Affe, Mensch), Herrentier; **pri|ma vis|ta** [ital. »beim ersten Blick«] *Mus.:* vom Blatt; ein Stück p. v. spielen; **Pri|ma|wech|sel** *m. 5* erste Ausfertigung eines Wechsels; **Pri|me** *w. 11* **1** erster Ton der diaton. Tonleiter; **2** Intervall im Einklang; **3** *Buchw.:* Kurzfassung des Buchtitels auf der ersten Seite des Bogens links unten; vgl. Sekunde (**4**)

Pri|mel [lat.] *w. 11* eine perennierende Pflanze; *i. e. S.:* Schlüsselblume, Himmelschlüssel; **Pri|mel|krank|heit** *w. 10 nur Ez.* eine durch die Becherprimel hervorgerufene Hautentzündung

Prim|gei|ger *m. 5* erster Geiger (in der Kammermusik), Primarius; **Prim|geld** *s. 3* Prämie, die dem Kapitän für bes. Leistungen vom Verlader gewährt wird, Frachtzuschlag, Primage; **Pri|mi|pa|ra** *w. Gen. - Mz.* -paren Frau, die zum ersten Mal ein Kind bekommt, Erstgebärende; vgl. Nullipara, Multipara; **pri|mis|si|ma** *unflektierbar, ugs.:* sehr fein, vorzüglich

pri|mi|tiv [lat.-frz.] **1** ursprünglich, im Urzustand, urwüchsig; **2** einfach, dürftig, behelfsmäßig; **3** geistig wenig entwickelt; **Pri|mi|ti|vis|mus** *m. Gen. - nur Ez.* Kunstrichtung, die von der Kunst der primitiven Völker angeregt wird; **pri|mi|ti|vis|tisch; Pri|mi|ti|vi|tät** *w. 10 nur Ez.;* **Pri|mi|tiv|ling** *m. 1, ugs.:* primitiver Mensch

Pri|miz [lat.] *w. 10, kath. Kirche:* erste Messe eines neu geweihten Priesters; **Pri|mi|zi|ant** *m. 10* neu geweihter kath. Priester; **Pri|mi|zi|en** *Mz., im alten Rom:* die den Göttern dargebrachten ersten Früchte des Jahres; **pri|mo** [ital.] *Mus.:* der oder das erste, z. B. p. tempo: erstes (ursprüngl.) Tempo; violino primo: erste Geige; **Pri|mo** *s. Gen. -s nur Ez.* (*Abk.:* I[mo]), *beim vierhändigen Klavierspiel:* erste, obere Stimme; *Ggs.:* Secondo; **Pri|mo|ge|ni|tur** *w. 10* Erstgeburtsrecht, Erbfolge des Erstgeborenen; vgl. Sekundogenitur; **Pri|mus** *m. Gen. - Mz.* -mus|se *oder* -mi Klassenbester; Primus inter pares: Erster unter Ranggleichen; **Prim|zahl** *w. 10* Zahl, die nur durch 1 und sich selbst geteilt werden kann, z. B. 7, 13

Prince of Wales [prıns ɔv weilz, engl.] *m. Gen. - - - nur Ez.,* Titel des brit. Kronprinzen

Prin|te [ndrl.] *w. 11* stark gewürzter, harter Pfefferkuchen

Prin|ted in Ger|ma|ny [dʒəmənı, engl.] in Deutschland gedruckt (Vermerk in Büchern)

Prin|ter [engl.] *m. 5* Drucker

Prinz [lat.-frz.] *m. 10* nicht regierendes Mitglied eines Fürstenhauses

Prin|zeps [lat.] *m. Gen. - Mz.* -zi|pes, *im alten Rom* **1** Senator, der bei Abstimmungen zuerst stimmte; **2** *seit Augustus:* Titel des röm. Kaisers

Prin|zeß ► **Prin|zess** [frz.] *w. 10* = Prinzessin; **Prin|zes|sin** *w. 10;* **Prinz|ge|mahl** *m. 1* Gemahl einer regierenden Fürstin

Prin|zip [lat.] *s. Gen. -s Mz.* -pien *oder* -e **1** Anfang, Ursprung, Grundlage; **2** Grund; **Prin|zi|pal** *m. 1* **1** *veraltet:* Lehrherr, Geschäftsinhaber; **2** ein Orgelregister, Hauptstimme; **Prin|zi|pal|gläu|bi|ger** *m. 5* Hauptgläubiger; **prin|zi|pa|li|ter** *veraltet:* vor allem, in erster Linie; **Prin|zi|pal|stim|men** *w. 11 Mz.* die im Prospekt der Orgel aufgestellten Pfeifen; **Prin|zi|pat** *s. 1* **1** *veraltet:* Vorrang; **2** *Bez. für die* Verfassungsform der älteren röm. Kaiserzeit; **prin|zi|pi|ell** grundsätzlich; **Prin|zi|pi|en|rei|ter** *m. 5* jmd., der unnachgiebig auf seinen Prinzipien beharrt; **Prin|zi|pi|en|rei|te|rei** *w. 10 nur Ez.;* **prin|zi|pi|en|treu; Prin|zi|pi|en|treue** *w. 11 nur Ez.*

prinz|lich; Prinz|re|gent *m. 10* Vertreter eines Monarchen

Pri|or [lat.] *m. 13* Vorsteher eines Klosters, Stellvertreter eines Abtes; **Pri|o|rat** *s. 1* Amt, Würde eines Priors; **Pri|o|ri|tät** *w. 10* Vorrang, Erst-, Vorzugsrecht; **Pri|o|ri|täts|prin|zip** *s. Gen. -s nur Ez.*

Pris|chen *s. 7;* **Pri|se** *w. 11* **1** Menge (eines Pulvers), die man mit drei Fingern fassen kann; eine P. Salz, Schnupftabak; **2** von einem Krieg führenden Staat weggenommenes feindliches oder Konterbande führendes neutrales Schiff; **3** die Ladung eines solchen Schiffes; **Pri|sen|ge|richt** *s. 1;* **Pri|sen|recht** *s. 1 nur Ez.* das Recht, Prisen (**2**) zu nehmen

Pris|ma [griech.] *s. Gen. -s Mz.* -men **1** *Math.:* Körper, dessen Grund- und Deckfläche parallele und kongruente Vielecke und dessen Seitenflächen sämtlich Parallelogramme sind; **2** *Optik:* Körper aus einer brechenden Substanz (z. B. Glas), dient zur spektralen Zerlegung von Licht; **pris|ma|tisch** in der Art eines Prismas; **Pris|ma|to|id** *s. 1* prismaähnl. Körper; **pris|ma|to|i|disch; Pris|men|fern|rohr** *s. 1*

Prit|sche *w. 11* **1** flaches Holz zum Schlagen; **2** Schlag- und Klapperinstrument des Hanswursts; **3** Ladefläche der Lastautos mit herabklappbaren Seitenwänden; **4** Liegestatt aus Holzbrettern; **prit|schen** *tr. 1* mit der Pritsche (**1, 2**) schlagen

pri|vat [-vat, lat.] **1** persönlich, nicht öffentlich, nicht offiziell, nicht amtlich; **2** häuslich, vertraut; **Pri|vat|au|di|enz** *w. 10;* **Pri|vat|be|sitz** *m. Gen. -es nur Ez.;* **Pri|vat|de|tek|tiv** *m. 1;* **Pri|vat|do|zent** *m. 10* Hochschullehrer ohne Beamtenstelle; **Pri|vat|ge|lehr|te(r)** *m. 18 (17) bzw. w. 17 oder 18;* **Pri|va|tier** [-tje] *m. 9, veraltet:* jmd., der privatisiert; **Pri|va|tie|re** [-tjerə] *w. 11, veraltet:* weibl. Privatier; **pri|va|tim** persönlich, vertraulich, unter vier Augen; **Pri|vat|i|ni|ti|a|ti|ve** *w. 11* Handeln aus eigenem Antrieb; **Pri|vat|in|ter|es|se** *auch:* **-in|te|res|se** *s. 14;* **Pri|va|ti|on** *w. 10, Logik:* negative Aussage, bei der das Prädikat das dem Subjekt Wesentliche nimmt, z. B. der Vogel kann nicht fliegen; **pri|va|ti|sie|ren** *intr. 3* vom eigenen Vermögen leben, ohne beruflich zu arbeiten; **pri|va|tis|si|me** streng vertraulich, im engsten Kreis, unter vier Augen; **Pri|va|tis|si|mum** *s. Gen. -s Mz.* -mi **1** Vorlesung für einen kleinen, ausgewählten Hörerkreis; **2** unter vier Augen erteilte Ermahnung; **Pri|vat|kli|nik** *w. 10;* **Pri|vat|le|ben** *s. 7 nur Ez.;* **Pri|vat|leh|rer** *m. 5;* **Pri|vat|mann** *m. 4, Mz. auch* -leu|te; **Pri|vat|pa|ti|ent** *m. 10* Patient, der die Arzt- und Krankenhauskosten selbst be-

► = wird zu

zahlt; **Pri|va|t|per|son** *w. 10;* **Pri|vat|quar|tier** *s. 1;* **Pri|vat|recht** *s. 1, zusammenfassende Bez. für* die Rechtsgebiete, die die Beziehungen privater Personen, Verbände und Gesellschaften untereinander regeln; *Ggs.:* Öffentliches Recht; **Pri|vat|se|kre|tär** *m. 1;* **Pri|vat|sta|ti|on** *w. 10* Krankenhausabteilung für Privatpatienten; **Pri|vat|stun|de** *w. 11;* **Pri|vat|wirt|schaft** *w. 10 nur Ez.*

Pri|vi|leg [lat.] *s. Gen.* -s *Mz.* -gien *oder s. 1* alleiniges Recht, Vorrecht, Sonderrecht; **pri|vi|le|gie|ren** *tr. 3;* jmdn. p.: jmdm. ein Privileg gewähren, jmdn. mit Privilegien ausstatten; privilegierte Stände

Prix [pri, frz.] *m. Gen.* - *Mz.* -, *frz. Bez. für* Preis; Grand Prix [grɑ̃ pri]: Großer Preis

pro [lat.] für, je; 5 Mark pro Stück, pro Kopf; **Pro** *s. Gen.* - *nur Ez.* das Für; *Ggs.:* Kontra; das Pro und Kontra: das Für und Wider (einer Sache); **pro ..., Pro ...** *in Zus.* **1** für, zugunsten von ..., z. B. progriechisch; **2** vor ..., vorwärts ..., hervor ..., z. B. Progenie; **3** für, an Stelle von, vertretend, z. B. Prodekan; **pro an|no** (*Abk.:* p. a.) jährlich

pro|ba|bel [lat.] glaubhaft, annehmbar; probable Gründe; **Pro|ba|bi|lis|mus** *m. Gen.* - *nur Ez.* Lehre, dass wahre Erkenntnis nicht möglich sei und alles Wissen daher nur Wahrscheinlichkeitswert habe; **Pro|ba|bi|li|tät** *w. 10 nur Ez.* Wahrscheinlichkeit, Glaubwürdigkeit

Pro|band [lat.] *m. 10* **1** *Genealogie:* jmd., für den eine Ahnentafel aufgestellt werden soll; **2** jmd., der in einer Anstalt untersucht und beobachtet wird; **3** *Psych.:* Versuchs-, Testperson; **pro|bat** bewährt, erprobt

Pröb|chen *s. 7;* **Pro|be** *w. 11;* **Pro|be|ar|beit** *w. 10* zur Probe anzufertigende oder angefertigte Arbeit; vgl. Probenarbeit; **pro|be|fah|ren** ► **Pro|be fah|ren** *intr. 32, nur im Infinitiv und Partizip II üblich;* wir sind Probe gefahren; **Pro|be|fahrt** *w. 10;* **Pro|be|jahr** *s. 1;* **prö|beln** *intr. 1, schweiz.:* herumprobieren; **pro|ben** *tr. 1;* **Pro|ben|ar|beit** *w. 10* Arbeit bei den Proben für ein Theaterstück; vgl. Probearbeit; **Pro|be|num|mer** *w. 11* (einer Zeitung, Zeitschrift); **pro|be|wei|se;** **Pro|be|zeit** *w. 10;* **pro|bie|ren** *tr. 3* **1** kosten, versuchen, prüfen; **2** *Theater:* proben; **Pro|bier|glas** *s. 4* Reagenzglas

Pro|blem *auch:* **Prob|lem** [griech.] *s. 1* schwierige, ungelöste Frage oder Aufgabe; **Pro|ble|ma|tik** *auch:* **Prob|le-** *w. 10 nur Ez.* **1** Schwierigkeit (einer Frage oder Aufgabe); **2** Komplex von Fragen oder Aufgaben; **pro|ble|ma|tisch** *auch:* **prob|le-** schwierig, fragwürdig, zweifelhaft; **pro|ble|ma|ti|sie|ren** *auch:* **prob|le-** *tr. 3* schwierig machen, zum Problem machen

Pro|ce|de|re, Pro|ze|de|re [lat.] *s. Gen.* -(s), *nur Ez.* Vorgehens-, Verfahrensweise

pro cen|tum [lat.] (*Abk.:* p. c.) pro Hundert; vgl. Prozent

Pro|de|kan [lat.] *m. 1* Vertreter des Dekans (einer Hochschule)

pro do|mo [lat. »für das eigene Haus«] für sich selbst, zum eigenen Nutzen; p. d. sprechen

Pro|drom [lat.] *s. 1* eine Krankheit vorher anzeigende Erscheinung, Prodromalsymptom; **pro|dro|mal** ankündigend; **Pro|dro|mal|sym|ptom** *s. 1*

Pro|du|cer [prodjusər, engl.] *m. 5,* Hersteller, Produzent, z. B. von Filmen

Pro|duct-Ma|na|ger ► **Pro|duct|ma|na|ger** [prɔdʌktmænɪdʒər, engl.] *m. 5* jmd., der ein Produkt oder eine Produktgruppe eines Unternehmens in der Planung, Werbung, Verkaufsförderung usw. betreut; **Pro|duct Place|ment** ► **Pro|duct|pla|ce|ment** [prɔdʌktpleɪsmənt, engl.] *s. Gen.* - *nur Ez.* kaufanregende Positionierung von Gütern in nicht der Werbung dienenden Filmen oder Fernsehproduktionen; **Pro|dukt** [lat.] *s. 1* **1** Erzeugnis, Ertrag; **2** Ergebnis des Malnehmens; **Pro|duk|ten|han|del** *m. Gen.* -s *nur Ez.* Handel mit landwirtschaftl. und Rohprodukten; **Pro|duk|ti|on** *w. 10* Herstellung, Erzeugung; **Pro|duk|ti|ons|ge|nos|sen|schaft** *w. 10;* **Pro|duk|ti|ons|ka|pa|zi|tät** *w. 10* Menge produzierter Güter in einem bestimmten Zeitraum; **Pro|duk|ti|ons|mit|tel** *s. 5 Mz.* Maschinen und Anlagen für die Produktion; **Pro|duk|ti|ons|zweig** *m. 1;* **pro|duk|tiv** **1** Produkte erzeugend, fruchtbar; **2** schöpferisch; **Pro|duk|ti|vi|tät** *w. 10 nur Ez.* **1** Ergiebigkeit, Fruchtbarkeit; **2** schöpferische Kraft; **Pro|du|zent** *m. 10* Hersteller, Erzeuger; **pro|du|zie|ren** *tr. 3* hervorbringen, herstellen, erzeugen; sich p.: (vor andern) zeigen, was man kann

Prof. *Abk. für* Professor

pro|fan [lat.] ungeweiht, weltlich, nicht kirchlich; *Ggs.:* sakral; **Pro|fa|na|ti|on** *w. 10* Entweihung, Herabziehen ins Alltägliche; Profanierung; **Pro|fan|bau** *m. Gen.* -s *Mz.* -bau|ten Bau für weltliche Zwecke; *Ggs.:* Sakralbau; **pro|fa|nie|ren** *tr. 3* entweihen, ins Alltägliche herabziehen; **Pro|fa|nie|rung** *w. 10;* **Pro|fa|ni|tät** *w. 10 nur Ez.* Unheiligkeit, Weltlichkeit

Pro|feß ► **Pro|fess** [lat.] **1** *w. 1* Ablegung der Ordensgelübde; **2** *m. 10* Ordensmitglied nach deren Ablegung; **Pro|fes|si|on** *w. 10, veraltet:* Beruf; **Pro|fes|si|o|nal** [-fɛʃənəl, engl.] *m. 9* (*Kurzw.:* Profi) Berufssportler; **pro|fes|si|o|na|li|sie|ren** *tr. 3* zur Erwerbsquelle, zum Beruf machen; **Pro|fes|si|o|na|lis|mus** *m. Gen.* - *nur Ez.* Berufssportlertum, berufl. Ausübung des Sports; **pro|fes|si|o|nell** beruflich; **pro|fes|si|o|niert** berufs-, gewerbsmäßig; **Pro|fes|si|o|nist** *m. 10, österr.:* ausgebildeter Handwerker; **Pro|fes|sor** *m. 13* (*Abk.:* Prof.) **1** Hochschullehrer in Beamtenstellung; außerordentlicher P. (*Abk.:* a. o. Prof., ao. Prof.); ordentlicher P. (*Abk.:* o. Prof.); emeritierter P. (*Abk.:* Prof. em.); **2** Titel für verdienten Gelehrten, Künstler u. a.; **3** früher Titel für Lehrer an einer höheren Schule; **pro|fes|so|ral** in der Art eines Professors, gemessen und würdevoll; **Pro|fes|so|ren|schaft** *w. 10 nur Ez.;* **Pro|fes|so|ren|ti|tel,** Pro|fes|sor|ti|tel *m. 5;* **Pro|fes|so|rin** *w. 10;* **Pro|fes|sor|ti|tel** *m. 5;* **Pro|fes|sur** *w. 10* Amt eines Professors, Lehrstuhl; **Pro|fi** *m. 9, Kurzw. für* Professional

Pro|fil [frz.] *s. 1* **1** Seitenansicht (bes. des Gesichts); **2** senkrechter Schnitt durch die Erdkruste; **3** Längsschnitt; **4** Kerbung (von

Gummireifen; Schuhsohlen); **5** Höhe und/oder Breite (eines Torbogens o. Ä.); **6** *übertr.:* Eigenart, klare Haltung oder Richtung; **pro|fi|lie|ren** *tr. 3* mit Profil versehen; profilierte Persönlichkeit *übertr.;* **Pro|fi|lie-rung** *w. 10;* **Pro|fil|neu|ro|se** *w. 11* Störung des Selbstgefühls infolge geschmälerten Prestiges

Pro|fit [auch: -fit, frz.] *m. 1* Gewinn, Nutzen; **pro|fi|ta|bel** gewinnbringend; **Pro|fit Cen|ter** ► **Pro|fit|cen|ter** [sɛn-, engl.] *s. 5* Teilbereich eines Unternehmens mit eigener Erfolgsermittlung; **Pro|fit|chen** *s. 7* kleiner, meist nicht ganz ehrlicher Profit; **pro|fi|tie|ren** *intr. 3;* von etwas oder jmdm. p.: von jmdm. oder etwas Nutzen haben, Gewinn aus etwas ziehen

pro for|ma [lat.] (nur) der Form wegen, zum Schein

Pro|fos [lat.] *m. 1 oder m. 10, in Landsknechtsheeren des MA:* Leiter des Militärgerichts, Feldrichter

pro|fund [lat.] tief, tiefgründig, gründlich (Wissen, Kenntnisse)

pro|fus [lat.] *Med.:* überreichlich, stark (z. B. Schweißabsonderung)

Pro|ge|nie [griech.] *w. 11* Vorspringen des Unterkiefers, des Kinns; vgl. Prognathie

Pro|ge|ni|tur [lat.] *w. 10* Nachkommenschaft

Pro|ges|te|ron [lat. + griech.] *s. 1 nur Ez.* Gelbkörperhormon

Pro|gna|thie *auch:* **Prog|na-** [griech.] *w. 11* Vorspringen des Oberkiefers; vgl. Progenie, Orthognathie; **pro|gna|tisch** *auch:* **prog|na-**

> **Progno-** (Worttrennung): Neben der bisher üblichen Trennungsmöglichkeit *(Progno-)* können Fremdwörter mit Konsonant + *l, n* oder *r* auch nach Sprechsilben *(Prog-no-)* getrennt werden. Ebenso: *Ma|gnet* bzw. *Mag|net, Zy|klus* bzw. *Zyk|lus, Fe|bruar* bzw. *Feb|ruar.* → § 110

Pro|gno|se *auch:* **Prog|no|se** [griech.] *w. 11* Voraus-, Vorhersage; **Pro|gnos|ti|kon, Pro-gnos|ti|kum** *auch:* **Prog|nos|ti-kon, Prog|nos|ti|kum** *s. Gen.* -s *Mz.* -ka Vorzeichen (eines künftigen Geschehens oder einer Krankheit); **pro|gnos|tisch** *auch:* **prog|nos|tisch** vorhersagend; **pro|gnos|ti|zie|ren** *auch:* **prog|nos|ti|zie|ren** *tr. 3* voraussagen (Künftiges), vorher erkennen (Krankheit)

Pro|gramm [griech.] *s. 1* **1** Plan, Vorhaben; **2** Darlegung der Ziele und Grundsätze (einer künstlerischen Bewegung, einer Partei); **3** Folge von Darbietungen (im Rundfunk, Varietee usw.); **4** Blatt oder Heft mit der Darbietungsfolge; **5** Gesamtheit der aufeinander folgenden Szenen (z. B. des Lebens Christi) in einer künstlerischen Darstellung; **6** Angebot mehrerer zusammengehöriger oder bes. zusammengestellter Waren, z. B. Möbel; **7** einem Computer eingegebene Anweisung für Rechenvorgänge; **8** *bei automat. Maschinen:* Aufeinanderfolge von Schaltvorgängen; **Pro-gram|ma|ti|ker** *m. 5* jmd., der ein Programm (**2**) aufstellt oder entwickelt; **pro|gram|ma|tisch** in der Art eines Programms; **Pro|gramm|heft** *s. 1;* **pro|gram-mie|ren** *tr. 3;* einen Computer p.: einem Computer ein Programm eingeben; programmierter Unterricht: Unterricht durch Bücher oder Lernmaschinen, wobei der Lehrstoff in einzelne Schritte gegliedert ist, die sofort überprüft werden können; **Pro|gram|mie|rer** *m. 5* jmd., der Computer programmiert; **Pro|gram|mu|sik** ► **Pro-gramm|mu|sik** *w. 10 nur Ez.* Musik, die außermusikal. Motive und Geräusche durch musikal. Mittel wiederzugeben versucht; *Ggs.:* absolute Musik

Pro|gre|di|enz [lat.] *w. Gen.* - *nur Ez.* das Fortschreiten, die zunehmende Verschlimmerung einer Krankheit

Pro|greß ► **Pro|gress** [lat.] *m. 1* Fortschritt, Fortgang; **Pro-gres|si|on** *w. 10* Steigerung, Zunahme; **Pro|gres|sist** *m. 10* Anhänger einer Fortschrittspartei; **pro|gres|siv 1** fortschreitend, sich entwickelnd; *Ggs.:* degressiv; vgl. Paralyse; **2** fortschrittlich; **Pro|gres|sive Jazz** [-sɪv dʒæs, engl.] *m. Gen.* - - *nur Ez.* Richtung des Jazz seit 1940, gekennzeichnet durch afro-kuban. Rhythmen und Instrumente sowie scharfe Dissonanzen

Pro|gym|na|si|um *s. Gen.* -s *Mz.* -ien *selten für* sechsklassiges Gymnasium ohne Oberstufe

pro|hi|bie|ren [lat.] *tr. 3 veraltet:* verhindern, verbieten; **Pro|hi-bi|ti|on** *w. 10* Verbot, bes. der Herstellung von Alkohol; **Pro-hi|bi|ti|o|nist** *m. 10* Anhänger der Prohibition; **pro|hi|bi|tiv** verhindernd, vorbeugend; **Pro-hi|bi|tiv|sys|tem** *s. 1* System der Ein- u. Ausfuhrbeschränkung durch Verbote oder hohe Zölle; **Pro|hi|bi|tiv|zoll** *m. 2* Schutzzoll; **pro|hi|bi|to|risch** verhindernd, vorbeugend

Pro|jekt [lat.] *s. 1* **1** Plan, Vorhaben; **2** Entwurf; **Pro|jek|teur** [-tør] *m. 1* Planer, Vorplaner; **pro|jek|tie|ren** *tr. 3* planen, vorhaben, entwerfen; **Pro|jek|til** *s. 1* Geschoss; **Pro|jek|ti|on** *w. 10* **1** zeichnerische Darstellung von Körpern oder der gekrümmten Erdoberfläche auf einer Ebene; **2** Abbildung durchsichtiger oder undurchsichtiger Bilder mittels Lichtstrahlen auf einer Wand; **Pro|jek|ti|ons|ap|pa|rat** *m. 1* = Projektor; **pro|jek|tiv** mit Hilfe der Projektion; **Pro-jek|tor** *m. 13* Gerät zur Projektion von Bildern, Projektionsapparat, Bildwerfer; **pro|ji|zie-ren** *tr. 3* **1** auf einer ebenen Fläche zeichnerisch darstellen; **2** mittels Lichtstrahlen auf einer Bildwand abbilden, vergrößert wiedergeben

Pro|kla|ma|ti|on *auch:* **Prok|la-** [lat.] *w. 10* öffentl. Bekanntmachung, Aufruf; **pro|kla|mie|ren** *auch:* **prok|la-** *tr. 3;* **Pro|kla|mie-rung** *auch:* **Prok|la-** *w. 10*

Pro|kli|se *auch:* **Prok|li|se** [griech.] *w. 11,* **Pro|kli|sis** *auch:* **Prok|li|sis** *w. Gen.* - *Mz.* -sen Verkürzung eines unbetonten Wortes durch Anlehnung an das folgende, stärker betonte, z. B. »'s geht« statt »es geht«; *Ggs.:* Enklise; **Pro|kli|ti|kon** *auch:* **Prok|li-** *s. Gen.* -s *Mz.* -ka unbetontes Wort, das sich an das folgende, stärker betonte anlehnt; *Ggs.:* Enklitikon; **pro-kli|tisch** *auch:* **prok|li-;** *Ggs.:* enklitisch

Pro|kof|jeff, Pro|kof|jew *Sergej* russischer Komponist (1891 bis 1953)

Pro|kon|sul [lat.] *m. 11, im alten Rom:* Statthalter einer Provinz, der früher Konsul war; **Pro-**

► = wird zu

kon|su|lat *s. 1* Amt eines Prokonsuls
pro Kopf; Pro-Kopf-An|teil *m. 1;* **Pro-Kopf-Ver|brauch** *m. Gen.* -(e)s *nur Ez.*
Pro|krus|tes *griech. Myth.:* Unhold, der vorbeikommende Wanderer in ein Bett legt und sie entweder mit Gewalt auseinanderzieht oder ihnen die Füße abschlägt, bis sie hineinpassen; **Pro|krus|tes|bett** *s. 12 nur Ez.* unangenehme Lage, in die jmd. hineingezwungen, oder Schema, in das etwas hineingepresst werden soll
Prok|ti|tis [griech.] *w. Gen. - Mz.* -ti|ti|den Mastdarmentzündung; **Prok|to|lo|ge** *m. 11;* **Prok|to|lo|gie** *w. 11 nur Ez.* Lehre von Mastdarm und After; **Prok|to|plas|tik** *w. 10* künstl. After; **Prok|tor|rha|gie** *w. 11* Mastdarmblutung
Pro|ku|ra [lat.] *w. Gen. - Mz.* -ren im Handelsregister eingetragene Vollmacht zur Vertretung eines Unternehmers oder Unternehmens; **Pro|ku|ra|ti|on** *w. 10* **1** Stellvertretung durch einen Bevollmächtigten; **2** Vollmacht; **Pro|ku|ra|tor** *m. 13* **1** *im alten Rom:* Provinzstatthalter; **2** *in der Republik Venedig:* einer der neun höchsten Staatsbeamten, unter denen der Doge gewählt wurde; **3** *in Klöstern:* Vermögens-, Wirtschaftsverwalter; **4** *allg.:* Bevollmächtigter, Vertreter; **Pro|ku|rist** *m. 10* kaufmänn. Angestellter mit Prokura
Pro|laps [lat.] *m. 1* **Pro|lap|sus** *m. Gen. - Mz. -* Hervortreten eines inneren Organs, Vorfall
Pro|le|go|me|non [griech.] *s. Gen.* -s *Mz.* -na, *veraltet:* Vorwort, Einleitung
Pro|let *m. 10* **1** *abwertend für* Proletarier; **2** *übertr.:* ungehobelter, ungebildeter Mensch; **Pro|le|ta|ri|at** *s. 1* Gesellschaftsklasse der Lohnempfänger, die keine Produktionsmittel besitzen, Arbeiterklasse; **Pro|le|ta|rier** *m. 5* Angehöriger des Proletariats; **pro|le|ta|risch; pro|le|ta|ri|sie|ren** *tr. 3* zum Proletarier machen; **pro|le|ten|haft**
Pro|li|fe|ra|ti|on [lat.] *w. 10* Sprossung, Gewebsvermehrung, -wucherung; **pro|li|fe|ra|tiv** in der Art einer Proliferation; **pro|li|fe|rie|ren** *intr. 3* sprossen, wuchern
pro lo|co [lat.] *veraltet:* anstelle, anstatt
Pro|log [griech.] *m. 1* Einleitung, Vorrede, Vorspiel; *Ggs.:* Epilog
Pro|lon|ga|ti|on [lat.] *w. 10* Verlängerung (einer Frist), Stundung; **pro|lon|gie|ren** *tr. 3*
pro me|mo|ria [lat.] (*Abk.:* p. m.) zur Erinnerung (an), zum Gedächtnis (von)
Pro|me|na|de [frz.] *w. 11* **1** Spaziergang; **2** bequemer, ebener, oft mit Grünanlagen versehener Spazierweg; **Pro|me|na|den|deck** *s. 9, auf Passagierschiffen:* Deck über dem Hauptdeck; **Pro|me|na|den|mi|schung** *w. 10, ugs. scherzh.:* nicht reinrassiger Hund; **pro|me|nie|ren** *intr. 3* geruhsam spazieren gehen
Pro|mes|se [lat.] *w. 11* **1** schriftliches Versprechen, schriftl. Zusage; **2** Schuldverschreibung
pro|me|the|isch in der Art des Prometheus, titanenhaft; **Pro|me|theus** *griech. Myth.:* ein Titan, Schöpfer des Menschen; **Pro|me|thi|um** *s. Gen.* -s *nur Ez.* (*Zeichen:* Pm) chem. Element
pro mil|le [lat.] (*Abk.:* p. m., *Zeichen:* ‰) für, auf tausend (Stück), vom Tausend; **Pro|mil|le** *s. Gen.* -s *Mz. -* ein Tausendstel; **Pro|mil|le|gren|ze** *w. 11* auf den Blutalkoholgehalt bezogene Grenze der Fahrtüchtigkeit
pro|mi|nent [lat.] bedeutend, hervorragend, allg. bekannt; eine prominente Persönlichkeit; **Pro|mi|nenz** *w. 10* Gesamtheit prominenter Persönlichkeiten
pro|mis|cue [-kue:, lat.] vermengt, durcheinander; **Pro|mis|kui|tät** *w. 10 nur Ez.* ungeregelter Geschlechtsverkehr mit verschiedenen Partnern
Pro|mo|ter [lat.] *m. 5* Veranstalter von Berufssportwettkämpfen; **Pro|mo|ti|on 1** *w. 10* Verleihung der Doktorwürde; **2** [-moʊʃn, engl.] *w. Gen. - nur Ez.* Verkaufsförderung durch gezielte Werbe- und absatzpolitische Maßnahmen; **Pro|mo|tor** *m. 13* Förderer, Manager; **Pro|mo|vent** *m. 10;* **pro|mo|vie|ren** [-vi-] **1** *intr. 3* die Doktorwürde erwerben; zum Dr. med. p. **2** *intr. 3;* die Doktorarbeit schreiben; über Th. Mann p.; **3** *tr. 3* jmdn. p.: jmdm. die Doktorwürde verleihen
prompt [lat.] sofort, unverzüglich, rasch; **Prompt|heit** *w. 10 nur Ez.* promptes Handeln, Raschheit
Pro|mul|ga|ti|on [lat.] *w. 10* Verbreitung, Veröffentlichung, Bekanntgabe, (z. B. eines Gesetzes); **pro|mul|gie|ren** *tr. 3* veröffentlichen, bekanntgeben
Pro|no|men [lat.] *s. 7 oder Mz.* -mi|na Wort, das für ein Nomen steht, Fürwort, z. B. er, mein; **pro|no|mi|nal** als Fürwort (gebraucht), fürwörtlich; **Pro|no|mi|nal|ad|jek|tiv** *s. 1* unbestimmtes Für- oder Zahlwort, z. B. solche, viele; **Pro|no|mi|nal|ad|verb** *s. Gen.* -s *Mz.* -bi|en Adverb, das anstelle einer Fügung aus Verhältnis- und Fürwort steht, z. B. »damit« statt »mit dem, mit welchem«
pro|non|ciert [-nɔ̃sirt, frz.] deutlich, nachdrücklich; ein Wort p. aussprechen
Pro|nun|ci|a|mi|en|to [span.] *s. 9, fälschl. auch:* Pro|nun|zi|a|men|to **1** *in Spanien und Lateinamerika:* polit. Demonstration; **2** Aufruf zum Staatsumsturz
Pro|ö|mi|on [griech.], **Pro|ö|mi|um** *s. Gen.* -s *Mz.* -mi|en, *Antike:* **1** Einleitung, Vorrede; **2** kleine Hymne vor dem Vortrag eines Epos durch den Rhapsoden
Pro|pä|deu|tik [griech.] *w. 10 nur Ez.* Einführung in eine Wissenschaft; **pro|pä|deu|tisch** einführend
Pro|pa|gan|da [lat.] *w. Gen. - nur Ez.* (bes. polit.) Werbung, Verbreitung von Ideen, Zielen, Theorien; **Pro|pa|gan|dist** *m. 10* jmd., der Propaganda treibt; **pro|pa|gan|dis|tisch** mit Hilfe von Propaganda; **Pro|pa|ga|ti|on** *w. 10* Ausbreitung, Vermehrung; **pro|pa|gie|ren** *tr. 3;* etwas p.: für etwas Propaganda machen, für etwas werben
Pro|pan [griech.] *s. 1 nur Ez.* ein Brenn- und Treibstoff; **Pro|pan|gas** *s. Gen.* -es *nur Ez.*
Pro|pel|ler [lat.] *m. 5* Antriebsschraube für Flugzeuge und Schiffe, Luft-, Schiffsschraube; **Pro|pel|ler|flug|zeug** *s. 1* (im Unterschied zum Düsenflugzeug); **Pro|pel|ler|tur|bi|ne** *w. 11* mit Propeller verbundenes Strahltriebwerk
Pro|pen [griech.] *s. 1 nur Ez.* ungesättigter, aliphat. Kohlenwasserstoff

pro|per [frz.] sauber und ordentlich; **Pro|per|han|del** *m. Gen.* -s *nur Ez.* Handel auf eigene Rechnung und Gefahr, Eigenhandel
Pro|phet [griech.] *m. 10* Weissager, Seher, Verkündiger; **Pro|phe|tie** *w. 11* Weissagung; **pro|phe|tisch; pro|phe|zei|en** *tr. 1* vorhersagen, weissagen; **Pro|phe|zei|ung** *w. 10* Vorhersage, Weissagung
Pro|phy|lak|ti|kum [griech.] *s. Gen.* -s *Mz.* -ka vorbeugendes Mittel; **pro|phy|lak|tisch** vorbeugend; **Pro|phy|la|xe** *w. 11* Vorbeugung, Verhütung (bes. von Krankheiten)
Pro|po|lis *s. Gen.* - *nur Ez.* von Bienen erzeugtes Kittharz; für Salben, Zahnpasten verwendet
Pro|por|ti|on [lat.] *w. 10* **1** Maß-, Größenverhältnis; *Ggs.:* Disproportion; **2** *Math.:* Verhältnisgleichung; **pro|por|ti|o|nal** hinsichtlich der Proportionen, im gleichen Verhältnis; **Pro|por|ti|o|na|le** *w. 11, Math.:* Glied einer Proportion; **Pro|por|ti|o|na|li|tät** *w. 10 nur Ez.* Beschaffenheit hinsichtlich der Proportionen, Verhältnismäßigkeit; **Pro|por|ti|o|nal|wahl** *w. 10* Verhältniswahl; **pro|por|ti|o|niert** im Größen-, Maßverhältnis; gut, schlecht, richtig p.; **Pro|por|ti|ons|glei|chung** *w. 10* Verhältnisgleichung
Pro|porz *m. 1* **1** *schweiz., österr.:* Verteilung der Mandate nach dem Verhältnis der abgegebenen Stimmen; **2** *österr.:* Besetzung v. Ämtern je nach der Stärke der Parteien; **Pro|porz|wahl** *w. 10, österreich., schweiz.* = Verhältniswahl
Pro|po|si|ti|on [lat.] *w. 10* **1** *veraltet:* Vorschlag, Angebot; **2** Gesamtheit der für ein Pferderennen vorgesehenen Bedingungen, Ausschreibung
Prop|pen *m. 7, nddt. für* Pfropfen; **prop|pen|voll** *ugs.:* ganz voll
Pro|prä|tor [lat.] *m. 13, im alten Rom:* Provinzstatthalter, der vorher Prätor war
pro|pre *auch:* **prop|re** *frz. Schreibung von* proper; **Pro|pre|tät** *auch:* **Prop|re|tät** *w. 10, veraltet:* Ordnung und Sauberkeit
Propst [lat.] *m. 2* **1** *kath. Kirche:* Vorsteher eines Kapitels oder Stifts; **2** *in einigen evang. Landeskirchen:* Vorsteher mehrerer Superintendenturen; **Props|tei** *w. 10* Amt, Amtsräume eines Propstes
Pro|pusk [russ.] *m. 1* Passierschein, Ausweis
Pro|py|lä|en [griech.] *Mz.* **1** Säulenvorhalle; **2** Ein- oder Durchgang aus Säulen
Pro|pyl|en *s. 1 nur Ez., veraltet für* Propen
Pro|rek|tor [lat.] *m. 13* Stellvertreter des Rektors; **Pro|rek|to|rat** *s. 1* Amt des Prorektors
Pro|ro|ga|ti|on [lat.] *w. 10* Verlängerung, Amtsverlängerung, Vertagung, Aufschub; **pro|ro|ga|tiv** aufschiebend, vertagend; **pro|ro|gie|ren** *tr. 3* verlängern, aufschieben
Pro|sa [lat.] *w. Gen.* - *nur Ez.* erzählende oder rednerische, nicht durch Rhythmus oder Reim gebundene Sprachform; *Ggs.:* Poesie (**2**); **Pro|sa|i|ker** *m. 5* **1** Prosaist; **2** nüchterner, prosaischer Mensch; **pro|sa|isch 1** in Prosa (geschrieben); **2** *übertr.:* nüchtern, alltäglich; **Pro|sa|ist** *m. 10* Prosa schreibender Schriftsteller
Pro|sek|tor [lat.] *m. 13* Leiter einer Prosektur; **Pro|sek|tur** *w. 10* Abteilung eines Krankenhauses, in der Sektionen durchgeführt werden
Pro|se|ku|ti|on [lat.] *w. 10* gerichtl. Verfolgung; **Pro|se|ku|tor** *m. 13* Verfolger, Ankläger
Pro|se|lyt [griech.] *m. 10* jmd., der zu einer anderen Religion übergetreten ist, Neubekehrter; **Pro|se|ly|ten|ma|cher** *m. 5* jmd., der eifrig und eilig andere bekehrt; **Pro|se|ly|ten|ma|che|rei** *w. 10 nur Ez.* Bekehrung ohne rechte Überzeugungskraft
Pro|se|mi|nar [lat.] *s. 1* einführendes Seminar (an einer Hochschule), Vorseminar
Pros|en|chym *auch:* **Pro|sen-** *s. 1* Zellen im Parenchym zur Festigung und zum Stoffaustausch
pro|sit! [lat. »es möge (dir) nützen«] wohl bekomm's!; prosit Neujahr!; **Pro|sit** *s. 9* Zutrunk, ein P. auf jmdn. ausbringen
pro|skri|bie|ren *auch:* **pros|kri-** [lat.] *tr. 3* (urspr. durch öffentl. Anschlag) ächten, für vogelfrei erklären; **Pro|skrip|ti|on** *auch:* **Pros|krip-** *w. 10* Ächtung
Pros|o|die *auch:* **Pro|so-** [griech.] *w. 11 nur Ez.*, **Pros|o|dik** *auch:* **Pro|so-** *w. 10 nur Ez.* Lehre von der Behandlung der Sprache und Messung der Silben im Vers; **pros|o|disch**
Pro|spekt *auch:* **Pros|pekt** [lat.] *m. 1* **1** Ansicht (eines Gebäudes, Platzes, einer Straße); **2** *Theater* = Rundhorizont; **3** Schauseite (der Orgel); **4** (meist bebilderte) Werbeschrift; **pro|spek|tiv** *auch:* **pros|pek-** der Aussicht, Möglichkeit nach, vorausschauend
pro|spe|rie|ren *auch:* **pros|pe-** [lat.] *intr. 3* gedeihen, blühen, vorankommen; **Pro|spe|ri|tät** *auch:* **Pros|pe-** *w. 10 nur Ez.* (bes. wirtschaftl.) Aufschwung, Blüte
Pro|sper|mie *auch:* **Pros|per|mie** [griech.] *w. 11* vorzeitiger Samenerguss
prost! *ugs. kurz für* prosit!; prost Mahlzeit!
Pro|sta|ta *auch:* **Pros|ta|ta** [griech.] *w. Gen.* - *Mz.* -tae, *beim Mann und männl. Säugetier:* am Anfang der Harnröhre liegende Drüse, deren Sekret die Samenflüssigkeit bildet, Vorsteherdrüse; **Pro|sta|ti|tis** *auch:* **Pros|ta-** *w. Gen.* - *Mz.* -ti|ti|den Entzündung der Prostata
prös|ter|chen! *ugs. scherzh. für* prosit!
pro|sti|tu|ie|ren *auch:* **pros|ti-** [lat.] *tr. 3, veraltet:* bloßstellen, preisgeben; **Pro|sti|tu|ier|te** *auch:* **Pros|ti-** *w. 17 oder 18* Frau, die sich gewerbsmäßig Männern hingibt, Dirne, Hure, Freudenmädchen
Pro|stra|ti|on *auch:* **Pros|tra-** [lat.] *w. 10* **1** Fußfall, Sichniederwerfen (z. B. bei den kath. höheren Weihen); **2** Entkräftung, Erschöpfung
Pro|sze|ni|um *auch:* **Pros|ze|ni|um** [griech.] *s. Gen.* -s *Mz.* -ni|en Teil der Bühne zwischen Vorhang und Orchester; **Pro|sze|ni|ums|lo|ge** *auch:* **Pros|ze-** [-ʒə] *w. 11* Loge im Zuschauerraum zu beiden Seiten des Prosceniums
prot. *Abk. für* protestantisch
prot..., **Prot...** vgl. proto..., Proto...
Prot|ac|ti|ni|um *auch:* **Pro|tac-** [griech.] *s. Gen.* -s *nur Ez.* (*Zeichen:* Pa) radioaktives chem. Element, ein Metall

Prot|a|go|nist *auch:* **Pro|ta-** [griech.] *m. 10* **1** *altgriech. Theater:* erster Schauspieler; **2** *übertr.:* Vorkämpfer
Prot|an|drie *auch:* **Pro|tand|rie** [griech.], Pro|ter|an|drie *w. 11 nur Ez., bei zwittrigen Pflanzen und Tieren:* Reifwerden der männl. Geschlechtsprodukte vor den weiblichen; *Ggs.:* Protogynie; **prot|an|drisch** *auch:* **pro|tand|risch**
Pro|te|gé [-ʒə, frz.] *m. 9* Schützling, Günstling; **pro|te|gie|ren** [-ʒi-] *tr. 3* **1** schützen; **2** begünstigen, fördern
Pro|te|id [griech.] *s. 1* Protein, das neben dem Proteinanteil noch niedermolekulare Molekülgruppen enthält; **Pro|te|in** *s. 1* hochmolekulare Verbindung, Kondensationsprodukt von Aminosäuren
pro|te|isch in der Art des Proteus wandelbar, unzuverlässig
Pro|tek|ti|on [lat.] *w. 10* **1** Schutz; **2** Förderung, Begünstigung; **Pro|tek|ti|o|nis|mus** *m. Gen. - nur Ez.* Schutz der einheim. Produktion gegen ausländ. Konkurrenz; **pro|tek|ti|o|nis|tisch; Pro|tek|tor** *m. 13* **1** Schützer; **2** Förderer, jmd., der einen anderen protegiert; **Pro|tek|to|rat** *s. 1* **1** Schutzherrschaft; **2** Schutzgebiet
pro tem|po|re [lat.] (*Abk.:* p. t.) für jetzt, vorläufig
Pro|te|o|ly|se [griech.] *w. 11* hydrolyt. Aufspaltung von Eiweißkörpern durch Enzyme od. Säuren; **pro|te|o|ly|tisch** zur Proteolyse befähigt (Enzym)
Pro|ter|an|drie *auch:* **Pro|te|rand|rie** *w. 11 nur Ez.* = Protandrie; **pro|te|ro|gyn** = protogyn; **Pro|te|ro|zo|i|kum** *s. Gen.* -s *nur Ez.* = Archäozoikum
Pro|test [lat.] *m. 1* **1** Einspruch, Widerspruch; P. erheben; **2** Beurkundung der vergeblichen Präsentation eines Wechsels
Pro|tes|tant *m. 10* Angehöriger der protestant. Kirche; **pro|tes|tan|tisch** (*Abk.:* prot.); protestantische Kirche: die aus der Reformation hervorgegangene evang. (luther. und reformierte) Kirche; **Pro|tes|tan|tis|mus** *m. Gen. - nur Ez.* die protestant. Kirche, protestant. Konfession; **pro|tes|tie|ren** *intr. 3* Protest, Einspruch erheben, widersprechen; **Pro|test|kund|ge|bung** *w. 10*
Pro|teus *griech. Myth.:* Meergreis, der sich in viele Gestalten verwandeln kann; **Pro|teus|na|tur** *w. 10* wetterwendischer, schnell die Gesinnung wechselnder Mensch
Pro|the|se [griech] *w. 11* **1** künstl. Glied, Ersatzglied; **2** künstl. Zähne, Zahnersatz; **3** Hinzufügung eines Lautes am Wortanfang zur Erleichterung der Aussprache, z. B. span. estado »Staat«; **Pro|the|tik** *w. 10 nur Ez.* Herstellung von (bes. Zahn-)Prothesen; **pro|the|tisch** mittels Prothese
Pro|tist [griech.] *m. 10* einzelliges Lebewesen, Einzeller
pro|to ..., Pro|to ... [griech.] *in Zus.:* erst ..., Erst ..., wichtigst, ur ..., Ur ..., z. B. Prototyp; **pro|to|gen** am Fundort entstanden (Erzlagerstätte); **pro|to|gyn,** pro|te|ro|gyn, auf Protogynie beruhend; **Pro|to|gy|nie** *w. 11 nur Ez., bei zwittrigen Pflanzen und Tieren:* Reifwerden der weibl. Geschlechtsprodukte vor den männlichen; *Ggs.:* Protandrie
Pro|to|kla|se [griech.] *w. 11* Zertrümmerung von Gestein infolge Pressungen innerhalb noch nicht verfestigten Magmas; vgl. Kataklase
Pro|to|koll [griech.-mlat.] *s. 1* **1** (gleichzeitige) Niederschrift des Verlaufs oder Ergebnisses einer Versammlung, Verhandlung o. Ä.; das P. führen; etwas zu P. nehmen; **2** Gesamtheit der im diplomat. Verkehr übl. äußeren Formen; **Pro|to|kol|lant** *m. 10* Protokollführer; **pro|to|kol|la|risch** mittels Protokolls, als Protokoll; etwas p. festhalten; **pro|to|kol|lie|ren 1** *tr. 3* zu Protokoll nehmen, mitschreiben; **2** *intr. 3* das Protokoll führen, schreiben
Pro|ton [griech.] *s. 13* (*Abk.:* p) positiv geladenes Elementarteilchen aus der Gruppe der Baryonen; **Pro|to|nen|syn|chro|tron** *s. 1* Protonenbeschleuniger
Pro|to|phyt [griech.] *m. 10,* **Pro|to|phy|ton** *s. Gen.* -s *Mz.* -phyten einzellige Pflanze
Pro|to|plas|ma [griech.] *s. Gen.* -s *nur Ez.* Lebenssubstanz der pflanzl., tier. und menschl. Zelle; **pro|to|plas|ma|tisch**
Pro|to|typ [griech.] *m. 12* **1** Urbild, Vorbild, Muster; **2** erste Ausführung eines Flug- oder Fahrzeugs oder einer Maschine, nach der dann die Serie gebaut wird; **pro|to|ty|pisch**
Pro|to|zo|on [griech.] *s. Gen.* -s *meist Mz.* -zo|en einzelliges Tier, Einzeller
pro|tra|hie|ren [lat.] *tr. 3, Med.:* verzögern
Pro|tu|be|ranz [lat.] *w. 10* **1** Gaseruption (auf der Sonne); **2** Vorsprung, bes. an Knochen
Protz *m. 1, ugs.:* Angeber, Prahler
Prot|ze *w. 11* zweirädriger Vorderwagen für ein Geschütz
prot|zen *intr. 1, ugs.:* prahlen, angeben; mit etwas p.; **Prot|ze|rei** *w. 10;* **prot|zig**
Prov. *Abk. für* Provinz
Pro|vence [-vãs] *w. Gen.* - Landschaft in Südfrankreich
Pro|ve|ni|enz [lat.] *w. 10* Herkunft, Ursprung (von Waren u. a.)
Pro|ven|za|le *m. 11* Einwohner der Provence; **pro|ven|za|lisch**
Pro|verb *s. Gen.* -s *Mz.* -bi|en Sprichwort; **pro|ver|bi|al, pro|ver|bi|ell** sprichwörtlich
Pro|vi|ant [lat.-ndrl.] *m. 1 nur Ez.* Verpflegung für einen begrenzten (kurzen) Zeitraum, Wegzehrung, Mundvorrat; **Pro|vi|ant|meis|ter** *m. 5, Mil.:* Verwalter des Proviants
pro|vi|den|ti|ell *Nv.* ▸ **pro|vi|den|zi|ell** *Hv.* [-tsjɛl, lat.] *veraltet:* von der Vorsehung bestimmt; **Pro|vi|denz** *w. 10 nur Ez., veraltet:* Vorsehung
Pro|vinz [-vints, lat.] *w. 10* **1** (*Abk.:* Prov.) Landesteil, (staatl. oder kirchl.) Verwaltungsgebiet; **2** Hinterland (einer Stadt), ländl. Gebiet; **3** *ugs.:* kulturell rückständige Gegend; **Pro|vinz|büh|ne** *w. 11;* **pro|vin|zi|al** zu einer Provinz gehörend; **Pro|vin|zi|al** *m. 1* Vorsteher einer Ordensprovinz; **Pro|vin|zi|a|lis|mus 1** *m. Gen. - Mz.* -men mundartlicher Ausdruck, z. B. bayr., österr.: Schmarren, niederrhein.: jeck; **2** *nur Ez.* Kleinbürgerlichkeit, Beschränktheit; **pro|vin|zi|ell** engstirnig, kleinbürgerlich, kulturell rückständig; **Pro|vinz|ler** *m. 5, ugs. abwertend:* Bewohner der Provinz, Kleinbürger, Mensch mit engem Horizont;

pro|vịnz|ie|risch; Pro|vịnz|stadt *w. 2*

Pro|vi|si|on [lat.] *w. 10* Vergütung durch prozentualen Anteil am Umsatz, Vermittlungsgebühr; **Pro|vi|sor** [-vi-] *m. 13* Verwalter einer Apotheke; **pro|vi|so|risch** vorläufig, behelfsmäßig; **Pro|vi|so|ri|um** *s. Gen.* -s *Mz.* -ri|en vorläufiger Zustand, vorläufige Lösung

Pro|vit|a|min *auch:* **Pro|vi|ta|min** [lat.] *s. 1* Vorstufe eines Vitamins

Pro|vo [Kurzw. zu Provokateur] *m. 9* junger Mensch, der sich (durch Verhalten, Lebensweise und -auffassung usw.) bewusst in Gegensatz zu seiner Umwelt stellt, sich aber zur Umgestaltung der Gesellschaft bürgerlicher Methoden bedient; **pro|vo|kạnt** [lat.] herausfordernd, aufreizend; **Pro|vo|ka|teur** [-tør] *m. 1* jmd., der andere provoziert, Aufwiegler; **Pro|vo|ka|ti|on** *w. 10* **1** Herausforderung, Aufreizung; **2** *Med.:* künstliches Hervorrufen von Krankheitserscheinungen; **pro|vo|ka|to|risch** in der Art einer Provokation (**1**); **pro|vo|zie|ren** *tr. 3* herausfordern, aufreizen

pro|xi|mal [lat.] zur Körpermitte, zum Rumpf zu gelegen

Pro|ze|de|re *Nv.* ► **Pro|ce|de|re** *Hv.*

Pro|ze|dur [lat.] *w. 10* Verfahren, (schwierige oder unangenehme) Behandlung

Pro|zẹnt [lat.] *s. 1, nach Mengenangaben Mz.* - (*Abk.:* p.c., *Zeichen:* %) vom Hundert, Hundertstel; 5-Prozent-Klausel, 5%-Klausel; **...pro|zen|tig** *in Zus.,* z.B. zehnprozentig, 10-pro|zen|tig 10%ig; **Pro|zẹnt|rech|nung** *w. 10;* **Pro|zẹnt|satz** *m. 2* Anzahl von Prozenten, Hundertsatz; **pro|zen|tu|al** in Prozenten gerechnet, im Verhältnis zum Hundert ausgedrückt, verhältnismäßig, im Verhältnis; **pro|zen|tu|ẹll,** perzen|tu|ẹll *österr. für* prozentual

> **Prozess:** Nach kurzem Vokal wird konsequent *-ss-* geschrieben: *der Prozess.* Bisher schon: *die Prozesse.* →§25 E1

Pro|zęß ► **Pro|zęss** [lat.] *m. 1* **1** Gerichtsverfahren; **2** Ablauf, Verlauf, Vorgang; **pro|zęß|be|voll|mäch|tigt** ► **pro|zęss|be|voll|mäch|tigt; Pro|zęß|be|voll|mäch|tig|te(r)** ► **Pro|zęss|be|voll|mäch|tig|te(r)** *m. 18 (17);* **pro|zęß|fä|hig** ► **pro|zęss|fä|hig; pro|zes|sie|ren** *intr. 3* einen Prozess führen; gegen jmdn. p.; **Pro|zes|si|on** *w. 10* **1** *kath. Kirche:* feierlicher Umzug; Bitt- oder Dankgang; **2** *allg.:* feierlicher Aufzug; **pro|zęß|un|fä|hig** ► **pro|zęss|un|fä|hig; Pro|zęß|un|fä|hig|keit** ► **Pro|zęss|un|fä|hig|keit** *w. 10 nur Ez.*

pro|zy|klisch *auch:* **pro|zyk|lisch** einem (bestehenden) Zyklus gemäß, sich in einen Zyklus eingliedernd; *Ggs.:* antizyklisch

prü|de [frz.] (in sexuellen Dingen) übertrieben empfindlich, sittsam, zimperlich

Pru|de|lei *w. 10, schles.:* Pfuscherei; **pru|de|lig,** prud|lig *schles.:* gepfuscht, schlecht (gearbeitet); **pru|deln** *intr. 1* **1** *schles.:* pfuschen; **2** *Jägerspr.:* sich suhlen (Schwarzwild)

Prü|de|rie [frz.] *w. 11 nur Ez.* (in sexuellen Dingen) übertriebene Empfindlichkeit, Zimperlichkeit

prü|fen *tr. 1;* **Prü|fer** *m. 5;* **Prüf|feld** *s. 3* Anlage, in der Geräte und Werkstücke unter Bedingungen geprüft werden, die denen des täglichen Gebrauchs entsprechen; **Prüf|ling** *m. 1;* **Prüf|stand** *m. 2* dem Prüffeld ähnl. Anlage für die Prüfung von Maschinen; **Prüf|stein** *m. 1* etwas, das als Probe dienen kann; **Prü|fung** *w. 10;* **Prü|fungs|angst** *w. 2;* **Prü|fungs|ar|beit** *w. 10;* **Prü|fungs|auf|ga|be** *w. 11* **Prü|fungs|kan|di|dat** *m. 10*

Prü|gel *m. 5* **1** derber Stock, Knüppel; **2** *nur Mz.* Schläge; **Prü|gel|lei** *w. 10;* **Prü|gel|kna|be** *m. 11* jmd. der statt des Schuldigen bestraft wird; **prü|geln** *tr. 1;* **Prü|gel|stra|fe** *w. 11*

Prü|nẹl|le [lat.-frz.] *w. 11* entsteinte, getrocknete Pflaume

Prụnk *m. Gen.* -(e)s *nur Ez.;* **prụn|ken** *intr. 1;* mit etwas p.; **Prụnk|sucht** *w. Gen.* - *nur Ez.;* **prụnk|süch|tig; prụnk|voll**

Pru|ri|go *m. 9 oder w. 9 nur Ez.* juckende Hautflechte; **Pru|ri|tus** *m. Gen.* - *nur Ez.* Hautjucken

prus|ten *intr. 2*

Prụ|ze *m. 11* Angehöriger eines baltisch-litauischen Volksstammes

PS 1 *Abk. für* Pferdestärke; **2** *Abk. für* Postskriptum

Psal|li|gra|phie [griech.] *w. 11 nur Ez.* Kunst des Scherenschnittes; **psal|li|gra|phisch**

Psạlm [griech.] *m. 12* geistl. Lied aus dem AT; **Psal|mịst** *m. 10* Psalmendichter, Psalmensänger; **Psalm|o|die** *auch:* **Psal|mo|die** *w. 11* Psalmengesang überwiegend auf einem Ton im Wechsel zwischen Chor und Vorsänger; **psalm|o|die|ren** *auch:* **psal|mo-** *intr. 3* in der Art der Psalmodie singen; **psalm|o|disch** *auch:* **psal|mo-** in der Art der Psalmodie, psalmartig; **Psạl|ter** *m. 5* **1** *nur Ez.* Buch der Psalmen im AT; **2** *im Magensystem der Wiederkäuer:* Blättermagen; **Psal|te|ri|um** *s. Gen.* -s *Mz.* -ri|en meist dreieckiges zitherähnl. Zupfinstrument

PSchA *Abk. für* Postscheckamt

pseud ..., Pseud ... vgl. pseudo ..., Pseudo ...; **Pseud|an|dro|nym** *auch:* **Pseu|dand|ro|nym** *s. 1* männl. Deckname anstelle des eigentl. weiblichen Namens, z.B. »George Sand« statt »Lucile-Aurore Dupin«; vgl. Pseudogynym; **Pseud|ạn|thi|um** *auch:* **Pseu|dạn|thi|um** *s. Gen.* -s *Mz.* -thi|en Scheinblüte, wie eine Einzelblüte aussehender Blütenstand; **Pseud|ar|thro|se** *auch:* **Pseu|darth|ro|se** *w. 11* an schlecht verheilten Knochenbruchstellen entstehendes »falsches« Gelenk, Scheingelenk; **Pseud|e|pi|gra|phen** *auch:* **Pseu|de|pi|gra|phen** *Mz.* einem Schriftsteller fälschlich zugeschriebene Schriften; **pseud|e|pi|gra|phisch** *auch:* **pseu|de|pi|gra|phisch** fälschlich zugeschrieben, untergeschoben; **pseu|do ..., Pseu|do ...** *in Zus.:* falsch, unecht, Schein ..., z.B. pseudowissenschaftlich, Pseudokrupp, Pseudonym; **Pseu|do|ar|thro|se** *auch:* **Pseu|do|arth|ro|se** *w. 11* = Pseudarthrose; **Pseu|do|gy|nym** *s. 1* weibl. Deckname anstelle des eigentl. männlichen Namens; vgl. Pseudandronym; **Pseu|do|lo|gie** *w. 11 nur Ez.* krankhaftes Lügen; **pseud|o|nym** *auch:* **pseu|do|nym** unter einem

Decknamen (verfasst, erschienen); vgl. orthonym; **Pseud|o|nym** *auch:* **Pseu|do|nym** *s. 1* Deckname; **Pseu|do|po|di|en** *Mz., bei Wurzelfüßern:* vorübergehend gebildete, der Fortbewegung dienende Fortsätze aus Plasma, Scheinfüßchen

Psi *s. Gen.* -(s) *Mz.* -s (*Zeichen:* ψ, Ψ) griech. Buchstabe

Psi|lo|me|lan [griech.] *s. 1 nur Ez.* Mineral, Hartmanganerz

Psit|ta|ko|se [griech.] *w. 11* = Papageienkrankheit

Pso|ri|a|sis [griech.] *w. Gen.* - *Mz.* -ri|a|sen eine Hautkrankheit, Schuppenflechte

pst!

psych…, **Psych…** vgl. psycho…, Psycho…; **Psych|a|go|ge** *auch:* **Psy|cha|go|ge** *m. 11* jmd., der auf dem Gebiet der Psychagogik tätig ist; **Psych|a|go|gik** *auch:* **Psy|cha|go|gik** [griech.] *w. 10 nur Ez.* »seelische Führung«, pädagog. und psycholog. Einwirkung auf Gesunde und Kranke; **Psy|che** *w. 11* **1** Seele, Seelenleben; **2** *österr. auch:* Frisiertoilette; **psy|che|de|lisch** bewusstseinserweiternd (Droge); **Psych|i|a|ter** *auch:* **Psy|chi|a|ter** *m. 5* Facharzt für Geistes- und Gemütskrankheiten; **Psych|i|a|trie** *auch:* **Psy|chi|a|trie** *w. 11 nur Ez.* Lehre von den Geistes- und Gemütskrankheiten und ihrer Behandlung; **psych|i|a|trie|ren** *auch:* **psy|chi|a|trie|ren** *tr. 3* auf den Geisteszustand hin untersuchen lassen (z. B. Angeklagten); **psych|i|a|trisch** *auch:* **psy|chi|a|trisch** zur Psychiatrie gehörend; **psy|chisch** seelisch, hinsichtlich des Seelen-, Gemütszustandes; **psy|cho…**, **Psy|cho…** *in Zus.:* seelen…, Seelen…; **Psy|cho|a|na|ly|se** *w. 11* Methode zur Erkennung und Heilung seelischer Störungen; **Psy|cho|a|na|ly|ti|ker** *m. 5;* **psy|cho|a|na|ly|tisch; Psy|cho|dra|ma** *s. Gen.* -s *Mz.* -men **1** Monodrama, das die seelischen Konflikte der handelnden Personen darstellt; **2** *Psychotherapie:* schauspielerische Darstellung der eigenen Konflikte durch den Patienten selbst; **psy|cho|gen** seelisch bedingt, seelisch verursacht; **Psy|cho|ge|ne|se, Psy|cho|ge|ne|sis** *w. Gen.* - *nur Ez.* Entstehung und Entwicklung der Seele und des Seelenlebens; **Psy|cho|gramm** *s. 1* durch Psychographie gewonnenes Bild der Persönlichkeit; **Psy|cho|gra|phie** *w. 11* psycholog. Beschreibung einer Person aufgrund von mündl. und schriftl. Äußerungen; **psy|cho|gra|phisch; psy|cho|id** seelenähnlich; **Psy|cho|id** *s. 1* seelenähnl. Kraft (bei niederen Organismen); **Psy|cho|lo|ge** *m. 11;* **Psy|cho|lo|gie** *w. 11 nur Ez.* Wissenschaft von der Seele, vom Seelenleben; **psy|cho|lo|gisch; Psy|cho|lo|gis|mus** *m. Gen.* - *nur Ez.* Überbewertung der Psychologie; **psy|cho|lo|gis|tisch; Psy|cho|man|tie** *w. 11* = Nekromantie; **Psy|cho|me|trie** *auch:* **-met|rie** *w. 11 nur Ez.* Messung der Dauer psychischer Vorgänge; **psy|cho|me|trisch** *auch:* **-met|risch; Psy|cho|mo|to|rik** *w. 10 nur Ez.* Gesamtheit der durch Seele und Willen beeinflussbaren Bewegungen; **psy|cho|mo|to|risch; Psy|cho|path** *m. 10* seelisch und charakterlich gestörter Mensch; **Psy|cho|pa|thie** *w. 11 nur Ez.* seelisch-charakterliche Störung; **psy|cho|pa|thisch; Psy|cho|pa|tho|lo|gie** *w. 11 nur Ez.* = Pathopsychologie; **Psy|cho|phar|ma|kon** *s. Gen.* -s *Mz.* -ka auf den seelischen Zustand wirkende Arznei; **Psy|cho|phy|sik** *w. 10 nur Ez.* Lehre von den Wechselbeziehungen zwischen physischen Reizen und Sinnesempfindungen; **psy|cho|phy|sisch; Psy|cho|se** *w. 11* geistig-seelische Störung, Geisteskrankheit, Gemütskrankheit; **Psy|cho|so|ma|tik** *w. 10 nur Ez.* auf der Einheit von Seele und Körper fußende Lehre von der Einwirkung seelischer Einflüsse auf körperl. Vorgänge; **psy|cho|so|ma|tisch** auf der Einheit von Seele und Körper beruhend, von seelischen Vorgängen beeinflusst; **Psy|cho|the|ra|peut** *m. 10* Arzt oder Psychologe auf dem Gebiet der Psychotherapie; **psy|cho|the|ra|peu|tisch; Psy|cho|the|ra|pie** *w. 11 nur Ez.* Behandlung seelisch Gestörter durch seel. Einwirkung; **Psy|cho|thril|ler** [-θril-, engl.] *m. 5;* **Psy|cho|ti|ker** *m. 5* jmd., der an einer Psychose leidet, geistig Gestörter, Geisteskranker; **psy|cho|tisch** geistig gestört, geisteskrank, gemütskrank

Psy|chro|me|ter *auch:* **Psych|ro|me|ter** [-kro-, griech.] *s. 5* Gerät zum Messen der Luftfeuchtigkeit

pt. *Abk. für* Pint

Pt *chem. Zeichen für* Platin

p. t. *Abk. für* pro tempore

Pta *Abk. für* Peseta

PTA *Abk. für* pharmazeutisch-technische Assistentin, Apothekenhelferin

Ptah *ägypt.* Gott, Schutzherr der Handwerker und Künstler

Pter|a|no|don *auch:* **Pte|ra|no|don** [griech.] *s. Gen.* -s *Mz.* -o|don|ten amerik. Flugsaurier der Kreidezeit; **Pte|ri|do|phy|ten** *Mz., Sammelbez. für* Farnpflanzen; **Pte|ro|dak|ty|lus** *m. Gen.* - *Mz.* -ty|len Flugsaurier der Jura- und Kreidezeit; **Pte|ro|po|de** *w. 11* Meeresschnecke mit ruderartigen Verbreiterungen am Schwimmfuß, Ruder-, Flügelschnecke; **Pte|ro|sau|ri|er** *m. 5* Angehöriger einer ausgestorbenen Ordnung der Reptilien, Flugsaurier; **Pte|ry|gi|um** *s. Gen.* -s *Mz.* -gi|en anomale Hautfalte, z. B. zwischen Fingern oder Zehen (»Schwimmhaut«); **pte|ry|got** geflügelt (Insekt)

Pto|le|mä|er *m. 5* Angehöriger eines ägypt. Herrschergeschlechts; **pto|le|mä|isch;** ptolemäisches System: Weltbild des Ptolemäos mit der Erde als Mittelpunkt; **Pto|le|mä|os, Pto|le|mä|us** *Claudius* ägypt. Geograph, Astronom und Mathematiker in Alexandria (85 bis 160)

Pto|ma|in [griech.] *s. 1 nur Ez.* bei der Verwesung von Leichen entstehendes Gift, Leichengift

Pty|a|lin [griech.] *s. 1 nur Ez.* im Speichel enthaltenes Enzym

Pu *chem. Zeichen für* Plutonium

Pub [pʌb, engl. Kurzw. von public house] *s. 9, engl. Bez. für* Gastwirtschaft

pu|ber|tär [lat.] zur Pubertät gehörig, mit ihr zusammenhängend; **Pu|ber|tät** *w. 10 nur Ez.* Zeit der beginnenden Geschlechtsreife; **Pu|ber|täts|stö|rung** *w. 10;* **pu|ber|tie|ren** *intr. 3* sich in der Pubertät befinden, in die Pubertät eintreten; **Pu-**

bes [-be:s] *Mz.* Schamhaare, Schamgegend; **pu|bes|zent** mannbar, geschlechtsreif; **Pu|bes|zenz** *w. 10 nur Ez.* Geschlechtsreifung

pu|bli|ce *auch:* **pub|li|ce** [-tse:, lat.] *veraltet:* öffentlich; **Pu|bli|ci|ty** *auch:* **Pub|li|ci|ty** [pʌblɪsɪti, engl.] *w. Gen. - nur Ez.* **1** Öffentlichkeit; **2** Bekanntsein in der Öffentlichkeit; Aufsehen in der Öffentlichkeit; **Pu|blic Re|la|tions** *Nv.* ► **Pu|blic|re|la|tions** *Hv.* [pʌblɪkrɪlɛɪʃnz] *Mz.* (*Abk.:* PR) Arbeit mit der Öffentlichkeit, Bemühung um Vertrauen in der Öffentlichkeit, Öffentlichkeitsarbeit; **pu|blik** *auch:* **pub|lik** [lat.] öffentlich, allgemein bekannt; eine Sache p. machen; p. werden; **Pu|bli|ka|ti|on** *auch:* **Pub|li-** *w. 10* **1** Veröffentlichung; **2** veröffentlichtes Druckwerk; **Pu|bli|kum** *auch:* **Pub|li-** *s. Gen.* -s *nur Ez.* **1** Öffentlichkeit, Allgemeinheit; **2** Gesamtheit der Zuschauer, Zuhörer, Besucher oder Leser; **Pu|bli|kums|er|folg** *auch:* **Pub|li-** *m. 1;* **pu|bli|kums|wirk|sam** *auch:* **pub|li-; pu|bli|zie|ren** *auch:* **pub|li-** *tr. 3* veröffentlichen; **Pu|bli|zie|rung** *auch:* **Pub|li-** *w. 10* Veröffentlichung; **Pu|bli|zist** *auch:* **Pub|li-** *m. 10* **1** Zeitungswissenschaftler; **2** Zeitungs-, Tagesschriftsteller; **Pu|bli|zis|tik** *auch:* **Pub|li-** *w. 10 nur Ez.* **1** Zeitungswissenschaft; **2** Zeitungs-, Tagesschriftstellerei; **Pu|bli|zi|tät** *auch:* **Pub|li-** *w. 10 nur Ez.* Bekanntsein in der Öffentlichkeit

> **Publicrelations/Public Relations:** Die entsprechend den deutschen Wörtern gebildete Zusammensetzung *die Publicrelations* ist die Hauptvariante [→§37 (1)]; die Getrenntschreibung ist, da es sich um eine Verbindung aus fremdsprachigem Adjektiv und Substantiv handelt, ebenso möglich: *Public Relations.*
> →§37 E1
> Der/die Schreibende soll selbst entscheiden, wie er/sie schreibt: *Publicrelations* bzw. *Public Relations.*

p. u. c. *Abk. für* post urbem conditam

Puck 1 Gestalt in Shakespeares »Sommernachtstraum«; **2** *m. 9, auch:* Kobold; **3** *Eishockey:* Hartgummischeibe (als Spielball)

pu|ckern *intr. 1* schlagen, klopfen, pulsieren

Pud [russ.] *s. Gen.* -s *Mz.* - altes russ. Gewicht, 16,38 kg

Pud|del|ei|sen *s. 7* Gerät zum Puddeln; **Pud|deln** *s. Gen.* -s *nur Ez.* Verfahren zur Herstellung von Stahl aus Roheisen; **Pud|del|o|fen** *m. 8;* **Pud|del|stahl** *m. 2*

Pud|ding [engl.] *m. 9* im Wasserbad im verschlossenen Behälter gekochte Speise; *auch* = Flammeri

Pu|del *m. 5* **1** eine Hunderasse; **2** *Kegeln:* Fehlwurf; **pu|deln** *intr. 1, Kegeln:* einen Pudel schießen, machen; **pu|del|naß** ► **pu|del|nass** *ugs.;* **pu|del|wohl** *ugs.*

Pu|der [lat.-frz.] *m. 5* feines Pulver; **pu|de|rig,** pud|rig; **pu|dern** *tr. 1;* ich pudere, pudre es; **Pu|der|zu|cker** *m. 5 nur Ez.*

Pu|du [indian.] *m. 9* südamerik. Zwerghirsch

Pu|e|blo *auch:* **Pu|eb|lo 1** *m. 9 oder Gen. - Mz.* - Angehöriger eines Indianervolkes im südwestlichen Teil der USA; **2** *s. 9* Dorf der Pueblos mit rechteckigen, zellenartig übereinander gebauten Steinhäusern

pu|e|ril [puə-, lat.] kindlich (geblieben), zurückgeblieben; **Pu|e|ri|lis|mus** *m. Gen. - nur Ez.* kindisches Wesen; **Pu|e|ri|li|tät** *w. 10 nur Ez.* Kindlichkeit, kindliches Wesen; **Pu|er|pe|ra** *w. Gen. - Mz.* -rae [-rɛ:] Wöchnerin; **pu|er|pe|ral** zum Wochenbett gehörig, im Wochenbett; **Pu|er|pe|ral|fie|ber** *s. 5 nur Ez.* = Kindbettfieber; **Pu|er|pe|ri|um** *s. Gen.* -s *Mz.* -ri|en Kindbett, Wochenbett

Pu|er|to|ri|ca|ner ► **Pu|er|to-Ri|ca|ner** *m. 5;* **pu|er|to|ri|ca|nisch** ► **pu|er|to-ri|ca|nisch; Pu|er|to Ri|co** Insel der Großen Antillen

Puff 1 *m. 2* Stoß; **2** *m. 1, auch:* Puf|fe *w. 11* gebauschter Stoff, Bausch (an der Kleidung); **3** *m. 1* festes Sitzkissen, niedriger Polstersitz ohne Lehne; **4** *s. Gen.* -s *nur Ez., kurz für* Puffspiel; **5** *s. 9* Bordell; **Puff|är|mel** *m. 5;* **Puff|boh|ne** *w. 11* = Saubohne; **Püff|chen** *s. 7;* **Puf|fe** *w. 11* = Puff (**2**); **puf|fen 1** *tr. 1* stoßen; **2** *intr. 1* knallend zischen; **Puf|fer** *m. 5* **1** Stoßdämpfer (an Eisenbahnwagen); **2** Kartoffelpuffer; **Puf|fer|staat** *m. 12* kleiner, zwischen zwei größeren Staaten liegender Staat, der Reibungen und Streitigkeiten verhindert, die sich ohne sein Vorhandensein ergeben würden; **Puf|fer|zo|ne** *w. 11* entmilitarisierte Zone zwischen zwei Staaten; **puf|fig** gebauscht; **Puff|mais** *m. Gen.* -es *nur Ez.* gerösteter Mais, Popcorn; **Puff|mut|ter** *w. 6* Bordellwirtin; **Puff|reis** *m. Gen.* -es *nur Ez.* unter hohem Druck gedämpfter, aufgequollener Reis; **Puff|spiel** *s. 1* ein Würfel- Brettspiel

puh|len *tr. u. intr. 1* = pulen

Pul [pers.] *m. 9, nach Zahlen Mz.* - afghan. Währungseinheit

Pul|ci|nel|la [-tʃi-, ital.], Pol|li|ci|nel|lo *m. Gen.* -(s) *Mz.* -li, *Figur der Commedia dell'arte:* Hanswurst

pu|len, puh|len *tr. u. intr. 1, ugs.:* mit dem Finger bohren; ein Loch in etwas p.

Pulk [poln., russ.] **1** Polk *m. 1, Mil.:* Verband von Truppen, Kampfflugzeugen oder Fahrzeugen; **2** *m. 9,* Pul|ka *m. 9* bootförmiger Lastschlitten der Lappen; **Pul|ka** *m. 9* = Pulk (**2**)

Pul|le *w. 11, ugs., derb:* Flasche

pul|len *intr. 1* **1** rudern; **2** vorwärts drängen, sich aufs Gebiss legen (Pferd); **3** *ugs., derb:* Wasser lassen, harnen

Pull|man|wa|gen *m. 7* nach dem amerik. Konstrukteur Pullman benannter Fahrgastwaggon

Pul|li *m. 9, kurz für* Pullover; **Pull|over** *auch:* **Pul|lo|ver** [engl.] *m. 5*

Pull|un|der [engl.] *m. 5* ärmelloser Pullover

pul|mo|nal [lat.] zur Lunge gehörend, von ihr ausgehend, Lungen…

Pulp [lat.] *m. 12,* Pul|pe, Pül|pe *w. 11* Fruchtmark, Fruchtmus; **Pul|pa** *w. Gen. - Mz.* -pae [-pɛ:] weiche, gefäßreiche Masse in der Zahnhöhle, Zahnmark; **Pul|pa|höh|le** *w. 11* Zahnhöhle; **Pul|pe, Pül|pe** *w. 11* = Pulp; **Pul|pi|tis** *w. Gen. - Mz.* -ti|den Entzündung der Pulpa; **pul|pös** fleischig, markig

Pul|que [-kə, span.] *m. Gen.* -s *nur Ez.* mexikan. Getränk aus gegorenem Agavensaft

► = wird zu

Puls [lat.] *m. 1* an der Innenseite des Handgelenks fühlbarer Herzschlag, Pulsschlag; **Puls|a|der** *w. 11* = Arterie; **Pul|sar** *m. 1* Himmelskörper, der periodisch kurze Stöße von Radiostrahlung abgibt; **Pul|sa|ti|on** *w. 10 nur Ez.* **1** rhythm. Zusammenziehung des Herzens und dadurch ausgelöste Druckwelle in den Blutgefäßen, Pulsschlag; **2** period. Veränderung des Durchmessers eines Sternes; **Pul|sa|tor** *m. 13* Melkmaschine; **pul|sen** *intr. 1* schlagen, klopfen, in Wellen strömen; **pul|sie|ren** *intr. 3* **1** pulsen; **2** *übertr.:* lebhaft strömen; pulsierendes Leben (in einer Stadt); **Pul|si|on** *w. 10* Stoß, Schlag, Schwungbewegung; **Pul|so|me|ter** *s. 5* Dampfpumpe ohne Kolben mit Dampfkondensatoren; **Puls|schlag** *m. 2; auch übertr.:* sichtbares, fühlbares Leben; der P. der Zeit; **Puls|wär|mer** *m. 5*

Pult [lat.] *s. 1* Tisch mit schräger Fläche; **Pult|dach** *s. 4*

Pul|ver [lat.] *s. 5* fein zerteilter fester Stoff; Medikament in dieser Form; er hat sein P. zu früh verschossen *übertr.:* er hat seine Einwände, Argumente verfrüht angebracht; er ist keinen Schuss P. wert *übertr.:* gar nichts wert; **Pül|ver|chen** *s. 7, iron.:* Medikament in Pulverform; **Pul|ver|faß** ► **Pul|ver|fass** *s. 4;* (wie) auf einem P. sitzen *übertr.:* sich in einer gefährl. Lage befinden; **pul|ve|rig,** pulv|rig; **Pul|ve|ri|sa|tor** *m. 13* Maschine zum Herstellen von Pulver; **pul|ve|ri|sie|ren** *tr. 3* zu Pulver zermahlen oder zerstampfen; **Pul|ver|kam|mer** *w. 11* **1** *bei Geschützen:* Ladeloch; **2** *auf Schiffen:* Raum für Munition; **pul|vern** *tr. 1* schießen; **Pul|ver|turm** *m. 2, früher:* Munitionslager; **pulv|rig,** pul|ve|rig

Pu|ma [peruan. Indianerspr.] *m. 9* eine Raubkatze, Silberlöwe, Kuguar

Pum|mel *m. 5, ugs. scherzh.:* rundliche, dickliche Person; **pum|me|lig, pumm|lig**

Pump *m. 1* **1** Bausch, bauschige Falten; **2** *nur Ez., ugs.:* Borg, Leihen; einen Pump bei jmdm. aufnehmen; etwas auf Pump bekommen: geliehen bekommen; auf Pump leben

Pum|pe *w. 11;* **pum|pen** *tr. 1; auch ugs.:* leihen; **Pum|pen|haus** *s. 4;* **pum|pern** *intr. 1, ugs.:* klopfen, schlagen; **Pum|per|ni|ckel** *m. 5* schwarzbraunes, süßl. Roggenbrot

Pump|ho|se *w. 11* weite, unter dem Knie gebundene Hose

Pumps [pœmps, brit.] *Mz.* ausgeschnittene Damenschuhe ohne Verschluss

Punch [pʌntʃ, engl.] *m. 9* **1** [zu Pulcinella] *im brit. Puppenspiel und in der brit. Komödie:* Kasperle, Hanswurst; **2** *nur Ez.* Name einer brit. humorist. Zeitung; **3** [engl. »schlagen, stoßen«] Boxhieb; *nur Ez.:* Training am Punchingball; **Pun|cher** [pʌntʃə] *m. 5* **1** Boxer beim Training am Punchingball; **2** Boxer mit bes. großer Schlagkraft; **Pun|ching|ball** [pʌntʃiŋ-] *m. 2* an einer Leine frei hängender Ball zum Training für Boxer, birnenförmig, mit Leder überzogen; **Pun|ching|bir|ne** [pʌntʃiŋ-] *w. 11* Plattformball, Plattformbirne

Punc|tum punc|ti [lat. »Punkt des Punktes«] *s. Gen. -- nur Ez.* Hauptpunkt, Hauptsache; **Punc|tum sa|li|ens** *m. Gen. -- nur Ez.* »springender Punkt«, Kernpunkt, Hauptsache

Pu|ni|er *m. 5, altröm. Name für* Karthager; **pu|nisch;** *aber:* die Punischen Kriege

pu|ni|tiv [lat.] strafend; p. Erziehungsverhalten

Punk [pʌŋk, engl.] *m. Gen. -s nur Ez.* bewusst aggressiv-zynische Richtung der Rockmusik; **Pun|ker** [auch paŋ-, engl.] *m. 5* Angehöriger einer Protestbewegung Jugendlicher mit auffälligem, brutalem Äußeren

Punkt [lat.] *m. 1* **1** sehr kleiner Fleck; **2** *Math.:* geometr. Gebilde ohne Ausdehnung, Stelle, an der sich zwei Linien schneiden; **3** ein Satzzeichen; **4** *Mus.:* Zeichen hinter einer Note, das diese um die Hälfte ihres Zeitwertes verlängert; **5** bestimmte Stelle, bestimmter Ort; **6** *übertr.:* Sache, Angelegenheit; Absatz, Abschnitt; **7** *Sport, Spiel:* Bewertungseinheit; **8** Zeitpunkt; Punkt 8 Uhr; **9** *Mz. - (Abk.:* p) Maßeinheit für den Schriftsatz, typograf. Punkt; eine Schrift von 7 Punkt; **Punk|tal|glas** *s. 4* in bestimmter Weise geschliffenes Brillenglas, das optische Verzerrungen auch bei schrägem Durchblick aufhebt; **Punk|tat** *s. 1* mittels Punktion entnommene Körperflüssigkeit; **Punk|ta|ti|on** *w. 10* **1** Vorvertrag, vorläufige Festlegung der wichtigsten Punkte; **2** Kennzeichnung der Vokale in der hebr. Schrift durch Punkte unter (oder über) den Konsonanten; **Punkt|au|ge** *s. 14* Einzelauge der Gliederfüßer, Ozelle; **Pünkt|chen** *s. 7;* **punk|ten 1** *tr. 2* mit Punkten versehen, tüpfeln; gepunktetes Kleid; vgl. punktieren; **2** *intr. 2 Sp.:* Punkte sammeln; **Punkt|feu|er** *s. 5 nur Ez.* auf einen Punkt konzentriertes Geschützfeuer; **punkt|gleich** *Sp.;* **punk|tie|ren** *tr. 3* **1** mit Punkten versehen, durch Punkte andeuten; punktierte Linie; **2** jmdn. p.: an jmdm. eine Punktion vornehmen; **Punk|tier|na|del** *w. 11* Hohlnadel für die Punktion; **Punk|ti|on,** Punk|tur *w. 10* Entnahme von Flüssigkeit aus einer Körperhöhle mittels Punktiernadel zu diagnost. Zwecken; **pünkt|lich; Pünkt|lich|keit** *w. 10 nur Ez.;* **Punkt|licht** *s. 3* gebündeltes, gezielt auf einen Gegenstand gerichtetes Licht, z. B. in Ausstellungsvitrinen, Spotlight; **Punkt|nie|der|la|ge** *w. 11, Boxen, Ringen u. a.:* Niederlage nach Punkten; **punk|to** vgl. in puncto; **Punkt|rich|ter** *m. 5, in manchen Sportarten:* Richter, der nach Punkten wertet; **Punkt|schrift** *w. 10 nur Ez.* = Blindenschrift; **punkt|schwei|ßen** *tr. 1, nur im Infinitiv und Partizip II:* durch starke elektr. Ströme punktweise aneinanderschmelzen (Metallbleche); punktgeschweißt; **Punkt|sieg** *m. 1, Sport:* Sieg nach Punkten; **Punkt|sys|tem** *s. 1* **1** von François Ambroise Didot entwickeltes typograf. Maßsystem, Didotsystem; **2** *Sport:* eine Form der Austragung von Meisterschaften; **punk|tu|ell** punktweise, auf ei-

> **Punkt acht Uhr:** Substantive, die Bestandteile fester Gefüge sind und nicht mit anderen Teilen des Gefüges zusammengeschrieben werden, schreibt man groß: *Sie kamen Punkt acht Uhr an.* → § 55 (4)

nen oder mehrere Punkte bezogen; **Punk|tum!** Schluss!; und damit P.!; **Punk|tur** *w. 10* = Punktion; **Punkt|wer|tung** *w. 10, Sport:* Wertung nach Punkten

Punsch [Hindi] *m. 1* heißes Getränk aus Rum, Wasser oder Tee, Zucker und verschiedenen Zutaten

Pun|ze *w. 11* **1** meißelähnl. Werkzeug zum Treiben erhabener Muster auf Metall; **2** Stahlstift zur Lederbearbeitung; **3** *österr.:* Prüf-, Erkennungszeichen für den Gehalt an Edelmetall; **pun|zen** *tr. 1,* **pun|zie|ren** *tr. 3* **1** mit der Punze bearbeiten (Metall, Leder); **2** mit dem Prüfzeichen stempeln (Edelmetall)

Pup, Pups *m. 1, ugs.:* Blähung, Darmwind; **pu|pen,** pup|sen *intr. 1, ugs.:* einen Darmwind entweichen lassen

pu|pil|lar [lat.] **1** zur Pupille gehörig; **2** = pupillarisch; **pu|pil|la|risch** zum Mündel gehörig, das Mündel betreffend; p. sicher: mündelsicher; **Pu|pil|le** *w. 11* Sehloch im Auge; **pu|pil|len|er|wei|ternd, pu|pil|len|ver|en|gend**

Pu|pin|spu|le [nach dem amerik. Physiker M. I. Pupin] *w. 11* Spezialspule für den Bau von Nachrichtenkabeln niederer Frequenzen

pu|pi|par [lat.] puppengebärend, d. h. Larven gebärend, die sich sofort verpuppen; pupipare Insekten

Püpp|chen *s. 7;* **Pup|pe** *w. 11;* **pup|pen|haft; Pup|pen|räu|ber** *m. 5* ein Laufkäfer; **Pup|pen|spiel** *s. 1;* **Pup|pen|spie|ler** *m. 5;* **Pup|pen|the|a|ter** *s. 5;* **Pup|pen|wa|gen** *m. 7*

pup|pern *intr. 1, ugs.:* klopfen, schlagen, zittern; mein Herz pupperte (vor Angst)

pup|pig wie eine Puppe, klein und niedlich

Pups *m. 1* **Pup|ser** *m. 5 ugs.:* = Pup; **pup|sen** *intr. 1, ugs.* = pupen

pur [lat.] rein, unverfälscht, lauter, unverdünnt; pures Gold; der pure Neid; Saft pur trinken

Pü|ree [frz.] *s. 9* Mus, Brei

Pur|gans [lat.] *s. Gen. - Mz.* -gan|tia [-tsja] oder -gan|zi|en, Pur|ga|tiv *s. 1* Abführmittel, Purgiermittel, Laxans; **Pur|ga|ti|on** *w. 10, veraltet:* Reinigung, (gerichtliche) Rechtfertigung; **pur|ga|tiv** abführend; **Pur|ga|tiv** *s. 1* = Purgans; **Pur|ga|to|ri|um** *s. Gen. -s nur Ez.* Fegefeuer; **pur|gie|ren** *intr. 3* abführen; **Pur|gier|mit|tel** *s. 5* = Purgans

Pu|ri|fi|ka|ti|on [lat.] *w. 10* liturg. Reinigung (bes. der Altargefäße während der Messe); **Pu|ri|fi|ka|to|ri|um** *s. Gen. -s Mz.* -ri|en Tuch zum Trocknen des Kelchs bei der Purifikation; **pu|ri|fi|zie|ren** *tr. 3, veraltet:* reinigen

Pu|rim *s. Gen. -s nur Ez.* jüd. Fest zur Erinnerung an die Rettung der pers. Juden durch Esther

Pu|rin [lat.] *s. 1* eine chem. Verbindung, Stammsubstanz z. B. von Koffein

Pu|ris|mus [lat.] *m. Gen. - nur Ez.* übertriebenes Bestreben, die Sprache von Fremdwörtern und Verwilderungen oder ein Kunstwerk von stilfremden Elementen zu reinigen; **Pu|rist** *m. 10* Anhänger des Purismus; **pu|ris|tisch; Pu|ri|ta|ner** *m. 5* **1** Anhänger des Puritanismus; **2** übertrieben sittenstrenger Mensch; **pu|ri|ta|nisch; Pu|ri|ta|nis|mus** *m. Gen. - nur Ez.* streng calvinist. Richtung der engl. prot. Kirche, die eine Presbyterialverfassung erstrebte und für den Einzelnen ein sittenstrenges Leben forderte; **Pu|ri|tät** *w. 10 nur Ez., veraltet:* Reinheit, Sittenstrenge

Pur|pur [griech.] *m. Gen. -s nur Ez.* **1** bläulichroter Farbstoff; **2** feierliches Gewand in dieser Farbe; P. anlegen; **Pur|pu|rin** *s. 1 nur Ez.* ein in der Krappwurzel vorkommender Farbstoff; **pur|purn** purpurrot; **pur|pur|rot** bläulichrot; **Pur|pur|schne|cke** *w. 11* eine Meeresschnecke, die einen Purpur enthaltenden Schleim absondert

pur|ren **1** *intr. 1* stochern, stöbern; **2** *tr. 1, Seew.:* wecken

Pürsch *w. Gen. - nur Ez.* = Pirsch; **pür|schen** *intr. 1* = pirschen

pu|ru|lent [lat.] eitrig; **Pu|ru|lenz** *w. 10 nur Ez.* Eiterung

Pur|zel *m. 5, ugs.:* niedliches kleines Kind, Kerlchen; **Pur|zel|baum** *m. 2;* **pur|zeln** *intr. 1*

pu|schen = pushen

Pu|schel, Pü|schel *m. 5, norddt.:* Quaste, Troddel

Push|ball [puʃbɔ:l, engl.] *m. Gen. -s nur Ez.* ein amerik. Mannschafts-Ballspiel

> **pushen/puschen:** Die fremdsprachige Schreibweise (*pushen* = mit harten Drogen handeln = *dealen*) ist die Hauptvariante, die integrierte (eingedeutschte) Form *(puschen)* die zulässige Nebenvariante. →§ 32 (2)

pu|shen ► *auch:* **pu|schen** [engl.] *intr. 1, ugs., nicht mehr übliche Bez. für* mit Rauschgift (»harten« Drogen) handeln; vgl. dealen; **Pu|sher** ► *auch:* **Pu|scher** *m. 5, ugs., nicht mehr übliche Bez. für* Rauschgifthändler, Händler mit »harten« Drogen; vgl. Dealer

pus|se|lig, puss|lig, übertrieben genau, übertrieben eifrig; **pus|seln** *intr. 1* herumbasteln, sich mit Kleinigkeiten aufhalten, übertrieben genau sein; **puß|lig** ► **puss|lig** = pusselig

Puß|ta ► **Pusz|ta**

Pus|te *w. 11 nur Ez., ugs.:* Atem; außer P. kommen, sein; keine P. mehr haben; **Pus|te|blu|me** *w. 11* Löwenzahn; **Pus|te|ku|chen** *ugs.:* Ausdruck der Ablehnung; P.!, ja, P.!: ich denke nicht daran!

Pus|tel [lat.] *w. 11* Bläschen, Pickel, Eiterbläschen

pus|ten *intr. 2, ugs.:* blasen; **Pus|te|rohr** *s. 1* Blasrohr

pus|tu|lös [lat.] voller Pusteln, mit Pusteln einhergehend

Pusz|ta [pusta, ung.] *w. Gen. - Mz.* -ten Grassteppe in Ungarn

pu|ta|tiv [lat.] vermeintlich, irrtümlich für gültig gehalten; **Pu|ta|tiv|e|he** *w. 11* ungültige, aber von den Partnern für gültig gehaltene Ehe; **Pu|ta|tiv|not|wehr** *w. 10 nur Ez.* Notwehr bei vermeintl. Angriff

Pu|te *w. 11* **1** Truthenne; **2** *ugs., abwertend:* Frau, Mädchen; dumme P., eingebildete P.; **Pu|ter** *m. 5* Truthahn; **pu|ter|rot** rot (wie der Fleischlappen am Hals des Puters)

Pu|tre|fak|ti|on *auch:* **Put|re-** [lat.] *w. 10,* **Pu|tres|zenz** *auch:* **Put|res-** *w. 10* Fäulnis, Verwesung; **pu|tres|zie|ren** *auch:* **put|res-** *intr. 3* verfaulen, verwesen; **pu|trid** *auch:* **put|rid** *Med.:* faulig riechend

Putsch *m. 1* **1** polit. Umsturz,

Umsturzversuch; **2** *schweiz.:* Stoß; **pụt|schen** *intr. 1* einen Putsch verüben oder versuchen; **Put|schịst** *m. 10* jmd., der an einem Putsch beteiligt ist oder war

Pụt|te [ital.] *w. 11,* Pụt|to *m. Gen.* -s *Mz.* -ten *oder* -ti, *Malerei und bildende Kunst:* kleine Engelsfigur

pụt|ten [engl.] *intr. 2, Golf:* den Ball mit dem Putter so schlagen, dass er möglichst ins Loch rollt; **Pụt|ter** *m. 5* besonderer Golfschläger zum Putten

Pụt|to *m. Gen.* -s *Mz.* -ten *oder* -ti = Putte

Pụtz *m. 1 nur Ez.* **1** schmucke, hübsche (weibl.) Kleidung; **2** mod. Zubehör zur (weibl.) Kleidung; **3** Mauerbewurf

Pụ̈tz *w. 10,* **Pụ̈t|ze** *w. 11, Seew.:* Eimer

pụt|zen 1 *tr. 1* säubern, reinigen; hübsch anziehen und frisieren; **2** *intr. 1, landschaftl.:* als Schmuck dienen, als Schmuck hübsch aussehen; die Schleife putzt; **Pụt|zer** *m. 5; auch Mil.:* Bursche (eines Offiziers oder Unteroffiziers); **Put|ze|rei** *w. 10;* **Pụtz|frau** *w. 10*

pụt|zig drollig, komisch, erheiternd

Pụtz|ma|che|rin *w. 10* Herstellerin von Damenhüten, Modistin; **Pụtz|sucht** *w. Gen.- nur Ez.;* **pụtz|süch|tig; Pụtz|wol|le** *w. 11 nur Ez.*

Puzzle [pʌzl, auch: pusl, engl.] *s. 9,* **Puzzle|spiel** *s. 1* Geduldsspiel, bei dem aus kleinen ausgeschnittenen Stücken Bilder zusammengesetzt werden müssen; **puz|zeln** [pʌz-, auch pus-] ein Puzzle zusammensetzen

Puz|zo|lan [nach dem ital. Fundort Pozzuoli] *s. 1,* **Puz|zo|lan|er|de** *w. 11* ein Bindemittel für Zement und Beton

PVC *Abk. für* Polyvinylchlorid

pwt. *Abk. für* Pennyweight

Py|ä|mie [griech.] *w. 11* Blutvergiftung durch Eitererreger in der Blutbahn; **Py|ar|thro|se** *auch:* **Py|arth|ro|se** *w. 11* eitrige Gelenkentzündung

Py|e|li|tis [griech.] *w. Gen. - Mz.* -ti|den Nierenbeckenentzündung

Pyg|mäe [griech.] *m. 11* Angehöriger eines afrik. Zwergvolkes; **pyg|mä|isch** zwergwüchsig; **pyg|mo|id** Rassenmerkmale der Pygmoiden aufweisend; **Pyg|mo|ide** *m. 11* Angehöriger einer den Pygmäen ähnl. Rasse

Py|ja|ma [pydʒama Hindi] *m. 9, österr., schweiz.: s. 9* Schlafanzug

Py|kni|ker *auch:* **Pyk|ni|ker** [griech.] *m. 5* Mensch mit pyknischem Körperbau; **py|knisch** *auch:* **pyk|nisch** gedrungen, untersetzt und zu Fettansatz neigend; **Py|kno|me|ter** *auch:* **Pyk|no-** *s. 5* Gerät zum Messen der Dichte von Flüssigkeiten

Py|lon [griech.] *m. 10,* **Py|lo|ne** *w. 11, ägypt. Baukunst:* von zwei wuchtigen Türmen flankiertes Eingangstor; **Py|lo|ro|spas|mus** *m. Gen. - Mz.* -men = Pförtnerkrampf; **Py|lo|rus** *m. Gen. - Mz.* -ren Schließmuskel am Ausgang des Magens, Magenpförtner

py|o|gen [griech.] Eiterung hervorrufend; **Py|o|kok|kus** *m. Gen.- Mz.*-ken eitererregender Kokkus; **Py|or|rhö** *w. 10,* **Py|or|rhoe** [-rø] *w. 11* Eiterfluss; **py|or|rho|isch** mit Eiterfluss einhergehend

pyr…, Pyr… vgl. pyro…, Pyro…

py|ra|mi|dal [griech.], pyramidenartig; **Py|ra|mi|de** *w. 11* **1** Körper mit einem Vieleck als Grundfläche und dreieckigen, oben in einer Spitze zusammenlaufenden Seitenflächen; **2** Grabbau der ägypt. Könige in dieser Form; **Py|ra|mi|den|bahn** *w. 11* Nervenbahn im Rückenmark für die Nerven der willkürlich bewegten Muskeln

Pyr|a|no|me|ter [griech.] *s. 5* Gerät zum Messen der Sonnen- und Himmelsstrahlung

Py|re|nä|en *Mz.* Gebirge zwischen Frankreich und Spanien; **Py|re|nä|en|halb|in|sel** *w. 11 nur Ez.* Spanien und Portugal, Iberische Halbinsel; **py|re|nä|isch**

Py|re|thrum *auch:* **Py|reth|rum** [griech.] *s. Gen.* -s *Mz.* -thra -Untergattung der Chrysanthemen, von der einige Arten Insektengift liefern

Py|re|ti|kum [griech.] *s. Gen.* -s *Mz.* -ka Fiebermittel; **py|re|tisch** fiebernd; **Pyr|e|xie** *auch:* **Py|re|xie** *w. 11* Fieber

Py|rit [griech.] *m. 1* ein Mineral, Eisenkies, Schwefelkies

py|ro…, Py|ro… [griech.] *in Zus.:* feuer…, Feuer…, durch Feuer, durch Hitze hervorgerufen

py|ro|gen [griech.] **1** Fieber hervorrufend; **2** *Geol.:* aus einem Schmelzfuß entstanden; **Py|ro|ly|se** *w. 11* Zersetzung von chemischen Verbindungen durch Hitze; **Py|ro|ma|ne** *m. 11* jmd., der an Pyromanie leidet; **Py|ro|ma|nie** *w. 11* krankhafter Trieb zur Brandstiftung; **Py|ro|me|ter** *s. 5* Gerät zum Messen hoher Temperaturen; **Py|ro|me|trie** *auch:* **-met|rie** *w. 11 nur Ez.* Messung im Bereich hoher Temperaturen; **Py|ro|mor|phit** *m. 1* ein Mineral, Buntbleierz; **Py|ro|pho|bie** *w. 11* krankhafte Furcht vor Feuer; **py|ro|phor** bei relativ geringer Temperatur in feinster Verteilung an der Luft aufglühend, selbstentzündlich; **Pyr|o|sis** *auch:* **Py|ro|sis** *w. Gen. - nur Ez.* Sodbrennen; **Py|ro|tech|nik** *w. 10 nur Ez.* Herstellung und Gebrauch von Feuerwerks- und Sprengkörpern, Feuerwerkerei; **Py|ro|tech|ni|ker** *m. 5* Fachmann in der Pyrotechnik, Feuerwerker; **py|ro|tech|nisch**

Py|rrhus|sieg [nach dem verlustreichen Sieg des Königs Pyrrhus von Epirus über die Römer 279 v. Chr.] *m. 1* mit zu großen Opfern erkaufter Sieg

Pyr|rol [griech.] *s. 1 nur Ez.* chem. Ringverbindung aus vier Kohlenstoffatomen und einem Stickstoffatom

Py|tha|go|re|er *m. 5* Anhänger der Lehre des altgriech. Philosophen Pythagoras; **py|tha|go|re|isch;** pythagoreischer Lehrsatz

Py|thia [nach P., der weissagenden griech. Priesterin in Delphi] *w. Gen. - Mz.*-s *oder* -thi|en geheimnisvolle Andeutungen machende Frau; **py|thisch** orakel-, rätselhaft

Py|thon [griech.] *m. Gen.*-s *Mz.* -s *oder* -tho|nen, **Py|thon|schlan|ge** *w. 11* eine Eier legende Riesenschlange

Py|xis [griech.] *w. Gen. - Mz.* -xi|den *oder* Py|xi|des [-de:s] Hostienbehälter im Tabernakel

Q

q *Abk. für* Quintal

Q *Abk. für* Quetzal

qcm *früher Abk. für* Quadratzentimeter; vgl cm^2

qdm *früher Abk. für* Quadratdezimeter; vgl. dm^2

q. e. d. *Abk. für* quod erat demonstrandum

Quin|dar [kin-] *m. Gen.* -(s) *Mz.* -ka Währungseinheit in Albanien, $^1/_{100}$ Lek

qkm *früher Abk. für* Quadratkilometer; vgl. km^2

qm *früher Abk. für* Quadratmeter; vgl. m^2

qmm *früher Abk. für* Quadratmillimeter; vgl. mm^2

qr., qrs. *Abk. für* Quarter(s)

qua [lat.] (in der Eigenschaft) als; qua Theologe: als Theologe

Quab|be *w. 11, nddt.:* Fettwulst; **Quab|bel** *m. 5 nur Ez., ugs.:* schwammige Masse, Gallert; **quab|be|lig** schwammig, weich, gallertartig; **quab|beln** *intr. 1* zittern, rasch wackeln (Pudding u. a.); **quab|big, quabb|lig** = quabbelig

Qua|bi *m. 9 Lehrerjargon:* qualifizierender Bildungsabschluss (Quali plus Lehre); **Qua|li** *m. 9 Lehrerjargon:* qualifizierender Hauptschulabschluss

Qua|ckel|ei *w. 10* törichtes Gerede, Geschwätz; **qua|ckeln** *intr. 1* törichtes Zeug reden, schwatzen; **Quack|sal|ber** *m. 5* angebl. Arzt, Kurpfuscher; **Quack|sal|be|rei** *w. 10 nur Ez.* unsachgemäße Anwendung von Medikamenten oder Behandlungsmethoden, Kurpfuscherei; **quack|sal|be|risch; quack|sal|bern** *intr. 1*

Quad|del *w. 11* juckende Anschwellung der Haut (bes. nach Stich von Ungeziefer)

Qua|der [lat.] *m. 5* von gleichen, rechteckigen, parallelen Flächen begrenzter Körper; behauener Steinblock; **Qua|dra|ge|si|ma** *w. Gen. - nur Ez.* vierzigtägige Fastenzeit vor Ostern; **Qua|dran|gel** *s. 5* Viereck; **qua|dran|gu|lär** viereckig; **Qua|drant** *m. 10* **1** Viertelkreis; **2** *früher:* Gerät zum Messen des Höhenwinkels und zum Bestimmen der Gestirnhöhe über dem Horizont; **3** Viertel eines Meridians oder des Äquators; **Qua|drat** *auch:* **Quad|rat** *s. 1* **1** Viereck mit rechtwinklig aufeinander stehenden gleichen Seiten; **2** zweite Potenz (einer Zahl); eine Zahl ins Q. erheben; **3** *Buchw.:* Metallstück zum Ausschließen, z. B. zum Füllen von Schlusszeilen; **Qua|drat...** *in Zus.* in die zweite Potenz erhoben, Flächen..., z. B. Quadratmeter; **Qua|drat|de|zi|me|ter** *s. 5, ugs.: m. 5* (*Abk.:* dm^2, *früher:* qdm); **Qua|drat|fuß** *m. Gen. - Mz. -;* **qua|dra|tisch** **1** mit vier gleichen, senkrecht aufeinander stehenden Seiten versehen; **2** in die zweite Potenz erhoben; quadratische Gleichung: Gleichung zweiten Grades; **Qua|drat|ki|lo|me|ter** *s. 5, ugs.: m. 5* (*Abk.:* km^2, *früher:* qkm); **Qua|drat|lat|schen** *m. 12 Mz., ugs.:* große, derbe Schuhe; **Qua|drat|mei|le** *w. 11;* **Qua|drat|me|ter** *s. 5, ugs.: m. 5* (*Abk.:* m^2, *früher:* qm); **Quadrat|mil|li|me|ter** *s. 5, ugs.: m. 5* (*Abk.:* mm^2, *früher:* qmm); **Qua|drat|schä|del** *m. 5, ugs.:* großer, knochiger, eckiger Kopf; **Qua|dra|tur** *w. 10* **1** Berechnung des Inhalts einer Fläche durch Integralrechnung; **2** Umwandlung einer krummlinig begrenzten Fläche in ein Quadrat mit gleichem Flächeninhalt; Qu. des Kreises *übertr.:* unlösbare Aufgabe (da ein Kreis nicht mit geometr. Mitteln in ein Quadrat verwandelt werden kann); **3** *Astron.* = Geviertschein; **Qua|drat|wur|zel** *w. 11* zweite Wurzel; **Qua|drat|zahl** *w. 10* zweite Potenz einer Zahl, z. B. 9 (3^2); **Qua|drat|zen|ti|me|ter** *s. 5, ugs.: m. 5* (*Abk.:* cm^2, *früher:* qcm); **Qua|drat|zoll** *m. Gen.* -s *Mz. -;* **Qua|dri|en|ni|um** *s. Gen.* -s *Mz.* -ni|en, *veraltet:* Zeitraum von vier Jahren; **qua|drie|ren** *tr. 3* ins Quadrat erheben, mit sich selbst multiplizieren; **Qua|dri|ga** *auch:* **Quad|ri|ga** *w. -Gen. - Mz.* -gen, *Antike:* zweirädriger, mit vier Pferden bespannter Wagen; **Qua|dril|le** [kadriljе, österr.: kadril] *w. 11* Tanz zu vieren oder vier Paaren; **Qua|dril|li|on** *w. 10* **1** Million in der vierten Potenz, 10^{24}; vgl. Quintillion; **2** *in den USA:* Billiarde, 10^{15}; **Qua|dri|nom** *s. 1, Math.:* viergliedrige Größe; **Qua|dri|vi|um** *s. Gen.* -s *Ez., MA:* die letzten (höheren) vier der Sieben Freien Künste: Arithmetik, Geometrie, Astronomie, Musik; vgl. Trivium; **qua|dro|fon** = quadrophon; **Qua|dro|fo|nie** = Quadrophonie; **qua|dro|fo|nisch** = quadrophonisch; **qua|dro|phon** ► *auch:* **qua|dro|fon; Qua|dro|pho|nie** ► *auch:* **Qua|dro|fo|nie** [lat. + griech.] *w. 11 nur Ez.* Tonwiedergabe, die mittels vier Kanälen und Lautsprechern noch vollkommeneres räuml. Hören ermöglicht als Stereophonie; **qua|dro|pho|nisch** ► *auch:* **qua|dro|fo|nisch** mit Hilfe der Quadrophonie; **Qua|dru|pe|de** *m. 11* Vierfüßer; **Qua|dru|pel** *s. 5 oder m. 5, Math.:* vier zusammengehörige Größen

Quadra-, Quadri-, Quadro-, Quadru- (Worttrennung): Neben der bisher üblichen Trennungsmöglichkeit (*Qua|dra-, Qua|dri-, Qua|dro-, Qua|dru-*) bleibt es dem/der Schreibenden überlassen, auch nach Sprechsilben abzutrennen. Im Regelfall wird beim Zusammentreffen von mehreren Konsonanten der letzte abgetrennt, also: *Quad|ra-, Quad|ri-, Quad|ro-, Quad|ru-*. → § 108, § 110

quadrophon/quadrofon: Die fremdsprachige Schreibweise ist die Hauptvariante *(quadrophon),* die integrierte (eingedeutschte) Form *(quadrofon)* die zulässige Nebenvariante. Ebenso: *die Quadrophonie/Quadrofonie.* → § 32 (2)

Quaes|tio [kvɛ-, lat.] *w. Gen. - Mz.* -ti|o|nes [-ne:s] jurist. Frage; Qu. facti: die Frage nach den Tatsachen, dem Sachverhalt (einer Straftat); Qu. iuris: die Frage nach der Strafwürdig-

keit, der rechtl. Fassbarkeit (einer Tat); vgl. Quästion
Quag|ga [hottentott.] *s. 9* ausgerottetes, dem Zebra ähnliches afrik. Wildpferd
Quai [kɛ, frz.] *m. 9 frz. Schreibung von* Kai; **Quai d'Or|say** [kɛdɔrsɛ] *m. Gen. -- nur Ez.* **1** eine Straße in Paris; **2** das (dort befindliche) frz. Außenministerium
quak!; Quä|ke *w. 11* Pfeife zum Nachahmen des Klagelauts des Hasen, um kleines Raubwild anzulocken; **qua|ken** *intr. 1;* **quä|ken** *intr. 1*
Quä|ker [engl.] »Zitterer«, urspr. Spottname] *m. 5* Angehöriger der »Gesellschaft der Freunde«, einer engl.-amerik. relig. Gemeinschaft; **Quä|kertum** *s. Gen.* -s *nur Ez.*
Qual *w. 10;* **quä|len** *tr. 1;* **Quä|le|rei** *w. 10;* **quä|le|risch; Quäl|geist** *m. 3*
Qua|li|fi|ka|ti|on [lat.] *w. 10* **1** Beurteilung; **2** Befähigung, Eignung; **3** Befähigungsnachweis; **4** Ausbildung; **Qua|li|fi|ka|ti|ons|spiel** *s. 1, Sport;* **qua|li|fi|zie|ren** *tr. 3* **1** kennzeichnen, beurteilen; **2** befähigen, fähig machen, ausbilden, weiterbilden, (durch Übung, Training) weiterentwickeln; qualifizierte Arbeit: bes. gute Arbeit; qualifizierte Mehrheit: für bestimmte Parlamentsbeschlüsse vorgeschriebene Mehrheit, z. B. Zweidrittelmehrheit; qualifizierte Straftat: Straftat unter erschwerenden Umständen; **Qua|li|fi|zie|rung** *w. 10;* **Qua|li|tät** *w. 10* **1** Beschaffenheit, Güte, Sorte; **2** Vokalfärbung; vgl. Quantität; **qua|li|ta|tiv** hinsichtlich der Qualität; **Qua|li|täts|arbeit** *w. 10* sehr gute Arbeit, Wertarbeit; **Qua|li|täts|wein** *m. 1* Wein einer bestimmten Güte
Qual|le *w. 11* die frei schwimmende Form der Nesseltiere; **qual|lig** weich wie eine Qualle
Qualm *m. 1 nur Ez.;* **qual|men** *intr. 1;* **qual|mig**
Qual|ster *m. 5 norddt.:* Schleim, Auswurf; **qual|ste|rig,** qualstrig; **qual|stern** *intr. 1, norddt.:* Qualster von sich geben, Schleim ausspucken
qual|voll
Quant [lat.] *s. 12* Teilchen (bes. im Zusammenhang mit Energiemengen, Lichtstrahlen und Drehimpulsen gebraucht); **Quänt|chen** *s. 7; übertr.:* kleine Menge, ein wenig; **Quan|ten|me|cha|nik** *w. 10 nur Ez.,* **Quan|ten|the|o|rie** *w. 11* Theorie zur Beschreibung von submikroskop. Vorgängen (z. B. innerhalb eines Atoms oder Atomkerns); **quan|ti|fi|zie|ren** *tr. 3* der zahlenmäßigen Erfassung zugänglich machen

> **Quäntchen:** Entsprechend dem Stammprinzip *(das Quantum)* wird *-ä-* geschrieben: *das Quäntchen* (statt bisher: Quentchen). →§ 13

Quan|ti|tät *w. 10* **1** Menge, Masse, Anzahl, Größe; **2** Vokaldauer; vgl. Qualität; **quan|ti|ta|tiv** hinsichtlich der Quantität;
Quan|ti|té né|gli|geable *auch:* **-nég|li-** [kɑ̃titɛ neglizabl, frz.] *w. Gen. - - nur Ez.* wegen ihrer Geringfügigkeit außer Acht zu lassende Menge oder Größe; **quan|ti|tie|ren** *tr. 3;* Silben qu.: Silben nach ihrer Länge (nicht: Betonung) messen; **Quan|tum** *s. Gen.* -s *Mz.* -ten (abgemessene) Menge, Anzahl
Quap|pe *w. 11* **1** *kurz für* Kaulquappe; **2** ein Speisefisch
Qua|ran|tä|ne [ka-, frz.] *w. 11 nur Ez.* Absonderung, Isolierung (ansteckungsverdächtiger Personen); **Qua|ran|tä|ne|sta|ti|on** *w. 10*
Quar|gel *s. 5, österr.:* kleiner, runder Käse; **Quark** *m. 1 nur Ez.* beim Sauerwerden der Milch ausgefällter Käsestoff; daraus hergestellter Weichkäse, Topfen; *ugs.:* Unsinn, dummes Zeug; Wertloses, Nichtigkeit
Quarks [kwɔks, nach einem von James Joyce geprägten Wort] *s. 9, nur Mz.* hypothet. Elementarteilchen
quar|kig; Quark|käul|chen [zu Kaule (**1**) *s. 7* in Fett gebackenes, flaches Klößchen aus Quark, Milch, Mehl, Eiern und Zucker, Käsekäulchen
Quar|re *w. 11, nddt.:* weinerliches Kind, zänkische Frau; **quar|ren** *intr. 1* **1** quaken; **2** quäkend schreien, weinerlich nörgeln; **quar|rig**
Quart [lat.] **1** *s. Gen.* -s *Mz.* - altes dt. Flüssigkeitsmaß, bis etwa 1 Liter; **2** *s. Gen.* -s *nur Ez., kurz für* Quartformat; **3** *w. 10, Mus., Nebenform von* Quarte; **4** *w. 10, Fechten:* eine bestimmte Haltung der Klinge; **Quar|ta** *w. Gen. - Mz.* -ten dritte Klasse des Gymnasiums; **Quar|tal** *s. 1* Vierteljahr; **Quar|tal(s)|ab|schluß** ► **Quar|tal(s)|ab|schluss** *m. 2;* **Quar|tal|säu|fer** *m. 5;* **Quar|tal(s)|en|de** *s. 14;* am, zu Qu.; **quar|tal(s)|wei|se; Quar|ta|na** *w. Gen. - Mz.* -nen, **Quar|ta|na|fie|ber** *s. 5* Art der Malaria mit Fieberanfällen an jedem vierten Tag, Viertagefieber; **Quar|ta|ner** *m. 5* Schüler der Quarta; **Quar|tan|fie|ber** *s. 5* = Quartanafieber; **quar|tär** zum Quartär gehörend, aus ihm stammend; **Quar|tär** *s. 1 nur Ez.* obere Formation des Känozoikums; **Quart|band** *m. 2* Buch in Quartformat; **Quart|bo|gen** *m. 7, Buchw.:* Viertelbogen; **Quar|te** *w. 11* **1** vierte Stufe der diaton. Tonleiter; **2** Intervall von vier Tönen; **Quar|tel** *s. 5, bayr.:* Biermaß, Quart; **Quar|ter** [kwɔtə, engl.] *m. 9 (Abk.:* qr., *Mz.* qrs.) engl. Hohlmaß, 2 Pint; **Quar|ter|deck** *s. 9* hinteres Deck (eines Schiffes); **Quar|ter|meis|ter** *m. 5* Steuermann (eines Handelsschiffes); **Quar|tett** *s. 1* **1** Musikstück für vier Singstimmen oder Instrumente sowie die Ausführenden; **2** Kartenspiel für Kinder; **Quart|for|mat** *s. 1 (Zeichen:* 4°) altes Buchformat in der Größe eines Viertelbogens; **Quar|tier** *s. 1* **1** Unterkunft, Wohnung; **2** *österr., schweiz.:* Wohnviertel; **Quar|tier la|tin** [kartjɛ latɛ̃, frz.] *s. Gen. - - nur Ez.* Hochschul-, Studentenviertel von Paris; **Quar|tier|ma|cher** *m. 5* Soldat, der neue Quartiere sucht; **Quar|tier|meis|ter** *m. 5, im 1. und 2. Weltkrieg:* für die Truppenversorgung verantwortlicher Offizier; **Quar|to|le** [lat.] *w. 11, Mus.:* Figur aus vier Noten im Taktwert von drei oder sechs Noten; vgl. Quintole; **Quart|sext|ak|kord** *m. 1* Umkehrung eines Dreiklangs aus der Grundstellung mit der Quinte als Grundton und darüberliegender Quarte und Sexte
Quarz *m. 1* ein Mineral; **Quarz|glas** *s. 4;* **quar|zig; Quar|zit** *m. 1* ein Gestein; **Quarz|lam|pe** *w. 11* Quecksilberdampflampe; **Quarz|uhr** *w. 10* Zeitmesser,

der die piezoelektr. Eigenschaften eines Quarzkristalls verwendet
Qua|sar [Kurzw. aus quasistellare Radioquelle] *m. 1* Objekt am Sternhimmel mit (meist) starker Radiostrahlung und großer Rotverschiebung
qua|si [lat.] gleichsam, gewissermaßen; **Qua|si|mo|do|ge|ni|ti** [lat. »wie Neugeborene«, Anfangsworte der Messe dieses Tages] erster Sonntag nach Ostern
Quas|sel|ei *w. 10, ugs.;* **quasseln** *intr. 1;* **Quas|sel|strip|pe** *w. 11, ugs. scherzh.:* Telefon
Quas|sie [-sjə, angeblich nach dem Entdecker, dem schwarzen Sklaven Quassi] *w. 11* südamerik. Bitterholzbaum, liefert Bitterstoff (Heilmittel)
Quast *m. 1* Büschel, breiter Pinsel; **Quas|te** *w. 11* Faden-, Schnurbüschel, Troddel; Quastflos|ser *m. 5*
Quäs|ti|on [lat.] *w. 10* wissenschaftl. Streitfrage, die in der Diskussion entwickelt und gelöst wird; **Quäs|tor** *m. 13* **1** *im alten Rom:* hoher Finanzbeamter; **2** *an Hochschulen:* oberster Kassenbeamter; **3** *schweiz.:* Kassenwart (eines Vereins); **Quäs|tur** *w. 10* **1** *im alten Rom:* Amt des Quästors; **2** *an Hochschulen:* Kassenstelle
Qua|tem|ber [kirchenlat.] *m. 5* **1** erster Tag eines Vierteljahres; **2** *kath. Kirche:* jeder der drei Buß- und Fastentage (Mittwoch, Freitag, Samstag) zu Beginn eines Vierteljahres (vom 3. Advent an gerechnet); **Quatem|ber|fas|ten** *s. Gen.* -s *nur Ez.;* **qua|ter|när** *Chem.:* aus vier Teilen bestehend; **Qua|ter|ne** *w. 11, Lotto:* vier Gewinnzahlen, Vierergewinn; vgl. Quinterne; **Qua|ter|nio** *w. Gen. - Mz.* -ni|o|nen Zahl, Ganzes aus vier Einheiten; **Qua|ter|ni|on** *w. 10* mathemat. Rechengröße (ähnlich den komplexen Zahlen)
Quatsch *m. Gen.* -(e)s *nur Ez., ugs.* **1** Unsinn, dummes Gerede, dummer Spaß; **2** Fehler; **3** *österr. auch:* Straßenschmutz, Schneematsch; **quat|schen** *intr. 1;* **Quatsch|kopf** *m. 2, ugs.;* **quatsch|naß** ► **quatsch|nass** triefend nass
Quat|tro|cen|tist [-tʃɛn-, ital.] *m. 10* Künstler des Quattrocento; **Quat|tro|cen|to** [-tʃɛn-, ital. »vierhundert« (nach 1000)] *s. Gen.* -(s) *nur Ez.* die künstlerische Stilepoche des 15. Jh. in Italien
Que|bra|cho *auch:* **Queb|ra|cho** [kɛbratʃo, span.] *m. 9 nur Ez.* sehr hartes, gerbstoffreiches Holz des südamerik. Quebrachobaumes
Que|chua [kɛtʃua] *m. 9 oder Gen. - Mz. -* = Ketschua
Que|cke *w. 11* ein Süßgras; **Queck|sil|ber** *s. 5 nur Ez.* **1** (*Zeichen:* Hg) ein chem. Element, ein Metall, Hydrargyrum; **2** *übertr. scherzh.:* unruhiger, übermäßig lebhafter Mensch; **Queck|sil|ber|dampf|gleich|rich|ter** *m. 5* Gerät, das mit Hilfe der Eigenschaften von Quecksilberdampf Wechselstrom in Gleichstrom verwandelt; **Queck|sil|ber|dampf|lam|pe** *w. 11* elektr. Lampe, in der die Entladung durch Quecksilberdampf hindurch erfolgt; **queck|sil|ber|hal|tig; queck|sil|be|rig,** queck|silb|rig *ugs. scherzh.:* sehr lebhaft, unruhig; **queck|sil|bern** aus Quecksilber; **Queck|sil|ber|säu|le** *w. 11 nur Ez.* (*Zeichen:* Hg) Maßeinheit für den Luftdruck
Queens|land [kwinzlənd] Staat von Australien
Quell *m. 1, poet. für* Quelle; **Quell|chen** *s. 7;* **Quel|le** *w. 11* **1** Ursprung eines Flusses, aus der Erde fließendes Wasser; **2** Person, Zeitung u. a., von der man eine Nachricht oder Ware erhalten hat; etwas aus sicherer Q. wissen; **3** *Mz.* Urkunden, literar. Werke, schriftl. Zeugnisse (zur Forschung); **quel|len 1** *intr. 93* herausfließen, hervordringen; sich voll Wasser saugen; **2** *tr. 1* voll Wasser saugen lassen, im Wasser weich werden lassen; **Quel|len|kri|tik** *w. 10* eine histor. Hilfswissenschaft; **Quel|len|kun|de** *w. 11 nur Ez.* eine historische Hilfswissenschaft; **Quel|len|stu|di|um** *s. Gen.* -s Mz. -di|en; **Quel|len|werk** *s. 1* Sammlung historischer oder literarischer Quellen; **Quell|fluß** ► **Quell|fluss** *m. 2;* **Quell|ge|biet** *s. 1;* **Quell|nym|phe** *w. 11, griech. Myth.;* **Quel|lung** *w. 10;* **Quell|was|ser** *s. 5 nur Ez.;* **Quell|wol|ken** *w. 11 nur Mz.*
Quem|pas [nach den Anfangssilben des Weihnachtsliedes Quem pastores laudavere »Den die Hirten lobten sehre«] *m. Gen. - nur Ez.,* **Quem|pas|lie|der** *s. 3 Mz.* Lieder über die Weihnachtsgeschichte; **Quem|pas|sän|ger** *m. 5 Mz.* Jugendliche, die früher im Gottesdienst oder in Umzügen die Quempaslieder sangen
Quen|del *m. 5* echter Thymian, eine Gewürz- und Heilpflanze
Quen|ge|lei *w. 10;* **quen|ge|lig,** queng|lig; **quen|geln** *intr. 1, ugs.:* nörgeln, weinerlich etwas verlangen; **Quen|gel|sucht** *w. 2;* **Queng|ler** *m. 5;* **queng|lig,** quen|ge|lig
Quent [lat.] *s. Gen.* -s *Mz.* - altes dt. Gewicht, 1,67 g; **Quentchen** ► **Quänt|chen** *s. 7*
quer; kreuz und quer; einen Gegenstand quer legen; den Stoff quer nehmen; quer gehen, quer stehen; quer schießen; quer denken; er schnitt den Stoff quer (nicht längs) durch; *aber:* → querdurch; er rannte quer durch die Wiese; **Quer|bahn|steig** *m. 1;* **Quer|bal|ken** *m. 7;* **quer|durch** mitten hindurch; er rannte einfach qu.; vgl. quer; er schnitt den Stoff qu.: mittendurch; vgl. quer; **Que|re** *w. 11 nur Ez.* Querrichtung; die Kreuz und die Quere durch den Wald laufen; er kam mir in die Quere; das kommt mir sehr der Quere *ugs.:* sehr ungelegen
Que|re|le [lat.] *w. 11, meist Mz., veraltend:* Klage, Streit, Streitigkeiten

> **querfeldein laufen:** Mehrteilige Adverbien schreibt man zusammen: *querfeldein.*
> → § 39
> Die Verbindung aus einem zusammengesetzten Adverb und einem Verb schreibt man getrennt: *Er ist zehn Kilometer querfeldein gelaufen.*
> → § 34 E3 (2)

que|ren *tr. 1 veraltend:* überqueren, kreuzen; **quer|feld|ein; Quer|feld|ein|lauf** *m. 2;* **Quer|feld|ein|ritt** *m. 1;* **Quer|flö|te** *w. 11;* **Quer|for|mat** *s. 1;* **quer|ge|hen** ► **quer ge|hen;** *intr. 47, übertr.:* misslingen; **quer|ge|streift** ► **quer ge|streift;** ein quer gestreiftes Kleid; das

> **quer gestreift/gehen/legen, in die Quere kommen:** Die Verbindung aus Adverb und Verb/Partizip wird getrennt geschrieben: *ein quer gestreiftes Hemd; das ist quer gegangen/gelaufen* (= es hat nicht geklappt); *er hat sich quer gelegt* (= er war dagegen).
> →§ 34 E3 (2), § 36 E1 (1.2)
> Die substantivierte Form schreibt man groß: *in die Quere kommen; in die Kreuz und (in die) Quere laufen.*
> →§ 55 (4)

Kleid ist quer gestreift; **Quer|kopf** *m. 2, ugs.:* jmd., der sich nicht unterordnen kann, der häufig etwas anderes will als seine Umgebung; **quer|köp|fig; Quer|köp|fig|keit** *w. 10 nur Ez.;* **Quer|pfei|fe** *w. 11* kleine Querflöte; **quer|schie|ßen** ► **quer schie|ßen** *intr. 113, übertr.:* die Pläne anderer durchkreuzen oder behindern; **Quer|schiff** *s. 1* das Längsschiff kreuzender und zu beiden Seiten darüber hinausragender Teil der Kirche; **Quer|schlä|ger** *m. 5* Geschoss, das einen Gegenstand streift und sich dadurch quer stellt (verursacht schwere Wunden); **Quer|schnitt** *m. 1* Schnitt durch einen Körper quer zu dessen Längsachse; **Quer|schnitts|läh|mung** *w. 10* Lähmung der Körperteile unterhalb der Stelle, an der das Rückenmark verletzt und die Nervenbahnen unterbrochen wurden; **Quer|schuß** ► **Quer|schuss** *m. 2, übertr.:* Durchkreuzung oder Behinderung der Pläne anderer; **Quer|stra|ße** *w. 11;* **Quer|sum|me** *w. 11* Summe der Ziffern einer mehrstelligen Zahl; **Quer|tal** *s. 4* Tal quer zur Richtung des Gebirgsverlaufs; **Quer|trei|ber** *m. 5* jmd., der ständig die Pläne anderer zu durchkreuzen oder behindern sucht; **Quer|trei|be|rei** *w. 10;* **quer|ü|ber** *veraltet:* schräg gegenüber; qu. dem Haus, *aber:* er ging quer über die Straße; **Quer|ver|bin|dung** *w. 10;* **Quer|ver|weis** *m. 1*

Que|ru|lant [lat.] *m. 10* Nörgler, Quengler; **que|ru|lie|ren** *intr. 3* nörgeln, ein eingebildetes Recht verteidigen, grundlos klagen

Quer|ze|tin [lat. + frz.] *s. 1 nur Ez.* gelber Farbstoff in der Rinde der nordamerik. Färbereiche und in einigen Blütenpflanzen; **Quer|zit** [lat.] *m. 1 nur Ez.* in Eicheln enthaltener, süßer Alkohol, Eichelzucker; **Quer|zi|tron** [lat. + frz.] *s. 1* gemahlene Rinde der nordamerik. Färbereiche

Que|sal [kɛ-] *m. 9* = Quetzal (**1**)

Que|se *w. 11, norddt.:* **1** Blase unter der Haut, Schwiele; **2** = Drehwurm; **que|sen** *intr. 1, norddt. übertr.:* nörgeln, quengeln; **Que|sen|kopf** *m. 2* an der Drehkrankheit leidendes Schaf; **que|sig** *norddt.* **1** quengelig, nörgelig; **2** an der Drehkrankheit leidend

Quet|sche *w. 11, ugs.:* **1** Presse, z. B. Kartoffelquetsche; **2** kleine Gastwirtschaft, kleines Gut, kleiner Ort; **quet|schen** *tr. 1;* **Quetsch|kar|tof|feln** *w. 11 Mz.* Kartoffelbrei; **Quetsch|kom|mo|de** *w. 11, ugs. scherzh.:* Ziehharmonika, Akkordeon; **Quet|schung** *w. 10;* **Quetsch|wun|de** *w. 11*

Quet|zal [kɛ-, mexikan. Indianerspr.] **1** Que|sal, Que|zal *m. 9* mittelamerik. Vogel mit langen, grünen Schwanzfedern; **2** (*Abk.:* Q) *m. Gen.* -s *Mz.* - Währungseinheit in Guatemala, 100 Centavos

Queue [kø, frz. »Schwanz«] **1** *s. 9, österr.: m. 9* Billardstock; **2** *w. 9* Ende einer Marschkolonne, lange Reihe, Schlange (von Menschen)

Que|zal [kɛ-] *m. 9* = Quetzal (**1**)

Quiche [kiʃ, frz.] *w. Gen.* - *Mz.* -s Speckkuchen aus Mürb- oder Blätterteig

Qui|chotte [kiʃɔt] vgl. Don Quichotte

quick *ugs.:* lebhaft, lebendig, munter, flink; **Quick|born** *m. 1, veraltet:* Jungbrunnen; **qui|cken** *intr. 1, veraltet:* mit Quecksilber vermischen; **Quick|heit** *w. 10 nur Ez.* quickes Wesen, Lebendigkeit; **quick|le|ben|dig; Quick|step** ► **Quick|stepp** *m. 9* eine Tanzart, schnell getanzter Foxtrott; **Quick|test** *m. 1 oder m. 9* nach dem amerik. Arzt A. J. Quick benannte Methode zur Bestimmung der Gerinnungszeit des Blutes

Qui|dam [lat.] *m. Gen.* - *nur Ez.* ein gewisser ...; **Quid|di|tät** *w. 10 nur Ez.* das Was-Sein, das Wesen (eines Dinges); **Quid|pro|quo** *s. 9* Missverständnis, Verwechslung (zweier Dinge); vgl. Quiproquo

quie|ken *intr. 1;* **quiek|sen** *intr. 1, ugs.;* **Quiek|ser** *m. 5, ugs.:* hoher, quiekender Laut

Qui|e|tis|mus [kwi|e-, lat.] *m. Gen.* - *nur Ez.* **1** Lehre, die das Einswerden mit Gott durch willen- und leidenschaftsloses Sichergeben in seinen Willen erstrebt; **2** Streben nach völliger Ruhe des Gemüts, Verzicht auf aktives Handeln; **Qui|e|tist** *m. 10* Anhänger des Quietismus; **qui|e|tis|tisch; Qui|e|tiv** *s. 1,* **Quie|ti|vum** *s. Gen.* -s *Mz.* -va Beruhigungsmittel; **qui|e|to** [ital.] *Mus.:* ruhig

quiet|schen *intr. 1;* **Quiet|scher** *m. 5, ugs.;* **quietsch|ver|gnügt**

Qui|jo|te [kixɔtə] vgl. Don Quichotte

Quil|la|ja [indian.] *w. 9* Seifenbaum; **Quil|la|ja|rin|de** *w. 11 nur Ez.* Rinde der Quillaja, aus der Reinigungsmittel gewonnen werden

quil|len *tr. 1 veraltet für* quellen

Qui|nar [lat.] *m. 1* altröm. Silbermünze

Quind *fälschl. für* Qind

quin|ke|lie|ren *intr. 3, Nebenform von* quinquelieren

Quin|qua|ge|si|ma [lat.] 50. Tag vor Ostern, Fastnachtssonntag; **quin|que|lie|ren** [lat.], quin|qui|lie|ren *intr. 3* trällern, vor sich hin singen; **Quin|quen|ni|um** *s. Gen.* -s *Mz.* -ni|en Zeitraum von fünf Jahren, Jahrfünft; **quin|quil|lie|ren** *intr. 3* = quinquelieren; **Quin|quil|li|on** *w. 10, Nebenform von* Quintillion;

Quint *w. 10* **1** *Mus., Nebenform von* Quinte; **2** *Fechten:* eine bestimmte Haltung der Klinge; **Quin|ta** *Gen.* - *Mz.* -ten zweite Klasse des Gymnasiums; **Quin|tal** [frz.: kɛ̃tal, span. und port: kintal] *m. Gen.* -s *Mz.* - (*Abk.:* q), *früher:* frz., span., mittel- und südamerik. Gewicht, 1 Zentner; **Quin|ta|na** *w. Gen.* - *nur Ez.,* **Quin|ta|na|fie|ber** *s. Gen.* -s *nur Ez.* = Fünftagefieber; **Quin|ta|ner** *m. 5* Schüler der Quinta; **Quin|te** *w. 11* **1** fünfter Ton der diatonischen Tonleiter; **2** Intervall von fünf Tönen; **Quin|ten-**

zir|kel *m. 5* Aufzeichnung sämtlicher Tonarten in Kreisform, jeweils in Quinten fortschreitend; **Quin|ter|ne** *w. 11* fünf Gewinnzahlen, Fünfergewinn; vgl. Quaterne; **Quint|es|senz** *w. 10* Ergebnis, Hauptinhalt, Hauptgedanke, Wesen, Kern (einer Sache); **Quin|tett** *s. 1* Musikstück für fünf Singstimmen oder Instrumente sowie die Ausführenden; **Quin|til|li|on** *w. 10* fünfte Potenz einer Million, 10^{30}; vgl. Quadrillion; **Quin|to|le** *w. 11* Figur aus fünf Noten im Taktwert von drei, vier oder sechs Noten; vgl. Quartole; **Quint|sext|ak|kord** *m. 1* Umkehrung eines Dreiklangs aus der Grundstellung mit der Terz als Grundton und darüberliegender Quinte und Sexte

Qui|pro|quo [lat.] *s. 9* Verwechslung (zweier Personen); vgl. Quidproquo

Qui|pu [ki-, peruan. Indianerspr.] *s. 9 oder Gen. - Mz. -* = Knotenschnüre

Qui|rin, Qui|ri|nus röm. Gott; **Qui|ri|nal** *m. Gen.* -s *nur Ez.* einer der Hügel in Rom

Qui|ri|te [lat.] *m. 11, im alten Rom Ehrentitel für* Vollbürger

Quirl *m. 1* **1** Küchengerät zum Mischen; **2** *Bot.:* = Wirtel; **3** *übertr. scherzh.:* sehr lebhafter, unruhiger Mensch; **quir|len** *tr. 1;* **quir|lig** *übertr. scherzh.:* sehr lebhaft, unruhig

Qui s'ex|cuse, s'ac|cuse [ki sɛkskyz sakyz, frz.] Wer sich (unaufgefordert) verteidigt, klagt sich an

Quis|ling [nach dem norweg. Faschistenführer Vidkun Qu.] *m. 1* Verräter, Kollaborateur

Quis|qui|li|en [lat.] *nur Mz.* Kleinigkeiten, Nichtigkeiten

Qui|to [ki-] Hst. von Ecuador

quitt [lat.] *unflektierbar, nur prädikativ:* ausgeglichen, frei von Verbindlichkeiten; wir sind quitt

Quit|te [griech.] *w. 11* **1** südosteurop. und oriental. Kernobststrauch oder -baum; **2** dessen apfel- bis birnenförmige Frucht, Quittenapfel; **quit|te-gelb; Quit|ten|ap|fel** *m. 6* = Quitte (**2**); **Quit|ten|brot** *s. 1 nur Ez.* in Stücke geschnittene, feste Quittenmarmelade; **Quit|ten-gel|lee** *s. 9 oder m. 9;* **Quit|ten-kä|se** *m. Gen.* -s *nur Ez., österr. für* Quittenmarmelade; **Quit-ten|mar|me|la|de** *w. 11*

quit|tie|ren [frz.] *tr. 3;* einen Betrag qu.: den Empfang bescheinigen, eine Quittung über den empfangenen Betrag ausstellen; eine Rechnung qu.: den Empfang des Betrages auf der Rechnung bescheinigen; den Dienst qu.: aus dem Dienst ausscheiden, in den Ruhestand treten; eine Bemerkung mit einem Lächeln, einer Handbewegung qu.: beantworten; **Quit|tung** *w. 10* **1** Empfangsbescheinigung; **2** *übertr.:* Antwort, Strafe (für ein Verhalten)

Qui|vive [kivif, frz.] *s., nur in der Wendung* auf dem Qu. sein: auf der Hut, aufmerksam sein

Quiz [kvɪs, engl.] *s. Gen. - Mz. -* Frage- und Antwort-Spiel; **Quiz|mas|ter** *m. 5* Fragesteller, Conférencier bei einer Quizveranstaltung; **quiz|zen** [kvɪsən] **1** *intr. 1* ein Quiz spielen; **2** *tr. 1;* jmdn. qu.: mit jmdm. ein Quiz veranstalten

Qum|ran [kum- oder -ran], Kum|ran, am Nordwestufer des Toten Meeres gelegene archäolog. Fundstätte von Schriftrollen mit Texten aus dem AT

quod e|rat de|mons|tran|dum [lat. »was zu beweisen war«] (*Abk.:* q. e. d.) Redensart am Schluss eines math. oder log. Beweises

Quod|li|bet [lat. »was beliebt, was gefällt«] *s. 9* **1** buntes Durcheinander; **2** mehrstimmiges Gesangsstück mit lustigen Texten

Quod li|cet Jo|vi, non li|cet bo-vi [lat. »Was Jupiter erlaubt ist, ist (noch lange) nicht dem Ochsen erlaubt«]: Dasselbe schickt sich nicht für alle, nicht jeder darf dasselbe tun

Quo|rum [lat.] *s. Gen.* -s *nur Ez.* die zur Beschlussfassung notwendige Anzahl von Mitgliedern; *schweiz. auch:* die zur Wahl eines Vertreters erforderliche Zahl von Wählern

Quo|ta|ti|on [lat.] *w. 10* **1** *Börse:* Kursnotierung; **2** Berechnung eines Anteils; **Quo|te** *w. 11* auf den Einzelnen entfallender Anteil, verhältnismäßiger Anteil; **Quo|ten|re|ge|lung** *w. 10* Festsetzung eines angemessenen Anteils (z. B. von Frauen) in politischen Gremien; **Quo|ti-di|a|na** *w. Gen. - Mz.* -nen Form der Malaria mit tägl. Fieberanfällen; **Quo|ti|ent** [-tsjɛnt] *m. 10* **1** zweigliedriger, durch Bruchstrich oder Teilungszeichen verbundener Zahlenausdruck, z. B. ⅔, 2:3; **2** Ergebnis einer Division; **quo|tie|ren** *tr. 3;* den Kurs, Preis qu.: mitteilen, angeben; **Quo|tie|rung** *w. 10;* **quo|ti-sie|ren** *tr. 3;* eine Summe qu.: in Quoten, anteilgemäß aufteilen

Quo|us|que tan|dem? [lat., eigtl. Quousque tandem, Catilina, abutere patientia nostra? »Wie lange noch, Catilina, willst du unsere Geduld missbrauchen?« (Anfang einer Rede Ciceros gegen den Verschwörer Catilina)] Wie lange noch?

Quo va|dis? [va-, lat., eigtl. Domine, quo vadis? »Herr, wohin gehst du?« (Frage des aus dem Gefängnis entflohenen Petrus an den ihm erscheinenden Christus)] Wohin gehst du?

R

r *Abk. für* **1** Radius; **2** Röntgen (als Maßeinheit)

R *Abk. für* **1** Radius; **2** rarus = selten, z. B. in Münzkatalogen; **3** Reaumur; **4** Retard; **5** *auf Münzen:* Rex (König); **6** Roma, Romanus; **7** internationales Kfz-Kennzeichen für Rumänien

® *Zeichen für* registered

Ra *chem. Zeichen für* Radium

Ra = Re (**1**)

Raa *w. 10* = Rahe

Ra|bat *amtl.* Ribat el-Fath *oder* Er Rabat, Hst. von Marokko

Ra|batt [ital.] *m. 1* Preisnachlass auf Handelsware

Ra|bat|te [frz.] *w. 11* **1** schmales Pflanzenbeet; **2** Aufschlag an einem Kragen oder Ärmel

ra|bat|tie|ren [ital.] *tr. 3;* eine Ware r.: auf eine Ware Rabatt gewähren

Ra|batz *m. Gen.* -es *nur Ez., ugs.:* lautes Treiben, Unfug, Tumult; **ra|bat|zen** *intr. 1, ugs.:* Allotria treiben

Ra|bau|ke *m. 11, ugs.:* rüpelhafter (junger) Mensch; **ra|bau|ken** *intr. 1, ugs.:* sich rüpelhaft betragen

Rab|bi [hebr. »mein Herr, mein Meister«] *m. Gen.* -(s) *Mz.* -s *od.* -bi|nen, *in Palästina Ehrentitel für:* Schriftgelehrter; **Rab|bi|nat** *s. 1* Amt eines Rabbiners; **Rab|bi|ner** *m. 5* jüdischer Schriftgelehrter und Geistlicher; **rab|bi|nisch**

Ra|be *m. 11;* ein weißer R. *ugs.:* große Seltenheit; stehlen wie ein R., wie die Raben *ugs.:* gewohnheitsmäßig stehlen

Ra|ben|aas *s. Gen.* -es *Mz.* -äser *Schimpfw.;* **Ra|ben|el|tern** *nur Mz., ugs.:* schlechte Eltern

Ra|ben|schlacht *w. 10* mittelhochdt. Epos, das die Schlacht bei Ravenna (Raben) schildert

ra|bi|at [lat.] jähzornig, wütend

Ra|bi|es [lat.] *w. Gen. - nur Ez.* Tollwut

Ra|bitz|de|cke [nach ihrem Erfinder, Karl Rabitz] *w. 11,* **Ra|bitz|wand** *w. 2* Decke bzw. Wand mit Drahtgeflechteinlage

Ra|bu|list [lat.] *m. 10* Haarspalter, Wort-, Rechtsverdreher; **Ra|bu|lis|tik** *w. 10 nur Ez.* Haarspalterei, Wort-, Rechtsverdrehung; **ra|bu|lis|tisch**

Race [rɛɪs, engl.] *s. Gen.* - *Mz.* -s [-sɪz] Wettfahrt, Wettrennen

Ra|che *w. 11 nur Ez.;* **Ra|che|akt** *m. 1;* **Ra|che|durst** *m. Gen.* -(e)s *nur Ez.;* **ra|che|durs|tig;** **Ra|che|en|gel** *m. 5;* **Ra|che|ge|lüs|te** *s. 5 nur Mz.*

Ra|chen *m. 7* **1** Teil der oberen Luftwege; **2** Maul großer Raubtiere; **3** *vulg.* Mund

rä|chen *tr. 1*

Ra|chen|ab|strich *m. 1* Probeentnahme von Absonderungen der Rachenschleimhaut; **Ra|chen|blüt|ler** *m. 5 Mz.* eine Pflanzengattung; **Ra|chen|bräu|ne** *w. 11* Diphtherie; **Ra|chen|man|del** *w. 11;* **Ra|chen|put|zer** *m. 5, ugs.:* scharfes alkohol. Getränk

Rä|cher *m. 5*

Ra|chi|tis [-xi-, griech.] *w. Gen.* - *Mz.* -ti|den auf Mangel an Vitamin D beruhende Erweichung der Knochen, englische Krankheit; **ra|chi|tisch**

Rach|lust *w. Gen. - nur Ez.;* **rach|lüs|tern**

Ra|cing-Team ► **Ra|cing|team** *auch:* **Ra|cing Team** [rɛɪsiŋ ti:m, engl.] *s. 9* aus Rennwagenfahrern gebildete Renngemeinschaft

Rack [rɛk, engl.] *s. Gen.* -s *Mz.* -s Regal für eine Stereoanlage

Ra|cke *w. 11* Saatkrähe; **ra|ckeln** *intr. 1* balzen (vom Rackelhahn); **Ra|ckel|wild** *s. Gen.* -es *nur Ez., Sammelbez. für* Rackelhahn und Rackelhuhn, Kreuzung aus Auerhenne und Birkhahn (selten auch umgekehrt)

Ra|cker *m. 5, ugs. scherzh.:* kleines, keckes, drolliges Kind; **Ra|cke|rei** *w. 10* schwere Arbeit (unter Zeitdruck); **ra|ckern** *refl. 1, österr.:* schwer arbeiten, sich abschinden

Ra|cket [rækɪt, engl.] *s. 9* **1** Tennisschläger; **2** *in den USA:* Erpresserbande; **Ra|cke|teer** [rækəti:r] *m. 9* Mitglied einer Erpresserbande

Ra|clette *auch:* **Rac|lette** [-klɛt, frz.] *w. oder s. 11* **1** schweiz. Käse; **2** Gericht aus heißem R. mit Tomaten od. Weinbeeren auf Toast oder gerösteter Kartoffel; **3** kleiner Grill zum Zubereiten dieses Gerichts

rad 1 *Abk. für* Radiant (**2**); **2** [Kurzw. aus engl. radiation] *s. Gen.* - *Mz.* - Maßeinheit für Strahlungsmenge

> **Rad fahren/fahrend/schlagen:** Die Verbindung aus Substantiv und Verb wird getrennt geschrieben: *Sie fährt Rad. Rad fahrend kam sie uns entgegen. Gestern sind wir Rad gefahren. Ein Rad schlagender Pfau.* →§ 34 E3 (5), § 36 E1 (1.2)

Rad *s. 4;* Rad fahren, *ugs. übertr. auch:* einem Vorgesetzten liebedienern und dabei Untergebene schikanieren; Rad fahrend; ein Rad schlagen; fünftes Rad am Wagen sein *ugs. übertr.:* überflüssig sein; ins Rad, *oder:* in die Räder greifen *ugs. übertr.:* einen Vorgang, eine Entwicklung behindern, bremsen; unter die Räder kommen *ugs. übertr.:* zugrunde gehen

Ra|dar [auch: ra-, Kurzw. aus engl. radio detecting and ranging »durch Funkwellen auffinden und die Entfernung bestimmen«] *m. oder s. Gen.* -s *nur Ez.* ein Funkmessverfahren; **Ra|dar|bug** *m. 1,* **Ra|dar|na|se** *w. 11* Rumpfspitze eines Flugzeugs, in der Radargeräte installiert sind; **Ra|dar|schirm** *m. 1* Bildleuchtscheibe eines Radargeräts

Ra|dau *m. 1 nur Ez.;* **Ra|dau|bru|der** *m. 6* jmd., der gern Krach schlägt oder Streit anfängt; **ra|dau|en** *intr. 1, ugs.:* Radau machen

Rad|ball *m. 2 nur Ez.* Ballspiel auf Fahrrädern

Räd|chen *s. 7, Mz. auch:* Räder|chen; bei ihm ist ein R. locker *ugs. übertr.:* er ist ein bisschen verrückt

ra|de|bre|chen *tr. 1;* eine Sprache r.: sie sehr fehlerhaft sprechen; ich radebreche Spanisch, habe es nur geradebrecht

ra|deln *intr. 1, ugs.:* mit dem

Fahrrad fahren; ich radele, radle; **rädeln** *tr. 1* mit einem (gezackten) Rädchen ausschneiden (z. B. Teig), *meist:* ausrädeln; **Rädelsführer** *m. 5* Haupt, Anführer einer Verschwörung, einer Rebellion; **Räderchen** *Mz. von* Rädchen; **...räderig, ...**rädrig *in Zus.:* ein sechsräd(e)riges, 6-räd(e)riges) Fahrzeug; **rädern** *tr. 1* mit einem Rad hinrichten, auf ein Rad binden; wie gerädert sein *ugs.:* sehr erschöpft sein; **Rädertier** *s. 1,* **Rädertierchen** *s. 7;* ein Hohlwurm; **radfahren** ▶ **Rad fahren; Radfahrer** *m. 5; auch übertr.*

Radi *m. 9, bayr. für* Rettich

radial [lat.] von einem Punkt strahlenförmig ausgehend; **Radiallinie** *w. 11, österr.:* durchgehende Verkehrsverbindung zwischen Stadtmitte und Stadtrand; **Radialsymmetrie** *auch:* **-metrie** *w. 11;* **radialsymmetrisch** *auch:* **-metrisch; Radiant** *m. 10* **1** *Astron.:* Punkt des Himmels, von dem her ein Sternschnuppenschwarm zu kommen scheint; **2** (*Abk.:* rad) *Math.:* in Grad gemessener Winkel, dessen Bogenmaß 1 ist; **radiär** strahlenförmig angeordnet (z. B. Blüten); **Radiation** *w. 10* Strahlung; **Radiator** *m. 13* Heizkörper, der die Luft überwiegend durch Strahlung erwärmt; *Ggs.:* Konvektor

Radicchio [radikjo, ital.] *m. Gen. - Mz.* -s ital. Zichorienart

radieren [lat.] **1** *tr. 3* mit der Radiernadel in eine Kupferplatte ritzen; **2** *intr. 3* Schreibfehler o. Ä. auslöschen; **3** *intr. 3* sich abwetzen (Reifen); **Radierer** *m. 5* **1** jmd., der Radierungen herstellt; **2** *ugs.:* Radiergummi; **Radiermesser** *s. 5;* **Radierung** *w. 10* **1** dem Kupferstich ähnl. Verfahren, bei dem man mit einer Radiernadel eine Zeichnung in eine präparierte Kupferplatte ritzt und diese ätzt; **2** Abdruck davon

Radieschen *s. 7*

radikal [lat.] **1** gründlich, aufs Äußerste gehend, kompromisslos; **2** *Math.:* auf die Wurzel bezogen; **Radikal** *s. 1* **1** *Math.:* Zeichen für das Wurzelziehen ($\sqrt{\ }$); **2** *Chem.:* eine Atomgruppe; **Radikale(r)** *m. 18 (17)* jmd. mit kompromisslosen (polit.) Ansichten; **Radikalinski** *m. 9, ugs. verächtl.:* politisch extremer, zu Gewaltlösungen neigender Mensch; **radikalisieren** *tr. 3* zum Radikalismus aufstacheln; **Radikalismus** *m. Gen. - nur Ez.* **1** radikale polit. Richtung; **2** radikale Anschauungen, radikales Denken; **Radikalist** *m. 10;* **Radikaloperation** *w. 10* völlige operative Entfernung eines kranken Organs; **Radikand** *m. 10* Zahl, deren Wurzel zu ziehen ist

radio..., Radio... [lat.] *in Zus.:* **1** strahlen..., Strahlen..., Strahlungs..., z. B. Radioastronomie; **2** Rundfunk...

Radio *s. 9, schweiz.: m. 9, Kurzw. für* Rundfunkgerät, Rundfunksender; **radioaktiv** Strahlung aussendend; **Radioaktivität** *w. 10 nur Ez.;* **Radioamateur** *m. 1;* **Radiochemie** *w. 11;* **Radioelement** *s. 1* durch seinen radioaktiven Zerfall Strahlung aussendendes chem. Element; **radiogen** *ugs.:* für den Rundfunk geeignet, z. B. radiogene Stimme; **Radiogen** *s. 1* aus radioaktivem Zerfall entstandenes chem. Element; **Radiogramm** *s. 1* Röntgenogramm; **Radiographie** *Nv.* ▶ **Radiografie** *Hv. w. 11* Röntgenografie; **Radioindikator** *m. 13, Med.:* Isotop in einem Untersuchungsverfahren; **Radiokarbonmethode** *w. 11* Methode zur Altersbestimmung von organ. Stoffen durch Feststellen des Gehalts an radioaktivem Kohlenstoff; **Radiolarie** [-riə] *w. 11* Strahlentierchen; **Radiologie** *w. 11 nur Ez.* Lehre von der Anwendung der Röntgenstrahlen; **Radiolyse** *w. 11* durch Ionenstrahlung bewirkte Veränderung in chem. Systemen; **Radiometer** *s. 5* ein Strahlungsmessgerät; **Radiometrie** *auch:* **Radiometrie** *w. 11 nur Ez.* Verfahren zur Untersuchung der Radioaktivität von Gesteinen; **Radioskopie** *auch:* **Radioskopie** *w. 11* Röntgenoskopie; **Radiosonde** *w. 11* meteorolog. Beobachtungsballon, der seine Messergebnisse zur Erde funkt; **Radiostern** *m. 1* elektromagnet. Strahlen im Radiowellenbereich aussendender Stern; **Radioteleskop** *auch:* **Radioteleskop** *s. 1* Empfangsgerät für Radiostrahlungen aus dem Weltraum; **Radiotherapie** *w. 11* Heilbehandlung mit Strahlen; **Radiothorium** *s. Gen.* -s *nur Ez.* (*Zeichen:* RdTh) aus dem radioaktiven Zerfall von Thorium entstehendes chem. Element

Radium [lat.] *s. Gen.* -s *nur Ez.* (*Zeichen:* Ra) chem. Element; **Radiumemanation** *w. 10 nur Ez.* ein radioaktives Gas; **Radiumtherapie** *w. 11* Heilbehandlung mit Radiumstrahlen

Radius [lat.] *m. Gen. - Mz.* -dien oder -dii (*Abk.:* r *oder* R) halber Durchmesser; **Radiusvektor** *m. 13* vom Mittelpunkt eines Kreises oder einer Kugel ausgehender Vektor

Radix [lat.] *w. Gen. - Mz.* -dizes *oder* -dices Wurzel; **radizieren** *tr. 3;* eine Zahl r.: die Wurzel aus einer Zahl ziehen

Radler 1 *m. 5* Radfahrer; **3** *s. Gen. - Mz.* -, *bayr.:* Mischgetränk aus Bier und Limonade; **Radlermaß** *w. Gen. - Mz.* -; **Radmantel** *m. 6* **1** ärmelloser Umhang für Radfahrer; **2** Gummireifen über dem Luftschlauch eines Rades

Radom [Kurzwort aus engl. radar dome »Radarkuppel«] *s. 9* Verkleidung von Radargeräten zum Schutz gegen Witterungseinflüsse

Radon [auch: -don, lat.] *s. Gen.* -s *nur Ez.* (*Zeichen:* Rn) chem. Element, ein Edelgas

Radrennbahn *w. 10;* **Radrennen** *s. 7;* **...rädrig** = ...räderig

Radscha *auch:* **Radscha** [auch: ra-, sanskr.] *m. 9* Titel indischer Herrscher

radschlagen ▶ **Rad schlagen; Radschlepper** *m. 5* eine Zugmaschine; **Radschuh** *m. 1* Bremsklotz an Rädern; **Radsport** *m. Gen.* -s *nur Ez.;* **Radstand** *m. Gen.* -(e)s *nur Ez.* Abstand zwischen erster und letzter Achse eines Fahrzeugs; **Radsturz** *m. Gen.* -es *nur Ez.* = Achssturz; Radwanderung *w. 10*

Radula [lat.] *w. Gen. - Mz.* -lae [-lɛ:] Reibzunge der Weichtiere

Räf *s. 1, schweiz.* = Reff (**2**)
RAF *Abk. für* Rote-Armee-Fraktion
R.A.F. *Abk. für* Royal Air Force
Raf|fel *w. 11, süddt.:* **1** Reibeisen, Kamm, Klapper; **2** großer, unschöner Mund; loses Mundwerk; klatschhafte Frau; **raf|feln** *süddt.* **1** *tr. 1* reiben; verleumden; **2** *intr. 1* schaben, rasseln; zanken
raf|fen *tr. 1;* **Raf|fer** *m. 5, verächtl.:* habgieriger Mensch; **Raff|gier** *w. 10 nur Ez.;* **raff|gie|rig**
Raf|fi|a|bast *m. 1 nur Ez.* = Raphiabast
raf|fig habgierig
Raf|fi|na|de [frz.] *w. 11* zerkleinerter, gereinigter Zucker; **Raf|fi|nat** *s. 1* etwas, was raffiniert worden ist; **Raf|fi|na|ti|on** *w. 10* Reinigung, Verfeinerung; **Raf|fi|ne|ment** [-mã] *s. 9* **1** Ausgesuchtheit, Überfeinerung; **2** durchtriebene Schlauheit; **Raf|fi|ne|rie** *w. 11* Industrieanlage zur Raffination von Zucker, Öl, Kupfer u. a.; **Raf|fi|nes|se** *w. 11* **1** Verfeinerung, Überfeinerung; mit allen Raffinessen: mit jedem nur erdenklichen Zubehör; **2** Durchtriebenheit; **Raf|fi|neur** [-nør] *m. 1* eine Holzbearbeitungsmaschine; **raf|fi|nie|ren** *tr. 3* reinigen, verfeinern; **raf|fi|niert** *übertr.:* schlau, durchtrieben, gerissen; **Raf|fi|no|se** *w. 11* eine Zuckerart
Raff|ke *m. 9, ugs. verächtl.:* geldgieriger Mensch
Raf|fle|sie *auch:* **Raff|le|sie** [-sjə, nach dem Engländer Thomas S. Raffles] *w. 11* eine trop. Schmarotzerpflanze mit riesigen Blüten, Riesenblume
Raff|zahn *m. 2* **1** Eckzahn (bes. bei Raubtieren); **2** Raffzähne *ugs.:* vorstehende Schneidezähne
Raf|ting [engl.] *s. Gen. - nur Ez.* Floßfahren (als Freizeitsport) im Wildwasser
Rag [ræg, amerik.] *m. Gen.* -(s) *nur Ez., Kurzw. für* Ragtime
Ra|ge [-ʒə, frz.] *w. 11 nur Ez., ugs.:* Wut
Rag|lan|är|mel *auch:* **Rag|lan|är|mel** [nach Lord Raglan] *m. 5* angeschnittener, am Halsausschnitt angesetzter Ärmel; **Rag|lan|schnitt** *auch:* **Rag|lan|schnitt** *m. 1 nur Ez.*
Rag|na|rök [altnord.] *w. Gen. - nur Ez., german. Myth.:* Weltuntergang
Ra|gout [-gu, frz.] *s. 9* **1** Gericht aus klein geschnittenem Fleisch od. Fisch in gewürzter Soße; **2** *ugs. übertr.:* Mischmasch; **Ra|goût fin** [-gu fɛ̃] *s. Gen. - - Mz.* -s -s [-gu fɛ̃] feines Ragout (als Pastetenfüllung oder überbacken)
Rag|time [rægtaɪm, amerik.] *m. Gen.* -(s) *nur Ez.* stark synkopierter Vorläufer des Jazz
Rag|wurz *w. 10* eine Orchidee
Rah *w. 10,* **Ra|he** *w. 11,* Raa *w. 10* am Mast von Segelschiffen horizontal angebrachtes Rundholz für das Rahsegel
Rahm *m. 1 nur Ez.* Milchfett; den R. abschöpfen *ugs. übertr.:* das Beste wegnehmen
Rähm *m. 1* ein waagerechter Balken des Dachstuhls; **Rähm|chen** *s. 7;* **rah|men** *tr. 1* mit einem Rahmen versehen; **Rah|men** *m. 7;* aus dem R. fallen *ugs.:* auffallen, sich vom Herkömmlichen unterscheiden; **Rah|men|ge|setz** *s. 1* Gesetz mit allgemeinen Vorschriften, das der Ergänzung durch Einzelgesetze bedarf
Rah|ne *w. 11, süddt.:* rote Rübe
Rah|se|gel *s. 5* an der Rah befestigtes, trapezförmiges Segel
Raid [rɛɪd, engl.] *m. 9* (lokal begrenzter) Einfall in feindl. Gebiet, Überraschungsangriff
Rai|gras, Ray|gras *s. 4* ein Süßgras, Lolch
Rain *m. 1* Grenze zwischen Feldern; **rai|nen** **1** *tr. 1* abgrenzen, mit einem Rain umgeben; **2** *intr. 1, süddt.:* angrenzen; an ein Grundstück rainen; **Rain|farn** *m. 1* ein staudiger Korbblütler
Rai|son [rɛzɔ̃, frz.] *frz. Schreibung von* Räson
Ra|ja [-dʒa] *m. 9, engl. Schreibung von* Radscha
ra|jo|len *tr. 1* = rigolen
Ra|ke **1** *w. 11* Racke, Saatkrähe; **2** *m. Gen.* -(s) *nur Ez.* = Raki
Ra|kel *w. 11* **1** *Siebdruck:* Gerät zum Quetschen der Druckfarbe durch das Sieb; **2** *Tiefdruck:* Gerät zum Wegstreichen der überschüssigen Farbe von der Druckplatte
rä|keln *refl. 1* = rekeln
Ra|ke|te *w. 11* durch Rückstoß angetriebener Flug- oder Feuerwerkskörper; **Ra|ke|ten|ab|schuß|ram|pe** ► **Ra|ke|ten|ab|schuss|ram|pe** *w. 11;* **Ra|ke|ten|ab|wehr** *w. 10 nur Ez.;* **Ra|ke|ten|ba|sis** *w. Gen. - Mz.* -sen Stützpunkt für Raketenwaffen; **Ra|ke|ten|trieb|werk** *s. 1*
Ra|ki [türk.], Ra|ke *m. Gen.* -(s) *nur Ez.* Branntwein aus Rosinen und Anissamen
rall. *Abk. für* rallentando
Ral|le *w. 11* ein kranichartiger Vogel
ral|len|tan|do [ital.] (*Abk.:* rall.) *Mus.:* langsamer werdend
Ral|lye [rali, engl. ræli] *w. 9* = Sternfahrt
Ra|ma|dan [arab.] *m. Gen.* -(s) *nur Ez.* neunter Monat des Jahres und Fastenmonat des Islams
Ram|bo *m. 9, ugs.:* Gewaltmensch, Muskelmann
Ram|bouil|let|schaf [rãbuje:-, frz.] feinwolliges Schaf (nach der frz. Stadt Rambouillet
Ra|mes|si|de *m. 11* Herrscher aus dem Geschlecht des ägypt. Königs Ramses
Ra|mie [mal.-engl.] *w. 11* ein süd- und ostasiat. Nesselgewächs, Faserpflanze, Chinagras
Ra|mi|fi|ka|ti|on [lat.] *w. 10* Verästelung (bei Pflanzen); **ra|mi|fi|zie|ren** *intr. 3* sich verästeln
Ram|ma|schi|ne ► **Ramm|ma|schi|ne** *w. 11;* **Ramm|bär** *m. 10,* **Ramm|bock** *m. 2* Fallgewicht an der Ramme; **ramm|dö|sig;** **Ram|me** *w. 11* **1** Gerät zum Eintreiben von Pfählen u. Ä.; **2** Stampfgerät zum Planieren von Erdreich; **Ram|mel|lei** *w. 10* **1** *ugs.:* rücksichtsloses Drängen, Stoßen; **2** *vulg.:* Geschlechtsakt; **ram|me|lig** brünstig; **ram|meln** *tr. 1* **1** stoßen, zusammendrängen; **2** *Jägerspr.:* belegen, decken (von Hasen u. Kaninchen); **ram|men** **1** *tr. 1* (mit einer Ramme) in den Boden stoßen; gegen ein Hindernis prallen; **2** *intr. 1* Kohlen (mit einer Rammmaschine fördern); **Ramm|ler** *m. 5* **1** Männchen von Hase und Kaninchen; **2** eine Kaninchenrasse; **Ramm|ma|schi|ne** *w. 11*
Ram|pe *w. 11* **1** schiefe Ebene zum Anfahren von Gütern beim Verladen; **2** erhöhter Rand der Bühne, an dem innen Lampen angebracht sind; **Ram|pen|licht** *s. 3;* im R. stehen

ugs. übertr.: im Mittelpunkt des öffentl. Interesses stehen
ram|po|nie|ren [ital.] *tr. 3, ugs.:* stark beschädigen
Ramsch 1 *m. Gen.* -(e)s *nur Ez.* Warenreste, Ausschussware; **2** *m. 1, Skat:* Spielgang, wenn niemand reizt; **ram|schen 1** *tr. 1, ugs.:* zu Schleuderpreisen kaufen (Ramschware); **2** *intr. 1, Skat:* ohne Reizen spielen; **Ram|scher** *m. 5, ugs.:* Aufkäufer zu Schleuderpreisen; **Ramsch|la|den** *m. 8*
ran *ugs. für* heran
Ranch [ræntʃ, amerik.] *w. Gen.* - *Mz.* -es Viehfarm in Nordamerika; **Ran|cher** [ræntʃə] *m. 5* nordamerikan. Viehzüchter; **Ran|cho** [-tʃo] *m. 9, im ehemals span. Amerika:* Hütte, Wohnplatz

zu Rande/zurande kommen: Fügungen in adverbialer Verwendung können getrennt oder zusammengeschrieben werden. Dem/der Schreibenden bleibt die Entscheidung überlassen: *Wir sind mit dem Problem zu Rande/zurande gekommen* (= wir haben es gelöst). →§ 39 E3 (1), § 55 (4)

Rand 1 *m. 4;* außer Rand und Band sein *ugs.:* ausgelassen, ohne Ordnung sein; den Rand halten *vulg.:* den Mund halten; mit etwas zu Rande/zurande kommen *ugs.:* etwas fertig bringen **2** [rænd, engl.] *m. Gen.* - *Mz.* - Währungseinheit in der Republik Südafrika
Ran|da|leur [-lør] *m. 1* Randalierer; **ran|da|lie|ren** *intr. 3* zügellos lärmen, toben, mutwillig Sachen beschädigen; **Ran|da|lie|rer** *m. 5* jmd., der randaliert
Rand|be|mer|kung *w. 10;*
Ränd|chen *s. 7*
Ran|de *w. 11* Rahne *schweiz.:* rote Rübe
Rän|del *s. 5,* **Rän|del|ei|sen** *s. 7* Gerät zum Aufrauhen von Metall; **Rän|del|mut|ter** *w. 11* Schraubenmutter mit geriffelter Außenfläche; **rän|deln** *tr. 1* riffeln, mit Rillen versehen
...rän|de|rig, ...rändlrig *in Zus.,* z. B. breitränd(e)rig; **rän|dern** *tr. 1* umranden; **Rän|der|wa|re** *w. 11* elastisch gewirkte Stoffe, z. B. für Ärmelränder
...ran|dig *in Zus.,* z. B. breitrandig
Rand|mo|rä|ne *w. 11* Gesteinsschutt am Rande von Gletschern
...ränd|rig = ränderig
Ranft *m. 1,* **Ränft|chen** *s. 7* Anschnitt, Endstück (vom Brot)
Rang 1 [frz.] *m. 2* Stellung, Stufe; *im Theater:* Stockwerk; jmdm. den Rang streitig machen: mit jmdm. wettstreiten, wetteifern; ein Künstler ersten, zweiten Ranges; **2** [zu: Rank] **1** *nur in der Wendung* jmdm. den Rang ablaufen: (*eigtl.:* den Weg abschneiden), jmdm. zuvorkommen, jmdn. übertreffen
Ran|ge *w. 11, ugs.:* wildes, ungebärdiges Kind; **ran|geln 1** *intr. 1* sich balgen, sich raufen; **2** *refl. 1* sich behaglich strecken, sich wohlig wälzen
Ran|ger [rɛɪndʒə, engl.] *m. 9* **1** *USA:* Angehöriger bestimmter Polizeieinheiten, Aufseher im Nationalpark, Waldhüter; **2** Soldat mit Ausbildung für den Guerillakrieg
ran|gie|ren [raŋʒi, rɑ̃ʒi, frz.] **1** *tr. 3* (Güterwagen) verschieben; **2** *intr. 3* eine Rangstellung einnehmen; **Ran|gie|rer** *m. 5;* **Ran|gier|gleis** *s. 1*
...ran|gig *in Zus.,* z. B. drittrangig; **Rang|ord|nung** *w. 10;*
Rang|stu|fe *w. 11*
Ran|gun [raŋgun] *engl.:* Rangoon, *birman.:* Rangon, Hst. von Birma (heute Myanmar)
ran|hal|ten *refl. intr. 61* sich ranhalten, nicht verpassen (eine Gelegenheit)
rank geschmeidig, biegsam; rank und schlank
Rank *m. 2* **1** *süddt.:* Wegkrümmung; **2** *schweiz. auch:* Dreh, Kniff; **3** *nur Mz.* vgl. Ränke
Ran|ke *w. 11* fadenförmiges Kletterorgan von Pflanzen
Rän|ke *Mz.* üble Pläne, Machenschaften, Intrigen; Ränke schmieden
ran|ken *refl. 1;* sich um etwas r.
Ran|ken *m. 7, bayr.:* dickes Stück (z. B. Brot)
Ran|ken|fuß *m. 2* Nahrungsaufnahmeorgan von Rankenfüßern; **Ran|ken|fü|ßer** *m. 5* ein Meereskrebs; **Ran|ken|werk** *s. 1 nur Ez.* Verzierung, Beiwerk
Rän|ke|schmied *m. 1;* **rän|ke|süch|tig**
ran|kig wie eine Ranke
Ran|kü|ne [raŋ-, frz.] *w. 11, veraltet:* Groll, Rachsucht
ran|las|sen *tr. 75 ugs.:* die Möglichkeit geben, etwas auszuprobieren, die eigenen Fähigkeiten unter Beweis zu stellen; **ran|müs|sen** *tr. 87 ugs.:* mitarbeiten müssen; **ran|schmei|ßen** *refl. 122, ugs. verächtl.:* sich um jeden Preis anbiedern; **ran|schmei|ße|risch**
Ra|nun|kel [lat.] *w. 11* Hahnenfußgewächs
Ränz|chen *s. 7,* **Rän|zel** *s. 5* kleiner Ranzen
ran|zen *intr. 1, Jägerspr.:* in der Brunft sein (vom Haarraubwild, außer Bär und Luchs)
Ran|zen *m. 7* **1** Schultornister; **2** *ugs. übertr.:* Bauch; sich den R. vollschlagen (vollhauen) *vulg.:* gierig und viel essen
ran|zig 1 alt, schlecht geworden (Öl, Fett); **2** *Jägerspr.:* brünstig (Haarraubwild)
Ranz|zeit *w. 10, Jägerspr.:* Brunftzeit (des Haarraubwildes, außer Bär und Luchs)
Rap [rɛp, engl.] *m. Gen.* -(s) *Mz.* -s rhythmischer Sprechgesang in der Popmusik
Ra|pha|el, Ra|fa|el ein Erzengel
Ra|phia [madagass.-neulat.] *w. Gen.* - *Mz.* -phi|en eine afrikan. Palme; **Ra|phi|a|bast,** Raf|fi|a|bast *m. 1* Bastfaser aus den Blättern der Raphiapalmen
ra|pid [lat.], **ra|pi|de** sehr schnell, reißend, schlagartig;
Ra|pi|di|tät *w. 10 nur Ez.*
Ra|pier [frz.] *s. 1* Fechtdegen;
ra|pie|ren *tr. 3* **1** zerreiben (Tabakblätter, für Schnupftabak); **2** von Hautresten und Sehnen reinigen (Fleisch)
Ra|pil|li *Mz.* = Lapilli
Rap|pe *m. 11* (raben)schwarzes Pferd; auf Schusters Rappen *ugs.:* zu Fuß
Rap|pel *m. 5, ugs.:* fixe Idee, Anfall von Verrücktheit, Tobsucht; **rap|pe|lig,** rapp|lig; **Rap|pel|kopf** *m. 2, ugs.:* jmd. mit fixen Ideen; leicht aufbrausender Mensch; **rap|pel|köp|fig**
rap|peln *intr. 1* **1** klappern; **2** *ugs., nur unpersönl.;* bei ihm rappelt es: er ist ein bisschen verrückt; *österr. auch persönlich:* du rappelst: du bist verrückt
Rap|pen *m. 7* (*Abk.:* Rp.) Währungseinheit in der Schweiz, 1/100 Franken
Rap|ping [rɛpiŋ, engl.] *s. Gen.* -s *nur Ez.* Rap

rapp|lig, rap|pe|lig
Rap|port [frz.] *m. 1* **1** *Mil., veraltet:* Bericht, Meldung; **2** *Psych.:* Kontakt zwischen Psychotherapeuten und Patienten, auch zwischen Hypnotiseur und hypnotisierter Person; **3** Aufeinanderfolge gleichartiger Muster (z. B. auf Tapeten) oder Bindungen (bei Geweben); **rap|por|tie|ren** *tr. 3* melden, berichten
Raps *m. 1* eine Ölpflanze
Rap|tus [lat.] *m. Gen. - Mz.* -tusse **1** stürmischer Krankheitsanfall, heftige Erregung, Koller; **2** *ugs. scherzh. für* Rappel
Ra|pünz|chen *s. 7;* **Ra|pun|ze** *w. 11,* **Ra|pun|zel** *w. 11* Feldsalat
rar [lat.] selten; sich rar machen *ugs.:* sich selten zeigen; **Ra|ra** *Mz., Bibliothekswesen:* seltene Bücher
Ra|re|fi|ka|ti|on [lat.] *w. 10, Med.:* Gewebsschwund; **ra|re|fi|zie|ren 1** *tr. 3* verdünnen; **2** *intr. 3* schwinden (Körpergewebe); **Ra|re|fi|zie|rung** *w. 10;* **Ra|ri|tät** *w. 10* Seltenheit, Kostbarkeit, wertvolles Sammlungsstück; **Ra|ri|tä|ten|ka|bi|nett** *s. 1*
ra|sant [frz.] **1** flach verlaufend (Geschossbahn); **2** *ugs.:* äußerst schnell; **3** *ugs.:* schwungvoll und begeisternd; **4** *ugs.:* modisch, extravagant; **5** *ugs.:* sehr attraktiv (Frau) **Ra|sanz** *w. 10 nur Ez.* **1** flache Verlaufsbahn; **2** *ugs.:* hohes Tempo
ra|sau|nen *intr. 1, ugs.:* poltern, lärmen; **Ra|sau|ner** *m. 5, ugs.:* Polterer
rasch
Rasch [nach der frz. Stadt Arras] *m. 1* ein Kammgarnstoff
ra|scheln *intr. 1;* ich raschele, raschle mit dem Papier
Rasch|heit *w. 10 nur Ez.;* **rasch|le|big**
ra|sen *intr. 1* **1** wüten, toben; **2** *ugs.:* sehr schnell gehen oder fahren
Ra|sen *m. 7* gepflegte Grasfläche; **ra|sen|be|wach|sen;** *aber:* mit Rasen bewachsen
ra|send 1 *Adj.:* heftig, schnell; außer sich (vor Schmerz, Wut); **2** *Adv. ugs.:* sehr; rasend gern, rasend schnell
Ra|sen|spren|ger *m. 5*
Ra|ser *m. 5, ugs.:* jmd., der überschnell und rücksichtslos (mit dem Auto) fährt; **Ra|se|rei** *w. 10* **1** Tobsuchtsanfall; **2** *ugs.:* überschnelle Fahrweise
Ra|sier|ap|pa|rat *m. 1;* **Ra|sier|creme,** Ra|sier|krem, Ra|sier|kreme *w. 9, ugs. auch: m. 9;* **ra|sie|ren** [frz.] *tr. 3;* **Ra|sier|klin|ge** *w. 11;* **Ra|sier|was|ser** *s. 6;* **Ra|sier|zeug** *s. 1 nur Ez.*
ra|sig mit Rasen bedeckt
Rä|son [rɛzɔ̃, *ugs.:* rɛzɔŋ, frz.] *w. Gen. - nur Ez., veraltet:* Vernunft, Einsicht, Gehorsam; *noch in der Wendung:* jmdn. zur R. bringen; **Rä|so|neur** [-nør] *m. 1* jmd., der ständig räsoniert, Nörgler; **rä|so|nie|ren** *intr. 3* viel und laut nörgeln, schimpfen
Ras|pa [span.] *w. 9* ein lateinamerik. Gesellschaftstanz
Ras|pel *w. 11* **1** ein Werkzeug zum Glätten und zum Schneiden in kleine Blättchen; **2** mit einer Raspel abgefeilte Stückchen, z. B. Schokoladenraspel; **ras|peln** *tr. 1;* ich raspele, rasple es; → Süßholz
raß ► **rass, räss** *südd., schweiz.:* scharf gewürzt, beißend (im Geschmack); *schweiz. auch übertr.:* derb (Witz)
Ras|se *w. 11*
Ras|sel *w. 11* ein Lärminstrument; **Ras|sel|ban|de** *w. 11, ugs. scherzh.:* lärmende Kinderschar; **ras|seln** *intr. 1;* ich rassele, rassle; mit dem Säbel r. *übertr.:* mit kriegerischen Maßnahmen drohen; durch eine Prüfung r.: sie nicht bestehen
Ras|sen|haß ► **Ras|sen|hass** *m. Gen.* -has|ses *nur Ez.;* **Ras|sen|merk|mal** *s. 1;* **Ras|sen|mi|schung** *w. 10;* **Ras|sen|un|ru|hen** *nur Mz.;* **Ras|sen|tren|nung** *w. 10;* **Ras|se|pferd** *s. 1;* **ras|se|rein; Ras|se|rein|heit** *w. 10 nur Ez.;* **ras|sig 1** von edler Rasse; **2** *übertr.:* ausgeprägt schön, temperamentvoll, feurig; **ras|sisch** auf eine Rasse bezogen, zu einer Rasse gehörend; **Ras|sis|mus** *m. Gen. - nur Ez.* übersteigertes Rassenbewusstsein; **ras|sis|tisch**
Rast *w. 10* **1** Unterbrechung, Ruhepause; **2** *Hüttenwesen:* mittlerer Teil des Hochofens
Ras|te *w. 11* eine Abstellvorrichtung
ras|ten *intr. 2*
Ras|ter *m. 5* **1** *Druck-, Fernsehtechnik:* aus Punkten, Linien oder Flächen gebildetes, netzähnl. Muster; **2** genormte Einheit im Fertigbau; **Ras|ter|ät|zung** *w. 10* = Autotypie; **Ras|ter|mi|kro|skop** *auch:* **Ras|ter|mik|ros|kop** *s. 1;* **ras|tern** *tr. 1* mit Raster versehen, in Rasterpunkte zerlegen; **Ras|te|rung** *w. 10 nur Ez.*
Rast|haus *s. 4;* **rast|los**
Ras|tral [lat.] *s. 1* fünfzinkiges Gerät zum Einritzen von Notenlinien auf einer Metallplatte; **ras|trie|ren** *tr. 3* **1** mittels Rastral mit Notenlinien versehen; **2** *österr. auch:* karieren (Papier)
Ra|sur [lat.] *w. 10* **1** Vorgang des Rasierens; rasierte Stelle; **2** Vorgang des Radierens; ausradierte Stelle

> **Rat suchen, zu Rate/zurate ziehen:** Die Verbindung aus Substantiv und Verb wird getrennt geschrieben, ebenso aus Substantiv und Partizip: *Er wollte bei ihr Rat suchen.* → § 34 E3 (5)
> Ebenso: *die Rat Suchenden,* auch: *die Ratsuchenden.* → § 37 (2)
> Substantive, die Bestandteile fester Gefüge sind und nicht mit anderen Bestandteilen des Gefüges zusammengeschrieben werden, schreibt man groß: *zu Rate ziehen.* [→ § 55 (4)]. Klein- und Zusammenschreibung ist möglich: *zurate ziehen.*

Rat *m. 2* **1** *nur Ez.* Vorschlag (für ein bestimmtes Verhalten); jmdm. einen Rat geben; sich Rat holen; jmdn., ein Buch zu Rate ziehen, zurate ziehen; mit sich zu Rate gehen; Rat suchen, Rat suchend; die Rat Suchenden, die Ratsuchenden; **2** Versammlung, Kollegium, Behörde zur Lenkung öffentlicher Angelegenheiten; der Große Rat: schweiz. Kantonsparlament; **3** Mitglied eines Rats (**2**), z. B. Stadtrat; **4** Amtstitel, z. B. Studienrat
Ra|ta|touille [-tuj, frz.] *w. Gen. - Mz.* -s *oder s. Gen.* -s *Mz.* -s Gemüsegericht aus Tomaten, Auberginen und Paprika
Ra|te *w. 11* verhältnismäßiger Anteil, Teilbetrag, Teilzahlung; etwas auf Raten kaufen
ra|ten *tr. 94;* jmdm. etwas r.; hin und her r.
Ra|ten|kauf *m. 2;* **ra|ten|wei|se;** **Ra|ten|zah|lung** *w. 10*

Ralter *m. 5* jmd., der etwas rät
Rälter, Rältiler [-tsjər] *m. 5* Angehöriger eines Volksstammes in der altröm. Provinz Rätien
Rältelrelgielrung *w. 10;* **Rältelrelpublik** *auch:* **-publlik** *w. 10*
Ratlgelber *m. 5;* **Ratlhaus** *s. 4*
Rältilen [rɛtsjən] **1** altröm. Provinz; **2** *heute:* Kanton Graubünden mit Nachbargebieten; **Rältiler** [-tsjər] *m. 5* = Räter
Raltilfilkaltilon [lat.] *w. 10* Bestätigung, Genehmigung (bes. von Staatsverträgen durch das Parlament); **raltilfilzielren** *tr. 3* bestätigen, genehmigen (Vertrag); **Raltilfilzielrung** *w. 10*
Rältilkon, Rhältilkon *m. Gen. -s nur Ez.* Alpengruppe im österr.-schweiz. Grenzgebiet
Rältin *w. 10* weibl. Rat (**3** u. **4**)
Raltilné [-ne, frz.] *m. 9* flauschiger Stoff mit lockigem Flor; **raltilnielren** *tr. 3* auf der Oberfläche kräuseln (Gewebe)
Raltio 1 [ratsjo, lat.] *w. Gen. - nur Ez.* Vernunft, Vernunftgrund; vgl. ultima ratio; **2** [-rɛɪʃoʊ, engl.] *w. 9, Wirtsch.:* das Verhältnis zweier Größen bezeichnende Kennziffer; **Raltilon** *w. 10* **1** zugeteilte Menge; **2** tägl. Bedarf an Lebensmitteln; eiserne R.: Vorrat für den Notfall; **raltilolnal** auf Vernunft beruhend, vernunftgemäß; **Raltilonalle** *s. Gen. -s Mz. -lia* liturg. Schultertuch einiger kath. Bischöfe; **Raltilolnallilsaltor** *m. 13* jmd., der etwas rationalisiert; **raltilolnallilsielren** *tr. 3* **1** zweckmäßig, wirtschaftlich einrichten; **2** *Psych.:* nachträglich begründen; **Raltilolnallilsielrung** *w. 10;* **Raltilolnallismus** *m. Gen. -* nur Ez. Lehre von der Vernunft als oberstem Prinzip der Welt und des Erkennens; **Raltilolnallist** *m. 10* **1** Anhänger des Rationalismus; **2** vernunftgemäß, nüchtern denkender Mensch; **raltilolnallisltisch;** **Raltilolnallität** *w. 10 nur Ez.* Eigenschaft von Zahlen, sich als Bruch wiedergeben zu lassen; **raltilolnell** zweckmäßig, mit sparsamen Mitteln; **raltilolnenlweilse,** raltilonslweilse; **raltilonielren** *tr. 3* planmäßig einteilen; **Raltilonielrung** *w. 10*
rältisch zu Rätien gehörig, aus ihm stammend
rätllich *veraltet:* ratsam; **ratllos;** **Ratllolsiglkeit** *w. 10 nur Ez.*

Rältolrolmalne *m. 11* Nachkomme der rätischen Altbevölkerung in den Alpen; **rältolrolmalnisch;** **Rältolrolmalnisch** *s. Gen. -(s) nur Ez.* zu den roman. Sprachen gehörende Sprache der Rätoromanen mit den Mundarten Ladinisch, Romaunsch und Friaulisch
ratlsam; **Ratslbelschluß** ► **Ratslbelschluss** *m. 2*
ratsch!; ritsch, ratsch!
Ratlsche *w. 11* **1** *auch:* Rätsche, Knarre, Rassel; **2** *süddt.:* schwatzhafte Frau, Frau, die gern ratscht; **Rätlsche** *w. 11* = Ratsche (**1**); **ratlschen** *intr. 1* **1** *auch:* rätlschen, mit einer Ratsche lärmen; **2** viel (und gedankenlos) reden; sich gemütlich unterhalten; **rätlschen** *intr. 1* = ratschen (**1**); **Ratlschelrei** *w. 10*
Ratlschlag *m. 2;* **ratlschlalgen** *intr. 1* sich beraten; er ratschlagt (mit ihr), hat geratschlagt; **Ratlschluß** ► **Ratlschluss** *m. 2;*
Ratsldielner *m. 5* Bote eines Stadt- oder Gemeinderats
Rätlsel *s. 5;* **Rätlsellei** *w. 10;* **rätlsellhaft;** **rätlseln** *intr. 1;* ich rätsele, rätsle
Ratslherr *m. Gen. -n oder -en Mz. -en;* **Ratslkeller** *m. 5;* **Ratslsitlzung** *w. 10;* **Ratslverlsammlung** *w. 10*
Ratlte *w. 11;* **Ratltenlfänlger** *m. 5* **1** Hund, bes. Pinscher, der zum Fang von Ratten abgerichtet ist, Rattler; **2** eine dt. Sagengestalt; **Ratltenlkölnig** *m. 1* **1** an den Schwänzen oder Hinterbeinen zusammenklebende Jungtiere von Ratten u.a.; **2** *ugs. übertr.:* Durcheinander; ein R. von Schwierigkeiten; **Ratltenlschwanz** *m. 2, ugs. übertr.:* nicht enden wollende Folge; ein R. von Fragen, Maßnahmen
Rätlter *m. 5 oder w. 11* Sieb mit sich kreisförmig bewegendem Boden
ratltern *intr. 1*
rätltern *tr. 1* mit einem Rätter sieben; **Rätlterlwälsche** *w. 11* das Sieben von Erzen
Rattller *m. 5* = Rattenfänger (**1**)
Ratz *m. 1* **1** *süddt.:* Ratte, Hamster; **2** *Jägerspr.:* Iltis; schlafen wie ein R. *ugs.:* tief und lang schlafen; **Ratlze** *w. 11, ugs.:* Ratte; **ratlzelkahl** [volkstüml. Umbildung von radikal] völlig, ganz

Rätlzel, Rälzel *s. 5* **1** Haarbüschel zwischen den Augenbrauen; **2** Person mit zusammengewachsenen Augenbrauen
ratlzen *intr. 1* **1** *ugs.:* schlafen; **2** *regional für* ritzen

> **rau:** Analog zu den Adjektiven *blau, grau, genau* und *schlau* wird in Zukunft *rau* (statt bisher: rauh) geschrieben. Ebenso die Zusammensetzungen: *raubeinig, Raufaser, rauhaarig, Rauputz* usw.; vgl. → *Känguru* (analog zu *Gnu, Emu, Kakadu*).

rau
Raub *m. 1 nur Ez.;* **Raulbank** *w. 2* ein Hobel; **Raulbauz** *m. 1 ugs.:* grober Mensch; **raulbaulzig;** **Raublbau** *m. 1 nur Ez.;* Raubbau treiben; **Raubldruck** *m. 1* Druck unter Missachtung des Urheberrechts; **Raulbein** *s. 1, ugs. übertr.:* gutmütiger Mensch mit rauem Umgangston; **raulbeilnig;** **raulben** *tr. 1;* **Räulber** *m. 5;* **Räulbelrei** *w. 10;* **räulbelrisch;** **räulbern** *tr. 1;* **Räulberlpisltolle** *w. 11, übertr.:* Schauermärchen; **Räulberlzilvil** *s. Gen. -s nur Ez., ugs. scherzh.:* saloppe Kleidung; **Raublgier** *w. Gen. - nur Ez.;* **raublgielrig;** **Raublkolpie** *w. 11;* **Raublkrieg** *m. 1;* **Raubllust** *w. Gen. - nur Ez.;* **raublluslig;** **Raublmord** *m. 1;* **Raublmörlder** *m. 5;* **Raublritlter** *m. 5, MA:* von Straßenraub lebender Ritter; **Raubltier** *s. 1;* **Raublülberlfall** *m. 1;* **Raublvolgel** *m. 6;* **Raublwild** *s. Gen. -(e)s nur Ez., Jägerspr.:* alle räuberisch lebenden jagdbaren Tiere (Fuchs, Adler u.a.); **Raublzeug** *s. 1 nur Ez., Jägerspr.:* alle frei lebenden, jagdschädlichen Tier (wildernde Hunde, Katzen u.a.)
Rauch *m. 1 nur Ez.;* **rauchlbar** (Zigarrette); **raulchen** *tr. 1 und intr. 1;* **Raulcher 1** *m. 5* jmd., der (gewohnheitsmäßig) raucht; **2** *s. 5 nur Ez., ugs. kurz für* Raucherabteil; **Räulcherlfaß** ► **Räulcherlfass** *s. 4;* **Raulcherlhuslten** *m. 7 nur Ez.;* **räulchelrig;** **Räulcherlkamlmer** *w. 11;* **Räulcherlkerlze** *w. 11;* **räulchern 1** *tr. 1* in den Rauchfang hängen und dadurch haltbar machen; **2** *intr. 1* Räuchermittel verbrennen; **Räulcherlspeck** *m. Gen. -s nur Ez.;* **Räu-**

► = wird zu

cher|stäb|chen *s. 7;* **Räu|cher|wa|ren** *w. 11 Mz.* geräucherte Fleischwaren; vgl. Rauchwaren; **Rauch|fah|ne** *w. 11;* **Rauch|fang** *m. 2* Zwischenstück zwischen Herd und Schornstein; **Rauch|fleisch** *s. Gen.* -s *nur Ez.;* **Rauch|glas** *s. 4 nur Ez.* leicht bräunliches Glas; **rau|chig; rauch|los;** rauchlos verbrennen

Rauch|op|fer *s. 5;* **Rauch|säu|le** *w. 11;* **Rauch|ta|bak** *m. 1;* **Rauch|ver|bot** *s. 1;* **Rauch|ver|gif|tung** *w. 10;* **Rauch|wa|ren** *w. 11 Mz.* **1** Pelzwaren; **2** Tabakwaren; **Rauch|werk** *s. 1 nur Ez.* Pelzwaren

Räu|de *w. 11* eine Hautkrankheit bei Tieren; *bei Menschen:* Krätze; **räu|dig; Räu|dig|keit** *w. 10 nur Ez.*

rau|en *tr. 1* rau machen

rauf *ugs. für* herauf; *oft für* hinauf; ich gehe rauf *statt:* hinauf

Rauf|bold *m. 1,* Mensch, der gern rauft; **Rau|fe** *w. 11* Futterkrippe; **rau|fen 1** *tr. 1* abreißen, ausreißen; **2** *intr. 1* sich balgen, sich prügeln; **Rau|fe|rei** *w. 10;* **Rauf|han|del** *m. 6* Rauferei, Schlägerei; **Rauf|lust** *w. Gen.* - *nur Ez.;* **rauf|lus|tig**

Rau|frost *m. 2* = Raureif; **Rau|fut|ter** *s. Gen.* -s *nur Ez.* Heu, Stroh u. Ä.

Rau|graf *m. 10, MA:* Titel einiger Grafengeschlechter

rauh ► **rau; Rau|haar|da|ckel** *m.*' Drahthaardackel; **rau|haa|rig; Rauh|bank** ► **Rau|bank** *w. 2;* **Rauh|bauz** ► **Rau|bauz** *m. 1;* **rauh|bau|zig** ► **rau|bau|zig; Rauh|bein** ► **Rau|bein** *s. 1;* **rauh|bei|nig** ► **rau|bei|nig; Rau|he** *w. 11* Mauserung (der Wasservögel); **Rau|heit** *w. 10 nur Ez.;* **rau|hen** ► **rau|en** *tr. 1;* **Rauh|frost** ► **Rau|frost** *m. 2* = Raureif; **Rauh|fut|ter** ► **Rau|fut|ter** *s. Gen.* -s *nur Ez.;* **Rauh|haar|dackel** ► **Rau|haar|da|ckel** *m. 5;* **rauh|haa|rig** ► **rau|haa|rig; Rauh|näch|te** ► **Rau|näch|te** *w. 2 Mz.;* **Rauh|putz** ► **Rau|putz** *m. Gen.* -es *nur Ez.;* **Rauh|reif** ► **Rau|reif** *m. 1;* **Rauh|wacke** ► **Rau|wa|cke** *w. 11;* **Rauh|wa|ren** ► **Rau|wa|ren** *w. 11 Mz.*

raum 1 *Seew.:* schräg von hinten kommend (Wind); weit; raume See: hohe See; **2** *Forstw.:* licht, offen (Wald)

Raum *m. 2;* **Raum|bild** *s. 3* einen Raumeindruck vermittelndes, stereofotografisch aufgenommenes Bild; **Räum|boot** *s. 1* Minenräumboot; **Räum|chen** *s. 7;* **räu|men** *tr. 1;* **Raum|ent|we|ser** *m. 5;* **Raum|ent|we|sung** *w. 10 nur Ez.* Ungezieferbekämpfung im Haus; **Raum|fahrt** *w. 10;* **Raum|fahr|zeug** *s. 1;* **Raum|film** *m. 1* stereoskop. Film; **räu|mig** *nddt.:* geräumig; **Räu|mig|keit** *w. 10 nur Ez.;* **Raum|in|halt** *m. 1;* **Raum|kap|sel** *w. 11* kleines Raumfahrzeug; **Raum|kunst** *w. Gen. - nur Ez.* Kunst der Gestaltung von Innenräumen; **Raum|leh|re** *w. 11 nur Ez.* Geometrie; **räum|lich; Räum|lich|keit** *w. 10;* **Raum|maß** *s. 1* Hohlmaß; **Raum|me|ter** *s. 5, ugs.: m. 5* (*Abk.:* Rm) Raummaß für geschichtetes Holz mit Zwischenräumen (1 m³); vgl. Festmeter; **Raum|pfle|ge|rin** *w. 10* Putzfrau; **Raum|schiff** *s. 1;* **Raum|son|de** *w. 11* unbemanntes Raumfahrzeug; **raum|spa|rend** ► **Raum spa|rend; Raum|sta|ti|on** *w. 10;* **Räum|te** *w. 11, Seew.:* **1** offenes Meer; **2** Schiffsladeraum; **Raum|ton** *m. 2 nur Ez.* als räumlich empfundener Ton, Stereoton; **Räu|mung** *w. 10;* **Räu|mungs|kla|ge** *w. 11;* **Räu|mungs|ver|kauf** *m. 2*

Rau|näch|te *w. 2 Mz.* die zwölf Nächte zwischen Weihnachten und Dreikönige

rau|nen *intr. 1* **1** leise, murmelnd sprechen; **2** *übertr.:* leise rauschen

raun|zen *intr. 1, süddt., österr.:* **1** polterig, ruppig nörgeln; **2** weinerlich klagen; **Raun|ze|rei** *w. 10*

Räup|chen *s. 7;* **Rau|pe** *w. 11* **1** Larve des Schmetterlings; **2** Gleiskette; **3** *kurz für* Raupenfahrzeug; **rau|pen** *tr. 1* von Raupen befreien (Pflanzen); **Rau|pen|fahr|zeug** *s. 1* ein Gleiskettenfahrzeug; **Rau|pen|helm** *m. 1* Helm mit raupenförmigem Kamm

Rau|putz *m. Gen.* -es *nur Ez.;* **Rau|reif** *m. 1* gefrorener Tau, Raufrost

raus *ugs. für* heraus; *oft für* hinaus; ich gehe raus *statt:* hinaus

Rausch *m. 2;* **rausch|arm** *Nachrichtentech.:* mit geringen störenden Nebeneffekten; **Rau|sche** *w. 11 nur Ez.* Brunst (von Wild- und Hausschwein); **Rau|sche|bart** *m. 2, ugs. scherzh.:* Mann mit Vollbart; **rau|schen** *intr. 1; auch Jägerspr.:* brünstig sein (Wild- und Hausschwein); **rau|schend** prächtig; ein rauschendes Fest; **Rau|scher** *m. 5* gärender Most; **Rausch|gift** *s. 1;* **Rausch|gold** *s. Gen.* -(e)s *nur Ez.* dünn ausgewalztes Messingblech, das bei Bewegungen knistert, Flittergold; **rausch|haft; Räusch|lein** *s. 7;* **Rausch|sil|ber** *s. Gen.* -s *nur Ez.* dünn ausgewalztes Neusilberblech, das bei Bewegungen knistert; **Rausch|zeit** *w. 10* Brunstzeit (von Wild- und Hausschwein)

Räus|pe|rer *m. 5* kurzes Räuspern; **räus|pern** *refl. 1;* ich räuspere, räuspre mich

Raus|schmei|ßer *m. 5* **1** *ugs.:* jmd., der unliebsam gewordene Gäste aus einem Nachtlokal o. Ä. hinauswirft; **2** *ugs. übertr.:* letzter Tanz (vor dem Ende einer Veranstaltung); **Raus|schmiß** ► **Raus|schmiss** *m. 1, ugs.:* Hinauswurf, sofortige Entlassung

Rau|te [lat.] *w. 11* **1** eine Pflanzengattung; **2** *Math.* = Rhombus; **3** eine Diamantschliffart; **4** Spielkartenfarbe, Karo; **Rau|ten|mus|ter** *s. 5*

Rau|wa|cke *w. 11* eine Gesteinsart; **Rau|wa|ren** *w. 11 Mz.* Pelzwaren

Rave [rɛiv, engl.] *m. Gen. - nur Ez. Mus.:* direkte, intensive Form des Techno, Hardcore-Techno

Ra|vi|o|li [ital.] *Mz.* zumeist fleischgefüllte Nudelteigtaschen

Ray|gras *s. 4* = Raigras

Ray|on *auch:* **Ra|yon** [rɛjɔ̃, frz.] *m. 9* **1** Abteilung (eines Kaufhauses); **2** *österr.:* Dienstbereich (z. B. eines Polizisten), Verwaltungsbezirk; **3** [rɛɪən, engl.] *m. 9 nur Ez., angelsächs. Schreibung von* Reyon; **Ray|on|chef** [rɛjɔ̃ʃɛf] *m. 9* Abteilungsleiter (im Kaufhaus); **ray|o|nie|ren** [rɛjo-] *tr. 3, österr.:* in Bezirke einteilen; **Ray|ons|in|spek|tor** *auch:* **Ra|yons|ins|pek|tor** [rɛjɔ̃s-] *m. 13, österr.*

Rä|zel *s. 5* = Rätzel

ra|ze|mos, ra|ze|mös [lat.] traubenförmig

Raz|zia [arab.-frz.] *w. Gen.-*

Mz. -s *oder* -zi|en Durchsuchungs- und Festnahmeaktion der Polizei
Rb *chem. Zeichen für* Rubidium
RB *Abk. für* Radio Bremen
Rbl. *Abk. für* Rubel
Rc. *Abk. für* recipe!
rd. *Abk. für* rund; rd. 10 DM
Re *chem. Zeichen für* Rhenium
Re **1** *auch:* Ra, ägypt. Sonnengott; **2** [lat.] *s. 9, Kartenspiel:* Erwiderung auf ein Kontra; Re bieten, ansagen
re..., Re... [lat.] *in Zus.:* zurück..., Zurück..., wieder..., Wieder...
Rea|der [ri:də, engl.] *m. Gen.* -s *Mz.* - Schrift mit Auszügen aus umfangreicheren (wissenschaftl.) Texten; **Rea|der's Di|gest** [ridəz daɪʒɪst, engl. »Zusammenfassung für den Leser«] *s. Gen.* -- *nur Ez.* eine amerik. Monatszeitschrift
Rea|dy-made *Nv.* ► **Rea|dy-made** *Hv.* [rędɪ mɛɪd, engl. »fertig zum Gebrauch«] *s. Gen.* - *Mz.* -s, *Bez. für* industriell erzeugten Gegenstand (z. B. Teil der Automobilkarrosserie, Flasche, Rad), der zum Kunstgegenstand erhoben wird
Re|a|gens [lat.] *s. Gen.* - *Mz.* -gęn|zi|en, **Re|a|gęnz** *s. Gen.* -es *Mz.* -zi|en, *Chem.:* Stoff, der bei Berührung mit einem anderen Stoff auf bestimmte Weise reagiert und daher zum Nachweis oder zur Mengenbestimmung von Substanzen dient; **Re|a|gęnz|glas** *s. 4* Probierglas für chem. Versuche; **re|a|gi|bel** reaktionsfähig; **Re|a|gi|bi|li|tät** *w. 10 nur Ez.* Reaktionsfähigkeit; **re|a|gie|ren** *intr. 3* **1** zurückwirken, auf etwas ansprechen; sauer reagieren *ugs.:* auf etwas hin missmutig, böse werden, etwas ablehnen; **2** *Chem.:* eine Reaktion eingehen; **Re|ąkt** *m. 1 Psych.:* Handlung, die als Antwort auf bestimmte mitmenschl. Verhaltensweisen zustande kommt; **Re|ak|tąnz** *w. 10* Blindwiderstand; **Re|ak|tąnz|röh|re** *w. 11;* **Re|ak|ti|on** *w. 10* **1** Rückwirkung; **2** *Chem.:* Vorgang, der eine stoffliche Veränderung der beteiligten Substanzen zur Folge hat; **3** *nur Ez.* Versuch, an veralteten (polit., kirchl. o. ä.) Institutionen festzuhalten oder sie wiederzuerrichten; **4** Gesamtheit der Reaktionäre; **re|ak|ti|o|när** (geistig) rückschrittlich; **Re|ak|ti|o|när** *m. 1* jmd., der am Veralteten festhält u. fortschrittl. Entwicklungen bekämpft; **re|ak|tiv** auf etwas zurückwirkend; **Re|ak|tiv** *s. 1* durch Reizerlebnisse bedingtes psychisches Verhalten; **re|ak|ti|vie|ren** [-vi-] *tr. 3* **1** wieder beleben, wieder in Tätigkeit setzen; **2** *Chem.:* wieder wirksam machen; **Re|ak|ti|vie|rung** *w. 10;* **Re|ąk|tor** *m. 13* Anlage zur Umwandlung von Kernenergie in Wärmeenergie und schließlich in Elektrizität, Atomreaktor, Atommeiler; **Re|ąk|tor|phy|sik** *w. 10 nur Ez.*
re|al [lat.] wirklich, sachlich, dinglich, der Realität entsprechend
Re|al [lat.-span. bzw. port.] *m. Gen.* -s *Mz. span.* -les, *port.* Reis, alte span., portugies., mexikan. und brasilian. Silbermünze
Re|al|akt [lat.] *m. 1, Rechtsw.:* **1** tatsächl. Handlung; **2** *österr.:* ein Grundstück betreffende Gerichtshandlung; **Re|al|ein|kom|men** *s. 7* tatsächliches Einkommen im Hinblick auf die Kaufkraft des Geldes; *Ggs.:* Nominaleinkommen; **Re|al|en|zy|klo|pä|die** *auch:* **-zyk|lo-** *w. 11* = Reallexikon
Re|al|gar [arab.-frz.] *m. 1* ein durchscheinendes, rotes bis orangefarbenes Arsen-Schwefel-Mineral, Rauschrot
Re|al|gym|na|si|um [lat. + griech.] *s. Gen.* -s *Mz.* -si|en *früher:* höhere Schule, in der entweder neue Sprachen oder Mathematik und Naturwissenschaften stärker betont wurden; *heutige Bez.:* neusprachl. Gymnasium; **Re|a|li|en** [lat.] *Mz.* **1** Tatsachen, wirkliche Dinge; **2** Sachkenntnisse; **3** neusprachl. und naturwissenschaftl. Fächer; **Re|al|in|ju|rie** [-riə] *w. 11, Rechtsw.:* Beleidigung durch Tätlichkeit; **Re|a|li|sa|ti|on** *w. 10 nur Ez.* das Realisieren; **Re|a|li|sa|ti|ons|wert** *m. 1* Verkaufswert; **Re|a|li|sa|tor** *m. 13* geschlechtsbestimmender Zellfaktor; **re|a|li|sier|bar; Re|a|li|sier|bar|keit** *w. 10 nur Ez.;* **re|a|li|sie|ren** *tr. 3* **1** verwirklichen; **2** zu Geld machen, gegen Bargeld verkaufen; **3** *tr. 3* verstehen, sich klar machen, einsehen; **Re|a|li|sie|rung** *w. 10;* **Re|a|lis|mus** *m. Gen.* - *nur Ez.* **1** Wirklichkeits-, Tatsachensinn; **2** Lehre von einer Wirklichkeit außerhalb des menschlichen Bewusstseins; **3** *Kunst:* wirklichkeitsgetreue Darstellungsweise; **Re|a|list** *m. 10* **1** Tatsachenmensch; **2** Vertreter des künstler. Realismus; **Re|a|lis|tik** *w. 10 nur Ez.* Wirklichkeitstreue; **re|a|lis|tisch; Re|a|li|tät** *w. 10* **1** Gegebenheit, Wirklichkeit; **2** *Mz.* Grundstücke; **re|a|li|ter** in Wirklichkeit; **Re|al|ka|pi|tal** *s. Gen.* -s *Mz.* -li|en angelegtes Kapital, Sachkapital; **Re|al|ka|ta|log** *m. 1* = Sachkatalog; *Ggs.:* Nominalkatalog; **Re|al|kauf** *m. 2* Kauf, bei dem Vertragsabschluss und Übergabe des Kaufgegenstandes zusammenfallen; **Re|al|kon|kur|renz** *w. 10 nur Ez.* = Tatmehrheit; *Ggs.:* Idealkonkurrenz; **Re|al|kre|dit** *m. 1* durch dingliche Sicherheitsleistung gedeckter Kredit; **Re|al|last** *w. 10* Belastung eines Grundstücks durch regelmäßige Sach- oder Geldleistungen; **Re|al|le|xi|kon** *s. Gen.* -s *Mz.* -ka *oder* -ken Lexikon der Sachbegriffe eines Wissensgebietes, Realenzyklopädie; **Re|al|lohn** *m. 2* Realeinkommen; **Re|al|ob|li|ga|ti|on** *w. 10* Pfandbrief, Grundstückshaftung (bei der Hypothek); **Re|al|po|li|tik** *w. 10* Politik, die sich an die Gegebenheiten hält und das erreichbare Mögliche anstrebt; **Re|al|po|li|ti|ker** *m. 5;* **re|al|po|li|tisch; Re|al|prä|senz** *w. 10 nur Ez., luther. Lehre:* wirkliche Anwesenheit Christi in Brot und Wein beim Abendmahl; **Re|al|schu|le** *w. 11* Lehranstalt, die zum mittleren Bildungsabschluss führt; **Re|al|schü|ler** *m. 5;* **Re|al|steu|er** *w. 11* auf einzelnen Vermögensgegenständen lastende Steuer;
Real-Time-Ver|fah|ren *Nv.* ► **Real|time-Ver|fah|ren** *Hv.* [-ril taɪm, engl.] *s. 7* eine Arbeitsmethode in der Datenverarbeitung; **Re|al|u|ni|on** *w. 10* Vereinigung selbständiger Staaten zu einer völkerrechtl. Einheit; **Re|al|wert** *m. 1* wirkl. Wert
Re|a|ni|ma|ti|on [lat.] *w. 10* Wiederbelebung, z. B. durch künstl. Atmung

► = wird zu

Re|as|se|ku|ranz [lat.] *w. 10* Rückversicherung

Re|au|mur [re:omyr, nach dem frz. Physiker René-Antoine Ferchault de Réaumur] (*Abk.:* R) Maßeinheit des (veralteten) in 80 Grad eingeteilten Thermometers

Reb|bach [jidd.] *m. Gen.* -s *nur Ez.* = Reibach

Re|be *w. 11*

Re|bell [frz.] *m. 10* Aufrührer, Empörer; **re|bel|lie|ren** *intr. 3* sich empören, sich auflehnen; **Re|bel|li|on** *w. 10* Empörung, Aufstand; **re|bel|lisch**

re|beln *tr. 1, bayr., österr.:* (Trauben) abbeeren; **Re|ben|saft** *m. 2, poet.:* Wein; **Re|ben|ste|cher,** Reb|stich|ler *m. 5* ein Rüsselkäfer

Reb|huhn *s. 4* ein Fasanenvogel

Reb|laus *w. 2;* **Reb|ling** *m. 1* Rebenschössling

Re|bound-Ef|fekt *Nv.* ► **Re|bound|ef|fekt** *Hv.* [ribaund, engl. »Rückschlag«] *m. 1, Med.:* ein Regulationsmechanismus im Hormonhaushalt

Reb|schnur [eigtl. → Reepschnur] *w. 2, österr.:* starke Schnur

Reb|stich|ler *m. 5* = Rebenstecher

Re|bus [lat.] *m. od. s. Gen.* - *Mz.* -bus|se Bilderrätsel, bei dem aus aneinander gereihten Bildern ein Wort oder Satz zu erraten ist; **re|bus sic stan|ti|bus** so wie die Dinge stehen

Rec. *Abk. für* recipe!

Re|call [rikɔl, engl.] *m. Gen.* -(s) *Mz.* -s, *in den USA:* Entlassung von Beamten durch öffentl. Abstimmung

Re|cei|ver [rɪsivə, engl.] *m. 5* Rundfunkempfänger mit Verstärker (für Hi-Fi-Wiedergabe)

Re|chaud [rəʃo, frz.] *m. 9 oder s. 9* **1** Wärmeplatte; **2** *österr.:* Gaskocher

re|chen *tr. 1* harken; **Re|chen** *m. 7* Harke

Re|chen|buch *s. 4;* **Re|chen|ex|em|pel** *auch:* **-e|xem|pel** *s. 5;* **Re|chen|feh|ler** *m. 5;* **Re|chen|ma|schi|ne** *w. 11;* **Re|chen|schaft** *w. 10 nur Ez.* Auskunft über die eigene Tätigkeit; R. über etwas ablegen; **Re|chen|schafts|be|richt** *m. 1;* **Re|chen|schei|be** *w. 11,* **Re|chen|schie|ber** *m. 5* Rechengerät mit mehreren verschiebbaren Skalen; **Re|chen|zen|trum** *s. Gen.* -s *Mz.* -tren mit elektron. Rechenmaschinen versehene zentrale Datenverarbeitungsstelle

Re|cher|che [rəʃɛrʃə, auch: rə-, frz.] *w. 11* Nachforschung; Recherchen anstellen; **Re|cher|cheur** [rəʃɛrʃør, auch: rə-] *m. 1* jmd., der recherchiert; **re|cher|chie|ren** [rəʃɛrʃi-, auch: rə-] *tr. u. intr. 3* Ermittlungen anstellen, nachforschen

rech|nen *tr. u. intr. 2;* auf jmdn. oder etwas r.: erwarten, als sicher annehmen, dass jmd. etwas tut oder dass etwas eintritt; mit jmdm. r.: erwarten, dass jmd. etwas tut oder dass jmd. kommt; mit etwas r.: erwarten, darauf gefasst sein, dass etwas eintritt; **Rech|ner** *m. 5;* **Rech|ne|rei** *w. 10 ugs.;* **rech|ne|risch;** **Rech|nung** *w. 10;* auf seine Rechnung kommen *ugs. übertr.:* zufrieden sein; die Rechnung ohne den Wirt machen *ugs. übertr.:* sich irren; eine Sache in Rechnung ziehen, einer Sache Rechnung tragen *ugs. übertr.:* etwas berücksichtigen; **Rech|nungs|art** *w. 10* vgl. Grundrechenart; **Rech|nungs|buch** *s. 4, schweiz. neben* Rechenbuch; **Rech|nungs|füh|rer** *m. 5* Buchhalter; **Rech|nungs|le|gung** *w. 10* Darlegung von Einnahmen und Ausgaben; **Rech|nungs|ma|schi|ne** *w. 11, schweiz.:* Rechenmaschine

> **recht tun/sein, sich recht verhalten:** Die Verbindung mit *sein* wird nicht als Zusammensetzung verstanden und daher getrennt geschrieben: *Das ist ihr recht gewesen.* Ebenso: *Er hat recht* (= richtig) *getan. Er hat sich recht* (= richtig) *verhalten.* →§35
> Die Substantivierung schreibt man groß: *das Rechte tun, nach dem Rechten sehen.* →§57 (1)

recht 1 richtig, wie es sich gehört, dem Recht entsprechend; der rechte Mann am rechten Ort; das Herz auf dem rechten Fleck haben; rechter Winkel; es ist recht so; das ist recht!; das ist mir recht; ich habe wohl nicht recht gehört?; jmdm. etwas recht machen; jmdm. nichts recht machen können; etwas recht tun; das ist nur recht und billig: das ist gerecht; nun erst recht; ganz recht!; aus ihm ist nichts Rechtes geworden; da bist du bei mir an den Rechten geraten! *iron.:* an den Falschen; nach dem Rechten sehen; **2** *Adv.:* sehr, ganz, einigermaßen; recht gut, recht schön; ich bin recht froh; recht gern; **Recht**

> **Recht behalten/bekommen/erhalten/geben/haben/sprechen:** Die Verbindung Substantiv und Verb wird getrennt geschrieben: *Sie hat Recht behalten. Ihm wird Recht gegeben. Er wollte immer Recht haben.* →§55 (4)
> Großschreibung auch bei: *mit Recht, zu Recht.* [→§55 (4)]. Zusammenschreibung ist möglich bei →*zurecht.*

s. 1; Recht sprechen; jmdm. Recht geben; Recht haben; Recht behalten; Gnade vor Recht ergehen lassen; mit Recht; seine Forderung besteht zu Recht; von Rechts wegen

rech|te (-r, -s) auf der der Herzseite gegenüber liegenden Seite, auf der rechten Seite (liegend); rechte Hand; jmds. rechte Hand sein *übertr.:* jmds. bester, engster Mitarbeiter; rechter Hand: rechts; auf der rechten Seite; ein Rechter *ugs.:* Angehöriger einer rechtsstehenden Partei; **Rech|te** *w. 11* **1** rechte Seite, rechte Hand; sie saß zu meiner Rechten; er streckte ihm die Rechte hin; **2** rechtsstehende Partei

Recht|eck *s. 1;* **recht|e|ckig;** **Rech|te|hand|re|gel, Rech|te-Hand-Re|gel** *w. 11 nur Ez.* Regel über den Richtungsverlauf elektromagnetischer Feldlinien um einen stromdurchflos-

> **rechtens sein, etwas für rechtens erachten/halten:** Verbindungen mit *sein* gelten nicht als Zusammensetzung und werden daher getrennt geschrieben: *Das konnte niemals rechtens sein.* →§35
> Auch die Verbindung mit *erachten/halten* wird – im Gegensatz zur alten Regelung – kleingeschrieben, da die substantivischen Merkmale verblasst sind: *Sie hielt die Bestimmung für rechtens.* →§56 (3)

senen Leiter (nach den Fingern der rechten Hand, wenn man den Leiter so umfasst, dass der Daumen in Stromrichtung weist)
rẹch|ten *intr. 2* mit jmdm. r.: mit jmdm. um sein Recht streiten, sein Recht von jmdm. fordern; **Rẹch|tens** ► **rẹch|tens** nach geltendem Recht; rechtmäßig; es ist rechtens (so), dass er...; etwas rechtens machen; für rechtens halten
rẹch|ter Hand; rẹch|ter|seits auf der rechten Seite

> **(sich) rechtfertigen, rechtschreiben:** Verbindungen aus Adverb/Adjektiv und Verb, bei denen der erste Bestandteil weder steigerbar noch erweiterbar ist, werden zusammengeschrieben: *Sie wollten sich noch rechtfertigen, aber ... Sie konnten auch nach den neuen Regeln nicht rechtschreiben.*
> →§ 34 (2.2)

rẹcht|fer|ti|gen *tr. 1;* **Rẹcht|fer|ti|gung** *w. 10;* **rẹcht|gläu|big; Rẹcht|gläu|big|keit** *w. 10 nur Ez.;* **Rẹcht|ha|ber** *m. 5* jmd., der stets recht behalten will; **Recht|ha|be|rei** *w. 10;* **rẹcht|ha|be|risch**
Rẹcht|kant *m. 1 oder s. 1* ein Viereck
rẹcht|läu|fig *Astron.:* »richtig«, d.h. im Sinne der allg. Drehbewegung des Planetensystems verlaufend (von Norden aus gesehen dem Uhrzeiger entgegengesetzt); *Ggs.:* rückläufig
rẹcht|lich 1 dem Recht entsprechend; jmdn. rechtlich belangen; rechtliches Gehör: Anspruch auf Vorbringung einer Sache bei Gericht; **2** ehrlich, redlich, rechtschaffen; **Rẹcht|lich|keit** *w. 10 nur Ez.;* **rẹcht|los; Rẹcht|lo|sig|keit** *w. 10 nur Ez.* **rẹcht|mä|ßig; Rẹcht|mä|ßig|keit** *w. 10 nur Ez.*
rẹchts auf der rechten Seite; rechts der Donau; sich rechts halten; rechts stehen; →rechtsstehend: auf der Seite einer konservativen Partei stehend
Rẹchts|an|spruch *m. 2;* **Rẹchts|an|walt** *m. 2;* **Rẹchts|aus|kunft** *w. 2*
Rẹchts|aus|la|ge *w. 11, Sport:* Körperhaltung, bei der rechtes Bein und rechte Hand nach

> **rechts, nach rechts, die Rechte, zur Rechten:** Das Lokaladverb schreibt man klein: *Das Haus dort rechts; er geht nach rechts; Marsch gegen rechts.*
> Die substantivierte Form wird großgeschrieben: *die Rechte, auf der Rechten, zur Rechten, mit der Rechten, zu meiner Rechten* usw. →§ 57 (1)

vorn gekehrt werden (z.B. beim Boxen); **Rechts|au|ßen** *m. Gen. - Mz. -,* bei manchen Ballspielen: rechter Flügelstürmer
Rẹchts|bei|stand *m. 2;* **Rẹchts|be|leh|rung** *w. 10;* **Rẹchts|be|ra|ter** *m. 5;* **Rẹchts|bre|cher** *m. 5;* **Rẹchts|bruch** *m. 2*
rẹcht|schaf|fen; Rẹcht|schaf|fen|heit *w. 10 nur Ez.;* **Rẹcht|schreib|buch, Rẹcht|schrei|be|buch** *s. 4;* **rẹcht|schrei|ben** *intr. 127, nur im Infinitiv:* richtig, fehlerfrei schreiben; vgl. schreiben; **rẹcht|schreib|lich** orthographisch; **Rẹcht|schreib|re|form** *w. 10;* **Rẹcht|schrei|bung** *w. 10*
Rẹchts|drall *m. 1* **1** Drehung nach rechts um die Längsachse (z.B. bei Geschossen); **2** *nur Ez., ugs. scherzh.:* Neigung zu konservativen polit. Ansichten; **rẹchts|dre|hend** = dextrogyr; **Rẹcht|ser** *m. 5, ugs. für* Rechtshänder; *Ggs.:* Linkser; **rẹchts|er|fah|ren; rẹchts|ex|trem** der äußersten Rechten angehörend; **Rẹchts|ex|tre|mis|mus** *m. Gen. - nur Ez.;* **Rẹchts|ex|tre|mist** *m. 10*
rẹchts|fä|hig fähig, Rechte und Pflichten zu haben; **Rẹchts|fä|hig|keit** *w. 10 nur Ez.;* **Rẹchts|fall** *m. 2;* **rẹchts|fäl|lig; Rẹchts|gang** *m. 2* **1** Gerichtsverfahren; **2** Drehungsrichtung nach rechts (z.B. einer Maschine, eines Gewindes); **rẹchts|gän|gig** *Tech.:* sich nach rechts drehend; **Rẹchts|ge|fühl** *s. 1;* **Rẹchts|grund|satz** *m. 2;* **rẹchts|gül|tig**
Rẹchts|ha|ken *m. 7, Boxen:* Schlag mit der rechten Hand
Rẹchts|hän|der *m. 5* jmd., der mit der rechten Hand geschickter ist als mit der linken; **rẹchts|hän|dig; Rẹchts|hän|dig|keit** *w. 10 nur Ez.*

rẹchts|her *veraltet für* von rechts; rechtsher kommen, *aber:* von rechts her kommen; **rẹchts|her|um** *auch:* **-he|rum;** rechtsherum wenden, *aber:* nach rechts herum wenden
Rẹchts|hil|fe *w. 11*
rẹchts|hin *veraltet für* nach rechts; rechtshin fahren, *aber:* nach rechts hin fahren
Rẹchts|kraft *w. 2 nur Ez.;* **rẹchts|kräf|tig; rẹchts|kun|dig**
Rẹchts|kur|ve *w. 11*
Rẹchts|la|ge *w. 11*
rẹchts|läu|fig von links nach rechts verlaufend (Schrift)
Rẹchts|miß|brauch ► **Rẹchts|miss|brauch** *m. 2;* **Rẹchts|mit|tel** *s. 5* rechtlich zugelassenes Mittel zur Korrektur von Behörden- und Gerichtsentscheidungen, z.B. Berufung, Einspruch; **Rẹchts|nach|fol|ger** *m. 5* jmd., der Rechte (und Pflichten) eines andern übernimmt; **Rẹchts|ord|nung** *w. 10*
Rẹchts|par|tei *w. 10* politisch rechtsstehende Partei
Rẹchts|pfle|ge *w. 11 nur Ez.* Ausübung der Gerichtsbarkeit; **Rẹcht|spre|chung** *w. 10 nur Ez., aber:* Rechtsspruch
rẹchts|ra|di|kal; Rẹchts|ra|di|ka|lis|mus *m. Gen. - nur Ez.*
Rechts-Rẹchts-Wa|re *w. 11* elast. Wirkware mit Rechtsmaschen auf beiden Seiten; **Rẹchts|re|gie|rung** *w. 10* politisch rechtsstehende Regierung
Rẹchts|sa|che *w. 11* Rechtsstreit, Prozess; **Rẹchts|schutz** *m. 1 nur Ez.*
rẹchts|sei|tig
Rẹchts|spruch *m. 2;* **Rẹchts|staat** *m. 12;* **rẹchts|staat|lich; Rẹchts|staat|lich|keit** *w. 10 nur Ez.*
rẹchts|ste|hend; eine rechtsstehende Partei
Rẹchts|strei|tig|keit *w. 10;* **Rẹchts|sub|jekt** *s. 1* Träger von Rechten und Pflichten; **Rẹchts|ti|tel** *m. 5* Urkunde, die das Bestehen bzw. die Vollstreckbarkeit eines Rechtsanspruchs bescheinigt
rechts|ụm! [auch: rẹçts-]; rechtsum kehrt!
rẹchts|un|gül|tig; rẹchts|ver|bind|lich; Rẹchts|ver|dre|her *m. 5;* **Rẹchts|ver|dre|hung** *w. 10*
Rẹchts|ver|kehr *m. 1 nur Ez.*
Rẹchts|ver|tre|ter *m. 5;* **Rẹchts|vor|be|halt** *m. 1;*

► = wird zu

Rẹchts|vor|schlag *m. 2, schweiz.:* Widerspruch des Schuldners gegen die Zwangsvollstreckung
Rẹchts|weg *m. 1* Inanspruchnahme des Gerichts; den R. beschreiten
Rẹchts|wen|dung *w. 10*
rẹchts|wid|rig; Rẹchts|wid|rigkeit *w. 10;* **Rẹchts|wis|senschaft** *w. 10*
rẹcht|win|ke|lig; rẹcht|wink|lig mit einem Winkel von 90°
rẹcht|zei|tig
re|ci|pe! [retsipe:, lat. »nimm«] (*Abk.:* Rc., Rec., Rp.) *auf ärztl. Rezepten:* Formel vor der Anwendungsvorschrift
Re|ci|tal [rısaıtəl, engl.], **Ré|ci|tal** [resital, frz.] Re|zi|tal *s. 9* Veranstaltung, die nur von einem einzigen Künstler oder nur mit den Werken eines einzigen Künstlers bestritten wird;
re|ci|tạn|do [retʃi-, ital.], re|zitạn|do *Mus.:* sprechend, rezitierend, im Sprechgesang, ohne strenge Einhaltung des Taktes;
Re|ci|ta|ti|vo [retʃi-] *ital. Form von* Rezitativ
Rẹck *s. 1* ein Turngerät
Rẹ|cke *m. 11, poet.:* Kämpfer, Krieger, Held
Rẹ|ckol|der *m. 5, alem. für* Wacholder
Re|con|quis|ta [rɛkoŋkista, span.] *w. Gen. - nur Ez., MA:* Zurückgewinnung Spaniens von den Arabern durch die christl. Spanier
Re|cọr|der [engl.] = Rekorder
rec|te, rek|te [rẹkte:, lat.] recht, richtig, eigentlich
Rẹc|tor ma|gni|fi|cus *auch:* **-mag|ni|fi|cus** [lat.] *m. Gen.* -s -, *Mz.* -to|res -fi|ci [-tsi], *veraltet:* Titel eines Hochschulrektors
re|cyc|len *auch:* **-cyc|len** [risaikəln] *tr. 1* dem Recycling zuführen
Re|cyc|ling [risaıkliŋ, engl.] *s. Gen. - oder -s nur Ez.* Wiederverwertung von Abfällen
Re|dak|teur [-tør, zu: redigieren] *m. 1* Angestellter eines Verlages oder einer Zeitung, der Manuskripte beurteilt und für die Veröffentlichung bearbeitet;
Re|dak|ti|on *w. 10* **1** *nur Ez.* Manuskriptbearbeitung; **2** Gesamtheit der Redakteure (eines Verlages oder einer Zeitung); **3** Arbeitsräume der Redakteure;
re|dak|ti|o|nẹll zu einer Redaktion (**2**) gehörig, in der Redaktion; durch Redigieren; einen Text r. bearbeiten; **Re|dak|ti|ons|schluß** ► **Re|dak|ti|ons|schluss** *m. 2 nur Ez.* Abschluss der Manuskriptbearbeitung;
Re|dạk|tor [neulat.] *m. 13* **1** wissenschaftl. Herausgeber; **2** *schweiz. für* Redakteur; **Re|dak|tri|ce** [-sə, frz.] *w. 11; österr. für* Redakteurin
re|da|tie|ren [lat.-frz.] *tr. 3* mit einem zurückliegenden Datum versehen, zurückdatieren (Brief)

> **Rede und Antwort stehen:** Die Verbindung aus Substantiv und Verb schreibt man groß und getrennt: *Sie musste Rede und Antwort stehen.* →§ 55 (4)

Re|de *w. 11;* Rede stehen; Rede und Antwort stehen; **Re|de|fluß** ► **Re|de|fluss** *m. 2 nur Ez.;*
Re|de|frei|heit *w. 10 nur Ez.;*
re|de|ge|wandt
Red|emp|to|rịst *auch:* **Re|demp-** [lat.] *m. 10* Angehöriger der Congregatio Sanctissimi Redemptoris, eines katholischen Ordens
re|den *tr. und intr. 2;* von sich reden machen; *aber:* von etwas viel Redens machen: etwas aufbauschen, übertreiben; du hast gut *oder:* leicht reden!; **Re|dens|art** *w. 10;* **re|dens|art|lich;**
Re|de|rei *w. 10;* **Re|de|schrift** *w. 10* Eilschrift; **Re|de|schwall** *m. 1;* **Re|de|strom** *m. 2;* **Re|de|wen|dung** *w. 10*
re|di|gie|ren [lat.-frz.] *tr. 3* bearbeiten (Manuskript)
Re|din|gote [redɛ̃gọt, engl.-frz.] *w. 11* taillierter Mantel
Re|dis|fe|der *w. 11* Ⓦ eine Schreibfeder (für Zierschrift)
Re|dis|kọnt [ital.] *m. 1* Weiterverkauf (eines diskontierten Wechsels); **re|dis|kon|tie|ren** *tr. 3* weiterverkaufen (Wechsel);
Re|dis|kon|tie|rung *w. 10*
re|di|vi|vus [-vivus, lat.] *nicht flektierbar, immer nachgestellt:* wiedererstanden; Goethe redivivus!
red|lich; Red|lich|keit *w. 10 nur Ez.*
Red|ner *m. 5;* **red|ne|risch**
Re|dou|te [-du-, frz. rədut] *w. 11* **1** *früher:* Festungsschanze; **2** *bayr.-österr.:* (vornehmer) Maskenball
Red|ọx|sys|tem *auch:* **Re|dọx-** *s. 1, Chem., Kurzw. für* Reduktions-Oxidations-System
Re|dres|se|ment *auch:* **Red|res-** [-mɑ̃, frz.] *s. 9* **1** Wiedereinrenkung oder Einrichtung (eines ausgerenkten oder gebrochenen Knochens); **2** orthopäd. Behandlung (bes. von Missbildungen an Beinen und Füßen); **re|dres|sie|ren** *auch:* **red|res-** *tr. 3* **1** wieder einrenken, einrichten (Knochen); **2** korrigieren (Missbildungen)
red|se|lig; Red|se|lig|keit *w. 10 nur Ez.*
Re|duk|ti|on [zu: reduzieren] *w. 10* Zurückführung, Verringerung; Herabsetzung; **Re|duk|ti|ons|mit|tel** *s. 5, Chem.:* Stoff, der anderen Substanzen Sauerstoff entziehen kann; **Re|duk|ti|ons|tei|lung** *w. 10* = Meiose;
Re|dụk|tor *m. 13* **1** ein Transformator; **2** Glimmlampe zur Verringerung der Netzspannung
re|dun|dạnt [lat.-engl.] überreichlich, weitschweifig, überflüssig; **Re|dun|dạnz** *w. 10 nur Ez.* **1** Überreichlichkeit, Überflüssiges; **2** Überschuss (an Wörtern, Zeichen) über das zur Übermittlung einer Information notwendige Mindestmaß hinaus
Re|du|pli|ka|ti|on *auch:* **Re|dup|li-** [lat.] *w. 10* Verdoppelung (einer Silbe oder eines Wortes) z. B. Mama; **re|du|pli|zie|ren** *auch:* **re|dup|li-** *tr. 3* verdoppeln (Silbe, Wörter)
re|du|zi|bel [lat.] zurückführbar, zerlegbar (eines mathemat. Ausdrucks); *Ggs.:* irreduzibel;
re|du|zie|ren *tr. 3* zurückführen, verringern, herabsetzen; **Re|du|zie|rung** *w. 10;* **Re|du|zier|ven|til** *s. 1* Ventil zur Druckherabsetzung
Red|wood [rẹdwʊd, engl.] *s. 9* Rotholz (bes. der kaliforn. Mammutbäume)
Ree|de *w. 11* Ankerplatz für Schiffe; **Ree|der** *m. 5* Schifffahrtsunternehmer; **Ree|de|rei** *w. 10*
re|ẹll [frz.] **1** ehrlich, anständig, zuverlässig; **2** wirklich vorhanden, begründet; **Re|el|li|tät** *w. 10 nur Ez.* Ehrlichkeit (bes. im Geschäftsleben)
Re|en|try *auch:* **Re|ent|ry** [riẹntrı, engl.] *m. oder s. Gen.* -

Mz. -s Wiedereintritt (eines Weltraumfahrzeugs in die Erdatmosphäre)
Reep *s. 1 nddt.:* Seil, Tau; **Reeper** *m. 5* Seiler; **Ree|per|bahn** *w. 10* **1** *urspr.:* Platz, auf dem Seile hergestellt wurden, Seilerbahn; **2** *nur Ez.* Vergnügungsstraße in St. Pauli (Hamburg); **Ree|pe|rei** *w. 10* Seilerei; **Reep|schlä|ger** *m. 5, nddt.:* Seiler; **Reep|schnur** *w. 2* starke Schnur, Lawinenschnur; vgl. Rebschnur
Reet *s. 1, nddt.:* Ried, Rohr, Schilf; **Reet|dach** *s. 4*
Re|e|vo|lu|ti|on [neulat.] *w. 10* Wiederkehr des Bewusstseins (nach einem epilept. Anfall)
Re|ex|port [lat.] *m. 1,* **Re|ex|por|ta|ti|on** *w. 10* Wiederausfuhr (importierter Güter); **re|ex|por|tie|ren** *tr. 3*
ref. *Abk. für* reformiert
REFA *früher Abk. für* Reichsausschuss für Arbeitszeitermittlung (bzw. Arbeitsstudien); *heute:* Verband für Arbeitsstudien, REFA e. V.; **REFA-Fach|mann** *m. Gen.* -s *Mz.* -leulte
Re|fait [rəfɛ̃, frz.] *s. 9, Kartenspiel:* Unentschieden
Re|fak|tie [-tsjə, lat.-ndrl.] *w. 11* **1** Vergütung für beschädigte, fehlerhafte, unbrauchbar gewordene Ware; **2** Rückvergütung von Frachtkosten; **re|fak|tie|ren** *intr. 3;* eine Ware r.: Preisnachlass auf eine Ware gewähren
Re|fek|to|ri|um [lat.] *s. Gen.* -s *Mz.* -rilen Speisesaal im Kloster
Re|fe|rat [lat.] *s. 1* **1** Vortrag, Bericht; **2** Arbeitsgebiet eines Referenten; **Re|fe|ren|da** *Mz. von* Referendum; **Re|fe|ren|dar** *m. 1* Anwärter auf die Beamtenlaufbahn (nach der ersten Staatsprüfung); **Re|fe|ren|dum** *s. Gen.* -s *Mz.* -da *oder* -den Volksabstimmung; **Re|fe|rent** *m. 10* Vortragender, Berichterstatter, Sachbearbeiter; **Re|fe|renz** *w. 10* Empfehlung, Auskunft über eine Person, jmd., der eine Auskunft oder Empfehlung geben kann; **re|fe|rie|ren** [frz.] *intr. 3* vortragen, berichten, ein Referat halten; über etwas referieren
Reff *s. 1* **1** Vorrichtung zum Verkleinern der Segelfläche; **2** *auch:* Räf, Rückentrage, Tragegestell; **3** *verächtl.:* altes Weib; **ref|fen** *tr. 1* verkleinern (Segelfläche)
Re|fi|nan|zie|rung [lat.-frz.] *w. 10* Geldbeschaffung aus Fremdmitteln, um Kredit geben zu können
Re|fla|ti|on *auch:* **Ref|la|ti|on** [lat.] *w. 10* Erhöhung der umlaufenden Geldmenge; **re|fla|ti|o|när** *auch:* **ref|la|ti|o|när** mittels Reflation

> **Reflek-, Reflex-, Refrak-, Refri-** (Worttrennung): Neben der bisher üblichen Trennungsmöglichkeit (*Re|flek-, Re|flex-, Re|frak-, Re|fri-*) bleibt es dem/der Schreibenden überlassen, auch nach seiner/ihrer Aussprache abzutrennen. Also: *Ref|lek-, Ref|lex-, Ref|rak-, Ref|ri-.* →§ 108, § 110, § 111

Re|flek|tant [lat.] *m. 10* Bewerber, Interessent; **re|flek|tie|ren** **1** *tr. 3* zurückstrahlen, widerspiegeln; **2** *intr. 3* nachdenken; **3** *intr. 3,* auf etwas r.: etwas haben wollen oder anstreben, sich um etwas bewerben; **Re|flek|tor** *m. 13* **1** Vorrichtung zur Rückstrahlung und Bündelung elektromagnetischer Wellen, bes. von Licht, z. B. Hohlspiegel; **2** Hülle um spaltbares Material im Kernreaktor; **re|flek|to|risch** durch einen Reflex ausgelöst; **Re|flex** *m. 1* **1** Rückstrahlung (von Licht); **2** *Biol.:* unwillkürl. Reizbeantwortung; **Re|fle|xi|on** *w. 10* **1** Zurückwerfen (von Teilchen oder Wellen, z. B. Licht) an Grenzflächen zwischen verschiedenen Medien, z. B. zwischen Luft und Glas; **2** auf die eigenen Handlungen und Gedanken gerichtetes, prüfendes Nachdenken; **Re|fle|xi|ons|win|kel** *m. 5* Winkel zwischen zurückgeworfenem Strahl und Einfallslot; **re|fle|xiv** *Gramm.:* sich auf das Subjekt zurückbeziehend, rückbezüglich; reflexive Verben; **Re|fle|xiv** *s. 1,* Re|fle|xi|vum *s. Gen.* -s *Mz.* -va **1** Reflexivpronomen; **2** reflexives Verb; **Re|fle|xiv|pro|no|men** *s. 7* rückbezügl. Fürwort: sich; **Re|fle|xi|vum** *s. Gen.* -s *Mz.* --va = Reflexiv; **Re|fle|xo|lo|gie** *w. 11 nur Ez.* Richtung der Psychologie, die das menschl. und tier. Verhalten auf die Reflexe zurückzuführen sucht
Re|flux *auch:* **Ref|lux** [lat.] *m. Gen.* -es *nur Ez., Med.:* Rückfluss
Re|form [lat.-frz.] *w. 10* verbessernde Neu-, Umgestaltung; **Re|for|ma|ti|on** [lat.] *w. 10* **1** Wiederherstellung (eines ursprüngl. Zustandes), Erneuerung; **2** *nur Ez.* Glaubensbewegung des 16. Jh., die zur Entstehung des Protestantismus führte; **Re|for|ma|ti|ons|fest** *s. 1 nur Ez.* 31. Oktober; **Re|for|ma|tor** *m. 13* **1** Erneuerer, Neugestalter; **2** Begründer der Reformation (**2**): Luther, Zwingli, Calvin; **re|for|ma|to|risch; re|form|be|dürf|tig; Re|for|mer** *m. 5* jmd., der eine Reform durchführt; **Re|form|haus** *s. 4* Fachgeschäft für naturgemäße Ernährung; **re|for|mie|ren** *tr. 3* verbessern, erneuern; **re|for|miert** *(Abk.:* ref., reform.) zur reformierten Kirche gehörend; reformierte Kirche: die durch die Reformation Zwinglis und Calvins entstandene Kirche, im Unterschied zur luther. Kirche; **Re|for|mis|mus** *m. Gen. - nur Ez.* **1** Streben nach Veränderung sozialer oder politischer Zustände durch Reformen; **2** gemäßigter Sozialismus; **Re|for|mist** *m. 10* Anhänger des Reformismus; **re|for|mis|tisch; Re|form|ka|tho|li|zis|mus** *m. Gen. - nur Ez.* Bestrebungen der röm.-kath. Kirche innerhalb des Modernismus nach 1900, die jedoch an der Bindung der Kirche festhielten
Re|frain *auch:* **Ref|rain** [rəfrɛ̃, frz.] *m. 9* = Kehrreim
re|frak|tär [lat.] *Med.:* widerspenstig, unempfänglich, unbeeinflussbar; auf einen Reiz nicht reagierend; **Re|frak|tär** *m. 1, schweiz.:* jmd., der sich der Militärpflicht entzieht; **Re|frak|tär|pha|se** *w. 11* Ruhezeit von Muskel- und Nervenfasern unmittelbar nach Ablauf einer Erregungsphase; **Re|frak|ti|on** *w. 10* **1** Brechung (von Lichtwellen, bes. des Sternenlichtes beim Eintritt in die Erdatmosphäre); **2** Brechungswert (der Augenlinse); **Re|frak|ti|ons|feh|ler** *m. 5* Fehler in der Brechkraft der Augenlinse; **Re|frak|to|me|ter** [lat. + griech.] *s. 5* opt. Messgerät zur Refraktionsbestimmung; **Re|frak|to|me|trie**

auch: **Re|f|rak|to|met|ri|e** *w. 11 nur Ez.* Lehre von der Refraktionsbestimmung; **re|frak|to|me|trisch** *auch:* **re|f|rak|to|met|risch; Re|frak|tor** [lat.] *m. 13* Linsenfernrohr; **re|frak|tu|rie|ren** *tr. 3 Med.;* einen gebrochenen, schlecht geheilten Knochen r.: operativ nochmals zerbrechen

Re|fri|ge|rans [lat.] *s. Gen.* - Mz. -ran|tia [-tsja] *oder* -zi|en, *Med.:* abkühlendes, Fieber senkendes Heilmittel; **Re|fri|ge|ra|ti|on** *w. 10* **1** Erkältung; **2** künstl. Unterkühlung (z. B. vor einem chirurg. Eingriff); **Re|fri|ge|ra|tor** *m. 13* Gefriermaschine

Re|fu|gi|a|l|ge|biet [lat.] *s. 1* Rückzugsgebiet (für Tiere und Pflanzen, z. B. in den Eiszeiten); **Re|fu|gié, Ré|fu|gié** [refyʒje, frz.] *m. 9* Flüchtling (aus Glaubensgründen, bes. Hugenotte); **Re|fu|gi|um** *s. Gen.* -s *Mz.* -gi|en Zufluchtsort

re|fun|die|ren *tr. 3* [lat.] *österr.* (Ausgaben, Spesen) zurückerstatten

Re|fus, Re|füs [rəfy:(s), frz.] *m. Gen. - nur Ez. veraltet für* Ablehnung,, Weigerung

reg. *Abk. für* registered

Reg. *Abk. für* Regiment (**2**)

re|gal [lat.] königlich

Re|gal *s. 1* **1** Gestell (für Bücher, Waren u. Ä.); **2** [frz.] kleine Orgel mit Zungenpfeifen; **3** Zungenpfeifenregister (von Orgeln); **4** *auch:* Re|ga|le [lat.] *s. Gen.* -s *Mz.* -li|en wirtschaftlich nutzbares Hoheitsrecht (z. B. Münzrecht); **Re|ga|li|en** *Mz. von* Regal (**4**); Re|ga|li|tät *w. 10 nur Ez., früher:* Anspruch (des Staates) auf Regalien

Re|gat|ta [ital.] *w. Gen. - Mz.* -ten Bootswettfahrt

Reg.-Bez. *Abk. für* Regierungsbezirk

re|ge; körperlich, geistig rege sein

Re|gel *w. 11;* **Re|gel|de|tri** *auch:* **Re|gel|det|ri** *w. Gen. - nur Ez.* Dreisatzrechnung; **re|gel|los; Re|gel|lo|sig|keit** *w. 10 nur Ez.;* **re|gel|mä|ßig; Re|gel|mä|ßig|keit** *w. 10 nur Ez.;* **re|geln** *tr. 1;* ich regele, regle es; **re|gel|recht; Re|ge|lung,** Reg|lung *w. 10;* **re|gel|wid|rig; Re|gel|wid|rig|keit** *w. 10*

re|gen *tr. u. refl. 1*

Re|gen *m. 7 nur Ez.;* vom Regen in die Traufe kommen *übertr.:* aus einer Notlage in eine andere, noch schlimmere geraten; **re|gen|arm; Re|gen|bo|gen** *m. 7;* **re|gen|bo|gen|far|ben, re|gen|bo|gen|far|big; Re|gen|bo|gen|far|ben** *Mz.;* **Re|gen|bo|gen|haut** *w. 2* Iris (des Auges); **Re|gen|bo|gen|pres|se** *w. 11* Zeitschriften mit Gesellschaftsklatsch; **Re|gen|bo|gen|tri|kot** [-ko:] *s. 9, Sport:* Trikot des Radweltmeisters

Ré|gence [reʒɑ̃s, frz.] *w. Gen. - nur Ez.* frz. Kunstrichtung zur Zeit der Regentschaft Philipps von Orléans; **Re|gen|cy** [ri:dʒənsı, engl.] *s. Gen. - nur Ez.* engl. Kunstrichtung zur Zeit der Regentschaft Georges IV.

Re|gen|dach *s. 4;* **re|gen|dicht**

Re|ge|ne|rat [lat.] *s. 1, Chem.:* Rohstoff, der durch Aufarbeitung gewonnen wird (z. B. Kautschuk aus Altgummi); **Re|ge|ne|ra|ti|on** *w. 10* **1** Wiederherstellung, Erneuerung; **2** *Med.:* Heilungsprozess; **3** *Biol.:* Neubildung zerstörter oder verlorener Zellen, Gewebe und Körperteile; *Ggs.:* Degeneration; **3** *Phys., Chem.:* Wiederherstellung bestimmter Eigenschaften von Stoffen bzw. Rückgewinnung von Rohstoffen (z. B. Kautschuk aus Altgummi); **re|ge|ne|ra|tiv** durch Regeneration entstanden, regeneratorisch; **Re|ge|ne|ra|tor** *m. 13* Luftvorwärmer bei Industriefeuerungen; **re|ge|ne|ra|to|risch** = regenerativ; **re|ge|ne|rie|ren** *tr. 3* **1** wiederherstellen, erneuern; **2** *Biol.:* neu bilden (Zellen, Gewebe, Körperteile); *Ggs.:* degenerieren; **3** *Chem.:* zurückgewinnen (Rohstoffe aus Altmaterial)

Re|gen|haut *w. 2* wasserdichter Umhang oder Mantel; **re|gen|naß** ► **re|gen|nass; Re|gen|pfei|fer** *m. 5* ein Watvogel; **re|gen|reich**

Re|gens [lat.] *m. Gen. - Mz.* -gen|tes oder -gen|ten Vorsteher (bes. eines kath. Priesterseminars)

Re|gen|schat|ten *m. 7* die niederschlagsarme Seite eines Gebirges

Re|gens cho|ri [ko-, lat.] *österr.:* Re|gens|cho|ri, *m. Gen. - Mz.* -gen|tes cho|ri Leiter eines katholischen Kirchenchores

Re|gent [lat.] *m. 10* regierender Fürst oder dessen Stellvertreter; **Re|gen|tes** *Mz. von* Regens; **Re|gent|schaft** *w. 10 nur Ez.* Amt bzw. Amtsdauer eines Regenten

Re|gen|wald *m. 4* immergrüner Tropenwald

Re|ges *Mz. von* Rex

Re|gest [lat.] *s. 12* knappe Zusammenfassung des Rechtsinhalts einer Urkunde; **Re|ges|ten|samm|lung** *w. 10;* **Re|ges|tum** *s. Gen.* -s *Mz.* -ta, *ältere Form von* Regest

Reg|gae [rɛgɛi] *m. Gen.* - (s) *nur Ez.* musikalische Stilrichtung Jamaikas

Re|gie [-ʒi, lat.-frz.] *w. 11* **1** Verwaltung öffentlicher Unternehmen durch Staat oder Gemeinde; **2** *österr.:* staatl. Verkaufsmonopol (z. B. Tabakregie); **3** künstler. Leitung (eines Theaterstücks, Films u. ä.); **Re|gie|as|sis|tent** *m. 10* Mitarbeiter eines Regisseurs; **Re|gie|as|sis|tenz** *w. 10;* **Re|gie|be|trieb** *m. 1* von einer öffentl. Körperschaft (z. B. dem Staat) geführter Betrieb; **Re|gie|fens|ter** *s. 5, Rundfunk:* Beobachtungsfenster im Senderaum; **Re|gi|en** [reʒiən] *w. 11 Mz., österr.:* Regiekosten, Unkosten; **Re|gie|pult** *s. 1, Rundfunk:* Tonmischpult

re|gie|ren [lat.] **1** *tr. 3* beherrschen, lenken, leiten; *Gramm.:* nach sich ziehen, fordern; die Präposition »bei« regiert den Dativ; **2** *intr. 3* herrschen; der regierende Bürgermeister von… (Großschreibung nur als Titel); **Re|gie|rung** *w. 10;* **Re|gie|rungs|be|zirk** *m. 1* (*Abk.:* Reg.-Bez.); **re|gie|rungs|feind|lich; Re|gie|rungs|rat** *m. 2* **1** (*Abk.:* Reg.-Rat) ein höherer Beamter; **2** *schweiz.:* Mitglied einer Kantonsregierung; **Re|gie|rungs|sitz** *m. 1;* **re|gie|rungs|treu; Re|gie|rungs|vor|la|ge** *w. 11* von der Regierung ausgearbeiteter Gesetzentwurf

Re|gime [-ʒim, frz.] *s. Gen.* -(s) *Mz.* -s *oder* - [-ʒimə] Regierung, Regierungsform, Herrschaftssystem

Re|gi|ment [lat.] **1** *s. 1* Herrschaft, Leitung; das R. führen; **2** (*Abk.:* Reg., Regt., Rgt.) *s. 3*

Truppeneinheit; **Re|gi|ments|kom|man|dant** *m. 10, schweiz.;* **Re|gi|ments|kom|man|deur** [-dør] *m. 1*

Re|gi|na coe|li [tsø-, lat. »Königin des Himmels«, Anfang eines österl. Marienhymnus] *kath. Bez. für* Maria

Re|gi|o|lekt [lat. + griech.] *m. 1* Spracheigentümlichkeit innerhalb einer geographischen Region; **Re|gi|on** [lat.] *w. 10* Bereich, Gegend; in höheren Regionen schweben *ugs. übertr.:* nicht in der Wirklichkeit leben; **re|gi|o|nal** zu einer Region gehörig, sie betreffend; **Re|gi|o|na|lis|mus** *m. Gen. - nur Ez.* **1** Streben eines Landesteils nach (größerer) Eigenständigkeit im Staatsganzen; **2** Zusammenarbeit mehrerer Staaten zur Lösung gemeinsamer Probleme ihres Gebietes (z. B. in der EU); **3** Strömung in der deutschen Literatur um 1900, Heimatdichtung; **Re|gi|o|na|list** *m. 10* Vertreter des Regionalismus (**1**); **re|gi|o|när** zu einem bestimmten Abschnitt der Körperoberfläche gehörend

Re|gis|seur [-ʒisør, frz.] *m. 1, Theater, Film, Funk, Fernsehen:* jmd., der Regie führt, Spielleiter

Re|gis|ter [mlat.] *s. 5* **1** Verzeichnis, Liste; **2** eingeschnittene Abecestufen (z. B. am Rand von Telefonbüchern); **3** alphabetisch geordnetes Personen- oder Sachverzeichnis (am Ende von Büchern); **4** *Rechtsw.:* amtl. Verzeichnis über rechtlich wichtige Tatsachen (z. B. Handelsregister); **5** *Buchw.:* Aufeinanderpassen der Druckzeilen von Vorder- und Rückseite; R. halten; **6** *Mus.:* Tonbereich, der von einem Sänger mit gleicher Stimmbandeinstellung gesungen werden kann; **7** *an der Orgel:* Pfeifenreihe mit gleichem Klangcharakter; alle Register ziehen, spielen lassen *ugs. übertr.:* etwas mit aller Energie betreiben; **Re|gis|ter|brief** *m. 1* Bescheinigung über die Eintragung eines Schiffes ins Schiffsregister; **re|gis|tered** [rędʒɪstəd, engl.] (*Abk.:* reg., Zeichen: ®) **1** in ein Register eingetragen (Firma), gesetzlich geschützt; **2** *Post: engl. Bez. für* eingeschrieben; **Re|gis|ter|ton|ne** *w. 11* (*Abk.:* RT) Raummaß für Schiffe; 2,8 m³; **Re|gis|tra|tur** *w. 10* **1** Abteilung für die Ablage des Schriftverkehrs; **2** Aktenschrank; **3** alle Registerzüge der Orgel; **Re|gis|trier|ap|pa|rat** *m. 1* Gerät zum Aufzeichnen von Messwerten in ihrem zeitl. Ablauf; **re|gis|trie|ren** **1** *tr. 3* in ein Register eintragen, aufzeichnen, buchen; **2** *tr. 3, übertr.:* bewusst wahrnehmen, feststellen; **3** *intr. 1, Mus.:* Orgelregister ziehen, Registerstimmen mischen; **Re|gis|trie|rung** *w. 10*

Re|gle|ment *auch:* **Reg|le|ment** [regləmã, frz.] *s. 9, schweiz.:* [-mẹnt] *s. 1* Dienstvorschrift, Geschäftsordnung; **re|gle|men|ta|risch** *auch:* **reg|le-** [-mɛn-] nach dem Reglement; **re|gle|men|tie|ren** *auch:* **reg|le-** [-mɛn-] *tr. 3* durch Vorschrift regeln, behördlich anordnen, beaufsichtigen; **Re|gle|men|tie|rung** *auch:* **Reg|le-** [-mɛn-] *w. 10*

Reg|ler *m. 5;* **Re|glet|te** *auch:* **Reg|let|te** [frz.] *w. 11, Buchw.:* nicht druckender Metallstreifen für den Durchschuss; **Re|gleur** *auch:* **Reg|leur** [-glør] *m. 1, in Uhren:* den Gang regelnde Spirale

reg|los; Reg|lo|sig|keit *w. 10 nur Ez.*

reg|nen *intr. 2;* **Reg|ner** *m. 5;* **reg|ne|risch**

Rẹgnum *auch:* **Rẹg|num** [lat.] *s. Gen.* -s *Mz.* -gna Herrschaft, König-, Kaiserreich

Reg.-Rat *Abk. für* Regierungsrat (**1**)

Re|greß ► **Re|grẹss** *auch:* **Reg|rẹss** [lat.] *m. 1* **1** *Philos.:* Zurückschreiten von der Wirkung zur Ursache; **2** *Rechtsw.:* Ersatz, Entschädigung, Ersatzanspruch an den Hauptschuldner; **Re|greß|an|spruch** ► **Re|gress|an|spruch** *auch:* **Reg|rẹss-** *m. 2;* **Re|gres|sat** *auch:* **Reg|res-** *m. 10* jmd., auf den ein Regress genommen wird; **Re|gres|si|on** *auch:* **Reg|res-** *w. 10* Rückbildung, Zurückbewegung; **re|gres|siv** *auch:* **reg|res|siv** zurückgreifend, zurückgehend, sich zurückbildend; **Re|greß|kla|ge** ► **Re|grẹss|kla|ge** *auch:* **Reg|rẹss-** *w. 11;* **Re|greß|pflicht** ► **Re|grẹss|pflicht** *auch:* **Reg|rẹss-** *w. 10;* **re|greß|pflich|tig** ► **re|grẹss|pflich|tig** *auch:* **reg|rẹss-**

reg|sam; Reg|sam|keit *w. 10 nur Ez.*

Regt. *Abk. für* Regiment (**2**)

Re|gu|la fa|lsi [lat. »Regel des Falschen«] *w. Gen. -- nur Ez., Math.:* Verfahren zur Lösung von Gleichungen; **Re|gu|la fi|dei** [-deli, »Regel des Glaubens«] *w. Gen. -- Mz.* -lae -[-lɛː] die Grundlehren der christl. Kirchen (bes. die Glaubensbekenntnisse); **Re|gu|lar** *m. 1,* **Re|gu|la|re** *m. 11* Mitglied einer Gemeinschaft, die nach festen Regeln lebt, z. B. einer Kongregation, eines Ordens; **re|gu|lär** **1** der Regel entsprechend; *Ggs.:* irregulär; **2** *Math.:* regelmäßig (Körper); **Re|gu|la|re** *m. 11* = Regular; **Re|gu|lar|geist|li|cher** *m. 5* = Regularkleriker (**2**); **Re|gu|la|ri|tät** *w. 10 nur Ez.* Regelmäßigkeit, Richtigkeit; *Ggs.:* Irregularität; **Re|gu|lar|kle|ri|ker** *m. 5* **1** *i. e. S.:* Mönch, der nicht in dem Kloster lebt, in das er eingetreten ist; **2** *i. w. S.:* Ordensgeistlicher, regulierter Kleriker, Regulargeistlicher; **3** *Mz.* den neuzeitl. Formen der Seelsorge angepasste Ordensgemeinschaft; **Re|gu|la|ti|on** *w. 10* Regelung, Regulierung, Anpassung, Ausgleich; **re|gu|la|tiv** regelnd, als Regel dienend; **Re|gu|la|tiv** *s. 1* regelnde Vorschrift, steuerndes Element; **Re|gu|la|tor** *m. 13* **1** Pendeluhr mit regulierbarem Pendel; **2** Gangregler (einer Maschine); **re|gu|lie|ren** *tr. 3* **1** regeln, ordnen, in gleichmäßigen Gang bringen; **2** einer Ordensregel unterwerfen; regulierter Kleriker = Regularkleriker (**2**); **3** begradigen (Flusslauf); **Re|gu|lie|rung** *w. 10*

re|gu|li|nisch [lat.] aus reinem Metall, gediegen; **Re|gu|lus** **1** *m. Gen.* - ein Stern im Sternbild des Löwen; **2** *m. Gen.* - *Mz.* -lusse Metallklumpen unter der Schmelzofenschlacke; *auch:* gediegenes Metall; **3** *Mz. auch:* -li ein Vogel, Goldhähnchen

Re|gung *w. 10;* **re|gungs|los; Re|gungs|lo|sig|keit** *w. 10 nur Ez.*

Reh *s. 1*

Re|ha|bi|li|tand [lat.] *m. 10* jmd., der rehabilitiert wird; **Re-**

► = wird zu

habilitation *w. 10* **1** Wiederherstellung der ursprüngl. Lage, Wiedereinsetzung in frühere Rechte, Rechtfertigung, Ehrenrettung; **2** Rückführung von Kranken, Verletzten, Süchtigen mit Dauerschäden in die Gesellschaft zu größtmöglicher Leistungsfähigkeit; **re|ha|bi|li|tie|ren** *tr. 3* rechtfertigen, in die ursprüngliche Lage oder in frühere Rechte wiedereinsetzen; **Re|ha|bi|li|tie|rung** *w. 10*
Re|haut [rəo, frz.] *m. 9* lichte Stelle (auf Gemälden)
Reh|bein *s. 1* Überbein (des Pferdes); **Reh|bock** *m. 2* männl. Reh; **reh|braun; Re|he** *w. 11 nur Ez.,* **Re|he|huf** *m. 1 nur Ez.* eine Hufkrankheit (des Pferdes); **reh|far|ben, reh|far|big; Reh|geiß** weibl. Reh; **Reh|häu|tel** *s. 5, österr.:* Rehleder; **Reh|kitz** *s. 1* Rehkalb; **Reh|le|der** *s. 5;* **reh|le|dern; Reh|ling** *m. 1* = Pfifferling; **Reh|pos|ten** *m. 7* gröbster Schrot (Munition); **Reh|wild** *s. Gen.* -(e)s *nur Ez., Sammelbez. für* Rehbock, Rehgeiß und Rehkitz
Rei|bach, Reb|bach [jidd.] *m. Gen.* -s *nur Ez.* Gewinn, Vorteil (bes. aus Betrug); er hat seinen R. dabei gemacht
Rei|be *w. 11,* **Reib|ei|sen** *s. 7;* **Rei|be|ku|chen** *m. 7* Kartoffelpuffer; **Rei|be|laut** *m. 1* durch Verengung des Mundkanals hervorgebrachter Laut, z. B. f, v, w, s, sch, ch, Engelaut, Frikativlaut, Spirans, Spirant; **rei|ben** *tr. 95;* jmdm. etwas unter die Nase reiben *ugs. übertr.:* jmdm. etwas deutlich zu verstehen geben; sich an jmdm. reiben *ugs. übertr.:* sich mit jmdm. nicht vertragen, mit jmdm. oft kleine Auseinandersetzungen haben; **Rei|ber** *m. 5* **1** Gerät zum Steindruck; **2** *österr.:* Türriegel; **Rei|ber|druck** *m. 2* Steindruck mittels Handpresse; **Rei|be|rei** *w. 10, ugs. übertr.:* Streit, Zwist; **Reib|flä|che** *w. 11;* **Rei|bung** *w. 10;* **rei|bungs|los; Rei|bungs|lo|sig|keit** *w. 10 nur Ez.;* **Rei|bungs|wi|der|stand** *m. 2*
reich; reich geschmückt, reich begabt, reich begütert; Arme u. Reiche, Arm und Reich, die Armen und die Reichen
Reich *s. 1;* Deutsches Reich; Heiliges Römisches Reich Deutscher Nation

> **reich geschmückt, Arm und Reich:** Gefüge aus Adjektiv und Verb/Partizip, bei denen das Adjektiv in diesem Gefüge steigerbar oder durch *sehr* erweiterbar ist, schreibt man getrennt: *Das war ein reich geschmückter/gedeckter Tisch.* [→ § 34 E3 (3)]. Das substantivierte Adjektiv schreibt man groß: *die Reichen, Arme und Reiche, die Armen und die Reichen.*
> → § 57 (1)
> Mit großem Anfangsbuchstaben schreibt man auch Substantivierungen ohne Artikel: *Arm und Reich waren versammelt.* Ebenso: *Jung und Alt.*
> → § 58 E2

reich|be|gabt ► **reich be|gabt**; **reich|be|gü|tert** ► **reich be|gü|tert**
rei|chen *tr. und intr. 1*
reich|ge|schmückt ► **reich ge|schmückt; reich|hal|tig; Reich|hal|tig|keit** *w. 10 nur Ez.;* **reich|lich**
Reichs|acht *w. 10 nur Ez., im alten Dt. Reich bis 1806:* vom Kaiser ausgesprochene Acht; **Reichs|a|del** *m. 5 nur Ez.* reichsunmittelbarer Adel; **Reichs|ad|ler** *m. 5* Wappentier des alten Dt. Reiches; **Reichs|ap|fel** *m. 6 nur Ez.* eines der Reichsinsignien; **reichs|frei** = reichsunmittelbar; **Reichs|frei|heit** *w. 10 nur Ez.;* **Reichs|ge|richt** *s. 1 nur Ez., bis 1945:* oberstes dt. Gericht; **Reichs|in|si|gni|en** *auch:* **-in|sig|ni|en** *nur Mz., im alten Dt. Reich:* bei der Krönung getragene, die Herrschaft symbolisierende Gegenstände des Kaisers oder Königs, Reichskleinodien: Krone, Zepter, Reichsapfel, Schwert, Mantel, Kreuz u. a.; **Reichs|kam|mer|ge|richt** *s. 1 nur Ez., bis 1806:* oberstes deutsches Gericht; **Reichs|kanz|lei** *w. 10, bis 1945;* **Reichs|kanz|ler** *m. 5, bis 1945;* **Reichs|klein|o|di|en** *Mz.* = Reichsinsignien; **Reichs|kris|tall|nacht** *w. 2;* **Reichs|mark** *w. Gen.* - *Mz.* - (*Abk.:* RM), *1924 bis 1948:* dt. Währungseinheit; **Reichs|prä|si|dent** *m. 10, 1919 bis 1934:* Staatsoberhaupt des Dt. Reiches; **Reichs|re|gie|rung** *w. 10;* **Reichs|stadt** *w. 2* reichsunmittelbare Stadt; **Reichs|stän|de** *m. 2 Mz., im alten Dt. Reich bis 1806:* die reichsunmittelbaren Mitglieder des Reichs, die im Reichstag Sitz und Stimme hatten; **Reichs|tag** *m. 1* **1** *im alten Dt. Reich bis 1806:* neben dem König stehende Ständevertretung; **2** *im Dt. Reich bis 1945 sowie in Dänemark und Finnland:* Volksvertretung; **Reichs|tags|brand** *m. 2* Brand des Berliner Reichstags am 27. 2. 1933; **reichs|un|mit|tel|bar** *im alten Dt. Reich bis 1806:* nicht einem Landesherrn, sondern dem Kaiser unmittelbar unterstehend, reichsfrei; **Reichs|un|mit|tel|bar|keit** *w. 10 nur Ez.;* **Reichs|ver|we|ser** *m. 5,* **Reichs|vi|kar** *m. 1, im alten Dt. Reich bis 1806:* Vertreter des Kaisers; **Reichs|wehr** *w. 10 nur Ez., im Dt. Reich 1919–1935:* die Wehrmacht
Reich|tum *m. 4*
reich|ver|ziert ► **reich ver|ziert**; ein reich verziertes Kleid
Reich|wei|te *w. 11*
reif
Reif **1** *m. 1 nur Ez.* gefrorener Tau; **2** *m. 1, poet.:* Ring, Fingerring oder Stirnreif
Rei|fe *w. 11 nur Ez.;* mittlere Reife: Schulabschluss der Realschule oder nach sechs Jahren höherer Schule; **Rei|fe|grad** *m. 1*
Reif|ei|sen *s. 7* Bandeisen (für Fassreifen)
rei|feln *tr. 1, Nebenform von* riefeln; **rei|fen** **1** *intr. 1* reif werden; **2** *intr. 1 (nur unpersönlich)* es reift: es bildet sich Reif (**1**); es hat gereift; **3** *tr. 1* mit Reifen versehen (Fässer)
Rei|fen *m. 7;* **Rei|fen|pan|ne** *w. 11*
Rei|fe|prü|fung *w. 10* Abitur; **Rei|fe|zeug|nis** *s. 1* Zeugnis über die bestandene Reifeprüfung; **reif|lich** *nur in den Wendungen:* sich etwas r. überlegen, nach reiflicher Überlegung
Reif|rock *m. 2, 16.–18. Jh.:* durch ein Reifengestell gesteifter, weiter Frauenrock
Rei|fung *w. 10 nur Ez.;* **Rei|fungs|pro|zeß** ► **Rei|fungs|pro|zess** *m. 1;* **Rei|fungs|tei|lung** *w. 10* = Meiose
Rei|gen *m. 7* **1** ein Schreittanz, Reihen(tanz); **2** *übertr.:* Menge, Vielzahl

Rei|he *w. 11;* an die Reihe kommen; an der Reihe sein; aus der Reihe fallen, tanzen *ugs. übertr.:* sich unüblich verhalten; außer der Reihe; in der Reihe sein *ugs.:* gesund sein; in die Reihe kommen *ugs. übertr.:* in Ordnung kommen; **rei|hen 1** *tr. 1* in Reihen ordnen; **2** *auch unregelmäßig konjugiert:* rieh, geriehen; in großen Stichen nähen und zusammenziehen; gereihter, *oder:* geriehener Rock; **3** *intr. 1 Jägerspr.:* die Enten reihen: mehrere Erpel folgen einer Ente; **Rei|hen** *m. 7* = Reigen (**1**); **Rei|hen|fer|ti|gung** *w. 10* Serienherstellung; **Rei|hen|fol|ge** *w. 11;* **Rei|hen|haus** *s. 4* nicht frei stehendes Haus; **Rei|hen|mo|tor** *m. 13* Motor mit hintereinander angeordneten Zylindern; **Rei|hen|spiel** *s. 1, Schach:* Spiel eines Spielers gegen mehrere Gegner zugleich; **Rei|hen|tanz** *m. 2* = Reigen (**1**); **Rei|hen|un|ter|su|chung** *w. 10* ärztl. Untersuchung einer größeren Personengruppe (z. B. auf unerkannte Krankheiten); **rei|hen|wei|se; Rei|hen|zahl** *w. 10, Math.:* Zahl in einer (arithmet. oder geometr.) Reihe; **Rei|hen|zie|her** *m. 3* Gartengerät zum Rillenziehen

Rei|her *m. 5* ein Stelzvogel; **Rei|her|bei|ze** *w. 11* Beizjagd auf Reiher; **Rei|her|busch** *m. 2* Kopffedern des Reihers; **rei|hern** *intr. 1, ugs. derb:* sich übergeben; **Rei|her|schna|bel** *m. 6* ein Unkraut

...rei|hig *in Zus.,* z. B. zweireihig; **reih|um; Rei|hung** *w. 10 nur Ez.;* **Reih|zeit** *w. 10, Jägerspr.:* Paarungszeit der Enten; vgl. reihen (**3**)

Reim *m. 1;* männlicher, stumpfer Reim: einsilbiger Reim; weiblicher, klingender Reim: zweisilbiger Reim; reicher Reim: drei- oder mehrsilbiger Reim; Reime drechseln, schmieden *meist abwertend:* (schlechte) Reime machen; sich auf etwas einen Reim machen können *ugs. übertr.:* sich etwas erklären können

Reim|chro|nik [-kro-] *w. 10;* **rei|men** *tr. u. refl. 1;* **Rei|me|rei** *w. 10 meist Mz.;* **Rei|me|schmied** *m. 1, scherzh.;* **reim|los; Reim|paar** *s. 1*

Re|im|plan|ta|ti|on Re|plan|ta|ti|on [neulat.] *w. 10, Med.:* Wiedereinpflanzung (bes. eines gezogenen Zahnes ins Zahnbett); **re|im|plan|tie|ren** *tr. 3*

Re|im|port [neulat.] *m. 1,* **Re|im|por|ta|ti|on** *w. 10* Wiedereinfuhr (ausgeführter Waren); **re|im|por|tie|ren** *tr. 3*

Reims [frz.: rɛ̃s] frz. Stadt

> **rein halten, rein seiden/reinseiden:** Gefüge aus Adjektiv und Verb, bei denen das Adjektiv in dieser Verbindung steigerbar oder erweiterbar ist, werden getrennt geschrieben: *Sie musste die Wohnung rein halten.*
> →§ 34 E3 (3)
> Die Verbindung zweier Adjektive kann zusammen- oder getrennt geschrieben werden: *Das ist ein reinseidenes/rein seidenes Kleid. Er trank aus einem reingoldenen/rein goldenen Becher.* →§ 36 E2

rein 1 *Adj.:* reines Gold, aus reinem Gold; rein golden, reingolden; rein Leder, aus rein Leder, ein rein lederner Mantel, ein reinlederner Mantel; rein Seide, ein rein seidenes Tuch, ein reinseidenes Tuch; rein Leinen usw.; reinen Mund halten *ugs.:* den Mund halten, über etwas schweigen; reinen Tisch machen *ugs. übertr.:* durchgreifen, für Ordnung sorgen; jmdm. reinen Wein einschenken *übertr.:* jmdn. über die Wahrheit aufklären; eine reine Weste (reine Hände, ein reines Hemd) haben *ugs. übertr.:* frei von Schuld sein; die Luft ist rein *ugs. übertr.:* es besteht keine Gefahr mehr; etwas rein halten, rein machen; mit etwas oder jmdm. im Reinen sein; etwas ins Reine bringen; mit etwas oder jmdm. ins Reine kommen; etwas ins Reine schreiben; **2** *Adv.:* gänzlich, vollkommen, völlig; eine rein katholische Gegend; rein weg sein *ugs.:* völlig begeistert sein; *aber:* →reinweg

> **ins Reine bringen/kommen/schreiben, im Reinen sein:** Die substantivierte Form wird mit großem Anfangsbuchstaben geschrieben: *Er brachte die Angelegenheit ins Reine. Morgen schreibt sie das Manuskript ins Reine. Gabriele war mit sich im Reinen.* →§ 57 (1)

rein *ugs. für* herein, *oft für* hinein; ich gehe rein *statt:* hinein

Rein *w. Gen. - Mz.* -en *süddt. u. österr.:* länglicher flacher Topf

Rei|n|an|ke *w. 11, österr.:* ein Fisch, Blaufelchen

Rein|del, Reindl *s. Gen. - Mz.* -n *südd. u. österr.: Verkleinerungsform von* Rein

Rei|ne 1 *w. 11 nur Ez., poet.:* Reinheit; **2** *w. 11, süddt., österr.:* Rein, länglicher flacher Topf

Rei|ne|clau|de [rɛːnəklodə] *w. 11, frz. Schreibung von* Reneklode

Rei|ne|ke Fuchs *m. Gen. -- nur Ez.* Name des Fuchses in der Tierfabel

Rei|ne|ma|che|frau, Rein|ma|che|frau, Rein|mach|frau *w. 10;* **rei|ne|ma|chen,** rein|ma|chen *tr. 1*

rein|er|big homozygot; **Rein|er|big|keit** *w. 10 nur Ez.;* **Rein|er|lös** *m. 1;* **Rein|er|trag** *m. 2*

Rei|net|te [renɛtə, auch: rɛ-, frz.] *w. 11, österr. und schweiz. Nebenform von* Renette

Rein|fall *m. 2, ugs.:* **rein|fal|len** *intr. 33, ugs.:* hereinfallen

Re|in|fek|ti|on [lat.] *w. 10* Wiederansteckung; **re|in|fi|zie|ren** *tr. 3* (sich) erneut anstecken

Re|in|fu|si|on [lat.] *w. 10* Übertragung eigenen Blutes, Retransfusion

Rein|ge|wicht *s. 1;* **Rein|ge|winn** *m. 1;* **rein|gol|den, rein gol|den** ein reingoldener Ring, ein rein goldener Ring; **Rein|hal|tung** *w. 10 nur Ez.;* **Rein|heit** *w. 10 nur Ez.;* **Rein|heits|ge|bot** *s. 1* Gesetz von 1487 in Deutschland, wonach zur Bierherstellung nur Gerste, Hopfen und Wasser verwendet werden dürfen; **Rein|heits|grad** *m. 1*

rei|ni|gen *tr. 1;* **Rei|ni|gung** *w. 10;* **Rei|ni|gungs|mit|tel** *s. 5*

Re|in|kar|na|ti|on [lat.] *w. 10* Wiederverkörperung, erneute Fleischwerdung (der Seele nach dem Tode); **re|in|kar|nie|ren** *refl. 3* sich wiederverkörpern

Rein|kul|tur *w. 10* Isolierung und Züchtung erbgleicher Mikroorganismen (z. B. Bakterien); in Reinkultur *ugs. übertr.:* unverfälscht; **rein|lei|nen, rein lei|nen;** eine reinleinene Tischdecke; die Tischdecke ist reinleinen, eine rein leinene Tischdecke, die Tischdecke ist rein leinen; **rein|lich; Rein|lich|keit** *w. 10 nur Ez.;* **Rein|ma|che-frau,** Rein|mach|frau, Rei|ne-ma|che|frau *w. 10;* **rein|ma|chen** rei|ne|ma|chen *tr. u. intr. 1;* ein Zimmer, die Wohnung rein(e)machen; **rein|ras|sig; Rein|ras|sig|keit** *w. 10 nur Ez.;* **Rein|schiff** *s. Gen.* -(e)s *nur Ez., Seew.:* gründl. Schiffssäuberung; R. machen; **Rein|schrift** *w. 10;* **rein|schrift|lich; rein|sei-den, rein sei|den;** ein reinseidenes Kleid, das Kleid ist reinseiden; ein rein seidenes Kleid, das Kleid ist rein seiden

re|in|stal|lie|ren *auch:* **re|ins|tal-** [lat.] *tr. 3* wiedereinsetzen (in ein Amt)

Re|in|te|gra|ti|on *auch:* **-teg|ra-** [lat.] *w. 10* Wiederherstellung (einer Ganzheit); **re|in|te|grie-ren** *auch:* **-teg|rie-** *tr. 3* wiederherstellen, erneuern

re|in|ves|tie|ren [lat.] *tr. 3* erneut investieren; **Re|in|ves|ti|ti-on** *w. 10*

rein|wa|schen *tr. 174;* jmdn. oder sich r. *übertr.:* jmds. oder die eigene Unschuld beweisen

rein|weg *ugs.:* ganz und gar, regelrecht; er hat sie reinweg an der Nase herumgeführt; vgl. rein (**2**)

rein|wol|len, rein wol|len; ein reinwollener Stoff; der Stoff ist reinwollen, ein rein wollener Stoff, der Stoff ist rein wollen

Reis 1 [altind.-lat.] *m. Gen.* -es *Mz.* Reis|ar|ten ein Getreide der asiat. Tropen; **2** *s. 3* junger Trieb an einem Zweig

Reis [rẹɪs] *Mz. von* Real (**1**)

Reis|be|sen, Rei|ser|be|sen *m. 7* Besen aus Reisig; **Reis|chen** *s. 7*

Rei|se *w. 11;* **Rei|se|an|den|ken** *s. 7;* **Rei|se|a|po|the|ke** *w. 11;* **Rei|se|be|schrei|bung** *w. 10;* **Rei|se|buch|han|del** *m. Gen.* -s *nur Ez.* Buchverkauf durch Vertreter; **Rei|se|bü|ro** *s. 9;* **Rei-se|fie|ber** *s. Gen.* -s *nur Ez.* leichter Erregungszustand vor einer Reise; **Rei|se|füh|rer** *m. 5* Handbuch über Sehenswürdigkeiten für Reisende; **Rei|se|lust** *w. Gen.* - *nur Ez.;* **rei|se|lus|tig; Rei|se|mar|schall** *m. 2* **1** *urspr.:* Reisebegleiter und -organisator eines Fürsten; **2** *scherzh.:* Reiseleiter; **rei|se|mü|de; rei|sen** *intr. 1; auch:* als Handlungsreisender arbeiten; in Süßwaren reisen; **Rei|sen|de(r)** *m. 18 (17) bzw. w. 17 oder 18; auch:* Handlungsreisender; Reisender in Süßwaren; **Rei|se|ne|ces|saire** [-sɛsɛ:r] *s. 9* Reisetasche für Toilettenartikel; **Rei|se|paß** ► **Rei|se|pass** *m. 2*

Rei|ser|be|sen *m. 7* = Reisbesen

Rei|se|rou|te [-ru:-] *w. 11;* **Rei-se|scheck** *m. 9;* **Rei|se|ver-kehr** *m. Gen.* -s *nur Ez.*

Reis|holz *s. 4 nur Ez.* Reisig

rei|sig *früher:* beritten, schwer bewaffnet, zum Kriegszug gerüstet

Rei|sig *s. 1 nur Ez.* dürre Zweige; **Rei|sig|bün|del** *s. 5*

Rei|si|ge(r) *m. 18 (17)* **1** *MA:* Ritter, Knappe als Begleiter eines Fürsten im Krieg; **2** *später:* Landsknecht

Reis|lauf *m. 2 nur Ez.,* **Reis-lau|fen** *s. Gen.* -s *nur Ez., früher in der Schweiz:* Söldnerdienst; **Reis|läu|fer** *m. 5* Söldner

Reiß|ah|le *w. 11* Werkzeug zum Linienziehen auf Holz oder Metall; **Reiß|aus** *nur in der Wendung* R. nehmen *ugs.:* fliehen, ausreißen; **Reiß|bahn** *w. 10* (abreißbarer) Ventilverschluss am Luftballon; **Reiß|blei** *s. 1 nur Ez.* Graphit; **Reiß|brett** *s. 3* Zeichenbrett; **Reiß|brett|stift** *m. 1* kurzer Nagel mit breitem Kopf, Reißzwecke, Reißnagel, Tapeziernagel

rei|ßen 1 *tr. 96; auch Jägerspr.:* totbeißen (Beutetier); *Gewichtheben:* stemmen, ohne innezuhalten; Witze r. *ugs.:* (nicht sehr gute) Witze machen; sich um etwas reißen *ugs.:* etwas unbedingt tun oder haben wollen; **2** *intr. 96* entzweigehen (Stoff, Papier); *unpersönlich:* es reißt mir in den Gliedern: ich habe rheumat. Schmerzen; **Rei|ßen** *s. Gen.* -s *nur Ez., volkstümlich:* Rheumatismus; **rei|ßend;** reißende Tiere: Raubtiere; die Ware findet reißenden Absatz: sehr guten Absatz; reißender Fluss: F. mit starker Strömung; **Rei|ßer** *m. 5 ugs.* **1** Ware, die guten Absatz findet; **2** viel gelesenes, aber nicht bes. wertvolles Buch; **3** erfolgreicher, aber nicht bes. guter Film oder ebensolches Theaterstück; **rei|ße-risch** marktschreierisch; **reiß-fest; Reiß|fes|tig|keit** *w. 10 nur Ez.;* **Reiß|koh|le** *w. 11* Zeichenkohle; **Reiß|lei|ne** *w. 11* Leine zum Öffnen des Fallschirms; **Reiß|li|nie** *w. 11* durchlochte Linie, Perforation; **Reiß|na|gel** *m. 6* = Reißbrettstift; **Reiß-schie|ne** *w. 11* Lineal mit Querleiste am Ende

Reis|stroh *s. 1 nur Ez.*

Reiß|ver|schluß ► **Reiß|ver-schluss** *m. 2;* **Reiß|wolf** *m. 2* Papierzerreißmaschine; **Reiß-wol|le** *w. 11* zerrissene Wolllumpen als Spinnmaterial; **Reiß|zahn** *m. 2* Eckzahn im Raubtiergebiss; **Reiß|zeug** *s. 1* Gerät für techn. Zeichnen; **Reiß|zir|kel** *m. 5* Zirkel mit Reißfeder; **Reiß|zwe|cke** *w. 11* = Reißbrettstift

Reis|te, Rịs|te *w. 11, schweiz.:* Holzrutsche (im Gebirge); **reis|ten** *tr. 2, schweiz.:* auf einer Reiste zu Tal befördern (Holz)

Reis|wein *m. 1*

re|it. *Abk. für* reiteretur

Reit|bahn *w. 10;* **Reit|dreß** ► **Reit|dress** *m. 1, österr.: w. 10* Reitanzug

Rei|tel *m. 5, mitteldt.:* Knebel, Drehstange; **Rei|tel|holz** *s. 4* Reitel; **rei|teln** *tr. 1, mitteldt.:* mit einem Reitel fest anziehen (Strick)

rei|ten 1 *intr. 97;* reitender Bote *früher:* Bote zu Pferde; reitende Artillerie: berittene A.; **2** *tr. 97* zum Reiten benutzen; ein Pferd r.; der Stier reitet die Kuh: bespringt die Kuh; dich reitet wohl der Teufel?, dich hat wohl der Teufel geritten? *ugs.:* du bist wohl verrückt?; **Rei|ter** *m. 5* **1** jmd., der reitet; **2** Trockengestell, z. B. für Heu; **3** *w. 11, süddt., österr.:* grobes Sieb; **Rei-te|rei** *w. 10*

re|i|te|re|tur [lat.] (*Abk.:* reit.) es werde erneuert (ärztl. Anweisung auf Rezepten)

Rei|ter|lein *s. 7 nur Ez.* kleiner Stern auf dem mittleren Deichselstern des Großen Wagens; **rei|ter|lich**

rei|tern *tr. 1, süddt., österr.:* sieben; ich reitere, reitre es

Rei|ter|re|gi|ment *s. 3;* **Rei|ter-sitz** *m. 1 nur Ez.* Sitzhaltung mit gespreizten Beinen; **Rei-ters|mann** *m. 4, poet.;* **Rei|ter-stand|bild** *s. 3*

Rei|te|rung *w. 10, süddt., österr.:* Siebung (von Sand, Getreide)

Reit|ho|se *w. 11;* **Reit|kleid** *s. 3;* **Reit|knecht** *m. 1;* **Reit|kno|chen** *m. 7* eine Muskelerkrankung bei Reitern, Knochenbildung in den Schenkelmuskeln; **Reit|kunst** *w. 2 nur Ez.;* **Reit|pferd** *s. 1;* **Reit|schu|le** *w. 11; schweiz., südwestdt. auch für* Karussell; **Reit|sport** *m. 1 nur Ez.;* **Reit|stall** *m. 2;* **Reit|stie|fel** *m. 5;* **Reit|tier** *s. 1;* **Reit|tur|nier** *s. 1;* **Reit- und Fahr|tur|nier** *s. 1;* **Reit|weg** *m. 1*

Reiz *m. 1;* **reiz|bar; Reiz|bar|keit** *w. 10 nur Ez.;* **reiz|emp|find|lich; Reiz|emp|find|lich|keit** *w. 10 nur Ez.;* **rei|zen 1** *tr. 1; Jägerspr.:* durch nachgeahmte Tierlaute anlocken (Raubwild); **2** *intr. 1, Skat:* Zahlenwerte nennen, um das höchste Spiel zu ermitteln; **Reiz|füt|te|rung** *w. 10* zusätzl. Fütterung (von Bienen); **Reiz|hus|ten** *m. 7 nur Ez.*

Reiz|ker [tschech.] *m. 5* ein Pilz

Reiz|kli|ma *s. Gen.* -s *nur Ez.* Klima mit starker Reizwirkung auf den Organismus; **Reiz|kör|per|the|ra|pie** *w. 11* Behandlung mit Reizstoffen, z. B. artfremdem Eiweiß; **Reiz|lei|tungs|sys|tem** *s. 1 nur Ez.* erregungsleitende Verbindung zwischen Herzvorhöfen und -kammern; **reiz|los; Reiz|lo|sig|keit** *w. 10 nur Ez.;* **Reiz|schwel|le** *w. 11* Wahrnehmungsgrenze für einen Reiz; **Reiz|über|flu|tung** *w. 10 nur Ez.;* **Rei|zung** *w. 10;* **reiz|voll**

Re|jek|ti|on [lat.] *w. 10* **1** *Rechtsw.:* Abweisung (von Anträgen oder Klagen); **2** *Med.:* Abstoßung (bes. von transplantierten Organen); **Re|jek|to|ri|um** *s. Gen.* -s *Mz.* -ri|en abweisendes Urteil eines übergeordneten Gerichtes; **re|ji|zie|ren** *tr. 3* **1** *Rechtsw.:* abweisen, verwerfen (Antrag, Klage); **2** *Med.:* abstoßen; ein transplantiertes Organ r.

Re|ka|pi|tu|la|ti|on [lat.] *w. 10* Wiederholung, Zusammenfassung (der Hauptpunkte); **re|ka|pi|tu|lie|ren** *tr. 3* zusammenfassend wiederholen

Re|kel *m. 5, nddt.:* grober Kerl

re|keln, rä|keln *refl. 1, ugs.:* sich wohlig dehnen; ich rekele, rekle mich

Re|kla|mant *auch:* **Rek|la-** [lat.] *m. 10* jmd., der eine Beschwerde führt, Einspruch erhebt; **Re|kla|ma|ti|on** *auch:* **Rek|la-** *w. 10* Beschwerde, Beanstandung (von Mängeln), Mahnung; **Re|kla|me** *auch:* **Rek|la|me** [lat.-frz.] *w. 11;* **Re|kla|me|chef** *auch:* **Rek|la-** [-ʃɛf] *m. 9* Werbeleiter; **Re|kla|me|gag** *auch:* **Rek|la-** [-gæg] *m. 9* witziger Werbeeinfall; **Re|kla|me|zeich|ner** *auch:* **Rek|la-** *m. 5* Werbezeichner; **re|kla|mie|ren** *auch:* **rek|la- 1** *tr. 3* beanstanden, zurückfordern; mahnend anfordern; **2** *intr. 3* sich beschweren, Einspruch erheben; gegen etwas r.

Re|kli|na|ti|on *auch:* **Rek|li-** [lat.] *w. 10, Med.:* Zurückbiegung (gekrümmter Wirbelsäulen)

re|ko|gnos|zie|ren *auch:* **re|kog|nos-** *tr. 3, Mil.:* auskundschaften, aufklären; **Re|ko|gnos|zie|rung** *auch:* **Re|kog|nos-** *w. 10*

Re|kom|bi|na|ti|on [lat.] *w. 10* **1** Neuzusammenstellung (von Erbfaktoren); **2** Wiedervereinigung (verschieden geladener Ionen zu neutralen Gebilden)

Re|kom|man|da|ti|on [lat.] *w. 10* **1** *veraltet:* Empfehlung; **2** *österr.:* Einschreiben (Post); **re|kom|man|die|ren** *tr. 3* **1** *veraltet:* empfehlen; **2** *österr.:* einschreiben lassen; rekommandierter Brief: eingeschriebener Brief

Re|kom|pens [lat.] *w. 10,* **Re|kom|pen|sa|ti|on** *w. 10* Entschädigung; **re|kom|pen|sie|ren** *tr. 3* entschädigen

Re|kon|sti|tu|ti|on *auch:* **-kons|ti-** [lat.] *w. 10* Wiederherstellung

re|kon|stru|ie|ren *auch:* **-kons|tru-** [lat.] *tr. 3* nachbilden, wiederherstellen; **Re|kon|stru|ie|rung** *auch:* **-kons|tru-, Re|kon|struk|ti|on** *auch:* **-kons|truk-** *w. 10*

re|kon|va|les|zent [lat.] genesend; **Re|kon|va|les|zent** *m. 10* Genesender; **Re|kon|va|les|zenz** *w. 10 nur Ez.* Genesung; **re|kon|va|les|zie|ren** *intr. 3*

Re|kon|zi|li|a|ti|on [lat.] *w. 10* **1** Wiederheiligung einer Kirche durch Neuweihe; **2** Wiederaufnahme (eines Büßers) in die Kirchengemeinschaft

Re|kord [lat.-engl.] *m. 1* Höchstleistung (eines Sportlers); einen Rekord einstellen: die Rekordleistung eines anderen wiederholen; **Re|kord...** *in Zus.:* höchste Steigerung, z. B. Rekordbesuch; **Re|kor|der,** Re|cor|der *m. 5* Gerät zum Aufzeichnen auf Tonträger, bes. auf Tonband; **Re|kord|ler** *m. 5* jmd., der einen Rekord aufstellt

Re|kre|a|ti|on *auch:* **Rek|re|a|ti|on** [lat.] *w. 10, veraltet:* Erholung, Erfrischung; **re|kre|ie|ren** *auch:* **rek|re|ie|ren** *refl. 3, veraltet:* sich erfrischen, sich erholen

Re|kris|tal|li|sa|ti|on *w. 10 nur Ez.*

Re|kru|des|zenz *auch:* **Rek|ru-** [lat.] *w. 10 nur Ez.* erneute Verschlimmerung (einer Krankheit)

Re|krut [frz.] *m. 10* Soldat in der Grundausbildung; **Re|kru|ten|aus|he|bung** *w. 10;* **re|kru|tie|ren 1** *tr. 3* (als Rekrut) einberufen; **2** *refl. 3, übertr.:* sich ergänzen, sich zusammensetzen; **Re|kru|tie|rung** *w. 10*

Rek|ta *Mz. von* Rektum

Rek|ta|in|dos|sa|ment [lat.-ital.] *s. 1,* **Rek|ta|klau|sel** [lat.] *w. 11* Verbot der Übertragung durch Indossament (auf Orderpapieren)

rek|tal [lat.] zum Mastdarm gehörend, im, durch den Mastdarm; Temperatur r. messen; **Rek|tal|tem|pe|ra|tur** *w. 10* im Mastdarm gemessene Körpertemperatur

Rek|ta|pa|pier *s. 1* auf den Namen des Berechtigten lautendes (unübertragbares) Wertpapier; **Rek|ta|scheck** *m. 9 oder m. 1* Scheck mit Rektaklausel; **Rekt|as|zen|si|on** *auch:* **Rek|tas-** [lat.] *w. 10, in Sternkarten:* Koordinate eines Sterns; **rek|te** = recte; **Rek|ti|fi|kat** *s. 1, Chem:* Fraktion (nach wiederholter Destillation); **Rek|ti|fi|ka|ti|on** *w. 10* **1** *veraltet:* Berichtigung, Reinigung; **2** *Chem:* wiederholte Destillation; **3** *Math.:* Längenbestimmung des Bogens einer gekrümmten Kurve; **rek|ti|fi|zie|ren** *tr. und intr. 3*

Rek|ti|on [lat.] *w. 10* Fähigkeit eines Wortes, einen bestimmten Kasus eines von ihm abhängigen Wortes oder eine bestimmte Präposition zu fordern

Rek|to [lat.] *s. 9* Vorderseite (eines Blattes im Buch); *Ggs.:* Verso

Rek|tor [mlat.] *m. 13* **1** Leiter

(einer Hochschule oder Schule); **2** leitender Geistlicher (einer Nebenkirche o. Ä.); **Rek|to|rat** *s. 1* Amt, Amtszeit, Diensträume eines Rektors; **Rek|to|rin** *w. 10*

Rek|to|skop *auch:* **Rek|tos|kop** [lat. + griech.] *s. 1, Med.:* = Mastdarmspiegel; **Rek|to|sko|pie** *auch:* **Rek|tos|ko|pie** *w. 11* = Mastdarmspiegelung; **Rek|to|ze|le** *w. 11* Mastdarmvorfall; **Rek|tum** [lat.] *s. Gen.* -s *Mz.* -ta Mastdarm

Re|ku|pe|ra|ti|on [lat.] *w. 10 nur Ez., bei Kokereiöfen:* Verfahren zur Luftvorwärmung durch heiße Abgase; **Re|ku|pe|ra|tor** *m. 13* Luftvorwärmer

Re|kur|rens|fie|ber [lat.] *s. 5* = Rückfallfieber; **re|kur|rie|ren** *intr. 3, veraltet:* **1** (zu etwas) Zuflucht nehmen; **2** *Rechtsw.:* Beschwerde, Berufung einlegen; **Re|kurs** *m. 1, Rechtsw. veraltet:* Beschwerde, Berufung; Rekurs anmelden, einbringen, einlegen; **Re|kur|si|ons|for|mel** *w. 11* mathemat. Formel, durch deren immer wiederkehrende Anwendung ein Problem schließlich gelöst wird; **re|kur|siv** *Math.:* (auf bekannte Werte) zurückgehend

Re|lais [rəlɛ, frz.] *s. Gen.* - [rəlɛ(s)] *Mz.* - [rəlɛs] **1** *früher:* Postenkette; **2** *früher:* Station zum Wechseln der Postpferde; **3** elektr. Gerät, das mit Hilfe von kleinen Energien große schaltet; **Re|lais|sta|ti|on** *w. 10* Verstärkerstelle bei der Nachrichtenübertragung zur Auffrischung der durch Leitungsverluste geschwächten Signale

Re|laps [lat.] *m. 1* Rückfall (in eine Krankheit), erneuter Anfall (z. B. von Fieber)

Re|la|ti|on [lat.] *w. 10* Beziehung, Verhältnis (mehrerer Dinge zueinander); **re|la|ti|o|nal** in der Art einer Relation, in Beziehung (zu etwas) stehend; **re|la|tiv** **1** auf etwas bezogen; **2** eingeschränkt, verhältnismäßig; *Ggs.:* absolut; **3** *Gramm.:* auf ein vorher genanntes Wort bezüglich; **Re|la|tiv** *s. 1, kurz für* Relativpronomen; **re|la|ti|vie|ren** [-vi-] *tr. 3* **1** in Beziehung setzen; **2** einschränken, als bedingt ansehen; **Re|la|ti|vis|mus** *m. Gen.* - *nur Ez.* Lehre, dass nur relative, keine absolute Erkenntnis möglich sei, dass alle Dinge nur in ihren Beziehungen zueinander, aber nicht an sich erkennbar seien; **Re|la|ti|vist** *m. 10;* **re|la|ti|vis|tisch,** auf dem Relativismus beruhend; **Re|la|ti|vi|tät** *w. 10* **1** Bezüglichkeit; **2** Bedingtheit, eingeschränkte Gültigkeit; **Re|la|ti|vi|täts|theo|rie** *w. 11 nur Ez.* von Albert Einstein aufgestellte Theorie über Raum, Zeit, Materie und Energie; **Re|la|tiv|pro|no|men** *s. 7* bezügl. Fürwort; **Re|la|tiv|satz** *m. 2* durch ein Relativpronomen eingeleiteter Nebensatz, Bezugssatz; **Re|la|ti|vum** *s. Gen.* -s *Mz.* -*va* Relativpronomen; **Re|la|tiv|zahl** *w. 10* = Verhältniszahl

Re|la|xans [lat.] *s. Gen.* - *Mz.* -xa|n|tia [-tsja] *oder* -xa|n|zi|en Entspannung oder Erschlaffung bewirkendes Arzneimittel; **Re|la|xa|ti|on** *w. 10* **1** Erschlaffung, Entspannung (z. B. von Muskeln); **2** *Phys.:* physikal. Vorgang, bei dem eine plötzliche Erschlaffung stattfindet, z. B. eine Kippschwingung; **re|la|xen** [rilɛksən, engl.] *tr. 1* sich entspannen

Re|lease [rɪli:z, engl.] *s. Gen.* - *Mz.* -s [-siz] Einrichtung zur Behandlung Süchtiger; **Re|lease|cen|ter** ► *auch:* **Re|lease-Center** *s. Gen.* -s *Mz.*

Re|le|ga|ti|on [lat.] *w. 10, veraltet:* Verweisung (von einer Schule oder Hochschule); **re|le|gie|ren** *tr. 3, veraltet:* (von der Schule oder Hochschule) verweisen

re|le|vant [-vant, lat.-frz.] von Belang, erheblich, wichtig; *Ggs.:* irrelevant; **Re|le|vanz** *w. 10* Wichtigkeit, Erheblichkeit; *Ggs.:* Irrelevanz

Re|li|a|bi|li|tät [lat.] *w. 10* Zuverlässigkeit, Messgenauigkeit (bei Testverfahren)

Re|li|ef [-ljɛf, frz.] *s. 9 oder s. 1* **1** Form der Erdoberfläche; **2** kartograph. Nachbildung der Erdoberfläche; **3** aus einer Fläche erhaben herausgearbeitete Plastik; **re|li|e|fie|ren** [-ljɛ-] *tr. 3* mit einem Relief versehen

Re|li|gi|on [lat.] *w. 10* **1** Glaube an eine oder mehrere überird. Mächte sowie deren Kult; **2** Glaubensbekenntnis, z. B. christl. R.; **3** Religionsunterricht; **Re|li|gi|ons|frei|heit** *w. 10 nur Ez.;* **Re|li|gi|ons|frie|de** *m. 15;* **Re|li|gi|ons|ge|mein|schaft** *w. 10;* **Re|li|gi|ons|krieg** *m. 1;* **re|li|gi|ons|los;** **Re|li|gi|ons|lo|sig|keit** *w. 10 nur Ez.;* **Re|li|gi|ons|phi|lo|so|phie** *w. 11 nur Ez.;* **Re|li|gi|ons|stif|ter** *m. 5;* **Re|li|gi|ons|wis|sen|schaft** *w. 10 nur Ez.;* **re|li|gi|ös** **1** zur Religion gehörend, auf ihr beruhend; **2** einer Religion verbunden, gläubig, fromm; *Ggs.:* irreligiös; **Re|li|gi|o|se(r)** *m. 18 (17)* Mitglied einer relig. Genossenschaft mit einfachen Gelübden; **Re|li|gi|o|si|tät** *w. 10 nur Ez.*

re|likt [lat.] nur noch als Relikt vorkommend; **Re|likt** *s. 1* Überrest, Überbleibsel aus der Vergangenheit, z. B. Pflanze, Tier, geologische Formation, Sprachform; **Re|lik|ten** *nur Mz., veraltet:* Hinterbliebene, Hinterlassenschaft; **Re|lik|ten|fau|na,** Re|likt|fau|na *w. Gen.* - *Mz.* -nen Reste ehemals weit verbreiteter Tierarten; **Re|lik|ten|flo|ra,** Re|likt|flo|ra *w. Gen.* - *Mz.* -ren Reste ehemals weit verbreiteter Pflanzenarten

Re|ling *w. 9 oder w. 1* Schiffsgeländer

Re|li|qui|ar [mlat.] *s. 1* Reliquienbehälter; **Re|li|quie** [-kviə] *w. 11* kultisch verehrter Überrest (eines Heiligen), einem Heiligen einstmals gehörender Gegenstand; **Re|li|qui|en|schrein** *m. 1*

Re|lish [rɛlɪʃ, engl.] *s. Gen.* - *Mz.* -es würzige Soße

Re|luk|tanz [lat.] *w. 10, Phys.:* magnet. Widerstand

rem [engl. Kurzw. aus roentgen equivalent man] *s. Gen.* - *Mz.* - nicht mehr zulässige Maßbez. für absorbierte Strahlung

Re|make [rimɛɪk, engl.] *s. 9* Wiederholung, Neufassung *bes.:* Wiederverfilmung

re|ma|nent [lat.] zurückbleibend; **Re|ma|nenz** *w. 10* **1** *nur Ez.* remanenter Magnetismus (Restmagnetismus in Stahl und Eisen nach Verschwinden des magnetisierenden Feldes); **2** verbleibende Dauererregung (in gewissen Hirnzentren)

Rem|bours [rãbur, frz.] *m. Gen.* - *Mz.* - **1** Erstattung (von Auslagen); **2** *Überseehandel:* Zahlung durch Vermittlung einer Bank; **Rem|bours|ge-**

schäft *s. 1* mit einem Rembourskredit durchgeführtes Importgeschäft; **rem|bour|sie|ren** *tr. 3* **1** erstatten, vergüten; **2** durch Rembours (**2**) begleichen
Re|me|dia, Re|me|di|en *Mz. von* Remedium; **re|me|die|ren** [lat.] *tr. 3* heilen; **Re|me|di|um** *s. Gen.* -s *Mz.* -dia *oder* -di|en **1** Heil-, Arzneimittel; **2** *bei Münzen:* zulässige Abweichung vom festgelegten Gewicht und Feingehalt
Re|mi|grant *auch:* **-mig|rant** [lat.] *m. 10* Rückwanderer; vgl. Emigrant; **re|mi|grie|ren** *auch:* **-mig|rie|ren** *intr. 3*
re|mi|li|ta|ri|sie|ren [lat.-frz.] *tr. 3* wiederbewaffnen (Land); **Re|mi|li|ta|ri|sie|rung** *w. 10 nur Ez.*
Re|mi|nis|zenz [lat.] *w. 10* Erinnerung, Anklang, Nachwirkung; **Re|mi|nis|ze|re,** Re|mi|nis|ce|re [lat., »gedenke!«] fünfter Sonntag vor Ostern
re|mis [rəmi, frz. »zurückgestellt«] *unflektierbar, bes. Schach:* unentschieden; die Partie endete remis; **Re|mis** *s. Gen.* - *Mz.* - *oder* -mi|sen unentschiedener Ausgang; **Re|mi|se** *w. 11* **1** *veraltet:* Abstell-, Wagenschuppen; **2** *Forstw.:* Schutzgehölz für Niederwild; **3** unentschiedene Schachpartie; **Re|mi|sier** [rəmizje, frz.] *m. 9* Börsenmakler; **re|mi|sie|ren** *intr. 3* unentschiedenen Ausgang erzielen
Re|mis|si|on [lat.] *w. 10* **1** Rückgabe, Rücksendung; **2** vorübergehendes Nachlassen (von Krankheitserscheinungen); **3** Zurückwerfen (von Licht an undurchsichtigen Flächen); **4** *veraltet:* Milderung, Strafnachlass; **Re|mis|si|ons|recht** *(Abk.:* RR) *s. 1* Rückgaberecht; **Re|mit|ten|de** *w. 11* nicht verkauftes Druckwerk, das dem Verlag zurückgegeben wird; **Re|mit|tent** *m. 10* Wechselnehmer; **re|mit|tie|ren** *tr. 3* **1** zurückgeben, zurücksenden; **2** *intr. 3* zeitweilig nachlassen (von Krankheitserscheinungen); remittierendes Fieber
Rem|mi|dem|mi *s. Gen.* -(s) *nur Ez., ugs.:* lautes Durcheinander
re|mo|ne|ti|sie|ren [lat.] *tr. 3* wieder als Zahlungsmittel zulassen (Münzen)
Re|mon|ta|ge [-ʒə, frz.] *w. 11* **1** Wiedereinrichtung (abgerissener Industrieanlagen); **2** Zusammenbau einer Uhr; **re|mon|tant** [auch: remɔ̃tant] zweimal (im Jahr) blühend; **Re|mon|te** [auch: -mɔ̃tə] *w. 11* **1** in Ausbildung befindl. Militärpferd; **2** = Remontierung; **Re|mon|te|pferd** *s. 1;* **re|mon|tie|ren** **1** *tr. 3* wiederaufbauen; zusammensetzen; **2** *intr. 3* zum zweiten Mal blühen; **3** *intr. 3, Mil.:* Jungpferde ankaufen; **Re|mon|tie|rung** *w. 10, Mil.:* Auffrischung des Pferdebestandes, Remonte
Re|mor|queur [-kør, frz.] *m. 1 österr.:* (kleiner) Schleppdampfer; **re|mor|quie|ren** [-ki-] *tr. 3* mit Remorqueur schleppen
Re|mou|la|de [-mu-, frz.] *w. 11* pikante Soße aus Öl, Ei und Gewürzen
Rem|pe|lei *w. 10, ugs.;* **rem|peln** *tr. 1, ugs.:* mit dem Körper stoßen, *meist:* anrempeln; **Remp|ler** *m. 5, ugs.:* Stoß mit dem Körper
Remp|ter, Rem|ter *m. 5, in Burgen und Klöstern:* Speise-, Versammlungssaal
Re|mu|ne|ra|ti|on [lat.] *w. 10, veraltet, noch österr.:* Vergütung, Zahlung für besondere Leistung, Sonderzahlung, Belohnung, z. B. Weihnachtsremuneration; **re|mu|ne|rie|ren** *tr. 3* vergüten
Re|mus röm. Sagengestalt, Zwillingsbruder des Romulus
Ren **1** [auch: ren, skand.] *s. 9 oder s. 1* eine Hirschart, Rentier; **2** [ren, lat.] *m. Gen.* -s *Mz.* -es Niere
Re|nais|sance [rənɛsãs, frz. »Wiedergeburt«] *w. 11* Wiederaufleben früherer Kulturformen, bes. der Antike, im 14. bis 16. Jh. in Europa
re|nal [zu Ren (**2**)] zu den Nieren gehörend, von ihnen ausgehend
re|na|tu|rie|ren *tr. 3* in einen natürlichen oder naturnahen Zustand zurückverwandeln
Ren|con|tre *auch:* **Ren|cont|re** [rãkɔ̃trə, frz.] *s. 9, veraltet:* Zusammenstoß, Feindberührung
Ren|dant [frz.] *m. 10* Kassenverwalter (einer Gemeinde); **Ren|dan|tur** *w. 10, veraltet:* Kassenstelle, -behörde
Ren|de|ment [rãdəmã, frz.] *s. 9* Ertrag, Ausbeute (von Produkten aus einem Rohstoff)

> **Rendezvous/Rendez-vous** (schweiz.): Die integrierte (eingedeutschte) Form des französischen Wortes ist die korrekte Schreibweise in Deutschland und Österreich *(das Rendezvous);* in der Schweiz wird die französische Form bevorzugt *(das Rendez-vous).*

Ren|dez|vous *schweiz.* **Ren|dez-vous** [rãdevu, frz.] *s. Gen.* - [-vus] *Mz.* - [-vus] **1** Verabredung, Stelldichein; **2** *übertr.:* Annäherung von Weltraumfahrzeugen aneinander (zur Kopplung); sich mit jmdm. ein Rendezvous geben: sich verabreden; **Ren|dez|vous|tech|nik** *w. 10* Technik der Annäherung von Weltraumfahrzeugen
Ren|di|te [ital.] *w. 11* Gewinn, Zinsertrag (aus Kapitalanlage); **Ren|di|ten|haus** *s. 4, schweiz.:* Mietshaus
Re|ne|gat [lat.] *m. 10* Abtrünniger (eines Glaubens, *im kommunist. Sprachgebrauch auch:* einer polit. Überzeugung); **Re|ne|ga|ten|tum** *s. Gen.* -s *nur Ez.*
Re|ne|klo|de, Rei|ne|clau|de, Ring|lot|te [frz. reine Claude »Königin Claudia«, eine Gemahlin Franz' I. von Frankreich] *w. 11* eine Pflaumenart mit grünen, runden Früchten
Re|nes *Mz. von* Ren (**2**)
Re|net|te, Rei|net|te [frz.] *w. 11* eine Apfelsorte
Ren|for|cé [rãfɔrse, frz.] *m. 9 oder s. 9* ein Baumwollgewebe
re|ni|tent [lat.] widerspenstig, widersetzlich; **Re|ni|tenz** *w. 10 nur Ez.*
Ren|ke *w. 11,* **Ren|ken** *m. 5* ein Lachsfisch, Felchen
Ren|kon|tre *auch:* **Ren|kont|re** [rãkɔ̃trə] *s. 9, eindeutschende Schreibung von* Rencontre
Renn|ar|beit *w. 10 nur Ez.* Art der Stahlgewinnung, bei der die Schlacke durch eine Vertiefung ab»rinnt«, Rennverfahren
ren|nen *intr. 98; schweiz. auch:* Rennen fahren; *auch Jägerspr.:* brünstig sein (Fuchs); **Ren|nen** *s. 7;* das Rennen machen *ugs. übertr.:* im Wettbewerb siegen; totes Rennen *ugs. übertr.:* unentschiedener Ausgang; gut (schlecht) im Rennen liegen *ugs. übertr.:* gute (schlechte) Aussichten auf Erfolg haben;

Ren|ner *m. 5* **1** *ugs.:* Rennpferd, Rennauto u. Ä.; **2** *ugs. übertr.:* Ware, die reißenden Absatz findet; **Ren|ne|rei** *w. 10, ugs.;* **Renn|fah|rer** *m. 5;* **Renn|pferd** *s. 1;* **Renn|schlit|ten** *m. 7;* **Renn|stall** *m. 2* **1** Gesamtheit der Rennpferde (eines Besitzers); **2** Zuchtbetrieb für Rennpferde; **Renn|steig** m. 1, Rennstieg, Renn|weg, Wanderweg auf dem Kamm des Thüringer Waldes

Renn|tier *s. 1, fälschl. für* Rentier (**1**); **Renn|ver|fah|ren** *s. 7 nur Ez.* = Rennarbeit; **Renn|wolf** *m. 2* = Tretschlitten

Re|nom|mee [frz.] *s. 9* Ruf, Leumund, Ansehen; **re|nom|mie|ren** *intr. 3* prahlen, aufschneiden; **re|nom|miert** angesehen, namhaft; **Re|nom|mist** *m. 10* Prahler, Angeber; **Re|nom|mis|te|rei** *w. 10 nur Ez.*

Re|non|ce [rənɔ̃s(ə), frz.] *w. 11, Kartenspiel:* Fehlfarbe; **re|non|cie|ren** [-si-] *intr. 3, veraltet:* verzichten

Re|no|va|ti|on [lat.] *w. 10* Erneuerung, Wiederherstellung; **re|no|vie|ren** [-vi-] *tr. 3* instand setzen, erneuern; **Re|no|vie|rung** *w. 10*

ren|ta|bel [frz.] vorteilhaft, Gewinn bringend; **Ren|ta|bi|li|tät** *w. 10 nur Ez.* Wirtschaftlichkeit, Verzinsung; **Ren|ta|bi|li|täts|rech|nung** *w. 10*

Rent|amt *s. 4* Dienststelle für Finanz-, Kassenverwaltung, Rentei; **Ren|te** [frz.] *w. 11* regelmäßiges Einkommen, Vermögen o. Ä.; **Ren|ten|mark** *w. Gen. - Mz. -* dt. Übergangswährung 1923/24; **Ren|ten|markt** *m. 2* Börsenmarkt für Rentenpapiere; **Ren|ten|pa|pier** *s. 1* fest verzinsl. Wertpapier

Ren|tier 1 [rɛ̃n-] *s. 1* = Ren; **2** [rɛntje, frz.] *m. 9* jmd., der von einer (privaten) Rente lebt; vgl. Rentner; **Ren|tie|re** [-tje-] *w. 11* weibl. Rentier (**2**); **ren|tie|ren** *refl. 3* Zinsen tragen, Gewinn bringen; *übertr.:* sich lohnen

Ren|tier|flech|te *w. 11* eine Pflanze der Tundra

Rent|meis|ter *m. 5* Vorsteher eines Rentamtes; **Rent|ner** *m. 5* Bezieher einer (staatl.) Rente; vgl. Rentier (**2**)

Re|nu|me|ra|ti|on [lat.] *w. 10* Rückzahlung; **re|nu|me|rie|ren** *tr. 3* zurückzahlen

Ren|voi [rɑ̃voa, frz.] *m. Gen. - nur Ez.* **1** *Wirtsch.:* Rücksendung; **2** *Rechtsw.:* Zurück-, Weiterverweisung

Re|ok|ku|pa|ti|on [lat.] *w. 10, Mil.:* Wiederbesetzung (eines Gebietes); **re|ok|ku|pie|ren** *tr. 3* erneut besetzen

Re|or|ga|ni|sa|ti|on [lat.-frz.] *w. 10* **1** Neuregelung, Umgestaltung; **2** Genesung, Neubildung von Körpergeweben; **re|or|ga|ni|sie|ren** *tr. 3* neu ordnen, neu gestalten

rep. *Abk. für* repartiert

Rep. *Abk. für* repetatur

re|pa|ra|bel [lat.] wiederherstellbar, wiedergutzumachen; *Ggs.:* irreparabel; **Re|pa|ra|ti|on** *w. 10* **1** eine Form der Regeneration, Ersatz von Körpergewebe; **2** *nur Mz.* Kriegsentschädigungen (zugunsten des Siegers); **re|pa|ra|ti|ons|pflich|tig; Re|pa|ra|ti|ons|zah|lung** *w. 10;* **Re|pa|ra|tur** *w. 10;* **Re|pa|ra|tur|werk|statt** *w. Gen. - Mz.* -stät|ten, **Re|pa|ra|tur|werk|stät|te** *w. 11;* **re|pa|rie|ren** *tr. 3*

re|par|tie|ren [lat.-frz.] *tr. 3* **1** (Kosten) umlegen; **2** (Wertpapiere anteilsmäßig) zuteilen; **re|par|tiert** *(Abk.:* rep.) zugeteilt (Börsenwerte); **Re|par|ti|ti|on** *w. 10*

re|pas|sie|ren [lat.] *tr. 3* **1** *veraltet:* zurückweisen; **2** aufnehmen (Laufmasche); **3** nachbehandeln (Werkstück)1 **4** nochmals prüfen, durchsehen; **Re|pas|sie|re|rin** *w. 10* Arbeiterin, die Laufmaschen repassiert

Re|pa|tri|ant *auch:* **Re|pat|ri|ant** [lat.] *m. 10* jmd., der repatriiert wird; **re|pa|tri|ie|ren** *auch:* **re|pat|ri-** *tr. 3* **1** in die Heimat entlassen (Gefangene); **2** wieder einbürgern; **Re|pa|tri|ie|rung** *auch:* **Re|pat|ri-** *w. 10*

Re|pel|lent [engl.] *s. 9, Chem.:* Wasser abstoßendes Mittel

Re|per|kus|si|on [lat.] *w. 10* **1** Rückprall, Zurückwerfung; **2** Sprechton (beim Psalmenvortrag); **3** *Musik:* Durchführung des Themas durch alle Stimmen (bei der Fuge); *auch:* mehrfache Wiederholung des gleichen Tons; **Re|per|kus|si|ons|ton** *m. 2, im Gregorianischen Gesang:* hervorgehobener Ton

Re|per|toire [-toar, lat.-frz.] *s. 9* Bestand an eingeübten Stücken bzw. Rollen (bei Bühnen, Orchestern, Schauspielern, Musikern); **Re|per|to|ri|sa|ti|on** *w. 10* Krankengeschichte unter Berücksichtigung homöopath. Aspekte (phys. und psych. Einflüsse, z. B. Wetter, Ehestreit); **Re|per|to|ri|um** [lat.] *s. Gen.* -s *Mz.* -ri|en Nachschlagewerk

re|pe|ta|tur [lat. »es werde erneuert«] *(Abk.:* Rep.) ärztl. Angabe auf Rezepten, dass die Verordnung wiederholt ausgeführt werden darf; **Re|pe|tent** *m. 10, veraltet:* **1** Repetitor; **2** Schüler, der eine Klasse wiederholt; **re|pe|tie|ren** *tr. 3* wiederholen; **Re|pe|tier|ge|wehr** *s. 1* Mehrladegewehr; **Re|pe|tier|uhr** *w. 10* Taschenuhr mit Schlagwerk; **Re|pe|ti|ti|on** *w. 10* Wiederholung; **Re|pe|ti|tor** *m. 13* Akademiker, der Studenten (bes. der jurist. Fakultät) durch Stoffwiederholung auf die Prüfung vorbereitet, Einpauker; **Re|pe|ti|to|ri|um** *s. Gen.* -s *Mz.* -ri|en **1** Wiederholungsunterricht; **2** Wiederholungslehrbuch

Re|plan|ta|ti|on *w. 10* = Reimplantation

Re|plik *auch:* **Rep|lik-** [lat.] *w. 10* **1** Erwiderung, Einrede (vor Gericht); **2** Nachbildung eines Kunstwerks durch den Künstler selbst; vgl. Kopie (**3**); **re|pli|zie|ren** *auch:* **rep|li-** **1** *intr. 3* eine Replik anfertigen; **2** *tr. 3;* etwas r.: auf etwas antworten, entgegnen

re|po|ni|bel [lat.] wiedereinrichtbar (Bruch, Verrenkung); *Ggs.:* irreponibel; **re|po|nie|ren** *tr. 3* wiedereinrichten

Re|port [lat.-frz.] *m. 1* **1** Bericht; **2** Vergütung dafür, dass eine Lieferung später als urspr. vereinbart erfolgt; *Ggs.:* Deport; **Re|por|ta|ge** [-ʒə] *w. 11* Bericht über ein aktuelles Ereignis unmittelbar vom Schauplatz; **Re|por|ter** *m. 5* Berichterstatter (für Presse, Funk, Fernsehen)

Re|po|si|ti|on [zu: reponieren] *w. 10* Wiedereinrichtung (von Brüchen oder Verrenkungen)

re|prä|sen|ta|bel *auch:* **rep|rä-** [lat.-frz.] stattlich, wirkungsvoll; **Re|prä|sen|tant** *auch:* **Rep|rä-** *m. 10* Vertreter, Handelsvertreter; Volksvertreter, Abgeordneter; **Re|prä|sen|tan|ten|haus**

s. 4 zweite Kammer des US-amerikan. Parlaments; **Re|prä|sen|ta|ti|on** *w. 10* **1** würdiges Auftreten; gesellschaftl. Aufwand; **2** Stellvertretung, *bes.:* Volksvertretung durch Abgeordnete; **Re|prä|sen|ta|ti|ons|bau** *m. Gen.* - (e)s *Mz.* -bau|ten Gebäude für Repräsentationszwecke; **re|prä|sen|ta|tiv** **1** vertretend, *bes.:* eine Personenmenge nach ihren Merkmalen widerspiegelnd; repräsentativer Querschnitt; **2** wirkungsvoll, würdig; **Re|prä|sen|ta|tiv|er|he|bung** *w. 10* Erhebung auf Grund einer Stichprobe, bei der das Ergebnis stellvertretend für das Ganze gewertet wird; **Re|prä|sen|ta|tiv|sys|tem** *s. 1* auf Volksvertretung durch Abgeordnete beruhendes polit. System; **re|prä|sen|tie|ren** **1** *tr. 3* vertreten; einen Wert r.: darstellen; **2** *intr. 3* würdig auftreten, einen der gesellschaftl. Stellung entsprechenden Aufwand treiben

Re|pres|sa|lie *auch:* **Rep|res-** [-ljə, lat.] *w. 11* Vergeltung, Gegenmaßnahme, Druckmittel; **Re|pres|si|on** *w. 10* Hemmung, Unterdrückung; **re|pres|siv** unterdrückend, entgegenwirkend; repressive Maßnahmen fordernd

Re|print *auch:* **Rep|rint** [riprint, engl.] *s. 9* (fotomechan.) Nach-, Neudruck

Re|pri|se *auch:* **Rep|ri|se** [lat.-frz.] *w. 11* **1** *allg.:* Wiederaufnahme, Zurücknahme; **2** *Börse:* Steigen gefallener Kurse; **3** *Mus.:* Wiederholung; **4** *Theater:* Wiederaufnahme eines Stückes in den Spielplan; **5** *Seerecht:* Zurückeroberung einer Prise

re|pri|va|ti|sie|ren *auch:* **rep|ri-** *tr. 3;* öffentl. Eigentum r.: in Privatbesitz rücküberführen, entnationalisieren

Re|pro... *auch:* **Rep|ro-** *in Zus.: kurz für* Reproduktion, z. B. Reprokamera

Re|pro|duk|ti|on *auch:* **Rep|ro-** [lat.] *w. 10* **1** Wiedergabe, Nachbildung (durch Fotografie oder Druck); **2** Vervielfältigung; **3** Fortpflanzung; **4** Wiederbeschaffung oder Wiederherstellung (betrieblich genutzter Güter); **re|pro|duk|tiv** *auch:* **rep|ro-** **1** nachschaffend; **2** *Med.:* wiederersetzend; **re|pro|du|zie|ren** *tr. 3* **1** (durch Fotografie oder Druck) wiedergeben; **2** nachbilden, nachschaffen; **3** wiederbeschaffen, wiederherstellen; **4** *Psych.:* sprachlich äußern, als Vorstellung wieder gegenwärtig machen (Bewusstseinsinhalte); **Re|pro|gra|phie** ► **auch: Re|pro|gra|fie** *w. 11, Sammelbez. für* Verfahren der Reproduktion von Dokumenten wie Fotokopie, Mikrokopie usw.; Produkt der R.

Reps **1** *m. 1 süddt.:* Raps; **2** *Mz. kurz für* Republikaner, Mitglieder einer rechtsgerichteten Partei

Rep|til [lat.] *s. Gen.* -s *Mz.* -li|en Kriechtier

Re|pu|blik *auch:* **Re|pub|lik** [lat.-frz.] *w. 10* Staatsform, in der die Regierung auf bestimmte Zeit gewählt wird; **Re|pu|bli|ka|ner** *m. 5* Anhänger der republikan. Staatsform oder einer republikan. Partei; **re|pu|bli|ka|nisch; Re|pu|bli|ka|nis|mus** *m. Gen.* - *nur Ez., veraltet:* Streben nach republikan. Staatsform; **Re|pu|blik|flucht** *w. Gen.* - *nur Ez., ehem. DDR:* illegales Verlassen des Staatsgebiets

Re|pu|di|a|ti|on [lat.] *w. 10, veraltet:* Verschmähung, Zurückweisung (z. B. von Geld, das keine oder nur geringe Kaufkraft besitzt)

Re|pu|gnanz *auch:* **Re|pug|nanz** [lat.] *w. 10, Philos.:* Gegensatz, Widerstreit

Re|puls [lat.] *m. 1, veraltet:* Ablehnung (eines Gesuchs); **Re|pul|si|on** *w. 10, Tech.:* Abstoßung, Rückstoß; **Re|pul|si|ons|mo|tor** *m. 12* ein Wechselstrommotor; **re|pul|siv** zurück-, abstoßend

Re|pun|ze [lat.-ital.] *w. 11* Feingehaltsstempel (auf Waren aus Edelmetall); **re|pun|zie|ren** *tr. 3* mit einer Repunze versehen

Re|pu|ta|ti|on [lat.-frz.] *w. 10 nur Ez.* Ansehen, Ruf; **re|pu|tier|lich** *veraltet:* ansehnlich

Re|qui|em [-kviɛm, lat.] *s. 9, österr. Mz. auch:* -qui|en **1** kath. Totenmesse; **2** deren Vertonung; **3** dem Oratorium ähnliche Komposition mit freiem Text; **re|qui|es|cat in pa|ce** [-kat -tsə] (*Abk.:* R.I.P.) er, sie ruhe in Frieden (Grabinschrift, nach der Schlussformel der kath. Totenmesse)

re|qui|rie|ren [lat.] *tr. 3* **1** (für militär. Zwecke) beschlagnahmen, **2** *ugs. scherzh.:* wegnehmen, entwenden; **3** untersuchen, nachforschen; **4** um Rechtshilfe ersuchen; **Re|qui|sit** *s. 12* **1** Arbeitsgerät, Zubehör; **2** *meist Mz.* Ausstattungsgegenstände (für Bühnenstücke oder Filme); **Re|qui|si|teur** [-tør, lat.-frz.] *m. 1, Theater:* Verwalter der Requisiten; **Re|qui|si|ti|on** [lat.] *w. 10* **1** Beschlagnahme (für militär. Zwecke); **2** Ersuchen um Rechtshilfe

RES, R. E. S. *Med.: Abk. für* retikuloendotheliales System

resch *süddt., österr.:* knusprig; *übertr.:* lebhaft (Mädchen)

Res co|gi|tans [lat. »denkendes Wesen«] *s. Gen.* -- *nur Ez., Philos.:* Geist, Seele

Re|search [risətʃ, engl.] *s. Gen.* -(s) *Mz.* -s Forschung; *in der Markt-, Meinungsforschung:* Ermittlung, Feststellung; **Re|sear|cher** [risətʃər] *m. 5* Meinungsforscher

Re|se|da [lat.] *w. 9,* **Re|se|de** *w. 11* eine Pflanze mit ährenartigen Blütenständen, oft Gartenblume, Färberwau, Färberwaid

Re|sek|ti|on [zu: resezieren] *w. 10* chirurg. Entfernung (eines Organs oder Organteils)

Re|sen [griech.-lat.] *s. 1* ein Bestandteil des Harzes

Re|ser|va|ge [-vaʒə, lat.-frz.] *w. 11 nur Ez., beim Zeugdruck:* Schutzbeize für die nicht druckenden Stellen; **Re|ser|vat** [-vat, lat.] *s. 1,* Re|ser|va|ti|on *w. 10* **1** Rechtsvorbehalt, Sonderrecht; **2** Schutzgebiet für Volksgruppen (bes. die Indianer in Nordamerika), Tiere oder Pflanzen; **Re|ser|vat|fall** *m. 2, kath. Kirche:* Fall, der dem Papst od. einem Bischof zur Entscheidung vorbehalten ist; **Re|ser|va|tio men|ta|lis** *w. Gen.* -- *Mz.* -ti|o|nes -ta|les, *Rechtsw.:* geheimer Vorbehalt; **Re|ser|va|ti|on** *w. 10* = Reservat; **Re|ser|vat|recht** *s. 1* Sonderrecht; **Re|ser|ve** *w. 11* **1** *nur Ez.* Verschlossenheit, Zurückhaltung; **2** Ersatz, Vorrat, Rücklage; etwas in Reserve haben: vorrätig haben; stille Reserven *Wirtsch.:* Kapitalrücklage; **3** *Mil.:* Gesamtheit der Reservisten; *auch:* im Krieg bereit gehaltene Ersatztruppe; **Re|ser|ve|of|fi|zier** *m. 1;* **re|ser|vie|ren** [-vi-] *tr. 3* freihalten, zurücklegen; **re|ser|viert**; *auch:* abweisend, kühl, zurückhaltend; **Re|ser|vie|rung** *w. 10;* **Re|ser|vist** *m. 10* aus dem aktiven Dienst ausgeschiedener Wehrpflichtiger; **Re|ser|voir** [-voar, frz.] *s. 1* **1** Sammelbehälter, Speicher (z. B. für Wasser); **2** *übertr.:* Bestand, Vorrat

Res ex|ten|sa [lat. »ausgedehntes Wesen«] *w. Gen. -- nur Ez., Philos.:* Materie, Stoff

re|se|zie|ren [lat.] *tr. 3* chirurgisch entfernen, herausschneiden; vgl. Resektion

Re|si|dent [lat.] *m. 10* **1** Gesandter der dritten Rangklasse; **2** Vertreter einer Kolonialmacht bei einem eingeborenen Fürsten; **3** Statthalter; **Re|si|dent|schaft** *w. 10 nur Ez.,* Amt, Amtsräume eines Residenten; **Re|si|denz** *w. 10* Wohn-, Amtssitz eines weltl. oder geistl. Oberhauptes, Regierungssitz, Hauptstadt; **Re|si|denz|pflicht** *w. 10 nur Ez.* Pflicht, am Dienstort zu wohnen (bei Beamten, Rechtsanwälten u. a.); **Re|si|denz|stadt** *w. 2;* **re|si|die|ren** *intr. 3* seinen Regierungs-, Amts- bzw. Wohnsitz haben

re|si|du|al [lat.] *Med.:* restlich, zurückbleibend; **Re|si|du|um** *s. Gen.* -s *Mz.* -du|en Rest, Rückstand, Bodensatz

Re|si|gna|ti|on *auch:* **Re|sig|na-** [rezigna- oder -ziŋna-, lat.] *w. 10 nur Ez.* **1** Entsagung, Verzicht, Ergebung (in das Schicksal); **2** *auch:* freiwillige Niederlegung eines öffentl. Amtes; **re|si|gnie|ren** *auch:* **re|sig|nie-** *intr. 3;* **re|si|gniert** *auch:* **re|sig|niert** in sein Schicksal ergeben, entsagungsvoll

Re|si|nat [lat.] *s. 1* ein Salz der Harzsäure; **Re|si|nat|far|be** *w. 11* ein Farblack

Ré|sis|tance [rezistãs, frz.] *w. Gen. - nur Ez.* frz. Widerstandsbewegung im Zweiten Weltkrieg; **re|sis|tent** [lat.] widerstandsfähig; **Re|sis|tenz** *w. 10* Widerstand (des Organismus gegen Krankheitserreger), Unempfindlichkeit (von Bakterien gegen bestimmte Arzneimittel); **re|sis|tie|ren** *intr. 3* widerstehen, ausdauern, zählebig sein; **re|sis|tiv** widerstehend; **Re|sis|ti|vi|tät** *w. 10 nur Ez., Med.:* Widerstandsfähigkeit

re|so|lut [lat.-frz.] beherzt, entschlossen, tatkräftig; *Ggs.:* irresolut; **Re|so|lut|heit** *w. 10 nur Ez.;* **Re|so|lu|ti|on** [lat.] *w. 10* **1** Entschließung, Beschluss; **2** Rückgang (von Krankheitserscheinungen); **Re|sol|ven|te** [-vɛn-] *w. 11* Hilfsgleichung (zur Lösung einer algebraischen Aufgabe); **re|sol|vie|ren** [-vi-] **1** *intr. 3* eine Resolution fassen; **2** *Math.:* eine Hilfsgleichung zur Lösung einer algebraischen Aufgabe aufstellen; **3** *tr. 3, veraltet:* beschließen; sich r.: sich entschließen

Re|so|nanz [lat.] *w. 10* **1** Mittönen, Mitschwingen; **2** *nur Ez., übertr.:* Anklang, Widerhall; **Re|so|nanz|bo|den** *m. 8, bei Saiteninstrumenten:* klangverstärkender Holzboden; **Re|so|nanz|sai|te** *w. 11* = Aliquotsaite; **Re|so|na|tor** *m. 13* mitschwingender Körper, z. B. das Holzgehäuse bei Saiteninstrumenten; **re|so|na|to|risch** durch Resonanz bewirkt; **re|so|nie|ren** *intr. 3* mitschwingen

Re|so|pal ⓌⓏ *s. Gen.* -s *nur Ez.* ein Kunststoff

Re|sor|bens [lat.] *s. Gen.* - *Mz.* -ben|tia [-tsja] *oder* -ben|zi|en, *Med.:* Mittel zur Anregung der Resorption; **re|sor|bie|ren** *tr. 3* aufnehmen, einsaugen; **Resorp|ti|on** *w. 10* Aufnahme, Aufsaugen (eines gelösten Stoffes, z. B. in die Blutbahn)

re|so|zi|a|li|sie|ren *tr. 3* wieder in die Gemeinschaft eingliedern (ehemalige Strafgefangene); **Re|so|zi|a|li|sie|rung** *w. 10 nur Ez.*

> **Respe-, Respi-, Respo-** (Worttrennung): Neben der bisher üblichen Trennungsmöglichkeit (*Re|spe-, Re|spi-, Re|spo-*) bleibt es dem/der Schreibenden überlassen, auch nach Sprechsilben abzutrennen. Also: *Res|pe-, Res|pi-, Res|po-.* → § 108, § 111, § 112

resp. *Abk. für* respektive; **Respekt** *auch:* **Res|pekt** [lat.-frz.] *m. 1 nur Ez.* **1** Achtung, Ehrerbietung, Ehrfurcht; **2** *kurz für* Respektrand; **re|spek|ta|bel** achtbar, Achtung gebietend, beachtlich; eine respektable Leistung; **Re|spekt|blatt** *s. 4* leeres Blatt (am Anfang eines Buches oder eines mehrseitigen Schriftstückes); **re|spekt|ein|flö|ßend** ► **Re|spekt ein|flö|ßend; re|spek|tie|ren** *tr. 3* **1** achten, anerkennen, ehren; **2** *Wirtschaft:* bezahlen (Wechsel); **re|spek|tier|lich** *veraltet:* achtbar; **re|spek|tiv** *veraltet:* jeweilig; **re|spek|ti|ve** *(Abk.:* resp.) beziehungsweise; **re|spekt|los; Re|spekt|lo|sig|keit** *w. 10;* **Re|spekt|rand** *m. 4* leerer Rand (z. B. auf Brief- oder Buchseiten); **Re|spekts|per|son** *w. 10;* **Re|spekt|tag** *m. 1, veraltet:* Zahlungsfrist (nach dem Verfall eines Wechsels); **re|spekt|voll**

re|spi|ra|bel [mlat.] *Med.:* atembar; *Ggs.:* irrespirabel; **Re|spi|ra|ti|on** [lat.] *w. 10 nur Ez.* Atmung; **Re|spi|ra|ti|ons|ap|pa|rat** *m. 1,* **Re|spi|ra|tor** *m. 13* Atemfilter, Atemgerät; **re|spi|ra|to|risch** auf Atmung beruhend; **re|spi|rie|ren** *intr. 3* atmen; **Re|spi|ro** [ital.] *m. 9 nur Ez.* Aufschub, Zahlungsfrist

re|spon|die|ren [lat.] *intr. 3, veraltet:* antworten; **Re|spon|so|ri|um** *s. Gen.* -s *Mz.* -ri|en kirchl. Wechselgesang

Res pu|bli|ca *auch:* **Res pub|li|ca** [lat. »öffentliche Sache«] *w. Gen. -- Mz. -* -cae [-kɛ:] Gemeinwesen, Staat

Res|sen|ti|ment [rɛsãtimã, frz.] *s. 9* gefühlsmäßige Ablehnung, meist aus früheren, teilweise nicht mehr bewussten Erfahrungen heraus; Ressentiments: negative Gefühle, z. B. Abneigung, Groll, Ärger

Res|sort [rɛsor, frz.] *s. 9* Amts-, Geschäftsbereich, Aufgabengebiet; **Res|sort|chef** [-sorʃɛf] *m. 9;* **res|sor|tie|ren** *intr. 3, veraltet:* unterstehen, einem Ressort zugehören

Res|sour|ce [-surs(ə), lat.-frz.] *w. 11 meist Mz.* Hilfsquellen, Geldmittel

Rest *m. 1, auch m. 3, bes. bei Stoffen, schweiz.: m. 12;* **Restant** *auch:* **Res|tant** [lat.-ital.] *m. 10* **1** Schuldner im Zahlungsrückstand; **2** unverkäufl. Ware, Ladenhüter; **3** nicht abgehobenes Wertpapier; **Re|stan|ten|lis|te** *w. 11;* **Re|stanz** *w. 10, schweiz.:* Restbetrag

Re|stau|rant *auch:* **Res|tau-** [rɛstorã, lat.-frz.] *s. 9* Gaststätte; **Re|stau|ra|teur** [rɛstoratør] *m. 1*

Resta-, Restau-, Resti-, Restri- (Worttrennung): Dem/der Schreibenden bleibt überlassen, ob er/sie, wie bisher üblich *(Re|sta-, Re|stau-, Re|sti-, Re|stri-),* oder nach Sprechsilben trennt: *Res|ta-, Res|tau-, Res|ti-, Res|tri-.* →§§108, 111, 112

Gastwirt; **Re|stau|ra|ti|on** *w. 10* **1** [rɛsto-] *veraltet, noch österr.:* Gaststätte; **2** [rɛstaʊ-] Erhaltung, Ausbesserung (beschädigter Kunstwerke), Wiederherstellung (früherer Zustände); **Re|stau|ra|ti|ons|be|trieb** [rɛsto-] *m. 1;* **re|stau|ra|tiv** [rɛstaʊ-] auf die Wiederherstellung alter Ordnungen gerichtet; **Re|stau|ra|tor** [rɛstaʊ-] *m. 13* Wiederhersteller von Kunstwerken; **re|stau|rie|ren** [rɛstaʊ-] **1** *tr. 3* ausbessern (Kunstwerk), wiederherstellen (frühere polit. oder relig. Zustände); **2** *refl. 3* sich erfrischen, sich erholen; **Re|stau|rie|rung** [rɛstaʊ-] *w. 10* Restauration (von Kunstwerken)

Rest|be|stand *m. 2;* **Res|ten, Res|ter** *Kaufmannsspr., Mz. von* Rest; **Res|ter|ver|kauf, Res|te|ver|kauf** *m. 2*

re|sti|tu|ie|ren *auch:* **res|ti-** [lat.] *tr. 3* wiederherstellen; **Re|sti|tu|ti|on** *w. 10* **1** Rückgabe (entzogener Vermögensgegenstände), Wiedergutmachung (der einem anderen Staat zugefügten Rechtsverletzung); **2** *Biol.:* Art der Regeneration; **Re|sti|tu|ti|ons|kla|ge** *w. 11* Klage zur Wiederaufnahme eines abgeschlossenen Verfahrens

rest|lich; rest|los; Rest|pos|ten *m. 7*

Re|stric|tio men|ta|lis *auch:* **Res|tric|tio -** [lat.] *w. Gen. -- Mz.* -tio|nes -ta|les = Reservatio mentalis; **Re|strik|ti|on** *w. 10* **1** Beschränkung, Einschränkung; **2** Vorbehalt, **re|strik|tiv** einengend, einschränkend; *Ggs.:* extensiv (**3**); **re|strin|gie|ren** *tr. 3* **1** einschränken; **2** *Med.:* zusammenziehen

Re|sul|tan|te [lat.-frz.] *w. 11* **1** *Math.:* aus den Koeffizienten von Gleichungen gebildete Determinante, Resultierende; **2** *Phys.:* aus Überlagerung mehrerer Kräfte entstehende Kraft; **Re|sul|tat** *s. 1* Ergebnis; **re|sul|ta|tiv** ein Resultat bewirkend; **re|sul|tat|los; re|sul|tie|ren** *intr. 3* sich (als Resultat) ergeben, sich herleiten; **Re|sul|tie|ren|de** *w. 11* = Resultante (**1**)

Re|sü|mee [lat.-frz.] *s. 9* Übersicht, (abschließende) Zusammenfassung; **re|sü|mie|ren** *tr. 3*

Re|sur|rek|ti|on [lat.] *w. 10* Auferstehung (der Toten)

Re|ta|bel [frz.] *s. 5* Altaraufsatz; **re|ta|blie|ren** *auch:* **re|tab|lie|ren** *tr. 3, veraltet, noch schweiz.:* wiederherstellen, wiedereinsetzen; **Re|ta|blie|rung** *auch:* **Re|tab|lie-** *w. 10, schweiz.,* **Re|ta|blis|se|ment** *auch:* **Re|tab|lisse-** [blis(ə)mã] *s. 9, veraltet:* Wiederherstellung

Re|take [ritɛɪk, engl.] *s. 9, Film:* Neuaufnahme (einer misslungenen Einstellung)

Re|tard [rətar, frz.] (*Abk.:* R) *an Uhren:* zurück, d. h. langsamer; **Re|tar|da|ti|on** [lat.] *w. 10* Verzögerung (bes. der körperl. oder geistigen Entwicklung); *Ggs.:* Akzeleration; **re|tar|die|ren 1** *tr. 3* hemmen, verlangsamen; retardierendes Moment: den Handlungsablauf von Drama oder Roman unterbrechender Einschub; **2** *tr. 3, veraltet:* nachgehen (Uhren); **Re|tar|die|rung** *w. 10*

Re|ten|ti|on [lat.] *w. 10* **1** Zurückhaltung (auszuscheidender Körperflüssigkeiten), Zurückbleiben (der Organentwicklung); **2** Erinnerungsvermögen; **3** *veraltet:* Zurückbehaltung (einer Leistung); **Re|ten|ti|ons|recht** *s. 1 nur Ez.*

Re|ti|kül *m. 1 oder s. 1* = Ridikül; **re|ti|ku|lar, re|ti|ku|lär, re|ti|ku|liert** [lat.] netzförmig; **re|ti|ku|lo|en|do|the|li|al** *in der Fügung* retikuloendotheliales System (*Abk.:* RES): System zusammenwirkender Zellen zur Abwehr von Krankheiten; **Re|ti|ku|lo|zyt** [lat. + griech.] *m. 10 meist Mz.* Art der roten Blutkörperchen; **Re|ti|ku|lum** *s. Gen.* -s *Mz.* -la **1** netzartiges Gewebe; **2** Netzmagen (der Wiederkäuer); **Re|ti|na** [mlat.] *w. Gen. - Mz.* -nae [-nɛː] Netzhaut (des Auges); **Re|ti|ni|tis** *w. Gen. - Mz.* -ti|den Netzhautentzündung

Re|ti|ra|de [frz.] *w. 11, veraltet:* **1** Abort; **2** Rückzug; **re|ti|rie|ren** *intr. 3* sich zurückziehen, sich in Sicherheit bringen

Re|tor|si|on [lat.] *w. 10* Gegenmaßnahme, Vergeltung (bes. eines Staates gegen die Maßnahme eines anderen Staates)

Re|tor|te [lat.] *w. 11* birnenförmiges, gläsernes Destilliergefäß; aus der Retorte *ugs.:* künstlich; **Re|tor|ten|ba|by** *s. 6, ugs.:* durch künstl. Befruchtung entstandenes Kind

re|tour [rətur, frz.] zurück; **Re|tour|bil|lett** [-turbiljɛt] *s. 9 oder s. 1, veraltet, noch schweiz.:* Rückfahrkarte; **Re|tour|kar|te** [-tur-] *w. 11, österr.:* Rückfahrkarte; **Re|tour|kut|sche** [-tur-] *w. 11, ugs.:* Zurückgeben einer Beleidigung oder eines Vorwurfs mit ähnl. Worten; **re|tour|nie|ren** [-tur-] *tr. 3* zurücksenden (Waren)

Re|trai|te *auch:* **Ret|raite** [rətrɛt(ə), frz.] *w. 11 Militär, veraltet:* **1** Rückzug; **2** Zapfenstreich (der Kavallerie); **Re|trak|ti|on** [lat.] *w. 10,* Schrumpfung, Verkürzung

Re|trans|fu|si|on [lat.] *w. 10, Med.* = Reinfusion

Re|tri|bu|ti|on [lat.] *w. 10* Rückgabe, Erstattung

Retra-, Retro- (Worttrennung): Neben der bisher üblichen Trennungsmöglichkeit (*Re|tra-, Re|tro-*) bleibt es dem/der Schreibenden überlassen, auch nach Sprechsilben abzutrennen. Demnach: *Ret|ra-, Ret|ro-.* →§108, §111, §112

re|tro..., Re|tro... *auch:* **ret|ro..., Ret|ro** [lat.] *in Zus.:* zurück..., rückwärts..., hinten liegend

re|tro|ak|tiv *auch:* **ret|ro-** [lat.] *Psych.:* zurückwirkend; **re|tro|flek|tiert** *Med.:* nach hinten geknickt; **Re|tro|flex** *m. 1* mit zurückgebogener Zunge gebildeter Laut; **Re|tro|fle|xi|on** *w. 10* Knickung (von Organen) nach hinten; **re|tro|grad** *Med.:* gegenläufig; **Re|tro|gres|si|on** *w. 10 nur Ez.* Rückläufigkeit, Abklingen; **re|tro|spek|tiv** rückblickend; **Re|tro|spek|ti|ve** *w. 11* Rückblick, Rückschau; **Re|tro|ver|si|on** *w. 10* **1** Rückwärtsneigung (eines Organs); **2** Rückübersetzung (in die Originalsprache); **re|tro|ver|tie|ren** *tr. 3* **1** rückwärts neigen; **2** rückübersetzen; **re|tro|ze|die|ren 1** *tr. 3* wieder abtreten; rückversichern; **2** *intr. 3, veraltet:* zurückweichen; **Re|tro|zes|si|on** *w. 10*

Ret|si|na *m. (griech.: w.) Gen. - nur Ez.* griech., urspr. in geharzten Fässern aufbewahrter, heute mit Harz versetzter Wein

rẹt|ten *tr. 2;* **Rẹt|ter** *m. 5*

Rẹt|tich [lat.] *m. 1*

rẹtt|los *Seew.:* unrettbar; **Rẹt|tung** *w. 10; österr. auch kurz für* **1** Rettungsdienst; **2** Rettungswagen; **Rẹt|tungs|an|ker** *m. 5, ugs. scherzh.:* Hilfe in der Not; **Rẹt|tungs|boot** *s. 1;* **rẹt|tungs|los;** **Rẹt|tungs|schwim|men** *s. Gen. -s nur Ez.*

Re|turn [ritən, engl.] *m. 9, Tennis:* zurückgeschlagener Ball

Re|tụ|sche [frz.] *w. 11* Nachbesserung, Überarbeitung (bes. von Fotografien); **Re|tu|scheur** [-ʃør] *m. 1;* **re|tu|schie|ren** *tr. 3; auch übertr.:* schönfärben

Reue *w. 11 nur Ez.;* **reu|en** *tr. 1 nur 3. Pers. Ez. oder Mz.:* es reut mich; die Anstrengungen reuen mich; **reu|e|voll; Reu|geld** *s. 3* Abstandssumme (die bei Rücktritt von einem Reukauf zu zahlen ist); **reu|ig** reuevoll; **Reu|kauf** *m. 2* Kaufvertrag mit Rücktrittsrecht; **reu|mü|tig**

Re|u|ni|on 1 [frz.] *w. 10, veraltet:* Vereinfachung, Wiedervereinigung; **2** [reynjɔ̃] *w. 9, veraltet:* gesellige Veranstaltung; **Ré|u|ni|on** *amtl.:* La Réunion [reynjɔ̃] frz. Insel im Ind. Ozean; **Re|u|ni|o|nen** *w. 10 Mz.* Gebietsaneignungen (»Wiedervereinigungen«) Ludwigs XIV.; **Re|u|ni|ons|kam|mern** *w. 11 Mz.* Gerichte Ludwigs XIV. zur Begründung französischer Gebietsansprüche

Reu|se *w. 11* Korb oder Netz zum Fischfang

Reu|ße *m. 11, veraltet für* Russe

re|üs|sie|ren [frz.] *intr. 3, veraltet:* Erfolg haben

reu|ten *tr. 2, süddt.:* roden

Reu|ter *s. 9* engl. Nachrichtenagentur

Rev. *Abk. für* Reverend, Reverendus

Re|vak|zi|na|ti|on [lat.] *w. 10* Wiederimpfung; **re|vak|zi|nie|ren** *tr. 3*

Re|val *amtl.:* Tạllin, Hauptstadt von Estland

re|va|li|die|ren [lat.] *intr. 3* wieder gültig werden; **re|va|lie|ren 1** *tr. 3 Kaufmannsspr.:* decken (Schuld); **2** *intr. 3* sich schadlos halten; **Re|va|lie|rung** *w. 10* Deckung (einer Schuld); **re|va|lo|ri|sie|ren** *tr. 3* wieder auf den ursprüngl. Wert bringen (Währung); **Re|va|lo|ri|sie|rung** *w. 10;* **Re|va|lva|ti|on** *w. 10;* **re|va|lvie|ren** [-vi-] *tr. 3* durch Wechselkursänderung aufwerten (Währung)

Re|van|che [rəvɑ̃ʃə, frz.] *w. 11* **1** Rache, Vergeltung; **2** *Sport:* Sieg nach vorheriger Niederlage gegen denselben Gegner; jmdm. R. geben *Sport:* jmdm. die Möglichkeit geben, seine Niederlage wettzumachen; **Re|van|che|krieg** *m. 1* Vergeltungskrieg; **re|van|che|lus|tig; Re|van|che|po|li|tik** *w. 10 nur Ez.;* **re|van|chie|ren** [-vɑ̃ʃi-] *refl. 3* **1** sich rächen; **2** sich erkenntlich zeigen (durch Gegenleistung); **Re|van|chis|mus** [-vɑ̃ʃis-] *m. Gen. - nur Ez., kommunist. Bez. für* Vergeltungspolitik, Streben nach Rückeroberung; **Re|van|chịst** *m. 10;* **re|van|chịs|tisch**

Re|veille [rəvɛj, frz.] *w. 11, veraltet:* militär. Signal zum Wecken

Re|ve|la|ti|on [lat.] *w. 10, Philos.:* Enthüllung, Offenbarung

Re|ve|nue [rəvəny, frz.] *w. 11* Einkommen, Kapitalertrag

Re|ver|be|ra|ti|on [lat.] *w. 10* Rückstrahlung; **re|ver|be|rie|ren** *tr. 3* zurückstrahlen; **Re|ver|be|rier|o|fen** *m. 8* Flammofen, in dem Metall durch zurückgestrahlte Wärme schmilzt

Re|ve|rend [rẹvərənd, engl.] *m. Gen. -s nur Ez.* (*Abk.:* Rev.), *in Großbritannien und den USA:* Hochwürden (Titel für evang. Geistlichen); **Re|ve|ren|dịs|si|mus** *m. Gen. - nur Ez.* Hochwürdigster (Titel für kath. Prälaten); **Re|ve|rẹn|dus** *m. Gen. - nur Ez.* (*Abk.:* Rev.) Hochwürden (Titel für kath. Geistlichen); **Re|ve|rẹnz** *w. 10* Ehrerbietung; jmdm. seine R. erweisen; Ehrenbezeigung, Verbeugung; seine R. machen

Re|ve|rie [revəri, frz.] *w. 11* Träumerei, träumerisches Musikstück

Re|vers 1 [-vɛr, frz.] *s., österr.: m. Gen. - [-vɛrs] Mz. - [vɛrs]* Aufschlag (an der Kostüm- und Herrenjacke, am Mantel); **2** [-vɛrs] *m. 1 veraltend, noch österr.:* Rückseite einer Münze; *Ggs.:* Avers; **3** [-vɛrs] *m. 1* schriftl. Erklärung, Verpflichtung; einen R. unterschreiben

re|ver|si|bel [-vɛr-, lat.] umkehrbar; *Ggs.:* irreversibel; reversibler chem. Prozess; **Re|ver|si|bi|li|tät** *w. 10 nur Ez.;* **Re|ver|si|ble** [-vɛrzibəl, frz.] *m. 9* **1** Gewebe mit einer matten und einer glänzenden Seite; **2** beidseitig tragbarer Stoff; **re|ver|sie|ren** [lat.] *tr. 3;* den Gang einer Maschine r.: umsteuern; **Re|ver|sier|wal|ze** *w. 11* Walze mit umkehrbarer Drehrichtung; **Re|ver|si|on** *w. 10* Umdrehung, Umkehrung; **Re|ver|si|ons|pen|del** *s. 5* Pendel zur Messung der Erdbeschleunigung; **Re|vẹrs|sys|tem** *s. 1* Verfahren zur Sicherstellung der Preisbindung

Re|vi|dẹnt [lat.] *m. 10* **1** jmd., der Revision beantragt; **2** *österr.:* ein Beamtentitel; **re|vi|die|ren** *tr. 3* durchsehen, überprüfen; seine Meinung r.: seine Meinung ändern; vgl. Revision

Re|vier [-vir, lat.-frz.] *s. 1* **1** Bezirk, Gebiet, (Tätigkeits-) Bereich; **2** *Bgb.:* Abbaugebiet; **3** *Jägerspr.:* Wohn-, Brut- oder Jagdgebiet (eines Tieres); **4** *Mil.:* Krankenstation; **5** kleine Polizeistation, Meldestelle; **re|vie|ren** *intr. 3, Jägerspr.:* nach Wild suchen (Jagdhund); **Re|vier|förs|ter** *m. 5;* **Re|vier|in|spek|tor** *auch:* **Re|vier|ins|pek|tor** *m. 13, österr.:* ein Polizeibeamter; **Re|vier|wacht|meis|ter** *m. 5*

Re|view [rɪvju, engl.] *w. 10, engl. Bez. für* Übersicht, Rundschau (oft Titel von Zeitschriften)

Re|vin|di|ka|ti|on [lat.] *w. 10, veraltet:* Zurückforderung (einer Sache); **re|vin|di|zie|ren** *tr. 3* zurückfordern

Re|vi|re|ment [rəvir(ə)mɑ̃, frz.] *s. 9* **1** Umbesetzung (diplomatischer oder militärischer Posten); **2** Abrechnungsart zwischen Schuldner und Gläubiger

re|vi|si|bel [lat.] *Rechtsw.:* durch Revision anfechtbar; *Ggs.:* irreversibel; **Re|vi|si|bi|li|tät** *w. 10 nur Ez.;* **Re|vi|si|on** *w. 10* **1** Änderung (einer Meinung), Abänderung (eines Vertrages, einer Grenze); **2** *Be-*

triebswirtschaft: Überprüfung, Kontrolle; **3** *Buchw.:* letztes Korrekturlesen (vor Druckbeginn); **4** Rechtsmittel zur Überprüfung der rechtl. Seite eines Urteils durch ein höheres Gericht; Revision einlegen; **Re|vi|si|o|nis|mus** *m. Gen. - nur Ez.* **1** Streben nach Änderung eines polit. Zustandes oder Programms; **2** reformerische Richtung in der Sozialdemokratie; **Re|vi|si|o|nist** *m. 10;* **re|vi|si|o|nis|tisch; Re|vi|si|ons|ge|richt** *s. 1* Berufungsgericht; **Re|vi|sor** *m. 13* **1** Korrektor, der Revision (**3**) liest; **2** Buch-, Rechnungsprüfer

Re|vi|val [rɪvaɪvəl, engl.] Wiederbelebung, Erneuerung

Re|vo|ka|ti|on [zu: revozieren] *w. 10* Widerruf, Rücknahme (eines Auftrags); **Re|voke** [rivoʊk, engl.] *w. Gen. - Mz.* -s, *Kartenspiel:* falsches Bedienen

Re|vol|te [-vɔl-, frz.] *w. 11* Aufruhr, Aufstand; **re|vol|tie|ren** *intr. 3;* **Re|vo|lu|ti|on** [lat.] *w. 10* **1** Umsturz, Umwälzung; **2** *Astron.:* Gestirnumlauf; **3** Gebirgsbildung; **4** *Skat:* Solospiel; **re|vo|lu|ti|o|när; Re|vo|lu|ti|o|när** *m. 1* jmd., der eine Revolution hervorruft oder an einer R. teilnimmt; **re|vo|lu|ti|o|nie|ren** *tr. 3* grundlegend umwandeln; **Re|vo|lu|ti|ons|tri|bu|nal** *s. 1, in der Frz. Revolution:* außerordentl. Gerichtshof; **Re|vo|luz|zer** *m. 5, abwertend für* Revolutionär

Re|vol|ver [-vɔlvər, lat.-engl.] *m. 5* **1** Handfeuerwaffe mit Trommelmagazin; **2** drehbare Einspannvorrichtung (für Werkzeuge, Optiken o. Ä.); **Re|vol|ver|blatt** *s. 4, ugs.:* Sensationszeitung; **Re|vol|ver|dreh|bank** *w. 2* Drehbank mit Revolver (**2**); **Re|vol|ver|held** *m. 10, ugs. abwertend:* jmd., der (mit einer Waffe) den Helden spielt; **Re|vol|ver|pres|se** *w. 11 nur Ez., ugs.:* Sensationspresse; **Re|vol|ver|schnau|ze** *w. 11, ugs.* **1** freches Mundwerk; **2** jmd., der unaufhörlich redet; **re|vol|vie|ren** [-vɔlvi-] *tr. 3 Tech.:* zurückdrehen; **Re|vol|ving|kre|dit** [-vɔlviŋ-] *m. 1* **1** Kredit, der laufend erneuert wird; **2** langfristiger Kredit, der durch aneinander anschließende kurzfristige Kredite gedeckt wird

re|vo|zie|ren [lat.] *tr. 3* widerrufen; sein Wort r.: zurücknehmen; einen Antrag vor Gericht r.: zurückziehen

Re|vue [-vy, frz.] *w. 11* **1** *frz. Bez. für* Überblick, Rundschau (oft Titel von Zeitschriften); **2** Bühnenstück mit Musik, Tanz und großer Ausstattung; **3** *veraltet:* Truppenschau; R. passieren lassen *übertr.:* (im Geist) an sich vorbeiziehen lassen; **Re|vue|film** *m. 1* Film in der Art einer Revue (**2**); **Re|vue|girl** [rəvygə:l] *s. 9* Tänzerin in einer Revue (**2**)

Rex [lat.] **1** *m. Gen. - Mz.* Reges [-ge:s] König; **2** *m. Gen. - Mz.* -e, *Schülerspr.:* Rektor

Reyk|ja|vik [raɪkjavi:k, amtl.: rɛɪk-] Hst. von Island

Rey|on *auch:* **Re|yon** [rɛjɔ̃, engl.-frz.] *m. oder s. Gen. - nur Ez.* eine Kunstseide

Re|zen|sent [lat.] *m. 10* Verfasser einer Rezension; **re|zen|sie|ren** *tr. 3;* ein Buch, Theaterstück, einen Film r.: eine Kritik darüber schreiben; **Re|zen|si|on** *w. 10* **1** krit. Besprechung (neuer Bücher, Theateraufführungen, Filme usw.); **2** Bearbeitung eines Textes (zur Neuausgabe); **Re|zen|si|ons|ex|em|plar** *auch:* **-e|xem|plar** *s. 1* Buch, das einem Kritiker gratis zur Besprechung überlassen wird

re|zent [lat.] **1** *Biol., Ethnologie:* in der Gegenwart (noch) lebend; *Ggs.:* fossil; **2** *Geol.:* in jüngerer Erdzeit entstanden (Gestein)

Re|zept [lat.] *s. 1* **1** Kochanleitung; **2** ärztl. Verordnung; **3** *übertr.:* Vorschlag zum Vorgehen, zum Handeln; **Re|zep|ta|ku|lum** *s. Gen.* -s *Mz.* -la **1** *Bot.:* Blütenboden; **2** *Zool.:* sackförmiger Behälter (z. B. zur Aufnahme von Spermien); **Re|zept|block** *m. 9;* **re|zep|tie|ren** *tr. 3;* ein Medikament r.: ein Rezept über ein M. ausstellen; **Re|zep|ti|on** [zu: rezipieren] *w. 10* **1** Übernahme, Aufnahme, Empfang; **2** Empfangsraum (im Hotel); **re|zep|tiv 1** (nur) aufnehmend; **2** empfänglich; **Re|zep|ti|vi|tät** *w. 10 nur Ez.* Empfänglichkeit (für Eindrücke); **Re|zep|tor** *m. 13 meist Mz.* nervöses Organ zur Aufnahme von Reizen; **re|zep|to|risch; re|zept|pflich|tig; Re|zep|tur** *w. 10* **1** Herstellung eines Medikaments nach Rezept; **2** Vorschrift für das Zusammenstellen u. Mischen von Chemikalien; **3** *in Apotheken:* Raum zur Arzneimittelherstellung

Re|zeß ► **Re|zess** [lat.] *m. 1* Auseinandersetzung, Vergleich; Vertrag; **Re|zes|si|on** *w. 10* Rückgang (des wirtschaftl. Wachstums); **re|zes|siv** von anderen Erbfaktoren (ganz oder teilweise) überdeckt; *Ggs.:* dominant; **Re|zes|si|vi|tät** *w. 10 nur Ez.; Ggs.:* Dominanz

re|zi|div [lat.] *Med.:* wiederkehrend, rückfällig; **Re|zi|div** *s. 1, Med.:* Rückfall; **re|zi|di|vie|ren** [-vi-] *intr. 3* wiederauftreten

Re|zi|pi|ent [lat.] *m. 10* **1** Glasglocke, die luftleer gepumpt werden kann; **2** Empfänger (einer Nachricht); **re|zi|pie|ren** *tr. 3* auf-, übernehmen

re|zi|prok [lat.] **1** aufeinander bezogen, wechselseitig; **2** umgekehrt; reziproker Wert: Wert, der durch Vertauschen von Zähler und Nenner eines Bruches entstanden ist, Kehrwert; **Re|zi|pro|zi|tät** *w. 10* Wechselseitigkeit

Re|zi|tal = Recital; **re|zi|tan|do** = recitando; **Re|zi|ta|ti|on** [lat.] *w. 10* künstlerischer Vortrag (von Gedichten u. Ä.); **Re|zi|ta|ti|ons|ton** *m. 2 nur Ez.* Singweise nach Art des Rezitativs; **Re|zi|ta|tiv** *s. 1* Sprechgesang (in Oratorien, Opern u. a.); **re|zi|ta|ti|visch** in der Art eines Rezitativs; **Re|zi|ta|tor** *m. 13* Vortragskünstler; **re|zi|ta|to|risch** in der Art einer Rezitation; **re|zi|tie|ren** *tr. 3* künstlerisch vortragen

rf., rfz. *Abk. für* rinforzando

RGBl. *Abk. für* Reichsgesetzblatt

Rgt. *Abk. für* Regiment (**2**)

RGW *Abk. für* Rat für gegenseitige Wirtschaftshilfe (bis 1991) (→COMECON)

rh *Abk. für* Rhesusfaktor (negativ)

Rh 1 *Abk. für* Rhesusfaktor (positiv); **2** *chem. Zeichen für* Rhodium

Rha|bar|ber [griech.-ital.] *m. 5* eine Heil- und Nutzpflanze

rhab|do|i|disch [griech.] stabförmig; **Rhab|dom** *s. 1* Sehstäbchen (im Auge); **Rhab|do|man|tie** *w. 11 nur Ez.* Wahrsagerei

► = wird zu

mittels geworfener Stäbchen oder Wünschelrute
Rha|ga|de [griech.] *w. 11 meist Mz.* Riss, Schrunde (der Haut)
Rhap|so|de [griech.] *m. 11* altgriech. fahrender Sänger; **Rhap|so|die** *w. 11* **1** erzählendes Gedicht bzw. Gedicht in freien Rhythmen; **2** balladenhaftes Musikstück; **rhap|so|disch 1** in Form einer Rhapsodie; **2** bruchstückhaft
Rhä|ti|kon = Rätikon
Rhea *griech. Myth.:* Gemahlin des Kronos, Mutter des Zeus
Rhein *m. Gen.* -s dt. Fluss; **Rhein|fall** *m. 2 nur Ez.;* **Rhein-Her|ne-Ka|nal** *m. 2 nur Ez.;* **Rhein|hes|sen; rhein|hes|sisch; rhei|nisch;** *aber:* das Rheinische Schiefergebirge; **rhei|nisch-west|fä|lisch;** *aber:* das Rheinisch-Westfälische Industriegebiet; **Rhein|land** (*Abk.:* Rhld.) *s. 1;* **Rhein|län|der** *m. 5; auch:* ein Gesellschaftstanz; **rhein|län|disch; Rhein|land-Pfalz** Land der BR Dtld.; **rhein|land-pfäl|zisch; Rhein-Main-Do|nau-Ka|nal** *m. 2 nur Ez.;* **Rhein|wein** *m. 1;* **rhe|na|nisch** *lat. Bez. für* rheinisch
Rhe|ni|um *s. Gen.* -s *nur Ez.* (*Zeichen:* Re) chem. Element, ein Metall
Rhe|o|lo|gie [griech.] *w. 11 nur Ez.* Fließkunde, Lehre vom Verhalten fast fester oder zähflüssiger Körper; **rhe|o|phil** *Biol.:* strömendes Wasser bevorzugend; **Rheo|stat** *auch:* **Rhe|os|tat** *m. 1* regelbarer elektr. Widerstand; **Rhe|o|ta|xis** *w. Gen. - Mz.* -xen Fähigkeit (von Tieren), sich in strömendem Wasser in Richtung der Strömung zu stellen; **Rhe|o|tro|pis|mus** *m. Gen. - Mz.* -men Wachstum von Pflanzen in Richtung strömenden Wassers
Rhe|sus [neulat.] *m. Gen. - Mz.* -, **Rhe|sus|af|fe** *m. 11* meerkatzenartiger Affe, wichtiges Versuchstier der Medizin; **Rhe|sus|fak|tor** *m. 13* (*Abk.:* Rh-Faktor; rh = Rhesusfaktor negativ [Rh-negativ]; Rh = Rhesusfaktor positiv [Rh-positiv]) von der Blutgruppe unabhängiger Faktor des Blutes, der bei Blutübertragung und Schwangerschaft schwere Störungen hervorrufen kann (bei Rhesusaffen erstmalig festgestellt)
Rhe|tor [griech.] *m. 13, im alten Griechenland:* Redner, Lehrer der Beredsamkeit; **Rhe|to|rik** *w. Gen. - nur Ez.* Redekunst; **Rhe|to|ri|ker** *m. 5* Redekünstler, Lehrer der Rhetorik; **rhe|to|risch** auf Rhetorik beruhend, rednerisch; *übertr.:* schönrednerisch; rhetorische Frage: Frage, auf die keine Antwort erwartet wird
Rheu|ma *s. 9 nur Ez., kurz für* Rheumatismus; **Rheum|ar|thri|tis** [griech.] *w. Gen. - Mz.* -ti|den Gelenkrheumatismus; **Rheu|ma|ti|ker** *m. 5* jmd., der an Rheumatismus leidet; **rheu|ma|tisch; Rheu|ma|tis|mus** *m. Gen. - Mz.* -men Enzündung der Gelenke, Muskeln und Sehnen; **Rheu|ma|to|lo|ge** *m. 11* Facharzt für rheumat. Erkrankungen; **Rheu|ma|wä|sche** *w. 11 nur Ez.* wollhaltige Unterwäsche
Rh-Fak|tor *m. 13, Abk. für* Rhesusfaktor
Rhi|ni|tis [griech.] *w. Gen. - Mz.* -ti|den Nasenschleimhautentzündung; **Rhi|no|lo|ge** *m. 11;* **Rhi|no|lo|gie** *w. 11 nur Ez.* Nasenheilkunde; **rhi|no|lo|gisch; Rhi|no|plas|tik** *w. 10* künstl. Nasenersatz; **Rhi|no|skop** *auch:* **Rhi|nos|kop** *s. 1* Nasenspiegel; **Rhi|no|sko|pie** *auch:* **-nos|ko-** *w. 11* Nasenspiegelung; **Rhi|no|ze|ros** *s. Gen. - oder* -s|ses *Mz.* -s|se Nashorn
rhi|zo|id [griech.] wurzelartig; **Rhi|zom** *s. 1* Wurzelstock; **Rhi|zo|pho|re** *w. 11* Baum mit Luft- oder Stelzwurzeln; **Rhi|zo|po|de** *m. 11 meist Mz.* Wurzelfüßer; **Rhi|zo|po|di|en** *Mz.* Scheinfüßchen (der Rhizopoden); **Rhi|zo|sphä|re** *auch:* **Rhi|zos|phä|re** *w. 11* Bodenschicht, die mit Wurzeln durchsetzt ist
Rhld. *Abk. für* Rheinland
Rho *s. Gen.*-(s) *Mz.* -s (*Zeichen:* ρ, P) griech. Buchstabe
Rhod|a|min *auch:* **Rho|da|min** [griech.] *s. 1 meist Mz.* ein roter, lichtechter Farbstoff
Rho|dan [griech.] *s. 1 nur Ez.* Schwefel-Kohlenstoff-Stickstoff-Gruppe; **Rho|da|nid** *s. 1* Rhodan enthaltendes Salz
Rhode Is|land [roʊd aɪlənd] (*Abk.:* RI) ein Staat der USA; **Rho|de|län|der** [nach Rhode Island] *m. 5* eine Haushuhnrasse
Rho|de|si|en [nach dem Engländer Cecil John Rhodes] *frühere Bez. für* Simbabwe; **Rho|de|si|er** *m. 5;* **rho|de|sisch**
rho|di|nie|ren [griech.] *tr. 3* mit Rhodium überziehen
rho|disch zu Rhodos gehörend
Rho|di|um *s. Gen. - nur Ez.* (*Zeichen:* Rh) chem. Element, ein Metall
Rho|do|den|dron [griech.] *s. od. m. Gen.* -s *Mz.* -dren ein Heidekrautgewächs, Zierpflanze; **Rho|do|den|dron|strauch** *m. 4*
Rho|do|nit [griech.] *m. 1* ein Mineral, ein Schmuckstein; **Rho|do|pen** *Mz.* Gebirge in Südosteuropa
Rho|do|phy|ze|en *Mz.* Rotalgen; **Rho|dop|sin** *s. 1 nur Ez.* Sehpurpur
Rho|dos [auch: ro-] griech. Insel
Rhom|ben *Mz. von* Rhombus; **rhom|bisch** [griech.] in Form eines Rhombus; **Rhom|bo|e|der** *s. 5* durch sechs Rhomben begrenzter Körper; **Rhom|bo|id** *s. 1* schiefwinkliges Parallelogramm mit ungleich langen Seitenpaaren, Drachenviereck; **Rhom|bus** *m. Gen. - Mz.* -ben gleichseitiges, schiefwinkliges Parallelogramm, Raute
Rhön *w. Gen.* - Teil des Hess. Berglandes
Rhön|rad *s. 4* ein Gymnastikgerät
Rho|ta|zis|mus [griech.] *m. Gen. - Mz.* -men Wechsel eines stimmhaften s mit r in wurzelverwandten Wörtern, z. B. Öse – Ohr
Rhus [griech.] *m. Gen. - Mz.* - ein Zierstrauch oder -baum, Essigbaum
Rhyn|cho|te [-çoːtə, griech.] *m. 11 meist Mz.* Schnabelkerfe
Rhythm and Blues [rɪθm ənd bluz] *m. Gen. --- nur Ez.* durch Elemente des Rock ’n ’Roll weiterentwickelter Blues
Rhyth|men *Mz. von* Rhythmus; **Rhyth|mik** [griech.] *w. 10 nur Ez.* **1** Lehre vom Rhythmus; **2** rhythmische Gymnastik; **Rhyth|mi|ker** *m. 5* Komponist oder Musiker, der rhythmische Elemente stark betont; **rhyth|misch; rhyth|mi|sie|ren** *tr. 3* in einen Rhythmus bringen; **Rhyth|mus** *m. Gen. - Mz.* -men Gliederung eines Ton- oder Bewegungsablaufs in zeitlich oder inhaltlich gleiche bzw. ähnliche,

periodisch wiederkehrende Abschnitte (z. B. in der Musik)
RI *Abk. für* Rhode Island
Ri|ad, *amtl.:* ar-Riad *oder* Riyad, Hst. von Saudi- Arabien
Ri|al *m. Gen. - Mz. -* (*Abk.:* RI) Währungseinheit im Iran, im Jemen, in den Vereinigten Emiraten und Oman
Ri|as [span.] *w. Gen. - Mz. -* Küstenform mit zahlreichen ertrunkenen Tälern senkrecht zur Küstenlinie
RIAS *m. Gen. - nur Ez., Kurzw. für* Radio in the American Sector: Rundfunk im amerik. Sektor (von Berlin); seit 1994 Teil des Senders DeutschlandRadio
rib|bel|fest; rib|beln *tr. 1* zwischen Daumen und Zeigefinger reiben
Ri|bi|sel, Ri|bisl [arab.-ital.] *w. 11, österr.:* Johannisbeere
Ri|bo|fla|vin *auch:* **Ri|bof|la|vin** [-vin, Kunstw. aus Ribose + lat. flavus »gelb«] *s. Gen. -s nur Ez.* ein Vitamin (B_2); **Ri|bo|nu|kle|in|säu|re** *auch:* **Ri|bo|nuk|le|in-** [Kunstw. aus Ribose + lat. nucleus »Kern«] *w. 11* (*Abk.:* RNS) ein hochmolekularer Stoff in den Zellen aller Lebewesen (wichtig für Eiweißsynthese); **Ri|bo|se** *w. 11* Einfachzucker mit 5 O-Atomen; **Ri|bo|som** *s. 12* Körnchen im Zellplasma (Ort der Eiweißsynthese)
Ri|cer|car [-tʃɛrkar, lat.-ital.] *s. 1,* **Ri|cer|ca|re** *s. Gen. -s Mz. -ri Mus.:* Vorform der Fuge
Ri|che|lieu|sti|cke|rei [riʃəljø-, nach dem frz. Staatsmann] *w. 10* eine Weißstickerei
Richt|an|ten|ne *w. 11;* **Richt|ba|ke** *w. 11* ein Seezeichen; **Richt|blei** *s. 1 nur Ez.* Bleilot, Senkblei; **Richt|block** *m. 2;* **Rich|te** *w. 11 nur Ez.* gerade Richtung; in die Richte bringen; **rich|ten** *tr. 2;* Richt't euch! (militär. Kommando); **Rich|ter** *m. 5;* **Rich|ter|amt** *s. 4;* **rich|ter|lich; Rich|ter|spruch** *m. 2;* **Rich|ter|stuhl** *m. 2;* auf dem R. sitzen: das Amt des Richters ausüben
Richt|fest *s. 1* Fest nach Fertigstellen des Dachstuhls auf einem Neubau; **Richt|feu|er** *s. 5* Leitsignal für Flugzeuge und Schiffe; **Richt|funk|stre|cke** *w. 11* Nachrichtenverbindung mit gebündelten Funkwellen zw. Relaisstationen

> **richtig gehen/gehend/machen/stellen, der Richtige:** Das Gefüge aus Adjektiv und Verb/Partizip wird getrennt geschrieben, wenn das Adjektiv steigerbar oder erweiterbar ist: *Eine richtig gehende Uhr… Das können wir richtig machen* (= korrigieren). *Er musste seine Aussage richtig stellen.*
> →§ 34 E3 (3)
> Aber: *eine richtiggehende Verschwörung* (= eine wirkliche). Das substantivierte Adjektiv schreibt man groß: *der/die/das (einzig) Richtige (sein/tun); das Richtigste sein; (es) für das Richtigste halten.* →§ 57 (1)

rich|tig 1 *Kleinschreibung:* die Uhr geht richtig; eine richtig gehende Uhr; **2** *Großschreibung:* etwas, nichts Richtiges; an den Richtigen geraten; der Richtige sein; etwas für das Richtige (= richtig) halten; das Richtige tun; **3** *in Verbindung mit Verben:* das Kind kann noch nicht richtig gehen; der Teppich muss richtig liegen; ein richtig liegender Teppich; er hat mit seiner Einschätzung richtig gelegen; etwas richtig machen; einen Schrank richtig stellen; einen Irrtum richtig stellen; **rich|tig|ge|hend;** das ist r. nett *ugs.:* wirklich nett, sehr nett; ich habe einen richtiggehenden Zorn auf ihn *ugs.:* wirklichen Zorn; **Rich|tig|keit** *w. 10 nur Ez.;* **rich|tig|lie|gen** ► **rich|tig lie|gen; rich|tig|ma|chen** ► **rich|tig ma|chen; rich|tig|stel|len** ► **rich|tig stel|len; Rich|tig|stel|lung** *w. 10*
Richt|kranz *m. 2* Kranz auf dem Dach beim Richtfest; **Richt|lat|te** *w. 11* = Richtscheit; **Richt|li|nie** *w. 11* Vorschrift, Anweisung; **Richt|maß** *s. 1* Eichmaß
Richt|platz *m. 1, früher:* Platz für Hinrichtungen, Richtstätte; **Richt|preis** *m. 1* **1** von Behörden oder Herstellern empfohlener Preis; **2** vorläufig kalkulierter Preis; **Richt|scheit** *s. 1* Maurer- und Zimmermannswerkzeug zum Geraderichten von Mauern, Fußböden u. a., Richtlatte, Setzlatte; **Richt|schnur** *w. 2* **1** Schnur (des Maurers und Gärtners) zum Bezeichnen einer geraden Linie; **2** *nur Ez.* Grundsatz, Leitsatz; **Richt|schwert** *s. 3;* **Richt|stät|te** *w. 11* = Richtplatz; **Richt|strah|ler** *m. 5* Richtantenne für Kurzwellen
Rich|tung *w. 10;* **rich|tung|än|dernd; rich|tung|ge|bend; Rich|tungs|an|zei|ger** *m. 5;* **rich|tungs|los; Rich|tungs|sta|bi|li|tät** *w. 10 nur Ez.;* **Rich|tungs|wech|sel** *m. 5;* **rich|tung|wei|send; Richt|waa|ge** *w. 11* = Wasserwaage; **Richt|wert** *m. 1* günstiger Erfahrungswert; **Richt|zahl** *w. 10* einen ungefähren Wert angebende Zahl
Rick *s. 1, ugs.:* Latte, Gestell, Regal
Ri|cke *w. 11* weibl. Reh nach dem ersten Wurf
Ri|ckett|si|en [nach dem amerik. Pathologen Howard Taylor Ricketts] *w. 11 Mz.* eine Gruppe von bakterienähnl. Organismen, Erreger von Fleckfieber u. a.
Ri|deau [rido, frz.] *m. 9, schweiz.:* Vorhang
ri|di|kül [frz.] lächerlich; **Ri|di|kül,** Re|ti|kül *m. 1 od. s. 1, veraltet:* Handarbeitstasche
Rieb|ei|sen *s. 7, österr. für* Reibeisen
rie|chen *tr. u. intr. 99;* jmdn. nicht riechen können *ugs. übertr.:* jmdn. nicht leiden können; **Rie|cher** *m. 5, ugs.:* Nase; für etwas einen R. haben *ugs. übertr.:* ein Ahnungsvermögen haben; **Riech|nerv** *m. 2, fachsprachl.: m. 10;* **Riech|salz** *s. 1*
Ried *s. 1* **1** Schilf; **2** Moor, Sumpf; **3** *österr. auch:* eine Flurbezeichnung, z. B. für ein Weinbaugebiet; **Rie|de** *w. 11, österr. für* Ried (**3**); **Ried|gras** *s. 4*
Rie|fe *w. 11* Furche, Längsrinne; **rie|fe|lig,** rief|lig voller Riefen, mit Riefen versehen; **rie|feln** *tr. 1, Nebenform von* riefen; **Rie|fe|lung,** Rief|lung *w. 10;* **rie|fen** *tr. 1* furchen; **rie|fig** = riefelig
Rie|ge *w. 11* Gruppe von Turnern mit Vorturner
Rie|gel *m. 5;* einer Sache einen Riegel vorschieben *übertr.:* eine Sache verhindern; hinter Schloss und Riegel *übertr.:* im Gefängnis; **Rie|gel|bau** *m. Gen. -(e)s Mz. -ten, schweiz.:* Fachwerkbau

► = wird zu

rie|geln *tr. 1* ab-, verriegeln; *auch Jägerspr.:* mit wenigen Treibern jagen; **Rie|gel|stel|lung** *w. 10, Mil.:* befestigte Verteidigungsstellung; **Rie|gel|werk** *s. 1* **1** *nur Ez.* Fachwerk; **2** Befestigung
Rie|gen|füh|rer *m. 5;* **rie|gen|wei|se**
Riem|chen *s. 7;* **Rie|men** *m. 7;* **1** Lederstreifen; Gürtel; den R. enger schnallen *ugs. übertr.:* sich einschränken; sich am R. reißen *ugs. übertr.:* sich zusammennehmen, sich anstrengen; **2** *Seew.:* Ruder; sich in die Riemen legen *ugs. übertr.:* sich anstrengen; **Rie|men|an|trieb** *m. 1* Antrieb mittels Treibriemens; **Rie|men|schei|be** *w. 11* Rad mit Auflage für einen Treibriemen
Rien ne va plus [riɛ̃nəvaply, frz.] Es geht nichts mehr (Ansage beim Roulettespiel)
Ries 1 [arab.] *s. Gen. - Mz.* - Mengeneinheit für Papier, 1000 Bogen; **2** [lat.] *s. 1 nur Ez.* Landschaft zwischen Schwäbischer und Fränkischer Alb
Rie|se 1 *m. 11;* **2** *w. 11, süddt., österr.:* Holzrutsche (im Gebirge); **3** *eigtl.:* Ries, *Adam* dt. Rechenmeister (1492–1559); nach Adam Riese *ugs.:* genau gerechnet
Rie|sel|feld *s. 3* Feld zur Abwasserreinigung; **rie|seln** *intr. 1* **rie|sen** *tr. 1, süddt., österr.:* auf einer Riese zu Tal befördern (Holz)
rie|sen..., Rie|sen... *in Zus. oft ugs.:* sehr groß
Rie|sen|ar|beit *w. 10 nur Ez. ugs.:* **rie|sen|groß; rie|sen|haft; Rie|sen|rad** *s. 4;* **Rie|sen|schlan|ge** *w. 11;* **Rie|sen|sla|lom** *m. 9, Skisport:* Art des Slaloms; **rie|sen|stark; Rie|sen|wel|le** *w. 11* Schwung um das Reck mit ausgestrecktem Körper; **Rie|sen|wuchs** *m. Gen.* -es *nur Ez.* abnormes Wachstum, Gigantismus, Hypersomie, Makromelie, Makrosomie; **rie|sig** sehr groß; riesig groß, *ugs.:* sehr; **rie|sisch** zu den Riesen gehörend
Ries|ling *m. 1* eine Traubensorte
Riet *s. 1,* **Riet|kamm** *m. 2* Vorrichtung am Webstuhl zum Führen der Kettfäden
Rif *s. 1 nur Ez.,* **Rif|at|las** *m. Gen. - nur Ez.* Bergland in Marokko
Riff *s. 1* **1** Felsklippe im Meer; **2** [engl.] *im Jazz:* mehrmals wiederholtes, rhythmisch betontes Motiv
Rif|fel *w. 11* Gerät zum Kämmen des Flachses; **Rif|fel|blech** *s. 1* Wellblech; **rif|fe|lig** furchig, geriffelt, gerieft; **rif|feln** *tr. 1* **1** kämmen (Flachs); **2** = riefen; ich riffele, riffle es
Riff|ko|ral|le *w. 11* ein Riff bildende Koralle
Rif|ka|by|le *m. 11* Bewohner des marokkan. Rifs
Ri|ga Hst. von Lettland; **Ri|ga|er** *m. 5;* **ri|ga|isch;** *aber:* der Rigaische Meerbusen
Ri|ga|to|ni [ital.] *Mz.* gerillte Röhrennudeln
Ri|gau|don [-godɔ̃, frz.] *m. Gen.* -(s) *Mz.* -s provenzal. Volkstanz des 16. Jh.
Ri|gel [arab.] *m. Gen. - nur Ez.* Stern im Sternbild Orion
Rigg [engl.] *s. 9,* **Rig|gung** *w. 10, Seew.:* Masten und Takelung
Right or wrong, my coun|try! *auch:* **---- count|ry** [raɪt ɔːr rɔŋ maɪ kʌntrɪ, engl.] Recht oder Unrecht, (es ist) mein Vaterland (polit. Schlagwort nach einem Ausspruch des amerik. Admirals Stephen Decatur)
ri|gid [lat.], **ri|gi|de** starr, steif; **Ri|gi|di|tät** *w. 10 nur Ez.* Starre, Versteifung
Ri|go|le [frz.] *w. 11* Rinne, Entwässerungsgraben; **ri|go|len,** ra|jo|len *tr. 1* tief pflügen oder umgraben; **Ri|gol|pflug** *m. 2*
Ri|gor [lat.] *m. Gen.* -s *nur Ez.* Muskelstarre; **Ri|go|ris|mus** *m. Gen. - nur Ez.* übermäßige Strenge, starres Festhalten an Grundsätzen, Unerbittlichkeit; **ri|go|ris|tisch; ri|go|ros** unerbittlich, rücksichtslos; **Ri|go|ro|si|tät** *w. 10 nur Ez.;* **ri|go|ro|so** [ital.] *Mus.:* genau im Takt; **Ri|go|ro|sum** [lat.] *s. Gen.* -s *Mz.* -sa mündl. Teil der Doktorprüfung
Rig|ve|da [sanskr.] *m. Gen.* -(s) *nur Ez.* altind. Hymnensammlung
Ri|kam|bio [ital.] *m. Gen.* -s *Mz.* -bi|en, *Bankw.:* Rückwechsel, Ritratte
Rik|scha [jap.] *w. 9, in Ostasien:* zweirädriges, von einem Mann zu Fuß oder mit dem Fahrrad gezogenes Fahrzeug zur Personenbeförderung, Jinrikscha
Riks|mål [-mɔːl, norw.] *s. Gen.* -(s) *nur Ez.* = Bokmål **Ril|le** *w. 11;* **ril|len** *tr. 1;* **Ril|len|pro|fil** *s. 1;* **ril|lig**
Ri|mes|se [lat.-ital.] *w. 11* **1** Begleichung einer Schuld durch Übersendung eines Wechsels; **2** der übersandte Wechsel
Ri|na|sci|men|to [-ʃi-, ital. »Wiedergeburt«] *s. Gen.* -s *nur Ez., ital. Bez. für* Renaissance
Rind *s. 3*
Rin|de *w. 11;* **Rin|den|boot** *s. 1*
Rin|der|bra|ten *m. 7;* **Rin|der|brem|se** *w. 11* eine Stechfliege; **rin|de|rig** brünstig (Kuh); **rin|dern** *intr. 1* brünstig sein (Kuh); **Rin|der|talg** *m. 1 nur Ez.;* **Rin|der|wahn|sinn** *m. 1 nur Ez.* übertragbare Rinderkrankheit; **Rind|fleisch** *s. 1 nur Ez.*
rin|dig mit Rinde umgeben, wie Rinde
Rind|le|der, Rinds|le|der *s. 5 nur Ez.;* **Rinds|bra|ten** *m. 7, süddt. für* Rinderbraten; **Rinds|le|der** *s. 5 nur Ez.;* **rinds|le|dern; Rinds|len|de** *w. 11;* **Rind|sup|pe** *w. 11, österr.:* Fleischbrühe; **Rind|vieh 1** *s. Gen.* -s *nur Ez.;* **2** *s. Gen.* -s *Mz.* -vie|cher *Schimpfwort*
rin|for|zan|do [ital.] (*Abk.:* rf., rfz.) *Mus.:* stärker werdend; **rin|for|za|to** *Mus.:* plötzlich verstärkt
ring *süddt., schweiz.:* leicht, ohne Mühe
Ring *m. 1;* **Ring|bahn** *w. 10;* **Rin|gel** *m. 5* etwas kreisförmig Gewundenes; **Rin|gel|chen** *s. 7;* **rin|ge|lig,** ring|lig; **Rin|gel|lo|cke** *w. 11;* **rin|geln** *tr. 1;* ich ringele, ringle es; **Rin|gel|nat|ter** *w. 11;* **Rin|gel|piez** *m. 1, ugs., scherzh.:* volkstümliche Tanzveranstaltung; **Rin|gel|rei|gen, Rin|gel|rei|hen** *m. 7;* **Rin|gel|spiel** *s. 1, österr. für* Karussell; **Rin|gel|ste|chen** *s. 7 nur Ez.* ein Geschicklichkeitsspiel, bei dem vom Pferd aus mit der Lanze ein aufgehängter Ring herabgeholt werden muss, Rolandsreiten; **Rin|gel|tau|be** *w. 11* eine Wildtaube, Holztaube
rin|gen *intr. 100;* **Rin|ger** *m. 5;* **Rin|ger|griff** *m. 1;* **rin|ge|risch**
Ring|fin|ger *m. 5*
Ring|kampf *m. 2;* **Ring|kämp|fer** *m. 5*

Ring|lein *s. 7, poet.;* **ring|lig,** ring|gel|lig
Rin|glot|te *w. 11, österr. für* Reneklode
Ring|mus|kel *m. 14;* **Ring|pan|zer** *m. 5* Panzer aus kleinen, verschlungenen Ringen, Kettenpanzer; **Ring|rich|ter** *m. 5, Boxen:* Schiedsrichter
rings; rings um mich her; rings um die Insel; *aber:* → ringsum; **rings|her|um** *auch:* **-he|rum; rings|um** auf allen Seiten; ringsum war nur das Meer; vgl. rings; **rings|um|her; Ring|tausch** *m. 1 nur Ez.;* **Ring|ten|nis** *s. Gen. - nur Ez.* Spiel mit Gummiringen über ein Netz hinweg
Rink *m. 10,* **Rin|ke** *w. 11,* **Rin|ken** *m. 7, alemann.:* Spange, Schnalle
Rin|ne *w. 11;* **rin|nen** *intr. 101;* **Rinn|sal** *s. 1* kleiner Wasserlauf; **Rinn|stein** *m. 1* Abflussrinne neben dem Fußweg
Rio [port.], **Río** [span.] *m., in geogr. Namen:* Fluss; **Rio de Ja|nei|ro** [ʒanero] Gliedstaat, Stadt in Brasilien; **Rio de la Pla|ta** südamerik. Strom; **Rio-de-la-Pla|ta-Bucht** *w. 10 nur Ez.*
Ri|o|ja [rioxa, span.] *m. 9* weißer oder roter trockener Mischwein aus Spanien (nach der Landschaft La Rioja)
rip. *Abk. für* ripieno
R. I. P. *Abk. für* requiescat in pace
ri|pie|no [-pjɛ-, ital.] (*Abk.:* rip.) *Mus.:* mit dem ganzen Orchester
Ri|pos|te [lat.-ital.] *w. 11, Fechten:* Gegenstoß nach einem parierten Hieb; **ri|pos|tie|ren** *intr. 3*
Ripp|chen *s. 7;* **Rip|pe** *w. 11*
Rip|pel|mar|ken *w. 11 Mz.* Wellenfurchen (am Sandstrand); **rip|peln 1** *refl. 1, nddt.:* sich beeilen; **2** *tr. 1, Nebenform von* rippen; **Rip|pel|samt** *m. 1* = Cordsamt
rip|pen *tr. 1* mit Rippen versehen, furchen; **Rip|pen|fell** *s. 1* Brustfell; **Rip|pen|samt** *m. 1* = Cordsamt; **Rip|pen|speer,** Rippspeer *m. 1 oder s. 1 nur Ez.* gepökeltes Rippenstück vom Schwein; **Ripp|samt** *m. 1* = Cordsamt; **Ripp|speer** *m. 1 oder s. 1 nur Ez.* = Rippenspeer

rips!; rips, raps!
Rips [engl.] *m. 1* geripptes Gewebe
ri|pu|a|risch rheinfränkisch
ri|ra|rutsch!
Ri|sa|lit [ital.] *m. 1* senkrecht in ganzer Höhe vorspringender Teil eines Gebäudes
Ri|si|ko [ital.] *s. Gen. -s Mz. -s* oder -ken, *österr. Mz. auch:* Ris|ken, Gefahr, bes.: Verlustgefahr; **ri|si|ko|frei; ri|si|ko|los; Ri|si|ko|prä|mie** *w. 11*
Ri|si|pi|si [aus ital. riso con piselli »Reis mit Erbsen«] *s. Gen. -* (s) *Mz. -* ein Reisgericht
ris|kant [frz.]; **ris|kie|ren** *tr. 3* wagen; Kopf und Kragen r. *ugs.:* sein Leben wagen; eine Lippe r. *ugs.:* seine Meinung offen sagen
Ri|skon|tro [ital.] *s. 9 nur Ez.* = Skontro
Ri|sor|gi|men|to [-dʒi-, ital. »Wiedererstehung«] *s. Gen.* -(s) *nur Ez.* ital. Einigungsbewegung zwischen 1815 und 1871
Ri|sot|to [-zɔto, ital.] *m. Gen.* -(s) *Mz.* -s, *österr. u. schweiz. ugs. auch s. Gen. - Mz.* -(s) dicker gekochter Reis
Ris|pe *w. 11;* **Ris|pen|gras** *s. 4* ein Süßgras; **ris|pig** in der Art von Rispen

> **Riss:** Nach kurzem Vokal wird *-ss-* geschrieben: *der Riss; der Stoff ist rissfest; Risspilz.* → § 25

Riß ► **Riss** *m. 1; auch Jägerspr.:* Beute (des Großraubwildes); **riß|fest** ► **riss|fest; ris|sig** voller Risse; **Riß|wun|de** ► **Riss|wun|de** *w. 11*
Rist *m. 1* **1** Hand-, Fußrücken; **2** *beim Pferd:* Übergang vom Hals zum Rücken
Ris|te *w. 11* **1** Flachsbündel; **2** = Reiste
Rist|griff *m. 1, Gerätturnen:* Griff von oben
ri|stor|nie|ren *auch:* **ris|tor-** *tr. 3* **1** = stornieren; **2** rückerstatten (Versicherungsprämie); **Ri|stor|no** *auch:* **Ris|tor-** *m. 9 oder s. 9* **1** = Storno; **2** Vergütung (einer Prämie)
rit. *Abk. für* ritardando, ritenuto
ri|tard. *Abk. für* ritardando; **ri|tar|dan|do** [ital.] (*Abk.:* rit., ritard.) *Mus.:* langsamer werdend; *Ggs.:* accelerando; **Ri|tar|dan|do** *s. Gen.* -(s) *Mz.* -s *oder* -di ritardando zu spielender Teil eines Musikstücks
ri|te [-te:, lat.] **1** richtig, ordnungsgemäß; **2** genügend, gerade noch ausreichend (niedrigste Note bei der Doktorprüfung)
ri|ten. *Abk. für* ritenuto
Ri|ten *Mz. von* Ritus; **Ri|ten|kon|gre|ga|ti|on** *auch:* **-kong|re-** [lat.] *w. 10 nur Ez.* eine päpstl. Verwaltungsbehörde
ri|te|nu|to [ital.] (*Abk.:* rit., riten.) *Mus.:* zurückhaltend
Ri|tor|nell [ital.] *s. 1* **1** ital. Volksliedform mit dreizeiligen Strophen; **2** instrumentales Zwischenspiel zwischen den Strophen eines Liedes; **3** *im Concerto grosso:* Spiel des gesamten Orchesters, Tutti
Ri|trat|te [ital.] *w. 11* = Rikambio
ritsch!; ritsch, ratsch!
Rit|schert *s. Gen. -s nur Ez. österr.:* Speise aus Graupen und Hülsenfrüchten
Ritt *m. 1*
Ritt|ber|ger *m. Gen. -s Mz. -* nach dem Eiskunstläufer W. Rittberger benannter Drehsprung im Eiskunstlauf
Rit|ter *m. 5;* arme R.: Gericht aus in Milch eingeweichten, mit Ei und Zucker panierten, gebackenen Semmelscheiben; der R. von der traurigen Gestalt: Beiname des Don Quijote von Cervantes; **Rit|ter|a|ka|de|mie** *w. 11, 16.–18. Jh.:* Ausbildungsstätte für junge Adlige; **Rit|ter|gut** *s. 4;* **Rit|ter|kreuz** *s. 1* hohe Stufe des Ordens vom Eisernen Kreuz; **rit|ter|lich; Rit|ter|lich|keit** *w. 10 nur Ez.;* **Rit|ter|or|den** *m. 7;* **Rit|ter|schlag** *m. 2 nur Ez.;* den R. empfangen: in den Ritterstand aufgenommen werden; **Rit|ters|mann** *m. Gen.* -(e)s *Mz.* -leute, *veraltet, volkstüml. für* Ritter; **Rit|ter|sporn** *m. 1* eine Zierpflanze; **Rit|ter|stern** *m. 1* eine Zierpflanze; **Rit|ter|tum** *s. 4 nur Ez.;* **rit|tig** zugeritten; **ritt|lings** im Reitersitz; **Ritt|meis|ter** *m. 5, früher:* Hauptmann der Kavallerie
ri|tu|al *Nebenform von* rituell; **Ri|tu|al** [lat.] *s. Gen. -s Mz. -e oder* -li|en **1** Gesamtheit der Riten; **2** *auch:* (einzelner) Ritus; **Ri|tu|a|le** *s. Gen.* -(s) *nur Ez.* Buch mit Anweisungen für die kath. Liturgie; **ri|tu|a|li|sie|ren** *tr. 3* zum Ritus erheben, in ritu-

► = wird zu

eller Form durchführen; **Ri|tu|a|li|sie|rung** *w. 10;* **Ri|tu|a|lis|mus** *m. Gen. - nur Ez.* Bestrebung in der anglikan. Kirche, die kath. Riten wiedereinzuführen; **Ri|tu|a|list** *m. 10;* **Ri|tu|al|mord** *m. 1* Mord zu rituellem Zweck, Menschenopfer; **ri|tu|ell** auf einen Ritus beruhend, nach einem Ritus, in der Art eines Ritus; **Ri|tus** *m. Gen. - Mz.* -ten kult. Brauch, relig. Handlung, Ritual

Ritz *m. 1,* **Rit|ze** *w. 11;* **Rit|zel** *s. 5* kleines Zahnrad, das ein größeres antreibt; **rit|zen** *tr. 1;* **Rit|zer** *m. 5, ugs.:* kleine Schramme

Ri|va|le [-va-, lat.-frz.] *m. 11* Nebenbuhler, Mitbewerber; **Ri|va|lin** *w. 10;* **ri|va|li|sie|ren** *intr. 3* wetteifern; **Ri|va|li|tät** *w. 10* Nebenbuhlerschaft, Wettbewerb

Ri|vie|ra [-vje-, ital.] *w. Gen. - Mz.* -ren Küstenstreifen am Mittelmeer, bes. zwischen La Spezia und Toulon

Ri|yal [rijal, arab.] *m. Gen. - Mz.* - (*Abk.:* RI, SRI) Währungseinheit in Saudi-Arabien

Ri|zi|nus [lat.] *m. Gen. - Mz. - oder* -nus|se eine Heilpflanze; **Ri|zi|nus|öl** *s. 1 nur Ez.* aus den Samen des Rizinus gewonnenes Abführmittel

r.-k. *österr. Abk. für* römisch-katholisch

R. K. *Abk. für* Rotes Kreuz

RKW *Abk. für* Rationalisierungskuratorium der Deutschen Wirtschaft

RI *Abk. für* Rial, Riyal

Rm *früher* rm *Abk. für* Raummeter

RM *Abk. für* Reichsmark

Rn *chem. Zeichen für* Radon

RNS *Abk. f.* Ribonukleinsäure

Roads|ter [roʊdstər, engl.] *m. 5* offener, zweisitziger Sportkraftwagen

Roast|beef [roʊstbi:f, *ugs. auch:* rɔst-, engl.] *s. 9* Rindslendenbraten

Rob|be *w. 11;* **rob|ben** *intr. 1* wie eine Robbe auf Knien und Ellenbogen kriechen; **Rob|ben|schlag** *m. 2* Art der Robbenjagd (mit Knüppeln)

Rob|ber [engl.], Rub|ber [rʌb-] *m. 5, Bridge, Whist:* Doppelpartie

Ro|be [frz.] *w. 11* **1** Abendkleid; **2** Amtstracht (der Richter, Geistlichen u. a.)

Ro|bi|nie [-njə, nach dem frz. Botaniker J. Robin] *w. 11* ein Zierbaum oder -strauch

Ro|bin|so|na|de *w. 11* **1** [nach Robinson Crusoe, der Titelgestalt eines Romans von Daniel Defoe] Abenteuerroman eines Schiffbrüchigen; *auch:* abenteuerl. Erlebnis; **2** [nach dem engl. Torhüter J. Robinson] *Fuß-, Handball:* Hechtsprung des Torwarts

Ro|bo|rans [lat.] *s. Gen. - Mz.* -ran|tia [-tsja] *oder* -ran|zi|en, Med.: Stärkungsmittel

ro|bo|ten [tschech.] *intr. 2, ugs.:* hart arbeiten; **Ro|bo|ter** *m. 5* **1** *ugs.:* Schwerarbeiter; **2** »Maschinenmensch«, elektronisch gesteuerter Automat

ro|bust [ital.] derb, stämmig und kräftig; **Ro|bust|heit** *w. 10 nur Ez.*

Ro|cail|le [rokaj(ə), frz.] *s. 9 oder w. 9* = Muschelwerk

Roch, Rock, Rok, Ruch [pers.-arab.] *m. Gen. - nur Ez.* Riesenvogel (in pers. und arab. Märchen)

Ro|cha|de [-xa- oder -ʃa-, pers.-frz.] *w. 11* **1** *Schach:* Doppelzug mit König und Turm; **2** *Sport:* Stellungswechsel (z. B. der Fußballspieler)

rö|cheln *intr. 1*

Ro|chen [-xən] *m. 7* ein Meeresfisch

Ro|chett [rɔʃɛt, frz.] *s. 9* Chorhemd (der kath. Geistlichen)

ro|chie|ren [-xi- oder -ʃi-, pers.-frz.] *intr. 3* eine Rochade (**1** und **2**) ausführen

Rock 1 *m. 2;* der Heilige Rock (Christi): eine Reliquie in Trier; **2** *m. Gen. - nur Ez.* = Roch; **3** *m. Gen.* -s *nur Ez., kurz für* Rock 'n' Roll

Rock and Roll = Rock 'n' Roll; **Rock-and-Roll-Mu|si|ker** = Rock-'n'-Roll-Musiker

Röck|chen *s. 7*

Ro|cken *m. 7* **1** *am Spinnrad:* Holzstab, um den die zu spinnenden Fasern gewickelt sind; **2** Trockengestell für Heu

Ro|cken|bol|le [Eindeutschung von Rokambole] *w. 11, norddt.:* Perlzwiebel

Ro|cken|stu|be *w. 11, früher:* Spinnstube

Ro|cker [engl.] *m. 5* motorisierter jugendl. Rowdy

Rock 'n' Roll, Rock and Roll [rɔknroʊl, amerik. »wiegen und rollen«] *m. Gen. --- nur Ez.* **1** ein amerik. Musikstil; **2** ein amerik. Tanz; **Rock-'n'-Roll-Mu|si|ker** *m. 5*

Rocks [engl.] *Mz.* Fruchtbonbons

Rock|schoß *m. 2*

Rock|well|här|te [nach dem engl. Ingenieur S. P. Rockwell] *w. 11 nur Ez.* (*Abk.:* HR) Maß für die Härte von Werkstoffen

Rocky Moun|tains [rɔkı maʊntınz, engl. »Felsengebirge«] *Mz.* Gebirge im westl. Nordamerika

Rock|zip|fel *m. 5;* an jmds. R. hängen *ugs. übertr.:* unselbständig sein

Ro|del *m. 5, bayr., österr.:* Schlitten; **Ro|del|bahn** *w. 10* **ro|deln** *intr. 1* **1** Schlitten fahren; ich rodele, rodle; **2** *Jägerspr.:* balzen (Auerhahn); **Ro|del|schlit|ten** *m. 7*

ro|den *tr. 2* urbar, anbaufähig machen (Land)

Ro|deo [engl.] *m. 9* **1** *in den USA:* Zusammentreiben v. Vieh; **2** Reiterschau der Cowboys

Rod|ler *m. 5* jmd., der rodelt

Ro|do|mon|ta|de [frz.] *w. 11 veraltet für* Großtuerei, Prahlerei; **ro|do|mon|tie|ren** *intr. 3*

Ro|don|ku|chen [frz.] *m. 7* Napfkuchen

Ro|dung *w. 10*

Ro|ga|te [lat. »bittet!«, nach Joh. 16, 24] fünfter Sonntag nach Ostern

Ro|gen *m. 7* Laich (Eier) der Fische; **Ro|ge|ner,** Rog|ner *m. 5* weibl. Fisch; *Ggs.:* Milchner; **Ro|gen|stein** *m. 1* = Oolith

Rog|gen *m. 7;* **Rog|gen|brot** *s. 1;* **Rog|gen|muh|me** *w. 11, dt. Myth.:* weibl. Dämon, Korngespenst

Rog|ner *m. 5* = Rogener

> **im/aus dem Rohen:** Das substantivierte Adjektiv *roh* schreibt man mit großem Anfangsbuchstaben: *Das Haus ist im Rohen fertig. Sie wollten aus dem Rohen arbeiten.* →§ 57 (1)

roh; rohe Gewalt; roher Schinken; im Rohen fertig sein; aus dem Rohen arbeiten; rohe Pferde: nicht eingefahrene bzw. zugerittene Pferde; **Roh|bau** *m. Gen.* -(e)s *Mz.* -ten; **Roh|ei|sen** *s. 7 nur Ez.;* **Ro|heit** ▶ **Roh|heit; ro|her|wei|se; Roh-**

Rohheit: Die bisherige Schreibweise Roheit wird verändert. Auch bei der Endung *-heit* soll ein vorausgehendes *-h-* erhalten bleiben. Entsprechend heißt es: *die Rohheit.* Ebenso: *die Zähheit.*

ge|wicht *s. 1* Bruttogewicht; **Roh|heit** *w. 10;* **Roh|kost** *w. Gen. - nur Ez.;* **Roh|köst|ler** *m. 5* jmd., der sich nur von Rohkost ernährt; **Roh|ling** *m. 1* **1** roher Mensch; **2** unpoliertes Gussstück; **Roh|ma|te|ri|al** *s. Gen.* -s *Mz.* -li|en; **Roh|öl** *s. 1;* **Roh|pro|dukt** *s. 1* = Rohstoff
Rohr *s. 1* **1** langer, runder Hohlkörper, z. B. Wasser(leitungs)rohr; **2** *nur Ez.* Pflanze mit rohrartigem Stängel; **3** *süddt., österr.:* Backröhre, Backrohr; einen Kuchen ins Rohr schieben; **Rohr|blatt** *s. 4* Blatt aus Schilf- oder Zuckerrohr im Mundstück mancher Holzblasinstrumente; **Rohr|bruch** *m. 2;* **Röhr|chen** *s. 7;* **Rohr|dom|mel** *w. 11* ein Reiher; **Röh|re** *w. 11;* in die R. gucken *übertr. ugs.:* **1** leer ausgehen, das Nachsehen haben; **2** *scherzh.:* fernsehen
röh|ren *intr. 1, Jägerspr.:* schreien (vom Hirsch in der Brunft)
Röh|ren|kno|chen *m. 7;* **Röh|ren|pilz** *m. 1;* **Rohr|flö|te** *w. 11;* **Röh|richt** *s. 1* Dickicht aus Schilfrohr; **röh|rig** wie eine Röhre; **Rohr|kol|ben** *m. 7* Sumpfpflanze mit walzigem Blütenstand; **Rohr|kre|pie|rer** *m. 5* Geschoss, das noch im Lauf krepiert; **Rohr|le|ger** *m. 5;* **Rohr|lei|tung** *w. 10;* **Röhr|ling** *m. 1* Röhrenpilz, Röhrenschwamm; **Rohr|mö|bel** *s. 5 Mz.* Möbel aus Bambusrohr; **Rohr|nu|del** *w. 11* süßer, im Rohr gebackener Hefekloß; **Rohr|post** *w. Gen. - nur Ez.* Anlage zur Postbeförderung, bei der die Post in verschlossenen Hülsen durch Rohre geblasen wird; **Rohr|sän|ger** *m. 5* ein Singvogel; **Rohr|spatz** *m. 12* Drosselrohrsänger; schimpfen wie ein R. *ugs.;* **Rohr|stock** *m. 2;* **Rohr|zu|cker** *m. 5 nur Ez.* **Roh|sei|de** *w. 11;* **roh|sei|den;** **Roh|stahl** *m. 2;* **Roh|stoff** *m. 1* Naturerzeugnis vor der Verarbeitung; **Roh|wol|le** *w. 11;* **Roh|zu|stand** *m. 2 nur Ez.*

ro|jen *intr. 2, nddt.:* rudern
Ro|ko|ko [auch: rɔkɔko, österr.: rɔkɔko] *s. Gen.* -(s) *nur Ez., Anfang 18. Jh.:* Stilrichtung mit beschwingten, zierlichen Formen
Ro|lands|lied *s. 3 nur Ez.* ein altfrz. Heldengedicht; **Ro|lands|rei|ten** *s. Gen.* -s *nur Ez.* = Ringelstechen; **Ro|land(s)|säu|le** *w. 11* in nord- und nordmitteldt. Städten verbreitete, mittelalterliche Bildsäule auf Markt- u. a. Plätzen
Rol|la|den ▶ **Roll|la|den** *m. 8;* **Roll|bahn** *w. 10;* **Roll|brett** *s. 3* = Skateboard; **Röll|chen** *s. 7;* **Rol|le** *w. 11;* **rol|len** *tr. u. intr. 1;* Wäsche rollen: mangeln; **Rol|len|er|war|tung** *w. 10 nur Ez.* Erwartung, dass sich eine Person auf Grund ihrer sozialen Stellung in bestimmter Weise verhält; **Rol|len|fach** *s. 4, Theater:* bestimmte Art von Rollen, z. B. jugendl. Liebhaber; **Rol|ler** *m. 5; auch:* Kanarienvogelart; *österr. auch für* Rollladen; **Rol|ler|bla|des** ▶ *auch:* **Roller-Blades** [roulə bleidz, engl.] *Mz.* kufenähnliche Rollen, die unter den Schuhen befestigt werden, um Laufstrecken auf der Straße schnell zu bewältigen; **Rol|ler|skates** ▶ *auch:* **Rol|ler-Skates** [roulə skeits, engl.] *Mz.* Rollschuh mit Kunststoffrollen und -kugellagern; **rol|lern** *intr. 1* mit dem Roller (Kinderfahrzeug) fahren; **Roll|feld** *s. 3;* **Roll|film** *m. 1;* **Roll|fuhr|dienst** *m. 1* Unternehmen zur Beförderung von Frachtgut vom und zum Bahnhof; **Roll|geld** *s. 3* Gebühr für die Beförderung durch den Rollfuhrdienst; **Roll|gers|te** *w. 11 nur Ez.* Gerstengraupen; **Roll|gut** *s. 4* mit Rollfuhrdienst zu beförderndes Frachtgut; **Roll|hü|gel** *m. 5* = Trochanter; **Roll|kom|man|do** *s. 9* motorisierte Streife; **Roll|kur** *w. 10, Med.:* eine Kur bei leichter Magenerkrankung; **Roll|kut|scher** *m. 5* Kutscher eines Rollwagens; **Roll|la|den** *m. 8;* **Roll|loch** *s. 4 Bgb.:* steiler Grubenbau zum Befördern von Fördergut zur nächsten abwärts gelegenen Förderstrecke; **Roll|mops** *m. 2* gerollter halber Hering
Rol|lo [österr. -lo] *s. 9* aufrollbarer Vorhang, Rollvorhang
Rolloch ▶ **Roll|loch** *s. 4;* **Roll|schin|ken** *m. 7;* **Roll|schrank** *m. 2;* **Roll|schuh** *m. 1;* R. laufen; **Roll|schuh|bahn** *w. 10;* **Roll|sie|gel** *s. 5, im alten Orient:* mit Schriftzeichen und bildl. Darstellungen in Relief versehener Zylinder, der auf Schrifttafeln abgerollt wurde, Siegelzylinder; **Roll|sitz** *m. 1, im Ruderboot:* Gleitsitz; **Roll|stuhl** *m. 2;* **Roll|trep|pe** *w. 11;* **Roll|vor|hang** *m. 2* = Rollo; **Roll|wa|gen** *m. 7* Lastkraftwagen mit großer Ladefläche ohne Seitenwände; **Roll|werk** *s. 1 nur Ez.* Ornament der Spätrenaissance
Rom Hst. Italiens; es führen viele Wege nach Rom *übertr.:* man kann das auf verschiedene Weise erledigen
Rom [Zigeunerspr. »Mensch«] *m. Gen.* -(s) *Mz.* -a, Selbstbez. der Zigeuner
ROM *Abk. für* read only memory (Nur-Lese-Speicher): ein EDV-Informationsspeicher
Ro|ma|dur [österr.: -dur, frz.] *m. 9* ein frz. Weichkäse
Ro|man [lat.-frz.] *m. 1;* **Ro|man|cier** [-mɑ̃sje, frz.] *m. 9* Romanschriftsteller
Ro|mand [rɔmɑ̃, frz.] *m. Gen. - Mz. - in der Schweiz für* Bewohner des französischsprachigen Teils der Schweiz
Ro|ma|ne *w. 11* Angehöriger eines Volkes mit roman. Sprache
Ro|ma|nia *w. Gen. - nur Ez., Sammelbez. für* alle Länder, in denen eine roman. Sprache gesprochen wird; **Ro|ma|nik** *w. Gen. - nur Ez.* europ. Kunststil von etwa 1000 bis 1250; **ro|ma|nisch** **1** zu den Romanen gehörig, von ihnen stammend; romanische Sprachen: idg., aus dem Vulgärlatein entstandene Sprachen, z. B. Französisch, Portugiesisch, Rumänisch; **2** zur Romanik gehörig, in der Art der Romanik; **ro|ma|ni|sie|ren** *tr. 3* nach roman. Art gestalten, romanisch (**1**) machen; **Ro|ma|nis|mus** *m. Gen. - nur Ez.* **1** römisch-kath. Einstellung; **2** Richtung der ndrl. Malerei im 16. Jh., die sich bes. an die italien. Malerei anlehnte; **Ro|ma|nist** *m. 10* Wissenschaftler der Romanistik (**1**); **Ro|ma|nis|tik** *w. Gen. - nur Ez.* **1** Wissenschaft von den roman. Sprachen und Literaturen; **2** Lehre

vom röm. Recht; **ro|ma|nis|tisch**

Ro|ma|now [-nɔf] *m. 9* Angehöriger eines russ. Herrschergeschlechts

Ro|man|tik *w. Gen. - nur Ez.* **1** europ. geistig-künstler. Bewegung von etwa 1800 bis 1830; **2** Träumerei, Schwärmerei; abenteuerl., fantast. Beschaffenheit; **Ro|man|ti|ker** *m. 5* **ro|man|tisch; ro|man|ti|sie|ren** *tr. 3* romantisch machen, der Romantik entsprechend gestalten; **Ro|man|ti|zis|mus** *m. Gen. - nur Ez.* Nachahmung der Romantik

Ro|mantsch *s. Gen.* -(s) *nur Ez.* = Romaunsch

Ro|man|ze [span.] *w. 11* **1** volkstüml. Verserzählung; **2** *seit dem 18. Jh.:* liedartiges Gesangstück; *dann auch:* stimmungsvolles Instrumentalstück; **3** *übertr.:* romant. Liebeserlebnis; **Ro|man|ze|ro** *m. 9* span. Romanzensammlung

ro|maunsch, ro|mauntsch, in Romaunsch geschrieben, abgefasst; **Ro|maunsch,** Ro|mauntsch, Ro|mantsch, Ru|mantsch, Ru|mauntsch *s. Gen.* -(s) *nur Ez.* vgl. Rätoromanisch

Rö|mer *m. 5* **1** Einwohner von Rom; **2** Bürger des Röm. Reiches; **3** kunstvoll geschliffenes, oft farbiges Weinglas mit hohem Stiel; **4** *nur Ez.* das alte Rathaus in Frankfurt am Main; **Rö|mer|brief** *m. 1* Brief des Apostels Paulus an die Römer; **Rö|mer|reich** *s. 1 nur Ez.* das Röm. Reich; **Rö|mer|stra|ße** *w. 11* von dem Römern erbaute Straße; **Rö|mer|zins|zahl** *w. 10* = Indiktion (**3**); **Rom|fah|rer** *m. 5* Pilger auf einer Wallfahrt nach Rom; **Rom|fahrt** *w. 10* Pilgerfahrt nach Rom; **rö|misch** zu Rom, zum Römischen Reich gehörig, daraus stammend; römisches Recht; die römischen Kaiser; **rö|misch-ka|tho|lisch** (*Abk.:* röm.-kath., *österr. auch:* r.-k.)

> **Rommee/Rommé:** Die integrierte Schreibweise ist die Hauptvariante *(das Rommee),* die französische Form *(das Rommé)* die zulässige Nebenvariante. →§ 20 (2)

Rom|mé *Nv.* ► **Rom|mee** *Hv.* [-me:, frz.] *s. Gen.* -s *nur Ez.* Rummy, ein Kartenspiel

Ro|mu|lus sagenhafter Gründer Roms, Zwillingsbruder des Remus

Ron|de [rɔ̃d(ə), frz.] *w. 11, früher* **1** nächtl. Rundgang zur Überprüfung der Wachen; **2** der diesen Rundgang ausführende Offizier mit seinen Leuten; **Ron|deau** *s. 9* **1** [rɔ̃do] aus dem zum Rundtanz gesungenen Lied entwickelte Gedichtform mit bestimmtem Kehrreim; **2** [rɔndo] *österr.:* rundes Beet, runder Platz; **Ron|dell,** Run|dell *s. 1* rundes Beet, runder Platz, runder Festungsturm; **Ron|do** *s. 9* Musikstück mit mehrmals wiederkehrendem Hauptthema

> **Rondeau/Rondo:** Die Schreibweise für die Gedichtform folgt der französischen Schreibweise: *das Rondeau.* Als Bezeichnung für das Musikstück mit mehrmals wiederkehrendem Hauptthema gilt die Schreibweise: *das Rondo.*

rönt|gen [nach dem dt. Physiker Wilhelm Conrad Röntgen] *tr. 1, Präteritum nicht üblich:* mit Röntgenstrahlen durchleuchten; ich röntge ihn, habe ihn geröntgt; **Rönt|gen** *ohne Artikel* (*Abk.:* r) Maßeinheit für Strahlendosis; **Rönt|gen|di|a|gnos|tik** *auch:* **-di|ag|nos-** *w. 10 nur Ez.;* **rönt|ge|ni|sie|ren** *tr. 3, österr. für* röntgen; **Rönt|ge|no|gra|fie** = Röntgenographie; **rönt|ge|no|gra|fisch** = röntgenographisch; **Rönt|ge|no|gramm** *s. 1* Röntgenaufnahme; **Rönt|ge|no|gra|phie** ► *auch:* **Rönt|ge|no|gra|fie** *w. 11* Röntgenuntersuchung; **rönt|ge|no|gra|phisch** ► *auch:* **rönt|ge|no|gra|fisch; Rönt|ge|no|lo|ge** *m. 11* Facharzt für Röntgenologie; **Rönt|ge|no|lo|gie** *w. 11 nur Ez., Sammelbez. für* Röntgenuntersuchungen, -diagnostik und -therapie; **rönt|ge|no|lo|gisch; Rönt|ge|no|sko|pie** *auch:* **Rönt|ge|nos|ko|pie** *w. 11* Durchleuchtung mit Röntgenstrahlen; **Rönt|gen|fo|to|gra|fie** *w. 11;* **Rönt|gen|schwes|ter** *w. 11* für Röntgenuntersuchungen ausgebildete Krankenschwester; **Rönt|gen|strah|len** *m. 12 Mz.* von C.W. Röntgen entdeckte, elektromagnet. Strahlen, X-Strahlen; **Rönt|gen|tech|nik** *w. 10 nur Ez.;* **Rönt|gen|the|ra|pie** *w. 11 nur Ez.*

Roof *s. 1 oder m. 1, auf Segelschiffen:* Raum, *bes.:* Schlafraum auf dem Deck

Roo|ming-in [ru:mɪŋ-, engl.] *s. Gen. - nur Ez.* gemeinsame Unterbringung von Mutter und Kind im Krankenhaus nach der Entbindung; **Roo|ming-in-Sys|tem** *s. 1*

Roque|fort [rɔkfo:r, nach dem südfrz. Ort R.] *m. 9* ein frz. Edelpilzkäse aus Schafsmilch

ro|sa *unflektierbar;* vgl. blau; **Ro|sa** *s. Gen.* -s *nur Ez.* rosa Farbe

Ro|sa|ri|um [lat.] *s. Gen.* -s *Mz.* -ri|en Rosenpflanzung, Rosengarten

ro|sa|rot

rösch **1** *Bgb.:* grob(stückig); **2** *süddt.:* knusprig; vgl. resch; **Rö|sche** *w. 11 Bgb.:* Graben

Rös|chen *s. 7;* **Ro|se** *w. 11;* **ro|sé** [-ze, frz.] *unflektierbar:* rosa; **Ro|sé** [-ze] *m. 9,* Ro|sé|wein *m. 1, in Frankreich Bez. für* Weißherbst

ro|sen|far|ben, ro|sen|far|big; Ro|sen|gar|ten *m. 8; Myth.:* Reich des Königs Laurin; *auch:* Gebirgsmassiv der Alpen; **Ro|sen|holz** *s. 4* hell- bis dunkelrotes Holz, zum Teil mit rosenartigem Duft; **Ro|sen|kä|fer** *m. 5;* **Ro|sen|kohl** *m. Gen.* -s *nur Ez.;* **Ro|sen|kranz** *m. 2, kath. Kirche:* Gebetskette; **Ro|sen|kreu|zer** *m. 5* Name mehrerer geheimer Bruderschaften; **Ro|sen|krie|ge** [nach der Rose im Wappen] *m. 1 Mz.* Thronkämpfe der engl. Häuser Lancaster und York im 15. Jh. **Ro|sen|laub|kä|fer** *m. 5* = Julikäfer

Ro|sen|mon|tag [zu: rasen, »tollen«] *m. 1* Montag vor Fastnacht

Ro|se|no|bel [auch: -no-, engl.] *m. 5* alte engl. Goldmünze

Ro|sen|öl *s. 1 nur Ez.* aus Rosenblüten gewonnenes Öl; **Ro|sen|quarz** *m. 1 nur Ez.;* **ro|sen|rot; Ro|sen|stock** *m. 2;* **Ro|sen|strauch** *m. 4;* **Ro|sen|was|ser** *s. 5 nur Ez.* bei der Herstellung von Rosenöl zurückbleibendes Wasser; **Ro|se|o|la, Ro|se|o|le** *w. Gen. - Mz.* -len rotfleckiger Hautausschlag, z. B. bei Typhus; **Ro|set|te** *w. 11* **1** rosenartiges Ornament oft als

Fensteröffnung; **2** kleine, runde Stoffschleife; **3** Schliffform von Edelsteinen; **Ro|sé|wein** [-ze-] *m. 1* = Rosé; **ro|sig 1** zartrot;

> **rosig weiß:** Gefüge, bei denen der erste Bestandteil eine Ableitung auf *-ig, -isch* oder *-lich* ist, schreibt man – im Gegensatz zur bisherigen Regelung – getrennt: *Die Haut war rosig weiß.* →§36 E1 (2)

2 *übertr.:* günstig; seine Lage ist nicht rosig; alles in rosigem Licht sehen
Ro|si|nan|te [nach dem Pferd des Don Quijote] *w. 11* altes Pferd, Klepper
Ro|si|ne [lat.-frz.] *w. 11* getrocknete Weinbeere; Rosinen im Kopf haben *ugs. übertr.:* unerfüllbare Wünsche haben, kaum erreichbare Ziele verfolgen; sich die Rosinen aus dem Kuchen klauben, *oder:* picken *ugs. übertr.:* das Beste für sich nehmen; **Ro|si|nen|ku|chen** *m. 7*
Rös|lein *s. 7*
Ros|ma|rin *m. 1 nur Ez.* eine Gewürzpflanze; **Ros|ma|rin|öl** *s. 1 nur Ez.*

> **Ross:** Nach kurzem Vokal wird *-ss-* geschrieben: *Das Ross war sehr schnell.* Ebenso: *im Weißen Rössl, das Rösslein, das Rösschen.* →§25 E1

Roß ► **Ross 1** *s. 1, ugs.: s. 4* Pferd; **2** *s. 4, ugs.:* Dummkopf; **Roß|ap|fel** ► **Ross|ap|fel** *m. 6;* **Roß|arzt** ► **Ross|arzt** *m. 2* **1** *früher im dt. Heer:* Tierarzt; **2** *scherzh.:* Arzt, der Rosskuren anwendet; **Roß|brei|ten** ► **Ross|brei|ten** *w. 11 Mz., Seew.:* zwei Zonen mit nur schwachen Winden 25–35° nördl. und südl. Breite; **Rös|sel** *s. 5* **1** *süddt.:* Rösslein; **2** *Schach:* Springer; **Rös|sel|sprung** *m. 2 nur Ez.* Rätselart, bei der in Feldern verteilte Wortteile in der Art des Sprungs vom Rössel im Schachspiel in der richtigen Reihenfolge zusammengesucht werden müssen; **ros|sen** *intr. 1, bei Pferden:* brünstig sein; die Stute rosst; **Roß|haar** ► **Ross|haar** *s. 1 nur Ez.;* **Roß|haar|ma|trat|ze** ► **Ross|haar|ma|trat|ze** *w. 11;* **ros|sig** brünstig (von der Stute)
Roß|kamm ► **Ross|kamm** *m. 2* **1** Pferdestriegel; **2** *früher auch:* Rosstäuscher; **Roß|ka|sta|nie** ► **Ross|kas|ta|nie** *w. 11* ein südosteurop. Laubbaum; **Roß|kur** ► **Ross|kur** *w. 10, ugs.:* Heilmethode mit derben, stark wirkenden Mitteln, Pferdekur; **Röß|lein** ► **Röss|lein** *s. 7;* **Röß|li|spiel** ► **Röss|li|spiel** *s. 1, schweiz.:* Karussell; **Roß|täu|scher** ► **Ross|täu|scher** *m. 5 früher, abwertend:* Pferdehändler; **Roß|täu|sche|rei** ► **Ross|täu|sche|rei** *w. 10* arglistige Betrügerei
Rost *m. 1* **1** Gitter aus parallelen Stäben; **2** *schwäb.:* Stahlmatratze; **3** *nur Ez.* rötlichbraune Oxidschicht auf Eisen u.a.; **4** *nur Ez.* eine Pflanzenkrankheit; **Rost|bra|ten** *m. 7;* **Rost|brat|wurst** *w. 2;* **rost|braun; Röst|brot** *s. 1;* **Rös|te** *w. 11* **1** Vorrichtung zum Rösten; **2** Erhitzen von Erzen oder Hüttenprodukten mit Luft
ros|ten *intr. 2* Rost (**3**) ansetzen
rös|ten [auch: rø-] *tr. 2* **1** braten; **2** durch Erhitzen bräunen (Kaffee, Brot); **3** unter Luftzutritt erhitzen (Erze); **4** in fließendem Wasser wässern (Flachs); **Rös|ter** [auch: rø-] *m. 5* **1** Gerät zum Brotrösten; **2** *österr.:* Zwetschgenkompott; **Rös|te|rei** *w. 10*
Ros|tic|ce|ria [ital.] *w. Gen. - Mz.* -rien *auch:* -rie [-ri-e] Garküche
rost|far|ben, rost|far|big; rost|frei; röst|frisch; ros|tig
Rös|ti *w. Gen.- nur Ez. schweiz.:* fein geschnittene oder grob geraspelte Bratkartoffeln
ros|tig
Röst|kar|tof|feln *w. 11 Mz.* Bratkartoffeln
Rost|pilz *m. 1* Erreger des Rostes (**4**)
Ros|tra [lat.] *w. Gen. - Mz.* -stren, *im alten Rom:* Rednertribüne
rost|rot; Rost|schutz|mit|tel *s. 5*
rot 1 *Kleinschreibung:* rote Rübe; der rote Faden; die rote Fahne; rote Grütze; der rote Hahn: Feuer; keinen roten Heller besitzen; rote Liste (der vom Aussterben bedrohten Arten); rote Blutzellen; das wirkt auf ihn wie ein rotes Tuch (auf den Stier): das reizt ihn zum Zorn; **2** *Großschreibung:* die Rote Armee: die Armee der ehem. UdSSR; die Rote Erde:

> **rotblau, das Rote Meer, die roten Blutzellen:** Die Zusammensetzung zweier Adjektive schreibt man in einem Wort: *ein rotblaues Kleid; die Fahne ist rotschwarz.* →§36 (4)
> In Eigennamen wird das Adjektiv großgeschrieben: *das Rote Meer, die Rote Armee, die Rote Fahne* (= Zeitungstitel), *der Rote Planet* (= Mars), *der Rote Milan, Rote Be(e)te.* →§60 (4.2; 4.4), §64 (2)
> In festen Gefügen hingegen, die keine Eigennamen sind, schreibt man das Farbadjektiv mit kleinem Anfangsbuchstaben: *die roten Blutzellen, die rote Fahne* (der Arbeiterbewegung), *der rote Faden, die rote Grütze, der rote Hahn* (= Feuer), *keinen roten Heller besitzen, die rote Liste* (der vom Aussterben bedrohten Arten). →§63

Westfalen; die Rote Fahne: Zeitungstitel; das Rote Kreuz (*Abk.:* R.K.); das Rote Meer; der Rote Planet: Mars; vgl. blau; **Rot** *s. Gen.* -s *nur Ez.* **1** rote Farbe; die Ampel steht auf Rot; bei Rot stehen bleiben; **2** Farbe im dt. Kartenspiel; Rot ausspielen
Ro|ta [lat.] *w. Gen. - nur Ez.,* Ro|ta Ro|ma|na *w. Gen. -- nur Ez.* oberste Gerichtsbehörde der kath. Kirche
Rot|al|ge *w. 11* eine Meeresalge, Purpuralge
Ro|tang [mal.] *m. 1,* **Ro|tang|pal|me** *w. 11* eine Palmenart, liefert rotes, als Farbstoff verwendetes Harz
Ro|ta|ri|er *m. 5* Angehöriger des Rotary Clubs
Rot|ar|mist *m. 10 früher:* Angehöriger der Roten Armee
Ro|ta Ro|ma|na *w. Gen. -- nur Ez.* = Rota
Ro|ta|ry Club [auch: -tari, engl.: roʊtərɪ klʌb] *m. 9* internationale Vereinigung für Freundschaft, geistigen Austausch, Dienst am Nächsten
Rot-As ► **Rot-Ass** *s. 1*
Ro|ta|ti|on [lat.] *w. 10* Drehung, Umdrehung um eine Achse; **Ro|ta|ti|ons|druck** *m. 1* Druckverfahren mit rotierender Druckwalze; **Ro|ta|ti|ons|el|lip|so|id** *m. 1* durch Rotation einer

► = wird zu

Ellipse entstehender Körper, fast kugelförmiger Körper, Sphäroid; **Ro|ta|ti|ons|ma|schi|ne** *w. 11* Maschine für Rotationsdruck; **Ro|ta|to|ri|en** *Mz.* Rädertierchen

Rot|au|ge *s. 14* ein Süß- und Brackwasserfisch, Plötze; **rot|ba|ckig, rot|bä|ckig; Rot|barsch** *m. 1* ein Meeresfisch; **Rot|bart 1** *m. 2* Mann mit rotem Bart; **2** *nur Ez.* Beiname Kaiser Friedrichs I., *auch:* Barbarossa; **rot|bär|tig; rot|blau; Rot|blei|erz** *s. 1* ein Mineral; **rot|blond; rot|braun; Rot|bu|che** *w. 11* Buche; **Rot|dorn** *m. 1* rotblühende Form des Weißdorns; **Rö|te** *w. Gen. - nur Ez.;* **Rot|ei|sen|erz** *s. 1,* **Rot|ei|sen|stein** *m. 1 beide nur Ez.* ein Mineral, Blutstein; **Ro|te-Kreuz-Schwes|ter** *w. Gen.* Rote(n)-Kreuz-Schwes|ter, *Mz.* Rote(n)-Kreuz-Schwes|tern, *auch:* Rot|kreuz|schwes|ter *w. 11*

Rö|tel *m. 5* **1** roter Mineralfarbstoff; **2** Zeichenstift aus Rötel; **Rö|teln** *nur Mz.* eine Infektionskrankheit mit masernähnl. Ausschlag; **Rö|tel|zeich|nung** *w. 10*

rö|ten *tr. 2;* **Rot|er|de** *w. 11 nur Ez.* eisenhaltiger Ton; **Rot|fil|ter** *m. 5;* **rot|fle|ckig; Rot|fuchs** *m. 2* Pferd mit rotbraunem Haar, Fuchs; **rot|ge|fleckt** ▶ **rot ge|fleckt; rot|glü|hend** ▶ **rot glü|hend; Rot|glut** *w. Gen. - nur Ez.* **rot|grün|blind; Rot|grün|blind|heit** *w. Gen. - nur Ez.* Farbenblindheit für Rot und Grün; **Rot|gül|dig|erz** *fachsprachl. auch:* **Rot|gül|tig|erz** *s. 1 nur Ez.* ein rotes Mineral; **rot|haa|rig; Rot|haut** *w. 2, ugs.:* nordamerik. Indianer; **Rot|hirsch** *m. 1* eine Hirschart; **Rot|holz** *s. 4* rotes Farbholz, Holz der Sequoie

ro|tie|ren [lat.] *intr. 3* sich (um eine Achse) drehen; ich bin nur noch rotiert *ugs. scherzh.:* ich wusste nicht mehr wohin vor Arbeit

Ro|tis|se|rie [frz.] *w. 11* Grillrestaurant

Rot|ka|bis *m. 1, schweiz.:* Rotkohl; **Rot|käpp|chen** *s. 7;* **Rot|kehl|chen** *s. 7* ein Singvogel; **Rot|kohl** *m. Gen.* -s *nur Ez.;* **Rot-Kö|nig** *m. 1;* **Rot|kopf** *m. 2, ugs. scherzh.:* Mensch mit rotem Haar; **Rot|kraut** *s. Gen.* -(e)s *nur Ez.;* **Rot|kreuz|schwes|ter** *w. 11* vgl. Rote-Kreuz-Schwester; **Rot|lauf** *m. Gen.* -s *nur Ez.* eine Infektionskrankheit der Schweine mit Rotfärbung der Haut; **röt|lich;** *Zus.* vgl. bläulich; **Rot|licht** *s. 3 nur Ez.;* **Rot|lie|gen|de(s)** *s. 18 (17) nur Ez.* untere Abteilung des Perms; **Röt|ling** *m. 1* ein Pilz; **rot|na|sig**

Ro|tor [lat.] *m. 13* **1** umlaufendes Maschinen- oder Geräteteil; **2** Drehflügel (des Hubschraubers); **Ro|tor|an|ten|ne** *w. 11* drehbare Antenne

Rot|rü|cken|wür|ger *m. 5* ein Singvogel, Neuntöter; **Rot|schim|mel** *m. 5* Pferd mit rotem und überwiegend weißem Haar; **Rot|schwanz** *m. 2,* **Rot|schwänz|chen** *s. 7* ein Singvogel, Hausrotschwänzchen, Gartenrotschwänzchen; **Rot|stift** *m. 1;* **Rot|tan|ne** *w. 11* Fichte

Rot|te *w. 11*

rot|ten *tr. 2* rösten (Flachs)

Rot|ten|füh|rer *m. 5*

Rot|tier *s. 1* Hirschkuh

Rott|meis|ter *m. 5, im Landsknechtsheer:* Rottenführer

Rott|wei|ler [nach der Stadt Rottweil] *m. 5* eine Hunderasse

Ro|tun|da *w. Gen. - nur Ez.* eine Schriftart; **Ro|tun|de** [lat.] *w. 11* kleiner Rundbau

Rö|tung *w. 10;* **Rot|ver|schie|bung** *w. 10* Verschiebung von Spektrallinien zum roten Ende des Spektrums; **rot|wan|gig; Rot|wein** *m. 1*

rot|welsch gaunersprachlich; **Rot|welsch** *s. Gen.* -(s) *nur Ez.* Gauner-, Vagabundensprache, Landstreicherjargon

Rot|wild *s. Gen.* -(e)s *nur Ez., Sammelbez. für* Edelhirsche; **Rot|wurst** *w. 2* Blutwurst

Rotz *m. Gen.* -es *nur Ez.* **1** *vulg.:* Nasenschleim; **2** eine Infektionskrankheit mancher Huftiere; **Rotz|ben|gel** *m. 5, vulg.:* unverschämter und unreifer Junge; **rot|zen** *intr. 1, vulg.:* sich die Nase schneuzen; **Rotz|fah|ne** *w. 11, vulg.:* Taschentuch; **rot|zig 1** an Rotz (**2**) leidend; **2** *vulg.:* frech, schnodderig; **Rotz|na|se** *w. 11, ugs.* **1** triefende Nase; **2** freches, vorlautes Kind

Rot|zun|ge *w. 11* ein Plattfisch

Roué [rue, frz.] *m. 9* Wüstling mit äußerlich gesittetem Auftreten

Rouge [ruʒ, frz.] *s. Gen.* -(s) *nur Ez.* **1** rote Schminke, Wangenrot; **2** Farbe beim Roulette; **Rouge et noir, Rouge-et-noir** [ru:ʒ e: noar, »rot und schwarz«] *s. Gen. - nur Ez.* ein Kartenglücksspiel

Rou|la|de [ru-, frz.] *w. 11* gefüllte Fleischrolle; **Rou|leau** [rulo] *s. 9, frz. Schreibung von* Rollo; **Rou|lett** [ru-] *s. 1 oder s. 9,* **Rou|lette** [rulɛt] *s. 9* ein Glücksspiel; **rou|lie|ren** [ru-] *intr. 3, veraltet:* umlaufen

> **Roundtable/Round Table:** Verbindungen aus Adjektiven (bzw. Substantiven, Pronomen oder Partikeln) mit einem Substantiv schreibt man zusammen, auch mehrteilige Substantivierungen. Diese Regel betrifft auch fremdsprachige Substantive: *Roundtable, Roundtablekonferenz.*
> →§ 37 (1)
> Bei der Verbindung Adjektiv und Substantiv ist auch Getrennt- und Großschreibung zulässig: *Round Table.* Ebenso: *Big Band, Soft Drink.*
> →§ 37 E1

Round|table ▶ *auch:* **Round Table** [raʊnd tɛɪbl, engl.]; **Round|table|kon|fe|renz** ▶ *auch:* **Round-Table-Konferenz** [raʊnd tɛɪbl-, engl.] *w. 10* Konferenz am runden Tisch, d. h. von Gleichberechtigten

Rou|te [ru-, frz.] *w. 11* (vorgeschriebener oder geplanter) Reiseweg, Marsch- oder Flugstrecke

Rou|ti|ne [ru-, frz.] *w. 11 nur Ez.* Übung, durch Übung und Erfahrung gewonnene Fertigkeit; R. in etwas haben; **Rou|ti|nier** [rutinje] *m. 9* jmd., der Routine in einer Tätigkeit besitzt (gelegentlich etwas abwertend im Unterschied zum schöpfer. Menschen); **rou|ti|niert** geübt, (durch Übung) geschickt

> **Rowdys:** Fremdwörter aus dem Englischen, die auf *-y* enden und im Englischen im Plural auf *-ies* auslauten, erhalten im Gegensatz zur früheren Schreibweise (Rowdies/Rowdys) ein *-s* im Plural: *die Rowdys.* Ebenso: *Babys, Ladys, Partys.* →§ 21

Row|dy [raʊdi, engl.] *m. 9 Mz.* -s roher Mensch, Raufbold; **Row|dy|tum** *s. Gen.* -s *nur Ez.* **roy|al** [frz.: roajal, engl.: rɔɪəl] *frz. und engl. Bez. für* königlich; **Roy|al Air Force** [rɔɪəl ɛr fɔːs] *w. Gen.* --- *nur Ez.* (*Abk.:* R. A. F.) die brit. Luftwaffe; **Roy|a|lis|mus** [roaja-, ugs.: rɔɪa-] *m. Gen.* - *nur Ez.* Königstreue; **Roy|a|list** *m. 10;* **Roy|al|ty** [rɔɪəltɪ] *s. Gen.* - *Mz.* -ties Lizenzhonorar, Tantieme

Rp *Abk. für* Rupiah

RP *Abk. für frz.* réponse payée: Antwort bezahlt (auf Telegrammen)

Rp. 1 *Abk. für* Rappen; **2** *Abk. für* recipe

RR *Abk. für* **1** rarissimus = sehr selten; **2** Rückgaberecht;

RRR *Abk. für* rarissime = äußerst selten (in Münzkatalogen u. Ä.)

RSFSR *früher Abk. für* Russische Sozialist. Föderative Sowjetrepublik

RT *Abk. für* Registertonne

Ru *chem. Zeichen für* Ruthenium

Ru|an|da Staat in Ostafrika; **Ru|an|der** *m. 5;* **ru|an|disch**

ru|ba|to [ital.] *Mus.:* frei im Tempo; **Ru|ba|to** *s. Gen.* -(s) *Mz.* -ti, *Mus.:* im Tempo freier Vortrag

rub|be|lig *norddt.:* rauh (Oberfläche); **rub|beln** *tr. 1, norddt.:* kräftig reiben, trocken reiben; ich rubbele, rubble ihn

Rub|ber [rʌbər, engl.] **1** *m. 5 nur Ez., engl. Bez. für* Gummi, Kautschuk; **2** *m. 5* = Robber

Rüb|chen *s. 7;* **Rü|be** *w. 11; auch ugs. scherzh.:* Kopf

Ru|bel *m. 5* (*Abk.:* Rbl.) Währungseinheit in Russland, 100 Kopeken

Rü|ben|zu|cker *m. 5 nur Ez.*

rü|ber *ugs. für* herüber; *oft für:* hinüber; ich gehe rüber

Rü|be|zahl schlesische Sagengestalt, Berggeist des Riesengebirges

Ru|bi|di|um [lat. Neubildung] *s. Gen.* -s *nur Ez.* (*Zeichen:* Rb) chem. Element, ein Metall

Ru|bi|kon *m. Gen.* -s Fluss in Italien (den Cäsar 49 v. Chr. überschritt, womit er den Bürgerkrieg auslöste); den R. überschreiten *übertr.:* einen entscheidenden Schritt tun

Ru|bin [lat.] *m. 1* ein roter Edelstein; **Ru|bin|glas** *s. 4* rot gefärbtes Bleiglas; **ru|bin|rot**

Rüb|kohl *m. 1, schweiz.:* Kohlrabi; **Rüb|öl** *s. 1* aus Raps und Rüben gewonnenes Öl

Ru|bra, Ru|bren *auch:* **Rub|ra, Rub|ren** *Mz. von* Rubrum; **Ru|brik** *auch:* **Rub|rik** [lat.] *w. 10* **1** Titel, Überschrift; **2** Spalte, Abschnitt, Abteilung; **ru|bri|zie|ren** *auch:* **rub|ri-** *tr. 3* **1** mit Überschriften versehen; **2** in Rubriken (**2**) ordnen, einordnen; **Ru|brum** *auch:* **Rub|rum** *s. Gen.* -s *Mz.* -bra *oder* -bren, *veraltet:* Aktenaufschrift, kurze Inhaltsangabe

Rüb|sa|me *m. 11, österr.:* **Rüb|sa|men** *m. 7,* **Rüb|sen** *m. 7* eine Ölpflanze

Ruch [auch: rux] *m. 2, poet.:* Geruch; **ruch|bar** [auch: rux-] (durch Gerüchte) bekannt; es wurde r., dass ...

Ruch|gras *s. 4* eine Grasgattung

Rüch|lein *s. 7, poet.:* feiner, schwacher Geruch

ruch|los ehrfurchtslos, gewissenlos, gemein, niederträchtig; **Ruch|lo|sig|keit** *w. 10*

ruck!; hau, ruck!; das geht ruck, zuck! *ugs.:* sehr schnell, im Handumdrehen; **Ruck** *m. 1;* **Rück|an|sicht** *w. 10;* **Rück|ant|wort** *w. 10*

ruck|ar|tig

Rück|äu|ße|rung *w. 10;* **rück|be|züg|lich** = reflexiv; **rück|bil|den** *tr. 2, Präsens und Präteritum nicht üblich;* es hat sich rückgebildet; rückgebildete Organe; **Rück|bil|dung** *w. 10;* **Rück|blen|de** *w. 11, Film u. a.:* Einschieben einer Szene, die Vergangenes schildert, in die Handlung; **Rück|blick** *m. 1;* **rück|bli|ckend; rück|da|tie|ren** *tr. 3* mit einem zurückliegenden Datum versehen

ru|cke|di|gu Nachahmung des Rufs der Taube; **ru|cken** *intr. 1* **1** einen Ruck machen; der Zug ruckte; **2** gurren (Taube)

rü|cken *tr. u. intr. 1*

Rü|cken *m. 7;* **Rü|cken|mark** *s. Gen.* -s *nur Ez.;* **Rü|cken|mark(s)|ent|zün|dung** *w. 10;* **Rü|cken|mark(s)|punk|ti|on** *w. 10;* **Rü|cken|sai|te** *w. 11* = Chorda dorsalis; **rü|cken|schwim|men** *intr. 132, nur im Infinitiv üblich;* **Rü|cken|schwim|men** *s. Gen.* -s *nur Ez.;* **Rü|cken|stär|kung** *w. 10, übertr.:* Ermunterung, moral. Beistand; **Rü|cken|wind** *m. 1*

> **rückenschwimmen:** Verbindungen aus Substantiv und Verb werden zusammengeschrieben: *Sie sind rückengeschwommen.* → § 33 (1)

rück|er|stat|ten *tr. 2, nur im Infinitiv und Partizip II;* ich habe ihm das Geld rückerstattet, werde es ihm r.; **Rück|er|stat|tung** *w. 10 nur Ez.;* **Rück|fahr|kar|te** *w. 11;* **Rück|fahrt** *w. 10;* **Rück|fall** *m. 2;* **Rück|fall|fie|ber** *s. 5* eine Infektionskrankheit, Rekurrensfieber; **rück|fäl|lig; Rück|flug** *m. 2;* **Rück|fra|ge** *w. 11;* **rück|fra|gen** *intr. 1, nur im Infinitiv und Partizip II üblich;* ich habe rückgefragt, werde, muß r.; **Rück|füh|rung** *w. 10 nur Ez.;* **Rück|ga|be** *w. 11;* **Rück|gang** *m. 2 nur Ez.;* **rück|gän|gig 1** *selten für* rückläufig (**1**); rückgängige Entwicklung; **2** *in der Wendung:* etwas r. machen; **Rück|ge|win|nung** *w. 10 nur Ez.*

Rück|grat *s. 1* Wirbelsäule; kein R. haben *übertr.:* nicht standhaft sein, einen schwachen Charakter haben; **Rückgriff** *m. 1;* **Rück|halt** *m. 1;* **rück|halt|los** jmdm. r. vertrauen; **Rück|hand** *w. 2 nur Ez., Tennis:* Schlag, bei dem der Handrücken dem Gegner zugewandt ist; *Ggs.:* Vorhand; **Rück|kauf** *m. 2;* **Rück|kaufs|recht** *s. 1 nur Ez.;* **Rück|kehr** *w. Gen.* - *nur Ez.;* **rück|kop|peln** *tr. 1, nur im Infinitiv und Partizip II üblich:* rückzukoppeln, rückgekoppelt; **Rück|kop|pe|lung, Rück|kopp|lung** *w. 10 nur Ez.;* **Rück|kunft** *w. Gen.* - *nur Ez.;* **Rück|la|ge** *w. 11;* **Rück|lauf** *m. 2;* **Rück|läu|fer** *m. 5* zurückgesandte Postsendung; **rück|läu|fig 1** zurücklaufend, sich zurückbewegend; **2** *Astron.:* entgegengesetzt der allg. Drehbewegung des Planetensystems verlaufend (von Norden aus gesehen im Uhrzeigersinn); *Ggs.:* rechtläufig; **Rück|licht** *s. 3*

rück|lings mit dem Rücken zuerst

Rück|marsch *m. 2;* **Rück|mel|dung** *w. 10;* **Rück|nah|me** *w. 11 nur Ez.;* **Rück|por|to** *s. Gen.* -s *Mz.* -s *oder* -ti; **Rück|pro|jek|ti-**

on *w. 10, Theater, Film:* Darstellung des Hintergrundes durch Projektion von hinten auf eine lichtdurchlässige Wand; **Rück|rei|se** *w. 11;* **Rück|ruf** *m. 1*
Rück|sack *m. 1*
Rück|schau *w. 10;* **Rück|schlag** *m. 2; schweiz. auch:* Mindereinnahme, Defizit; **Rück|schluß ▶ Rück|schluss** *m. 2;* Rückschlüsse aus etwas auf etwas ziehen; **rück|schrei|tend; Rück|schritt** *m. 1;* **rück|schritt|lich; Rück|schritt|lich|keit** *w. 10 nur Ez.*
Rück|sei|te *w. 11;* **rück|sei|tig; rück|seits**
Rück|sen|dung *w. 10;* **Rück|sicht** *w. 10;* (keine) R. nehmen; mit R. auf ihn; **rück|sicht|lich** *mit Gen.; besser:* mit Rücksicht auf; r. seiner Behinderung; **Rück|sicht|nah|me** *w. 11 nur Ez.;* **rück|sichts|los; Rück|sichts|lo|sig|keit** *w. 10 nur Ez.;* **rück|sichts|voll; Rück|sitz** *m. 1;* **Rück|spie|gel** *m. 5;* **Rück|spra|che** *w. 11;* **Rück|stand** *m. 2;* im R. sein (mit etwas); **rück|stän|dig; Rück|stän|dig|keit** *w. 10 nur Ez.;* **Rück|stau** *m. 1;* **Rück|stoß** *m. 2;* **rück|stoß|frei; Rück|strah|ler** *m. 5;* **Rück|tritt** *m. 1;* **Rück|tritt|brem|se** *w. 11;* **Rück|tritts|ge|such** *s. 1;* **rück|über|set|zen** *tr. 1, nur im Infinitiv und Partizip II;* ich habe es rückübersetzt, muss es, werde es r.; **Rück|über|set|zung** *w. 10;* **rück|ver|gü|ten** *tr. 2, nur im Infinitiv und Partizip II üblich;* ich habe ihm das Geld rückvergütet, werde es ihm r.; **Rück|ver|gü|tung** *w. 10;* **rück|ver|si|chern** *tr. 1;* ich rückversichere mich, habe mich rückversichert; **Rück|ver|si|che|rung** *w. 10;* **Rück|wand** *w. 2;* **Rück|wan|de|rung** *w. 10*

> **rückwärts fallen/gehen:** Die Verbindung aus einem zusammengesetzten Adverb und einem Verb wird getrennt geschrieben: *Er ist rückwärts gefallen. Sie wollten einfach rückwärts gehen. Mit dem Geschäft ist es rückwärts gegangen.* →§ 34 E3 (2)

rück|wär|tig; rück|wärts; rückwärts gehen; rückwärts fallen; ich bin rückwärts gegangen; **Rück|wärts|gang** *m. 2;* **rück|wärts|ge|hen ▶ rück|wärts ge|hen** *intr. 47, übertr., nur unpersönlich:* schlechter werden; mit dem Geschäft wird es r. g.
ruck|wei|se; bei dem kommt's r. *ugs.:* er begreift nur langsam
rück|wir|kend; Rück|wir|kung *w. 10;* **rück|zahl|bar; Rück|zah|lung** *w. 10;* **Rück|zie|her** *m. 5;* einen R. machen *ugs.:* einlenken, nachgeben; **ruck, zuck!; Rück|zug** *m. 2;* **Rück|zugs|ge|fecht** *s. 1*
Rud|be|ckie [-kjə, nach dem schwed. Botaniker Olof Rudbeck] *w. 11* eine Zierpflanze, Sonnenhut
rü|de grob, ungesittet, rücksichtslos; rüdes Benehmen
Rü|de *m. 1* männl. Hund
Ru|del *s. 5* Gruppe wildlebender Säugetiere der gleichen Art, z. B. von Hirschen, Gämsen, Wölfen; **ru|del|wei|se**
Ru|der *s. 5* **1** = Riemen (**2**); **2** Steuer; ans R. kommen *übertr.:* zur Macht kommen; **3** *Jägerspr.:* Fuß (des Schwans)
Ru|de|ral|pflan|ze [lat.] *w. 11* Pflanze, die auf stickstoffreichen Schuttplätzen wächst
Ru|der|bank *w. 2;* **Ru|der|boot** *s. 1;* **Ru|de|rer,** Rud|rer *m. 5;* **Ru|der|fü|ßer** *m. 5* Wasservogel, der zwischen den Zehen Schwimmhäute hat; **Ru|der|gän|ger** *m. 5;* **Ru|der|gast** *m. 12, Seew.:* Matrose, der nach Anweisung das Ruder bedient; **...ru|de|rig,** ...rud|rig *in Zus.,* z. B. drei-, fünfruderiges Boot; **Ru|de|rin** *w. 10* weibl. Ruderer; **ru|dern** *intr. 1;* ich rudere, rudre; **Ru|der|pin|ne** *w. 11, Seew.:* Hebel, Griff des Ruders; **Ru|der|re|gat|ta** *w. Gen. - Mz.* -ten; **Ru|der|schlag** *m. 2*
Rüd|heit *w. 10 nur Ez.* rüdes Benehmen
Ru|di|ment [lat.] *s. 1* Rest, Überbleibsel; **ru|di|men|tär** nicht ausgebildet, verkümmert (Organ)
Rud|rer, Ru|de|rer *m. 5;* **...rud|rig** = ...ruderig
Rü|eb|li *Mz. schweiz. für* kleine Rübe
Ruf *m. 1;* einen guten, schlechten Ruf haben
Ru|fe, Rü|fe *w. 11, schweiz.:* Steinlawine, Erdrutsch
ru|fen *intr. u. tr. 102;* **Ru|fer** *m. 5*
Rüf|fel *m. 5, ugs.:* Verweis, Rüge, Tadel; **rüf|feln** *tr. 1* tadeln, rügen; ich rüffele, rüffle ihn; **Rüff|ler** *m. 5, Nebenform von* Rüffel
Ruf|mord *m. 1* schwere Verleumdung, durch die jmds. Ruf zerstört wird; **Ruf|na|me** *m. 15* Vorname; **Ruf|num|mer** *w. 11* Telefonnummer; **Ruf|wei|te** *w. 11 nur Ez.;* in R. bleiben; **Ruf|zei|chen** *s. 7* **1** *Nachrichten-, bes. Funkverkehr:* Erkennungszeichen; **2** *österr.:* Ausrufezeichen
Rug|by [rʌgbɪ, nach der gleichnamigen engl. Stadt] *s. Gen.* -s *nur Ez.* ein Kampfspiel zwischen zwei Mannschaften mit einem eiförmigen Ball
Rü|ge *w. 11*
Ru|gel *m. 5*
rü|gen *tr. 1*
Ru|gi|er *m. 5* Angehöriger eines ostgerman. Volksstammes
Ruh|bett *s. 12, schweiz. für* Ruhebett; **Ru|he** *w. Gen. - nur Ez.;* jmdn. zur R. bringen; jmdn. zur letzten R. betten: begraben; sich zur R. setzen; **ru|he|be|dürf|tig; Ru|he|be|dürf|tig|keit** *w. 10 nur Ez.;* **Ru|he|bett** *s. 12, veraltet:* Liegestatt, Sofa; **Ru|he|ge|halt** *s. 4* Pension; **Ru|he|geld** *s. 3* Altersrente; **Ru|he|kis|sen** *s. 7, veraltet, noch in dem Sprichwort:* ein gutes Gewissen ist ein sanftes R.; **Ru|he|la|ge** *w. 11;* **ru|he|los; Ru|he|lo|sig|keit** *w. 10 nur Ez.;* **ru|hen** *intr. 1;*

> **ruhen/liegen lassen:** Die Verbindung aus Verb (Infinitiv) und Verb schreibt man getrennt: *Sie sollten den Streit ruhen lassen.* Ebenso: *kennen lernen, sitzen bleiben, spazieren gehen.* →§ 34 E3 (6)

jmdn. ruhen lassen; **ru|hen|las|sen ▶ ru|hen las|sen** *übertr.:* vorläufig nicht bearbeiten; einen Fall r. l.; **Ru|he|stand** *m. 2 nur Ez.;* **Ru|he|ständ|ler** *m. 5;* **Ru|he|statt** *w. Gen. - Mz.* -stätten; **Ru|he|stät|te** *w. 11;* **Ru|he|stö|rer** *m. 5;* **Ru|he|stö|rung** *w. 10;* **Ru|he|tag** *m. 1;* **ru|he|voll; Ru|he|zeit** *w. 10;* **ru|hig;** ruhig bleiben, sein, stellen, werden; sich ruhig verhalten; **ru|hig|stel|len ▶ ru|hig stel|len** *tr. 1* bewegungslos machen; ein gebrochenes Glied ruhig stellen; **Ru|hig|stel|lung** *w. 10 nur Ez.*

Ruhm *m. Gen.* -(e)s *nur Ez.;* **ruhm|be|deckt; Ruhm|be|gier, Ruhm|be|gier|de** *w. Gen. - nur Ez.;* **ruhm|be|gie|rig; rüh|men 1** *tr. 1* loben, preisen; **2** *refl. 1;* sich einer Sache r.: stolz auf etwas sein und es laut verkünden; sich seiner Verdienste r.; **rüh|mens|wert; Ruh|mes|blatt** *s. 4* ruhmwürdige Tat oder Begebenheit; **Ruh|mes|tag** *m. 1;* **Ruh|mes|tat** *w. 10;* **rühm|lich;** eine rühmliche Ausnahme; **ruhm|los; ruhm|re|dig** prahlerisch; **Ruhm|re|dig|keit** *w. 10 nur Ez.;* **ruhm|reich; Ruhm|sucht** *w. Gen. - nur Ez.;* **ruhm|süch|tig; ruhm|voll**

Ruhr *w. Gen. - nur Ez.* **1** eine durch Bakterien verursachte Infektionskrankheit des Darms; **2** Nebenfluss des Rheins

Rühr|ei *s. 3;* **rüh|ren** *tr. 1*

rüh|rig; Rüh|rig|keit *w. 10 nur Ez.*

rühr|se|lig; Rühr|se|lig|keit *w. 10 nur Ez.;* **Rühr|stück** *s. 1* rührseliges Theaterstück; **Rüh|rung** *w. 10 nur Ez.*

Ru|in [lat.-frz.] *m. Gen.* -s *nur Ez.* Zusammenbruch, Verfall, Vermögensverlust; **Ru|i|ne** *w. 11* verfallenes Gebäude; **ru|i|nie|ren** *tr. 3* zugrunde richten, verderben, zerstören; **ru|i|nös** zum Ruin führend, verderblich, zerstörerisch

Ru|län|der *m. 5* eine Traubensorte

Rülps *m. 1, ugs.:* **1** Rülpser; **2** Rüpel, Flegel; **rülp|sen** *intr. 1, ugs.:* laut aufstoßen; **Rülp|ser** *m. 5, ugs.:* lautes Aufstoßen

rum *ugs. für* herum

Rum [engl.] *m. 9* Branntwein aus Zuckerrohr

Ru|mä|ne *m. 11;* **Ru|mä|ni|en** Staat in Europa; **ru|mä|nisch; Ru|mä|nisch** *s. Gen.* -(s) *nur Ez.* zu den ostroman. Sprachen gehörende Sprache

Ru|mantsch, Ru|mauntsch *s. Gen.* -(s) *nur Ez.* = Romaunsch

Rum|ba [kuban.] *w. 9, ugs. auch: m. 9* ein Gesellschaftstanz kubanischen Ursprungs

Rum|mel *m. 5 nur Ez., ugs.:* lärmender Betrieb, lautes Treiben; **rum|meln** *intr. 1* lärmen, poltern, dröhnen; **Rum|mel|platz** *m. 2* Jahrmarkt, Vergnügungsplatz

Rum|my [rœmı, frz.-engl.] *s. Gen.* -s *nur Ez., österr. für* Rommee

Ru|mor [lat.] *m. Gen.* -s *nur Ez., veraltet:* Lärm, Tumult; **ru|mo|ren** *intr. 1*

Rum|pel 1 *m. 5, süddt., mitteldt., veraltet:* Gerümpel; **2** *w. 11, süddt., österr., früher:* Waschbrett; **rum|pe|lig,** rumplig *ugs.:* holprig; **Rum|pel|kam|mer** *w. 11;* **rum|peln** *intr. 1;* **Rum|pel|stilz|chen** *s. 7 nur Ez.* eine zwergenhafte Märchengestalt

Rumpf *m. 2* Körper ohne Kopf und Gliedmaßen

rümp|fen *tr. 1* in Falten ziehen; die Nase r.; die Nase über etwas r. *übertr.:* etwas geringschätzig, verächtlich beurteilen

rump|lig = rumpelig

Rump|steak [rʌmpstɛk; dt. meist rumpste:k, engl.] *s. 9* kurz gebratene Lendenschnitte vom Rind

Run [rʌn, engl.] *m. 9* Ansturm (auf Banken, auf Mangelware)

rund 1 kugel-, kreisförmig; rund um die Uhr: Tag und Nacht; **2** (*Abk.:* rd.) etwa, ab-, aufgerundet; rund tausend Mark; **3** *ugs.:* wohlgelungen; eine runde Sache; ein rundes Fest; **Rund** *s. Gen.* -s *nur Ez.;* **Rund|bank** *w. 2;* **Rund|bau** *m. Gen.* -(e)s *Mz.* -baulten; **Rund|bild** *s. 3;* **Rund|blick** *m. 1;* **Rund|bo|gen** *m. 7 oder m. 8;* **Rund|brief** *m. 1;* **Rund|dorf** *s. 4* Dorf, in dem die Häuser mit der Giebelseite zur Dorfmitte stehen, Rundling; **Run|de** *w. 11;* **Rün|de** *w. 11 nur Ez., veraltet:* das Rundsein; **Run|dell** *s. 9* = Rondell; **run|den** *tr. 2;* **rün|den** *tr. 2, poet. für* runden; **Run|den|zeit** *w. 10, Sport;* **rund|er|neu|ern** *tr. 1;* **Rund|fahrt** *w. 10;* **Rund|fra|ge** *w. 11;* **Rund|funk** *m. 1 nur Ez.;* **Rund|funk|emp|fän|ger** *m. 5;* **Rund|funk|ge|rät** *s. 1;* **Rund|funk|hö|rer** *m. 5;* **Rund|funk|pro|gramm** *s. 1;* **Rund|funk|re|por|ta|ge** *w. 11;* **Rund|funk|sen|der** *m. 5;* **Rund|funk|tech|nik** *w. 10 nur Ez.;* **Rund|funk|ü|ber|tra|gung** *w. 10;* **Rund|funk|zeit|schrift** *w. 10;* **Rund|gang** *m. 2;* **Rund|ge|sang** *m. 2;* **Rund|heit** *w. 10 nur Ez.;* **rund|her|aus** *auch:* **rund|he|raus** ohne Umschweife offen; etwas r. sagen; **rund|her|um** *auch:* **rund|he|rum; Rund|holz** *s. 4;* **Rund|ho|ri|zont** *m. 1* halbrund gespannte Leinwand mit darauf gemalter oder projizierter Darstellung als Bühnenhintergrund, Prospekt; **Rund|lauf** *m. 2* ein Turngerät; **rund|lich; Rund|lich|keit** *w. 10 nur Ez.;* **Rund|ling** *m. 1* = Runddorf; **Rund|rei|se** *w. 11;* **Rund|schau** *w. 10* (oft Titel von Zeitschriften); **Rund|schrei|ben** *s. 7;* **Rund|spruch** *m. 2 nur Ez.; schweiz. für* Rundfunk; **Rund|stab** *m. 2, Baukunst:* stabförmiges Ornament mit halbrundem Querschnitt; **rund|stri|cken** *tr. 1;* ich stricke den Pullover rund; rundgestrickter Pullover; **Rund|strick|na|del** *w. 11;* **Rund|stück** *s. 1, norddt.:* Brötchen, Semmel; **Rund|tanz** *m. 2* wechselnd paarweise im Kreis getanzter Tanz; **rund|um; rund|um|her; Run|dung** *w. 10;* **Rund|ver|kehr** *m. Gen.* -s *nur Ez.* Kreisverkehr; **rund|weg** ohne Umschweife, unmissverständlich; er hat mir meine Bitte r. abgeschlagen

Ru|ne *w. 11* german. Schriftzeichen; **Ru|nen|al|pha|bet** *s. 1 nur Ez.,* **Ru|nen|schrift** *w. 10 nur Ez.;* **Ru|nen|stein** *m. 1*

Run|ge *w. 11, an Leiterwagen:* Stange zwischen Radnabe und oberem Rand der Leiter

Run|kel, Run|kel|rü|be *w. 11* Futterrübe

Runks *m. 1, ugs.:* grober, rücksichtsloser Mensch, Rüpel, Flegel; **runk|sen** *intr. 1, Sport, bes. Fußball:* rücksichtslos spielen

Ru|no|lo|ge *m. 11* Kenner, Erforscher der Runen

Runs *m. 1,* **Run|se** *w. 11, süddt., österr., schweiz.:* Rinne an Bergabhängen, Bachbett

run|ter *ugs. für* herunter; *oft für:* hinunter; ich gehe runter *statt:* hinunter

Run|zel *w. 11* kleine Falte, bes. im Gesicht; **run|ze|lig,** runzlig; **run|zeln** *tr. 1* in Runzeln ziehen; die Stirne r.: die Schale runzelt sich (vom Obst); **runz|lig,** runzelig

Rü|pel *m. 5* grober, rücksichtsloser, unhöfl. Mensch, Flegel; **Rü|pe|lei** *w. 10* rüpelhaftes Benehmen; **rü|pel|haft; Rü|pel|haf|tig|keit** *w. 10 nur Ez.*

rup|fen 1 *tr. 1;* **2** *Adj.:* aus Rupfen; **Rup|fen** *m. 7* grobes Jutegewebe

► = wird zu

Ru|pi|ah *w. Gen. - Mz.* - (*Abk.:* Rp) Währungseinheit in Indonesien, 100 Sen; **Ru|pie** [-pjə] *w. 11* Währungseinheit in Indien, Pakistan, Sri Lanka
rup|pig grob, unhöflich, barsch; **Rup|pig|keit** *w. 10 nur Ez.*
Ru|precht *auch:* **Rup|recht;** Knecht Ruprecht: Gestalt des Volksglaubens, Begleiter des hl. Nikolaus oder des Christkinds
Rup|tur [lat.] *w. 10, Med.:* Zerreißung
ru|ral [lat.] *veraltet:* ländlich, bäuerlich
Rus *w. Gen. - Mz.* - Bez. für die ostslaw. Stämme im 9./10. Jh.
Rü|sche *w. 11* gefältelter oder gekrauster Besatz
Ru|schel *w. 5* unordentliche oder hastig arbeitende Person; **ru|schel|lig; ru|scheln** *intr. 1* **1** unordentlich sein; **2** hastig arbeiten
Rush [rʌʃ, engl.] *m. 9, Sport:* plötzl. Vorstoß (eines Läufers oder Pferdes); **Rush-hour** ►

> **Rushhour:** Zusammensetzungen aus einem Adjektiv (oder Substantiv, Pronomen bzw. Partikel) und einem Substantiv werden zusammengeschrieben. Diese Regel gilt auch für fremdsprachige Substantive: *die Rushhour.*
> →§ 37 (1)

Rush|hour [rʌʃaʊə] *w. 9* Zeit der größten Verkehrsdichte zum Beginn und Ende der Arbeits- und Geschäftszeit
Ruß *m. 1 nur Ez.* bei unvollkommener Verbrennung entstehendes Kohlenstoffpulver
Rus|se *m. 11* **1** Einwohner Russlands; **2** *volkstüml. für* Schabe
Rüs|sel *m. 5;* **Rüs|sel|kä|fer** *m. 5;* **Rüs|sel|tier** *s. 1* Angehöriger einer Ordnung der Säugetiere, heute nur noch der Elefant
ru|ßen 1 *intr. 1* Ruß absondern; **2** *tr. 1 schweiz.:* von Ruß reinigen (Ofen); **ru|ßig**
Rus|sin *w. 10* weibl. Russe (**1**); **rus|sisch;** russisches Bad; russisch-römisches Bad; russisches Brot; Russisch-Japanischer, Russisch-Türkischer Krieg; **Rus|sisch** *s. Gen.* -(s) *nur Ez.* zu den ostslaw. Sprachen gehörende Sprache der Russen; **Rus|sist** *m. 10* Wissenschaftler auf dem Gebiet der Russistik; **Rus|sis|tik** *w. 10 nur Ez.* Lehre von der russ. Sprache und Literatur; **Ruß|land** ► **Russ|land** Staat in Osteuropa und Asien
Rüß|ler ► **Rüss|ler** *m. 5* **1** Rüsseltier; **2** Rüsselkäfer
Rüst|bal|ken *m. 7,* **Rüst|baum** *m. 2* Rundholz für den Gerüstbau, Rüstholz
Rüs|te 1 *w. 11 nur Ez., nddt.:* Rast, Ruhe; die Sonne geht zur R.: geht unter; der Tag geht zur R.: es wird Abend; **2** *w. 11 Seew.:* Planke an der Schiffswand zum Befestigen von Ketten u. a.; **rüs|ten** *tr. u. intr. 2*
Rüs|ter *w. 11* = Ulme; **Rüs|ter|holz,** Rüs|tern|holz *s. 4 nur Ez.;* **rüs|tern** aus Rüster(holz)
Rüst|holz *s. 4* = Rüstbalken
rüs|tig; Rüs|tig|keit *w. 10 nur Ez.*
Rus|ti|ka [lat.] *w. Gen. - nur Ez.* Mauerwerk aus roh behauenen Quadern; **rus|ti|kal** ländlich, bäuerlich; **Rus|ti|zi|tät** *w. 10 nur Ez., veraltet:* Plumpheit
Rüst|kam|mer *w. 11* Raum zum Aufbewahren von Waffen, Rüstungen usw.; **Rüst|tag** *m. 1* Vorabend eines kirchl. Festes; **Rüs|tung** *w. 10;* **Rüs|tungs|in|dus|trie** *w. 11;* **Rüst|zeit** *w. 10,* evang. Kirche: Zusammenkunft mit Andachten, Gesprächen usw.; **Rüst|zeug** *s. 1 nur Ez.* für eine Tätigkeit nötige Werkzeuge oder Kenntnisse
Ru|te *w. 11* **1** langer, gerader, biegsamer Zweig, Gerte; **2** altes dt. Längenmaß, 3,8 m; **3** *Jägerspr.:* Schwanz (vom Raubwild, Hund u. a.); **4** *übertr.:* männl. Glied; **Ru|ten|gän|ger** *m. 5* jmd., der mit einer Wünschelrute Erz- oder Wasseradern sucht
Ru|the|ne *m. 11, bis 1918 Bez. für* Angehörige eines in Ostgalizien, Nordostungarn und einem Teil der Bukowina lebenden Volksstammes; **ru|the|nisch**
Ru|the|ni|um *s. Gen.* -s *nur Ez.* (*Zeichen:* Ru) chem. Element, ein dem Platin ähnliches Edelmetall
Ru|til [lat.] *m. 1* ein Mineral, rötlicher Schmuckstein; **Ru|ti|lis|mus** *m. Gen. - nur Ez.* Rothaarigkeit
Rüt|li *s. 9 nur Ez.* Bergmatte am Vierwaldstätter See; **Rüt|li|schwur** *m. 2 nur Ez.* der Legende nach Schwur auf dem Rütli zur Gründung der Schweizer Eidgenossenschaft
Rutsch *m. 1;* **Rutsch|bahn** *w. 10;* **Rut|sche** *w. 11* Rutschbahn; Förderanlage; **rut|schen** *intr. 1;* **Rut|scher** *m. 5 Mz.* sehr kurze Kinderskier; **Rut|sche|rei** *w. 10 nur Ez., ugs.;* **rutsch|fest; rut|schig** *ugs.;* **Rutsch|par|tie** *w. 11;* **rutsch|si|cher**
Rut|te *w. 11* ein Fisch, Süßwasserdorsch
Rüt|te|lei *w. 10 nur Ez., ugs.;* **rüt|teln 1** *tr. 1;* ich rüttele, rüttle es; **2** *intr. 1* stoßen, vibrieren; der Wagen, das Flugzeug rüttelt; **3** *intr. 1* fliegen, ohne sich vorwärts zu bewegen, der Vogel rüttelt; **Rüt|tel|sieb** *s. 1*
Rütt|stroh *s. Gen.* -(e)s *nur Ez.* kurzes, geknicktes Stroh
Ru|wer 1 *w. Gen.* - Nebenfluss der Mosel; **2** *m. 5* Ruwerwein
RVO *Abk. für* Reichsversicherungsordnung
Rwan|da = Ruanda
RWE *Abk. für* Rheinisch-Westfälische Elektrizitätswerke

S

s *Abk. für* **1** Sekunde; **2** Shilling
S *Abk. für* **1** Süd(en); **2** Schilling; **3** Siemens; **4** *chem. Zeichen für* Schwefel
$ *Zeichen für* Dollar
s. *Abk. für* **1** siehe; **2** Segno
S. *Abk. für* **1** San, Sant', Santa, Santo, São; **2** Seite
Sa *Abk. für* Samstag, Sonnabend
Sa. *Abk. für* Summa
s. a. *Abk. für* **1** siehe auch; **2** sine anno
Saal *m. Gen.* -(e)s *Mz.* Säle; **Saal|toch|ter** *w. 6, schweiz.:* Kellnerin, Bedienerin im Speisesaal
Saar *w. Gen.* - Nebenfluss der Mosel; **Saar|brü|cken** Hst. des Saarlandes; **Saar|land** *s. Gen.* -(e)s *nur Ez.* Land der BR Dtld.; **Saar|län|der** *m. 5;* **saar|län|disch**; *aber:* Saarländischer Rundfunk (*Abk.:* SR)
Saat *w. 10;* **Saa|ten|pfle|ge** *w. 11 nur Ez.;* **Saat|ge|trei|de** *s. 5 nur Ez.;* **Saat|gut** *s. 4 nur Ez.;* **Saat|kar|tof|fel** *w. 11;* **Saat|korn** *s. 4;* **Saat|zucht** *w. 10 nur Ez.*
Sa|ba histor. Landschaft in Südarabien
Sa|ba|dil|le [span.] *w. 11* ein Liliengewächs, dessen Samen als Heil- und Ungezieferbekämpfungsmittel verwendet werden
Sa|bä|er *m. 5* Einwohner von Saba
Sab|bat [hebr.] *m. 1* der jüd. wöchentl. Ruhetag, Samstag; **Sab|ba|ta|ri|er** *m. 5,* **Sab|ba|tist** *m. 10* Angehöriger einer der christl. Sekten, die den Sabbat feiern; **Sab|bat|jahr** *s. 1, nach dem jüd. Kalender:* jedes siebente Jahr, in dem die Felder nicht bebaut werden, Ruhejahr
Sab|bel, Sab|ber *m. 5, nddt., ostmitteldt.:* ausfließender Speichel; **Sab|be|rei** *w. 10 nur Ez.;* **sab|bern** *intr. 1* Speichel oder (zerkaute) Speise ausfließen lassen
Sä|bel *m. 5;* mit dem S. rasseln *übertr.:* mit kriegerischen Maßnahmen drohen; **Sä|bel|an|ti|lo|pe** *w. 11* eine Antilope mit langen, säbelartig gekrümmten Hörnern; **Sä|bel|bei|ne** *s. 1 Mz., ugs.:* O-Beine; **sä|bel|bei|nig;** **Sä|bel|fech|ten** *s. Gen.* -s *nur Ez.;* **Sä|bel|ge|ras|sel** *s. Gen.* -s *nur Ez., übertr.:* Drohung mit kriegerischen Maßnahmen; **sä|beln** *intr. 1* ungeschickt oder grob schneiden; **Sä|bel|raß|ler** ► **Sä|bel|rass|ler** *m. 5;* **Sä|bel|schnäb|ler** *m. 5* Vogel mit langem, säbelförmigem Schnabel
Sa|bi|ner *m. 5* Angehöriger eines antiken Volksstammes in Mittelitalien; **Sa|bi|ner Ber|ge** *m. 1 Mz.;* **sa|bi|nisch**
Sa|bo|ta|ge [-ʒə, frz.] *w. 11* Vereitelung der Ziele anderer durch passiven Widerstand, Beschädigung oder Zerstörung von Produktionsmitteln o. Ä.; **Sa|bo|ta|ge|akt** *m. 1;* **Sa|bo|teur** [-tør] *m. 1* jmd., der Sabotage verübt hat oder betreibt; **sa|bo|tie|ren** *tr. 3* durch Sabotage vereiteln, behindern
Sac|cha|ra|se [saxa-, ´griech.], Sa|cha|ra|se *w. 11* Rohrzucker spaltendes Enzym; **Sac|cha|ri|me|ter,** Sa|cha|ri|me|ter *s. 5* Gerät zum Bestimmen der Konzentration von Rohrzuckerlösungen; **Sac|cha|ri|me|trie** *auch:* **-met|rie,** Sa|cha|ri|me|trie, *w. 11 nur Ez.;* **Sac|cha|rin,** Sacha|rin *s. 1 nur Ez.* künstl. Süßstoff
Sac|co di Ro|ma [ital.] *m. Gen.* --- *nur Ez.* Plünderung Roms durch die Söldner Karls V. 1527/28
Sach|an|la|gen *w. 11 Mz.* aus Sachwerten bestehendes Betriebsvermögen
Sa|cha|ra|se *w. 11* = Saccharase
Sa|cha|ri|me|ter *s. 5* = Saccharimeter
Sa|cha|ri|me|trie *auch:* **-met|rie** *w. 11* = Saccharimetrie
Sa|cha|rin *s. 1* = Saccharin
Sach|be|ar|bei|ter *m. 5;* **Sach|be|zü|ge** *m. 2 Mz.* Naturallohn; **sach|dien|lich** einer Sache dienlich, nützlich; **Sach|ding|wort** *s. 4* = Konkretum; **Sa|che** *w. 11;* **Sach|ein|la|gen** *w. 11 Mz.* bei der Gründung einer AG eingebrachte Sachwerte; **Sä|chel|chen** *s. 7 Mz.* kleine Sachen
Sa|cher|tor|te [nach dem Besitzer des Hotels Sacher in Wien] *w. 11* eine Schokoladentorte
Sach|fir|ma *w. Gen.* - *Mz.* -men, Firma, deren Name auf den Gegenstand des Unternehmens hinweist, im Unterschied zur Personenfirma; **Sach|ge|biet** *s. 1;* **sach|ge|mäß;** **Sach|ka|ta|log** *m. 1* nach Sachgebieten geordneter Katalog, Realkatalog; *Ggs.:* Verfasserkatalog; **Sach|kennt|nis** *w. 1;* **sach|kun|dig;** **Sach|la|ge** *w. 11 nur Ez.;* **Sach|leis|tung** *w. 10;* **sach|lich;** **säch|lich;** **Sach|lich|keit** *w. 10 nur Ez.;* **Sach|re|gis|ter** *s. 5*
Sachs [saks] *m. 1* german. Kurzschwert, Sax
Sach|scha|den *m. 8*
Sach|se [saksə] *m. 11;* **säch|seln** *intr. 1* sächsisch sprechen; **Sach|sen** *s. Gen.* - *nur Ez.* Land der BR Dtld.; **Sach|sen-An|halt;** **Sach|sen|spie|gel** *m. 5 nur Ez.* Rechtsbuch des MA; **säch|sisch**; *aber:* Sächsische Schweiz
sacht, sach|te
Sach|ver|halt *m. 1;* **Sach|ver|si|che|rung** *w. 10;* **Sach|ver|stand** *m. Gen.* -(e)s *nur Ez.;* **sach|ver|stän|dig;** **Sach|ver|stän|di|ge(r)** *m. 18 (17);* **Sach|ver|stän|di|gen|gut|ach|ten** *s. 7;* **Sach|ver|zeich|nis** *s. 1;* **Sach|wal|ter** *m. 1* **1** Verwalter einer Sache; **2** *übertr.:* Fürsprecher; **Sach|wert** *m. 1;* **Sach|wör|ter|buch** *s. 4* Wörterbuch, das nur Erklärungen von Sachen und Begriffen, nicht von Personen enthält
Sack *m. 2, als Maßbez. Mz.* -; drei Sack Kaffee; mit Sack und Pack; mit allen Besitztümern; **Sack|bahn|hof** *m. 2* Kopfbahnhof; **Säck|chen** *s. 7;* **Sä|ckel** *m. 5, südd., österr.* **1** Hosentasche; **2** Geldbeutel; **sa|cken 1** *tr. 1* in Säcke füllen; **2** *intr. 1* sinken, sich senken
sa|cker|lot!, sap|per|lot! *ugs.:* Ausruf der Überraschung, des Zorns oder Unwillens; **Sa|cker|lo|ter**, **Sa|cker|lö|ter** *m. 5; ugs.:* Teufelskerl, Schlaukopf; **sa|cker|ment!** *ugs.:* Ausruf der Überraschung, des Unwillens oder Zorns; **Sa|cker-**

► = wird zu

men|ter *m. 5* Teufelskerl, Schlaukopf

Sack|gas|se *w. 11; auch übertr.:* ausweglose Situation; **sack|grob** *ugs.:* sehr grob; **Sack|hüp|fen, Sack|lau|fen** *s. Gen.* -s *nur Ez.* ein Wettspiel; **Säck|lein** *s. 7;* **sack|lei|nen** aus Sackleinen; **Sack|lei|nen** *s. Gen.* -s *nur Ez.,* **Sack|lein|wand** *w. Gen.* - *nur Ez.* grobes Leinen aus Hanf oder Jute; **Sack|nie|re** *w. 11* = Hydronephrose; **Sack|tuch** *s. 4* **1** grobes Tuch; **2** *süddt., österr.:* Taschentuch

Sad|du|zä|er [hebr.] *m. 5* Angehöriger einer altjüd. Partei, Gegner der Pharisäer

Sa|dis|mus [nach dem frz. Schriftsteller D.-A.-F. Marquis de Sade] *m. Gen.* - *nur Ez.* **1** geschlechtl. Erregung durch Zufügen von körperl. Schmerzen; vgl. Masochismus; **2** *allg.:* Lust an Grausamkeiten; **Sa|dist** *m. 10;* **sa|dis|tisch**

sä|en *tr. 1*

Sa|fa|ri [arab.] *w. 9* **1** Karawanenreise in Afrika; **2** Gesellschaftsreise in Afrika, z. B. Fotosafari

Safe [sɛɪf, engl.] *s. 9* **1** Geldschrank aus Stahl; **2** zu mietendes Sicherheitsfach in den Stahlkammern einer Bank

> **Safersex / Safer Sex:** Die Verbindung zweier Substantive bzw. eines Adjektivs und eines Substantivs wird zusammengeschrieben. →§ 37 (1) Diese Regel gilt auch für fremdsprachige Komposita: *Safersex.* Bei der Zusammensetzung Adjektiv und Substantiv ist auch Getrenntschreibung möglich: *Safer Sex.* Ebenso: *Bigband/Big Band, Softdrink/Soft Drink.* →§ 37 E1

Sa|fer Sex *Nv.* ► **Sa|fer|sex** *Hv.* [sɛɪfər sɛks, engl.] *m. Gen.* --es *nur Ez.* ein die Aidsinfektion minderndes Sexualverhalten

Saf|fi|an [pers.-poln.] *m. 1 nur Ez.,* **Saf|fi|an|le|der** *s. 5 nur Ez.* feines Ziegenleder

Saf|flor [arab.-ital.], Sa|flor *m. 1* Färberdistel; **saf|flor|gelb**

Saf|ran *auch:* **Saf|ran** [arab.] *m. 1* **1** aus Krokussen gewonnener, gelber Farbstoff; **2** aus Krokussen gewonnenes Gewürz; **sa|fran|gelb** *auch:* **saf|ran|gelb**

Saft *m. 2;* **Säft|chen** *s. 7;* **saf|ten** *intr. 2* Saft auspressen; **saf|tig;** *auch übertr. ugs.:* **1** derb (Witz); **2** hoch (Rechnung); **Saft|kur** *w. 10;* **Saft|la|den** *m. 8, ugs.:* schlecht geführtes Unternehmen; **saft|los;** saft- und kraftlos; **saft|reich**

Sa|ga [altnord.] *w. 9* isländ. Prosaerzählung bes. des 11. bis 14. Jh.

sag|bar; Sa|ge *w. 11*

Sä|ge *w. 11;* **Sä|ge|blatt** *s. 4;* **Sä|ge|dach** *s. 4* Dachform (bes. von Industrieanlagen) aus mehreren Pult- oder Satteldächern nebeneinander; **Sä|ge|fisch** *m. 1* ein Rochen mit zahnbewehrtem Kopffortsatz; **Sä|ge|mehl** *s. 1 nur Ez.;* **Sä|ge|mes|ser** *s. 5;* **Sä|ge|müh|le** *w. 11* **sa|gen** *tr. 1;* es hat sage und schreibe drei Stunden gedauert; sich etwas gesagt sein lassen: sich etwas als Lehre, als Warnung dienen lassen; das Sagen haben: zu bestimmen haben

sä|gen 1 *tr. 1;* **2** *intr. 1, übertr. ugs.:* schnarchen

sa|gen|haft; Sa|gen|kreis *m. 1*

Sä|ge|rei *w. 10;* **Sä|ge|spä|ne** *m. 2 Mz.;* **Sä|ge|werk** *s. 1;* **Sä|ge|zahn** *m. 2* einzelne Zacke am Sägeblatt

sa|git|tal [lat.] *Biol.:* parallel zur Mittelachse (liegend)

Sa|go [mal.] *m. 9 nur Ez., süddt., österr. auch: s. 9 nur Ez.* gekörnte Stärke aus dem Mark der Sagopalme oder aus Kartoffeln

Sa|ha|ra [arab.] *w. Gen.* - größte Wüste der Erde in Nordafrika; **Sa|hel-Zo|ne** *w. 11 nur Ez.* Landstrich am Südrand der Sahara

Sa|hib [arab.-Hindi] *m. 9* Herr (früher in Persien und Indien Anrede für Europäer)

Sah|ne *w. 11 nur Ez.;* **Sah|ne|bon|bon** *s. 9, auch: m. 9;* **Sah|ne|eis** *s. Gen.* -es *nur Ez.;* **Sah|ne(n)|quark** *m. Gen.* -s *nur Ez.;* **Sah|ne|tor|te** *w. 11;* **sah|nig**

Saib|ling, Salb|ling, Sälm|ling *m. 1* ein Lachsfisch

Sai|gon [frz.: -gɔ̃] Hst. von Südvietnam bis 1976, seitdem Ho Chi Minh

saint [sɛ̃, frz.] *vor frz. männl. Heiligennamen:* der heilige, z. B. saint Paul; *aber vor Ortsnamen* →Saint (**2**); **Saint 1** [sənt, engl.] (*Abk.:* St.) *vor engl. Heiligennamen und davon abgeleiteten Ortsnamen:* der, die heilige…, z. B. Saint Peter, St. Peter; **2** [sɛ̃] (*Abk.:* St) *vor frz., von Heiligennamen abgeleiteten Ortsnamen,* z. B. Saint-Bernard, St-Bernard; vgl. saint; **sainte** [sɛ̃t, frz.] *vor frz. weibl. Heiligennamen,* z. B. sainte Marie; *aber vor Ortsnamen* →Sainte; **Sainte** [sɛ̃t] (*Abk.:* Ste) *vor frz., von weibl. Heiligennamen abgeleiteten Ortsnamen* z. B. Sainte-Marie, Ste-Marie

Saint-Si|mo|nis|mus [sɛ̃-, nach Claude-Henri Graf von Saint-Simon] *m. Gen.* - *nur Ez.* frz. sozialist. Lehre

Sai|son [sɛzɔ̃, frz.] *w. 9* Hauptbetriebs- oder -geschäftszeit, Hauptreisezeit, Theaterspielzeit

Sai|son|nier ► *auch:* **Sai|so|nier** *m. 5* [sezɔnjɛ, frz.] *schweiz.* Angestellter, Arbeiter, der nur während der Saison beschäftigt wird

Sai|te *w. 11* Faden aus Tierdarm, Pflanzenfasern, Metall oder Kunststoff; **Sai|ten|in|stru|ment** *auch:* **-ins|tru|ment** *s. 1;* **Sai|ten|spiel** *s. 1 nur Ez.;* **...sai|tig** mit einer bestimmten Zahl von Saiten versehen, z. B. fünfsaitig, 5-saitig; **Sait|ling** *m. 1* Schafsdarm für Saiten

Sa|ke [jap.] *m. Gen.* -(s) *nur Ez.* leicht süßer Reiswein

Sak|ko [österr.: -ko] *m. 9, fachsprachl. sowie österr.: s. 9* Herrenjackett

> **Sakra-, Sakri-, Sakro-** (Worttrennung): Neben der Trennung *Sa|kra-, Sa|kri-, Sa|kro-* ist auch die Abtrennung zwischen *k* und *r* möglich. Auf diese Weise kommt der letzte Konsonant auf die neue Zeile: *Sak|ra-, Sak|ri-, Sak|ro-.* →§ 107, § 108

sak|ra! [verkürzt aus Sakrament] *ugs.:* verdammt!; **sa|kral** [lat.] **1** zum Gottesdienst, zur Kirche gehörend, heilig; *Ggs.:* profan; **2** zum Kreuzbein gehörend, von ihm ausgehend; **Sa|kral|bau** *m. Gen.* -(e)s *Mz.* -bauten kirchl. Bau, Kirche; *Ggs.:* Profanbau; **Sa|kra|ment** *s. 1* Glaubensgeheimnis; göttliches Gnadenzeichen; gottesdienstliche Handlung, bei der göttliche Gnadengaben vermittelt werden, z. B. Taufe, Abendmahl;

Sa|kra|ment! *ugs.:* Donnerwetter!; **sa|kra|men|tal** zum Sakrament gehörig, heilig; **Sa|kra|men|ta|li|en** *Mz.* den Sakramenten ähnliche, gottesdienstl. Handlungen, z. B. Besprengung mit Weihwasser; *auch:* die geweihten Dinge, z. B. Weihwasser; **Sa|kra|men|tar** *s. 1,* **Sa|kra|men|ta|ri|um** *s. Gen.* -s *Mz.* -rien, *MA:* Buch mit den Gebeten der Messe, Vorläufer des Messbuchs; **Sa|kra|ments|häus|chen** *s. 7* Behälter mit dem Gefäß für die Hostie, oft turmartig und reich verziert; **Sa|kri|fi|zi|um** *s. Gen.*-s *Mz.* -zi|en Opfer, *bes.:* kath. Messopfer; **Sa|kri|leg** *s. 1,* Sa|kri|le|gi|um, *s. Gen.* -s *Mz.* -gien Vergehen gegen Heiliges, z. B. Gotteslästerung, Kirchenraub; **sa|kri|le|gisch; sa|krisch** *bayr.:* verdammt; **Sa|kris|tan** *m. 1, kath. Kirche:* Küster, Messner; **Sa|kris|tei** *w. 10* Nebenraum in der Kirche für den Geistlichen und die gottesdienstl. Geräte; **sa|kro|sankt** geheiligt, unantastbar

Sä|ku|la *Mz. von* Säkulum; **sä|ku|lar** [lat.] **1** alle hundert Jahre wiederkehrend; **2** weltlich; **Sä|ku|lar|fei|er** *w. 11* = Hundertjahrfeier; **Sä|ku|la|ri|sa|ti|on** *w. 10* Überführung kirchlichen Besitzes in weltliche Hand, Verweltlichung; **sä|ku|la|ri|sie|ren** *tr. 3* in weltlichen Besitz überführen, verweltlichen; **Sä|ku|la|ri|sie|rung** *w. 10;* **Sä|ku|lar|kle|ri|ker** *m. 5* = Weltgeistlicher; **Sä|ku|lum** *s. Gen.* -s *Mz.* -la Jahrhundert

Sa|lam! [arab.], Sa|lem!, Se|lam! Friede! (arab. Grußwort)

Sa|la|man|der [griech.] *m. 5* **1** ein Schwanzlurch; **2** ein student. Trinkbrauch; einen S. reiben

Sa|la|mi [ital.] *w. Gen.* - *Mz.* -(s) eine Wurstsorte; **Sa|la|mi|tak|tik** *w. 10 nur Ez.* Taktik, mit kleinen Forderungen und Übergriffen bestimmte polit. Ziele zu erreichen

Sa|lär [frz.] *s. 1, schweiz.:* Gehalt, Lohn; **sa|la|rie|ren** *tr. 3, schweiz.:* besolden, entlohnen

Sa|lat *m. 1*

Sal|ba|der *m. 5* frömmelnder Schwätzer; **Sal|ba|de|rei** *w. 10 nur Ez.;* **sal|ba|dern** *intr. 1* frömmelnd reden, langweilig und wichtigtuerisch schwätzen

Sal|band *s. 4* **1** *Bgb.:* Berührungsfläche eines Ganges mit dem Nebengestein; **2** = Webkante

Sal|be *w. 11*

Sal|bei *m. Gen.* -s *oder w. Gen.* - *nur Ez.* eine Heil- und Gewürzpflanze

sal|ben *tr. 1* mit Salbe oder Salböl bestreichen; **Sal|ben|büch|se** *w. 11*

Salb|ling *m. 1* = Saibling

Salb|öl *s. 1* geweihtes Öl zur Salbung; **Sal|bung** *w. 10* Bestreichen bestimmter Körperstellen mit Salböl zu kult. Zwecken; **sal|bungs|voll** übertrieben feierlich, süßlich-feierlich

Säl|chen *s. 7* kleiner Saal

sal|die|ren [ital.] *tr. 3;* ein Konto s.: den Saldo eines Kontos feststellen; eine Rechnung s.: ausgleichen; *österr.:* die Bezahlung einer Rechnung bestätigen; **Sal|die|rung** *w. 10;* **Sal|do** *m. Gen.* -s *Mz.* -s *oder* -den *oder* -di, *Buchführung:* Unterschiedsbetrag zwischen der Soll- und der Habenseite eines Kontos; **Sal|do|über|trag, Sal|do|vor|trag** *m. 2* Übertragung des Saldos auf die neue Rechnung

Sä|le *Mz. von* Saal

Sa|lem! = Salam!; Salem aleikum: Friede sei mit euch! (arab. Gruß)

Sa|le|si|a|ner [nach dem Bischof Franz von Sales] *m. 5* Angehöriger einer kath. Priesterkongregation für Erziehung und Äußere Mission

Sales|ma|na|ger [seilzmænıdʒər, engl.] *m. 5* Verkaufsleiter; **Sales|man|ship** [seilzmənʃip] *s. Gen.* -s *nur Ez.* in den USA entwickelte Verkaufslehre; **Sales|pro|mo|ter** [seılzprəmoʊtər] *m. 5* Vertriebskaufmann mit den Aufgaben der Planung und Durchführung der Absatzsteigerung; **Sales|pro|mo|tion** [seilzprəmoʊʃn] *w. Gen.* - *nur Ez.* Verkaufsförderung

Sa|let|tel [ital.], **Sa|lettl** *s. 14, österr.:* Laube, Gartenhaus, Lusthäuschen, Loggia

Sa|li|cin, Sa|li|zin [lat.] *s. 1 nur Ez.* aus Weidenrinde gewonnenes Fiebermittel; **Sa|li|cyl|säu|re,** Sa|li|zyl|säu|re *w. 11 nur Ez.* organ. Säure (als Konservierungsmittel, zur Fiebersenkung u. a.)

Sa|li|er *m. 5* **1** Angehöriger eines fränk. Volksstammes; **2** Angehöriger eines dt. Kaisergeschlechtes; **3** *im alten Rom:* Angehöriger eines Priesterkollegiums, das zu bestimmten Zeiten kultische Tänze aufführte

Sa|li|ne [lat.] *w. 11* Anlage zur Gewinnung von Kochsalz durch Sieden oder Verdunstung

sa|lisch zu den Saliern (**1**) gehörend; die salischen Franken

Sa|li|zin *s. 1 nur Ez., eindeutschende Schreibung von* Salicin; **Sa|li|zyl|säu|re** *w. 11 nur Ez. 1 eindeutschende Schreibung von* Salicylsäure

Sal|kan|te *w. 11* = Webkante

Salk|impf|ung [engl.: sɔk, nach dem US-amerik. Bakteriologen J. E. Salk] *w. 10* Schutzimpfung gegen Kinderlähmung

Sal|leis|te *w. 11* = Webkante

Salm 1 [zu: Psalm] *m. 1* langweiliges Gerede; **2** [lat.] *m. 1* ein Raubfisch, Lachs

Sal|mi|ak [auch: sal-, lat.] *m. Gen.* -s *nur Ez.* Ammoniumchlorid, eine salzige Verbindung aus Ammoniak und Chlorwasserstoff; **Sal|mi|ak|geist** *m. Gen.* -(e)s *nur Ez.* wässrige Ammoniaklösung

Salm|ler *m. 5* ein Karpfenfisch;

Sälm|ling *m. 1* = Saibling

Sal|mo|nel|len [nach dem US-amerik. Bakteriologen D. E. Salmon] *Mz.* Darmkrankheiten, z. B. Fleischvergiftung, hervorrufende Bakterien

Sal|mo|ni|den [lat.] *Mz.* lachsartige Fische

Sa|lo|mo|nen, Sa|lo|mon|in|seln *Mz.* Inselgruppe im Pazif. Ozean; **sa|lo|mo|nisch** [nach Salomo(n), dem König von Israel und Juda]; salomonisches Urteil: weises Urteil

Sa|lon [-lõ, *ugs.:* -lɔŋ, österr.: -lon] *m. 9* **1** Empfangs-, Besuchszimmer; **2** Mode- oder Frisörgeschäft; **3** *17./19. Jh.:* regelmäßig zusammentreffender Kreis literarisch oder künstlerisch interessierter Menschen; **Sa|lon|lö|we** *m. 11* eleganter, etwas oberflächl. Mann der Gesellschaft; **Sa|lon|mu|sik** *w. 10* gefällige Unterhaltungsmusik; **Sa|lon|ti|ro|ler** *m. 5* Stutzer in Gebirgstracht; **Sa|lon|wa|gen** *m. 7* luxuriös ausgestatteter Eisenbahnwagen

sal|opp [frz.] nachlässig, bequem (Kleidung), ungezwungen (Ausdrucksweise)

Sal|pe|ter [lat.] *m. 5 Sammelbez. für* natürlich vorkommende oder künstlich hergestellte Alkalimetallsalze der Salpetersäure; **sal|pe|te|rig** = salpetrig; **Sal|pe|ter|säu|re** *w. 11 nur Ez.* starke, einwertige Mineralsäure; **sal|pe|trig** *auch:* **sal|pet|rig;** salpetrige Säure: schwache, einwertige Säure

Sal|pin|gi|tis [griech.] *w. Gen. - Mz.* -ti|den Eileiterentzündung; **Sal|pinx** *w. Gen. - Mz.* -pin|gen **1** altgriech. Signaltrompete aus Bronze oder Eisen; **2** trichterförmig erweiterte Röhre, z. B. Ohrtrompete, Eileiter

Sal|sa [span.] *w. 11, nur Ez.,* lateinamerik. Rockmusik

Sal|se [lat.] *w. 11* **1** *veraltet:* salzige Soße; **2** Schlammsprudel (in Erdölgebieten)

SALT *Abk. für* Strategic Arms Limitation Talks: *früher* Verhandlungen (zwischen den USA und der ehem. UdSSR) über die Begrenzung strategischer Waffen

Sal|ta [ital.] *s. Gen.* -s *nur Ez.* ein Brettspiel; **Sal|ta|rel|lo** *m. Gen.* -s *Mz.* -li **1** ital. Springtanz; **2** Teil der Lautensuite; **sal|ta|to** *Mus.:* mit springendem Bogen (zu spielen); **Sal|ta|to** *s. Gen.* -(s) *Mz.* -s *oder* -ti, *Mus.:* Spiel mit springendem Bogen; **Sal|to** *m. Gen.* -s *Mz.* -s *oder* -ti Überschlag in der Luft; **Sal|to mor|ta|le** *m. Gen.* -- *Mz.* -- *oder* -ti -li »Todessprung«, mehrfacher Salto

sa|lu|ber [lat.] gesund, heilsam; **Sa|lu|bri|tät** *auch:* **Sa|lub|ri|tät** *w. 10 nur Ez.*

Sa|lut [lat.] *m. 1* militär. Ehrengruß (durch Abfeuern einer Salve von Schüssen); Salut schießen; **sa|lu|tie|ren** *intr. 3* militärisch grüßen; **Sa|lu|tis|mus** *m. Gen.- nur Ez.* Lehre der Heilsarmee; **Sa|lu|tist** *m. 10* Angehöriger der Heilsarmee

Sal|va|do|ri|a|ner *m. 5* Einwohner von El Salvador

Sal|va|ti|on [lat.] *w. 10, veraltet:* Rettung; **Sal|va|tion Ar|my** [sælvɛɪʃn a:rmi, engl.] *w. Gen. -- nur Ez., engl. Bez. für* Heilsarmee; **Sal|va|tor** [-va-] *m. 13 nur Ez.* Retter, Erlöser, Heiland; **Sal|va|to|ri|a|ner** *m. 5* Angehöriger einer kath. Priesterkongregation für Seelsorge und Mission

sal|va ve|nia [lat.] (*Abk.:* s. v.) *veraltet:* mit Erlaubnis, mit Verlaub (zu sagen)

sal|ve! [lat.] sei gegrüßt!; **Sal|ve** *w. 11* gleichzeitiges Abfeuern mehrerer Feuerwaffen; **sal|vie|ren** [-vi-] *tr. 3 veraltet:* retten, in Sicherheit bringen; sich s.; **sal|vis o|mis|sis** (*Abk.:* s. o.) unter Vorbehalt von Auslassungen; **sal|vo er|ro|re** [lat.] (*Abk.:* s. e.) Irrtum vorbehalten (beim Kontokorrent); **sal|vo er|ro|re cal|cu|li** (*Abk.:* s. e. c.) unter Vorbehalt eines Rechenfehlers; **sal|vo er|ro|re et o|mis|si|o|ne** (*Abk.:* s. e. e. o.) Irrtum und Auslassung vorbehalten (beim Kontokorrent); **sal|vo ti|tu|lo** (*Abk.:* S. T.) *veraltet:* mit Vorbehalt des richtigen Titels

Sal|wei|de *w. 11* eine Weidenart

Salz *s. 1*

Salz|burg 1 Hst. des Landes S.; **2** Land in Österreich; **Salz|bur|ger** *m. 5;* **salz|bur|gisch**

sal|zen *tr.,* salzte, gesalzen; gesalzene Rechnung *übertr. ugs.:* hohe Rechnung; **sal|zig**

Salz|kam|mer|gut *s. Gen.* -s *nur Ez.* Landschaft in Österreich

Salz|la|ke *w. 11;* **Salz|le|cke** *w. 11* Stelle im Wald, wo Salz für das Wild ausgestreut ist; **salz|los; Salz|pfan|ne** *w. 11, in Trockengebieten:* salzhaltige, nur bei Regen mit Wasser gefüllte Bodensenke; **Salz|pflan|ze** *w. 11* auf salzhaltigem Boden gedeihende Pflanze, Halophyt; **Salz|säu|le** *w. 11, in der Wendung:* zur S. erstarren (vor Schreck o. Ä.); **Salz|säu|re** *w. 11 nur Ez.;* **Salz|see** *m. 11;* **Salz|so|le** *w. 11* salzhaltiges Wasser, aus dem Kochsalz gewonnen wird; **Salz|step|pe** *w. 11;* **Salz|stra|ße** *w. 11* alte Verkehrsstraße für den Salzhandel

Sä|mann *m. 4*

Sa|ma|ri|ta|ner *m. 5* Einwohner der Landschaft Samaria in Palästina; **sa|ma|ri|ta|nisch; Sa|ma|ri|ter** *m. 5* **1** *in der lutherischen Bibelübersetzung für* Samaritaner; der barmherzige Samariter; **2** *übertr.:* freiwilliger Krankenpfleger; **Sa|ma|ri|ter|dienst** *m. 1*

Sa|ma|ri|um [nach dem Mineral Samarskit] *s. Gen.* -s *nur Ez.* (*Zeichen:* Sm) chem. Element

Sa|mar|kand 1 Stadt in Usbekistan; **2** *m. 9* handgeknüpfter Teppich mit Medaillonmuster

Sa|mar|skit *auch:* **Sa|mars|kit** [nach dem russ. Mineralogen Samarski] *m. 1* ein Mineral

Sä|ma|schi|ne *w. 11*

Sam|ba [afrik.-port.] *w. 9, ugs. und österr.: m. 9* ein Gesellschaftstanz

Sam|bia, *engl. amtl.:* Zambia, Staat im südl. Afrika; **Sam|bi|er** *m. 5;* **sam|bisch**

Sam|bo *m. 9* = Zambo

Sa|me *m. 15, poet. für* Samen; **Sa|men** *m. 7;* **Sa|men|er|guß** ► **Sa|men|er|guss** *m. 2* Ejakulation; **Sa|men|fa|den** *m. 8;* **Sa|men|fluß** ► **Sa|men|fluss** *m. 2* unwillkürl. Abgang von Samen ohne geschlechtl. Erregung; **Sa|men|pflan|ze** *w. 11* Blütenpflanze, Phanerogame; **Sa|men|zel|le** *w. 11;* **Sä|me|rei** *w. 10* Pflanzensamen, Saatgut

Sa|mi|el *m. Gen.* -s *nur Ez., dt. u. jüd. Myth.:* Teufel, böser Geist

...sa|mig *in Zus.,* z. B. nacktsamig, bedecktsamig

sä|mig dickflüssig; **Sä|mig|keit** *w. 10 nur Ez.*

sa|misch aus Samos stammend, zu Samos gehörig

sä|misch mit Öl, Fisch- oder Robbentran gegerbt; **Sä|misch|ger|ber** *m. 5;* **Sä|misch|le|der** *s. 5* sämisch gegerbtes, weiches, feines Ziegen-, Schafs-, Gäms- oder Hirschleder

Sam|is|dat *auch:* **Sa|mis|dat** [russ. Kurzw. »Selbstverlag«] *m. Gen.*-(s) *nur Ez., Bez. für* Untergrundliteratur in der ehem. UdSSR

Sa|mi|sen [-sɛn, jap.], Scha|mi|sen *w. Gen. - Mz. -* jap. Gitarre mit drei Saiten, die mit einem Kiel angerissen werden

Sam|land *s. Gen.* -es *nur Ez.* Halbinsel zwischen Frischem und Kurischem Haff; **Sam|län|der** *m. 5;* **sam|län|disch**

Säm|ling *m. 1* aus Samen gezogene junge Pflanze

Sam|mel|an|schluß ► **Sam|mel|an|schluss** *m. 2* gemeinsamer Telefonanschluss für mehrere Teilnehmer mit Vermittlungszentrale, z. B. in Betrieben; **Sam|mel|band** *m. 2* Buch mit Beiträgen mehrerer Autoren; **Sam|mel|be|griff** *m. 1* = Kollektivum; **Sam|mel|de|pot** [-po:] *s. 9* Depot einer Bank, in dem Wertpapiere verschiedener Besitzer aufbewahrt werden; *Ggs.:* Streifbanddepot; **Sam|mel|fahr|schein** *m. 1* Fahrschein für eine Personengruppe; **Sam|mel|lei|den|schaft** *w. 10 nur Ez.;* **Sam|mel|lin|se** *w. 11* Konvexlinse; *Ggs.:* Zerstreuungslinse; **Sam|mel|mappe** *w. 11;* **sam|meln** *tr. 1;* ich sammele, sammle es; sich s.: sich auf etwas konzentrieren, seine Gedanken zusammennehmen; gesammelter Gesichtsausdruck: konzentrierter G.; **Sammel|na|me** *m. 15* = Kollektivum; **Sam|mel|num|mer** *w. 11* Telefonnummer für mehrere Anschlüsse eines Teilnehmers; **Sam|mel|platz** *m. 2;* **Sam|mel|schie|ne** *w. 11, Elektr.:* Leiterstück zum Sammeln der über mehrere Leitungen zugeführten elektr. Energie für gemeinsamen Weitertransport; **Sammel|stel|le** *w. 11;* **Sam|mel|su|ri|um** *s. Gen.* -s *Mz.* -ri|en, *ugs.:* Menge der verschiedensten Dinge; **Sam|mel|trans|port** *m. 1* gemeinsamer Transport (Personen, Tiere, Güter); **Sam|mel|werk** *s. 1* Buch mit Beiträgen versch. Autoren, meist über dasselbe Thema

Sam|met *m. 1 veraltet für* Samt

Samm|ler *m. 5;* **Samm|lung** *w. 10*

Sa|moa Inselgruppe im Pazifik (Westsamoa und Amerik.-Samoa); **Sa|mo|a|ner** *m. 5;* **samo|a|nisch**

Sa|mo|je|de *m. 11* Angehöriger einer mongoloiden uralischen Völkergruppe, Nenze

Sa|mos 1 griech. Insel; **2** *m. Gen. - Mz. -* Wein von der Insel Samos

Sa|mo|war [russ.] *m. 1* russ. Teemaschine

Sam|pan [chin.] *m. 9* chin. Wohnboot

Sams|tag *m. 1* (*Abk.:* Sa) Sonnabend; vgl. Dienstag; **Samstag|a|bend** *m. 1;* **sams|tags**

samt *mit Dat.:* zusammen mit, einschließlich; das ganze Haus samt (seinem) Inventar; samt und sonders: alle(s) zusammen

Samt *m. 1* Gewebe mit dichter, feiner, weicher Flordecke; **sam|ten** aus Samt

> **Samstagabend:** Die Verbindung zweier Substantive schreibt man zusammen: *am Samstagabend, an diesem/jedem Samstagabend, diesen/jeden Samstagabend, eines Samstagabends.* →§ 37 (1) Adverb: *samstagabends;* auch: *samstags abends.* →§ 56 (3)

Samt|ge|mein|de *w. 11, Kurzw. für* Gesamtgemeinde (Großgemeinde)

Samt|hand|schuh *m. 1, nur in der Wendung* jmdn. mit Samthandschuhen anfassen (müssen): jmdn. vorsichtig behandeln (müssen); **sam|tig** wie Samt

sämt|lich alle; ich habe die Briefe s. aufgehoben, die Arbeiten s. erledigt; sämtliches vorhandene Geld; mit sämtlichem vorhandenen Geld; sämtliche neue Bücher; die Titel sämtlicher neuer (*auch:* neuen) Bücher; mit sämtlichen neuen Büchern; sämtliche Angestellte (*auch:* Angestellten); die Namen sämtlicher Angestellter (*auch:* Angestellten)

Samt|pföt|chen *s. 7;* **samtweich**

Sa|mum [arab.] *m. 1* heißer Wüstenwind in Nordafrika und Vorderasien

Sa|mu|rai [jap.] *m. 9 oder Gen. - Mz. -* Angehöriger des jap. Kriegeradels

San [ital., span.] (*Abk.:* S.) *vor ital. und span. männl. Heiligennamen und davon abgeleiteten Ortsnamen, die mit einem Konsonanten beginnen (ital. außer Sp und St, span. außer Do und To):* der heilige, z. B. San Pietro; vgl. Sant', Santa, Santo

Sa|na|to|ri|um [lat.] *s. Gen.* -s *Mz.* -ri|en Heilstätte, Genesungsheim

San|cho Pan|sa [-tʃo, nach dem Knappen des Don Quichotte in Cervantes' gleichnamigem Roman] *m. Gen. -- Mz.* --s derber, pfiffiger, wirklichkeitsnaher Mensch

San|cta [lat.] *weibl. Form von* Sanctus; **San|cta Se|des** *w. Gen. -- nur Ez.* **1** *lat. Bez. für* Heiliger Stuhl; **2** *übertr.:* Papst und päpstl. Gewalt; **san|cta sim|pli|ci|tas!** *auch:* **- simp|li-** heilige Einfalt! (Ausruf angesichts einer von jmdm. begangenen Torheit); **San|cti|tas** *w. Gen. - nur Ez.* Heiligkeit (Titel des Papstes); **San|ctus 1** *lat. Bez. für* Sankt; **2** [nach dem Anfangswort des Lobgesangs] *s. Gen. - Mz. -* Lobgesang der kath. Messe

Sand *m. 1*

San|da|le [pers.-lat.] *w. 11* leichter, durch Riemchen zusammengehaltener Schuh; **San|da|let|te** *w. 11* leichte Sommersandale für Damen

San|da|rak [sanskr.-frz.] *m. 1 nur Ez.* Harz einer trop. Zypresse für Lack, Kitt u. a.

Sand|bahn|ren|nen *s. 7;* **Sand|bank** *w. 2;* **Sand|blatt** *s. 4* eine Sorte von Tabakblättern; **Sand|dorn** *m. 1* ein dorniger Strauch mit vitaminreichen Früchten, Stranddorn

San|del|baum [sanskr.-ital.] *m. 2* ein indomalaiischer Laubbaum; **San|del|holz** *s. 4 nur Ez.* wohlriechendes Holz des Sandelbaumes (für Schnitzarbeiten und Räuchermittel); **San|del|holz|öl** *s. 1* rosenartig duftendes Öl aus dem Kernholz des Sandelbaumes

san|deln *intr. 1* **1** mit Sand spielen; **2** als Sandlerin tätig sein

sand|far|ben beige; **Sand|floh** *m. 2* an Menschen und Tieren schmarotzender Floh; **Sand|ho|se** *w. 11* von einem Wirbelsturm trichterförmig hochgerissener Sand; **san|dig; Sand|le|rin** *w. 10* attraktive Frau, die Touristen dazu verleitet, in Nepplokale mitzugehen; **Sand|mann** *m. 4,* **Sand|männ|chen** *s. 7* eine Märchengestalt; **Sand|pa|pier** *s. 1* mit Leim bestrichenes und mit Sand bestreutes Papier zum Schleifen; **Sand|sack** *m. 2*

San|dschak *auch:* **Sand|schak** [türk.] *m. 9* **1** *früher:* türk. Standarte als Hoheitszeichen; **2** ehemaliger türk. Verwaltungsbezirk

Sand|stein *m. 1;* **sand|strah|len** *tr. 1;* ein Werkstück s.: mit Sandstrahlgebläse bearbeiten; ich habe es gesandstrahlt; **Sand|strahl|ge|blä|se** *s. 5* Gerät zum Reinigen oder Entrosten harter Oberflächen, aus dem durch Druckluft Sand herausgeschleudert wird; **Sand|sturm** *m. 2;* **Sand|uhr** *w. 10*

Sand|wich [sændwitʃ, engl.:

sænwɪtʃ] *s. Gen.* -es *Mz.* -es belegte doppelte Weißbrotschnitte; **Sand|wich|man** [sændwitʃmæn] *m. Gen.* -s *Mz.* -men [-mən]; **Sand|wich|mann** *m. 4, ugs. scherzh.:* jmd., der mit zwei Reklameschildern auf Brust und Rücken durch die Straßen geht

san|fo|ri|sie|ren [nach dem Erfinder Sanford L. Cluett] *tr. 3;* Gewebe s.: durch Hitze schrumpfen lassen, damit sie beim Waschen nicht eingehen, krumpfecht machen

San Fran|cis|co, *Kurzw.:* Frisco, Stadt in den USA

sanft; Sänf|te *w. 11* von zwei Trägern getragener Tragstuhl; **Sänf|ten|trä|ger** *m. 5;* **Sanft|heit** *w. 10 nur Ez.;* **sänf|tig|lich** *veraltet, poet. für* sanft; **Sanft|mut** *w. Gen. - nur Ez.;* **sanft|mü|tig**

Sang *m. 2, nur noch in der Wendung:* mit Sang und Klang; vgl. sanglos; **sang|bar** leicht, gut zu singen, sanglich; **Sän|ger** *m. 5;* **San|ges|bru|der** *m. 6* jemand, der dem gleichen Gesangverein angehört; **San|ges|lust** *w. Gen. - nur Ez.;* **san|ges|lus|tig; sang|lich** leicht, gut zu singen; **Sang|lich|keit** *w. 10 nur Ez.;* **sang|los** *nur in der Wendung* sang- und klanglos: ohne Aufhebens, unbemerkt

San|gu|i|ni|ker [lat.] *m. 5* Mensch mit lebhaftem, heiterem Temperament; **san|gu|i|nisch**

San|he|drin *auch:* **San|hed|rin** *m. 1 nur Ez., hebr. Form von* Synedrium

sa|nie|ren [lat.] *tr. 3* **1** gesund machen, heilen; **2** alte Stadtteile s.: in alten Stadtteilen gesunde, hygienisch einwandfreie Lebensverhältnisse schaffen; **3** einen Betrieb s.: wieder leistungsfähig machen, seine finanziellen Verhältnisse aufbessern oder ordnen; **4** sich s.: seinen Gewinn (bei etwas) finden; **Sa|nie|rung** *w. 10;* **sa|ni|tär** der Gesundheit, Hygiene dienend; sanitäre Anlagen: Kanalisation, Toiletten usw.; **sa|ni|ta|risch** *schweiz. für* sanitär; **Sa|ni|tät** *w. 10 nur Ez., schweiz.:* Kriegssanitätswesen; **Sa|ni|tä|ter** *m. 5* in der Ersten Hilfe ausgebildeter Krankenpfleger; **Sa|ni|täts|au|to** *s. 9* Krankenwagen *ugs.:* Sank(r)a; **Sa|ni|täts|be|hör|de** *w. 11* Gesundheitsamt; **Sa|ni|täts|dienst** *m. 1* Krankendienst; **Sa|ni|täts|hund** *m. 1* Hund, der auf die Rettung Ertrinkender oder Verschütteter dressiert ist; **Sa|ni|täts|kas|ten** *m. 8* Verbandskasten, Haus-, Reiseapotheke; **Sa|ni|täts|rat** *m. 2* (*Abk.:* San.-Rat); **Sa|ni|täts|sol|dat** *m. 10;* **Sa|ni|täts|wa|gen** *m. 7;* **Sa|ni|täts|we|sen** *s. 7 nur Ez.;* **Sa|ni|täts|zug** *m. 2* Lazarettzug

San|ka, San|kra *auch:* **Sank|ra** *m. 7, Kurzw. für:* Sanitätsauto, -wagen

> **Sankt/St.:** Die Bezeichnung von Kirchen oder Ortsnamen schreibt man: *Sankt (Augustin)* oder *St. (Augustin).* Im Unterschied dazu heißt es: *Sanctus* (Liturgie, Messe in der katholischen Kirche). Aber: *sanktionieren, Sanktion.*

Sankt [lat.] (*Abk.:* St.) *vor dt. männl. und weibl. Heiligennamen und davon abgeleiteten Ortsnamen:* der, die Heilige, *aber:* die heilige Ursula usw. z. B. Sankt Andreas, St. Andreas; Sankt Andreasberg, St. Andreasberg; Sankt-Lorenz-Strom; Sankt-Peters-Kirche, St.-Peters-Kirche; **Sankt Bern|hard** *m. Gen.* --(s) *nur Ez.* Name zweier Alpenpässe; Kleiner, Großer St. Bernhard; **Sankt-Elms-Feu|er,** St.-Elms-Feu|er *s. 5* elektrische Entladung an spitzen, hohen Gegenständen (z. B. Masten, Turmspitzen), Büschellicht; **Sankt Gal|len,** St. Gal|len **1** Hst. des Kantons St. Gallen; **2** schweiz. Kanton; St. Galler Handschrift; **Sankt Gott|hard,** St. Gott|hard *m. Gen.* --(s) ein Alpenpass; **Sankt He|le|na,** St. He|le|na Insel im Atlant. Ozean; **Sank|ti|fi|ka|ti|on** [lat.] *w. 10* Heiligsprechung; **sank|ti|fi|zie|ren** *tr. 3* heilig sprechen; **Sank|ti|on** *w. 10* **1** Anerkennung, Bestätigung, Erteilung der Gesetzeskraft; **2** *Mz.* Zwangsstrafmaßnahmen; **sank|ti|o|nie|ren** *tr. 3* bestätigen, Gesetzeskraft erteilen; **Sank|ti|o|nie|rung** *w. 10;* **Sank|tis|si|mum** *s. Gen.* -s *nur Ez., kath. Kirche:* Allerheiligstes, geweihte Hostie; **Sankt-Lo|renz-Strom** *m. 2 nur Ez.* Fluss in Nordamerika; **Sankt-Mi|cha|e|lis-Tag** *m. 1* 29. September; **Sankt-Nim|mer|leins-Tag** *m. 1* = Nimmerleinstag; **Sankt Pau|li** Stadtteil von Hamburg; **Sankt Pe|ters|burg,** St. Peters|burg, *seit 1991 wieder für* Leningrad, russ. Stadt; **Sank|tu|ar** *s. 1,* **Sank|tu|a|ri|um** *s. Gen.* -s *Mz.* ri|en **1** Heiligtum; **2** *kath. Kirche:* Altarraum; **3** Reliquienschrein

San Ma|ri|no 1 Republik auf der Apenninenhalbinsel; **2** deren Hauptstadt; **San|ma|ri|ne|se** ► **San-Ma|ri|ne|se** *m. 11;* **san|ma|ri|ne|sisch** ► **san-ma|ri|ne|sisch**

Sans|cu|lot|te [sɑ̃(s)ky-, frz. »ohne (Knie-)Hose«] *m. 11* Spottname für die revolutionären Proletarier in der Frz. Revolution, da sie keine Kniehosen (Culottes) trugen wie die höheren Stände, sondern lange Hosen (Pantalons)

San|se|vi|e|ria [nach dem Fürsten von San Severo (Süditalien)], San|se|vi|e|rie [-riə] *w. Gen. - Mz.* -ri|en ein Liliengewächs, Zierpflanze

Sans|krit [altind.] *s. Gen.* -s *nur Ez.* altind. Literatursprache; **sans|kri|tisch; Sans|kri|tist** *m. 10* Kenner des Sanskrits

Sans|sou|ci [sɑ̃susi, frz. »ohne Sorge«] Name eines Rokokoschlosses in Potsdam

Sant' [ital.] (*Abk.:* S.) *vor ital. männl. und weibl. Heiligennamen und davon abgeleiteten Ortsnamen, die mit einem Vokal beginnen:* der, die Heilige, *aber:* der heilige Angelos usw., z. B. Sant' Angelo, Sant' Agata; vgl. San, Santa, Santo; **San|ta** (*Abk.* ital.: S., span., port.: Sta.) *vor ital., span. und port. weibl. Heiligennamen und manchen Ortsnamen, die mit einem Konsonanten beginnen:* die Heilige, *aber:* die heilige Clara usw., z. B. Santa Clara, Santa Cruz; vgl. Sant', Santo, San; **San|te** *Mz.* (*Abk.:* SS.) *vor ital. weibl. Heiligennamen:* die Heiligen, *aber:* die heiligen Maria und Magdalena usw., z. B. Sante Maria e Maddalena; **San|ti** *Mz.* (*Abk.:* SS.) *vor ital. männl. Heiligennamen:* die Heiligen, *aber:* die heiligen Peter und Paul usw., z. B. Santi Pietro e Paolo, Santi Apostoli

San|ti|a|go de Chi|le [tʃile] Hst. von Chile

San|to (*Abk.:* S.) *vor ital., span. und port. männl. Heiligennamen und davon abgeleiteten Ortsnamen, die mit St oder Sp (ital.) bzw. mit Do oder To (span.) oder mit Vokal (portug.) beginnen:* der Heilige, *aber:* der heilige Stephan usw., z.B. Santo Stefano, Santo Spirito, Santo Domingo, Santo Tomàs, Santo André; vgl. San, Sant', Santa
São [sɑ̃u, port.] (*Abk.:* S.) *vor port. männl. Heiligennamen und davon abgeleiteten Ortsnamen, die mit einem Konsonanten beginnen;* der Heilige, *aber:* der heilige Paul(us) usw., z.B. São Paolo; vgl. San, Santo, Santa
Sa|phir [auch: -fir, hebr.-lat.] *m. 1* ein Mineral, Edelstein
sa|pi|en|ti sat [lat. »dem Weisen (ist es) genug«] für den Eingeweihten ist keine weitere Erklärung nötig
Sa|pi|ne [frz.] *w. 11,* Sap|pel *m. 5, österr.:* Werkzeug zum Wegziehen gefällter Bäume
Sa|po|na|ria [lat.] *w. Gen. - Mz.* -riae [-riɛ:] eine Zier- und Heilpflanze, deren Wurzel Saponin enthält, Seifenkraut; **Sa|po|nin** *s. 1* ein Glucosid, Reinigungs- und Arzneimittel
Sap|pe [frz.] *w. 11, früher:* Laufgraben im Stellungskrieg
sap|per|lot! *Nebenform von* sackerlot; **Sap|per|lö|ter** *m. 5, Nebenform von* Sackerlöter; **sap|per|ment!** *Nebenform von* sackerment; **Sap|per|men|ter** *m. 5, Nebenform von* Sackermenter
Sap|peur [-pør, frz.] *m. 1 früher:* Soldat für den Sappenbau
sap|phisch [zapfıʃ oder zafıʃ] von der altgriech. Dichterin Sappho stammend, in der Art der Sappho; sapphische Liebe: Homosexualität zwischen Frauen, lesbische Liebe; sapphische Strophe: Strophe aus drei elfsilbigen Versen und einem abschließenden fünfsilbigen Vers
sa|pris|ti! *auch:* **sap|ris|ti!** [lat.-frz.] *veraltet:* potztausend! (Ausruf der Überraschung)
Sa|pro|bie *auch:* **Sap|ro|bie** [-bjə, griech.] *w. 11,* **Sa|pro|bi|ont** *auch:* **Sap|ro-** *m. 10* in faulenden Stoffen lebendes tier. oder pflanzl. Lebewesen; **sa|pro|bisch** *auch:* **sap|ro-** in der Art der Saprobien; **sa|pro|gen** *auch:* **sap|ro-** Fäulnis erregend; **Sa|pro|pel** *auch:* **Sap|ro-** *s. 1* = Faulschlamm; **Sa|pro|pha|ge** *auch:* **Sap|ro-** *m. 11* von faulenden Stoffen lebendes Tier; **sa|pro|phil** *auch:* **sap|ro-** von faulenden Stoffen lebend; **Sa|pro|phyt** *auch:* **Sap|ro-** *m. 10* von faulenden Stoffen lebende Pflanze
Sa|ra|ban|de [frz.: -bɑ̃d] *w. 11* **1** *17./18. Jh.:* ruhiger frz. Gesellschaftstanz; **2** Satz der Suite
Sa|ra|fan [pers.-russ.] *m. 1, im 18./19. Jh.:* russ. Frauen-Trachtenrock mit Leibchen
Sa|ra|ze|ne [arab.] *m. 11, MA* **1** *Bez. für* Araber; **2** *Bez. für* Muslim
Sar|de *m. 11* Einwohner von Sardinien, Sardinier
Sar|del|le [ital.] *w. 11* ein Heringsfisch
Sar|di|ne [griech.] *w. 11* ein Heringsfisch, Jugendform des Pilchards; **Sar|di|nen|ga|bel** *w. 11*
Sar|di|ni|en ital. Insel; **Sar|di|ni|er** *m. 5* = Sarde; **sar|di|nisch, sar|disch**
sar|do|nisch [nach dem Giftkraut Sardonia] krampfhaft; sardonisches Lachen: krampfhaftes Lachen; *Med.:* scheinbares Lachen bei krankhafter Gesichtsverzerrung
Sard|o|nyx *auch:* **Sar|do|nyx** [griech.] *m. 1* ein Mineral, ein Onyx
Sarg *m. 2*
Sa|ri [sanskr.] *m. 9* kunstvoll gewickeltes, auch den Kopf verhüllendes indisches Frauengewand
Sar|kas|mus [griech.] **1** *m. Gen. - nur Ez.* bitterer Spott; **2** *m. Gen. - Mz.* -men sarkast. Äußerung; **sar|kas|tisch** bitter spöttisch
Sar|kom [griech.] *s. 1,* **Sar|ko|ma** *s. Gen.* -s *Mz.* malta bösartige Bindegewebsgeschwulst; **sar|ko|ma|tös** in der Art eines Sarkoms; **Sar|ko|phag** *m. 1* prunkvoller Sarg, Steinsarg
Sa|rong [mal.] *m. 9* bunter, gewickelter indones. Frauenrock
Sar|raß ► **Sar|rass** [poln.] *m. 1* Säbel mit schwerer Klinge
Sar|sa|pa|ril|le [span.] *w. 11, Sammelbez. für* mehrere mittel- und südamerik. Stechwinden, aus deren Wurzeln ein blutreinigendes, schweiß- und harntreibendes Mittel gewonnen wird
Sar|se|nett [mlat.-engl.] *m. 1* dichter Futterstoff aus Baumwolle
Saß ► **Sass** *m. Gen.* Sas|sen *Mz.* Sas|sen = Sasse (**1**)
Sa|sa|ni|de *m. 11* = Sassanide
Sas|sa|fras [lat.-span.] *m. Gen. - Mz. -,* **Sas|sa|fras|baum** *m. 2* nordamerik. Baum, aus dessen Wurzel ein äther. Öl gewonnen wird
Sas|sa|ni|de, Sa|sa|ni|de *m. 11* Angehöriger eines persischen Herrschergeschlechts; **sas|sa|ni|disch**
Sas|se 1 *m. 11, veraltet:* Grundbesitzer, Sass; **2** *w. 11, Jägerspr.:* Lager (des Hasen)
Sa|tan [griech.] *m. 1* **1** Teufel, Widersacher Gottes; **2** *übertr.:* boshafter, grausamer Mensch; **Sa|ta|nas** *m. 1, kirchenlat. Form von* Satan (**1**); **sa|ta|nisch** teuflisch; **Sa|tans|bra|ten** *m. 7, ugs.:* durchtriebener Kerl, Schlingel, Teufelsbraten; **Sa|tans|kerl** *m. 1* **1** böser, grausamer Mensch; **2** Draufgänger, verwegener Mensch; **Sa|tans|weib** *s. 3, ugs.:* niederträchtiges, böses Weib
Sa|tel|lit [lat.] *m. 10* **1** einen Planeten umkreisender Himmels- oder künstl. Raumkörper; **2** *abwertend:* ständiger Begleiter, ergebener Gefolgsmann, Trabant; **Sa|tel|li|ten|staat** *m. 12* formal selbständiger, in Wirklichkeit aber von einer Großmacht abhängiger Staat; **Sa|tel|li|ten|stadt** *w. 2* = Trabantenstadt; **Sa|tel|li|ten|über|tra|gung** *w. 10* Fernsehübertragung über Satelliten
Sa|tem|spra|chen *w. 11 Mz., früher Bez. für* die idg. Sprachen, die das Wort »hundert« nach iran. »satem« bilden; vgl. Kentumsprachen
Sa|ter|tag *m. 1, . westfäl., ostfries.:* Sonnabend
Sa|tin [-tɛ̃, arab.-frz.] *m. 9* atlasähnlicher Stoff; **Sa|ti|na|ge** [-ʒə] *w. 11* Glättung (von Papier, Stoff); **Sa|ti|né|pa|pier** [-ne-], Sa|tin|pa|pier *s. 1* Papier mit glänzender, glatter Oberfläche; **sa|ti|nie|ren** *tr. 3* glätten (Stoff, Papier); **Sa|ti|nier|ma|schi|ne** *w. 11,* **Sa|ti|nier|pres|se** *w. 11* = Kalander; **Sa|tin|pa|pier** [-tɛ̃-] *s. 1* = Satinépapier
Sa|ti|re [lat.] *w. 11* mit Ironie und scharfem Spott menschl. Schwächen und Laster geißeln-

► = wird zu

de Dichtung; **Sa|ti|ri|ker** *m. 5* **1** Satirendichter; **2** Spötter; **sa|ti|risch**
Sa|tis|fak|ti|on [lat.] *w. 10* Genugtuung (durch Ehrenerklärung oder Duell)
Sa|trap *auch:* **Sat|rap** [pers.] *m. 10, im alten Persien:* Provinzstatthalter; **Sa|tra|pie** *auch:* **Sat|ra|pie** *w. 11* von einem Satrapen verwaltete Provinz
Sat|su|ma [nach der früheren jap. Provinz Satsuma] *w. Gen. - Mz.* -s eine kernlose Mandarine
satt; satte Farben; etwas satt bekommen, haben; ich bin es satt, habe es satt; sich satt essen; sich (an etwas) satt sehen, hören; satt sein; **satt|blau**
Sat|te *w. 11, norddt.:* flache Schüssel (bes. für Milch)
Sat|tel *m. 6;* in allen Sätteln gerecht sein *übertr.:* auf allen Gebieten Bescheid wissen; **Sat|tel|dach** *s. 4;* **sat|tel|fest** *meist übertr.:* sicher, bewandert (auf einem Gebiet); **sat|teln** *tr. 1;* **Sat|tel|pferd** *s. 1* das im Gespann links gehende Pferd; *Ggs.:* Handpferd; **Sat|tel|schlep|per** *m. 5* Kraftfahrzeug mit kurzem Lastwagengestell, auf dem ein Anhänger ohne Vorderachse mit einem Teil seiner Last aufliegt
satt|gelb; satt|grün; Satt|heit *w. 10 nur Ez.;* **sät|ti|gen** *tr. 1;* gesättigte Lösung: chem. Lösung, der so viel von einer Substanz zugegeben worden ist, wie sie maximal lösen kann; **Sät|ti|gung** *w. 10 nur Ez.;* **Sät|ti|gungs|grad** *m. 1*
Satt|ler *m. 5;* **Satt|le|rei** *w. 10*
satt|rot; satt|sam genügend; es ist s. bekannt, dass…
Sa|tu|ra|ti|on [lat.] *w. 10* **1** *Chem.:* Sättigung, Neutralisierung; **2** Verfahren bei der Zuckerproduktion; **sa|tu|rie|ren** *tr. 3* **1** *Chem.:* sättigen, neutralisieren; **2** jmdn. s.: jmds. Ansprüche befriedigen, jmdn. wirtschaftlich befriedigen
Sa|turn 1 Sa|tur|nus, urspr. röm. Gott der Saat, später dem griech. Kronos gleichgesetzt; **2** *m. Gen.* -s *nur Ez.* ein Planet; **Sa|tur|na|li|en** *Mz.* altrömisches Fest zu Ehren des Saturn; **sa|tur|nisch; Sa|turn|ra|ke|te** *w. 11* von der amerik. Raumfahrtbehörde für die bemannte Mondlandung entwickelte Rakete; **Sa|tur|nis|mus** *m. Gen. - nur Ez.* Bleivergiftung **Sa|tur|nus** = Saturn (**1**)
Sa|tyr [griech.] *m. Gen.* -s *oder* -n *Mz.* -n **1** *griech. Myth.:* lüsterner Naturdämon im Gefolge des Dionysos, halb Bock, halb Mensch; **2** *übertr.:* geiler, grob sinnl. Mensch; **Sa|ty|ri|a|sis** *w. Gen. - nur Ez.* krankhaft übersteigerter Geschlechtstrieb (beim Mann); **Sa|tyr|spiel** *s. 1* altgriech. Posse, bei der Satyrn den Chor bilden
Satz *m. 2;* **Satz|aus|sa|ge** *w. 11* = Prädikat; **Satz|bruch** *m. 2* = Anakoluth; **Sätz|chen** *s. 7;* **Satz|er|gän|zung** *w. 10* = Objekt; **Satz|ge|fü|ge** *s. 5* aus Hauptsatz und einem oder mehreren Nebensätzen zusammengesetzter Satz, Gliedersatz; **Satz|ge|gen|stand** *m. 7* = Subjekt; **Satz|glied** *s. 3* Satzteil; **…sät|zig** *in Zus.:* mehrsätziges, viersätziges Musikstück; **Satz|leh|re** *w. 11 nur Ez.* = Syntax; **Satz|teil** *m. 1* Teil eines Satzes, z. B. Subjekt, Attribut; **Sat|zung** *w. 10* schriftlich niedergelegte Rechtsvorschrift, Regel, z. B. Vereinssatzung; **sat|zungs|ge|mäß; Satz|ver|bin|dung** *w. 10* aus zwei oder mehreren Hauptsätzen zusammengesetzter Satz; **Satz|zei|chen** *s. 7*
Sau *w. Gen. - Mz.* Säue, *bei Wildschweinen: w. 10;* **Sau|ar|beit** *w. 10, ugs. derb:* schwere, mühselige Arbeit

> **sauber halten/schreiben:**
> Verbindungen aus Adjektiv und Verb werden getrennt geschrieben, wenn das Adjektiv in dieser Verbindung steigerbar oder durch *sehr* erweiterbar ist: *Sie muss das Haus sauber halten. Sie hat das Manuskript sauber geschrieben.* →§ 34 E3 (3)
> Ebenso: *sauber sein.* →§ 35

sau|ber; sauber sein *ugs.:* kein Rauschgift mehr nehmen; **sau|ber|hal|ten** ► **sau|ber hal|ten** *tr. 61;* **Sau|ber|keit** *w. 10 nur Ez.;* **säu|ber|lich; sau|ber|ma|chen** ► **sau|ber ma|chen** *tr. 1;* **säu|bern** *tr. 1;* **Säu|be|rung** *w. 10;* **Säu|be|rungs|ak|ti|on** *w. 10*
sau|blöd, sau|blö|de; Sau|boh|ne *w. 11* große Ackerbohne, Pferdebohne, Puffbohne
Sau|ce [zosə, frz.] *w. 11, fachspr. für* Soße; **Sau|cie|re** [zosjerə] *w. 11* Soßenschüssel; **sau|cie|ren** [zosi-] *tr. 3* mit einer Soße behandeln (Tabak)
Sau|di|ara|ber ► **Sau|di-A|ra|ber** *m. 5;* **Sau|di-A|ra|bi|en** Staat in Vorderasien; **sau|di|ara|bisch** ► **sau|di-a|ra|bisch**
sau|dumm *ugs., derb:* sehr dumm; **sau|en** *intr. 1* **1** Junge werfen (vom Schwein); **2** *ugs. derb:* Schmutz, Flecke machen; **3** *ugs. derb:* Zoten reißen
sau|er; saure Milch, saurer Hering; **Sau|er|amp|fer** *m. 5* eine Ampferart, ein Wildgemüse; Säuerling; **Sau|er|bra|ten** *m. 7;* **Sau|er|brun|nen** *m. 7* kohlendioxidreiche Heilquelle, Säuerling, Sauerwasser; **Sau|er|dorn** *m. 1* ein Zierstrauch, Berberitze
Sau|e|rei *w. 10, ugs., derb*
Sau|er|gras *s. 4;* **Sau|er|kir|sche** *w. 11;* **Sau|er|kohl** *m. Gen.* -s *nur Ez.,* **Sau|er|kraut** *s. Gen.* -s *nur Ez.;* **Sau|er|land** *s. Gen.* -(e)s *nur Ez.* Landschaft in Westfalen; **säu|er|lich; Säu|er|lich|keit** *w. 10 nur Ez.;* **Säu|er|ling** *m. 1* **1** = Sauerbrunnen; **2** = Sauerampfer; **Sau|er|milch** *w. 10 nur Ez.;* **säu|ern** *tr. und intr. 1* sauer machen, sauer werden; **Sau|er|stoff** *m. Gen.* -(e)s *nur Ez.* (*Zeichen:* O) chem. Element; **sau|er|stoff|arm; Sau|er|stoff|fla|sche** *w. 11;* **sau|er|stoff|reich; sau|er|süß; Sau|er|teig** *m. 1* gegorener Hefeteig; **Sau|er|topf** *m. 2, übertr. ugs.:* mürrischer, verdrießlicher Mensch, Griesgram; **sau|er|töp|fisch; Säu|e|rung** *w. 10*
Sauf|aus *m. Gen. - Mz. -,* **Sauf|bold** *m. 1* Säufer; **sau|fen** *intr. u. tr. 103;* **Säu|fer** *m. 5;* **Sau|fe|rei** *w. 10;* **Säu|fer|wahn|sinn** *m. Gen.* -s *nur Ez.*
Saug|a|der *w. 11* Lymphgefäß; **saug|bohn|ern** *tr. 1* Staub saugen und bohnern (mit demselben Gerät) zugleich; **sau|gen 1** *tr. 104 oder tr. 1;* **2** *nur tr. 1* Staub saugen, staubsaugen; **säu|gen** *tr. 1;* **Sau|ger** *m. 5;* **Säu|ger** *m. 5* Säugetier; **Säu|ge|tier** *s. 1;* **saug|fä|hig** (von Stoffen); **Saug|fä|hig|keit** *w. 10 nur Ez.;* **Saug|fla|sche** *w. 11;* **Saug|he|ber** *m. 5;* **Säug|ling** *m. 1;* **Säug|lings|gym|nas|tik** *w. 10;* **Säug|lings|heim** *s. 1;* **Säug|lings|pfle|ge** *w. 11 nur*

Ez.; **Säug|lings|schwes|ter** *w. 11;* **Säug|lings|sterb|lich|keit** *w. 10 nur Ez.*
Sau|glück *s. Gen.* -s *nur Ez., ugs., derb:* großes Glück
Saug|napf *m. 2;* **Saug|pum|pe** *w. 11*
sau|grob *ugs., derb:* sehr grob
Saug|rohr *s. 1;* **Saug|rüs|sel** *m. 5;* **Saug|wurm** *m. 4* ein Plattwurm, Schmarotzer
Sau|hatz *w. 10* Saujagd; **Sau|hau|fen** *m. 7, ugs. derb:* undisziplinierte Gemeinschaft; **Sau|igel** *m. 5 ugs.:* jmd., der oft unanständige Witze erzählt; **sau|igeln** *intr. 1;* **säu|isch;** **Sau|jagd** *w. 10;* **Sau|käl|te** *w. 11 nur Ez., ugs., derb:* große Kälte; **Sau|kerl** *m. 1, vulg.:* gemeiner Kerl; *auch:* Sauigel
Saul, Sau|lus, urspr. Name des Apostels Paulus; vom Saulus zum Paulus werden *übertr.:* ein besserer Mensch werden
Säul|chen *s. 7;* **Säu|le** *w. 11;* **Säu|len|gang** *m. 2;* **Säu|len|hal|le** *w. 11;* **Säu|len|hei|li|ge(r)** *m. 18 (17), Altertum und MA:* auf einer Säule lebender christl. Asket; **Säu|len|kak|tus** *m. Gen. - Mz.* -te|en; **Säu|len|ord|nung** *w. 10* Eigenart, Stil hinsichtlich Proportionen, Verzierung usw. von Säulen einschließlich des darüber liegenden Gebälks
Sau|lus = Saul
Saum *m. 2* **1** *veraltet:* Traglast (eines Tieres); **2** Rand, Einfassung
sau|mä|ßig *ugs., derb:* sehr schlecht; sehr, ungeheuer
Säum|chen *s. 7;* **säu|men 1** *tr. 1* mit einem Saum versehen; **2** *intr. 1* zögern; **Säu|mer** *m. 5* **1** jmd., der säumt (zögert); **2** kleines Einzelteil an der Nähmaschine zum Nähen von Säumen; **3** Saumtier; **4** Saumtiertreiber; **säu|mig** **1** zögernd, langsam; **2** nachlässig im Zahlen (Schuldner); **Säu|mig|keit** *w. 10 nur Ez.;* **Säum|nis** *w. 1 oder s. 1* Säumen, Zögern, Verspätung; **Saum|pfad** *m. 1* Gebirgspfad; **Saum|sat|tel** *m. 6* Sattel für Traglasten; **saum|se|lig** säumig, nachlässig; **Saum|se|lig|keit** *w. 10 nur Ez.;* **Saum|tier** *s. 1* Last-, Tragtier
Sau|na [finn.] *w. 9* Heißluftbad; **sau|nen** *intr. 1,* **sau|nie|ren** *intr. 3* ein Bad in der Sauna nehmen

Säu|re *w. 11;* **säu|re|be|stän|dig;** **säu|re|fest;** **säu|re|frei;** **Sau|re|gur|ken|zeit** *w. 10, Gen. auch:* Sau|ren|gur|ken|zeit, *ugs., scherzh.:* geschäftlich oder politisch ruhige Zeit, Flaute
Sau|ri|er [griech.] *m. 5* **1** ausgestorbenes, meist riesenhaftes Reptil; **2** schuppentragendes Reptil, Echse
säu|rig sauer, Säure enthaltend
Sau|ro|lith [griech.] *m. 10* versteinerter Saurier; **Sau|rop|si|den** *auch:* **Sau|rop|si|den** *m. 11 Mz., Sammelbez. für* Kriechtiere und Vögel
Saus *m., nur noch in der Wendung* in Saus und Braus: herrlich und in Freuden, üppig und sorglos
säu|seln *intr. 1;* **sau|sen** *intr. 1;* **Sau|ser** *m. 1* **1** gärender Most; **2** Rausch; **3** Zechpartie, feuchtfröhlicher Abend; **Sau|se|wind** *m. 1, poet.; auch übertr.:* leichtsinniger junger Mensch, fröhliches, lebhaftes Kind
Sau|ternes [sotɛrn, nach dem frz. Herkunftsort S.] *m. Gen. - Mz.* - ein frz. Weißwein
Sauve|garde [so:vgard, frz.] *w. 11, früher:* Schutzwache, Schutzbrief
Sa|van|ne [-vạn-, indian.-span.] *w. 11, in trop. Gebieten:* Grassteppe mit einzeln stehenden Bäumen oder Baumgruppen
Sa|voir-vi|vre *auch:* **-vi|vre** [savoarvịvrə, frz.] *s. Gen. - nur Ez.* kultivierte Lebensart
Sa|vo|yar|de [zavoajạrdə] *m. 11* Einwohner von Savoyen, Savoyer; **Sa|vo|yen** *auch:* **Sa|voy|en** [-vọi-] histor. Landschaft in den frz. Alpen; **Sa|vo|yer** *auch:* **Sa|voy|er** [-vọiər] *m. 5* = Savoyarde; **sa|vo|yisch** *auch:* **sa|voy|isch** [-vọiiʃ]
Sax *m. 1* = Sachs
Sa|xi|fra|ga [lat.] *w. Gen. - Mz.* -gen = Steinbrech
Sa|xo|ne *m. 11* Sachse

> **Saxophon/Saxofon:** Die fremdsprachige Schreibweise ist die Hauptvariante *(Saxophon),* die integrierte (eingedeutschte) Form *(Saxofon)* die zulässige Nebenvariante. →§32 (2)

Sa|xo|phon ► *auch:* **Sa|xo|fon** [nach dem belg. Erfinder, Adolphe Sax + griech.] *s. 1* ein Metallblasinstrument; **Sa|xo|pho|nist** ► *auch:* **Sa|xo|fo|nist** *m. 10* Saxophonbläser
Sä|zeit *w. 10*
sa|zer|do|tal [lat.] priesterlich; **Sa|zer|do|ti|um** [-tsjum] *s. Gen.* -s *nur Ez.* Priesteramt, geistl. Gewalt des Papstes
sb *Abk. für* Stilb
Sb *chem. Zeichen für* Antimon (lat. stibium)
S-Bahn *w. 10 Kurzw. für* Stadtbahn, Schnellbahn; **S-Bahn-Wa|gen** *m. 7;* **S-Bahn-Zug** *m. 2*
SBB *Abk. für* Schweizerische Bundesbahnen
Sbir|re [ital.] *m. 11, früher:* ital. Polizei-, Gerichtsdiener
s. Br. *Abk. für* südlicher Breite
Sbrinz [nach der schweiz. Stadt Brienz] *m. Gen.* - *nur Ez.* schweiz. Reibkäse
Sc *chem. Zeichen für* Scandium
sc., scil. *Abk. für* scilicet
sc., sculps. *Abk. für* sculpsit
SC *Abk. für* South Carolina, vgl. Südkarolina
Sca|bi|es *w. Gen. - nur Ez.* = Skabies
Sca|la [ital.] *w. Gen. - nur Ez.;* Mailänder Scala: berühmtes Mailänder Opernhaus
Sca|li|ger *m. 5* Angehöriger eines nordital. Adelsgeschlechts
Scam|pi [ital.] *Mz., ital. Bez. für* eine Krebsart
Scan|di|um [lat.] *s. Gen.* -s *nur Ez.* (*Zeichen:* Sc) chem. Element, ein Metall
scan|nen [skɛnən] *tr. 1* mit dem Scanner abtasten; **Scan|ner** [skɛnər, engl.] ein Lesegerät, mit dem Bilder und Texte abgetastet und in Dateien umgewandelt werden können
Sca|ra|mouche [mụʃ, frz.] *m. 9, frz. Schreibung von* Skaramuz
Scat [skæt, engl.] *m. Gen.* -s *nur Ez., Jazz:* ein Gesangsstil, bei dem mit einzelnen Silben improvisiert wird
Schab|bes *m. Gen. - Mz.* -, *jidd. Form von* Sabbat
Scha|be *w. 11* **1** ein Insekt, *volkstüml. Bez. auch:* Schwabe, Russe, Franzose; **2** Schabemesser
Schä|be *w. 11* Holzteilchen im Flachs
Scha|be|fleisch *s. Gen.* -(e)s *nur Ez.* geschabtes rohes Fleisch; **Schab|ei|sen** *s. 7;* **Scha|be|mes|ser** *s. 5;* **scha|ben** *tr. 1;* **Scha|ber** *m. 5* Schabemesser
Scha|ber|nack *m. 1* **1** übermüti-

► = wird zu

ger Streich; **2** *auch:* kleines, übermütiges Kind
schä|big; Schä|big|keit *w. 10 nur Ez.;* **Schab|kunst** *w. 2 nur Ez.* Art des Kupferstichs, bei der die Zeichnung mit dem Schabeisen aus der Platte herausgeschabt wird, Schabmanier, Schwarzkunst, Mezzotinto
Scha|blo|ne *auch:* **Schab|lo|ne** *w. 11* **1** ausgeschnittene Vorlage, Muster; **2** *übertr.:* herkömmliche, übliche Form; **scha|blo|nen|haft** *auch:* **schab|lo-; scha|blo|nie|ren, scha|blo|ni|sie|ren** *auch:* **schab|lo-** *tr. 3* nach einer Schablone gestalten
Schab|ma|nier *w. 10 nur Ez.* = Schabkunst; **Schab|mes|ser** *s. 5*
Scha|bra|cke *auch:* **Schab|ra|cke** [türk.-ung.] *w. 11, früher:* lange, verzierte Decke unter dem Sattel; **2** *abwertend:* altes Pferd; **3** *ugs. abwertend:* abgenutzter Gegenstand; **Scha|bra|cken|hy|ä|ne** *auch:* **Schab|ra|cken-** *w. 11* eine südafrik. Hyäne
Schach [pers.] **1** *im Schachspiel:* Warnruf an den König; **2** *s. Gen.* -s *nur Ez., kurz für* Schachspiel; **Schach|brett** *s. 3*
Scha|chen *m. 7* **1** *südd., österr.:* Waldstück, Waldgebiet; **2** *schweiz.:* Niederung, Uferland
Scha|cher [jidd.] *m. 5 nur Ez.* **1** Handel mit vielem Feilschen; **2** gewinnsüchtiges Geschäftemachen
Schä|cher *m. 5, veraltet:* Räuber, Mörder
Scha|che|rei *w. 10;* **scha|chern** *intr. 1* Schacher treiben, feilschen: um etwas s.
Schach|fi|gur *w. 10;* **schach|matt 1** *Schachspiel:* matt gesetzt, zugunfähig; **2** *übertr.:* erschöpft, sehr müde; **Schach|meis|ter** *m. 5;* **Schach|meis|ter|schaft** *w. 10;* **Schach|par|tie** *w. 11;* **Schach|spiel** *s. 1* altes, urspr. oriental. Brettspiel für zwei Spieler; **Schach|spie|ler** *m. 5*
Schacht *m. 2*
Schach|tel *w. 11; auch übertr. ugs. abwertend:* altjüngferliche Frau; **Schäch|tel|chen** *s. 7;* **Schach|tel|ge|sell|schaft** *w. 10* an anderen Gesellschaften finanziell beteiligte Kapitalgesellschaft; **Schach|tel|halm** *m. 1* eine bäumchenartig verzweigte Farnpflanze; **schach|teln** *tr. 1* ineinander fügen; **Schach|tel|satz** *m. 2* verwickelt konstruiertes Satzgefüge
schach|ten *intr. 2* einen Schacht anlegen
schäch|ten *tr. 2* nach jüd. Ritus (ohne Betäubung) schlachten; **Schäch|ter** *m. 5* jmd., der Tiere schächtet
Schacht|meis|ter *m. 5* Vorarbeiter bei Erdarbeiten; **Schacht|o|fen** *m. 8* ein Schmelzofen
Schach|tur|nier *s. 1;* **Schach|zug** *m. 2; auch übertr.:* geschicktes Vorgehen, geschickte Maßnahme
scha|de *nur prädikativ* **1** bedauerlich; es ist schade; wie schade!; **2** wertvoll; das ist mir zu schade
Scha|de *m.* Schaden, *nur in Wendungen wie:* es soll dein Schade nicht sein
Schä|del *m. 5;* **Schä|del|ba|sis** *w. Gen.* - *Mz.* -sen; **Schä|del|ba|sis|bruch** *m. 2;* **Schä|del|bruch** *m. 2;* **Schä|del|de|cke** *w. 11;* **...schä|de|lig,** ...schäd|lig *in Zus.,* z. B. lang-, kurzschädelig; **Schä|del|in|dex** *m. 1;* **Schä|del|leh|re** *w. 11* Kraniologie; **Schä|del|lo|se** *Mz.* = Akranier; **Schä|del|mes|sung** *w. 10;* **Schä|del|naht** *w. 2* Verbindungslinie zwischen den Schädelknochen; **Schä|del|stät|te** *w. 11 nur Ez.* die Kreuzigungsstätte Christi, Golgatha; **Schä|del|tier** *s. 1* Wirbeltier

> **Schaden nehmen, zu Schaden kommen, schade sein:** Die Verbindung Substantiv und Verb wird getrennt geschrieben: *Sie hat bei dem Unfall Schaden genommen.* →§ 34 E3 (5)
> Ebenso schreibt man Substantive in festen Gefügen groß, wenn sie nicht mit anderen Bestandteilen des Gefüges zusammengeschrieben werden: *Sie kam zu Schaden. Bei dem Unfall sind wir zu Schaden gekommen.* →§ 55 (4)
> Dagegen gelten Verbindungen mit *sein* nicht als Zusammensetzungen und werden deshalb getrennt und kleingeschrieben: *Das ist sehr schade gewesen.* →§ 35

scha|den *intr. 2;* **Scha|den** *m. 8;* zu Schaden kommen: verletzt werden, benachteiligt werden; **Scha|den|er|satz,** *im BGB:* Scha|dens|er|satz *m. 2 nur Ez.;* **Scha|den|er|satz|an|spruch** *m. 2;* **scha|den|er|satz|pflich|tig; Scha|den|fest|stel|lung,** *BGB:* Scha|dens|fest|stel|lung *w. 10;* **Scha|den|freu|de** *w. 11 nur Ez.;* **scha|den|froh; Scha|dens|er|satz** *m. 2 nur Ez.* vgl. Schadenersatz; **Scha|dens|fest|stel|lung** *w. 10* vgl. Schadenfeststellung; **Scha|den|ver|hü|tung** *w. 10 nur Ez.;* **Scha|den|ver|si|che|rung** *w. 10;*
Schad|fraß *m. Gen.* -es *nur Ez.* Schaden durch tier. Schädlinge; **schad|haft; Schad|haf|tig|keit** *w. 10 nur Ez.;* **schä|di|gen** *tr. 1;* **Schä|di|gung** *w. 10;* **schäd|lich; Schäd|lich|keit** *w. 10 nur Ez.*
...schäd|lig = ...schädelig
Schäd|ling *m. 1;* **Schäd|lings|be|kämp|fung** *w. 10 nur Ez.;* **Schäd|lings|be|kämp|fungs|mit|tel** *s. 5;* **schad|los;** sich an etwas oder jmdm. sch. halten: sich eigenmächtig und auf Kosten anderer einen Schaden ersetzen; **Schad|los|hal|tung** *w. 10 nur Ez.;* **Schad|stoff** *m. 1*
Schaf *s. 1;* **Schaf|bock** *m. 2;* **Schäf|chen** *s. 7;* **Schäf|chen|wol|ke** *w. 11;* **Schä|fer** *m. 5;* **Schä|fe|rei** *w. 10;* **Schä|fer|hund** *m. 1;* **Schä|fer|stünd|chen** *s. 7* kurzes, zärtliches Beisammensein
Schaff *s. 1* **1** *südd., österr.:* Trog, Zuber, Waschfass; *auch:* Schrank; **2** *Nebenform von* Scheffel; **Schaf|fel** *s. 14, österr.:* kleines Schaff
Schaf|fell *s. 1,* vgl. Schafspelz
schaf|fen 1 *tr. 105* hervorbringen; **2** *tr. 1* an einen andern Ort bringen; **3** *intr. 1, schwäb., schweiz.:* arbeiten; **Schaf|fens|drang** *m. Gen.* -(e)s *nur Ez.;* **Schaf|fens|freu|de** *w. 11 nur Ez.;* **schaf|fens|freu|dig; Schaf|fens|kraft** *w. 2 nur Ez.;* **Schaf|fens|lust** *w. Gen.* - *nur Ez.;* **Schaf|fer** *m. 5, schwäb.:* Arbeiter; er ist ein tüchtiger S.; **Schaf|fe|rei** *w. 10, auf Schiffen:* Vorratskammer; **schaf|fig** *schweiz.:* arbeitsam; **Schäff|ler** *m. 5, bayr.:* Böttcher; **Schäff|ler|tanz** *m. 2* Reigentanz der Münchner Schäffler; **Schaff|ner** *m. 1* **1** *veraltet:* Gutsverwal-

ter; **2** Angestellter der Eisenbahn und städt. Verkehrsbetriebe, der die Fahrkarten prüft; **Schaff|ne|rin** *w. 10* **1** weibl. Schaffner; **2** *früher auch:* Wirtschafterin; **schaff|ner|los; Schaf|fung** *w. 10 nur Ez.*
Schaf|gar|be *w. 11* eine Heilpflanze; **Schaf|haut** *w. 2* = Amnion; **Schaf|her|de** *w. 11;* **Schaf|hirt** *m. 10,* **Schaf|hir|te** *m. 11;* **Schaf|hür|de** *w. 11* Gehege, Pferch für Schafe
Scha|fi|it *m. 10* Angehöriger einer islam. Rechtsschule
Schaf|käl|te, Schafs|käl|te *w. Gen. - nur Ez.* am Ende des Frühjahrs einbrechende, den frisch geschorenen Schafen schädl. Kälte; **Schaf|ka|mel** *s. 1* Lama; **Schaf|kä|se,** Schafs|käse *m. 5;* **Schaf|kopf** *m. 2 nur Ez.* ein Kartenspiel; **schaf|kop|fen** *intr., nur im Infinitiv:* Schafkopf spielen; **Schaf|le|der,** Schafs|leder *s. 5;* **schaf|le|dern,** schafs|le|dern; **Schäf|lein** *s. 7;* **Schaf|milch,** Schafs|milch *w. 10 nur Ez.*
Scha|fott [ndrl.] *s. 1* erhöhte Hinrichtungsstätte, Blutgerüst
Schaf|pelz *m. 1* vgl. Schafspelz; **Schaf|rotz** *m. Gen.* -es *nur Ez.* eine Infektionskrankheit des Schafes; **Schaf|schur** *w. 10;* **Schafs|käl|te** *w. Gen. - nur Ez.* = Schafkälte; **Schafs|kä|se** *m. 5;* **Schafs|kleid** *s. 3 nur Ez.* vgl. Schafspelz; **Schafs|kopf** *m. 2;* vgl. Schafkopf; **Schafs|le|der** *s. 5;* **schafs|le|dern; Schafs|milch** *w. 10 nur Ez.;* **Schafs|na|se** *w. 11* Dummkopf; **Schafs|pelz** *m. 1, in der Wendung* der Wolf im S.: sich freundlich stellender, aber heimtückischer, böser Mensch; **Schaf|stall** *m. 2*
Schaft *m. 2;* **schäf|ten** *tr. 1* **1** mit einem Schaft versehen; **2** veredeln (Pflanzen); **Schäf|ter** *m. 5* Schaftstiefel; **Schaft|stie|fel** *m. 5*
Schaf|wei|de *w. 11;* **Schaf|wol|le** *w. 11;* **Schaf|zucht** *w. 10*
Schah [pers. »König«] *m. 9, im Iran früher Titel für* Herrscher; **Schah|in|schah** *auch:* **Scha|hin-** [»König der Könige«] *m. 9, früher:* offizieller Titel des Herrschers im Iran
Scha|kal [sanskr.-türk.] *m. 1*
Scha|ke *w. 11* Kettenglied (bes. vom Anker); **Schä|kel** *m. 5* mit Bolzen verschließbarer, U-förmiger Haken zum Verbinden von Ketten; **schä|keln** *tr. 1* mittels Schäkels verbinden
Schä|ker [jidd.] *m. 5* jmd., der gern schäkert; **Schä|ke|rei** *w. 10;* **schä|kern** *intr. 1* neckischen Spaß treiben (mit dem andern Geschlecht), kokett scherzen
schal 1 fad, abgestanden, ohne Geschmack; **2** geistlos, fad (Witz)
Schal *m. 9 oder m. 1*
Schäl|bla|sen, Schäl|blat|tern *w. 11 Mz.* = Pemphigus
Schal|brett *s. 3* **1** auf einer Seite noch nicht entrindetes Brett; **2** Brett zum Verschalen
Schäl|chen *s. 7;* **Scha|le** *w. 11; auch Jägerspr.:* Huf (von Hirsch, Elch, Reh, Gämse, Wildschwein); **schä|len** *tr. 1;* **Scha|len|frucht,** Schal|frucht *w. 2* Frucht mit harter Schale, z. B. Kastanie, Walnuss; **Scha|len|kreuz** *s. 1* Form des Windmessers (Anemometers); **Scha|len|tier,** Schal|tier *s. 1* Schnecke, Muschel; **Scha|len|wild,** Schal|wild *s. Gen.* -(e)s *nur Ez., Sammelbez. für* Wild, das Schalen hat: Dam-, Rot-, Elch-, Reh-, Gams-, Schwarzwild; **Schal|frucht** *w. 2* = Schalenfrucht
Schal|heit *w. 10 nur Ez.*
Schäl|hengst *m. 1* Zuchthengst, Beschäler
...schalig *in Zus.,* z. B. glatt-, dickschalig
Schalk *m. 1 oder m. 2* **1** *früher:* hinterlistiger Mensch; **2** *heute:* lustiger, spitzbübischer Mensch, Schelm; den Sch. im Nacken haben: immer zu Neckereien und Spaß aufgelegt sein
Schal|ke *w. 11, auf Schiffen:* wasserdichter Abschluss einer Luke; **schal|ken** *tr. 1, Seew.:* wasserdicht verschließen
schalk|haft; Schalk|haf|tig|keit *w. 10 nur Ez.;* **Schalks|knecht** *m. 1, veraltet:* nichtsnutziger, bösartiger Knecht; **Schalks|narr** *m. 10, veraltet:* Schalk
Schall *m. 1 oder m. 2;* Namen sind Schall und Rauch; **Schall|be|cher** *m. 5, bei Holzblasinstrumenten:* becherartiges unteres Ende; **schall|dämp|fend; Schall|dämp|fer** *m. 5;* **Schall|de|ckel** *m. 5* Dach der Kanzel; **schall|dicht; Schal|le|hre** ► **Schall|leh|re; schal|len** *intr. 1 oder 106;* **Schall|ge|schwin|dig|keit** *w. 10 nur Ez.;* **Schall|leh|re** *w. 11 nur Ez.* Lehre vom Schall, Akustik; **Schall|loch** *s. 4;* **Schall|mau|er** *w. 11 nur Ez.* Zunahme des Luftwiderstandes, wenn sich ein Flugkörper der Schallgeschwindigkeit nähert; die S. durchbrechen: die Schallgeschwindigkeit überschreiten; **Schal|loch** ► **Schall|loch; Schall|öff|nung** *w. 10*
scha|los ohne Schale
Schall|plat|te *w. 11;* **Schall|plat|ten|ar|chiv** *s. 1;* **Schall|quant** *s. 12* Phonon, teilchenhaft in Festkörpern auftretendes Element der Schwingungsenergie; **schall|si|cher; Schall|trich|ter** *m. 5;* **Schall|wel|le** *w. 11 meist Mz.;* **Schall|wir|kung** *w. 10;* **Schall|wort** *s. 4* lautnachahmendes Wort, z. B. bäh, muh, peng
Schalm *m. 1, Forstw.:* mit der Axt in einen Baum gehauenes Zeichen; **Schal|mei** *w. 10* **1** ein Holzblasinstrument, Vorläufer der Oboe; **2** ein Orgelregister; **3** Melodiepfeife des Dudelsacks; **schal|men** *tr. 1, Forstw.:* mit einem Schalm bezeichnen
Schal|lot|te [frz.] *w. 11* eine Lauchart, kleine Zwiebel
Schalt|bild *s. 3* schemat. Zeichnung des Aufbaus eines elektr. Gerätes, Schaltskizze; **Schalt|brett** *s. 3;* **schal|ten** *intr. 2; auch ugs.:* begreifen, verstehen, reagieren; **Schal|ter** *m. 5;* **Schal|ter|be|am|te(r)** *m. 18 (17);* **Schal|ter|hal|le** *w. 11;* **Schal|ter|stun|den** *w. 11 Mz.;* **Schalt|ge|trie|be** *s. 5;* **Schalt|he|bel** *m. 5*
Schal|tier *s. 1* = Schalentier
Schalt|jahr *s. 1* Jahr mit 366 Tagen, in das der 29. Februar eingeschaltet ist (alle vier Jahre); **Schalt|plan** *m. 2;* **Schalt|pult** *s. 1;* **Schalt|skiz|ze** *w. 11* = Schaltbild; **Schalt|ta|fel** *w. 11;* **Schalt|tag** *m. 1* alle vier Jahre eingeschalteter Tag, 29. Februar; **Schalt|tisch** *m. 1;* **Schalt|uhr** *w. 10*
Scha|lup|pe [frz.] *w. 11* **1** größeres Beiboot; **2** Küstenfahrzeug
Schal|wild *s. Gen.* -(e)s *nur Ez.* = Schalenwild

Scham *w. Gen. - nur Ez.* **1** Gefühl des Bloßgestelltseins oder Furcht, bloßgestellt zu werden; **2** *verhüllend:* Geschlechtsteil (beim Menschen)

Scha|ma|de [frz.] *w. 11, früher:* Signal zum Zeichen der Ergebung; S. schlagen *übertr.:* klein beigeben

Scha|ma|ne [sanskr.-tungus.] *m. 11, bei Naturvölkern:* Zauberpriester; **Scha|ma|nis|mus** *m. Gen. - nur Ez., bei Naturvölkern:* Glaube an die Fähigkeit mancher Menschen, Geister zu beschwören

Scham|bein *s. 1* unterer, vorderer Teil des Hüftbeins; **Scham|bein|fu|ge** *w. 11* knorpelige Verbindung der beiden Schambeine; **Scham|berg** *m. 1* etwas erhabener Teil der Bauchdecke über der Schambeinfuge (bei der Frau), Schamhügel

schä|men *refl. 1;* sich einer Sache, *oder:* wegen einer Sache s.; er schämte sich (wegen) seiner Tat; sie schämte sich vor ihm; sie schämte sich für ihn

scham|fi|len *Seew.* **1** *intr. 1* reiben, scheuern; **2** *tr. 1* durch Reiben beschädigen

Scham|ge|fühl *s. 1;* **Scham|ge|gend** *w. 10* Körpergegend mit dem Geschlechtsteil; **Scham|glied** *s. 3* männl. Glied, Penis; **Scham|haar** *s. 1 meist Mz.;* **scham|haft; Scham|haf|tig|keit** *w. 10 nur Ez.;* **Scham|hü|gel** *m. 5* = Schamberg; **schä|mig** schamhaft; **Schä|mig|keit** *w. 10*

Scha|mi|sen *w. Gen. - Mz. -* = Samisen

Scham|lip|pen *w. 11 Mz.* aus zwei Paar Hautfalten (große, kleine S.) bestehende Teile des weiblichen Geschlechtsteils; **scham|los; Scham|lo|sig|keit** *w. 10*

Scha|mot|te [ital.] *w. 11 nur Ez.* feuerfester Ton (bes. für Öfen); **Scha|mot|te|stein** *m. 1,* **Scha|mot|te|zie|gel** *m. 5;* **scha|mot|tie|ren** *tr. 3* mit Schamottesteinen auskleiden

Scham|pun *s. 1 nur Ez., eindeutschende Schreibung von* Shampoo, Shampoon: Haarwaschmittel; **scham|pu|nie|ren** *tr. 3 eindeutschende Schreibung von* shampoonieren

Scham|pus *m. Gen. - nur Ez., ugs. scherzh.:* Champagner

Scham|rit|ze *w. 11* = Schamspalte; **scham|rot; Scham|rö|te** *w. 11 nur Ez.;* **Scham|spal|te** *w. 11* Öffnung des weibl. Geschlechtsteils, Schamritze; **Scham|tei|le** *m. 1 oder s. 1 Mz.* Geschlechtsteile (beim Menschen); **Scham|zweig** *m. 1, auf Gemälden:* das Geschlechtsteil verdeckender Zweig

schand|bar schändlich, abscheulich; **Schand|bu|be** *m. 11, veraltet:* schändlicher Kerl;

> **Schande machen, zu Schanden/zuschanden gehen/machen/werden:** In festen Gefügen werden Substantive, die nicht mit anderen Bestandteilen des Gefüges zusammengeschrieben werden, mit großem Anfangsbuchstaben geschrieben: *Das hat uns Schande gemacht/bereitet.* →§ 55 (4)
> Gefüge in adverbialer Form (mit Präposition) können daneben auch zusammengeschrieben werden: *Er hat die Firma zu Schanden/zuschanden gemacht.* →§ 55 (4)

Schan|de *w. 11 nur Ez.;* vgl. zuschanden; **schän|den** *tr. 2;* **Schand|fleck** *m. 1 oder m. 12;* **Schand|geld** *s. 3 nur Ez., ugs.:* zu niedriger Preis; **Schand|kerl** *m. 1;* **schänd|lich; Schänd|lich|keit** *w. 10 nur Ez.;* **Schand|mal** *s. 1 oder s. 4;* **Schand|maul** *s. 4* **1** unverschämtes Mundwerk; **2** jmd., der unverschämte Reden führt; **Schand|pfahl** *m. 2* = Pranger; **Schand|preis** *m. 1* zu niedriger Preis; **Schand|tat** *w. 10;* **Schän|dung** *w. 10*

Schang|hai, *amtl.:* Shang|hai [ʃaŋ-] größte Stadt in der Volksrepublik China; **schang|hai|en** [auch: hai-] *tr. 1* gewaltsam anheuern (Matrosen)

Schank 1 *m. 2, veraltet für* Ausschank; **2** *w. 10, österr.:* Raum (der Gastwirtschaft), in dem die Getränke ausgeschenkt werden; *auch:* Schanktisch, Theke; vgl. Schänke, Schenke; **Schank|be|trieb** *m. 1;* **Schän|ke,** Schen|ke *w. 11* einfache Gastwirtschaft, Kneipe

Schan|ker [frz.] *m. 5* **1** harter S.: Primäraffekt der Syphilis; **2** weicher S.: infektiöses Geschwür am Geschlechtsteil

Schank|ge|rech|tig|keit *w. 10 nur Ez.,* **Schank|kon|zes|si|on** *w. 10 nur Ez.* behördl. Genehmigung zum Ausschenken von alkohol. Getränken; **Schank|steu|er** *w. 11;* **Schank|tisch,** Schenk|tisch *m. 1;* **Schank|wirt,** Schenk|wirt *m. 1;* **Schank|wirt|schaft,** Schänk|wirt|schaft, Schenk|wirt|schaft *w. 10*

Schan|tung, Shan|dong Provinz in Ostchina

Schanz|ar|beit *w. 10;* **Schanz|bau,** Schan|zen|bau *m. Gen. -(e)s nur Ez.;* **Schan|ze 1** [ital.] *w. 11* Befestigung; Gerüst mit Anlaufbahn zum Skispringen; **2** [lat.-altfrz.] *w. 11, veraltet:* Glück, Glücksumstand, Glückswurf; *noch in der Wendung* sein Leben in die S. schlagen: aufs Spiel setzen; **schan|zen** *intr. 1* **1** an einer Schanze bauen, eine Schanze anlegen; **2** *ugs.:* schwer arbeiten; **Schan|zen|bau** *m. Gen. -(e)s nur Ez.* = Schanzbau; **Schan|zer** *m. 5;* **Schanz|werk** *s. 1;* **Schanz|zeug** *s. 1 nur Ez.* alle Werkzeuge zum Schanzen

Scha|pel, Schap|pel *m. 5* Blumenkranz als Kopfschmuck (bei Volkstrachten), Brautkrone

Schapf *m. 1,* **Schap|fe** *w. 11, südd.:* Schöpfgerät

Schap|pe *w. 11* **1** *Bgb.:* Tiefenbohrer; **2** Abfall bei der Seidenverarbeitung; **3** daraus hergestelltes Garn

Schap|pel *m. 5* = Schapel

Schapp|sei|de *w. 11* = Schappe (**2** und **3**)

Schar 1 *w. 10;* **2** *w. 1 oder s. 1* Pflugschar

Scha|ra|de [frz.] *w. 11* **1** Silbenrätsel; **2** lebendes Bild, dargestellte kurze Szene, deren Inhalt erraten werden muss

Schär|baum, Scher|baum *m. 2* Garn- oder Kettenbaum des Webstuhls

Schar|be *w. 11* **1** = Kormoran; **2** ein Plattfisch

Schar|bock *m. Gen. -s nur Ez., veraltet:* Skorbut; **Schar|bocks|kraut** *s. 4* ein Hahnenfußgewächs, Heilpflanze, Feigwurz

Schä|re *w. 11 meist Mz.* kleine Felseninsel vor der finn. und skandinav. Küste

scha|ren *refl. 1;* sich um jmdn. oder etwas scharen

schä|ren *tr. 1* aufwinden, aufziehen; Kettfäden auf den Schärbaum schären

Schä|ren|kreu|zer *m. 5* bes. im Schärengebiet verwendete, schwere, schnelle Segeljacht; **Schä|ren|küs|te** *w. 11* **scha|ren|wei|se**
scharf; ein Scharfer *ugs.:* sehr strenger Polizist, Beamter, Funktionär; jmdn. scharf anpacken; scharf denken; ein Messer scharf machen; *aber:* jmdn. →scharfmachen; scharf schießen: aufs Ziel, nicht in die Luft schießen; *aber:* →scharfschießen; **Scharf|blick** *m. 1 nur Ez.;* **scharf|blickend** ▶ **scharf bli|ckend** scharfsinnig, die Dinge durchschauend; **Schär|fe** *w. 11 nur Ez.;* **Scharf|ein|stel|lung** *w. 10;* **schär|fen** *tr. 1;* **Schär|fen|tie|fe** *w. 11 nur Ez.* räuml. Bereich, innerhalb dessen ein fotograf. Objektiv Gegenstände scharf abbildet; **scharf|kan|tig; scharf|ma|chen** *tr. 1, ugs.:* aufhetzen; vgl. scharf; **Scharf|ma|cher** *m. 5* Hetzer; **Scharf|rich|ter** *m. 5* jmd., der die Todesstrafe vollstreckt; **scharf|schie|ßen** *intr. 113* mit Munition schießen; vgl. scharf; **Scharf|schüt|ze** *m. 11;* **scharf|sich|tig; Scharf|sich|tig|keit** *w. 10 nur Ez.;* **Scharf|sinn** *m. 1 nur Ez.;* **scharf|sin|nig; Schär|fung** *w. 10 nur Ez.;* **scharf|zeich|nend** ▶ **scharf zeich|nend;** scharf zeichnendes Objektiv
Scha|ria *w. Gen. - nur Ez.* = Scheria
Schar|lach *m. 1* **1** leuchtendes Rot, Scharlachfarbe; **2** Infektionskrankheit; **schar|la|chen, schar|lach|rot** leuchtendrot
Schar|la|tan [ital.] *m. 1* jmd., der von seinem Fach nichts versteht, *bes.:* Kurpfuscher, Quacksalber; **Schar|la|ta|ne|rie** *w. 11* Vorgehen, Verhalten eines Scharlatans
Scharm *m. Gen.* -s *nur Ez.* = Charme; **schar|mant** = charmant
Schär|ma|schi|ne *w. 11* Maschine zum Schären der Kettfäden
schar|mie|ren [frz.], **char|mie|ren** *tr. 3* (durch Scharm) bezaubern, entzücken
Schar|müt|zel [ital.] *s. 5* kleines Gefecht, militärische Plänkelei; **schar|müt|zeln** *intr. 1;* **schar|mut|zie|ren** *intr. 3, veraltet:* schöntun, liebeln

Schar|nier [frz.] *s. 1* Drehgelenk (an Türen)
Schär|pe [frz.] *w. 11* breites, um die Taille oder schräg über Schulter und Brust getragenes Band
Schar|pie [frz.] *w. 11, früher:* zerzupfte Leinwand (anstelle von Watte)
Schar|re *w. 11,* **Scharr|ei|sen** *s. 7* Werkzeug zum Scharren, Kratzeisen; **schar|ren** *intr. 1*
Schar|rier|ei|sen *s. 7* Steinmetzwerkzeug zum Scharrieren; **schar|rie|ren** *tr. 3;* Stein s.: parallele Rillen in Stein schlagen
Schar|schmied *m. 1* Schmied, der Pflugscharen herstellt und repariert
Schar|te *w. 11* Einschnitt, Kerbe, Kratzer; Spalt, z. B. Schießscharte; eine S. wieder auswetzen *übertr.:* einen Fehler, Misserfolg wiedergutmachen
Schar|te|ke *w. 11* **1** altes, wertloses Buch, Schmöker; **2** *abwertend:* ältliche, altjüngferl. Frau
schar|tig voller Scharten
Schar|wen|zel *m. 5* **1** *Kartenspiel:* Wenzel, Unter, Bube; **2** *übertr.:* jmd., der scharwenzelt, Liebediener; **schar|wen|zeln** *intr. 1* liebedienern, übertrieben diensteifrig sein; *meist:* herumscharwenzeln
Schar|werk *s. 1, veraltet:* Frondienst, harte Arbeit; **schar|wer|ken** *intr. 1* harte Arbeit tun; **Schar|wer|ker** *m. 5*
Schasch|lik [russ.] *s. 9* am Spieß gebratene Fleisch-, Speck- und Zwiebelstückchen
schas|sen [frz.] *tr. 1, ugs.:* schimpflich entlassen; er ist geschasst worden
schat|ten *intr. 2, poet.:* Schatten spenden; **Schat|ten** *m. 7;* **Schat|ten|bild** *m. 3* = Schattenriss; **Schat|ten|da|sein** *s. Gen.* -s *nur Ez.* unbeachtetes Dasein; ein S. führen; **schat|ten|haft; Schat|ten|ka|bi|nett** *s. 1* von der Opposition in Aussicht genommene Regierungsmannschaft; **Schat|ten|kö|nig** *m. 1* König ohne Macht; **schat|ten|los; Schat|ten|mo|rel|le** *w. 11* eine Sauerkirschenart; **Schat|ten|reich** *s. 1, Myth.:* Totenreich; **Schat|ten|riß** ▶ **Schat|ten|riss** *m. 1* dem Schatten auf einer weißen Wand nachgezeichneter, schwarz ausgefüllter Umriss des Gesichtsprofils, Schattenbild, Silhouette; **Schat|ten|sei|te** *w. 11;* **Schat|ten|spiel** *s. 1* ostasiat. Form des Puppenspiels, bei dem die Schatten kunstvoll gearbeiteter Figuren auf einer lichtdurchlässigen, weißen Wand erscheinen; **schat|tie|ren** *tr. 3* mit Farbabstufungen versehen, tönen; **Schat|tie|rung** *w. 10;* **schat|tig**
Scha|tul|le [mlat.] *w. 11* **1** *früher:* Privatkasse eines Fürsten; **2** Geld-, Schmuckkasten
Schatz *m. 2;* **Schatz|amt** *s. 4* Finanzbehörde (eines Staates); **Schatz|an|wei|sung** *w. 10* Schuldverschreibung öffentlicher Gebietskörperschaften; **schätz|bar; Schätz|chen** *s. 7;* **schat|zen** *tr. 1, veraltet:* besteuern; **schät|zen** *tr. 1;* **schät|zen-**

> **schätzen lernen:** Verbindungen aus Verb (Infinitiv) und Verb werden getrennt geschrieben: *Er hat sie schätzen gelernt.* →§ 34 E3 (6)

ler|nen ▶ **schät|zen ler|nen** *tr. 1;* vgl. kennen lernen; **schät|zens|wert; Schät|zer** *m. 5;* **Schatz|grä|ber** *m. 5;* **Schatz|grä|be|rei** *w. 10 nur Ez.;* **Schatz|kam|mer** *w. 11;* **Schatz|käst|chen, Schatz|käst|lein** *s. 7;* **Schätz|lein** *s. 7;* **Schatz|meis|ter** *m. 5* Kassenverwalter; **Schätz|preis** *m. 1;* **Schatz|su|cher** *m. 5;* **Schat|zung** *w. 10* **1** *veraltet:* Besteuerung; **2** *schweiz. für* Schätzung; **Schät|zung** *w. 10;* **schät|zungs|wei|se; Schatz|wech|sel** unverzinsl. Schatzanweisung in Wechselform; **Schätz|wert** *m. 1*
Schau *w. 10* **1** Ansicht, Blickwinkel; aus meiner Schau; **2** Überblick; **3** Ausstellung, z. B. Blumen-, Tierschau; **4** Vorführung, Darbietung; etwas zur S. stellen; jmdm. die S. stehlen *ugs.:* jmdn. um die Wirkung bringen; eine S. abziehen *ugs.:* etwas wirkungsvoll darstellen, vorführen
Schaub *m. 1 oder m. 2, nach Zahlenangaben Mz.* - [-ben], *süddt., österr., schweiz.:* Garbe, Strohbund
Schau|be *w. 11, MA:* offen getragener Mantel für Männer
Schau|bild *s. 3* = Diagramm; **Schau|brot** *s. 1* jüd. Opferbrot; **Schau|bu|de** *w. 11;* **Schau|büh|ne** *w. 11, veraltet:* Theater

Schau|der *m. 5;* **schau|der|bar** *ugs. scherzh. für* schauderhaft; **schau|der|er|re|gend; schau|der|haft; schau|dern** *intr. 1;* ich schaudere, schaudre bei dem Gedanken; **schau|der|voll**
schau|en 1 *intr. 1;* **2** *tr. 1, poet.:* sehen, anschauen
Schau|er *m. 5* **1** *nddt.:* Hafenarbeiter; **2** kurzer Regenfall; **3** *auch s. 5* offener Schuppen, Scheune; **4** Angstgefühl
Schau|er|leu|te *Mz. von* Schauermann
schau|er|lich; Schau|er|lich|keit *w. 10 nur Ez.*
Schau|er|mann *m. Gen.* -(e)s *Mz.* -leu|te Hafenarbeiter, Schauer
schau|ern *intr. 1;* ich schauere, schaure, *oder* es schauert mich, *oder* mir, mich schauert: es gruselt mich, ich fühle einen Schauer; **Schau|er|ro|man** *m. 1*
Schau|fel *w. 11;* **schau|fe|lig,** schauflig schaufelförmig; **schau|feln** *tr. 1;* ich schaufele, schaufle es; **Schau|fel|rad** *s. 4* mit Schaufeln besetztes Antriebsrad
Schau|fens|ter *s. 5*
Schauf|ler *m. 5, Jägerspr.:* Elch- oder Damhirsch; **schauf|lig** = schaufelig
Schau|flug *m. 2;* **Schau|ins|land** *m. Gen.* -s Berg im Schwarzwald; **Schau|kas|ten** *m. 8*
Schau|kel *w. 11;* **Schau|ke|lei** *w. 10 nur Ez.;* **schau|keln** *tr. u. intr. 1;* ich schaukele, schaukle; **Schau|kel|pferd** *s. 1;* **Schau|kel|po|li|tik** *w. 10 nur Ez.;* **Schau|kel|stuhl** *m. 2*
Schau|lust *w. Gen. - nur Ez.;* **schau|lus|tig**
Schaum *m. 2;* **Schaum|bad** *s. 4;* **schaum|be|deckt;** das schaumbedeckte Pferd; *aber:* von dichtem Schaum bedeckt
Schaum|burg-Lip|pe Landkreis in Niedersachsen; **schaum|burg-lip|pisch**
schäu|men *intr. 1;* **Schaum|ge|bäck** *s. 1;* **Schaum|ge|bo|re|ne** *w. 18, Beiname für* Venus bzw. Aphrodite; **schaum|ge|bremst** wenig schäumend; schaumgebremstes Waschmittel; **Schaum|gold** *s. Gen.* -(e)s *nur Ez.* Blattgold; **Schaum|gum|mi** *m. 9* schwammartiger Stoff aus Latex (bes. für Polster); **schau|mig; Schaum|kraut** *s. 4, kurz für* Wiesenschaumkraut; **Schaum|kro|ne** *w. 11;* **Schaum|löf|fel** *m. 5* Löffel zum Abschöpfen von Schaum; **Schaum|lö|scher** *m. 5* ein Feuerlöschgerät; **Schaum|schlä|ger** *m. 5* **1** Schneebesen; **2** *übertr.:* Angeber, Aufschneider, Prahler; **Schaum|schlä|ge|rei** *w. 10 nur Ez., übertr.;* **Schaum|stoff** *m. 1* leichter, poröser Kunststoff
Schau|mün|ze *w. 11* Gedenkmünze ohne Geldwert
Schaum|wein *m. 1* mit Kohlensäure versetzter, schäumender Wein, Sekt
Schau|pa|ckung *w. 10;* **Schau|platz** *m. 2;* **Schau|pro|zeß** ►
Schau|pro|zess *m. 1*
schau|rig; Schau|rig|keit *w. 10 nur Ez.*
Schau|sei|te *w. 11;* **Schau|spiel** *s. 1;* **Schau|spie|ler** *m. 5;* **Schau|spie|le|rei** *w. 10 nur Ez.;* **schau|spie|le|risch; schau|spie|lern** *intr. 1;* **Schau|spiel|haus** *s. 4;* **Schau|spiel|schu|le** *w. 11;* **schau|ste|hen** *intr. 151, nur im Infinitiv:* (für Werbezwecke) dastehen und etwas zeigen; **schau|stel|len** *tr. 1, nur im Infinitiv:* zur Schau stellen, zeigen; **Schau|stel|ler** *m. 5;* **Schau|stel|lung** *w. 10;* **Schau|stück** *s. 1;* **Schau|tur|nen** *s. Gen.* -s *nur Ez.*
Schech *m. 1, Nebenform von* Scheich
Scheck 1 *m. 10* männl. scheckiges Pferd, scheckiger Ochse; **2** *auch:* Check, Che|que [schweiz.] *m. 9 oder m. 1* eine Zahlungsanweisung an Bank oder Post; **Scheck|be|trug** *m. Gen.* -(e)s *nur Ez.;* **Scheck|buch** *s. 4;* **Scheck|buch|jour|na|list** *m. 10* Journalist, der gegen hohes Honorar zwielichtigen Personen ihre Memoiren abkauft und in seiner Zeitschrift veröffentlicht
Sche|cke *w. 11* scheckige Stute, scheckige Kuh
sche|ckig gefleckt, scheckig braun
Scheck|vieh *s. Gen.* -s *nur Ez.* scheckiges Vieh
Sched|bau, Shed|bau [ʃɛd-, engl.] *m. Gen.* -(e)s *Mz.* -bauten einstöckige Halle mit Scheddach; **Sched|dach,** Sheddach [ʃɛd-] *s. 4* Sägedach

> **scheel blicken:** Die Verbindung Adjektiv und Verb schreibt man getrennt, wenn das Adjektiv in dieser Verbindung steigerbar oder erweiterbar ist: *Sie haben (sehr) scheel geblickt.*
> →§ 34 E3 (3)

scheel 1 schielend, schief; **2** *übertr.:* misstrauisch, neidisch; jmdn. scheel, mit scheelen Blicken ansehen; **scheel|äu|gig** neidisch, misstrauisch dreinschauend; **Scheel|sucht** *w. Gen. - nur Ez.* Neid; **scheel|süch|tig**
Schef|fel *m. 5* altes Hohlmaß schwankender Größe; es regnet wie aus Scheffeln: sehr stark, es schüttet; sein Licht unter den S. stellen *übertr.:* seine Fähigkeiten verbergen; **schef|feln** *tr. 1* viel einnehmen; Geld scheffeln; **schef|fel|wei|se** in großen Mengen
Sche|he|ra|za|de [-za-], **Sche|he|re|za|de** die Erzählerin in 1001 Nacht
Scheib|chen *s. 7;* **scheib|chen|wei|se; Schei|be** *w. 11;* **schei|ben** *tr. 112, bayr., österr.:* schieben; Kegel scheiben; **Schei|ben|brem|se** *w. 11* Backenbremse; **Schei|ben|gar|di|ne** *w. 11;* **Schei|ben|ho|nig** *m. Gen.* -s *nur Ez.* **1** Wabenhonig in Scheiben; **2** *vulg., verhüllend:* Scheiße; **Schei|ben|kleis|ter** *m. 5 nur Ez.* **1** Fensterkitt; **2** *vulg., verhüllend:* Scheiße; **Schei|ben|schie|ßen** *s. Gen.* -s *nur Ez.;* **Schei|ben|wi|scher** *m. 5*
Scheib|tru|he *w. 11, österr.:* Schubkarren
Scheich [arab.] *m. 1 oder m. 9* **1** Scheik *m. 9 im arabischen bzw. islamischen Kulturkreis* Sippenältester, Stammesführer, auch Ehrentitel; muslim. Prediger; **2** *ugs.:* unangenehmer Kerl; **3** *etwas abwertend:* Freund, Liebhaber; **Scheich|tum** *s. 4* Herrschaftsgebiet eines Beduinenscheichs
Schei|de *w. 11;* **Schei|de|brief** *m. 1, veraltet:* Scheidungsurkunde; **Schei|de|gruß** *m. 2;* **Schei|de|kunst** *w. Gen. - nur Ez., früher Bez. für* Chemie; **Schei|de|mün|ze** *w. 11* kleine Münze, die einen höheren Geldwert hat, als ihr nach ihrem Feinmetallge-

halt zusteht; **schei|den** *intr. u. tr. 107;* **Schei|de|stun|de** *w. 11;* **Schei|de|wand** *w. 2;* **Schei|de|was|ser** *s. 6 nur Ez.* zum Trennen einer Gold-Silber-Legierung verwendete Salpetersäure; **Schei|de|weg** *m. 1;* **Schei|ding** *m. 1 nur Ez., alter Name für* September; **Schei|dung 1** *w. 10;* **Schei|dungs|grund** *m. 2;* **Schei|dungs|kla|ge** *w. 11*
Scheik *m. 9* = Scheich (**1**)
Schein *m. 1;* **Schein|an|griff** *m. 1;* **schein|bar** nur so scheinend, nicht wirklich; die Sonne dreht sich s. um die Erde; vgl. anscheinend; **Schein|blü|te** *w. 11;* **Schein|e|he** *w. 11;* **schei|nen** *intr. 108;* **Schein|frucht** *w. 2;* **Schein|füß|chen** *s. 7 Mz.* = Pseudopodien; **schein|hei|lig; Schein|hei|lig|keit** *w. 10 nur Ez.;* **schein|tot; Schein|tod** *m. 1 nur Ez.;* **Schein|wer|fer** *m. 5*
Scheiß|dreck *m. 1, vulg.;* **Schei|ße** *w. 11 nur Ez., vulg.;* **scheiß|e|gal** *vulg.;* **schei|ßen** *intr. 109, vulg.;* **Schei|ßer** *m. 5, vulg.;* **Schei|ße|rei** *w. 10 nur Ez., vulg.:* Durchfall; **Schei|ßer|le** *s. 5, schwäb.:* kleines Kind; **scheiß|freund|lich** *vulg.:* geheuchelt freundlich; **Scheiß|kerl** *m. 1, vulg.;* **scheiß|vor|nehm** *vulg.:* sehr vornehm
Scheit *s. 1, bayr., österr.: s. 3, schweiz.: s. 1 oder s. 3* zugehauenes Stück Holz
Schei|tel 1 *m. 5* höchster Punkt, Spitze; oberer mittlerer Teil des Kopfes; Trennungslinie der Frisur; **2** *s. 5 oder s. 14, österr. für* Scheit; **Schei|tel|au|ge** *s. 14, bei einigen Reptilien:* rudimentäres drittes Auge auf dem Schädeldach, Parietalauge; **Schei|tel|käpp|chen** *s. 7* Käppchen der kath. Geistlichen und orthodoxen Juden; **Schei|tel|kreis** *m. 1* Kreis durch Zenith, Himmelskörper und Nadir; **schei|teln** *tr. 1;* das Haar s.: durch einen Scheitel teilen; ich scheitele, scheitle mir das Haar; **Schei|tel|punkt** *m. 1;* **Schei|tel|win|kel** *m. 5 Mz.* einander gegenüberliegende Winkel bei zwei sich schneidenden Geraden
schei|ten *tr. 2, schweiz.:* spalten (Holz); **Schei|ter|hau|fen** *m. 7* **1** Holzstoß zum Verbrennen von Hexen, Ketzern, verbotenen Büchern; **2** *ugs.:* Semmelauflauf; **schei|tern** *intr. 1* einen Misserfolg erleiden, nicht zum Ziel gelangen
Sche|kel *m. 5* = Sekel
Schelch *m. 1, rhein., ostfränk.:* größerer Kahn
Schelf *m. 1 oder s. 1* = Kontinentalsockel
Schel|fe, Schil|fe *w. 11* Fruchtschale, Hautschuppe; **schel|fe|rig,** schil|fe|rig, schelf|rig, schilf|rig schuppig; **schel|fern,** schil|fern *intr. 1* sich schuppen, sich in kleinen Blättchen ablösen
Schell *s. 10* = Schellen
Schell|lack *m. 1* harzige Ausscheidung von Schildläusen, für Lacke u. a. verwendet
Schell-As ► **Schell-Ass** *s. 1;* **Schel|le** *w. 11* **1** Klingel, Glocke; **2** *ugs.:* Ohrfeige; **3** *Mz.* metallene Fesseln, Handschellen; **4** Haltering für Rohre; **schel|len** *intr. 1* läuten, klingeln; **Schel|len** *s. 7,* Schell *s. 10* Farbe im dt. Kartenspiel; **Schel|len-As** ► **Schel|len-Ass** *s. 1;* **Schel|len|baum** *m. 2* ein Instrument der Militärmusik, Tragstange mit Querhölzern, an denen Glocken hängen; **Schel|len|kap|pe** *w. 11* Narrenkappe mit Schellen (**1**); **Schel|len-Kö|nig** *m. 1;* **Schell|fisch** *m. 1* ein Speisefisch
Schell|ham|mer *m. 6* Werkzeug zum Nieten, Döpper
Schell|kraut, Schöll|kraut *s. 4*
Schelm *m. 1* **1** durchtriebener, vom Pech verfolgter Bursche, Held des Schelmenromans; **2** immer zu Spaß und Neckerei aufgelegter junger Mensch, Schalk; **Schel|men|ro|man** *m. 1;* **Schel|men|streich** *m. 1;* **Schel|men|stück** *s. 1;* **Schel|me|rei** *w. 10;* **Schel|min** *w. 10* weibl. Schelm (**2**); **schel|misch**
Schel|te *w. 11 nur Ez.* Vorwürfe, energ. Tadelworte; **schel|ten** *tr. 110;* **Schelt|wort** *s. 1*
Sche|ma [griech.] *s. Gen.* -s *Mz.* -s *oder* -ma|ta **1** vereinfachte zeichnerische Darstellung; **2** Muster, Vorbild; **3** vorgeschriebenes Vorgehen, Verfahren; nach Schema F *ugs.:* immer auf dieselbe, übliche Art; **sche|ma|tisch** in der Art eines Schemas, vereinfacht; **sche|ma|ti|sie|ren** *tr. 3* in ein Schema bringen; **Sche|ma|ti|sie|rung** *w. 10;* **Sche|ma|tis|mus 1** *m. Gen.* - *nur Ez.* einseitig schematische, vereinfachte Behandlung oder Betrachtung; **2** *Mz.* -men Rangliste von Amtspersonen
Schem|bart *m. 1* Maske mit Bart; **Schem|bart|lau|fen** *s. Gen.* -s *nur Ez.* Fastnachtszug zur Austreibung des Winters
Sche|mel *m. 5* Sitzfläche, Stuhl ohne Rückenlehne
Sche|men *m. 7* **1** Trugbild, Gespenst; **2** *bayr.:* Maske; **sche|men|haft** wie ein Schemen (**1**)
Schen, Scheng *s. Gen.* -(s) *Mz.* - = Mundorgel
Schenk *m. 10,* Schen|ke *m. 11* **1** *urspr.:* Wein einschenkender Diener, Mundschenk; **2** *MA:* Kellermeister; **3** *heute:* Schankwirt; **Schen|ke 1** *m. 11* = Schenk; **2** *auch:* **Schän|ke** *w. 11* Wirtshaus, Schankwirtschaft

> **Schenke/Schänke:**
> Dem Stammprinzip folgend schreibt man *Schenke* (in Anlehnung an *ausschenken*) oder *Schänke* (in Anlehnung an *Ausschank*). Entsprechend: *Schenkwirtschaft/Schänkwirtschaft* (neben *Schankwirtschaft*). →§ 13

Schen|kel *m. 5;* **Schen|kel|hals** *m. 2;* **...schen|ke|lig** = ...schenklig
schen|ken *tr. 1* **1** als Geschenk geben; **2** einschenken, ausschenken; **Schen|ker** *m. 5* jmd., der jmdm. etwas geschenkt hat; **...schenk|lig,** ...schen|ke|lig *in Zus.,* z. B. gleichschenklig; **Schenk|tisch** *m. 1* = Schanktisch; **Schen|kung** *w. 10;* **Schen|kungs|steu|er** *w. 11;* **Schen|kungs|ur|kun|de** *w. 11;* **Schenk|wirt** *m. 1* = Schankwirt; **Schenk|wirt|schaft** *w. 10* = Schankwirtschaft
schepp *mitteldt.:* schief
schep|pern *intr. 1, ugs.:* klappern, klirren
scheps *bayr.:* schief
Scher *m. 1, süddt., österr. kurz für* Schermaus
Scher|baum *m. 1* 1 Teil der zweiteiligen Gabeldeichsel; **2** = Schärbaum
Scher|be *w. 11* Bruchstück (eines gläsernen oder irdenen Gegenstands); **Scher|ben** *m. 7* **1** *Keramik:* der gebrannte Werkstoff unter der Glasur; **2** *bayr., österr.* = Scherbe; **Scher|ben|ge|richt** *s. 1* = Ostrazismus

► = wird zu

Scher|bett *m. 9* = Sorbet
Sche|re *w. 11;* **sche|ren 1** *tr. 111* schneiden, abschneiden (Haar, Fell); *auch* = schären; **2** *refl. 1* machen, dass man wegkommt; scher dich zum Teufel!; **3** *tr. u. refl. 1, ugs.* kümmern, angehen; was schert mich sein Gerede; ich schere mich nicht darum, ob ...; ich schere mich den Teufel, *oder:* einen Dreck darum, ob ... *vulg.*
Sche|ren|fern|rohr *s. 1;* **Sche|ren|schlei|fer** *m. 5;* **Sche|ren|schnitt** *m. 1* künstlerische bildliche Darstellung durch in ein Blatt Papier geschnittene Umrisse; **Sche|rer** *m. 5* jmd., der etwas schert, z. B. Schafscherer, *früher:* Bartscherer
Sche|re|rei *w. 10 meist Mz.* (unnötige) Unannehmlichkeit, Schwierigkeit
Scherf *m. 1, MA:* halber Pfennig; **Scherf|lein** *s. 7, übertr.:* kleiner Beitrag; sein S. zu etwas beitragen
Scher|ge *m. 11* **1** *früher:* Häscher, Büttel, Gerichtsdiener; **2** *heute:* käufl. Verräter, jmd., der die Befehle eines Machthabers vollstreckt
Sche|ria [arab.], **Scha|ria** *w. Gen. - nur Ez.* das im Koran niedergelegte Rechtssystem des Islams
Sche|rif [arab.] *m. 1 oder m. 10* Titel der Nachkommen Mohammeds
Scher|kopf *m. 2* Schneidkopf (am elektr. Rasierapparat); **Scher|ling** *m. 1* geschorenes Schaffell; **Scher|maus** *w. 2* eine Wühlmaus, Wasserratte; **Scher|wol|le** *w. 11* Schurwolle
Scherz *m. 1;* **scher|zan|do** [skɛr-, ital.] *Mus.:* scherzend; **scher|zen** *intr. 1;* **Scherz|fra|ge** *w. 11;* **scherz|haft**
Scherzl [ital.] *s. 5, bayr., österr.:* Anschnitt bzw. Ende vom Brot
Scher|zo [skɛr-, ital.] *s. Gen.* -s *Mz.* -s *oder* -zi **1** kurzes, heiteres Musikstück, Scherzstück; **2** Satz der Sonate
sche|sen *intr. 1, norddt., mitteldt.:* eilen, hastig laufen
scheu; scheu sein, werden; scheu machen; **Scheu** *w. Gen. - nur Ez.;* **scheu|chen** *tr. 1;* **scheu|en 1** *intr. 1* scheu werden; das Pferd scheut; **2** *refl. 1;* sich vor etwas s.; sich scheuen, etwas zu tun

Scheu|er|leis|te *w. 11* **1** Leiste an der Kante zwischen Fußboden und Wand; **2** ein Schiff umgebende Leiste zum Schutz der Bordwände; **scheu|ern** *tr. 1;* ich scheuere, scheure es
Scheu|klap|pen *w. 11 Mz.* Lederklappen am Zaumzeug der Pferde, die die Sicht zur Seite einschränken
Scheu|ne *w. 11*
Scheu|sal *s. 1, ugs. auch s. 4*
scheuß|lich; Scheuß|lich|keit *w. 10*
Schi *Nv.* ▶ **Ski** *Hv.* [ʃi:, norw.] *m. Gen.* -s *Mz.* Schi|er, Ski|er, *bayr., österr., schwäb. Mz. auch:* -, Schneeschuh
Schia [arab.] *w. Gen. - nur Ez.* eine der beiden Hauptrichtungen des Islams, die Partei Alis, des Schwiegersohns Mohammeds, und seiner Nachkommen; vgl. Schiiten
Schi|bob *Nv.* ▶ **Ski|bob** *Hv. m. 9*
Schicht *w. 10;* **Schich|te** *w. 11 österr. für* Schicht (Gestein, Sand); **schich|ten** *tr. 2;* **...schich|tig** *in Zus.,* z. B. zwei-, mehr-, vielschichtig; **Schich|tung** *w. 10;* **Schicht|wech|sel** *m. 5;* **schicht|wei|se**

> **schick/chic:** Die integrierte (eingedeutschte) Schreibweise ist die Hauptvariante *(schick),* die französische Form *(chic)* die zulässige Nebenvariante. Anmerkung: *Chic* ist nur unflektiert zu verwenden: *Das Kleid ist chic.* Aber: *das schicke Kleid; der schicke Pullover.* →§ 32 (2)

schick, chic [ʃik, frz.] **1** modisch, elegant; **2** *ugs. auch:* sehr schön, sehr gut, erfreulich, großartig; **Schick,** Chic [ʃik, frz.] *m. Gen.* -s *nur Ez.* **1** Eleganz, modische Feinheit; **2** *schweiz.:* vorteilhafter Handel; Glück, guter Fund
schi|cken 1 *tr. 1;* **2** *refl. 1* der guten Sitte entsprechen, sich gehören; eins schickt sich nicht für alle; **Schi|cke|ria** *w. Gen. - nur Ez.* reiche, übertrieben schick gekleidete, sich extravagant gebärdende Gesellschaftsschicht; **Schi|cki|mi|cki** *m. 9 oder w. 9, ugs.:* oberflächlicher Modemensch; **schick|lich**
Schick|sal *s. 1;* **schick|sal|haft; Schick|sals|schlag** *m. 2*

Schick|se [jidd.] *w. 11* **1** *urspr.:* nichtjüd. Mädchen; **2** *heute:* unangenehme weibl. Person
Schi|ckung *w. 10* Fügung, Schicksal
Schie|be|bock *m. 2* Schubkarre; **Schie|be|dach** *s. 4;* **Schie|be|fens|ter** *s. 5;* **schie|ben 1** *tr. 112;* **2** *intr. 112, ugs. scherzh.:* vorgebeugt gehen; *auch:* unsaubere Geschäfte machen, bes. auf dem Schwarzen Markt; **Schie|ber** *m. 5;* **Schie|be|tür** *w. 10;* **Schieb|fach** *s. 4* Schubfach; **Schieb|kar|re** *w. 11* Schubkarren; **Schieb|leh|re** *w. 11* ein Messgerät; **Schie|bung** *w. 10* **1** Betrug, unsauberes Geschäft; **2** ungerechte Bevorzugung
schied|lich ohne Streit, friedlich; **Schieds|ge|richt** *s. 1;* **schieds|ge|richt|lich; Schieds|kom|mis|si|on** *w. 10, ehem. DDR:* **1** in Wohngebieten und Genossenschaften gewähltes Gericht zur Regelung einfacher Zivil- und Strafrechtsangelegenheiten (vgl. Konfliktkommission); **2** Spruchabteilung des staatlichen Vertragsgerichts; **Schieds|mann** *m. 4* Angehöriger des Schiedsgerichts, Unparteiischer; **Schieds|rich|ter** *m. 5;* **schieds|rich|ter|lich; Schieds|spruch** *m. 2*
schief; schiefe Ebene; auf die schiefe Bahn geraten *übertr.:* moralisch sinken; in ein schiefes Licht geraten *übertr.:* durch falsches Verhalten einen falschen Eindruck erwecken; schief (gekrümmt) gehen; die Sache musste schief gehen; schief (nicht gerade) liegen; *aber:* der Schiefe Turm (in Pisa); **Schie|fe** *w. 11 nur Ez.*
Schie|fer *m. 5* **1** ein blättriges Gestein; **2** *bayr., österr.:* Splitter; **Schie|fer|bruch** *m. 2;* **Schie|fer|dach** *s. 4;* **schie|fer|grau; schie|fe|rig,** schief|rig **1** aus Schiefer; **2** wie Schiefer; **schie|fern** *intr. 1* wie Schiefer abblättern, sich wie Schiefer spalten; **Schie|fer|ta|fel** *w. 11;* **Schie|fe|rung** *w. 10*
schief|ge|hen ▶ **schief ge|hen** *intr. 47* misslingen; die Sache ist schief gegangen; **schief|ge|wi|ckelt** ▶ **schief ge|wi|ckelt** *ugs.;* schief gewickelt sein: falscher Auffassung sein, sich täuschen

Schief|heit *w. 10;* **schief|la|chen** *refl. 1, ugs.:* sehr lachen; wir haben uns über das Theaterstück schiefgelacht; **schief|lie|gen** ► **schief lie|gen** *intr. 80, ugs.:* eine falsche Meinung vertreten; **schief|mäu|lig** *übertr.:* neidisch, missgünstig

schief|rig, schie|fe|rig

schief|tre|ten ► **schief tre|ten** *tr. 163;* die Absätze schief treten: durch Gehen abnutzen

schief|win|ke|lig, schief|wink|lig

Schiel|au|ge *s. 14;* Schielaugen machen *ugs. übertr.:* etwas mit begehrlichen Blicken betrachten; **schie|len** *intr. 1*

Schien|bein *s. 1;* **Schie|ne** *w. 11;* **schie|nen** *tr. 1;* **Schie|nen|bahn** *w. 10;* **Schie|nen|bus** *m. 1;* **Schie|nen|fahr|zeug** *s. 1;* **Schie|nen|stoß** *m. 2* Stelle, an der zwei Schienen zusammengefügt sind; **Schie|nen|strang** *m. 2* Eisenbahnschienen über eine längere Strecke; **Schie|nen|weg** *m. 1;* auf dem S.: mit der Eisenbahn

schier 1 *Adv.:* beinahe, fast; man möchte schier meinen...; das ist schier unmöglich; **2** *Adj.:* rein, lauter, ohne Beimengung; schieres Fleisch: Fleisch ohne Knochen oder Fett

Schi|er *Nv.* ► **Ski|er** *Hv. Mz. von* Schi, Ski

Schier|ling *m. 1, Bez. für* einige Arten giftiger Doldengewächse; **Schier|lings|be|cher** *m. 5* Becher mit Gift; den S. trinken *im alten Griechenland:* das Todesurteil an sich selbst vollstrecken

Schieß|be|fehl *m. 1;* **Schieß|bu|de** *w. 11;* **Schieß|bu|den|fi|gur** *w. 10;* aussehen wie eine S.: lächerlich, unmöglich aussehen (in der äußeren Aufmachung); **schie|ßen 1** *intr. 113* ein Geschoss abfeuern; rasch wachsen; rasch laufen oder fahren; **2** *intr. 113* durch Schuss töten, erlegen; *Bgb.:* sprengen; schnell, scharf werfen; *ugs.:* Rauschgift einspritzen; es ist zum Schießen *ugs.:* sehr komisch, zum Lachen; **schie|ßen|las|sen** ► **schie|ßen las|sen** *tr. 75, ugs.;* etwas s.l.: auf etwas verzichten, etwas aufgeben; einen Plan, ein Vorhaben s.l.; **Schie|ße|rei** *w. 10;* **Schieß|ge|wehr** *s. 1;* **Schieß|hund** *m. 1, veraltet:* Hund, der angeschossenes Wild aufspürt; aufpassen wie ein S. *übertr.;* **Schieß|platz** *m. 2;* **Schieß|prü|gel** *m. 5, ugs. scherzh.:* Gewehr; **Schieß|pul|ver** *s. 5;* **Schieß|schar|te** *w. 11, in Befestigungsanlagen:* schmale Mauerspalte zum Schießen; **Schieß|schei|be** *w. 11;* **Schieß|sport** *m. Gen.* -s *nur Ez.;* **Schieß|stand** *m. 2*

Schiet *m. oder s. Gen.* -(s) *nur Ez., nddt.:* Scheiße, Dreck; **Schie|ter** *m. 5, nddt.:* Scheißer (auch als Kosename); **Schiet|kram** *m. Gen.* -s *nur Ez.*

Schiff *s. 1;* **Schiffahrt** ► **Schiff|fahrt** *w. 10 nur Ez.;* **Schiffahrts|stra|ße** ► **Schiff|fahrts|stra|ße** *w. 11;* **Schiffahrts|weg** ► **Schiff|fahrts|weg** *m. 1;* **schiff|bar;** **Schiff|bau** [fachspr.] *m. Gen.* -(e)s *nur Ez.* Bau von Schiffen; vgl. Schiffsbau; **Schiff|bein** *s. 1* = Kahnbein; **Schiff|bruch** *m. 2;* S. erleiden *übertr.:* einen Misserfolg haben, scheitern; **schiff|brü|chig;** **Schiff|brü|cke** *w. 11* Pontonbrücke; **Schiff|chen** *s. 7; auch:* schmale Militärmütze; kleines Werkzeug zum Herstellen von Okkispitze; **Schiff|chen|ar|beit** *w. 10* = Okkispitze; **schif|feln** *intr. 1, süddt.:* Kahn fahren; **schif|fen** *intr. 1* **1** mit dem Schiff fahren; **2** *ugs.:* harnen; **Schif|fer** *m. 5;* **Schif|fer|kla|vier** *s. 1* Akkordeon; **Schif|fer|kno|ten** *m. 7* auf bestimmte Art geknüpfter, fester Knoten; **Schif|fer|müt|ze** *w. 11;* **Schiff|fahrt** *w. 10 nur Ez.;* **Schiff|fahrts|stra|ße** *w. 11;* **Schiff|fahrts|weg** *m. 1;* **Schiffs|arzt** *m. 2;* **Schiffs|bau** *m. Gen.* -(e)s *nur Ez.* Bau eines (einzelnen) Schiffes; **Schiffs|bohr|wurm** *m. 4* eine Muschel; **Schiffs|boot** *s. 1* ein Kopffüßer, Perlboot, Nautilus; **Schiff|schau|kel** *w. 11;* **Schiffs|eig|ner** *m. 5;* **Schiffs|fahrt** *w. 10* Fahrt mit dem Schiff; vgl. Schifffahrt; **Schiffs|hal|ter** *m. 5* ein Fisch, der sich an Schiffen festsaugt; **Schiffs|jour|nal** [-ʒur-] *s. 1* = Logbuch; **Schiffs|jun|ge** *m. 11* Matrosenlehrling; **Schiffs|koch** *m. 2;* **Schiffs|schrau|be** *w. 11;* **Schiffs|ta|ge|buch** *s. 4* = Logbuch; **Schiffs|tau|fe** *w. 11;* **Schiffs|zwie|back** *m. 2* haltbarer Zwieback als eiserne Ration

schif|ten 1 *intr. 2* ein Segel vor dem Wind auf die andere Seite bringen; **2** die Lage wechseln; **3** verrutschen (Ladung); **4** *tr. 2* zusammennageln (Dachsparren); **Schif|ter** *m. 5* Dachsparren

Schi|ha|serl *Nv.* ► **Ski|ha|serl** *Hv. s. 14, süddt., österr.*

Schi|is|mus [arab.] *m. Gen.* - *nur Ez.* Lehre der Schia; **Schi|it** *m. 10* Anhänger der Schia; vgl. Sunnit

Schi|ka|ne [frz.] *w. 11* **1** absichtlich bereitete Schwierigkeit; **2** *ugs.:* Kniff, Feinheit; mit allen Schikanen; **schi|ka|nie|ren** *tr. 3;* jmdn. s.: jmdm. absichtlich Schwierigkeiten bereiten; **schi|ka|nös** *ugs.:* böswillig, Schikanen bereitend

Schi|kjö|ring [-jø:-, norw.] *Nv.* ► **Ski|kjö|ring** *Hv. s. 9*

Schi|ko|ree *w. 9 oder m. 9 nur Ez.* = Chicorée

Schi|lauf *Nv.* ► **Ski|lauf** *Hv. m. 2;* **Schi|läu|fer** *Nv.* ► **Ski|läu|fer** *Hv. m. 5*

Schil|cher *m. 5, österr.* = Schiller (**2**)

Schild 1 *s. 3* Tafel, Platte, Blatt Papier als Erkennungszeichen, Warntafel o. Ä.; **2** *m. 1* am Arm getragene Platte als Schutzwaffe; **Schild|bür|ger** *m. 5* töricht, unüberlegt handelnder Mensch, Spießbürger; **Schild|bür|ger|streich** *m. 1;* **Schild|drü|se** *w. 11;* **Schil|der|haus** *s. 4* schmales Schutzhäuschen für den Wache stehenden Soldaten; **Schil|der|ma|ler** *m. 5;* **schil|dern** *tr. 1* (anschaulich) beschreiben, erzählen; ich schildere, schildre es; **Schil|der|wald** *m. 4, ugs. scherzh.:* große Menge von Verkehrsschildern; **Schild|knap|pe** *m. 11;* **Schild|krot** *s. Gen.* -s *nur Ez., österr. für* Schildpatt; **Schild|krö|te** *w. 11;* **Schild|krö|ten|sup|pe** *w. 11;* **Schild|laus** *w. 2;* **Schild|patt** *s. Gen.* -s *nur Ez.* getrocknete Hornplatten des Rückenpanzers einer Meeresschildkröte; **Schild|wa|che** *w. 11, veraltet:* militär. Wachtposten

Schilf *s. 1* eine Grasart, Schilfrohr; **Schilf|dach** *s. 4*

Schil|fe *w. 11* = Schelfe; **schil|fe|rig,** schilf|rig = schelferig; **schil|fern** *intr. 1* = schelfern

schilf|ge|deckt; schilfgedecktes Dach; **schil|fig** wie Schilf

schilf|rig = schelfrig
Schilf|rohr *s. 1* = Schilf
Schi|lift *Nv.* ► **Ski|lift** *Hv. m. 1*
Schill *m. 1, österr. für* Zander
Schil|ler *m. 5* **1** *nur Ez.* Farbenspiel, wechselnder Farbenglanz; **2** Mischung von Rot- und Weißwein; **schil|le|rig** schillernd; **Schil|ler|kra|gen** *m. 7* offener, über der Jacke getragener Hemdkragen; **Schil|ler|lo|cke** *w. 11* **1** mit Schlagsahne gefüllte Gebäckrolle; **2** dünnes, geräuchertes Stück vom Bauch des Dornhais; **schil|lern** *intr. 1* in wechselnden Farben glänzen; **Schil|ler|wein** *m. 1* = Schiller (**2**)
Schil|ling *m. 1, nach Zahlenangaben Mz.-* (*Abk.:* S, öS) österr. Währungseinheit, 100 Groschen
schil|pen *intr. 1* = tschilpen
Schi|mä|re, Chi|mä|re [ç-, griech.] *w. 11* Trugbild, Hirngespinst; vgl. Chimära, Chimäre; **schi|mä|risch** trügerisch
Schim|mel 1 *m. 5 nur Ez.* weißl. Überzug aus Schimmelpilzen auf Lebensmitteln; **2** *m. 5* weißes Pferd; **Schim|mel|bo|gen** *m. 7* versehentlich nur einseitig bedruckter Bogen; **schim|me|lig,** schimm|lig; **schim|meln** *intr. 1* sich mit Schimmel überziehen; **Schim|mel|pil|ze** *m. 1 Mz.* auf feuchten Lebensmitteln u.a. einen weißen Überzug (Schimmel) bildende Schlauchpilze
Schim|mer *m. 5;* **schim|mern** *intr. 1*
schimm|lig, schim|me|lig
Schim|pan|se [afrik.] *m. 11* ein Menschenaffe
Schimpf *m. 1* Beleidigung, Schmach; jmdm. einen Schimpf antun; mit Schimpf und Schande davongejagt werden; **schimp|fen** *intr. 1 u. tr. 1;* **Schimp|fe|rei** *w. 10;* **schimp|fie|ren** *tr. 3, veraltet:* verunglimpfen, beschimpfen; **schimpf|lich; Schimpf|wort** *s. 4*
Schi|na|kel [ung.] *s. 5, österr.:* kleines Boot
Schind|aas *s. 1* dem Sterben nahes Vieh, Schindluder; **Schind|an|ger,** Schind|a|cker *m. 5* Platz zum Verscharren von Tierkadavern
Schin|del *w. 11* Holzbrettchen zum Dachdecken; **schin|deln** *tr. 1* mit Schindeln decken
schin|den *tr. 114* hart arbeiten lassen, ausbeuten, quälen; sich s.: sich abrackern, schwer arbeiten; **Schin|der** *m. 5* **1** Abdecker; **2** jmd., der andere schindet; **Schin|de|rei** *w. 10* **1** Abdeckerei; **2** *nur Ez.* schwere Arbeit, Plage; **Schin|der|kar|ren** *m. 7;* **Schind|lu|der** *s. 5* = Schindaas; mit jmdm. S. treiben: jmdn. schändlich behandeln; **Schind|mäh|re** *w. 11* altes, dürres Pferd
Schin|ken *m. 7*
Schin|ne *w. 11 meist Mz., nddt.:* Kopfschuppe
Schin|to|is|mus [jap.], Shin|to|is|mus *m. Gen.- nur Ez.* die urspr. Religion der Japaner, Glaube a. Naturgottheiten, verbunden mit Ahnenkult; **Schin|to|ist,** Shin|to|ist *m. 10;* **schin|to|is|tisch,** shin|to|is|tisch
Schipp|chen *s. 7* **1** kleine Schippe; **2** *ugs. scherzh.:* Schmollmund (von Kindern); ein S. ziehen: die Lippen vorschieben; **Schip|pe** *w. 11* **1** Schaufel; jmdn. auf die S. nehmen *ugs.:* jmdn. zum Besten haben, frotzeln; **2** *ugs. scherzh.:* Schmollmund; eine Schippe ziehen, machen; **3** = Schippen; **schip|pen** *tr. 1;* **Schip|pen** *s. 7* Farbe im frz. Kartenspiel, Pik
Schirm *m. 1;* **Schirm|bild** *s. 3* Röntgenbild; **schir|men** *tr. 1;* **Schirm|git|ter** *s. 5* Bauelement bei Elektronenröhren; **Schirm|herr** *m. Gen.* -n *oder* -en *Mz.* -en; **Schirm|herr|schaft** *w. 10;* **Schirm|ling** *m. 1* = Schirmpilz; **Schirm|müt|ze** *w. 11;* **Schirm|pilz** *m. 1* ein Speisepilz
Schi|rok|ko [ital.] *m. 9* warmer, oft stürmischer Wind in den Mittelmeerländern
Schirr|meis|ter *m. 5* **1** Aufseher im Pferdestall; **2** Verwalter der Fahrzeuge einer Kompanie
Schir|ting *m. 1 oder m. 9* ein starkes Baumwollgewebe für Möbelbezüge, Bucheinbände
Schir|wan [nach der Landschaft S. im Kaukasus] *m. 9* ein Teppich mit geometr. Muster
Schis|ma [auch: sçis-, griech.] *s. Gen.* -s *Mz.* -men Kirchenspaltung; **Schis|ma|ti|ker** *m. 5* jmd., der ein Schisma verursacht, jmd., der von der kirchl. Lehre abweicht; **schis|ma|tisch** auf einem Schisma beruhend, ein S. betreibend
Schi|sport *Nv.* ► **Ski|sport** *Hv. m. Gen.* -s *nur Ez.;* **Schi|sprin|gen** *Nv.* ► **Ski|sprin|gen** *Hv. s. Gen.* -s *nur Ez.*
Schiß ► **Schiss** *m. 1* **1** *ugs. derb:* Kot, z.B. Fliegenschiss; **2** *nur Ez., ugs. derb:* Angst; **Schis|ser** *m. 5, ugs. derb:* Angsthase
Schi|wa, Shi|va einer der Hauptgötter des Hinduismus
schi|zo|gen [griech.] *Biol.:* durch Spaltung entstanden; **Schi|zo|go|nie** *w. 11* Form der ungeschlechtl. Fortpflanzung, wobei durch Zellteilung eine Vielzahl von Zellen entsteht; **schi|zo|id** seelisch gespalten; **schi|zo|phren 1** an Schizophrenie leidend; **2** *übertr.:* spaltsinnig, widersprüchlich im Denken und Handeln; **Schi|zo|phre|nie** *w. 11 nur Ez.* Gruppe von Geisteskrankheiten mit gestörtem Zusammenhang zwischen Wollen, Denken und Fühlen, Spaltungsirresein; **Schi|zo|phyt** *m. 10* = Spaltpflanze; **schi|zo|thym** zur Absonderung neigend, in sich gekehrt (Person, Charakter)
schlab|be|rig, schlabb|rig gallertartig, wässerig; **schlab|bern** *intr. u. tr. 1* schmatzend trinken, schlürfen
Schlacht *w. 10*
Schlach|ta [poln.] *w. Gen. - nur Ez., früher:* der poln. Adel; vgl. Schlachtschitz
Schlacht|bank *w. 2;* **schlach|ten** *tr. 2;* **Schlach|ten|bumm|ler** *m. 5* **1** *früher:* Zuschauer bei kriegerischen Kämpfen; **2** *heute:* jmd., der häufig auswärtige sportliche Veranstaltungen besucht; **Schlach|ter** *m. 5, norddt. für* Fleischer; **Schläch|ter** *m. 5* **1** Fleischer; **2** Massenmörder; **Schlach|te|rei** *w. 10* Fleischerei; **Schläch|te|rei** *w. 10* **1** Fleischerei; **2** Gemetzel, Massenmord; **Schlacht|feld** *s. 3;* **Schlacht|fest** *s. 1;* **Schlacht|ge|wicht** *s. 1* Gewicht der verwertbaren Teile eines geschlachteten Tieres; *Ggs.:* Lebendgewicht; **Schlacht|hof** *m. 2;* **Schlacht|kreu|zer** *m. 5;* **Schlacht|op|fer** *s. 5* kultisches Opfer
Schlach|tschitz *auch:* **Schlacht|schitz** [poln.] *m. 10* Angehöriger der Schlachta
Schlacht|tag *m. 1;* **Schlach|tung** *w. 10;* **Schlacht|vieh** *s. Gen.* -s *nur Ez.*

Schlack *m. 1 nur Ez., nddt.:* breiige Masse, Schneematsch
Schlacke *w. 11* **1** Rückstand beim Verbrennen und Schmelzen; **2** Abfallprodukt des Stoffwechsels im Gewebe und Verdauungskanal; **3** *übertr.:* Unreines; **schlacken** *intr. 1* Schlacke bilden; **schlackenlos**
schlackern *intr. 1* **1** *nddt.:* regnen und schneien zugleich; **2** *ugs.:* wackeln; mir schlackerten die Knie; mit den Ohren s. *ugs.:* sehr überrascht, beeindruckt sein; **Schlackerwetter** *s. 5 nur Ez.* Schneeregen; **schlackig 1** voller Schlacken; **2** breiig, matschig; **Schlackwurst** *w. 2* eine Wurstsorte mit Fleisch und Speckstückchen
Schlaf *m. Gen.* -(e)s *nur Ez.;* Schlaf haben *süddt.:* schläfrig, müde sein; **Schlafanzug** *m. 2;* **Schlafbaum** *m. 2* Baum, auf dem ein Vogel regelmäßig schläft; **Schläfchen** *s. 7;* ein S. halten; **Schläfe** *w. 11* Teil des Kopfes; **schlafen** *intr. 115;* schlafen gehen; ein Kind schlafen legen; **Schläfenbein** *s. 1;* **Schlafengehen** *s. Gen.* -s *nur Ez.;* vor dem S.; **Schlafenszeit** *w. 10;* **Schläfer** *m. 5;* **...schläferig** = ...schläfrig; **schläfern** *tr. 1, unpersönlich;* mich schläfert, *oder:* es schläfert mich: ich bin schläfrig, müde
schlaff; Schlaffheit *w. 10 nur Ez.*
Schlafgänger *m. 5, veraltet:* Mieter einer Schlafstelle; **Schlafgast** *m. 2* Übernachtungsgast; **Schlafgelegenheit** *w. 10*
Schlafittchen *s. 7, urspr.:* Schwungfeder, *auch:* Rockschoß; *nur noch in den Wendungen* jmdn. beim S. kriegen, packen: jmdn. zu fassen kriegen (um ihn zu strafen oder zurechtzuweisen)
Schlafkrankheit *w. 10 nur Ez.* eine Infektionskrankheit; **Schlaflernmethode** *w. 11* Lernmethode, bei der ein Lernstoff auf Tonband nach dem Einschlafen und vor dem Erwachen vorgesprochen wird, Hypnopädie; **schlaflos; Schlaflosigkeit** *w. 10 nur Ez.;* **Schlafmaus** *w. 2* ein Nagetier, Bilch; **Schlafmütze** *w. 11, übertr.:* unaufmerksamer Mensch; **schlafmützig; Schlafmützigkeit** *w. 10 nur Ez.;* **Schlafratte** *w. 11,* **Schlafratz** *m. 1, ugs. scherzh.:* jmd., der gern schläft; **schläfrig; ...schläfrig,** ...schläferig *bayr., in Zus.,* z. B. ein-, zweischläfriges Bett; **Schläfrigkeit** *w. 10 nur Ez.;* **Schlafrock** *m. 2;* **Schlafsaal** *m. Gen.* -(e)s *Mz.* -säle; **Schlafsack** *m. 2;* **Schlafstelle** *w. 11* kleines gemietetes Zimmer, das nur zum Schlafen (nicht zum Wohnen) benutzt wird; **Schlafsucht** *w. Gen. - nur Ez.;* **schlafsüchtig; schlaftrunken; Schlaftrunkenheit** *w. 10 nur Ez.;* **Schlafwagen** *m. 7;* **schlafwandeln** *intr. 1;* er schlafwandelt, hat, ist geschlafwandelt; **Schlafwandeln** *s. Gen.* -s *nur Ez.* = Mondsüchtigkeit; **Schlafwandler** *m. 5;* **schlafwandlerisch**

> **Schlag (acht Uhr):** Die Bezeichnung der genauen Uhrzeit folgt den Regeln, die für Substantive in festen Gefügen gelten: Großschreibung. Daher: *Es war Schlag acht Uhr.* →§ 55 (4)
> Anmerkung: In der Schweiz und in Österreich schreibt man klein: *Es war schlag acht Uhr.*

Schlag *m. 2;* Schlag acht Uhr, *österr.:* schlag acht Uhr; **Schlagader** *w. 11;* **Schlaganfall** *m. 2;* **schlagartig; Schlagball** *m. 2;* **schlagbar; Schlagbaum** *m. 2* Schranke an Grenzübergängen; **Schlagbolzen** *m. 7;* **Schlägel** *m. 5* Hammer (des Bergmanns); Werkzeug zum Schlagen; **schlägeln** *tr. 1* mit dem Schlägel schlagen;

> **schlagen (Alarm/Rad):** Die Verbindung aus Verb und Substantiv wird getrennt geschrieben: *Sie hatten Alarm geschlagen. Sie begann ihr Übungsprogramm Rad schlagend.* →§ 34 E3 (5)

schlagen *tr. 116;* schlagende Wetter *Bgb.:* explosives Gemisch aus Grubengas und Luft; er schlug ihn, *oder:* ihm ins Gesicht; er schlug ihr, *oder:* sie auf die Hand; **Schlager** *m. 5* **1** eine Zeit lang bes. beliebtes Tanzlied; **2** erfolgreiches Theaterstück; **3** Ware, die reißend Absatz findet; **Schläger** *m. 5;* **Schlägerei** *w. 10;* **schlägern** *tr. 1, österr.:* fällen (Bäume); **Schlägerung** *w. 10, österr.;* **schlagfertig** einfallsreich im Antworten; **Schlagfertigkeit** *w. 10 nur Ez.;* **Schlagfluß** ► **Schlagfluss** *m. 2, veraltet:* Schlaganfall; vom S. getroffen werden; **Schlagholz** *s. 4* Gerät für manche Ballspiele; **Schlaginstrument** *auch:* **-instrument** *s. 1* ein Musikinstrument, das geschlagen wird, z. B. Trommel, Becken; **Schlagkraft** *w. 2 nur Ez.;* **schlagkräftig; Schlaglicht** *s. 3* Lichtstrahl; *bes. Fot.:* Licht, durch das ein Gegenstand hervorgehoben wird; ein S. auf etwas werfen: etwas hervorheben; **Schlagmann** *m. 4, Rudersport:* vorderster Ruderer, der den Schlag angibt; **Schlagobers** *s. Gen. - nur Ez., österr.:* Schlagsahne; **Schlagrahm** *m. Gen.* -s *nur Ez., bayr.:* Schlagsahne; **schlagreif** *Forstw.:* zum Fällen geeignet; **Schlagring** *m. 1* eine Schlagwaffe; **Schlagsahne** *w. 11 nur Ez.;* **Schlagschatten** *m. 7, Malerei, Fot.:* von einer Person oder einem Gegenstand geworfener Schatten; **Schlagseite** *w. 11* Schräglage (des Schiffes); das Schiff hat S.; er hat (leichte) S. *ugs. scherzh.:* er hat einen Rausch; **Schlaguhr** *w. 10;* **Schlagwerk** *s. 1;* **Schlagwetter** *s. 5* schlagende Wetter; **schlagwettersicher; Schlagwort 1** *s. 4 oder s. 1* Wort oder kurze Formulierung, das bzw. die eine Zeiterscheinung o. Ä. treffend charakterisiert, z. B. Platz an der Sonne, Konsumterror; **2** *s. 4, Bibliothekswesen:* (meist dem Titel entnommenes) Wort, das den Inhalt eines Buches kennzeichnet; **Schlagwortkatalog** *m. 1* nach Schlagwörtern (**2**) geordneter Katalog; **Schlagzeile** *w. 11* in die Augen fallende Überschriftzeile einer Zeitung; die Sache hat Schlagzeilen gemacht: ist durch die Presse allgemein bekannt geworden; **Schlagzeug** *s. 1* Gruppe von Schlaginstrumenten, die vom gleichen Spieler bedient werden; **Schlagzeuger** *m. 5* Spieler des Schlagzeugs
Schlaks *m. 1, norddt., mitteldt.:* schlaksiger junger Mensch;

schlak|sig lang, dünn und etwas ungeschickt in den Bewegungen
Schla|mas|sel [jidd.] *m. 5 oder s. 5* ärgerliche, verfahrene Angelegenheit
Schlamm *m. 1;* **Schlammas|se** ► **Schlamm|mas|se** *w. 11;* **Schlamm|bad** *s. 4;* **Schlamm|bei|ßer** *m. 5* ein aalartiger Süßwasserfisch; **schlam|men** *intr. 1* Schlamm absetzen; **schläm|men** *tr. 1* **1** von Schlamm reinigen; **2** Bestandteile aus einem Gemisch s.: sich absetzen lassen; **Schlamm|fie|ber** *s. 5 nur Ez.* = Feldfieber; **schlam|mig;** **Schlämm|krei|de** *w. 11* gereinigte Kreide (für Zahnpulver und Reinigungsmittel);

Schlammmasse: Beim Aufeinanderfolgen dreier gleicher Konsonanten werden – im Gegensatz zur früheren Regelung – jetzt auch vor nachfolgendem Vokal alle drei Konsonanten geschrieben. Ebenso: *Schlammmischer.*

Schlamm|mas|se *w. 11*
schlam|pam|pen *intr. 1, ugs.:* schlemmen, schwelgen
Schlam|pe *w. 11* **1** unordentliche Frau, **2** Frau, die ein liederliches Leben führt; **schlam|pen** *intr. 1* unordentlich sein, unordentlich arbeiten; **Schlam|per** *m. 5* unordentlicher Mensch; **Schlam|pe|rei** *w. 10;* **schlam|pig;** **Schlam|pig|keit** *w. 10 nur Ez.*

Schlange stehen: Die Verbindung aus Substantiv und Verb wird getrennt geschrieben: *Sie haben zwei Stunden Schlange gestanden.* →§ 34 E3 (5)

Schlan|ge *w. 11;* **Schlän|gel|chen** *s. 7;* **schlän|ge|lig;** schläng|lig geschlängelt; **schlän|geln** *refl. 1;* **Schlan|gen|be|schwö|rung** *w. 10;* **Schlan|gen|biß** ► **Schlan|gen|biss** *m. 2;* **Schlan|gen|fraß** *m. Gen. -es nur Ez., ugs.:* schlechtes Essen; **Schlan|gen|gift** *s. 1;* **schlan|gen|haft;** **Schlan|gen|li|nie** *w. 11;* **Schlan|gen|mensch** *m. 10, volkstüml. für* Akrobat; **Schläng|lein** *s. 7;* **schläng|lig** = schlängelig
schlank; **Schlank|heit** *w. 10 nur Ez.;* **Schlank|heits|kur** *w. 10;* **Schlank|heits|pil|le** *w. 11;* **schlank|weg** ohne weiteres, ohne Bedenken, ohne Umstände; er behauptet s., er habe...; **schlank|wüch|sig**
Schlap|fen *m. 7 meist Mz., österr.:* Pantoffel
schlapp; **Schlap|pe** *w. 11* Niederlage; eine S. einstecken müssen; **schlap|pen 1** *intr. 1* locker, lose sitzen (Schuh); *auch:* schlürfend gehen; **2** *tr. 1* schmatzend trinken (Tier); **Schlap|pen** *w. 11 Mz.* Pantoffeln, Hausschuhe; **schlap|pern** *tr. 1* schlürfend trinken; **Schlapp|hut** *m. 2* weicher, breitkrempiger Hut; **schlapp|ma|chen** *intr. 1* vor Erschöpfung nicht weiter können; er hat schlappgemacht; **Schlapp|ohr** *s. 12* Hängeohr; **Schlapp|schu|he** *m. 1 Mz.* Schlappen; **Schlappschwanz** *m. 2* schlapper, körperlich schwacher, energieloser Mensch
Schla|raf|fen|land *s. Gen. -(e)s nur Ez.* märchenhaftes Land der Schlemmer; **Schla|raf|fen|le|ben** *s. 7 nur Ez.;* **Schla|raf|fia** Schlaraffenland; **schla|raf|fisch** wie im Schlaraffenland, üppig, schlemmerhaft
schlau
Schlau|be *w. 11* Fruchthülle, Schale; **schlau|ben** *tr. 1* enthülsen
Schlau|ber|ger *m. 5* Schlaukopf
Schlauch *m. 2; auch ugs.:* große körperl. Anstrengung; **Schlauch|boot** *s. 1* aufblasbares Gummiboot; **schlau|chen** *tr. 1, ugs.:* körperlich sehr anstrengen; **Schlauch|pilz** *m. 1* höherer Pilz mit schlauchförmigen Sporenzellen; **Schlauch|wa|gen** *m. 7* Wagen zum Transport einer Schlauchrolle
Schläue *w. Gen. - nur Ez.* Schlauheit; **schlau|er|wei|se**
Schlau|fe *w. 11;* **Schlau|fen|zwirn** *m. 1* mit Schlaufen versehener Zwirn, Effektzwirn
Schlau|heit *w. 10 nur Ez.;* **Schlau|kopf** *m. 2;* **Schlau|mei|er** *m. 5* Schlaukopf
Schla|wi|ner *m. 5* **1** *süddt.:* pfiffiger, durchtriebener Bursche; **2** *österr.* Nichtsnutz
schlecht; schlecht und recht, *oder:* recht und schlecht *eigtl.:* schlicht (einfach) und recht; ich kann in den Schuhen schlecht gehen; das hat er schlecht gemacht; schlecht machen; mir ist schlecht geworden; **schlech|ter|dings** durchaus, geradezu, ganz und gar; das ist s. unmöglich; noch schneller kann ich es s. nicht machen; **schlecht|ge|hen** ► **schlecht ge|hen** *intr. 47;* es ist mir in den letzten Wochen schlecht gegangen; **schlecht|ge|launt** ► **schlecht ge|launt;** ein schlecht gelaunter Mensch ist schwer erträglich; er ist heute schlecht gelaunt; **Schlecht|heit** *w. 10 nur Ez.;* **schlecht|hin** vollkommen, typisch, ganz und gar; er ist *der* Erzieher schlechthin; **schlecht|hin|nig** uneingeschränkt, vollkommen, absolut; **Schlech|tig|keit** *w. 10;* **schlecht|ma|chen** ► **schlecht ma|chen** *tr. 1;* jmdn. oder etwas s. m.: Schlechtes, Nachteiliges über jmdn. oder etwas reden; **schlecht|weg** ohne weiteres, ohne Umstände; **Schlecht|wet|ter|geld** *s. 3 früher:* Ausfallvergütung des Arbeitgebers an die Arbeitnehmer

schlecht beraten/machen: Die Verbindung aus Adjektiv und Verb/Partizip schreibt man getrennt, wenn das Adjektiv in dieser Verbindung steigerbar oder durch *sehr* erweiterbar ist: *Sie ist schlecht beraten gewesen. Das kann man nur noch schlechter machen.* →§ 34 E3 (3)
Ebenso: *schlecht bezahlt/gehen/gelaunt.*

Schleck *m. 1, süddt.:* Leckerbissen, Näscherei; **schle|cken** *tr. u. intr. 1* **1** lecken; **2** *süddt.:* naschen, Süßes essen; **Schle|cke|rei** *w. 10;* **schle|cke|rig,** **schleck|rig** *ugs.:* gern Süßes essend; **Schle|cker|maul** *s. 4, ugs.;* **schle|ckern** *intr. u. tr. 1, ugs.:* genüsslich Süßes essen; ich schleckere, schleckre gern; **schle|ckig,** **schleck|rig** = schleckerig
Schle|gel *m. 5* Keule (vom Schlachttier oder Wild)
Schleh|dorn *m. 1* ein Strauch, Schwarzdorn; **Schle|he** *w. 11* Frucht des Schlehdorns
Schlei *m. 1* = Schleie
Schlei|che *w. 11* **1** eine Echse, z. B. Blindschleiche; **2** *ugs.:* falsch-freundliche Frau; **schlei|chen** *intr. und refl. 117;* schleich

Schlegel/Schlägel: Getreu dem Stammprinzip wird die Rehkeule *Schlegel* geschrieben; dagegen wird das »Werkzeug zum Schlagen«, das vor allem im Bergbau verwendet wird, so geschrieben: *der Schlägel.* →§13

dich! *bayr.:* verschwinde! **Schlei|cher** *m. 5, ugs.:* jmd., der durch falsche Freundlichkeit etwas zu erlangen sucht; **Schleich|han|del** *m. Gen.* -s *nur Ez.* Schwarzhandel; **Schleich|händ|ler** *m. 5;* **Schleich|kat|zen** *w. 11 Mz.* eine Familie marderähnlicher Raubtiere; **Schleich|weg** *m. 1;* **Schleich|wer|bung** *w. 10 nur Ez.* Werbung, deren Werbecharakter dem Adressaten verborgen bleiben soll

Schleie *w. 11,* Schlei *m. 1* ein Karpfenfisch

Schlei|er *m. 5;* **Schlei|er|eu|le** *w. 11;* **schlei|er|haft** *ugs.:* unerklärlich, rätselhaft; das ist mir (völlig) s.; **Schlei|er|schwanz** *m. 2* Goldfisch

Schlei|fe *w. 11* **1** Schlinge; **2** Gleitbahn, Rutschbahn; **schlei|fen** *tr. 118* **1** schärfen; er schliff die Messer; **2** zerstören, niederreißen (Festung); **3** *Mil.:* scharf exerzieren, hart drillen; geschliffen werden; **4** *intr. 118* etwas in anhaltender Bewegung berühren; der Mantel schleift, schleifte auf dem Boden, am Rad; **Schlei|fer** *m. 5* **1** jmd., der Werkzeuge schleift; **2** *Mil.:* harter, rücksichtsloser Ausbilder; **3** alter dt. Rundtanz; **Schlei|fe|rei** *w. 10;* **Schleif|lack** *m. 1;* **Schleif|pa|pier** *s. 1;* **Schleif|stein** *m. 1;* **Schlei|fung** *w. 10*

Schleim *m. 1;* **Schleim|beu|tel** *m. 5* kleiner, Schleim absondernder Beutel, der Reibung zwischen Knochen, Muskeln und Sehnen verhindert; **Schleim|drü|se** *w. 11;* **schlei|men** *intr. 1* **1** Schleim absondern; **2** *übertr. ugs.:* scheinheilig, kriecherisch reden; **Schleim|haut** *w. 2;* **schlei|mig;** *auch ugs.:* kriecherisch, scheinheilig; **Schleim|pilz** *m. 1* ein niederer pflanzlicher Organismus; **Schleim|schei|ßer** *m. 5, vulg.:* kriecherischer, scheinheiliger Mensch; **Schleim|schei|ße|rei** *w. 10 nur Ez., vulg.*

schlei|ßen 1 *intr. 119, veraltet:* zerreißen, *noch in:* zerschlissen; **2** *tr. 119* spalten; Tauenden spalten; vom Kiel abreißen (Federn); **schlei|ßig** abgenutzt

Schle|mihl [hebr.] *m. 1, ugs.:* vom Pech verfolgter Mensch, Pechvogel, Unglücksrabe

schlemm [engl.] *Bridge, Whist, in der Wendung* schlemm machen: alle Stiche bekommen

schlem|men *intr. 1* üppig essen und trinken; **Schlem|mer** *m. 5;* **Schlem|me|rei** *w. 10;* **schlem|mer|haft;** **schlem|me|risch;** **Schlem|mer|mahl** *s. 4*

Schlem|pe *w. 11* Rückstand bei der Herstellung von Spiritus, als Viehfutter verwendet

schlen|dern *intr. 1* langsam und gemächlich gehen; **Schlend|ri|an** *m. 1* langsames, träges Arbeiten

Schlen|ge *w. 11, nddt.:* Reisigbündel, Flechtwerk (als Uferschutz)

schlen|ke|rig = schlenkrig

schlen|kern *tr. u. intr. 1* nachlässig oder gemächlich hin und her schwingen; ich schlenkere, schlenkre die Beine, *oder:* mit den Beinen; **Schlenk|rich** *m. 1, sächs.:* **1** schlenkernde Bewegung; **2** kleiner Umweg; **3** Schnörkel; **schlenk|rig,** schlenke|rig schlenkernd (Bewegung)

schlen|zen *intr. 1, Hockey, Eishockey:* den Ball schlagen, ohne auszuholen

Schlep|pe *w. 11;* **schlep|pen** *tr. 1;* sich mit etwas s.; **Schlep|per** *m. 5;* **Schlep|pe|rei** *w. 10;* **Schlepp|flug** *m. 2* Flug (eines Segelflugzeugs) am Schlepptau hinter einem Flugzeug; **Schlepp|netz** *s. 1;* **Schleppschiffahrt** ► **Schlepp|schiff|fahrt** *w. 10 nur Ez.;* **Schlepp|start** *m. 9* Start durch Schleppflug; **Schlepp|tau** *s. 1;* jmdn. ins S. nehmen *ugs. übertr.:* jmdn. mitnehmen, ohne ihn ausdrücklich zu fragen; **Schlepp|zug** *m. 2* mehrere von einem Schlepper gezogene Lastkähne

Schle|si|en; **Schle|si|er** *m. 5;* **schle|sisch;** *aber:* der Erste Schlesische Krieg; die Schlesische Dichterschule

Schles|wig-Hol|stein Land der BR Dtld.; **Schles|wig-Hol|stei|ner** *m. 5;* **schles|wig-hol|stei|nisch**

Schleu|der *w. 11;* **Schleu|der|ball** *m. 2* Ball an einer langen Schlaufe, der vor dem Werfen kreisförmig geschwungen wird; **Schleu|der|brett** *s. 3* = Trampolin; **Schleu|der|ho|nig** *m. Gen.* -s *nur Ez.* geschleuderter Honig; *Ggs.:* Wabenhonig; **schleu|dern** *tr. 1;* ich schleudere, schleudre es; **Schleu|der|preis** *m. 1* zu niedriger Preis; **Schleu|der|sitz** *m. 1* Sitz, mit dem sich der Pilot im Notfall aus dem Flugzeug schleudern kann; **Schleu|der|start** *m. 9* = Katapultstart; **Schleu|der|wa|re** *w. 11* zu Schleuderpreisen verkaufte Ware

schleu|nig bald, rasch; zur schleunigen Erledigung; **schleu|nigst** sehr bald, sehr rasch, sofort; etwas s. tun; **schleu|nigs|tens** = schleunigst

Schleu|se *w. 11;* **schleu|sen** *tr. 1* **1** durch eine Schleuse befördern; **2** *übertr.:* bringen, führen; jmdn. (unbemerkt) durch eine Kontrolle s.; **Schleu|sen|meis|ter** *m. 5;* **Schleu|sen|tor** *s. 1*

Schlich *m. 1* **1** feinkörniges Erz; **2** *meist Mz.:* heiml. Tun, heiml. Umweg, verborgene Möglichkeit; er kennt alle Schliche; jmdm. auf die Schliche kommen

schlicht; **Schlich|te** *w. 11* klebrige Flüssigkeit zum Glätten und Verfestigen von Gewebe; **schlich|ten** *tr. 2* **1** glätten; **2** beilegen, beruhigen; Streit s.; **Schlicht|fei|le** *w. 11;* **Schlicht|heit** *w. 10 nur Ez.;* **Schlicht|ho|bel** *m. 5;* **Schlich|tung** *w. 10;* **Schlich|tungs|ver|fah|ren** *s. 7*

Schlick *m. 1* abgelagerter See-, Fluss- oder Meerschlamm; **schli|cken** *intr. 1* sich mit Schlick füllen; **schli|cke|rig,** schlick|rig wie Schlick; **Schli|cker|milch** *w. 10 nur Ez.* Sauermilch; **schli|ckern** *intr. 1* auf dem Eis hin und her rutschen; **schli|ckig** voller Schlick, aus Schlick; **schlick|rig** = schlickerig

Schlief *m. 1 nur Ez., Nebenform von* Schliff **(3)**

schlie|fen *intr. 1* in einen Fuchs- oder Dachsbau kriechen (Hund); **Schlie|fer** *m. 5* Jagdhund, der Füchse und Dachse im Bau aufstöbert

Schlier *m. 1 nur Ez., bayr., österr.:* Mergel

► = wird zu

Schlie|re *w. 11* **1** fadenförmige, streifige Stelle (in Gestein, Glas, Flüssigkeiten); **2** *obersächs.:* schleimige Masse, Schleim; **schlie|ren** *intr. 1, Seew.:* rutschen, gleiten; **schlierig**

Schlie|ße *w. 11* Verschluss, Schnalle; **schlie|ßen** *tr. 120;* **Schlie|ßer** *m. 5;* **Schließ|fach** *s. 4* Postfach; **Schließ|frucht** *w. 2* Frucht, in der der Samen während der Verbreitung eingeschlossen bleibt; **schließ|lich; Schließ|mus|kel** *m. 14;* **Schließung** *w. 10*

Schliff *m. 1* **1** Art des Geschliffenseins; **2** *nur Ez.*, gutes Benehmen, gute Umgangsformen; **3** *nur Ez.* fettige, nicht durchgebackene Stelle im Kuchen; der Kuchen ist Schliff geworden: ist nicht durchgebacken; **Schliff|flä|che** *w. 11;* **schlif|fig** nicht durchgebacken

> **das Schlimmste:** Die substantivierte Form wird großgeschrieben: *das Schlimmste; es kam zum Schlimmsten; er war auf das Schlimmste gefasst.* →§ 57 (1)
> In Anlehnung an Superlative mit *am (am schlimmsten)* kann man auch adverbiale Wendungen wie *auf das schlimmste zugerichtet werden* kleinschreiben. Daher: *Der Hund wurde auf das Schlimmste/schlimmste zugerichtet.* Ebenso: *auf das Einfachste/einfachste.* →§ 58 E1

schlimm; ich bin auf das Schlimmste, schlimmste gefasst; wir wollen es nicht z. Schlimmsten kommen lassen; **schlimms|ten|falls**

Schling|be|schwer|den *w. 11 Mz.* Schluckbeschwerden

Schlin|ge *w. 11*

Schlin|gel *m. 5* **1** durchtriebener Bursche, Tunichtgut; **2** vergnügtes Kerlchen

schlin|gen 1 *tr. 121;* **2** *intr. 121, ugs.:* gierig essen

Schlin|gen|stoff *m. 1* Frotteestoff

Schlin|ger|kiel *m. 1* Seitenkiel zum Vermindern des Schlingerns; **schlin|gern** *intr. 1* von einer Seite auf die andere schwanken (Schiff bei Seegang); **Schlin|ger|tank** *m. 9* Wassertank auf jeder Seite des Schiffes zur Verminderung des Schlingerns

Schling|ge|wächs *s. 1,* **Schling|pflan|ze** *w. 11*

Schlipf *m. 1, schweiz.:* Erd-, Felsrutsch

Schlipp *m. 1, auf Werften:* schiefe Ebene, über die Schiffe aus dem Wasser gezogen werden, Slip

Schlip|pe *w. 11* **1** *norddt.:* Rockzipfel; **2** *mittel-, ostmitteldt.* schmales Gässchen, enger Durchgang

schlip|pen *tr. 1, Seew.:* lösen, loslassen, abwerfen; die Kette des Schleppers schlippen

schlip|pe|rig *ostmitteldt.:* sauer werdend; **Schlip|per|milch** *w. 10 nur Ez.* Sauermilch

Schlips *m. 1* Krawatte; jmdm. auf den Schlips treten *übertr. ugs.:* jmdm. zu nahe treten, jmdn. kränken; sich auf den Schlips getreten fühlen

schlit|teln *intr. 1, schweiz.:* Schlitten fahren; ich schlittele, schlittle; **schlit|ten** *tr. 2, schweiz.:* glätten; **Schlit|ten** *m. 7; auch ugs.:* altes Kraftfahrzeug; **Schlit|ter|bahn** *w. 10* Rutschbahn auf dem Eis; **schlit|tern** *intr. 1* (auf Eis, Parkett o. Ä.) rutschen; **Schlitt-**

> **Schlittschuh laufen:** Die Verbindung aus Substantiv und Verb wird getrennt geschrieben: *Sie sind gestern Schlittschuh gelaufen.* Ebenso: *Not leiden, Rad fahren, Walzer tanzen.* →§ 34 E3 (5), § 55 (4)

schuh *m. 1;* Schlittschuh laufen; **Schlitt|schuh|läu|fer** *m. 5*

Schlitz *m. 1;* **Schlitz|au|ge** *s. 14;* **schlitz|äu|gig; schlit|zen** *tr. 1;* **Schlitz|ohr** *s. 12, ugs.:* durchtriebener, gerissener Bursche, Gauner, Betrüger; **schlitz|oh|rig**

schloh|weiß ganz weiß, schneeweiß

> **Schloss:** Nach kurzem Vokal wird *-ss-* (statt bisher -ß-) geschrieben: *das Schloss; das Schlösschen; er schloss die Tür auf; wir haben zugeschlossen.* →§ 25 E1

Schloß ► **Schloss** *s. 4;* **Schlöß|chen** ► **Schlöss|chen** *s. 7*

Schlo|ße *w. 11* großes Hagelkorn; **schlo|ßen** *intr. 1, unpersönlich:* in Schloßen hageln; es schloßt

Schlos|ser *m. 5;* **Schlos|se|rei** *w. 10;* **schlos|sern** *intr. 1* Schlosserarbeit tun

Schloß|hof ► **Schloss|hof** *m. 2;* **Schloß|hund** ► **Schloss|hund** *m. 1* Kettenhund; heulen wie ein S.: sehr heftig heulen; **Schlöß|lein** ► **Schlöss|lein** *s. 7;* **Schloß|vogt** ► **Schloss|vogt** *m. 2* Schlossverwalter; **Schloß|vog|tei** ► **Schloss|vog|tei** *w. 10* Schlossverwaltung

Schlot *m. 1* **1** Schornstein; **2** *ugs.:* oberflächlicher, leichtsinniger Mensch; **Schlot|ba|ron** *m. 1, ugs., leicht abwertend:* Großindustrieller; **Schlot|fe|ger** *m. 5* Schornsteinfeger

Schlot|te *w. 11* **1** Zwiebelblatt; **2** Hohlraum in wasserlöslichem Gestein

schlot|te|rig schlott|rig *ugs.* **1** locker, faltig, zu weit und ungebügelt; **2** zitterig; **Schlot|ter|milch** *w. 10 nur Ez.* Sauermilch; **schlot|tern** *intr. 1* **1** zu weit und ungebügelt hängen; die Hosen schlotterten ihm um die Beine; **2** zittern; er schlotterte vor Angst; die Knie schlotterten ihm; **schlott|rig** = schlotterig

Schlucht *w. 10, poet. veraltet auch: w. 2* enges, tiefes Tal

schluch|zen *intr. 1;* **Schluchzer** *m. 5*

Schluck *m. 1;* **Schluck|auf** *m. 9 nur Ez.* wiederholtes, krampfartiges Einatmen infolge Zusammenziehung des Zwerchfells, Schlucken; **Schlück|chen** *s. 7;* **schlu|cken** *tr. 1;* **Schlu|cken** *m. 7 nur Ez.* = Schluckauf; den S. haben; **Schlu|cker** *m. 5, nur in der Wendung* ein armer S.: armer Kerl; **Schluck|imp|fung** *w. 10;* **Schlück|lein** *s. 7;* **schluck|sen** *intr. 1, ugs.:* den Schluckauf haben; **Schluck|ser** *m. 5, ugs. für* Schluckauf; **schluck|wei|se**

Schlu|der|ar|beit *w. 10;* **Schlu|de|rei** *w. 10;* **schlu|de|rig,** schlud|rig unordentlich, unsorgfältig; **schlu|dern** *intr. 1* unordentlich, unsorgfältig arbeiten; **schlud|rig** = schluderig

Schluff *m. 1 oder m. 2* feiner Gesteinssand

Schluft *w. 2, veraltet poet. für* Schlucht

Schlum|mer *m. 5 nur Ez.;* **Schlum|mer|lied** *s. 3;* **schlum-**

mern *intr. 1;* **Schlum|mer|rol|le** *w. 11*
Schlum|pe *w. 11, Nebenform von* Schlampe; **schlum|pen** *intr. 1, Nebenform von* schlampen; **schlump|rig** *Nebenform von* schlampig
Schlund *m. 2* **1** Verbindung zwischen Mundhöhle und Speiseröhre; **2** *Jägerspr.:* Speiseröhre (vom Schalenwild); **3** *übertr.:* Abgrund
Schlun|ze *w. 11, nord-, westdt. für* Schlampe; **schlun|zen** *intr. 1, nord-, westdt. für* schlampen; **schlun|zig** *nord-, westdt. für* schlampig
Schlup, Sloop, Slup *w. 9 oder w. 10* kleines, kutterartiges Boot, *auch:* Polizeiboot
Schlupf *m. 2* **1** *süddt.:* Durchschlupf; **2** das Zurückbleiben eines getriebenen Teils gegenüber dem antreibenden (z. B. bei einer Kupplung); **schlup|fen** *intr. 1, süddt. für* schlüpfen; **schlüp|fen** *intr. 1;* **Schlüp|fer** *m. 5* Damenunterhose; **Schlupf|loch** *s. 4;* **schlüpf|rig** *auch übertr.:* zweideutig, anstößig (Witz, Bemerkung); **Schlüpf|rig|keit** *w. 10;* **Schlupf|wes|pe** *w. 11;* **Schlupf|win|kel** *m. 5*
Schlup|pe *w. 11* **1** *nddt.:* Schleife; **2** *mitteldt., Nebenform von* Schlippe
schlur|fen *intr. 1* schleppend, mit schleifenden Füßen gehen
schlür|fen *tr. u. intr. 1* geräuschvoll trinken; *auch:* genießerisch trinken
Schlur|re *w. 11, norddt.:* Hausschuh, Pantoffel; **schlur|ren** *intr. 1, norddt.:* schlurfen

> **Schluss:** Nach kurzem Vokal wird *-ss-* (statt bisher -ß-) geschrieben: *der Schluss, die Schlüsse, schlussfolgern.*
> →§25 E1

Schluß ► **Schluss** *m. 2;* **Schluß|ak|kord** ► **Schluss|ak|kord** *m. 1;* **Schluß|akt** ► **Schluss|akt** *m. 1*
Schlüs|sel *m. 5;* **Schlüs|sel|bart** *m. 2;* **Schlüs|sel|bein** *s. 1* Knochen zwischen Brustbein und Schulterblatt; **Schlüs|sel|blu|me** *w. 11* Himmelsschlüssel; **Schlüs|sel|brett** *s. 3;* **Schlüs|sel|bund** *m. 2;* **schlüs|sel|fer|tig** *bei Neubauten:* bezugsfertig; **Schlüs|sel|fi|gur** *w. 10* wichtige, bedeutungsvolle Figur; **Schlüs|sel|ge|walt** *w. 10 nur Ez.* **1** Recht der kath. Kirche, Sünden zu vergeben; **2** Recht der Ehefrau, innerhalb ihres häusl. Wirkungskreises Geschäfte für den Mann auch ohne dessen Zustimmung zu besorgen; **Schlüs|sel|in|dus|trie** *w. 11* Industriezweig, von dem andere abhängen; **Schlüs|sel|kind** *s. 3* Kind einer berufstätigen Mutter, das tagsüber sich selbst überlassen ist (und den Wohnungsschlüssel bei sich trägt); **Schlüs|sel|loch** *s. 4;* **Schlüs|sel|ro|man** *m. 1* Roman, in dem lebende Personen und tatsächliche Ereignisse verschlüsselt, aber für Eingeweihte erkennbar dargestellt werden; **Schlüs|sel|stel|lung** *w. 10* wichtige, beherrschende Stellung; **Schlüs|sel|wort** *s. 4* Kennwort zum Öffnen eines Kombinationsschlosses; **Schlüs|sel|zahl** *w. 10* Kennzahl zum Öffnen eines Kombinationsschlosses
schluß|end|lich ► **schluss|end|lich** *ugs.:* schließlich, endlich; **schluß|fol|gern** ► **schluss|fol|gern** *tr. 1;* ich schlussfolgere, schlussfolgre, habe geschlussfolgert; **Schluß|fol|ge|rung** ► **Schluss|fol|ge|rung** *w. 10;* **schlüs|sig** stichhaltig, folgerichtig; ein schlüssiger Beweis; sich über etwas s. sein: entschlossen sein; sich über etwas s. werden: sich zu etwas entschließen; **Schluß|mann** ► **Schluss|mann** *m. 4* **1** *bei Stafettenläufen:* letzter Läufer; **2** *Rugby:* Verteidiger; **Schluß|punkt** ► **Schluss|punkt** *m. 1;* einen S. unter einen Sache setzen: sie beenden; **Schluß|rech|nung** ► **Schluss|rech|nung** *w. 10;* **Schluß|satz** ► **Schluss|satz** *m. 2;* **Schluß|stein** ► **Schluss|stein** *m. 1* (häufig verzierter) Stein im Scheitel eines Bogens oder Kreuzrippengewölbes; **Schluß|strich** ► **Schluss|strich** *m. 1;* einen S. unter eine Angelegenheit ziehen: sie beenden; **Schluß|wort** ► **Schluss|wort** *s. 1*
Schmach *w. Gen. - nur Ez.* Schande, Demütigung, Herabwürdigung; **schmach|be|deckt**
schmach|ten *intr. 2* **1** hungern und dürsten; im Kerker s.; **2** nach etwas oder jmdm. s.: sich heftig nach etwas oder jmdm. sehnen; **Schmacht|fet|zen** *m. 7, ugs., abwertend:* rührseliges Lied, Film o. Ä.
schmäch|tig; Schmäch|tig|keit *w. 10 nur Ez.*
Schmacht|lap|pen *m. 7* rührseliger Mensch, lächerlich-verliebter Jüngling; **Schmacht|lo|cke** *w. 11* in die Stirn fallende Locke; **Schmacht|rie|men** *m. 7, ugs.:* Gürtel
schmach|voll
Schmack 1 *m. 1* aus einem Gerberstrauch hergestelltes Pulver als Gerb- und Färbemittel; **2** *w. 10* = Schmacke
Schma|cke *w. 11,* Schmack *w. 10* flaches Küstenfischerboot
schmack|haft; Schmack|haf|tig|keit *w. 10 nur Ez.*
Schmad|der *m. 5, nddt.:* Matsch, nasser Schmutz; **schmad|dern** *intr. 1, nddt.* **1** nass schneien; **2** sudeln, schmieren
Schmäh *m. 9, österr.:* Trick, Schwindelei, Ausflucht; **schmä|hen** *tr. 1* beleidigen, beschimpfen; **schmäh|lich; Schmäh|re|de** *w. 11;* **Schmäh|schrift** *w. 10;* **Schmä|hung** *w. 10;* **Schmäh|wort** *s. 1*
schmal; schmal|brüs|tig; Schmal|brüs|tig|keit *w. 10 nur Ez.*
schmä|len 1 *tr. 1, veraltet:* schmähen, beleidigen; **2** *intr. 1 Jägerspr.* = schrecken
schmä|lern *tr. 1* verkleinern; ich schmälere ihm damit seine Verdienste nicht; **Schmä|le|rung** *w. 10;* **Schmal|film** *m. 1* Film von 8 oder 16 mm Breite; **Schmal|hans** *m. 2, nur in der Wendung* dort ist S. Küchenmeister: dort muss sehr am Essen gespart werden; **Schmal|heit** *w. 10 nur Ez.*
schmal|lip|pig; Schmal|na|se *w. 11* Altweltaffe; *Ggs.:* Breitnase; **Schmal|reh** *s. 1* weibl. Reh vor der ersten Brunft; **Schmal|spur** *w. 10* Schienenspurweite der Eisenbahn unter 1,435 m; **schmal|spu|rig**
Schmalt [ital.] *m. 1* = Email; **Schmal|te,** Smal|te *w. 11* Kobaltschmelze zum Blaufärben von Glasuren
Schmal|tier *s. 1* weibl. Tier vom Rot- und Damwild vor der ersten Brunft; **Schmal|vieh** *s. Gen. -s nur Ez.* Kleinvieh

Schmalz 1 *s. 1 nur Ez.* ausgelassenes tier. Fett; **2** *m. 1 nur Ez., ugs.:* Sentimentalität; **Schmälze** *w. 11* Flüssigkeit zum Einfetten der Wolle vor dem Spinnen; **schmal|zen** *tr. 1* mit Schmalz versehen (Speise); **schmäl|zen** *tr. 1* mit Schmälze einfetten; **Schmalz|ge|ba|ckene(s)** *s. 18 (17);* **schmal|zig;** *auch übertr. ugs.:* rührselig, kitschig
Schman|kerl *s. 14, bayr., österr.:* leckere Speise, leckere Kleinigkeit (zu essen)
Schmant *m. 1 nur Ez.* **1** *nddt., westdt.:* Sahne; **2** *ostmitteldt.:* Matsch, nasser Schmutz
schma|rot|zen *intr. 1* auf Kosten eines anderen leben; **Schma|rot|zer** *m. 5* **1** Tier oder Pflanze, das bzw. die in oder auf einem anderen Lebewesen lebt und sich von diesem ernährt, Parasit; **2** jmd., der auf Kosten anderer lebt; **schma|rot|ze|risch; Schma|rot|zer|pflan|ze** *w. 11;* **Schma|rot|zer|tier** *s. 1;* **Schma|rot|zer|tum** *s. Gen. -s nur Ez.*
Schmar|re *w. 11* **1** Kratzer, Riss; **2** Hiebwunde, Narbe
Schmar|ren, Schmarrn *m. Gen. -s nur Ez., bayr., österr.* **1** eierkuchenähnl. Mehlspeise; **2** Unsinn, dummes Zeug; das geht dich einen Schmarren an *übertr. ugs.:* das geht dich überhaupt nichts an; **3** *auch:* heiteres, oberflächl. Theaterstück oder ebensolcher Film
Schmatz *m. 2, ugs.:* Kuss; **Schmätz|chen** *s. 7;* **schmat|zen** **1** *intr. 1* geräuschvoll essen; **2** *tr. 1* laut küssen; **Schmät|zer** *m. 5* ein Singvogel
Schmauch *m. 1 nur Ez.* dicker Rauch, Qualm; **schmau|chen** *tr. u. intr. 1* behaglich rauchen, bes. Pfeife
Schmaus *m. 2* reichhaltige, leckere Mahlzeit; **schmau|sen** *tr. 1* viel und mit Genuss essen; **Schmau|se|rei** *w. 10*
schme|cken *intr. u. tr. 1*
Schmei|che|lei *w. 10;* **schmei|chel|haft; Schmei|chel|kätz|chen** *s. 7;* **Schmei|chel|kat|ze** *w. 11;* **schmei|cheln** *intr. 1;* jmdm. schmeicheln; es schmeichelt ihm, dass…; ich schmeichele, schmeichle mir, sagen zu können, dass…: ich darf mir wohl mit Recht etwas darauf einbilden, dass…; **Schmeich|ler** *m. 5;* **schmeich|le|risch**
schmei|ßen 1 *tr. 122, ugs.:* werfen; eine Sache s.: eine S. mit Erfolg erledigen; eine Aufführung s.: misslingen lassen; eine Runde s.: ausgeben, spendieren; **2** *intr. 122, Jägerspr.:* koten, Kot ausscheiden (Raubvögel)
Schmelz *m. 1;* **schmelz|bar; Schmelz|bar|keit** *w. 10 nur Ez.;* **Schmelz|but|ter** *w. Gen. - nur Ez.* Butterschmalz; **Schmel|ze** *w. 11* **1** geschmolzener, verflüssigter Stoff, z. B. Glasschmelze; **2** das Schmelzen, z. B. Schneeschmelze; **schmel|zen** **1** *intr. 123* flüssig werden; **2** *tr. 123* flüssig machen; **Schmel|ze|rei** *w. 10;* **Schmelz|far|be** Emailfarbe; **Schmelz|glas** *s. 4* = Email; **Schmelz|hüt|te** *w. 11;* **Schmelz|kä|se** *m. 5;* **Schmelz|laut** *m. 1* = Liquida; **Schmelz|ma|le|rei** *w. 10* Emailmalerei; **Schmelz|o|fen** *m. 8;* **Schmelz|punkt** *m. 1;* **Schmelz|was|ser** *s. 6*

> **schmälzen/schmelzen:** Getreu dem Stammprinzip werden unterschieden: *schmälzen* (= mit Schmälze versehen, also die Wolle vor dem Spinnen einfetten) sowie *schmelzen* (= flüssig werden bzw. flüssig machen): *Der Schnee schmilzt/schmolz* (= wird/wurde flüssig). *Sie schmilzt/schmelzt* bzw. *schmolz/schmelzte das Fett* (= macht/machte das Fett flüssig). →§ 13

Schmer *s. 1 nur Ez.* rohes Bauchfett vom Schwein; **Schmer|bauch** *m. 2, ugs.:* dicker Bauch; **schmer|bäu|chig; Schmer|fluß** ► **Schmer|fluss** *m. 2 nur Ez.* = Seborrhö
Schmer|le *w. 11* ein karpfenartiger Fisch
Schmer|ling *m. 1* ein Pilz, Röhrling
Schmerz *m. 12;* **schmerz|emp|find|lich; Schmerz|emp|find|lich|keit** *w. 10 nur Ez.;* **schmer|zen** *tr. 1;* mich, *oder:* mir schmerzt der Kopf; *aber nur Akk.:* dieser Verlust schmerzt mich sehr; **Schmer|zens|geld** *s. 3;* **Schmer|zens|kind** *s. 3;* **Schmer|zens|la|ger** *s. 5;* **Schmer|zens|mann** *m. 4 nur Ez.* Darstellung des leidenden Christus; **Schmer|zens|mut|ter** *w. 6 nur Ez.* Darstellung der trauernden Muttergottes, Mater dolorosa; **schmer|zens|reich; Schmer|zens|schrei** *m. 1;* **schmerz|frei; schmerz|haft; Schmerz|haf|tig|keit** *w. 10 nur Ez.;* **schmerz|lich; schmerz|los; Schmerz|lo|sig|keit** *w. 10 nur Ez.;* **schmerz|stil|lend;** schmerzstillendes Mittel; **schmerz|voll**

> **schmerzstillend/den Schmerz stillend:** Die Verbindung aus einem Substantiv (oder Adjektiv, Pronomen bzw. Adverb) mit einem Adjektiv oder Partizip schreibt man zusammen: *ein schmerzstillendes Mittel, ein schmerzempfindlicher Patient.* →§ 36 (1)
> Ist hingegen der erste Bestandteil der Verbindung erweitert oder gesteigert, schreibt man das Gefüge getrennt: *Das war ein den Schmerz stillendes Mittel.* Ebenso: *vor Freude strahlend, drei Meter hoch.* →§ 36 E1 (4)

Schmet|ten *m. 7 nur Ez., österr., schles.:* Sahne, Rahm; **Schmet|ten|kä|se** *m. 5, österr., schles.:* Sahnequark
Schmet|ter|ball *m. 2;* **Schmet|ter|ling** *m. 1;* **Schmet|ter|lings|blüt|ler** *m. 5 Mz.* eine Pflanzenfamilie; **Schmet|ter|lings|netz** *s. 1;* **Schmet|ter|lings|stil** *m. 1* ein Schwimmstil; **schmet|tern** *tr. 1*
Schmi|cke Schmit|ze *w. 11* Ende der Peitschenschnur
Schmied *m. 1;* **schmied|bar; Schmied|bar|keit** *w. 10 nur Ez.;* **Schmie|de** *w. 11;* **Schmie|de|ei|sen** *s. 7 nur Ez.* geschmiedetes Eisen; *Ggs.:* Gusseisen; **schmie|de|ei|sern; Schmie|de|ham|mer** *m. 6;* **schmie|den** *tr. 2*
Schmie|ge *w. 11* **1** zusammenklappbarer Zollstock; **2** Winkelmaß mit bewegl. Schenkeln; **schmie|gen** *tr. 1;* den Kopf ins Kissen s.; sich an jmdn. schmiegen; **schmieg|sam; Schmieg|sam|keit** *w. 10 nur Ez.*
Schmie|le *w. 11,* **Schmiel|gras** *s. 4* eine Gräsergattung
Schmie|ra|ge [-ʒə] *w. 11, ugs.:* Schmiererei, Geschmier; **Schmie|ra|kel** *s. 5, ugs.:* schmierig Geschriebenes; **Schmie|re**

w. 11 **1** Schmiermittel, Schmierfett; **2** schlechtes, kleines Provinztheater, Wanderbühne; **3** [jidd.] *nur Ez.* Wache (bei Streichen und Verbrechen) *nur in der Wendung:* Schmiere stehen; **schmie|ren 1** *intr. 1* dick, unleserlich schreiben; **2** *tr. 1* mit Fett einreiben (Werkzeug, Rad); mit Belag bestreichen (Brot); jmdn. s. *ugs.:* bestechen; jmdm. eine s. *ugs.:* jmdm. eine Ohrfeige geben; **Schmie|re|rei** *w. 10;* **Schmier|fett** *s. 1;* **Schmier|film** *m. 1, Tech.:* dünne Schmiermittelschicht zwischen bewegten Teilen; **Schmier|fink** *m. 10, ugs.;* **Schmier|geld** *s. 3* Bestechungsgeld; **Schmier|heft** *s. 1;* **schmie|rig; Schmie|rigkeit** *w. 10 nur Ez.;* **Schmier|öl** *s. 1;* **Schmier|pa|pier** *s. 1;* **Schmier|sei|fe** *w. 11;* **Schmierung** *w. 10 nur Ez.*

Schmin|ke *w. 11;* **schmin|ken** *tr. 1*

Schmir|gel *m. 5* ein Mineral, ein Poliermittel; **schmir|geln** *tr. 1* mit Schmirgel schleifen, glätten; **Schmir|gel|pa|pier** *s. 1*

> **Schmiss:** Nach kurzem Vokal wird *-ss-* (statt bisher *-ß-*) geschrieben: *der Schmiss* (= Wunde von einem Säbelhieb sowie deren Narbe); *er schmiss alles hin.* Bisher schon: *schmissig.* Infinitiv: *schmeißen* (da Diphthong *ei*). →§25 E1

Schmiß ► **Schmiss** *m. 1* **1** Wunde von einem Säbelhieb sowie deren Narbe; **2** *nur Ez., ugs.:* lebhaftes Temperament, Schwung; **schmis|sig**

Schmitz *m. 1* **1** Hieb, Schlag; **2** Narbe; **3** unscharfer Druck am Rand einer Druckspalte

Schmit|ze *w. 11* **1** *Bergbau:* dünne Erz- oder Kohlenschicht; **2** = Schmicke; **schmit|zen 1** *tr. 1* mit der Peitsche oder Rute schlagen; **2** *intr. 1* am Rand unscharf drucken

Schmock [nach einer Gestalt in Gustav Freytags »Journalisten«] *m. 9 oder m. 1* gesinnungsloser Journalist

Schmok *m. 1 nur Ez., nddt.:* Rauch; **schmö|ken** *tr. 1* rauchen; eine Zigarette s.; **Schmöker** *m. 5* **1** *nddt.:* Raucher; **2** *ugs:* minderwertiges (altes) Buch; **schmö|kern** *intr. 1* leichte Unterhaltungsliteratur lesen; behaglich in einem Buch lesen

Schmol|le *w. 11, österr.:* das Weiche im Brot, Brotkrume

Schmol|le|cke *w. 11, meist in der Wendung* in der S. sitzen; schmollen; **schmol|len** *intr. 1* beleidigt sein, trotzen

schmol|lis! *Stud.:* Zuruf beim Brüderschafttrinken; mit jmdm. Schmollis trinken; vgl. fiduzit

Schmor|bra|ten *m. 7;* **schmoren** *tr. u. intr. 1;* **Schmor|fleisch** *s. Gen.* -(e)s *nur Ez.;* **Schmorpfan|ne** *w. 11* Pf. mit Deckel

Schmu [hebr.] *m. Gen.* -s *nur Ez., ugs.:* leichter Betrug (bes. beim Spiel); Schmu machen

schmuck sauber und nett, hübsch und zierlich; **Schmuck** *m. Gen.* -(e)s *Mz.* Schmucksa|chen; **schmü|cken** *tr. 1;* **Schmuck|kas|ten** *m. 8;* **schmuck|los; Schmuck|lo|sigkeit** *w. 10 nur Ez.;* **Schmuckstück** *s. 1*

Schmud|del *m. 5 nur Ez., ugs.:* Unsauberkeit, Schmutz; **Schmud|de|lei** *w. 10 nur Ez.;* **schmud|de|lig,** schmudd|lig unsauber; **schmud|deln** *intr. 1* unsauber arbeiten; **schmudd|lig** = schmuddelig

Schmug|gel *m. 5 nur Ez.* ungesetzliches Aus- und Einführen von Waren; **schmug|geln** *tr. 1;* ich schmuggele, schmuggle es; **Schmugg|ler** *m. 5*

schmun|zeln *intr. 1* versteckt (freundlich) lächeln, vergnügt lächeln; ich schmunzele, schmunzle

schmur|geln *tr. u. intr. 1* (langsam) in Fett braten; ich schmurgele, schmurgle etwas

Schmus [hebr.] *m. 1 nur Ez., ugs.:* schmeichlerisches, übertrieben liebenswürdiges Gerede; **schmu|sen** *intr. 1, ugs.:* zärtlich sein; mit jmdm. s.; **Schmu|ser** *m. 5, ugs.;* **Schmuse|rei** *w. 10 nur Ez.*

Schmutz *m. 1 nur Ez.; alem. auch:* Fett; **schmut|zen** *intr. 1* schmutzig werden; der Stoff schmutzt leicht; **Schmutz|fink** *m. 10* unsauberer Mensch, schmutziges Kind; **Schmutzfleck** *m. 1;* **Schmut|zi|an** *m. 1, österr.:* Geizhals; **schmut|zig;** schmutzig gelb; *auch übertr.:* unanständig (Witz), niedrig, gemein (Handlungsweise), unredlich (Geschäft); **Schmutz|li|te|ra|tur** *w. 10 nur Ez.* pornograf. Literatur; **Schmutzwas|ser** *s. 6*

> **schmutzig gelb/grau:** Adjektivgefüge, deren erster Teil eine Ableitung auf *-ig* (oder *-isch* bzw. *-lich*) ist, schreibt man getrennt: *ein schmutzig gelber Vorhang; das Gewebe war schmutzig grau.* →§36 E1 (2)

Schna|bel *m. 6;* **Schnä|belchen** *s. 7;* **Schnä|be|lei** *w. 10 nur Ez., ugs. scherzh.:* anhaltendes Küssen; **Schna|bel|flö|te** *w. 11* Blockflöte; **...schnä|be|lig,** ...schnäb|lig *in Zus.:* lang-, kurz-, breitschnäbelig; **schnä|beln** *intr. 1* **1** die Schnäbel aneinander reiben (Vögel, bes. Tauben); **2** *übertr. ugs.:* zärtlich sein, einander küssen; **Schna|bel|schuh** *m. 1, 13. bis 15. Jh.:* Schuh mit nach oben gebogener, oft stark verlängerter Spitze; **Schna|bel|tas|se** *w. 11* Tasse mit Ausguss (zum Trinken im Liegen); **Schna|bel|tier** *s. 1* ein Kloakentier mit breitem Schnabel; **Schnäb|lein** *s. 7;* **...schnäb|lig** = ...schnäbelig; **schna|bu|lie|ren** *tr. 3* mit Genuss essen

Schnack *m. Gen.* -s *nur Ez., norddt.* **1** gemütliche Unterhaltung, Plauderei; **2** leeres Gerede, Unsinn

schna|ckeln *intr. 1, bayr.:* (mit den Fingern) schnalzen; es hat geschnackelt *übertr.:* es hat geklappt; *auch:* man hat verstanden

schna|cken *intr. 1, norddt.* **1** sich gemütlich unterhalten, plaudern; **2** schwätzen, Unsinn reden

Schna|da|hüpfl, Schna|derhüp|ferl *s. 14, bayr., österr.:* neckendes, vierzeiliges Stegreifliedchen

Schna|ke *w. 11* **1** *nddt.:* Ringelnatter; **2** *norddt.:* lustige Geschichte, Schnurre, Scherz, verrückter Einfall; **3** Stechmücke

schna|kig *norddt.:* schnurrig

Schnäll|chen *s. 7;* **Schnal|le** *w. 11* **1** Vorrichtung zum Schließen (an Gürteln, Riemen); **2** *österr.:* Klinke (Türschnalle); **3** *ugs.:* leichtes Mädchen; **schnallen** *tr. 1;* **Schnal|len|schuh** *m. 1*

► = wird zu

schnal|zen *intr. 1;* **Schnal|zer** *m. 5;* **Schnalz|laut** *m. 1*
schnap|pen *intr. u. tr. 1;* **Schnap|per** *m. 5* Türdrücker, Springfeder; **Schnäp|per** *m. 5* **1** chirurg. Instrument zur Blutentnahme; **2** ein Singvogel, Fliegenschnäpper, auch: Schnepper; **3** Armbrust; **4** *Nebenform von* Schnapper
schnap|pern *intr. 1, österr.:* zittern (vor Kälte); **schnäp|pern** *tr. 1, Billard:* seitlich stoßen; **Schnapp|hahn** *m. 2, früher:* Wegelagerer, Raubritter; **Schnapp|mes|ser** *s. 5* Klappmesser; **Schnapp|sack** *m. 2, veraltet:* Ranzen, Rucksack; **Schnapp|schloß** ► **Schnapp|schloss** *s. 4;* **Schnapp|schuß** ► **Schnapp|schuss** *m. 2* charakterist. Momentaufnahme
Schnaps *m. 2* Branntwein; **Schnaps|bren|ne|rei** *w. 10;* **Schnäps|chen** *s. 7;* **schnäp|seln** *intr. 1, ugs.:* Schnaps trinken; ich schnäpsele, schnäpsle gern; **schnap|sen** *intr. 1, ugs.:* Schnaps trinken; **Schnaps|glas** *s. 4;* **Schnaps|idee** *w. 11* verrückte, abwegige Idee; **Schnaps|na|se** *w. 11* vom vielen Alkoholtrinken rote, dicke Nase
schnar|chen *intr. 1;* **Schnar|cher** *m. 5*
Schnar|re *w. 11* ein Lärminstrument (im Fasching verwendet); **schnar|ren** *intr. 1;* **Schnarr|werk** *s. 1*
Schnat *w. 10,* **Schna|te** *w. 11* **1** abgeschnittenes junges Reis; **2** Schneise; **Schnä|tel** *s. 5* Pfeifchen aus Weidenrinde
schnat|te|rig, schnatt|rig *ugs.:* schwatzhaft; **schnat|tern** *intr. 1; auch ugs.:* **1** unaufhörlich reden, schwatzen; **2** mit den Zähnen klappern, zittern (vor Kälte)
Schnatz *m. 2, hess.:* Kopfschmuck (der Braut oder der Taufpatin); **schnat|zeln** *tr. 1, landschaftl.:* putzen, hübsch zurechtmachen; **schnat|zen** *tr. u. refl. 1, landschaftl.;* sich s.: sich das Haar aufstecken
schnau|ben **1** *intr. 1, unregelmäßige Konjugation veraltet;* **2** *refl. 1* sich schneuzen; sich die Nase schneuzen
schnäu|big *hess.:* wählerisch (im Essen)
schnau|fen *intr. 1* **1** heftig atmen, keuchen; **2** *bayr.:* atmen; **Schnau|fer** *m. 5* (heftiger) Atemzug; keinen S. mehr tun *ugs.:* nicht mehr atmen, tot sein
Schnau|pe *w. 11* Ausguss (an Gefäßen)
Schnauz *m. 2, bes. schweiz.:* Schnurrbart; **Schnauz|bart** *m. 2* großer Schnurrbart; **schnauz|bär|tig;** **Schnäuz|chen** *s. 7;* **Schnau|ze** *w. 11;* frei nach S. *ugs. derb:* nach Gutdünken, nach Ermessen, ohne Plan; **schnau|zen** *intr. 1, ugs.:* barsch reden, schimpfen; **schnäu|zen**

> **schnäuzen:** Getreu dem Stammprinzip *(die Schnauze)* wird – statt der bisherigen *eu*-Schreibung – *schnäuzen* geschrieben. →§16

refl. 1 sich die Nase putzen; **Schnau|zer** *m. 5* **1** eine Hunderasse; **2** Schnauzbart; **schnau|zig** barsch, oft schimpfend
Schneck *m. 12* **1** *volkstüml. für* Schnecke; **2** Kosewort für Kinder; **Schne|cke** *w. 11* **1** ein Weichtier; jmdn. zur S. machen *ugs.:* ihn scharf zurechtweisen; etwas zur S. machen *ugs.:* kaputt machen; **2** spiralig geformtes Gebilde; **3** *Tech.:* Welle mit Gewinde; **4** *Mz.* Frisur mit auf den Ohren verschlungenen Zöpfen; **Schne|cken|gang** *m. 2* Gewinde mit starker Steigung; **Schne|cken|ge|häu|se** *s. 5;* **Schne|cken|ge|trie|be** *s. 5* Schnecke (**3**) mit Schneckenrad; **Schne|cken|haus** *s. 4;* **Schne|cken|post** *w. Gen. - nur Ez., ugs., scherzh:* sehr langsames Verkehrsmittel; **Schne|cken|rad** *s. 4, Tech.:* in das Gewinde einer Schnecke (**3**) eingreifendes Zahnrad; **Schne|cken|tem|po** *s. Gen.* -s *nur Ez.* sehr langsames Tempo
schned|de|re|teng!, schnet|te|re|teng!, schned|de|reng|teng!
Schnee *m. Gen.* -s *nur Ez.; auch übertr. ugs.:* weißes, pulveriges Rauschgift; *bes.:* Kokain; **Schnee|ball** *m. 2; auch:* ein Zierstrauch, Viburnum; **schnee|bal|len** *intr. 1* mit Schneebällen werfen; er schneeballt, schneeballte, hat geschneeballt; **Schnee|ball|sys|tem** *s. 1* in Dtschl. verbotenes System des Warenabsatzes, bei dem der Käufer gewisse Vorteile gewährt bekommt, wenn er neue Kunden wirbt; **Schnee|bee|re** *w. 11* ein Zierstrauch, Knallerbse; **Schnee|be|sen** *m. 7* Gerät zum Schlagen von Eiweiß; **schnee|blind;** **Schnee|blind|heit** *w. 10 nur Ez.;* **Schnee|bril|le** *w. 11;* **Schnee|bruch** *m. 2* Abbrechen von Baumästen infolge zu großer Schneelast; **Schnee|brü|cke** *w. 11* (über Gletscherspalten); **Schnee|eu|le** ► *auch:* **Schnee-Eu|le** *w. 11* Eulenart; **Schnee|fall** *m. 2;* **Schnee|flo|cke** *w. 11;* **Schnee|floh** *m. 2* ein Insekt, ein Springschwanz; **schnee|frei;** **Schnee|gans** *w. 2; ugs.:* dumme, alberne Frau; **Schnee|ge|bir|ge** *s. 5* Gebirge mit ewigem Schnee; **Schnee|ge|stö|ber** *s. 5;* **Schnee|glöck|chen** *s. 7* eine Frühjahrsblume; **Schnee|gren|ze** *w. 11;* **Schnee|ha|se** *m. 11* Hase, der im Winter ein weißes Fell bekommt; **Schnee|huhn** *s. 4* Hühnervogel mit im Winter weißem Federkleid; **schnee|ig** voller Schnee, wie Schnee; **Schnee|ket|te** *w. 11* über dem Autoreifen zu befestigende Kette zum besseren Fahren bei Schneeglätte; **Schnee|kö|nig** *m. 1, ostmitteldt.:* Zaunkönig; sich freuen wie ein S. *ugs.:* sich sehr, kindlich freuen; **Schnee|le|o|pard** *m. 10* mittelasiat. Leopard mit weißlich grauem Fell; **Schnee|mann** *m. 4;* **Schnee|mensch** *m. 10* angebl. im Himalaya vorkommendes, menschenähnliches Lebewesen, Yeti; **Schnee|pflug** *m. 2;* **Schnee|räu|mer** *m. 5;* **Schnee|ro|se** *w. 11* Christrose; **Schnee|ru|te** *w. 11, österr.:* Schneebesen; **Schnee|schlä|ger** *m. 5* Schneebesen; **Schnee|schmel|ze** *w. 11;* **Schnee|schuh** *m. 1* Ski; S. laufen; **Schnee|sturm** *m. 2;* **Schnee|trei|ben** *s. 7;* **Schnee|we|he** *w. 11* vom Wind angewehter Schneehaufen; **schnee|weiß**
Schne|gel *m. 5* Schnecke ohne Gehäuse, Egelschnecke
Schneid **1** *m. Gen.* -s, *bayr., österr.: w. Gen. - nur Ez.* Mut; **2** *w. Gen. - nur Ez., bayr. bes. in Namen:* Gebirgskamm; **Schneid|boh|rer** *m. 5* Bohrer, der gleichzeitig ein Gewinde schneidet; **Schneid|bren|ner** *m. 5* ein Schweißbrenner zum

Schneiden von Stahl und Eisen; **Schnei|de** *w. 11;* die Sache steht auf (des) Messers Schneide; **Schnei|de|holz** *s. 4* abgeschnittene Zweige von Nadelbäumen; **Schnei|de|müh|le** *w. 11* Sägemühle; **schnei|den** *tr. und intr. 125;* **Schnei|der** *m. 5;* **Schnei|de|rei** *w. 10;* **Schnei|der|krei|de** *w. 11* Kreide, mit der man auf Stoff zeichnen kann; **Schnei|der|lein** *s. 7;* **Schnei|der|lei|nen** *s. 7* steifer Leinenstoff für Einlagen in Mänteln, Kostüme u. a., Steifleinen; **schnei|dern** *tr. u. intr. 1;* ich schneidere, schneidre ein Kleid; **Schnei|der|pup|pe** *w. 11;* **Schnei|de|zahn** *m. 2;* **schnei|dig** forsch, mutig, draufgängerisch; *auch:* forsch und elegant; **Schnei|dig|keit** *w. 10 nur Ez.;* **Schneid|klup|pe** *w. 11* Werkzeug zum Schneiden von Außengewinden

schnei|en *intr. 1, nur unpersönlich:* es schneit

Schnei|se *w. 11* schmaler, von Bäumen freier oder freigehauener Waldstreifen

schnei|teln *tr. 1* beschneiden, von Seitentrieben befreien (Bäume, Reben)

> **schnell laufen, der schnelle Brüter, auf die Schnelle:** Verbindungen aus Adjektiv und Verb schreibt man getrennt, wenn das Adjektiv in dieser Verbindung steigerbar oder erweiterbar ist: *Sie sind schnell/schneller gelaufen.* [→§ 34 E3 (3)]. Aber: *der Schnellläufer.* →§ 45 (4)
> In substantivischen Wortgruppen, die zu festen Verbindungen geworden, aber keine Eigennamen sind, schreibt man Adjektive klein: *der schnelle Brüter.* →§ 63
> Substantive, die Bestandteil fester Gefüge sind und nicht mit anderen Teilen des Gefüges zusammengeschrieben werden, schreibt man groß: *Er machte das ganz auf die Schnelle.* →§ 55 (4)

schnell; **Schnel|la|ster** ► **Schnell|las|ter** *m. 5,* **Schnel|last|wa|gen** ► **Schnell|last|wa|gen** *m. 7;* **Schnel|läu|fer** ► **Schnell|läu|fer** *m. 5;* **Schnell|bahn** *w. 10* (*Kurzw.:* S-Bahn); **Schnell|dienst** *m. 1* Einrichtung zur sofortigen Ausführung von Aufträgen, z. B. bei Wäschereien; **Schnel|le** *w. 11* **1** *nur Ez.* Schnelligkeit; **2** Stromschnelle; **schnel|le|big** ► **schnell|le|big;** **schnel|len** *tr. u. intr. 1;* in die Höhe s.; **Schnell|feu|er|ge|schütz** *s. 1;* **schnell|fü|ßig;** **Schnell|gang** *m. 2, in Kraftfahrzeugen:* zusätzl. Gang mit geringerer Drehzahl des Motors bei hoher Geschwindigkeit; **Schnell|gast|stät|te** *w. 11;* **Schnell|ge|richt** *s. 1* **1** Gericht für Schnellverfahren; **2** schnell zubereitbare Speise; **Schnell|hef|ter** *m. 5;* **Schnell|lig|keit** *w. 10 nur Ez.;* **Schnell|las|ter** *m. 5;* **Schnell|last|wa|gen** *m. 7;* **Schnell|läu|fer** *m. 5;* **schnell|le|big** sich schnell verändernd, in unserer schnelllebigen Zeit; **Schnell|pa|ket** *s. 1;* **Schnell|rich|ter** *m. 5* Richter im Schnellverfahren; **Schnell|schuß** ► **Schnell|schuss** *m. 2, scherzh.:* außergewöhnlich rasch durchzuführender Auftrag; **schnells|tens;** **schnellst|mög|lich;** **Schnell|ver|fah|ren** *m. 7* verkürztes Strafverfahren ohne schriftl. Anklage; **Schnell|waa|ge** *w. 11* Waage, bei der das Gewicht durch einen Zeiger auf einer Skala angezeigt wird; **Schnell|zug** *m. 2* (*Zeichen:* D)

Schnep|fe *w. 11* **1** ein regenpfeiferartiger Vogel; **2** *ugs.:* Prostituierte; **Schnep|fen|strauß** *m. 2* Kiwi; **Schnep|fen|strich** *m. 1* **1** Balzflug der Schnepfe; **2** *ugs.:* Bereich der Straßenprostitution; **Schnep|fen|vo|gel** *m. 6 nur Mz.* in Mooren lebender Vogel

Schnep|pe *w. 11, mitteldt.:* **1** Ausguss (an Kannen, Töpfen); **2** Prostituierte

Schnep|per *m. 5, Nebenform von* Schnäpper

Schner|fer *m. 5, österr.:* Rucksack

schnet|te|re|teng!, schned|de|re|teng!, schnet|te|reng|teng!

schnet|zeln *tr. 1, süddt., schweiz.:* in schmale Stückchen schneiden (Fleisch)

Schneuß *m. 1, got. Baukunst:* ein Ornament, Fischblase

schneu|zen ► **schnäu|zen** *refl. 1*

schni|cken *tr. 1* schnellen, zucken; **Schnick|schnack** *m. 1 nur Ez.* **1** leeres Gerede, Geschwätz; ach, S.!: ach, Unsinn!; **2** nette Kleinigkeit jeglicher Art

schnie|ben *intr.* (schnob, geschnoben) schnauben

schnie|fen *intr. 1* laut durch die Nase atmen

schnie|geln *tr. 1* modisch und sehr sorgfältig anziehen und frisieren; ein geschniegelter Bursche; geschniegelt und gebügelt

schnie|ke *berlin., norddt.:* fein, schick

Schnip|fel *m. 5, süddt. für* Schnipsel; **schnip|feln** *tr. 1, süddt. für* schnipseln; **Schnip|fer** *m. 5, österr.:* kleiner Spitzbub

schnipp!; schnipp, schnapp!

Schnipp|chen *s. 7, mittel-, norddt.:* Fingerschnalzer; jmdm. ein S. schlagen: jmds. Absichten durchkreuzen, jmdm. einen Streich spielen

Schnip|pel *m. 5 oder s. 5, mittel-, norddt. für* Schnipsel; **Schnip|pel|chen** *s. 7;* **schnip|peln** *intr. 1, mittel-, norddt. für* schnipseln; ich schnippele, schnipple es; **schnip|pen,** schnip|sen *intr. 1, in der Wendung* mit den Fingern s.: schnalzen; **schnip|pisch** naseweis, kurz angebunden und von oben herab (nur von Mädchen); ein schnippisches Ding; **Schnipp|schnapp|schnurr** *s. Gen. -s nur Ez.* ein Kartenspiel, bei dem man dem Ausspielenden möglichst eine Karte gleicher Farbe hinwirft; **schnips!;** **Schnip|sel** *m. 5 oder s. 5* kleines Stück (bes. Papier); **schnip|seln** *tr. 1* kleinschneiden (Papier, Bohnen); ich schnipsele, schnipsle es; **schnip|sen** **1** *tr. 1* schnellen (Papierkugel, Gummiband); **2** *intr. 1* = schnippen

Schnitt *m. 1;* **Schnitt|chen** *s. 7* kleine Schnitte; **Schnit|te** *w. 11;* **Schnit|ter** *m. 5;* **Schnitt|holz** *s. 4* zu Bohlen oder Brettern verarbeitetes Holz; **schnit|tig** **1** schnittreif (Getreide); **2** *ugs.:* elegant, gut geformt (Auto); **Schnitt|lauch** *m. 1 nur Ez.;* **Schnitt|mus|ter** *s. 5;* **Schnitt|punkt** *m. 1;* **Schnitt|wa|re** *w. 11* Stoff, der nach gewünschtem Maß vom Ballen geschnitten und verkauft wird

Schnitz *m. 1, bayr.:* Stückchen (von getrocknetem Obst, z. B.

Apfelschnitz); **Schnitz|ar|beit** *w. 10;* **Schnitz|bank** *w. 2* Bank mit Klemmvorrichtung, für Stellmacher und Böttcher; **Schnit|zel** *s. 5* **1** kleines, abgeschnittenes Stück; **2** kurz gebratene Scheibe Fleisch; Wiener S.; **Schnit|zel|bank** *w. 2* Bänkelsängerverse (oft mit Bildern); **Schnit|ze|lei** *w. 10;* **Schnit|zel-jagd** *w. 10* Geländespiel zwischen zwei Gruppen, von denen eine mit Papierschnitzeln eine Spur legt und danach von der anderen verfolgt wird; **schnit|zeln** *tr. 1* **1** in kleine Stückchen schneiden; **2** spielerisch schnitzen; ich schnitzele, schnitzle (es); **schnit|zen** *tr. 1;* **Schnit|zer** *m. 5;* **Schnit|ze|rei** *w. 10*

schno|bern *intr. 1* schnuppern, schnüffeln

schnod|de|rig schnoddl|rig vorlaut, unhöflich; **Schnod|de|rig-keit, Schnodd|rig|keit** *w. 10 nur Ez.*

schnö|de verächtlich, geringschätzig, geringwertig, gemein; schnöder Undank; der schnöde Mammon *scherzh.;* jmdn. schnöde im Stich lassen; **schnö|den** *intr. 2, schweiz.:* schnöde reden; **Schnöd|heit, Schnö|dig|keit** *w. 10 nur Ez.*

schno|feln *intr. 1, österr.* **1** durch die Nase sprechen; **2** *auch:* schnüffeln

schno|pern *intr. 1, Nebenform von* schnuppern

Schnor|chel *w. 11* Luftrohr am U-Boot sowie an Tauchgeräten; *auch:* kleines Atemgerät zum flachen Tauchen; **schnor|cheln** *intr. 1* mit der Schnorchel unter Wasser schwimmen

Schnör|kel *m. 5;* **schnör|ke|lig,** schnörk|lig; **schnör|keln** *intr. 1*

schnor|ren *tr. 1* erbetteln; eine Zigarette (bei jmdm.) s.; **Schnor|rer** *m. 5* jmd., der oft schnorrt

Schnö|sel *m. 5* blasierter, dummfrecher Bursche; **schnö-se|lig, schnös|lig**

Schnu|cke *w. 11, kurz für* Heidschnucke

schnud|de|lig, schnudd|lig *mitteldt. für* schmuddelig

Schnüf|fe|lei *w. 10;* **schnüf|feln** *intr. 1; auch übertr.:* heimlich andere beobachten, sich heimlich bei andern umsehen; **Schnüff|ler** *m. 5*

schnul|len *tr. 1, süddt.:* lutschen; **Schnul|ler** *m. 5* Sauger

Schnul|ze *w. 11* rührseliges Lied, Theater-, Fernseh-, Kinostück

schnup|fen *tr. u. intr. 1* Schnupftabak nehmen; **Schnup|fen** *m. 7;* **Schnup|fer** *m. 5* jmd., der Tabak schnupft; **Schnupf|ta|bak** *m. 1;* **Schnupf-tuch** *s. 4, süddt., österr.:* Taschentuch

schnup|pe *ugs., nur prädikativ:* egal, gleichgültig; das ist mir (völlig) schnuppe; **Schnup|pe** *w. 11, nddt.:* verkohltes Ende vom Docht

schnup|pern *intr. 1* prüfend Luft durch die Nase einziehen; ich schnuppere, schnuppre

Schnur *w. 2, auch: w. 10;* **Schnür|bo|den** *m. 8, Theater:* Raum über der Bühne zum Hinablassen und Heraufziehen der Kulissen; **Schnür|chen** *s. 7;* das geht, läuft wie am S. *ugs.:* reibungslos; **schnü|ren** **1** *tr. 1* mit Schnur zusammenbinden; **2** *tr. 1* jmdn. *s. früher:* jmdm. das Korsett festziehen; **3** *intr. 1, Jägerspr.:* laufen (von Fuchs, Wildkatze, Wolf, Luchs, da ihre Fährte im Schnee wie eine Schnur aussieht); **schnur|ge|ra-de; Schnur|ke|ra|mik** *w. 10 nur Ez.* Kultur der Jungsteinzeit (nach der schnurförmigen Verzierung der Tongefäße); **Schnur|ke|ra|mi|ker** *m. 5;* **Schnür|leib** *m. 3, veraltet:* Korsett zum Schnüren; **Schnürl|re-gen** *m. 7 nur Ez., österr.:* anhaltender, gleichmäßiger Regen, bes. in Salzburg; **Schnürl|samt** *m. 1, österr.:* Kordsamt

Schnurr|bart *m. 2;* **schnurr|bär-tig**

Schnur|re *w. 11* komische, possenhafte Erzählung

schnur|ren *intr. 1;* **Schnurr-haa|re** *s. 1 Mz.* dicke, lange Haare an der Oberlippe mancher Säugetiere, Spürhaare

Schnür|rie|men *m. 7*

schnur|rig komisch, drollig, possenhaft; **Schnurr|pfei|fe|rei** *w. 10 meist Mz.* lustiger Einfall, närrische Sache

Schnür|schuh *m. 1;* **Schnür-sen|kel** *m. 5;* **Schnür|stie|fel** *m. 5;* **schnur|stracks** sofort, ohne zu zögern, auf kürzestem Wege; **Schnü|rung** *w. 10*

schnurz *ugs., nur prädikativ:* egal, gleichgültig; das ist mir (völlig) schnurz; **schnurz|e|gal**

Schnüt|chen *s. 7;* **Schnu|te** *w. 11*

Scho|ber *m. 5, bayr., österr., schwäb.* **1** Heuhaufen; **2** überdachter Platz zum Aufbewahren von Heu; **scho|bern, schö-bern** *tr. 1;* Heu s.: zu Haufen schichten

Schock **1** *s. Gen.* -s *Mz.* - altes Mengenmaß, 60 Stück; **2** [engl.] *m. 9* plötzliche Nervenerschütterung; **scho|ckant** anstößig, schockierend; **Schock|be-hand|lung** *w. 10* künstlich hervorgerufener Schock zur Beeinflussung von Geisteskrankheiten, Schocktherapie; **scho|cken** *tr. 1* **1** einen Schock versetzen; geschockt sein: einen Schock erlitten haben; **2** mit künstlich hervorgerufenem Schock behandeln; **Scho|cker** *m. 5* Schauerfilm; **scho|ckie|ren** *tr. 3;* jmdn. s.: jmds. Gefühl für Anstand und gute Sitte, gutes Benehmen schwer verletzen; **scho|cking** *eindeutschende Schreibung von* shocking

Schock|schwe|re|not! (veralteter Ausruf der Entrüstung, des Ärgers)

Schock|the|ra|pie *w. 11* = Schockbehandlung

Schof *m. 1* **1** *nddt.:* Strohdecke; **2** *Jägerspr.:* Kette (von Wildgänsen oder -enten)

Scho|far [hebr.] *m. Gen.* -(s) *Mz.* -fa|roth, *im jüd. Kult:* Widderhorn, das am Neujahrstag geblasen wird

scho|fel [jidd.] schäbig, geizig; erbärmlich; **Scho|fel** *m. 5, ugs.:* schlechte Ware; **scho|fe|lig,** schof|lig *volkstüml. für* schofel

Schöf|fe *m. 11* ehrenamtl. Laienrichter eines Schöffengerichts oder einer Strafkammer; **Schöf|fen|bank** *w. 2* Platz der Schöffen; **Schöf|fen|ge|richt** *s. 1* Gericht aus einem Berufsrichter und mehreren Schöffen

schof|lig *volkstüml. für* schofel

Scho|gun *m. 1, eindeutschende Schreibung von* Shogun

Scho|ko|la|de *w. 11;* **scho|ko-la|den** aus Schokolade; **scho-ko|la|den|braun;** **Scho|ko|la-den|ta|fel** *w. 11;* **Scho|ko|la-den|tor|te** *w. 11*

Scho|lar [mlat.] *m. 10, MA:* fahrender Schüler, fahrender Student; **Schol|arch** *auch:*

Scho|l|arch [lat. + griech.] *m. 10, MA:* Vorsteher, Aufseher an einer Klosterschule; **Schol|ar|chat** *auch:* **Scho|lar|chat** *s. 1, MA:* Amt eines Scholarchen; **Scho|las|tik** *w. 10 nur Ez.* **1** die auf der antiken Philosophie beruhende christl. Philosophie und Wissenschaft des MA; **2** *auch übertr.:* engstirnige Schulweisheit; **Scho|las|ti|ker** *m. 5* **1** Vertreter der Scholastik; **2** *bes. bei den Jesuiten:* junger Ordensgeistlicher während des Studiums; **3** *übertr.:* Buchstabengelehrter; **scho|las|tisch; Scho|las|ti|zis|mus** *m. Gen. - nur Ez.* **1** Überbewertung der Scholastik; **2** *übertr.:* Haarspalterei, Spitzfindigkeit

Scho|li|ast [griech.] *m. 10* Verfasser von Scholien; **Scho|lie** [-ljə] *w. 11,* **Scho|li|on** *s. Gen. -s Mz.* -li|en erklärende Randbemerkung in antiken Literaturwerken

Schol|le *w. 11* **1** Erdklumpen, Stück gepflügter Erde; **2** von Verwerfungen umgebenes Stück der Erdrinde; **3** *poet.:* Boden; heimatliche Scholle; **4** großes, dickes Eisstück; **5** ein Plattfisch; **Schol|len|bre|cher** *m. 5* ein Ackergerät; **schol|lig**

Schöll|kraut, Schell|kraut *s. 4* eine Heilpflanze

schon; ich komme schon; es ist schon spät; schon der Gedanke daran macht mich lachen

schön; die schönen Künste; die schöne Literatur; das schöne Geschlecht *scherzh.:* das weibl. Geschlecht; Schöne Madonnen: Gruppe von Schnitzwerken aus dem 15. Jh., die die stehende Jungfrau Maria mit dem Kind darstellen; es gelang alles aufs Schönste = sehr schön, sehr gut; etwas Schönes; Philipp der Schöne; er will es eben schön machen; *aber:* → schönmachen; er kann schön schreiben; das Buch ist schön geschrieben; *aber:* →schönschreiben; er kann schön reden; *aber:* →schönreden; vgl. schönfärben, schöntun

Schön|druck *m. 1* die zuerst bedruckte Seite eines Bogens; *auch:* der betreffende Druckvorgang; *Ggs.:* Widerdruck; **Schö|ne** *w. 11* **1** *nur Ez., poet.:* Schönheit; **2** schöne Frau, schönes Mädchen

scho|nen *tr. 1*

schö|nen *tr. 1* **1** vertiefen, lebhafter machen (Farben von Stoffen); **2** klären (Flüssigkeiten)

Scho|ner *m. 5* **1** Schutzdeckchen, schützender Überzug; **2** [engl.] zweimastiges Segelschiff

> **schön reden/schreiben, schönfärben, schönreden:** Verbindungen aus Adjektiv und Verb (Infinitiv), bei denen das Adjektiv steigerbar oder durch *sehr* erweiterbar ist, schreibt man getrennt: *Sie konnte (sehr) schön reden. Sein Text war schön geschrieben.* → § 34 E3 (3)
> Ist diese Steigerbarkeit oder Erweiterbarkeit hingegen nicht möglich, schreibt man zusammen: *Auf der Pressekonferenz wurde alles schöngefärbt. Der Politiker hat die Dinge schöngeredet* (= beschönigt). → § 34 (2.2)

schön|fär|ben *tr. 1* günstiger, schöner darstellen, als es ist; **Schön|fär|ber** *m. 5;* **Schön|fär|be|rei** *w. 10 nur Ez.;* **Schön|geist** *m. 3* Freund des Schönen, der schönen Künste; **schön|geis|tig;** schöngeistige Literatur: L., die nicht zur Fachliteratur gehört, z. B. Romane; **Schön|heit** *w. 10;* **Schön|heits|chir|ur|gie** *auch:* **-chi|rur|gie** *w. 11 nur Ez.* kosmetische Chirurgie; **Schön|heits|feh|ler** *m. 5;* **Schön|heits|fleck** *m. 1* = Schönheitspflästerchen; **Schön|heits|kon|kur|renz** *w. 10;* **Schön|heits|pfläs|ter|chen** *s. 7* schwarzes Pflästerchen auf der Wange, Schönheitsfleck; **Schön|heits|sa|lon** *m. 9;* **Schön|heits|sinn** *m. 1 nur Ez.*

Schon|kost *w. Gen. - nur Ez.* Diät

schön|ma|chen *intr. 1* Männchen machen (Hund); mach schön!; er hat schön gemacht; **schön|re|den** *intr. 2* schöne Worte machen, schmeicheln; **Schön|re|de|rei,** Schön|red|ne|rei *w. 10 nur Ez.;* **Schön|red|ner** *m. 5;* **schön|red|ne|risch**

schon|sam schonend, pfleglich; etwas s. behandeln

schön|schrei|ben *intr. 127* in Schönschrift schreiben; vgl. schön ; **Schön|schrift** *w. 10 nur Ez.;* **schöns|tens; Schön|tu|er** *m. 5;* **Schön|tu|e|rei** *w. 10 nur Ez.;* **schön|tu|e|risch; schön-tun** *intr. 167* schmeicheln, schöne Worte machen

Scho|nung *w. 10* **1** *nur Ez.;* **2** *Forstw.:* Anpflanzung junger Bäume; **scho|nungs|be|dürf|tig; Scho|nungs|be|dürf|tig|keit** *w. 10 nur Ez.*

Schön|wet|ter|la|ge *w. 11;* **Schön|wet|ter|wol|ke** *w. 11*

Schon|zeit *w. 10*

Schopf *m. 2* **1** Haarbüschel, Federbüschel auf dem Kopf; die Gelegenheit beim Schopf packen: sie ausnützen; **2** *bayr., schweiz.:* Schuppen, Wetterdach; **Schöpf|chen** *s. 7*

Schöpf|ei|mer *m. 5;* **schöp|fen** *tr. 1;* **Schöp|fer** *m. 5;* **Schöp|fer|hand** *w. 2;* **schöp|fe|risch; Schöp|fer|kraft** *w. 2;* **Schöpf|kel|le** *w. 11;* **Schöpf|löf|fel** *m. 5;* **Schöp|fung** *w. 10;* **Schöp|fungs|be|richt** *m. 1;* **Schöp|fungs|ge|schich|te** *w. 11;* **Schöp|fungs|tag** *m. 1;* am ersten S.; **Schöp|fungs|werk** *s. 1;* **Schöpf|werk** *s. 1* Vorrichtung zum Wasserschöpfen

Schöpp|chen *s. 7* kleiner Schoppen: **schöp|peln 1** *intr. 1* (öfters) einen Schoppen trinken; ich schöppele, schöpple gern; **2** *tr. 1, schweiz.:* mit dem Schoppen (der Flasche) ernähren; einen Säugling s.; **schop|pen** *tr. 1, schweiz.:* vollstopfen, nudeln; **Schop|pen** *m. 7* **1** Flüssigkeitsmaß, ½ l; *im Hotelgewerbe:* ¼ l (Bier oder Wein); **2** *schweiz.:* Saugflasche; **3** *auch* = Schuppen; **Schop|pen|wein** *m. 1* in Schoppen (viertelliterweise) ausgeschenkter Wein; **schop|pen|wei|se**

Schöps *s. 1* **1** *ostmitteldt., österr.:* Hammel; **2** *Schimpfw.:* Schaf; **Schöp|sen|bra|ten** *m. 7* Hammelbraten; **Schöp|ser|nes** *s. 17, österr.:* Hammelfleisch

Schorf *m. 1* Kruste auf einer Wunde; **schor|fig**

Schörl *m. 1* schwarzer Turmalin

Schor|le, Schor|le|mor|le *w. 11 oder s. 9* Getränk aus Weißwein bzw. Apfelsaft (und Sprudel) mit Zitrone

Schorn|stein *m. 1;* **Schorn|stein|fe|ger** *m. 5*

Scho|se [ʃo-, frz.] *w. 11* = Chose

Schoß 1 *m. 2* beim Sitzen von

Unterkörper und Oberschenkeln gebildeter Winkel; ein Kind auf den Schoß nehmen; die Hände in den Schoß legen *übertr.:* nichts tun, untätig sein; **2** *m. 2, poet.:* weibl. Geschlechtsteil, Mutterleib; **3** *m. 2, bei manchen Kleidungsstücken:* Hüftteil, z. B. Rock-, Frackschoß; **4** *w. 10, österr.:* Frauenrock; Jacke und Schoß: Kostüm; **5** *w. 10, schweiz.:* Arbeitsschürze oder -mantel

Schoß ► **Schoss** *m. 1* = Schössling

Schößlchen *s. 7, an Frauenkleidern oder -jacken:* in der Taille angesetzter, schmaler, gereihener Streifen; **Schölßel** *m. 5, österr.* **1** Schößchen; **2** Frackschoß

Schoßlhund *m. 1;* **Schoßlhündchen** *s. 7;* **Schoßlkind** *s. 3*

Schößlling ► **Schösslling** *m. 1,* Schoss *m. 1* Pflanzentrieb

Schot *w. 10, Nebenform von* Schote (**2**)

Schötlchen *s. 7* kleine Schote (**1**); **Scholte 1** *w. 11* Fruchtform der Kreuzblütler; *volkstüml.:* Hülse der Hülsenfrüchte, z. B. von Erbse oder Paprika; **2** *w. 11* Tau zum Spannen des Segels; **3** *m. 11* Dummkopf, Narr

Schott 1 *s. 1,* Schotlte *w. 11, auf Schiffen:* Trennwand zum wasser- und feuerdichten Abschließen von Räumen; **2** [arab.] *m. 9* Salzwüste in Nordafrika

Schotlte 1 *m. 11* Einwohner von Schottland; **2** *m. 11, nddt.:* junger Hering; **3** *w. 11, süddt., schweiz.:* Molke; **4** *w. 11* = Schott (**1**)

Schotlten 1 *m. 7 nur Ez., österreich.:* Quark, Topfen; **2** *m. 7 meist Mz.* = Schottenstoff; **Schotltenlstoff** *m. 1* in schott. Muster karierter Kleiderstoff

Schotlter *m. 5* **1** von Flüssen abgelagertes Geröll; **2** zerkleinerte Steine (zum Straßenbau); **schotltern** *tr. 1* mit Schotter belegen; **Schotltelrung** *w. 10 nur Ez.*

Schotltin *w. 10* Einwohnerin von Schottland; **schotltisch; Schottlland** nördl. Teil der Insel Großbritannien; **Schottlländer** *m. 5* Schotte; **schottlländisch** schottisch

Schraflfe *w. 11* Strich einer Schraffur; **schraflfen** *tr. 1* schraffieren; **Schraflfen** *m. 7, süddt.:* Schramme, Hautriss

schraflfielren [ital.] *tr. 3* dicht mit feinen, parallelen Strichen ausfüllen (Fläche); **Schraflfierung, Schraflfung, Schraflfur** *w. 10* schraffierte Fläche

schräg; schräge Musik: Jazzmusik; **Schrälge** *w. 11* **1** *nur Ez.* Schrägheit; **2** schräge Fläche; **Schralgen** *m. 7* Gestell aus kreuzweise miteinander verbundenen oder schräg gegeneinander gestellten Stäben, *bes.:* Sägebock; **schrälgen** *tr. 1;* **Schräglheit** *w. 10 nur Ez.;* **Schrägllalge** *w. 11;* **schräglllaufend** ► **schräg laulfend; Schräglschrift** *w. 10;* **Schrägstreilfen** *m. 7* schräg geschnittener Stoffstreifen; **Schräglstrich** *m. 1;* **schräglüller** schräg gegenüber; **Schrälgung** *w. 10* schräge Fläche oder Kante

schral *Seew.:* schwach, ungünstig (Wind); **schrallen** *intr. 1;* der Wind schralt: ändert ständig die Richtung

Schram *m. 2, Bgb.:* waagerechter oder schräger Einschnitt ins abzubauende Gestein; **Schrambohlrer, Schrämlbohlrer** *m. 5;* **schrälmen** *tr. 1* einen Schram (in die Abbauschicht) bohren; **Schrämlmalschilne** *w. 11* Maschine zum Herausarbeiten eines Schrams

Schramlme *w. 11*

Schramlmellmulsik *w. 10 nur Ez.* von einem Schrammelquartett gespielte, volkstüml. Wiener Musik; **Schramlmeln** *Mz.;* Wiener S.: Schrammelquartett; **Schramlmellquarltett** [nach den Wiener Musikern Johann und Josef Schrammel] *s. 1* Quartett aus zwei Violinen, Gitarre und (früher) Klarinette bzw. (heute) Ziehharmonika

schramlmen *tr. 1;* **schramlmig**

Schrank *m. 2;* **Schränklchen** *s. 7*

Schranlke *w. 11*

Schränklelilsen *s. 7* Werkzeug zum Schränken; **schränlken 1** *tr. 1;* eine Säge s.: die Zähne einer Säge wechselweise seitlich abbiegen; **2** *intr. 1, Jägerspr.:* die Tritte etwas nach außen setzen (Gangart des Rothirschs)

Schranlken *m. 7, österr. für* Schranke; **schranlkenllos 1** ohne Schranken, *meist:* unbeschrankt; **2** *übertr.:* zügellos, unbeherrscht; **Schranlkenllolsigkeit** *w. 10 nur Ez., übertr.;* **Schranlkenlwärlter** *m. 5*

Schranklkoflfer *m. 5;* **Schrankwand** *w. 2*

Schranz *m. 2, schweiz.:* Riss (im Stoff)

Schranlze *w. 11, abwertend:* Höfling, Hofschranze

Schralpe *w. 11, nddt. für* Schrappeisen; **schralpen** *tr. 1, nddt. für* schrappen

Schraplnell [nach dem engl. Offizier Henry Shrapnel] *s. 1 oder s. 9* mit Kugeln gefülltes Geschoss, das kurz vor dem Ziel zerspringt

Schrapplelilsen *s. 7,* Schraplper *m. 5* Kratzeisen; **schraplpen** *tr. 1* kratzen, abkratzen; **Schraplper** *m. 5* = Schrappeisen; **Schraplsel** *s. 5* Abfall beim Schrappen

Schrat *m. 1,* **Schrältel** *m. 5,* **Schratt** *m. 1,* **Schrätltel** *m. 5, Myth.:* zottiger Waldgeist, Waldschrat

Schratlten *m. 7 nur Mz.* = Karren (**2**); **Schratltenlkalk** *m. 1 nur Ez.* zerklüftetes Kalkgestein

Schräublchen *s. 7;* **Schraulbe** *w. 11;* bei dir ist wohl eine S. locker? *ugs.:* du bist wohl verrückt?; alte Schraube *ugs.:* unangenehme ältere Frau; **Schraulbel** *w. 11* schraubenförmig angeordneter Blütenstand; **schraulben** *tr. 1;* vgl. geschraubt; **Schraulbenlbakltelrien** *Mz.* schraubenförmige Bakterien, Leptospiren; **Schraubenldamplfer** *m. 5;* **Schraubenldrelher** *m. 5, fachspr. für* Schraubenzieher; **Schraulbengang** *m. 2* einzelne Windung im Gewinde einer Schraube; **Schraulbenlkopf** *m. 2;* **Schraubenlschlüslsel** *m. 5;* **Schraubenlschnelcke** *w. 11* Meeresschnecke mit schraubenförmigem Gehäuse; **Schraulbenlzieher,** Schraulbenldrelher *m. 5;* **Schraulbenlzwinlge** *w. 11* Werkzeug zum Zusammenpressen, das mittels Schraube geöffnet und geschlossen wird; **Schraublglas** *s. 4* Glas mit Schraubdeckel; **Schraublstock** *m. 2* Werkzeug zum Halten von Werkstücken während des Bearbeitens

Schrelberlgarlten [nach dem Arzt D. G. M. Schreber] *m. 8*

Kleingarten in einer Gartenkolonie; **Schre|ber|gärt|ner** *m. 5* **Schreck** *m. 1,* Schre|cken *m. 7;* **Schreck|bild** *s. 3;* **schre|cken 1** *tr. 1* in Schrecken versetzen; das schreckt mich nicht; *unregelmäßige Konjugation nur noch in Zus. wie:* auf-, zurückschrecken; **2** *intr. 1, Jägerspr.:* einen Schrecklaut ausstoßen (Rotwild), schmälen; das Reh schreckt; **Schre|cken** *m. 7,* Schreck *m. 1;* **schre|cken|er|re|gend; schreckens|blaß** ► **schre|ckens|blass; schre|ckens|bleich; Schre|ckens|bot|schaft** *w. 10;* **Schre|ckens|herr|schaft** *w. 10;* **Schre|ckens|tat** *w. 10;* **Schre|ckens|zeit** *w. 10;* **Schreck|ge|spenst** *s. 3;* **schreck|haft; Schreck|haf|tig|keit** *w. 10 nur Ez.;* **schreck|lich;**

> **auf das Schrecklichste/ schrecklichste:** Die substantivierte Form schreibt man groß: *Das Schrecklichste war passiert. Sie waren auf das Schrecklichste gefasst. Es wäre das Schrecklichste, wenn …* →§57 (1)
> In Anlehnung an Superlativformen mit *am (am schrecklichsten)* kann man auch feste adverbiale Wendungen kleinschreiben: *Die Frau war auf das schrecklichste/Schrecklichste zugerichtet.* →§58 (1)

Schreck|lich|keit *w. 10;* **Schreck|nis** *s. 1;* **Schreck|schrau|be** *w. 11, ugs.:* unangenehme Frau; **Schreck|schuß** ► **Schreck|schuss** *m. 2;* **Schreck|se|kun|de** *w. 11* Zeitspanne, die vergeht, bis man auf einen Schrecken hin reagiert; eine lange, kurze S. haben

Schred|der, Shred|der *m. 5*

Schrei *m. 1*

Schreib|block *m. 9;* **Schrei|be** *w. 11, ugs.* **1** Geschriebenes; eine Schreibe ist keine Rede: man muss sich schriftlich anders ausdrücken als beim Sprechen; **2** die Art zu schreiben, Stil; eine charakteristische Schreibe haben; **schrei|ben** *tr. 127;* ich habe sage und schreibe drei Stunden gewartet; ich kann mit diesem Stift nicht recht schreiben; *aber:* →rechtschreiben; **Schrei|ben** *s. 7;* **Schrei|ber** *m. 5;* **Schrei|be|rei** *w. 10;* **Schrei|ber|ling** *m. 1, verächtl. oder iron.:* Schreiber, emsiger kleiner Büroangestellter; **Schrei|ber|see|le** *w. 11, übertr.:* kleinlich denkender Mensch; **schreib|faul; schreib|ge|wandt; Schreib|kraft** *w. 2* Büroangestellte, Stenotypistin; **Schreib|krampf** *m. 2;* **Schreib|map|pe** *w. 11;* **Schreib|ma|schi|ne** *w. 11;* **Schreib|ma|schi|nen|pa|pier** *s. 1;* **Schreib|schrift** *w. 10;* **Schreib|stoff** *m. 1* Material zum Schreiben, z. B. Papier, Papyrus, Pergament, Tonscherben; **Schreib|stu|be** *w. 11, Mil.:* Büro; **Schreib|tisch** *m. 1;* **Schreib|tisch|tä|ter** *m. 5* jmd., der ein Verbrechen nicht selbst begeht, sondern vom Schreibtisch aus befiehlt; **Schrei|bung** *w. 10;* **Schreib|wa|ren** *w. 11 Mz.;* **Schreib|wei|se** *w. 11*

schrei|en *intr. 128;* **Schrei|er** *m. 5;* **Schrei|e|rei** *w. 10 nur Ez.;* **Schrei|hals** *m. 2;* **Schrei|krampf** *m. 2*

Schrein *m. 1* Schrank, Sarg, Reliquienbehälter; **Schrei|ner** *m. 5, südwestdt., österr., schweiz. für* Tischler; **Schrei|ne|rei** *w. 10;* **schrei|nern** *intr. u. tr. 1*

Schreit|bag|ger *m. 5;* **schrei|ten** *intr. 129;* **Schreit|tanz** *m. 2*

Schrieb *m. 1, ugs. scherzh.:* Brief; **Schrift** *w. 10;* die Heilige S.: die Bibel; Schriften *schweiz.:* Ausweispapiere; **Schrift|bild;** *s. 3;* **schrift|deutsch;** schriftdeutsch schreiben, sprechen; **Schrift|deutsch** *s. Gen.* -(s) *nur Ez.;* **Schrift|fäl|schung** *w. 10;* **Schrift|füh|rer** *m. 5* jmd., der den Verlauf einer Verhandlung o. Ä. schriftlich festhält; **Schrift|ge|lehr|te(r)** *m. 18 (17), Bibel:* jüd. Rechtsgelehrter; **Schrift|gie|ßer** *m. 5;* **Schrift|gie|ße|rei** *w. 10* Werkstatt zur Herstellung von Drucklettern; **Schrift|grad** *m. 1;* **Schrift|lei|tung** *w. 10* Redaktion (einer Zeitung); **schrift|lich; Schrift|lich|keit** *w. 10 nur Ez.* Schriftform (im Prozess); **Schrift|psy|cho|lo|gie** *w. 11 nur Ez., neue Bez. für* Graphologie; **Schrift|sach|ver|stän|di|ge(r)** *m. 18 (17);* **Schrift|satz** *m. 2* **1** schriftl. Antrag, schriftl. Erklärung; **2** für den Druck zusammengestellte (gesetzte) Lettern; **Schrift|set|zer** *m. 5;* **Schrift|spra|che** *w. 11* dem schriftl. Ausdruck dienende, mundartfreie Form einer Sprache, Hochsprache; **schrift|sprach|lich; Schrift|stel|ler** *m. 5;* **Schrift|stel|le|rei** *w. 10 nur Ez.;* **schrift|stel|le|risch; schrift|stel|lern** *intr. 1* als Schriftsteller tätig sein; ich schriftstellere, schriftstellre, habe geschriftstellert; **Schrift|stück** *s. 1;* **Schrift|tum** *s. Gen.* -s *nur Ez.* Literatur; **Schrift|ver|kehr** *m. Gen.* -s *nur Ez.;* **Schrift|wech|sel** *m. 5;* **Schrift|zei|chen** *s. 7;* **Schrift|zug** *m. 2*

schrill; schril|len *intr. 1*

Schrimp, Shrimp *m. 9* eine Garnelenart

schrin|ken *tr. 1* feucht machen (Gewebe), um das Einlaufen zu verhindern

schrin|nen *intr. 1, nddt.:* schmerzen

Schrip|pe *w. 11, berlin.:* Brötchen, Semmel

Schritt *m. 1, als Maßangabe Mz. auch: -;* ein paar Schritte gehen; *aber:* der Raum ist fünf Schritt breit; Schritt fahren; mit jmdm., mit der Zeit Schritt halten; Schritt für Schritt vorankommen; auf Schritt und Tritt; **Schritt|ma|cher** *m. 5* **1** *Med.:* Gerät zum Anregen und Inganghalten der Herztätigkeit; **2** Motorradfahrer, der bei Radrennen (Steherrennen) vor dem Radfahrer herfährt, sodass dieser im Windschatten fahren kann; *auch:* Sportler, der bei Wettkämpfen ein bestimmtes Tempo anschlägt und die andern dadurch mitzieht, Pacemaker; **Schritt|mes|ser** *m. 5;* **schritt|wei|se**

schroff; Schroff *m. 12 oder m. 10, Nebenform von* Schroffe, Schroffen; **Schrof|fe** *w. 11, süddt., österr.:* **Schrof|fen** *m. 7* Felsklippe, steil abfallender Fels; **Schroff|heit** *w. 10 nur Ez.*

schroh *fränk., hess.:* rauh, grob

schröp|fen *tr. 1;* jmdn. s.: jmdm. mit dem Schröpfkopf Blut absaugen; *übertr.:* jmdm. Geld abnehmen; **Schröpf|kopf** *m. 2, Med.:* kugelförmiges Gerät aus Glas oder Metall zum Ableiten oder Absaugen von Blut

Schrot *m. 1* **1** gemahlene Getreidekörner; **2** mehrere Bleikü-

► = wird zu

gelchen, die in einem einzigen Geschoss abgefeuert werden; **Schrot|brot** *s. 1;* **Schrot|büch|se** *w. 11* Gewehr zum Schießen mit Schrot, Schrotflinte; **schro|ten** *tr. 2* grob mahlen; **Schrö|ter** *m. 5* ein Käfer; **Schrot|flin|te** *w. 11* = Schrotbüchse

Schroth|kur *w. 11* Diät zur Gewichtsabnahme, nach dem Naturheilkundigen Johann Schroth

Schrot|ku|gel *w. 11;* **Schrot|mehl** *s. 1;* **Schrot|müh|le** *w. 11*

Schrott *m. 1 nur Ez.* Metallabfälle, alte, unbrauchbare Metallgegenstände

Schrot|waa|ge *w. 11* Gerät zum Prüfen waagerechter Flächen

schrub|ben *tr. 1* kräftig bürsten; **Schrub|ber** *m. 5*

Schrul|le *w. 11* **1** wunderl. Angewohnheit, Laune, sonderbarer Einfall; **2** *ugs.:* unangenehme Frau; **schrul|len|haft** sonderbar, wunderlich; **schrul|lig;** **Schrul|lig|keit** *w. 10 nur Ez.*

schrumm!; **schrumm|di|bumm!;** **schrumm|fi|de|bumm!**

Schrum|pel *w. 11* Falte, Runzel; **schrum|pe|lig,** schrump|lig; **schrum|peln** *intr. 1;* **schrump|fen** *intr. 1;* **schrump|fig;** **Schrumpf|kopf** *m. 2, bei südamerik. Indianern:* getrocknete, eingeschrumpfte Kopftrophäe, Tsantsa; **Schrump|fung** *w. 10;* **schrump|lig,** schrum|pe|lig

Schrund *m. 2, süddt., österr.:* Spalt, Riss (im Fels oder Gletscher); **Schrun|de** *w. 11* Hautriss; **Schrun|den|sal|be** *w. 11;* **schrun|dig**

schrup|pen *tr. 1* grob hobeln oder feilen; **Schrupp|fei|le** *w. 11;* **Schrupp|ho|bel** *m. 5*

Schub *m. 2*

Schu|ber *m. 5* an einer Schmalseite offener Schutzkarton (für Bücher); **Schub|fach** [auch: ʃub-] *s. 4*

Schu|bi|ack *m. 1 oder m. 9, norddt.* **1** Bettler; **2** Lump, Gauner

Schub|kar|re [auch: ʃub-] *w. 11,* **Schub|kar|ren** *m. 7;* **Schub|kas|ten** [auch: ʃub-] *m. 8;* **Schub|kraft** *w. 2;* **Schub|la|de** [auch: ʃub-] *w. 11;* **Schub|leh|re** *w. 11* = Kluppe (**2**); **Schubs** *m. 1* leichter Stoß; **schub|sen** *tr. 1;* **Schub|stan|ge** *w. 11;* **schub|wei|se**

schüch|tern; **Schüch|tern|heit** *w. 10 nur Ez.*

schu|ckeln *intr. 1* **1** stoßen, rattern, schüttern (Wagen); **2** wackeln

Schuft *m. 1*

schuf|ten *intr. 2* schwer arbeiten; **Schuf|te|rei** *w. 10 nur Ez.*

schuf|tig; **Schuf|tig|keit** *w. 10 nur Ez.*

Schuh *m. 1, als (veraltete) Maßangabe Mz. -;* fünf Schuh breit; so wird ein Schuh draus! *übertr.:* so ist es richtig; wo drückt der Schuh? *übertr.:* wo fehlt es, was stimmt nicht, klappt nicht?; jmdm. etwas in die Schuhe schieben *übertr.:* jmdm. etwas fälschlich zur Last legen; **Schuh|an|zie|her** *m. 5;* **Schuh|band** *s. 4;* **Schuh|chen,** *poet.:* **Schüh|chen, Schüh|lein** *s. 7;* **Schuh|löf|fel** *m. 5* Schuhanzieher; **Schuh|ma|cher** *m. 5;* **Schuh|ma|che|rei** *w. 10;* **Schuh|platt|ler** *m. 5* oberbayr. Volkstanz, bei dem sich die Tänzer auf Ober- und Unterschenkel und Absätze schlagen; **Schuh|put|zer** *m. 5;* **Schuh|soh|le** *w. 11;* das habe ich mir schon an den Schuhsohlen abgelaufen *übertr.:* das kenne ich, kann ich längst

Schu|hu *m. 9* Uhu

Schu|ko... *in Zus.:* Schutzkontakt; **Schu|ko|steck|do|se** *w. 11;* **Schu|ko|ste|cker** *m. 5*

Schul|amt *s. 4* Schulaufsichtsbehörde; **Schul|an|fän|ger** *m. 5;* **Schul|ar|beit** *w. 10;* **Schul|arzt** *m. 2;* **schul|ärzt|lich;** **Schul|auf|ga|be** *w. 11;* **Schul|bank** *w. 2;* die S. drücken *ugs.:* zur Schule gehen; **Schul|bei|spiel** *s. 1* Musterbeispiel; **Schul|bil|dung** *w. 10 nur Ez.;* **Schul|buch** *s. 4*

schuld er ist schuld; **Schuld** *w. 10;* nur er hat Schuld; jmdm. Schuld geben; zu Schulden auch: zuschulden; Schulden haben; **Schuld|be|kennt|nis** *s. 1;* **schuld|be|la|den;** **schuld|be|wußt** ► **schuld|be|wusst;** *aber:* er ist sich keiner Schuld bewusst; **Schuld|be|wußt|sein** ► **Schuld|be|wusst|sein** *s. Gen. -s nur Ez.;* **schul|den** *tr. 2;* jmdm. etwas schulden; **schul|den|frei;** **Schul|den|last** *w. 10;* **Schuld|fra|ge** *w. 11;* **schuld|haft;** **Schuld|haft** *w. Gen. - nur Ez., früher:* Haft auf Grund von Schulden; jmdn. in S. nehmen

> **Schuld geben/haben/tragen, zuschulden/zu Schulden kommen lassen, schuldig sprechen:** Die Verbindung aus Substantiv und Verb schreibt man getrennt: *Wir wollten ihr die Schuld geben. Sie hat Schuld gehabt.* →§ 34 E3 (5)
>
> Bei Fügungen in adverbialer Verwendung bleibt es dem/der Schreibenden überlassen, ob er/sie die Zusammenschreibung oder Getrenntschreibung wählt: *Er hat sich nichts zuschulden/zu Schulden kommen lassen.* →§ 39 E3 (1)
>
> Die Verbindung aus einem Adjektiv, das eine Ableitung auf *-ig* (oder *-isch* bzw. *-lich*) ist, und einem Verb schreibt man getrennt: *Sie wurde des Mordes schuldig gesprochen.* →§ 34 E3 (3)

Schul|dienst *m. 1 nur Ez.*

schul|dig; jmdn. s. sprechen; **Schul|di|ger** *m. 5, altertüml.:* Schuldner; **Schul|dig|keit** *w. 10 nur Ez.;* **Schuld|knecht|schaft** *w. 10 nur Ez., MA:* Leibeigenschaft infolge Unfähigkeit, Schulden zu zahlen; **schuld|los;** **Schuld|lo|sig|keit** *w. 10 nur Ez.;* **Schuld|ner** *m. 5;* **Schuld|schein** *m. 1;* **Schuld|spruch** *m. 2;* **Schuld|turm** *m. 2, früher:* Gefängnis für Schuldner, die nicht zahlen konnten; **Schuld|ver|schrei|bung** *w. 10* ein festverzinsl. Wertpapier

Schu|le [griech.] *w. 11;* aus der Schule plaudern: etwas ausplaudern; **schu|len** *tr. 1;* **schul|ent|las|sen;** die schulentlassenen Schüler; **Schü|ler** *m. 5;* **Schü|ler|ar|beit** *w. 10;* **schü|ler|haft;** **Schü|ler|heim** *s. 1;* **Schü|ler|kar|te** *w. 11;* **Schü|ler|lot|se** *m. 11* Schüler, der auf verkehrsreichen Straßen dafür sorgt, daß jüngere Schüler ungefährdet die Straße überqueren können; **Schü|ler|mit|ver|ant|wor|tung** *w. 10 nur Ez.;* **Schü|ler|mit|ver|wal|tung** *w. 10 nur Ez.;* **Schü|ler|schaft** *w. 10 nur Ez.;* **Schü|ler|zei|tung** *w. 10;* **Schul|fe|ri|en** *nur Mz.;* **schul|frei;** **Schul|funk** *m. Gen. -s nur Ez.;* **Schul|geld** *s. 3;* **Schul|ge|lehr|sam|keit** *w. 10 nur Ez.* einseitig theoret. Wissen ohne prakt. Erfahrung; **Schul|hof** *m. 2;* **Schul-**

hy|gi|e|ne [-gje:-] *w. 11 nur Ez.;* **schu|lisch; Schul|kennt|nis|se** *w. 1 Mz.;* S. in Französisch haben; **Schul|kind** *s. 3;* **Schul|klas|se** *w. 11;* **schul|klug** theoretisch ausgebildet, aber ohne Lebenserfahrung; **Schul|land|heim** *s. 1;* **Schul|lei|ter** *m. 5;* **Schul|mann** *m. 4* jmd., der im Schulwesen tätig ist; **Schul|map|pe** *w. 11;* **Schul|me|di|zin** *w. 10 nur Ez.* die allg. anerkannte, an den Universitäten gelehrte Heilkunde; **Schul|meis|ter** *m. 5;* **schul|meis|ter|lich; schul|meis|tern** *tr. 1* kleinlich belehren; ich schulmeistere, schulmeistre ihn nicht, habe ihn nie geschulmeistert; **Schul|mu|sik** *w. 10 nur Ez.;* **Schul|ord|nung** *w. 10*

Schulp *m. 1* bei Kopffüßern rückgebildete Schale

Schul|pflicht *w. 10 nur Ez.;* **schul|pflich|tig; Schul|po|li|tik** *w. 10 nur Ez.;* **Schul|ran|zen** *m. 7;* **Schul|rat** *m. 2;* **Schul|schiff** *s. 1;* **Schul|schwän|zer** *m. 5;* **Schul|spei|sung** *w. 10*

Schul|ter *w. 11;* jmdm. die kalte S. zeigen *übertr.:* jmdn. absichtlich nicht beachten, jmdn. abweisen; **Schul|ter|blatt** *s. 4;* **Schul|ter|ge|lenk** *s. 1;* **Schul|ter|gür|tel** *m. 5* Schulterblatt und Schlüsselbein; **Schul|ter|klap|pe** *w. 11* = Achselklappe; **schul|tern** *tr. 1* **1** auf die Schulter nehmen; **2** *Ringen:* auf die Schultern zwingen (und dadurch besiegen)

Schult|heiß *m. 10* **1** *veraltet:* Gemeindevorsteher; **2** *im schweizer. Kanton Luzern:* Präsident des Regierungsrates; **Schult|hei|ßen|amt** *s. 4*

Schu|lung *w. 10;* **Schul|un|ter|richt** *m. 1;* **Schul|weg** *m. 1;* **Schul|weis|heit** *w. 10 nur Ez.* einseitig theoret. Wissen ohne prakt. Erfahrung

Schul|ze *m. 11, veraltet:* Gemeindevorsteher, Schultheiß

Schul|zeit *w. 10 nur Ez.;* **Schul|zeug|nis** *s. 1*

Schum|me|lei *w. 10;* **schum|meln** *intr. 1* leicht betrügen; ich schummele, schummle

Schum|mer *m. 5 nur Ez., norddt.:* Dämmerung; **schum|me|rig,** schumm|rig dämmerig; **schum|mern** **1** *intr. 1, unpersönl.:* dämmern; es schummert; **2** *tr. 1;* das Relief einer Landkarte s.: schattieren; **Schum|mer|stun|de** *w. 11;* **schumm|rig** = schummerig

Schund *m. 1 nur Ez.* Wertloses, Minderwertiges; **Schund|li|te|ra|tur** *w. 10 nur Ez.;* **Schund|wa|re** *w. 11*

schun|keln *intr. 1* sich mit dem Oberkörper hin und her wiegen (bes. zu mehreren, indem man sich bei d. Nachbarn einhängt); **Schun|kel|wal|zer** *m. 5*

Schupf *m. 1, süddt., österr.:* Stoß, Schubs, Schups, Wurf; **schup|fen** *tr. 1, süddt., österr.;* **Schup|fen** *m. 7, süddt., österr. für* Schuppen

Schu|po **1** *w. Gen. - nur Ez., Kurzw. für* Schutzpolizei; **2** *m. 9, Kurzw. für* Schutzpolizist

Schüpp|chen *s. 7* **1** *norddt. für* Schippchen; **2** kleine Schuppe

Schup|pe *w. 11* **1** Hornplättchen der Haut (bei Fischen, Schlangen, Echsen); **2** Talgabsonderung der Kopfhaut, Hautplättchen

Schüp|pe *w. 11, norddt. für* Schippe

schup|pen **1** *tr. 1;* einen Fisch s.: ihm die Schuppen abkratzen; **2** *refl. 1* sich in Schuppen ablösen; die Haut schuppt sich

Schup|pen *m. 7* Abstellraum (aus Brettern oder Wellblech)

Schup|pen|flech|te *w. 11 nur Ez.* eine Hautkrankheit, Psoriasis; **Schup|pen|pan|zer** *m. 5;* **Schup|pen|tier** *s. 1* ein Säugetier, dessen Körper mit Hornschuppen bedeckt ist; **Schup|pung** *w. 10 nur Ez.*

Schups, Schubs *m. 1;* **schup|sen,** schub|sen *tr. 1*

Schur **1** *w. 10* Scheren (der Schafe); **2** *m. 1, veraltet:* Plage, Ärger, *noch in der Wendung* jmdm. etwas zum Schure tun: etwas tun, um jmdn. zu ärgern

Schür|ei|sen *s. 7* = Schürhaken; **schü|ren** *tr. 1* anfachen (Feuer), *auch übertr.* (Hass, Feindschaft); **Schü|rer** *m. 5* Schürhaken

Schurf *m. 2, Bgb., veraltet:* Suchen nach abbaufähigen Lagerstätten; **schür|fen** **1** *intr. 1, Bgb.:* Lagerstätten suchen; **2** *tr. 1* abbauen (Bodenschätze); **3** *refl. 1* aufkratzen, oberflächlich verletzen (Haut), *meist:* abschürfen; **Schür|fer** *m. 5, Bgb.*

Schür|ha|ken *m. 7* Haken zum Schüren d. Feuers, Schüreisen

Schu|ri|ge|lei *w. 10;* **schu|ri|geln** *tr. 1* quälen, plagen, schikanieren

Schur|ke *m. 11* gemeiner Mensch, Schuft, Verbrecher; **Schur|ken|streich** *m. 1;* **Schur|ke|rei** *w. 10;* **schur|kisch**

Schur|re *w. 11, nordostdt.:* Gleit-, Rutschbahn; **schur|ren** *intr. 1, nordostdt.:* gleiten, rutschen; **Schurr|murr** *s. Gen. -s nur Ez., norddt.* **1** Durcheinander; **2** Gerümpel

Schur|wol|le *w. 11*

Schurz *m. 1* um die Hüften gebundenes Tuch; **Schür|ze** *w. 11;* **schür|zen** *tr. 1;* **Schür|zen|jä|ger** *m. 5, ugs.:* Mann, der Frauen nachläuft; **Schurz|fell** *s. 1,* **Schurz|le|der** *s. 5* lederner Schurz

> **in Schuss haben/halten:** Fügungen in adverbialer Verwendung schreibt man groß und getrennt: *in Schuss haben/halten.* →§ 39 E2 (2.1) Das zusammengesetzte Substantiv behält alle drei *-s-: die Schussstärke des Stürmers.*

Schuß ► **Schuss** *m. 2* **1** *nach Zahlen Mz. auch: -;* drei Schuss abgeben; Zündstreifen für 100 Schuss; etwas in Schuss haben, halten *ugs.:* in Ordnung; der Betrieb ist gut, tadellos in Schuss; **2** *nur Ez., Weberei:* Gesamtheit der Querfäden; *Ggs.:* Kette; **schuß|be|reit** ► **schuss|be|reit**

Schus|sel *m. 5 oder w. 11, ugs.:* fahriger bzw. unkonzentrierter Mensch

Schüs|sel *w. 11*

schus|se|lig, schuss|lig fahrig, gedankenlos, unkonzentriert; **schus|seln** *intr. 1* **1** fahrig, unkonzentriert arbeiten; **2** *mitteldt.:* gleiten, rutschen (bes. auf Eis); **Schus|ser** *m. 5* Spielkugel, Murmel; **schus|sern** *intr. 1* mit Schussern spielen

Schuß|fa|den ► **Schuss|fa|den** *m. 8, Weberei:* Querfaden; *Ggs.:* Kettfaden; **Schuß|fahrt** ► **Schuss|fahrt** *w. 10;* **schuß|fer|tig** ► **schuss|fer|tig; schuß|fest** ► **schuss|fest; Schuß|fe|stig|keit** ► **Schuss|fes|tig|keit** *w. 10 nur Ez.;* **schuß|ge|recht** ► **schuss|ge|recht,** schuss|recht *Jägerspr.:* ein gutes Ziel bildend; das Wild steht s.; **Schuß|ge|rin|ne**

► **Schuss|ge|rin|ne** *s. 5* Kanal für schnell fließendes Wasser; **Schuß|ka|nal** ► **Schuss|ka|nal** *m. 2, bei Schussverletzungen:* Weg des Geschosses durch den Körper
schuß|lig ► **schuss|lig** = schusselig
Schuß|li|nie ► **Schuss|li|nie** *w. 11;* **schuß|recht** ► **schuss|recht** = schussgerecht; **schuß|si|cher** ► **schuss|si|cher; Schuß|waf|fe** ► **Schuss|waf|fe** *w. 11;* **Schuß|wei|te** ► **Schuss|wei|te** *w. 11*
Schus|ter *m. 5;* **Schus|ter|draht** *m. 2* mit Pech getränkter Faden; **Schus|te|rei** *w. 10* Schuhmacherei;
Schus|ter|jun|ge *m. 11; auch Buchw.:* erste Zeile eines neuen Absatzes am Ende einer Seite; vgl. Hurenkind; **Schus|ter|ku|gel** *w. 11* wassergefüllte Glaskugel, die Licht sammelt und reflektiert; **schus|tern** *intr. 1* **1** Schusterarbeit tun; **2** *ugs.:* schlecht arbeiten, pfuschen
Schu|te *w. 11* **1** flacher, breiter Schleppkahn; **2** haubenartiger Frauenhut zum Binden unterm Kinn
Schutt *m. Gen.* -s *nur Ez.;* **Schutt|ab|la|de|platz** *m. 2;* **Schutt|berg** *m. 1;* **Schütt|bo|den** *m. 8* Boden zum Lagern von Getreide und Stroh; **Schüt|te** *w. 11* **1** Bund Stroh; **2** *schweiz.:* Schüttboden; **3** *süddt., österr.:* Bettstroh; *auch:* Bettfedern; **Schüt|tel|frost** *m. 2 nur Ez.;* **Schüt|tel|läh|mung** *w. 10* ständiges Zittern der Hände, Parkinsonsche Krankheit; **schüt|teln** *tr. 1;* ich schüttele, schüttle es; **Schüt|tel|reim** *m. 1* Verspaar mit Konsonantenvertauschung, z. B. »Die ihr im Tanz euch lachend wiegt, denkt ihr an den, der wachend liegt?« (Kippenberg); **Schüt|tel|rut|sche** *w. 11* ruckartig sich hin und her bewegende Gleitbahn zum Weiterbefördern von Schüttgut; **schüt|ten 1** *tr. 2;* **2** *intr. 2, unpersönl. ugs.:* stark regnen; es schüttet
schüt|ter lose, gelichtet; schütteres Haar
schüt|tern *intr. 1* stoßen, rütteln, holpern (Wagen)
Schütt|gut *s. 4* lockeres, unverpacktes Gut, z. B. Körner, Sand, Kohle; **Schutt|hal|de** *w. 11;* **Schütt|o|fen** *m. 8* Ofen, in den das Heizmaterial von oben hineingeschüttet wird
Schutz *m. Gen.* -es *nur Ez.*
Schutz|an|zug *m. 2;* **Schutz|auf|sicht** *w. Gen. - nur Ez.;* **Schutz|be|foh|le|ne(r)** *m. 18 (17) bzw. w. 17 oder 18;* **Schutz|blech** *s. 1;* **Schutz|bril|le** *w. 11;* **Schutz|dach** *s. 4*
Schütz 1 *m. 10, veraltet für* Schütze; **2** *s. 1* automatisch wirkender Schalter; **3** *s. 1, auch:* Schüt|ze *m. 11, an Wehren, Schleusen:* den Wasserlauf regelnde Vorrichtung
Schüt|ze *m. 11* **1** jmd., der schießt oder schießen kann; **2** *Astron.:* ein Sternbild; **3** *Weberei* = Weberschiffchen; **4** *Wasserbau* = Schütz **(3)**
schüt|zen *tr. 1*
Schüt|zen *m. 7, Weberei* = Weberschiffchen; **Schüt|zen|fest** *s. 1*
Schutz|en|gel *m. 5*
Schüt|zen|gra|ben *m. 8;* **Schüt|zen|hil|fe** *w. 11;* jmdm. S. leisten: jmdn. (bes. in der Diskussion) unterstützen, ihm hilfreich beispringen; **Schüt|zen|kö|nig** *m. 1* der beste Schütze beim Schützenfest; **Schüt|zen|steu|e|rung,** Schütz|steu|e|rung *w. 10* Steuerung durch Schütz **(2)**
Schüt|zer *m. 5;* **Schutz|far|be** *w. 11;* **Schutz|fär|bung** *w. 10;* **Schutz|frist** *w. 10;* **Schutz|ge|biet** *s. 1;* **Schutz|ge|bühr** *w. 10;* **Schutz|geist** *m. 3;* **Schutz|haft** *w. Gen. - nur Ez.;* jmdn. in S. nehmen; **Schutz|hei|li|ge(r)** *m. 18 (17) bzw. w. 17 oder 18;* **Schutz|herr|schaft** *w. 10;* **Schutz|hüt|te** *w. 11;* **schutz|imp|fen** *tr. 1;* ich schutzimpfe sie, habe sie schutzgeimpft; **Schutz|imp|fung** *w. 10;* **Schütz|ling** *m. 1;* **schutz|los; Schutz|lo|sig|keit** *w. 10 nur Ez.;* **Schutz|macht** *w. 2;* **Schutz|mann** *m. 4, Mz. auch:* -leu|te; **Schutz|man|tel|ma|don|na** *w. Gen. - Mz.* -nen Darstellung der Muttergottes, die mit ihrem ausgebreiteten Mantel Gläubige umfängt; **Schutz|mar|ke** *w. 11;* **Schutz|mas|ke** *w. 11;* **Schutz|maß|nah|me** *w. 11;* **Schutz|mit|tel** *s. 5;* **Schutz|pa|tron** *m. 1;* **Schutz|pla|ne** *w. 11* **Schutz|po|li|zei** *w. Gen. - nur Ez.;* **Schutz|po|li|zist** *m. 10* *(Kurzw.:* Schupo); **Schütz|steu|e|rung** *w. 10* = Schützensteuerung; **Schutz|trup|pe** *w. 11;* **Schutz|um|schlag** *m. 2;* **Schutz-und-Trutz-Bünd|nis** *s. 1;* **Schutz|wall** *m. 2;* **Schutz|wehr** *w. 10;* **Schutz|zoll** *m. 2*
Schw. *Abk. für* Schwester
schwab|be|lig, schwabb|lig; **schwab|beln,** schwab|bern *intr. 1, ugs.* **1** wackeln (weiche Masse, Pudding); **2** Flüssigkeit verschütten, auch: schwappen, schwappern; **Schwab|ber** *m. 5, Seew.:* eine Art Besen, Wischer; **schwab|bern** *intr. 1, ugs.* = schwabbeln; **schwabb|lig,** schwab|be|lig
Schwa|be *m. 11* **1** Angehöriger eines deutschen Volksstammes; **2** Einwohner von Schwaben; **3** *volkstüml.:* Schabe, Küchenschabe; **schwä|beln** *intr. 1* schwäb. Mundart sprechen; **Schwa|ben** Regierungsbezirk in Bayern; **Schwa|ben|streich** [nach dem Märchen von den sieben Schwaben] *m. 1* lächerl. Handlung; **Schwä|bin** *w. 10;* **schwä|bisch;** *aber:* Schwäbische Alb

> **schwach betont/bevölkert:** Verbindungen aus Adjektiv und Verb (oder auch Adjektiv), deren erster Bestandteil steigerbar oder erweiterbar ist, werden getrennt geschrieben: *Er hat das schwach/schwächer betont; das Land ist schwach/schwächer bevölkert.* Ebenso: *dicht behaart, dünn bewachsen.* → § 36 E1 (4)

schwach; das schwache Geschlecht *scherzh.:* die Frauen; **schwach|be|gabt** ► **schwach be|gabt;** ein schwach begabter Schüler, der Schüler ist nur schwach begabt; **schwach|be|tont** ► **schwach be|tont;** eine schwach betonte Silbe, die Silbe ist schwach betont; **schwach|be|wegt** ► **schwach be|wegt;** schwach bewegte See, Luft; die See, die Luft ist schwach bewegt; **Schwä|che** *w. 11;* eine S. für etwas oder jmdn. haben: eine Vorliebe; **Schwä|che|an|fall** *m. 2;* **schwä|chen** *tr. 1;* **Schwä|che|zu|stand** *m. 2;* **Schwach|heit** *w. 10 nur Ez.; Mz. nur ugs. in der Wendung* bilde dir nur keine Schwachheiten ein: glaube nur nicht, dass du deinen

Willen durchsetzen kannst!; **Schwach|kopf** *m. 2* Dummkopf; **schwach|köp|fig; schwäch|lich; Schwäch|lich|keit** *w. 10 nur Ez.;* **Schwäch|ling** *m. 1;* **Schwach|ma|ti|kus** *m. Gen. - Mz.* -kus|se, *ugs. scherzh.:* schwächl. Mensch; **schwach|sich|tig; Schwach|sich|tig|keit** *w. 10 nur Ez.;* **Schwach|sinn** *m. 1 nur Ez.;* **schwach|sin|nig; Schwach|strom** *m. 2* Strom mit Spannung bis 24 Volt; **Schwä|chung** *w. 10*

Schwa|de *w. 11,* Schwa|den *m. 7* Streifen gemähten Grases oder Getreides; **Schwa|den** *m. 7* **1** = Schwade; **2** Dampf-, Gas-, Dunstströmung; **3** (giftige) Bodenausströmung

> **Schwadron** (Worttrennung): Neben der Trennung *Schwadron* ist auch die Abtrennung zwischen *d* und *r* möglich. Auf diese Weise kommt der letzte Konsonant auf die neue Zeile: *Schwad|ron.* Entsprechend: *Schwa|dronade/Schwad|ro|nade* usw. → § 107, § 108

Schwa|dron [ital.] *w. 10* Einheit der Kavallerie; **Schwa|dro|nade** *w. 11* prahlerisches Gerede, lauter Wortschwall; **Schwa|dro|neur** [-nør] *m. 1* jmd., der viel schwadroniert; **schwa|dro|nie|ren** *intr. 3* prahlerisch oder aufdringlich reden; **Schwa|drons|chef** [-ʃɛf] *m. 9*

Schwa|fe|lei *w. 10 nur Ez., ugs.;* **schwa|feln** *intr. 1, ugs.:* viel daherreden, töricht reden

Schwa|ger *m. 6* **1** *veraltet:* Postkutscher; **2** Ehemann der Schwester; Bruder des Ehepartners; **Schwä|ge|rin** *w. 10* Ehefrau des Bruders; Schwester des Ehepartners; **schwä|ger|lich; Schwä|ger|schaft** *w. 10 nur Ez.;* **Schwä|her** *m. 5, veraltet:* Schwager, Schwiegervater; vgl. Schwieger

Schwai|ge *w. 11, bayr., österr.:* Sennhütte mit Alm, Schwaighof; **schwai|gen** *intr. 1, bayr., österr.:* Käse herstellen; **Schwai|ger** *m. 5, bayr., österr.:* Senn; **Schwaig|hof** *m. 2* = Schwaige

Schwälb|chen *s. 7;* **Schwal|be** *w. 11;* **Schwal|ben|nest** *s. 3;* **Schwal|ben|schwanz** *m. 2* **1** ein Schmetterling; **2** verzahnte Holzverbindung mit Nuten

Schwalk *m. 1, nddt.:* Dampf, Rauch, Qualm; **schwal|ken** *intr. 1, nddt.:* sich herumtreiben

Schwall *m. 1* Welle, Guss, Flut

Schwamm *m. 2* **1** Angehöriger eines Stammes festsitzender Wassertiere, Spongie; **2** saugfähiger Stoff (zum Reinigen u. a.); **3** *bayr., österr.:* Ständerpilz, *meist:* Schwammerl; **Schwämm|chen** *s. 7* **1** kleiner Schwamm; **2** *Mz.* = Soor; **Schwam|merl** *s. 14, bayr., österr.:* Ständerpilz; **schwammig** weich, nachgebend, aufgedunsen

Schwan *m. 2;* **Schwän|chen** *s. 7*

schwa|nen *intr. 1, ugs.;* mir schwant, dass…, es schwant mir, dass…: ich ahne, fühle, dass…; mir schwant Böses, Unheil

Schwa|nen|ge|sang *m. 2, übertr.:* letztes Werk eines Dichters oder Komponisten vor seinem Tod; **Schwa|nen|hals** *m. 2* **1** *poet.:* schlanker Hals; **2** *Jägerspr.:* ein Fangeisen; **Schwa|nen|jung|frau** *w. 10, dt. Myth.:* halbgöttliches weibl. Wesen in Schwanengestalt; **Schwa|nen|teich** *m. 1;* **schwa|nen|weiß**

Schwang *m., nur in der Wendung* im Schwange sein: üblich, gebräuchlich, in Mode sein

schwan|ger in anderen Umständen, guter Hoffnung; s. sein: ein Kind erwarten; **Schwan|ge|ren|für|sor|ge** *w. 11 nur Ez.;* **Schwan|ge|ren|ge|lüst** *s. 1* Gelüst auf bestimmte Speisen während der Schwangerschaft; **schwän|gern** *tr. 1* **1** schwanger machen; eine Frau s.: mit ihr ein Kind zeugen; **2** erfüllen; von Wohlgeruch geschwängerte Luft; **Schwan|ger|schaft** *w. 10;* **Schwan|ger|schafts|ab|bruch** *m 2;* **Schwän|ge|rung** *w. 10*

schwank *veraltet, poet.:* biegsam, unsicher, schwankend; auf schwankem Steg; ein schwankes Rohr im Wind

Schwank *m. 2* derb-komisches Bühnenstück oder eine ebensolche Erzählung; **Schwänkchen** *s. 7* **schwan|ken** *intr. 1;* **Schwank|punkt** *m. 1* = Metazentrum; **Schwan|kung** *w. 10*

Schwanz *m. 2;* **Schwänz|chen** *s. 7;* **schwän|zeln** *intr. 1* **1** mit dem Schwanz wedeln; **2** geziert gehen; **3** um jmdn. s.: sich eifrig um jmdn. bemühen; **schwänzen** *tr. 1* **1** mit einem Schwanz versehen; geschwänzte Note; **2** absichtlich versäumen; die Schule, eine Vorlesung s.; **Schwän|zer** *m. 5* jmd., der schwänzt, z. B. Schulschwänzer; **…schwän|zig** *in Zus.,* z. B. lang-, kurz-, neunschwänzig; **schwanz|las|tig** hinten zu sehr beladen (Flugzeug); **Schwanzlurch** *m. 1* ein Amphibium, Molch

schwapp!; Schwapp, Schwaps *m. 1* kleiner Guss, kleine Menge Flüssigkeit; ein Schwapp Wasser, Suppe; **schwap|pen** *intr. 1* sich bewegen (Flüssigkeit im Gefäß); über den Rand s.: überlaufen; **schwap|pern** *intr. 1, ugs. für* schwappen; **schwäp|pern** *intr. 1, ugs.:* **1** schwappen; **2** Flüssigkeit verschütten; **schwapps!, schwaps!; Schwaps** *m. 1* = Schwapp; **schwap|sen** *intr. 1, ugs.:* schwappen, schwäppern

Schwär *m. 1,* **Schwä|re** *w. 11, veraltet:* Geschwür; **schwä|ren** *intr. 1* eitern, ein Geschwür bilden; **schwä|rig** geschwürig, eiterig

Schwarm *m. 2;* **schwär|men** *intr. 1* **1** durcheinander laufen, fahren; **2** die Bienen s.: fliegen zur Bildung eines neuen Staates aus; **3** begeistert reden; von etwas oder jmdm. s.; **Schwär|mer** *m. 5* **1** jmd., der leicht in Begeisterung gerät; **2** ein Nachtfalter; **Schwär|me|rei** *w. 10;* **schwärme|risch; Schwarm|geist** *m. 3* relig. Eiferer; **Schwärm|zeit** *w. 10* (der Bienen)

Schwar|te *w. 11* **1** dicke Haut; **2** *Jägerspr.:* Haut (von Dachs und Wildschwein); **3** verwachsene Stelle von Brust- und Rippenfell (nach Entzündungen); **4** altes, wertloses Buch; **5** die nach dem Zersägen übrig bleibenden äußeren Teile des Baumstamms; **schwar|ten** **1** *tr. 2* von der Schwarte befreien, die Schwarte abziehen (von etwas); **2** *intr. 2* wie besessen lesen; **Schwar|ten|ma|gen** *m. 8* in Schweinsmagen gestopfte Presswurst mit Schwarte; **schwar|tig**

schwarz, schwarzweiß malen, aus Schwarz Weiß machen wollen: Das Adjektiv *schwarz* schreibt man klein. Ebenso schreibt man Farbverbindungen klein sowie zusammen [→§36 (4)]: *Sie malte das Bild schwarzweiß.* Getrennt: *schwarz auf weiß beweisen.* →§58 (3)
Das substantivierte Adjektiv schreibt man dagegen groß: *aus Schwarz Weiß machen.* →§57 (1)
In Eigennamen und bestimmten substantivischen Wortgruppen schreibt man das Adjektiv ebenfalls groß: *der Schwarze Freitag* (= Börsensturz am 25.10.1929), *der Schwarze Holunder, das Schwarze Meer, die Schwarze Witwe.* →§60, §64
In festen Gefügen, die keine Eigennamen sind, schreibt man das Adjektiv klein: *das schwarze Brett, ein schwarzes Geschäft, die schwarze Liste, die schwarze Magie, der schwarze Markt, der schwarze Tod* (= Beulenpest) usw. →§63

schwarz 1 *Kleinschreibung:* etwas schwarz auf weiß haben: schriftlich haben; schwarze Blattern: Pocken; schwarze Diamanten: Kohle; schwarzer Humor: düsterer, grausiger Humor; auf der schwarzen Liste stehen: auf der Liste verdächtiger oder missliebiger Personen oder Bücher; schwarze →Magie; der schwarze Mann: Kinderschreck; schwarzer Markt: ungesetzl. Handel zu überhöhten Preisen; das schwarze Schaf der Familie: ungeratenes Kind oder Kind, das gegen den Willen der Familie seine eigenen Wege geht; ein schwarzer Tag; schwarzer Tee; schwarzes Brett: Anschlagtafel (in Universitäten, Betrieben); schwarze Kunst: Buchdruckerkunst; schwarzer Peter: ein Kartenspiel für Kinder; jmdm. den schwarzen Peter zuschieben *ugs.:* die Verantwortung, die Verpflichtung, eine Angelegenheit zu regeln; der schwarze Tod *MA:* Beulenpest; **2** *Großschreibung:* ins Schwarze treffen; man kann nicht aus Schwarz Weiß machen; Schwarzer Holunder; Schwarze Johannisbeere; die Schwarze Witwe: eine amerik. Giftspinne; **3** *in Verbindung mit Verben:* sich schwarz ärgern; schwarz färben; schwarz sein, werden; da kannst du warten, bis du schwarz wirst! *ugs.:* da wirst du vergeblich warten; *aber:* →schwarzarbeiten, schwarzfahren, schwarzhören, schwarzsehen u.a.; **Schwarz** *s. Gen. - nur Ez.* schwarze Farbe; in Schwarz gehen; Schwarz ist am Zug *Schach; vgl. Blau;* **Schwarz|ar|beit** *w. 10* Lohnarbeit unter Umgehung der gesetzl. Bestimmungen; **schwarz|ar|bei|ten** *intr. 2;* ich arbeite

schwarzarbeiten: Verbindungen aus Adjektiv und Verb, deren erster Teil weder steigerbar noch veränderbar ist, schreibt man zusammen: *Sie haben vier Wochen schwarzgearbeitet.* Ebenso: *schwarzfahren, schwarzhören, schwarzsehen.* →§34 (2.2)

schwarz, habe schwarzgearbeitet; **Schwarz|bee|re** *w. 11, süddt., österr.:* Blau-, Heidelbeere; **schwarz|blau;** vgl. blau; **schwarz|braun; Schwarz|bren|ne|rei** *w. 10 nur Ez.* Schnapsbrennerei ohne behördl. Genehmigung; **Schwarz|brot** *s. 1* Roggenvollkornbrot; **Schwarz|dorn** *m. 1* ein Strauch, Schlehdorn; **Schwarz|dros|sel** *w. 11* ein Singvogel, Amsel; **Schwär|ze** *w. 11 nur Ez.;* **Schwar|ze(r)** *m. 18 (17) bzw. w. 17 oder 18* Mensch schwarzer Hautfarbe; **schwär|zen** *tr. 1;* **Schwarz|er|de** *w. 11 nur Ez.* dunkler Humus; **schwarz|fah|ren** *intr. 32* ohne Führerschein oder ohne Fahrkarte fahren; ich fahre schwarz, bin schwarzgefahren; **Schwarz|fah|rer** *m. 5;* **Schwarz|fahrt** *w. 10;* **Schwarz|fäu|le** *w. 11 nur Ez.* eine Pflanzenkrankheit; **Schwarz|fleisch** *s. Gen. -(e)s nur Ez.* geräuchertes Schweinefleisch, Schwarzgeräuchertes; **Schwarz|fuß** *m. 2,* **Schwarz|fuß|in|di|a|ner** *m. 5* Angehöriger eines nordamerik. Indianerstammes; **schwarz|ge|hen** *intr. 47* Wilddieberei treiben; **schwarz|ge|rän|dert** ► **schwarz ge|rän|dert;** eine schwarz geränderte Karte; die Karte ist schwarz gerändert; **Schwarz|ge|räu|cher|tes** *s. 17* = Schwarzfleisch; **schwarz|ge|streift** ► **schwarz ge|streift;** ein schwarz gestreiftes Kleid; das Kleid ist schwarz gestreift; **schwarz|grau;** vgl. blau; **schwarz|haa|rig; Schwarz|han|del** *m. Gen. -s nur Ez.* ungesetzl. Handel zu überhöhten Preisen; **Schwarz|holz** *s. 4 nur Ez.* = Ebenholz; **schwarz|hö|ren** *intr. 1* Radio oder Vorlesungen hören, ohne Gebühren bezahlt zu haben; ich höre schwarz, habe schwarzgehört; **Schwarz|kehl|chen** *s. 7* ein Singvogel; **Schwarz|kie|fer** *w. 11* eine Kiefernart; **Schwarz|kunst** *w. 2 nur Ez.* = Schabkunst; **Schwarz|künst|ler** *m. 5* Zauberkünstler; **schwärz|lich;** vgl. bläulich; **Schwarz|markt** *m. 2* schwarzer Markt; **Schwarz|markt|preis** *m. 1;* **Schwarz|meer|ge|biet** *s. 1 nur Ez.;* **Schwarz|rock** *m. 2, scherzh.:* Geistlicher; **schwarz|rot;** vgl. blau; **schwarz|rot|gold;** eine schwarzrotgoldene Fahne; *aber:* die Fahne Schwarz-Rot-Gold; **Schwarz|sau|er** *s. Gen. -s nur Ez.* säuerl. Schweine-, Geflügel- oder Wildragout mit Soße aus dem Blut des Tieres; **Schwarz|schim|mel** *m. 5* Pferd mit überwiegend weißem und etwas schwarzem Haar; **schwarz|schlach|ten** *tr. 2* ohne behördl. Genehmigung schlachten; ich schlachte schwarz, habe schwarzgeschlachtet; **schwarz|se|hen** *intr. 136* **1** fernsehen, ohne Gebühren bezahlt zu haben; ich sehe schwarz, habe schwarzgesehen; **2** ► **schwarz se|hen** alles, bes. Zukünftiges, pessimistisch betrachten; ich habe das alles wohl zu schwarz gesehen; **Schwarz|se|her** *m. 5;* **Schwarz|se|he|rei** *w. 10 nur Ez.;* **schwarz|se|he|risch; Schwarz|sen|der** *m. 5* ohne behördl. Genehmigung betriebener Rundfunksender; **Schwarz|specht** *m. 1* Specht mit schwarzem, auf dem Kopf rotem Gefieder; **Schwär|zung** *w. 10;* **Schwarz|wald** *m. Gen. -(e)s* Mittelgebirge in Südwestdtschl.; Schwarzwälder Kirschwasser; **Schwarz|wäl|der** *m. 5;* **schwarz|wäl|de-**

risch; Schwarz|was|ser|fie|ber *s. 5 nur Ez.* schwere Form der Malaria mit Schwarzfärbung des Urins, Melanurie; **schwarz|weiß** schwarz und weiß; vgl. blau; **Schwarz|weiß|film** *m. 1;* **Schwarz|weiß|ma|le|rei** *w. 10 nur Ez.* Darstellung in starken Kontrasten; **schwarz|weiß|rot** vgl. schwarzrotgold; **Schwarz|wild** *s. Gen.* -(e)s *nur Ez., Sammelbez. für* männl. und weibl. Wildschwein und die Jungen; **Schwarz|wur|zel** *w. 11* eine Gemüsepflanze

Schwatz *m. 1* gemütl. Unterhaltung, Geplauder; **Schwatz|ba|se** *w. 11;* **Schwätz|chen** *s. 7;* **schwat|zen** *süddt., österr.:* **schwät|zen** *intr. 1;* **Schwät|zer** *m. 5;* **Schwat|ze|rei, Schwät|ze|rei** *w. 10;* **schwatz|haft**

Schwe|be *w. Gen. - nur Ez.* Zustand des Schwebens, *nur in Wendungen wie* die Sache ist noch in der Schwebe: sie schwebt noch, ist noch nicht entschieden; sich in der Schwebe halten: schweben; **Schwe|be|bahn** *w. 10* Seilbahn, Hängebahn in Wuppertal; **Schwe|be|baum** *m. 2* ein Turngerät für Balancierübungen; **schwe|ben** *intr. 1;* **Schwe|be|reck** *s. 1* frei hängende Reckstange, Trapez; **Schwe|be|zu|stand** *m. 2;* **Schwe|bung** *w. 10* Überlagerung zweier Schwingungen mit geringem Frequenzunterschied

Schwe|de *m. 11* Einwohner von Schweden; alter S.! *ugs.:* alter Freund!; **Schwe|den** Staat in Nordeuropa; **Schwe|den|plat|te** *w. 11* garnierte Platte mit pikanten Happen und belegten Brötchen; **Schwe|den|punsch** *m. 1 nur Ez.* heißes alkohol. Getränk mit Arrak und Zucker; **Schwe|den|trunk** *m. Gen.* -s *nur Ez., im 30-jährigen Krieg:* gewaltsames Einflößen von Jauche o.Ä. (als Foltermethode); **Schwe|din** *w. 10;* **schwe|disch;** hinter schwedischen Gardinen sitzen *ugs.:* im Gefängnis; **Schwe|disch** *s. Gen.* -(s) *nur Ez.* zu den nordgerman. Sprachen gehörende Sprache; vgl. Deutsch

Schwe|fel *m. Gen.* -s *nur Ez. (Zeichen:* S) chem. Element; **Schwe|fel|blu|me** *w. 11,* **Schwe|fel|blü|te** *w. 11 nur Ez.* pulvriger Schwefel (im Handel); **Schwe|fel|di|o|xid** *s. 1 nur Ez.;* **schwe|fel|gelb; schwe|fe|lig** = schweflig; **Schwe|fel|kies** *m. 1* ein Mineral, Eisenkies; **Schwe|fel|koh|len|stoff** *m. 1 nur Ez.* ein organ. Lösungsmittel; **Schwe|fel|le|ber** *w. 11 nur Ez.* mit Pottasche verschmolzener Schwefel (für Heilbäder); **schwe|feln** *tr. 1* mit Schwefel bzw. Schwefelverbindung behandeln; ich schwefele, schwefle es; **Schwe|fel|re|gen** *m. 7* Schicht von gelbem Blütenstaub auf Wasserflächen; **schwe|fel|sau|er; Schwe|fel|säu|re** *w. 11 nur Ez.* eine starke anorgan. Säure, Schwefeltrioxid; **Schwe|fe|lung** *w. 10;* **Schwe|fel|was|ser|stoff** *m. Gen.* -s *nur Ez.* ein farbloses, nach faulen Eiern riechendes Gas; **schwef|lig,** schwe|fe|lig; schweflige Säure: eine schwache anorgan. Säure

Schweif *m. 1;* **schwei|fen 1** *tr. 1* mit einem Schweif versehen; kurvenförmig, bogig zu- oder ausschneiden; **2** *intr. 1* ziellos umherlaufen; **Schweif|stern** *m. 1* Komet; **schweif|we|delnd;** *auch übertr.:* liebedienerisch

Schwei|ge|geld *s. 3;* **schwei|gen** *intr. 130;* **Schwei|ge|pflicht** *w. 10;* ärztliche S.; **Schwei|ger** *m. 5;* **schweig|sam; Schweig|sam|keit** *w. 10 nur Ez.*

Schwein *s. 1;* Schwein haben *ugs. übertr.:* Glück haben; **Schwei|ne|bra|ten** *m. 7;* **Schwei|ne|fleisch** *s. Gen.* -(e)s *nur Ez.;* **Schwei|ne|hirt** *m. 10;* **Schwei|ne|hund** *m. 1, vulg.:* niederträchtiger Mensch; seinen inneren S. überwinden *ugs.:* seine Feigheit, die Versuchung, unanständig zu handeln; **Schwei|ne|rei** *w. 10;* **schwei|nern** vom Schwein stammend; **Schwei|ner|nes** *s. 17, süddt., österr.:* Schweinefleisch; **Schwei|ne|schnit|zel,** Schweins|schnit|zel *s. 5;* **Schwei|ne|stall** *m. 2;* **Schwein|igel** *m. 5* **1** schmutziger Mensch; **2** Mensch, der (oft) schmutzige Witze macht oder erzählt; **Schwein|i|ge|lei** *w. 10;* **schwein|i|geln** *intr. 1* schmutzige Witze erzählen oder machen; **schwei|nisch; Schweins|bra|ten** *m. 7, süddt., österr. für* Schweinebraten; **Schweins|ga|lopp** *m. Gen.* -s *nur Ez., ugs. scherzh.:* eiliges, etwas ungeschicktes Laufen; im S. davonlaufen; **Schweins|hax|e** *w. 11 bayr., österr.:* gebratener Schenkel des Schweins; **Schweins|kopf** *m. 2* Kopf vom Schwein; **Schweins|le|der** *s. 5 nur Ez.;* **schweins|le|dern; Schweins|ohr** *s. 12; auch:* ein knuspriges Blätterteiggebäck; **Schweins|schnit|zel,** Schwei|ne|schnit|zel *s. 5;* **Schweins|wal** *m. 1* ein Zahnwal; **Schweins|wurst** *w. 2*

Schweiß *m. 1 nur Ez.* **1** wässrige Absonderung der Schweißdrüsen der Haut; **2** *übertr.:* Mühe, mühevolle Arbeit; **3** *Jägerspr.:* Blut (vom Wild); **Schweiß|aus|bruch** *m. 2;* **schweiß|be|deckt;** schweißbedeckte Stirn; *aber:* seine Stirn war von Schweiß bedeckt; **Schweiß|bren|ner** *m. 5;* **Schweiß|bril|le** *w. 11* Schutzbrille beim Schweißen; **Schweiß|drü|se** *w. 11;* **schwei|ßen 1** *tr. 1;* Metallstücke s.: durch Druck oder Hämmern bei Weißglut verbinden; **2** *intr. 1, Jägerspr.:* bluten (Wild); **Schwei|ßer** *m. 5;* **Schweiß|fähr|te** *w. 11, Jägerspr.:* Blutspur (vom Wild); **Schweiß|fuß** *m. 2;* **Schweiß|hund** *m. 1* Jagdhund, der die Schweißfährte des Wildes verfolgt, Spürhund; **schwei|ßig; Schweiß|le|der** *s. 5* Lederband im Hut zum Schutz des Filzes gegen Schweiß; **Schweiß|naht** *w. 2* Stelle, an der Metallstücke geschweißt worden sind; **Schweiß|stahl** *m. 2* schweißbarer Stahl; **schweiß|trei|bend;** schweißtreibendes Mittel; schweißtreibende Arbeit; ▶ **schweiß|trie|fend; Schweiß|trop|fen** *m. 7;* **Schweiß|tuch** *s. 4* Taschentuch; **Schwei|ßung** *w. 10*

Schweiz *w. Gen.* - Staat in Europa; die französische, italienische, deutsche Schweiz; *aber:* die Holsteinische, Sächsische Schweiz; Schweizer Jura; Schweizer Käse; **Schwei|zer** *m. 5* **1** Einwohner der Schweiz; **2** ausgebildeter Melker; **3** Angehöriger der Schweizergarde; **Schwei|zer|de|gen** *m. 7* jmd., der als Schriftsetzer und Drucker ausgebildet ist; **schwei|zer|deutsch;** schweizerdeutsche Mundarten: die in der deutschen Schweiz gesproche-

► = wird zu

nen Mundarten; **Schwei|zer|deutsch** *s. Gen.* -(s) *nur Ez.;* **Schwei|zer|gar|de** *w. 11* Leibwache des Papstes; **schwei|ze|risch;** *aber:* Schweizerische Bundesbahnen (*Abk.:* SBB); Schweizerische Eidgenossenschaft: *amtl. Bez. für die* Schweiz

schwe|len *intr. 1* **1** langsam und ohne Flamme mit starker Rauchentwicklung brennen; **2** *übertr.:* im Geheimen weiterbestehen (Hass, Feindschaft, Groll); **Schwe|le|rei** *w. 10* Anlage zur Schwelung

schwel|gen *intr. 1* üppig leben; in etwas schwelgen: etwas in vollen Zügen genießen; in Musik schwelgen; **Schwel|ge|rei** *w. 10;* **schwel|ge|risch**

Schwel|koks *m. 1* durch Schwelung gewonnener Koks, Grude

Schwel|le *w. 11*

schwel|len 1 *intr. 131* dicker, größer werden, sich weiten, sich ausdehnen; **2** *tr. 1* größer, weiter machen, aufblasen; Stolz schwellte ihm die Brust; der Wind schwellt die Segel; **Schwel|ler** *m. 5, an Orgel und Harmonium:* Vorrichtung zum An- und Abschwellenlassen des Tons, Schwellwerk; **Schwell|kör|per** *m. 5;* **Schwel|lung** *w. 10;* **Schwell|werk** *s. 1* = Schweller

Schwel|teer *m. 1* bei der Schwelung gewonnener Teer; **Schwe|lung** *w. 10* trockene Destillation von festen Brennstoffen, wobei hauptsächlich Gase, Teere und Koks entstehen

Schwem|me *w. 11* **1** Badeplatz für Wild oder Pferde; **2** billige Gastwirtschaft; **3** *österr.:* Abteilung eines Warenhauses mit niedrigen Preisen; **schwem|men** *tr. 1* **1** waschen (Pferde); **2** wässern (Felle); **3** *österr.:* spülen (Wäsche); **4** treiben, ablagern; der Fluss schwemmt Sand ans Ufer; **Schwemm|land** *s. Gen.* -(e)s *nur Ez.* angeschwemmtes L.; **Schwemm|sand** *m. Gen.* -(e)s *nur Ez.*

Schwen|de *w. 11, süddt.:* Rodung, Waldblöße

Schwen|gel *m. 5* **1** schwenkbarer Griff, z. B. an der Pumpe; **2** Klöppel (der Glocke)

Schwen|ke *w. 11, ostmitteldt.:* Schaukel; **schwen|ken** *intr. u. tr. 1;* **Schwen|ker** *m. 5* bauchiges Glas, z. B. Kognakschwenker; **Schwenk|kran** *m. 2;* **Schwen|kung** *w. 10*

> **schwer behindert/fallen/nehmen, schwerstbehindert:** Verbindungen aus einem Adjektiv und einem Verb/Partizip schreibt man getrennt, wenn das Adjektiv in dieser Verbindung steigerbar oder erweiterbar ist: *Er war schwer behindert. Das ist ihm schwer gefallen.* →§ 34 E3 (3)
> Dagegen wird die Superlativform zusammengeschrieben, weil der erste Bestandteil *(schwerst-)* nicht selbständig vorkommt: *Die Unfallopfer waren schwerstbehindert.* →§ 36 (2)

schwer; schwere Artillerie; schweres Geschütz auffahren *ugs. übertr.:* sich sehr deutlich und energisch ausdrücken; schwerer Junge *ugs.:* gefährl. Verbrecher, Gewaltverbrecher; schweres Wasser: Verbindung von Sauerstoff und Deuterium; schwer krank sein; er ist (sehr) schwer krank; *aber:* →schwerkrank; ich muss schwer aufpassen *ugs.:* sehr; das wird sich nur schwer machen lassen: nur unter Schwierigkeiten; jmdn. schwer bestrafen: hart; da bist du schwer im Irrtum *ugs.:* sehr; **Schwer|ar|bei|ter** *m. 5;* **Schwer|ath|let** *m. 10;* **Schwer|ath|le|tik** *w. 10 nur Ez., Sammelbez. für* Boxen, Ringen, Judo, Gewichtheben; **schwer|be|la|den** ► **schwer be|la|den;** ein schwer beladener Wagen; der Wagen war schwer beladen; **schwer|be|schä|digt 1** durch gesundheitl. Schädigung stark arbeitsbehindert; **2** ► **schwer be|schä|digt** der Wagen wurde schwer beschädigt; **Schwer|be|schä|dig|te(r)** *m. 18 (17) bzw. w. 17 oder 18;* **Schwer|be|schä|dig|ten|aus|weis** *m. 1;* **schwer|be|waff|net** ► **schwer be|waff|net;** schwer bewaffnete Soldaten; er war schwer bewaffnet; **schwer|blü|tig** nicht leicht erregbar, bedächtig, zur Melancholie neigend; **Schwer|blü|tig|keit** *w. 10 nur Ez.;* **Schwe|re** *w. 11 nur Ez.;* **schwe|re|los; Schwe|re|lo|sig|keit** *w. 10 nur Ez.*

Schwe|re|not *w., veraltet, als Ausruf und in den Wendungen* S. noch einmal!: Donnerwetter noch einmal!; es ist, um die S. zu kriegen!: es ist zum Verrücktwerden!; dass dich die S.!: was fällt dir ein?; **Schwe|re|nö|ter** *m. 5* liebenswürdiger Draufgänger

schwer|er|zieh|bar ► **schwer er|zieh|bar;** das Kind ist schwer erziehbar; **Schwer|er|zieh|bar|keit** *w. 10 nur Ez.;* **schwer|fal|len** ► **schwer fal|len** *intr. 33;* das ist mir schwer gefallen; **schwer|fäl|lig; Schwer|fäl|lig|keit** *w. 10 nur Ez.;* **Schwer|ge|wicht** *s. 1 nur Ez.* Gewichtsklasse in der Schwerathletik; **Schwer|ge|wicht|ler** *m. 5;* **schwer|hal|ten** ► **schwer hal|ten** *intr. 61, ugs.:* schwer sein, schwierig sein; es wird s. h., das durchzusetzen; **schwer|hö|rig; Schwer|hö|rig|keit** *w. 10 nur Ez.*

Schwe|rin Hst. von Mecklenburg-Vorpommern

Schwer|in|dus|trie *w. 11, Sammelbez. für* Großeisen-, Stahlindustrie und Bergbau; **Schwer|kraft** *w. 2 nur Ez.;* **schwer|krank;** ein schwerkranker Patient; vgl. schwer; **Schwer|kriegs|be|schä|dig|te(r)** *m. 18 (17);* **schwer|lich** kaum; das wird dir s. gelingen; **schwer|ma|chen** ► **schwer ma|chen** *tr. 1* Schwierigkeiten bereiten; jmdm. das Herz, das Leben s. m.; du darfst dich nicht so schwer machen, wenn ich dich hochheben soll; er hat ihm das Leben schwer gemacht; **Schwer|me|tall** *s. 1* Metall mit spezif. Gewicht über 5; **Schwer|mut** *w. Gen. - nur Ez.;* **schwer|mü|tig; Schwer|mü|tig|keit** *w. 10 nur Ez.* Schwermut; **schwer|neh|men** ► **schwer neh|men** *tr. 88;* etwas s. n.: es als schlimm, traurig, bedrückend empfinden; **Schwer|punkt** *m. 1;* **schwer|reich** ► **schwer reich;** ein schwer reicher Mann; er ist schwer reich; **Schwer|spat** *m. 1* ein Mineral, Baryt; **Schwerst|ar|bei|ter** *m. 5;* **schwerst|be|hin|dert; schwerst|be|schä|digt; Schwerst|be|schä|dig|te(r)** *m. 18 (17) bzw. w. 17 oder 18*

Schwert [auch: ʃvęrt] *s. 3;* **Schwert|brü|der|or|den** *m. 7* ein Ritterorden, Schwertritterorden; **Schwer|tel** [auch: ʃvɛr-] *s. 5, österr.:* Schwertlilie; **Schwer|ter|tanz** *m. 2;* **Schwert|fe|ger** *m. 5, früher:* Waffenschmied; **Schwert|fisch** *m. 1* Fisch mit schwertförmig verlängertem Oberkiefer; **Schwert|le|hen** *s. 7* nur in der männl. Linie vererbbares Lehen; **Schwert|lei|te** *w. 11, früher:* feierliche Übergabe des Schwertes an den Knappen bei der Aufnahme in den Ritterstand, Ritterschlag; **Schwert|li|lie** *w. 11* eine Zierpflanze; **Schwert|rit|ter|or|den** *m. 7* = Schwertbrüderorden; **Schwert|schlu|cker** *m. 5, Zirkus:* Artist, der ein Schwert oder einen Degen in die Speiseröhre einführt

schwer|tun ► **schwer tun** *refl. 167* sich abmühen; du wirst dich s. t., das zustande zu bringen; er hat sich sehr schwer getan; **Schwer|ver|bre|cher** *m. 5;* **schwer|ver|dau|lich** ► **schwer ver|dau|lich;** schwer verdauliche Speisen; dieses Gericht ist (sehr) schwer verdaulich; **Schwer|ver|dau|lich|keit** *w. 10 nur Ez.;* **schwer|ver|letzt** ► **schwer ver|letzt;** ein schwer verletzter Mann; der Mann ist, wurde schwer verletzt; **schwer|ver|ständ|lich** ► **schwer ver|ständ|lich;** ein schwer verständlicher Text; der Text ist (sehr) schwer verständlich; **schwer|ver|träg|lich** ► **schwer ver|träg|lich; schwer|ver|wun|det** ► **schwer ver|wun|det** vgl. schwer verletzt; **schwer|wie|gend** ► **schwer wie|gend;** ein schwer wiegender Fehler, ein schwer wiegendes Argument

Schwes|ter *w. 11* (*Abk.:* Schw.); **Schwes|ter|fir|ma** *w. Gen. - Mz.* -men; **Schwes|ter|kind** *s. 3, veraltet:* Kind der Schwester, Nichte, Neffe; **schwes|ter|lich; Schwes|tern|paar** *s. 1;* **Schwes|tern|schaft** *w. 10 nur Ez.* Gesamtheit der Schwestern (eines Krankenhauses usw.); **Schwes|tern|wohn|heim** *s. 1;* **Schwes|ter|schiff** *s. 1*

Schwib|bo|gen *m. 8* Bogen zwischen zwei Gebäuden, z. B. über engen Gassen

Schwie|ger *w. 11, veraltet:* Schwiegermutter; vgl. Schwäher; **Schwie|ger|el|tern** *nur Mz.;* **Schwie|ger|mut|ter** *w. 6;* **Schwie|ger|sohn** *m. 2;* **Schwie|ger|toch|ter** *w. 6;* **Schwie|ger|va|ter** *m. 6*

Schwie|le *w. 11;* **schwie|lig**

Schwie|mel *m. 5, nddt., mitteldt.* **1** Rausch; **2** Zechbruder, Trinker, Schwiemler; **Schwie|me|lei** *w. 10, nddt., mitteldt.:* Zecherei; **schwie|me|lig,** schwiem|lig *nddt.:* schwindelig, taumelig; **schwie|meln** *intr. 1, nddt., mitteldt.* **1** leichtsinnig leben, bummeln, viel zechen; **2** taumeln; **Schwiem|ler** *m. 5* = Schwiemel (**2**); **schwiem|lig** = schwiemelig

schwie|rig; Schwie|rig|keit *w. 10*

Schwimm|an|zug *m. 2;* **Schwimm|bad** *s. 4;* **Schwimm|be|cken** *s. 7;* **Schwimm|dock** *s. 9;* **Schwimmei|ster** ► **Schwimm|meis|ter** *m. 5;* **schwim|men** *intr. 132;* **Schwim|mer** *m. 5;* **schwimm|fä|hig; Schwimm|fä|hig|keit** *w. 10 nur Ez.;* **Schwimm|flos|se** *w. 11;* **Schwimm|fuß** *m. 2* Fuß (der Schwimmvögel) mit Schwimmhäuten; **Schwimm|gür|tel** *m. 5;* **Schwimm|hal|le** *w. 11;* **Schwimm|haut** *w. 2, bei Schwimmvögeln:* Haut zwischen den Zehen; **Schwimm|kis|sen** *s. 7;* **Schwimm|leh|rer** *m. 5;* **Schwimm|meis|ter** *m. 5* Schwimmlehrer, *meist auch:* Bademeister; **Schwimm|sand** *m. Gen.* -(e)s *nur Ez.* feiner, von Wasser durchtränkter Sand in bestimmten Erdschichten; **Schwimm|sport** *m. Gen.* -s *nur Ez.;* **Schwimm|vo|gel** *m. 6;* **Schwimm|wes|te** *w. 11*

Schwin|del *m. 5 nur Ez.* **1** Störung des Gleichgewichtssinns; **2** Lüge, Betrug; **3** *ugs.:* wertloses Zeug; was kostet der ganze S.?; **Schwin|del|an|fall** *m. 2;* **Schwin|de|lei** *w. 10;* **schwin|del|er|re|gend** ► **Schwin|del er|re|gend; schwin|del|frei; Schwin|del|frei|heit** *w. 10 nur Ez.;* **Schwin|del|ge|fühl** *s. 1;* **schwin|del|haft; schwin|de|lig,** schwind|lig; **schwin|deln** *intr. 1;* ich schwindele, schwindle (lüge); mir schwindelt, es schwindelt mir: ich werde schwindelig

schwin|den *intr. 133*

Schwind|ler *m. 5;* **schwind|lig,** schwin|de|lig

Schwind|maß *s. 1* Maß, um das sich Werkstoffe beim Trocknen oder Erstarren zusammenziehen

Schwind|sucht *w. Gen. - nur Ez., veraltet:* Lungentuberkulose; **schwind|süch|tig; Schwin|dung** *w. 10* Veränderung der Größe eines Gussstückes vom Erstarren bis zur Abkühlung

Schwing|ach|se *w. 11;* **Schwin|ge** *w. 11* **1** Flügel (des Vogels); **2** ein Hebel am Handwebstuhl; **3** Gerät zum Schwingen des Flachses; **4** flacher Korb; **schwin|gen** *tr. u. intr. 134; schweiz. auch:* ringen (wobei man versucht, den Gegner hochzuheben und auf den Boden zu legen); **Schwin|ger** *m. 5* **1** *Boxen:* Schlag mit gestrecktem Arm; **2** *schweiz.:* Ringer, der das Schwingen betreibt; **3** Damenhut mit sehr breiter Krempe; **Schwin|get** *m. Gen.* -s *nur Ez., schweiz.:* Schwingveranstaltung; **Schwing|kreis** *m. 1* elektr. Schaltung mit Kondensator und Spule, die zu elektr. Schwingungen angeregt werden kann; **Schwing|tür** *w. 10;* **Schwin|gung** *w. 10* period. Hin- und Herbewegung

schwipp!; schwipp, schwapp!; **Schwip|pe** *w. 11* biegsames Ende (einer Gerte oder Peitsche); **schwip|pen** *tr. u. intr. 1* **1** (Flüssigkeit) verspritzen, verschütten; **2** (Gerte) schnellen lassen; mit der Gerte, mit dem Finger schwippen; **Schwipp|schwa|ger** *m. 5* **1** Ehemann der Schwägerin; **2** Bruder des Schwagers oder der Schwägerin; **Schwipp|schwä|ge|rin** *w. 10* **1** Ehefrau des Schwagers; **2** Schwester des Schwagers oder der Schwägerin

Schwips *m. 1* leichter Rausch, leichte Betrunkenheit

schwir|be|lig, schwirb|lig *süddt.:* schwindelig; **schwir|beln** *intr. 1, süddt.:* sich im Kreis drehen; mir schwirbelt: mir schwindelt

schwir|ren *intr. 1;* **Schwirr|flug** *m. 2 nur Ez.* Flug mit extrem hoher (nicht mehr sichtbarer) Schlagfolge der Flügel; **Schwirr|holz** *s. 4, bei Naturvölkern:* ein Kultgerät; **Schwirr|vo|gel** *m. 6* Kolibri

Schwitz|bad *s. 4;* **Schwitz|bläs|chen** *s. 7;* **Schwit|ze** *w. 11* Mehlschwitze; **schwit|zen**

► = wird zu

intr. 1; **schwịt|zig** schwitzend, schweißig; schwitzige Hände; **Schwịtz|kas|ten** *m. 8;* **Schwịtz-kur** *w. 10;* **Schwịtz|pa|ckung** *w. 10*

Schwof *m. 1, ugs.:* öffentliche, billige Tanzveranstaltung; **schwo|fen** *intr. 1, ugs.:* tanzen

schwoi|en, schwo|jen [ndrl.] *intr. 1, Seew.:* sich vor Anker drehen; das Schiff schwoit, schwojt

schwö|ren *tr. u. intr. 135;* einen Eid s.; auf jmdn. oder etwas s.: fest von jmds. Wert oder von der Wirkung einer Sache überzeugt sein

schwul *ugs.:* homosexuell

schwül; Schwü|le *w. 11 nur Ez.;* **Schwu|li|bus** *m., ugs. scherzh., nur in der Wendung* in S. sein: in Bedrängnis, in Verlegenheit sein; **Schwu|li|tät** *w. 10* Schwierigkeit, Bedrängnis, Verlegenheit; in Schwulitäten sein, kommen

Schwụlst *m. Gen.* -(e)s *nur Ez.* überladene, hochtrabende Ausdrucksweise; **schwụls|tig; Schwụls|tig|keit** *w. 10 nur Ez.;* **Schwụlst|stil** *m. 1 nur Ez.* überladener Stil (bes. der Barockliteratur); **Schwụlst|zeit** *w. 10 nur Ez.*

schwụm|me|rig, schwụmm|rig *ugs.* **1** schwindelig; **2** etwas ängstlich; mir ist, wird schwummrig

Schwụnd *m. Gen.* -(e)s *nur Ez.;* **Schwụnd|aus|gleich** *m. 1*

Schwụng *m. 2;* in Schwung kommen; viel, keinen S. haben; ein ganzer Schwung (Briefe, Zeitungen, Wäsche usw.) *ugs.:* eine ganze Menge, ein Stoß; **Schwụng|fe|der** *w. 11;* **schwụng|haft** *nur in der Wendung:* einen schwunghaften Handel betreiben; **Schwụng-kraft** *w. 2;* **schwụng|los; Schwụng|lo|sig|keit** *w. 10 nur Ez.;* **Schwụng|rad** *s. 4;* **schwụng|voll**

schwụpp!; Schwụpp *m. 1;* etwas in einem Schwupp erledigen *ugs.:* sehr schnell; **schwụpp|di|wụpp!; schwụpps!; Schwụpps** *m. 1*

Schwur *m. 2;* **Schwur|fin|ger** *m. 5 Mz.* Finger, die man beim Schwören hebt; **Schwur|ge-richt** *s. 1* Gericht aus Berufsrichtern und Geschworenen, Geschworenengericht

Schwyz Kanton und Stadt in der Schweiz; **Schwy|zer** *m. 5* Einwohner von Schwyz; **Schwy|zer|dütsch** *s. Gen.* -(s) *nur Ez.* Schweizerdeutsch

> **Sciencefiction:** Verbindungen zweier Substantive – auch fremdsprachiger – schreibt man zusammen: *Sciencefiction.* → § 37 (1)

Sci|ence-fic|tion ▶ **Sci-ence|fic|tion** [saɪənsfɪkʃən, engl.] *w. Gen.* -- *Mz.* --s fantasievolle, utop. Schilderungen auf naturwis.-techn. Grundlage; **Sci|ence-fic|tion-Film** ▶ **Sci|ence|fic|tion|film** *auch:* **Sci|ence-Fiction-Film** *m. 1*

scil., sc. *Abk. für* scilicet; **sci|li-cet** [stsi-, lat.] (*Abk.:* sc., scil.) nämlich

Scịl|la *w. Gen.* - *Mz.* -len = Szilla

Scor|da|tu|ra *w. Gen.* - *Mz.* -ren, *ital. Form von* Skordatur

Score, Skore [skɔːr, engl.] *s. 9* **1** *Sport:* Punktzahl bzw. Spielstand; **2** *Psych.:* in Zahlen ausgedrückte Leistung (im Experiment oder Test)

Scotch|ter|ri|er [skọtʃ-] *m. 5* schwarzer, sehr kurzbeiniger schott. Terrier

Scot|land Yard [skọtlənd jard] *ohne Artikel* **1** Hauptgebäude der Londoner Polizei; **2** *übertr.:* die Londoner Kriminalpolizei

Scrabble [skrẹbl, engl.] *s.* -s, *nur Ez.* Gesellschaftsspiel, bei dem Buchstaben zu Wörtern zusammengesetzt werden

Scribble [skrịbl, engl.] *m. 9* erster Entwurf

Scrịp [engl.] *m. 9* **1** Gutschein über nicht gezahlte Zinsen; **2** *in Großbritannien und den USA:* Zwischenschein für neu auszugebende Aktien

Scrịpt|girl [-gəːl, engl.], Skrịptgirl *s. 9* Sekretärin des Regisseurs bei Filmaufnahmen

Scu|do [ital.], Sku|do *m. Gen.* -s *Mz.* -di alte ital. Münze

sculps., sc. *Abk. für* sculpsit; **scụlp|sit** [lat.] (*Abk.:* sc., sculps.) hat (es) gestochen (Vermerk auf Kupfer- oder Stahlstichen hinter dem Namen des Künstlers)

Scyl|la [stsyl-], Skyl|la *w. Gen.* - *nur Ez.* **1** antiker Name für eine gefährliche Felsklippe gegenüber der Charybdis, einem Felsenschlund mit Wasserstrudel, in der Straße von Messina; **2** *griech. Myth.:* Seeungeheuer, das die Vorüberfahrenden verschlingt; zwischen S. und Charybdis: zwischen zwei Gefahren, in einer Zwangslage

s. d. *Abk. für* siehe dieses

SD *Abk. für* South Dakota, vgl. Süddakota

SDR *Abk. für* Süddeutscher Rundfunk

s. e. *Abk. für* salvo errore

Se *chem. Zeichen für* Selen

Seal [sil, engl.] *m. 9* Fell des Seebären; **Seal|skin** [sil-] *m. 9 oder s. 9* **1** Fell der Bärenrobbe; **2** Plüschgewebe, Nachahmung des Seals

Sé|ance [seãs, frz.] *w. 11* spiritist. Sitzung

SEATO *Kurzw. für* South-East Asia Treaty Organization: Südostasien-Verteidigungspakt

Se|bor|rhö [lat. + griech.] *w. 10* übermäßige Absonderung der Talgdrüsen der Haut, Schmerfluss

sec **1** *Abk. für* Sekans; **2** *Abk. für* Sekunde; **3** [sẹk] *frz. Bez. für* herb, trocken (Wein, Sekt)

s. e. c. *Abk. für* salvo errore calculi

sẹc|co *ital. Bez. für* herb, trocken (Wein)

Sẹc|co|ma|le|rei *w. 10* Malerei auf trockenen Putz; vgl. al secco; *Ggs.:* Freskomalerei

Se|cen|tịs|mus [-tʃɛn-, ital.] *m. Gen.* - *nur Ez.* der überladene Stil der ital. Barockdichtung des 17. Jh.; **Se|cen|tịst** *m. 10* Vertreter des Secentismus; **Se-cen|to** [-tʃẹn-, ital. »sechshundert« (nach1000)], Sei|cen|to [sɛɪtʃẹn-] *s. Gen.* -(s) *nur Ez.* die künstlerische Stilepoche des 17. Jh. in Italien

Sẹch *s. 1* Pflugmesser

sechs [sẹks]; wir waren zu sechst, *oder:* zu sechsen; *Zus.* vgl. acht; **Sẹchs** *w. 10* die Zahl 6; eine Sechs würfeln; *Zus.* vgl. Acht; **Sẹchs|ach|ser,** *mit Ziffer:* 6-Achser *m. 5* Wagen mit sechs Achsen; **sẹchs|ach|sig; Sechs|ạch|tel|takt** *m. 1;* **Sẹch-ser** *m. 5* **1** *veraltet, volkstüml.:* Fünfpfennigstück; *noch in Wendungen wie* ich habe nicht für ’nen S. Lust: gar keine Lust; er hat nicht für ’nen S. Verstand; **2** Autobus Linie 6; **3** *süddt.:* die Zahl 6; **Sẹchs|flach** *s. 1,*

Sechs|fläch|ner *m. 5* = Hexaeder; **Sechs|fü|ßer** *m. 5* Insekt; **sechs|fü|ßig; Sechs|mei|len|zo|ne** *w. 11;* **Sechs|paß** ► **Sechs|pass** *m. 2, got. Baukunst:* aus sechs Dreiviertelkreisen zusammengesetztes Ornament; **sechs|spän|nig** mit sechs Pferden bespannt; **Sechs|ta|ge|ren|nen** *s. 7;* **Sechs|ta|ge|werk** *s. 1 nur Ez.* die in sechs Tagen vollendete Erschaffung der Welt; **sechs|te** vgl. achte; er hat einen sechsten Sinn dafür *ugs.:* einen bes. Spürsinn, ein bes. Gefühl; **Sechs|und|sech|zig** *s. Gen. - nur Ez.* ein Kartenspiel; **Sechs|zy|lin|der** *m. 5*

Sech|ter *m. 5* **1** altes Getreidemaß; **2** Sieb, Handschöpfer

sech|zehn; sech|zig vgl. achtzig

> **Secondhandshop:** Verbindungen zweier Substantive – auch fremdsprachiger – schreibt man zusammen: *(der) Secondhandshop.* → § 37 (1)

Se|cond-hand-Ge|schäft ► **Se|cond|hand|ge|schäft** [sɛkəndhænd-, engl.] *s. 1* Geschäft mit Waren aus zweiter Hand, mit gebrauchten Waren; **Se|cond|hand|shop** [sɛkəndhændʃɔp, engl.] *m. 9*

SED *Abk. für* Sozialist. Einheitspartei Deutschlands

se|da|tiv [lat.] beruhigend, einschläfernd; **Se|da|tiv** *s. 1,* **Se|da|ti|vum** *s. Gen.* -s *Mz.* -va Beruhigungsmittel

Se|dez [lat.] *s. 1* (*Zeichen:* 16°), **Se|dez|for|mat** *s. 1* altes Buchformat in der Größe eines Sechzehntelbogens

Se|di|ment [lat.] *s. 1* **1** Ablagerung, Absatz-, Schichtgestein; **2** *Chem.:* Bodensatz; **se|di|men|tär** durch Ablagerung entstanden; **Se|di|men|ta|ti|on** *w. 10* Sedimentbildung, Vorgang des Ablagerns; **Se|di|ment|ge|stein** *s. 1*

Se|dis|va|kanz [lat.] *w. 10* Zeitraum, während dessen der päpstl. oder ein bischöfl. Stuhl nicht besetzt ist

Se|dum [lat.] *s. Gen.* -s *Mz.* -da Dickblattgewächs

See **1** *m. 14;* **2** *w. 11 nur Ez.* Meer; **3** *w. 11* Sturzwelle; **See|amt** *s. 4* Behörde zur Untersuchung von Seeunfällen von Handelsschiffen; **See|bad** *s. 4;* **See|bär** *m. 10* **1** eine Ohrenrobbe; **2** *übertr. scherzh.:* erfahrener Seemann; **See|be|ben** *s. 7* Erdbeben, dessen Herd unter dem Meer liegt; **see|be|schä|digt** auf See beschädigt, havariert; **See|e|le|fant** ► *auch:* **See-E|le|fant** *m. 10* Elefantenrobbe; **see|fah|rend** Seefahrt treibend; **See|fah|rer** *m. 5;* **See|fah|rer|volk** *s. 4;* **See|fahrt** *w. 10;* **See|fahrts|buch** *s. 4* Arbeitsbuch für Seeleute; **See|fahrts|schu|le** *w. 11;* **see|fest** **1** seetüchtig (Schiff); **2** nicht seekrank werdend; **See|fisch** *m. 1;* **See|fi|sche|rei** *w. 10 nur Ez.;* **See|gang** *m. Gen.* -(e)s *nur Ez.* Wellenbewegung (des Meeres); **See|gras** *s. 4* in Küstennähe vorkommende Meerespflanze mit grasähnlichen Blättern, die getrocknet als Polstermaterial verwendet werden; **See|gur|ke** *w. 11* = Seewalze; **See|ha|fen** *m. 8;* **See|ha|se** *m. 11* ein nordeurop. Meeresfisch; **See|hund** *m. 1* eine Robbe; **See|hunds|fell** *s. 1;* **See|i|gel** *m. 5* ein Meerestier, Stachelhäuter; **See|jung|fer** *w. 11* Wasserjungfer, eine Libelle; **See|jung|frau** *w. 10, Myth.:* junger weiblicher Wassergeist mit Fischschwanz; **See|ka|dett** *m. 10;* **See|kar|te** *w. 11;* **see|klar** fertig zum Auslaufen (Schiff); **See|kli|ma** *s. Gen.* -s *nur Ez.* Klima mit geringen Temperaturunterschieden; *Ggs.:* Kontinentalklima; **see|krank; See|krank|heit** *w. 10 nur Ez.;* **See|krieg** *m. 1;* **See|kuh** *w. 2* ein walähnl. Meeressäugetier, Sirene; **See|lachs** *m. 1* eine Schellfischart, *volkstüml.:* Köhler, Kohlfisch, Blaufisch

See|l|chen *s. 7;* **See|le** *w. 11; veraltet auch:* Einwohner; ein Dorf mit 200 Seelen; *auch:* Hohlraum des Gewehrlaufs oder Geschützrohres; **See|len|ach|se** *w. 11* gedachte Längsachse in der Seele von Feuerwaffen; **See|len|amt** *s. 4, kath. Kirche:* Totenmesse; **See|len|blind|heit** *w. 10 nur Ez.* Unfähigkeit, Gesichtseindrücke innerlich zu verarbeiten; **See|len|frie|den** *m. Gen.* -s *nur Ez.;* **See|len|grö|ße** *w. 11 nur Ez.;* **see|len|gut,** see|lens|gut; **See|len|gü|te** *w. 11 nur Ez.;* **See|len|heil** *s. 1 nur Ez.;* **See|len|le|ben** *s. 7 nur Ez.;* **see|len|los; See|len|mes|se** *w. 11, kath. Kirche:* Totenmesse; **See|len|qual** *w. 10;* **See|len|ru|he** *w. Gen. - nur Ez.;* **see|lens|gut; See|len|taub|heit** *w. 10 nur Ez.* Unfähigkeit, Gehörseindrücke innerlich zu verarbeiten; **see|len|ver|gnügt** stillvergnügt; **See|len|ver|käu|fer** *m. 5* **1** *früher:* Anwerber von Soldaten, bes. für die Kolonien; **2** *übertr.:* jmd., der Menschen an andere ausliefert; **3** nicht (mehr) voll seetüchtiges Schiff; **see|len|ver|wandt; See|len|ver|wandt|schaft** *w. 10 nur Ez.;* **see|len|voll; See|len|wan|de|rung** *w. 10, in verschiedenen Religionen:* Wiederverkörperung der Seele nach dem Tode in einem anderen Lebewesen; **See|len|zu|stand** *m. 2*

See|leu|te *Mz. von* Seemann; **See|li|lie** *w. 11* ein Meerestier, Haarstern

see|lisch; seelisches Gleichgewicht; **Seel|sor|ge** *w. 11 nur Ez.;* **Seel|sor|ger** *m. 5;* **seel|sor|ge|risch, seel|sor|ger|lich, seel|sorg|lich**

See|luft *w. 2 nur Ez.;* **See|macht** *w. 2;* **See|mann** *m. Gen.* -(e)s *Mz.* -leu|te; **see|män|nisch; See|manns|amt** *s. 4* Behörde zur Beaufsichtigung und Betreuung der Seeleute; **See|manns|garn** *s. 1, übertr.:* abenteuerliche, phantasievoll übertriebene Erzählung eines Seemanns; **See|manns|spra|che** *w. 11 nur Ez.;* **See|mei|le** *w. 11* (*Abk.:* sm) internationales Längenmaß, 1,852 km; **See|na|del** *w. 11* ein nadelförmiger Meeresfisch; **See|nel|ke** *w. 11* ein Meerestier; **Se|en|kun|de** *w. 11 nur Ez.;* **See|not** *w. 2 nur Ez.;* **See|not|zei|chen** *s. 7;* **Se|en|plat|te** *w. 11*

s. e. e. o. *Abk. für* salvo errore et omissione

See|of|fi|zier *m. 1;* **See|pferd|chen** *s. 7;* **See|pro|test** *m. 1* = Verklarung; **See|ra|be** *m. 11* = Kormoran; **See|räu|ber** *m. 5;* **See|räu|be|rei** *w. 10 nur Ez.;* **See|recht** *s. 1 nur Ez.;* **See|ro|se** *w. 11;* **See|sand** *m. Gen.* -(e)s *nur Ez.;* **See|schiff** *s. 1;* **See|schiffahrt** ► **See|schiff|fahrt** *w. 10 nur Ez.;* **See|schlacht** *w. 10;* **See|stern** *m. 1* ein Stachelhäuter; **See|stra|ße** *w. 11* bestimmte, von Schiffen befahrene Route über die Meere; **See|stra|ßen|ord|nung** *w. 10;* **See|streit|kräf|te** *w. 2 Mz.;* **See|stück** *s. 1* Gemälde mit Meer oder Seeschlacht als Motiv; **See|tang** *m. 1* = Seegras; **See|tier** *s. 1* Meerestier

s. e. et o. = s. e. e. o.

See|ton|ne *w. 11* Schwimmboje; **see|tüch|tig** (Schiff); **See|tüch|tig|keit** *w. 10 nur Ez.;* **See|ufer** *s. 5;* **see|un|tüch|tig; See|un|tüch|tig|keit** *w. 10 nur Ez.;* **See|ver|kehr** *m. Gen. -s nur Ez.;* **See|ver|si|che|rung** *w. 10;* **See|volk** *s. 4* Seefahrt treibendes Volk; **See|wal|ze** *w. 11* ein Meerestier, ein Stachelhäuter, Seegurke; **See|was|ser** *s. 5 nur Ez.* Meereswasser; **See|weg** *m. 1* Weg übers Meer; ein Land auf dem S. erreichen; **See|we|sen** *s. 7 nur Ez.;* **See|wind** *m. 1* vom Meer her wehender Wind; *Ggs.:* Landwind; **See|wolf** *m. 2* ein Meeresfisch, Katfisch; **See|zei|chen** *s. 7* Zeichen im Meer oder an Küsten zur Orientierung für Schiffe, z. B. Boje, Leuchtturm; **See|zun|ge** *w. 11* ein Plattfisch

Se|gel *s. 5;* die S. streichen: **1** einziehen; **2** *übertr.:* nachgeben, klein beigeben, sich zurückziehen; **Se|gel|boot** *s. 1;* **se|gel|flie|gen** *intr., nur im Infinitiv;* **Se|gel|flie|ger** *m. 5;* **Se|gel|flug** *m. 2;* **Se|gel|flug|zeug** *s. 1;* **Se|gel|jacht** *w. 10;* **se|gel|klar** bereit zum Absegeln; **Se|gel|klub** *m. 9;* **se|gel|los** ohne Segel; **se|geln** *intr. 1;* ich segele, segle; *auch übertr. ugs.:* stürzen, fallen; *auch:* mit fliegenden Röcken gehen; um die Ecke segeln; **Se|gel|re|gat|ta** *w. Gen. - Mz. -ten;* **Se|gel|schiff** *s. 1;* **Se|gel|schlit|ten** *m. 7* segelbootartiger Schlitten zum Eissegeln; **Se|gel|sport** *m. Gen. -s nur Ez.;* **Se|gel|tuch** *s. 4 nur Ez.* festes, wasserdichtes Gewebe

Se|gen *m. 7 nur Ez.;* **se|gen|brin|gend** ► **Se|gen brin|gend; se|gen|spen|dend** ► **Se|gen spen|dend; Se|gen|spen|dung** *w. 10;* **se|gens|reich; Se|gens|wunsch** *m. 2*

Se|ger|ke|gel [nach dem Chemiker Hermann Seger] *m. 5* (*Abk.:* SK) kleines, kegelförmiges Gerät zur Temperaturmessung in keram. Brennöfen

Seg|ge *w. 11* ein Riedgras

Seg|ler *m. 5*

Seg|ment [lat.] *s. 1* Abschnitt, Glied; **seg|men|tal** in der Form eines Segments; **seg|men|tär** aus Segmenten (bestehend); **Seg|men|ta|ti|on** *w. 10* **1** Aufgliederung des Marktes in Marktsegmente, z. B. nach Käufergruppen oder Absatzräumen; **2** *Meinungsforschung:* Aufgliederung der zu befragenden Personen; **Seg|ment|bo|gen** *m. 7, Archit.:* Flachbogen

Se|gno [sẹnjo, ital.] *s. Gen. -s Mz. -gni* (*Abk.:* s.) *Mus.:* Zeichen; da capo al segno: nochmals bis zum Zeichen (zu spielen, zu singen); da capo dal segno: nochmals vom Zeichen an (zu spielen, zu singen)

Se|gre|gat *auch:* **Seg|re-** [lat.] *s. 1, veraltet:* Ausgeschiedenes; **Se|gre|ga|ti|on** *auch:* **Seg|re-** *w. 10* **1** *veraltet:* Ausscheidung; **2** *amerik. Bez. für* Absonderung (von Minderheiten der Bevölkerung)

Se|gui|dil|la [segidịlja, span.] *w. Gen. - nur Ez.* ein span. Tanz

Seh|ach|se *w. 11* die bis zum betrachteten Gegenstand verlängerte Augenachse; **se|hen** *tr. u. intr. 136;* siehe (*Abk.:* s.); siehe Seite 20 (*Abk.:* s. S. 20); siehe auch (*Abk.:* s. a.); siehe dieses (*Abk.:* s. d.); sieh(e) da!; siehe oben (*Abk.:* s. o.); siehe unten (*Abk.:* s. u.); ich habe ihn gesehen; *aber:* ich habe ihn kommen sehen; er fuhr so schnell, dass mir Hören und Sehen verging; **se|hens|wert; se|hens|wür|dig** sehenswert; **Se|hens|wür|dig|keit** *w. 10;* **Se|her** *m. 5* **1** jmd., der in die Zukunft blickt, Prophet; **2** *Jägerspr.:* Auge (vom Hasen und niederen Raubwild); **se|he|risch; Seh|feh|ler** *m. 5;* **Seh|feld** *s. 3* = Gesichtsfeld; **Seh|kraft** *w. 2 nur Ez.;* **Seh|kreis** *m. 1* = Horizont

Seh|ne *w. 11*

seh|nen *refl. 1;* sich nach etwas oder jmdm. sehnen

Seh|nen|re|flex *m. 1;* **Seh|nen|schei|de** *w. 11* bindegewebige Hülle der Sehne; **Seh|nen|schei|den|ent|zün|dung** *w. 10;* **Seh|nen|zer|rung** *w. 10*

Seh|nerv *m. 12, fachsprachl.: m. 10*

seh|nig

sehn|lich; ich wünsche es s.; mein sehnlicher Wunsch; **Sehn|sucht** *w. 2;* **sehn|süch|tig; sehn|suchts|voll**

Seh|or|gan *s. 1* Auge; **Seh|pur|pur** *m. Gen. -s nur Ez.* roter Farbstoff in der Netzhaut

sehr; sehr schön, sehr gut; sie hat im Deutschen (die Note) sehr gut; sie hat für ihren Aufsatz ein Sehr gut bekommen; gar sehr; ich wünsche es mir so sehr; er kann so viel, dass…

Seh|rohr *s. 1* = Periskop; **Seh|schär|fe** *w. 11 nur Ez.;* **Seh|schwä|che** *w. 11;* **Seh|stö|rung** *w. 10;* **Seh|ver|mö|gen** *s. 7 nur Ez.;* **Seh|wei|te** *w. 11 nur Ez.;* in S. bleiben; **Seh|win|kel** *m. 5* = Gesichtswinkel (**1**)

Sei|ber, Sei|fer *m. 5 nur Ez.* ausfließender Speichel; **sei|bern,** sei|fern *intr. 1* sabbern

Sei|cen|to [sɛɪtʃẹnto, ital.] *s. Gen. -(s) nur Ez.* = Secento

Seich *m. 1 nur Ez.* **1** Sei|che *w. 11 nur Ez.* Harn; **2** *übertr. ugs.:* oberflächliches, sich bedeutend gebendes Gerede; **Sei|che** *w. 11 nur Ez.* = Seich (**1**); sei|chen *intr. 1*

Seiches [sɛʃ, frz.] *w. 9 Mz.* Schwankungen des Wasserspiegels in Binnenseen

seicht **1** flach (Gewässer); **2** *übertr. ugs.:* oberflächlich, fad (Unterhaltung, Vortrag, Buch); **Seicht|heit** *w. 10 nur Ez.;* **Seich|tig|keit** *w. 10 nur Ez.*

Sei|de *w. 11*

Sei|del *s. 5* **1** altes süddt. Flüssigkeitsmaß, 0,3–0,5 Liter; **2** *süddt., österr.:* Bierglas, Bierkrug

Sei|del|bast *m. 1* ein giftiger Strauch, Heideröschen

sei|den aus Seide; **Sei|den|pa|pier** *s. 1;* **Sei|den|rau|pe** *w. 11;* **Sei|den|schwanz** *m. 2* ein Singvogel; **Sei|den|spin|ner** *m. 5* ein Schmetterling; **Sei|den|stra|ße** *w. 11* alte Karawanenstraße von China nach Westasien, auf der bes. Seide ausgeführt wurde; **sei|den|weich; sei|dig** wie Seide

Sei|fe *w. 11* **1** ein Waschmittel; **2** *Geol.:* Ablagerung (von Erzen, Edelsteinen); **sei|fen** *tr. 1* auswaschen (Erz, Edelsteine); **Sei|fen|baum** *m. 2* südamerik. Baum, der Quillajarinde liefert; **Sei|fen|bla|se** *w. 11;* **Sei|fen|ge|bir|ge** *s. 5, Geol.:* Gebirge mit Ablagerungen von Erzen oder

Edelsteinen; **Sei|fen|lau|ge** *w. 11;* **Sei|fen|o|per** *f. 11* langweilige Fernsehserie; **Sei|fen|schaum** *m. 2 nur Ez.;* **Sei|fen|sie|der** *m. 5, früher:* Arbeiter in der Seifenindustrie; *auch:* Kerzenzieher; da ging mir ein S. auf *übertr. ugs.:* da wurde mir die Sache klar

Sei|fer *m. 5* = Seiber; **sei|fern** *intr. 1* = seibern

sei|fig

Sei|ge *w. 11, Bgb.:* vertiefte Rinne als Ablauf für Grubenwasser; **sei|ger** *Bgb.* senkrecht; **Sei|ger** *m. 5* **1** Sanduhr; **2** Pendel; **3** Senkblei; **sei|gern 1** *intr. 1* sich ausscheiden; **2** *tr. 1* ausscheiden (Metalle); **Sei|ger|riß** ► **Sei|ger|riss** *m. 1* Längsschnitt eines Bergwerkes; **Sei|ger|schacht** *w. 2* senkrechter Schacht; **Sei|ge|rung** *w. 10*

Sei|gneur *auch:* **Seig|neur** [sɛnjœr, frz.] *m. 9* **1** *im alten Frankreich:* Lehnsherr; **2** *heute:* vornehmer, weltgewandter Herr

Sei|he *w. 11* **1** Seiher; **2** geseihte Flüssigkeit; **sei|hen** *tr. 1* durchlaufen, durchsickern lassen (Milch u. a.); **Sei|her** *m. 5* Sieb; **Seih|tuch** *s. 4*

Seil *s. 1;* übers Seil springen; **Seil|bahn** *w. 10;* **Sei|ler** *m. 5;* **Sei|le|rei** *w. 10;* **Sei|ler|wa|ren** *w. 11 Mz.;* **seil|hüp|fen** *intr. 1, nur im Infinitiv und Partizip II;* ich bin seilgehüpft; **Seil|schaft** *w. 10* durch ein Seil verbundene Gruppe von Bergsteigern; *übertr.:* Gruppe von Personen, die zu eigenem Vorteil eng zusammenarbeiten; **Seil|schwe|be|bahn** *w. 10* Bahn für Personen- und Gütertransport, deren Wagen (Gondeln) auf einem Tragseil laufen; **seil|sprin|gen** *intr. 148, nur im Infinitiv und Partizip II;* ich bin seilgesprungen; **seil|tan|zen** *intr. 1, nur im Infinitiv und Partizip II;* **Seil|tän|zer** *m. 5;* **Seil|trom|mel** *w. 11* Trommel zum Seilabwickeln; **Seil|win|de** *w. 11* Gerät, bei dem ein Seil auf eine Trommel gewickelt wird und eine am Seil hängende Last gehoben und gesenkt werden kann; **Seil|zug** *m. 2*

Seim *m. 1* dicker Saft, z. B. Honigseim; **sei|mig** dickflüssig

sein 1 *intr. 137;* mehr sein als scheinen; **2** *Possessivpronomen:* **a)** *Kleinschreibung:* sein Haus; seine Tochter; seine Eltern; sie ist sein; das Buch ist sein(e)s *ugs.;* ist das dein Buch? Nein, es ist das seine, *oder:* das seinige, *oder ugs.:* sein(e)s; der Graben hat seine drei Meter, *oder:* ist gut seine drei Meter breit; alles zu seiner Zeit: zur rechten Zeit; *b) Großschreibung:* sie ist

> **seine, das Seine:** Das Possessivpronomen schreibt man mit kleinem Anfangsbuchstaben: *Gib ihm deine Tasche, ich habe seine vergessen.*
> →§ 58 (1)
> Die substantivierte Form schreibt man groß: *das Seine.*
> →§ 57 (1)
> Feste Verbindungen ohne Präpositionen werden kleingeschrieben, obwohl sie Merkmale der Substantivierung aufweisen. Man kann die Verbindungen mit bestimmtem Artikel jedoch auch als substantivische possessive Adjektive verstehen und großschreiben: *Jedem das seine/Seine (seinige/Seinige); für die seinen/Seinen sorgen (seinigen/Seinigen).* →§ 58 E3

die Seine: seine Frau, seine Braut; jedem das Seine; die Seinen: seine Angehörigen; er muss das Seine dazu tun: seinen Beitrag dazu leisten; Seine Durchlaucht; Seine Königliche Hoheit; Seine Majestät; **3** *Personalpronomen im Genitiv:* ich gedenke sein, *oder:* seiner; er war seiner nicht mehr mächtig: er hatte die Selbstbeherrschung, die Nerven verloren; **Sein** *s. Gen. -s nur Ez.* Dasein, Vorhandensein, Existenz; Sein oder Nichtsein; Sein und Schein

Sei|ne [sɛːn(ə)] *w. Gen.* - Fluss in Frankreich

sei|ner vgl. sein (**3**); **sei|ner|seits; sei|ner|zeit** (*Abk.:* s. Z.) damals; **sei|nes|glei|chen**; er und s.; Leute s.; dieses Werk hat nichts s.; **sei|net|hal|ben, sei|net|we|gen; sei|net|wil|len;** um s.; **sei|ni|ge 1** *Kleinschreibung:* das Buch ist das seinige: es gehört ihm; **2** *Großschreibung:* die Seinige: seine Frau, seine Braut; die Seinigen: seine Angehörigen; er muss das Seinige dazu tun: seinen Beitrag dazu leisten

> **sein lassen:** Verbindungen aus Verb (Infinitiv) und Verb schreibt man getrennt: *Sie konnten es nicht sein lassen.*
> →§ 34 E3 (6)

sein|las|sen ► **sein las|sen** *tr. 75;* er soll das s. l.; ich habe es sein lassen

Sei|sing, Zei|sing *s. 1, Seew.:* kurzes Tau

Seis|mik [griech.] *w. 10 nur Ez.* Lehre von den Erdbeben, Seismologie; **seis|misch** Erdbeben betreffend, auf Erdbeben beruhend, seismologisch; **Seis|mo|gramm** *s. 1* Aufzeichnung eines Erdbebens; **Seis|mo|graph**

> **Seismograph/Seismograf:** Die fremdsprachige Schreibweise *(Seismograph)* ist die Hauptvariante, die integrierte (eingedeutschte) Schreibweise die zulässige Nebenvariante *(Seismograf).* →§ 32 (2)

► *auch:* **Seis|mo|graf** *m. 10* Gerät zum Aufzeichnen von Erdbeben; **seis|mo|gra|phisch** ► *auch:* **seis|mo|gra|fisch; Seis|mo|lo|ge** *m. 11;* **Seis|mo|lo|gie** *w. 11 nur Ez.* = Seismik; **seis|mo|lo|gisch; Seis|mo|me|ter** *s. 5* Gerät zum Messen der Erdbebenstärke; **seis|mo|me|trisch** *auch:* **-met|risch**

seit 1 *Präp. mit Dativ;* seit meiner Rückkehr, seit meinem Unfall; seit alters, seit damals, seit gestern; seit kurzem, langem; **2** *Konj.;* seit er fort ist; **seit|ab** abseits; **seitdem**

> **Seite, auf Seiten/aufseiten:** Das Substantiv *Seite* schreibt man groß. Ebenso: *ihm zur Seite.* →§ 55 (4)
> Bei Fügungen in präpositionaler Verwendung ist es in Zukunft dem/der Schreibenden überlassen, ob er/sie getrennt schreibt oder zusammen: *auf Seiten/aufseiten der Gegner; von Seiten/vonseiten des Ministeriums; zu Seiten/zuseiten des Ministers.*
> →§ 39 E3 (3)

Sei|te *w. 11* **1** *Großschreibung:* siehe Seite 10 (*Abk.:* s. S. 10); auf der einen, auf der anderen Seite; von allen Seiten; von seiner Seite (her) ist nichts zu befürchten; zur Seite gehen, treten; auf, von, zu Seiten; **2** *Klein-*

schreibung: seitens der Eltern; auf seiten, von seiten der Schüler; zu seiten; **Sei|ten|an|sicht** *w. 10;* **Sei|ten|aus|gang** *m. 2;* **Sei|ten|blick** *m. 1;* **Sei|ten|ein|gang** *m. 2;* **Sei|ten|ge|wehr** *s. 1* an der Seite getragene Hieb- oder Stichwaffe; **Sei|ten|hieb** *m. 1;* **sei|ten|lang; sei|ten|rich|tig**; das Dia steht s.; *Ggs.:* seitenverkehrt; **sei|tens** *Präp. mit Gen.;* vgl. Seite; **Sei|ten|schei|tel** *m. 5;* **Sei|ten|sprung** *m. 2;* **Sei|ten|ste|chen** *s. Gen.* -s *nur Ez.;* **Sei|ten|stra|ße** *w. 11;* **sei|ten|ver|kehrt;** das Dia steht s.; *Ggs.:* seitenrichtig; **Sei|ten|wind** *m. 1;* **Sei|ten|zahl** *w. 10*

seit|her; seit|he|rig bisherig

...sei|tig *in Zus.:* halbseitig, ganzseitig, ein-, zweiseitig, beidseitig; **seit|lich** *mit Gen.;* seitlich des Hauses; **seit|lings** mit der Seite voran; **...seits** *in Zus.,* z. B. meinerseits, ärztlicherseits, väterlicherseits

Sejm [sεjm, saim, poln.] *m. 1* **1** *im Königreich Polen:* Reichstag; **2** *heute:* poln. Volksvertretung

sek., Sek. *Abk. für* Sekunde

Se|kans [lat.] *m. Gen. - Mz.* -kan|ten (*Abk.:* sec) eine Winkelfunktion, Verhältnis der Hypotenuse zur Ankathete; **Se|kan|te** *w. 11* Gerade, die eine Kurve schneidet

Se|kel, Sche|kel *m. 5* alte hebr., phöniz. u. babylon. Gewichts- u. Währungseinheit, etwa 15 g

sek|kant [ital.] *veraltet, noch österr.:* lästig, zudringlich; **sek|kie|ren** *tr. 3, veraltet, noch österr.:* belästigen

Se|kond *w. 10, Fechten:* eine bestimmte Haltung der Klinge; **Se|kon|de|leut|nant** [-kɔ̃-, frz.] *m. 9, veraltet:* Unterleutnant

se|kret [lat.] *veraltet:* geheim, abgesondert; **Se|kret** *s. 1* **1** Ausscheidung, nach außen abgesonderte Flüssigkeit, z. B. von Drüsen; *Ggs.:* Inkret; **2** *kath. Kirche:* stilles Gebet des Priesters während der Messe; **Se|kre|tar** *m. 1* Geschäftsführer (einer gelehrten Körperschaft); **Se|kre|tär** *m. 1* **1** kaufmänn. Angestellter, der die Korrespondenz führt u. a.; **2** Dienstbez. für bestimmte Beamte; **3** hoher Funktionär einer Partei; **4** Schreibschrank; **5** ein afrik. Raubvogel; **Se|kre|ta|ri|at** *s. 1* Dienststelle eines Sekretärs, Geschäftsstelle; **Se|kre|ta|ri|us** *m. Gen. - Mz.* -rii, *veraltet für* Sekretär; **se|kre|tie|ren** *tr. 3* **1** absondern; **2** geheim halten, verschließen; **Se|kre|ti|on** *w. 10* Absonderung von Sekret; Drüsen mit äußerer, innerer S.; vgl. Inkretion; **se|kre|to|risch** auf Sekretion beruhend; *Ggs.:* inkretorisch

Sekt [ital.] *m. 1* = Schaumwein; **Sekt|früh|stück** *s. 1;* **Sekt|kelch** *m. 1;* **Sekt|kel|le|rei** *w. 10;* **Sekt|lau|ne** *w. 11* beschwingte Stimmung; **Sekt|steu|er** *w. 11*

Sek|te [lat.] *w. 11* kleinere relig. Gemeinschaft, die sich von einer größeren Glaubensgemeinschaft gelöst hat und meist von dieser abgelehnt wird; **Sek|ten|we|sen** *s. 7 nur Ez.*

Sekt|glas *s. 4*

Sek|tie|rer [lat.] *m. 5* **1** Angehöriger einer Sekte; **2** *ehem. DDR:* polit. Eigenbrötler; **sek|tie|re|risch; Sek|tie|rer|tum** *s. Gen.* -s *nur Ez.*

Sek|ti|on [lat.] *w. 10* **1** Abteilung, Gruppe; **2** medizin. Zerlegung und Untersuchung von Leichen zu Lehrzwecken; **Sek|ti|ons|chef** [-ʃεf] *m. 9* Leiter einer Sektion (**1**)

Sek|tor [lat.] *m. 13* **1** Sachgebiet; **2** Abschnitt, Gebietsteil; **3** *nach 1945:* jedes der vier Besatzungsgebiete in Berlin; **4** *Math.:* Ausschnitt (Kreis, Kugel); **Sek|to|ren|gren|ze** *w. 11*

Se|kun|da [lat.] *w. Gen. - Mz.* -den 6. und 7. Klasse (Unter-, Obersekunda) des Gymnasiums; **Se|kund|ak|kord** *m. 1, Mus.:* dritte Umkehrung des Dominantseptimenakkords; **Se|kun|da|ner** *m. 5* Schüler der Sekunda; **Se|kun|dant** *m. 10* **1** Betreuer, Beistand (beim Duell, Boxkampf); **2** *auch allg.:* Helfer, Beschützer; **se|kun|där** **1** zweitrangig, in zweiter Linie in Betracht kommend; **2** nachträglich hinzugekommen; vgl. primär; **Se|kun|dar|arzt** *m. 2, österr.:* Krankenhausarzt ohne eigene Abteilung; vgl. Primararzt; **Se|kun|där|e|mis|si|on** *w. 11* nach Zwischenprozessen auftretende Aussendung von Teilchen (z. B. Elektronen); **Se|kun|där|in|fek|ti|on** *w. 10* zweite Infektion (mit anderen Erregern) eines bereits befallenen Organismus; **Se|kun|dar|leh|rer** *m. 5* Lehrer an einer Sekundarschule; **Se|kun|där|li|te|ra|tur** *w. 10 nur Ez.* Literatur über Werke der Dichtkunst; vgl. Primärliteratur; **Se|kun|dar|schu|le** *w. 11, schweiz.:* höhere Volksschule; **Se|kun|där|strom** *m. 2* elektr. Strom in der Sekundärwicklung; **Se|kun|där|wick|lung** *w. 10* Wicklung eines Transformators, an der die transformierte Spannung abgenommen werden kann; **Se|kun|da|wech|sel** *m. 5* zweite Ausfertigung eines Wechsels; **Se|kun|de** *w. 11* **1** (*Abk.:* s, sec, sek, Sek.) 60. Teil einer Minute; **2** *Math. (Zeichen: "), auch:* Altsekunde, 60. Teil einer Minute; **3** *Mus.:* zweite Stufe der diaton. Tonleiter; Intervall von zwei Stufen; **4** *Buchw.:* Signatur auf der dritten Seite eines Druckbogens; vgl. Prime (**3**); **Se|kun|den|herz|tod** *m. 1 nur Ez.;* **se|kun|den|lang**; *aber:* einige Sekunden lang; **Se|kun|den|me|ter** *s. 5* = Metersekunde; **Se|kun|den|schnel|le** *w. 11 nur Ez.;* in S.; **Se|kun|den|uhr** *w. 10* kleines Zifferblatt auf dem Zifferblatt einer Uhr mit Sekundenzeiger und den Sekundenzahlen; **Se|kun|den|zei|ger** *m. 5;* **se|kun|die|ren** *intr. 3; jmdm. s.:* **1** jmdm. beistehen, jmdn. betreuen (im Duell, im Boxkampf); **2** jmdm. helfen, jmdn. schützen; **se|künd|lich, se|künd|lich** in jeder Sekunde; **Se|kun|do|ge|ni|tur** *w. 10* Besitzrecht des zweiten Sohnes (eines Herrscherhauses) und seiner Nachkommen; vgl. Primogenitur

Se|ku|rit *s. Gen.* -s *nur Ez.* Ⓦⓩ nicht splitterndes Sicherheitsglas, z. B. für Autofensterscheiben; **Se|ku|ri|tät** [lat.] *w. 10 nur Ez., veraltet:* Sicherheit

sel. *Abk. für* selig (= verstorben; in alten Firmennamen)

se|la! [hebr.] *ugs.:* abgemacht!; in Ordnung!, Schluss!; **Se|la** *s. 9, in den Psalmen des AT:* Musikzeichen

se|la|don [-dɔ̃, nach der Kleiderfarbe des Seladon] *unflektierbar:* zartgrün; **Se|la|don** [-dɔ̃, nach dem Helden eines frz. Schäferromans] **1** *m. 9, veraltet:* schmachtender Liebhaber; **2** *s. 9* altes chin. Porzellan mit grüner Glasur

Se|lam! = Salam!; **Se|lam|lik** *m. 9, im Wohnhaus der Muslime:* Empfangsraum
selb; im selben Augenblick; zur selben Zeit; am selben Tisch; **selb|an|der** *veraltet:* zu zweit; **selb|dritt** *veraltet:* zu dritt; **sel|ber** *ugs. für* selbst; **sel|big** *veraltet für* selb; zur selbigen Stunde; **selbst 1** persönlich, in eige-

> **selbst backen/geschneidert:** Gefüge aus Adverb und Verb/Partizip schreibt man getrennt: *Der Kuchen ist selbst gebacken. Das Kleid war selbst geschneidert.* →§ 34 E3 (2)

ner Person; ich selbst; der Maler selbst; er hat es selbst gesagt; **2** sogar; selbst ich weiß es nicht; selbst bei schlechtem Wetter; selbst wenn ...; selbst dann; **Selbst** *s. Gen. - nur Ez.* die eigene Person, Ich; mein besseres Selbst; ein Stück meines Selbst; da zeigte er sein wahres Selbst; **Selbst|ach|tung** *w. Gen. - nur Ez.;* **Selbst|a|na|ly|se** *w. 11;* **selb|stän|dig** ►

> **selbständig/selbstständig:** Die bisherige Regelung – Tilgung des zweiten -st- – wird aufgehoben; beide Schreibweisen sind korrekt: *selbständig* oder *selbstständig.* Der/die Schreibende soll selbst entscheiden.

auch: **selbst|stän|dig**; sich s. machen; **Selb|stän|dig|keit** ► *auch:* **Selbst|stän|dig|keit** *w. 10 nur Ez.;* **Selbst|an|kla|ge** *w. 11;* **selbst|an|klä|ge|risch; Selbst|aus|lö|ser** *m. 5, Fot.;* **Selbst|be|die|nung** *w. 10 nur Ez.;* **Selbst|be|die|nungs|ge|schäft** *s. 1;* **Selbst|be|ein|flus|sung** *w. 10 nur Ez.* Autosuggestion; **Selbst|be|frie|di|gung** *w. 10 nur Ez.* Masturbation, Onanie; **Selbst|be|fruch|tung** *w. 10;* **Selbst|be|herr|schung** *w. 10 nur Ez.;* **Selbst|be|stim|mung** *w. 10 nur Ez.;* **Selbst|be|stim-**

> **selbstbewusst, selbstsicher:** Zusammensetzungen aus Adverbien mit Adjektiven oder Partizipien, bei denen der erste Bestandteil für eine Wortgruppe steht, schreibt man zusammen: *Das klang sehr selbstbewusst. Sie ist eine selbstsichere Frau.* →§ 36 (1)

mungs|recht *s. 1;* **Selbst|be|weih|räu|che|rung** *w. 10 nur Ez.;* **selbst|be|wußt** ► **selbst|be|wusst; Selbst|be|wußt|sein** ► **Selbst|be|wusst|sein** *s. 1 nur Ez.;* **Selbst|bild|nis** *s. 1;* **Selbst|bin|der** *m. 5* **1** Krawatte; **2** Mähmaschine mit Binder; **Selbst|bi|o|gra|phie** *Nv.* ► **Selbst|bi|o|gra|fie** *Hv. w. 11;* **Selbst|dis|zi|plin** *auch:* **-dis|zip|lin** *w. Gen. - nur Ez.;* **Selbst|ent|la|der** *m. 5* Lastwagen mit Kippvorrichtung, der automatisch entladen werden kann; **Selbst|ent|lei|bung** *w. 10* Selbstmord; **selbst|ent|zünd|lich; Selbst|er|fah|rung** *w. 10;* **Selbst|er|hal|tungs|trieb** *m. 1 nur Ez.;* **Selbst|fah|rer** *m. 5* **1** Krankenrollstuhl, den der Kranke selbst fortbewegen kann; **2** Fahrer eines (Miet-)Kraftwagens ohne Chauffeur; **Selbst|fi|nan|zie|rung** *w. 10;* **selbst|ge|fäl|lig; Selbst|ge|fäl|lig|keit** *w. 10 nur Ez.;* **selbst|ge|macht** ► **selbst ge|macht**; selbst gemachte Marmelade; die Marmelade habe ich selbst gemacht; **selbst|ge|recht; Selbst|ge|rech|tig|keit** *w. 10 nur Ez.;* **selbst|ge|schrie|ben** ► **selbst ge|schrie|ben**; ein selbst geschriebener Brief; ich habe den Brief selbst geschrieben; **selbst|ge|strickt** ► **selbst ge|strickt**; ein selbst gestrickter Schal; ich habe den Schal selbst gestrickt; **selbst|herr|lich; Selbst|herr|lich|keit** *w. 10 nur Ez.;* **Selbst|hil|fe** *w. 11 nur Ez.;* zur S. greifen; **Selbst|in|duk|ti|on** *w. 10 nur Ez.* Widerstandseigenschaft einer Spule gegenüber Wechselstrom; **selbs|tisch; Selbst|kos|ten|preis** *m. 1;* **Selbst|kri|tik** *w. 10 nur Ez.;* **selbst|kri|tisch; Selbst|la|de|ge|wehr** *s. 1,* **Selbst|la|der** *m. 5* Gewehr, bei dem das Spannen, das Nachrücken der nächsten Patrone und das Auswerfen der leeren Patronenhülse selbsttätig geschieht; **Selbst|laut** *m. 1* = Vokal; vgl. Mitlaut; **selbst|los; Selbst|lo|sig|keit** *w. 10 nur Ez.;* **Selbst|mord** *m. 1;* **Selbst|mör|der** *m. 5;* **selbst|mör|de|risch; selbst|quä|le|risch; selbst|re|dend; Selbst|re|gie|rung** *w. 10* Autokratie; **Selbst|rei|ni|gung** *w. 10;* **selbst|schrei|bend;**

Selbst|schrei|ber *m. 5;* **Selbst|schuß** ► **Selbst|schuss** *m. 2;* **selbst|si|cher; Selbst|si|cher|heit** *w. 10 nur Ez.;* **Selbst|steu|e|rung** *w. 10;* **Selbst|sucht** *w. Gen. - nur Ez.* Egoismus; **selbst|süch|tig; selbst|tä|tig; Selbst|tä|tig|keit** *w. 10 nur Ez.;* **Selbst|täu|schung** *w. 10;* **Selbst|tor** *s. 1* Schuss ins eigene Tor; **Selbst|trän|ke** *w. 11* Viehtränke, bei der durch Druck des Tiermauls Wasser freigegeben wird; **Selbst|un|ter|richt** *m. 1 nur Ez.;* **Selbst|ver|bren|nung** *w. 10;* **selbst|ver|ges|sen; Selbst|ver|ges|sen|heit** *w. 10 nur Ez.;* **Selbst|ver|lag** *m. 1;* **Selbst|ver|leug|nung** *w. 10 nur Ez.;* **selbst|ver|ständ|lich; Selbst|ver|ständ|lich|keit** *w. 10;* **Selbst|ver|ständ|nis** *s. 1 nur Ez.;* **Selbst|ver|stüm|me|lung** *w. 10;* **Selbst|ver|such** *m. 1* am eigenen Körper vorgenommener medizin. Versuch; **Selbst|ver|trau|en** *s. 7 nur Ez.;* **Selbst|ver|wal|tung** *w. 10;* **Selbst|wähl|fern|dienst** *m. 1 nur Ez.* Fernsprechverkehr nach anderen Orten ohne Vermittlung durch das Fernamt; **Selbst|wähl|ver|kehr** *m. Gen.* -s *nur Ez.;* **Selbst|zucht** *w. Gen. - nur Ez.;* **selbst|zu|frie|den; Selbst|zu|frie|den|heit** *w. 10 nur Ez.;* **Selbst|zün|dung** *w. 10* **Selbst|zweck** *m. 1 meist Ez.;* **selb|viert** *veraltet:* zu viert
Selch *w. 10, süddt., österr.:* Räucherkammer; **sel|chen** *tr. 1, süddt., österr.:* trocknen, räuchern; **Sel|cher** *m. 5, süddt., österr.:* Schweineschlächter; **Sel|che|rei** *w. 10;* **Selch|fleisch** *s. 1 nur Ez.* = Geselchtes
Seld|schu|ke *auch:* **Seld|schu|ke** *m. 11* Angehöriger eines türk. Herrschergeschlechts
se|lek|tie|ren [lat.] *tr. 3* auswählen (bes. zur Zucht); **Se|lek|ti|on** *w. 10* Auswahl, Auslese, Zuchtwahl; **se|lek|ti|o|nie|ren** *tr. 3, schweiz. für* selektieren; **Se|lek|ti|ons|the|o|rie** *w. 11 nur Ez.* Theorie von der natürl. Zuchtwahl im Lauf der Stammesgeschichte; **se|lek|tiv 1** auswählend; **2** trennscharf (Rundfunkempfänger); **Se|lek|ti|vi|tät** *w. 10 nur Ez.* Trennschärfe (eines Rundfunkempfängers)
Se|len [griech.] *s. 1 nur Ez.* (*Zeichen:* Se) chem. Element;

► = wird zu

Se|le|nat *s. 1* Salz der Selensäure; **se|le|nig** Selen enthaltend, selenähnlich; **Se|le|nit** *s. 1* Salz der selenigen Säure; **Se|le|no|gra|phie** ► *auch:* **Se|le|no|gra|fie** *w. 11 nur Ez.* Beschreibung der physikal. und topograph. Beschaffenheit des Mondes; **se|le|no|gra|phisch** ► *auch:* **se|le|no|gra|fisch; Se|le|no|lo|gie** *w. 11 nur Ez.* Wissenschaft vom Mond; **se|le|no|lo|gisch; Se|len|zel|le** *w. 11* ein Fotoelement mit Selensperrschicht

Se|leu|ki|de, Se|leu|zi|de *m. 11* Angehöriger eines syrischen Herrschergeschlechts mazedonischer Abstammung

Self... [engl.] *in Zus.:* Selbst...; **Self|ak|tor** [-æktər, engl.] *m. 9* automat. Spinnmaschine; **Self-Ap|peal** ► **Self|ap|peal** [-əpi:l] *m. 9 nur Ez.* Werbewirkung, die eine Ware durch sich selbst ausübt; **Self|de|mand** [-dıma:nd] *s. Gen.* -s *nur Ez.* Regelung des tägl. Rhythmus der Nahrungsaufnahme durch den Säugling selbst je nach seinem Bedürfnis; **Self|made|man** [-mεıdmæn] *m. Gen.* -s *Mz.* -men [-mən] jmd., der sich aus eigener Kraft hochgearbeitet hat; **Self|pa|cing** [-pεısiŋ] *s. Gen.* -s *nur Ez., beim Lernen im Sprachlabor:* Regelung des Arbeitstempos durch den Schüler selbst

> **selig machen/preisen/sprechen/sein:** Adjektive mit der Ableitungsendung *-ig* (oder *-isch* bzw. *-lich*) werden vom Verb getrennt: *Das kann ihn selig machen. Sie wurde selig gesprochen.* →§ 34 E3 (3) Auch: *selig sein.* →§ 35

se|lig; selig sein, machen, werden, selig preisen, selig sprechen; **Se|lig|keit** *w. 10 nur Ez.; **se|lig|prei|sen** ► **se|lig prei|sen** *tr. 92;* er preist ihn selig, hat ihn selig gepriesen; **Se|lig|prei|sung** *w. 10;* **se|lig|spre|chen** ► **se|lig spre|chen** *tr. 146;* er spricht ihn selig, hat ihn selig gesprochen; **Se|lig|spre|chung** *w. 10*

Sel|le|rie [griech.], *österr.:* [-ri] *m. 9, österr.: w. 11* eine Gemüsepflanze

sel|ten; Seltene Erden; ein selten schönes Tier *ugs.:* ein sehr schönes Tier; **Sel|ten|heit** *w. 10;* **Sel|ten|heits|wert** *m. 1 nur Ez.*

Sel|ters *s. Gen.* - *Mz.* -, *kurz für* Selterswasser; **Sel|ters|was|ser** *s. 6* **1** Mineralwasser aus Niederselters an der Ems; **2** mit Kohlensäure versetztes Wasser

selt|sam; selt|sa|mer|wei|se; Selt|sam|keit *w. 10*

Se|man|tik [griech.] *w. 10 nur Ez.* **1** Lehre von der Bedeutung der Wörter und ihrer Wandlungen, Semasiologie; **2** Lehre von den in einer Wissenschaft verwendeten Zeichen; **se|man|tisch**

Se|ma|phor [griech.] *s. 1 oder m. 1* Signalmast mit schwenkbaren Armen; **se|ma|pho|risch** mit Hilfe des Semaphors

Se|ma|si|o|lo|gie [griech.] *w. 11 nur Ez.* = Semantik (**1**); **se|ma|si|o|lo|gisch; Se|mei|o|gra|phie** ► *auch:* **Se|mei|o|gra|fie** *w. 11* **1** Lehre von den musikal. Zeichen; **2** Zeichen-, Notenschrift; **Se|mem** *s. 1* Bedeutung eines Morphems

Se|men [lat.] *s. Gen.* -s *Mz.* -mina Samen (von Pflanzen), Samenkorn

Se|mes|ter [lat.] *s. 5* **1** Studienhalbjahr; **2** *ugs. übertr.:* Student eines bestimmten Semesters; alle ersten S.; er ist schon ein älteres, höheres S.; **Se|mes|ter|fe|ri|en** *nur Mz.;* **...se|mes|trig** *auch:* **...se|mest|rig** *in Zus.,* z. B. achtsemestriges, 8-semestriges Studium, zweisemestriger, 2-semestriger Lehrgang

se|mi..., Se|mi... [lat.] *in Zus.:* halb..., Halb...; **Se|mi|fi|na|le** *s. 5, Sport:* Vorschlussrunde; **Se|mi|ko|lon** *s. Gen.* -s *Mz.* -s *oder* -la (*Zeichen:* ;) Strichpunkt; **se|mi|lu|nar** halbmondförmig; **Se|mi|lu|nar|klap|pe** *w. 11* eine Herzklappe

Se|mi|na *Mz. von* Semen

Se|mi|nar [lat.] *s. 1, österr. Mz. auch:* -ri|en **1** Übungskurs an Hochschulen; **2** Hochschulinstitut; **3** Ausbildungsanstalt (für Geistliche, Lehrer u. a.); **Se|mi|nar|ar|beit** *w. 10;* **Se|mi|na|rist** *m. 10* Angehöriger eines Seminars (**3**); se|mi|na|ris|tisch

Se|mi|o|lo|gie [griech.] *w. 11 nur Ez.* = Semiotik (**1**); se|mi|o|lo|gisch = semiotisch; **Se|mi|o|tik** *w. 10 nur Ez.* **1** *Med.:* Lehre von den Krankheitserscheinungen, Semiologie, Symptomatologie; **2** *Sprachw.:* Lehre von den Zeichen (Verkehrszeichen, Formeln usw.); **se|mi|o|tisch**

se|mi|per|me|a|bel [lat.] halbdurchlässig

Se|mit [nach Sem, einem Sohn Noahs] *m. 10* Angehöriger einer vorderasiat. und nordafrikan. Völkergruppe; **se|mi|tisch; Se|mi|tist** *m. 10* Kenner der Semitistik; **Se|mi|tis|tik** *w. 10 nur Ez.* Wissenschaft von den semit. Sprachen und Literaturen; **se|mi|tis|tisch**

Sem|mel *w. 11* (bes. rundes) Weißbrötchen; **sem|mel|blond; Sem|mel|brö|sel** *s. 5 Mz.;* **Sem|mel|kloß** *m. 2;* **Sem|mel|knö|del** *m. 5, südd., österr.*

sem|per a|li|quid hae|ret [lat.] etwas bleibt immer hängen (von bösem Gerede); **sem|per i|dem** immer dasselbe

Sem|stwo *auch:* **Semst|wo** [russ.] *m. 9, bis 1917:* russ. Selbstverwaltungsverband

Sen [jap., chin.] *m. oder s. Gen.* - *Mz.* - **1** jap. Währungseinheit, 1/100 Yen; **2** indones. Währungseinheit, 1/100 Rupiah

sen. *Abk. für* senior

Se|nat [lat.] *m. 1* **1** *im alten Rom:* Rat der Ältesten, oberste Regierungsbehörde; **2** *in verschiedenen Staaten:* erste Kammer des Parlaments; **3** *in Hamburg, Bremen und Berlin Bez. für die* Regierung; **4** *an Hochschulen:* Selbstverwaltungsbehörde; **5** *an dt. höheren Gerichten:* Richterkollegium, z. B. Strafsenat; **Se|na|tor** *m. 13* Mitglied des Senats; **se|na|to|risch; Se|nats|be|schluß** ► **Se|nats|be|schluss** *m. 2;* **Se|nats|sit|zung** *w. 10;* **Se|na|tus Po|pu|lus|que Ro|ma|nus** (*Abk.:* SPQR, S. P. Q. R.) Senat und Volk von Rom

Send *m. 1, veraltet für* Sendgericht; **Send|bo|te** *m. 11;* **Sen|de|an|la|ge** *w. 11;* **Sen|de|fol|ge** *w. 11;* **Sen|de|lei|ter** *m. 5;* **sen|den 1** *tr. 138* schicken; **2** *tr. 2, Rundfunk, Fernsehen:* ausstrahlen; **Sen|de|pau|se** *w. 11;* **Sen|de|pro|gramm** *s. 1;* **Sen|der** *m. 5;* **Sen|de|raum** *m. 2;* **Sen|de- und Emp|fangs|ge|rät** *s. 1;* **Sen|de|zei|chen** *s. 7;* **Sen|de|zeit** *w. 10*

Send|ge|richt *s. 1* kirchl. Gericht für kirchl. Vergehen von Laien

Send|schrei|ben *s. 7* offener

Brief; **Sen|dung** *w. 10;* **Sen|dungs|be|wußt|sein** ► **Sen|dungs|be|wusst|sein** *s. 1 nur Ez.*

Se|ne|gal 1 Staat in Westafrika; **2** *m. Gen.* -s Fluss in Afrika; **Se|ne|ga|le|se** *m. 11* Einwohner von Senegal (**1**); **se|ne|ga|le|sisch, se|ne|ga|lisch**

Se|ne|schall *m. 1, im merowing. Reich:* oberster Hofbeamter

Se|nes|zenz [lat.] *w. 11 nur Ez.* das Altern, Altwerden

Senf *m. 1* ein Gewürz; seinen Senf dazugeben *ugs.:* seine Meinung zu etwas sagen; **senf|far|ben** gelbbraun; **Senf|gas** *s. 1 nur Ez.* ein chem. Kampfstoff, Gelbkreuz, Lost; **Senf|korn** *s. 4*

Sen|ge *nur Mz., mittel-, norddt.:* Prügel, Schläge

sen|gen 1 *intr. 1* brennen, heiß sein; **2** *tr. 1* oberflächlich verbrennen, leicht anbrennen; Geflügel s.: ihm nach dem Rupfen die letzten Federn abbrennen; **sen|ge|rig, seng|rig** leicht angebrannt, brenzlig

Se|nhor [sɛnjo̱r, port.] *m. Gen.* -s *Mz.* -res, *port. Anrede (allein oder vor dem Namen):* Herr; **Se|nho|ra** [sɛnjo̱ra] *w. 9, port. Anrede (allein stehend oder vor dem Namen):* Frau, meine Dame; **Se|nho|ri|ta** [sɛnjo-] *w. 9, port. Anrede (allein stehend oder vor dem Namen):* Fräulein

se|nil [lat.] greisenhaft, altersschwach; *Ggs.:* juvenil; **Se|ni|li|tät** *w. 10 nur Ez.;* **se|ni|or** (*Abk.:* sen.) älter, der Ältere (hinter Namen); Otto Schmidt sen.; *Ggs.:* junior; **Se|ni|or** *m. 13* **1** der Ältere; *Ggs.:* Junior; **2** Vorsitzender, Alterspräsident; **3** *Sport:* Angehöriger einer bestimmten Altersklasse; **Se|ni|o|rat** *s. 1* **1** = Majorat; *Ggs.:* Juniorat; **2** *veraltet:* Ältestenwürde; **Se|ni|or|chef** [-ʃɛf] *m. 9* der ältere von zwei Chefs (eines Betriebes); *Ggs.:* Juniorchef; **Se|ni|o|ren|mann|schaft** *w. 10*

Senk|blei *s. 1* an einem Faden aufgehängtes Gewicht zur Bestimmung der Senkrechten, Senklot; **Sen|ke** *w. 11* flache Bodenvertiefung, flache Mulde; **Sen|kel** *m. 5* Schnürband, Schnürsenkel; **sen|ken** *tr. u. refl. 1;* **Sen|ker** *m. 5* **1** spanabhebendes Werkzeug; **2** Stein oder Bleikugel zum Beschweren des Fischernetzes; **3** *Bot.* = Ableger; **Senk|fuß** *m. 2;* **Senk|gru|be** *w. 11* Grube, in der Abwasser versickern kann, Sickergrube; **Senk|kas|ten** *m. 8* = Caisson; **Senk|lot** *s. 1* = Senkblei; **senk|recht; Senk|recht|star|ter** *m. 5* **1** Flugzeug, das senkrecht starten und landen kann, VTOL-Flugzeug; **2** *ugs.:* jmd., der rasch Karriere macht; **Sen|kung** *w. 10; auch Metrik:* unbetonte Silbe (im Vers); *Ggs.:* Hebung; **Sen|kungs|ge|schwin|dig|keit** *w. 10* (bei der Blutsenkung); **Senk|waa|ge** *w. 11* = Aräometer

Senn *m. 1,* Sen|ne *m. 11,* Senner *m. 5* Almhirt, der auch die Butter- und Käsezubereitung besorgt, Almwirt

Sen|na [arab.] *w. Gen. - nur Ez.* = Kassia

Sen|ne *m. 11* = Senn; **sen|nen** *intr. 1, bayr., österr.:* Käse bereiten; **Sen|ner** *m. 5* = Senn; **Sen|ne|rei** *w. 10* Almwirtschaft, Sennwirtschaft; **Sen|ne|rin,** Sen|nin *w. 10*

Sen|nes|blät|ter *s. 4 Mz.* als Abführmittel verwendete Blätter einiger Arten der Kassia

Senn|hüt|te *w. 11;* **Sen|nin,** Sen|ne|rin *w. 10;* **Senn|tum** *s. 4, schweiz.:* Viehherde eines Senns

Se|non [nach der frz. Stadt Sens] *s. Gen.* -s *nur Ez.* Stufe der oberen Kreideformation; **Se|no|ne** *m. 11* Angehöriger eines keltischen Volksstammes an der oberen Seine; **se|no|nisch**

Se|ñor [sɛnjo̱r, span.] *m. Gen.* -s *Mz.* -res, *span. Anrede (allein stehend oder vor dem Namen):* Herr; **Se|ño|ra** [sɛnjo̱ra] *w. 9, span. Anrede (allein stehend oder vor dem Namen):* Frau, meine Dame; **Se|ño|ri|ta** [sɛnjo-] *w. 9, span. Anrede (allein stehend oder vor dem Namen):* Fräulein

Sen|sal [ital.] *m. 1, österr.:* Vermittler von Warenkäufen, Warenmakler; *auch:* Börsenmakler; **Sen|sa|lie** [-ljə], **Sen|sa|rie** [-riə] *w. 11, österr.:* Maklergebühr

Sen|sa|ti|on [lat.-frz.] *w. 10* **1** *urspr.:* Sinnesempfindung; **2** *heute:* Aufsehen erregendes Ereignis, Aufsehen, große Überraschung; **sen|sa|ti|o|nell; Sen|sa|ti|ons|be|dürf|nis** *s. 1 nur Ez.;* **Sen|sa|ti|ons|lust** *w. Gen. - nur Ez.;* **sen|sa|ti|ons|lüs|tern; Sen|sa|ti|ons|pres|se** *w. 11 nur Ez.*

Sen|se *w. 11;* Sense! *ugs.:* aus!, genug!; Schluss!; und damit (ist) Sense *ugs.*

Sense [sɛns, engl.] *m. Gen. - nur Ez.* Sinn (für etwas); er hat keinen Sense für moderne Kunst

sen|sen *tr. 1* mit der Sense mähen; **Sen|sen|mann** *m. 4 nur Ez.* der mit Sense dargestellte Tod

sen|si|bel [lat.] reizempfindlich, empfindsam, feinfühlig; **Sen|si|bi|li|sa|tor** *m. 13* Farbstoff, der die Farbempfindlichkeit fotografischer Schichten erhöht; **sen|si|bi|li|sie|ren** *tr. 3* empfindlicher machen; **Sen|si|bi|li|tät** *w. 10 nur Ez.* Reizempfindlichkeit, Empfindsamkeit; *bei Rundfunk- und Messgeräten:* Empfangsempfindlichkeit;

Sen|si|lle *w. 11* Sinneszelle; **sen|si|tiv** leicht reizbar, überempfindlich; **sen|si|ti|vie|ren** [-vi-] *tr. 3* stark empfindlich machen (fotograf. Schicht); **Sen|si|ti|vi|tät** *w. 10 nur Ez.;* **Sen|si|to|me|ter** *s. 5* Gerät zum Messen der Lichtempfindlichkeit fotografischer Schichten; **Sen|si|to|me|trie** *auch:* **-met|rie** *w. 11 nur Ez.* Messung der Lichtempfindlichkeit; **sen|si|to|me|trisch** *auch:* **-met|risch; Sen|sor** *m. 13* hochempfindl. elektron. Test- und Kontrollgerät; **sen|so|ri|ell, sen|so|risch** zu den Sinnesorganen gehörend, auf ihnen beruhend; **Sen|so|ri|um** *s. Gen.* -s *nur Ez.* Gesamtheit der Sinnesorgane, Bewusstsein; **Sen|su|a|lis|mus** *m. Gen. - nur Ez.* Lehre, dass alle Erkenntnis nur auf den Sinneswahrnehmungen beruhe; **Sen|su|a|list** *m. 10;* **sen|su|a|lis|tisch; Sen|su|a|li|tät** *w. 10 nur Ez.* Empfindungsvermögen; **sen|su|ell** auf den Sinnen beruhend, sinnlich wahrnehmbar, Sinnes...; **Sen|sus com|mu|nis** *m. Gen. - - nur Ez.* gesunder Menschenverstand

Sen|te *w. 11, nddt.:* dünne, biegsame Latte

Sen|tenz [lat] *w. 10* **1** allgemeingültiger, einprägsamer, knapp formulierter Ausspruch, Sinnspruch; **2** richterl. Urteilsspruch; **sen|ten|zi|ös** in der Art

► = wird zu

einer Sentenz, knapp formuliert, einprägsam

Sen|ti|ment [sãtimã, frz.] *s. 9* Empfindung, Gefühl, Gefühlsäußerung; **sen|ti|men|tal** (übertrieben) gefühlvoll, gefühls-, rührselig; **Sen|ti|men|ta|le** *w. 11, in der Fügung* jugendliche S.: Rollenfach des jungen, gefühlvollen Mädchens; **Sen|ti|men|ta|li|tät** *w. 10* Gefühls-, Rührseligkeit, übertriebene Gefühlsäußerung; bitte keine Sentimentalitäten!

sen|za [ital.] *Mus.:* ohne, z. B. s. pedale: ohne Pedal

Se|oul [seul, seul] Hst. der Rep. Korea (Südkorea)

se|pa|rat [lat.] abgesondert, einzeln; **Se|pa|rat|frie|den** *m. 15* Sonder-, Einzelfriede; **Se|pa|ra|ti|on** *w. 10* Abtrennung, Absonderung; **Se|pa|ra|tis|mus** *m. Gen. - nur Ez., meist abwertend:* Streben nach Abtrennung, Loslösung, Verselbständigung (in polit., relig. oder geistiger Hinsicht); **Se|pa|ra|tist** *m. 10;* **se|pa|ra|tis|tisch; Se|pa|ra|tor** *m. 13* Schleuder zum Trennen von Stoffgemischen, z. B. Milchzentrifuge, Erzscheider; **Sé|pa|rée** [-re, frz.] ► *auch:* **Se|pa|ree** *s. 9* abgetrennter Gästeraum, Nische; **se|pa|rie|ren** *tr. 3* absondern, trennen, loslösen; sich von anderen s.

Se|phar|dim [auch: -dim, hebr.] *Mz.* die span.-port. Juden und ihre Nachkommen; vgl. Aschkenasim

se|pia [griech.] dunkelbraun, schwarzbraun; **Se|pia 1** *w. Gen. - Mz.* -pi|en, Se|pie [-pjə] *w. 11* Tintenfisch; **2** *w. Gen. - nur Ez.* aus dem Sekret des Tintenfisches gewonnener, dunkelbrauner Farbstoff; **Se|pi|a|zeich|nung** *w. 10;* **Se|pie** [-pjə] *w. 11* = Sepia (**1**); **Se|pi|o|lith** m. 10 = Meerschaum

Se|poy [sipɔɪ, Hindi-engl.] *m. 9* Soldat der aus Indern bestehenden früheren britischen Kolonialtruppe in Indien; vgl. Spahi

Sep|pu|ku [auch: -pu-, jap.] *s. Gen.* -(s) *Mz.* -s = Harakiri

Sep|sis [griech.] *w. Gen. - Mz.* -sen Blutvergiftung, Septhämie

Sep|ta *Mz. von* Septum

Sept|ak|kord *m. 1, kurz für* Septimenakkord

Sep|tem|ber [lat.] *m. Gen.* -(s) *nur Ez.* (*Abk.:* Sept.); **Sep|ten|nat** *s. 1,* **Sep|ten|ni|um** *s. Gen.* -s *Mz.* -ni|en Zeitraum von sieben Jahren; **Sep|tett** *s. 1* Musikstück für sieben Instrumente oder Singstimmen sowie die Ausführenden

Sept|hä|mie, Sep|ti|kä|mie, Sep|tik|hä|mie [griech.] *w. 11* = Sepsis

Sep|tim [lat.] *w. 10, österr. für* Septime; **Sep|ti|me** [auch: -ti-] *w. 11* **1** siebenter Ton der diaton. Tonleiter; **2** Intervall von sieben Tönen; **Sep|ti|men|ak|kord** [auch: -ti-] *m. 1* Akkord aus Grundton, Terz, Quinte und Septime; **Sep|ti|mo|le** *w. 11* = Septole

sep|tisch [griech.] Krankheitserreger enthaltend, Sepsis hervorrufend

Sep|to|le [lat.], Sep|ti|mo|le *w. 11, Mus.:* Gruppe von sieben Noten mit dem Taktwert von sechs oder acht Noten; **Sep|tu|a|ge|si|ma** *ohne Artikel* 70. Tag (neunter Sonntag) vor Ostern; Sonntag S.; **Sep|tu|a|gin|ta** *w. Gen. - nur Ez.* (im 3. Jh. von angeblich 70 Gelehrten angefertigte) griech. Übersetzung des AT

Sep|tum [lat.] *s. Gen.* -s *Mz.* -ta Scheidewand (in einem Organ, z. B. im Herzen)

seq. *Abk. für* sequens; **seqq.** *Abk. für* sequentes; **se|quens** [lat.] (*Abk.:* seq.) *veraltet:* folgend; **se|quen|tes** (*Abk.:* seqq.) *veraltet* **1** die folgenden (Seiten); **2** die Folgenden, die Nachkommen; Vivant s.!: Die Folgenden sollen leben!; **se|quen|ti|ell** *Nv.* ► **se|quen|zi|ell**

> **sequenziell/sequentiell:** Die integrierte (eingedeutschte) Schreibweise *(Sequenz – sequenziell)* ist die Hauptvariante, die fremdsprachige Form *(sequentiell)* die zulässige Nebenvariante. →§ 32 (2)

Hv.; **Se|quenz** *w. 10* **1** Folge, Reihe; **2** *in der Liturgie des MA:* hymnusähnl. Gesang; **3** *Mus.:* auf einer anderen Tonstufe wiederholte Tonfolge; **4** *Film:* im Handlungsablauf aufeinander folgende Reihe von Einstellungen; **5** *Kartenspiel:* mindestens drei aufeinanderfolgende Karten der gleichen Farbe; **6** *im programmierten Unterricht:* Lerneinheit; **se|quen|zi|ell,** se|quen|ti|ell

Se|ques|ter [lat.] **1** *s. 5* abgestorbenes Gewebe-, *bes.:* Knochenstück; **2** *m. 5* behördlich eingesetzter Verwalter oder Verwahrer; **Se|ques|tra|ti|on** *auch:* **Se|quest|ra|ti|on** *w. 10* Verwaltung, Verwahrung durch einen Sequester; **se|ques|trie|ren** *auch:* **se|quest|rie|ren** *tr. 3* durch einen Sequester verwalten, verwahren

Se|quo|ia, Se|quo|ie [-jə, Indianerspr.] *w. 11* ein nordamerik. Nadelbaum

Se|ra *Mz. von* Serum

Se|rail [auch: -raj, frz.] *s. 9* Palast (des türk. Sultans)

Se|raph ► *auch:* **Se|ra|fim** [hebr.] *m. Gen.* -s *Mz.* -e *oder* -phim, *AT:* sechsflügeliger Engel; **se|ra|phisch** ► *auch:* **se|ra|fisch** engelgleich, erhaben

Se|ra|pis, Sa|ra|pis *ägypt. Myth.:* Gott der Unterwelt

Ser|be *m. 11* Einwohner von Serbien; **Ser|bin** *w. 10;* **ser|bisch; Ser|bo|kro|a|ten** *Mz., Sammelbez. für* Serben und Kroaten; **ser|bo|kro|a|tisch** zu Serbien und Kroatien gehörend, aus ihnen stammend

se|ren [lat.] *veraltet:* heiter

Se|ren *Mz. von* Serum

Se|re|na|de [ital.] *w. 11* **1** abendliches Ständchen, Abendmusik; **2** mehrsätziges Musikstück

Se|ren|ge|ti *w. Gen.* - Wildschutzgebiet in Tansania

Se|re|nis|si|mus [lat.] *m. Gen. - Mz.* -mi **1** *Titel für:* regierender Fürst, Durchlaucht; **2** *scherzh.:* Fürst eines Kleinstaates; **Se|re|ni|tät** *w. 10 nur Ez., veraltet:* Heiterkeit

Serge [zɛrʒ, frz.], Ser|sche *w. 11, österr. auch: m. 11* Futterstoff aus Seide, Baum- oder Zellwolle in Köperbindung

Ser|geant [zɛrʒant, frz.] *m. 10* Unteroffizier

Se|rie [-riə, schweiz.: -ri, lat.] *w. 11* Reihe, Folge, gleichartige Gruppe (z. B. von Sammelgegenständen); **se|ri|ell** *Mus.:* vorgegebene Tonreihen verwendend, darauf aufbauend; serielle Musik: Form der Zwölftonmusik; **Se|ri|en|pro|duk|ti|on** *w. 10;* **Se|ri|en|schal|tung** *w. 10;* **se|ri|en|wei|se**

Se|ri|fe [lat.-frz.] *w. 11, in Anti-*

quaschriften: kleiner Querstrich am Kopf und Fuß mancher Buchstaben; **se|ri|fen|los**

Se|ri|gra|phie ► *auch:* **Se|ri|gra|fie** [lat. + griech.] *w. 11* Siebdruck

se|ri|ös [lat.-frz.] ernst, ernstgemeint, gediegen; **Se|ri|o|si|tät** *w. 10 nur Ez.*

Ser|mon [lat.] *m. 1* **1** *veraltet:* Rede; **2** *heute:* langweiliger Vortrag, Strafpredigt

Se|ro|di|a|gnos|tik *auch:* **Se|ro|di|ag|nos|tik** [lat. + griech.] *w. 10* Erkennung von Krankheiten aus dem Blutserum oder der Gehirn- und Rückenmarksflüssigkeit; **se|ro|di|a|gnos|tisch** *auch:* **se|ro|di|ag|nos|tisch; Se|ro|lo|ge** *m. 11;* **Se|ro|lo|gie** *w. 11 nur Ez.* Lehre vom Blutserum; **se|ro|lo|gisch; se|rös** serumhaltig, serumähnlich; **Se|ro|the|ra|pie** *w. 11 nur Ez.* Heilbehandlung mit Serum

Ser|pen|tin [lat.] *m. 1* ein Mineral; **Ser|pen|ti|ne** *w. 11* **1** Windung, Schlangenlinie, Kehre; **2** in Kehren ansteigender Weg an Berghängen

Ser|sche *w. 11* = Serge

Se|rum [lat.] *s. Gen.* -s *Mz.* -ra *oder* -ren wässriger, nicht gerinnender Bestandteil des Blutes und der Lymphe

Ser|val [port.] *m. 1 oder m. 9* eine afrik. Raubkatze

Ser|ve|la [sɛrvəla] *w. 9 oder m. 9, schweiz.* = Cervelat

Ser|ve|lat|wurst *w. 2* = Zervelatwurst

Ser|vice 1 [-vis, frz.] *s. Gen.* - *oder* -s [-visəs] *Mz.* - [-visə] zusammengehöriges Essgeschirr, z. B. Kaffeeservice; Gedeck; **2** [səvɪs, engl.] *m. Gen.* - *Mz.* -s [-vɪsɪz] Kundendienst, Bedienung; **Ser|vice|wel|le** [səvis-] *w. 11* Rundfunksendung mit Unterhaltungsmusik, Angaben über den Autoverkehr, Suchmeldungen u. a.

ser|vie|ren [-vi-] *tr. u. intr. 3* Speisen auftragen, bei Tisch bedienen; **Ser|vie|re|rin** *w. 10;* **Ser|vier|tisch** *m. 1;* **Ser|vi|et|te** [-vi-] *w. 11* Mundtuch; **Ser|vi|et|ten|ring** *m. 1*

ser|vil [-vil, lat.] unterwürfig; **Ser|vi|li|tät** *w. 10 nur Ez.;* **Ser|vit** [-vit] *m. 10* Angehöriger des Bettelordens der Diener Mariä; **Ser|vi|tut** *s. 1* Nutzungsrecht (an einer fremden Sache); **Ser|vo|ge|rät** *s. 1* Hilfsgerät für schwer zu handhabende Steuerungen; **Ser|vo|mo|tor** *m. 13* Hilfsmotor; **Ser|vus!** *bayr., österr.:* Guten Tag!, Auf Wiedersehen!

Se|sam [semit.-lat.] *m. 9* eine Ölpflanze; S. öffne dich!: Zauberformel in einem Märchen aus Tausendundeiner Nacht

Se|schel|len *Mz.* = Seychellen

Ses|sel *m. 5;* **Ses|sel|lift** *m. 1*

seß|haft ► **sess|haft; Seß|haf|tig|keit** ► **Sess|haf|tig|keit** *w. 10 nur Ez.*

ses|sil [lat.] festgewachsen, festsitzend (manche Wassertiere); **Ses|si|li|tät** *w. 10 nur Ez.* festsitzende Lebensweise; **Ses|si|on** *w. 10* Sitzung, Sitzungsperiode

Ses|ter [lat.] *m. 5* altes Hohlmaß, Scheffel, 15 Liter;

Ses|terz *m. 1* altröm. Silbermünze, ¼ Denar; **Ses|ter|zi|um** *s. Gen.* -s *Mz.* -zi|en 1000 Sesterze; **Ses|ti|ne** *w. 11* **1** sechszeilige Strophe; **2** Gedicht aus sechs Strophen zu je sechs Zeilen und einer dreizeiligen Strophe am Ende

Set [engl.] *s. 9* **1** mehrere gleiche zusammengehörige Gegenstände, Satz; **2** kleines Tischdeckchen aus Stoff oder Bast für ein Gedeck

Set|te|cen|tist [-tʃɛn-] *m. 10* Künstler des Settecento; **Set|te|cen|to** [-tʃɛn-, ital. »siebenhundert« (nach 1000)] *s. Gen.* -(s) *nur Ez.* die künstlerische Stilepoche des 18. Jh. in Italien

Set|ter [engl.] *m. 5* engl. Vorsteh- und Stöberhund

Settle|ment [sɛtl-, engl.] *s. 9, engl. Bez. für* Niederlassung, Ansiedlung

Setz|ei *s. 3* Spiegelei; **set|zen** *tr. u. refl. 1;* ich setze darauf, dass...: ich vertraue darauf; ich setze (20 Mark) auf das Pferd: ich wette; einen Text in Musik s.: komponieren; Junge setzen: *Jägerspr.:* zur Welt bringen (vom Haarwild außer Schwarzwild); **Set|zer** *m. 5* Schriftsetzer; **Set|ze|rei** *w. 10;* **Setz|ha|se** *m. 11, Jägerspr.:* Häsin; **Setz|lat|te** *w. 11* Richtscheit; **Setz|ling** *m. 1* **1** junge Pflanze, die in die Erde gepflanzt wird oder worden ist; **2** junger Fisch, der zur Zucht in einen Teich gesetzt wird; **Setz|ma|schi|ne** *w. 11;* **Setz|milch** *w. 10* saure Milch; **Set|zung** *w. 10;* **Setz|waa|ge** *w. 11* = Wasserwaage

Seu|che *w. 11;* **Seu|chen|ge|fahr** *w. 10;* **Seu|chen|herd** *m. 1*

seuf|zen *intr. 1;* **Seuf|zer** *m. 5;* **Seuf|zer|brü|cke** *w. 11 nur Ez.* Brücke zum einstigen Staatsgefängnis von Venedig

Se|vil|la [-vilja] Stadt in Spanien

Sèvres|por|zel|lan [sɛvr-] *s. 1* Porzellan aus der frz. Stadt Sèvres

Sex [lat.] *m. Gen.* -es *nur Ez., Kurzw. für* Sexus, Geschlecht, Geschlechtlichkeit; *ugs.:* Sexappeal

Se|xa|ge|si|ma [lat.] *ohne Artikel* 60. Tag (achter Sonntag) vor Ostern; Sonntag S.; **se|xa|ge|si|mal** auf der Zahl 60 aufbauend, sechzigteilig; **Se|xa|ge|si|mal|sys|tem** *s. 1*

> **Sexappeal:** Im Gegensatz zur bisherigen Schreibweise (Sex-Appeal) wird die Verbindung zweier Substantive zusammengeschrieben: *der Sexappeal.* →§ 37 (1)

Sex-Ap|peal ► **Sex|ap|peal** [-əpil, engl.] *m. Gen.* -s *nur Ez.* Anziehungskraft (bes. einer Frau) auf das andere Geschlecht; **Sex|bom|be** *w. 11, ugs. derb:* Frau mit starkem sexuellen Reiz; **se|xis|tisch** bes. gegenüber Frauen geschlechtsspezifisch herabsetzend; **Sex|muf|fel** *m. 5, ugs. scherzh.:* jmd., der für Sexuelles, für Erotik keinen Sinn hat; **Se|xo|lo|ge** *m. 11;* **Se|xo|lo|gie** *w. 11 nur Ez.* Sexualforschung; **Sex|shop** [-ʃɔp] *m. 9* Geschäft, in dem Bücher sexuellen Inhalts und Gegenstände zur sexuellen Anregung verkauft werden

Sex|ta [lat.] *w. Gen.* - *Mz.* -ten unterste Klasse des Gymnasiums; **Sext|ak|kord** *m. 1* erste Umkehrung eines Dreiklangs, Akkord aus Grundton, Terz und Sexte; **Sex|ta|ner** *m. 5* Schüler der Sexta; **Sex|tant** *m. 10* astronom. Winkelmessinstrument; **Sex|te** *w. 11* **1** sechster Ton der diaton. Tonleiter; **2** Intervall von sechs Tönen; **Sex|tett** *s. 1* Musikstück für sechs Instrumente oder Singstimmen sowie die Ausführenden; **Sex|to|le** *w. 11* Gruppe

► = wird zu

von sechs Noten im Taktwert von vier Noten
se|xu|al..., Se|xu|al... [lat.] *in Zus.:* geschlechts..., Geschlechts...; **Se|xu|al|er|zie|hung** *w. 10 nur Ez.;* **Se|xu|al|ethik** *w. 10 nur Ez.;* **Se|xu|al|hor|mon** *s. 1;* **Se|xu|a|li|tät** *w. 10 nur Ez.* Geschlechtlichkeit; **Se|xu|al|or|gan** *s. 1* Geschlechtsorgan; **Se|xu|al|päd|a|go|gik** *auch:* **-pä|da|go|gik** *w. 10 nur Ez.;* **Se|xu|al|psy|cho|lo|gie** *w. 11 nur Ez.;* **Se|xu|al|trieb** *m. 1 nur Ez.;* **Se|xu|al|ver|bre|chen** *s. 7* Sittlichkeitsverbrechen; **se|xu|ell** das Geschlechtliche betreffend, auf ihm beruhend, geschlechtlich; **Se|xus** *m. Gen. - nur Ez.* Geschlecht; **se|xy** [engl.] *ugs.:* geschlechtlich anziehend, geschlechtlich reizvoll
Sey|chel|len [zeʃɛl-], Se|schel|len *Mz.* Inselgruppe und Staat im Ind. Ozean
se|zer|nie|ren [lat.] *tr. 3* entfernen, abtrennen, absondern
Se|zes|si|on [lat.] *w. 10* **1** Trennung, Loslösung; **2** Name einer Künstlergruppe, die sich von einer bestehenden Künstlergemeinschaft losgelöst hat; **3** Streben der nordamerik. Südstaaten, sich von den Nordstaaten zu trennen (1861–1865); **Se|zes|si|o|nist** *m. 10* Angehöriger einer Sezession **(2)**; **se|zes|si|o|nis|tisch; Se|zes|si|ons|krieg** *m. 1 nur Ez.* Krieg zwischen den nordamerik. Süd- und Nordstaaten (1861–1865); **Se|zes|si|ons|stil** *m. 1 nur Ez.* Stil der Wiener Sezession, österr. Richtung des Jugendstils
se|zie|ren [lat.] *tr. 3* **1** anatomisch untersuchen, zerlegen (Leiche); **2** *übertr. ugs.:* genau untersuchen; **Se|zier|mes|ser** *s. 5*
sf *Abk. für* sforzando, sforzato
SFB *Abk. für* Sender Freies Berlin

> **s-förmig/S-förmig, s-Genitiv:** Man setzt einen Bindestrich in Zusammensetzungen mit Einzelbuchstaben, Abkürzungen oder Ziffern: *s-förmig* (auch: *S-förmig*), *s-Genitiv.* →§ 40

s-för|mig [ɛs-]
sfor|za|to, sfor|zan|do (*Abk.:* sf) *Mus.:* betont, mit starkem Ton, akzentuiert; **Sfor|za|to,** Sfor|zan|do *s. Gen.* -(s) *Mz.* -ti *bzw.* -di, *Mus.:* starke Betonung
sfr., *schweiz.:* sFr., *Abk. für* Schweizer Franken
sfu|ma|to [ital.] mit weichen, verschwimmenden Umrissen (gemalt)
Sgraf|fi|to [ital.] *s. Gen.* -(s) *Mz.* -s *oder* -ti wetterbeständige, in die noch feuchte, helle Tünche (auf dunkler Grundierung) eingeritzte Zeichnung
sh, *auch:* s, *Abk. für* Shilling
Shag [ʃæg, engl.] *m. 9 nur Ez.* fein geschnittener Pfeifentabak; **Shag|pfei|fe** *f. 11* Tabakpfeife mit kleinem Kopf für fein geschnittenen Tabak
Shake [ʃɛɪk, engl.] **1** *m. 9* ein Mischgetränk; **2** *s. 9, Jazz:* Trompeten- oder Posaunenvibrato über einer Note; Betonung einer Note; **Shake|hands** [ʃɛɪkhændz] *s. Gen. - nur Ez.* Händeschütteln, Händedruck; S. machen; **Sha|ker** [ʃɛɪkər] *m. 5* Mixbecher
Shake|speare, *William* [ʃɛɪkspi:ə, wɪljəm] engl. Dichter (1564–1616); **shake|spea|risch**
Sham|poo [ʃæmpu:], **Sham|poon** [ʃæmpu:n], Scham|pun *s. 9* Haarwaschmittel; **sham|poo|nie|ren** [ʃæmpu-], scham|pu|nie|ren *tr. 3* mit Shampoo waschen
Shang|hai *engl. Schreibung von* Schanghai
Shan|ty [ʃæntɪ, engl.] *s. Gen.* -s *Mz.* -s *oder* (engl.) -ties Seemannslied
Sha|ping|ma|schi|ne [ʃɛɪ-, engl.] *w. 11* Waagerechtstoßmaschine, eine Metallhobelmaschine
Share [ʃɛr, engl.] *m. Gen. - Mz.* -s Kapitalanteil, Aktie; **Share ca|pi|tal** ▶ **Share|ca|pi|tal** [ʃɛrkæpɪtəl] *s. 9* Stammkapital; **Share|hol|der** [ʃɛrhoʊldər] *m. 9* Aktionär
sharp [ʃarp] *Mus.: engl. Bez. für die* Erhöhung eines Tons um einen halben Ton, z. B. F sharp = Fis; *Ggs.:* flat
Shed|bau [ʃɛd-, engl.] *m. Gen.* -(e)s *Mz.* -ten = Schedbau; **Shed|dach** *s. 4* = Scheddach
Sheng [ʃɛng, chin.] *s. 9* = Mundorgel
She|riff [ʃɛ-, engl.] *m. 9, in Großbritannien und den USA:* höchster Vollzugsbeamter einer Grafschaft, in den USA auch mit richterl. Befugnissen
Sher|lock Holmes [ʃɛrlɔk hoʊmz] Name eines Detektivs in Romanen von C. Doyle
Sher|pa [ʃɛr-, tibet.] *m. 9 oder Gen. - Mz. -* Angehöriger eines Volksstammes im Himalaya
Sher|ry [ʃɛrɪ, engl. Form von Jerez] *m. 9* ein Süßwein aus der span. Stadt Jerez de la Frontera
Shet|land [ʃɛt-, nach den brit. Shetlandinseln] *m. 9* ein graumelierter Wollstoff; **Shet|land|po|ny** *s. 9*
Shil|ling [ʃɪl-, engl.] *m. 9, nach Zahlen Mz. auch: -* (*Abk.:* s, sh) bis 1971 Währungseinheit in Großbritannien, 1/20 Pfund Sterling
Shim|my [ʃɪm-, engl.] *m. 9* ein nordamerik. Gesellschaftstanz der 20er Jahre
Shin|to|is|mus [ʃin-] *m. Gen. - nur Ez.* = Schintoismus
Shirt [ʃœ:(r)t, engl.] *s. 12* kurzes Hemd
Shit [ʃɪt, engl.] *s. 9 nur Ez., ugs.:* Haschisch
Shi|va [ʃi-] = Schiwa
sho|cking [ʃɔkiŋ, engl.] *unflektierbar:* anstößig, den Anstand, die gute Sitte verletzend
Shod|dy [ʃɔdɪ, engl.] *s. Gen.* -s *nur Ez.* Garn aus zerrissenen Woll- oder Seidenlumpen, Reißgarn
Sho|gun [ʃo-, jap.] *m. 1, früher jap. Titel für* Feldherr
Shoo|ting|star [ʃu:tingstɑ:r, engl.] *m. 9* schießender Medienheld
Shop [ʃɔp, engl.] *m. 9, engl. Bez. für* Laden, Geschäft; **Shop|ping-Cen|ter** ▶ **Shop|ping|cen|ter** [ʃɔpiŋsɛntər] *s. 9, englische Bezeichnung für* Einkaufszentrum

> **Shoppingcenter, Shortstory, Showmaster:** Verbindungen zweier Substantive bzw. eines Adjektivs oder eines Verbs/Partizips und eines Substantivs schreibt man zusammen. Diese Regel gilt auch für fremdsprachige Komposita: *(das) Shoppingcenter, (die) Shortstory.* →§ 37 (1)

Shore|här|te [ʃɔr-, nach dem engl. Physiker Shore] *w. 11, Maßbez. für* die Härte von Metallen, Fallhärte
Short|drink [ʃɔrt-, engl.] *m. 9*

unverdünntes, stark alkohol. Getränk; *Ggs.:* Longdrink; **Shorts** [ʃɔrts] *Mz.* kurze Sommerhosen; **Short-Sto|ry** ► **Short|sto|ry** *auch:* **Short Sto|ry** [ʃɔrtstɔ:rɪ, engl.] *w. Gen.* - *Mz.* -s *oder (engl.)* -ries Kurzgeschichte, Kurznovelle; **Shor|ty** [ʃɔr-] *m. 9* Damenschlafanzug mit kurzem Höschen, *auch:* kurzes Höschen
Show [ʃoʊ, engl.] *w. 9* Schau, unterhaltende Darbietung, Vorführung in größerem Rahmen;

> **Show-down/Showdown:**
> Man setzt einen Bindestrich in substantivisch gebrauchten Zusammensetzungen (Aneinanderreihungen):
> *der Show-down.* →§43
> Zusammenschreibung (vgl. *das Autofahren*) ist möglich: *der Showdown.* →§37 (2)

Show|down *Nv.* ► **Show-down** *Hv.* [ʃoʊdaʊn] *s. 9* **1** *in Wildwestfilmen:* entscheidender Kampf zwischen den beiden Helden; **2** *allg.:* Macht-, Kraftprobe; **Show|busi|neß** ► **Show|bu|si|ness** [ʃoʊbiznis, engl.] *s. Gen.* -s *nur Ez.;* **Show-ge|schäft** [ʃoʊ-] *s. 1 nur Ez., Sammelbez. für* alle öffentl. Darbietungen der Unterhaltungsindustrie; **Show|mas|ter** [ʃoʊma:stər] *m. 9* Conférencier bei einer Show
Shred|der [ʃrẹd-, engl.] *m. 5* Maschine zum Verschrotten von Autowracks, Schredder
Shrịmp *Nv.* ► **Schrimp** *Hv. m. 9*
Shuf|fle|board [ʃʌf(ə)lbɔ:(r)d, engl.] *s.* -s ein Rasenspiel
Shunt [ʃʌnt, engl.] *m. 9* Vorschaltwiderstand zur Veränderung des Messbereichs z. B. eines Amperemeters
Si *chem. Zeichen für* Silicium
Si̱|al [Kurzw. aus Silicium und Aluminium] *s. Gen.* -s *nur Ez.* oberster Teil der Erdkruste
Si̱|am *früherer Name von* Thailand; **Si|a|me̱|se** *m. 11* Einwohner von Siam; **Si|a|me̱|sin** *w. 10;* **si|a|me̱|sisch**; siamesische Zwillinge: zusammengewachsene Zwillinge; **Si̱|am|kat-ze** *w. 11*
Si|bi|lạnt [lat.] *m. 10* Zischlaut, z. B. s, sch
Si|bi̱|ri|en russ. Teil von Nordasien; **Si|bi̱|ri|er** *m. 5;* **si|bi̱|risch**
Si|by̱l|le *w. 10, im alten Griechenland:* Wahrsagerin; **si|byl-li̱|nisch** weissagend, geheimnisvoll; *aber:* die Sibyllinischen Bücher: die Bücher der Sibylle von Cumae
sic! [sịk, lat.] (wirklich) so! (z. B. als Randbemerkung bei ungewöhnl. Ausdrücken oder Schreibungen im Text)
sịch; sich beeilen; hinter, vor, in sich
Sị|chel *w. 11;* **sị|cheln** *tr. 1* mit der Sichel mähen

> **sicher gehen/stellen, auf Nummer Sicher/sicher gehen:** Die Verbindung Adjektiv und Verb schreibt man getrennt, wenn das Adjektiv in dieser Verbindung steigerbar oder durch *sehr* erweiterbar ist: *Sie konnten hier sicher/sicherer gehen.*
> →§34 E3 (3)
> Auch bei *sein* gilt Getrenntschreibung: *Sie konnten sicher sein, dass …* →§35
> Die substantivierte Form schreibt man groß: *das Sichere/Sicherste; im Sichern.* →§57 (1)
> Auch: *auf Nummer Sicher gehen* (neben: *auf Nummer sicher gehen*).

sị|cher; ich weiß es aus sicherer Quelle; es ist das Sicherste, wenn wir …; das Sicherste (das sicherste Verhalten) wäre …; etwas Sicheres weiß ich nicht; er sitzt auf Nummer Sicher *ugs.:* im Gefängnis; ich gehe auf Nummer Sicher *ugs.:* ich gehe den sichersten Weg; auf dem vereisten Weg kann man nicht sicher gehen; *aber:* →sichergehen; **sị|cher|ge|hen** *intr. 47* si-

> **sichergehen, sicherstellen:** Kann das Adjektiv in der Verbindung mit einem Verb weder gesteigert noch erweitert werden, schreibt man zusammen: *Sie wollten sichergehen* (= Gewissheit haben). *Die Polizei konnte das Fluchtauto sicherstellen* (= in polizeilichen Gewahrsam nehmen). →§34 (2.2)

cher sein; sich einer Sache vergewissern; **Sị|cher|heit** *w. 10* **1** *nur Ez.* Gewissheit, sichere Beschaffenheit; **2** Bürgschaft, Pfand; gewisse Sicherheiten geben, fordern; **Sị|cher|heits|glas** *s. 4* splitterfreies Glas; **Sị|cher|heits|gurt** *m. 1;* **sị|cher|heits|hal|ber;** **Sị|cher|heits|rat** *m. 2 nur Ez.* ein Organ der UN; **Sị|cher|heits|schloß** ► **Sị|cher|heits|schloss** *s. 4;* **Sị|cher|heits|ven|til** *s. 1;* **sị|cher|lich;** **sị|chern** **1** *tr. 1;* **2** *intr. 1, Jägerspr.:* den Wind prüfen; das Reh, der Hirsch sichert; **sị|cher|stel|len** *tr. 1* beschlagnahmen, in Sicherheit bringen; **Sị|cher|stel|lung** *w. 10;* **Sị|che|rung** *w. 10;* **Sị|che|rungs|ver|wah|rung** *w. 10 nur Ez.*
Sịch|ler *m. 5* ein Schreitvogel mit sichelförmigem Schnabel
Sịcht *w. 10 nur Ez.;* auf lange, kurze Sicht; in, außer Sicht sein; **sịcht|bar;** **Sịcht|bar|keit** *w. 10 nur Ez.;* **sịcht|bar|lich** *veraltet für* sichtlich; **Sịcht|be|ton** [-tõ] *m. Gen.* -s *nur Ez., bei Bauwerken:* unverputzter, unverkleideter Beton; **sịch|ten** *tr. 2* **1** erblicken; **2** prüfend, auswählend durchsehen; **Sịcht|ge|schäft** *s. 1* Geschäft mit bestimmten Fristen; **sịch|tig** klar (Wetter); **Sịch|tig|keit** *w. 10 nur Ez.;* **sịcht|lich;** **Sịcht|tag** *m. 1* Tag, an dem etwas (z. B. Wechsel) vorgezeigt, vorgelegt wird; **Sịch|tung** *w. 10 nur Ez.;* **Sịcht|ver|merk** *m. 1;* **Sịcht|wech|sel** *m. 5* Wechsel, der bei Vorlage oder eine bestimmte Zeit danach fällig wird; **Sịcht|wei|te** *w. 11;* in S. bleiben, außer S. sein; **Sịcht|wer|bung** *w. 10* Werbung an weithin sichtbarer Stelle, z. B. an Litfaßsäulen
Si|ci|li|a̱|na [-tʃi-, ital.], **Si|zi|li|a̱|na** *w. Gen.* - *Mz.* -nen langsamer Satz eines Musikstücks in wiegendem Rhythmus; **Si|ci|li|a̱|no** [-tʃi-] *m. Gen.* -s *Mz.* -s *oder* -ni langsamer sizilian. Hirtentanz; **Si|ci|li|enne** [sisiljẹn, frz.] *w. 11, frz. Bez. für* Siciliano
Sị|cke *w. 11* **1** Randwulst, Randversteifung; bogenförmige Rille; **2** *Jägerspr.:* Vogelweibchen (bes. von Wachtel und Drossel); **sị|cken** *tr. 1* mit einer Sicke (**1**) versehen; **Sị|cker|gru|be** *w. 11* = Senkgrube; **sị|ckern** *intr. 1*
Sic trạn|sit glo̱|ria mụn|di [sịk, lat.] So vergeht der Ruhm der Welt
Side|board [sa̱i̱dbo:rd, engl.] *n. 9* niedriger, breiter Schrank, bes. für Geschirr

si|de|risch 1 [lat.] auf die Fixsterne bezogen, zu den Fixsternen gehörig; siderisches Jahr: Sternenjahr; siderische Umlaufzeit; **2** [griech.] aus Eisen bestehend; siderisches Pendel: Pendel, das in der Hand mancher Menschen über Wasser- oder Erzadern ausschlägt; **Si|de|rit** *m. 1* ein Mineral, Eisenspat; **Si|de|ro|lith** *m. 1 oder m. 10* ein eisenhaltiger Meteorit; **Si|de|ro|lo|gie** *w. 11 nur Ez.* Lehre vom Eisen; **si|de|ro|phil** sich gern mit Eisen verbindend

Sie: In der höflichen Anrede schreibt man das Anredepronomen *Sie,* das entsprechende Possessivpronomen *Ihr* sowie alle zugehörigen flektierten Formen groß: *Würden Sie mir helfen? Geht es Ihnen gut? Ist das Ihr Auto? Bestehen Ihrerseits Alternativen?* →§ 65

sie; *Großschreibung* **1** *in der veralteten Anrede für weibl. Untergebene:* das lasse Sie künftig bleiben!; **2** *in der Anrede an eine oder mehrere Personen, gleich welchen Geschlechts;* bitte setzen Sie sich; jmdn. Sie nennen; **Sie** *w. Gen. - nur Ez., ugs.:* weibl. Person oder weibl. Tier; ein Er und eine Sie

Sieb *s. 1;* **Sieb|bein** *s. 1* ein Schädelknochen; **Sieb|druck** *m. 1* Druckverfahren, bei dem die Druckfarbe durch ein feines Sieb gedrückt wird; **sie|ben** *tr. 1* durch ein Sieb schütten oder rühren

sie|ben *Zahlwort, in Ziffer:* 7; wir sind sieben, zu sieben, zu siebent, zu siebt; **1** *Kleinschreibung:* die sieben Bitten des Vaterunsers; die sieben Sakramente; das ist mir ein Buch mit sieben Siegeln *übertr.:* davon verstehe ich überhaupt nichts; die sieben Todsünden; Schneewittchen und die sieben Zwerge; die sieben Freien Künste; vgl. Trivium und Quadrivium; die sieben →Weltwunder; **2** *Großschreibung:* Sieben gegen Theben; *Zus.* vgl. acht; **Sie|ben** *w. 7* die Zahl 7; die böse Sieben; *Zus.* vgl. Acht; **sie|ben|ar|mig**; siebenarmiger Leuchter; **Sie|ben|bür|gen** histor. Landschaft in Rumänien; **Sie|ben|bür|ger** *m. 5;* **sie|ben|bür|gisch;** **sie|ben|ge|scheit** übergescheit, naseweis, neunmalklug; **Sie|ben|ge|stirn** *s. 1 nur Ez.* Sternbild der Plejaden; **sie|ben|jäh|rig;** *aber:* der Siebenjährige Krieg; **sie|ben|mal** vgl. achtmal; **Sie|ben|mei|len|stie|fel** *m. 5 Mz.;* **Sie|ben|mo|nats|kind** *s. 3* sieben Monate nach der Empfängnis geborenes Kind; **Sie|ben|punkt** *m. 1* Marienkäfer; **Sie|ben|sa|chen** *Mz., ugs.:* Habseligkeiten, kleines Gepäck; **Sie|ben|schlä|fer** *m. 5* **1** *nur Ez.* Fest der sieben Schläfer am 27. Juni; **2** ein Nagetier, Schlafmaus, Bilch; **Sie|ben|schritt** *m. 1 nur Ez.,* **Sie|ben|sprung** *m. 2 nur Ez.* ein Volkstanz; **Sie|ben|stern** *m. 1* ein Primelgewächs; **sie|ben|te,** sieb|te; im siebenten Himmel schweben; vgl. achte; **Sie|ben|tel,** Sieb|tel *s. 5* vgl. Achtel; **sie|ben|tens,** sieb|tens; **Sie|ben|zahl** *w. 10 nur Ez.;* **sieb|te** = siebente; **Sieb|tel** *s. 5* = Siebentel; **sieb|tens** = siebentens; **sieb|zehn; sieb|zig** vgl. achtzig; der Siebziger Krieg: der Deutsch-Französ. Krieg von 1870/71

siech lange krank, gebrechlich; **sie|chen** *intr. 1* lange krank sein, *meist:* dahinsiechen; **Sie|chen|haus** *s. 4, veraltet:* Pflegeheim; **Siech|tum** *s. Gen.* -s *nur Ez.* Zustand des ständigen Krankseins

Sie|de *w. 11* gesottenes Viehfutter; **Sie|de|grad** *m. 1;* **Sie|de|hit|ze** *w. 11 nur Ez.*

Sie|del|land *s. 4;* **sie|deln** *intr. 1;* ich siedele, siedle

sie|den 1 *tr. 139* kochen; Gebratenes und Gesottenes; **2** *intr. 2;* siedend heißes Wasser, das Wasser ist siedend heiß, es überlief mich siedend heiß; **Sie|de|punkt** *m. 1;* **Sie|der** *m. 2;* **Sied|fleisch** *s. 1 nur Ez., schwäb., schweiz.:* gekochtes Fleisch

Sied|ler *m. 5;* **Sied|lung** *w. 10;* **Sied|lungs|haus** *s. 4*

Sieg *m. 1*

Sie|gel *s. 5;* **Sie|gel|baum** *m. 2* ein Bärlappbaum des Devons, Karbons und Perms, Sigillarie; **Sie|gel|kun|de** *w. 11 nur Ez.* Wiss. von den Siegeln, Sphragistik; **Sie|gel|lack** *m. 1;* **sie|geln** *tr. 1;* **Sie|gel|ring** *m. 1;* **Sie|gel|zy|lin|der** *m. 5* = Rollsiegel

sie|gen *intr. 1;* über jmdn. s.; **Sie|ger** *m. 5;* **Sie|ger|kranz,** Sie|ges|kranz *m. 2*

sie|ges|be|wußt ► **sie|ges|be|wusst; Sie|ges|fei|er** *w. 11;* **sie|ges|ge|wiß** ► **sie|ges|ge|wiss; Sie|ges|ge|wiß|heit** ► **Sie|ges|ge|wiss|heit** *w. 10 nur Ez.;* **Sie|ges|göt|tin** *w. 10;* **Sie|ges|kranz,** Sie|ger|kranz *m. 2;* **Sie|ges|preis** *m. 1;* **Sie|ges|säu|le** *w. 11;* **sie|ges|si|cher; sie|ges|trun|ken; Sie|ges|zug** *m. 2*

Sieg|fried|li|nie *w. 11 nur Ez.* **1** *im 1. Weltkrieg:* eine Befestigungslinie in Frankreich; **2** *im 2. Weltkrieg Bez. der brit. und amerik. Soldaten für* Westwall

sieg|ge|wohnt; sieg|haft; sieg|los; sieg|reich; Sieg|wurz *w. 1* = Gladiole

sie|he (*Abk.:* s.) vgl. sehen

Siel *m. 1 oder w. 1* **1** Abwasserkanal; **2** kleine Deichschleuse

Sie|le *w. 11* Zugriemen am Geschirr der Zugtiere; in den Sielen sterben *übertr.:* mitten in der (schweren) Arbeit sterben

sie|len [zu Siel] *refl. 1;* sich in etwas s.: sich (mit Behagen) in etwas wälzen

Sie|len|ge|schirr *s. 1,* **Sie|len|zeug, Siel|zeug** *s. 1* Pferdegeschirr mit breitem Brustblatt

Sie|mens [nach dem Industriellen Werner von S.] *s. Gen. - Mz. -* (*Abk.:* S) Maßeinheit der elektrischen Leitfähigkeit; **Sie|mens-Mar|tin-O|fen** *m. 8*

si|e|na [sie-, nach der rotbraunen Erde um die ital. Stadt Siena] *unflektierbar:* rotbraun; **Si|e|na 1** [sıẹna] Stadt in Italien; **2** [sie-] *s. Gen.* -s *nur Ez.* rotbraune Farbe; **Si|e|ne|se** [sıɛ-] *m. 11,* **Si|e|ne|ser** *m. 5* Einwohner von Siena; **si|e|ne|sisch**

Si|er|ra [span.] *w. Gen. - Mz.* -s *oder* -ren Gebirgszug, Gebirgskette; **Si|er|ra Le|o|ne** westafrik. Staat; **Si|er|ra|leo|ner** ► **Si|er|ra-Le|o|ner** *m. 5;* **si|er|ra|leo|nisch** ► **si|er|ra-le|o|nisch**

Si|es|ta [sıẹ-, ital. »sechste« (Tagesstunde)] *w. Gen. - Mz.* -ten Mittagsruhe

sie|zen *tr. 1, ugs.:* mit »Sie« anreden

Sif|flet [-fle, frz.], **Sif|flöt** *m. 9,* **Sif|flö|te** *w. 11* kleines Orgelregister, Flötenzug

Si|gel [lat.] *s. 5,* Si|gle *w. 11*

Wort-, Abkürzungszeichen, z. B. in der Kurzschrift
Sight|see|ing [saitsi:iŋ, engl.] *s. Gen.* -s *nur Ez., engl. Bez. für* Besichtigung von Sehenswürdigkeiten
Si|gil|la|rie [-riə, lat.] *w. 11* = Siegelbaum
Si|gle *auch:* **Sig|le** *w. 11* = Sigel
Sig|ma *s. Gen.* -(s) *Mz.* -s (*Zeichen:* σ, ς, Σ) griech. Buchstabe

> **Signa-, Signe-, Signi-, Signo-** (Worttrennung): Neben der Trennmöglichkeit *Si|gna-, Signe-, Si|gni-, Si|gno-* bleibt es dem/der Schreibenden überlassen, auch der Aussprache nach zu trennen: *Sig|na-, Signe-, Sig|ni-, Sig|no-.* → § 110

sign. *Abk. für* signatum; **Si|gna** *Mz. von* Signum; **Si|gnal** [auch: siŋnal, lat.] *s. 1* **1** Zeichen mit festgelegter Bedeutung; **2** Warnzeichen; **Si|gnal|buch** *s. 4;* **Si|gna|le|ment** [-mã, frz.] *s. 9, österr., schweiz.:* [-mɛnt] *s. 1* kurze Personenbeschreibung; **Si|gnal|flag|ge** *w. 11, Seew.:* Flagge zum Zeichengeben nach bestimmtem Kode; **Si|gnal|gast** *m. 12, Seew.:* Matrose, der die Signalflaggen bedient; **Si|gnal|horn** *s. 4* Horn zum Blasen von Signalen, z. B. Jagdhorn, Posthorn; **si|gna|li|sie|ren** *tr. 3* **1** durch Signal(e) übermitteln; **2** ankündigen
Si|gna|tar|macht [lat.] *w. 2* Macht, die einen Vertrag unterzeichnet (hat); **si|gna|tum** (*Abk.:* sign.) unterzeichnet; **Si|gna|tur** *w. 10* **1** Zeichen, meist Buchstabe(n) oder Zahl(en); **2** abgekürzter Namenszug (bei Unterschriften); **3** *auf Landkarten:* bildl. Zeichen zur Darstellung bestimmter Gegenstände, Kartenzeichen; **4** *Buchw.:* laufende Nummer auf der ersten Seite eines Druckbogens links unten; **5** *Buchw.:* Kerbe, Einschnitt am Fuß einer Letter; **6** *Bibliothekswesen:* Kennzeichen eines Buches, Buchnummer;
Si|gnet [sinje, siŋnet, signet] *s. 9* Schutzmarke, Druckerei-, Verlags-, Firmenzeichen; **si|gnie|ren** [auch: siŋni-] *tr. 3* mit einem Signum, einer Signatur versehen; ein Buch s.: in ein Buch seinen Namen schreiben (als Verfasser); ein Bild s.: auf ein Bild seinen Namen schreiben (als Maler); **si|gni|fi|kant** bezeichnend, bedeutsam
Si|gnor [sinjor, ital.] *ital. Anrede (vor dem Namen):* Herr; vgl. Signore; **Si|gno|ra** [sinjo-] *w. Gen.* - *Mz.* -re, ital. *Anrede (allein stehend oder vor dem Namen):* Frau, meine Dame; **Si|gno|re** [sinjorə] *m. Gen.* -s *Mz.* -ri, *ital. Anrede (ohne Namen):* Herr; vgl. Signor; **Si|gno|ria** [sinjo-] *w. Gen.* - *Mz.* -rie, *eindeutschend:* -ri|en, *in den ital. Stadtstaaten:* oberste Behörde, Rat der Stadt; **Si|gno|ri|na** [sinjo-] *w. Gen.* - *Mz.* -ne, *ital. Anrede (allein stehend oder vor dem Namen):* Fräulein
Si|gnum *auch:* **Sig|num** [auch: si-, lat.] *s. Gen.* -s *Mz.* -gna **1** Zeichen, Kennzeichen; **2** abgekürzter Name (in Unterschriften)
Si|grist *auch:* **Sig|rist** [auch: si-] *m. 10, veraltet, noch schweiz.:* Küster, Messner
Sikh [sanskr.] *m. 9* Anhänger des Sikhismus; **Si|khis|mus** *m. Gen.* - *nur Ez.* indische, militärisch organisierte Religionsgemeinschaft im Pandschab
Sik|ka|tiv [lat.] *s. 1* Trockenmittel für Ölfarben
Sik|kim indischer Unionsstaat im Himalaya
Si|la|ge [-ʒə, frz.], **En|si|la|ge** [ã-] *w. 11* **1** Einbringen (von Grünfutter) ins Silo; vgl. silieren; **2** im Silo aufbewahrtes Grünfutter
Sil|be *w. 11;* **Sil|ben|rät|sel** *s. 5;* **Sil|ben|schrift** *w. 10* Schrift, deren Zeichen für Silben stehen (nicht für Buchstaben oder Wörter), z. B. die jap. Schrift; vgl. Lautschrift, Bilderschrift; **Sil|ben|ste|cher** *m. 5* = Wortklauber; **Sil|ben|tren|nung** *w. 10*
Sil|ber *s. 5 nur Ez.* **1** (*Zeichen:* Ag) chem. Element, Edelmetall, Argentum; **2** *ugs.:* silbernes Tafelbesteck oder Tafelgeschirr; **3** *veraltet:* Hartgeld, Münzen; **Sil|ber|blick** *m. 1, ugs.:* leichtes Schielen; **Sil|ber|braut** *w. 2* Ehefrau am Tag ihrer silbernen Hochzeit; **Sil|ber|bräu|ti|gam** *m. 1* Ehemann am Tag seiner silbernen Hochzeit; **Sil|ber|bro|kat** *m. 1* Brokat mit eingewebten Silberfäden; **Sil|ber|dis|tel** *w. 11* ein Korbblütler mit silbrig glänzenden Hüllblättern; **Sil|ber|draht** *m. 2;* **Sil|ber|fisch|chen** *s. 7* ein ungeflügeltes Insekt; **Sil|ber|fuchs** *m. 2* Unterart des Rotfuchses; **Sil|ber|gras** *s. 4* eine Zierstaude, Pampasgras; **Sil|ber|haar** *s. Gen.* -(e)s *nur Ez., poet.:* silbergraues Haar; **sil|ber|hell; Sil|ber|hoch|zeit** *w. 10* 25. Wiederkehr des Hochzeitstages; **sil|be|rig,** sil|b|rig; **Sil|ber|ling** *m. 1, biblisch:* silberne Münze; **Sil|ber|lö|we** *m. 11* = Puma; **Sil|ber|mün|ze** *w. 11;* **sil|bern 1** aus Silber; **2** *übertr.:* wie Silber, hell und klar; silberne Hochzeit vgl. Silberhochzeit; **Sil|ber|ni|trat** *auch:* **-nit|rat** *s. 1* salpetriges Silbersalz, ein Ätzmittel, Höllenstein; **Sil|ber|pa|pier** *s. 1* Aluminiumfolie; **Sil|ber|pap|pel** *w. 11;* **Sil|ber|schmied** *m. 1;* **Sil|ber|strei|fen** *m. 7, in der ugs. Wendung* S. am Horizont: Anlass zur Hoffnung; **Sil|ber|tan|ne** *w. 11* Edeltanne; **sil|ber|weiß; Sil|ber|zeug** *s. 1 nur Ez., ugs.:* silbernes Besteck und Geschirr
...sil|big *in Zus.,* z. B. drei-, mehr-, vielsilbig; **sil|bisch** eine Silbe bildend; **...silb|ler, ...silb|ner** *m. 5, in Zus.:* Vers mit einer bestimmten Anzahl von Silben, z. B. Achtsilbler, Achtsilbner
silb|rig, sil|be|rig
Sild [norw.], Sill *m. 1* junger Hering
Si|len [griech.] *m. 1, griech. Myth.* **1** dicker, trunkener Begleiter des Dionysos; **2** alter Satyr, meist mit Bocksbeinen, stumpfer Nase und Glatze
Si|len|ti|um [-tsjum, lat.] *s., nur als Ausruf* Silentium!: Schweigen!, Ruhe!, *oder in der Wendung:* S. gebieten
Sil|hou|et|te [siluɛtə, nach dem frz. Finanzminister Etienne de S.] *w. 11* Schattenriss, -bild, Scherenschnitt; **sil|hou|et|tie|ren** *tr. 3, veraltet:* als Silhouette zeichnen oder schneiden
Si|li|cat *s. 1* = Silikat; **Si|li|ci|um** *s. Gen.* -s *nur Ez.* (*Zeichen:* Si) chem. Element; **Si|li|con** *s. 1* = Silikon
si|lie|ren *tr. 3* ins Silo einbringen (Grünfutter); vgl. Silage
Si|li|fi|ka|ti|on [lat.] *w. 10 nur Ez.* Verkieselung; **si|li|fi|zie|ren** *tr. 3* verkieseln; **Si|li|kat** *fachsprachl.:* Si|li|cat [lat.] *s. 1* Salz der Kieselsäure; **Si|li|kon** *fachsprachl.:* Si|li|con *s. 1* sehr beständiger

Kunststoff; **Si|li|ko|se** *w. 11* Erkrankung der Lunge durch ständiges Einatmen von kieselsäurehaltigem Staub, Steinstaublunge; **Si|li|zi|um** *s. Gen.* -s *nur Ez., eindeutschende Schreibung von* Silicium

Silk *m. 1* **1** glänzender Kleiderstoff; **2** *nur Ez.* Petersilie

Sill *m. 1* = Sild

Si|lo [span.] *s. 9* Speicher für Gärfutter oder Getreide

Si|lu|min *s. 1 nur Ez.* Ⓦⓩ Legierung aus Aluminium und Silicium

Si|lur [nach dem Volksstamm der Silurer] *s. Gen.* -s *nur Ez.* eine Formation des Paläozoikums; **Si|lu|rer** *m. 5* Angehöriger eines vorkelt. Volksstammes in Wales; **si|lu|risch**

Sil|va|ner [-va-] *m. 5* eine Traubensorte

Sil|ves|ter [-vɛs-, nach dem Papst Silvester I.] *s. Gen.* -s *nur Ez.* letzter Tag des Jahres, 31. Dezember

Si|ma [lat.] **1** *w. Gen.* - *Mz.* -men, *an antiken Tempeln:* Traufrinne; **2** *s. Gen.* -s *nur Ez.* eine durch Silicium- und Magnesiumgehalt gekennzeichnete Schicht der Erdkruste

Sim|bab|we Staat im südl. Afrika; **Sim|bab|wer** *m. 5;* **sim|bab|wisch**

Si|mi|li [lat.] *s. 9 oder m. 9* Nachahmung (von Edelsteinen); **Si|mi|li|stein** *m. 1* unechter Edelstein

Si|mo|nie [nach dem angebl. Wundertäter Simon Magus im 1. Jh.] *w. 11* **1** Kauf und Verkauf von geistl. Ämtern; **2** Erschleichung eines Amtes; **si|mo|nisch, si|mo|nis|tisch** auf Simonie beruhend

sim|pel [lat.] **1** einfach; ein simples Beispiel; **2** einfältig, anspruchslos; **Sim|pel** *m. 5, süddt.:* Einfaltspinsel, Dummkopf; **Sim|perl** *s. 14, österr.:* Strohschale, Brotkorb

Sim|pla *auch:* **Simp|la** [lat.] *Mz. von* Simplum; **Sim|plex** *auch:* **Simp|lex** *s. Gen.* -(es) *Mz.* -e *oder* -pli|zia einfaches, nicht zusammengesetztes Wort, z. B. Kind, Freundschaft; *Ggs.:* Kompositum; **Sim|pli|cis|si|mus** **1** Titelheld eines Romans von H. J. Chr. von Grimmelshausen; **2** *m. Gen.* - *nur Ez.* Name einer politisch-satir. Wochenschrift; **sim|pli|ci|ter** *veraltet:* schlechthin; **Sim|pli|fi|ka|ti|on** *w. 10* Vereinfachung; **sim|pli|fi|zie|ren** *tr. 3* (zu sehr) vereinfachen; **Sim|pli|zia** *Mz. von* Simplex; **Sim|pli|zi|a|de** *w. 11* Nachahmung des Romans »Simplicissimus« von Grimmelshausen, Roman um einen einfältigen Menschen im Getriebe der Welt; **Sim|pli|zi|tät** *w. 10 nur Ez.* Einfachheit, Einfalt

> **Simpli-** (Worttrennung): Neben der bisher üblichen Trennmöglichkeit *(Sim|pli-)* bleibt es dem/der Schreibenden überlassen, auch der Aussprache nach zu trennen: *Simp|li-.* → § 110

Sim|plum *auch:* **Simp|lum** [lat.] *s. Gen.* -s *Mz.* -pla, *Wirtschaft:* einfacher Steuersatz

Sims *s. 1* **1** = Gesims; **2** Mauervorsprung unter dem Fenster

Sim|se *w. 11, Bez. für* verschiedene grasartige Pflanzen

Si|mu|lant [lat.] *m. 10* jmd., der eine Krankheit simuliert; **Si|mu|la|ti|on** *w. 10* Vortäuschung (einer Krankheit); *Ggs.:* Dissimulation; **Si|mu|la|tor** *m. 13* Apparat, in dem zu Lehr- und Trainingszwecken Bedingungen hergestellt werden können, wie sie in der Natur gegeben sind, z. B. Flugsimulator; **si|mu|lie|ren** **1** *tr. 3* vortäuschen (Krankheit); **2** *intr. 3* sich verstellen, so tun, als ob; *Ggs.:* dissimulieren

si|mul|tan [neulat.] gemeinsam, gleichzeitig; **Si|mul|tan|büh|ne** *w. 11, MA:* Bühne, auf der alle Schauplätze nebeneinander aufgebaut sind und während des Stückes sichtbar bleiben; **Si|mul|tan|dol|met|scher** *m. 5* Dolmetscher, der einen Text übersetzt, während dieser noch gesprochen wird; **Si|mul|ta|ne|i|tät,** Si|mul|ta|ni|tät *w. 10 nur Ez.* Gleichzeitigkeit, Gemeinsamkeit; **Si|mul|ta|ne|um** *s. Gen.* -s *nur Ez.* Nutzungsrecht an kirchl. Einrichtungen durch Angehörige verschiedener Bekenntnisse; **Si|mul|ta|ni|tät** *w. 10 nur Ez.* = Simultaneität; **Si|mul|tan|kir|che** *w. 11* Kirche, die von Angehörigen verschiedener Bekenntnisse benutzt wird; **Si|mul|tan|schu|le** *w. 11* Schule für Kinder verschiedener Bekenntnisse, Gemeinschaftsschule; *Ggs.:* Bekenntnisschule; **Si|mul|tan|spiel** *s. 1* Schachspiel gegen mehrere Partner gleichzeitig

sin *Abk. für* Sinus

Si|nai [-na|i] **1** Halbinsel im nördl. Roten Meer; **2** Gebirgsmassiv auf der Sinaihalbinsel

Si|n|an|thro|pus *auch:* **Si|nanth|ro|pus** [lat. + griech.] *m. Gen.* - *nur Ez.* in China gefundene Frühmenschenform, Pekingmensch

si|ne an|no [lat.] (*Abk.:* s. a.) ohne Jahr (Vermerk in bibliograf. Angaben, wenn das Erscheinungsjahr des Buches nicht angegeben ist); vgl. sine loco; **si|ne i|ra et stu|dio** ohne Zorn und Eifer (d. h. ohne Hass oder Vorliebe), sachlich; etwas sine ira et studio vortragen, erklären; **Si|ne|ku|re** *w. 11* Pfründe ohne Amtspflichten, einträgliches, müheloses Amt; **si|ne lo|co** (*Abk.:* s. l.) ohne Ort (Vermerk in bibliograf. Angaben, wenn der Erscheinungsort des Buches nicht angegeben ist); **si|ne lo|co et an|no** (*Abk.:* s. l. e. a.) ohne Ort und Jahr (Vermerk in bibliograf. Angaben); **si|ne tem|po|re** (*Abk.:* s. t.) ohne Zeit, d. h. ohne akadem. Viertel, pünktlich (bei Zeitangaben für Vorlesungen an Hochschulen); die Vorlesung beginnt um 9 Uhr s. t.; *Ggs.:* cum tempore

Sin|fo|nie [griech.], Sym|pho|nie *w. 11* mehrsätziges Musikstück für Orchester; **Sin|fo|nie|or|ches|ter** [-kɛ-] *s. 5* Name großer Orchester, z. B. S. des Bayerischen Rundfunks; **Sin|fo|ni|et|ta** *w. Gen.* - *Mz.* -ten kleine Sinfonie; **Sin|fo|nik,** Sym|pho|nik *w. 10 nur Ez.* **1** Lehre von der sinfon. Gestaltung; **2** sinfon. Schaffen; **Sin|fo|ni|ker,** Sym|pho|ni|ker *m. 5* **1** Komponist von Sinfonien; **2** Mitglied eines Sinfonieorchesters; **sin|fo|nisch,** sym|pho|nisch, in der Art einer Sinfonie

Sin|ga|le|se *m. 11* = Singhalese

Sin|ga|pore [-pur] *engl. Schreibung von* Singapur; **Sin|ga|pur** Stadt und Inselstaat in Südostasien; **Sin|ga|pu|rer** *m. 5;* **sin|ga|pu|risch**

sing|bar; **Sing|bar|keit** *w. 10*

nur Ez.; **Sing|dros|sel** *w. 11;* **sin|gen** *tr. u. intr. 140;* **Sin|ge|rei** *w. 10 nur Ez.*
Sin|gha|le|se, Sin|ga|le|se *m. 11* Angehöriger eines ind. Volkes auf Sri Lanka; **sin|gha|le|sisch**
Sing|sang *m. 1 nur Ez.*
Sing Sing *ohne Artikel:* Staatsgefängnis von New York
Sing|spiel *s. 1* Bühnenstück mit musikal. Einlagen; **Sing|stim|me** *w. 11;* **Sing|stun|de** *w. 11*
Sin|gu|lar [lat.] *m. 1* Zahlform des Nomens und Verbs, Einzahl; *Ggs.:* Plural; vgl. Dual; **sin|gu|lär** einzeln, vereinzelt; **Sin|gu|la|re|tan|tum** *s. 9, Mz. auch:* Sin|gu|la|ri|a|tan|tum Wort, das nur in der Einzahl vorkommt, z. B. Kälte, Hunger; **sin|gu|la|risch** im Singular (gebraucht, stehend); **Sin|gu|la|ris|mus** *m. Gen. - nur Ez.* Lehre, dass die Welt eine Einheit aus nur scheinbar selbständigen Teilen und auf ein einziges Prinzip zurückzuführen sei; *Ggs.:* Pluralismus (**1**); sin|gu|la|ris|tisch; Sin|gu|la|ri|tät *w. 10 nur Ez.* vereinzelte Erscheinung, Seltenheit
Sing|vo|gel *m. 6*
si|nis|ter [lat.] unheilvoll, unselig, unglücklich; eine sinistre Angelegenheit
sin|ken *intr. 141;* **Sink|kas|ten** *m. 8, an Abwasseranlagen:* kastenartige Vertiefung, in der sich Sinkstoffe absetzen können

> **Sinn geben/haben:** Die Verbindung aus Substantiv und Verb schreibt man getrennt: *Die Unternehmung hatte keinen Sinn gehabt.* Ebenso: *von Sinnen sein. Die Verletzte war wie von Sinnen.* →§ 55 (4) Anmerkung: Die neudeutsche Form *Das macht keinen Sinn* ist ein Anglizismus und nicht korrekt. Richtig ist: *Das hat/ergibt keinen Sinn/ist sinnlos.*

Sinn *m. 1;* (nicht) bei Sinnen sein; von Sinnen sein; mir steht der Sinn nach etwas anderem; seine fünf Sinne (nicht) beieinander haben; vgl. sechs; **Sinn|bild** *s. 3;* **sinn|bild|lich;** **sin|nen** *intr. 142;* **Sin|nen|freu|de** *w. 11;* **sin|nen|froh;** **Sin|nen|mensch** *m. 10;* **Sin|nen|rausch** *m. 2 nur Ez.;* **Sin|nen|reiz** *m. 1 meist Mz.* auf die Sinne einwirkender Reiz; **sinn|ent|leert**; ein sinnentleerter Ausdruck; **sinn|ent|stel|lend**; *aber:* ein den Sinn entstellender Fehler; **Sin|nes|än|de|rung** *w. 10;* **Sin|nes|art** *w. 10;* **Sin|nes|ein|druck** *m. 2;* **Sin|nes|or|gan** *s. 1;* **Sin|nes|reiz** *m. 1* auf ein Sinnesorgan einwirkender Reiz; **Sin|nes|stö|rung** *w. 10;* **Sin|nes|täu|schung** *w. 10;* **Sin|nes|wahr|neh|mung** *w. 10;* **Sin|nes|zel|le** *w. 11;* **sinn|fäl|lig** augenfällig, einleuchtend, geistig erkennbar; **Sinn|fäl|lig|keit** *w. 10 nur Ez.*
Sinn Fein [ʃin fɛın, ir. »wir allein«] *w. Gen. -- nur Ez.* nationalist. Bewegung und Partei in Irland
Sinn|ge|bung *w. 10;* **Sinn|ge|dicht** *s. 1* = Epigramm; **Sinn|ge|halt** *m. 1;* **sinn|ge|mäß;** **sinn|ge|treu;** **sin|nie|ren** *intr. 3* grübeln, sinnen; **Sin|nie|rer** *m. 5;* **sin|nig** **1** gut durchdacht (Äußerung), gut ausgedacht (Geschenk); **2** *ugs. iron.:* überlegt, aber das Falsche treffend; **Sin|nig|keit** *w. 10 nur Ez.;* **sinn|lich** **1** mit den Sinnen wahrnehmbar, körperlich; **2** dem Sinnengenuss, der Geschlechtslust zugänglich; **Sinn|lich|keit** *w. 10 nur Ez.;* **sinn|los;** **Sinn|lo|sig|keit** *w. 10 nur Ez.;* **sinn|reich** gut ausgedacht (Vorrichtung, Gerät); **Sinn|spruch** *m. 2;* **sinn|ver|wandt** in der Bedeutung, im Sinn verwandt, ähnlich, synonym (Wörter); **Sinn|ver|wandt|schaft** *w. 10 nur Ez.;* **sinn|ver|wir|rend;** **sinn|voll;** **sinn|wid|rig;** **Sinn|wid|rig|keit** *w. 10 nur Ez.*
Si|no|lo|ge [griech.] *m. 11;* **Si|no|lo|gie** *w. 11 nur Ez.* Wissenschaft von der chin. Sprache und Kultur; **si|no|lo|gisch**
sin|te|ma|len *veraltet, noch scherzh.:* da, weil
Sin|ter *m. 5 nur Ez.* mineral. Ablagerung aus fließendem oder tropfendem Wasser; **sin|tern** *intr. 1* **1** sich absetzen, sich ablagern; **2** bei hoher Temperatur zusammenbacken, sich verfestigen; **Sin|te|rung** *w. 10 nur Ez.*
Sint|flut *Nv.* ▶ **Sünd|flut** *Hv. w. 10 nur Ez.*
Sin|to *m. Gen. - Mz.* -ti *meist Mz.* Selbstbenennung der Zigeuner
si|nu|ös [lat.] *Med.:* ausgebuchtet, mit vielen Vertiefungen; **Si|nus** *m. Gen. - Mz.* -nus|se **1** *Math.:* eine Winkelfunktion, Verhältnis der Gegenkathete zur Hypotenuse; **2** *Med.:* Hohlraum, Vertiefung, Ausbuchtung; **Si|nus|kur|ve** *w. 11* zeichnerische Darstellung des Sinus; **Si|nus|schwin|gung** *w. 10* Schwingung, deren Verlauf zeichnerisch als Sinuskurve darstellbar ist
Si|oux [engl.: su, eindeutschend: siuks] *m. Gen. - Mz. -* Angehöriger eines nordamerik. Indianervolkes
Si|pho [griech.] *m. Gen. -s Mz.* -pho|nen Atemröhre der Weichtiere; **Si|phon** [-fɔ̃, österr.: -fon, griech.-frz.] *m. 9* **1** Geruchverschluss (bei Abwasserleitungen); **2** Gefäß mit Druckverschluss für kohlensäurehaltige Getränke; **Si|pho|no|pho|re** *w. 11* Röhrenqualle, Staatsqualle
Sip|pe *w. 11;* **Sip|pen|for|schung** *w. 10;* **Sip|pen|haf|tung** *w. 10 nur Ez.* Haftung der Sippe für das Vergehen eines einzelnen Angehörigen; **Sipp|schaft** *w. 10, abwertend:* Verwandtschaft; *übertr.:* Klüngel, Bande
Sir [sə, engl.] *m. 9* **1** *engl. Anrede (ohne Namen):* Herr; **2** engl. Titel (in Verbindung mit dem Vornamen) für einen Adligen, z. B. Sir George; **Sire** [sir, frz.] *m. 9, frz. Anrede (ohne Namen):* Majestät
Si|re|ne [griech.] *w. 11* **1** *meist Mz., griech. Myth.:* auf einer Insel lebendes Mädchen mit Vogelleib, das vorbeifahrende Schiffer mit seinem Gesang anlockte und tötete; **2** Gerät zur Erzeugung eines Warntones, Typhon; **3** = Seekuh; **Si|re|nen|ge|sang** *m. 2;* **Si|re|nen|pro|be** *w. 11*
Si|ri|us [griech.] *m. Gen. -* ein Fixstern, Hundsstern
sir|ren *intr. 1* hell und scharf brummen, zischend tönen
Si|rup [arab.] *m. 1* **1** bei der Gewinnung von Zucker entstehender, zähflüssiger Zuckersaft; **2** dickflüssige Lösung aus Obstsaft und Zucker
Si|sal [nach der amerikan. Hafenstadt S.] *m. 1 nur Ez.* **1** Blattfaser der Sisalagave; **2** daraus hergestelltes Garn; **Si|sal|a|ga|ve** *w. 11* eine trop. Pflanze; **Si-**

sa|hanf *m. Gen.* -s *nur Ez.* = Sisal

sis|tie|ren [lat.] *tr. 3, Rechtsw.:* **1** aufheben, einstellen (Verfahren); **2** zur Feststellung der Personalien zur Polizeiwache bringen; **Sis|tie|rung** *w. 10*

Sis|trum *auch:* **Sist|rum** [griech.] *s. Gen.* -s *Mz.* -tren altägypt. Rasselinstrument

Si|sy|phus|ar|beit [nach einer griech. Sagengestalt, dem König Sisyphos v. Korinth] *w. 10* mühevolle, vergebliche Arbeit

Si|tar [iran.] *m. 9* ein iran. Saiteninstrument mit langem Hals

Sit-in [engl.] *s. 9* Sitzstreik (bes. von Studenten, um auf Missstände hinzuweisen); vgl. Go-in

Sit|te *w. 11;* **Sit|ten|bild** *s. 3;* **Sit|ten|ge|schich|te** *w. 11;* **sit|ten|ge|schicht|lich; Sit|ten|leh|re** *w. 11* Morallehre, Ethik; **sit|ten|los; Sit|ten|po|li|zei** *w. Gen. - nur Ez.;* **Sit|ten|pre|di|ger** *m. 5;* **Sit|ten|rich|ter** *m. 5;* **sit|ten|streng; Sit|ten|strolch** *m. 1* Mann, der Frauen und bes. Kinder unsittlich belästigt, Sittlichkeitsverbrecher; **sit|ten|wid|rig; Sit|ten|wid|rig|keit** *w. 10 nur Ez.*

Sit|tich [lat.] *m. 1* ein Papagei

sit|tig *veraltet:* sittsam; **sitt|lich; Sitt|lich|keit** *w. 10 nur Ez.;* **Sitt|lich|keits|de|likt** *s. 1;* **Sitt|lich|keits|ver|bre|chen** *s. 7;* **sitt|sam; Sitt|sam|keit** *w. 10 nur Ez.*

Si|tu|a|ti|on [lat.] *w. 10* Sachlage, Lage, Zustand; **Si|tu|a|ti|ons|ko|mik** *w. 10 nur Ez.;* **si|tu|a|tiv** durch die Situation bedingt, auf einer bestimmten Situation beruhend; **si|tu|iert** in einer bestimmten Lebensstellung (befindlich); gut s. sein

Si|tu|la [lat.] *w. Gen. - Mz.* -tu|len eimerartiges Gefäß der Bronzezeit

Si|tus [lat.] *m. Gen. - Mz. -* die natürl. Lage der Organe im Körper, bes. des Embryos in der Gebärmutter

sit ve|nia ver|bo [lat. »es sei Erlaubnis (gegeben) dem Wort«] man verzeihe das harte Wort, mit Verlaub zu sagen

Sitz *m. 1;* **Sitz|bad** *s. 4;* **sit|zen** *intr. 143;* einem Maler s.: das Modell für ein Gemälde abgeben, sich porträtieren lassen; einen s. haben *ugs.:* betrunken sein; sitzende Lebensweise; auf einem Stuhl s. bleiben; jmdn. in der Straßenbahn s. lassen; **sit|zen|blei|ben** ► **sit|zen blei|ben** *intr. 17* (in der Schule) nicht versetzt werden; auf einer Ware s.b.: sie nicht verkaufen können; **Sit|zen|blei|ber** *m. 5;* **sit|zen|las|sen** ► **sit|zen las|sen** *tr. 75* im Stich lassen; einen Vorwurf nicht auf sich s.l.: ihn zurückweisen; **...sit|zer** *m. 5, in Zus.,* z. B. Zwei-, Viersitzer: Auto mit zwei bzw. vier Sitzen; **Sitz|fleisch** *s., nur in der ugs. Wendung* S. haben: lange bleiben, lange nicht wieder weggehen; **Sitz|ge|le|gen|heit** *w. 10;* **...sit|zig** *in Zus.,* z. B. zwei-, viersitzig: mit zwei bzw. vier Sitzen versehen; **Sitz|platz** *m. 2;* **Sitz|rie|se** *m. 11* Mensch mit kurzen Beinen, der im Sitzen größer wirkt; **Sitz|streik** *m. 9;* **Sit|zung** *w. 10;* **Sit|zungs|saal** *m. Gen.* -(e)s *Mz.* -säl|le; **Sit|zungs|zim|mer** *s. 5*

> **sitzen bleiben:** Die bisherige Unterscheidung: *sitzenbleiben* (= in der Schule nicht versetzt werden) und *sitzen bleiben* (= auf dem Stuhl) wird aufgehoben; beide Verwendungsweisen werden getrennt geschrieben: *Sie ist auf dem Gymnasium sitzen geblieben. Wir sind auf der Bank sitzen geblieben.* →§ 34 E3 (6) Aber: *das Sitzenbleiben.* →§ 37 (2)

Six|ti|na [nach Papst Sixtus IV.] *w. Gen. - nur Ez.* eine Kapelle im Vatikan mit Fresken von Michelangelo u. a.; **six|ti|nisch**; *aber:* Sixtinische Kapelle = Sixtina; Sixtinische Madonna (von Raffael)

Si|zi|li|a|na *w. Gen. - Mz.* -nen = Siciliana; **Si|zi|li|a|ne** *w. 11* = Sizilienne (**1**); Si|zi|li|a|ner *m. 5* Einwohner Siziliens; **si|zi|li|a|nisch**; *aber:* Sizilianische Vesper: Volksaufstand in Palermo 1282; **Si|zi|li|enne** [-ljɛn] *w. 11* **1** *auch:* Si|zi|li|a|ne *w. 11* eine Form der Stanze; **2** = Eolienne

SJ *(hinter dem Namen) Abk. für* Societas Jesu: (von der) Gesellschaft Jesu, Jesuit

SK *Abk. für* Segerkegel

Ska|bi|es [lat.], Sca|bi|es *w. Gen. - nur Ez.* = Krätze; **ska|bi|ös** an Skabies erkrankt; **Ska|bi|o|se** *w. 11* eine krautige Pflanze, häufig Zierpflanze

Skai *s. 9 nur Ez.* (Wz) ein Kunstleder

skål! [skɔl, skand.] *skand. Zuruf beim Zutrinken:* prosit!

Ska|la [lat.] *w. Gen. - Mz.* -len **1** *an Messgeräten:* Maßeinteilung; **2** Reihe, Folge zusammengehöriger Dinge, z. B. Farbskala; **ska|lar** eindimensional, durch eine einzige Zahl darstellbar; **Ska|lar** *m. 1* skalare Größe (z. B. Zeit, Temperatur)

Skal|de [altnord.] *m. 11* altnord. Dichter und Sänger

Ska|le|no|e|der [griech.] *s. 5* durch zwölf gleichseitige Dreiecke begrenzter Körper

Skalp [engl.] *m. 1, früher bei den nordamerik. Indianern:* abgezogene Kopfhaut des Feindes als Siegestrophäe

Skal|pell [lat.] *s. 1* kleines chirurg. Messer

skal|pie|ren *tr. 3;* jmdn. s.: jmdm. die Kopfhaut abziehen

Skan|dal [griech.] *m. 1* **1** Aufsehen erregendes Ärgernis; **2** Unerhörtes, Empörendes; **skan|da|lös** unerhört

skan|die|ren [lat.] *intr. u. tr. 3* mit starker Betonung der Hebungen Verse lesen oder sprechen

Skan|di|na|vi|en [lat.] *i. e. S.:* Norwegen und Schweden, *i. w. S.:* auch Finnland und Dänemark; **Skan|di|na|vi|er** *m. 5;* **skan|di|na|visch**

Skan|di|um *s. Gen.* -s *nur Ez., eindeutschende Schreibung von* Scandium

Ska|po|lith [lat. + griech.] *m. 1 oder m. 10* ein Mineral

Ska|pu|lier [mlat.] *s. 1, bei manchen Mönchstrachten:* bis zu den Füßen reichender Überwurf über Brust und Rücken

Ska|ra|bä|us [griech.] *m. Gen.- Mz.* -bä|en **1** ein Blatthornkäfer; **2** *im alten Ägypten:* Nachbildung des Käfers aus Stein, Ton oder Metall, als Siegel oder Amulett benutzt

Ska|ra|muz [ital.] *m. 1, in der Commedia dell'arte und im frz. Lustspiel:* Figur des prahlerischen Soldaten

Skarn [schwed.] *m. 1* eine aus Kalken entstandene Kontaktlagerstätte (mit Eisen u. a.)

Skat [ital.] *m. 1 nur Ez.* ein Kartenspiel

Skate|board [skɛɪtbɔːrd, engl.] *s. 9* lenkbares, auf vier Räder

montiertes Brett, auf dem der Fahrer frei steht, zum Fahren auf der Ebene und am Hang, Rollbrett
Ska|tol [griech.] *s. Gen.* -s *nur Ez.* übelriechende organische Verbindung (im Kot); **ska|to-phag** = koprophag; **Ska|to-pha|ge** *m. 11* = Koprophage
Skeet|schie|ßen [skit-, engl.] *s. Gen.* -s Tontaubenschießen
Ske|le|ton [engl.] *m. 9* niedriger Sportschlitten
Ske|lett [griech.] *s. 1* Knochengerüst, Gerippe; **ske|let|tie|ren** *tr. 3;* einen Körper s.: das Skelett eines Körpers bloßlegen
Skep|sis [griech.] *w. Gen. - nur Ez.* Zweifel, Ungläubigkeit; **Skep|ti|ker** *m. 5* **1** Anhänger des Skeptizismus; **2** jmd., der stets skeptisch ist, Zweifler; **skep|tisch** zweifelnd, ungläubig; **Skep|ti|zis|mus** *m. Gen. - nur Ez.* **1** philos. Richtung, die die Möglichkeit der Erkenntnis der Wirklichkeit in Frage stellt und den Zweifel zum Denkprinzip erhebt; **2** skept. Einstellung, Zweifelsucht
Sketch [skɛtʃ, engl.] *Nv.* ▶ **Sketsch** *Hv. m. 1* kurzes Bühnenstück, meist mit witzigem Schlusseffekt

> **Ski/Schi laufen:** Die Verbindung aus Substantiv und Verb schreibt man getrennt: *Sie sind zwei Wochen Ski/Schi gelaufen.* →§ 34 E3 (5), § 55 (4)

Ski [ʃi], Schi *m. Gen.* -s *Mz.* Skier, Schi|er, *bayr., österr., schwäb. Mz. auch:* -, Schneeschuh; Ski, Schi laufen, fahren
Ski|bob, Schi|bob *m. 9,* lenkbarer Schlitten mit einer Kufe
Skiff [engl.] *s. 1* nord. Einmannruderboot
Ski|fu|ni [ʃi-, Kurzw. aus Ski und ital. funicolare »Drahtseilbahn«] *m. 9, schweiz.:* Schlittenlift, -seilbahn
Ski|ha|serl, Schi|ha|serl *s. 14, süddt., österr.:* Anfänger(in) im Skilaufen; **Ski|kjö|ring,** Schikjö|ring [-jø:-, norw.] *s. 9;* **Ski-lauf,** Schi|lauf *m. 2;* **Ski|läu|fer,** Schi|läu|fer *m. 5;* **Ski|lift,** Schilift *m. 1*
Skin|head [-hɛd] *m. 9* jmd., der zu einer Gruppe gewaltbereiter Jugendlicher mit kahl geschorenem Kopf gehört
Ski|sport, Schi|sport *m. Gen.* -s *nur Ez.;* **Ski|sprin|gen,** Schisprin|gen *s. Gen.* -s *nur Ez.*
Skiz|ze [ital.] *w. 11* **1** Entwurf, unfertige Zeichnung; **2** kurze, nicht ganz ausgearbeitete Erzählung; **skiz|zen|haft; skiz|zie-ren** *tr. 3* in einer Skizze darstellen, andeuten, umreißen
Skla|ve [-və oder -fə, griech.] *m. 11* **1** Leibeigener; **2** *übertr.:* jmd., der von etwas oder jmdm. abhängig ist; **Skla|ven|hal|ter** *m. 5;* **Skla|ven|han|del** *m. Gen.* -s *nur Ez.;* **Skla|ven|händ|ler** *m. 5;* **Skla|ve|rei** *w. 10 nur Ez.;* **skla|visch**
Skle|ra [griech.] *w. Gen. - Mz.* -ren Lederhaut (des Auges), das Weiße im Auge; **Skle|ri|tis** *w. Gen. - Mz.* -ti|den Entzündung der Sklera; **Skle|ro|der-mie** *w. 11* allmähliche Verlederung, Verhärtung der Haut, Darrsucht, Sklerom; **Skle|rom** *s. 1* = Sklerodermie; **Skle|ro-me|ter** *s. 5* Gerät zum Bestimmen der Härte von Kristallen; **Skle|ro|se** *w. 11* Verhärtung, Verkalkung eines Organs; **Skle|ro|ti|ker** *m. 5* jmd., der an einer Sklerose leidet; **skle|ro-tisch**
Sko|li|on [griech.] *s. Gen.* -s *Mz.* -li|en altgriech. Tischlied verschiedenen Inhalts, das von den Gästen abwechselnd gesungen wurde
Sko|li|o|se, Sko|li|o|sis *w. Gen. - Mz.* -sen Rückgratverkrümmung nach der Seite
skon|tie|ren [ital.] *tr. 3;* eine Rechnung, einen Betrag s.: das Skonto von einer R., einem B. abziehen; **Skon|to** *s. 9 oder m. 9* Abzug vom Rechnungsbetrag bei sofortiger Zahlung
Skon|tra|ti|on *w. 10* das Skontrieren; **skon|trie|ren** *tr. u. intr. 3* den neuen Bestand durch Aufrechnung der Zu- und Abgänge ermitteln; **Skon|tro** *s. 9* Buch mit den Eintragungen der tägl. Zu- und Abgänge, Riskontro; **Skon|tro|buch** *s. 4*
Skoo|ter [sku-, engl.] *m. 5, auf Jahrmärkten:* elektrisches Kleinauto
Skor|but [ndrl.] *m. Gen.* -s *nur Ez.* Krankheit infolge Mangels an Vitamin C; **skor|bu|tisch**
Skor|da|tur [lat.-ital.] *w. 10, bei Saiteninstrumenten:* Umstimmung (von Saiten, z. B. zum Erzielen von Klangeffekten)
Skore, Score [skɔ:r] *s. 9*
Skor|pi|on [griech.] *m. 1* **1** ein Spinnentier; **2** *nur Ez.* ein Sternbild
Sko|te *m. 11* Angehöriger eines alten irischen Volksstammes in Schottland
Sko|tom [griech.] *s. 1* krankhafter Ausfall eines Teils des Gesichtsfeldes, dunkler Fleck vor dem Auge
skr, *schweiz.:* **sKr,** *Abk. für* schwed. Krone
Skri|bent [lat.] *m. 10* Vielschreiber, Schreiberling; **Skript** *s. 12* **1** schriftl. Ausarbeitung, Schriftstück; **2** Drehbuch; **Skript|girl** [-gə:l] *s. 9* = Scriptgirl; **Skrip|tum** *s. Gen.* -s *Mz.* -ten **1** *veraltet für* Skript (**2**); **2** *österr.:* Vorlesungsmitschrift
Skro|fel [lat.] *w. 11* Halsdrüsengeschwulst, verdickter Halslymphknoten; Skrofeln = Skrofulose; **skro|fu|lös** an Skrofulose erkrankt; **Skro|fu|lo|se** *w. 11* tuberkulöse Haut- und Lymphknotenerkrankung bei Kindern
Skro|ta [lat.] *Mz. von* Skrotum; **skro|tal** zum Skrotum gehörig, von ihm ausgehend; **Skro|tal-bruch** *m. 2* Hodenbruch; **Skro-tum** *s. Gen.* -s *Mz.* -ta Hodensack
Skrubs [skrʌbs, engl.] *Mz.* minderwertige Tabakblätter
Skru|pel [lat.] *m. 5 Mz.* Bedenken, Gewissensbisse; **skru|pel-los; Skru|pel|lo|sig|keit** *w. 10 nur Ez.;* **skru|pu|lös** bedenklich, ängstlich
Skru|ti|ni|um [lat.] *s. Gen.* -s *Mz.* -ni|en **1** *bei kirchl., selten auch bei polit. Wahlen:* Sammlung und Prüfung der Stimmen; **2** Prüfung der Kandidaten (durch den Bischof) für die Priesterweihe
Sku|do *m. Gen.* -s *Mz.* -di = Scudo
Skull|boot [engl.] *s. 1* Sportruderboot mit zwei Rudern für einen Ruderer, Skuller; **skul|len** *intr. 1* im Skullboot rudern; **Skul|ler** *m. 5* **1** = Skullboot; **2** Ruderer im Skullboot
skulp|tie|ren [lat.] *tr. 3, Nebenform von* skulpturieren; **Skulp-tur** *w. 10* **1** *nur Ez.* Bildhauerkunst; **2** Werk der Bildhauerkunst, Plastik, Statue; **skulp|tu-rie|ren** *tr. 3* als Skulptur, bildhauerisch darstellen

▶ = wird zu

Skunk [indian.] *m. 9* = Stinktier
Skupschtina *auch:* **Skupschtina** *w. 9* das Parlament der Bundesrepublik Jugoslawien
skurril [lat.] possenhaft, drollig; **Skurrilität** *w. 10 nur Ez.*

> **S-Kurve, s-Laut:** Man setzt einen Bindestrich in Zusammensetzungen mit Einzelbuchstaben, Abkürzungen oder Ziffern: *(die) S-Kurve, (der) s-Laut, s-förmig.* →§ 40 (1)
> Man setzt ebenso einen Bindestrich zwischen allen Bestandteilen mehrteiliger Zusammensetzungen, in denen eine Wortgruppe oder eine Zusammensetzung mit Bindestrich auftritt: *S-Kurven-reich.* Ebenso: *A-Dur-Tonleiter, 35-Stunden-Woche.* →§ 44
> Aber: *kurvenreich.*

S-Kurve [ɛs-] *w. 11*
Skus [frz.] *m. Gen.- Mz.-, Tarock:* Trumpfkarte
Skyeterrier [skaɪ-, nach der Hebrideninsel Skye] *m. 5* eine Terrierrasse
Skylab [skaɪlæb, engl.] *s. Gen. -s nur Ez.* zeitweilig bemannte, US-amerik. Weltraumstation, Himmelslaboratorium
Skylight [skaɪlaɪt, engl.] *s. 9, auf Schiffen:* Oberlicht, Luke; **Skyline** [skaɪlaɪn] *w. 9* Horizont(linie)
Skylla *w. Gen.- nur Ez.* = Scylla
Skyphos [griech.] *m. Gen.- Mz.*-phoi altgriech. Trinkbecher mit waagerechten Henkeln am oberen Rand
Skysurfer [skaisəː-] *m. 5* = Drachenflieger
Skythe, Szythe *m. 11, im Altertum Bez. für* Bewohner der südruss. Steppe; **skythisch**
s. l. *Abk. für* sine loco
Slalom [norw.] *m. 9 oder s. 9* Skilauf oder Kanufahrt durch abgesteckte Tore, Torlauf
Slang [slæŋ, engl.] *m. 9* nachlässige Umgangssprache
Slapstick [slæp-, eng.] *m. 9* groteske, unwahrscheinliche Filmszene
Slawe *m. 11* Angehöriger einer ost- und südosteurop. Völkergruppe; **Slawin** *w. 10;* **slawisch; slawisieren** *tr. 3* slawisch machen, nach slawischem Vorbild gestalten; **Slawismus** *m. Gen. - Mz.*-men in eine andere Sprache übernommene slaw. Spracheigentümlichkeit; **Slawist** *m. 10* Kenner der Slawistik; **Slawistik** *w. 10 nur Ez.* Wissenschaft von den slaw. Sprachen und Literaturen; **slawistisch; Slawonien** kroatische Landschaft zwischen Drau, Save und Donau; **Slawonier** *m. 5;* **slawonisch; slawophil** slawenfreundlich; **Slawophilie** *w. 11 nur Ez.*
s. l. e. a. *Abk. für* sine loco et anno
Slibowitz [serb.], Sliwowitz *m. 1* Pflaumenbranntwein
Slip [engl.] *m. 9* **1** *auf Werften* = Schlipp; **2** kurzes Unterhöschen; **Slipper** *m. 5* **1** Straßenschuh ohne Schnürung; **2** *österr.:* leichter Mantel; **3** *Bankw.:* Formularstreifen, bes. bei Ausführung von Börsenaufträgen
Sliwowitz *m. 1* = Slibowitz
Slogan [-gən, engl.] *m. 9* Schlagwort, bes. in der Werbung, z. B. »gut, besser, Paulaner«
Sloop [slup] *w. 9 oder w. 10* = Schlup
Slowake *m. 11* Angehöriger eines westslaw. Volkes; **Slowakei** *w. Gen.* - selbständige Republik seit 1992; **slowakisch; Slowakisch** *s. Gen.*-(s) *nur Ez.* zu den westslaw. Sprachen gehörende Sprache; vgl. Deutsch
Slowene *m. 11* Angehöriger eines südslaw. Volkes; **Slowenien** Staat in Südosteuropa; **slowenisch; Slowenisch** *s. Gen.*-(s) *nur Ez.* zu den südslaw. Sprachen gehörende Sprache; vgl. Deutsch
Slowfox [sloʊ-, engl.] *m. 1* ein Gesellschaftstanz
Slum [slʌm, engl.] *m. 9* Elendsviertel, bes. in London
Slup, Sloop *w. 9 oder w. 10* = Schlup
sm *Abk. für* Seemeile
Sm *chem. Zeichen für* Samarium
S. M. *Abk. für* Seine Majestät
Smalte *w. 11* = Schmalte
Small talk ▶ **Smalltalk** *auch:* **Small Talk** [smɔːltɔːk, engl.] *s., auch m., Gen.- - nur Ez.* oberflächliche Konversation

> **Smalltalk/Small Talk:** Verbindungen aus Adjektiv (oder Substantiv) und Substantiv – auch fremdsprachige Substantive – schreibt man zusammen: *(der) Smalltalk.* →§ 37 (1)
> Die Verbindung Adjektiv und Substantiv kann auch getrennt geschrieben werden: *(der) Small Talk.* Ebenso: *(die) Bigband/Big Band.* →§ 37 E1

Smaragd [griech.] *m. 1* ein Mineral, grüner Edelstein; **smaragden 1** aus Smaragd(en); **2** grün wie Smaragd
smart [engl.] **1** hübsch und elegant und schneidig; **2** *leicht abwertend:* gerieben, geschickt (Geschäftsmann)
SM-Ofen *m. 8, Kurzw. für* Siemens-Martin-Ofen
Smog [engl.] *m. 9* dichter, schmutziger Nebel über Industriestädten
Smokarbeit [slaw.] *w. 10* Verzierung an Kleidungsstücken, bei der der Stoff durch einen Zierstich in kleine Fältchen gezogen wird
Smoke-in [smoʊk-, engl.] *s. 9, ugs.:* Beisammensein zum gemeinsamen Haschischrauchen
smoken *tr. 1* mit Zierstich in Fältchen ziehen
Smoking [engl.] *m. 9, österr.: m. 1* Herren-Gesellschaftsanzug mit seidenen Rockaufschlägen
smorzando [ital.] *Mus.:* ersterbend, verlöschend
Smutje *m. 9, Seemannsspr.: Spitzname für den* Schiffskoch
Smyrna [nach der türk. Stadt Smyrna, heute: Izmir] *m. 9* ein Teppich m. großer Musterung
Sn *chem. Zeichen für* Stannum = Zinn
Snackbar [snæk-, engl.] *w. 9, engl. Bez. für* Imbissstube
Snob [engl.] *m. 9* (bes. auf seinen Reichtum, seine gesellschaftl. Stellung) eingebildeter Mensch; **Snobismus** *m. Gen. - nur Ez.;* **snobistisch**
Snowboard [snoʊbɔːrd, engl.] *s. 9* Sportgerät aus Kunststoff zum Gleiten auf Schnee
so 1 so!; so einer bist du; so bleiben, sein, werden; so wahr ich lebe; so gut wie nie; sodass; so etwas; sobald; sofern; solange wie möglich; ich warte solange, bis du fertig bist; ich habe es

so oft, so genannt, so sehr, so viel(e), so weit: Getrennt schreibt man Gefüge aus *so* und Adjektiv, Adverb oder Pronomen: *Ein so hohes Haus! Er hat das schon so oft gesagt! Sie wurde seit langem so genannt. So viel Geld! So viele Menschen!*
→§ 39 E2 (2.4)
Anmerkung: *So* ist betont.

dir schon so oft gesagt; ich habe es mir so sehr gewünscht; ich habe schon so viel davon gehört; der Weg ist so weit, dass wir nicht zu Fuß gehen können; *aber:* →soweit; ich weiß davon so wenig, dass ich es nicht beurteilen kann; *aber:* →sowenig; so wie ich ihn kenne; *aber:* →sowie; ich habe mich so wohl bei ihnen gefühlt; *aber:* →sowohl; umso besser; und so fort (*Abk.:* usf.); **2** *veraltet, noch poet.:* wenn, sofern, z. B. so Gott will
So *Abk. für* Sonntag; vgl. Dienstag
SO *Abk. für* Südost(en)
s. o. *Abk. für* siehe oben
So|ave *m. Gen. - nur Ez.* ein italienischer Weißwein aus Soave, Venetien

sobald, sofern, solange, sooft, soviel, soweit: Mehrteilige Konjunktionen schreibt man zusammen, wenn die Wortart, Wortform oder die Bedeutung der einzelnen Bestandteile nicht mehr deutlich erkennbar sind: *Sooft er kommt, bin ich... Soviel ich weiß, hat er ...* →§ 39 (2)
Anmerkung: Die letzte Silbe ist stets betont!

so|bald gleich wenn, sofort wenn; sobald ich etwas weiß, rufe ich dich an; vgl. so
So|bran|je *auch:* **Sob|ran|je** *w. 11 oder s. 11* die bulgar. Volksvertretung
So|bri|e|tät *auch:* **Sob|ri-** [-briə-, lat.] *w. 10 nur Ez., veraltet:* Mäßigkeit
So|ci|e|tas Je|su [-tsiə-, lat.] *w. Gen. -- nur Ez.* (*Abk.:* SJ) die Gesellschaft Jesu, der Jesuitenorden
So|cke *w. 11*
So|ckel *m. 5* **1** vorspringender Unterbau (von Gebäuden, Statuen); **2** unterer, durch Bemalung o. Ä. abgesetzter Teil einer Wand; **3** Kontaktstück oder Aufnahmeteil von Lampen, Röhren usw.
So|cken *m. 7, bayr., österr. für* Socke
Sod *m. 1, veraltet:* Brühe
So|da [span.] **1** *w. Gen. - oder s. Gen. -s nur Ez.* Natriumcarbonat; **2** *s. Gen. -s nur Ez.* Sodawasser; Whisky mit Soda
So|da|le [lat.] *m. 11* Mitglied einer Sodalität; **So|da|li|tät** *w. 10* kath. Bruderschaft
So|da|lith [span. + griech.] *m. 1* ein Mineral
so|dann

sodass/so dass: Es bleibt dem/der Schreibenden überlassen, ob er/sie die Konjunktion getrennt schreibt oder zusammen: *Er umwarb sie heftig, sodass/so dass sie nicht anders konnte als ...*
→§ 39 E3 (2)

so|daß ► **so|dass** *auch:* **so dass**
So|da|was|ser *s. 5 nur Ez.* mit Kohlensäure versetztes Wasser, Selterswasser
Sod|bren|nen *s. Gen. -s nur Ez.* brennendes Gefühl in der Speiseröhre
So|de *w. 11* **1** abgestochenes Rasenstück, Torfstück; **2** Salzsiederei; **3** ein Gänsefußgewächs (auf Salzböden)
So|dom bibl. Stadt; S. und Gomorrha *Symbol für* Sündenpfuhl; **So|do|mie** *w. 11 nur Ez.* Unzucht mit Tieren; **So|do|mit** *m. 10* jmd., der Sodomie betreibt; **so|do|mi|tisch**
so|e|ben eben, vor sehr kurzer Zeit; er ist soeben gekommen, *aber:* er kommt in der Schule so eben noch mit *ugs.:* er kommt eben noch, gerade noch mit
So|fa [arab.-frz.] *s. 9*
so|fern wenn, falls; sofern er heute noch kommt; vgl. so
Sof|fit|te [frz.] *w. 11* **1** Dekorationsteil als oberer Abschluss des Bühnenbildes; **2** lange Glühlampe mit Stromanschluss an beiden Enden; **Sof|fit|ten|lam|pe** *w. 11* = Soffitte (**2**)
So|fia Hst. von Bulgarien
so|fort gleich, im nächsten Augenblick; **So|fort|hil|fe** *w. 11*
Soft-drink ► **Soft|drink** *auch:* **Soft Drink** [sɔft-, engl.] *m. 1*
Soft-Eis *Nv.* ► **Soft|eis** *Hv.* [sɔft-, engl.] *s. 1 nur Ez.* ein weiches Milchspeiseeis

Softeis, Software: Verbindungen aus Adjektiven und Substantiven schreibt man zusammen: *Softeis, Software.*
→§ 37 (1)
Anmerkung: Bei *Softdrink* und *Softrock* ist – in Anlehnung an das Englische – auch Getrenntschreibung möglich: *Softdrink/Soft Drink* und *Softrock/Soft Rock.* →§ 37 E1

Soft|ware [sɔftwɛːr, engl.] *w. Gen. - nur Ez.* alle zum Betrieb einer EDV-Anlage notwendigen Programme; vgl. Hardware
Sog *m. 1* **1** saugende Luft- oder Wasserströmung; **2** verführerische Anziehungskraft; der Sog der Großstadt
sog. *Abk. für* sogenannt
so|gar obendrein, darüber hinaus; er hat mir sogar noch zehn Mark geschenkt; *aber:* ich habe so gar keine Lust *ugs.:* überhaupt keine Lust
so|ge|nannt ► **so ge|nannt;** die achte Sinfonie von Schubert, die so genannte Unvollendete
sog|gen *intr. 1* **1** sich vollsaugen, durchtränkt werden; **2** sich in Kristallform niederschlagen (Salz in der Sole)
so|gleich gleich, sofort; er soll s. kommen; *aber:* das ist mir ja so gleich
so|hin *veraltet für* somit
Soh|le *w. 11; auch:* Boden (von Tälern, Flüssen, Kanälen); *Bgb.:* untere Begrenzung eines Grubenraumes, *auch:* Höhenlage einer Strecke; **Soh|len|gän|ger** *m. 5* Säugetier, das beim Gehen mit der ganzen Sohle auftritt; *Ggs.:* Zehengänger; **Soh|len|le|der,** Sohl|le|der *s. 5;*
söh|lig *Bgb.:* waagerecht
Sohn *m. 2;* **Söhn|chen** *s. 7*
sohr *nddt.:* dürr, trocken, welk
Sohr *m. Gen. -s nur Ez., nddt.:* Sodbrennen
Söh|re *w. 11 nur Ez., nddt.:* Dürre; **söh|ren** *intr. 1, nddt.:* verdorren, vertrocknen
soi|gniert [soanjirt, frz.] gepflegt (Person)
Soi|ree [soare, frz.] *w. 11* Abendgesellschaft, Abendveranstaltung

► = wird zu

So|ja|boh|ne [chin.] *w. 11* eine Nutzpflanze; **So|ja|mehl** *s. 1 nur Ez.;* **So|ja|öl** *s. 1 nur Ez.*
So|kra|ti|ker *m. 5* Anhänger des altgriech. Philosophen Sokrates und seiner Lehre; **so|kra|tisch**
Sol 1 *m. 9, nach Zahlen Mz. -* Währungseinheit in Peru; **2** *s. 1* kolloidale Lösung
so|la fi|de [lat.] allein durch den Glauben (Grundsatz der Rechtfertigungslehre Luthers)
so|lang, so|lan|ge die ganze Zeit, während; solange du da bist; vgl. so; *aber:* wir haben schon so lange nichts von ihm gehört
So|la|nin [lat.] *s. 1* giftiges Alkaloid mehrerer Nachtschattengewächse; **So|la|num** *s. Gen. -s Mz. -*nen Nachtschatten
so|lar [lat.] zur Sonne gehörend, von ihr ausgehend; **So|lar** *s. 1* Sonnenjahr; **So|la|ri|sa|ti|on** *w. 10* Umkehrung der Lichteinwirkung im Entwickler bei stark überbelichtetem Negativ; **so|la|risch** *ältere Form von* solar; **So|la|ri|um** *s. Gen. -s Mz. -*rien Anlage zur Höhensonnenbestrahlung; **So|lar|kon|stan|te** *auch:* **-kons|tan|te** *w. 11* die auf der Erde ankommende Strahlungsintensität der Sonne, meist gemessen in Kalorien pro m² und Minute; **So|lar|ple|xus** *m. Gen. - Mz.* = Sonnengeflecht
So|la|wech|sel *m. 5* Eigenwechsel, Wechsel, in dem sich der Aussteller zur Zahlung einer Geldsumme verpflichtet
Sol|bad *s. 4* **1** Bad mit Zusatz von Sole; **2** Badeort mit solehaltiger Quelle

> **solch, ein solches:** Das Pronomen *solch* schreibt man klein: *solch ein Getümmel, solche Menschen.* Ebenso: *solche, solcher, solches.*
> →§58 (4)
> Pronomen als Stellvertreter von Substantiven werden ebenfalls kleingeschrieben, obwohl sie Merkmale der Substantivierung aufweisen: *Ein solches ist mir geschehen.*
> →§58 (4).

solch derartig, von dieser Art; ein solcher Mensch; ein solches; solch ein Mensch; Beugung vgl. manch; **sol|cher|art**; solcherart Pflanzen; *aber:* Pflanzen von solcher Art; **sol|cher|ge|stalt** *selten für* solcherart; **sol|cher|lei** so ähnliche (Dinge); **sol|cher|ma|ßen** auf solche Weise; **sol|cher|wei|se**
Sold [lat.] *m. 1 nur Ez.* Lohn (des Soldaten)
Sol|da|nel|la [lat.], **Sol|da|nel|le** *w. Gen. - Mz. -*len Troddelblume, Alpenglöckchen
Sol|dat [lat.-ital.] *m. 10;* **Sol|da|ten|fried|hof** *m. 2;* **Sol|da|ten|lied** *s. 3;* **Sol|da|ten|spra|che** *w. 11;* **Sol|da|tes|ka** *w. Gen. - Mz. -*ken roher Soldatenhaufe, zügelloses Kriegsvolk; **sol|da|tisch; Sold|buch** *s. 4;* **Söld|ling** *m. 1* jmd., der für Geld vieles tut, Mietling; **Söld|ner** *m. 5* Soldat, der für Geld Kriegsdienste leistet; **Söld|ner|heer** *s. 1*
So|le *w. 11* kochsalzhaltiges Wasser; **So|lei** *s. 3* hartgekochtes, in Salzwasser eingelegtes Ei
so|lenn [lat.] *veraltet:* feierlich, festlich; **So|len|ni|tät** *w. 10 nur Ez.*
Sol|fa|ta|ra [ital.], **Sol|fa|ta|re** *w. Gen. - Mz. -*ren vulkan. Ausströmen schwefelhaltiger Wasserdämpfe
sol|feg|gie|ren [-dʒi-, ital.] *intr. 3* ein Solfeggio singen; **Sol|feg|gio** [-fɛdʒo] *s. Gen. -s Mz. -*feg|gien [-fɛdʒən] mit den →Solmisationssilben gesungenes Übungsstück
So|li *Mz. von* Solo
so|lid = solide
So|li|dar|haf|tung *w. 10 nur Ez.* Haftung mehrerer Personen als Gesamtschuldner; **so|li|da|risch** gemeinsam, eng verbunden, übereinstimmend, einig; sich mit jmdm. s. erklären; s. haften; **so|li|da|ri|sie|ren** *refl. 3* sich (mit jmdm.) solidarisch erklären, sich (mit jmdm.) verbinden; **So|li|da|ris|mus** *m. Gen. - nur Ez.* Lehre vom Verbundensein aller Menschen zum Zweck des allgemeinen Wohls; **So|li|da|ri|tät** *w. 10 nur Ez.* Zusammengehörigkeitsgefühl, Verbundenheit; **So|li|dar|schuld|ner** *m. 5* = Gesamtschuldner
so|li|de [lat.], so|lid **1** haltbar, fest, gut gebaut; **2** zuverlässig, charakterfest, anständig; **3** häuslich, nicht ausschweifend; ein solides Leben führen; **so|li|die|ren** *tr. 3, veraltet:* befestigen, sichern; **So|li|di|tät** *w. 10 nur Ez.* **1** Haltbarkeit, Festigkeit; **2** Anständigkeit, Zuverlässigkeit
So|lip|sis|mus *auch:* **So|lip-** [lat.] *m. Gen. - nur Ez.* Lehre, dass nur das eigene Ich wirklich sei und die Welt nur in dessen Vorstellung existiere; **So|lip|sist** *auch:* **So|lip-** *m. 10;* **so|lip|sis|tisch** *auch:* **so|lip-; So|list** *m. 10* vom Orchester, Chor oder einem Instrument begleiteter, einzeln hervortretender Sänger oder Spieler, Einzelsänger, -spieler; **so|lis|tisch; So|li|tär** *m. 1* großer, einzeln gefasster Diamant; **So|li|tü|de** *w. 11* Einsamkeit (oft Name von Schlössern)
Soll 1 *s. 2* kleine, runde, wassergefüllte Mulde aus der Eiszeit; **2** *s. 9, Buchführung:* Belastung, Schuld; *Ggs.:* Haben; *allg.:* festgelegte Menge, die regelmäßig fertiggestellt werden muss, Pensum; **Soll-Be|stand** ► **Soll|be|stand** *m. 2* geplanter Bestand; *Ggs.:* Istbestand; **sol|len** *tr. 1;* ich habe es gesollt (selten); *aber:* ich habe, hätte ihr helfen sollen
Söl|ler *m. 5* erhöhter, offener Saal, offener Dachumgang, Balkon
Sol|li|zi|tant [lat.] *m. 10, veraltet:* Bittsteller; **Sol|li|zi|ta|ti|on** *w. 10, veraltet:* förmliche Bitte, Gesuch; **sol|li|zi|tie|ren** *tr. 3*
Soll-Stär|ke ► **Soll|stär|ke** *w. 11 nur Ez.* geplante zahlenmäßige Stärke; *Ggs.:* Iststärke
Sol|lux|lam|pe *w. 11* (Wz) Lampe zur Wärmebestrahlung
Sol|mi|sa|ti|on [nach den beiden Silben sol und mi] *w. 10* System für die Bezeichnung der Töne der diaton. Tonleiter mit den sog. Solmisationssilben; **Sol|mi|sa|ti|ons|sil|ben** *w. 11 Mz.* die Silben »do, re, mi, fa, sol, la, si« zur Bezeichnung der Töne der diaton. Tonleiter anstatt c, d, e usw.; **sol|mi|sie|ren** *tr. 3* mit den Solmisationssilben singen
so|lo [ital.] *unflektierbar, Mus.:* allein, für sich; solo singen, spielen; ich bin ganz solo *ugs. scherzh.;* **So|lo** *s. Gen. -s Mz. -*li *Mus.:* **1** Gesang bzw. Instrumentalspiel eines einzelnen Sängers bzw. Spielers; *Ggs.:* Tutti; **2** *Ballett:* Tanz eines ein-

zelnen Tänzers; **So|lo|ge|sang** *m. 2;* **So|lo|sän|ger** *m. 5;* **So|lo|sze|ne** *w. 11;* **So|lo|tanz** *m. 2;* **So|lo|tän|zer** *m. 5*

So|lo|thurn 1 *frz.:* Soleure [-lœr] Hst. des Kantons S.; **2** schweiz. Kanton

So|lö|zis|mus [griech.] *m. Gen.* - *Mz.* -men grober sprachl. Fehler

Sol|per *m. 5, hess., niederrhein.:* Salzbrühe (für Pökelfleisch); **Sol|per|fleisch** *s. Gen.* -(e)s *nur Ez.* Pökelfleisch

Sol|quel|le *w. 11* solehaltige Quelle; **Sol|salz** *s. 1* Salz aus einer Solquelle

Sol|sti|ti|um *auch:* **Sols|ti|ti|um** [-tsjum, lat.] *s. Gen.* -s *Mz.* -ti|en [-tsjən] Sonnenwende

so|lu|bel [lat.] *Chem.:* löslich; **So|lu|tio** *w. Gen.* - *Mz.* -ti|o|nes, **So|lu|ti|on** *w. 10* Arzneimittellösung

So|lu|tré|en [sɔlytreẽ, nach dem frz. Fundort Solutré] *s. Gen.* -s *nur Ez.* Kulturstufe der jüngeren Altsteinzeit

sol|va|bel [-va-, lat.] **1** auflösbar; **2** *veraltet:* zahlungsfähig, solvent; **Sol|va|ta|ti|on** *w. 10;* **Sol|vens** [-vɛns] *s. Gen.* - *Mz.* -ven|tia [-tsja] *oder:* -zi|en schleimlösendes Mittel; **solvent** [-vɛnt] zahlungsfähig; **Sol|venz** *w. 10 nur Ez.* Zahlungsfähigkeit; **sol|vie|ren** [-vi-] *tr. 3* **1** *Chem.:* auflösen; **2** zahlen, abzahlen

Sol|was|ser *s. 5* kochsalzhaltiges Wasser

So|ma [griech.] *m. 9* Leib, Körper

So|ma|li *m. Gen.* -(s) *Mz.* Somal Angehöriger eines hamit. Volksstammes in Ostafrika; **So|ma|lia** ostafrik. Staat; **So|ma|li|land** *s. Gen.* -(e)s *nur Ez.* ostafrik. Landschaft; **so|ma|lisch**

so|ma|tisch [zu: Soma] leiblich, körperlich; **so|ma|to|gen 1** körperlich bedingt, durch den Körper verursacht; **2** von Körperzellen (nicht von der Erbmasse) gebildet; **So|ma|to|lo|gie** *w. 11 nur Ez.* Lehre vom menschl. Körper; **so|ma|to|lo|gisch**

Som|bre|ro [span.] *m. 9* breitrandiger Strohhut in Mittel- und Südamerika

so|mit [auch: -mit] also, folglich

Som|mer *m. 5;* des Sommers; *aber:* →sommers; **Som|mer|fahr|plan** *m. 2;* **Som|mer|fe|ri|en** *nur Mz.;* **Som|mer|fri|sche** *w. 11;* **Som|mer|frisch|ler** *m. 5;* **söm|me|rig** einen Sommer alt; **som|mer|lich;** **Som|mer|mo|nat** *m. 1;* **som|mern** *intr. 1, unpersönlich, veraltet:* Sommer werden; es sommert; **söm|mern** *tr. 1* **1** sonnen; **2** auf die Sommerweide treiben; **Som|mer|nacht** *w. 2;* **Som|mer|nachts|traum** *m. 2;* **Som|mer|rei|se** *w. 11;* **som|mers** im Sommer, während des Sommers; *aber:* des Sommers; **Som|mer(s)|an|fang** *m. 2;* **Som|mer|schluß|ver|kauf** ► **Som|mer|schluss|ver|kauf** *m. 2;* **Som|mer|se|mes|ter** *s. 5;* **Som|mer|son|nen|wen|de** *w. 11;* **Som|mer|spros|sen** *w. 11 Mz.* kleine, braune Hautflecken im Gesicht, die im Sommer bes. hervortreten; **som|mer|spros|sig;** **som|mers|über;** *aber:* den Sommer über; **Som|mers|zeit** *w. 10 nur Ez.* Jahreszeit des Sommers; zur S.; *aber:* →Sommerzeit; **Som|mer|tag** *m. 1;* **Söm|me|rung** *w. 10 nur Ez.* das Sömmern; **Som|mer|weg** *m. 1* nicht befestigter Weg neben der Landstraße; **Som|mer|zeit** *w. 10* vorverlegte Stundenzählung während des Sommers (meist um eine Stunde); *aber:* →Sommerszeit

Som|mi|tä|ten [lat.-frz.] *w. 10 Mz., veraltet:* hochgestellte Personen

som|nam|bul [lat.] = mondsüchtig; **Som|nam|bu|le** *m. 11 oder w. 11;* **Som|nam|bu|lis|mus** *m. Gen.* - *nur Ez.* = Mondsüchtigkeit; **som|no|lent** benommen, schlafsüchtig, schläfrig; **Som|no|lenz** *w. 10 nur Ez.*

so|nach demnach, folglich

So|nant [lat.] *m. 10* selbsttönender, silbenbildender Laut, Vokal; **so|nan|tisch**

So|na|te [ital.] *w. 11* drei- oder viersätziges Musikstück für ein oder mehrere Instrumente; **So|na|ti|ne** *w. 11* kleine Sonate

Son|de [frz.] *w. 11* **1** Instrument zum Einführen in Körperhöhlen; **2** dünner Schlauch zur künstl. Ernährung; **3** *Bgb.:* Probebohrung (Erdöl u. a.); **4** Instrument zum Messen von Druck, Richtung, Geschwindigkeit und Temperatur von Flüssigkeiten; **5** *Weltraumfahrt:* unbemannter Flugkörper

son|der *veraltet:* ohne; sonder Tadel; **Son|der|auf|trag** *m. 2;* **Son|der|aus|ga|be** *w. 11;* **son|der|bar;** **son|der|ba|rer|wei|se;** **Son|der|be|auf|trag|te(r)** *m. 18 (17) bzw. w. 17 oder 18;* **Son|der|druck** *m. 1;* **Son|der|fahrt** *w. 10;* **Son|der|fall** *m. 2;* **son|der|glei|chen** ohnegleichen, einzig dastehend; eine Frechheit s.; **Son|der|heit** *w. 10 nur in der Wendung:* in Sonderheit; **son|der|lich 1** sonderbar; **2** *in verneinenden Sätzen:* besonders; nicht s. schön; **Son|der|ling** *m. 1*

> **in Sonderheit:** Substantive, die Bestandteil fester Gefüge sind und mit anderen Teilen des Gefüges nicht zusammengeschrieben werden, schreibt man mit großem Anfangsbuchstaben: *In Sonderheit erwähnte er, dass ...* (= vor allem). →§ 55 (4)

son|dern 1 *Konj.:* vielmehr; nicht nur die Kinder, sondern auch die Erwachsenen; **2** *tr. 1* trennen, beiseite legen; ich sondere, sondre es; gesondert: getrennt, für sich; **son|ders** *nur in der Wendung* samt und s.: alles zusammen, alle miteinander

Son|der|schu|le *w. 11;* **Son|der|spra|che** *w. 11* Ausdrucksweise bestimmter Alters- oder Berufsgruppen, z. B. Schüler-, Jägersprache; **Son|der|stel|lung** *w. 10;* **Son|de|rung** *w. 10;* **Son|der|zug** *m. 2*

son|die|ren *tr. 3* **1** mit der Sonde untersuchen; **2** *übertr.:* erkunden, erforschen; die Lage s.; **Son|die|rung** *w. 10*

So|nett [ital.] *s. 1* Gedicht aus zwei vier- und zwei dreizeiligen Strophen

Song [engl.] *m. 9* **1** *seit B. Brecht:* scharf satirisches, dem Bänkellied ähnliches und dem Jazz nahestehendes Lied; **2** *danach allg.:* Schlager, Lied

Sonn|abend *m. 1,* **Sams|tag** *m. 1* (*Abk.:* Sa); vgl. Dienstag

Son|ne *w. 11;* **son|nen** *tr. 1;* **Son|nen|an|be|ter** *m. 5;* **Son|nen|auf|gang** *m. 2;* **Son|nen|bad** *s. 4;* **son|nen|ba|den** *intr. 2, nur im Infinitiv und Partizip II;* ich will sonnenbaden, habe sonnengebadet; **Son|nen|bahn** *w. 10;* **Son|nen|ball** *m. 2, poet.:* Sonne; **Son|nen|bat|te|rie** *w. 11*

Instrument zum Verwandeln der Sonnenenergie in elektr. Energie; **Son|nen|blen|de** *w. 11, Fot.:* ringförmiger Aufsatz für das Objektiv zum Schutz gegen Sonnenstrahlen; **Son|nen|blu|me** *w. 11;* **Son|nen|blu|men|öl** *s. 1;* **Son|nen|brand** *m. 2;* **Son|nen|bril|le** *w. 11;* **Son|nen|fer|ne** *w. 11* größte Entfernung eines Planeten von der Sonne; vgl. Aphel; **Son|nen|fern|rohr** *s. 1;* **Son|nen|fins|ter|nis** *w. 1* Verfinsterung der Sonne durch den Mond, wenn er zwischen Erde und Sonne hindurchläuft; **Son|nen|fleck** *m. 1 meist Mz.* zeitweise erscheinender dunkler Fleck auf der Sonnenoberfläche; **son|nen|ge|bräunt; Son|nen|ge|flecht** *s. 1* Nervengeflecht unter dem Zwerchfell, Solarplexus; **Son|nen|glanz** *m. Gen.* -es *nur Ez.:* **Son|nen|glut** *w. Gen. - nur Ez.;* **Son|nen|gott** *m. 4;* **son|nen|hell; Son|nen|jahr** *s. 1* Zeit eines Umlaufs der Erde um die Sonne; **son|nen|klar; Son|nen|kö|nig** *m. 1* Beiname Ludwigs XIV. von Frankreich; **Son|nen|kult** *m. 1;* **Son|nen|licht** *s. Gen.* -(e)s *nur Ez.;* **Son|nen|nä|he** *w. 11* kleinste Entfernung eines Planeten von der Sonne; vgl. Perihel; **Son|nen|pro|tu|be|ranz** *w. 10;* vgl. Protuberanz; **Son|nen|re|gen** *m. 7* Regen bei nur teilweise bedecktem Himmel; **Son|nen|rös|chen** *s. 7* ein Zierstrauch, Helianthemum; **Son|nen|schein** *m. Gen.* -s *nur Ez.;* **Son|nen|schutz** *m. Gen.* -es *nur Ez.;* **Son|nen|se|gel** *s. 5;* **Son|nen|sei|te** *w. 11;* **Son|nen|stand** *m. 2;* **Son|nen|stich** *m. 1* Kreislauf- und Bewusstseinsstörung durch zu starke Sonneneinwirkung auf den Kopf; **Son|nen|sys|tem** *s. 1, Bez. für* die Sonne und alle Körper, die sie umlaufen; **Son|nen|tag** *m. 1* **1** sonniger Tag; **2** Zeit einer Umdrehung der Erde um sich selbst (von Mitternacht bis Mitternacht); **Son|nen|tau** *m. Gen.* -s *nur Ez.* eine Fleisch fressende Pflanze, Drosera; **Son|nen|tier|chen** *s. 7* Wurzelfüßler mit strahligen Fortsätzen, Heliozoon; **Son|nen|uhr** *w. 10;* **Son|nen|un|ter|gang** *m. 2;* **son|nen|ver|brannt,** sonn|ver|brannt; **Son|nen|wa|gen** *m. 7 nur Ez., griech. Myth.:* Wagen des Sonnengottes Helios; **Son|nen|war|te** *w. 11* ein astronom. Observatorium; **Son|nen|wen|de** *w. 11;* **Son|nen|wend|fei|er,** Sonnwend|fei|er *w. 11;* **Son|nen|wind** *m. 1* von der Sonne ausgehende Korpuskularstrahlung; **son|nig; Sonn|tag** *m. 1* (*Abk.:* So); vgl. Dienstag; an Sonn- und Feiertagen; **sonn|täg|lich; sonn|tags**; sonn- und feiertags; **Sonn|tags|fah|rer** *m. 5, ugs.:* nur an Sonntagen fahrender und daher ungeübter Autofahrer; **Sonn|tags|jä|ger** *m. 5* Jäger, der nur an Sonntagen auf die Jagd geht und daher ungeübt ist; **Sonn|tags|kind** *s. 3* an einem Sonntag geborenes Kind und daher (nach dem Volksglauben) ein Glückskind; **Sonn|tags|maler** *m. 5* sich nur gelegentlich und aus Liebhaberei betätigender Maler; **Sonn|tags|rück|fahr|kar|te** *w. 11;* **Sonn|tags|schu|le** *w. 11, veraltet:* Kindergottesdienst; **sonn|ver|brannt,** son|nen|ver|brannt; **Sonn|wend|fei|er,** Son|nen|wend|fei|er *w. 11*

Son|ny|boy [sʌnnibɔːi, engl.] *m. 9* junger Mann mit Charme

so|nor [lat.] klangvoll, tönend; sonore Stimme; sonore Laute = Sonorlaute; **So|nor|lau|te** *m. 1 Mz., Sammelbez. für* Nasale und Liquiden

sonst; sonst keiner, sonst niemand; sonst jemand; sonst wer; sonst wohin; sonst wird es zu spät; **sons|tig**; das Sonstige; Sonstiges: Verschiedenes, was nicht einzuordnen ist; **sonst|je|mand** ► **sonst je|mand** *ugs.:* irgendjemand, jeder; es könnte sonst jemand sein, ich würde nicht mitgehen; **sonst|was** ► **sonst was** *ugs.:* irgendwas, alles; du kannst ihm sonst was erzählen, er glaubt alles; **sonst|wem** ► **sonst wem** *ugs.:* irgendwem, jedem; du kannst es sonst wem erzählen; **sonst|wen** ► **sonst wen** *ugs.:* irgendwen, jeden; du kannst sonst wen fragen; **sonst|wer** ► **sonst wer** *ugs.:* irgendwer, jeder; da könnte sonst wer kommen; **sonst|wie** ► **sonst wie** *ugs.:* irgendwie; ich werde rufen oder mich sonst wie bemerkbar machen; **sonst|wo** ► **sonst wo** *ugs.:* irgend wo, überall; ich habe sonst wo gesucht; **sonst|wo|her** ► **sonst wo|her** *ugs.:* irgendwoher; er hat es von sonst woher; **sonst|wo|hin** ► **sonst wo|hin** *ugs.:* irgendwohin, überallhin; er ist sonst wohin gelaufen

so|oft; sooft ich ihn frage, weicht er mir aus; vgl. so

Soor *m. 1, bei Kindern:* Pilzbelag in der Mundhöhle, Schwämmchen

So|phis|ma [griech.] *s. Gen.* -s *Mz.* -men, **So|phis|mus** *m. Gen. - Mz.* -men Scheinbeweis, Trugschluss; **So|phist** *m. 10* **1** *urspr.:* Denker, Wissenschaftler, wandernder Lehrer der Weisheit und Redekunst; **2** *seit Sokrates:* spitzfindiger Gelehrter, Wortklauber; **So|phis|te|rei** *w. 10* Wortklauberei, spitzfindiges Philosophieren; **So|phis|tik** *w. 10 nur. Ez.* **1** Lehre der Sophisten; **2** spitzfindige Weisheit, Scheinweisheit; **So|phis|ti|ka|ti|on** *w. 10* Vernunftschluss, Schluss von etwas, das man kennt, auf etwas, das man nicht kennt und nicht beweisen kann; **so|phis|tisch** in der Art eines Sophisten, spitzfindig

so|pho|kle|isch in der Art des altgriech. Dichters Sophokles, von Sophokles stammend

So|por [lat.] *m. Gen.* -s *nur Ez.* starke Benommenheit, Schlaftrunkenheit; **so|po|rös** stark benommen

> **sopra-** (Worttrennung): Neben der Trennung *so|pra-* ist auch die Abtrennung zwischen *p* und *r* möglich. Auf diese Weise kommt der letzte Konsonant auf die neue Zeile: *sop|ra-*.
> →§ 107, § 108

so|pra [ital.] *beim Spiel auf Tasteninstrumenten:* »oben«, über die andere Hand hinwegzuführen; vgl. sotto

So|pran [lat.-ital.] *m. 1* **1** höchste Stimmlage bei Frauen und Knaben, Sopranstimme; **2** Sänger(in) mit dieser Stimme; **3** höchste Stimmlage bei Musikinstrumenten, z. B. Sopranblockflöte; **4** Gesamtheit der Sopranstimmen im Chor; **So|pra|nist** *m. 10* Sänger mit Sopranstimme; **So|pra|nis|tin** *w. 10* Sängerin mit Sopranstimme; **So|pran|stim|me** *w. 11* = Sopran (**1**)

So|pra|por|te [lat.-ital.], Su|pra|por|te *w. 11, bes. im Barock und Rokoko:* Verzierung über der Tür

Sor|be *m. 11* Angehöriger eines westslaw. Volksstammes

Sor|bet [türk.-ital.], **Sor|bett,** Scher|bett *m. 9* **1** Fruchtsaft mit Eis; **2** Halbgefrorenes

Sor|bin|säu|re *w. 11* eine organ. Säure, Konservierungsmittel

sor|bisch zu den Sorben gehörend, von ihnen stammend

Sor|bit [lat.] *m. 1 nur Ez.* **1** ein Fruchtalkohol; **2** ein feinkörniges Stahlgefüge

Sor|bonne [-bɔn, nach dem frz. Domherrn R. von Sorbon] Name der Universität in Paris

Sor|di|no [ital.] *m. Gen.* -s *Mz.* -ni, *bei Musikinstrumenten:* Dämpfer

Sor|ge *w. 11;* in S. um jmdn. sein; für etwas S. tragen; sich Sorgen machen; **sor|gen** *intr. u. refl. 1;* für etwas sorgen; sich um jmdn. sorgen; **sor|gen|frei; Sor|gen|kind** *s. 3;* **Sor|gen|last** *w. 10;* **sor|gen|los** ohne Sorgen; vgl. sorglos; **Sor|gen|stuhl** *m. 2, veraltet:* Lehnstuhl; **sor|gen|voll; Sor|ge|recht** *s. 1 nur Ez.;* **Sorg|falt** *w. Gen. - nur Ez.;* **sorg|fäl|tig**

Sor|gho [ital.] *m. 9,* **Sor|ghum** *s. 9* Mohrenhirse

sorg|lich; sorg|los sich keine Sorgen machend, unbekümmert; **Sorg|lo|sig|keit** *w. 10 nur Ez.;* **sorg|sam; Sorg|sam|keit** *w. 10 nur Ez.*

Sorp|ti|on [lat.] *w. 10* Aufnahme eines gasförmigen oder gelösten Stoffes; vgl. Absorption, Adsorption

Sor|te [lat.-ital.] *w. 11; Mz.* Sorten *im Bankwesen Bez. für* ausländische Banknoten und Münzen; **sor|tie|ren** *tr. 3;* **Sor|tie|rung** *w. 10 nur Ez.;* **Sor|ti|le|gi|um** *s. Gen.* -s *Mz.* -gi|en Weissagung durch Lose; **Sor|ti|ment** *s. 1* **1** Gesamtheit der vorhandenen (Waren-)Sorten, Warenangebot; **2** *kurz für* Sortimentsbuchhandel; **Sor|ti|men|ter** *m. 5* Sortimentsbuchhändler; **Sor|ti|ments|buch|han|del** *m. Gen.* -s *nur Ez.* Handel in Ladengeschäften mit Büchern der verschiedensten Verlage, Ladenbuchhandel

SOS *s. Gen. - nur Ez.* Morsezeichen als Hilferuf von Schiffen in Seenot (gedeutet als engl. »save our souls«: »rettet unsere Seelen« oder »save our ship«: »rettet unser Schiff«, in Wirklichkeit Zusammenstellung von Zeichen, die sich bes. leicht merken lassen)

so|sehr; sosehr ich mich über seinen Erfolg freue, ich habe doch einige Bedenken; vgl. so

SOS-Kin|der|dorf *s. 4*

so|so **1** *allein stehend* soso!: aha!, so ist das also!; **2** *Adv. ugs.:* nicht bes. gut und nicht bes. schlecht; es geht mir soso; *oft in der Fügung* soso lala: mittelmäßig, leidlich

SOS-Ruf *m. 1*

So|ße ► *auch:* **Sau|ce** [frz.] *w. 11;* **so|ßen** *tr. 1, eindeutschende Form von* saucieren; **so|ßie|ren** *tr. 3, eindeutschende Schreibung von* saucieren

sos|te|nu|to [ital.] *Mus.:* breit, getragen, gebunden

so|tan *veraltet:* derartig, solch, so beschaffen; unter sotanen Umständen

So|ter [griech.] *m. 1* **1** *im alten Griechenland:* Retter, Erlöser **2** *im NT:* Beiname Christi; **So|te|ri|o|lo|gie** *w. 11 nur Ez.* Lehre vom Erlösungswerk Christi, Heilslehre

Sott *m. oder s. Gen.* -s *nur Ez., nddt.:* Ruß; **sot|tig** *nddt.:* rußig

Sot|ti|se [frz.] *w. 11, veraltet:* **1** Dummheit; **2** Grobheit, Flegelei; **3** Stichelei, freche Bemerkung

sot|to [ital.] *beim Spiel auf Tasteninstrumenten:* »unten«, bei gekreuzten Händen unten liegend; vgl. sopra; **sot|to vo|ce** [-votʃə] *Mus.:* gedämpft, halblaut

Sou [su, frz.] *m. 9* frz. Währungseinheit, 5 Centimes

Sou|bret|te *auch:* **Soub|ret|te** [su-, frz.] *w. 11, Oper, Operette:* Sopransängerin für heitere Rollen

Sou|che [suʃə, frz.] *w. 11* Teil eines Wertpapiers, der zur Kontrolle der Echtheit zurückbehalten wird

> **Soufflé/Soufflee:** Die französische Schreibweise ist die Hauptvariante *(das Soufflé),* die integrierte (eingedeutschte) Form die zulässige Nebenvariante *(das Soufflee).* →§ 20 (2)

Sou|chong [sutʃɔng, chin.] *m. 9* Teesorte aus großen, breiten Blättern

Souf|flé [sufle, frz.] ► *auch:* **Souf|flee** *s. 9* **1** Speise aus geschlagenen, in der Pfanne gebackenen Eiern mit Zucker; **2** lockerer Eierauflauf

Souf|fleur [suflør, frz.] *m 1, Theater:* jmd., der während des Spiels die Rollen flüsternd mitliest und damit den Schauspielern einsagt; **Souf|fleur|kas|ten** *m. 8;* **Souf|fleu|se** [sufløzə] *w. 11* weibl. Souffleur; **souf|flie|ren** [su-] *intr. 3* **1** jmdm. s.: jmdm. vor-, einsagen; **2** als Souffleur tätig sein

Soul [soʊl, engl.] *m. 9 nur Ez.* gefühlsbetonter Jazz oder Beat

Sound [saʊnd, engl.] *m. 9* Art des Klingens; im S. der alten Musik spielen; **Sound|track** [saʊndtræk] *m. 9* Tonstreifen oder Musik zu einem Ton- oder Fernsehfilm

so|und|so unbestimmt, von unbestimmtem Maß; soundso viel, groß, lange; Herr Soundso; **so|und|so|viel|te** ► **so|und|so viel|te**; der s. v. Januar; am soundso Vielten

Sou|per [supe, frz.] *s. 9* großes, festliches Abendessen; **sou|pie|ren** [su-] *intr. 3*

Sou|ta|che [sutaʃ(ə), frz.] *w. 11* schmale, geflochtene Schnur (als Besatz); **sou|ta|chie|ren** [sutaʃi-] *tr. 3* mit einer Soutache versehen

Sou|ta|ne [su-, frz.] *w. 11* fußlanges Übergewand der kath. Geistlichen; **Sou|ta|nel|le** [su-] *w. 11* knielange Soutane

Sou|ter|rain [sutərɛ̃, frz.] *s. 9* Kellergeschoss

Sou|ve|nir [suvənir, frz.] *s. 9* kleines Andenken

sou|ve|rän [suvə-, frz.] **1** unumschränkt herrschend, die Herrschergewalt ausübend; **2** überlegen; eine Situation souverän meistern; **Sou|ve|rän** *m. 1* **1** Herrscher; **2** *schweiz.:* Gesamtheit der Stimmbürger; **Sou|ve|rä|ni|tät** [su-] *w. 10 nur Ez.* **1** Herrschergewalt, Oberhoheit; **2** Unabhängigkeit; **3** Überlegenheit; **So|ve|reign** [sʌvərɪn, engl.] *m. 9, nach Zahlen Mz.* - frühere engl. Goldmünze, 20 Shilling

so|viel; soviel ich weiß; soviel du willst; soviel wie (*Abk.:* svw.);

so viel: Im Gegensatz zur bisherigen Schreibweise wird die Verbindung *so/wie/zu* und Adjektiv/Adverb oder Pronomen als Zahladverb getrennt geschrieben: *so viel Geld, so viel(e) Menschen, so viel Pech* usw. Ebenso: *so viel für heute; so viel (wie) du willst; das ist/bedeutet doppelt so viel wie ...* →§ 39 E2 (2.4)
Dagegen wird die Konjunktion *soviel* zusammengeschrieben: *Soviel ich weiß, kommt er heute.*
Ebenso: *sooft, soweit.* →§ 39 (2)

Plumbum ist, bedeutet soviel wie Blei; soviel wie möglich; soviel für heute; doppelt soviel; halb soviel; noch einmal soviel; vgl. so; *aber:* so viel Pech, so viel Ärger, so viele Menschen
Sow|chos [-çɔs, russ.] *s. Gen.* - *Mz.* -cho|sen [-ço-], *früher* **Sow|cho|se** *w. 11, in der ehem. UdSSR:* Staatsgut
so|weit; soweit ich ihn kenne; ich bin soweit; ich bin soweit fertig; es geht mir soweit gut; ich werde ihm soweit wie möglich nachgeben; *aber:* lauf so weit wie möglich; vgl. so
so|we|nig ebensowenig; er kennt es, kann es sowenig wie ich; sowenig wie möglich; sowenig ich auch davon verstehe; vgl. so
so|wie; sowie ich fertig war; sowie der Zug aus der Halle fuhr; morgens, mittags sowie am Abend; vgl. so.; **so|wie|so**; das mache ich sowieso; Herr Sowieso: der Herr, dessen Namen ich nicht weiß

Sowjet- (Worttrennung): Neben der Trennmöglichkeit *Sowjet-* kann der/die Schreibende auch folgendermaßen abtrennen: *Sow|jet-.*

So|wjęt [russ. »Rat«] *m. 9* **1** *in der ehem. UdSSR:* Verwaltungsbehörde; **2** *Mz.* die Sowjets *ugs.:* die Sowjetrussen; **So|wjęt|ar|mee** *w. 11 nur Ez.;* **So|wjęt|bür|ger** *m. 5;* **so|wje|tisch; so|wje|ti|sie|ren** *tr. 3* nach sowjet. Muster gestalten; **So|wjęt|re|gie|rung** *w. 10;* **So|wjęt|re|pu|blik** *auch:* **-re|pub|lik** *w. 10;* **So|wjęt|rus|se** [auch: sɔ-] *m. 11;* **so|wjęt|rus|sisch** [auch: sɔ-]; **So|wjęt|ruß|land** ► **So|wjęt|russ|land** [auch: sɔ-]; **So|wjęt|stern** *m. 1;* **So|wjęt|u|ni|on** *w. 10 nur Ez.* (*Abk.:* SU); vgl. UdSSR

sowohl als/wie auch: Die mehrteilige Konjunktion wird getrennt geschrieben: *Sowohl er als auch seine Freundin wurden bei dem Unfall verletzt.* Die substantivierte Form wird mit Bindestrich verbunden (Aneinanderreihung); das erste Wort schreibt man dabei groß: *das Sowohl-als-auch.* Ebenso: *das Entweder-oder, das Als-ob.*
→§ 43, § 57 E4

so|wohl *nur in der Fügung:* sowohl... als auch...; sowohl der eine als auch der andere; *häufig auch:* sowohl... wie...; sowohl die Kinder wie die Lehrer; vgl. so; das Sowohl-als-auch
So|zi *m. 9, früher abwertendes Kurzw. für* Sozialdemokrat
so|zi|a|bel [lat.] **1** gesellschaftlich; **2** gesellig, umgänglich; **So|zi|a|bi|li|tät** *w. 10 nur Ez.;* **so|zi|al** die Gemeinschaft, Gesellschaft betreffend, zu ihr gehörig, ihr dienend, gemeinnützig, wohltätig; soziale Berufe; die soziale Frage; soziale Marktwirtschaft; sozialer Wohnungsbau; soziale Tiere; *aber:* Soziale Bienen: eine Gruppe der Stechimmen; **So|zi|al|ar|beit** *w. 10 nur Ez.;* **So|zi|al|de|mo|krat** *m. 10;* **So|zi|al|de|mo|kra|tie** *w. 11;* **so|zi|al|de|mo|kra|tisch;** *aber:* Sozialdemokratische Partei Deutschlands (*Abk.:* SPD); **So|zi|al|e|thik** *w. 10;* **So|zi|al|hy|gi|e|ne** [-gje:-] *w. 11 nur Ez.;* **So|zi|al|in|di|ka|to|ren** *m. 13 Mz.* Kriterien, die den Lebensstandard qualitativ (nicht quantitativ) beschreiben; **So|zi|a|li|sa|ti|on** *w. 10* Einordnung des Einzelnen in die Gemeinschaft; **so|zi|a|li|sie|ren** *tr. 3* **1** verstaatlichen; **2** gemeinschaftsfähig machen; **So|zi|a|li|sie|rung** *w. 10* Verstaatlichung; **So|zi|a|lis|mus** *m. Gen.* - *nur Ez.* Bewegung zum Umsturz oder zur Umgestaltung der kapitalist. Staats- und Wirtschaftsordnung; **So|zi|a|list** *m. 10;* **so|zi|a|lis|tisch;** *aber (bis 1990):* Sozialistische Einheitspartei Deutschlands (*Abk.:* SED); **So|zi|al|kri|tik** *w. 10;* **So|zi|al|kri|ti|ker** *m. 5;* **so|zi|al|kri|tisch; So|zi|al|leis|tun|gen** *w. 10 Mz.;* **So|zi|al|ö|ko|no|mie** *w. 10 nur Ez.* = Volkswirtschaftslehre; **So|zi|al|päd|a|go|gik** *auch:* **-päd|a|go|gik** *w. 10 nur Ez.* Erziehung des Einzelnen in seinem Verhältnis zur Gemeinschaft; **So|zi|al|part|ner** *m. 5* Arbeitgeber und Arbeitnehmer (bzw. deren Vertreter); **So|zi|al|po|li|tik** *w. 10 nur Ez.;* **So|zi|al|po|li|ti|ker** *m. 5;* **so|zi|al|po|li|tisch; So|zi|al|pres|ti|ge** [-ti:ʒ] *s. Gen.* -s *nur Ez.* gesellschaftl. Ansehen, Geltung; **So|zi|al|pro|dukt** *s. 1* der Geldwert aller jährlich produzierten Güter und Dienstleistungen einer Volkswirtschaft, Nationaleinkommen, Volkseinkommen; **So|zi|al|psy|cho|lo|gie** *w. 11 nur Ez.* Zweig der Psychologie, der sich mit dem Verhalten des Einzelnen gegenüber der Gemeinschaft sowie mit sozialen Gruppen befasst; **So|zi|al|re|form** *w. 10;* **So|zi|al|rent|ner** *m. 5* jmd., der eine staatl. Rente bezieht; **So|zi|al|staat** *m. 12;* **So|zi|al|ver|si|che|rung** *w. 10;* **So|zi|al|woh|nung** *w. 10;* **So|zi|e|tät** [-tsje-] *w. 10* **1** *veraltet:* Genossenschaft; **2** *Zool.:* Gesellschaft (von Tieren); **So|zi|o|gramm** *s. 1* graf. Darstellung der sozialen Beziehungen innerhalb einer Gruppe; **So|zi|o|lękt** *m. 1* einer sozialen Schicht eigentümliche Sprachform; **So|zi|o|lin|gu|is|tik** *w. 10 nur Ez.* Lehre vom Sprachverhalten sozialer Gruppen; **So|zi|o|lo|ge** [lat. + griech.] *m. 11;* **So|zi|o|lo|gie** *w. 11 nur Ez.* Gesellschaftswissenschaft; **so|zi|o|lo|gisch; So|zi|o|me|trie** *auch:* **-met|rie** *w. 11 nur Ez.* Untersuchung der sozialen Beziehungen innerhalb einer Gruppe; **so|zi|o|morph** von der Gesellschaft geformt; vgl. biomorph, technomorph; **So|zi|us** [lat.] *m. Gen.* - *Mz.* -us|se **1** Teilhaber; **2** Beifahrer (auf dem Motorrad); **So|zi|us|sitz** *m. 1*
so|zu|sa|gen [auch: so-] wenn man es so ausdrücken will, gewissermaßen, gleichsam; er hat ihn sozusagen hinausgeworfen
Sp. *Abk. für* Spalte (im Buch)
Space|lab [speɪslæb, engl.] *s. 9* Raumlabor; **Space-shut|tle** ► **Space|shut|tle** *auch:* **-shutt|le**

[spɛɪsʃʌt(ə)l, engl.] *s. 9* Raumgleiter, Raumtransporter
Spach|tel *m. 5 oder w. 11* kleines Werkzeug zum Abkratzen, Aufbringen und Glätten weicher oder fester Stoffe; **spach|teln 1** *tr. 1;* ich spachtele, spachtle es; **2** *intr. 1 ugs.:* tüchtig essen
spack *nddt.* **1** dürr, trocken; **2** eng, schmal; **3** sparsam
Spa|da [griech.] *w. 9* degenähnl. Fechtwaffe
Spa|gat [ital.] *m. 1* **1** völliges Spreizen der Beine nach vorn und hinten; **2** *bayr., österr.:* Bindfaden; **Spa|ghet|ti** ► *auch:*

> **Spaghetti/Spagetti:** Die fremdsprachige Schreibweise *(Spaghetti)* ist die Hauptvariante, die integrierte (eingedeutschte) Form die zulässige Nebenvariante *(Spagetti).* →§ 32 (2)

Spa|get|ti *nur Mz.* lange, dünne Nudeln
Spa|gi|rik [griech.] *w. 10 nur Ez.* **1** *früher:* Alchimie; **2** *heute:* Arzneimittelzubereitung aus Pflanzen; **Spa|gi|ri|ker** *m. 5, früher:* Alchimist; **spa|gi|risch**
spä|hen *intr. 1* scharf und vorsichtig schauen; **Spä|her** *m. 5* Kundschafter
Spa|hi [pers.] *m. 9* **1** *früher:* (urspr. adliger) Reitersoldat im türk. Heer; **2** Angehöriger einer im 19. und 20. Jh. aus Nordafrika rekrutierten frz. Kavallerie-Einheit; vgl. Sepoy
Späh|trupp *m. 9*
Spa|ke *w. 11, nddt.:* Hebebaum, Hebel
Spa|lett *s. 1, österr.:* hölzerner Fensterladen
Spa|lier [ital.] *s. 1* **1** Holzgitter an einer Mauer zum Befestigen von Kletterpflanzen oder jungen Obstbäumen; **2** eine Gasse bildende Doppelreihe von Personen zum Empfang hochgestellter Persönlichkeiten; ein S. bilden; S. stehen; **Spa|lier|baum** *m. 2;* **Spa|lier|obst** *s. Gen. -es nur Ez.*
Spalt *m. 1;* **spalt|bar; Spalt|bar|keit** *w. 10 nur Ez.;* **Spält|chen** *s. 7;* **Spal|te** *w. 11; bayr.-österr. auch:* Scheibe (von der Wurst, vom Apfel); **spal|ten** *tr.,* spaltete, gespalten; **Spal|ten|brei|te** *w. 11;* **Spalt|frucht** *w. 2* eine Fruchtform (in Teilfrüchtchen zerfallend); **Spalt|fuß** *m. 2* die Grundgliedmaße der Gliederfüßer: **Spalt|füßer** *m. 5 Mz.* eine Ordnung der Krebstiere; **...spal|tig** *in Zus.,* z. B. ein-, zwei-, mehrspaltig; **Spalt|pflan|zen** *w. 11 Mz., Sammelbez. für* Blaualgen und Bakterien; **Spalt|pilz** *m. 1 meist Mz.* Bakterium; *ugs.:* Mensch, der eine Gruppe von Leuten böswillig auseinander bringt; **Spalt|pro|dukt** *s. 1* bei der Kernspaltung entstehendes, meist stark radioaktives Produkt; **Spal|tung** *w. 10;* **Spal|tungs|ir|re|sein** *s. Gen. -s nur Ez.* = Schizophrenie
Span *m. 2;* **span|ab|he|bend; Spän|chen** *s. 7*
Span|dril|le [lat.-frz.] *w. 11* dreieckige Fläche zwischen einem Bogen und der rechteckigen Begrenzung der Maueröffnung, Bogenzwickel
spa|nen *intr. 1* Späne abheben; spanende Werkzeuge; **spä|nen** *tr. 1* **1** mit Metallspänen abreiben (Parkett); **2** säugen (Ferkel); **Span|fer|kel** *s. 5* Ferkel, das noch gesäugt (gespänt) wird
Span|ge *w. 11;* **Span|gen|schuh** *m. 1*
Spa|ni|el [-nje:l, span.-engl.] *m. 5* eine langhaarige Hunderasse mit Schlappohren; **Spa|ni|en** Staat in Westeuropa; **Spa|ni|er** *m. 5;* **Spa|ni|ol** *m. 1* span. Schnupftabak; **Spa|ni|o|le** *m. 11* von Spanien nach Nordafrika, dem Balkan u. a. Ländern ausgewanderter Jude; **spa|nisch**; das kommt mir spanisch vor *ugs.:* seltsam, bedenklich, verdächtig; spanische Wand: Wandschirm; spanischer Pfeffer: Paprika; Spanischer Erbfolgekrieg; Spanische Fliege: ein südeurop. Käfer; Spanische Hofreitschule (in Wien); **Spa|nisch** *s. Gen. -(s) nur Ez.* zu den roman. Sprachen gehörende Sprache; vgl. Deutsch
Spann *m. 1* oberer Teil des Fußes, Rist; **Spann|be|ton** [-tõ, ugs.: -tɔŋ] *m. Gen. -s nur Ez.* mit Hilfe von Stahleinlagen vorgespannter Beton; **Spann|dienst** *m. 1, früher:* Frondienst, Hand- und Spanndienst: Arbeit mit Hand und Pferden für den Grundherrn; **Span|ne** *w. 11* **1** altes Längenmaß, 20 cm; **2** Zwischenraum, Unterschied, z. B. Zeit-, Verdienstspanne; **span|nen** *tr. 1;* **span|nen|lang**; *aber:* eine Spanne lang; **Span|ner** *m. 5* **1** ein Schmetterling; **2** Gerät zum Spannen (von Kleidungsstücken u. a.); **3** *ugs.:* Voyeur; **...spän|ner** *m. 5, in Zus.,* z. B. Ein-, Zweispänner; **Spann|fut|ter** *s. 5* Vorrichtung zum Einspannen von Werkstücken; **...spän|nig** *in Zus.,* z. B. ein-, zweispännig; **Spann|klup|pe** *w. 11 meist Mz.* Blech oder dünnes Holz zum Schutz des Werkstücks beim Einspannen in den Schraubstock; **Spann|kraft** *w. 2 nur Ez.;* **Spann|rah|men** *m. 7* zwei genau ineinander passende Holzreifen, in die der Stoff zum Besticken gespannt wird; **Span|nung** *w. 10;* **Span|nungs|feld** *s. 3;* **span|nungs|ge|la|den; Span|nungs|ir|re|sein** *s. Gen. -s nur Ez.* = Katatonie; **span|nungs|los; Span|nungs|mes|ser** *m. 5;* **Spann|wei|te** *w. 11, bei Vögeln und Flugzeugen:* Entfernung zwischen den Spitzen der (ausgebreiteten) Flügel
Spant *s. 12* rippenähnl. Bauteil zum Verstärken der Außenwand von Schiffs- und Flugzeugrümpfen
Spar|buch *s. 4;* **Spar|büch|se** *w. 11;* **Spar|ein|la|ge** *w. 11;* **spa|ren** *tr. 1;* **Spa|rer** *m. 5;* **Spar|flam|me** *w. 11*
Spar|gel *m. 5* eine Gemüsepflanze, Asparagus
Spar|gut|ha|ben *s. 7;* **Spar|kas|se** *w. 11;* **Spar|kas|sen|buch** *s. 4;* **Spar|kon|to** *s. Gen. -s Mz. -ten*
spär|lich
Spar|maß|nah|me *w. 11;* **Spar|pfen|nig** *m. 1, volkstüml.;* **Spar|prä|mie** *w. 11;* **Spar|ra|te** *w. 11*
Spar|ren *m. 7* **1** schräger Balken (im Dach); **2** *übertr. ugs.:* kleine Verrücktheit, Klaps, Spleen; er hat einen S.; einen S. zu viel im Kopf haben: ein bisschen verrückt sein
Spar|ring [engl.] **1** *s. Gen. -s nur Ez.* Boxtraining; **2** *m. 9* Übungsball dafür
spar|sam; Spar|sam|keit *w. 10 nur Ez.;* **Spar|schwein** *s. 1*
Spart *m. 1 oder s. 1* = Esparto
Spar|ta, *heute:* Spar|ti, Stadt in Griechenland

► = wird zu

Spar|ta|ki|a|de [nach Spartacus, dem Führer des Sklavenaufstandes im Röm. Reich 73 v. Chr.] *w. 11, früher in den Ostblockstaaten:* internationales Sportlertreffen mit Wettkämpfen; **Spar|ta|kist** *m. 10* Angehöriger des Spartakusbundes; **spar|ta|kis|tisch; Spar|ta|kus|bund** *m. Gen.* -(e)s *nur Ez.* Vereinigung linksstehender Sozialisten 1917, Vorläufer der kommunist. Partei; **Spar|ta|ner** *m. 5* Einwohner von Sparta; **spar|ta|nisch;** *auch übertr.* **1** genügsam, einfach (Lebensweise); **2** streng, hart (Erziehung)
Spar|te [ital.] *w. 11* Abteilung, Fach, Wissens-, Geschäftszweig
Spar|te|rie [frz.] *w. 11* Flechtwerk aus Span oder Bast
Spart|gras *s. 4 nur Ez.* = Esparto
Spar|ti|at *m. 10, im alten Sparta:* Vollbürger mit allen polit. Rechten, im Unterschied zum Heloten und Periöken
spar|tie|ren [ital.] *tr. 3* in Partitur setzen (Musikwerk, das nur in einzelnen Stimmen aufgezeichnet ist)
spas|ma|tisch [griech.], **spas|misch, spas|mo|disch,** spastisch in der Art eines Spasmus krampfartig, krampfhaft; **Spas|mo|ly|ti|kum** *s. Gen.* -s *Mz.* -ka krampflösendes Mittel; **Spas|mo|phi|lie** *w. 11 nur Ez.* = Tetanie; **Spas|mus** *m. Gen.* - *Mz.* -men Krampf
Spaß *m. 2;* **Späß|chen** *s. 7;* **spa|ßen** *intr. 1;* **spa|ßes|hal|ber; spaß|haft; spa|ßig; Späß|lein** *s. 7;* **Spaß|ma|cher** *m. 5;* **Spaß|vo|gel** *m. 5*
spas|tisch = spasmisch
spat *veraltet:* spät, früh und spat
Spat *m. 1* **1** ein Mineral, z. B. Feldspat; **2** *nur Ez., bei Pferden:* Entzündung am Sprunggelenk

> **spät geboren:** Die Verbindung Adverb/Adjektiv und Partizip wird getrennt geschrieben: *Sie waren spät geboren.* →§ 36 E1 (1.2)
> Aber: *Der Spätgeborene.* →§ 37 (2)
> Das feste Gefüge *von früh bis spät* schreibt man getrennt. →§ 58 (3)

spät; das späte Mittelalter; ein später Apfel: ein spät reifender Apfel; bis spät in die Nacht, *oder:* bis in die späte Nacht
spät|a|bends
Spa|tel *s. 5* schmaler, flacher Stab (Holz, Kunststoff) zum Aufstreichen von Salbe u. a.
Spa|ten *m. 7;* **Spa|ten|stich** *m. 1*
Spät|ent|wick|ler *m. 5;* **spä|ter; spä|ter|hin; spä|tes|tens**
Spa|tha [griech.] *w. Gen.* - *Mz.* -then **1** german. Schwert; **2** Hochblatt an kolbenförmigen Blütenständen (bei Palmen u. a.)
Spät|heim|keh|rer *m. 5;* **Spät|herbst** *m. 1;* **spät|herbst|lich**
Spa|ti|en [-tsjən] *Mz. von* Spatium; **Spa|ti|o|naut** *m. 10, frz. Bez. für* Weltraumfahrer; **spa|ti|o|nie|ren** [lat.] *tr. 3* mit Spatium versehen, sperren (Schriftsatz); **spa|ti|ös** [-tsjøs] weiträumig (gesetzt), mit Zwischenräumen (Schriftsatz); **Spa|ti|um** [-tsjum] *s. Gen.* -s *Mz.* -ti|en [-tsjən] Zwischenraum (zwischen den Druckbuchstaben)
Spät|le|se *w. 11;* **Spät|ling** *m. 1* spät reifende Frucht, spät geborenes Kind; **Spät|nach|mit|tag** *m. 1;* **spät|nach|mit|tags; Spät|obst** *s. Gen.* -(e)s *nur Ez.;* **Spät|schicht** *w. 10;* **Spät|som|mer** *m. 5*
Spatz *m. 12 oder m. 10;* **Spätz|chen** *s. 7*
Spät|zeit *w. 10* letzter Abschnitt eines Zeitraums
Spät|zin *w. 10;* **Spätz|le** *Mz.* ein schwäb. Nudelgericht

> **spazieren fahren/führen/gehen/reiten:** Verbindungen aus Verb (Infinitiv) und einem weiteren Verb schreibt man getrennt: *Sie sind gestern spazieren gegangen.* Ebenso: *kennen lernen, sitzen bleiben* usw. →§ 34 E3 (6)

spa|zie|ren *intr. 3* gemächlich gehen; auf und ab spazieren; **spa|zie|ren|fah|ren** ► **spa|zie|ren fah|ren** *intr. 32;* **spa|zie|ren|füh|ren** ► **spa|zie|ren füh|ren** *tr. 1;* **spa|zie|ren|ge|hen** ► **spa|zie|ren ge|hen** *intr. 47;* **Spa|zier|gang** *m. 2;* **Spa|zier|gän|ger** *m. 5*
SPD *Abk. für* Sozialdemokratische Partei Deutschlands
Spea|ker [spi-, engl.] *m. 5, im brit. Unterhaus und im Repräsentantenhaus der USA:* Leiter der Sitzungen, Präsident
Specht *m. 1* ein Vogel; **Specht|mei|se** *w. 11,* ein Singvogel, Kleiber
Speck *m. 1 nur Ez.;* **spe|ckig; Speck|ku|chen** *m. 7;* **Speck|schwar|te** *w. 11;* **Speck|sei|te** *w. 11;* mit der Wurst nach der S. werfen *ugs.:* durch ein kleines Geschenk ein größeres zu erhalten suchen; **Speck|stein** *m. 1* = Talk
spe|die|ren [lat.-ital.] *tr. 3* versenden, befördern; **Spe|di|teur** [-tør] *m. 1* Unternehmer, der Güter oder Möbel befördert; **Spe|di|ti|on** *w. 10* **1** Unternehmen zur Beförderung von Gütern und Möbeln; **2** Versandabteilung (eines Betriebes); **Spe|di|ti|ons|fir|ma** *w. Gen.* - *Mz.* -men; **spe|di|tiv** *schweiz.:* rasch, zügig
Speech [spiːtʃ, engl.] *m. Gen.* -(e)s *Mz.* -e *oder (engl.)* -es [-tʃɪz] Rede, Ansprache
Speed [spiːd, engl.] *m. 9, Sport:* Geschwindigkeit, Geschwindigkeitssteigerung (eines Läufers oder Pferdes); **Speed|way-Ren|nen** *Nv.* ► **Speed|way-ren|nen** [spiːdwɛɪ-] *Hv. s. 7, neuere Bez. für* Dirt-Track-Rennen
Speer *m. 1;* **Speer|wer|fen** *s. Gen.* -s *nur Ez.;* **Speer|wer|fer** *m. 5*
Spei|che *w. 11*
Spei|chel *m. 5 nur Ez.;* **Spei|chel|le|cker** *m. 5* kriecherischer, unangenehmer Schmeichler; **Spei|chel|le|cke|rei** *w. 10 nur Ez.;* **spei|cheln** *intr. 1* Speichel absondern, ausfließen lassen
Spei|cher *m. 5;* **Spei|cher|geld** *s. 3 nur Ez.* Gebühr für das Aufbewahren von Möbeln oder Waren in einem Speicher; **spei|chern** *tr. 1;* **Spei|che|rung** *w. 10 nur Ez.*
spei|en *tr. u. intr. 144;* aussehen wie gespien *ugs.:* blass und elend aussehen; **Spei|gatt** *s. 12 oder s. 9* Öffnung in der Schiffswand als Wasserablauf
Speik [lat.] *m. 1, Sammelbez. für* mehrere alpine Pflanzenarten
Speil *m. 1* Holzstäbchen, Span (z. B. im Wurstende); **spei|len** *tr. 1* mit einem Seil verschließen oder befestigen
Speis **1** *m. 1, süddt.:* Mörtel; **2** *w. 10, süddt., österr.:* Speisekammer; **3** *w. 10, veraltet:* Spei-

se; *nur noch in der Wendung:* Speis und Trank; **Spei|se 1** *w. 11;* **2** *nur Ez.* = Speis (**1**); **Spei|se|eis** *s. Gen.* -es *nur Ez.;* **Spei|se|fett** *s. 1;* **Spei|se|kam|mer** *w. 11;* **Spei|se|kar|te,** *auch* Spei|sen|kar|te *w. 11;* **spei|sen** *tr. u. intr. 1;* **Spei|sen|auf|zug** *m. 2;* **Spei|sen|fol|ge** *w. 11;* **Spei|se|öl** *s. 1;* **Spei|se|op|fer** *s. 5* Darbringung von Speise (für Götter oder Ahnen); **Spei|se|pilz** *m. 1;* **Spei|se|raum** *m. 2;* **Spei|se|re|stau|rant** *auch:* **-res|tau|rant** [-rɛstorɑ̃] *s. 9;* **Spei|se|röh|re** *w. 11;* **Spei|se|saal** *m. Gen.* -(e)s *Mz.* -säle; **Spei|se|wa|gen** *m. 7;* **Spei|se|was|ser** *s. 5* Wasser zum Nachfüllen von Dampfkesseln; **Spei|se|zet|tel** *m. 5* Küchenzettel; **Spei|se|zim|mer** *s. 5;* **Speis|ko|balt** *m. 1* ein Mineral, Smaltin; **Spei|sung** *w. 10*

Spei|täub|ling *m. 1;* **Spei|teu|fel** *m. 5* ein ungenießbarer Pilz; **spei|übel** *ugs.* zum Erbrechen übel; mir ist speiübel

Spek|ta|bi|li|tät [lat.] *w. 10, Titel für den* Dekan einer Hochschule; Eure (*Abk.:* Ew.) Spektabilität(en); Seine S.; **Spek|ta|kel 1** *s. 5, veraltet:* Schauspiel; **2** *s. oder m. 5* Aufregung, Lärm; **spek|ta|keln** *intr. 1* ein Spektakel machen, lärmen; **spek|ta|ku|lär** Aufsehen erregend; **spek|ta|ku|lös 1** *veraltet:* seltsam; **2** *ugs.: scherzh. für* spektakulär

> **Spektra-** (Worttrennung): Neben der Trennung *Spek|tra-* ist auch die Abtrennung zwischen *t* und *r* möglich. Auf diese Weise kommt der letzte Konsonant auf die neue Zeile: *Spekt|ra-*. Entsprechend: *Spek|tro-/Spekt|ro-, Spek|trum/ Spekt|rum* usw.
> →§ 107, § 108

Spek|tra *Mz. von* Spektrum; **spek|tral** [lat.] das Spektrum betreffend, von ihm ausgehend; **Spek|tral|ana|ly|se** *w. 11* Bestimmung der Zusammensetzung eines strahlenden Körpers aus der Art des ausgesandten Spektrums; **Spek|tral|far|be** *w. 11* Licht von nur einer Wellenlänge; Spektralfarben: die durch Zerlegung eines Spektrums entstehenden, reinen, unvermischten Farben; **Spek|tral|li|nie** *w. 11* für eine bestimmte Lichtwellenlänge charakterist. Linie in bestimmter Farbe; **Spek|tren** *Mz. von* Spektrum; **Spek|tro|graph** ► *auch:* **-graf** *m. 10* Gerät zur Aufzeichnung von Spektren; **Spek|tro|gra|phie** ► *auch:* **-gra|fie** *w. 11 nur Ez.* Zerlegung von Licht in die Spektralfarben; **spek|tro|gra|phisch** ► *auch:* **-gra|fisch; Spek|tro|me|ter** *s. 5* Gerät zum Ausmessen der Linien eines Spektrums; **Spek|tro|skop** *auch:* **-tros|kop** *s.* Gerät zur Spektroskopie; **Spek|tro|sko|pie** *auch:* **-tros|ko-** *w. 11* Untersuchung von Spektren; **spek|tro|sko|pisch** *auch:* **-tros|ko-; Spek|trum** *s. Gen.* -s *Mz.* -tra *oder* -tren **1** durch Zerlegung von Licht (oder anderer Strahlung) in seine einzelnen Farben (Wellenlängen) entstehendes, farbiges Band; **2** *übertr.:* Vielfalt

Spe|ku|la *Mz. von* Spekulum; **Spe|ku|lant** [lat.] *m. 10* **1** jmd., der spekuliert; **2** jmd., der um des Gewinns willen gewagte Geschäfte macht; **Spe|ku|la|ti|on** *w. 10* **1** Versuch, durch Überlegung über die Erfahrung hinaus zur Erkenntnis (bes. Gottes) zu gelangen; **2** Geschäft (bes. mit Wertpapieren oder Grundstücken) auf Grund von Preisschwankungen; **3** bloße Vermutung; **Spe|ku|la|ti|ons|ge|schäft** *s. 1;* **Spe|ku|la|ti|ons|pa|pier** *s. 1* Wertpapier, dessen Kurs sich häufig ändert **Spe|ku|la|ti|us** [-tsjus, lat.] *m. Gen. - Mz. -* Pfefferkuchen **spe|ku|la|tiv** [lat.] **1** auf Spekulation beruhend; **2** grüblerisch; **spe|ku|lie|ren** *intr. 3* **1** auf Grund von Spekulationen Handel treiben; **2** auf etwas spekulieren *ugs.:* mit etwas rechnen, auf etwas warten; **Spe|ku|lum** *s. Gen.* -s *Mz.* -la mit Spiegel versehenes Instrument zur Untersuchung von Körperhöhlen

Spe|lä|o|lo|gie [griech.] *w. 11 nur Ez.* Höhlenkunde; **spe|lä|o|lo|gisch**

Spelt, Spelz *m. 1* = Dinkel

Spe|lun|ke [griech.] *w. 11* **1** schlechte, verrufene Kneipe; **2** schmutziger, verkommener Wohnraum

Spelz *m. 1* = Dinkel

Spel|ze *w. 11* **1** Schale, Hülse (des Getreidekorns); **2** trockenes Blatt (der Grasblüte); **spel|zig** voller Spelzen

spen|da|bel *ugs.:* freigebig; **Spen|de** *w. 11;* **spen|den** *tr. 2;* **Spen|den|kon|to** *s. Gen.* -s *Mz.* -ten; **spen|die|ren** *tr. 3;* **Spen|dier|ho|sen** *w. 11 Mz., nur in der ugs. Wendung* die S. anhaben: freigebig sein, etwas spendieren

Speng|ler *m. 5, süddt. österr., westmitteldt.:* Klempner

Spen|ser [nach dem engl. Minister George John Spencer] *m. 5, österr. neben:* Spenzer; **Spen|zer** *m. 5, veraltet:* enganliegendes Jäckchen mit Schoß

Sper|ber *m. 5* ein Raubvogel

sper|bern *intr. 1, schweiz.:* scharf blicken

Spe|renz|chen [mlat.], **Spe|renz|ien** *nur Mz., ugs.:* Ausflüchte, Schwierigkeiten; mach keine S.!

Sper|ling *m. 1;* **Sper|lings|vo|gel** *m. 6*

Sper|ma [griech.] *s. Gen.* -s *Mz.* -men *oder* -malta, *bei Mensch und Tier:* Samenzellen enthaltende Flüssigkeit, Samenflüssigkeit; **Sper|ma|ti|tis** *w. Gen. - Mz.* -ti|ti|den Entzündung des Samenstrangs; **Sper|ma|to|ge|ne|se,** Sper|mi|o|ge|ne|se *w. 11* Samenbildung in den Hoden; **Sper|ma|to|phyt** *m. 10* Samen-Blütenpflanze; **Sper|ma|tor|rhö** *w. 10,* **Sper|ma|tor|rhö** [-rø] *w. 11* Samenerguss ohne geschlechtl. Erregung; **Sper|ma|to|zo|on** *s. Gen.* -s *Mz.* -zo|en = Spermium; **Sper|ma|zet** *s. Gen.* -(e)s *nur Ez.,* **Sper|ma|ze|ti** *s. Gen.* -s *nur Ez.* = Walrat; **Sper|mi|en** *Mz. von* Spermium; **Sper|mi|o|ge|ne|se** *w. 11* = Spermatogenese; **Sper|mi|o|gramm** *s. 1* Untersuchung der Samenflüssigkeit; **Sper|mi|um** *s. Gen.* -s *Mz.* -mi|en, *bei Mensch und Tier:* männl. Samenzelle, Spermatozoon

Sperrad ► **Sperr|rad** *s. 4;* **sperr|an|gel|weit**; die Tür ist s. offen; **Sperr|bal|lon** [-lɔ̃, -lɔn] *m. 9,* [-lo:n] *m. 1* Luftballon mit herabhängenden Stahltrossen für Luftsperren; **Sperr|baum** *m. 2* Schlagbaum, Schranke; **Sperr|druck** *m. Gen.* -(e)s *nur Ez.* Druck mit Zwischenräumen zwischen den Buchstaben; **Sper|re** *w. 11;* **sper|ren** *tr. 1;*

► = wird zu

Spẹrr|feu|er *s. 5;* **Spẹrr|ge|trie|be** *s. 5* Getriebe, bei dem einzelne Glieder zeitweise gesperrt werden können, Hemmwerk, Sperrwerk; **Spẹrr|gut** *s. 4* sperriges (zu beförderndes) Gut; **Spẹrr|gut|ha|ben** *s. 7* Guthaben auf einem Sperrkonto; **Spẹrr|holz** *s. 4 nur Ez.* Holz aus kreuzweise übereinander geleimten Platten, die das Sichverziehen verhindern (sperren); **Spẹrrie|gel** ▶ **Spẹrr|rie|gel** *m. 5;* **spẹr|rig** lang, groß, unhandlich, schwer zu handhaben; **Spẹrr|kon|to** *s. Gen.* -s *Mz.* -ten Konto, über das nicht oder nur begrenzt verfügt werden kann; **Spẹrr|kreis** *m. 1* elektr. Schaltung, die außer einer bestimmten Frequenz alle anderen stark schwächt; **Spẹrr|rad** *s. 4* Zahnrad in einem Sperrgetriebe; **Spẹrr|rie|gel** *m. 5;* **Spẹrr|sitz** *m. 1, im Zirkus* die vorderen, *im Kino* die hinteren Plätze; **Spẹrr|stun|de** *w. 11* = Polizeistunde; **Spẹr|rung** *w. 10;* **spẹrr|weit** sperrangelweit; **Spẹrr|werk** *s. 1* = Sperrgetriebe; **Spẹrr|zoll** *m. 2*

Spe|sen [lat.] *nur Mz.* Auslagen, Unkosten; **spe|sen|frei**

spẹt|ten *intr. 2, schweiz.:* stundenweise aushelfen (bes. im Haushalt); **Spẹt|ter** *m. 5, schweiz.:* Hilfskraft, Tagelöhner; *auch:* Spediteur; **Spẹt|te|rin** *w. 10, schweiz.:* Putzfrau, Aufwartefrau

Spe|ze|rei [ital.] *w. 10 meist Mz.* Gewürz; **Spe|ze|rei|wa|ren** *w. 11 Mz.* **1** Spezereien; **2** *schweiz.:* Gemischtwaren

Spe|zi [zu: speziell] *m. 9, süddt., österr., schweiz.:* enger Freund, Kumpan; **spe|zi|al** *selten für* speziell; **Spe|zi|al** *m. 1* guter Wein vom Fass; **spe|zi|al...**, **Spe|zi|al...** *in Zus.:* einzel..., Einzel..., sonder..., Sonder..., besonder..., Fach..., **Spe|zi|al|arzt** *m. 2* Facharzt; **Spe|zi|a|li|en** *Mz., veraltet:* Besonderheiten, Einzelheiten; **Spe|zi|a|li|sa|ti|on** *w. 10* **1** Unterscheidung, Gliederung; **2** eingehendes Studium eines bestimmten Wissensgebietes; **spe|zi|a|li|sie|ren** *tr. 3* **1** unterscheiden, gliedern, einzeln anführen; **2** sich auf etwas s.: sich mit einem Teilgebiet bes. eingehend befassen; **Spe|zi|a|li|sie|rung** *w. 10;* **Spe|zi|a|list** *m. 10* jmd., der sich auf etwas spezialisiert hat, Fachmann, Facharzt; **Spe|zi|a|lis|ten|tum** *s. Gen.* -s *nur Ez.;* **Spe|zi|a|li|tät** *w. 10* **1** Besonderheit; **2** Fach, Gebiet, mit dem man sich am meisten beschäftigt hat; **spe|zi|ell** **1** *Adj.:* einzeln, besonder; spezielle Wünsche; **2** *Adv.:* besonders, eigens; das ist speziell für mich gemacht worden; auf dein Spezielles! *ugs.:* auf dein spezielles Wohl!; **Spe|zi|es** [-tsje:s] *w. Gen.* - *Mz.* - **1** Art, Gattung; **2** *Biol.:* Art; **3** *Math.:* Grundrechenart; **4** Teemischung; **Spe|zi|es|kauf** *m. 2* = Stückkauf; **Spe|zi|es|ta|ler** *m. 5, früher:* Taler in Hartgeld; **Spe|zi|fi|ka** *Mz. von* Spezifikum; **Spe|zi|fi|ka|ti|on** *w. 10* unterscheidende Gliederung, Aufschlüsselung; **Spe|zi|fi|kum** *s. Gen.* -s *Mz.* -ka **1** etwas Besonderes, Eigentümliches; **2** gegen eine bestimmte Krankheit wirkendes Mittel; **spe|zi|fisch** eigen, eigentümlich, arteigen, kennzeichnend; spezifisches Gewicht: Gewicht der Gewichtseinheit eines Stoffes; spezifische Wärme: Wärmemenge, die nötig ist, um 1 g eines Stoffes um 1° zu erwärmen; **spe|zi|fi|zie|ren** *tr. 3* unterscheidend gliedern, einzeln anführen; **Spe|zi|fi|zie|rung** *w. 10;* **Spe|zi|men** *s. Gen.* -s *Mz.* -zimina **1** Muster, Probe; **2** Versuch, Probearbeit

> **im Speziellen:** Substantivierte Adjektive schreibt man groß: *Er meinte im Speziellen dazu, dass ...* → § 57 (1)

Sphä|re [griech.] *w. 11* **1** Kugel, Himmelskugel; **2** Kreis, Gesichtskreis, Wirkungskreis, Bereich, Machtbereich; **Sphä|ren|har|mo|nie** *w. 11 nur Ez.,* **Sphä|ren|mu|sik** *w. 10 nur Ez., nach Pythagoras:* durch die Bewegung der Himmelskörper entstehende, für den Menschen nicht hörbare Töne; **Sphä|rik** *w. 10 nur Ez.* Lehre von der Kugel; **sphä|risch** zur Himmelskugel gehörend, auf sie bezüglich; sphärisches Dreieck: Dreieck auf der Oberfläche einer Kugel; sphärische Trigonometrie: Trigonometrie auf der Kugeloberfläche; **Sphä|ro|id** *s. 1* = Rotationsellipsoid; **sphä|ro|i|disch;** **Sphä|ro|lith** *m. 10* kugelförmiges Gesteins- oder Kristallgebilde; **sphä|ro|li|thisch;** **Sphä|ro|lo|gie** *w. 11 nur Ez.* Lehre von der Kugel; **Sphä|ro|me|ter** *s. 5* Gerät zum Messen von Krümmungen, Kugelmesser

Sphen [griech.] *m. 1 nur Ez.* ein Mineral, Titanit; **sphe|no|id,** sphe|no|i|dal keilförmig; **Sphe|no|id** *s. 1* **1** keilförmige Kristallform; **2** *Anat.:* Keilbein; **sphe|no|i|dal** = sphenoid

Sphịnk|ter [griech.] *m. Gen.* -s *Mz.* -tere, *Med.:* Schließmuskel

Sphinx [sfịŋks, griech.] **1** *m. Gen.* - *Mz.* Sphịn|gen, *ugs. auch: w. 1, ägypt. Myth.:* Fabelwesen mit Löwenleib und Menschenkopf, Sinnbild des Herrschers; **2** *w. Gen.* - *nur Ez., griech. Myth.:* Ungeheuer mit Löwenleib und Frauenkopf, das jeden tötet, der das aufgegebene Rätsel nicht lösen kann

Sphra|gịs|tik [griech.] *w. 10 nur Ez.* = Siegelkunde; **sphra|gịs|tisch**

Sphyg|mo|grạmm [griech.] *s. 1* mit dem Sphygmographen aufgezeichnete Pulskurve; **Sphyg|mo|graph** *m. 10* Gerät zum selbsttätigen Aufzeichnen des Pulses, Pulsschreiber; **Sphyg|mo|ma|no|me|ter** *s. 5* Blutdruckmesser

spic|ca|to [spika-, ital.] *Mus.:* in deutlich voneinander abgesetzten Tönen, mit Springbogen (zu spielen); **Spic|ca|to** *s. Gen.* -s *Mz.* -ti, *Mus.:* Spiel mit Springbogen

Spịck|aal *m. 1* Räucheraal

spịcken **1** *tr. 1;* Fleisch spicken: vor dem Braten mit Speckstreifen durchziehen; jmdn. spicken *ugs. übertr.:* bestechen; **2** *intr. 1, Schülerspr.:* vom Heft des Nachbarn oder vom Buch oder vorbereiteten Zettel abschreiben; **Spịcker** *m. 5 kurz für* Spickzettel; **Spịck|na|del** *w. 11* dicke, lange Nadel zum Spicken von Fleisch; **Spịck|zet|tel** *m. 5, Schülerspr.:* Notizzettel zum Spicken (**2**)

Spi|der [spaı-, engl.] *m. 5* zweisitziger Sportwagen mit aufklappbarem Verdeck

Spie|gel *m. 5; auch Jägerspr.:* weißer Fleck um den After (vom Reh- und Rotwild); **Spie-**

gel|bild *s. 3;* **spie|gel|bild|lich; spie|gel|blank; Spie|gel|ei** *s. 3;* **Spie|gel|fech|ter** *m. 5* Angeber, Blender, Heuchler; **Spie|gel|fech|te|rei** *w. 10* **1** *urspr.:* Scheinkampf; **2** *übertr.:* Getue, Blendwerk, Angeberei, Schwindel; **Spie|gel|glas** *s. 4;* **spie|gel|glatt; spie|gel|gleich** = symmetrisch; **Spie|gel|gleich|heit** *w. Gen. - nur Ez.* = Symmetrie; **spie|ge|lig** spiegelartig; **spie|geln** *tr. u. intr. 1;* ich spiegele, spiegle es; **Spie|gel|re|flex|ka|me|ra** *w. 9* Kamera mit eingebautem Spiegel, auf dem das aufzunehmende Bild im richtigen Ausschnitt zu sehen ist; **Spie|gel|saal** *m. Gen.* -(e)s *Mz.* -säle; **Spie|gel|schrift** *w. 10* seitenverkehrte Schrift; **Spie|gel|te|le|skop** *auch:* **-les|kop** *s. 1* Fernrohr mit eingebauten Spiegeln; **Spie|ge|lung, Spieg|lung** *w. 10*

Spie|ker *m. 5, Seew.:* großer Nagel; **spie|kern** *tr. 1* mit Spieker(n) befestigen

Spiel *s. 1;* **Spiel|art** *w. 10* Abweichung (innerhalb einer Art), Sonderform; **Spiel|au|to|mat** *m. 10;* **Spiel|ball** *m. 2; auch übertr.:* willenloser Mensch als Werkzeug anderer, willenloses Objekt; **Spiel|bank** *w. 10* Unternehmen für Glücksspiele, Spielkasino; **Spiel|bein** *s. 1, Sport, Kunst:* das den Körper im Stehen nur leicht stützende, nicht voll tragende Bein; *Ggs.:* Standbein; **Spiel|brett** *s. 3* **Spiel|chen** *s. 7, ugs.:* kurzes Spiel (beim Glücks-, Kartenspiel); ein S. machen; **spie|len 1** *tr. u. intr. 1;*

> **spielen (Karten/Klavier):** Die Gefüge aus Substantiv und Verb schreibt man getrennt: *Die Männer haben Karten gespielt. Sie wollen morgen Klavier spielen.* →§ 34 E3 (5)

falsch spielen; hoch spielen (beim Glücksspiel); das schaffe ich spielend: mühelos; **2** *refl. 1;* sich müde spielen; sich mit etwas spielen *österr.:* sich mit etwas nicht ernsthaft beschäftigen; **Spie|ler** *m. 5;* **Spie|le|rei** *w. 10;* **spie|le|risch; Spiel|feld** *s. 3;* **Spiel|film** *m. 1* Film mit durchgehender Handlung, im Unterschied zum Dokumentar- oder Kulturfilm; **Spiel|ge|fähr|te** *m. 11;* **Spiel|geld** *s. 3 nur Ez.;* **Spiel|hahn** *m. 2* (balzender) Birkhahn; **Spiel|höl|le** *w. 11;* **Spiel|hös|chen** *s. 7;* **spie|lig** verspielt; **Spiel|ka|me|rad** *m. 10;* **Spiel|kar|te** *w. 11;* **Spiel|ka|si|no** *s. 9* = Spielbank; **Spiel|kind** *s. 3* Kind im Spielalter, verspieltes Kind; **Spiel|klas|se** *w. 11, Sport:* Leistungsklasse (von Mannschaften), z. B. Bundesliga; **Spiel|lei|den|schaft** *w. 10 nur Ez.;* **Spiel|lei|ter** *m. 5;* **Spiel|leu|te** *Mz. von* Spielmann; **Spiel|mann** *m. Gen.* -(e)s *Mz.* -leu|te **1** *MA:* fahrender Musikant; **2** Angehöriger eines Spielmannszuges; **Spiel|manns|dich|tung** *w. 10 MA:* von einem Spielmann (**1**) verfasste oder vorgetragene Dichtung; **Spiel|manns|zug** *m. 2* Musikkapelle eines militär. oder ähnl. Zuges; **Spiel|mar|ke** *w. 11;* **Spiel|mi|nu|te** *w. 11, Sport;* **Spiel|o|per** *w. 11* heitere Oper mit gesprochenen Dialogen; **Spiel|raum** *m. 2* **1** freier Raum zwischen Maschinenteilen oder Gegenständen; **2** Bewegungsfreiheit; **Spiel|re|gel** *w. 11;* **Spiel|sa|chen** *w. 11 Mz.;* **Spiel|schuld** *w. 10;* **Spiel|the|ra|pie** *w. 11;* **Spiel|ver|bot** *s. 1;* **Spiel|ver|der|ber** *m. 5;* **Spiel|wa|ren** *w. 11 Mz.;* **Spiel|zeit** *w. 10;* **Spiel|zeug** *s. Gen.* -s *nur Ez.*

Spier *m. 1 oder s. 1, norddt.:* eben durchs Erdreich durchbrechende Grasspitze

Spie|re *w. 11* **1** *Seew.:* Rundholz, Segelstange; **2** = Spiräe; **Spier|stau|de** *w. 11* Mädesüß, Geißbart; **Spier|strauch** *m. 4* = Spiräe

Spieß *m. 1* **1** Stich- und Wurfwaffe; langer, spitzer Eisenstab; **2** *Buchw.:* versehentlich mitdruckendes Ausschlussstück; **3** *Mil.:* Feldwebel; **4** *Mz., Jägerspr.* Spieße: Geweihstangen ohne Enden; **Spieß|bock** *m. 2, Jägerspr.:* Rehbock, der Spieße (**4**) trägt, Spießer; **Spieß|bür|ger** *m. 5* Mensch mit beschränktem Gesichtskreis, engstirniger Mensch, Spießer; **spieß|bür|ger|lich; Spieß|bür|ger|lich|keit** *w. 10 nur Ez.;* **Spieß|bür|ger|tum** *s. Gen.* -s *nur Ez.;* **spie|ßen 1** *tr. 1* aufspießen; **2** *intr. 1, österr.:* stecken bleiben, stocken; die Schublade spießt; **3** *refl. 1, österr.:* nicht gut vorangehen; die Sache spießt sich; **Spie|ßer** *m. 5* **1** *Jägerspr.:* junger Hirsch, Elch oder Rehbock mit Geweihstangen ohne Enden; **2** = Spießbürger; **spie|ßer|haft; Spieß|ge|sel|le** *m. 11* **1** *urspr.:* Waffengefährte; **2** *dann:* Mittäter; **Spieß|glanz** *m. 1, Sammelbez. für* eine Gruppe von Mineralen; **spie|ßig** in der Art eines Spießbürgers, engstirnig, beschränkt (in den Ansichten); **Spie|ßig|keit** *w. 10 nur Ez.;* **Spieß|ru|te** *w. 11* lange, spitze Gerte; Spießruten laufen **1** *früher als militär. Strafe:* durch eine Gasse von Soldaten laufen und sich von jedem mit einer Spießrute schlagen lassen; **2** *übertr.:* sich von den Leuten spöttisch ansehen lassen; **Spieß|ru|ten|lau|fen** *s. Gen.* -s *nur Ez.*

Spikes [spaɪks, engl.] *Mz.* **1** Rennschuhe mit herausstehenden Stahldornen an der Sohle; **2** Stahlstifte in Autoreifen; **Spike(s)|rei|fen** *m. 7* Autoreifen mit Spikes für das Fahren auf verschneiten und vereisten Straßen

Spill *s. 1, Seew.:* Winde mit senkrechter Achse, z. B. Ankerspill; **Spil|la|ge** [-ʒə] *w. 11* Warenverlust infolge Eindringens von Feuchtigkeit

Spil|le *w. 11* Spindel, Kunkel; **spil|le|rig,** spill|rig schmächtig, dünn, mager; **Spill|geld** *s. 3, nddt.:* Nadelgeld, Taschengeld; **Spil|ling** *m. 1* gelbe Pflaume; **spill|rig** = spillerig

Spin [engl.] *m. Gen.* -s *nur Ez.* die den Elementarteilchen zugeschriebene Eigendrehung

Spi|na [lat.] *w. Gen. - Mz.* -nen Knochenfortsatz, Knochendorn, Rückgrat; **spi|nal** zur Wirbelsäule gehörig, von ihr ausgehend, z. B. spinale Kinderlähmung

Spi|nat *m. 1* eine Gemüsepflanze; **Spi|nat|wach|tel** *w. 11, derb:* schrullige Frau

Spind *s. oder m. 1* schmaler Schrank (bes. des Soldaten)

Spin|del *w. 11* **1** *an Spinnrädern und Spinnmaschinen:* die Garnspule tragender Teil; **2** *an Werkzeugmaschinen:* Welle mit Gewinde, die das Werkzeug oder Werkstück dreht; **3** Säule der Wendeltreppe; **4** *Bot.:* Hauptachse des Blütenstandes

oder gefiederter Blätter; **5** *allg.:* Achse, Stange; **spin|del|dürr** sehr dürr (Person); **Spin|del|le|hen** *s. 7* = Kunkellehen; **Spin|del|trep|pe** *w. 11* = Wendeltreppe
Spi|nell [lat.] *m. 1* ein Mineral, ein Edelstein
Spi|nett [nach dem ital. Erfinder Giovanni Spinetti] *s. 1* ein Tasteninstrument
Spin|na|ker *m. 5* großes, dreieckiges Beisegel
Spin|ne *w. 11;* **spin|ne|feind** *nur prädikativ;* jmdm. s. sein; die beiden sind sich s.; **spin|nen** *tr. u. intr. 145* **1** *von Spinnen, Raupen:* einen Faden erzeugen; **2** Fasern zu Garn drehen; **3** schnurren (Katze); **4** erzählen, ersinnen, ausdenken; **5** *ugs.:* verrückt sein; **Spin|nen|netz** *s. 1;* **Spin|nen|tie|re** *s. 1 Mz.* Arachn(o)iden; **Spin|ner** *m. 5; auch ugs.:* jmd., der nicht ganz ernst zu nehmende Dinge redet; **Spin|ne|rei** *w. 10* **1** Betrieb, in dem Fasern zu Garn versponnen werden; **2** *ugs.:* nicht ganz ernst zu nehmende Rede oder Idee; **Spin|ner|lied** *s. 3;* **spin|nig** *ugs.:* ein bisschen verrückt; **Spinn|ma|schi|ne** *w. 11;* **Spinn|rad** *s. 4;* **Spinn|ro|cken** *m. 7, am Spinnrad:* Holzstab, um den die zu spinnenden Fasern aufgewickelt sind; **Spinn|stu|be** *w. 11;* **Spinn|web** *s. 1, österr. neben:* Spinnwebe; **Spinn|we|be** *w. 11 meist Mz.*
spi|nös [lat.] **1** schwierig, knifflig, spitzfindig; **2** *auch:* spinnig
Spi|no|zis|mus *m. Gen. - nur Ez.* Lehre des ndrl. Philosophen B. Spinoza; **Spi|no|zist** *m. 10;* **spi|no|zis|tisch**
Spint *m. 1 oder s. 1* altes Trockenhohlmaß, 2,4–7 Liter
Spin|tha|ri|skop *auch:* **-ris|kop** [griech.], **Spin|the|ri|skop** *auch:* **-ris|kop** *s. 1* Gerät zur Beobachtung von Lichtblitzen mit einem Vergrößerungsglas
spin|ti|sie|ren [ital.?] *intr. 2* grübeln; **Spin|ti|sie|re|rei** *w. 10*
Spi|on [frz.] *m. 1* **1** jmd., der Spionage treibt, Kundschafter, Horcher; **2** Spiegel außen am Fenster, in dem man die Straße überblicken kann; **3** Guckloch (in Türen); **Spi|o|na|ge** [-ʒə] *w. 11 nur Ez.* heimliches Auskundschaften von polit., wirtschaftl. oder militär. Geheimnissen eines fremden Staates; **Spi|o|na|ge|ab|wehr** *w. 10 nur Ez.;* **spi|o|nie|ren** *intr. 3;* **Spi|o|nie|re|rei** *w. 10 nur Ez., ugs.*
Spi|räe [lat.] *w. 11* ein ostasiat. Zierstrauch, Spiere
Spi|ra|le [lat.] *w. 11;* **spi|ra|lig** wie eine Spirale; **Spi|ral|ne|bel** *m. 5* Sternsystem in spiralig erscheinender Form
Spi|rans [lat.] *m. Gen. - Mz.* -ran|ten, **Spi|rant** *m. 10* = Reibelaut; **spi|ran|tisch**
Spi|ril|le [griech.] *w. 11* schraubenförmiges Bakterium; **Spi|ril|lo|se** *w. 11* durch Spirillen hervorgerufene Infektionskrankheit
Spi|rit [spi-, engl.] *m. 9, Okkultismus:* Geist (eines Verstorbenen); **Spi|ri|tis|mus** [ʃpi-] *m. Gen. - nur Ez.* Glaube an Geister und ihre Erscheinungen; **Spi|ri|tist;** **spi|ri|tis|tisch;** **spi|ri|tu|al** = spirituell; **Spi|ri|tu|al** [spɪrɪtjuəl, engl.] *s. 9* geistl. Lied der Schwarzen in den nordamerik. Südstaaten; **spi|ri|tu|a|li|sie|ren** *tr. 3* vergeistigen; **Spi|ri|tu|a|lis|mus** *m. Gen. - nur Ez.* Lehre, dass der Geist das einzig Wirkliche und das Körperliche nur seine Erscheinungsweise sei; **Spi|ri|tu|a|list** *m. 10;* **spi|ri|tu|a|lis|tisch;** **Spi|ri|tu|a|li|tät** *w. 10 nur Ez.* Geistigkeit; **spi|ri|tu|ell,** spi|ri|tu|al geistig; **spi|ri|tu|os** Weingeist enthaltend; **spi|ri|tu|ös** **1** spirituos; **2** geistig; **Spi|ri|tu|o|sen** *Mz.* geistige (= alkohol.) Getränke; **spi|ri|tu|o|so** [spi-, ital.] *Mus.:* geistvoll, feurig; **Spi|ri|tus** *m. Gen. - nur Ez.* **1** [spi-] Hauch, Atem, Geist; S. asper (*Zeichen: ‘) in der griech. Schrift:* über Vokalen Zeichen für die Aussprache mit anlautendem h, z. B. ϕ (= ho); S. rector: führender Geist, treibende Kraft; **2** [ʃpi-] Alkohol, Weingeist, Sprit
Spi|ro|chä|te [-çɛ-, griech.] *w. 11* schraubenförmiges Bakterium; **Spi|ro|chä|to|se** *w. 11* durch Spirochäten hervorgerufene Infektionskrankheit, z. B. Syphilis
Spi|ro|me|ter [lat. + griech.] *s. 5* Atmungsmesser; **Spi|ro|me|trie** *auch:* **-met|rie** w. 11 Atmungsmessung
Spir|re sich nach oben verjüngender Blütenstand
Spi|tal [lat.] *s. 4, Kurzform von* Hospital; **Spi|tals|arzt** *m. 2;* **Spit|tel** *s. 5, volkstüml., veraltet:* **1** Spital; **2** Armenhaus
spitz; etwas mit spitzen Fingern anfassen: vorsichtig nur mit Daumen und Zeigefinger; eine spitze Zunge haben *übertr.:* boshaft sein; spitze Reden führen *übertr.:* boshafte Reden; **Spitz** *m. 1* eine Hunderasse; **Spitz|a|horn** *m. 1* eine Art des Ahorns; **Spitz|bart** *m. 2;* **spitz|bär|tig;** **Spitz|bo|gen** *m. 7 oder 8;* **spitz|bo|gig;** **Spitz|bu|be** *m. 11* **1** Gauner, Betrüger, Dieb; **2** Frechdachs, Schelm; **Spitz|bü|be|rei** *w. 10;* **spitz|bü|bisch;** **Spit|ze** *w. 11;* **Spit|zel** *m. 5* jmd., der (im Auftrag) andere aushorcht, heimlich auf andere aufpasst; **Spit|zel|lei** *w. 10;* **spit|zeln** *intr. 1;* **spit|zen** **1** *tr. 1;* **2** *intr. 1* hervorschauen; aus der Erde spitzen; **3** *intr. 1, süddt.:* aufpassen, spähen, lugen; da wirst du s.!: da wirst du Augen machen!; **Spit|zen...** *in Zus.:* der, die, das Beste..., Höchste...; **Spit|zen|klas|se** *w. 11;* **Spit|zen|po|si|ti|on** *w. 10;* **Spit|zen|sport|ler** *m. 5;* **Spit|zen|tanz** *m. 2* Bühnentanz auf den Zehenspitzen in eigens dafür gearbeiteten Schuhen; **spitz|fin|dig** allzu scharf unterscheidend; **Spitz|fin|dig|keit** *w. 10;* **Spitz|ha|cke** *w. 11;* **spit|zig** spitz; **...spit|zig** *in Zus.,* z. B. zwei-, mehrspitzig; **Spitz|keh|re** *w. 11* **1** *Skisport:* Richtungsänderung um 180°; **2** Kurve um mehr als 90°; **Spitz|mar|ke** *w. 11* am Anfang eines Absatzes halbfett, gesperrt oder kursiv herausgehobenes Wort; **Spitz|maus** *w. 2* mausähnliches Kleinsäugetier; **Spitz|na|me** *m. 15;* **Spitz|po|cken** *Mz.* = Windpocken; **Spitz|we|ge|rich** *m. 1* eine Futter- und Heilpflanze; **spitz|win|ke|lig,** **spitz|wink|lig;** **spitz|zün|gig**
Splanch|no|lo|gie [splanç-, griech.] *w. 11 nur Ez.* Lehre von den Eingeweiden
Spleen [ʃplin, engl.] *m. 1* kleine Verrücktheit, Schrulle, sonderbare Idee; er hat einen S.; **splee|nig** [ʃpli-]
Spleiß *m. 1,* **Splei|ße** *w. 11* Splitter; **splei|ßen** *tr. 1, unregelmäßige Konjugation (spliss, gesplissen) veraltet* **1** spalten

(Holz); **2** *Seew.:* miteinander verbinden (Taue)
Splen [griech.] *m. 1 nur Ez.* Milz
splen|did [lat.] **1** großzügig, freigebig; **2** *Buchw.:* weiträumig, mit Zwischenräumen, z. B. splendid gesetzter Text; **Splendid iso|la|tion** [splɛndɪd aɪzəlɛɪʃn, engl.] Schlagwort für die polit. Unabhängigkeit Englands von Europa; **Splen|di|di|tät** *w. 10 nur Ez., veraltet:* Freigebigkeit, Großzügigkeit
Splett *m. 1, nddt.:* Splitter
Splint *m. 1* **1** zweischenkliger Stift mit aufgebogenen Enden (zur Sicherung v. Maschinenteilen); **2** Splintholz; **Splint|holz** *s. Gen.* -es *nur Ez.* weiche Holzschicht unter der Rinde
Spliß ► **Spliss** *m. 1, Nebenform von* Spleiß; **splis|sen** *tr. 1, Nebenform von* spleißen
Splitt *m. 1* **1** Span, Splitter; **2** grobkörniges Gestein (zum Straßenbau); **Split|ter** *m. 5;* **split|ter|fa|ser|nackt** völlig nackt; **split|ter|frei** nicht splitternd (beim Bruch); **Split|ter|grup|pe** *w. 11;* **split|te|rig,** splitt|rig; **split|tern** *intr. 1;* **split|ter|nackt** völlig nackt; **Split|ter|par|tei** *w. 10;* **split|ter|si|cher**
Split|ting [engl.] *s. Gen.* -s *nur Ez.* Form der Besteuerung von berufstätigen Eheleuten; **Split|ting|ta|bel|le** *w. 11*
splitt|rig, split|te|rig
SPÖ *Abk. für* Sozialistische Partei Österreichs
Spo|di|um [griech.] *s. Gen.* -s *nur Ez.* Knochenkohle; **Spo|du|men** *m. 1* ein Mineral
Spoi|ler [engl.] *m. 5* Windleitblech am Kfz
Spök *m. 1* **1** *nddt.:* Geist, Spuk; **2** *nord-, mitteldt.:* Unsinn, Spaß; **spö|ken** *intr. 1* **1** *nddt.:* spuken; **2** *nord-, mitteldt.:* Unsinn treiben, Spaß machen; **Spö|ken|kie|ker** *m. 5, nddt.:* Geisterseher, Hellseher
Spo|li|en [lat.] *Mz. von* Spolium; **Spo|li|en|recht** *s. 1 nur Ez.* Recht auf das Spolium eines kath. Geistlichen; **Spo|li|um** *s. Gen.* -s *Mz.* -li|en **1** *im alten Rom:* Kriegsbeute; **2** *früher:* Nachlass (eines kath. Geistlichen); **3** Teil eines Kunstwerks, das einem andern entnommen wurde
spon|de|isch aus Spondeen bestehend; **Spon|de|us** [griech.] *m. Gen. - Mz.* -de|en Versfuß aus zwei langen Silben
Spon|dy|li|tis [griech.] *w. Gen. - Mz.* -ti|den Wirbelentzündung; **Spon|dy|lo|se** *w. 11* Erkrankung der Zwischenwirbelscheiben (Bandscheiben); **spon|dy|lo|tisch**
Spon|gie [-gjə, griech.] *w. Gen. - Mz.* -gi|en = Schwamm (**1**)
Spon|gin *s. Gen.* -s nur Ez. faserige Gerüstsubstanz der Hornschwämme; **spon|gi|ös** schwammig
Spon|sa|li|en [lat.] *Mz., veraltet:* Verlobungsgeschenke; **spon|sern** *tr. 1, meist im Passiv:* durch einen Sponsor bezahlen; der Betrag wird gesponsert; **Spon|sor** *m. 13* **1** jmd., der eine Funk- oder Fernsehsendung, einen Film oder ein Theaterstück finanziell fördert, wenn dafür darin für sein Unternehmen Reklame gemacht wird; **2** *Rundfunk, Fernsehen:* Auftraggeber für eine Werbesendung; **3** Auftraggeber für eine demoskop. Untersuchung; **Spon|so|ring** [engl.] *s. Gen. -s nur Ez.* Bereitstellen von Mitteln für Personen und Organisationen zum Zweck der Werbung für das Unternehmen
spon|tan [lat.] von selbst, aus eigenem Antrieb, aus einer plötzl. Regung heraus; **Spon|ta|ne|i|tät** [-ne|i-], **Spon|ta|ni|tät** *w. 10 nur Ez.* spontanes Geschehen, spontanes Handeln
Spor *m. 1* Schimmel(pilz)
spo|ra|disch vereinzelt (vorkommend), hin und wieder; **Spo|ran|gi|um** *s. Gen.* -s *Mz.* -gi|en Sporenbehälter bei vielen Algen und Pilzen sowie Farnen, Moosen, Bärlappgewächsen; **Spo|re** *w. 11, bei vielen Algen und Pilzen:* ungeschlechtl. Fortpflanzungszelle
Spo|ren *Mz., Ez.:* Sporn, zwei an den Stiefelfersen angebrachte Metallrädchen oder -stifte zum Antreiben des Pferdes; **spo|ren|klir|rend**
Spo|ren|pflan|ze *w. 11* blütenlose Pflanze, Kryptogame; **Spo|ren|tier|chen** *s. 7* ein parasitisch lebender Einzeller
spo|rig voller Spor, schimmelig
Sporn *m. Gen.* -s *Mz.* Spo|ren Fortsatz, spitzer Vorsprung; vgl. Sporen; **spor|nen** *tr. 1;* ein Pferd spornen: einem Pferd die Sporen geben; die Stiefel spornen: Sporen an die Stiefel schnallen; gestiefelt und gespornt: reisefertig, ausgehbereit; **sporn|streichs** sofort und geradenwegs
Spo|ro|phyt [griech.] *m. 10, bei Pflanzen mit Generationswechsel:* sporenbildende (ungeschlechtl.) Generation; **Spo|ro|zo|on** *s. Gen.* -s *meist Mz.* -zo|en Sporentierchen
Sport [engl.] *m. 1; auch übertr. ugs.:* Neigung, Vorliebe, Liebhaberei; etwas als Sport betreiben; **Sport|art** *w. 10;* **Sport|arzt** *m. 2;* **Sport|dreß** ► **Sport|dress** *m. 1*
Spor|tel [lat.] *w. 11, MA:* Gebühr für Amtshandlungen
spor|teln *intr. 1* ein wenig Sport treiben, *aber:* das Sporttreiben; ich sportele, sportle; **Sport|flug|zeug** *s. 1;* **Sport|herz,** Sport|ler|herz *s. 16* durch dauernde hohe körperl. Leistungen vergrößertes Herz; **Sport|hoch|schu|le** *w. 11;* **Sport|klub** *m. 9;* **Sport|leh|rer** *m. 5;* **Sport|ler** *m. 5;* **sport|lich;** **Sport|lich|keit** *w. 10 nur Ez.;* **Sport|me|di|zin** *w. 10 nur Ez.;* **Sport|platz** *m. 2;* **Sport|schuh** *m. 1;* **Sports|mann** *m. 4, Mz. auch:* -leu|te; **Sport-To|to** *m. 9 oder s. 9;* **Sport|ver|ein** *m. 1* (*Abk.:* SV); **Sport|wart** *m. 1, in Sportvereinen:* Mitarbeiter, der den Ablauf des Sportbetriebes organisiert
Spot [engl.] *m. 9* **1** *Funk, Fernsehen:* kurze Werbesendung; **2** *kurz für* Spotlight; **Spot|ge|schäft** *s. 1* Geschäft gegen sofortige Bezahlung und Lieferung; **Spot|light** [-laɪt] *s. 9* gezielte Beleuchtung, Punktlicht
Spott *m. Gen.* -(e)s *nur Ez.;* **spott|bil|lig;** **Spott|dros|sel** *w. 11* **1** ein Singvogel; **2** *übertr.:* jmd., der andere gern verspottet; **Spöt|te|lei** *w. 10;* **spöt|teln** *intr. 1;* ich spöttele, spöttle; **spot|ten** *intr. 2;* **Spöt|ter** *m. 5;* **Spöt|te|rei** *w. 10;* **Spott|ge|dicht** *s. 1;* **Spott|geld** *s. 3 nur Ez.* sehr wenig Geld; etwas für ein S. verkaufen; **spöt|tisch;** **Spott|lust** *w. Gen. - nur Ez.;* **spott|lus|tig;** **Spott|na|me** *m. 15;* **Spott|preis** *m. 1* sehr niedriger Preis; **Spott|sucht** *w. Gen. - nur Ez.;* **spott|süch-**

tig; **Spott|vo|gel** *m. 5* **1** Vogel, der die verschiedensten Laute nachahmen kann, Spötter; **2** *übertr.:* jmd., der gern spottet

SPQR, S. P. Q. R. *Abk. für* Senatus Populusque Romanus

Sprach|at|las *m. 1 oder Gen. - Mz.* -lan|ten Kartenwerk, in dem die Verbreitung der dt. Mundarten und ihre Besonderheiten verzeichnet sind; **Sprach|bar|ri|e|re** [-ri|e:-] *w. 11* Behinderung der sprachl. Entwicklung bei Kindern aus Elternhäusern mit geringem Bildungsstand; **sprach|be|gabt; Sprach|be|ga|bung** *w. 10;* **Sprach|denk|mal** *s. 4* sprachlich bedeutendes oder interessantes Schriftwerk aus früherer Zeit; **Sprach|dumm|heit** *w. 10;* **Spra|che** *w. 11;* **Spra|chen|schu|le** *w. 11;* **Sprach|ent|wick|lung** *w. 10;* **Sprach|er|zie|hung** *w. 10 nur Ez.;* **Sprach|fa|mi|lie** *w. 11;* **Sprach|feh|ler** *m. 5;* **Sprach|for|scher** *m. 5;* **Sprach|for|schung** *w. 10;* **Sprach|füh|rer** *m. 5;* **Sprach|ge|biet** *s. 1;* **Sprach|ge|brauch** *m. 2;* **Sprach|ge|fühl** *s. 1 nur Ez.;* **Sprach|ge|o|gra|phie** ► *auch:* **-ge|o|gra|fie** *w. 11 nur Ez.* Wissenschaft von der geograph. Verbreitung der Sprachen und Mundarten; **Sprach|ge|schich|te** *w. 11 nur Ez.;* **sprach|ge|schicht|lich; Sprach|ge|setz** *s. 1;* **sprach|ge|wandt; Sprach|ge|wandt|heit** *w. 10;* **Sprach|gren|ze** *w. 11;* **Sprach|gut** *s. 4 nur Ez.;* **...spra|chig** vgl. deutschsprachig, fremdsprachig; **Sprach|in|sel** *w. 11;* **Sprach|kennt|nis|se** *w. 1 Mz.;* **Sprach|la|bor** *s. 9* elektron. Anlage mit untereinander verbundenen Geräten (Kopfhörern, Mikrofonen u. a.) am Steuerpult (Lehrertisch) und an den Schülerplätzen zur Aufnahme und Wiedergabe gesprochener Sprache, zum individuellen Lernen; **Sprach|leh|re** *w. 11;* **sprach|lich; ...sprach|lich** vgl. deutschsprachlich, fremdsprachlich; **sprach|los; Sprach|lo|sig|keit** *w. 10 nur Ez.;* **Sprach|me|lo|die** *w. 11 nur Ez.;* **Sprach|mitt|ler** *m. 5, ehem. DDR:* Dolmetscher und/oder Übersetzer; **Sprach|phi|lo|so|phie** *w. 11 nur Ez.;* **Sprach|rohr** *s. 1;* jmds. S. sein *übertr.:* jmds. Meinung nachreden oder öffentlich vertreten; **Sprach|sil|be** *w. 11* der Wortbildung entsprechende Silbe, z. B. Länd|er; vgl. Sprechsilbe; **Sprach|stö|rung** *w. 10;* **Sprach|ta|lent** *s. 1;* **Sprach|un|ter|richt** *m. 1;* **Sprach|ver|ein** *m. 1;* **Sprach|wis|sen|schaft** *w. 10*

Spray [spreɪ, engl.] *s. 9* **1** Flüssigkeit zum Zerstäuben, z. B. Haarspray; **2** Apparat zum Zerstäuben von Flüssigkeit; **spray|en** [spreɪən] *tr. 1* mit einem Spray bestäuben; ich spraye es, habe es gesprayt

> **sprechen lernen:** Verbindungen aus Verb (Infinitiv) mit einem weiteren Verb schreibt man getrennt: *Sie haben früh sprechen gelernt.* Ebenso: *kennen lernen, sitzen bleiben* usw. →§ 34 E 3 (6)

Sprech|an|la|ge *w. 11;* **Sprech|chor** [-ko:r] *m. 2;* **spre|chen** *intr. u. tr. 146;* sprechen lernen; **Sprech|er|zie|hung** *w. 10 nur Ez.;* **Sprech|funk** *m. 1;* **Sprech|plat|te** *w. 11* Schallplatte mit gesprochenem Text; **Sprech|rol|le** *w. 11* Bühnenrolle, die gesprochen (nicht gesungen) wird; **Sprech|sil|be** *w. 11* der natürl. Aussprache des Wortes entsprechende Silbe, z. B. Län|der; vgl. Sprachsilbe; **Sprech|stun|de** *w. 11;* **Sprech|stun|den|hil|fe** *w. 11;* **Sprech|vor|gang** *m. 2;* **Sprech|wei|se** *w. 11;* **Sprech|zeit** *w. 10;* **Sprech|zim|mer** *s. 5*

Spree-A|then [-te:n] *scherzh. Bez. für* Berlin; **Spree|wald** *m. Gen.* -es Landschaft in d. Niederlausitz; **Spree|wäl|der** *m. 5*

Spre|he *w. 11, norddt.:* Star

Sprei|ßel *süddt.: m. 5, österr.: s. 5* Holzspan, Splitter (den man sich eingezogen hat); **Sprei|ßel|holz** *s. 4 nur Ez., österr.:* Kleinholz, gehacktes Holz

Sprei|te *w. 11* Fläche des Laubblattes, Blattspreite; **sprei|ten** *tr. 2, veraltet, poet.:* ausbreiten

spreiz|bei|nig; Sprei|ze *w. 11* **1** waagerechte Holz- oder Metallstange zum seitl. Abstützen von Gräben oder Gruben; **2** *nur Ez.* Stellung mit gespreizten Beinen; **sprei|zen 1** *tr. 1* auseinander stellen (Beine, Zehen, Finger, Flügel); **2** *refl. 1* geziert gehen, geziert tun; sich zieren, sich geziert bitten lassen; **Spreiz|fuß** *m. 2;* **Sprei|zung** *w. 10* gespreizte Anordnung (von Maschinenteilen)

Spreng|bom|be *w. 11*

Spren|gel *m. 5* **1** Amtsbezirk eines Bischofs, Pfarrers oder einer weltl. Behörde, Kirchspiel, Diözese; **2** Wedel zum Sprengen (bes. von Weihwasser)

spren|gen 1 *tr. 1;* **2** *intr. 1* galoppieren; **Spreng|kör|per** *m. 5;* **Spreng|kraft** *w. 2 nur Ez.;* **Spreng|la|dung** *w. 10;* **Spreng|stoff** *m. 1;* **Spren|gung** *w. 10*

Spren|kel *m. 5* Fleck, Tupfen; **spren|keln** *tr. 1*

spren|zen *südwestdt.* **1** *tr. 1* (be)spritzen, stark sprengen; **2** *intr. 1* leicht regnen

Spreu *w. Gen. - nur Ez.*

Sprich|wort *s. 4;* **Sprich|wör|ter|samm|lung** *w. 10;* **sprich|wört|lich**

Sprie|gel *m. 5* **1** Haken (zum Aufhängen von Fleisch); **2** Bügel (zum Stützen des Verdecks von Planwagen)

Sprie|ße *w. 11* Stütze, Stützbalken, Sprießholz; **Sprie|ßel** *m. 5, österr.:* Holzstange; Sitzstange (im Vogelkäfig); **sprie|ßen 1** *tr. 1* (mit einer Sprieße) stützen; **2** *intr. 147* keimen, wachsen; **Sprieß|holz** *s. 4* = Sprieße

Spriet *s. 1* Rundholz zum Spannen des Segels

Spring 1 *m. 1* Quelle, Sprudel; **2** *w. 1, Seew.:* Trosse zum Festmachen

Spring|bock *m. 2* eine Antilope; **Spring|brun|nen** *m. 7;* **sprin|gen** *intr. 148;* etwas springen lassen *ugs.:* etwas spendieren, etwas ausgeben; **Sprin|ger** *m. 5;* **Sprin|ger|le** *s. 5* ein schwäb. Weihnachtsgebäck; **Spring|flut** *w. 10* hohe Flut zur Zeit des Voll- und Neumondes; **Spring|form** *w. 10* ein Kuchenblech mit abnehmbarem Rand; **Spring|ins|feld** *m. Gen.* -s *nur Ez.* **1** lebhaftes, fröhliches Kind; **2** unbekümmerter, leichtsinniger junger Mensch; **Spring|kraut** *s. 4 nur Ez.* eine Pflanze, deren Früchte bei Berührung die Samen wegschleudern, Rührmichnichtan; **spring|le|ben|dig; Spring|maus** *w. 2;* **Spring|pro|zes|si|on** *w. 10;* **Spring|quell** *m. 1, poet. für* Springbrunnen; **Spring|schwanz** *m. 2* ein flügelloses

Insekt; **Spring|seil** *s. 1;* **Spring|tanz** *m. 2;* **Spring|wurz** *w. 10* = Alraune

Sprink|ler [engl.] *m. 5* Gerät zum Beregnen größerer Flächen (als Feuerschutz und Rasensprenger)

Sprint [engl.] *m. 1 oder m. 9* **1** Kurzstreckenlauf; **2** Radrennfahrt über eine kurze Strecke; **sprin|ten** *intr. 2;* **Sprin|ter** *m. 5;* **Sprint|stre|cke** *w. 11*

Sprit *m. 1* **1** = Spiritus (**2**); **2** Treibstoff; **spri|tig** Sprit enthaltend, spritähnlich

Sprit|ze *w. 11;* **sprit|zen** *intr. u. tr. 1;* **Sprit|zer** *m. 5;* **sprit|zig** **1** prickelnd (Wein); **2** lebhaft und geistreich, sprühend witzig; **Spritz|ma|le|rei** *w. 10;* **Spritz|pis|to|le** *w. 11;* **Spritz|tour** [-tu:r] *w. 10, ugs.:* kleiner Ausflug

spröd, sprö|de; Spröd|heit, Sprö|dig|keit *w. 10 nur Ez.*

> **Spross, Sprössling:** Nach kurzem Vokal bzw. Umlaut schreibt man *-ss-* (statt bisher -ß-): *der Spross, der Sprössling.* Auch: *Die Pflanze sprosste, hat gesprosst.* →§ 25

Sproß ► **Spross** *m. 1* **1** junger Pflanzentrieb; **2** Nachkomme; **Spröß|chen** ► **Spröss|chen** *s. 7;* **Spros|se** *w. 11; auch Jägerspr.:* Zacke, Ende (des Geweihs); **spros|sen** *intr. 1* sprießen, keimen; **Spros|sen|wand** *w. 2;* **Spros|ser** *m. 5* eine Nachtigall; **Spröß|ling** ► **Spröss|ling** *m. 1;* **Sproß|pflan|ze** ► **Spross|pflan|ze** *w. 11* = Kormophyt; **Spros|sung** *w. 10 nur Ez.*

Sprot|te *w. 11* ein dem Hering ähnl. Fisch, Breitling

Spruch *m. 2;* **Spruch|band** *s. 4;* **Spruch|dich|tung** *w. 10;* **Spruch|kam|mer** *w. 11, nach dem 2. Weltkrieg:* Behörde zur Entnazifizierung; **spruch|reif** reif zur Entscheidung

Spru|del *m. 5;* **spru|deln** *intr. 1;* **Spru|del|was|ser** *s. 5;* **Sprud|ler** *m. 5, österr.:* Quirl

Sprüh|do|se *w. 11;* **sprü|hen** *tr. u. intr. 1;* **Sprüh|re|gen** *m. 7*

Sprung *m. 2;* **Sprung|bein** *s. 1* einer der Fußwurzelknochen; **sprung|be|reit; Sprung|brett** *s. 3;* **Sprung|fe|der** *w. 11;* **Sprung|fe|der|ma|trat|ze** *w. 11;* **Sprung|ge|lenk** *s. 1;* **Sprung|gru|be** *w. 11;* **sprung|haft; Sprung|haf|tig|keit** *w. 10 nur Ez.;* **Sprung|lauf** *m. 2* Skispringen; **Sprung|schan|ze** *w. 11;* **Sprung|stab** *m. 2* (für den Stabhochsprung); **Sprung|tuch** *s. 4;* **Sprung|turm** *m. 2*

Sprutz *m. 1, schweiz.:* Spritzer; ein Sprutz Essig

Spu|cke *w. 11 nur Ez., ugs.:* Speichel; **spu|cken** *tr. u. intr. 1;* Blut spucken; ich spucke darauf, ob… *ugs.:* es ist mir gleichgültig, ob…; dem kannst du doch auf den Kopf spucken *ugs.:* dem bist du doch überlegen; große Töne spucken *ugs.:* prahlen, angeben

Spuk *m. 1* Gespenstererscheinung, gespenstisches Geschehen; **spu|ken** *intr. 1* als Geist umgehen, als Gespenst erscheinen; hier spukt es: hier gehen Gespenster um; **Spuk|geist** *m. 3;* **spuk|haft**

Spu|le *w. 11*

Spü|le *w. 11* Spülbecken; **Spü|lei|mer** *m. 5*

spu|len *tr. 1* auf eine Spule wickeln, von einer Spule abwickeln

spü|len *tr. 1;* **Spül|licht** *s. 1* schmutziges Spülwasser; **Spü|lung** *w. 10*

Spul|wurm *m. 4* im Darm von Menschen und Säugetieren schmarotzender Fadenwurm

Spu|man|te [ital.] *m. 9* ital. Schaumwein

Spund *m. 1* **1** Holzpflock (zum Verschließen), Zapfen; **2** *übertr. ugs.:* (junger) Kerl, Rekrut; **spun|den** *tr. 2* mit einem Spund verschließen; **Spund|loch** *s. 4;* **Spun|dung** *w. 10 nur Ez.*

Spur *w. 10;* **spür|bar; spu|ren** *intr. 1* **1** die erste Spur (z. B. im Schnee) ziehen; **2** in einer Spur fahren; **3** *übertr. ugs.:* gehorchen, sich fügen; **spü|ren** **1** *tr. 1;* etwas spü|ren; **2** *intr. 1, Jägerspr.:* Wild nach der Spur suchen (vom Jagdhund); **Spu|ren|ele|men|te** *s. 1 Mz.* anorgan. chem. Grundstoffe, die in geringen Mengen zum Leben notwendig sind; **Spür|hund** *m. 1;* **spur|los** *meist in der Wendung:* spurlos verschwinden; **Spür|na|se** **1** *w. 11* feine Nase (vom Hund); **2** *übertr.:* Ahnungsvermögen, feines Gefühl (für etwas Bestimmtes); **Spür|sinn** *m. 1 nur Ez.*

Spurt [engl.] *m. 9 oder m. 1, bei Wettläufen:* **1** Steigerung der Geschwindigkeit auf kurzer Strecke; **spur|ten** *intr. 2*

Spur|wei|te *w. 11, Eisenbahn:* Abstand der Schienen voneinander

Spu|ta *Mz. von* Sputum

spu|ten *refl. 2* sich beeilen

Sput|nik [russ.] *m. 9* erster Typ der sowjet. Erdsatelliten

Spu|tum [lat.] *s. Gen.* -s *Mz.* -ta aus den Luftwegen durch Husten oder Räuspern entfernter Schleim, Auswurf

sq. *Abk. für* sequens; **sqq.** *Abk. für* sequentes

> **Squaredance:** Zusammengesetzte Substantive – auch solche fremdsprachiger Herkunft – schreibt man zusammen: *(der) Squaredance.* Ebenso: *Background, Bestseller, Clearingstelle* usw. →§ 37 (1)

Square|dance [skwɛ(r)dæns, engl.] *m. Gen.* --, *Mz.* - -s [-siz] aus den USA stammender Volkstanz

Squash [skwɔʃ, engl.] *s. Gen.* - *nur Ez.* eine Art Zimmertennis, bei dem der Gummiball mit einem Schläger gegen eine Wand geschlagen wird und in ein bestimmtes Spielfeld zurückprallen muss

Squaw [skwɔ, indian.-engl.] *w. 9, engl. Bez. für* nordamerik. Indianerfrau

Squire [skwaɪə, engl.] *m. 9* englischer Gutsbesitzer (auch Titel)

sr *Abk. für* Steradiant

Sr *chem. Zeichen für* Strontium

SR *Abk. für* Saarländischer Rundfunk

Sri Lan|ka

SS. *Abk. für* Santi, Sante

SSO *Abk. für* Südsüdost(en)

ssp. *Abk. für* subspecies, vgl. Subspezies

SSR *früher, Abk. für* Sozialistische Sowjetrepublik

SSW *Abk. für* Südsüdwest(en)

st *Abk. für* Stunde

st!: still, Ruhe!; *auch:* Achtung!

St *Abk. für* **1** Saint; **2** Stratus

St. *Abk. für* Sankt, Saint, Stück, Stunde

s. t. *Abk. für* sine tempore

S. T. *Abk. für* salvo titulo

Sta. *Abk. für* Santa

Staat **1** *m. 12;* **2** *nur Ez., ugs.:*

► = wird zu

Prunk, Pracht, Aufwand; mit etwas Staat machen *ugs.:* Aufwand treiben, sich mit etwas sehen lassen; **Staa|ten|bund** *m. 2;* **staa|ten|los; Staa|ten|lo|se(r)** *m. 18 (17) bzw. w. 17 oder 18* jmd., der keine Staatsangehörigkeit besitzt; **staat|lich; staat|li|cher|seits; Staats|akt** *m. 1;* **Staats|ak|ti|on** *w. 10;* eine S. aus etwas machen *ugs.:* Aufhebens von etwas machen; **Staats|an|ge|hö|rig|keit** *w. 10 nur Ez.;* **Staats|an|lei|he** *w. 11;* **Staats|an|walt** *m. 2;* **Staats|an|walt|schaft** *w. 10;* **Staats|be|am|te(r)** *m. 18 (17);* **Staats|be|gräb|nis** *s. 1;* **Staats|be|such** *m. 1;* **Staats|bi|bli|o|thek** *auch:* **-bib|li-** *w. 10;* **Staats|bür|ger** *m. 5;* **Staats|bür|ger|kun|de** *w. 11 nur Ez.;* **staats|bür|ger|lich**; staatsbürgerliche Rechte; **Staats|dienst** *m. 1;* **staats|ei|gen; Staats|ei|gen|tum** *s. Gen.* -s *nur Ez.;* **Staats|ex|a|men** *auch:* **-e|xa|men** *s. 7, Mz. auch:* -a|mi|na; **Staats|flag|ge** *w. 11;* **Staats|ge|biet** *s. 1;* **Staats|ge|heim|nis** *s. 1;* **Staats|ge|walt** *w. 10 nur Ez.;* **Staats|haus|halt** *m. 1;* **Staats|ka|pi|ta|lis|mus** *m. Gen. - nur Ez.;* **Staats|kas|se** *w. 11;* **Staats|kir|che** *w. 11* vom Staat gegenüber anderen Religionsgemeinschaften bevorrechtete Kirche; **Staats|klug|heit** *w. 10 nur Ez.;* **Staats|kos|ten** *nur Mz.;* auf S.; **Staats|kunst** *w. 2 nur Ez.;* **Staats|mann** *m. 4;* **staats|män|nisch; Staats|mi|nis|ter** *m. 5;* **Staats|o|ber|haupt** *s. 4;* **Staats|or|gan** *s. 1;* **Staats|prä|si|dent** *m. 10;* **Staats|prü|fung** *w. 10;* **Staats|qual|le** *w. 11* ein Nesseltier, Röhrenqualle; **Staats|rä|son** [-zɔ̃] *w. Gen. - nur Ez.* Staatsklugheit; aus Gründen der S.; **Staats|rat** *m. 2;* **Staats|recht** *s. 1;* **staats|recht|lich; Staats|re|gie|rung** *w. 10;* **Staats|schau|spie|ler** *m. 5 vom Staat verliehener Titel für* verdienten Schauspieler; **Staats|schutz** *m. Gen.* -es; **Staats|se|kre|tär** *m. 1;* **Staats|si|cher|heit** *w. 10 nur Ez.;* **Staats|so|zi|a|lis|mus** *m. Gen. - nur Ez.;* **Staats|stra|ße** *w. 11;* **Staats|streich** *m. 1* Regierungsumsturz; **Staats|the|a|ter** *s. 5* vom Staat unterhaltenes Theater; **Staats|ver|bre|chen** *s. 7* gegen den Staat gerichtetes Verbrechen, z. B. Hochverrat; **Staats|ver|fas|sung** *w. 10;* **Staats|ver|trag** *m. 2;* **Staats|ver|wal|tung** *w. 10;* **Staats|wirt|schaft** *w. 10;* **staats|wirt|schaft|lich; Staats|wis|sen|schaft** *w. 10 nur Ez.*

Stab *m. 2, veraltet als Mengenangabe Mz. auch:* -; **Stab|an|ten|ne** *w. 11*

Sta|bat ma|ter [lat., eigtl.: Stabat mater dolorosa »(Es) stand die Mutter schmerzerfüllt«; Anfangsworte eines Marienhymnus aus dem 13. Jh.] *s. Gen. -- nur Ez.* Marienlied

Stäb|chen *s. 7;* **Stab|ei|sen** *s. 7*

Sta|bel|le [lat.] *w. 11, schweiz.:* Schemel

Stab|füh|rung *w. 10 nur Ez.* musikal. Leitung; **Stab|heu|schre|cke** *w. 11;* **Stab|hoch|sprung** *m. 2*

sta|bil [lat.] fest, standfest, dauerhaft, widerstandsfähig; *Ggs.:* instabil; **Sta|bi|li|sa|tor** *m. 13* Gerät zum Unterdrücken von Veränderungen eines Gleichgewichts; **sta|bi|li|sie|ren** *tr. 3* stabil machen, festigen; **Sta|bi|li|sie|rung** *w. 10 nur Ez.;* **Sta|bi|li|tät** *w. 10 nur Ez.* Festigkeit, Dauerhaftigkeit; *Ggs.:* Instabilität

Stab|kir|che *w. 11* mittelalterl. norweg. Holzkirche; **Stab|reim** *m. 1* = Alliteration; **stab|rei|mend; Stabs|arzt** *m. 2* Arzt im Rang eines Hauptmanns; **Stabs|feld|we|bel** *m. 5* Dienstgrad zwischen Haupt- und Oberstabsfeldwebel; **Stab|sich|tig|keit** *w. 10 nur Ez.* = Astigmatismus; **Stabs|of|fi|zier** *m. 1;* **Stab|werk** *s. 1, Baukunst:* vertikale Teilung eines Spitzbogenfensters

stac|ca|to [ital.], stak|ka|to *Mus.:* (einzeln) gestoßen; **Stac|ca|to** *s. Gen.* -(s) *Mz.* -ti Spiel mit kurz gestoßenen Tönen

Sta|chel *m. 14;* **Sta|chel|bee|re** *w. 11;* **Sta|chel|draht** *m. 2;* **Sta|chel|häu|ter** *m. 5* wirbelloses Tier mit oft stachelbewehrtem Hautskelett; **sta|che|lig,** stach|lig; **sta|cheln** *intr. 1;* **Sta|chel|schwein** *s. 1;* **stach|lig,** sta|che|lig

Stack *s. 1, nddt.:* Buhne

stad *bayr., österr.:* still, ruhig

Sta|del *m. 5, schweiz.: m. 6, bayr., österr., schweiz.:* Scheune; Gerüst zum Trocknen von Gras, Heustadel

sta|di|al [lat.] abschnitts-, stufenweise; **Sta|di|en** *Mz. von* Stadion, Stadium; **Sta|di|on** *s. Gen.* -s *Mz.* -di|en **1** altgriech. Wegemaß; **2** Wettkampfplatz, Kampfbahn; **Sta|di|um** *s. Gen.* -s *Mz.* -di|en Entwicklungsstufe, Abschnitt, Zustand

Stadt *w. 2;* **stadt|be|kannt; Städt|chen** *s. 7;* **Städ|te|bau** *m. Gen.* -e(s) *nur Ez.;* **städ|te|bau|lich; Städ|te|bund** *m. 2;* **Städ|ter** *m. 5* Stadtbewohner; **Stadt|gas** *s. 1 nur Ez.;* **Stadt|ge|mein|de** *w. 11;* **Stadt|ge|spräch** *s. 1* **1** (telefon.) Ortsgespräch; **2** etwas, wovon in der ganzen Stadt gesprochen wird; **Stadt|haus** *s. 4* Verwaltungsgebäude als Ergänzung des Rathauses; **städ|tisch; Stadt|käm|me|rer** *m. 5* Verwalter der städt. Finanzen; **Stadt|kas|se** *w. 11;* **Stadt|klatsch** *m. Gen.* -e(s) *nur Ez.;* **Stadt|kreis** *m. 1;* **Stadt|mau|er** *w. 11;* **Stadt|mu|si|kant** *m. 10, früher:* Musikant mit dem Privileg, bei feierlichen Anlässen zu musizieren, Stadtpfeifer; **Stadt|plan** *m. 2;* **Stadt|rat** *m. 2;* **Stadt|staat** *m. 12* Stadt als selbständiges Staatswesen, z. B. die Reichsstädte, die altgriech. Polis; **Stadt|teil** *m. 1;* **Stadt|the|a|ter** *s. 5;* **Stadt|tor** *s. 1;* **Stadt|vä|ter** *m. 6 Mz.* der Rat der Stadt; **Stadt|ver|ord|ne|te(r)** *m. 18 (17) bzw. w. 17 oder 18* Mitglied der Gemeindevertretung; **Stadt|vier|tel** *s. 5;* **Stadt|wap|pen** *s. 7*

Sta|fel *m. 6, schweiz.:* Alpenweide

Sta|fet|te [ital.] *w. 11* **1** *früher:* berittener Eilbote; **2** Gruppe von Läufern beim Staffellauf; **Sta|fet|ten|lauf** *m. 2* Staffellauf

Staf|fa|ge [-ʒə] *w. 11* schmückendes Beiwerk, Nebensächliches; **Staf|fa|ge|fi|gur** *w. 10, Malerei, Fot.:* Mensch oder Tier zur Belebung des Vordergrundes

Staf|fel *w. 11* **1** Stufe, Sprosse; **2** *schwäb.:* Treppe; **3** Verband von Flugzeugen; **4** Mannschaft beim Staffellauf; **Staf|fe|lei** *w. 10* **1** Gestell für das Bild beim Malen; **2** *süddt.:* Leiter; **Staf|fel|lauf** *m. 2* Mannschaftswettbewerb, bei dem jeder Teilnehmer eine Teilstrecke laufen muss, wobei jeweils ein Stab vom einen zum anderen weiter

gegeben wird; **staf|feln** *tr. 1* abstufen, in Stufen gliedern; gestaffelter Tarif; **Staf|fe|lung,** Stafflung *w. 10*
staf|fie|ren [frz.] *tr. 3* ausstatten, *meist:* ausstaffieren; *österr.:* verzieren, schmücken (z. B. Hut)
Stag *s. 1 oder s. 12* Seil zum Sichern von Masten
Stag|fla|ti|on [Bildung aus stagnieren und Inflation] *w. 10* Wirtschaftslage, in der bei steigenden Preisen Beschäftigung und Produktion zurückgehen
Sta|gio|ne [-dʒo-, ital.] *w. Gen - Mz.-ni, ital. Theater:* Spielzeit
Sta|gna|ti|on *auch:* **Stag|na-** [lat.] *w. 10* Stillstand, Stockung; **sta|gnie|ren** *auch:* **stag|nie|ren** *intr. 3* stocken, stillstehen, nicht vorangehen; **Sta|gnie|rung** *auch:* **Stag|nie|rung** *w. 10*
Stahl *m. 2 oder m. 1* **1** schmiedbares Eisen; **2** *poet.:* blanke Waffe, z. B. Schwert; **Stahl|bau** *m. Gen.* -e(s) *Mz.* -baulten; **Stahl|be|ton** [-tõ, auch -toŋ, -to:n] *m. Gen.* -s *nur Ez.;* **Stahl|blech** *s. 1;* **stäh|len** *tr. 1* härten, abhärten, kräftigen; **stäh|lern** aus Stahl, wie Stahl; **stahl|grau; stahl|hart; Stahl|helm** *m. 1;* **Stahl|kam|mer** *w. 11* feuer- und einbruchsicherer Raum (bes. in Banken); **Stahl|ste|cher** *m. 5* Künstler, der Stahlstiche herstellt; **Stahl|stich** *m. 1* dem Kupferstich ähnliches graf. Verfahren, bei dem statt der Kupfer- eine Stahlplatte verwendet wird; **Stahl|wol|le** *w. 11 nur Ez.* lange, feine Stahlspäne
Sta|ke *w. 11* = Staken; **sta|ken** *tr. 1* **1** mit dem Staken abstoßen und so vorwärtsbewegen (Kahn); **2** *intr. 1* steifbeinig gehen; **Sta|ken** *m. 7,* Stalke *w. 11* lange Stange; **Sta|ket** *s. 1* Lattenzaun; **Sta|ke|te** *w. 11, österr.:* Holzlatte; **sta|kig** = staksig
stak|ka|to = staccato
stak|sen *intr. 1, ugs.:* steifbeinig gehen, stelzen; **stak|sig,** stalkig *ugs.* **1** steifbeinig, ungelenk; **2** dünn und lang, sperrig
Sta|lag|mit [griech.] *m. 10 oder m. 1* von unten nach oben sich aufbauendes Tropfsteingebilde; vgl. Stalaktit; **sta|lag|mi|tisch; Sta|lak|tit** *m. 10 oder m. 1* von oben nach unten wachsendes Tropfsteingebilde; vgl. Stalagmit; **Sta|lak|ti|ten|ge|wöl|be** *s. 1;* **sta|lak|ti|tisch**

Sta|li|nis|mus *m. Gen. - nur Ez.* der von Stalin weiterentwickelte Marxismus; **Sta|li|nist** *m. 10;* **sta|li|nis|tisch; Sta|lin|or|gel** *w. 11, im 2. Weltkrieg:* Vorrichtung z. gleichzeitigen Abschießen mehrerer Geschosse
Stall **1** *m. 2;* **2** *m. 1 nur Ez.* Harn (vom Pferd); **Stallalter|ne** ► **Stall|la|ter|ne** *w. 11;* **Ställ|chen** *s. 7;* **stal|len 1** *tr. 1* im Stall unterbringen; **2** *intr. 1* harnen (Pferd); **Stall|feind** *m. 1 nur Ez., schweiz.:* Maul- und Klauenseuche; **Stall|ha|se** *m. 11* Hauskaninchen; **Stall|knecht** *m. 1;* **Stall|la|ter|ne** *w. 11;* **Stall|meis|ter** *m. 5, an Fürstenhöfen:* Aufseher über den Pferdestall; **Stal|lung** *w. 10 meist Mz.* Stall (**1**)
Stam|bul Istanbul *(Kurzform)*
Stamm *m. 2;* **Stamm|ak|tie** *w. 11* einfache Aktie ohne Vorrechte; *Ggs.:* Vorzugsaktie; **Stamm|baum** *m. 2;* **Stamm|buch** *s. 4;* **Stämm|chen** *s. 7;* **Stamm|ein|la|ge** *w. 11* Kapitaleinlage eines Gesellschafters einer GmbH
stam|meln *intr. 1* gehemmt, stotternd sprechen
Stamm|el|tern *Mz.* die Begründer eines Stammes; **stam|men** *intr. 1;* aus einer Gelehrtenfamilie s.; aus Berlin s.; dieser Ausdruck stammt von Goethe
stam|mern *intr. 1, nddt. für* stammeln
Stam|mes|ge|schich|te *w. 11;* **stam|mes|ge|schicht|lich; Stam|mes|zu|ge|hö|rig|keit** *w. 10 nur Ez.;* **Stamm|gast** *m. 2;* **Stamm|hal|ter** *m. 5* männl. Nachkomme; **Stamm|haus** *s. 4* Haus, in dem die Firma gegründet worden ist
Stammie|te ► **Stamm|mie|te** *w. 11*
stäm|mig; Stäm|mig|keit *w. 10 nur Ez.;* **Stamm|ka|pi|tal** *s. Gen.* -s *nur Ez.* Gesamtheit der Stammeinlagen; **Stamm|kun|de** *m. 11;* **Stamm|kund|schaft** *w. 10 nur Ez.* regelmäßig (in einem Geschäft) kaufende Kundschaft; *Ggs.:* Laufkundschaft
Stamm|ler *m. 5, poet.:* jmd., der stammelt, Stotterer
Stamm|mie|te *w. 11, Theater:* Platzmiete, Abonnement
Stamm|mut|ter *w. 6* Begründerin eines Geschlechts; **Stamm|rol|le** *w. 11* Liste der wehrdienstpflichtigen Männer (einer Gemeinde); **Stamm|sil|be** *w. 11* sinntragende Silbe eines Wortes ohne Flexionsendungen und Vor- und Nachsilben; **Stamm|sitz** *m. 1;* **Stamm|tisch** *m. 1;* **Stammut|ter** ► **Stamm|mut|ter** *w. 6;* **Stamm|va|ter** *m. 6* Begründer eines Geschlechts; **stamm|ver|wandt; Stamm|vo|kal** *m. 1* Vokal der Stammsilbe
Stam|perl *s. 14, bayr., österr.:* Wein- oder Schnapsglas ohne Stiel
Stamp|fe *w. 11* Gerät zum Stampfen, Handramme, Stößel; **stamp|fen** *intr. u. tr. 1;* **Stamp|fer** *m. 5* **1** Gerät zum Stampfen; **2** Sauggerät zum Reinigen verstopfter Abflüsse
Stam|pi|glie *auch:* **-pig|lie** [-ljə, ital.] *w. 11, österr.:* **1** Gerät zum Stempeln; **2** Stempelaufdruck

> **außer Stande/außerstande sein:** Bei Fügungen in adverbialer Verwendung bleibt es dem/der Schreibenden überlassen, welche Schreibweise gewählt wird: *außer Stand/außerstand setzen; außer Stande/außerstande sein; im Stande/imstande sein; in Stand/instand setzen; zu Stande/zustande bringen/kommen.*
> →§ 39 E3 (1)

Stand *m. 2;* gut im Stande sein: in gutem Zustand; *auch:* imstande sein; etwas in gutem Stand(e) erhalten; *auch:* instand halten; jmdn. in den Stand setzen, etwas zu tun; *auch:* instand setzen; zu Stande bringen; *auch:* zustande bringen
Stan|dard [engl.] *m. 9* Richt-, Eichmaß, Norm; **stan|dar|di|sie|ren** *tr. 3* einem Standard angleichen, auf einen Standard bringen, normen; **Stan|dar|di|sie|rung** *w. 10;* **Stan|dard|typ** *m. 12;* **Stan|dard|werk** *s. 1* grundlegendes Werk (bes. der Fachliteratur)
Stan|dar|te *w. 11* **1** *früher:* Fahne von Staatsoberhäuptern oder Fürsten; **2** Fahne berittener oder motorisierter Truppen; **3** *Jägerspr.:* Schwanz (des Fuchses)
Stand|bein *s. 1, Kunst, Sport:* die Hauptlast des Körpers (beim Stehen) tragendes Bein; *Ggs.:* Spielbein; **Stand|bild** *s. 3;*

► = wird zu

Stand-by [stęndbai, engl.] *s. 2* Flugreise ohne feste Platzbuchung; **Stạ̈nd|chen** *s. 7* Musikstück, das jmdm. zur Huldigung (bes. unter dem Fenster) vorgetragen wird; **Stạn|de** *w. 11,* **Stạn|den** *m. 7, schweiz.:* Fass, Bottich, Bütte; **Stạ̈n|de|kam|mer** *w. 11, in nichtdemokrat. Staaten:* aus Vertretern der Stände gebildetes Organ des Parlaments; **Stạn|den** *m. 7* = Stande; **Stạ̈n|de|ord|nung** *w. 10* nach Ständen gegliederte Ordnung (einer Gesellschaft); **Stạn|der** *m. 5* dreieckige Flagge; **Stạ̈n|der** *m. 5; auch Jägerspr.:* Fuß (des Federwildes außer Wasserwild); **Stạ̈n|de|rat** *m. 2, schweiz.:* zweite Kammer der Bundesversammlung, Vertretung der Kantone; **Stạn|des|amt** *s. 4;* **Stạn|des|be|am|te(r)** *m. 18 (17);* **stạn|des|be|wußt** ► **stạn|des|be|wusst; Stạn|des|be|wußt|sein** ► **Stạn|des|be|wusst|sein** *s. Gen. -s nur Ez.;* **Stạn|des|dün|kel** *m. 5 nur Ez.;* **stạn|des|ge|mäß; Stạn|des|per|son** *w. 10;* **Stạ̈n|de|staat** *m. 12* nach gesellschaftl. Ständen gegliederter Staat; **Stạn|des|un|ter|schied** *m. 1;* **Stạn|des|vor|ur|teil** *s. 1;* **Stạ̈n|de|tag** *m. 1;* **Stạ̈n|de|ver|samm|lung** *w. 10, im alten Dt. Reich:* Landtag; **stạnd|fest; Stạnd|fes|tig|keit** *w. 10 nur Ez.;* **Stạnd|geld** *s. 3* **1** Gebühr für das Aufstellen eines Verkaufsstandes; **2** Gebühr für die Benutzung von Güterwagen bei Überschreitung der Einladefrist; **Stạnd|ge|richt** *s. 1* aus Offizieren gebildetes Gericht zur Ausübung des Standrechts; **stạnd|haft; Stạnd|haf|tig|keit** *w. 10 nur Ez.;* **stạnd|hal|ten** *intr. 61;* ich halte ihm stand, habe ihm standgehalten; **stạ̈n|dig; Stan|ding o|va|tions** [stændıŋ oʊeıʃənz, engl.] ► **Stan|ding|o|va|tions** *auch:* **Stan|ding O|va|tions** *nur Mz.;* **stạ̈n|disch** zu den Ständen gehörig, nach Ständen, z. B. ständische Gliederung; **Stạnd|licht** *s. 3;* **Stạnd|ort** *m. 1;* **Stạnd|pau|ke** *w. 11, ugs.:* Strafpredigt; **Stạnd|platz** *m. 2;* **Stạnd|punkt** *m. 1;* **Stạnd|quar|tier** *s. 1;* **Stạnd|recht** *s. 1* vereinfachtes und beschleunigtes Strafverfahren während des Krieges; **stạnd|recht|lich; stạnd|si|cher; Stạnd|si|cher|heit** *w. 10 nur Ez.;* **Stạnd|uhr** *w. 10;* **Stạnd|vo|gel** *m. 6* Vogel, der beim Einsetzen der ungünstigen Jahreszeit den Aufenthaltsort nicht wechselt, *Ggs.:* Zugvogel; vgl. Strichvogel; **Stạnd|wild** *w. Gen. -(e)s nur Ez., Jägerspr.:* Wild, das im Revier bleibt; *Ggs.:* Wechselwild

Stạn|ge *w. 11;* jmdm. die S. halten *ugs.:* zu jmdm. halten, jmdm. beistehen; das kostet eine S. Geld *ugs.:* ziemlich viel Geld; ein Anzug von der S.: ein Konfektionsanzug; **Stạ̈n|gel** *m. 5* Hauptachse der höheren Pflanzen; fall nicht vom S. *ugs. scherzh.:* fall nicht herunter; **Stạ̈n|gel|chen** *s. 7;* **stạ̈n|gel|lo̲s; stạ̈n|geln** *tr. 1* an Stangen festbinden (Pflanzen); **Stạn|gen|holz** *s. 4* junger Wald; **Stạn|gen|spar|gel** *m. 5* ganzer (nicht zerkleinerter) Spargel

> **Stängel:** Entsprechend dem Stammprinzip *(Stange)* wird (statt bisher: Stengel) *(der) Stängel* geschrieben. Ebenso: *stängellos.* →§ 13

Stạngs *m. Gen. - Mz. -* thailänd. Währungseinheit, $\frac{1}{100}$ Baht

Sta|nịt|zel *s. 5, österr.:* spitze Tüte

Sta|ni̲|za [russ.] *w. Gen. - Mz. -zen* Kosakendorf

Stạnk *m. 2 nur Ez.* **1** *veraltet:* Gestank; **2** *übertr. ugs.:* Zank, Zwietracht; **Stạ̈n|ke|re̲i** *w. 10;* **Stạ̈n|ke|rer** *m. 5;* **stạ̈n|kern** *intr. 1, ugs.* **1** Unfrieden stiften; **2** in fremden Sachen herumschnüffeln

Stan|ni̲n [lat.] *s. 1 nur Ez.* Zinnkies; **Stan|ni|o̲l** *s. 1* Zinnfolie, *ugs. auch:* Aluminiumfolie; **Stan|ni|o̲l|pa|pier** *s. 1* = Stanniol; **Stạn|num** *s. Gen. -s nur Ez.* (*chem. Zeichen:* Sn) chem. Element, Zinn

stạn|te pe̲|de [lat.] stehenden Fußes, sofort; ich bin s. p. umgekehrt

Stạn|ze 1 [ital.] *w. 11* Strophe mit acht jambischen Zeilen; **2** [dän.?] *w. 11* Prägestempel, Maschine zum Ausschneiden **stạn|zen** *tr. 1* mit der Stanze (**2**) ausschneiden oder prägen

Sta̲|pel *m. 5* **1** geschichteter Haufen, Stoß; **2** Gerüst für das Schiff während des Baues; ein Schiff vom Stapel (laufen) lassen; eine Rede vom Stapel lassen *ugs. übertr. iron.:* eine Rede halten

Sta|pe̲|lie [-ljə, nach dem ndrl. Arzt J. B. van Stapel] *w. 11* eine kakteenähnliche südafrik. Pflanze, Ordensstern

Sta̲|pel|lauf *m. 2;* **sta̲|peln** *tr. 1;* ich stapele, staple sie; **Sta̲|pel|platz** *m. 2;* **Sta̲|pel|wa|re** *w. 11*

Stạp|fe *w. 11,* **Stạp|fen** *m. 7 meist Mz.* Fußspur, Fußstapfe(n); **stạp|fen** *intr. 1*

Sta|phyl|lo|kọk|ken [griech.] *Mz.* traubenförmig zusammenhängende Kugelbakterien

Sta̲r 1 *m. 1* ein Singvogel; **2** *m. 1, Sammelbez. für* mehrere Augenkrankheiten; grauer, grüner, schwarzer Star; **3** *m. 9* berühmte(r) Sänger(in), Schauspieler(in) oder Sportler(in); **Star ...** *in Zus. ugs.:* der, die fähigste, wichtigste, bedeutendste ..., z. B. Starübersetzer, Starreporter, Staranwalt

Stä̲r *m. 1* Widder; **stä̲|ren** *intr. 1* brünstig sein nach dem Stär

Sta̲|ren|kas|ten, Sta̲r|kas|ten *m. 8*

Star|figh|ter [sta̲rfaıtər, engl.] *m. 5* ein Flugzeugtyp

> **stark besiedelt/bevölkert:** Die Verbindung aus Adjektiv und Verb bzw. Partizip schreibt man getrennt, wenn der erste Teil steigerbar oder erweiterbar ist: *Das Land ist stark besiedelt.* Ebenso: *stark verschmutzt, stark behaart.* →§ 36 E1 (4)

stạrk; das starke Geschlecht *scherzh.:* die Männer; den starken Mann spielen; *in Verbindung mit Partizipien getrennt:* stark verschmutzt, stark behaart

Sta̲r|kas|ten, Sta̲|ren|kas|ten *m. 8*

Stạrk|bier *s. 1;* **Stạ̈r|ke** *w. 11;* **Stạ̈r|ke|mehl** *s. 1 nur Ez.;* **stạ̈r|ken** *tr. 1;* **stạrk|kno|chig; Stạrk|strom** *m. 2* elektr. Strom mit einer Spannung von mehr als 24 Volt; **Stạ̈r|kung** *w. 10;* **Stạ̈r|kungs|mit|tel** *s. 5*

Star|let, Star|lett [engl.] *s. 9* Nachwuchsfilmschauspielerin, Filmsternchen

Sta|rọst [russ.] *m. 10* **1** *früher in Polen:* Inhaber eines vom König verliehenen Lehens; **2** *auch:*

Gerichtsstatthalter; **3** *im zarist. Russland:* Gemeindevorsteher; **Sta|ros|tei** *w. 10, früher in Polen:* vom König verliehenes Lehen
starr; Starlre *w. 11 nur Ez.;* **star|ren** *intr. 1* **1** starr schauen; **2** voll (von etwas) sein; vor, *oder:* von Schmutz starren: sehr schmutzig sein; **Starr|heit** *w. 10 nur Ez.;* **Starr|kopf** *m. 2* eigensinniger, starrsinniger Mensch; **starr|köp|fig; Starr|köp|fig|keit** *w. 10 nur Ez.;* **Starr|krampf** *m. 2 nur Ez., kurz für* Wundstarrkrampf; **Starr|sinn** *m. 1 nur Ez.;* **starr|sin|nig; Starr|sin|nig|keit** *w. 10 nur Ez.* Starrsinn; **Starr-sucht** *w. Gen. - nur Ez.* = Katalepsie; **starr|süch|tig**
Stars and Stripes [starz ənd straıps, engl.] Sterne und Streifen, die Nationalflagge der USA
Start [engl.] *m. 9 oder m. 1* **1** Beginn, Anfang, Ablauf, Abfahrt, Abflug; fliegender Start: Start mit Anlauf; stehender Start: Start aus dem Stand; **2** Ablauf-, Abfahrts-, Abflugstelle; **Start|block** *m. 2;* **star|ten** *intr. u. tr. 2;* ein Rennen starten; **Star|ter** *m. 5* **1** *Sport:* jmd., der das Zeichen zum Start gibt; **2** *früher an Kraftfahrzeugen:* Anlasser; **Start|er|laub|nis** *w. 1;* **Start|flag|ge** *w. 11;* **Start|ma-schi|ne** *w. 11, bei Pferderennen:* Vorrichtung aus mehreren über die Bahn gespannten Gurten, die zum Start hochgezogen werden; **Start|num|mer** *w. 11;* **Start|schuß** ► **Start|schuss** *m. 2;* **Start|si|gnal** *auch:* **-sig|nal** *s. 1;* **Start|sprung** *m. 2;* **Start-ver|bot** *s. 1*
Sta|se [griech.] *w. 11* = Stasis
Sta|si [Kurzw.] *w. bzw. m. Gen. - nur Ez., ehem. DDR.* (Ministerium für) Staatssicherheit bzw. Staatssicherheitsdienst
Sta|sis, Sta|se *w. Gen. - Mz.* -sen, *Med.:* Stauung
stät 1 *schweiz.:* stetig; **2** stätisch *alem.:* störrisch (Pferd)
sta|ta|risch [lat.] langsam fortschreitend, oft verweilend; statarische Lektüre: durch häufige Erläuterungen immer wieder unterbrochene Lektüre
State De|part|ment [stεıt dıpartmənt, engl.] *s. Gen. --s nur Ez.* das Außenministerium der USA
State|ment [stεıt-, engl.] *s. 9* Feststellung, Verlautbarung
Stä|tig|keit *w. 10 nur Ez., alem.:* Störrigkeit (von Pferden)
Sta|tik [lat.] *w. 10 nur Ez.* Lehre von den in ruhenden Körpern wirkenden Kräften; *Ggs.:* Dynamik (**1**); Sta|ti|ker *m. 5* Fachmann auf dem Gebiet der Statik
Sta|ti|on [lat.] *w. 10* **1** Bahnhof, Haltestelle, Haltepunkt; **2** Aufenthalt; S. machen; **3** Funksendestelle; **4** wissenschaftl. Beobachtungsstelle, z. B. meteorologische S.; **5** Abteilung (eines Krankenhauses); **sta|ti|o|när 1** in Ruhe befindlich; **2** ortsfest; *Ggs.:* ambulant; stationäre Behandlung: B. im Krankenhaus; **sta|ti|o|nie|ren** *tr. 3* an einen Standort stellen, an einem Platz aufstellen; Truppen s.: ihnen einen Standort zuweisen; **Sta-ti|o|nie|rung** *w. 10 nur Ez.;* **Sta-ti|ons|arzt** *m. 2;* **Sta|ti|ons-schwes|ter** *w. 11;* **Sta|ti|ons-vor|stand** *m. 2, österr., schweiz.;* **Sta|ti|ons|vor|ste|her** *m. 5;* **sta|ti|ös** [-tsjøs] *veraltet:* stattlich
sta|tisch 1 die Statik betreffend, auf Statik beruhend; *Ggs.:* dynamisch (**1**); statisches Organ: Gleichgewichtsorgan; statischer Sinn: Schweresinn; **2** ruhend, stillstehend; *Ggs.:* dynamisch (**2**)
stä|tisch *alem.* = stät (**2**)
Sta|tist [lat.] *m. 10, Theater, Film:* Darsteller einer stummen Rolle; **Sta|tis|te|rie** *w. 11 nur Ez., Theater, Film:* Gesamtheit der Statisten; **Sta|tis|tik** *w. 10* **1** zahlenmäßige Erfassung, Gruppierung und systematische Darstellung von Tatbeständen, die sich aus Massenerscheinungen ergeben; **2** Darstellung statistischer Daten in Tabellenform; **Sta|tis|ti|ker** *m. 5;* **sta|tis|tisch;** *aber:* Statistisches Bundesamt; **Sta|tiv** *s. 1* Ständer für physikal., fotograf. u. a. Geräte; **Sta-to|blast** *m. 10, bei Moostierchen:* Überwinterungsknospe; **Sta|to|lith** *m. 10, meist Mz.* **1** körniger Einschluss in gewissen Pflanzenzellen; **2** Gehörsteinchen im Gleichgewichtsorgan des Ohrs
Sta|tor *m. 13* fest stehender Teil einer elektrischen Maschine, Ständer

> **statt seiner/dass:** Präposition und Pronomen schreibt man getrennt: *Sie tat es statt seiner.* Die Konjunktion wird ebenfalls getrennt geschrieben: *Statt dass sie ihre Schuld bekannte, ...* Ebenso: *ohne dass, außer dass.*
> →§ 39 E2 (2.2)
> Das feste Gefüge schreibt man getrennt: *an Eides statt.* Aber: *an meiner Statt/anstatt meiner.*

statt 1 *Präp. mit Gen.:* an Stelle; statt meiner; statt meines Sohnes, statt einer Anzeige; **2** *Konj.;* statt herumzustehen, solltest du mir lieber helfen; schicken Sie das Buch an mich statt an ihn; **Statt** *w. Gen. -, nur Ez., veraltet* **1** *nur noch poet.:* Heimat, Wohnung; wir haben hier keine bleibende Statt; **2** Platz, Stelle, *nur in bestimmten Wendungen:* an Kindes Statt, an Eides Statt, an Zahlungs Statt; **Stät|te** *w. 11*

> **stattdessen:** Mehrteilige Adverbien (*stattdessen, indessen* usw.) schreibt man wie mehrteilige Konjunktionen (*anstatt [dass/zu], inwiefern* usw.), Präpositionen (*anstatt [des/der], zufolge* usw.) und Pronomen (*irgendein, irgendwas* usw.) zusammen, wenn Wortart oder Bedeutung der einzelnen Bestandteile nicht mehr deutlich erkennbar sind.
> →§ 39 (1)
> Aber: *statt dessen/deren.*

statt|fin|den *intr. 36;* **statt|ge-ben** *intr. 45;* einer Bitte s.: eine Bitte erfüllen; einem Gesuch s.: ein Gesuch bewilligen; einer Sache s.: eine Sache zulassen; **statt|ha|ben** *intr. 60, veraltet für* stattfinden; **statt|haft** erlaubt, gestattet; es ist nicht s., den Rasen zu betreten; **Statt|hal|ter** *m. 5*
statt|lich; Statt|lich|keit *w. 10 nur Ez.*
sta|tu|a|risch [lat.] wie eine Statue, statuenhaft; **Sta|tue** *w. 11* bildhauerisch gestaltete Figur, Standbild; **sta|tu|en|haft; Sta-tu|et|te** *w. 11* kleine Statue; **sta-tu|ie|ren** *tr. 3* feststellen, festsetzen; ein Exempel s.: ein (warnendes, abschreckendes) Beispiel geben; **Sta|tur** *w. 10*

► = wird zu

Wuchs, Gestalt; **Sta|tus** *m. Gen.- Mz.-* Lage, Zustand; Status nascendi: Zustand des Entstehens; Status quo: gegenwärtiger Zustand; Status quo ante: vorheriger Zustand; **Sta|tut** *s. 12* Satzung, Gesetz, Vorschrift; **sta|tu|ta|risch** den Statuten entspr., satzungsgemäß

Stau *m. 1*

Staub *m. Gen.* -(e)s *nur Ez.;* Staub saugen; ich sauge Staub, habe Staub gesaugt; *auch:* staubsaugen; sich aus dem Staub machen: sich heimlich entfernen, entfliehen; **staub|be|deckt;** staubbedeckter Boden; *aber:* von dichtem Staub bedeckt; **Stäub|chen** *s. 7* **stau|ben** *intr. 1;* die Straße staubt; **stäu|ben 1** *intr. 1* in feinste Teilchen zerstieben; **2** *tr. 1* feinstens verteilen; Mehl, Zucker über etwas stäuben; **Staub|fän|ger** *m. 5;* **staub|frei; Staub|ge|fäß** *s. 1;* **stau|big; Staub|kamm** *m. 2;* **Staub|korn** *s. 4;* **Stäub|ling** *m. 1* ein Pilz; **Staub|lun|ge** *w. 11* chron. Erkrankung der Lunge infolge ständigen Einatmens bestimmter Staubarten, Pneumokoniose; **staub|sau-**

> **Staub saugen/staubsaugen:** Das Gefüge aus Substantiv und Verb/Partizip schreibt man getrennt: *Sie haben Staub gesaugt.* →§ 34 E3 (5)
> Zusammenschreibung ist ebenfalls möglich [→§ 33 (1)]; der/die Schreibende kann entscheiden, wie geschrieben werden soll: *Sie haben staubgesaugt.*
> Die substantivierte Form schreibt man zusammen: *das Staubsaugen.* Ebenso: *der Staubsauger.* →§ 37 (2), § 57 (2)

gen *Nv.* ► **Staub sau|gen** *Hv. intr. 1;* ich habe Staub gesaugt *auch:* staubgesaugt; vgl. Staub; **Staub|sau|ger** *m. 5;* **Staub|tuch** *s. 4;* **Staub|wol|ke** *w. 11;* **Staub|zu|cker** *m. Gen.* -s *nur Ez.* Puderzucker

stau|chen *tr. 1* **1** stoßen und zusammendrücken; **2** *ugs.:* scharf zurechtweisen; zusammenstauchen; **Stau|cher** *m. 5, ugs.:* scharfe Zurechtweisung

Stau|damm *m. 2*

Stau|de *w. 11* nicht verholzende Pflanze; **stau|dig**

stau|en 1 *tr. 1;* Ladung stauen: auf dem Schiff unterbringen; Möbel stauen: im Möbelwagen unterbringen; **2** *refl. 1;* der Verkehr, das Wasser staut sich; **Stau|er** *m. 5* Arbeiter, der Ladung oder Möbel staut

Stauf *m. 1, alem.:* Humpen, Flüssigkeitsmaß

Stau|fer *m. 5* Angehöriger des Geschlechts von Hohenstaufen; **stau|fisch**

stau|nen *intr. 1;* **Stau|nen** *s. Gen.* -s *nur Ez.;* S. erregen; **stau|nen|er|re|gend** ► **Stau|nen er|re|gend;** eine Staunen erregende Leistung; es war wirklich S. e.; **stau|nens|wert**

Stau|pe *w. 11* **1** eine Infektionskrankheit der Hunde und Füchse; **2** *MA:* Schandpfahl; Züchtigung mit Ruten; **stäu|pen** *tr. 1, MA:* mit Ruten schlagen (als Strafe)

Stau|see *m. 11;* **Stau|ung** *w. 10;* **Stau|was|ser** *s. 5* Umkehr des Gezeitenstroms, Stillwasser; **Stau|wehr** *s. 1;* **Stau|werk** *s. 1*

Std. *Abk. für* Stunde

Ste *Abk. für* Sainte

Steak [stek, engl.] *s. 9* kurzgebratene Fleischscheibe

Stea|mer [sti-, engl.] *m. 9, engl. Bez. für* Dampfer

Ste|a|rin [griech.] *s. 1* aus Fettspaltung gewonnene, wachsartige Masse; **Ste|a|rin|ker|ze** *w. 11*

Ste|a|tit *m. 1* = Talk; **Ste|a|tom** *s. 1* Talggeschwulst; **Ste|a|to|se** *w. 11* Verfettung

Stech|ap|fel *m. 6* ein Nachtschattengewächs, eine Heilpflanze; **Stech|bei|tel** *m. 5* Werkzeug zur Holzbearbeitung; **ste|chen** *tr. u. intr. 149;* jmdn. (oder jmdm.) in den Arm stechen; **Ste|chen** *s. Gen.* -s *nur Ez., bes. im Reitsport:* letzter Ausscheidungskampf, Stichkampf; **Ste|cher** *m. 5* **1** Kupfer-, Stahlstecher; **2** *Jägerspr.:* Schnabel (der Schnepfenvögel); **Stech|fla|sche** *w. 11* Urinflasche für männl. Kranke; **Stech|flie|ge** *w. 11;* **Stech|he|ber** *m. 5* Röhrchen zum Entnehmen von Flüssigkeit; **Stech|im|me** *w. 11* ein Hautflügler mit Stachelapparat (z. B. Biene); **Stech|kahn** *m. 2* Kahn, der mit Stange durch Abstoßen vom Boden fortbewegt wird; **Stech|kar|te** *w. 11* Kontrollkarte für die Stechuhr; **Stech|pal|me** *w. 11;* **Stech|uhr** *w. 10* Uhr, die bei Hebeldruck die Zeit auf eine Karte stempelt; **Stech|zir|kel** *m. 5* Zirkel mit Spitzen an beiden Schenkeln

Steck|brief *m. 1* öffentlich bekanntgegebene Personenbeschreibung (eines gesuchten Verbrechers); **steck|brief|lich** durch Steckbrief; jmdn. s. verfolgen, suchen; **Steck|do|se** *w. 11* Vorrichtung zum Anschluss an das Stromnetz; **ste|cken 1** *tr. 1;* **2** *intr. 1 oder 150* sich befinden, festsitzen, festgemacht sein; wo steckst du denn?; der Schlüssel steckte im Schloss; der Dorn stak, steckte tief im Fleisch

> **stecken bleiben/lassen, stehen bleiben:** Verbindungen aus Verb (Infinitiv) und Verb schreibt man getrennt: *Er ist im Stau stecken geblieben. Sie hat den Schlüssel stecken lassen. Die Uhr ist stehen geblieben.* →§ 34 E3 (6)

Ste|cken *m. 7* Stock; **ste|cken|blei|ben** ► **ste|cken blei|ben** *intr. 17;* **ste|cken|las|sen** ► **ste|cken las|sen** *tr. 75;* ich habe den Schlüssel stecken lassen, stecken gelassen; **Ste|cken|pferd** *s. 1; übertr.:* Liebhaberei, Hobby; **Ste|cker** *m. 5* in die Steckdose passende Vorrichtung (am Gerät) zum Anschluss an das Stromnetz; **Steck|kon|takt** *m. 1* Stecker oder/und Steckdose; **Steck|ling** *m. 1* abgeschnittener Pflanzenteil, der in Wasser oder in die Erde gesteckt wird, damit er neue Wurzeln treibt; **Steck|na|del** *w. 11;* **Steck|reis** *s. 3* Reis als Steckling; **Steck|rü|be** *w. 11* Kohlrübe; **Steck|schuß** ► **Steck|schuss** *m. 2* Schussverletzung mit noch in der Wunde steckendem Geschoss

Steeple|chase [stipəltʃɛɪs, engl.] *w. 11* Hindernisrennen zu Pferde, Jagdrennen; **Steep|ler** [stip-] *m. 5* für die Steeplechase geeignetes Pferd

Steg *m. 1; auch Buchw.:* nichtdruckendes Füllmaterial in der Druckform

Steg|o|don *auch:* **Ste|go|don** [griech.] *m. Gen.* -s *Mz.* -do|nten ausgestorbenes Rüsseltier, Vorläufer des Elefanten; **Ste|go|sau|ri|er** *m. 5* ein Dinosaurier

Steg|reif *m. 1, nur noch in der Wendung* aus dem S. (reden, dichten, singen, spielen): ohne Vorbereitung; **Steg|reif|ge|dicht** *s. 1;* **Steg|reif|spiel** *s. 1* dramat. Spiel, von dem die Handlung den Spielern nur in großem Umriss bekannt ist und im Einzelnen aus der augenblicklichen Eingebung entwickelt wird

Steh|auf *m. Gen. - Mz. -* **1** altes, halbkugelförmiges Trinkgefäß ohne Fuß und Henkel, das sich, auf die Seite gelegt, wieder aufrichtet; Tummler; **2** Stehaufmännchen; **Steh|auf|chen, Steh|auf|männ|chen** *s. 7;* **Steh|aus|schank** *m. 2;* **Steh|bier|hal|le** *w. 11;* **ste|hen** *intr. 151;* das wird dich teuer zu stehen kommen: das wird dich viel kosten, das wird dir schaden; es steht nicht dafür: es lohnt sich nicht; etwas steht ins Haus: etwas wird erwartet, ist zu erwarten; uns steht Besuch ins Haus; stehenden Fußes: sofort; er hat ihn eine halbe Stunde vor der Tür stehen lassen; **ste|hen|blei|ben** ► **ste|hen blei|ben** *intr. 17;* die Uhr ist stehen geblieben; **ste|hen|las|sen** ► **ste|hen las|sen** *tr. 75;* ich habe meinen Schirm s. l, *auch:* stehen gelassen: vergessen; **Ste|her** *m. 5* Radrennfahrer im Steherrennen; **Ste|her|ren|nen** *s. 7* Radrennen über längere Strecken mit Schrittmachern; **Steh|gei|ger** *m. 5* erster Geiger und Leiter einer Tanzkapelle; **Steh|kon|vent** *m. 1, urspr. in Studentenverbindungen:* Versammlung im Stehen; *scherzh.:* Gruppe sich im Stehen unterhaltender Personen; **Steh|lei|ter** *w. 11* freistehende Leiter mit zwei Schenkelpaaren

steh|len *tr. 152;* **Stehl|sucht** *w. Gen. -* = Kleptomanie

Steh|par|ty *w. 9;* **Steh|satz** *m. 2 nur Ez., Buchw.:* Schriftsatz, der nicht abgelegt, sondern für eine neue Auflage aufgehoben wird

Stei|e|rin *w. 10* Steiermärkerin; **stei|e|risch** = steirisch; **Stei|er|mark** *w. Gen. -* Land in Österreich; **Stei|er|mär|ker** *m. 5;* **stei|er|mär|kisch**

steif; eine steife Brise *Seemannsspr.:* stark und stetig wehender Wind; ein steifer Grog: starker Grog; steife See *Seemannsspr.:* stark bewegte See; den Arm, das Bein steif halten; die Ohren steif halten; **Stei|fe** *w. 11* **1** *nur Ez.* Steifheit; **2** Stütze; **stei|fen** *tr. 1* steif machen; jmdm. den Nacken s. *übertr.:* jmdm. Mut machen, jmdn. ermuntern; halt die Ohren steif!; **Steif|heit** *w. 10 nur Ez.;* **Steif|lei|nen** *s. 7* = Schneiderleinen; **Stei|fung** *w. 10*

Steig *m. 1* schmaler, steiler Weg; **Steig|bü|gel** *m. 5;* jmdm. den S. halten *übertr.:* ihm (bes. beruflich) helfen, vorwärtszukommen; **Stei|ge** *w. 11* **1** *schwäb. für* Steig; **2** Lattenkiste (für Obst); **Steig|ei|sen** *s. 7;* **stei|gen** *intr. 153;* **Stei|ger** *m. 5* aufsichtführender Bergmann; **Stei|ge|rer** *m. 5* jmd., der (bei einer Auktion) steigert; **stei|gern 1** *tr. 1;* ich steigere, steigre es; **2** *intr. 1, auf Auktionen:* bieten; **Stei|ge|rung** *w. 10; auch Gramm.:* das Bilden der Steigerungsstufen des Adjektivs, Komparation; **stei|ge|rungs|fä|hig;** **Stei|ge|rungs|stu|fe** *w. 11, Gramm.:* Komparativ, Superlativ; **Steig|fä|hig|keit** *w. 10 nur Ez.* (bei Kraftfahrzeugen); **Steig|lei|tung** *w. 10* senkrechte Rohrleitung; **Steig|rohr** *s. 1* senkrechtes Leitungsrohr; **Stei|gung** *w. 10*

steil; **Stei|le** *w. 11 nur Ez.* Steilheit; **Steil|feu|er|ge|schütz** *s. 1;* **Steil|hang** *m. 2;* **Steil|heit** *w. 10;* **Steil|küs|te** *w. 11*

Stein *m. 1;* **Stein|ad|ler** *m. 5* ein Greifvogel; **stein|alt** sehr alt; **Stein|bock 1** *m. 2* ein ziegenartiges Hochgebirgstier; **2** *nur Ez.* ein Sternbild; **Stein|brech** *m. 1* eine meist staudige Gebirgspflanze; **Stein|bre|cher** *m. 5* Arbeiter im Steinbruch; **Stein|bruch** *m. 2;* **Stein|butt** *m. 1* ein Plattfisch; **Stein|druck** *m. 1* altes Druckverfahren, bei dem die Zeichnung auf einen Stein übertragen und von dort abgedruckt wird, Lithographie; **Stein|ei|che** *w. 11;* **stei|nern;** **Stein|er|wei|chen** *nur in der Wendung:* er heult zum S.; **Stein|frucht** *w. 2* Frucht mit hartem Kern, z. B. Kirsche; **Stein|gar|ten** *m. 8* Garten mit Gebirgspflanzen und Steinen, Alpinum; **Stein|geiß** *w. 10* weibl. Steinwild; **Stein|gut** *s. Gen. -(e)s nur Ez.* Tonware aus porösem Scherben; **Stein|hä|ger** *m. 5* Ⓦⓩ ein Wacholderbranntwein; **stein|hart;** **Stein|hau|er** *m. 5* Arbeiter im Steinbruch; **Stein|hau|er|lun|ge** *w. 11* eine Form der Staublunge; **stei|nig;** **stei|ni|gen** *tr. 1* durch Steinwürfe töten; **Stei|ni|gung** *w. 10;* **Stein|kauz** *m. 2* eine Eule; **Stein|klee** *m. Gen. -s nur Ez.* ein Schmetterlingsblütler, eine Futterpflanze; **Stein|koh|le** *w. 11* schwarze, glänzende Kohle mit 80–96% Kohlenstoff; **Stein|koh|len|zeit** *w. 10 nur Ez.* = Karbon; **Stein|lei|den** *s. 7* krankhafte Steinbildung, bes. in der Galle und den Harnwegen, Steinkrankheit; **Stein|mar|der** *m. 5;* **Stein|metz** *m. 10* Handwerker, der Steine bearbeitet (für Bauten); **Stein|nel|ke** *w. 11;* **Stein|obst** *s. Gen. -(e)s nur Ez.* Steinfrüchte; **Stein|pilz** *m. 1;* **stein|reich** reich an Steinen; **stein|reich** sehr reich; **Stein|salz** *s. 1* ein Mineral bzw. Sediment (chemisch: Natriumchlorid); **Stein|schlag** *m. 2;* **Stein|schloß|ge|wehr** ► **Stein|schloss|ge|wehr** *s. 1, früher:* Gewehr mit Feuerstein; **Stein|schnei|de|kunst** *w. 2* Herstellung von Gemmen und Kameen, Glyptik; **Stein|set|zer** *m. 5* Straßenpflasterer; **Stein|wild** *s. Gen. -(e)s nur Ez., Jägerspr.:* Steinbock, Steingeiß und die Jungen, Fahlwild; **Stein|wurf** *m. 2;* einen S. weit; **Stein|wüs|te** *w. 11;* **Stein|zeich|nung** *w. 10* Lithographie; **Stein|zeit** *w. 10* Abschnitt der Erdgeschichte, in der Stein für Werkzeuge und Geräte benutzt wurde; ältere, mittlere, jüngere S.; **Stein|zeug** *s. 1* Tonware aus dichtem, nicht porösem Scherben

Stei|rer *m. 5* Steiermärker; **stei|risch,** stei|e|risch, zur Steiermark gehörend, aus ihr stammend

Steiß *m. 1;* **Steiß|bein** *s. 7;* **Steiß|la|ge** *w. 11* (nicht normale) Lage des Kindes mit dem Steiß voran bei der Geburt

Ste|le [griech.] *w. 11* Pfeiler, Säule als Grab- oder Gedenkstein, oft mit Bildnis des Toten

Stel|la|ge [-ʒə] *w. 11* Gestell; **Stel|la|ge|ge|schäft** *s. 1, Börse:* Termingeschäft

► = wird zu

stel|lar [lat.] zu den Fixsternen gehörend, sie betreffend; **Stel|lar|as|tro|no|mie** *auch:* **-ast|ro-** *w. 11 nur Ez.* Erforschung der Fixsterne, Sternhaufen und Sternsysteme

Stell|dich|ein *s. Gen.* -s *Mz.* -(s) Verabredung, Zusammentreffen, Rendezvous; sich (mit jmdm.) ein S. geben; **Stel|le**

> **an Stelle/anstelle:** Substantive, die Bestandteil fester Gefüge sind und nicht mit anderen Teilen des Gefüges zusammengeschrieben werden, schreibt man groß: *An Stelle des vorgesehenen Redners sprach …* →§ 55 (4)
> Als Fügung in präpositionaler Verwendung ist auch Zusammenschreibung möglich: *anstelle des Redners.* [→§ 39 E3 (3)]. Dem/der Schreibenden bleibt die Entscheidung überlassen, welche Schreibweise gewählt wird: *An Stelle/anstelle …*

w. 11; an Ort und Stelle; an erster, zweiter Stelle; an Stelle des…, *auch:* anstelle; ich an deiner Stelle; er war auf der Stelle tot: sofort; **stel|len** *tr. und refl. 1;* **Stel|len|an|ge|bot** *s. 1;* **Stel|len|ge|such** *s. 1;* **stel|len|los,** stel|lungs|los; **Stel|len|plan** *m. 2;* **stel|len|wei|se; Stel|len|wert** *m. 1;* **...stel|lig** *in Zus.,* z. B.: ein-, zehn-, mehrstellig, *mit Ziffer:* 10-stellig; **Stell|ma|cher** *m. 5* Wagenbauer; **Stell|ma|che|rei** *w. 10;* **Stell|pro|be** *w. 11, Theater:* Probe, in der Auftritte und Gänge festgelegt werden; **Stell|schrau|be** *w. 11;* **Stel|lung** *w. 10;* S. zu etwas nehmen; in S., ohne S. sein; **Stel|lung|nah|me** *w. 11;* **Stel|lungs|krieg** *m. 1;* **stel|lungs|los; stel|lung(s)|su|chend; Stel|lungs|wech|sel** *m. 5;* **stell|ver|tre|tend; Stell|ver|tre|ter** *m. 5;* **Stell|ver|tre|tung** *w. 10;* **Stell|werk** *s. 1*

St.-Elms-Feu|er *s. 5* vgl. Elmsfeuer

Stelz|bein *s. 1* Holzbein, Stelzfuß; **stelz|bei|nig; Stel|ze** *w. 11* **1** Stange mit Trittholz; auf Stelzen gehen *übertr. scherzh.:* sich hochtrabend benehmen; **2** Angehöriger einer Vogelfamilie; **3** *österr.:* Unterschenkel (von Schwein und Kalb); **stel|zen** *intr. 1* **1** auf Stelzen gehen; **2** *meist übertr.:* steifbeinig gehen; **Stel|zen|baum** *m. 2* Baum mit Stelzwurzeln; **Stelz|fuß** *m. 2* **1** Holzbein; **2** *ugs.:* Mensch mit Stelzfuß; **stel|zig; Stelz|wur|zeln** *w. 11 Mz.* starke Luftwurzeln, auf denen der Stamm wie auf Stelzen steht

Stem|ma [griech.] *s. Gen.* -s *Mz.* -mal|ta **1** Stammbaum; **2** Reihe der Fassungen (eines Literaturdenkmals) im Laufe der Überlieferung, Überlieferungsreihe

Stemm|ei|sen *s. 7;* **Stemmei|ßel** ► **Stemm|mei|ßel** *m. 5;* **stem|men** *tr. u. refl. 1*

Stem|pel *m. 5;* **Stem|pel|geld** *s. 3, ugs.:* Arbeitslosenunterstützung; **Stem|pel|kis|sen** *s. 7;* **stem|peln** *tr. 1;* ich stempele, stemple es; stempeln gehen *ugs.:* Arbeitslosenunterstützung beziehen; **Stem|pe|lung** *w. 10 nur Ez.*

Sten|ge *w. 11, Seew.:* Verlängerung des Mastes; **Sten|gel** ► **Stän|gel** *m. 5;* **sten|gel|los** ► **stän|gel|los**

Ste|no [griech.] *w. Gen. - nur Ez., ugs. Kurzw. für* Stenografie; **Ste|no|blei|stift** *m. 1;* **Ste|no|graf,** Ste|no|graph *m. 10* jmd., der beruflich stenografiert; **Ste|no|gra|fie,** Ste|no|gra|phie *w. 11 nur Ez.* Kurzschrift; **ste|no|gra|fie|ren,** ste|no|gra|phie|ren *tr. u. intr. 3* Kurzschrift schreiben, in Kurzschrift niederschreiben; **Ste|no|gramm** *s. 1* Niederschrift in Stenografie; ein S. aufnehmen; **Ste|no|gramm|block** *m. 2;* **Ste|no|graph** *Nv.* ► **Ste|no|graf** *Hv. m. 10;* **Ste|no|gra|phie** *Nv.*

> **Stenografie/Stenographie:** Die integrierte (eingedeutschte) Schreibweise ist die Hauptvariante *(Stenografie),* die fremdsprachige Form *(Stenographie)* die zulässige Nebenvariante. Ebenso: *Stenograf/Stenograph; stenografisch/stenographisch.* →§ 32 (2)

► **Ste|no|gra|fie** *Hv. w. 11 nur Ez.;* **ste|no|gra|phie|ren** *Nv.* ► **ste|no|gra|fie|ren** *Hv. tr. u. intr. 3;* **ste|no|gra|phisch** *Nv.* ► **ste|no|gra|fisch** *Hv.*

sten|ök *auch:* **ste|nök** [griech.] an bestimmte Standorte gebunden (Pflanze, Tier), empfindlich gegen Schwankungen der Umweltbedingungen

Ste|no|kar|die [griech.] *w. 11* Herzbeklemmung; **Ste|no|kon|to|ris|tin** *w. 10* Kontoristin mit Kenntnissen in Stenografie und Maschinenschreiben; **ste|no|phag** auf bestimmte Nahrung angewiesen (Tier, Pflanze); **Ste|no|se** *w. 11,* **Ste|no|sis** *w. Gen. - Mz.* -sen Verengung (von Hohlräumen oder Hohlorganen); **Ste|no|stift** *m. 1;* **ste|no|therm** empfindlich gegen Temperaturschwankungen (Tier, Pflanze); **ste|no|top** in nur einem oder in wenigen Lebensräumen verbreitet (Tier, Pflanze); **ste|no|ty|pie|ren** *tr. 3* in Stenografie niederschreiben und dann in Maschinenschrift übertragen; **Ste|no|ty|pis|tin** *w. 10* Angestellte für Stenografieren und Maschinenschreiben

Sten|tor|stim|me [nach dem griech. Sagenhelden Stentor] *w. 11* laute, dröhnende Stimme

Stenz *m. 1* Geck

> **Stepp tanzen:** Analog zum Verb *steppen* wird jetzt auch das Substantiv (im Gegensatz zum bisherigen Step tanzen) mit *pp* geschrieben: *Sie haben Stepp getanzt.*

Step [engl.] ► **Stepp** *m. 9;* **Step|ei|sen** ► **Stepp|ei|sen** *s. 7*

Ste|pha|nit [nach dem Erzherzog Stephan von Österreich] *m. 1 nur Ez.* ein Mineral; **Ste|phans|kro|ne** *w. 11 nur Ez.* die ungar. Königskrone

Stepp [engl.] *m. 9* Stepptanz

Step|pe [russ.] *w. 11* baumlose Grasebene

Stepp|ei|sen *s. 7* an den Schuhsohlen angebrachtes Eisenplättchen für den Stepptanz

step|pen **1** *tr. 1* mit Steppstichen nähen; **2** [engl.] *intr. 1* Stepp tanzen

Step|pen|wolf *m. 2*

Step|per *m. 5* Stepptänzer

Step|pe|rei *w. 10* Verzierung durch Steppnaht

Stepp|ke *m. 9, berlin.:* kleiner Junge, Kerlchen

Stepp|naht *w. 2;* **Stepp|stich** *m. 1*

Step|tanz ► **Stepp|tanz** *m. 2* Tanz in Schuhen mit Steppeisen, wobei mit Sohlen und Fersen der Rhythmus geschlagen wird

Ster [griech.] *m. Gen.* -s *Mz.* - altes Raummaß für Holz, Raummeter
Ste|ra|di|ant [griech. + lat.] *m. 10 (Abk.:* sr) Einheit des Raumwinkels
Ster|be *w. 11 nur Ez.* tödl. Tierseuche; **Ster|be|bett** *s. 12;* **Ster|be|fall** *m. 2;* **Ster|be|geld** *s. 3;* **Ster|be|hemd** *s. 12;* **Ster|be|hil|fe** *w. Gen. - nur Ez.* Vereinigung mit dem Ziel, das Sterben menschlicher zu gestalten; **ster|ben** *intr. 154;* im Sterben liegen; zum Sterben müde; **ster|bens|krank; ster|bens|lang|wei|lig; ster|bens|matt; Ster|bens|wort** *s. 1,* **Ster|bens|wört|chen** *s. 7, in Wendungen wie* er hat mir kein S. davon gesagt, er hat kein S. davon verlauten lassen: kein Wort, überhaupt nichts; **Ster|be|ort** *m. 1;* **Ster|be|sa|kra|ment** *auch:* **-sak|ra-** *s. 1;* **Ster|be|stun|de** *w. 11;* **Ster|bet** *m. Gen.* -s *nur Ez., schweiz.:* Massensterben; **Ster|be|ur|kun|de** *w. 11;* **sterb|lich; Sterb|li|che(r)** *m. 18 (17) bzw. w. 17 oder 18;* **Sterb|lich|keit** *w. 10 nur Ez.*
Ste|reo [griech.] *s. 9, Kurzw. für* Stereotypie; **ste|re|o..., Ste|re|o...** *in Zus.* **1** starr, fest; **2** räumlich, Raum...; **Ste|re|o|a|kus|tik** *w. 10 nur Ez.* räuml. Hören, räuml. Hörbarkeit; **Ste|re|o|an|la|ge** *w. 11* Anlage zum räuml. Hören (von Schallplatten, Tonbändern, Rundfunksendungen); **Ste|re|o|che|mie** *w. 11 nur Ez.* Zweiggebiet der Chemie, das die räuml. Anordnung der Atome im Molekül erforscht; **Ste|re|o|fern|se|hen** *s. Gen. -s;* **Ste|re|o|film** *m. 1, Kurzw. für* stereoskop. Film; **ste|re|o|fon** = stereophon; Ste|re|o|fo|nie *w. 11 nur Ez.* = Stereophonie; **Ste|re|o|fo|to|gra|fie** *w. 11* **1** Herstellung von Fotografien, die, im Stereoskop betrachtet, räumlich wirken; **2** die Fotografie selbst; **ste|re|o|gra|fisch** räumlich (gezeichnet); **Ste|re|o|ka|me|ra** *w. 9* Kamera mit zwei Objektiven in Augenabstand zum Erzielen räumlicher Bilder; **Ste|re|o|me|trie** *auch:* **-met|rie** *w. 11 nur Ez.* Lehre von der Berechnung der Oberflächen und Rauminhalte von Körpern; **ste|re|o|me|trisch** *auch:* **-met|risch; ste|re|o|phon** ► *auch:* **ste|re|o|fon** auf Stereophonie beruhend, mehrkanalig, räumlich (hörbar); **Ste|re|o|pho|nie** ► *auch:*

> **Stereophonie/Stereofonie:** Die fremdsprachige Schreibweise ist die Hauptvariante *(Stereophonie),* die integrierte (eingedeutschte) Form *(Stereofonie)* die zulässige Nebenvariante. Ebenso: *stereophon/stereofon.* → § 32 (2)

Ste|re|o|fo|nie *w. 11 nur Ez.* räumliche Tonwiedergabe, Raumtontechnik; **Ste|re|o|plat|te** *w. 11, ugs.:* stereophone Schallplatte; **Ste|re|o|skop** *auch:* **Ste|re|os|kop** *s. 1* Gerät zum Betrachten von Stereofotografien; **Ste|re|o|sko|pie** *auch:* **Ste|re|os|ko|pie** *w. 11* Raumbildtechnik; **ste|re|o|sko|pisch** *auch:* **ste|re|os|ko|pisch** räumlich (sichtbar, wirkend); stereoskopischer Film: dreidimensionaler Film, Film mit räuml. Wirkung, Raumfilm; **Ste|re|o|ton** *m. 2 nur Ez.* räumlich wirkender Ton, Raumton; **ste|re|o|typ 1** feststehend, unveränderlich; **2** *übertr.:* immer wieder gleich, sich ständig wiederholend, z. B. stereotype Antwort, stereotypes Lächeln; **Ste|re|o|typ|druck** *m. 1* Druck von Druckplatten, unveränderter Nachdruck; **Ste|re|o|ty|peur** [-pør] *m. 1* Facharbeiter für die Herstellung von Stereotypien; **Ste|re|o|ty|pie** *w. 11* **1** *nur Ez.* Herstellung von Druckplatten aus Bleilegierung; **2** die Druckplatte selbst; **3** krankhafte ständige Wiederholung der gleichen Bewegung oder Äußerung; **ste|re|o|ty|pie|ren** *tr. 3* Stereotypien (**2**) herstellen (von etwas); **ste|re|o|ty|pisch** = stereotyp
ste|ril [lat.] **1** keimfrei; **2** unfruchtbar, zeugungsunfähig (bei erhaltener Potenz); **3** *übertr.:* übertrieben geistig, allzu intellektuell, nicht mehr natürlich; **Ste|ri|li|sa|ti|on** *w. 10* das Keimfrei-, Unfruchtbarmachen; **Ste|ri|li|sa|tor** *m. 13,* **Ste|ri|li|sier|ap|pa|rat** *m. 1* Apparat zum Sterilisieren ärztlicher Instrumente; **ste|ri|li|sie|ren** *tr. 3* **1** keimfrei machen; **2** unfruchtbar, zeugungsunfähig machen; **Ste|ri|li|sie|rung** *w. 10;* **Ste|ri|li|tät** *w. 10 nur Ez.* **1** Keimfreiheit; **2** Unfruchtbarkeit, Zeugungsunfähigkeit
Ste|rin [griech.] *s. 1 meist Mz.* Gruppe biologisch wichtiger aromatischer Kohlenwasserstoffe
Ster|ke *w. 11, nddt.:* junge Kuh vor dem ersten Kalben
Ster|ling [engl.: stə-] *m. 1* altengl. Währungseinheit: Pfund Sterling (*Zeichen:* £): brit. Währungseinheit
Stern 1 *m. 1* Himmelskörper; **2** Stirnfleck (bei Pferden); **3** [engl.] *m. 1* Heck (des Schiffes)
ster|nal zum Sternum gehörend, von ihm ausgehend
Stern|bild *s. 3;* **Stern|blu|me** *w. 11* Aster; **Stern|deu|ter** *m. 5;* **Stern|deu|tung** *w. 10;* **Stern|dik|tat** *s. 1* telefon. Diktat auf ein zentrales Aufnahmegerät; **Ster|nen|ban|ner** *s. 5* Nationalflagge der USA; vgl. Stars and Stripes; **ster|nen|hell,** stern|hell; **Ster|nen|him|mel,** Stern|himmel *m. 5 nur Ez.;* **ster|nen|klar,** stern|klar; **Ster|nen|licht;** *s. 3 nur Ez.;* **ster|nen|los; ster|nen|wärts; ster|nen|weit; Ster|nen|zelt** *s. 1 nur Ez.;* **Stern|fahrt** *w. 10* Wettfahrt von verschiedenen Ausgangspunkten auf ein gemeinsames Ziel zu, Rallye; **Stern|gu|cker** *m. 5, ugs.:* Astronom; **stern|ha|gel|voll** *ugs.:* völlig betrunken; **Stern|hau|fen** *m. 7;* **stern|hell,** ster|nen|hell; **Stern|him|mel,** Stern|en|himmel *m. 5 nur Ez.;* **Stern|jahr** *s. 1* Zeit des Erdumlaufs um die Sonne, an der Stellung eines Fixsternes gemessen; **stern|klar,** ster|nen|klar; **Stern|kun|de** *w. 11 nur Ez.* = Astronomie; **Stern|ort** *m. 4* Ort eines Gestirns an der Himmelskugel, astronomischer Ort; **Stern|schnup|pe** *w. 11* Materieteilchen aus dem Weltraum, das beim Eintritt in die Erdatmosphäre aufglüht; **Stern|sin|gen** *s. Gen.* -s *nur Ez.* Volksbrauch am Dreikönigstag, an dem Kinder mit einem Stern auf einem Stab von Haus zu Haus gehen und singen; **Stern|sin|ger** *m. 5;* **Stern|stun|de** *w. 11* bes. günstige, glückhafte Stunde; **Stern|sys|tem** *s. 1;* **Stern|tag** *m. 1* Zeit zwischen zwei Durchgängen eines Fixsterns
Ster|num [griech.-lat.] *s. Gen.* -s *Mz.* -na Brustbein

Stern|war|te *w. 11;* **Stern|zeit** *w. 10* in Sterntagen gemessene Zeit
Stert *m. 1, nddt.:* Sterz, Schwanz; **Sterz** *m. 1* **1** Schwanz (von Vögeln); **2** Haltegriff (am Pflug); **ster|zeln** *intr. 1* den Hinterleib aufrichten (Biene)
stet stetig, dauernd; in stetem Gedenken; **Ste|te, Stet|heit** *w. Gen. - nur Ez.* = Stetigkeit
Ste|tho|skop *auch:* **Ste|thos|kop** [griech.] *s. 1, Med.:* schallleitender Gummischlauch (*früher:* Rohr) zum Abhorchen, Hörrohr (des Arztes)
ste|tig; Ste|tig|keit *w. 10 nur Ez.;* **stets; stets|fort** *schweiz.:* fortwährend
Steu|er 1 *s. 5;* **2** *w. 11;* **steu|er|be|güns|tigt; Steu|er|be|ra|ter** *m. 5;* **Steu|er|be|ra|tung** *w. 10 nur Ez.;* **Steu|er|be|scheid** *m. 1*
steu|er|bord(s) *Seew.:* rechts (in Fahrtrichtung gesehen); *Ggs.:* backbord(s); **Steu|er|bord** *s. 1* rechte Schiffsseite; *Ggs.:* Backbord
Steu|er|er|klä|rung *w. 10;* **steu|er|frei; steu|er|lich**
steu|er|los; Steu|er|mann *m. 4, Mz. auch:* -leu|te; **steu|ern** *intr. u. tr. 1;* ich steuere, steure (es)
steu|er|pflich|tig; Steu|er|po|li|tik *w. 10 nur Ez.*
Steu|er|rad *s. 4*
Steu|er|recht *s. 1;* **Steu|er|re|form** *w. 10*
Steu|er|ru|der *s. 5*
Steu|er|schuld *w. 10;* **Steu|er|schuld|ner** *m. 5*
Steu|e|rung *w. 10*
Steu|er|ver|an|la|gung *w. 10;* **Steu|er|zah|ler** *m. 5*
Ste|ven *m. 7* Bauteil des Schiffes am Bug und Heck, der den Kiel verlängert

> **Stewardess:** Im Gegensatz zur bisherigen Schreibweise (Stewardeß) wird nach kurzem Vokal *-ss-* geschrieben: *die Stewardess.* → § 25 E1 Bisher schon: *die Stewardessen.*

Ste|ward [stjuərd, engl.] *m. 9, auf Schiffen und in Flugzeugen:* Betreuer der Reisenden; **Ste|war|deß** ► **Ste|war|dess** [stjuərdɛs] *w. Gen. - Mz.* -des|sen weibl. Steward
StGB *Abk. für* Strafgesetzbuch
Sthe|nie [griech.] *w. 11 nur Ez., Med.:* Kraft, Kraftfülle; **sthe|nisch** *Med.:* kraftvoll
sti|bit|zen *tr. 1* heimlich wegnehmen; er hat etwas stibitzt
Sti|bi|um [ägypt.-lat.] *s. Gen.* -s *nur Ez.* (*chem. Zeichen:* Sb) = Antimon
Stich *m. 1;* die Milch hat einen Stich *übertr.:* sie ist am Sauerwerden; er hat einen Stich *ugs. übertr.:* er ist verrückt, er hat einen Klaps; **Stich|bahn** *w. 10* kurze Abzweigung einer Eisenbahnlinie; **Stich|blatt** *s. 4* Handschutz am Degen zwischen Griff und Klinge; **Stich|bo|gen** *m. 8, Baukunst:* flacher Bogen; **Stich|boh|rer** *m. 5* Ahle; **Sti|chel** *m. 5* Werkzeug beim Holz-, Kupfer- und Stahlstich; **Sti|chel|lei** *w. 10* **1** *nur Ez.:* mühselige Näherei; **2** boshafte Anspielung; **Sti|chel|haar** *s. 1 nur Ez.* rauhes, halblanges Haar (vom Hund); **sti|chel|haa|rig; sti|cheln** *intr. 1* **1** emsig nähen; ich stichele, stichle; **2** boshafte Anspielungen machen; **stich|fest;** hieb- und stichfest; **Stich|flam|me** *w. 11* lange, spitze, plötzlich auflodernde Flamme; **stich|hal|ten** *intr. 61* Gegenargumenten standhalten, sich als richtig, als wahr erweisen; der Beweis hält nicht stich, hat nicht stichgehalten; **stich|hal|tig** überzeugend, begründet, unwiderlegbar; stichhaltiger Beweis; **stich|häl|tig** *österr. für* stichhaltig; **Stich|hal|tig|keit** *w. 10 nur Ez.;* **sti|chig** leicht säuerlich, nicht mehr einwandfrei (Milch); **...sti|chig 1** einen Schimmer einer anderen Farbe aufweisend, z. B. blau-, grünstichig; **2** einen Stich habend, z. B. wurmstichig; **Stich|kap|pe** *w. 11* Gewölbe, das in ein größeres Gewölbe quer zu dessen Achse einschneidet; **Stich|ling** *m. 1* ein Fisch
Sti|cho|man|tie [griech.] *w. 11* Wahrsagung aus einer willkürlich mit der Nadel aufgeschlagenen Buchstelle; **Sti|cho|my|thie** *w. 11, im altgriech. Drama:* Wechsel von Rede und Gegenrede mit jeder Verszeile
Stich|pro|be *w. 11* Probe eines einzelnen Stücks bzw. Kontrolle einer einzelnen Person, aus der man auf das Ganze schließen kann; **Stich|tag** *m. 1* für ein bestimmtes Geschehen (Inkrafttreten einer Verordnung u. a.) festgesetzter Tag; **Stich|waf|fe** *w. 11;* **Stich|wahl** *w. 11* Wahl zwischen den zwei letzten Bewerbern nach Ausscheiden der übrigen; **Stich|wort** *s. 4* **1** *in Nachschlagewerken:* Wort, das erläutert wird und am Anfang eines Artikels steht; **2** Wort, auf das hin ein Schauspieler auftreten oder zu sprechen beginnen muss
Sti|ckel *m. 5, schweiz.:* Stock, Stützstange (für Pflanzen)
sti|cken *tr. 1*
Sti|cker [engl.] *m. 9* Aufkleber (mit einem Spruch)
Stick|hus|ten *m. 7* Keuchhusten; **sti|ckig; Stick|luft** *w. 2 nur Ez.;* **Stick|stoff** *m. 1 nur Ez.* (*Zeichen:* N) chem. Element, Nitrogenium; **stick|stoff|frei; Stick|stoff|samm|ler** *m. 5* Pflanze, die eine Anreicherung des Bodens mit Stickstoff bewirkt
stie|ben *intr. 155* sprühen
Stief|bru|der *m. 5*
Stie|fel *m. 5;* **Stie|fe|let|te** *w. 11* kurzer Herrenstiefel ohne Schnürung, zierlicher Damenstiefel; **Stie|fel|knecht** *m. 1* Gerät zum Ausziehen der Stiefel; **stie|feln** *intr. 1, ugs.:* derb, unbeholfen oder auch eilig gehen
Stief|el|tern *Mz.;* **Stief|ge|schwis|ter** *Mz.;* **Stief|kind** *s. 3; auch übertr.:* Sache, der man zu wenig Beachtung widmet, Mensch, der im Leben wenig Glück gehabt hat; ein S. des Schicksals; **Stief|mut|ter** *w. 6;* **Stief|müt|ter|chen** *s. 7* eine Veilchenart; **stief|müt|ter|lich;** jmdn. s. behandeln; **Stief|schwes|ter** *w. 11;* **Stief|sohn** *m. 2;* **Stief|toch|ter** *w. 6;* **Stief|va|ter** *m. 6*
Stieg *m. 1, mundartl. für* Steig; **Stie|ge** *w. 11* schmale, steile Treppe, *bayr., österr. allg.:* Treppe; *auch für* Steige (**2**); **Stie|gen|haus** *s. 4*
Stieg|litz *m. 1* ein Singvogel, Distelfink
stie|kum [jidd.] heimlich, leise
Stiel *m. 1;* mit Stumpf und Stiel; **Stiel|au|ge** *s. 14* auf einem beweglichen Stiel sitzendes Auge mancher Krebstiere; Stielaugen machen *ugs. übertr.:* etwas begierig oder neugierig ansehen; **Stiel|bril|le** *w. 11* Brille mit Stiel (ohne Bügel), Lorgnon; **Stiel|glas** *s. 4* Stielbrille; **...stie|lig** *in Zus.,* z. B. kurz-, langstielig; **Stiel|stich** *m. 1* ein Nähstich

Stiem *m. 1, nddt.:* Schneesturm; **stie|men** *intr. 1, nddt.:* **1** dicht schneien; **2** qualmen

stier starr und ausdruckslos; mit stierem Blick

Stier *m. 1* männl. Rind, Bulle; **stie|ren** *intr. 1* **1** nach dem Stier brünstig sein (Kuh); **2** starr blicken, starren; **stie|rig** brünstig (Kuh); **Stier|kampf** *m. 2;* **Stier|kämp|fer** *m. 5;* **Stier|na|cken** *m. 7* breiter, starker Nacken; **stier|na|ckig**

Stie|sel *m. 5, ugs.:* langweiliger od. unhöfl. Mensch; **stie|sel|lig, sties|lig,** stie|ßel|ig, stieß|lig

Stift 1 *m. 1* kleiner Nagel, kleiner Pflock; Blei-, Buntstift; **2** *m. 1* Lehrling, halbwüchsiger Junge; **3** *s. 1 oder s. 3, urspr.:* mit Grundbesitz ausgestattetes Priesterkollegium einer Bischofs-, Kloster- oder anderen Kirche; kirchliche, wohltätigen Zwecken dienende, auf eine Stiftung zurückgehende Anstalt, z. B. Waisenhaus, Altersheim; *später auch Bez. für* Bistum (Hochstift) oder Erzbistum (Erzstift); **stif|ten** *tr. 2* schenken, spenden; Frieden stiften: Frieden veranlassen, vermitteln

> **stiften gehen:** Die Verbindung aus Verb (Infinitiv) und Verb schreibt man getrennt: *Die Diebe wollten stiften gehen* (= verschwinden). Ebenso: *sitzen bleiben, spazieren gehen.* →§ 34 E3 (6)

stif|ten|ge|hen ► **stif|ten ge|hen** *intr. 47; ugs.:* davonlaufen, ausreißen

Stif|ter *m. 5;* **Stifts|da|me** *w. 11,* **Stifts|fräu|lein** *s. 7* Angehörige eines Stifts; **Stifts|herr** *m. Gen.* -n *oder* -en *Mz.* -en; **Stifts|kir|che** *w. 11;* **Stif|tung** *w. 10*

Stig|ma [griech.] *s. Gen.* -s *Mz.* -men *oder* -ma|ta **1** Kennzeichen, Mal, Brandmal; **2** Wundmal (Christi); **3** Narbe (des Fruchtknotens); **4** Augenfleck (der Geißeltierchen); **5** Atemöffnung (der Insekten); **Stig|ma|ti|sa|ti|on** *w. 10* Hautblutung, bes. das Erscheinen der Wundmale Christi am Körper mancher Menschen; **stig|ma|ti|sie|ren** *tr. 3* mit Wundmalen, *bes.:* den Wundmalen Christi, zeichnen; *fast nur im Passiv:* stigmatisiert sein, Stigmatisierte; **Stig|ma|ti|sie|rung** *w. 10*

Stil *m. 1* **1** Schreibart, Ausdrucks-, Mal-, Kompositionsweise usw. (eines Künstlers), Gepräge (eines Kunstwerks, Bauwerks, einer Zeit), z. B. Erzähl-, Mal-, Baustil, Renaissancestil; **2** Technik, Verfahren, z. B. Schwimmstil; **3** Art, Form, z. B. Lebensstil

Stilb [griech.] *s. Gen. - Mz. -* (*Abk.:* sb) Maßeinheit der Leuchtdichte

Stil|blü|te *w. 11* erheiternder sprachl. Missgriff

Stil|ett [lat.] *s. 1* kleiner Dolch mit dreikantiger Klinge

Stil|feh|ler *m. 5;* **Stil|ge|fühl** *s. 1 nur Ez.;* **stil|ge|recht; sti|li|sie|ren** *tr. 3* künstlerisch vereinfachen (z. B. Naturformen); **Sti|li|sie|rung** *w. 10;* **Sti|list** *m. 10* jmd., der die sprachl. Formen und Möglichkeiten (gut oder schlecht) beherrscht; ein guter, schlechter S. sein; **Sti|lis|tik** *w. 10 nur Ez.* Lehre vom sprachlichen Stil, Stilkunde; **sti|lis|tisch; Stil|kun|de** *w. 11 nur Ez.;* **stil|kund|lich**

still 1 *Kleinschreibung:* stille Messe; stiller Teilhaber; stiller Ort, stilles Örtchen *ugs. scherzh.:* Toilette; sich dem stillen Suff ergeben *ugs.;* stille Reserven; stille Wasser sind tief; **2** *Großschreibung:* im Stillen; Stiller Ozean; Stiller Freitag: Karfreitag; Stille Woche: Karwoche; **3** *in Verbindung mit Verben:* still bleiben, still sein, still werden; still liegen: ruhig liegen; *aber:* →stillliegen; still stehen: ruhig stehen; *aber:* →stillstehen; vgl. auch die weiteren Zus.; **stil|le** = still; **Stil|le** *w. 11 nur Ez.;* **Stil|le|ben** ► **Still|le|ben** *s. 7;* **stil|le|gen** ► **still|le|gen** *tr. 1;* **Stil|le|gung** ► **Still|le|gung** *w. 10*

Stil|leh|re *w. 11* Stilkunde, Stilistik

stil|len *tr. 1;* **Still|geld** *s. 3* Unterstützung stillender Mütter

still|ge|stan|den! militär. Kommando; **Still|hal|te|ab|kom|men** *s. 7* Abkommen zwischen Gläubiger und Schuldner, dass fällige Schulden bis auf weiteres nicht bezahlt werden; *auch allg.:* Abkommen, dass von beiden Seiten keine Schritte unternommen werden; **still|hal|ten** *intr. 61;* **stilliegen** ► **still|lie|gen** *intr. 80;* vgl. still; **Still|le|ben** *s. 7* malerische Darstellung lebloser oder unbewegter Gegenstände, z. B. erlegte Tiere, Pflanzen, Früchte; **still|le|gen** *tr. 1* außer Betrieb setzen, schließen, einstellen (Fabrik, Verkehr); **Still|le|gung** *w. 10;* **still|lie|gen** *intr. 80* außer Betrieb, geschlossen (Fabrik); vgl. still

> **stilllegen, stillliegen:** Ist der erste Bestandteil der Verbindung Adjektiv und Verb weder steigerbar noch erweiterbar, schreibt man zusammen: *Sie haben den Betrieb stillgelegt* (= außer Betrieb gesetzt); *eine stillliegende Fabrik* (= außer Betrieb). →§ 34 (2.2)

stil|los ohne Stil, nicht in den Stil der übrigen Teile hineinpassend, geschmacklos; **Stil|lo|sig|keit** *w. 10 nur Ez.*

still|schwei|gen *intr. 130;* **Still|schwei|gen** *s. Gen.* -s *nur Ez.;* strengstes S. bewahren; etwas mit S. übergehen; **Still|stand** *m. Gen.* -(e)s *nur Ez.;* zum S. kommen, bringen; **still|ste|hen** *intr. 151* aufhören zu arbeiten; die Maschine hat stillgestanden; vgl. still; **still|ver|gnügt; Still|was|ser** *s. 5* = Stauwasser

Stil|mö|bel *s. 5;* **Sti|lus** *m. Gen. - Mz.* -li antiker Griffel zum Schreiben auf Wachstafeln; **stil|voll; stil|wid|rig; Stil|wid|rig|keit** *w. 10;* **Stil|wör|ter|buch** *s. 4*

Stimm|auf|wand *w. Gen.* -(e)s *nur Ez.;* etwas mit großem S. erklären; **Stimm|band** *s. 4 meist Mz.;* **stimm|be|rech|tigt; Stimm|be|rech|ti|gung** *w. 10 nur Ez.;* **Stimm|bruch** *m. 2* = Stimmwechsel; **Stimm|bür|ger** *m. 5, schweiz.:* mit allen Rechten ausgestatteter Bürger; **Stimm|chen** *s. 7;* **Stim|me** *w. 11;* **stim|men 1** *intr. 1;* es stimmt; für oder gegen etwas oder jmdn. stimmen; **2** *tr. 1;* das stimmt mich traurig; ein Musikinstrument s.: die Höhe der einzelnen Töne richtig einstellen; **Stim|men|gleich|heit** *w. 10 nur Ez.;* **Stim|men|mehr|heit** *w. 10 nur Ez.;* **Stimm|ent|hal|tung** *w. 10;* **Stim|men|ver|hält|nis** *s. 1;* **Stim|mer** *m. 5* jmd., der ein Instrument stimmt, z. B. Klavierstimmer; **stimm|fä|hig;**

► = wird zu

Stimm|fä|hig|keit *w. 10 nur Ez.;* **Stimm|ga|bel** *w. 11;* **stimm|gewal|tig; stimm|haft** mit Hilfe der Stimmbänder gebildet; stimmhafte Laute, z. B. b, d, g, m, r sowie alle Vokale; stimmhaftes »s«; **stim|mig** stimmend; in sich stimmig sein: in sich stimmen; **...stim|mig** *in Zus.,* z. B. ein-, drei-, mehr-, vielstimmig; **Stimm|la|ge** *w. 11;* **stimmlich; stimm|los** ohne Hilfe der Stimmbänder gebildet; stimmlose Laute, z. B. p, t, k, sch; stimmloses »s«; **Stimm|recht** *s. 1;* **Stimm|rit|ze** *w. 11* Ritze zwischen den Stimmbändern; **Stim|mung** *w. 10;* **Stim|mungsbild** *s. 3;* **Stim|mungs|ma|che** *w. Gen. - nur Ez.;* **stim|mungsvoll; Stimm|vieh** *s. Gen.* -s *nur Ez., ugs. abwertend:* Wähler nur als S. betrachten: nur im Hinblick darauf, ob sie »richtig« wählen; **Stimm|wech|sel** *m. 5* Übergang von der Knaben- zur Männerstimme, Stimmbruch; im S. sein

Stimm|zet|tel *m. 5*

Sti|mu|lans [lat.] *s. Gen. - Mz.* -lan|tia [-tsja] *oder* -lan|zi|en Anregungsmittel; **Sti|mu|lanz** *w. Gen. - Mz.* -en Anreiz, Antrieb; **Sti|mu|la|ti|on** *w. 10* Anregung; **Sti|mu|la|tor** *m. 13* Vorrichtung, die einen Reiz auslöst; **sti|mu|lie|ren** *tr. 3* anregen; **Sti|mu|lie|rung** *w. 10;* **Sti|mu|lus** *m. Gen. - Mz.* -li Antrieb, Reiz

Stin|ka|do|res *m. Gen. - Mz. -, ugs. scherzh.* **1** schlechte, beißend riechende Zigarre; **2** stark riechender Käse; **stin|ken** *intr. 156;* **stink|faul; stin|kig; Stink|lau|ne** *w. 11 nur Ez.;* **Stink|mar|der** *m. 5* = Stinktier; **Stink|mor|chel** *w. 11* ein Pilz; **Stink|na|se** *w. 11* chron. Nasenkatarrh mit üblem Geruch; **stink|reich** *ugs.;* **Stink|stie|fel** *m. 5, ugs. derb:* übellauniger, unhöfl. Mensch; **Stink|tier** *s. 1* ein Marder, der bei Gefahr eine übelriechende Flüssigkeit aus dem After spritzt, Stinkmarder, Skunk; **Stink|wut** *w. Gen. - nur Ez.;* **stink|wü|tend**

Stint *m. 1* **1** ein Fisch; **2** dummer Kerl, Einfaltspinsel; sich freuen wie ein Stint: sich kindisch freuen

Sti|pen|di|at [lat.] *m. 10* jmd., der ein Stipendium bezieht; **Stipen|dist** *m. 10, österr. für* Stipendiat; **Sti|pen|di|um** *s. Gen.* -s *Mz.* -di|en finanzielle Unterstützung für Schüler, Studenten und junge Wissenschaftler

Stipp *m. 1,* **Stip|pe** *w. 11, nddt., westdt.* **1** Kleinigkeit, Stückchen; **2** Fleck, Pustel; **3** Soße; **stip|pen** *tr. 1* (hinein)tunken; Semmel in Milch, Kaffee stippen; **stip|pig** voller Flecken oder Pusteln; **Stipp|vi|si|te** *w. 11* kurzer Besuch

Sti|pu|la|ti|on [lat.] *w. 10, röm. Recht:* mündl. Vertrag; **sti|pulie|ren** *tr. 3* vereinbaren; **Sti|pulie|rung** *w. 10*

Stirn *w. 10,* **Stir|ne** *w. 11;* jmdm. die Stirn bieten *übertr.:* jmdm. trotzen; er hat die Stirn, zu behaupten...: er wagt es, zu behaupten; **Stir|ne** *w. 11* = Stirn; **Stirn|fal|te** *w. 11;* **Stirn|höh|le** *w. 11;* **...stir|nig** *in Zus.,* z. B. breit-, schmal-, hoch-, engstirnig; **stirn|run|zelnd; Stirn|sei|te** *w. 11* Vorderseite; **Stirn|wand** *w. 2*

stie|ßel|ig, stieß|lig, stie|sel|ig, ties|lig

Sti|ze *w. 11, schweiz.:* Gefäß

Stoa [griech. »Säulenhalle«] *w. Gen. - nur Ez.* griech. Philosophenschule um 300 v. Chr., die nach Selbstüberwindung und Einklang mit der Natur und der Weltseele strebte

Stö|ber|hund *m. 1* Jagdhund zum Aufstöbern des Wildes; **stö|bern** *intr. 1* **1** umherfliegen (Schneeflocken); **2** Wild aufspüren (Jagdhund); **3** nach etwas suchen, kramen; **4** *auch tr. 1, bayr.;* gründlich sauber machen (Zimmer)

Sto|chas|tik [-xa-, griech.] *w. Gen. - nur Ez.* Lehre von den Zufallsgrößen; **sto|chas|tisch** zufällig

Sto|cher *m. 5* Werkzeug zum Stochern; **sto|chern** *intr. 1;* ich stochere, stochre

Stö|chi|o|me|trie *auch:* **-met|rie** [støçio-, griech.] *w. 11 nur Ez., Chem.:* Ermittlung von Formeln, Gewichtsverhältnissen bei Umsetzungen u. a.; **stö|chi|o|me|trisch** *auch:* **-met|risch**

Stock 1 *m. 2;* **2** *m. Gen.* -s *Mz. - oder* Stockwerke; wir wohnen im zweiten Stock; das Haus ist zwei Stock hoch, hat zwei Stockwerke; **3** [engl.] *m. 9* Warenvorrat; Grundkapital (einer Handelsgesellschaft);

stock... *in Zus.:* völlig, z. B. stocktaub; **stock|be|sof|fen; Stöck|chen** *s. 7;* **stock|dun|kel; Stö|ckel** *s. 5, österr.:* kleineres Wohngebäude, Nebengebäude (z. B. eines Schlosses); **stö|ckeln** *intr. 1* in Stöckelschuhen gehen, trippeln; **Stö|ckelschuh** *m. 1* Schuh mit sehr hohem, dünnem Absatz

> **ins Stocken geraten/kommen:** Substantivierte Verben schreibt man groß: *Die Karawane geriet ins Stocken.* →§ 57 (2)

sto|cken *intr. 1; bayr., österr. auch:* gerinnen (Milch); gestockte Milch

Stock|en|te *w. 11* Hausente; **Stock|fäu|le** *w. 11* Kernfäule im Baumstamm; **stock|fins|ter; Stock|fisch** *m. 1* **1** auf einem Stock (oder anders) getrockneter Fisch; **2** *übertr. ugs.:* langweiliger Mensch; **Stock|fleck** *m. 1* durch Schimmel verursachter Fleck in Textilien; **stock|fle|ckig; stock|hei|ser; Stock|hieb** *m. 1*

Stock|holm [auch: stɔk-] Hst. von Schweden; **Stock|hol|mer** [auch: stɔk-] *m. 5*

sto|ckig 1 geronnen (Milch); **2** *selten für* stockfleckig; **...stö|ckig** *in Zus.,* z. B. ein-, zwei-, mehrstöckig

Stock|job|ber [-dʒɔbər, engl.] *m. 5* Börsenspekulant, Aktienhändler

Stöck|li *s. Gen.* -s *Mz. -, schweiz.:* Altenteil; **Stock|pup|pe** *w. 11* an einem Stock befestigte Puppe (im Puppentheater); **Stockro|se** *w. 11* ein Malvengewächs; **stock|sau|er** *süddt.:* beleidigt, ärgerlich, eingeschnappt; **Stock|schirm** *m. 1* Schirm mit fester Hülle, der auch als Spazierstock benutzt werden kann; **Stock|schnup|fen** *m. 7* festsitzender Schnupfen; **Stockschwämm|chen** *s. 7* ein Blätterpilz (an Laubholzstümpfen); **stock|steif; stock|taub; Stockuhr** *w. 10, österr.:* Standuhr

Sto|ckung *w. 10;* **Stock|werk** *s. 1* vgl. Stock (**2**)

Stoff *m. 1; auch ugs.:* Rauschgift; **Stoff|ar|be** ► **Stoff|far|be** *w. 11;* **Stoff|bahn** *w. 10*

Stof|fel [Koseform von Christoph] *m. 5, ugs.:* ungeschliffener, unhöfl. Mensch; **stof|fe|lig,**

stofflig unhöflich, ungeschliffen; **Stoffeligkeit,** Stoffligkeit *w. 10 nur Ez.*
Stoffetzen ► **Stofffetzen** *m. 7;* **Stofffarbe** *w. 11;* **Stofffetzen** *m. 7;* **stofflich; Stofflichkeit** *w. 10 nur Ez.*
stofflig = stoffelig
Stoffwechsel *m. 5 nur Ez.*
stöhnen *intr. 1*
Stoiker *m. 5* **1** Vertreter der Stoa; **2** *übertr.:* unerschütterlich ruhiger, gleichmütiger Mensch; **stoisch 1** zur Stoa gehörend; von ihr stammend; **2** *übertr.:* unerschütterlich, z. B. stoische Ruhe, stoische Gelassenheit; **Stoizismus** *m. Gen. - nur Ez.* unerschütterliche Ruhe, Gelassenheit
Stola [griech.] *w. Gen. - Mz.* -len **1** altröm. weißes, mit Borten verziertes Frauengewand; **2** schmaler, über die Schultern hängender Teil des priesterl. Messgewandes; **3** langer, breiter Schal
Stolle *w. 11* langer, flacher Weihnachtskuchen mit Hefe, Rosinen, Mandeln, Zitronat u. a.; **Stollen** *m. 7* **1** *süddt., österr. für* Stolle; **2** ins Hufeisen geschraubter Zapfen; **3** *Bgb.:* waagerechter, unterird. Gang; **4** *im Meistergesang:* Strophe des Aufgesangs
Stolperdraht *m. 2;* **stolpern** *intr. 1;* ich stolpere, stolpre
stolz; Stolz *m. Gen. -es nur Ez.*
Stolze-Schrey [nach den beiden Erfindern] ein Kurzschrift-System
stolzieren *intr. 3* stolz einherschreiten
Stoma [griech.] *s. Gen. -s Mz.* -malta Mund, Spalt, Öffnung; **Stomachikum** [-xi-] *s. Gen. -s Mz.* -ka magenstärkendes Mittel; **Stomatitis** *w. Gen. - Mz.* -tiltiden Mundschleimhautentzündung; **stomatogen** vom Mund und seinen Organen stammend; **Stomatologe** *m. 11;* **Stomatologie** *w. 11 nur Ez.* Lehre von der Mundhöhle und ihren Krankheiten; **stomatologisch**
Stonehenge [stoʊnhɛndʒ, engl.] vorgeschichtl. Kultstätte bei Salisbury (England)
stop [engl.] *in Telegrammen Bez. für* Punkt; **stop!** halt!, auf Verkehrsschildern; **Stop-and-go-Verkehr** [stɔpandgoʊ-, engl.] *Gen. -s nur Ez.*
stopfen 1 *tr. 1;* **2** *intr. 1* den Stuhlgang verlangsamen; Kakao stopft; **Stopfen** *m. 7, nordwestdt.:* Korken, Stöpsel; **Stopfnadel** *w. 11;* **Stopfpilz** *m. 1*

> **Stopp/Stop, Stop-and-go-Verkehr:** Zum Verb *stoppen* gibt es das Substantiv *(der) Stopp* (auch beim Tennis); dagegen steht auf Verkehrsschildern weiterhin *Stop.*
> Einen Bindestrich setzt man zwischen allen Bestandteilen mehrteiliger Zusammensetzungen, in denen eine Wortgruppe oder eine Zusammensetzung mit Bindestrich auftritt: *der Stop-and-go-Verkehr.* Ebenso: *der Erste-Hilfe-Lehrgang* usw. →§ 44
> Anmerkung: Das erste Wort schreibt man groß.

stopp! halt!; **Stopp** *m. 9* das Anhalten von Kraftwagen, um sich mitnehmen zu lassen, Autostopp
Stoppel *w. 11;* **Stoppelbart** *m. 2;* **Stoppelfeld** *s. 3;* **stoppelig,** stopplig; **Stoppeligkeit,** Stoppligkeit *w. 10 nur Ez.;* **stoppeln** *tr. 1;* Ähren s.: auf einem Stoppelfeld zusammenlesen
stoppen [engl.] **1** *tr. 1* mit der Stoppuhr messen; **2** *intr. 1* halten, anhalten, stehen bleiben; **Stopper** *m. 5* **1** jmd., der mit der Stoppuhr die Zeit misst; **2** *Fußball:* Mittelläufer; **3** jmd., der Autos anhält, um mitgenommen zu werden; **Stopplicht** *s. 3*
stopplig, stoppelig; **Stoppligkeit,** Stoppeligkeit *w. 10 nur Ez.*
Stoppschild *s. 3;* **Stoppstraße** *w. 11* Straße mit Stoppschild, auf der Fahrzeuge vor dem Überqueren der Kreuzung halten müssen; **Stoppuhr** *w. 10*
Stopsel *m. 5, süddt. für* Stöpsel; **Stöpsel** *m. 5* **1** Korken, Pfropfen; **2** *ugs.:* kleiner Junge, Knirps; **stöpseln** *tr. 1* mit Stöpsel verschließen
Stör 1 *m. 1* ein Fisch; **2** *w. Gen. - nur Ez., bayr., österr., schweiz.:* Arbeit eines Handwerkers, bes.: einer Schneiderin, im Haus des Kunden; auf der Stör arbeiten; auf die, in die Stör gehen
Storch *m. 2* ein Stelzvogel; **storchen** *intr. 1, ugs.:* steifbeinig gehen; **Storchschnabel** *m. 6* **1** eine Pflanze mit schnabelartig verlängerten Früchten, Geranie; **2** Gerät zum geometr. Vergrößern oder Verkleinern von Zeichnungen, Pantograph
Store [stɔr, engl.] *m. 6* **1** *meist Mz.* weißer, durchsichtiger Fenstervorhang; **2** Vorrat, Lager
stören *tr. 1;* **Störenfried** *m. 1;* **störfrei**
Stornello [ital.] *s. Gen. -s Mz. -s oder* -li dreizeiliges ital. Liedchen
stornieren [ital.] *tr. 3* **1** ungültig machen, durch Gegenbuchung ausgleichen, ristornieren: einen Betrag s.; **2** *österr.:* rückgängig machen; einen Auftrag s.; **Storno** *s. Gen. -s Mz.* -ni **1** Rückbuchung, Löschung, Ristorno; **2** *österr.:* das Rückgängigmachen
störrig *Nebenform von* störrisch; **Störrigkeit** *w. 1 nur Ez.;* **störrisch; Störrischkeit** *w. 10 nur Ez.*
Störschneiderin *w. 10;* vgl. Stör (**2**)
Störschutz *m. Gen. -es nur Ez.* Schutz gegen Störungen beim Rundfunkempfang; **Störsender** *m. 5*
Störtebeker, *Klaus* dt. Seeräuber, Führer der Vitalienbrüder (hingerichtet 1402)
Storting [stur-, norw.] *s. 9 oder s. 1* norw. Volksvertretung
Störung *w. 10;* **Störungsfeuer** *s. 5, Mil.;* **störungsfrei; Störungsstelle** *w. 11* für Störungen im Fernsprechverkehr zuständige Stelle bei der Telekom

> **Storys:** Fremdwörter aus dem Englischen, die auf *-y* enden und im Englischen die Pluralform *-ies* haben, erhalten im Plural ein *-s: die Storys.* Ebenso: *die Babys, Ladys* usw. →§ 21

Story [stɔri, engl.] *w. Gen. - Mz.* -s **1** Kurzgeschichte; **2** *Lit., Film, Theater:* Handlungsaufbau, Fabel
Stoß *m. 2; auch Bgb.:* Seitenwände (eines Grubenbaus); *auch Jägerspr.:* Schwanz (bei größerem Federwild); **Stöß-**

► = wird zu

chen *s. 7;* **Stoß|dämp|fer** *m. 5;* **Stö|ßel** *m. 5* Werkzeug zum Zerkleinern, Zerstampfen; Mörser und S.; **sto|ßen** *tr. 157;* **Stö|ßer** *m. 5* **1** Sperber; **2** Stößel; **Stoß|fe|der** *w. 11* Feder aus dem Stoß (eines Vogels); **stoß-fest; Stoß|fes|tig|keit** *w. 10 nur Ez.;* **Stoß|ge|bet** *s. 1;* **stö|ßig** leicht angreifend, mit den Hörnern stoßend (Kuh, Ziegenbock); **Stoß|kraft** *w. 2;* **Stoß-seuf|zer** *m. 5;* **stoß|si|cher; Stoß|stan|ge** *w. 11;* **Stoß|the-ra|pie** *w. 11* Therapie, bei der ein Medikament in großer Menge innerhalb eines kurzen Zeitraums verabreicht wird; **Stoß|ver|kehr** *m. Gen.* -s *nur Ez.* starker Verkehr zu einer bestimmten Zeit, z. B. Berufsverkehr; **Stoß|waf|fe** *w. 11;* **stoß-wei|se; Stoß|zahn** *m. 2;* **Stoß-zeit** *w. 10* Zeit des Stoßverkehrs

Sto|tin|ka *w. Gen.* - *Mz.* -ki bulgar. Währungseinheit, 1/100 Lew

Stot|te|rei *w. 10 nur Ez.;* **Stot-te|rer** *m. 5;* **stot|te|rig,** stottrig; **stot|tern** *intr. 1;* ich stottere; stottre; etwas auf Stottern kaufen *ugs.:* auf Ratenzahlung

Stotz *m. 1,* **Stot|zen** *m. 7* **1** *süddt., österr., schweiz.:* Baumstumpf; **2** *süddt., schweiz.:* Bottich

Stout [staut, engl.] *m. 9* dunkles, bitteres engl. Bier

Stöv|chen [støf-] *s. 7* **1** *nddt.:* Kohlenbecken; **2** Untersatz mit Kerze zum Warmhalten von Tee oder Kaffee; **Sto|ve** *w. 11, nddt.:* Trockenraum; **sto|ven, sto|wen** *tr. 1, nddt.:* dünsten, schmoren; gestovtes, gestowtes Obst

StPO *Abk. für* Strafprozessordnung

Str. *Abk. für* Straße

Stra|bis|mus [griech.] *m. Gen.* - *nur Ez.* das Schielen; **Stra|bo** *m. 9, Med.:* Schielender; **Stra-bo|me|ter** *s. 5* Gerät zum Messen des Schielwinkels

Strac|cia|tel|la [stratʃa-, ital.] *s., nur Ez.* Eis mit kleinen Schokoladestückchen

stracks geradewegs, sofort

Straddle [strædl, engl.] *m. 9, beim Hochsprung:* eine Sprungtechnik

Stra|di|va|ri [-va-] *w. 9,* von dem ital. Geigenbauer Antonio Stradivari (1644 od. 1649–1737) gebaute Geige

Straf|an|stalt *w. 10;* **Straf|an-zei|ge** *w. 11;* **Straf|ar|beit** *w. 10;* **straf|bar; Straf|bar|keit** *w. 10 nur Ez.;* **Straf|be|scheid** *m. 1;* **Stra|fe** *w. 11;* **stra|fen** *tr. 1;* **Straf|ent|las|se|ne(r)** *m. 18 (17) bzw. w. 17 oder 18;* **Straf|er|laß** ► **Straf|er|lass** *m. 2;* **straf|er-schwe|rend**

straff

straf|fäl|lig; s. werden

straf|fen *tr. 1;* **Straff|heit** *w. 10 nur Ez.*

straf|frei; Straf|frei|heit *w. 10 nur Ez.;* **Straf|ge|fan|ge|ne(r)** *m. 18 (17) bzw. w. 17 oder 18;* **Straf|ge|richt** *s. 1;* **Straf|ge-richts|bar|keit** *w. 10 nur Ez.;* **Straf|ge|setz** *s. 1;* **Straf|ge-setz|buch** *s. 4* (*Abk.:* StGB); **Straf|kam|mer** *w. 11;* **Straf-kom|pa|nie** *w. 11;* **Straf|la|ger** *s. 5;* **sträf|lich;** jmdn. sträflich vernachlässigen; **Sträf|ling** *m. 1;* **Sträf|lings|klei|dung** *w. 10 nur Ez.;* **straf|los; Straf|lo|sig|keit** *w. 10 nur Ez.;* **Straf|maß** *s. 1;* **Straf|maß|nah|me** *w. 11;* **straf-mil|dernd; straf|mün|dig** alt genug, um (vom Gericht) bestraft zu werden; **Straf|mün|dig|keit** *w. 10 nur Ez.;* **Straf|por|to** *s. Gen.* -s *Mz.* -ti, *ugs.* = Nachgebühr; **Straf|pre|digt** *w. 10;* **Straf|pro|zeß** ► **Straf|pro|zess** *m. 1;* **Straf|pro|zeß|ord|nung** ► **Straf|pro|zess|ord|nung** *w. 10* (*Abk.:* StPO); **Straf|punkt** *m. 1, Sport;* **Straf|raum** *m. 2, Fußball:* Raum um das Tor, in dem verschärfte Strafbestimmungen gelten; **Straf|recht** *s. 1;* **Straf|recht|ler** *m. 5* Hochschullehrer für Strafrecht; **straf-recht|lich; Straf|rechts|leh|rer** *m. 5;* **Straf|re|gis|ter** *s. 5;* **Straf-stoß** *m. 2;* **Straf|tat** *w. 10;* **straf-ver|schär|fend; straf|ver|set-zen** *tr. 1, nur im Infinitiv und Partizip II:* ich werde ihn s., er ist strafversetzt worden; **Straf-voll|zug** *m. 2;* **straf|wei|se**

> **strahlend hell:** Die Verbindung aus einem (adjektivischen) Partizip und einem Adjektiv schreibt man getrennt: *strahlend hell.* Ebenso: *abschreckend hässlich, kochend heiß* usw. → § 36 E1 (3)

Strahl *m. 12;* **Strahl|an|trieb** *m. 1* Antrieb durch Raketentriebwerk oder Luftstrahl; **strah|len** *intr. 1*

sträh|len *tr. 1* kämmen

Strah|len|bi|o|lo|gie *w. 11 nur Ez.* Zweiggebiet der Biologie, das sich mit der Wirkung von radioaktiven Strahlen auf Lebewesen befasst; **Strah|len|che-mie** *w. 1 nur Ez.* Zweiggebiet der Chemie, das sich mit den unter Einfluss radioaktiver Strahlen stehenden chem. Vorgängen befasst; **Strah|len-krank|heit** *w. 10;* **Strah|len-kranz** *m. 2;* **Strah|len|pilz** *m. 1;* **Strah|len|pilz|krank|heit** *w. 10* durch Strahlenpilze hervorgerufene Gewebsentzündung und -vereiterung; **Strah|len|schä-den** *m. 8 Mz.;* **Strah|len|schutz** *m. Gen.* -es *nur Ez.;* **Strah|len-the|ra|pie** *w. 11* Heilbehandlung mit Licht- und Wärmestrahlen; **Strah|len|tier|chen** *s. 7* Wurzelfüßer mit strahlenförmigem Skelett, Radiolarie; **strah-lig; ...strah|lig** *in Zus.:* mit Strahltriebwerk(en) ausgerüstet, z. B. vier-, mehrstrahliges Flugzeug; **Strahl|trieb|werk** *s. 1;* **Strah|lung** *w. 10;* **Strah|lungs-en|er|gie** *auch:* **-e|ner|gie** *w. 11;* **Strah|lungs|wär|me** *w. 11*

Strähn *m. 1, österr. neben:* Strähne; **Sträh|ne** *w. 11;* **sträh-nig**

Strak *s. 1, Seew.:* Verlauf (der Schifffahrtslinien); **stra|ken** **1** *intr. 1, Seew., Tech.:* vorschriftsmäßig verlaufen (Kurve); **2** *tr. 1, nddt.:* strecken, streichen

Stra|zie|rung *w. 10 veraltet:* Liquidierung

Stra|min [ndrl.] *m. 1* Gitterleinen (für Stickereien)

stramm; ein strammer Max: ein strammer Junge; *aber:* Strammer Max: ein pikantes Gericht; stramm sitzen (Kleidung); *aber:* → strammstehen; **stram|men** *tr. 1* straffen; **Stramm|heit** *w. 10 nur Ez.;* **stramm|ste|hen** *intr. 151;* er steht stramm, hat strammgestanden; **stramm|zie|hen** *tr. 187;* ich habe es strammgezogen; jmdm. die Hosen s. *ugs.:* jmdn. durch Prügel strafen

Stram|pel|an|zug *m. 2;* **Stram-pel|hös|chen** *s. 7;* **stram|peln** *intr. 1;* ich strampele, strample

stramp|fen *tr. 1, österr.:* stampfen; Schnee von den Schuhen strampfen

Strand *m. 2;* **Strand|bad** *s. 4;* **Strand|dis|tel** *w. 11;* **Strand-**

dorn *m. 1* = Sanddorn; **stran|den** *intr. 2;* **Strand|gut** *s. 4* an den Strand geschwemmte Gegenstände von gestrandeten Schiffen; **Strand|ha|fer** *m. 5 nur Ez.* ein Süßgras; **Strand|korb** *m. 2;* **Strand|läu|fer** *m. 5 Mz.* eine Schnepfe; **Strand|raub** *m. Gen.* -(e)s *nur Ez.* Raub von Strandgut; **Strand|räu|ber** *m. 5;* **Stran|dung** *w. 10;* **Strand|wa|che** *w. 11* (bei Sturmflut); **Strand|wäch|ter** *m. 5*

Strang *m. 2;* jmdn. durch den Strang hinrichten: ihn henken; wenn alle Stränge reißen *ugs. übertr.:* wenn alles schief geht; über die Stränge schlagen *übertr.:* aus der gewohnten Ordnung ausbrechen, übermütig sein; **Stran|ge** *w. 11, schweiz.:* Strähne, Strang; eine Strange Wolle; **strän|gen** *tr. 1* anspannen (Pferd)

Stran|gu|la|ti|on [lat.] *w. 10* **1** Erdrosselung; **2** *Med.:* Abschnürung, Abklemmung; **stran|gu|lie|ren** *tr. 3* **1** erdrosseln; **2** abschnüren; **Stran|gu|lie|rung** *w. 10*

Strang|u|rie *auch:* **Stran|gu|rie** [griech.] *w. 11* = Harnzwang

Stra|paz... *österr. in Zus.* = Strapazier..., z. B. Strapazschuh; **Stra|pa|ze** *w. 11* große Anstrengung; **Stra|pa|zier...** *in Zus.:* etwas, das man strapazieren kann, z. B. Strapazierschuh; **stra|pa|zie|ren** *tr. 3* stark in Anspruch nehmen, häufig benutzen; ein Kleidungsstück, jmds. Nerven s.; **stra|pa|zier|fä|hig;** **Stra|pa|zier|ho|se** *w. 11;* **Stra|pa|zier|schuh** *m. 1;* **stra|pa|zi|ös** sehr anstrengend

Straps *m. 1* Strumpfhalter

Straß ► **Strass** *m. Gen. - oder* -s|ses *Mz. - oder* -s|se Edelsteinimitation aus Bleiglas

straß|auf *in der Wendung* straßauf, straßab

Straß|burg, *frz.:* Stras|bourg, Stadt im Elsass; Straßburger Münster; **straß|bur|gisch**

Sträß|chen *s. 7;* **Stra|ße** *w. 11;* **Stra|ßen|ar|beit** *w. 10;* **Stra|ßen|bahn** *w. 10;* **Stra|ßen|bah|ner** *m. 5, ugs.:* Angestellter bei der Straßenbahn; **Stra|ßen|bau** *m. Gen.* -(e)s *Mz.* -bauten; **Stra|ßen|be|leuch|tung** *w. 10;* **Stra|ßen|dorf** *s. 4;* **Stra|ßen|keh|rer** *m. 5;* **Stra|ßen|kreu|zer** *m. 5, ugs.:* bes. langer und breiter Personenkraftwagen; **Stra|ßen|netz** *s. 1;* **Stra|ßen|raub** *m. Gen.* -(e)s *nur Ez.;* **Stra|ßen|räu|ber** *m. 5;* **Stra|ßen|ren|nen** *s. 7;* **Stra|ßen|schild** *s. 3;* **Stra|ßen|ver|kehrs|ord|nung** *w. 10* (*Abk.:* StVO); **Stra|ßen|ver|kehrs-Zu|las|sungs|ord|nung** *w. 10* (*Abk.:* StVZO)

Stra|te|ge [griech.] *m. 11* jmd., der sich auf Strategie versteht; **Stra|te|gem** *s. 1* Kriegslist; **Stra|te|gie** *w. 11 nur Ez.* Kunst der Kriegführung, Feldherrnkunst; **stra|te|gisch**

Stra|ti|fi|ka|ti|on [lat.] *w. 10* **1** Schichtung (von Gesteinen), Ablagerung in Schichten; **2** Schichtung von Saatgut in feuchtem Sand zum Vorkeimen; **stra|ti|fi|zie|ren** *tr. 3;* **Stra|ti|gra|phie** ► *auch:* **Stra|ti|gra|fie** *w. 11 nur Ez.* Lehre von der Gesteinsschichtung; **stra|ti|gra|phisch** ► *auch:* **stra|ti|gra|fisch;** **Stra|to|skop** *auch:* **Stra|tos|kop** *s. 1* von einem unbemannten Ballon in große Höhe getragenes, ferngesteuertes Spiegelteleskop für Aufnahmen von der Sonne; **Stra|to|sphä|re** *auch:* **-tos|phä|re** *w. 11* mittlere Schicht der Erdatmosphäre zwischen etwa 10 und 80 km; **stra|to|sphä|risch** *auch:* **-tos|phä|risch;** **Stra|tus** *m. Gen. - Mz.* -ti, **Stra|tus|wol|ke** *w. 11* (*Abk.:* St) niedrige Schichtwolke

Strau|be *w. 11, süddt.:* ein Schmalzgebäck, Spritzkuchen

sträu|ben *tr. u. refl. 1;* sich gegen etwas sträuben; **strau|big** struppig

Strauch *m. 4;* **Strauch|dieb** *m. 1* Straßenräuber; **strau|cheln** *intr. 1;* ich strauchele, strauchle; **strau|chig;** **Sträuch|lein** *s. 7;* **Strauch|rit|ter** *m. 5* = Strauchdieb; **Strauch|werk** *s. 1 nur Ez.*

Straus, *Oscar* österr. Komponist (1870–1954); **Strauß 1** *Johann* Name zweier österr. Komponisten (1804–1849 und 1825–1899); **2** *m. 2* zusammengebundene Blumen; **3** *m. 1* ein afrik. Laufvogel; **4** *m. 2, poet.:* Kampf, Streit; einen S. mit jmdm. ausfechten

Strauss, *Richard* dt. Komponist (1864–1949)

Sträuß|chen *s. 7;* **Strau|ßen|ei** *s. 3;* **Strau|ßen|fe|der** *w. 11;* **Sträuß|lein** *s. 7, poet.:* **Strauß|wirt|schaft,** Strau|ßen|wirtschaft *w. 10* durch einen Strauß von Zweigen über der Tür kenntlich gemachte Wirtschaft, die selbstgezogenen heurigen Wein ausschenkt, *österr.:* Buschenschenke

Stra|za [ital.] *w. Gen. - Mz.* -zen Abfall bei der Rohseidenverarbeitung

Stre|be *w. 11* schräge Stütze, bes. im Dach; **Stre|be|bal|ken** *m. 7;* **Stre|be|bo|gen** *m. 7 oder 8;* **stre|ben** *intr. 1;* **Stre|be|pfei|ler** *m. 5;* **Stre|ber** *m. 5;* **Stre|be|rei** *w. 10 nur Ez.;* **stre|ber|haft;** **Stre|be|werk** *s. 1* Gefüge aus Strebebogen und Strebepfeilern; **streb|sam;** **Streb|sam|keit** *w. 10 nur Ez.*

streck|bar; **Streck|bar|keit** *w. 10 nur Ez.;* **Streck|bett** *s. 12* Vorrichtung zum allmählichen Strecken verkrümmter Gliedmaßen; **Stre|cke** *w. 11; auch Bgb.:* waagerechter Grubenbau, der von einem anderen Grubenbau ausgeht und zur Lagerstätte führt; *Jägerspr.:* Jagdbeute; **stre|cken** *tr. 1;* **Stre|cken|ar|bei|ter** *m. 5* Arbeiter beim Gleisbau; **Stre|cken|auf|se|her** *m. 5;* **Stre|cken|wär|ter** *m. 5* Gleisaufseher auf der Strecke; **stre|cken|wei|se;** **Stre|cker** *m. 5* Streckmuskel; **Streck|mus|kel** *m. 5;* **Stre|ckung** *w. 10;* **Streck|ver|band** *m. 2*

Street|work [stritwə:rk, engl.] *s. -, nur Ez.* Beratung und Betreuung Jugendlicher innerhalb ihres Wohnbereichs durch das Jugendamt

Street|wor|ker [stritwərkər, engl.] Sozialarbeiter in einem bestimmten Wohngebiet, der gefährdete, bes. drogenabhängige Jugendliche betreut

Streh|ler *m. 5* Werkzeug zum Gewindeschneiden

Streich *m. 1;* **Strei|che** *w. 11* **1** *früher:* Flanke (der Festung); **2** *Bgb.:* Verlauf der Schichtungen; **strei|cheln** *tr. 1;* ich streichele, streichle ihn; **strei|chen** *tr. u. intr. 158;* **Strei|cher** *m. 5* Spieler eines Streichinstruments; **Streich|garn** *s. 1* Garn aus kurzen, nicht gekämmten Fasern; **Streich|holz** *s. 4;* **Streich|in|stru|ment** *s. 1;* **Streich|mas|sa|ge** *w. 11;* **Streich|or|ches|ter** [-kɛ-] *s. 5;*

Streich|quar|tett *s. 1* Musikstück für zwei Violinen, Viola und Violoncello sowie die ausführenden Musiker; **Streich|quin|tett** *s. 1* Musikstück für zwei Violinen, zwei Violen und Violoncello bzw. eine Viola und zwei Violoncelli sowie die ausführenden Musiker; **Streich|trio** *s. 9* Musikstück für Violine, Viola und Violoncello sowie die ausführenden Musiker; **Strei|chung** *w. 10*

Streif *m. 1, Nebenform von* Streifen; **Streif|band** *s. 4* um eine Drucksache (bes. Zeitung) gelegter Papierstreifen; **Streif|band|de|pot** [-po:] *s. 1* Aufbewahrungsart für Wertpapiere, deren Eigentümer durch Streifband o. Ä. bezeichnet sind; *Ggs.:* Sammeldepot; **Streif|chen** *s. 7;* **Strei|fe** *w. 11* Gruppe von Polizisten auf Kontrollgang; **strei|fen** *tr. u. intr. 1;* **Strei|fen** *m. 7;* **Strei|fen|wa|gen** *m. 7* Kraftwagen der Polizeistreife; **strei|fig; Streif|licht** *s. 3;* **Streif|schuß** ► **Streif|schuss** *m. 2;* **Streif|zug** *m. 2*

Streik [engl.] *m. 9* vorübergehende Arbeitsniederlegung (von Arbeitnehmern); **Streik|bre|cher** *m. 5;* **strei|ken** *intr. 1;* **Streik|pos|ten** *m. 7;* **Streik|recht** *s. 1*

Streit *m. 1;* **Streit|axt** *w. 2;* **streit|bar 1** zum Streiten neigend; **2** kampflustig, tapfer, mannhaft; **Streit|bar|keit** *w. 10 nur Ez.;* **strei|ten** *intr. 159;* für jmdn. oder etwas s.; **Strei|ter** *m. 5;* **Strei|te|rei** *w. 10;* **Streit|fall** *m. 2;* **Streit|fra|ge** *w. 11;* **Streit|ge|gen|stand** *m. 2;* **Streit|ge|spräch** *s. 1;* **Streit|hahn** *m. 2,* **Streit|ham|mel** *m. 5, österr.:* Streit|hansl *m. 14* streitsüchtiger Mensch; **strei|tig** *Nebenform von* strittig, streitig machen; **Strei|tig|keit** *w. 10;* **Streit|kol|ben** *m. 7* schwere Schlagwaffe; **Streit|kräf|te** *w. 2 Mz.;* **Streit|sa|che** *w. 11* Rechtsstreitigkeit; **Streit|schrift** *w. 10;* **Streit|sucht** *w. Gen. - nur Ez.;* **streit|süch|tig; Streit|wert** *m. 1* gerichtlich festgesetzter Wert eines Streitgegenstandes

strẹm|men *tr. u. intr. 1, mitteldt.:* zu stramm sitzen, beengen (Kleidungsstück)

strẹng; streng sein; streng bestrafen; vgl. streng nehmen;

> **streng nehmen/genommen:** Verbindungen aus Adjektiv und Verb/Partizip, in denen das Adjektiv steigerbar oder erweiterbar ist, schreibt man getrennt: *Er wollte das Thema streng nehmen. Streng genommen besteht kein Unterschied* (= genau genommen). →§ 34 E3 (3)

aufs strengste, Strengste: sehr streng; **strẹng|ge|nom|men** ► **strẹng ge|nọm|men** genau genommen, eigentlich; **strẹng|gläu|big; Strẹng|gläu|big|keit** *w. 10 nur Ez.;* **strẹng|neh|men** ► **strẹng neh|men** *tr. 88* genau nehmen; ich nehme es streng damit, habe es streng genommen; **strẹngs|tens**

Strep|to|kọk|ken [griech.] *Mz.,* kugelförmige, schnurartig zusammenhängende Bakterien, Eitererreger; **Strep|to|my|cin** *s. 1 nur Ez.* ein Antibiotikum, bes. gegen Tuberkulose

Stre|se|mann [nach dem dt. Staatsmann Gustav S.] *m. 9* Herrenanzug aus schwarz und grau gestreifter Hose ohne Aufschläge mit schwarzer oder marengofarbener Jacke

> **Stress, Stresssituation:** Nach kurzem Vokal schreibt man *-ss-* (bisher: Streß): *der Stress, stressig* (ugs.). Entsprechend stehen in der Zusammensetzung drei Konsonanten: *die Stresssituation.* →§ 25

Strẹß ► **Strẹss** [engl.] *m. 1* anhaltende körperl. oder geistige Belastung durch Überbeanspruchung oder schädl. Reize; **strẹs|sen** *tr. 1* sehr anstrengen, erschöpfen; das stresst mich; ich bin (ziemlich) gestresst; **Strẹs|sor** *m. 13* etwas, das einen Stress ausübt

Stretch [strẹtʃ, engl.] *m. Gen. -es Mz. -es* ein elast. Gewebe, bes. für Strümpfe; **Stret|ching** [strẹtʃiŋ, engl.] *s. Gen. -s nur Ez.* Gymnastik mit Dehnungsübungen

Strẹt|ta [ital.] *w. 9* bravouröser Schluss einer Arie oder eines Musikstücks in beschleunigtem Tempo

Streu *w. Gen. - nur Ez.* Stroh, bes. als Lager für Stalltiere; **streu|en** *tr. 1*

streu|nen *intr. 1* sich herumtreiben (bes. von Hunden); **Streu|ner** *m. 5*

Streu|sand *m. 1 nur Ez.;* **Streu|sel** *s. 5 meist Mz.;* **Streu|sel|ku|chen** *m. 7;* **Streu|sied|lung** *w. 10;* **Streu|ung** *w. 10* **1** Richtungs-, Bewegungsänderung (einer Strahlung); **2** planvolle Verteilung; **3** *Statistik:* Abweichung vom Mittelwert; **Streu|zu|cker** *m. 5 nur Ez.*

Strịch *m. 1;* auf den Strich gehen *ugs.:* als Prostituierte arbeiten; das geht mir gegen den Strich: das ist mir unangenehm; das ist unterm Strich: das ist sehr schlecht; **Strịch|ät|zung** *w. 10* nach einer Strichzeichnung angefertigter Druckstock, im Unterschied zur Autotypie; **Strịch|code** [-ko:d] *m. 9* Verschlüsselung bestimmter (Waren-)Angaben in Form paralleler Striche unterschiedl. Stärke; **Strị|chel|chen** *s. 7;* **strị|cheln** *tr. 1;* ich strichele, strichle es; **Strịch|jun|ge** *m. 11* homosexueller Prostituierter; **Strịch|mäd|chen** *s. 7* Prostituierte; **Strịch|punkt** *m. 1* = Semikolon; **Strịch|vo|gel** *m. 6* Vogel, der seinen Aufenthaltsort innerhalb bestimmter Gebiete wechselt, im Unterschied zum Zug- und Standvogel; **strịch|wei|se; Strịch|zeich|nung** *w. 10* Zeichnung nur aus Strichen ohne Halbtöne

Strịck *m. 1; auch ugs. scherzh.:* spitzbübisches Kind, Schlingel, Schelm; wenn alle Stricke reißen *ugs.:* wenn alles schief geht; **strị|cken** *tr. u. intr. 1;* **Strị|cke|rei** *w. 10;* **Strịck|kleid** *s. 3;* **Strịck|lei|ter** *w. 11;* **Strịck|mus|ter** *s. 5;* **Strịck|na|del** *w. 11;* **Strịck|zeug** *s. 1 nur Ez.*

Stri|dor [lat.] *m. Gen. -s nur Ez., Med.:* pfeifendes Atemgeräusch; **Stri|du|la|ti|on** *w. 10, bei Insekten:* Hervorbringen zirpender Laute; **Stri|du|la|ti|ons|or|gan** *s. 1;* **stri|du|lie|ren** *intr. 3* zirpen

Strie|gel *m. 5* Gerät zum Reinigen des Fells der Haustiere; **strie|geln** *tr. 1;* ich striegele, striegle es

Strie|me *w. 11,* **Strie|men** *m. 7* blutunterlaufener Streifen (auf der Haut)

Strie|zel *m. 5* **1** *ugs.:* Lausbub, **2** *bayr.:* Hefegebäck, -zopf

strie|zen *tr. 1* **1** *ugs.:* ärgern,

peinigen, quälen; **2** *norddt.:* stibitzen
strikt [lat.], *auch:* **strik|te** **1** streng (Befehl, Anweisung); **2** peinlich genau; sich strikt an die Vorschrift halten
Strik|ti|on [lat.] *w. 10* Zusammenziehung; **Strik|tur** *w. 10* krankhafte Verengung (z. B. der Harnröhre)
string. *Abk. für* stringendo; **strin|gen|do** [strindʒɛn-, ital.] *Mus.:* drängend; **strin|gent** zwingend, bündig; **Strin|genz** *w. 10 nur Ez.* zwingende Beweiskraft; **strin|gie|ren** **1** *tr. 3, Med.:* zusammenziehen, abschnüren; **2** *intr. 3, Fechten:* die Klinge des Gegners abdrängen
Strip *m. 9* **1** gebrauchsfertiger Streifen Wundpflaster; **2** *kurz für:* Striptease
Strip|pe *w. 11, ugs., bes. berlin.:* Bindfaden, Schnur; *übertr. scherzh.:* Telefon; an der Strippe hängen: telefonieren
Strip|ping [engl.] *s. Gen.* -s *nur Ez.* spezielle Kernumwandlung
Strip|tease [stripti:z, engl.] *s. Gen. - nur Ez., im Varietee:* Entkleidungsvorführung
stri|scian|do [striʃan-, ital.] *Mus.:* schleifend, gleitend; **Stri|scian|do** *s. Gen.* -s *Mz.* -di, *Mus.:* Stelle, die strisciando zu spielen ist
strit|tig umstritten, fraglich
Striz|zi *m. 9, österr.* **1** leichtsinniger Mensch; **2** Zuhälter
Stro|bel *m. 5* wirrer Haarschopf; **stro|be|lig,** strob|lig, strubbelig, wirr; **Stro|bel|kopf** *m. 2* Strubbelkopf; **stro|beln** *tr. 1* strubbelig machen, verwirren; **strob|lig,** stro|be|lig
Stro|bo|skop *auch:* **Stro|bos|kop** [griech.] *s. 1* opt. Gerät zum Auflösen oder Zusammensetzen von Bewegungsabläufen; **stro|bo|sko|pisch** *auch:* **stro|bos|ko|pisch**; stroboskopischer Effekt: Verschmelzung einzelner, sich rasch bewegender Bilder auf der Netzhaut des Auges zu einer fortlaufenden Bewegung
Stroh *s. Gen.* -s *nur Ez.;* leeres Stroh dreschen *übertr. ugs.:* Nichtssagendes reden; **stroh|blond; Stroh|blu|me** *w. 11* Blume, die auch nach dem Trocknen ihre Farbe behält, Immortelle; **stro|hern** aus Stroh; **Stroh|feu|er** *s. 5, übertr.:* rasch aufflammende, aber ebenso schnell verschwindende Begeisterung; **Stroh|feu|er|tem|pe|ra|ment** *s. 1;* **Stroh|halm** *m. 1;* **Stroh|hut** *m. 2;* **stro|hig** wie Stroh; **Stroh|kopf** *m. 2, ugs.:* Dummkopf; **Stroh|mann** *m. 4, übertr.* **1** nach außen in Erscheinung tretende Person, hinter der sich eine andere verbirgt; **2** *Kartenspiel:* Ersatz für einen fehlenden Spieler; **Stroh|pup|pe** *w. 11;* **Stroh|wit|we** *w. 11, ugs. scherzh.:* Frau, deren Ehemann verreist ist; **Stroh|wit|wer** *m. 5, ugs. scherzh.:* Mann, dessen Ehefrau verreist ist
Strolch *m. 1;* **strol|chen** *intr. 1* umherwandern, schweifen, streifen; **Strol|chen|fahrt** *w. 10, schweiz.:* Fahrt mit gestohlenem Auto
Strom *m. 2*
Stro|ma [griech.] *s. Gen.* -s *Mz.* -ma|ta **1** *Bot.:* farblose Grundsubstanz (in Farbstoffträgern); **2** *Zool.:* Gerüst aus Bindegewebe (in drüsigen Organen)
strom|ab *kurz für* stromabwärts; **Strom|ab|neh|mer** *m. 5;* **strom|ab|wärts** zur Flussmündung zu; **strom|an, strom|auf(wärts)** zur Flussquelle zu; **Strom|bett** *s. 12*
Strom|bo|li **1** eine der Liparischen Inseln; **2** *m. Gen.* -(s) Vulkan auf dieser Insel
strö|men *intr. 1*
Stro|mer *m. 5, ugs.* **1** Landstreicher; **2** Schlingel, spitzbübisches Kind; **stro|mern** *intr. 1* umherstreifen
Strom|kreis *m. 1*
Ström|ling *m. 1* Heringsfisch
Strom|li|nie *w. 11;* **Strom|li|ni|en|form** *w. 10;* **Strom|mes|ser** *m. 5;* **Strom|netz** *s. 1;* **Strom|schnel|le** *w. 11* kurze Flussstrecke mit bes. starker Strömung; **Strom|stär|ke** *w. 11;* **Strom|stoß** *m. 2;* **Strö|mung** *w. 10;* **Strö|mungs|leh|re** *w. 11* Lehre von den Bewegungen der Flüssigkeiten und Gase; **Strom|ver|sor|gung** *w. 10 nur Ez.*
Stron|ti|a|nit [-tsja-, nach dem Fundort Strontian in Schottland] *m. 1 nur Ez.* ein Mineral; **Stron|ti|um** [-tsjum] *s. Gen.* -s *nur Ez.* (*Zeichen:* Sr) chem. Element, ein Metall
Stro|phan|thin [griech.] *s. 1 nur Ez.* ein Heilmittel gegen Herzkrankheiten; **Stro|phan|thus** *m. Gen. - nur Ez.* ein Hundsgiftgewächs
Stro|phe [griech.] *w. 11* mehrzeiliger Abschnitt eines Gedichts oder Liedes; **...stro|phig** *in Zus.,* z. B. zwei-, mehr-, vielstrophig; **stro|phisch** in Strophenform
Stropp [ndrl.] *m. 9* **1** *Seew.:* Schlinge oder Ring aus Tau, Kette oder Draht; **2** *nddt. scherzh.:* Schlingel
Stros|se *w. 11, Bgb.:* **1** Rinne zum Ableiten von Wasser aus der Sohle; **2** *auch:* die Sohle selbst
strot|zen *intr. 1* übervoll sein; er strotzt vor, *oder:* von Kraft, Gesundheit, Geld
strub *schweiz.:* **1** struppig, zerzaust; **2** schlimm, schwierig
strub|be|lig, strubb|lig; **Strub|bel|kopf** *m. 2;* **stru|be|lig,** strub|lig; **Stru|bel|kopf** *m. 2*
Struck [engl.: strʌk] *m. 9 oder s. 9* ein kordsamtähnl. Gewebe
Stru|del *m. 5* **1** Wasserwirbel; **2** eine Mehlspeise; **stru|deln** *intr. 1* wirbeln (Wasser); **Stru|del|wurm** *m. 4* ein Plattwurm, Turbellarie
Struk|tur [lat.] *w. 10* Bau, Aufbau, Gefüge, Gliederung; **Struk|tu|ra|lis|mus** *m. Gen. - nur Ez.* Lehre vom Aufbau der Sprache aus ihren kleinsten Elementen, den Phonemen und Morphemen, ohne Rücksicht auf ihre Bedeutung; **Struk|tu|ra|list** *m. 10;* **struk|tu|ra|lis|tisch; Struk|tur|a|na|ly|se** *w. 11* Untersuchung des Aufbaus von Körpern; **struk|tu|rell** der Struktur nach; **Struk|tur|for|mel** *w. 11* Schreibweise für chem. Verbindungen (mit Elementsymbolen und Strichen); **struk|tu|rie|ren** *tr. 3* die Struktur (von etwas) bestimmen; mit einer Struktur versehen; auf bestimmte Weise strukturiert sein: eine bestimmte Struktur haben; **Struk|tu|rie|rung** *w. 10;* **Struk|tur|wan|del** *m. 5 nur Ez.*
Stru|ma [lat.] *w. Gen. - Mz.* -men *oder* -mae [-mɛ:] Kropf; **stru|mös** kropfartig
Strumpf *m. 2;* **Strümpf|chen** *s. 7;* **Strumpf|hal|ter** *m. 5;* **Strumpf|ho|se** *w. 11*
Strunk *m. 2* **1** Baumstumpf mit Wurzeln; **2** dicker Pflanzen-

stengel ohne Blätter; **Strụnkchen** *s. 7*
strụp|pig; Strụp|pig|keit *w. 10 nur Ez.*
strụw|we|lig *Nebenform von* strubbelig; **Strụw|wel|kopf** *m. 2, Nebenform von* Strubbelkopf; **Strụw|wel|pe|ter** *m. 5* **1** Gestalt eines dt. Kinderbuches; **2** *danach:* Kind mit zerzaustem Haar
Struz *m. 1, nddt., mitteldt.:* Strauß (Blumen)
Strych|nin [griech.] *s. 1 nur Ez.* ein Alkaloid der Brechnuss, Heilmittel zur Anregung von Kreislauf, Atmung u. a.
Stu|art [stjuət, engl.] *m. 9* Angehöriger eines schott. Adelsgeschlechts; **Stu|art|kra|gen** *m. 7, 16./17. Jh.:* hoher Spitzenkragen an Frauenkleidern
Stụb|be *w. 11,* **Stụb|ben** *m. 7* Baumstumpf
Stüb|chen *s. 7; auch:* altes norddt. Flüssigkeitsmaß, 3–4 Liter; **Stu|be** *w. 11;* **Stu|ben|äl|tes|te(r)** *m. 18 (17);* **Stu|ben|ar|rest** *m. 1;* **Stu|ben|flie|ge** *w. 11;* **Stu|ben|ge|lehr|te(r)** *m. 18 (17);* **Stu|ben|ho|cker** *m. 5;* **Stu|ben|ho|cke|rei** *w. 10 nur Ez.;* **stu|ben|rein**
Stü|ber *m. 5* **1** alte niederrhein. Münze; **2** *veraltet:* Stoß, Schlag, *nur noch in:* Nasenstüber
Stüb|lein *s. 7, poet.*
Stụbs|na|se *w. 11* = Stupsnase
Stuck [ital.] *m. 1 nur Ez.* **1** Masse aus Gips, Kalk, Sand und Leimwasser zum Verzieren von Zimmerdecken und -wänden; **2** die Verzierung(en) selbst;

> **Stuckateur:** Die bisherige Schreibung (Stukkateur) wird dem Stammprinzip *(Stuck)* angepasst: *der Stuckateur.*

Stu|cka|teur [-tør] *m. 1;* **Stu|cka|tur** *w. 10*
Stück *s. 1, nach Zahlenangaben Mz. auch:* - (*Abk.:* St.); *ugs. Mz. auch:* Stücker; fünf Stück Kuchen; ein Stück Wild *Jägerspr.;* es waren Stücker zehn *ugs.;* ein freches Stück *ugs.:* ein frecher Kerl; ein starkes Stück *ugs.:* eine Unverschämtheit, eine Zumutung; 200 g Käse im Stück: nicht aufgeschnitten; **Stück|ar|beit** *w. 10* Akkordarbeit
Stu|cka|teur [-tør] *m. 1* Stuckarbeiter; **Stu|cka|tur** *w. 10* Stuckarbeit

stü|ckeln *tr. 1* = stücken; ich stückele, stückle es; ein gestückeltes Betttuch
stụ|cken *intr. 1, österr.:* angestrengt lernen, büffeln
stü|cken *tr. 1* in Stücke teilen; in Stücken zusammensetzen
Stück|faß ► **Stück|fass** *s. 4* ein Weinmaß, 10–12 hl
Stück|gut *s. 4* **1** *Frachtverkehr:* als Einzelstück abgefertigte Sendung, z. B. Kiste; **2** in einzelnen Stücken verkaufte Ware
stu|ckie|ren *tr. 3* mit Stuck verzieren
Stück|kauf *m. 2* Kauf einer genau bestimmten Ware, z. B. 100 Flaschen Oppenheimer Krötenbrunnen, Kabinett, Jahrgang 1979, Spezieskauf; *Ggs.:* Gattungskauf; **Stück|lohn** *m. 2* nach hergestellten Stücken berechneter Lohn; vgl. Zeitlohn; **stück|wei|se; Stück|werk** *s. 1 nur Ez.* unvollständige Arbeit; **Stück|zin|sen** *m. 12 Mz.; bei festverzinsl. Wertpapieren:* seit der letzten fälligen Zinszahlung aufgelaufene Zinsen
stud. *Abk. für* studiosus = Student, z. B. stud. med.: studiosus medicinae, Student der Medizin; **Stu|dent** *m. 10* Schüler an einer Hochschule; **Stu|den|ten|blu|me** *w. 11* eine Zierpflanze, Tagetes; **Stu|den|ten|fut|ter** *s. Gen.* -s *nur Ez.* Mischung aus Nüssen, Mandeln und Rosinen; **Stu|den|ten|ge|mein|de** *w. 11* Gemeinschaft der evang. bzw. kath. Studenten einer Hochschule; **Stu|den|ten|lied** *s. 3;* **Stu|den|ten|pfar|rer** *m. 5;* **Stu|den|ten|schaft** *w. 10 nur Ez.* Gesamtheit der Studenten (einer Hochsch.); **Stu|den|ten|ver|bin|dung** *w. 10;* **stu|den|tisch**
Stu|die [-djə] *w. 11* **1** schriftl. wissenschaftl. Arbeit, Untersuchung; **2** Vorarbeit zu einem wissenschaftl. Werk; **3** Entwurf, Skizze zu einem Kunstwerk, bes. der Malerei; **Stu|di|en|an|stalt** *w. 10;* **Stu|di|en|as|ses|sor** *m. 13* noch nicht fest angestellter Lehrer an einer höheren Schule; **Stu|di|en|di|rek|tor** *m. 13* **1** Leiter einer Fachschule; **2** stellvertretender Leiter einer höheren Schule; **Stu|di|en|freund** *m. 1;* **stu|di|en|hal|ber; Stu|di|en|jahr** *s. 1;* **Stu|di|en|pro|fes|sor** *m. 13, früher und seit 1951 wieder in Bayern Titel für* Studienrat nach einer bestimmten Anzahl von Dienstjahren; **Stu|di|en|pro|gramm** *s. 1;* **Stu|di|en|rat** *m. 2* fest angestellter Lehrer an einer höheren Schule; **Stu|di|en|rä|tin** *w. 10;* **Stu|di|en|re|fe|ren|dar** *m. 1* Lehrer an einer höheren Schule vor der zweiten Staatsprüfung; **Stu|di|en|rei|se** *w. 11;* **Stu|di|en|zeit** *w. 10 nur Ez.;* **stu|die|ren** **1** *intr. 3* eine Hochschule besuchen; **2** *tr. 3* an einer Hochschule erlernen; **3** *tr. 3* gründlich untersuchen, erforschen; ein studierter Mann *nicht korrekt für:* jmd., der etwas studiert hat; **Stu|di|ker** *m. 5, ugs.:* Student; **Stu|dio** **1** *s. 9* Arbeitsraum (bes. von Künstlern); *Funk, Fernsehen:* Sende-, Aufnahmeraum; **2** *m. 9, ugs. scherzh.:* Student; Bruder Studio; **Stu|di|o|sus** *m. Gen.- Mz.* -si *oder* -sen Student; **Stu|di|um** *s. Gen.* -s *Mz.* -di|en **1** Ausbildung an einer Hochschule; **2** wissenschaftliche, gründliche Untersuchung; **Stu|di|um ge|ne|ra|le** *s. Gen.* -- *nur Ez.* **1** *MA:* Frühform der Universität; **2** *an Hochschulen der BR Dtld.:* allgemeinbildende Vorlesungen
Stu|fe *w. 11;* **stu|fen** *tr. 1;* **Stu|fen|fol|ge** *w. 11;* **stu|fen|wei|se; stu|fig; ...stu|fig** *in Zus.,* z. B. ein-, drei-, mehrstufig; *mit Ziffer:* 3-stufig; **Stu|fung** *w. 10*
Stuhl *m. 2; auch kurz für* Stuhlgang; der Heilige, Päpstliche Stuhl: Thron des Papstes; *auch:* die päpstl. Regierung; **Stühl|chen** *s. 7;* **Stuhl|drang** *m. 2 nur Ez.;* **Stuhl|fei|er** *w. 11;* Petri S.: ein kath. Fest; **Stuhl|gang** *m. 2* Ausscheidung von Kot; **Stuhl|ver|hal|tung** *w. 10* krankhafte Unfähigkeit, Kot auszuscheiden; **Stuhl|ver|stop|fung** *w. 10*
Stu|ka *m. 9, im 2. Weltkrieg Kurzw. für* Sturzkampfflugzeug
Stuk|ka|teur ► **Stu|cka|teur** [-tør] *m. 1;* **Stuk|ka|tur** ► **Stu|cka|tur** *w. 10*
Stul|le *w. 11, norddt., berlin.:* belegtes Brot
Stụlp|är|mel *m. 5;* **Stụl|pe** *w. 11* umgeschlagenes Stück der Kleidung, z. B. des Ärmels; **stül|pen** *tr. 1;* **Stụl|pen|är|mel** *m. 5;* **Stụl|pen|hand|schuh** *m. 1;* **Stụl|pen|stie|fel** *m. 5;* **Stụlp|hand|schuh** *m. 1;* **Stụlp|na|se** *w. 11* aufwärts gebogene Nase

stumm; stummer Diener: Gestell zum Aufhängen von Jacke und Hose; Drehscheibe auf dem Tisch für die Schüsseln
Stum|mel *m. 5;* **Stum|mel|chen, Stüm|mel|chen** *s. 7;* **stüm|meln** *tr. 1* stark zurückschneiden (Bäume)
Stumm|film *m. 1;* **Stumm|heit** *w. 10 nur Ez.*
Stümp|chen *s. 7* kleiner Stumpen; **Stum|pe** *w. 11, nddt., mitteldt.:* Baumstumpf; **Stum|pen** *m. 7* **1** *süddt.:* Baumstumpf, Stumpf; **2** grob zugeschnittene Filzform für Hüte; **3** Zigarre ohne Spitzen
Stüm|per *m. 5* Nichtskönner, Pfuscher, jmd., der von seinem Fach nichts versteht; **Stüm|perei** *w. 10;* **stüm|per|haft; stümpern** *intr. 1* unsachgemäß arbeiten, pfuschen
stumpf; Stumpf *m. 2;* mit Stumpf und Stiel: ganz und gar; **Stümpf|chen** *s. 7;* **Stumpf|heit** *w. 10 nur Ez.;* **Stümpf|lein** *s. 7;* **Stumpf|na|se** *w. 11;* **stumpf|na|sig; Stumpf|sinn** *m. 1 nur Ez.;* **stumpf|sin|nig; stumpf|win|ke|lig, stumpf|wink|lig**
stund *veraltete Form von* stand
Stund *w.* Stunde, *nur noch in der Wendung* von Stund an: von da an; **Stünd|chen** *s. 7;* **Stun|de** *w. 11* (*Abk.:* St., Std., *Mz.:* Std.); eine halbe, ganze Stunde; vgl. Viertelstunde; drei, mehrere, viele Stunden lang: *aber:* →stundenlang; eine Stunde lang; **stun|den** *tr. 2;* jmdm. etwas s.: jmdm. Zahlungsaufschub für etwas gewähren; **Stun|den|buch** *s. 4, bes. 13. bis 16. Jh.:* oft reich bebilderte Gebetssammlung für Laien; **Stunden|frau** *w. 10* Aufwartefrau; **Stun|den|ge|bet** *s. 1;* **Stun|denge|schwin|dig|keit** *w. 10;* **Stunden|glas** *s. 4* Sanduhr; **Stunden|ki|lo|me|ter** *s. 5, ugs.: m. 5* Kilometer pro Stunde; **stunden|lang;** stundenlanges Warten; vgl. Stunde; **Stun|den|lohn** *m. 2* nach Arbeitsstunden berechneter Lohn; vgl. Leistungs-, Stücklohn; **Stun|den|plan** *m. 2;* **stun|den|wei|se; stun|den|weit;** *aber:* drei, mehrere, viele Stunden weit; **...stün|dig** *in Zus.:* eine gewisse Zahl von Stunden dauernd, z. B. ein-, drei-, mehrstündig; **Stünd|lein** *s. 7, poet.;* **stünd|lich** jede Stunde;

> **stundenlang/eine Stunde lang:** Substantive können mit Adjektiven Zusammensetzungen bilden, darunter solche, bei denen der erste Bestandteil für eine Wortgruppe steht: *stundenlang.* Ebenso: *angsterfüllt, hitzebeständig.* →§ 36 (1) Kann der erste Teil erweitert oder gesteigert werden, schreibt man getrennt: *Sie blieben eine Stunde lang weg.* →§ 36 E1 (4)

...stünd|lich *in Zus.:* alle soundso viel Stunden, z. B. zwei-, dreistündlich; die Arznei ist zweistündlich einzunehmen; in dreistündlichem Wechsel; **Stun|dung** *w. 10*
Stunk *m. Gen.* -s *nur Ez., ugs.:* Zank, Streit, Unfrieden; Nörgelei; Stunk machen
Stunt|man [stʌntmən, engl.] *m. Gen.* -s *Mz.* -men als Ersatz für einen Filmschauspieler bei gefährl. Szenen (z. B. Akrobatik) eintretender Darsteller
Stu|pa [sanskr.] *m. 9* buddhist. indischer Sakralbau für eine Reliquie
stu|pend [lat.] erstaunlich; stupendes Wissen, Können
Stupf *m. 1, bayr., schweiz.:* leichter Stoß; **stup|fen** *tr. 1, bayr., schweiz.;* **Stup|fer** *m. 5, österr.* **1** leichter Stoß; **2** Ableger, Senker (einer Pflanze)
stu|pid [lat.], **stu|pi|de 1** dumm, beschränkt (Person); **2** langweilig, ermüdend eintönig (Tätigkeit); **Stu|pi|di|tät** *w. 10 nur Ez.;* **Stu|por** *m. Gen.* -s *nur Ez., Med.:* Zustand körperlicher Unbeweglichkeit und völliger Reaktionsunfähigkeit bei erhaltenem Bewusstsein
Stupp *w. Gen. - nur Ez., österr.:* Puder; **stup|pen** *tr. 1, österr.:* pudern (z. B. Säugling)
stu|prie|ren *auch:* **stup|rie|ren** [lat.] *tr. 3* vergewaltigen; **Stuprum** *auch:* **Stup|rum** *s. Gen.* -s *Mz.* -pra Vergewaltigung
Stups *m. 1* leichter Stoß; **stupsen** *tr. 1;* **Stups|na|se,** Stubsnalse *w. 11* kurze, leicht nach oben gebogene Nase
stur 1 verbissen-eigensinnig, unbelehrbar; **2** hartnäckig, beharrlich; **3** starr, stier (Blick); **Stur|heit** *w. 10 nur Ez.*
Sturm *m. 2; österr. auch:* gärender Most; Sturm und Drang

> **Sturm laufen/läuten:** Die Verbindung aus Substantiv und Verb schreibt man getrennt: *Sie sind Sturm gegen die Diätenerhöhung gelaufen.* →§ 34 E3 (5)

Gen. ---s: Richtung der dt. Literatur von 1767 bis 1785; an der Tür S. läuten; gegen etwas S. laufen: sich heftig gegen etwas auflehnen, sich zur Wehr setzen; **Sturm|an|griff** *m. 1;* **sturmbe|wegt**; sturmbewegte See; *aber:* vom Sturm bewegte See; **Sturm|bock** *m. 2, früher:* Balken zum Einbrechen von Mauern; **Sturm|deich** *m. 1;* **stürmen** *intr. u. tr. 1;* **Stür|mer** *m. 5, Sport;* Stürmer und Dränger *Mz.:* die Dichter des Sturm und Drang; **Stur|mes|brau|sen** *s. Gen.* -s *nur Ez.;* **Sturm|flut** *w. 10;* **sturm|frei;** sturmfreie Bude *ugs.;* **Sturm|hau|be** *w. 11,* **Sturm|hut** *m. 2* eine Heilpflanze, Eisenhut, Akonit; **stürmisch; Sturm|lauf** *m. 2 nur Ez., Mil.:* beschleunigter Sturmschritt; **Sturm|rie|men** *m. 7* Kinnriemen am Helm; **Sturmschritt** *m. 1 nur Ez., Mil.:* beschleunigter Schritt beim Angriff; **Sturm|se|gel** *s. 5* kleines, bei Sturm als einziges gesetztes Segel; **Sturm-und-Drang-Zeit** *w. 10 nur Ez.* vgl. Sturm; **Sturm|vo|gel** *m. 6* möwenartiger Hochseevogel; **Sturm|warnung** *w. 10;* **Sturm|wind** *m. 1*
Sturz 1 *m. 2;* **2** *m. 1* oberer Abschluss von Fenster und Tür; **Sturz|a|cker** *m. 5* umgepflügter Acker; **Sturz|bach** *m. 2;* **Sturzbad** *s. 4* Dusche; **Stür|ze** *w. 11* **1** *mittel-, norddt.:* Topfdeckel; **2** *bei Blechblasinstrumenten:* Schalltrichter
Stur|zel, Stür|zel [zu Sterz] *m. 5* **1** stumpfes Ende; **2** Baumstumpf
stür|zen 1 *intr. 1;* **2** *tr. 1* umdrehen; einen Pudding s.; **Sturzflug** *m. 2;* **Sturz|ge|burt** *w. 10* sehr rasche Geburt; **Sturz|gut** *s. 4* Ware, die unverpackt geschüttet werden kann, z. B. Kohle; **Sturz|helm** *m. 1;* **Sturzkampf|flug|zeug** *s. 1* (*Kurzw.:* Stuka), *im 2. Weltkrieg:* Bombenflugzeug, das sich im Sturzflug seinem Ziel nähert; **Sturzsee, Sturz|wel|le** *w. 11* sich überstürzende Welle, Brecher

Stuß ▶ **Stuss** [jidd.] *m. 1 nur Ez., ugs.:* Unsinn, dummes Zeug; Stuss reden, machen

Stutlbuch *s. 4* Stammtafeln der zur Zucht verwendeten Pferde;

Stulte *w. 11* weibl. Pferd

Stulten *m. 7, norddt.:* längl. Kuchenbrot

Stultelrei *w. 10* Gestüt; **Stultenfohllen** *s. 7* jung. weibl. Pferd

Stuttlgart Hst. von Baden-Württemberg; **Stuttlgarlter** *m. 5*

Stutz *m. 1, veraltet:* Stoß; auf den Stutz: plötzlich; **2** Stumpf; **3** Federbusch; **4** *schweiz.:* steiler Hang

Stütz *m. 1, Turnen:* Haltung des Körpers auf den gestreckten oder gewinkelten Armen, z. B. Liegestütz

Stützlballken *m. 7;* **Stütlze** *w. 11*

stutlzen 1 *tr. 1* kurz schneiden, beschneiden (Bart, Flügel); **2** *intr. 1* erstaunt, verwirrt blicken oder innehalten, Verdacht schöpfen; **Stutlzen** *m. 7* **1** kurzes Jagdgewehr; **2** Rohrstück; **3** fußloser Kniestrumpf der alpenländ. Männertracht

stütlzen *tr. 1*

Stutlzer *m. 5* **1** *schweiz. für* Stutzen (**1**); **2** sehr kurzer Männermantel; **3** Modenarr, Geck; **stutlzerlhaft**

Stutzlflülgel *m. 5* kleiner Flügel

Stützlgelwelbe *s. 5*

stutlzig verwundert, argwöhnisch; jmdn. stutzig machen

Stützlmauler *w. 11;* **Stützlpfeiler** *m. 5;* **Stützlpunkt** *m. 1*

Stutzluhr *w. 10* Tischstanduhr

Stütlzung *w. 10;* **Stützlverlband** *m. 2*

StVO *Abk. für* Straßenverkehrsordnung

StVZO *Abk. für* Straßenverkehrs-Zulassungsordnung

stylgisch zum Styx gehörend, schaurig

styllen [staɪ-] *tr. 1* mit einer modischen Form versehen; gestylter Haarschnitt

Stylling [staɪ-, engl.] *s. Gen. -s nur Ez., Autoindustrie:* Formgebung im Karosseriebau; **Styllist** [staɪ-] *m. 1* Gestalter von Industrieformen, bes. im Kraftfahrzeugbau

Styllit [griech.] *m. 10* frühchristl. Säulenheiliger

Styllolgralphie ▶ *auch:* **Styllolgralfie** [lat. + griech.] *w. 11* Herstellung von Kupferdruckplatten; **Styllus** [lat.] *m. Gen. - Mz.* -li **1** Stift; **2** stiftförmiges Medikament, Zäpfchen

Stylrol *s. 1 nur Ez.* eine farblose, wie Benzin riechende Flüssigkeit (chem.: Phenyläthylen)

Stylrolpor *s. 1 nur Ez.* Ⓦⓩ ein Schaumstoff

Styx *m. Gen. - nur Ez., griech. Myth.:* Fluss der Unterwelt

SU *Abk. für die ehem.* Sowjetunion

s. u. *Abk. für* siehe unten

Sulalda [lat.], **Sulalde** *w. Gen. - Mz.* -den Rede-, Wortschwall

Sulahelli 1 *m. 9 oder Gen. - Mz.* - Angehöriger eines ostafrikanischen Volksstammes; **2** *s. Gen.* -(s) *nur Ez.* dessen Sprache

sub…, Sub…, [lat.] *in Zus.:* unter…, Unter…

sublalpin zur unteren Vegetationsstufe der Alpen gehörig

sublalltern [lat.] untergeordnet, unselbstständig (Arbeit, Angestellter)

sublantlarkltisch zwischen der Südpolar- und der südl. gemäßigten Zone liegend; **sublarktisch** zwischen der Nordpolar- und der nördl. gemäßigten Zone liegend

Sublbotlnik [russ.] *m. 9, ehem. DDR:* sog. freiwilliger Arbeitseinsatz (ohne Entlohnung)

Subldolmilnanlte *w. 11* **1** vierte Stufe der diaton. Tonleiter; **2** Dreiklang auf diesem Ton

sublfoslsil in geschichtl. Zeit ausgestorben

sublglalzilal unter dem Eis liegend

Subljekt [lat.] *s. 1* **1** *Philos.:* das denkende Ich; *Ggs.:* Objekt (**1**); **2** *Gramm.:* Satzteil, der den Träger oder Gegenstand des durch das Verb ausgedrückten Geschehens bezeichnet, Satzgegenstand; **3** *abwertend:* Person; erbärmliches, widerwärtiges S.; **Subljekltilon** *w. 10, Rhetorik:* Aufwerfen einer Frage, die man selbst beantwortet; **subjekltiv** [auch: sub-] **1** zum Subjekt gehörig, von ihm ausgehend; **2** persönlich, nicht sachlich, parteiisch; *Ggs.:* objektiv; **Subljekltivlislmus** *m. Gen. - nur Ez.* **1** Lehre, dass alle Erkenntnis nur für das Subjekt, nicht allgemein gültig sei; *Ggs.:* Objektivismus; **2** Ichbezogenheit; **Subljekltilvist** *m. 10;* **subljekltivlisltisch; Subljekltilvilität** *w. 10 nur Ez.* persönl. Auffassung, Unsachlichkeit; *Ggs.:* Objektivität; **Subljektlsatz** *m. 2, Gramm.:* Subjekt in Form eines Satzes, Gegenstandssatz, z. B. »wer glücklich ist, …« statt »der Glückliche«

Sublkonltilnent *m. 1* Teil eines Kontinents, der durch seine Größe und geograph. Lage eine gewisse Eigenständigkeit aufweist, z. B. der indische S.: Vorderindien

Sublkulltur *w. 10* relativ eigenständig und in sich geschlossene Kultur einer kleineren Gruppe, die innerhalb einer Gesellschaft lebt, an deren Kultur aber nicht voll teilnimmt, z. B. die Kultur der Hippies

sublkultan [lat.] **1** unter der Haut (befindlich); **2** unter die Haut; subkutane Einspritzung

subllim [lat.] verfeinert, erhaben, nur einem feinen Verständnis zugänglich; **Subllilmat** *s. 1* **1** durch Sublimation gewonnener Stoff; **2** *Bez. für* das Chlorid des zweiwertigen Quecksilbers; **Subllilmaltilon** *w. 10* Übergang eines Stoffes aus dem festen in den gasförmigen Aggregatzustand (oder umgekehrt), wobei der flüssige Zustand übersprungen wird; **subllimielren** *tr. 3* **1** verfeinern, ins Erhabene steigern; **2** einer Sublimation unterwerfen; **Subllimielrung** *w. 10* **1** Verfeinerung, Steigerung ins Erhabene; **2** *Chem.* = Sublimation

subllulnalrisch [lat.] irdisch, *eigtl.:* unter dem Mond

sublmalrin [lat.] unterseeisch

sublmers [lat.] unter Wasser lebend; *Ggs.:* emers; **Sublmerlsilon** *w. 10 veraltet:* Überschwemmung

sublmilkrolskolpisch *auch:* **sublmiklroslkolpisch** mit dem Ultramikroskop nicht mehr erkennbar

sublmiß ▶ **sublmiss** [lat.] *veraltet:* ehrerbietig, ergeben, unterwürfig; ich bitte submissest um die Erlaubnis; **Sublmislsilon** *w. 10* **1** *veraltet:* Ehrerbietung, Ergebenheit; **2** Vergebung von Arbeiten an denjenigen mit den geringsten Forderungen; **Sublmitltent** *m. 10* jmd., der sich um einen ausgeschriebenen Auftrag bewirbt;

sub|mit|tie|ren *intr. 3* sich um einen ausgeschriebenen Auftrag bewerben
Sub|or|di|na|ti|on [lat.] *w. 10* **1** *veraltet:* Unterordnung, Gehorsam (im Dienst); **2** *Gramm.:* Unterordnung (von Satzteilen); **sub|or|di|nie|ren** *tr. 3* unterordnen; subordinierende Konjunktion: Bindewort, das einen Nebensatz mit einem Hauptsatz verbindet, z.B. obwohl, weil
sub|po|lar zwischen Polar- und gemäßigter Zone (liegend)
sub|si|di|är [lat.], **sub|si|di|a|risch** behelfsweise, zur Aushilfe dienend; **Sub|si|di|a|ri|tät** *w. 10 nur Ez.;* **Sub|si|di|um** *s. Gen.* -s *Mz.* -di|en **1** *veraltet:* Beistand, Rückhalt; **2** *Mz.* Hilfsgelder
Sub|sis|tenz [lat.] *w. 10* **1** *Philos.:* das Bestehen durch sich selbst; **2** *veraltet:* Lebensunterhalt; **sub|sis|tie|ren** *intr. 3* **1** durch sich selbst bestehen; **2** *veraltet:* seinen Lebensunterhalt finden
Sub|skri|bent *auch:* **Subs|kri-** [lat.] *m. 10* jmd., der etwas subskribiert; **sub|skri|bie|ren** *auch:* **subs|kri-** *tr. 3* vorbestellen und sich damit zur Abnahme verpflichten (bes. von Büchern); **Sub|skrip|ti|on** *auch:* **Subs|kri-** *w. 10* Vorbestellung und Verpflichtung zur Abnahme; **Sub|skrip|ti|ons|preis** *auch:* **Subs|kri-** *m. 1* etwas geringerer Preis bei Subskription
sub spe|cie ae|ter|ni|ta|tis [spetsje: etɛr-, lat. »unter dem Gesichtspunkt der Ewigkeit«] unter der Voraussetzung unbeschränkter Dauer; **Sub|spe|zi|es** *w. Gen.* - *Mz.* - (*Abk.:* ssp.) *Biol.:* Unterart

> **substanziell/substantiell:**
> Die dem Stammprinzip folgende integrierte (eingedeutschte) Schreibung *(Substanz - substanziell)* ist die Hauptvariante, die fremdsprachige Schreibweise die zulässige Nebenvariante *(substantiell).*
> →§32 (2)

Sub|stan|ti|a|li|tät *Nv.* ► **Sub|stan|zi|a|li|tät** *Hv.* [-tsja-, lat.] *w. 10 nur Ez.;* **sub|stan|ti|ell** [-tsjɛl] *Nv.* ► **sub|stan|zi|ell** *Hv.;* **sub|stan|ti|ie|ren** ► **sub|stan|zi|ie|ren** *tr. 3* **1** begründen; **2** mit Vollmacht ausstatten; **Sub|stan|tiv** *s. 1* Wort, das ein Lebewesen, einen Gegenstand oder Begriff bezeichnet, Hauptwort, Dingwort; **sub|stan|ti|vie|ren** [-vi-] *tr. 3* zum Substantiv machen, in substantivische Form bringen;

> **Substan-, Substi-, Substra-, Substru-** (Worttrennung): Neben der Trennmöglichkeit *Sub|stan-, Sub|sti-, Sub|stra-, Sub|stru-* kann der/die Schreibende auch so abtrennen: *Subs|tan-, Subs|ti-, Subs|tra-,* Subs|tru-.
> →§112

Sub|stan|ti|vie|rung *w. 10;* **sub|stan|ti|visch** wie ein Substantiv, als Substantiv, hauptwörtlich;
Sub|stanz *w. 10* **1** *Philos.:* Wesen (aller Dinge), Urgrund (alles Seins); **2** *Phys.:* Materie, Stoff; **3** *übertr. ugs.:* Vorrat, Kapital, Vermögen; **sub|stan|zi|ell,** sub|stan|ti|ell **1** wesenhaft, substanzhaft; **2** stofflich, materiell
sub|sti|tu|ie|ren [lat.] *tr. 3* austauschen, ersetzen; **Sub|sti|tut 1** *s. 1* Ersatz, Ersatzmittel; **2** *m. 10* Ersatzmann, Stellvertreter; **Sub|sti|tu|ti|on** *w. 10* Ersatz, Austausch, Stellvertretung
Sub|strat [lat.] *s. 1* **1** Grund, Grundlage, Unterlage; **2** Nährboden
Sub|struk|ti|on [lat.] *w. 10, Bauwesen:* Unterbau, Grundbau
sub|su|mie|ren [lat.] *tr. 3* **1** ein-, unterordnen (bes. einen engeren Begriff einem umfassenderen); **2** zusammenfassen; **sub|sump|tiv** *Nebenform von* subsumtiv; **Sub|sum|ti|on** *w. 10* Unterordnung, Zusammenfassung; **sub|sum|tiv** unterordnend, einbegreifend
sub|til [lat.] **1** zart, fein; **2** spitzfindig, scharfsinnig; **3** schwierig; **Sub|ti|li|tät** *w. 10 nur Ez.*
Sub|tra|hend [lat.] *m. 10* Zahl, die von einer anderen Zahl abgezogen werden soll; *Ggs.:* Minuend; **sub|tra|hie|ren** *tr. 3* abziehen; *Ggs.:* addieren; eine Zahl von einer anderen Zahl s.; **Sub|trak|ti|on** *w. 10* das Abziehen, eine der vier Grundrechenarten; *Ggs.:* Addition
Sub|tro|pen *Mz.* Zone zwischen Tropen und gemäßigter Zone; **sub|tro|pisch**
sub|ur|ban [lat.] vorstädtisch; **sub|ur|bi|ka|risch** [lat.] zur Stadt (Rom) gehörig; suburbikarische Bistümer: sieben kleine Bistümer in der Nähe Roms, deren Bischöfe zugleich Kardinäle sind
sub|ve|nie|ren [lat.] *intr. 3, veraltet:* beistehen, zu Hilfe kommen; **Sub|ven|ti|on** *w. 10* zweckgebundene Unterstützung aus öffentl. Mitteln; **sub|ven|ti|o|nie|ren** *tr. 3* durch Subvention unterstützen
Sub|ver|si|on [lat.] *w. 11* Staatsumsturz; **sub|ver|siv** umstürzlerisch, zerstörend
sub vo|ce [vo:tsə, lat.] (*Abk.:* s.v.) *Sprachw.:* unter dem Stichwort
Suc|cu|bus *m. Gen.* - *Mz.* -cu|ben, *ältere Schreibung von* Sukkubus
Such|ak|ti|on *w. 10;* **Such|dienst** *m. 1;* **Su|che** *w. Gen.* - *nur Ez.;* auf die S. gehen; auf der S. sein; **su|chen** *tr. 1;* **Su|cher** *m. 5* **1** *an Kameras:* kleines Fenster, in dem der Bildausschnitt erscheint; **2** *an astronom. Fernrohren:* kleines Hilfsfernrohr; **Su|che|rei** *w. 10 nur Ez.*
Sucht *w. 2* krankhaft gesteigertes Bedürfnis, z.B. Trunksucht; **süch|tig; Süch|tig|keit** *w. 10 nur Ez.*
su|ckeln *intr. 1* in kleinen Zügen saugen
Su|cre [span.] *m. Gen.* - *Mz.* - Währungseinheit in Ecuador, 100 Centavos
Sud *m. 1* aus einer Substanz herausgekochte Brühe
Süd 1 (*Abk.:* S) *in geographischen Angaben* = Süden; Stuttgart Süd; der Wind kommt aus, *oder:* von Süd; **2** *m. 1, poet.:* Südwind; ein warmer Süd; **Süd|a|fri|ka** *auch:* **-af|ri-; Süd|a|fri|ka|ner** *auch:* **-af|ri-** *m. 5;* **süd|a|fri|ka|nisch** *auch:* **-af|ri-; Süd|a|me|ri|ka; Süd|a|me|ri|ka|ner** *m. 5;* **süd|a|me|ri|ka|nisch**
Su|dan *m. Gen.* -s **1** Großlandschaft in Afrika; **2** Staat im nordöstlichen Afrika; **Su|da|ner** *m. 5* Einwohner von Sudan (**2**); **Su|da|ne|se** *m. 11* Bewohner der Landschaft Sudan; **su|da|ne|sisch; su|da|nisch**
süd|a|si|a|tisch; Süd|a|si|en
Su|da|ti|on [lat.] *w. 10* das Schwitzen; **Su|da|to|ri|um** *s. Gen.* -s *Mz.* -ri|en Schwitzbad

► = wird zu

Süd|da|ko|ta (*Abk.:* SD) Staat der USA

süd|deutsch; *aber:* Süddeutscher Rundfunk (*Abk.:* SDR)

Su|del *m. 5, schweiz.:* flüchtiger Entwurf; **Su|de|lei** *w. 10* Geschmier; gesudelte Arbeit; **Su|de|ler, Sud|ler** *m. 5* jmd., der sudelt; **su|de|lig,** sud|lig gesudelt, unsorgfältig, unsauber; **su|deln** *intr. 1* **1** Schmutz machen, mit Schmutz spielen; **2** unsorgfältig, unsauber arbeiten; **Su|del|wet|ter** *s. 5 nur Ez.* Schmutz-, Matschwetter

Sü|den *m. Gen. -s nur Ez.* **1** (*Abk.:* S) Himmelsrichtung; nach, von Süden; **2** die um das Mittelmeer liegenden Länder; **3** südl. Teil, südl. Gebiet; im S. der Stadt, im S. Europas

Su|de|ten *Mz.* Gebirge in Mitteleuropa; **su|de|ten|deutsch; Su|de|ten|land** *s. Gen. -(e)s nur Ez.;* **su|de|tisch**

Süd|frucht *w. 2 meist Mz.*

Sud|haus *s. 4, in Bierbrauereien:* Raum, in dem die Würze gekocht wird

Süd|ka|ro|li|na (*Abk.:* SC) Staat der USA

Süd|län|der *m. 5;* **süd|län|disch**

Sud|ler *m. 5* = Sudeler

süd|lich *mit Gen.;* südlich Berlins, *oder:* von Berlin; 10 Grad südlicher Breite (*Abk.:* s. Br.): auf dem 10. Breitengrad südlich des Äquators liegend

sud|lig = sudelig

Süd|ost 1 (*Abk.:* SO) *in geographischen Angaben* = Südosten; **2** *m. 1, poet.:* Südostwind; **Süd|os|ten** *m. Gen. -s nur Ez.* **1** (*Abk.:* SO) Himmelsrichtung zwischen Süden und Osten; **2** südöstlich gelegener Teil; im S. der Stadt; **süd|öst|lich**; südöstlich Berlins, *oder:* von Berlin; **Süd|ost|wind** *m. 1;* **Süd|pol** *m. 1 nur Ez.;* **Süd|po|lar|ge|biet** *s. 1;* **Süd|po|lar|meer** *s. 1 nur Ez.;* **Süd|see** *w. 11 nur Ez.* südwestl. Teil des Stillen Ozeans; **Süd|see-In|seln** *w. 11 Mz.;* **Süd|see-In|su|la|ner** *m. 5;* **Süd|staa|ten** *m. 12 Mz.* die südl. Staaten der USA; **Süd|süd|ost 1** (*Abk.:* SSO) *in geograph. Angaben* = Südsüdosten; **2** Südsüdostwind; **Süd|süd|os|ten** *m. Gen. -s nur Ez.* (*Abk.:* SSO) Himmelsrichtung zwischen Süden und Südosten; **Süd|süd|ost|wind** *m. 1;* **Süd|süd|west 1** (*Abk.:* SSW) *in geograph. Angaben* = Südsüdwesten; **2** Südsüdwestwind; **Süd|süd|wes|ten** *m. Gen. -s nur Ez.* (*Abk.:* SSW) Himmelsrichtung zwischen Süden und Südwesten; **Süd|süd|west|wind** *m. 1;* **Süd|ti|rol,** *ital.:* Alto Adige; **Süd|ti|ro|ler** *m. 5;* **süd|ti|ro|lisch; süd|wärts; Süd|wein** *m. 1* süßer Wein aus einem südeurop. Land; **Süd|west 1** (*Abk.:* SW) *in geographischen Angaben* = Südwesten; **2** *m. 1, poet.:* Südwestwind; **Süd|wes|ten** *m. Gen. -s nur Ez.* **1** (*Abk.:* SW) Himmelsrichtung zwischen Süden und Westen; **2** südwestlich gelegener Teil; im Südwesten der Stadt; **Süd|wes|ter** *m. 5* wasserdichter Hut des Seemanns; **süd|west|lich; Süd|west|wind** *m. 1;* **Süd|wind** *m. 1*

Sue|be, Sue|ve [sve-] *m. 11* = Swebe

Su|es, Su|ez Stadt in Ägypten; **Su|es|ka|nal** *m. 2 nur Ez.* Kanal zwischen Mittelmeer und Rotem Meer

Sue|ve, Sue|be [sve-] *m. 11* = Swebe

Su|ez *frz. Schreibung von* Sues

Suff *m. Gen. -s nur Ez., ugs. derb:* **1** übermäßiges Trinken; sich dem (stillen) Suff ergeben; **2** Zustand des Betrunkenseins; etwas im Suff sagen, tun; **Süf|fel** *m. 5, ugs. scherzh.:* Säufer; **süf|feln** *tr. 1, ugs.:* trinken (Alkohol); ich süffele, süffle; **süf|fig** angenehm schmeckend (Wein)

Süf|fi|sance [-zɑ̃s, frz.] *Nv.* ▶ **Süf|fi|sanz** *Hv. w. Gen. - nur Ez.;* **süf|fi|sant** dünkelhaft, selbstgefällig, spöttisch-überheblich; **Süf|fi|sanz,** Süf|fi|sance *w. Gen. - nur Ez.* Dünkel, Selbstgefälligkeit

Suf|fix [auch: zuf-, lat.] *s. 1* Nachsilbe, z. B. -lich, -keit

suf|fi|zi|ent [lat.] *Med.:* ausreichend; *Ggs.:* insuffizient; **Suf|fi|zi|enz** *w. 10, Med.:* ausreichende Fähigkeit; *Ggs.:* Insuffizienz

Süff|ler *m. 5, ugs. scherzh.:* Säufer, Süffel

Suf|fra|gan *auch:* **Suff|ra-** [lat.] *m. 1, kath. Kirche:* einem Erzbischof unterstehender Diözesanbischof

Suf|fra|get|te *auch:* **Suff|ra-** [lat.] *w. 11, in Großbritannien und den USA:* Kämpferin für die Gleichberechtigung der Frauen; **Suf|fra|gi|um** *s. Gen. -s Mz. -gi|en* **1** Stimmrecht; **2** Abstimmung

Suf|fu|si|on [lat.] *w. 10* Blutaustritt größeren Ausmaßes unter der Haut; vgl. Sugillation

Su|fi [arab. »mit Wolle Bekleideter«] *m. 9,* Su|fist *m. 10* Anhänger des Sufismus; **Su|fis|mus** *m. Gen. - nur Ez.* asketisch-mystische Richtung des Islams; **Su|fist** *m. 10* = Sufi

sug|ge|rie|ren [lat.] *tr. 3;* jmdm. etwas s.: jmdm. etwas einreden; **sug|ges|ti|bel** leicht beeinflussbar; suggestibler Mensch; **Sug|ges|ti|bi|li|tät** *w. 10 nur Ez.* Beeinflussbarkeit; **Sug|ges|ti|on** *w. 10* Beeinflussung, Willensübertragung; **sug|ges|tiv** beeinflussend, (auf den andern) stark einwirkend; **Sug|ges|tiv|fra|ge** *w. 11* Frage, die dem andern die Antwort in den Mund legt; **Sug|ges|ti|vi|tät** *w. 10 nur Ez.* Fähigkeit, jmdn. zu beeinflussen

Su|gil|la|ti|on [lat.] *w. 10* Blutaustritt geringeren Ausmaßes unter der Haut; vgl. Suffusion

Suh|le *w. 11* morastige Bodenstelle, Wassertümpel, Schlammmulde; **suh|len** *refl. 1* **1** sich in der Suhle wählen (Schwarz- und Rotwild); **2** *übertr. ugs.:* sich wälzen

Süh|ne *w. 11;* **Süh|ne|geld** *s. 3;* **süh|nen** *tr. 1;* **Süh|ne|op|fer** *s. 5;* **Süh|ne|rich|ter** *m. 5;* **Süh|ne|ter|min** *m. 1;* **Süh|ne|ver|fah|ren** *s. 7* Gerichtsverfahren zur gütlichen Beilegung eines Streits

sui ge|ne|ris [lat.] von seiner eigenen Art, durch sich selbst eine Klasse bildend, besonders

Suit|case [sjutkes, engl.] *m. oder s. Gen. - Mz. -(s)* [-zis] kleiner Handkoffer

Sui|te [syit(ə), frz.] *w. 11* **1** militär. oder fürstl. Gefolge; **2** Musikstück aus mehreren Tanzsätzen in der gleichen Tonart, Partita; **3** *veraltet:* Zimmerflucht; **4** *in Hotels:* zwei Einzelzimmer mit gemeinsamem Bad

Su|i|zid [lat.] *m. 1* Selbstmord

Su|jet [syʒe, frz.] *s. 9* Gegenstand, Thema (einer künstlerischen Darstellung)

Suk|ka|de [frz.] *w. 11* kandierte Schale von Zitrusfrüchten, z. B. Orangeat, Zitronat

Suk|ku|bus [lat.] *m. Gen.* - *Mz.* -kuben, *im Volksglauben des MA:* mit einem Mann buhlender Teufel in Frauengestalt; *Ggs.:* Inkubus
suk|ku|lent [lat.] *Biol.:* saftig, fleischig; **Suk|ku|len|te** *w. 11, in Trockengebieten:* Wasser speichernde Pflanze; **Suk|ku|lenz** *w. 10 nur Ez., Biol.:* Saftfülle
Suk|kurs [lat.] *m. 1 nur Ez., veraltet:* Unterstützung, Hilfe
Suk|zes|si|on [lat.] *w. 10* **1** Rechtsnachfolge, Thronfolge; **2** Aufeinanderfolge verschiedener Pflanzengesellschaften am selben Ort; **suk|zes|siv, suk|zes|si|ve** allmählich (eintretend), nach und nach
Sul|fat [lat.] *s. 1* Salz der Schwefelsäure; **Sul|fid** *s. 1* Salz der Schwefelwasserstoffsäure; **sul|fi|disch** Schwefel enthaltend; **Sul|fit** *s. 1* Salz der schwefligen Säure
Sülf|meis|ter *m. 5* **1** *früher:* Besitzer einer Saline; **2** *nddt.:* Pfuscher
Sul|fon|a|mid *auch:* **Sul|fo|na|mid** [lat.] *s. 1* chem. Verbindung mit bakterienhemmender Wirkung; **Sul|fur** *s. Gen.* -s *nur Ez.* (*Zeichen:* S) chem. Element, Schwefel
Sul|ky [sʌlki, engl.] *s. 9* zweirädriger, einspänniger Wagen für Trabrennen
Sul|tan [arab.] *m. 1, Titel für* muslim. Herrscher; **Sul|ta|nat** *s. 1* Herrschaftsgebiet eines Sultans; **Sul|ta|ni|ne** *w. 11* große, helle Rosine
Sulz *w. 10, süddt., österr., schweiz. für* Sülze (**1**); **Sul|ze** *w. 11, schweiz. für* Sülze (**1**); **Sül|ze** *w. 11* **1** Fleisch oder Fisch in Gallert; **2** Sole; **3** Salzlecke (für Wild); **sul|zen** *tr. 1, bayr. für* sülzen (**2**); **sül|zen** *tr. 1* **1** (Wild) Salz geben; **2** als Sülze zubereiten; **Sülz|ko|te|lett** *s. 9* Schweinefleisch in Sülze; **Sulz|schnee** *m. Gen.* -s *nur Ez.* nasser, körniger, schwerer Schnee
Su|mach [arab.] *m. 1* Holzgewächs mit Steinfrüchten, das Gerbstoff liefert
Su|ma|tra *auch:* **Su|mat|ra** eine der Großen Sundainseln
Su|mer [-me:r] *alter Name für* Babylonien; **Su|me|rer** *m. 5* Einwohner von Sumer; **su|me|risch**
Sum|ma [lat.] *w. Gen.* - *Mz.* -men **1** *Scholastik:* zusammenfassende Darstellung eines theolog.-philosoph. Lehrsystems; **2** (*Abk.:* Sa.) *veraltet:* Summe; **sum|ma cum lau|de** mit höchstem Lob, ausgezeichnet (beste Note bei akadem. Prüfungen); vgl. magna cum laude; **Sum|mand** *m. 10* Zahl, die zu einer anderen hinzugezählt werden soll, Addend; **sum|ma|risch** **1** kurz zusammengefasst, bündig; **2** *auch:* oberflächlich; **sum|ma sum|ma|rum** [»die Summe der Summen«] alles in allem, insgesamt; **Sum|ma|ti|on** *w. 10* Bildung einer Summe, Zusammenrechnung; **Sümm|chen** *s. 7;* **Sum|me** *w. 11* Ergebnis einer Zusammenrechnung; Gesamtheit
sum|men *tr. u. intr. 1;* **Sum|mer** *m. 5* Gerät zum Erzeugen eines Summtones; **Sum|mer|zei|chen** *s. 7;* **Summ|zei|chen** *s. 7*
sum|mie|ren [lat.] **1** *tr. 3* zusammenzählen; **2** *refl. 3* anwachsen, sich anhäufen; **Sum|mie|rung** *w. 10*
Sum|mum bo|num [lat.] *s. Gen.* -- *nur Ez.* höchstes Gut; **Sum|mus E|pi|sco|pus** *auch:* **E|pis|co|pus** *m. Gen.* -- *nur Ez.* **1** höchster Bischof, der Papst; **2** *bis 1918:* der Landesherr als Oberhaupt der evang. Landeskirche
Sumpf *m. 2;* **Sumpf|blü|te** *w. 11, übertr.:* durch schlechte Umwelt hervorgerufene, negative Erscheinung; **Sümpf|chen** *s. 7;* **sump|fen** *intr. 1, ugs.:* unsolide leben, die Nacht durch zechen; **sümp|fen** *tr. 1* **1** *Bgb.:* entwässern; **2** *Töpferei:* kneten; **Sumpf|fie|ber** *s. 5 nur Ez.* = Malaria; **Sumpf|gas** *s. 1* = Methangas; **Sumpf|huhn** *s. 4* **1** uferbewohnende Ralle; **2** *übertr. ugs.:* jmd., der gern die Nächte hindurch zecht; **sump|fig;** **Sumpf|land** *s. 4 nur Ez.;* **Sumpf|ot|ter** *m. 5* ein Pelztier, Nerz
Sums *m. Gen.* -es *nur Ez., ugs.:* Aufhebens, großes Gerede; mach nicht so viel Sums!; einen großen, *oder:* viel Sums um jmdn. oder etwas machen
sum|sen *intr. 1, mundartl. für* summen
Sund *m. 1* Meerenge
Sun|da|in|seln *w. 11 Mz.* eine südostasiat. Inselgruppe; die Großen, Kleinen S.; **Sun|da|ne|se** *m. 11* Angehöriger eines indones. Volkes
Sün|de *w. 11;* **Sün|den|be|kennt|nis** *s. 1;* **Sün|den|bock** *m. 2, ugs.;* **Sün|den|fall** *m. 2 nur Ez.;* **Sün|den|geld** *s. 3, übertr. ugs.:* sehr viel, zu viel Geld; das kostet ein S.; **Sün|den|lohn** *m. 2 nur Ez.* Folge, Wirkung einer Sünde; **sün|den|los, sünd|los;** **Sün|den|pfuhl** *m. 2* sündhaftes Leben, Stätte liederlichen Lebens; **Sün|den|re|gis|ter** *s. 5, ugs.;* **Sün|den|ver|ge|bung** *w. 10;* **Sün|der** *m. 5;* **Sün|der|mie|ne** *w. 11;* **Sünd|flut, Sint|flut** *w. 10 nur Ez.* große Flut; **sünd|haft**; sündhaft teuer *ugs.:* sehr teuer; **Sünd|haf|tig|keit** *w. 10 nur Ez.;* **sün|dig; sün|di|gen** *intr. 1;* **sünd|los; Sünd|lo|sig|keit** *w. 10 nur Ez.*
Sun|na [arab.] *w. Gen.* - *nur Ez.* Sammlung von Aussprüchen Mohammeds, neben dem Koran Glaubensgrundlage des Islams; **Sun|nit** *m. 10* Anhänger der Sunna; vgl. Schiit
Su|o|mi *finn. für* Finnland
su|pen *tr. 1, nddt. für* saufen
su|per [lat.] *unflektierbar, ugs.:* vorzüglich, sehr gut; **Su|per** **1** *s. 5 nur Ez.* eine Treibstoffsorte; **2** *m. 5, Kurzw. für* Superheterodynempfänger = Überlagerungsempfänger
su|per..., Su|per... *in Zus.:* ober..., Ober..., über..., Über..., *ugs.:* sehr, z. B. superklug, superleicht
su|perb, sü|perb [frz.] vorzüglich
Su|per|e|go *s. 9, Psych.:* »Über-Ich«, innere Kontrollinstanz des Menschen, Gewissen; **su|per|fein** *ugs.;* **su|per|fi|zi|ell** *Med.:* oberflächlich; **su|per|ge|scheit** *ugs.;* **Su|per|het** *m. 9, Kurzwort für* Superheterodynempfänger = Überlagerungsempfänger; **Su|per|in|ten|dent** *m. 10, evang. Kirche:* Vorsteher eines Kirchenkreises, Ephorus; **Su|per|in|ten|den|tur** *w. 10* Amt und Amtsräume des Superintendenten
Su|pe|ri|or [lat.] *m. 13, kath. Kirche:* Vorsteher eines Klosters oder Ordens; **Su|pe|ri|o|rin** *w. 10;* **Su|pe|ri|o|ri|tät** *w. 10 nur Ez.* Überlegenheit, Übergewicht
Su|per|kar|go *m. 9* vom Absen-

der bevollmächtigter Begleiter und Kontrolleur einer Fracht; **su|per|klug** *ugs.;* **Su|per|la|tiv** *m. 1* **1** *Gramm.:* zweite Steigerungsstufe, Höchst-, Meiststufe, z. B. am schönsten; vgl. Positiv, Komparativ; **2** *allg.:* übertreibender Ausdruck; **su|per|la|tivisch; Su|per|la|ti|vis|mus** *m. Gen. - nur Ez.* übertriebene Verwendung von Superlativen; **Su|per|markt** *m. 2* großes Lebensmittelgeschäft mit Selbstbedienung und etwas niedrigeren Preisen; **Su|per|na|tu|ra|lis|mus** *m. Gen. - nur Ez.* = Supranaturalismus; **Su|per|no|va** *w. Gen. - Mz.* -vae [-vɛ:] *Astron.:* Nova von überragender Helligkeit; **Su|per|o|xid** *s. 1* = Peroxid; **Su|per|phos|phat** *s. 1* ein Phosphordünger

Su|pi|num [lat.] *s. Gen.* -s *Mz.* -na, *im Latein.:* substantiv. Verbalform, z. B. lectum »um zu lesen«

Süpp|chen *s. 7;* **Sup|pe** *w. 11*

Sup|pe|da|ne|um [lat.] *s. Gen.* -s *Mz.* -nea Fußstütze, *bes.:* Stützleiste unter den Füßen des gekreuzigten Christus

Sup|pen|fleisch *s. Gen.* -(e)s *nur Ez.;* **Sup|pen|grün** *s. Gen.* -s *nur Ez., österr.:* **Sup|pen|grü|ne(s)** *s. 18 (17)* = Wurzelwerk; **Sup|pen|huhn** *s. 4;* **Sup|pen|schild|krö|te** *w. 11* eine Schildkrötenart tropischer Meere; **Sup|pen|ter|ri|ne** *w. 11;* **sup|pig**

Sup|ple|ant [lat.] *m. 10, schweiz.:* Stellvertreter (in einer Behörde)

Süpp|lein *s. 7, poet.*

Sup|ple|ment [lat.] *s. 1* Ergänzung, Nachtrag, Anhang (zu einem Schriftwerk); **sup|ple|men|tär** ergänzend; **Sup|ple|ment|band** *m. 2* Ergänzungsband; **Sup|ple|ment|win|kel** *m. 5* Winkel, der einen anderen zu 180° ergänzt; vgl. Komplementwinkel

Sup|plik [lat.] *w. 10, veraltet:* Bittgesuch; **Sup|pli|kant** *m. 10, veraltet:* Bittsteller; **sup|pli|zie|ren** *intr. 3, veraltet:* ein Bittgesuch einreichen

sup|po|nie|ren [lat.] *tr. 3* voraussetzen, annehmen

Sup|port [lat.] *m. 1, an Werkzeugmaschinen:* Vorrichtung zum Halten und Führen des Werkstücks

Sup|po|si|ti|on [lat.] *w. 10* Voraussetzung, Annahme; **Sup|po|si|to|ri|um** *s. Gen.* -s *Mz.* -ri|en Heilmittel in Zäpfchenform, das in den Darm eingeführt wird, Zäpfchen; **Sup|po|si|tum** *s. Gen.* -s *Mz.* -ta, *veraltet:* das Vorgesetzte, Angenommene

Sup|pres|si|on [lat.] *w. 10, Med.:* Unterdrückung; **sup|pres|siv** *Med.:* unterdrückend, zurückdrängend; **sup|pri|mie|ren** *tr. 3* unterdrücken, zurückdrängen

> **Supra-** (Worttrennung): Neben der Trennung *Su|pra-* ist auch die Abtrennung zwischen *p* und *r* möglich. Auf diese Weise kommt der letzte Konsonant auf die neue Zeile: *Sup|ra-*.
> Entsprechend: *Su|premat/ Sup|remat* usw. → § 107, § 108

su|pra..., Su|pra... [lat.] *in Zus.:* ober..., Ober..., über..., Über...

Su|pra|lei|ter *m. 5* Stoff, der bei gewisser, sehr geringer Temperatur keinen messbaren elektr. Widerstand mehr aufweist; **su|pra|na|ti|o|nal** übernational, überstaatlich; **Su|pra|na|tu|ra|lis|mus,** Su|per|na|tu|ra|lis|mus *m. Gen. - nur Ez.* über die Natur und das Natürliche hinausgehende Denkweise, Glaube an Übernatürliches, bes. an eine übernatürliche Offenbarung; **su|pra|na|tu|ra|lis|tisch,** su|per|na|tu|ra|lis|tisch; **Su|pra|port** *s. 1,* **Su|pra|por|te** *w. 11* = Sopraporte

Su|pre|mat [lat.] *m. 1 oder s. 1,* **Su|pre|ma|tie** *w. 11* **1** Oberherrschaft (des Papstes); **2** Überordnung, Vorrang; **Su|pre|mats|eid,** Su|pre|mat|eid *m. 1, in England 1534–1829:* von den Beamten zu leistender Eid, den König auch als obersten Kirchenherrn und die protestant. Thronfolge anzuerkennen

Su|re [arab.] *w. 11* Abschnitt, Kapitel (des Korans)

Surf [sɘːf, engl. »Brandung«], **Sur|fen, Sur|fing, Surf|ri|ding** [sɘːfraɪdɪŋ] *s. Gen.* -s *nur Ez.* sportl. Übung, bei der man sich aufrecht auf einem Brett über die Brandung ans Ufer tragen läßt, Brandungsreiten, Wellenreiten

Su|ri|na|me südamerikan. Staat, *früher:* Niederländ.-Guayana

Sur|plus [frz.: syrply, engl.: sɘːpləs] *m. Gen. - Mz. -* Überschuss, Gewinn

Sur|re|a|lis|mus [auch: syr-, frz. sur »über«] *m. Gen. - nur Ez., seit etwa 1917:* künstlerische Richtung, die das Überwirkliche, Traumhafte, Unbewusste darzustellen sucht; **Sur|re|a|list** *m. 10;* **sur|re|a|lis|tisch**

sur|ren *intr. 1*

Sur|ro|gat [lat.] *s. 1* Ersatz, Behelf, Ersatzstoff; **Sur|ro|ga|ti|on** *w. 10* Ersatz, Austausch eines Vermögenswertes gegen einen anderen, der denselben Rechtsverhältnissen unterliegt

Sur|sum cor|da! Empor die Herzen! (Anfangsworte der Präfation in der kath. Messe)

sus|pekt *auch:* **sus|pekt** [lat.] verdächtig

sus|pen|die|ren [lat.] *tr. 3* **1** bis auf weiteres des Amtes entheben (Beamte, bes. Geistliche); **2** zeitweilig aufheben; **3** *Chem.* (kleinste Teilchen) in der Flüssigkeit fein verteilen; **4** *Med.:* schwebend aufhängen (Gliedmaßen); **Sus|pen|si|on** *w. 10* **1** (zeitweilige) Entlassung, Aufhebung; **2** feine Verteilung; **3** schwebende Aufhängung; **sus|pen|siv** aufhebend, aufschiebend; **Sus|pen|so|ri|um** *s. Gen.* -s *Mz.* -ri|en Tragverband, Armschlinge, Tragbeutel (für den Hodensack)

süß; Sü|ße *w. 11 nur Ez.;* **sü|ßen** *tr. 1;* **Süß|gras** *s. 4;* **Süß|holz** *s. 4* Wurzel eines Schmetterlingsblütlers, Hustenmittel; S. raspeln *übertr. ugs.:* schmeichlerisch, zärtlich reden (von Männern Frauen gegenüber); **Süß|holz|rasp|ler** *m. 5;* **Süß|ig|keit** *w. 10;* **Süß|kar|tof|fel** *w. 11* = Batate; **Süß|kir|sche** *w. 11;* **süß|lich; Süß|most** *m. 1;* **süß|sau|er; Süß|spei|se** *w. 11;* **Süß|stoff** *m. 1;* **Süß|wa|re** *w. 11 meist Mz.;* **Süß|was|ser** *s. 5* Fluss-, Seewasser, im Unterschied zum Meerwasser; **Süß|was|ser|fisch** *m. 1;* **Süß|wein** *m. 1*

Su|ta|ne *w. 11, eindeutschende Schreibung von* Soutane

Su|tra *auch:* **Sut|ra** [sanskr.] *w. Gen. - Mz.* -tren, *in der altind. Lit.:* kurzer, einprägsamer Lehrsatz

Su|tur [lat.] *w. 10* **1** Verbindungsstelle zwischen den Schä-

delknochen, Schädelnaht; **2** chirurg. Naht
Su|um cu|ique [lat.] Jedem das Seine (Wahlspruch Friedrichs I. von Preußen und des preuß. Schwarzen-Adler-Ordens)
SUVA *Abk. für* Schweizerische Unfallversicherungsanstalt
su|ze|rän [frz.] oberherrschaftlich; **Su|ze|rän** *m. 1* Oberherr; die Suzeränität ausübender Staat; **Su|ze|rä|ni|tät** *w. 10 nur Ez.* Oberherrschaft (eines Staates über einen halbsouveränen Staat)
SV *Abk. für* Sportverein
s. v. *Abk. für* **1** sub voce; **2** salva venia
SVP *Abk. für* Schweizerische Volkspartei
svw. *Abk. für* so viel wie
SW *Abk. für* Südwest(en)
Swamps [swɔmps engl.] *Mz.* Sumpfwald an subtrop. Küsten
Swan|boy [swɔn-, engl.] *s. 9 nur Ez.* auf beiden Seiten gerauhtes, meist weißes Baumwollgewebe
Swap|ge|schäft [swɔp-, engl.] *s. 1* Devisenaustauschgeschäft
SWAPO *w. Gen. - nur Ez., Kurzw. für* South West African People's Organization: südwestafrik. Befreiungsbewegung
Swa|si *m. 9;* **Swa|si|land** Königreich im südöstl. Afrika
Swas|ti|ka [sanskr.] *w. Gen. - Mz.* -ken altindisches Hakenkreuz, Sonnenkreuz
Swea|ter [swɛ-, engl.] *m. 5, nur Ez.* Pullover
Sweat|shirt [swɛtʃə:t, engl.] *s. 9* weiter, leichter Baumwollpullover
Swe|be, Sue|be, Sue|ve *m. 11* Angehöriger einer westgerman. Völkergruppe; **swe|bisch**
Sweep|stake [swipstɛɪk, engl.] *s. Gen. - oder* -s *Mz.* -s Verlosung, bei der die Gewinnnummern schon vorher gezogen worden sind
Sweet [swi:t, engl.] *m. 9 nur Ez.* dem Jazz nachgebildete, aber nicht improvisierte Unterhaltungs- und Schlagermusik
SWF *Abk. für* Südwestfunk
Swim|ming-pool ► **Swim|ming|pool** [-pu:l, engl.] *m. 9* Schwimmbecken
Swi|ne|gel *m. 5, nddt.:* Igel
Swing [engl.] *m. Gen.* -(s) *nur Ez.* **1** ruhiger Jazzstil; **2** Tanz in diesem Stil; **3** *bei bilateralen Handelsverträgen:* höchste gegenseitig eingeräumte Kreditquote; **swin|gen** *intr. 1* Swing tanzen
Swiss|air [-ɛ:r, engl.] *w. Gen. - nur Ez.* schweiz. Luftfahrtgesellschaft
Sye|nit [nach der altägypt. Stadt Syene, heute Assuan] *m. 1* ein Tiefengestein
Sy|ko|mo|re [griech.] *w. 11* ostafrik. Feigenbaum, Maulbeerfeige
syl|la|bisch [griech.] **1** silbenweise; **2** *Mus.:* zu jedem Ton eine Silbe
Syl|lep|se [griech.] *w. 11,* **Syl|lep|sis** *w. Gen. - Mz.* -sen unkorrekte Beziehung eines Prädikats oder Attributs auf mehrere in Genus und Numerus verschiedene Subjekte; z. B. eine Person *wurde* getötet und drei weitere schwer verletzt; **syl|lep|tisch**
Syl|lo|gis|mus [griech.] *m. Gen. - Mz.* -men, logischer Schluss vom Allgemeinen aufs Besondere; **Syl|lo|gis|tik** *w. 10 nur Ez.* Lehre von den Syllogismen; **syl|lo|gis|tisch**
Syl|phe [lat.] *im Volksglauben des MA:* **1** *m. 11* männl. Luftgeist; **2** *w. 11* weibl. Luftgeist; **Syl|phi|de** *w. 11* **1** weibl. Luftgeist; **2** zartes, anmutiges junges Mädchen
Syl|ves|ter *Nebenform von* Silvester
sym..., **Sym...** vgl. syn..., Syn...
Sym|bi|ont [griech.] *m. 10* Lebewesen, das mit einem anderen in Symbiose lebt; **Sym|bi|o|se** *w. 11* dauerndes Zusammenleben zweier Lebewesen zu beiderseitigem Nutzen; vgl. Synözie; **sym|bi|o|tisch** in Symbiose
Sym|bol [griech.] *s. 1* **1** Sinnbild, bildhaftes Zeichen, das einen tieferen Sinn ausdrückt; **2** Zeichen für einen physikal. Begriff oder ein chem. Element; **sym|bol|haft;** **Sym|bo|lik** *w. 10 nur Ez.* **1** sinnbildl. Bedeutung oder Darstellung; **2** Anwendung von Symbolen; **sym|bo|lisch** in der Art eines Symbols, mit Hilfe eines Symbols; **sym|bo|li|sie|ren** *tr. 3* durch ein Symbol darstellen; **Sym|bo|lis|mus** *m. Gen. - nur Ez., Ende des 19. Jh.:* literar. Richtung, die nach symbolhafter Darstellung der hinter dem Gegenständlichen liegenden Ideen strebte; **Sym|bo|list** *m. 10;* **sym|bo|lis|tisch** zum Symbolismus gehörend, in der Art des Symbolismus
Sym|me|trie *auch:* **-met|rie** [griech.] *w. 11* spiegelbildliche Gleichheit, Spiegelgleichheit; **Sym|me|trie|ach|se** *auch:* **-met|rie-** *w. 11* Gerade, die einen Körper in zwei gleiche Hälften zerlegt; **Sym|me|trie|e|be|ne** *auch:* **-met|rie-** *w. 11* Ebene, die einen Körper in zwei gleiche Hälften zerlegt; **sym|me|trisch** *auch:* **-met|risch** auf beiden Seiten der Mittelachse ein Spiegelbild ergebend, spiegelbildlich, spiegelgleich
sym|pa|the|tisch geheime Gefühlswirkung ausübend, geheimkräftig; sympathetische Kur: angebliches Heilverfahren durch Gesundbeten o. Ä.; sympathetische Tinte: Tinte, die zunächst unsichtbar schreibt und erst nach besonderer Behandlung erscheint; **Sym|pa|thie** *w. 11* Zuneigung, Wohlgefallen, Verwandtschaft der Gesinnungen, Empfindungen; *Ggs.:* Antipathie; **Sym|pa|thi|kus** *m. Gen. - nur Ez., bei Säugetieren und beim Menschen:* Teil des vegetativen Nervensystems, einer der Lebensnerven; **sym|pa|thisch** **1** auf Sympathie beruhend, wohlgefällig, angenehm; **2** auf dem Sympathikus beruhend, mit ihm verbunden; **sym|pa|thi|sie|ren** *intr. 3* übereinstimmen; eine Neigung (zu jmdm. oder etwas) haben
Sym|pho|nie *w. 11* = Sinfonie; **Sym|pho|ni|ker** *m. 5* = Sinfoniker
sym|phro|nis|tisch [griech.] *veraltet:* sachlich übereinstimmend
Sym|po|si|on [griech.], **Sym|po|si|um** *s. Gen.* -s *Mz.* -si|en **1** *im alten Griechenland:* Trinkgelage; **2** dabei geführtes wissenschaftl. Gespräch; **3** *heute:* Tagung mit wissenschaftlichen Vorträgen und Diskussionen, Zusammenkunft
Sym|ptom *auch:* **Symp|tom** [griech.] *s. 1* Zeichen, Kennzeichen, Merkmal (bes. einer Krankheit); **sym|pto|ma|tisch** *auch:* **symp|to|ma|tisch** kennzeichnend, typisch; **Sym|pto-**

► = wird zu

ma|to|lo|gie *auch:* **Symp|to|ma|to|lo|gie** *w. 11 nur Ez.* Lehre von den Krankheitserscheinungen, Semiotik
syn..., Syn..., sym..., Sym... [griech.] *in Zus.:* mit..., Mit...

> **Syna-, Syne-, Syno-** (Worttrennung): Neben der Trennmöglichkeit *Syn|a-, Syn|e-, Syn|o-* kann der/die Schreibende auch folgende wählen: *Sy|na-, Sy|ne-, Sy|no-.*
> → § 112

Syn|a|go|ge *auch:* **Sy|na-** [griech.] *w. 11* jüd. Kirche
Syn|al|la|ge [-ge:, griech.] *w. 11* gegenseitiger Vertrag; **syn|al|lag|ma|tisch** gegenseitig; synallagmatischer Vertrag = Synallage
syn|an|drisch *auch:* **sy|nan|drisch** [griech.] verwachsene Staubblätter aufweisend; **Syn|an|dri|um** *auch:* **Sy|nan|dri|um** *s. Gen.* -s *Mz.* -dri|en die zu einem einzigen Gebilde verwachsenen Staubblätter einer Blüte
Syn|ap|se *auch:* **Sy|nap|se** *w. 11* Stelle, an der eine Nervenzelle die Erregung überträgt
Syn|ä|re|se [griech.] *w. 11,* **Syn|ä|re|sis** *w. Gen. - Mz.* -re|sen Zusammenziehung der Vokale zweier Silben zu einem, z. B. gehen – gehn
Syn|äs|the|sie [griech.] *w. 11* Miterregung eines Sinnesorgans, wenn ein anderes gereizt wird, Verknüpfung mehrerer Sinnesempfindungen, z. B. die Vorstellung von Farben beim Hören von Klängen; **syn|äs|the|tisch**
syn|chron [-kro:n, griech.] zeitlich übereinstimmend, gleichlaufend, zeitgleich, gleichzeitig; *Ggs.* asynchron; **Syn|chron|ge|trie|be** [-kro:n-] *s. 5* synchronisiertes Getriebe; **Syn|chro|ni|sa|ti|on** *w. 10* das Synchronisieren, zeitl. Gleichschaltung; **syn|chro|ni|sie|ren** *tr. 3* **1** in zeitl. Übereinstimmung bringen, zeitlich gleichschalten; **2** *Film:* Bild- und Tonspur auf einem Tonband vereinigen; *beim fremdsprachl. Film:* ein Tonband in der eigenen Sprache herstellen und mit den Mundbewegungen der Schauspieler in Übereinstimmung bringen; **Syn|chro|ni|sie|rung** *w. 10;* **Syn|chro|nis|mus** *m. Gen. - nur Ez.* zeitl. Übereinstimmung; **syn|chro|nis|tisch** zeitlich gleichschaltend; **Syn|chron|ma|schi|ne** [-kro:n-] *w. 11* Wechselstrommaschine, bei der die Frequenz der erzeugten Spannung proportional der Umdrehungsgeschwindigkeit ist; **Syn|chron|mo|tor** [-kro:n-] *m. 13* als Motor arbeitende Synchronmaschine; **Syn|chro|tron** *s. 1* ein Beschleuniger für geladene Elementarteilchen
Syn|dak|ty|lie [griech.] *w. 11* angeborene Verwachsung von Fingern oder Zehen
syn|de|tisch [griech.] durch Bindewörter verbunden (Satzteile, Sätze); *Ggs.:* asyndetisch
Syn|di|ka|lis|mus [griech.] *m. Gen. - nur Ez.* Lehre einer revolutionären sozialist. Arbeiterbewegung (bes. in roman. Ländern), die die Vergesellschaftung der Produktionsmittel erstrebte; **Syn|di|ka|list** *m. 10;* **syn|di|ka|lis|tisch; Syn|di|kat** *s. 1* **1** Amt eines Syndikus; **2** Absatzkartell; zentrale Verkaufsstelle mit eigener Rechtspersönlichkeit, z. B. Kalisyndikat; **Syn|di|kus** *m. Gen. - Mz.* -ken *oder* -zi ständiger Rechtsbeistand eines Wirtschaftsunternehmens, Vereins o. Ä.; **syn|di|zie|ren** *tr. 3* zu einem Syndikat zusammenschließen
Syn|drom [griech.] *s. 1* Krankheitsbild, das sich aus dem Zusammentreffen versch. (für sich allein nicht charakteristischer) Symptome ergibt
Syn|e|dri|on *auch:* **Sy|ne|dri-** [griech.] *s. Gen.* -s *Mz.* -dri|en **1** altgriech. Ratsbehörde; **2** = Synedrium; **Syn|e|dri|um** *auch:* **Sy|ne|dri-** *s. Gen.* -s *Mz.* -dri|en, *im alten Jerusalem:* oberste Staatsbehörde und oberstes Gericht
Syn|ek|do|che [-xe:, griech.] *w. 11* Stilmittel, bei dem ein engerer oder konkreter Begriff für einen umfassenden oder abstrakten gesetzt wird, z. B. »der Deutsche« statt »die Deutschen« oder »Brot« statt »Nahrung«
syn|er|ge|tisch [griech.] zusammenwirkend; **Syn|er|gie** *w. 11* das Zusammenwirken (z. B. von Muskeln); **Syn|er|gis|mus** *m. Gen. - nur Ez.* **1** Zusammenwirken in gleicher Richtung (von Muskeln, Arzneimitteln u. a.); **2** Lehre, dass der Mensch selbst mitwirken müsse, um Gottes Gnade zu erlangen; **syn|er|gis|tisch** *auch:* **sy|ner|gis|tisch**
Syn|e|sis [griech.] *w. Gen. - Mz.* -sen sinngemäß richtige, aber nicht den grammat. Regeln entsprechende Wortfügung, z. B. *süddt.:* die Fräulein Müller, *oder:* es haben eine ganze Reihe v. Kindern mitgeholfen
syn|karp [griech.] zu einem einzigen Fruchtknoten verwachsen; **Syn|kar|pie** *w. 11* Verwachsung der Fruchtblätter einer Blüte zu einem Fruchtknoten
syn|kli|nal [griech.] muldenförmig; **Syn|kli|na|le, Syn|kli|ne** *w. 11* Mulde
Syn|ko|pe [griech.] *w. 11* **1** *Gramm.:* Ausfall eines unbetonten Vokals im Wortinnern, z. B. freud'ge statt: freudige; **2** *Metrik:* Ausfall einer Senkung im Vers; **3** *Mus.:* Betonung eines unbetonten Taktteils, während der normalerweise betonte ohne Akzent bleibt; **syn|ko|pie|ren** *tr. 3* **1** durch Weglassen zusammenziehen (Wort, Vers); **2** an unbetonter Stelle betonen; synkopierter Rhythmus; **syn|ko|pisch**
Syn|kre|tis|mus [griech.] *m. Gen. - nur Ez.* Vermischung mehrerer Religionen, philosophischer Lehren, Auffassungen usw.; **Syn|kre|tist** *m. 10* Vertreter eines Synkretismus; **syn|kre|tis|tisch**
Syn|kri|se [griech.] *w. 11,* **Syn|kri|sis** *w. Gen. - Mz.* -kri|sen Vergleichung, Zusammensetzung, Verbindung, Vermischung; **syn|kri|tisch** vergleichend, verbindend
Syn|od [griech.] *m. 1, in den orthodoxen und autokephalen Kirchen:* oberste Behörde; Heiliger S.; **syn|odal** zur Synode gehörig, auf ihr beruhend; **Syn|oda|le** *m. 11* Mitglied einer Synode; **Syn|odal|ver|fas|sung** *w. 10, evang. Kirche:* Verfassung, nach der die Verwaltung bei der Synode liegt; vgl. Konsistorialverfassung; **Syn|ode** *w. 11* **1** *evang. Kirche:* aus Geistlichen und Laien bestehende Verwaltungsbehörde; Kirchen-

versammlung; vgl. Konsistorium **(1)**; **2** *kath. Kirche* = Konzil
syn|onym [griech.] = sinnverwandt; **Syn|onym** *s. 1* Wort von ähnlicher oder gleicher Bedeutung, sinnverwandtes Wort, z. B. »flach« im Verhältnis zu »platt«; **Syn|ony|mik** *w. 10 nur Ez.* **1** Sinn-, Bedeutungsverwandtschaft; **2** Lehre von der Bedeutungsverwandtschaft der Wörter
Syn|op|se [griech.] *w. 11,* **Syn|op|sis** *w. Gen. - Mz.* -op|sen vergleichende Übersicht, bes. der Berichte gleichen Inhalts im Matthäus-, Markus- und Lukasevangelium; **Syn|op|tik** *w. 10 nur Ez.* großräumige Wetterbeobachtung; **Syn|op|ti|ker** *m. 5 Mz.* die Evangelisten Matthäus, Markus und Lukas; **syn|op|tisch** übersichtlich nebeneinander, zusammengestellt; synoptische Evangelien: die E. der Synoptiker; synoptische Meteorologie = Synoptik
Syn|ö|zie [griech.] *w. 11* dauerndes Zusammenleben zweier Lebewesen, bei dem nur eines einen Nutzen davon hat; vgl. Symbiose; **syn|ö|zisch**
Syn|tag|ma [griech.] *s. Gen.* -s *Mz.* -men **1** *veraltet:* Sammlung von Schriften verwandten Inhalts; **2** *Sprachw.:* syntaktisch verbundene Gruppe von Wörtern, die bei Stellungswechsel im Satz nicht getrennt werden können, z. B. die ganze Nacht, aus voller Kehle; **syn|tag|ma|tisch** in der Art eines Syntagmas; **syn|tak|tisch** zur Syntax gehörend, auf ihr beruhend; **Syn|tax** *w. Gen. - nur Ez.* Lehre vom Satzbau, Satzlehre
Syn|the|se [griech.] *w. 11* **1** Aufbau, Verbindung von Teilen zu einem Ganzen; **2** Verbindung zweier gegensätzlicher Begriffe oder Aussagen (These und Antithese) zu einer höheren Einheit; die so gewonnene Einheit selbst; **3** Herstellung einer (oft komplizierteren) chem. Verbindung aus gegebenen Stoffen; **Syn|the|se|pro|dukt** *s. 1* synthetisch hergestelltes Produkt, Kunststoff; **Syn|the|si|zer** [-saɪzər, griech. + engl.] *m. 5* elektronisch gesteuertes Gerät zur Musikübertragung; **Syn|the|tics** *nur Mz.* Textilien aus Kunstfasern; **Syn|the|tik** *w. 10 nur Ez.* nicht zergliedernde Betrachtung mathematischer Probleme, im Unterschied zur Analytik; **syn|the|tisch 1** *Chem.:* künstlich (hergestellt); aus einfachen Stoffen aufgebaut; **2** zusammensetzend; synthetische Sprachen: Sprachen, in denen die Flexion durch Endungen und Vorsilben gebildet wird (nicht durch Hilfszeitwörter), z. B. lat. »amavi«, dt. »ich habe geliebt«; **3** *Philos.:* vom Allgemeinen zum Besonderen führend; synthetische Lehrmethode; **syn|the|ti|sie|ren** *tr. 3, Chem.:* aus einfachen Stoffen herstellen
Syn|u|rie *auch:* **Sy|nu|rie** [griech.] *w. 11* Ausscheidung von Fremdstoffen durch den Urin
Syn|zy|ti|um [-tsjum, griech.] *s. Gen.* -s *Mz.* -ti|en [-tsjən] vielkerniger Plasmabereich ohne teilende Zellmembranen
Sy|phi|lis [nach Syphilus, dem Schäfer in einem lat. Lehrgedicht des 16. Jh.] *w. Gen. - nur Ez.* wegen ihrer spät auftretenden Symptome gefährliche Geschlechtskrankheit, Lustseuche, Lues; **Sy|phi|li|ti|ker** *m. 5* jmd., der an der Syphilis erkrankt ist; **sy|phi|li|tisch** auf Syphilis beruhend, an S. erkrankt; **Sy|phi|lom** *s. 1* syphilit. Geschwulst
Sy|ra|kus Stadt auf Sizilien; **sy|ra|ku|sisch**
Sy|rer, Sy|ri|er *m. 5* Einwohner von Syrien; **Sy|ri|en** Staat in Vorderasien
Sy|rin|ge [griech.] *w. 11* Flieder; **Sy|rin|gen** *Mz. von* Syringe *u.* Syrinx; **Sy|rinx** *w. Gen. - Mz.* -rin|gen **1** Stimmorgan der Vögel; **2** Hirten-, Panflöte
sy|risch zu Syrien gehörend, aus ihm stammend
Syr|jä|ne *m. 11* Angehöriger eines ostfinn. Volkes, Komi; **syr|jä|nisch**
Sy|ro|lo|ge *m. 11;* **Sy|ro|lo|gie** *w. 11 nur Ez.* Wissenschaft von den Sprachen und der Kultur Syriens; **sy|ro|lo|gisch**
Sys|tem [griech.] *s. 1* **1** Aufbau, Gefüge, Gesamtheit (von miteinander verbundenen Teilen), gegliedertes, geordnetes Ganzes; **2** Ordnungsprinzip; **Sys|te|ma|tik** *w. 10* **1** Aufbau eines Systems; **2** Kunst, ein System aufzubauen, planmäßige Darstellung; **3** Lehre vom System einer Wissenschaft; **Sys|te|ma|ti|ker** *m. 5* jmd., der ein System beherrscht, der systematisch arbeitet; **sys|te|ma|tisch** mit Hilfe eines Systems, nach einem System; **sys|te|ma|ti|sie|ren** *tr. 3* in ein System bringen, nach einem System gliedern; **sys|tem|los; Sys|tem|lo|sig|keit** *w. 10 nur Ez.*
Sy|sto|le *auch:* **Sys|to|le** [-le:, griech.] *w. Gen. - Mz.* -sto|len Zusammenziehung des Herzmuskels; *Ggs.:* Diastole
s. Z. *Abk. für* seinerzeit
Sze|nar [griech.] *s. 1, kurz für* Szenarium; **Sze|na|rio** [ital.] *s. Gen.* -s *Mz.* -ri|en **1** = Szenarium; **2** Entwurf eines Zukunftsmodells; **Sze|na|ri|um** [griech.-lat.] *s. Gen.* -s *Mz.* -ri|en **1** *Theater:* Verzeichnis der für eine Aufführung nötigen Dekorationen, Requisiten und techn. Vorgänge; **2** *Film:* literar. Teil eines Drehbuchs; **Sze|ne** *w. 11* **1** Bühne; **2** Schauplatz; **3** Teil eines Aktes, Auftritt; **4** Vorgang, Anblick; **5** heftige Auseinandersetzung, Streit, Zank; jmdm. eine S. machen; **6** Bereich (in dem etwas vorgeht), z. B. Drogenszene; **Sze|nen|wech|sel** *m. 5;* **Sze|ne|rie** *w. 11* **1** Bühnenbild; **2** Landschaft, Gegend; **sze|nisch** zu einer Szene gehörend, in der Art einer Szene
Szep|ter [österr.], **Zep|ter** *s. 5*
szi|en|ti|fisch [stsiɛn-, lat.] wissenschaftlich; **Szi|en|tis|mus** *m. Gen. - nur Ez.* **1** auf Wissen und Wissenschaft (nicht auf Glauben) gegründete Anschauungsweise; **2** Lehre der Christian Science; **Szi|en|tist** *m. 10* Vertreter des Szientismus **(2)**; **szi|en|tis|tisch**
Szil|la [griech.], Scil|la *w. Gen. - Mz.* -len eine Heil- und Zierpflanze, Blaustern
Szin|til|la|ti|on [lat.] *w. 10* **1** das Blitzen, Funkeln (von Lichtern, z. B. der Sterne); **2** das Aufblitzen mineralischer Stoffe beim Auftreffen radioaktiver Strahlen; **szin|til|lie|ren** *intr. 3* aufleuchten, blitzen, funkeln
Szyl|la *w. Gen. - nur Ez., eindeutschende Schreibung von* Scylla
Szy|the *m. 11* = Skythe

T

t *Abk. für* Tonne
T 1 *chem. Zeichen für* Tritium; **2** *Abk. für* Tera...
Ta *chem. Zeichen für* Tantal
Tab [engl.] *m. 1* vorspringender Teil einer Karteikarte (zur Kennzeichnung)
Ta|bak [auch: ta-, auch, bes. österr.: -bak, karib.] *m. 1;* **Ta|bak|lun|ge** *w. 11* = Tabakosis; **Ta|ba|ko|sis,** Ta|ba|co|sis *w. Gen. - Mz.* -sen Erkrankung der Atmungsorgane durch Einatmen von Tabakstaub; **Ta|baks|beu|tel** *m. 5;* **Ta|baks|do|se** *w. 11;* **Ta|baks|pfei|fe** *w. 11;* **Ta|bak|wa|ren** *w. 11 Mz.*
Ta|bas|co [...ko, span.] *m. Gen.* -s *nur Ez.* Ⓦ scharfe Würzsoße
Ta|ba|ti|e|re [-tje-, frz.] *w. 11* Schnupftabaksdose; *österr. auch:* Zigarettendose
ta|bel|la|risch [lat.] in Form einer Tabelle; **ta|bel|la|ri|sie|ren** *tr. 3* in Tabellen anordnen; **Ta|bel|la|ri|sie|rung** *w. 10 nur Ez.;* **Ta|bel|le** *w. 11* Übersicht in Spalten oder Listen; **Ta|bel|lier|ma|schi|ne** *w. 11* Maschine, die Daten von Lochkarten in Listen überträgt
Ta|ber|na|kel [lat.] *s. 5, auch: m. 5* **1** *kath. Kirche:* Altarschrein für die geweihte Hostie, Hostienschrein; **2** *auch:* turmartiges Dach über Standbildern, Altären u. a.
Ta|bes [lat.] *w. Gen. - nur Ez.* Auszehrung, Schwund, Schwindsucht; Tabes dorsalis: Rückenmark(s)schwindsucht;
Ta|bi|ker *m. 5* jmd., der an Tabes leidet; **ta|bisch** an Tabes leidend
Ta|blar *auch:* **Tab|lar** [lat.] *s. 1, schweiz.:* Brett (im Regal); **Ta|bleau** *auch:* **Tab|leau** [-blo, frz.] *s. 9* **1** *Theater:* wirkungsvoll gruppiertes Bild; **2** *österr.:* übersichtl. Darstellung eines Vorgangs auf einzelnen Tafeln; **3** Tableau! (Ausruf, wenn man sich im Gespräch geschlagen geben muss); **Table d'hôte** [ta:bldot] *w. Gen. -- nur Ez., veraltet:* gemeinsame Speisetafel; **Ta|blett** *s. 1;* **Ta|blet|te** *w. 11;* **Ta|blet|ten|miß|brauch** ► **Ta|blet|ten|miss|brauch** *m. 2*
Ta|bo|rit [nach der tschech. Stadt Tabor] *m. 10* Angehöriger der radikalen Gruppe der Hussiten
Tä|bris *auch:* **Täb|ris** [nach der iran. Stadt T.] *m. Gen. - Mz. -* ein Perserteppich
ta|bu [polynes.] unantastbar, heilig, verboten; **Ta|bu** *s. 9* **1** *bei Naturvölkern:* Vorschrift, bestimmte Dinge zu meiden oder nicht zu berühren; **2** *danach:* Verbotenes, etwas, worüber man nicht spricht; **ta|bu|ie|ren, ta|bu|i|sie|ren** *tr. 3* mit einem Tabu belegen

> **Tabula rasa:** Im Gegensatz zur bisherigen Schreibweise (tabula rasa) wird das fremdsprachige Substantiv mit großem Anfangsbuchstaben geschrieben, da es sich nicht um ein Zitatwort handelt: *Tabula rasa* (machen). Ebenso: *Terra incognita* usw. →§ 55 (3)

Ta|bu|la ra|sa [lat.] *w. Gen. -- nur Ez.* **1** *urspr.:* abradierte Schreibtafel; **2** *übertr.:* unbeschriebenes Blatt; T. r. machen: reinen Tisch machen, mit allem aufräumen; **Ta|bu|la|tor** *m. 13, an Schreib- und Rechenmaschinen:* Einstelltaste zum Schreiben von Tabellen; **Ta|bu|la|tur** *w. 10* **1** *im Meistergesang:* Tafeln mit den Regeln; **2** *14./18. Jh.:* Notenschriftsystem für Instrumentalmusik; **Ta|bu|rett** *s. 1, veraltet:* niedriger Stuhl, Hocker
ta|cet [-tsɛt, lat.] *Mus.:* (es) schweigt (Angabe, dass ein Instrument Pause hat)
ta|chi|nie|ren [-xi-] *intr. 3, österr.:* faulenzen, sich der Arbeit entziehen; **Ta|chi|nie|rer** *m. 5, österr.:* Faulenzer
Ta|chis|mus [-ʃis-, lat.-frz.] *m. Gen. - nur Ez.* eine Richtung der nicht gegenständl. Malerei
Ta|cho|graph ► *auch:* **Ta|cho|graf** [griech.], Ta|chy|graph, Ta|chy|graf *m. 10* Instrument zum Aufzeichnen von Geschwindigkeiten; **Ta|cho|me|ter** *s. 5* = Geschwindigkeitsmesser; **Ta|chy|graph** ► *auch:* **Ta|chy|graf** *m. 10* **1** *Antike:* jmd., der die Tachygraphie beherrscht; **2** = Tachograph; **Ta|chy|gra|phie** ► *auch:* **Ta|chy|gra|fie** *w. 11, Antike:* Kurzschriftsystem aus Zeichen für Silben; **Ta|chy|kar|die** *w. 11 nur Ez.* stark beschleunigter Herzschlag, Herzjagen; **Ta|chy|me|ter** *s. 5* Schnellmessgerät für Entfernung und Höhenwinkel mit nur einer Einstellung; **Ta|chy|me|trie** *auch:* **-met|rie** *w. 11 nur Ez.;* **ta|chy|me|trisch** *auch:* **-met|risch**
Tack|ling [tæk-, engl.] *s. 9, Sport:* **1** im Fußball das Hineingrätschen beim Ball führenden Gegner zum Zweck der Abwehr; **2** harter, aber nicht regelwidriger körperlicher Einsatz (Fußball, Rugby, Hockey)
Tacks [engl.], **Täcks,** Täks *m. 1, Schuhmacherei:* kleiner, keilförmiger Stahlnagel
Ta|del *m. 5;* **ta|del|frei; ta|del|los; ta|deln** *tr. 1;* ich tadele, tadle ihn; **ta|delns|wert; Tad|ler** *m. 5*
Ta|dschi|ke *auch:* **Tad|schi|ke** *m. 11* Angehöriger eines iran. Volksstammes; **ta|dschi|kisch** *auch:* **tad|schi|kisch**
Tae|kwon|do *auch:* **Taek|won|do** [korean.] *s. Gen. - nur Ez.* korean. Form der waffenlosen Selbstverteidigung (ähnlich dem Karate)
Tael [tɛl, chin.] *s. 9, nach Zahlenangaben Mz.-* alte chines. Gewichtseinheit und Münze
Taf. *Abk. für* Tafel (bei Verweisen auf Abbildungen in Büchern); **Ta|fel** *w. 11;* **Ta|fel|auf|satz** *m. 2;* **Ta|fel|berg** *m. 1;* **Ta|fel|bild** *s. 3* auf eine Holztafel gemaltes Bild; **Tä|fel|chen** *s. 7;* **Ta|fel|freu|den** *w. 11 Mz.* Freude am guten Essen; **Ta|fel|ge|schirr** *s. 1;* **Ta|fel|mu|sik** *w. 10;* **ta|feln** *intr. 1* gut essen und trinken; **tä|feln** *tr. 1* mit Holztafeln verkleiden (Wand, Decke); ich täfele, täfle es; **Ta|fel|run|de** *w. 11;* **Ta|fel|tuch** *s. 4;* **Tä|fe|lung,** Täflung *w. 10* Holzverkleidung; **Ta|fel|waa|ge** *w. 11;* **Ta|fel|wa|gen** *m. 7* Wagen mit offener, tafelförmiger Ladefläche; **Ta|fel|was|ser** *s. 6* in Fla-

schen abgefülltes Mineralwasser; **Tä|fer** *s. 5,* **Tä|fe|rung** *w. 10, schweiz. für* Täfelung

Taft *m. 1* glänzendes Seiden- oder Halbseidengewebe; **Taft|bin|dung** *w. 10 nur Ez.* Leinwandbindung; **taf|ten** aus Taft

Tag *m. 1* **1** *Großschreibung:* eines Tages; dieser Tage; des Tages *selten für* tagsüber; drei Tage lang; *aber:* →tagelang; am Tage; bei Tage; über Tags, unter Tags: tagsüber; vor Tags: vor Anbruch des Tages; zu Tage fördern; (jmdm.) guten Tag sagen; **2** *Kleinschreibung:* tags, tagsüber; tags darauf; tags zuvor; vgl. auch die Zus.; **tag|aus** *in der Wendung* tagaus, tagein; **Tag|bau** *m. 1, süddt., österr. für* Tagebau; **Tag|blatt** *s. 4, süddt., österr. für* Tageblatt; **tag|blind** = nachtsichtig; **Tag|blind|heit** *w. 10 nur Ez.* = Nachtsichtigkeit; **Tag|dieb** *m. 1, österr. für* Tagedieb; **Ta|ge|bau** *m. 1* Bergbau an der Erdoberfläche; **Ta|ge|blatt** *s. 4* täglich erscheinende Zeitung (meist als Titel); **Ta|ge|buch** *s. 4;* **Ta|ge|buch|num|mer** *w. 11* (*Abk.:* Tgb.-Nr.); **Ta|ge|dieb** *m. 1;* **Ta|ge|die|be|rei** *w. 10 nur Ez.;* **Ta|ge|geld** *s. 3;* **tag|ein** *in der Wendung* tagein, tagaus; **ta|ge|lang;** *aber:* drei, mehrere Tage lang; **Ta|ge|lohn** *m. 2;* **Ta|ge|löh|ner** *m. 5;* **ta|ge|löh|nern** *intr. 1;* **ta|gen** *intr. 1;* **Ta|ge|rei|se** *w. 11,* Ta|ges|rei|se *w. 11;* **Ta|ges|an|bruch** *m. 2;* **Ta|ges|ar|beit** *w. 10;* **Ta|ges|aus|zug** *m. 2, Bankwesen;* **Ta|ges|be|darf** *m. Gen.* -s *nur Ez.;* **Ta|ges|be|fehl** *m. 1;* **Ta|ges|be|richt** *m. 1;* **Ta|ges|dienst** *m. 1;* **Ta|ges|ein|nah|me** *w. 11;* **Ta|ges|er|eig|nis** *s. 1;* **Ta|ges|ge|spräch** *s. 1;* **Ta|ges|grau|en** *s. Gen.* -s *nur Ez., meist in den Wendungen:* bei, vor T.; **Ta|ges|licht** *s. Gen.* -(e)s *nur Ez.;* **Ta|ges|marsch** *m. 2;* **Ta|ges|mut|ter** *w. 6* Frau, die die Kinder berufstätiger Mütter tagsüber in ihrer Wohnung betreut; **Ta|ges|ord|nung** *w. 10;* **Ta|ges|raum** *m. 2;* **Ta|ges|rei|se,** Ta|ge|rei|se *w. 11;* **Ta|ges|schau** *w. 10;* **Ta|ges|zeit** *w. 10;* **Ta|ges|zei|tung** *w. 10*

> **zutage/zu Tage bringen/fördern/treten:** Das Substantiv und seine deklinierten Formen schreibt man groß: *der Tag, des/eines Tages.* Substantive, die Bestandteile fester Gefüge sind und nicht mit anderen Bestandteilen des Gefüges zusammengeschrieben werden, schreibt man im Regelfall auch groß: *Sie förderten das Ergebnis zu Tage.*
> →§ 55 (4)
> Doch bleibt es – wie bei anderen Fügungen in adverbialer Verwendung – grundsätzlich dem/der Schreibenden überlassen, ob er/sie getrennt schreibt oder zusammen: *zutage/zu Tage bringen/fördern/kommen/treten.* →§ 39 E3 (1)

Ta|ge|tes [lat.] *w. Gen. - nur Ez.* eine Zierpflanze, Studenten-, Samtblume

ta|ge|wei|se; Ta|ge|werk *s. 1* **1** altes Feldmaß (soviel man an einem Tag mit einem Gespann pflügen kann, etwa 35 Ar); **2** *allg.:* Tagesarbeit; **Tag|fahrt** *w. 10, Bgb.:* Ausfahrt aus dem Bergwerk; **Tag|fal|ter** *m. 5;* **tag|hell; ...tä|gig** eine gewisse Zahl von Tagen dauernd, z. B. dreitägiger Kurs; *mit Ziffer:* 3-tägig; vgl. ...täglich

Ta|gli|a|tel|le *auch:* **Tag|li|a|tel|le** [talja-, ital.] *Mz.* schmale Bandnudeln

täg|lich jeden Tag; tägliche Arbeit; er kommt täglich; **...täg|lich** *in Zus.:* alle so und soviel Tage, z. B. in dreitäglichem Wechsel; die Zeitschrift erscheint vierzehntäglich; *mit Ziffer:* 14-täglich; **Tag|lohn** *m. 2, süddt., österr., schweiz. für* Tagelohn; **Tag|löh|ner** *m. 5, süddt., österr., schweiz. für* Tagelöhner; **Tag|raum** *m. 2, österr. für* Tagesraum; **tags** tagsüber, am Tage; tags darauf, tags zuvor; *aber:* des Tags; **Tag|sat|zung** *w. 10, österr.:* Gerichtstermin; **Tag|schicht** *w. 10; Ggs.:* Nachtschicht; **tags|über; tag|täg|lich; Tag|und|nacht|glei|che** ► *auch:* **Tag-und-Nacht-Gleiche** *w. 11;* Frühlings-T., Herbst-T.; **Ta|gung** *w. 10;* **Tag|wa|che** *w. 11,* **Tag|wacht** *w. 10, schweiz., Mil.:* Weckruf; **Tag|werk** *s. 1, süddt., österr. für* Tagewerk

Ta|hi|ti größte der Gesellschaftsinseln in Polynesien

Tai Chi Chu|an [-tʃi, chin.], Taijiqan *s. Gen. -- nur Ez.* chin. Kampfkunst, ein Schattenboxen in Bewegungen, die Hexagramme beschreiben

Tai|fun [chin.] *m. 1* Wirbelsturm, bes. in Südostasien

Tai|ga [russ.] *w. Gen. - nur Ez.* Wald- und Sumpfgebiet in Sibirien

Tail|le [taljə, frz.] *w. 11* **1** Teil des Rumpfes zwischen Brust bzw. Rücken und Hüften; **2** *Kartenspiel:* Aufdecken der Blätter; **3** *in Frankreich vom 15. Jh. bis 1789:* Steuer der nicht privilegierten Stände; **Tail|leur** [tajœr] **1** *m. 1* Schneider; **2** *m. 1, bei Glücksspielen:* Bankhalter; **3** *s. 9, schweiz.:* Schneiderkostüm; **tail|lie|ren** [taji-] *tr. 3* **1** auf Taille arbeiten, in der Taille eng arbeiten; **2** *Kartenspiel:* aufdecken (die Karten); **tai|lor|made** [tɛɪləmɛɪd, engl.] *nur prädikativ:* vom Schneider gearbeitet; der Anzug ist t.

Tai|no **1** *m. 9 oder Gen. - Mz. -* Angehöriger eines Indianervolkes der Antillen; **2** *s. Gen.* -(s) *nur Ez.* dessen Sprache

Tai|wan, *früher:* Formosa, Inselstaat in Ostasien

Take [tɛɪk, engl.] *s. 9 oder m. 9, Film, Fernsehen:* Einstellung, kurze Szene; *bei der Synchronisation:* zur Schleife geklebter Filmstreifen mit kurzer Dialogszene

Ta|kel *w. 11, Seew.:* Zugwinde, Flaschenzug, Talje; **Ta|ke|la|ge** [-ʒə] *w. 11, Seew.:* Gesamtheit der Segel und Masten mit Zubehör, Takelwerk, Takelung; **Ta|ke|ler,** Tak|ler *m. 5* Werftarbeiter, der an der Takelage arbeitet; **Ta|kel|meis|ter** *m. 5* für die Takelage Verantwortlicher, Segelmeister; **ta|keln** *tr. 1* mit Takelage versehen; **Ta|ke|lung** *w. 10* das Takeln; *auch* = Takelage; **Ta|kel|werk** *s. 1* = Takelage

Take-off [tɛɪkɔf, engl.] *s. oder m. 9* **1** Start (eines Flugzeugs), **2** Beginn (einer Show)

Tak|ler *m. 5* = Takeler

Täks *m. 1* = Tacks

Takt [lat.] *m. 1* **1** rhythm. Maßeinheit von Musikstücken; **2** kleinster Teil eines Musikstücks; **3** regelmäßige Bewegung, Arbeitsgang (von Motoren, Maschinen); **4** Abschnitt bei der Arbeit am Fließband;

► = wird zu

5 *nur Ez.* Feingefühl, Gefühl für richtiges Verhalten; Takt haben, besitzen; **tạkt|fest** *Mus.;* **Tạkt|fes|tig|keit** *w. 10 nur Ez.;* **Tạkt|ge|fühl** *s. 1 nur Ez.;* **tak|tie|ren** *intr. 3* **1** *Mus.:* den Takt schlagen; **2** *allg.:* taktisch klug vorgehen; **...tak|tig** *in Zus.,* z. B. zehntaktig, mehrtaktig

Tạk|tik [griech.] *w. 10* **1** Kunst der Kampf-, Truppenführung; **2** *übertr.:* planmäßiges Vorgehen; **Tạk|ti|ker** *m. 5* jmd., der eine Taktik verfolgt; er ist ein guter, schlechter T.; **tạk|tisch** auf Taktik beruhend, die Taktik betreffend; taktisch richtig, falsch; taktischer Fehler

tạkt|los; Tạkt|lo|sig|keit *w. 10;* **Tạkt|stock** *m. 2;* **Tạkt|stra|ße** *w. 11* Fließband, auf dem das Werkstück automatisch weiterrückt; **Tạkt|strich** *m. 1;* **tạkt|voll**

Tal *s. 4;* **tal|ab, tal|ab|wärts**

Ta|lar [lat.] *m. 1* weites, schwarzes, knöchellanges Amtsgewand der Geistlichen, Richter u. a.

tal|auf, tal|auf|wärts; Täl|chen *s. 7*

Ta|lẹnt [griech.] *s. 1* **1** antike Gewichts- und Münzeinheit; **2** Begabung, angeborene Fähigkeit; **ta|len|tiert** Talent besitzend, begabt; **ta|lẹnt|los; Ta|lẹnt|lo|sig|keit** *w. 10 nur Ez.;* **ta|lẹnt|voll**

Ta|ler *m. 5, bis 18. Jh.:* dt. Münze, in Preußen 3 Mark; **ta|ler|groß**

Tal|fahrt *w. 10* Fahrt bergab (bei Bergbahnen), flussabwärts; *Ggs.:* Bergfahrt

Tạlg *m. 1 nur Ez.;* **Tạlg|drü|se** *w. 11;* **tạl|gig; Tạlg|licht** *s. 3*

Ta|lis|man [arab.] *m. 1* kleiner, vermeintlich schützender oder Glück bringender Gegenstand

Tạl|je *w. 11* = Takel; **tạl|jen** *tr. 1* mit der Talje aufwinden, straffen

Tạlk 1 [arab.], Tạl|kum *s. Gen. -s nur Ez.* ein Mineral, Speckstein, Steatit; **2** [tɔ:k, engl.] *m. 9* Unterhaltung, Gespräch;

> **Talkshow, Talkmaster:** Substantive oder Verbstämme können mit Substantiven Verbindungen bilden, die man zusammenschreibt. Diese Regel gilt auch für fremdsprachige Komposita: *die Talkshow, der Talkmaster.* →§ 37 (1)

Talk|mas|ter *m. 9;* **Talk-Show** ► **Talk|show** [tɔ̱kʃoʊ] Unterhaltungssendung im Fernsehen mit offenem Interview: Prominente werden in einem Frage-Antwort-Gespräch vorgestellt;

Tạl|kum = Talk (**1**)

tạl|mi [frz.] *österr. für* talmin; **Tạl|mi** *s. Gen. -s nur Ez.* **1** goldfarbene Kupfer-Zink-Legierung; **2** Unechtes; **tạl|min** unecht; **Tạl|mi|wa|re** *w. 11*

Tạl|mud [hebr.] *m. Gen. -s nur Ez.* Sammlung der Gesetze, Lehren und relig. Überlieferungen des nachbiblischen Judentums; **tal|mu|disch** zum Talmud gehörend; auf dem Talmud beruhend; **Tal|mu|dịst** *m. 10* Kenner des Talmuds

Ta|lon [-lɔ̃, frz.] *m. 9* **1** Gutschein; **2** *bei Wertpapieren:* Erneuerungsschein; **3** Zinsabschnitt; **4** *Kartenspiel:* nicht verteilter Kartenrest; **5** *Domino:* Kaufstein

Tal|schaft *w. 10, schweiz.:* die Bewohner eines Tals; **Tal|sper|re** *w. 11* Stauwerk über die Breite eines Flusstals; **tal|wärts**

Ta|ma|rịn|de [arab.] *w. 11* ein tropischer Baum (Hülsenfrüchtler)

Ta|ma|rịs|ke [arab.] *w. 11* ein heidekrautähnl. Strauch

Tạm|bour [-bu:r, arab.] *m. 1, schweiz. m. 12* **1** *Mil.:* Trommler; **2** *Baukunst:* mit Fenstern versehener Sockel einer Kuppel; **Tạm|bour|ma|jor** *m. 1* Leiter eines Spielmannszuges;

Tạm|bur *m. 1* Tam|bu|rin *s. 1* Stickrahmen; **tam|bu|rie|ren** *tr. 3* **1** mit Kettenstichen besticken; **2** Haare t.: in eine Perücke einknoten; **Tam|bu|rịn** *s. 1* **1** kleine, flache Handtrommel mit Schellen; **2** kleines, flaches, trommelartiges Gerät zum Ballspiel; **3** = Tambur

Tạ|mil *s. Gen. -(s) nur Ez.* zu den drawid. Sprachen gehörende Sprache der Tamilen; **Ta|mi|le** *m. 11* Angehöriger eines drawid. Volksstammes im Süden Vorderindiens und auf Sri Lanka; **ta|mi|lisch**; tamilische Sprache = Tamil

Tạmp *m. 1,* **Tạm|pen** *m. 7, Seew.:* Tauende

Tạm|pon [-pɔ̃, frz.] *m. 9* Watte- oder Zellstoffbausch; **Tam|po|na|de** *w. 11* Ausstopfen (von Körperhöhlen) mit Tampons; **tam|po|nie|ren** *tr. 3* mit Tampons ausstopfen

Tam|tạm [Hindi] **1** [auch: tạm-] *s. 9* ostasiat. Musikinstrument, Gong; **2** *s. 9 nur Ez., ugs.:* Aufhebens, Aufwand, Getue

Ta|mu|le *m. 11, Nebenform von* Tamile

Ta|na|gra|fi|gu|ren *auch:* **Ta|na|gra-** [auch: tạ-, nach dem griech. Fundort Tanagra] *w. 10 Mz.* zierliche, bemalte Tonfigürchen des 4. bis 3. Jh. v. Chr.

Tạnd *m. Gen. -s nur Ez.* wertlose Sachen, kleine, hübsche, aber wertlose Dinge; **Tän|de|lei** *w. 10;* **Tạn|del|markt** *m. 2, österr. für* Tändelmarkt; **Tạ̈n|del|markt** *m. 2* Trödelmarkt; **tạ̈n|deln** *intr. 1* **1** scherzen, spielen, flirten; **2** mit Nichtigkeiten die Zeit verbringen; **Tạ̈n|del|schür|ze** *w. 11* Zierschürze

Tạn|dem [lat.] *s. 9* **1** Fahrrad für zwei Fahrer hintereinander; **2** Maschine mit zwei hintereinander geschalteten Antrieben

Tạnd|ler *m. 5, bayr., österr.:* Trödler; **Tạ̈nd|ler** *m. 5* jmd., der gern tändelt (**1**), Schäker

tang, tg *Abk. für* Tangens

Tạng *m. 1, Sammelbez. für* Formen der Braunalgen

Tạn|ga *m. 9* Bikini mit besonders knappem Höschenteil

Tan|gan|ji|ka Teilstaat von Tansania

Tạn|gens [lat.] *m. Gen. - Mz. -* (*Abk.:* tang, tg) *Math.:* eine Winkelfunktion, Verhältnis der Gegenkathete zur Ankathete; **Tan|gẹn|te** *w. 11* Gerade, die eine Kurve in einem Punkt berührt; **tan|gen|ti|al** [-tsjal] (eine Kurve oder gekrümmte Fläche) in einem Punkt berührend; **tan|gie|ren** *tr. 3* **1** berühren (Kurve oder gekrümmte Fläche); **2** *übertr.:* berühren, betreffen; das tangiert mich nicht

Tạn|go [span.] *m. 9* ein Gesellschaftstanz

Tạnk *m. 9 oder m. 1* **1** großer Behälter für feuergefährliche Flüssigkeiten; **2** *früher Bez. für* Panzerkampfwagen

Tạn|ka [jap.] *s. Gen. -(s) Mz. -* jap. Kurzgedicht aus einer dreioder einer zweizeiligen Strophe

tạn|ken *tr. 1* aufnehmen, einfüllen (Treibstoff); **Tạn|ker** *m. 5* Schiff, das Flüssigkeit, bes. Treibstoff, befördert, Tankschiff; **Tạnk|stel|le** *w. 11;* **Tạnk-**

wa|gen *m. 7;* **Tank|wart** *m. 1* Angestellter in einer Tankstelle
Tann *m. Gen. -s nur Ez., poet.:* Tannenwald, Tannendickicht
Tan|nat *s. 1* Salz der Gerbsäure; vgl. Tannin
Tänn|chen *s. 7;* **Tan|ne** *w. 11* ein Nadelbaum; **tan|nen** aus Tannenholz; **Tan|nen|baum** *m. 2, poet.:* Tanne; **Tan|nen|zap|fen** *m. 7*
Tan|nicht, Tän|nicht *s. 1, veraltet:* Tannendickicht
tan|nie|ren [frz.] *tr. 3* mit Tannin beizen; **Tan|nin** *s. 1 nur Ez.* Gerbstoff (meist aus Gallen)
Tänn|ling *m. 1* junge Tanne
Tan|sa|nia [auch: -nia] Staat in Ostafrika; **Tan|sa|ni|er** *m. 5;* **tan|sa|nisch**
Tan|se *w. 11, schweiz.:* Rückentraggefäß für Flüssigkeiten oder Trauben
Tan|tal *s. Gen. -s nur Ez.* (*Zeichen:* Ta) chem. Element
Tan|ta|lus|qua|len [nach dem König Tantalus der griech. Sage] *w. 10 Mz.* Qualen, die man aussteht, wenn man etwas Ersehntes, das erreichbar ist, nicht bekommt
Tant|chen *s. 7;* **Tan|te** *w. 11;* **tan|ten|haft** *abwertend:* zimperlich, schrullig
Tan|tie|me [tɑ̃tjɛmə, frz.] *w. 11 meist Mz.* Gewinnanteil
tant mieux [tãmjø, frz.] umso besser
Tan|tra *auch:* **Tant|ra** [sanskr.] *s. 9* ind. relig. Schrift, die sich bes. mit Mystik und Magie befasst; **tan|trisch** *auch:* **tant|risch** zu den Tantras gehörend, auf ihnen beruhend; **Tan|tris|mus** *auch:* **Tant|ris|mus** *m. Gen. - nur Ez.* ind. Lehre, dass alles im Weltall in mystischer Verbindung miteinander stehe
Tanz *m. 2;* **Tanz|bar** *w. 9;* **Tanz|bär** *m. 10;* **Tanz|bein** *s., nur in der Wendung:* das T. schwingen; **Tanz|bo|den** *m. 8;* **Tänz|chen** *s. 7;* **Tanz|die|le** *w. 11;* **tän|zeln** *intr. 1;* **tan|zen** *intr. 1;*

> **tanzen:** Verbindungen aus Substantiv und Verb schreibt man getrennt: *Sie wollen Walzer/Tango tanzen.*
> →§ 34 E3 (5)

Tän|zer *m. 5;* **Tan|ze|rei** *w. 10;* **tän|ze|risch;** **Tanz|kunst** *w. 2 nur Ez.;* **Tanz|leh|rer** *m. 5;* **Tanz|lied** *s. 3;* **Tanz|lo|kal** *s. 1;* **tanz|lus|tig;** **Tanz|meis|ter** *m. 5;* **Tanz|mu|sik** *w. 10;* **Tanz|saal** *m. Gen. -(e)s Mz. -säle;* **Tanz|sport** *m. Gen. -s nur Ez..;* **Tanz|stun|de** *w. 11;* **Tanz|tee** *m. 9;* **Tanz|tur|nier** *s. 1*
Tao [taʊ, chin. »Weg«] = Dao; **Ta|o|is|mus** = Daoismus
Tape [tɛɪp, engl.] *s. 9* Tonband; **Tape-Re|cor|ding** ► **Tape|re|cor|ding** [tɛɪprɪkɔːrdɪŋ] *s. 9, engl. für* Tonbandaufnahme
Ta|per|greis *m. 1, abwertend:* gebrechl. alter Mann, Tattergreis; **ta|pe|rig, tap|rig** gebrechlich, zitterig; **ta|pern** *intr. 1* sich zitterig, unbeholfen bewegen
Ta|pet [lat.] *s. 1, urspr.:* Tischdecke auf dem Sitzungstisch; *nur noch in der Wendung* etwas aufs Tapet bringen: etwas zur Sprache bringen; **Ta|pe|te** *w. 11;* **Ta|pe|ten|tür** *w. 10;* **Ta|pe|ten|wech|sel** *m. 5, ugs.:* Wechsel der Umgebung; **ta|pe|zie|ren** *tr. 3;* **Ta|pe|zie|rer** *m. 5;* **Ta|pe|zier|na|gel** *m. 6* = Reißbrettstift
Tap|fe *w. 11,* **Tap|fen** *m. 7* Spur, Fußspur, *meist:* Fußtapfen
tap|fer; **Tap|fer|keit** *w. 10 nur Ez.;* **Tap|fer|keits|me|dail|le** *w. 11*
Ta|pi|o|ka [Tupispr.] *w. Gen. - nur Ez.* aus den Knollen des Manioks gewonnene Stärke
Ta|pir [österr.: -pir, indian.] *m. 1* ein dem Schwein ähnliches Huftier
Ta|pis|se|rie [frz.] *w. 11* **1** Teppichwirkerei; **2** Wandteppich; **3** Kreuzstichstickerei auf gitterartigem Gewebe
Tap|pe **1** *w. 11, Nebenform von* Tapfe; **2** *m. 11, nddt.:* Tölpel, Tollpatsch; **tap|pen** *intr. 1;* **Tap|pen** *m. 7 Mz., bayr.:* Hausschuhe; **tap|pig** = tapsig; **täp|pisch** unbeholfen, plump, tollpatschig; **tap|rig** = taperig; **Taps** *m. 1* **1** leichter Schlag, Klaps; **2** Tolpatsch, unbeholfener Bursche; **tap|sig,** tap|pig unbeholfen, ungeschickt
Ta|ra [ital.] *w. Gen. - Mz. -ren* **1** Gewicht der Verpackung; **2** die Verpackung selbst
Ta|ran|tel [ital.] *w. 11* eine Wolfsspinne; wie von der T. gestochen aufspringen *ugs.;* **Ta|ran|tel|la** *w. Gen. Mz. -s oder* -len lebhafter ital. Volkstanz
Ta|rar [frz.] *m. 1* Gerät zum Reinigen von Getreide
Tar|busch [arab.] *m. 9, arab. Bez. für* Fes
Ta|ren *Mz. von* Tara; **ta|rie|ren** *tr. 3;* ein Gefäß, eine Verpackung t.: sein bzw. ihr Gewicht feststellen; **Ta|rier|waa|ge** *w. 11*
Ta|rif [arab.-ital.] *m. 1* **1** festgelegte Summe für Preise, Löhne, Gehälter, Steuern usw.; **2** amtl. Verzeichnis davon; **Ta|ri|feur** [-før] *m. 1* jmd., der Tarife bestimmt; **ta|ri|fie|ren** *tr. 3* den Tarif (von etwas) festsetzen, in einen Tarif aufnehmen; **ta|rif|lich;** **Ta|rif|lohn** *m. 2;* **Ta|rif|ord|nung** *w. 10;* **Ta|rif|part|ner** *m. 5;* **Ta|rif|ver|trag** *m. 2*
Tar|la|tan [frz.] *m. 1* durchsichtiges, steifes Baumwollgewebe
Tarn|an|strich *m. 1;* **tar|nen** *tr. 1;* **Tarn|far|be** *w. 11;* **Tarn|kap|pe** *w. 11, german. Myth.:* unsichtbar machende Kappe; **Tar|nung** *w. 10*
Ta|ro [polynes.] *m. 9* stärkehaltiger Wurzelstock einer trop. Nutzpflanze
Ta|rock [arab.-ital.] *s. oder m. Gen. -s nur Ez.* ein Kartenspiel für drei Spieler; **ta|ro|ckie|ren** *intr. 3, im Tarock:* Trumpf ausspielen
Ta|rot [-ro, ital.-frz.] *s. 9 oder m. 9* ein Karten-Wahrsagespiel
Tar|pan *m. 1* ausgestorbenes europ. Wildpferd
Tar|sus [griech.] *m. Gen. - Mz. -sen* **1** Fußglied (der Gliederfüßer); **2** Fußwurzel; **3** Lidknorpel (im Oberlid)
Tar|tan **1** [tartən, engl.] *m. 9* dicke, wollene, karierte Reisedecke; *auch:* Wollstoff mit schott. Muster; **2** [tartan] *m. Gen. -s nur Ez.* Ⓦᵶ synthetischer Oberflächenbelag von Freisportanlagen
Tar|ta|ne [arab.-ital.] *w. 11* einmastiges Fischerboot
Tar|tar *m. 10, fälschl. für* Tatar
Tar|ta|ros [griech.] *m. Gen. - nur Ez., griech. Myth.:* tiefster Teil der Unterwelt; **Tar|ta|rus** *m. Gen. - nur Ez.* **1** *lat. Form von* Tartaros; **2** Weinstein; **Tar|trat** *s. 1, Chemie:* Salz der Weinsäure
Tart|sche *w. 11* mittelalterl. Schild
Tar|tüff [nach Tartuffe, der Titelgestalt einer Komödie von Molière] *m. 9* Heuchler
Täsch|chen *s. 7;* **Ta|sche** *w. 11;* **Ta|schen|buch** *s. 4;* **Ta|schen-**

dieb *m. 1;* **Ta|schen|dieb|stahl** *m. 2;* **Ta|schen|geld** *s. 3;* **Ta|schen|spie|ler** *m. 5;* **Ta|schen|spie|le|rei** *w. 10;* **Täsch|lein** *s. 7;* **Tasch|ner, Täsch|ner** *m. 5, süddt., österr.:* Hersteller von Taschen

Tas|ma|ni|en Insel und Gliedstaat Australiens; **Tas|ma|ni|er** *m. 5;* **tas|ma|nisch**

TASS *w. Gen.* - Nachrichtenagentur der ehem. UdSSR

Täß|chen ► **Täss|chen** *s. 7;* **Tas|se** *w. 11; österr.:* Untertasse; Tablett; **Tas|sen|kopf** *m. 2* Obertasse (als Maßangabe); ein T. voll

Tas|ta|tur [ital.] *w. 10* Gesamtheit der Tasten (an Klavier, Schreibmaschine, Computer); **tast|bar; Tast|bar|keit** *w. 10 nur Ez.;* **Tas|te** *w. 11;* **tas|ten** *intr. u. tr. 2;* einen Text t. *Buchw.:* auf der Setzmaschine einen Lochstreifen von einem Text herstellen; **Tas|ter** *m. 5* **1** = Palpe; **2** schreibmaschinenähnl. Teil der Setzmaschine; **3** Setzer, der diesen bedient; **Tast|sinn** *m. 1 nur Ez.*

Tat *w. 10;* in der Tat: wirklich; mit Rat und Tat

Ta|tar *m. 10* **1** Angehöriger eines mongol. Volksstammes; **2** *auch:* Angehöriger eines mongol.-türk. Mischvolkes in Russland, Westsibirien; **Ta|tar|beef|steak** [-bi:fstɛk] *s. 9* rohes, gehacktes, mit Ei, Zwiebel, Essig und Öl angemachtes Rindfleisch; **Ta|ta|ren|nach|richt** *w. 10* erfundene, aber wahr erscheinende Nachricht; **ta|ta|risch**

ta|tau|ie|ren *tr. 3, fachsprachl. Form von* tätowieren

Tat|be|stand *m. 2;* **Tat|ein|heit** *w. 10 nur Ez.* Verletzung mehrerer Strafgesetze durch dieselbe Handlung, Idealkonkurrenz; *Ggs.:* Tatmehrheit; **Ta|ten|drang** *m. Gen.* -(e)s *nur Ez.;* **Ta|ten|durst** *m. Gen.* -(e)s *nur Ez.;* **ta|ten|durs|tig; ta|ten|froh; ta|ten|los; Ta|ten|lo|sig|keit** *w. 10 nur Ez.;* **Tä|ter** *m. 5;* **Tä|ter|schaft** *w. 10 nur Ez.* **1** das Tätersein (bes. bei Straftaten); die T. leugnen; **2** *schweiz. auch:* Gesamtheit der Täter; **Tat|form,** Tä|tig|keits|form *w. 10* = Aktiv; *Ggs.:* Leideform; **tä|tig; tä|ti|gen** *tr. 1;* **Tä|tig|keit** *w. 10;* **Tä|tig|keits|drang** *m. Gen.* -(e)s *nur Ez.;* **Tä|tig|keits|form** *w. 10* = Tatform; **Tä|tig|keits|wort** *s. 4* = Verb; **Tat|kraft** *w. 2 nur Ez.;* **tat|kräf|tig; tät|lich** handgreiflich; jmdn. tätlich angreifen, tätlich werden: jmdn. schlagen; **Tät|lich|keit** *w. 10* Schlag, Gewalttätigkeit; er neigt zu Tätlichkeiten, es kam zu Tätlichkeiten; **Tat|mehr|heit** *w. 10 nur Ez.* Verletzung mehrerer Strafgesetze durch mehrere Handlungen, Realkonkurrenz; *Ggs.:* Tateinheit; **Tat|ort** *m. 1*

tä|to|wie|ren [tahit.] *tr. 3;* jmdn., einen Körperteil t.: mit Nadelstichen farbige, nicht mehr entfernbare Zeichnungen in die Haut einbringen; **Tä|to|wie|rung** *w. 10*

Ta|tra *auch:* **Tat|ra** *w. Gen.* - höchster Gebirgsteil der Karpaten; Hohe, Niedere Tatra

Tat|sa|che *w. 11;* **Tat|sa|chen|be|richt** *m. 1;* **tat|säch|lich** [auch: tat-]

tät|scheln *tr. 1;* **tat|schen** *tr. u. intr. 1, ugs.:* plump, zudringlich streicheln, anfassen

Tat|ter|greis *m. 1, ugs.* = Tapergreis; **Tat|te|rich** *m. 1, ugs.:* nervöses Zittern der Hände; **tat|te|rig,** tatt|rig *ugs.:* zittrig; **tat|tern** *intr. 1* zittern (vor Kälte); **tät|tern** *intr. 1, ugs.:* schnell und aufgeregt reden

Tat|ter|sall [nach dem Engländer R. Tattersall] *m. 9* Reithalle, Reitbahn

tatt|rig = tatterig

tat|ver|däch|tig; *aber:* er ist der Tat verdächtig

Tätz|chen *s. 7;* **Tat|ze** *w. 11* **1** Pfote, Pranke (von größeren Tieren); **2** *ugs. scherzh.:* große, breite Hand; **3** *süddt. Schülerspr.:* Schlag auf die Hand (als Strafe); **Tat|zel|wurm** *m. 4, im Volksglauben einiger Alpengebiete:* großes Kriechtier; **Tätz|lein** *s. 7, poet.*

Tau **1** *m. 1 nur Ez.* Niederschlag am frühen Morgen; **2** *s. 1* starkes Seil **3** *s. Gen.* -(s) *Mz.* -s (*Zeichen:* τ, T) griech. Buchstabe

taub gehörlos; taube Nuss: leere Nuss; taubes Gestein *Bgb.:* Gestein ohne Erz; sich taub stellen; **taub|blind** taub und blind zugleich; **Taub|blind|heit** *w. 10 nur Ez.*

Täub|chen *s. 7;* **Tau|be** *w. 11;* **tau|ben|blau**

tau|be|netzt; *aber:* von Tau benetzt

tau|ben|grau; Tau|ben|haus *s. 4;* **Tau|ben|post** *w. Gen.* - *nur Ez.* Post mit der Brieftaube; **Tau|ben|schlag** *m. 2;* **Tau|ben|stö|ßer** *m. 5* Sperber; **Tau|ber, Täu|ber** *m. 5,* **Tau|be|rich, Täu|be|rich** *m. 1* männl. Taube

Taub|heit *w. 10 nur Ez.*

Täub|lein *s. 7, poet.;* **Täub|ling** *m. 1* ein Blätterpilz

Taub|nes|sel *w. 11;* **taub|stumm** *besser:* gehörlos; **Taub|stum|men|an|stalt** *w. 10, früher Bez. für* Gehörlosenschule; **Taub|stum|men|leh|rer** *m. 5* Lehrer für gehörlose Kinder; **Taub|stumm|heit** *w. 10 nur Ez., besser:* Gehörlosigkeit

Tauch|boot *s. 1* Unterseeboot; **tau|chen** *intr. u. tr. 1;* **Tau|cher** *m. 5;* **Tau|cher|glo|cke** *w. 11;* **Tau|cher|krank|heit** *w. 10 nur Ez.* Durchblutungsstörung bei plötzlichem Rückgang des Luftdrucks, Caissonkrankheit; **tauch|fä|hig; Tauch|sie|der** *m. 5*

tau|en *intr. 1* **1** *nur unpersönl.* es taut: Tau fällt; **2** schmelzen; der Schnee, das Eis taut

Tau|en|de *s. 14, bes. in der Wendung* etwas mit dem T. kriegen *Seemannsspr.:* Prügel kriegen

Tau|ern *Mz.* Gebirge in den Alpen; Hohe, Niedere Tauern

Tauf|be|cken *s. 7;* **Tau|fe** *w. 11;* **tau|fen** *tr. 1;* **Täu|fer** *m. 5* **tau|feucht**

Tauf|for|mel *w. 11;* **Tauf|ka|pel|le** *w. 11;* **Tauf|kir|che** *w. 11;* **Täuf|ling** *m. 1;* **Tauf|na|me** *m. 15;* **Tauf|pa|te** *m. 11;* **Tauf|pa|tin** *w. 10*

tau|frisch; *auch übertr.:* jung, frisch und unberührt (Mädchen)

Tauf|schein *m. 1;* **Tauf|stein** *m. 1*

tau|gen *intr. 1;* zu etwas, zu nichts taugen; **Tau|ge|nichts** *m. 1;* **taug|lich; Taug|lich|keit** *w. 10 nur Ez.*

tau|ig voller Tau

Tau|mel *m. 5;* **tau|me|lig,** taum|lig; **Tau|mel|lolch** *m. 1* ein giftiges Unkraut; **tau|meln** *intr. 1;* ich taumele, taumle; **taum|lig,** tau|me|lig

Tau|punkt *m. 1* Temperatur, bei der die Luft mit Wasserdampf gesättigt ist

Tau|rus *m. Gen.* - Gebirge in Kleinasien
Tausch *m. 1;* **tau|schen** *tr. 1*
täu|schen *tr. 1;* **Täu|scher** *m. 5* **1** *urspr.:* Händler, z. B. Rosstäuscher; **2** Betrüger
Tausch|ge|schäft *s. 1;* **Tausch|han|del** *m. Gen.* -s *nur Ez.*
Tau|schier|ar|beit *w. 10;* **tau|schie|ren** [arab.] *tr. 3* mit anderem, edlerem Metall einlegen; **Tau|schie|rung** *w. 10*
Täu|schung *w. 10*
Tausch|wert *m. 1*
tau|send eintausend, *in Ziffern:* 1 000; tausend und abertausend; vgl. acht, hundert; **Tau|send** *s. 1, Mz. auch* - (*Abk.:* Tsd.) **1** Zahl 1 000; **2** Menge von tausend Stück; Tausende und Abertausende; zehn von Tausend: zehn Promille; vgl. Hundert; vgl. auch Acht; **3** *m.* Teufel; *nur noch in der Wendung:* ei der Tausend!; **Tau|send|blatt** *s. 4 nur Ez.* eine Wasserpflanze; **tau|send|eins,** tau|send|und|eins; **Tau|sen|der** *m. 5* **1** *in mehrstelligen Zahlen:* die vierte Zahl von rechts bzw. vor dem Komma; **2** *ugs.:* Tausendmarkschein; **tau|sen|der|lei** tausend Dinge; **tau|send|fach**; vgl. achtfach; **tau|send|fäl|tig; Tau|send|fuß** *m. 1,* **Tau|send|fü|ßer, Tau|send|füß|ler** *m. 5* ein Gliederfüßer; **Tau|send|gül|den|kraut** *s. 4;* **Tau|send|jahr|fei|er** *w. 11* Feier der 1000. Wiederkehr eines Ereignisses oder zum 1000-jährigen Bestehen, Millenniumsfeier; vgl. Jahrtausendfeier; **tau|send|jäh|rig**; *aber:* das Tausendjährige Reich: im Frühchristentum erwartetes Reich des messianischen Heils; **Tau|send|künst|ler** *m. 5* **1** Taschenspieler; **2** *ugs.:* jmd., der vieles kann; **tau|send|mal**; vgl. achtmal; **Tau|send|sa|sa,** *österr., schweiz.:* **Tau|send|sas|sa** *m. 9* tüchtiger Kerl, Mordskerl; **Tau|send|schön** *s. 1,* **Tau|send|schön|chen** *s. 7* eine Art des Gänseblümchens; **tau|sends|te**; der tausendste Besucher; *aber:* das weiß der Tausendste nicht: das weiß kaum jemand; vom Hundertsten ins Tausendste kommen: immer etwas Neues zu erzählen wissen; **tau|sends|tel, Tau|sends|tel** *s. 5, schweiz.: m. 5* vgl. achtel, Achtel; **Tau|send|und|ei|ne|nacht** *w.* eine arabische Märchensammlung; Märchen aus Tausendundeiner Nacht
Tau|ta|zis|mus [griech.] *m. Gen.* - *Mz.* -men unschöne Häufung gleicher Anfangslaute in aufeinander folgenden Wörtern; **Tau|to|lo|gie** *w. 11* Bezeichnung derselben Sache durch mehrere Ausdrücke, z. B. alter Greis, schon bereits; **tau|to|lo|gisch; tau|to|mer** auf Tautomerie beruhend; **Tau|to|me|rie** *w. 11 nur Ez.* ein chem. Gleichgewicht infolge Protonenumlagerung
Tau|trop|fen *m. 7*
Tau|werk *s. 1 nur Ez.*
Tau|wet|ter *s. 5 nur Ez.;* **Tau|wind** *m. 1*
Tau|zie|hen *s. Gen.* -s *nur Ez.*
Ta|ver|ne [-vẹr-, lat.] *w. 11* Schenke
Ta|xa|me|ter [lat. + griech.] *s. 5* **1** *in Mietautos:* Fahrpreisanzeiger; **2** *veraltet für* Taxi; **Ta|xa|ti|on** [lat.] *w. 10* Schätzung; **Ta|xa|tor** *m. 13* jmd., der etwas taxiert; **Tạ|xe** *w. 11* **1** festgesetzter Preis; Gebühr, Abgabe, z. B. Kurtaxe; **2** *mitteldt. für* Taxi; **tạ|xen** *tr. 1, selten für* taxieren; **Tạ|xi** *s. 9, schweiz. auch: m. 9* Mietauto; **Tạ|xi|chauf|feur** [-ʃɔfø̱r] *m. 1*
Ta|xi|der|mie [griech.] *w. 11 nur Ez.* das Ausstopfen (von Tieren)
Ta|xie [griech.] *w. 11,* **Tạ|xis** *w. Gen.* - *Mz.* -xen durch Reiz von außen ausgelöste und auf diesen gerichtete Bewegung (von Pflanzen)
ta|xie|ren [lat.] *tr. 3,* etwas t.: Wert, Ausmaße, Alter usw. von etwas schätzen
Tạ|xi|fah|rer *m. 5;* **Tạ|xi|girl** [-gəːl, lat. + engl.] *s. 9* in Tanzlokalen angestellte Tanzpartnerin
Tạ|xis *w. Gen.* - *Mz.* -xen = Taxie
Ta|xo|no|mie [griech.] *w. 11* Einordnung in ein biolog. System
Tạx|preis *m. 1* durch Taxieren ermittelter Preis
Tạ|xus [lat.] *m. Gen.* - *Mz.* - = Eibe
Tạx|wert *m. 1* durch Taxieren ermittelter Wert
Tb **1** *chem. Zeichen für* Terbium; **2** *Abk. für* Tuberkulose
Tbc, Tb *Abk. für* Tuberkulose; **Tbc-krank,** Tb-krank

> **T-Bone-Steak:** Man setzt einen Bindestrich zwischen allen Bestandteilen mehrteiliger Zusammensetzungen, in denen eine Wortgruppe oder eine Zusammensetzung mit Bindestrich auftritt: (das) *T-Bone-Steak.* Ebenso: *D-Zug-Wagen, 35-Stunden-Woche* usw. → § 44

T-bone-Steak ► **T-Bone-Steak** [tịboʊnsteːk, engl.] *s. 9* Steak aus dem Rippenstück des Rinds mit T-förmigem Knochen
Tc *chem. Zeichen für* Technetium
Te *chem. Zeichen für* Tellur
Teach-in [tiːtʃ-, engl.] *s. 9* Informationsveranstaltung von Studenten zu einem bestimmten Thema
Teak|baum [tịk-, drawid.-engl.] *m. 2* ein trop. Baum; **Teak|holz** *s. 4* Holz des Teakbaums
Team [tịm, engl.] *s. 9* **1** *Sport:* Mannschaft; **2** *allg.:* Arbeitsgruppe; **Team|ar|beit** [tịm-] *w. 10 nur Ez.* = Teamwork; **Team|tea|ching** [tịmtiːtʃɪŋ] *s. 9* Vorlesungsreihe, in der mehrere Dozenten nacheinander ein Thema von verschiedenen Seiten beleuchten; **Team|work** [tịmwəːk] *s. 9 nur Ez.* gute Zusammenarbeit, Arbeit eines gut aufeinander abgestimmten Teams, Teamarbeit

> **Tearoom:** Fremdsprachige wie deutschsprachige Verbindungen schreibt man zusammen: (der) *Tearoom.* → § 37 (1)

Tea-Room ► **Tea|room** [tịruːm, engl.] *m. 9* **1** *in Hotels und Restaurants:* Teestube; **2** *schweiz.:* Café oder Restaurant, in dem nur alkoholfreie Getränke ausgeschenkt werden
Tech|ne|ti|um [-tsjum, griech.] *s. Gen.* -s *nur Ez.* (*Zeichen:* Tc) chem. Element
Tẹch|nik [griech.] *w. 10* **1** *nur Ez.* Gesamtheit aller Mittel, die Natur dem Menschen nutzbar zu machen; **2** *nur Ez., Sammelbez. für* die Ingenieurwissenschaften; **3** Gesamtheit der Regeln und Verfahren einer Tätigkeit, z. B. Fahrtechnik; **4** *österr.:*

► = wird zu

Technische Hochschule; **Tech|ni|ker** *m. 5;* **Tech|ni|kum** *s. Gen.* -s *Mz.* -ken techn. Fachschule; **tech|nisch** die Technik betreffend, zu ihr gehörend, auf ihr beruhend; technischer Leiter (eines Betriebes); technisches Maßsystem; (irgendeine) technische Hochschule, Universität; *aber:* die Technische Universität (*Abk.:* TU) Berlin; Technischer Überwachungs-Verein (*Abk.:* TÜV); technischer Zeichner; das technische Zeitalter; **tech|ni|sie|ren** *tr. 3* auf techn. Betrieb umstellen, für techn. Betrieb einrichten; **Tech|ni|sie|rung** *w. 10 nur Ez.;* **Tech|ni|zis|mus** *m. Gen.* - *Mz.* -men techn. Ausdruck, techn. Redewendung; **Tech|no** [tekno, engl.] *m. Gen.* - *nur Ez.* hektisch rhythmisierte Computermusik (mit Laserlichteffekten; für Partys, die Jugendliche in skurrilen Verkleidungen besuchen); **Tech|no|krat** *m. 10* Vertreter der Technokratie; **Tech|no|kra|tie** *w. 11 nur Ez.* in den USA entstandene Lehre, dass Technik und Techniker Wirtschaft und Gesellschaft beherrschen (bzw. beherrschen sollten); *auch:* die techn. Führungsschicht; **Tech|no|lekt** *m. 1* Fachsprache; **Tech|no|lo|ge** *m. 11;* **Tech|no|lo|gie** *w. 11 nur Ez.* Lehre von den techn. Produktionsverfahren, Herstellungs- und Verarbeitungskunde; **tech|no|lo|gisch; tech|no|morph** durch die Technik geformt; vgl. biomorph, soziomorph

Tech|tel|mech|tel [ital.?] *s. 5* Liebelei

Te|ckel *m. 5* = Dackel

Ted|dy [engl.] *m. 9, Kurzw. für* Teddybär; **Ted|dy|bär** *m. 10* Stoffbär

Te|de|um [lat., Anfangsworte des Hymnus Te Deum laudamus »Dich, Gott, loben wir«] *s. 9* altkirchl. Lobgesang

> **Tee-Ei, Tee-Ernte:** Ein Bindestrich kann zur Gliederung unübersichtlicher Zusammensetzungen oder beim Zusammentreffen von drei gleichen Buchstaben gesetzt werden: *Tee-Ei, Tee-Ernte.* → § 45 (4)

Tee [chin.-engl.] *m. 9;* chinesischer, indischer, grüner, schwarzer Tee; **Tee|ei** ▶ *auch:* **Tee-Ei** *s. 3;* **Tee|ern|te** ▶ *auch:* **Tee-Ern|te** *w. 11;* **Tee|haus** *m. 4;* **Tee|in** *s. 1 nur Ez.* = Tein; **Tee|licht** *s. 1;* **Tee|löf|fel** *m. 5;* drei T. voll

Teen [ti:n, engl.] *m. 9 meist Mz.;* **Teen|ager** *auch:* **Tee|na|ger** [tineɪdʒər] *m. 5;* **Tee|nie, Tee|ny** [ti-] *m. 9* Mädchen, *auch:* Junge zwischen 13 und 19 Jahren

Teer *m. 1* bei der trockenen Destillation von Holz, Kohle u. a. entstehende, dunkelbraune, zähe Flüssigkeit; **tee|ren** *tr. 1* mit Teer bestreichen; **Teer|farb|stoff** *m. 1;* **tee|rig; Teer|ja|cke** *w. 11, scherzh.:* Matrose; **Teer|pap|pe** *w. 11;* **Tee|rung** *w. 10*

Tee|strauch *m. 4;* **Tee|tas|se** *w. 11;* **Tee|tisch** *m. 1;* **Tee|wa|gen** *m. 7;* **Tee|wurst** *w. 2* feine Mettwurst; **Tee|ze|re|mo|nie** *w. 11*

Te|fil|la [hebr.] *w. Gen.* - *nur Ez.* jüd. Gebet und Gebetbuch; **Te|fil|lin** *Mz.* Gebetsriemen der Juden

Tef|lon *s. Gen.* -s *nur Ez.* Ⓦⓩ hitzebeständige Kunststoffbeschichtung in Bratpfannen u. Ä.

Te|he|ran [auch: -ran] Hst. des Iran

Teich *m. 1;* **Teich|rohr|sän|ger** *m. 5* ein Singvogel; **Teich|ro|se** *w. 11* eine Wasserpflanze, Mummel

teig *süddt.:* überreif, weich (Obst); **Teig** *m. 1;* **tei|gig; Teig|wa|ren** *w. 11 Mz.*

Teil *m. 1 oder s. 1;* seinen Teil zu etwas beitragen; ein gut Teil davon; er hat das bessere Teil erwählt; zum Teil (*Abk.:* z. T.); zum größten Teil; **teil|bar; Teil|bar|keit** *w. 10 nur Ez.;* **Teil|be|trag** *m. 2;* **Teil|chen|be|schleu|ni|ger** *m. 5* Anlage, in der Elektronen u. a. Elementarteilchen auf extreme Geschwindigkeiten beschleunigt werden; **tei|len** *tr. 1;* zehn geteilt durch zwei ist, gibt, macht fünf; sie waren geteilter Meinung; **Tei|ler** *m. 5* Zahl, die in einer anderen Zahl mehrmals ohne Rest enthalten ist; **Teil|hal|be** *w. 11 nur Ez.;* **teil|ha|ben** *intr. 60;* jmdn. an etwas t. lassen; er hatte nicht teil daran, er hat daran teilgehabt; **Teil|ha|ber** *m. 5;* **Teil|ha|ber|schaft** *w. 10 nur Ez.;* **teil|haf|tig;** einer Sache t. werden

> **teilhaben, teilnehmen:** Verbindungen aus einem teilweise verblassten Substantiv und einem Verb schreibt man zusammen: *Wir wollten am Erfolg teilhaben. Sie haben an der Sitzung teilgenommen.* → § 34 (3)

...tei|lig *in Zus.,* z. B. ein-, drei-, mehr-, vielteilig, *mit Ziffer:* 5-teilig; **Teil|kal|ku|la|ti|on** *w. 10* nur die Einzelkosten berücksichtigende Kalkulationsweise; **Teil|kas|ko|ver|si|che|rung** *w. 10;* **Teil|nah|me** *w. 11 nur Ez.;* **teil|nah|me|be|rech|tigt; Teil|nah|me|be|rech|ti|gung** *w. 10 nur Ez.;* **teil|nahms|los; Teil|nahms|lo|sig|keit** *w. 10 nur Ez.;* **teil|nahms|voll; teil|neh|men** *intr. 88;* **Teil|neh|mer** *m. 5;* **teils**; teils, teils *ugs.:* wechselnd, einmal so und einmal so, sowohl als auch; **Teil|stre|cke** *w. 11;* **Teil|strich** *m. 1;* **Teil|stück** *s. 1;* **Tei|lung** *w. 10;* **Tei|lungs|ar|ti|kel** *m. 5, in manchen Sprachen:* Artikel zur Bezeichnung einer kleinen, unbestimmten Menge, z. B. ital.: desidera del vino »er wünscht etwas Wein«; **teil|wei|se; Teil|zah|lung** *w. 10;* **Teil|zeit** *w. 10;* (in) Teilzeit arbeiten; ich arbeite (in) Teilzeit

> **(in) Teilzeit arbeiten:** Verbindungen aus Substantiv und Verb schreibt man getrennt: *Sie arbeiten seit gestern (in) Teilzeit.* → § 34 E3 (5), § 55 (4)

Te|in, Tee|in *s. 1 nur Ez.* im Tee enthaltenes Koffein

Teint [tẽ, frz.] *m. 9* Farbe, Zustand der Gesichtshaut, Gesichtsfarbe, Hauttönung

T-Ei|sen *s. 7* Eisenträger mit T-förmigem Querschnitt

tek|tie|ren [lat.] *tr. 3* durch Überkleben unkenntlich machen (Text); **Tek|to|ge|ne|se** *w. 11* Gebirgsbildung; **Tek|to|nik** *w. 10 nur Ez.* **1** Lehre vom Aufbau und von den Bewegungen der Erdkruste; **2** Lehre vom Zusammenfügen von Einzelteilen, bes. der Bauteile, zu einem Ganzen; **3** Lehre vom inneren Aufbau eines Kunstwerkes; **tek|to|nisch; Tek|tur** *w. 10, Buchw.:* **1** Decke, Deckblatt; **2** Berichtigung (eines Textes) durch Überkleben

Tel Aviv [-vif] Stadt in Israel

tele…, Tele… [griech.] *in Zus.:* fern…, Fern…
Teledidaktik *w. 10 nur Ez.* Lehrmethode mit Hilfe des Fernsehens; **teledidaktisch; Telefax** *s. 1* Fernkopiersystem der Post für Text- und Bildvorlagen; **Telefon** *s. 1* Fernsprecher; **Telefonat** *s. 1* Telefongespräch; **Telefonbuch** *s. 4;* **Telefongespräch** *s. 1;* **Telefonie** *w. 11 nur Ez.* Fernsprechwesen; **telefonieren** *intr. 3;* **telefonisch; Telefonistin** *w. 10* Angestellte, die Telefongespräche vermittelt; **Telefonitis** *w., scherzh. in der Wendung* die T. haben: viel, lange telefonieren; **Telefonnummer** *w. 11;* **Telefonzelle** *w. 11;* **Telefonzentrale** *w. 11;* **Telefotografie** *w. 11* mit einem Teleobjektiv aufgenommene Fotografie; Fernfotografie
telegen für Fernsehaufnahmen geeignet; **Telegenität** *w. 10 nur Ez.;* **Telegonie** *w. 11* angebl. Beeinflussung späterer Geburten durch den, der die erste Befruchtung vollzogen hat; **Telegraf,** Telegraph *m. 10* Gerät zur Nachrichtenübermittlung durch elektr., akust. oder opt. Zeichen; **Telegrafie,** Telegraphie *w. 11 nur Ez.* Nachrichtenübermittlung durch Telegrafen; **telegrafieren,** telegraphieren *tr. 3;* **telegrafisch,** telegraphisch; **Telegrafist,** Telegraphist *m. 10* Angestellter, der telegrafisch Nachrichten übermittelt; **Telegramm** *s. 1* telegrafisch übermittelte Nachricht; **Telegrammadresse** *w. 11* verkürzte Adresse für Telegramme; **Telegrammbote** *m. 11;* **Telegraph** *m. 10* = Telegraf; **Telegraphie** *w. 11 nur Ez.* = Telegrafie; **telegraphieren** *tr. 3* = telegrafieren; **telegraphisch** = telegrafisch; **Telegraphist** *m. 10* = Telegrafist; **Telekinese** *w. 11, Okkultismus:* angebl. Bewegung von Gegenständen durch übersinnl. Kräfte; **Telekolleg** *s. 9* Fernunterricht im Fernsehen; **Telekom** *ohne Artikel* selbstständiger Unternehmensbereich der Deutschen Post AG, der Netz und Technik fürs Telefonieren, Faxen, Kabelfernsehen, Bildschirmtext und Vernetzen von Computern übernimmt, Telekommunikationssystem; **Telelabor** *s. 9* Einheit von mehreren Schülerarbeitsplätzen, an denen je ein Monitor montiert ist (für Fernsehunterricht); **Telemeter** *s. 5* Entfernungsmesser; **Telemetrie** *auch:* **-metrie** *w. 11 nur Ez.;* **Telemuffel** *m. 5, ugs. scherzh.:* jmd., der nicht gern fernsieht, Fernsehmuffel; **Teleobjektiv** *s. 1* langbrennweitiges Objektiv zur Aufnahme weit entfernter Gegenstände; **Teleologie** *w. 11 nur Ez.* Lehre, dass die Entwicklung der Natur zweckmäßig und zielgerichtet sei; *Ggs.:* Dysteleologie; **teleologisch; Teleostier** *m. 5* Knochenfisch; **Telepath** *m. 10* jmd., der für Telepathie empfänglich ist; **Telepathie** *w. 11 nur Ez.* Wahrnehmung von Vorgängen über weite Entfernung oder Übertragung von Gedanken ohne Hilfe der Sinnesorgane; **telepathisch; Teleplayer** [-pleɪər, griech. + engl.] *m. 5* ein EVR-Abspielgerät; **Teleskop** *auch:* **Teleskop** *s. 1* Fernrohr; **Teleskopauge** *auch:* **Teleskop-** *s. 14, bes. bei Tiefseefischen:* längsachsig gestrecktes Auge; **Teleskopfisch** *auch:* **Teleskop-** *m. 1* eine Zuchtform des Goldfischs mit gestielten Augen; **teleskopisch** *auch:* **teleskopisch** mittels Teleskops; **Teletypesetter** [-taɪp-, griech. + engl.] *m. 5* ferngesteuerte Setzmaschine; **Teleunterricht** *m. 1 nur Ez.* Unterricht mittels Fernsehen, schulinternes Fernsehen; **Television** (*Abk.:* TV) *w. 10 nur Ez.* Fernsehen; **Telex** [Kurzw. aus engl. teleprinter exchange] *s. Gen. - nur Ez.* Fernschreibernetz
Teller *m. 5;* **Tellereisen** *s. 7* Tierfalle, Schlag-, Tritteisen; **Tellerfleisch** *s. Gen.* -(e)s *nur Ez.* gekochtes Rindfleisch; **Tellersammlung** *w. 10* Geldsammlung, bei der jmd. mit einem Teller reihum geht
Tellur [lat.] *s. Gen.* -s *nur Ez.* (*Zeichen:* Te) chem. Element; **tellurig;** tellurige Säure; **tellurisch** von der Erde herrührend, Erd…; **Tellurit** *s. 1* Salz der tellurigen Säure; **Tellurium** *s. Gen.* -s *Mz.* -rien Gerät zur Veranschaulichung der Bewegungen von Erde, Sonne und Mond
tel quel [tɛlkɛl, frz. »so wie«] internationale Handelsformel für den Ausschluss von Gewährleistungsansprüchen
Telugu *s. Gen.* -(s) *nur Ez.* eine drawid. Sprache
Tempel [lat.] *m. 5* **1** geheiligte, kultischen Zwecken dienende Stätte; **2** einer Gottheit geweihter, nichtchristl. Bau; jmdn. zum T. hinausjagen *übertr. ugs.:* jmdn. hinauswerfen; **Tempelherr** *m. 10* Angehöriger des Templerordens; **tempeln** *intr. 1* das Tempeln spielen; **Tempeln** *s. Gen.* -s *nur Ez.* ein Kartenglücksspiel; **Tempelraub** *m. 1 nur Ez.;* **Tempeltanz** *m. 2;* **Tempeltänzerin** *w. 10*
Temperafarbe [lat.] *w. 11* mit Bindemitteln versetzte Farbe, die rasch trocknet und danach wasserunlöslich wird; **Temperamalerei** *w. 10 nur Ez.*
Temperament [lat.] *s. 1* **1** Wesensart, Gemütsart; **2** *nur Ez.* Lebhaftigkeit, Schwung, Erregbarkeit, Munterkeit; **temperamentlos; Temperamentlosigkeit** *w. 10 nur Ez.;* **Temperamentsausbruch** *m. 2;* **temperamentvoll; Temperatur** *w. 10* **1** Wärmegrad, Wärmezustand; **2** *Med.:* leichtes Fieber; **3** *Mus., bei Tasteninstrumenten:* temperierte Stimmung; **Temperaturregler** *m. 5;* **Temperatursturz** *m. 2;* **Temperenz** *w. 10 nur Ez.* Mäßigkeit, bes. bezüglich des Alkoholgenusses; **Temperenzler** *m. 5* Angehöriger eines Temperenzvereins; **Temperenzverein** *m. 1* Verein zur Verbreitung der Enthaltsamkeit von Alkohol; **Temperguß** ▶ **Temperguss** *m. 2* ein Gussverfahren mittels Tempern; **temperieren** *tr. 3* **1** in gleichmäßige Temperatur bringen (Räume); **2** *übertr.:* mäßigen, mildern; **3** temperierte Stimmung *Mus.:* Stimmung (von Instrumenten) aufgrund der in zwölf Halbtöne eingeteilten Oktave; **tempern** [engl.] *tr. 1* erhitzen (zwecks Änderung der Materialeigenschaften); **Temperstahl** *m. 2* getemperter Gussstahl
tempieren [lat.] *tr. 3;* ein Geschoss t.: den Zeitzünder eines

▶ = wird zu

Geschosses einstellen; **Tem|pi pas|sa|ti** [ital.] *Mz.* vergangene Zeiten
Temp|ler *m. 5* Angehöriger des Templerordens, Tempelherr; **Temp|ler|or|den** *m. 7 nur Ez., MA:* ein geistl. Ritterorden zum Schutz des Heiligen Grabes
Tem|po [lat.-ital.] *s. 9, Mus. Mz.* -pi Geschwindigkeit, Schnelligkeit; **Tem|po|ra** *Mz. von* Tempus; **tem|po|ral 1** das Tempo betreffend, zeitlich; **2** zu den Schläfen gehörend; vgl. Temporalis; **Tem|po|ra|li|en** *Mz.* kirchl. Vermögen, Einkünfte; weltl. Hoheitsrechte der Kirche
Tem|po|ra|lis [lat.] *w. Gen. - Mz.* -les [-le:s], *Med.:* Schläfe
Tem|po|ral|satz [lat.] *m. 2* Umstandssatz der Zeit, Zeitsatz; **tem|po|rär** zeitweilig, vorübergehend, nicht dauernd; **Tempus** *s. Gen. - Mz.* -po|ra die Zeit bezeichnende Form des Verbums, Zeitform, z. B. Präsens
ten. *Abk. für* tenuto
Te|na|kel [lat.] *s. 5* Manuskripthalter (des Schriftsetzers)
Te|na|zi|tät [lat.] *w. 10 nur Ez.* **1** Zähigkeit, Ziehbarkeit, Zug-, Reißfestigkeit; **2** Beharrlichkeit, Ausdauer
Ten|denz [lat.] *w. 10* **1** Streben, Neigung, Hang; **2** erkennbare Absicht (eines Buches, Theaterstücks); **3** *Börse:* Stimmung; **ten|den|zi|ell** der Tendenz nach; **ten|den|zi|ös** eine Tendenz erkennen lassend, parteilich gefärbt; **Ten|denz|stück** *s. 1*
Ten|der [engl.] *m. 5* **1** Vorratswagen für die Lokomotive (mit Kohle, Wasser usw.); **2** Begleit-, Versorgungsschiff
ten|die|ren [lat.] *intr. 3;* zu etwas tendieren: eine Tendenz zu etwas aufweisen, zu etwas neigen
Tenn *s. 1, schweiz. für* Tenne
Ten|ne *w. 11*
Ten|nes|see [-si:] **1** *m. Gen.* - Nebenfluss des Ohio; **2** (*Abk.:* TN) Staat der USA
Ten|nis [lat.-frz.] *s. Gen. - nur Ez.* ein Ballspiel zwischen zwei oder vier Spielern; **Ten|nis-schlä|ger** *m. 5*
Ten|no [jap.] *m. 9, Titel für den* jap. Kaiser
Te|nor [lat.] *m. Gen.* -s *nur Ez.* **1** Inhalt, Sinn, Haltung, Einstellung; der T. eines Briefes; **2** *Rechtsw.:* entscheidender Teil eines Urteils; **3** *Mus. des MA:* den Cantus firmus bildende Hauptmelodiestimme; **Te|nor** [ital.] *m. 2* **1** höchste Stimmlage der Männer, Tenorstimme; **2** Sänger mit dieser Stimme; **3** hohe Stimmlage bei Musikinstrumenten, z. B. Tenorblockflöte; **4** Gesamtheit der hohen Männerstimmen im Chor; **te|no|ral** tenorartig, in Tenorlage; **Te|nor|buf|fo** *m. 9* Sänger mit Tenorstimme für komische Rollen; **Te|nor|schlüs|sel** *m. 5* ein Notenschlüssel, C-Schlüssel; **Te|nor|stim|me** *w. 11* = Tenor (**1**)
Te|no|to|mie [griech.] *w. 11* Sehnendurchtrennung
Ten|si|on [lat.] *w. 10* Spannung, Druck (von Gasen, Dämpfen)
Ten|sor [lat.] *m. 13* **1** Spannmuskel; **2** eine mathemat. Rechengröße
Ten|ta|kel [lat.] *m. 5 oder s. 5, bei Fleisch fressenden Pflanzen:* Fanghaar; **2** *bei wirbellosen Wassertieren:* Fühler oder Fangarm; **Ten|ta|ku|lit** *m. 10* ein fossiles, wahrscheinlich zu den Mollusken gehörendes Tier; **Ten|ta|ku|li|ten|kalk** *m. Gen.* -(e)s *nur Ez.* v. Tentakuliten gebildete Kalkablagerung
ten|tie|ren [lat.] *tr. 3, österr.:* beabsichtigen, vorhaben
Te|nu|is [lat.] *w. Gen. - Mz.* -nu|es [-e:s] stimmloser Verschlusslaut, z. B. p, t, k
te|nu|to [ital.] (*Abk.:* ten.) *Mus.:* in gleicher Tonstärke gehalten
Te|phrit [griech.] *m. 1* ein Ergussgestein
Te|pi|da|ri|um [lat.] *s. Gen.* -s *Mz.* -ri|en **1** *im röm. Bad:* Warmluftraum; **2** *veraltet:* Gewächshaus mit mittlerer Temperatur
Tep|pich *m. 1*
Te|qui|la [tekiḷa, indian.-span.] *m. Gen.* -(s) *nur Ez.* mexikan. Branntwein aus Agavensaft
Te|ra... [griech.] (*Abk.:* T) *in Zus.:* das Billionenfache (einer Maßeinheit)
Te|ra|to|lo|gie [griech.] *w. 11 nur Ez.* Lehre von den Missbildungen der Lebewesen; **Te|ra|tom** *s. 1* angeborene Geschwulst
Ter|bi|um [nach dem schwed. Ort Ytterby] *s. Gen.* -s *nur Ez.* (*Zeichen:* Tb) chem. Element
Te|re|bin|the [griech.] *w. 11* eine Pistazienart
Term [lat.] *m. 1, Math.:* Glied einer Formel, einer Reihe oder eines Produktes
Ter|min [lat.] *m. 1* bestimmter Zeitpunkt, z. B. für Zahlungen, Verhandlungen; **Ter|mi|nal** [tə:mɪnəl, engl.] *s. 9* **1** *Verkehrswesen:* Endstation; **2** *Datenverarbeitung:* Datenausgabe; **ter|min|ge|mäß; ter|min|ge|recht; Ter|min|ge|schäft** *s. 1* Geschäft, das nicht sofort nach Vertragsabschluss, sondern zu einem späteren Termin, aber zum gleichen Kurs erfolgen soll; *Ggs.:* Lokogeschäft; **Ter|mi|ni** *Mz. von* Terminus; **ter|mi|nie|ren** *tr. 3;* etwas t.: für etwas einen Termin festlegen, etwas befristen; **Ter|mi|nis|mus** *m. Gen. - nur Ez.* Lehre, dass alles Denken nur in Begriffen vor sich gehe; **ter|mi|nis|tisch; Ter|min-ka|len|der** *m. 5;* **Ter|min|kurs** *m. 1* Kurs, der einem Termingeschäft zugrunde liegt; **Ter|mi-no|lo|gie** *w. 11* Gesamtheit der Fachausdrücke (eines Wissensgebietes); medizinische T.; **ter-mi|no|lo|gisch; Ter|mi|nus** *m. Gen. - Mz.* -ni **1** Zeitpunkt, Stichtag; Terminus ad quem: Zeitpunkt, bis zu dem etwas befristet ist oder ausgeführt sein muss; Terminus a quo: Zeitpunkt, von dem an etwas ausgeführt werden muss, an dem etwas beginnt; **2** *kurz für* Terminus technicus: Fachausdruck
Ter|mi|te [lat.] *w. 11* ein staatenbildendes Insekt, Weiße Ameise; **Ter|mi|ten|bau** *m. 1*
Ter|mon [aus terminieren und Hormon] *s. 1, bei Algen:* geschlechtsbestimmender Wirkstoff
ter|när [lat.] aus drei Einheiten oder Stoffen bestehend, dreifach
Ter|pen [griech.] *s. 1* aus Isopreneinheiten aufgebauter Kohlenwasserstoff; **Ter|pen|tin** *s. 1, österr. m. 1 oder s. 1* Balsam von verschiedenen Nadelbäumen
Ter|psi|cho|re *auch:* **Terp|si|cho|re** [-çore:] *griech. Myth.:* Muse der Tanzkunst
Ter|rain [-rɛ̃, frz.] *s. 9* **1** Gelände; **2** Baugrundstück
Ter|ra in|co|gni|ta *auch:* **-in-co|gni|ta** [lat.] *w. Gen. -- nur Ez.*

unbekanntes, unerforschtes Land, etwas Unerforschtes; **Ter|ra|kot|ta** [ital.] **1** *w. Gen. - nur Ez.* gebrannter Ton; **2** *w. Gen. - Mz.* -ten = Terrakotte; **Ter|ra|kot|te** *w. 11* kleine Figur aus gebranntem Ton

Ter|ra|ri|um [lat.] *s. Gen.* -s *Mz.* -ri|en Behälter zum Halten von kleinen Kriechtieren und Lurchen

Ter|ras|se [frz.] *w. 11* **1** waagerechte Stufe im Gelände; **2** an ein Haus angebauter, ebenerdiger oder leicht erhöhter Platz; **Ter|ras|sen|gar|ten** *m. 8;* **ter|ras|sie|ren** *tr. 3* terrassenförmig, stufenförmig anlegen; **Ter|raz|zo** [ital.] *m. Gen.* -s *Mz.* -zi aus kleinen, farbigen Steinen mosaikartig zusammengesetzter Fußboden

ter|res|trisch *auch:* **ter|rest|risch** [lat.] **1** zur Erde gehörig, Erd…, irdisch; **2** zum Festland gehörig, auf dem Festland entstanden

Ter|ri|er [engl.] *m. 5* kleine bis mittelgroße Hunderasse

ter|ri|gen [lat. + griech.] *Biol.:* vom Festland stammend

Ter|ri|ne [frz.] *w. 11* Schüssel, *bes.:* Suppenschüssel

ter|ri|to|ri|al [lat.] zu einem Territorium gehörig, auf einem Territorium beruhend, es beherrschend; **Ter|ri|to|ri|al|ge|walt** *w. 10;* **Ter|ri|to|ri|a|lis|mus** *m. Gen. - nur Ez.* = Territorialsystem; **Ter|ri|to|ri|a|li|tät** *w. 10 nur Ez.* Zugehörigkeit zu einem Territorium; **Ter|ri|to|ri|a|li|täts|prin|zip** *s. Gen.* -s *nur Ez.* **1** Grundsatz, dass jeder, der sich in einem Staat aufhält, dessen Gewalt untersteht; **2** Grundsatz, dass jeder auf dem Gebiet eines Staates Geborene mit der Geburt dessen Staatsangehörigkeit erwirbt; **3** Grundsatz, dass eine Straftat nach den Gesetzen des Staates, in dem sie begangen wurde, bestraft wird, ohne Rücksicht auf die Staatsangehörigkeit des Täters; *Ggs.:* Personalitätsprinzip; **Ter|ri|to|ri|al|sys|tem** *s. 1* Staatsform, in der die Kirche dem Staat untergeordnet ist, Territorialismus; **Ter|ri|to|ri|um** *s. Gen.* -s *Mz.* -ri|en Land, Gebiet, Hoheitsgebiet

Ter|ror [lat.] *m. Gen.* -s *nur Ez.* **1** Schrecken; **2** Schreckensherrschaft; **3** *ugs.:* aufgeregtes, rücksichtsloses Handeln; **Ter|ror|akt** *m. 1* Gewaltakt; **ter|ro|ri|sie|ren** *tr. 3* durch Gewaltakte in Schrecken versetzen; **Ter|ro|ris|mus** *m. Gen. - nur Ez.* **1** Gewalt-, Schreckensherrschaft; **2** das Verüben von Terrorakten aus polit. Gründen; **Ter|ro|rist** *m. 10* jmd., der aus polit. Gründen Terrorakte verübt; **ter|ro|ris|tisch**

Ter|tia [-tsja, lat.] *w. Gen. - Mz.* -ti|en [-tsjən] **1** vierte (Untertertia) und fünfte Klasse (Obertertia) des Gymnasiums; **2** *nur Ez.* ein Schriftgrad, 16 Punkt; **Ter|ti|a|na|fie|ber** [-tsja-] *s. 5 nur Ez.* Art der Malaria mit Fieberanfällen an jedem dritten Tag; **Ter|ti|a|ner** [-tsja-] *m. 5* Schüler der Tertia; **ter|ti|är** [-tsjɛr] **1** die dritte Stelle einnehmend; **2** zum Tertiär gehörig, aus ihm stammend; **Ter|ti|är** [-tsjɛr] *s. 1 nur Ez.* untere Formation des Känozoikums; **Ter|ti|a|ri|er** [-tsja-] *m. 5,* Ter|zi|är *m. 5* Angehöriger des Tertiarierordens; **Ter|ti|a|ri|er|or|den** *m. 7 nur Ez.* ein kath. Laienorden; **Ter|ti|a|wech|sel** *m. 5* dritte Ausfertigung eines Wechsels; **Ter|ti|um com|pa|ra|ti|o|nis** [-tsjum] *s. Gen. -- Mz.* -tia - Vergleichspunkt, dritter Faktor, der zwei zu vergleichende Dinge verbindet; **Ter|ti|us gau|dens** [-tsjus] der sich freuende (lachende) Dritte

Terz [lat.] *w. 10* **1** dritter Ton der diaton. Tonleiter; **2** Intervall von drei Tonstufen; **3** *Fechten:* eine bestimmte Haltung der Klinge; **4** drittes Stundengebet

Ter|zel *m. 5, Jägerspr.:* männl. Jagdfalke

Ter|ze|rol [ital.] *s. 1* kleine Pistole; **Ter|ze|ro|ne** [lat.] *m. 11* Nachkomme eines europiden und eines Mulatten-Elternteils; **Ter|ze|ro|nin** *w. 10* weibl. Terzerone; **Ter|zett** [ital.] *s. 1* Musikstück für drei Singstimmen oder gleiche Instrumente sowie die Ausführenden; vgl. Trio; **Ter|zi|är** [lat.] *m. 1* = Tertiarier; **Ter|zi|ne** [ital.] *w. 11* ital. Strophenform aus drei Zeilen mit dem Reimschema a b a, b c b, c d c

Te|sching *m. 1* Kleinkalibergewehr oder -pistole

Tes|la|trans|for|ma|tor [nach dem serbisch-amerik. Physiker Nikola Tesla] *m. 13* Gerät zur Spannungsumwandlung

Tes|sin **1** *m. Gen.* -s Fluss in der Schweiz; **2** *s. Gen.* -s schweiz. Kanton; **Tes|si|ner** *m. 5*

Test [engl.] *m. 1 oder m. 9* Versuch, Probe, Untersuchung, Eignungsprüfung

Tes|ta|ment [lat.] *s. 1* **1** letztwillige Verfügung, letzter Wille; **2** Teil der Bibel; Altes, Neues T.; **tes|ta|men|ta|risch** durch Testament, letztwillig; **Tes|ta|ments|er|öff|nung** *w. 10;* **Tes|ta|ments|voll|stre|cker** *m. 5*

Tes|tat [lat.] *s. 1* Bescheinigung, schriftl. Bestätigung (bes. über den Besuch von Vorlesungen); **Tes|ta|tor** *m. 13* **1** jmd., der ein Testament gemacht hat, Erblasser; **2** jmd., der ein Testat gegeben hat

Tes|ta|zee [-tseə, lat.] *w. 11* ein Wurzelfüßer mit Gehäuse, Schalenamöbe

tes|ten [engl.] *tr. 2* durch Test untersuchen, erproben, prüfen; **Tes|ter** *m. 5* Material-, Warenprüfer

tes|tie|ren [lat.] *tr. 3* bescheinigen; **Tes|tier|frei|heit** *w. 10 nur Ez.* Recht, über sein Vermögen durch Testament frei zu verfügen; **Tes|tie|rung** *w. 10*

Tes|ti|mo|ni|um [lat.] *s. Gen.* -s *Mz.* -ni|en Zeugnis

Tes|tis [lat.] *m. Gen. - Mz.* -tes [-te:s], Tes|ti|kel *m. 5* Hoden; **Tes|to|ste|ron** *auch:* **Tes|tos|te|ron** [lat. + griech.] *s. 1 nur Ez.* ein männl. Geschlechtshormon

Test|pi|lot *m. 10;* **Tes|tung** *w. 10;* **Test|ver|fah|ren** *s. 7*

Te|ta|nie [griech.] *w. 11 nur Ez.* schmerzhafter Muskelkrampf, Starrkrampf, Spasmophilie; **te|ta|nisch** starrkrampfartig; **Te|ta|nus** *m. Gen. - nur Ez.* = Wundstarrkrampf

Te|te [tɛt(ə), frz.] *w. 11* Spitze (einer Marschkolonne); an der Tete marschieren; **Tête-à-tête** ▶ *auch:* **Tete-a-tete** [tɛtatɛt] *s. 9* trautes Beisammensein, Liebesstündchen

> **Tetra-, Tetro-** (Worttrennung): Dem/der Schreibenden bleibt es überlassen, ob er/sie wie bisher *Te|tra-, Te|tro-* oder nach Sprechsilben trennt: *Tet|ra-, Tet|ro-*. →§ 108

te|tra..., Te|tra... *auch:* **tet|ra..., Tet|ra...** [griech.] *in Zus.:* vier..., Vier...
Te|tra|chlor|koh|len|stoff *m. 1 nur Ez.* eine farblose Flüssigkeit, hauptsächlich als Lösungsmittel verwendet; **Te|tra|chord** [-kɔrd, griech.] *m. 1 oder s. 1* Folge von vier Tönen einer Oktave, halbe Oktave; **Te|tra|de** *w. 11* aus vier Einheiten bestehendes Ganzes; **Te|tra|e|der** *m. 5 oder s. 5* von vier Dreiecken begrenzter Körper, Pyramide mit dreiseitiger Grundfläche; **Te|tra|e|drit** *auch:* **-ed|rit** *m. 1* ein Mineral, Fahlerz; **Te|tra|gon** *s. 1* Viereck; **te|tra|go|nal** viereckig; **Te|tra|lo|gie** *w. 11* **1** *im altgriech. Theater:* Folge von drei Tragödien und einem Satyrspiel; **2** aus vier selbständigen Teilen bestehendes Literaturwerk oder Musikdrama; **Te|tra|me|ter** *m. 5* Vers aus vier Versfüßen; **Te|tra|po|de** *m. 11* Vierfüßer; **Te|trarch** *m. 10, Antike:* Herrscher über den vierten Teil eines Landes, Vierfürst; **Te|trar|chie** *w. 11* Herrschaftsgebiet eines Tetrarchen; **Te|tro|de** *w. 11* Elektronenröhre mit den vier Polen Anode, Kathode, Steuer- und Schirmgitter, Vierpolröhre
teu|er; ein teueres, *oder:* teures Stück; teuere, teure Miete: *fälschl. für* hohe Miete; teuere, teure Zeiten *ugs.:* Zeiten, in denen alles sehr teuer ist; **Teu|e|rung** *w. 10;* **Teu|e|rungs|ra|te** *w. 11*
Teu|fe *w. 11, Bgb.:* Tiefe
Teu|fel *m. 5;* pfui T.!; zum T.!; jmdn. zum T. jagen *übertr. ugs.:* fortjagen; ich kümmere, *oder:* schere mich den T. darum *ugs.:* gar nicht; **Teu|fe|lei** *w. 10* niederträchtige Tat; **Teu|fe|lin** *w. 10;* **Teu|fels|be|schwö|rung** *w. 10;* **Teu|fels|bra|ten** *m. 7, ugs.* = Satansbraten; **Teu|fels|fin|ger** *m. 5* = Belemnit; **Teu|fels|kerl** *m. 1* kühner, wagemutiger Kerl
teu|fen *tr. 1, Bgb.:* graben
teuf|lisch
Teu|to|ne *m. 11* Angehöriger eines german. Volksstammes; **teu|to|nisch**
Te|xa|ner *m. 5* Einwohner von Texas; **te|xa|nisch; Te|xas** (*Abk.:* TX) Staat der USA
Text [lat.] **1** *m. 1* Wortlaut; Dichtung (zu einem Musikstück, z. B. Operntext); Bibelstelle (als Grundlage einer Predigt); **2** *w. Gen. - nur Ez.* ein Schriftgrad, 20 Punkt; **Text|buch** *s. 4;* **Text|dich|ter** *m. 5;* **tex|ten** *intr. 2* einen Schlager- oder Werbetext verfassen; **Tex|ter** *m. 5* Verfasser v. Schlager- oder Werbetexten
tex|til [lat.] zur Textiltechnik oder -industrie gehörig; **Tex|til|che|mie** *w. Gen. - nur Ez.;* **tex|til|frei** *ugs. scherzh.:* nackt; **Tex|ti|li|en** *Mz., Sammelbez. für* Gewebe, Kleidung, Wäsche; **Tex|til|in|dus|trie** *w. 11*
Text|kri|tik *w. 10* Prüfung eines literar. Textes auf seine Echtheit oder um die ursprüngl. Fassung zu ermitteln; **text|kri|tisch**
Tex|tur [lat.] *w. 10* **1** Gewebe, Faserung; **2** Gefüge, Anordnung (der Teile in einem Stoff); **Tex|tu|ra** *w. Gen. - nur Ez.* got. Schrift
Te|zett *s., nur in den ugs. Wendungen* bis ins, bis zum T.: ganz genau, bis ins Letzte

> **T-förmig:** In der Bedeutung »in der Form des Großbuchstabens T« wird das *T* großgeschrieben und ein Bindestrich gesetzt: *die T-förmige Kreuzung.* →§ 40

T-för|mig in der Form des Großbuchstabens T
tg *Abk. für* Tangens
Th *chem. Zeichen für* Thorium
TH *Abk. für* Techn. Hochschule
Thai **1** *m. 9 oder Gen. - Mz. -* Angehöriger einer Völkergruppe in Hinterindien und Südchina; Einwohner Thailands; **2** *s. Gen. -(s) nur Ez.* siames. Sprache; **Thai|land** Staat in Hinterindien; **Thai|län|der** *m. 5;* **thai|län|disch**
Thal|la|mo|phor [griech.] *m. 12* = Foraminifere; **Tha|la|mus** *m. Gen. - Mz. -mi* Ansammlung grauer Substanz im Zwischenhirn, Nervenkerngebiet
tha|las|so|gen [griech.] durch die Tätigkeit des Meeres entstanden; **Tha|las|so|gra|phie** ▶ *auch:* **-gra|fie** *w. 11 nur Ez.* Meereskunde; **Tha|las|so|me|ter** *s. 5* **1** Meerestiefenmesser; **2** Gezeitenmesser
Tha|lia *griech. Myth.:* Muse des Lustspiels, später des Theaters
Thal|li|um [griech.] *s. Gen. -s nur Ez.* (*Zeichen:* Tl) chem. Element, ein Metall
Thal|lo|phyt [griech.] *m. 10* Pflanze, die keine Wurzeln und Sprosse bildet, sondern kugeligen, flächen- oder fadenförmigen Bau hat, Lagerpflanze, z. B. Alge, Pilz, Flechte; *Ggs.:* Kormophyt; **Thal|lus** *m. Gen. - Mz. -li* Körper der Thallophyten
Thäl|mann|pi|o|nier *m. 1, ehem. DDR:* 10–14-jähriges Mitglied (4.–7. Schuljahr) der Pionierorganisation »Ernst Thälmann« (Massenorganisation der 6- bis 14-jährigen Kinder)
Thau|ma|to|lo|gie [griech.] *w. 11 nur Ez., Theologie:* Lehre von den Wundern; **thau|ma|to|lo|gisch; Thau|ma|turg** *m. 10* Wundertäter
The|a|ter [griech.] *s. 5* **1** *Sammelbez. für* Schauspiel, Oper, Operette, Bühnentanz; **2** Gebäude für deren Aufführungen, Schauspiel-, Opernhaus; **3** Bühne; **4** Gesamtheit der Bühnenwerke eines Volkes oder einer Epoche; **5** *übertr. ugs.:* Aufhebens, Aufregung, Getue; **The|a|ter|kas|se** *w. 11;* **The|a|ter|kri|tik** *w. 10;* **The|a|ter|stück** *s. 1;* **The|a|ter|wis|sen|schaft** *w. 10 nur Ez.*
The|a|ti|ner [nach Theate, dem lat. Namen der ital. Stadt Chieti] *m. 5* Angehöriger eines kath. ital. Ordens
The|a|tra|lik [griech.] *w. Gen. - nur Ez.* unnatürliches, gespreiztes Benehmen; **the|a|tra|lisch** **1** zum Theater gehörend; **2** *meist übertr.:* unnatürlich, in seinem Gehabe, den Gefühlsäußerungen gespreizt
The|ba|ner *m. 5* Einwohner von Theben; **the|ba|nisch; The|ben** **1** griech. Stadt; **2** antike Stadt in Ägypten
The|is|mus [griech.] *m. Gen. - nur Ez.* Glaube an einen einzigen, persönlichen Gott, der die Welt erschaffen hat und lenkt; vgl. Deismus; **The|ist** *m. 10;* **the|is|tisch**
The|ke [griech.] *w. 11* Schanktisch; *auch:* Ladentisch
The|le|ma [griech.] *s. Gen. -s Mz. -le|ma|ta, Philos.:* Wille; **The|le|ma|tis|mus** *m. Gen. - nur Ez.,* **The|le|ma|to|lo|gie** *w. 11 nur Ez.* = Voluntarismus; **the|le|ma|to|lo|gisch; The|lis|mus**

m. Gen. - nur Ez. = Voluntarismus; **the|lis|tisch**
The|ma [griech.] *s. Gen.* -s *Mz.* -men **1** Gegenstand, Stoff (einer Abhandlung, eines Aufsatzes, eines Vortrags usw.); **2** Hauptmelodie (eines Musikstücks); **3** Leit-, Grundgedanke; **The|ma|tik** *w. 10 nur Ez.* Themenkreis; Themenstellung; *Mus.:* Kunst der Ausführung eines Themas; **the|ma|tisch** zum Thema gehörig, es betreffend
The|o|bro|min [griech.] *s. 1 nur Ez.* Alkaloid der Kakaobohne und des Tees, Heilmittel zur Wasserausscheidung
The|o|di|zee [griech.] *w. 11* philosoph. Rechtfertigung Gottes; Versuch, den Glauben an Gott mit dem Vorhandensein des Bösen in der Welt in Einklang zu bringen
The|o|do|lit [arab.] *m. 10* Winkelmessgerät
The|o|gno|sie *auch:* **The|og|no|sie** [griech.], **The|o|gno|sis** *auch:* **The|og|no|sis** *w. Gen. - nur Ez.* Gotteserkenntnis; **The|o|go|nie** *w. 11, Myth.:* Auffassung, Lehre von der Abstammung der Götter; **The|o|kra|tie** *w. 11* Staatsform, bei der staatl. und kirchl. Gewalt vereinigt sind und der Herrscher als Vertreter Gottes betrachtet wird; **the|o|kra|tisch; The|o|la|trie** *auch:* **The|o|lat|rie** *w. 11* Gottesverehrung; **The|o|lo|ge** *m. 11* Wissenschaftler auf dem Gebiet der Theologie; **The|o|lo|gie** *w. 11, i. w. S.:* Lehre von den Religionen, Religionswissenschaft; *i. e. S.:* Lehre von der christl. Religion; **the|o|lo|gisch; The|o|ma|nie** *w. 11 nur Ez.* religiöser Wahnsinn; **The|o|man|tie** *w. 11* angebliche Weissagung durch göttliche Eingebung; **the|o|man|tisch; the|o|morph** in göttlicher Gestalt (auftretend, dargestellt); **The|o|pha|nie** *w. 11* Gotteserscheinung
The|o|phyl|lin [griech.] *s. 1 nur Ez.* Alkaloid des Tees, Heilmittel z. Wasserausscheidung
The|o|pneus|tie *auch:* **The|op|neus|tie** [griech.] *w. 11* göttliche Eingebung
The|or|be [ital.] *w. 11, Mus., 16.–18. Jh.:* größere Form der Basslaute mit 14–24 Saiten
The|o|rem [griech.] *s. 1, bes. Math.:* Lehrsatz; **The|o|re|ti|ker** *m. 5* jmd., der eine Sache gedanklich, begrifflich betrachtet oder untersucht, Wissenschaftler; *Ggs.:* Praktiker; **the|o|re|tisch** gedanklich, begrifflich; *Ggs.:* praktisch; **the|o|re|ti|sie|ren** *intr. 3* eine Sache nur von der gedanklichen, begrifflichen Seite betrachten; **The|o|rie** *w. 11* **1** rein gedankliche Betrachtung; *Ggs.:* Praxis; **2** Lehre, Lehrmeinung; **3** Zusammenschau, die möglichst viele Sachverhalte erklärt
The|o|soph [griech.] *m. 10* Vertreter der Theosophie; **The|o|so|phie** *w. 11* Lehre, Auffassung, nach der die Welt und ihr Sinn nur in mystischer Berührung mit Gott erfasst werden können
The|ra|peut [griech.] *m. 10* jmd., der eine Therapie anwendet, behandelnder Arzt; **The|ra|peu|tik** *w. 10 nur Ez.* Lehre von der Behandlung der Krankheiten; **The|ra|peu|ti|kum** *s. Gen.* -s *Mz.* -ka Heilmittel; **the|ra|peu|tisch** mit Hilfe einer Therapie; **The|ra|pie** *w. 11* Behandlung von Krankheiten; **the|ra|pie|ren** *tr. 3* ärztlich behandeln
therm..., Therm... [griech.] *in Zus.* vgl. thermo..., Thermo...
ther|mal auf Wärme beruhend, durch sie bewirkt; **Ther|mal|bad** *s. 4* **1** Bad von einer warmen Quelle; **2** Ort mit warmer Quelle; **Ther|mal|quel|le** *w. 11* warme Quelle; **Ther|me** *w. 11* **1** warme Quelle; **2** *Mz., im antiken Rom:* öffentliche Bäder; **Ther|mik** *w. 10 nur Ez.* aufwärts strömende Warmluft; **ther|misch** auf Wärme beruhend
ther|mo..., Ther|mo... *in Zus.:* wärme..., Wärme...
Ther|mo|che|mie *w. Gen. - nur Ez.* Zweig der Chemie, der sich mit reaktionsbedingten Wärmemengen befasst; **ther|mo|che|misch; Ther|mo|chro|mie** [-kro-] *w. 11* Farbveränderung (von Stoffen) bei Temperaturveränderungen; **Ther|mo|dy|na|mik** *w. 10 nur Ez.* Lehre von den Beziehungen zwischen Wärme und Teilchenbewegung; **ther|mo|e|lek|trisch** *auch:* **-e|lekt|risch**; thermoelektrischer Effekt: Umwandlung von Wärmeenergie in elektrische Energie; **Ther|mo|e|lek|tri|zi|tät** *auch:* **-e|lekt|ri|zi|tät** *w. 10 nur Ez.* durch Temperaturdifferenz hervorgerufene elektr. Spannung; **Ther|mo|e|le|ment** *s. 1* Gerät zum Messen von Temperaturdifferenzen; **Ther|mo|graph** ▶ *auch:* **Ther|mo|graf** *m. 10* Gerät zum selbsttätigen Aufzeichnen der Temperatur; **Ther|mo|me|ter** *s. 5* Gerät zum Messen der Temperatur; **ther|mo|phil** Wärme liebend; **Ther|mo|phi|lie** *w. 11 nur Ez.* Bevorzugung warmer Lebensräume; **Ther|mo|phor** *m. 1* Wärme speicherndes Gerät; **Ther|mo|plast** *m. 1* in Wärme formbarer Kunststoff; **ther|mo|plas|tisch** aus Thermoplast; **Ther|mos|fla|sche** *w. 11* Gefäß zum Warm- oder Kühlhalten von Speisen und Getränken; **ther|mo|sta|bil** wärmebeständig; **Ther|mo|stat** *auch:* **Ther|mos|tat** *m. 10* Gerät, das die Temperatur in einem Raum in etwa gleichbleibender Höhe hält, Wärmeregler; **Ther|mo|the|ra|pie** *w. 11* Heilbehandlung durch Wärme
the|sau|rie|ren [lat.] *tr. 3* ansammeln, anhäufen, horten (Geld, Gold u. a.); **The|sau|rie|rung** *w. 10* erneutes Investieren erwirtschafteter Gewinne; **The|sau|rus** [»Schatzhaus«] *m. Gen. - Mz.* -ri *oder* -ren wissenschaftl. Sammlung, *bes.:* großes Wörterverzeichnis alter Sprachen, z. B. Th. linguae Latinae
The|se [griech.] *w. 11* Behauptung, Lehrsatz; vgl. Antithese, Synthese
The|seus griech. Sagengestalt, König von Athen
The|sis [griech.] *w. Gen. - Mz.* -sen **1** *altgriech. Metrik:* betonter Taktteil, Hebung; *Ggs.:* Arsis; **2** *altröm. Metrik:* unbetonter Taktteil, Senkung; **3** *moderne Metrik:* Hebung; **4** *Mus.:* durch Senken der Hand (beim Dirigieren) gekennzeichneter, betonter Taktteil
Thes|pis mutmaßlicher Begründer der altathen. Tragödie (um 534 v. Chr.); **Thes|pis|kar|ren** *m. 7, scherzh.:* Wanderbühne
Thes|sa|li|en Landschaft in Griechenland; **Thes|sa|li|er** *m. 5;* **thes|sa|lisch; Thes|sa|lo|nich** *alte Form von* Thessaloniki; **Thes|sa|lo|ni|cher|brief** *m. 1, im NT:* Brief des Apostels Pau-

▶ = wird zu

lus an die Thessalonicher; **Thes|sa|lo|ni|ki** *griech. Form von* Saloniki; **thes|sa|lo|nisch**

The|ta *s. Gen.* -(s) *Mz.* -s (*Zeichen:* ϑ, Θ) griech. Buchstabe

The|tik [griech.] *w. 10 nur Ez.* Lehre von den Thesen oder dogmat. Lehren; **the|tisch** in der Art einer These, behauptend

The|urg [griech.] *m. 10* jmd., der sich durch Magie vermeintlich mit Göttern und Geistern in Verbindung setzen kann; **The|ur|gie** *w. 11* Kunst der Götter- und Geisterbeschwörung

Thig|mo|ta|xis [griech.] *w. Gen. - Mz.* -xen, *bei Pflanzen und niederen Tieren:* Orientierungsbewegung nach einem Berührungsreiz; **thig|mo|tak|tisch**

Thing *s. 1* = Ding (**3**); **Thing-platz** *m. 2* Versammlungsplatz für das Thing

Thi|o|ä|ther [griech.] *m. 5 nur Ez.* eine organ. Schwefelverbindung; **Thi|o|phen** *s. 1 nur Ez.* ringförmige Kohlenstoffverbindung mit einem Schwefelatom im Ring; **Thi|o|plast** *m. 1* ein kautschukähnlicher, schwefelhaltiger Kunststoff

Tho|los [griech.] *m. Gen. - Mz.* -loi altgriech., von Säulen umgebener Rundbau

Tho|ma|ner *m. 5* **1** Schüler der Thomasschule in Leipzig; **2** Mitglied des Thomanerchores; **Tho|ma|ner|chor** *m. Gen.* -(e)s *nur Ez.* Knabenchor der Thomaskirche in Leipzig; **Tho-mas|kan|tor** *m. 13* Leiter des Thomanerchores in Leipzig; **Tho|mas|mehl** *s. 1 nur Ez.* gemahlene Thomasschlacke, ein Düngemittel; **Tho|mas|ver|fah-ren** *s. 7 nur Ez.* ein Verfahren zur Stahlgewinnung

Tho|mis|mus *m. Gen. - nur Ez.* Lehre des Thomas von Aquin; **Tho|mist** *m. 10;* **tho|mis|tisch**

Thor, Do|nar *german. Myth.:* Donnergott, Sohn Wotans

Tho|ra, To|ra [hebr. »Lehre«] *w. Gen. - nur Ez.* die fünf Bücher Mosis

tho|ra|kal [griech.] zum Thorax gehörig, von ihm ausgehend; **Tho|rax** *m. 1* **1** Brustkorb; **2** *bei Gliederfüßern:* mittlerer Körperabschnitt

Tho|ri|um *s. Gen.* -s *nur Ez.* (*Zeichen:* Th) chem. Element

Thra|ker, Thra|zi|er *m. 5* Einwohner von Thrakien bzw. Thrazien; **Thra|ki|en,** Thra|zi|en *urspr. Bez. für* die Balkanhalbinsel, *später für* deren östl. Hälfte; **thra|kisch,** thra|zisch

Thren|odie *auch:* **Thre|no|die** [griech.] *w. 11,* **Thre|nos** *m. Gen. - Mz.* -noi altgriech. Totenklage

Thril|ler [θril-, engl.] *m. 5* reißerischer, erregender Roman, Film u. Ä.

Thrips [griech.] *m. Gen. - Mz.* - Insekt mit Haftblasen an den Füßen, Blasenfüßer, Fransenflügler, Tausendflügler

Throm|bin [griech.] *s. 1 nur Ez.* Blutgerinnung bewirkendes Ferment; **Throm|bo|se** *w. 11* Blutgerinnung innerhalb eines Blutgefäßes, bes. einer Vene; **Throm|bo|zyt** *m. 10* Blutplättchen; **Throm|bus** *m. Gen. - Mz.* -ben Blutpfropf innerhalb eines Blutgefäßes, bes. einer Vene

Thron [griech.] *m. 1;* **thro|nen** *intr. 1;* **Thron|er|be** *m. 11;* **Thron|fol|ge** *w. 11;* **Thron|fol-ger** *m. 5;* **Thron|prä|ten|dent** *m. 10* jmd., der auf den Thron Anspruch erhebt, **Thron|räu-ber** *m. 5;* **Thron|re|de** *w. 11* Rede des Monarchen an das Parlament bei Eröffnung der Sitzungsperiode; **Thron|saal** *m. Gen.*-(e)s *Mz.* -säle

Thu|ja [griech.], *österr.:* **Thu|je** *w. Gen. - Mz.* -jen = Lebensbaum

Thu|le **1** *Antike:* sagenhaftes nördlichstes Land der Erde; **2** Eskimosiedlung im nordwestl. Grönland

Thu|li|um *s. Gen.* -s *nur Ez.* (*Zeichen:* Tm) chem. Element

> **Thunfisch/Tunfisch:** Die fremdsprachige Form *(Thunfisch)* ist die Hauptvariante, die integrierte (eingedeutschte) Schreibweise *(Tunfisch)* die zulässige Nebenvariante. →§ 32 (2)

Thun|fisch ► *auch:* **Tun|fisch** [arab.-lat.] *m. 1* eine große Makrele

Thur|gau schweiz. Kanton

Thü|rin|gen dt. Bundesland; **Thü|rin|ger** *m. 5;* **thü|rin|gisch**

Thurn und Ta|xis dt., urspr. lombard. Fürstengeschlecht; Thurn- und-Taxis'sche Post

THW *s. nur Ez., Abk. für* Technisches Hilfswerk

Thy|mi|an [griech.] *m. 1* eine Gewürz- und Heilpflanze

Thy|mus [griech.] *m. Gen. - nur Ez.,* **Thy|mus|drü|se** *w. 11* hinter dem Brustbein liegende Drüse, Wachstumsdrüse, Bries

Thy|ris|tor [griech.] *m. 13* ein Halbleiterbauelement

Thyr|o|xin *auch:* **Thy|ro|xin** [griech.] *s. 1 nur Ez.* Hauptbestandteil des Schilddrüsenhormons

Thyr|sus [griech.] *m. Gen. - Mz.* -si, **Thyr|sus|stab** *m. 2* mit Weinlaub umwundener Stab des Gottes Dionysos und seines Gefolges

Ti *chem. Zeichen für* Titan (**2**)

Ti|a|ra [griech.] *w. Gen. - Mz.* -ren **1** hohe, spitze Kopfbedeckung der altpers. Könige; **2** dreireifige Krone des Papstes

Ti|bet **1** Hochland in Innerasien; **2** *m. 1* Fell eines nordchines. Schafes; **3** *m. 1* Reißwolle aus Kammgarnlumpen; **Ti|be-ta|ner,** Ti|be|ter *m. 5* Einwohner von Tibet; **ti|be|ta|nisch,** ti|be-tisch

Tick [ital.-frz.] *m. 9* **1** zwanghaft in Abständen wiederholte Bewegung; **2** *übertr. ugs.:* Angewohnheit, Schrulle, Klaps

ti|cken *intr. 1*

Ti|cket [engl.] *s. 9* Fahr-, Flug-, Eintrittskarte

Ti|de *w. 11, nddt.* **1** Flut; **2** *Mz.* Gezeiten; **Ti|den|hub** *m. Gen.* -s *nur Ez.* Höhenunterschied des Wasserstands im Wechsel der Gezeiten

Tie-Break *Nv.* ► **Tie|break** *Hv.* [taıbreık, engl.] *m. 9 oder s. 9, Tennis:* Satzverkürzung beim Stand 6:6, zur Vermeidung überlanger Wettspiele

tief; ich bedaure es aufs, *oder:* auf das tiefste, *auch:* auf das Tiefste; tief betrüben, bewegen, empfinden, erschüttern, fühlen, gehen, sitzen, stehen; **Tief** *s. 9* **1** *kurz für* Tiefdruckgebiet; **2** Fahrrinne zwischen Sandbänken; **Tief|bau** *m. Gen.* -(e)s *nur Ez.;* **Tief|bau|in|ge|ni|eur** [-ʒənjøːr] *m. 1;* **tief|be|trübt** ► **tief be|trübt**; die tief betrübte Mutter; sie ist tief betrübt; **tief|be|wegt** ► **tief be|wegt**; die tief bewegten Zuhörer; sie waren tief bewegt; **tief|blau;** **Tief|druck** *m. 1* ein Druckverfahren, bei dem die druckenden Stellen vertieft in der Druckform liegen; **Tief|druck|ge|biet** *s. 1* Zone niedrigen Luftdrucks; **Tief|druck|ver|fah|ren** *s. 7* vgl. Tiefdruck; **Tie|fe** *w. 11;* **Tief|e|be|ne** *w. 11;* **tief|emp|fun|den**

tief empfinden/sitzen: Die Verbindung aus Adjektiv und Verb/Partizip schreibt man getrennt, wenn das Adjektiv in dieser Beziehung steigerbar oder durch *sehr* erweiterbar ist: *Das war eine (sehr) tief empfundene Klavierinterpretation. Der Vorwurf hat tief gesessen.* →§ 34 E3 (3)

► **tief emp|fun|den**; tief empfundene Worte; ich habe es tief empfunden; **Tie|fen|be|strah|lung** *w. 10;* **Tie|fen|ge|stein** *s. 1* in der Erdkruste erstarrtes Eruptivgestein; **Tie|fen|psy|cho|lo|gie** *w. 11 nur Ez.;* **tie|fen|psy|cho|lo|gisch; Tie|fen|rausch** *m. 2 nur Ez.* Benommenheit beim Tauchen in größere Tiefe; **Tie|fen|schär|fe** *w. 11 nur Ez.* = Schärfentiefe; **Tie|fen|wir|kung** *w. 10;* **tief|ernst; tief|er|schüt|tert** ► **tief**

tiefgefroren, tiefernst: Ist das Adjektiv in der Verbindung Adjektiv und Verb/Partizip nicht steigerbar oder erweiterbar, schreibt man zusammen: *tiefgefrorenes Fleisch.* →§ 33 (2)
Zusammensetzungen mit bedeutungsverstärkendem ersten Bestandteil (Reihenbildung) schreibt man ebenfalls zusammen: *ein tiefernstes Gespräch.* Ebenso: *bitterkalt, erzkatholisch, ultrakonservativ* usw. →§ 36 (5)

er|schüt|tert; die tief erschütterten Zuschauer; wir waren tief erschüttert; **Tief|flie|ger** *m. 5;* **Tief|flug** *m. 2;* **Tief|gang** *m. 2 nur Ez.;* **Tief|ga|ra|ge** [-ʒə] *w. 11;* **tief|ge|fühlt** ► **tief ge|fühlt**; tief gefühlter Dank; **tief|ge|hend** ► **tief ge|hend; tief|ge|kühlt**; tiefgekühltes Fleisch; das Fleisch ist tiefgekühlt; **tief|grei|fend** ► **tief grei|fend; Tief|grün|dig|keit** *w. 10 nur Ez.;* **Tief|kühl|tru|he** *w. 11;* **Tief|land** *s. 1 oder s. 4;* **Tief|punkt** *m. 1;* **tief|rot; Tief|schlag** *m. 2, Boxen:* Schlag unterhalb der Gürtellinie; **tief|schür|fend** ► **tief schür|fend; Tief|see** *w. 11;* **Tief|see|for|schung** *w. 10;* **Tief|sinn** *m. 1 nur Ez.;* **tief|sin|nig; Tief|sin|nig|keit** *w. 10 nur Ez.;* **Tief|stand** *m. 2;* **tief|sta|peln** *intr. 1, ugs.:* die eigenen Fähigkeiten und Kenntnisse als weniger bedeutend hinstellen, als sie in Wirklichkeit sind; ich stapele, staple tief; **Tief|sta|pe|lei** *w. 10 nur Ez., ugs.;* **Tief|stap|ler** *m. 5, ugs.;* **Tief|start** *m. 9* Start aus gebeugter Stellung; **tief|ste|hend** ► **tief ste|hend; Tief|strah|ler** *m. 5;* **Tiefst|tem|pe|ra|tur** *w. 10;* **Tief|ton** *m. 2* schwächste Betonung (im Wort, im Satz); *Ggs.:* Hochton; **tief|trau|rig**
Tie|gel *m. 5;* **Tie|gel|druck|pres|se** *w. 11*
Tiek|holz *s. 4, eindeutschende Schreibung von* Teakholz
Tier *s. 1;* **Tier|arzt** *m. 2;* **tier|ärzt|lich; Tier|a|syl** *s. 1* Heim, in dem herrenlose Tiere gepflegt werden; **Tier|freund** *m. 1;* **Tier|gar|ten** *m. 8;* **Tier|ge|o|gra|phie** ► *auch:* **-ge|o|gra|fie** *w. 11 nur Ez.* Wissenschaft von der geograph. Verbreitung der Tiere, Zoogeographie; **Tier|ge|schich|te** *w. 11;* **Tier|hal|ter** *m. 5* jmd., der sich Tiere hält; **Tier|heil|kun|de** *w. 11 nur Ez.* Veterinärmedizin; **tie|risch; Tier|kreis** *m. 1 nur Ez.* Folge der zwölf Sternbilder auf der Ekliptik, Zodiakus; **Tier|kreis|zei|chen** *s. 7* Sternbild des Tierkreises; **Tier|kult** *m. 1;* **Tier|kun|de** *w. 11 nur Ez.* Zoologie; **Tier|leh|rer** *m. 5* jmd., der Tiere abrichtet, Dresseur; **Tier|lie|be** *w. 11 nur Ez.;* **tier|lie|bend; Tier|me|di|zin** *w. 10 nur Ez.* Veterinärmedizin; **Tier|me|di|zi|ner** *m. 5;* **Tier|park** *m. 9;* **Tier|pfle|ger** *m. 5;* **Tier|psy|cho|lo|gie** *w. 11 nur Ez.;* **Tier|quä|le|rei** *w. 10;* **Tier|reich** *s. 1 nur Ez.;* **Tier|schutz** *m. Gen. -es nur Ez.;* **Tier|schutz|ver|ein** *m. 1;* **Tier|so|zi|o|lo|gie** *w. 11 nur Ez.;* **Tier|spra|che** *w. 11;* **Tier|stock** *m. 2* Verband von Tieren, die sich nach der Vermehrung durch Knospung oder Teilung nicht voneinander getrennt haben; **Tier|welt** *w. 10 nur Ez.;* **Tier|wirt** *m. 1* jmd., der sich in der Landwirtschaft hauptsächlich mit Tieren beschäftigt, z. B. Melker, Schäfer, Imker, Pelztierzüchter; **Tier|zucht** *w. Gen. -*
Tif|fa|ny|lam|pe [tɪfənɪ-, nach dem amerik. Kunsthandwerker Louis Comfort Tiffany] *w. 11* Jugendstillampe mit aus bunten Glasstücken zusammengesetztem Schirm
tif|teln *intr. 1* = tüfteln
Ti|ger *m. 5;* **Ti|ger|au|ge** *s. 14* ein Mineral; **Ti|ger|kat|ze** *w. 11* eine Raubkatze; **ti|gern 1** *tr. 1* mit Streifen versehen; getigerter Stoff; **2** *intr. 1, ugs.:* herumstreifen; durch die Stadt tigern
Til|bu|ry [-bəri, engl.] *m. 9* zweirädriger, einspänniger Wagen mit Klappverdeck
Til|de [lat.-span.] *w. 11* **1** Zeichen (~) über einem Vokal zur Bez. der nasalen Aussprache, z. B. port. São, oder über dem n zur Bez. der mouillierten Aussprache, z. B. span. Señor [sɛnjor]; **2** Zeichen für die Wiederholung eines Wortes oder Wortteiles
tilg|bar; Tilg|bar|keit *w. 10 nur Ez.;* **til|gen** *tr. 1;* **Til|gung** *w. 10;* **Til|gungs|ra|te** *w. 11*
Til|sit Stadt an der Memel; Tilsiter Käse
Tim|bre *auch:* **Timb|re** [tɛ̃brə, frz.] *s. 9* Klangfarbe (der Singstimme); **tim|brie|ren** *auch:* **timb|rie|ren** [-tɛ̃-] *tr. 3* mit einem bestimmten Timbre ausstatten; dunkel timbrierte Stimme
ti|men [taɪmən, engl.] *tr. 1* **1** mit der Stoppuhr messen; **2** eine Handlung, einen Vorgang timen: den richtigen Zeitpunkt, Einsatz dafür festlegen; ich time [taɪmə] es, er hat es getimt [-taɪmt]; **Time-out** [taɪm aut, engl.] *s. Gen. -(s) Mz. -s, Basketball, Volleyball:* Auszeit; **Time-sha|ring** ► **Time|sha|ring** [taɪmʃæ:riŋ] *s. Gen. -(s) nur Ez.*

Timesharing: Substantivisch gebrauchte Zusammensetzungen, bei denen der letzte Teil kein Substantiv ist, schreibt man zusammen. Diese Regel gilt auch für fremdsprachige Substantive: *das Timesharing.* Ebenso: *das Bekanntmachen* usw. →§ 37 (2)
Man setzt einen Bindestrich in substantivisch gebrauchten Zusammensetzungen, die als Aneinanderreihungen verstanden werden: *das Time-out.* Ebenso: *das Make-up.* →§ 43

Verfahren zur Durchführung des Mehrprogrammbetriebs eines Rechners; **Ti|ming** [-taɪ-] *s. Gen.* -s *nur Ez.* das Aufeinanderabstimmen von Vorgängen, um den günstigsten Zeitpunkt für eine Sache festlegen zu können
Ti|mo|kra|tie [griech.] *w. 11* Staatsform, in der die Rechte und Pflichten der Bürger nach ihrem Besitz festgelegt werden; **ti|mo|kra|tisch**
Tim|pa|no [griech.-ital.] *m. Gen.* -s *meist Mz.* -ni Kesselpauke
tin|geln *intr.* auf Jahrmärkten, in Varietees u. Ä. auftreten; **Tin|gel|tan|gel** *s. 9* Tanzlokal oder Varietee niederen Ranges
tin|gie|ren [lat.] *tr. 3, Chem.:* färben; **Tink|ti|on** *w. 10, Chem.:* Färbung; **Tink|tur** *w. 10* Auszug aus einem pflanzlichen oder tierischen Stoff
Tin|nef [jidd.] *m. 9 nur Ez., ugs.* **1** wertloses Zeug, Schund; **2** Unsinn, dummes Zeug
Tin|te *w. 11;* **tin|ten|blau; Tin|ten|faß** ▶ **Tin|ten|fass** *s. 4;* **Tin|ten|fisch** *m. 1;* **Tin|ten|fleck** *m. 1;* **Tin|ten|klecks** *m. 1;* **Tin|ten|ku|li** *m. 9* Kugelschreiber; **Tin|ten|stift** *m. 1;* **tin|tig** **1** wie Tinte; **2** voller Tinte
Tip ▶ **Tipp** *m. 9*
Ti|pi [indian.] *s. 9* spitzes Zelt der nordamerik. Prärieindianer; vgl. Wigwam
Ti|pi|ta|ka *s. Gen. - nur Ez.* = Tripitaka
Tipp [engl.] *m. 9* Wink, Hinweis
Tip|pel|bru|der *m. 6, ugs.:* Landstreicher; **Tip|pe|lei** *w. 10 nur Ez.;* **tip|peln** *intr. 1, ugs.:* zu Fuß gehen
tip|pen **1** *intr. u. tr. 1* leicht berühren; jmdn., *oder:* jmdm. auf die Schulter tippen; **2** *tr. 1* auf der Maschine schreiben; **3** *intr. 1* im Lotto oder Toto spielen; **4** *intr. 1* ich tippe darauf, dass...: ich vermute; **Tipp-Ex** *s. Gen. - nur Ez.* Ⓦ Korrekturflüssigkeit, meist weiß; **Tipp|feh|ler** *m. 5;* **Tipp|fräu|lein** *s. 7, ugs. scherzh.*
tipp|topp *unbeugbar, ugs.:* einwandfrei, tadellos; das ist t.; das hat er t. gemacht
Tipp|zet|tel *m. 5* Wett-, Lotto-, Totoschein
Ti|ra|de [ital.] *w. 11* **1** Wortschwall, Redeerguss; **2** *Mus.:* Lauf schnell aufeinander folgender Töne
Ti|ra|mi|su *s. Gen. - nur Ez.* ital. Süßspeise aus Löffelbiskuits mit Espresso, Amaretto, Eigelb, Mascarpone und Kakao
Ti|ra|na Hst. von Albanien
ti|ri|li!; ti|ri|lie|ren *intr. 3* pfeifen, singen (Vögel)
Ti|rol Land in Österreich; **Ti|ro|ler** *m. 5;* **ti|ro|le|risch** veraltet für tirolisch; **Ti|ro|li|enne** [-ljɛn, frz.], Ty|ro|li|enne *w. 11* auf Tiroler Liedern beruhender Rundtanz; **ti|ro|lisch**
Ti|ro|ni|sche No|ten ▶ **ti|ro|ni|sche No|ten** *w. 11 Mz.* von dem Freigelassenen Tiro, dem Sekretär Ciceros, entwickeltes Kurzschriftsystem
Tisch *m. 1;* bei, nach, vor Tisch: bei, nach dem, vor dem Essen; bitte zu Tisch!; vgl. grün; **Tisch|da|me** *w. 11;* **Tisch|gast** *m. 2;* **Tisch|herr** *m. Gen.* -n *Mz.* -en; **Tisch|kar|te** *w. 11;* **Tisch|lein|deck|dich** *s. Gen. - Mz. -;* **Tisch|ler** *m. 5;* **Tisch|le|rei** *w. 10;* **tisch|lern** *intr. 1* als Tischler arbeiten (bes. aus Liebhaberei); **Tisch|re|de** *w. 11;* **Tisch|rü|cken** *s. Gen.* -s *nur Ez.* Praktik im Spiritismus; **Tisch|sit|ten** *w. 11 Mz.;* **Tisch|ten|nis** *s. Gen. - nur Ez.;* **Tisch|wein** *m. 1;* **Tisch|zeit** *w. 10*
Ti|tan [griech.] **1** *m. 10, griech. Myth.:* Angehöriger eines Riesengeschlechts; *allg.:* Riese; **2** *s. Gen.* -s *nur Ez.* (*Zeichen:* Ti) chem. Element, ein Metall; **ti|ta|nen|haft; Ti|ta|ni|de** *m. 1* Nachkomme der Titanen; **ti|ta|nisch** riesenhaft; **Ti|ta|nit** *m. 1* ein Mineral, Sphen; **Ti|ta|no|ma|chie** [-xi] *w. 11* Kampf zwischen Zeus und den Titanen; **Ti|tan|weiß** *s. Gen. - nur Ez.* eine weiße Anstrichfarbe
Ti|tel [auch: ti-, griech.] *m. 5* **1** Überschrift; **2** Amts-, Dienstbezeichnung, ehrenvolle Bez. für jmdn., der sich besondere Verdienste erworben hat; **Ti|tel|bild** *s. 3;* **Ti|tel|blatt** *s. 4;* **Ti|te|lei** *w. 10* dem Text eines Buches vorausgehende Seiten; **Ti|tel|kup|fer** *s. 5, in älteren Büchern:* Kupferstich als Titelbild; **Ti|tel|rol|le** *w. 11* Bühnenfigur, deren Name mit dem Titel des Bühnenstücks übereinstimmt; **Ti|tel|schutz** *m. Gen.* -es *nur Ez.* gesetzl. Schutz für einen Buch-, Zeitungs- oder Zeitschriftentitel; **Ti|tel|ver|tei|di|ger** *m. 5* Sportler, der einen Meistertitel im neuen Wettkampf aufs Spiel setzt (auch für Mannschaften gebraucht)
Ti|ter [frz.] *m. 5* **1** in Gramm je Liter angegebener Gehalt von gelöstem Stoff in einer Lösung; **2** Maßbez. für die Feinheit von Textilfasern
Ti|tra|ti|on *auch:* **Tit|ra|ti|on** *w. 10* Bestimmung des Titers; **Ti|trier|a|na|ly|se** *auch:* **Tit|rier-** *w. 11* = Maßanalyse; **ti|trie|ren** *auch:* **tit|rie|ren** *tr. 3* den Titer feststellen; **Ti|tri|me|trie** *auch:* **Tit|ri|met|rie** *w. 11* = Maßanalyse
tit|schen *tr. 1, ugs.:* **1** unter Wasser drücken (beim Schwimmen); **2** eintauchen, in den Kaffee tauchen
Tit|te *w. 11, vulg.:* weibl. Brust
Ti|tu|lar [lat.] *m. 1* jmd., der ein Amt nur dem Titel nach innehat, z. B. Titularbischof; **Ti|tu|la|tur** *w. 10* Anrede mit allen Titeln; **ti|tu|lie|ren** *tr. 3* mit dem Titel anreden, *auch übertr.:* mit Schimpfwörtern; **Ti|tu|lie|rung** *w. 10;* **Ti|tu|lus** *m. Gen. - Mz.* -li, *MA:* Bildunterschrift, meist in Versform
Ti|vo|li [nach der ital. Stadt T.] *s. 9* **1** Name von Vergnügungslokalen; **2** ital. Kugelspiel
ti|zi|an|rot [nach dem ital. Maler Tizian] golden purpurrot
Tjalk [ndrl.] *w. 10* einmastiges Küstensegelboot
tkm *Abk. für* Tonnenkilometer
Tl *chem. Zeichen für* Thallium
TL. *Abk. für* türk. Pfund (Lira)
Tm *chem. Zeichen für* Thulium
Tme|sis [griech.] *w. Gen. - Mz.* -sen Trennung von eigentlich zusammengehörigen Wörtern, z. B. ich erkenne es an, ich sah ihn bald wieder
TN *Abk. für* Tennessee (**2**)
TNT *Abk. für* Trinitrotoluol
Toast [tost, engl.] *m. 1* **1** geröstete Weißbrotscheibe; **2** Trinkspruch; einen Toast auf jmdn. ausbringen; **toas|ten** [to-] **1** *tr. 2* rösten (Weißbrot); **2** *intr. 2* einen Trinkspruch ausbringen; **Toas|ter** [to-] *m. 5* Brotröster
To|bak *m. 1, veraltet, nur noch in den scherzh. Wendungen* Anno Tobak (vgl. anno) *und* starker Tobak: derber Ausdruck, derber Witz, Zumutung

To|bel *m. 5, süddt., österr., schweiz.:* Waldschlucht
to|ben *intr. 1*
To|bog|gan [indian.-engl.] *m. 9* **1** kanad. Schlitten ohne Kufen; **2** *auf Jahrmärkten:* Förderband mit anschließender Rutschbahn
Tob|sucht *w. Gen. - nur Ez.;* **tob|süch|tig; Tob|suchts|an|fall** *m. 2*
Toc|ca|ta [ital.], **Tok|ka|ta** *w. Gen. - Mz.*-ten frei gestaltetes, bewegtes Musikstück, bes. für Tasteninstrumente
Toch|ter *w. 6;* **Töch|ter|chen** *s. 7;* **Toch|ter|ge|ne|ra|ti|on** *w. 10, Biol.:* Nachkommengeneration, Filialgeneration; **Toch|ter|ge|sell|schaft** *w. 10;* **Töch|ter|lein** *s. 7;* **töch|ter|lich; Toch|ter|mann** *m. 4, veraltet:* Schwiegersohn; **Toch|ter|spra|che** *w. 11* Sprache, die sich aus einer anderen Sprache entwickelt hat
Tod *m. 1;* **tod|bleich** = totenbleich; **tod|brin|gend**
Tod|dy [Hindi] *m. 9* **1** Palmwein; **2** grogähnliches Getränk
tod|ernst; To|des|angst *w. 2;* **To|des|an|zei|ge** *w. 11;* **To|des|art** *w. 10;* **To|des|er|klä|rung** *w. 10;* **To|des|fall** *m. 2;* **To|des|furcht** *w. Gen. - nur Ez.;* **To|des|ge|fahr** *w. 10;* **To|des|jahr** *s. 1;* **To|des|kampf** *m. 2 nur Ez.;* **To|des|kan|di|dat** *m. 10;* **to|des|mu|tig; To|des|not** *w. 2;* **To|des|op|fer** *s. 5;* **To|des|stoß** *m. 2;* **To|des|stra|fe** *w. 11;* **To|des|stun|de** *w. 11;* **To|des|tag** *m. 1;* **To|des|trieb** *m. 1 nur Ez., Tiefenpsych.;* **To|des|ur|sa|che** *w. 11;* **To|des|ur|teil** *s. 1;* **To|des|ver|ach|tung** *w. 10 nur Ez.;* **to|des|wür|dig; tod|feind** *veraltet, nur prädikativ;* sie sind sich t.; **Tod|feind** *m. 1;* **tod|ge|weiht; tod|krank;** *aber:* er ist auf den Tod krank; **töd|lich; tod|mü|de; tod|schick** *ugs.;* **tod|si|cher; Tod|sün|de** *w. 11;* **tod|trau|rig; tod|un|glück|lich; tod|wund**
Toe-loop ► **Toe|loop** [toʊlu:p, engl.] *m. Gen.* -(s) *Mz.* -s Drehsprung im Eis- und Rollkunstlauf
Tof|fee [-fi:, engl.] *s. 9* weiches Sahnebonbon
Tof|fel, Töf|fel *m. 5, ugs.:* einfältiger Mensch
Töff|töff *s. 9, ugs. scherzh.:* kleines Auto
To|fu [jap.] *m. Gen.* -(s) *nur Ez.* weißgraue, quarkähnliche Sojabohnenpaste (als Brotaufstrich, in der fleischlosen Küche)
To|ga [lat.] *w. Gen. - Mz.*-gen, *im alten Rom:* weites Obergewand für Männer
To|go Staat in Westafrika; **To|go|er** *m. 5,* To|go|le|se *m. 11* Einwohner von Togo; **to|go|isch, to|go|le|sisch**
To|hu|wa|bo|hu [hebr.] *s. 9* Durcheinander, Wirrwarr
toi, toi, toi! *ugs.:* unberufen!
To|i|let|te [toa-, frz.] *w. 11* **1** Frisiertisch, Spiegeltisch; **2** festliche Kleidung; **3** Abort, Klosett; **4** *nur Ez.* das Ankleiden und Frisieren; T. machen; **To|i|let|ten|ar|ti|kel** *m. 5*
To|ka|dil|le [-diljə, span.] *s. Gen.* -s *nur Ez.* ein Brettspiel
To|kai|er, To|ka|jer [auch: tɔ-, nach der ung. Stadt Tokaj] *m. 5* ein ung. Süßwein
To|kio Hst. von Japan; **To|ki|o|er** *m. 5,* To|ki|o|ter *m. 5* Einwohner von Tokio; **to|ki|o|isch, to|ki|o|tisch**
Tok|ka|ta *w. Gen. - Mz.*-ten = Toccata
To|ko|go|nie [griech.] *w. 11* geschlechtl. Fortpflanzung
Töl|le *w. 11, nddt., häufig abwertend:* Hund
To|le|da|ner *m. 5* Einwohner von Toledo; **To|le|do** Stadt in Spanien
to|le|rant [lat.] duldsam, nachsichtig; *Ggs.:* intolerant; **To|le|ranz 1** *w. 10 nur Ez.* Duldsamkeit, Nachsicht; *Ggs.:* Intoleranz; **2** *w. 10* zulässige Abweichung; **To|le|ranz|do|sis** *w. Gen. - Mz.*-sen zulässige Dosis an radioaktiver Strahlung; **to|le|rie|ren** *tr. 3* dulden, geschehen lassen
toll; toll|dreist
Tol|le *w. 11* Locke, Haarbüschel
tol|len *intr. 1;* **Toll|haus** *s. 4, veraltet:* Irrenhaus; **Toll|häus|ler** *m. 5;* **Toll|heit** *w. 10;* **Toll|kir|sche** *w. 11* ein Nachtschattengewächs mit giftigen Beeren; **toll|kühn; Toll|kühn|heit** *w. 10 nur Ez.;* **Toll|patsch** [ung.] *m. 1* ungeschickter Mensch; **toll|pat|schig; Toll|wut** *w. Gen. - nur Ez.* auf den Menschen übertragbare, sehr gefährliche Tierkrankheit; **toll|wü|tig**
Tol|patsch ► **Toll|patsch; tol|pat|schig** ► **toll|pat|schig**

> **Tollpatsch:** Analog dem Stammprinzip *(toll)* wird statt bisher Tolpatsch jetzt *Tollpatsch* geschrieben.

Töl|pel *m. 5* **1** einfältiger Mensch, Dummkopf; **2** ein gänsegroßer Seevogel; **töl|pel|haft**
Tol|te|ke *m. 11* Angehöriger eines altmexikan. Kulturvolkes; **tol|te|kisch**
To|lu|bal|sam [nach der kolumbian. Stadt Tolú] *m. 1* aus einer südamerik. Pflanze gewonnenes Heil-, Räucher- und Kosmetikmittel; **To|lu|i|din** *s. 1 nur Ez.* ein Toluolabkömmling (für Farbstoffsynthesen u. a.); **To|lu|ol** *s. 1 nur Ez.* ein aromat. Kohlenwasserstoff, Methylbenzol
Tom. *Abk. für* Tomus
To|ma|hawk [tɔməhɔ:k, indian.-engl.] *m. 9* Streitaxt der nordamerik. Indianer
To|ma|te [mexikan. Indianerspr.] *w. 11;* **To|ma|ten|mark** *s. Gen.* -s *nur Ez.;* **to|ma|ten|rot**
Tom|bak [siames.] *m. 9 nur Ez.* Kupfer-Zink-Legierung (für unechten Schmuck); **tom|ba|ken** mit Tombak überzogen
Tom|bo|la [ital.] *w. Gen. - Mz.*-s *oder* -len, *bei Festen:* Verlosung
Tom|my [engl. Koseform von Thomas] *m. 9, scherzh. Bez. für:* brit. Soldat
To|mo|gra|phie ► *auch:* **-gra|fie** [griech.] *w. 11* schichtweise Röntgenaufnahme
To|mus [griech.] (*Abk.:* Tom.) *m. Gen.- Mz.* To|mi, *veraltet:* Teil, Band (eines Schriftwerkes)
Ton 1 *m. 1* ein feinkörniges Mineralaggregat; **2** *m. 2* Klang, Laut; den Ton angeben *übertr.:* maßgebend sein, eine Gruppe beherrschen; **Ton|ab|neh|mer** *m. 5*
to|nal *Mus.:* auf den Grundton einer Tonart (die Tonika) bezogen; *Ggs.:* atonal; **To|na|li|tät** *w. 10 nur Ez., Mus.:* Bezogenheit von Tönen auf den Grundton ihrer Tonart; *Ggs.:* Atonalität
ton|an|ge|bend; Ton|art *w. 10;* **Ton|band** *s. 4;* **Ton|band|auf|nah|me** *w. 11;* **Ton|band|ge|rät** *s. 1;* **Ton|dich|ter** *m. 5* Komponist; **Ton|dich|tung** *w. 10* Komposition
Ton|do [ital.] *s. Gen.* -s *Mz.* -s

► = wird zu

oder -di rundes Gemälde oder Relief
tö|nen 1 *intr. 1* klingen; **2** *tr. 1* schwach farbig machen, schattieren
To|ner|de *w. 11;* essigsaure T.; **tö|nern** aus Ton
Ton|fall *m. 2;* **Ton|film** *m. 1*
Ton|ga, Ton|ga|in|seln *Mz.* Staat in der Südsee
Ton|ge|schlecht *s. 3* jede der beiden Gattungen der Tonarten, Dur bzw. Moll
To|nic, To|nic|wa|ter [-wɔːtə, engl.] *s. Gen.* -s *Mz.* -s mit Chinin und Kohlensäure versetztes Mineralwasser
to|nig 1 wie Ton (**1**); **2** satt, weich in der Farbe
To|ni|ka [ital.] *w. Gen. - Mz.* -ken Grundton (einer Tonleiter); **To|ni|ka-Do-Me|tho|de** *w. 11 nur Ez.* Methode des Gesangsunterrichts, bei der nach Solmisationssilben gesungen wird
To|ni|kum [griech.] *s. Gen.* -s *Mz.* -ka stärkendes Arzneimittel; **to|nisch 1** *Mus.:* auf der Tonika aufgebaut; **2** *Med.:* stärkend; tonisches Mittel: Tonikum; **to|ni|sie|ren** *tr. 3, Med.:* stärken
To|ni-Wa|gen *m. 7, ehem. DDR, ugs.:* Polizei-Streifenwagen
Ton|ka|me|ra *w. 9* Kamera zur Aufnahme von Tönen auf einen Film; **Ton|kopf** *m. 2* Aufnahme- bzw. Wiedergabeteil beim Tonbandgerät; **Ton|kunst** *w. 2 nur Ez.* Musik; **Ton|künst|ler** *m. 5* Komponist; **Ton|lei|ter** *w. 11;* **ton|los; Ton|ma|le|rei** *w. 10* Nachahmung von außermusikal. Tönen durch Musik; **Ton|meis|ter** *m. 5, Film:* Techniker, der die Tonbänder mit Sprache, Musik und Geräuschen aufeinander abstimmt
Ton|na|ge [-ʒə, frz.] *w. 11* in Registertonnen gemessener Rauminhalt (von Schiffen); **Tönn|chen** *s. 7;* **Ton|ne** *w. 11* **1** Faß; **2** (*Abk.:* t) Maßeinheit des Gewichts, 1000 kg; **Ton|nen|ge|wöl|be** *s. 5;* **Ton|nen|ki|lo|me|ter** *s. 5* (*Abk.:* tkm), *im Gütertransportverkehr:* Maßeinheit für die Arbeitsleistung, Produkt aus Gewicht und Weg; **ton|nen|wei|se; ...ton|ner** *m. 5, in Zus.:* Lastwagen mit einem bestimmten, in Tonnen gemessenen Ladegewicht, z. B. Zweitonner, *oder:* 2-Tonner

ton|sil|lar [lat.] zu den Tonsillen gehörig, von ihnen ausgehend; **Ton|sil|le** *w. 11 meist Mz.* = Mandel (**3**); **Ton|sill|ek|to|mie** *auch:* **Ton|sil|lek|to|mie** *w. 11* operative Entfernung der Tonsillen; **Ton|sil|li|tis** *w. Gen. - Mz.* -ti|den Mandelentzündung; **Ton|sil|lo|to|mie** *w. 11* operatives Kappen der Tonsillen
Ton|spur *w. 10, Film:* Aufzeichnung des Tons auf dem Filmstreifen neben den Bildern; **Ton|stück** *s. 1* Musikstück
Ton|sur [lat.] *w. 10* runde, geschorene Stelle auf dem Kopf von Mönchen; **ton|su|rie|ren** *tr. 3* mit einer Tonsur versehen
Ton|tau|be *w. 11* in die Luft geworfene Tonscheibe (als Ziel beim Wettschießen); **Ton|tau|ben|schie|ßen** *s. Gen.* -s *nur Ez.*
Ton|trä|ger *m. 5, Sammelbez. für* Schallplatte, Tonband u. Ä.
Tö|nung *w. 10*
To|nus [griech.] *m. Gen. - nur Ez.* Spannungszustand (von Muskeln)
Top [engl.] *s. 9, Kleidung:* Oberteil ohne Ärmel
To|pas [griech.] *m. 1* ein Mineral, ein Edelstein; **to|pa|sen** aus Topas, wie Topas
Topf *m. 2;* **Topf|blu|me** *w. 11;* **Töpf|chen** *s. 7;* **top|fen** *tr. 1, ugs.:* aufs Töpfchen setzen (Kind)
Top|fen *m. 7 nur Ez., süddt., österr.:* Quark; **Top|fen|stru|del** *m. 5*
Töp|fer *m. 5;* **Töp|fe|rei** *w. 10;* **töp|fern** *intr. 1* als Töpfer arbeiten (bes. aus Liebhaberei); ich töpfere, töpfre; **Töp|fer|schei|be** *w. 11;* **Töp|fer|wa|re** *w. 11;* **Topf|gu|cker** *m. 5* jmd., der neugierig in die Kochtöpfe schaut
top|fit [engl.] *Sport:* in bester Form, in bester körperlicher Verfassung
Topf|ku|chen *m. 7* Napfkuchen; **Topf|pflan|ze** *w. 11;* **Topf|schla|gen** *s. Gen.* -s *nur Ez.* ein Kinderspiel
To|pik [griech.] *w. 10 nur Ez.* **1** *griech. Rhetorik:* Lehre von den Topoi; vgl. Topos; **2** *veraltet:* Lehre von der Wort- und Satzstellung
to|pisch [griech.] *Med.:* äußerlich (wirkend)
top|less [engl.] busenfrei
Top|ma|nage|ment [-mænɪdʒmənt, engl.] *s. 9* oberste Leitung (eines Unternehmens); **Top|ma|na|ger** *m. 5*
to|po..., To|po... [griech.] *in Zus.:* orts..., Orts...

> **Topographie/Topografie:** Die fremdsprachige Schreibweise ist die Hauptvariante *(Topographie),* die integrierte (eingedeutschte) Form die zulässige Nebenvariante *(Topografie).* Ebenso: *topographisch/topografisch.* →§ 32 (2)

To|po|graph ▸ *auch:* **-graf** *m. 10* Vermessungsingenieur; **To|po|gra|phie** ▸ *auch:* **-gra|fie** *w. 11* Ortskunde, Lagebeschreibung; **to|po|gra|phisch** ▸ *auch:* **-gra|fisch; To|poi** *Mz. von* Topos; **To|po|lo|gie** *w. 11, Geometrie:* Lehre von der Anordnung von Punktmengen; **Top|o|no|mas|tik** *auch:* **To|po|no|mas|tik** *w. 10 nur Ez.* Ortsnamenkunde; **To|pos** *m. Gen. - Mz.* -poi **1** *antike Rhetorik:* allg. anerkannter Gesichtspunkt, Redewendung; **2** *Literaturwiss.:* feste Formel oder Wendung
Topp [ndrl.] *m. 1, Seew.:* oberes Ende des Mastes
topp! abgemacht!
top|pen [engl.] *tr. 1* **1** Benzin t.: durch Destillation vom Rohöl trennen; **2** Rahen t.: mit einem am Mast befestigten Tau höher oder tiefer stellen; **Topp|flag|ge** *w. 11;* **Topp|licht** *s. 3;* **Topp|se|gel** *s. 5*

> **topsecret:** Verbindungen aus bedeutungsverstärkendem ersten Bestandteil *(top-)* und einem Adjektiv schreibt man zusammen: *topsecret.* Ebenso: *hyperkorrekt, extrastark.* →§ 36 (5)

top-se|cret ▸ **top|se|cret** *auch:* **top|sec|ret** [tɔpsiːkrɪt, engl.] streng geheim
Top|spin [engl.] *m. Gen.* -(s) *Mz.* -s, *(Tisch)tennis:* **1** starker Vorwärtsdrall eines Balles; **2** der den Drall verursachende Schlag
Top|star [engl.] *m. 9, ugs.:* bes. beliebter Filmstar
top ten ▸ *auch:* **Top-Ten** *nur Mz.*
Toque [tɔk, frz.] *w. 9, 16. Jh.:* kleiner, barettartiger Hut
Tor 1 *s. 1;* **2** *m. 10;* törichter, einfältiger Mensch

To|ra *w. Gen. - nur Ez.* = Thora **Tor|dalk** *auch:* **Tor|dalk** *m. 12 oder m. 1* nordatlant. Seevogel **tor|die|ren** *tr. 3* verdrehen; vgl. Torsion **To|re|a|dor** [span.] *m. 1 oder m. 10* berittener Stierkämpfer; **To|re|ro** *m. 9* Stierkämpfer (zu Fuß) **To|reut** [griech.] *m. 10* Kunsthandwerker, der Metalle ziseliert, treibt u. a.; **To|reu|tik** *w. Gen. - nur Ez.* künstlerische Metallbearbeitung **Torf** *m. Gen.* -(e)s *nur Ez.* Boden aus unvollständig zersetzten Pflanzenresten; **Torf|er|de** *w. 11 nur Ez.;* **tor|fig** aus Torf, wie Torf; **Torf|mull** *m. Gen.* -s *nur Ez.* getrockneter Torf **Tor|heit** *w. 10;* **tö|richt; tö|rich|ter|wei|se** **Tö|rin** *w. 10* **Tor|kel** *m. 5 oder w. 11, südwestdt.:* Weinkelter **tor|keln** *intr. 1* schwankend gehen; ich torkele, torkle **Tor|kret** *auch:* **Tork|ret** [lat.] *m. 1 nur Ez.* Ⓦ Spritzbeton; **tor|kre|tie|ren** *auch:* **tork|re|tie|ren** *tr. 3* mit Torkret verputzen **Törl** *s. Gen.* -s *Mz.* -, *österr.:* Felsendurchgang, Gebirgspass **Tor|lauf** *m. 2* = Slalom **Tor|men|till** [lat.] *s. Gen.* -s *nur Ez.* **1** eine Heilpflanze, Blutwurz; **2** aus deren Wurzel gewonnenes Heilmittel **Törn** *m. 9* **1** *Segelsport:* Spazierfahrt, Rundfahrt, Ausflug; vgl. Turn; **2** *Seew.:* Tauschlinge **Tor|na|do** [span.] *m. 9* Wirbelsturm im südl. Nordamerika **Tor|nis|ter** [slaw.] *m. 5* Ranzen (bes. der Soldaten); *auch:* Schulranzen **To|ro** [to-, span.] *m. 9, span. Bez. für* Stier **tor|pe|die|ren** [lat.] *tr. 3* **1** mit Torpedo beschießen; **2** *übertr.:* zu verhindern suchen, stören; **Tor|pe|die|rung** *w. 10;* **Tor|pe|do** *m. 9* Unterwassergeschoss; **Tor|pe|do|boot** *s. 1;* **Tor|pe|do|fisch** *m. 1* = Zitterrochen **tor|pid** [lat.] *Med.:* **1** schlaff, regungslos; **2** stumpfsinnig; **Tor|pi|di|tät** *w. 10 nur Ez.;* **Tor|por** *m. Gen.* -s *nur Ez., Med.* **1** Schlaffheit, Regungslosigkeit; **2** Stumpfsinn **tor|quie|ren** [lat.] *tr. 3* **1** *veraltet:* quälen, peinigen; **2** *Tech.:* drehen, krümmen

Torr [nach dem ital. Mathematiker E. Torricelli] *s. Gen.* -s *Mz.* - nicht mehr zulässige Maßeinheit für den Luftdruck **Tor|schluß|pa|nik** ▶ **Tor|schluss|pa|nik** *w. 10* Furcht von Menschen, die die Mitte des Lebens überschritten haben, nicht mehr das erwünschte Ziel, die erstrebte Stellung zu erreichen, Midlifecrisis **Tor|si|on** [lat.] *w. 10, Tech.:* Drehung um die Längsachse, Verdrehung, Verdrillung, Verwindung; **Tor|si|ons|fes|tig|keit** *w. 10 nur Ez.* **Tor|so** [griech.-ital.] *m. 9* **1** unvollendete oder nicht vollständig erhaltene Statue; **2** Bruchstück, unvollendetes Werk **Tort** [lat.] *m. Gen.* -s *nur Ez.* Kränkung; jmdm. einen Tort antun, jmdm. etwas zum Tort tun **Tört|chen** *s. 7;* **Tor|te** *w. 11;* **Tor|te|lett, Tor|te|let|te** *s. 9* Törtchen **Tor|tel|li|ni** [ital.] *Mz.* gefüllte Nudeln in Ringform **Tor|ten|bo|den** *m. 8;* **Tor|ten|he|ber** *m. 5,* **Tor|ten|schau|fel** *w. 11* **Tor|til|la** [-tilja, span.] *w. 9, in Spanien und Lateinamerika:* kleiner, runder Kuchen aus Kartoffelscheibchen und Ei oder Maismehl **Tor|tur** [lat.] *w. 10* **1** *früher:* Folter; die T. anwenden; **2** Qual, Plage **Tor|wart** *m. 1;* **Tor|weg** *m. 1* **To|ry** [tɔrɪ, engl.] *m. 9, früher:* Angehöriger einer der beiden Parteien des Oberhauses im brit. Parlament; vgl. Whig; *heute:* Konservativer **to|sen** *intr. 1* brausend fließen (Bach, Wasserfall) **Tos|ka|na,** ital.: Tos|ca|na *w. Gen.* - ital. Landschaft; **Tos|ka|ner** *m. 5;* **tos|ka|nisch** **tos|to** [ital.] *Mus.:* hurtig, flink **tot**; toter Arm (eines Flusses); totes Gleis: Abstellgleis; toter Punkt: Punkt, an dem man (bei einer Tätigkeit) nicht vorankommt; totes Rennen: unentschiedenes Rennen; tote Hand: Körperschaft oder Stiftung, deren Vermögen nicht veräußert oder geteilt werden darf; toter Winkel: nicht einsehbarer Bereich; das Tote Meer: See im israel.-jordan. Grenzgebiet

to|tal [lat.] ganz, gänzlich, völlig; **To|ta|li|sa|tor** *m. 13* **1** *bei Rennen und Turnieren:* Einrichtung zum Wetten; **2** Sammelgefäß zum Messen von Niederschlägen in schwer zugänglichen Gebieten; **to|ta|li|sie|ren** *tr. 3, Wirtsch.:* zusammenzählen; **to|ta|li|tär** **1** alles umfassend; **2** sich alles unterwerfend (Staat, Regierung); **To|ta|li|ta|ris|mus** *m. Gen. - nur Ez.* Streben nach totalitärer Regierung; **To|ta|li|tät** *w. 10 nur Ez.* Gesamtheit, Ganzheit; **To|tal|re|flek|to|me|ter** *s. 5* ein Gerät zur Bestimmung von Brechungsindizes **tot|ar|bei|ten** *refl. 2, ugs.;* sich t.: lange Zeit sehr angestrengt arbeiten; **tot|är|gern** *tr. 1, ugs.:* sehr ärgern **To|tem** [Algonkin] *s. 9, bei Naturvölkern:* Lebewesen oder Ding, dem sich eine Gruppe verbunden fühlt, dem übernatürliche Kräfte zugeschrieben werden und das nicht verletzt werden darf; **To|te|mis|mus** *m. Gen. - nur Ez.* Glaube an die übernatürliche Kraft eines Totems, Verehrung eines Totems; **to|te|mis|tisch; To|tem|pfahl** *m. 2* Pfahl mit geschnitzten Darstellungen des Totems bzw. der Totemgeschichte **tö|ten** *tr. 2;* **To|ten|a|cker** *m. 5, poet.:* Friedhof; **To|ten|bah|re** *w. 11;* **To|ten|bett** *s. 12;* **to|ten|blaß** ▶ **to|ten|blass; to|ten|bleich; To|ten|fei|er** *w. 11;* **To|ten|fle|cke** *m. 1 Mz.* kurz nach dem Tod auftretende, bläulich rote Flecke am Körper; **To|ten|frau** *w. 10* = Heimbürgin; **To|ten|grä|ber** *m. 5;* **To|ten|hemd** *s. 12;* **To|ten|kla|ge** *w. 11;* **To|ten|kopf** *m. 2;* **To|ten|kult** *m. 1;* **To|ten|mas|ke** *w. 11;* **To|ten|mes|se** *w. 11;* **To|ten|schä|del** *m. 5;* **To|ten|schein** *m. 1;* **To|ten|sonn|tag** *m. 1;* **To|ten|star|re** *w. 11 nur Ez.;* **to|ten|still; To|ten|stil|le** *w. 11 nur Ez.;* **To|ten|tanz** *m. 2;* **To|ten|vo|gel** *m. 6* Steinkauz; **To|ten|wa|che** *w. 11;* **tot|fah|ren** *tr. 32;* **tot|ge|bo|ren** ▶ **tot ge|bo|ren**; ein tot geborenes Kind; das Kind wurde tot geboren; **Tot|ge|burt** *w. 10;* **Tot|ge|glaub|te(r)** *m. 18 (17) bzw. w. 17 oder 18;* **tot|la|chen** *refl. 1;* **tot|lau|fen** *refl. 76, ugs.:* von selbst, erfolglos zu Ende gehen;

▶ = wird zu

die Sache hat sich totgelaufen; **tot|ma|chen** *tr. 1*
To|to [Kurzw. für Totalisator] *m. 9, ugs.: s. 9* Wette im Fußballsport
Tot|punkt *m. 1* toter Punkt, vgl. tot; **tot|sa|gen** *tr. 1;* **tot|schie|ßen** *tr. 113, ugs.;* **Tot|schlag** *m. 2;* **tot|schla|gen** *tr. 116;* **Tot|schlä|ger** *m. 5* Stock mit Bleiknopf (als Waffe); **tot|schwei|gen** *tr. 130;* eine Sache t.: so lange über eine Sache schweigen, bis sie vergessen ist; **tot|ste|chen** *tr. 149;* **tot|stel|len** *refl. 1;* **tot|tre|ten** *tr. 163;* **Tö|tung** *w. 10;* **Tö|tungs|ab|sicht** *w. 10*
Touch [tʌtʃ, engl.] *m. 9* Anflug, Einschlag; München hat weltstädtischen Touch; **tou|chie|ren** [tuʃi-, frz.] *tr. 3* berühren (z. B. Hindernis beim Springen, die Billardkugel vorzeitig u. a.)
Tou|pet [tupe, frz.] *s. 9* Stück Haarersatz, Haarteil; **tou|pie|ren** [tu-] *tr. 3* mit dem Kamm aufbauschen (Haar)
Tour [tur, frz.] *w. 10* **1** Umdrehung (einer Maschine); **2** Ausflug; **3** Runde (des Karussells, beim Tanzen); **4** *ugs.:* Art, Weise; in *einer* Tour: ununterbrochen; auf *die* Tour darfst du mir nicht kommen; auf Touren kommen *übertr.:* in Schwung kommen, in Eifer geraten; **Tour de France** [tu:r də frɑ̃s] *w. Gen. --- nur Ez.* Straßen-Radrennen von Berufsradfahrern in Frankreich; **Tour de Suisse** [tu:r də syis] *w. Gen. --- nur Ez.;* **tou|ren** [tu-] *intr. 1, ugs.:* auf Tournee sein; **Tou|ren|ski|er** *auch:* **-schi|er** [tu-] *m. 3 Mz.* Skier für lange Strecken; **Tou|ren|wa|gen** [tu-] *m. 7;* **Tou|ren|zahl** [tu-] *w. 10* Umdrehungszahl; **Tou|ren|zäh|ler** [tu-] *m. 5;* **Tou|ris|mus** [tu-] *m. Gen. - nur Ez.* Reisewesen, Fremdenverkehrswesen; **Tou|rist** *m. 10* Wanderer, Reisender; **Tou|ris|ten|klas|se** *w. 11 nur Ez., auf Schiffen, in Flugzeugen und in Schlafwagen:* Klasse mit ermäßigtem Preis; **Tou|ris|tik** *w. 10 nur Ez.* das Wandern, *bes.:* Bergsteigen; **tou|ris|tisch** zum Tourismus, zur Touristik gehörend
Tour|nee *w. 11* Gastspielreise (von Künstlern); **tour|nie|ren** **1** *intr. 3* die Spielkarte(n) aufdecken; **2** *tr. 3* in Formen ausstechen oder schneiden (Kartoffeln, Butter zum Garnieren)
To|wa|rischtsch [russ.] *m. Gen. - Mz.* -i, *in der ehem. UdSSR Anrede für* Genosse
Tow|er [tauə, engl.] *m. 5* **1** *nur Ez.* ein histor. Gebäude in London; **2** Kontrollturm eines Flughafens
tox..., Tox..., to|xi..., To|xi... [griech.] *in Zus.:* gift..., Gift...
To|xi|der|mie *w. 11* durch Arzneimittel hervorgerufener Hautausschlag; **to|xi|gen,** to|xogen durch Vergiftung entstanden; **To|xi|ka** *Mz. von* Toxikum; **To|xi|ko|lo|ge** *m. 11;* **To|xi|ko|lo|gie** *w. 11 nur Ez.* Lehre von den Giften und Vergiftungen; **to|xi|ko|lo|gisch; To|xi|ko|se** *w. 11* Vergiftung; **To|xi|kum** *s. Gen.* -s *Mz.* -ka Gift; **To|xin** *s. 1* organ. Giftstoff, *bes.:* Bakteriengift; **to|xisch** **1** giftig; **2** durch Toxine hervorgerufen; **To|xi|zi|tät** *w. 10 nur Ez.* Giftigkeit; **to|xo|gen** = toxigen; **To|xo|id** *s. 1* entgiftetes Toxin, das im Körper Antitoxine bilden kann; **To|xo|plas|mo|se** *w. 11* auf den Menschen übertragbare Tierkrankheit
tr *Mus.: Abk. für* Triller

> **Trab laufen:** Die Verbindung aus Substantiv und Verb schreibt man getrennt: *Das Pferd ist Trab gelaufen.* → § 34 E3 (5)

Trab [auch: trab] *m. Gen.* -s *nur Ez.;* (im) Trab laufen, reiten
Tra|bant [slaw.] *m. 10* **1** *früher:* Leibwächter; **2** *heute:* abhängiger Begleiter; **3** = Satellit; **Tra|ban|ten|stadt** *w. 2* Entlastungsstadt in der Nähe einer Großstadt, Satellitenstadt
tra|ben *intr. 1;* **Tra|ber** *m. 5* Pferd, das für Trabrennen ausgebildet ist; **Tra|ber|wa|gen** *m. 8* leichter, zweirädriger Wagen für Trabrennen; **Trab|renn|bahn** [auch: trab-] *w. 10;* **Trab|ren|nen** [auch: trab-] *s. 7;* **Trab|renn|fah|rer** [auch: trab-] *m. 5*
Tra|cer [trɛɪsər, engl.] *m. 5* radioaktiver Markierungsstoff
Tra|chea [-xea, griech.] *w. Gen. - Mz.* -che|en [-xeən], **Tra|chee** *w. 11* **1** Luft-, Atemröhre; **2** *bei Pflanzen:* Wasser leitendes Gefäß; **Tra|che|o|skop** *auch:* **Tra|che|os|kop** *s. 1* Gerät mit Spiegel zur Untersuchung der Luftröhre; **Tra|che|o|to|mie** *w. 11* Luftröhrenschnitt; **Tra|chom** *s. 1* hartnäckige Bindehautentzündung, Ägyptische Augenkrankheit, Körnerkrankheit
Tracht *w. 10* **1** Art der Kleidung (von Volks-, Berufsgruppen u. a.); **2** Art der Frisur; **3** Traglast; eine Tracht Holz; **4** Anteil, Portion; eine Tracht Prügel
trach|ten *intr. 2;* nach etwas t.: etwas zu erlangen, zu erreichen suchen
Trach|ten|an|zug *m. 2;* **Trach|ten|kos|tüm** *s. 1*
träch|tig schwanger (Tier); **Träch|tig|keit** *w. 10 nur Ez.*
Tra|chyt [griech.] *m. 1* ein Ergussgestein
Track [træk, engl.] *m. 9* **1** *Seew.:* Route (eines Schiffes), die eingehalten werden muss; **2** *engl. Bez. für* Trabrennbahn; **3** *Sammelbez. für* Kette, Seil, Riemen
Tra|des|kan|tie [-tjsə, nach dem Engländer J. Tradescant] *w. 11* eine Zierpflanze
tra|die|ren [lat.] *tr. 3* überliefern
Tra|ding up ► **Tra|ding-up** [trɛɪdɪŋ ap] *s. Gen. - nur Ez., Handel:* Maßnahmen, das Einkaufen attraktiver zu gestalten
Tra|di|ti|on *w. 10* **1** Überlieferung; **2** Herkommen, Brauch, Gewohnheit; **Tra|di|ti|o|na|lis|mus** *m. Gen. - nur Ez.* Festhalten am Überlieferten, Herkömmlichen; **tra|di|ti|o|nell** der Tradition gemäß; **tra|di|ti|ons|ge|mäß**
Tra|fik [ital.] *w. 10, österr.* **1** Tabakhandel; **2** Tabakgeschäft; **Tra|fi|kant** *m. 10, österr.:* Inhaber einer Trafik (**2**)
Tra|fo *m. 9, Kurzw. für* Transformator
Tra|gant [griech.] *m. 1* **1** ein Schmetterlingsblütler; **2** daraus gewonnenes Bindemittel für Tabletten, Farbstoffe u. a.
Trag|bah|re *w. 11;* **trag|bar**; das ist nicht mehr t. *ugs.:* das ist unerträglich
Tra|ge *w. 11* Traggestell, Tragkorb
trä|ge
tra|gen *tr. 160;* **Trä|ger** *m. 5;* **Trä|ger|wel|le** *w. 11;* **Tra|ge|zeit** *w. 10* = Tragzeit; **trag|fä|hig; Trag|fä|hig|keit** *w. 10 nur Ez.;* **Trag|flä|che** *w. 11;* **Trag|flä|chen|boot** *s. 1*

Träg|heit *w. 10 nur Ez.;* **Träg|heits|mo|ment** *s. 1, Phys.:* Beharrungsvermögen
Trag|him|mel *m. 5* tragbarer Baldachin
tra|gie|ren [lat.] *tr. 3* tragisch gestalten, tragisch spielen (Rolle); **Tra|gik** *w. 10 nur Ez.* unabwendbares, trauriges Geschehen, erschütterndes Leid; **Tra|gi|ker** *m. 5* Tragödiendichter; **Tra|gi|ko|mik** *w. Gen. - nur Ez.* Komik, die einen Anflug von Tragik, bzw. Tragik, die einen Anflug von Komik hat; **tra|gi|ko|misch** tragisch und komisch zugleich; **Tra|gi|ko|mö|die** *w. 11* halb tragisches, halb komisches Schauspiel; **tra|gisch** auf Tragik beruhend, erschütternd
Trag|korb *m. 2;* **Trag|kraft** *w. 2;* **trag|kräf|tig;** **Trag|last** *w. 10*
Tra|gö|de [griech.] *m. 11* Schauspieler, der tragische Rollen spielt; **Tra|gö|die** [-djə] *w. 11* **1** Schauspiel mit tragischem Ausgang, Trauerspiel; **2** erschütterndes, trauriges Geschehen, **Tra|gö|di|en|dich|ter** *m. 5;* **Tra|gö|din** *w. 10* Schauspielerin, die tragische Rollen spielt
Trag|wei|te *w. 11 nur Ez.; auch übertr.:* Bedeutung, Ausmaß (der Wirkung); **Trag|zeit,** Tra|ge|zeit *w. 10* Dauer der Trächtigkeit (bei Tieren)
Trai|ler [trɛɪlə, engl.] *m. 5* **1** *Film, Fernsehen:* kurzer, für einen demnächst zu spielenden Hauptfilm werbender Vorfilm; **2** *Kfz:* Anhänger
Train [trɛ̃, österr. auch: trɛn, frz.] *m. 9* = Tross
Trai|nee [trɛini, engl.] jmd., der innerhalb eines Unternehmens für besondere Aufgaben ausgebildet wird
Trai|ner [trɛ-, engl.] *m. 5* jmd., der Sportler oder Pferde auf Wettkämpfe vorbereitet; **trai|nie|ren** [trɛ-] *tr. und intr. 3* auf einen Wettkampf vorbereiten; seinen Körper t.: stählen, üben; **Trai|ning** [-trɛ-] *s. 9* systematisches Üben; **Trai|ning-on-the-job** ▶ **Trai|ning-on-the-Job** [trɛɪniŋ ɔn θə dʒɔb] *s. Gen. - nur Ez.* Erwerb berufl. Fähigkeiten durch Einsatz am Arbeitsplatz; **Trai|nings|an|zug** *m. 2*
Tra|jekt [lat.] *s. 1* Fährschiff für Eisenbahnzüge, Automobile u. a. Fahrzeuge, Trajektschiff; **Tra|jek|to|rie** [-riə] *w. 11* Kurve, die eine andere senkrecht schneidet (z. B. bei Differentialgleichungen)
Tra|keh|ner *m. 5* ostpreußisches Warmblutpferd aus dem ehemaligen Gestüt Trakehnen
Trakt [lat.] *m. 1* **1** größerer Gebäudeteil, Flügel; **2** Strecke; **Trak|tan|dum** *s. Gen.* -s *Mz.* -den, *schweiz.:* Verhandlungsgegenstand; **Trak|tat** *s. 1* **1** wissenschaftl. Abhandlung, **2** relig. Flugschrift; **Trak|tät|chen** *s. 7, abwertend:* Erbauungsschrift; **Trak|tät|chen|schrei|ber** *m. 5, abwertend;* **trak|tie|ren** *tr. 3, ugs.* **1** (schlecht) behandeln; jmdn. mit Schlägen t.; **2** bewirten, *auch:* überfüttern
Trak|ti|on *w. 10, Med.:* Ziehen, Zug (z. B. bei der Geburtshilfe); **Trak|tor** *m. 13* Schleppfahrzeug, Zugmaschine; **Trak|to|rist** *m. 10, ehem. DDR:* Traktorfahrer; **Trak|trix** *auch:* **Trakt|rix** *w. Gen. - Mz.* -tri|zes [-tse:s] ebene Kurve, deren Tangenten von einer Geraden stets im gleichen Abstand vom Tangentenberührungspunkt geschnitten werden; **Trak|tur** *w. 10, an der Orgel:* Vorrichtung zur Weiterleitung des Tastendrucks
Tral|je [lat.-frz.] *w. 11* Gitter-, Geländerstab
träl|lern *tr. 1;* ich trällere, trällre ein Lied
Tram *m. 1 oder m. 2,* Tra|men *m. 7* Balken, Sprosse
Tram *w. 9, schweiz.: s. 9, Kurzw. für* Trambahn; **Tram|bahn** [engl.] *w. 10* Straßenbahn
Trä|mel *m. 5* **1** Sägebock; **2** *schweiz.:* gefällter Baum; **Tra|men** *m. 7* = Tram
Tra|mi|ner [nach dem Südtiroler Ort Tramin] *m. 5* **1** eine weiße Traubensorte; **2** Rotwein aus Tramin
Tra|mon|ta|na [ital.], **Tra|mon|ta|ne** *w. Gen. - Mz.* -nen, *in Oberitalien:* von den Alpen her wehender Nordwind
Tramp [auch: træmp, engl.] *m. 9* **1** Landstreicher, wandernder Gelegenheitsarbeiter; **2** Dampfer ohne feste Route, der Gelegenheitsfahrten unternimmt; **Tram|pel** *s. 5 oder m. 5, ugs.:* plumper, schwerfälliger Mensch (bes. Mädchen); **tram|peln** *intr. u. tr. 1;* ich trampele, trample; **Tram|pel|pfad** *m. 1* durch häufiges Begehen entstandener Pfad; **Tram|pel|tier** *s. 1* **1** zweihöckeriges Kamel; **2** *auch übertr. ugs.:* schwerfälliger, plumper Mensch
tram|pen [auch: træm-, engl.] *intr. 1* reisen, indem man Autos anhält und sich von ihnen mitnehmen lässt; **Tram|per** [auch: træm-] *m. 5*
Tram|po|lin [ital.] *s. 1* mit Stahlfedern oder Gummiseilen gefedertes, in einen Rahmen gespanntes Sprungtuch, Federsprungtuch, Federsprungbrett, Schleuderbrett
Tramp|schiffahrt ▶ **Tramp-schiff|fahrt** [auch: træmp-] *w. 10 nur Ez.* nicht an feste Routen gebundene Schifffahrt
Tram|way [tramvaɪ, engl.] *w. 9, österr. für* Straßenbahn
Tran *m. 1* **1** aus dem Speck von Meerestieren gewonnenes Öl; **2** *nur Ez., ugs.:* Schlaftrunkenheit, Benommenheit
Tran|ce [trɑ̃s(ə), lat.-frz.] *w. 11 nur Ez.* schlafähnlicher Entrückungszustand
Tran|che [trɑ̃ʃ(ə), frz.] *Nv. w. 11* ▶ Transche *Hv.*
Trän|chen *s. 7*
tran|chie|ren [trɑ̃ʃi-] *Nv. tr. 3* ▶ transchieren *Hv.;* **Tran|chier|mes|ser** *Nv. s. 5* ▶ Transchiermesser *Hv.*
Trä|ne *w. 11;* **trä|nen** *intr. 1;* **Trä|nen|drü|se** *w. 11;* auf die Tränendrüsen drücken *ugs.:* sentimental sein (Buch, Film); **trä|nen|feucht**; tränenfeuchte Wangen; *aber:* ihre Wangen waren von Tränen feucht; **Trä|nen|gas** *s. 1* die Augenschleimhäute reizende chem. Verbindung; **Trä|nen|na|sen|gang** *m. 2;* **trä|nen|reich;** **Trä|nen-sack** *m. 2*
Tran|fun|zel *w. 11, ugs.:* Tranlampe; **tra|nig** **1** wie Tran, voller Tran; **2** *übertr. ugs.:* benommen, schlaftrunken
Trank *m. 2;* **Trän|ke** *w. 11* Stelle, wo Vieh Wasser trinken kann; **trän|ken** *tr. 1* **1** trinken lassen, zu trinken geben (Tier); **2** sich vollsaugen lassen; **Trank|op|fer** *s. 5* Getränk als Opfer für die Götter
Tran|lam|pe *w. 11* **1** mit Tran gespeiste Lampe; **2** *ugs.:* langsamer, beschränkter Mensch
Trän|lein *s. 7*
Tran|quil|li|zer [træŋkwilaɪzər,

▶ = wird zu

lat.-engl.] *m. 5* beruhigendes Arzneimittel; **tran|quil|lo** [ital.] *Mus.:* ruhig

trans..., Trans... [lat.] *in Zus.:* über..., über... hin, hinüber..., jenseits (von)

Trans|ak|ti|on [lat.] *w. 10* großes Geld- oder Bankgeschäft

trans|al|pin [lat.] **trans|al|pi|nisch** jenseits der Alpen (von Rom aus gesehen)

trans|at|lan|tisch jenseits des Ozeans liegend, überseeisch

Tran|sche, Tran|che [trãʃ(ə), frz.] *w. 11* **1** fingerdicke Fleisch- oder Fischscheibe; **2** Teilbetrag einer Anleihe; **tran|schie|ren,**

> **transchieren/tranchieren:**
> Die integrierte (eingedeutschte) Schreibweise ist die Hauptvariante *(transchieren),* die fremdsprachige Form *(tranchieren)* die zulässige Nebenvariante. →§ 32 (2)

tran|chie|ren [trãʃi-, frz.] *tr. 3* zerschneiden (Geflügel, Braten); **Tran|schier|mes|ser,** Tran|chier|mes|ser *s. 5*

Trans|duk|tor [lat.] *m. 13* magnetischer Verstärker

Tran|sept [lat.] *s. 1 oder m. 1* Querschiff (der Kirche)

Trans|fer [lat.] *m. Gen.* -s *nur Ez.* **1** Zahlung ins Ausland in fremder Währung; **2** Übertragung einer Geldsumme von einer Währung in die andere; **3** Überführung im Reiseverkehr, z. B. vom Flughafen zum Hotel; **trans|fe|ra|bel** in eine andere Währung umwechselbar; **trans|fe|rie|ren** *tr. 3* **1** ins Ausland zahlen; **2** in eine andere Währung übertragen; **Trans|fer|stra|ße** *w. 11, Industrie:* vollautomatische Folge von Werkzeugmaschinen und Transporteinrichtungen

Trans|fi|gu|ra|ti|on [lat.] *w. 10* (Darstellung der) Verklärung (Christi)

Trans|for|ma|ti|on [lat.] *w. 10* Umformung, Umwandlung; **Trans|for|ma|tor** *m. 13* (*Kurzwort:* Trafo) Gerät zum Erhöhen oder Herabsetzen von elektrischer Spannung, Umspanner; **Trans|for|ma|to|ren|häus|chen** *s. 7;* **trans|for|mie|ren** *tr. 3* **1** umformen, umwandeln; **2** Dreh-, Wechselstrom t.: umspannen, seine Spannung erhöhen oder verringern

trans|fun|die|ren [lat.] *tr. 3* übertragen (Blut); **Trans|fu|si|on** *w. 10* Übertragung, z. B. Bluttransfusion

trans|gre|die|ren [lat.] *tr. 3* langsam überfluten; **Trans|gres|si|on** *w. 10* langsames Überfluten von sich senkenden Festlandsteilen durch das Meer

Tran|sis|tor [lat.] *m. 13* elektronischer Verstärker oder Schalter aus Halbleiterelementen; **Tran|sis|tor|ra|dio** *s. 9* Radio, dessen Verstärker aus Transistoren bestehen

Tran|sit [lat.] *m. 1* Durchfuhr, Durchreise; **Tran|sit|han|del** *m. Gen.* -s *nur Ez.;* **tran|si|tie|ren** *tr. 3* hindurchführen (Waren durch ein anderes Land)

tran|si|tiv [auch: -tif, lat.] *Gramm.:* zielend; transitive Verben: Verben, die ein Akkusativobjekt bei sich haben und ein persönliches Passiv bilden können, z. B. bringen, holen; *Ggs.:* intransitiv; **Tran|si|tiv** *s. 1,* Tran|si|ti|vum [auch: -ti-] *s. Gen.* -s *Mz.* -va transitives Verb; **tran|si|to|risch** vorübergehend, später wegfallend; **Tran|si|to|ri|um** *s. Gen.* -s *Mz.* -rien einmalige Bewilligung von Ausgaben (im Staatshaushalt)

Tran|sit|pas|sa|gier *m. 1* Durchreisepassagier; **Tran|sit|ver|kehr** *m. Gen.* -s *nur Ez.;* **Tran|sit|zoll** *m. 2*

Trans|kau|ka|si|en Landschaft südlich des Kaukasus

trans|kon|ti|nen|tal [lat.] einen Kontinent durchquerend

tran|skri|bie|ren *auch:* **trans|kri|bie|ren** [lat.] *tr. 3* **1** in eine andere Schrift oder in phonet. Umschrift übertragen; **2** für ein anderes Instrument umschreiben (Musikstück); **Tran|skrip|ti|on** *auch:* **Trans|krip|ti|on** *w. 10* lautgetreues Umschreiben einer Schrift in eine andere Schrift, Umschrift; vgl. Transliteration; **2** möglichst klanggetreues Umschreiben eines Musikstücks f. ein and. Instrument

Trans|la|ti|on [lat.] *w. 10* **1** Übersetzung, Übertragung; **2** Parallelverschiebung (von Kristallflächen); **3** fortschreitende, geradlinige Bewegung, im Unterschied zur Rotation

Trans|li|te|ra|ti|on [lat.] *w. 10* buchstabengetreues Umschreiben einer Schrift in eine andere; vgl. Transkription; **trans|li|te|rie|ren** *tr. 3* buchstabengetreu umschreiben

Trans|lo|ka|ti|on [lat.] *w. 10* **1** *veraltet:* Ortsveränderung; **2** *Biol.:* eine Mutationsform mit Übertragung von Chromosomenstücken; **trans|lo|zie|ren** *tr. 3* verlagern

trans|lu|na|risch [lat.] jenseits des Mondes befindlich

trans|ma|rin überseeisch

Trans|mis|si|on [lat.] *w. 10* **1** Übertragung, Übermittlung; **2** *Phys.:* Durchlässigkeit für Strahlungen; **Trans|mis|si|ons|wel|le** *w. 11* Antriebswelle für Treibriemen, Getriebewelle; **Trans|mit|ter** *m. 5* Sender, Überträger; **trans|mit|tie|ren** *tr. 3* übertragen, übersenden

trans|o|ze|a|nisch jenseits des Ozeans liegend, überseeisch

trans|pa|rent [lat.] durchsichtig; **Trans|pa|rent** *s. 1* **1** Spruchband; **2** Bild auf durchsichtigem Material, das von hinten beleuchtet wird; **Trans|pa|rent|pa|pier** *s. 1* durchsichtiges Papier; **Trans|pa|renz** *w. 10 nur Ez.* **1** Durchsichtigkeit; *Ggs.:* Opazität; **2** *übertr.:* Durchschaubarkeit, Erkennbarkeit

Tran|spi|ra|ti|on *auch:* **Trans|pi|ra|ti|on** [lat.] *w. 10* **1** Schweißabsonderung; **2** *bei Pflanzen:* Abgabe von Wasserdampf; **tran|spi|rie|ren** *auch:* **trans|pi|rie|ren** *intr. 3* **1** schwitzen; **2** Wasserdampf abgeben (Pflanze)

Trans|plan|tat [lat.] *s. 1* verpflanztes Gewebestück; **Trans|plan|ta|ti|on** *w. 10* **1** Verpflanzung (lebenden Gewebes), Gewebsverpflanzung; **2** *Bot.:* Pfropfung; **trans|plan|tie|ren** *tr. 3* verpflanzen

trans|po|nie|ren [lat.] *tr. 3* in eine andere Tonart umsetzen; **Trans|po|nie|rung** *w. 10*

Trans|port [lat.] *m. 1* Beförderung; **trans|por|ta|bel** tragbar, beweglich; transportable Maschine; **Trans|port|ar|bei|ter** *m. 5;* **Trans|por|ter** *m. 5* Kraftfahrzeug, Flugzeug oder Schiff, das große Mengen von Gütern transportieren kann; **Trans|por|teur** [-tør] *m. 1* **1** Spediteur; **2** Winkelmesser; **3** *an Nähmaschinen:* Vorrichtung zum ruckweisen Weiterbefördern des Stoffes; **trans|port|fä|hig;**

Trans|port|fä|hig|keit *w. 10 nur Ez.;* **Trans|port|flug|zeug** *s. 1;* **trans|por|tie|ren** *tr. 3* befördern; **Trans|port|un|ter|neh|men** *s. 7*
Trans|po|si|ti|on [lat.] *w. 10, Mus.:* Umsetzung in eine andere Tonart
Trans|si|bi|ri|sche Ei|sen|bahn *w. 10 nur Ez.* Sibirien durchquerende Eisenbahn(strecke)
Trans|sil|va|ni|en [lat.] *alter Name von* Siebenbürgen; **trans|sil|va|nisch**; *aber:* die Transsilvanischen Alpen
Trans|sub|stan|ti|a|ti|on *auch:* **Trans|subs|tan|ti|a|ti|on** [lat.] *w. 10, kath. Kirche:* die Wandlung von Brot und Wein in Leib und Blut Christi beim Abendmahl
Trans|su|dat [lat.] *s. 1* bei der Transsudation abgesonderte Flüssigkeit; **Trans|su|da|ti|on** *w. 10* nicht entzündliche Absonderung und Ansammlung von Flüssigkeit in Körperhöhlen
Trans|u|ran *s. 1 meist Mz.* jedes radioaktive chem. Element mit höherem Atomgewicht als Uran; **trans|u|ra|nisch** im Periodensystem der chem. Elemente nach dem Uran stehend
Trans|vaal [-val] Provinz der Republik Südafrika
trans|ver|sal [lat.] quer zur Längsachse (verlaufend), senkrecht zur Ausbreitungsrichtung (verlaufend); **Trans|ver|sal|bahn** *w. 10* ein Land durchquerende Eisenbahn; **Trans|ver|sa|le** *w. 11* **1** eine Figur durchschneidende Gerade; **2** ein Land durchquerende Eisenbahnstrecke oder Fahrstraße; **Trans|ver|sal|schwin|gung** *w. 10* Schwingung, bei der Energiebewegung und Teilchen- bzw. Feldbewegung senkrecht aufeinander stehen; **Trans|ver|sal|wel|le** *w. 11* Welle, bei der die Ausbreitungsrichtung der Energie und die Schwingungsbewegung senkrecht aufeinander stehen
trans|ves|tie|ren [lat.] *intr. 3* sich wie das andere Geschlecht kleiden (und benehmen); **Trans|ves|tis|mus** *m. Gen. - nur Ez.* krankhafte Neigung, sich wie das andere Geschlecht zu kleiden (und zu benehmen); **Trans|ves|tit** *m. 10* jmd., der an Transvestismus leidet
tran|szen|dent *auch:* **trans|zen-** [lat.] die Grenzen des sinnlich Wahrnehmbaren überschreitend, übersinnlich; **tran|szen|den|tal** *auch:* **trans|zen-** **1** *in der Scholastik* = transzendent; **2** *bei Kant:* vor aller auf Erfahrung beruhenden Erkenntnis liegend und diese erst ermöglichend; **Tran|szen|denz** *auch:* **Trans|zen-** *w. 10 nur Ez.* das Überschreiten der Grenzen der Erfahrung und des Bewusstseins; **tran|szen|die|ren** *auch:* **trans|zen|die|ren** *intr. 3* über sinnliche Wahrnehmung und Erfahrung hinausgehen
Trap *m. 9* = Traps
Tra|pez [griech.] *s. 1* **1** Viereck mit zwei parallelen Seiten; **2** Schwebe-, Schaukelreck; **Tra|pez|künst|ler** *m. 5;* **Tra|pe|zo|id** *s. 1* Viereck ohne parallele Seiten
Trapp *m. 1* treppenartig übereinander liegendes Ergussgestein
Trap|pe *w. 11* ein kranichartiger Vogel
trap|peln *intr. 1* mit kurzen Schritten rasch laufen; **trap|pen** *intr. 1* mit schweren Schritten gehen
Trap|per [engl.] *m. 5* nordamerik. Pelztierjäger
Trap|pist [nach der Abtei La Trappe in Frankreich] *m. 10* Angehöriger eines Trappistenordens; **Trap|pis|ten|or|den** *m. 7 nur Ez.* ein aus dem Zisterzienserorden hervorgegangener Mönchsorden
Traps [engl.] *m. 1,* Trap *m. 9* **1** Verschlussschraube am Siphon; **2** Geruchverschluss
trap|sen *intr. 1* geräuschvoll auftreten, laut gehen
tra|ra!; Tra|ra *s. Gen. -s nur Ez., ugs.:* Aufhebens, Getue, wichtigtuerischer Lärm; ein großes T. um etwas machen
Traß ► **Trass** [ital.] *m. 1* ein vulkan. Tuff
Tras|sant [ital.] *m. 10* Aussteller eines Wechsels; **Tras|sat** *m. 10* jmd., an den eine Zahlungsaufforderung gerichtet ist; *Wechselverkehr:* Bezogener
Tras|se [ital.] **1** *Mz. von* Trass; **2** *w. 11* festgelegte Linie für eine Straße oder Bahnstrecke; **Tras|see** *s. 9, schweiz. für* Trasse; **tras|sie|ren** *tr. 3* vermessen; eine Eisenbahnstrecke t.: ihren Verlauf festlegen; **Tras|sie|rung** *w. 10*
Tras|te|ve|re [-re:] Stadtteil von Rom
Tratsch *m. Gen. -(e)s nur Ez.* Klatsch, Geschwätz, Gerede über andere; **Trat|sche** *w. 11* Klatschbase; **trat|schen** *intr. 1* viel über andere nachteilig reden, klatschen
Trat|te [ital.] *w. 11* gezogener Wechsel
Trat|to|ria [ital.] *w. Gen. - Mz. -ri|en* ital. Gastwirtschaft
trat|zen *tr. 1, süddt.:* necken
Trau|al|tar *m. 2*
Träub|chen *s. 7;* **Trau|be** *w. 11;* saure Trauben *übertr.:* etwas, das man insgeheim gern haben möchte, aber nicht erlangen kann; **Trau|ben|kur** *w. 10;* **Trau|ben|saft** *m. 2;* **Trau|ben|zu|cker** *m. 5 nur Ez.* ein Einfachzucker mit sechs O-Atomen, Dextrose; **trau|big** wie eine Traube, wie Trauben; **Träub|le** *s. 5 Mz., schwäb.:* Johannisbeeren; **Träub|lein** *s. 7*
trau|en **1** *tr. 1* zum Ehepaar machen, ehelich verbinden; **2** *intr. 1;* jmdm. t.: Vertrauen, Glauben schenken; **3** *refl. 1* wagen; ich traue mich (nicht), das zu tun; *auch:* ich traue mir (nicht)
Trau|er *w. 11 nur Ez.;* **Trau|er|fah|ne** *w. 11* Fahne mit schwarzem Flor; **Trau|er|fall** *m. 2* Todesfall; **Trau|er|fei|er** *w. 11;* **Trau|er|flor** *m. 1;* **Trau|er|jahr** *s. 1;* **Trau|er|klei|dung** *w. Gen. - nur Ez.;* **Trau|er|kloß** *m. 2, ugs.:* langweiliger, energieloser Mensch; **Trau|er|man|tel** *m. 6* ein Schmetterling; **Trau|er|marsch** *m. 2;* **trau|ern** *intr. 1;* ich trauere, traure um ihn; **Trau|er|nach|richt** *w. 10;* **Trau|er|rand** *m. 4;* **Trau|er|spiel** *s. 1* **1** Tragödie; **2** *ugs.:* bedauerlicher Vorgang; **trau|er|voll; Trau|er|wei|de** *w. 11* Zierweide mit herabhängenden Zweigen; **Trau|er|zeit** *w. 10;* **Trau|er|zug** *m. 2*
Trau|fe *w. 11* **1** untere, waagerechte Kante des Daches, Dachtraufe; **2** aus der Dachrinne abfließendes Regenwasser; vom Regen in die T. kommen *übertr.:* von einer schlimmen Lage in eine noch schlimmere geraten; **träu|feln** *tr. 1;* ich träufele, träufle es; **träu|fen** *tr. 1, Nebenform von* träufeln

Trau|for|mel *w. 11*
Trau|rin|ne *w. 11* Dachrinne
trau|lich; Trau|lich|keit *w. 10 nur Ez.*
Traum *m. 2*
Trau|ma [griech.] *s. Gen.* -s *Mz.* -men *oder* -ma|ta **1** Wunde; **2** seelische Erschütterung, Schock; **Trau|ma|tin** *s. 1* Hormon, das bei Verletzungen verstärkte Zellteilung anregt; **trau|ma|tisch** durch ein Trauma hervorgerufen, in der Art eines Traumas; *Ggs.:* idiopathisch; **Trau|ma|to|lo|gie** *w. 11 nur Ez.* Lehre von der Wundbehandlung; **trau|ma|to|lo|gisch**
Traum|bild *s. 3;* **Traum|deu|tung** *w. 10;* **träu|men** *tr. u. intr. 1;* ich habe von ihm geträumt; mir hat von ihm geträumt; es hat mir geträumt, dass…; das habe, *oder:* hätte ich mir nicht träumen lassen: das habe, *oder:* hätte ich nicht für möglich gehalten; das soll er sich nur nicht träumen lassen!: das soll er nur nicht denken, *oder:* glauben!; **Träu|mer** *m. 5;* **Träu|me|rei** *w. 10;* **träu|me|risch; Traum|ge|sicht** *s. 1;* **traum|haft; Traum|le|ben** *s. 7 nur Ez.;* **traum|ver|lo|ren; traum|wan|deln** *intr. 1* schlafwandeln; **Traum|wand|ler** *m. 5* Schlafwandler; **traum|wand|le|risch**
traun *veraltet:* fürwahr
trau|rig; Trau|rig|keit *w. 10 nur Ez.*
Trau|ring *m. 1;* **Trau|schein** *m. 1*
traut vertraut, lieb
Trau|te *w. Gen.* - *nur Ez., berlin.:* Mut; keine T. haben (etwas zu tun)
Trau|to|ni|um [nach dem Erfinder, Friedrich Trautwein] *s. Gen.* -s *Mz.* -ni|en Ⓦⓩ ein elektron. Musikinstrument
Trau|ung *w. 10;* **Trau|zeu|ge** *m. 11*
Tra|vel|ler|scheck [trævələr-, engl.] *m. 9* Reisescheck
tra|vers [-vẹrs, frz.] quer, quer gestreift; **Tra|vers** *s. Gen.* - *nur Ez.,* **Tra|ver|sa|le** *w. 11, Hohe Schule:* Gang (des Pferdes) schräg seitwärts; **Tra|ver|se** [-vẹr-] *w. 11* **1** *Baukunst:* Querbalken, Querträger; **2** Querverbindung zweier Maschinenteile; **3** *Flussregulierung:* quer zur Strömung angebrachter, bühnenartiger Bau; **Tra|vers|flö|te** [-vẹrs-] *w. 11* Querflöte; **tra|ver|sie|ren** *intr. u. tr. 3* **1** eine Fläche quer oder schräg durchschreiten oder -reiten; **2** eine Felswand t.: sich an einer Felswand waagerecht vorarbeiten; **3** *Fechten:* dem Hieb des Gegners seitlich ausweichen
Tra|ver|tin *m. 1* Kalksinter bzw. -tuff (bes. der aus den Sabinerbergen)
Tra|ves|tie [lat.] *w. 11* satir. Umdichtung eines Literaturwerkes, wobei nur die Form, nicht der Inhalt verändert wird; vgl. Parodie (**1**); **tra|ves|tie|ren** *tr. 3* in einer Travestie verspotten
Trawl [trọl, engl.] *s. 9, Fischerei:* Grundschleppnetz; **Traw|ler** [trọlər] *m. 5* mit Trawl arbeitender Fischereidampfer
Trax *m. Gen.* -(es) *Mz.* -e Ⓦⓩ *schweiz. für* fahrbarer Bagger
Treat|ment [trịtmənt, engl.] *s. 9, Film:* Vorstufe des Drehbuchs mit ausgearbeiteten Dialogen und Handlungsabläufen
Tre|ber *m. 5* Rückstand beim Bierbrauen (Viehfutter)
Tre|cen|tist [-tʃɛn-] *m. 10* Künstler des Trecentos; **Tre|cen|to** [-tʃẹn-, ital. »300« (nach tausend)] *s. Gen.* -(s) *nur Ez.* die künstlerische Stilepoche des 14. Jh. in Italien
Trẹck *m. 9* Zug, z. B. Flüchtlingstreck; Auszug, Auswanderung; **trẹ|cken 1** *intr. 1* mit einem Treck wandern; **2** *tr. 2;* etwas t.: ziehen, schleppen; **Trẹ|cker** *m. 5* Zugmaschine, Traktor; **Trẹ|cking** *s. Gen.* -s *nur Ez.* = Trekking
Treff 1 [lat.-frz.] *s. 9* Farbe im frz. Kartenspiel, Kreuz; da ist Treff Trumpf *übertr. ugs.:* das kann gut, aber auch schlecht ausgehen; **2** *m. 9, ugs.:* Treffen, Zusammenkunft
Trẹff-Ạs ▶ **Trẹff-Ạss** *s. 1*
trẹf|fen *tr. 161;* **Trẹf|fen** *s. 7;* **Trẹf|fer** *m. 5*
Trẹff-Kö|nig *m. 1*
trẹff|lich; Trẹff|punkt *m. 1;* **trẹff|si|cher**
Treib|ar|beit *w. 10* das Treiben (von Edelmetall); *auch:* der auf diese Weise verzierte Gegenstand; **Treib|eis** *s. Gen.* -es *nur Ez.;* **trei|ben** *tr. u. intr. 162;* Gold, Silber treiben: in kaltem Zustand durch Hämmern formen; **Trei|ben** *s. 7* **1** *nur Ez.;* **2** *Jägerspr.:* Treibjagd; *auch:* bei der Treibjagd umstelltes Gebiet; **Trei|ber** *m. 5;* **Trei|be|rei** *w. 10 nur Ez., ugs.,* z. B. Preistreiberei; **Treib|haus** *s. 4;* **Treib|haus|ef|fekt** *s. Gen.* -(e)s *nur Ez.* Überhitzung der Erdatmosphäre durch Abblasen von Gasen, Ruß u. a. in die Luft; **Treib|holz** *s. 4 nur Ez.;* **Treib|jagd** *w. 10;* **Treib|sand** *m. Gen.* -(e)s *nur Ez.;* **Treib|stoff** *m. 1*
Trei|del *m. 14* Tau zum Treideln eines Schiffes; **Trei|de|lei** *w. 10 nur Ez.;* **trei|deln** *tr. 1* vom Ufer aus auf einem Fluss oder Kanal ziehen (Schiff); **Trei|del|pfad** *m. 1,* **Trei|del|weg** *m. 1* Weg entlang eines Flusses oder Kanals zum Treideln, Leinpfad; **Treid|ler,** Trei|del|ler *m. 5*
trei|fe [hebr.] *jidd. Bez. für* unrein, den jüd. Speisevorschriften nicht entsprechend; *Ggs.:* koscher

> **Trekking/Trecking:** Die fremdsprachige Schreibweise *(Trekking)* ist die Hauptvariante, die integrierte (eingedeutschte) Form *(Trecking)* die zulässige Nebenvariante. →§ 32 (2)

Trẹk|king ▶ *auch:* **Trẹ|cking** [Afrikaans] *s. Gen.* -s *nur Ez.* Wandern im Hochgebirge mit Trägern
Tre|ma 1 [griech.] *s. Gen.* -s *Mz.* -s *oder* -ma|ta (*Zeichen:* ¨) Zeichen über einem von zwei nebeneinander stehenden Vokalen, die getrennt auszusprechen sind, z. B. frz. naïf (im Deutschen kaum noch verwendet) oder zur langen Aussprache des ersten Vokals, z. B. in ndrl. und frz. Namen: -daël [da:l], Staël **2** [lat.] *s. 9, Med.:* Lücke zwischen den Schneidezähnen
Tre|ma|to|de [griech.] *w. 11* Saugwurm
tre|mo|lie|ren [lat.-ital.], tre|mu|lie|ren *intr. 3* (technisch fehlerhaft) bebend singen; **Tre|mo|lo** *s. Gen.* -s *Mz.* -s *oder* -li **1** Beben (beim Singen); **2** *bei Streich- und Tasteninstrumenten:* sehr schnelle Wiederholung zweier Töne oder Akkorde im Wechsel; **Tre|mor** *m. Gen.* -s *Mz.* -mo|res *Med.:* Zittern; **Tre|mu|lạnt** *m. 10, an der Orgel:* Vorrichtung, um Vibrieren (Schwe-

bung) des Tons zu erzeugen; **tre|mu|lie|ren** *intr. 3* = tremolieren

Trench|coat [trɛntʃkoʊt, engl.] *m. 9* Regenmantel aus Gabardine oder Popeline

Trend [engl.] *m. 9* Richtung (einer Entwicklung); **Trend|set|ter** [-sɛtər] *m. 5* den Trend Bestimmender, den Trend Auslösendes

trenn|bar; Trenn|bar|keit *w. 10 nur Ez.;* **tren|nen** *tr. 1;* **Trenn|mes|ser** *s. 5;* **trenn|scharf; Trenn|schär|fe** *w. 11 nur Ez.;* **Tren|nung** *w. 10;* **Tren|nungs|ent|schä|di|gung** *w. 10;* **Tren|nungs|geld** *s. 3;* **Tren|nungs|strich** *m. 1;* **Trenn|wand** *w. 2*

Tren|se [ndrl.] *w. 11* einfacher Zaum mit Gebissstange und Zügel

Trente-et-qua|rante [trɑ̃tekarɑ̃t, frz.] *s. Gen. - nur Ez.* ein Kartenglücksspiel; **Trente-et-un** [trɑ̃teœ̃] *s. Gen. - nur Ez.* ein Kartenglücksspiel

Tre|pan [griech.] *m. 1* chirurg. Gerät zum Anbohren des Schädels; **Tre|pa|na|ti|on** *w. 10, Med.:* Schädelöffnung; **tre|pa|nie|ren** *tr. 3* mit dem Trepan öffnen (Schädel)

trepp|auf *in der Wendung* treppauf, treppab; **Trepp|chen** *s. 7;* **Trep|pe** *w. 11;* **Trep|pen|ge|län|der** *s. 5;* **Trep|pen|haus** *s. 4;* **Trep|pen|stu|fe** *w. 11;* **Trep|pen|witz** *m. 1* witzige oder treffende Antwort, die einem zu spät, sozusagen erst beim Gehen auf der Treppe, einfällt

Tre|sen *m. 7* Ladentisch, Theke

Tre|sor [griech.] *m. 1* **1** Stahlschrank (für Geld und Wertsachen); **2** *in Banken:* unterird. Raum mit Stahlschränken

Tres|pe *w. 11* eine Grasgattung

Tres|se [griech.-frz.] *w. 11* Borte, Besatz, meist aus Gold- oder Silberfäden

Tres|ter *m. 5* **1** Rückstand beim Keltern von Trauben; **2** Überrest der → Maische

tre|ten 1 *tr. u. intr. 163;* jmdn. oder jmdm. auf den Fuß treten; jmdn. treten *übertr. ugs.:* jmdn. drängen, bedrängen (etwas zu tun); **2** *tr. 163* begatten (Geflügel); der Hahn tritt die Henne; **Tre|ter** *m. 5 Mz.* derbe oder abgetragene Schuhe; **Tret|müh|le** *w. 11, nur noch übertr. ugs.:* immer gleiche Arbeit; **Tret|schlit|ten** *m. 7* Schlitten, bei dem der Fahrer mit einem Bein auf einer Kufe steht und sich mit dem andern abstößt, Rennwolf; **Tret|strah|ler** *m. 5, an Fahrrädern:* Rückstrahler am Pedal

treu; jmdm. etwas zu treuen Händen übergeben, überlassen: vertrauensvoll zur Aufbewahrung; treu ergeben; treu bleiben; **Treu|bruch** *m. 2;* **treu|brü|chig; Treue** *w. 11 nur Ez.;* meiner Treu! *veraltet:* wahrhaftig!; jmdm. etwas auf Treu und Glauben überlassen: im Vertrauen auf seine Redlichkeit; **Treu|eid** *m. 1;* **treu|er|ge|ben** ► **treu er|ge|ben; Treue|schwur** *m. 2*

Treu|ga Dei [lat.] *w. Gen. -- nur Ez., MA:* Gottesfriede, kirchl. Verbot der Fehde an bestimmten Tagen

treu|ge|sinnt

Treu|hand, Treu|hand|schaft *w. Gen. - nur Ez.* Verwaltung fremden Eigentums durch einen Treuhänder; **Treu|hand|an|stalt** *w. Gen.- nur Ez.* Anfang 1990 in der DDR gegründete Anstalt des öffentlichen Rechts, die die ehemaligen volkseigenen Betriebe der DDR privatisieren und sanieren sollte; **Treu|hän|der** *m. 5* jmd., der fremdes Eigentum im eigenen Namen, aber in fremdem Interesse verwaltet; **Treu|hand|ge|sell|schaft** *w. 10* als Treuhänderin tätige Gesellschaft; **treu|her|zig; Treu|her|zig|keit** *w. 10 nur Ez.;* **treu|lich; treu|los; Treu|lo|sig|keit** *w. 10 nur Ez.;* **treu|sor|gend**

Tre|vi|sa|ner *m. 5* Einwohner von Treviso; **Tre|vi|so** [-vi-] Stadt in Italien

tri..., Tri... [griech.-lat.] *in Zus.:* drei..., Drei..., dreimalig, dreifach

Tri|a|de [griech.] *w. 11* Dreiheit, Dreizahl, drei zusammengehörige, gleichartige Dinge oder Wesen; **tri|a|disch**

Tri|age [-aʒə, frz.] *w. 11, bei Kaffeebohnen:* Ausschuss

Tri|al and er|ror ► **Tri|al and Er|ror** [traɪəl ənd ɛrə, engl.] Versuch und Irrtum, Bez. für eine Lernmethode, bei der durch Probieren eine Lösung gefunden wird (bes. bei Tierversuchen angewendet)

Tri|an|gel [lat.] *m. 5* **1** Musikinstrument aus einem zum Dreieck gebogenen Metallstab, der mit einem Metallstäbchen angeschlagen wird; **2** *ugs.:* dreieckiger Riss (in der Kleidung); **tri|an|gu|lär** dreieckig; **Tri|an|gu|la|ti|on** *w. 10* Landvermessung mithilfe eines Netzes von Dreiecken; **Tri|an|gu|la|ti|ons|punkt** *m. 1, bei der Triangulation:* Punkt, der im Gelände markiert ist und der jeweils dem Eckpunkt eines Dreiecks auf der Karte entspricht, trigonometrischer Punkt; **tri|an|gu|lie|ren** *tr. 3* mittels eines Netzes von Dreiecken vermessen

Tri|as [griech.] *w. Gen. - nur Ez.* untere Formation des Mesozoikums; **tri|as|sisch** zur Trias gehörend, aus ihr stammend

Tri|ath|lon *s. 9* aus Radfahren, Schwimmen und Langstreckenlauf konbinierter sportlicher Wettbewerb

Tri|ba|de [griech.] *w. 11* homosexuelle Frau; **Tri|ba|die** *w. 11 nur Ez.* Homosexualität zwischen Frauen

Tri|bun [lat.] *m. 12 oder m. 10, im alten Rom* **1** Bezirksbeamter; **2** zweithöchster Offizier einer Legion; **3** Sonderbeamter zum Schutz des Volkes gegen Beamtenwillkür, Volkstribun; **Tri|bu|nal** *s. 1, im alten Rom* **1** *urspr.:* erhöhter Platz für den Richter; **2** *dann:* Gerichtshof; **Tri|bu|nat** *s. 1* Amt eines Tribuns; **Tri|bü|ne** *w. 11* **1** Rednerbühne; **2** Gerüst mit Sitzreihen für Zuschauer; **3** *auch:* die Zuschauer selbst

Tri|but [lat.] *m. 1* **1** Beitrag, Steuer, **2** *übertr.:* Hochachtung, Anerkennung; jmds. Leistung den schuldigen T. zollen; **tri|bu|tär** *veraltet:* steuerpflichtig; **tri|but|pflich|tig; Tri|but|pflich|tig|keit** *w. 10 nur Ez.*

Tri|chi|ne [-çi-, griech.] *w. 11* in den Muskeln mancher Säugetiere, z. B. des Schweins, schmarotzender Fadenwurm; **Tri|chi|nen|schau** *w. 10* Untersuchung von Fleisch auf Trichinen; **tri|chi|nös** von Trichinen befallen (Fleisch); **Tri|chi|no|se** *w. 11 nur Ez.* durch Trichinen hervorgerufene Krankheit

Tri|chlor|ä|thy|len *fachsprachl.:* **-e|thy|len** *s. Gen.-s nur Ez.* ein Lösungs- und Reinigungsmittel

Tri|cho|to|mie [-ço-, griech.] *w. 11* **1** Auffassung von der Dreiteilung des Menschen in Leib, Geist und Seele; **2** *Rechtsw.:* Einteilung der Straftaten in Übertretung, Vergehen und Verbrechen; **3** *Math., Bez. für die* Eigenschaft einer Ordnungsrelation; **4** *übertr.:* Haarspalterei; **tri|cho|to|misch**

Trich|ter *m. 5*

Tri|ci|ni|um [-tsi-, lat.] *s. Gen.* -s *Mz.* -ni|en, *15./16. Jh.:* Musikstück für drei Singstimmen oder Instrumente

Trick [engl.] *m. 9* **1** Kunstgriff, Kniff; **2** *Whist:* höherer Stich; **Trick|film** *m. 1;* **trick|sen** *tr. 1, Sport, bes. Fußball:* geschickt umspielen (Gegner)

Trick|track [frz.] *s. 9 nur Ez.* ein Brett- und Würfelspiel

Tri|dent [lat.] *m. 10* Dreizack (als Waffe, z. B. Poseidons)

Tri|den|ti|ner *m. 5* Einwohner von Trient; **tri|den|ti|nisch;** *aber:* Tridentinisches Konzil; **Tri|den|ti|num** *s. Gen.* -s *nur Ez.* das Tridentinische Konzil, Trienter Konzil 1545–1563

Tri|du|um [lat.] *s. Gen.* -s *Mz.* -du|en Zeitraum v. drei Tagen

Trieb *m. 1;* **Trieb|fe|der** *w. 11;* **trieb|haft;** **Trieb|haf|tig|keit** *w. 10 nur Ez.;* **Trieb|hand|lung** *w. 10;* **Trieb|kraft** *w. 2;* **Trieb|le|ben** *s. 7 nur Ez.;* **Trieb|rad** *s. 4* Treibrad; **Trieb|sand** *m. Gen.* -(e)s *nur Ez.* Treibsand; **Trieb|wa|gen** *m. 7*

Trief|au|ge *s. 14;* **trief|äu|gig;** **trie|fen** *intr. 164*

Triel *m. 1* ein Schnepfenvogel

Tri|en|na|le [lat.] *w. 11* alle drei Jahre stattfindende Veranstaltung; **Tri|en|ni|um** *s. Gen.* -s *Mz.* -ni|en Zeitraum von drei Jahren

Tri|e|re [griech.] *w. 11, im alten Griechenland:* Kriegsschiff mit drei übereinander liegenden Ruderbänken, Trireme

Tri|eur [-ør, frz.] *m. 1* Maschine zum Trennen der Getreidekörner vom Unkraut

trie|zen *tr. 1, ugs.:* peinigen, plagen, ärgern, necken

Tri|fo|li|um [lat.] *s. Gen.* -s *Mz.* -li|en Klee

Tri|fo|ri|um [lat.] *s. Gen.* -s *Mz.* -ri|en, *in roman. und got. Kirchen:* Galerie mit dreifachen Bogenstellungen über den Säulenreihen des Mittel- oder Querschiffs

Trift *w. 10* **1** das Treiben des Viehs auf die Weide; **2** Viehweide; **3** *Nebenform von* Drift; **4** Flößerei einzelner Stämme; **Trift|eis** *s. Gen.* -es *nur Ez.* Treibeis; **trif|ten** *tr. 2* flößen; **Trift|holz** *s. 4 nur Ez.* Treibholz

trif|tig begründet, stichhaltig (Einwand, Grund); **Trif|tig|keit** *w. 10 nur Ez.*

Tri|ga [lat.] *w. Gen.* - *Mz.* -s *oder* -gen Dreigespann

Tri|ge|mi|nus [lat.] *m. Gen.* - *nur Ez.* der aus drei Ästen bestehende fünfte Hirnnerv, der Gesicht und Kaumuskeln versorgt; **Tri|ge|mi|nus|neur|al|gie** *auch:* **-neu|ral|gie** *w. 11*

Tri|glyph [griech.] *m. 1,* **Tri|gly|phe** *w. 11, am Fries des dor. Tempels:* Platte mit zwei schlitzförmigen, senkrechten Rinnen und seitlich zwei Halbschlitzen, die mit Metopen abwechselt, Dreischlitz **Tri|gon** [griech.] *s. 1,* Dreieck; **tri|go|nal** dreieckig; **Tri|go|no|me|trie** *auch:* **-met|rie** *w. 11 nur Ez.* Dreiecksberechnung; sphärische T.: Berechnung von Dreiecken im Raum; **tri|go|no|me|trisch** *auch:* **-met|risch**; trigonometrischer Punkt = Triangulationspunkt

tri|klin *auch:* **trik|lin** [griech.], **tri|kli|nisch** drei verschieden lange, sich schiefwinklig schneidende Achsen aufweisend; **Tri|kli|ni|um** *s. Gen.* -s *Mz.* -ni|en **1** *im alten Rom:* Speiseraum mit dem an drei Seiten von Liegestätten umgebenen Esstisch; **2** der Esstisch mit den Liegestätten

tri|ko|lor [frz.] dreifarbig; **Tri|ko|lo|re** *w. 11* dreifarbige Fahne, bes. die der frz. Republik

Tri|kot [-ko, frz.] **1** *m. 9 oder s. 9* gewirkter Stoff; **2** hemdartiges Kleidungsstück aus solchem Stoff; **Tri|ko|ta|ge** [-ʒə] *w. 11 meist Mz.* Wirkware

Tril|ler *m. 5* (*Abk.:* tr, *Zeichen:* tr~) *Mus.:* rascher, mehrmaliger Wechsel eines Tons mit dem nächsthöheren halben oder ganzen Ton; **tril|lern** *intr. 1;* **Tril|ler|pfei|fe** *w. 11*

Tril|li|ar|de [lat.] *w. 11* 1 000 Trillionen; **Tril|li|on** *w. 10* **1** eine Million Billionen, 10^{18}; **2** *in Frankreich bis 1948, in der ehem. UdSSR und den USA* = Billion

Tri|lo|bit [griech.] *m. 10* ausgestorbener Gliederfüßer, dessen Panzer längs und quer dreifach gegliedert ist, Dreilappkrebs

Tri|lo|gie [griech.] *w. 11* aus drei selbständigen Teilen bestehendes Literaturwerk

Tri|mes|ter [lat.] *s. 5* ein Drittel eines Studienjahres

Tri|me|ter [griech.] *m. 5* aus drei Versfüßen bestehender Vers

Trimm [engl.] *m. 1 nur Ez.* **1** Schwimmlage eines Schiffes bezüglich seiner Querachse, Trimmlage; **2** *auch:* Zustand eines Schiffes hinsichtlich seiner Pflege; **Trimm-dich-Pfad** *m. 1;* **trim|men** *tr. 1* **1** ein Schiff oder Flugzeug t.: durch Gewichtsverteilung eine günstige Schwimm- bzw. Fluglage herstellen; **2** ein Schiff t. *auch:* es in einen ordentl. Zustand bringen; **3** Kohlen t. *Seew.:* sie aus den Bunkern zu den Kesseln schaffen; **4** einen Schwingkreis t.: auf eine bestimmte Frequenz einstellen; **5** einen Hund t.: ihm das Fell scheren; **6** *übertr.:* jmdn. oder etwas t.: in einen gewünschten Zustand bringen; *auch ugs.:* jmdn. oder ein Tier auf etwas t.: ihn bzw. es gezielt erziehen, ihm etwas Bestimmtes beibringen; **7** sich t.: sich fit machen; **Trim|mer** *m. 5* **1** jmd., der Kohlen trimmt; **2** *Elektr.:* Bauelement zum Trimmen (**4**) von Schwingkreisen; **Trimm|la|ge** *w. 11 nur Ez.* = Trimm (**1**); **Trimm|tank** *m. 9* Wassertank zum Trimmen (**1**) des Schiffes; **Trim|mung** *w. 10*

tri|morph [griech.] *Bot.:* dreigestaltig; **Tri|mor|phis|mus** *m. Gen.* - *nur Ez., Bot.:* Dreigestaltigkeit

Tri|ni|dad Insel im Karib. Meer; **Tri|ni|dad und To|ba|go** Inselstaat vor der Nordküste Südamerikas

Tri|ni|ta|ri|er *m. 5* Angehöriger eines kath. Ordens, urspr. zum Loskauf christlicher Sklaven, später Bettelorden; **Tri|ni|tät** *w. 10 nur Ez.* Dreieinigkeit, Dreifaltigkeit; **Tri|ni|ta|tis** *ohne Artikel* Sonntag nach Pfingsten; an, zu T.; **Tri|ni|ta|tis|fest** *s. 1*

Tri|ni|tro|to|lu|ol *s. 1 nur Ez.* (*Abk.:* TNT) ein hochexplosiver Sprengstoff

trink|bar; **Trink|bar|keit** *w. 10 nur Ez.;* **trin|ken** *tr. 165;* **Trin|ker** *m. 5;* **Trin|ker|heil|stät|te**

w. 11; **trinkfest; Trinkfestigkeit** *w. 10 nur Ez.;* **Trinkgelage** *s. 5;* **Trinkgeld** *s. 3;* **Trinklied** *s. 3;* **Trinkspruch** *m. 2;* **Trinkwasser** *s. 5 nur Ez.*

Trinom [griech.] *s. 1* dreigliedriger Ausdruck; **trinomisch** dreigliedrig

Trio [ital.] *s. 9* **1** Musikstück für drei verschiedene Instrumente sowie die ausführenden Musiker; vgl. Terzett; **2** Teil des Menuetts und Scherzos; **3** *ugs.:* drei zusammengehörige Personen

Triode [griech.] *w. 11* Elektronenröhre mit drei Polen: Anode, Kathode, Steuergitter

Triole [ital.] *w. 11* Gruppe von drei Noten im Taktwert von zwei (*auch:* vier) Noten

Triolett [frz.] *s. 1* Gedicht aus acht Zeilen mit zwei Reimen, wobei die erste Zeile auch als 4. und 7. und die zweite als 8. Zeile auftritt

Triosonate *w. 11* Sonate für zwei Soloinstrumente und Generalbass

Triözie [griech.] *w. 11 nur Ez., Bot.* = Dreihäusigkeit; **triözisch** *Bot.* = dreihäusig

Trip [engl.] *m. 9* **1** Ausflug, kleine Reise; **2** Rauschzustand; vgl. Horrortrip; **3** für eine oder mehrere Personen ausreichende Menge eines Rauschgifts

Tripel 1 [lat.] *s. 5, Math.:* drei zusammengehörige Dinge, z. B. Dreieckspunkte oder -seiten; **2** nach der Stadt Tripolis im Libanon *m. 5 nur Ez.* Kieselgur; **3** *m. 5, veraltet:* dreifacher Gewinn

tripel..., Tripel... *in Zus.:* drei..., Drei..., dreifach, Dreifach

Tripelallianz [lat. + frz.] *w. 10,* **Tripelentente** [-ãtãt] *w. 11* Bündnis zwischen drei Staaten, Dreibund; **Tripelfuge** *w. 11* Fuge mit drei durchgeführten Themen; **Tripelkonzert** *s. 1* Konzert für drei Soloinstrumente und Orchester; **Tripeltakt** *m. 1, Mus.:* dreiteiliger Takt, z. B. ¾-Takt

triphibisch [griech.] zu Lande, zu Wasser und in der Luft

Triphthong *auch:* **Triphthong** [griech.] *m. 1* drei nebeneinander stehende, ineinander übergehende vokalische Laute, z. B. in frz. ouaille [uaj] (»Schaf«)

Tripitaka [sanskr. »Dreikorb«], Tipitaka *s. Gen. - nur Ez.* die aus drei Teilen (»Körben«) bestehende Lehre des Buddhismus

Triple... *auch:* **Triple...** *frz. Schreibung von* Tripel...

Triplik *auch:* **Triplik** [lat.-frz.] *w. 10* Antwort (des Klägers) auf eine Duplik (des Beklagten); **Triplikat** *auch:* **Tripli-** *s. 1* dritte Ausfertigung; **Triplikation** *auch:* **Tripli-** *w. 10, Rhetorik:* dreimalige Wiederholung desselben Wortes oder Satzes; **Triplizität** *auch:* **Tripli-** *w. 10 nur Ez.* dreifaches Vorhandensein, dreimaliges Vorkommen; **triploid** *auch:* **triploid** mit dreifachem Chromosomensatz versehen

Tripmadam *w. 10* eine Art der Fetthenne, Gewürz- und Gemüsepflanze

Tripoden *Mz. von* Tripus; **Tripodie** *w. 11* metrische Einheit aus drei gleichen Versfüßen

Tripolis Hst. von Libyen

trippeln *intr. 1*

trippen *intr. 1, nddt.:* tropfen; **Tripper** *m. 5* = Gonorrhö

Triptik *auch:* **Triptik** *s. 9* = Triptyk; **Triptychon** *auch:* **Triptychon** [-çɔn, griech.] *s. Gen.* -s *Mz.* -chen aus drei beweglich miteinander verbundenen Teilen bestehendes Tafelgemälde (meist Altarbild); **Triptyk,** Triptik, *auch:* **Triptyk,** Triptik *s. 9* dreiteiliger Schein für den Grenzübertritt von Kraft- und Wasserfahrzeugen

Tripus [griech.] *m. Gen. - Mz.* -poden altgriech. Dreifuß für Gefäße

Trireme *w. 11* = Triere

Trisektion [lat.] *w. 10* Dreiteilung (des Winkels)

trist [lat.-frz.] traurig, öde

Triste *w. 11, bayr., österr., schweiz.:* hoher Vorratshaufen, Heu-, Strohhaufen

Tristesse [-tɛs, frz.] *w. 11* Traurigkeit, Schwermut

Tristichon *auch:* **Tristichon** [-çɔn, griech.] *s. Gen.* -s *Mz.* -chen Gedicht, Versgruppe aus drei Zeilen bestehend

trisyllabisch [griech.] dreisilbig; **Trisyllabum** *s. Gen.* -s *Mz.* -ba dreisilbiges Wort

Tritagonist *auch:* **Tritagonist** [griech.] *m. 10 im altgriech. Theater:* dritter Schauspieler

Tritheismus [lat.] *m. Gen. - nur Ez.* (von der kath. Kirche verworfener) Glaube an die Dreieinigkeit als drei getrennte Personen

Tritium [-tsjum, griech.] *s. Gen.* -s *nur Ez.* (*Zeichen:* T) Isotop des Wasserstoffs

Triton 1 *m. Gen.* -s *Mz.* -tonen, *griech. Myth.:* Meergottheit, halb Mensch, halb Fisch; **2** *s. Gen.* -s *Mz.* -tonen Kern eines Tritiumatoms; **Tritonshorn** *s. 4* Meeres-, Trompetenschnecke

Tritonus [lat.] *m. Gen. - nur Ez.* Intervall aus drei ganzen Tönen, übermäßige Quarte

Tritt *m. 1;* Tritt halten (beim Marschieren im Gleichschritt); **Trittbrett** *s. 3;* **Trittleiter** *w. 11;* **trittsicher** (beim Bergsteigen); **Trittsicherheit** *w. 10 nur Ez.*

Triumph [lat.] *m. 1* **1** *im alten Rom:* feierlicher Einzug des Siegers nach der Schlacht; **2** Freude, Genugtuung über einen Sieg; **3** Siegesfeier; **triumphal** herrlich, großartig; **Triumphator** *m. 13, im alten Rom:* siegreicher Feldherr beim feierlichen Einzug in die Stadt; **Triumphbogen** *m. 7* **1** *im alten Rom:* Ehrentor für den Einzug des Triumphators; **2** *im Kirchenbau:* Bogen zwischen Mittelschiff und Chor; **triumphieren** *intr. 3* über einen Sieg oder Erfolg jubeln, frohlocken; **Triumphkreuz** *s. 1* Kruzifix unter dem Triumphbogen; **Triumphzug** *m. 2* **1** *im alten Rom:* Einzug des Triumphators; **2** *allg.:* mit Jubel begleiteter Einzug

Triumvir [lat.] *m. Gen.* -s *oder* -n *Mz.* -n Mitglied eines Triumvirats; **Triumvirat** *s. 1, im alten Rom:* Gremium von drei Männern zur Erledigung von Staatsgeschäften, Dreimännerherrschaft

trivalent [lat.] *Chem.:* dreiwertig

trivial [lat.] alltäglich, abgedroschen, platt, geistlos; **Trivialität** *w. 10;* **Trivialliteratur** *w. 10 nur Ez.* leichteste Unterhaltungsliteratur

Trivium [lat.] *s. Gen.* -s *nur Ez., MA:* die ersten (unteren) drei der sieben Freien Künste: Grammatik, Dialektik und Rhetorik; vgl. Quadrivium

Trizeps [lat.] *m. 1* dreiköpfiger Muskel

tro|chä|isch [-xε-, griech.] aus Trochäen bestehend **Tro|chan|ter** [-xan-, griech.] *m. 5* Vorsprung am Oberschenkelknochen, Rollhügel **Tro|chä|us** [-xε-, griech.] *m. Gen. - Mz.* -en Versfuß aus einer langen, betonten und einer kurzen, unbetonten Silbe, Choreus **Tro|chit** [-xit, griech.] *m. 10* versteinerter Stielteil der Seelilie; **Tro|chi|ten|kalk** *m. Gen.* -s *nur Ez.* Trochiten enthaltender Muschelkalk **Tro|cho|pho|ra** [griech.] *w. Gen. - Mz.* -pho|ren Larve des Ringelwurms

> **trocken schleudern, auf dem Trockenen sitzen/sein:** Die Verbindung aus Adjektiv und Verb schreibt man getrennt, wenn das Adjektiv in dieser Verbindung steigerbar oder erweiterbar ist: *Die Wäsche wird trocken geschleudert* (= in trockenem Zustand). →§ 34 E3 (3)
> Dagegen schreibt man *trockenschleudern* im Sinne von »durch Schleudern trocknen« zusammen, weil das Adjektiv weder steigerbar noch erweiterbar ist: *Die Wäsche wird trockengeschleudert.* →34 (2.2)
> Substantivierte Adjektive schreibt man groß, auch in festen Fügungen: *Sie saßen auf dem Trockenen. Der Politiker brachte seine Schäfchen ins Trockene. Sie waren im Trockenen.* →§ 57 (1)

tro|cken; trocken sitzen, stehen: auf trockenem Boden, in trockenem Raum; *aber:* →trockensitzen, -stehen; trocken legen; an einen trockenen Ort legen: *aber:* →trockenlegen; auf dem Trockenen: auf trockenem Boden; auf dem Trockenen sitzen *übertr.:* in unangenehmer Lage, in Verlegenheit sein; im Trockenen: in trockener Unterkunft; sein Schäfchen im Trockenen haben, *oder* ins Trockene bringen *übertr. ugs.:* seinen Vorteil bei einer Sache haben; **Tro|cken|bat|te|rie** *w. 11* Zusammenschaltung von Trockenelementen; **Tro|cken|bee|ren|aus|le|se** *w. 11* Wein aus am Stock eingetrockneten Beeren; **Tro|cken|bo|den** *m. 8* Dachboden zum Wäschetrocknen; **Tro|cken|dock** *s. 9* Dock, in dem Schiffe zur Reparatur auf dem Trockenen liegen; **Tro|cken|ei** *s. 3 nur Ez.* Eipulver; **Tro|cken|eis** *s. Gen.* -es *nur Ez.* festes Kohlendioxid; **Tro|cken|e|le|ment** *s. 1* galvan. Element mit eingedicktem Elektrolyten; **Tro|cken|fut|ter** *s. 5 nur Ez.;* **Tro|cken|füt|te|rung** *w. 10 nur Ez.;* **Tro|cken|ge|biet** *s. 1* Gebiet mit wenig Niederschlägen; **Tro|cken|ge|mü|se** *s. 5;* **Tro|cken|hau|be** *w. 11* Gerät zum Trocknen des Haars; **Tro|cken|he|fe** *w. 11 nur Ez.;* **Tro|cken|kurs** *m. 1* vorbereitender Kurs im Sport (Schwimmen, Skilaufen u. a.) auf dem Trockenen; **tro|cken|lau|fen** *intr. 76;* das Gleitlager ist trockengelaufen; **tro|cken|le|gen** *tr. 1;* ein Kind t.; Land t.: es entwässern; vgl. trocken; **Tro|cken|le|gung** *w. 10 nur Ez.* Entwässerung (von Land); **Tro|cken|milch** *w. 10 nur Ez.* Milchpulver; **Tro|cken|obst** *m. Gen.* -(e)s *nur Ez.;* **Tro|cken|platz** *m. 2;* **Tro|cken|ra|sie|rer** *m. 5;* **Tro|cken|raum** *m. 2;* **tro|cken|rei|ben** *tr. 95* durch Reiben trocknen; **Tro|ck|en|schleu|der** *w. 11;* **tro|cken|sit|zen** *intr. 143, ugs.:* ohne Getränke dasitzen; vgl. trocken; **tro|cken|ste|hen** *intr. 151* keine Milch geben; die Kuh hat mehrere Wochen trockengestanden; vgl. trocken; **Tro|cken|sub|stanz** *auch:* **-subs|tanz** *w. 10* wasserfreie Substanz (eines Stoffes); **Tro|cken|übung** *w. 10* vorbereitende Übung auf dem Trockenen zum Erlernen des Skilaufens, Schwimmens, Ruderns u. a.; **Tro|cken|zeit** *w. 10* regelmäßig eintretende Zeit ohne Niederschläge; **trock|nen** *tr. u. intr. 2;* **Trock|nung** *w. 10 nur Ez.*
Trod|del *w. 11* Quaste, Bommel; **Trod|del|blu|me** *w. 11* Soldanella; **Trod|del|chen, Tröd|del|chen** *s. 7*
Trö|del *m. 5 nur Ez.* **1** alter, billiger Kram, *bes.:* alter Hausrat, alte Kleidung, Trödelkram; **2** *ugs.:* umständliche Sache; **Trö|de|lei** *w. 10 nur Ez.;* **Trö|del|fritz** *m. Gen. - Mz.* -en, *ugs.;* **trö|de|lig; Trö|del|kram** *m. Gen.* -s *nur Ez.* = Trödel (**1**); **Trö|del|la|den** *m. 8;* **Trö|del|lie|se** *w. 11, ugs.;* **Trö|del|markt** *m. 2;* **trö|deln** *intr. 1* langsam sein, langsam arbeiten; ich trödele, trödle; **Trö|del|su|se** *w. 11, ugs.;* **Tröd|ler** *m. 5* jmd., der mit Trödel (**1**) handelt, Altwarenhändler
Tro|er, Tro|ja|ner *m. 5* Einwohner von Troja
Trog *m. 2*
Tro|glo|dyt *auch:* **Trog|lo|dyt** [griech.] *m. 10* Höhlenbewohner
Trog|tal *s. 4* Tal mit breiter Sohle
Troi|ka [russ.] *w. Gen. - Mz.* -s *oder* -ken **1** aus drei Pferden bestehendes Gespann; **2** mit drei Pferden bespannter Wagen
tro|isch = trojanisch; **Tro|ja** antike Stadt in Kleinasien; **Tro|ja|ner,** Tro|er *m. 5;* **tro|ja|nisch;** *aber:* Trojanischer Krieg; Trojanisches Pferd *griech. Myth.:* hölzernes Pferd, in dessen hohlem Bauch sich eine Schar griechischer Krieger (Danaer) verbarg; sie wurden darin von den Trojanern in die Stadt gebracht, deren Eroberung durch diese List den Griechen gelang
tro|kie|ren [lat.-frz.] *tr. 3* austauschen (Waren)
Tröl|bu|ße *w. 11, schweiz.;* **trö|len** *intr. 1, schweiz.:* ein Gerichtsverfahren mutwillig verzögern
Troll *m. 1* **1** *nord. Myth.:* Dämon, Unhold; **2** *nur Ez., Jägerspr.:* Trab (vom Schalenwild); **Troll|blu|me** *w. 11* ein Hahnenfußgewächs; **trol|len 1** *refl. 1* (ein wenig schmollend) weggehen; **2** *intr. 1, Jägerspr.:* traben (Schalenwild)
Trol|ley|bus [trɔlı-, engl.] *m. 1, schweiz.:* Oberleitungsomnibus
Trom|be [frz.] *w. 11* Wirbelwind, Windhose, Wasserhose
Trom|mel *w. 11;* **Tröm|mel|chen** *s. 7;* **Trom|me|lei** *w. 10 nur Ez.;* **Trom|mel|fell** *s. 1;* **Trom|mel|feu|er** *s. 5;* **trom|meln** *intr. 1;* ich trommele, trommle; **Trom|mel|re|vol|ver** *m. 5* Revolver; **Trom|mel|schlag** *m. 2;* **Trom|mel|sucht** *w. Gen. - nur Ez.* durch fehlerhafte Fütterung hervorgerufene Krankheit der Wiederkäuer, Blähsucht, Tympanie; **Trom|mel|wir|bel** *m. 5;* **Tromm|ler** *m. 5*

Trompe *w. 11* nischenartige Wölbung, die Raumecken überbrückt
Trompete *w. 11;* **trompeten** *intr. 2;* er trompetete, hat trompetet; **Trompetenbaum** *m. 2* ein nordamerik. Baum mit trompetenförmigen Blüten; **Trompetenblume** *w. 11* eine Narzisse; **Trompetengeschmetter** *s. 5 nur Ez.;* **Trompetenschnecke** *w. 11* eine Meeresschnecke, Tritonshorn; **Trompetenstoß** *m. 2;* **Trompeter** *m. 5*
Trope [griech.] *w. 11* = Tropus
Tropen [griech.] *nur Mz.* heiße Zone der Erde zwischen den beiden Wendekreisen; **Tropenfieber** *s. 5 nur Ez.* Malaria; **Tropenhelm** *m. 1;* **Tropenhygiene** [-gje:-] *w. 11 nur Ez.;* **Tropeninstitut** *auch:* **-institut** *s. 1* Institut zur Erforschung der Lebensbedingungen in den Tropen; **Tropenklima** *s. Gen.* -s *nur Ez.;* **Tropenkoller** *m. 5* bei Nichteingeborenen in den Tropen auftretender Erregungszustand; **Tropenkrankheit** *w. 10;* **Tropenmedizin** *w. 10 nur Ez.* Richtung der Medizin zur Erforschung der Tropenkrankheiten
Tropf 1 *m. 2* Kerl, Bursche; armer Tropf; **2** *m. 2, auch:* einfältiger Mensch; **3** *m. 1, ugs. kurz für* Dauertropfinfusion; am Tropf hängen
tropfbar; Tröpfchen *s. 7;* **Tröpfcheninfektion** *w. 10;* **tröpfchenweise; tröpfeln** *intr. 1;* **tropfen** *intr. u. tr. 1;* **Tropfen** *m. 7;* **Tropfenfänger** *m. 5;* **tropfenweise; Tropfflasche** *w. 11;* **Tröpflein** *s. 7;* **tropfnaß** ► **tropfnass; Tropf**stein *m. 1* durch Ablagerungen aus tropfendem, kalkreichem Wasser entstandenes Gebilde, Stalagmit, Stalaktit; **Tropfsteinhöhle** *w. 11*

> **tropfnass:** Verbindungen aus einem Verbstamm und einem Adjektiv, bei denen der erste Bestandteil für eine Wortgruppe steht, schreibt man zusammen: *das tropfnasse Hemd.* Ebenso: *röstfrisch, fernsehmüde* usw. →§ 36 (1)

Trophäe [griech.] *w. 11* **1** Siegeszeichen, z. B. erbeutete Fahne; **2** Zeichen der erfolgreichen Jagd, z. B. Geweih
trophisch [griech.] auf der Ernährung (der Gewebe, Muskeln) beruhend, sie bewirkend; **Trophobiose** *w. 11* Form der Symbiose, wobei ein Tier dem andern die Nahrung liefert und dafür von diesem geschützt wird, z. B. Blattläuse in Ameisenstaaten
Tropical [trɔpɪkəl, engl.] *m. 9* luftdurchlässiger Anzugstoff; **Tropika** *w. Gen. - nur Ez.* schwere Form der Malaria; **tropisch** aus den Tropen stammend, zu ihnen gehörend, wie in den Tropen; **Tropismus** *m. Gen. - Mz.* -men durch äußeren Reiz hervorgerufene Bewegung von Pflanzenorganen; **Tropopause** *w. 11* Grenze zwischen Tropo- und Stratosphäre; **Tropophyt** *m. 10* an starken Wechsel zwischen niederschlagsreicher und -armer Jahreszeit angepasste Pflanze
Tropos *m. Gen. - Mz.* -poi, *griech. Form von* Tropus
Troposphäre *auch:* **Troposphäre** [griech.] *w. 11* **1** unterste Schicht der Erdatmosphäre bis 12 km; **2** Meerestiefe zwischen 200 und 600 m
troppo [ital.] *Mus.:* zu viel, zu sehr, z. B. allegro ma non troppo: lebhaft, aber nicht zu sehr
Tropus [griech.] *m. Gen. - Mz.* -pen, Tropos *m. Gen. - Mz.* -poi, Trope *w. 11* **1** bildlicher Ausdruck, poetischer Ausdruck, z. B. »silbernes Band« statt »Fluss«; **2** Erweiterung der Liturgie; **3** daraus entstandene mittelalterl. geistl. Liedform
Troß ► **Tross** *m. 1* **1** Gesamtheit der Fahrzeuge mit Gepäck, Verpflegung und Ausrüstung einer Truppe, Train; **2** *übertr.:* Gefolge, Anhängerschar
Trosse *w. 11* starkes Tau
Trost *m. Gen.* -(e)s *nur Ez.;* **trostbedürftig; trösten** *tr. 2;* **Tröster** *m. 5;* **tröstlich; trostlos; Trostlosigkeit** *w. 10 nur Ez.;* **Trostpflaster** *s. 5;* **Trostpreis** *m. 1;* **trostreich; Tröstung** *w. 10;* **trostvoll; Trostwort** *s. 1*
Trott *m. 1 nur Ez.;* **1** langsamer, schwerfälliger Trab (vom Pferd) oder Gang; **2** *übertr. ugs.:* immer gleiche, gewohnte Lebens-, Arbeitsweise
Trotte *w. 11, alem.:* Weinkelter
Trottel *m. 5* **1** schwachsinniger, oft auch missgestalteter Mensch; **2** Dummkopf; **Trottelei** *w. 10 nur Ez.;* **trottelhaft; Trottelhaftigkeit** *w. 10 nur Ez.;* **trottelig,** trottlig; **Trotteligkeit,** Trottligkeit *w. 10 nur Ez.;* **trotteln** *intr. 1* geruhsam, aber unaufmerksam gehen; ich trottele, trottle; **trotten** *intr. 2* langsam und lustlos gehen; **Trotteur** [-tør, frz.] *m. 9* bequemer Straßenschuh mit flachem Absatz; **Trottinett** [frz.] *s. 1, schweiz. für* Kinderroller; **trottlig,** trottelig; **Trottligkeit,** Trotteligkeit *w. 10 nur Ez.;*
Trottoir [-toar] *s. 9* erhöhter Fußweg neben der Fahrstraße
trotz *Präp., urspr. mit Dat., heute meist mit Gen.;* trotz des Regens; trotz alledem; **Trotz** *m. Gen.* -es *nur Ez.;* **Trotzalter** *s. Gen.* -s *nur Ez.;* **trotzdem**; t. hat er recht; *oft fälschl. für* obwohl: trotzdem er recht hat *statt:* obwohl er recht hat; **trotzen** *intr. 1;* jmdm. t.; **trotzig**
Trotzkismus *m. Gen. - nur Ez.,* von der sowjet. Parteilinie abweichende polit. Einstellung im Sinne Trotzkis; **Trotzkist** *m. 10;* **trotzkistisch**
Trotzkopf *m. 2;* **trotzköpfig**
Troubadour [trubadur, auch: tru-, frz.] *m. 1 oder m. 9* provenzal. Minnesänger; vgl. Trouvère
Trouble *auch:* **Trouble** [trʌb(ə)l, engl.] *m. Gen.* -s *nur Ez., ugs.:* Mühe, Schwierigkeiten, Ungelegenheiten
Troupier [trupje, frz.] *m. 9* altgedienter, erfahrener Offizier (niederen Ranges), Haudegen
Trouvère [truvɛr, frz.] *m. 9* nordfrz. Minnesänger; vgl. Troubadour
Troygewicht [trɔɪ-, nach der frz. Stadt Troyes] *s. 1, in Großbritannien und den USA:* Gewicht für Edelmetalle
Trub *m. Gen.* -s *nur Ez.* trüber Niederschlag bei der Bier- und Weinherstellung

> **im Trüben fischen:** Das substantivierte Adjektiv schreibt man auch in festen Gefügen mit großem Anfangsbuchstaben: *Die Politiker fischten im Trüben.* →§ 57 (1)

trüb, trübe; im Trüben fischen *übertr.:* aus einer ungeklärten

Lage seinen Vorteil ziehen; **Trübe** *w. Gen. - nur Ez.*
Trubel *m. 5 nur Ez.;* **trubelig,** trublig
trüben *tr. 1;* **Trübheit** *w. 10 nur Ez.;* **Trübnis** *w. 1, poet.:* Trübheit, Kummer; **Trübsal** *w. 1 nur Ez.* Kummer, seelischer Schmerz; T. blasen *ugs.:* trüben Gedanken nachhängen, missgestimmt sein; **trübselig; Trübseligkeit** *w. 10 nur Ez.;* **Trübsinn** *m. 1 nur Ez.;* **trübsinnig; Trübsinnigkeit** *w. 10 nur Ez.;* **Trübung** *w. 10*
Truchseß ► **Truchsess** *m. 1, MA:* Aufseher über Hofhaltung und Küche eines Fürsten
Truck [trʌk, engl.] *m. 9, amerik. Bez. für* Lastkraftwagen; **Trucker** [trʌkər] *m. 5* Fahrer eines Groß-Lkw
Trucksystem [trʌk-, engl.] *s. 1 nur Ez., früher:* Lohnzahlungssystem, bei dem der Arbeitnehmer ausschließlich Waren oder Gutscheine erhielt
trudeln *intr. 1* sich um die Längsachse drehend niedersinken oder abstürzen (Flugzeug)
Trüffel *m. 5* **1** unterirdisch lebender Pilz; **2** Praline mit feiner, weicher Füllung
Trug *m. Gen.* -(e)s *nur Ez.;* Lug und Trug; **Trugbild** *s. 3;* **trügen** *intr. 166;* **trügerisch; Trugschluß** ► **Trugschluss** *m. 2*
Truhe *w. 11*
Trullo [ital.] *m. Gen.* -s *Mz.* -li, *in Apulien:* rund gebautes, steinernes Bauernhaus mit kegelförmigem Dach
Trum, Trumm *s. 4 oder m. 1* **1** *Geol.:* Zweig eines Mineralganges; **2** *Bgb.:* für einen besonderen Zweck bestimmter Teil eines Schachtes; **3** zwischen zwei Riemenscheiben liegender Teil eines Treibriemens
Trumm *s. 4* **1** = Trum; **2** *süddt., österr.:* großes Stück, Brocken;
Trümmer *Mz.* Teile, Stücke (eines kaputt gegangenen Gegenstandes), Bruchstücke; in Trümmer gehen: kaputt gehen; **Trümmerfeld** *s. 3;* **Trümmerflora** *w. Gen. - Mz.* -ren auf Schutt- und Trümmerhaufen wachsende Pflanzen; **Trümmerhaufen** *m. 7*
Trumpf *m. 2* **1** *Kartenspiel:* Farbe oder Karte einer Farbe, die die anderen Farben sticht; **2** *übertr.:* Vorteil; einen Trumpf ausspielen, in der Hand haben; **trumpfen** *tr. 1, Kartenspiel:* mit einer Trumpfkarte stechen
Trumscheit *s. 1* altes Streichinstrument mit nur einer Saite
Trunk *m. 2* **1** Getränk; ein Trunk Wasser; **2** *nur Ez.* das Trinken, Trunksucht; sich dem Trunk ergeben; dem Trunk verfallen sein; **trunken** **1** betrunken; **2** *übertr.:* ganz erfüllt, glückselig; trunken vom Licht; trunken vor Begeisterung; **Trunkenbold** *m. 1* gewohnheitsmäßiger Trinker; **Trunkenheit** *w. 10 nur Ez.;* **Trunksucht** *w. Gen. - nur Ez.;* **trunksüchtig**
Trupp *m. 9;* **Trüppchen** *s. 7;* **Truppe** *w. 11;* **Truppenarzt** *m. 2;* **Truppenparade** *w. 11;* **Truppenübungsplatz** *m. 2;* **truppweise**
Trust [trʌst, engl.] *m. 9* Zusammenschluss mehrerer Unternehmen unter einheitlicher Führung; **Trustee** [trʌsti] *m. 9, engl. Bez. für* Treuhänder
Truthahn *m. 2;* **Truthenne** *w. 11;* **Truthuhn** *s. 4*
Trutz *m. Gen.* -es *nur Ez., veraltet:* Abwehr, Verteidigung; zu Schutz und Trutz; Schutz- und Trutz-Bündnis; **trutzig** *veraltet, noch poet.:* grimmig; mächtig, massig (Burg)
Trypanosoma [griech.] *s. Gen.* -s *Mz.* -men Geißeltierchen
Trypsin [griech.] *s. 1 nur Ez.* Eiweiß spaltendes Ferment der Bauchspeicheldrüse
Tsantsa [indian.] *w. 9* = Schrumpfkopf
Tsatsiki *m. 9 oder s. 9* = Zaziki
Tschad Staat im nördl. Zentralafrika; **Tschader** *m. 5* Einwohner von Tschad; **tschadisch; Tschadsee** *m. Gen.* -s See im mittleren Sudan (**1**)
Tschako [ung.] *m. 9* urspr. ungarische militär. Kopfbedeckung mit Schild und zylinderförmigem Oberteil, später auch von dt. Polizisten getragen
Tschamara [tschech.] *w. Gen. - Mz.* -s *oder* -ren Schnürrock der tschech. und poln. Tracht
Tschandu [Hindi] *s. Gen.* -s *nur Ez.* zum Rauchen zubereitetes Opium
Tschapka [poln.] *w. 9* Kopfbedeckung der Ulanen mit viereckigem Oberteil
tschau! *eindeutschende Schreibung von ital.* ciao: auf Wiedersehen!
Tscheche *m. 11* Angehöriger eines westslaw. Volkes; **Tschecherl** *s. Gen.* -s *nur Ez.;* **tschechisch; Tschechisch** *s. Gen.* -(s) *nur Ez.* zu den westslaw. Sprachen gehörende Sprache der Tschechen; **Tschechische Republik** *w. 10* (Abk.: ČR)
Tscheka [russ. Kurzwort] *w. Gen. - nur Ez. 1917–1922:* die polit. Polizei der ehem. UdSSR; **Tschekist** [russ.] *m. 10, ehem. DDR:* Stasi-Mitarbeiter
Tscheremisse *m. 11* Angehöriger eines ostfinn. Volkes, *Selbstbez.:* Mari; **tscheremissisch**
Tscherkesse *m. 11* Angehöriger einer kaukas. Völkergruppe; **tscherkessisch**
Tscherkeßka ► **Tscherkesska** *w. Gen. - nur Ez.*
Tscherwonez [russ.] *m. Gen. - Mz.* -wonzen, *urspr.:* russ. Goldmünze, *1922–1947:* Banknote im Wert von 10 Rubel
Tschibuk [türk.] *m. 9* lange türk. Tabakspfeife
Tschikosch *m. 1, eindeutschende Schreibung von* Csikós
tschilpen, schilpen *intr. 1* wie der Spatz zwitschern
Tschinuk *m. 9 oder Gen. - Mz. -, eindeutschende Schreibung von* Chinook

> **tschüs!/tschüss!:** Die bisherige Schreibweise bleibt Hauptvariante *(tschüs!)*, die integrierte Form *(tschüss!)* gilt als zulässige Nebenvariante (*-ss* nach kurzem Vokal oder kurzem Umlaut). → § 25 E1

Tschismen [ung.] *Mz.* farbige ung. Stiefel
Tschuktsche *m. 11* Angehöriger eines altsibir. Volkes; **tschuktschisch**
tschüs! ► *auch:* **tschüss!** *ugs. Kurzform von* adjüs, *eigtl.* adieu: auf Wiedersehen!
Tschuwasche *m. 11* Angehöriger eines Volkes an der Wolga; **tschuwaschisch**
Tsd. *Abk. für* Tausend
Tsetsefliege *w. 11* Stechfliege, Überträgerin der Schlafkrankheit

T-Shirt/T-Träger: Man setzt einen Bindestrich in Zusammensetzungen mit Einzelbuchstaben, Abkürzungen oder Ziffern: *T-Shirt, T-Träger.* Ebenso: *S-Kurve, x-beinig* usw. → § 40

T-Shirt [tiʃəːt, engl.] *s. 9* kurzärmeliges Hemd aus Trikot
Tsu|ga *w. Gen. - Mz.* -s *oder* -gen Hemlocktanne, Schierlingstanne
T-Trä|ger *m. 5* Walzstahl mit T-förmigem Querschnitt
TU *Abk. für* Techn. Universität
Tu|a|reg 1 *m. 9 oder Gen. - Mz.* - Angehöriger eines Berbervolkes in der Sahara; **2** *s. Gen.* -(s) *nur Ez.* zu den hamit. Sprachen gehörende Sprache der Tuareg
Tua res a|gi|tur [lat.] Um deine Sache handelt es sich, es geht dich an
Tub [tʌb, engl.] *s. Gen. - Mz.* - ehem. engl. Gewichtseinheit für Butter (38,102 kg) und Tee (27,216 kg)
Tu|ba [lat.] *w. Gen. - Mz.* -ben **1** ein Blechblasinstrument; **2** Ohrtrompete; **3** Tu|be *w. 11* Eileiter; **Tu|bar|gra|vi|di|tät** *w. 10* Eileiterschwangerschaft
Tüb|bing [nddt.] *m. 9* bis 1,5 m hoher, gusseiserner Ring zum Abstützen von wasserdichten Schächten
Tu|be [lat.] **1** biegsamer, röhrenförmiger Behälter; auf die Tube drücken *ugs.:* Gas geben; eine Sache in Gang bringen; **2** = Tuba (**3**); **Tu|ben** *Mz. von* Tuba *und* Tube; **Tu|ben|schwan|ger|schaft** *w. 10* Eileiterschwangerschaft
Tu|ber|kel [lat.] *m. 5, österr. auch: w. 11,* **Tu|ber|kel|bak|te|ri|um** *s. Gen.* -s *Mz.* -ri|en Erreger der Tuberkulose; **Tu|ber|kel|ba|zil|lus** *m. Gen. - Mz.* -len Tuberkelbakterium; **tu|ber|ku|lar** knotig, knötchenartig; **Tu|ber|ku|lin** *s. 1 nur Ez.* aus Zerfallsprodukten der Tuberkelbakterien gewonnener Giftstoff, mit dem Tuberkulose nachgewiesen werden kann; **tu|ber|ku|lös** an Tuberkulose erkrankt, mit Tuberkeln behaftet; **Tu|ber|ku|lo|se** *w. 11* (*Abk.:* Tb, Tbc) durch Tuberkelbakterien hervorgerufene, chron. Infektionskrankheit; **Tu|ber|ku|lo|se|für|sor|ge** *w. 11 nur Ez.;* **Tu|ber|ku|lo|sta|ti|kum** *s. Gen.* -s *Mz.* -ka die Ausbreitung der Tuberkeln hemmendes Heilmittel
Tu|be|ro|se [lat.] *w. 11* eine mexikan. Zierpflanze
tu|bu|lär [lat.], **tu|bu|lös** röhren-, schlauchförmig; **Tu|bus** *m. Gen. - Mz.* -ben *oder* -s|se **1** Röhre; **2** Zwischenring
Tuch 1 *s. 1* ein Streichgarngewebe; **2** *s. 4* gesäumtes Stück Stoff; **Tü|chel|chen** *s. 7;* **tu|chen** aus Tuch (**1**); **Tu|chent** *w. 10, österr.:* Federbett; **Tuch|füh|lung** *w. 10 nur Ez.;* **Tüch|lein** *s. 7*
tüch|tig; Tüch|tig|keit *w. 10 nur Ez.*
Tü|cke *w. 11*
tu|ckern *intr. 1* Geräusch machen, leise knattern (Motor des Motorboots)
tü|ckisch; tück|schen *intr. 1, mittel-, norddt.:* grollen, beleidigt sein, schmollen
Tü|der *m. 5, nddt.:* Seil (zum Anbinden eines weidenden Tieres); **tü|dern** *nddt.:* **1** *tr. 1* anbinden (Tier); **2** *intr. 1* umständlich vorgehen
Tu|dor [tjudə] *m. 9* Angehöriger eines engl. Herrschergeschlechts; **Tu|dor|bo|gen** *m. 7, in der engl. Spätgotik:* flacher Spitzbogen
Tu|e|rei *w. 10 nur Ez.* Getue, Sichzieren
Tuff *m. 1* **1** Gestein aus erstarrten, verkitteten vulkan. Auswürfen, Tuffstein, Duckstein; **2** Strauß kurzstieliger Blumen; **3** vielfach gebundene Schleife; **Tuff|stein** *m. 1* = Tuff (**1**)
Tüf|tel|ar|beit *w. 10;* **Tüf|te|lei** *w. 10;* **tüf|te|lig,** tüft|lig **1** schwierig, genaues Denken oder Fingerspitzengefühl verlangend (Arbeit); **2** genau, sorgsam arbeitend oder überlegend; **tüf|teln** *intr. 1* grübeln, etwas Schwieriges herauszubringen versuchen; ich tüftele, tüftle
Tuf|ting [engl.: tʌf-] *s. 9* ein Teppichgewebe
Tüft|ler *m. 5* jmd., der gerne tüftelt; **tüft|lig** = tüftelig
Tu|gend *w. 10;* **Tu|gend|bold** *m. 1, leicht spött.:* tugendhafter Mensch; **tu|gend|haft; Tu|gend|haf|tig|keit** *w. 10 nur Ez.;* **tu|gend|sam**
Tu|i|le|ri|en [tyiləriən, frz. »Ziegeleien« (die früher dort standen)] *Mz.* ehemaliges Residenzschloss der frz. Könige in Paris
Tu|kan [indian.] *m. 1* spechtartiger Vogel Mittel- und Südamerikas, Pfefferfresser
Tu|lar|ä|mie [nach der kaliforn. Stadt Tulare + griech.] *w. 11* auf den Menschen übertragbare Infektionskrankheit der Nagetiere, Hasenpest
Tu|li|pan [türk.] *m. 1,* **Tu|li|pa|ne** *w. 11, veraltet für* Tulpe
Tüll [nach der frz. Stadt Tulle] *m. 1* ein feines, netzartiges Gewebe
Tül|le *w. 11* **1** Ausguss (an Kannen); **2** kurzes Rohrstück
Tul|pe [türk.-pers.] *w. 11* eine Zierpflanze; **Tul|pen|baum** *m. 2* ein Parkbaum
Tum|ba [lat.] *w. Gen. - Mz.* -ben Grabdenkmal in Form eines Sarkophags
Tu|mes|zenz [lat.] *w. 10, Med.:* Schwellung
tum|meln 1 *tr. 1;* ein Pferd t.: es reiten, um ihm Bewegung zu verschaffen; **2** *refl. 1* spielend umherlaufen (Kind, Tier); **3** *refl. 1* sich beeilen; **Tum|mel|platz** *m. 2;* **Tumm|ler** *m. 5* = Stehauf (**1**); **Tümm|ler** *m. 5* **1** *Sammelbez. für* verschiedene Zahnwale; **2** Haustaubenrasse
Tu|mor [lat.] *m. 13* Geschwulst
Tüm|pel *m. 5*
Tu|mu|li *Mz. von* Tumulus
Tu|mult [lat.] *m. 1* Aufruhr, lärmendes, aufgeregtes Durcheinander; **Tu|mul|tu|ant** *m. 10* Unruhestifter; **tu|mul|tu|a|risch, tu|mul|tu|ös** aufgeregt lärmend
Tu|mu|lus [lat.] *m. Gen. - Mz.* -li vorgeschichtl. Hügelgrab
tun 1 *tr. 167;* Gutes, Böses tun; vgl. gut tun; freundlich tun; **2** *refl. 167, ugs. in bestimmten Wendungen;* du tust dich leichter, wenn du es so machst: es geht leichter; da tut sich was: da ist etwas los; **Tun** *s. Gen.* -s *nur Ez.;* Tun und Lassen; Tun und Treiben
Tün|che *w. 11;* **tün|chen** *tr. 1*
Tun|dra *auch:* **Tund|ra** [russ.] *w. Gen. - Mz.* -dren, *in den Polargebieten:* baumlose Steppe jenseits der Waldgrenze
Tu|nell *s. 1, südd., österr. für* Tunnel
tu|nen [tju-, engl.] *tr. 1* **1** *Elektroakustik:* einstellen, abstimmen; **2** ein Kraftfahrzeug t.: es auf hohe Leistung trimmen, »frisieren«; **Tu|ner** [tju-] *m. 5* Radiogerät ohne Verstärker

Tu|ne|si|en Staat in Nordafrika; **Tu|ne|si|er** *m. 5;* **tu|ne|sisch**
Tun|fisch *m. 1* = Thunfisch
Tung|baum *m. 2* chin. Baum, der Holzöl liefert
Tung|stein *m. 1* ein Mineral
Tun|gu|se *m. 11* Angehöriger einer Völkergruppe in Sibirien u. Nordostchina; **tun|gu|sisch**
Tu|nicht|gut *m. 1*
Tu|ni|ka [lat.] *w. Gen. - Mz.* -ken, *im alten Rom:* langes, hemdartiges, weißes Gewand; **Tu|ni|ka|te** *w. 11* = Manteltier
Tu|nis Hst. von Tunesien; **Tu|ni|ser** *m. 5;* **tu|ni|sisch**
Tun|ke *w. 11* Soße; **tun|ken** *tr. 1* eintauchen
tun|lich 1 ratsam; **2** *auch:* tunlichst: möglichst
Tun|nel *m. 5*
Tun|te *w. 11, ugs.:* **1** *abwertend:* Frau; alte Tunte; **2** älterer Homosexueller; **tun|tig** *ugs.:* langweilig-schulmeisterlich, *auch:* zimperlich
Tu|pa|ma|ro *m. 9, urspr.:* Aufständischer in Uruguay; *danach:* Angehöriger einer radikalen, gewalttätigen Gruppe
Tupf *m. 1, süddt., österr.* = Tupfen; *österr. auch:* leichter Stoß; **Tüpf|chen** *s. 7;* **Tüp|fel** *m. 5 oder s. 5* kleiner Fleck, Punkt; **Tüp|fel|chen** *s. 7;* **Tüp|fel|hy|ä|ne** *w. 11* eine gefleckte Hyänenart; **tüp|feln** *tr. 1* mit Tüpfeln, Punkten versehen; getüpfelter Stoff; **tup|fen** *tr. 1* **1** mit Tupfen versehen; **2** leicht berühren; **Tup|fen** *m. 7* Fleck; **Tup|fer** *m. 5* Wattebausch
Tu|pi 1 *m. 9 oder Gen. - Mz.* - Angehöriger eines südamerik. Indianervolkes; **2** *s. Gen.* -(s) *nur Ez.* dessen Sprache
Tür *w. 10,* Tü|re *w. 11;* zwischen Tür und Angel *übertr.:* auf der Schwelle, in Eile, ohne hereinzukommen
Tur|ban [türk.-pers.] *m. 1* **1** Kopfbedeckung der Muslime (nicht mehr in der Türkei); **2** *danach:* um den Kopf geschlungener Schal (als Kopfbedeckung für Frauen)
Tur|bel|la|rie [-riə, lat.] *w. 11* ein Plattwurm, Strudelwurm; **Tur|bi|ne** *w. 11* Kraftmaschine zur Erzeugung einer kreisenden Bewegung; **Tur|bi|nen|trieb|werk; tur|bo..., Tur|bo...** *in Zus.:* durch Turbine(n) angetrieben; **tur|bo|e|lek|trisch; Tur|bo|ge|ne|ra|tor** *m. 13;* **Tur|bo|prop** *w. 9, Kurzw. für* Propellerturbine; **Tur|bo|prop-Flug|zeug** *s. 1* Flugzeug mit Turbinen-Propeller-Luftstrahltriebwerk; **tur|bu|lent** wirbelnd, stürmisch, sehr unruhig; **Tur|bu|lenz** *w. 10* **1** ungeordnete Strömung (Wirbel); **2** *nur Ez., übertr.:* große Unruhe, wirbelndes Durcheinander
Tür|chen *s. 7;* **Tü|re** *w. 11* Tür
Turf [engl.] *m. 1 nur Ez.* **1** Pferderennbahn; **2** Pferderennen; **3** Pferderennsport
Tür|flü|gel *m. 5;* **Tür|fül|lung** *w. 10*
Tur|ges|zenz [lat.] *w. 10 nur Ez.* **1** Straffheit der Pflanzenzellen; **2** *Med.:* Anschwellung, Blutreichtum; **tur|ges|zie|ren** *intr. 3, Med.:* anschwellen, prall gefüllt sein; **Tur|gor** *m. Gen.* -s *nur Ez.* **1** *Bot.:* Innendruck auf die Zellwand; **2** *Med.:* Spannungszustand (der Gewebe)
...tü|rig *in Zus.,* z. B. ein-, vier-, mehrtürig
Tür|ke *m. 11* **1** Angehöriger einer in Asien verbreiteten Völkergruppe; **2** Einwohner, der Türkei; **Tür|kei** *w. Gen.* - Staat in Kleinasien; **tür|ken** *tr. 1, ugs.:* vortäuschen; ein getürkter Unfall; **Tür|ken** *m. 7 nur Ez., österr. für* Mais; **Tür|ken|bund** *m. 2 nur Ez.* eine Zierpflanze; **Tür|ken|krie|ge** *m. 1 Mz.;* **Tür|ken|tau|be** *w. 11* eine Taubenart
Tur|ke|stan *auch:* **Tur|kes|tan** Gebiet in Innerasien; **Tür|kin** *w. 10;* **tür|kis** *unflektierbar, kurz für* türkisfarben; **Tür|kis** *m. 1* ein Edelstein; **tür|kisch**; türkischer Honig; Türkischer Weizen = Mais; türkisches Pfund (*Abk.:* TL); **Tür|kisch** *s. Gen.* -(s) *nur Ez.* zu den Turksprachen gehörende Sprache der Türken; **Tür|kisch|rot** *s. Gen.* -(s) *nur Ez.* leuchtend rote Farbe; **tür|ki|sen** aus Türkisen; türkisenes Armband; **tür|kis|far|ben** hellgrünblau; **tür|kis|grün; tür|ki|sie|ren** *tr. 3* türkisch machen, nach türkischem Muster gestalten
Tür|kli|ke *w. 11*
Turk|me|ne *m. 11* Angehöriger eines Turkvolkes in Mittelasien; **Turk|me|ni|en; turk|me|nisch; Turk|me|ni|stan** *auch:* **Turk|me|nis|tan; Tur|ko** *m. 9, früher:* farbiger Fußsoldat des frz. Kolonialheeres in Algerien; **Tur|ko|lo|ge** *m. 11;* **Tur|ko|lo|gie** *w. 11 nur Ez.* Wissenschaft von den Turksprachen und Kulturen der Turkvölker; **tur|ko|lo|gisch; Turk|spra|chen** *w. 11 Mz.* die Sprachen der Turkvölker, z. B. Türkisch, Mongolisch; **Turk|ta|ta|ren** *m. 10 Mz., veraltete Sammelbez. für* mehrere Völker mit Turksprachen; **Turk|völ|ker** *s. 4 Mz., Sammelbez. für* eine in Asien und Osteuropa verbreitete Völkergruppe
Tür|lein *s. 7, poet.*
Turm *m. 2*
Tur|ma|lin [singales.-frz.] *m. 1* ein Edelstein
Türm|chen *s. 7;* **tür|men 1** *tr. 1* häufen, schichten; **2** [hebr.-Gaunerspr.] *intr. 1, ugs.:* davonlaufen, ausreißen
Tür|mer *m. 5, früher:* oben in einem Turm wohnender Wächter, der auf Feuer u. a. Gefahren zu achten hatte, Turmwächter; **Turm|fal|ke** *m. 11;* **turm|hoch; ...tür|mig** *in Zus.,* z. B. zwei-, viertürmig; **Türm|lein** *s. 7, poet.;* **Turm|sprin|gen** *s. Gen.* -s *nur Ez., Sport:* Springen von 5 oder 10 m Höhe ins Wasser; **Turm|uhr** *w. 10;* **Turm|wäch|ter** *m. 5* = Türmer
Turn [tən, engl.] *m. 9* **1** *Kunstflug:* steiles Aufsteigen und Kehre; vgl. Törn; **2** Rauschzustand nach Drogengenuss
Turn|an|zug *m. 2;* **tur|nen** *intr. 1;* **Tur|ner** *m. 5;* **tur|ne|risch; Tur|ner|schaft** *w. 10;* **Turn|fest** *s. 1;* **Turn|hal|le** *w. 11*
Tur|nier *s. 1* **1** *früher:* ritterliches Kampfspiel; **2** *heute:* sportl. Wettkampf größeren Ausmaßes; **tur|nie|ren** *intr. 3, veraltet:* im Turnier kämpfen
Turn|kunst *w. 2 nur Ez.;* **Turn|leh|rer** *m. 5;* **Turn|schuh** *m. 1*
Tur|nü|re [frz.] *w. 11, 19. Jh.:* hinten unter dem Kleiderrock getragenes Gestell oder Polster
Tur|nus [lat.] *m. Gen. - Mz.* -nus|se regelmäßiger Wechsel, festgelegter Umlauf, Ablauf
Turn|va|ter *m. 6, Beiname für* Friedrich Ludwig Jahn; **Turn|ver|ein** *m. 1* (*Abk.* TV); **Turn|wart** *m. 1, in Turnvereinen:* Leiter des Turnbetriebes
Tür|öff|ner *m. 5;* **Tür|schlie|ßer** *m. 5;* **Tür|schwel|le** *w. 11;* **Tür|ste|her** *m. 5* Türwächter; **Tür|stock** *m. 2* **1** *süddt., österr.:* Türrahmen; **2** *Bgb.:* Gefüge aus

zwei Trägern und einem waagerecht darüberliegenden Balken; **Tür|sturz** *m. 2 oder m. 1* obere Mauerbegrenzung der Tür

tur|teln *intr. 1* **1** girren, gurren (Taube); **2** *übertr. ugs.:* miteinander zärtlich sein; **Tur|tel|tau|be** *w. 11* eine Wildtaubenart

Tusch *m. 1* nacheinander erklingender Dreiklangstoß der Musikkapelle

Tu|sche *w. 11* Zeichentinte

Tu|schel|ei *w. 10;* **tu|scheln** *intr. 1* heimlich miteinander flüstern

tu|schen *tr. 1* mit Tusche zeichnen; **Tusch|far|be** *w. 11;* **tu|schie|ren** *tr. 3;* Metall t.: Unebenheiten mittels Tusche sichtbar machen und dann glätten; **Tusch|zeich|nung** *w. 10*

Tus|ku|lum [nach der altröm. Stadt Tusculum] *s. Gen.* -s *Mz.* -la behaglicher Land-, Wohnsitz

Tüt|chen *s. 7*

Tu|te *w. 11* **1** Signalhorn; **2** trichterförmiger Gegenstand

Tü|te *w. 11;* das kommt nicht in die Tüte *ugs.:* nicht in Frage

Tu|te|horn *s. 4* = Tuthorn

Tu|tel [lat.] *w. 10* Vormundschaft; **tu|te|la|risch** vormundschaftlich

tu|ten *intr. 2;* **Tut|horn,** Tu|te|horn *s. 4* Signalhorn

Tu|ti|o|ris|mus [lat.] *m. Gen. - nur Ez.* die Einstellung, zwischen zwei Möglichkeiten immer die sicherere zu wählen

Tu|tor [lat.] *m. 13* **1** *im röm. Recht:* Vormund; **2** *allg.:* Student als Ratgeber jüngerer Studenten; **Tu|to|rin** weibl. Tutor

Tüt|tel *m. 5 oder s. 5* Punkt, Fleck; **Tüt|tel|chen** *s. 7* Pünktchen, Kleinigkeit; **tüt|tel|ig** *norddt.:* vergesslich; übergenau

tut|ti [ital.] *Mus.:* alle (Stimmen); **Tut|ti** *s. 9, Mus.:* Spiel aller Stimmen, des vollen Orchesters; *Ggs.:* Solo (**1**); **Tut|ti|frut|ti** *s. 9* Süßspeise mit Früchten

TÜV *Abk. für* Technischer Überwachungs-Verein

TV **1** *Abk. für* Turnverein; **2** *Abk. für* Television

Tweed [twid, engl.] *m. 9* kräftiges, klein gemustertes Woll- oder Mischgewebe

Twen [engl.] *m. 9* Mann oder Mädchen zwischen 20 und 29 Jahren

Twen|ter [ndrl.] *m. 5* zweijähriges Pferd

Twie|te *w. 11, nddt.:* Gässchen, schmaler Weg

Twill [engl.] *m. 9 oder m. 1* Seiden- oder feines Baumwollgewebe

Twin|set [engl.] *m. 9* kurzärmeliger Pullover mit Jacke aus gleicher Wolle und Farbe

Twist [engl.] *m. 1* **1** aus mehreren Fäden locker gedrehtes Garn; **2** ein Modetanz; **twis|ten** *intr. 2* Twist tanzen

Two|step ► **Two|stepp** [tustɛp, engl.] *m. 9* schneller brit. Gesellschaftstanz

TX *Abk. für* Texas

Ty|che [-çe:, griech.] *w. 11 nur Ez.* Zufall, Glück; **Ty|chis|mus** *m. Gen. - nur Ez.* Lehre, dass alles Geschehen vom Zufall beherrscht wird

Tym|pa|na *Mz. von* Tympanum *und* Tympanon; **Tym|pa|nal|or|gan** [griech.] *s. 1, bei Insekten:* Gehörorgan; **Tym|pa|nie** *w. 11* = Trommelsucht; **Tym|pa|non,** Tym|pa|num *s. Gen.* -s *Mz.* -na oft mit Relief oder Malerei verziertes Feld über Fenstern und Türen, Bogen-, Giebelfeld; **Tym|pa|num** *s. Gen.* -s *Mz.* -na **1** *Anat.:* Trommelfell; **2** Kesselpauke; **3** = Tympanon

Tyn|dall|ef|fekt [tindəl-, nach dem ir. Physiker J. Tyndall] *m. 1* Streuung des Lichts an kleinsten Teilchen

Typ [griech.] *m. 12* **1** Urbild, Urform, Muster; **2** Modell, Bauart; **3** Gattung, »Schlag«; **4** Gepräge, das mehrere Personen gemeinsam haben; **5** eine solche Person selbst; **6** *ugs.:* Kerl, Bursche, Mensch; **Ty|pe** *w. 11* **1** aus Blei gegossener Druckbuchstabe, Letter; **2** Gradbez. für die Ausmahlung von Mehl; **3** *ugs.:* komischer, ulkiger Mensch; **ty|pen** *tr. 1, Industrie:* in bestimmten Größen herstellen; **Ty|pen|leh|re** *w. 11 nur Ez.* Lehre von den Konstitutionstypen

Ty|phli|tis *auch:* **Typh|li|tis** [griech.] *w. Gen. - Mz.* -ti|den Blinddarmentzündung; **Ty|phlon** *auch:* **Typh|lon** *s. 1* Blinddarm

Ty|phon [griech.] *m. Gen.* -s *Mz.* -pho|ne, *veraltet:* Wirbelsturm, Wasserhose; **Ty|phon** *m. 1* Schiffs-, Fabriksirene

ty|phös [griech.] typhusartig, auf Typhus beruhend; **Ty|phus** *m. Gen. - nur Ez.* eine fieberhafte Infektionskrankheit

Ty|pik [griech.] *w. 10 nur Ez.* Lehre von den Typen (**4, 5**); **ty|pisch** **1** für einen Typ charakteristisch, kennzeichnend; **2** einen Typ darstellend, mustergültig; **ty|pi|sie|ren** *tr. 3* als Typ, nicht als Individualität, darstellen, einordnen; nach Typen einteilen; **Ty|pi|sie|rung** *w. 10;* **Ty|po|graf,** Ty|po|graph *m. 10* **1** Gestalter des Schriftsatzes; **2** Schriftsetzer; **3** Zeilensetz- und -gießmaschine; **Ty|po|gra|fie,** Ty|po|gra|phie *w. 11 nur Ez.* **1** Buchdruckerkunst; **2** Gestaltung des Schriftsatzes; **ty|po|gra|fisch,** ty|po|gra|phisch die Typografie betreffend, auf ihr beruhend, zu ihr gehörend; **Ty|po|graph** *Nv.* ► **Ty|po|graf** *Hv.;* **Ty|po|gra|phie** *Nv.* ► **Ty|po|gra|fie** *Hv.;* **ty|po|gra|phisch** *Nv.* ► **ty|po|gra|fisch** *Hv.;* **Ty|po|lo|gie** *w. 11* Lehre von den Typen; (**4, 5**); **ty|po|lo|gisch;** **Ty|po|maß** *s. 1,* **Ty|po|me|ter** *s. 5* Maßstab für das typograf. Maßsystem, Buchstaben-, Zeilenmesser; **Ty|po|skript** *auch:* **Ty|pos|kript** *s. 1* maschinengeschriebenes Manuskript (als Vorlage für den Setzer); **Ty|pung** *w. 10 nur Ez.* das Typen; **Ty|pus** *m. Gen. - Mz.* -pen = Typ (**1, 3, 4, 5**)

> **Typografie/Typographie:** Die integrierte (eingedeutschte) Schreibweise ist die Hauptvariante *(Typografie),* die fremdsprachige Form ist die zulässige Nebenvariante *(Typographie).* Ebenso: *typografisch/typographisch.* →§ 32 (2)

Ty|rann [griech.] *m. 10* **1** Gewaltherrscher; **2** *übertr.:* herrschsüchtiger Mensch; **Ty|ran|nei** *w. 10 nur Ez.* Gewaltherrschaft; **Ty|ran|nen|mord** *m. 1;* **Ty|ran|nis** *w. Gen. - nur Ez., bes. im alten Griechenland:* Gewaltherrschaft; **ty|ran|nisch;** **ty|ran|ni|sie|ren** *tr. 3;* jmdn. t.: jmdn. unterdrücken, jmdm. seinen Willen aufzwingen

Ty|rol|li|enne [-ljɛn] *w. 11* = Tirolienne

Tyr|rhe|ner *m. 5* Etrusker; **tyr|rhe|nisch** etruskisch; *aber:* Tyrrhenisches Meer: Teil des Mittelmeeres

Tz vgl. Tezett

► = wird zu

U

U *chem. Zeichen für* Uran

u. a. *Abk. für* und andere(s), unter anderem, unter anderen

u. ä. ► **u. Ä.** *Abk. für* und Ähnliche(s)

u. a. m. *Abk. für* und andere(s) mehr

u. A. w. g., U. A. w. g. *auf Einladungskarten Abk. für* um *oder:* Um Antwort wird gebeten

U-Bahn *Kurzw. für* Untergrundbahn; **U-Bahn|hof** *m. 2;* **U-Bahn-Tun|nel** *m. 5*

übel; üble Nachrede; übler Ruf; etwas übel aufnehmen; übel riechen; das ist nicht übel: ganz gut; übel beraten, gelaunt, nehmen, riechend, wollen; **Übel** *s. 5;* jmdm. Übles zufügen; das ist von Übel: das ist nicht gut, das ist schädlich; **Übel|be|fin|den** *s. Gen.* -s *nur Ez.* schlechtes Befinden; **übel|be|ra|ten** ► **übel be|ra|ten**; ein übel beratener Herrscher; damit bist du übel beraten; **übel|ge|launt** ► **übel ge|launt**; ein übel gelaunter Mensch; er ist heute übel gelaunt; **übel|ge|sinnt;** nicht freundlich gesinnt; übelgesinnte Nachbarn; **Übel|keit** *w. 10;* **übel|lau|nig; Übel|lau|nig|keit** *w. 10 nur Ez.;* **übel|neh|men** ► **übel neh|men** *tr. 88;* ich nehme es übel, habe es übel genommen; **übel|neh|me|risch; übel|rie|chend** ► **übel rie|chend**; vgl. übel; **Übel|stand** *m. 2;* **Übel|tat** *w. 10;* **Übel|tä|ter** *m. 5;* **übel|wol|len** ► **übel wol|len** *intr. 185;* er will niemandem übel, hat niemandem übel gewollt; **übel|wol|lend** ► **übel wol|lend**

> **übel gelaunt/nehmen/wollen:** Die Verbindung aus Adjektiv und Verb/Partizip schreibt man getrennt, wenn das Adjektiv in dieser Verbindung steigerbar oder durch *sehr* erweiterbar ist: *Sie war ständig übel gelaunt. Sie haben ihm das übel genommen.* →§34 E3 (3)
> Aber: *übellaunig, übelnehmerisch.*

üben 1 *tr. 1;* Klavier üben; Gerechtigkeit üben; **2** *refl. 1;* sich im Lesen üben; **3** *Adv. elsäss.:* herüben, hier auf dieser Seite

über 1 *Präp. mit Dat. oder Akk.;* die Lampe hängt über dem Tisch; *aber:* wir haben die Lampe über den Tisch gehängt; über dem Erzählen habe ich das Essen vergessen; **2** *in postal. Angaben:* Neuhausen über Engelskirchen; **3** *Adv.,* während: über Nacht; über Ostern; **4** mehr als: wir sind über zwei Stunden gelaufen; über 100 Personen; Kinder über 6 Jahre; über kurz oder lang: bald; **5** und noch mehr; Fehler über Fehler; einmal über das andere *übertr.:* sehr oft, immer wieder; über und über: ganz und gar, völlig; **6** *ugs.:* **a)** übrig; ich habe noch 10 Mark über; **b)** überlegen; er ist mir im Rechnen über

über|all [auch: yber-]; **über|all|her**; von überallher; **über|all|hin**

über|al|tert; Über|al|te|rung *w. 10 nur Ez.*

Über|an|ge|bot *s. 1 nur Ez.*

über|an|stren|gen *tr. 1;* ich überanstrenge mich; er hat seine Hand, das Pferd überanstrengt; **Über|an|stren|gung** *w. 10*

über|ant|wor|ten *tr. 2* übergeben; ich überantworte ihm das Kind, habe es ihm überantwortet; **Über|ant|wor|tung** *w. 10 nur Ez.*

über|ar|bei|ten *refl. 2;* **Über|ar|bei|tung** *w. 10 nur Ez.*

über|aus sehr

über|ba|cken *tr. 4* kurz im Rohr backen

Über|bau *m. 1, Mz. auch:* -bauten; *auch übertr. im kommunist. Sprachgebrauch:* die auf den wirtschaftl. Verhältnissen beruhende Kultur einer Gesellschaft in einer Epoche; **über|bau|en** *tr. 1* über eine Grenze hinwegbauen; **über|bau|en** *tr. 1* mit einem Bau überdachen, überwölben

über|be|an|spru|chen *tr. 1;* ich überbeanspruche ihn, habe ihn überbeansprucht; **Über|be|an|spru|chung** *w. 10 nur Ez.*

über|be|hal|ten *tr. 61, ugs.:* übrig behalten

Über|bein *s. 1* Geschwulst an Gelenken oder Sehnenscheiden

über|be|kom|men *tr. 71* satt bekommen; ich bekomme etwas über, habe es überbekommen

über|be|las|ten *tr. 2, nur im Infinitiv und Partizip II üblich:* der Wagen ist überbelastet; **Über|be|las|tung** *w. 10*

über|be|le|gen *tr. 1, nur im Infinitiv und Partizip II üblich;* der Raum ist überbelegt; **Über|be|le|gung** *w. 10*

über|be|lich|ten *tr. 2, nur im Infinitiv und Partizip II üblich;* die Aufnahme ist überbelichtet; **Über|be|lich|tung** *w. 10*

über|be|to|nen *tr. 1, nur im Infinitiv und Partizip II üblich;* **Über|be|to|nung** *w. 10*

über|be|wer|ten *tr. 2, nur im Infinitiv und Partizip II üblich;* er hat diese Vorgänge überbewertet; **Über|be|wer|tung** *w. 10*

über|bie|ten *tr. 13;* **Über|bie|tung** *w. 10 nur Ez.*

über|bla|sen *intr. 16 (nur im Infinitiv), bei Blasinstrumenten:* durch starkes Blasen einen um eine Oktave höher liegenden Ton hervorbringen

über|blat|ten *tr. 2;* Hölzer ü.: in bestimmter Weise miteinander verbinden; **Über|blat|tung** *w. 10*

über|blei|ben *intr. 17, ugs.:* übrig bleiben; **Über|bleib|sel** *s. 5*

über|blen|den *tr. 2, Film:* zwei Bilder (auch Töne) ü.: sie so ineinander übergehen lassen, dass das eine allmählich verschwindet und das nächste erscheint; ich überblende das Bild; **Über|blen|dung** *w. 10*

Über|blick *m. 1;* **über|bli|cken** *tr. 1*

über|bor|den *intr. 2* über ein gewisses Maß hinausgehen

über|brin|gen *tr. 21;* **Über|brin|ger** *m. 5*

über|brü|cken *tr. 1;* **Über|brü|ckung** *w. 10;* **Über|brü|ckungs|bei|hil|fe** *w. 11*

über|da|chen *tr. 1;* **Über|da|chung** *w. 10*

über|dau|ern *tr. 1*

über|de|cken *tr. 1* zudecken, bedecken

ü|ber|deh|nen *tr. 1;* **Ü|ber|deh|nung** *w. 10 nur Ez.*

ü|ber|den|ken *tr. 22;* etwas ü.: über etwas nachdenken

ü|ber|deut|lich

ü|ber|dies außerdem

ü|ber|di|men|si|o|nal über die normalen Ausmaße hinausgehend, übergroß; **ü|ber|di|men|si|o|niert**

ü|ber|do|sie|ren *tr. 3, nur im Infinitiv und Partizip II üblich;* ein Medikament ü.: eine zu große oder übernormale Dosis eines Medikaments geben oder verschreiben; **Ü|ber|do|sie|rung** *w. 10;* **Ü|ber|do|sis** *w. Gen. - Mz.* -sen (*Abk.:* OD »Overdose«)

ü|ber|dre|hen *tr. 1;* die Feder ist überdreht; er ist überdreht *übertr. ugs.:* er ist übermäßig erregt, zu übermütig

Ü|ber|druck *m. 1;* **ü|ber|dru|cken** *tr. 1;* **Ü|ber|druck|ven|til** *s. 1*

> **Überdruss:** Nach kurzem Vokal schreibt man *-ss-: der Überdruss.* →§ 25 E1

Ü|ber|druß ▶ **Ü|ber|druss** *m. Gen.* -drus|ses *nur Ez.;* **ü|ber|drüs|sig** *mit Gen.;* jmds. oder einer Sache ü. sein; ich bin seiner überdrüssig

ü|ber|eck *österr. für* über Eck

Ü|ber|ei|fer *m. 5 nur Ez.;* **ü|ber|eif|rig**

ü|ber|eig|nen *tr. 2* zu Eigen geben; ich übereigne es ihm, habe es ihm übereignet; **Ü|ber|eig|nung** *w. 10*

ü|ber|ei|len *tr. u. refl. 1;* übereiltes Handeln; **Ü|ber|ei|lung** *w. 10 nur Ez.*

> **übereinander legen/stehen/stellen:** Zusammengesetzte Adverbien *(übereinander)* und Verben bilden Gefüge, die getrennt geschrieben werden: *Sie wollten die Bücher übereinander legen. Die Tassen waren übereinander gestellt.*
> Wie bisher: *übereinander lachen, schreiben.* →§ 34 E3 (2)

ü|ber|ein|an|der *auch:* **ü|ber|ei|nan|der**; übereinander sprechen: voneinander sprechen; übereinander legen, übereinander liegen

ü|ber|ein|kom|men *intr. 71;* ich komme mit ihm überein, bin übereingekommen; **Ü|ber|ein|kom|men** *s. 7;* **Ü|ber|ein|kunft** *w. 2;* **ü|ber|ein|stim|men** *intr. 1;* **Ü|ber|ein|stim|mung** *w. 10*

ü|ber|emp|find|lich; Ü|ber|emp|find|lich|keit *w. 10 nur Ez.*

ü|ber|er|reg|bar; Ü|ber|er|reg|bar|keit *w. 10 nur Ez.*

ü|ber|es|sen *tr. 31;* sich etwas ü.: zu viel von etwas essen, so dass man es nicht mehr mag; das esse ich mir leicht über, ich habe es mir übergegessen; **ü|ber|es|sen** *refl. 31;* sich ü.: zuviel essen; ich habe mich übergessen

> **überfahren, überführen, übersetzen:** Wie nach der bisherigen Regel werden Zusammensetzungen mit der Partikel *über-* und einem Verb (mit Betonung des Verbs) zusammengeschrieben: *Der Hund ist überfahren worden. Der Verbrecher ist überführt worden* (= das Verbrechen wurde nachgewiesen). *Sie hat den Roman übersetzt.*
> Ebenso: *übergehen, überholen, überlaufen, übersehen* usw. →§ 33 (3)

ü|ber|fah|ren *tr. 32* (jmdn.) über etwas, z. B. einen Fluss, fahren; ich fahre ihn über, habe ihn übergefahren; **ü|ber|fah|ren** *tr. 32* **1** mit einem Fahrzeug (über etwas oder jmdn.) hinwegfahren; ich überfahre ihn, habe ihn überfahren; **2** *auch übertr. ugs.:* benachteiligen, überstimmen; **3** *auch:* nicht beachten; ein Signal ü.; **Ü|ber|fahrt** *w. 10*

Ü|ber|fall *m. 2;* **ü|ber|fal|len** *intr. 33;* die Hose fällt über; **ü|ber|fal|len** *tr. 33;* jmdn. ü.; **Ü|ber|fall|ho|se** *w. 11;* **ü|ber|fäl|lig** nicht zur erwarteten Zeit eingetroffen; das Schiff ist ü.; **Ü|ber|fall|kom|man|do** *österr.:* Ü|ber|falls|kom|man|do *s. 9*

Ü|ber|fang *m. 2 nur Ez., bei Gläsern:* Überzug mit einer andersfarbigen Glasschicht; **ü|ber|fan|gen** *tr. 34* mit Überfang überziehen; **Ü|ber|fang|glas** *s. 4*

ü|ber|fein; ü|ber|fei|nert; Ü|ber|fei|ne|rung *w. 10 nur Ez.*

ü|ber|fi|schen *tr. 1;* Gewässer ü.: die Fischbestände von Gewässern übermäßig ausbeuten

ü|ber|flie|gen *tr. 38;* das Flugzeug überfliegt die Stadt, hat sie überflogen; einen Brief ü.: nur flüchtig lesen

ü|ber|flie|ßen *intr. 40; auch übertr.:* vor Mitleid ü.

ü|ber|flü|geln *tr. 1* übertreffen, mehr leisten (als jmd.); ich überflügele, überflügle ihn, habe ihn überflügelt

Ü|ber|fluß ▶ **Ü|ber|fluss** *m. 2 nur Ez.;* **ü|ber|flüs|sig; ü|ber|flüs|si|ger|wei|se**

ü|ber|flu|ten *intr. 2* über den Rand fluten; der See flutet über, ist übergeflutet; **ü|ber|flu|ten** *tr. 2* überschwemmen; der Strom überflutet das Land, hat es überflutet; **Ü|ber|flu|tung** *w. 10*

ü|ber|for|dern *tr. 1;* du überforderst das Kind; er ist überfordert; **Ü|ber|for|de|rung** *w. 10 nur Ez.*

ü|ber|frach|ten *tr. 2* überladen; der Wagen ist überfrachtet

ü|ber|fra|gen *tr. 1, nur in der Wendung* da bin ich überfragt: das weiß ich nicht

ü|ber|frem|den *tr. 2* mit fremden Einflüssen durchsetzen; das Land, die Sprache ist überfremdet; **Ü|ber|frem|dung** *w. 10 nur Ez.*

ü|ber|fres|sen *refl. 41* zuviel fressen; *ugs.:* sich überessen; ich habe mich überfressen

Ü|ber|fuhr *w. 10, österr.:* Fähre;

ü|ber|füh|ren *tr. 1* an einen anderen Ort bringen; der Kranke wurde in ein Krankenhaus übergeführt, *ugs. auch:* überführt; **ü|ber|füh|ren** *tr. 1* **1** jmdn. eines Verbrechens ü.: ihm ein V. nachweisen; ich überführe ihn, habe ihn überführt; **2** eine Straße, Eisenbahnlinie ü.: einen Verkehrsweg über eine S. oder E. bauen; **Ü|ber|füh|rung** *w. 10*

Ü|ber|fül|le *w. 11 nur Ez.;* **ü|ber|fül|len** *tr. 1;* der Saal war überfüllt; **Ü|ber|fül|lung** *w. 10 nur Ez.*

Ü|ber|funk|ti|on *w. 10*

ü|ber|füt|tern *tr. 1;* er überfüttert den Hund, hat ihn überfüttert; **Ü|ber|füt|te|rung** *w. 10 nur Ez.*

Ü|ber|ga|be *w. 11*

Ü|ber|gang *m. 2;* **Ü|ber|gangs|er|schei|nung** *w. 10;* **Ü|ber|gangs|sta|di|um** *s. Gen.* -s *Mz.* -di|en; **Ü|ber|gangs|zeit** *w. 10*

ü|ber|ge|ben **1** *tr. 45;* ich übergebe es ihm, habe es ihm übergeben; **2** *refl. 45* sich erbrechen

übergehen, überholen, übersehen: Partikeln (*über-, auf-, her-* usw.) können mit Verben trennbare Zusammensetzungen bilden (mit Betonung der Partikel). Sie werden im Infinitiv und den Partizipien zusammengeschrieben, ansonsten getrennt: *Er ist zu anderen Methoden übergegangen. Sie haben sich die Bilder übergesehen.*
Ebenso: *überfahren, überlassen, überlaufen, übersetzen.* →§ 34 (1)

über|ge|hen *intr. 47;* das Grundstück geht in andere Hände über; er ist zu neuen Methoden übergegangen; die Augen gingen ihm über; **über|ge|hen** *tr. 47* nicht beachten; ich überging seine Bemerkungen mit Stillschweigen; er ist bei der Beförderung übergangen worden; **Über|ge|hung** *w. 10 nur Ez.*
über|ge|nug
Über|ge|wicht *s. 1 nur Ez.*
über|gie|ßen *tr. 54* versehentlich verschütten; **über|gie|ßen** *tr. 54* begießen; sie stand da wie mit Blut übergossen
über|glück|lich
über|gol|den *tr. 2, bes. übertr.:* (wie) mit Gold überziehen
über|grei|fen *intr. 59;* das Feuer greift auf das Nachbarhaus über, hat auf das N. übergegriffen; **Über|griff** *m. 1*
über|groß; Über|grö|ße *w. 11*
über|ha|ben *tr. 60* **1** satt haben; ich habe das lange Warten jetzt über; **2** *ugs.:* anhaben; ich hatte nur einen Mantel über
über|hal|ten *tr. 61, österr.:* übervorteilen

überhand nehmen: Zusammengesetzte Adverbien *(überhand)* bilden mit Verben Gefüge, die getrennt geschrieben werden: *Die Belastungen dieser Arbeit haben überhand genommen.* →§ 34 E3 (2)

über|hand|neh|men ▶ **über|hand neh|men** *intr. 88* sich zu sehr ausbreiten, zuviel werden; die Fälle nehmen überhand, haben überhand genommen
Über|hang *m. 2* **1** Abweichung von der Senkrechten; **2** überhängender Gegenstand; **3** überschüssige Ware, überschüssiger Betrag; **über|hän|gen 1** *intr. 62* über einen Rand hängen; die Zweige hängen über; **2** *tr. 62* umhängen, über die Schulter hängen; sich die Tasche ü.;
Über|hangs|recht *s. 1*
über|has|ten *tr. u. refl. 2;* überhaste nichts!
über|häu|fen *tr. 1;* sie überhäufen ihn mit Schmeicheleien;
Über|häu|fung *w. 10 nur Ez.*
über|haupt
über|he|ben 1 *tr. 64;* jmdn. einer Sache ü.: jmdn. von einer Sache befreien; damit bin ich der größten Sorge überhoben; **2** *refl. 64* sich bei zu schwerem Heben Schaden tun; überheb dich nicht; er hat sich überhoben; *übertr.:* dünkelhaft, eingebildet werden; **über|heb|lich; Über|heb|lich|keit** *w. 10 nur Ez.*
über|hei|zen *tr. 1;* der Raum ist überheizt
über|hit|zen *tr. 1;* der Raum ist überhitzt; überhitzte Phantasie *übertr.;* **Über|hit|zung** *w. 10 nur Ez.*
über|hö|hen *tr. 1;* wir überhöhen die Kurve; die Kurve ist überhöht; überhöhte Geschwindigkeit; **Über|hö|hung** *w. 10*
über|ho|len 1 *tr. 1* herüberholen; hol über! (Ruf an den Fährmann); **2** *intr. 1* sich zur Seite neigen; das Schiff holt über; **über|ho|len** *tr. 1* **1** jmdn. ü.: an jmdm. vorbeilaufen oder -fahren; ich überhole ihn, habe ihn überholt; **2** erneuern, prüfen, instand setzen; das Fahrzeug ist überholt worden; **Über|hol|ma|nö|ver** *s. 5;* **Über|hol|spur** *w. 10;* **Über|ho|lung** *w. 10 nur Ez.*
über|hö|ren *tr. 1* nicht hören (wollen), hören und nicht beachten; ich habe das Klopfen überhört; ich überhöre seine Bemerkungen einfach; das möchte ich überhört haben!
über|ir|disch
über|kan|di|delt *ugs.:* überspannt, ein bisschen verrückt
über|kip|pen *intr. 1;* der Wagen kippt über, ist übergekippt
über|kle|ben *tr. 1;* ich überklebe die Stelle, habe sie überklebt; **Über|kle|bung** *w. 10*
über|klei|den *tr. 2* verkleiden, überziehen; **Über|klei|dung** *w. 10;* **Über|klei|dung** *w. 10 nur Ez.* Oberbekleidung
über|ko|chen *intr. 1;* die Milch kocht über, ist übergekocht
über|kom|men 1 *intr. 71, nur im Partizip II;* der Brauch ist uns seit langem überkommen; überkommene Gebräuche; **2** *intr. 71* erfassen, überfallen; Rührung überkam mich, als ich das hörte
über|kom|pen|sie|ren *tr. 3* zu stark kompensieren; er überkompensiert seine Hemmungen
über|krie|gen *tr. 1, ugs. für* überbekommen
über|la|den *tr. 74;* ich überlade den Wagen, habe ihn überladen; **Über|la|dung** *w. 10 nur Ez.*
über|la|gern *tr. 1;* ein Sender überlagert den anderen; **Über|la|ge|rung** *w. 10 nur Ez.;* **Über|la|ge|rungs|emp|fän|ger** *m. 5* Radioempfänger, bei dem die von der Antenne kommende Hochfrequenzschwingung von einer zweiten Schwingung überlagert wird
Über|land|fahrt *w. 10;* **Über|land|ver|kehr** *m. 1;* **Über|land|zen|tra|le** *w. 11*
über|lang; Über|län|ge *w. 11*
über|lap|pen *tr. 1;* die beiden Werkstücke ü. sich (*eigtl.:* einander)
über|las|sen *tr. 75, ugs.:* übriglassen; ich lasse es über, habe es übergelassen; **über|las|sen** *tr. 75;* ich überlasse ihm das Kind, habe es ihm überlassen; **Über|las|sung** *w. 10 nur Ez.*
über|las|ten *tr. 2;* ich überlaste den Wagen, habe ihn überlastet; **über|las|tig** einseitig belastet; **Über|las|tung** *w. 10 nur Ez.*
Über|lauf *m. 2* Stelle, an der überschüssiges Wasser ablaufen kann; **über|lau|fen** *intr. 76* **1** über den Rand laufen; das Wasser läuft über; **2** zu voll werden; das Waschbecken ist übergelaufen; **3** auf die andere Seite laufen; er ist zum Feind übergelaufen; **über|lau|fen 1** *tr. 76* erfassen, ergreifen (nur von Empfindungen); ein Schauer überlief mich; es überläuft mich kalt, heiß; **2** *Adj.:* zu stark beansprucht; der Ort, der Arzt ist sehr überlaufen; **Über|läu|fer** *m. 5;* **Über|lauf|ven|til** *s. 1*
über|laut
über|le|ben *tr. 1* **1** jmdn. ü.: länger als jemand leben; sie hat ihn (um drei Jahre) überlebt; **2** etwas ü.: lebend aus etwas her-

vorgehen; er hat das Unglück überlebt; **3** *refl. 1;* sich ü.: veralten, nicht mehr zweckmäßig sein; dieser Brauch hat sich überlebt; **Ü|ber|le|ben|de(r)** *m. 18 (17) bzw. w. 17 oder 18;* **Ü|ber|le|bens|chan|ce** [-ʃɑ̃sə] *w. 11;* **ü|ber|le|bens|groß; Ü|ber|le|bens|grö|ße** *w. 11 nur Ez.*

ü|ber|le|gen *tr. 1, ugs.:* übers Knie legen, verhauen; er legte ihn über, hat ihn übergelegt; **ü|ber|le|gen 1** *tr. 1;* etwas ü.: über etwas nachdenken; ich überlege es (mir), habe es überlegt; **2** *Adj.:* jmdm. ü. sein; ü. lächeln; **Ü|ber|le|gung** *w. 10*

ü|ber|lei|ten *intr. 2;* er leitet zum nächsten Thema über, hat übergeleitet; **Ü|ber|lei|tung** *w. 10*

ü|ber|le|sen *tr. 79* **1** flüchtig *oder:* rasch prüfend lesen; ich überlese den Brief; **2** beim Lesen nicht bemerken; ich habe den Fehler überlesen

ü|ber|lie|fern *tr. 1* berichten, erzählen; der Chronist überliefert, dass…, hat es uns überliefert; **Ü|ber|lie|fe|rung** *w. 10*

ü|ber|lis|ten *tr. 2* durch List täuschen; ich überliste ihn, habe ihn überlistet; **Ü|ber|lis|tung** *w. 10 nur Ez.*

ü|berm = über dem; er ist überm Berg *übertr.:* er hat das Schlimmste überstanden

Ü|ber|macht *w. Gen. - nur Ez.;* **ü|ber|mäch|tig**

ü|ber|ma|len *tr. 1;* ich übermale das Bild, habe es übermalt; **Ü|ber|ma|lung** *w. 10*

ü|ber|man|gan|sau|er; übermangansaures Kalium: Kaliumpermanganat

ü|ber|man|nen *tr. 1* überkommen, ergreifen; die Müdigkeit übermannte mich, hat mich übermannt

Ü|ber|maß *s. 1;* **ü|ber|mä|ßig**

Ü|ber|mensch *m. 10;* **ü|ber|mensch|lich**

Ü|ber|mi|kro|skop *auch:* **-mik|ros|kop** *s. 1* Elektronenmikroskop

ü|ber|mit|teln *tr. 1;* ich übermittele, übermittle Ihnen seinen Dank; er hat mir seinen Dank übermittelt; **Ü|ber|mit|te|lung, Ü|ber|mitt|lung** *w. 10 nur Ez.*

ü|ber|mor|gen; ü. Abend

ü|ber|mü|den *tr. 2, nur im Infinitiv und Partizip II üblich;* ich bin übermüdet; **Ü|ber|mü|dung** *w. 10 nur Ez.*

Ü|ber|mut *m. Gen. -*(e)s *nur Ez.;* **ü|ber|mü|tig**

ü|bern *ugs.:* über den

ü|ber|nächst; der, die, das Übernächste; am übernächsten Tag

ü|ber|nach|ten *intr. 2;* ich übernachte im Hotel, habe dort übernachtet; **ü|ber|näch|tig, ü|ber|näch|tigt** müde nach einer durchwachten Nacht; **Ü|ber|nach|tung** *w. 10*

Ü|ber|nah|me *w. 11 nur Ez.*

ü|ber|na|tür|lich

ü|ber|neh|men *tr. 88* sich umhängen; ich nehme den Mantel, Schal über, habe ihn übergenommen; **ü|ber|neh|men 1** *tr. 88;* ich übernehme den Auftrag, habe ihn übernommen; **2** *refl. 88* sich überanstrengen; ich übernehme mich, habe mich übernommen

ü|ber|ord|nen *tr. 2;* ich ordne das eine dem andern über, habe es übergeordnet; übergeordnete Dienststelle; **Ü|ber|ord|nung** *w. 10 nur Ez.*

Ü|ber|or|ga|ni|sa|ti|on *w. 10;* **ü|ber|or|ga|ni|sie|ren** *tr. 3; nur im Infinitiv und Partizip II üblich;* die Sache ist überorganisiert

ü|ber|par|tei|lich; Ü|ber|par|tei|lich|keit *w. 10 nur Ez.*

ü|ber|pflan|zen *tr. 1* verpflanzen; *auch:* bepflanzen

ü|ber|pin|seln *tr. 1;* ich überpinsele, überpinsle es, habe es überpinselt

Ü|ber|preis *m. 1* zu hoher Preis

Ü|ber|pro|duk|ti|on *w. 10 nur Ez.*

ü|ber|prü|fen *tr. 1;* ich überprüfe es, habe es überprüft; **Ü|ber|prü|fung** *w. 10*

ü|ber|quel|len *intr. 93;* die Suppe quillt über, ist übergequollen; überquellende Freude

ü|ber|quer über Kreuz; das ging überquer: das ist fehlgeschlagen; **ü|ber|que|ren** *tr. 1;* ich überquere den Platz, habe ihn überquert; **Ü|ber|que|rung** *w. 10*

ü|ber|ra|gen *tr. 1;* er überragt alle um Haupteslänge; eine überragende Leistung

ü|ber|ra|schen *tr. 1;* **Ü|ber|ra|schung** *w. 10*

ü|ber|re|den *tr. 2;* **Ü|ber|re|dung** *w. 10 nur Ez.;* **Ü|ber|re|dungs|kunst** *w. 2*

ü|ber|re|gi|o|nal nicht an bestimmte Regionen gebunden

ü|ber|reich

ü|ber|rei|chen *tr. 1;* ich überreiche es ihm, habe es ihm überreicht

ü|ber|reich|lich

Ü|ber|rei|chung *w. 10 nur Ez.*

ü|ber|reif; Ü|ber|rei|fe *w. 11 nur Ez.*

ü|ber|rei|zen *tr. 1, nur im Infinitiv und Partizip II üblich;* er ist, seine Nerven sind überreizt; **Ü|ber|reizt|heit** *w. 10 nur Ez.;* **Ü|ber|rei|zung** *w. 10 nur Ez.*

ü|ber|ren|nen *tr. 98;* er überrennt ihn, hat ihn überrannt

Ü|ber|rest *m. 1*

ü|ber|rie|seln *tr. 1;* es überrieselt mich, hat mich überrieselt

ü|ber|rol|len *tr. 1;* sie überrollten den Gegner, haben ihn überrollt

ü|ber|rum|peln *tr. 1;* ich überrumpele, überrumple sie, habe sie überrumpelt; **Ü|ber|rum|pe|lung, Ü|ber|rump|lung** *w. 10*

ü|ber|run|den *tr. 2;* ich überrunde ihn, habe ihn überrundet

ü|bers = über das; übers Jahr: in einem Jahr, nach einem Jahr; wir sind übers Kreuz (miteinander): wir sind zerstritten

ü|ber|sät; mit Blumen, Sternen übersät

ü|ber|satt; ü|ber|sät|ti|gen *tr. 1, nur Infinitiv und Partizip II üblich:* ich bin mit, *oder:* von Süßigkeiten übersättigt; übersättigte Lösung *Chem.;* **Ü|ber|sät|ti|gung** *w. 10 nur Ez.*

ü|ber|säu|ern *tr. 1;* **Ü|ber|säu|e|rung** *w. 10 nur Ez.*

Ü|ber|schall *m. 1* Schallschwingungen jenseits der Hörbarkeitsgrenze, Ultraschall; **ü|ber|schal|len** *tr. 1* übertönen; **Ü|ber|schall|flug|zeug** *s. 1;* **Ü|ber|schall|ge|schwin|dig|keit** *w. 10*

Ü|ber|schar *w. 10, Bgb.:* zwischen Gruben liegendes Land, das wegen zu geringen Ausmaßes nicht bebaut wird

ü|ber|schat|ten *tr. 2;* der Vorfall überschattete unsere Freude

ü|ber|schät|zen *tr. 1;* ich überschätze ihn, habe ihn überschätzt; **Ü|ber|schät|zung** *w. 10 nur Ez.*

Ü|ber|schau *w. 10;* **ü|ber|schau|bar; Ü|ber|schau|bar-**

keit *w. 10 nur Ez.;* **ü|ber|schau|en** *tr. 1*
ü|ber|schäu|men *intr. 1;* der Sekt schäumt über, ist übergeschäumt
ü|ber|schla|fen *tr. 115;* eine Sache ü. *ugs.:* bis zum nächsten Tag überdenken; ich überschlafe es, habe es überschlafen
Ü|ber|schlag *m. 2;* **ü|ber|schla|gen** *intr. 116;* seine Stimme schlug über, ist übergeschlagen;
ü|ber|schla|gen 1 *tr. 116* ungefähr berechnen (Kosten); weglassen, nicht lesen, nicht sprechen (Textstelle); ich überschlage es, habe es überschlagen; **2** *refl. 116;* der Wagen überschlug sich, hat sich überschlagen; er überschlägt sich vor Diensteifer *ugs.:* er ist allzu diensteifrig;
ü|ber|schlä|gig ungefähr; überschlägige Berechnung; **Ü|ber|schlag|la|ken** *s. 7;* **ü|ber|schläg|lich** ungefähr; etwas ü. berechnen
ü|ber|schnap|pen *intr. 1;* seine Stimme schnappte über; er ist übergeschnappt *ugs.:* er ist verrückt (geworden)
ü|ber|schnei|den *tr. 125;* die Flächen, Unterrichtsstunden überschneiden sich, haben sich überschnitten; **Ü|ber|schnei|dung** *w. 10*
ü|ber|schrei|ben *tr. 127* **1** mit einer Überschrift versehen; **2** jmdm. etwas ü.: jmdm. etwas schriftlich als Eigentum überlassen; ich überschreibe ihm das Haus, habe es ihm überschrieben; **Ü|ber|schrei|bung** *w. 10*
ü|ber|schrei|en *tr. 128;* er wurde von den andern überschrien; seine Stimme ist überschrien: durch zu starke Beanspruchung heiser
ü|ber|schrei|ten *tr. 129;* ich überschreite die Grenze, habe sie überschritten; Sie überschreiten Ihre Befugnisse!; **Ü|ber|schrei|tung** *w. 10*
Ü|ber|schrift *w. 10*
Ü|ber|schuh *m. 1*
ü|ber|schul|den *tr. 2;* das Haus ist überschuldet; **Ü|ber|schul|dung** *w. 10 nur Ez.*

> **Überschuss:** Nach kurzem Vokal wird – im Gegensatz zur bisherigen Regelung – mit *-ss-* geschrieben: *der Überschuss, der Schuss.* →§25 E1

Ü|ber|schuß ► **Ü|ber|schuss** *m. 2;* **ü|ber|schüs|sig**
ü|ber|schüt|ten *tr. 2* verschütten; ich habe etwas Wasser übergeschüttet; **ü|ber|schüt|ten** *tr. 2* überhäufen; er überschüttete sie mit Fragen

> **überschwänglich:** Getreu dem Stammprinzip *(der Überschwang)* wird (statt bisher: überschwenglich) *überschwänglich* geschrieben. →§13

Ü|ber|schwang *m. 2 nur Ez.;* **ü|ber|schwäng|lich;** **Ü|ber|schwäng|lich|keit** *w. 10 nur Ez.*
ü|ber|schwap|pen *intr. 1;* das Wasser schwappt über, ist übergeschwappt
ü|ber|schwem|men *tr. 1;* **Ü|ber|schwem|mung** *w. 10*
ü|ber|schweng|lich ► **ü|ber|schwäng|lich;** **Ü|ber|schweng|lich|keit** ► **Ü|ber|schwäng|lich|keit** *w. 10 nur Ez.*
Ü|ber|see *ohne Artikel:* die Länder jenseits des Ozeans; in, nach Ü.; Waren aus Ü.; **Ü|ber|see|damp|fer** *m. 5;* **Ü|ber|see|han|del** *m. Gen.* -s *nur Ez.;* **ü|ber|see|isch**
ü|ber|seh|bar; **Ü|ber|seh|bar|keit** *w. 10 nur Ez.;* **ü|ber|se|hen** *tr. 136;* sich etwas ü.: etwas so oft sehen, dass man es nicht mehr mag; dieses Muster sieht man sich leicht über; ich habe es mir übergesehen; **ü|ber|se|hen** *tr. 136* **1** nicht sehen, nicht beachten; ich übersehe manche Fehler, ich habe den Fehler übersehen; **2** überblicken; ich übersehe die Lage noch nicht
ü|ber|sen|den *tr. 138;* ich übersende es ihm, habe es ihm übersandt; **Ü|ber|sen|dung** *w. 10 nur Ez.*
ü|ber|setz|bar; **Ü|ber|setz|bar|keit** *w. 10 nur Ez.;* **ü|ber|set|zen** *tr. 1* über einen Fluss bringen; er setzt ihn über, hat ihn übergesetzt; **ü|ber|set|zen** *tr. 1* **1** in eine andere Sprache übertragen; ich übersetze das Buch, habe es übersetzt; **2** *schweiz.:* überhöhen; übersetzte Preise; **Ü|ber|set|zer** *m. 5;* **Ü|ber|set|zung** *w. 10; bei Getrieben:* schnellerer Lauf des angetriebenen Rades gegenüber dem antreibenden Rad; *Ggs.:* Untersetzung; *Elektrotech.:* Verhältnis der Primär- zur Sekundärspannung beim Transformator; **Ü|ber|set|zungs|ma|schi|ne** *w. 11*
Ü|ber|sicht *w. 10;* **ü|ber|sich|tig** weitsichtig; **Ü|ber|sich|tig|keit** *w. 10 nur Ez.;* **ü|ber|sicht|lich;** **Ü|ber|sicht|lich|keit** *w. 10 nur Ez.;* **Ü|ber|sichts|kar|te** *w. 11*
ü|ber|sie|deln [auch: -si-] *intr. 1;* ich siedele, siedle nach Berlin über; *auch:* ich übersiedele, übersiedle nach Berlin; ich bin nach Berlin übergesiedelt, *auch:* übersiedelt; **Ü|ber|sie|de|lung,** **Ü|ber|sie|de|lung;** **Ü|ber|sied|lung,** Ü|ber|sied|lung *w. 10 nur Ez.*
ü|ber|sinn|lich; **Ü|ber|sinn|lich|keit** *w. 10 nur Ez.*
ü|ber|span|nen *tr. 1;* die Brücke überspannt den Fluss; ich habe den Bogen überspannt *übertr.:* ich bin zu weit gegangen; **ü|ber|spannt** übertrieben, vom Üblichen abweichend; **Ü|ber|spannt|heit** *w. 10 nur Ez.;* **Ü|ber|span|nung** *w. 10;* **Ü|ber|span|nung** *w. 10 nur Ez.* zu hohe Spannung im Stromnetz
ü|ber|spie|len *tr. 1;* ein Musikstück von einer Schallplatte auf ein Tonband ü.; eine Verlegenheit geschickt ü.: sie nicht merken lassen; **ü|ber|spielt** *Sport:* überanstrengt; **Ü|ber|spie|lung** *w. 10*
ü|ber|spit|zen *tr. 1, übertr.:* zu weit treiben, zu genau, zu streng beurteilen oder behandeln; etwas überspitzt formulieren; **Ü|ber|spitzt|heit** *w. 10 nur Ez.;* **Ü|ber|spit|zung** *w. 10 nur Ez.*
ü|ber|spre|chen *tr. 146* **1** *Fernsprechverkehr:* überlagern; *in Wendungen wie:* meine Gespräche werden ständig durch Ü. gestört; **2** durch erneutes Besprechen korrigieren; ein Tonband übersprechen
ü|ber|sprin|gen *intr. 148* von einer Stelle auf eine andere springen; der Funke springt über, ist übergesprungen; **ü|ber|sprin|gen** *tr. 148* **1** (über etwas) hinwegspringen; ich überspringe den Graben; **2** weglassen; ich habe beim Lesen einen Abschnitt übersprungen
ü|ber|spru|deln *intr. 1;* er sprudelt über von guter Laune; übersprudelndes Temperament
ü|ber|spü|len *tr. 1;* die Wellen ü. den Strand

ü|ber|staat|lich; Ü|ber|staat|lich|keit *w. 10 nur Ez.*
Ü|ber|stän|der *m. 5* überalterter Baum; **ü|ber|stän|dig** überaltert
ü|ber|ste|hen *intr. 151* über einen Rand hinausragen; das Dach steht über; **ü|ber|ste|hen** *intr. 151* überwinden; ich überstehe die Krankheit, habe sie überstanden
ü|ber|steig|bar; ü|ber|stei|gen *intr. 153* hinübersteigen; er steigt über, ist übergestiegen; **ü|ber|stei|gen** *tr. 153* größer sein als; das übersteigt meine Kräfte
ü|ber|stei|gern *tr. 1* übertreiben, zu sehr steigern; Preise ü.; übersteigertes Selbstbewusstsein; **Ü|ber|stei|ge|rung** *w. 10 nur Ez.*
ü|ber|stel|len *tr. 1, Behördenspr.:* einer andern Dienststelle übergeben; die Akten wurden überstellt; **Ü|ber|stel|lung** *w. 10 nur Ez.*
ü|ber|stem|peln *tr. 1;* die Briefmarken ü.
ü|ber|steu|ern *tr. 1;* einen Verstärker ü.: einen Verstärker überlasten (wodurch Verzerrungen bei der Aufnahme oder Wiedergabe entstehen); die Aufnahme ist übersteuert; **Ü|ber|steu|e|rung** *w. 10 nur Ez.*
ü|ber|stim|men *tr. 1* durch Stimmenmehrheit besiegen; er wurde überstimmt, sie haben ihn überstimmt
ü|ber|strah|len *tr. 1;* sein Ruhm überstrahlt den des Vaters
ü|ber|strei|fen *tr. 1;* er streifte sich die Handschuhe über, hat sie sich übergestreift
ü|ber|strö|men *intr. 1, meist übertr.:* er strömte über von Dank; überströmende Freude
Ü|ber|stun|de *w. 11, meist Mz.;* Überstunden machen
ü|ber|stür|zen 1 *tr. 1* zu schnell, unbesonnen tun; wir wollen nichts ü.; wir wollen die Sache nicht ü.; überstürzt handeln; **2** *refl. 1* schnell aufeinander folgen, rasch vor sich gehen; die Ereignisse überstürzten sich, haben sich überstürzt
ü|ber|täu|ben *tr. 1;* der eine Schmerz übertäubt d. anderen
ü|ber|teu|ern *tr. 1, meist im Infinitiv oder Partizip II:* zu teuer machen; die Waren sind überteuert; **Ü|ber|teu|e|rung** *w. 10 nur Ez.*
ü|ber|töl|peln *tr. 1, meist im Partizip II oder Passiv:* plump betrügen oder überlisten; er hat ihn übertölpelt, er wurde übertölpelt; **Ü|ber|töl|pe|lung** *w. 10 nur Ez.*
ü|ber|tö|nen *tr. 1;* der Lärm übertönt die Musik, hat sie übertönt
Ü|ber|trag *m. 2* von einer Seite oder Spalte auf die andere übertragene Summe; **ü|ber|trag|bar; Ü|ber|trag|bar|keit** *w. 10 nur Ez.;* **ü|ber|tra|gen** *tr. 160;* ich übertrage ihm die Aufgabe; sie haben das Konzert im Rundfunk ü.; übertragene Bedeutung; **Ü|ber|tra|ger** *m. 5* Transformator; **Ü|ber|trä|ger** *m. 5* (z. B. einer Krankheit); **Ü|ber|tra|gung** *w. 10*
ü|ber|trai|niert [-trɛ-] durch zu starkes Training überanstrengt
ü|ber|tref|fen *tr. 161;* sie übertrifft ihn, hat ihn übertroffen
ü|ber|trei|ben *tr. 162;* ich übertreibe es; übertriebene Vorsicht; **Ü|ber|trei|bung** *w. 10*
ü|ber|tre|ten *intr. 163;* er trat zum Katholizismus über, ist zum K. übergetreten; er ist übergetreten *Sport:* er ist über die Absprunglinie getreten; **ü|ber|tre|ten** *tr. 163;* er übertrat die Vorschrift, hat sie übertreten; **Ü|ber|tre|tung** *w. 10;* **Ü|ber|tre|tungs|fall** *m. 2;* im Ü.; **Ü|ber|tritt** *m. 2*
ü|ber|trump|fen *tr. 1;* jmdn. ü.
ü|ber|tün|chen *tr. 1;* ich übertünche die Wand, habe sie übertüncht
ü|ber|ü|ber|mor|gen *ugs.:* der Tag, *oder:* am Tag nach übermorgen
ü|ber|ver|si|chern *tr. 1* mit einer höheren Summe versichern, als es dem Wert entspricht; das Haus ist überversichert; **Ü|ber|ver|si|che|rung** *w. 10 nur Ez.*
ü|ber|völ|kern *tr. 1;* das Land ist übervölkert; **Ü|ber|völ|ke|rung** *w. 10 nur Ez.* zu starke Bevölkerung
ü|ber|voll
ü|ber|vor|tei|len *tr. 1;* er übervorteilt ihn, hat ihn übervorteilt; **Ü|ber|vor|tei|lung** *w. 10 nur Ez.*
ü|ber|wach; ü|ber|wa|chen *tr. 1;* ich überwache ihn, habe ihn überwacht; **Ü|ber|wa|chung** *w. 10 nur Ez.*
ü|ber|wal|len *intr. 1;* das Wasser wallt über; überwallende Freude
ü|ber|wäl|ti|gen *tr. 1;* die Freude überwältigt mich; der Verbrecher wurde überwältigt; die überwältigende Mehrheit; **Ü|ber|wäl|ti|gung** *w. 10 nur Ez.*
ü|ber|wäl|zen *tr. 1;* die Umsatzsteuer wird auf den Endverbraucher überwälzt; **Ü|ber|wäl|zung** *w. 10 nur Ez.*
ü|ber|wei|sen *tr. 177;* ich überweise den Betrag, habe ihn überwiesen; einen Dieb ü. *österr.:* überführen; **Ü|ber|wei|sung** *w. 10;* **Ü|ber|wei|sungs|auf|trag** *m. 2*
Ü|ber|welt *w. 10 nur Ez.;* **ü|ber|welt|lich**
ü|ber|wend|lich *in der Fügung:* ü. nähen: so zusammennähen, dass die Fäden zwischen den beiden aneinander gelegten Stoffkanten nicht zu sehen sind
ü|ber|wer|fen *tr. 181;* ich warf dem Pferd eine Decke über, habe sie ihm übergeworfen; **ü|ber|wer|fen** *refl. 181;* sich (mit jmdm.) ü.: sich mit jmdm. entzweien; sie überwarfen sich, haben sich überworfen
ü|ber|wie|gen *tr. 182* zu viel wiegen; der Brief wiegt über; **ü|ber|wie|gen** *tr. 182* mehr Gewicht haben als; seine Neugier überwog seine Furcht; **ü|ber|wie|gend** in der Mehrzahl, vor allem; an dem Kurs nehmen ü. Jugendliche teil
ü|ber|wind|bar; ü|ber|win|den *tr. 183;* ich überwand meinen Ärger, habe ihn überwunden; **Ü|ber|win|der** *m. 5;* **Ü|ber|win|dung** *w. 10 nur Ez.*
ü|ber|win|tern *intr. 1;* der Vogel überwintert hier, hat hier überwintert; **Ü|ber|win|te|rung** *w. 10 nur Ez.*
ü|ber|wöl|ben *tr. 1;* **Ü|ber|wöl|bung** *w. 10 nur Ez.*
ü|ber|wu|chern *tr. 1;* die Pflanzen ü. den Weg, haben ihn überwuchert
Ü|ber|wurf *m. 2* **1** Umhang; **2** ein Griff beim Ringen, wobei man den Gegner hebt und über den Kopf hinter sich wirft
Ü|ber|zahl *w. 10 nur Ez.;* wir sind in der Ü.; **ü|ber|zah|len** *intr. 1* mehr zahlen als notwendig (z. B. an Automaten); **ü|ber|zäh|len** *tr. 1;* jmdm. ein paar ü. *ugs.:* jmdm. ein paar Schläge versetzen; **ü|ber|zäh|lig**

ü|ber|zeich|nen *tr. 2;* die Anleihe wurde überzeichnet: es wurde mehr Geld als nötig für sie gezeichnet; **Ü|ber|zeich|nung** *w. 10*
Ü|ber|zeit|ar|beit *w. 10, schweiz.:* Überstundenarbeit
ü|ber|zeu|gen *tr. 1;* ich überzeugte ihn, habe ihn überzeugt; **Ü|ber|zeu|gung** *w. 10;* **Ü|ber|zeu|gungs|kraft** *w. 2 nur Ez.;* **Ü|ber|zeu|gungs|tä|ter** *m. 5* jmd., der aus relig. oder weltanschaul. Überzeugung eine Straftat begeht
ü|ber|zie|hen *tr. 187* **1** ich ziehe eine Jacke über, habe sie übergezogen; **2** jmdm. eins ü.: jmdm. einen Schlag, Hieb versetzen; **ü|ber|zie|hen** *tr. 187;* ich überziehe das Kissen, habe es überzogen; das Konto ü.: mehr Geld abheben, als auf dem Konto ist; **Ü|ber|zie|her** *m. 5* Herrenmantel
ü|ber|züch|ten *tr. 2;* ein Tier ü.: durch bestimmte züchter. Maßnahmen eine unnormale Entwicklung bei ihm herbeiführen; die Rasse ist überzüchtet; **Ü|ber|züch|tung** *w. 10 nur Ez.*
Ü|ber|zug *m. 2*
ü|ber|zwerch *süddt., österr.:* über Kreuz, quer
U|bi be̩ne, i|bi pa̩|tria *auch:* – **pa̩t|ria** [lat.] Wo (es mir) gut (geht), da (ist mein) Vaterland (nach einem Ausspruch Ciceros)
U|bi|er *m. 5* Angehöriger eines german. Volksstammes
U|bi|qui̩st [lat.] *m. 10* über die ganze Erde verbreitete Tier- oder Pflanzenart; **u|bi|qui|tär** überall vorkommend; **U|bi|qui|tät** *w. 10 nur Ez.* **1** Allgegenwart; **2** überall erhältl. Ware

> **übrig bleiben/lassen/sein, im Übrigen:** Fälle, in denen der erste Teil des Gefüges eine Ableitung auf *-ig* (oder *-isch* bzw. *-lich*) ist, werden getrennt geschrieben: *Sie sind übrig geblieben. Wir wollen das übrig lassen.* →§ 34 E3 (3)
> Verbindungen mit *sein* gelten nicht als Zusammensetzung und werden deshalb auch getrennt geschrieben: *Das könnte noch übrig sein.* →§ 35
> Die substantivierte Form des Adjektivs wird großgeschrieben: *das/alles Übrige, die/alle Übrigen, im Übrigen, ein Übriges tun.* →§ 57 (1)

üb|lich; üb|li|cher|wei|se
U-Boot *s. 1, Kurzw. für* Unterseeboot; **U-Boot-Krieg** *m. 1*
üb|rig; das, alles Übrige; die, alle Übrigen; ich werde noch ein Übriges tun: noch etwas, was eigentlich nicht notwendig ist; im Übrigen; übrig behalten, bleiben, haben, lassen, sein; **üb|rig|be|hal|ten** ▶ **üb|rig be|hal|ten** *tr. 61;* **üb|rig|blei|ben** ▶ **üb|rig blei|ben** *intr. 17;* **üb|ri|gens; üb|rig|las|sen** ▶ **üb|rig las|sen** *tr. 75*
Ü|bung *w. 10;* **Ü|bungs|ar|beit** *w. 10;* **Ü|bungs|buch** *s. 4;* **ü|bungs|hal|ber; Ü|bungs|platz** *m. 2;* **Ü|bungs|stück** *s. 1*
u. dgl. *Abk. für* und dergleichen
u. d. M. *Abk. für* unter dem Meeresspiegel
ü. d. M. *Abk. für* über dem Meeresspiegel
Ud|mu̩r|te *m. 11* Angehöriger eines ostfinn. Volkes; **ud|mu̩r|tisch**
UdSSR *früher Abk. für* Union der Sozialistischen Sowjetrepubliken, vgl. GUS
u. E. *Abk. für* unseres Erachtens
Ü|echt|land, Ü̩cht|land Landschaft in der Schweiz
U-Eisen *s. 7* Eisenträger mit U-förmigem Querschnitt
U|fer *s. 5;* **u|fer|los;** das geht ins Uferlose *ugs.:* das führt zu weit
Uf|fi|zi|en *Mz.* Palast in Florenz mit Gemäldesammlung
Uffz. *Abk. für* Unteroffizier
UFO, Ufo *s. 9 Kurzw. für* unbekanntes Flugobjekt, »fliegende Untertasse«

> **u-förmig/U-förmig:** Man setzt einen Bindestrich in Zusammensetzungen mit Einzelbuchstaben, Abkürzungen oder Ziffern: *ein u-förmiges Stadion;* auch: *U-förmig.* →§ 40

U-för|mig *Nv.* ▶ **u-fö̩r|mig** *Hv.*
U|ga̩n|da Staat in Ostafrika; **U|ga̩n|der** *m. 5;* **u|ga̩n|disch**
U|gri|er *auch:* **Ug|ri|er** *m. 5 Mz., Sammelbez. für* Ungarn, Wogulen und Ostjaken; **u|grisch** *auch:* **ug|risch;** ugrische Sprachen: die zur finn.-ugr. Sprachgruppe gehörenden Sprachen der Ugrier
Uhr *w. 10;* acht Uhr; es ist acht Uhr fünf, *in Ziffern:* 8.05 Uhr; Acht-Uhr-Zug, *mit Ziffer:* 8-Uhr-Zug; **Uhr|arm|band** *s. 4;* **Uh|ren|in|dus|trie** *w. 11 nur Ez.;* **Uhr|ket|te** *w. 11;* **Uhr|ma|cher** *m. 5;* **Uhr|ma|che|rei** *w. 10;* **Uhr|werk** *s. 1;* **Uhr|zei|ger** *m. 5;* **Uhr|zei|ger|sinn** *m. 1 nur Ez.;* im U.: rechtsherum; entgegen dem U.: linksherum
U|hu *m. 9* eine Eule
uk *im 2. Weltkrieg Abk. für* unabkömmlich, vom Wehrdienst befreit
U|kas [russ.] *m. 1* **1** *früher:* Erlass des Zaren; **2** *allg.:* Befehl, Verordnung
U|ke|lei [poln.] *m. 1 oder m. 9* ein Karpfenfisch, aus dessen Schuppen Farbstoff für künstl. Perlen gewonnen wird
U|krai|ne [auch: -i̲nə] eine Republik der GUS; **U|krai|ner** [auch: -i̲nər] *m. 5;* **u|krai|nisch** [auch: -i̲niʃ]
U|hu|le|le [polynes.-engl.] *w. oder s. Gen. - Mz.* -n kleine Gitarre aus Hawaii mit vier Stahlsaiten
UKW *Abk. für* Ultrakurzwelle; **UKW-Emp|fän|ger** *m. 5;* **UKW-Sender** *m. 5*
U|lan [türk.] *m. 10* **1** *urspr.:* poln. leichter Lanzenreiter; **2** *in Dtschl. bis zum 1. Weltkrieg:* Angehöriger der schweren Kavallerie; **U|la̩n|ka** *w. 9* Waffenrock der Ulanen
U̩l|cus *s. Gen. - Mz.* -ce|ra [-tsɛ-], *fachsprachl. Schreibung von* Ulkus
U|len|spie|gel *Nebenform von* Eulenspiegel
U̩l|fi|las *lat. Form von* Wulfila
U̩lk *m. 1* Spaß, Unfug; **u̩l|ken** *intr. 1* Ulk machen, spaßen; **u̩l|kig** spaßig, drollig
U̩l|kus [lat.] *s. Gen. - Mz.* -ze|ra Geschwür
U̩l|me *w. 11* Laubbaum, Rüster
U̩ls|ter [nach dem alten Namen für Nordirland] *m. 5* **1** schwerer Mantelstoff; **2** zweireihiger Herrenmantel
ult. *Abk. für* ultimo; **U̩l|ti|ma** [lat.] *w. Gen. - Mz.* -mä letzte Silbe (eines Wortes); **U̩l|ti|ma ra|tio** ▶ **U̩l|ti|ma Ra|tio** [-tsjo] *w. Gen. -- nur Ez.* letztes Mittel, letzter Ausweg; **ul|ti|ma|tiv** **1** in Form eines Ultimatums; **2** *übertr.:* nachdrücklich; **Ul|ti|ma|tum** *s. Gen.* -s *Mz.* -ma|ten befristete, mit einer Drohung verbundene Aufforderung; **u̩l|ti|mo**

Ultima Ratio: Substantive aus fremden Sprachen (z.B. Latein) werden großgeschrieben, auch jene Teile im Innern mehrteiliger Fügungen, die als Ganzes die Funktion eines Substantivs haben: *die Ultima Ratio.*
Ebenso: *die Alma Mater* (= Universität), *das Corned Beef* usw. →§55 (3)

(*Abk.:* ult.) am letzten (des Monats), z.B. ultimo Mai; **Ul|ti|mo** *m. 9* letzter (Tag des Monats); wir liefern per U.
Ul|tra [lat.] *m. 9* Angehöriger einer extremen polit. Richtung; **ul|tra..., Ul|tra...** *in Zus.:* über... hinaus, jenseits des..., der...; **Ul|tra|kurz|wel|le** *w. 11* (*Abk.:* UKW) elektromagnet. Welle unter 10 m Länge; **Ul|tra|kurz|wel|len|emp|fän|ger** *m. 5;* **Ul|tra|kurz|wel|len|sen|der** *m. 5;* **ul|tra|ma|rin** kornblumenblau; **Ul|tra|ma|rin** *s. Gen.* -s *nur Ez.* blaue Farbe; **Ul|tra|mi|kro|skop** *auch:* **-mik|ros|kop** *s. 1* Mikroskop zum Betrachten kleinster Teilchen, die mit dem gewöhnl. Mikroskop nicht erkennbar sind; **ul|tra|mon|tan** streng päpstlich gesinnt; **Ul|tra|mon|ta|nis|mus** *m. Gen. - nur Ez.* streng päpstl. Einstellung; **ul|tra|rot** = infrarot; **Ul|tra|rot** *s. Gen.* -(s) *nur Ez.* = Infrarot; **Ul|tra|schall** *m. Gen.* -s *nur Ez.* = Überschall; vgl. Infraschall; **Ul|tra|strah|lung** *w. 10* energiereiche Strahlung aus dem Weltraum, Höhenstrahlung, kosmische Strahlung; **ul|tra|vi|o|lett** (*Abk.:* UV) im Spektrum jenseits des Violetts liegend; ultraviolette Strahlen (*Abk.:* UV-Strahlen); **Ul|tra|vi|o|lett** *s. Gen.* -s *nur Ez.* kurzwellige Strahlung jenseits des violetten Endes des sichtbaren Spektrums
U|ly|ses *lat. Form von* Odysseus
Ul|ze|ra *Mz. von* Ulkus; **Ul|ze|ra|ti|on** [lat.] *w. 10* Geschwürbildung; **ul|ze|rie|ren** *intr. 3* geschwürig werden; **ul|ze|rös**
um 1 *Präp. mit Akk.:* um alles in der Welt nicht; um nichts und wieder nichts streiten; schade um ihn; um sich schauen; einen Tag um den anderen; jmdn. um etwas bitten; jmdn. um Rat fragen; um ein Haar: beinahe; um einen Meter länger; es handelt sich um deinen Sohn; **2** *mit Gen.,* vgl. willen; **3** *Adv.:* etwas um und um wenden; er ist um die dreißig; um die Mittagszeit; desto; besser, mehr; **4** *Konj. beim Infinitiv mit »zu«:* er kommt, um uns zu helfen

um ein Bedeutendes/Beträchtliches: Im Gegensatz zur bisherigen Kleinschreibung (um ein bedeutendes) werden substantivierte Adjektive generell großgeschrieben: *um ein Bedeutendes größer; um ein Beträchtliches größer* (= sehr viel). →§57 (1)

u.M. *Abk. für* unter dem Meeresspiegel
ü.M. *Abk. für* über dem Meeresspiegel
um|a|ckern *intr. 1*
um|a|dres|sie|ren *tr. 3;* ich adressiere den Brief um, habe ihn umadressiert
um|än|dern *tr. 1;* ich ändere, ändre es um, habe es umgeändert; **Um|än|de|rung** *w. 10*
um|ar|bei|ten *tr. 2;* ich arbeite es um, habe es umgearbeitet; **Um|ar|bei|tung** *w. 10*
um|ar|men *tr. 1;* ich umarme ihn, habe ihn umarmt; **Um|ar|mung** *w. 10*
Um|bau *m. Gen.* -(e)s *Mz.* -bauten; **um|bau|en** *tr. 1* durch Bauen verändern; ich baue das Haus um, habe es umgebaut;

umbauen, umfahren, umschreiben: Partikeln *(um-)* können mit Verben Zusammensetzungen bilden, die auf dem Verb betont werden. Sie werden zusammengeschrieben: *Die Anlage ist umbaut worden. Er umfährt das Hindernis. Der Begriff ist umschrieben worden.*
Ebenso: *umbinden, umbrechen, umfassen, umpflanzen* usw. →§33 (3)

um|bau|en *tr. 1* durch Bauten einschließen; der Platz ist umbaut worden; umbauter Raum
um|be|hal|ten *tr. 61, ugs.;* ich behalte den Schal um
um|be|nen|nen *tr. 89;* wir benennen die Straße um; **Um|be|nen|nung** *w. 10*
Um|ber [lat.] **1** *m. 5* = Umbra; **2** *m. 14* ein Speisefisch
um|be|set|zen *tr. 1;* wir besetzen die Rolle um; **Um|be|set|zung** *w. 10*
um|bet|ten *tr. 2;* wir betten den Kranken um; er wurde umgebettet; **Um|bet|tung** *w. 10*
um|bie|gen *tr. 12*
um|bil|den *tr. 2;* das Kabinett wurde umgebildet; **Um|bil|dung** *w. 10*
um|bin|den *tr. 14;* ich binde mir ein Tuch um, habe es umgebunden; **um|bin|den** *tr. 14;* ich umbinde den Strauß mit einem Band, habe ihn umbunden
um|bla|sen *tr. 16*
um|blät|tern *tr. 1;* ich blättere die Seite um, habe sie umgeblättert
um|bli|cken *refl. 1;* ich blicke mich um, habe mich umgeblickt
Um|bra *auch:* **Umb|ra** [lat.] *w. Gen. - nur Ez.* **1** Umber *m. 5* dunkelbraune Farbe; **2** dunkler Kern eines Sonnenfleckes; **Um|bra|glas** *auch:* **Umb|ra|glas** *s. 4* Glas für Sonnenbrillen
um|brau|sen *tr. 1;* vom Sturm umbrauster Felsen
um|bre|chen 1 *tr. 19* umbiegen, umgraben; ich breche die Pappe um, habe sie umgebrochen; **2** *intr. 19* umstürzen; der Zaun ist umgebrochen; **um|bre|chen** *tr. 19;* ich umbreche den Schriftsatz: stelle ihn zu Seiten zusammen; umbrochener Satz
Um|brer *auch:* **Umb|rer** *m. 5* Einwohner von Umbrien; **Um|bri|en** *auch:* **Umb|ri|en** Landschaft in Italien
um|brin|gen *tr. 21;* er bringt ihn um, hat ihn umgebracht; er bringt sich um vor Höflichkeit *ugs.:* er ist allzu höflich
um|brisch *auch:* **umb|risch** zu Umbrien gehörig, aus ihm stammend
Um|bruch *m. 2* **1** grundlegende Änderung; **2** *Buchw.:* das Umbrechen des Schriftsatzes; der umbrochene Satz; **Um|bruch|kor|rek|tur** *w. 10*
um|bu|chen *tr. 1;* ich buche den Betrag um, habe ihn umgebucht; **Um|bu|chung** *w. 10*
um|deu|ten *tr. 2;* **Um|deu|tung** *w. 10*
um|dis|po|nie|ren *tr. 3;* ich disponiere um, habe umdisponiert; **Um|dis|po|nie|rung** *w. 10*
um|drän|gen *tr. 1;* die Leute umdrängten den Redner

ụm|dre|hen *tr. 1;* **Um|dre|hung** *w. 10;* **Um|dre|hungs|zahl** *w. 10*
Ụm|druck *m. 1;* **Ụm|druck|ver|fah|ren** *s. 7*
um|düs|tern *refl. 1;* sein Gesicht umdüsterte sich
um|ein|ạn|der *auch:* **um|ei|nạn|der**; sie kümmern sich nicht u.; u. herumgehen; **um|ein|ạn|der|schlin|gen** ▶ **um|ein|ạn|der schlịn|gen** *auch:* **um|ei|nạn|der** – *tr. 121*
ụm|er|zie|hen *tr. 187;* **Ụm|er|zie|hung** *w. 10 nur Ez.*
ụm|fah|ren 1 *intr. 32, ugs.:* einen Umweg fahren; wir sind umgefahren; **2** *tr. 32* beim Fahren umwerfen; fahr mich nicht um; er hat den Pfahl umgefahren; **um|fah|ren** *tr. 32* (um etwas) herumfahren; er umfährt die Insel, hat sie umfahren
Ụm|fall *m. 2, ugs.:* plötzlicher Gesinnungswechsel; **ụm|fal|len** *intr. 33*
Ụm|fang *m. 2;* **um|fạn|gen** *tr. 34* umfassen; ich umfange sie, habe sie umfangen; **ụm|fäng|lich; ụm|fang|reich**

> **ụmfassen, ụmschreiben, ụmstellen:** Partikeln *(um-)* können mit Verben trennbare Zusammensetzungen bilden, die auf der Partikel betont werden. Man schreibt sie im Infinitiv und den Partizipien zusammen, ansonsten getrennt: *Sie hat ihn umgefasst. Der Text musste umgeschrieben werden. Die Möbel sind umgestellt worden.*
> Ebenso: *umbauen, umbinden, umfahren, umpflanzen* usw. →§ 34 (1)

ụm|fas|sen *tr. 1* mit einer anderen Fassung versehen, anders fassen (Edelstein); er fasst sie um, hat sie umgefasst; **um|fạs|sen** *tr. 1* umschließen; umarmen; der Abschnitt umfasst mehrere Seiten; **Um|fạs|sung** *w. 10;* **Um|fạs|sungs|mau|er** *w. 11*
um|flẹch|ten *tr. 37;* mit Bast umflochtene Flasche
ụm|flie|gen *intr. 38, ugs.:* umfallen; **um|flie|gen** *tr. 38* (um etwas) herumfliegen; das Flugzeug hat den Berg umflogen
um|flie|ßen *tr. 40* (um etwas) herumfließen; der Fluss umfließt die Insel; vom Licht umflossen
um|flo̱rt verschleiert; von Tränen umflorter Blick
ụm|for|men *tr. 1;* ich forme es um, habe es umgeformt; **Ụm|for|mer** *m. 5;* **Ụm|for|mung** *w. 10*
Ụm|fra|ge *w. 11;* U. halten; eine U. veranstalten; **ụm|fra|gen** *intr. 1*
um|frie|den *tr. 2* einfassen, mit einer Hecke, einem Zaun umgeben; umfriedetes Grundstück; **um|frie|di|gen** *tr. 1* = umfrieden; **Um|frie|di|gung, Um|frie|dung** *w. 10*
ụm|fül|len *tr. 1*
ụm|funk|ti|o|nie|ren *tr. 3;* einen Gegenstand u.: ihm eine andere Funktion geben; ich funktioniere es um, habe es umfunktioniert
Ụm|gang *m. 2;* **ụm|gäng|lich; Ụm|gäng|lich|keit** *w. 10 nur Ez.;* **Ụm|gangs|for|men** *w. 10 Mz.;* gute U. haben; **Ụm|gangs|spra|che** *w. 11;* **ụm|gangs|sprach|lich**
um|gạr|nen *tr. 1;* sie umgarnt ihn, hat ihn umgarnt
um|gau|keln *tr. 1;* Schmetterlinge u. die Blumen
um|ge|ben *tr. 45;* **Um|ge|bung** *w. 10 nur Ez.*
ụm|ge|hen *intr. 47;* das Gerücht geht um; ein Gespenst geht um; wir sind umgegangen *ugs.:* wir haben einen Umweg gemacht; er geht grob mit ihm um: er behandelt ihn grob; **um|ge|hen** *tr. 47* (um etwas) herumgehen, -fahren, vermeiden; wir umgehen den Ort; ich habe das Thema umgangen; **ụm|ge|hend** sofort, sofortig; wir werden es u. erledigen; **Um|ge|hung** *w. 10 nur Ez.;* unter U. der Vorschriften; **Um|ge|hungs|stra|ße** *w. 11*
ụm|ge|stal|ten *tr. 2;* ich gestalte es um; **Ụm|ge|stal|tung** *w. 10*
ụm|gra|ben *tr. 58*
um|grẹn|zen *tr. 1;* ich habe das Thema genau umgrenzt; **Um|grẹn|zung** *w. 10*
ụm|grup|pie|ren *tr. 3;* ich gruppiere sie um, habe sie umgruppiert; **Ụm|grup|pie|rung** *w. 10*
um|gür|ten *refl. 2;* er umgürtete sich, hat sich mit dem Schwert umgürtet
ụm|ha|ben *tr. 60, ugs.:* umhängen haben; ich habe einen Mantel um, habe ihn umgehabt
um|hạl|sen *tr. 1* umarmen; sie umhalst ihn, hat ihn umhalst
Ụm|hang *m. 2;* **ụm|hän|gen** *tr. 1;* ich hänge das Bild um; ich habe mir einen Mantel umgehängt; **Ụm|hän|ge|ta|sche** *w. 11*
ụm|hau|en *tr. 63;* er hieb den Baum um; die Nachricht hat mich fast umgehauen *ugs.:* hat mich erschüttert, überrascht
um|her... *meist in gehobener Sprache statt »herum«,* z. B. umherirren, umherschauen
um|hịn... *nur in der Fügung* nicht umhinkönnen: nicht anders können; ich kann nicht umhin, es ihm zu sagen; ich werde wohl nicht umhinkönnen
ụm|hö|ren *refl. 1, ugs.;* ich werde mich einmal u., ob..., *oder* ich werde mich danach u.: ich werde (es) durch Fragen zu erfahren suchen
um|hül|len *tr. 1;* ich umhülle den Kranken mit einer Decke; **Um|hül|lung** *w. 10; auch:* Hülle
um|ju|beln *tr. 1;* die Zuhörer umjubelten die Künstlerin, sie wurde umjubelt
Ụm|kehr *w. 10 nur Ez.;* **ụm|kehr|bar; ụm|keh|ren** *intr. u. tr. 1;* ich kehre um; ich kehrte die Tasche um; es ist gerade umgekehrt; **Ụm|kehr|film** *m. 1* Diapositivfilm; **Ụm|keh|rung** *w. 10*
ụm|kip|pen *tr. u. intr. 1*
um|klạm|mern *tr. 1;* er umklammert ihn; **Um|klạm|me|rung** *w. 10 nur Ez.;* sich aus der U. befreien
ụm|klapp|bar; ụm|klap|pen *tr. 1*
Ụm|klei|de|ka|bi|ne *w. 11;* **ụm|klei|den** *refl. 2;* ich kleide mich um, habe mich umgekleidet; **um|klei|den** *tr. 2* ringsherum bedecken; ich umkleide die Lampe mit Bast, habe sie umkleidet; **Ụm|klei|de|raum** *m. 2;* **Um|klei|dung** *w. 10*
ụm|kni|cken *tr. u. intr. 1;* ich knicke um, bin umgeknickt; ich knicke das Papier um, habe es umgeknickt
ụm|kom|men *tr. 71;* ich komme um vor Durst *ugs.;* er ist bei dem Unglück umgekommen
um|krän|zen *tr. 1;* ich umkränze das Bild, habe es umkränzt
Ụm|kreis *m. 1;* **um|krei|sen** *tr. 1* der Satellit umkreist die Erde, hat sie umkreist; **Um|krei|sung** *w. 10*
ụm|krem|peln *tr. 1;* ich krempele, krempIe die Ärmel um, habe sie umgekrempelt

Um|la|de|bahn|hof *m. 2;* **um|la|den** *tr. 74;* wir laden die Säcke um, haben sie umgeladen; **Um|la|dung** *w. 10*
Um|la|ge *w. 11* Anteil einer von mehreren Personen zu zahlenden Summe
um|la|gern *tr. 1;* die Leute umlagerten den Verkaufsstand; er war von Leuten umlagert
Um|lauf *m. 2;* **Um|lauf|bahn** *w. 10;* **um|lau|fen** *intr. 76* kreisen; Geld läuft um; **um|lau|fen** *tr. 76* (um etwas) herumlaufen; er hat den Platz einmal umlaufen; **Um|lauf(s)|ge|schwin|dig|keit** *w. 10;* **Um|lauf(s)|zeit** *w. 10;* **Um|lauf|ver|mö|gen** *s. 7 nur Ez., Betriebswirtsch.:* der Teil des Vermögens, der nicht in Anlagen investiert ist
Um|laut *m. 1* **1** Verwandlung eines Vokals in einen helleren Vokal, z. B. a zu ä, o zu ö; **2** der so entstandene Laut selbst; **um|lau|ten** *tr. 2;* umgelautete Vokale
Um|le|ge|kra|gen *m. 7;* **um|le|gen** *tr. 1; auch vulg.:* töten, umbringen; sie legt sich eine Kette um, hat sie sich umgelegt; **Um|le|gung** *w. 10*
um|lei|ten *tr. 2;* **Um|lei|tung** *w. 10*
um|len|ken *tr. 1;* ich lenke den Wagen um, habe ihn umgelenkt
um|ler|nen *intr. 1;* ich lerne um, habe umgelernt
um|lie|gend; die umliegenden Dörfer
um|mau|ern *tr. 1;* ummauerter Hof
um|mo|deln *tr. 1, ugs.:* ändern; ich modele, modle es um, habe es umgemodelt
um|nach|tet (geistig) verwirrt, geisteskrank; sein Geist ist, *oder:* er ist (geistig) u.; **Um|nach|tung** *w. 10 nur Ez.*
um|nä|hen *tr. 1;* ich nähe den Saum um, habe ihn umgenäht; **um|nä|hen** *tr. 1;* ich umnähe den Saum mit Langettenstich, habe ihn umnäht
um|ne|beln *tr. 1;* ich war vom Alkohol umnebelt: nicht mehr klar im Kopf
um|neh|men *tr. 88, ugs.:* sich umhängen oder umlegen; ich nehme einen Mantel um, habe ihn umgenommen
um|pflan|zen *tr. 1* an eine andere Stelle, in neue Erde pflanzen; ich pflanze die Sträucher um, habe sie umgepflanzt; **um|pflan|zen** *tr. 1* mit Pflanzen umgeben; ich umpflanze das Beet, habe es umpflanzt
um|pflü|gen *tr. 1;* ich pflüge das Feld um, habe es umgepflügt
um|po|len *tr. 1;* ich pole die Schaltung um: vertausche ihren Plus- und Minuspol; ich habe sie umgepolt
um|quar|tie|ren *tr. 3;* ich quartiere ihn um, habe ihn umquartiert; **Um|quar|tie|rung** *w. 10*
um|rah|men *tr. 1;* der Vortrag wurde von musikalischen Darbietungen umrahmt; **Um|rah|mung** *w. 10*
um|ran|den *tr. 2;* ich umrande die Zeichnung, habe sie umrandet; **Um|ran|dung** *w. 10;* das Umranden; *auch:* Rand
um|ran|ken *tr. 1;* Rosen umranken die Laube, haben sie umrankt
um|räu|men *tr. 1;* wir räumen das Zimmer um, haben es umgeräumt
um|rech|nen *tr. 2;* ich rechne es um, habe es umgerechnet; **Um|rech|nung** *w. 10;* **Um|rech|nungs|kurs** *m. 1;* **Um|rech|nungs|ta|bel|le** *w. 11*
um|rei|ßen *tr. 96;* reiß mich nicht um; er hat mich umgerissen; **um|rei|ßen** *tr. 96* skizzieren, mit wenigen Linien oder Worten darstellen, schildern; ich umreiße den Inhalt des Buches, habe ihn umrissen
um|rei|ten *tr. 97* beim Reiten umwerfen; **um|rei|ten** *tr. 97* (um etwas) herumreiten; er umreitet den Platz, hat ihn umritten
um|ren|nen *tr. 98;* er rannte mich um, hat mich umgerannt
um|rin|gen *tr. 1* von allen Seiten umgeben; sie umringten ihn, haben ihn umringt
Um|riß ► **Um|riss** *m. 1;* **Um|riß|li|nie** ► **Um|riss|li|nie** *w. 11;* **Um|riß|zeich|nung** ► **Um|riss|zeich|nung** *w. 10*
um|rüh|ren *tr. 1*
ums um das; einmal ums andere; es geht ums Ganze
um|sat|teln *intr. 1, meist übertr.:* das Studium, den Beruf wechseln; ich sattle (auf Volkswirtschaft) um, habe umgesattelt
Um|satz *m. 2* Erlös aus den Verkäufen eines Unternehmens innerhalb eines Zeitraumes, z. B. Jahres-, Tagesumsatz; **Um|satz|steu|er** *w. 11*
um|säu|men *tr. 1;* ich säume den Rand um, habe ihn umgesäumt; **um|säu|men** *tr. 1, meist übertr.:* der See ist von Bäumen umsäumt
um|schal|ten 1 *tr. 2;* ich schalte den Apparat um, habe ihn umgeschaltet; **2** *intr. 1, Funk, Fernsehen:* auf einen anderen Sender schalten; wir schalten um nach Hamburg; *übertr.:* sich umstellen; man muss nach dem Urlaub wieder auf den Alltag u.; **Um|schal|ter** *m. 5;* **Um|schal|tung** *w. 10*
um|schat|ten *tr. 2* mit Schatten umgeben, verdunkeln; Trauer umschattete ihren Blick; ihre Augen waren tief umschattet
Um|schau *w. 10* Rund-, Überblick, oft als Titel von Zeitungen und Zeitschriften; U. halten; **um|schau|en** *refl. 1;* ich schaue mich nach ihr um, habe mich umgeschaut
um|schich|ten *tr. 2;* ich schichte es um, habe es umgeschichtet; **Um|schich|tung** *w. 10*
um|schif|fen *tr. 1* mit dem Schiff (um etwas) herumfahren; sie umschiffen den Felsen, haben ihn umschifft; eine Klippe u. *übertr. ugs.:* ein Hindernis umgehen, einer Schwierigkeit aus dem Wege gehen; **Um|schif|fung** *w. 10 nur Ez.*
Um|schlag *m. 2;* **Um|schlag|bahn|hof** *m. 2* Umladebahnhof; **um|schla|gen** *tr. u. intr. 116;* ich schlage den Kragen um; das Wetter schlägt um; das Wetter ist, *schweiz. auch:* hat umgeschlagen; seine Begeisterung schlug in Zorn um; **Um|schlag|ha|fen** *m. 8* Hafen, in dem Waren vom Schiff auf andere Fahrzeuge umgeschlagen (umgeladen) werden; **Um|schlag|tuch** *s. 4;* **Um|schlag|zeich|nung** *w. 10* Zeichnung auf dem Schutzumschlag (eines Buches)
um|schlei|chen *tr. 117* (um etwas) herumschleichen; er umschlich das Haus, hat es umschlichen
um|schlie|ßen *tr. 120;* die Mauer umschließt das Grundstück; **Um|schlie|ßung** *w. 10*
um|schlin|gen *tr. 121;* er umschlang sie, hielt sie umschlungen; **Um|schlin|gung** *w. 10*
um|schmei|ßen *tr. 122, ugs.:* umwerfen
um|schnal|len *tr. 1;* ich schnalle

► = wird zu

mir den Gürtel um, habe ihn umgeschnallt
um|schnü|ren *tr. 1;* ich umschnüre das Paket mit einem Strick, habe es umschnürt; **Um|schnü|rung** *w. 10 nur Ez.*
um|schrei|ben *tr. 127;* anders schreiben; ich schreibe das Buch um, habe es umgeschrieben; **um|schrei|ben** *tr. 127* mit anderen Worten ausdrücken; ich umschreibe den Begriff, habe ihn umschrieben; umschriebene Entzündung: sichtbar begrenzte E.; **Um|schrei|bung** *w. 10 nur Ez.;* **Um|schrei|bung** *w. 10;*
Um|schrift *w. 10* **1** umgeschriebener Text; **2** rundum laufende Inschrift (z. B. auf Münzen); **3** = Transkription
um|schul|den *tr. 2;* ein Unternehmen u.: kurzfristige Kredite für ein U. in langfristige umwandeln; sie haben es umgeschuldet; **Um|schul|dung** *w. 10*
um|schu|len *tr. 1* in eine andere Schule schicken, für einen anderen (als den erlernten) Beruf ausbilden; wir schulen das Kind um, haben es umgeschult; **Um|schü|ler** *m. 5* jmd., der sich für einen anderen als den erlernten Beruf ausbilden lässt; **Um|schu|lung** *w. 10*
um|schüt|ten *tr. 2;* ich schütte den Kaffee um, habe ihn umgeschüttet
um|schwär|men *tr. 1;* ein umschwärmter Filmstar
Um|schwei|fe *Mz.* einleitende Redensarten; U. machen; ohne U. zur Sache kommen
um|schwir|ren *tr. 1* (um etwas) herumschwirren; Mücken umschwirren mich
Um|schwung **1** *m. 2;* **2** *nur Ez., schweiz.:* um das Haus liegendes Land, Hofstatt
um|se|geln *tr. 1;* ich umsegele, umsegle die Erde, habe sie umsegelt; **Um|se|ge|lung, Um|seg|lung** *w. 10*
um|se|hen *refl. 136;* ich sehe mich (nach ihm, nach einer neuen Stellung) um, habe mich umgesehen
um|sein ▶ **um sein** *intr. 137, ugs.:* vorbei, abgelaufen sein; die Zeit, Frist ist um, ist um gewesen
um|sei|tig auf der Rückseite; die umseitige Abbildung; **um|seits** *Adv.:* auf der Rückseite; wie u. vermerkt
um|setz|bar; um|set|zen *tr. 1;* ich setze es um, habe es umgesetzt; **Um|set|zung** *w. 10*
Um|sicht *w. 10 nur Ez.;* **um|sich|tig; Um|sich|tig|keit** *w. 10 nur Ez.* = Umsicht
um|sie|deln 1 *tr. 1* an einem anderen Ort ansiedeln, in eine andere Wohnung einweisen; wir siedeln sie um, sie sind umgesiedelt worden; **2** *intr. 1* umziehen; ich siedele, siedle in eine andere Wohnung um; **Um|sied|ler** *m. 5;* **Um|sied|lung,** Um|sie|de|lung *w. 10*
um|sin|ken *intr. 141*

> **umso mehr/weniger:** Mehrteilige Adverbien *(umso),* Konjunktionen oder Präpositionen schreibt man zusammen, wenn die Bedeutung der einzelnen Bestandteile nicht mehr erkennbar ist (bisher getrennt geschrieben: um so): *umso mehr/weniger.*
> Ebenso: *geradeso, wieso, sowieso, ebenso.* →§ 39 (1)

um|so desto; umso besser; umso mehr; umso weniger
um|sonst *unflektierbar*
um|sor|gen *tr. 1;* ich umsorge sie, habe sie umsorgt
um|span|nen *tr. 1* **1** vor einen anderen Wagen spannen; ich spanne die Pferde um, habe sie umgespannt; **2** = transformieren; **um|span|nen** *tr. 1, nur im Infinitiv und Partizip II üblich;* ich kann den Baumstamm mit den Armen u.; eine die Welt umspannende Entwicklung; **Um|span|ner** *m. 5* = Transformator; **Um|spann|werk** *s. 1*
um|spie|len *tr. 1* sich spielend (um etwas oder jmdn.) herumbewegen; er umspielt den Gegner, hat ihn umspielt; ein Lächeln umspielte seine Lippen
um|sprin|gen *intr. 148;* der Wind springt um: wechselt die Richtung; so kannst du mit ihm nicht u.: so kannst du ihn nicht behandeln; er ist übel mit ihm umgesprungen
um|spu|len *tr. 1* auf eine andere Spule wickeln; ich spule das Band um, habe es umgespult
um|spü|len *tr. 1;* Wellen u. die Insel; von Wellen umspült
Um|stand *m. 2;* mach keine Umstände; in anderen Umständen sein: schwanger sein; unter Umständen (*Abk.:* u. U.): vielleicht; **um|stän|de|hal|ber** das Geschäft ist u. zu verkaufen; *aber:* gewisser Umstände halber; **um|ständ|lich; Um|ständ|lich|keit** *w. 10 nur Ez.;* **Um|stands|be|stim|mung** *w. 10* = Adverbialbestimmung; **Um|stands|kas|ten** *m. 8, ugs. scherzh.* = Umstandskrämer; **Um|stands|kleid** *s. 3;* **Um|stands|krä|mer** *m. 5, ugs. scherzh. für:* umständlicher Mensch, Umstandskasten; **Um|stands|satz** *m. 2* = Adverbialsatz; **Um|stands|wort** *s. 4* = Adverb; **um|stands|wört|lich** adverbial, adverbiell
um|ste|chen *tr. 149* umgraben; ich steche das Beet um, habe es umgestochen; **um|ste|chen** *tr. 149* mit Stichen rundherum befestigen; ich umsteche das Knopfloch, habe es umstochen
um|ste|cken *tr. 1* anders stecken; ich stecke das Telefon um, habe es umgesteckt

> **die Umstehenden, im Umstehenden:** Das Partizip schreibt man mit kleinem *(umstehend),* die substantivierte Form mit großem Anfangsbuchstaben: *Die Umstehenden applaudierten; im Umstehenden* (= auf der Rückseite) *ist alles erklärt.* →§ 57 (1)

um|ste|hen *tr. 151;* die Leute umstanden den Unfallwagen: standen um ihn herum; **um|ste|hend** auf der Rückseite; wie u. beschrieben; **Um|ste|hen|de** *Mz.;* die Umstehenden
um|stei|gen *intr. 153;* ich steige um, bin umgestiegen
um|stel|len *tr. 1;* ich stelle den Betrieb um, habe ihn umgestellt; **um|stel|len** *tr. 1;* die Polizisten umstellten das Haus, haben es umstellt; **Um|stel|lung** *w. 10*
um|stim|men *tr. 1;* ich stimme ihn um, habe ihn umgestimmt; **Um|stim|mung** *w. 10 nur Ez.*
um|sto|ßen *tr. 157*
um|strah|len *tr. 1;* von Sonne, Licht umstrahlt
um|stri|cken *tr. 1;* ich stricke den Pullover um, habe ihn umgestrickt; **um|stri|cken** *tr. 1;* sie umstrickt ihn mit Lügen: betört ihn mit Lügen
um|strit|ten nicht geklärt, zweifelhaft; ein umstrittenes Problem

ụm|struk|tu|rie|ren *tr. 3;* ich strukturiere es um, habe es umstrukturiert; **Ụm|struk|tu|rie|rung** *w. 10*
ụm|stül|pen *tr. 1*
Ụm|sturz *m. 2;* **ụm|stür|zen** *tr. u. intr. 1;* **Ụm|stürz|ler** *m. 5;* **ụm|stürz|le|risch**
ụm|tau|fen *tr. 1*
Ụm|tausch *m. 2;* **ụm|tau|schen** *tr. 1;* **Ụm|tausch|kas|se** *w. 11*
ụm|top|fen *tr. 1;* ich topfe die Pflanzen um, habe sie umgetopft
ụm|trei|ben *tr. 162;* es treibt ihn um: er ist ruhelos; **Ụm|trieb** *m. 1* **1** *Forstw.:* Zeit vom Pflanzen junger Bäume bis zum Fällen; **2** *Mz.* Ränke, Machenschaften; geheime Umtriebe; *schwäb., schweiz. auch:* (umständl.) Arbeiten; **ụm|trie|big** unruhig, geschäftig, quirlig
Ụm|trunk *m. 2* Trinken reihum, gemeinsames (kurzes) Trinken
ụm|tun 1 *tr. 167, ugs.:* umlegen, umhängen; ich tue mir einen Schal um, habe ihn mir umgetan; **2** *refl. 167, ugs.:* sich nach etwas erkundigen; ich tue mich nach einer neuen Stellung um, habe mich danach umgetan
um|wạch|sen *tr. 172* (um etwas) herumwachsen; die Sträucher umwachsen den Stein, haben ihn umwachsen
um|wạl|len *tr. 1;* von Nebelschwaden umwallt; **Um|wạl|lung** *w. 10* Begrenzung durch einen Wall; *auch:* Wall
Ụm|wälz|an|la|ge *w. 11* (für Wasser im Schwimmbad oder Springbrunnen); **ụm|wäl|zen** *tr. 1;* ich wälze den Stein um, habe ihn umgewälzt; umwälzende Neuerungen *übertr.;* **Ụm|wäl|zung** *w. 10, übertr.*
ụm|wan|del|bar; ụm|wan|deln *tr. 1;* ich wandele, wandle es um, habe es umgewandelt; **Ụm|wan|de|lung, Ụm|wand|lung** *w. 10*
um|we|ben *tr. 175, zumeist übertr.;* von Sonnenstrahlen umwoben
ụm|wech|seln *tr. 1;* ich wechsele, wechsle es um, habe es umgewechselt; **Ụm|wech|se|lung, Ụm|wechs|lung** *w. 10*
Ụm|weg *m. 1*
ụm|we|hen *tr. 1;* der Wind weht den Zaun um, hat ihn umgeweht; **um|we|hen** *tr. 1;* vom Wind umwehte Felsen

Ụm|welt *w. 10 nur Ez.;* **ụm|welt|be|dingt; Ụm|welt|be|din|gung** *w. 10 meist Mz.;* **Ụm|welt|ein|fluß** ▶ **Ụm|welt|ein|fluss** *m. 2;* **ụm|welt|freund|lich; Ụm|welt|schutz** *m. Gen.* -es *nur Ez.;* **Ụm|welt|ver|schmut|zung** *w. 10 nur Ez.*
ụm|wen|den *tr. 178;* ich wende das Blatt um, habe es umgewendet; ich wandte *oder* wendete mich um, habe mich umgewandt *oder* umgewendet
um|wẹr|ben *tr. 179;* er umwirbt sie, hat sie umworben; **Um|wẹr|bung** *w. 10 nur Ez.*
ụm|wer|fen *tr. 181;* von umwerfender Komik *übertr.*
ụm|wer|ten *tr. 2;* **Ụm|wer|tung** *w. 10 nur Ez.*
um|wị|ckeln *tr. 1;* ich umwickele, umwickle den Arm, habe ihn umwickelt
um|wịn|den *tr. 183;* ich umwinde den Korb mit Weinlaub, habe ihn umwunden
um|wịt|tert; von Geheimnissen u.: umgeben
um|wo|gen *tr. 1;* Wellen u. den Felsen; von Wellen umwogt
Ụm|woh|nen|de *Mz., ugs.;* die Umwohnenden: alle, die in der unmittelbaren Umgebung wohnen; **Ụm|woh|ner** *m. 5 Mz., ugs.*
um|wọ̈l|ken *refl. 1;* der Himmel, seine Stirn umwölkt sich, hat sich umwölkt
um|zäu|nen *tr. 1;* ich umzäune den Garten, habe ihn umzäunt; **Um|zäu|nung** *w. 10*
ụm|zeich|nen *tr. 2;* ich zeichne es um, habe es umgezeichnet
ụm|zie|hen 1 *tr. 187;* jmdn., sich u.; ich ziehe mich um, habe mich umgezogen; **2** *intr. 187* die Wohnung wechseln; ich ziehe um, bin umgezogen; **um|zie|hen** *refl. 187* sich bewölken; der Himmel umzieht sich, hat sich umzogen
um|zịn|geln *tr. 1;* wir umzingeln sie, haben sie umzingelt; **Um|zịn|ge|lung, Um|zịng|lung** *w. 10 nur Ez.*
Ụm|zug *m. 2*
UN *Abk. für* United Nations: Vereinte Nationen; vgl. UNO
un|ab|ạ̈n|der|lich [auch: ụn-]; **Un|ab|ạ̈n|der|lich|keit** *w. 10 nur Ez.*
un|ab|dịng|bar; Un|ab|dịng|bar|keit *w. 10 nur Ez.*
ụn|ab|hän|gig; Ụn|ab|hän|gig|keit *w. 10 nur Ez.*

ụn|ab|kömm|lich (*Abk.:* uk)
un|ab|läs|sig [auch: ụn-]
un|ab|seh|bar [auch: ụn-]
ụn|ab|sicht|lich
un|ab|weis|bar, un|ab|weis|lich [auch: ụn-]
un|ab|wẹnd|bar [auch: ụn-]; **Un|ab|wẹnd|bar|keit** *w. 10 nur Ez.*
ụn|acht|sam; Ụn|acht|sam|keit *w. 10 nur Ez.*
u|na cọr|da [ital. »eine Saite«] *Mus.:* mit dem Dämpfungspedal (zu spielen)
ụn|ähn|lich; Ụn|ähn|lich|keit *w. 10 nur Ez.*
un|an|fẹcht|bar; Un|an|fẹcht|bar|keit *w. 10 nur Ez.*
ụn|an|ge|bracht
ụn|an|ge|foch|ten
ụn|an|ge|mel|det
ụn|an|ge|mes|sen; Ụn|an|ge|mes|sen|heit *w. 10 nur Ez.*
ụn|an|ge|nehm
ụn|an|ge|tas|tet; etwas u. lassen
un|an|greif|bar; Un|an|greif|bar|keit *w. 10 nur Ez.*
un|an|neh|bar; Un|an|nehm|bar|keit *w. 10 nur Ez.;* **Ụn|an|nehm|lich|keit** *w. 10*
ụn|an|sehn|lich; Ụn|an|sehn|lich|keit *w. 10 nur Ez.*
ụn|an|stän|dig; Ụn|an|stän|dig|keit *w. 10*
un|an|tạst|bar; Un|an|tạst|bar|keit *w. 10 nur Ez.*
ụn|ap|pe|tit|lich; Ụn|ap|pe|tit|lich|keit *w. 10 nur Ez.*
Ụn|art *w. 10;* **ụn|ar|tig**
ụn|ar|ti|ku|liert
U|na Sạnc|ta [lat.] *w. Gen.* - - *nur Ez.* die eine heilige (Kirche) des apostol. Glaubensbekenntnisses
ụn|äs|the|tisch
ụn|auf|fäl|lig; Ụn|auf|fäl|lig|keit *w. 10 nur Ez.*
un|auf|fịnd|bar
ụn|auf|ge|for|dert
un|auf|hạlt|bar; Un|auf|hạlt|bar|keit *w. 10 nur Ez.;* **un|auf|hạlt|sam; Un|auf|hạlt|sam|keit** *w. 10 nur Ez.*
un|auf|hör|lich
un|auf|lös|bar; Un|auf|lös|bar|keit *w. 10 nur Ez.;* **un|auf|lös|lich; Un|auf|lös|lich|keit** *w. 10 nur Ez.*
ụn|auf|merk|sam; Ụn|auf|merk|sam|keit *w. 10*
ụn|auf|rich|tig; Ụn|auf|rich|tig|keit *w. 10 nur Ez.*
un|auf|schieb|bar, un|auf|schieb|lich

▶ = wird zu

un|aus|bleib|lich
un|aus|dẹnk|bar
un|aus|führ|bar; Un|aus|führ|bar|keit *w. 10 nur Ez.*
ụn|aus|ge|füllt
ụn|aus|ge|gli|chen; Ụn|aus|ge|gli|chen|heit *w. 10 nur Ez.*
ụn|aus|ge|go|ren *ugs.*
ụn|aus|ge|schla|fen
ụn|aus|ge|setzt unaufhörlich, fortwährend
ụn|aus|ge|spro|chen
un|aus|lọ̈sch|lich
un|aus|rọtt|bar
un|aus|sprẹch|bar; unaussprechbare Namen, Wörter, Laute; **un|aus|sprẹch|lich**
un|aus|steh|lich
un|aus|weich|lich
Ụn|band *m. 2 nur Ez.* wildes, ungebärdiges Kind; **un|bạn|dig** [auch: ụn-] sehr, riesig; ich freue mich u.; unbänd. Zorn
ụn|bar bargeldlos, nicht bar; unbar bezahlen
ụn|barm|her|zig; Ụn|barm|her|zig|keit *w. 10 nur Ez.*
ụn|be|ab|sich|tigt
ụn|be|an|stan|det
ụn|be|dacht unbesonnen; **un|be|dach|ter|wei|se; ụn|be|dacht|sam; Ụn|be|dacht|sam|keit** *w. 10 nur Ez.*
ụn|be|darft unerfahren, naiv
ụn|be|denk|lich; Ụn|be|denk|lich|keit *w. 10 nur Ez.;* **Ụn|be|denk|lich|keits|be|schei|ni|gung** *w. 10* Bestätigung des Finanzamts über ordnungsgemäße Steuerzahlung
ụn|be|dingt [auch: -dịŋt]; **Ụn|be|dingt|heit** [auch: -dịŋt-] *w. 10 nur Ez.*
un|be|ein|flußt ▶ **un|be|ein|flusst** [auch: ụn-]
un|be|fahr|bar [auch: ụn-]
ụn|be|fan|gen; Ụn|be|fan|gen|heit *w. 10 nur Ez.*
ụn|be|fleckt; *aber:* Mariä Unbefleckte Empfängnis; vgl. Immaculata
ụn|be|frie|di|gend; ụn|be|frie|digt; Ụn|be|frie|digt|heit *w. 10 nur Ez., ugs.*
ụn|be|fugt
ụn|be|gabt; Ụn|be|gabt|heit *w. 10 nur Ez.*
un|be|greif|lich [auch: ụn-]
un|be|grẹnzt [auch ụn-]; **Ụn|be|grenzt|heit** *w. 10 nur Ez.*
Ụn|be|ha|gen *s. 7 nur Ez.;* **ụn|be|hag|lich; Ụn|be|hag|lich|keit** *w. 10 nur Ez.*
ụn|be|hau|en
ụn|be|haust *veraltet:* ohne Heimstatt
ụn|be|hel|ligt
ụn|be|hin|dert
ụn|be|hol|fen; Ụn|be|hol|fen|heit *w. 10 nur Ez.*
un|be|irr|bar [auch: ụn-]; **Un|be|irr|bar|keit** *w. 10 nur Ez.;* **ụn|be|irrt; Ụn|be|irrt|heit** *w. 10 nur Ez., ugs.*

ein Unbekannter, gegen unbekannt: Das Adjektiv schreibt man mit kleinem *(unbekannt),* die substantivierte Form mit großem Anfangsbuchstaben: *Er ist unbekannt/ein Unbekannter.* →§ 57 (1) Mit kleinem Anfangsbuchstaben schreibt man: *eine Anzeige gegen unbekannt erstatten; (nach) unbekannt verzogen.*

ụn|be|kannt; unbekannte Größe *Math.;* das Grabmal des Unbekannten Soldaten; Anzeige gegen unbekannt erstatten; **un|be|kann|ter|wei|se;** unbekannterweise jemanden grüßen
ụn|be|küm|mert; Ụn|be|küm|mert|heit *w. 10 nur Ez.*
ụn|be|las|tet
ụn|be|lebt; die unbelebte Natur
ụn|be|leckt *übertr. ugs.:* unberührt; u. von aller Zivilisation
un|be|lehr|bar [auch ụn-]; **Un|be|lehr|bar|keit** *w. 10 nur Ez.*
ụn|be|liebt; Ụn|be|liebt|heit *w. 10 nur Ez.*
ụn|be|mannt; unbemanntes Raumfahrzeug
ụn|be|mit|telt
ụn|be|nom|men; es bleibt dir u., es ist dir u.: es steht dir frei
un|be|nụtz|bar [auch: ụn-]; **ụn|be|nutzt, ụn|be|nützt**
ụn|be|quem; Ụn|be|quem|lich|keit *w. 10*
un|be|rẹ|chen|bar [auch: ụn-]; **Un|be|rẹ|chen|bar|keit** [auch: ụn-] *w. 10 nur Ez.*
ụn|be|rech|tigt
ụn|be|rück|sich|tigt
ụn|be|ru|fen unaufgefordert; sich u. einmischen; u. toi, toi, toi! *ugs.:* wir wollen es nicht berufen, nicht verfrüht darüber sprechen
un|be|rühr|bar [auch: ụn-]; die Unberührbaren *in Indien:* die Parias; **ụn|be|rührt; Ụn|be|rührt|heit** *w. 10 nur Ez.*
ụn|be|scha|det *m. Gen.:* ohne Schaden für, ohne zu schmälern; u. seiner Verdienste
ụn|be|schä|digt
ụn|be|schäf|tigt
ụn|be|schei|den; Ụn|be|schei|den|heit *w. 10 nur Ez.*
ụn|be|schol|ten; Ụn|be|schol|ten|heit *w. 10 nur Ez.*
ụn|be|schrankt ohne Schranken (Bahnübergang)
un|be|schrạ̈nkt [auch: ụn-]
un|be|schreib|lich [auch: ụn-];
ụn|be|schrie|ben; er ist ein unbeschriebenes Blatt: er hat noch keine Erfahrungen oder Verdienste, man kennt ihn noch nicht
ụn|be|schwert; Ụn|be|schwert|heit *w. 10 nur Ez.*
ụn|be|seelt; Ụn|be|seelt|heit *w. 10 nur Ez.*
ụn|be|se|hen; etwas u. nehmen, kaufen
ụn|be|setzt; unbesetzte Stelle
un|be|sieg|bar [auch: ụn-]; **Un|be|sieg|bar|keit** *w. 10 nur Ez.;* **un|be|sieg|lich** [auch: ụn-]
ụn|be|son|nen; Ụn|be|son|nen|heit *w. 10*
ụn|be|stän|dig; Ụn|be|stän|dig|keit *w. 10 nur Ez.*
ụn|be|stä|tigt
un|be|stech|lich; Ụn|be|stech|lich|keit *w. 10 nur Ez.*
un|be|stịmm|bar [auch: ụn-]; **ụn|be|stimmt;** unbestimmtes Fürwort = Indefinitpronomen; **Ụn|be|stimmt|heit** *w. 10 nur Ez.;* **Ụn|be|stimmt|heits|re|la|ti|on** *w. 10* ein Prinzip der Quantenphysik
un|be|streit|bar; Un|be|streit|bar|keit *w. 10 nur Ez.;* **un|be|strit|ten** [auch: ụn-]
ụn|be|tont; unbetonte Silbe
un|be|trächt|lich *meist verneinend;* nicht unbeträchtliche Kosten, Verdienste
un|beug|bar; un|beug|sam [auch: ụn-]; **Un|beug|sam|keit** [auch: ụn-] *w. 10 nur Ez.*
ụn|be|wacht
ụn|be|waff|net
ụn|be|wäl|tigt
ụn|be|wan|dert unerfahren, ohne Kenntnisse (auf einem Gebiet)
ụn|be|weg|lich; Ụn|be|weg|lich|keit *w. 10 nur Ez.;* **ụn|be|wegt**
ụn|be|weibt *ugs. scherzh.:* ohne Ehefrau, unverheiratet
un|be|weis|bar; ụn|be|wie|sen
un|be|wohn|bar [auch: ụn-]; **Un|be|wohn|bar|keit** *w. 10 nur Ez.;* **ụn|be|wohnt**

ụn|be|wußt ▶ **ụn|be|wusst**
un|be|zahl|bar; ụn|be|zahlt
un|be|zähm|bar
un|be|zwei|fel|bar
un|be|zwing|bar; un|be|zwing|lich
Ụn|bil|den *nur Mz., in den Wendungen:* die U. des Wetters, des Winters
Ụn|bil|dung *w. 10 nur Ez.*
Ụn|bill *w. Gen. - nur Ez.* Unrecht, Schimpf; U. erleiden
ụn|bil|lig ungerecht; **Ụn|bil|lig|keit** *w. 10 nur Ez.*
ụn|blu|tig
ụn|bot|mä|ßig widersetzlich; **Ụn|bot|mä|ßig|keit** *w. 10*
un|brauch|bar [auch: ụn-]; **Un|brauch|bar|keit** *w. 10 nur Ez.*
ụn|bü|ro|kra|tisch
Un|cle Sam [ʌŋkl sæm, engl.] *ohne Artikel, Gen. --s nur Ez., scherzh.:* US-Amerikaner
ụnd (*Abk.:* u., *in Firmennamen Zeichen:* &; *mathemat. Zeichen:* +); zwei und zwei ist vier; Tag und Nacht; und andere(s) (*Abk.:* u. a.); und Ähnliches (*Abk.:* u. Ä.); und anderes mehr (*Abk.:* u. a. m.); und viele(s) andere mehr (*Abk.:* u. v. a. m.); und dergleichen (*Abk.:* u. dgl.); und so fort (*Abk.:* usf.); und so weiter (*Abk.:* usw.)
Ụn|dank *m. Gen.* -(e)s *nur Ez.;* **ụn|dank|bar; Ụn|dank|bar|keit** *w. 10 nur Ez.*
ụn|da|tiert ohne Datum
un|dẹnk|bar [auch: ụn-]; **un|dẹnk|lich** *nur in der Wendung* seit, vor undenklichen Zeiten: seit, vor langer Zeit
Un|der|ground [ʌndəgraʊnd, engl. »Untergrund«] *m. 9 nur Ez.* Protestbewegung
Un|der|state|ment [ʌndəsteɪtmənt, engl.] *s. 9* Untertreibung; *Ggs.:* Overstatement
ụn|deut|lich; Ụn|deut|lich|keit *w. 10 nur Ez.*
ụn|deutsch; undeutscher Ausdruck
Un|de|zi|me [lat.] *w. 11, Mus.* **1** der elfte Ton vom Grundton aus; **2** Intervall von elf Stufen
Un|di|ne *w. 11, Myth.:* weibl. Wassergeist
Ụn|ding *s. Gen.* -s *nur Ez.* etwas Widersinniges; es ist ein U., zu glauben, man könnte…
ụn|dis|zi|pli|niert *auch:* **-zip|li-; Ụn|dis|zi|pli|niert|heit** *auch:* **-zip|li-** *w. 10 nur Ez.*
ụn|dra|ma|tisch
Un|du|la|ti|on [lat.] *w. 10* **1** *Physik:* Wellenbewegung; **2** *Geol.:* Sattel- und Muldenbildung; **un|du|la|to|risch** wellenförmig
ụn|duld|sam; Ụn|duld|sam|keit *w. 10 nur Ez.*
un|du|lie|ren *intr. 3* sich wellenförmig bewegen, wellenförmig verlaufen
un|durch|drịng|lich [auch: ụn-]
un|durch|führ|bar; Un|durch|führ|bar|keit *w. 10 nur Ez.*
ụn|durch|läs|sig; Ụn|durch|läs|sig|keit *w. 10 nur Ez.*
un|durch|schau|bar; Un|durch|schau|bar|keit *w. 10 nur Ez.*
ụn|durch|sich|tig; Ụn|durch|sich|tig|keit *w. 10 nur Ez.*
ụn|e|ben; das ist nicht u. *ugs.:* nicht übel; **Ụn|e|ben|heit** *w. 10*
ụn|echt; Ụn|echt|heit *w. 10 nur Ez.*
ụn|e|del; unedle Metalle
ụn|e|he|lich; Ụn|e|he|lich|keit *w. 10 nur Ez.*
Ụn|eh|re *w. 11 nur Ez.;* jmdm. oder sich U. machen; **ụn|eh|ren|haft; ụn|ehr|er|bie|tig; Ụn|ehr|er|bie|tig|keit** *w. 10 nur Ez.*
ụn|ehr|lich; Ụn|ehr|lich|keit *w. 10 nur Ez.*
ụn|ei|gen|nüt|zig; Ụn|ei|gen|nüt|zig|keit *w. 10 nur Ez.*
ụn|ei|gent|lich *ugs.*
ụn|ein|ge|schränkt
ụn|ein|ge|weiht
ụn|ei|nig; Ụn|ei|nig|keit *w. 10 nur Ez.*
un|ein|neh|m|bar; uneinnehmbare Festung
ụn|eins uneinig; wir s. uneins
ụn|emp|fäng|lich; Ụn|emp|fäng|lich|keit *w. 10 nur Ez.*
ụn|emp|find|lich; Ụn|emp|find|lich|keit *w. 10 nur Ez.*
un|ẹnd|lich; unendliche Ferne; die Geraden schneiden sich im Unendlichen; unendlich viel: sehr viel; **Un|ẹnd|lich|keit** *w. 10 nur Ez.*
un|ent|behr|lich; Un|ent|behr|lich|keit *w. 10 nur Ez.*
un|ent|gẹlt|lich [auch: ụn-] umsonst, ohne Bezahlung
un|ent|rịnn|bar
ụn|ent|schie|den; Ụn|ent|schie|den *s. Gen.* -s *nur Ez.* unentschiedener Ausgang (bei Mannschaftsspielen); **Ụn|ent|schie|den|heit** *w. 10 nur Ez.*
ụn|ent|schlos|sen; Ụn|ent|schlos|sen|heit *w. 10 nur Ez.*
un|ent|schụld|bar; ụn|ent|schul|digt
un|ent|wegt; ein paar Unentwegte *ugs.*
un|ent|wịrr|bar
un|er|bịtt|lich; Un|er|bịtt|lich|keit *w. 10 nur Ez.*
ụn|er|fah|ren; Ụn|er|fah|ren|heit *w. 10 nur Ez.*
un|er|fịnd|lich [auch: ụn-] unbegreiflich; aus unerfindlichen Gründen
un|er|fọrsch|lich
un|er|füll|bar [auch: ụn-]; **Un|er|füll|bar|keit** *w. 10 nur Ez.*
ụn|er|gie|big
un|er|grụ̈nd|bar; un|er|grụ̈nd|lich [auch: ụn-]; **Un|er|grụ̈nd|lich|keit** *w. 10 nur Ez.*
ụn|er|heb|lich; Ụn|er|heb|lich|keit *w. 10 nur Ez.*
ụn|er|hört nicht erhört; seine Bitte blieb u.; **ụn|er|hört** unglaublich
un|er|klär|bar; Un|er|klär|bar|keit *w. 10 nur Ez.;* **un|er|klär|lich** [auch: ụn-]
un|er|läß|lich ▶ **un|er|lạ̈ss|lich**

> **(bis) ins Unermessliche:** Die substantivierte Form schreibt man mit großem Anfangsbuchstaben: *das Unermessliche; (sich) ins Unermessliche verlieren/steigern.* →§ 57 (1)

un|er|meß|lich ▶ **un|er|mẹss|lich;** unermessliche Ausdehnung; unermesslich reich; **Un|er|meß|lich|keit** ▶ **Un|er|mẹss|lich|keit** *w. 10 nur Ez.*
un|er|müd|lich; Un|er|müd|lich|keit *w. 10 nur Ez.*
ụn|ernst
ụn|er|quick|lich; Ụn|er|quick|lich|keit *w. 10 nur Ez.*
un|er|reich|bar; ụn|er|reicht
un|er|sạ̈tt|lich; Un|er|sạ̈tt|lich|keit *w. 10 nur Ez.*
un|er|schöpf|lich; Un|er|schọ̈pf|lich|keit *w. 10 nur Ez.*
ụn|er|schro|cken; Ụn|er|schro|cken|heit *w. 10 nur Ez.*
un|er|schụ̈t|ter|lich; Un|er|schụ̈t|ter|lich|keit *w. 10 nur Ez.*
un|er|schwịng|lich [auch: ụn-]
un|er|sẹtz|bar, un|er|sẹtz|lich
ụn|er|sprieß|lich
ụn|er|war|tet; un|er|war|te|ter|wei|se
ụn|er|wi|dert
ụn|er|zo|gen; Ụn|er|zo|gen|heit *w. 10 nur Ez.*
UNẸSCO *w. Gen. -, Kurzw. für* United Nations Educational, Scientific and Cultural Organization: Organisation der Ver-

▶ = wird zu

einten Nationen für Erziehung, Wissenschaft und Kultur
un|fä|hig; Un|fä|hig|keit *w. 10 nur Ez.*
un|fair [-fɛ:r, engl.] nicht anständig, nicht ehrlich; *Ggs.:* fair
Un|fall *m. 2;* **Un|fall|flucht** *w. Gen. - nur Ez.;* **un|fall|frei;** unfallfreies Fahren; **Un|fall|sta|ti|on** *w. 10;* **Un|fall|ver|si|che|rung** *w. 10*
un|faß|bar ▶ **un|fass|bar; Un|faß|bar|keit** ▶ **Un|fass|bar|keit** *w. 10 nur Ez.;* **un|faß|lich** ▶ **un|fass|lich**
un|fehl|bar; Un|fehl|bar|keit *w. 10 nur Ez.*
un|fern *unflektierbar;* unfern des Waldes, unfern vom Wald
Un|flat *m. Gen.* -(e)s *nur Ez.* **1** Schmutz, Unrat; **2** *übertr.:* Beschimpfungen, Schimpfreden; **un|flä|tig** gemein, sehr grob, wüst, unanständig; unflätig schimpfen; **Un|flä|tig|keit** *w. 10 nur Ez.*
un|för|mig 1 ohne rechte oder ohne schöne Form; **2** missgestaltet; **Un|för|mig|keit** *w. 10 nur Ez.;* **un|förm|lich** nicht förmlich, ungezwungen; **Un|förm|lich|keit** *w. 10 nur Ez.*
un|fran|kiert
un|frei; *auch:* nicht freigemacht, unfrankiert; ein Paket unfrei schicken; **Un|frei|heit** *w. 10 nur Ez.;* **un|frei|wil|lig**
Un|frie|de *m. 15, ältere Form von* Unfrieden; **Un|frie|den** *m. 7 nur Ez.;* mit jmdm. in U. leben
un|froh
un|frucht|bar; Un|frucht|bar|keit *w. 10 nur Ez.;* **Un|frucht|bar|ma|chung** *w. 10 nur Ez.*
Un|fug *m. Gen.* -s *nur Ez.*
un|gang|bar [auch: un-]; ungangbarer Weg
Un|gar *m. 11* Einwohner von Ungarn, Madjar; **un|ga|risch;** *aber:* Ungarische Rhapsodie von Liszt; **Un|ga|risch** *s. Gen.* -(s) *nur Ez.* zu den finnisch-ugrischen Sprachen gehörende Sprache der Ungarn; vgl. Deutsch; **Un|garn** Staat in Europa; **Un|gar|wein** *m. 1*
un|gast|lich; Un|gast|lich|keit *w. 10 nur Ez.*
un|gat|tig, un|gatt|lich *schweiz.:* grob, ungefüge, ungefällig
un|ge|ach|tet *mit Gen.* ohne ... zu berücksichtigen, trotz; ungeachtet seiner Fehler; *auch:* seiner Fehler u.; ungeachtet dessen, dessen ungeachtet; *aber:* desungeachtet
un|ge|ahnt *ugs.;* ungeahnte Möglichkeiten
un|ge|bär|dig; Un|ge|bär|dig|keit *w. 10 nur Ez.*
un|ge|be|ten; ungebetener Gast
un|ge|bräuch|lich; Un|ge|bräuch|lich|keit *w. 10 nur Ez.;*
un|ge|braucht
Un|ge|bühr *w. Gen. - nur Ez.* **1** Unrecht; **2** Ungehörigkeit; **un|ge|bühr|lich 1** ungehörig; sich u. benehmen; **2** allzu, über das normale Maß hinaus; die Forderung ist u. hoch; jmdn. u. lange warten lassen
un|ge|bun|den; Un|ge|bun|den|heit *w. 10 nur Ez.*
un|ge|deckt; ungedeckte Kosten: noch nicht bezahlte Kosten; ungedeckter Scheck: Scheck ohne Deckung durch ein Bankguthaben
un|ge|dient *in der ugs. Fügung* ungedienter Soldat: S. ohne militär. Ausbildung
Un|ge|duld *w. Gen. - nur Ez.;* **un|ge|dul|dig**
un|ge|eig|net
un|ge|fähr; das kommt nicht von u.: das ist kein Zufall
un|ge|fähr|det; un|ge|fähr|lich
un|ge|fäl|lig; Un|ge|fäl|lig|keit *w. 10 nur Ez.*
un|ge|fragt
un|ge|fü|ge plump in der Form
un|ge|hal|ten leicht ärgerlich, verstimmt; **Un|ge|hal|ten|heit** *w. 10 nur Ez.*
un|ge|hei|ßen *meist in verneinenden Sätzen:* unaufgefordert; ich werde das nicht ungeheißen tun

> **ins Ungeheure steigern:** Die substantivierte Form schreibt man mit großem Anfangsbuchstaben (im Gegensatz zur bisherigen Kleinschreibung): *Die Kosten stiegen ins Ungeheure.* →§ 57 (1)

un|ge|heu|er; eine ungeheure Verantwortung; **Un|ge|heu|er** *s. 5* **1** großes, hässliches Fabeltier; wildes, großes Tier; **2** grausamer Mensch; **un|ge|heu|er|lich** empörend, unglaublich; **Un|ge|heu|er|lich|keit** *w. 10*
un|ge|hin|dert
un|ge|ho|belt *übertr.:* unhöflich, unerzogen, grob
un|ge|hö|rig; Un|ge|hö|rig|keit *w. 10*
un|ge|hor|sam; Un|ge|hor|sam *m. Gen.* -s *nur Ez.*
un|ge|hört; sein Rufen verhallte ungehört
Un|geist *m. Gen.* -(e)s *nur Ez.* ungeistige, geistlose Beschaffenheit; **un|geis|tig**
un|ge|küns|telt
un|ge|le|gen unpassend; ich kam u.; zu ungelegener Zeit; **Un|ge|le|gen|heit** *w. 10* Unannehmlichkeit; jmdm. Ungelegenheiten bereiten
un|ge|legt *nur in der Fügung* ungelegte Eier: Dinge, um die man sich jetzt noch nicht zu kümmern braucht
un|ge|leh|rig; un|ge|lehrt
un|ge|lenk; un|ge|len|kig; Un|ge|len|kig|keit *w. 10 nur Ez.*
un|ge|lernt *nur in der ugs. Fügung* ungelernter Arbeiter: Arbeiter ohne Ausbildung
Un|ge|mach *s. Gen.* -s *nur Ez.* Unglück, Beschwernis
un|ge|mein [auch: un-]; ungemein schwierig; das freut mich ungemein
un|ge|müt|lich; Un|ge|müt|lich|keit *w. 10 nur Ez.*
un|ge|nannt; der Spender will u. bleiben
un|ge|nau; Un|ge|nau|ig|keit *w. 10*
un|ge|niert [-ʒə-]; **Un|ge|niert|heit** *w. 10 nur Ez.*
un|ge|nieß|bar [auch: un-]; **Un|ge|nieß|bar|keit** *w. 10 nur Ez.*
un|ge|nü|gend
un|ge|nutzt, un|ge|nützt
un|ge|pflegt; Un|ge|pflegt|heit *w. 10 nur Ez.*
un|ge|ra|de, un|gra|de; ungerade Zahlen
un|ge|ra|ten schlecht geraten; ungeratener Sohn
un|ge|recht; un|ge|recht|fer|tigt; Un|ge|rech|tig|keit *w. 10*
un|ge|reimt; *auch übertr.:* unsinnig; ungereimtes Zeug reden; **Un|ge|reimt|heit** *w. 10*
un|ge|rupft; *auch übertr. scherzh.:* ohne Schaden, ohne Verlust oder Strafe; er kam u. davon
un|ge|sagt; das wäre besser u. geblieben
un|ge|sät|tigt; ungesättigte Lösung *Chem.*
un|ge|säu|ert ohne Sauerteig; ungesäuertes Brot
un|ge|säumt *poet.:* ohne zu säumen, sofort, unverzüglich; **un|ge|säumt** ohne Saum

ụn|ge|sche|hen; man kann das nicht mehr u. machen
ụn|ge|scheut [auch: ụn-] ohne Scheu; sprechen Sie ungescheut!
Ụn|ge|schick *s. Gen.* -s *nur Ez.;* **Ụn|ge|schick|lich|keit** *w. 10;* **ụn|ge|schickt**
ụn|ge|schlacht von grobem Körperbau, groß und plump
ụn|ge|schlecht|lich ohne Geschlechtsmerkmale; ungeschlechtliche Fortpflanzung
ụn|ge|schlif|fen; *auch übertr.:* unhöflich, ohne Umgangsformen; **Ụn|ge|schlif|fen|heit** *w. 10 nur Ez.*
ụn|ge|schminkt; *auch übertr.:* unverhüllt, deutlich; jmdm. u. die Wahrheit sagen; das ist die ungeschminkte Wahrheit
ụn|ge|scho|ren; jmdn. u. lassen *übertr.:* in Ruhe lassen
ụn|ge|schrie|ben; ein ungeschriebenes Gesetz
ụn|ge|se|hen; er entkam u.
ụn|ge|sel|lig; Ụn|ge|sel|lig|keit *w. 10 nur Ez.*
ụn|ge|setz|lich; Ụn|ge|setz|lich|keit *w. 10 nur Ez.*
ụn|ge|stalt *veraltet:* missgestaltet; unförmig; **ụn|ge|stal|tet** nicht gestaltet
ụn|ge|straft; das wird er nicht u. tun
ụn|ge|stüm; Ụn|ge|stüm *s. Gen.* -s *nur Ez.*
ụn|ge|sund
ụn|ge|tan; die Arbeit blieb u.
ụn|ge|treu
ụn|ge|trübt; in ungetrübter Freude
Ụn|ge|tüm *s. 1* großes, wildes Tier; *übertr.:* großer, schwerer Gegenstand
ụn|ge|wandt; Ụn|ge|wandt|heit *w. 10 nur Ez.*

> **das Ungewisse, im Ungewissen lassen:** Substantivierte Adjektive schreibt man mit großem Anfangsbuchstaben: *das Ungewisse; ins Ungewisse fahren; im Ungewissen bleiben/lassen/sein.* →§ 57 (1)

ụn|ge|wiß ► **ụn|ge|wiss;** ein ungewisses Schicksal; etwas im Ungewissen lassen, im Ungewissen bleiben; ein Weg ins Ungewisse; **Ụn|ge|wiß|heit** ► **Ụn|ge|wiss|heit** *w. 10 nur Ez.*
Ụn|ge|wit|ter *s. 5, nur noch übertr.:* Zornausbruch
ụn|ge|wöhn|lich; Ụn|ge|wöhn|lich|keit *w. 10 nur Ez.;* **ụn|ge|wohnt**
ụn|ge|wollt

> **ungezählt/Ungezählte:** Im Gegensatz zur bisherigen Schreibweise (ungezählte kamen) wird das substantivierte Zahladjektiv mit großem Anfangsbuchstaben geschrieben: *Zu der Ausstellung kamen Ungezählte.* →§ 57 (1)

ụn|ge|zählt; *auch übertr.:* sehr viele; ungezählte Opfer
Ụn|ge|zie|fer *s. 5 nur Ez.* tierische Schmarotzer und Schädlinge
ụn|ge|zo|gen; Ụn|ge|zo|gen|heit *w. 10*
ụn|ge|zwun|gen; Ụn|ge|zwun|gen|heit *w. 10 nur Ez.*
ụn|gif|tig
Ụn|glau|be *m. 15 nur Ez.;* **Ụn|glau|ben** *m. 7 nur Ez.;* **ụn|glaub|haft; ụn|gläu|big; Ụn|gläu|big|keit** *w. 10 nur Ez.;* **un|glaub|lich; ụn|glaub|wür|dig; Ụn|glaub|wür|dig|keit** *w. 10 nur Ez.*
ụn|gleich; ụn|gleich|ar|tig; Ụn|gleich|ar|tig|keit *w. 10 nur Ez.;* **Ụn|gleich|heit** *w. 10 nur Ez.;* **ụn|gleich|mä|ßig; Ụn|gleich|mä|ßig|keit** *w. 10 nur Ez.;* **ụn|gleich|sei|tig**
Ụn|glimpf *m. 1 nur Ez., veraltet:* Schaden, Unheil; Schmach
Ụn|glück *s. 1;* **ụn|glück|lich; un|glück|li|cher|wei|se; Ụn|glücks|bot|schaft** *w. 10;* **ụn|glück|se|lig; un|glück|se|li|ger|wei|se; Ụn|glücks|fall** *m. 2;* **Ụn|glücks|mensch** *m. 10, ugs.:* jmd., der Pech hat oder hatte, der versehentlich Schaden angerichtet hat; **Ụn|glücks|ra|be** *m. 11,* **Ụn|glücks|vo|gel** *m. 6,* **Ụn|glücks|wurm** *m. 4 oder s. 4, ugs.* = Unglücksmensch
Ụn|gna|de *w. 11 nur Ez.;* (bei jmdm.) in U. fallen; **ụn|gnä|dig; Ụn|gnä|dig|keit** *w. 10 nur Ez.*
ụn|grad, ụn|gra|de, ụn|ge|ra|de
Un|gu|en|tum *s. Gen.* -s *Mz.* -ta (*Abk.:* Ungt.) Salbe

> **zuungunsten/zu Ungunsten:** Bei Fügungen in präpositionaler Verwendung kann der/die Schreibende entscheiden, wie geschrieben werden soll: *Der Prozess wurde zuungunsten/zu Ungunsten des Lehrers entschieden.* →§ 39 E3 (3)

Un|gu|lat [lat.] *m. 10* Huftier
ụn|gül|tig; Ụn|gül|tig|keit *w. 10 nur Ez.;* **Ụn|gül|tig|keits|er|klä|rung** *w. 10*
Ụn|gunst *w. 10;* er hat sich zu meinen U. verrechnet; **ụn|güns|tig**
ụn|gut; ein ungutes Gefühl; nichts für u.!: nehmen Sie es nicht übel!
un|halt|bar; Un|halt|bar|keit *w. 10 nur Ez.;* die U. seiner Behauptung
ụn|hand|lich; Ụn|hand|lich|keit *w. 10 nur Ez.*
ụn|har|mo|nisch

> **Unheil bringen/verkündend:** Das Gefüge aus Substantiv und Verb/Partizip schreibt man getrennt: *Das konnte nur Unheil bringen. Das Wetter war Unheil verkündend.* Ebenso: *Angst haben, Ski laufen, Schuld tragen.* →§ 34 E3 (5)

Ụn|heil *s. Gen. -s nur Ez.;* Unheil verkündend; **un|heil|bar** [auch: ụn-]; **Un|heil|bar|keit** *w. 10 nur Ez.;* **ụn|heil|schwan|ger; ụn|heil|ver|kün|dend** ► **Ụn|heil ver|kụn|dend;** mit Unheil verkündender Ruhe; **ụn|heil|voll**
un|heim|lich [auch: ụn-]; **Unheim|lich|keit** *w. 10 nur Ez.*
ụn|hold feindselig, abgeneigt; **Ụn|hold** *m. 1* **1** böser Geist, Teufel, böser Dämon; **2** Wüstling, Sittlichkeitsverbrecher
un|hör|bar; Un|hör|bar|keit *w. 10 nur Ez.*
ụn|hy|gi|e|nisch [-gje:-]
u|ni [yni, auch: yni, frz.] einfarbig
Ụ|ni *ugs. Kurzw. für* Universität
UNICEF *w. Gen.* -, *Kurzw. für* United Nations International Children's Emergency Fund: Internationaler Kinderhilfsfonds der Vereinten Nationen
u|nie|ren [lat.] *tr. 3* vereinigen (bes. Religionsgemeinschaften); Unierte Kirchen: die mit der kath. Kirche wiedervereinigten Ostkirchen; **U|ni|fi|ka|ti|on** *w. 10* Vereinheitlichung; **u|ni|fi|zie|ren** *tr. 3* vereinheitlichen; **U|ni|fi|zie|rung** *w. 10;* **u|ni|form** einheitlich, einförmig; **U|ni|form** [auch: ụni-] *w. 10* einheitliche Dienstkleidung; **u|ni|for|mie|ren** *tr. 3* einheitlich machen, *bes.:* einheitlich kleiden, in eine Uni-

form stecken; **U|ni|for|mi|tät** *w. 10* Einheitlichkeit, Einförmigkeit; **U|ni|ka** *Mz. von* Unikum; **U|ni|kat** *s. 1* einzige Ausfertigung (eines Schriftstücks, Kunstwerks o. Ä.); **U|ni|kum** *s. Gen.* -s *Mz.* -ka **1** Einziges (seiner Art), etwas nur einmal Hergestelltes; **2** *übertr.:* origineller Mensch; **u|ni|la|te|ral** einseitig, nur auf einer Seite gelegen

un|in|ter|es|sant *auch:* **un|in|te|res|sant; un|in|ter|es|siert** *auch:* **un|in|te|res|siert**

U|nio mys|ti|ca [lat.] *Mystik:* die »geheimnisvolle Vereinigung« der Seele mit Gott; **U|ni|on** *w. 10* Vereinigung, Bund, Zusammenschluss (bes. von Staaten und von Kirchen); **U|ni|o|nist** *m. 10* Anhänger einer Union; **Union Jack** [junjən dʒæk, engl.] *m. Gen.* --s *Mz.* --s, *volkstüml. Bez. für* die brit. Nationalflagge; **U|ni|ons|par|tei|en** *w. 10 Mz., Sammelbez. für* CDU und CSU

u|ni|pe|tal [lat. + griech.] einblättrig (Pflanze)

u|ni|po|lar einpolig

u|ni|son [ital.], **u|ni|so|no** einstimmig oder in Oktaven (singend, spielend); **U|ni|so|no** *s. Gen.* -s *Mz.* -s *oder* -ni einstimmiger Gesang, einstimmiges Spiel, Gesang, Spiel in Oktaven

u|ni|tär [lat.] = unitarisch; **U|ni|ta|ri|er** *m. 5* Anhänger einer Richtung der protestant. Kirche, die die Dreifaltigkeit ablehnt und die Einheit Gottes betont; **u|ni|ta|risch,** u|ni|tär, Einheit erstrebend; **U|ni|ta|ris|mus** *m. Gen. - nur Ez.* Streben nach Einheit, nach Festigung der Zentralgewalt, nach einem Einheitsstaat; *Ggs.:* Föderalismus; **U|ni|ta|rist** *m. 10;* **u|ni|ta|ris|tisch; Uni|ted Na|tions** [junaɪtɪd nɛɪʃnz, engl.] *Mz. (Abk.:* UN) Vereinte Nationen; vgl. UNO, UNESCO

u|ni|ver|sal [-vɛr-, lat.], u|ni|ver|sell, allgemein, umfassend, gesamt; **U|ni|ver|sal|er|be** *m. 11* Alleinerbe; **U|ni|ver|sal|ge|nie** [-ʒəni:] *s. 9, ugs.:* jmd., der auf vielen Gebieten sehr befähigt ist; **U|ni|ver|sal|ge|schich|te** *w. 11 nur Ez.* Weltgeschichte; **U|ni|ver|sa|li|en** *Mz.* Gattungsbegriffe, allgemeine Begriffe; **U|ni|ver|sa|lis|mus** *m. Gen. - nur Ez.* **1** Lehre, dass das Ganze dem Einzelnen übergeordnet sein müsse; **2** Vielseitigkeit, Begabung oder Betätigung auf vielen Gebieten; **U|ni|ver|sa|li|tät** *w. 10 nur Ez.* **1** Gesamtheit, Allseitigkeit; **2** Vielseitigkeit, vielseitige Bildung, umfassendes Wissen; **U|ni|ver|sal|mit|tel** *s. 5* Allheilmittel, Allerweltsmittel; **u|ni|ver|sell** = universal; **U|ni|ver|si|tas lit|te|ra|rum** [»Gesamtheit der Wissenschaften«] *w. Gen. -- nur Ez., lat. Bez. für* Universität; **U|ni|ver|si|tät** *w. 10* Hochschule, Lehr- und Forschungsanstalt für alle Wissensgebiete; **U|ni|ver|si|täts|bi|bli|o|thek** *auch:* **-bib|li|o|thek** *w. 10;* **U|ni|ver|si|täts|lauf|bahn** *w. 10;* **U|ni|ver|si|täts|pro|fes|sor** *m. 13;* **U|ni|ver|si|täts|stu|di|um** *s. Gen.* -s *Mz.* -di|en; **U|ni|ver|sum** [-vɛr-] *s. Gen.* -s *nur Ez.* das Weltall

Un|ke *w. 11* ein Froschlurch, Feuerkröte; **un|ken** *intr. 1, ugs.:* Unglück prophezeien

un|kennt|lich; Un|kennt|lich|keit *w. 10 nur Ez.;* **Un|kennt|nis** *w. 1 nur Ez.;* in U. der Tatsachen

Un|ken|ruf *m. 1, übertr. ugs.:* düstere Prophezeiung

un|keusch; Un|keusch|heit *w. 10 nur Ez.*

un|kirch|lich

> **(sich) im Unklaren befinden/sein:** Die substantivierte Form schreibt man – im Gegensatz zur bisherigen Regelung – mit großem Anfangsbuchstaben: *Sie befanden sich über ihre Lage im Unklaren.* →§ 57 (1)
> Großschreibung auch bei: *im Unklaren sein.* →§ 35

un|klar; jmdn. im Unklaren lassen; **Un|klar|heit** *w. 10*

un|kleid|sam

un|klug

un|kol|le|gi|al; Un|kol|le|gi|a|li|tät *w. 10 nur Ez.*

un|kon|trol|lier|bar [auch: un-]

un|kon|ven|ti|o|nell

un|kor|rekt; Un|kor|rekt|heit *w. 10*

Un|kos|ten *nur Mz.* **1** Kosten, die dem Einzelerzeugnis nicht zugerechnet werden können, sondern auf alle Erzeugnisse umgelegt werden; **2** *ugs.:* Kosten, Ausgaben; **Un|kos|ten|bei|trag** *m. 2*

Un|kraut *s. 4*

Unk|ti|on [lat.] *w. 10* Einreibung, Salbung

un|kul|ti|viert; Un|kul|tur *w. 10 nur Ez.* Mangel an Kultur, unkultiviertes Benehmen

un|künd|bar [auch: un-]; **Un|künd|bar|keit** [auch: un-] *w. 10 nur Ez.*

un|kun|dig; des Lesens und Schreibens u. sein

Un|land *s. 4* nicht anbaufähiges Land

un|längst kürzlich, neulich

un|lau|ter unehrlich, nicht anständig; unlauterer Wettbewerb, unlautere Absichten

un|leid|lich; Un|leid|lich|keit *w. 10 nur Ez.*

un|leug|bar [auch: un-]

un|lieb; es ist mir nicht unlieb, dass…; **un|lieb|sam** unangenehm; unliebsames Aufsehen

un|li|mi|tiert unbegrenzt, unbeschränkt

un|lös|bar [auch: un-]; **Un|lös|bar|keit** [auch: un-] *w. 10 nur Ez.;* **un|lös|lich** [auch: un-]

Un|lust *w. Gen. - nur Ez.;* **Un|lust|ge|fühl** *s. 1;* **un|lus|tig**

Un|maß *s. Gen.* -es *nur Ez.* Übermaß, übergroße Menge

Un|mas|se *w. 11* riesige, überaus große Menge

un|maß|geb|lich; un|mä|ßig; Un|mä|ßig|keit *w. 10 nur Ez.*

Un|men|ge *w. 11* riesige Menge

Un|mensch *m. 10* grausamer, roher Mensch; ich bin doch kein U. *ugs.:* ich lasse ja mit mir reden; **un|mensch|lich** [auch: un-]; **Un|mensch|lich|keit** [auch: un-] *w. 10 nur Ez.*

un|merk|lich [auch: un-]

un|miß|ver|ständ|lich ▸ **un|miss|ver|ständ|lich**

un|mit|tel|bar; Un|mit|tel|bar|keit *w. 10 nur Ez.*

> **Unmögliches verlangen:** Die substantivierte Form schreibt man mit großem Anfangsbuchstaben: *das Unmögliche; (Mögliches und) Unmögliches verlangen.* →§ 57 (1)

un|mög|lich [auch: un-]; nichts Unmögliches; **Un|mög|lich|keit** [auch: un-] *w. 10 nur Ez.*

Un|mo|ral *w. Gen. - nur Ez.;* **un|mo|ra|lisch**

un|mo|ti|viert unbegründet, ohne (einleucht.) Beweggrund

un|mün|dig = minderjährig; **Un|mün|dig|keit** *w. 10 nur Ez.*

ụn|mu|si|ka|lisch; Ụn|mu|si|ka|li|tät *w. 10 nur Ez.*
Ụn|mut *m. Gen.* -(e)s *nur Ez.;* **ụn|mu|tig**
un|nach|ahm|lich
ụn|nach|gie|big; Ụn|nach|gie|big|keit *w. 10 nur Ez.*
ụn|nach|sich|tig; Ụn|nach|sich|tig|keit *w. 10 nur Ez.;* **ụn|nach|sicht|lich** *veraltet für* unnachsichtig
un|nah|bar; Un|nah|bar|keit *w. 10 nur Ez.*
Ụn|na|tur *w. 10 nur Ez.* Unnatürlichkeit; **ụn|na|tür|lich; Ụn|na|tür|lich|keit** *w. 10 nur Ez.*
ụn|nö|tig; un|nö|ti|ger|wei|se
ụn|nütz; un|nüt|zer|wei|se; ụn|nütz|lich *veraltet für* unnütz
UNO, UN *w. Gen.* - *nur Ez., Kurzw. für* United Nations Organization: Organisation der Vereinten Nationen
ụn|or|dent|lich; Ụn|or|dent|lich|keit *w. 10 nur Ez.;* **Ụn|ord|nung** *w. 10 nur Ez.*
UNO-Si|cher|heits|rat, UN-Si|cher|heits|rat *m. Gen.* -(e)s
ụn|paar in ungerader Zahl; *Ggs.:* paar; unpaar gefiedertes Blatt; **Ụn|paar|hu|fer,** Ụn|paar|ze|her *m. 5, Sammelbez. für* eine Ordnung von huftragenden Säugetieren, deren Mittelzehe am stärksten ausgebildet ist, z. B. Pferd; **un|paa|rig; Un|paar|ze|her** *m. 5* = Unpaarhufer
ụn|par|tei|isch neutral, zwischen zwei (streitenden) Parteien stehend; **Ụn|par|tei|i|sche(r)** *m. 18 (17)* Schiedsrichter; **ụn|par|tei|lich** keiner bestimmten Partei angehörend, nicht von der Haltung einer Partei bestimmt; *auch* = unparteiisch; **Ụn|par|tei|lich|keit** *w. 10 nur Ez.*
ụn|paß ▶ **ụn|pass** *Adv.:* ungelegen, zur unrechten Zeit; das kommt mir unpass; **ụn|pas|send**
un|pas|sier|bar; Un|pas|sier|bar|keit *w. 10 nur Ez.*

> **unpässlich:** Nach kurzem Vokal oder Umlaut schreibt man, im Gegensatz zur bisherigen Regelung, *-ss: unpässlich.* →§ 25 E1

ụn|päß|lich ▶ **ụn|päss|lich** nicht ganz gesund, nicht ganz wohl; **Ụn|päß|lich|keit** ▶ **Ụn|päss|lich|keit** *w. 10 nur Ez.*
ụn|per|sön|lich; Ụn|per|sön|lich|keit *w. 10 nur Ez.*
un|pfänd|bar [auch: ụn-]; **Un|pfänd|bar|keit** [auch: ụn-] *w. 10 nur Ez.*
un pọ|co [ital.] *Mus.:* ein wenig
ụn|po|li|tisch
ụn|po|pu|lär; Ụn|po|pu|la|ri|tät *w. 10 nur Ez.*
ụn|prä|zis, ụn|prä|zi|se
ụn|pro|duk|tiv; Ụn|pro|duk|ti|vi|tät *w. 10 nur Ez.*
ụn|pro|por|ti|o|niert schlecht proportioniert
ụn|pünkt|lich; Ụn|pünkt|lich|keit *w. 10 nur Ez.*
Ụn|rast *m. Gen.* - *nur Ez.* **1** Ruhelosigkeit; **2** *schweiz.:* polit. Unruhe
Ụn|rat *m. Gen.* -(e)s *nur Ez.* Abfall, Schmutz, Kehricht
ụn|ra|ti|o|nell
ụn|re|al; ụn|re|a|lis|tisch

> **unrecht handeln/tun/sein; Unrecht bekommen/geben/haben/sein:** Klein schreibt man *unrecht* in der Bedeutung »falsch«: *Er hat unrecht gehandelt* (= falsch). *Sein Vorgehen war unrecht* (= falsch). →§ 35.
> Dagegen werden Substantive, die Bestandteile fester Gefüge sind und nicht mit anderen Teilen des Gefüges zusammengeschrieben werden, großgeschrieben (in der Bedeutung »nicht Recht haben«): *Ihr wurde Unrecht gegeben. Sie haben Unrecht.* →§ 55 (4)

ụn|recht; unrecht handeln; das war unrecht von dir; in unrechte Hände fallen; **Ụn|recht** *s. 1 nur Ez.;* jmdm. ein Unrecht tun; du hast Unrecht; Unrecht leiden; es ist ihm Unrecht geschehen; ich bin im Unrecht; jmdn. zu Unrecht verdächtigen; an den Unrechten geraten; etwas, nichts Unrechtes; **ụn|recht|mä|ßig; un|recht|mä|ßi|ger|wei|se; Ụn|recht|mä|ßig|keit** *w. 10 nur Ez.*
ụn|red|lich; Ụn|red|lich|keit *w. 10 nur Ez.*
ụn|re|ell
ụn|re|gel|mä|ßig; Ụn|re|gel|mä|ßig|keit *w. 10*
ụn|reif; Ụn|rei|fe *w. 11 nur Ez.*
ụn|rein; ins Unreine schreiben; **Ụn|rein|heit** *w. 10;* **ụn|rein|lich; Ụn|rein|lich|keit** *w. 10 nur Ez.*
ụn|ren|ta|bel; Ụn|ren|ta|bi|li|tät *w. 10 nur Ez.*
un|rẹtt|bar [auch: ụn-]
ụn|rich|tig; Ụn|rich|tig|keit *w. 10 nur Ez.*
Ụn|ruh *w. 10, in Uhren:* Gangregler; **Ụn|ru|he** *w. 11;* **Ụn|ru|he|herd** *m. 1;* **Ụn|ru|he|stif|ter,** Ụn|ruh|stif|ter *m. 5;* **ụn|ru|hig**
ụn|rühm|lich
ụn|rund *Techn.:* nicht mehr rund (infolge Abnutzung o. Ä.)
ụns *Personalpron., Dat. und Akk. von* wir; unter uns; ein Freund von uns
ụn|sach|ge|mäß; ụn|sach|lich; Ụn|sach|lich|keit *w. 10 nur Ez.*
un|sag|bar, un|säg|lich
ụn|schäd|lich; Ụn|schäd|lich|keit *w. 10 nur Ez.*
ụn|scharf; Ụn|schär|fe *w. 11*
Ụn|schär|fe|re|la|ti|on *w. 10* = Unbestimmtheitsrelation
un|schạ̈tz|bar [auch: ụn-]
ụn|schein|bar; Ụn|schein|bar|keit *w. 10 nur Ez.*
ụn|schick|lich; Ụn|schick|lich|keit *w. 10*
Ụn|schlitt *s. 1 nur Ez.* Talg
ụn|schlüs|sig; unschlüssiger Beweis; ich bin mir u., ob ich es tun soll; **Ụn|schlüs|sig|keit** *w. 10*
Ụn|schuld *m. Gen.* - *nur Ez.;*
ụn|schul|dig; ụn|schulds|voll
ụn|schwer; das wird sich u. feststellen lassen
Ụn|se|gen *m. Gen.* -s *nur Ez.* Fluch, Verhängnis
ụn|selb|stän|dig ▶ *auch:* **ụn|selbst|stän|dig; Ụn|selb|stän|dig|keit** ▶ *auch:* **Ụn|selbst|stän|dig|keit** *w. 10 nur Ez.*
ụn|se|lig; ụn|se|li|ger|wei|se

> **unser/Unser, das Uns(e)re/uns(e)re:** Das Possessivpronomen schreibt man klein *(unser Gepäck),* die substantivierte Form hingegen mit großem Anfangsbuchstaben; sie kann aber auch – als Stellvertreter eines Substantivs – mit kleinem Anfangsbuchstaben geschrieben werden. Der/die Schreibende soll entscheiden: *das Uns(e)re/uns(e)re, das Unsrige/unsrige, die Uns(e)ren/uns(e)ren, die Unsrigen/unsrigen.* →§ 57 (1), § 58 E3, § 58 (4)

ụn|ser 1 *Personalpron., Gen. von* wir; er gedenkt, erinnert sich unser; wir sind unser vier (*nicht:* unserer); **2** *Possessivpron.;* unser Sohn, unsere Toch-

▶ = wird zu

ter; unseres Wissens (*Abk.:* u. W.); dieses Haus ist das unsere/Unsere, *oder:* unsre/Unsre, *oder:* unsrige/Unsrige; die Unseren, *oder:* Unsren, *oder:* Unsrigen: unsere Angehörigen, *auch:* unsere Kameraden, Mitkämpfer; vgl. dein, mein; **ụn|ser|ei|ner, ụn|ser|eins** jmd. wie wir; das ist nichts für unsereinen, *oder:* unsereins; **ụn|se|rer|seits,** ụn|ser|seits, ụns|rer|seits von uns aus, von unserer Seite aus; **ụn|se|res|glei|chen** ụn|sers|glei|chen, ụns|res|glei|chen Leute wie wir; **ụn|se|res|teils,** ụns|res|teils von unserer Seite, was uns betrifft; **ụn|se|ri|ge** vgl. unser; **ụn|ser|seits** = unsererseits; **ụn|sers|glei|chen** = unseresgleichen; **ụn|se|ret|hal|ben, ụn|se|ret|we|gen,** ụns|ret|we|gen; **ụn|se|ret|wil|len,** ụns|ret|wil|len; um u.
Ụn|ser|va|ter *s. Gen.* - *Mz.* -, *schweiz. für* Vaterunser
ụn|si|cher; jmdn. im Unsicheren lassen; **Ụn|si|cher|heit** *w. 10;* **Ụn|si|cher|heits|fak|tor** *m. 13*
ụn|sicht|bar; Ụn|sicht|bar|keit *w. 10 nur Ez.;* **ụn|sich|tig** trüb, dunstig (Wasser, Luft)
Ụn|sinn *m. 1 nur Ez.;* **ụn|sin|nig; un|sin|ni|ger|wei|se; Ụn|sin|nig|keit** *w. 10 nur Ez.;* **ụn|sinn|lich; Ụn|sinn|lich|keit** *w. 10 nur Ez.*
Ụn|sit|te *w. 11;* **ụn|sitt|lich; Ụn|sitt|lich|keit** *w. 10 nur Ez.*
ụn|so|lid, ụn|so|li|de
ụn|so|zi|al
ụn|sport|lich; Ụn|sport|lich|keit *w. 10 nur Ez.*
ụns|rer|seits = unsererseits; **ụns|res|glei|chen** = unseresgleichen; **ụns|res|teils** = unseresteils; **ụns|ret|we|gen** = unsertwegen; **ụns|ret|wil|len** = unsertwillen; **ụns|ri|ge** vgl. unser
ụn|stän|dig nicht ständig; unständige Arbeit
ụn|statt|haft
un|stẹrb|lich [auch: ụn-]; **Un|stẹrb|lich|keit** *w. 10 nur Ez.*
Ụn|stern *m. 1* böses Geschick; über dem Geschehen stand, waltete ein U.; unter einem U. geboren sein
ụn|stet ruhelos; **ụn|ste|tig** veraltet für unstet; **Ụn|ste|tig|keit** *w. 10 nur Ez.*
un|stịll|bar [auch: ụn-]
ụn|stim|mig; Ụn|stim|mig|keit *w. 10*
ụn|strei|tig bestimmt, zweifellos
Ụn|sum|me *w. 11 meist Mz.* sehr große Summe; er hat Unsummen dafür ausgegeben
ụn|ta|de|lig; ụn|tad|lig; **Ụn|ta|de|lig|keit,** Ụn|tad|lig|keit *w. 10 nur Ez.*
ụn|ta|len|tiert
Ụn|tat *w. 10;* **ụn|tä|tig; Ụn|tä|tig|keit** *w. 10 nur Ez.*
ụn|taug|lich; Ụn|taug|lich|keit *w. 10 nur Ez.*
un|teil|bar [auch: ụn-]; **Un|teil|bar|keit** [auch: ụn-] *w. 10 nur Ez.*

> **unten erwähnt/genannt, das unten Erwähnte/Stehende:** Adverbien und Verben/Partizipien bilden Gefüge, die man getrennt schreibt: *Die Information ist unten erwähnt/genannt; das unten Erwähnte sollte jeder lesen; das unten Stehende.* Als Alternative – der/die Schreibende soll selbst entscheiden – kann man auch zusammenschreiben: *das Untenerwähnte; das Untenstehende; im Untenstehenden.* →§36 E1 (1.2), §37 (2)

ụn|ten; unten sein, unten bleiben; dort, hier unten; links, rechts unten; nach unten (hin), von unten (her); unten liegend, stehend; **un|ten|ạn** am unteren Ende; untenan sitzen, stehen; **un|ten|aus** *veraltet:* unten hin; von obenan bis untenaus; **ụn|ten|lie|gend** ► **ụn|ten lie|gend; ụn|ten|ste|hend** ► **ụn|ten ste|hend**
ụn|ter 1 *Präp. mit Dat. und Akk.;* unter dem Tisch liegen, unter den Tisch legen; unter der Bedingung, dass…; unter anderem, *oder:* anderen (*Abk.:* u. a.); unter Tage arbeiten *Bgb.:* in der Grube; unter Tags: tagsüber; Kinder unter 14 Jahren; **2** *Adv.:* weniger als; Gemeinden von unter 1000 Einwohnern
Ụn|ter *m. 5, dt. Kartenspiel:* Bube, Wenzel
Ụn|ter|ab|tei|lung *w. 10*
Ụn|ter|an|ge|bot *s. 1 nur Ez.*
Ụn|ter|art *w. 10*
Ụn|ter|bau *m. Gen.* -(e)s *Mz.* -bau|ten
Ụn|ter|bauch *m. 2*
un|ter|bau|en *tr. 1;* ich unterbaue es, habe es unterbaut
Ụn|ter|be|griff *m. 1*
ụn|ter|be|legt
ụn|ter|be|lich|ten *tr. 2;* **Ụn|ter|be|lich|tung** *w. 10 nur Ez.*
ụn|ter|be|schäf|tigt; Ụn|ter|be|schäf|ti|gung *w. 10 nur Ez.*
ụn|ter|be|wer|ten *tr. 2, nur im Infinitiv und Partizip üblich;* unterbewertet; **Ụn|ter|be|wer|tung** *w. 10 nur Ez.*
ụn|ter|be|wußt ► **ụn|ter|be|wusst; Ụn|ter|be|wußt|sein** ► **Ụn|ter|be|wusst|sein** *s. Gen.* -s *nur Ez.*
un|ter|bie|ten *tr. 13;* ich unterbiete den Preis, habe ihn unterboten; **Un|ter|bie|tung** *w. 10*
Ụn|ter|bi|lanz *w. 10 nur Ez.* Verlustbilanz
un|ter|bịn|den *tr. 14;* ich unterbinde es, habe es unterbunden; **Un|ter|bịn|dung** *w. 10 nur Ez.*
un|ter|blei|ben *intr. 17;* das unterbleibt, ist unterblieben
un|ter|brẹ|chen *tr. 19;* ich unterbreche ihn, habe ihn unterbrochen; **Un|ter|brẹ|cher** *m. 5 Elektr.;* **Un|ter|brẹ|chung** *w. 10*
ụn|ter|brei|ten *tr. 2;* ich breite ihm eine Decke unter, habe sie untergebreitet; **un|ter|brei|ten** *tr. 2;* ich unterbreite es ihm: lege es ihm vor; ich habe es im unterbreitet
ụn|ter|brin|gen *tr. 21;* ich bringe es unter, habe es untergebracht; **Ụn|ter|brin|gung** *w. 10 nur Ez.*
Ụn|ter|bruch *m. 2, schweiz. für* Unterbrechung
ụn|ter|but|tern *tr. 1* unterdrücken (in der Familie, im Betrieb)
un|ter|der|hạnd ► **ụn|ter der Hand** heimlich; etwas u. d. H. verkaufen; etwas unter der Hand haben: in Arbeit haben
un|ter|dẹs, un|ter|dẹs|sen
Ụn|ter|druck *m. 2* Druck, der kleiner als der atmosphärische Druck ist; **un|ter|drụ|cken** *tr. 1;* **Un|ter|drụ|ckung** *w. 10 nur Ez.*
ụn|te|re (-r, -s); die untere Schicht; vgl. unterst

> **untereinander legen/schreiben/stellen:** Gefüge aus zusammengesetztem Adverb *(untereinander)* und Verb schreibt man getrennt: *Sie wollten die Stoffe untereinander legen.* →§34 E3 (2)

un|ter|ein|ạn|der *auch:* **un|ter|ei|nan|der** unter uns, unter euch, unter sich, miteinander;

etwas u. besprechen; untereinander schreiben
un|ter|ent|wi|ckelt; Un|ter|ent|wick|lung *w. 10 nur Ez.*
un|ter|er|nährt; Un|ter|er|näh|rung *w. 10 nur Ez.*
un|ter|fah|ren *tr. 32* nachträglich vertiefen; die Grundmauern werden unterfahren
un|ter|fan|gen 1 *tr. 34* = unterfahren; **2** *refl. 34* wagen; er unterfängt sich, hat sich unterfangen, zu behaupten, er habe…;
Un|ter|fan|gen *s. 7* Unternehmen; ein kühnes U.
un|ter|fas|sen *tr. 1;* ich fasse sie unter, habe sie untergefasst
un|ter|fer|ti|gen *tr. 1, Amtsdt.:* unterschreiben; er unterfertigt den Brief, hat ihn unterfertigt;
Un|ter|fer|tig|te(r) *m. 18 (17)* jmd., der unterschrieben hat
Un|ter|flur|mo|tor *m. 12* unter dem Fahrzeugboden angebrachter Motor
un|ter|füh|ren *tr. 1* unter etwas (z. B. Eisenbahnlinie) hindurchbauen; d. Straße wird unterführt; **Un|ter|füh|rung** *w. 10*
Un|ter|funk|ti|on *w. 10*
Un|ter|gang *m. 2*
un|ter|gä|rig; Un|ter|gä|rung *w. 10* Gärung (des Bieres) mit sich absetzender Hefe
un|ter|ge|ben; jmdm. u. sein: in jmds. Dienst stehen; **Un|ter|ge|be|ne(r)** *m. 18 (17) bzw. w. 17 oder 18*
un|ter|ge|hen *intr. 47*
un|ter|ge|ord|net
Un|ter|ge|wicht *s. 1 nur Ez.*
un|ter|glie|dern *tr. 1, nur im Infinitiv und Partizip II üblich;* in kleinere Abschnitte untergliederter Text; **Un|ter|glie|de|rung** *w. 10*
un|ter|gra|ben *tr. 58* beim Graben unter die Erde bringen; ich grabe den Dünger unter, habe ihn untergegraben; **un|ter|gra|ben** *tr. 58* unterhöhlen, langsam zerstören; du untergräbst meine Autorität, hast sie untergraben;
Un|ter|gra|bung *w. 10 nur Ez.*
Un|ter|grund *m. 2;* **Un|ter|grund|bahn** *w. 10* (*Kurzw.:* U-Bahn); **Un|ter|grund|be|we|gung** *w. 10;* **un|ter|grün|dig**
Un|ter|grup|pe *w. 11*
un|ter|ha|ken *tr. 1;* ich hake sie unter, habe sie untergehakt
un|ter|halb *mit Gen.;* u. des Daches
Un|ter|halt *m. 1 nur Ez.;* U. zahlen; für jmds. U. aufkommen;
un|ter|hal|ten *tr. 61* darunter halten; ich halte eine Schüssel unter, habe sie untergehalten;
un|ter|hal|ten *tr. 61* **1** jmdn. u.: für jmds. Lebensunterhalt aufkommen, für jmdn. sorgen; **2** jmdn. oder sich u.: jmdm. oder sich die Zeit vertreiben; sich mit jmdm. u.: mit jmdm. sprechen, plaudern; **3** etwas u.: in Gang halten (Institution), instand halten (Gebäude); Feuer u.: brennend erhalten; **un|ter|halt|sam** kurzweilig; **Un|ter|halt|sam|keit** *w. 10 nur Ez.;* **Un|ter|halts|bei|trag** *m. 2;* **un|ter|halts|be|rech|tigt; Un|ter|halts|kla|ge** *w. 11;* **Un|ter|halts|kos|ten** *nur Mz.;* **Un|ter|halts|pflicht** *w. 10;* **un|ter|halts|pflich|tig; Un|ter|halts|zah|lung** *w. 10;* **Un|ter|hal|tung** *w. 10;* **Un|ter|hal|tungs|li|te|ra|tur** *w. 10 nur Ez.;* **Un|ter|hal|tungs|mu|sik** *w. 10;* **Un|ter|hal|tungs|ro|man** *m. 1;* **Un|ter|hal|tungs|schrift|stel|ler** *m. 5*
un|ter|han|deln *intr. 1* verhandeln; er unterhandelt mit ihm wegen des Vertrages, hat unterhandelt; **Un|ter|händ|ler** *m. 5;*
Un|ter|hand|lung *w. 10*
Un|ter|haus *s. 4 nur Ez., bes. in Großbritannien:* zweite Kammer (des Parlaments)
Un|ter|haut *w. 2 nur Ez.;* **Un|ter|haut|zell|ge|we|be** *s. 5 nur Ez.*
un|ter|höh|len *tr. 1;* Wasser unterhöhlt den Felsen, hat ihn unterhöhlt; **Un|ter|höh|lung** *w. 10 nur Ez.*
Un|ter|holz *s. 4 nur Ez.* niedriges Gehölz im Wald, Gebüsch
un|ter|ir|disch
un|ter|jo|chen *tr. 1* unterwerfen, unterdrücken; er unterjocht sie, sie wurden unterjocht; **Un|ter|jo|chung** *w. 10 nur Ez.*
un|ter|ju|beln *tr. 1, ugs.;* jmdm. etwas u.: es ihm unbemerkt (und gegen seinen Willen) zuschieben
un|ter|kei|len *tr. 1* mit einem Keil stützen; ich unterkeile den Schrank, habe ihn unterkeilt
un|ter|kel|lern *tr. 1;* mit einem Keller versehen; das Haus ist unterkellert; **Un|ter|kel|le|rung** *w. 10 nur Ez.*
Un|ter|kie|fer *m. 5*
Un|ter|kinn *s. 1*
Un|ter|klei|dung *w. 10 nur Ez.*
un|ter|kom|men *intr. 71* **1** Unterkunft finden, Stellung finden; wir kommen im Hotel unter, sind untergekommen; **2** vorkommen; so etwas ist mir noch nicht untergekommen; **3** auffallen; mir ist ein neuer Begriff untergekommen; **Un|ter|kom|men** *s. 7 nur Ez.;* kein U. finden
un|ter|krie|chen *intr. 73, ugs.:* Schutz suchen; wir sind in einer Felsenhöhle untergekrochen
un|ter|krie|gen *tr. 1* bezwingen, besiegen; ich kriege ihn unter, habe ihn untergekriegt; sich nicht u. lassen
un|ter|küh|len *tr. 1* bis unter den Kondensationspunkt oder Erstarrungspunkt abkühlen; bis unter 36,3 °C Körpertemperatur abkühlen; unterkühlt; **Un|ter|küh|lung** *w. 10 nur Ez.*
Un|ter|kunft *w. 2*
Un|ter|land *s. 4 nur Ez.* tiefer gelegenes Land, Tiefland, Ebene; **Un|ter|län|der** *m. 5;* **un|ter|län|disch**
Un|ter|laß ▶ **Un|ter|lass** *m., nur in der Wendung* ohne U.: unaufhörlich, fortwährend; **un|ter|las|sen** *tr. 75* nicht tun, bleiben lassen; ich unterließ es, habe es unterlassen, ihn zu fragen;
Un|ter|las|sung *w. 10;* **Un|ter|las|sungs|sün|de** *w. 11* Handlung, die man unterlassen hat, aber eigentlich hätte tun sollen
Un|ter|lauf *m. 2* letzter Abschnitt (eines Flusses); **un|ter|lau|fen 1** *intr. 76* vorkommen, passieren; es ist mir ein Fehler unterlaufen; **2** *tr. 76;* den Gegner unterlaufen: ihn unterhalb seiner Deckung angreifen; **3** *intr. 76, fast nur im Passiv;* die Stelle, das Auge ist mit Blut u.: im darunter liegenden Gewebe ist Blut ausgetreten
un|ter|le|gen *tr. 1;* ich lege ihm eine Decke unter, habe sie untergelegt; **un|ter|le|gen 1** *tr. 1* mit einer Unterlage verstärken; ich unterlege den Stoff mit Watte; er hat dem Lied einen anderen Text unterlegt: einen anderen Text dazu geschrieben; **2** *Partizip II von* unterliegen; der unterlegene Gegner; ich bin ihm u.: ich komme ihm nicht gleich; **Un|ter|le|gen|heit** *w. 10 nur Ez.;* **Un|ter|le|gung** *w. 10 nur Ez.*
Un|ter|leib *m. 3;* **Un|ter|leibs|o|pe|ra|ti|on** *w. 10*

▶ = wird zu

un|ter|lie|gen *intr. 80* bezwungen, besiegt werden; er unterliegt ihm, ist ihm unterlegen; vgl. unterlegen (**2**)
un|term = unter dem; unterm Dach
un|ter|ma|len *tr. 1* begleiten; ich untermale den Vortrag mit Musik, habe ihn untermalt; **Un|ter|ma|lung** *w. 10 nur Ez.*
un|ter|mau|ern *tr. 1, auch übertr.:* er hat seine Argumente mit Tatsachen untermauert; **Un|ter|mau|e|rung** *w. 10 nur Ez.*
un|ter|mee|risch
Un|ter|mensch *m. 10* roher, minderwertiger Kerl
Un|ter|mie|te *w. 11;* in, zur U. bei jmdm. wohnen; **Un|ter|mie|ter** *m. 5;* **Un|ter|miet(s)|ver|hält|nis** *s. 1*
un|ter|mi|nie|ren *tr. 3* **1** untergraben, unterhöhlen und mit Sprengladung füllen; **2** *übertr.:* langsam zerstören; seine Stellung ist unterminiert; **Un|ter|mi|nie|rung** *w. 10 nur Ez.*
un|ter|mi|schen *tr. 1* darunter mischen; danach wird der Zucker untergemischt; **un|ter|mi|schen** *tr. 1, fast nur im Passiv:* vermischen; die Haferflocken werden mit Zucker untermischt
un|tern *ugs.:* unter den; untern Tisch fallen
un|ter|neh|men *tr. 88, ugs.:* unterfassen; **un|ter|neh|men** *tr. 88;* ich unternehme heute nicht viel; ich habe noch nichts dagegen unternommen; **un|ter|neh|mend** unternehmungslustig; **Un|ter|neh|mer** *m. 5;* **Un|ter|neh|mung** *w. 10;* **Un|ter|neh|mungs|geist** *m. 3 nur Ez.;* **Un|ter|neh|mungs|lust** *w. Gen. - nur Ez.;* **un|ter|neh|mungs|lus|tig**
Un|ter|of|fi|zier *m. 1* (*Abk.:* Uffz.); **Un|ter|of|fi|ziers|schu|le** *w. 11*
un|ter|ord|nen *tr. 2;* ich ordne mich ihm unter, habe mich ihm untergeordnet; **Un|ter|ord|nung** *w. 10 nur Ez.*
Un|ter|pfand *s. 4* Pfand; *meist übertr.:* sichtbares Zeichen
un|ter|pflü|gen *tr. 1* beim Pflügen unter die Erde bringen; er pflügt den Dünger unter, hat ihn untergepflügt
Un|ter|pri|ma [auch: un-] *w. Gen. - Mz.*-men die 8. Klasse des Gymnasiums; **Un|ter|pri|ma|ner** *m. 5*
un|ter|pri|vi|le|giert benachteiligt, unterdrückt (Gesellschaftsschicht)
un|ter|re|den *refl. 2;* ich habe mich mit ihm unterredet; **Un|ter|re|dung** *w. 10*
Un|ter|richt *m. 1;* **un|ter|rich|ten** *tr. 2;* ich unterrichte sie in Deutsch; ich habe ihn davon unterrichtet, dass...: davon in Kenntnis gesetzt; **un|ter|richt|lich; Un|ter|richts|ge|gen|stand** *m. 2;* **Un|ter|richts|stun|de** *w. 11;* **Un|ter|rich|tung** *w. 10 nur Ez.*
un|ters = unter das; bis unters Dach
un|ter|sa|gen *tr. 1* verbieten; ich untersage es ihm, habe es ihm untersagt; **Un|ter|sa|gung** *w. 10*
Un|ter|satz *m. 2;* fahrbarer U. *ugs. scherzh.:* Auto
un|ter|schät|zen *tr. 1;* ich unterschätze es, habe es unterschätzt
un|ter|scheid|bar; un|ter|schei|den *tr. 107;* **Un|ter|schei|dung** *w. 10;* **Un|ter|schei|dungs|merk|mal** *s. 1;* **Un|ter|schei|dungs|ver|mö|gen** *s. 7 nur Ez.*
Un|ter|schicht *w. 10*
un|ter|schie|ben *tr. 112;* ich habe ihm ein Kissen untergeschoben; **un|ter|schie|ben** *tr. 112* (heimlich) zuschieben; sie haben ihm unlautere Absichten unterschoben; man hat ihr das Kind unterschoben; das Kind mit ihrem eigenen Kind vertauscht; **Un|ter|schie|bung** *w. 10*
Un|ter|schied *m. 1;* im U. zu...; zum U. von...; **un|ter|schied|lich; un|ter|schieds|los**
un|ter|schläch|tig durch Wasser von unten her angetrieben (Mühlrad)
un|ter|schla|gen *tr. 116;* ich schlage die Arme, Beine unter: kreuze sie; mit untergeschlagenen Beinen sitzen; **un|ter|schla|gen** *tr. 116* widerrechtlich zurückbehalten, veruntreuen; er unterschlägt Briefe, Gelder, hat sie unterschlagen; **Un|ter|schla|gung** *w. 10*
Un|ter|schleif *m. 1* Unterschlagung, Betrug
Un|ter|schlupf *m. 1* Zuflucht, Schutz, Obdach; U. suchen, finden; **un|ter|schlup|fen** *intr. 1, süddt. für* unterschlüpfen; **un|ter|schlüp|fen** *intr. 1;* ich schlüpfe unter, bin untergeschlüpft
un|ter|schnei|den *tr. 125* auf der Unterseite abschrägen; wir unterschneiden das Gesims, haben es unterschnitten; **Un|ter|schnei|dung** *w. 10 nur Ez.*
un|ter|schrei|ben *tr. 127*
un|ter|schrei|ten *tr. 129;* wir haben die Summe unterschritten: haben weniger gebraucht; **Un|ter|schrei|tung** *w. 10*
Un|ter|schrift *w. 10;* **Un|ter|schrif|ten|samm|lung** *w. 10;* **un|ter|schrift|lich;** sich u. zu etwas verpflichten; **Un|ter|schrifts|map|pe** *w. 11*
Un|ter|schuß ▶ **Un|ter|schuss** *m. 2* Defizit
un|ter|schwel|lig unterhalb der Bewusstseinsschwelle (liegend), unterbewusst
Un|ter|see|boot *s. 1* (*Kurzw.:* U-Boot); **un|ter|see|isch**
Un|ter|se|kun|da [auch: un-] *w. Gen. - Mz.*-den die 6. Klasse des Gymnasiums; **Un|ter|se|kun|da|ner** *m. 5*
un|ter|set|zen *tr. 1;* ich setze eine Schüssel unter, habe sie untergesetzt; **Un|ter|set|zer** *m. 5;* **un|ter|setzt** klein, aber kräftig, stämmig, gedrungen (Person, Körperbau); **Un|ter|setzt|heit** *w. 10 nur Ez.;* **Un|ter|set|zung** *w. 10, bei Getrieben:* langsamerer Lauf des angetriebenen Rades gegenüber dem antreibenden Rad; *Ggs.:* Übersetzung
un|ter|sin|ken *tr. 141*
un|ter|spü|len *tr. 1* unterhöhlen; das Wasser unterspült das Ufer, hat es unterspült
Un|ter|stand *m. 2, im Stellungskrieg:* ausgebauter Schutzraum; *auch:* Unterkunft, Obdach;
un|ter|stän|dig **1** unterhalb der Blütenhülle befindlich, mit der Blütenachse verwachsen (Fruchtknoten); **2** mit schräg stehenden Füßen (Pferd)
un|ters|te (-r, -s); die unterste Schicht, das Unterste zuoberst kehren
un|ter|ste|hen *intr. 151, nur im Infinitiv und Partizip II üblich:* sich unterstellen, unter etwas Schutz suchen; hier können wir u., wir haben, *süddt., österr., schweiz.:* sind (unter dem Baum) untergestanden; **un|ter|ste|hen** **1** *intr. 151;* jmdm. u.: jmdm. unterstellt, untergeordnet sein; ich unterstehe ihm, habe ihm unterstanden; **2** *refl. 151* wagen; untersteh dich (das zu tun)!

un|ter|stel|len *tr. 1* unter etwas stellen; ich stelle mich, stelle den Wagen dort unter, habe mich, ihn untergestellt; **un|ter|stel|len** *tr. 1* **1** unter jmds. Leitung stellen; die Abteilung ist ihm unterstellt; **2** als wahr annehmen; wir wollen einmal u., er habe…; **3** zur Last legen, behaupten; er hat ihm falsche Beweggründe, böse Absichten unterstellt; **Un|ter|stel|lung** *w. 10;* das ist eine böswillige U.
un|ter|strei|chen *tr. 158; auch übertr.:* bestätigend betonen; ich unterstreiche seine Behauptung; **Un|ter|strei|chung** *w. 10*
Un|ter|strö|mung *w. 10*
un|ter|stüt|zen *tr. 1;* ich unterstütze ihn, habe ihn unterstützt; **Un|ter|stüt|zung** *w. 10;* **un|ter|stüt|zungs|be|dürf|tig; Un|ter|stüt|zungs|emp|fän|ger** *m. 5*
Un|ter|such *m. 1, schweiz., neben:* Versuch, Untersuchung; **un|ter|su|chen** *tr.;* **Un|ter|su|chung** *w. 10;* **Un|ter|su|chungs|aus|schuß** ► **Un|ter|su|chungs|aus|schuss** *m. 2;* **Un|ter|su|chungs|ge|fan|ge|ne(r)** *m. 18 (17) bzw. w. 17 oder 18;* **Un|ter|su|chungs|ge|fäng|nis** *s. 1;* **Un|ter|su|chungs|haft** *w. Gen. - nur Ez.;* **Un|ter|su|chungs|rich|ter** *m. 5*
Un|ter|ta|ge|ar|bei|ter, Un|ter|tag|ar|bei|ter *m. 5;* **Un|ter|ta|ge|bau,** Un|ter|tag|bau *m. 1*
un|ter|tan *nur prädikativ und adverbial:* untergeben; jmdm. u. sein; sich jmdn. u. machen; **Un|ter|tan** *m. 12, auch: m. 10;* **Un|ter|ta|nen|geist** *m. 3 nur Ez.;* **un|ter|tä|nig** ergeben; **Un|ter|tä|nig|keit** *w. 10 nur Ez.*
Un|ter|tas|se *w. 11;* fliegende U.: angeblich beobachtetes Flugobjekt außerirdischer Herkunft; vgl. UFO
un|ter|tau|chen *intr. u. tr. 1;* ich tauche ihn unter, bin untergetaucht, habe ihn untergetaucht
Un|ter|teil *s. 1 oder m. 1;* **un|ter|tei|len** *tr. 1;* ich unterteile die Gruppe in drei Untergruppen, habe sie unterteilt; **Un|ter|tei|lung** *w. 10*
Un|ter|tem|pe|ra|tur *w. 10* Temperatur unter der normalen Körpertemperatur
Un|ter|ter|tia [-tsja, auch: un-] *w. Gen. - Mz.* -ti|en [-tsjən] die 4. Klasse des Gymnasiums; **Un|ter|ter|ti|a|ner** [-tsja-] *m. 5*
Un|ter|ti|tel *m. 5*
Un|ter|ton *m. 2*
un|ter|trei|ben *tr. 162* als geringer darstellen, als es der Wirklichkeit entspricht; ich untertreibe (es), habe (es) untertrieben; das ist stark untertrieben; **Un|ter|trei|bung** *w. 10*
un|ter|tre|ten *intr. 163* unter etwas treten, Schutz unter etwas suchen; hier können wir u.; wir sind untergetreten
un|ter|tun|neln *tr. 1* mit einem Tunnel unterführen; die Straße wird untertunnelt; **Un|ter|tun|ne|lung** *w. 10 nur Ez.*
un|ter|ver|mie|ten *tr. 2, nur im Infinitiv und Partizip II üblich:* als Mieter weitervermieten; ich habe ein Zimmer untervermietet; **Un|ter|ver|mie|tung** *w. 10*
un|ter|ver|si|chern *tr. 1, nur im Infinitiv und Partizip II bzw. Passiv üblich:* mit einer zu geringen Summe versichern; das Haus ist unterversichert
Un|ter|wal|den Schweizer Kanton; **Un|ter|wald|ner** *m. 5;* **un|ter|wald|ne|risch**
un|ter|wan|dern *tr. 1* durch langsames Eindringen schwächen, aufspalten; eine Partei wird unterwandert; **Un|ter|wan|de|rung** *w. 10 nur Ez.*
un|ter|wärts *ugs.:* **1** unten, unten hin; **2** *mit Gen.:* unterhalb
Un|ter|wä|sche *w. 11 nur Ez.;* **un|ter|wa|schen** *tr. 174* unterspülen; **Un|ter|wa|schung** *w. 10 nur Ez.*
Un|ter|was|ser *s. 5 nur Ez.* **1** unter einem Stauwerk abfließendes Wasser; *Ggs.:* Oberwasser; **2** Grundwasser; **Un|ter|was|ser|ka|me|ra** *w. 9;* **Un|ter|was|ser|mas|sa|ge** [-ʒə] *w. 11*
un|ter|wegs auf dem Wege
un|ter|wei|sen *tr. 177;* ich unterweise ihn, habe ihn unterwiesen; **Un|ter|wei|sung** *w. 10; schweiz. auch:* Konfirmandenunterricht
Un|ter|welt *w. 10 nur Ez.* **1** *Myth.:* Totenreich; **2** *übertr.:* Verbrecherwelt; **Un|ter|welt|ler** *m. 5* Angehöriger der Unterwelt (**2**); **un|ter|welt|lich**
un|ter|wer|fen *tr. 181;* er unterwirft das Volk, hat es unterworfen; er unterwirft sich: fügt sich; er hat sich dem Gerichtsurteil unterworfen; **Un|ter|wer|fung** *w. 10 nur Ez.*
Un|ter|werk *s. 1, bei Orgeln:* unter dem Hauptmanual liegendes Manual; **Un|ter|werks|bau** *m. Gen.* -(e)s *nur Ez., Bgb.:* Abbau unter der Fördersohle
un|ter|wer|tig unter dem normalen Wert; **Un|ter|wer|tig|keit** *w. 10 nur Ez.*
un|ter|win|den *refl. 183, veraltet:* sich einer Sache u.: an eine Sache herangehen; ich habe mich unterwunden, es zu tun
un|ter|wür|fig; Un|ter|wür|fig|keit *w. 10 nur Ez.*
un|ter|zeich|nen *tr. 2;* ich unterzeichne den Brief, habe ihn unterzeichnet; **Un|ter|zeich|ner** *m. 5;* **Un|ter|zeich|ne|te(r)** *m. 18 (17) bzw. w. 17 oder 18;* **Un|ter|zeich|nung** *w. 10 nur Ez.*
Un|ter|zeug *s. 1 nur Ez., ugs.:* Unterwäsche
un|ter|zie|hen *tr. 187* unter der Oberkleidung anziehen; ich ziehe einen Pullover unter, habe ihn untergezogen; **un|ter|zie|hen** *tr. 187;* er unterzog ihn einer Prüfung, einem Verhör: er prüfte, verhörte ihn; ich habe mich der Prüfung unterzogen: ich habe sie abgelegt
un|tief seicht; **Un|tie|fe** *w. 11* seichte Stelle, Sandbank; *ugs. auch:* große Tiefe
Un|tier *s. 1* Ungeheuer
un|tilg|bar; Un|tilg|bar|keit *w. 10 nur Ez.*
un|trag|bar; Un|trag|bar|keit *w. 10 nur Ez.*
un|trenn|bar [auch: un-]; **Un|trenn|bar|keit** *w. 10 nur Ez.*
un|treu; Un|treue *w. 11 nur Ez.*
un|trink|bar [auch: un-]
un|tröst|lich [auch: un-]
un|trüg|lich [auch: un-]
un|tüch|tig; Un|tüch|tig|keit *w. 10 nur Ez.*
Un|tu|gend *w. 10*
un|über|brück|bar; Un|über|brück|bar|keit *w. 10 nur Ez.*
un|über|legt; Un|über|legt|heit *w. 10*
un|über|schreit|bar
un|über|seh|bar; Un|über|seh|bar|keit *w. 10 nur Ez.*
un|über|setz|bar; Un|über|setz|bar|keit *w. 10 nur Ez.*
un|über|sicht|lich; Un|über|sicht|lich|keit *w. 10 nur Ez.*
un|über|treff|bar; un|über|treff|lich; un|über|trof|fen
un|über|wind|bar; un|über|wind|lich; Un|über|wind|lich|keit *w. 10 nur Ez.*
un|üb|lich

un|um|gäng|lich; Un|um|gäng|lich|keit *w. 10 nur Ez.*
un|um|schränkt
un|um|stöß|lich
un|um|strit|ten
un|um|wun|den
un|un|ter|bro|chen
un|ver|än|der|bar [auch: un-];
un|ver|än|der|lich [auch: un-];
Un|ver|än|der|lich|keit [auch: un-] *w. 10 nur Ez.;* **un|ver|än|dert** [auch: un-]
un|ver|ant|wort|bar; un|ver|ant|wort|lich [auch: un-]
un|ver|äu|ßer|lich; Un|ver|äu|ßer|lich|keit *w. 10 nur Ez.*
un|ver|bes|ser|lich
un|ver|bil|det
un|ver|bind|lich; Un|ver|bind|lich|keit *w. 10 nur Ez.*
un|ver|blümt offen, freimütig, geradeheraus
un|ver|brüch|lich
un|ver|bürgt
un|ver|dau|lich; Un|ver|dau|lich|keit *w. 10 nur Ez.;* **un|ver|daut**
un|ver|dient; un|ver|dien|ter|ma|ßen; un|ver|dien|ter|wei|se
un|ver|dor|ben *meist übertr.:* rein, unschuldig, anständig; **Un|ver|dor|ben|heit** *w. 10 nur Ez.*
un|ver|dros|sen [auch: un-]; **Un|ver|dros|sen|heit** *w. 10 nur Ez.*
un|ver|ein|bar [auch: un-]; **Un|ver|ein|bar|keit** *w. 10 nur Ez.*
un|ver|fäng|lich keinen Verdacht erregend; unverfängliche Frage
un|ver|fro|ren dreist, frech, keck; **Un|ver|fro|ren|heit** *w. 10 nur Ez.*
un|ver|gäng|lich [auch: un-];
Un|ver|gäng|lich|keit [auch: un-] *w. 10 nur Ez.*
un|ver|ges|sen; un|ver|geß|lich ▶ **un|ver|gess|lich** [auch: un-]
un|ver|gleich|bar; un|ver|gleich|lich unübertrefflich, einzig dastehend, ausgezeichnet
un|ver|go|ren
un|ver|hält|nis|mä|ßig; u. viel, u. wenig
un|ver|hoh|len unverhüllt, offen; mit unverhohlener Neugier
un|ver|käuf|lich
un|ver|kenn|bar
un|ver|langt
un|ver|letz|bar; Un|ver|letz|bar|keit *w. 10 nur Ez.;* **un|ver|letz|lich; Un|ver|letz|lich|keit** *w. 10 nur Ez.;* **un|ver|letzt**
un|ver|meid|bar; un|ver|meid|lich
un|ver|min|dert
un|ver|mit|telt
Un|ver|mö|gen *s. 7 nur Ez.* Unfähigkeit; **un|ver|mö|gend** ohne Vermögen; *meist in der Fügung:* nicht unvermögend
un|ver|mu|tet
Un|ver|nunft *w. Gen. - nur Ez.*
un|ver|nünf|tig
un|ver|rich|te|ter|din|ge ▶ *auch:* **un|ver|rich|te|ter Din|ge, un|ver|rich|te|ter|sa|che** ▶ *auch:* **un|ver|rich|te|ter Sa|che** ohne etwas erreicht zu haben
un|ver|schämt; Un|ver|schämt|heit *w. 10 nur Ez.*
un|ver|schul|det
un|ver|se|hens plötzlich, unerwartet
un|ver|sehrt
un|ver|sieg|lich
un|ver|söhn|lich; Un|ver|söhn|lich|keit *w. 10 nur Ez.*
Un|ver|stand *m. Gen.* -(e)s *nur Ez.* Mangel an Verstand, Torheit, Einfalt; **un|ver|stan|den;**
un|ver|stän|dig; Un|ver|stän|dig|keit *w. 10 nur Ez.;* **un|ver|ständ|lich** [auch: un-]; **Un|ver|ständ|lich|keit** *w. 10 nur Ez.;*
Un|ver|ständ|nis *s. 1 nur Ez.*
un|ver|steu|ert
un|ver|sucht; wir wollen nichts u. lassen
un|ver|träg|lich; Un|ver|träg|lich|keit *w. 10 nur Ez.*
un|ver|wandt immerzu, ohne sich abzuwenden; er sah sie u. an; unverwandten Blickes
un|ver|wech|sel|bar
un|ver|wehrt erlaubt; es ist dir u., zu gehen, wohin du willst
un|ver|weilt *poet. für* unverzüglich
un|ver|wes|lich unvergänglich
un|ver|wund|bar; Un|ver|wund|bar|keit *w. 10 nur Ez.*
un|ver|wüst|lich [auch: un-];
Un|ver|wüst|lich|keit *w. 10 nur Ez.*
un|ver|zagt
un|ver|zeih|lich
un|ver|zins|lich
un|ver|züg|lich sofort, sogleich
un|voll|kom|men; Un|voll|kom|men|heit *w. 10*
un|voll|stän|dig; Un|voll|stän|dig|keit *w. 10 nur Ez.*
un|vor|be|rei|tet
un|vor|denk|lich *in der Wendung* seit unvordenklichen Zeiten: seit sehr langer Zeit
un|vor|ein|ge|nom|men; Un|vor|ein|ge|nom|men|heit *w. 10 nur Ez.*
un|vor|her|ge|se|hen
un|vor|sich|tig; Un|vor|sich|tig|keit *w. 10 nur Ez.*
un|wäg|bar; Un|wäg|bar|keit *w. 10 nur Ez.*
un|wahr; un|wahr|haf|tig; Un|wahr|haf|tig|keit *w. 10 nur Ez.;*
Un|wahr|heit *w. 10 nur Ez.;* **un|wahr|schein|lich; Un|wahr|schein|lich|keit** *w. 10 nur Ez.*
un|wan|del|bar; Un|wan|del|bar|keit *w. 10 nur Ez.*
un|weg|sam schwer zu begehen (Gelände)
un|wei|ger|lich ganz bestimmt, auf jeden Fall
un|weit *mit Gen.;* unweit des Hauses
un|wert; Un|wert *m. 1 nur Ez.;* **un|wer|tig**
Un|we|sen *s. 7 nur Ez.* verderbliches Treiben, z. B. Bandenunwesen; sein U. treiben
un|we|sent|lich
Un|wet|ter *s. 5*
un|wi|der|leg|bar; un|wi|der|leg|lich
un|wi|der|ruf|lich; Un|wi|der|ruf|lich|keit *w. 10 nur Ez.*
un|wi|der|spro|chen [auch: un-]; diese Behauptung kann nicht u. bleiben
un|wi|der|steh|lich; Un|wi|der|steh|lich|keit *w. 10 nur Ez.*
un|wie|der|bring|lich
Un|wil|le *m. 15 nur Ez.;* **Un|wil|len** *m. 7 nur Ez.;* **un|wil|lig**
un|will|kom|men
un|will|kür|lich ohne Absicht, unbewusst
un|wirk|lich; Un|wirk|lich|keit *w. 10 nur Ez.;* **un|wirk|sam; Un|wirk|sam|keit** *w. 10 nur Ez.*
un|wirsch unfreundlich, kurz angebunden, barsch
un|wirt|lich unfreundlich (Wetter, Raum), einsam, unfruchtbar (Gegend); **Un|wirt|lich|keit** *w. 10 nur Ez.*
un|wirt|schaft|lich; Un|wirt|schaft|lich|keit *w. 10 nur Ez.*
un|wis|send; Un|wis|sen|heit; un|wis|sen|schaft|lich; Un|wis|sen|schaft|lich|keit *w. 10 nur Ez.;* **un|wis|sent|lich** ohne es zu wissen, ohne Kenntnis (einer Sache)
un|wohl; Un|wohl|sein *s. Gen.* -s *nur Ez.*
un|wohn|lich; Un|wohn|lich|keit *w. 10 nur Ez.*

ụn|wür|dig; Ụn|wür|dig|keit *w. 10 nur Ez.*

> **unzählig, Unzählige:** Das Zahladjektiv schreibt man klein, die substantivierte Form hingegen – im Gegensatz zur bisherigen Regel – mit großem Anfangsbuchstaben: *Zum Papstbesuch kamen Unzählige.* →§57 (1)

Ụn|zahl *w. 10 nur Ez.* sehr große Zahl; eine U. von Vögeln; **un|zähl|bar; ụn|zäh|lig**; unzähligmal *oder:* unzählige Mal

Ụn|ze [lat.] *w. 11* **1** alte Gewichtseinheit von 28 bis 100 g; *heute noch in englischsprachigen Ländern:* 28,35 g (Ounce); **2** Schneeleopard

Ụn|zeit *w. 10 nur Ez.* unrechte Zeit; zur U. kommen; **ụn|zeit|ge|mäß** nicht zeitgemäß; **ụn|zei|tig** spät; unreif (Obst)

ụn|zer|brech|lich; Ụn|zer|brech|lich|keit *w. 10 nur Ez.*

un|zer|reiß|bar [auch: ụn-]

un|zer|stör|bar; Un|zer|stör|bar|keit *w. 10 nur Ez.*

un|zer|trenn|bar; un|zer|trenn|lich

Un|zi|a|le [lat.] *w. 11,* **Un|zi|al|schrift** *w. 10* mittelalterliche griech. und röm. Schrift aus abgerundeten Großbuchstaben

ụn|ziem|lich; Ụn|ziem|lich|keit *w. 10 nur Ez.*

ụn|zi|vi|li|siert

Ụn|zucht *w. Gen. - nur Ez., heute nicht mehr verwendete jurist. Bez. für* unsittliche geschlechtliche Handlung; **ụn|züch|tig; Ụn|züch|tig|keit** *w. 10 nur Ez.*

ụn|zu|gäng|lich; Ụn|zu|gäng|lich|keit *w. 10 nur Ez.*

ụn|zu|kömm|lich *österr.* **1** unzureichend; **2** unangemessen

ụn|zu|läng|lich; Ụn|zu|läng|lich|keit *w. 10*

ụn|zu|läs|sig; Ụn|zu|läs|sig|keit *w. 10 nur Ez.*

ụn|zu|rech|nungs|fä|hig; Ụn|zu|rech|nungs|fä|hig|keit *w. 10 nur Ez.*

ụn|zu|rei|chend

ụn|zu|sam|men|hän|gend

ụn|zu|stän|dig; das Gericht erklärt sich für u.; **Ụn|zu|stän|dig|keit** *w. 10 nur Ez.*

ụn|zu|träg|lich; Ụn|zu|träg|lich|keit *w. 10 nur Ez.*

ụn|zu|tref|fend

ụn|zu|ver|läs|sig; Ụn|zu|ver|läs|sig|keit *w. 10 nur Ez.*

ụn|zweck|mä|ßig; Ụn|zweck|mä|ßig|keit *w. 10 nur Ez.*

ụn|zwei|deu|tig sehr deutlich, eindeutig, grob

ụn|zwei|fel|haft

U|pa|ni|schad [sanskr.] *w. Gen. - meist Mz.* -s(c)ha|den altind. philosophisch-theolog. Schrift

Up|date [ʌpdɛɪt, engl.] *s. Gen.* -(s) *Mz.* -s Ergänzung oder Neuversion eines meist kommerziellen Computerprogramms oder Datensatzes

UPI [ju:piaɪ] *Abk. für:* United Press International: Vereinigte Internationale Presse (eine US-amerikanische Nachrichtenagentur)

Up|per|class [ʌpəkla:s, engl.] *w. Gen. - nur Ez.* Oberschicht

Up|per|cut [ʌpəkʌt, engl.] *m. 9, Boxen:* Schlag von unten gegen das Kinn des Gegners

up|per ten ▶ *auch:* **Up|per-Ten** [ʌpər tẹn, engl. »obere zehn«] *Mz.* die oberen Zehntausend, die Oberschicht

ụ̈p|pig; Ụ̈p|pig|keit *w. 10*

up to date [ʌp tə dɛɪt, engl.] auf dem Laufenden, zeitgemäß, der Mode entsprechend

Ur *m. 1* Auerochse

ur..., Ur... *in Zus.* **1** erste (-r, -s), Anfangs..., ursprünglich, z. B. Urmensch; **2** sehr, in hohem Maße, z. B. uralt, urmusikalisch; **3** zur vorangehenden oder nachfolgenden Generation gehörend, z. B. Urenkel

u. R. *Abk. für* unter Rückerbittung

Ur|ab|stim|mung *w. 10* **1** geheime Abstimmung aller Mitglieder einer Gewerkschaft; **2** *schweiz.:* schriftl. Umfrage in einem Verein

Ur|a|del *m. Gen.* -s *nur Ez.*

Ur|ahn *m. 12* = Urahne (**1**); **Ur|ah|ne 1** *m. 11* Vorfahr, Urgroßvater; **2** *w. 11* Urgroßmutter

U|ral *m. Gen.* -s Gebirge in Russland, gilt als Grenze zwischen Europa und Asien; **u|ral|al|ta|isch**; uralaltaische Sprachen: *frühere Bez. für* die finnisch-ugr. und Turksprachen; **u|ra|lisch** zum Ural gehörig, von dort stammend; uralische Sprachen: *frühere Bez. für* die finnisch-ugr. Sprachen

ur|alt; Ur|al|ter *s. Gen.* -s *nur Ez.* Urzeit, Vorzeit; *aber:* von alters her

Ur|ä|mie [griech.] *w. 11* durch mangelhafte Ausscheidung von Urin hervorgerufene Krankheit, Harnvergiftung; **ur|ä|misch**

U|ran [nach dem Planeten Uranus] *s. 1 nur Ez.* (*Zeichen:* U) ein chem. Element

Ur|an|fang *m. 2;* **ur|an|fäng|lich**

> **uranhaltig, Uran-238-haltig:** Das aus Substantiv und Adjektiv zusammengesetzte Wort schreibt man zusammen: *uranhaltiges Gestein.* Ansonsten setzt man einen Bindestrich zwischen allen Bestandteilen mehrteiliger Zusammensetzungen, in denen eine Wortgruppe oder eine Zusammensetzung mit Bindestrich auftreten: *Uran-238-haltig.* Ebenso: *UV-Strahlen-gefährdet* (aber: *strahlengefährdet*), *Vitamin-B-haltig.* →§44

u|ran|hal|tig; *aber:* Uran-238-haltig

U|ra|nia *griech. Myth.:* Muse der Sternkunde; **U|ra|ni|den** *m. 11 Mz., Sammelbez. für* Uran, Neptunium, Plutonium; **U|ra|nier** *m. 5* = Uranist; **U|ra|ni|nit** *s. 1 nur Ez.* ein Mineral, Uranpecherz, Pechblende; **U|ra|nis|mus** [nach Urania, dem Beinamen der griech. Göttin Aphrodite] *m. Gen. - nur Ez.* Homosexualität; **U|ra|nist** *m. 10,* Ura|ni|ler *m. 5,* Ụr|ning *m. 1, veraltet:* homosexueller Mann; **U|ra|no|lo|gie** [griech.] *w. 11, veraltet:* Himmelskunde; **U|ra|nos** *griech. Myth.:* Urvater der Titanen, Vater des Kronos; **U|ran|pech|erz** *s. 1 nur Ez.* = Uraninit; **U|ra|nus** *m. Gen. -* ein Planet

U|rat [griech.] *s. 1* Salz der Harnsäure

ur|auf|füh|ren *tr. 1, nur im Partizip II und Passiv üblich;* das Stück wurde in Berlin uraufgeführt; **Ur|auf|füh|rung** *w. 10* erste Aufführung (eines Musik-, Bühnenstücks oder Films), im Unterschied zu den folgenden Erstaufführungen in den anderen Ländern oder Städten

U|räus|schlan|ge *w. 11* eine afrik. Giftschlange

ur|ban [lat.] **1** städtisch; **2** *übertr.:* weltmännisch; **ur|ba|ni|sie|ren** *tr. 3* **1** städtisch machen, verstädtern; **2** verfeinern; **Ur-**

▶ = wird zu

ba|ni|tät *w. 10 nur Ez.* **1** weltmännische Gewandtheit und Höflichkeit; **2** *neuerdings auch:* städt. Leben, städt. Lebensform
ur|bar anbaufähig, nutzbar (Boden); **ur|ba|ri|sie|ren** *tr. 3, schweiz.:* urbar machen; **Ur|ba|ri|sie|rung** *w. 10 nur Ez.;* **Ur|bar|ma|chung** *w. 10 nur Ez.*
Ur|be|ginn *m. Gen.* -s *nur Ez.* von U. an
Ur|be|völ|ke|rung *w. 10 nur Ez.*
ur|bi et or|bi [lat.] der Stadt (Rom) und dem Erdkreis (Formel für die Segenspendung des Papstes)
Ur|bild *s. 3*
ur|chig *schweiz.:* urwüchsig, echt, unverfälscht
Ur|chris|ten|tum *s. Gen.* -s *nur Ez.* das Christentum bis etwa 200 n. Chr.; **ur|christ|lich**
Ur|du *s. Gen.* -(s) *nur Ez., ind. Bez. für* Hindustani
U|rea [griech.] *w. Gen. - nur Ez.* Harnstoff; **U|re|a|se** *w. 11 nur Ez.* ein Enzym; **U|re|id** *s. 1* jede vom Harnstoff abgeleitete chem. Verbindung
ur|ei|gen **1** ursprünglich eigen; **2** *verstärkend:* ganz eigen; das liegt in seinem ureigenen Interesse
Ur|ein|woh|ner *m. 5*
Ur|el|tern *Mz.* Stammeltern; Urahnen; **Ur|en|kel** *m. 5*
U|re|o|me|ter [griech.] *s. 5* Gerät zum Messen des Harnstoffs im Urin; **U|re|se** *w. 11* Harnen, Wasserlassen; **U|re|ter** *m. Gen.* -s *Mz.* -te|ren Harnleiter; **U|re|thri|tis** *auch:* **U|reth|ri|tis** *w. Gen. - Mz.* -ti|den Harnröhrenentzündung; **U|re|thro|skop** *auch:* **U|reth|ros|kop** *s. 1* Gerät zur Untersuchung der Harnröhre; **u|re|tisch** harntreibend
ur|e|wig *ugs.:* seit urewigen Zeiten
Ur|fas|sung *w. 10*
Ur|feh|de *w. 11, MA:* eidl. Versprechen, auf Rache zu verzichten; U. schwören
Ur|form *w. 10*
ur|ge|müt|lich
ur|gent [lat.] dringend; **Ur|genz** *w. 10 nur Ez.* Dringlichkeit
ur|ger|ma|nisch gemeingermanisch; ur- oder gemeingermanische Sprachform: gemeinsame Wurzel der german. Sprachen
Ur|ge|schich|te *w. 11 nur Ez.* älteste Geschichte, Vorgeschichte; **ur|ge|schicht|lich**

Ur|ge|sell|schaft *w. 10* älteste Form der menschl. Gesellschaft
Ur|ge|stalt *w. 10*
Ur|ge|stein *s. 1* Gestein, das seit seiner Entstehung nicht mehr verändert worden ist
Ur|ge|walt *w. 10*
ur|gie|ren [lat.] *tr. 3, bes. österr.:* dringlich machen, um sofortige Erledigung (von etwas) bitten; ein Gesuch u.
Ur|groß|el|tern *Mz.;* **Ur|groß|mut|ter** *w. 6;* **ur|groß|müt|ter|lich;** **Ur|groß|va|ter** *m. 6;* **ur|groß|vä|ter|lich**
Ur|grund *m. 2*
Ur|he|ber *m. 5* **1** jmd., der etwas veranlasst (hat); **2** Verfasser, Schöpfer (eines literar. oder musikal. Werkes); **Ur|he|ber|recht** *s. 1;* **ur|he|ber|recht|lich;** **Ur|he|ber|schaft** *w. Gen. - nur Ez.;* **Ur|he|ber|schutz** *m. Gen.* -es *nur Ez.*
Ur|hei|mat *w. Gen. - nur Ez.*
U|ri Schweizer Kanton; vgl. Urner
U|ri|an **1** *m. 1* unwillkommener Gast; **2** *nur Ez.* der Teufel
U|ri|as|brief [nach Uria, dem Heerführer Davids] *m. 1* Brief, der dem Überbringer Unheil bringt
u|rig urwüchsig-komisch, urwüchsig-humorvoll
U|rin [griech.] *m. 1* Harn; **U|ri|nal** *s. 1* Harnflasche, Harnglas; **u|ri|nie|ren** *intr. 3* Wasser lassen, harnen; **u|ri|nös** harnähnlich; harnstoffhaltig
Ur|kan|ton *m. 1* Gründungskanton der Schweiz (Uri, Schwyz, Unterwalden)
Ur|kir|che *w. 11 nur Ez.* die christl. Kirche bis etwa 200 n. Chr.
ur|ko|misch
Ur|kraft *w. 2*
Ur|kun|de *w. 11;* **Ur|kun|den|fäl|schung** *w. 10;* **ur|kund|lich;** **Ur|kunds|be|am|te(r)** *m. 18 (17)*
Ur|laub *m. 1;* **Ur|lau|ber** *m. 5;* **Ur|laubs|geld** *s. 3;* **Ur|laubs|schein** *m. 1;* **Ur|laubs|tag** *m. 1;* **Ur|laubs|über|schrei|tung** *w. 10;* **Ur|laubs|zeit** *w. 10*
Ur|maß *s. 1* Normalmaß
Ur|mensch *m. 10*
Ur|me|ter *s. 5 nur Ez.* Normmaß für das Meter
Ur|mut|ter *w. 6* Stammmutter, Mutter des Menschengeschlechts
Ur|ne [lat.] *w. 11* **1** henkelloses Gefäß mit Deckel zur Aufbewahrung der Asche eines Toten; **2** Behälter für Stimmzettel (bei Wahlen); **Ur|nen|fried|hof** *m. 2;* **Ur|nen|grab** *s. 4*
Ur|ner *m. 5* Einwohner von Uri; **Ur|ner See** *m. Gen.* --s Teil des Vierwaldstädter Sees
Ur|ning *m. 1* = Uranist; **Ur|nings|lie|be** *w. 11 nur Ez., veraltet:* Homosexualität
u|ro..., **U|ro...**, [griech.] *in Zus.:* harn..., Harn...
u|ro|ge|ni|tal [griech. + lat.] zu den Harn- und Geschlechtsorganen gehörend, von ihnen ausgehend; **U|ro|ge|ni|tal|sys|tem** *s. 1* die Harn- und Geschlechtsorgane; **U|ro|lith** *m. 10* Harnstein; **U|ro|lo|ge** *m. 11* Facharzt für Erkrankungen der Harnorgane; **U|ro|lo|gie** *w. 11 nur Ez.* Lehre von den Harnorganen; **u|ro|lo|gisch;** **U|ro|me|ter** *s. 5* Gerät zum Bestimmen des spezif. Gewichts von Harn, Harnwaage
ur|plötz|lich *ugs.*
Ur|pro|dukt *s. 1* Rohstoff
Ur|quell *m. 1,* **Ur|quel|le** *w. 11*
Ur|sa|che *w. 11;* **ur|säch|lich**
Ur|schleim *m. 1 nur Ez.* mineral. Schleim des Meeresbodens (galt früher als Ursprung der belebten Natur)
Ur|schrift *w. 10* erste Niederschrift, Original; **ur|schrift|lich**
urspr. *Abk. für* ursprünglich
Ur|spra|che *w. 11* **1** Sprache, aus der sich mehrere Sprachen entwickelt haben; **2** Sprache, in der ein übersetzter Text ursprünglich geschrieben ist, Originalsprache
Ur|sprung *m. 2;* **ur|sprüng|lich** (*Abk.:* urspr.); **Ur|sprüng|lich|keit** *w. 10 nur Ez.;* **Ur|sprungs|land** *s. 4*
Ur|ständ *w. Gen. - nur Ez., veraltet:* Auferstehung; *nur noch in der Wendung* fröhliche U. feiern: wieder aufleben, z. B. ein alter Brauch feiert fröhliche U.
Ur|stoff *m. 1;* **ur|stoff|lich**
Ur|strom|tal *s. 4* breites, durch das Schmelzwasser eines Eiszeitgletschers entstandenes Tal
Ur|su|li|ne *w. 11,* **Ur|su|li|ne|rin** *w. 10* Angehörige eines kath. Ordens
Ur|teil *s. 1;* **ur|tei|len** *intr. 1;* **ur|teils|fä|hig;** **Ur|teils|fä|hig|keit** *w. 10 nur Ez.;* **Ur|teils|kraft** *w. 2 nur Ez.;* **ur|teils|los** keine Ur-

teilsfähigkeit besitzend; **Ur|teils|spruch** *m. 2;* **Ur|teils|ver|kün|dung** *w. 10;* **Ur|teils|ver|mö|gen** *s. 7 nur Ez.;* **Ur|teils|voll|stre|ckung** *w. 10*
Ur|text *m. 1* ursprüngl. Text, einer Übersetzung zugrunde liegender Text
Ur|tie|fe *w. 11, poet.*
Ur|tier *s. 1,* **Ur|tier|chen** *s. 7* einzelliges Lebewesen
Ur|ti|ka [lat.] *fachsprachl.:* Ur|tica *w. Gen. - Mz.* -kä *bzw.* -cae Quaddel; **Ur|ti|ka|ria** *fachsprachl.:* Ur|ti|ca|ria *w. Gen. - nur Ez.* Nesselausschlag, Nesselsucht; **ur|ti|ka|ri|ell**
Ur|trieb *m. 1*
ur|tüm|lich; Ur|tüm|lich|keit *w. 10 nur Ez.*
Ur|typ *m. 12,* **Ur|ty|pus** *m. Gen. - Mz.* -pen
U|ru|guay [-gwai] **1** Staat in Südamerika; **2** *m. Gen.* -(s) Fluss in Südamerika; **U|ru|gua|yer** *m. 5;* **u|ru|gua|yisch**
Ur|ur|en|kel *m. 5;* **Ur|ur|groß|el|tern** *Mz.;* **Ur|ur|groß|mut|ter** *w. 6;* **Ur|ur|groß|va|ter** *m. 6;* **Ur|va|ter** *m. 6* Stammvater, Vater des Menschengeschlechts
ur|ver|wandt; Ur|ver|wandt|schaft *w. 10 nur Ez.*
Ur|viech, Ur|vieh *s. Gen.* -s *Mz.* -vie|cher, *ugs. scherzh.:* witziger, komischer Mensch
Ur|vo|gel *m. 6* = Archäopteryx
Ur|wahl *w. 10* Wahl von Wahlmännern; **Ur|wäh|ler** *m. 5*
Ur|wald *m. 4*
Ur|welt *w. 10 nur Ez.;* **ur|welt|lich**
ur|wüch|sig; Ur|wüch|sig|keit *w. 10 nur Ez.*
Ur|zeit *w. 10;* **ur|zeit|lich**
Ur|zeu|gung *w. 10* angenommene Entstehung von Leben aus unbelebtem Stoff
Ur|zu|stand *m. 2*
US(A) *w. Gen. - Abk. für* United States (of America): Vereinigte Staaten (von Amerika)
U|sam|ba|ra|veil|chen [nach dem ostafrik. Bergland Usambara] *s. 7* eine Zimmerpflanze
US-A|me|ri|ka|ner *m. 5;* **US-a|me|ri|ka|nisch**
U|sance [yzã̱s, frz.] *w. 11, bes. im Handel:* Brauch, Gepflogenheit; **U|san|cen|han|del** [yzã̱sən-] *m. Gen.* -s *nur Ez.* Devisenhandel in fremder Währung; **U|sanz** *w. 10, schweiz. für* Usance
Us|be|ke *m. 1* Angehöriger eines Turkvolkes; **us|be|kisch**
U|se|dom Insel an der dt. Ostseeküste
User [ju̱-, engl.] *m. 5* jmd., der regelmäßig Rauschgift nimmt
usf. *Abk. für* und so fort
U|so *m. 9,* **1** [ital.] Handel: Brauch, Gepflogenheit; **2** [griech.] = Ouzo; **U|so|wech|sel** *m. 5* Wechsel, der nach dem am Zahlungsort übl. Brauch zu zahlen ist
USP [ju̱ɛspi] *w. 9, Abk. für engl.* unique selling proposition: etwas, wodurch sich ein Produkt von einem anderen ähnlichen abhebt; die USP dieses Getränks ist, dass es eine Spur Chinin enthält
u|su|ell [lat.] üblich, gebräuchlich; **U|su|ka|pi|on** *w. 10, röm. Recht:* Eigentumserwerb durch langen Gebrauch; **U|sur** *w. 10, Med.:* Abnützung, Schwund; **U|sur|pa|ti|on** *w. 10* widerrechtl. Machtergreifung, Thronraub; **U|sur|pa|tor** *m. 13* jmd., der Usurpation begeht, Thronräuber; **u|sur|pa|to|risch; u|sur|pie|ren** *tr. 3* gewaltsam nehmen, an sich reißen, rauben; die Macht, den Thron u.; **U|sus** *m. Gen. - nur Ez.* Brauch, Gepflogenheit, Sitte; es ist hier (so) U., dass…; **U|sus|fruk|tus** *m. Gen. - nur Ez.* Nießbrauch
usw. *Abk. für* und so weiter
UT *Abk. für* Utah (**2**)
Utah [ju̱ta] **1** *m. 9 oder m. Gen. - Mz. -* Angehöriger eines nordamerik. Indianervolkes; **2** *s. Gen.* -(s) *nur Ez.* dessen Sprache; **3** (*Abk.:* UT) Staat der USA
U|ten|sil [lat.] *s. Gen.* -s, *meist Mz.* -li|en, **U|ten|si|li|en** *Mz.* kleine, für einen bestimmten Zweck notwendige Gebrauchsgegenstände, z. B. Schreib-, Waschutensilien
u|te|rin [lat.] zum Uterus gehörig, von ihm ausgehend; **U|te|ro|skop** *auch:* **U|te|ros|kop** *s. 1* Gerät zur Untersuchung des Uterus; **U|te|rus** *m. Gen. - Mz.* -ri Gebärmutter, Teil der weibl. Geschlechtsorgane
U|ti|li|ta|ri|er [lat.] *m. 5* = Utilitarist; **U|ti|li|ta|ris|mus** *m. Gen. - nur Ez.* Lehre, dass der Nutzen Grundlage und Zweck des menschl. Handelns sei und der Gemeinschaft dienstbar gemacht werden müsse; **U|ti|li|ta|rist** *m. 10,* U|ti|li|ta|ri|er *m. 5;* **u|ti|li|ta|ris|tisch**
U|to|pia [nach dem Titel eines Romans von Th. Morus], U|to|pi|en *s. Gen.* -(s) *nur Ez.* Wunsch-, Traumland; **U|to|pie** *w. 11* **1** Schilderung eines künftigen (gesellschaftl. o. Ä.) Lebens oder Zustandes; **2** Plan ohne eine reale Grundlage, Wunschtraum; **U|to|pi|en** *s. Gen.* -(s) *nur Ez.* = Utopia; **u|to|pisch** unerfüllbar, nur in der Vorstellung vorhanden, erträumt; utopischer Roman; **U|to|pis|mus 1** *m. Gen. - nur Ez.* Neigung zu Utopien; **2** *m. Gen. - Mz.* -men utop. Vorstellung; **U|to|pist** *m. 10* **1** Schilderer einer Utopie (**1**); **2** jmd., der zu Utopien (**2**) neigt
U|tra|quis|mus *auch:* **Ut|ra-** [lat.] *m. Gen. - nur Ez.* Lehre der Utraquisten; **U|tra|quist** *m. 10* = Kalixtiner
u. U. *Abk. für* unter Umständen
UV *Abk. für* ultraviolett
u. v. a. *Abk. für* und viele(s) andere; **u. v. a. m.** *Abk. für* und viele(s) andere mehr
U. v. D. *Abk. für* Unteroffizier vom Dienst
U|vi|ol *s. Gen.* -s *nur Ez., Kurzw. für* Ultraviolett; **U|vi|ol|glas** *s. 4* ⓦ für ultraviolette Strahlen durchlässiges Glas; **UV-Lam|pe** *w. 11;* **UV-Strah|len** *m. 12 Mz.* ultraviolette Strahlen; **UV-Strah|len-ge|fähr|det**
U|vu|la [-vu-, lat.] *w. Gen. - Mz.* -lae [-lɛ:] Gaumenzäpfchen; **u|vu|lar** mit dem Gaumenzäpfchen gebildet (Laut); **U|vu|lar** *m. 1* mit dem Gaumenzäpfchen gebildeter Laut, z. B. das Gaumen-r
u. W. *Abk. für* unseres Wissens
U|zo *m. 9* = Ouzo

V

v. 1 *Abk. für* verte!; vide; **2** *Abk. für* von, vom (vor Namen)
V 1 *röm. Zahlzeichen für 5;* **2** *Abk. für* Volt; **3** *Abk. für* Volumen; **4** *chem. Zeichen für* Vanadin; **5** *Abk. für* Vers
VA 1 *Abk. für* Voltampere; **2** *Abk. für* Virginia (**1**)

> **Vabanque/va banque spielen:** Dem/der Schreibenden bleibt die Entscheidung überlassen, ob das Gefüge getrennt oder zusammengeschrieben werden soll; beide Schreibweisen sind korrekt: *Sie haben Vabanque/va banque gespielt* (= mit vollem Risiko).
> Aber: *das Vabanquespiel.*

Va|banque, va banque [vabã̱k, frz.] *beim Glücksspiel:* es gilt die Bank; Vabanque spielen *auch:* va banque spielen: um den gesamten Einsatz der Bank spielen; *übertr.:* alles einsetzen, alles wagen; **Va|banque|spiel** *s. 1*
va|cat [va̱-, lat.] es fehlt, es ist nicht vorhanden; vgl. Vakat
Vac|ci|na|ti|o̱n [vaktsi-] *w. 10* = Vakzination
Vache|le|der [vaʃ-, frz.] *s. 5* Rindsleder (für Schuhsohlen)
Va|de|me̱|kum [va:-, lat.] *s. 9* kleines Lehrbuch, Ratgeber, den man bei sich tragen kann
Va̱|di|um [lat.] *s. Gen.* -s *Mz.* -di|en, *im alten dt. Recht:* Gegenstand als symbol. Pfand; Anzahlung
va|do̱s [lat.] *in der Fügung* vadoses Wasser: von Niederschlägen und Oberflächengewässern herrührendes, in der Erdkruste befindl. Wasser, Grundwasser; *Ggs.:* juveniles Wasser
Vae vic|tis! [vɛ vịkti:s, lat.] Wehe den Besiegten!
vag [va̱g] = vage; **Va|ga|bu̱nd** [va-, frz.] *m. 10* **1** Landstreicherei; **2** *übertr.:* ruheloser, häufig den Wohnsitz wechselnder Mensch; **Va|ga|bun|da̱|ge** [-ʒe] *w. 11 nur Ez.* Landstreicherei; **Va|ga|bun|den|le|ben** *s. 7 nur Ez.;* **va|ga|bun|di̱e|ren** *intr. 3* **1** als Vagabund leben; **2** *übertr.:* ein ruheloses Leben führen; **Va|ga̱nt** *m. 10, MA:* fahrender Spielmann, fahrender Schüler; **Va|ga̱n|ten|dich|tung** *w. 10*
va|ge [va̱-, frz.], vag, unbestimmt, verschwommen, ungenau; **Va̱g|heit** *w. 10 nur Ez.*
va|gi̱e|ren [va-, lat.] *intr. 3* umherziehen, -schweifen; **va|gi̱l** frei beweglich, fähig zur Ausbreitung (Tier); **Va|gi|li|tä̱t** *w. 10 nur Ez.* Fähigkeit zur Ausbreitung über den Biotop hinaus
Va|gi̱|na [va-, lat.] *w. Gen. - Mz.* -nen weibl. Scheide; **va|gi|na̱l** zur Vagina gehörend, von ihr ausgehend; **Va|gi|nịs|mus** *m. Gen. - nur Ez.* Scheidenkrampf
Va|go|to|ni̱e [va-, lat.] *w. 11* erhöhte Erregbarkeit des parasympath. Nervensystems; **Va|go|to̱|ni|ker** *m. 5* jmd., der an Vagotonie leidet; **Va|gus** [va̱-] *m. Gen. - nur Ez.* Hauptnerv des parasympath. Nervensystems, Nervus vagus
va|ka̱nt [va-, lat.] offen, leer, unbesetzt (Stelle); **Va|ka̱nz** *w. 10* **1** unbesetzte Stelle; **2** *süddt. veraltet:* Ferien; **Va|ka̱t** *s. 9* leere Seite (eines Druckbogens); **Va̱|ku|blitz** *m. 1* ein Elektronenblitzgerät; **Va|ku|o̱|le** *w. 11, bes. bei Einzellern:* mit Flüssigkeit oder Nahrung gefülltes Bläschen; **Va̱|ku|um** *s. Gen.* -s *Mz.* -kua **1** luftverdünnter, nahezu luftleerer Raum; **2** unausgefüllter Raum, unausgefüllte Zeit; **va|ku|um|mi̱e|ren** *tr. 3* bei verringertem Luftdruck verdampfen (Flüssigkeit); **Va̱|ku|um|me|ter** *s. 5* Manometer für niedrigen Druck; **Va̱|ku|um|pum|pe** *w. 11* Pumpe zum Erzeugen eines Vakuums
Vak|zi̱n [vak-, lat.] *s. 1* = Vakzine; **Vak|zi|na|ti|o̱n,** Vac|ci|na|ti|o̱n *w. 10* Impfung mit Vakzinen; **Vak|zi̱|ne** *w. 11* Impfstoff aus abgetöteten oder abgeschwächten Krankheitserregern; **vak|zi|ni̱e|ren** *tr. 3* mit Vakzinen impfen; **Vak|zi|ni̱e|rung** *w. 10*
Va̱l *Abk. für* Grammäquivalent
va|le! [va̱-, lat.] leb wohl!
Va|len|cia [valẹnθja] **1** Hst. von V. (**2**); **2** span. Provinz
Va|len|ci|ennes|spit|ze [valõsjẹn-, nach der frz. Stadt Valenciennes] *w. 11* feine Klöppelspitze mit Blumenmustern
Va|lẹnz [va-, lat.] *w. 10* Wertigkeit, **1** *Chem.:* Maßzahl für die Fähigkeit eines Atoms, Elektronen aufzunehmen oder abzugeben; **2** *Gramm.:* Wertigkeit, v. a. von Verben, durch die Zahl und Art der Ergänzungen bestimmt wird, damit der Satz grammatisch vollständig wird
Va|le|ri|a̱|na [va-, lat.] *s. Gen. - Mz.* -nen Baldrian; **Va|le|ri|a̱n|säu|re** *w. 11 nur Ez.* Baldriansäure; **Va|le|ri|a̱t** *s. 1* Salz der Valeriansäure
Va|lẹt [va-, lat.] *s. 9, veraltet:* Abschied, Abschiedsgruß, Lebewohl; jmdm. V. sagen; jmdm. (das) V. geben; **Va|let** [vale̱, frz.] *m. 9, frz. Kartenspiel:* Bube
Va|leur [valø̱r, frz.] *m. 9* **1** *veraltet:* Wertpapier; **2** *Mz., Malerei:* Farbtonwerte, Abstufung von Licht und Schatten; **Va|li|di|tä̱t** *w. 10 nur Ez.* Wertigkeit, Gültigkeit; **Va|lo̱|ren** *m. 12 Mz.* Wertgegenstände, Wertpapiere, auch Banknoten; **Va|lo̱|ren|ver|si|che|rung** *w. 10;* **Va|lo|ri|sa|ti|o̱n** *w. 10* Steigerung der Preise (durch Stapeln, Aufkaufen, u. a.); **va|lo|ri|si̱e|ren** *tr. 3;* Waren v.: den Wert, Preis von Waren steigern; **Va|lo|ri|si̱e|rung** *w. 10*
Val|po|li|cel|la [-tʃẹla] *m. Gen.* -(s), *nur Ez.* ein italienischer trockener Rotwein, rubinrot u. leicht aromatisch (nach dem gleichnamigen Anbauort in der Provinz Verona)
Va|lu̱|ta [va-, lat.] *w. Gen. - Mz.* -ten **1** Wert (einer Währung an einem bestimmten Tag); **2** Geldsorte, Währung; **3** *Bankwesen:* Datum, an dem eine Gutschrift oder Belastung für einen Kunden erfolgt; **4** *Mz.* Zinsscheine ausländischer Effekten; **va|lu|ti̱e|ren** *tr. 3* **1** bewerten; **2** terminlich festlegen; **3** *Bankwesen:* zu einem bestimmten Tag gutschreiben oder belasten; einen Betrag einem Konto v.; **Val|va|ti|o̱n** *w. 10* Wertbestimmung (bes. von fremden Münzen)

Vamp [væmp, engl.] *m. 9* verführerische, doch kalt berechnende Frau; **Vam|pir** [vam-, österr.: -pir, slaw.] *m. 1* **1** eine (nicht Blut saugende) Fledermaus; **2** *im Volksglauben:* Blut saugendes Nachtgespenst; **3** *übertr.:* Wucherer, Blutsauger

van [van, auch: fan] *ndrl.:* von (vor Namen), z. B. van Eyck

Van-Al|len-Gür|tel [væn ælın-, nach dem US-amerik. Physiker J. A. Van Allen) *m. 5,* jeder der zwei Strahlungsgürtel der Erde

Va|na|dat [va-] *s. 1* Salz der Vanadinsäure; **Va|na|din** [nach Vanadis, dem Beinamen der Göttin Freia], Va|na|di|um *s. Gen.* -s *nur Ez.* (*Zeichen:* V) chem. Element, ein Metall; **Va|na|din|säu|re** *w. 11 nur Ez.;* **Va|na|di|um** *s. Gen.* -s *nur Ez.* = Vanadin

Vandalismus/Wandalismus: Der/die Schreibende entscheidet selbst, ob die fremdsprachige Form *(Vandalismus)* oder die integrierte (eingedeutschte) Schreibweise *(Wandalismus)* gewählt wird: Beide Varianten sind korrekt.

Van|da|le [van-] *m. 11* = Wandale; **Van|da|lis|mus** = Wandalismus *m. Gen. - nur Ez.*

Va|nil|le [vanil(j)ə, lat.-frz.] *w. 11 nur Ez.* **1** eine Orchidee; **2** ein Gewürz; **Va|nil|le|eis** *s. Gen.* -es *nur Ez.;* **Va|nil|le|stan|ge** *w. 11;* **Va|nil|le|zu|cker** *m. 5 nur Ez.* ein Aromastoff

Va|ni|tas va|ni|ta|tum [va-, lat. »Eitelkeit der Eitelkeiten«] Alles ist eitel

Va|peur [vapør, frz.] **1** *m. 9 nur Ez.* ein Baumwollgewebe; **2** *Mz.* Blähungen; *übertr.:* Launen

Va|po|ri|me|ter [va-, lat. + griech.] *s. 5* Gerät zum Bestimmen des Alkoholgehalts einer Flüssigkeit aus dem Dampfdruck beim Sieden; **Va|po|ri|sa|ti|on** *w. 10* **1** Verdampfung; **2** Bestimmung des Alkoholgehalts einer Flüssigkeit mittels Vaporimeters; **3** Blutstillung durch Wasserdampf; **va|po|ri|sie|ren** *tr. 3* **1** verdampfen; **2** den Alkoholgehalt (von etwas) feststellen; **Va|po|ri|sie|rung** *w. 10*

var. *Abk. für* varietas = Varietät (**2**) (bei naturwissenschaftl. Namen); **Va|ria** [va-, lat.] *Mz., Bibliothekswesen:* Verschiedenes; **va|ri|a|bel** veränderlich, schwankend; variable Kosten; **Va|ri|a|bi|li|tät** *w. 10 nur Ez.* Veränderlichkeit; **Va|ri|a|ble** *auch:* **-ab|le** *w. 11, Math.:* veränderl. Größe; **Va|ri|an|te** *w. 11* **1** abweichende Form; **2** abweichende Lesart (bei Texten); **Va|ri|a|ti|on** *w. 10* Abweichung, Veränderung, Abwandlung; **Va|ri|a|ti|ons|brei|te** *w. 11;* **va|ri|a|ti|ons|fä|hig;** **Va|ri|e|tät** [variə-] *w. 10* **1** Verschiedenheit, Andersartigkeit; **2** *Biol.:* abweichende Form einer Art; **Va|ri|e|té** *Nv.* ▶ **Va|ri|e|tee** *Hv.* [variəte, frz.] *schweiz.:* **Va|ri|é|té** [variete] *s. 9* Bühne für artist., tänzer. und musikal. Darbietungen; **va|ri|ie|ren** **1** *intr. 3* verschieden sein, abweichen; **2** *tr. 3* abwandeln

Varietee/Varieté: Die integrierte (eingedeutschte) Form *(das Varietee)* ist die Hauptvariante, die französische Schreibweise *(das Varieté)* die zulässige Nebenvariante. → § 20 (2)

va|ri|kös [va-, lat.] in Form von Varizen, mit Varizen behaftet, krampfaderig; **Va|ri|ko|si|tät** *w. 10 nur Ez.* Bildung von Varizen; **Va|ri|ko|ze|le** *w. 11* Krampfaderbruch

Va|ri|o|la [va-, lat.] *w. Gen. - Mz.* -lae [-lɛ:] *oder* -len, **Va|ri|o|le** *w. 11* eine Infektionskrankheit, Pocken, Blattern

Va|ri|o|me|ter [va-, lat. + griech.] *s. 5* **1** Gerät zum Messen der Steig- und Sinkgeschwindigkeit eines Flugzeugs; **2** elektron. Bauteil mit veränderbarer Kapazität bzw. Induktivität

Va|ris|tor [va-, lat.] *m. 13* Vorschaltwiderstand, der Stromstärke und Spannung im nachfolgenden Stromkreis begrenzt

Va|ri|ty|per [værıtaıpə, engl.] *m. 5* fotomechan. Schreib- und Setzmaschine

Va|rix [va-, lat.] *w. Gen. - Mz.* -rizen, **Va|ri|ze** *w. 11* Krampfader; **Va|ri|zel|len** *Mz.* = Windpocken

va|sal [va-, lat.] zu den Blutgefäßen gehörend, von ihnen ausgehend

Va|sall [va-, kelt.-mlat.] *m. 10* **1** *MA:* Lehnsmann, Gefolgsmann; **2** *allg.:* Abhängiger; **Va|sal|len|staat** *m. 10* von einer Großmacht abhängiger Staat; **va|sal|lisch**

Väs|chen [vɛs-] *s. 7;* **Va|se** [va-, lat.] *w. 11*

Vas|ek|to|mie *auch:* **Va|sek|to|mie** [vas-, lat. + griech.], Va|so|to|mie *w. 11* operative Entfernung eines Blutgefäßteiles bzw. eines Teils des männl. Samenleiters (zur Sterilisation)

Va|se|lin [va-] *s. Gen.* -s *nur Ez.,* **Va|se|li|ne** *w. Gen. - nur Ez.* eine Fettsalbe; **Va|se|nol** *s. Gen.* -s *nur Ez.* ⓦ eine Salbengrundlage

vas|ku|lar [vas-, lat.] zu den kleinen Blutgefäßen gehörig, von ihnen ausgehend; **Vas|ku|la|ri|sa|ti|on** *w. 10* Versorgung mit feinsten Blutgefäßen; **vas|ku|lös** blutgefäßreich; **Va|so|li|ga|tur** *w. 10* Unterbindung eines Blutgefäßes; **Va|so|mo|to|ren** *Mz.* Gefäßnerven; **va|so|mo|to|risch** zu den Vasomotoren gehörend, auf ihnen beruhend; **Va|so|to|mie** *w. 11* = Vasektomie

Va|ter *m. 6;* **Vä|ter|chen** *s. 7;* **Va|ter|haus** *s. 4 nur Ez.;* **Va|ter|land** *s. 4;* **va|ter|län|disch;** **Va|ter|lands|lie|be** *w. 11 nur Ez.;* **va|ter|lands|lie|bend;** **va|ter|lands|los;** **Va|ter|lands|ver|tei|di|ger** *m. 5;* **Vä|ter|lein** *s. 7 poet.;* **vä|ter|lich;** **vä|ter|li|cher|seits;** **Vä|ter|lich|keit** *w. 10 nur Ez.;* **Va|ter|mord** *m. 1;* **Va|ter|mör|der** *m. 5; auch:* hoher, steifer Kragen am Herrenhemd; **Va|ter|recht** *s. 1 nur Ez.* Erbfolge nach der väterl. Linie, Patriarchat; *Ggs.:* Mutterrecht; **Va|ter|schaft** *w. 10 nur Ez.;* **Va|ter|schafts|be|stim|mung** *w. 10;* **Va|ter|schafts|nach|weis** *m. 1;* **Va|ters|na|me** *m. 15* Familien-, Nachname; **Va|ter|stadt** *w. 2;* **Va|ter|stel|le** *w. 11 nur Ez.;* an jmdm. V. vertreten; **Va|ter|un|ser** *s. 5;* ein V. beten

Va|ti|ca|no [va-] *m. Gen.* -(s) *nur Ez.* einer der Hügel in Rom; **Va|ti|kan** [lat.] *m. 1 nur Ez.* **1** Residenz des Papstes in Rom; **2** die päpstl. Regierung; **va|ti|ka|nisch;** *aber:* die Vatikanische Bibliothek, das Vatikanische Konzil; **Va|ti|kan|staat** *m. 12 nur Ez.;* **Va|ti|kan|stadt** *w. 2 nur Ez.* Stadtteil von Rom

Vau|de|ville [vod(ə)vil, frz.] *s. 9* **1** *seit dem 18. Jh.:* frz. possen-

haftes Singspiel; **2** Schlager daraus
V-Aus|schnitt *m. 1*
v. Chr. *Abk. für* vor Christus, vor Christi Geburt
VDE *Abk. für* Verband Deutscher Elektrotechniker
VDI *Abk. für* Verein Deutscher Ingenieure
VdK *Abk. für* Verband der Kriegsbeschädigten, Kriegshinterbliebenen und Sozialrentner
VDK *Abk. für* Volksbund Deutsche Kriegsgräberfürsorge
VDS *Abk. für* Verband Deutscher Studentenschaften, *jetzt:* AStA
VEB *in der ehem. DDR Abk. für* Volkseigener Betrieb
Ve|da [ve-, sanskr. »Wissen«], We|da *w. Gen. - Mz.* -den Name mehrerer ind. relig. Schriften; **ve|disch,** we|disch zu den Veden gehörig
Ve|du|te [vɛ-, ital.] *w. 11* sachgetreue Ansicht einer Stadt oder Landschaft; **Ve|du|ten|ma|le|rei** *w. 10 nur Ez.*
ve|ge|ta|bil [vɛ-, lat.] *kurz für* vegetabilisch; **Ve|ge|ta|bi|li|en** *Mz.* pflanzl. Stoffe, pflanzl. Nahrungsmittel; **ve|ge|ta|bi|lisch** pflanzlich; **Ve|ge|ta|ri|a|ner** *m. 5* = Vegetarier; **Ve|ge|ta|ri|a|nis|mus** *m. Gen. - nur Ez.* = Vegetarismus; **Ve|ge|ta|ri|er** *m. 5* jmd., der sich nur von pflanzl. Kost ernährt; **ve|ge|ta|risch** pflanzlich; v. leben: nur von pflanzl. Kost leben; **Ve|ge|ta|ris|mus** *m. Gen. - nur Ez.* Ernährung nur von pflanzl. Kost; **Ve|ge|ta|ti|on** *w. 10 nur Ez.* Pflanzenwuchs; **Ve|ge|ta|ti|ons|pe|ri|o|de** *w. 11* Zeitraum des stärksten Pflanzenwuchses innerhalb eines Jahres; **Ve|ge|ta|ti|ons|punkt** *m. 1* Wachstumsspitze (an Spross oder Wurzel); **ve|ge|ta|tiv** **1** pflanzlich; **2** *Med.:* nicht dem Willen unterliegend (Nerv); vegetatives Nervensystem; **ve|ge|tie|ren** *intr. 3* kümmerlich dahinleben
ve|he|ment [ve-, lat.] ungestüm; **Ve|he|menz** *w. 10 nur Ez.*
Ve|hi|kel [ve-, lat.] *s. 5* altmod. oder schlechtes Fahrzeug; *auch übertr.:* Mittel zum Zweck; etwas als V. für etwas benutzen
Vei|ge|lein *s. 7, veraltet für* Veilchen; **Vei|gerl** *s. 14, österr. für* Veilchen; **Veil|chen** *s. 7;* **veil|chen|blau**
Veits|tanz *m. 2 nur Ez.* Nervenleiden mit Muskelzuckungen, Chorea
Vek|tor [vẹk-, lat.] *m. 13, Math.:* gerichtete Größe in einer Ebene oder im Raum
Ve|la [ve-] *Mz.* von Velum; **ve|lar** [vɛ, lat.] am hinteren Gaumen (Velum) gesprochen, gebildet (Laut); **Ve|lar** *m. 1,* **Ve|lar|laut** *m. 1* = Hintergaumenlaut
Ve|lin [vəlin, frz.: vəlɛ̃] *s. Gen.* -s *nur Ez.,* **Ve|lin|pa|pier** *s. 1* weiches, pergamentartiges Papier (für Bucheinbände)
Ve|lo [ve-, Kurzw. aus Veloziped] *s. 9, schweiz.:* Fahrrad; **Ve|lo|drom** *s. 1* Hallenradrennbahn
Ve|lours [vəlur, frz.] *m. Gen.* - [-lurs] *Mz.* - [-lurs] ein samtartiges Gewebe; **Ve|lours|le|der** *s. 5* samtartig zugerichtetes Leder
Ve|lo|zi|ped [vɛ-, lat.-frz.] *s. 1 veraltet:* Fahrrad
Velt|lin [vɛlt-, schweiz.: fɛlt-] *s. Gen.* -s Landschaft oberhalb des Comer Sees; **Velt|li|ner** *m. 5* **1** Einwohner des Veltlins; **2** Wein aus dem Veltlin
Ve|lum [ve-, lat.] *s. Gen.* -s *Mz.* -la **1** rechteckiges Schultertuch des kath. Priesters; Tuch zum Bedecken des Kelchs und des Ziboriums; **2** *Anat.:* bewegl. Platte, z. B. Gaumensegel (Velum palatinum), Herzklappensegel; **3** *Zool.:* Schirmrand mancher Medusen; **4** *Bot.:* häutige Hülle bei jungen Blätterpilzen
Vel|vet [vẹlvət, engl.] *m. 9* Baumwollsamt
ven. *Abk. für* venerabilis
Ven|det|ta [vɛn-, ital.] *w. Gen. - Mz.* -ten Blutrache
Ve|ne [ve-, lat.] *w. 11* zum Herzen führendes Blutgefäß; **ve|ne|ra|bel** [vɛ-, lat.] *veraltet:* ehrwürdig; **Ve|ne|ra|bi|le** *s. Gen.* -s *nur Ez., kath. Kirche:* Allerheiligstes; **ve|ne|ra|bi|lis** (*Abk.* ven.) *bes. im Titel kath. Geistlicher:* hoch-, ehrwürdig
ve|ne|risch [vɛ-, nach der Liebesgöttin Venus] Geschlechtskrankheiten betreffend; venerische Krankheit: Geschlechtskrankheit; **Ve|ne|ro|lo|gie** *w. 11 nur Ez.* Lehre von den Geschlechtskrankheiten
Ve|ne|ter [ve-] *m. 5* Einwohner von Venetien; **Ve|ne|ti|en** [-tsjən] Landschaft in Italien; **Ve|ne|zia** *ital. Form von* Venedig, Venetien; **Ve|ne|zi|a|ner** *m. 5* Einwohner von Venedig; **ve|ne|zi|a|nisch**
Ve|ne|zo|la|ner [vɛ-] *m. 5* Einwohner von Venezuela; **ve|ne|zo|la|nisch; Ve|ne|zu|e|la** Staat in Südamerika
Ve|nia le|gen|di [ve-, lat. »Erlaubnis zu lesen«] *w. Gen. - - nur Ez.* Berechtigung, an einer Hochschule zu lehren
Ve|ni, vi|di, vi|ci [veni, vidi, vitsi, lat.] Ich kam, ich sah, ich siegte (Mitteilung Cäsars nach der Schlacht bei Zela 47 v. Chr.)
ve|nös [vɛ-, lat.] zu den Venen gehörig, von ihnen ausgehend, von ihnen geleitet
Ven|til [vɛn-, lat.] *s. 1* **1** Absperrvorrichtung für Gase und Flüssigkeiten; **2** *bei Blechblasinstrumenten:* Vorrichtung zum Verändern der Grundstimmung; **3** *bei der Orgel:* Vorrichtung zum Regeln der Windzufuhr; **Ven|ti|la|ti|on** *w. 10* Lüftung, Luftwechsel; *Bgb.:* Bewetterung; **Ven|ti|la|tor** *m. 13* Gerät zum Lüften von Räumen, zur Bewetterung von Bergwerken usw.; **ven|ti|lie|ren** *tr. 3* **1** lüften; **2** genau überlegen, erwägen
ven|tral *auch:* **vent|ral** [vɛn-, lat.] zum Bauch gehörend, bauchwärts gelegen; **Ven|tri|kel** *auch:* **Vent|ri|kel** *m. 5, Anat.:* Hohlraum, Kammer, Herz-, Hirnkammer; **ven|tri|ku|lar** *auch:* **vent|ri-** zum Ventrikel gehörend; **Ven|tri|lo|quist** *auch:* **Vent|ri-** *m. 10* Bauchredner
Ve|nus [ve-] **1** *röm. Myth.:* Liebesgöttin; **2** *w. Gen.* - ein Planet
ver|aa|sen *tr. 1, vulg.:* vergeuden
ver|ab|fol|gen *tr. 1* aushändigen, geben, verabreichen (Arznei, Prügel); ich verabfolge sie ihm, habe sie ihm verabfolgt
ver|ab|re|den *tr. 2;* etwas v.; sich mit jmdm. v.; **Ver|ab|re|dung** *w. 10*
ver|ab|rei|chen *tr. 1* geben (Arznei, Ohrfeige); **Ver|ab|rei|chung** *w. 10 nur Ez.*
ver|ab|säu|men *tr. 1* versäumen (ewas zu tun)
ver|ab|scheu|en *tr. 1;* **ver|ab|scheu|ens|wert, ver|ab|scheu|ungs|wür|dig**
ver|ab|schie|den *tr. 2;* **Ver|ab|schie|dung** *w. 10*
ver|ab|so|lu|tie|ren *tr. 3* absolut setzen

ver|ạch|ten *tr. 2;* **ver|ạch|tens|wert; Ver|ạ̈ch|ter** *m. 5;* **ver|ạ̈cht|lich; Ver|ạ̈cht|lich|keit** *w. 10 nur Ez.;* **Ver|ạch|tung** *w. 10 nur Ez.*

ver|ạl|bern *tr. 1;* ich veralbere, veralbre ihn; **Ver|ạl|be|rung** *w. 10 nur Ez.*

ver|all|ge|mei|nern *tr. 1;* ich verallgemeinere es; **Ver|all|ge|mei|ne|rung** *w. 10*

ver|ạl|ten *intr. 2*

Ve|rạn|da [vɛ-, port.] *w. Gen.* - *Mz.* -den überdachter, verglaster (vorgebauter oder eingezogener) Raum am Haus

ver|ạ̈n|der|bar; Ver|ạ̈n|der|bar|keit *w. 10 nur Ez.;* **ver|ạ̈n|der|lich; Ver|ạ̈n|der|lich|keit** *w. 10 nur Ez.;* **ver|ạ̈n|dern** *tr. 1;* ich verändere, verändre es; **Ver|ạ̈n|de|rung** *w. 10*

ver|ạ̈ngs|ti|gen *tr. 1; fast nur als Partizip:* verängstigt

ver|ạn|kern *tr. 1;* ich verankere, verankre es; **Ver|ạn|ke|rung** *w. 10 nur Ez.*

ver|ạn|la|gen *tr. 1;* jmdn. v.: jmds. Steuern festsetzen; musikalisch veranlagt sein: musikalisch begabt sein; **Ver|ạn|la|gung** *w. 10* **1** Festsetzung der Steuern; **2** Begabung, charakterliche Eigentümlichkeit

ver|ạn|las|sen *tr. 1;* jmdn. zu etwas v.; sich veranlasst sehen, etwas zu tun; **Ver|ạn|las|sung** *w. 10;* auf V. von Herrn X.

ver|ạn|schau|li|chen *tr. 1;* **Ver|ạn|schau|li|chung** *w. 10 nur Ez.*

ver|ạn|schla|gen *tr. 1* im Voraus berechnen, schätzen (Kosten); **Ver|ạn|schla|gung** *w. 10 nur Ez.*

ver|ạn|stal|ten *tr. 2;* **Ver|ạn|stal|ter** *m. 5;* **Ver|ạn|stal|tung** *w. 10*

ver|ạnt|wor|ten *tr. 2;* **ver|ạnt|wort|lich**; für etwas v. sein; **Ver|ạnt|wort|lich|keit** *w. 10 nur Ez.;* **Ver|ạnt|wor|tung** *w. 10 nur Ez.;* **ver|ạnt|wor|tungs|be|wußt** ▶ **ver|ạnt|wor|tungs|be|wusst; Ver|ạnt|wor|tungs|be|wußt|sein** ▶ **Ver|ạnt|wor|tungs|be|wusst|sein** *s. Gen.* -s *nur Ez.;* **Ver|ạnt|wor|tungs|ge|fühl** *s. 1 nur Ez.;* **ver|ạnt|wor|tungs|los; Ver|ạnt|wor|tungs|lo|sig|keit** *w. 10 nur Ez.;* **ver|ạnt|wor|tungs|voll**

ver|ạ̈p|peln *tr. 1, ugs.:* veralbern; ich veräppele, veräpple ihn

ver|ạr|bei|ten *tr. 2;* **Ver|ạr|bei|tung** *w. 10 nur Ez.*

ver|ạ̈r|gen *tr. 1;* jmdm. etwas v.: jmdm. etwas übelnehmen

ver|ạ̈r|gern *tr. 1;* ich verärgere, verärgre ihn; **Ver|ạ̈r|ge|rung** *w. 10 nur Ez.*

ver|ạr|men *intr. 1;* **Ver|ạr|mung** *w. 10 nur Ez.*

ver|arz|ten *tr. 2, ugs.*

ver|ạ̈s|teln *refl. 1;* **Ver|ạ̈s|te|lung, Ver|ạ̈st|lung** *w. 10*

ver|ạ̈t|zen *tr. 1*

ver|aus|ga|ben *tr. 1*

ver|aus|la|gen *tr. 1* auslegen, (Geld); **Ver|aus|la|gung** *w. 10 nur Ez.*

ver|äu|ßer|li|chen *tr. u. intr. 1* äußerlich, oberflächlich machen bzw. werden; **Ver|äu|ßer|li|chung** *w. 10 nur Ez.;* **ver|äu|ßern** *tr. 1* verkaufen; ich veräußere, veräußre es; **Ver|äu|ße|rung** *w. 10 nur Ez.*

Verb [vẹrb, lat.] *s. 12,* Ver|bum [vẹr-] *s. Gen.* -s *Mz.* -ben Wort, das eine Handlung, einen Vorgang oder Zustand ausdrückt, Zeitwort, Tätigkeitswort, z. B. essen, bringen; **ver|bal 1** als Verb gebraucht, zeitwörtlich; **2** durch Worte, mündlich; **Ver|bal|ad|jek|tiv** *s. 1* aus einem Verb gebildetes Adjektiv, z. B. am »kommenden« Tag, der »geplatzte« Reifen; **Ver|ba|le** *s. Gen.* -s *Mz.* -li|en von einem Verb abgeleitetes Wort, z. B. »Schläfer« von »schlafen«; **Ver|bal|in|ju|rie** [-riə] *w. 11* Beleidigung durch Worte, Beschimpfung; **ver|ba|li|sie|ren** *tr. 3* **1** zu einem Verb umbilden (Wort), z. B. »Funk« zu »funken«; **2** in Worte fassen, formulieren; **Ver|ba|lịs|mus** *m. Gen.* - *nur Ez.* Übergewicht der Worte über die Sache, Neigung zum Wortemachen; **Ver|ba|lịst** *m. 10* jmd., der auf das Wort, auf die Formulierung mehr Wert legt als auf die Sache; **ver|ba|lịs|tisch; ver|ba|li|ter** *veraltet:* wörtlich

ver|bạll|hor|nen [nach dem Buchdrucker Ballhorn] *tr. 1* durch vermeintl. Verbessern verschlechtern, verschlimmern, ballhornisieren; **Ver|bạll|hor|nung** *w. 10*

Ver|bal|no|te [lat.] *w. 11* zur mündl. Mitteilung bestimmte, meist vertrauliche diplomat. Note; **Ver|bal|stil** *m. 1 nur Ez.* Stil, der Verben bevorzugt, im Unterschied zum Nominalstil; **Ver|bal|sub|stan|tiv** *s. 1* als Verb gebrauchtes oder von einem Verb abgeleitetes Substantiv, z. B. »Fluss« von »fließen«, »Drehung« von »drehen«, »Leuchte« von »leuchten«; das »Wiedersehen«, beim »Gehen«; **Ver|bal|suf|fix** *s. 1* an den Stamm des Verbs angefügte Silbe, z. B. -eln (lächeln), -igen (bändigen), -ieren (posieren)

Ver|bạnd *m. 2;* **Ver|bạnd|platz** *m. 2;* **Ver|bạnds|kas|ten** *m. 8;* **Ver|bạnds|lei|ter** *m. 5;* **Ver|band|stoff** *m. 2* **Ver|bạnds|wat|te** *w. 11 nur Ez.;* **Ver|bạnds|zeug** *s. 1 nur Ez.*

ver|bạn|nen *tr. 1;* **Ver|bạn|nung** *w. 10 nur Ez.*

ver|bar|ri|ka|die|ren *tr. 3*

ver|bau|en *tr. 1*

ver|be|ạm|ten *tr. 1;* **Ver|be|ạm|tung** *w. 10*

ver|bei|ßen *tr. u. refl. 8;* (sich) den Schmerz v.; sich in eine Sache v.: hartnäckig an einer Sache festhalten

ver|bẹl|len *tr. 1;* Wild v.: dem Jäger durch Bellen anzeigen, wo das aufgespürte verendete oder kranke Wild liegt

Ver|be|ne [vɛr-, lat.] *w. 11* Eisenkraut, eine Heilpflanze

ver|bẹr|gen *tr. 9*

ver|bẹs|sern *tr. 1;* ich verbessere, verbessre es; **Ver|bẹs|se|rung,** *auch:* Ver|bẹss|rung *w. 10;* **ver|bẹs|se|rungs|be|dürf|tig**

ver|beu|gen *refl. 1;* **Ver|beu|gung** *w. 10*

ver|beu|len *tr. 1; meist im Partizip II;* verbeult

ver|bie|gen *tr. 12;* **Ver|bie|gung** *w. 10*

ver|bies|tern *tr. 1, ugs.:* ärgern, böse machen; verbiestert: verstört, verärgert, missmutig

ver|bie|ten *tr. 13*

ver|bịl|den *tr. 2;* **ver|bịld|li|chen** *tr. 1;* **Ver|bịld|li|chung** *w. 10 nur Ez.;* **Ver|bịl|dung** *w. 10*

ver|bịl|li|gen *tr. 1; meist im Partizip II;* verbilligt; **Ver|bịl|li|gung** *w. 10*

ver|bịm|sen *tr. 1, ugs.:* verhauen, verprügeln

ver|bịn|den *tr. 14;* **ver|bịnd|lich; Ver|bịnd|lich|keit** *w. 10;* **Ver|bịn|dung** *w. 10;* **Ver|bịn|dungs|mann** *m. 4, Mz. auch:* -leute; **Ver|bịn|dungs|of|fi|zier** *m. 1;* **Ver|bịn|dungs|stück** *s. 1;* **Ver|bịn|dungs|stu|dent** *m. 10;* **Ver|bịn|dungs|tür** *w. 10*

▶ = wird zu

ver|bis|sen; Ver|bis|sen|heit *w. 10 nur Ez.*
ver|bit|ten *tr. 15;* sich etwas v.; ich habe mir das verbeten
ver|bit|tern *tr. u. intr. 1;* **Ver|bit|te|rung** *w. 10 nur Ez.*
ver|bla|sen verschwommen, schwülstig (Ausdrucksweise)
ver|blas|sen *intr. 1;* verblasste Farben

> **verbläuen:** Analog dem Stammprinzip *(blau)* wird zukünftig – statt des bisherigen verbleuen – die Umlautschreibung Norm: *verbläuen.* →§ 13

ver|bläu|en *tr. 1* verprügeln
Ver|bleib *m. Gen.* -s *nur Ez.;* **ver|blei|ben** *intr. 17* **1** verharren, bleiben; **2** sich einigen, sich verabreden; wir sind so verblieben, dass…; **3** übrig bleiben; **4** *schweiz. auch:* eine Prüfung nicht bestehen
ver|blei|chen *intr. 28;* der Verblichene: der Verstorbene
ver|blei|en *tr. 1* mit Blei versehen, füllen; **Ver|blei|ung** *w. 10 nur Ez.*
ver|blen|den *tr. 2* **1** mit besonderem Baustoff verkleiden (Mauer); **2** der Vernunft, der Einsicht berauben; sein Erfolg hat ihn verblendet; **Ver|blen|dung** *w. 10 nur Ez.*
ver|bleu|en ▶ **ver|bläu|en** *tr. 1*
ver|blö|den *intr. 2;* **Ver|blö|dung** *w. 10 nur Ez.*
ver|blüf|fen *tr. 1;* **Ver|blüfft|heit** *w. 10 nur Ez.;* **Ver|blüf|fung** *w. 10 nur Ez.*
ver|blü|hen *intr. 1; auch ugs.:* verschwinden, weggehen
ver|blümt andeutend, höflich umschrieben
ver|blu|ten *intr. 2;* **Ver|blu|tung** *w. 10 nur Ez.*
ver|bo|cken *tr. 1, ugs.:* falsch machen
ver|boh|ren *refl. 1, ugs.:* sich in etwas v.: hartnäckig beharren; **Ver|bohrt|heit** *w. 10 nur Ez.*

> **im Verborgenen:** Die substantivierte Form schreibt man mit großem Anfangsbuchstaben: *das Verborgene,* ebenso feste Verbindungen: *im Verborgenen blühen* (= unbemerkt). →§ 57 (1)

ver|bor|gen 1 *tr. 1* verleihen; **2** *Partizip II von* verbergen; im Verborgenen blühen; **Ver|bor|gen|heit** *w. 10 nur Ez.*

Ver|bot *s. 1;* **ver|bo|te|ner|wei|se; Ver|bots|schild** *s. 3*
ver|brä|men *tr. 1;* **Ver|brä|mung** *w. 10 nur Ez.*
Ver|brauch *m. Gen.* -(e)s *nur Ez.;* **ver|brau|chen** *tr. 1;* **Ver|brau|cher** *m. 5;* **Ver|brau|cher|ge|nos|sen|schaft** *w. 10* Konsumverein; **Ver|brauchs|gü|ter** *s. 4 Mz.;* **Ver|brauch(s)|steu|er** *w. 11*
ver|bre|chen *tr. 19* **1** etwas v.: ein Verbrechen begehen; *fast nur im Partizip II:* er hat etwas verbrochen; wer hat dieses Buch verbrochen? *ugs. scherzh.:* wer hat dieses (schlechte) Buch geschrieben?; **Ver|bre|chen** *s. 7;* **Ver|bre|cher** *m. 5;* **ver|bre|che|risch**
ver|brei|ten *tr. 2;* sich über etwas v.: sich ausführlich zu etwas äußern; **ver|brei|tern** *tr. u. refl. 1;* ich verbreitere es; **Ver|brei|te|rung** *w. 10;* **Ver|brei|tung** *w. 10 nur Ez.*
ver|bren|nen *tr. u. intr. 20;* **Ver|bren|nung** *w. 10;* **Ver|bren|nungs|mo|tor** *m. 13*
ver|brie|fen *tr. 1* urkundlich sichern; verbrieftes Recht
ver|brin|gen *tr. 21*
ver|brü|dern *refl. 1;* ich verbrüdere mich mit ihm; **Ver|brü|de|rung** *w. 10 nur Ez.*
ver|brü|hen *tr. 1;* **Ver|brü|hung** *w. 10*
ver|bu|chen *tr. 1;* **Ver|bu|chung** *w. 10*
Ver|bum [vɛr-, lat.] *s. Gen.* -s *Mz.* -ben = Verb
ver|bum|fi|deln, ver|bum|fie|deln *tr. 1, ugs.:* falsch machen; *auch:* aus Nachlässigkeit nicht tun oder vergessen; ich verbumfiedele, verbumfiedle es
ver|bum|meln 1 *tr. 1;* die Zeit v.: nutzlos verbringen; einen Auftrag v.: aus Nachlässigkeit nicht ausführen oder vergessen; ich verbummele, verbummle es bestimmt nicht; **2** *intr. 1* aus Faulheit nicht vorwärts kommen, faul werden
Ver|bund *m. 1* Verbindung; **ver|bün|den** *refl. 2;* **Ver|bün|den|heit** *w. 10 nur Ez.;* **Ver|bün|de|te(r)** *m. 18(17);* **Ver|bund|fens|ter** *s. 5* Doppelfenster mit fest verbundenen Scheiben; **Ver|bund|glas** *s. 4 nur Ez.;* **Ver|bund|netz** *s. 1* von mehreren Kraftwerken gespeistes Elektrizitätsnetz; **Ver|bund|ta|rif** *m. 1*

ver|bür|gen *refl. 1* Gewähr leisten, sichern; ich verbürge mich dafür; verbürgte Nachricht
ver|bü|ßen *tr. 1;* eine Strafe v.; **Ver|bü|ßung** *w. 10 nur Ez.*
ver|char|tern [-tʃar-, auch: -ʃar-, engl.] *tr. 1* vermieten (Schiff, Flugzeug)
ver|chro|men [-kro-] mit Chrom überziehen; **Ver|chro|mung** *w. 10 nur Ez.*
Ver|dacht *m. 1;* **ver|däch|tig; ver|däch|ti|gen** *tr. 1;* **Ver|däch|ti|gung** *w. 10;* **Ver|dachts|mo|ment** *s. 1*
ver|dam|men *tr. 1;* **ver|dam|mens|wert; Ver|damm|nis** *w. 1 nur Ez.;* **ver|dammt;** das ist deine verdammte Pflicht und Schuldigkeit: deine unbedingte…; v. gut, v. peinlich *ugs.:* sehr gut, sehr peinlich; **Ver|dam|mung** *w. 10 nur Ez.;* **Ver|dam|mungs|ur|teil** *s. 1*
ver|damp|fen *tr. u. intr. 1;* **Ver|damp|fer** *m. 5;* **Ver|damp|fung** *w. 10 nur Ez.*
ver|dan|ken *tr. 1;* jmdm. etwas verdanken
ver|dat|tert *ugs.:* verwirrt und erschrocken
ver|dau|en *tr. 1;* **ver|dau|lich; Ver|dau|lich|keit** *w. 10 nur Ez.;* **Ver|dau|ung** *w. 10 nur Ez.;* **Ver|dau|ungs|ka|nal** *m. 2;* **Ver|dau|ungs|stö|rung** *w. 10*
Ver|deck *s. 1;* **ver|de|cken** *tr. 1*
ver|den|ken *tr. 22;* ich kann es ihm nicht v.: ich kann es ihm nicht übel nehmen
Ver|derb *m. Gen.* -s *nur Ez.;* auf Gedeih und V.: was auch geschehen mag; **ver|der|ben** *tr. u. intr. 168;* **ver|derb|lich; Ver|derb|lich|keit** *w. 10 nur Ez.;* **Ver|derb|nis** *w. 1 nur Ez.* (moral.) Verkommenheit; **ver|derbt** *nur noch Sprachw.:* verdorben (Text); **Ver|derbt|heit** *w. 10 nur Ez.*
ver|deut|li|chen *tr. 1;* **Ver|deut|li|chung** *w. 10 nur Ez.*
ver|deut|schen *tr. 1;* **Ver|deut|schung** *w. 10 nur Ez.*
ver|dich|ten *tr. 2* **Ver|dich|tung** *w. 10 nur Ez.*
ver|di|cken *tr. 1;* **Ver|di|ckung** *w. 10*
ver|die|nen *tr. 1;* **Ver|die|ner** *m. 5;* **Ver|dienst 1** *m. 1* Gewinn, Einkommen, Lohn; **2** *s. 1* Tat zum Wohl anderer; **Ver|dienst|adel** *m. Gen.* -s *nur Ez.;* **Ver|dienst|kreuz** *s. 1;* **ver|dienst-**

lich; Ver|dienst|or|den *m. 7;* **Ver|dienst|span|ne** *w. 11* **ver|dienst|voll; ver|dien|ter|ma|ßen, ver|dien|ter|wei|se**
Ver|dikt [vɛr-, lat.] *s. 1* Urteil, Entscheidung
ver|din|gen 1 *tr. 23, veraltet:* vergeben (Arbeit); **2** *refl. 23* eine Arbeit, einen Dienst annehmen; sich als Knecht verdingen
ver|ding|li|chen *tr. 1;* **Ver|ding|li|chung** *w. 10 nur Ez.*
Ver|din|gung *w. 10 nur Ez.*
ver|dol|met|schen *tr. 1;* **Ver|dol|met|schung** *w. 10 nur Ez.*
ver|don|nern *tr. 1, ugs.:* verurteilen; jmdn. zu einer Strafe v.
ver|dop|peln *tr. 1;* ich verdoppele, verdopple es; **Ver|dop|pe|lung, Ver|dopp|lung** *w. 10 nur Ez.*
Ver|dor|ben|heit *w. 10 nur Ez.*
ver|dor|ren *intr. 1*
ver|dö|sen *tr. 1, ugs.* **1** aus Nachlässigkeit vergessen; **2** mit Nichtstun verbringen; die Zeit v.; **ver|döst** *ugs.:* verschlafen, benommen; **Ver|döst|heit** *w. 10 nur Ez.*
ver|drän|gen *tr. 1;* **Ver|drän|gung** *w. 10*
ver|dre|hen *tr. 1;* **ver|dreht** verwirrt, ein bisschen verrückt; **Ver|dreht|heit** *w. 10 nur Ez.;* **Ver|dre|hung** *w. 10 nur Ez.*
ver|drei|fa|chen *tr. 1*
ver|dre|schen *tr. 24, ugs.:* verhauen

> **verdrießen, der Verdruss:** Nach Diphthong oder langem Vokal schreibt man *-ß- (verdrießen),* nach kurzem Vokal – anders als nach der alten Regel – konsequent *-ss: es verdross sie; der Verdruss war gewaltig.* →§ 25, § 25 E1

ver|drie|ßen *tr. 169* ärgern, Verdruss bereiten; lass es dich nicht v.: mach dir nichts daraus; **ver|drieß|lich; Ver|drieß|lich|keit** *w. 10 nur Ez.*
Ver|dril|lung *w. 10* = Torsion
ver|dros|sen missmutig; **Ver|dros|sen|heit** *w. 10 nur Ez.*
ver|drü|cken 1 *tr. 1* zerknittern; **2** *tr. 1, ugs.:* essen; er hat fünf Semmeln verdrückt; **3** *refl. 1, ugs.:* heimlich, unauffällig weggehen
Ver|druß ▶ **Ver|druss** *m. 1 nur Ez.* Ärger
ver|duf|ten *intr. 2, ugs.:* heimlich, unauffällig weggehen

ver|dum|men *tr. u. intr. 1;* **Ver|dum|mung** *w. 10 nur Ez.*
ver|dun|keln *tr. u. refl. 1;* ich verdunkele, verdunkle den Raum; **Ver|dun|ke|lung,** Ver|dunk|lung *w. 10 nur Ez.;* **Ver|dun|ke|lungs|ge|fahr** *w. 10 nur Ez., Rechtsw.*
ver|dün|nen *tr. 1;* **ver|dün|ni|sie|ren** *refl. 3, ugs.:* weggehen, sich entfernen; **Ver|dün|nung** *w. 10*
ver|duns|ten *intr. 2;* **Ver|duns|tung** *w. 10 nur Ez.*
Ver|dü|re [vɛr-, zu frz. vert »grün«] *w. 11, MA bis 18. Jh.:* gewirkter Wandteppich mit Pflanzenmotiven in überwiegend grünen Farben
ver|durs|ten *intr. 2*
ver|dus|seln *tr. 1, ugs:* aus Nachlässigkeit vergessen
ver|düs|tern *tr. u. refl. 1*
ver|dutzt verblüfft, überrascht; **Ver|dutzt|heit** *w. 10 nur Ez.*
ver|eb|ben *intr. 1;* der Lärm verebbte, ist verebbt
ver|e|deln *tr. 1;* ich veredele, veredle es; **Ver|e|de|lung, Ver|ed|lung** *w. 10 nur Ez.*
ver|e|he|li|chen *refl. 1* sich verheiraten; Gisela Schulze, verehelichte (*Abk.:* verehel.) Richter; **Ver|e|he|li|chung** *w. 10*
ver|eh|ren *tr. 1;* **Ver|eh|rer** *m. 5;* **Ver|eh|rung** *w. 10 nur Ez.;* **ver|eh|rungs|voll; ver|eh|rungs|wür|dig**
ver|ei|di|gen *tr. 1* durch Eid verpflichten; jmdn. (auf etwas) v.; vereidigter Sachverständiger; **Ver|ei|di|gung** *w. 10*
Ver|ein *m. 1;* im V. mit...: zusammen mit...; vgl. eingetragen; **ver|ein|bar; ver|ein|ba|ren** *tr. 1;* **Ver|ein|bar|keit** *w. 10 nur Ez.;* **Ver|ein|ba|rung** *w. 10;* **ver|ein|ba|rungs|ge|mäß; ver|ei|nen** *tr. 1;* mit vereinten Kräften; Vereinte Nationen (*Abk.:* VN); vgl. United Nations
ver|ein|fa|chen *tr. 1;* **Ver|ein|fa|chung** *w. 10*
ver|ein|heit|li|chen *tr. 1;* **Ver|ein|heit|li|chung** *w. 10 nur Ez.*
ver|ei|ni|gen *tr. 1;* die Vereinigten Staaten von Amerika (*Abk.:* USA); vgl. US(A); **Ver|ei|ni|gung** *w. 10*
ver|ein|nah|men *tr. 1;* **Ver|ein|nah|mung** *w. 10 nur Ez.*
ver|ein|sa|men *intr. 1;* **Ver|ein|sa|mung** *w. 10 nur Ez.*
Ver|eins|haus *s. 4;* **Ver|eins|lei|ter** *m. 5;* **Ver|eins|mei|er** *m. 5, ugs.:* jmd. mit übertriebener Vorliebe für das Vereinsleben; **Ver|eins|mei|e|rei** *w. 10 nur Ez. ugs.;* **Ver|eins|we|sen** *s. 7 nur Ez.;* **Ver|ei|ni|gung** *w. 10 nur Ez.*
ver|ein|zeln *tr. 1;* **Ver|ein|ze|lung** *w. 10 nur Ez.;* **ver|ein|zelt;** Vereinzelte kamen

> **vereinzelt, Vereinzelte:** Das Partizip schreibt man klein *(Sie waren vereinzelt);* die substantivierte Form wird – im Gegensatz zur bisherigen Schreibweise – mit großem Anfangsbuchstaben geschrieben: *Zur Vorstellung kamen nur Vereinzelte.* →§ 57 (1)

ver|ei|sen 1 *intr. 1* zu Eis werden, sich mit Eis überziehen; **2** *tr. 1* mit einem Betäubungsmittel unempfindlich machen; **Ver|ei|sung** *w. 10 nur Ez.*
ver|ei|teln *tr. 1* verhindern (Plan, Vorhaben); **Ver|ei|te|lung,** Ver|eit|lung *w. 10 nur Ez.*
ver|ei|tern *intr. 1;* **Ver|ei|te|rung** *w. 10*
ver|e|keln *tr. 1*
ver|e|len|den *intr. 2;* **Ver|e|len|dung** *w. 10 nur Ez.*
ver|en|den *intr. 2;* **Ver|en|dung** *w. 10 nur Ez.*
ver|en|gen *tr. 1;* **ver|en|gern** *tr. 1;* ich verengere es; **Ver|en|ge|rung, Ver|en|gung** *w. 10*
ver|er|ben *tr. u. refl. 1;* **Ver|er|bung** *w. 10 nur Ez.;* **Ver|er|bungs|leh|re** *w. 11 nur Ez.*
ver|e|wi|gen 1 *tr. 1;* der Verewigte *poet.:* der Verstorbene; **2** *refl. 1, ugs.:* seinen Namen (in einen Baum, einen Stein u.a.) einritzen, (in ein Buch) einschreiben; *auch:* seine Notdurft verrichten; hier hat sich ein Hund verewigt; **Ver|e|wi|gung** *w. 10 nur Ez.*
ver|fah|ren 1 *tr. 32* vorgehen, handeln; wir v. am besten so, dass...; **2** *tr. 32* durch Fahren verbrauchen (Geld, Benzin); **3** *refl. 32* den falschen Weg fahren; **Ver|fah|ren** *s. 7;* **Ver|fah|rens|tech|nik** *w. 10 nur Ez.;* **Ver|fah|rens|wei|se** *w. 11*
Ver|fall *m. 2 nur Ez.;* in V. geraten; dem V. preisgeben; **ver|fal|len** *intr. 33* **1** allmählich kaputt gehen; das Haus verfällt; **2** nicht mehr gelten (Gutschein); **3** einer Sache oder jmdm. v.: von einer Sache oder jmdm. ab-

hängig werden; er ist ihr, ist dem Trunk verfallen; **Ver|falls|klau|sel** *w. 11;* **Ver|falls|er|schei|nung** *w. 10;* **Ver|fall(s)|tag** *m. 1*

ver|fäl|schen *tr. 1;* **Ver|fäl|schung** *w. 10 nur Ez.*

ver|fan|gen 1 *intr. 34* wirken, nützen; diese Ausrede verfängt nicht; **2** *refl. 34* sich (in etwas) verwickeln, verwirren; der Vogel hat sich in dem Netz verfangen; sich in Widersprüche v.; **ver|fäng|lich,** verfängliche Frage; **Ver|fäng|lich|keit** *w. 10 nur Ez.*

ver|fär|ben *tr. u. refl. 1;* **Ver|fär|bung** *w. 10*

> **verfasst, Verfassung:** Nach kurzem Vokal schreibt man *-ss- Er verfasst* (bisher: verfaßt) *einen Roman; die Verfassung von 1918.* →§ 25 E1

ver|fas|sen *tr. 1;* er hat den Artikel verfasst; **Ver|fas|ser** *m. 5;* **Ver|fas|ser|ka|ta|log** *m. 1* nach Verfassern geordneter Katalog, Nominalkatalog; *Ggs.:* Sachkatalog; **Ver|fas|ser|schaft** *w. 10 nur Ez.;* **Ver|fas|sung** *w. 10;* **ver|fas|sung|ge|bend**; verfassunggebende Versammlung; **ver|fas|sungs|mä|ßig**; v. beschränkte Monarchie; **Ver|fas|sungs|recht** *s. 1 nur Ez.;* **Ver|fas|sungs|schutz** *m. Gen.* -es *nur Ez.;* **ver|fas|sungs|wid|rig**

ver|fau|len *intr. 1*

ver|fech|ten *tr. 35;* etwas v.: für etwas eintreten; **Ver|fech|ter** *m. 5*

ver|feh|len *tr. 1;* das Ziel, das Thema v.; sich (*eigtl.:* einander) v.: sich nicht treffen; wir haben uns verfehlt; **Ver|feh|lung** *w. 10* Verstoß, Vergehen, Sünde

ver|fein|den *refl. 2;* sich mit jmdm. v.; **Ver|fein|dung** *w. 10 nur Ez.*

ver|fei|nern *tr. 11* ich verfeinere es; **Ver|fei|ne|rung** *w. 10 nur Ez.*

ver|fe|men *tr. 1* ächten, für vogelfrei erklären; **Ver|fe|mung** *w. 10 nur Ez.*

ver|fer|keln *intr. 1* verwerfen (beim Schwein)

ver|fer|ti|gen *tr. 1;* **Ver|fer|ti|gung** *w. 10 nur Ez.*

ver|fes|ti|gen *tr. u. refl. 1;* **Ver|fes|ti|gung** *w. 10 nur Ez.*

ver|feu|ern *tr. 1;* ich verfeuere, verfeure es

ver|fi|chen [-fiʃən] *tr. 1;* Texte, Bilder v.: Mikrofiches davon herstellen

ver|fil|men *tr. 1;* **Ver|fil|mung** *w. 10*

ver|fins|tern *refl. 1;* **Ver|fins|te|rung** *w. 10 nur Ez.*

ver|fit|zen *tr. u. refl. 1*

ver|fla|chen *tr. u. intr. 1;* **Ver|fla|chung** *w. 10 nur Ez.*

ver|flech|ten *tr. 37;* **Ver|flech|tung** *w. 10 nur Ez.*

ver|flie|gen 1 *intr. 38* verschwinden, schnell vergehen; **2** *refl. 38* beim Fliegen in eine falsche Richtung geraten

ver|flie|ßen *intr. 40;* verflossene, verflossne Tage

ver|flixt *ugs.* **1** verflucht, verdammt; **2** sehr; verflixt schwer

Ver|floch|ten|heit *w. 10 nur Ez.*

ver|flu|chen *tr. 1;* **ver|flucht**; eine verfluchte Sache; das ist v. schwer

ver|flüch|ti|gen *refl. 1;* **Ver|flüch|ti|gung** *w. 10 nur Ez.*

Ver|flu|chung *w. 10 nur Ez.*

ver|flüs|si|gen *tr. 1;* **Ver|flüs|si|gung** *w. 10 nur Ez.*

Ver|folg *m. Gen.* -s *nur Ez.* Fortgang; *fast nur noch in der Wendung:* im V. dieser Sache; **ver|fol|gen** *tr. 1;* **Ver|fol|ger** *m. 5;* **Ver|fol|gung** *w. 10;* **Ver|fol|gungs|wahn, Ver|fol|gungs|wahn|sinn** *m. Gen.* -s *nur Ez.*

ver|for|men *tr. u. refl. 1;* **Ver|for|mung** *w. 10 nur Ez.*

ver|frach|ten *tr. 2;* **Ver|frach|tung** *w. 10 nur Ez.*

ver|fran|zen *refl. 1* sich verfliegen, sich verfahren

ver|frem|den *tr. 2;* **Ver|frem|dung** *w. 10*

ver|fres|sen 1 *tr. 41, ugs.:* fürs Essen verbrauchen; sein Geld v.; **2** *Adj. ugs.:* gefräßig; v. sein; **Ver|fres|sen|heit** *w. 10 nur Ez.*

ver|fro|ren; v. sein: viel frieren

ver|frü|hen *refl. 1* früher kommen als erwartet; ich habe mich verfrüht; die Freude war verfrüht

ver|füg|bar; Ver|füg|bar|keit *w. 10 nur Ez.;* **ver|fü|gen 1** *tr. 1* anordnen, bestimmen; **2** *intr. 1;* über etwas v.: über etwas bestimmen, etwas besitzen; **3** *refl. 1, ugs.:* sich begeben; sich in ein anderes Zimmer v.; **Ver|fü|gung** *w. 10* **1** *nur Ez.;* zur V. stehen, stellen, halten; **2** Anordnung, Bestimmung; amtliche V.; **Ver|fü|gungs|recht** *s. 1 nur Ez.*

ver|füh|ren *tr. 1;* **Ver|füh|rer** *m. 5;* **ver|füh|re|risch; Ver|füh|rung** *w. 10;* **Ver|füh|rungs|kunst** *w. 2*

ver|füt|tern *tr. 1;* ich verfüttere es; **Ver|füt|te|rung** *w. 10 nur Ez.*

Ver|ga|be *w. 1 nur Ez.* das Vergeben, Übertragung; V. v. Arbeiten; **ver|ga|ben** *tr. 1, schweiz.:* vermachen, schenken, **Ver|ga|bung** *w. 10, schweiz.:* Vermächtnis, Schenkung

ver|gack|ei|ern *tr. 1, ugs.:* verulken, aufziehen

ver|gaf|fen *refl. 1* sich verlieben

ver|gäl|len *tr. 1* ungenießbar machen (Branntwein); jmdm. etwas v.: verbittern, die Freude an etwas zerstören; **Ver|gäl|lung** *w. 10 nur Ez.*

ver|ga|lop|pie|ren *refl. 3, ugs.:* einen Missgriff tun, etwas Unangebrachtes tun

ver|gam|meln *intr. 1, ugs.:* **1** verbummeln (**2**); **2** alt, schlecht werden

Ver|gan|gen|heit *w. 10;* **Ver|gan|gen|heits|form** *w. 10* eine Zeitform des Verbs, Präteritum, Perfekt, Plusquamperfekt; **ver|gäng|lich; Ver|gäng|lich|keit** *w. 10 nur Ez.*

ver|gä|ren *tr. 1;* **Ver|gä|rung** *w. 10 nur Ez.*

ver|ga|sen *tr. 1* **1** in Gas umwandeln; **2** durch Giftgas töten; **Ver|ga|ser** *m. 5* Vorrichtung zum Zerstäuben und Verdunsten leichtflüchtiger Brennstoffe zur Herstellung eines zündfähigen Gemischs für Verbrennungsmotoren; **Ver|ga|sung** *w. 10*

ver|gat|tern *tr. 1;* die Wache v.: die Wache auf die Wachvorschriften verpflichten; **Ver|gat|te|rung** *w. 10 nur Ez.*

ver|ge|ben 1 *tr. u. refl. 45;* sich etwas v.: seinem Ansehen schaden; du vergibst dir nichts, wenn du…; **ver|ge|bens; ver|geb|lich; Ver|geb|lich|keit** *w. 10 nur Ez.;* **Ver|ge|bung** *w. 10 nur Ez.*

ver|ge|gen|wär|ti|gen *tr. 1;* **Ver|ge|gen|wär|ti|gung** *w. 10 nur Ez.*

ver|ge|hen 1 *intr. 47* verschwinden, verstreichen; **2** *refl. 47;* sich an jmdm. v.: ein Verbrechen, *bes.:* ein Sittlichkeitsverbrechen an jmdm. begehen; **Ver|ge|hen** *s. 7* mittelschwere Straftat

ver|gei|len *intr. 1* infolge Lichtmangels emporschießen (Pflanze); **Ver|gei|lung** *w. 10 nur Ez.*
ver|geis|ti|gen *tr. 1;* **Ver|geis|ti|gung** *w. 10 nur Ez.*
ver|gel|ten *tr. 49;* Böses mit Gutem v.; vergelt's Gott! *bayr.:* danke!; **Ver|gel|tung** *w. 10 nur Ez.;* **Ver|gel|tungs|maß|nah|me** *w. 11*
ver|ge|sell|schaf|ten *tr. 2* in das Eigentum einer, *oder:* der Gesellschaft überführen, verstaatlichen, sozialisieren; **Ver|ge|sell|schaf|tung** *w. 10 nur Ez.*

> **vergessen, er vergisst, er vergaß:** Nach kurzem Vokal schreibt man *-ss-*, nach langem Vokal *-ß-: Er vergisst; sie vergessen; er vergaß; sie vergaßen* usw. →§25, §25 E1
> Daher auch: *Vergissmeinnicht.* →§37 (2), §57 E1

ver|ges|sen *tr. 170;* **Ver|ges|sen|heit** *w. 10 nur Ez.;* in V. geraten; **ver|geß|lich** ▶ **ver|gess|lich; Ver|geß|lich|keit** ▶ **Ver|gess|lich|keit** *w. 10 nur Ez.*
ver|geu|den *tr. 2;* **Ver|geu|dung** *w. 10 nur Ez.*
ver|ge|wal|ti|gen *tr. 1;* **Ver|ge|wal|ti|gung** *w. 10*
ver|ge|wis|sern *refl. 1;* ich vergewissere, vergewissre mich dessen; **Ver|ge|wis|se|rung** *w. 10 nur Ez.*
ver|gie|ßen *tr. 54*
ver|gif|ten *tr. 2;* **Ver|gif|tung** *w. 10*
ver|gil|ben *intr. 1* gelblich werden
ver|gip|sen *tr. 1* mit Gips befestigen
Ver|giß|mein|nicht ▶ **Ver|giss|mein|nicht** *s. 1* eine Wiesenpflanze; **ver|giß|mein|nicht|blau** ▶ **ver|giss|mein|nicht|blau**
ver|git|tern *tr. 1;* ich vergittere es
ver|gla|sen *tr. 1;* **ver|glast** starr, stier (Blick, bes. bei Trunkenheit); **Ver|gla|sung** *w. 10*
Ver|gleich *m. 1;* **ver|gleich|bar; Ver|gleich|bar|keit** *w. 10 nur Ez.;* **ver|glei|chen 1** *tr. 55;* vergleiche (*Abk.:* vgl.); **2** *refl. 55 Rechtsw.:* sich (mit jmdm.) gütlich einigen, einen Vergleich (mit jmdm.) eingehen; **Ver|gleichs|mög|lich|keit** *w. 10;* **Ver|gleichs|punkt** *m. 1;* **Ver|gleichs|satz** *m. 2* = Komparativsatz, Modalsatz; **Ver|gleichs|stu|fe** *w. 11* = Komparativ; **Ver|gleichs|ver|fah|ren** *s. 7;* **ver|gleichs|wei|se; Ver|glei|chung** *w. 10 nur Ez.*
ver|glet|schern *intr. 1;* **Ver|glet|sche|rung** *w. 10 nur Ez.*
ver|glim|men *intr. 57*
ver|glü|hen *intr. 1*
ver|gnü|gen *tr. 1, meist refl.;* **Ver|gnü|gen** *s. 7;* **ver|gnüg|lich; ver|gnügt; Ver|gnü|gung** *w. 10;* **Ver|gnü|gungs|rei|se** *w. 11;* **Ver|gnü|gungs|steu|er** *w. 11;* **Ver|gnü|gungs|sucht** *w. Gen. - nur Ez.;* **ver|gnü|gungs|süch|tig**
ver|gol|den *tr. 2;* **Ver|gol|dung** *w. 10 nur Ez.*
ver|gön|nen *tr. 1* **1** gewähren, *meist in Wendungen wie:* es war mir (nicht) vergönnt; **2** *mundartl. auch:* gönnen; ich vergönne es ihm; **3** *schweiz. auch:* missgönnen
ver|got|ten *tr. 2* zum Gott machen; **ver|göt|tern** *tr. 1* schwärmerisch verehren oder lieben; **Ver|göt|te|rung** *w. 10 nur Ez.;* **Ver|got|tung** *w. 10 nur Ez.* Erhebung zum Gott
ver|gra|ben *tr. 58*
ver|grä|men *tr. 1* **1** verärgern, kränken; **2** Wild v.: verscheuchen
ver|grät|zen *tr. 1, ugs.:* verärgern, verstimmen
ver|grau|len *tr. 1, ugs.:* erschrecken oder ärgern und dadurch vertreiben
ver|grei|fen *refl. 59* falsch, daneben greifen; sich an etwas v.: etwas stehlen; sich an jmdm. v.: jmdn. tätlich angreifen
ver|grei|sen *intr. 1;* **Ver|grei|sung** *w. 10 nur Ez.*
ver|grif|fen nicht mehr lieferbar (z.B. Buch)
ver|grö|bern *tr. u. refl. 1;* **Ver|grö|be|rung** *w. 10 nur Ez.*
ver|grö|ßern *tr. 1;* ich vergrößere es; **Ver|grö|ße|rung** *w. 10;* **Ver|grö|ße|rungs|glas** *s. 4*
ver|gu|cken *refl. 1, ugs.:* **1** sich beim Hingucken irren; da habe ich mich verguckt; **2** sich verlieben; er hat sich in sie verguckt
Ver|gunst *w. in der veralteten Wendung* mit V.: mit Verlaub, mit deiner Erlaubnis; **ver|güns|ti|gen** *tr. 1; nur noch im Partizip II:* vergünstigt: ermäßigt; **Ver|güns|ti|gung** *w. 10*
ver|gü|ten *tr. 2* **1** verbessern (Linse); **2** härten (Stahl); **3** erstatten, bezahlen, jmdm. etwas v.; **Ver|gü|tung** *w. 10*
Ver|hack *m. 1, veraltet für* Verhau; **ver|hack|stü|cken** *tr. 1, ugs.:* böse und kleinlich kritisieren
ver|haf|ten *tr. 2;* **Ver|haf|tung** *w. 10*
ver|ha|geln *tr. 1; nur im Partizip II:* das Getreide ist verhagelt: durch Hagel vernichtet
ver|hal|ten *tr. 61* zurückhalten, dämpfen; mit verhaltenem Zorn; **Ver|hal|ten|heit** *w. 10 nur Ez.;* **Ver|hal|tens|for|schung** *w. 10 nur Ez.;* **Ver|hal|tens|maß|re|gel** *w. 11* Regel für richtiges Verhalten; **Ver|hal|tens|wei|se** *w. 11;* **Ver|hält|nis** *s. 1; auch ugs.:* Liebschaft; ein V. mit jmdm. haben; **Ver|hält|nis|glei|chung** *w. 10* Gleichsetzung zweier Verhältnisse, z.B. a:b = b:c; **ver|hält|nis|mä|ßig; Ver|hält|nis|mä|ßig|keit** *w. 10 nur Ez.;* **Ver|hält|nis|wahl** *w. 10* Wahl, bei der die Sitze nach dem Verhältnis der abgegebenen Stimmen verteilt werden, Proportionalwahl, Proporzwahl; **Ver|hält|nis|wahl|recht** *s. 1;* **Ver|hält|nis|wort** *s. 4* = Präposition; **Ver|hält|nis|zahl** *w. 10* Zahl, die zu einer anderen Zahl in ein Verhältnis gesetzt wird, z.B. 2:3, 10%, Relativzahl, Indexziffer; **Ver|hal|tung** *w. 10 nur Ez.* Zurückhaltung, Dämpfung; **Ver|hal|tungs|maß|re|gel** *w. 11, veraltet für* Verhaltensmaßregel
ver|han|deln *tr. u. intr. 1;* ich verhandele, verhandle; **Ver|hand|lung** *w. 10;* **ver|hand|lungs|be|reit; Ver|hand|lungs|part|ner** *m. 5*
ver|han|gen bedeckt, bewölkt (Himmel); **ver|hän|gen** *tr. 1;* mit verhängten Zügeln: mit lockeren Zügeln; **Ver|häng|nis** *s. 1;* **ver|häng|nis|voll; Ver|hän|gung** *w. 10 nur Ez.;* V. des Ausnahmezustandes
ver|harm|lo|sen *tr. 1;* **Ver|harm|lo|sung** *w. 10 nur Ez.*
ver|härmt
ver|har|ren *intr. 1;* er verharrte in dieser Stellung, bei seinem Entschluss
ver|har|schen *intr. 1;* verharschter Schnee
ver|här|ten *intr. 2;* **Ver|här|tung** *w. 10 nur Ez.*
ver|har|zen *intr. 1*

ver|has|peln *refl. 1* sich beim Sprechen verwirren; ich verhaspele, verhasple mich
ver|haßt ▶ **ver|hasst**
ver|hät|scheln *tr. 1;* ich verhätschele, verhätschle ihn; **Ver|hät|sche|lung, Ver|hätsch|lung** *w. 10 nur Ez.*
Ver|hau *m. 1* **1** geflochtenes oder aus vielen Einzelteilen zusammengefügtes Hindernis, z. B. Drahtverhau; **2** *ugs.:* große Unordnung; **ver|hau|en** *tr. 63* **1** verprügeln; **2** *Schülerspr.:* falsch, schlecht machen (Arbeit); **3** *refl.* sich irren
ver|he|ben *refl. 64* sich beim Heben Schaden tun
ver|hed|dern *tr. u. refl. 1* verwirren (Fäden); sich beim Sprechen verwirren
ver|hee|ren *tr. 1* verwüsten; **ver|hee|rend** fürchterlich, sehr unangenehm; **Ver|hee|rung** *w. 10*
ver|heh|len *tr. 1* verheimlichen, verbergen; vgl. verhohlen
ver|hei|len *intr. 1*
ver|heim|li|chen *tr. 1;* **Ver|heim|li|chung** *w. 10 nur Ez.*
ver|hei|ra|ten *tr. u. refl. 21;* verheiratet (*Abk.:* verh., *Zeichen:* ∞); **Ver|hei|ra|tung** *w. 10*
ver|hei|ßen *tr. 65;* jmdm. etwas v.; **Ver|hei|ßung** *w. 10;* **ver|hei|ßungs|voll**
ver|hei|zen *tr. 1; auch übertr.:* jmdn. v.: rücksichtslos einsetzen und opfern
ver|hel|fen *intr. 66;* jmdm. zu etwas verhelfen
ver|herr|li|chen *tr. 1;* **Ver|herr|li|chung** *w. 10 nur Ez.*
ver|het|zen *tr. 1;* **Ver|het|zung** *w. 10 nur Ez.*
ver|he|xen *tr. 1, meist im Partizip II:* das ist wie verhext: es will nicht klappen
ver|him|meln *tr. 1, ugs.:* schwärmerisch verehren, anhimmeln; **Ver|him|me|lung** *w. 10 nur Ez.*
ver|hin|dern *tr. 1;* ich verhindere, verhindre es; **Ver|hin|de|rung** *w. 10 nur Ez.*
ver|hof|fen *intr. 1, Jägerspr.:* stehen bleiben und sichern (Wild)
ver|hoh|len verborgen; mit kaum verhohlenem Spott
ver|höh|nen *tr. 1,* **ver|hoh|ne|pi|peln** *tr. 1, ugs.:* verspotten, lächerlich machen; **Ver|höh|nung** *w. 10*
ver|hö|kern *tr. 1* (billig) verkaufen; ich verhökere es

ver|hol|len *tr. 1, Seew.:* mit Tauen an eine andere Stelle ziehen (Schiff)
ver|hol|zen *intr. 1;* **Ver|hol|zung** *w. 10 nur Ez.*
Ver|hör *s. 1;* jmdn. ins V. nehmen; **ver|hö|ren 1** *refl. 1* falsch hören; **2** *tr. 1* polizeilich, gerichtlich befragen
ver|hor|nen *intr. 1;* **Ver|hor|nung** *w. 10 nur Ez.*
ver|hül|len *tr. 1;* **Ver|hül|lung** *w. 10 nur Ez.*
ver|hun|dert|fa|chen *tr. 1*
ver|hun|gern *intr. 1;* ich verhungere
ver|hun|zen *tr. 1, ugs.:* verderben, verpfuschen (Arbeit)
ver|hurt *vulg.:* häufig Hurerei treibend; verhurter Kerl
ver|hü|ten *tr. 2*
ver|hüt|ten *tr. 2* in Hütten verarbeiten (Erz); **Ver|hüt|tung** *w. 10 nur Ez.*
Ver|hü|tung *w. 10 nur Ez.;* **Ver|hü|tungs|mit|tel** *s. 5* empfängnisverhütendes Mittel
ver|hut|zelt faltig, zusammengeschrumpft
Ve|ri|fi|ka|ti|on [ve-, lat.] *w. 10* Wahrheits-, Richtigkeitsnachweis, Beglaubigung; **ve|ri|fi|zier|bar** nachprüfbar, nachweisbar; **Ve|ri|fi|zier|bar|keit** *w. 10 nur Ez.;* **ve|ri|fi|zie|ren** *tr. 3* nachprüfen, als richtig nachweisen, beglaubigen, bestätigen; **Ve|ri|fi|zie|rung** *w. 10 nur Ez.*
ver|in|ner|li|chen *tr. 1;* **Ver|in|ner|li|chung** *w. 10 nur Ez.*
ver|ir|ren *refl. 1;* **Ver|ir|rung** *w. 10*
Ve|ris|mus [ve-, lat.] *m. Gen. - nur Ez.* Kunstrichtung, die eine krass wirklichkeitsgetreue Darstellung anstrebt; **Ve|rist** *m. 10;* **ve|ris|tisch; ve|ri|ta|bel** *veraltet:* wahrhaft, echt
ver|jäh|ren *intr. 1* nach einer bestimmten Zeit seine Gültigkeit verlieren (Schuld, Anspruch); **Ver|jäh|rung** *w. 10 nur Ez.;* **Ver|jäh|rungs|frist** *w. 10*
ver|ju|beln *tr. 1* verschwenden; ich verjubele, verjuble mein Geld
ver|jün|gen *tr. u. refl. 1;* **Ver|jün|gung** *w. 10 nur Ez.;* **Ver|jün|gungs|kur** *w. 10*
ver|ju|xen *tr. 1, ugs.:* verjubeln
ver|ka|beln *tr. 1;* **Ver|ka|be|lung** *w. 10*
ver|kad|men *tr. 2* = kadmieren
ver|kal|ben *intr. 1* verwerfen (beim Rind)

ver|kal|ken *intr. 1*
ver|kal|ku|lie|ren *refl. 3* sich verrechnen
Ver|kal|kung *w. 10 nur Ez.*
ver|kan|ten *tr. 2* auf die Kante stellen
ver|kappt verborgen; er ist ein verkappter Dichter; verkappter Nebensatz
ver|kap|seln *refl. 1;* **Ver|kap|se|lung, Ver|kaps|lung** *w. 10 nur Ez.*
ver|kars|ten *intr. 2* durch Abfluss des Wassers unfruchtbar, steinig werden; **Ver|kars|tung** *w. 10 nur Ez.*
ver|kä|sen 1 *tr. 1* zu Käse machen; **2** *intr. 1* zu Käse werden; *Med.:* zu einer teigigen Masse werden (abgestorbenes Gewebe); **Ver|kä|sung** *w. 10 nur Ez.*
ver|ka|tert (nach Alkoholgenuss) müde und übernächtigt
Ver|kauf *m. 2;* **ver|kau|fen** *tr. 1;* **Ver|käu|fer** *m. 5;* **ver|käuf|lich; ver|kaufs|för|dernd; Ver|kaufs|för|de|rung** *w. 10 nur Ez.;* **Ver|kaufs|kul|tur** *w. 10 nur Ez.;* **Ver|kaufs|lei|ter** *m. 5;* **ver|kaufs|of|fen;** verkaufsoffener Samstag, Sonntag; **Ver|kaufs|schla|ger** *m. 5;* **Ver|kaufs|trai|ner** [-tre:-] *m. 5* jmd., der Verkäufer und Vertreter in Psychologie und Taktik des Verkaufs schult
ver|kau|peln *tr. 1* im Schwarzhandel, *auch:* in kleinen Mengen verkaufen; ich verkaupele, verkauple es
Ver|kehr *m. 1 (Mz. nur fachsprachl.);* **ver|keh|ren** *intr. u. tr. 1;* **Ver|kehrs|a|der** *w. 11;* **Ver|kehrs|am|pel** *w. 11;* **Ver|kehrs|be|trie|be** *m. 1 Mz.;* **Ver|kehrs|bü|ro** *s. 9* = Verkehrsverein; **Ver|kehrs|de|likt** *s. 1;* **Ver|kehrs|dich|te** *w. 11 nur Ez.;* **Ver|kehrs|dis|zi|plin** *auch:* **-dis|zip|lin** *w. Gen. - nur Ez.;* **Ver|kehrs|er|zie|hung** *w. 10 nur Ez.;* **Ver|kehrs|flug|zeug** *s. 1;* **Ver|kehrs|hin|der|nis** *s. 1;* **Ver|kehrs|in|sel** *w. 11;* **Ver|kehrs|kno|ten|punkt** *w. 1;* **Ver|kehrs|mi|nis|ter** *m. 5;* **Ver|kehrs|mit|tel** *s. 5;* **Ver|kehrs|netz** *s. 1;* **Ver|kehrs|ord|nung** *w. 10 nur Ez.;* **Ver|kehrs|pla|nung** *w. 10;* **Ver|kehrs|po|li|tik** *w. 10 nur Ez.;* **Ver|kehrs|po|li|zist** *m. 10;* **Ver|kehrs|recht** *s. 1 nur Ez.;* **Ver|kehrs|re|gel** *w. 11;* **ver|kehrs|reich; Ver|kehrs|schild** *s. 3;* **ver|kehrs|schwach; ver|kehrs-**

si|cher; Ver|kehrs|si|cher|heit *w. 10 nur Ez.;* **Ver|kehrs|spra|che** *w. 11* im Verkehr zwischen verschiedenen Sprachgemeinschaften gebrauchte Sprache; **Ver|kehrs|sto|ckung** *w. 10;* **Ver|kehrs|sün|der** *m. 5;* **Ver|kehrs|teil|neh|mer** *m. 5;* **Ver|kehrs|un|fall** *m. 2;* **Ver|kehrs|un|ter|richt** *m. 1 nur Ez.;* **Ver|kehrs|ver|ein** *m. 1* Unternehmen zur Förderung des Fremdenverkehrs, Verkehrsbüro; **Ver|kehrs|vor|schrift** *w. 10;* **ver|kehrs|wid|rig; Ver|kehrs|zei|chen** *s. 7*

ver|kehrt; Kaffee verkehrt: wenig Kaffee mit viel Milch; **Ver|kehrt|heit** *w. 10 nur Ez.;* **Ver|keh|rung** *w. 10 nur Ez.;* V. ins Gegenteil

ver|kei|len 1 *tr. 1* mit Keil(en) befestigen; **2** *tr. 1, ugs.:* verhauen; **3** *refl. 1* sich ineinander schieben und dadurch unbeweglich werden

ver|ken|nen *tr. 67;* **Ver|ken|nung** *w. 10 nur Ez.;* in V. der Tatsachen

ver|ket|ten *tr. 2;* **Ver|ket|tung** *w. 10 nur Ez.*

ver|ket|zern *tr. 1;* **Ver|ket|ze|rung** *w. 10 nur Ez.*

ver|kit|schen *tr. 1* **1** kitschig gestalten; *meist im Partizip II:* verkitscht; **2** *ugs.:* verkaufen

ver|kit|ten *tr. 2*

ver|klam|mern *tr. 1;* ich verklammere es; **Ver|klam|me|rung** *w. 10 nur Ez.*

ver|klap|pen *intr. u. tr. 1 Industrieabfallstoffe von Schiffen aus ins Meer einleiten*

ver|klap|sen *tr. 1, ugs.:* veralbern

ver|kla|ren *intr. 1* über einen Schiffsunfall eidlich aussagen; **ver|klä|ren** *tr. u. refl. 1;* **Ver|kla|rung** *w. 10* Verhandlung über einen Schiffsunfall, Seeprotest; **Ver|klä|rung** *w. 10 nur Ez.*

ver|klat|schen *tr. 1, Schülerspr.:* angeben, verraten

ver|klau|seln *tr. 1* = verklausulieren; **ver|klau|su|lie|ren** *tr. 3* **1** mit (zu vielen) Klauseln versehen (Vertrag); **2** *übertr.:* zu umständlich, zu schwierig und dadurch schwer verständlich darstellen; **Ver|klau|su|lie|rung** *w. 10 nur Ez.*

ver|klei|den *tr. 2;* **Ver|klei|dung** *w. 10*

ver|klei|nern *tr. u. refl. 1;* ich verkleinere es; **Ver|klei|ne|rung** *w. 10;* **Ver|klei|ne|rungs|form** *w. 10* eine Ableitungsform des Substantivs, Diminutiv, z. B. Vögelchen, Vöglein, Kindel, Männle; **Ver|klei|ne|rungs|sil|be** *w. 11,* z. B. -chen, -lein, -li, -le, -el

ver|kleis|tern *tr. 1, ugs.:* ich verkleistere es; **Ver|kleis|te|rung** *w. 10 nur Ez.*

ver|klem|men *refl. 1;* **ver|klemmt** *übertr.:* gehemmt, verkrampft; **Ver|klemmt|heit** *w. 10 nur Ez.;* **Ver|klem|mung** *w. 10 nur Ez.* psychische Hemmung

ver|klop|pen *tr. 1, ugs.;* **1** verkaufen; **2** verhauen

ver|klüf|ten *refl. 2, Jägerspr.:* sich im Bau vergraben

ver|kna|cken *tr. 1, ugs.:* verurteilen; er ist zu fünf Jahren verknackt worden

ver|knack|sen *tr. 1, ugs.:* verstauchen

ver|knal|len *refl. 1, ugs.:* verlieben

ver|knap|pen *tr. u. refl. 1* knapper, kleiner machen bzw. werden; **Ver|knap|pung** *w. 10 nur Ez.*

ver|knei|fen *tr. 70, ugs.:* sich etwas v.: auf etwas verzichten; **ver|knif|fen** (durch Ärger o. Ä.) hart, scharf geworden (Gesicht)

ver|knö|chern *intr. 1;* verknöcherter Junggeselle; **Ver|knö|che|rung** *w. 10 nur Ez.*

ver|knor|peln *intr. 1;* **Ver|knor|pe|lung** *w. 10 nur Ez.*

ver|knüp|fen *tr. 1;* **Ver|knüp|fung** *w. 10*

ver|knur|ren *tr. 1, ugs.:* ärgern, böse machen; verknurrt sein

ver|knu|sen *tr. 1, ugs., nur in verneinenden Sätzen:* leiden; ich kann ihn nicht v.

ver|ko|chen *tr. u. intr. 1*

ver|koh|len 1 *tr. 1* in Kohle verwandeln; *übertr. ugs.:* veralbern, im Scherz beschwindeln; **2** *intr. 1* zu Kohle werden; **Ver|koh|lung** *w. 10 nur Ez.*

ver|ko|ken *tr. 1* in Koks verwandeln; **Ver|ko|kung** *w. 10 nur Ez.*

ver|kom|men 1 *intr. 71* schlecht werden, verderben (Lebensmittel); baufällig werden; den inneren und äußeren Halt verlieren, verwahrlosen; **2** *schweiz. tr. u. intr.:* vereinbaren, übereinkommen; **Ver|kom|men|heit** *w. 10 nur Ez.*

ver|kom|pli|zie|ren *auch:* **-kompl|li-** *tr. 3* kompliziert machen

ver|kon|su|mie|ren *tr. 3, ugs.*

ver|kop|peln *tr. 1* verbinden (Interessen), zusammenlegen (Grundstücke); ich verkoppele, verkopple es; **Ver|kop|pe|lung, Ver|kopp|lung** *w. 10 nur Ez.*

ver|kor|ken *tr. 1* mit Korken verschließen; **ver|kork|sen** *tr. 1, ugs.:* falsch machen, verpfuschen; ein Arbeit v.; sich den Magen v.: verderben

ver|kör|pern *tr. 1;* **Ver|kör|pe|rung** *w. 10 nur Ez.*

ver|kos|ten *tr. 2, ugs.:* kosten, auf den Geschmack prüfen; **ver|kös|ti|gen** *tr. 1;* **Ver|kös|ti|gung** *w. 10 nur Ez.*

ver|kra|chen 1 *intr. 1* scheitern; *nur noch im Partizip II:* verkrachter Student; **2** *refl. 1* sich entzweien, sie sind, *oder:* haben sich verkracht; ich bin mit ihm verkracht

ver|kraf|ten *tr. 2, ugs.:* etwas v.: mit etwas fertig werden

ver|kral|len *refl. 11* sich in etwas v.: sich mit den Krallen in etwas festhalten, *übertr. ugs.:* sich intensiv mit etwas beschäftigen

ver|kra|men *tr. 1, ugs.:* (unauffindbar) verlegen

ver|kramp|fen *refl. 1;* **verkrampft** *übertr.:* gehemmt, unfrei; **Ver|krampft|heit** *w. 10 nur Ez.;* **Ver|kramp|fung** *w. 10*

ver|krie|chen *refl. 73*

ver|kröp|fen *tr. 1* = kröpfen (Gesims)

ver|krü|meln 1 *tr. 1;* **2** *refl., ugs. übertr.:* verloren gehen, verschwinden; sich unauffällig entfernen; ich verkrümele, verkrümle mich

ver|krüm|men *tr. u. refl. 1;* **Ver|krüm|mung** *w. 10*

ver|krüp|pelt verbogen, missgestaltig (Person, Glied, Baum)

ver|küh|len *refl. 1, ugs.:* zu kühl werden, sich erkälten; **Ver|küh|lung** *w. 10 nur Ez.*

ver|küm|mern *intr. 1* **1** allmählich eingehen (Pflanze), sich zurückbilden (Organ); **2** *ugs.:* die Lebensfreude verlieren; ich verkümmere hier; **Ver|küm|me|rung** *w. 10 nur Ez.*

ver|kün|den *tr. 2;* **ver|kün|di|gen** *tr. 1* als frohe Botschaft bringen, feierlich mitteilen; **Ver|kün|di|ger** *m. 5;* **Ver|kün|di-**

gung *w. 10* **1** *nur Ez.;* Mariä V.: ein kath. Fest; **2** künstler. Darstellung der V. Mariä; **Ver|kün|di|gungs|en|gel** *m. 5;* **Ver|kün|dung** *w. 10 nur Ez.*
ver|kup|peln *tr. 1* **1** beweglich verbinden; ich verkuppele, verkupple es; **2** jmdn. (an jmdn.) v.: jmdn. um des eigenen Vorteils willen mit jmdm. zwecks Geschlechtsverkehrs oder Heirat zusammenbringen; **Ver|kup|pe|lung, Ver|kupp|lung** *w. 10;* vgl. Kuppelei
ver|kür|zen *tr. 1;* **Ver|kür|zung** *w. 10*
ver|la|chen *tr. 1* auslachen
Ver|lad *m. 1, schweiz. für* Verladung; **Ver|la|de|bahn|hof** *m. 2;* **Ver|la|de|kran** *m. 2;* **ver|la|den** *tr. 74;* **Ver|la|der** *m. 5;* **Ver|la|de|ram|pe** *w. 11;* **Ver|la|dung** *w. 10 nur Ez.*
Ver|lag *m. 1, österr. auch: m. 2* **1** Unternehmen zur Veröffentlichung von Literatur-, Musikwerken u. Ä.; **2** Vertrieb (Bierverlag); **3** *nur Ez., schweiz.:* Aufwand; *auch:* Herumliegen (von Gegenständen); **ver|la|gern** *tr. 1;* ich verlagere es; **Ver|la|ge|rung** *w. 10;* **Ver|lags|an|stalt** *w. 10* Verlag (**1**); **Ver|lags|buch|han|del** *m. Gen.* -s *nur Ez.;* **Ver|lags|buch|händ|ler** *m. 5;* **Ver|lags|buch|hand|lung** *w. 10* Verlag; **Ver|lags|ka|ta|log** *m. 1;* **Ver|lags|recht** *s. 1*
ver|lam|men *intr. 1* verwerfen (beim Schaf)
ver|lan|den *intr. 2* zu Land werden (Fluss, See); **Ver|lan|dung** *w. 10 nur Ez.*
ver|lan|gen *tr. 1;* **Ver|lan|gen** *s. 7 nur Ez.*
ver|län|gern *tr. 1;* ich verlängere es; **Ver|län|ge|rung** *w. 10;* **Ver|län|ge|rungs|ka|bel** *s. 5;* **Ver|län|ge|rungs|schnur** *w. 2*
ver|lang|sa|men *tr. 1;* **Ver|lang|sa|mung** *w. 10 nur Ez.*
ver|läp|pern *tr. 1* vergeuden, in kleiner Münze ausgeben (Geld), nutzlos verbringen (Zeit); ich verläppere es
Ver|laß ► **Ver|lass** *m., nur in den Wendungen:* auf ihn ist V.; es ist kein V. auf ihn; **ver|las|sen 1** *tr. 75;* **2** *refl. 75;* sich auf jmdn., auf etwas v.; **Ver|las|sen|heit** *w. 10 nur Ez.;* **Ver|las|sen|schaft** *w. 10, österr., schweiz.:* Hinterlassenschaft, Nachlass; **ver|läß|lich** ► **ver|läss|lich; Ver|läß|lich|keit** ► **Ver|läss|lich|keit** *w. 10 nur Ez.*
ver|läs|tern *tr. 1,* jmdn. v.: Schlechtes über jmdn. reden
Ver|laub *m., nur noch in der Wendung* mit V.: mit Ihrer Erlaubnis; das ist, mit V. zu sagen, eine Schweinerei
Ver|lauf *m. 2;* **ver|lau|fen 1** *intr. 76* ablaufen, vergehen; die Sache ist gut, schlecht verlaufen; **2** *refl. 76* sich verirren; *auch:* auseinander gehen, sich zerstreuen, versickern; die Menge, das Wasser hat sich verlaufen
ver|laust von Läusen befallen, mit Läusen behaftet
ver|laut|ba|ren *tr. 1* bekannt geben; *nur noch in der Wendung:* amtlich wird verlautbart, dass...; **Ver|laut|ba|rung** *w. 10;* **ver|lau|ten** *intr. 2* bekannt, gesagt werden; wie aus Bonn verlautet,...; nichts v. lassen; davon ist nichts verlautet
ver|le|ben *tr. 1;* **ver|le|ben|di|gen** *tr. 1;* **Ver|le|ben|di|gung** *w. 10 nur Ez.;* **ver|lebt** durch ausschweifendes Leben alt, verbraucht, faltig
ver|le|gen 1 *tr. 1* an einen anderen Platz legen; im Verlag veröffentlichen; **2** *Adj.* befangen, beschämt, peinlich berührt; **Ver|le|gen|heit** *w. 10;* **Ver|le|gen|heits|lö|sung** *w. 10;* **Ver|le|ger** *m. 5;* **ver|le|ge|risch; Ver|le|gung** *w. 10 nur Ez.*
ver|lei|den *tr. 2;* jmdm. etwas v.; er hat mir das Autofahren verleidet, das Autofahren ist mir verleidet
Ver|leih *m. 1;* **ver|lei|hen** *tr. 78;* **Ver|lei|her** *m. 5;* **Ver|lei|hung** *w. 10 nur Ez.*
ver|lei|men *tr. 1;* **Ver|lei|mung** *w. 10 nur Ez.*
ver|le|sen *tr. 79;* **Ver|le|sung** *w. 10 nur Ez.*
ver|letz|bar; Ver|letz|bar|keit *w. 10 nur Ez.;* **ver|let|zen** *tr. 1;* **ver|letz|lich; Ver|letz|lich|keit** *w. 10 nur Ez.;* **Ver|let|zung** *w. 10*
ver|leug|nen *tr. 2;* **Ver|leug|nung** *w. 10 nur Ez.*
ver|leum|den *tr. 2;* **Ver|leum|der** *m. 5;* **ver|leum|de|risch; Ver|leum|dung** *w. 10;* **Ver|leum|dungs|kla|ge** *w. 11*
ver|lie|ben *refl. 1;* **Ver|liebt|heit** *w. 10 nur Ez.*
ver|lie|ren *tr. 171;* verlorene Eier: roh in Salzwasser geschlagene Eier; der verlorene Sohn; auf verlorenem Posten kämpfen; **Ver|lie|rer** *m. 5*
Ver|lies *s. 1* unterird. Gefängnis, Kerker
ver|lo|ben *refl. 1;* **Ver|löb|nis** *s. 1;* **Ver|lob|te(r)** *m. 18(17) bzw. w. 17 oder 18;* **Ver|lo|bung** *w. 10;* **Ver|lo|bungs|ring** *m. 1*
ver|lo|cken *tr. 1;* **Ver|lo|ckung** *w. 10*
ver|lo|gen oft lügend, lügenhaft, lügnerisch; **Ver|lo|gen|heit** *w. 10 nur Ez.*
ver|loh|nen *refl. 1, ugs.:* sich lohnen

> **verloren geben/gehen:** Gefüge aus einem Partizip und einem Verb schreibt man getrennt: *Sie hatten das Schiff verloren gegeben.*
> Ebenso: *gefangen nehmen, geschenkt bekommen.*
> →§ 34 E3 (4)

ver|lo|ren vgl. verlieren; **ver|lo|ren|ge|ben** ► **ver|lo|ren ge|ben** *tr. 45;* das Spiel v. g.: aufgeben; **ver|lo|ren|ge|hen** ► **ver|lo|ren ge|hen** *intr. 47*
ver|lö|schen *intr. 1* erlöschen (Licht)
ver|lo|sen *tr. 1;* **Ver|lo|sung** *w. 10*
ver|lö|ten *tr. 2*
ver|lot|tern *intr. 1*
ver|lu|dern *intr. 1* verkommen
ver|lum|pen *intr. 1* verkommen
Ver|lust *m. 1*
ver|lus|tie|ren *refl. 3* sich vergnügen
ver|lus|tig *m. Gen., nur in der Wendung* v. gehen: verlieren, einbüßen; er ist seines Ansehens, seines guten Rufs v. gegangen
ver|ma|chen *tr. 1;* jmdm. etwas v.; **Ver|mächt|nis** *s. 1*
ver|mäh|len *tr. u. refl. 1;* **Ver|mäh|lung** *w. 10;* **Ver|mäh|lungs|an|zei|ge** *w. 11*
ver|mah|nen *tr. 1* ermahnen; **Ver|mah|nung** *w. 10*
ver|ma|le|dei|en *tr. 1, veraltet:* verfluchen; *noch als Partizip II in Wendungen wie:* dieser vermaledeite Leim hält nicht
ver|männ|li|chen *tr. 1*
ver|mar|ken *tr. 1* vermessen
ver|mark|ten *tr. 2*
Ver|mar|kung *w. 10* das Setzen von Vermessungszeichen, Vermessung

ver|mas|seln *tr. 1, ugs.:* verderben, falsch machen
ver|mas|sen *intr. 1* in der Masse untergehen; vermasst sein; **Ver|mas|sung** *w. 10 nur Ez.*
ver|mau|ern *tr. 1;* ich vermauere, vermaure es
ver|meh|ren *tr. 1;* **Ver|meh|rung** *w. 10 nur Ez.*
ver|meid|bar; ver|mei|den *tr. 82;* **ver|meid|lich; Ver|mei|dung** *w. 10 nur Ez.*
Ver|meil [vɛrmɛj, frz.] hochrot; **Ver|meil** *s. Gen.* -s *nur Ez.* vergoldetes Silber
ver|mei|nen *intr. 1* meinen, irrtümlich annehmen; **ver|meint|lich**
ver|mel|den *tr. 2* melden, mitteilen, berichten
ver|men|gen *tr. 1;* **Ver|men|gung** *w. 10 nur Ez.*
ver|mensch|li|chen *tr. 1;* **Ver|mensch|li|chung** *w. 10 nur Ez.*
Ver|merk *m. 1;* **ver|mer|ken** *tr. 1;* dies sei nur am Rande vermerkt: nur nebenbei gesagt
ver|mes|sen 1 *tr. 84* ausmessen; **2** *refl. 84* sich erkühnen, sich erdreisten, es wagen; er hat sich v., zu behaupten, ...; **3** *Adj.:* tollkühn; anmaßend, überheblich; **Ver|mes|sen|heit** *w. 10 nur Ez.;* **Ver|mes|ser** *m. 5;* **Ver|mes|sung** *w. 10;* **Ver|mes|sungs|in|ge|nieur** [-ʒənjøːr] *m. 1 (Abk.:* Verm.-Ing.)
ver|mi|ckert *mitteldt.:* schwächlich, kümmerlich, zurückgeblieben
ver|mie|sen *tr. 1;* jmdm. etwas v. *ugs.:* jmdm. die Freude an etwas verderben
ver|mie|ten *tr. 2;* **Ver|mie|ter** *m. 5;* **Ver|mie|tung** *w. 10*
Ver|mil|lon [vɛrmijɔ̃, frz.] *s. Gen.* -s *nur Ez.* fein gemahlener Zinnober
ver|min|dern *tr. 1;* ich vermindere es; **Ver|min|de|rung** *w. 10 nur Ez.*
ver|mi|nen *tr. 1* mit Minen durchsetzen; vermintes Gelände, Gewässer
Verm.-Ing. *Abk. für* Vermessungsingenieur
Ver|mi|nung *w. 10 nur Ez.*
ver|mi|schen *tr. 1;* **Ver|mi|schung** *w. 10 nur Ez.*
ver|mis|sen *tr. 1;* im Krieg vermisst
ver|mit|teln *tr. 1;* ich vermittele, vermittle es; **ver|mit|tels** *mit Gen.:* mittels, mithilfe; v. eines geeigneten Gerätes; **Ver|mitt|ler** *m. 5I* **Ver|mitt|ler|rol|le** *w. 11;* **Ver|mitt|lung** *w. 10 nur Ez.;* **Ver|mitt|lungs|ge|bühr** *w. 10*
ver|mö|beln *tr. 1, ugs.:* verhauen; ich vermöbele, vermöble ihn
ver|mo|dern *intr. 1* verfaulen (bes. Holz)
ver|mö|ge *mit Gen.:* auf Grund, dank; v. ihres Sprachtalents; **ver|mö|gen** *tr. 86;* **Ver|mö|gen** *s. 7 nur Ez.* **1** Fähigkeit; *Ggs.:* Unvermögen; **2** Besitz; **ver|mö|gend** wohlhabend, reich; **Ver|mö|gens|bil|dung** *w. 10 nur Ez.;* **Ver|mö|gen(s)|steu|er** *w. 11*
Ver|mont [vəːmɔnt] *(Abk.:* VT) Staat der USA
ver|mor|schen *intr. 1* morsch, brüchig werden; vermorscht: morsch
ver|mum|men *tr. 1;* **Ver|mum|mung** *w. 10*
ver|mu|ren *tr. 1* **1** [zu: Mure] durch Schutt verwüsten; **2** [engl.] vor zwei Anker legen (Schiff)
ver|murk|sen *tr. 1, ugs.:* verderben, falsch machen
ver|mu|ten *tr. 2;* **ver|mut|lich; Ver|mu|tung** *w. 10;* **ver|mu|tungs|wei|se**
ver|nach|läs|si|gen *tr. 1;* **Ver|nach|läs|si|gung** *w. 10 nur Ez.*
ver|na|geln *tr. 1* mit Nägeln verschließen; ich vernagele, vernagle die Kiste; **ver|na|gelt** *ugs. übertr.:* begriffsstutzig; v. sein
ver|nä|hen *tr. 1*
Ver|na|li|sa|ti|on [vɛr-, lat.-frz.] *w. 10* = Jarowisation
ver|nar|ben *intr. 11* **Ver|nar|bung** *w. 10 nur Ez.*
ver|narrt verliebt; in etwas oder jmdn. (ganz) v. sein; **Ver|narrt|heit** *w. 10 nur Ez.*
ver|na|schen *tr. 1*
ver|ne|beln *tr. 1* **1** mit künstl. Nebel einhüllen; **2** *übertr.:* verschleiern; **Ver|ne|be|lung, Ver|neb|lung** *w. 10 nur Ez.*
ver|nehm|bar; ver|neh|men *tr. 88;* **Ver|neh|men** *s. Gen.* -s, *nur in der Wendung* dem V. nach: wie man hört; **ver|nehm|lich; Ver|neh|mung** *w. 10;* **ver|neh|mungs|fä|hig** der Beklagte ist nicht v.
ver|nei|gen *refl. 1;* **Ver|nei|gung** *w. 10*
ver|nei|nen *tr. 1;* **Ver|nei|nung** *w. 10*
ver|nich|ten *tr. 2;* vernichtender Blick: entrüsteter, empörter Blick; **Ver|nich|tung** *w. 10 nur Ez.*
ver|ni|ckeln *tr. 1;* **Ver|ni|cke|lung, Ver|nick|lung** *w. 10 nur Ez.*
ver|nied|li|chen *tr. 1;* **Ver|nied|li|chung** *w. 10 nur Ez.*
ver|nie|ten *tr. 2;* **Ver|nie|tung** *w. 10 nur Ez.*
Ver|nis|sa|ge [vɛrnisaʒ(ə), frz.] *w. 11* Eröffnung einer Kunstausstellung
Ver|nunft *w. Gen. - nur Ez.;* **ver|nünf|tig; ver|nünf|ti|ger|wei|se; Ver|nunft|mensch** *m. 10;* **ver|nunft|wid|rig**
ver|nu|ten *tr. 2*
ver|nü|ti|gen *tr. 1, schweiz.:* als nichtig, unbedeutend hinstellen, verharmlosen; *auch:* herabwürdigen
Ver|nu|tung *w. 10 nur Ez.*
ver|ö|den 1 *intr. 2* öde werden (Landschaft); **2** *tr. 2* Krampfadern v.: durch Einspritzen eines Medikaments stilllegen
ver|öf|fent|li|chen *tr. 1;* **Ver|öf|fent|li|chung** *w. 10*
Ve|ro|ne|ser *m. 5* Einwohner von Verona; **ve|ro|ne|sisch**
Ve|ro|ni|ka *w. Gen. - Mz.* -ken = Ehrenpreis
ver|ord|nen *tr. 2;* **Ver|ord|nung** *w. 10*
ver|pach|ten *tr. 2;* **Ver|päch|ter** *m. 5;* **Ver|pach|tung** *w. 10 nur Ez.*
ver|pa|cken *tr. 1;* **Ver|pa|ckung** *w. 10;* **Ver|pa|ckungs|ma|te|ri|al** *s. Gen.* -s *Mz.* -li|en
ver|pas|sen *tr. 1* **1** versäumen; ich habe den Zug verpasst; **2** jmdm. eins v. *ugs.:* jmdn. verprügeln; er hat ihm wiederholt ein paar Ohrfeigen v.
ver|pat|zen *tr. 1* verderben, verpfuschen
ver|pes|ten *tr. 2* mit Gestank erfüllen; **Ver|pes|tung** *w. 10 nur Ez.*
ver|pet|zen *tr. 1, Schülerspr.:* angeben, verraten
ver|pfän|den *tr. 2;* **Ver|pfän|dung** *w. 10*
ver|pfei|fen *tr. 90;* jmdn. v. *ugs.:* verraten, anzeigen
ver|pflan|zen *tr. 1;* **Ver|pflan|zung** *w. 10*
ver|pfle|gen *tr. 1;* **Ver|pfle|gung** *w. 10 nur Ez.*
ver|pflich|ten *tr. 2;* **Ver|pflich|tung** *w. 10*
ver|pfrün|den *tr. 2;* jmdm. et-

was v. *schweiz.:* jmdm. etwas auf Rentenbasis übertragen
ver|pfu|schen *tr. 1, ugs.:* verderben, schlecht machen (Arbeit)
ver|pi|chen *tr. 1* mit Pech ausfüllen
ver|pim|peln *tr. 1, ugs.:* verzärteln, verweichlichen
ver|pla|nen *tr. 1;* **Ver|pla|nung** *w. 10*
ver|plap|pern *refl. 1* versehentlich etwas verraten; ich verplappere mich
ver|plau|dern *tr. 1* mit Plaudern verbringen; wir haben eine halbe Stunde verplaudert
ver|plem|pern *tr. 1* vergeuden, verschwenden; ich verplempere es
ver|pönt nicht angebracht, nach herrschender Sitte nicht zulässig
ver|pras|sen *tr. 1* verschwenden; er hat sein Geld verprasst
ver|prel|len *tr. 1* **1** *Jägerspr.:* verscheuchen, vergrämen, aufschrecken (Wild); **2** *allg.:* verwirren, erschrecken
ver|pro|le|ta|ri|sie|ren *intr. u. tr. 3;* **Ver|pro|le|ta|ri|sie|rung** *w. 10 nur Ez.*
ver|pro|vi|an|tie|ren *tr. 3* mit Proviant versorgen; **Ver|pro|vi|an|tie|rung** *w. 10 nur Ez.*
ver|prü|geln *tr. 1;* ich verprügele, verprügle ihn
ver|puf|fen *intr. 1* **1** schwach explodieren; **2** *übertr.:* wirkungslos, spurlos vorübergehen; **Ver|puf|fung** *w. 10 nur Ez.*
ver|pul|vern *tr. 1* unnütz verbrauchen, vergeuden (Geld); ich verpulvere es
ver|pum|pen *tr. 1, ugs.:* verborgen, verleihen
ver|pup|pen *refl. 1* (von der Larve) zur Puppe werden, sich einspinnen (Insekt); **Ver|pup|pung** *w. 10 nur Ez.*
ver|pus|ten *refl. 2, ugs.:* Atem schöpfen, zu Atem kommen
Ver|putz *m. 1 nur Ez.* Mauerbewurf; **ver|put|zen** *tr. 1* **1** mit Mörtel bewerfen (Mauer); **2** *ugs.:* (auf)essen; **3** jmdn. oder etwas nicht v. können *ugs.:* nicht leiden können
ver|qual|men *tr. 1* mit Qualm erfüllen
ver|quält durch Sorgen, Kummer gezeichnet (Gesicht); v. aussehen: kummervoll
ver|qua|sen *tr. 1, norddt.:* vergeuden
ver|quat|schen *ugs.* **1** *tr. 1* verplaudern; **2** *refl. 1* verplappern
ver|quer **1** unpassend, ungelegen; das kommt mir verquer; **2** falsch; das ist mir verquer gegangen
ver|qui|cken *tr. 1* **1** *eigtl.:* mit Quecksilber vermischen, amalgamieren; **2** *übertr.:* verbinden; **Ver|qui|ckung** *w. 10 nur Ez.*
ver|quir|len *tr. 1*
ver|quol|len (durch Feuchtigkeit oder vom Weinen) geschwollen (Holz, Gesicht)
ver|ram|meln *tr. 1* durch Hindernisse versperren
ver|ram|schen *tr. 1* billig verkaufen (Waren)
Ver|rat *m. 1 nur Ez.;* **ver|ra|ten** *tr. 94;* **Ver|rä|ter** *m. 5;* **Ver|rä|te|rei** *w. 10;* **ver|rä|te|risch**
ver|rau|chen **1** *intr. 1* verschwinden, vergehen (Zorn); **2** *tr. 1, ugs.:* durch Rauchen verbrauchen (Geld); **ver|räu|chern** *tr. 1* mit Rauch erfüllen; ich verräuchere das Zimmer
ver|rau|schen *intr. 1*
ver|rech|nen **1** *tr. 2* durch Rechnen ausgleichen; **2** *refl. 2* sich beim Rechnen irren; *übertr.:* seine Erwartungen nicht erfüllt sehen; **Ver|rech|nung** *w. 10;* **Ver|rech|nungs|scheck** *m. 9 oder m. 1*
ver|re|cken *intr. 1, ugs.:* sterben (Vieh, *vulg. auch:* Mensch)
ver|reg|nen *tr. 2, nur unpersönlich oder im Partizip II;* es hat die Obstblüte verregnet; der Ausflug ist verregnet; ein verregneter Sommer
ver|rei|ben *tr. 95;* **Ver|rei|bung** *w. 10 nur Ez.*
ver|rei|sen *intr. 1*
ver|rei|ßen *tr. 96, übertr.:* (in der Presse) schlecht kritisieren; er hat das Theaterstück, das Buch verrissen
ver|ren|ken *tr. u. refl. 1;* **Ver|ren|kung** *w. 10*
ver|ren|nen *refl. 98;* sich in etwas v.: hartnäckig an etwas festhalten, auf etwas beharren; er hat sich in den Gedanken verrannt
ver|rich|ten *tr. 2;* **Ver|rich|tung** *w. 10*
ver|rie|geln *tr. 1;* ich verriegele, verriegle die Tür
ver|rin|gern *tr. 1;* ich verringere es; **Ver|rin|ge|rung** *w. 10 nur Ez.*
ver|rin|nen *intr. 101*
Ver|riß ▶ **Ver|riss** *m. 1* schlechte Kritik (in der Presse); vgl. verreißen
ver|ro|hen *intr. 1;* **Ver|ro|hung** *w. 10 nur Ez.*
ver|rol|len **1** *intr. 1* aufhören zu rollen, verhallen (Donner); **2** *tr. 1, ugs.:* verhauen; **3** *refl. 1, ugs.:* zu Bett gehen
ver|ros|ten *intr. 2*
ver|rot|ten *intr. 2* verfaulen, zerbröckeln, *auch übertr.:* verrottete Gesellschaft; **Ver|rot|tung** *w. 10 nur Ez.*
ver|rucht schändlich, ruchlos; **Ver|rucht|heit** *w. 10 nur Ez.*
ver|rü|cken *tr. 1;* **ver|rückt;** dabei kann man v. werden; es ist zum Verrücktwerden; **Ver|rückt|heit** *w. 10*
Ver|ruf *m. 1 nur Ez.* schlechter Ruf; jmdn. in V. bringen; **ver|ru|fen** in schlechtem Ruf stehend, verrufener Stadtteil, verrufenes Lokal
ver|ru|ßen *tr. 1*
ver|rut|schen *intr. 1*
Vers [fers, auch: fers, lat.] *m. 1* (*Abk.:* V.) Zeile einer Strophe; *ugs. auch:* Strophe
ver|sach|li|chen *tr. 1;* **Ver|sach|li|chung** *w. 10 nur Ez.*
ver|sa|cken *intr. 1* versinken, untergehen
ver|sa|gen *intr. u. tr. 1;* er hat versagt; jmdm. oder sich einen Genuss v.; **Ver|sa|ger** *m. 5*
Ver|sailles [vɛrsaj] Stadt in Frankreich; Versailler Vertrag
Ver|sal [vɛr-, lat.] *m. Gen.* -s *Mz.* -li|en, **Ver|sal|buch|sta|be** *m. 15* Großbuchstabe
ver|sam|meln *tr. u. refl. 1;* ich versammele, versammle sie um mich; **Ver|samm|lung** *w. 10;* **Ver|samm|lungs|frei|heit** *w. 10 nur Ez.*
Ver|sand *m. Gen.* -(e)s *nur Ez.;* **Ver|sand|ab|tei|lung** *w. 10;* **Ver|sand|buch|han|del** *m. Gen.* -s *nur Ez.*
ver|san|den *intr. 2*
ver|sand|fer|tig; **Ver|sand|ge|schäft** *s. 1;* **Ver|sand|haus** *s. 4;* **Ver|sand|kos|ten** *nur Mz.*
Ver|san|dung *w. 10 nur Ez.*
ver|sa|til [vɛr-, lat.] beweglich, gewandt (im Ausdruck); **Ver|sa|ti|li|tät** *w. 10 nur Ez.*
Ver|satz *m. 2 nur Ez.* das Versetzen, Verpfänden; **Ver|satz|amt** *s. 4* Leihhaus; **Ver|satz|stück** *s. 1* **1** bewegl. Stück der Bühnendekoration; **2** *österr. auch:* Pfandstück

ver|sau|en *tr. 1, ugs.:* **1** beschmutzen; **2** durch Nachlässigkeit oder Beschmutzen verderben (Arbeit, Kleid)
ver|sau|ern *intr. 1* **1** sauer werden; **2** *übertr.:* geistig unbeweglich, stumpf werden
ver|sau|fen **1** *tr. 103; ugs.:* durch Saufen verbrauchen (Geld); versoffen: häufig betrunken, dem Trunk ergeben; **2** *intr. 103, ugs.:* ertrinken; **3** *intr. 103, Bgb.:* sich mit Grundwasser füllen
ver|säu|men *tr. 1;* **Ver|säum|nis** *s. 1 oder w. 1;* **Ver|säum|nis|ur|teil** *s. 1, im Zivilprozess:* Urteil gegen die nicht erschienene Partei
ver|scha|chern *tr. 1* zu hohem Preis verkaufen
ver|schach|telt **1** wie Schachteln ineinander geschoben; **2** *übertr.:* kompliziert gebaut (Satz)
ver|schaf|fen *tr. 1;* jmdm. oder sich etwas v.
ver|scha|len *tr. 1* mit Brettern verkleiden; **Ver|scha|lung** *w. 10 nur Ez.*
ver|schämt; **Ver|schämt|heit** *w. 10 nur Ez.*
ver|schan|deln *tr. 1* verunstalten, hässlich machen; **Ver|schan|de|lung,** **Ver|schand|lung** *w. 10 nur Ez.*
ver|schan|zen *tr. u. refl. 1;* sich hinter Ausreden v.; **Ver|schan|zung** *w. 10*
ver|schär|fen *tr. u. refl. 11;* **Ver|schär|fung** *w. 10 nur Ez.*
ver|schar|ren *tr. 1*
ver|schät|zen *refl. 1* falsch schätzen
ver|schau|keln *tr. 1, ugs.:* betrügen
ver|schei|den *intr. 107, poet.:* sterben
ver|scher|beln *tr. 1, ugs.:* verkaufen; ich verscherbele, verscherble es
ver|scher|zen *tr. 1,* sich etwas v.: etwas durch Leichtsinn, falsches Verhalten nicht be kommen oder verlieren; ich habe mir sein Wohlwollen verscherzt
ver|scheu|chen *tr. 1*
ver|scheu|ern *tr. 1, ugs.:* verkaufen; ich verscheuere es
ver|schi|cken *tr. 1;* **Ver|schi|ckung** *w. 10*
ver|schieb|bar; **Ver|schie|be|bahn|hof** *m. 2;* **ver|schie|ben** *tr. 112; auch übertr. ugs.:* zu Schwarzmarktpreisen verkaufen; **ver|schieb|lich** verschiebbar; **Ver|schie|bung** *w. 10*
ver|schie|den; v. groß; verschiedene Leute; Verschiedene (= Unterschiedliche) haben sich schon gemeldet; ich kann Ihnen Verschiedenes zeigen; Verschiedenstes wurde verlost; etwas Verschiedenes; Ähnliches und Verschiedenes; man kann nicht Verschiedenes (= verschiedene Dinge) zusammenbringen; **ver|schie|den|ar|tig;** **Ver|schie|den|ar|tig|keit** *w. 10 nur Ez.;* **ver|schie|de|ner|lei;** **ver|schie|den|far|big;** **Ver|schie|den|heit** *w. 10;* **ver|schie|dent|lich** ab und zu, öfters, mehrmals

> **Verschiedene, Verschiedenes:** Die substantivierte Form schreibt man mit großem Anfangsbuchstaben: *Es kamen Verschiedene* (bisher: verschiedene); *Verschiedenes* (bisher: verschiedenes) *war unklar; Verschiedenstes* (bisher: verschiedenstes) *war zu hören.* →§57 (1)

ver|schie|ßen **1** *tr. 113* durch Schießen verbrauchen; vgl. Pulver; **2** *intr. 113* verbleichen, Farbe verlieren; **3** *refl. 113, ugs.:* sich verlieben
ver|schif|fen *tr. 1* mit dem Schiff verschicken; **Ver|schif|fung** *w. 10 nur Ez.*
ver|schil|fen *intr. 1* sich mit Schilf bedecken (See)
ver|schimp|fie|ren *tr. 3, ugs.:* verunglimpfen, beleidigen
Ver|schiß ▶ **Ver|schiss** *m., Stud.:* Verruf; *nur in der Wendung* in V. geraten: die Achtung der anderen verlieren
ver|schla|cken *intr. 1* sich mit Schlacke füllen; **Ver|schla|ckung** *w. 10 nur Ez.*
ver|schla|fen **1** *tr. u. intr. 115;* **2** *Adj.:* schlaftrunken; *auch:* langweilig, geistig träge; **Ver|schla|fen|heit** *w. 10 nur Ez.*
Ver|schlag *m. 2;* **ver|schla|gen** **1** *tr. 116* mit Brettern abteilen, abtrennen (Raum) oder verschließen; *übertr.:* wegnehmen; der Schreck verschlug mir die Sprache; die Kälte verschlug mir den Atem; an einen Ort verschlagen werden: ungewollt, durch Zufall an einen Ort geraten; **2** *intr. 116* nützen, helfen; die Arznei verschlägt nicht; das verschlägt nichts; gutes Zureden verschlägt bei ihm am besten; **3** *Adj.:* heimtückisch; durch Schläge scheu, ängstlich geworden (Hund); **Ver|schla|gen|heit** *w. 10 nur Ez.*
ver|schlam|men *intr. 1;* **Ver|schlam|mung** *w. 10 nur Ez.*
ver|schlam|pen **1** *tr. 1* durch Nachlässigkeit verlieren oder verlegen; **2** *intr. 1* unordentlich, schlampig werden
ver|schlech|tern *tr. u. refl. 1;* **Ver|schlech|te|rung** *w. 10 nur Ez.*
ver|schlei|ern *tr. 1;* **Ver|schlei|e|rung** *w. 10 nur Ez.*
ver|schlei|men *tr. 1;* **Ver|schlei|mung** *w. 10 nur Ez.*
Ver|schleiß *m. 1 nur Ez.* **1** Abnutzung, Verbrauch; **2** *österr.:* Kleinverkauf; **ver|schlei|ßen** *tr. 119*
ver|schlep|pen *tr. 1;* **Ver|schlep|pung** *w. 10 nur Ez.;* **Ver|schlep|pungs|tak|tik** *w. 10*
ver|schleu|dern *tr. 1;* ich verschleudere es
ver|schließ|bar; **ver|schlie|ßen** *tr. 120*
ver|schlimm|bes|sern *tr. 1;* **Ver|schlimm|bes|se|rung,** **Ver|schlimm|beß|rung** ▶ **Ver|schlimm|bess|rung** *w. 10;* **ver|schlim|mern** *tr. 1;* **Ver|schlim|me|rung** *w. 10 nur Ez.*
ver|schlin|gen *tr. u. refl. 121;* **Ver|schlin|gung** *w. 10*
ver|schlos|sen *übertr.:* wenig mitteilsam, in sich gekehrt; **Ver|schlos|sen|heit** *w. 10 nur Ez.*
ver|schlu|cken *tr. u. refl. 1*
Ver|schluß ▶ **Ver|schluss** *m. 2;* **ver|schlüs|seln** *tr. 1;* ich verschlüssele, verschlüssle es; **Ver|schlüs|se|lung** *w. 10 nur Ez.;* **Ver|schluß|laut** ▶ **Ver|schluss|laut** *m. 1* durch Öffnen des verschlossenen Mundkanals entstehender Laut, Explosivlaut: p, t, k, b, d, g; **Ver|schluß|sa|che** ▶ **Ver|schluss|sa|che** *w. 11* Geheimdokument
ver|schmach|ten *intr. 2*
ver|schmä|hen *tr. 1,* **Ver|schmä|hung** *w. 10 nur Ez.*
ver|schmei|ßen *tr. 122, ugs.:* durch Nachlässigkeit verlieren oder verlegen
ver|schmel|zen *tr. u. intr. 123;* **Ver|schmel|zung** *w. 10 nur Ez.*
ver|schmer|zen *tr. 1*
ver|schmie|ren *tr. 3*

▶ = wird zu

ver|schmitzt schelmisch, spitzbübisch; **Ver|schmitzt|heit** *w. 10 nur Ez.*
ver|schmut|zen *tr. u. intr. 1;* **Ver|schmut|zung** *w. 10 nur Ez.*
ver|schnau|fen *intr. u. refl. 1* Atem schöpfen, eine Pause machen; **Ver|schnauf|pau|se** *w. 11*
ver|schnei|den *tr. 125* **1** beschneiden, kürzer schneiden; **2** kastrieren; **3** falsch zuschneiden (Stoff); **4** mischen (Wein, Branntwein); **Ver|schnei|dung** *w. 10 nur Ez.* Kastration; vgl. Verschnitt
ver|schneit
Ver|schnitt *m. 1* **1** Mischung (von Wein, Branntwein); **2** Abfall (beim Zuschneiden); **Ver|schnit|te|ne(r)** *m. 18 (17)* kastrierter Mann, Eunuch
ver|schnör|keln *tr. 1*
ver|schnup|fen *tr. 1, ugs.:* verärgern, kränken; verschnupft sein: Schnupfen haben; *übertr.:* verärgert, gekränkt sein
ver|schnü|ren *tr. 1,* **Ver|schnü|rung** *w. 10*
ver|schol|len seit längerer Zeit vermisst und deshalb als verloren oder tot betrachtet
ver|scho|nen *tr. 1*
ver|schö|nen *tr. 1;* **ver|schö|nern** *tr. 1;* ich verschönere es; **Ver|schö|ne|rung** *w. 10*
ver|schor|fen *intr. 1;* **Ver|schor|fung** *w. 10 nur Ez.*
ver|schos|sen **1** ausgebleicht; ein verschossenes Hemd; **2** verliebt; er ist in sie v.
ver|schram|men *tr. 1*
ver|schrän|ken *tr. 1;* **Ver|schrän|kung** *w. 10*
ver|schrau|ben *tr. 1;* **Ver|schrau|bung** *w. 10 nur Ez.*
ver|schre|cken *tr. 1* erschrecken, einschüchtern
ver|schrei|ben **1** *tr. 127* verordnen; jmdm. etwas v.; **2** *refl. 127* falsch schreiben; sich einer Sache v.: sich ihr ganz widmen; **Ver|schrei|bung** *w. 10 nur Ez.*
ver|schrien; er ist als geizig verschrien: als geizig bekannt
ver|schro|ben wunderlich, überspannt; **Ver|schro|ben|heit** *w. 10 nur Ez.*
ver|schro|ten *tr. 2* zu Schrot zermahlen
ver|schrot|ten *tr. 2* zu Schrott machen und als Altmetall verwenden
ver|schrum|peln *intr. 1, ugs.*
ver|schüch|tert
ver|schul|den *intr. 2;* **Ver|schul|dung** *w. 10 nur Ez.*
ver|schu|len *tr. 1* umpflanzen (Sämlinge)
ver|schüt|ten *tr. 2;* er hat es mit ihm verschüttet *ugs.:* er hat sich sein Wohlwollen verscherzt
ver|schütt|ge|hen ► **ver|schütt ge|hen** *intr. 47; ugs.:* verloren gehen
Ver|schüt|tung *w. 10 nur Ez.*
ver|schwä|gert durch Heirat verwandt
ver|schwei|gen *tr. 130;* **Ver|schwei|gung** *w. 10 nur Ez.*
ver|schwei|ßen *tr. 1;* **Ver|schwei|ßung** *w. 10 nur Ez.*
ver|schwen|den *tr. 2;* **Ver|schwen|der** *m. 5;* **ver|schwen|de|risch;** **Ver|schwen|dung** *w. 10 nur Ez.;* **Ver|schwen|dungs|sucht** *w. Gen. - nur Ez.;* **ver|schwen|dungs|süch|tig**
ver|schwie|gen; **Ver|schwie|gen|heit** *w. 10 nur Ez.*
ver|schwie|melt verquollen, verschwollen
ver|schwis|tert als Geschwister verbunden; *übertr.:* zusammengehörig, eng verbunden
ver|schwit|zen *tr. 1; auch ugs.:* aus Nachlässigkeit vergessen (Auftrag, Verabredung)
ver|schwom|men; **Ver|schwom|men|heit** *w. 10 nur Ez.*
ver|schwö|ren *refl. 135;* **Ver|schwö|rer** *m. 5;* **Ver|schwö|rung** *w. 10*
ver|se|hen **1** *tr. 136* versorgen, verwalten; den Haushalt v.; **2** *tr. 136* falsch machen; das habe ich leider v.; **3** *refl. 136* sich irren; da habe ich mich v.; und ehe man sich's versieht *oder:* ehe man sich dessen versieht, ist die Zeit um: schneller, als man denkt; **Ver|se|hen** *s. 7;* aus V.; **ver|se|hent|lich;** **Ver|seh|gang** *m. 2* Gang d. Priesters zu einem Todkranken, um ihn mit d. Sterbesakramenten zu versehen
ver|seh|ren *tr. 1* verletzen, beschädigen; **Ver|sehr|te(r)** *m. 18 (17) bzw. w. 17 oder 18;* **Ver|sehrt|heit** *w. 10 nur Ez.*
ver|selb|stän|di|gen ► *auch:* **ver|selbst|stän|di|gen** *refl. 1;* **Ver|selb|stän|di|gung** ► *auch:* **Ver|selbst|stän|di|gung** *w. 10 nur Ez.*
ver|sen|den *tr. 138;* **Ver|sen|dung** *w. 10 nur Ez.*
ver|sen|gen *tr. 1* oberflächlich verbrennen
ver|senk|bar; **Ver|senk|büh|ne** *w. 11;* **ver|sen|ken** *tr. 1;* **Ver|sen|kung** *w. 10*
Ver|se|schmied [fer-] *m. 1, leicht abwertend für* Dichter
ver|ses|sen *in der Wendung* auf etwas v. sein: etwas immer wieder haben wollen, eifrig auf etwas bedacht sein; **Ver|ses|sen|heit** *w. 10 nur Ez.*
ver|set|zen *tr. 1* **1** an eine andere Stelle setzen; **2** ins Leihhaus bringen; **3** in eine höhere Klasse aufnehmen (Schüler); **4** an eine andere Dienststelle beordern; **5** vergeblich warten lassen; **6** (mit etwas) mischen; **7** *intr. 1* antworten, entgegnen; **Ver|set|zung** *w. 10;* **Ver|set|zungs|zei|chen** *s. 7* (*Zeichen: #, b*) *Mus.:* Zeichen der Erhöhung bzw. Erniedrigung eines Tons um einen halben Ton
ver|seu|chen *tr. 1;* **Ver|seu|chung** *w. 10 nur Ez.*
Vers|fuß *m. 2* kleinste rhythm. Einheit eines Verses, z. B. Jambus, Trochäus
Ver|si|che|rer *m. 5;* **ver|si|chern** *tr. 1,* ich versichere es dir; ich versichere Sie meines Beileids; ich versichere Ihnen, dass...; ich versichere mich gegen Feuer, Diebstahl; seien Sie versichert, dass ich...; **Ver|si|che|rung** *w. 10;* **Ver|si|che|rungs|an|stalt** *w. 10;* **Ver|si|che|rungs|bei|trag** *m. 2;* **Ver|si|che|rungs|be|trug** *m. 1 nur Ez.;* **Ver|si|che|rungs|ge|sell|schaft** *w. 10;* **Ver|si|che|rungs|neh|mer** *m. 5;* **Ver|si|che|rungs|pflicht** *w. 10;* **ver|si|che|rungs|pflich|tig;** **Ver|si|che|rungs|po|li|ce** [-li:sə] *w. 11* Urkunde über eine abgeschlossene Versicherung; **Ver|si|che|rungs|ver|tre|ter** *m. 5;* **Ver|si|che|rungs|we|sen** *s. 7 nur Ez.*
ver|si|ckern *tr. 1*
ver|sie|ben *tr. 1, ugs.:* aus Nachlässigkeit verlieren, verlegen
ver|sie|geln *tr. 1;* ich versiegele, versiegle es; **Ver|sie|ge|lung,** Ver|sieg|lung *w. 10 nur Ez.*
ver|sie|gen *intr. 1* aufhören zu fließen (Quelle)
ver|siert [vɛr-, lat.-frz.] erfahren, bewandert, geübt; versierter Fachmann; **Ver|siert|heit** *w. 10 nur Ez.*
Ver|si|fi|ka|ti|on [vɛr-, lat.] *w. 10;* **ver|si|fi|zie|ren** *tr. 3* in

Verse bringen, in Verse verwandeln; **Ver|si|fi|zie|rung** *w. 10*
Ver|sil|be|rer *m. 5;* **ver|sil|bern** *tr. 1; auch übertr. ugs.:* verkaufen; ich versilbere es; **Ver|sil|be|rung** *w. 10 nur Ez.*
ver|sim|peln 1 *tr. 1* (zu sehr) vereinfachen; **2** *intr. 1* seine geistigen Interessen verlieren, einfältig werden
ver|sinn|bild|li|chen *tr. 1;* **Ver|sinn|bild|li|chung** *w. 10 nur Ez.*
Ver|si|on [vɛr-, lat.] *w. 10* Fassung, Lesart, Darstellung
ver|sippt verwandt
ver|sit|zen *tr. 143, ugs.:* **1** mit nutzlosem Dasitzen verbringen; ich habe eine Stunde im Wartezimmer versessen; **2** durch Sitzen zerknittern (Kleid); **Ver|sitz|gru|be** *w. 11* Sickergrube für Abwässer
ver|skla|ven *tr. 1;* **Ver|skla|vung** *w. 10 nur Ez.*
Vers|kunst *w. 2 nur Ez.;* **Vers|leh|re** *w. 11 nur Ez.;* **Vers|maß** *s. 1*
ver|snobt zum Snob geworden
Ver|so [vɛr-, lat.] *s. 9* Rückseite (eines Buchblattes, einer Handschrift); *Ggs.:* Rekto
ver|sof|fen vgl. versaufen
ver|soh|len *tr. 1, ugs.:* verhauen
ver|söh|nen *tr. u. refl. 1;* **ver|söhn|lich; Ver|söhn|lich|keit** *w. 10 nur Ez.;* **Ver|söh|nung** *w. 10;* **Ver|söh|nungs|fest** *s. 1,* **Ver|söh|nungs|tag** *m. 1* hoher jüd. Feiertag, Jom Kippur
ver|son|nen nachdenklich, träumerisch; **Ver|son|nen|heit** *w. 10 nur Ez.*
ver|sor|gen *tr. 1;* **Ver|sor|ger** *m. 5;* **Ver|sor|gung** *w. 10 nur Ez.;* **Ver|sor|gungs|an|spruch** *m. 2;* **ver|sor|gungs|be|rech|tigt**
ver|spach|teln *tr. 1* **1** mit Putz, Kitt oder Ähnlichem ausfüllen und glätten; ich verspachtele, verspachtle es; **2** *ugs.:* essen, aufessen
ver|span|nen *tr. 1;* **Ver|span|nung** *w. 10*
ver|spä|ten *refl. 2;* **Ver|spä|tung** *w. 10*
ver|spe|ku|lie|ren *refl. 3* sich (beim Spekulieren) verrechnen, Erwartungen nicht erfüllt sehen
ver|sper|ren *tr. 1*
ver|spie|len 1 *tr. 1;* **2** *intr. 1, nur im Partizip II:* verspielt haben; bei jmdm. verspielt haben: jmds. Wohlwollen, Wertschätzung verloren haben; verspieltes Kind: nur ans Spielen denkendes Kind
ver|spin|nen *tr. 145* durch Spinnen verbrauchen; (in sich) versponnen *übertr.:* verträumt
ver|spot|ten *tr. 2;* **Ver|spot|tung** *w. 10 nur Ez.*
ver|spre|chen 1 *tr. 146;* jmdm. etwas v.; ich verspreche mir Erfolg davon; **2** *refl. 146* versehentlich anders sagen, falsch aussprechen; ich habe mich nur versprochen; sich jmdm. v. *veraltet:* sich mit jmdm. verloben; er ist mit ihr versprochen; **Ver|spre|chen** *s. 7;* **Ver|spre|chung** *w. 10* Zusicherung; Verheißung; (große) Versprechungen machen
ver|spren|gen *tr. 1;* versprengte Soldaten: von ihrer Einheit getrennte, in die Flucht geschlagene Soldaten
ver|spro|che|ner|ma|ßen
ver|sprü|hen *tr. 1*
ver|spü|ren *tr. 1*
ver|staat|li|chen *tr. 1;* **Ver|staat|li|chung** *w. 10 nur Ez.*
ver|städ|tern *tr. u. intr. 1* **Ver|städ|te|rung** *w. 10 nur Ez.*
ver|stäh|len *tr. 1* mit einer Stahlschicht überziehen (Kupferplatte); **Ver|stäh|lung** *w. 10 nur Ez.*
Ver|stand *m. Gen.* -(e)s *nur Ez.;* **Ver|stan|des|mensch** *m. 10;* **ver|stän|dig; ver|stän|di|gen** *tr. u. refl. 1;* **Ver|stän|di|gung** *w. 10 nur Ez.;* **ver|ständ|lich; Ver|ständ|lich|keit** *w. 10 nur Ez.;* **Ver|ständ|nis** *s. 1 nur Ez.;* **ver|ständ|nis|in|nig; ver|ständ|nis|los; Ver|ständ|nis|lo|sig|keit** *w. 10 nur Ez.;* **ver|ständ|nis|voll; Ver|stands|kas|ten** *m. 8, ugs. scherzh.:* Verstand, Kopf
ver|stän|kern *tr. 1, derb:* mit Gestank, Tabaksqualm erfüllen
ver|stär|ken *tr. 1;* **Ver|stär|ker** *m. 5;* **Ver|stär|kung** *w. 10 nur Ez.*
ver|stat|ten *tr. 2, veraltet:* gestatten; *noch in den Wendungen:* wenn es verstattet ist; ist es verstattet, einzutreten?
ver|stau|ben *intr. 1;* **ver|stäu|ben** *tr. 1*
ver|stau|chen *tr. 1;* sich etwas v.; **Ver|stau|chung** *w. 10*
ver|stau|en *tr. 1*
Ver|steck *s. 1;* Versteck, *oder:* Verstecken spielen; **ver|ste|cken** *tr. 1;* ich verstecke es; **Ver|steck|spiel** *s. 1*
ver|ste|hen 1 *tr. 151;* jmdm. etwas zu v. geben: jmdm. etwas andeutend sagen **2** *refl. 151;* sich zu etwas v.: sich zu etwas entschließen, bereit finden; sich auf etwas v.: etwas können, seine Tätigkeit beherrschen
ver|stei|fen *tr. u. refl. 1;* sich auf etwas v.: hartnäckig an etwas festhalten; auf etwas beharren; **Ver|stei|fung** *w. 10*
ver|stei|gen *refl. 153;* sich zu der Behauptung v., dass...: sich erkühnen, sich anmaßen, zu behaupten, dass...
Ver|stei|ge|rer *m. 5;* **ver|stei|gern** *tr. 1;* ich versteigere es; **Ver|stei|ge|rung** *w. 10*
ver|stei|nern *intr. 1;* **Ver|stei|ne|rung** *w. 10*
ver|stell|bar; ver|stel|len *tr. u. refl. 1;* **Ver|stel|lung** *w. 10 nur Ez.;* **Ver|stel|lungs|kunst** *w. 2*
ver|step|pen *intr. 1* zu Steppe werden; **Ver|step|pung** *w. 10 nur Ez.*
ver|ster|ben *intr. 154* sterben; *nur im Präteritum und Partizip II:* gestern verstarb...; er ist verstorben; der Verstorbene
ver|steu|ern *tr. 1;* ich versteuere, versteure es; **Ver|steu|e|rung** *w. 10 nur Ez.*
ver|stie|gen überspannt; **Ver|stie|gen|heit** *w. 10 nur Ez.*
ver|stim|men *tr. 1;* **ver|stimmt 1** nicht (mehr) richtig gestimmt (Instrument); **2** verärgert, ungehalten; **Ver|stimmt|heit** *w. 10 nur Ez.;* **Ver|stim|mung** *w. 10*
ver|stockt trotzig, uneinsichtig, nicht zum Einlenken bereit; **Ver|stockt|heit** *w. 10 nur Ez.*
ver|stoh|len heimlich, unauffällig
ver|stop|fen *tr. 1;* **Ver|stop|fung** *w. 10*
ver|stö|ren *tr. 1* aus dem seelischen Gleichgewicht bringen; **Ver|stört|heit** *w. 10 nur Ez.*
Ver|stoß *m. 2;* **ver|sto|ßen** *tr. u. intr. 157;* gegen eine Regel verstoßen
ver|stre|ben *tr. 1* durch Streben stützen; **Ver|stre|bung** *w. 10*
ver|strei|chen *tr. u. intr. 158*
ver|streu|en *tr. 1*
ver|stri|cken *tr. u. refl. 1;* **Ver|stri|ckung** *w. 10*
ver|stüm|meln *tr. 1;* **Ver|stüm|me|lung,** Ver|stümm|lung *w. 10*
ver|stum|men *intr. 1*
Ver|such *m. 1;* **ver|su|chen** *tr. 1;* **Ver|su|cher** *m. 5; in der*

christl. Lehre: der Teufel; **Ver|suchs|an|stalt** *w. 10;* **Ver|suchs|ka|nin|chen** *s. 7, ugs.;* **Ver|suchs|per|son** *w. 10 (Abk.:* Vp); **Ver|suchs|rei|he** *w. 11,* **ver|suchs|wei|se;** **Ver|su|chung** *w. 10*
ver|sump|fen *intr. 1; auch übertr. ugs.:* verbummeln; **Ver|sump|fung** *w. 10 nur Ez.*
ver|sün|di|gen *refl. 1* schuldig werden, eine Sünde, ein Unrecht begehen; sich an jmdm. v.; **Ver|sün|di|gung** *w. 10*
Ver|sun|ken|heit *w. 10 nur Ez.*
ver|sü|ßen *tr. 1*
vert. *Abk. für* vertatur
ver|ta|gen *tr. 1;* **Ver|ta|gung** *w. 10*
ver|tän|deln *tr. 1* mit Nichtigkeiten verbringen; den Tag, die Zeit v.
ver|ta|tur! [vɛr-, lat.] (*Abk.: vert.; Zeichen:* V) *Buchw.:* man wende! (Vermerk bei auf dem Kopf stehenden Buchstaben)
ver|tau|ben *intr. 1, Bgb.:* taub werden (Erzgang); **Ver|tau|bung** *w. 10 nur Ez.*
ver|täu|en *tr. 1, Seew.:* mit Tauen befestigen
ver|tausch|bar, **Ver|tausch|bar|keit** *w. 10 nur Ez.;* **ver|tau|schen** *tr. 1;* **Ver|tau|schung** *w. 10*
ver|tau|send|fa|chen *tr. 1*
Ver|täu|ung *w. 10*
ver|te! [vɛr-, lat.] (*Abk.:* v.) wende (um)!, bitte wenden!
ver|te|bral [vɛr-, lat.] zu den Wirbeln, zur Wirbelsäule gehörend; **Ver|te|bra|ten** *m. 10 Mz., Sammelbez. für* Wirbeltiere
ver|tei|di|gen *tr. 1;* **Ver|tei|di|ger** *m. 5;* **Ver|tei|di|gung** *w. 10 nur Ez.;* **Ver|tei|di|gungs|stel|lung** *w. 10 nur Ez.*
ver|teu|ern *tr. 1;* **Ver|teu|e|rung** *w. 10*
ver|teu|feln *tr. 1* als Teufel, als schlecht, böse hinstellen; **ver|teu|felt** *ugs.:* **1** unangenehm, schwierig; **2** sehr; v. schwer; **Ver|teu|fe|lung** *w. 10 nur Ez.*
ver|tie|fen *tr. u. refl. 1;* **Ver|tie|fung** *w. 10*
ver|tie|ren *intr. 3* tierische Gewohnheiten annehmen; *meist übertr.:* roh, unmenschlich werden
ver|ti|kal [vɛr-, lat.] senkrecht; *Ggs.:* horizontal; **Ver|ti|ka|le** *w. 11 oder w. 17* senkrechte Gerade, senkrechte Stellung; *Ggs.:* Horizontale; **Ver|ti|kal|e|be|ne** *w. 11;* **Ver|ti|ka|lis|mus** *m. Gen. - nur Ez., Baukunst:* Bestreben, die vertikalen Linien gegenüber den horizontalen zu betonen, z. B. in der Gotik
Ver|ti|ko [vɛr-, angeblich nach dem Tischler Vertikow] *s. 9* kleiner Zierschrank mit Aufsatz
ver|til|gen *tr. 1;* **Ver|til|gung** *w. 10 nur Ez.*
ver|tip|pen *tr. u. refl. 1* sich verschreiben
ver|to|ba|cken *tr. 1, ugs.:* verhauen
ver|to|nen *tr. 1* in Musik setzen, komponieren; **Ver|to|nung** *w. 10*
ver|trackt *ugs.:* verwickelt, schwierig
Ver|trag *m. 2;* **ver|tra|gen** *tr. u. refl. 160; schweiz. auch:* austragen (Zeitungen); **Ver|trä|ger** *m. 5, schweiz:* Austräger (von Zeitungen u. Ä.); **ver|trag|lich;** **ver|träg|lich;** **Ver|trags|bruch** *m. 2;* **ver|trags|brü|chig;** **Ver|trags|stra|fe** *w. 11;* **ver|trags|wid|rig**

> **Vertrauen erwecken/erweckend:** Im Gegensatz zur bisherigen Schreibweise (vertrauenerweckend) wird die Verbindung aus Substantiv und Verb/Partizip getrennt geschrieben: *Das waren Vertrauen erweckende Maßnahmen.* Ebenso: *Auto fahren, Kopf stehen* usw. →§ 34 E3 (5)

ver|trau|en *intr. 11;* **ver|trau|en|er|weckend** ▶ **Ver|trau|en er|we|ckend;** **Ver|trau|ens|arzt** *m. 2* von einer Krankenkasse beauftragter Arzt; **Ver|trau|ens|be|weis** *m. 1;* **ver|trau|ens|bil|dend;** **Ver|trau|ens|bruch** *m. 2;* **Ver|trau|ens|fra|ge** *w. 11;* **Ver|trau|ens|mann** *m. 4, Mz. auch:* -leute; **Ver|trau|ens|per|son** *w. 10;* **Ver|trau|ens|sa|che** *w. 11;* **ver|trau|ens|se|lig;** **Ver|trau|ens|se|lig|keit** *w. 10 nur Ez.;* **Ver|trau|ens|stel|lung** *w. 10;* **ver|trau|ens|voll;** **Ver|trau|ens|vo|tum** *s. Gen. -s Mz. -ten oder* -ta Abstimmung über die Vertrauensfrage (im Parlament); **ver|trau|ens|wür|dig;** **Ver|trau|ens|wür|dig|keit** *w. 10 nur Ez.*
ver|trau|ern *tr. 1*
ver|trau|lich; **Ver|trau|lich|keit** *w. 10;* Vertraulichkeiten dulden
ver|träu|men *tr. 1;* **Ver|träumt|heit** *w. 10 nur Ez.*
ver|traut; **Ver|trau|te(r)** *m. 18 (17) bzw. w. 17 oder 18;* **Ver|traut|heit** *w. 10 nur Ez.*
ver|trei|ben *tr. 162;* **Ver|trei|bung** *w. 10*
ver|tret|bar; **ver|tre|ten** *tr. 163;* **Ver|tre|ter** *m. 5;* **Ver|tre|tung** *w. 10;* in Vertretung (*Abk.:* i. V., I. V.); vgl. i. A.; **Ver|tre|tungs|stun|de** *w. 11;* **ver|tre|tungs|wei|se**
Ver|trieb *m. 1;* **Ver|triebs|ge|sell|schaft** *w. 10*
ver|trim|men *tr. 1, ugs.:* verprügeln
ver|trö|deln *tr. 1* mit Nichtstun verbringen; ich vertrödele, vertrödle die Zeit
ver|trös|ten *tr. 2;* **Ver|trös|tung** *w. 10*
ver|trot|teln *intr. 1* zum Trottel werden
ver|trus|ten [-trʌs-, engl.] *tr. 2* in einen Trust eingliedern; **Ver|trus|tung** *w. 10 nur Ez.*
ver|tüd|dern, ver|tü|dern *tr. 1, nddt.:* verwirren
ver|tun *tr. 167* vergeuden, verschwenden (Geld, Zeit)
ver|tu|schen *intr. 1*
ver|ü|beln *tr. 1;* ich verübele, verüble es ihm
ver|ü|ben *tr. 1,* ein Attentat auf jmdn. v.
ver|ul|ken *tr. 1* veralbern, verspotten
ver|un|eh|ren *tr. 1 veraltet:* respektlos begegnen
ver|un|ei|ni|gen *tr. u. refl. 1*
ver|un|fal|len *intr. 1, schweiz.:* einen Unfall haben, verunglücken
ver|un|glimp|fen *tr. 1* beleidigen, beschimpfen; **Ver|un|glimp|fung** *w. 10*
ver|un|glü|cken *intr. 1*
ver|un|mög|li|chen *tr. 1*
ver|un|rei|ni|gen *tr. 1;* **Ver|un|rei|ni|gung** *w. 10*
ver|un|schi|cken *tr. 1, schweiz.:* (durch eigene Schuld) einbüßen
ver|un|si|chern *tr. 1* unsicher machen
ver|un|stal|ten *tr. 2* entstellen, hässlich machen; **Ver|un|stal|tung** *w. 10*
ver|un|treu|en *tr. 1* widerrechtlich für sich behalten, unterschlagen (Geld); **Ver|un|treu|ung** *w. 10*
ver|un|zie|ren *tr. 1;* **Ver|un|zie|rung** *w. 10*

ver|ur|sa|chen *tr. 1;* **Ver|ur|sa|chung** *w. 10 nur Ez.*
ver|ur|tei|len *tr. 1;* **Ver|ur|tei|lung** *w. 10*
ver|u|zen *tr. 1, ugs.:* veralbern, verspotten
Ver|ve [vęrv(ə), frz.] *w. 11 nur Ez.* Schwung; etwas mit großer V. darstellen, tun
ver|viel|fa|chen *tr. 1;* **Ver|viel|fa|cher** *m. 5;* **Ver|viel|fa|chung** *w. 10 nur Ez.;* **ver|viel|fäl|ti|gen** *tr. 1;* **Ver|viel|fäl|ti|gung** *w. 10 nur Ez.;* **Ver|viel|fäl|ti|gungs|ap|pa|rat** *m. 1;* **Ver|viel|fäl|ti|gungs|recht** *s. 1;* **Ver|viel|fäl|ti|gungs|zahl** *w. 10,* z. B. dreimal, vierfach
ver|voll|komm|nen *tr. 1;* **Ver|voll|komm|nung** *w. 10 nur Ez.*
ver|voll|stän|di|gen *tr. 1;* **Ver|voll|stän|di|gung** *w. 10 nur Ez.*
verw. *Abk. für* verwitwet; Gerda verw. Müller
ver|wach|sen 1 *tr. 172;* ein Kleidungsstück v.: zu groß werden für ein K., aus einem K. herauswachsen; **2** *tr. 172* zuwachsen, sich schließen (Wunde, Narbe, Weg), zusammenwachsen; zu einer Einheit v.; mit etwas v.; **3** *refl. 172, ugs.:* sich beim Wachsen ausgleichen; die Verkrümmung verwächst sich noch; **4** *Adj.:* missgestaltet, bucklig; **Ver|wach|sung** *w. 10*
ver|wa|ckeln *tr. 1* **1** durch Wackeln unscharf machen; ein Foto v.; **2** *ugs.:* verprügeln
Ver|wahr *m. Gen.* -s *nur Ez.* = Verwahrung ; **ver|wah|ren** *tr. 1;* **ver|wahr|lo|sen** *intr. 1;* **Ver|wahr|lo|sung** *w. 10 nur Ez.;* **Ver|wah|rung** *w. 10 nur Ez.;* etwas in V. geben, nehmen
ver|wai|sen *intr. 1* **1** die Eltern verlieren; das Kind ist verwaist; **2** *übertr.* nicht mehr benutzt werden; das Haus ist verwaist: es wird nicht mehr bewohnt
ver|wal|ken *tr. 1, ugs.:* verprügeln, verhauen
ver|wal|ten *tr. 2;* **Ver|wal|ter** *m. 5;* **Ver|wal|tung** *w. 10;* **Ver|wal|tungs|ap|pa|rat** *m. 1* Gesamtheit der zur Verwaltung gehörenden Behörden und Einrichtungen; **Ver|wal|tungs|be|zirk** *m. 1;* **Ver|wal|tungs|ge|richt** *s. 1*
ver|wam|sen *tr. 1, ugs.:* verprügeln
ver|wan|deln *tr. 1;* ich verwandele, verwandle es; **Ver|wand|lung** *w. 10*
ver|wandt; Ver|wand|ten|e|he *w. 11;* **Ver|wand|te(r)** *m. 18 (17) bzw. w. 17 oder 18;* **Ver|wandt|schaft** *w. 10;* **ver|wandt|schaft|lich; Ver|wandt|schafts|grad** *m. 1*
ver|wanzt *ugs.:* voller Wanzen
ver|war|nen *tr. 1;* **Ver|war|nung** *w. 10*
ver|wa|schen durch vieles Waschen blass geworden
ver|wäs|sern *tr. 1;* **Ver|wäs|se|rung**
ver|we|ben *tr. 175; in der wörtl. Bedeutung oft regelmäßig konjugiert:* in den Stoff sind Goldfäden verwebt, *oder:* verwoben worden; *in der übertr. Bedeutung stets unregelmäßig:* in dem Roman sind mehrere Motive miteinander verwoben
ver|wech|seln *tr. 1;* ich verwechsele, verwechsle es; **Ver|wech|se|lung, Ver|wechs|lung** *w. 10;* **Ver|wechs|lungs|ko|mö|die** *w. 11*
ver|we|gen kühn, keck; **Ver|we|gen|heit** *w. 10 nur Ez.*
ver|we|hen *tr. u. intr. 1*
ver|weh|ren *tr. 1;* jmdm. etwas verwehren
Ver|we|hung *w. 10*
ver|weich|li|chen *tr. 1;* **Ver|weich|li|chung** *w. 10 nur Ez.*
ver|wei|gern *tr. 1;* ich verweigere es; **Ver|wei|ge|rung** *w. 10*
ver|wei|len *intr. u. refl. 1;* **Ver|weil|dau|er** *w. 11 nur Ez.*
Ver|weis *m. 1;* **ver|wei|sen 1** *tr. 177;* jmdm. etwas v.: verbieten; **2** *tr. 177;* auf etwas v.: hinweisen; **Ver|wei|sung** *w. 10*
ver|welt|li|chen *tr. u. intr. 1;* **Ver|welt|li|chung** *w. 10 nur Ez.*
ver|wend|bar; Ver|wend|bar|keit *w. 10 nur Ez.;* **ver|wen|den** *tr. 178;* ich habe es dafür verwendet, *oder:* verwandt; **Ver|wen|dung** *w. 10;* **Ver|wen|dungs|mög|lich|keit** *w. 10;* **Ver|wen|dungs|zweck** *m. 1*
ver|wer|fen 1 *tr. 181* unauffindbar verlegen; für unannehmbar erklären (Plan); die Hände v. *schweiz.:* lebhaft gestikulieren; **2** *intr. 181, bei Tieren:* eine Fehlgeburt haben; das Schaf hat verworfen; **3** *refl. 181* sich verbiegen (Holz); **ver|werf|lich; Ver|wer|fung** *w. 10; auch Geol.:* vertikale Verschiebung von Schollen der Erdkruste
ver|wert|bar; Ver|wert|bar|keit *w. 10 nur Ez.;* **ver|wer|ten** *tr. 2;* **Ver|wer|tung** *w. 10;* **Ver|wer|tungs|ge|sell|schaft** *w. 10*
ver|we|sen 1 *intr. 1* verfaulen, sich zersetzen; **2** *tr. 1, veraltet:* verwalten; **Ver|we|ser** *m. 5* Verwalter, *nur noch in bestimmten Zus.,* z. B. Pfarr-, Reichsverweser; **ver|wes|lich; Ver|we|sung** *w. 10 nur Ez.;* **Ver|we|sungs|ge|ruch** *m. 2*
ver|wet|ten *tr. 2* beim Wetten verlieren
ver|wich|sen *tr. 1, ugs. scherzh.:* verhauen; *auch:* vergeuden
ver|wi|ckeln *tr. u. refl. 1;* **Ver|wi|cke|lung, Ver|wick|lung** *w. 10*
ver|wil|dern *intr. 1;* **Ver|wil|de|rung** *w. 10 nur Ez.*
ver|win|den *tr. 183* überwinden, (seelisch über etwas) hinwegkommen; **Ver|win|dung** *w. 10* = Torsion
ver|wir|ken *tr. 1* (durch eigene Schuld) einbüßen, er hat seine Freiheit verwirkt; sich einen Anspruch v.
ver|wirk|li|chen *tr. 11;* **Ver|wirk|li|chung** *w. 10 nur Ez.*
Ver|wir|kung *w. 10* Rechtsverlust infolge verspäteter Geltendmachung
ver|wir|ren *tr. u. refl. 1;* vgl. verworren; **Ver|wir|rung** *w. 10*
ver|wirt|schaf|ten *tr. 2*
ver|wit|tern *intr. 1;* **Ver|wit|te|rung** *w. 10 nur Ez.*
ver|wit|wet (*Abk.:* verw.) Witwe bzw. Witwer geworden
ver|woh|nen *tr. 1* durch Wohnen abnutzen
ver|wöh|nen *tr. 1;* **Ver|wöhnt|heit** *w. 10 nur Ez.;* **Ver|wöh|nung** *w. 10 nur Ez.*
ver|wor|fen lasterhaft, unsittlich, moralisch gesunken; **Ver|wor|fen|heit** *w. 10 nur Ez.*
ver|wor|ren unklar, verwickelt; **Ver|wor|ren|heit** *w. 10 nur Ez.*
ver|wund|bar; Ver|wund|bar|keit *w. 10 nur Ez.;* **ver|wun|den** *tr. 2*
ver|wun|der|lich; ver|wun|dern *tr. 1;* **Ver|wun|de|rung** *w. 10 nur Ez.*
Ver|wun|de|ten|trans|port *m. 1;* **Ver|wun|de|te(r)** *m. 18 (17) bzw. w. 17 oder 18;* **Ver|wun|dung** *w. 10*
ver|wun|schen verzaubert; **ver|wün|schen** *tr. 1* verfluchen; **Ver|wün|schung** *w. 10*

ver|wurs|teln *tr. 1, ugs.:* verwirren, durcheinander bringen; **ver|wurs|ten** *tr. 2* **1** zu Wurst verarbeiten; **2** *scherzh.:* verarbeiten, verwenden, verbrauchen (obwohl es eigentlich nicht dafür gedacht war)
ver|wur|zeln *intr. 1* Wurzeln schlagen; verwurzelt *auch übertr.:* fest verbunden, verwachsen; **Ver|wur|ze|lung, Ver|wurz|lung** *w. 10 nur Ez.*
ver|würzt zuviel und nicht gut gewürzt
ver|wüs|ten *tr. 1;* **Ver|wüs|tung** *w. 10*
ver|za|gen *intr. 1;* **Ver|zagt|heit** *w. 10 nur Ez.*
ver|zäh|len 1 *refl. 1* falsch zählen, sich beim Zählen irren; **2** *tr. 1, veraltet:* erzählen
ver|zah|nen *tr. 1* ineinander fügen, ineinander greifen lassen; **Ver|zah|nung** *w. 10 nur Ez.*
ver|zan|ken *refl. 1* sich durch Zank entzweien; die beiden sind, *oder:* haben sich verzankt
ver|zap|fen *tr. 1* **1** vom Fass ausschenken; **2** durch Zapfen verbinden; **3** *ugs. abwertend:* verfassen, schreiben (Gedicht, Rede); Unsinn v.: Unsinn reden; **Ver|zap|fung** *w. 10*
ver|zär|teln *tr. 1;* **Ver|zär|te|lung** *w. 10 nur Ez.*
ver|zau|bern *tr. 1;* **Ver|zau|be|rung** *w. 10*
ver|zehn|fa|chen *tr. 1*
Ver|zehr *m. Gen.-s nur Ez.* Verbrauch (von Esswaren); das ist nicht zum V. geeignet; **ver|zeh|ren** *tr. 1*
ver|zeich|nen *tr. 2* **1** falsch zeichnen; **2** notieren, aufschreiben; **Ver|zeich|nis** *s. 1;* **Ver|zeich|nung** *w. 10*
ver|zei|gen *tr. 1, schweiz.:* anzeigen (Person)
ver|zei|hen *intr. 186;* **ver|zeih|lich; Ver|zei|hung** *w. 10 nur Ez.*
ver|zer|ren *tr. 1;* **Ver|zer|rung** *w. 10* **ver|zer|rungs|frei**
ver|zet|teln 1 *tr. 1* auf einzelne Zettel schreiben; ich verzettele, verzettle es; **2** *refl. 1* zu vieles ohne wirkliche Konzentration tun, sich zuviel mit Kleinigkeiten abgeben; **Ver|zet|te|lung** *w. 10 nur Ez.*
Ver|zicht *m. 1;* **ver|zich|ten** *intr. 2;* auf etwas v.; **Ver|zicht|er|klä|rung** *w. 10;* **Ver|zicht|leis|tung** *w. 10*
ver|zie|hen 1 *tr. 187;* das Gesicht v.; **2** *intr. 187* umziehen; sie sind n. Hamburg verzogen
ver|zie|ren *tr. 1;* **Ver|zie|rung** *w. 10;* brich dir keine V. ab! *ugs.:* stell dich nicht so an!
ver|zim|mern *tr. 1, Bgb.:* mit Balken stützen; **Ver|zim|me|rung** *w. 10 nur Ez.*
ver|zin|ken *tr. 1* **1** mit Zink überziehen; **2** *ugs.:* anzeigen, verraten; **Ver|zin|kung** *w. 10 nur Ez.*
ver|zin|nen *tr. 1;* **Ver|zin|nung** *w. 10 nur Ez.*
ver|zins|bar verzinslich; **ver|zin|sen** *tr. 1;* **ver|zins|lich** Zinsen einbringend; **Ver|zins|lich|keit** *w. 10 nur Ez.;* **Ver|zin|sung** *w. 10 nur Ez.*
ver|zo|gen; ein verzogenes Kind
ver|zö|gern *tr. 1;* ich verzögere es; **Ver|zö|ge|rung** *w. 10*
ver|zol|len *tr. 1;* **Ver|zol|lung** *w. 10 nur Ez.*
ver|zu|ckern *tr. 1*
ver|zückt 1 in Ekstase; **2** begeistert, hingerissen; **Ver|zückt|heit** *w. 10 nur Ez.;* **Ver|zü|ckung** *w. 10 nur Ez.*
Ver|zug *m. 2 nur Ez.* Verzögerung, in Verzug geraten; mit der Zahlung im Verzug sein; Gefahr ist im Verzug *eigtl.:* Gefahr liegt im Verzug, d. h. wenn man zögert, wird es gefährlich; ohne Verzug: sofort; **Ver|zugs|zin|sen** *m. 12 Mz.*
ver|zwackt *Nebenform von* verzwickt
ver|zwei|feln *intr. 1;* ich verzweifele, verzweifle; **Ver|zweif|lung** *w. 10 nur Ez.;* **Ver|zweif|lungs|tat** *w. 10*
ver|zwei|gen *refl. 1;* **Ver|zwei|gung** *w. 10*
ver|zwickt verwickelt, schwierig, knifflig; **Ver|zwickt|heit** *w. 10 nur Ez.*
Ve|si|ca [ve-, lat.] *w. Gen. - Mz.* -cae [-tsε:] Blase, *bes.:* Harnblase; **Ve|si|ka|to|ri|um** *s. Gen.* -s *Mz.* -rilen blasenziehendes Arzneimittel; **ve|si|ku|lär** bläschenartig
Ves|per [fɛs-, lat.] **1** *w. 11* Gebetsstunde des kath. Breviers gegen Abend; Gottesdienst gegen Abend; **2** *auch s. 14, süddt., österr.:* Zwischenmahlzeit am Nachmittag; **Ves|per|bild** *s. 3* Darstellung der Muttergottes mit dem Leichnam Christi auf dem Schoß, Pietà; **Ves|per|brot** *s. 1;* **ves|pern** *intr. 1, süddt.:* eine Nachmittagsmahlzeit einnehmen; ich vespere
Ves|ta|lin [vε-, lat.] *w. 10* Priesterin der altröm. Göttin Vesta
Ves|te [fɛs-] *w. 11, veraltet:* Festung; Veste Coburg
Ves|ti|bül [vεs-, lat.] *s. 1* Vorhalle, Treppenhalle; **Ves|ti|bu|lum** *s. Gen.* -s *Mz.* -la **1** *im altröm. Haus:* Vorhalle; **2** *Anat.:* Eingang zu einem Hohlraum
Ves|ti|tur [vεs-, lat.] *w. 10, ältere Form von* Investitur
Ves|ton [-tõ, frz.] *s. Gen.* -s *Mz.* -s *schweiz.:* Herrenjackett
Ve|suv [vεzuf] *m. Gen.* -s Vulkan bei Neapel; **Ve|su|vi|an** [vεzuvjan] *s. 1 nur Ez.* ein Mineral; **ve|su|visch**
Ve|te|ran [vε-, lat.] *m. 10* Soldat, der schon an einem früheren Feldzug teilgenommen hat; alter Soldat
ve|te|ri|när [vε-, lat.] tierärztlich; **Ve|te|ri|när** *m. 1* Tierarzt; **Ve|te|ri|när|me|di|zin** *w. Gen. - nur Ez.* Tiermedizin, Tierheilkunde
Ve|to [ve-, lat. »ich verbiete«] *s. 9* Einspruch; sein Veto einlegen; **Ve|to|recht** *s. 1 nur Ez.*
Vet|tel [fɛt-, lat.] *w. 11* liederliches, schlampiges (altes) Weib
Vet|ter [fɛt-] *m. 11* **1** Sohn des Onkels oder der Tante; **2** *veraltet:* Verwandter, Gevatter; **Vet|tern|wirt|schaft** *w. 10 nur Ez.* Begünstigung von Verwandten und Bekannten (beim Vergeben von Stellen u. Ä.)
Ve|xier|bild [vε-, lat.] *s. 3* Suchbild, Bild, das eine nicht sofort erkennbare Figur enthält; **ve|xie|ren** *tr. 3;* jmdn. v.: sich über jmdn. lustig machen, jmdn. necken, *auch:* quälen; **Ve|xier|schloß** ► **Ve|xier|schloss** *s. 4* Buchstaben-, Zahlenschloss; **Ve|xier|spie|gel** *m. 5* verzerrender Spiegel
Ve|zier [vεzir] *m. 1, veraltete Schreibung von* Wesir
V-för|mig *Nv.* ► **v-för|mig** *Hv.*

> **v-förmig/V-förmig:**
> Man setzt einen Bindestrich in Zusammensetzungen mit Einzelbuchstaben. Klein- und Großschreibung sind möglich; der/die Schreibende entscheidet selbst: *eine v-förmige/V-förmige Astgabel.*
> →§40, §55 (2)

vgl. *Abk. für* vergleiche
v. H. *Abk. für* vom Hundert
VHS *Abk. für* Volkshochschule
via [via] (auf dem Weg) über; nach Rom via Zürich fliegen; **Vi|a|dukt** *s. 1* Talbrücke, Überführung; **Vi|a|ti|kum** *s. Gen.* -s *Mz.* -ka *oder* -ken, *kath. Kirche:* letzte Kommunion (für Sterbende)

> **Vibra-** (Worttrennung): Neben der Trennung *Vi|bra-* ist auch die Abtrennung zwischen *b* und *r* möglich. Auf diese Weise kommt der letzte Konsonant auf die neue Zeile: *Vib|ra-*.
> Entsprechend: *Vi|bra|ti|on/Vib|ra|ti|on, vi|brie|ren/vib|rie|ren* usw. →§ 107, § 108

Vi|bra|phon ► *auch:* **Vi|bra|fon** [vi-, lat. + griech.] *s. 1* ein elektron. Musikinstrument; **Vi|bra|pho|nist** ► *auch:* **Vi|bra|fo|nist** *m. 10;* **Vi|bra|ti|on** [lat.] *w. 10*

> **Vibraphon/Vibrafon:** Die fremdsprachige Schreibweise *(Vibraphon)* ist die Hauptvariante, die integrierte (eingedeutschte) Form die zulässige Nebenvariante *(Vibrafon).* →§ 32 (2)

Schwingung, feine Erschütterung, Vibrieren; **vi|bra|to** bebend, fein schwingend; **Vi|bra|to** *s. Gen.* -s *Mz.* -s *oder* -ti leichtes Beben (des Tons der Singstimme und bei Streich- und Holzblasinstrumenten); **Vi|bra|tor** *m. 13* Gerät zum Erzeugen von Schwingungen; **vi|brie|ren** *intr. 3*
Vi|bur|num [vi-, lat.] *s. Gen.* -s *nur Ez.* ein Zierstrauch, Schneeball
vi|ce ver|sa [vitsə vẹrsa, lat.] *(Abk.:* v. v.) umgekehrt
Vi|ckers|här|te [vi-, nach dem brit. Konzern Vickers] *w. 11 nur Ez. (Abk.:* HV) Maß für die Härte von Werkstoffen
Vi|comte [vikɔ̃t, frz.] *m. 9* frz. Titel für Adligen zwischen Baron und Graf; **Vi|com|tesse** [vikɔ̃tẹs] *w. 11* weibl. Vicomte
Vic|to|ria **1** Staat in Australien; **2** = Viktoria
vid. *Abk. für* videatur; **vi|de** [vi-, lat.] *(Abk.:* v) *veraltet:* siehe; **vi|de|a|tur** *(Abk.:* vid.) *veraltet:* man sehe nach; **Vi|de|o|clip** [vi-, lat.] *m. 9* Kurzfilm zur Untermalung eines Songtitels; **Vi|de|o|re|cor|der** *m. 5* Gerät zur Speicherung und Wiedergabe von Fernsehbildfolgen; **Vi|de|o|text** *m. Gen.* -(e)s *nur Ez.* Information, Nachrichten, die über das Fernsehgerät abgerufen werden können; **Vi|de|o|thek** *w. 10* Sammlung (und Ausleihe) von Filmen und Fernsehaufzeichnungen
vi|die|ren *tr. 3*
Viech *s. 3, ugs.* **1** Tier; **2** jmd., der gern Unsinn treibt; **Vie|che|rei** *w. 10, ugs.* **1** Gemeinheit; **2** große Anstrengung; **3** (derber) Spaß, Ulk; **Vieh** *s. Gen.* -s *nur Ez.;* **Vieh|fut|ter** *s. 5 nur Ez.;* **vie|hisch** roh, brutal, unmenschlich; **Vieh|salz** *s. 1 nur Ez.* rot gefärbtes Salz (als Futtermittel und zum Streuen bei Schneeglätte); **Vieh|wa|gen** *m. 7;* **Vieh|zeug** *s. 1 nur Ez.* Kleinvieh, kleine Tiere, *auch:* Ungeziefer; **Vieh|zucht** *w. Gen.* - *nur Ez.*

> **viel, die vielen, vieles, das viele:** Das Zahladjektiv *viel* (ebenso: *wenig, der andere*) wird in allen Flexionsformen kleingeschrieben, obwohl Merkmale der Substantivierung vorliegen: *die vielen, vieles, das viele* usw. →§ 58 (5)

viel; das ist (nicht) viel; *aber:* viele Wenig machen ein Viel; viele (= viele Leute); vieles; ich stimme mit ihm in vielem überein; um vieles besser; er hat, kann viel mehr als du; *aber:* →vielmehr; er hat so viel gegessen, dass...; *aber:* soviel ich weiß; sie können beide gleich viel; *aber:* →gleichviel; viel zu viel; vgl. zu; viel Schönes, vieles Schöne, mit vielem Schönen; viele Angestellte, vieler Angestellter *(auch:* Angestellten), mit vielen Angestellten; viele kleine Kinder, vieler kleinen Kinder, mit vielen kleinen Kindern, viele kleine Kinder; viel reifes Obst, mit viel reifem Obst, *oder:* mit vielem reifen Obst; vgl. manch; **viel|be|fah|ren** ► **viel be|fah|ren;** eine viel befahrene Strecke; **viel|be|schäf|tigt** ► **viel be|schäf|tigt**; ein viel beschäftigter Arzt; **viel|be|spro|chen** ► **viel be|spro|chen**; ein viel besprochenes Theaterstück; das Stück wurde

> **viel befahren/beschäftigt/bewundert/gelesen:** Im Gegensatz zur bisherigen Norm wird die Verbindung aus Adjektiv und Verb/Partizip, wenn das Adjektiv in dieser Verbindung steigerbar oder durch *sehr* erweiterbar ist, getrennt geschrieben: *Die Straße ist viel befahren. Sie ist eine viel bewunderte Schauspielerin.* →§ 34 E3 (3), § 36 E1 (1.2)

viel besprochen; **viel|deu|tig; Viel|deu|tig|keit** *w. 10 nur Ez.;* **Viel|eck** *s. 1;* **viel|e|ckig; Viel|e|he** *w. 11* Ehe mit mehreren Männern bzw. Frauen, Polygamie bzw. Polyandrie; *Ggs.:* Einehe; **vie|len|orts,** vie|ler|orts; **vie|ler|lei; vie|ler|orts; viel-**

> **vielfach, das Vielfache:** Zusammensetzungen, bei denen der zweite Bestandteil *(-fach)* in dieser Form nicht selbständig vorkommt, schreibt man zusammen: *vielfaches Geschrei.* →§ 36 (2)
> Ebenso: *eine vieldeutige Antwort.*
> Die substantivierte Form schreibt man groß: *das Vielfache, um ein Vielfaches größer/schlanker.* →§ 57 (1)

fach; Viel|fa|che(s) *s. 18 (17);* **Viel|fach|ge|rät** *s. 1* für mehrere Zwecke verwendbares landwirtschaftl. Gerät; **Viel|falt** *w. Gen.* - *nur Ez.;* **viel|fäl|tig; Viel|fäl|tig|keit** *w. 10 nur Ez.;* **viel|far|big; Viel|far|big|keit** *w. 10 nur Ez.;* **Viel|flach** *s. 1,* **Viel|fläch|ner** *m. 5* = Polyeder; **Viel|fraß** *m. 1* **1** eine Marderart; **2** *ugs.:* jmd. der gern und viel isst; **viel|ge|braucht** ► **viel ge|braucht**; ein viel gebrauchtes Gerät; es wird viel gebraucht; **viel|ge|le|sen** ► **viel ge|le|sen;** ein viel gelesener Schriftsteller; er wird viel gelesen; **viel|ge|reist** ► **viel ge|reist**; ein viel gereister Mann; er ist viel gereist; **viel|ge|stal|tig; Viel|ge|stal|tig|keit** *w. 10 nur Ez.;* **viel|glied|rig; Viel|göt|te|rei** *w. 10 nur Ez.* = Polytheismus; **viel|hun|dert|mal** [auch: -hụn-]; *aber:* viele hundert Male; **viel|köp|fig; viel|leicht; viel|lieb** *veraltet, noch scherzhaft:* sehr lieb; mein vielieber Sohn; **viel|ma|lig; viel-**

mals; Viel|män|ne|rei *w. 10 nur Ez.* = Polyandrie; *Ggs.:* Vielweiberei; **viel|mehr** eher, im Gegenteil; ich bin vielmehr der Meinung, dass…; *aber:* er weiß viel mehr, als er zugibt; **viel|sa|gend ► viel sa|gend; viel|schich|tig; Viel|schich|tig|keit** *w. 10 nur Ez.;* **Viel|schrei|ber** *m. 5;* **viel|sei|tig; Viel|sei|tig|keit** *w. 10 nur Ez.;* **viel|sil|big; viel|stim|mig; Viel|stim|mig|keit** *w. 10 nur Ez.;* **viel|tau|send|mal** [auch: -taʊ-]; *aber:* viele tausend Male; **viel|ver|spre|chend ► viel ver|spre|chend; Viel|wei|be|rei** *w. 10 nur Ez.* = Polygynie; Ggs.: Vielmännerei; **Viel|zahl** *w. 10 nur Ez.;* **Viel|zel|ler** *m. 5*

vier; die vier Jahreszeiten, Evangelisten; in alle vier Winde zerstreut; unter vier Augen; alle Viere von sich strecken *ugs.:* sich bequem hinsetzen, *auch:* verenden (Tier); auf allen Vieren kriechen; wir sind zu Vieren, zu viert; *Ableitungen* vgl. acht; **Vier** *w. 10* die Zahl 4; **2** Schulnote 4; im Rechnen eine Vier haben, schreiben; **3** Straßenbahn Linie 4; *Ableitungen und Zus.* vgl. Acht; **Vier|ach|tel|takt** *m. 1;* **Vier|bei|ner** *m. 5;* **vier|bei|nig; vier|blät|te|rig, vier|blätt|rig; Vier|bund** *m. 2;* **vier|di|men|si|o|nal; Vier|eck** *s. 1;* **vier|e|ckig; Vie|rer** *m. 5* **1** Autobus Linie 4; **2** *süddt.:* die Zahl 4; Schulnote 4; vgl. Vier; **Vier|far|ben|druck** *m. 1;* **Vier|fürst** *m. 10* = Tetrarch; **Vier|fü|ßer** *m. 5;* **vier|fü|ßig; vier|hän|dig;** v. Klavier spielen; **vier|hun|dert; Vier|jah|res|plan** *m. 2;* **vier|kant** *Seew.:* rechtwinkelig zur Kiellinie, waagerecht; **Vier|kant** *m. 1* Werkzeug, Geräteteil mit vier Kanten; **Vier|ling** *m. 1;* **Vier|plät|zer** *m. 5, schweiz.:* Viersitzer; **vier|plät|zig** *schweiz.:* viersitzig; **Vier|rad|brem|se** *w. 11;* **vier|rä|de|rig, vier|räd|rig; vier|schrö|tig** breit und kräftig (Person); **Vier|sit|zer** *m. 5* Kraftwagen mit vier Sitzen; **vier|sit|zig; Vier|spän|ner** *m. 5* Wagen für vier Pferde; **vier|spän|nig** mit vier Pferden bespannt; **vier|stim|mig; Vier|ta|ge|fie|ber** *s. 5 nur Ez.* = Quartanafieber; **Vier|takt|mo|tor** *m. 13;* **vier|tei|len** *tr. 1;* **vier|tel, Vier|tel** [fɪr-, auch in Zus.] *s. 5;* vgl. achtel, Achtel; es ist viertel acht: 7^{15}; es ist ein Viertel vor acht *oder* auf acht: 7^{45}; ein Viertel nach acht: 8^{15}; **Vier|tel|bo|gen** *m. 7* der vierte Teil eines Druckbogens; **Vier|tel|dre|hung** *w. 10;* **Vier|tel|jahr** *s. 1;* **Vier|tel|jahr|hun|dert** *s. 1;* **vier|tel|jähr|lich** jedes Vierteljahr, alle drei Monate; **Vier|tel|jahrs|schrift** *w. 10;* **vier|teln** *tr. 1;* **Vier|tel|pfund** *s. 1 nur Ez.;* **Vier|tel|stun|de** *w. 11;* **vier|tel|stün|dig** eine Viertelstunde dauernd; viertelstündige Pause; **vier|tel|stünd|lich** jede Viertelstunde; der Umschlag ist v. zu wechseln; **Vier|tel|ton** *m. 2;* **vier|tü|rig; Vier|und|sech|zigs|tel** *s. 5,* **Vier|und|sech|zigs|tel|no|te** *w. 11* Note im Taktwert des 64. Teils einer ganzen Note; **Vie|rung** *w. 10* Raumteil der Kirche, der durch die Kreuzung von Längs- und Querschiff gebildet wird; **Vier|vier|tel|takt** *m. 1;* **vier|zehn|tä|gig** vgl. …tägig; **Vier|zei|ler** *m. 5* Gedicht aus vier Zeilen; **vier|zig;** vgl. achtzig; **Vier|zi|ger** *m. 5;* vgl. Achtziger; **Vier|zig|stun|den|wo|che** *w. 11, mit Ziffern:* 40-Stunden-Woche; **vier|zy|lin|drig** *auch:* **-zy|lind|rig,** *mit Ziffer:* 4-zylindrig

> **viertel:** vgl. *achtel.* Kleinschreibung gibt es bei: *um (drei) viertel acht (Uhr).* →§ 56 (6.2)
> Großschreibung: *(ein/um) Viertel vor acht.* →§ 56 E4
> Ebenso: *die/eine Viertelstunde, in drei Viertelstunden.*
> Auch: *die/eine viertel Stunde, in drei viertel Stunden.* →§ 56 (6.1)
> Vgl.: *Dreiviertelstunde.*

Vi|et|cong [viɛt-] *m. Gen. - nur Ez.* Partisan bzw. Partisanenbewegung im ehem. Südvietnam; **Vi|et|min, Vi|et Minh** [Kurzw.] *w. Gen. - nur Ez.;* **Vi|et|nam** Staat in Hinterindien; **Vi|et|na|me|se** *m. 11* Einwohner von Vietnam; **vi|et|na|me|sisch; Vi|et|nam|krieg** *m. 1 nur Ez.*

vif [vif, frz.] lebendig, beweglich, munter, regsam

Vi|gil [vi-, lat.] *w. Gen. - Mz.* -li|en, Vi|gi|lie [-ljə] *w. 11* Vortag eines hohen kath. Festes; **vi|gi|lant** aufmerksam, pfiffig, schlau; **Vi|gi|lanz** *w. 10 nur Ez.;* **Vi|gi|lie** [-ljə] *w. 11* = Vigil; **vi|gi|lie|ren** *intr. 3* aufmerksam sein, aufpassen

Vi|gnet|te *auch:* **Vig|net|te** [vinjɛtə, frz.] *w. 11* kleine Zierform oder Zierbildchen (auf dem Titelblatt u. Ä.)

Vi|go|gne *auch:* **-gog|ne** [vigɔnjə, frz., zu: Vikunja] *w. 11,* **Vi|go|gne|wol|le** *w. 11* Garn aus Baumwolle und Wolle

Vi|gor [vi-, lat.] *m. Gen.* -s *nur Ez., veraltet:* Lebenskraft, Rüstigkeit; **vi|go|ro|so** *Mus.:* kräftig, energisch

Vi|kar [vi-, lat.] *m. 1* **1** Stellvertreter, *bes.:* Gehilfe eines Geistlichen; **2** evang. Theologe nach der ersten Prüfung; **Vi|ka|ri|at** *s. 1* Amt eines Vikars; **Vi|ka|rin** *w. 10* **1** weibl. Vikar; **2** evang. Theologin nach der zweiten Prüfung

Vik|ti|mo|lo|gie [vik., lat. + griech.] *w. 11 nur Ez.* Teil der Kriminologie, untersucht die Beziehungen zwischen Verbrecher und Opfer

Vik|to|ria [vik-, lat.] *ohne Artikel:* Sieg, *nur in Wendungen wie:* V. rufen, schießen; **vik|to|ri|a|nisch;** *aber:* das Viktorianische Zeitalter

Vik|tu|a|li|en [vik-, lat.] *Mz. veraltet, noch österr.:* Lebensmittel; **Vik|tu|a|li|en|brü|der** *m. 6 Mz.* = Vitalienbrüder

Vi|kun|ja [vi-, span.] *w. Gen. - Mz.* -jen eine Lamaart

Vil|la [vila, lat.] *w. Gen. - Mz.* -len Landhaus, größeres Einzelwohnhaus

Vil|la|nell [vil-, lat.-ital.] *s. 1,* **Vil|la|nel|la, Vil|la|nel|le** *w. Gen. - Mz.* -len, *im 16./17. Jh.:* ital. Bauern-, Hirten-, Tanzliedchen

Vi|nai|gret|te [vinɛgrɛt(ə), frz.] *w. 11* eine pikante Soße

Vin|di|ka|ti|on [vin-, lat.] *w. 10* Anspruch des Eigentümers auf Herausgabe seiner Sache gegenüber dem Besitzer; **vin|di|zie|ren** *intr. 3* eine Vindikation geltend machen; **Vin|di|zie|rung** *w. 10*

Vi|ne|ta [vi-] Name einer sagenhaften, im Meer versunkenen Stadt an der Ostseeküste

Vingt-et-un [vɛ̃teœ̃, frz. »einundzwanzig«], **Vingt-un** [vɛ̃tœ̃] *s. Gen. - nur Ez.* ein Kartenglücksspiel

Vi|nyl [lat. + griech.] *w. 11* eine einwertige, ungesättigte organ.

Molekülgruppe mit zwei Kohlenstoffatomen
Vi|o|la [vi-, lat.-ital.] **1** *w. Gen. - Mz.* -len, Vi|o|le *w. 11* Veilchen, Stiefmütterchen; **2** *w. Gen. - Mz.* -len ein Streichinstrument, Bratsche; Viola d'amore: Geige mit 6–7 Darmsaiten und je einer nur mitklingenden Metallsaite; Viola da braccio [bratʃɔ]: Armgeige, Bratsche; Viola da gamba; Kniegeige, Gambe; **Vi|o|le** *w. 11* = Viola (**1**)
vi|o|lent [vio-, lat.] *veraltet:* gewaltsam; **Vi|o|lenz** *w. 10 nur Ez.*
vi|o|lett [vio-, lat.] veilchenfarbig, blaurot; **Vi|o|lett** *s. Gen.* -s *nur Ez.* blaurote Farbe
Vi|o|li|ne [vio-, lat.] *w. 11* Geige; **Vi|o|li|nist** *m. 10* Geiger; **Vi|o|lin|schlüs|sel** *m. 5* ein Notenschlüssel, G-Schlüssel; **Vi|o|lon|cel|list** [-tʃɛl-] *m. 10;* **Vi|o|lon|cel|lo** [-tʃɛl-] *s. Gen.* -s *Mz.* -li (*Kurzw.:* Cello) Kniegeige; **Vi|o|lo|ne** *m. Gen.* -s *Mz.* -s *oder* -ni Bassgeige, Kontrabass
VIP [vip oder vi:aɪpi] *w. 9 Kurzw. für engl.:* very important person »sehr wichtige Persönlichkeit«; **VIP-Lounge** [-laundʒ, engl.] *w. Gen. - Mz.* -s [-dʒɪz]
Vi|per [vi-, lat.] *w. 11* eine Giftschlange
Vi|ra|gi|ni|tät [vi-, lat.] *w. 10 nur Ez.* männl. Geschlechtsempfinden (bei Frauen)
Vire|ment [virmã, frz.] *s. 9, im Staatshaushalt:* Übertragung von Mitteln eines Titels auf einen anderen oder auf ein anderes Jahr
Vi|ren *Mz. von* Virus
Vir|gi|nia [vir-, engl.: vədʒinjə] **1** (*Abk.:* VA) Staat der USA; **2** *w. 9* lange, dünne, schwere Zigarre; **Vir|gi|ni|a|ta|bak** *m. 1;* **Vir|gi|ni|tät** [vir-] *w. 10 nur Ez.* Jungfräulichkeit, Unberührtheit
vi|ril [vi-, lat.] männlich; **Vi|ri|li|tät** *w. 10 nur Ez.* Männlichkeit, Manneskraft; **Vi|ril|stim|me** *w. 11, im Reichstag bis 1806 und im Bundestag 1815–1866:* fürstl. Einzelstimme; *Ggs.:* Kuriatstimme
Vi|ro|lo|ge [vi-, lat. + griech.] *m. 11;* **Vi|ro|lo|gie** *w. 11 nur Ez.* Lehre von den Viren; **vi|ro|lo|gisch; vi|rös** [lat.] von Viren befallen; **Vi|ro|se** *w. 11* Viruskrankheit
Vir|tu|a|li|tät [vir-, lat.] *w. 10* (innewohnende) Kraft, Möglichkeit; **vir|tu|ell** der Möglichkeit nach vorhanden, nur gedacht, scheinbar; virtuelles Bild *Optik:* scheinbares Bild; **vir|tu|os** meisterhaft, (technisch) vollkommen; **Vir|tu|o|se** *m. 11* Künstler, bes. Musiker, der die Technik seiner Kunst glänzend beherrscht; **Vir|tu|o|sen|tum** *s. Gen.* -s *nur Ez.;* **Vir|tu|o|si|tät** *w. 10 nur Ez.*
vi|ru|lent [vi-, lat.] ansteckend, krankheitserregend; *Ggs.:* avirulent; **Vi|ru|lenz** *w. 10 nur Ez.;*
Vi|rus [vi-] *s., ugs. auch: m., Gen.- Mz.* -ren Krankheitserreger; **Vi|rus|grip|pe** *w. 11*
Vi|sa [vi-] *Mz. von* Visum
Vi|sa|ge [vizaʒə, frz.] *w. 11, ugs. abwertend:* Gesicht

> **vis-a-vis:** Die integrierte (eingedeutschte) Schreibweise *vis-a-vis* gilt als Hauptvariante, die französische Form *(vis-à-vis)* als Nebenvariante.

vis-à-vis *Nv.* ► **vis-a-vis** *Hv.* [vizavi, frz.] gegenüber; sie saßen im Abteil v.; **Vis|a|vis** [vizavi] *s. Gen.* - [-vi:s] *Mz.* - [-vi:s] das Gegenüber
Vis|ce|ra *Mz.* = Viszera
Vis|con|te [vis-, ital.] *m. Gen. - Mz.* -ti ital. Titel für Adligen zwischen Graf und Baron; **Vis|con|tes|sa** *w. Gen. - Mz.* -se *oder* -sen weibl. Visconte; **Vis|count** [vaɪkaʊnt, engl.] *m. 9* engl. Titel für Adligen zwischen Graf und Baron; **Vis|coun|tess** [vaɪkaʊntɪs] *w. Gen. - Mz.* -tes|ses [-tɪsɪz] weibl. Viscount
Vish|nu, Wisch|nu einer der Hauptgötter des Hinduismus
vi|si|bel [vi-, lat.] *veraltet:* sichtbar; **Vi|sier** *s. 1* **1** beweglicher, das Gesicht schützender Teil des Helms; **2** *an Feuerwaffen:* Zielvorrichtung; **vi|sie|ren** *tr. 3* **1** (nach etwas) zielen; **2** eichen; **3** mit Visum versehen (Pass); **4** *veraltet:* beglaubigen; **Vi|sier|li|nie** *w. 11* gedachte Linie zwischen Kimme und Korn; **Vi|sie|rung** *w. 10, MA und Renaissance:* Werkzeichnung
Vi|si|on [vi-, lat.] *w. 10* Traumgesicht, Trugbild, Erscheinung vor dem geistigen Auge; **vi|si|o|när** in der Art einer Vision, traumhaft, seherisch
Vi|si|ta|ti|on [vi-, lat.] *w. 10* (prüfende) Besichtigung; Durch-, Untersuchung (der Kleidung, des Gepäcks); **Vi|si|ta|tor** *m. 13, veraltet:* jmd., der etwas visitiert; **Vi|si|te** *w. 11* Besuch (bes. zur Untersuchung von Kranken); **Vi|si|ten|kar|te** *w. 11* kleine Karte mit Aufdruck des Namens, der Adresse oder Firma, Besuchskarte; **vi|si|tie|ren** *tr. 3* **1** (zwecks Prüfung) besuchen; **2** durchsuchen; **Vi|sit|kar|te** *w. 11, österr. für* Visitenkarte
vis|kos [vis-, lat.] *auch:* **vis|kös** zähflüssig, leimartig; **Vis|ko|se** *w. 11 nur Ez.* eine Zelluloseverbindung, Ausgangsstoff für Kunstfasern; **Vis|ko|si|me|ter** *s. 5* Gerät zum Messen der Zähigkeit von Flüssigkeiten; **Vis|ko|si|tät** *w. 10 nur Ez.* Zähflüssigkeit
Vis|ta [vis-, ital.] *w. Gen. - nur Ez.* Sicht, Vorzeigen (eines Wechsels); **Vis|ta|wech|sel** *m. 5* Sichtwechsel
vi|su|a|li|sie|ren [vi-, lat.] *tr. 3* in Bildform, in Anschauung umsetzen; **Vi|su|a|li|zer** [vɪʒjuəlaɪzə, engl.] *m. 5* graf. Gestalter von Werbeideen; **vi|su|ell** [lat.] zum Sehen gehörend, durch Sehen hervorgerufen; visueller Typ: jmd., der sich Gesehenes leichter merkt als Gehörtes; *Ggs.:* akustischer Typ; **Vi|sum** [vi-] *s. Gen.* -s *Mz.* -sa *oder* -sen Erlaubnis, Sichtvermerk zum Aufenthalt in einem Staat
Vis|ze|ra [vis-, lat.], Vis|ce|ra *Mz.* Eingeweide; **vis|ze|ral** zu den Eingeweiden gehörend, von ihnen ausgehend
Vi|ta [vi-, lat. »Leben«] *w. Gen.- Mz.* -tae [-tɛ:] Lebensbeschreibung; **vi|tal** lebenskräftig, zum Leben gehörig, lebens...
Vi|ta|li|en|brü|der [lat.], Vik|tu|a|li|en|brü|der *m. 6 Mz., im 14./15. Jh.:* Seeräuber in der Ostsee
Vi|ta|lis|mus [vi-, lat.] *m. Gen. - nur Ez.* Lehre, dass dem organ. Leben eine über die chemisch-physikal. Vorgänge hinausgehende Lebenskraft innewohne; **Vi|ta|list** *m. 10;* **vi|ta|lis|tisch; Vi|ta|li|tät** *w. 10 nur Ez.* Lebensfähigkeit, Lebenskraft, Lebendigkeit; **Vit|a|min** *auch:* **Vi|ta|min** *s. 1* ein lebenswichtiger Wirkstoff; **vit|a|min|arm** *auch:* **vi|ta|min|arm; Vit-**

vitaminhaltig, Vitamin-B-haltig: Zusammensetzungen, bei denen der zweite Bestandteil *(-haltig)* in dieser Form nicht selbständig vorkommt, schreibt man zusammen: *eine vitaminhaltige Nahrung.* →§36 (2)
Man setzt einen Bindestrich zwischen allen Bestandteilen mehrteiliger Zusammensetzungen, in denen eine Wortgruppe oder eine Zusammensetzung mit Bindestrich auftritt: *Vitamin-B-haltig, Vitamin-B-Mangel.* →§44

amin-B-hal|tig *auch:* **Vi|ta|min-; Vit|a|min-B-Man|gel** *auch:* **Vi|ta|min-** *m. 6 nur Ez.;* **vit|a|mi|nie|ren, vit|a|mi|ni|sie|ren** *auch:* **vi|ta|mi-** *tr. 3* mit Vitaminen anreichern; **vit|a|min|reich** *auch:* **vi|ta|min-; Vit|a|min|stoß** *auch:* **Vi|ta|min-** *m. 2*
vi|ti|ös [vitsjøs, lat.] fehlerhaft, lasterhaft, bösartig; **Vi|ti|um** [vitsjum] *s. Gen.* -s *Mz.* -tia [-tsja], *Med.:* Fehler, Übel
Vi|tra|ge *auch:* **Vit|ra|ge** [vitraʒ(ə), frz.] *w. 11, veraltet:* (meist weißer) undurchsichtiger Fenstervorhang
Vi|tri|ne *auch:* **Vit|ri|ne** [vi-, lat.] *w. 11* Glasschrank; Schauschrank, Schaukasten
Vi|tri|ol *auch:* **Vit|ri|ol** [vi-, mlat.] *s. 1, Sammelbez. für* wasserhaltige Sulfate zweiwertiger Metalle, bes. Eisen- und Kupfervitriol; **Vi|trit** *auch:* **Vit|rit** *m. 1* Glanzkohle, eine meist streifige Lage in Steinkohlen
vi|va|ce [vivatʃə, ital.] *Mus.:* lebhaft, munter; **Vi|va|ce** *s. Gen.* - *Mz.* - lebhafter Teil eines Musikstücks; **vi|va|cis|si|mo** [vivatʃis-] äußerst lebhaft; **Vi|vant!** [vivant, lat.] Sie sollen leben!; Vivant sequentes!: Die Folgenden (= die nach uns Kommenden) sollen leben!; **Vi|va|ri|um** *s. Gen.* -s *Mz.* -ri|en Terrarium mit Aquarium; **Vi|vat!** [vivat] Er lebe!, Vivat, crescat, floreat! Er (sie, es) lebe, wachse, gedeihe!; **Vi|vat** *s. 9* Hoch-, Heilruf
Vi|vi|a|nit [vivia-, nach dem engl. Mineralogen J. G. Vivian] *s. 1* Blaueisenerde, Blauerz
vi|vi|par [vivi-, lat.] lebend gebärend; *Ggs.:* ovipar; **Vi|vi|sek|ti|on** *w. 10* Eingriff am lebenden Tier (zu Forschungszwecken); **vi|vi|se|zie|ren** *tr. 3;* **vi|vo** [ital.] *Mus.:* lebhaft, lebendig
Vi|ze... [fi, auch: vi, lat.] *in Zus.:* stellvertretende(r) ..., z. B. Vizekanzler
Viz|tum [fits-, auch: vits-] *m. 1, MA:* Regierungsbeamter, Vertreter des Landesherrn (in einem Bezirk)
v. J. *Abk. für* vorigen Jahres
v. l. *Abk. für* von links
Vla|me [fla] *m. 11, ndrl. Schreibung von* Flame; **vlä|misch** [flɛ-] *ndrl. Schreibung von* flämisch
Vlies [flis, ndrl.] *s. 1* Rohwolle vom Schaf; das Goldene Vlies *griech. Myth.:* das Fell eines goldenen Widders; **Vlie|se|li|ne** *w. 11 nur Ez.* ® Stoff aus Fasern, Kunstharz und Kautschuk zum Versteifen z. B. von Kragen
v. l. n. r. *Abk. für* von links nach rechts
v. M. *Abk. für* vorigen Monats
V-Mann *m. 4, Mz., auch* -leute, *Kurzw. für* Verbindungs-, Vertrauensmann
v. o. *Abk. für* von oben
Vo|gel *m. 6;* **Vo|gel|bau|er** *s. 5;* **Vo|gel|beer|baum** *m. 2* Eberesche; **Vo|gel|bee|re** *w. 11;* **Vö|gel|chen** *s. 7;* **Vo|gel|flug|li|nie** *w. 11 nur Ez.* kürzester Verkehrsweg zwischen Hamburg und Kopenhagen; **vo|gel|frei** *im alten dt. Recht:* ohne Rechtsschutz, geächtet; **Vo|gel|herd** *m. 1* Platz zum Vogelfang; **Vo|gel|kun|de** *w. 11 nur Ez.* Ornithologie; **vö|geln** *intr. u. tr. 1, vulg.:* den Beischlaf ausüben (mit jmdm.); **Vo|gel|per|spek|ti|ve** *auch:* **-pers|pek|ti|ve** *w. 11 nur Ez.;* **Vo|gel|schau** *w. 10 nur Ez.* Sicht von oben; etwas aus der V. sehen; **Vo|gel|scheu|che** *w. 11;* **Vo|gel|schie|ßen** *s. Gen.* -s *nur Ez.* Schützenfest; **Vo|gel|schutz** *m. Gen.* -es *nur Ez.;* **Vo|gel|stel|ler** *m. 5* Vogelfänger; **Vo|gel-Strauß-Po|li|tik** *w. 10 nur Ez.* das mehr oder minder bewusste Nichtbeachten einer Gefahr oder unangenehmen Tatsache (nach dem Vogel Strauß, der angeblich bei Gefahr den Kopf in den Sand steckt, um nichts zu sehen); **Vo|gel|war|te** *w. 11;* **Vo|gel|zug** *m. 2*
Vo|ge|sen [vo-], *frz.:* Vosges [voʒ] frz. linksrhein. Mittelgebirge, Wasgenwald
Vog|ler *m. 5* Vogelfänger
Vogt *m. 2* **1** *früher:* Verwalter, Schirmherr, Richter; **2** *schweiz. heute noch:* Vormund; **Vog|tei** *w. 10* Amtsbereich eines Vogtes; **vog|ten** *tr. 2, schweiz.:* bevormunden; **Vogt|land** *s. Gen.* -(e)s Landschaft zwischen Fichtel- und Erzgebirge; **Vogt|län|der** *m. 5;* **vogt|län|disch**
Vogue vgl. en vogue
voi|là [voala, frz.] sieh her!, sieh da!, hier ist ...!
Voile [voal, frz.] *m. 9* schleierartiges Gewebe
Vo|ka|bel [vɔ-, lat.] *w. 11* einzelnes Wort, bes. aus einer fremden Sprache; **Vo|ka|bu|lar** *s. 1* **1** Wörterverzeichnis; **2** Gesamtheit der Wörter, Wortschatz (einer Sprache, eines Menschen); **Vo|ka|bu|la|ri|um** *s. Gen.* -s *Mz.* -ri|en, *veraltet:* Vokabular
vo|kal [vɔ-, lat.] für Singstimme(n), zur Singstimme gehörig; **Vo|kal** *m. 1* Laut, bei dem der Atemstrom ungehindert aus dem Mund entweichen kann, Selbstlaut, a, e, i, o u; vgl. Konsonant; **Vo|ka|li|sa|ti|on** *w. 10 nur Ez.* **1** Aussprache der Vokale (beim Singen); **2** Bezeichnung der fehlenden Vokale eines ohne Vokale geschriebenen Textes (z. B. im Hebräischen) durch Punkte oder Striche unter den zugehörigen Konsonanten; **vo|ka|lisch** in der Art eines Vokals, mit einem Vokal; **Vo|ka|li|se** *w. 11* Gesangsübung nur mit Vokalen; **vo|ka|li|sie|ren 1** *intr. 3, beim Singen:* die Vokale bilden, aussprechen; **2** *tr. 3* mit Vokalzeichen versehen (Text); **Vo|ka|li|sie|rung** *w. 10 nur Ez.;* **Vo|ka|lis|mus** *m. Gen.* - *nur Ez.* Bestand an Vokalen (einer Sprache oder Sprachstufe); **Vo|kal|mu|sik** *w. 10 nur Ez.* Musik für Singstimmen; *Ggs.:* Instrumentalmusik; **Vo|kal|quar|tett** *s. 1* Quartett für Singstimmen, Gesangsquartett
Vo|ka|ti|on [vo-, lat.] *w. 10* Berufung (in ein Amt); **Vo|ka|tiv** [vo-] *m. 1, Gramm.:* Anredefall, z. B. im Latein.: Christe! (o Christus!)
vol. *Abk. für* Volumen (**2**)
Vol.-% *Abk. für* Volumprozent
Vol|and [fo-] *m. Gen.* -s *nur Ez., alte Bez. für* Teufel; Junker V.
Vol|lant [volã, frz.] *m. 9* **1** gefäl-

telter Besatz, Falbel; **2** *veraltet:* Steuer, Lenkrad (des Autos)
Vollalpük *s. Gen.* -s *nur Ez.* eine Welthilfssprache
Vollilelre [vɔljɛrə, frz.] *w. 11* Vogelhaus
Volk *s. 4;* **Völklchen** *s. 7, meist übertr.:* Leute, Schar; lustiges Völkchen
Völlkerlball *m. 2 nur Ez.* ein Ballspiel zwischen zwei Mannschaften; **Völlkerlbund** *m. 2 nur Ez.;* **Völlkerlkunlde** *w. 11 nur Ez.* Ethnologie, Ethnographie; **Völlkerlkundller** *m. 5;* **völlkerkundllich; Völlkerlrecht** *s. 1 nur Ez.;* **völlkerlrechtllich; Völlkerschaft** *w. 10* Volksgruppe, kleines Volk; **Völlkerlschlacht** *w. 10 nur Ez.;* die V. bei Leipzig 1813; **Völlkerlwanldelrung** *w. 10;* **völlkisch; volklich**
Volkslablstimlmung *w. 10;* **Volkslarlmee** *w. 11 nur Ez., in der Fügung* Nationale V.: *in der ehem. DDR Bez. für* die gesamten Streitkräfte; **Volkslarlmist** *m. 10;* **Volkslbelfralgung** *w. 10;* **Volkslbelgehlren** *s. 7;* **Volkslbibllilolthek** *auch:* **-biblliло-** *w. 10* öffentl. Bibliothek mit (bes. schöngeistiger) Literatur für breite Kreise der Bevölkerung, Volksbücherei; **Volkslbrauch** *m. 2;* **Volkslbuch** *s. 4, im MA:* auf einer höf. oder bürgerl. Dichtung beruhende, für den Volksgeschmack umgearbeitete Erzählung; **Volkslbüchelrei** *w. 10* = Volksbibliothek; **Volksldelmolkraltie** *w. 11* Staatsform in kommunist. Ländern; **volksleilgen** *in der ehem. DDR:* Volkseigener Betrieb (*Abk.:* VEB); Volkseigenes Gut (*Abk.:* VEG); **Volksleinlkommen** *s. 7 nur Ez.* = Sozialprodukt; **Volkslentlscheid** *m. 1;* **Volksleltylmollolgie** *w. 11* volkstüml. Umwandlung eines nicht allgemein verständlichen Wortes in ein ähnliches, bekanntes, z. B. ahd. »heviana« in »Hebamme«; **Volkslglaulbe** *m. 15 nur Ez.;* **Volkslherrlschaft** *w. 10* Demokratie; **Volkslhochschullle** *w. 11 (Abk.:* VHS); **Volkslkamlmer** *w. 11 nur Ez.* Parlament der ehem. DDR; **Volkslkomlmislsalrilat** *s. 1, in der UdSSR bis 1946:* Ministerium; **Volkslkunlde** *w. 11 nur Ez.;* **Volkslkundller** *m. 5;* **volkskundllich; Volkslkunst** *w. 2 nur Ez.;* **Volksllied** *s. 3;* **Volkslmärchen** *s. 7;* **Volkslmund** *m. 4 nur Ez.* im Volk üblicher Gebrauch (von Wörtern); **Volkslmulsik** *w. 10 nur Ez.;* **Volkslpollilzei** (*Abk.:* VP, *Kurzw.:* Vopo) *in der ehem. DDR;* **Volkslpollilzist** *m. 10* (*Kurzw.:* Vopo), *in der ehem. DDR;* **Volkslrelpulblik** *w. 10* Verfassungsform einer Volksdemokratie; **Volkslschule** *w. 11;* **Volkslschüller** *m. 5;* **Volkslschulllehlrer** *m. 5;* **Volkssoulvelrälniltät** *w. 10 nur Ez.;* **Volkslspralche** *w. 11* Umgangssprache; **Volkslstamm** *m. 2;* **Volkslstück** *s. 1* volkstüml. Theaterstück; **Volksltanz** *m. 2;* **Volksltrilbun** *m. 12 oder m. 10* = Tribun (**3**); **Volksltum** *s. Gen.* -s *nur Ez.;* **volksltümlich; Volksltümllichlkeit** *w. 10 nur Ez.;* **volkslverlbunlden; Volkslverlbunldenlheit** *w. 10 nur Ez.;* **Volkslverlmölgen** *s. 7* Summe des einem Volk gehörenden Realkapitals; **Volkslversammllung** *w. 10;* **Volkslvertrelter** *m. 5;* **Volkslverltreltung** *w. 10;* **Volkslwalgen** *m. 7* Ⓦⓩ (*Abk.:* VW); **Volkslweilse** *w. 11* dem Volkslied ähnl. Melodie; **Volkslwirt** *m. 1, kurz für* Volkswirtschaftler; **Volkslwirtlschaft** *w. 10 nur Ez.;* **Volkslwirtschaftller** *m. 5* Wissenschaftler auf dem Gebiet der Volkswirtschaftslehre, Nationalökonom; **Volkslwirtlschaftsllehlre** *w. 11* Zweig der Wirtschaftswissenschaften, der sich mit den Vorgängen und Erscheinungen der Wirtschaft eines Volkes befasst, politische Ökonomie, Nationalökonomie, Sozialökonomie; **Volkslzähllung** *w. 10*

> **voll sein:** Das Gefüge *voll* und *sein* wird getrennt geschrieben: *Das Fass ist voll gewesen.* →§ 35

voll; voll(er) Freude, Zorn: ein Fass voll(er) Wein; ein Glas voll Wein, voll Weines; er ist voll des süßen Weines *scherzh.:* betrunken; es ist mein voller Ernst; mit vollem Recht; der Raum war voll (voller) Menschen; drei Teller voll; (eine) Hand voll (Stroh); drei volle Teller; halb, ganz, drei viertel voll; ins Volle greifen; aus dem Vollen leben, schöpfen; ich bin voll beschäftigt; in die Vollen

> **aus dem Vollen schöpfen:** Die substantivierte Form (auch in festen Gefügen im Gegensatz zur bisherigen Regelung) schreibt man mit großem Anfangsbuchstaben: *ins Volle greifen; aus dem Vollen schöpfen; im Vollen leben; in die Vollen gehen.* →§ 57 (1)

gehen *ugs.:* Geld verschwenden, etwas energisch anpacken, sich sehr anstrengen; den Mund voll nehmen *übertr. ugs.:* aufschneiden, prahlen; **vollladen** ► **voll lalden** *tr. 74;* **vollauf**; v. genug; **vollaulfen** ► **voll laulfen** *intr. 76;* **vollaultolmaltisch; vollaultomaltilsiert; Vollbad** *s. 4;* **Vollbart** *m. 2;* **Vollbelschäftigung** *w. 10 nur Ez.;* **Vollbelsitz** *m., nur in der Wendung:* im V. seiner Kräfte; **Vollblut** *s. Gen.* -(e)s *nur Ez.* reinrassig gezüchtetes Tier, *bes.:* Pferd; **Vollblüter** *m. 5* Vollblutpferd; **vollblütig; Vollblütiglkeit** *w. 10 nur Ez.;* **vollbrinlgen** *tr. 21;* **Voll-**

> **vollbringen, vollstrecken, vollziehen:** Diese Zusammensetzungen aus Adjektiv und Verb (Akzent auf dem Verb) schreibt man stets zusammen: *Die Arbeit ist vollbracht. Sie vollstreckten das Urteil.* →§ 33 (2)

dampf *m. 2 nur Ez., Seew.:* volle Maschinenkraft; **Völlle** *w. 11 nur Ez.;* **vollenlden** *tr. 2;* vollendete Vergangenheit = Plusquamperfekt; **vollends; Vollenldung** *w. 10 nur Ez.;* **voller** vgl. voll; **Völlelrei** *w. 10 nur Ez.;* **vollleslsen** ► **voll eslsen** *refl. 31*
Volleylball [vɔle-, engl.] *m. 2 nur Ez.* ein Ballspiel zwischen zwei Mannschaften, Flugball

> **voll füllen/laden/laufen:** Verbindungen aus Adjektiv und Verb (oder auch Partizip), deren erster Bestandteil steigerbar oder erweiterbar ist, werden getrennt geschrieben: *Er hat den Tank voll gefüllt. Das Fass ist voll gelaufen.* Ebenso: *voll pumpen, voll stopfen.* →§ 34 E3 (3)

vollführen *tr. 1* ausführen, vollbringen; **vollfülllen** ► **voll fülllen** *tr. 1;* **Vollgas** *s. 1 nur Ez.*

volle Geschwindigkeit; V. geben; mit V. fahren; **Voll|ge|fühl** *s., nur in der Fügung:* im V. (seiner Wichtigkeit o.Ä.); **voll|gie|ßen** ▶ **voll gie|ßen** *tr. 54;* **voll|gül|tig**; vollgültiger Beweis; **Voll|gül|tig|keit** *w. 10 nur Ez.;* **völ|lig; voll|in|halt|lich;** ich stimme dem Brief v. zu; **voll|jäh|rig** = mündig; *Ggs.:* minderjährig; **Voll|jäh|rig|keit** *w. 10 nur Ez.;* **Voll|kas|ko** *s. Gen.* -s *nur Ez.* Kaskoversicherung gegen sämtl. Schäden; **voll|kas|ko|ver|si|chert; Voll|kerf** *m. 1* voll entwickeltes Insekt; **voll|kli|ma|ti|siert; voll|kom|men** [auch:

> **vollklimatisiert:** Zusammensetzungen mit bedeutungsverstärkendem ersten Bestandteil (*erz-, hyper-, ultra-, ur-, voll-* usw.) werden zusammengeschrieben: *ein vollklimatisiertes Zimmer.* → § 36 (5)

fɔl-]; **Voll|kom|men|heit** *w. 10 nur Ez.;* **Voll|kos|ten|rech|nung** *w. 10* die Einzelkosten und die Fixkosten berücksichtigende Kalkulationsweise; **voll|ma|chen** ▶ **voll ma|chen** *tr. 1;* **Voll|macht** *w. 10;* **Voll|macht|ge|ber** *m. 5;* **voll|mast** bis zur Spitze des Mastes (hochgezogen); v. flaggen; **Voll|ma|tro|se** *m. 11;* **Voll|mond** *m. 1 nur Ez.;* **Voll|mond|ge|sicht** *s. 3;* **voll|mun|dig** kräftig, voll im Geschmack (Wein); **voll|packen** ▶ **voll pa|cken** *tr. 1;* **Voll|pen|si|on** *w. 10 nur Ez.;* **voll|schen|ken** ▶ **voll schen|ken** *tr. 1;* **Voll|schiff** *s. 1* Segelschiff (ab Dreimaster) mit voller Takelung; **voll|schla|gen** ▶ **voll schla|gen** *tr. 116, in der ugs. Wendung* sich den Bauch v. s.: viel essen; **Voll|spur** *w. 10, Eisenbahn:* Normalspur; **voll|spu|rig; voll|stän|dig; Voll|stän|dig|keit** *w. 10 nur Ez.;* **voll|stop|fen** ▶ **voll stop|fen** *tr. 1;* **voll|streck|bar; voll|stre|cken** *tr. 1;* **Voll|stre|ckung** *w. 10;* **Voll|stre|ckungs|be|am|te(r)** *m. 18 (17)* ; **voll|tan|ken** ▶ **voll tan|ken** *tr. 1;* **voll|tö|nend** ▶ **voll tö|nend; voll|trun|ken; Voll|ver|samm|lung** *w. 10;* **Voll|wai|se** *w. 11* Kind, das beide Eltern verloren hat; **voll|wer|tig; Voll|wer|tig|keit** *w. 10 nur Ez.;* **voll|zäh|lig; Voll|zäh|lig|keit** *w. 10 nur Ez.;* **voll|zieh|bar; voll|zie|hen** *tr. 187;* **Voll|zie|hung** *w. 10 nur Ez.;* **Voll|zug** *m. 2;* **Voll|zugs|ge|walt** *w. 10 nur Ez.*

Vo|lon|tär [vɔlɔn- oder vɔlɔ̃-, lat.-frz.] *m. 1* jmd., der (meist unentgeltlich) zur Ausbildung in einem Betrieb arbeitet; **vo|lon|tie|ren** *intr. 3*

Vols|ker [vɔls-] *m. 5* Angehöriger eines italischen Volksstammes; **vols|kisch**

Volt [vɔlt, nach dem ital. Physiker A. Volta] *s. Gen.* -(s) *Mz.* - (*Abk.:* V) Maßeinheit für die elektr. Spannung

vol|ta [vɔl-, ital.] *Mus.:* -mal, z. B. prima volta, seconda volta: das erste, zweite Mal; **Vol|ta** [vɔl-] *w. Gen.* - *Mz.* -ten, *16./17. Jh.:* schneller Springtanz

Vol|ta|ele|ment [vɔl-, zu Volt] *s. 1* galvan. Element; **Vol|ta|me|ter** *s. 5* Gerät zum Messen der Stromstärke; **Volt|am|pere** [-pɛːr] *s. Gen.* -(s) *Mz.* - (*Abk.:* VA) Maßeinheit für elektr. Leistung, entspricht dem Watt; **Vol|ta|sche Säu|le** ▶ **vol|ta|sche Säu|le** *w. 11 nur Ez.* = Voltampere

Vol|te [vɔl-, ital.] *w. 11* **1** *Taschenspielerei:* Kunstgriff beim Kartenmischen; **2** *Reitsport:* kreisförmige Figur; **vol|tie|ren** *intr. 3; selten für* voltigieren; **Vol|ti|geur** [-ʒøːr] *m. 1* Artist, der voltigiert; **vol|ti|gie|ren** [-ʒiː] *intr. 3* auf dem galoppierenden Pferd turnen

Volt|me|ter [vɔlt-] *s. 5* Gerät zum Messen elektr. Spannung

Vo|lu|men [vo-, lat.] *s. 7, Mz. auch:* -mi|na **1** (*Abk.:* V) Rauminhalt; **2** (*Abk.:* vol.) Band (eines Schriftwerkes), z. B. vol. II; **Vo|lu|men|ein|heit** *w. 10* Einheit des Rauminhalts; **Vo|lu|men|pro|zent** *s. 1* = Volumprozent; **Vo|lu|me|ter** *s. 5* Gerät zum Messen der Dichte einer Flüssigkeit; **Vo|lu|me|trie** *auch:* **Vo|lu|met|rie** *w. 11 nur Ez.* Maßanalyse; **Vo|lum|ge|wicht** *s. 1* spezif. Gewicht; **Vo|lu|mi|na** *Mz. von* Volumen; **vo|lu|mi|nös** umfangreich; **Vo|lum|pro|zent** *s. 1* (*Abk.:* Vol.-%) Prozent, auf den Rauminhalt bezogen

Vo|lun|ta|ris|mus [vo-, lat.] *m. Gen.* - *nur Ez.* Lehre, dass der Wille das Grundprinzip alles Seins und Geschehens sei, Thelematismus, Thelematologie, Thelismus; **Vo|lun|ta|rist** *m. 10;* **vo|lun|ta|ris|tisch**

Vo|lu|te [vo-, lat.] *w. 11, Baukunst:* Ornament in Form einer Spirale, Konvolute; **Vo|lu|ten|ka|pi|tell** *s. 1* Kapitell mit Voluten, ionisches K.

vom (*Abk.:* v.) = von dem; **Vom|hun|dert|satz** *m. 2* Hundertsatz, Prozentsatz

vo|mie|ren [vo-, lat.] *intr. 3* sich erbrechen; **Vo|mi|tiv** *s. 1,* **Vo|mi|ti|vum** *s. Gen.* -s *Mz.* -va, **Vo|mi|to|ri|um** *s. Gen.* -s *Mz.* -ri|en Brechmittel

Vom|tau|send|satz *m. 2* Tausendsatz, Promillesatz

> **vonseiten/von Seiten, von der Seite:** Bei Fügungen in präpositionaler Verwendung bleibt es dem/der Schreibenden überlassen, ob getrennt oder zusammengeschrieben wird: *vonseiten/von Seiten der Eltern.* → § 39 E3 (3)
> Dabei wird ein Substantiv in einem festen Gefüge, das nicht mit anderen Teilen des Gefüges zusammengeschrieben wird, großgeschrieben: *von Seiten.* → § 55 (4).
> Ebenso: *von der Seite, auf der Seite.*

von (*Abk. vor Namen:* v.); von oben (*Abk.:* v. o.); von unten (*Abk.:* v. u.); von links (*Abk.:* v. l.); von rechts (*Abk.:* v. r.); von links nach rechts (*Abk.:* v. l. n. r.); von vorn; von hinten; von dort; vonseiten *auch:* von Seiten; von wegen! *ugs.:* keineswegs!; von (ganzem) Herzen; von mir, von ihm

von|ein|an|der *auch:* **-ei|nan-**; etwas, nichts voneinander haben, hören, wissen; voneinander scheiden; **von|ein|an|der|ge|hen** ▶ **von|ein|an|der ge|hen** *intr. 47* sich trennen

von|nö|ten nötig, notwendig; hier ist rasche Hilfe v.

> **vonstatten gehen:** Gefüge aus zusammengesetzten Adverbien und Verben schreibt man getrennt: *Die Veranstaltung konnte vonstatten gehen.* → § 34 E3 (2)

von|stat|ten; vonstatten gehen

Vo|po [fo-] *w. Gen.* - *nur Ez. bzw. m. 9, in der ehem. DDR Kurzw. für* Volkspolizei bzw. Volkspolizist

vor *Präp. mit Dativ und Akk.:* vor dem Tisch sitzen; vor den Tisch stellen; vor Angst, Kälte zittern; Gnade vor Recht ergehen lassen; vor Christi Geburt (*Abk.:* v. Chr.); vor allem, weil…; vor allem, wenn…

> **vorab, voran, voraus** (Worttrennung): Wörter, die sprachhistorisch Zusammensetzungen sind, aber oft nicht als solche empfunden werden, kann man nach Bestandteilen der Zusammensetzung (*vor|ab, vor|an, vor|aus*) trennen oder aber so, dass der letzte Konsonant auf die neue Zeile kommt: *vo|rab, vo|ran, vo|raus.* Entsprechend: *vor|an|ge|hen/ vo|ran|ge|hen* usw. →§ 112

vor|ab *auch:* **vo|rab** zunächst
Vor|a|bend *m. 1*

> **vorangehen:** Die Verbindung aus Partikel und Verb schreibt man zusammen: *Sie wollten vorangehen.* →§ 34 (1)
> Die substantivierte Form – auch als festes Gefüge – schreibt man groß: *der Vorangehende, im Vorangehenden.* →§ 57 (1)

vor|an *auch* **vo|ran; vor|an|ge|hen** *intr. 47;* im Vorangehenden wurde ausgeführt, dass…; der, die Vorangehende; **vor|an|kom|men** *intr. 71*
vor|an|mel|den *tr. 2;* **Vor|an|mel|dung** *w. 10*
Vor|an|schlag *m. 2* Schätzung der Kosten im Voraus
vor|an|stel|len *tr. 1*
Vor|an|zei|ge *w. 11*
Vor|ar|beit *w. 10;* **vor|ar|bei|ten** *intr. 2;* **Vor|ar|bei|ter** *m. 5*
Vor|arl|berg, Land in Österreich; **Vor|arl|ber|ger** *m. 5;* **vor|arl|ber|gisch**
vor|auf *auch:* **vo|rauf** voran, voraus; **vor|auf|ge|hen** *intr. 47*
vor|aus *auch:* **vo|raus;** vielen Dank im Voraus [auch: fo-]
vor|aus|be|stim|men *tr. 1;* **Vor|aus|be|stim|mung** *w. 10;* **vor|aus|be|zah|len** *tr. 1;* **vor|aus|da|tie|ren** *tr. 3;* **vor|aus|fah|ren** *intr. 32;* **vor|aus|ge|hen** *intr. 47;* vgl. vorangehen; **vor|aus|ha|ben** *tr. 60;* jmdm. etwas v.; **Vor|aus|kor|rek|tur** *w. 10 Buchw.:* Korrektur des Manuskriptes vor Satzbeginn; **vor|aus|lau|fen** *intr. 76;* **vor|aus|neh|men** *tr. 88;* **Vor|aus|sa|ge** *w. 11;* **vor|aus|sa|gen** *tr. 1;* etwas v.; *aber:* das kann ich nicht im Voraus sagen; **vor|aus|schi|cken** *tr. 1;* **vor|aus|se|hen** *tr. 136;* **vor|aus|set|zen** *tr. 1;* vorausgesetzt, dass…; **Vor|aus|set|zung** *w. 10;* **Vor|aus|sicht** *w. 10 nur Ez.;* aller V. nach; in der V., dass…; **vor|aus|sicht|lich; vor|aus|wis|sen** *tr. 184;* **vor|aus|zah|len** *tr. 11;* **Vor|aus|zah|lung** *w. 10*
Vo|ra|zi|tät [vo-, lat.] *w. 10 nur Ez.* Gefräßigkeit, Heißhunger
Vor|bau *m. Gen.* -(e)s *Mz.* -bauten; **vor|bau|en 1** *tr. 1;* **2** *intr. 1;* einer Sache v.: ihr vorbeugen; wir müssen dem rechtzeitig v.; der kluge Mann baut vor
Vor|be|dacht *m. Gen.* -(e)s *nur Ez.;* etwas mit V. tun
Vor|be|din|gung *w. 10, ugs.:* Bedingung
Vor|be|halt *m. 11;* mit, ohne V.; mit dem V., dass…; **vor|be|hal|ten** *tr. 61;* sich etwas v.; **vor|be|halt|lich** *mit Gen.;* mit dem Vorbehalt des…, der…; v. der Erlaubnis des Besitzers; **vor|be|halt|los;** ich stimme dem v. zu
vor|bei; vorbei sein; es ist ein Uhr vorbei; als alles schon vorbei war; **vor|bei|be|neh|men** *refl. 88, ugs.:* sich schlecht benehmen; **vor|bei|fah|ren** *intr. 32;* **vor|bei|flie|gen** *intr. 38;* **vor|bei|flie|ßen** *intr. 40;* **vor|bei|füh|ren** *tr. u. intr. 1;* **vor|bei|ge|hen** *tr. 47;* **vor|bei|kom|men** *intr. 71;* **vor|bei|kön|nen** *intr. 72, ugs.;* **vor|bei|las|sen** *tr. 75;* **vor|bei|lau|fen** *intr. 76;* **Vor|bei|marsch** *m 2;* **vor|bei|mar|schie|ren** *intr. 3;* **vor|bei|re|den** *intr. 2;* an etwas v.: das Wesentliche nicht erwähnen; aneinander v.: miteinander reden, ohne sich wirklich zu verstehen
vor|be|las|tet
Vor|be|mer|kung *w. 10*
vor|be|rei|ten *tr. 2;* **Vor|be|rei|tung** *w. 10;* **Vor|be|rei|tungs|zeit** *w. 10 nur Ez.*
Vor|be|spre|chung *w. 10*
vor|be|stel|len *tr. 1;* **Vor|be|stel|lung** *w. 10*
vor|be|straft
vor|be|ten *tr. 2;* **Vor|be|ter** *m. 5*
vor|beu|gen 1 *tr. 1;* den Rumpf v., sich v.; **2** *intr. 1* einer Sache v.: sie vorsorglich verhindern; **Vor|beu|gung** *w. 10;* **Vor|beu|gungs|maß|nah|me** *w. 11*
vor|be|zeich|net *veraltend:* oben genannt, oben erwähnt
Vor|bild *s. 3;* **vor|bil|den** *tr. 2* vorbereitend formen, vorformen; **vor|bild|lich; Vor|bild|lich|keit** *w. 10 nur Ez.;* **Vor|bil|dung** *w. 10 nur Ez.*
vor|bin|den *tr. 14;* sich eine Schürze v.
Vor|bo|te *m. 11*
vor|brin|gen *tr. 21*
vor|christ|lich; in vorchristlicher Zeit: vor Christi Geburt
vor|da|tie|ren *tr. 3* mit einem in der Zukunft liegenden Datum versehen; **Vor|da|tie|rung** *w. 10*
vor|dem *veraltend:* einst, früher
Vor|der|ach|se *w. 11;* **Vor|der|an|sicht** *w. 10;* **Vor|der|a|si|en; Vor|der|bein** *s. 1;* **Vor|der|deck** *s. 9; Ggs.:* Achterdeck; **vor|de|re** (-r, -s); **Vor|der|fuß** *m. 2;* **Vor|der|gau|men** *m. 7;* **Vor|der|gau|men|laut** *m. 1* am vorderen Gaumen gebildeter Laut, z. B. g, k (vor e und i), ch (wie in »ich«), ng, Palatal; **Vor|der|ge|bäu|de** *s. 5;* **Vor|der|grund** *m. 2;* **vor|der|grün|dig; Vor|der|grün|dig|keit** *w. 10 nur Ez.;* **vor|der|hand** einstweilen, zunächst; **Vor|der|hand** *w. 2* Vorderbein (Pferd, Hund); **Vor|der|haus** *s. 4;* **Vor|der|in|di|en; Vor|der|la|der** *m. 5* Feuerwaffe, die von der Mündung aus geladen wird; *Ggs.:* Hinterlader; **vor|der|las|tig** vorn mehr belastet als hinten, kopflastig (Schiff, Flugzeug); *Ggs.:* achterlastig, hinterlastig; **Vor|der|lauf** *m. 2, Jägerspr.:* Vorderbein; **Vor|der|mann** *m. 4;* **Vor|der|pfo|te** *w. 11;* **Vor|der|pran|ke** *w. 11;* **Vor|der|rad** *s. 4;* **Vor|der|rad|an|trieb** *m. 1;* **Vor|der|satz** *m. 2* vorangestellter Satz (in Satzgefüge oder Satzverbindung); **Vor|der|teil** *s. 1;* **Vor|der|tür** *w. 10;* **Vor|der|zim|mer** *s. 5*
vor|drin|gen *intr. 25;* **vor|dring|lich; Vor|dring|lich|keit** *w. 10 nur Ez.*
Vor|druck *m. 1*
vor|e|he|lich
vor|ei|lig; Vor|ei|lig|keit *w. 10 nur Ez.*
vor|ein|an|der *auch:* **vor|ei|nan|der;** voreinander fliehen
vor|ein|ge|nom|men; Vor|ein|ge|nom|men|heit *w. 10 nur Ez.*
Vor|ein|sen|dung *w. 10 nur Ez.;* gegen V. des Betrages
vor|eis|zeit|lich

Vor|el|tern *Mz.* Vorfahren
vor|ent|hal|ten *tr. 61;* jmdm. etwas v.
Vor|ent|scheid *m. 1;* **Vor|ent|schei|dung** *w. 10;* **Vor|ent|schei|dungs|kampf** *m. 2*
Vor|er|be 1 *m. 11* bis zu einem bestimmten Zeitpunkt eingesetzter Erbe; **2** *s. Gen.* -s *nur Ez.* Erbe eines Vorerben
vor|erst zunächst, einstweilen
vor|er|wähnt *Amtsdeutsch:* oben erwähnt
vor|er|zäh|len *tr. 1, ugs.:* du kannst mir doch nichts v.!
Vor|fahr *m. 10;* **vor|fah|ren** *intr. 32;* **Vor|fahrt** *w. 10;* **Vor|fahrts|recht** *s. 1 nur Ez.;* **Vor|fahrts|schild** *s. 3;* **Vor|fahrts|stra|ße** *w. 11*
Vor|fall *m. 2;* **vor|fal|len** *intr. 33*
Vor|feld *s. 3*
Vor|film *m. 1*
vor|fi|nan|zie|ren *tr. 3;* **Vor|fi|nan|zie|rung** *w. 10*
vor|fin|den *tr. 36*
Vor|freu|de *w. 11 nur Ez.*
vor|fris|tig
Vor|früh|ling *m. 1 nur Ez.*
vor|füh|len *intr. 1, ugs.*
Vor|führ|da|me *w. 11* Mannequin; **vor|füh|ren** *tr. 1;* **Vor|führ|raum** *m. 2;* **Vor|füh|rung** *w. 10;* **Vor|führ|wa|gen** *m. 7*
Vor|ga|be *w. 11* **1** *Sport:* Vergünstigung für einen schwächeren Gegner; **2** *Tech.:* die Menge Gestein, die mit einem Schuss gesprengt werden soll
Vor|gang *m. 2;* **Vor|gän|ger** *m. 5*
Vor|gar|ten *m. 8*
vor|gau|keln *tr. 1* vorspiegeln
vor|ge|ben *tr. 45*
Vor|ge|bir|ge *s. 5*
vor|geb|lich
vor|ge|faßt ► **vor|ge|fasst** *in der Fügung* vorgefasste Meinung: ohne Kenntnis der Tatsachen gebildete M.
Vor|ge|fühl *s. 1*
vor|ge|hen *intr. 47*
vor|ge|la|gert; der Küste vorgelagerte Inseln
vor|ge|nannt *Amtsdeutsch:* oben genannt
Vor|ge|schich|te *w. 11;* **vor|ge|schicht|lich**
Vor|ge|schmack *m. Gen.* -s *nur Ez.*
Vor|ge|setz|te(r) *m. 18(17) bzw. w. 17 oder 18*
vor|ges|tern; vor|gest|rig
vor|grei|fen *intr. 59;* **Vor|griff** *m. 1* **vor|ha|ben** *tr. 60; auch ugs.:* vorgebunden haben; eine Schürze v.; **Vor|ha|ben** *s. 7*
Vor|halt *m. 1* **1** *Mus:* dissonierender Ton vor dem benachbarten Ton, der die Auflösung bringt; **2** die Entfernung, um die eine Schusswaffe vor ein bewegtes Ziel gerichtet wird; **3** *schweiz.:* Vorhaltung; **vor|hal|ten 1** *tr. 61;* jmdm. etwas v.; **2** *intr. 61* reichen, ausreichen, anhalten; die Erholung hat nicht lange vorgehalten; **3** *intr. 61* vor das bewegte Objekt zielen; **Vor|hal|tung** *w. 10* Mahnung, leichter Vorwurf; jmdm. Vorhaltungen machen
Vor|hand *w. 2* **1** der vor dem Reiter liegende Körperabschnitt des Pferdes; **2** *Tennis:* Schlag, bei dem die Handfläche dem Gegner zugewendet ist; *Ggs.:* Rückhand; **3** Vorrecht, Vorkaufsrecht; **vor|han|den; Vor|han|den|sein** *s. Gen. -s nur Ez.*
Vor|hang *m. 2;* **vor|hän|gen** *tr. 1;* **Vor|hän|ge|schloß** ► **Vor|hän|ge|schloss** *s. 4*
Vor|haus *s. 4, österr.:* Hausflur, Hauseinfahrt
Vor|haut *w. 2;* **Vor|haut|ver|en|gung** *w. 10* Phimose

> **vorher sagen/vorhersagen:** In der Bedeutung »früher sagen« schreibt man das Gefüge getrennt (Akzent auf *vor-*), in der Bedeutung »voraussagen« zusammen (Akzent auf *-her-*): *Sie hatte es vorher gesagt* (= früher). Aber: *Das Wetter wurde vorhergesagt.* →§34 E3 (2), §34 (1)

vor|her; etwas vorher sagen: früher, eher sagen; vorher gehen: eher, früher gehen; *aber Zusammenschreibung:* vorhersagen: voraussagen; vorhergehen: vorausgehen; **vor|her|be|stim|men** *tr. 1;* vgl. vorher; **vor|her|ge|hen** *intr. 47;* das Vorhergehende; im Vorhergehenden; **vor|he|rig** [auch: -he-]

> **vorhergehend/im Vorhergehenden:** Das Adverb schreibt man klein, die substantivierte Form groß: *Im Vorhergehenden schrieben wir ...* →§57 (1)

vor|herr|schen *intr. 1;* **Vor|herr|schaft** *w. 10 nur Ez.*
Vor|her|sa|ge *w. 11;* **vor|her|sa|gen** *tr. 1;* vgl. vorher
vor|heu|len *tr. 11, ugs.:* jmdm. etwas v.

> **vorhinein/im Vorhinein:** Das Adverb schreibt man klein, die substantivierte Form hingegen groß: *Im Vorhinein dankte er allen Teilnehmern.* →§57 (5)

vor|hin; vor|hin|ein *auch:* **vor|hi|nein** *in der Fügung* im V.: im Voraus, vorher
Vor|hut *w. 10* der Truppe vorausgeschickter Sicherungsverband
vo|rig 1 die Vorigen *in Regieanweisungen:* die Personen der vorhergehenden Szene; im vorigen *veraltend:* im vorher Gesagten, im eben Gesagten; voriges Jahr; vorigen Jahres (*Abk.:* v. J.); vorigen Monats (*Abk.:* v. M.); **2** *schweiz.:* übrig; etwas vorig lassen; es ist noch Geld vorig
Vor|jahr *s. 1;* **vor|jäh|rig**
vor|jam|mern *tr. 1, ugs.;* jmdm. etwas v.
Vor|kämp|fer *m. 5*
vor|kau|en *tr. 1* **1** vorher zerkauen (Nahrung); **2** *ugs. übertr.:* bis ins Einzelne erklären
Vor|kaufs|recht *s. 1*
Vor|kehr *w. 10, schweiz.:* Vorkehrung; **Vor|keh|rung** *w. 10;* Vorkehrungen treffen
vor|kei|men *tr. 1* in Wasser legen, um das Keimen zu beschleunigen
Vor|kennt|nis|se *w. 1 Mz., ugs.:* Kenntnisse
vor|knöp|fen *tr. u. refl. 1;* sich jmdn. v. *ugs.:* jmdn. zur Rechenschaft ziehen
vor|kom|men *intr. 71;* **Vor|kom|men** *s. 7* Vorhandensein (bes. von Bodenschätzen); **Vor|komm|nis** *s. 1* Begebenheit, Vorfall
vor|kra|gen *intr. 1* herausragen (Bauteil)
vor|la|den *tr. 74;* **Vor|la|dung** *w. 10*
Vor|la|ge *w. 11*
Vor|land *s. 4 nur Ez.* vorgelagerter Landstreifen
vor|las|sen *tr. 75*
Vor|lauf *m. 2;* **vor|lau|fen** *intr. 76;* **Vor|läu|fer** *m. 5;* **vor|läu|fig**
vor|laut
vor|le|ben *tr. 1;* **Vor|le|ben** *s. 7 nur Ez.* bisheriges Leben
Vor|le|ge|be|steck *s. 1;* **Vor|le-**

ge|ga|bel *w. 11;* **vor|le|gen** *tr. 1;* **Vor|le|ger** *m. 5* sehr kleiner Teppich; **Vor|le|ge|schloß** ► **Vor|le|ge|schloss** *s. 4*
vor|le|sen *tr. 79;* **Vor|le|se|wett|be|werb** *m. 1;* **Vor|le|sung** *w. 10;* **Vor|le|sungs|ver|zeich|nis** *s. 1*
vor|letzt; er kommt zu vorletzt; der Vorletzte

> **vorlieb nehmen:** Das Gefüge aus zusammengesetztem Adverb und Verb schreibt man getrennt: *Sie mussten mit dem dritten Platz vorlieb nehmen.* →§ 34 E3 (2)

Vor|lie|be *w. 11;* **vor|lieb|neh|men** ► **vor|lieb neh|men** *intr. 88;* mit etwas v. n.: sich mit etwas begnügen
vor|lie|gen *intr. 80;* es liegt nichts gegen ihn vor
vor|lü|gen *tr. 81;* jmdm. etwas vorlügen
vorm = vor dem; vorm Haus
vorm. 1 *Abk. für* vormals; **2** *Abk. für* vormittag(s)
vor|ma|chen *tr. 1*
Vor|macht *w. 2 nur Ez.;* **Vor|macht|stel|lung** *w. 10*
vor|ma|lig früher, ehemalig; der vormalige Besitzer; **vor|mals** (*Abk.:* vorm.) früher, ehemals; Firma Heyn, vormals Richter
Vor|marsch *m. 2*
Vor|märz *m. 1 nur Ez.* die Zeit von 1815 bis zur dt. Märzrevolution 1848; **vor|märz|lich**
Vor|mensch *m. 10* der Mensch auf der frühesten Entwicklungsstufe der Menschheit, Frühmensch
Vor|merk|buch *s. 4;* **vor|mer|ken** *tr. 1;* jmdn. v.; sich etwas v.; **Vor|mer|kung** *w. 10*
Vor|mit|tag *m. 1;* heute Vormittag, Mittwochvormittag; vormittags (*Abk.:* vorm.); *aber:* des Vormittags; vgl. abend, Abend; **vor|mit|tä|gig** *selten:* am Vormittag; **vor|mit|täg|lich** jeden Vormittag
Vor|mund *m. 4, auch: m. 1;* **Vor|mund|schaft** *w. 10;* **vor|mund|schaft|lich;** **Vor|mund|schafts|ge|richt** *s. 1*
vorn; hinten und v.; von v.
Vor|nah|me *w. 11 nur Ez.* das Vornehmen; die V. einer Änderung *besser:* das Ändern
Vor|na|me *m. 15*
vorn|an an erster Stelle
vor|ne *ugs.* = vorn
vor|nehm
vor|neh|men *tr. u. refl. 88;* sich etwas v.
Vor|nehm|heit *w. 10 nur Ez.*
vor|nehm|lich besonders, vor allem
vorn|her|ein *auch:* **vorn|he|rein** *in der Fügung* von vorn(e)herein: von Anfang an
vorn|über; vornüber kippen; **vorn|über|ge|beugt**
vorn|weg; vornweg laufen
Vor|ort 1 *m. 1;* **2** *m. 1 nur Ez., schweiz.:* Vorstand (einer Körperschaft); **Vor|ort(s)|ver|kehr** *m. Gen. -s nur Ez.;* **Vor|ort(s)|zug** *m. 2*
Vor|pro|gramm *s. 1* (einer Filmvorstellung)
vor|quel|len 1 *tr. 1* vorher quellen lassen; **2** *intr. 93;* vorquellende Augen
Vor|rang *m. 2 nur Ez.;* den V. (vor etwas oder jmdm.) haben; **vor|ran|gig;** **Vor|rang|stel|lung** *w. 10*
Vor|rat *m. 2;* **vor|rä|tig;** **Vor|rats|kam|mer** *w. 11*
Vor|raum *m. 2*
vor|rech|nen *tr. 2*
Vor|recht *s. 1*
Vor|re|de *w. 11;* **vor|re|den** *tr. 2;* jmdm. etwas v.; ich lasse mir doch nichts v.!; **Vor|red|ner** *m. 5*
vor|rich|ten *tr. 2;* **Vor|rich|tung** *w. 10*
vor|rü|cken *intr. 1;* im vorgerückten Alter; zu vorgerückter Stunde
Vor|run|de *w. 11*
vors = vor das; vors Haus gehen
vor|sa|gen *tr. 1;* jmdm. etwas v.
Vor|sän|ger *m. 5*
Vor|satz *m. 2;* **Vor|satz|blatt** *s. 4* Doppelblatt, dessen eine Hälfte auf die Innenseite des Buchdeckels geklebt ist, Vorsatzpapier; **vor|sätz|lich;** **Vor|satz|lin|se** *w. 11* Linse zur Verlängerung oder Verkürzung der Brennweite des Objektivs; **Vor|satz|pa|pier** *s. 1* = Vorsatzblatt
vor|schal|ten *tr. 2;* **Vor|schalt|wi|der|stand** *m. 1*
Vor|schau *w. 10*
Vor|schein *m., nur in den Wendungen:* zum V. kommen, bringen
vor|schie|ßen *tr. 113;* jmdm. Geld v.: als Teil einer Zahlung im Voraus geben
Vor|schiff *s. 1* vorderer Teil des Schiffes
Vor|schlag *m. 2;* **vor|schla|gen** *tr. 116;* **Vor|schlag|ham|mer** *m. 6;* **Vor|schlags|recht** *s. 1*
Vor|schluß|run|de ► **Vor|schluss|run|de** *w. 11, Sport:* Runde zur Ermittlung der Teilnehmer an der Endrunde
vor|schme|cken *intr. 1* im Geschmack überwiegen
vor|schnell; zu schnell, voreilig; v. urteilen
vor|schrei|ben *tr. 127;* jmdm. etwas v.
vor|schrei|ten *intr. 129;* die Zeit schreitet vor; in vorgeschrittenem Alter; zu vorgeschrittener Stunde
Vor|schrift *w. 10;* **vor|schrifts|ge|mäß**; vgl. ...gemäß; **vor|schrifts|mä|ßig;** **vor|schrifts|wid|rig**
Vor|schub *m., nur in der Wendung* einer Sache V. leisten: eine Sache begünstigen, fördern
Vor|schu|le *w. 11;* **Vor|schul|al|ter** *s. Gen. -s nur Ez.;* **Vor|schul|er|zie|hung** *w. 10 nur Ez.;* **vor|schu|lisch**
Vor|schuß ► **Vor|schuss** *m. 2* im Voraus gegebener Teil einer Zahlung (bes. des Lohns oder Gehalts); **Vor|schuß|lor|bee|ren** ► **Vor|schuss|lor|bee|ren** *Mz.; ugs.:* zu früh erteiltes Lob
vor|schüt|zen *tr. 1* als Vorwand angeben; eine Erkältung v.
vor|schwär|men *tr. 1;* jmdm. etwas v.
vor|schwat|zen *tr. 1;* jmdm. etwas v.
vor|schwe|ben *intr. 1;* mir schwebt etwas Bestimmtes vor: ich habe etwas Bestimmtes im Sinne
vor|schwin|deln *tr. 1;* ich schwindele, schwindle ihm etwas vor
vor|se|hen 1 *tr. 136;* jmdn. für ein Amt v.; für heute abend ist eine kleine Feier vorgesehen; **2** *refl. 36* sich in Acht nehmen; **Vor|se|hung** *w. 10 nur Ez.*
Vor|sicht *w. Gen. - nur Ez.;* **vor|sich|tig;** **Vor|sich|tig|keit** *w. 10 nur Ez.;* **vor|sichts|hal|ber;** **Vor|sichts|maß|re|gel** *w. 11*
Vor|sil|be *w. 11* einem Wort vorangesetzte Ableitungssilbe, z. B. be-, ent-, ver-; *Ggs.:* Nachsilbe
vor|sin|gen *tr. 140*
vor|sint|flut|lich *übertr. ugs.:* altmodisch, völlig veraltet
Vor|sitz *m. 1* Leitung (eines

► = wird zu

Vereins, einer Versammlung); den V. haben; **vor|sit|zen** *intr. 143;* einer Versammlung v.: eine Versammlung leiten; **Vor|sit|zen|de(r)** *m. 18 (17) bzw. w. 17 oder 18*
Vor|so|kra|ti|ker *m. 5 Mz.* die griech. Philosophen vor Sokrates
Vor|sor|ge *w. 11 nur Ez.;* V. (für etwas) treffen, tragen; **vor|sor|gen** *intr. 1;* für etwas v.; **vor|sorg|lich**
Vor|spann *m. 1* **1** dem eigtl. Gespann vorgespannte Zugtiere; **2** einem Film, Buch, einer Fernsehsendung vorangestellte Angaben; *Ggs.:* Nachspann; **vor|span|nen** *tr. 1*
Vor|spei|se *w. 11*
vor|spie|geln *tr. 1;* ich spiegele, spiegle es ihm vor; **Vor|spie|ge|lung, Vor|spieg|lung** *w. 10 nur Ez.;* unter V. falscher Tatsachen
Vor|spiel *s. 1;* **vor|spie|len** *tr. 1*
vor|spre|chen *tr. 146;* jmdm. etwas v.; bei jmdm. v.
vor|sprin|gen *intr. 148*
Vor|sprung *m. 2*
Vor|stadt *w. 2;* **vor|städ|tisch**
Vor|stand *m. 2;* **Vor|stands|mit|glied** *s. 3;* **Vor|stands|sit|zung** *w. 10*
vor|ste|hen *intr. 151* **1** vorspringen, hervorragen; **2** einer Organisation v.: sie leiten; **3** der Hund steht vor *Jägerspr.:* wittert das Wild und bleibt stehen; **4** im Vorstehenden *Amtsdeutsch:* im oben Gesagten; das Vorstehende; **Vor|ste|her** *m. 5;* **Vor|ste|her|drü|se** *w. 11* = Prostata; **Vor|steh|hund** *m. 1* auf das Vorstehen abgerichteter Jagdhund, Hühnerhund; vgl. vorstehen **(3)**
vor|stell|bar; vor|stel|len *tr. u. refl. 1;* **vor|stel|lig** *nur in der Wendung* (bei einer Behörde o. Ä.) v. werden: ein Anliegen vorbringen, Einspruch erheben; **Vor|stel|lung** *w. 10;* **Vor|stel|lungs|kraft** *w. 2 nur Ez.;* **Vor|stel|lungs|ver|mö|gen** *s. 7 nur Ez.*
Vor|stoß *m. 2;* **vor|sto|ßen** *intr. 157*
Vor|stra|fe *w. 11*
vor|stre|cken *tr. 1;* jmdm. Geld vorstrecken = vorschießen
Vor|stu|fe *w. 11*
Vor|tag *m. 1* Tag vorher; am V.
vor|tan|zen *tr. 1;* **Vor|tän|zer** *m. 5*
vor|täu|schen *tr. 1;* **Vor|täu|schung** *w. 10 nur Ez.*
Vor|teil [auch: for-] *m. 1;* das ist für mich von (großem) V.; im V. sein; V. bringen; **vor|teil|haft**
Vor|trag *m. 2;* **vor|tra|gen** *tr. 160;* **Vor|trags|fol|ge** *w. 11;* **Vor|trags|künst|ler** *m. 5;* **Vor|trags|rei|he** *w. 11*
vor|treff|lich; Vor|treff|lich|keit *w. 10 nur Ez.*
vor|tre|ten *intr. 163*
Vor|trieb *m. 1 nur Ez., Bgb., U-Bahnbau:* das Vortreiben eines Stollens oder Tunnels
Vor|tritt *m. 1 nur Ez.; schweiz. auch für* Vorfahrt
Vor|trupp *m. 9*
vor|tur|nen *tr. 1;* **Vor|tur|ner** *m. 5*
vor|ü|ber *auch:* **vo|rü|ber** es wird bald vorüber sein; **vor|ü|ber|fah|ren** *auch:* **vo|rü|ber-** *intr. 32;* **vor|ü|ber|ge|hen** *auch:* **vo|rü|ber-** *intr. 7;* **vor|ü|ber|ge|hend** *auch:* **vo|rü|ber-** nur kurze Zeit dauernd, zeitweilig
Vor|ur|teil *s. 1* Meinung ohne Kenntnis oder Prüfung der Tatsachen; **vor|ur|teils|frei; vor|ur|teils|los**
Vor|vä|ter *m. 6 Mz.* Ahnen, Vorfahren
Vor|ver|gan|gen|heit *w. 10 nur Ez.* = Plusquamperfekt
Vor|ver|kauf *m. 2 nur Ez.;* **Vor|ver|kaufs|kas|se** *w. 11*
vor|ver|le|gen *tr. 1;* **Vor|ver|le|gung** *w. 10 nur Ez.*
vor|vor|ges|tern
vor|vo|rig vor dem vorigen, vor der vorigen; vorvoriges Jahr;
vor|vor|letzt drittletzt
Vor|wahl *w. 10;* **vor|wäh|len** *tr. 1;* **Vor|wähl|num|mer** *w. 11*
vor|wal|ten *intr. 2* vorherrschen
Vor|wand *m. 2*
vor|wärts; vorwärts und rückwärts; vor- und rückwärts; den Wagen vorwärts bringen; wir müssen vorwärts gehen, fahren, kommen
vor|wärts|brin|gen ► **vor|wärts brin|gen** *tr. 21* fördern; **vor|wärts|ge|hen** ► **vor|wärts ge|hen** *intr. 47* besser werden, besser gehen; **vor|wärts|kom|men** ► **vor|wärts kom|men** *intr. 71* Erfolg haben, etwas dazulernen

> **vorwärts blicken/gehen/kommen:** Die Verbindung aus zusammengesetztem Adverb *(vorwärts)* und Verb/Partizip schreibt man getrennt: *Sie wollten vorwärts blicken.* →§ 34 E3 (2)

> **vorwegnehmen/vorweg sein:** Zusammensetzungen aus Partikeln (*ab-, herum-, vorweg-* usw.) und Verben schreibt man im Infinitiv und in den Partizipien zusammen, ansonsten getrennt: *Gabriele wollte die Frage vorwegnehmen.* →§ 34 (1)
> Verbindungen mit *sein* gelten nicht als Zusammensetzung; man schreibt sie getrennt: *Sie wollte vorweg sein.* →§ 35

vor|weg vorher, im Voraus; **Vor|weg|nah|me** *w. 11 nur Ez.;* **vor|weg|neh|men** *intr. 88*
vor|wei|sen *tr. 177;* **Vor|wei|sung** *w. 10*
Vor|welt *w. 10 nur Ez.* erdgeschichtl. Vergangenheit, Zeit vor dem Alluvium; **vor|welt|lich**
vor|wer|fen *tr. 181;* jmdm. etwas v. *übertr.:* zum Vorwurf machen
Vor|werk *s. 1* von einem Landgut abgeteiltes Gut mit eigenen Wirtschaftsgebäuden
vor|wie|gend überwiegend, vorherrschend
Vor|wis|sen *s. Gen. -s nur Ez., ugs.:* Wissen; ohne mein V.: ohne dass ich es vorher wusste, ohne mein Wissen
Vor|witz *m. 1 nur Ez.;* **vor|wit|zig; Vor|wit|zig|keit** *w. 10 nur Ez.*
Vor|wo|che *w. 11* vergangene Woche
Vor|wort *s. 1*
Vor|wurf *m. 2;* jmdm. etwas zum V. machen; **vor|wurfs|voll**
Vor|zei|chen *s. 7;* **vor|zeich|nen** *tr. 2;* **Vor|zeich|nung** *w. 10*
vor|zei|gen *tr. 1*
Vor|zeit *w. 10;* **vor|zei|ten** vor langer Zeit; **vor|zei|tig; Vor|zei|tig|keit** *w. 10 nur Ez.* Zeitenfolge im Satzgefüge: die Handlung des Nebensatzes liegt vor der des Hauptsatzes; *Ggs.:* Nachzeitigkeit; **vor|zeit|lich** zur (erdgeschichtl.) Vorzeit gehörend
vor|zie|hen *tr. 187*
Vor|zim|mer *s. 5*
Vor|zug *m. 2; auch:* vor einem fahrplanmäßigen Zug eingesetzter Entlastungszug; **vor|züg|lich; Vor|zugs|ak|tie** *w. 11*

Aktie mit gewissen Vorrechten; *Ggs.:* Stammaktie; **Vor|zugs|preis** *m. 1;* **Vor|zugs|schü|ler** *m. 5, österr.:* bester Schüler; **vor|zugs|wei|se**

Vo|ta [vo-] *Mz. von* Votum; **Vo|tant** [lat.] *m. 10* jmd., der votiert (hat); **Vo|ta|ti|on** *w. 10, veraltet:* Abstimmung; **Vo|ten** *Mz. von* Votum; **vo|tie|ren** *intr. 3* abstimmen, sich entscheiden; für etwas v.; **Vo|tiv|bild** *s. 2* aufgrund eines Gelübdes einem Heiligen geweihtes Bild; **Vo|tiv|kir|che** *w. 11* einem Heiligen geweihte Kirche; **Vo|tiv|mes|se** *w. 11* für einen bestimmten Zweck oder eine Person gelesene Messe; **Vo|tum** *s. Gen.* -s *Mz.* -ta *oder* -ten **1** Gelübde; **2** Meinungsäußerung, Urteil, Stimme; sein V. abgeben

Vou|cher [vautʃə, engl.] *s.* od. *m. Gen.* -s *Mz.* -(s) Gutschein für im Voraus bezahlte Leistungen im Tourismus

Vou|te [vut(ə), lat.-frz.] *w. 11, Bauw.:* Hohlkehle als Verstärkung zwischen Decke und Wand

Vox [vɔks, lat.] *w. Gen. - Mz.* Vo|ces [votse:s] Stimme; Vox populi: Stimme des Volkes

Vo|ya|geur [voajaʒœr, frz.] *m. 1, veraltet:* Handelsreisender

Voy|eur *auch:* **Vo|yeur** [voajœr, frz.] *m. 1* Zuschauer (bei geschlechtl. Handlungen)

Vp *Abk. für* Versuchsperson

VP *in der ehem. DDR Abk. für* Volkspolizei

v. r. *Abk. für* von rechts

v. r. n. l. *Abk. für* von rechts nach links

V. S. O. P. *Abk. für* very superior old product: sehr hervorragendes altes Erzeugnis (Gütezeichen für Weinbrände)

VT *Abk. für* Vermont

v. T. *Abk. für* vom Tausend

VTOL-Flug|zeug [*Abk. für engl.* vertical take-off and landing] *s. 1* = Senkrechtstarter

v. u. *Abk. für* von unten

vul|gär [vul-, lat.] gewöhnlich, gemein, ordinär; **Vul|ga|ri|tät** *w. 10 nur Ez.;* **Vul|gär|la|tein** *s. Gen.* -s *nur Ez.;* umgangssprachl. Form der latein Sprache; **Vul|gär|spra|che** *w. 11;* **Vul|ga|ta** [lat. »allgemein gebräuchlich«] *w. Gen. - nur Ez.* von der kath. Kirche für maßgeblich erklärte lateinische Bibelübersetzung; **vul|go** gemeinhin, gewöhnlich benannt

Vul|kan [vul-, nach Vulcanus, dem röm. Gott des Feuers] *m. 1* Feuer speiender Berg; **Vul|kan|aus|bruch** *m. 2;* **Vul|kan|fi|ber** *w. 11 nur Ez.* ein hornartiger Kunststoff; **Vul|ka|ni|sa|ti|on** *w. 10 nur Ez.* Einarbeiten von Schwefel in Rohkautschuk; **vul|ka|nisch; vul|ka|ni|sie|ren** *tr. 3* mit Schwefel oder ähnl. chem. Verbindung behandeln; **Vul|ka|ni|sie|rung** *w. 10 nur Ez.;* **Vul|ka|nis|mus** *m. Gen. - nur Ez.* **1** *zusammenfassende Bez. für* alle Kräfte und Erscheinungen, die mit dem Empordringen von Stoffen aus dem Erdinnern zusammenhängen; **2** Auffassung, dass der größte Teil aller geolog. Veränderungen auf die Einwirkung von Hitze zurückzuführen sei, Plutonismus; *Ggs.:* Neptunismus; **Vul|ka|nist** *m. 10* Anhänger des Vulkanismus (**2**); Vul|ka|nit *m. 1* Ergussgestein; **Vul|ka|no|lo|gie** *w. 11 nur Ez.* Lehre vom Vulkanismus (**1**)

vul|ne|ra|bel [vul-, lat.] *Med.:* verletzlich, verwundbar; **Vul|ne|ra|bi|li|tät** *w. 10 nur Ez.*

Vul|va [vul-, lat.] *w. Gen. - Mz.* -ven äußeres weibl. Geschlechtsteil, Scham

v. u. Z. *Abk. für* vor unserer Zeitrechnung

v. v. *Abk. für* vice versa

VW *Abk. für* Volkswagen

V-Waf|fen *w. 11 Mz., Kurzw. für* Vergeltungswaffen (dt. Fernraketen im 2. Weltkrieg)

W

W 1 *Abk. für* West(en); **2** *Abk. für* Watt; **3** *Abk. für* Werst; **4** *chem. Zeichen für* Wolfram
WA *Abk. für* Washington (**1**)
Waadt, *frz.:* Vaud [vo], **Waadtland** schweiz. Kanton; **Waadtländer** *m. 5;* **waadtländisch**
Waage *w. 11;* **waagerecht,** waagrecht; **Waagerechte,** Waagrechte *w. 18;* **Waagschale** *w. 11*
wabbelig, wabblig *ugs.:* gallertartig, halbfest; **wabbeln** *intr. 1, ugs.:* wackeln (halbfeste Masse)
Wabe *w. 11* Zellenbau (des Bienenstocks); **Wabenhonig** *m. Gen. -s nur Ez.* Honig in Waben; *Ggs.:* Schleuderhonig
Waberlohe *w. 11 nur Ez., germ. Myth.:* flackerndes, wogendes Feuer; **wabern** *intr. 1* flackern, flammend wogen (Feuer)

> **wach bleiben/sein, wachrütteln:** Ist in der Verbindung Adjektiv und Verb das Adjektiv steigerbar oder erweiterbar, schreibt man getrennt: *Gisela wollte noch lange wach bleiben.* →§ 34 E3 (3)
> Ebenso: *wach sein.* →§ 35
> Ist hingegen der erste Bestandteil des Gefüges weder steigerbar noch erweiterbar, schreibt man zusammen: *Er wurde von dieser Nachricht endlich wachgerüttelt.* →§ 34 (2.2)

wach; wach bleiben, sein; jmdn. wach halten: am Einschlafen hindern; *aber:* →wachhalten; **Wachablösung** *w. 10;* **Wachdienst** *m. 1;* **Wache** *w. 11;* W. halten, stehen; *Soldatenspr. auch:* W. schieben; **wachen** *intr. 1;* über jmdn., *oder:* jmdm. w.; **Wachfeuer** *s. 5;* **wachhabend;**

> **Wache/Wacht halten:** Die Verbindung aus Substantiv und Verb schreibt man getrennt: *Die Soldaten mussten Wache halten.*
> Ebenso: *Angst haben, Auto fahren, Pleite gehen, Rad fahren.* →§ 34 E3 (5)

wachhalten *tr. 61, übertr.:* lebendig erhalten; jmds. Interesse w.; vgl. wach; **Wachhund** *m. 1;* **Wachlokal** *s. 1* Wachstube; **Wachmann** *m. 4, Mz. auch:* -leute; **Wachmannschaft** *w. 10*
Wacholder *m. 5* **1** ein Nadelbaum, Machandelbaum, Krammet, Juniperus; **2** Wacholderschnaps; **Wacholderbeere** *w. 11;* **Wacholderbranntwein** *m. 1,* **Wacholderschnaps** *m. 2*
Wachposten, Wachtposten *m. 7;* **wachrufen** *tr. 102 übertr.:* wieder in Erinnerung rufen; **wachrütteln** *tr. 1;* ich rüttele, rüttle ihn wach
Wachs *s. 1*
wachsam; **Wachsamkeit** *w. 10 nur Ez.*
Wachsbild *s. 3;* **wachsbleich;** **Wachsblume** *w. 11* **1** eine südostasiat. Kletterpflanze, Porzellanblume, **2** künstl. Blume aus Wachs
Wachschiff *s. 1*
wachsen 1 *intr. 172* größer werden; **2** *tr. 1* mit Wachs einreiben
wächsern aus Wachs; **Wachsfigur** *w. 10;* **Wachsfigurenkabinett** *s. 1;* **Wachskerze** *w. 11;* **Wachsleinwand** *w. Gen. - nur Ez., österr. für* Wachstuch; **Wachsmalerei** *w. 10* = Enkaustik; **Wachsstock** *m. 2* schraubenförmige Wachskerze (bes. für kirchl. Zwecke); **Wachstafel** *w. 11* antike Schreibtafel aus Wachs; **Wachstuch** *s. 4 nur Ez.* auf einer Seite mit glänzendem, elastischem Überzug versehenes Gewebe
Wachstum *s. Gen. -s nur Ez.;* **Wachstumshormon** *s. 1 nur Ez.;* **Wachstumsstörung** *w. 10*
wachsweich *auch übertr.:* gefügig; **Wachszieher** *m. 5* Hersteller von Wachskerzen
Wacht *w. 10, veraltet, noch poet.:* Wache
Wächte ► **Wechte**
Wachtel 1 *w. 11* ein Hühnervogel; **2** *m. 5* eine Hunderasse, ähnlich dem Spaniel; **Wachtelkönig** *m. 1* ein Vogel, Wiesenläufer; **Wachtelschlag** *m. 2 nur Ez.* Ruf der Wachtel

Wächter *m. 5;* **Wachtmeister** *m. 5* Feldwebel, Polizeibeamter; **Wachtparade** *w. 11;* **Wachtposten,** Wachposten *m. 7;* **Wachtraum** *m. 2;* **Wachtturm** *m. 2;* **Wach- und Schließgesellschaft** *w. 10;* **Wachzustand** *m. 2 nur Ez.*
Wacke *w. 11* verwitternder Basalt
Wackelei *w. 10 nur Ez. ugs.;* **wackelig** wacklig; **Wackelkontakt** *m. 1;* **wackeln** *intr. 1;* ich wackele, wackle; **Wackelpeter** *m. 5, ugs.:* Gelatinepudding
wacker
Wackerstein *m. 1* großer Stein, Gesteinsbrocken
wacklig, wackelig
Wad [engl.] *s. 1* ein Mineral
Waddike [zu: Wasser] *w. 11 nur Ez., nddt.:* Käsewasser, Molke
Wade *w. 11;* **Wadenbein** *s. 1;* **Wadenkrampf** *m. 2*
Wadi [arab.] *s. 9, in Nordafrika:* nur bei Regen Wasser führendes Flussbett, Trockental
Waffe *w. 11*
Waffel *w. 11;* **Waffeleisen** *s. 7*
Waffenbruder *m. 6;* **Waffenbruderschaft** *w. 10 nur Ez.;* **waffenfähig;** **Waffengang** *m. 2* kriegerische Auseinandersetzung; **Waffengewalt** *w. 10 nur Ez.;* **waffenlos;** **Waffenplatz** *m. 2, schweiz.:* Garnison; **Waffenruhe** *w. Gen. - nur Ez.;* **Waffenschein** *m. 1;* **Waffenschmied** *m. 1;* **Waffenstillstand** *m. 2 nur Ez.;* **Waffentanz** *m. 2;* **waffnen** *tr. 2, veraltet:* bewaffnen
wägbar; **Wägbarkeit** *w. 10 nur Ez.*
Wagehals, Waghals *m. 2* wagemutiger Mensch; **wagehalsig** = waghalsig
Wägelchen *s. 7* **1** kleine Waage **2** kleiner Wagen
Wagemut *m. Gen. -(e)s nur Ez.;* **wagemutig;** **wagen** *tr. 1;* sein Leben w.; ich wage mich nicht aus dem Haus; eine gewagte Sache: gefährliche Sache; ein gewagter Witz: schlüpfriger, nicht ganz anständiger Witz
Wagen *m. 7;* jmdm. an den W.

fahren *übertr. ugs.:* jmdn. beleidigen, grob anreden, jmdm. etwas anhaben
wä|gen *tr. 173, veraltet:* das Gewicht (von etwas) bestimmen, wiegen; *übertr.:* einschätzen, erwägen, bedenken; seine Worte sorgsam w.
Wa|gen|bau|er *m. 5;* **Wa|gen|burg** *w. 10;* **Wa|gen|füh|rer** *m. 5;* **Wa|gen|he|ber** *m. 5;* **Wa|gen|la|dung** *w. 10;* **Wa|gen|park** *m. 9* Gesamtheit der Wagen (eines Unternehmens); **Wa|gen|pferd** *s. 1;* **Wa|gen|rad** *s. 4;* **Wa|gen|ren|nen** *s. 7;* **Wa|gen|schlag** *m. 2* Tür einer Kutsche; **Wa|gen|schmie|re** *w. 11 nur Ez.;* **Wa|gen|stand|geld** *s. 3* Gebühr für nicht rechtzeitige Be- oder Entladung eines Güterwagens
Wa|ge|stück, Wag|stück *s. 1* Wagnis, wagemutige Tat

> **Waggon/Wagon:** Die integrierte (eingedeutschte) Schreibweise ist die Hauptvariante *(der Waggon),* die fremdsprachige die zulässige Nebenvariante *(der Wagon).*

Wag|gon ► *auch:* **Wa|gon** [-gɔ̃, -gɔŋ, engl.] *m. 9;* **wag|gon|wei|se** ► *auch:* **wa|gon|wei|se**
Wag|hals *m. 2* = Wagehals; **wag|hal|sig,** wa|ge|hal|sig mutig, kühn; **Wag|hal|sig|keit,** Wa|ge|hal|sig|keit *w. 10 nur Ez.*
Wag|ner *m. 5, süddt.:* Wagenbauer; **Wag|ne|ri|a|ner** *m. 5* Anhänger der Musik Richard Wagners; **wag|ne|risch; Wag|ner-O|per** *w. Gen. -- Mz. --n*
Wag|nis *s. 1;* **Wag|stück** *s. 1* = Wagestück
Wa|gon = Waggon; **wa|gon|wei|se** = waggonweise
Wä|he *w. 11 südwestdt. u. schweizer.:* Blechkuchen mit süßem od. salzigem Belag
Wahl *w. 10;* **wähl|bar; Wähl|bar|keit** *w. 10 nur Ez.;* **wahl|be|rech|tigt; Wahl|be|rech|ti|gung** *w. 10 nur Ez.;* **Wahl|be|zirk** *m. 1;* **wäh|len** *tr. 1;* **Wäh|ler** *m. 5;* **wäh|le|risch; Wäh|ler|schaft** *w. 10 nur Ez.;* **Wahl|fach** *s. 4;* **Wahl|feld|zug** *m. 2;* **wahl|frei**; wahlfreier Unterricht; **Wahl|gang** *m. 2, bei Wahlen:* Stimmabgabe; **Wahl|ge|heim|nis** *s. 1;* **Wahl|ge|setz** *s. 1;* **Wahl|hei|mat** *w. Gen. - nur Ez.;* **Wahl|kam|pa|gne** *auch:* **-kam|pag|ne** *w. 11;* **Wahl|kampf** *m. 2;* **Wahl|kreis** *m. 1;* **Wahl|lis|te** *w. 11;* **Wahl|lo|kal** *s. 1;* **Wahl|lo|ko|mo|ti|ve** *w. 11, ugs.:* im Wahlkampf Persönlichkeit von besonderer Popularität und Zugkraft; **wahl|los; Wahl|mann** *m. 4, bei indirekten Wahlen:* von den Wählern gewählte Person, die den Abgeordneten wählt; **Wahl|mon|ar|chie** *auch:* **-mo|nar|chie** *w. 11;* **Wahl|ord|nung** *w. 10;* **Wahl|pflicht** *w. 10 nur Ez.;* **Wahl|recht** *s. 1 nur Ez.;* **Wahl|re|de** *w. 11;* **Wahl|schein** *m. 1;* **Wahl|sieg** *m. 1;* **Wahl|spruch** *m. 2;* **Wahl|ur|ne** *w. 11;* **Wahl|ver|ge|hen** *s. 7;* **wahl|ver|wandt** geistig-seelisch verwandt; **Wahl|ver|wandt|schaft** *w. 10;* **Wahl|zel|le** *w. 11*
Wahn *m. Gen. -(e)s nur Ez.;* **Wahn|bild** *s. 3;* **wäh|nen** *tr. 1;* **Wahn|ge|bil|de** *s. 5;* **Wahn|i|dee** *w. 11;* **wahn|schaf|fen** *nddt.:* missgestaltet, hässlich; **Wahn|sinn** *m. 1 nur Ez.;* **wahn|sin|nig; Wahn|vor|stel|lung** *w. 10;* **Wahn|witz** *m. 1 nur Ez.;* **wahn|wit|zig**

> **wahr bleiben/machen/werden, wahrhaben:** Ist in der Verbindung Adjektiv und Verb das Adjektiv steigerbar oder erweiterbar, schreibt man getrennt: *Sie wollten es wahr machen.* →§ 34 E3 (3) Sind dagegen Steigerung oder Erweiterung nicht möglich, schreibt man die Verbindung zusammen: *Sie wollten die Schwierigkeiten nicht wahrhaben* (= nicht glauben). Ebenso: *wahrnehmen, wahrsagen.* →§ 34 (2.2)

wahr; nicht wahr?; das ist nicht der wahre Jakob *ugs.:* nicht das Richtige; wahr sein; etwas für wahr halten; etwas wahr machen; *aber:* →wahrhaben, →wahrsagen
wah|ren *tr. 1* den Schein, jmds. Interessen wahren
wäh|ren *intr. 1* dauern; es währte nicht lange; **wäh|rend 1** *Präposition mit Gen.:* bezeichnet eine Zeitdauer, in deren Verlauf etwas stattfindet, sich ereignet u. Ä.; w. des letzten Jahres; w. zweier Jahre; *mit Dat., wenn der Gen. nicht erkennbar wäre:* w. fünf Jahren; **2** *Konjunktion:* leitet Gliedsatz ein; w. sie verreist waren, hat man bei ihnen eingebrochen; w. die einen sich freuten ...; **wäh|rend|dem** *ugs. für* währenddessen; **wäh|rend|des|sen; wahr|ha|ben** *tr., nur im Infinitiv:* glauben, zur Kenntnis nehmen; er will es nicht w., hat es nicht w. wollen, dass es so ist; **wahr|haft** *Adv.;* w. scheußlich; ein w. fürstliches Geschenk; **wahr|haf|tig; Wahr|haf|tig|keit** *w. 10 nur Ez.;* **Wahr|heit** *w. 10;* **wahr|heits|ge|mäß; wahr|heits|ge|treu; Wahr|heits|lie|be** *w. 11 nur Ez.;* **wahr|heits|lie|bend; wahr|lich**
wahr|nehm|bar; Wahr|nehm|bar|keit *w. 10 nur Ez.;* **wahr|neh|men** *tr. 88;* ich habe es wahrgenommen; **Wahr|neh|mung** *w. 10;* **Wahr|neh|mungs|ver|mö|gen** *s. 7 nur Ez.*
Wahr|sa|ge|kunst *w. 2 nur Ez.;* **wahr|sa|gen** *tr. 1;* sie sagte (es) wahr, sie wahrsagte es, sie hat es wahrgesagt; **Wahr|sa|ger** *m. 5;* **Wahr|sa|ge|rei** *w. 10 nur Ez.;* **Wahr|sa|gung** *w. 10*
währ|schaft *schweiz.:* dauerhaft, widerstandsfähig (z. B. Schuh); zuverlässig, tüchtig (Person); nahrhaft, kräftig (Essen); **Währ|schaft** *w. 10, schweiz.:* Bürgschaft, Gewähr, Mängelhaftung
Wahr|schau *w. 10, Seemannsspr.:* Warnung; Unfallverhütung; **wahr|schau|en** *intr. 1* Schiffe warnen; er wahrschaut, hat gewahrschaut; **Wahr|schau|er** *m. 5*
wahr|schein|lich [auch: var-]; **Wahr|schein|lich|keit** *w. 10 nur Ez.;* **Wahr|schein|lich|keits|rech|nung** *w. 10*
Wah|rung *w. 10 nur Ez.* das Wahren, Aufrechterhaltung
Wäh|rung *w. 10* **1** Geldordnung (eines Landes); **2** Geldeinheit (eines Landes), z. B. Dollarwährung; **3** Art der Deckung einer Geldeinheit, z. B. Goldwährung; **Wäh|rungs|po|li|tik** *w. 10 nur Ez.;* **Wäh|rungs|re|form** *w. 10*
Wahr|zei|chen *s. 7*
Waid *m. 1* Vertreter einer Gattung der Kreuzblütler
waid..., Waid... vgl. weid..., Weid...
Wai|se *w. 11* **1** elternloses Kind; **2** *im Meistergesang:* einzelne reimlose Zeile; **Wai|sen-**

haus *s. 4;* **Wai|sen|kind** *s. 3;* **Wai|sen|kna|be** *m. 11;* gegen ihn bist du ein W. *übertr. ugs.:* im Vergleich mit ihm kannst du, bist du gar nichts
Wa|ke *w. 11, nddt.:* eisfreie Stelle im Fluss
Wal *m. 1* ein Meeressäugetier
Wa|la|che *m. 11* Einwohner der Walachei; **Wa|la|chei** [-xaɪ] *w. Gen.* - Landschaft in Rumänien; **wa|la|chisch**
Wald *m. 4;* **Wald|a|mei|se** *w. 11;* **Wald|brand** *m. 2;* **Wäld|chen** *s. 7*
Wald|erd|bee|re *w. 11;* **Wal|des|rand** *m. 4, poet.;* **Wal|des|rau|schen** *s. Gen.* -s *nur Ez.;* **Wald|fre|vel** *m. 5;* **Wald|gren|ze** *w. 11 nur Ez.;* **Wald|horn** *s. 4* ein Blechblasinstrument, Horn; **wal|dig; Wald|meis|ter** *m. 5 nur Ez.* eine Waldpflanze, als Würze für Bowlen verwendet
Wal|dorf|schu|le *w. 11* auf der Erziehungsmethode von Rudolf Steiner beruhende Schulform
wald|reich; Wald|reich|tum *m. Gen.* -s *nur Ez.;* **Wald|schrat** *m. 1* = Schrat; **Wald|statt** *w. 2* jeder der vier schweiz. Urkantone; **Wal|dung** *w. 10* Wald
Wales [wɛɪlz] Teil von Großbritannien; vgl. Waliser
Wal|fän|ger *m. 5* Schiff für den Walfang; **Wal|fang|flot|te** *w. 11;* **Wal|fisch** *m. 1, fälschlich statt* Wal
Wäl|ger|holz *s. 4* Nudelholz; **wäl|gern** *tr. 1* ausrollen (Teig)
Wal|hall, Wal|hal|la *w. Gen.* - *nur Ez.* **1** *germ. Myth.:* Aufenthaltsort der im Kampf gefallenen Krieger; **2** Ruhmeshalle bei Regensburg
Wa|li|ser *m. 5* Einwohner von Wales; vgl. Walliser; **wa|li|sisch**
Wal|ke *w. 11* **1** Verfilzmaschine; **2** *nur Ez.* Vorgang des Verfilzens; **wal|ken** *tr. 1* **1** verfilzen (Fasern für Tuch); **2** kneten, schlagen; **Wal|ker** *m. 5* Textilarbeiter, der Fasern walkt
Wal|kie-tal|kie ► **Wal|kie-Tal|kie** [wɔːkitɔki, engl.] *s. 9* sehr kleines Funk(sprech)gerät
Walk|man [wɔkmən, engl.] *m. Gen.* -s *Mz.* -men [-mən] Ⓦz Kassettenrekorder im Taschenformat mit Kopfhörern
Wal|kü|re *w. 11, germ. Myth.:* Jungfrau, die diejenigen Krieger auswählt, die im Kampf fallen werden, und sie nach Walhall geleitet
Wall 1 *m. 2* langgestreckte Erdaufschüttung, bes. als Befestigung; **2** *m. Gen.* -s *Mz.* - Zählmaß, bes. für Fische, 80 Stück
Wal|la|by [wɔləbi, austr.] *m. Gen.* -s *Mz.* -bys ein Känguruh **Wal|lach** *m. 1* kastrierter Hengst
wal|len *intr. 1* **1** sieden, kochen, sprudeln; **2** *poet.:* lang herabfallen (Locken, Falten); **3** *veraltet:* pilgern, feierlich gehen, schreiten
wäl|len *tr. 1* wallen lassen, kochen lassen
Wal|ler *m. 5* = Wels
wall|fah|ren *intr. 1* eine Wallfahrt machen, pilgern; ich wallfahre, wallfahrte, bin gewallfahrt; **Wall|fah|rer** *m. 5* Pilger; **Wall|fahrt** *w. 10;* **wall|fahr|ten** *intr. 2* = wallfahren; ich wallfahrte, wallfahrtete, bin gewallfahrtet; **Wall|fahrts|kir|che** *w. 11;* **Wall|fahrts|ort** *m. 1*
Wall|gra|ben *m. 8*
Wall|holz *s. 4, schweiz.:* Nudelholz
Wal|lis *s. Gen.* -, *frz.:* Valais [valɛ], schweiz. Kanton; **Wal|li|ser** *m. 5* Einwohner des Wallis; vgl. Waliser; **wal|li|se|risch**
Wal|lo|ne *m. 11* Nachkomme romanisierter Kelten und Germanen (Belgen) in Belgien und Nordfrankreich; **wal|lo|nisch**
Wall|street, Wall Street [wɔlstriːt] *w. Gen.* - *nur Ez.* **1** Geschäftsstraße in New York mit Banken und Börsen; **2** *übertr.:* der US-amerik. Geldmarkt
Wal|lung *w. 10*
Walm *m. 1* dreieckige, schräge Dachfläche über dem Giebel; **Walm|dach** *s. 4* Satteldach mit Walm
Wal|nuß ► **Wal|nuss** *w. 2;*

> **Walnuss:** Nach kurzem Vokal schreibt man – im Gegensatz zur alten Regelung – in Zukunft *-ss: die Walnuss.* Auch: *walnussartig.* →§25 E1

Wal|nuß|baum ► **Wal|nuss|baum** *m. 2*
Wal|lo|ne *w. 11* Fruchtbecher der Eichel
Wal|pur|gis|nacht [nach der hl. Walpurgis] *w. 2* Nacht vor dem 1. Mai, in der nach dem Volksglauben die Hexen auf dem Blocksberg (= Brocken) zusammenkommen
Wal|rat *m. oder s. Gen.* -s *nur Ez.* aus dem Kopf und Rückenkanal des Pottwals gewonnene, fettartige Masse (für Kerzen und Salben), Spermazet;
Wal|roß ► **Wal|ross** *s. 1* eine Robbe
Wal|statt *w. Gen.* - *Mz.* -stät|ten, *veraltet:* Kampfplatz, Schlachtfeld
wal|ten *intr. 2* herrschen, wirken; im Hause w.; hier w. gute, rohe Kräfte; Gnade w. lassen; seines Amtes walten
Walz|blech *s. 1;* **Wal|ze** *w. 11;* **wal|zen 1** *tr. 1;* **2** *intr. 1, früher scherzh.:* (Walzer) tanzen; *heute noch ugs.:* gewichtig einherschreiten; **wäl|zen** *tr. 1;* **Wal|zer**

> **Walzer tanzen/tanzend:** Die Verbindung aus Substantiv und Verb/Partizip schreibt man getrennt: *Sie haben zum ersten Mal Walzer getanzt. Walzer tanzend vergnügten sie sich den ganzen Abend.* →§34 E3 (5)

m. 5 ein Gesellschaftstanz; W. tanzen; **Wäl|zer** *m. 5, ugs. scherzh.:* großes, dickes Buch; **Walz|stahl** *m. 2;* **Walz|werk** *s. 1*
Wam|me *w. 11* **1** *bei Rindern und Hunden:* herabhängende Hautfalte zwischen Kehle und Brust; **2** Fell vom Bauch mancher Tiere, z. B. Bisamwamme; **3** Bauchfleisch vom Schwein; **Wam|merl** *s. 14, süddt. für* Wamme (**3**); **Wam|pe** *w. 11, Nebenform von* Wamme (**1**)
Wam|pum [Algonkin] *m. 1, bei nordamerik. Indianern:* Schnur mit Muschelschalen (als Schmuck und Zahlungsmittel)
Wams *s. 4, früher:* Männer(schoß)rock; *heute noch mundartl.:* Jacke, Joppe
Wand *w. 2*
Wan|da|le, Van|da|le *m. 11* **1** Angehöriger eines ostgerman. Volkes; **2** *übertr. ugs.:* zerstörungswütiger Mensch; **wan|da|lisch; Wan|da|lis|mus,** Van|da|lis|mus *m. Gen.* - *nur Ez.* [fälschl. nach den Wandalen] Zerstörungswut
Wan|del *m. Gen.* -s *nur Ez.;* **wan|del|bar; Wan|del|bar|keit** *w. 10 nur Ez.;* **Wan|del|gang** *m. 2;* **Wan|del|hal|le** *w. 11;* **wan|deln** *intr. 1;* ich wandele, wand-

le; Wandelndes Blatt: Gespenstheuschrecke; **Wan|del|stern** *m. 1* = Planet; *Ggs.:* Fixstern
Wan|der|aus|stel|lung *w. 10;* **Wan|der|büh|ne** *w. 11;* **Wan|de|rer,** Wand|rer *m. 5;* **Wan|der|fahrt** *w. 10;* **Wan|der|ge|wer|be** *s. 5* ambulantes Gewerbe; **Wan|de|rin** *w. 10;* **Wan|der|jah|re** *s. 1 Mz.;* **Wan|der|kar|te** *w. 11;* **Wan|der|le|ben** *s. 7 nur Ez.;* **Wan|der|lied** *s. 3;* **Wan|der|lust** *w. Gen. - nur Ez.;* **wan|der|lus|tig; wan|dern** *intr. 1;* ich wandere, wandre; **Wan|der|preis** *m. 1;* **Wan|der|schaft** *w. 10 nur Ez.;* auf der W. sein; **Wan|ders|mann** *m. Gen.* -(e)s *Mz.* -leu|te; **Wan|der|sport** *m. 1 nur Ez.;* **Wan|de|rung** *w. 10;* **Wan|der|vo|gel** *m. 6, 1896 bis 1933:* dt. Jugendbund; **Wan|der|zir|kus** *m. 1*
Wand|ge|mäl|de *s. 5;* **Wand|leuch|ter** *m. 5*
Wand|lung *w. 10;* **wand|lungs|fä|hig; Wand|lungs|fä|hig|keit** *w. 10 nur Ez.*
Wand|ma|le|rei *w. 10*
Wand|rer, Wan|de|rer *m. 5;* **Wand|re|rin** *w. 10, selten*
Wands|be|cker Bo|te *m. 11, 1771–1775* von Matthias Claudius geleitete Zeitung; **Wands|bek** Stadtteil von Hamburg
Wand|schirm *m. 1;* **Wand|ta|fel** *w. 11;* **Wand|tep|pich** *m. 1;* **Wand|uhr** *w. 10;* **Wan|dung** *w. 10* Wand, Hülle; **Wand|zei|tung** *w. 10*
Wa|ne *m. 11, germ. Myth.:* Angehöriger eines Göttergeschlechts
Wan|ge *w. 11; auch:* Seitenteil (z. B. von Maschinen, vom Chorgestühl); **Wan|gen|bein** *s. 1* = Jochbein
wa|nisch zu den Wanen gehörend
wank *nordwestdt.:* schwankend, wackelig; **Wank** *m. Gen.* -s *nur Ez., schweiz.:* **1** Verlagerung des Schwerpunktes; ohne Wank: unbeweglich; **2** *übertr.:* Untreue, Unstetigkeit
Wan|kel|mo|tor [nach dem Ingenieur Felix Wankel] *m. 12* ein Verbrennungsmotor mit rotierenden Kolben, Drehkolbenmotor
Wan|kel|mut *m. Gen.* -(e)s *nur Ez.;* **wan|kel|mü|tig; Wan|kel|mü|tig|keit** *w. 10 nur Ez.;* **wan|ken** *intr. 1*

wann; bis, seit wann?; dann und wann; wann auch immer
Wänn|chen *s. 7;* **Wan|ne** *w. 11*
wan|nen *in der veralteten Fügung* von wannen: von woher
Wan|nen|bad *s. 4*
Wanst 1 *m. 2* dicker Bauch; **2** *s. 4, ugs. derb, scherzh.:* kleines Kind
Want *w. 10, Seew.:* Tau zum seitl. Stützen des Mastes
Wan|ze *w. 11;* **1** als Schädling lebendes Insekt; **2** den Menschen als Parasit befallende W.; **3** *derb für* widerlicher Mensch; **4** *übertr. ugs.:* sehr kleines Abhörgerät
Wa|pi|ti [Algonkin] *m. 9* eine nordamerikanische Hirschart
Wap|pen *s. 7;* **Wap|pen|kun|de** *w. 11 nur Ez.* Heraldik; **Wap|pen|tier** *s. 1*
Wap|perl *s. 14, bayr., österr.:* Etikett, Schildchen
wapp|nen *tr. 2* bewaffnen; sich gegen etwas w. *übertr.:* sich auf etwas gefasst machen
Wa|rä|ger *m. 5* Normanne in Osteuropa
Wa|ran [arab.] *m. 1* trop. Echse
War|dein [mlat.] *m. 1* Prüfer; Bergwardein: Erzprüfer; Münzwardein: Münzprüfer; **war|die|ren** *tr. 3* prüfen, bewerten
Wa|re *w. 11;* **Wa|ren|an|nah|me** *w. 11;* **Wa|ren|auf|zug** *m. 2;* **Wa|ren|be|gleit|schein** *m. 1;* **Wa|ren|haus** *s. 4;* **Wa|ren|kun|de** *w. 11 nur Ez.;* **wa|ren|kund|lich; Wa|ren|la|ger** *s. 5;* **Wa|ren|pro|be** *w. 11;* **Wa|ren|test** *m. 9 oder m. 1;* **Wa|ren|zei|chen** *s. 7* gesetzlich geschütztes Zeichen (Wz) zur Kennzeichnung einer Ware, Markenzeichen, Schutzmarke
Warf *m. 1* **1** *Weberei:* Aufzug; **2** *auch:* Warft; *auf Halligen:* Hügel (als Wohnplatz), Wurt, Wurte; **3** *nddt. Form von* Werft
warm; warme Küche: warme Speisen; warme Würstchen; warme Miete: Miete einschließlich Heizkosten; warmer Bruder *vulg.:* Homosexueller; das Essen warm halten, warm stellen; *aber:* sich jmdn. →warmhalten; sich warm laufen: im Laufen warm werden; **Warm|bier** *s. 1 nur Ez.;* **Warm|blut** *s. Gen.* -s *nur Ez.* Angehöriger einer Rassengruppe mittelschwerer und leichter Pferde; vgl. Kaltblut; **Warm|blü|ter** *m. 5* Tier, das seine Körperwärme stets etwa gleichbleibend erhält, Homöotherme; *Ggs.:* Wechselwarmblüter; **warm|blü|tig;**

> **warm halten/stellen, sich jemanden warmhalten, warmblütig:** Die Verbindung aus Adjektiv und Verb schreibt man getrennt, wenn das Adjektiv steigerbar oder erweiterbar ist: *Die Mutter wollte das Essen warm halten/stellen.* →§ 34 E3 (3)
> Ebenso: *auf kalt und warm reagieren.* →§ 58 (3)
> Ist die Steigerbarkeit oder Erweiterbarkeit nicht möglich, schreibt man zusammen: *Wir wollten uns den Partner warmhalten* (= erhalten).
> →§ 34 (2.2)
> Zusammensetzungen, bei denen der zweite Bestandteil in dieser Form nicht selbständig vorkommt, schreibt man ebenfalls zusammen: *das warmblütige Pferd.* →§ 36 (2)

Wär|me *w. 11 nur Ez.;* W. spenden; **Wär|me|ein|heit** *w. 10* Kalorie; **Wär|me|iso|lie|rung** *w. 10;* **Wär|me|leh|re** *w. 11 nur Ez.* Kalorik, Thermik; **wär|men** *tr. 1;* **Wär|me|spei|cher** *m. 5;* **Wärm|fla|sche** *w. 11;* **Warm|front** *w. 10;* **warm|hal|ten** *tr. 61;* sich jmdn. w. *ugs.:* sich jmds. Wohlwollen erhalten; vgl. warm; **Warm|haus** *s. 4* Gewächshaus für Pflanzen, die viel Luftfeuchtigkeit und eine Temperatur von mehr als 25° C beanspruchen; **warm|her|zig; Warm|her|zig|keit** *w. 10 nur Ez.;* **warm|lau|fen** ► **warm lau|fen** *intr. u. refl. 76;* den Motor w. l. lassen; der Motor hat sich, ist warm gelaufen; **Warm|luft** *w. 2 nur Ez.;* **Wär|mung** *w. 10 nur Ez.;* **Warm|was|ser** *s. 5 nur Ez.;* fließendes Kalt- u. W.; **Warm|was|ser|be|rei|ter** *m. 5;* **Warm|was|ser|hei|zung** *w. 10;* **Warm|zeit** *w. 10* Zeitraum zwischen den Eiszeiten, Zwischeneiszeit, Interglazialzeit
Warn|an|la|ge *w. 11;* **war|nen** *tr. 1;* **Warn|schild** *s. 3;* **Warn|schuß** ► **Warn|schuss** *m. 2;* **Warn|streik** *m. 9;* **War|nung** *w. 10;* **War|nungs|ta|fel** *w. 11;* **Warn|zei|chen** *s. 7*
Warp [engl.] *m. 1* **1** *Weberei:* Kettgarn, Kettfaden; **2** *Seew.:* leichte Trosse, Warpleine;

► = wird zu

Wạrp|an|ker *m. 5* kleiner Anker; **Wạrp|lei|ne** *w. 11* = Warp (**2**)
War|rạnt [engl.: wɔrənt] *m. 9* Lagerschein
Wạr|schau Hst. von Polen; **Wạr|schau|er** *m. 5;* **War|schau|er Pạkt** *m. Gen.* - -s *nur Ez.;* **War|schau|er-Pạkt-Staa|ten** *m. 12 Mz.;* **wạr|schau|isch**
Wạrt *m. 1, veraltet:* Aufsichtführender, *nur noch in Zus. wie* Hauswart, Tankwart; **Wạr|te** *w. 11, veraltet:* Beobachtungs-, Wachtturm; *noch in:* Wetterwarte *und in der Wendung* etwas von der hohen Warte betrachten: von einem überlegenen, allgemeinen Standpunkt aus; **Wạr|te|frau** *w. 10* Wärterin; **Wạr|te|geld** *s. 3* Bezüge eines Beamten im Wartestand; **Wạr|te|hal|le** *w. 11;* **wạr|ten 1** *intr. 2;* na warte!; auf etwas oder jmdn. w.; die Nachricht lässt auf sich w.; **2** *tr. 2;* jmdn. oder etwas w.: für jmdn. oder etwas sorgen, jmdn. oder etwas pflegen; **Wạ̈r|ter** *m. 5;* **Wạr|te|raum** *m. 2;* **Wạr|te|saal** *m. Gen.* -(e)s *Mz.* -säle; **Wạr|te|stand** *m. 2 nur Ez., bei Beamten:* vorübergehender Ruhestand; **Wạr|te|zeit** *w. 10;* **Wạr|te|zim|mer** *s. 5;* **Wạrt|saal** *m. Gen.* -(e)s *Mz.* -säl|e, *schweiz. für* Wartesaal; **Wạrt|turm** *m. 2* Beobachtungsturm; **Wạr|tung** *w. 10* Pflege, Sorge (für jmdn. oder etwas)
war|ụm *auch:* **wa|rụm**; w. nicht?; w. nicht gar! (Ausruf des Erstaunens); nach dem Warum fragen
Wạ̈rz|chen *s. 7;* **War|ze** *w. 11;* **War|zen|schwein** *s. 1* ein Wildschwein
wạs 1 *Interrogativpron.:* was? *unhöflich für:* wie bitte?; was für ein…?; was hast du gesagt?; was Wunder, dass…; **2** *Relativpron.;* das Schönste, was ich kenne; das ist alles, was ich weiß; es ist unglaublich, was er mir erzählt hat; **3** *ugs. kurz für* etwas; das ist was Gutes, was Anderes; kann ich dir was helfen?; er hat mir wer weiß was alles erzählt
Wạsch|an|la|ge *w. 11;* **Wạsch|an|stalt** *w. 10;* **Wạsch|au|to|mat** *m. 10;* **wạsch|bar;** **Wạsch|bär** *m. 10* ein Kleinbär; **Wạsch|ben|zin** *s. 1 nur Ez.;* **Wạsch|blau** *s. Gen.* -s *nur Ez.* Farbstoff zum Bleichen von Wäsche; **Wạ̈|sche** *w. 11;* **wạsch|echt**; *auch übertr.:* echt, unverfälscht; ein waschechter Berliner; **Wạ̈|sche|klam|mer** *w. 11;* **Wạ̈sche|knopf** *m. 2;* **Wạ̈|sche|lei|ne** *w. 11;* **wạ|schen** *tr. 174;* **Wä|sche|rei** *w. 10;* **Wạ̈|sche|stoff** *m. 1;* **Wạ̈|sche|tin|te** *w. 11;* **Wạsch|frau** *w. 10;* **Wạsch|haus** *s. 4;* **Wạsch|kleid** *s. 3;* **Wạsch|kü|che** *w. 11;* **Wạsch|lap|pen** *m. 7; auch übertr. ugs.:* Mensch ohne Mut und Rückgrat; **Wạsch|le|der** *s. 5;* **Wạsch|ma|schi|ne** *w. 11;* **Wạ|schung** *w. 10;* **Wạsch|was|ser** *s. 5 nur Ez.;* **Wạsch|weib** *s. 3, heute nur noch übertr. ugs.:* klatschsüchtige Person; **Wạsch|zet|tel** *m. 5* einem Buch beigegebener Zettel oder Innenseite des Schutzumschlags mit kurzer Inhaltsangabe oder Besprechung; **Wạsch|zeug** *s. 1 nur Ez.;* **Wạsch|zu|ber** *m. 5;* **Wạsch|zwang** *m. 2*
Wa|sen *m. 7* **1** Rasen; **2** *nddt.:* Dunst, Dampf; **3** *norddt.:* Reisiggeflecht; **4** Schindanger; **Wa|sen|meis|ter** *m. 5* Abdecker
wash and wear [wɔʃ ənd wɛə »waschen und tragen«, engl.] *Bez. für* bügelfreie Textilien
Wa|shing|ton [wɔʃiŋtən] **1** (*Abk.:* WA) Staat der USA; **2** Hst. der USA
Wạs|ser *s. 5, bei Mineralwasser u. Ä.: s. 6;* jmdm. das W. abgraben *übertr.:* jmdn. in seiner Wirksamkeit behindern; zu W. und zu Land; **wạs|ser|ab|sto|ßend** ► **Wạs|ser ạb|sto|ßend;**

> **Wasser abweisen/abweisend:** Die Verbindung aus Substantiv und Verb/Partizip schreibt man getrennt: *Das ist ein Wasser abweisender Stoff.* →§ 34 E3 (5)

wạs|ser|ab|wei|send ► **Wạs|ser ạb|wei|send;** **Wạs|ser|ader** *w. 11;* **wạs|ser|arm;** **Wạs|ser|bad** *s. 4;* **Wạs|ser|ball** *m. 2;* **Wạs|ser|bett** *s. 12;* **wạs|ser|blau** blassblau; **Wạs|ser|burg** *w. 10;* **Wạ̈s|ser|chen** *s. 7;* er kann kein W. trüben: er ist harmlos; **Wạs|ser|dampf** *m. 2;* **wạs|ser|dicht;** **Wạs|ser|fall** *m. 2;* **Wạs|ser|far|be** *w. 11;* **Wạs|ser|flug|zeug** *s. 1;* **Wạs|ser|flut** *w. 10;* **Wạs|ser|glas 1** *s. 4;* **2** *nur Ez.* glasige, in Wasser lösl. Masse (Kalium- oder Natriumsilikat) für Kitt, Kunststein u. a.; **Wạs|ser|glät|te** *w. Gen.* - *nur Ez.* = Aquaplaning; **Wạs|ser|ho|se** *w. 11* Wasser mitführender Wirbelsturm; **wạ̈s|se|rig,** wäss|rig; **Wạ̈s|se|rig|keit,** Wäss|rig|keit *w. 10 nur Ez.;* **Wạs|ser|jung|fer** *w. 11* Libelle; **Wạs|ser|kan|te** *w. 11 nur Ez., hochdeutsch für* Waterkant; **Wạs|ser|kopf** *m. 2* krankhafte Erweiterung der Gehirnkammern infolge vermehrter Gehirnflüssigkeit, Hydrozephalus; **Wạs|ser|kraft** *w. 2 nur Ez.;* **Wạs|ser|kraft|werk** *s. 1;* **Wạs|ser|kul|tur** *w. 10* = Hydrokultur; **Wạs|ser|kunst** *w. 2* Bewegung von Wasser durch Springbrunnen, künstl. Wasserfälle usw., *auch:* diese selbst; **Wạs|ser|lauf** *m. 2;* **Wạ̈s|ser|lein** *s. 7, poet.;* **Wạs|ser|lin|se** *w. 11* = Entenflott; **wạs|ser|lös|lich;** **Wạs|ser|lös|lich|keit** *w. 10 nur Ez.;* **Wạs|ser|mann** *m. 4* **1** Wassergeist, Nöck; **2** *nur Ez.* ein Sternbild; **Wạs|ser|me|lo|ne** *w. 11;* **wạs|sern** *intr. 1* aufs Wasser niedergehen (Flugzeug); **wạ̈s|sern** *tr. 1* einige Zeit ins Wasser legen (Salzfisch, Film); ich wässere, wässre ihn; **Wạs|ser|ni|xe** *w. 11;* **Wạs|ser|not** *w. 2 nur Ez.* Mangel an Wasser; vgl. Wassersnot; **Wạs|ser|pfei|fe** *w. 11* Tabakpfeife, bei der der Rauch durch Wasser gekühlt und gereinigt wird; **Wạs|ser|po|li|zei** *w. 10 nur Ez.;* **Wạs|ser|rat|te** *w. 11* **1** eine Wühlmaus; **2** *ugs. scherzh.:* jmdm., der gern schwimmt; **wạs|ser|reich;** **Wạs|ser|reich|tum** *m. Gen.* -s *nur Ez.;* **Wạs|ser|schei|de** *w. 11* (gedachte) Grenzlinie zwischen zwei Flussgebieten einschließlich Nebenflüssen; **wạs|ser|scheu;** **Wạs|ser|scheu** *w. Gen.* - *nur Ez.;* **Wạs|ser|schloß** ► **Wạs|ser|schloss** *s. 4;* **Wạs|sers|not** *w. 2 nur Ez., veraltet:* Überschwemmung; vgl. Wassernot; **Wạs|ser|ski** *m. Gen.* -s *Mz.* -skiler; **Wạs|ser|spei|er** *m. 5* meist künstlerisch gestalteter Abfluss für Regenwasser am Dach; **Wạs|ser|spie|gel** *m. 5;* **Wạs|ser|sport** *m. 1 nur Ez.;* **Wạs|ser|stand** *m. 2;* **Wạs|ser|stands|an|zei|ger** *m. 5;* **Wạs|ser|stoff** *m. 1 nur Ez.* (*Zeichen:*

H) chem. Element, Hydrogenium; **Wạs|ser|stoff|bom|be** *w. 11* (*Kurzw.:* H-Bombe); **Wạs|ser|stoff|ex|po|nent** *m. 10* = pH-Wert; **Was|ser|stoff|su-per|o|xid,** *fachsprachl.:* Was|ser|stoff|pẹr|o|xid *s. 1 nur Ez.* eine sirupartige Flüssigkeit, starkes Oxidationsmittel; **Wạs|ser-stra|ße** *w. 11;* **Wạs|ser|sucht** *w. Gen. - nur Ez.* krankhafte Ansammlung von wasserähnlicher, aus dem Blut stammender Flüssigkeit in Gewebsspalten oder Körperhöhlen, Hydropsie; **Wạs|ser|uhr** *w. 10;* **Wạs|se-rung** *w. 10;* **Wạ̈s|se|rung** *w. 10;* **Wạs|ser|waa|ge** *w. 11* Gerät zum Bestimmen der Waagerechten oder Senkrechten (von Flächen oder Kanten), Richtwaage, Setzwaage; **Wạs|ser-weg** *m. 1;* **Wạs|ser|werk; Wạs-ser|zei|chen** *s. 7* durchscheinendes Zeichen im Papier (als Gütezeichen oder zur Verhinderung von Fälschungen); **wäß-rig** ► **wässˌrig,** wäs|se|rig; **Wäß|rig|keit** ► **Wäss|rig|keit,** Wäs|se|rig|keit *w. 10 nur Ez.*

wa̲l|ten *intr. 2*

Wa̲l|ter|kant *w. Gen. - nur Ez.* Meeresküste, *bes.:* Nordseeküste

wa|ter|proof [wɔtəpru:f, engl.] wasserdicht (bes. als Garantiebez.); **Wa|ter|proof** *m. 9* wasserdichter Stoff (für Regenbekleidung)

Wa̲t|sche *w. 1,* Wa̲t|schen *w. Gen. - Mz. -, bayr., österr.:* Ohrfeige

wat|scheln *intr. 1*

wa̲t|schen *tr. 1;* jmdm. eine w. *bayr., österr.:* jmdm. eine Ohrfeige geben; **Wa̲t|schen** *w. Gen. - Mz. -* = Watsche

Wạtt 1 *s. 12* = Wattenmeer; **2** [nach dem engl. Ingenieur James W.] *s. Gen. -s Mz. -* (*Abk.:* W) Maßeinheit der elektr. Leistung; 40-Watt-Birne

Wạt|te *w. 11 nur Ez.;* **Wạt|te-bausch** *m. 2*

Wạt|ten|meer *s. 1 nur Ez.* Seichtwassergebiet in Gezeitenmeeren, das bei Niedrigwasser trocken fällt, Watt

wat|ti̲e|ren *tr. 3* mit Watte unterlegen; **Wat|ti̲e|rung** *w. 10*

Wạtt|me|ter *s. 5* Gerät zum Messen der elektr. Leistung; **Wạtt|se|kun|de** *w. 11* (*Abk.:* Ws) Maßeinheit der elektr. Energie, Leistung von 1 Watt während einer Sekunde; **Wạtt-stun|de** *w. 11* (*Abk.:* Wh) Maßeinheit der elektr. Energie, Leistung von 1 Watt während einer Stunde

Wa̲t|vo|gel *m. 6* am Wasser oder in sumpfigem Gelände lebender Vogel, z. B. Schnepfe

Wau *m. 1* eine Pflanzengattung, Reseda

wau, wau!; Wau|wau *m. Gen. -s Mz. -s Kindersprache:* Hund

Wax *s. 1, österr. für* Skiwachs

WC *s. Gen. -(s) Mz. -s, Abk. für* Wasserklosett (engl. water closet)

WDR *Abk. für* Westdeutscher Rundfunk

We̲|be *w. 11, österr.:* Gewebe (bes. für Bettzeug); **We̲|be|kan-te** *w. 11* = Webkante; **we̲|ben** *tr. 175 oder tr. 1, in übertr. Bedeutung unregelmäßig konjugiert;* ich webte einen Teppich, habe ihn gewebt; das Mondlicht wob einen silbernen Schleier über die Landschaft; **We̲|ber 1** *m. 5;* **2** [nach dem dt. Physiker Wilhelm W.] *s. Gen. - Mz. -* Maßeinheit des magnet. Flusses, Voltsekunde; **We|be-rei̲** *w. 10;* **We̲|ber|knecht** *m. 1* ein Spinnentier, Kanker, Schuster, Schneider; **We̲|ber|kno|ten** *m. 7;* **We̲|ber|schiff|chen,** We̲b-schiff|chen *s. 7* Gerät, mit dem der Schussfaden durch die Kettfäden gezogen wird, Schütze, Schützen; **We̲b|kan|te,** We̲-be|kan|te *w. 11* seitl. Abschlusskante am Gewebe, Salband, Salkante, Salleiste; **We̲b|stuhl** *m. 2;* **We̲b|wa|ren** *w. 11 Mz.*

Wẹch|sel *m. 5; auch:* schriftl. Verpflichtung in bestimmter Form zur Zahlung einer Summe an den Inhaber der Urkunde; **2** *s. 5 nur Ez.* Kleidungs- oder Wäschestück zum Wechseln; **Wẹch|sel|bad** *s. 4 meist Mz.;* **Wẹch|sel|balg** *m. 4, im Volksglauben:* missgestaltetes, von Zwergen oder bösen Geistern vertauschtes Kind; **Wẹch-sel|be|zie|hung** *w. 10;* **Wẹch-sel|bür|ge** *m. 11* jmd., der einen Wechsel mit unterschreibt und damit für die Zahlung bürgt; **Wẹch|sel|bürg|schaft** *w. 10;* **Wẹch|sel|fäl|schung** *w. 10;* **Wẹch|sel|fie|ber** *s. 5 nur Ez.* = Malaria; **Wẹch|sel|geld** *s. 3 nur Ez.;* **Wẹch|sel|ge|sang** *m. 2;* **Wẹch|sel|ge|spräch** *s. 1* = Dialog; **Wẹch|sel|gläu|bi|ger** *m. 5;* **wẹch|sel|haft; Wẹch|sel-jah|re** *s. 1 Mz.* = Klimakterium; **Wẹch|sel|kurs** *m. 1;* **wẹch-seln 1** *tr. 1;* ich wechsele, wechsle es; **2** *intr. 1; auch Jägerspr.:* regelmäßig auf einem bestimmten Pfad gehen (Wild); **Wẹch|sel|recht** *s. 1 nur Ez.;* **Wẹch|sel|re|de** *w. 11* = Dialog; **Wẹch|sel|schuld** *w. 10;* **wẹch|sel|sei|tig; Wẹch|sel-strom** *m. 2* elektr. Strom, dessen Stärke und Richtung rasch und regelmäßig wechseln; **Wẹch|sel|tier|chen** *s. 7* ein Einzeller; **wẹch|sel|voll; wẹch|sel-warm; Wẹch|sel|warm|blü|ter** *m. 5* Tier, dessen Körpertemperatur sich der Temperatur der Umgebung anpasst, Poikilotherme; *Ggs.:* Warmblüter; **wẹch|sel|wei|se; Wẹch|sel|wild** *s. Gen. -(e)s nur Ez.* Wild, das regelmäßig von einem Revier ins andere wechselt; *Ggs.:* Standwild; **Wẹch|sel|wir|kung** *w. 10;* **Wẹch|sel|wirt|schaft** *w. 10 nur Ez.* Wechsel in der Nutzung des Ackerbodens; **Wẹchs|ler** *m. 5* Geldwechsler

Wech|te *w. 11* überhängende Schneemasse

Wẹ|cke *w. 11* = Wecken

Weck|a|min *auch:* **We|cka|mi̲n** *s. 1* Herz und Kreislauf anregender Wirkstoff

Wẹck|ap|pa|rat [nach dem Erfinder, Johann Weck] *m. 1* Ⓦᶻ Apparat zum Einwecken

wẹ|cken *tr. 1*

Wẹ|cken *m. 7* Weck, Wẹ|cke, Wẹ|ckerl, *bayr., österr.:* länglich geformtes Brot

Wẹ|cker *m. 5*

Wẹ|ckerl *s. 14* = Wecken

Wẹck|glas *s. 4* Ⓦᶻ Glas zum Einwecken; vgl. Weckapparat

We̲|da [sanskr. »Wissen«] *m. Gen. -s Mz. -den* = Veda

> **das Weder-noch:** Bei mehrteiligen substantivierten Konjunktionen, die mit einem Bindestrich verbunden werden, schreibt man nur das erste Wort mit großem Anfangsbuchstaben: *das Weder-noch, das Als-ob, das Sowohl-als-auch.* →§43, §57 E4

We̲|del *m. 5;* **we̲|deln** *intr. 1*

We̲|den *Mz. von* Weda

we̲|der *nur in der Fügung:* we-

der... noch...; weder er noch ich; er kann weder lesen noch schreiben; er hat weder geschrieben, noch ist er gekommen; das Weder-noch
Wedg|wood|wa|re [wędʒwud-, nach dem engl. Kunsttöpfer Josiah Wedgwood] *w. 11* feines, unglasiertes, gefärbtes und verziertes Steingut
Week|end [wi̱k-, engl.] *s. 9* Wochenende
wẹg; weg!; weg da!; weg damit!; weg sein; ganz weg sein *ugs.:* völlig begeistert sein; über etwas weg sein *ugs.:* etwas überwunden haben

> **zu Wege/zuwege bringen:** Bei Fügungen in adverbialer Verwendung bleibt es dem/der Schreibenden überlassen, ob getrennt oder zusammengeschrieben wird: *Inge wollte das bis Montag zu Wege/zuwege bringen.* →§ 39 E3 (1)

We̱g *m. 1;* jmdn. ein Stück Weg(es) begleiten; damit hat er noch gute Wege: das hat noch Zeit, das wird nicht gleich geschehen; krumme Wege gehen: unehrlich handeln; etwas zu Wege/zuwege bringen
wẹg|be|kom|men *tr. 71, ugs.* = wegkriegen
We̱g|be|rei|ter *m. 5*
wẹg|bla|sen *tr. 16;* **wẹg|blei|ben** *intr. 17;* **wẹg|brin|gen** *tr. 21*
We̱|ge|bau *m. Gen.* -(e)s *nur Ez.;* **We̱|ge|kar|te** *w. 11;* **We̱|ge|la|ge|rer** *m. 5* Straßenräuber

> **von ... wegen, von Amts wegen:** Die Präposition *wegen* schreibt man klein, das Substantiv im Gefüge groß: *Vera wollte das von Amts wegen regeln.* →§ 56 (4)

we̱|gen *Präp. mit Gen.;* wegen vieler Arbeit, wegen der vielen Arbeit; wegen des Kindes, des Kindes wegen; *ugs. oder wenn der Gen. nicht erkennbar wäre, auch mit Dativ:* wegen Geschäften verreisen; von wegen! *ugs.:* davon kann nicht die Rede sein; von Amts, von Rechts wegen
We̱|ge|ord|nung *w. 10;* **We̱|ge|recht** *s. 1 nur Ez.*
We̱|ge|rich *m. 1* eine Wiesenpflanze
wẹg|es|sen *tr. 31, ugs.;* **wẹg|fah|ren** *intr. u. tr. 32;* **Wẹg|fall** *m. 2 nur Ez.;* in W. kommen *besser:* wegfallen; **wẹg|fal|len** *intr. 33;* **wẹg|fe|gen** *tr. 1;* **wẹg|flie|gen** *intr. 38;* **wẹg|fres|sen** *tr. 41;* **Wẹg|gang** *m. 2 nur Ez.*
We̱g|ge|fähr|te *m. 11*
wẹg|ge|hen *intr. 47*
Wẹg|gen *m. 7, schweiz. für* Wecken
We̱g|ge|nos|se *m. 11*
Wẹgg|li *s. Gen.* -s *Mz.- schweiz:* Brötchen
wẹg|ha|ben *tr. 60;* ich will das hier w.; er hat da was weg *ugs.:* er hat darin eine gewisse Geschicklichkeit, hat dafür eine Begabung; **wẹg|hän|gen** *tr. 1;* **wẹg|ho|len** *tr. 1;* **wẹg|ja|gen** *tr. 1;* **wẹg|kom|men** *intr. 71*
We̱g|kreu|zung *w. 10*
wẹg|krie|gen *tr. 1, ugs.* **1** beseitigen können; **2** verstehen, begreifen, dahinterkommen;
wẹg|las|sen *tr. 75;* **wẹg|lau|fen** *intr. 76;* **wẹg|le|gen** *tr. 1*
we̱g|los
wẹg|ma|chen *tr. 1, ugs.*
We̱g|mar|ke *tr. 11;* **we̱g|mü|de**
wẹg|müs|sen *intr. 87;* **Wẹg|nah|me** *w. 11 nur Ez.;* **wẹg|neh|men** *tr. 88;* **wẹg|ra|die|ren** *tr. 3*
We̱g|rand *m. 4*
wẹg|räu|men *tr. 1;* **wẹg|rei|ßen** *tr. 96;* **wẹg|ru|fen** *tr. 102;* **wẹg|sa|nie|ren** *tr. 3;* **wẹg|schaf|fen** *tr. 1*
We̱g|schei|de *w. 11* Weggabelung
wẹg|schen|ken *tr. 1;* **wẹg|sche|ren** *refl., derb, nur im Infinitiv und Imperativ:* sich entfernen; scher dich weg!; er soll sich w.; **wẹg|schi|cken** *tr. 1;* **wẹg|schlei|chen** *intr. u. refl. 117;* **wẹg|schlie|ßen** *tr. 120;* **wẹg|schmei|ßen** *tr. 122;* **wẹg|schnap|pen** *tr. 1;* jmdm. etwas w.; **wẹg|schnei|den** *tr. 125;* **wẹg|schüt|ten** *tr. 2;* **wẹg|se|hen** *intr. 136;* **wẹg|set|zen** *tr. 1;* **wẹg|spü|len** *tr. 1;* **wẹg|ste|cken** *tr. 1;* **wẹg|steh|len** *refl. 152;* **wẹg|ster|ben** *intr. 154, ugs.;* ihm sind kurz nacheinander beide Eltern weggestorben; **wẹg|sto|ßen** *tr. 157*
We̱g|stre|cke *w. 11*
wẹg|strei|chen *tr. 158*
We̱g|stun|de *w. 11*
wẹg|trei|ben *tr. 162;* **wẹg|tre|ten** *intr. 163;* **wẹg|tun** *tr. 167*
We̱g|war|te *w. 11* eine Salatpflanze, Endivie
wẹg|wa|schen *tr. 174*
we̱g|wei|send; **We̱g|wei|ser** *m. 5*
wẹg|wer|fen *tr. 181;* **wẹg|wer|fend** geringschätzig, verächtlich; **wẹg|wi|schen** *tr. 1;* **wẹg|zau|bern** *tr. 1, meist in Wendungen wie:* meine Schmerzen waren wie weggezaubert
We̱g|zeh|rung *w. 10* Mundvorrat, Proviant; **We̱g|zei|chen** *s. 7*
wẹg|zie|hen *intr. u. tr. 187;* **Wẹg|zug** *m. 2 nur Ez.*
we̱h, we̱|he; ein weher Finger; mir ist weh ums Herz; es tut weh; o weh!; au weh!; weh(e) dir (wenn du...)!; weh(e) über uns! *veraltet;* ach und weh schreien; **We̱h** *s. 1;* ein großes Weh im Herzen; mit Ach und Weh; **We̱h|dag** *m. 1, nddt.:* Schmerz, Unglück; **we̱|he** vgl. weh; **We̱|he** *w. 11* **1** *meist Mz.* schmerzhafte Zusammenziehung der Gebärmutter bei der Geburt; **2** zusammengewehter kleiner Schneeberg, Schneewehe
we̱|hen *intr. 1*
We̱h|frau *w. 10, veraltet für* Hebamme; **We̱h|ge|fühl** *s. 1 nur Ez.;* **We̱h|ge|schrei** *s. Gen.* -s *nur Ez.;* **We̱h|kla|ge** *w. 11;* **we̱h|kla|gen** *intr. 1*
We̱hl *s. 1,* **We̱h|le** *w. 11, nddt.:* Küstenbucht, Wasserloch, Teich
we̱h|lei|dig; **We̱h|lei|dig|keit** *w. 10 nur Ez.;* **We̱h|mut** *w. Gen.* - *nur Ez.;* **we̱h|mü|tig;** **we̱h|muts|voll;** **We̱h|mut|ter** *w. 6, veraltet für* Hebamme
We̱h|ne *w. 11, nddt.:* Beule
We̱hr **1** *s. 1* Stauwerk in fließendem Wasser; **2** *w. 10, veraltet:* Waffe, Waffenausrüstung; **3** *w. 10 nur Ez., veraltet:* Widerstand, Verteidigung; *noch in Zus. wie* Notwehr, Wehrdienst *und in der Wendung:* sich zur Wehr setzen; **We̱hr|be|auf|trag|te(r)** *m. 18 (17)* Beauftragter des dt. Bundestags, der die Wahrung der Grundrechte in der Bundeswehr überwacht; **We̱hr|dienst** *m. 1 nur Ez.;* **we̱hr|dienst|pflich|tig;** **we̱h|ren** **1** *tr. 1;* jmdm. etwas w.: verhindern, dass jmd. etwas tut, jmdm. etwas verbieten; **2** *refl. 1* Widerstand leisten; **We̱hr|er|satz|dienst** *m. 1;* **we̱hr|fä|hig;** **We̱hr|fä|hig|keit** *w. 10 nur Ez.;* **We̱hr|gang** *m. 2* überdachter Gang an einer Burg- oder

Stadtmauer; **Wehr|ge|hän|ge** *s. 5,* **Wehr|ge|henk** *s. 1* Leibriemen zum Befestigen der Waffe; **wehr|haft; Wehr|haf|tig|keit** *w. 10 nur Ez.;* **Wehr|ho|heit** *w. 10 nur Ez.* Recht (eines Staates) zum Aufstellen und Unterhalten von Streitkräften; **Wehr|kir|che** *w. 11, früher:* Kirche mit Verteidigungsanlagen; **wehr|los; Wehr|lo|sig|keit** *w. 10 nur Ez.;* **Wehr|macht** *w. 10 nur Ez., 1935–1945:* Gesamtheit der dt. Streitkräfte; **Wehr|machts|an|ge|hö|ri|ge(r)** *m. 18 (17) bzw. w. 17 oder 18;* **Wehr|paß ▶ Wehr|pass** *m. 2* Urkunde über erfolgte Musterung und abgeleisteten Wehrdienst; **Wehr|pflicht** *w. 10 nur Ez.;* **wehr|pflich|tig**

> **weh sein/werden, wehklagen, wehtun:** Die Verbindung mit *sein* gilt nicht als Zusammensetzung und wird daher getrennt geschrieben, ebenso bei *werden: weh sein/werden.* →§ 35
> Dagegen werden Verbindungen aus Substantiv, Adjektiv oder Partikel mit Verben zusammengeschrieben: *Sie wehklagten die ganze Woche.* →§ 33 (1)
> Trennbare Verben wie *wehtun,* deren erster Bestandteil seine substantivischen Merkmale eingebüßt hat, schreibt man auch in getrennter Stellung klein: *Er hat ihr sehr weh getan.* →§ 56 (2)

weh|tun *tr. 167*

Weh|weh|chen *s. 7, scherzh.:* kleine Wunde, unbedeutender Schmerz

Weib *s. 3;* **Weib|chen** *s. 7* **1** *Mz. auch:* Wei|ber|chen, kleines Weib; **2** weibl. Tier

Wei|bel *m. 5* **1** *veraltet für:* Feldwebel, Unteroffizier; **2** *schweiz. veraltet für:* Amts-, Gerichtsdiener

Wei|ber|chen *Mz. von* Weibchen **(1)**; **Wei|ber|feind** *m. 1* Misogyn; **Wei|ber|held** *m. 10;* **Wei|ber|volk,** Weibs|volk *s. 4 nur Ez., veraltet, heute noch abwertend:* Frauen; **wei|bisch; Weib|lein** *s. 7;* **weib|lich; Weib|lich|keit** *w. 10 nur Ez.;* **Weibs|bild** *s. 3, abwertend:* Frau, *bes.:* unangenehme, böse Frau; **Wei|b|sen** *s. 7, ugs. iron.:* Frau; **Weibs|leu|te** *nur Mz., veraltet:* Frauen; **Weibs|per|son** *w. 10, abwertend:* Frau; **Weibs|stück** *s. 1* verkommene oder bösartige Frau; **Weibs|volk** *s. 4 nur Ez.* = Weibervolk

> **weich gekocht/klopfen/machen:** Die Verbindung aus Adjektiv und Verb schreibt man getrennt, wenn das Adjektiv in dieser Verbindung steigerbar oder erweiterbar ist: *Rita hat die Eier weich gekocht; weich geklopftes Fleisch; die Nachricht kann einen weich machen.*
> →§ 34 E3 (3)

weich; weich klopfen, kochen, liegen, machen, sitzen, sein

Weich|bild *s. 5* Stadtgebiet, Stadtgerichtsbezirk

Wei|che *w. 11* **1** *nur Ez.* Weichheit; **2** Vorrichtung zum Umstellen von Gleisen; **3** *Elektrotechnik:* Schaltelement; **4** Seite, Flanke (des Körpers, bes. vom Pferd)

wei|chen **1** *intr. 1* weich werden; **2** *tr. 1* weich machen, einweichen; **3** *intr. 176* zurückgehen, nachgeben, sich geschlagen geben; dem Stärkeren, der Übermacht weichen

Wei|chen|stel|ler *m. 5;* **Wei|chen|wär|ter** *m. 5*

weich|ge|kocht ▶ weich gekocht; ein weich gekochtes Ei

weich|her|zig; Weich|her|zig|keit *w. 10 nur Ez.;* **Weich|kä|se** *m. 5;* **weich|ko|chen ▶ weich ko|chen** *tr. 1;* **weich|lich; Weich|ling** *m. 1;* **weich|ma|chen ▶ weich ma|chen** *tr. 1, übertr.:* zermürben; **Weich|ma|cher** *m. 5, Chem.;* **weich|mäu|lig** *bei Pferden:* empfindsam im Maul für Zügelhilfen

Weich|sel **1** *w. Gen.* - Fluss in Polen; **2** *w. 11* eine Sauerkirsche

Weich|spü|ler *m. 5;* **Weich|spül|mit|tel** *s. 5;* **Weich|tei|le** *s. 1 Mz.* die knochenlosen Körperteile, *bes.:* Eingeweide; **Weich|tier** *s. 1* Angehöriger eines Stammes meist schalentragender Meerestiere, Molluske; **Weich|zeich|ner** *m. 5* fotograf. Vorsatzlinse zur Verringerung der Schärfe

weid..., Weid... *in Zus.:* jagd..., Jagd...

Wei|de *w. 11* **1** ein Laubbaum, Weidenbaum; **2** Wiese, auf der Vieh weiden kann, Weideland

wei|den **1** *intr. 2* auf der Weide Nahrung suchen; **2** *refl. 2;* sich an etwas w.: sich an etwas erfreuen; **3** *tr. 2* auf die Weide führen; er weidet die Schafe

Wei|den|baum *m. 2* = Weide **(1)**; **Wei|den|kätz|chen** *s. 7* Blüte der Weide **(1)**; **Wei|den|ru|te** *w. 11*

Wei|de|platz *m. 2;* **Wei|de|recht** *s. 1 nur Ez.;* **Wei|de|wirt|schaft** *w. 10 nur Ez.*

weid|ge|recht, waid|ge|recht; **weid|lich,** waid|lich [eigtl.: jagdgerecht] tüchtig, gehörig, kräftig; jmdn. w. auslachen, ausschimpfen

Weid|ling *m. 1, schweiz.:* Fischerkahn

Weid|loch, Waid|loch *s. 4, Jägerspr.:* After (des Wildes); **Weid|mann,** Waid|mann *m. 4* Jäger und Heger zugleich; **weid|män|nisch,** waid|männisch; **Weid|manns|dank!,** Waid|manns|dank! Antwort auf »Weidmannsheil!«; **Weid|manns|heil!,** Waid|manns|heil! Gruß der Jäger untereinander; Wunsch für Jagdglück; **Weid|mes|ser,** Waid|mes|ser *s. 5* feststehendes Jagdmesser; **Weid|werk,** Waid|werk *s. 1 nur Ez.* Jagd und Jägerei; **weid|wund,** waid|wund *Jägerspr.:* krank geschossen (Wild)

wei|gern **1** *tr. 1, veraltet für* verweigern; jmdm. etwas w.; **2** *refl. 1;* ich weigere, weigre mich, das zu tun; **Wei|ge|rung** *w. 10*

Weih *m. 1,* Wei|he *w. 11* ein Raubvogel

Weih|bi|schof *m. 2* Geistlicher mit Bischofsweihe, aber ohne Nachfolgerecht; **Wei|he** *w. 11* **1** Segen, Einsegnung, feierliche Einsetzung, feierl. Ingebrauchnehmen; **2** = Weih

Wei|hel *m. 5* der über der Stirn liegende Teil des Nonnenschleiers

wei|hen *tr. 1*

Wei|her *m. 5* kleiner Teich

Wei|he|stun|de *w. 11;* **wei|he|voll; Weih|ge|schenk**

Weih|nacht *w. Gen. - nur Ez.* = Weihnachten; **weih|nach|ten** *intr. 2, nur unpersönlich;* es weihnachtet: Weihnachten nähert sich; **Weih|nach|ten** *s. 7, häufig ohne Artikel;* an, zu, vor, nach W.; *südd., österr., schweiz. meist Mz.:* dieses W. war verschneit, *auch:* diese W. waren verschneit; *in Wunschformeln auch hochsprachlich Mz.:* jmdm. frohe W., *oder:* ein frohes W. wünschen; **weih|nacht|lich; Weih|nachts|a|bend** *m. 1* der Heilige Abend, 24. Dezember; **Weih|nachts|bä|cke|rei** *w. 10;* **Weih|nachts|baum** *m. 2;* **Weih|nachts|fei|er|tag** *m. 1;* **Weih|nachts|fest** *s. 1;* **Weih|nachts|gans** *w. 2;* **Weih|nachts|ge|bäck** *s. 1;* **Weih|nachts|lied** *s. 3;* **Weih|nachts|mann** *m. 4;* **Weih|nachts|markt** *m. 2;* **Weih|nachts|py|ra|mi|de** *w. 11;* **Weih|nachts|stol|len** *m. 7;* **Weih|nachts|tag** *m. 1;* **Weih|nachts|zeit** *w. 10 nur Ez.*

Weih|rauch *m. Gen.* -(e)s *nur Ez.;* **Wei|hung** *w. 10, besser:* das Weihen, die Weihe; **Weih|was|ser** *s. 5 nur Ez.;* **Weih|we|del** *m. 5*

weil; wei|land *veraltet, noch scherzh.:* einstmals, vormals; wie weiland Kaiser Barbarossa

Weil|chen *s. 7;* **Wei|le** *w. 11 nur Ez.;* damit hat es (noch) gute Weile: das wird vorerst nicht geschehen, das hat noch Zeit; eile mit Weile!: nicht zu schnell!, nichts überhasten!; **wei|len** *intr. 1, nur noch poet.:* sich aufhalten, (an einem Ort) sein

Wei|ler *m. 5* kleines Dorf

Wei|mar Stadt in Thüringen; **Wei|ma|ra|ner, Wei|ma|rer; wei|ma|ra|nisch, wei|ma|risch**

Wei|muts|kie|fer = Weymouthskiefer

Wein *m. 1;* **Wein|bau** *m. Gen.* -(e)s *nur Ez.;* **Wein|bau|er** *m. 11;* **Wein|bee|re** *w. 11;* **Wein|berg** *m. 1;* **Wein|berg(s)|be|sit|zer** *m. 5;* **Wein|berg|schne|cke** *w. 11;* **Wein|brand** *m. 2* aus Wein hergestelltes Getränk mit mindestens 38% Alkohol

wei|nen *intr. 1;* **wei|ner|lich**

Wei|nes|sig *m. 1 nur Ez.;* **Wein|geist** *m. 1 nur Ez.* Spiritus; **Wein|gut** *s. 4;* **Wein|jahr** *s. 1;* ein gutes, schlechtes W.; **Wein|kar|te** *w. 11*

Wein|krampf *m. 2*

Wein|laub *s. Gen.* -(e)s *nur Ez.;* **Wein|lau|ne** *w. 11 nur Ez.;* **Wein|le|se** *w. 11;* **Wein|mo|nat** *m. 1* Oktober; **Wein|pro|be** *w. 11;* **Wein|re|be** *w. 11;* **wein|rot** purpurrot; **Wein|säu|re** *w. 11* in vielen Pflanzen bzw. Früchten vorkommende Säure, Weinsteinsäure; **Wein|stein** *m. 1 nur Ez.* saures Kaliumsalz der Weinsäure (scheidet sich krustig in Weinfässern ab); **Wein|stein|säu|re** *w. 11* = Weinsäure; **Wein|stock** *m. 2;* **Wein|trau|be** *w. 11;* **Wein|zierl** *m. 14, südd., österr.:* Weinbauer, Winzer

wei|se; weise Frau *veraltet:* Wahrsagerin, *auch:* Hebamme

Wei|se *w. 11*

...wei|se *in Zus.* **1** in einer bestimmten Art, z. B. unverschämterweise, kistenweise; **2** mit einem bestimmten Umstand verbunden, z. B. zwangsweise

Wei|sel *m. 5* Bienenkönigin

wei|sen 1 *tr. 177;* jmdn. in eine Richtung w.; jmdn. etwas weisen *veraltet:* jmdm. etwas zeigen, jmdn. etwas lehren; **2** *intr. 177;* auf etwas w.; in eine Richtung w.; **Wei|ser** *m. 5 veraltet:* Wegweiser

Wei|se(r) *m. 18 (17)* weiser Mann, Denker, Philosoph; **Weis|heit** *w. 10;* **weis|heits|voll; Weis|heits|zahn** *m. 2* hinterster Backenzahn; **weis|lich** klugerweise, wohlweislich; ich habe es ihm w. verschwiegen; **weis|ma|chen** *tr. 1;* jmdm. etwas w.: jmdm. etwas vortäuschen, vorschwindeln; er hat mir weisgemacht, er wolle...

weiß 1 *Kleinschreibung:* weiße Blutzellen; weiße Fahne; weißer Kreis; weiße → Magie; ein weißer Rabe *übertr.:* eine Ausnahmeerscheinung; weiße Rasse; der weiße Tod: Lawinentod; eine weiße Weste haben: schuldlos sein; etwas schwarz auf weiß besitzen: schriftlich besitzen; **2** *Großschreibung:* aus Schwarz Weiß machen (wollen); eine Weiße: Berliner Biergetränk; Weiße Ameise; das Weiße Haus: Regierungsgebäude der USA in Washington; Weißes Meer: Bucht der Barentsee; Weiße Rose: Name einer Widerstandsgruppe gegen den Nationalsozialismus; Weißer Sonntag: Sonntag nach Ostern; *Zus.* vgl. blau; **Weiß** *s. Gen.* - *nur Ez.* weiße Farbe, vgl. Blau

> **weiß blühen, aus Schwarz Weiß machen, das Weiße Haus, der weiße Tod:** Die Verbindung aus Adjektiv und Verb schreibt man getrennt, wenn das Adjektiv erweiterbar ist: *Die Bäume haben weiß geblüht.* → § 34 E3 (3)
> Mit großem Anfangsbuchstaben schreibt man substantivierte Adjektive: *das Weiße; aus Schwarz Weiß machen* [→ § 57 (1)] sowie Eigennamen: *eine Weiße* (= Berliner Getränk); *das Weiße Haus; der Weiße Nil; der Weiße Sonntag* [→ § 60 (3.4)]; kleingeschrieben wird hingegen in festen Gefügen, die aber keine Eigennamen sind: *ein weißer Fleck auf der Landkarte; der weiße Sport* (= Tennis); *der weiße Tod* (= Lawinentod); *eine weiße Weste haben; die weiße Fahne hissen.*
> → § 63

weis|sa|gen *tr. 1* voraussagen, prophezeien; er hat es geweissagt; **Weis|sa|gung** *w. 10*

Weiß|bier *s. 1;* **Weiß|bin|der** *m. 5* Böttcher; **Weiß|blech** *s. 1* verzinntes Eisenblech; **weiß|blond; Weiß|blu|ten** *s., nur in der Wendung* bis zum W.: bis zum Letzten; **weiß|blü|tig** an Leukämie leidend; **Weiß|blü|tig|keit** *w. 10 nur Ez.* = Leukämie; **Weiß|brot** *s. 1;* **Weiß|buch** *s. 4* vgl. Farbbuch; **Weiß|bu|che** *w. 11* = Hainbuche; **Weiß|dorn** *m. 1* ein Strauch, Hagedorn; **Wei|ße** *w. 11* **1** *nur Ez.* Weißsein, weißes Aussehen; **2** Weißbier, *in der Fügung:* Berliner Weiße; **wei|ßeln** *tr. 1, südd., österr., schweiz.:* weißen; ich weißele, weißle das Zimmer; **wei|ßen** *tr. 1* weiß tünchen; **Wei|ße(r)** *m. 18 (17) bzw. w. 17 oder 18* Angehörige(r) der weißen Rasse; **Weiß|fisch** *m. 1* ein karpfenartiger Fisch, z. B. Döbel, Elritze; **Weiß|fluß** ► **Weiß|fluss** *m. 2 nur Ez.* gelblich weißer Ausfluss aus der weibl. Scheide; **Weiß|fuchs** *m. 2* ein Silberfuchs; **weiß|ge|klei|det** ► **weiß ge|klei|det;** weiß gekleidete Kinder; **weiß|gelb** hell-, blassgelb; **Weiß|ger|ber** *m. 5* Gerber, der feines Leder herstellt; **Weiß|ger|be|rei** *w. 10;* **weiß|glü|hen** *tr. 1* (Metall) so stark erhitzen, dass es weißlich leuchtet; **Weiß|glut** *w. 10 nur Ez.; auch übertr. ugs.:* höchster Zorn; jmdn. bis zur W. bringen; **weiß|grau** hell-, blassgrau; **weiß|haa|rig; Weiß|herbst** *m. 1* sehr heller Rotwein (bei dem die farbreichen Schalen der Beeren rasch ausgekeltert wurden); **Weiß|kä|se** *m. 5* Quark; **Weiß|kohl** *m. 1 nur Ez.;* **Weiß|kraut** *s. 4 nur Ez.;* **weiß|lich; Weiß|ling** *m. 1* **1** ein Schmetterling; **2** ein karpfenartiger Fisch, Wittling; **Weiß|nä|he|rin** *w. 10* Näherin für Wäsche, Oberhemden und Blusen; **Weiß|rus|se** *m. 11* = Belorusse; **Weiß|ru|the|ne** *m. 11* = Belorusse; **Weiß|sti|cke|rei** *w. 10* Stickerei in weißer Wäsche; **Weiß|sucht** *w. Gen. - nur Ez.* = Albinismus; **Weiß|wa|re** *w. 11 meist Mz.* weiße Stoffe oder Wäsche; **weiß|wa|schen** *tr. 174, nur im Infinitiv und Partizip II, übertr.:* von einem Verdacht befreien; er hat sich, ihn weißgewaschen; **Weiß|wein** *m. 1;* **Weiß|wurst** *w. 2* Wurst aus Kalbfleisch; **Weiß|zeug** *s. 1* Weißwaren

Weis|tum *s. 4* **1** *MA:* Auskunft über rechtl. Fragen, die von rechtskundigen Männern erteilt wurde; **2** *danach:* Sammlung von Vorträgen der Gemeindeältesten oder Schöffen über Rechtsfragen

Wei|sung *w. 10;* **wei|sungs|ge|bun|den; wei|sungs|ge|mäß**

weit; weit und breit; weit laufen, springen, sein; du wirst es noch so weit treiben, dass...; *aber:* →soweit; wie weit ist es noch?; *aber:* →wieweit; bei weitem; von weitem; das Weite suchen: ausreißen, davonlaufen; vgl. weiter; **weit|ab; weit|aus** bei weitem, viel; w. besser, größer; **Weit|blick** *m. 1 nur Ez.;* **weit|blickend** ► **weit bli|ckend; Wei|te** *w. 11;* **wei|ten** *tr. u. refl. 2;* **wei|ter** **1** *Kleinschreibung:* ohne weiteres, *österr.* ohneweiters; von weitem; bei weitem; bis auf weiteres; **2** *Großschreibung:* des Weiteren; im Weiteren (= weiterhin) erklärte er...; das Weitere, alles Weitere wirst du noch hören; ich möchte noch ein Weiteres (= einen weiteren Umstand, Gedanken) dazu sagen; und damit war ich des Wei-

> **des Weiteren, ohne weiteres:** Die substantivierte Form schreibt man mit großem Anfangsbuchstaben: *das Weite suchen; sich ins/in die Weite verlieren; im/des Weiteren erklärte der Minister ...; ein Weiteres; alles Weitere.* →§ 57 (1)
> Einige feste Verbindungen aus Präposition und dekliniertem oder nichtdekliniertem Adjektiv schreibt man hingegen klein: *ohne weiteres* (österr.: *ohneweiters*); *von weitem; bei weitem; bis auf weiteres.* →§ 58 (3)

teren (= der weiteren Aufgaben, Pflichten) enthoben; sich ins Weite verlieren; im Weiteren: weiterhin; **3** *in Verbindung mit Verben Getrenntschreibung in der Bedeutung:* **a)** über eine größere Entfernung z. B. weiter laufen, fliegen, springen (als...); **b)** weiterhin z. B. weiter bestehen, helfen; *Zusammenschreibung in der Bedeutung* **a)** fortfahren zu..., z. B. weiterarbeiten; **b)** an einen anderen Ort, voran, vorwärts (auch im übertragenen Sinn), z. B. weiterkommen; **c)** einer anderen Person, anderen Personen, z. B. weitererzählen, weitergeben; **wei|ter|ar|bei|ten** *intr. 2;* ich muss schnell weiterarbeiten; *aber:* ich nehme keinen Urlaub und werde weiter arbeiten (= weiterhin); **wei|ter|be|för|dern** *tr. 1;* **Wei|ter|be|för|de|rung** *w. 10 nur Ez.;* **wei|ter|be|ste|hen** *intr. 151;* noch ein Jahr weiterbestehen (= fortbestehen); *aber:* dieser Zustand wird auch weiter bestehen (= weiterhin); **wei|ter|bil|den** *tr. 2;* **Wei|ter|bil|dung** *w. 10;* **wei|ter|brin|gen** *tr. 21;* **wei|ter|emp|feh|len** *tr. 27;* ich werde dich weiterempfehlen; *aber:* ich werde dich weiter empfehlen (= weiterhin); **wei|ter|ent|wi|ckeln** *tr. 1;* **Wei|ter|ent|wick|lung** *w. 10 nur Ez.;* **wei|ter|er|zäh|len** *tr. 1;* **wei|ter|fah|ren** *intr. 32; schweiz. auch:* fortfahren, nicht aufhören; **Wei|ter|fahrt** *w. 10 nur Ez.;* **wei|ter|flie|gen** *intr. 38;* nach Rom w.; **Wei|ter|flug** *m. 2 nur Ez.;* zum W. nach Rom; **wei|ter|füh|ren** *tr. 1;* weiterführende Literatur; **Wei|ter|ga|be** *w. 11 nur Ez.;* zur W. an Herrn X.; **wei|ter|ge|ben** *tr. 45;* **wei|ter|ge|hen** *intr. 47;* die Geschichte ist so weitergegangen; *aber:* ich bin weiter gegangen als du; weitergehend; **wei|ter|hel|fen** *intr. 66;* kann ich dir weiterhelfen?; *aber:* ich werde dir auch weiter helfen (= weiterhin); **wei|ter|hin; wei|ter|klin|gen** *intr. 69;* **wei|ter|kom|men** *intr. 71;* ich bin mit der Sache noch nicht weitergekommen; vgl. weiter; **wei|ter|kön|nen** *intr. 72;* **wei|ter|lau|fen** *intr. 76;* die Zahlungen werden w.; er ist einfach weitergelaufen; **wei|ter|lei|ten** *tr. 2;* **Wei|ter|lei|tung** *w. 10 nur Ez.;* **wei|ter|ma|chen** *intr. 1, ugs.:* nicht aufhören; *aber:* ich muss das Kleid weiter machen; **Wei|ter|rei|se** *w. 11 nur Ez.;* **wei|ter|rei|sen** *intr. 1;* nach Rom w.; vgl. weiter

> **weiter(hin) bestehen, weitergehen:** Das Gefüge aus zusammengesetztem Adverb und Verb schreibt man getrennt: *Die Regel sollte weiter(hin) bestehen.*
> →§ 34 E3 (2)
> Trennbare Zusammensetzungen aus Partikeln, Adjektiven oder Substantiven mit Verben schreibt man im Infinitiv, den Partizipien sowie im Nebensatz (Endstellung des Verbs) zusammen: *Das konnte so weitergehen.* →§ 34 (1)
> Aber: Ist der erste Teil des Gefüges steigerbar oder erweiterbar, schreibt man getrennt: *Er wollte die Strecke noch weiter gehen, nicht fahren.* →§ 34 E3 (3)

wei|ters *österr.:* weiterhin, ferner

wei|ter|sa|gen *tr. 1;* du darfst es niemandem w.; *aber:* ich will dazu nichts weiter sagen; **wei|ter|schi|cken** *tr. 1;* **wei|ter|spie|len** *intr. 1;* **wei|ter|tö|nen** *intr. 1;* **Wei|te|rung** *w. 10* (sich aus etwas ergebende Schwierigkeit); **wei|ter|ver|brei|ten** *tr. 2;* **Wei|ter|ver|kauf** *m. 2;* **wei|ter|ver|kau|fen** *tr. 1;* **wei|ter|ver|mie|ten** *tr. 2;* **wei|ter|wol|len** *intr. 1;* **wei|ter|zah|len** *tr. 1*

weit|ge|hend ► **weit ge|hend**; weit gehende, weiter gehende Vollmachten; *ugs. auch, aber* *nicht korrekt:* weitgehendere Vollmachten; weitestgehende, *ugs. auch, aber nicht korrekt:* weitgehendste Vollmachten; das ist eine zu weit gehende Deutung; **weit|ge|reist** ▶ **weit ge|reist;** ein weit gereister Mann; er ist in seinem Leben weit gereist; **weit|her**; von w.; *auch:* von weit her; **weit|her|ge|holt** ▶ **weit her|ge|holt;** eine weit hergeholte Erklärung; **weit|her|zig** großzügig; **weit|hin**; sein Geschrei war w. zu hören; **weit|hin|aus** ▶ **weit hin|aus** *auch:* **-hi|naus; weit|läu|fig; Weit|läu|fig|keit** *w. 10 nur Ez.;* **weit|ma|schig; weit|rei|chend** ▶ **weit rei|chend**; vgl. weit gehend; **weit|schau|end** ▶ **weit schau|end; weit|schwei|fig** zu ausführlich; **Weit|schwei|fig|keit** *w. 10 nur Ez.;* **Weit|sicht** *w. 10 nur Ez.* Fähigkeit, Zukünftiges vorauszusehen und zu beurteilen; **weit|sich|tig; Weit|sich|tig|keit** *w. 10 nur Ez.* ein Sehfehler; **weit|sprin|gen** *intr. 148;* ich springe weit, bin weitgesprungen (als sportl. Übung); *aber:* ich bin sehr weit gesprungen; **Weit|sprung** *m. 2;* **weit|tra|gend** ▶ **weit tra|gend**; von weit tragender Bedeutung; **Wei|tung** *w. 10 nur Ez.;* **weit|ver|brei|tet** ▶ **weit ver|brei|tet**; ein weit verbreiteter Irrtum; **weit|ver|zweigt** ▶ **weit ver|zweigt**; weit verzweigte Verwandtschaft

Wei|zen *m. 7;* **Wei|zen|brot** *s. 1;* **Wei|zen|keim|öl** *s. 1;* **Wei|zen|mehl** *s. 1*

wẹlch 1 *Interrogativpronomen:* was für; welch ein Wunder!; welches Wunder!; welchen Tieres, *oder:* welches Tieres Spur ist das?; *Flexion* vgl. manch; **2** welches, welche *Indefinitpronomen:* einiges, einige; ich habe kein Geld bei mir, hast du welches?; ich habe welche gesehen; **3** welche (-r, -s) *Relativpronomen, veraltend:* der, die, das; **wẹl|cher|art** *veraltet:* was für; w. Neigung, Vorliebe; *aber:* (von) welcher Art seine Neigung sein mag; **wẹl|cher|ge|stalt** *veraltet* = welcherart; **wel|cher|lei**

Wẹlf *m. 10* **1** *auch: s. Gen.* -(e)s *Mz.* -er = Welpe; **2** = Welfe, **Wẹl|fe** *m. 11* Angehöriger eines dt. Fürstengeschlechts; **wẹl|fisch**

wẹlk; wẹl|ken *intr. 1;* **Wẹlk|heit** *w. 10 nur Ez.*

Wẹll|blech *s. 1* verzinktes, wellig geformtes Eisenblech; **Wẹl|le** *w. 11;* **wẹl|len** *tr. u. refl. 1;* **Wẹl|len|bad** *s. 4;* **Wẹl|len|be|reich** *m. 1;* **Wẹl|len|berg** *m. 1;* **Wẹl|len|bre|cher** *m. 5;* **Wẹl|len|gang** *m. 2 nur Ez.;* hoher W.; **Wẹl|len|kamm** *m. 2;* **Wẹl|len|län|ge** *w. 11;* **Wẹl|len|li|nie** *w. 11;* **Wẹl|len|rei|ten** *s. Gen.* -s *nur Ez.* = Surf, Surfing; **Wẹl|len|schlag** *m. 2;* **Wẹl|len|sit|tich** *m. 1* ein kleiner, austral. Papagei; **Wẹl|len|tal** *s. 4*

Wẹl|ler *m. 5* Mischung aus Lehm oder Ton und Stroh zum Ausfüllen von Fachwerk; **wẹl|lern** *tr. 1* mit Weller ausfüllen

Wẹll|fleisch *s. Gen.* -(e)s *nur Ez.* gekochtes Fleisch vom frisch geschlachteten Schwein

wẹl|lig; Wẹll|pap|pe *w. 11;* **Wẹl|lung** *w. 10 nur Ez.*

Wẹlp *m. 12;* **Wẹl|pe** *m. 11* Junges (vom Wolf, Fuchs, Hund)

Wẹls, Wạl|ler *m. 1* ein Süßwasserfisch

wẹlsch 1 aus Welschland stammend; **2** *schweiz.* für welschschweizerisch; die welsche Schweiz *schweiz.:* die frz. Schweiz; **3** *übertr. veraltet:* fremdländisch; **Wẹlsch|kohl** *m. Gen.* -s *nur Ez.* Wirsing; **Wẹlsch|korn** *s. 4 nur Ez.* = Mais; **Wẹlsch|kraut** *s. Gen.* -s *nur Ez.* Wirsing; **Wẹlsch|land** *s. Gen.* -s *nur Ez., veraltet:* Italien, *auch:* Frankreich; **Wẹlsch|schwei|zer** *m. 5* Schweizer mit frz. Muttersprache; **wẹlsch|schwei|ze|risch** zur frz. Schweiz gehörend, aus ihr stammend

Wẹlt *w. 10;* **Wẹlt|all** *s. Gen.* -s *nur Ez.;* **Wẹlt|al|ter** *s. 5* Abschnitt der Weltgeschichte; **wẹlt|an|schau|lich; Wẹlt|an|schau|ung** *w. 10;* **Wẹlt|aus|stel|lung** *w. 10;* **Wẹlt|bank** *w. 10 nur Ez.* internationale Bank in Washington; **wẹlt|be|kannt; wẹlt|be|rühmt; Wẹlt|best|leis|tung** *w. 10, Sport;* **wẹlt|be|we|gend**; das ist nicht w.; ein weltbewegendes Ereignis; *aber:* ein die ganze Welt bewegendes Ereignis; **Wẹlt|bild** *s. 3;* **Wẹlt|brand** *m. 2, poet. für* Weltkrieg; **Wẹlt|bür|ger** *m. 5* = Kosmopolit (**1**); **Wẹlt|bür|ger|tum** *s. Gen.* -s *nur Ez.;* **Wẹl|ten|bumm|ler** *m. 5* jmd., der viel in der Welt umherreist

Wẹl|ter|ge|wicht *s. 1 früher:* eine Gewichtsklasse in der Schwerathletik

wẹlt|er|schüt|ternd; wẹlt|fern; Wẹlt|flucht *w. 10 nur Ez.;* **wẹlt|fremd; Wẹlt|fremd|heit** *w. 10 nur Ez.;* **Wẹlt|frie|de** *m. 15;* **Welt|frie|dens|be|we|gung** *w. 10 nur Ez.;* **Wẹlt|geist|li|cher** *m. 5* Geistlicher, der nicht dem Klosterstand angehört, Weltpriester, Leutpriester, Säkularkleriker; **Wẹlt|gel|tung** *w. 10 nur Ez.;* **Wẹlt|ge|richt** *s. 1 nur Ez.;* **Welt|ge|richts|hof** *m. 2 nur Ez.* internationaler Gerichtshof in Den Haag; **Wẹlt|ge|schich|te** *w. 11 nur Ez.;* **wẹlt|ge|schicht|lich; wẹlt|ge|wandt; Wẹlt|ge|wandt|heit** *w. 10 nur Ez.;* **Welt|ge|wẹrk|schafts|bund** *m. 2 nur Ez.;* **Wẹlt|han|del** *m. Gen.* -s *nur Ez.;* **Wẹlt|herr|schaft** *w. 10 nur Ez.;* **Wẹlt|kar|te** *w. 11;* **Wẹlt|kennt|nis** *w. 1 nur Ez.;* **Wẹlt|kind** *s. 3* am Leben und an den Lebensgenüssen sich freuender Mensch; **Wẹlt|klas|se** *w. 11 nur Ez.;* **wẹlt|klug; Wẹlt|krieg** *m. 1;* Erster, Zweiter W.; **Wẹlt|ku|gel** *w. 11;* **Wẹlt|lauf** *m. 2 nur Ez.;* **wẹlt|lich; Wẹlt|li|te|ra|tur** *w. 10 nur Ez.;* **Wẹlt|macht** *w. 2;* **Wẹlt|mann** *m. 4;* **wẹlt|män|nisch; Wẹlt|markt** *m. 2 nur Ez.;* **Wẹlt|meer** *s. 1* Ozean; **Wẹlt|meis|ter** *m. 5;* **Wẹlt|meis|ter|schaft** *w. 10;* **Wẹlt|ord|nung** *w. 10;* **Wẹlt|po|li|tik** *w. 10 nur Ez.;* **wẹlt|po|li|tisch; Welt|pọst|ver|ein** *m. 1 nur Ez.* internationaler Verein zur Regelung des Postverkehrs; **Wẹlt|pries|ter** *m. 5* = Weltgeistlicher; **Wẹlt|rang|lis|te** *w. 11;* **Wẹlt|raum** *m. 2 nur Ez.;* **Wẹlt|raum|fah|rer** *m. 5;* **Wẹlt|raum|fahrt** *w. 10;* **Wẹlt|raum|fahr|zeug** *s. 1;* **Wẹlt|raum|for|schung** *w. 10;* **Wẹlt|raum|sta|ti|on** *w. 10;* **Wẹlt|reich** *s. 1;* **Wẹlt|rei|se** *w. 11;* **Wẹlt|re|kord** *m. 1;* **Wẹlt|ruf** *m. 1 nur Ez.;* eine Firma von W.; die Firma hat W.; **Wẹlt|ruhm** *m. Gen.* -(e)s *nur Ez.;* **Wẹlt|schmerz** *m. 12 nur Ez.* Schmerz, Trauer über den Widerspruch zwischen dem eigenen Wollen und den Gegebenheiten der Welt; **wẹlt|schmerz-**

lich; Welt|see|le *w. 11 nur Ez., in manchen Philosophien:* geistig-seelischer Urgrund der Welt; **Welt|spra|che** *w. 11;* **Welt|stadt** *w. 2;* **welt|städ|tisch; Welt|teil** *m. 1* Erdteil; **Welt|umse|ge|lung, Welt|um|seg|lung** *w. 10;* **welt|um|span|nend**; eine weltumspannende Entwicklung; *aber:* eine die ganze Welt umspannende Entwicklung; **Welt|un|ter|gang** *m. 2 nur Ez.;* **Welt|ver|bes|se|rer** *m. 5;* **welt-weit; Welt|wirt|schaft** *w. 2 nur Ez.;* **Welt|wirt|schafts|kri|se** *w. 11;* **Welt|wun|der** *s. 5;* die sieben W. *im Altertum:* sieben (nicht immer einheitlich angegebene) außergewöhnl. Bau- und Kunstwerke

wem *Dativ von* wer; **Wem|fall** *m. 2* = Dativ

wen *Akk. von* wer

Wen|de 1 *w. 11* Drehung, Wandlung; **2** *m. 11* Angehöriger eines westslaw. Volkes

Wen|de|hals *m. 2* **1** ein Specht; **2** *übertragen abwertend für* einen Menschen, der sich politischen Änderungen rasch anpasst (bes. nach der »Wende« 1989 in der ehem. DDR); **Wen|de|kreis** *m. 1;* **Wen|del** *m. 5* schrauben-, spiralförmiges Gebilde; **Wen|del|trep|pe** *w. 11* spiralig verlaufende Treppe; **wen|den 1** *tr. 178;* ich wandte, *auch:* wendete den Kopf; ich wandte, *auch:* wendete mich an ihn; *aber nur:* ich habe Heu gewendet; es hat sich alles zum Guten gewendet; ich habe den Rock gewendet; **2** *intr. 2* umkehren, kehrtmachen; **Wen|de-punkt** *m. 1;* **wen|dig** flink, behände, beweglich; **Wen|dig|keit** *w. 10 nur Ez.;* **wen|disch** zu den Wenden (**2**) gehörend, von ihnen stammend

Wen|dung *w. 10*

Wen|fall *m. 2* = Akkusativ

we|nig ein (klein) wenig; *aber:* viele Wenig machen ein Viel; ein weniges; das wenige; einiges wenige; man kann mit wenig, *oder:* wenigem auskommen; es gibt nur wenige, die meinen…; er spricht nur wenig Deutsch; wenig Neues; wenig Zeit haben; mit wenigem Neuen, *Flexion* vgl. manch; das ist wenig schön; das ist das wenigste, was ich erwarten kann; die wenigsten wissen das; zum wenigsten

> **wenig befahren/gelesen, die wenigsten, am wenigsten:** Die Verbindung aus Adjektiv und Verb/Partizip schreibt man – im Gegensatz zur bisherigen Regelung – dann getrennt, wenn der erste Bestandteil des Gefüges eine Ableitung auf *-ig* (oder *-isch* bzw. *-lich*) ist: *eine wenig befahrene Strecke; das Buch wird wenig gelesen.* →§ 36 E1 (2)
> Das Zahladjektiv *wenig* (ebenso: *viel, der eine/andere*) schreibt man auch in substantivierter Form klein: *Es war nur noch weniges zu gebrauchen. Die wenigsten kannten den Dichter.* Ebenso: *die wenigen, ein wenig, das wenige, am wenigsten.* →§ 58 (5), § 58 (2), § 58 E4

drei: mindestens drei; **we|nig-be|fah|ren** ► **we|nig be|fah-ren;** eine wenig befahrene Straße; **We|nig|keit** *w. 10 nur Ez.;* meine W. *ugs.:* ich; **we|nigs-tens**

wenn; wenn auch; wenn möglich; er setzt allem ein Wenn und ein Aber entgegen; viele Wenn und Aber

Wen|zel *m. 5, im dt. Kartenspiel:* Bube, Unter

wer 1 *Interrogativpronomen;* wer ist das?; wer anders soll es sein?; **2** *Indefinitpronomen, ugs.:* jemand; es ist wer gekommen; **3** *Relativpronomen;* ich weiß nicht, wer es war

Wer|be|brief *m. 1;* **Wer|be|chef** [-ʃɛf] *m. 9;* **Wer|be|film** *m. 1;* **wer|be|kräf|tig; Wer|be|lei|ter** *m. 5;* **wer|ben** *intr. 179;* für etwas w.; **Wer|ber** *m. 5;* **wer|be-risch; Wer|be|schrift** *w. 10;* **Wer|be|slo|gan** [-gən] *m. 9;* **Wer|be|text** *m. 1;* **Wer|be|tex-ter** *m. 5;* **Wer|be|trom|mel** *w. 11, nur in der Wendung* die W. rühren: werben; **wer|be-wirk|sam; Wer|be|wirk|sam-keit** *w. 10 nur Ez.;* **werb|lich; Wer|bung** *w. 10;* **Wer|bungs-kos|ten** *nur Mz.*

Wer|da|ruf *m. 1* der Ruf »Wer da?« des Postens

Wer|de|gang *m. 2 nur Ez.;* **wer-den** *tr. 180;* werdende Mutter; die Sache ist im Werden

Wer|der *m. 5* **1** Insel im Fluss; **2** Landstrich zwischen Fluss und stehendem Gewässer

Wer|fall *m. 2* = Nominativ

wer|fen *tr. 181;* ein Tier wirft Junge: bringt Junge zur Welt; **Wer|fer** *m. 5*

Werft 1 *w. 10* Anlage zum Bauen und Ausbessern von Schiffen; **2** *m. 1* Kette (eines Gewebes)

Werg *s. 1 nur Ez.* Abfall bei der Hanf- und Flachsspinnerei

Wer|geld *s. 3, germ. Recht:* Sühnegeld für einen Totschlag, Manngeld

Werk *s. 1;* ans Werk gehen, sich ans Werk machen: eine Arbeit beginnen; etwas ins Werk setzen: verwirklichen; vorsichtig zu Werk gehen: vorsichtig vorgehen; **Werk|bank** *w. 2* Arbeitstisch (in der Fabrik); **Werk|bü-che|rei,** Werks|bü|che|rei *w. 10;* **Werk|chen** *s. 7;* **werk|ei|gen,** werks|ei|gen betriebseigen; **Wer|kel** *s. 5, österr.:* Leierkasten, Drehorgel; **Wer|kel|mann** *m. 4, österr.:* Leierkastenmann, Drehorgelspieler; **wer|keln** *intr. 1* sich zu schaffen machen; ich werkele, werkle im Garten; **Wer|kel|tag** *m. 1* Werktag; **wer-ken** *intr. 1* (bes. praktisch) arbeiten, tätig sein; **Wer|ken** *s. Gen.* -s *nur Ez.* Werkunterricht; **Werk|füh|rer** *m. 5* = Werkmeister; **werk|ge|recht** kunstgerecht, regelrecht; **werk-ge|treu** den Absichten des Komponisten entsprechend; werkgetreue Wiedergabe; **Werk|hal|le,** Werks|hal|le *w. 11;* **Werk|leu|te** *nur Mz.;* **Werk-meis|ter** *m. 5* Leiter einer Werkstatt oder Abteilung eines Werkes, Werkführer; **werks…, Werks…** vgl. auch werk…, Werk…; **Werks|bü|che|rei,** Werk|bü|che|rei *w. 10;* **werks-ei|gen,** werk|ei|gen; **Werks|hal-le,** Werk|hal|le *w. 11;* **Werks|kü-che** *w. 11;* **Werk|spi|o|na|ge** [-ʒə] *w. 11 nur Ez.;* **Werk|statt** *w. Gen.* - *Mz.* -stät|ten; **Werk-stät|te** *w. 11* = Werkstatt; **Werk|stoff** *m. 1* fester Rohstoff, z. B. Holz, Stein, Leder; **Werk-stück** *s. 1;* **Werk|stu|dent** *m. 10;* **Werks|woh|nung** *w. 10;* **Werk-tag** *m. 1* Wochentag; an Werk- und Feiertagen; **werk|täg|lich; werk|tags;** *aber:* des, eines Werktags; werk- und feiertags; **werk|tä|tig** arbeitend, berufstätig; **Werk|tä|ti|ge(r)** *m. 18 (17) bzw. w. 17 oder 18;* **Werk|tä|tig-**

► = wird zu

keit *w. 10 nur Ez.;* **Werk|treue** *w. 11 nur Ez.;* werkgetreue Auffassung oder Wiedergabe (eines Musikstücks); **Werk|un|ter|richt** *m. 1 nur Ez.;* **Werk|ver|trag** *m. 2* Vertrag zur Herstellung und Lieferung eines bestimmten Werkes; **Werk|zeug** *s. 1;* **Werkzeug|kas|ten** *m. 7*

Wer|mut *m. Gen.* -s *nur Ez.* **1** eine Gewürz- und Heilpflanze; **2** *kurz für* Wermutwein; **Wermuts|trop|fen** *m. 7, übertr.:* etwas Schmerzliches, ein wenig Bitterkeit; **Wer|mut|wein** *m. 1* mit Wermut gewürzter Wein

Werst [russ.] *w. Gen.* - *Mz.* - russ. Längenmaß, etwa 1 km

Wert *m. 1* Wert legen auf; **wert**; werter Herr X. *veraltete Anrede im Brief;* er ist mir lieb und wert; das ist nicht der Mühe wert; jmdn. seines Vertrauens für wert halten; *aber:* →werthalten; etwas für wert erachten; **Wert|ar|beit** *w. 10* genaue, sorgfältige Arbeit; **wert|be|stän|dig; Wert|be|stän|dig|keit** *w. 10 nur Ez.;* **Wert|brief** *m. 1;* **wer|ten** *tr. 2;* **Wert|fracht** *w. 10;* **werthal|ten** *tr. 61;* ein Andenken w.; vgl. wert; **...wer|tig** *in Zus.,* z. B. ein-, zwei-, hoch-, minderwertig; **Wer|tig|keit** *w. 10 nur Ez.* = Valenz; **Wert|leh|re** *w. 11 nur Ez.* = Wertphilosophie; **wert|los; Wert|lo|sig|keit** *w. 10 nur Ez.;* **Wert|mar|ke** *w. 11* Gutschein; **Wert|mes|ser** *m. 5;* **Wert|pa|ket** *s. 1;* **Wert|pa|pier** *s. 1;* **Wert|phi|lo|so|phie** *w. 11 nur Ez.* philosoph. Lehre, die sich mit dem ethischen Verhältnis zwischen Subjekt und Umwelt befasst, Wertlehre; **Wertsa|chen** *w. 11 Mz.;* **wert|schätzen** *tr. 1, selten:* ich schätze ihn wert, habe ihn wertgeschätzt; **Wert|schät|zung** *w. 10 nur Ez.;* **Wer|tung** *w. 10 nur Ez.;* **Wertur|teil** *s. 1;* **wert|voll; Wert|zuwachs** *m. Gen.* -es *nur Ez.*

Wer|wolf *m. 2, im Volksglauben:* Mensch, der sich zeitweilig in einen Wolf verwandelt

wes *veraltete Form von* wessen; *noch in bestimmten Wendungen;* wes das Herz voll ist, des geht der Mund über; ich will wissen, wes Geistes Kind er ist: wie ich ihn einschätzen muss

we|sen *intr. 1, veraltet:* (als Kraft) tätig, wirksam sein; **Wesen** *s. 7* **1** Lebewesen; **2** *nur Ez.* Sosein, Eigenart, Wesenheit; (nicht) viel Wesens um etwas oder jmdn. machen; **we|senhaft; We|sen|heit** *w. 10 nur Ez.* = Wesen (**2**); **we|sen|los; Wesens|art** *w. 10 nur Ez.;* **wesens|ei|gen; we|sens|fremd; we|sens|gleich; We|sensgleich|heit** *w. 10 nur Ez.;* **Wesens|zug** *m. 2;* **we|sent|lich** im

> **im Wesentlichen:** Das substantivierte Adjektiv schreibt man – im Gegensatz zur bisherigen Regelung – groß: *Im Wesentlichen beklagte er den finanziellen Zustand der Firma.* →§ 57 (1)
> Ebenso: *das Wesentliche.*

Wesentlichen; das Wesentliche; nichts Wesentliches

Wes|fall *m. 2* = Genitiv; **weshalb**

We|sir [arab.-türk.] *m. 1, früher in islam. Staaten:* Minister; **Wesi|rat** *s. 1* Amt eines Wesirs

Wes|ley|a|ner *auch:* **Wes|le|yaner** [wɛsliа-, nach den engl. Theologen John und Charles Wesley] *m. 5* Methodist

Wes|pe *w. 11;* **Wes|pen|nest** *s. 3;* in ein W. stechen *übertr.:* die schwache Stelle (eines Menschen oder einer Gruppe) treffen und dadurch heftige Reaktionen hervorrufen; **Wes|pentail|le** [-taljə] *w. 11, ugs. scherzh.:* sehr schlanke Taille

wes|sen *Interrogativpronomen, Gen. von* wer; wessen Haus ist das?; mit wessen Auto bist du gefahren?

Wes|si *m. 9, ugs.:* Bewohner der alten Bundesländer; *Ggs.:* Ossi

West 1 (*Abk.:* W) *in geograph. Angaben* = Westen; der Wind kommt aus, *oder:* von West; der Konflikt zwischen Ost und West; **2** *m. 1, poet.:* Westwind; ein milder West; **West|ber|lin, West-Ber|lin** [auch: vɛst-]; **West|ber|li|ner** *m. 5* [auch: vɛst-]; **west|deutsch**; Westdeutscher Rundfunk (*Abk.:* WDR)

Wes|te *w. 11*

Wes|ten *m. Gen.* -s *nur Ez.* **1** (*Abk.:* W) Himmelsrichtung; nach, von Westen; **2** die in Westeuropa gelegenen Gebiete; *auch:* die westlichen (= nicht kommunist.) Länder; **3** westl. Teil, westl. Gebiet; im W. der Stadt; **Wes|tern** *m. 7* = Wildwestfilm; **West|eu|ro|pa; westeu|ro|pä|isch**; Westeuropäische Union (*Abk.:* WEU); westeuropäische Zeit (*Abk.:* WEZ); **West|fa|le** *m. 11;* **West|fa|len; West|fä|lin** *w. 10;* **west|fä|lisch**;

> **der westfälische Schinken, der Westfälische Frieden:** In substantivischen Wortgruppen, die zu festen Verbindungen geworden, aber keine Eigennamen sind, schreibt man Adjektive klein: *der westfälische Schinken.* →§ 63
> Dagegen schreibt man einzelne Adjektive in Wortgruppen groß, obwohl es sich nicht um Eigennamen handelt: *der Westfälische Frieden.*
> Ebenso: *der Zweite Weltkrieg.* →§ 64 (4)

der westfälische Schinken; *aber:* die Westfälische Pforte; der Westfälische Frieden; **Westger|ma|ne** *m. 11;* **west|ger|manisch; West|go|te** *m. 11* Angehöriger eines der beiden got. Volksstämme; **west|go|tisch; West|in|di|en** *Bez. für* die Inseln Mittelamerikas; **west|in|disch**; *aber:* die Westindischen Inseln; **wes|tisch**; westische Rasse: mediterrane Rasse; **west|lich** *mit Gen.;* westlich der Stadt; westlich Berlins, westlich von Berlin; 10 Grad westlicher Länge (*Abk.:* w. L.): auf dem 10. Längengrad westlich des Nullmeridians von Greenwich liegend; **West|mäch|te** *w. 2 Mz.* Großbritannien, Frankreich und die USA; **West|nord|west 1** (*Abk.:* WNW) *in geograph. Angaben* = Westnordwesten; **2** *m. 1* Wind aus Westnordwest; **West|nord|wes|ten** *m. Gen.* -s *nur Ez.* (*Abk.:* WNW) Himmelsrichtung zwischen Westen und Nordwesten; **west|öst|lich** von Westen nach Osten (verlaufend); Westen u. Osten betreffend

West|o|ver [-ovər, engl.] *m. 5* ärmelloser Pullover

West|punkt *m. 1* westl. Schnittpunkt des Meridians mit dem Horizont; *Ggs.:* Ostpunkt; **West|rom; west|rö|misch**; *aber:* Weströmisches Reich

West|sa|moa Staat im Pazif. Ozean, vgl. Samoa

West|süd|west 1 (*Abk.:* WSW) *in geograph. Angaben* = West-

südwesten; **2** *m. 1* Westsüdwestwind; **West|süd|we̱s|ten** *m. Gen. -s nur Ez.* (*Abk.*: WSW) Himmelsrichtung zwischen Westen und Südwesten
West Vir|gi̱|nia [engl.: wɛst vədʒɪnjə] (*Abk.*: WV) Staat der USA
we̱st|wärts; We̱st|wind *m. 1*
we̱tt quitt, ausgeglichen; wir sind wett; **We̱tt|be|werb** *m. 1;* **We̱tt|be|wer|ber** *m. 5;* **We̱tt|bü|ro** *s. 9;* **We̱t|te** *w. 11;* um die Wette laufen; **We̱tt|ei|fer** *m. Gen. -s nur Ez.;* **we̱tt|ei|fern** *intr. 1;* ich wetteifere, wetteifre mit ihm; **we̱t|ten** *intr. 2;* auf etwas w.; um etwas wetten
We̱t|ter *s. 5* **1** *nur Ez.* Zustand der Lufthülle der Erde und seine Veränderungen; **2** Gewitter, Unwetter; es kommt ein Wetter; **3** *meist Mz., Bgb.*: Gase, Gasgemische in der Grube; schlagende W.: explosives Gasgemisch
We̱t|ter|amt *s. 4;* **We̱t|ter|be|richt** *m. 1;* **we̱t|ter|be|stän|dig; we̱t|ter|be|stim|mend; We̱t|ter|dach** *s. 4;* **We̱t|ter|fah|ne** *w. 11;* **we̱t|ter|fest; we̱t|ter|füh|lig; We̱t|ter|füh|lig|keit** *w. 10 nur Ez.;* **We̱t|ter|füh|rung** *w. 10 nur Ez., Bgb.*: Versorgung von Grubenbauen mit Frischluft; **We̱t|ter|glas** *s. 4, volkstüml.*: Barometer; **We̱t|ter|hahn** *m. 2* Wetterfahne in Form eines Hahns; **We̱t|ter|häus|chen** *s. 7;* **We̱t|ter|kar|te** *w. 11;* **We̱t|ter|kun|de** *w. 11 nur Ez.* = Meteorologie; **we̱t|ter|kun|dig** über das Wetter Bescheid wissend; **we̱t|ter|kund|lich** zur Wetterkunde gehörend; **We̱t|ter|la|ge** *w. 11;* **we̱t|ter|leuch|ten** *intr. 2, nur unpersönlich* es wetterleuchtet: es blitzt, ohne dass Donner zu hören ist; es hat gewetterleuchtet; **We̱t|ter|leuch|ten** *s. Gen. -s nur Ez.;* **We̱t|ter|man|tel** *m. 6;* **we̱t|tern** *intr. 1* **1** *unpersönlich* es wettert: es ist ein Gewitter; **2** energisch schelten; gegen etwas w.; **We̱t|ter|pro|phet** *m. 10;* **We̱t|ter|re|gel** *w. 11;* **We̱t|ter|schacht** *m. 2* der Wetterführung dienender Schacht; **We̱t|ter|scha|den** *m. 8;* **We̱t|ter|schei|de** *w. 11;* **We̱t|ter|sei|te** *w. 11;* **We̱t|ter|strahl** *m. 12, poet.*: Blitz; **We̱t|ter|sturz** *m. 2;* **We̱t|ter|vor|her|sa|ge** *w. 11;* **We̱t|ter|war|te** *w. 11;* **we̱t|ter|wen|disch** *meist übertr.*: launisch; **We̱t|ter|wol|ke** *w. 11*
We̱tt|fah|rer *m. 5;* **We̱tt|fahrt** *w. 10;* **We̱tt|kampf** *m. 2;* **We̱tt|kämp|fer** *m. 5;* **We̱tt|lauf** *m. 2;* **we̱tt|lau|fen** *intr., nur im Infinitiv;* **We̱tt|läu|fer** *m. 5;* **we̱tt|ma|chen** *tr. 1* wiedergutmachen, ausgleichen; **we̱tt|ren|nen** *intr., nur im Infinitiv;* **We̱tt|ren|nen** *s. 7;* **We̱tt|rüs|ten** *s. 7 nur Ez.;* **We̱tt|streit** *m. 1;* **we̱tt|strei|ten** *intr., nur im Infinitiv;* **We̱ttau|chen** ► **We̱tt|tau|chen** *s. 7;* **We̱ttur|nen** ► **We̱tt|tur|nen** *s. 7*
we̱t|zen 1 *tr. 1* schärfen, schleifen; **2** *intr. 1, ugs.*: rennen, eilen; **We̱tz|stahl** *m. 2;* **We̱tz|stein** *m. 1*
WEU *Abk. für* Westeuropäische Union
Wey|mouths|kie|fer [waimu:ts-, engl.] We̲imutskiefer *w. 11* nach Lord Weymouth benannte nordamerik. Kiefer
WEZ *Abk. für* westeurop. Zeit
WG *Abk. für* Wohngemeinschaft
Wh *Abk. für* Wattstunde
Whig [wɪ̣g, engl.] *m. 9, früher:* Angehöriger einer der beiden Parteien des Oberhauses im brit. Parlament; vgl. Tory
Whip [wɪ̣p, engl.] *m. 9* = Einpeitscher; **Whi̱p|cord** [-kɔ:rd] *m. 9* ein schräg geripptes Kammgarngewebe
Whirl|pool [wə̣lpu:l, engl.] *m. 9* Sprudelbecken
Whis|key [wɪ̣ski, engl.] *m. 9* in Irland hergestellter Whisky; **Whis|ky** [wɪ̣ski] *m. 9* ein Branntwein aus Getreide oder Mais; **Whis|ky|so̲|da** *m. 9* Whisky mit Mineralwasser
Whist [wɪ̣st, engl.] *s. Gen. -s nur Ez.* ein Kartenspiel
Whit|worth|ge|win|de [wɪ̣twə:θ-, nach dem engl. Erfinder Sir John Whitworth] *s. 9* ein Schraubengewinde
WHO *Abk. für engl.* World Health Organization, Weltgesundheitsorganisation
Who's who [hu:s hu̲, engl. »wer ist wer«] *s. Gen. -- Mz. --s* Titel von biograf. Lexika
WI Abk. für Wisconsin (**2**)
wi̱b|beln *intr. 1* die Frequenz einer elektr. Schwingung zur Vermessung der Resonanzkurve periodisch verändern
Wichs [vɪ̣ks] *m. 1* Festkleidung (der Verbindungsstudenten); in vollem Wichs; **Wi̱ch|se** *w. 11* **1** Putzmittel (für Schuhe oder Parkett); **2** *nur Ez., ugs.*: Prügel, Schläge; **wi̱ch|sen** *tr. 1* **1** einreiben und glänzend machen; **2** *vulg.*: den Beischlaf ausüben, onanieren
Wi̱cht *m. 1* **1** Kobold, Zwerg; **2** kleiner Kerl, kleiner Junge; **3** Schuft, gemeiner Mensch
Wi̱ch|te *w. 11* spezif. Gewicht
Wi̱ch|tel *m. 5,* **Wi̱ch|tel|männ|chen** *s. 7* Heinzelmännchen
wi̱ch|tig; alles Wichtige; etwas, nichts Wichtiges; ich habe Wichtigeres zu tun; sich w. machen; sich w. nehmen; w. sein; (sich) w. tun; **Wi̱ch|tig|keit** *w. 10;* **Wi̱ch|tig|tu|er** *m. 5;* **Wi̱ch|tig|tu|e|re̲i** *w. 10 nur Ez.;* **wi̱ch|tig|tu|e|risch**
Wi̱|cke *w. 11* ein Schmetterlingsblütler; in die Wicken gehen *ugs.*: verloren gehen
Wi̱|ckel *m. 5;* **wi̱|ckeln** *tr. 1;* ich wickele, wickle es; **Wi̱|cke|lung, Wi̱ck|lung** *w. 10*
Wi|cli|fi̲t *auch:* **Wic|li|fi̲t** *m. 10* Anhänger der Lehre des engl. Theologen John Wiclif
Wi̱d|der *m. 5* **1** männl. Schaf, Schafbock; **2** *nur Ez.* ein Sternbild; **Wi̱d|der|chen** *s. 7* ein Schmetterling, Blutströpfchen; **Wi̱d|der|punkt** *m. 1* = Frühlingspunkt
wi̲|der *Präp. mit Akk.;* gegen; wider Erwarten; das ist wider die Abrede; wider Willen; das Für und Wider; *aber:* → wieder
wi̲|der... *in Zus.:* gegen..., entgegen..., zurück..., z. B. widerhallen, widerspiegeln; *aber:* → wieder...
wi̲|der|bors|tig; Wi̲|der|bors|tig|keit *w. 10 nur Ez.*
Wi̲|der|christ *m. 1* = Antichrist (**2**)
Wi̲|der|druck 1 *m. 2* Gegendruck; **2** *m. 1* das Bedrucken der Rückseite eines Druckbogens; *auch:* diese bedruckte Seite; *Ggs.:* Schöndruck
wi|der|ein|a̲n|der *auch:* **-ei|na̲n|der** *veraltet:* gegeneinander; w. kämpfen; w. stoßen
wi|der|fa̲h|ren *intr. 32* zustoßen, geschehen; damit ihm kein Unheil widerfährt; mir ist ein Unglück w.
Wi̲|der|ha|ken *m. 7*
Wi̲|der|hall *m. 1* Echo; keinen W. finden: keinen Anklang, keine gute Aufnahme finden; **wi̲-**

► = wird zu

das Für und Wider, widersprechen, widereinander arbeiten: Substantivierte Präpositionen (sowie Adverbien, Konjunktionen und Interjektionen) schreibt man groß: *Lutz erwog das Für und Wider der Großschreibung.*
→§ 57 (5)
Ebenso: *das Hier und Jetzt.*
Man schreibt zusammen: *widerfahren, widersetzen, widerspenstig, widersprechen, widerstreben, widerwärtig.*
→§ 33 (3), § 36 (2)
Dagegen wird nur im Infinitiv und den Partizipien zusammengeschrieben: *widerhallen* (= entgegen hallen), dementsprechend in den flektierten Formen getrennt. →§ 34 (1)
Die Verbindung aus zusammengesetztem Adverb und Verb schreibt man getrennt: *Sie mussten widereinander arbeiten/stoßen.* →§ 34 E3 (2)

der|hal|len *intr. 1;* der Ruf hallt wider, hat widergehallt
Wi|der|halt *m. 1* Stütze
Wi|der|hand|lung *w. 10, schweiz.:* Zuwiderhandlung
Wi|der|kla|ge *w. 11* Gegenklage; **Wi|der|klä|ger** *m. 5*
wi|der|klin|gen *intr. 69* der Ton klingt wider, hat widergeklungen
Wi|der|la|ger *s. 5* Baukörper, der ein Gewölbe o. Ä. trägt; **wi|der|leg|bar; wi|der|le|gen** *tr. 1;* eine Behauptung w.: das Gegenteil einer B. beweisen; ich widerlege es, habe es widerlegt; **wi|der|leg|lich** widerlegbar; **Wi|der|le|gung** *w. 10*
wi|der|lich; Wi|der|lich|keit *w. 10 nur Ez.*
Wi|der|moos *s. 1 nur Ez.* = Widerton
wi|der|na|tür|lich; Wi|der|na|tür|lich|keit *w. 10 nur Ez.*
Wi|der|part *m. 1* **1** Widersacher; Gegner; **2** *auch:* Widerstand; jmdm. W. bieten
wi|der|ra|ten *tr. 94;* jmdm. etwas w. *poet:* jmdm. raten, etwas nicht zu tun; er widerriet es mir, hat es mir widerraten
wi|der|recht|lich; Wi|der|recht|lich|keit *w. 10*
Wi|der|re|de *w. 11*
Wi|der|rist *m. 1, bei Huf- und Horntieren:* vorderer Teil des Rückens

Wi|der|ruf *m. 1;* bis auf W.; **wi|der|ru|fen** *tr. 102* zurücknehmen, für ungültig erklären; ich widerrufe es, habe es widerrufen; **wi|der|ruf|lich** widerrufbar, bis auf W.; das Betreten des Grundstücks ist w. gestattet; **Wi|der|ruf|lich|keit** *w. 10 nur Ez.*
Wi|der|sa|cher *m. 5* Gegner
Wi|der|schein *m. 1;* **wi|der|schei|nen** *intr. 108;* die Sonne scheint in den Fenstern wider, hat widergeschienen
wi|der|set|zen *refl. 1;* ich widersetze mich der Anordnung, habe mich ihr widersetzt; **wi|der|setz|lich; Wi|der|setz|lich|keit** *w. 10 nur Ez.*
Wi|der|sinn *m. 1 nur Ez.;* **wi|der|sin|nig; Wi|der|sin|nig|keit** *w. 10 nur Ez.*
wi|der|spens|tig; Wi|der|spens|tig|keit *w. 10 nur Ez.*
wi|der|spie|geln *tr. 1;* das Wasser spiegelt die Wolken wider, hat sie widergespiegelt; **Wi|der|spie|ge|lung, Wi|der|spieg|lung** *w. 10 nur Ez.*
Wi|der|spiel *s. 1* Gegenstück
wi|der|spre|chen *intr. 146;* ich widerspreche ihm, habe ihm widersprochen; **Wi|der|spruch** *m. 2;* **wi|der|sprüch|lich; Wi|der|sprüch|lich|keit** *w. 10 nur Ez.;* **Wi|der|spruchs|geist** *m. 3* **1** *nur Ez.* Neigung zum Widersprechen; **2** jmd., der häufig widerspricht; **wi|der|spruchs|los; wi|der|spruchs|voll**
Wi|der|stand *m. 2;* **Wi|der|stands|be|we|gung** *w. 10;* **wi|der|stands|fä|hig; Wi|der|stands|fä|hig|keit** *w. 10 nur Ez.;* **Wi|der|stands|kämp|fer** *m. 5;* **Wi|der|stands|kraft** *w. 2;* **wi|der|stands|los; Wi|der|stands|mes|ser** *m. 5* elektrotechn. Messgerät; **wi|der|ste|hen** *intr. 151;* das Essen widersteht mir; ich habe der Versuchung widerstanden
wi|der|strah|len *intr. 1*
wi|der|stre|ben *intr. 1;* es widerstrebt mir, hat mir widerstrebt; **wi|der|stre|bend** ungern, zögernd
Wi|der|streit *m. 1 nur Ez.;* im W. mit etwas liegen; **wi|der|strei|ten** *intr. 159, fast nur in Wendungen wie:* widerstreitende Gefühle, Interessen
Wi|der|ton *m. 2 nur Ez.* Polster bildendes Moos, Laubmoos, Widermoos

wi|der|wär|tig; Wi|der|wär|tig|keit *w. 10*
Wi|der|wil|le *m. 15 nur Ez.;* **wi|der|wil|lig; Wi|der|wil|lig|keit** *w. 10 nur Ez.*
wid|men *tr. 2;* jmdm. etwas w.; **Wid|mung** *w. 10;* **Wid|mungs|ex|em|plar** *auch:* **-e|xemp|lar** *s. 1*
wid|rig; wid|ri|gen|falls wenn dies nicht eintritt, andernfalls; **Wid|rig|keit** *w. 10 nur Ez.*
wie; wie weit ist es noch?; *aber:* →wieweit; wie lange; wie oft; wie sehr; wie viel; wie oben (*Abk.:* w. o.); wie du mir, so ich dir; sie ist ebenso schön wie klug; so schnell wie möglich; sowohl Männer wie (auch) Frauen; einer wie der andere; wie schön!; und wie! *ugs.:* das Was und das Wie
Wie|bel *m. 5* Kornkäfer
wie|beln *tr. 1, mitteldt.:* stopfen; ich wiebele, wieble es
Wie|de|hopf *m. 1* ein Rackenvogel
wie|der; hin und wieder; immer wieder; einmal und nie wieder; für nichts und wieder nichts; ein Haus wieder aufbauen; ein Theaterstück wieder aufführen; die Arbeit wieder aufnehmen; einen Mast wieder aufrichten; jmdn., sich wieder aufrichten; die Schule hat wieder begonnen; so eine gute Stellung wirst du nicht wieder bekommen; *aber:* →wiederbekommen; der Verkehr hat sich wieder belebt; *aber:* → wiederbeleben; ich kann mir das Geld wieder beschaffen; er hat mir das Argument schon wieder gebracht; vgl. wiederbringen; sie haben die Stadt wieder erobert; vgl. wiedererobern; ein Theater wieder eröffnen; ich muss ihm die Geschichte gleich wieder erzählen; ich habe das Buch wieder gefunden; er hat den Wettbewerb wieder gewonnen; *aber:* →wiedergewinnen; diese Ware wird seit kurzem wieder hergestellt; *aber:* →wiederherstellen; ich habe mir das Buch wieder geholt; vgl. wiederholen; ein Haus wieder instand setzen; er ist immer wieder (zu mir) gekommen; vgl. wiederkommen; ich kann wieder sehen; wir wollen uns wieder sehen; das Paar will sich jetzt wieder vereinigen; vgl. wiedervereinigen; sie

wiederbekommen/wieder bekommen, wiederholen/wieder holen: Zusammensetzungen aus Partikel und Verb in der Bedeutung »zurück« schreibt man im Infinitiv, den Partizipien sowie am Ende des Nebensatzes zusammen: *Sie wollen das Geld wiederbekommen. Er bekommt es wieder* (= zurück).
Ebenso: *Sie wollen das Stück wiederholen* (Akzent auf dem Verb).
Aber: In der Bedeutung »erneut, nochmals« wird das Gefüge getrennt geschrieben (Akzent auf der Partikel *wieder*): *Sie will die Trophäe wieder holen* (= erneut). *Wir sollen den Preis wieder bekommen* (= erneut). Ebenso: *wieder entdecken, wieder eröffnen, wieder erstehen, wieder erzählen usw.*

hat sich wieder verheiratet; der Händler hat die Ware wieder verkauft; ich habe ihn wieder gewählt

wie|der... **1** *Zusammenschreibung in der Bedeutung »zurück...«,* z. B. wiederbekommen, wiedererlangen, wiedererstatten, wiederkäuen, wiederkommen; **2** *Getrenntschreibung in der Bedeutung »erneut, nochmals«,* z. B. wieder aufbauen, wieder verkaufen, wieder verheiraten (vgl. wieder)

Wie|der|auf|ar|bei|tung *w. 10* Behandlung radioaktiver Stoffe, um sie in der Kerntechnik erneut einzusetzen

Wie|der|auf|bau *m. Gen.* -(e)s *nur Ez.;* **wie|der|auf|bau|en** ► **wie|der auf|bau|en** *tr. 1;* der Staat wurde wieder aufgebaut; das Haus wurde wieder aufgebaut

Wie|der|auf|be|rei|tungs|an|la|ge *w. 11*

Wie|der|auf|füh|rung *w. 10*

Wie|der|auf|nah|me *w. 11;* **Wie|der|auf|nah|me|ver|fah|ren** *s. 7*

Wie|der|auf|rich|tung *w. 10 nur Ez.*

Wie|der|auf|rüs|tung *w. 10 nur Ez.*

Wie|der|be|ginn *m. Gen.* -s *nur Ez.*

wie|der|be|kom|men *tr. 71;* er bekommt das gestohlene Geld wieder, hat es wiederbekommen; *aber:* so eine gute Stellung wirst du nicht wieder bekommen

wie|der|be|le|ben *tr. 1;* der Verunglückte konnte wiederbelebt werden; *aber:* der Verkehr hat sich wieder belebt; **Wie|der|be|le|bung** *w. 10 nur Ez.;* **Wie|der|be|le|bungs|ver|such** *m. 1*

wie|der|be|schaf|fen ► **wie|der be|schaf|fen** *tr. 1* er hat sich das Geld wieder beschafft; **Wie|der|be|schaf|fung** *w. 10 nur Ez.*

wie|der|brin|gen *tr. 21;* er brachte das geliehene Buch wieder, er hat es wiedergebracht; *aber:* er hat das Argument schon wieder gebracht

Wie|der|ein|set|zung *w. 10 nur Ez.*

wie|der|ent|de|cken ► **wie|der ent|de|cken** *tr. 1* ich habe ihn wieder entdeckt

wie|der|er|hal|ten *tr. 61;* er erhält das Geld wieder, hat es wiedererhalten

wie|der|er|ken|nen ► **wie|der er|ken|nen** *tr. 67;* ich erkenne ihn wieder, habe ihn wieder erkannt

wie|der|er|lan|gen *tr. 1;* ich erlange es wieder, habe es wiedererlangt

wie|der|er|o|bern *tr. 1;* sie eroberten die Stadt wieder, haben sie wiedererobert, *oder:* wieder erobert; **Wie|der|er|o|be|rung** *w. 10*

wie|der|er|öff|nen ► **wie|der er|öff|nen** *tr. 2;* sie eröffnen das Theater wieder, haben es wieder eröffnet; **Wie|der|er|öff|nung** *w. 10 nur Ez.*

wie|der|er|stat|ten *tr. 2, verstärkend für* erstatten; ich erstatte ihm die Auslagen wieder, habe sie ihm wiedererstattet

wie|der|er|ste|hen ► **wie|der er|ste|hen** *intr. 151;* die Stadt ist wieder erstanden

wie|der|er|zäh|len ► **wie|der er|zäh|len** *tr. 1;* ich erzähle es ihm wieder, habe es ihm wieder erzählt

wie|der|fin|den ► **wie|der fin|den** *tr. 36;* ich finde das Buch wieder, habe es wieder gefunden

wie|der|for|dern *tr. 1;* ich fordere, fordre mein Geld wieder, habe es wiedergefordert

Wie|der|ga|be *w. 11;* **wie|der|ge|ben** *tr. 45;* ich gebe das Gehörte mit eigenen Worten wieder, habe es wiedergegeben

wie|der|ge|bo|ren ► **wie|der ge|bo|ren;** wieder geboren werden; **Wie|der|ge|burt** *w. 10*

wie|der|ge|win|nen *tr. 53;* er hat seine gute Laune wiedergewonnen; *aber:* er hat beim Wettbewerb wieder gewonnen; **Wie|der|ge|win|nung** *w. 10 nur Ez.*

wie|der|gut|ma|chen ► **wie|der gut|ma|chen** *tr. 1;* er macht den Schaden wieder gut, hat ihn wieder gutgemacht; **Wie|der|gut|ma|chung** *w. 10 nur Ez.*

wie|der|ha|ben *tr. 60;* nach langer Trennung hatten sie sich wieder; ich möchte das Buch wiederhaben, *oder:* bald wieder haben

wie|der|her|stel|len *tr. 1;* er stellte den alten Zustand wieder her, hat ihn wiederhergestellt; er ist völlig wiederhergestellt: wieder völlig gesund; *aber:* diese Waren werden jetzt wieder hergestellt; **Wie|der|her|stel|lung** *w. 10 nur Ez.*

wie|der|ho|len *tr. 1;* ich hole mir das Buch wieder, habe es mir wiedergeholt, *oder:* wieder geholt; **wie|der|ho|len** *tr. 1;* ich wiederhole den Satz noch einmal, habe ihn wiederholt; **Wie|der|ho|lung** *w. 10;* **Wie|der|ho|lungs|fall** *m. 2;* im W. werden Sie bestraft; **Wie|der|ho|lungs|zei|chen** *s. 7 (Zeichen:* |: *und* :|) *Mus.*

Wie|der|hö|ren; auf W.! (Verabschiedungsgruß am Telefon und im Rundfunk)

wie|der|imp|fen ► **wie|der imp|fen** *tr. 1;* er wurde wieder geimpft; **Wie|der|imp|fung** *w. 10*

Wie|der|in|stand|set|zung *w. 10 nur Ez.;* **Wie|der|in|stand|set|zungs|ar|bei|ten** *w. 10 Mz.*

wie|der|käu|en *tr. 1;* die Kühe käuen (das Futter) wieder, haben (es) wiedergekäut; einen Lehrstoff w. *ugs.:* langweilig wiederholen; **Wie|der|käu|er** *m. 5 Mz.* eine Unterordnung der Paarzeher, Huftiere mit mehrkammerigem Magen

Wie|der|kehr *w. 10 nur Ez.;* **wie|der|keh|ren** *intr. 1;* der Frühling kehrt wieder, er ist wiedergekehrt

wie|der|kom|men *intr. 71;* ich komme wieder, bin wiedergekommen; *aber:* er ist immer wieder (zu mir) gekommen und hat gefragt; **Wie|der|kunft** *w. 2 nur Ez.*

wie|der|lie|ben *tr. 1;* sie liebt und wird wiedergeliebt
Wie|der|schau|en *nur in der Fügung* auf W.!
wie|der|se|hen ▶ **wie|der se|hen** *tr. 136;* ich sah ihn wieder, habe ihn wieder gesehen; **Wie|der|se|hen** *s. 7;* auf (baldiges)

> **jemandem auf/Auf Wiedersehen sagen:** Substantivierte Verben schreibt man groß; die Präposition kann klein- oder großgeschrieben werden: *Er sagte seiner Frau auf/Auf Wiedersehen.* → § 57 (2)

W.!; jmdm. Auf W. *auch:* auf W. sagen
Wie|der|tau|fe *w. 11;* **Wie|der|täu|fer** *m. 5* Angehöriger einer christl. Sekte, in der die Erwachsenentaufe üblich ist
wie|der|ver|ei|ni|gen *tr. 1;* das Land wurde wiedervereinigt; *aber:* das Paar hat sich wieder vereinigt; **Wie|der|ver|ei|ni|gung** *w. 10 nur Ez.*
wie|der|ver|hei|ra|ten ▶ **wie|der ver|hei|ra|ten** *refl. 2;* sie hat sich wieder verheiratet; **Wie|der|ver|hei|ra|tung** *w. 10 nur Ez.*
Wie|der|ver|kauf *m. 2;* **wie|der|ver|kau|fen** ▶ **wie|der ver|kau|fen** *tr. 1;* er hat die Waren wieder verkauft (als Großhändler); ich habe das Auto wieder verkauft; **Wie|der|ver|käu|fer** *m. 5*
Wie|der|vor|la|ge *w. 11 nur Ez.;* zur W. (*Abk.:* z. Wv.)
Wie|der|wahl *w. 10;* **wie|der|wäh|len** ▶ **wie|der wäh|len** *tr. 1;* ich wähle ihn wieder, habe ihn wieder gewählt
wie|fern = inwiefern
Wie|ge *w. 11;* **Wie|ge|mes|ser** *s. 5;* **wie|gen** **1** *tr. 1* schaukeln; ein Kind w.; **2** *tr. 1* klein schneiden; gewiegte Petersilie; **3** *tr. 182;* etwas w.: das Gewicht von etwas feststellen; ich habe es gewogen; **4** *intr. 182* schwer sein; er wog 50 Kilo
Wie|gen|druck *m. 1* = Inkunabel; **Wie|gen|fest** *s. 1, poet.:* Geburtstag; **Wie|gen|lied** *s. 3*
wie|hern *intr. 1* Laut geben (Pferd); er wieherte vor Lachen *ugs.;* wir haben laut gewiehert; *ugs.:* laut gelacht
Wiek *w. 10, nddt.:* kleine, flache Bucht
Wie|men *m. 7* **1** Gestell zum Trocknen und Räuchern; **2** Sitzstange für Hühner

Wien Hst. von Österreich; Wiener Kongress; Wiener Schnitzel; Wiener Walzer; Wiener Würstchen; **Wie|ner** *m. 5;* **wie|ne|risch**
wie|nern *tr. 1, ugs.:* polieren
Wie|ner|wald *m. Gen.* -(e)s *nur Ez.* waldiges Bergland westlich und südwestlich von Wien
Wies|ba|den Hst. von Hessen; **Wies|ba|de|ner** *m. 5;* **wies|ba|disch**
Wies|baum, Wie|se|baum *m. 2* Stange über dem beladenen Heuwagen; **Wies|chen** *s. 7;* **Wie|se** *w. 11;* **Wie|se|baum** *m. 2* = Wiesbaum
Wie|sel *s. 5* sehr gewandter Marder
Wie|sen|blu|me *w. 11;* **Wie|sen|schaum|kraut** *s. 4 nur Ez.*
wie|so warum

> **wie viel:** Im Gegensatz zur bisherigen Schreibweise (wieviel?, aber: wie viele?) wird die Frage jetzt auch im Singular getrennt geschrieben: *Wie viel kostet das?* Analog zu: *Wie viele sind gekommen?*

wie|viel ▶ **wie viel;** wie viel es ausmacht; wie viele Personen; wie viel Schönes; wie viel besser; wie viel ist, macht zwei mal zwei?; **wie|vie|ler|lei; wie|viel|mal;** *aber:* wie viele Male; **wie|viel|te** *auch:* wie|viel|te; in die wievielte Klasse geht die Schülerin?; *Frage nach dem Datum:* der Wievielte ist heute?
wie|weit in welchem Maß; ich weiß nicht, wieweit man ihm trauen kann; *aber:* wie weit bist du gegangen?
wie|wohl **1** obwohl; wiewohl er genau weiß, dass…; **2** allerdings, aber doch; das kleinste, wiewohl das kostbarste Stück
Wig|wam [indian.] *m. 9* Hauszelt der nordamerik. Indianer; vgl. Tipi
Wi|king [auch: vi-, altnord.] *m. 5,* **Wi|kin|ger** *m. 5* = Normanne; **wi|kin|gisch**
Wi|la|jet [türk.] *s. 9, im Osman. Reich:* Verwaltungsbezirk
wild **1** *Kleinschreibung:* wilde Blumen; wilde Ehe *veraltet:* nicht standesamtlich geschlossene Ehe; wildes Fleisch: an Wunden wucherndes Fleisch; wildes Gestein: taubes Gestein; wilder Streik: von der Gewerkschaft nicht genehmigter Streik; den wilden Mann spielen; **2** *Großschreibung:* das Wilde Heer, die Wilde Jagd *im dt. Volksglauben:* bes. in den Zwölf Nächten durch die Luft brausendes Heer von Toten; Wilder Jäger: Anführer der Wilden Jagd; Wilder Kaiser: Teil des Kaisergebirges in Tirol; Wilder Wein; der Wilde Westen: der westliche Teil der USA während der Pionierzeit; **Wild** *s. Gen.* -(e)s *nur Ez.; Sammelbez. für* jagdbare Tiere; *Ez.:* ein Stück Wild; **Wild|bach** *m. 2;* **Wild|bad** *s. 4* Badeort mit warmer Heilquelle; **Wild|bahn** *w. 10* Jagdgebiet; **Wild|beu|ter** *m. 5;* **Wild|bret** *s. Gen.* -s *nur Ez.* Fleisch vom Wild; **Wild|dieb** *m. 1;* **Wild|die|be|rei** *w. 10 nur Ez.* = Wilderei; **wil|deln** *intr. 1, bayr., österr.:* nach Wild riechen, schmecken, Hautgout haben; **Wild|en|te** *w. 11;* **Wil|de(r)** *m. 18 (17) bzw. w. 17 oder 18, veraltet:* Angehörige(r) eines Volkes auf niedriger Kulturstufe; **Wil|de|rei** *w. 10 nur Ez.* das Wildern, Wilddieberei; **Wil|de|rer** *m. 5* Wilddieb; **wil|dern** *intr. 1* unberechtigt jagen; **Wild|esel** *m. 5;* **Wild|fang** *m. 2* sehr lebhaftes Kind; **wild|fremd; Wild|gans** *w. 2;* **Wild|heit** *w. 10 nur Ez.;* **Wild|kat|ze** *w. 11;* **wild|le|bend** ▶ **wild le|bend;** wild lebende Tiere; **Wild|le|der** *s. 5* Reh-, Hirsch- oder Gamsleder mit samtiger Oberfläche; **Wild|ling** *m. 1* **1** Unterlage bei der Pflanzenveredlung; **2** Wildfang; *auch:* ungestümer junger Mensch; **Wild|nis** *w. Gen. - nur Ez.;* **Wild|park** *m. 9;* **Wild|pferd** *s. 1;* **wild|reich; Wild|reich|tum** *m. Gen.* -s *nur Ez.;* **Wild|rind** *s. 3;* **wild|ro|man|tisch; Wild|sau** *w. 10;* **Wild|scha|den** *m. 8;* **Wild|schaf** *s. 1;* **Wild|schütz** *m. 10;* **Wild|schüt|ze** *m. 11* **1** *veraltet:* Jäger; **2** Wilddieb; **Wild|schwein** *s. 1;* **wild|wach|send** ▶ **wild wach|send;** wild wachsende Blumen; **Wild|west** *ohne Artikel* der Wilde Westen; vgl. wild; **Wild|west|film** *m. 1* im → Wilden Westen spielender Film, Western; **Wild|wuchs** *m. Gen.* -es *nur Ez.*
wil|hel|mi|nisch; wilhelminischer Stil; *aber:* Wilhelminisches Zeitalter: das Zeitalter Kaiser Wilhelms II.

guten Willens, um … willen: Das Substantiv und die festen Verbindungen schreibt man groß: *Sie war guten Willens. Er war seinem Peiniger zu Willen.* [→ § 55 (4)]. Die Präposition hingegen schreibt man klein: *um seiner Kinder willen.* [→ § 56 (4)]. Auch: *Er tat das umwillen seiner Kinder.*

Wil|le *m. 15;* letzter Wille; guten Willens sein; wider Willen; jmdm. zu Willen sein; vgl. willen, willens; **wil|len** *Präp. mit Gen.;* um… willen; wegen; um der Kinder willen; um des lieben Friedens willen; um Gottes willen; **Wil|len** *m. 7, Nebenform von* Wille; **wil|len|los; Wil|len|lo|sig|keit** *w. 10 nur Ez.;* **willens**; willens sein: bereit, gewillt sein; **Wil|lens|akt** *m. 1;* **Wil|lens|äu|ße|rung** *w. 10;* **Wil|lens|er|klä|rung** *w. 10;* **Wil|lens|frei|heit** *w. 10 nur Ez.;* **Wil|lens|kraft** *w. 2 nur Ez.;* **wil|lens|schwach; Wil|lens|schwä|che** *w. 11 nur Ez.;* **wil|lens|stark; Wil|lens|stär|ke** *w. 11 nur Ez.;* **wil|lent|lich** absichtlich, mit Willen; ich habe es nicht w. getan

will|fah|ren *intr. 1;* jmdm. w.: jmdm. seinen Willen tun; ich willfahre ihm, habe ihm willfahrt, *aber:* gewillfahrt; **will|fäh|rig** gefügig, nachgiebig; **Will|fäh|ri|keit** *w. 10 nur Ez.*

wil|lig; wil|li|gen *intr. 1;* in etwas w.: mit etwas einverstanden sein; **Wil|lig|keit** *w. 10 nur Ez.*

Will|komm *m. 1;* jmdm. einen herzlichen W. bieten, bereiten; **will|kom|men**; willkommene Gelegenheit; das ist mir sehr w.; jmdn. w. heißen; **Will|kom|men** *s. 7 oder m. 7;* jmdm. ein herzliches W. bieten; **Will|kom|mens|gruß** *m. 2;* **Will|kom|mens|trunk** *m. 2*

Wil|kür *w. Gen. - nur Ez.;* **Will|kür|herr|schaft** *w. 10 nur Ez.;* **will|kür|lich; Will|kür|lich|keit** *w. 10 nur Ez.*

wim|meln *intr. 1, nur unpersönlich;* es wimmelt von Ameisen; in dieser Rechnung wimmelt es von Fehlern

wim|men *intr. 1, schweiz.:* Trauben lesen

Wim|mer *m. 5* **1** harte Stelle im Holz, Knorren; **2** Schwiele; **3** *schweiz.:* Winzer

Wim|mer|holz *s. 4, ugs. scherzh.:* Geige, Laute; **Wim|mer|kis|te** *w. 11, ugs. scherzh.:* Klavier

Wim|merl *s. 14, bayr., österr.:* Eiterbläschen

wim|mern *intr. 1;* es ist zum Wimmern *ugs.:* es ist schrecklich; *auch:* es ist sehr komisch

Wim|met *m. Gen.* -s *nur Ez., schweiz.:* Weinlese

Wim|pel *m. 5* kleine, dreieckige Flagge

Wim|per *w. 11*

Wim|perg *m. 1,* **Wim|per|ge** *w. 11, got. Baukunst:* Ziergiebel über Fenstern und Portalen

Wim|per|tier|chen *s. 7* ein Einzeller

wind *schweiz.:* bange, unruhig, ungemütlich

Wind *m. 1;* Wind und Wetter; Wind machen *ugs.:* prahlen, sich wichtig tun; er hat Wind davon bekommen *ugs.:* er hat etwas davon erfahren; **Wind|beu|tel** *m. 5* **1** ein mit Schlagsahne gefülltes Gebäck; **2** *übertr.:* leichtsinniger, leichtfertiger Mensch; **Wind|beu|te|lei** *w. 10* leichtfertige Handlung; **Wind|bruch** *m. 2* durch Wind entstandener Schaden im Wald; **Wind|büch|se** *w. 11* Luftgewehr

Win|de *w. 11* **1** mit einer Kurbel betriebenes Gerät zum Heben; **2** eine Rankenpflanze; **3** *schweiz. auch:* Dachboden, Speicher

Wind|ei *s. 3* **1** Vogelei ohne Kalkschale, Fließei; **2** abgestorbene Leibesfrucht, Mole; **3** *übertr.:* nur scheinbar bedeutsame Angelegenheit

Win|del *w. 11;* **win|del|weich** *nur in:* jmdn. w. prügeln

win|den **1** *tr. 183* drehen, wickeln, schlingen; **2** *intr. 2, nur unpersönlich;* es windet: es ist windig

Wind|er|hit|zer *m. 5* Vorrichtung am Hochofen zum Erhitzen der Verbrennungsluft; **Win|des|ei|le** *w. Gen. -, nur in den Fügungen:* in, mit W.; **Wind|fah|ne** *w. 11* Wetterfahne; **Wind|fang** *m. 2;* **Wind|fang|tür** *w. 10;* **Wind|har|fe** *w. 11* = Äolsharfe; **Wind|hauch** *m. 1 nur Ez.;* **Wind|ho|se** *w. 11* Wirbelsturm; **Wind|hund** *m. 1* **1** eine hochbeinige, langhaarige Hunderasse, Windspiel; **2** *übertr.:* leichtsinniger Mensch; **win|dig** *auch übertr. ugs.:* nicht überzeugend; windige Ausrede; windige Sache: Sache, hinter der nichts steckt; **Wind|ja|cke** *w. 11;* **Wind|jam|mer** [zu engl. jam »drücken«] *m. 5* großes Segelschiff; **Wind|ka|nal** *m. 2* Vorrichtung zum Erzeugen eines Luftstroms, in dem Fahrzeuge (Autos, Luftfahrzeuge) oder Teile davon geprüft werden; **Wind|licht** *s. 3;* **Wind|ma|schi|ne** *w. 11, Theater:* Gerät zum Erzeugen des Windgeräuschs; **Wind|mes|ser** *m. 5, Meteor.:* Anemometer; **Wind|mo|tor** *m. 12* = Windrad; **Wind|müh|le** *w. 11;* **Wind|müh|len|flü|gel** *m. 5;* gegen W. kämpfen *übertr.:* gegen Nichtiges oder Eingebildetes kämpfen; **Wind|po|cken** *Mz.* eine pockenartige (ungefährliche) Infektionskrankheit, Spitzpocken, Varizellen; **Wind|rad** *s. 3* Gerät, das die Windenergie in technisch nutzbare Energie umwandelt, Windmotor; **Wind|rös|chen** *s. 7* Anemone; **Wind|ro|se** *w. 11* Scheibe im Kompass, auf der die Himmelsrichtungen eingezeichnet sind; **Wind|sack** *m. 2, auf Flugplätzen u. a.:* an einem Mast befestigter Schlauch, der die Windrichtung anzeigt; **Winds|braut** *w. 2 nur Ez., poet.:* sehr starker Wind; **Wind|scha|den** *m. 8;* **Wind|schat|ten** *m. 7 nur Ez.* die dem Wind abgekehrte Seite; *Ggs.:* Windseite; **wind|schief; wind|schlüp|fig** stromlinienförmig, glatt; **Wind|schutz** *m. Gen.* -es *nur Ez.;* **Wind|schutz|schei|be** *w. 11;* **Wind|sei|te** *w. 11* die dem Wind zugekehrte Seite; *Ggs.:* Windschatten

Wind|sor [wịnzə] **1** engl. Stadt; **2** seit 1917 Name des brit. Königshauses

Wind|spiel *s. 1* = Windhund (**1**); **Wind|stär|ke** *w. 11;* **wind|still; Wind|stil|le** *w. 11 nur Ez.;* **Wind|stoß** *m. 2*

Wind|sur|fer [-sə:-; engl.] *m. 5* aus einem Brett mit Mast, Segel und Schwert bestehendes Boot, das im Stehen gesteuert wird; **Wind|sur|fing** *s. Gen.* -s *nur Ez.* Segelsport mit dem Windsurfer

Win|dung *w. 10*

Wind|zug *m. 2*

Win|gert *m. 1, westdeutsch, schweiz.:* Weinberg

Wịnk *m. 1*
Wịn|kel *m. 5;* **Wịn|kel|ad|vo|kat** *m. 10* Advokat mit geringen Kenntnissen; **Wịn|kel|ei|sen** *s. 7* **1** Walzeisen mit winkelförmigem Querschnitt; **2** Eisenbeschlag an Ecken; **Wịn|kel|funk|ti|on** *w. 10* Sinus, Kosinus, Tangens, Kotangens; **Wịn|kel|ha|ken** *m. 7* Gerät des Schriftsetzers; **Wịn|kel|hal|bie|ren|de** *w. 17 oder 18;* **wịn|ke|lig,** wink|lig; **Wịn|kel|maß** *s. 1;* **Wịn|kel|mes|ser** *m. 5;* **Wịn|kel|zug** *m. 2* nicht einwandfreies Manöver, um etwas zu erreichen; Winkelzüge machen
wịn|ken *intr. u. tr. 1;* jmdn. zu sich w.; **Wịn|ker|flag|ge** *w. 11*
wịnk|lig, wịn|ke|lig
Win|se|lei *w. 10 nur Ez.;* **wịn|seln** *intr. 1;* um Gnade w.
Wịn|ter *m. 5;* des Winters; *aber:* → winters; **Wịn|ter|an|fang** *m. 2;* **Wịn|ter|fahr|plan** *m. 2;* **Wịn|ter|fri|sche** *w. 11;* **Wịn|ter|frisch|ler** *m. 5;* **Wịn|ter|frucht** *w. 2;* vgl. Wintergetreide; **Wịn|ter|gar|ten** *m. 8;* **Wịn|ter|ge|trei|de** *s. 5* Getreide, das im Herbst ausgesät wird; **Wịn|ter|kar|tof|fel** *w. 11;* **Wịn|ter|kleid** *s. 3;* **Wịn|ter|land|schaft** *w. 10;* **wịn|ter|lich;** **Wịn|ter|ling** *m. 1* ein im Winter blühendes Hahnenfußgewächs; **Wịn|ter|mo|nat** *m. 1;* **wịn|tern** *intr. 1, nur unpersönlich;* es wintert: es wird Winter; **Wịn|ter|rei|fen** *m. 7;* **wịn|ters** im Winter; *aber:* des Winters; **Wịn|ter|saat** *w. 10;* **Wịn|ter|schlaf** *m. Gen.* -(e)s *nur Ez.;* **Win|ter|schluß|ver|kauf** ► **Win|ter|schlus̱s|ver|kauf** *m. 2;* **Wịn|ter|se|mes|ter** *s. 5;* **Wịn|ter|son|nen|wen|de** *w. 11;* **Wịn|ter|spie|le** *s. 1 Mz.* Teil der Olymp. Spiele; **Wịn|ter|sport** *m. Gen.* -(e)s *nur Ez.;* W. treiben; **wịn|ters|ü|ber**; *aber:* den Winter über; **Wịn|ters|zeit** *w. 10 nur Ez.;* zur W.; **Wịn|te|rung** *w. 10* Wintersaat; **Wịn|ter|zeit** *w. 10 nur Ez.*
Wịn|zer *m. 5* Weinbauer
wịn|zig; **Wịn|zig|keit** *w. 10*
Wịp|fel *m. 5*
Wịp|pe *w. 11;* **wịp|pen** *intr. 1;* **Wịp|per** *m. 5* vgl. Kipper (**3**)
wi̱r; *auch:* = ich (früher von Herrschern gebraucht, heute noch von Autoren, wenn sie in ihren Büchern von sich selbst sprechen); wir alle; wir Kinder; wir Armen; wir Deutschen, *auch:* Deutsche
Wịr|bel *m. 5;* **wịr|be|lig,** wịrb|lig; **wịr|bel|los;** **Wịr|bel|lo|se** *Mz. Sammelbez. für* Tiere ohne Wirbelsäule, Evertebraten, Invertebraten; **wịr|beln** *intr. u. tr. 1;* ich wirbele, wirble es durch die Luft; **Wịr|bel|säu|le** *w. 11;* **Wịr|bel|sturm** *m. 2;* **Wịr|bel|tie|re** *s. 1 Mz.* wichtigster Unterstamm der Chordatiere, Vertebraten; **Wịr|bel|wind** *m. 1;* **wịrb|lig,** wịr|be|lig
wịr|ken 1 *intr. 1* tätig sein; **2** *tr. 1* hervorbringen; **3** *tr. 1* durch Verschlingen der Fäden herstellen (Stoffe); **Wịr|ker** *m. 5;* **Wir|ke|rei̱** *w. 10*
wịrk|lich; **Wịrk|lich|keit** *w. 10;* **wịrk|lich|keits|fern;** **Wịrk|lich|keits|form** *w. 10* = Indikativ; **wịrk|lich|keits|fremd;** **Wịrk|lich|keits|mensch** *m. 10;* **wịrk|lich|keits|nah;** **Wịrk|lich|keits|nä|he** *w. Gen.* - *nur Ez.;* **Wịrk|lich|keits|sinn** *m. 1 nur Ez.*
wịrk|sam; **Wịrk|sam|keit** *w. 10 nur Ez.;* **Wịrk|stoff** *m. 1;* **Wịr|kung** *w. 10;* **Wịr|kungs|be|reich** *m. 1;* **Wịr|kungs|feld** *s. 3;* **Wịr|kungs|grad** *m. 1;* **Wịr|kungs|kreis** *m. 1;* **wịr|kungs|los;** **Wịr|kungs|lo|sig|keit** *w. 10 nur Ez.;* **Wịr|kungs|quan|tum** *s. Gen.* -s *nur Ez.;* Plancksches W. (*Zeichen:* h): von Max Planck entdeckte Naturkonstante im Bereich der Mikrophysik, bezeichnet den Zusammenhang zwischen den kleinstmöglichen, von einer Strahlung transportierten Energiebeträgen und der Strahlungsfrequenz; **Wịr|kungs|stät|te** *w. 11;* **wịr|kungs|voll;** **Wịr|kungs|wei|se** *w. 11;* **Wịrk|wa|re** *w. 11*
wịrr; **Wịr|ren** *nur Mz.;* **Wịrr|heit** *w. 10 nur Ez.;* **Wịrr|kopf** *m. 2* jmd., der nicht klar und folgerichtig denken kann; **Wịrr|nis** *w. 1;* **Wịrr|sal** *w. 1;* **Wịr|rung** *w. 10, poet.;* **Wịrr|warr** *m. 1 nur Ez.*
wịrsch *südwestdt.:* grob, schroff, zornig, aufgeregt
Wịr|sing *m. 1,* **Wịr|sing|kohl** *m. 1 nur Ez.* eine Gemüsepflanze, Welschkohl, Welschkraut
Wịrt *m. 1*
Wịr|tel *m. 5* **1** Kreis von Blättern oder Zweigen an ein und demselben Stengelknoten, Quirl; **2** Teil des Spinnrads
wịrt|lich gastlich; **Wịrt|lich|keit** *w. 10 nur Ez.*
Wịrt|schaft *w. 10;* **wịrt|schaf|ten** *intr. 2;* **Wịrt|schaf|ter** *m. 5, österr.:* Verwalter; **Wịrt|schaft|ler** *m. 5* Wirtschaftswissenschaftler; **wịrt|schaft|lich;** **Wịrt|schaft|lich|keit** *w. 10 nur Ez.;* **Wịrt|schafts|ab|kom|men** *s. 7;* **Wịrt|schafts|ge|bäu|de** *s. 5;* **Wịrt|schafts|geld** *s. 3;* **Wịrt|schafts|ge|o|gra|phie** ► *auch:* **Wịrt|schafts|ge|o|gra|fie** *w. 11 nur Ez.;* **Wịrt|schafts|ge|schich|te** *w. 11 nur Ez.;* **Wịrt|schafts|jahr** *s. 1;* **Wịrt|schafts|kri|se** *w. 11;* **Wịrt|schafts|la|ge** *w. 11;* **Wịrt|schafts|ord|nung** *w. 10;* **Wịrt|schafts|po|li|tik** *w. 10 nur Ez.;* **wịrt|schafts|po|li|tisch;** **Wịrt|schafts|prü|fer** *m. 5;* **Wịrt|schafts|teil** *m. 1* Teil der Zeitung mit Wirtschafts- und Finanzberichten; **Wịrt|schafts|wis|sen|schaf|ten** *Mz.;* **Wịrt|schafts|wis|sen|schaft|ler** *m. 5;* **Wịrt|schafts|wun|der** *s. 5*
Wịrts|haus *s. 4;* **Wịrts|leu|te** *nur Mz.;* **Wịrts|pflan|ze** *w. 11* Pflanze als Wirt eines Parasiten; **Wịrts|stu|be** *w. 11;* **Wịrts|tier** *s. 1* Tier als Wirt eines Parasiten
Wịrz *m. 1, schweiz. für* Wirsing
Wịsch *m. 1;* **wị|schen** *tr. 1;* **Wi|schi|wạ|schi** *s. Gen.* -s *nur Ez., ugs.:* oberflächliches Gerede
Wisch|nu = Vishnu
Wis|cọn|sin 1 Nebenfluss des Mississippis; **2** (*Abk.:* WI) Staat der USA
Wị|sent *m. 1* Wildrind
Wịs|mut *s. Gen.* -s *nur Ez.* (*Zeichen:* Bi) chem. Element, ein Metall, Bismutum
wịs|peln *tr. 1, Nebenform von* wispern; **wịs|pern** *tr. 1* flüstern
Wiß|be|gier ► **Wịss|be|gier,** **Wiß|be|gier|de** ► **Wịss|be|gier|de** *w. Gen.* - *nur Ez.;* **wiß|be|gie|rig** ► **wịss|be|gie|rig;** **wịs|sen** *tr. 184;* **Wịs|sen** *s. 7 nur Ez.;* meines Wissens (*Abk.:* m. W.); **Wịs|sen|schaft** *w. 10;* **Wịs|sen|schaft|ler,** *österr. auch:* Wịs|sen|schaf|ter *m. 5;* **wịs|sen|schaft|lich;** **Wịs|sen|schaft|lich|keit** *w. 10 nur Ez.;* **Wịs|sen|schafts|the|o|rie** *w. 11;* **Wịs|sens|drang** *m. Gen.* -(e)s *nur Ez.;* **Wịs|sens|durst** *m. Gen.* -(e)s *nur Ez.;* **wịs|sens|durs|tig;** **Wịs|sens|ge|biet** *s. 1;* **wịs|sens|wert;** **Wịs|sens|zweig**

m. 1; **wis|sent|lich** mit Wissen, absichtlich; jmdm. w. eine falsche Auskunft geben

Wit|frau *w. 10,* **Wi|tib,** Wit|tib *w. 1, veraltet:* Witwe; **Wi|ti|ber,** Wit|ti|ber *m. 5;* **Wit|mann** *m. 4, veraltet:* Witwer

wit|tern *tr. 1* **1** mit dem Geruchssinn spüren, riechen (Hund, Wild); **2** *ugs. übertr.:* ahnen, spüren: ich wittere, wittre Verrat; vgl. Morgenluft; **Wit|te|rung** *w. 10* **1** Wetter; **2** Ausdünstung, Geruch (von Tieren); W. bekommen (von etwas): riechen; **3** Geruchssinn (vom Hund und Wild); eine gute W. haben; **Wit|te|rungs|um|schlag** *m. 2;* **Wit|te|rungs|ver|hält|nis|se** *s. 1 Mz.*

Wit|tib *w. 1, veraltet:* Witwe; **Wit|ti|ber** *m. 5, veraltet:* Witwer

Witt|ling *m. 1* = Weißling (**2**)

Wit|tum *s. Gen.* -s *nur Ez.* **1** *früher:* Zuwendung des Mannes für die Frau im Falle seines Todes; **2** unbewegl. Vermögen einer Kirchenpfründe

Wit|we *w. 11* (*Abk.:* Wwe.); **Wit|wen|geld** *s. 3;* **Wit|wen|ren|te** *w. 11;* **Wit|wen|schaft** *w. 10 nur Ez.;* **Wit|wen|schlei|er** *m. 5;* **Wit|wen|stand** *m. 2 nur Ez.;* **Wit|wen|ver|bren|nung** *w. 10;* **Wit|wer** *m. 5;* **Wit|wer|schaft** *w. 10 nur Ez.*

Witz *m. 1;* **Witz|blatt** *s. 4;* **Witz|bold** *m. 1;* **Wit|ze|lei** *w. 10;* **wit|zeln** *intr. 1;* ich witzele, witzle über ihn; **Witz|fi|gur** *w. 10;* **wit|zig;** **Wit|zig|keit** *w. 10 nur Ez.;* **Witz|ling** *m. 1* Witzbold; **witz|los;** *ugs. auch:* nutz-, zwecklos; **Witz|wort** *s. 1* witzige Bemerkung; vgl. Wortwitz

w. L. *Abk. für* westl. Länge

Wla|di|wos|tok [*auch:* -tok] Stadt im fernöstl. Sibirien

WM *Abk. für* Weltmeisterschaft

WNW *Abk. für* Westnordwest(en)

wo **1** *Interrogativpron.;* wo warst du?; wo immer er auch ist, *oder:* sein mag; von wo, *besser:* woher; wo anders (= wo sonst) soll ich gewesen sein; *aber:* →woanders; das Wo und das Wann; **2** *Relativpron.;* dort, wo…; der Ort, wo ich geboren bin; in Berlin, wo ich mehrere Jahre gelebt habe; **3** *Konj.; veraltet:* wenn; wo nicht, dann…; **4** *in ugs. Fügungen:* ach wo!; i wo!; ach, wo werd' ich denn!

w. o. *Abk. für* wie oben

wo|an|ders woanders sein, stehen, liegen; vgl. wo (**1**); **wo|an|ders|hin**; w. gehen, fahren

wo|bei

Wo|che *w. 11;* **Wo|chen|bett** *s. 12* = Kindbett; **Wo|chen|blatt** *s. 4* wöchentlich erscheinende (kleine) Zeitung; **Wo|chen|en|de** *s. 14;* **Wo|chen|end|haus** *s. 4;* **Wo|chen|fluß** ▶ **Wo|chen|fluss** *m. 2 nur Ez.* = Lochien; **Wo|chen|kar|te** *w. 11;* **wo|chen|lang**; nach wochenlangem Warten; es dauerte w.; *aber:* mehrere Wochen lang; **Wo|chen|lohn** *m. 2;* **Wo|chen|markt** *m. 2;* **Wo|chen|schau** *w. 10;* **Wo|chen|schrift** *w. 10* wöchentlich erscheinende Zeitung oder Zeitschrift; **Wo|chen|tag** *m. 1;* **wo|chen|tags;** **wö|chent|lich** jede Woche (stattfindend); die Zeitschrift erscheint w.; w. zweimal; **...wö|chent|lich** *in Zus.,* z. B. vierwöchentlich: alle vier Wochen; in vierwöchentlichem Wechsel; vgl. ...wöchig; **wo|chen|wei|se** jeweils eine Woche lang; **Wo|chen|zei|tung** *w. 10* wöchentlich erscheinende Zeitung; **...wö|chig** *in Zus.,* z. B. vierwöchig: vier Wochen dauernd; vierwöchige Kur; **Wöch|ne|rin** *w. 10* Frau im Wochenbett

Wo|cken *m. 7, nddt.* = Rocken (**1**)

Wo|dan = Wotan

Wod|ka [russ. »Wässerchen«] *m. 9* russ. Branntwein

wo|durch

wo|fern *veraltet:* sofern, falls

wo|für; w. soll das gut sein?

Wo|ge *w. 11*

wo|ge|gen; w. sträubt er sich eigentlich so?

wo|gen *intr. 1*

Wo|gu|le *m. 11* Angehöriger eines ugrischen Volkes; **wo|gu|lisch;** **Wo|gu|lisch** *s. Gen.* -(s) *nur Ez.* zu den finnisch-ugr. Sprachen gehörende Sprache

wo|her; woher kommst du?; ich weiß, woher er gekommen ist, *oder:* wo er hergekommen ist; ach woher! *ugs.:* keineswegs!; woher des Weges?; jmdn. nach dem Woher fragen; **wo|her|um** *auch:* **wo|he|rum**

wo|hin wohin gehst du?; ich weiß, wohin er gegangen ist, *oder:* wo er hingegangen ist; wohin des Weges?; jmdn. nach dem Woher und Wohin fragen; **wo|hin|auf** *auch:* **wo|hi|nauf;** **wo|hin|aus** *auch:* **wo|hi|naus;** ich verstehe, w. er will, *oder:* wo er hinauswill, *oder:* worauf er hinauswill; **wo|hin|ein** *auch:* **wo|hi|nein;** **wo|hin|ge|gen;** **wo|hin|ter;** **wo|hin|un|ter** *auch:* **wo|hi|nun|ter**

wohl **1** gut, angenehm; sich wohl fühlen; es sich wohl ergehen, wohl sein lassen; nicht ganz wohl sein; mir ist nicht wohl; leb wohl!; wohl oder übel; **2** vermutlich, wahrscheinlich; es

> **wohl ergehen/tun, wohl bleiben:** Die Verbindung aus Adjektiv (*wohl* = gut) und Verb schreibt man getrennt, wenn das Adjektiv steigerbar oder erweiterbar ist: *Es ist ihm wohl ergangen. Das hat ihr wohl getan.* →§ 34 E3 (3)
> Ebenso schreibt man getrennt, wenn *wohl* in der Bedeutung »wahrscheinlich, vermutlich« gebraucht wird: *Er wird wohl bleiben. Sie werden diese Woche wohl nicht kommen.* →§ 34 E3 (2)

wird wohl drei Uhr sein; er wird wohl noch kommen; das ist wohl wahr; **Wohl** *s. Gen.* -s *nur Ez.;* für jmds. (leibliches) Wohl sorgen; auf dein Wohl!; zum Wohl(e)!; **wohl|an** *veraltet:* gut, also los; **wohl|an|stän|dig** *veraltet:* anständig; **wohl|auf** gesund; w. sein; **wohl|be|dacht** ▶ **wohl be|dacht**; ein wohl bedachter Plan; ich habe alle Umstände wohl bedacht; **Wohl|be|ha|gen** *s. Gen.* -s *nur Ez.;* **wohl|be|hal|ten**; w. ankommen; **wohl|be|hü|tet** ▶ **wohl be|hü|tet;** w. b. aufwachsen; **wohl|be|kannt;** ein wohlbekannter Name; **wohl|durch|dacht** ▶ **wohl durch|dacht;** **wohl|er|ge|hen** ▶ **wohl er|ge|hen** *intr. 47;* **Wohl|er|ge|hen** *s. Gen.* -s *nur Ez.;* **wohl|er|zo|gen;** **Wohl|fahrt** *w. 10 nur Ez.;* **Wohl|fahrts|pfle|ge** *w. 11 nur Ez.;* **Wohl|fahrts|staat** *m. 12*

wohl|feil preiswert, billig (z. B. Buchausgabe); **wohl|füh|len** ▶ **wohl füh|len** *tr. 1;* daheim hat er sich wohl gefühlt; **Wohl|ge|bo|ren** *veraltete Anrede:* Euer W.; **Wohl|ge|fal|len** *s. Gen.* -s *nur Ez.;* **wohl|ge|fäl|lig;** **wohl|ge|formt;** **Wohl|ge|fühl** *s. 1;* **wohl|ge|meint;** ein wohlgemeinter Ratschlag; **wohl|ge|merkt** *meist eingeschoben:* das sei betont; er hat, wohlgemerkt, nie davon gesprochen; *aber:* du hast es wohl gemerkt, dass...; **wohl|ge|mut; wohl|ge|nährt; wohl|ge|ord|net** ► **wohl ge|ord|net; wohl|ge|ra|ten;** ein wohlgeratenes Werk; **Wohl|ge|ruch** *m. 2;* **Wohl|ge|schmack** *m. Gen.* -s *nur Ez.;* **wohl|ge|setzt**; in wohlgesetzten Worten; **wohl|ge|sinnt;** er ist mir wohlgesinnt; **wohl|ge|tan** ► **wohl ge|tan**; es hat ihm wohl getan; **wohl|ha|bend; Wohl|ha|ben|heit** *w. 10* nur Ez.; **woh-**

> **wohlhabend, wohlan:** Zusammensetzungen, bei denen der zweite Teil in dieser Form nicht selbständig vorkommt, schreibt man getrennt: *ein wohlhabender Mann, eine wohlweisliche Überlegung.* →§ 36 (2)
> Zusammenschreibung gilt auch für *wohl* + Partikel: *wohlan, wohlauf (sein).* →§ 39 (1), § 35

lig; Wohl|klang *m. 2 nur Ez.;* **wohl|klin|gend; Wohl|laut** *m. 1 nur Ez.;* **wohl|lau|tend; Wohl|le|ben** *s. Gen.* -s *nur Ez.;* **wohl|löb|lich** *veraltet, noch scherzh.:* löblich, ehrenwert, achtbar; **wohl|mei|nend;** ein wohlmeinender Ratschlag; **Wohl|sein** *s. Gen.* -s *nur Ez.;* (zum) W.!; Gesundheit!; **Wohl|stand** *m. 2 nur Ez.;* **Wohl|stands|ge|sell|schaft** *w. 10;* **Wohl|tat** *w. 10;* **Wohl|tä|ter** *m. 5;* **wohl|tä|tig; Wohl|tä|tig|keit** *w. 10 nur Ez.;* **Wohl|tä|tig|keits|ver|ein** *m. 1;* **wohl|tem|pe|riert; wohl|tu|end** ► **wohl tu|end; wohl|tun** ► **wohl tun** *intr. 167;* das tut mir wohl, hat mir wohl getan; **wohl|un|ter|rich|tet;** von wohlunterrichteter Seite; **Wohl|ver|leih** *m. Gen.* -s *Mz.* -(e) Arnika; **wohl|ver|stan|den** *meist eingeschoben,* vgl. wohlgemerkt; **wohl|ver|wahrt;** die Papiere liegen w. im Tresor; **wohl|weis|lich** mit gutem Grund; ich habe w. nichts davon gesagt; **wohl|wol|lend; Wohl|wol|len** *s. Gen.* -s *nur Ez.*

Wohn|bau *m. Gen.* -(e)s *Mz.* -bau|ten; **wohn|be|rech|tigt** heimatberechtigt; **Wohn|be|rech|ti|gung** *w. 10 nur Ez.;* **Wohn|block** *m. 9;* **woh|nen** *intr. 1;* **Wohn|ge|mein|schaft** *w. 10;* **wohn|haft** *bes. auf Formularen:* ständig wohnend; w. in Berlin; **Wohn|haus** *s. 4;* **Wohn|heim** *s. 1;* **Wohn|kü|che** *w. 11;* **Wohn|kul|tur** *w. 10 nur Ez.;* **wohn|lich; Wohn|ort** *m. 1;* **Wohn|raum** *m. 2;* **Wohn|schlaf|zim|mer** *s. 5;* **Wohn|sitz** *m. 1;* **Woh|nung** *w. 10;* **Woh|nungs|bau** *m. Gen.* -(e)s *nur Ez.;* **Woh|nungs|markt** *m. 2;* **Woh|nungs|not** *w. 2 nur Ez.;* **Woh|nungs|su|che** *w. Gen.* - *nur Ez.;* **woh|nungs|su|chend, woh|nung|su|chend; Woh|nungs|wech|sel** *m. 5;* **Wohn|vier|tel** *s. 5;* **Wohn|wa|gen** *m. 7*

Wöhr|de *w. 11, nddt.:* um das Wohnhaus geleg. Ackerland

Woi|lach [russ.] *m. 1* wollene Pferdedecke

Woi|wod, Woi|wo|de [poln.] *m. 11* **1** *früher in Polen, Siebenbürgen, in der Walachei, im Banat:* gewählter Fürst; **2** *in Polen:* oberster Beamter einer Provinz; **Woi|wod|schaft** *w. 10* Verwaltungsbezirk in Polen

Wok *m. 9* chinesische Rührpfanne mit hohem Rand

wöl|ben *tr. 1;* **Wöl|bung** *w. 10*

Wolf *m. 2;* **Wölf|chen** *s. 7;* **wöl|fen** *intr. 1* Junge werfen (Wolf, Hund); **Wöl|fin** *w. 10;* **wöl|fisch; Wölf|lein** *s. 7, poet.*

Wolf|ram *s. Gen.* -s *nur Ez.* (*Zeichen:* W) chem. Element, ein Metall; **Wolf|ra|mit** *s. 1 nur Ez.* ein Mineral

Wolfs|hun|ger *m. Gen.* -s *nur Ez., ugs.;* **Wolfs|milch|ge|wäch|se** *s. 1 Mz.* eine Gattung Milchsaft führender Pflanzen; **Wolfs|ra|chen** *m. 7* eine Missbildung des Gaumens; **Wolfs|spitz** *m. 1* eine Hunderasse

Wol|hy|ni|en *auch:* **Wol|hy|ni|en** = Wolynien; **wol|hy|nisch** *auch:* **wol|hy|nisch** = wolynisch; Wolhynisches Fieber = Fünftagefieber

Wölk|chen *s. 7;* **Wol|ke** *w. 11;* **Wol|ken|bruch** *m. 2;* **Wol|ken|krat|zer** *m. 5* Hochhaus; **Wol|ken|ku|ckucks|heim** *s. Gen.* -s *nur Ez.* Traumland; **wol|ken|los; wol|kig**

Wol|lap|pen ► **Woll|lap|pen** *m. 7;* **Wol|le** *w. 11;* **wol|len** aus Wolle

wol|len *tr. 185;* ich habe das nicht gewollt; *aber:* ich habe das nicht tun wollen

Woll|gras *s. 4* ein Gras; **Woll|haar** *s. 1 nur Ez.* krauses Haar; **wol|lig; Woll|käm|me|rei** *w. 10*

Woll|lap|pen *m. 7*

Wol|lust *w. 2* geschlechtl. Lustgefühl; *auch:* triebhafte Freude; **wol|lüs|tig; Wol|lüst|ling** *m. 1*

Wol|per|tin|ger *m. 5* bayr. Fabeltier

Wo|ly|ni|en, Wol|hy|ni|en, histor. Landschaft in der Ukraine; **wo|ly|nisch;** wol|hy|nisch

Wom|bat [austr.] *m. 9* ein austral. Beuteltier

wo|mit; womit soll ich das abschneiden?; er hat das Haus verkauft, womit ich nicht einverstanden war; **wo|mög|lich; wo|nach**

Won|ne *w. 11;* **Won|ne|mo|nat** *m. 1;* **Won|ne|mond** *m. 1, alter Name für* Mai; **won|ne|trun|ken** *poet.;* **won|ne|voll; won|nig; won|nig|lich** *veraltet*

wor|an *auch:* **wo|ran**; woran liegt das?; das ist etwas, woran ich nicht gedacht habe; **wor|auf** *auch:* **wo|rauf**; worauf hast du Appetit?; er wurde sehr grob, worauf, *oder:* woraufhin ich mich umdrehte und ging; **wor|auf|hin** *auch:* **wo|rauf|hin** vgl. worauf; **wor|aus** *auch:* **wo|raus**; woraus besteht das Stück?; er schwieg, woraus ich schließen konnte, dass...

Worces|ter|so|ße [wụstər-, nach der engl. Stadt Worcester] *w. 11* eine pikante Soße

wor|ein *auch:* **wo|rein**

wor|feln *tr. 1;* Getreide w.: die Getreidekörner von der Spreu trennen; **Worf|schau|fel** *w. 11*

wor|in *auch:* **wo|rin**; worin besteht die Aufgabe?; er sagte, worin ich ihm zustimme, dass...

> **Workaholic, Workshop:** Substantivisch gebrauchte Zusammensetzungen, deren letzter Teil kein Substantiv ist, schreibt man zusammen: *der Workaholic.* →§ 37 (2)
> Zusammensetzungen aus Substantiven, auch fremdsprachiger Natur, schreibt man zusammen: *der Workshop.* Ebenso: *der Background* usw. →§ 37 (1)

Work|a|ho|lic [wə:kəhɔlik, engl.] *m. 9, scherzh.:* jmd., der ständig arbeitet, Arbeitssüchtiger

Work|shop [wə̣kʃɔp, engl.] *m. 9* **1** Seminar; **2** Ort, an dem ein

Kunstwerk entsteht; **3** künstlerische Methode

> **Worldcup:** Zusammensetzungen zweier Substantive (bzw. von Adjektiven/Pronomen/ Partikeln und Substantiven) schreibt man zusammen. Diese Regel gilt auch für fremdsprachige Substantive: *der Worldcup.* →§37 (1)

World|cup [wəldkap, engl.] *m. Gen.*-(s) *Mz.*-s Weltmeisterschaft in sportl. Disziplinen
World Wild Fund for Na|ture = WWF
Wort 1 *s. 4* kleinster sinntragender Redeteil; einsilbige Wörter; englische Wörter; Wörter falsch aussprechen; **2** *s. 1* sprachl. Äußerung, Ausdruck, Ausspruch; das waren seine letzten Worte; er verabschiedete sich mit folgenden Worten; für eine solche Frechheit finde ich keine Worte; ein paar freundliche Worte; etwas in kurzen Worten erklären; ich will nicht viel, *oder:* viele Worte machen; Wort halten: sein Versprechen halten; ich gebe dir mein Wort: ich verspreche es dir; er will es nicht Wort haben: er will es nicht glauben; der Hund gehorcht aufs Wort; jmdn. beim Wort nehmen: von jmdm. verlangen, dass er sein Versprechen hält; er lässt mich nicht zu Wort kommen; sich zu Wort melden; **Wort|art** *w. 10;* **Wort|bil|dung** *w. 10 nur Ez.;* **Wort|bruch** *m. 2* Nichteinhalten eines Versprechens; **wort|brü|chig; Wört|chen** *s. 7;* **Wor|te|ma|cher** *m. 5* jmd., der viel redet, ohne danach zu handeln; **Wör|ter|buch** *s. 4;* **Wör|ter|ver|zeich|nis** *s. 1;* **Wort|fa|mi|lie** *w. 11;* **Wort|feld** *s. 3* Gruppe von Wörtern, die ihrer Bedeutung nach zusammengehören; **Wort|fol|ge** *w. 11;* **Wort|füh|rer** *m. 5* Sprecher; **Wort|ge|fecht** *s. 1;* **Wort|ge|schich|te** *w. 11 nur Ez.;* **wort|ge|treu; wort|karg; Wort|karg|heit** *w. 10 nur Ez.;* **Wort|klau|ber** *m. 5* jmd., der zu starr an der wörtl. Bedeutung eines Begriffs festhält; **Wort|klau|be|rei** *w. 10 nur Ez.;* **Wort|laut** *m. 1 nur Ez.;* **wört|lich**; wörtliche Rede = direkte Rede; **wort|los; Wort|mel|dung** *w. 10, in Versammlungen:* Meldung zum Wort; **wort|reich; Wort|schatz** *m. 2;* **Wort|schwall** *m. 1;* **Wort|spiel** *s. 1;* **Wort|streit** *m. 1;* **Wort|ver|zeich|nis** *s. 1;* **Wort|wech|sel** *m. 5;* **Wort|witz** *m. 1* auf einem Wortspiel beruhender Witz; vgl. Witzwort; **wort|wört|lich** ganz wörtlich
wor|ü|ber *auch:* **wo|rü|ber;** worüber hat er gesprochen?; er hat mich angerufen, worüber ich recht froh war; **wor|um** *auch:* **wo|rum** [*auch:* -rum]; worum handelt es sich?; mir fällt gerade etwas ein, worum ich dich bitten möchte; **wor|un|ter** *auch:* **wo|run|ter**; er nannte einen Begriff, worunter ich mir aber nichts vorstellen kann
Wo|tan, Wodan, Odin *germ. Myth.:* oberster Gott
wo|von; wovon habt ihr gesprochen?; er hat mich einiges gefragt, wovon ich keine Ahnung hatte; **wo|vor**; wovor hast du Angst?; ich muss morgen mit ihm sprechen, wovor mir ziemlich graust; **wo|zu**; wozu soll das gut sein?; wozu brauchst du das?; er wollte ins Kino gehen, wozu ich auch Lust hatte
wrack nicht mehr ausbesserungsfähig; **Wrack** *s. 9* unbrauchbar gewordenes Schiff, Flugzeug, Auto; *übertr.:* Mensch mit zerrütteter Gesundheit
Wra|sen *m. 7* Brodem, Dampf; **Wra|sen|ab|zug** *m. 2* Vorrichtung über dem Herd, durch die Dämpfe abziehen können
wri|cken, wrig|geln *tr. 1;* ein Boot w.: mit einem am Heck befestigten Riemen vorwärts bewegen
wrin|gen *tr. 100* auswinden (Wäsche); *meist:* auswringen
Ws *Abk. für* Wattsekunde
WSW *Abk. für* Westsüdwest(en)
Wu|cher *m. 5 nur Ez.;* **Wu|cher|blu|me** *w. 11* = Chrysantheme; **Wu|che|rer** *m. 5;* **wu|che|risch; wu|chern** *intr. 1;* **Wu|cher|preis** *m. 1;* **Wu|che|rung** *w. 10, Med.:* nicht normale Gewebsbildung; **Wu|cher|zin|sen** *m. 12 Mz.*
Wuchs *m. Gen.*-es *nur Ez.;* **...wüch|sig** *in Zus.* z. B. kleinwüchsig; **Wuchs|stoff** *m. 1*
Wucht *w. Gen. - nur Ez.;* mit voller Wucht; das ist 'ne Wucht *ugs.:* das ist großartig; **wuch|ten** *tr. 2* mit Kraft und Schwung heben; **wuch|tig; Wuch|tig|keit** *w. 10 nur Ez.*
Wühl|ar|beit *w. 10 nur Ez.* geheime Hetze; **wüh|len** *intr. 1;* **Wüh|ler** *m. 5;* **Wüh|le|rei** *w. 10;* **Wühl|maus** *w. 2*
Wuh|ne *w. 11* = Wune
Wuhr *s. 1,* **Wuh|re** *w. 11, bayr., alem.:* Wehr, Buhne
Wul|fe|nit [nach dem österr. Mineralogen F. X. von Wulfen] *s. 1 nur Ez.* ein Mineral, Gelbbleierz
Wulst *m. 2 oder w. 2;* **wuls|tig; Wulst|ling** *m. 1* ein Blätterpilz
wum|mern *intr. 1* dumpf dröhnen
wund; wund sein, werden, laufen, liegen, reiben; wunder Punkt: Sache, von der man ungern spricht; **Wund|arzt** *m. 2, veraltet:* Chirurg; **Wun|de** *w. 11*

> **Wunder was (glauben), wundernehmen:** Das Substantiv schreibt man groß, auch in festen Gefügen (im Gegensatz zur bisherigen Regelung): *Sie glaubte Wunder was geschafft zu haben.*
> Trennbare Zusammensetzungen aus teilweise verblasstem Substantiv und Verb *(heimgehen, standhalten, wundernehmen)* schreibt man im Infinitiv, den Partizipien sowie am Ende des Nebensatzes zusammen: *Das sollte uns nicht wundernehmen.* Am Satzanfang schreibt man getrennt: *Wunder nimmt, dass er …*
> Ebenso: *Fehl ging er in der Annahme,… Bereit hält er sich für den Fall, dass…* →§34 (3), §34 E3

Wun|der *s. 5;* kein Wunder, dass…; was Wunder, wenn…; du wirst dein blaues Wunder erleben, *ugs.:* du wirst dich noch sehr wundern; und damit glaubst du Wunder was erreicht zu haben; er glaubt, er sei Wunder wer; du glaubst Wunder wie klug zu sein; **wun|der|bar; wun|der|ba|rer|wei|se; Wun|der|ding** *s. 1;* er hat davon Wunderdinge erzählt; **Wun|der|dok|tor** *m. 13;* **Wun|der|glau|be** *m. 15 nur Ez.;* **Wun|der|hei|ler** *m. 5;* **Wun|der|horn** *s. 4; Myth.:* nie leer werdendes Füllhorn; Des Knaben W.: Titel einer dt. Volksliedersamm-

► = wird zu

lung; **wun|der|hübsch; Wun|der|ker|ze** *w. 11;* **Wun|der|kind** *s. 3;* **Wun|der|land** *s. 4;* **wun|der|lich; Wun|der|lich|keit** *w. 10 nur Ez.;* **wun|dern** *tr. u. refl. 1;* ich wundere, wundre mich; es wundert mich, dass...; mich wundert, dass...; seine Gelassenheit wundert mich; **wun|der|neh|men** *tr. 88* wundern; es nimmt mich wunder, hat mich wundergenommen, dass...; **wun|ders; wun|der|sam; wun|der|schön; Wun|der|tat** *w. 10;* **Wun|der|tä|ter** *m. 5;* **Wun|der|tier** *s. 1, nur in Wendungen wie:* sie starrten ihn an wie ein W.; **wun|der|voll; Wun|der|werk** *s. 1*
Wund|fie|ber *s. 5 nur Ez.;* **Wund|klam|mer** *w. 11;* **wund|lau|fen** ▶ **wund lau|fen** *tr. u. refl. 76;* sich wund laufen, sich die Füße wund laufen; **wund|lie|gen** ▶ **wund lie|gen** *refl. 80;* er liegt sich wund, hat sich wund gelegen; **Wund|mal** *s. 1;* die Wundmale Christi; **wund|rei|ben** ▶ **wund rei|ben** *tr. u. refl. 95;* sich wund reiben, sich die Haut wund reiben; **wund|scheu|ern** ▶ **wund scheu|ern** *tr. u. refl. 1;* sich wund scheuern; **Wund|starr|krampf** *m. 2 nur Ez.* mit Krämpfen verbundene Infektion, Tetanus
Wu|ne, Wuh|ne *w. 11* ins Eis geschlagenes Loch
Wunsch *m. 2;* **Wunsch|den|ken** *s. Gen. -s nur Ez.;* **Wün|schel|ru|te** *w. 11;* **wün|schen** *tr. 1;* **wün|schens|wert; wunsch|ge|mäß; wunsch|los; Wunsch|traum** *m. 2;* **Wunsch|zet|tel** *m. 5*
wupp|dich; und w., war er weg; mit einem Wuppdich
Wür|de *w. 11;* **wür|de|los; Wür|de|lo|sig|keit** *w. 10 nur Ez.;* **Wür|den|trä|ger** *m. 5;* **wür|de|voll; wür|dig; wür|di|gen** *tr. 1;* **Wür|dig|keit** *w. 10 nur Ez.;* **Wür|di|gung** *w. 10*
Wurf *m. 2;* **Wür|fel** *m. 5;* **Wür|fel|be|cher** *m. 5;* **wür|fe|lig,** würf|lig; **wür|feln** *intr. 1;* ich würfele, würfle; um etwas w.; **Wür|fel|spiel** *s. 1;* **Wür|fel|zu|cker** *m. 5 nur Ez.*
Wurf|ge|schoß ▶ **Wurf|ge|schoss** *s. 1;* **Wurf|holz** *s. 4*
würf|lig, wür|fe|lig
Wurf|schei|be *w. 11* Diskus; **Wurf|sen|dung** *w. 10, kurz für* Postwurfsendung; **Wurf|spieß** *m. 1*
Wür|ge|griff *m. 1*
Wür|gel *s. 5, mitteldt., abwertend:* kleines Kind
wür|gen *tr. 1 u. intr. 1;* mit Hängen und Würgen *ugs.:* mit knapper Not, gerade noch; **Würg|en|gel** *m. 5* Todesengel; **Wür|ger** *m. 5* ein Singvogel, der Beute auf Vorrat schlägt
Wurm 1 *m. 4;* da ist der Wurm drin *ugs.:* da stimmt etwas nicht; **2** *s. 4, ugs.:* Kind; das arme Wurm; **Würm|chen** *s. 7;* **wur|men** *tr. 1* ärgern; seine Gleichgültigkeit wurmt mich; es wurmt mich, dass...; **Wurm|farn** *m. 1* eine Farnpflanze, aus deren Wurzelstock ein bandwurmtreibendes Mittel gewonnen wird; **Wurm|fort|satz** *m. 2* wurmförmiger Fortsatz des Blinddarms; **Wurm|fraß** *m. 1 nur Ez.;* **wur|mig; Wurm|krank|heit** *w. 10;* **Wurm|mit|tel** *s. 5;* **wurm|sti|chig**
wurscht *ugs.:* vgl. wurst; **wursch|tig** *ugs.;* vgl. wurstig; **wurst** *nur in Wendungen wie* das ist mir (ganz) wurst, *oder (im mündl. Gebrauch)* wurscht *ugs.:* das ist mir gleichgültig, einerlei; **Wurst** *w. 2;* es geht um die Wurst *ugs.:* um die Entscheidung; Wurst wider Wurst: wie du mir, so ich dir; vgl. Speckseite; **Wurst|blatt** *s. 4, ugs.:* kleine, unbedeutende, *auch:* schlechte Zeitung; **Wurst|brü|he** *w. 11;* **Würst|chen** *s. 7; übertr. ugs.:* unbedeutender Mensch; **Wurs|tel** *m. 5, bayr., österr.:* Hanswurst, Kasperle; **Würs|tel** *s. 5 oder s. 14, bayr., österr.:* Würstchen; **Wurs|te|lei** *w. 10 nur Ez.;* **wurs|teln** *intr. 1* langsam und unsachgemäß oder lustlos arbeiten; ich wurstele, wurstle; **wurs|ten** *intr. 2* Wurst machen; **wurs|tig** *ugs., im mündl. Gebrauch:* wursch|tig gleichgültig; er ist ziemlich w.; **Wurs|tig|keit,** *ugs., im mündl. Gebrauch:* Wursch|tig|keit *w. 10 nur Ez.* Gleichgültigkeit; **Wurst|kü|che** *w. 11;* **Wurst|sup|pe** *w. 11;* **Wurst|zip|fel** *m. 5*
Wurt *w. 10;* **Wur|te** *w. 11* = Warf (**2**)
Würt|tem|berg; Würt|tem|ber|ger *m. 5;* **würt|tem|ber|gisch**
Wurz *w. 10, veraltet:* Pflanze, Kraut; *noch in Pflanzennamen,* z. B. Nieswurz
Wür|ze *w. 11*
Wur|zel *w. 11; auch Math.:* Grundzahl einer Potenz (*Zeichen:* $\sqrt{\ }$); **Wür|zel|chen** *s. 7;* **Wur|zel|fü|ßer** *m. 5 Mz.* eine Gruppe tierischer Einzeller mit veränderlichen Plasmafortsätzen; **wur|zel|los; Wur|zel|lo|sig|keit** *w. 10 nur Ez.;* **wur|zeln** *intr. 1;* **Wur|zel|stock** *m. 2;* **Wur|zel|werk** *s. 1 nur Ez.* etwas Sellerie, Möhre, Petersilie, Lauch zum Kochen von Fleisch für Brühe, Suppengrün
wür|zen *tr. 1;* **Würz|fleisch** *s. Gen. -(e)s nur Ez.* Ragout; **wür|zig; Wür|zig|keit** *w. 10 nur Ez.;* **würz|lig**
Wu|schel|haar *s. 1 nur Ez.;* **wu|sche|lig,** wusch|lig; **Wu|schel|kopf** *m. 2*
wu|se|lig; wu|seln *intr. 1* sich rasch und geschäftig bewegen; sich wuselnd betätigen
Wust *m. Gen. -(e)s nur Ez.* Durcheinander, Unordnung
WUSt *schweiz. Abk. für* Warenumsatzsteuer
wüst; *auch ugs.:* sehr; er hat sich wüst betrunken; *alem.:* hässlich, garstig; **Wüs|te** *w. 11;* **wüs|ten** *intr. 2;* mit etwas w.: leichtsinnig mit etwas umgehen; mit dem Geld, mit seiner Gesundheit w.; **Wüs|te|nei** *w. 10;* **Wüs|ten|tier** *s. 1;* **Wüst|ling** *m. 1* ausschweifend lebender Mensch; **Wüs|tung** *w. 10* verlassene Siedlung, aufgegebene Ackerflur; *Bgb.:* verlassene Lagerstätte
Wut *m. Gen. - nur Ez.;* **Wut|aus|bruch** *m. 2;* **wü|ten** *intr. 2;* **wut|ent|brannt; Wü|te|rich** *m. 1;* **...wü|tig** *in Zus.,* z. B. blindwütig, lesewütig; **wut|schäu|mend**
wut|schen *intr. 1* sich schnell, entfernen; aus dem Zimmer w.
wut|schnau|bend
WV *Abk. für* West Virginia
Wwe. *Abk. für* Witwe
WWF *m. nur Ez., Abk. für* World Wild Fund for Nature: Intern. Naturschutzorganisation
WY *Abk. für* Wyoming
Wy|an|dot [waɪəndɔt] *m. 9 oder Gen. - Mz. -* Angehöriger eines nordamerik. Indianerstammes, Hurone; **Wy|an|dot|te** [waɪəndɔt] *s. 9 oder w. 11* eine Haushuhnrasse
Wyk auf Föhr
Wy|o|ming [waɪoʊmiŋ] (*Abk.:* WY) Staat der USA
Ⓦ *Zeichen für* Warenzeichen

X

x *Math.:* unbekannte Größe; *auch allg.:* sehr viele; ich bin in x Geschäften gewesen
X 1 *röm. Zahlzeichen für* 10; **2** *ugs. Bez. für:* jmd., dessen Namen man nicht kennt oder nicht nennen möchte; Herr X; **3** jmdm. ein X für ein U vormachen: jmdn. täuschen, *eigtl.:* aus dem röm. Zahlzeichen V (= 5) ein X (= 10) machen
x-Ach|se *w. 11* = Abszissenachse
Xan|thin *s. 1 nur Ez.* ein dem Koffein nah verwandtes Alkaloid
Xan|thip|pe [nach der Frau des Sokrates] *w. 11* zänkische Frau
Xan|to|phyll [griech.] *s. 1 nur Ez.* gelber pflanzl. Farbstoff

> **x-/X-beinig, x-/X-förmig:** Man setzt einen Bindestrich in Zusammensetzungen mit Einzelbuchstaben (bzw. Abkürzungen oder Ziffern). Den Buchstaben schreibt man klein oder groß (= in der Form eines kleinen oder großen *x*): *ein x-/X-beiniger Mann; ein x-/X-förmiges Werkstück.* →§ 55 (2)

X-Bei|ne *s. 1 Mz.* vom Knie an abwärts leicht nach außen gerichtete Beine; **x-bei|nig** ► *auch:* **X-bei|nig**
x-be|lie|big; ein x-beliebiges Wort: irgendein Wort; jeder x-beliebige: jeder, irgendeiner
X-Chro|mo|som [-krɔ-, griech.] *s. 12* das weibl. Geschlecht festlegendes Chromosom
Xe *chem. Zeichen für* Xenon
XE *Abk. für* X-Einheit
X-Ein|heit *w. 10* (*Abk.:* XE) Maßeinheit für die Länge von Röntgenstrahlen
Xe|nie [-njə, griech.] *w. 11,* **Xe|ni|on** *s. Gen.* -s *Mz.* -ni|en **1** Gastgeschenk; **2** Sinnspruch; **3** kurzes Spottgedicht
Xe|no|kra|tie [griech.] *w. 11* Fremdherrschaft
Xe|non *s. Gen.* -s *nur Ez.* (*Zeichen:* Xe) chem. Element, ein Edelgas
Xe|res [xerεθ, *ugs.:* çerεs] *m. Gen.* - *nur Ez.* = Jerez
xe|ro..., **Xe|ro...,** [griech.] *in Zus.:* trocken, auf trockenem Wege; **Xe|ro|gra|phie** ► *auch:* **Xe|ro|gra|fie** *w. 11* ein Vervielfältigungsverfahren; **xe|ro|gra|phisch** ► *auch:* **xe|ro|gra|fisch; Xe|ro|ko|pie** *w. 11* mittels Xerographie hergestellte Kopie; **xe|ro|phil** die Trockenheit liebend (Pflanze); **Xe|ro|phi|lie** *w. 11 nur Ez.* Vorliebe für Trockenheit, für trockene Standorte; **Xer|oph|thal|mie** *auch:* **Xe|roph|thal|mie** *w. 11,* **Xer|oph|thal|mus** *auch:* **Xe|roph|thal|mus** *m. Gen.* - *Mz.* -men Austrocknung der Horn- und Bindehaut des Auges, Augendarre, Xerose; **Xe|ro|phyt** *m. 10* Trockenheit liebende Pflanze;
Xe|ro|se *w. 11* = Xerophthalmie; **xe|ro|therm** trocken-heiß (Klima); **xe|ro|tisch** *Med.:* eingetrocknet
x-fach vielfach
X-Ha|ken *m. 7* Aufhängehaken (für Bilder)
Xi *s. Gen.* -(s) *Mz.* -s (*Zeichen:* ξ, Ξ) griech. Buchstabe
x-mal viele Male, sehr oft
X-Strah|len *m. 12 Mz.* = Röntgenstrahlen
x-te; der, die, das x-te: der, die, das soundsovielte; zum x-ten Mal
xy|lo..., **Xy|lo...** [griech.] *in Zus.:* holz..., Holz...
Xy|lo|graph ► *auch:* **Xy|lo|graf** [griech.] *m. 10* Künstler des Holzschnitts; **Xy|lo|gra|phie** ► *auch:* **Xy|lo|gra|fie** *w. 11* **1** *nur Ez.* Holzschneidekunst; **2** Holzschnitt; **xy|lo|gra|phisch** ► *auch:* **xy|lo|gra|fisch; Xy|lol** *s. 1* ein aromat. Kohlenwasserstoff, Lösungsmittel; **Xy|lo|lith** *m. 1* Ⓦⓩ ein Kunststoff für Fußböden, Steinholz; **Xy|lo|me|ter** *s. 5* Gerät zum Messen des Rauminhalts unregelmäßig geformter Holzstücke durch Wasserverdrängung; **Xy|lo|phon** ► *auch:* **Xy|lo|fon** *s. 1* Musikinstrument, bei dem kleine, horizontal liegende Stäbe aus Metall (früher aus Holz) mit Holzhämmerchen angeschlagen werden; **Xy|lo|se** *w. 11 nur Ez.* Holzzucker

Y

y *Math.:* unbekannte Größe
Y 1 *chem. Zeichen für* Yttrium; **2** *ugs. Bez. für:* jmd., dessen Namen man nicht nennen möchte; Herr X und Frau Y
y-Ach|se *w. 11* = Ordinatenachse
Yạcht *w. 10* = Jacht
Yạk *m. 9* = Jak
Yạms|wur|zel *w. 11* = Jamswurzel
Yạng vgl. Jin und Jang
Yan|kee [jẹŋki, engl.] *m. 9 Spitzname für den* US-Amerikaner; **Yan|kee-doodle** [-du:dl] *m. Gen.* -(s) *nur Ez.* Marschlied aus der Zeit des amerikan. Unabhängigkeitskrieges
Ya̲rd [engl.] *s. 9, nach Zahlenangaben Mz. auch:* - (*Abk.:* Yd., *Mz.:* Yds.) *in angloamerikan. Ländern:* Längenmaß, 0,91 m
Yawl [jɔ̲l, engl.] *w. 9 oder w. 1* zweimastiges Sportsegelboot
Yb *chem. Zeichen für* Ytterbium
Y-Chro|mo|so̲m [krɔ-, griech.] *s. 12* das männliche Geschlecht festlegendes Chromosom
Yd., Yds. *Abk. für* Yard, Yards
Yel|low|stone-Na|ti|o|na̲l|park [jẹloʊstoʊn-] *m. Gen.* -s *nur Ez.* ein Naturschutzgebiet der USA (in den Rocky Mountains)
Ye̲|men *m. Gen.* -s = Jemen
Yẹn [jap.] *m. Gen.* -s *Mz.* - japanische Währungseinheit, 100 Sen
Ye̲|ti [nepales.] *m. 9* = Schneemensch
Ỵgg|dra|sil *ohne Artikel, germ. Myth.* Weltesche, immergrüner Baum am Mittelpunkt der Welt
Yịn und Yạng = Jin und Jang
Yip|pie [jịpi:, engl.] *m. Gen.* -s *Mz.* -s radikaler Hippie
Ylang-Ylang [i̲laŋ-, mal.] *s. 9* trop. Baum, aus dessen Blüten ätherisches Öl gewonnen wird
YMCA [waɪɛmsi:ɛ̲ɪ, engl.] *Abk. für* Young Men's Christian Association = CVJM
Yo̲|ga *m. Gen.* -(s) *nur Ez.* = Joga
Yo̲|gi *m. 9* = Jogi
Yo|him|bi̲n [afrik.-lat.] *s. Gen.* -s *nur Ez.* aus einem westafrik. Baum gewonnenes Aphrodisiakum
Yo̲|mud *m. Gen.* -(s) *Mz.* -s = Jomud
Yo-Yo̲ = Jo-Jo
Yo|se|mi|te-Na|ti|o|na̲l|park [joʊsẹmɪtɪ-] *m. Gen.* -s *nur Ez.* ein Naturschutzgebiet der USA (in Kalifornien)
Young|ster *auch:* **Youngs|ter** [jʌ̣ŋ-, engl.] *m. 5* **1** junger Sportler; **2** zweijähriges Rennpferd
Ỵp|si|lon [griech.] *s. 9* (*Zeichen:* y, Y) vorletzter Buchstabe des Alphabets
Y|sop [i̲-, hebr.-griech.] *m. 1* eine südeurop. Gewürzpflanze
Y|tong [i̲-, Kunstw.] *m. 9 nur Ez.* Ⓦⓩ ein Leichtbeton, Gasbeton
Yt|tẹr|bi|um [nach dem schwed. Ort Ytterby] *s. Gen.* -s *nur Ez.* (*Zeichen:* Yb) chem. Element; **Ỵt|tri|um** *auch:* **Ỵtt|ri|um** *s. Gen.* -s *nur Ez.* (*Zeichen:* Y) chem. Element
Yü̲|an, Jü̲an *m. Gen.* - *Mz.* - frühere chin. Währungseinheit
Yục|ca [indian.-span.] *w. 9* eine Zierpflanze, Palmlilie
Yu̲|ka|tan, *amtl. span.* Yucatán [-tạn] Halbinsel in Mittelamerika
Yu|kon [ju̲-] *m. Gen.* - Fluss in Kanada und den USA (Alaska)
Yụp|pie [auch: jạp-, engl.] karrierebewusster, gewandter junger Mensch mit gepflegtem, sportlichem Äußerem

Z

z *Math.:* (neben x und y) unbekannte Größe
Z. *Abk. für* Zeile
Za|ba|gli|o|ne [-bajonə], **Za|ba|i|o|ne** *w. 9* ital. Eier-Weinschaumcreme
zack!; Zäck|chen *s. 7;* **Za|cke** *w. 11,* Za|cken *m. 7;* **za|cken** *tr. 1* mit Zacken versehen; gezackter Rand; **Za|cken** *m. 7,* Za|cke *w. 11* du wirst dir keinen Z. abbrechen, *oder:* aus der Krone brechen *ugs.:* es wird dir nichts schaden; **Za|cken|firn** *m. 1* in Zackenform halb geschmolzene Schneedecke im Hochgebirge, Büßerschnee; **za|ckig; Za|ckig|keit** *w. 10 nur Ez.*
zag *poet.:* zaghaft, scheu; **zagen** *intr. 1;* mit Zittern und Zagen; **zag|haft; Zag|haf|tig|keit** *w. 10 nur Ez.;* **Zag|heit** *w. 10 nur Ez., poet.*
Za|greb *auch:* **Zag|reb** Hst. von Kroatien

> **Zähheit:** Bei der Endung *-heit* bleibt ein vorausgehendes *-h-* erhalten. Statt bisher Zäheit wird also *die Zähheit* geschrieben. Ebenso: *Rohheit.*

zäh; Zä|heit ►**Zäh|heit; zäh|flüs|sig; Zäh|flüs|sig|keit** *w. 10 nur Ez.;* **Zäh|heit** *w. 10 nur Ez.;* **Zä|hig|keit** *w. 10 nur Ez.*
Zahl *w. 10;* **zahl|bar; zähl|bar; Zahl|bar|keit** *w. 10 nur Ez.;* **Zähl|bar|keit** *w. 10 nur Ez.*
zäh|le|big; Zäh|le|big|keit *w. 10 nur Ez.*
zah|len *tr. 1;* **zäh|len** *tr. 1;* **Zah|len|ge|dächt|nis** *s. 1 nur Ez.;* **Zah|len|lot|te|rie** *w. 11;* **Zah|len|lot|to** *s. 9;* **Zah|len|rät|sel** *s. 5;* **Zah|len|the|o|rie** *w. 11;* **Zah|ler** *m. 5;* **Zäh|ler** *m. 5, bei Bruchzahlen:* Zahl über dem Bruchstrich; *Ggs.:* Nenner; **Zahl|form** *w. 10* = Numerus; **Zahl|gren|ze** *w. 11;* **Zahl|kar|te** *w. 11;* **Zahl|kell|ner** *m. 5;* **zahl|los; Zahl|meis|ter** *m. 5* **1** Kassenverwalter; **2** *früher Mil.:* Verwaltungsbeamter; **zahl|reich; Zähl|rohr** *s. 1* Gerät zum Nachweis radioaktiver Strahlung, Geigerzähler; **Zahl|schein** *m. 1* Formular für Bareinzahlungen; **Zahl|stel|le** *w. 11;* **Zahl|tag** *m. 1;* **Zah|lung** *w. 10;* **Zäh|lung** *w. 10;* **Zah|lungs|an|wei|sung** *w. 10;* **Zah|lungs|auf|for|de|rung** *w. 10;* **Zah|lungs|be|din|gung** *w. 10 meist Mz.;* **Zah|lungs|be|fehl** *m. 1;* **zah|lungs|fä|hig; Zah|lungs|fä|hig|keit** *w. 10 nur Ez.;* **Zah|lungs|mit|tel** *s. 5;* **zah|lungs|un|fä|hig; Zah|lungs|un|fä|hig|keit** *w. 10 nur Ez.;* **Zah|lungs|ver|kehr** *m. Gen.* -s *nur Ez.;* **Zähl|werk** *s. 1;* **Zahl|wort** *s. 4* eine Zahl bezeichnendes Wort, Numerale; **Zahl|zei|chen** *s. 7*

> **an Zahlungs statt:** Analog zu *an Eides statt* wird zukünftig *an Zahlungs statt* (bisher: an Zahlungs Statt) geschrieben.

zahm; zähm|bar; Zähm|bar|keit *w. 10 nur Ez.;* **zäh|men** *tr. 1;* **Zahm|heit** *w. 10 nur Ez.;* **Zäh|mung** *w. 10 nur Ez.*
Zahn *m. 2;* **Zahn|arzt** *m. 2;* **zahn|ärzt|lich; Zähn|chen** *s. 7;* **zäh|ne|flet|schend; Zäh|ne|klap|pern** *s. Gen.* -s *nur Ez.;* Heulen und Z.; **zäh|ne|knir|schend; zäh|neln** *tr. 1* = zähnen; ich zähnele, zähnle den Rand; **zah|nen** *intr. 1* Zähne bekommen; **zäh|nen,** zäh|neln *tr. 1* mit Zähnen, Zacken versehen; **Zahn|er|satz** *m. 2;* **Zahn|fäu|le** *w. 11 nur Ez.* Karies; **Zahn|heil|kun|de** *w. 11 nur Ez.* Odontologie; **Zahn|kli|nik** *w. 10;* **Zahn|laut** *m. 1* = Dental; **Zähn|lein** *s. 7, poet.;* **zahn|los; Zahn|lo|sig|keit** *w. 10 nur Ez.;* **Zahn|lü|cke** *w. 11;* **zahn|lü|ckig; Zahn|pfle|ge** *w. 11 nur Ez.;* **Zahn|rad** *s. 4;* **Zahn|stein** *m. 1 nur Ez.;* **Zahn|sto|cher** *m. 5;* **Zahn|tech|ni|ker** *m. 5;* **Zah|nung** *w. 10 nur Ez.;* **Zäh|nung** *w. 10;* **Zahn|wal** *m. 1*
Zäh|re *w. 11, veraltet:* Träne
Zain *m. 1* **1** Weidengerte; **2** Münzmetallbarren; **Zai|ne,** Zei|ne *w. 11, schweiz.:* Flechtwerk, Korb
Za|ire [sair] Staat in Zentralafrika; **Za|i|rer** *m. 5;* **za|i|risch**
Zam|ba [θam-, span.] *w. 9* weibl. Zambo; **Zam|bo** [θam-], Sam|bo *m. 9* Nachkomme eines schwarzen und eines indian. Elternteils
Zan|der *m. 5* ein Speisefisch
Zan|ge *w. 11; auch übertr. ugs.:* zanksüchtige Frau; **Zan|gen|ge|burt** *w. 10* Entbindung mit Hilfe der Geburtszange; **Zan|gen|griff** *m. 1* ein Griff beim Ringen
Zank *m. 2 nur Ez.;* **Zank|ap|fel** *m. 6;* **zan|ken** *tr. u. refl. 1;* **Zän|ker** *m. 5, veraltet;* **Zan|ke|rei** *w. 10;* **zän|kisch; Zank|sucht** *w. Gen. - nur Ez.;* **zank|süch|tig**
Zan|te|des|chia [-kja, nach dem ital. Botaniker Zantedeschi] *w. Gen. - Mz.* -chi|en [-kjən] ein Aronstabgewächs, Kalla
Zäpf|chen *s. 7;* **Zäpf|chen-R** ► *auch:* **Zäpf|chen-r** *s. Gen.* -(s) *Mz.* -(s) *Sprachwiss.:* mit dem Gaumenzäpfchen gebildeter r-Laut; **zap|fen** *tr. 1* durch ein Spundloch aus dem Fass entnehmen (Wein, Bier); **Zap|fen** *m. 7;* **Zap|fen|streich** *m. 1, Mil.:* Signal am Abend, bei dem die Soldaten wieder in der Kaserne sein müssen; **Zap|fer** *m. 5* Wirt, Küfer
za|po|nie|ren *tr. 3* mit Zaponlack überziehen; **Za|pon|lack** *m. 1 nur Ez.* farbloser Schutzlack für Metalle
zap|pe|lig, zapp|lig; **zap|peln** *intr. 1;* ich zappele, zapple
zap|pen [amerik.] *intr. 1* beim Fernsehen mit der Fernbedienung (rasch) die Kanäle wechseln
zap|pen|dus|ter *ugs.* **1** völlig dunkel; **2** *in der Wendung* und dann ist's z.: dann ist keine Aussicht, k. Hoffnung mehr
zapp|lig, zap|pe|lig
Zar [lat.] *m. 10, früher in Russland, Bulgarien, Serbien:* Titel des Herrschers; **Za|ren|reich** *s. 1;* **Za|ren|tum** *s. Gen.* -s *nur Ez.;* **Za|re|witsch** [russ.] *m. 1* Sohn des russ. Zaren, russ. Kronprinz; **Za|rew|na** *w. 9* Tochter des russ. Zaren
Zar|ge *w. 11* **1** Einfassung (von Türen, Fenstern); **2** Seitenwand (von Schachteln sowie Saiteninstrumenten); **3** Verstrebung zwischen Tisch- oder Stuhlbeinen

Za|rin *w. 10* weibl. Zar; Gemahlin des Zaren; **Za|ris|mus** *m. Gen. - nur Ez.* Zarenherrschaft; **za|ris|tisch; Za|ri|za** *w. Gen. - Mz.* -s *oder* -zen Gemahlin eines Zaren

> **zart besaitet/fühlend, zartblau:** Getrennt geschrieben wird das Adjektiv vom Verb/Partizip, wenn es in dieser Verbindung steigerbar oder erweiterbar ist: *Sie ist sehr zart besaitet.* →§34 E3 (3), §36 E1 (1.2)
> Dagegen wird *zartblau/zartrosa* zusammengeschrieben, weil der erste Bestandteil *(zart-)* der Zusammensetzung als bedeutungsverstärkendes Element (mit Reihenbildung) aufgefasst wird.

zart; zart|be|sai|tet ► **zart be|sai|tet** empfindsam; **Zär|te** *w. 11 nur Ez., veraltet:* Zartheit; **zär|teln** *intr. 1* zärtlich sein; **zart|füh|lend** ► **zart füh|lend; Zart|ge|fühl** *s. 1 nur Ez.; **Zart|heit*** *w. 10 nur Ez.;* **zärt|lich; Zärt|lich|keit** *w. 10;* **Zart|sinn** *m. 1 nur Ez.;* **zart|sin|nig**
Zä|si|um *fachsprachl.:* Cae|si|um *auch:* Cä|si|um [tsæ-, lat.] *s. Gen.* -s *nur Ez.* (*Zeichen:* Cs) chem. Element, ein Metall
Zas|ter [sanskr.-zig.] *m. 5 nur Ez., ugs.:* Geld
Zä|sur [lat.] *w. 10* Einschnitt, Ruhepunkt (im Vers, in der musikal. Tonfolge, in der geschichtl. Entwicklung)
Zau|ber *m. 5;* **Zau|be|rei** *w. 10;* **Zau|be|rer** *m. 5;* **Zau|ber|for|mel** *w. 11;* **zau|ber|haft; Zau|be|rin** *w. 10;* **zau|be|risch; Zau|ber|kraft** *w. 2;* **zau|ber|kräf|tig; Zau|ber|kreis** *m. 1;* **Zau|ber|kunst** *w. 2;* **Zau|ber|künst|ler** *m. 5;* **Zau|ber|kunst|stück** *s. 1;* **Zau|ber|macht** *w. 2;* **Zau|ber|mär|chen** *s. 7;* **zau|bern** *tr. u. intr. 1;* ich zaubere, zaubre; **Zau|ber|nuß** ► **Zau|ber|nuss** *w. 2* = Hamamelis; **Zau|ber|pos|se** *w. 11;* **Zau|ber|reich** *s. 1;* **Zau|ber|spruch** *m. 2;* **Zau|ber|stab** *m. 2;* **Zau|ber|trank** *m. 2;* **Zau|ber|wort** *s. 1*
Zau|de|rer, Zaud|rer *m. 5;* **zau|dern** *intr. 1;* ich zaudere, zaudre
Zaum *m. 2* Vorrichtung zum Lenken von Zug- und Reittieren; **zäu|men** *tr. 1* **1** ein Zugtier z.: einem Z. den Zaum anlegen; **2** Geflügel z.: *veraltet:* zum Essen herrichten; **Zaum|zeug** *s. 1* Zaum
Zaun *m. 2;* **Zäun|chen** *s. 7;* **zaun|dürr; Zaun|gast** *m. 2;* **Zaun|kö|nig** *m. 1* ein Singvogel; **Zaun|pfahl** *m. 2;* ein Wink mit dem Z.: indirekter, aber deutlicher Hinweis
zau|sen *tr. 1* leicht reißen, zupfen; **zau|sig** *österr.:* zerzaust, zerrauft (Haare)
Za|zi|ki, Tsa|tsi|ki [griech.] *m. 9 oder s. 9* Joghurt mit Knoblauch und Gurkenstückchen
z. B. *Abk. für* zum Beispiel
z. b. V. *Abk. für* zur besonderen Verwendung
z. D. *Abk. für* zur →Disposition
ZDF *Abk. für* Zweites Deutsches Fernsehen
Ze|ba|ot, Ze|ba|oth [hebr.] der Herr Z. *im AT Bez. für* Gott
Ze|bra *auch:* **Zeb|ra** [afrik.] *s. 9* südafrik. Wildpferd mit schwarz-weiß gestreiftem Fell; **Ze|bra|holz** *auch:* **Zeb|ra|holz** *s. 4,* **Ze|bra|no** *auch:* **Zeb|ra|no** *s. 9 nur Ez.* trop. Holz mit dunkler Maserung auf hellem Grund; **Ze|bra|strei|fen** *auch:* **Zeb|ra|strei|fen** *m. 7* mit weißen Streifen markierter Übergang auf der Fahrbahn, auf dem Fußgänger den Vorrang vor Fahrzeugen haben; **Ze|bro|id** *auch:* **Zeb|ro|id** *s. 1* Kreuzung zwischen Zebra und Pferd bzw. Esel
Ze|bu *s. 9* ein Hausrind, Buckelrind
Zech|bru|der *m. 5;* **Ze|che** *w. 11* **1** Rechnung über verzehrte Speisen und Getränke im Gasthaus; die Z. prellen: sie nicht bezahlen; die Z. bezahlen *übertr. ugs.:* für den Schaden aufkommen; **2** Bergwerk; **ze|chen** *intr. 1* viel Alkohol trinken; **Ze|cher** *m. 5;* **Ze|che|rei** *w. 10;* **Zech|ge|la|ge** *s. 5*
Ze|chi|ne [arab.-ital.] *w. 11* alte venezian. Geldmünze, dem Dukaten entsprechend
Zech|kum|pan *m. 1;* **Zech|prel|ler** *m. 5;* **Zech|prel|le|rei** *w. 10 nur Ez.*
Zech|stein *m. 1 nur Ez.* obere Abteilung des Perms
Zeck 1 *s. Gen.* -s *nur Ez.* Haschen; Zeck spielen; **2** *m. 1, bayr., österr. für* Zecke
Ze|cke *w. 11* eine Milbe
ze|cken *tr. 1, mitteldt.:* necken, ärgern
Ze|dent [zu: zedieren] *m. 10* Gläubiger, der seine Forderung an einen Dritten abtritt
Ze|der [hebr.-griech.] *w. 11* ein Nadelbaum; **ze|dern** aus Zedernholz; **Ze|dern|holz** *s. 4 nur Ez.*
ze|die|ren [lat.] *tr. 3* abtreten (Anspruch, Forderung)
Ze|dre|la|holz *auch:* **Zed|re|la-** [griech.] *s. 4 nur Ez.* rotes, leichtes Holz der Zedrele (für Zigarrenkisten u. Ä.); **Ze|dre|le** *auch:* **Zed|re|le** *w. 11* ein mittelamerik. Baum
Zee|se *w. 11, in der Ostseefischerei:* ein Schleppnetz
Zeh *m. 12, Nebenform von* Zehe; **Ze|he** *w. 11;* große, kleine Zehe; **Ze|hen|gän|ger** *m. 5* Säugetier, das beim Gehen nur mit den Zehen auftritt; *Ggs.:* Sohlengänger; **Ze|hen|spit|ze** *w. 11;* auf Zehenspitzen gehen *übertr.:* sehr leise gehen; **Ze|hen|stand** *m. 2 nur Ez.*
Ze|hent *m. 10* = Zehnt
zehn 10; vgl. acht; wir sind zu zehnt; die Zehn Gebote; **Zehn** *w. 10* die Zahl 10; vgl. Acht; **Zeh|ner** *m. 5* **1** *bei mehrstelligen Zahlen:* die zweite Zahl von rechts bzw. vor dem Komma; **2** *ugs.:* Zehnpfennigstück, Zehnmarkschein; **Zehn|finger-Blind|schrei|be|me|tho|de** *w. 11 nur Ez.,* **Zehn|fin|ger|sys|tem** *s. 1 nur Ez.* Maschinenschreibmethode; **Zehn|flach** *s. 1,* **Zehn|fläch|ner** *m. 5* = Dekaeder; **Zehn|jah|res|fei|er, Zehn|jahr|fei|er** *w. 11;* **Zehn|kampf** *m. 2 nur Ez.* aus zehn Einzeldisziplinen bestehender Wettkampf in der Leichtathletik; **Zehn|klas|sen|schu|le** *w. 11;* **Zehn|mark|schein** *m. 1;* **Zehn|me|ter|brett,** 10-Meter-Brett *s. 3;* **Zehn|pfen|nig|stück** *s. 1*
Zehnt *m. 10,* Zehn|te *m. 18,* **Ze|hent** *m. 10, MA:* Abgabe (urspr. des zehnten Teils des Ertrages) an Grundherrn oder Kirche; **zehn|tau|send** [auch: -tau-] 10000; die oberen Zehntausend: die Oberschicht einer Gesellschaft; **Zehn|tel** *s. 5* vgl. Achtel; **Zehn|tel|se|kun|de** *w. 11*
zeh|ren *intr. 1;* von etwas z.; **Zehr|geld** *s. 3;* **Zehr|pfen|nig**

m. 1, veraltet: Geld für unterwegs
Zei|chen *s. 7;* **Zei|chen|block** *m. 2;* **Zei|chen|brett** *s. 3;* **Zei|chen|fe|der** *w. 11;* **Zei|chen|kunst** *w. 2;* **Zei|chen|pa|pier** *s. 1;* **Zei|chen|schutz** *m. Gen.* -es *nur Ez.* Schutz für Warenzeichen; **Zei|chen|set|zung** *w. 10 nur Ez.* = Interpunktion; **Zei|chen|spra|che** *w. 11;* **Zei|chen|trick|film** *m. 1;* **zeich|nen** *tr. 2; auch:* sich durch Unterschrift zur Zahlung oder Übernahme verpflichten; hundert Mark, eine Anleihe z.; **Zeich|ner** *m. 5;* **zeich|ne|risch; Zeich|nung** *w. 10*
Zei|del|bär *m. 10* Honig schleckender Bär; **zei|deln** *tr. 1, veraltet:* aus dem Bienenstock ausschneiden (Honigwabe); **Zeid|ler** *m. 5, veraltet:* Bienenzüchter; **Zeid|le|rei** *w. 10 nur Ez., veraltet:* Bienenzucht
Zei|ge|fin|ger *m. 5;* **zei|gen** *tr. 1;* **Zei|ger** *m. 5;* **Zei|ge|stock** *m. 2;* **Zeig|fin|ger** *m. 5, schweiz. für* Zeigefinger
zei|hen *tr. 186;* jmdn. (eines Vergehens o. Ä.) z.: jmdn. beschuldigen
Zei|le *w. 11* (*Abk.:* Z.); **Zei|len|ab|stand** *m. 2;* **Zei|len|sprung** *m. 2* = Enjambement; **zei|len|wei|se; ...zei|ler** *m. 5, in Zus.:* Gedicht mit einer bestimmten Anzahl von Zeilen, z. B. Zwei-, Vierzeiler; **...zei|lig** *in Zus.,* z. B. zwei-, mehr-, eng-, weit-, halbzeilig
Ze|in [lat.] *s. 1 nur Ez.* ein Eiweiß im Maiskorn
Zei|ne *w. 11* = Zaine
Zei|sel|bär *m. 10* Tanzbär
Zei|sig *m. 1* ein Singvogel
Zei|sing *s. 1* = Seising
zeit während, *nur in den Wendungen:* zeit meines, seines, ihres Lebens; **Zeit** *w. 10;* Zeit haben; keine, viel, wenig Zeit haben; Zeit rauben, sparen, vergeuden; einige Zeit, eine Zeit lang; auf Zeit (*Abk.:* a. Z.): für eine bestimmte Dauer; von Zeit zu Zeit; vor, nach, seit einiger Zeit; zur Zeit (*Abk.:* z. Z., *oder:* z. Zt.); zu der Zeit, als...; zu meiner Zeit: als ich jung war; zur Zeit, *oder:* zu Zeiten Kaiser Karls; *aber:* → zurzeit, → zuzeiten; zu jeder Zeit; *aber:* → jederzeit; welche Zeit ist es?: wie spät ist es?; **Zeit|ab|schnitt** *m. 1;* **Zeit|al|ter** *s. 5;* **Zeit|an|sa|ge** *w. 11;* **Zeit|auf|wand** *m. Gen.* -(e)s *nur Ez.* **Zeit|druck** *m. 1 nur Ez.;* in Z. sein; **Zei|ten|fol|ge** *w. 11 nur Ez.* = Consecutio temporum; vgl. Vor-, Nachzeitigkeit; **Zei|ten|wen|de,** Zeit|wen|de *w. 11 nur Ez.* das Jahr Null; vor, nach der Z.: vor, nach Christi Geburt; **Zeit|form** *w. 10* = Tempus; **Zeit|fra|ge** *w. 11 nur Ez.;* **zeit|ge|bun|den;** *aber:* an eine bestimmte, an keine Zeit gebunden; **Zeit|ge|fühl** *s. 1 nur Ez.;* **Zeit|geist** *m. 3 nur Ez.;* **zeit|ge|mäß; Zeit|ge|nos|se** *m. 11;* **zeit|ge|nös|sisch** in der Zeit sich abspielend, aus der Zeit stammend, von der eben gesprochen wird; **Zeit|ge|schich|te** *w. 11 nur Ez.* Geschichte der Gegenwart und jüngsten Vergangenheit; **zeit|ge|schicht|lich; Zeit|ge|winn** *m. 1 nur Ez.;* **zeit|gleich** = synchron; **Zeit|glei|chung** *w. 10* Unterschied zwischen wahrer und mittlerer Sonnenzeit eines Ortes
zei|tig früh, frühzeitig; **zei|ti|gen** *tr. 1* hervorbringen, nach sich ziehen; gute Wirkung, üble Folgen zeitigen
Zeit|kar|te *w. 11;* **Zeit|kri|tik** *w. 10 nur Ez.;* **zeit|kri|tisch; Zeit|lang** ▶ **Zeit lang** *m. Gen.* - *nur Ez.* **1** eine Zeit lang; eine kurze Zeit lang, einige Zeit lang; **2** *bayr.:* Sehnsucht; Z. nach jmdm. haben; vgl. Langezeit; **Zeit|lauf** *m. Gen.* -(e)s *Mz.* -läuf|te; in unseren heutigen Zeitläuften; **zeit|le|bens** *aber:* zeit meines Lebens; **zeit|lich 1** die Zeit betreffend; **2** irdisch, vergänglich; das Zeitliche segnen: sterben; **3** *österr. auch für* zeitig; **Zeit|lich|keit** *w. 10 nur Ez.;* **Zeit|lohn** *m. 2* nach einer bestimmten Arbeitszeit festgesetzter Lohn, z. B. Stunden-, Wochenlohn; vgl. Leistungs-, Stücklohn; **zeit|los; Zeit|lo|se** *w. 11* = Herbstzeitlose; **Zeit|lo|sig|keit** *w. 10 nur Ez.;* **Zeit|lu|pe** *w. 11 nur Ez.; Ggs.:* Zeitraffer; im Zeitlupentempo: sehr langsam; **zeit|nah; Zeit|nä|he** *w. 11 nur Ez.;* **Zeit|raf|fer** *m. 5; Ggs.:* Zeitlupe; **zeit|rau|bend** ▶ **Zeit rau|bend; Zeit|raum** *m. 2;* **Zeit|rech|nung** *w. 10;* vor unserer Z. (*Abk.:* v. u. Z.): vor Christi Geburt; unserer Z. (*Abk.:* u. Z.),

> **zeitlebens/zeit seines Lebens, zur Zeit/zurzeit, zu Zeiten/zuzeiten:** Mehrteilige Adverbien, deren Wortform oder Bedeutung der einzelnen Bestandteile nicht mehr deutlich erkennbar sind, schreibt man zusammen: *Zeitlebens hat er versucht, ...* → § 39 (1) Wird das Gefüge hingegen erweitert, schreibt man getrennt: *zeit seines Lebens.* Ebenso: *(eine) Zeit lang.* → § 39 E2 (1).
> Fügungen in präpositionaler Verwendung schreibt man ebenfalls getrennt: *zur Zeit/zu Zeiten Goethes.* [→ § 39 E2 (2.3)]. Ansonsten wird das Gefüge, wenn Wortart, Wortform oder die Bedeutung der einzelnen Bestandteile nicht mehr deutlich erkennbar sind, zusammengeschrieben: *zurzeit* (wie: *derzeit, jederzeit, seinerzeit*) bzw. *zuzeiten* (wie: *beizeiten, vorzeiten*). [→ § 39 (1)]. Dem/der Schreibenden bleibt die Entscheidung überlassen.

nach unserer Z. (*Abk.:* n. u. Z.): nach Christi Geburt; **Zeit|rei|hen|a|na|ly|se** *w. 11* statistische Zerlegung einer Reihe zeitl. aufeinander folgender Werte in ihre Komponenten; **Zeit|schrift** *w. 10;* **Zeit|schrif|ten|auf|satz** *m. 2;* **Zeit|sinn** *m. 1 nur Ez.;* keinen Z. haben; **Zeit|span|ne** *w. 11;* **zeit|spa|rend** ▶ **Zeit spa|rend**
Zei|tung *w. 10;* **Zei|tungs|an|zei|ge** *w. 11;* **Zei|tungs|ar|ti|kel** *m. 5;* **Zei|tungs|aus|schnitt** *m. 1;* **Zei|tungs|aus|trä|ger** *m. 5;* **Zei|tungs|en|te** *w. 11, ugs.:* falsche Zeitungsmeldung; **Zei|tungs|ki|osk** *m. 1;* **Zei|tungs|le|ser** *m. 5;* **Zei|tungs|pa|pier** *s. 1 nur Ez.;* **Zei|tungs|ro|man** *m. 1;* **Zei|tungs|trä|ger** *m. 5;* **Zei|tungs|wis|sen|schaft** *w. 10 nur Ez.* Journalistik; **Zei|tungs|wis|sen|schaft|ler** *m. 5*
Zeit|ver|treib *m. 1;* **zeit|wei|lig; zeit|wei|se; Zeit|wen|de** *w. 11 nur Ez.* = Zeitenwende; **Zeit|wert** *m. 1* Wert eines Gegenstandes zu einem bestimmten Zeitpunkt, im Unterschied zum Neuwert; **Zeit|wort** *s. 4* = Verb; **zeit|wört|lich; Zeit|zei|chen** *s. 7* Morsezeichen bei der Zeitansage; **Zeit-Zo|nen-Ta|rif**

▶ = wird zu

m. 1 ein Fernsprechtarif; **Zeit|zün|der** *m. 5*
Ze|le|brant [lat.] *m. 10* die Messe lesender Priester; **Ze|le|bra|ti|on** *w. 10* Feier (des Messopfers); **ze|le|brie|ren** *tr. 3* feiern; die Messe z.: die Messe lesen; **Ze|le|bri|tät** *w. 10* **1** *nur Ez.*
Zel|le *w. 11;* **Zel|len|leh|re** *w. 11* Zytologie; **Zel|len|schmelz** *m. 1* = Cloisonné; **Zell|ge|we|be** *s. 5;* **...zel|lig** *in Zus.*, z. B. einzellig, vielzellig; **Zell|kern** *m. 1*
Zel|lo|phan *s. 1 nur Ez.* = Cel|lo|phan; **Zell|stoff** *m. 1 nur Ez.;* **zel|lu|lar, zel|lu|lär** aus Zellen bestehend, zur Zelle, zu den Zellen gehörig; **Zel|lu|lar|the|ra|pie** *w. 11 nur Ez.* = Frischzellentherapie; **Zel|lu|loid** *fachsprachl.:* Cel|lu|loid *s. 1 nur Ez.* ein Kunststoff; **Zel|lu|lo|se** *fachsprachl.:* Cel|lu|lo|se *w. 11* ein hochmolekulares pflanzl. Kohlenhydrat; **Zell|wol|le** *w. 11 nur Ez.* eine Kunstfaser
Ze|lot [griech.] *m. 10* Glaubenseiferer, Fanatiker; **ze|lo|tisch;** **Ze|lo|tis|mus** *m. Gen.- nur Ez.*
Zelt *s. 1;* **Zelt|bahn** *w. 10;* **Zelt|blatt** *s. 4, österr. für* Zeltbahn; **Zelt|dach** *s. 4;* **zel|ten** *intr. 2*
Zel|ten *m. 7,* Zel|te *w. 11, bayr., österr., schweiz.:* kleiner, flacher Kuchen, Lebzelten
Zel|ter *m. 5, früher:* auf Passgang abgerichtetes Reitpferd, bes. für Damen
Zelt|la|ger *s. 5;* **Zelt|pla|ne** *w. 11;* **Zelt|platz** *m. 2*
Ze|ment [lat.] *m. 1 nur Ez.* **1** ein abbindender Baustoff; **2** Hartsubstanz des Zahnes, Zahnkitt; **3** Masse für Zahnfüllungen; **Ze|men|ta|ti|on** *w. 10 nur Ez.* **1** Ausgießung mit Zement; **2** Anreicherung von Kohlenstoff in Stahloberflächen (zur späteren Härtung); **3** Metallabscheidung aus Lösung durch Zugabe eines leichter oxidierbaren Metalls; **ze|men|tie|ren** *tr. 3;* **Ze|men|tie|rung** *w. 10*
Zen [sanskr.] *s. Gen. - nur Ez.*, **Zen-Bud|dhis|mus** *Nv.* ► **Zen|bud|dhis|mus** *Hv. m. Gen. - nur Ez.* japan. Form des Buddhismus
Ze|nit [arab.] *m. 1* **1** senkrecht über dem Beobachter liegender Punkt des Himmelsgewölbes, Scheitelpunkt; **2** *übertr.:* Höhepunkt
Ze|no|taph [griech.], Ke|no|taph *s. 1* leeres Grabmal zum Gedenken an einen woanders bestatteten Toten
zen|sie|ren [lat.] *tr. 3* **1** bewerten, mit einer Note versehen (Schularbeit); **2** der Zensur unterziehen (Film, Buch, Brief); **Zen|sor** *m. 13* **1** *im alten Rom:* mit dem Zensus (und zugleich sittenrichterlichen Aufgaben) betrauter Beamter; **2** *heute:* Prüfer (von Filmen, Briefen, Druckwerken u. a.); **Zen|sur** *w. 10* **1** *nur Ez., im alten Rom:* Amt des Zensors; **2** Prüfung (von Filmen, Briefen, Büchern u. a.); **3** Bewertungsnote, Schulnote; **zen|su|rie|ren** *tr. 3, schweiz., österr. für* zensieren (**2**); **Zen|sus** *m. Gen. - Mz. -* **1** *im alten Rom:* Schätzung des Vermögens der Bürger; **2** *heute:* statist. Erfassung, (Volks-)Zählung
Zent [lat.] *w. 10* **1** Hundertschaft; **2** *im fränk. Reich:* Gerichtsbezirk
Zen|taur [griech.], Ken|taur *m. 10, griech. Myth.:* Fabelwesen mit Menschenkopf und -brust und Pferdeleib
Zen|te|nar [lat.] *m. 1* hundert Jahre alter Mensch; **Zen|te|nar|fei|er** *w. 11;* **Zen|te|na|ri|um** *s. Gen.* -s *Mz.* -ri|en = Hundertjahrfeier
zen|tern [lat.] *tr. 1, österr., Fußball;* den Ball z.: zur Mitte spielen
zen|te|si|mal [lat.] hundertteilig; **Zen|te|si|mal|waa|ge** *w. 11* Waage, bei der ein Gewicht der hundertfachen Last das Gleichgewicht hält
Zent|ge|richt *s. 1* Gericht der Zent (**2**); **Zent|graf** *m. 10* Vorsteher der Zent (**2**)
zen|ti..., Zen|ti... [lat.] *vor Maßeinheiten:* ein Hundertstel, z. B. Zentimeter
Zen|ti|fo|lie [-ljə, lat.] *w. 11* stark gefüllte Rosenart; **Zen|ti|grad** [auch: tsɛn-] *m. 1, nach Zahlenangaben Mz. -* 1/100 Grad; **Zen|ti|gramm** [auch: tsɛn-] *s. Gen.* -s *Mz. -* (*Abk.:* cg) 1/100 g; **Zen|ti|li|ter** [auch: tsɛn-] *s. 5 oder m. 5* (*Abk.:* cl) 1/100 Liter; **Zen|ti|me|ter** [auch: tsɛn-] *s. 5, ugs.: m. 5* (*Abk.:* cm) 1/100 Meter; **Zen|ti|me|ter|maß** *s. 1*
Zent|ner [lat.] *m. 5* (*Abk.:* Ztr.) Maßeinheit, 100 Pfund = 50 kg; *in Österreich und der Schweiz* auch 100 kg (Doppelzentner); **Zent|ner|ge|wicht** *s. 1;* **Zent|ner|last** *w. 10;* **zent|ner|schwer; zent|ner|wei|se**
zen|tral [lat.] **1** im Mittelpunkt (liegend, stehend); das Haus liegt zentral: in der Mitte der Stadt; **2** *übertr.:* wichtigst; das zentrale Problem ist folgendes

> **zentral-, zentri-, zentru-** (Worttrennung): Neben der Trennungsmöglichkeit *zen|tral-, zen|tri-, zen|tru-* kann auch so abgetrennt werden: *zent|ral-, zent|ri-, zent|ru-.* → § 108

zen|tral..., Zen|tral... [lat.] *in Zus.:* mittel..., Mittel..., vom Mittelpunkt, von einer einzigen Stelle aus gesteuert
Zen|tral|af|ri|ka *auch:* **Zen|tral|af|ri|ka; zen|tral|af|ri|ka|nisch** *auch:* **-af|ri|ka|nisch;** *aber:* Zentralafrikanische Republik; **Zen|tral|ame|ri|ka; zen|tral|ame|ri|ka|nisch; Zen|tral|asi|en; zen|tral|asi|a|tisch; Zen|tra|le** *w. 11;* **1** Mittel-, Ausgangspunkt; **2** Hauptgeschäft; **3** Stelle, an der mehrere Arbeitsgänge zusammenlaufen; **4** *in Betrieben, Büros usw.:* Fernsprechvermittlungsstelle; **Zen|tral|ge|walt** *w. 10, in Bundesstaaten:* oberste Gewalt; **Zen|tral|hei|zung** *w. 10;* **Zen|tra|li|sa|ti|on** *w. 10 nur Ez.* **1** Vereinigung in einem Mittelpunkt; **2** Übertragung der Leitung an eine einzige Stelle; Leitung von einer einzigen Stelle aus; **zen|tra|li|sie|ren** *tr. 3* **1** in einem Punkt, im Mittelpunkt vereinigen; **2** von einer einzigen Stelle aus steuern, leiten lassen; **Zen|tra|li|sie|rung** *w. 10 nur Ez.;* **Zen|tra|lis|mus** *m. Gen. - nur Ez.* Streben nach Einheitlichkeit, nach einheitl. Leitung (des Staates, der Verwaltung); **zen|tra|lis|tisch; Zen|tral|ko|mi|tee** *s. 9* (*Abk.:* ZK) *in kommunist. und manchen sozialist. Parteien:* oberstes leitendes Organ; **Zen|tral|kraft** *w. 2* Kraft, die nach dem Mittelpunkt hin gerichtet ist; **Zen|tral|ner|ven|sys|tem** *s. 1 nur Ez.* Gehirn und Rückenmark; **zen|trie|ren** *tr. 3* auf die Mitte hin richten, einstellen; **zen|tri|fu|gal** vom Mittelpunkt wegstrebend; **Zen|tri|fu|gal|kraft** *w. 2* bei drehender Bewegung

nach außen wirkende Kraft, Fliehkraft; *Ggs.:* Zentripetalkraft; **Zen|tri|fu|ge** *w. 11* sich drehendes Gerät zum Trennen von Stoffen (bes. Flüssigkeiten) verschiedenen spezif. Gewichts; **zen|tri|fu|gie|ren** *tr. 3* mittels Zentrifuge trennen; **zen|tri|pe|tal** zum Mittelpunkt strebend; **Zen|tri|pe|tal|kraft** *w. 2* bei drehender Bewegung auf den Mittelpunkt zu wirkende Kraft; *Ggs.:* Zentrifugalkraft; **zen|trisch** im Mittelpunkt (gelegen), zum Mittelpunkt hin (strebend); **Zen|tri|win|kel** *m. 5* Winkel zwischen zwei Kreisradien; **Zen|trum** *s. Gen.* -s *Mz.* -tren **1** Mitte, Mittelpunkt; **2** *kurz für* Zentrumspartei; **3** Innenstadt; **Zen|trums|par|tei** *w. 10 nur Ez.* 1870–1933 und 1945–1957 polit. kath. Partei (nach ihren mittleren Sitzen im Parlament)

Zen|tu|rie, Cen|tu|rie [-riə, lat.] *w. 11, im alten Rom:* Heeresabteilung von 100 Mann, Hundertschaft; **Zen|tu|rio** *m. Gen.* -s *Mz.* -ri|o|nen Anführer einer Zenturie; **Zen|tu|ri|um** *s. Gen.* -s *nur Ez., früher Bez. für* Fermium

Ze|o|lith [griech.] *m. 1, Sammelbez. für* eine Gruppe von Mineralien

Ze|pha|lo|po|de *m. 11* = Kopffüßer

Ze|phir ▶ *auch:* **Ze|phyr** [griech.] **1** *m. Gen.* -s *nur Ez., im Altertum:* warmer Westwind; *poet. veraltet:* milder Wind; **2** *m. 1, österr. Mz.* -phi|re ein feines Baumwollgewebe; **Ze|phir|wol|le** ▶ *auch:* **Ze|phyr|wol|le** *w. 11* weiches, lockeres Wollgarn; **Ze|phyr** = Zephir

Zep|pe|lin [nach dem Erfinder, Ferdinand Graf von Z.] *m. 1* mit Gas gefülltes Luftschiff

> **Zepter/Szepter:** Die integrierte (eingedeutschte) Schreibweise *(das Zepter)* ist die Hauptvariante; in Österreich wird die alte Form *(das Szepter)* bevorzugt.

Zep|ter [griech.] *österr.:* **Szep|ter** *s. 5* Herrscherstab, Sinnbild der Macht; das Z. führen, schwingen *übertr.:* bestimmen, befehlen

Zer *s. Gen.* -s *nur Ez., eindeutschende Schreibung von* Cer

Ze|rat [lat.] *s. 1* mit Wachs zubereitete Salbe

zer|bei|ßen *tr. 8*

zer|bers|ten *intr. 10*

Zer|be|rus ▶ *auch:* **Cer|be|rus** [nach Kerberos, dem Hund der griech. Sage, der den Eingang zur Unterwelt bewacht] *m. Gen.* - *Mz.* -rus|se, *scherzh.:* grimmiger Wächter

zer|bom|ben *tr. 1*

zer|bre|chen *tr. u. intr. 19;* **zer|brech|lich; Zer|brech|lich|keit** *w. 10 nur Ez.*

zer|brö|ckeln *tr. u. intr. 1;* ich zerbröckele, zerbröckle es

zer|drü|cken *tr. 1*

Ze|re|a|li|en [nach der röm. Göttin Ceres] *Mz.* Feldfrüchte, *bes.:* Getreide; vgl. Cerealien

ze|re|bel|lar [lat.] zum Zerebellum gehörend, von ihm ausgehend; **Ze|re|bel|lum** *s. Gen.* -s *Mz.* -la, *eindeutschende Schreibung von* Cerebellum; **ze|re|bral** zum Zerebrum gehörend, von ihm ausgehend; **Ze|re|bral** *m. 1,* **Ze|re|bral|laut** *m. 1* mit der Zungenspitze am Gaumen gebildeter Laut, Kakuminal(laut); **ze|re|bro|spi|nal** zum Gehirn und Rückenmark gehörend, von ihnen ausgehend; **Ze|re|brum** *s. Gen.* -s *Mz.* -bra, *eindeutschende Schreibung von* Cerebrum

Ze|re|mo|nie [auch, österr. nur: -monjə, lat.] *w. 11* feierliche, an bestimmte Regeln gebundene Handlung; **ze|re|mo|ni|ell** in der Art einer, nach einer bestimmten Zeremonie verlaufend, förmlich; **Ze|re|mo|ni|ell** *s. 1* Gesamtheit der Zeremonien bei bestimmten Anlässen; **Ze|re|mo|ni|en|meis|ter** *m. 5, früher an Fürstenhöfen:* der für die Einhaltung des Hofzeremoniells verantwortliche Beamte; **ze|re|mo|ni|ös** förmlich, gemessen, steif

Ze|re|sin [lat.] *s. 1 nur Ez.* Erdwachs

Ze|re|vis [-vis, lat.] *s. Gen.* - *Mz.* - bestickte, schirmlose Mütze der Verbindungsstudenten

zer|fah|ren *übertr.:* gedankenlos, unkonzentriert; **Zer|fah|ren|heit** *w. 10 nur Ez.*

Zer|fall *m. Gen.* -s *nur Ez.;* **zer|fal|len** *intr. 33;* mit sich und der Welt z. sein: niedergeschlagen sein, Weltschmerz haben; **Zer|falls|pro|dukt** *s. 1*

zer|fet|zen *tr. 1*

zer|fled|dert, zer|fle|dert zerlesen, abgenutzt (Zeitung, Buch, *auch:* Brieftasche)

zer|flei|schen *tr. 1;* **Zer|flei|schung** *w. 10 nur Ez.*

zer|flie|ßen *intr. 40*

zer|fres|sen *tr. 41*

zer|furcht; zerfurchte Stirn

zer|ge|hen *intr. 47*

zer|gen *tr. 1, nordostdt.:* necken, ärgern

zer|glie|dern *tr. 1;* ich zergliedere, zergliedre es; **Zer|glie|de|rung** *w. 10 nur Ez.*

zer|ha|cken *tr. 1*

zer|hau|en *tr. 63*

Ze|ri|um *s. Gen.* -s *nur Ez.* = Cer

zer|kau|en *tr. 1*

zer|klei|nern *tr. 1;* ich zerkleinere, zerkleinre es; **Zer|klei|ne|rung** *w. 10 nur Ez.*

zer|klüf|tet vielfach gespalten, geborsten, von Spalten durchzogen (Gestein)

zer|knal|len 1 *intr. 1* mit Knall zerplatzen; **2** *tr. 1, ugs.:* zerbrechen

zer|knaut|schen *tr. 1, ugs.:* zerdrücken, zerknittern

zer|knirscht reuig, schuldbewusst; **Zer|knirscht|heit** *w. 10 nur Ez.;* **Zer|knir|schung** *w. 10 nur Ez.*

zer|knit|tern *tr. 1*

zer|knül|len *tr. 1*

zer|ko|chen *tr. u. intr. 1*

zer|krat|zen *tr. 1*

zer|krü|meln *tr. 1;* ich zerkrümele, zerkrümle es

zer|las|sen *tr. 75* zergehen lassen, flüssig werd. lassen (Fett)

zer|lau|fen *intr. 76*

zer|leg|bar; zer|le|gen *tr. 1;* **Zer|le|gung** *w. 10 nur Ez.*

zer|le|sen durch häufiges Lesen abgenutzt (Buch, Zeitschrift)

zer|lumpt

zer|mah|len *tr.,* zermahlte, zermahlen

zer|mal|men *tr. 1*

zer|mar|tern *tr. 1, nur in den Wendungen* sich den Kopf, das Hirn z.: angestrengt (aber vergeblich) grübeln, nachdenken

zer|mür|ben *tr. 1*

zer|na|gen *tr. 1*

zer|nich|ten *tr. 2, poet. veraltet:* vernichten

Ze|ro [zero, arab.] *w. 9 oder s. 9* **1** Null; **2** *Roulette:* Gewinnfeld des Bankhalters

Ze|ro|graph ► *auch:* **Ze|ro|graf** [griech.] *m. 10;* **Ze|ro|gra|phie** ► *auch:* **Ze|ro|gra|fie** *w. 11* Wachsgravierung; **Ze|ro|plas|tik,** Ke|ro|plas|tik *w. 10* **1** *nur Ez.* Wachsbildnerei; **2** Wachsbildwerk, Wachsmodell (für Bronzeguss)
zer|pflü|cken *tr. 1*
zer|rau|fen *tr. 1;* zerrauftes Haar
Zerr|bild *s. 3*
zer|re|den *tr. 2* durch zu vieles Darüberreden schädigen oder zerstören
zer|rei|ben *tr. 95*
zer|reiß|bar; zer|rei|ßen *tr. u. intr. 96;* **Zer|reiß|pro|be** *w. 11;* **Zer|rei|ßung** *w. 10 nur Ez.*
zer|ren *tr. 1;* **Zer|re|rei** *w. 10 nur Ez., ugs.*
zer|rin|nen *intr. 101*
Zer|ris|sen|heit *w. 10 nur Ez.*
Zer|rung *w. 10*
zer|rup|fen *tr. 1*
zer|rüt|ten *tr. 2* zerstören, schädigen; zerrüttete Ehe, Nerven, Gesundheit; **Zer|rüt|tung** *w. 10 nur Ez.*
zer|schel|len *intr. 1* durch Aufprall in Stücke brechen; am Felsen zerschelltes Schiff
zer|schla|gen *tr. 116;* zerschlagen sein: erschöpft, überanstrengt; **Zer|schla|gen|heit** *w. 10 nur Ez.;* **Zer|schla|gung** *w. 10 nur Ez.*
zer|schlis|sen abgetragen und zerrissen; zerschlissene Kleider
zer|schmel|zen *intr. 123*
zer|schmet|tern *tr. 1*
zer|schnei|den *tr. 125;* **Zer|schnei|dung** *w. 10 nur Ez.*
zer|schram|men *tr. 1;* **zer|schrammt**
zer|set|zen *tr. 1;* **Zer|set|zung** *w. 10 nur Ez.;* **Zer|set|zungs|pro|dukt** *s. 1*
zer|sin|gen *tr. 140;* ein Volkslied z.: durch ungenaues Singen allmählich verändern
zer|spal|ten *tr.,* zerspaltet
zer|spa|nen *tr. 1* in Späne zerschneiden; **Zer|spa|nung** *w. 10 nur Ez.*
zer|spel|len *tr. 1* zersplittern
zer|split|tern *tr. u. intr. 1;* **Zer|split|te|rung** *w. 10 nur Ez.*
zer|spren|gen *tr. 1*
zer|sprin|gen *intr. 148*
zer|stamp|fen *tr. 1*
zer|stäu|ben *tr. 1;* **Zer|stäu|ber** *m. 5;* **Zer|stäu|bung** *w. 10 nur Ez.*
zer|ste|chen *tr. 149*
zer|stie|ben *intr. 155;* in alle Winde zerstoben
zer|stör|bar; zer|stö|ren *tr. 1;* **Zer|stö|rer** *m. 5* schnelles Kriegsschiff; **Zer|stö|rung** *w. 10;* **Zer|stö|rungs|werk** *s. 1;* **Zer|stö|rungs|wut** *w. Gen. - nur Ez.*
zer|streu|en *tr. 1; auch übertr.* jmdn., sich z.: jmdm., sich die Zeit vertreiben, jmdn., sich unterhalten; **zer|streut** unaufmerksam, in Gedanken mit anderen Dingen beschäftigt; **Zer|streut|heit** *w. 10 nur Ez.;* **Zer|streu|ung** *w. 10;* **Zer|streu|ungs|lin|se** *w. 11* Konkavlinse; *Ggs.:* Sammellinse
zer|stü|ckeln *tr. 1;* **Zer|stü|cke|lung** *w. 10*
zer|talt durch viele Täler zerschnitten
zer|tei|len *tr. 1;* **Zer|tei|lung** *w. 10 nur Ez.*
zer|tep|pern, zer|töp|pern *tr. 1, ugs.:* zerbrechen, zerschlagen
Zer|ti|fi|kat [lat.] *s. 1* **1** amtl. Bescheinigung; **2** Anteilschein einer Kapitalanlagegesellschaft; **zer|ti|fi|zie|ren** *intr. 3* bescheinigen
zer|tram|peln *tr. 1*
zer|tren|nen *tr. 1;* **Zer|tren|nung** *w. 10 nur Ez.*
zer|tre|ten *tr. 163*
zer|trüm|mern *tr. 1;* **Zer|trüm|me|rung** *w. 10 nur Ez.*
Zer|ve|lat|wurst ► *auch:* **Ser|ve|lat|wurst** [sɛrvə-, ital.] *w. 2* Hartwurst, Dauerwurst; vgl. Cervelat
zer|vi|kal [-vi-, lat.] zum Hals, Nacken, Gebärmutterhals gehörend
Zer|würf|nis *s. 1* Verfeindung, Entzweiung
zer|zau|sen *tr. 1*
zes|si|bel [lat.] übertragbar, abtretbar (Forderung); **Zes|si|on** *w. 10* Abtretung einer Forderung an einen Dritten; **Zes|si|o|nar** *m. 1* jmd., an den eine Forderung abgetreten wird
Ze|ta *s. Gen.* -(s) *Mz.* -s (*Zeichen:* ζ, Z) griech. Buchstabe
Ze|ter *s. 5 veraltet, noch in der Wendung:* Z. und Mord(io) schreien; **Ze|ter|ge|schrei** *s. Gen.* -s *nur Ez.;* **ze|ter|mor|dio**; z. schreien; **ze|tern** *intr. 1* laut jammern
Ze|tin [lat.] *s. 1 nur Ez.* Bestandteil des Walrats
Zet|tel *m. 5; auch Weberei:* Längsfäden, Folge der Kettfäden; **Zet|tel|baum** *m. 2* Kettbaum; **Zet|tel|kar|tei** *w. 10;* **Zet|tel|ka|ta|log** *m. 1*
Zeug *s. 1* **1** Gewebe; **2** *nur Ez.* Textilien, Kleidung, Utensilien, z. B. Bettzeug, Wasch-, Schreibzeug; Sachen, Kram; jmdm. etwas am Zeug flicken: etwas an jmdm. kritisieren und ihm damit schaden; **3** *übertr.:* Fähigkeit; er hat das Zeug dazu, ein guter Baumeister zu werden; **Zeug|druck** *m. 1* Druck auf Gewebe, Textildruck
Zeu|ge *m. 11;* **zeu|gen** *tr. 1* erzeugen, hervorbringen; ein Kind z.; Unheil z.; **2** *intr. 1;* von etwas z.: etwas zeigen, verraten; sein Verhalten zeugt von Mut; **Zeu|gen|aus|sa|ge** *w. 11;* **Zeu|gen|bank** *w. 2* Platz der Zeugen im Gerichtssaal; **Zeu|gen|schaft** *w. 10 nur Ez.*
Zeug|haus *s. 4, früher:* Gebäude zum Aufbewahren von Kriegsgerät
Zeu|gin *w. 10*
Zeug|ma [griech.] *s. 9, Mz. auch:* -malta Stilfigur, bei der ein Satzteil (meist das Prädikat) nur einmal gesetzt wird, obwohl es mehrmals stehen müsste, z. B. »Der See kann sich, der Landvogt nicht erbarmen« (Schiller)
Zeug|nis *s. 1*
Zeugs *s. Gen. - nur Ez., ugs.:* Zeug, Sachen, Kram
Zeu|gung *w. 10;* **Zeu|gungs|akt** *m. 1;* **zeu|gungs|fä|hig;** **Zeu|gungs|fä|hig|keit** *w. 10 nur Ez.;* **Zeu|gungs|kraft** *w. 2 nur Ez.;* **zeu|gungs|un|fä|hig;** **Zeu|gungs|un|fä|hig|keit** *w. 10 nur Ez.*
Zeus *griech. Myth.:* höchster Gott
ZGB *in der Schweiz Abk. für* Zivilgesetzbuch
z. H. *Abk. für* zu Händen (auf Briefanschriften); vgl. Hand
Zib|be *w. 11, nord-, mitteldt.:* Mutterschaf, Mutterkaninchen
Zi|be|be [arab.] *w. 11, südostdt.:* Rosine
Zi|bet [arab.-ital.] *m. Gen.* -s *nur Ez.* als Duftstoff verwendete Afterdrüsenabsonderung der Zibetkatze; **Zi|bet|kat|ze** *w. 11* ein Raubtier mit wertvollem Fell, Zivette
Zi|bo|ri|um [griech.-lat.] *s. Gen.* -s *Mz.* -ri|en **1** Gefäß zum Auf-

bewahren der Hostie, Hostienkelch; **2** von Säulen getragenes Dach über dem Altar
Zi|cho|rie [tsiçoriə, griech.] *w. 11* Wegwarte; aus deren Wurzel gewonnener Kaffeezusatz
Zi|cke *w. 11, ugs.:* **1** Ziege; **2** *übertr.:* altjüngferl. Frau; **3** Torheit, unbesonnene Handlung; mach keine Zicken!; **Zi|ckel** *s. 5* Junges der Ziege; **zi|ckeln** *intr. 1* Junge werfen (Ziege); **zi|ckig** *ugs.:* altjüngferlich; **Zick|lein** *s. 7* = Zickel
Zick|zack *m. 1* in Zacken verlaufende Linie; im Z. laufen, fliegen; **Zick|zack|kurs** *m. 1;* **Zick|zack|li|nie** *w. 11*
Zi|der [hebr.], **Ci|dre** [si-, frz.] *auch:* Cid|re *m. 5* Obstwein, *bes.:* Apfelwein
Zie|che *w. 11, österr.:* Überzug, z. B. Bett-, Polsterzieche
Zie|ge *w. 11*
Zie|gel *m. 5;* **Zie|ge|lei** *w. 10;* **zie|gel|rot; Zie|gel|stein** *m. 1*
Zie|gen|bart *m. 2, Sammelbez. für* eine Gruppe verzweigter Pilze; **Zie|gen|kä|se** *m. 5;* **Zie|gen|le|der** *s. 5;* **Zie|gen|mel|ker** *m. 5* Nachtschwalbe; **Zie|gen|milch** *w. 10 nur Ez.;* **Zie|gen|pe|ter** *m. 5* = Mumps
Zie|ger *m. 5, österr. für* Quark
Zieg|ler *m. 5* Ziegelbrenner
Zieh|brun|nen *m. 7;* **Zieh|el|tern** *Mz.* Pflegeeltern; **zie|hen** *tr. u. intr. 187;* **Zieh|har|mo|ni|ka** *w. Gen. - Mz.* -s *oder* -ken; **Zieh|kind** *s. 3* Pflegekind; **Zieh|mut|ter** *w. 6* Pflegemutter; **Zie|hung** *w. 10, Lotterie:* Bestimmung der Gewinner; **Zie|hungs|lis|te** *w. 11;* **Zieh|va|ter** *m. 6* Pflegevater
Ziel *s. 1;* **Ziel|band** *s. 4, bei Wettläufen:* das Ziel bezeichnendes, weißes Band; **ziel|be|wußt** ► **ziel|be|wusst; Ziel|be|wußt|sein** ► **Ziel|be|wusst|sein** *s. Gen.* -s *nur Ez.;* **zie|len** *intr. 1;* zielendes Verb: transitives Verb; **Ziel|fern|rohr** *s. 1;* **Ziel|ge|ra|de** *w. 17 oder 18, Sport:* gerade, letzte Strecke vor dem Ziel; **ziel|los; Ziel|lo|sig|keit** *w. 10 nur Ez.;* **Ziel|schei|be** *w. 11;* **Ziel|set|zung** *w. 10;* **ziel|si|cher; Ziel|si|cher|heit** *w. 10 nur Ez.;* **ziel|stre|big; Ziel|stre|big|keit** *w. 10 nur Ez.*
Ziem *m. 1* oberes Keulenstück (vom Rind)
zie|men *intr. u. refl. 1;* es ziemt mir *veraltet:* es ist richtig, passend, schicklich für mich, es kommt mir zu; es ziemt sich (nicht): es gehört sich (nicht)
Zie|mer *m. 5* **1** Rücken (vom Wild); **2** = Ochsenziemer
ziem|lich 1 *Adj., veraltet:* geziemend, schicklich; **2** *Adj., ugs.:* recht groß, lang usw.; eine ziemliche Anstrengung, Strecke, Weile; **3** *Adv.:* recht; ziemlich groß, lang, viel
Ziep|chen, Zie|pel|chen *s. 7* Küken, junges Hühnchen; **zie|pen 1** *intr. 1* einen feinen hohen Ton ausstoßen; **2** *intr. 1, ugs.:* ziehend schmerzen; **3** *tr. 1, ugs.:* zupfen, leicht reißen; jmdn. an den Haaren z.

> **Zierrat:** Analog zu *der Vorrat* wird zukünftig bei der Endung *-rat* ein vorausgehendes *-r-* geschrieben (bisher: Zierat). Also: *der Zierrat.*

Zier *w. Gen. - nur Ez., poet. für* Zierde; **Zie|rat** ► **Zier|rat; Zier|de** *w. 11;* **zie|ren 1** *tr. 1* schmücken; **2** *refl. 1* sich bitten lassen, bescheiden tun, bescheiden abwehren; **Zier|fisch** *m. 1;* **Zier|gar|ten** *m. 8;* **zier|lich; Zier|lich|keit** *w. 10 nur Ez.;* **Zier|pflan|ze** *w. 11;* **Zier|rat** *m. 1* Schmuck, schmückendes Beiwerk; **Zier|schrift** *w. 10;* **Zier|stich** *m. 1;* **Zier|strauch** *m. 4*
Zie|sel *m. 5, österr. auch: s. 5* ein eichhörnchenähnl. Nagetier
Ziest [slaw.] *m. 1* eine Heilpflanze
Ziff. *Abk. für* Ziffer; **Zif|fer** *w. 11* Zahlzeichen; **Zif|fer|blatt** *s. 4;* **...zif|fe|rig, ...ziff|rig** *in Zus.,* z. B. zweizifferig, mehrzifferig

> **zigtausende/Zigtausende:** Wenn *tausende* eine unbestimmte Menge angibt, kann es auch auf das Zahlsubstantiv *Tausend* bezogen werden. Entsprechend hat der/die Schreibende die Entscheidung zwischen Klein- und Großschreibung: *Es kamen zigtausende/Zigtausende.* →§ 58 E5

-zig, zig *ugs.:* eine unbestimmte Zahl von; es waren -zig *oder:* zig Leute da; das habe ich schon -zigmal *oder:* zigmal gesehen; -zigtausend *oder:* zigtausend/Zigtausend
Zi|ga|ret|te [frz.] *w. 11;* **Zi|ga|ret|ten|län|ge** *w. 11, ugs.:* auf eine Z.: für ein paar Minuten; **Zi|ga|ret|ten|pa|pier** *s. 1;* **Zi|ga|ret|ten|pau|se** *w. 11;* **Zi|ga|ret|ten|spit|ze** *w. 11;* **Zi|ga|ret|ten|stum|mel** *m. 5;* **Zi|ga|ril|lo** [-ljo, span.] *s. 9 oder m. 9* kleine Zigarre; **Zi|gar|re** *w. 11; auch übertr. ugs.:* energische Rüge; **Zi|gar|ren|kis|te** *w. 11*
Zi|ger *m. 5, schweiz. für* Quark, Kräuterkäse
Zi|geu|ner *m. 5;* **zi|geu|ner|haft** wie (ein) Zigeuner; **zi|geu|ne|risch** von Zigeunern stammend, zu ihnen gehörend; **Zi|geu|ner|le|ben** *s. 7 nur Ez., übertr.:* unstetes Wanderleben; **Zi|geu|ner|mu|sik** *w. 10 nur Ez.;* **Zi|geu|ner|spra|chen** *w. 11 Mz.*
Zi|ka|de [lat.] *w. 11* ein Insekt, Zirpe
Zik|ku|rat [akkad.] *w. 9, sumer., babylon., assyr. Baukunst:* turmartiger, stufenförmiger Tempel
zi|li|ar [lat.] wimpernähnlich, mit Wimpern versehen, strahlig; **Zi|li|ar|kör|per** *m. 5* vorderer, verdickter Teil der Aderhaut des Auges, Strahlenkörper; **Zi|li|a|ten** *Mz.* Wimpertierchen; **Zi|lie** [-ljə] *w. 11* feines Haar, Wimper
Zil|le *w. 11* flacher Frachtkahn
Zim|bal *s. 1 oder s. 9,* **Zim|bel** *w. 11* = Zymbal
Zim|ber *m. 14* = Kimber
Zi|me|lie [-ljə, griech.] *w. 11,* **Zi|me|li|um** *s. Gen.* -s *Mz.* -li|en **1** Kleinod (eines Kirchenschatzes); **2** wertvoller Gegenstand (einer Bibliothek, z. B. Papyrus, Handschrift)
Zi|ment [ital.] *s. 1, bayr., österr.:* metallenes, zylindr. Hohlmaß (der Gastwirte); **zi|men|tie|ren** *tr. 3, bayr., österr.:* mit dem Ziment abmessen
Zi|mier [griech.-frz.] *s. 1 oder w. 10* Helmschmuck
Zim|mer *s. 5;* **Zim|mer|ar|beit,** Zim|me|rer|ar|beit *w. 10;* **Zim|mer|chen** *s. 7;* **Zim|me|rei** *w. 10* Bautischlerei; **Zim|me|rer** *m. 5* = Zimmermann; **Zim|mer|flucht** *w. 10* zusammenhängende Reihe von Zimmern; **Zim|mer|frau** *w. 10, österr.:* Vermieterin eines Zimmers, Wirtin; **Zim|mer|herr** *m. Gen.* -n *Mz.* -en, *veraltet:* Untermieter; **...zim|me|rig,** ...zimm|rig *in*

Zus., z. B. zwei-, mehrzimmerig, *mit Ziffer:* 2-zimmerig; **Zim|mer|kell|ner** *m. 5;* **Zim-mer|laut|stär|ke** *w. 11 nur Ez.;* **Zim|mer|ling** *m. 1, Bgb. für* Zimmermann; **Zim|mer|mann** *m. Gen.* -(e)s *Mz.* -leu|te Bautischler, Zimmerer; **Zim|mer-meis|ter** *m. 5;* **zim|mern** *tr. 1* **1** aus Holz bauen; **2** *übertr.:* bauen, aufbauen; **Zim|mer|pflan|ze** *w. 11*

Zim|met *m. 1, veraltet für* Zimt

...zimm|rig = zimmerig

zi|mo|lisch [nach der griech. Insel Kimolos]; zimolische Erde: hellgrauer Ton

zim|per|lich übertrieben empfindlich; **Zim|per|lich|keit** *w. 10 nur Ez.;* **Zim|per|lie|se** *w. 11, ugs.:* zimperliches Mädchen

Zimt *m. 1 nur Ez.* **1** ein Gewürz; **2** *ugs.:* Kram, Zeug, lästige Sache; der ganze Zimt; **Zimt-baum** *m. 2* ein asiat. Baum; **zimt|far|ben; Zimt|stan|ge** *w. 11*

Zin|der *m. 5* ausgeglühte Steinkohle

Zi|ne|ra|ria [lat.], **Zi|ne|ra|rie** [-riə] *w. Gen. - Mz.* -ri|en eine Zimmerpflanze, Aschenblume

Zin|gu|lum [lat.] *s. Gen.* -s *Mz.* -la **1** Schnur zum Gürten der Albe; **2** Schärpe der Soutane

Zink 1 *s. 1 nur Ez.* (*Zeichen:* Zn) chem. Element, ein Metall; **2** *m. 12,* Zin|ken *m. 7* ein altes Holzblasinstrument

Zink|blech *s. 1;* **Zink|blen|de** *w. 11* ein Mineral

Zin|ke *w. 11,* Zin|ken *m. 7* **1** Zacke, Spitze (z. B. an Kamm, Gabel, Rechen); **2** *Schreinerei:* Zapfen für Eckverbindungen; **3** Zeichen, z. B. Gaunerzinken; **zin|ken** *tr. 1* mit Zinken versehen; gezinkte Ecke; gezinkte Karten: zu betrügerischen Zwecken mit Zeichen versehene Spielkarten; **Zin|ken** *m. 7* **1** = Zinke; **2** *ugs.:* große, dicke Nase; **3** = Zink (**2**)

Zin|ke|nist [zu: Zink (**2**)] *m. 10* Zinkenbläser

Zin|ker [zu Zinke (**3**)] *m. 5* Spitzel, Verräter

...zin|kig [zu: Zinke (**1**)] *in Zus.,* z. B. dreizinkig

Zin|ko *s. 9, Kurzw. für* Zinkographie; **Zin|ko|gra|phie** ► *auch:* **Zin|ko|gra|fie** *w. 11* Zinkdruck; **Zink|sal|be** *w. 11*

Zink|weiß *s. Gen. - nur Ez.* eine Malerfarbe

Zinn *s. 1 nur Ez.* (*Zeichen:* Sn) chem. Element, Stannum

Zin|na|mom [lat.] *s. 1, veraltet für* Zimt

Zin|ne *w. 11* rechteckige Zacke (auf Türmen, Mauern)

zin|nen, zin|nern aus Zinn;

Zinn|guß ► **Zinn|guss** *m. 2*

Zin|nie [-njə, nach dem Botaniker J. G. Zinn] *w. 11* eine Gartenpflanze

Zinn|kies *m. 1* ein Mineral; **Zinn|kraut** *s. 4 nur Ez.* eine Heilpflanze

Zin|no|ber 1 *m. 5 nur Ez.* ein Mineral; **2** *auch, bes. österr.: s. 5 nur Ez.* rote Farbe; **3** *m. 5 nur Ez., ugs.:* Unsinn, Unfug; Kram, Zeug, Sachen; der ganze Z.; mach nicht solchen Z.!; **zin-no|ber|rot**

Zinn|sol|dat *m. 10*

Zins *m. 12* **1** Ertrag; **2** Abgabe, Steuer, Miete, Pacht; **Zins|bau-er** *m. 11;* **zin|sen** *intr. 1, veraltet, noch schweiz.:* Zinsen zahlen; **Zin|ses|zins** *m. 12 meist Mz.;* **zins|frei; Zins|frei|heit** *w. 10 nur Ez.;* **Zins|fuß** *m. 2* = Zinssatz; **Zins|gro|schen** *m. 7, MA:* kleine Abgabe an den Grundherrn; **Zins|herr|schaft** *w. 10 nur Ez.;* **Zins|knecht-schaft** *w. 10 nur Ez.;* **zins|los;** zinsloses Darlehen; **Zins|pflicht** *w. 10;* **zins|pflich|tig; Zins|rech-nung** *w. 10;* **zins|tra|gend; Zins|satz** *m. 2* in Prozent ausgedrückter Preis für die Überlassung von Kapital, Zinsfuß; **Zins|wu|cher** *m. 5 nur Ez.*

Zi|on 1 *m. Gen.* -s *nur Ez.* Hügel in Jerusalem mit dem Tempel; **2** *ohne Artikel, Name für* Jerusalem; **Zi|o|nis|mus** *m. Gen. - nur Ez.* Bewegung zur Aufrichtung und Sicherung eines nationalen jüd. Staates; **Zi|o|nist** *m. 10;* **zi|o|nis|tisch**

Zip|fel *m. 5;* **zip|fe|lig,** zipflig; **Zip|fel|müt|ze** *w. 11;* **zip|feln** *intr. 1;* **zipf|lig,** zip|fe|lig

Zip|per|lein *s. 7 nur Ez.* Gicht

Zir|be *w. 11,* **Zir|bel|drü|se** *w. 11, bei Menschen und Säugetieren:* eine Drüse im Zwischenhirn, Epiphyse; **Zir|bel|kie|fer** *w. 11;* **Zir|bel|nuß** ► **Zir|bel-nuss** *w. 2* essbarer Samen der Zirbelkiefer

zir|ka ► *auch:* **cir|ca** (*Abk.:* ca.) ungefähr, etwa

Zir|kel [lat.] *m. 5* **1** Gerät zum Zeichnen von Kreisen und Abtragen von Strecken; **2** geselliger Kreis von Personen, Klub, z. B. Lesezirkel; **Zir|kel|de|fi|ni-ti|on** *w. 10* Definition, bei der das Wort, das erklärt werden soll, mit zur Erklärung benutzt wird, z. B.: Das Wetter ist der Ablauf meteorologischer Erscheinungen; **Zir|kel|kas|ten** *m. 8;* **zir|keln 1** *tr. 1* genau abmessen; **2** *intr. 1, übertr. ugs.:* tüfteln, genau überlegen; **Zir-kel|schluß** ► **Zir|kel|schluss** *m. 2* = Circulus vitiosus (**1**)

Zir|kon [pers.] *m. 1 nur Ez.* ein Mineral; **Zir|ko|ni|um** *s. Gen.* -s *nur Ez.* (*Zeichen:* Zr) chem. Element, ein Metall

zir|ku|lar [lat.], **zir|ku|lär** kreisförmig; **Zir|ku|lar** *s. 1, veraltet:* Rundschreiben; **Zir|ku|lar|no|te** *w. 11* ein mehreren Staaten zugleich zugestelltes diplomat. Schreiben; **Zir|ku|la|ti|on** *w. 10* das Zirkulieren; **zir|ku|lie|ren** *intr. 3* umlaufen, in Umlauf sein (Geld), sich in einem Kreislauf bewegen (Blut)

zir|kum..., Zir|kum... [lat.] *in Zus.:* herum..., Herum..., um... herum

Zir|kum|flex [lat.] *m. 1* (*Zeichen:* ˆ) Dehnungszeichen über einem Vokal, z. B. in frz. fenêtre [fənɛtrə] = Fenster; **Zir|kum-po|lar|stern** *m. 1* Stern, der für den Beobachtungsort nie untergeht; **zir|kum|skript** *Med.:* umschrieben, scharf umgrenzt; **Zir|kum|skrip|ti|on** *w. 10* **1** Umschreibung; **2** Abgrenzung (kirchlicher Verwaltungsgebiete); **3** Grenzlinie; **Zir|kum|zi|si-on** *w. 10* Beschneidung; **Zir|kus,** Cir|cus *m. 1* **1** *im alten Rom:* kreisförmige Bahn für Wagen- u. a. Rennen; **2** *heute:* Unternehmen, das Tierdressuren, artist. u. a. Darbietungen zeigt; **3** Gebäude, Zelt dafür; **4** *übertr. ugs.:* lärmendes Durcheinander, Trubel, Aufhebens, Umstände um nichts

Zir|pe *w. 11* ein Insekt, Zikade; **zir|pen** *intr. 1*

Zir|ren *Mz. von* Zirrus

Zir|rho|se [griech.] *w. 11* entzündliche Bindegewebswucherung, die auch Drüsengewebe angreift

Zir|ro|ku|mu|lus [lat.] *m. Gen. - Mz.* -li Schäfchenwolke; **Zir|ro-stra|tus** *auch:* **Zir|ros|tra|tus** *m. Gen. - Mz.* - Schleierwolke;

Zir|rus 1 *m. Gen. - Mz. -* Zirruswolke; **2** *m. Gen. - Mz. -*ren Ranke; *bei Wassertieren:* rankenförmiger Körperanhang; **Zir|rus|wol|ke** *w. 11* Federwolke

zir|zen|sisch [lat.] zirzensische Spiele *im alten Rom:* Wagen- und Pferderennen im Zirkus

zis|al|pin, cis|al|pin [lat.] diesseits der Alpen (von Rom aus gesehen)

Zi|sche|lei *w. 10 nur Ez.;* **zi|scheln** *intr. 1;* **zi|schen** *intr. 1;* **Zisch|laut** *m. 1* stimmloser Reibelaut, z. B. s, sch

Zi|se|leur [-lør, frz.] *m. 1* Metallstecher; **zi|se|lie|ren** *tr. 3* mittels Stichels oder Punze verzieren; ziseliertes Silber

Zis|sa|li|en [lat.] *Mz.* schlecht geprägte Münzen, die wieder eingeschmolzen werden

Zis|so|i|de [griech.] *w. 11* algebraische Kurve dritter Ordnung, ähnelt der Spitze eines Efeublatts

Zis|ta [griech.-lat.], **Zis|te** *w. Gen. - Mz. -*ten vorgeschichtl. sowie etrusk. Urne

Zis|ter|ne [lat.] *w. 11* unterirdischer, gemauerter Behälter für Regenwasser

Zis|ter|zi|en|ser [nach dem frz. Kloster Cîteaux] *m. 5* Angehöriger des Zisterzienserordens; **Zis|ter|zi|en|ser|or|den** *m. 7 nur Ez.* ein benediktin. Mönchsorden

Zist|ro|se [griech.-dt.], Cist|rose *w. 11* Strauchpflanze mit rosenähnlichen Blüten

Zi|ta|del|le [lat.-ital.] *w. 11* Befestigungsanlage in einer Stadt, Kernbau einer Festung

Zi|tat *s. 1* **1** wörtlich angeführte Stelle aus einem Buch; **2** oft gebrauchter Ausspruch; **Zi|ta|ten|le|xi|kon** *s. Gen. -s Mz.* -ka; **Zi|ta|ti|on** *w. 10* Vorladung (vor eine Behörde, vor Gericht)

Zi|ther [griech.] *w. 11* ein Zupfinstrument

zi|tie|ren [lat.] *tr. 3* **1** wörtlich anführen, wörtlich wiedergeben; **2** vorladen, zum Erscheinen auffordern; jmdn. vor Gericht, zu sich z.; **Zi|tie|rung** *w. 10*

Zi|trat *fachsprachl.:* Ci|trat *s. 1* Salz der Zitronensäure; **Zi|trin** *m. 1* **1** ein Mineral, Halbedelstein (Goldtopas); **2** Wirkstoff im Vitamin P; **Zi|tro|nat** *s. 1 nur Ez.* kandierte Zitronenschale; **Zi|tro|ne** *w. 11* eine Zitrusfrucht; mit Z. gehandelt haben *ugs.:* sich verkalkuliert haben; jmdn. auspressen/ausquetschen wie eine Z. *ugs.:* jmdn. in aufdringlicher Weise ausfragen, jmdm. viel Geld aus der Tasche ziehen; **Zi|tro|nen|baum** *m. 2;* **Zi|tro|nen|fal|ter** *m. 5* ein Schmetterling; **zi|tro|nen|gelb;** **Zi|tro|nen|kraut** *s. 4* = Melisse; **Zi|tro|nen|pres|se** *w. 11;* **Zi|tro|nen|säu|re** *w. 11 nur Ez.;* **Zi|trus|frucht** *w. 2* Frucht der Zitrusgewächse; **Zi|trus|ge|wächs** *s. 1* eine Pflanzengattung, zu der u. a. Zitrone, Apfelsine, Mandarine, Pampelmuse gehören

Zit|ter|aal *m. 1* ein Zitterfisch; **Zit|ter|fisch** *m. 1* Fisch, der zur Verteidigung und zum Beutefang elektr. Schläge austeilen kann; **Zit|ter|gras** *s. 4;* **zit|te|rig,** zitt|rig; **Zit|te|rig|keit,** Zitt|rig|keit *w. 10 nur Ez.;* **zit|tern**

> **mit Zittern und Zagen:** Das substantivierte Verb wird – auch in festen Verbindungen – mit großem Anfangsbuchstaben geschrieben: *Sie kamen mit Zittern und Zagen.* Ebenso: *auf Biegen und Brechen.* → § 57 (2)

intr. 1; ich zittere, zittre vor Kälte; **Zit|ter|pap|pel** *w. 11;* **Zit|ter|ro|chen** *m. 7* ein Zitterfisch, Torpedofisch; **Zit|ter|wels** *m. 1* ein Zitterfisch; **zitt|rig,** zit|te|rig; **Zitt|rig|keit,** Zit|te|rig|keit *w. 10 nur Ez.*

Zit|ze *w. 11* Brust-, Saugwarze (bei weibl. Säugetieren)

Zi|vet|te [-vɛt(ə)] *w. 11* = Zibetkatze

zi|vil [-vil, lat.] **1** bürgerlich, nichtmilitärisch; ziviler Ersatzdienst; **2** *übertr. ugs.:* mäßig, angemessen; zivile Preise; **Zi|vil** *s. Gen. -s nur Ez.* nichtmilitär. Kleidung; **Zi|vil|be|völ|ke|rung** *w. 10 nur Ez.;* **Zi|vil|cou|ra|ge** [-kuraʒə] *w. 11 nur Ez.* Mut, seine Überzeugung zu vertreten; **Zi|vil|e|he** *w. 11* standesamtlich (nicht kirchlich) geschlossene Ehe; **Zi|vil|ge|setz|buch** *s. 4* (*Abk.:* ZGB) *schweiz.:* Gesetzbuch des bürgerl. Rechts; **Zi|vi|li|sa|ti|on** *w. 10 nur Ez.* durch Technik und Wissenschaften verbesserte und verfeinerte Lebensform, im Unterschied zur Kultur; **Zi|vi|li|sa|ti|ons|krank|heit** *w. 10;* **zi|vi|li|sa|to|risch** auf Zivilisation beruhend, sie fördernd; **zi|vi|li|sie|ren** *tr. 3* mit den Mitteln der Technik und Wissenschaft verfeinern; **Zi|vi|li|sie|rung** *w. 10 nur Ez.;* **Zi|vi|list** *m. 10* Nichtsoldat, Bürger, Zivilperson; **Zi|vil|kla|ge** *w. 11* Klage im Zivilprozess; **Zi|vil|klei|dung** *w. 10 nur Ez.* Zivil; **Zi|vil|per|son** *w. 10* = Zivilist; **Zi|vil|pro|zeß** ► **Zi|vil|pro|zess** *m. 1* Gerichtsverfahren aufgrund des Zivilrechts; **Zi|vil|pro|zeß|ord|nung** ► **Zi|vil|pro|zess|ord|nung** *w. 10 nur Ez.* (*Abk.:* ZPO); **Zi|vil|recht** *s. 1 nur Ez.* bürgerl. Recht, im Unterschied zum Strafrecht, Staatsrecht, Völkerrecht; **zi|vil|recht|lich;** **Zi|vil|stand** *m. 2 nur Ez.* **1** Stand der nichtmilitär. Personen, im Unterschied zum Soldatenstand; **2** *schweiz.:* Familien-, Personenstand; **Zi|vil|stands|amt** *s. 4, schweiz.:* Standesamt; **Zi|vil|trau|ung** *w. 10* standesamtl. Trauung

ZK *Abk. für* Zentralkomitee

Zł *Abk. für* Złoty

Zło|ty [slɔ-, poln.] *m. Gen. -(s) Mz. -* (*Abk.:* Zł) poln. Währungseinheit, 100 Groszy

Zn *chem. Zeichen für* Zink

Zo|bel [russ.] *m. 5* ein Marder

Zo|cken *intr. 1* um Geld spielen, ein Glücksspiel spielen

zo|ckeln *intr. 1, Nebenform von* zuckeln

zo|di|a|kal [griech.] zum Zodiakus gehörend, von ihm ausgehend; **Zo|di|a|kal|licht** *s. 3 nur Ez.* kegelförmiger Lichtstreifen längs des Zodiakus; **Zo|di|a|kus** *m. Gen. - nur Ez.* = Tierkreis

Zöf|chen *s. 7;* **Zo|fe** *w. 11* Dienerin, Zimmermädchen

Zoff [jidd.] *m. Gen. -s nur Ez., ugs.:* Streit, Ärger, Unfrieden

zö|gern *intr. 1;* ich zögere, zögre

Zög|ling *m. 1*

Zö|les|tin [lat.] *m. 1* ein Mineral; **Zö|les|ti|ner** [nach Papst Cölestinus V.] *m. 5* Angehöriger einer Benediktinerkongregation; **zö|les|tisch** *veraltet:* himmlisch

Zö|li|bat [lat.] *s. 1 oder m. 1 nur Ez.* Ehelosigkeit (der kath. Geistlichen); im Z. leben; **zö|li|ba|tär** im Zölibat (lebend)

Zọll 1 *s. Gen.* -s *Mz.* - (*Zeichen:* ″) *früher:* dt. Längenmaß, 1/10 oder 1/12 Fuß; engl. Längenmaß, 2,54 cm, Inch; **2** *m. 2, früher:* Abgabe für die Benutzung von Verkehrswegen, z. B. Brücken-, Wegezoll; *heute:* Abgabe für Waren, die in einen Staat eingeführt werden

Zọll|amt *s. 4;* **zọll|amt|lich**

zọll|breit; Zọll|breit *m., nur in der Wendung:* keinen Z. zurückweichen; **zọll|dick**; ein zolldickes Brett; *aber:* das Brett ist drei Zoll dick

Zọll|ein|neh|mer *m. 5;* **zọl|len** *tr. 1;* jmdm. Achtung, Bewunderung, Beifall z.: erweisen, ausdrücken; **zọll|frei; Zọll|gren|ze** *w. 11;* **Zọll|gut** *s. 4*

zọll|hoch; der Schnee liegt z.; *aber:* zwei Zoll hoch; **...zol|lig, ...zöl|lig** *in Zus.,* z. B. dreizollig, dreizöllig, *mit Ziffer:* 3-zöllig

Zọll|in|halts|er|klä|rung *w. 10;* **Zọll|kon|trol|le** *w. 11;* **Zöll|ner** *m. 5* **1** *früher:* Zolleinnehmer; **2** *ugs.:* Zollbeamter; **zọll|pflich|tig; Zọll|schran|ke** *w. 11 meist Mz.*

Zọll|stock *m. 2*

Zọll|ta|rif *m. 1;* **Zọll|u|ni|on** *w. 10;* **Zọll|ver|ein** *m. 1*

Zọm|bie *m. 9* **1** *im Voodookult Haitis* jmd., der durch Gift willenlos gemacht wurde; **2** *übertr.:* jmd., der alt und sonderbar ist

Zö|me|te|ri|um [griech.] *s. Gen.* -s *Mz.* -ri|en Ruhestätte, Friedhof; *auch:* Katakombe

Zö|na|kel [lat.] *s. 5, in Klöstern:* Refektorium, Speisesaal

zo|nal zu einer Zone gehörend;

Zo|ne *w. 11* Gebiet, Landstreifen; **Zo|nen|gren|ze** *w. 11;* **Zo|nen|ta|rif** *m. 1;* **Zo|nen|zeit** *w. 10* = Normalzeit

Zö|no|bit [lat.] *m. 10* im Kloster lebender Mönch, im Unterschied zum Eremiten; **Zö|no|bi|um** *s. Gen.* -s *Mz.* -bi|en **1** Kloster; **2** Vereinigung einzelliger Pflanzen oder Tiere, Zellkolonie

Zoo *m. 9, Kurzw. für* zoologischer Garten

zoo..., Zoo... [tsoːo-, griech.] *in Zus.:* tier..., Tier...

zo|o|gen [tsoːo-, griech.] aus tier. Resten gebildet (Gestein); **Zo|o|ge|o|gra|phie** ► *auch:* **Zo|o|ge|o|gra|fie** *w. 11 nur Ez.* = Tiergeographie; **Zo|o|gra|phie** ► *auch:* **Zo|o|gra|fie** *w. 11* Benennung und Einordnung der Tiere in ein biolog. System; **zo|o|gra|phisch** ► *auch:* **zo|o|gra|fisch; Zo|o|la|trie** *auch:* **Zo|o|lat|rie** *w. 11* Verehrung von Tiergöttern, Tierkult; **Zo|o|lith** *m. 10* tierische Versteinerung; **Zo|o|lo|ge** *m. 11;* **Zo|o|lo|gie** *w. 11 nur Ez.* Wissenschaft von den Tieren, Tierkunde; **zo|o|lo|gisch**

Zoom [zum, engl.] *s. 9* stufenlos verstellbares fotograf. Objektiv

zo|o|mọrph tiergestaltig; **Zo|on** [tsoɔn, griech.] *s. Gen.* -s *nur Ez., in Zus. Mz.* -zo|en Lebewesen; Zoon politikon: gesellig lebendes Wesen (bei Aristoteles Bez. für den Menschen); **Zo|o|no|se** *w. 11* von Tieren auf Menschen übertragbare Infektionskrankheit; **Zoo-Or|ches|ter** *Nv.* ► **Zoo|or|ches|ter** *Hv. s. 5;* **zo|o|phag** Fleisch fressend; **Zo|o|pha|ge** *m. 11* Fleisch fressendes Lebewesen; **Zo|o|phyt** *m. 10* Pflanzentier, *veraltete Bez. für* festsitzendes Hohltier, Schwamm; **Zo|o|plạnk|ton** *s. Gen.* -s *nur Ez., Sammelbez. für* die frei im Wasser schwebenden Tiere; **Zo|o|to|mie** *w. 11 nur Ez.* Zerlegung von Tierkörpern zu Lehrzwecken, Tieranatomie; **Zo|o|to|xin** *s. 1* tierisches Gift

> **Zooorchester:** Beim Zusammentreffen dreier gleicher Buchstaben in Zusammensetzungen werden alle Buchstaben geschrieben (Hauptvariante). Die Schreibung mit Bindestrich zur klareren Gliederung der Bestandteile des Kompositums ist jedoch auch möglich (Nebenvariante): *das Zooorchester, das Zoo-Orchester.* →§ 45 (4)

Zọpf *m. 2;* alter Zopf *übertr.:* alter, überholter Brauch; **Zọ̈pf|chen** *s. 7;* **zọp|fig** rückständig; **Zọpf|hal|ter** *m. 5;* **Zọ̈pf|lein** *s. 7, poet.;* **Zọpf|mus|ter** *s. 5*

Zo|res [hebr.] *m. Gen.* - *nur Ez.* **1** Ärger, Bedrängnis; **2** *bes. südwestdt.:* Durcheinander

Zo|ri|lla [span.] *m. 9* ein afrik. Marder

Zọrn *m. Gen.* -(e)s *nur Ez.;* **Zọrn|a|der,** Zọr|nes|a|der *w. 11;* **Zọrn|aus|bruch** *m. 2;* **zọr|nig; zọrn|mü|tig**

Zo|ro|as|tris|mus *m. Gen.* - *nur Ez.* von Zoroaster (Zarathustra) begründete, monotheist. Religion

Zo|te [frz.] *w. 11* grob unanständiger Witz; **zo|ten** *intr. 2* Zoten erzählen; **zo|tig**

Zọt|te *w. 11* **1** Gewebeausbuchtung, z. B. Darmzotte; **2** dicke, große Zottel; **3** Quaste, Troddel; **4** *südwestdt.:* Ausgießer, Schnauze; **Zọt|tel** *w. 11* unordentliche, verfilzte Haarsträhne, Fellsträhne; **Zọt|tel|haar** *s. 1;* **zọt|te|lig,** zọtt|lig; **zọt|teln** *intr. 1* langsam und achtlos gehen; **Zọt|ten|haut** *w. 2, bei Menschen und Säugetieren:* äußere Embryonalhülle, Chorion; **zọt|tig**

ZPO *Abk. für* Zivilprozessordnung

Zr *chem. Zeichen für* Zirkonium

z. T. *Abk. für* zum Teil

Ztr. *Abk. für* Zentner

zu 1 *mit Dativ;* bis zu dem Wald; geh zu den Kindern; zu Anfang; zu Ende; zu Boden schlagen; zu Dank verpflichtet; zu Hause *österr., schweiz. auch:* zuhause; es geht mir zu Herzen; zu Wasser und zu Lande; es ist mir zu Ohren gekommen; das Rathaus zu Bremen: in, von Bremen; **2** *beim Infinitiv:* ich hoffe(,) bald kommen zu können; du brauchst nicht zu warten; ich habe zu arbeiten; **3** *beim Partizip I:* eine oft zu hörende Oper; eine zu lösende Aufgabe; die aufzunehmenden Gäste; der zu Versichernde; **4** *beim Adjektiv:* zu schön; zu gut; das ist zu schade; zu viel; zu wenig; **5** *in bestimmten Wendungen:* ab und zu; nur zu!; mach zu! *ugs.:* beeil dich!

> **zu hoch/oft, zu Hause:** Getrenntschreibung liegt vor bei *zu* und Adjektiv/Adverb oder Pronomen: *zu hoch/oft/weit.* [→§ 39 E2 (2.4)]. Ebenso bei Fügungen in adverbialer Verwendung: *zu Hause bleiben/sein* (österr. und schweiz. auch: *zuhause bleiben/sein*), *zu Ende gehen/kommen, zu Fuß gehen, zu Hilfe kommen, zu Schaden kommen, zu Wasser und zu Lande, hier zu Lande* (auch: *hierzulande*). →§ 39 E2 (2.1)

zu Eigen geben/machen/nennen: Substantive, die Bestandteile fester Gefüge sind, aber nicht mit anderen Teilen des Gefüges zusammengeschrieben werden, schreibt man groß: *Er machte (sich) das zu Eigen.* →§ 55 (4)

zu|al|ler|erst [auch: al-] *ugs.;* **zu|al|ler|letzt** [auch: al-] *ugs.;* **zu|al|ler|meist** [auch: al-] *ugs.*
zu|äu|ßerst
Zu|a|ve [-və, frz.] *m. 11* Angehöriger eines alger. Berberstammes; *auch:* Angehöriger einer ehemaligen frz. Kolonialtruppe
Zu|bau *m. Gen.*-(e)s *Mz.*-bauten, *österr.:* Anbau; **zu|bau|en** *tr. 1* durch Bauen schließen
Zu|be|hör *s. Gen.*-s *nur Ez., schweiz. m. Gen.*-s *Mz.*-e *oder* -hör|den
zu|bei|ßen *intr. 8;* der Hund hat zugebissen
zu|be|kom|men *tr. 71;* ich bekomme die Tür nicht zu
Zu|ber *m. 5* großer Behälter, Wanne
zu|be|rei|ten *tr. 2;* **Zu|be|rei|tung** *w. 10*
Zu|bett|ge|hen *s. Gen.*-s *nur Ez.;* beim, vor, nach dem Z.
zu|bil|li|gen *tr. 1;* jmdm. etwas z.; **Zu|bil|li|gung** *w. 10 nur Ez.*
zu|blei|ben *intr. 17;* die Tür bleibt zu, ist zugeblieben
zu|brin|gen *tr. 21;* ich bringe die Tür nicht zu; jmdm. etwas z.; ich habe zwei Stunden beim Arzt zugebracht; **Zu|brin|ger** *m. 5;* **Zu|brin|ger|bus** *m. 1;* **Zu|brin|ger|dienst** *m. 1;* **Zu|brin|ger|stra|ße** *w. 11;* **Zu|brin|ger|ver|kehr** *m. Gen.*-s *nur Ez.*
Zu|brot *s. 1 nur Ez.* Brotbeilage
Zu|bu|ße *w. 11* geldlicher Zuschuss
zu|but|tern *tr. 1, ugs.:* zusetzen, zugeben (Geld)
Zucht 1 *w. Gen. - nur Ez.* strenge Erziehung und Ordnung, Gehorsam; **2** *w. 10* Ergebnis des Züchtens; die beiden Tiere stammen aus verschiedenen Zuchten; **Zucht|buch** *s. 4;* **Zucht|bul|le** *m. 11;* **Zucht|e|ber** *m. 5;* **züch|ten** *tr. 2;* **Züch|ter** *m. 5;* **züch|te|risch; Zucht|haus** *s. 4;* **Zucht|häus|ler** *m. 5;* **Zucht|haus|stra|fe** *w. 11;* **Zucht|hengst** *m. 1;* **züch|tig; züch|ti|gen** *tr. 1;* **Züch|tig|keit** *w. 10 nur Ez.;* **Züch|ti|gung** *w. 10;* **Züch|ti|gungs|recht** *s. 1 nur Ez.;* **Zucht|läh|me** *w. Gen. - nur Ez.* = Beschälseuche; **zucht|los; Zucht|lo|sig|keit** *w. 10 nur Ez.;* **Zucht|meis|ter** *m. 5, veraltet:* Erzieher; **Zucht|per|le** *w. 11;* **Zucht|ru|te** *w. 11* Sinnbild harter Erziehung; unter jmds. Z. stehen; **Zucht|stier** *m. 1;* **Zucht|tier** *s. 1;* **Züch|tung** *w. 10;* **Zucht|vieh** *s. Gen.*-s *nur Ez.;* **Zucht|wahl** *w. 10 nur Ez.*
zu|ckeln, zo|ckeln *intr. 1* langsam und müde gehen, *meist:* hinterherzuckeln; **Zu|ckel|trab** *m. Gen.*-s *nur Ez.*
zu|cken *intr. 1*
zü|cken *tr. 1* ziehen, herausziehen; das Messer z.; mit gezücktem Dolch
Zu|cker *m. 5;* **Zu|cker|bä|cker** *m. 5;* **Zu|cker|brot** *s. 1 nur Ez., urspr.:* Konditoreiware; *dann:* Sinnbild für milde Erziehung; mit Z. und Peitsche; **Zucker|guß** ▶ **Zu|cker|guss** *m. 2;* **Zu|cker|harn|ruhr** *w. Gen. - nur Ez.* = Diabetes mellitus; **Zu|cker|hut** *m. 2* in Kegelform gepresster Zucker; **zu|cke|rig, zuck|rig; Zu|cker|kand** *m. 1 nur Ez.* = Kandiszucker; **zu|cker|krank; Zu|cker|krank|heit** *w. 10 nur Ez.* = Diabetes mellitus; **Zu|ckerl** *s. 14, bayr., österr.:* Bonbon; **zu|ckern** *tr. 1;* **Zu|cker|rohr** *s. 1 nur Ez.* ein Rispengras; **Zu|cker|rü|be** *w. 11;* **zu|cker|süß; Zu|cker|werk** *s. 1 nur Ez.* Süßigkeiten, Bonbons; **zuck|rig,** zu|cke|rig
Zu|ckung *w. 10*
Zu|de|cke *w. 11, ugs.;* **zu|de|cken** *tr. 1*
zu|dem überdies, obendrein, außerdem
zu|dik|tie|ren *tr. 3;* jmdm. etwas zudiktieren
zu|dring|lich; Zu|dring|lich|keit *w. 10*
zu|drü|cken *tr. 1*
zu|eig|nen *tr. 2;* jmdm. etwas z.; **Zu|eig|nung** *w. 10*

zueinander finden/passen: Gefüge aus zusammengesetztem Adverb und Verb schreibt man – im Gegensatz zur bisherigen Regelung – getrennt: *Sie sollten zueinander passen.* →§ 34 E3 (2)

zu|ein|an|der; z. passen, z. gehören, z. finden, z. streben
zu|er|ken|nen *tr. 67;* jmdm. etwas z.; **Zu|er|ken|nung** *w. 10 nur Ez.*
zu|erst; der zuerst Genannte
zu|er|tei|len *tr. 1*
zu|fah|ren *intr. 32, ugs.:* weiterfahren; fahr zu!; **Zu|fahrt** *w. 10;* **Zu|fahrts|stra|ße** *w. 11*
Zu|fall *m. 2;* **zu|fal|len** *intr. 33;* **zu|fäl|lig; zu|fäl|li|ger|wei|se; Zu|fäl|lig|keit** *w. 10;* **Zu|falls|er|geb|nis** *s. 1;* **Zu|falls|tref|fer** *m. 5*
zu|fas|sen *intr. 1*
zu|fleiß *österr.:* absichtlich; jmdm. etwas z. tun: etwas tun, um jmdn. zu ärgern
zu|flie|gen *intr. 38;* der Vogel ist uns zugeflogen
Zu|flö|te *w. 11, scherzh.:* Souffleuse
Zu|flucht *w. 10;* **Zu|fluchts|ort** *m. 1;* **Zu|fluchts|stät|te** *w. 11*
Zu|fluß ▶ **Zu|fluss** *m. 2*
zu|flüs|tern *tr. 1;* jmdm. etwas zuflüstern
zu|fol|ge *mit Dat. u. Gen.;* dem Befehl z.; *aber:* z. eines falschen Befehls
zu|frie|den z. sein; z. geben; er hat sich damit z. gegeben; z. lassen; er hat mich z. gelassen; z. stellen; er hat mich z. gestellt;
zu|frie|den|ge|ben ▶ **zu|frie|den ge|ben; Zu|frie|den|heit** *w. 10 nur Ez.;* **zu|frie|den|las|sen** ▶ **zu|frie|den las|sen; zu|frie|den|stel|len** ▶ **zu|frie|den stel|len; Zu|frie|den|stel|lung** *w. 10 nur Ez.*

zufrieden geben/lassen/stellen/sein: Die Verbindung Adjektiv und Verb schreibt man getrennt, wenn das Adjektiv in dieser Verbindung steigerbar oder durch *sehr* erweiterbar ist: *Sie wollten die Lehrerin mit ihrer Leistung zufrieden stellen.* [→§ 34 E3 (3)] Verbindungen mit *sein* gelten nicht als Zusammensetzung und werden deshalb getrennt geschrieben: *Sie konnten zufrieden sein.* →§ 35

zu|frie|ren *intr. 42*
zu|fü|gen *tr.;* jmdm. etwas z.; **Zu|fü|gung** *w. 10 nur Ez.*
Zu|fuhr *w. 10;* **zu|füh|ren** *tr. 1;* **Zu|füh|rung** *w. 10 nur Ez.*
Zug 1 *m. 2;* Fünfuhrzug, *mit Ziffer:* 5-Uhr-Zug; **2** Hst. des Kantons Zug; **3** schweiz. Kanton

Zu|ga|be *w. 11*
Zu|gang *m. 2;* **zu|gäng|lich; Zu|gäng|lich|keit** *w. 10 nur Ez.*
Zug|be|gleit|per|so|nal *s. Gen.* -s *nur Ez.;* **Zug|brü|cke** *w. 11*
zu|ge|ben *tr. 45*
zu|ge|den|ken *tr. 22; fast nur noch im Partizip II:* dieses Buch habe ich dir zugedacht
zu|ge|ge|be|ner|ma|ßen
zu|ge|gen anwesend, dabei; ich war z., als…
zu|ge|hen *intr. 47;* die Tür geht nicht zu; dort geht es lustig zu; auf etwas oder jmdn. z.; **Zu|geh|frau** *w. 10, süddt.:* Aufwarte-, Reinigungsfrau
Zu|ge|hör *s. 1, österr., schweiz. für* Zubehör; **zu|ge|hö|ren** *intr. 1, poet. für* gehören; **zu|ge|hö|rig; Zu|ge|hö|rig|keit** *w. 10 nur Ez.*
zu|ge|knöpft *übertr. ugs.:* wortkarg, zurückhaltend; **Zu|ge|knöpft|heit** *w. 10 nur Ez.*
Zü|gel *m. 5;* **zü|gel|los** *übertr.:* unbeherrscht, hemmungslos; **Zü|gel|lo|sig|keit** *w. 10 nur Ez.;* **zü|geln** *tr. 1;* ich zügele, zügle das Pferd, meinen Zorn; **Zü|ge|lung,** Züg|lung *w. 10 nur Ez.*
Zu|ger *m. 5* Einwohner von Zug (Schweiz); **zu|ge|risch; Zu|ger See,** *schweiz.:* Zu|ger|see, *m. Gen.* -s
zu|ge|sel|len *refl. 1;* ich gesellte mich ihm zu, habe mich ihm zugesellt
zu|ge|stan|de|ner|ma|ßen; Zu|ge|ständ|nis *s. 1;* **zu|ge|ste|hen** *tr. 151;* jmdm. etwas z.; ich habe es ihm zugestanden
zu|ge|tan; jmdm. z. sein; den Künsten z. sein
Zu|ge|winn *m. 1;* **Zu|ge|winn|ge|mein|schaft** *w. 10* Form des ehelichen Güterstandes
Zug|fe|der *w. 11;* **Zug|fes|tig|keit** *w. 10 nur Ez.;* **Zug|fol|ge** *w. 11;* **Zug|füh|rer** *m. 5*
zu|gig; zü|gig 1 flott, rasch (vorangehend); **2** *schweiz.:* zugkräftig; **Zü|gig|keit** *w. 10 nur Ez.;* **Zug|kraft** *w. 2;* **zug|kräf|tig**
zu|gleich
Zug|loch *s. 4;* **Zug|luft** *w. 2*
Zug|ma|schi|ne *w. 11;* **Zug|mit|tel** *s. 5;* **Zug|num|mer** *w. 11* bes. zugkräftige Nummer (im Zirkus und Varietee); **Zug|och|se** *m. 11;* **Zug|per|so|nal** *s. Gen.* -s *nur Ez.;* **Zug|pferd** *s. 1;* **Zug|pflas|ter** *s. 5*
zu|grei|fen *intr. 59;* **Zu|griff** *m. 1*

> **zugrunde/zu Grunde gehen/richten:** Bei Fügungen in adverbialer Verwendung bleibt es dem/der Schreibenden überlassen, ob zusammengeschrieben wird oder getrennt: *Bei dieser Arbeit werde ich noch zugrunde/zu Grunde gehen.*
> Ebenso: *zuleide/zu Leide tun, zumute/zu Mute sein, zunutze/zu Nutze machen, zurande/zu Rande kommen, zurate/zu Rate ziehen, zuschanden/zu Schanden machen/werden, zuschulden/zu Schulden kommen lassen, zustande/zu Stande bringen, zutage/zu Tage treten/fördern, zuwege/zu Wege bringen.* →§ 39 E3 (1)

zu|grun|de ► *auch:* **zu Grun|de** z. gehen, legen, liegen, richten
Zug|sal|be *w. 11;* **Zug|scheit** *s. 1* = Ortscheit; **Zug|seil** *s. 1;* **Zugs|füh|rer** *m. 5, österr. für* Zugführer
Zug|spitz|bahn *w. 10 nur Ez.;* **Zug|spit|ze** *w. Gen.* - höchster Berg Deutschlands
Zug|stück *s. 1* bes. zugkräftiges Theaterstück; **Zugs|ver|kehr** *m. Gen.* -s *nur Ez., österr. für* Zugverkehr; **Zug|tier** *s. 1*

> **zugunsten/zu Gunsten:** Bei Fügungen in präpositionaler Verwendung bleibt es dem/der Schreibenden überlassen, ob zusammengeschrieben wird oder getrennt: *Zugunsten/zu Gunsten des Angeklagten sprach …* →§ 39 E3 (3)
> Ebenso: *zulasten/zu Lasten, zuseiten/zu Seiten, zuungunsten/zu Ungunsten.*

zu|guns|ten ► *auch:* **zu Guns|ten** *m. Gen.;* z. meines Bruders; zu seinen Gunsten
zu|gu|te; jmdm. etwas zugute halten; jmdm. zugute kommen; jmdm. etwas zugute tun
Zug|ver|band *m. 2* Streckverband; **Zug|ver|bin|dung** *w. 10;* **Zug|ver|kehr** *m. Gen.* -s *nur Ez.;* **Zug|vo|gel** *m. 6* Vogel, der beim Einsetzen der ungünstigen Jahreszeit wärmere Gegenden aufsucht; *Ggs.:* Standvogel; vgl. Strichvogel; **Zug|wind** *m. 1;* **Zug|zwang** *m. 2 nur Ez.* Zwang zum Handeln; unter Z. stehen
zu|ha|ken *tr. 1*
zu|hal|ten *tr. 61;* die Tür z.; jmdm. den Mund z.; jmdm. eine Arbeit, eine Summe z. *schweiz.:* zuweisen, zuteilen, zusprechen; **Zu|häl|ter** *m. 5* jmd., der von den Einkünften einer Prostituierten lebt; **Zu|häl|te|rei** *w. 10 nur Ez.;* **zu|häl|te|risch**
zu|han|den 1 *veraltet:* in die Hände; es ist mir z. gekommen; **2** *schweiz. für* zu Händen
zu|hau|en *intr. u. tr. 63*
zu|hauf *poet., veraltet:* in Haufen, in Scharen; sie kamen zuhauf
Zu|hau|se *s. 5 nur Ez.;* mein Z.; kein Z. haben; *aber:* zu Hause sein, bleiben *österr., schweiz. auch:* zuhause sein, bleiben
zu|hei|len *intr. 1*
Zu|hil|fe|nah|me *w. Gen. - nur Ez., fast nur in der Wendung:* unter Z. von…, *oder:* eines…
zu|hin|terst
zu|höchst ganz oben; z. auf dem Berg
zu|hö|ren *intr. 1;* **Zu|hö|rer** *m. 5;* **Zu|hö|rer|schaft** *w. 10*
zu|in|nerst
zu|keh|ren *tr. 1;* jmdm. den Rücken z.
zu|knöp|fen *tr. 1;* vgl. zugeknöpft
zu|kom|men *intr. 71;* er kam auf mich zu; das kommt mir nicht zu; jmdm. etwas z. lassen
Zu|kost *w. Gen. - nur Ez.* Beilage zum Hauptgericht, Zuspeise, z. B. Gemüse
Zu|kunft *w. Gen. - nur Ez.; Gramm.* = Futur; **zu|künf|tig;** mein Zukünftiger: mein Verlobter; **Zu|kunfts|for|schung** *w. 10* Futurologie; **Zu|kunfts|mu|sik** *w. 10 nur Ez.;* das ist vorläufig noch Z.; **Zu|kunfts|plä|ne** *m. 2 Mz.*
zu|lä|cheln *intr. 1*
Zu|la|ge *w. 11*
zu|lan|de ► **zu Lan|de;** bei uns zu Lande; vgl. hierzulande; zu Lande und zu Wasser; vgl. Land
zu|lan|gen *intr. 1;* **zu|läng|lich; Zu|läng|lich|keit** *w. 10 nur Ez.*
zu|las|sen *tr. 75;* **zu|läs|sig; Zu|las|sung** *w. 10;* **Zu|las|sungs|ar|beit** *w. 10;* **Zu|las|sungs|pa|pie|re** *s. 1 Mz.*
zu|las|ten ► *auch:* **zu Las|ten**
Zu|lauf *m. 2;* das Geschäft, das Theater hat viel, wenig Z.; **zu|lau|fen** *intr. 76;* auf jmdn. z.; der Hund ist uns zugelaufen
zu|le|gen *tr. 1*

zu|lei|de ► *auch:* **zu Lei|de**; jmdm. etwas, nichts zuleide tun
zu|lei|ten *tr. 2;* **Zu|lei|tung** *w. 10;* **Zu|lei|tungs|rohr** *s. 1*
zu|letzt; *aber:* zu guter Letzt
zu|lie|be; mir, ihr z.; jmdm. etwas zuliebe tun
zul|len *intr. 1, ostmitteldt.:* saugen; **Zul|ler** *m. 5, ostmitteldt.:* Sauger, Schnuller; **Zulp** *m. 1, ostmitteldt.:* Lutschbeutel; **zul|pen** *intr. 1, ostmitteldt.:* lutschen
Zu|lu 1 *m. 9 oder Gen. - Mz. -* Angehöriger eines Bantuvolkes in Südafrika; **2** *s. Gen.* -(s) *nur Ez.* dessen Sprache
zum = zu dem; Gasthaus »Zum Schwan«, *oder:* »Gasthaus zum Schwan«; es ist zum Lachen; zum Ersten, zum Zweiten, zum Dritten!; zum Mindesten; *aber:* →zumindest
zu|ma|chen *tr. 1; aber:* da ist nichts zu machen; mach zu! *ugs.:* mach schnell, beeil dich!
zu|mal 1 vor allem (weil), umso mehr, als; er hat viel Verständnis für Kinder, zumal er selbst drei hat; wir haben ihn alle sehr gern, zumal unsere Tochter; **2** *veraltet:* zugleich; sie kamen alle zumal
zu|meist = meist, meistens
zu|mes|sen *tr. 84;* jmdm. seinen Anteil z.
zu|min|dest; *aber:* zum Mindesten; z. drei; du solltest es z. versuchen
zu|mut|bar; zu|mu|te ► *auch:* **zu Mu|te**; mir ist wohl, traurig z.; **zu|mu|ten** *tr. 2;* jmdm. etwas z.; **Zu|mu|tung** *w. 10*
zu|nächst 1 *mit Dat.:* nahe (bei); zunächst dem Wald; **2** zuerst; zunächst werde ich nach Berlin fahren; **Zu|nächst|lie|gen|de(s)** *s. 18 (17)*
zu|na|geln *tr. 1;* ich nagele, nagle die Kiste zu
Zu|nah|me *w. 11*
Zu|na|me *m. 15;* Familienname; *auch:* Beiname
Zünd|blätt|chen *s. 7;* **zün|deln** *intr. 1, bayr., österr.:* mit Feuer spielen; **zün|den** *tr. u. intr. 2;* **Zun|der** *m. 5 nur Ez.* **1** Zündstoff aus getrocknetem Zunderpilz (Feuerschwamm); **2** *ugs.:* Prügel; Beschuss; **Zün|der** *m. 5;* **Zünd|holz** *s. 4;* **Zünd|hüt|chen** *s. 7;* **Zünd|ker|ze** *w. 11;* **Zünd|schlüs|sel** *m. 5;* **Zünd|schnur** *w. 2;* **Zünd|stoff** *m. 1;* **Zün|dung** *w. 10*

zu|nei|gen *intr. u. refl. 1;* ich neige der Ansicht zu, dass…; sich einer Sache oder jmdm. z.; einer Sache oder jmdm. zugeneigt sein; **Zu|nei|gung** *w. 10 nur Ez.*
Zunft *w. 2, 11.–19. Jh.:* berufliche Vereinigung d. Handwerker; **zünf|tig 1** fachmännisch, fachgerecht; **2** *übertr.:* kräftig, tüchtig; volkstümlich, lustig
Zun|ge *w. 11; übertr. auch:* Sprache, Rede; eine spitze Z. haben: boshaft sein; **Zün|gel|chen** *s. 7;* **zün|geln** *intr. 1;* **zun|gen|fer|tig** redegewandt; **Zun|gen|fer|tig|keit** *w. 10 nur Ez.;* **Zun|gen-R** ► *auch:* **Zun|gen-r**

> **Zungen-R/Zungen-r:** Groß- oder Kleinschreibung nach dem Bindestrich ist möglich. →§ 55 (1), § 55 (2)

s. Gen. -(s) *Mz.* -(s) mit der Zunge hinter den oberen Schneidezähnen gebildeter r-Laut; **Zun|gen|schlag** *m. 2 nur Ez.;* falscher Z.: ein Sichversprechen, versehentlich falsche Ausdrucksweise; **Zun|gen|wurst** *w. 2;* **Züng|lein** *s. 7;* das Z. an der Waage

> **zunichte/zunutze machen:** Die Verbindung aus zusammengesetztem Adverb und Verb schreibt man getrennt: *Die Grammatiker wollten alles zunichte machen.* →§ 34 E3 (2)

zu|nich|te; etwas zunichte machen; zunichte werden
zu|nie|derst *bayr.:* zuunterst
Züns|ler *m. 5* ein Kleinschmetterling
zu|nut|ze ► *auch:* **zu Nut|ze**; sich etwas zunutze machen
zu|o|berst
zu|or|den|bar; zu|ord|nen *tr. 2;* **Zu|ord|nung** *w. 10 nur Ez.*

> **zupass/zupasse kommen:** Nach kurzem Vokal schreibt man *-ss-*. Das Gefüge aus zusammengesetztem Adverb und Verb schreibt man getrennt: *Das würde ihm so richtig zupass kommen.* →§ 34 E3 (2)

zu|paß ► **zu|pass; zu|pas|se** *nur in der Wendung* z. kommen: willkommen, gelegen sein; das kommt mir gut, sehr, nicht z.

zup|fen *tr. 1;* **Zupf|gei|ge** *w. 11* Gitarre; **Zupf|gei|gen|hansl** *m. Gen. - nur Ez.* Liederbuch der Wandervögel; **Zupf|in|stru|ment** *auch:* **-ins|tru-, -inst|ru-** *s. 1*
Zup|pa Ro|ma|na [dzu-] *w. Gen. --, nur Ez.* ital. Kuchen aus likörgetränktem Biskuitteig, Vanillecreme und kandierten Früchten
zu|pros|ten *intr. 2;* jmdm. z.
zur = zu der; zur Ruhe gehen, kommen; zur Schule gehen; zur Rechten, zur Linken; Gasthaus »Zur Linde«, *oder:* »Gasthaus zur Linde«
zu|ran|de ► *auch:* **zu Ran|de** *nur in der Wendung* z. kommen: eine Aufgabe bewältigen
zu|ra|te ► *auch:* **zu Ra|te;** jmdn. z. ziehen
zu|ra|ten *intr. 94;* jmdm. z.
zu|rau|nen *tr. 1;* jmdm. etwas z.
Zür|cher *m. 5, schweiz. Form v.* Züricher; **zür|che|risch** *schweiz. Form von* züricherisch
zu|rech|nen *tr. 2;* **Zu|rech|nung** *w. 10 nur Ez.;* **zu|rech|nungs|fä|hig; Zu|rech|nungs|fä|hig|keit** *w. 10 nur Ez.*
zu|recht... *in Zus. mit Verben:* richtig, gerade, in Ordnung, zur rechten Zeit; *aber:* zu Recht bestehen
zu|recht|bie|gen *tr. 12;* **zu|recht|brin|gen** *tr. 21;* **zu|recht|fin|den** *refl. 36;* **zu|recht|kom|men** *intr. 71;* **zu|recht|le|gen** *tr. 1;* **zu|recht|ma|chen** *tr. 1;* **zu|recht|rü|cken** *tr. 1;* jmdm. den Kopf z. *ugs. übertr.:* jmdm. energisch die Meinung sagen; **zu|recht|set|zen** *tr. u. refl. 1;* jmdm. den Kopf z.; vgl. zurechtrücken; **zu|recht|stel|len** *tr. 1;* **zu|recht|stut|zen** *tr. 1;* **zu|recht|wei|sen** *tr. 177;* **Zu|recht|wei|sung** *w. 10;* **zu|recht|zim|mern** *tr. 1*
zu|re|den *tr. 2;* jmdm. gut z.; trotz allem Zureden, *oder:* trotz allen (*auch:* alles) Zuredens
zu|rei|chen 1 *tr. 1;* jmdm. etwas z.; **2** *intr. 1, ugs.:* reichen, ausreichen; es wird gerade z.
zu|rei|ten 1 *tr. 97;* ein Pferd z.: es an die Hilfen des Reiters gewöhnen; **2** *intr. 97;* auf etwas zureiten
Zü|rich [schweiz.: tsy] **1** Hst. des Kantons Zürich; **2** schweiz. Kanton; **Zü|ri|cher,** *schweiz.:* Zür|cher, *m. 5;* **zü|ri|che|risch,**

schweiz.: zür|che|risch; **Zü|rich|see** *m. Gen.* -s schweiz. See
zu|rich|ten *tr. 2;* **Zu|rich|ter** *m. 5;* **Zu|rich|tung** *w. 10 nur Ez.*
zu|rie|geln *tr. 1;* ich riegele, riegle die Tür zu
zụ̈r|nen *intr. 1;* jmdm. z.
zụr|ren *tr. 1, Seew.:* binden, festbinden
Zur|schau|stel|lung *w. 10*
zu|rụ̈ck; er ist noch nicht zurück; ich bin um 5 Uhr zurück; ich werde bald zurück sein; der Weg zurück; es gibt kein Zurück
zu|rụ̈ck|be|hal|ten *tr. 61;* **Zu|rụ̈ck|be|hal|tungs|recht** *s. 1 nur Ez.*
zu|rụ̈ck|be|kom|men *tr. 71*
zu|rụ̈ck|be|ru|fen *tr. 102;* **Zu|rụ̈ck|be|ru|fung** *w. 10*
zu|rụ̈ck|bil|den *refl. 2;* **Zu|rụ̈ck|bil|dung** *w. 10*
zu|rụ̈ck|blei|ben *intr. 17*
zu|rụ̈ck|bli|cken *intr. 1*
zu|rụ̈ck|brin|gen *tr. 21*
zu|rụ̈ck|däm|men *tr. 1*
zu|rụ̈ck|da|tie|ren *tr. 3* mit einem früheren Datum versehen (Brief), nachdatieren, postdatieren
zu|rụ̈ck|den|ken *intr. 22*
zu|rụ̈ck|drän|gen *tr. u. intr. 1;* **Zu|rụ̈ck|drän|gung** *w. 10 nur Ez.*
zu|rụ̈ck|dre|hen *tr. 1*
zu|rụ̈ck|er|bit|ten *tr. 15*
zu|rụ̈ck|er|hal|ten *tr. 61*
zu|rụ̈ck|er|o|bern *tr. 1;* zurückeroberte Gebiete
zu|rụ̈ck|er|stat|ten *tr. 2, verstärkend für* erstatten
zu|rụ̈ck|fah|ren *intr. u. tr. 32*
zu|rụ̈ck|fal|len *intr. 33*
zu|rụ̈ck|fin|den *tr. u. intr. 36*
zu|rụ̈ck|flie|gen *intr. 38*
zu|rụ̈ck|for|dern *tr. 1;* ich fordere, fordre es zurück
zu|rụ̈ck|fra|gen *intr. 1*
zu|rụ̈ck|füh|ren *intr. u. tr. 1;* **Zu|rụ̈ck|füh|rung** *w. 10 nur Ez.*
Zu|rụ̈ck|ga|be *w. 11 nur Ez.;* **zu|rụ̈ck|ge|ben** *tr. 45*
zu|rụ̈ck|ge|hen *intr. 47*
zu|rụ̈ck|ge|zo|gen; Zu|rụ̈ck|ge|zo|gen|heit *w. 10 nur Ez.*
zu|rụ̈ck|grei|fen *intr. 59;* auf etwas z.
zu|rụ̈ck|ha|ben *tr. 60*
zu|rụ̈ck|hal|ten *tr. 61;* **zu|rụ̈ck|hal|tend; Zu|rụ̈ck|hal|tung** *w. 10 nur Ez.*
zu|rụ̈ck|keh|ren *intr. 1*
zu|rụ̈ck|kom|men *intr. 71*
zu|rụ̈ck|kön|nen *intr. 72*
zu|rụ̈ck|las|sen *tr. 75;* **Zu|rụ̈ck|las|sung** *w. 10 nur Ez.*
zu|rụ̈ck|le|gen *tr. 1*
zu|rụ̈ck|leh|nen *tr. 1*
zu|rụ̈ck|lie|gen *intr. 80*
zu|rụ̈ck|mel|den *refl. 2;* **Zu|rụ̈ck|mel|dung** *w. 10*
zu|rụ̈ck|müs|sen *intr. 87*
Zu|rụ̈ck|nah|me *w. 11 nur Ez.;* **zu|rụ̈ck|neh|men** *tr. 88*
zu|rụ̈ck|pral|len *intr. 1*
zu|rụ̈ck|ru|fen *tr. 102*
zu|rụ̈ck|schal|len *intr. 106*
zu|rụ̈ck|schau|dern *intr. 1;* ich schaudere, schaudre davor zurück
zu|rụ̈ck|schau|en *intr. 1*
zu|rụ̈ck|scheu|en *intr. 1;* vor etwas z.
zu|rụ̈ck|schi|cken *tr. 1*
zu|rụ̈ck|schla|gen *tr. u. intr. 116*
zu|rụ̈ck|schre|cken *intr. 126;* ich schrak, *oder:* schreckte davor zurück, bin davor zurückgeschreckt, *auch:* zurückgeschrocken
zu|rụ̈ck|schrei|ben *tr. 127*
zu|rụ̈ck|seh|nen *refl. u. tr. 1*
zu|rụ̈ck|sen|den *tr. 138*
zu|rụ̈ck|set|zen *tr. u. intr. 1;* **Zu|rụ̈ck|set|zung** *w. 10 nur Ez.*
zu|rụ̈ck|ste|cken *tr. 1, ugs. auch intr. 1;* einen Pflock z. *übertr.:* nachgeben; man muss auch einmal z. können: nachgeben können
zu|rụ̈ck|ste|hen *intr. 151*
zu|rụ̈ck|stel|len *tr. 1;* **Zu|rụ̈ck|stel|lung** *w. 10*
zu|rụ̈ck|strah|len *tr. u. intr. 1;* **Zu|rụ̈ck|strah|lung** *w. 10 nur Ez.*
zu|rụ̈ck|tre|ten *intr. 163*
zu|rụ̈ck|ü|ber|set|zen *tr. 1; meist:* rückübersetzen
zu|rụ̈ck|ver|fol|gen *tr. 1;* **Zu|rụ̈ck|ver|fol|gung** *w. 10 nur Ez.*
zu|rụ̈ck|ver|lan|gen *tr. 1*
zu|rụ̈ck|ver|set|zen *tr. u. refl. 1*
zu|rụ̈ck|wei|chen *intr. 176*
zu|rụ̈ck|wei|sen *tr. 177;* **Zu|rụ̈ck|wei|sung** *w. 10*
zu|rụ̈ck|wer|fen *tr. 181*
zu|rụ̈ck|wol|len *intr. 185*
zu|rụ̈ck|wün|schen *tr. 1*
zu|rụ̈ck|zah|len *tr. 1;* **Zu|rụ̈ck|zah|lung** *w. 10*
zu|rụ̈ck|zie|hen *tr. u. refl. 187;* **Zu|ruf** *m. 1;* **zu|ru|fen** *tr. 102;* jmdm. etwas z.
zu|rüs|ten *tr. 1;* **Zu|rüs|tung** *w. 10*
Zur|ver|fü|gung|stel|lung *w. 10 nur Ez., Amtsdeutsch*
zur|zeit derzeit, augenblicklich; sie ist zurzeit krank; *aber:* zur Zeit Kaiser Karls
Zu|sa|ge *w. 11;* **zu|sa|gen** *tr. u. intr. 1*
zu|sạm|men gemeinsam, miteinander, gleichzeitig; zusammen fahren; *aber:* →zusammenfahren; zusammen singen, spielen, lachen

> **zusammen tragen, zusammentragen, zusammen sein:**
> In der Bedeutung »gemeinsam, miteinander« wird das Gefüge getrennt geschrieben: *Sie haben die Verantwortung/den Tisch zusammen getragen.* Ebenso: *zusammen spielen* (Betonung auf *zusammen*). [→§34 E2]. Auch: *zusammen sein* (keine Zusammensetzung; →§35).
> In der Bedeutung »in eins tragen« wird das Verb im Infinitiv, den Partizipien sowie bei Endstellung des Verbs im Nebensatz zusammengeschrieben: *Bei der Recherche wurden die Einzelheiten zusammengetragen.* →§34 (1)

zu|sam|men... *in Zus.:* **1** beieinander, z. B. zusammensitzen; **2** an-, ineinander, z. B. zusammenfügen; **3** übereinstimmend, z. B. zusammenklingen; **4** *ugs.:* kaputt, z. B. zusammenschlagen
Zu|sạm|men|ar|beit *w. 10 nur Ez.;* **zu|sạm|men|ar|bei|ten 1** *tr. 2* vereinigen (z. B. Texte); **2** *intr. 2* gemeinsam arbeiten; wir werden gut z.; *aber:* wir wollen heute zusammen ạrbeiten
zu|sạm|men|bal|len *tr. 1;* **Zu|sạm|men|bal|lung** *w. 10 nur Ez.*
Zu|sạm|men|bau *m. Gen.* -(e)s *nur Ez.* Montage; **zu|sạm|men|bau|en** *tr. 1*
zu|sạm|men|bei|ßen *tr. 8;* die Zähne z.
zu|sạm|men|bet|teln *tr. 1;* sich seinen Lebensunterhalt z.; *aber:* sie gehen zusammen (= gemeinsam) betteln
zu|sạm|men|bin|den *tr. 14*
zu|sạm|men|blei|ben *intr. 17*
zu|sạm|men|brau|en 1 *tr. 1;* **2** *refl. 1, ugs.:* sich zusammenziehen (Gewitter)
zu|sạm|men|bre|chen *intr. 19;* **Zu|sạm|men|bruch** *m. 2*
zu|sạm|men|drän|gen *tr. 1*

zu|sạm|men|drü|cken *tr. 1*
zu|sạm|men|fah|ren *intr. 32* zusammenzucken, erschrecken; *aber:* wir können zusammen (= miteinander) fahren
Zu|sạm|men|fall *m. 2 nur Ez.;* **zu|sạm|men|fal|len** *intr. 33*
zu|sạm|men|fal|ten *tr. 2*
zu|sạm|men|fas|sen *tr. 1;* **Zu|sạm|men|fas|sung** *w. 10*
zu|sạm|men|flie|ßen *intr. 40;*
Zu|sạm|men|fluß ► **Zu|sạm|men|fluss** *m. 2*
zu|sạm|men|fü|gen *tr. 1;* **Zu|sạm|men|fü|gung** *w. 10 nur Ez.*
zu|sạm|men|füh|ren *tr. 1;* Familien z.; **Zu|sạm|men|füh|rung** *w. 10 nur Ez.*
zu|sạm|men|ge|hen *intr. 47, ugs.* **1** sich vereinigen (Linien); **2** einlaufen, kleiner werden (Stoff); **3** alt, faltig werden; *aber:* wir können ein Stück zusammen (= miteinander) gehen
zu|sạm|men|ge|hö|ren *intr. 1;* **zu|sạm|men|ge|hö|rig; Zu|sạm|men|ge|hö|rig|keit** *w. 10 nur Ez.;* **Zu|sạm|men|ge|hö|rig|keits|ge|fühl** *s. 1 nur Ez.*
zu|sạm|men|ha|ben *tr. 60;* das Geld für etwas z.
Zu|sạm|men|halt *m. 1 nur Ez.;* **zu|sạm|men|hal|ten** *intr. u. tr. 61;* fest, treulich z.; seine Gedanken, sein Geld z.; *aber:* wenn wir das Brett zusammen (= miteinander) halten, geht es besser
Zu|sạm|men|hang *m. 2;* **zu|sạm|men|hän|gen** *intr. u. tr. 62;* zusammenhängend sprechen; **zu|sạm|men|hang|los,** zu|sạm|men|hangs|los; **Zu|sạm|men|hang(s)|lo|sig|keit** *w. 10 nur Ez.*
zu|sạm|men|hau|en *tr. 63 ugs.*
zu|sạm|men|keh|ren *tr. 1*
zu|sạm|men|klam|mern *tr. 1;* ich klammere, klammre die Seiten zusammen
Zu|sạm|men|klang *m. 2*
zu|sạm|men|klapp|bar; zu|sạm|men|klap|pen 1 *tr. 1;* **2** *intr. 1, ugs.:* (vor Erschöpfung) zusammenbrechen, einen Zusammenbruch erleiden
zu|sạm|men|klin|gen *intr. 69*
zu|sạm|men|knei|fen *tr. 70*
zu|sạm|men|kom|men *intr. 71* sich begegnen; sich ansammeln; es ist viel Geld zusammengekommen; *aber:* sie sind zusammen (= gleichzeitig, miteinander) gekommen

zu|sạm|men|kramp|fen *refl. 1*
zu|sạm|men|läp|pern *refl. 1, ugs.:* nach und nach zusammenkommen; es läppert sich zusammen
zu|sạm|men|lau|fen *intr. 76* herbeilaufen, ineinander laufen; die Farben sind zusammengelaufen; *aber:* wir sind zusammen (= miteinander) gelaufen
zu|sạm|men|le|ben 1 *refl. 1* sich einander anpassen; sie haben sich zusammengelebt; **2** *intr. 1* miteinander leben; sie haben einige Jahre zusammengelebt; *aber:* sie können nicht mehr zusammen le̲ben; **Zu|sạm|men|le|ben** *s. Gen.* -s *nur Ez.*
zu|sạm|men|leg|bar; zu|sạm|men|le|gen *tr. 1;* **Zu|sạm|men|le|gung** *w. 10 nur Ez.*
zu|sạm|men|le|sen *tr. 79* sammeln, aufsammeln (Früchte); *aber:* wir wollen das Stück, das Buch zusammen (= gemeinsam) lesen
zu|sạm|men|lie|gen *intr. 80*
zu|sạm|men|lü|gen *tr. 81, ugs.;* was er alles zusammenlügt!
zu|sạm|men|nä|hen *tr. 1*
zu|sạm|men|neh|men 1 *tr. 88;* seine Gedanken z.; alles zusammengenommen ergibt 200 Mark; **2** *refl. 88* sich beherrschen, aufpassen
zu|sạm|men|pa|cken *tr. 1*
zu|sạm|men|pas|sen *intr. 1*
zu|sạm|men|pfer|chen *tr. 1*
Zu|sạm|men|prall *m. 1 nur Ez.;* **zu|sạm|men|pral|len** *intr. 1*
zu|sạm|men|rau|fen *refl. 1, ugs.*
zu|sạm|men|rech|nen *tr. 2;* die Zahlen, Posten z.; *aber:* wir wollen jetzt zusammen (= miteinander) rechnen
zu|sạm|men|rei|men *tr. 1;* jetzt kann ich mir das z.: jetzt verstehe, durchschaue ich das
zu|sạm|men|rei|ßen *refl. 96, ugs.:* sich beherrschen
zu|sạm|men|rot|ten *refl. 2;* **Zu|sạm|men|rot|tung** *w. 10 nur Ez.*
zu|sạm|men|rü|cken *tr. u. intr. 1*
zu|sạm|men|ru|fen *tr. 102*
zu|sạm|men|schar|ren *tr. 1*
Zu|sạm|men|schau *w. 10 nur Ez.* kurzer Überblick
zu|sạm|men|schla|gen *tr. 116; auch ugs.:* entzweischlagen, niederschlagen
zu|sạm|men|schlie|ßen *tr. u. refl. 120;* **Zu|sạm|men|schluß** ► **Zu|sạm|men|schluss** *m. 2*

zu|sạm|men|schnü|ren *tr. 1*
zu|sạm|men|schre|cken *intr. 126;* ich schrak zusammen, bin zusammengeschrocken; *auch:* -geschreckt
zu|sạm|men|schrei|ben *tr. 127;* die beiden Wörter werden zusammengeschrieben; Texte z.: miteinander vereinigen; er hat viel Unsinn zusammengeschrieben *ugs.; aber:* sie wollen das Buch zusammen (= gemeinsam) schreiben
zu|sạm|men|schrump|fen *intr. 1*
zu|sạm|men|sein ► **zu|sạm|men sein; Zu|sạm|men|sein** *s. Gen.* -s *nur Ez.;* während unseres Zusammenseins
zu|sạm|men|set|zen *tr. 1;* **Zu|sạm|men|set|zung** *w. 10*
zu|sạm|men|sin|ken *intr. 141*
zu|sạm|men|sit|zen *intr. 143*
zu|sạm|men|spa|ren *tr. 1;* etwas Geld z.
Zu|sạm|men|spiel *s. 1 nur Ez.;* **zu|sạm|men|spie|len** *intr. 1* sich beim Spiel gut verstehen; *übertr.:* gemeinsame Sache machen; *aber:* wir wollen zusammen (= gemeinsam) spielen
zu|sạm|men|stau|chen *tr. 1, ugs.:* scharf zurechtweisen
zu|sạm|men|ste|hen *intr. 151*
zu|sạm|men|stel|len *tr. 1;* **Zu|sạm|men|stel|lung** *w. 10*
zu|sạm|men|stim|men *intr. 1*
Zu|sạm|men|stoß *m. 2;* **zu|sạm|men|sto|ßen** *tr. u. intr. 157*
zu|sạm|men|strö|men *intr. 1*
zu|sạm|men|stü|ckeln, zu|sạm|men|stü|cken *tr. 1;* ich stückele, stückle es zusammen
zu|sạm|men|su|chen *tr. 1;* seine Sachen z.; *aber:* wir wollen es zusammen (= gemeinsam) suchen
zu|sạm|men|tra|gen *tr. 160;* Material z.; *aber:* wir können den Koffer zusammen (= gemeinsam) tragen; **Zu|sạm|men|tra|gung** *w. 10 nur Ez.*
zu|sạm|men|tref|fen *intr. 161;* die beiden sind gestern zusammengetroffen; *aber:* ich habe beide zusammen getroffen; es war ein merkwürdiges Zusammentreffen
zu|sạm|men|tre|ten *intr. 163;*
Zu|sạm|men|tritt *m. 1 nur Ez.*
zu|sạm|men|trom|meln *tr. 1, ugs.:* zusammenrufen
zu|sạm|men|tun *tr. u. refl. 167;* sie haben sich zusammengetan

und betreiben das Geschäft nun gemeinsam
zu|sam|men|wach|sen *intr. 172*
zu|sam|men|wir|ken *intr. 1*
zu|sam|men|zäh|len *tr. 1*
zu|sam|men|zie|hen *tr. u. intr. 187;* Truppen z.; zusammenziehendes Mittel; sie sind zusammengezogen: sie haben eine gemeinsame Wohnung genommen; **Zu|sam|men|zie|hung** *w. 10 nur Ez.*
zu|sam|men|zu|cken *intr. 1*
Zu|satz *m. 2;* **Zu|satz|ge|rät** *s. 1;* **zu|sätz|lich; Zu|satz|zahl** *w. 10*
zu|schan|den ► *auch:* **zu Schan|den** kaputt; etwas zuschanden machen; ein Pferd zuschanden reiten
zu|schan|zen *tr. 1, ugs.;* jmdm. etwas z.: jmdm. zu etwas verhelfen; jmdm. einen Gewinn, einen Posten z.
zu|schau|en *intr. 1;* **Zu|schau|er** *m. 5;* **Zu|schau|er|raum** *m. 2;* **Zu|schau|er|tri|bü|ne** *w. 11*
zu|schi|cken *tr. 1;* jmdm. etwas z.
zu|schie|ben *tr. 112;* jmdm. etwas z.
zu|schie|ßen 1 *tr. 113* beisteuern, dazugeben; 200 Mark z.; **2** *intr. 113, ugs.;* auf jmdn. z.: rasch auf jmdn. zulaufen
Zu|schlag *m. 2;* **zu|schla|gen** *tr. u. intr. 116;* **zu|schlag|frei,** zu|schlags|frei; **zu|schlag|pflich|tig,** zu|schlags|pflich|tig
zu|schlie|ßen *tr. 120*
zu|schnap|pen *intr. 1*
zu|schnei|den *tr. 125;* **Zu|schnei|der** *m. 5*
zu|schnei|en *intr. 1, meist im Passiv und Partizip II:* der Weg ist zugeschneit; zugeschneite Wege
Zu|schnitt *m. 1 nur Ez.*
zu|schrei|ben *tr. 127;* jmdm. die Schuld an etwas z.; einem Maler ein Bild z.: ihn für den Maler des Bildes halten; **Zu|schrift** *w. 10*
zu|schul|den ► *auch:* **zu Schul|den** *nur in der Wendung* sich etwas z. kommen lassen: etwas Unrechtes tun
Zu|schuß ► **Zu|schuss** *m. 2;* **Zu|schuß|be|trieb** ► **Zu|schuss|be|trieb** *m. 1*
zu|schus|tern *tr. 1, ugs.:* **1** = zuschanzen; **2** zusetzen (Geld)
zu|se|hen *intr. 136;* **zu|se|hends** merklich, sichtbar; es geht ihm z. besser
zu|sein ► **zu sein** *intr. 137, ugs.:* geschlossen sein
zu|sei|ten ► *auch:* **zu Sei|ten** an der Seite; zuseiten des Hauses
zu|sen|den *tr. 138;* · **Zu|sen|dung** *w. 10*
zu|set|zen *tr. u. intr. 1;* ich habe dabei eine Menge Geld zugesetzt; jmdm. z.: jmdn. bedrängen (etwas zu tun); seine Unehrlichkeit setzt mir sehr zu: betrübt, bedrückt mich
zu|si|chern *tr. 1;* ich sichere es Ihnen zu; **Zu|si|che|rung** *w. 10*
Zu|spät|kom|men|de *Mz.;* die Zuspätkommenden
Zu|spei|se *w. 11* = Zukost
zu|sper|ren *tr. 1*
zu|spie|len *tr. 1;* jmdm. etwas z.
zu|spit|zen *tr. u. refl. 1;* **Zu|spit|zung** *w. 10 nur Ez.*
zu|spre|chen *tr. 146;* die Kinder sind ihr zugesprochen worden; **Zu|spre|chung** *w. 10 nur Ez.;* **Zu|spruch** *m. 2 nur Ez.*
Zu|stand *m. 2;* **zu|stan|de** ► *auch:* **zu Stan|de**; zustande bringen; zustande kommen; beim Zustandekommen; **zu|stän|dig; Zu|stän|dig|keit** *w. 10 nur Ez.;* **zu|stän|dig|keits|hal|ber**; ein Gesuch z. weiterleiten; **zu|ständ|lich; Zu|stands|än|de|rung** *w. 10;* **Zu|stands|glei|chung** *w. 10, Phys.*
zu|stat|ten *nur in der Fügung* zustatten kommen: nützen, nützlich sein; seine Sprachkenntnisse kommen ihm jetzt sehr z.
zu|ste|cken *tr. 1;* jmdm. etwas z.
zu|stel|len *tr. 1;* eine Tür z. *ugs.;* jmdm. etwas z.: ins Haus bringen; **Zu|stel|ler** *m. 5;* **Zu|stell|ge|bühr** *w. 10;* **Zu|stel|lung** *w. 10 nur Ez.;* **Zu|stel|lungs|ge|bühr** *w. 10;* **Zu|stell|ver|merk** *m. 1*
zu|steu|ern *intr. 1;* ich steuere, steure darauf zu
zu|stim|men *intr. 1;* **Zu|stim|mung** *w. 10*
zu|sto|ßen 1 *tr. 157;* die Tür z.; **2** *intr. 157;* mit dem Messer z.; ihm ist etwas zugestoßen
zu|stre|ben *intr. 1;* einem Ziel, *oder:* auf ein Ziel z.
Zu|strom *m. 2 nur Ez.*
zu|ta|ge ► *auch:* **zu Ta|ge;** zutage bringen, fördern, treten
Zu|tat *w. 10*
zu|teil; zuteil werden; mir ist ein großes Glück zuteil geworden; **zu|tei|len** *tr. 1;* jmdm. etwas z.; **Zu|tei|lung** *w. 10*

> **zuteil werden:** Gefüge aus zusammengesetztem Adverb und Verb schreibt man getrennt: *Anerkennung sollte ihr zuteil werden.* →§ 34 E3 (2) Ebenso: *zupass/zupasse kommen, zustatten kommen.* →§ 34 E3 (2)

zu|tiefst
zu|tra|gen 1 *tr. 160;* jmdm. etwas z.: etwas zu jmdm. hintragen; *übertr.:* jmdm. etwas (heimlich) mitteilen; **2** *refl. 160* sich ereignen, geschehen; **Zu|trä|ger** *m. 5;* **Zu|trä|ge|rei** *w. 10;* **zu|träg|lich; Zu|träg|lich|keit** *w. 10 nur Ez.*
zu|trau|en *tr. 1;* jmdm. oder sich etwas z.; **Zu|trau|en** *s. Gen. -s nur Ez.;* **zu|trau|lich; Zu|trau|lich|keit** *w. 10 nur Ez.*
zu|tref|fen *intr. 161;* deine Vermutung hat zugetroffen; zutreffende Bezeichnung; **zu|tref|fen|den|falls**
zu|trin|ken *intr. 165;* jmdm. z.
Zu|tritt *m. 1 nur Ez.*
Zu|trunk *m. 2*
zut|schen *intr. 1, mitteldt.:* saugen, lutschen; an etwas z.
zu|tu|lich *Nebenform von* zutunlich; **zu|tun** *tr. 167* **1** hinzutun; **2** schließen; die ganze Nacht kein Auge z.; **3** *schweiz.:* zulegen, kaufen, anschaffen; sich etwas z.; **Zu|tun** *s. Gen. -s nur Ez.;* ohne mein Z.; **zu|tun|lich** zutraulich, entgegenkommend; **Zu|tun|lich|keit** *w. 10 nur Ez.*
zut|zeln *tr. u. intr. 1* = zuzeln
zu|un|guns|ten ► *auch:* **zu Un|guns|ten** *mit Gen.;* er hat sich z. des Käufers verrechnet; zu seinen Ungunsten
zu|un|terst
zu|ver|läs|sig; Zu|ver|läs|sig|keit *w. 10 nur Ez.*
Zu|ver|sicht *w. 10 nur Ez.;* **zu|ver|sicht|lich; Zu|ver|sicht|lich|keit** *w. 10 nur Ez.*

> **zu viel/wenig:** Im Gegensatz zur bisherigen Zusammenschreibung (zuviel, zuwenig) werden jetzt Gefüge aus *zu* und Adjektiv/Adverb getrennt geschrieben: *zu viel Geld, zu viel des Guten, zu wenig Erfolg.* →§ 39 E2 (2.4)

zu|viel ► **zu viel**; das ist zu viel, viel zu viel; zu viel des Guten;

nicht zu viel und nicht zu wenig; zu viel essen, reden; *aber:* ein Zuviel kann mehr schaden als ein Zuwenig
zu|vor; zuvor meine besten Wünsche!; ich habe mich zuvor danach erkundigt, ob…; **zu|vor|derst** ganz vorn; **zu|vör|derst** zuerst; z. möchte ich meinen Dank abstatten; **zu|vor|kom|men** *intr. 71;* jmdm. z.; **zu|vor|kom|mend** liebenswürdig, höflich; **Zu|vor|kom|men|heit** *w. 10 nur Ez.*
zu|vor|tun *tr. 167;* es jmdm. z.: etwas besser als jmd. tun; er tut es mir an Hilfsbereitschaft zuvor, hat es mir zuvorgetan; *aber:* das habe ich noch nie zuvor (= vorher) getan
Zu|waa|ge *w. 11, bayr., österr.:* Knochenzugabe (beim Fleisch)
Zu|wachs *m. Gen.* -es *nur Ez.;* **zu|wach|sen** *intr. 172;* **Zu|wachs|ra|te** *w. 11*
Zu|wan|de|rer, Zu|wand|rer *m. 5;* **zu|wan|dern** *intr. 1;* **Zu|wan|de|rung** *w. 10 nur Ez.*
zu|war|ten *intr. 2, ugs.:* immer weiter warten; jmdn. zuwarten lassen
zu|we|ge ▶ *auch:* **zu We|ge**; etwas zuwege bringen; mit etwas zuwege kommen; er ist noch gut z.: noch recht rüstig
zu|wei|len
zu|wei|sen *tr. 177;* jmdm. etwas z.; **Zu|wei|sung** *w. 10*
zu|wen|den *tr. 178;* **Zu|wen|dung** *w. 10 nur Ez.*
zu|we|nig ▶ **zu we|nig**
zu|wer|fen *tr. 181*
zu|wi|der zuwider sein; das ist mir zuwider; **zu|wi|der|han|deln** *intr. 1;* einer Vorschrift z.; **Zu|wi|der|hand|lung** *w. 10;* **zu|wi|der|lau|fen** *intr. 76;* das läuft meinen Absichten, den Regeln zuwider
zu|win|ken *intr. 1*
zu|zah|len *tr. 1* zusätzlich, mehr zahlen; **zu|zäh|len** *tr. 1* hinzuzählen; **Zu|zah|lung** *w. 10*
zu|zei|ten manchmal, zuweilen; *aber:* zu Zeiten Kaiser Karls
zu|zeln, zut|zeln *tr. u. intr. 1, süddt., österr.:* saugen, lutschen; ein Bonbon, an etwas zuzeln
zu|zie|hen 1 *tr. 187;* den Vorhang z.; sich eine Erkältung z.; **2** *intr. 187, ugs.* den Wohnsitz hierher verlegen, hierher ziehen; wir sind erst zugezogen; **Zu|zug** *m. 2* **1** Zuziehen, Zustrom neuer Einwohner; Z. von außerhalb; **2** *schweiz. auch:* Hilfeleistung; **Zu|zü|ger** *m. 5, schweiz. für* Zuzügler; **Zu|züg|ler** *m. 5, ugs.:* jmd., der zugezogen ist; **zu|züg|lich** wenn man hinzurechnet; *mit Gen. und Artikel:* z. des Fahrpreises, des Portos; *aber ohne Artikel:* z. Fahrpreis, z. Porto
zwa|cken *tr. 1;* zwicken und zwacken
Zwang *m. 2;* **zwän|gen** *tr. 1;* sich in einen überfüllten Wagen z.; **zwang|haft** (z. B. Bewegung); **zwang|los; Zwang|lo|sig|keit** *w. 10 nur Ez.;* **Zwangs|ar|beit** *w. 10;* **Zwangs|ein|wei|sung** *w. 10;* **Zwangs|ent|eig|nung** *w. 10;* **Zwangs|ja|cke** *w. 11;* **Zwangs|la|ge** *w. 11;* **zwangs|läu|fig; Zwangs|läu|fig|keit** *w. 10 nur Ez.;* **Zwangs|maß|nah|me** *w. 11;* **zwangs|ver|stei|gern** *tr. 1, nur im Infinitiv und Passiv;* das Haus wird zwangsversteigert; **Zwangs|ver|stei|ge|rung** *w. 10;* **Zwangs|voll|stre|ckung** *w. 10;* **Zwangs|vor|stel|lung** *w. 10;* **zwangs|wei|se**
zwan|zig 20; vgl. achtzig; **Zwan|zig|mark|schein** *m. 1, mit Ziffern:* 20-Mark-Schein; **Zwan|zig|pfen|nig|mar|ke** *w. 11,* 20-Pfennig-Marke
zwar; er ist zwar klein, aber kräftig; ich habe zwar schon gegessen, aber…; ich werde es Ihnen schicken, und zwar noch heute
Zweck *m. 1;* **Zweck|bau** *m. Gen.* -(e)s *Mz.* -baulten; **zweck|dien|lich; Zweck|dien|lich|keit** *w. 10 nur Ez.*
Zwe|cke *w. 11, kurz für* Reißzwecke; **zwe|cken** *tr. 1;* ein Bild an die Wand z.
zweck|ent|frem|det; die Räume wurden, sind z.; **Zweck|ent|frem|dung** *w. 10 nur Ez.;* **zweck|ent|spre|chend; zweck|ge|bun|den; zweck|los; Zweck|lo|sig|keit** *w. 10 nur Ez.;* **zweck|mä|ßig; Zweck|mä|ßig|keit** *w. 10 nur Ez.;* **zwecks** *mit Gen.;* zwecks besserer Verständigung; **Zweck|satz** *m. 2* = Finalsatz; **Zweck|spa|ren** *s. Gen.* -s *nur Ez.;* **Zweck|ver|band** *m. 2* Zusammenschluss von Unternehmen oder Gemeinden zur Erfüllung bestimmter Zwecke oder Aufgaben; **zweck|wid|rig; Zweck|wid|rig|keit** *w. 10 nur Ez.*
zween *veraltet:* zwei
zwei *Gen.* -er *Dat.* -en; wir, ihr zwei; alle zwei; zwei von ihnen; die Eltern zweier Kinder, zweier kleiner Kinder; ich habe das Geld Zweien geschenkt, *aber:* zwei Kindern geschenkt; zu Zweien, *oder:* zu zweit; *Ableitungen* vgl. acht; **Zwei** *w. 10* **1** die Zahl 2; **2** *als Schulnote:* gut; vgl. Eins; **3** Straßenbahn Linie 2; *Ableitungen und Zus.* vgl. Acht; **zwei|ar|mig**; ein zweiarmiger Leuchter; **Zwei|bei|ner** *m. 5, scherzh.:* Mensch; **zwei|bei|nig; zwei|bet|tig; Zwei|bett|zim|mer** *s. 5;* **Zwei|bund** *m. 2;* **zwei|deu|tig; Zwei|deu|tig|keit** *w. 10;* **zwei|di|men|si|o|nal; Zwei|drit|tel|mehr|heit** *w. 10 nur Ez.;* **zwei|ei|ig**; zweieiige Zwillinge; **zwei|ein|halb,** zwei|und|ein|halb; **Zwei|er** *m. 5* **1** Zweipfennigstück; **2** Autobus Linie 2; **3** *süddt.:* Zahl 2; Schulnote 2; vgl. Zwei; **zwei|fach,** 2fach; **Zwei|fa|mi|li|en|haus** *s. 4;* **zwei|far|big**

> **zweifach/2fach, der Zweite Weltkrieg:** Zusammensetzungen, deren zweiter Bestandteil in dieser Form nicht selbständig vorkommt, schreibt man zusammen: *die zweifache Prüfung* (auch: *die 2fache Prüfung*). →§ 36 (2), § 40 (3)
> Der *Zweite Weltkrieg,* obwohl kein Eigenname, wird als historisches Ereignis großgeschrieben. →§ 64 (4)

Zwei|fel *m. 5*
Zwei|fel|der|wirt|schaft *w. 10 nur Ez.*
zwei|fel|haft; zwei|fel|los; zwei|feln *intr. 1;* ich zweifele, zweifle; **Zwei|fels|fall** *m. 2;* im Z.; **Zwei|fels|fra|ge** *w. 11;* **zwei|fels|frei; zwei|fels|oh|ne** ohne Zweifel; z. hat er gelogen; **Zweif|ler** *m. 5*
zwei|flü|ge|lig, zwei|flüg|lig; **Zwei|flüg|ler** *m. 5* zweiflügeliges Insekt, Diptere; **Zwei|fron|ten|krieg** *m. 1;* **zwei|fü|ßig** mit zwei Versfüßen versehen
Zweig *m. 1*
zwei|ge|schlech|tig *Biol.:* männl. und weibl. Geschlechtsmerkmale zeigend, bisexuell; **Zwei|ge|schlech|tig|keit** *w. 10 nur Ez., Biol.:* zweigeschlechtige

Beschaffenheit, Bisexualität; **Zwei|ge|spann** *s. 1;* **zwei|ge|stri|chen** *Mus.:* vom →eingestrichenen Ton aus eine Oktave höher liegend; zweigestrichenes A
Zweig|ge|schäft *s. 1*
zwei|glei|sig; zwei|glie|de|rig, zwei|glied|rig
Zweig|nie|der|las|sung *w. 10;* **Zweig|stel|le** *w. 11*
Zwei|hän|der *m. 5* = Beidhänder (**2**); **zwei|häu|sig** männl. und weibl. Blüten auf verschiedenen Individuen tragend (Pflanze), diözisch, heterözisch; **Zwei|häu|sig|keit** *w. 10 nur Ez.* zweihäusige Beschaffenheit, Diözie, Heterözie; **Zwei|heit** *w. 10;* **zwei|hun|dert** [auch: -hun-]; **zwei|jäh|rig** zwei Jahre alt, zwei Jahre dauernd; zweijähriges Kind, zweijähriges Studium; **zwei|jähr|lich** alle zwei Jahre; die Ausstellung findet zweijährlich statt; **Zwei|kam|mer|sys|tem** *s. 1;* **Zwei|kampf** *m. 2;* **zwei|keim|blät|te|rig, zwei|keim|blätt|rig** mit zwei Keimblättern versehen; **zwei|mäh|dig**; zweimähdige Wiese: Wiese, die man zweimal jährlich mähen kann; **zwei|mal**; einbis zweimal, *mit Ziffern:* 1- bis 2-mal; *bei besonderer Betonung:* zwei Mal; **zwei|ma|lig; Zwei|mark|stück** *s. 1, mit Ziffer:* 2-Mark-Stück; **Zwei|mas|ter** *m. 5* Segelschiff mit zwei Masten; **zwei|mo|na|tig** zwei Monate alt, zwei Monate dauernd; zweimonatiges Kind, zweimonatiger Lehrgang; **zwei|mo|nat|lich** alle zwei Monate; die Zeitschrift erscheint z.; **Zwei|mo|nats|schrift** *w. 10;* **Zwei|rad; zwei|rä|de|rig, zwei|räd|rig; Zwei|rei|her** *m. 5* Anzug mit zwei Knopfreihen an der Jacke; **zwei|rei|hig**
Zwei|sam|keit *w. 10 nur Ez.* Gemeinschaft zu zweien
zwei|schlä|fe|rig, zwei|schlä|fig, zwei|schläf|rig für zwei Schläfer (Bett, Federbett); **zwei|schnei|dig** auf beiden Seiten geschliffen (Messer); das ist ein zweischneidiges Schwert, *auch:* eine zweischneidige Sache *übertr.:* etwas, das nützen, aber auch schaden kann, *oder:* das für jmdn. in jedem Fall ungünstig verlaufen kann; **zwei|schü|rig**; zweischürige Schafe: Schafe, die man zweimal jährlich scheren kann; **zwei|sei|tig; zwei|sil|big; Zwei|sit|zer** *m. 5* Kraftwagen mit zwei Sitzen; **zwei|sit|zig; zwei|spal|tig** in zwei Spalten; z. gedrucktes Wörterbuch; **Zwei|spän|ner** *m. 5* Wagen, der mit zwei Pferden bespannt wird; **zwei|spän|nig; zwei|spra|chig 1** vom Kindesalter an zwei Sprachen sprechend; z. aufwachsen; **2** in zwei Sprachen abgefasst (Buch); **Zwei|spra|chig|keit** *w. 10 nur Ez.;* **zwei|spu|rig; zwei|stim|mig; zwei|stö|ckig; zwei|stün|dig** zwei Stunden dauernd; zweistündige Sitzung; **zwei|stünd|lich** alle zwei Stunden; die Arznei z. einnehmen; in zweistündlichem Wechsel; **zwei|tä|gig** zwei Tage dauernd; **Zwei|tak|ter** *m. 5;* **Zwei|takt|mo|tor** *m. 13*
zweit|äl|tes|te; Zweit|aus|fer|ti|gung *w. 10* Duplikat; **zweit|bes|te; zwei|te** vgl. achte; **1** *Kleinschreibung:* der zweite Bildungsweg; die zweite Geige; mein zweites Ich; das zweite Gesicht; **2** *Großschreibung:* das kann er wie kein Zweiter; es kommt noch ein Zweites hinzu; Zweites Deutsches Fernsehen (*Abk.:* ZDF); der Zweite Weltkrieg; **zwei|tei|lig; Zwei|tei|lung** *w. 10 nur Ez.;* **zwei|tens; Zweit|fri|sur** *w. 10* modische Perücke; **zweit|klas|sig; zweit|letz|te; zwei|tou|rig** [-tu-]; **zweit|ran|gig; Zweit|schrift** *w. 10* Abschrift, Durchschlag, Kopie; **Zweit|stim|me** *w. 11* die zweite von zwei einem Wähler zur Verfügung stehenden Stimmen; **zwei|tü|rig; Zweit|wa|gen** *m. 7;* **Zweit|woh|nung** *w. 10;* **Zwei|und|drei|ßig|stel** *s. 5, mit Ziffer:* 32stel; **Zwei|und|drei|ßig|stel|no|te** *w. 11;* **Zwei|vier|tel|takt** *m. 1, mit Ziffer:* 2/4-Takt; **zwei|wer|tig; Zwei|zei|ler** *m. 5* Gedicht aus zwei Zeilen; **Zwei|zim|mer|woh|nung** *w. 10, mit Ziffer:* 2-Zimmer-Wohnung; **Zwei|zy|lin|der** *m. 5,* **Zwei|zy|lin|der|mo|tor** *m. 13;* **zwei|zy|lin|drig** *auch:* **zwei|zy|lind|rig,** *mit Ziffer:* 2-zylindrig
zwerch *veraltet:* quer; **Zwerch|fell** *s. 1* Scheidewand zwischen Brust- und Bauchhöhle; **zwerch|fell|er|schüt|ternd** zum Lachen reizend
Zwerg *m. 1;* **Zwerg...** *in Zus.:* sehr klein, von kleiner Rasse; **zwer|gen|haft; Zwerg|huhn** *s. 4;* **zwer|gig; Zwer|gin** *w. 10;* **Zwerg|pin|scher** *m. 5;* **Zwerg|staat** *m. 12;* **Zwerg|volk** *s. 4;* **Zwerg|wuchs** *m. Gen.* -es *nur Ez.*
Zwet|sche, *bayr., schwäb., schweiz.:* **Zwetsch|ge,** *österr.:* **Zwetsch|ke** *w. 11* ein kultiviertes Rosengewächs, Hauspflaume
Zwi|cke *w. 11* Zange; **Zwi|ckel** *m. 5* **1** drei- oder viereckiger Einsatz in Kleidungsstücken; **2** *Baukunst:* dreieckige Fläche; **3** *ugs.:* Kerl; ein sonderbarer, komischer Zwickel; **zwi|cken** *tr. 1;* **Zwi|cker** *m. 5* = Kneifer; **Zwick|müh|le** *w. 11* **1** bestimmte Stellung im Mühlespiel; **2** *übertr.:* Lage, aus der jeder Ausweg unangenehm ist
zwie..., **Zwie...** *in Zus.:* zwei..., Zwei...
Zwie|back *m. 2*
Zwie|bel *w. 11;* **Zwie|bel|fisch** *m. 1, Buchw.:* Buchstabe aus einer falschen Schrift; **Zwie|bel|mus|ter** *s. 5 nur Ez.* ein Muster der Meißner Porzellanmanufaktur; **zwie|beln** *tr. 1, ugs.:* peinigen, quälen, böswillig zu hohe Anforderungen stellen; **Zwie|bel|turm** *m. 2*
zwie|fach zweifach; **Zwie|fa|che(r)** *m. 18 (17)* ein Volkstanz mit Wechsel von zwei- und dreiteiligem Takt; **zwie|ge|näht** (Schuh); **Zwie|ge|sang** *m. 2;* **Zwie|ge|spräch** *s. 1* = Dialog; **Zwie|laut** *m. 1* = Diphthong; **Zwie|licht** *s. 3 nur Ez.;* **zwie|lich|tig** *übertr.:* nicht durchschaubar, anrüchig
Zwie|sel *m. 5 oder w. 11* Gabelung des Baumstamms; gegabelter Baumstamm; **zwie|se|lig,** zwieslig gegabelt, gespalten; **zwie|seln** *refl. 1* sich spalten, sich gabeln
Zwie|spalt *m. 1;* **zwie|späl|tig; Zwie|späl|tig|keit** *w. 10 nur Ez.;* **Zwie|spra|che** *w. 11 nur Ez.;* mit jmdm. *oder* sich Z. halten; **Zwie|tracht** *w. Gen. - nur Ez.;* Z. säen; **zwie|träch|tig**
Zwilch *m. 1* = Zwillich; **zwil|chen** aus Zwilch
Zwil|le *w. 11* kleine Steinschleuder
Zwil|lich, Zwilch *m. 1* grobes Leinengewebe

Zwilling *m. 1;* **Zwillingsbruder** *m. 6;* **Zwillingsforschung** *w. 10 nur Ez.;* **Zwillingsgeburt** *w. 10;* **Zwillingsgeschwister** *nur Mz.;* **Zwillingspaar** *s. 1;* **Zwillingspärchen** *s. 7;* **Zwillingsschwester** *w. 11*
Zwingburg *w. 10;* **Zwinge** *w. 11* **1** Werkzeug zum Einspannen, Festhalten; **2** Metall- oder Gummiring (an Werkzeugen oder Krückstöcken); **zwingen** *tr. 188;* **Zwinger** *m. 5* **1** Gang zwischen äußerer und innerer Burgmauer; **2** Platz für Kampfspiele in der Burg; **3** Käfig, Gehege für wilde Tiere oder Hunde; **Zwingherr** *m. Gen.* -n *oder* -en *Mz.* -en Tyrann; **Zwingherrschaft** *w. 10*
zwinkern *intr. 1;* ich zwinkere, zwinkre
zwirbelig *schweiz.:* schwindelig; **zwirbeln** *tr. 1* zwischen zwei oder drei Fingern drehen; ich zwirbele, zwirble es
Zwirn *m. 1;* **zwirnen 1** *tr. 1* zu Zwirn verarbeiten; **2** *Adj.:* aus Zwirn; **Zwirnerei** *w. 10;* **Zwirnsfaden** *m. 8*
zwischen *mit Dat. oder Akk.;* zwischen den Bäumen stehen; zwischen die Bäume stellen; **Zwischenakt** *m. 1;* **Zwischenbescheid** *m. 1;* **zwischendrin; zwischendurch; Zwischenfall** *m. 2;* **Zwischenglied** *s. 3;* **Zwischenhandel** *m. Gen.* -s *nur Ez.;* **Zwischenhändler** *m. 5;* **zwischenher** zwischendurch; **zwischenhinein** *auch:* **zwischenhinein** *ugs.;* **Zwischenhirn** *s. 1* ein Gehirnabschnitt; **Zwischenlandung** *w. 10;* **Zwischenlösung** *w. 10;* **Zwischenmahlzeit** *w. 10;* **zwischenmenschlich; Zwischenraum** *m. 2;* **Zwischenruf** *m. 1;* **Zwischenrunde** *w. 11, Sport;* **Zwischenspiel** *s. 1;* **zwischenstaatlich; Zwischentext** *m. 1;* **Zwischenträger** *m. 5* jmd., der Äußerungen und Handlungen einer Person einer zweiten berichtet und umgekehrt; **Zwischenträgerei** *w. 10;* **Zwischenwirt** *m. 1* Organismus, in dem ein Schmarotzer nur während eines Entwicklungsabschnittes lebt; **Zwischenzeit** *w. 10;* **zwischenzeitlich** *ugs.*
Zwist *m. 1;* **Zwistigkeit** *w. 10*
zwitschern 1 *intr. 1;* **2** *tr. 1, ugs.;* einen z.: einen Schnaps trinken
Zwitter *m. 5;* **Zwitterbildung** *w. 10;* **Zwitterding** *s. 1;* **zwitterhaft; zwitterig,** zwittrig; **Zwitterwesen** *s. 7*
zwo *(gelegentlich zur besseren Verständigung, z. B. am Telefon)* = zwei
zwölf 12; vgl. acht; es ist fünf Minuten vor zwölf *auch übertr.:* es ist höchste Zeit, das Ende steht bevor; die zwölf Monate; die zwölf Apostel; **Zwölf** *w. 10* die Zahl 12; vgl. Acht; **Zwölfender** *m. 5* **1** Hirsch, dessen Geweih zwölf Enden hat; **2** *Soldatenspr.:* Soldat mit zwölfjähriger Dienstzeit; **Zwölffingerdarm** *m. 2;* **Zwölfflach** *s. 1;* **Zwölfflächner** *m. 5* = Dodekaeder; **Zwölftöner** *m. 5* Vertreter der Zwölftonmusik; **Zwölftonmusik** *w. 10 nur Ez.* atonale Musik, Dodekaphonie
zwote = zweite
z. Wv. *Abk. für* zur Wiedervorlage
Zyan *s. 1 nur Ez., eindeutschende Schreibung von* Cyan; **Zyankali** *s. Gen.* -s *nur Ez.* sehr giftiges Kaliumsalz der Blausäure
Zygäne [griech.] *w. 11* = Blutströpfchen
Zygoma [griech.] *s. Gen.* -s *Mz.* -malta Teil des Gesichtsschädels, Jochbogen
Zyklame *auch:* **Zyklame** *w. 11* = Zyklamen; **Zyklamen** *fachsprachl.:* Cyclamen, *auch:*

> **Zykl-** (Worttrennung): Neben der Trennungsmöglichkeit *Zykl-* kann auch so abgetrennt werden: *Zyk|l-.* → § 108

Zyklamen, Cyclamen *s. 7* [griech.] Alpenveilchen
Zyklen *Mz. von* Zyklus; **Zykliker,** Kykliker *m. 5 Mz.* Gruppe von altgriech. Dichtern, deren Werke zusammen mit der Ilias und Odyssee zu einem Zyklus vereinigt wurden; **zyklisch** in der Art eines Zyklus, regelmäßig wiederkehrend; vgl. cyclisch; **zykloid** kreisförmig; **Zykloide** *w. 11* algebraische Kurve, die von einem Punkt des Halbmessers eines Kreises beschrieben wird, wenn der Kreis auf einer Geraden abrollt
Zyklon [griech.] *m. 1* **1** Wirbelsturm (in den Tropen); **2** Gerät zum Trennen feinkörniger Mineralgemische; **3** ein sehr giftiges Schädlingsbekämpfungsmittel; **Zyklone** *w. 11* Tiefdruckgebiet
Zyklop [griech.] *m. 10, griech. Myth.:* einäugiger Riese; **Zyklopenmauer** *w. 11* frühgeschichtl. Mauer aus unbehauenen, fugenlos gefügten Steinen; **zyklopisch** riesenhaft
zyklothym [griech.] gesellig, aufgeschlossen, rasch die Stimmung wechselnd; **Zyklotron** *s. 1* Gerät zum Beschleunigen geladener Elementarteilchen
Zyklus [griech.-lat.] *m. Gen.* - *Mz.* -klen **1** Kreis, Kreislauf; **2** Reihe, Folge (mehrerer gleichartiger Werke)
Zylinder [griech.-lat.] *m. 5* **1** röhrenförmiger Körper; **2** röhrenförmiger Herrenhut aus Seidensamt; **Zylinderprojektion** *w. 10* eine Kartenprojektion
...zylindrig *auch:* **...zylindrig** *in Zus.,* z. B. sechszylindrig; **zylindrisch** *auch:* **zylindrisch** zylinderförmig
Zyma [griech.] *s. Gen.* -s *Mz.* -malta Gärstoff, Hefe; **Zymase** *w. 11* Zucker vergärendes Enzym(gemisch)
Zymbal [griech.-lat.], Zimbal *s. 1 oder s. 9,* Zimbel *w. 11* **1** Schlaginstrument, Vorläufer des Beckens; **2** Glockenspiel
zymisch [griech.] auf Gärung beruhend; **Zymologie** *w. 11 nur Ez.* Lehre von der Gärung; **zymotisch** Gärung bewirkend
Zynegetik *auch:* **Zynegetik** [griech.] *w. 10 nur Ez.* = Kynegetik
Zyniker [griech.] *m. 5* zynischer Mensch; vgl. Kyniker; **zynisch** bissig-spöttisch, verletzend-frech; **Zynismus** *m. Gen.* - *Mz.* -men verletzender, bissiger, pietätloser Spott
Zypergras [griech.] *s. 4* ein Sauergras
Zypern, Cypern Inselstaat im Mittelmeer
Zypresse *auch:* **Zypresse** [griech.] *w. 11* ein Nadelbaum bes. der Mittelmeerländer
Zypriot *auch:* **Zypriot** *m. 10* Einwohner von Zypern; **zypriotisch** *auch:* **zypriotisch**
zyrillisch = kyrillisch
Zyste [griech.] *w. 11* **1** mit Flüssigkeit gefüllte Geschwulst; **2** *bei niederen Tieren:* derbhülliges Gewebe zur Überdauerung

► = wird zu

bzw. Fortpflanzung; **Zys|te|in** *s. 1 nur Ez., eindeutschende Schreibung von* Cystein; **Zys|tin** *s. 1 nur Ez., eindeutschende Schreibung von* Cystin; **Zys|tis** *w. Gen. - Mz.*-ten Blase, Harnblase; **zys|tisch** blasenartig; **Zys|ti|tis** *w. Gen. - Mz.*-ti|ti|den Blasenentzündung; **Zys|to|skop** *auch:* **Zys|tos|kop** *s. 1* Gerät zum Untersuchen der Harnblase, Blasenspiegel; **Zys|to|sko|pie** *auch:* **Zys|tos|ko|pie** *w. 11* Untersuchung mit dem Zystoskop; **Zys|to|sto|mie** *auch:* **Zys|tos|to|mie** *w. 11* Anlegen einer Blasenfistel; **Zys|to|to|mie** *w. 11* Blasenschnitt

Zy|to|blast [griech.] *m. 10* Zellkern; **zy|to|gen** *Biol.:* von einer Zelle gebildet; **Zy|to|lo|gie** *w. 11 nur Ez.* Lehre von den Zellen; **zy|to|lo|gisch; Zy|to|ly|se** *w. 11* Auflösung der Zelle; **Zy|to|plas|ma** *s. Gen.*-s *Mz.*-men Zellplasma; **Zy|to|som** *s. 1;* **Zy|to|so|ma** *s. Gen.*-s *Mz.*-ma|ta Zellkörper; **Zy|to|sta|ti|kum** *auch:* **Zy|tos|ta|ti|kum** *s. Gen.*-s *Mz.*-ka das Wachstum der Zellen (bes. der Krebszellen) hemmendes Arzneimittel; **zy|to|sta|tisch** *auch:* **zy|tos|ta|tisch; Zy|to|stom** *auch:* **Zy|tos|tom** *s. 1,* **Zy|to|sto|ma** *auch:* **Zy|tos|to|ma** *s. Gen.*-s *Mz.*-ma|ta Zellmund (der Einzeller); **Zy|to|to|xin** *s. 1* Zellgift

z. Z., z. Zt. *Abk. für* zur Zeit